2°
4°
6°
8°
10°
50°
48°
46°
44°
42°
9°
Calais
ESCAUT
Dunkerque
Boulogne-sur-Mer
Lille
BELG
PAS-DE-CALAIS
ARTOIS
FLANDRE
Arras
NORD
SOMME
Dieppe
Amiens
St. Quentin
AISNE
PICARDIE
Beauvais
Compiègne
Laon
OISE
Soissons
Senlis
ILE-DE-FRANCE
PARIS
Versailles
Meaux
SEINE-ET-OISE
SEINE-ET-MARNE
Melun
Fontainebleau
Reims
Châlons-sur-Marne
MARNE
CHAMPAGNE
MEUSE
Verdun
Bar-le-Duc
Metz
MOSELLE
LORRAINE
MEURTHE-ET-MOSELLE
Nancy
BAS-RHIN
Strasbourg
ALSACE
RHIN
E
Nogent Sur-Seine
Troyes
AUBE
SEINE
MARNE
HTE MARNE
Chaumont
VOSGES
Epinal
Colmar
HAUT RHIN
Châteaudun
Sens
YONNE
Auxerre
LOIRET
Orléans
Langres
Vesoul
Belfort
Blois
LOIR-ET-CHER
LOIRE
CÔTE-D'OR
HTE-SAÔNE
FRANCHE-COMTÉ
TERRITOIRE DE BELFORT
Dijon
Besançon
DOUBS
CHER
Bourges
NIVERNAIS
NIÈVRE
Nevers
Beaune
BOURGOGNE
SAÔNE
Autun
Pontarlier
SUISSE
INDRE
BERRY
Châteauroux
JURA
Lons-le-Saunier
LÉMAN
SAÔNE-ET-LOIRE
Moulins
ALLIER
BOURBONNAIS
Mâcon
Bourg-en-Bresse
HTE SAVOIE
Guéret
CREUSE
MARCHE
Vichy
RHÔNE
Roanne
AIN
Annecy
SAVOIE
Clermont-Ferrand
LYONNAIS
LOIRE
Lyon
Aix-les-Bains
Chambéry
PUY-DE-DÔME
Vienne
LIMOUSIN
CORRÈZE
Issoire
St. Étienne
ISÈRE
SAVOIE
ITALIE
AUVERGNE
Tulle
Brioude
Grenoble
Brive-la-Gaillarde
CANTAL
HTE-LOIRE
Le Puy
Briançon
Aurillac
Valence
DAUPHINÉ
Privas
DRÔME
HTES-ALPES
Gap
LOT
LOZÈRE
ARDÈCHE
Mende
Rodez
RHÔNE
Nyons
AVEYRON
VAUCLUSE
Digne
ALPES-MARITIMES
Montauban
Millau
Ales
GARD
Orange
Avignon
ALPES DE HTE-PROVENCE
Albi
Nîmes
Tarascon
PROVENCE
Nice
MONACO
TARN
Arles
Montpellier
Draguignan
Cannes
Bastia
HÉRAULT
BOUCHES-DU-RHÔNE
Aix-en-Provence
VAR
LANGUEDOC
Carcassonne
AUDE
Sète
Béziers
Marseille
CORSE
Toulon
Foix
AUDE
Narbonne
CORSE
Ajaccio
ARIÈGE
ROUSSILLON
Perpignan
PYRÉNÉES-ORIENTALES
MER MÉDITERRANÉE
ANDORRE
2°
4°
6°
9°

KB009638

MINJUNG' S

ÉTUDE

DICTIONNAIRE FRANÇAIS-CORÉEN

에뛰드 불한사전

이휘영 편저
박시현 증보

사전전문
민중서림

머 리 말

우리나라에서 맨 처음 간행된 프랑스어 사전은 1960년 초에 이휘영선생님께서 펴내신 ≪신불한 소사전≫이다. 선생님께서 그 사전의 머리말을 통해 밝히셨듯이 해방 후 황무지나 다름없는 어려운 여건 속에서 학생들에게 프랑스어를 가르치시던 선생님께서는 사전의 필요성을 절감하셨다. 당시 일본어판이 아니면 영어로 된 사전을 참조할 수밖에 없었던 딱한 형편을 못내 아쉬워하셨던 선생님께서는 각고의 노력 끝에 최초의 불한사전을 펴내신 것이다.

어떤 분야에서건 새로운 길을 개척하는 사람은 무거운 짐을 혼자서 짊어지고 가야 하는 것이 숙명처럼 되어 있다고 했던가? 선생님께서는 이 어려운 일을 기꺼이 떠맡으셨으며 소사전에 이어 1983년에는 ≪엣센스 불한사전≫을 세상에 내 놓으셨으니 이 사전은 오랫동안 프랑스어 학습자들의 친근한 벗이 되어 왔다. 그러나 시대의 변천과 함께 언어도 변모하고 한국에 있어서의 프랑스어 학습의 지형도 크게 바뀌어 기존 사전의 개정뿐만 아니라 새로운 사전의 출현이 절실하게 요청되어 온 것도 사실이다.

중사전과 소사전의 중간 판형인 포켓형 사전으로서 휴대하기에 편리하여 언제 어디서나 이용할 수 있는 장점을 가진 학습사전을 편찬하였으면 하는 생각을 늘 가져오던 차에 민중서림에서 ≪에튀드(étude) 불한사전≫을 간행하게 되어 다행스럽게 여기며 편자의 자격으로 참여하게 되었으니 큰 영광이 아닐 수 없다. 특히 이 사전은 처음 프랑스어를 익히려는 고등학생들과 기초과목으로 프랑스어를 이수하는 대학생들을 대상으로 새롭게 편찬되었다. 우리는 각 표제어에 대한 학습효과를 높이기 위해 다음의 몇 가지 점에 주의를 기울였다.

첫째, 가능한 충분한 어휘와 전문어와 신어를 추가했고, 인터넷 용어나 시사 용어 등 글로벌 시대를 반영하는 어휘들을 풍부하게 수록했고 그에 맞는 정확한 해설을 덧붙였다. 또한 어휘의 이해를 돕기 위해 대표적인 어의만 간략하게 보여주었다.

둘째, 어휘를 문맥 속에서 그 의미를 파악하도록 많은 용례를 들었고 일상적인 용례를 제시하여 실생활의 활용도를 높였다. 또한 어의 뒤에 동의어와 반의어를 적절히 삽입하여 어휘끼리의 유기적인 의미를 부각시켰다.

셋째, 어휘에 대한 문법적 기술을 보완하기 위해 동사를 비롯한 기능어에 대한 상세한 구문상의 정보와 문형을 제시하였다. 또한 많은 접두어 · 접미어를 제시하여 파생어의 형성과 그에 따른 의미의 확대를 보여 주었다.

처음 이 사전을 기획할 때는 이휘영선생님께서 만드신 ≪엣센스 불한사전≫을 모태로 그 내용의 절반가량만 취택하여 학습용 사전을 만들고자 하였다. 그러나 막상 일을 시작하여 표제어 선정 및 기술상의 면에서 많은 문제점이 발생하였고 결국 골격은 중사전 체제를 따르되 학습사전에 알맞도록 전면적인 개편과 손질을 가하게 되어 전혀 다른 모습의 사전이 탄생하게 되었다.

상당한 기간 교단에서 학생들에게 불어를 가르쳐 온 사람으로서 편자는 나름대로 효과적인 불어학습방법을 찾는 노력을 하고 있는 터에 이 사전의 간행에 참여하게 되어 그 동안의 교육 경험을 살리고자 하였다. 그러나 일을 마치고 난 시점에서 돌이켜보니 여러 가지 아쉬운 점이 많다. 뿐더러 생각지도 못한 과오와 실수가 발견되지 않을까 하는 걱정이 앞서면서 이 사전을 이용하는 여러분의 값진 지적과 질책을 겸허히 받아들이려고 한다. 아울러 앞으로 기회가 생길 때마다 개정에 힘써 이 사전이 그야말로 학생 여러분의 가장 믿음직스럽고 친근한 사전으로 오래 남도록 최선을 다할 것을 약속드린다.

끝으로 이휘영선생님의 영전에 이 사전을 바치면서 선생님의 허락도 받지 않고 감히 공동편자의 자격으로 이름을 올리게 된 것을 심히 죄송스러워하는 동시에 큰 영광으로 생각한다. 또한 혹시라도 선생님께서 사전에 관해 품으셨던 큰 뜻에 누를 끼쳐 드리는 일이 아니기를 바라는 마음 간절하다.

2009년 정초에 박시현

〈주요 참고 문헌〉

Émile Littré : *Dictionnaire de la langue française*, 7 vol, 1863-1873.

Larousse du XXe siècle, 6 vol., 1928-1933, suppl., 1953.

Adolphe Hatzfeld, Arsène Darmesteter et Antoine Thomas : *Dictionnaire général de la langue française du commencement du XVIIe siècle jusqu'à nos jours*, 2 vol., 1890-1900.

Paul Robert : *Dictionnaire alphabétique et analogique de la langue française*, 6 vol., 1953-1964, suppl., 1970.

Grand Larousse de la langue française, 7 vol., 1971-1978.

J. E. Mansion : *Harrap's Standard French and English Dictionary*, 2 vol., 1934 (part one), 1939(part two).

모델 불한중사전, 한국 불어불문학회편, 삼화출판사, 1988.

프라임 불한중사전, 동아출판사, 1998.

Petit Dictionnaire de la Langue Française, Larousse, 1987.

Le Micro-Robert Poche, Dictionnaires Le Robert, 1988.

〈집필자〉

이휘영(전 서울대 교수)

박시현(한국외국어대 교수, 파리 7 대학 언어학 박사)

일 러 두 기

이 사전에는 프랑스어의 일반 어구 이외에, 널리 쓰이는 고유 명사 · 약자 · 접두사 · 접미사 · 복합형 및 외래어 등을, 원칙적으로 모두 ABC 순으로 수록하였다.

1. 표제어

(1) 모든 표제어는 볼드체 활자로 표시하였다.

(2) 대명동사로만 쓰이는 동사나 반드시 관사 · 전치사 등을 동반하는 단어가 표제어가 될 경우에는 재귀 대명사 se 또는 관사 · 전치사 등을 ( ) 안에 넣어 표제어 뒤에 덧붙였다.

보기: **convenir (se)** → ***se convenir***
ecrire (s') → ***s'écrire***
Antilles (les) → ***les Antilles***
jeun (à) → ***à jeun***
redresse (à la) → ***à la redresse***

(3) 같은 철자(綴字)로서 어원을 달리하는 표제어는 각각 따로 내세우고, 오른쪽 어깨에 ^{1}, ^{2}, ^{3}, … 의 작은 숫자를 붙였다.

보기: **suivant^1, suivant^2, e**
fraise^1, fraise^2, fraise^3, fraise^4

(4) 한 단어로서 그 일부의 철자를 달리할 수 있는 경우에는 병기(並記)하되, 보다 일반적인 것을 앞에 내세웠다. 이때 생략 괄호 ( )나 대체 괄호 〔 〕를 써서 간단히 나타낼 경우도 있다. 이 경우에, ( ) 안의 문자는 있는 것으로 쳐서 어순(語順)을 잡아 배열하였다.

보기: **enfournage** [ɑ̃fuʀnaːʒ], **enfournement** [ɑ̃fuʀnəmɑ̃] *m.*
abolition(n)isme [abɔlisjɔnism] *m.* → ***abolitionnisme, abolitionisme***
sur(-)place [syʀplas] *m.* → ***sur-place, surplace***

(5) 표제어가 복합어일 경우에는 trait d'union(연결선)(-)을 질렀다.

보기: **moi-meme**

(6) h로 시작되는 단어에 있어서, h가 유성(有聲)일 때는 그 앞에 † 표를 붙였다.

보기: **†hache** [aʃ]

(7) 중요한 단어 6,000 어 중 기본 단어에는 그 앞에 ⁑를 붙이고, 그 나머지에는 * 표를 붙여 학습의 편의를 도모하였다.

보기: **⁑eau, *victoire**

2. 어미 변화

(1) 표제어에서 성(性) · 수(數)에 따라 어미(語尾)가 변화하는 것은, 변화하는 부분만을 원형 다음에 열기(列記)하였다.

보기: **actuel, elle** → 남성형 ***actuel,*** 여성형 ***actuelle***
importun, e → 남성형 ***importun,*** 여성형 ***importune***
routier, ère → 남성형 ***routier,*** 여성형 ***routiere***
danseur, euse → 남성형 ***dandeur,*** 여성형 ***danseuse***
collectif, ive → 남성형 ***collectif,*** 여성형 ***collective***
observateur, trice → 남성형 ***observateur,*** 여성형 ***observatrice***
principal, e, aux → 남성형 ***principal,*** 여성형 ***principale,***
남성복수형 ***principaux***

(2) 단수형 뒤에 s를 붙여서 복수형을 만드는 것 및 s, x, z로 끝나는 명사는 복수형의 표시를 생략하였으나, 불규칙적으로 변화하는 경우, s가 붙는 것이 오히려 예외적인 경우, 복수형을 알기 어려운 합성어 및 두 가지 이상의 복수형이 있는 경우에는 특히 이것을 밝혔다.

보기: **peau** [po] *f.* (*pl.* **~x**)…
recital [ʀesital] *m.* (*pl.* **~s**)…
face-à-main [fasamɛ̃] *m.* (*pl.* **~s-~-~**)…

dandy [dɑ̃di] *m.* (*pl.* **~s, -ies**)...

(3) 남성형 또는 여성형 밖에 없는 형용사 및 변화하지 않는 형용사는 다음과 같이 표시하였다.

보기: **vairon...** *adj. m.*

aliquote... *adj. f.*

garance... *adj.* 《불변》

(4) 복수형이 단수형과 같은 꼴인 경우에는 《복수불변》이라는 약어로 품사 뒤에 표시하고, 복수형이 없을 경우에는 품사 위에 《복수없음》으로 명기하였다.

보기: **passe-temps...** *m.* 《복수불변》

bein-être... *m.* 《복수없음》

3. 발 음

(1) 발음은 표제어 다음에 국제 음표 문자(國際音標文字)를 써서 [ ] 안에 표시하였다. 필요에 의하여 용례 중에서 발음을 보인 경우에는 마찬가지로 이에 따랐다.

(2) 약자(略字)는 특별하게 읽는 경우에 한해서 발음을 표시하였다.

보기: **RAM** [ʀam]

(3) 두 가지 이상의 발음이 있을 경우에는 보다 일반적인 것을 앞에 두었으며, 생략 괄호 ( )나 대체 괄호 〔 〕를 써서 간단히 나타낸 경우도 있다.

보기: **yacht** [jɔt, 《옛》 jak(t)] → [jɔt], [jak], [jakt]

nation [na〔ɑ〕sjɔ̃] → [nasjɔ̃], [nɑsjɔ̃]

모음 조화(母音調和)에 의한 발음도 〔 〕 안에 표시하였다.

보기: **mairie** [mɛ〔e〕ʀi]

(4) 발음이 공통된 부분을 가지고 있을 경우에는 그 공통 부분을 생략하고, 연결선으로 표시하였다.

보기: **étranger, ère** [etʀɑ̃ʒe, -ɛːʀ] → [etʀɑ̃ʒe, etʀɑ̃ʒɛːʀ]

(5) 표제어에 덧붙은 대명사·관사·전치사 등의 발음은 표제어 발음 앞에 포함시켰다.

보기: **resigner (se)** [səʀeziɲe]

(6) 같은 철자를 가진 표제어가 두 개 이상 계속될 경우에 발음이 같으면, 되풀이하여 표시하지 않고 뒤의 것을 생략하였다.

보기: **affecter**[1] [afɛkte] *v.t.*

affecter[2] *v.t.*

(7) 두 개 이상의 표제어가 병기되어 있을 경우에, 발음이 다르면 각 말의 다음에 낱낱이 표시하고, 발음이 같으면 뒤의 단어에만 표시하였다.

보기: **façonnage** [fasɔnaːʒ], **façonnement** [fasɔnmɑ̃]

tupaïa, tupaja [typaja]

(8) 표제어가 성(性)·수(數)에 따라 변화하는 경우에, 그 부분의 발음이 달라지면 한 [ ] 안에 표시하였다.

보기: **égal, e, aux** [egal, -o] → ***égal*** [egal], ***égale*** [egal], ***égaux*** [ego]

rond-de-cuir [ʀɔ̃dkiːʀ] *m.* (*pl.* **~s-~-~**) → ***rond-de-cuir*** 와 ***ronds-de-cuir*** 의 발음은 다같이 [ʀɔ̃dkiːʀ]

4. 외래어 표기

표제어가 외래어인 경우에는 그 발음을 표시한 다음 〔 〕 괄호 안에 그 국적을 표시하였다.

보기: **ad hoc** [adɔk] 〔라틴〕, **sport** [spɔːʀ] 〔영〕(= 영어), **piccolo** [pikɔlo] 〔이탈리아〕

5. 어의(語義) 풀이

(1) 한 표제어가 여러 개의 품사를 내포할 경우에는 ── 기호를 사용하여 구별하였다.

(2) 어의가 다양할 경우에는, ① ② ③ …으로 대별하였으며, 그들 속에서 다시 ⓐ ⓑ ⓒ, ..., 1) 2) 3) …으로 세분하였다. 또, 필요에 따라 Ⓐ Ⓑ Ⓒ …로 가장 크게 분류한 경우도 있다.

보기: **prendre...** *v.t.* Ⓐ 《주어: qn》 ① … ② ⓐ … ⓑ … ⓒ … ③ … Ⓑ 《주어: qc》 ① …

(3) 어의가 한 개 이상일 경우에, 각 어의가 비슷하면 (,)로, 다르면 (;)로 구분하였다.

(4) 어의를 명확하게 하기 위하여 동사의 목적 보어, 형용사의 피수식어, 명사의 보어 따위를 ( ) 안에 표시하였다.

보기: **débarquer** [...] *v.t.* ① (짐을) 부리다, 양륙하다 ; (승객을) 상륙〔하선·하차〕시키다.

haut, e [...] *adj.* ① 높은 ; (물이) 깊은 ; (바다가) 파도가 높은.

(5) 역어의 이해를 돕기 위하여, 역어 뒤의 《 》 안에 그 보충 설명을 넣었다.

보기: **napalm** [...] *m.* 【화학】 네이팜《소이탄 제조용》…

(6) 동사 · 형용사가 필요로 하는 전치사 등 어법과 구문을 역어에 앞서 《 》 안에 보였다.

보기: **présumer**... *v.t.* 추정하다, 추측하다 ; 《~ qn+형용사》 …을 …라고 생각하다 ; 《~ que》 …라고 생각하다, … — *v.t. ind.* 《~ de》 …을 과대평가하다, ...

fertile... *adj.* ① 기름진 … ② (창의력 · 화제가) 풍부한. ③ 《~ en》 …이 많은 :

(7) 문법과 관용상 주의할 사항을 역어 앞의 《 》 안에 보였다.

보기: **promouvoir** [...] *v.t.* 《수동태와 복합시제에만 쓰임. 과거분사: promu》 ① …

(8) 역어 앞의 《 》 안에 그 경우의 쓰임 · 용법을 표기하였다.

보기: **tintouin** [...] *m.* ① 《옛》 이명, 귀울음. ② 《구어》 법석, 소란(= vacarme).

(9) 표제어와 역어의 사용 분야를 나타내는 전문어 · 학술어 표시는 역어 앞의 【 】 안에 보였다.

보기: **ventricule** [...] *m.* ① 【해부】 실(室) ; 심실 ; 뇌실. ② 【동물】 ~ succenturie (새의)

(10) 표제어의 관용적 용례나 성구(成句)는 이탤릭 고딕체 활자를 써서 ABC 순으로 들었다. 이 경우에 같은 뜻의 성구를 둘 이상 병기할 때는 그 사이에 (;)를 넣었다.

보기: **passion** [...] 〔…〕 *f.* ① 정념 ; 정열... ⑦ (la *P*~) 【종교】 그리스도의 수난 ; … ***aimer** qn **à la ~*** …을 열정적으로 사랑하다. ***avoir la ~ de*** qc 〔de+*inf.*〕 …을〔하기를〕 몹시 좋아하다. ***juger de*** qn 〔qc〕 ***avec ~*** …을 편견을 가지고 판단하다. ...

billet [...] *m.* ① 짤막한 편지, 쪽지 … ⑥ (신문의) 짤막한 시사란〔기사〕 … ***~ d'aller ; ~ simple*** 편도 차표. ***~ d'aller et retour ; ~ de retour*** 왕복 차표.

(11) 각 영어의 용례는 명조체 활자로 표시하되, 역어와의 사이에 (:)를 두었으며, 용례가 두 개 이상일 경우에는 용례 사이에 (/)를 질렀다.

보기: **température** [...] *f.* ① 기온 ; 기후 ; 온도 : ~ ambiante 주위 온도 / ~ maximum 〔minimum〕 diurne 낮 최고〔최저〕 온도.

6. 동의어 · 반의어의 표시

동의어는 해당어의 풀이 직후의 ( )안에 = 표로, 반의어는 ≠ 표로 각각 표시하였다. 또 유사한 뜻이나 연관성을 가진 것은 ⇒ 표로 표시하였다.

7. 동사 변화 유형의 지시

aimer, finir 형의 규칙 변화를 하는 동사를 제외한 모든 동사에 대해서는 [26] 처럼 권말동사 변화표의 해당 변화 유형 번호를 표시해서 그 변화를 지시하였다. [3-6] 처럼 표시된 것은 하나의 동사가 3 번 및 6 번의 두 가지 유형에 걸쳐서 변화함을 나타내고, [4·5] 처럼 표시된 것은 하나의 동사가 4 번 변화형 또는 5 번 변화형을 따름을 나타낸다.

8. 여러 가지 기호

[ ]	발음 표시
( )	(1) 생략 가능한 글자나 어귀의 표시 (2) 특정 주어나 보어 등의 지칭
<	파생 관계를 표시
〔 〕	교체 가능성의 표시
《 》	문법과 관용상 주의할 사항을 보일 때
【 】	학술어 · 전문어 표시
〔 〕	어원 표시
《 》	뜻풀이의 보충적 설명이나 간략한 정보의 표시
~	예문, 예구 속에 인용되는 표제어를 대신하는 기호
—	동일 표제어가 또 다른 품사나, 품사의 하위 유형으로 사용됨을 표시함
(=)	동의어 표시
(≠)	반의어 표시
⇒	참고 표시
*	기본어 표시
†	유음 h의 표시

발 음 해 설

한 마디로 프랑스어의 발음이라 하여도 일정하지 않다. 프랑스의 각 지방에 특유한 방언 — 이 속에는 파리의 뒷골목에서 쓰이는 사투리도 들어간다 — 을 제외하고, 정칙적인 프랑스에 국한하더라도, 적어도 네 가지의 계층(étages)이 구별된다 : 1) 가족이나 친한 사이끼리의 일상적이고 평속적인 담화. 2) 격식을 차린 자리에서의 조심스러운 이야기, 문학적인 아닌 보통 문장을 읽는 법. 3) 강연이나 설교. 4) 시의 낭독이나 국립 극장에서의 고전극의 대사.

이 네 가지는 각각의 경우에 따라 사용되어야 하지만 이중 3) 4)는 특별한 경우이므로, 이 사전에서는 2)에 속하는「교양 있는 파리 사람 사이에서 conversation ≪soignée≫에 상용되는 발음」을 중심으로 하였다(필요에 따라 1)의 발음을 《俗》이라 하고, 또 뒷골목의 사투리를 《卑》라 표기하였다). 여기에 기재되지 않은 것이 모두 좋지 않은 발음이라고 단정할 수 없으나,「여기에 표기된 발음에 근거를 두는 한 실수를 범하지 않을 것」이라 할 수 있으며, 특히 우리들 외국인에게는 이와 같은 표준을 밝히는 것이 우선적으로 긴요하다고 생각하였기 때문이다.

다음에 국제 음표 문자를 사용하여 현대 프랑스어의 성음 조직을, 조음의 입장에서 음성학적으로 약술한다.

Ⅰ. **모음 Voyelles** (16) 날숨이 구강(口腔)에서만 공명하는 ≪구강 모음≫ voyelles orales과 콧속의 공명을 수반하는 ≪비모음(鼻母音)≫ v. nasales이 있다.

1. 구강 모음 (12) 혀의 앞면이 경구개(硬口蓋)에 가까이 가는 것을 ≪전설 모음(前舌母音≫ v. antérieures 또는 ≪경구개 모음≫ v. palatales, 혀의 뒷면이 연구개(軟口蓋)에 가까이 가는 것을 ≪후설 모음(後舌母音≫ v. postérieures 또는 ≪연구개 모음≫ v. vélaires 라 부른다. 앞엣것은 그 조음(調音)에서 입술의 오므림과 내밂을 수반하지 않고, 뒤엣것은 그것을 수반한다. 전설 모음이면서 후설 모음처럼 입술의 오므림과 내밂을 수반하는 것을 ≪전설 원순(前舌圓脣)모음≫ v. antérieures arrondies 또는 ≪복합(複合) 모음≫ v. composées라 부른다. 이 세 개의 계열은 날숨의 통로의 ≪개구도(開口度)≫ aperture의 대소에 따라 음색을 달리하는 네 가지씩의 음을 포함한다. 1) 전설(비(非)원순) 모음 [i] [e] [ɛ] [a]; 2) 전설 원순 모음 [y] [ø] [ə] [œ]; 3) 후설(원순) 모음 [u] [o] [ɔ] [ɑ]. 이것을 그림으로 나타내면 대체로 다음과 같다.

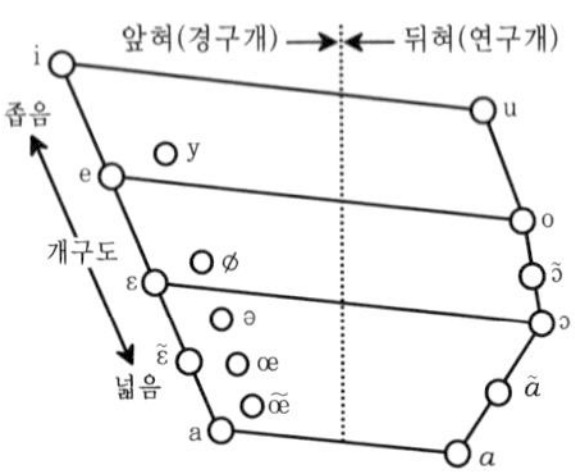

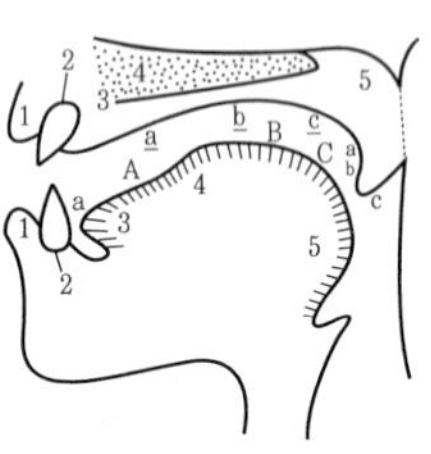

위턱: 1. 윗입술 2. 윗니. 3. 잇몸. 4. 경구개(*a.* 앞부분, *b.* 가운데 부분, *c.* 뒷부분). 5. 연구개(a. 앞부분, b. 뒷부분, c. 목젖).

아래턱: 1. 아랫입술. 2. 아랫니. 3. 혀앞(a. 혀끝). 4. 혓바닥(A. 앞 혀. B. 가운데 혀. C. 뒤 혀). 5. 혀뿌리.

〔주〕[ə]는 악센트를 받지 않으며 (받으면 [ø]), 앞의 자음을 받들어 줄 필요가 없는 한 떨어져 나간다 : une petite fille [ynpətitfij] / la petite fille [laptitfij] (시의 낭독에서는 보존된다).

프랑스어의 모음의 특징은 조음 기관의 긴장도가 크다는 점이다. ≪긴장 모음≫ v. tendues 이므로 이중 모음이 되지 않는다. 또 전설 모음과 후설 모음이 뚜렷이 대립되어 있으며, 중설 모음이 없다.

2. 비모음 (4) 혀와 입술을 구강 모음 [ɛ] [œ] [ɔ] [ɑ] 와 거의 비슷한 위치에 유지하면서 코로도 숨을 내쉬면 비모음 [ɛ̃] [œ̃] [ɔ̃] [ɑ̃] 이 된다([˜]는 ≪비음성(鼻音性)≫ nasalité 를 나타낸다).

Ⅱ. 반자음(半字音) **semi-consonnes** (3) ≪반모음≫ semi-voyelles 이라고도 부른다. 협(狹)모음 [i] [y] [u] 가 앞뒤의 모음([ə] 를 제외함)과 한 음절로 발음되는 경우, 그렇지 않아도 좁은 통로가 더 좁혀져서 그 순간 마찰음을 낸다. 독립성이 없는 짧은 자음(마찰음)과 다를 바 없다. 이것을 각각 [j] [ɥ] [w] 로 나타낸다.

[j] *yeux, ciel* — 가운데 혓바닥이 경구개의 가운데 부분에 접근하여 ≪협착≫ constriction을 이룬다.

[ɥ] *huit, nuée* — 가운데 혓바닥이 경구개의 가운데 부분에 접근하여 협착을 이룸과 동시에 아래위 양 입술에서도 이중으로 조음된다.

[w] *oui, ouest* — 뒤 혀가 연구개 앞 부분에 접근하여 협착을 이룸과 동시에 아래위 양입술에서도 이중으로 조음된다.

Ⅲ. 자음 consonnes (17) 날숨이 구강으로 나오는가 코 안으로 나오는가에 따라 ≪구강 자음≫ c. orales 과 ≪비자음≫ c. nasales 로 구별된다. 구강의 통로가 밀폐된 것을 ≪폐쇄음≫ occlusives, 통로가 좁혀지는 것을 ≪협착음≫ constrictives 라 부른다. 성대가 떨리는 ≪유성음≫ sonores와 떨리지 않는 ≪무성음≫ sourdes가 있다.

〔주〕 프랑스에서는 ≪유음(流音)≫ liquides([l] 과 [ʀ] 를 일괄하여 부름)와 비자음은 보통 유성임. 동화에 따라 무성화(無聲化)하여도 유성음과 음운(音韻)으로서 대립하지 않으므로 이 사전에서는 무성화를 표기하지 않았다.

1. 구강 자음(14)

a. 폐쇄음 (6) 통로를 한때 밀폐한 다음 갑자기 열면, 구강 안에 갇혀졌던 날숨이 파열음을 발한다(그때에 독일어나 영어와 같이 기음(氣音)을 수반하지 않음). ≪순간음≫ momentanées 이다.

양순음(兩脣音)	bilabiales	무성 [p] *père* 유성 [b] *bon*	아래위 두 입술로 폐쇄한다.
설단치음(舌端齒音)	apico-dentales	무성 [t] *tête* 유성 [d] *dire*	혀끝을 위의 앞니 뒤에 댄다 (영어에서는 잇몸에 댄다).
후설 후부구개음	postdorso-post-palato-vélaires	무성 [k] *cas* 유성 [g] *goût*	뒤 혀를 입천장에 대고 폐쇄를 이룬다.

〔주〕 [k] [g] 의 조음점(點)은 다음에 오는 모음에 따라 움직인다 : [i] [e] [ɛ] [y] 앞에서는 후부(後部) 경구개음, [a] [ɑ] 앞에서는 전부(前部) 연구개음, [o] [ɔ] [u] 앞에서는 후부 연구개음이 된다.

b. 협착음 (8) 구강의 한 가운데서 협착을 이루는 ≪중앙음(中央音)≫ médianes 와 그곳을 폐쇄하여 측면으로 날숨을 흘려 내보내는 ≪측음≫ latérales이 있다. ≪계속음≫ continues이다.

1) 중앙음 (7) : 날숨이 좁은 통로를 마찰하므로 ≪마찰음≫ fricatives, spirantes라 한다.

순치음	labiodentales	무성 [f] *fou* 유성 [v] *vent*	아랫입술이 위의 앞니 끝에 대해서 협착을 이룬다.
전설치음	prédorso-dentales	무성 [s] sou 유성 [z] maison	혀끝이 위의 앞니 뒤에 대해서 협착을 이룬다.
전설전부 경구개음	prédorso-prépalatales	무성 [ʃ] *chat* 유성 [ʒ] *jour*	혀끝이 경구개 앞 부분에 대해서 협착을 이루고 입술이 돌출한다.
후설후부 구개음	postdorso-post-palato-vélaire	유성 [ʀ] Paris	혀 뒤쪽이 올라가 구개 뒤쪽과 협착을 이루고 목젖이 혀 뒤쪽에 닿는다.

〔주 1〕 파리의 r 는 마찰음 [ʁ] 라 한다. 조음점은 [k] [g] 와 마찬가지로 다음 모음에 따라 이동한다. 목젖이나 혀끝이 떨리는 것을 ≪전음(顫音)≫ vibrantes라 하고 [ʀ] 와 [r] 로 나타내는

데, 이들의 변종(變種)은 모두 지방적〔개인적 · 문체적〕 차이에 지나지 않으며 뜻은 같다. 이 사전에서는 편의상 [ʁ] [r]를 쓰지 않고 [ʀ]로 표기하였다.

〔주 2〕 r가 리듬 단락의 첫머리에 오는 경우와 -rr- 로 철자된 경우에는 약간 길게 강하게 발음된다.

〔주 3〕 ≪협착음≫ [θ] [x] [ʎ], ≪반폐쇄음≫ [ts] [dz] [tʃ] [dʒ]는 외래어〔차용어〕에만 나타난다.

〔주 4〕 현대 프랑스어(방언 제외)의 음체계에 [h]는 속하지 않는다. 다만 감탄사(hola !)나 정의적(情意的)인 표현(je le *h*ais !)에 나타날 수 있다. 즉 h aspiré, h muet 는 소리로서는 모두 〔제로〕이다. 다만, h asiré (표제어에 † 를 붙임)는 그룹 안에서 liaison 및 élision 을 막는 점에서 자음과 같은 취급을 받는다.

2) 측음 (1): {유성 [l] *l*ong.} 혀끝이 위의 앞니 뒤와 잇몸에 밀착하고, 날숨은 혀의 양쪽으로 흘러나간다.

〔주〕 에스파냐어 계통의 외래〔외국〕어에 [ʎ](앞 혀와 경구개가 밀착하는 유성 측음)가 나타난다.

2. 비자음 (3)

양순음 bilabiale {유성 [m] *m*ur} 아래위의 입술로 폐쇄를 이룬다(조음점은 [b] 와 같음).

설첨치음 apico-dentale {유성 [n] *n*on} 혀끝을 위의 앞니 뒤에 댄다(조음점은 [d]와 같음).

중설중부 médiodorso-
경구개음 médiopalatale {유성 [ɲ] ag*n*eau} 중설면을 경구개의 가운데 부분에 댄다.

〔주〕 [k] [g]와 같은 조음역(域)을 가진 비자음 [ŋ]이 영어로부터의 외래어 (-ing)와 함께 최근에 퍼지고 있다.

경음과 연음 [p] [t] [k] [f] [s] [ʃ]는, [b] [d] [g] [v] [z] [ʒ]에 비해서 조음 기관의 긴장도가 크므로 ≪경음≫(fortes)이라 부르고, 뒤엣것을 ≪연음≫(douces)이라 부른다. 프랑스어에서는 무성음은 경음, 유성음은 연음인 것이 원칙이나, 무성음이 유성음과 접촉하여 유성화하고도 경음의 성질을 잃지 않을 경우(보기: anecdote [anɛk̬dɔt], un cheval [œ̃ʃ̬val] — [̬]는 유성화를 나타냄)와, 반대로 유성음이 무성음과 접촉하여 무성화하고도 연음에 머무는 경우(보기: médecin [mɛd̥sɛ̃], un passage charmant [œ̃pɑsaːʒ̊ʃaʀmɑ̃] — [̥, ˚]는 무성화를 나타냄)가 있다. 이와 같은 sonorité 만에 관한 부분적 동화는 이 사전에서는 표기를 하지 않았다. anecdote 를 [anɛgdɔt], médecin 을 [mɛtsɛ̃]이라 발음하면 안 된다.

〔주〕 자음에 계속되는 [ʀ] [l]도 휴지(休止)에서 무성화하지만(maître [mɛtʀ̥], table [tabl̥]), 표기하지 않았다.

모음조화 프랑스어를 자연스럽게 말할 경우엔 악센트를 받은 협모음 [i] [y](및 [e])가 악센트를 받지 않는 광(廣)모음 [ɛ]의 음색을 [e]로 동화하는 현상을 ≪모음조화≫ harmonisation vocalique라 한다. 이 사전에서는 이것을 〔 〕 안에 넣어 밝혔다 : bêtise [bɛ〔e〕tiːz], aimer [ɛ〔e〕me].

〔주〕 모음조화는 항상 일어난다고는 할 수 없다. 유추가 반대로 작용하는 경우(bête [bɛt], j'aime [ʒɛm]의 유추가 bêtise [bɛtiːz], aimer [ɛme]의 [ɛ]를 유지하려고) 모음조화를 방해하는 일이 있다.

발음 기호표

음표 문자	단 어	발 음
a	ami	ami
ɑ	passé	pɑse
ɑ̃	ensemble	ɑ̃sɑ̃:bl
b	bal	bal
d	danse	dɑ̃:s
e	éternel	etɛʀnɛl
ə	le	lə
ɛ	lait	lɛ
ɛ̃	vin	vɛ̃
f	fantastique	fɑ̃tastik
g	garde	gaʀd
i	il	il
j	yeux	jø
k	colonel	kɔlɔnɛl
l	long	lɔ̃
m	madame	madam
n	néon	neɔ̃
ɲ	ignorant	iɲɔʀɑ̃
o	côte	ko:t
ɔ	cote	kɔt
ɔ̃	conte	kɔ̃:t
œ	heureux	œʀø
œ̃	un	œ̃
ø	peu	pø
p	papa	papa
ʀ	riche	ʀiʃ
s	savant	savɑ̃
ʃ	chic	ʃik
t	table	tabl
u	ouvrage	uvʀa:ʒ
v	valeur	valœ:ʀ
w	oui	wi
y	pur	py:ʀ
ɥ	huit	ɥit
z	zéro	zeʀo
ʒ	jamais	ʒamɛ
:	âme	ɑ:m

약 어 표

adj.	adjectif 형용사
adj. dém.	adjectif démonstratif 지시 형용사
adj. f.	adjectif féminin 여성 형용사
adj. indéf.	adjectif indéfini 부정 형용사
adj. interr.	adjectif interrogatif 의문 형용사
adj. invar.	adjectif invariable 여성 및 복수 불변의 형용사
adj. m.	adjectif masculin 남성 형용사
adj. num.	adjectif numéral 수형용사
adj. poss.	adjectif possessif 소유 형용사
adv.	adverbe 부사
adv. interr.	adverbe interrogatif 의문 부사
art.	article 관사
art. déf.	article défini 정관사
art. indéf.	article indéfini 부정관사
cond.	conditionnel 조건법
conj.	conjonction 접속사
impers.	impersonnel 비인칭의
ind.	indicatif 직설법
dnf.	infinitif 부정법
interj.	interjection 간투사
invar.	invariable 불변화의
loc. adj.	locution adjective 형용사구
loc. adv.	locution adverbiale 부사구
loc. conj.	locution conjonctive 접속사구
loc. prép.	locution prépositionnelle 전치사구
n.	nom 명사
f.	nom féminin 여성 명사
m.	nom masculin 남성 명사
n.pr.f.	nom propre féminin 여성 고유 명사
n.pr.m.	nom propre masculin 남성 고유 명사
part. pass.	participe passé 과거 분사
part. prés.	participe présent 현재 분사
pl.	pluriel 복수, 복수의
préf.	préfixe 접두사
prép.	préposition 전치사
pron.	pronom 대명사
pron. dém.	pronom démonstratif 지시 대명사
pron. indéf.	pronom indéfini 부정 대명사
pron. interr.	pronom interrogatif 의문 대명사
pron. pers.	pronom personnel 인칭 대명사
pron. poss.	pronom possessif 소유 대명사
pron. rel.	pronom relatif 관계 대명사
qc	quelque chose 어떤 것, 무엇인가
qn	quelqu'un 어떤 사람, 누군가
sing.	singulier 단수, 단수의
sub.	subjonctif 접속법
suff.	suffix 접미사
v. aux.	verbe auxiliaire 조동사
v.i.	verbe intransitif 자동사
v. impers.	verbe impersonnel 비인칭 동사
v. pr.	verbe pronominal 대명 동사
v.t.	verbe transitif (direct) (직접) 타동사
v.t. ind.	verbe transitif indirect 간접 타동사

A

A¹, a¹ [a, ɑ] *m.* ① 프랑스 자모의 제 1 자. ② 〖음악〗 가음(音), 가조(調). ***de* 〔*depuis*〕 *A jusqu'à Z*** 처음부터 끝까지, 완전히. ***ne savoir ni A ni B*** 낫 놓고 ㄱ자도 모르다. ***prouver par A+B*** [paʀaplysbe] 《구어》 수학적으로 정확히 증명하다.

A² 《약자》 ① ampère 〖전기〗 암페어. ② argon 〖화학〗 아르곤.

a² [a] avoir 의 직설 · 현재 · 3 · 단수.

a- 《모음자, 무음 h 앞에서는 **an-** [an]》 *préf.* 「결여(缺如) · 부정(否定)」의 뜻.

‡à [a] *prép.* 《à+le = **au**, à+les = **aux**》 Ⓐ 《à+명사〔대명사〕》 ① 《장소》 …에(서), …의 지점에(서) : être *à* la maison 집에 있다 / Il vit *à* Séoul. 그는 서울에 산다.
② 《시간》 …에, …때에 : *à* sept heures 7시에 / *à* mon retour 내가 돌아왔을 때에 / *à* ses cris 그의 외침을 듣고 / Nous sommes *au* mois de mars. 3 월이다.
③ 《방향》 ⓐ 《공간적》 …에, …으로, …에게로 : aller *à* l'école 학교에 가다 / tourner *à* gauche 왼쪽으로 돌다 / voyage *à* Paris 파리 여행. ⓑ 《시간적》 …에, …까지 : du matin *au* soir 아침부터 저녁까지 / *À* demain! 내일 (만납시다) / recevoir de 2 *à* 4 heures, 2 시부터 4 시까지 면회에 응하다. ⓒ 《어림수》 …내지 : quatre *à* six personnes 4 명 내지 6 명 / cinq *à* 〔ou〕 six heures 5 시 또는 6 시.
④ 《동사의 제 2 목적보어 · 간접목적보어》 …에게(서) ; …에 : donner qc *à* qn …을 …에게 주다 / acheter qc *à* qn …을 …에게서 사다 / disputer qc *à* qn …와 …을 다투다. penser *à* qn …을 생각하다 / se mettre *au* travail 일에 착수하다.
⑤ 《동사의 상황보어 : 원인 · 결과 · 정도 · 수단 · 방법 · 상태 · 특징 · 소속 · 값 따위》 : aimer *à* la folie 미칠 만큼 사랑하다 / *à* ma surprise 놀랍게도 / blesser *à* mort 치명상을 입히다 / coudre *à* la machine 재봉틀로 바느질하다 / Je l'ai reconnu *à* sa voix. 나는 목소리로 그라는 걸 알았다 / nager *à* la chienne 개처럼 헤엄치다 / parler *à* la légère 경솔하게 말하다 / Nous l'avons fait *à* deux. 우린 둘이서 그 일을 했다 / Ce livre est *à* lui. 이 책은 그의 것이다 / louer une maison *à* l'année 일 년 계약으로 집을 세주다 / Je vous le fais *à* 5 francs. 나는 당신에게 이것을 5 프랑에 팔겠다.
⑥ 《명사의 보어 : 용도 · 동력 · 특징 · 소속 따위》 tasse *à* café 커피 잔 / machine *à* laver 세탁기 / homme au chapeau 모자를 쓴 남자 / café *au* lait 밀크 커피 / J'ai de l'argent *à* moi. 나는 내 돈이 있다.
⑦ 《형용사의 보어》 fidèle *à* son parole 약속에 충실한 / obéissant *aux* lois 법을 지키는 / nuisible *à* la santé 건강에 해로운.
⑧ 《부사의 보어》 conformément *à* la loi 법에 따라 / contrairement *à* mon habitude 나의 습관과는 반대로.
⑨ 《-à-》 mot *à* mot 한마디 한마디 (충실하게) / pas *à* pas 한걸음씩 / tête *à* tête 마주보고 / dos *à* dos 등을 맞대고.
⑩ …에 의하면〔따르면〕 : *à* ce qu'il affirme 그가 단언하는 바에 의하면 / Il y est allé *à* ce qu'il paraît. 그는 거기에 간 것 같다.
⑪ 《동작주》 mangé *aux* vers 벌레에 먹힌 / Faites prendre ce remède *au* malade. 병자에게 이 약을 먹이시오 / Il entend chanter cette chanson *à* sa sœur. 그는 그의 누이가 노래 부르는 소리를 듣는다.
⑫ 《être와 함께 사용되는 특수한 경우》 ⓐ 《의무》 C'est *à* vous de décider. 당신이 결정해야 합니다. ⓑ 《순서》 C'est *à* vous à parler. 당신이 말할 차례입니다. ⓒ 《경쟁》 C'est *à* qui courra le plus vite. 서로 다투어 제일 빨리 달리려고 한다. ⓓ C'est bien aimable *à* vous de m'inviter. 초대해 주셔서 대단히 감사합니다.
Ⓑ 《à+*inf.*》 ① 《내용상의 주어》 Il me reste *à* finir le travail. 이제는 일을 끝마쳐야겠다.
② 《동사+à+*inf.*》 ⓐ 《직접 · 간접목적보어》 aimer *à* lire 독서하기를 좋아하다 / apprendre *à* nager 수영을 배우다 / avoir *à* faire qc 어떤 일을 해야 하다 / donner *à* manger à qn …에게 먹을 것을 주다 / arriver *à* faire qc …을 하기에 이르다. ⓑ 《상황보어》 Il courait *à* perdre haleine. 그는 숨이 끊어질 듯이 달리고 있었다 / Il gèle *à* pierre fendre. 돌이라도 쪼갤 듯이 추위가 심하다. ⓒ 《être+à+*inf.*》 …하고 있다 : Il est *à* travailler. 그는 일하고 있는 중이다.
③ …해야〔할 만〕하다 : Il est *à* plaindre. 그는 불쌍한 사람이다 / Il est *à* noter que … …을 주의할 필요가 있다 / La maison est *à* vendre. 그 집은 팔 집이다 / C'était *à* s'y tromper. 그건 착각을 일으킬 만했다.
④ 《명사+à+*inf.*》 maison *à* louer 셋집 / machine *à* coudre 재봉틀 / domestique *à* tout faire 잡역 하인 / brouillard *à* couper au couteau 칼로 자를 만한 짙은 안개 / règle *à* observer 지켜야 할 규칙 / vent *à* écorner les bœufs 쇠뿔이라도 꺾어 버릴듯이 강하게 부는 바람 / son plaisir *à* nous revoir 우리를 다시 만나는 그의 기쁨.
⑤ 《형용사+à+*inf.*》 Je suis prêt *à* vous dire la vérité. 언제든지 사실대로 말씀드릴 용의가 있습니다 / agréable *à* entendre 듣기 좋은 / bon *à* boire 음료에 적합한 / être long *à* faire qc …하는 데 시간이 오래 걸리

A

다 / Vous êtes le premier *à* le remarquer. 당신은 누구보다 먼저 그 점을 보셨습니다. ⑥ ⓐ …하는 것에〔하는 데〕: avoir〔trouver〕du plaisir *à* faire qc …을 하는 데 기쁨을 느끼다 / Je l'ai pris *à* voler des fruits. 과일을 훔치는 현장에서 나는 그를 잡았다 / Qu'est-ce que tu as *à* pleurer ainsi? 이렇게 울고 있다니 무슨 일인가? ⓑ《수단》gagner de l'argent *à* faire qc …을 해서 돈을 벌다. ⓒ《원인 · 조건 · 양보》*À* vivre ainsi vous abîmez la santé. 그런 생활을 하니까 건강을 해칩니다 / *À* les en croire, pas une âme n'aurait survécu. 그들의 말을 믿는다면, 한 사람도 살아남지 못한 것 같다 / *à* franchement parler 솔직히 말하자면 /Sais-tu qu'on n'acquiert rien de bon *à* me fâcher? 나를 화나게 해도 아무런 소득이 없다는 걸 아는가?

abaissant, e [abɛsɑ̃, -ɑ̃:t] *adj.* 품위를 떨어뜨리는, 굴욕적인.

abaissement [abɛsmɑ̃] *m.* ① 낮추기, 내리기, 저하, 하락: ~ du store 블라인드를 내리기/ ~ du pouvoir d'achat 구매력 저하. ② 쇠퇴; 비굴, 굴욕; 타락.

***abaisser** [abɛ〔e〕se] *v.t.* ① 낮추다(= baisser), 내리다, 숙이다: ~ les yeux sur qc …을 내려다보다 / ~ une vitre 창문을 내리다. ② 줄이다, 인하〔경감〕하다(= diminuer); (세력 따위를) 꺾다: ~ le prix 빵값을 내리다 / ~ les impôts 세금을 경감하다 / ~ la vanité 자만심을 꺾다. ③《~ qn》ⓐ 깎아내리다, 꺾다: Il cherche à ~ ses adversaires. 그는 적수들을 꺾으려고 애쓴다. ⓑ …의 품위를 떨어뜨리다, 비굴하게 만들다 (= humilier): La douleur〔misère〕*abaisse* l'homme. 고통〔빈곤〕은 인간을 비굴하게 만든다. ── **s'~** *v.pr.* ① 내리다, 낮아지다: Le rideau *s'abaisse.* 막이 내린다. ② 줄다, 인하되다: La taxe *s'est abaissée.* 세금〔요금〕이 내렸다. ③ 자신을 낮추다, 겸손해지다. ④ 비굴하게 굴다(= s'avilir):《s'~ à qc》Il ne faut pas *s'~ à* des mensonges. 거짓말 하는 따위의 비굴한 짓을 해서는 안 된다 /《s'~ à〔jusqu'à〕+ *inf.*》Il *s'abaisse à*〔*jusqu'à*〕lui adresser la parole. 그는 비굴하게도 그에게 말을 건넨다.

abandon** [abɑ̃dɔ̃] *m.* ① ⓐ 버림, 유기(遺棄); 포기, 단념(= renonciation), 기권: ~ de poste 직무 유기 / ~ d'un droit 권리의 포기. ⓑ 양도(= cession); (내)맡김: ~ d'un enfant à la société de secours 구호단체에 어린아이를 맡기기. ② 버림받음, 고독. ③ 자연스러움, 신뢰, 안심: parler avec ~ 탁 터놓고 이야기하다. ④ (신에게) 자기를 내맡김, 신종(信從). ***~ de soi-même 자기희생, 헌신. ***à l'~*** 되는대로.

***abandonner** [abɑ̃dɔne] *v.t.* ① 버리다, 유기하다(≠ reprendre): ~ une situation sociale 사회적 지위를 버리다 / ~ ses enfants 자식들을 버리다. ② 포기하다;〖스포츠〗기권하다: ~ la lutte 싸움을 포기〔단념〕하다. ③ (장소를) 떠나다(= quitter): Il *abandonne* Paris pour se fixer en province. 그는 시골에 정착하려고 파리를 떠난다. ④ 소홀히 하다, 저버리다;《구어》(애인을) 차 버리다(= lâcher): ~ ses devoirs 의무를 저버리다. ⑤《~ qc à qn》…을 …에게 물려주다(= livrer, céder); …을 …에게 (내)맡기다: ~ sa fortune *à* qn …에게 자기 재산을 물려주다 / Il *abandonne* toujours *aux* autres le soin de prendre une décision. 그는 결정하는 일을 언제나 남에게 맡긴다. ── **s'~** *v.pr.* ①《s'~ à》…에 빠져들다(= succomber): 마음껏 …하다: *s'~ à* la débauche 방탕에 빠지다 / *s'~ à* la joie 마음껏 즐기다. ② 전의를 잃다, 의기소침하다: équipe qui *s'abandonne* 전의를 잃은 팀. ③ 옷차림〔몸가짐〕을 아무렇게나〔자연스럽게〕하다. ④ 마음속을 털어놓다.

abaque [abak] *m.* ① 주판식 계산 기구; 계산 도표. ②〖건축〗(원기둥의) 머리판.

abasourdir [abazuʀdi:ʀ] *v.t.* ① 귀를 멍하게 만들다(= étourdir). ② 깜짝 놀라게 하다, 아연실색하게 하다: Cette nouvelle m'*a abasourdi.* 그 소식에 나는 아연실색했다.

abasourdissant, e [abazuʀdisɑ̃, -ɑ̃:t] *adj.* 귀가 멍해지는; 정신이 아찔해지는: nouvelle *~e* 청천벽력 같은 소식.

abat[1] [aba] *m.* ① (비 · 우박 따위가) 세차게 쏟아짐: pluie d'~ 격렬한 소나기. ② (*pl.*) 허드렛고기;〖요리〗내장.

abat[2] abattre 의 직설 · 현재 · 3 · 단수.

abâtardir [abɑtaʀdi:ʀ] *v.t.* ① (종족 따위를) 퇴화시키다. ② 타락시키다(= avilir). ── **s'~** *v.pr.* ① 퇴화하다(= dégénerer). ② 타락하다.

abâtardissement [abɑtaʀdismɑ̃] *m.* 퇴화; 쇠미, 쇠퇴; 타락.

abat-jour [abaʒu:ʀ] *m.*《복수불변》① 전등갓, 차양; 모자의 챙. ② 천창(天窓), 광창.

abattage [abata:ʒ] *m.* ① 쓰러뜨리기, 베어 넘기기: ~ d'arbres 벌목. ②〖광업〗채굴. ③ 도살. ④《구어》활기, 박력(= brio, entrain). ***avoir de l'~***《구어》배우가 열연하다.

abattant, e [abatɑ̃, -ɑ̃:t] *adj.* 짓누르는 듯한: chaleur *~e* 무더위. ── *m.* ① (책상 따위의) 날개판, 뚜껑. ② 회전식 광창(光窓).

abattement [abatmɑ̃] *m.* ① 쇠약; 낙담(= dépression), 의기소침. ② 할인, (세금의) 공제(= déduction): ~ de base 기초 공제.

abatteur [abatœ:ʀ] *m.* ① 쓰러뜨리는 사람. ② 채굴 광부. ③ 도살자. ***grand ~ de besogne***〔***de travail***〕일 잘하는 사람.

abattis [abati] *m. pl.* 가금의 허드렛고기《머리 · 다리 · 내장 따위》;《속어》팔다리. ***Numérote***〔***Tu peux numéroter***〕***tes ~!***《속어》팔다리가 성한지 살펴봐라.

abattoir [abatwa:ʀ] *m.* 도살장.

abattre** [abatʀ] 45 *v.t.* ① 쓰러〔넘어〕뜨리다; 무너뜨리다(= renverser); (비행기 따위를) 떨어뜨리다; 잘라 버리다; 내리우다(= abaisser): ~ le mur 담을 헐다 / ~ un arbre 나무를 베어 넘어뜨리다. ②《구어》(일 따위를) 시원스레 해치우다: Il *abattait* à lui seul le travail de dix journaliers. 그는 혼자서 10 사람 몫의 일을 해치우는 것이었다. ③〖카드놀이〗~ ses cartes〔son jeu〕자기 패를 상대편에게 보이다. ④ 도살하다; 때려〔쏘아〕죽이다: ~ un bandit 불한당을 사살하다. ⑤ 타도하다: ~ un adversaire politique 정적을 제거하다. ⑥ 쇠약〔피로〕하게 하다(=épuiser) : La fièvre l'*a abattu.* 열 때문에 그는 쇠약해졌다. ⑦ (세력·자존심 따위를) 꺾다 : ~ l'orgueil 오만을 꺾다. ⑧ 낙담시키다(=décourager) : Ne vous laissez pas ~! 낙심하지 마시오! ***~ ses cartes 〔***son jeu***〕 자기 패를 보여 주다 ; (적을 위협하기 위해) 자기 수를 드러내 보이다. ── **s'~** *v.pr.* ① 쓰러지다, 무너지다. ② 낙심〔낙담〕하다. ③ (열이) 내리다, (바람이) 자다. ④《s'~ sur》…에 달려들다. ⑤ 쏟아지다.

abattu, e** [abaty] *adj.* ① 쓰러진 ; 〖항공〗 격추된. ② 낙담한(=découragé) : visage ~ 의기소침한 얼굴. ③ 쇠약한(=faible). ***à bride ~e 전속력으로.

abat-vent [abavɑ̃] *m.* 《복수불변》 차양 ; (굴뚝의) 바람막이. 「의, 수도원장의.

abbatial, e, aux [abasjal, -o] *adj.* 수도원

abbaye [abe(j)i] *f.* 수도원 (건물). ***A~ de Monte-à-regret*** 《옛》 교수대, 단두대.

abbé [abe] *m.* ① 수도원장. ② 신부, 사제(=prêtre) : Monsieur l'~ 신부님.

abbesse [abɛs] *f.* 수녀원장.

abc [abese], **abcd** [abesede] *m.* 《복수불변》 ① 알파벳, 자모. ② 초보, 입문 : ~ du métier 직업의 기초 지식. ③ 입문서.

abcès [apsɛ] *m.* 〖의학〗 종기, 농양.

abdication [abdikɑsjɔ̃] *f.* ① (왕의 자리를) 물려줌, 양위, 퇴위 ; 사직. ② 포기, 단념.

abdiquer [abdike] *v.t.* ① ⓐ (왕의 자리를) 물려주다 : ~ le trône 〔la couronne〕 양위하다. ⓑ (고위직을) 사임하다 : ~ le consultat 영사직을 사임하다. ② 포기〔단념〕하다(=abandonner ; ≠ garder) : ~ son autorité 자기의 권위를 버리다. ── *v.i.* ① 양위〔퇴위〕하다 ; 사임하다. ② 굴복하다 ; 포기〔단념〕하다.

abdomen [abdɔmɛn] 〔라틴〕 *m.* 〖해부·동물〗 배 ; 복부(=ventre) ; 《구어》 배때기.

abdominal, e, aux [abdɔminal, -o] *adj.* 〖해부·동물〗 배의, 복부의 : respiration *~e* 복식호흡. ── *m.pl.* 복부 근육(=muscles *~aux*).

abécédaire [abesedɛːʀ] *m.* ① ABC〔초보〕 독본. ② 초보책, 입문서.

***abeille** [abɛj] *f.* 〖곤충〗 꿀벌 : ~ reine 여왕벌 / ~ neutre 〔travailleuse〕 일벌 / essaim d'*~s* 벌떼 / élevage d'*~s* 양봉 / Il a été piqué par une ~. 그는 벌에 쏘였다.

***aberrant, e** [abɛʀɑ̃, -ɑ̃ːt] *adj.* ① 양식〔논리〕에서 벗어난 ; 그릇된 : conduite *~e* 엉뚱한 행동. ② 〖생물〗 비정상적인 : larve *~e* 비정상적인 유충.

aberration [abɛʀɑsjɔ̃] *f.* 잘못된 생각, 망상 ; 탈선 ; 착오 ; (정신) 착란(=folie) : C'est une véritable ~. 그것은 정말 정도에서 벗어난 것이다.

abêtir [abɛ(e)tiːʀ] *v.t.* 어리석게 만들다 : La télévision *abêtit* les enfants. 텔레비전은 아이들을 바보로 만든다. ── **s'~** *v.pr.* 어리석어지다, 바보가 되다.

abêtissement [abɛ(e)tismɑ̃] *m.* 어리석게 하기〔되기〕 ; 미련함, 어리석음.

abhorrer [abɔʀe] *v.t.* 몹시 미워〔싫어〕하다, (= détester, exécrer), 증오〔혐오〕하다 : Il *abhorre* le mensonge. 그는 거짓말은 질색이다. ── **s'~** *v.pr.* ① 자기를 혐오하다. ② 서로 미워하다.

-abilité *suff.* 「가능성·적응성」의 뜻.

abîme [abim] *m.* ① 심연, 깊은 구렁(=gouffre) : *~s* de l'enfer 지옥의 구렁. ② 심해. ③ 파탄, 파멸(=ruine) : être sur le bord de l'~ 파멸〔파탄〕 상태에 이르다. ④ 무한 ; 극치. ⑤ 심한 분열〔간격〕 : Un ~ s'est creusé entre le père et le fils. 아버지와 아들 사이가 크게 갈라졌다. ⑥ 신비, 수수께끼(=mystère). ***un ~ de*** (+추상명사) 엄청난, 굉장한 : *un ~ de* science 박식한 사람 / Cet homme est *un ~ d'*égoïsme. 그 사람은 지독한 이기주의자다.

***abîmer** [abime] *v.t.* ① 《~ qc》 …을 상하게 하다, 망가뜨리다 : Le transport *a abîmé* le colis. 짐이 운송 중에 망가졌다. ② 《~ qn》 …을 빠뜨리다 ; 파멸시키다 ; 《구어》 신랄히 비난하다, 혹평하다 ; …에게 심한 상처를 입히다 : Le jeu l'*a abîmé.* 그는 도박으로 파산했다. ── **s'~** *v.pr.* ① 상하다, 망가지다 : Ce tissu *s'abîme* facilement. 이 옷감은 쉽게 상한다. ② 잠기다 ; 빠져들다 : *s'~* dans ses pensées 생각에 깊이 잠기다.

abject, e [abʒɛkt] *adj.* 비열한, 비굴한, 비천한 : sentiments *~s* 비천한 감정.

abjection [abʒɛksjɔ̃] *f.* ① 비열, 비굴, 비천(=avilissement ; ≠ noblesse) : vivre dans l'~ 비천하게 살다. ② 비천한 행동〔신분〕.

abjuration [abʒyʀɑsjɔ̃] *f.* (종교·주의·사상 따위의) 공식적인 포기 ; 개종(改宗).

abjurer [abʒyʀe] *v.t.* ① (종교를) 선서하여 버리다 ; 《목적보어 없이》 개종하다. ② (의견·주의 따위를) 공공연히 포기하다 : ~ son erreur 잘못된 생각을 버리다. ── *v.i.* 종교를 버리다, 개종하다.

ablatif, ive [ablatif, -iːv] 〖문법〗 *m.* 탈격(奪格). ── *adj.* 탈격의.

ablation [ablɑsjɔ̃] *f.* 〖외과〗 (신장·종기 따위의) 절제(切除).

able [abl] *m.* 〖어류〗 잉어속(屬).

-able *suff.* 「가능한·성질이 있는」의 뜻.

ablette [ablɛt] *f.* 〖어류〗 잉어속(屬)의 일종.

ablution [ablysjɔ̃] *f.* ① 〖가톨릭〗 (영성체 전후에 사제 손가락의) 세정 ; (세정에 쓰이는) 물과 포도주. ② (*pl.*) 목욕. ***faire ses ~s*** 목욕하다.

abnégation [abnegɑsjɔ̃] *f.* 희생 ; 자기희생, 헌신(=sacrifice) : ~ de soi 자기희생.

aboi [abwa] *m.pl.* ① 개 짖는 소리. ② 궁지, 곤경. ***être aux ~s*** 곤경에 빠져 있다. ***mettre*** qn ***aux ~s*** …을 궁지에 몰아넣다.

aboiement, aboîment [abwamɑ̃] *m.* ① 개 짖는 소리 : pousser un ~ (개가) 짖다. ② (*pl.*) 《구어》 난폭한 말, 울부짖음.

abolir [abɔliːʀ] *v.t.* ① 폐지〔폐기〕하다 : ~ la peine de mort 사형 제도를 폐지하다. ② 파괴하다, 없애다. ── **s'~** *v.pr.* 폐지〔폐기〕되다 ; 없어지다.

abolition [abɔlisjɔ̃] *f.* ① 폐지, 폐기, 취소 : ~ d'une loi 법의 폐기. ② 《옛》 〖법률〗 사면 : lettre d'~ 사면장. ③ 정지, 소멸.

abolitionnisme [abɔlisjɔnism] *m.* 노예〔사형〕 제도 폐지론 ; 관세 폐지론.

abolitionniste [abɔlisjɔnist] *adj.* 노예〔사

A

형) 제도 폐지론의, 관세 폐지론의. — *m.* 노예〔사형〕 제도 폐지론자, 관세 폐지론자.

***abominable** [abɔminabl] *adj.* ① 밉살스러운, 가증스러운(=détestable), 흉악한 : un crime ~ 흉악한 범죄. ② 아주 나쁜, 고약한(=exécrable) ; 추악한 : temps ~ 고약한 날씨 / 《~ avec qn》 Il a été ~ *avec* ses parents. 그는 부모에게 못되게 굴었다.

abominablement [abɔminabləmɑ̃] *adv.* 밉살스럽게, 지독히 ; 매우 서투르게.

abomination [abɔminɑsjɔ̃] *f.* 가증스러운 언동 ; 증오 ; 혐오 : avoir qc〔qn〕 en ~ …을 몹시 싫어하다 / dire des ~*s* 끔찍한 말을 하다.

abominer [abɔmine] *v.t.* 몹시 싫어하다.

abondamment [abɔ̃damɑ̃] *adv.* 많이, 풍부하게 ; 폭넓게 : Servez-vous ~. 마음껏 드세요 / Il a ~ traité la question. 그는 그 문제를 폭 넓게 다루었다.

abondance** [abɔ̃dɑ̃:s] *f.* ① 많음, 풍부〔풍성·풍요〕함 : année d'~ 풍년 / ~ de la récolte 풍작. ② 풍부한 자력, 부유 : vivre dans l'~ 부유하게 살다. ③ 풍부한 착상 ; 풍부〔화려〕한 표현 ; 능변. ④ 《구어》 물을 많이 탄 술. ***~ du cœur 심정의 토로. ***en ~*** 숱하게, 아주 많이. ***parler avec ~*** 거침없이 말하다. ***parler d'~*** 즉흥적으로 말하다.

***abondant, e** [abɔ̃dɑ̃, -ɑ̃:t] *adj.* ① 많은, 숱한, 푸짐한, 풍부한 ; 《~ en qc》 …이 많은 : pays ~ *en* vin 포도주가 많이 나는 고장〔나라〕 / moisson ~*e* 많은 수확. ② 착상이 풍부한 ; 표현이 화려한 ; 구변 좋은 : imagination ~*e* 풍부한 상상력.

abonder [abɔ̃de] *v.i.* 많이 있다(≠ manquer), 풍부하다(=foisonner) : Les fruits *abondent* sur le marché. 시장에 과일이 많다. — *v.t. ind* 《~ en》 …이 많다 : Cette région *abonde en* fruits. 이 지방에는 과일이 많다. ***~ dans le sens de*** qn …와 전적으로 같은 의견이다. ***~ dans son sens*** 제 의견을 고집하다.

abonné, e [abɔne] *n.* ① (신문·잡지의) 예약 구독자. ② (전화의) 가입자 ; (전기·수도·가스의) 수요자 : liste des ~*s* du téléphone 전화번호부. ③ (철도·극장의) 정기권 소지자. — *adj.* 예약〔가입·구독〕을 한. ***être ~ à*** qc 《구어》 맡아 놓고 …하다.

abonnement [abɔnmɑ̃] *m.* ① (잡지·신문의) 구독 신청 ; (전화의) 가입. ② (철도·극장의) 정기권(=carte d'~). ***prendre un ~ à*** qc …을 정기 구독〔예약〕하다.

abonner [abɔne] *v.t.* 《~ qn à qc》 (남을 위해) …을 예약해 주다. — ***s'~*** *v.pr.* 《s'~ à》 ① (잡지·신문의) 구독을 예약하다. ② (전화·수도·가스를) 놓다, …에 가입하다 : *s'~ au* téléphone 전화 가입 신청을 하다. ③ (철도·극장의) 정기권을 사다.

abonnir [abɔni:ʀ] *v.t.* 개량하다. — *v.i.* 좋아지다. — ***s'~*** *v.pr.* (몸이) 좋아지다.

abonnissement [abɔnismɑ̃] *m.* 《드물게》 개량.

abord** [abɔ:ʀ] *m.* ① (배가 해안에) 닿기 ; 접근 : port d'un ~ facile 접근하기 쉬운 항구. ② 응대, 접대 : ~ aimable 친절한 응대. ③ (*pl.*) 주변, 부근. ***à l'~ ; au premier ~ ; de prime ~ 첫눈에(는) ; 다짜고자로. ***avoir l'~ facile*** 가까이하기 쉽다. ***dès l'~ ; dès le premier ~*** 애초부터. (***tout***) ***d'~*** 우선, 처음에 ; 무엇보다.

***abordable** [abɔʀdabl] *adj.* ① 접근하기 쉬운(=accessible) : une côte peu ~ 접근하기 힘든 해안. ② 대하기 쉬운 ; 상냥한(=accueillant) : un homme facilement ~ 사귀기 쉬운 남자. ③ (값이) 알맞은, 비싸지 않은(=raisonnable ; ≠ cher) : à un prix ~ (à tous) 누구나 살 수 있는 저렴한 가격으로.

abordage [abɔʀda:ʒ] *m.* ① (적선(敵船)에로의) 접근, 침입. ② (배의) 충돌 ; 접근전.

***aborder** [abɔʀde] *v.i.* ① 《~ à〔dans, en, sur〕》 (배가) …에 닿다 : Le bateau *aborde en* France. 배가 프랑스에 닿는다. ② 《주어 : qn》 상륙하다 ; 도착하다. — *v.t.* ① …에 접근하다 : ~ un virage 차가 커브에 접어들다. ② 〚해양〛 (배가 다른 배와) 충돌하다. ③ …에 착륙〔도착〕하다. ④ …에 착수하다(=entamer) : ~ une question 문제를 논의하기 시작하다. ⑤ 《~ qn》 …에게 (말을 걸려고) 다가가다(=accoster) : Il *fut abordé* par un inconnu. 모르는 사람이 그에게 다가와 말을 걸었다.

aborigène [abɔʀiʒɛn] *adj.* 토착의, 원주민의(=indigène, natif). — *m. pl.* 토착인, 원주민(=autochtones, indigènes), 본토박이.

abortif, ive [abɔʀtif, -i:v] *adj.* ① 낙태시키는. ② 유산한, (아이가) 달이 덜 찬, 조산의. ③ (과일이) 설익은 : fleur ~*ive* 열매를 맺지 못하는 꽃. — *m.* 낙태약(=remède ~).

aboucher [abuʃe] *v.t.* ① (…의 끝과 끝을) 맞붙이다, 접합시키다 : ~ deux tables en 탁자를 맞붙이다. ② 《~ qn avec qn》 …와 대면〔접촉〕시키다. — ***s'~*** *v.pr.* 《s'~ avec》 …와 대면〔접촉·회담〕하다.

abouler [abule] *v.t.* 《속어》 주다, 지불하다 ; 가져오다 : *Aboule* le fric ! 돈 내놔 !

aboulie [abuli] *f.* 〚의학〛 의지 결핍증.

aboulique [abulik] *adj.* 〚의학〛 의지 결핍증에 걸린. — *n.* 의지 결핍증 환자.

aboutir** [abuti:ʀ] *v.t. ind.* ① 《~ à〔dans〕》 …에 끝이 닿다, 이르다 : Le sentier *aboutit au* village. 오솔길은 마을까지 이른다. ② 《~ à》 …에 귀착하다, 결국 …이 되다 : n'~ *à* rien 수포로 돌아가다. — *v.i.* 성공하다 : Après un long travail j'*ai* enfin *abouti*. 오랜 노력 끝에 나는 마침내 성공했다. ***faire ~ qc …을 성공시키다.

aboutissant, e [abutisɑ̃, -ɑ̃:t] *adj.* 《~ à》 …에 이르는 ; 귀착하는 ; 인접하는. — *m.* ① 도달점 ; 귀결, 결과(=résultat). ② (*pl.*) les tenants et (les) ~*s* 인접지 ; 상세한 내용, 자초지종.

aboutissement [abutismɑ̃] *m.* 끝 ; 귀결, 결말(=fin), 결과, 성과.

aboyer** [abwaje] 7 *v.i.* ① (개가) 짖(어 대)다. ② 울부짖다, 떠들어대다. ③ 《~ après〔contre〕》 (개가) …을 향해 짖어 대다 ; (사람이) …에게 야단치다, 잔소리하다. ④ 《~ après》 …을 성가시게 졸라 대다 ; 열심히 추구하다. ***~ à la lune (개가) 달을 향해 짖다 ; 공연히 떠들어 대다. — *v.t.* ① 《~ qn》 …에게 욕설을 퍼붓다. ② 《~ qc》 고래고래 외치

다 : un sous-officier qui *aboie* des ordres 고래고래 호령하는 부사관.

abracadabrant, e [abʀakadabʀɑ̃, -ɑ̃:t] *adj.* 《구어》 엉뚱한, 대경실색할, 해괴한(= incroyable, bizzare) : idée ~*e* 엉뚱한 생각.

abrasif, ive [abʀazif, -i:v] *adj.* 연마하는〔가는〕 데 쓰이는. ── *m.* 연마제, 연마분.

abrégé, e [abʀeʒe] *adj.* 생략된 ; 요약된, 간추린. ── *m.* ① 요약, 개략, 개요(= résumé) : ~ d'une conférence 강연의 개요. ② 약칭, 약자, 약어. ③ 개론, 소론(= précis) : ~ de géométrie 기하학 개론. ***en ~*** 요약하면 ; 약어〔약자〕로.

abrégement, abrègement [abʀɛʒmɑ̃] *m.* ① (책·연설의) 간추림, 요약 ; (철자의) 생략 ; (기간의) 단축. ② 초본, 초록, 생략본.

abréger [abʀeʒe] 3·6 *v.t.* ① (기간·길이를) 줄이다, 단축하다(≠ allonger) : ~ sa vie〔ses jours〕 (피로로) 명을 재촉하다. ② 약칭하다; 약자로 쓰다. ③ 간추리다, 요약하다 : ~ le récit d'une histoire 이야기의 줄거리를 줄이다. ④ 짧아 보이게 하다. ── *v.i.* 간단히 말해 치우다. ***pour ~*** 간단히 말해서, 요컨대, 결국. ── **s'~** *v.pr.* ① 짧아지다, 단축되다 ; 약칭되다 ; 요약되다. ② 간단히 말하다.

abreuver [abʀœve] *v.t.* ① (가축에게) 물을 먹이다 : ~ un troupeau 양떼에 물을 먹이다. ② …에 물을 주다〔대다〕; 적시다 ; 관개하다 : ~ les champs 밭에 물을 대다 / visage *abreuvé* de larmes 눈물에 젖은 얼굴. ③ 《~ qn de qc》 …에게 …을 톡톡히 맛보게 하다 : ~ qn *de* compliments …에게 칭찬을 늘어놓다. ── **s'~** *v.pr.* ① (가축이) 물을 먹다. ② (사람이) 많이 마시다. ③ 《s'~ de》 …에 젖다 ; …을 톡톡히 맛보다 : *s'~ de* joie 기쁨에 넘치다 / *s'~ de* soleil 일광욕을 하다.

abreuvoir [abʀœvwa:ʀ] *m.* (가축 따위가) 물 마시는 곳 ; 물통.

abréviatif, ive [abʀevjatif, -i:v] *adj.* 생략을 나타내는, 생략의 : signes ~*s* 생략 부호.

abréviation [abʀevjɑsjɔ̃] *f.* ① 생략, 단축 ; 요약. ② 약어, 약자 : liste des ~*s* 약어표.

abri** [abʀi] *m.* ① 피난처, 몸 피할 곳, 보호처(= refuge) : ~ du marin 선원 숙박소. ② 보호 ; 비호(庇護), 엄호. ③ 〖군사〗 참호 ; 방공호. ***à l'~ 안전지대에, 보호하에 : mettre qn〔qc〕 *à l'~* …을 피난시키다 / se mettre *à l'~* 피난하다. ***à l'~ de*** qc …에서 보호되어, …을 피하여 : être〔se mettre〕 *à l'~ de* la pluie 비를 피하고 있다 / vivre *à l'~ des* lois 법의 보호 밑에 살다. ***prendre ~*** 피난하다. ***sans ~*** 집 없는.

***abricot** [abʀiko] *m.* 〖식물〗 살구. ── *adj.* 《불변》 살구빛의.

abricotier [abʀikɔtje] *m.* 〖식물〗 살구나무.

***abriter** [abʀite] *v.t.* ① ⓐ 보호해 주다: ~ qn sous son parapluie …와 우산을 같이 쓰다. ⓑ 《~ contre〔de〕》 …으로부터 보호하다, 막아 주다 : ~ *des* plantes〔fleurs〕 *contre* le vent 식물〔꽃〕을 바람에 맞지 않게 하다. ⓒ 피난시키다 : ~ des sinistrés 이재민을 피난시키다. ② 〖군사〗 엄폐〔은폐〕하다. ③ 《주어는 건물》 수용하다, 유숙시키다(= loger) : Cette maison *abrite* plusieurs familles. 이 집에 여러 가족이 살고 있다. ── **s'~** *v.pr.* ① 피난하다. ② 《s'~ contre〔de〕》 …을 피하다. ③ 몸을 숨기다, 피신하다.

abrivent [abʀivɑ̃] *m.* 바람막이 ; 초사(哨舍).

abrogation [abʀɔgɑsjɔ̃] *f.* 폐지, 폐기 : ~ d'une loi〔d'un décret〕 법률〔명령〕의 폐기.

abroger [abʀɔʒe] 3 *v.t.* 폐지〔폐기〕하다(= abolir, annuler) : ~ un règlement 규정을 폐기하다. ── **s'~** *v.pr.* 폐지〔폐기〕되다.

abrupt, e [abʀypt] *adj.* ① 가파른, 험한(= escarpé). ② (태도가) 무뚝뚝한(= brusque) ; (문장이) 거친(= heurté). ── *m.* 절벽, 낭떠러지, 벼랑.

abruptement [abʀyptəmɑ̃] *adv.* 가파르게 ; 거칠게 ; 느닷없이 ; 직선적으로.

***abruti, e** [abʀyti] *adj.* ① 《구어》 우둔하게 된, 어리석은. ② 정신이 흐리멍덩해진, 얼이 빠진. ── *n.* 바보, 멍청이.

***abrutir** [abʀyti:ʀ] *v.t.* ① 우둔하게 만들다, 바보로 만들다(= assourdir) : propagande qui *abrutit* les masses 대중을 우둔하게 만드는 선전. ② 《구어》 녹초가 되게 하다(= fatiguer). ── **s'~** *v.pr.* 우둔해지다, 바보가 되다 ; 녹초가 되다 : *s'~* de travail 지나치게 일하여 지치다.

abrutissant, e [abʀytisɑ̃, -ɑ̃:t] *adj.* 어리석게 만드는, 진력나는, 따분한 : spectacles ~*s* 따분한 영화.

abrutissement [abʀytismɑ̃] *m.* ① 우둔화 ; (지력의) 저하, ② 진력나는〔따분한〕 상태.

abscisse [apsis] *f.* 〖수학〗 가로좌표, 횡선.

abscons, e [apskɔ̃, -ɔ̃:s] *adj.* 알기 어려운, 난해한(= abstrus).

‡absence [apsɑ̃:s] *f.* ① 부재(≠ présence), 결근, 결석, 불참 : faire de fréquentes ~*s* 자주 집을 비우다〔결석하다〕. ② 결핍, 결여(= manque) : L'~ de père est néfaste à un enfant. 아이에게 아버지가 없다는 것은 불행한 일이다. ③ 〖법률〗 실종, 생사불명. ④ 방심 : ~ d'esprit 부주의. ***avoir des ~s*** (가끔) 멍하다, 멍청하다. ***en l'~ de*** …의 부재중에, …이 없을 때 : *en mon ~* 내가 없을 때 / *en l'~ de* preuves, il a été relâché. 증거가 없어서 그는 석방되었다.

***absent, e** [apsɑ̃, -ɑ̃:t] *adj.* ① 《~ de》 …에 없는 ; …에 불참〔결석〕한, 결근한 : être ~ *d'*une réunion 회합에 결석하다. ② 없는, 결여된 : La sincérité est ~*e* chez lui. 그에게는 성실성이 없다. ③ 방심한(= distrait), 멍한 : d'un air ~ 방심한 태도로 / être ~ de soi-même 방심하다. ── *n.* ① 부재자 ; 결석〔불참〕자. ② 〖법률〗 실종자.

absentéisme [apsɑ̃teism] *m.* 결석〔결근〕하는 것 : taux d'~ 결근율.

absentéiste [apsɑ̃teist] *adj.* 자주 결석〔결근〕하는. ── *n.* 결석〔결근〕이 잦은 사람.

***absenter (s')** [sapsɑ̃te] *v.pr.* ① 《s'~ de》 (있던 곳을) 떠나다, 자리를 비우다 : *s'~ de* chez soi 집을 비우다. ② 결석〔결근〕하다.

abside [apsid] *f.* 〖건축〗 (성당의) 후진(後陣).

absinthe [apsɛ̃:t] *f.* ① 〖식물〗 쓴쑥. ② 압생트《독한 양주의 일종》. ③ 고통, 고난.

***absolu, e** [apsɔly] *adj.* ① 절대적인, 절대의(≠ relatif) : majorité ~*e* 절대다수. ② 완전한, 전적인(= complet) : silence ~ 완전한

A

침묵. ③ 전제〔독재〕적인 : monarque ~ 전제 군주. ④ 강압적인, 단호한 : d'un ton ~ 단호한 어조로. ⑤ 〖문법〗 절대적인, 독립된. ⑥ 〖화학〗 순수한. ***dans l'~*** 무조건적으로, 절대적으로. — *m.* ① 절대 ; 절대적인 것. ② (*A~*) 〖철학〗 절대자.

absolument** [apsɔlymɑ̃] *adv.* ① 절대적으로 ; 반드시 ; 꼭 : Il veut ~ vous voir. 그가 꼭 당신을 보고 싶어한다. ② 완전히, 전적으로, 전혀 : C'est ~ faux. 그것은 전적으로 거짓이다. ③ 독재적으로 ; 단호하게. ④ 〖문법〗 절대적으로, 보어 없이. ***~ parlant 대개, 일반적으로 말해서.

absolution [apsɔlysjɔ̃] *f.* ① 〖법률〗 무죄 방면. ② 〖신학〗 사죄(赦罪), 사면(赦免).

absolutisme [apsɔlytism] *m.* ① 절대주의. ② 전제주의, 전제 정치, 독재.

absolutiste [apsɔlytist] *adj.* 절대〔전제〕주의의, 절대〔전제〕주의를 지지하는 : théorie ~ 절대주의 이론. — *n.* 절대〔전제〕주의자.

absolutoire [apsɔlytwa:ʀ] *adj.* 사면하는, 사면의 : sentence ~ 사면 선고.

absorbant, e [apsɔʀbɑ̃, -ɑ̃:t] *adj.* ① 빨아들이는, 흡수성의 : pouvoir ~ 흡수력. ② 마음을 빼앗는, 열중시키는 : livre ~ 흥미진진한 책. — *m.* 흡수성 물질 ; 흡수제.

***absorber** [apsɔʀbe] *v.t.* ① 빨아들이다, 흡수하다 ; 병합〔병탄〕하다 : Le sable *absorbe* l'eau. 모래는 물을 빨아들인다 / entreprise qui en *absorbe* une autre 다른 기업을 합병시키는 기업. ② …의 마음을 빼앗다, 열중시키다 : Ce travail l'*absorbe* beaucoup. 그 일에 그는 매우 열중해 있다. ③ 삼키다, 마시다, 먹다 : Il n'*a* rien *absorbé* depuis hier. 그는 어제부터 아무것도 먹지 않았다. ④ 탕진하다, 다 없애다 : ~ toutes les économies 저금을 몽땅 써 버리다. — **s'~** *v.pr.* ① 흡수〔병탄〕되다. ② 《s'~ dans》 …에 열중〔골몰〕하다 : *s'~ dans* la lecture de son jounal 신문 읽기에 여념이 없다.

absorption [apsɔʀpsjɔ̃] *f.* ① 흡수 ; 병탄, 병합 : ~ acoustique 음의 흡수. ② 마시기, 먹기, 삼키기, 섭취 : suicide par ~ d'un poison 음독자살. ③ 열중, 전념.

absoudre [apsudʀ] [40] *v.t.* ① 〖신학〗 …의 죄를 용서하다. ② 〖법률〗 무죄 석방하다(= condamner) ; 용서하다 : ~ qn de ses fautes …의 잘못을 용서하다.

absou-s, -t ⇒ absoudre.

absous, te [apsu, -ut] absoudre 의 과거분사.

absten-ais, -ait, etc. ⇒ abstenir (s').

abstenir (s') [sapstəni:ʀ] [16] *v.pr.* ① 《s'~ de qc 〔+*inf.*〕》 …을 삼가다, 그만두다(= se garder) : Il *s'abstient* toujours *de* critiquer. 그는 언제나 비평하기를 삼간다 / *s'~ de* jouer 도박을 끊다. ② 《s'~ de qc》 안 먹다, 안 마시다, 끊다, 절제하다 : *s'~ de* vin 〔*de* tabac〕 술을〔담배를〕 끊다. ③ 행동〔말〕을 안 하다; (투표에서) 기권하다 : De nombreux électeurs *se sont abstenus.* 수많은 유권자가 기권했다. ***ne (pas) pouvoir s'~ de***+*inf.* …하지 않을 수 없다.

abstention [apstɑ̃sjɔ̃] *f.* 〖정치〗 (투표 · 토론의) 기권 ; 〖법률〗 (권리 행사의) 회피.

abstentionnisme [apstɑ̃sjɔnism] *m.* (투표 따위의) 기권(주의).

abstentionniste [apstɑ̃sjɔnist] *adj.* 기권주의의. — *n.* 투표 기권자, 기권주의자.

abstergent, e [apstɛʀʒɑ̃, -ɑ̃:t] *adj.* 〖의학〗 (상처를) 씻는, 세척의. — *m.* 세척제.

absterger [apstɛʀʒe] [3] 〖의학〗 *v.t.* (상처를) 씻다, 세척하다. — **s'~** *v.pr.* 세척되다.

abstiendr-ai, -as, etc. [apstjɛ̃dʀ-e, -ɑ] abstenir (s')의 직설 · 미래.

abstien-ne, -s, -t, etc. ⇒ abstenir (s').

abstinence [apstinɑ̃:s] *f.* ① (식음의) 절제 : ~ du vin 금주. ② 〖가톨릭〗 육식을 안 하기, 소재(小齋). ***faire ~*** 육식을 끊다. ***jour d'~*** 소재일.

abstinent, e [apstinɑ̃, -ɑ̃:t] *adj.* ① 식음을 절제하는 ; 금욕하는 ; 〖가톨릭〗 육식을 안 하는. ② (투표를) 기권하는. — *n.* 금주가.

abstin-s, -t, etc. abstenir (s')의 직설 · 단순과거.

abstraction** [apstʀaksjɔ̃] *f.* ① 추상(≠réalité) ; 추상화(化) ; 추상력: La couleur, la forme sont des ~*s.* 색채나 형태는 추상의 산물이다. ② (*pl.*) 추상적 관념 ; 몽상, 공상. ***~ faite de qc …을 제외하고. ***faire ~ de*** qc …을 제외하다. ***par ~*** 추상적으로.

abstraire [apstʀɛ:ʀ] [44] *v.t.* ① 추상(抽象)하다 : ~ une qualité dans un objet 한 물체에서 어느 한 성질을 추상하다. ② 떼어놓다 ; 따로 떼어서 생각하다 : On ne peut ~ un grand homme de son époque. 위인을 그의 시대에서 분리시켜 생각할 수는 없다. — **s'~** *v.pr.* ① 《s'~ de》 …에서 자기를 떼어 놓다, …에 초연하다 : *s'~ de* ses visions 자기의 환상에서 벗어나다. ② 《s'~ dans》 …에 열중〔몰두〕하다. ③ 방심하다.

abstrait, e** [apstʀɛ, -ɛt] *adj.* ① 추상적인 (≠ concret) : pensée ~*e* 추상적 사고 / art ~ 추상 예술. ② 난해한 ; 모호한(= fumeux), 막연한 : discours〔auteur〕~ 난해한 말〔작가〕. ③ 방심한(= distrait). — *m.* 추상(적인 것). ***dans l'~ 추상적으로.

abstraitement [apstʀɛtmɑ̃] *adv.* 추상적으로 ; 방심해서, 멍하게.

abstray-ez, -ons, etc. abstraire 의 직설 · 현재.

abstrus, e [apstʀy, -y:z] *adj.* 난해한, 알쏭달쏭한.

absurde** [apsyʀd] *adj.* ① 사리에 어긋나는, 불합리〔부조리〕한, 터무니없는(= déraisonnable) : Il a agi de façon ~. 그는 상식 밖으로 행동했다. ② 어리석은(= stupid) ; 엉뚱한 : Vous êtes ~ ! 엉뚱한 말씀을 하시는군요 ! — *m.* 불합리, 부조리. ***démontrer par l'~ 귀류법으로 증명하다.

absurdement [apsyʀdəmɑ̃] *adv.* 사리에 어긋나게, 몰상식하게 ; 부조리하게.

absurdité [apsyʀdite] *f.* ① 불합리, 부조리, 몰상식 : l'~ de l'existence 존재의 부조리. ② 어리석은 짓〔말〕(= bêtise, stupidité).

abus** [aby] *m.* ① 악용, 오용(誤用) ; 남용 : employer un terme par ~ 용어를 잘못 쓰다 / ~ d'autorité 직권 남용. ② (흔히 *pl.*) 악습, 폐습. ③ 오류(= erreur) : C'est un ~ de croire que+*sub.* 〔*ind.*〕 …라고 생각함은 잘못이다. ***~ de confiance 배신행위 ; 배임죄. ***faire ~ de*** qc …을 남용〔악용〕하다.

A

abuser** [abyze] *v.t. ind.* ① 《~ de qc》 …을 악용〔남용〕하다 : ~ *de* l'alcool 술을 너무 마시다 / ~ *d'*un privilège 특권을 남용하다. ② 《~ de qn》 …에게 폐를 끼치다 ; …을 속이다 ; 혹사하다. ***~ d'une femme 여자를 농락하다. — *v.t.* 《~ qn》 속이다 ; (여자를) 유혹하다 : se laisser ~ 속아 넘어가다.
— *v.i.* 정도를 지나치다 : N'*abusez* point. 절제하시오. — **s'~** *v.pr.* 잘못 생각하다.

abusif, ive [abyzif, -i:v] *adj.* ① 남용하는, 과도한 ; 부당한 : l'usage ~ d'un médicament 약의 남용. ② 《옛》 속이는, 기만하는.

abusivement [abyzivmɑ̃] *adv.* 잘못되게; 함부로, 부당하게.

abyssal, e, aux [abisal, -o] *adj.* ① 심해의 : faune ~*e* 심해 동물. ② 한없이 깊은.

abysse [abis] *m.* 깊은 바다, 심해(深海).

A.C. 《약자》 Ante Christum 기원전.

acabit [akabi] *m.* (물건의) 품질 ; 《경멸》 (사람의) 성질. ***de cet ~*** 저런 종류의.

acacia [akasja] *m.* 〖식물〗 아카시아나무.

académicien, enne [akademisjɛ̃, -ɛn] *m.* 아카데미 프랑세즈〔프랑스 한림원〕의 회원.

***académie** [akademi] *f.* ① (*A~*) 아카데미, 한림원 ; (문학자 · 예술가 · 과학자 따위의) 협회 : *A~* (française) 아카데미 프랑세즈, 프랑스 한림원. ② 학교, 학원 ; 도장(道場), 교습소 : ~ des beaux-arts 미술 학교 / ~ de danse 댄스 교습소. ③ 지침서 : ~ des jeux 놀이 지침서. ④ 대학구(區). ⑤ 나체화 습작 ; 나체 모델.

académique [akademik] *adj.* ① 아카데미〔한림원〕의 ; 아카데미 프랑세즈의 : occuper un fauteuil ~ 아카데미 (프랑세즈)의 회원이 되다. ② 아카데미풍의, 학구적인 ; 틀〔판〕에 박힌 : débat ~ 학구적인 토론. ③ 대학구의. ***palmes ~s*** 교육 공로 훈장. — *m. pl.* 아카데미 프랑세즈의 회원 ; 관학풍의 화가.

académisme [akademism] *m.* ① 아카데미즘, 관학풍. ② 〖미술〗 관학풍의 전통 고수.

acadien, enne [akadjɛ̃, -ɛn] *adj.* 아카디아(*Acadie*, 캐나다 남동부의 옛 프랑스 식민지)의. — **A~** *n.* 아카디아 사람.

acajou [akaʒu] *m.* ① 〖식물〗 마호가니 ; 마호가니 목재. ② 마호가니색, 적갈색.
— *adj.* 《불변》 마호가니색의, 적갈색의.

acalorique [akalɔrik] *adj.* 칼로리가 없는 : édulcorant ~ 무열량 감미료.

a cappella [akapɛlla] *adj.* et *adv.* 〖음악〗 반주 없는〔없이〕 : chœur ~ 무반주 합창.

acariâtre [akaʀjɑ:tʀ] *adj.* 까다로운, 성 잘 내는, 잔소리가 심한, 괴팍한.

accablant, e [akɑblɑ̃, -ɑ̃:t] *adj.* ① 짓누르는 듯한(= écrasant) ; 과중한 ; 견딜 수 없는 : travail ~ 가혹한 노동 / douleur ~*e* 참기 어려운 고통. ② (증거가) 명백한 : témoignage ~ 명백한 증인〔증거〕.

accablement [akɑ〔a〕bləmɑ̃] *m.* ① 짓누름, 압도, 과중 : ~ des affaires 감당할 수 없는 과중한 일. ② 낙담, 의기소침(= abattement) ; 쇠약 : ~ physique 육체적 쇠약 상태.

***accabler** [akɑble] *v.t.* ① 짓누르다(= écraser) : *être accablé* sous une charge 짐에 짓눌리다. ② (적을) 쳐부수다, 압도하다. ③ 지쳐 빠지게 하다 ; 낙담시키다(= abattre) : *être accablé* de fatigue 지쳐서 기진맥진하다 / Cette nouvelle l'*accabla.* 이 소식을 듣고 그는 비탄에 빠졌다. ④ 《~ qn de qc》 ⓐ …을 …으로 괴롭히다, 들볶다 : ~ le peuple *d'*impôts 세금으로 백성을 못살게 굴다. ⓑ …에게 (욕설 따위를) 퍼붓다 : ~ qn *d'*injures …에게 욕설을 마구 퍼붓다. ⓒ …에게 (은혜 따위를) 한껏 베풀다(= combler) : ~ qn de bienfaits …에게 무한한 은혜를 베풀다 / Il nous *accable de* ses prévenances. 그는 우리에게 지나칠 정도로 친절을 베풀어 준다. — **s'~** *v.pr.* 압도되다.

accalmie [akalmi] *f.* (폭풍 따위의) 잠시 잔잔함 ; (병고 따위의) 소강(小康) 상태.

accaparement [akapaʀmɑ̃] *m.* 독점 ; 매점 ; 독차지 : ~ des richesses 부의 독점.

***accaparer** [akapaʀe] *v.t.* ① ⓐ 독점하다 ; 매점하다(= monopoliser) : ~ un marché 시장을 독점하다. ⓑ (사람을) 독차지하다. ② 전념〔열중〕시키다 : Le travail l'*accapare* tout entier. 그는 일에 완전히 매달려 있다.

accapareur, euse [akapaʀœ:ʀ, -ø:z] *n.* 독점자 ; 매점자. — *adj.* 매점〔독점〕하는.

***accéder** [aksede] [6] *v.t. ind.* 《~ à》 ① …에 접근하다; 이르다, 도달하다(= parvenir, atteindre) : Par ce petit chemin, on *accède* directement *à* la ferme. 이 작은 길로 가면 농장이 나온다 / ~ *au* trône 왕좌에 오르다. ② …에 동의하다, …을 승낙하다, 들어주다 : ~ *aux* vœux 〔désirs〕 de qn …의 소원을 들어주다.

accélérateur, trice [akseleʀatœ:ʀ, -tʀis] *adj.* 가속하는 ; 촉진하는 : force ~*trice* 가속력. — *m.* ① (자동차의) 가속 장치: appuyer sur l'~ 액셀을 밟다.

accélération [akseleʀɑsjɔ̃] *f.* ① 가속 ; 가속도. ② 촉진 ; (사무의) 신속한 처리(≠ ralentissement) : ~ de travaux 공사의 촉진.

accéléré, e [akseleʀe] *adj.* 가속된 ; 빠른, 급속한 : feu ~ 속사(速射). — *m.* 〖영화〗 퀵모션 촬영, 저속도 촬영.

***accélérer** [akseleʀe] [6] *v.t.* ① …에 속도를 가하다, 가속하다(≠ freiner), 빠르게 하다 : ~ la vitesse de la voiture 차를 빨리 몰다. ② 촉진하다(= hâter, presser) : ~ les travaux 공사를 빨리 진행시키다 / ~ le mouvement du sang 혈액 순환을 촉진하다. — *v.i.* 〖자동차〗 액셀을 밟다, 속력을 내다 : *A~* un peu. 액셀을 좀 밟아라.
— **s'~** *v.pr.* ① 빨라지다. ② 촉진되다.

accent** [aksɑ̃] *m.* ① 악센트, 강세, 강음; 악센트 부호, (프랑스 어의) 악상 : ~ aigu 악상테귀 (《´》) / ~ circonflexe 악상시르콩플렉스 (《ˆ》) / ~ grave 악상그라브 (《`》). ② 어조, 말투 : poème d'~ rimbaldien 랭보조의 시 / Cet ~ d'ironie me déplaît. 그 비꼬는 말투가 마음에 거슬린다. ③ (한 지방의 특수한) 억양, 사투리 : ~ normand 노르망디 지방의 악센트〔말투〕 / parler en ~ étranger 외국인의 억양으로 말하다. ④ (*pl.*) 음향, 소리 ; 노래, 곡조. ⑤ (그림의) 강한 색조 ; 개성미. ***mettre l'~ sur …을 강조하다.

accentuation [aksɑ̃tɥɑsjɔ̃] *f.* ① 악센트〔강세〕를 붙여서 발음하기 : syllabe à ~ faible 약음절. ② 악상을 달기 : fautes d'~ 악상을

잘못 달기. ③ 강조 ; 특징.

***accentuer** [aksɑ̃tɥe] *v.t.* ① 악센트〔강세〕를 붙여 발음하다 ; …에 악상을 붙이다 : ~ la voyelle finale 마지막 모음을 강하게 읽다. ② 두드러지게 하다(= souligner) ; 강조하다 : ~ son effort 가일층 노력하다 / traits fortement *accentués* 매우 뚜렷한 얼굴 모습. ── **s'~** *v.pr.* 강화〔강조〕되다 : Le froid *s'accentue.* 추위가 심해진다.

acceptabilité [aksɛptabilite] *f.* ① 수락 가능성 ; 〖언어〗 가용성. ② 허용 범위.

acceptable [aksɛptabl] *adj.* ① 받아들일 만한, 〔수락 · 승낙〕할 수 있는 : Cette offre est ~. 그 제안은 받아들일 만하다. ② 그럴듯한, 적당한 : prix ~ 적절한 가격.

acceptation [aksɛptɑsjɔ̃] *f.* ① 수락, 승낙(= consentement ; ≠ refus) ; 승인, 수령 ; 〖법률〗 수리 : ~ d'une donation 〖법률〗 증여의 수락. ② 〖상업〗 (어음의) 인수.

*__accepter__ [aksɛpte] *v.t.* ① 받아들이다 ; 수락〔승낙〕하다 ; 승인〔인정〕하다 ; (어음을) 인수하다 : ~ un cadeau 〔une invitation〕 선물을〔초대를〕 받아들이다 / ~ une proposition 제의를 수락하다 / 《목적보어 없이》 J'*accepte* volontiers. 기꺼이 응하겠습니다. ② (죽음 따위를) 감수하다. ③ 《~ qn comme 〔pour〕》 …으로 맞아들이다〔삼다〕 : ~ qn *comme* 〔*pour*〕 gendre …을 사위로 맞아들이다. ***~ de*** 〔《옛》 ***à***〕 + *inf.* …할 것을 승낙하다 : *Acceptez de* venir à la maison demain. 내일 제 집에 와 주십시오. ***~ que*** + *sub.* …하는 것을 참아 주다, 허용하다(= supporter) : Il n'*acceptera* pas *que* vous partiez. 당신이 가 버리는 걸 그는 참아 주지 않을 겁니다.

acception [aksɛpsjɔ̃] *f.* ① 어의(語義), 의미, 뜻 : ~ propre 본의(本義). ② 편파(偏頗) : sans ~ de personne 아무도 차별하지 않고, 공정하게.

⁑**accès** [aksɛ] *m.* ① 접근 ; 들어가기 ; 출입 ; 출입구(= voie) : *A*~ interdit 출입 금지 / ~ aux quais 플랫폼 통로. ② (사람에의) 접근 ; (정보 · 지식에의) 이해 ; 획득 : homme difficile d'~ 접근하기 어려운 사람 / livre d'un~ facile 알기 쉬운 책. ③ 발작 ; (감정의) 폭발, 격발 : ~ de fièvre 발열 / ~ de colère 분노의 폭발. ***avoir ~ à*** qc …에 접근하다. ***avoir*** 〔***trouver***〕 ***~ auprès de*** qn …에게 접근할〔만날〕 수 있다 : Il *a* un libre ~ *auprès du* ministre 그는 장관을 언제나 만날 수 있다. ***avoir ~ aux emplois*** 취직할 수 있다. ***donner ~ à*** qc …에 접근할 수 있게 하다 ; …의 길을 열다: Ce diplôme *donne ~ à* de hautes fonctions. 이 자격이 있으면 고위직에 오른다. ***par ~*** 발작적으로.

accessibilité [aksesibilite] *f.* 접근하기 쉬움 ; 알기〔얻기〕 쉬움 ; 상냥함 : ~ à un emploi 직업을 얻을 가능성.

***accessible** [aksɛ(e)sibl] *adj.* ① 접근할 수 있는 : maison ~ à tout le monde 누구에게나 개방된 집. ② 입수하기 쉬운 ; 알기〔이해하기〕 쉬운 ; 실행하기 쉬운 : théorie ~ aux débutants 초보자도 이해하기 쉬운 이론. ③ 사귀기 쉬운, 상냥한 : C'est une femme ~. 쉽게 사귈 수 있는 여자이다. ④ 《~ à》 …에 좌우되기 쉬운 : ~ *à* la pitié 동정심에 좌우되기 쉬운.

accession [aksɛsjɔ̃] *f.* ① 《~ à》 (…에의) 도달, 달성 ; 취임 ; 획득 ; 입수 : ~ *au* trône 즉위 / ~ *à* la propriété 소유권 취득 / ~ d'un pays à l'indépendance 제국의 독립 획득. ② 가입, 가맹.

accessit [aksesit] 〔라틴〕 *m.* (*pl.* **~(s)**) 준(準)우수상, 차석(次席), 준입상.

***accessoire** [aksɛswaːʀ] *adj.* 부수〔부대 · 부차〕적인, 종속적인(= secondaire) : frais ~*s* 부대 비용 / C'est un problème ~. 이것은 본질적인 문제가 아니다. ── *m.* ① 부속물〔품〕, 액세서리 ; 부대 사항. ② (*pl.*) 세세한 것〔점〕들 ; 〖연극 · 영화〗 소도구, 소품 : ~*s* de toilette 화장용품 / chef des ~*s* 〔d'~*s*〕 소품 담당.

accessoirement [aksɛswaʀmɑ̃] *adv.* 부수적으로, 부차적으로, 덧붙여서.

accessoiriste [aksɛswaʀist] *n.* 〖연극 · 영화〗 소품 담당원. ── *m.* 자동차 부속품상.

⁑**accident** [aksidɑ̃] *m.* ① 우연한 일, 예상 못한 일(= aventure) : heureux ~ 우연히 일어난 즐거운 일. ② 사고, 불운, 재난(= contretemps) : ~ de voiture 자동차 사고 / assurance contre les ~*s* 재해 보험/ ~ de la circulation 〔de la route〕 교통사고/ ~*s* de la vie 인생의 파란. ③ 〖철학〗 우연성 ; 부수적인 것. ④ (땅의) 기복(起伏) ; 〖지질〗 단층(斷層). ⑤ 〖음악〗 임시 기호. ***en cas d'~*** 사고가 날 때에는. ***par ~*** 우연히. ***sans ~*** 무사히.

accidenté, e [aksidɑ̃te] *adj.* ① 사고가 난 : voiture ~*e* 사고 차. ② (땅이) 기복이 심한, 울퉁불퉁한 : région ~*e* 기복이 심한 지역. ③ (인생이) 파란 많은, 기구한 : vie ~*e* 파란 많은 생애. ④ (문체 따위가) 다양한. ── *n.* 사고의 희생자 ; (*pl.*) 사상자.

***accidentel, elle** [aksidɑ̃tɛl] *adj.* 우연한 ; 사고로 인한, 돌발적인(= contingent) : mort ~*elle* 사고사 / rencontre ~*elle* 우연한 만남.

***accidentellement** [aksidɑ̃tɛlmɑ̃] *adv.* 우연히 ; 뜻하지 않게 ; 때때로, 간혹.

accidenter [aksidɑ̃te] *v.t.* ① (땅에) 기복이 생기게 하다 ; (문체 따위를) 다양성 있게 하다. ② (사고로) 손해〔상처〕를 입히다 : ~ un cycliste (사고로) 자전거 탄 사람을 다치게 하다.

accidentologie [aksidɑ̃tɔlɔʒi] *f.* 교통사고에 관한 연구, 사고학.

acclamation [akla(ɑ)mɑsjɔ̃] *f.* 갈채, 환호(성) : saluer par des ~*s* 갈채로 맞다. ***par ~*** 구두 표결에 의한 만장일치로 : être voté 〔adopté〕 *par ~* (투표에 의하지 않고) 만장일치로 가결하다.

***acclamer** [akla(ɑ)me] *v.t.* ① …에게 갈채〔환호〕하다(≠ huer) : ~ le chef d'État 국가 원수에게 환호를 보내다. ② 환호 속에 맞이하다〔선출하다〕. ── *v.t. ind.* 《~ à》 환호하여 맞이하다 ; 환영하다. ── *v.i.* 갈채하다.

acclimatation [aklima(ɑ)tɑsjɔ̃] *f.* 새 풍토에 순화(馴化)시키기 ; 상황 적응: Jardin d'~ 순화원(園).

acclimatement [aklima(ɑ)tmɑ̃] *m.* 새 환경에 적응하기, (자연적인) 풍토 순화.

acclimater [aklimate] *v.t.* ① (동식물을) 새 풍토에 순화시키다〔길들이다〕; (사람을) 새 환경에 적응시키다(=accoutumer) : ~ une plante tropicale en pays tempéré 열대 식물을 온대 지방에 순화시키다 / *être acclimaté* à la vie de luxe 사치스런 생활에 젖어 있다. ② (예술 · 풍습 따위를) 도입하다 ; 정착시키다. ── **s'~** *v.pr.* ① 새 풍토에 길들다 ; 새 환경에 익숙해지다 : Elle *s'était acclimatée* à la vie parisienne. 그녀는 파리 생활에 익숙해졌다. ② (예술 · 풍습 따위가) 정착하다.

accointance [akwɛ̃tɑ̃:s] *f.* (보통 *pl.*) 친교, 교제 ; (남녀 간의) 관계 : avoir des ~*s* avec qn …와 잘 통하다.

accolade [akɔlad] *f.* ① 얼싸안음, 포옹; (훈장 수여 때의) 가벼운 포옹 : donner 〔recevoir〕 l'~ (훈장 수여 때) 포옹하다〔받다〕. ② 〖음악〗 연결선 ; 〖인쇄〗 대괄호《{ }》; 〖건축〗 괄호형 아치.

accoler [akɔle] *v.t.* ① 얼싸안다, 포옹하다. ② 연결하다 ; (이름을) 나란히 게재하다 : ~ deux noms sur la liste 리스트에 두 이름을 나란히 게재하다. ③ 〖원예〗 (포도덩굴을) 버팀대에 묶다 : ~ la vigne 포도덩굴을 버팀대에 묶어 주다. ④ 대괄호로 묶다.

***accommodant, e** [akɔmɔdɑ̃, -ɑ̃:t] *adj.* 상냥한, 싹싹한, 사귀기 쉬운(=complaisant) : homme d'un commerce ~ 쉽게 사귈 수 있는 사람 / peu ~ 다루기 힘든.

accommodation [akɔmɔdɑsjɔ̃] *f.* ① 알맞게 하기〔되기〕, 적응, 순응. ② (시력의) 조절 : diminution du pouvoir d'~ 눈의 조절력 쇠퇴, 노안(老眼)화.

accommodement [akɔmɔdmɑ̃] *m.* (싸움의) 조정 ; 화해, 타협(안) : proposer un ~ 화해를〔타협을〕 제안하다. ***en venir à un ~; trouver des ~s*** 화해하다.

***accommoder** [akɔmɔde] *v.t.* ① 《~ qc à》 …에 알맞게 하다, 적응시키다(=adapter, ajuster) : ~ ses paroles *aux* circonstances 때와 장소에 따라 적절히 말하다. ② (집 따위를) 알맞게 꾸미다 ; 정돈하다 ; (가구 따위를) 배치〔배열〕하다 ; 수리하다 ; (일을) 잘 처리하다 ; 싸움을 조정하다 ; 조리〔요리〕하다 : ~ sa maison 집안을 정돈하다 / ~ du poisson avec une sauce 소스로 생선을 조리하다. ③ …의 머리〔옷〕 치장을 해 주다(=coiffer, habiller) : ~ la tête 〔la coiffure〕 à qn …의 머리를 손질하다 / être étrangement *accommodé* 옷차림새가 괴상하다. ④ 만족시키다, 마음에 들다 : Cette maison m'*accommode*. 이 집은 내 마음에 든다. ⑤ 화해〔타협〕시키다. ── **s'~** *v.pr.* ① 편안한 자세〔태도〕를 취하다. ② 《s'~ à》 …에 적응〔순응〕하다 : s'~ *à* de nouvelles conditions d'existence 새로운 생활 조건에 적응하다. ③ 《s'~ avec》 …와 화해하다. ④ 《s'~ de》 …에 만족하다, …을 감수하다 : Il *s'accomode de* tout. 그는 무슨 일에나 만족한다.

accompagnateur, trice [akɔ̃paɲatœ:ʀ, -tʀis] *n.* ① 〖음악〗 반주자. ② 인솔자.

accompagnement [akɔ̃paɲmɑ̃] *m.* ① 동반 ; 수행. ② 〖음악〗 반주 : ~ à grand orchestre 오케스트라의 반주. ③ 부속물.

***accompagner** [akɔ̃paɲe] *v.t.* ① 동반〔동행〕하다 ; 수행하다, 따르다 : Je vais t'~ jusqu'au mérto. 지하철까지 함께 가겠네 / La ministre *était accompagné* de son secrétaire. 장관은 비서를 대동하고 있었다. ② …의 반주를 하다 : ~ un violoniste au piano 피아노로 바이올린 연주가의 반주를 하다. ③ 《~ qc de》 …에 수반시키다, 덧붙이다 : ~ un plat *d'*un excellent vin 요리에 좋은 술을 곁들이다 / ~ ses mots *d'*un geste 몸짓을 해 가면서 이야기하다. ── **s'~** *v.pr.* 《s'~ de》 …을 데리고 가다 ; 수반하다 : un échec *s'accompagne* toujours *de* quelque humiliation. 실패에는 언제나 굴욕이 다소 따른다.

accompli, e [akɔ̃pli] *adj.* ① 완성된, 완전한 : épouse ~*e* 완벽한 아내. ② 완료〔만료〕된 ; 수행〔완수 · 성취 · 실행〕된 : devoir ~ 이행된 의무 / C'est une affaire ~*e*. 그것은 다 끝난 일이다. ── *m.* 〖문법〗 완료형.

***accomplir** [akɔ̃pli:ʀ] *v.t.* ① 끝마치다, 완료하다 : ~ son devoir 숙제를 마치다 / ~ son service militaire 병역을 마치다. ② 수행〔완수〕하다; (소망을) 이루다 ; 실행〔이행〕하다 : ~ un projet 계획을 수행하다 / ~ sa promesse 약속을 이행하다. ── **s'~** *v.pr.* 수행〔완수 · 실행〕되다 ; 이루어지다 : Son souhait *s'est accompli*. 그의 염원은 이루어졌다.

accomplissement [akɔ̃plismɑ̃] *m.* (의무의) 수행, 완수, 성취 ; (소망의) 달성 ; (일의) 이행, 실현 : ~ d'un ouvrage 저술의 완성 / ~ des projets 계획의 실현. ***en ~*** 수행 중의.

accord** [akɔ:ʀ] *m.* ① 일치(=concorde) ; 화해, 화목 ; 합의, 동감(=entente) : ~ unanime 전원 일치 / vivre en parfait ~ 그지없이 화목하게 살다. ② 협정, 협약 : ~ de prix 가격 협정 / conclure 〔passer〕 un ~ 협정을 맺다〔체결하다〕 / ~ de libre échange 자유 무역 협정 / points d'~ 합의 사항. ③ 동의, 승인 : donner son ~ 승인하다 / obtenir l'~ de qn …의 동의를 얻다. ④ 조화(=harmonie) ; 〖음악〗 화음 ; 조율 ; 〖문법〗 일치 : ~*s* consonants 협화음 / ~ des participes 분사의 일치. ***D'~ !; 《속어》 ***D'ac*(*c*).** [dak] 찬성이요, 동감이요, 옳소. ***d'un commun ~*** 만장일치로. ***en ~ avec*** …와 일치〔조화〕하여. ***être* 〔*demeurer*〕 *d'~*** 의견을 같이하다, 동감이다, 찬성이다, 동의하다 ; 일치하다. ***mettre d'~*** …을 일치시키다 ; …을 화해시키다. ***se mettre* 〔*tomber*〕 *d'~ avec*** qn …와 타협하다, …와 의견의 일치를 보다 : Ils *sont tombés d'~* qu'ils attendraient. 그들은 기다리기로 합의를 보았다. ***Tout est d'~.*** 모든 준비가 다 되어 있다.

accordage [akɔʀda:ʒ] *m.* 〖음악〗 조율.

accord-cadre [akɔʀkadʀ] (*pl.* **~*s*-~*s***) *m.* (노사 간의) 기본 협정.

accordéon** [akɔʀdeɔ̃] *m.* 아코디언. ***en ~ 주름잡힌 ; 구겨진.

accordéoniste [akɔʀdeɔnist] *n.* 아코디언 연주자.

***accorder** [akɔʀde] *v.t.* ① 일치시키다 ; 조화를 이루게 하다 ; (악기의) 음조를 맞추다 ; (피아노를) 조율하다 : ~ ses actes avec ses paroles 언행을 일치시키다 / Il *a accordé* le coloris des coussins avec celui de la

A

tapisserie. 그는 쿠션과 융단의 빛깔을 어울리게 했다 / ~ des instruments les uns avec les autres 악기 상호간의 음조를 맞추다. ② (싸움을) 조정하다 ; (사람을) 화해시키다; 화목하게 하다 : ~ deux adversaires 쌍방을 화해시키다. ③ ⓐ 인정하다(= convenir, reconnaître) : Tout le monde lui *accorde* du bon sens. 모든 사람들은 그가 양식이 있음을 인정한다. ⓑ 《~ que+*ind.* (《드물게》 *sub.*)》 …을 인정하다 : Je (vous) *accorde que* j'ai eu tort. 내 잘못을 인정합니다. ④ 동의하다 ; 허락〔승낙〕하다 ; (특혜 따위를) 주다(= donner) ; (중요성 따위를) 부여하다 : ~ un interview au Monde 르몽드지(紙)에 인터뷰를 허락하다 / Pouvez-vous m'~ quelques minutes? 잠깐 시간 좀 내주시겠어요? / se faire ~ huit jours de congé 1주일간의 휴가를 허락받다. **~ à** qn **de**+*inf.* **; ~ à** qn **que**+*sub.* …에게 …하는 것을 허락하다. — **s'~** *v.pr.* ① 《주어 : qc》 《s'~ avec》 …와 일치하다 ; 조화되다, 어울리다 : Cela ne *s'accorde* pas *avec* mes idées. 그건 내 생각과는 맞지 않는다. ② 《주어 : qn》 ⓐ 의견이 일치하다 : Tous *s'accordent* à croire que... 모두들 한결같이 …라는 걸 믿는다 / 《s'~ à 〔pour〕+*inf.*》 Ils *s'accordent* tous *pour* lui donner tort. 그들은 모두 그에게 잘못을 돌리는 데 의견을 같이했다. ⓑ *s'~* bien 〔mal〕 사이가 좋다 〔나쁘다〕. ③ 《s'~ à》 …에 동의하다.

accordeur [akɔʀdœ:ʀ] *m.* (악기의) 조율사.

accort, e [akɔ:ʀ, -ɔʀt] *adj.* ① 《옛》 신중한, 능숙한. ② 《문어》 (여자가) 쾌활한, 싹싹한.

accostage [akɔsta:ʒ] *m.* ① 〖해양〗 (배를) 부두에 대기. ② 《구어》 다가가서 말을 걸기. ③ (두 우주선의) 도킹, 결합.

accoster [akɔste] *v.t.* ① 무례하게 접근하다 ; (사람이) …에게 (말을 걸려고) 다가가다(= aborder). ② (배를 부두에) 바싹 대다 : ~ un bateau le long du quai 배를 부두에 정박시키다 / Le bateau vient d'~. 배가 막 닿았다. — *v.i.* (배가) 부두에 닿다.

accotement [akɔtmɑ̃] *m.* 길가, 길옆《집과 하수도, 포장도로와 하수도 사이의 지면》.

accoter [akɔte] *v.t.* 《~ qc à, contre》 …에 기대게 하다, 기대 놓다 : ~ l'échelle *contre* le mur 사닥다리를 벽에 (기대) 세우다. — *v.i.* 〖해양〗 (배가) 옆으로 기울다. — **s'~** *v.pr.* 《s'~ à, contre》 몸을 기대다 : *s'~ à* un arber 나무에 몸을 기대다.

accotoir [akɔtwa:ʀ] *m.* (의자 따위의) 팔걸이.

accouché, e [akuʃe] *adj.* 해산한. — *f.* 산부(産婦).

accouchement [akuʃmɑ̃] *m.* ① 해산, 분만 ; (아기의) 출산 : ~ facile 〔difficile〕 순산〔난산〕 / ~ naturel 자연 분만 / ~ avant terme 조산 / ~ sans douleur 무통 분만. ② (작품 따위의) 노작 ; 괴로움, 어려움.

***accoucher** [akuʃe] 《조동사로 옛날에는 être를 사용했으나 현대에는 avoir가 보통》 *v.t. ind.* 《~ de》 ① …을 해산〔출산 · 분만〕하다 : Elle *a accouché d'*un garçon. 그녀는 사내아이를 낳았다. ② …을 제작하다, 만들어 내다 : ~ *d'*un roman 소설을 써 내다. ③ 《목적보어 없이》 《구어》 속시원히 털어놓다 : Alors, tu *accouches?* 자, 이제 말할 거야? — *v.t.* 해산〔분만〕시키다.

accoucheur, euse [akuʃœ:ʀ, -ø:z] *adj.* 산부인과의. — *n.* 산부인과 의사(= médecin ~). — *f.* 산파, 조산원.

accouder (s') [sakude] *v.pr.* 《s'~ à, sur》 …에 팔꿈치를 기대다: Il *s'accoude au* parapet pour regarder. 그는 난간에 팔꿈치를 기대고 바라보고 있다.

accoudoir [akudwa:ʀ] *m.* (의자의) 팔걸이 (= appui-bras) ; 〖건축〗 난간.

accouplement [akupləmɑ̃] *m.* ① 연결 ; 결합 : un étrange ~ de mots 단어들의 기이한 조합. ② 한 쌍 ; 교미 ; 성교 ; 《옛》 결혼.

accoupler [akuple] *v.t.* ① 짝짓다, 한 쌍이 되게 하다. ② 결합〔연결〕하다 : ~ deux mots disparates 서로 어울리지 않는 단어들을 결합하다. ③ 교미시키다. — **s'~** *v.pr.* ① 한 쌍이 되다. ② 결합〔연결〕되다. ③ 교미하다.

accourcir [akuʀsi:ʀ] *v.t.* 《옛》 짧게 하다, 단축하다, 줄이다. — *v.i.* 《문어》 짧아지다. — **s'~** *v.pr.* 《옛》 짧아지다, 줄다.

***accourir** [akuʀi:ʀ] [20] *v.i.* 《조동사 avoir (동작), 또는 être (상태)》 뛰어나가다, 뛰어오다, 달려오다 : Ses amis *sont accourus* 〔*ont accouru*〕 vers lui. 친구들이 그에게로 달려왔다.

accoutrement [akutʀəmɑ̃] *m.* 괴상한 옷 「차림〔분장〕.

accoutrer [akutʀe] *v.t.* 《구어》《경멸》 …에게 괴상한 옷차림을 시키다. — **s'~** *v.pr.* 괴상한 옷차림을 하다(= s'attifer).

accoutumance [akutymɑ̃:s] *f.* ① 《~ à qc》 …에 익숙해지기(= adaptation) : ~ *à* la douleur 고통에 익숙해짐. ② (약에 대한) 무반응, 중독. ③ 습관. **d'~** 보통, 언제나.

accoutumé, e [akutyme] *adj.* ① 《~ à》 …에 익숙한. ② 습관이 된, 일상의 : *à* l'heure *~e* 여느 때와 같은 시간에. — *n.* 단골손님. — *f.* 《옛》 습관. (***comme***) ***à l'~e ; à son ~e*** 여느 때처럼, 늘 하는 버릇대로.

accoutumer [akutyme] *v.t.* ① 《~ qn à qc 〔+*inf.*〕》 …에 익숙게 하다, …에게 …하는 습관을 붙여 주다 : On ne l'*a* pas *accoutumé à* travailler. 사람들은 그에게 공부하는 버릇을 길러 주지 않았다 / Je *suis accoutumé à* ce genre de remarques. 나는 이런 종류의 지적에는 익숙해져 있다. ② 《~ qn avec qn 〔qc〕》 …와 친숙〔친밀〕해지게 하다. — **s'~** *v.pr.* ① 《s'~ à qc》 …에 익숙해지다 : Il *s'accoutume à* n'importe quelle nourriture. 그는 아무것이나 다 잘 먹는다. ② 《s'~ avec qn 〔qc〕》 …와 친해지다.

accréditer [akʀedite] *v.t.* ① …에게 신용〔신임〕을 얻게 하다 : Sa bonne conduite l'*a accrédité*. 그의 선행은 그를 신임케 하였다. ② …에게 신임장을 주다 : ~ un ambassadeur 대사에게 신임장을 수여하다. ③ (소문 따위를) 믿게 하다 ; 퍼뜨리다 : Les journaux *ont accrédité* cette rumeur. 신문이 이 소문을 (믿도록) 유포시켰다. — **s'~** *v.pr.* ① 신용〔신임〕을 얻다. ② 유포되다.

accréditeur [akʀeditœ:ʀ] *m.* 〖상업〗 보증인, 담보인, (어음) 인수인.

accréditif, ive [akʀeditif, -i:v] *adj.* 〖상업〗

신용의 : lettre ~*ive* 신용장. — *m.* 신용장.

accroc [akʀo] *m.* ① (걸려서) 찢긴 데 : faire un ~ à sa jupe 치마에 흠집을 내다. ② (명성 따위의) 오점, 흠 : avoir ~ à sa réputation 명성에 상처를 입다. ③ (뜻밖의) 고장, 장해; 지장 : de légers ~s 가벼운 사고.

accrochage [akʀɔʃa:ʒ] *m.* ① 갈고리〔못〕에 걸기 : ~ des toiles dans un musée 미술관에 그림을 걸기. ② (차량 따위의) 충돌; 〖군사〗 갑작스런 교전 ; 논쟁, 말다툼 ; 〖권투〗 클린치 : avoir un ~ 가벼운 충돌을 하다.

accroche-cœur [akʀɔʃkœ:ʀ] *m.* (*pl.* ~-~(*s*))(이마 위의) 애교머리.

accrocher** [akʀɔʃe] *v.t.* ① 갈고리〔못〕에 걸다 ; 걸다 : ~ ses vêtements au portemanteau 옷을 옷걸이에 걸다. ② 갈고리 모양의 것으로 걸어 당기다 ; 걸려 찢기다 : ~ sa jupe, sa manche etc. 스커트 · 소매 따위가 걸려서 찢기다. ③ (부주의로 물건을) 건드리다, 건드려 떨어뜨리다. ④ 교묘하게 차지하다〔얻다〕 : ~ une place 술책으로 자리를 차지하다. ⑤ (진격을 막기 위해 적군과) 교전하다 : ~ l'ennemi 적군에게 싸움을 걸다. ⑥ 붙잡다, 지연시키다 : ~ une affaire 일을 지연시키다. ⑦ (가볍게) 충돌하다(= heurter) : Un camion *a accroché* sa voiture. 트럭이 그의 차에 충돌했다 /《목적보어 없이》 On *accroche* souvent dans ces rues encombrées. 차들로 꽉 막힌 이 거리에서는 접촉 사고가 자주 일어난다. ⑧ …의 주의를〔눈을〕 끌다 : Le titre du journal *accrochait* les passants. 그 신문 제목은 지나가는 사람들의 눈길을 끌었다. ***~ sa montre《속어》 시계를 전당포에 잡히다.
— *v.i.* ① 충돌하다. ② 걸리다, 지장을 일으키다 : La conférence *a accroché* sur un point délicat. 회담은 미묘한 문제에 봉착했다. ③ 이목을 끌다 ; 인기를 얻다 : chanteur qui *accroche* 대중에게 인기 있는 가수. ④ 잘되다, 성공하다.
— **s'~** *v.pr.* ①《s'~ à》 …에 걸리다 ; (사람이) …에 매달리다 ;《s'~ à qn》 …에게 들어붙다 ;《비유》 집착하다; 노력하다 : *s'~ à* une branche 나뭇가지에 꼭 달라붙다 / *s'~ aux* personnages influents 실력자에게 늘어붙다 / *s'~ à* son passé 자기 과거에 집착하다 /《목적보어 없이》 Il est indispensable de *s'~* pour réussir. 성공하기 위해서는 노력을 해야 한다. ② 엇갈리다 ; 맞부딪치다, 충돌하다 ; 서로 움켜잡다. ***se l'~***《속어》 허리띠를 졸라매다 ; …없이 지내다 : Tu peux *te l'~*. 그건 갖지 못할걸.

accrocheur, euse [akʀɔʃœ:ʀ, -ø:z] *n.* 악착같은 사람. — *adj.* ① 악착같은. ② 주의를 끄는 : publicité ~*euse* 눈길을 끄는 광고.

accroire [akʀwa:ʀ] [43] *v.t.*《faire, laisser 뒤에서 부정법으로만 쓰임》 ***en faire ~ à*** qn …을 속이다. ***faire ~*** (속여서) 믿게 하다. ***s'en faire* 〔*laisser*〕 *~*** 자만심을 가지다, 으스대다.

***accroissement** [akʀwa〔ɑ〕smɑ̃] *m.* ① (식물의) 생장, 성장, 발육 ; 증가, 증대 ; 확대 ; 팽창 . ② 〖법률〗 자연 증가 ; 〖수학〗 증분.

***accroître** [akʀwa〔ɑ:〕tʀ] [41] *v.t.* ① 성장시키다. ② 증가〔증대 · 확대 · 확장 · 팽창〕시키다 : ~ ses biens 〔pouvoir〕 재산〔권력〕을 증식〔강화〕시키다 / Ce nouveau malheur *a accru* son désespoir. 이 새로운 재난은 그의 실망을 더 크게 했다. — *v.i.*《조동사 avoir (동작), être (상태)》 더 커지다, 불어나다. — *v.t. ind.*《~ à》 …에게 귀속하다, …의 차지가 되다 : La part de leur cousin *est accrue aux* cohéritiers. 그들의 사촌의 몫은 공동 상속인들이 차지하게 됐다. — **s'~** *v.pr.* ① 성장하다. ② 증가〔증대 · 확대 · 확장 · 팽창〕되다 : Sa popularité *s'accroît* de jour en jour. 그의 인기는 나날이 높아 간다.

accroupir (s') [sakʀupi:ʀ] *v.pr.* ① 웅크리다, 쭈그리다 : *s'~* au tour du feu 모닥불 주위에 웅크리고 앉다. ② (동물이) 앞발을 세우고 앉다.

accroupissement [akʀupismɑ̃] *m.* 웅크린〔쭈그린〕 자세〔상태〕 ; 앞발을 세우고 앉은 자세.

accru-s, -t, etc. ⇒ accroître.

accu [aky] *m.*《구어》 축전지.

accueil [akœj] *m.* ① 접대, 대접 : ~ chaleureux 환대 / Il a reçu le meilleur ~. 그는 최상의 대접을 받았다. ② 환영. ***centre d'~*** 휴양 시설 ; (유학생 따위를 위한) 접대 기관. ***faire bon* 〔*mauvais*〕 *~ à*** qn …을 환대〔냉대〕하다.

accueillant, e [akœjɑ̃, -ɑ̃:t] *adj.* 환대하는, 상냥스러운.

***accueillir** [akœji:ʀ] [14] *v.t.* ① 접대하다, 맞아들이다 ; 환영하다 : bien 〔mal〕 ~ qn 〔qc〕 …을 환대〔냉대〕하다 / Ils sont venus m'~ à la gare. 그들은 역에 나를 맞이하러 나왔다. ② (부탁 따위를) 받아들이다 ; …에 응하다 ; (생각을) 품다 : ~ une proposition avec enthousiasme 제안을 열렬히 환영하다.

accul [akyl] *m.* 궁지 ; 막다른 골목. ***être à l'~*** 궁경〔궁지〕에 빠져 있다.

acculer [akyle] *v.t.* 궁지〔궁경〕에 몰아넣다 ; 꼼짝 못하게 하다 :《~ qn à qc》 ~ un ennemi *à* la mer 적을 바다쪽으로 밀어붙이다 / *être acculé à* la faillite 꼼짝 못하고 파산하게 되다.

acculturation [akyltyʀɑsjɔ̃] *f.* ① 〖사회〗 문화의 변질〔향상〕, 이문화(異文化) 수용. ② (개발도상국의) 과학, 학문의 향상.

accumulateur, trice [akymylatœ:ʀ, -tʀis] *adj.* 축적하는. — *m.* ① 축전지. ② 〖컴퓨터〗 누산기, 레지스터.

accumulation [akymylɑsjɔ̃] *f.* ① 축적 ; 축재 ; 수집 ; 축적〔수집〕된 것(= entassement) : ~ du capital 자본 축적. ② 〖수학〗 중첩법.

***accumuler** [akymyle] *v.t.* ① 쌓아 놓다, 축적하다(= entasser) ; 모으다, 수집하다 : ~ des biens 재산을 축적하다 / ~ des preuves 증거를 수집하다. ② 자꾸 거듭하다 : ~ erreur sur erreur 실수를 거듭하다. ③《목적보어 없이》 축재하다, 돈을 모으다.
— **s'~** *v.pr.* 축적되다 ; 모이다 : Le courrier *s'accumule* dans la boîte à lettres. 편지함에 우편물이 쌓인다.

accusateur, trice [akyzatœ:ʀ, -tʀis] *adj.* 비난하는 ; 고발〔고소 · 기소〕하는. — *n.* 비난하는 사람 ; 고발자, 고소인, 기소인.

accusatif, ive [akyzatif, -i:v] *m.* 〖문법〗 대

격(對格). ── *adj.* 대격의.

accusation** [akyzɑsjɔ̃] *f.* ① 〖법률〗 고발, 고소, 기소 ; 검사측. ② 비난 : ~*s* malveillantes 중상(中傷). ③ 탄핵. ④ 고백 ; 〖신학〗 참회. ***acte d'~ 고발〔기소〕장. ***chef d'~*** 기소장의 소인(訴因). ***mettre*** qn ***en ~*** …을 고소〔탄핵〕하다.

accusé, e [akyze] *n.* 피고인(= inculpé) : le banc des ~*s* 피고인석. ── *m.* 증서 : ~ de réception 영수증. ── *adj.* ① 고발된, 고소를 당한. ② 뚜렷한, 두드러진(= marqué) : traits bien ~*s* 빼어난 이목구비.

accuser** [akyze] *v.t.* ① ⓐ 고발〔고소 · 기소〕하다 ; 비난하다 ; 규탄하다 : Tout le monde l'a*ccuse*. 모두 그를 비난한다. ⓑ (운명 따위를) 원망하다 : ~ le sort 운명을 탓하다. ⓒ《~ qn de qc 〔+*inf.*〕》…을 …라고〔한다고〕 고발〔비난〕하다 : ~ qn *de* meurtre …을 살인죄로 고소하다 / On l'*accusa d'*avoir fui du combat. 그는 전투에서 도망친 죄로 문책받았다. ② 드러내다, 보이다, 나타내다 ; 강조하다(= indiquer) : Les rides *accusent* son âge. 주름살이 그의 나이를 말해 주고 있다 / vêtement qui *accuse* les lignes du corps 몸매가 드러나 보이는 옷 / ~ le point essentiel d'un exposé 발표한 것의 요점을 강조하다. ── **s'~** *v.pr.* ① 잘못을 인정하다, 자책하다, 참회하다 :《s'~ de》 *s'~ d'*un crime 자기가 지은 죄를 자책하다 / Il *s'accuse d'*avoir triché. 그는 속임수를 쓴 것을 뉘우친다. ② 서로 비난하다. ③ 뚜렷이 드러나다, 눈에 띄다 : Les traits les plus marquants du caractère *s'accusent* dès enfance. 성격의 가장 특징적인 점들은 어릴 때부터 나타난다. ***Qui s'excuse s'accuse. 《속담》 도둑이 제 발 저린다.

ace [as] 〔영〕 *m.* 〖테니스〗 상대가 손을 못대어 점수가 되는 서비스.

acerbe [asɛʀb] *adj.* ① 신, 신맛나는, 떫은 : goût ~ 쓴맛. ② 《비유》 비꼬는 ; 쏘아붙이는, 신랄한 : voix ~ 쏘아붙이는 목소리.

acéré, e [aseʀe] *adj.* ① 강철을 입힌, 강철날을 붙인. ② 날카로운, 예리한. ③ 신랄한.

acétate [asetat] *m.* 〖화학〗 초산염.

acétimètre [asetimɛtʀ] *m.* 초산 비중계.

acétique [asetik] *adj.* 〖화학〗 초산의 : acide ~ 초산.

acétone [asetɔn] *f.* 〖화학〗 아세톤.

acétoselle [asetozɛl] *f.* 〖식물〗 괭이밥.

acétylène [asetilɛn] *m.* 〖화학〗 아세틸렌.

achalandé, e [aʃalɑ̃de] *adj.* ① 단골손님이 많은 ; 번창한. ② 다양하게 상품을 갖춘 : boutique bien 〔mal〕 ~*e* 물건을 고루 잘 갖춘〔갖추지 못한〕 상점.

***acharné, e** [aʃaʀne] *adj.* ① 악착스러운, 끈질긴 : Il y a réussi grâce à un travail ~. 그는 악착스럽게 일함으로써 그 일에 성공했다. ②《~ à》…에 열중한 : ~ *à* l'étude 연구에 열중한. ③《~ contre 〔après〕》…에 대해 가차없는, 분격한 : homme ~*s* (les uns *contre* les autres) 서로 필사적으로 싸우는 사람들. ④ (행동이) 맹렬〔격렬〕한 : combat ~ 맹렬한 격투.

acharnement [aʃaʀnəmɑ̃] *m.* ① 악착스러움, 격렬함. ②《~ à 〔pour〕》…에 대한 열중, 열정. ③《~ contre》…에 대한 끈덕진 증오심. ***~ au*** 〔***pour le***〕 ***travail*** 일에 대한 열정. ***avec ~*** 필사적으로, 열심히. ***mettre de l'~ à***+*inf.* 필사적으로 …하다.

acharner (s') [saʃaʀne] *v.pr.* ①《s'~ contre 〔après, sur〕》…에 악착스레 달라붙다 ; …을 끈덕지게 괴롭히다 : *s'~ sur* 〔*contre*〕 l'ennemi en fuite 패주하는 적을 맹렬히 추격하다. ②《s'~ à qc 〔+*inf.*〕》…에 열중하다, 악착스레 …하다 : *s'~ au* jeu 도박에 열중하다 / *s'~ aux* mathématiques 수학과 씨름하다.

achat** [aʃa] *m.* ① 구입(= acquisition), 매입, 물건 사기, 쇼핑 : faire des ~*s* 쇼핑하다/ faire l'~ de qc …을 사들이다. ② 산 물건, 구매물 : Montrez-moi vos ~*s*. 산 것을 보여 주시오. ***~ au comptant 현금 구입. ***prix d'~*** 〖상업〗 구입 가격, 원가. ***pouvoir d'~*** 〖경제〗 구매력.

acheminement [aʃminmɑ̃] *m.* ①《~ à 〔vers〕》 향하기, 전진 ; 진척 ; 도정(道程) : Toute la vie est un ~ *vers* la mort. 모든 삶은 죽음에 이르는 노정이다. ② 〖상업〗 경로 ; 〖우편〗 발송 ; 운행: ~ du courrier 우편물의 발송 / ~ des trains vers Paris 파리행 열차의 운행.

acheminer [aʃmine] *v.t.* ①《~ qc 〔qn〕 vers 〔à, sur〕》…으로 향하게〔가게〕 하다, 보내다(= diriger) : ~ des troupes *vers* les points menacés 부대를 위협이 절박한 지점으로 보내다 / Chaque jour nous *achemine à* la mort. 하루하루 우리는 죽음을 향해 나아간다. ② 발송하다 : ~ un courrier 우편물을 발송하다. ③ 진척시키다.
── **s'~** *v.pr.* ①《s'~ vers》…으로 향하다, 가다. ② 진척되다 : Les choses *s'acheminent* où nous voulons. 일은 우리가 원하는 대로 되어 간다.

:acheter [aʃte] [4] *v.t.* ① 사다 :《~ qc à 〔de〕 qn》 ~ un livre *à* un libraire 서적상에게서 책을 사다 /《~ qc à 〔pour〕 qn》 ~ des fleurs *pour* une amie 여자 친구를 위해 꽃을 사다 / ~ qc (à) bon marché …을 싸게 사다 / ~ cher 〔à un prix élevé〕 비싸게〔오른 가격으로〕 사다 / ~ argent comptant ; (au) comptant 현금으로 사다 / ~ à crédit 〔tempérament〕 외상으로〔할부로〕 사다 / J'*ai acheté* cela cent francs. 그것을 100 프랑 주고 샀다 / J'*ai acheté* vingt francs de pain. 나는 빵을 20 프랑어치 샀다. ② 힘들여 얻다, 쟁취하다 : ~ son bonheur de lourds sacrifices 많은 희생을 치르고 행복을 얻다 / Il *a* bien *acheté* son repos. 그는 이제 마음 놓고 쉴 수 있게 되었다. ③ 매수하다(= corrompre) : ~ les conscience 양심을 매수하다 / ~ un juge 법관을 매수하다. ④ 《속어》 놀리다, 조롱하다. ── **s'~** *v.pr.* ① (돈으로) 구입되다〔살 수 있다〕 : Ce ne sont pas des choses qui *s'achètent*. 그건 돈으로 살 수 있는 것이 아니다. ② 자신을 위해 사다 : Je *me suis acheté* une villa. 나는 (내가 사용할) 별장을 샀다.

acheteur, euse [aʃtœːʀ, -øːz] *n.* ① 사는 사람, 구매자(≠ vendeur). ② 구매계원.

achevage [aʃvaːʒ] *m.* 완성, 끝손질, 마무리.

achevé, e [aʃve] *adj.* 완성된 ; 완전한(= accompli, parfait) ; 더할 나위 없는, 훌륭한 : œuvre ~ 나무랄 데 없는 작품.

achèvement [aʃɛvmɑ̃] *m.* ① 완성, 완료 ; 낙성, 준공. ② (회계 연도의) 마감, 끝.

achever** [aʃve] [4] *v.t.* ① ⓐ 끝마치다(= terminer), 끝내다 : ~ ses jours 〔sa vie〕 일생을 마치다 / ~ son repas 식사를 끝내다. ⓑ《목적보어 없이》끝까지 말하다 : Mais *achevez* donc ! 어서 끝까지 말씀하시오. ② 완성하다, 성취하다, 마무리하다(= accomplir) : ~ un travail 〔programme〕 일〔계획〕을 마무리하다. ③《~ qn》(죽어 가는 사람을) 아주 죽여 버리다 ; 완전히 파산〔파멸〕시키다 : Cette perte *acheva* sa ruine 〔l'*acheva*〕. 이 손실로 그는 완전히 파산했다 / Ce malheur l'*a acheva*. 이 불행으로 그는 그만 어쩔 수 없게 되고 말았다. **~ *de + *inf.* …하기를 끝내다 : *Achève de* boire ton café. 커피를 다 마셔라. ── **s'~** *v.pr.* ① 끝나다 : La fête *s'achève*. 축제가 끝나다. ② 완성되다 ; 성취되다 : Enfin son roman *s'acheva*. 마침내 그의 소설이 완성되었다.

Achille [aʃil] *n.pr.m.* 〖그리스문학〗 아킬레스 : talon d'~ 약점, 급소.

achoppement [aʃɔpmɑ̃] *m.* ① 발이 부딪치기 ; 부딪침. ② 장애물, 방해물. ***pierre d'~*** 뜻하지 않은 장애물, 실패의 원인.

achopper [aʃɔpe] *v.i.* 《~ sur 〔à〕》 ① …에 발을 부딪치다 : Il *achoppa sur* une pierre. 그는 돌에 발을 부딪쳤다. ② 장애〔어려움〕에 부딪치다 ; …에 부딪쳐 실패하다.

achromatopsie [akʀɔmatɔpsi] *f.* 색맹.

***acide** [asid] *adj.* ① (맛이) 신(= aigre ; ≠ sucré) : fruits ~*s* 신 과일. ② 〖화학·지질〗 산성의 : roches ~*s* 산성암(岩). ③ (소리가) 날카로운(= aigu) ; (빛깔 따위가) 생생〔싱싱〕한 느낌의: voix ~ 날카로운 목소리. ④ 신랄한, 가시 돋친(= acerbe) : parole ~ 신랄한 말. ── *m.* ① 신맛. ② 〖화학〗 산(酸) : Le vin tourne à l'~. 포도주가 시어진다. ③ 《구어》 환각제(LSD).

acidifier [asidifje] *v.t.* 산성화하다 ; 시게 만들다. ── **s'~** *v.pr.* 산성화하다 ; 시어지다.

acidité [asidite] *n.* ① 신맛, 산미(酸味). ② 산성 ; 산도(酸度) : ~ gastrique 위의 산도. ③ 신랄함 ; (빛깔 따위의) 생생함 : ~ de sa remarque 그의 지적의 신랄함. 「신랄한.

acidulé, e [asidyle] *adj.* ① 새큼한. ② 약간

acier** [asje] *m.* ① 강철 : fabrication 〔affinage〕 de l'~ 제강. ② (강철로 만든) 검, 단검. ③ 강철같이 단단한 것 : corps 〔muscles〕 d'~ 무쇠 같은 몸〔근육〕. ***cœur d'~ 무정한 사람. ***regard d'~*** 쌀쌀한 눈초리.

aciérage [asjeʀaːʒ] *m.*, **aciération** [asjeʀɑsjɔ̃] *f.* ① 《옛》 〖야금〗 강철화, 제강. ② 강철 입히기, (알루미늄 등) 경화 공정.

aciérie [asjeʀi] *f.* 제강소.

acmé [akme] *m.* 정점 ; (질병의) 극성기.

acné [akne] *f.* 〖의학〗 뾰루지, 여드름 : ~ ponctuée 여드름.

acolyte [akɔlit] *m.* ① 〖가톨릭〗 복사(服事). ② 《구어》 부하, 패거리(= compagnon) ; 공범자(= complice).

acompte [akɔ̃ːt] *m.* 분할 지불금, 선금 : payer par ~*s* 분할 지불하다.

a contrario [akɔ̃tʀaʀjo] 〔라틴〕 *loc. adv.* 〖논리〗 대립된 추론에 의해.

acoquiner (s') [sakɔkine] *v.pr.* ① 《s'~ à 〔avec〕 qn》 (좋지 못한 사람과) 어울리다, 교제하다 : Il *s'acoquine avec* le premier venu. 그는 누구하고나 가리지 않고 어울린다. ② 《s'~ à qc》 …에 빠지다, 탐닉하다 : *s'~ au* jeu 도박에 빠지다.

à-côté [akote] *m.* (*pl.* **~-~s**) ① 귀엣말로 하는 이야기 ; 〖연극〗 방백. ② (문제의) 측면 ; 부수적인 면, 지엽말절(枝葉末節) : Ce n'est qu'un ~ de la question. 그것은 문제의 지엽적인 부분에 지나지 않는다. ③ (*pl.*) 부수입 ; 부수적 경비〔지출〕.

à-coup [aku] *m.* (*pl.* **~-~s**) 급격한 운동 ; 급정지 : ~ de surcharge 〖전기〗 급격한 과부하(過負荷) /Il y a des ~*s* dans le moteur. 엔진이 덜컹거린다. ***par ~*** 불규칙하게, 단속적으로. ***sans ~*** 순조롭게 : machine qui fonctionne *sans* ~*s* 원활히 움직이는 기계. 「음향학자.

acousticien, enne [akustisjɛ̃, -ɛːn] *n.*

acoustique [akustik] *adj.* ① 청각의 ; 음향(학)의 : nerf ~ 청신경. ② 소리의 전달을 돕는 : appareil ~ 보청기. ── *m.* 통화관. ── *f.* ① 음향학. ② 음향 감도, 음향 효과 : La salle a une bonne ~. 이 방은 음향 효과가 좋다.

acquéreur [akeʀœːʀ] *m.* 구매자 ; 취득자.

acquérir** [akeʀiːʀ] [15] *v.t.* ① (재산을) 취득하다 ; 사들이다, 사다 : ~ une maison de campagne 별장을 구입하다. ② 획득하다(= gagner ; ≠ perdre) : Ce timbre *acquiert* de la valeur. 이 우표는 값이 오른다 / Il *a acquis* la célébrité avec son dernier film. 그는 최근의 영화 제작으로 명성을 얻었다. ③ 《~ qc à qn》 …에게 …을 획득하게〔얻게〕 해 주다 : Sa protection m'*est acquise*. 나는 그의 보호를 기대할 수 있다. ***Un bien en acquiert un autre. 《격언》 돈이 돈을 번다. ── **s'~** *v.pr.* ① 《se 는 간접목적보어》 (자기를 위해) 획득하다 : Il *s'est acquis* l'estime de ses chefs. 그는 상관들의 인정을 받게 되었다. ② 자초하다, (미움 따위를) 사다 : *s'~* des mépris 경멸을 초래하다. ③ 《se 는 직접목적보어》 획득되다, 얻어지다: L'habileté *s'acquiert* par l'entraînement. 숙련은 훈련을 통해 얻어진다.

acquerr-a, -ai, -as, etc. ⇒ acquérir.

acquêt [akɛ] *m.* ① 소득, 이익 ; 획득〔취득〕물. ② (보통 *pl.*) 〖법률〗 취득 재산.

acqui-ère, -èrent, -ers, -ert, etc. ⇒ acquérir.

acquiescement [akjɛsmɑ̃] *m.* 동의, 승낙 ; 〖법률〗 (판결에 대한) 복종 : ~ pur et simple 무조건 승인〔수락〕.

acquiescer [akjɛ(e)se] [2] *v.t. ind.* 《~ à》 …에 동의〔승낙〕하다 : ~ *à* un désir 희망을 들어주다 / 《목적보어 없이》 Il *acquiesce* d'un signe de tête. 그는 머리를 끄덕여 동의를 표시한다.

acquis, e [aki, -iːz] *adj.* ① ⓐ 얻어진, 획득된 : expérience ~*e* au long de la carrière 경력을 통해 얻어진 경험. ⓑ 후천적인, 후천

성의 : goût ~ 후천적으로 얻은 취미. ② 확정된; 확실한(= incontestable) : Ce point est désormais ~. 이 점은 이제 이론의 여지가 없다. ③ 《~ à》 …에게 헌신하는, …에 동조하는 : Je vous suis tout 〔entièrement〕 ~. 무슨 일이든지 해〔도와〕드리겠습니다 / Il est maintenant ~ *à* notre projet. 그는 이제 우리 계획에 동조하고 있습니다. ***droits ~*** 기득권. ***fait ~*** 확실한 사실.
— *m.* 학식, 지식, 조예, 경험 : avoir de l'~ 세상 물정에 밝다, 경험이 많다.

acqui-s, -t, etc. ⇒ acquérir.

acquisition [akizisjɔ̃] *f.* ① 획득, 취득, 구입(= achat ; ≠ vente) : faire l'~ de qc …을 획득〔입수〕하다 ; 구매하다. ② 획득〔입수〕물 ; 구입품 : nouvelle ~ (도서관의) 새로 구입한 도서.

acquit [aki] *m.* ① 영수증 : donner ~ de qc …에 대한 영수증을 발급하다. ② (빚의) 판상(辦償) ; 청산 ; (약속 · 의무의) 이행. ③ 무죄 석방 ; 방면. ***par ~ de conscience ; pour l'~ de sa conscience*** 꺼림칙하지 않도록, 되는대로. ***par manière d'~*** 소홀하게, 되는대로. ***pour ~*** 〖상업〗 영수필.

acquittement [akitmɑ̃] *m.* ① 지불, 납입 ; 판상 : ~ d'une dette 부채의 판상. ② 〖법률〗 무죄 석방하기〔되기〕. ③ 영수필 서명.

***acquitter** [akite] *v.t.* ① 지불하다(= payer) : ~ ses impôts 세금을 물다. ② (청구서에) 영수 서명을 하다 : ~ une facture (청구서에) 영수 서명을 하다. ③ 빚을 갚다 ; 이행하다(= remplir, accomplir) : ~ sa promesse 약속을 이행하다 / ~ une dette de reconnaissance 은혜를 갚다. ④ 《~ qn de》 …을 (빚 · 의무 따위)에서 해방시켜 주다〔면제해 주다〕 : Ce versement m'*acquitte de* ma dette envers vous. 이 지불로 이제 당신에 대한 채무는 없습니다. ⑤ …의 무죄를 선고하다 : ~ un accusé 피고에게 무죄를 선고하다. — **s'~** *v.pr.* ① 《s'~ de》 (의무 따위를) 완수하다 ; 이행하다 ; (빚을) 갚다 : *s'~ de* ses obligations 〔*de* ses fonctions〕 의무〔직무〕를 다하다. ② 은혜를 갚다.

acre [akʀ] 〖영〗 *f.* 에이커.

âcre [ɑːkʀ] *adj.* ① (맛 · 냄새가) 자극적인, 매운 ; 쓴 : saveur ~ 자극적인 맛 / fumée ~ 매운 연기. ② 쓰라린 ; 신랄한, 가시 돋힌 : ~ amour 고통스러운 사랑.

âcreté [ɑ(a)kʀəte] *f.* ① 매운맛 ; 쓴맛. ② 쓰라림 ; 신랄함.

acrimonie [akʀimɔni] *f.* 신랄함 ; 독살스러움(= aigreur ; ≠ douceur) : Parlez sans ~. (핏대 올리지 말고) 조용히 말씀하세요.

acrimonieux, euse [akʀimɔnjø, -øːz] *adj.* 신랄한 ; 독살스러운 : ton ~ 신랄한 어조.

acrobate [akʀɔbat] *m.* 줄 타는 사람, 재인, 곡예사, …꾼 : tour d'~ 곡예 / C'est un ~ de la récitation. 그는 암송의 귀신이다.

acrobatie [akʀɔbasi] *f.* 줄타기, 곡예 ; 묘기 : faire des ~*s* 묘기를 부리다. ***~ aérienne*** 〔***d'aviateur***〕 ***; ~ en vol*** 곡예비행.

acrobatique [akʀɔbatik] *adj.* 줄타기의, 곡예의, (곡예와 같은) 묘기의 : gymnastique ~ 곡예 체조.

acropole [akʀɔpɔl] *f.* ① 아크로폴리스《고대 그리스 도시의 성채(城砦)》. ② (*A*~) 아테네의 아크로폴리스.

acrylique [akʀilik] *adj.* 〖화학〗 아크릴산의 : acide ~ 아크릴산.

⁑acte [akt] *m.* ① 동작, 행위, 행동(= action, geste) ; 〖종교〗 신앙심의 발동 : ~ de foi 신덕(信德) ; (어떤 사상 · 사상 단체에 대한) 충성 / ~ de courage 용감한 행동 / passer aux ~*s* 행동〔실천〕으로 옮기다. ② 〖법률〗 증서(= certificat), 문서(= document) : ~ d'accusation 공소장(公訴狀) / ~ de décès 〔mariage, naissance〕 사망〔결혼 · 출생〕 증명서 / ~ judiciaire 영장 / ~ de dernière volonté 유언장 / ~ de l'état civil 호적 등본. ③ 인정, 증명. ④ (정부의) 결의 ; (*pl.*) 결의서, 법령 : les ~*s* du gouvernement 정령. ⑤ (*pl.*) 기록 ; (학회) 의사록, 보고서 : ~*s* d'un congrès 학회 기록 / ~ des conseils 〖가톨릭〗 공의회 의사록. ⑥ 〖연극〗 막 : pièce en trois ~*s* 3 막극. ***demander ~ de*** qc …의 (법적) 확인을 요구하다. ***donner ~ de*** qc 〔***que*** + *sub.*〕 …을 법적으로 확인해 주다. ***faire ~ de*** qc …을 실증하다, 나타내 보이다 : *faire ~ d'*énergie 정력을 과시하다 / *faire ~ de* foi 신뢰하다. ***prendre ~ de*** qc …을 법적으로 인정〔확인〕하다 ; 《구어》 적어 두다.

***acteur, trice** [aktœːʀ, -tʀis] *n.* ① 배우 : ~ de théâtre 〔cinéma〕 연극〔영화〕 배우. ② (사건 따위의) 당사자, 관계자.

actif, ive** [aktif, -iːv] *adj.* ① 활동적인, 활기 있는(= énergique) ; 근면한, 부지런한 : mener une vie ~*ive* 활기차게 살아가다 / C'est un homme ~ que rien ne fatigue. 그는 지칠 줄 모르는 활동가다. ② 활동하는〔하고 있는〕 : volcan ~ 활화산 / population ~*ive* 취업〔생산〕 인구. ③ 〖군사〗 현역의 : armée ~*ive* 현역군. ④ 적극적인, 능동적인 : méthode ~*ive* 적극적인 방법. ⑤ 〖문법〗 ⓐ 타동(他動)의 : verbe ~ 타동사. ⓑ 능동(能動)의 : forme 〔voix〕 ~*ive* 능동태. ⑥ 활발한 : imagination ~*ive* 활발한 상상력. ⑦ (약 · 독 따위가) 강렬한, 즉효의 : remède 〔poison〕 ~ 효력이 강한 약〔독〕. — *m.* ① 〖상업〗 자산, 대변(貸邊) : ~ financier 〔monétaire〕 금융〔화폐〕 자산. ② 〖문법〗 능동태. ③ (*pl.*) 노동력 인구. ***avoir qc ***à son ~*** …을 자신의 공적〔경력〕으로 지니다 : Cet individu *a* plusieurs vols *à son ~*. 이 자는 몇 차례 도둑질한 전력이 있다. ***à l'~ de*** qn …의 공적으로서; …의 소행〔짓〕으로서. — *f.* 〖군사〗 현역(군) : servir dans l'~*ive* 현역으로 복무하다.

actinie [aktini] *f.* 〖동물〗 말미잘.

⁑action [aksjɔ̃] *f.* ① 작용 : ~ chimique 화학작용 / ~ et la réaction 작용과 반작용. ② 동작, 몸짓 : L'~ fait partie de l'art oratoire. 몸짓은 웅변술의 일부를 이룬다. ③ 활동, 활약 ; 실행 : homme d'~ 활동가 / On le voit toujours en ~. 그는 언제나 활동하고 있다. ④ 행위, 행동 : accomplir une bonne ~ 선행을 하다 / commettre une mauvaise ~ 비행을 저지르다 / ligne d'~ 행동 노선 / unité d'~ 행동 통일. ⑤ 전투 ; 투쟁 : engager l'~ 전투를 개시하다 / ~

politique 정치 투쟁. ⑥ 힘의 작용〔영향〕; 효력, 효과(= effet) : sous l'~ de pluie 비의 작용〔영향〕으로, 비로 인해 / événement en dehors de notre ~ 우리 힘으로 어찌할 수 없는 사건 / exercer une ~ sur qn …에게 영향을 미치다 / L'~ du remède se fait sentir. 약의 효력이 느껴진다. ⑦ (기계 따위의) 가동, 운행 : hors d'~ (기계가) 가동 불능인. ⑧ (각본·소설의) 줄거리, 플롯 : unité d'~ 줄거리의 단일성 / L'~ du film se passe en Grèce. 그 영화는 그리스를 무대로 하여 전개된다. ⑨ 〖법률〗 소송, 소권, 기소 : intenter une ~ à qn …에게 소송을 제기하다 / ~ civile 민사 소송. ⑩ 〖상업〗 주권(株券), 주식 : acheter 〔vendre〕 des ~*s* 주식을 사다〔팔다〕 / société par ~*s* 주식회사. ***mettre*** qc ***en ~*** …을 실행하다, 실천에 옮기다 : *mettre en ~* un principe 원칙을 실행하다.

actionnaire [aksjɔnɛːʀ] *n.* 주주(株主).

actionnement [aksjɔnmɑ̃] *m.* (기계의) 조작, 조종, 운전.

actionner [aksjɔne] *v.t.* ① 소송을 제기하다, 재판을 걸다. ② 자극하다, 분발시키다 : Je vais ~ le president. 내가 사장을 움직여 보겠소. ③ (기계를) 움직이게 하다, 운전하다 : ~ le dispositif de départ d'un moteur 엔진의 시동 장치를 작동시키다. ── **s'~** *v.pr.* 활발히 움직이다, 활기를 띠다.

activation [aktivɑsjɔ̃] *f.* 촉진 ; 활성화.

activement [aktivmɑ̃] *adv.* ① 활발히 ; 적극적으로 ; 신속하게. ② 〖문법〗 능동적으로.

activer [aktive] *v.t.* ① 활기를 불어넣다 ; 활발하게 만들다 : ~ le feu 불기운을 돋우다. ② 자극하다, 분기시키다, 선동하다 ③ (일 따위를) 독촉〔재촉〕하다; 촉진하다 : ~ les travaux 공사를 촉진하다. ── *v.i.* 《구어》 서두르다 : Allons! *Activez* un peu. 자, 좀 서두르세요. ── **s'~** *v.pr.* ① 분기하다. ② 활발히 움직이다 ; 서두르다, 부지런히 일하다 : *s'~ à* terminer le travail 일을 끝내려고 부지런히 일하다.

activisme [aktivism] *m.* 〖정치〗 적극적 행동주의 ; 과격 사상〔주의〕.

activiste [aktivist] *m.* 적극적 행동주의자, 과격파. ── *adj.* 적극적〔과격〕 행동주의의.

***activité** [aktivite] *f.* ① 활동, 활약 ; 활동력 : sphère d'~ 활동 범위 / volcan en ~ 활화산. ② 작용 : ~ chimique d'un corps 물체의 화학 작용. ③ 활발, 민첩, 신속 ; 활기(= dynamisme) : avoir beaucoup d'~ (사람·사업이) 활기에 넘쳐 있다 / déployer une grande ~ 분주히 일하다. ④ (구체적인) 일, 업무(= occupation) : ~ professionnelle 직업 활동 / J'ignore tout de ses ~*s*. 나는 그가 무슨 일을 하는지 전혀 모른다. ⑤ 현직, 현역(= ~ de service) : fonctionnaire en ~ 현직 공무원 / officier en ~ 현역 장교.

***actrice** [aktʀis] *f.* ⇒ acteur.

actuaire [aktɥɛːʀ] *m.* 보험 계리사. 「현.

actualisation [aktɥalizɑsjɔ̃] *f.* 현실화, 실

actualiser [aktɥalize] *v.t.* ① 현실화〔실현〕하다 : ~ une virtualité 가상적인 것을 현실화하다. ② (시대에 맞게) 현대화하다 : ~ un manuel scolaire 학교 교재를 현대화하다. ③ 〖철학〗 (가능성·잠재성을) 현실화하다. ── **s'~** *v.pr.* 현실화되다 ; 현대화되다.

***actualité** [aktɥalite] *f.* ① 현실성 ; 현실, 실제. ② 현시성 ; 시사성 ; 현대적 관심거리 : Cette question est toujours d'~. 이 문제는 아직도 시사성이 있다. ③ (*pl.*) 시사 (문제) ; 뉴스 (영화) : vues 〔film〕 d'~*s* 뉴스 영화/ ~*s* télévisées 텔레비전 뉴스 / problème d'~ 시사적 문제.

***actuel, elle** [aktɥɛl] *adj.* ① 〖철학〗 현실의. ② ⓐ 현재〔현금〕의, 현행의(= présent) : le moment ~ 현시점 / prix ~*s* 〖상업〗 시가(時價) / dans l'état ~ des choses 현재 상황에서는 / à l'heure ~*elle* 현재, 오늘날. ⓑ 시사적인, 현대적 관심사인 : question ~*elle* 현대적 관심사인 문제 / grande œuvre toujours ~*elle* 아직도 현대인의 흥미를 끄는 대작.

***actuellement** [aktɥɛlmɑ̃] *adv.* ① 현재, 목하, 지금 : *A~*, ce livre est épuisé. 현재 이 책은 절판되었다. ② 〖철학〗 현실적으로.

acuité [akɥite] *f.* ① 날카로움 : ~ d'un son 소리의 날카로움. ② (고통의) 격심함(= intensité) : ~ d'une crise politique 격심한 정치 위기. ③ (감각의) 강도 : ~ visuelle 〔auditive〕 시력〔청력〕.

acuponcteur, trice, acupuncteur, trice [akypɔ̃ktœːʀ, -tʀis] *n.* 침술가.

acuponcture, acupuncture [akypɔ̃ktyːʀ] *f.* 〖의학〗 침술(鍼術).

adage [adaːʒ] *m.* 격언, 속담.

adagio [adaʤjo] 《이탈리아》 〖음악〗 *adv.* 느리게. ── *m.* 아다지오, 완서곡(緩徐曲). 「름.

Adam [adɑ̃] *n.pr.m.* 〖구약〗 아담 ; 남자 이

adaptabilité [adaptabilite] *f.* 적응성.

adaptable [adaptabl] *adj.* 적응〔적용〕할 수 있는 ; 개작〔번안〕할 수 있는.

adaptateur, trice [adaptatœːʀ, -tʀis] *n.* 번안자, 각색자. ── *m.* ① 〖전기〗 변환기, 변류기. ② 〖사진〗 (감광판의) 가감 장치.

***adaptation** [adaptɑsjɔ̃] *f.* ① 꼭 들어맞음 〔맞추기〕. ② 적응 ; 적합 ; 〖생물〗 적응성 : ~ à un nouveau milieu 새로운 환경에의 적응. ③ 번안, 각색, 개작: ~ d'un roman à la scène 연극을 위한 소설의 각색.

***adapter** [adapte] *v.t.* 《~ qc à qc》 ① 맞추다 ; 맞추어 붙이다(= ajuster) : ~ un robinet *à* un tuyau 수도꼭지를 도수관에 맞추다. ② 적응〔순응〕시키다 : ~ les moyens *au* but 수단을 목적에 적응시키다. ③ 개작〔각색·번안〕하다 : ~ un roman *au* cinéma 소설을 영화로 만들다. ── **s'~** *v.pr.* 《s'~ à》 ① …에 꼭 들어맞다: La clé ne *s'adapte* pas *à* la serrure. 열쇠가 자물쇠에 잘 맞지 않는다. ② …에 적응〔순응〕하다 : *s'~ au* réel 현실에 적응하다 / *s'~ au* public 대중의 취향에 맞추다.

addenda [adɛ̃da] 《라틴》 *m.* 《복수불변》 (권말의) 추가 ; 보유(補遺).

additif, ive [aditif, -iːv] *adj.* 부가적인, 덧붙여지는. ── *m.* 추가 항목 ; 첨가물 : ~ au budget 예산의 추가 조항/ ~ alimentaire 식품 첨가물〔제〕.

***addition** [adisjɔ̃] *f.* ① 덧붙이기, 부가(附加), 추가 : faire une ~ à un bâtiment 증축하다/

A

～ d'un ≪s≫ au pluriel des substantifs 명사 복수에 "s"를 붙이기. ② 첨가물(= complément) ; 부록(= supplément). ③ 〖수학〗 덧셈, 합산, 가법 : faire l'～ des chiffres 수를 합계하다. ④ (식당 따위의) 계산서 : Garçon, l'～! 보이, 얼마요 / régler l'～ 계산을 치르다.

additionnel, elle [adisjɔnɛl] *adj.* 부가적인, 부가되어야 할.

***additionner** [adisjɔne] *v.t.* ① 추가하다, 합계〔합산〕하다(= sommer) : ～ des nombres 숫자를 합산하다. ② 《～ qc de》 …에 …을 타다〔섞다〕 : vin *additionné d'*eau 물을 탄 포도주. ── **s'～** *v.pr.* 합쳐지다, 합산되다 ; 겹치다 : Les erreurs *s'aditonnaient.* 실수가 연발되었다.

adducteur [adyktœːʀ] *adj. m.* 〖해부〗 내전(內轉)하는 ; 〖수력〗 물을 끌어 오는. ── *m.* 〖해부〗 내전근(內轉筋) ; 〖토목〗 도수관.

adduction [adyksjɔ̃] *f.* ① 〖해부〗 내전(內轉) (작용). ② (증기 · 가스의) 송입(送入).

adénoïde [adenɔid] *adj.* 〖의학 · 생리〗 선상(腺狀)의, 선양(腺樣)의.

adepte [adɛpt] *n.* ① 신봉자(= adhérent) ; 추종자 : ～*s* de la poésie moderne 현대시의 옹호자들. ② 당원 ; 지지자, 동지 : secte qui fait des ～*s* 추종자가 많이 모여드는 유사 종교.

adéquat, e [adekwa, -at] *adj.* ① 《～ (à)》 완전히 일치하는, 꼭 들어맞는, 적확〔정확〕한, 적절한(= approprié) : C'est l'expression ～*e à* la situation. 이 경우에는 꼭 들어맞는 표현이다 / définition parfaitement ～*e* 아주 정확한 정의. ② 동의(同議)의.

adéquation [adekwasjɔ̃] *f.* 적합성 ; 합치, 합당성.

adhérence [adeʀɑ̃ːs] *f.* ① 점착, 밀착 : l'～ du timbre à l'enveloppe 우표가 봉투에 밀착하기. ② 집착. ③ 가입, 가맹. ④ (*pl.*) 〖의학〗 유착.

***adhérent, e** [adeʀɑ̃, -ɑ̃ːt] *adj.* ① 밀착하는, 점착성의 : gomme très ～*e* 접착력이 강한 고무. ② 가입〔가맹〕한. ── *n.* ① 집착〔고집〕하는 사람 ; 지지자. ② 당원, 소속자, 가입〔가맹〕자, 회원 : carte d'～ 회원증.

***adhérer** [adeʀe] [6] *v.t. ind.* 《～ à》 ① …에 점착하다, 들러붙다(= coller) : ～ *à* la route (차바퀴가) 도로에 들러붙다. ② (의견 따위에) 집착하다, …을 고집하다 ; (학설 · 주장의) 신봉자가 되다 : ～ *à* une doctrine 어떤 교리를 신봉하게 되다. ③ 동의하다 ; 찬동하다. ④ (단체 따위에) 가입〔가맹〕하다, 참가하다 : ～ *à* un parti 당에 가입하다.

adhésif, ive [adezif, -iːv] *adj.* ① 들러붙는, 점착성의(= collant) : ruban ～ 스카치 테이프. ② 동의를 표시하는. ── *m.* 접착물〔제〕.

adhésion [adezjɔ̃] *f.* ① 점착. ② 가입, 가맹. ③ 동의, 지지, 찬동(= approbation) : donner son ～ à qc …을 지지하다.

adhoc [adɔk] 〔라틴〕 *loc. adv.* ① 그러기 위하여, 특별히. ② 《형용사적으로》 특별한, 특별히 만들어진, 적절한.

adieu** [adjø] *m.* (*pl.* **～x**) 안녕(히 가세요〔계세요〕)《작별 인사》 ; 작별 : *A～* les amis! 친구들이여, 안녕! ***dire un ～ à qc …에 이별을 고하다, …을 버리다. ── *interj.* 안녕《작별 인사》. ***dire*** 〔***faire***〕 ***～ à*** qn 〔qc〕 …에게 작별 인사를 하다. ***Sans ～!; Je ne vous dis pas ～.*** 또 만납시다.

à Dieu va(t), à-Dieu-va(t), adieu va(t) [adjøva(t)] *loc. interj.* 《구어》 운을 하늘에 맡기자! (될대로 되라)(= à la grâce de Dieu, advienne que pourra).

adipeux, euse [adipø, -øːz] *adj.* 〖생리〗 지방(질)의 ; 《구어》 살찐 : tissu ～ 지방 조직 / devenir ～ (사람이) 살이 찌다.

adiposité [adipozite] *f.* 〖의학〗 지방 과다.

adjacent, e [adʒasɑ̃, -ɑ̃ːt] *adj.* 인접한, 부근의 : angles ～*s* 인접각(角).

adjectif, ive [adʒɛktif, -iːv] *m.* 〖문법〗 형용사 : ～ verbal 동사적 형용사 / ～ qualificatif 품질 형용사. ── *adj.* 〖문법〗 형용사의, 형용사적인.

adjectival, e, aux [adʒɛktival, -o] *adj.* 형용사(식)의 ; 형용사 고유의.

adjectivement [adʒɛktivmɑ̃] *adv.* 형용사적으로.

adjoign-e(s), etc. ⇒ adjoindre.

adjoindre [adʒwɛ̃ːdʀ] [27] *v.t.* ① 《～ qc à》 …에 …을 덧붙이다, 첨부〔첨가〕하다(= ajouter) : ～ un dispositif de sécurité *à* une machine 기계에 안전장치를 부착하다. ② 《～ qn à》 …에게 …을 (조수로) 붙여주다 : On m'a *adjoint* une secrétaire. 나에게 비서를 붙여 주었다. ── **s'～** *v.pr.* ① 《s'～ à》 …에 가담하다, …와 한패가 되다. ② 자기에게 붙이다, 얻다 : *s'～* des collaborateurs 협력자를 얻다.

adjoin-s, -t, etc. ⇒ adjoindre.

adjoint, e [adʒwɛ̃, -ɛ̃ːt] *adj.* 보조〔보좌〕의 : professeur ～ 조교수 / capitaine ～ 부대장. ── *n.* 조수, 보좌관 ; 부시장〔군수 · 면장〕 ; 〖군사〗 부관 : ～ d'état-major 참모 부관 / ～ au maire (시 · 구 · 군 · 면의) 부시장.

adjonction [adʒɔ̃ksjɔ̃] *f.* ① 부가(= addition), 첨가 ; (사람을) 붙이기, 배속 : confiture sans ～ de conservateurs 방부제가 첨가되지 않은 잼. ② 부가물 ; 부속 건물 : l'hôpital et ses ～*s* 병원과 그 부속 건물.

adjudant [adʒydɑ̃] *m.* 〖군사〗 특무 상사 ; 부관, 보좌관. **～-*chef*** 준위. **～-*major*** 부관.

adjudicataire [adʒydikatɛːʀ] *adj.* 낙찰(落札)의. ── *n.* 낙찰인.

adjudication [adʒydikɑsjɔ̃] *f.* ① 판결. ② 경매 ; 낙찰, 입찰 : vent par ～ 경매를 통한 매각 / mettre qc en ～ …을 경매〔입찰〕에 붙이다.

adjuger [adʒyʒe] [3] *v.t.* ① 〖법률〗 판결에 의하여 주다. ② (경매에 붙여) 넘겨주다 ; 낙찰시키다; 입찰에 의하여 도급 주다 : ～ une maison 〔œuvre d'art〕 집〔예술 작품〕을 낙찰하다. ③ 부여〔수여〕하다(= décerner) : ～ une récompense aux meilleurs élèves 우수한 학생에게 상을 주다. ── **s'～** *v.pr.* 자기 것으로 하다, 차지하다(= s'approprier) : Il *s'est adjugé* la meilleure part. 그는 제일 좋은 것을 차지했다.

adjuration [adʒyʀɑsjɔ̃] *f.* ① 구마(驅魔) ; 마귀를 쫓는 주문. ② 간청, 간원.

adjurer [adʒyʀe] *v.t.* ① 신의 이름으로 요구하다 ; 간청〔간원〕하다 : 《～ qn de＋*inf.*》 Je vous *adjure de* garder le secret. 당신에게 비밀을 지킬 것을 간청합니다. ② (악마를) 쫓아내다. ③ 증인으로 삼다.

ad libitum [adlibitɔm] 〖라틴〗 *loc. adv.* 마음대로 ; 〖음악〗 즉흥적으로(《약자》 ad lib.).

adme-t, -s, etc. ⇒ admettre.

***admettre** [admɛtʀ] [46] *v.t.* ① 들어가는〔참가하는〕 것을 허락하다 : ~ qn à une école …에게 입학을 허가하다 / ~ qn chez soi …에게 집에 들어오는 것을 허락하다 / ~ qn dans un parti …에게 입당을 허가하다. ② 급제〔합격〕시키다 : ~ à un examen 시험에 급제시키다. ③ ⓐ 승낙하다(= agréer) ; 인정〔시인〕하다(= reconnaître) : ~ une requête 청원을 승낙하다 / ~ un principe 어떤 권리를 인정하다 / C'est une coutume communément *admise.* 그것은 널리 인정된 관습이다. ⓑ 《~ que + *ind.*》 …라는 것을 인정하다(《주절이 부정일 경우에는 *sub.*》) : J'*admets* que c'est vrai. 나는 그것이 사실이라는 것을 인정한다. ④ 용납〔허용〕하다(= permettre) : Cette règle n'*admet* aucune exception. 이 규칙은 어떠한 예외도 허용하지 않는다 / Cela n'*admet* aucun doute. 그것은 의심의 여지가 없다. ⑤ 가정하다(= supposer) : ~ une chose comme vraie 〔possible〕 어떤 것을 사실이라고〔있음직하다고〕 가정하다 / 《~ que + *sub.*》 *Admettons qu*'il ait raison. 그가 옳다고 가정하자.
— **s'~** *v.pr.* 인정되다 ; 용납〔허용〕되다.

administrateur, trice [administʀatœːʀ, -tʀis] *n.* 경영자, 관리인 ; 행정관 ; 위정자 ; 지배인 ; 이사 ; 중역. **~ *civil*** 행정관. **~ *délégué*** 〔***gérant***〕 전무이사. **~ *judiciaire*** (재산 따위의) 법정 관리인.

administratif, ive [administʀatif, -iːv] *adj.* 관리의 ; 경영의 ; 행정의 : acte ~ 행정명령 / droit ~ 행정법 / fonction *~ive* 행정〔관리〕직.

***administration** [administʀɑsjɔ̃] *f.* ① 관리 ; 행정 ; 시정 ; 통치 : ~ centrale 〔départementale〕 중앙〔지방〕 행정. ② 행정권. ③ ⓐ (*A~*) 행정부 ; 관공서 ; 성(省), 국(局), 청(廳), 서(署) ; 이사〔중역〕회(= conseil d'~) ; 〖군사〗 경리부 : entrer dans l'~ (civile) 관리가 되다. ⓑ 《집합적》 공무원(= fonctionnaires), 관리. ④ (법의) 시행. ⑤ 〖의학〗 (약의) 처방 ; 투약(投藥).

administrativement [administʀativmɑ̃] *adv.* 행정상, 관리상 ; 행정적으로.

administré, e [administʀe] *n.* 피통치자, 시민 : le maire et ses *~s* 시장과 시민.

administrer [administʀe] *v.t.* ① 관리하다 ; 관할하다 ; 처리하다 ; 경영하다 ; 통치하다, 다스리다 : ~ les biens d'autrui 타인의 재산을 관리하다 / Le préfet *administre* le département. 지사(知事)는 도(道)의 행정을 관장한다. ② (약을) 복용시키다, 투약하다 ; 처방하다 : ~ un remède 약을 복용케 하다 / ~ les soins d'urgence 응급조치를 취하다. ③ (법을) 시행하다 : ~ la justice 법을 시행하다. ④ 〖법률〗 (증거를) 제시하다 : ~ une preuve 증거를 제시하다. ⑤ 《구어》 (타격 따위를) 가하다(= donner) : ~ une bonne raclée à qn …을 마구 두들겨 패다. — **s'~** *v.pr.* ① 자기를 다스리다, 자치를 시행하다. ② (법이) 시행되다 ; 관리되다, 처리되다.

***admirable** [admiʀabl] *adj.* 놀라운(= merveilleux) ; 훌륭한, 감탄할 만한 : homme ~ 무척 멋진 남자 / 《~ de + 무관사명사》 Il est ~ *de* courage. 그의 용기가 놀랍다 / C'est ~ que + *sub.* …하다니 훌륭하다.

***admirablement** [admiʀabləmɑ̃] *adv.* 감탄할〔놀랄〕 만큼 ; 훌륭하게, 근사하게 : Elle parle ~. 그녀는 말을 기가 막히게 잘한다.

admirateur, trice [admiʀatœːʀ, -tʀis] *adj.* et *n.* 찬양〔감탄 · 숭배〕하는 (사람) ; 팬.

admiratif, ive [admiʀatif, -iːv] *adj.* 감탄을 나타내는 : ton ~ 감탄어린 어조.

admiration** [admiʀɑsjɔ̃] *f.* 경탄, 감탄, 탄복, 찬양 ; 흠앙 ; 경탄의 대상 : exciter 〔attirer〕 l'~ de qn …의 감탄을 자아내다 / être transporté d'~ 넋을 잃고 감탄하다. ***avoir de l'~ pour qn 〔qc〕 ***; être dans l'~ de*** qn 〔qc〕 …에게〔에〕 감탄하다. ***être*** 〔***tomber***〕 ***en ~ devant*** qn 〔qc〕 …에게〔에〕 탄복하고 있다 : Il *était en ~ devant* ce tableau. 그는 이 그림에 감탄했다. ***être*** 〔***devenir, faire***〕 ***l'~ de*** qn …의 감탄의 대상이 되다.

admirer** [admiʀe] *v.t.* ① 경탄〔감탄 · 탄복 · 찬미〕하다 ; 황홀스럽게 바라보다 : ~ le portail de la Cathédrale de Chartres 샤르트르 대성당의 정면 현관(의 예술성)에 감탄하다. ② 놀랍게〔우스꽝스럽게〕 여기다 ; 이상하게 생각하다 : *J'admire* ses prétentions. 그의 자만심은 놀랍다. ~ ***de + *inf.* …하여 놀랍게 여기다. ~ ***que*** + *sub.* 〔《옛》 + *ind.*〕 …을 놀랍게 여기다, 우습다고 생각하다 : J'*admire qu*'il ait pris un semblable parti. 그가 그와 같은 결정을 했다니 놀랍다.

admis, e [admi, -iːz] *adj.* 인정된 ; 채용된 ; 허용된: coutume *~e* 일반에 통용되는 관습. — *n.* 입장〔입회 · 입대 · 입학〕이 허락된 사람.

adm-is, -isse(s), -issent, etc. ⇒ admettre.

admissibilité [admisibilite] *f.* ① 허용 · 인정할 수 있음. ② 1차 시험〔필기시험〕의 합격 : épreuves d'~ à l'examen oral, 1차 시험, 필기시험.

admissible [admisibl] *adj.* ① 《~ à》 …에 들어가는〔참가하는〕 것이 허가될 수 있는 : être ~ *aux* emplois publics 공직에 취업할 수 있다. ② (행위 따위가) 허용〔인정〕될 수 있는(= recevable) ; 용납되는(= tolérable) : Cela n'est pas ~. 그것은 용납될 수 없다. ③ 1차 시험〔필기시험〕에 합격된.
— *n.* 1차 시험 합격자.

***admission** [admisjɔ̃] *f.* ① 입장〔입회 · 입학 · 입대〕 허가 ; 승낙, 용납, 허용 ; 인정, 승인 ; (상품의) 국내 반입〔수입〕 허가 : ~ à une école 입학 허가 / ~ au travail 취업 승인 ; 노동 허가 / demande d'~ 입회 신청서. ② 〖기계〗 (가스 · 증기 따위의) 흡입 : soupape d'~ 흡입 밸브.

admonestation [admɔnɛstasjɔ̃] *f.* 훈계, 경고, 견책, 질책(= réprimande).

admonester [admɔnɛste] *v.t.* 〖법률〗 (경범죄인을) 견책〔경고〕하다 ; 꾸짖다, 타이르

다, 훈계하다(= morigéner) ; 질책하다.
A.D.N. 《약자》 acide désoxyribonucléique 데옥시리보 핵산(〖영〗 DNA).
ado [ado] *n.* 《구어》 = adolescent.
***adolescence** [adɔlesɑ̃:s] *f.* 청년기, 청춘기, 묘령(妙齡)《남자 14-20 살, 여자 12-18 살 쯤》: années d'~ 청춘 시절.
***adolescent, e** [adɔlesɑ̃, -ɑ̃:t] *n.* 청춘기의 남자〔여자〕(=teenager), 청년, 처녀 : film interdit aux ~*s* 청소년 관람 금지 영화. — *adj.* 청춘(기)의 ; 청소년기의 ; 젊은 : souvenirs ~*s* 청춘기의 추억.
adonis [adɔnis] *m.* ① (*A*~) 〖그리스신화〗 아도니스. ② 멋쟁이, 미남자, 미모의 청년.
adonner (s') [sadɔne] *v.pr.* 《s'~ à》 …에 골몰하다, 열중하다, 전심하다 ; …에 종사하다 ; …에 빠지다 : individu qui *s'est adonné à* la boisson 술에 빠진 사람.
adoptant, e [adɔptɑ̃, -ɑ̃:t] *n.* 양친, 양부, 양모
adopté, e [adɔpte] *n.* 양자, 양녀.
***adopter** [adɔpte] *v.t.* ① 양자〔양녀〕로 삼다 : ~ qn pour (son) fils …을 아들로 삼다. ② 채택〔채용〕하다, (태도 따위로) 취하다 : ~ une théorie 〔mode〕 이론〔유행〕을 따르다 / ~ un profil bas 저자세를 취하다. ③ (법안 따위를) 가결하다, 통과시키다(= approver, voter) : L'Assemblée *a adopté* le projet de loi. 하원은 그 법안을 통과시켰다. — **s'~** *v.pr.* 채택되다.
adoptif, ive [adɔptif, -i:v] *adj.* 양자 관계에 의한: fils ~ 양자 / père ~ 양부.
adoption [adɔpsjɔ̃] *f.* ① 채택 ; 선택 : ~ du système décimal 십진법의 채용. ② 가결, 통과 : ~ d'un projet de loi 법안의 가결. ③ 양자로 삼기, 양자 결연 : entrer dans une famille par ~ 어떤 가정에 입양하다 / père par ~ 양부.
***adorable** [adɔʀabl] *adj.* ① 경배〔숭배〕할 만한. ② 열애할 만한 ; 매우 사랑스러운, 귀여운 ; 근사한 : robe ~ 근사한 드레스 / ~ petite fille 사랑스런 계집아이 / vin ~ 진미의 포도주.
adorablement [adɔʀabləmɑ̃] *adv.* 경배〔숭배〕할 만큼 ; 홀딱 반할 만큼, 근사하게.
adorateur, trice [adɔʀatœ:ʀ, -tʀis] *n.* ① 경배자, 숭배자 : ~*s* des idoles 우상 숭배자. ② 애호가, 팬.
adoration [adɔʀɑsjɔ̃] *f.* ① 경배, 숭배 : ~ des idoles 〔du soleil〕 우상〔태양〕 숭배. ② 열렬한 사랑(≠ haine) : Il lui voue une véritable ~. 그는 그녀를 지독히도 사랑한다.
adorer** [adɔʀe] *v.t.* ① 경배〔숭배〕하다 : ~ l'Éternel 신을 숭배하다. ② 열렬히 사랑하다, 대단히 좋아하다 : Il *adore* sa fille. 그는 자기 딸을 무척이나 사랑한다 / 《~ + *inf.*》 Elle *adore* monter à cheval. 그녀는 승마를 몹시 좋아한다. ~ ***le veau d'or 부귀에 아부하다. — **s'~** *v.pr.* ① 자기를 열애하다. ② 서로 열애하다.
adossé, e [adose] *adj.* ① 《~ à, contre》 …에 등을 기댄 : villa ~*e à* la colline 언덕을 등진 별장. ② 〖문장〗 (사자 따위가) 등을 맞댄.
adosser [adose] *v.t.* 《~ qc à, contre》 …을 …에 기대어 세우다, …에 …의 등을 기대게 하다 : *être adossé au* mur 벽에 등을 기대다 / ~ un bâtiment *contre* un mur 건물을 담에 기대어 세우다. — **s'~** *v.pr.* 《s'~ à, contre》 …에 등을 기대다, …을 등지다 : Il *s'adossa au* mur. 그는 등을 벽에 기대었다.
adoucir [adusi:ʀ] *v.t.* ① 온화하게 하다: Le soir *adoucira* le temps. 저녁때가 되면 날씨가 푸근해질 것이다. ② 완화하다, 진정시키다(= apaiser, calmer) ; (고통 따위를) 덜어주다 : ~ un chagrin 슬픔을 진정시키다. ③ 달게 만들다 : ~ l'acidité d'un citron avec du sucre 레몬의 신맛을 설탕으로 달게 만들다. ④ 부드럽게 하다 : ~ la voix 목소리를 부드럽게 하다. ⑤ (금속을) 매끄럽게 하다, 갈다 : ~ une glace avec l'émeri 유리를 금강사로 연마하다. ⑥ (커브를) 완만하게 하다. — **s'~** *v.pr.* 온화해지다 ; 완화되다 ; 진정되다 ; 부드러워지다 ; 달콤해지다 ; 완만해지다 : Le temps *s'est adouci.* 날씨가 온화해졌다 / Les fruits *s'adoucissent* en mûrissant. 과일은 익으면서 달아진다.
adoucissant, e [adusisɑ̃, -ɑ̃:t] *adj.* ① (통증을) 가라앉히는 ; 부드럽게 하는. ② 윤을 내는. — *m.* ① 진통제. ② 연마제.
adoucissement [adusismɑ̃] *m.* 완화, 경감, 진정(= soulagement) ; 위안 ; (날씨가) 온화해지기 ; 부드러운 태도〔표현〕 : apporter de l'~ à mes peines 내 고통을 덜어 주다 / sans ~ 가차없이.
ad patres [adpatʀɛs] *loc. adv.* 《구어》 ***envoyer*** ~ 죽이다, 저승으로 보내다.
adressage [adʀɛsa:ʒ] *m.* 〖컴퓨터〗 항목 설정(하기) : capacité d'~ 항목 설정 능력.
adresse¹** [adʀɛs] *f.* ① 주소 ; (편지 겉봉의) 주소 성명 : partir sans laisser d'~ 주소를 남기지 않고 떠나다 / carnet d'~*s* 주소록 / ~ permanente 본적 / mettre l'~ du destinataire sur une enveloppe 봉투에 수취인의 주소를 쓰다 / Écrivez lisiblement votre ~. 주소와 성명을 알기 쉽게 쓰세요. ② 〖정치〗 청원, 품의 ; (주권자에 대해 의회가 제출하는) 봉답문(奉答文). ③ 〖언어〗 (사전) 항목. ***à l' ~ de qn ⓐ …에게 보낸 : lettre *à* votre ~ 귀하에게 보낸 편지. ⓑ …에 대한 : critique *à* son ~ 그에 대한 비평.
adresse²** *f.* ① (능란한) 솜씨, 재주(= dextérité) ; 재치 : avoir beaucoup d'~ aux armes 무예 솜씨가 매우 능란하다. ② 교활, 꾀바름(= finesse) : jouer d'~ 교활하게 굴다. ***dénué d'~ 재치 없는. ***tour d'~*** 재주, 요술.
***adresser** [adʀɛ〔e〕se] *v.t.* ① 보내다(= envoyer) ; (편지를) 부치다(= expédier) : les lettres que vous m'*avez adressées* 당신이 내게 부친 편지들. ② (말 따위를) 걸다〔하다〕 ; (항의 따위를) 제출하다 : ~ un reproche 〔des questions〕 비난〔질문〕을 하다 / ~ parole à qn …에게 말을 걸다 / ~ un sourire à qn …에게 미소를 짓다. ③ 《~ qn à》 …을 …에게 소개〔추천〕하다, 보내다 : Le médecin m'*a adressé à* un spécialiste. 그 의사는 나를 전문의에게 보냈다. — **s'~** *v.pr.* 《s'~ à qn》 ① …에게 말을 걸다, 말하다 ; 신청하다; 문의하다: *s'~ au* ministre 장관에게 직접 하소연하다 / Il *s'adressait*

ensuite *aux* assistants. 그는 이어서 참석자들에게 말을 건넸다. ②《주어 : qn〔qc〕》…에 호소하다 : film qui *s'adresse à* votre cœur 당신의 심금을 울려 주는 영화 / public auquel ce livre *s'adresse* 이 책이 겨냥하고 있는 독자층. ③《주어 : qc》…에게 보내지다 ; 관계되다 : articles qui *s'adressent à* la femme 여성용 물품 / Cette lettre *s'adresse à* lui. 이 편지는 그에게 온 것이다.

***adroit, e** [adʀwa〔ɑ〕, -a〔ɑ:〕t] *adj.* ① 재주 있는, 솜씨 좋은, 교묘한, 능란한(= habile) ; 재치 있는 : C'est un ~ manège. 그건 교묘한 술책이다/《~ à〔dans〕+ 명사》Il est ~ *au* billard. 그는 당구를 잘 친다 / être ~ des〔de ses〕mains 손재주가 있다. ② 교활한, 꾀바른(= rusé) : diplomate ~ 권모술수를 잘 쓰는 사람.

adroitement [adʀwa〔ɑ〕tmɑ̃] *adv.* ① 솜씨 좋게, 교묘하게. ② 교활하게, 빈틈없게.

adulation [adylɑsjɔ̃] *f.* 찬사 ; 아부, 아양, 아첨.

aduler [adyle] *v.t.* ① …에게 아첨하다(= flatter) ; (권력 따위에) 아부하다 : ~ la puissance 권력 있는 사람에게 아부하다. ② 귀여워하다, 애지중지하다(= choyer) : mère qui *adule* ses enfants 자녀를 애지중지하는 어머니. ③ 예찬하다(= encenser).
— **s'~** *v.pr.* 자만하다.

***adulte** [adylt] *adj.* 성년의, 성인〔어른〕이 된 ; (동식물이) 성장한 : âge ~ 성년. — *n.* 성인, 어른 ; 〖법률〗 성년자 : école〔cours〕d'~*s* 성인 학교〔강좌〕.

adultère [adyltɛːʀ] *adj.* 간통의, 불륜의, 혼외 정사의 : commerce ~ 불륜, 간통 / époux ~ 샛서방 / amour ~ 혼외 정사. — *n.* 간통자, 간부(姦夫)(= homme ~), 간부(姦婦)(= femme ~). — *m.* 간통 ; 간통죄.

adultérer [adylteʀe] *v.t.* (화폐·문서 따위를) 위조하다, 변조하다, 속이다 ; 변질시키다.
— *v.i.* 《옛》 간통하다.

adultérin, e [adylteʀɛ̃, -in] *adj.* ① 간통으로 태어난, 사생아의(= bâtard) : enfants ~*s* 사생아. ② 〖농업〗 잡종의. — *n.* 간통으로 태어난 자식.

advenant [advənɑ̃] advenir 의 현재분사.

advenir [advəniːʀ] [16] 《부정법과 분사형 (advenant, advenu) 및 3 인칭에만 씀》 *v.i.* 우발(偶發)하다, 일어나다, 생기다 : Je ne sais ce qui en *adviendra.* 무슨 일이 일어날는지 모르겠다 / *advenant* le décès de qn 만약 …가 사망하는 경우. ***advienne que pourra*** 어떤 일이 일어나더라도.
— *v. impers.* 우발하다, 일어나다, 생기다 : Qu'*est*-il *advenu* de votre père? 당신 아버지는 어떻게 되셨소? / Que lui *est*-il *advenu*? 그에게 무슨 일이 생겼는가? ***Il advint que*** + *ind.*〔*sub.*〕 우연히〔마침〕 …한 일이 일어났다. ***quoi qu'il advienne*** 무슨 일이 일어나더라도.

adventice [advɑ̃tis] *adj.* ① 우연의 ; 외래의 ; (병이) 우발의 ; 〖식물〗 우생(優生)의. ② 부수(2 차)적인(= accessoire) : problèmes ~s 부차적 문제.

adventiste [advɑ̃tist] *m.* et *adj.* 그리스도 재림론자(의).

advenu [advəny] advenir 의 과거분사.

***adverbe** [advɛʀb] *m.* 〖문법〗 부사(副詞) : ~ de lieu〔de temps〕 장소〔시간〕의 부사.

adverbial, e, aux [advɛʀbjal, -o] *adj.* 부사의 : locution ~*e* 부사구. — *m.* 부사적으로 쓰인 말. 「로서, 부사적으로.

adverbialement [advɛʀbjalmɑ̃] *adv.* 부사

***adversaire** [advɛʀsɛːʀ] *m.* 적수 ; 경쟁자, (경기의) 대항자(= concurrent), 반대자(= ennemi, rival) ; 상대방 ; 〖군사〗 적 : ~ politique 정적 / réduire son ~ au silence 상대방을 꼼소리 못하게 하다 / ~ à sa mesure 호적수.

adverse [advɛʀs] *adj.* ① 반대의 ; 〖법률〗 상대방의 : avocat ~ 상대방의 변호사. ② 불행〔불운〕한, 불리한 : fortune ~ 불운. ③ 호의 없는, 적의를 품은 : critique ~ 비호의적 악평. ***partie ~*** 〖법률〗 상대방.

adversité [advɛʀsite] *f.* 불운, 역경(= malheur), 시련 : connaître toutes les ~*s* 산전수전 다 겪다.

adviendra, advienne, advient, advint ⇒ advenir.

aède [aɛd] *m.* (고대 그리스의) 음유 시인.

A.E.L.E. 《약자》 Association européenne de libre-échange 유럽 자유 무역 연합.

aérage [aeʀaːʒ] *m.* ① 환기 ; 통풍. ② (빵·물 따위에) 탄산가스를 넣기.

aérateur, trice [aeʀatœːʀ, -tʀis] *adj.* 통풍의. — *m.* 통풍기, 환기 장치(= ventilateur).

aération [aeʀɑsjɔ̃] *f.* 환기, 통풍.

aéré, e [aeʀe] *adj.* ① 통풍이〔환기가〕 잘 되는 : chambre bien ~*e* 통풍이 잘 되는 방. ② 탄산가스를 함유한.

aérer [aeʀe] [6] *v.t.* ① 환기시키다, 통풍시키다(= ventiler) ; (옷 따위를) 바람에 쐬다 : ~ la chambre 방을 환기시키다 / ~ literie 침구를 바람에 쐬다. ② 덜 촘촘하게〔빽빽하게〕 하다 : ~ un texte 텍스트를 덜 빽빽이 편집하다. — **s'~** *v.pr.* 바람을 쐬다, 산책하다 : Il faut vous ~ un peu. 바람을 좀 쐬야 합니다.

aérien, enne** [aeʀjɛ̃, -ɛn] *adj.* ① 공기의 ; 대기의 : corps ~ 기체 / phénomène ~ 대기 현상. ② 공중의, 공중에서 사는 : peuple ~ 《시어》 새, 조류. ③ 〖생물〗 기생(氣生)의 : animaux ~*s* 기생 동물. ④ 항공의, 항공관제의 : base ~*enne* 항공 기지 / forces ~*ennes* 공군 / attaque ~*enne* 공습/ transports ~ 공수. ⑤ 공기처럼 가벼운, 경쾌한 : démarche ~*enne* 나는 듯한 발걸음. ***défense ~enne 방공. ***esprits ~s*** 천사, 정령(精靈). ***ligne ~enne*** 항공로. ***poste ~enne*** 항공 우편. ***voie ferrée ~enne*** 고가철도. — *m.* 〖라디오〗 안테나(= antenne).

aérifier [aeʀifje] *v.t.* ① 기화〔가스화〕시키다. ② …에 탄산가스를 넣다.

aéro- *préf.* 「공기·공중·항공」의 뜻.

aérobic [aeʀɔbik] *f.* 〖스포츠〗 에어로빅.

aérobie [aeʀɔbi] *adj.* 〖생물〗 호기성(好氣性)의. — *m.* 호기성 세균.

aérobus [aeʀɔbys] *m.* 에어버스, 여객기.

aéro(-)club [aeʀoklœb] *m.* 비행 협회.

aérodrome [aeʀɔdʀoː〔ɔ〕m] *m.* 비행장.

aérodynamique [aeʀɔdinamik] *adj.* ① 공기 역학의, 항공 역학의 : frein ~ 공기 역학

적 브레이크. ② 〖기계〗 유선형의.
— *f.* 공기 역학, 항공 역학.
aérogare [aeʀɔgaːʀ] *f.* ① (공항 내의) 여객 및 화물 터미널. ② (공항과 떨어져 있는 도심지의) 공항 터미널 : ~ des Invalides à Paris 파리의 앵발리드 에어 터미널.
aéroglisseur [aeʀɔglisœːʀ] *m.* 호버크라프트(〔영〕 hovercraft). 「항공 봉함엽서.
aérogramme [aeʀɔgʀam] *m.* 항공 우편 ;
aérographe [aeʀɔgʀaf] *n.* 대기학자.
— *m.* (액체 페인트의) 분무기.
aérolithe [aeʀɔlit] *m.* 〖천문〗 운석(隕石).
aéronaute [aeʀonoːt] *n.* 우주 비행사, 항공사 ; 경항공기 조종사〔탑승자〕.
aéronautique [aeʀonotik] *f.* 항공학〔술〕.
— *adj.* 항공의, 비행기의.
aéronaval, e [aeʀɔnaval] (*pl.* **~s**) *adj.* 해군과 공군의, 해 · 공군 (병용)의. — *f.* 해군 항공대.
aéronef [aeʀɔnɛf] *m.* ① 비행선. ② 항공기.
aérophagie [aeʀɔfaʒi] *f.* 〖의학〗 연기증(嚥氣症) : avoir de l'~ 트림이 나오다.
aéroplane [aeʀɔplan] *m.* 비행기.
***aéroport** [aeʀɔpɔːʀ] *m.* 공항.
aéroporté, e [aeʀɔpɔʀte] *adj.* 공수된 : troupes *~es* 공수 부대.
aéropostal, e, aux [aeʀɔpɔstal, -o] *adj.* 항공 우편의.
aérosol [aeʀɔsɔl] *m.* 〖물리〗 연무질(煙霧質) ; 인공 구름〔안개〕 ; 〖의학〗 에어로졸.
aérospatial, e, aux [aeʀɔspasjal, -o] *adj.* 우주 항공의, 우주 개발의 : engine ~ 우주선 / industrie *~e* 우주 항공 산업.
— *f.* 우주 항공 산업. 「선 등의 총칭》.
aérostat [aeʀɔsta] *m.* 경항공기《기구 · 비행
aérostatique [aeʀɔstatik] *adj.* 경항공기 조종〔제조〕의. — *f.* 공기 정력학(靜力學) ; 경항공기 조종학. 「〔관측병〕.
aérostier [aeʀɔstje] *m.* 경항공기 조종사
aérotechnique [aeʀɔtɛknik] *adj.* 항공학의. — *f.* 항공학.
aérotrain [aeʀɔtʀɛ̃] *m.* 공기 부상 열차.
affabilité [afabilite] *f.* 싹싹함, 상냥함, 친절함 : homme d'une grande ~ 매우 부드러운 성품의 남자.
affable [afabl] *adj.* 싹싹한, 상냥한, 친절한 (= accueillant), 정중한(= aimable) : accueil ~ 친절한 접대 / se montrer ~ 상냥한 태도를 보이다.
affabulation [afabylɑsjɔ̃] *f.* ① (소설의) 줄거리, 플롯. ② 이야기를 꾸며 내기, 날조.
affabuler [afabyle] *v.t.* (소설 따위의) 이야기를 꾸미다 ; 이야기를 제멋대로 꾸며 대다.
— *v.i.* 이야기를 제멋대로 꾸며 대다.
affadir [afadiːʀ] *v.t.* 맛없게 하다 ; 싱겁게〔무미건조하게〕 하다. ~ ***le cœur*** 구역질나게 하다. — **s'~** *v.pr.* 맛없게 되다 ; 싱겁게〔무미건조하게〕 되다.
***affaiblir** [afɛ〔e〕bliːʀ] *v.t.* ① 약하게 하다(= diminuer; ≠ fortifier), 쇠약하게 하다 : ~ le corps 체력을 떨어뜨리다 / Sa maladie l'*a affaibli.* 병이 그를 쇠약하게 했다. ② 약화시키다, 감퇴시키다 ; (색깔 따위를) 희미하게 하다 : ~ la volonté 〔le courage〕 의지〔용기〕를 꺾다 / ~ une entreprise 기업 경쟁력을 약화시키다. — **s'~** *v.pr.* ① 약해지다 ; 쇠약해지다 ; 약화되다 : Sa vue *s'est affaiblie,* il peut à peine lire. 그는 시력이 약해져서 거의 읽을 수 없다. ② (바람 따위가) 잦아지다, 자다.
affaiblissant, e [afɛblisɑ̃, -ɑ̃ːt] *adj.* 약하게 하는, 쇠약하게 하는, 무디게 하는.
affaiblissement [afɛ〔e〕blismɑ̃] *m.* ① 약화, 쇠약(= baisse) ; 감퇴 : ~ de la santé 〔de la vue〕 건강〔시력〕의 약화. ② 퇴색 ; 〖사진〗 감도(減度).
⁑**affaire** [afɛːʀ] *f.* ① 할 일, 본분 ; 관심거리 : C'est ~ à un médecin. 그건 의사가 할 일이다 / savoir 〔connaître〕 son ~ 자기 본분을〔분수를〕 알다 / Son ~ à lui, c'est d'écrire. 그의 관심사는 글 쓰는 일이다. ② 볼일, 용무 : J'ai deux ou trois *~s* urgentes. 두서너 가지 급한 볼일이 있다 / Occupez-vous de vos *~s.* 당신 일에나 신경 쓰시오. ③ 곤란한〔어려운〕 일, 큰일, 걱정거리 : s'attirer une (mauvaise) ~ 곤경에 빠지다 / Il se tire toujours d'~. 그는 어떤 일이건 잘 해낸다. C'est toute une ~. 그것은 정말 큰일이다. ④ 사건, 분규 : Je ne veux pas intervenir dans cette ~. 나는 이 사건에 개입하고 싶지 않다. ⑤ 《~ de》 …에 관한 일, 문제 : ~ *d'*argent 〔*d'*intérêt〕 돈〔이해〕 문제 / ~ *de* cœur 연애 사건 / C'est une ~ *de* goût. 그건 취미에 속한 문제다 / C'est une autre ~. 그것은 별 문제다. ⑥ 적당한〔필요한〕 것 : Cela fait-il l'~ ? 그것이면 되겠습니까 ? / J'ai votre ~. 내겐 당신에게 필요한 것〔사람〕이 있습니다. ⑦ 〖법률〗 소송 사건 : ~ embrouillée 복잡한 소송 사건 / gagner 〔perdre〕 une ~ 소송에 이기다〔지다〕. ⑧ 결투 : ~ d'honneur 격투. ⑨ (*pl.*) 소지품, 의류(= effets) : *~s* de toilette 세면〔화장〕용구 / Range tes *~s* avant de te coucher. 잠자리에 들기 전에 네 옷들을 정리해 놓아라. ⑩ 거래, 매매(= marché) ; 회사, 기업 ; (*pl.*) 장사 ; 사업 : bonne 〔belle〕 ~ 유리한 거래 / être bien 〔mal〕 dans ses *~s* 경기가 좋다〔나쁘다〕 / chiffre d'~ 매상고 / homme d'*~s* 사업가 / faire des *~s* 장사를 하다 / Il a une grosse ~ de textiles. 그는 커다란 섬유 회사를 갖고 있다 / À ce prix, vous faites une bonne ~. 이 가격이면 잘 사시는 겁니다. ⑪ 공무(公務) : *~s* d'État 국무 / Ministère des *A~s* étrangères 외무부.
~ d'or 큰 재수. ***avoir ~ à*** 〔***avec***〕 qn ⓐ …에게 용무가〔할 말이〕 있다 : *avoir ~ à* forte partie 강적을 만나다. ⓑ …을 상대하다. ***Cela fait*** 〔***Voilà***〕 ***mon ~ .*** 그것은 내게 안성맞춤이다. ***C'est une ~ faite !*** 다 된 거나 다름없다 ; 염려마. ***En voici une ~ !*** 정말 큰일 났다, 골칫거리다. ***être dans les ~s*** 실업계에 종사하다. ***faire ~ avec*** qn …와 합의에 도달하다. ***faire l'~*** (***de*** qn) (…에게) 적합하다〔안성맞춤이다〕 : Ce jambon *fera l'~ de* ma femme. 이 잼은 아내가 찾던 것이다. ***faire son ~ à*** qn 《속어》 …에게 앙갚음하다, …을 죽이다. ***faire son ~ de*** qc …을 떠맡다 ; …에 정통하다 : *J'en fais mon ~.* 그 일은 내가 맡겠습니다.

faire une bonne 〔***mauvaise***〕 ***~ ; faire de bonnes*** 〔***mauvaises***〕 ***~s*** 어떤 거래로 재미〔손해〕를 보다. ***Il a fait son ~.*** 《구어》 그는 한재산 모았다. ***La belle ~ !*** 《반어적》 꼴좋다 ; 시시하군. ***Les ~s sont les ~s.*** 《격언》 장사에는 인정사정없다. ***Mieux vaut avoir ~ à Dieu qu'à ses saints.*** 《격언》 부하보다 우두머리를 상대로 말하는 편이 낫다. ***se faire une ~ de*** qc …을 대단한 일인 것처럼 생각하다. ***Son ~ est faite.*** 그는 이제 가망이 없다, 절망적이다.

affairé, e [afɛ〔e〕ʀe] *adj.* 바쁜, 분주한(= occupé), 다사한 : Il a toujours l'air ~. 그는 항상 바쁜 것 같다. ── *m.* faire l'~ 바쁜 체하다.

affairement [afɛʀmɑ̃] *m.* 다사다망, 분망.

affairer (s') [safɛ〔e〕ʀe] *v.pr.* 분주하다, 바쁘게 서두르다〔일보다〕 : 《s'~ à qc 〔+*inf.*〕》 Elle *s'affaire à* préparer son dîner. 그녀는 저녁 식사를 준비하느라 바쁘다.

affairiste [afeʀist] *m.* 모리배, 정상배.

affaissement [afɛsmɑ̃] *m.* ① 함몰 ; 침강, 침하. ② (심신의) 쇠약 ; 낙심, 의기소침.

affaisser [afɛ〔e〕se] *v.t.* ① 함몰〔침강〕시키다, 가라앉게 하다 : La pluie *affaisse* le sol. 비에 땅이 움푹 파인다. ② 의기소침하게 하다 ; 쇠약하게 하다 : Le grand âge *affaisse* l'esprit. 노령은 정신을 쇠약하게 한다.
── **s'~** *v.pr.* ① 함몰〔침강〕하다, 내려앉다 : Le sol *s'est affaissé* par endroit 땅이 곳곳에서 함몰되었다. ② 털썩 주저앉다〔쓰러지다〕 : Il perdit connaissance et *s'affaissa.* 그는 의식을 잃고 쓰러졌다. ③ 의기소침하다 ; 쇠약해지다 : Mon âme *s'affaise* de jour en jour. 내 영혼은 나날이 쇠약해져 간다.

affaler [afale] *v.t.* 〖해양〗 (밧줄을) 늦추다.
── **s'~** *v.pr.* ① (선원이) 줄을 타고 미끄러져 내리다. ② 《구어》 쓰러지다, 주저앉다 : *s'~* dans un fauteuil 의자에 주저앉다.

***affamé, e** [afame] *adj.* ① 굶주린 ; 가난한 : populations *~es* 굶주린 주민. ② 《~ de》 …을 갈망〔열망〕하는 : être ~ *de* richesse 부를 갈망하다. ── *n.* 굶주린〔갈망하는〕 사람.

affamer [afame] *v.t.* ① 굶주리게 하다, 허기지게 하다 : blocus pour ~ un peuple 주민을 기아 상태로 몰아넣기 위한 봉쇄. ② 몹시 식욕을 돋우다 : Cette promenade nous *a affamés.* 이 산책으로 우리는 식욕이 왕성해졌다. ── **s'~** *v.pr.* 굶주리다 ; 빈궁에 빠지다.

affameur, euse [afamœːʀ, -øːz] *adj.* 굶주리게 하는. ── *n.* 굶주리게 하는 사람.

affect [afɛkt] *m.* 〖심리〗 감정, 정서.

affectation¹ [afɛktɑsjɔ̃] *f.* ① 할당, 충당, 배당 ; 편입 : ~ d'une somme à une dépense 이 금액을 지출비에 충당하다. ② 임명 ; 직무 ; 배치, 배속 : rejoindre son ~ 직무에 복귀하다. ***recevoir une ~*** 〖군사〗 배속되다.

affectation² [afɛktɑsjɔ̃] *f.* 부자연한 외면치레, 꾸민 태도, 가식 ; 가장 : parler avec ~ 부자연스럽게 말하다 / ~ de vertu 점잖은 체하는 태도 / Il y a de l'~ dans tout ce qu'il fait. 그가 하는 모든 일에는 가식이 있다.

affecté¹, e [afɛkte] *adj.* ① 충당〔배당〕된. ② 배치〔배속〕된. ── *m.* 〖군사〗 ~ spécial 군속(群俗).

affecté², e [afɛkte] *adj.* (짐짓) 꾸민, 부자연스러운 ; 가장된 : attitudes *~es* 짐짓 꾸민 태도 / style ~ 부자연스러운 문체.

***affecter¹** [afɛkte] *v.t.* ① 충당〔할당〕하다 : 《~ qc à qc 〔qn〕》 ~ une part de ses revenus *à* l'entretien de l'immeuble 수입의 일부를 가옥 유지에 충당하다 / ~ une résidence *à* un fonctionnaire 관사를 공무원에게 배당하다. ② 〖군사〗 배치〔배속〕하다 : 《~ qc à qc》 ~ une recrue *à* un centre d'instruction 신병을 훈련소에 배치하다.

***affecter²** *v.t.* ① 좋아하다, 애용하다 : Cet auteur *affecte* l'archaïsme. 이 작가는 예스러운 문체를 좋아한다. ② 가장하다, …체하다 : ~ le détachement 겉으로 초연한 체하다 / Il *affecte* le savant. 그는 학자인 체한다 / 《~ de+*inf.*》 Il *affecte de* m'ignorer. 그는 나를 모른 척한다. ③ (형상을) 띠다 : ~ une forme ronde 둥근 모양을 하다.
── **s'~** *v.pr.* 가장되다.

***affecter³** *v.t.* ① …에 영향을 미치다, 작용하다 : La gréve *affecte* plusieurs usines. 파업은 여러 공장에 파급되고 있다. ② …에 관계되다. ③ 충격을 주다 ; 몹시 슬프게 하다 : Cette nouvelle l'*a* beaucoup *affecté.* 이 소식은 그를 몹시 슬프게 했다. ④ 〖의학〗 (병이) 감염시키다, 침범하다. ── **s'~** *v.pr.* 《s'~ de》 …을 속상해하다, …을 몹시 슬퍼하다.

affectif, ive [afɛktif, -iːv] *adj.* ① 《옛》 애정어린, 정다운. ② 감정적인 ; 감동시키는. ③ 〖언어〗 정의(情意)적인.

***affection** [afɛksjɔ̃] *f.* ① 정, 감정 ; 애정 ; 사랑, 자애 : ~ paternelle 〔maternelle〕 부정(父情)〔모정〕 / marques d'~ 애정 표시 / avoir beaucoup d'~ pour qn …에게 대단한 애정을 갖다. ② 《~ à》 …에 대한 성향〔경향〕. ③ 〖의학〗 증상, 병의 경과(= syndrome) : ~ aiguë 〔chronique〕 급성〔만성〕 증상.

affectionner [afɛksjɔne] *v.t.* ① 사랑하다, 좋아하다. ② 《옛》 애정〔애착〕을 느끼게 하다 : ~ qn à son pays …에게 조국에 대한 애착심을 일으키다.

affectivité [afɛktivite] *f.* ① 정적 기능 ; 감수성 ; 《집합적》 감정적 현상. ② 〖언어〗 정의성(情意性).

***affectueusement** [afɛktɥøzmɑ̃] *adv.* 다정스럽게.

***affectueux, euse** [afɛktɥø, -øːz] *adj.* 애정에 넘치는, 다정한, 정다운 : 사랑하는(= tendre, bon ; ≠ malveillant) : sourire ~ 정다운 미소 / mari ~ 다정한 남편 / regard ~ 애정어린 눈길 / paroles *~euses* 정다운 말.

affectuosité [afɛktɥozite] *f.* 정다움, 다정스러움.

afférent, e [afeʀɑ̃, -ɑ̃ːt] *adj.* ① 각자에게 귀속하는 : portion 〔part〕 *~e* 제몫, 각자의 취득분. ② 《~ à》 …에 부수하는, 관련된(= annexe) : devoirs ~s *à* sa charge 직무에 부수하는 의무.

affermage [afɛʀmaːʒ] *m.* (농지의) 임대, 임차 ; 소작료 ; 임대차료.

affermir [afɛʀmiːʀ] *v.t.* ① 억세게〔튼튼하게〕 하다, 견고히 하다(= consolider ; ≠ affaiblir). ② 확고하게 하다, 확립하다, 굳히다 : ~ le pouvoir 세력을 확립하다 / ~ qn dans ses résolutions …의 결의를 굳히다. ── **s'~** *v.pr.* ① 튼튼해지다, 견고해지다(= se fortifier) : *s'~* dans une résolution 결심을 굳히다. ② 확고해지다, 확립되다 : Son autorité *s'affermit* de jour en jour. 그의 권위는 날로 강화되고 있다.

affermissement [afɛʀmismɑ̃] *m.* 굳히기, 튼튼히 하기, 견고하게 하기 ; 굳혀지기, 견고해지기 ; 지주(支柱).

afféterie [afɛ(e)tʀi] *f.* ① 부자연한 외면치레, 선멋. ② (*pl.*) 싸구려 장식품.

affichage [afiʃaːʒ] *m.* 게시, 벽보 (붙이기) ; 자랑해 보이기, 과시 : tableau d'~ 게시판.

affiche** [afiʃ] *f.* ① ⓐ 게시, 벽보(= ~ murale), 전단, 포스터 ; 〖행정〗 고시(告示) : ~ à la main 전단, 광고지 / ~ lumineuse 광고등 / panneau à ~ 광고 게시판 / ~ électorale 선거 벽보 / ~ publicitaire 선전 포스터 / Le mur est couvert (tapissé) d'~*s*. 벽이 포스터로 덮였다. ⓑ (연극의) 포스터, 전단 (= ~ théâtre). ② 표시, 징후, 증거. ***poser une ~ 벽보(포스터)를 붙이다. ***tenir l'~*** (연극이) 계속 공연되다. ***tête d'~*** 주역.

***afficher** [afiʃe] *v.t.* ① 게시하다, (전단 따위를) 붙이다 ; (벽보로) 공고하다 : tableau d'~ 게시판 / ≪Défense d'~≫ 「벽보 금지」/ ~ une vente aux en chères 경매 공고를 내다. ② 공표하다 ; 과시하다, 표방하다 : ~ ses opinions politiques 정치적인 소신을 피력하다. ③ 《옛》 공공연히 말하고 다니다 : ~ une femme 어떤 여자와 관계를 떠들고 다니다. ── **s'~** *v.pr.* ① 게시되다 ; (벽보로) 공고되다. ② 공공연하게 모습을 나타내다, 남의 눈을 꺼리지 않다 : *s'~* pour …라고 자칭하다 / Cette homme *s'affiche* avec sa maîtresse. 저 사람은 보란 듯이 자기 정부와 함께 나다닌다.

affichette [afiʃɛt] *f.* 작은 전단〔포스터 · 게시〕.

afficheur [afiʃœːʀ] *m.* 전단〔벽보 · 포스터〕 붙이는 사람.

affichiste [afiʃist] *m.* 포스터 도안가.

affilage [afilaːʒ] *m.* 갈음질, 날을 세우기.

affilée [afile] *f.* 연속《다음 경우에만 쓰임》 ***d'~ ; à l'~*** 단숨에, 잇달아 : Il a parlé sept heures *d'~*. 그는 7 시간이나 줄곧 말했다.

affiler [afile] *v.t.* 갈다(= aiguiser), …의 날을 세우다; (말 따위를) 신랄하게 하다.

affiliation [afiljɑsjɔ̃] *f.* ① 가입, 가맹 ; 입회 ; 합동, 합병. ② (상사(商社) 따위의) 지점.

affilié, e [afilje] *adj.* 가입한, 가맹한, 입회한 ; 합병한, 합동한. ── *n.* 가입자 : 가맹자.

affilier [afilje] *v.t.* ① 《~ qn à》 …을 …에 가입〔입당 · 가맹〕시키다 : ~ qn *à* une société secrète …을 비밀 결사에 가입시키다. ② (단체 따위를 …에) 합동〔합병〕시키다. ── **s'~** *v.pr.* ① 《s'~ à》 가입〔입당 · 가맹〕하다(= adhérer) : *s'~ à* un parti 정당에 입당하다. ② 《s'~ à》 (단체 따위가) 합병되다. ③ 《se 가 간접목적보어인 경우》 《s'~ qn》 (단체 따위가) …을 가입시키다 : Union nationale *s'est affilié* un nouveau membre. 국민 연합은 새 회원을 가입시켰다.

affinage [afinaːʒ], **affinement** [afinmɑ̃] *m.* 정련, 정제 ; 연마, 세련 ; 날카롭게 하기.

affiner [afine] *v.t.* ① 〖야금〗 정련하다, 정제(精製)하다 : ~ les métaux 금속을 정련하다. ② 섬세하게 하다, 세련하다 : ~ le goût 취미를 세련하다. ③ …의 끝을 날카롭게 하다, 뾰족하게 하다 : ~ des clous (aiguilles) 못〔바늘〕을 뾰족하게 하다. ④ (두뇌 따위를) 예민〔예리〕하게 하다 : La lecture *a affiné* son esprit (jugement). 독서는 그의 두뇌를 〔판단력을〕 예민하게 했다. ── **s'~** *v.pr.* ① 정련〔정제〕되다. ② 세련되다 : Depuis son arrivée à Paris, son goût *s'est affiné*. 그는 파리에 온 이후 취미가 세련되었다. ③ 예리해지다.

affinerie [afinʀi] *f.* ① 〖야금〗 정련〔제련〕소. ② 철사 제조 공장. ③ 정련, 제련.

affineur, euse [afinœːʀ, -øːz] *m.* ① 〖야금〗 정련공. ② 끝손질 직공. ── *f.* 끝손질 여공 ; 〖직물〗 레이스 여공.

affinité [afinite] *f.* ① 유사성 ; 관련 ; 관계. ② 〖법률〗 인척 관계. ③ 〖화학〗 친화력.

affirmatif, ive** [afiʀmatif, -iːv] *adj.* ① 긍정의(≠ negatif) : proposition ~*ive* 〖논리〗 긍정 명제 ; 〖문법〗 긍정문. ② 단정적인 ; 독단적인 : prendre un ton ~ 독단적인 어조로 말하다. ***signe ~ 고개를 끄덕임. ── *f.* 긍정 : répondre par l'~*ive* 그렇다고 대답하다. ***dans l'~ive*** 만약 그렇다면. ── *m.* 〖문법〗 긍정어 ; 긍정적 표현.

***affirmation** [afiʀmɑsjɔ̃] *f.* ① 단언, 확언 : ~ catégorique 절대적 단언. ② 〖법률〗 확인, 주장. ③ 긍정 : adverbe d'~ 〖문법〗 긍정의 부사. ④ 견고하게 하기, 확립 : ~ d'une amitié 우정의 확립.

affirmativement [afiʀmativmɑ̃] *adv.* 긍정적으로 ; 독단적으로.

affirmer** [afiʀme] *v.t.* ① 단언〔단정〕하다(= assurer) : J'*affirme* que non. 나는 그렇지 않다고 단언한다 / On ne peut ~. On peut tout supposer. 아무도 단정할 수는 없다. 다만 무엇이고 추정할 수 있을 뿐이다 / 《~ + *inf.*》 J'*affirme* l'avoir rencontre ce jour-là. 확실히 말하지만 나는 그날 그를 분명히 만났다. ② 주장하다(= soutenir) : ~ son existence (autorité) 자기의 생존을〔권위를〕 주장하다. ③ 긍정하다(≠ nier) : L'Église *affirme*, la raison nie. 교회는 긍정하나 이성은 부정한다. ④ 표명하다(= exprimer). ⑤ 뚜렷이 나타내다(= manifester) ; 입증하다(= prouver) : ~ sa volonté 자기의 의지를 분명히 보여 주다. ⑥ 〖법률〗 (법정에서) 언명〔확언〕하다(= déclarer). **~ + *inf.* ; ~ *que* + *ind. 《부정문 · 의문문에서는 보통 *sub.*》 …라고 단언하다 : Il *affirme* avoir payé cette dette. 그는 그 빚을 분명히 갚았다고 단언한다 / Il n'*affirme* pas *qu*'il soit innocent. 그는 자기가 결백하다고 단언하지는 않는다.

── **s'~** *v.pr.* ① 단언〔주장 · 긍정 · 표명 · 확언〕되다. ② 뚜렷이 나타나다 ; 확실해지다 ; 《s'~ + 속사》 입증되다 : Cela *s'est affirmé* juste. 그것이 옳다는 것이 입증되었다 / L'épidémie *s'affirme*. 전염병이라는 사실이 분명해졌다.

affixe [afiks] *n.* 〖언어〗 접사(接辭)《접두사와 접미사》. ── *adj.* 접사의 구실을 하는.

affleurement [aflœʀmɑ̃] *m.* 수면〔지면〕에 나타나기 ; 〖지질〗 (광맥 따위의) 노출, 노두(露頭) : ~ de l'inconscient 무의식의 노출.

affleurer [aflœʀe] *v.t.* ① (인접한 두 개의 것을) 수평이 되게 하다, 평평하게 하다. ② …와 같은 높이에 이르다 : La rivière *affleure* ses bords. 강물이 넘칠 지경이다. ── *v.i.* 표면에 나타나다, 노출하다.

afflictif, ive [afliktif, -iːv] *adj.* 〖법률〗 체형(體刑)의 : peine *~ive* 체형.

affliction [afliksjɔ̃] *f.* ① 고뇌 ; 슬픔, 낙심, 비탄(= douleur). ② (*pl.*) 슬픈 일들, 불행.

affligé, e [afliʒe] *adj.* ① 《~ de》 …으로 고통받는, 괴로워하는. ② 몹시 슬퍼하는, 애통해 하는. ***~ que***+*sub.* ***; ~ de ce que***+*ind.* 〔*sub.*〕 …을 몹시 슬퍼하는. ── *n.* 애통해 하는 사람 ; 유족.

affligeant, e [afliʒɑ̃, -ɑ̃ːt] *adj.* 슬픈, 비통한 : spectacle ~ 비통한 장면 / Il est ~ de+*inf.* …하는 것은 슬픈 일이다.

affliger [afliʒe] [3] *v.t.* ① 괴롭히다(= tourmenter) ; 몹시 슬프게 하다(= attrister, peiner) : Sa mort *a affligé* tous ceux qui le connaissaient. 그의 죽음은 그를 알던 모든 사람들을 몹시 슬프게 했다. ② 휩쓸다(= désoler, ravager). ── **s'~** *v.pr.* 《s'~ (de)》 (…을) 몹시 슬퍼하다, 애통해 하다 : Je *m'afflige de* ne pouvoir vous aider. 당신을 도와주지 못해 몹시 서글프다. ***s'~ de***+*inf.* ***; s'~ que***+*sub.* ***; s'~ de ce que***+*ind.* 〔*sub.*〕 …을 몹시 슬퍼하다.

affluence** [aflyɑ̃ːs] *f.* ① 군집, 운집, 쇄도 ; 혼잡 : L'exposition a attiré une grande ~. 그 전시회는 인산인해를 이루었다. ② 많이 흐르기, 범람, 충일. ③ 풍부 ; 윤택. ***heures d'~ 혼잡한 시간, 러시아워.

affluent, e [aflyɑ̃, -ɑ̃ːt] *adj.* 흘러드는, 지류의. ── *m.* 지류, 분류.

***affluer** [aflye] *v.i.* ① 《~ vers 〔dans〕》 …으로 흐르다, 흘러들다 ; 《~ à》 〖의학〗 (피가) …으로 몰리다, 충혈되다 : Beaucoup de cours d'eau *afflue dans* la Seine. 많은 하천이 센강으로 흘러든다 / La colère faut ~ le sang *au* visage. 화를 내면 피가 얼굴로 몰린다. ② 쇄도〔운집〕하다 ; 폭주하다 : La foule *afflue* dans le métro dès six heures du soir. 많은 사람들이 오후 6시부터 지하철로 몰려든다.

afflux [afly] *m.* ① 많이 모여들기, 운집, 군집, 쇄도 : ~ d'idées 아이디어의 쇄도. ② 〖의학〗 충혈.

affolant, e [afɔlɑ̃, -ɑ̃ːt] *adj.* 미치게 하는 ; 멍하게〔황홀하게〕 하는, 엄청난, 굉장한 : événement ~ 충격적인 사건.

***affolé, e** [afɔle] *adj.* 미친〔얼빠진〕 듯한, 이성을 잃은, 당황한(= bouleversé) ; 《~ de qn》 …에게 홀딱 반한 : Il a l'air ~. 그는 얼빠진 듯한 모습을 하고 있다. ② 〖기계〗 고장 난 ; 공전하는. ── *n.* 미친〔얼빠진〕 듯한 사람.

affolement [afɔlmɑ̃] *m.* ① 미친〔얼빠진〕 듯한 상태, 흥분, 당황, 공황, 공포(= effroi). ② 〖기계〗 공전 ; (자침 따위의) 고장.

***affoler** [afɔle] *v.t.* ① 미칠 지경으로 만들다, 얼빠지게 하다 ; 당황케 하다(= bouleverser ; ≠ calmer) ; 대경실색케 하다(= effrayer) 흥분하게 하다 : La nouvelle semble l'~. 그 소식에 그는 크게 당황하는 것 같다 / Sa façon de conduire m'*affole.* 그의 운전 솜씨는 끔찍하게 거칠다. ② 〖기계〗 (자침 따위를) 고장 나게 하다 ; (기계의 일부를) 공전하게 하다. ── **s'~** *v.pr.* 《s'~ (de)》 미친 듯이 되다, 아연실색하다 ; 흥분하다 ; 당황하다.

affouiller [afuje] *v.t.* ① (물 · 바람이) 침식하다 ; 부식하다. ② 마멸시키다 ; 파다.

affranchir [afʀɑ̃ʃiːʀ] *v.t.* ① (노예를) 해방하다 ; 《~ qn de》 …을 …에서 해방〔면제〕하다 : ~ qn *de* la crainte …의 두려움을 없애 주다 / ~ le pays *de* la domination étrangère 나라를 외국의 지배에서 벗어나게 하다. ② 우표를 붙이다, 우편 요금을 선납하다 : machine à ~ 우편 요금 소인기(消印機) / lettre insuffisamment *affranchie* 우표를 모자라게 붙인 편지. ── **s'~** *v.pr.* 《s'~ de》 …에서 해방〔면제〕되다 : s'~ *d'*une habitude 어떤 습관을 버리다.

affranchissement [afʀɑ̃ʃismɑ̃] *m.* ① 해방 ; 자유 독립(= émancipation) : ~ des femme 여성 해방. ② 면제. ③ 우표를 붙이기, 우편 요금의 선납 ; 우편 요금.

affres [a(ɑː)fʀ] *f. pl.* ① 《옛》 공포, 불안. ② 단말마의 고통, 고뇌 : ~ de la faim 굶주림의 고통 / ~ du désespoir 절망의 고뇌.

affrètement [afʀɛtmɑ̃] *m.* 〖해양〗 용선(傭船) : acte 〔contrat〕 d'~ 용선 계약.

affréter [afʀete] [6] *v.t.* (배를) 세내다, 용선하다. 「용선자.

affréteur [afʀetœːʀ] *m.* 배를 세내는 사람,

affreusement [a(ɑ)fʀøzmɑ̃] *adv.* ① 무시무시하게, 끔찍하게, 무섭게 : Il a été ~ torturé. 그는 참혹하게 고문당했다. ② 지독하게 ; 몹시 : plat ~ salé 너무 짠 음식.

***affreux, euse** [a(ɑ)fʀø, -øːz] *adj.* ① 무시무시한, 소름끼치는, 끔찍한(= horrible) : spectacle ~ à voir 보기에 무서운 광경 / Il est ~ que+*sub.* …한다는 것은 매우 끔찍한 일이다. ② 고약한, 지독한(= détestable), 지긋지긋한 : temps ~ 지긋지긋한 날씨 / ~ bonhomme 심술기가 있는 사람 / faire un cauchemar ~ 끔찍한 악몽을 꾸다. ③ 흉악〔추악〕한. ── *m.* (아프리카 여러 나라의) 백인 용병(傭兵).

affriander [afʀijɑ̃de] *v.t.* ① 맛있는 음식을 좋아하게 하다. ② 유혹하다, 유인하다(= attirer) : ville qui *affriande* l'étranger 외국인을 유혹하는 도시. ── **s'~** *v.pr.* 《s'~ de》 …을 좋아하게 되다.

affriolant, e [afʀijɔlɑ̃, -ɑ̃ːt] *adj.* 매혹적인, 매력적인 ; 먹음직한 .

affrioler [afʀijɔle] *v.t.* ① …의 식욕을 돋우다. ② 유혹하다, 꾀다, 유인하다.

affront [afʀɔ̃] *m.* ① 모욕(= outrage) : dévorer un ~ 모욕을 꾹 참다 / essuyer 〔subir〕 un ~ 모욕을 당하다 / laver 〔réparer〕 un ~ 설욕하다 / Vous lui avez fait là un ~ qu'il ne supportera pas. 당신은 그에게 두고두고 참을 수 없는 모욕을 주었다. ② 치욕, 불명예, 수치, 창피(= honte, déshonneur). ***en avoir l'~*** 실패하다. ***faire ~ à***

A

qn …에게 창피를 주다. ***faire ~ à*** qn ***de*** qc …에 대해 …을 비난하다. ***rester en ~*** (사람들 앞에서) 창피를 당하다 ; 말이 막혀 버리다.

affrontement [afʀɔ̃tmɑ̃] *m.* 직면, 맞섬, 대결 ; 대립 : ~ d'un danger 위험에 맞섬 / ~ des deux grandes puissances 양대 세력 간의 대립.

***affronter** [afʀɔ̃te] *v.t.* ① 대담하게 대하다, …와 과감하게 맞서다, 대결하다 ; (죽음·위험을) 무릅쓰다(= braver) : ~ l'ennemi 적과 과감하게 맞서다 / ~ la mort 죽음을 무릅쓰다. ② (널빤지 따위를 수평으로) 맞대다, 맞붙이다 ; 〖의학〗 접합하다. — **s'~** *v.pr.* ① 얼굴을 맞대다. ② 대결〔대립·대항〕하다.

affubler [afyble] *v.t.* 《~ qn de》 …에게 괴상하게 옷을 입히다 : Il *était affublé d'*un chapeau ridicule. 그는 우스꽝스런 모자를 쓰고 있었다. — **s'~** *v.pr.* 《s'~ de》 …을 괴상하게 입다 : *s'~ d'*une vieille redingote 낡은 프록코트를 입다 / Il *s'affuble* toujours *de* vêtements trop voyants. 그는 항상 지나치게 눈에 띄는 옷차림을 한다.

affût [afy] *m.* ① 지키는 목, 매복 장소 ; 매복. ② 포가(砲架) ; (기관총의) 총가 ; (망원경 따위의) 받침대. ***être*** 〔***se mettre***〕 ***à l'~*** 목을 지키다, 매복하다 ; 기회를 노리다.

affûtage [afytaːʒ] *m.* ① (칼 따위를) 갈기, 날 세우기. ② 연장 한 벌.

affûter [afyte] *v.t.* ① (칼 따위를) 갈다(= aiguiser), (톱의) 날을 세우다 ; (연필을) 깎다 : ~ un couteau 〔une scie〕 칼〔톱날〕을 갈다. ② 〖군사〗 (대포를) 포가에 올려놓다.

affu〔û〕tiau [afytjo] *m.* (*pl.* **~x**) ① 하찮은 물건 ; 값싼 장신구. ② 《지방어》 연장.

***afin de** [afɛ̃d] *loc. prép.*, **afin que** [afɛ̃k] *loc. conj.* 《afin de + *inf.* ; afin que + *sub.*》 …하기 위하여, …하려고, …하도록 : Je me hâte *afin d'*arriver à l'heure. 나는 제시간에 도착하려고 서두른다 / Écrivez-lui *afin qu'*elle soit au courant. 그녀가 사정을 알 수 있도록 편지를 하십시오.

a fortiori [afɔʀsjɔʀi] 〔라틴〕 *loc. adv.* 하물며, 더구나(= à plus forte raison) : Il aime les enfants, ~ les siens. 그는 아이들을 좋아한다, 하물며 자기 아이들이야.

A.F.P. 《약자》 Agence France-Presse 프랑스 통신사.

***africain, e** [afʀikɛ̃, -ɛn] *adj.* 아프리카(*l'Afrique*)의. — **A~** *n.* 아프리카 사람.

africanisation [afʀikanizɑsjɔ̃] *f.* (아프리카 신생국에서) 아프리카인이 지배적 지위를 차지하기 ; 아프리카적인 성격을 띠기.

africaniser [afʀikanize] *v.t.* 아프리카화하다 ; (정치·기업 따위를) 아프리카인에 의해서 하다.

africanisme [afʀikanism] *m.* ① 아프리카 애호, 친아프리카주의 ; 아프리카학. ② 아프리카 (태생 라틴 저술가의 특유한) 어법.

africaniste [afʀikanist] *n.* 아프리카 학자.

Afrique [afʀik] *n.pr.f.* 아프리카.

afro-américain, e [afʀɔameʀikɛ̃, -ɛn] *adj.* 아프리카에서 유래된 미국풍의. — *n.* 아프리카계 미국인.

afro-asiatique [afʀɔazjatik] *adj.* 아시아·아프리카의, A. A. 제국의 : groupe ~ de l'O.N.U. 유엔의 아시아·아프리카 그룹.

after-shave [aftœʀʃɛv] 〔영〕 *m.* 면도 후에 바르는 로션.

agaçant, e [agasɑ̃, -ɑːt] *adj.* ① 역정을 돋우는, 성가신. ② 《옛》 자극적인, 선정적인.

agacement [agasmɑ̃] *m.* 성가신 기분, 짜증, 역정 : geste d'~ 짜증스러워하는 몸짓.

***agacer** [agase] [2] *v.t.* ① (신경 따위를) 자극하다 ; (이를) 시큰거리게 하다. ② …의 신경을 건드리다, 역정을 돋우다 : ~ les nerfs 신경을 자극하다 / Il ne cesse pas d'~ sa sœur. 그는 끊임없이 누이를 성가시게 군다 / Cela m'*agace* que + *sub.* …하는 것은 내 신경에 거슬린다. ③ …을 유혹하다, …에게 아양 떨다. — **s'~** *v.pr.* ① (신경 따위가) 자극되다. ② 짜증을 내다, 역정을 부리다.

agacerie [agasʀi] *f.* (흔히 *pl.*) 교태, 아양 부리는 짓〔눈짓·말〕(= coquetterie) : faire des ~s 교태를 부려 상대를 끌다.

agape [agap] *f.* (흔히 *pl.*) 《구어》 (친구끼리의) 회식(會食) : participer à de joyeuses ~s 즐거운 회식에 참가하다.

agar-agar [agaʀagaːʀ] *m.* 우무, 한천(寒天).

agaric [agaʀik] *m.* 〖식물〗 느타리버섯.

agate [agat] *f.* 〖광물〗 마노(瑪瑙).

agave [agaːv], **agavé** [agave] *m.* 〖식물〗 용설란속(屬).

-age *suff.* 《남성명사 어미》 「집합·행위·상태·장소 따위」의 뜻.

:âge [ɑ〔a〕ːʒ] *m.* ① 나이, 연령, 연세 : à l'~ de 20 ans 스무 살 때 / Ils sont du même ~. 그들은 동갑이다 / Quel ~ avez vous? — J'ai vingt ans 〔Je suis âgé de vingt ans〕. 몇 살입니까? — 스무 살입니다 / Il est mort à l'~ de quarante ans. 그는 마흔 살에 죽었다 / Il ne paraît pas son ~ ; On ne lui donnerait pas son ~. 그는 나이만큼 들어 보이지 않는다 / ~ scolaire 취학 연령 / ~ mental 〔légal〕 정신〔법정〕 연령 / limite d'~ 연령 제한 ; 정년 / pyramide des ~s (인구의) 연령 분포도 / ~ d'un arbre 수령. ② (일생의) 어떤 시기 : bas ~ 유년기 / bel ~ 청춘기 / jeune ~ 청년기 / ~ nubile 결혼 적령기 / ~ mûr 장년기 / ~ moyen 중년기 / ~ viril 남자의 성년기 / ~ de la puberté 사춘기(= ~ ingrat) ; 《구어》 ~ bête) / ~ de raison 철드는 시기《7 세 무렵》 / ~ critique ; retour d'~ 갱년기 / grand ~ ; ~ avancé 고령, 노년 / troisième ~ (정년퇴직 이후의) 노후, 노년 / quatrième ~ (75 세 이상의) 노령, 고령. ③ 노년, 노령 : homme d'~ 노인 / être courbé par l'~ 나이가 들어 허리가 구부러지다 / Chaque ~ a ses plaisirs. 인생의 어떤 시기에도 그 나름대로의 즐거움이 있다. ④ 시대, 연대, 세기 : ~ de pierre 〔bronze, fer〕 석기〔청동기·철기〕 시대 / notre ~ 현대 / le moyen ~ 중세기 / ~ d'or 황금시대 / ~ atomic 원자력 시대 / d'~ en ~ 대대로. ⑤ 성년(= âge légal) : Il n'est pas encore d'~. 그는 미성년이다. ⑥ 연령 조건 : dispense d'~ 연령 조건에 의한 면제. ***entre deux ~s*** 중년의. ***être d'~ à*** + *inf.* ; ***être en ~ de*** + *inf.* …하기에 적당한 나이이다 :

Elle *sera* bientôt *en ~ de* se marier. 그녀는 이제 곧 결혼할 나이가 된다. ***être d'~ légal*** 성년에 달해 있다. ***être de son ~*** 나이에 어울리다; 시대에 순응하다. ***être sur l'~*** 노년기에 이르렀다. ***fleur de l'~*** 청년기. ***hors d'~*** 시대에 뒤떨어진 ; 노후한 ; 아주 오래 묵은 : vêtement *hors d'~* 시대에 뒤처진 옷 / voiture *hors d'~* 노후한 차. ***prendre de l'~*** 나이를 먹다 ; 늙어 가다. ***président d'~*** 최연장자로서 모신 의장. ***Quel ~ donnez-vous à cette femme?*** 저 여자는 나이가 얼마나 돼 보입니까? ***Quel ~ me donnez-vous?*** 저를 몇 살로 보십니까? ***tirer sur l'~*** 나이를 먹다 ; 늙어 가다.

***âgé, e** [ɑ(a)ʒe] *adj.* ① 《~ de》 …살(세)의 : ~ *de* vingt ans 스무 살의. ② 나이가 많은 : Je suis plus ~ que vous. 나는 당신보다 나이가 많다. ③ 늙은, 노년(노령 · 고령)의 : places réservées aux personnes *~es* 경로석.

***agence** [aʒɑ̃:s] *f.* ① 대리업. ② 대리점 ; 지점(= succursale) ; 사무소, 취급소 ; 통신사(= ~ télégraphique) : ~ d'affaires 총대리점 / ~ de placement 직업 소개소 / ~ de voyages 여행사 / ~ immobilière (matrimoniale) 부동산 소개소(결혼 상담소) / ~ bancaire 은행 지점 / ~ de renseignements 흥신소 / ~ de presse 신문사. ③ 관리 기구.

agencement [aʒɑ̃smɑ̃] *m.* ① 배열, 배치 : ~ d'une phrase 말의 배치. ② 조합, 구성 : ~ du récit 이야기의 구성. ③ (*pl.*) 비품, 설비 ; 용구, 도구.

agencer [aʒɑ̃se] *v.t.* [2] ① 배열하다(= arranger), 배치하다 ; 정돈하다, 정리하다 ; (기계 따위를) 조립하다(= composer) ; 조정하다(= adjuster) ; 꾸미다 : ~ une phrase 문장을 꾸미다 / ~ les scènes d'une pièce 극의 장면들을 알맞게 배치하다 / bureau bien *agencé* 잘 꾸며진 사무실. ② 《옛》 (몸을) 치장하다. — **s'~** *v.pr.* ① 정리(정돈 · 배열 · 배치)되다 ; 조립되다. ② 《옛》 몸치장하다.

agencier [aʒɑ̃sje] *m.* (통신사) 기자.

***agenda** [aʒɛ̃da] 〔라틴〕 *m.* 비망록, 일기장.

agénésie [aʒenezi] *f.* 불임, 생식 불능.

agenouillement [aʒnujmɑ̃] *m.* ① 꿇어앉기, 무릎 꿇기. ② 《비유》 굴복, 복종.

agenouiller (s') [saʒnuje] *v.pr.* ① 무릎을 꿇다, 꿇어앉다. ② 굴종하다 : *s'~* devant le pouvoir 권력 앞에 굴복하다.

***agent**[1] [aʒɑ̃] *m.* ① 작용하는 것(힘), 동인(動因), 요인(要因)(= facteur) : *~s* naturels 자연력 / *~s* physiques 물리적인 요인들. ② 〚문법〛 동작주(動作主) : complément d'~ 동작주 보어. ③ 주체자, 중심인물 : ~ économique 경제 주체 / ~ de réformes 개혁의 주동자.

***agent**[2] *m.* ① 경관 ; (공공 기관의) 공무원 : ~ de la circulation 교통순경 / ~ secret 비밀 첩보원 / ~ administratif (de l'État) 공무원 / Les *~s* ont arrêté le bandit. 경관이 노상강도를 체포했다. ② 대리인 ; 대행 기관(인) ; 중개업자 : ~ immobilier 부동산 중개업자 / ~ de change 주식 중매인 / ~ d'intrigues 《구어》 중개자, 브로커 / ~ électoral 선거 운동원 / ~à l'éxportation 수출 대행업자 / ~ littéraire (작가의) 출판 대리인 / ~ d'assurances 보험 대리인.

agglomérat [aglɔmeʀa] *m.* 〚지질〛 응괴암.

***agglomération** [aglɔmeʀasjɔ̃] *f.* ① 응결 ; 집적 ; 응집 (상태). ② 덩어리 ; 집단 ; 부락 ; (도시 인구의) 밀집 지대 : grandes *~s* urbaines 도시 인구의 대밀집 지대 / ~ parisienne 파리 도시권.

aggloméré [aglɔmeʀe] *m.* ① 〚지질〛 역암. ② 연탄 ; (시멘트로 굳힌) 블록, 벽돌.

agglomérer [aglɔmeʀe] [6] *v.t.* (한 덩어리로) 모으다(= accumuler) ; (연료 따위를) 굳히다 : ~ le sable avec le ciment 모래와 시멘트를 섞어서 굳히다. — **s'~** *v.pr.* (한 덩어리로) 모이다 ; 쌓이다 ; 굳어지다 : Les sables *se sont agglomérés* en dunes. 모래가 쌓여 사구를 이루었다.

agglutinant, e [aglytinɑ̃, -ɑ̃:t] *adj.* ① 점착성의 ; 〚의학〛 유착시키는. ② 교착성의 : langue *~e* 〚언어〛 교착어.

agglutination [aglytinasjɔ̃] *f.* ① 교착, 응고. ② 〚의학〛 유착. ③ (굳어진) 덩어리.

agglutiner [aglytine] *v.t.* (연료 따위를) 굳히다 ; 교착시키다, 달라붙게 하다 ; 〚의학〛 유착(癒着)시키다 : La chaleur *a agglutiné* les bonbons en un gros bloc. 더위로 사탕들이 한 덩어리로 들러붙었다. — **s'~** *v.pr.* 굳어지다 ; 교착하다, 달라붙다 ; 〚의학〛 유착하다 : *s'~* devant la vitrine 진열장 앞에 들러붙어 떠나지 않다.

aggravant, e [agʀa(ɑ)vɑ̃, -ɑ̃:t] *adj.* 〚법률〛 가중(加重)의(≠ atténuant) ; 〚의학〛 악화시키는. ***circonstances ~es*** 〚법률〛 가중 정상.

aggravation [agʀa(ɑ)vasjɔ̃] *f.* 〚법률〛 가중 ; 악화 ; (세금의) 증가 : ~ d'une maladie 병세의 악화 / ~ de peine 형(刑)의 가중.

***aggraver** [agʀa(ɑ)ve] *v.t.* (조세 · 죄 따위를) 더 무겁게 하다 ; (병세 · 곤란 따위를) 더하게 하다, 더 악화시키다 ; (형벌 따위를) 가중시키다 : Le moindre mouvement *aggrave* sa malade. 아주 사소한 움직임도 그의 병세를 악화시킨다 / Cette imprudence a contribué à ~ le mal. 경솔함이 더 큰 화를 불러일으켰다. — **s'~** *v.pr.* 더 중해지다, 더 악화되다 ; 가중되다.

agile** [aʒil] *adj.* ① 날쌘, 날렵한, 재빠른, 민활한 ; 민첩한 : ~ à+*inf.* 날쌔게 …하는 / doigts *~s* du pianiste 피아니스트의 유연한 손가락. ② 유연한. ③ 이해가 빠른, 예민한 : esprit ~ 명민한 두뇌. ***avoir la langue ~ 혀가 잘 돌아가다, 입담이 좋다.

agilement [aʒilmɑ̃] *adv.* ① 날쌔게, 재빠르게, 민첩하게. ② 예민하게.

agilité [aʒilite] *f.* ① 민활, 민첩, 경쾌 : sauter avec ~ 날렵하게 튀어 오르다. ② 예민.

agio [aʒjo] *m.* ① 〚상업〛 프리미엄 ; 환전으로 얻는 이익. ② 《구어》 환전 ; (주식) 투기.

agiotage [aʒjɔta:ʒ] *f.* 주식 매매, (주식) 투기.

「하다.

agioter [aʒjɔte] *v.i.* 주식 매매(투기 매매)를

agioteur, euse [aʒjɔtœ:ʀ, -ø:z] *adj.* et *n.* 주식 중매인(의) ; (주식) 투기업자(의).

⁑**agir** [aʒi:ʀ] *v.i.* ① 행동하다 ; 움직이다 ; 처신하다 : manière d'~ 행동 방식 / Le moment est venu d'~. 행동할 때가 왔다 / ~ en

A

honnête homme 성실한 사람으로 처신하다 / Il ne faut pas ~ ainsi. 그렇게 해선 안 되요. ② 작용하다 ; (약이) 효력을 나타내다 ; 《~ sur》 …에 영향을 미치다 : Le remède n'*agit* plus. 그 약은 더 이상 듣지 않는다 / La lumière *agit sur* les végétaux. 햇빛은 식물에 영향을 준다. ③ 《~ contre》 …을 상대로 소송을 제기하다. ***bien*** 〔***mal***〕 ***~ envers*** qn …을 잘〔나쁘게〕 대해 주다.

── **s'~** *v.pr. impers.* 《s'~ de》 문제되다, 관계되다 : de quoi *s'agit*-il ? 무엇이 문제인가? 무슨 일인가? / Il *s'agit de* votre avenir. 너의 장래가 문제다. ***Il s'agit de*** + *inf.* …하는 것이 문제이다〔필요하다〕 : *Il s'agit de* s'entendre. 서로 이해하는 것이 필요하다. ***Il s'agit que*** + *sub.*〔*ind.*〕 …이 문제이다 : *Il s'agit que* vous le retrouviez, et rapidement. 그것을 찾아야 한다, 그것도 빨리. ***Il s'agit si*** + *ind.* …인가 어떤가가 문제이다 : *Il* ne *s'agit* point *s'*il viendra ou ne viendra pas. 그가 오고 안 오고는 문제가 아니야. ***s'agissant de*** …이 문제이기 때문에〔문제인 만큼〕 ; …에 관해서는 : *S'agissant des* problèmes de pollution, nous examinerons au cours du conseil d'administration. 공해 문제에 관해서는 중역회의 석상에서 검토하기로 합시다.

âgisme [aʒism] *m.* 노인 차별.

agissant, e [aʒisɑ̃, -ɑ̃:t] *adj.* ① 활동적인 : femme fort ~*e* 매우 활동적인 여자. ② 효력〔효험〕 있는 : remède ~ 효험이 좋은 약.

agissement [aʒismɑ̃] *m.* (흔히 *pl.*) ① 행동, 거동. ② 음모(= intrigue, menée).

agitateur, trice [aʒitatœ:ʀ, -tʀis] *n.* 선동자. ── *m.* 교반기.

***agitation** [aʒitɑsjɔ̃] *f.* ① 흔들림, 동요 ; (기의) 펄럭임, (파도의) 출렁거림 : ~ de l'eau 물결이 출렁거림. ② (마음의) 동요, 불안 ; 흥분 ; (사회적) 소란, 소요, 동란 ; 선동 : ~ ouvrière 노동자들의 움직임 ; 노동 불안 / L'~ du malade ne se calme pas. 환자의 흥분이 가라앉지 않는다. ③ 〖물리〗 ~ thermique (분자의) 열운동.

***agité, e** [aʒite] *adj.* 흥분된, 동요된, 불안스런 : avoir le sommeil ~ 꿈자리가 사납다 / vie ~*e* 파란 많은 생애. ── *m.* 불안에 사로잡힌 사람 ; 〖의학〗 광조병(狂躁病) 환자.

***agiter** [aʒite] *v.t.* ① 흔들다, 휘두르다 ; (액체를) 휘젓다(= secouer, remuer) : ~ son mouchoir 〔un drapeau〕 손수건을〔기를〕 흔들다 / Le chien *agite* la queue. 개가 꼬리를 친다. ② (마음을) 동요시키다, 불안하게 하다, 어지럽히다 : *agité* par l'inquiétude 불안으로 가슴이 설레어서 / ~ le peuple 국민을 동요시키다. ③ 선동하다 : Son discours *a agité* les masses. 그의 연설은 대중을 선동했다. ④ 토의하다(= discuter) : ~ une question 문제를 토의하다.

── **s'~** *v.pr.* ① 흔들리다 ; (바다가) 파도치다 : La mer commence à *s'*~. 파도가 일기 시작한다. ② (마음이) 동요하다, 불안해지다 ; 흥분하다 : Ne *t'agite* pas comme ça. 그렇게 흥분하지 마라.

agneau** [aɲo] *m.* (*pl.* ***~x) (*f.* 《옛》 ***agnelle***) ① 어린양 ; 온순한 사람 : ~ pascal 유월절의 어린양. ② 〖요리〗 새끼 양고기. ③ 양모피. ***A~ de Dieu*** 하느님의 어린양《그리스도》. ***doux comme un ~*** 어린양처럼 온순한.

agnosticisme [agnɔstisism] *m.* 불가지론(不可知論).

agnostique [agnɔstik] *adj.* 불가지론의. ── *n.* 불가지론자.

agonie [agɔni] *f.* ① 임종〔단말마〕의 고통 ; 고뇌, 고민. ② 단말마, 종말, 최후 : cri d'~ 단말마의 비명 / être à l'~ 죽어 가고 있다, 임종하다.

agonir [agɔni:ʀ] *v.t.* 《~ qn de》 …에게 비난〔욕설〕을 마구 퍼붓다(= accabler) : Je me suis fait ~. 나는 호되게 욕을 먹었다.

agonisant, e [agɔnizɑ̃, -ɑ̃:t] *adj.* ① 죽음에 임박한, 빈사 상태의, 죽어 가는(= mourant) : malade ~ 빈사 상태의 환자. ② 몰락해 가는, 사라져〔꺼져〕 가는 : feu ~ 꺼져 가는 불/ coutume ~*e* 사라져 가는 풍습. ── *n.* 빈사 상태의 사람, 죽음에 임한 사람.

agoniser [agɔnize] *v.i.* ① 죽어 가다, 빈사 상태에 있다: Un soldat *agonise*. 한 병사가 죽어 가고 있다. ② 망해 가다, 몰락해 가다.

agora [agɔʀa] *f.* (옛 그리스의) 광장 ; 집회장.

agoraphobie [agɔʀafɔbi] *f.* 〖의학〗 광장 공포증.

agrafe [agʀaf] *f.* 훅(단추), 고리 ; 죔쇠 ; 클립 ; (혁대의) 버클 ; (창문의) 걸쇠.

agrafer [agʀafe] *v.t.* ① …의 훅단추〔고리〕를 채우다 ; 클립으로 묶다, (죔쇠 따위로) 죄다 : *Agrafe* moi dans le dos. 등의 단추를 채워 다오. ② 《구어》 붙잡다, 못 가게 하다 ; 체포하다 : Il s'est fait ~ par les flics. 그는 경찰들에게 체포되었다. ── **s'~** *v.pr.* ① 훅단추가 채워지다 ; 클립으로 묶이다. ② 《s'~ à qn》 …에게 매달리다, 붙잡고 늘어지다.

agrafeur, euse [agʀafœ:ʀ, -ø:z] *n.* 클립으로〔꺾쇠 · 죔쇠로〕 묶는 사람. ── *f.* ① (술병의) 마개쇠를 붙이는 기계. ② 호치키스.

agraire [agʀɛ:ʀ] *adj.* 토지의, 농지의.

agrammatical, e, aux [agʀa(m)matikal, -o] *adj.* 비문법적인, 문법에 어긋나는.

agrammaticalité [agʀamatikalite] *f.* 비문법성.

***agrandir** [agʀɑ̃di:ʀ] *v.t.* ① 크게 하다, 확장하다 ; 〖사진〗 확대시키다 : ~ son entreprise 사업을 확장하다 / ~ une photographie 사진을 확대하다. ② 강대하게 하다 ; 향상시키다 : La lecture *agrandit* l'âme. 독서는 마음을 고상하게 해 준다. ③ 크게 보이게 하다 : Cette glace *agrandit* la pièce. 이 거울로 인해 방이 넓어 보인다. ── **s'~** *v.pr.* ① 커지다, 확장〔확대〕되다. ② 강대해지다 ; 향상되다.

agrandissement [agʀɑ̃dismɑ̃] *m.* ① 크게 하기〔되기〕, 증가, 확장, 확대. ② 강대화, 향상. ③ 〖사진〗 확대 ; 확대 사진 : tirer par ~ 확대 인화하다. 「대기.

agrandisseur [agʀɑ̃disœ:ʀ] *m.* 〖사진〗 확

***agréable** [agʀeabl] *adj.* ① 마음에 드는, 뜻에 맞는 : si cela peut vous être ~ 만일 그것이 당신의 마음에 든다면. ② 쾌적한, 유쾌한, 기분 좋은(= plaisant ; ≠ désagréable) : Il mène une vie très ~. 그는 매우 행복하게 산다 / 《~ à + *inf.*》 ~ *à* entendre 〔voir〕 듣기〔보기〕에 기분 좋은 / 《Il est ~ de + *inf.*

〔que + *sub.*〕》 *Il me serait* ~ *de* vous rencontre 〔*que* vous veniez〕. 만나뵐 수 있다면 기쁘겠습니다. ③ 상냥한(= gentil), 호감이 가는, 매력적인 : Ce sont des gens ~*s*. 그들은 아주 상냥한 사람들이다. ***avoir pour ~ que*** + *sub.* ; 《옛》 ***avoir ~ que*** + *sub.* …을 허락하다, …에 동의〔찬성〕하다 : *Ayez pour ~ que* j'attende encore un peu. 좀더 기다리게 하여 주십시오. ***peu ~*** 별로 유쾌하지 못한. ── *m.* 유쾌한 것〔일〕 ; 쾌적함 : joindre l'utile à l'~ 쾌적함에 실용성을 더하다.

agréablement [agʀeabləmɑ̃] *adv.* 유쾌하게, 기분 좋게, 즐겁게, 쾌적하게.

agréé, e [agʀee] *adj.* 승인〔승낙〕된 ; 공인된. ── *m.* 〖법률〗 소송 대리인 ; 변호사.

agréer** [agʀee] *v.t.* ① 기꺼이 받아들이다, 수락하다 : ~ une demande 청을 들어주다 / *Agréez* cette marque de reconnaissance. 이 감사의 표시를 받아 주십시오. ② 승낙〔승인〕하다(= admettre). ~ ***que + *sub.* …하는 것을 승낙하다 : *Agréez que* je vous félicite. 축하 말씀드리는 것을 허락해 주십시오. ***Veuillez ~ mes hommages*** 〔***respects, sentiments, distingués***〕 경구, 경백. ── *v.t. ind.* 《~ à qn》 …의 마음에 들다(= convenir, plaire) : Ce projet de voyage lui *agréait* particulièrement. 이 여행 계획은 특히 그의 마음에 들었다. ── *v. impers.* ***Il agrée de*** + *inf.* 〔que + *sub.*〕 …함이 적당하다. ── **s'~** *v.pr.* ① 《s'~ à》 …에 흥미를 느끼다, …을 즐기다. ② 기꺼이 받아들여지다, 가납되다 ; 승인〔승낙〕되다.

agrégat [agʀega] *m.* ① 집합체 ; 집성암(集成岩). ② 〖경제〗 집계.

agrégation [agʀegɑsjɔ̃] *f.* ① 가담, 가입, 입회. ② (lycée · 국립대학의) 교수 자격(시험)(= concours d'~). ③ 집합, 집성.

agrégé, e [agʀeʒe] *adj.* ① 집합〔집성〕된. ② 교수 자격증을 가진 : professeur ~ 교수 자격증을 가진 교수. ── *n.* (교수 자격시험에 합격한) 유자격 교수, 교수 자격자 : ~ de géographie 지리학 교수 자격 소지 교수.

agréger [agʀeʒe] 3·6 *v.t.* ① 집합〔집성〕시키다. ② 《~ qn à》 …을 …에 가입〔입회〕시키다, 넣어 주다 : ~ de nouveaux membres *à* un groupe 단체에 새 회원들을 가입시키다. ③ (lycée · 국립대학의) 교수 자격을 주다. ── **s'~** *v.pr.* ① 집합〔집성〕되다 ② 《s'~ à》 …에 가입〔입회〕하다, 들어가다 : *s'~ à* une troupe de théâtre 극단에 들어가다.

agrément [agʀemɑ̃] *m.* ① 승인, 승낙(= consentement) ; 〖외교〗 아그레망 : avoir l'~ de qn …의 승인을 얻다. ② 매력(= attrait, charme) ; 흥미, 즐거움(= plaisir). ③ (*pl.*) 장식 ; 장식음(= notes d'~) ; 《옛》 〖연극〗 막간 음악〔무용〕. ***avoir*** 〔***trouver***〕 ***de l'~*** 즐거움을 느끼다 ; 〖연극〗 갈채를 받다. ***livres d'~*** 흥미 본위의 책. ***ouvrages d'~*** 수예품. ***voyage d'~*** 유람 여행

agrémenter [agʀemɑ̃te] *v.t.* ① 장식하다(= orner) : gravures pour ~ la pièce 방을 장식하기 위한 판화들. ② 흥미롭게 하다, …에 재미를 곁들이다 ; 멋을 붙이다 : ~ une conférence d'anecdotes 일화로 강연을 흥미롭게 하다.

agrès [agʀɛ] *m. pl.* ① 선구(船具) ; 의장품(艤裝品) ; 조종 용구. ② 기계 체조 도구.

***agresser** [agʀese] *v.t.* ① 공격〔침략〕하다(= attaquer) : se faire ~ dans le quartier 동네에서 습격당하다. ② (특히 말로) 화나게 하다, 약올리다 : Il m'*agresse* constamment. 그는 끊임없이 나를 화나게 한다.

agresseur [agʀɛsœːʀ] *m.* 공격자 ; 침략자. ── *adj.* 《불변》 공격하는, 침략하는 : pays ~ 침략국.

***agressif, ive** [agʀɛ(e)sif, -iːv] *adj.* 공격적인, 호전적인, 도발적인 : attitude ~*ive* 공격적인 태도 / discours ~ 위협적인 언사.

agression [agʀɛsjɔ̃] *f.* 공격, 습격 ; 침략 : acte d'~ 공격 행위 / guerre d'~ 침략 전쟁 / inculpation de vol avec ~ 강도 혐의.

agressivité [agʀɛsivite] *f.* 침략성 ; 호전성.

agreste [agʀɛst] *adj.* ① 농촌의, 시골의, 전원의(= rustic) : mener une vie ~ 전원생활을 하다. ② 시골티 나는, 촌스러운 ; 거친 ; 황량한 ; (식물이) 야생의.

***agricole** [agʀikɔl] *adj.* 농업에 종사하는 ; 농업〔농경〕의 : population ~ 농업 인구, 농민 / produit ~ 농산물, 농작물 / pays ~ 농업 국가 / coopérative ~ 농협 / outils 〔machines〕 ~*s* 영농 기구〔기계〕 / travaux ~*s* 영농 작업.

***agriculteur, trice** [agʀikyltœːʀ, -tʀis] *m.* ① 농부, 농민, 농업 경영자. ② 《옛》 농학자. ── *adj.* 농업의.

***agriculture** [agʀikyltyːʀ] *f.* 농업, 영농.

agripper [agʀipe] *v.t.* 움켜잡다(≠ lâcher) ; 낚아채다 : ~ la balustrade pour ne pas tomber 넘어지지 않으려고 난간을 움켜잡다. ── **s'~** *v.pr.* 《s'~ à qc 〔qn〕》 …에〔에게〕 달라붙다, …을 잡고 늘어지다 : *s'~ à* la main de qn …의 손에 매달리다.

agro- *préf.* 「농지 · 농업」의 뜻.

agroalimentaire [agʀɔalimɑ̃tɛʀ] *adj.* 농산물 가공의. ── *m.* 《집합적》 농산물 가공업.

agro-industrie [agʀɔɛ̃dystʀi] *f.* 《집합적》 농업 관련 산업.

agronome [agʀɔnɔm] *m.* 농학자. ── *adj.* 「농학의.

agronomie [agʀɔnɔmi] *f.* 농학.

agronomique [agʀɔnɔmik] *adj.* 농학의.

agrume [agʀym] *m.* 〖식물〗 서양 자두의 일종; (*pl.*) 감귤류(의 열매).

aguerrir [agɛʀiːʀ] *v.t.* ① 전쟁에 익숙하게 하다 : soldats *aguerris* 역전의 용사, 백전노장. ② 《~ à 〔contre〕》 (고통 · 피로 따위에) 익숙하게 하다 : ~ son corps 신체를 단련하다 / ~ les enfants *au* 〔*contre*〕 le froid 아이들을 추위에 단련시키다. ── **s'~** *v.pr.* 《s'~ à 〔contre〕》 …에 익숙해지다 : Il *s'est aguerri au* froid. 그는 추위에 익숙해졌다.

aguets [agɛ] *m. pl.* 《보통 aux ~의 형태로만 쓰임》 ① 목지키기, 망보기 : être 〔se tenir〕 *aux* ~ 망보다. ② 세심한 주의 : d'~ 세심한 주의를 기울여. ***avoir l'oreille aux ~*** 귀를 기울이고 있다. ***mettre*** qn ***aux ~*** …을 매복시키다.

aguichant, e [agiʃɑ̃, -ɑ̃ːt] *adj.* 유혹적인, 선정적인(= provocant) : femme ~*e* 유혹적

A

〔도발적〕인 여자.

aguicher [agiʃe] *v.t.* 꾀다, 유인하다, 유혹하다, …에게 추파를 던지다 : ~ les acheteurs 구매자들의 호기심을 자극하다.

aguicheur, euse [agiʃœːʀ, -øːz] *adj.* = aguichant. ── *n.* 유혹〔선정〕적인 사람 : petite ~*euse* 유혹적인 소녀.

***ah** [ɑ] *interj.* ① 아아《기쁨 · 고통 · 감탄 · 연민 · 성가심 등을 나타냄》. ② 《문의(文意)의 강조》 *Ah !* ne croyez pas cela. 절대 그런 건 믿지 마세요. ③ *Ah ! ah !* 아하아《놀라움 · 빈정거림》. ④ *Ah* bah ! 《무관심 · 의심 · 놀라움》; *Ah* bien oui. 《실망》. ⑤ *Ah* ça ! 《불만 · 안타까움》; *Ah* ça ! dépêche-toi donc ! 자, 좀 서두르라니까. ⑥ *Ah* mais ! 《긍정의 강조》; *Ah* oui 〔non〕 ! 《긍정〔부정〕의 강조》.

ahuri, e [ayʀi] *adj.* 어리둥절한 ; 당황한, 어쩔 줄 모르는. ── *n.* 위의 사람 : traiter qn d'~ …을 얼빠진 사람 취급하다.

ahurir [ayʀiːʀ] *v.t.* (놀라서) 얼빠지게 하다, 어리둥절〔당황〕하게 하다, 어쩔 줄 모르게 하다(= troubler, déconcerter) : Sa réponse nous *a ahuris.* 그의 대답은 우리를 어리둥절하게 만들었다.

ahurissant, e [ayʀisɑ̃, -ɑ̃ːt] *adj.* 얼빠지게 하는(= stupéfiant), 당황케 하는, 어리둥절하게 하는 : nouvelle ~*e* 깜짝 놀랄 소식.

ahurissement [ayʀismɑ̃] *m.* 대경실색 ; 당황.

ai avoir 의 직설 · 현재 · 1 · 단수.

aï [ai] *m.* 〖동물〗 세발톱나무늘보.

aiche [ɛʃ] *f.* 낚싯밥, 미끼(= èche).

aide** [ɛd] *f.* ① 도움, 원조, 조력, 보조(= assistance, secours) ; prêter 〔offrir〕 son ~ à qn …을 도와주다 / donner ~ et protection à qn …에게 원조의 손을 뻗다 / J'ai besoin de votre ~. 당신의 도움이 필요하다 / recevoir de l'~ 도움을 받다. ② 구제 : ~ aux pauvres 빈민 구제. ③ (*pl.*) 〖프랑스사〗 (왕정 시대의) 상납금, 어용금《간접세에 해당》. ***à l'~ de qc …의 도움으로(= au moyen de) : *à l'~ d'*une échelle 사닥다리를 타고. ***appeler à l'~*** 도움을 청하다. ***avec l'~ de*** qn …의 도움으로. ***Dieu vous soit en ~ !*** 신의 가호가 있기를. ***Un peu d'~ fait grand bien.*** 《속담》 작은 도움도 큰 역할을 한다. ***venir en ~ à*** qn ; ***venir à l'~ de*** qn …을 돕다. ── *n.* 조수, 보조자(= assistant) ; 〖법률〗 방조자 : ~ de bureau 사무 보조원 / ~ de camp 〖군사〗 부관 / ~ familiale 〔maternelle〕 가사를 돕는 사람, 가정부.

aide-major [ɛdmaʒɔːʀ] *m.* (*pl.* **~s-~s**) (위관급의) 군의관.

aide-mémoire [ɛdmemwaːʀ] *m.* 《복수불변》 ① 편람, 안내서 ; 비망록. ② 〖외교〗 각서.

:aider [ɛ(e)de] *v.t.* 돕다, 조력하다, 원조하다 (= assister, épauler) ; (빈민 따위를) 구제하다 : ~ qn de son argent …을 돈으로 도와주다 / ~ qn de ses conseils …에게 충고를 해 주다 / En quoi puis-je vous ~, Monsieur ? 뭘 도와드릴까요 ? **~** qn ***à*** + *inf.* …이 하는 것을 돕다 : ~ un ami *à* surmonter des difficultés financières 친구로 하여금 경제적 난관을 극복하도록 도와주다. **~** qn ***dans*** 〔***à***〕 qc …이 …하는 것을 돕다 : Il m'*a aidé dans* mon travail. 그는 내가 일하는 것을 도와주었다. ***Dieu aidant*** 신의 도움으로. ***le temps aidant*** 시간이 지나가면 ; 때마침. ── *v.t. ind.* 《~ à qn》 《옛》 …을 도와주다 ; …에 도움이 되다 : Ces notes *aident à* la compréhension du texte. 이 주석은 원문의 이해를 돕는다. ***~ à la lettre*** 글 외의 뜻을 참작하다 ; 이야기를 윤색하다. ***À qui se lève matin Dieu aide et prête la main.*** 《속담》 아침 일찍 일어나면 복을 받는다. ── **s'~** *v.pr.* ① 《s'~ de》 …을 사용하다 : Il *s'est aidé d'*un dictionnaire pour traduire ce texte. 그는 이 텍스트를 번역하는 데 사전을 이용했다. ② 스스로〔서로〕 돕다. ***Aide-toi et le ciel t'aidera.*** 《속담》 신은 스스로 돕는 자를 돕는다.

ai-e, -es, -ent [ɛ] avoir 의 접속 · 현재《aie 는 명령 · 현재 · 2 · 단수이기도 함》.

aïe [aj] *interj.* 아이고, 아야.

aïeul, e [ajœl] *n.* ① (*pl.* **~s, ~es**) 조부, 조모《때로 증조부〔조모〕》. ② (*pl.* ***aïeux*** [ajø]) 조상. ③ 선구자, 선각자. ***Mes aïeux !*** 《구어》 정말(= en vérité) : Celui-là, *mes aieux,* il n'y a pas moyen de s'en débarrasser. 정말이지 저 작자는 떨쳐 버릴 수가 없어.

aigle [ɛgl] *m.* ① 〖조류〗 수리, 독수리 : nez en bec d'~ 매부리코 / yeux d'~ 날카로운 눈초리. ② 천재, 위인 : ~ d'éloquence 천재적 웅변가. ── *f.* ① 〖조류〗 암독수리. ② 〖문장〗 수리무늬. ③ (수리표의) 군기 : ~s romaines 로마 군기.

aiglefin [ɛgləfɛ̃] *m.* 〖어류〗 (북해산의) 대구의 일종(= églefin).

aiglon, onne [ɛglɔ̃, -ɔn] *n.* 〖조류〗 새끼 수리.

aigre** [ɛgʀ] *adj.* ① 신, 시큼한(≠ doux) : fruits ~s 시큼한 과일 / saveur 〔odeur〕 ~ 시큼한 맛〔냄새〕. ② (소리가) 귀에 거슬리는 ; (목소리가) 날카로운 ; (어조가) 거친, 가시 돋친(= mordant) : paroles ~s 가시 돋친 말 / voix ~ 날카로운 목소리. ③ (바람이) 살을 에는 듯한 : froid ~ 살을 에는 추위. ④ (성격이) 까다로운, 성 잘 내는 : femme ~ 까다로운 여자. ── *m.* 시큼한 맛〔냄새〕; 시큼한 것 ; 날카로움, 거칢 : sentir l'~ 신내가 나다. ***parler entre l'~ et le doux 부드러우면서도 안에 가시가 있는 말을 하다. ***tourner à l'~*** 시어지다 ; (대화 따위가) 험악해지다.

aigre-doux, -douce [ɛgʀədu, -dus] *adj.* (*pl.* **~s-~, ~s-douces**) ① 새콤달콤한. ② 상냥한 듯하면서 가시 돋친

aigrefin [ɛgʀəfɛ̃] *m.* 사기꾼, 협잡꾼.

aigrelet, ette [ɛgʀəlɛ, -ɛt] *adj.* ① 시큼한, 새콤한. ② 좀 신랄한, 좀 날카로운 : paroles ~*ettes* 신랄한 말.

aigrement [ɛgʀəmɑ̃] *adv.* 날카롭게, 신랄하게, 모질게.

aigrette [ɛgʀɛt] *f.* ① 관모(冠毛), 도가머리 ; 깃털 장식 ; (다이아몬드를) 깃털 모양으로 모은 것. ② 〖조류〗 백로. ③ 〖식물〗 갓털.

aigreur [ɛgʀœːʀ] *f.* ① 신맛(= acidité). ② 까다로움(≠ douceur), 신랄함(= acrimonie) : parler avec ~ 까다롭게 굴며 말하다 / échanger des ~s 가시 돋친〔거친〕 말을 주고받다. ③ 쓰라림(= amertume) ; 증오, 원

한(= haine, rancune) : ~ de la jalousie 질투의 쓰라림.

aigri, e [ɛgʀi] *adj.* ① 시어진. ② 기분이 상한 ; 신경이 날카로운. ③ (어조가) 신랄한 : ton ~ 신랄한 어조.

aigrir [ɛ(e)gʀiːʀ] *v.t.* ① 시게 하다. ② 화나게〔기분을 상하게〕 하다(= indisposer) ; (성격을) 까다롭게 만들다 : Ses échecs l'*ont aigri.* 여러 번의 실패가 그를 성마르게 만들었다. ③ (감정 따위를) 격화〔악화〕시키다. ── *v.i.* ① 시어지다. ② 화를 내다, 기분이 상하다 ; (성격이) 까다로워지다. ③ (감정이) 격화〔악화〕되다.

aigu, ë** [egy] *adj.* ① 뾰족한 : bec ~ 뾰족한 부리. ② (소리·시선 따위가) 날카로운: cri ~ 날카로운 외침. ③ (고통 따위가) 격심한 ; (감정이) 격렬한 : douleur ~*ë* 격통 / besoin ~ 강렬한 요구. ④ 예민한, 명민한 : intelligence ~*ë* 예민한 지성 / esprit ~ 명민한 두뇌. ⑤ 〖의학〗 급성의 : maladie ~*ë* 급성 질환. ***accent ~ 〖문법〗 악상테귀(《´》). ***angle ~*** 〖수학〗 예각. ── *m.* 〖음악〗 고성음, 날카로운 음조.

aigue-marine [ɛgmaʀin] *f.* (*pl.* **~s-~s**) 〖광물〗 남옥(藍玉).

aiguillage [egɥijaːʒ] *m.* ① 〖철도〗 전철(轉轍) ; 전철기의 조종. ② (사람·일의) 방향 설정 : C'est une erreur d'~. 그건 잘못된 진로 설정이다.

****aiguille** [e(ɛ)gɥij] *f.* ① 바늘 ; 바느질 : ~ à coudre 바느질 바늘 / ~ à tricoter 뜨개질 바늘 / jeu d'~*s* (뜨개질) 바늘 세트 / travailler à l'~ 바느질하다. ② 바늘 모양의 것 ; (시계 따위의) 바늘, 지침(指針) : grande 〔petite〕 ~ (시계의) 장〔단〕침 / ~ aimantée d'une boussole 나침반의 자침(磁針). ③ 〖의학〗 외과용 침(= ~ de chirurgien). ④ 〖식물〗 암술 ; 침엽, 바늘잎. ⑤ 첨봉(尖峰), 뾰족한 산봉우리(= pic) ; 방첨비(方尖碑). ⑥ 첨단, 뾰족한 꼭대기 : ~ de clocher 종루(꼭대기). ⑦ 전철기(轉轍機) : ~ à contrepoids 자동 전철기 / changer l'~ 전철하다. ***~ de glace*** 고드름. ***~ trotteuse*** (시계의) 초침. ***avoir des ~s dans les jambes*** 다리가 쑤시다. ***chercher une ~ dans une botte de foin*** 찾을 수 없는 것을 찾으려고 하다 ; 헛수고하다. ***disputer sur des pointes d'~*** 대수롭지 않은 것으로 논쟁하다. ***fournir*** qn ***de fil et d'~s*** …에게 필요한 물건을 모두 대 주다. ***On le ferait passer dans*** 〔***par***〕 ***le trou d'une ~***. 그는 무척 겁이 많다〔수줍어한다〕.

aiguiller [egɥije] *v.t.* 〖철도〗 ① (차량을) 다른 선으로 전철(轉轍)하다 : ~ un train sur une voie de garage 기차를 차고선으로 전철하다. ② (다른 방향으로) 향하게 하다, 돌리다 : ~ la conversation sur une autre voie 이야기를 딴 데로 돌리다.

aiguillette [egɥijɛt] *f.* ① 양 끝에 쇠붙이가 달린 장식끈. ② 〖군사〗 견장 ; 〖해양〗 밧줄.

aiguilleur [e(ɛ)gɥijœːʀ] *m.* ① 〖철도〗 전철원. ② 《구어》 항공 관제사(= ~ du ciel).

aiguillon [egɥijɔ̃] *m.* ① (소를 모는) 막대, 찌름대. ② (벌 따위의) 침 ; (장미 따위의) 가시. ③ 자극물, 자극제(= stimulant), 유혹, 가책 : Le besoin de célébrité est un puissant ~. 유명해지고 싶은 욕구는 강력한 자극제이다. ***~ de remords*** 뼈저린 뉘우침.

aiguillonner [e(ɛ)gɥijɔne] *v.t.* ① (소를 몰기 위해) 막대로 찌르다. ② 자극하다 ; 격려하다, 고무하다, 분발시키다(= stimuler) : ~ le monde 사람들을 분발시키다 / ~ le courage 용기를 북돋다. 「날 세우기.

aiguisage [e(ɛ)g(ɥ)izaːʒ] *m.* (칼을) 갈기 ;

aiguiser [e(ɛ)g(ɥ)ize] *v.t.* ① 날카롭게〔뾰족하게〕 하다, (칼 따위를) 갈다, …의 날을 세우다(≠ emousser) : ~ ses 〔les〕 couteaux 칼을 갈다; 싸울 준비를 하다 / pierre à ~ 숫돌. ② 자극하다, 촉진하다, (식욕을) 돋우다 ; (말을) 신랄하게 하다 ; (정신을) 예민하게 하다(= affiner) ; (문장을) 다듬다(= polir) : ~ l'enthousiasme 열기를 자극하다 / ~ son style 문체를 다듬다.

aiguisoir [e(ɛ)g(ɥ)izwaːʀ] *m.* (칼 따위를) 가는 도구 ; 숫돌.

ail [aj] *m.* (*pl.* 《옛》 ***aulx*** [-o] ; 현재는 ***ails***) 〖식물〗 마늘 : empester de l'~ (고약한) 마늘 냄새를 마구 풍기다.

aile** [ɛl] *f.* ① 날개 ; 《구어》 (사람의) 팔 : coup d'~*s* 날개치기 / déployer 〔étendre〕 les ~*s* 날개를 펴다 / ~*s* de l'imagination 상상의 날개. ② 〖요리〗 (가금(家禽)의 가슴 부분에서 다리에 이르는) 옆구리 고기. ③ (비행기·풍차 따위의) 날개. ④ (건물의) 측면, 익면(翼面) ; 〖군사〗 익(翼) ; 〖연극〗 무대 옆 ; 〖토목〗 익벽(翼壁)(= ~ d'un pont) ; 〖식물〗 익상 돌기(翼狀突起), (꽃의) 익판(翼瓣) ; 〖스포츠〗 윙(《공격 위치》). ⑤ 〖자동차〗 흙받이 ; 모자의 테. ***autant qu'en couvrirait l'~ d'une mouche 아주 적게. ***avoir des ~s*** (날개 달린 듯) 날쌔다. ***baisser l'~*** 지쳐 있다, 우울하다. ***battre de l'~*** 〔***d'une ~***〕 ***; ne battre que d'une ~*** 기진맥진하다 ; 부진하다, 곤경에 빠지다. ***donner des ~s à*** qn …을 달리게 하다 : La peur lui *donna des ~s.* 그는 무서워서 줄행랑을 쳤다. ***d'un coup d'~*** 곧장, 쉬지 않고. ***en avoir*** (***un coup***) ***dans l'~*** 날개가 상하다; 타격을 입다. ***rogner*** 〔***couper***〕 ***les ~s à*** qn … 의 세력을 꺾다, …을 꼼짝할 수 없게 만들다. ***sous l'~*** 〔***les ~s***〕 ***de*** qn …의 보호 아래에 : s'abriter *sous l'~ de* sa mère 어머니의 보호 아래에 있다. ***tirer de l'~*** 날아가다. ***voler de ses propres ~s*** 자립하다.

aileron [ɛlʀɔ̃] *m.* ① (새의) 날개 끝. ② (물고기의) 지느러미. ③ 〖항공〗 보조익.

ailette [ɛlɛt] *f.* ① 작은 날개. ② (포탄·폭탄·어뢰의) 날개 ; (라디에이터의) 방열연 ; (터빈의) 추진익 ; (선풍기의) 날개.

ailier [elje] *m.* 〖축구〗 윙(《선수》).

aillade [ajad] *f.* 마늘 소스 ; 마늘을 바른 빵.

aille-e, -ent, -es [aj] aller 의 접속·현재.

****ailleurs** [ajœːʀ] *adv.* 다른 곳에(서) : avoir l'esprit ~ 딴 생각을 하다 / Allez ~. 다른 곳으로 가시오 / 《~ que》 Vous trouverez cet article ~ *que* dans ce magasin. 당신은 이 물건을 이 상점 아닌 다른 곳에서 발견할 것이오. ***d'~*** ⓐ 다른 곳으로부터 ; 다른 곳의 : des émigrants venus *d'~* 다른 곳에서 이민 온 사람들. ⓑ 다른 이유로 : Votre

A

échec vient *d'*~. 당신의 실수는 딴 이유에서 온 거요. ⓒ 그런데, 게다가 : Je ne connais pas l'auteur de cette musique, fort belle *d'*~. 나는 그 음악을 작곡한 이를 모른다, (더구나) 퍽 아름다운 음악인데. ⓓ 하기야, 하지만 ; 또 한편으로는(= d'autre part), 다른 점에서 보면 : père injuste, cruel, mais *d'*~ malheureux 부당하고 잔인하지만 다른 한편으로 보면 불행한 아버지. ***nulle part* ~** 다른 어디에도 …없다〔않다〕 : Vous ne trouverez cette marque *nulle part* ~. 당신은 이 상표를 다른 어디에서도 찾지 못할 것이다. ***par* ~** ⓐ 다른 길로, 달리 : savoir une nouvelle *par* ~ 다른 길로 소식을 알다. ⓑ 다른 점에서, 한편으로는. ⓒ 게다가 ; 하지만. ***partout* ~** 다른 모든 곳에(서). ── *m.* 외딴 곳 ; 다른 나라.

ailloli [ajɔli] *m.* (남프랑스의) 잘게 다진 마늘에 올리브 기름을 쳐서 만든 일종의 마요네즈.

aimable** [ɛmabl] *adj.* ① 사랑스러운, 귀여운. ② 싹싹한, 상냥한 ; 친절한(= gentil) : sourire ~ 다정한 미소 / être ~ avec 〔à l'égard de〕 qn …에 대해 친절〔상냥〕하다 / Voulez-vous être assez ~ pour + *inf.* ? 좀 …해 주시겠습니까? ***Vous êtes bien* ~ *de + *inf.* ; ***C'est très* ~ *à vous de*** + *inf.* …해 주셔서 대단히 감사합니다. ── *m.* 상냥한 사람.

aimablement [ɛmabləmɑ̃] *adv.* 귀엽게 ; 상냥하게 ; 친절하게, 정답게(= courtoisement) : répondre ~ 친절하게 대답하다.

aimant¹ [ɛmɑ̃] *m.* ① 자석 ; 자침 : pierre d'~ ; ~ naturel 자석광. ② 매력, 인력.

aimant², e [ɛmɑ̃, -ɑ̃:t] *adj.* 애정이 깊은, 자애심 있는, 상냥한, 정다운(= tendre).

aimantation [ɛmɑ̃tɑsjɔ̃] *f.* 자화(磁化).

aimanter [ɛmɑ̃te] *v.t.* 자화시키다. ── **s'~** *v.pr.* 자화하다.

:aimer [ɛ(e)me] *v.t.* 사랑하다(= chérir), 귀여워하다 ; 좋아하다, 애호하다 : ~ ses voisins 이웃을 사랑하다 / ~ la musique 음악을 좋아하다 / Ce type, je ne l'*aime* pas trop. 그 자를 나는 그다지 좋아하지 않는다. **~** + *inf.* ; **~ *à*** 〔《옛》 ***de***〕 + *inf.* …하기를 좋아하다 : Il n'*aime* pas (*à* 〔*de*〕) sortir seul. 그는 혼자 나가기를 좋아하지 않는다. **~ *mieux*** qc 〔qn〕 (***que…***) (…보다) 더 좋아하다 : J'*aime mieux* son théâtre *que* ses romans. 그의 소설보다는 희곡이 더 좋다. **~ *mieux*** + *inf.* (***que de*** + *inf.*) (…하기보다는) …하는 편이 낫다: J'*aime*(*rais*) *mieux* rester ici. 난 차라리 여기에 있고 싶다. **~ *mieux que*** + *sub.* …하는 편이 낫다 : J'*aime mieux qu*'il vienne. 그가 오는 편이 좋겠다. ~ qn (***d'amour*** 〔***de passion***〕) …을 사랑하다, 연모하다. **~ *que*** 〔***à ce que***〕 + *sub.* …을 좋아하다 : Il *aime qu*'on lui dise tout. 그는 무슨 말이든지 숨김없이 말해 주는 것을 좋아한다. ***Qui m'aime aime mon chien.*** 《격언》 좋아하는 사람의 것은 무엇이나 다 좋아 보인다.
── *v.i.* 사랑을〔연애를〕 하다: Il n'*a* jamais *aimé*. 그는 한 번도 사랑에 빠진 일이 없다.
── **s'~** *v.pr.* ① 자기를 사랑하다. ② 서로 사랑하다 : On *s'aime* à mesure qn'on se connaît mieux. 서로 잘 알게 됨에 따라 서로 사랑하게 된다. ③ 《s'~ à 〔dans〕 un lieu》 (어떤 곳을) 좋아하다: Je *m'aime à* la campagne. 나는 시골을 좋아한다 / Je ne *m'aime* pas *dans* cette robe. 나는 이 드레스를 입기가 싫다.

aine [ɛn] *f.* 〖해부〗 서혜부(鼠蹊部).

***aîné, e** [ɛ(e)ne] *adj.* ① 맏이〔장자 · 장남 · 장녀〕인 : fils ~ 맏아들 / ma fille ~*e* 내 맏딸 / M. Dumont ~ 형인 뒤몽 씨. ② 연장의, 손위의 : ~ de trois ans 세 살 더 먹은. ── *n.* ① 장남, 장녀. ② 형, 언니, 누이 ; 연장자 ; 선배 : Il est mon ~ de trois ans. 그는 나보다 세 살 연장자이다.

aînesse [ɛnɛs] *f.* 맏이〔장자〕임 : droit d'~ 장자 상속권.

:ainsi [ɛ̃si] *adv.* ① 《동사를 수식》 그와 같이, 그처럼(= de cette façon), 그렇게 : Vous avez tort d'agir ~. 그렇게 행동하는 것은 잘못이오 / *A*~ finit cette histoire. 그 이야기는 그렇게 끝난다《ainsi 가 문두에 오면 주어와 동사가 도치되는 일이 많음》. ② 《비교》 그와 마찬가지로(= de même) : Le hibou cherche l'obscurité, ~ le méchant cherche les ténèbres. 올빼미가 어둠을 찾듯이 악인은 암흑을 찾는다. **~ *que*** ⓐ …처럼, …와 같이 : ~ *que* je l'ai dit plus haut 내가 앞서 말한 것처럼. ⓑ 그리고 또, 및(= et) : Cette règle, ~ *que* la suivante, me paraissent inutiles. 이 규칙과 다음 규칙은 소용없는 것으로 생각된다. ***A~ soit-il.*** 그대로 이루어지이다, 아멘. ***C'est*** 〔***C'était, Ce fut***〕 **~ *que*** 그런 식으로, 그렇게 해서, 그런 곡절로 : *C'est* ~ *que* la chose s'est passée. 일은 그렇게 되었다. ***Il en est* ~** des destinées humaines. 인간의 운명도 이러한 식이다. ***par* ~** 《옛》 따라서. ***pour* ~ *dire*** 말하자면. ***s'il en est* ~** 그렇다면.
── *conj.* 그래서, 그러므로, 따라서《주어 도치를 하지 않으며, 다음에 donc 를 덧붙여서 강조하기도 함》(= en conséquence) : *A*~ comptez sur lui. 그러니 그에게 기대하시오 / *A*~ donc vous ne pouvez pas venir? 결국 오지 못하겠다는 거요?

aïoli [ajɔli] *m.* = ailloli.

:air¹ [ɛːʀ] *m.* ① 공기, 대기 : ~ pur 〔vicié〕 맑은〔오염된〕 공기 / ~ comprimé 압축 공기 / pollution de l'~ 대기 오염 / respirer l'~ à pleins poumons 심호흡하다. ② 바람, 미풍 : ~ de la mer 바닷바람 / courant d'~ 통풍, 외풍 / Il fait de l'~ aujourd'hui. 오늘은 바람이 분다. ③ 공중, 하늘 : ~ territorial 영공 / armée de l'*A*~ 공군 / habitants de l'~ 《문어》 새, 조류 / mal de l'~ 비행기 멀미 / pirate de l'~ 비행기 납치범 / hôtesse de l'~ 스튜어디스. ④ 분위기(= atmosphère) 환경 : prendre l'~ du bureau 사무실의 분위기를 살피다 / Il ne supporte pas l'~ de la province. 그는 시골 분위기를 견디지 못한다. ***au grand* ~ ; *en plein* ~** 한데〔야외〕에서(의) : vie *en plein* 야외 생활. ***donner de l'~ à*** (방을) 환기(換氣)하다 ; (통에) 바람구멍을 뚫다. ***en l'~*** ⓐ 공중에, 허공에 : château *en l'*~ 공중누각 / ficher 〔foutre〕 *en l'*~ 내동댕이치다. ⓑ 경솔히,

경솔한 : parler 〔agir〕 *en l'~* 경솔하게 말〔행동〕하다 /《형용사적》 Il est vraiment tête *en l'~*. 그는 정말 경솔한 사람이다. ⓒ 헛된, 가공의 : parole 〔promesse〕 *en l'~* 빈말, 공수표. ***être dans l'~*** ⓐ 널리 퍼져 있다 : Ces idées *étaient dans l'~*. 그것은 그 당시 널리 퍼져 있는 생각이었다. ⓑ 일어날〔생길〕 듯하다: Il y a quelque chose *dans l'~*. 무언가 일어날 듯하다〔심상치 않다〕. ***être en l'~*** 무질서하다, 어질러져 있다 ; 허공에 떠 있다 : Tous les papiers sur son bureau *étaient en l'~*. 그의 책상 위의 서류들이 온통 뒤죽박죽이다. ***être libre comme l'~*** 완전히 자유롭다. ***prendre l'~*** 산책하다 ; (비행기가) 이륙하다 ; 도망하다. ***prendre un ~ de feu*** 〔***de soleil***〕 잠깐 불〔햇볕〕을 쬐다. ***se donner de l'~*** 《구어》 구속에서 벗어나다〔해방되다〕, 줄행랑치다. ***vivre de l'~ du temps*** 무일푼이다, 먹고 살 게 없다.

‡**air²** *m.* ① 외관, 외모, 풍채(= apparence, allure) ; 모습, 얼굴 표정(= mine) : ~ triste 슬픈 얼굴 / drôle d'~ 괴상한 꼴 / bel ~ 《옛》 고상한 기품 ; 상류 사회 / avoir (un) grand ~ 풍채가 당당하다 / La ville prend un ~ de fête. 거리에는 축제 기분이 감돈다. ② 태도, 투(= façon, manière) : d'un ~ décidé 의연한 태도로써. ***afficher de grands ~s ; prendre*** 〔***se donner***〕 ***des ~s*** 〔***de grands ~s***〕 잘난 체하다, 점잔빼다. ***avoir bon*** 〔***grand***〕 ***~*** (태도・풍채가) 훌륭하다, 위엄 있다 ; (물건이) 훌륭하게 보이다. ***avoir l'~***＋형용사 …처럼 보이다 ; …을 닮다(=paraître, sembler) : Il *a l'~* fatigué. 그는 피로해 보인다. ***avoir l'~ de*** ＋*inf.* …하는 것같이 보이다 : Il *a l'~ de* ne pas s'en apercevoir. 그는 알아차리지 못한 것 같다. ***avoir l'~ de***＋qn 〔qc〕 …을 닮다 : Cela *en a* tout *l'~*. 그것과 흡사하다. ***avoir un faux ~ de*** qn …을 조금 닮다. ***gens du bel ~*** 사교계〔상류〕 인사들. ***n'avoir l'~ de rien*** 시시해 보이다 ; 아무렇지도 않은 체하다 : Il *n'a l'~ de rien*, mais il pense à tout. 그는 대수롭지 않게 보이지만 모든 일을 다 생각하고 있다. ***sans en avoir l'~*** 외모와는 딴판으로 : *Sans en avoir l'~* il fait beaucoup de travail. 겉보기와는 달리 그는 많은 일을 한다.

air³ *m.* ① 가곡(歌曲), 곡조 ; 멜로디, 악곡 ; 노래 : ~ de danse 무도곡 / ~ national 국가(國歌). ② 〖음악〗 아리아. ***C'est l'~ qui fait la chanson.*** 《속담》 말투가 말의 의미를 결정짓는다. ***en jouer un ~*** 《속어》 뺑소니치다, 줄행랑치다. ***Je connais des paroles sur cet ~-là.*** 이것은 여러 번 들어본 이야기다.

airain [ɛʀɛ̃] *m.* ① 《옛》 청동(青銅) : âge d'~ 청동 시대. ② 《시어》 대포. ③ 종(鐘).

airbag [ɛʀbag] 〔영〕 *m.* 〖항공〗 에어백.

airbus [ɛʀbys] 〔영〕 *m.* 에어버스, 단거리용 대형 여객기.

aire [ɛːʀ] *f.* ① 평평한 표면, 지면, 다진 마당, (건물의) 부지 ; (교량의) 노면(路面) : ~ d'atterrissage 〖항공〗 착륙장 /~ d'embarquement 〖항공〗 (여객의) 탑승장 / ~ de repos (고속도로상의) 간이 휴게소 / ~ de service (고속도로에 급유・수리・식당 따위를 갖춘) 서비스 에어리어 / ~ de jeu (공원의) 놀이터. ② 〖수학〗 면적(= superficie). ③ 지역, 영역(= zone, domaine) : ~ d'activité 활동 영역 / ~ culturelle 문화권 / ~ d'audition 가청(可聽) 지대. ④ (맹금이 둥우리를 짓는) 평평한 바위 바닥 ; (맹금의) 둥우리. ⑤ 〖해양〗 바람의 방향 ; 나침 방위. ***~s linguistiques*** 〖언어〗 언어권. ***prendre l'~ du vent*** 바람의 방향을 보다 ; 《구어》 형세를 관망하다.

airelle [ɛʀɛl] *f.* 〖식물〗 월귤나무(의 열매) : ~ des marais 〔fanges〕 들쭉나무.

aisance [ɛzɑ̃ːs] *f.* ① 마음 편함, 자유로움, 수월함 : leur ~ à s'exprimer en français 그들의 유창한 불어. ② (생활의) 안락, 유복 : vivre dans l'~ 유복한 생활을 하다 / honnête~ 넉넉한 살림. ③ (*pl.*) (생활을 쾌적하게 하는) 여러 가지 시설 ; 편리함 : cabinet d'~*s* 변소/ fosse d'~*s* 대변기.

aise** [ɛːz] *f.* ① 편함, 편안, 안이(≠ malaise) ; 자유 : voiture qui tient à l'~ à cinq 다섯 명은 넉넉히 타는 차 / à l'~, à son ~ 부자유함이 없이 ; 마음껏; 편히. ② 기쁨, 만족 : sauter d'~*s* 기뻐 날뛰다. ③ (*pl.*) 생활의 안락 ; 편안한 자세 : aimer ses ~*s* 안락한 생활을 즐기다. ***A votre ~ ! 편히 하시오. ***en parler à son ~*** 제멋대로 말하다. ***en prendre à son ~*** 마음 편히 행하다 ; 얌체같이 굴다. ***être à l'~*** 〔***à son ~***〕 (마음이) 편하다 ; (생활이) 넉넉하다 : Je *suis à l'~* dans ce costume. 이 옷은 내게 편안하다. ***être*** 〔***se sentir***〕 ***mal à l'~*** 〔***à son ~***〕 불편하다, 기분이 좋지 않다. ***mettre*** qn ***à l'~*** 〔***à son ~***〕 …을 편히 있게 하다.
── *adj.* 《문어》 기쁜, 만족한《보통 bien, tout 와 같은 강조의 부사와 함께 쓰임》: J'en *suis* (*fort*) *bien ~*. 나는 그것에 (대단히) 만족합니다. ***être bien*** 〔***fort***〕 ***~ que***＋*sub.* ***; être bien*** 〔***fort***〕 ***~ de ce que***＋*ind.*〔*sub.*〕 ***; être bien ~ de***＋*inf.* …하는 것이 대단히 기쁘다〔만족스럽다〕.

aisé, e** [ɛ(e)ze] *adj.* ① 쉬운, 용이한(= facile) : chose ~*e* à faire 쉬운 일 / C'est plus ~ à dire qu'à faire. 말하기는 쉬우나 행하기는 어렵다. ② (옷 따위가) 편안한 ; 늘씬한 ; (문장 따위가) 거침없는, 자연스러운 : style ~ 간결한 문체. ③ 엄격하지 않은, 안이한. ④ 유복한, 살림이 넉넉한 : famille ~*e* 유복한 가정. ***Il est ~ de＋*inf.* …하는 것은 쉬운 일이다.

aisément [ɛzemɑ̃] *adv.* ① 마음 편히, 자유롭게 ; 안락하게, 유복하게 . ② 용이하게.

aisseau [ɛso] *f.* (*pl.* ~***x***) 〖건축〗 지붕널.

aisselle [ɛsɛl] *f.* ① 겨드랑이. ② 〖식물〗 잎겨드랑이, 엽액(葉腋).

ait [ɛ] avoir 의 접속・현재・3・단수.

ajonc [aʒɔ̃] *m.* 〖식물〗 가시양골담초.

ajouré, e [aʒuʀe] *adj.* ① 구멍을 숭숭 뚫은 ; 투조 세공을 한 ; (실을 뽑아) 가두리 장식을 한. ② 채광(採光)한.

ajourer [aʒuʀe] *v.t.* …에 투조 세공을 하다 ; …에 구멍을 숭숭 뚫다.

ajourné, e [aʒuʀne] *adj.* 소집이 연기된 ;

낙제한. ── m. 소집 연기자 ; 낙제자.

ajournement [aʒuʀnəmɑ̃] m. ① 연기(= remise) ; (의회의) 휴회. ② 낙제 ; 소집 연기. ③ 〖법률〗 소환장 ; (의회의) 휴회.

***ajourner** [aʒuʀne] v.t. ① 연기하다(= remettre) ; (의회를) 휴회시키다 : ~ un débat 토론을 연기하다. ②《~ qn》…의 소집을 연기하다 ; 낙제시키다 : ~ un conscrit (신체 조건 부적격으로) 징집을 연기하다. ③ 〖법률〗 소환하다. ── **s'~** v.pr. 연기되다 ; 휴회되다.

ajout [aʒu] m. = ajouté.

ajouté [aʒute] m. ① 가필(加筆). ② 추가, 부가, 덧붙임.

ajouter** [aʒute] v.t. ① 추가하다(= joindre), 덧붙이다, 곁들이다, 보태다 : ~ du sel à la soupe 국에 소금을 더 넣다 / ~ un chapitre au texte original 원본에 한 장(章)을 추가하다. ② 덧붙여 말하다, …라고 부언하다 : 《~ + *inf.*》 Il *a ajouté* avoir fait son service militaire. 그는 군복무를 마쳤노라고 부언했다 / 《~ que + *ind.*》 Il *a ajouté que* cette apparition des rats était une curieuse chose. 그는 이처럼 쥐들이 나타나는 것이 예삿일이 아니라고 덧붙였다. ***~ foi à qc …을 믿다, 신용하다. ***sans ~ que*** + *ind.* …은 말할 것도 없이; …은 잠깐 제쳐 두고. ── v.t. ind. 《~ à》 …에 덧붙이다, …을 늘리다, 증대시키다: Votre départ *ajoute à* mon affliction. 당신의 출발이 나의 슬픔을 더하게 한다. ***~ au conte*** 〔***à la lettre***〕 이야기를 과장하다. ── **s'~** v.pr. 추가되다, 덧붙여지다; 곁들여지다.

ajustage [aʒystaːʒ] m. ① 〖기계〗 조립 ; 맞추기 ; 조정 : atelier d'~ 부분품 조립 공장. ② 화폐를 법정 중량에 맞추기.

ajustement [aʒystəmɑ̃] m. ① 조정(調整) ; 바로잡기 ; 정돈 ; 조절 : 수정 : ~ d'un poids 중량 조정/ ~ des salaires au coût de la vie 급료를 생계비에 맞추어 조절하기. ② (싸움의) 조정(調停). ③ 몸단장 ; 복장, 의상 ; 몸치장거리 : ~ de la coiffure 머리 단장.

ajuster [aʒyste] v.t. ① 바로잡다 ; (태도를) 가다듬다 ; (모자 따위를) 바로 쓰다 ; 올바르게〔기준에 맞게〕 하다, 조정하다 : ~ une balance 저울을 조정하다 / ~ un ressort 스프링을 조정하다. ② (기계 따위를) 알맞게 조절하다 ; (방 따위를) 알맞게〔아담하게〕 정돈하다 ; (옷 매무새를) 단정하게 바로잡다 : ~ sa coiffure 머리를 매만지다 / ~ sa cravate 넥타이를 바로 매다. ③ (부분품을) 조립하다, 맞추다 : ~ les différentes pièces d'une machine 기계의 각종 부품을 조립하다. ④ 《~ à 〔avec, sur〕》 …에 맞추다, 맞게〔적합하게〕 하다(= adapter) : ~ un vêtement *à* qn 옷을 …에게 맞추다 / ~ un air *à* 〔*sur*〕 des paroles 가사에 맞게 곡조를 붙이다. ⑤ 화해〔합치〕시키다(= accorder) ; (싸움을) 조정하다 : Il est difficile de les ~ ensemble. 그들 모두를 화합시키기는 어렵다. ⑥ 조준을 맞추다 ; 겨누다(= viser) : ~ un lièvre 토끼를 겨누다. ── **s'~** v.pr. ① 서로 꼭 맞다 ; 합치하다 : couvercle faussé qui *s'ajuste* mal *au* récipient 용기에 잘 맞지 않는 뚜껑. ② 《s'~ à》 …에 맞다 ; 순응하다 : s'~ *au* temps 시대에 순응하다.

ajusteur [aʒystœːʀ] m. (기계의) 조립공 ; 화폐 계량인(計量人)

alaise [alɛːz] f. = alèse.

alambic [alɑ̃bik] m. 〖화학〗 증류기. ***passer*** qc ***à*** 〔***par***〕 ***l'~*** 《비유》 …을 세밀히 살피다.

alambiqué, e [alɑ̃bike] adj. ① (문장 따위가) 너무 기교를 부린 : style ~ 지나치게 기교를 부린 문장. ② 지나치게 섬세〔면밀〕한.

alanguir [alɑ̃giːʀ] v.t. ① 기운을〔원기를〕 잃게 하다, 무기력하게 하다 ; 쇠약하게 하다 ; 맥빠지게 하다(= affaiblir, amollir) : *être alangui* par la fièvre 열로 인해 기운을 잃다. ② (이야기 따위를) 김빠지게 하다 : descriptions qui *alanguissent* le récit 이야기를 김빠지게 하는 묘사. ── **s'~** v.pr. 기운을 잃다, 나른해지다 ; 맥이 빠지다.

alanguissement [alɑ̃gismɑ̃] m. 무기력 ; 쇠약 ; 맥빠짐 ; 권태로움.

***alarmant, e** [alaʀmɑ̃, -ɑ̃ːt] adj. 불안감을 주는, 걱정〔불안〕스러운(= inquiétant), 놀라게 하는 : situation ~*e* 위태로운 상황.

alarme** [alaʀm] ① 경보 ; 경적, 경종 : signal d'~ 경보 / cloche d'~ 경종 / sonnette d'~ 비상벨. ② 놀람, 경악, 공포(= effroi) ; (흔히 *pl.*) 불안, 근심(= inquiétude), 걱정 : jeter l'~ 공포를 불러일으키다 / Ce n'était qn'une fausse ~, il n'y a rien de grave. 공연한 걱정이었지, 우려할 만한 것은 아무것도 없다. ***donner 〔***sonner***〕 ***l'~*** 경보를 알리다〔울리다〕. ***prendre l'~*** 깜짝 놀라다. ***tenir*** qn ***en ~*** …에게 불안감을 갖게 하다.

alarmer** [alaʀme] v.t. ① 《옛》 (경보로) …에 위급을 알리다. ② 불안하게 하다, 걱정하게 하다(= inquiéter) ; 놀라게〔겁나게〕 하다(= effrayer) : Son état de santé nous *alarme*. 그의 건강 상태는 우리를 걱정스럽게 만든다. ── **s'~** v.pr. 불안해지다, 걱정하다 ; 놀라다, 겁이 나다. ***s'~ de qc 〔***que*** + *sub.* ***; de ce que*** + *ind.*〕 …을 불안해 하다 ; …에 놀라다 : Il *s'alarme* peu *d'*une telle menace. 그는 이런 협박에는 별로 당황하지 않는다.

alarmiste [alaʀmist] adj. 소란을 일으키는 : bruits ~s 민심을 흉흉케 하는 소문. ── n. 소란을 일으키는 사람, 선동자.

albanais, e [albanɛ, -ɛːz] adj. 알바니아(*l'Albanie*)의. ── **A~** n. 알바니아 사람. ── m. 알바니아어(語).

albâtre [albɑːtʀ] m. ① 설화석고(雪花石膏). ② 백대리석(= calcaire). ③ 《비유》 순백 : cou 〔peau〕 d'~ 백설 같은 목〔피부〕. 「翁).

albatros [albatʀoːs] m. 〖조류〗 신천옹(信天

albinisme [albinism] m. ① 〖생리〗 백피증, 색소 결핍증. ② 〖식물〗 (잎의) 백화 현상.

albinos [albinoːs] adj. 《불변》 백피증의. ── n. (백피증에 걸린) 흰둥이 ; 흰 짐승.

album [albɔm] m. ① 앨범, 사진첩 ; …첩(帖) : ~ de croquis 〔de dessin〕 화〔데생〕첩 / ~ de timbres 우표첩. ② 그림책 ; (시 따위의) 선집 : ~ d'échantillons 상품 카탈로그. ③ (가수의) 레코드집.

albumen [albymɛn] m. (계란 따위의) 흰자위 ; 〖식물〗 (씨 · 낟알의) 배젖, 배유(胚乳).

albumine [albymin] f. 〖화학〗 알부민, 흰자질, 단백질(= proteine).

albuminurie [albyminyʀi] *f.* 단백뇨(尿).
alcali [alkali] *m.* 〖화학〗 알칼리 : ~ volatil 암모니아수 / ~ minéral 소다 / ~ caustique 가성 알칼리.
alcalin, e [alkalɛ̃, -in] *adj.* 알칼리의; 알칼리성의. ── *m.* 〖의학〗 알칼리 함유약《산중화제》.
alcalinité [alkalinite] *f.* 알칼리성.
alcaloïde [alkalɔid] 〖화학〗 *m.* 알칼로이드. ── *adj.* 알칼로이드의.
alchimie [alʃimi] *f.* 연금술.
alchimiste [alʃimist] *m.* 연금술사.
***alcool** [alkɔl] *m.* ① 알코올, 주정(酒精) : ~ absolu 〔pur〕 무수 알코올 / ~ industriel 공업용 주정 / ~ naturel 생(生)주정《포도주를 증류해서 만든 알코올》/ distiller l'~ avec un alambic 증류기로 알코올을 증류하다. ② 알코올 음료, (식전의 apéritif 또는 식후의 digestif로 마시는) 술 ; 리쾨르《화주 · 코냑 · 브랜디 · 위스키 · 보드카 · 럼 따위》: prendre un petit verre d'~ après le repas 식사 후에 술을 조금 마시다. ③ 알코올 성분 : effets de l'~ 취기 / taux d'~ dans le sang 혈중 알코올 농도.
alcoolémie [alkɔ(ɔ)lemi] *f.* 혈중 알코올 「농도.
***alcoolique** [alkɔ(ɔ)lik] *adj.* 알코올을 함유한, 알코올성의 ; 알코올에 중독된. ── *n.* 알코올 중독자, 대주가, 주정뱅이.
alcoolisation [alkɔ(ɔ)lizɑsjɔ̃] *f.* 〖화학〗 알코올화, 알코올 혼합.
alcoolisé, e [alkɔlize] *adj.* 알코올이 함유된: boisson ~*e* 알코올 음료.
alcooliser [alkɔ(ɔ)lize] *v.t.* ① 알코올화하다 ; …에 알코올을 타다. ② 알코올 중독자로 만들다. ── **s'~** *v.pr.* ① 알코올이 되다. ② 《구어》 술에 중독되다 ; 술에 취하다.
***alcoolisme** [alkɔ(ɔ)lism] *m.* ① 〖의학〗 알코올 중독 : ~ aigu 〔chronique〕 급〔만〕성 알코올 중독증. ② (습관적인) 과도한 음주.
alcoolo [alkɔlo] *adj.* 《구어》 알코올 중독의 (= alcoolique). ── *n.* 알코올 중독자.
alcoologie [alkɔlɔʒi] *f.* 〖의학〗 알코올 (중독)학〔연구〕.
alco(o)test [alkɔtɛst] *m.* 혈중 알코올 농도 측정기, 음주 측정기 : souffler dans les ballons d'~ 음주 측정용 풍선을 불다.
alcôve [alkoːv] *f.* ① 알코브《벽을 오목하게 꾸며 침대를 들여놓은 곳》; 규방(閨房). ② 부부간의 화목, 애정 생활 : secrets d'~ 은밀한 애정 생활. ③ (17세기 귀부인의) 내실 겸 살롱.
alcyon [alsjɔ̃] *m.* ① 〖조류〗 물총새. ② 〖그리스신화〗 전설상의 바닷새.
aldéhyde [aldeid] *f.* 〖화학〗 알데히드 : ~ acétique 아세트 알데히드.
ale [ɛl] 〔영〕 *f.* (맛과 색이 부드러운) 맥주.
aléa [alea] 〔라틴〕 *m.* 운수, 요행, 우발적인 일(= hasard) ; 불확실함(= incertitude) : ~*s* de l'examen 시험 운 / compter avec tous les ~s 예측 불능의 사태를 모두 고려하다.
aléatoire [aleatwaːʀ] *adj.* ① 우연성의, 불확실한, 모험적인(= problématique) : revenus ~*s* 불안정한 수입 / Son succès est bien ~. 그의 성공은 불투명하다. ② 임의의, 무작위의. ── *n.* 불확실성 ; 위험성.
alêne [alɛn] *f.* (구두 꿰매는 데 쓰는) 송곳 바늘.
alentour** [alɑ̃tuːʀ] *adv.* 주위〔부근 · 근처〕에 (= à proximité, autour) : Il n'y avait personne ~. 주위에 아무도 없었다. ***~ de … 주위〔부근〕에(= autour de). ***d'~*** 주위〔부근〕의 : bois *d'~* 주변의 숲. ── *m. pl.* ① 부근, 근처, 주변 : ~s de la ville 도시 주변 / ~s du problème 문제의 언저리. ② 측근자. ***aux ~s de*** …부근〔근처〕에 ; …경(頃)에(= environ) : *aux* ~*s d'*Avignon 아비뇽 근처에(서) / *aux* ~*s de* 1900, 1900년경에 / Je passerai vous prendre *aux* ~*s de* huit heures. 8시쯤 당신을 데리러 들르겠소.
alerte¹ [alɛʀt] *f.* ① 경보(= alarme) ; 경계 : ~ aux avions ; ~ aérienne 공습경보 / rassemblement par ~ 비상소집 / ~ rouge 적색 공보. ② 위험 징후 ; 불안 : Il s'inquiète à la moindre ~. 그는 사소한 위험에도 조바심한다. ***donner*** 〔***sonner***〕 ***l'~*** 경보를 울리다, 위험을 알리다. ***être en ~*** 경계하고 있다. ── *interj.* 일어나, 정신 차려. ***A~! ~!*** 어서 어서, 빨리빨리!
alerte² *adj.* ① 민첩한(= rapide, vif), 재빠른: d'un bond ~ 날쌔게. ② 민활한(= éveillé), 예민한 : style ~ 활기찬 문체 / esprit ~ 예민한 정신. ③ 경계〔조심〕하는.
***alerter** [alɛʀte] *v.t.* 《~ qn》 …에게 위험〔위급〕을 알리다 ; …에게 경보를 내리다 ; …에게 긴급 준비를 시키다 : ~ la police 경찰에게 알리다 / ~ des troupes 군대에게 긴급 전투 준비를 시키다 / ~ l'opinion publique 여론을 환기시키다.
alèse [alɛːz] *f.* ① 〖의학〗 병원 침대의 시트. ② 다른 널판에 덧붙인 판자.
aléser [aleze] [6] *v.t.* ① (관 · 구멍 따위의) 내부를 (일정한 구경(口徑)으로) 다듬다〔깎다 · 넓히다〕. ② (주화의) 가장자리를 오톨도톨하게 하다.
alevin [alvɛ̃] *m.* (연못에 기르는) 치어.
aleviner [alvine] *v.t.* 연못에 치어를 넣다〔번식시키다〕. ── *v.i.* (물고기가) 알을 낳다.
alevinier [alvinje] *m.*, **alevinière** [alvinjɛːʀ] *f.* (치어를 기르는) 연못, 양어장.
alexandrin, e [alɛksɑ̃dʀɛ̃, -in] *m.* 〖운율〗 12음절의 시구《12세기의 불시 Roman d'Alexandre에서 나옴》. ── *adj.* 12음절의.
alezan, e [alzɑ̃, -an] *adj.* et *n.* 밤색의 (말).
alfa [alfa] *m.* 〖식물〗 아프리카나래새《화본과 식물》.
algarade [algaʀad] *f.* ① 욕설 ; 호통 ; 윽박지름 ; 언쟁. ② 《옛》 급습 ; (소규모의) 접전. ***avoir une ~ avec*** qn …와 언쟁을 하다. ***faire une ~ à*** qn …을 마구 야단치다.
algèbre [alʒɛbʀ] *f.* ① 〖수학〗 대수학 ; 대수학책 : ~ linéaire 〔particulière〕 선형〔특수〕 대수학. ② 《비유》 이해하기 어려운 것〔일〕. ***C'est de l'~ pour moi.*** 난 뭐가 뭔지 통 모르겠다. 「처럼 정확한.
algébrique [alʒebʀik] *adj.* 대수학의 ; 수학
algébriquement [alʒebʀikmɑ̃] *adv.* 대수학적으로, 대수학상.
algérien, enne [alʒeʀjɛ̃, -ɛn] *adj.* 알제리(*Algérie*)(사람 · 말)의. ── **A~** *n.* 알제리 사

람. ── *m.* 알제리어(語).

-algie *suff.* 《명사어미》 「…통(痛)」의 뜻.

-algique *suff.* 《형용사어미》 「…통(痛)의」의 뜻.

algorithme [algɔʀitm] *m.* ① 산식(算式). ② 《옛》 아라비아 십진법.

algue [alg] *f.* 〖식물〗 해초, 말, 마름.

alias [aljɑ:s] 〔라틴〕 *adv.* 일명(一名)…, 또 다른 이름으로는(= autrement dit).

alibi [alibi] 〔라틴〕 *m.* ① 알리바이, 현장 부재 증명 : produire 〔fournir, invoquer〕 un ~ 알리바이를 대다. ② 《비유》 핑계, 구실(= excuse) : fournir des ~*s* à ses délits 부정 행위에 대한 변명을 늘어놓다.

aliénable [aljenabl] *adj.* 〖법률〗 양도할 수 있는 : biens ~*s* 양도할 수 있는 재산.

aliénant, e [aljenɑ̃, -ɑ̃:t] *adj.* 인간을 소외시키는, 개인의 인간성〔자주성〕을 박탈하는 : travail ~ 비인간적인 노동.

aliénation [aljenɑsjɔ̃] *f.* ① 양도(= cession) ; (자연권의) 포기, 상실(= abandon, perte) : ~ de sa liberté 자유의 상실. ② (인심의) 소외 ; 반발, 반감(= aversion) : provoquer l'~ des esprits 사람들의 반감을 초래하다. ③ 이성의 상실, 정신 착란(= ~ mentale 〔d'esprit〕).

aliéné, e [aljene] *adj.* et *n.* 발광한〔미친〕(사람), 정신병자(의) ; 이성을 잃은 (사람) : hospice 〔maison, asile〕 d'~*s* 정신 병원.

aliéner [aljene] *v.t.* [6] ① (재판·권리를) 양도하다, 포기하다(= céder), 상실하다(= perdre) : ~ un bien 재산을 양도하다 / ~ sa liberté 〔son indépendance〕 자유를〔독립성을〕 상실하다. ② 반감을 갖게 하다, (마음을) 멀어지게 하다 : Cela lui *aliéna* leur sympathies 〔estimes〕. 그래서 그는 그들의 호감을 잃었다. ③ 〖철학〗 (사람을) 소외시키다 : ~ la raison 이성을 잃게 하다.
── **s'~** *v.pr.* ① 양도되다. ② 멀어지다, 소외되다. ③ (호감 따위를) 잃다(= perdre) : Il *s'est aliéné* toutes les sympathies. 그는 주위의 동정을 모두 잃었다.

alignée [aliɲe] *f.* 도열, 줄, 열(列).

alignement [aliɲmɑ̃] *m.* ① 일렬로 늘어놓기, 줄지어 세우기 ; 〖군사〗 정렬. ② 일렬로 늘어선 상태, 열(列) : ~ des arbres 일렬로 늘어선 나무들. ③ 〖행정〗 건축선(建築線) : déborder 〔dépasser〕 l'~ 건축선에서 삐져 나오다. ④ (정치 노선에 대한) 동조, 가담. ⑤ 〖철도〗 노선의 직선 부분. ***~ monétaire*** 통화 조정. ***être*** 〔***se mettre***〕 ***à l'~*** 일렬로 늘어서(있)다.

aligner** [aliɲe] *v.t.* ① 일렬로 늘어놓다 ; 줄지어 세우다 ; 〖군사〗 정렬시키다 : ~ des élèves 학생들을 일렬로 정렬시키다. ② 열거하다, (말을) 늘어놓다. ③ 《~ qc sur qc》 …에 맞추다 ; 조정하다 : ~ sa politique *sur* la stabilité 안정 추구에 정책의 기반을 두다. ***~ des chiffres 《구어》 비용을 계산하다. ***~ des phrases*** 〔***mots***〕 말을 길게 늘어놓다 : Il *aligne des phrases* bien faites mais vides de pensée. 그는 공허한 미사여구를 늘어놓는다. ***~ un compte*** 청산하다. ***les ~*** 《속어》 돈을 지불하다(《les = les billets, les fonds》). ── **s'~** *v.pr.* ① 일렬로 늘어서다, 줄지어 서다 ; 〖군사〗 정렬하다 : Les livres *s'alignent* sur les rayons de la bibliothèque. 책들이 서재의 책꽂이에 줄지어 있다. ② 《s'~ sur》 (정치 노선에) 동조하다, 가담하다 : *s'~ sur* la politique d'un parti 당의 정책에 동조하다. ③ 전투〔참전〕하다.

***aliment** [alimɑ̃] *m.* ① 양식, 음식(= nourriture), 먹이 ; 영양물 : digestion des ~*s* 음식물의 소화 / ~ nature 〔sain〕 자연〔건강〕식. ② (정신의) 양식 ; (이야기 따위의) 자료가 되는 것 ; (호기심 따위를) 북돋우는 것 : ~ de l'esprit 정신의 양식 / fournir un ~ à des curiosités 호기심을 부채질하다.

⁑alimentaire [alimɑ̃tɛːʀ] *adj.* ① 음식물의 ; 영양의 ; 식품이 되는 : produits ~*s* 식료품 / industrie ~ 식품 공업 / intoxication ~ 식중독. ② 부양의: pension ~ 양육비, 위자료. ③ 단지 밥벌이를 위한. ***conserves ~s*** 통조림 (식료품). ***littérature ~*** 《경멸》 돈벌이 문학. ***régime ~*** 식이 요법.

⁑alimentation [alimɑ̃tɑsjɔ̃] *f.* ① 양식〔음식〕을 주기, 양육 ; 사육(飼育) ; 영양 섭취 : ~ insuffisante 영양 부족. ② 양식, 음식 ; 식료품 : magasin d'~ 식료품점. ③ 공급 ; 보급(= fourniture) ; 급수(給水)(= ~ d'eau) : ~ d'un moteur en combustible 모터의 연료 공급. ***article d'~*** 식료품. ***câble d'~*** 배전선. ***rayon d'~*** (백화점의) 식료품부.

***alimenter** [alimɑ̃te] *v.t.* ① …에게 양식〔음식〕을 주다 ; 양육〔부양〕하다(= nourrir) ; 〖법률〗 …에게 양육비를 주다 : ~ la famille 가족을 부양하다 / On *alimente* les nouveaux-nés de lait. 신생아에게는 모유를 먹인다. ② ⓐ …에 (필요한 것을) 공급〔제공〕하다(= approvisionner) : ~ un journal 신문에 뉴스를 공급하다 / ~ la conversation 화젯거리가 되다. ⓑ 《~ qn de》 …에 …을 공급하다 : ~ une usine de courant 공장에 전류를 공급하다. ③ (증오심 따위를) 북돋우다, 부채질하다 : ~ l'hostilité des gens 사람들의 적개심을 부채질하다.
── **s'~** *v.pr.* 음식을 먹다 ; 《s'~ de》 …을 먹고 살다 : Il ne *s'alimente* que *de* fruits. 그는 과일만 먹고 산다.

alinéa [alinea] *m.* ① 〖인쇄〗 별행, 줄바꿈. ② 절(節), 단락; (두 별행 사이의) 문단.

aliquante [alikɑ̃:t] *adj. f.* 〖수학〗 나누어 떨어지지 않는, 정제되지 않는(≠ aliquote).

aliquote [alikɔt] *adj. f.* 〖수학〗 나누어 떨어지는, 정제되는(≠ aliquante) : 3 est une partie ~ de 12. 3은 12의 정제수이다.
── *f.* 정제수(= partie ~). 「운.

alité, e [alite] *adj.* 자리에 누운; 병들어 누

aliter [alite] *v.t.* (환자를) 자리〔침대〕에 눕히다 : Il *est alité* depuis deux mois. 그는 두 달째 몸져 누워 있다. ── **s'~** *v.pr.* (환자가) 자리에 눕다.

alizé [alize] *adj. m.* 《다음 말에만 쓰임》 vents ~*s* 무역풍. ── *m. pl.* 무역풍.

Allah [alla] *n.pr.m.* (회교의) 알라신(神).

allaitement [alɛtmɑ̃] *m.* 젖먹이기, 수유 : ~ maternel 〔artificiel〕 모유〔인공〕 포유.

allaiter [alɛ(e)te] *v.t.* ① …에게 젖을 먹이다 : ~ un enfant au biberon 젖병으로 젖을 먹이다. ② 《목적보어 없이》 아기에게 젖을 먹

이다 : Elle n'*allaite* plus depuis un mois. 그녀는 한 달 전부터 젖을 먹이지 않는다.

allant, e [alɑ̃, -ɑ̃:t] *adj.* 원기 있는, 활동적인. — *m.* 원기, 활기(= entrain) : avoir de l'~ 활기 있다. — *m. pl.* 가는 사람들.

alléchant, e [a(l)leʃɑ̃, -ɑ̃:t] *adj.* ① 구미를 돋우는 ; 먹음직한 : odeur ~*e* 맛있는 냄새 / plat ~ 먹음직한 요리. ② 《비유》 매력적인, 솔깃한, 흥미 있는 : offre ~*e* 솔깃한 제의.

allèchement [a(l)lɛʃmɑ̃] *m.* 유혹 ; 매력.

allécher [a(l)leʃe] [6] *v.t.* (맛있는 것으로) 끌어당기다 ; 유혹〔유인〕하다(= attirer) : J'*ai été alléché* par cette offre. 나는 그 제안에 귀가 솔깃해졌다.

***allée** [ale] *f.* ① (공원 따위의) 작은 길 ; 오솔길 ; 가로숫길 ; (옥내의) 통로 : ~*s* d'une salle de spectacle 극장 안의 통로. ② (*pl.*) 가기(≠ venue) : ~*s* et venues 왕래; 망설임, 우유부단 / perdre son temps en ~*s* et venues 분주히 뛰어다니며 시간을 보내다.

allégation [a(l)legasjɔ̃] *f.* ① (논거 · 핑계 따위를) 끌어 내세우기〔주장하기〕 ; 주장 ; 의견 진술(= affirmation). ② 《옛》 인용(引用).

allège [a(l)lɛ:ʒ] *f.* ① 〖선박〗 거룻배, 짐배. ② 〖건축〗 흉벽 ; (창틀 안쪽의) 부벽(扶壁).

allégé, e [a(l)leʒe] *adj.* 저지방의 : fromage ~ 저지방 치즈. — *m.* 저지방질.

allégement [a(l)lɛ(e)ʒmɑ̃] *m.* ① 경감, 가벼워지기 ; 삭제: ~ des impôts 감세 / ~ de personnel 인원의 삭감. ② (고통을) 덜기, 위로(= adoucissement, consolation).

alléger [a(l)leʒe] [3·6] *v.t.* ① 가볍게 하다(≠ alourdir) ; 경감하다 ; (고통을) 완화하다 : ~ le poids 〔la charge〕 de qc …의 무게를 〔적재량을〕 줄이다 / ~ un bateau 배의 짐을 줄이다 / ~ les impôts 세금을 덜어 주다 / Je *suis allégé* de tout souci. 나는 온갖 근심에서 해방되었다. ② 부피를 줄이다 ; 엷게 하다. — **s'~** *v.pr.* 가벼워지다.

allégorie [a(l)legɔʀi] *f.* ① 비유, 우언(寓言), 우의(寓意). ② 우화 ; 우의화(畫)〔조각〕. ***par ~*** 우의〔비유〕적으로.

allégorique [a(l)legɔʀik] *adj.* 비유의, 우의적인 : roman ~ 우의 소설.

allègre [a(l)lɛgʀ] *adj.* 쾌활한, 민활한, 팔팔한 : homme ~ 쾌활한 사람 / se sentir ~ 기분이 상쾌함을 느끼다 / marcher d'un pas ~ 경쾌한 걸음으로 걷다.

allégrement, allègrement [a(l)lɛgʀəmɑ̃] *adv.* ① 즐겁게, 쾌활하게, 민활하게, 경쾌하게. ② 《비꼼》 대범하게, 태평스럽게.

allégresse [a(l)legʀɛs] *f.* ① 경쾌, 쾌활, 민활. ② 즐거움, 환희, 희열.

allegretto, allégretto [a(l)legʀe(ɛt)to] *adv.* 〖음악〗 약간 경쾌하고 빠르게. — *m.* 알레그레토.

allegro, allégro [a(l)legʀo] 〔이탈리아〕 *adv.* 〖음악〗 알레그로, 급속조로, 경쾌하게. — *m.* 알레그로, 급속조.

alléguer [a(l)lege] [6] *v.t.* ① (논거 · 핑계 따위를) 내세우다, 끌어대다 ; 주장하다 : Il n'*allèque* que des prétextes. 그는 핑계만 수워댄다 / 《~ que + *ind.*》 Il *allègue que* la liberté excessive se détruit enfin elle-même. 지나친 자유는 결국 자멸하고 만다고 그는 주장한다. ② 《옛》 인용하다 : ~ un auteur 〔texte de loi〕 작가를〔법조문을〕 인용하다.

alléluia [a(l)lely(ɥ)ja] *m.* ① 〖가톨릭〗 할렐루야《찬송가》. ② 《문어》 기쁨의 노래.

A

***Allemagne (l')** [lalmaɲ] *n.pr.f.* 독일.

allemand, e** [almɑ̃, -ɑ̃:d] *adj.* 독일(*l'Allemagne*)의. — **A~** *n.* 독일 사람. ***querelle d'A~ 《구어》 이유 없는 싸움. — *m.* 독일어. ***C'est de l'~ 〔du haut ~〕 pour moi.*** 뭐가 뭔지 통 알 수 없다. — *f.* ① 독일 무도 ; 그 무도곡. ② 〖요리〗 흰 소스.

‡aller [ale] [9] *v.i.* 《조동사는 être》 [A] ① ⓐ 《행선지》 (…에) 가다 : ~ à l'école 학교에 가다 / ~ en France 프랑스에 가다 / Nous ne savons où ~. 어디로 가야할지 우리는 모른다 / Où *est*-il *allé* hier soir ? 그는 어제 저녁 어디에 갔었나 ? ⓑ 《수단》 (…으로, …편으로) 가다 : ~ en voiture 〔avion, bateau, chemin de fer, métro〕 차〔비행기 · 배 · 철도 · 지하철〕로 가다 / ~ en 〔par le〕 train 기차로 가다 / ~ à cheval 〔à pied〕 말을 타고〔걸어서〕 가다 / ~ à 〔《구어》 en〕 bicyclette 자전거를 타고 가다. ⓒ 《목적》 (…하려고) 가다 : ~ à son travail 일하러 가다 / ~ en promenade 산책 나가다 / ~ à la chasse 〔pêche〕 사냥〔낚시〕가다 / 《~ + *inf.*》 Je *vais* acheter du pain. 나는 빵을 사러 간다 / Il *est allé* se promener. 그는 산책하러 갔다. ⓓ 《양태의 부사(구)와 함께》 가다, 나아가다 ; 행동하다 : ~ à reculons 뒷걸음질치다 / ~ grand train 질주하다 ; 호화롭게 살다 / Cette voiture *va* vite. 이 차는 빨리 간다.

② 《주어 : qc》 ⓐ 통하다, 이르다 : Ce chemin *va* à Paris. 이 길은 파리로 통한다 / Ce sentier *va* à la rivière. 이 오솔길은 강으로 이어져 있다. ⓑ 《비유》 이르다, 결과가 되다 : Cette affaire *est allée* à l'échec. 그 사업은 실패하고 말았다 / Ses espoirs *sont allés* en fumée. 그의 희망은 덧없이 사라졌다.

③ 《보통 bien 〔mal〕을 동반》 《주어 : qc》 ⓐ 진행〔진척〕되다, 되어 가다 : Le commerce *va* bien. 장사가 잘 된다 / Tout *ira* bien. 모든 게 잘 될거야. ⓑ (옷 따위가) 어울리다 ; 알맞다(= convenir) : Cet habit me *va* mal. 이 옷은 나에게 잘 맞지 않는다 / Ceci me va. 됐어, 알겠어; 내 마음에 든다. ⓒ 《~ à qc》 …에 맞다 : la clef qui *va à* la serrure 자물쇠에 맞는 열쇠. ⓓ (기계가) 움직이다, 돌아가다(= marcher, fonctionner) : La montre *va* bien 〔mal〕. 시계가 잘 간다〔가지 않는다〕.

④ 건강 상태가 …하다 : Comment *allez-vous ?* 안녕하십니까 ? / Le malade *va* un peu mieux. 환자는 다소 (병세가) 나아졌다 / Ça *va* ?; Comment ça *va ?* — Ça *va*, merci. 《구어》 잘 지내고 있니 ? — 응, 잘 있어.

⑤ (감정 따위가) (…에게로) 향하다, (유산 따위가) 상속되다 : L'héritage *va* à sa fille. 유산은 딸에게 상속될 것이다.

⑥ (불 · 세탁 따위에) 견디어 내다 : 《~ à》 Ce rideau ne *va* pas *à* la lessive. 이 커튼은 세탁하면 안 된다.

B 《～＋*inf.*》 ① ⓐ 《근접미래》 …하려고 하다, …하는 중이다《직설법 현재 또는 반과거로만 쓰임》: Il *va* venir tout de suite. 그는 곧 올 것이다 / Nous *allions* partir quand il est arrivé. 우리가 출발하려고 하는데 그가 도착했다. ⓑ 《의지》 Attendez, je *vais* essayer de le persuader. 기다려 주십시오, 내가 설득해 보겠습니다. ⓒ 《명령》 《Tu vas 〔vous allez〕＋*inf.*》 *Tu vas* apporter cela. 그걸 가져와 / *Vous* n'*allez* pas sortir seul. 혼자 외출하시면 안 됩니다. ⓓ 《강한 부정 명령》 《Ne va pas 〔N'aller pas〕＋*inf.*》 *N'allez pas* croire cela. 그런 것은 믿지 마시오. ⓔ 《비꼬는 긍정명령》 《Va 〔Allez〕 donc＋*inf.*》 *Va donc* essayer. 어디 좀 해보시지요. ⓕ 《종종 의문형》 *Vas*-tu rentrer à la fin? 그만 돌아가지 못할까?

② ⓐ 《～＋현재분사》 언제나〔항상 · 줄곧〕 …하다 : Il *va* écoutant. 그는 언제나 엿듣는다. ⓑ 《～ en＋현재분사》 점점 …하여 가다 : Mon mal *va en* empirant. 나의 병세는 점점 악화되어 간다.

C 《명령형으로 간투사적》 ① 《격려 · 위로 · 애정》 자, 그래 : *Allez*, viens avec moi. 자, 같이 가자 / Ne t'inquiète pas, *va*, tout s'arrangera. 자, 걱정 마, 모든 게 잘 될거야. ② 《초조 · 비난 · 경멸 · 위협》 이봐, 제발 : *Allons* 〔*Allez*〕 ! ça recommence ! 저런, 또 시작이군 ! / *Allons* donc, laissez-moi tranquille. 제발 좀 귀찮게 굴지 마시오.

③ 《불신 · 비꼼 · 놀람》 설마, 저런 : Et *allez* donc ! voilà du bon travail. 저런, 훌륭한 일인걸 / Vous prétendez obtenir son consentement ? *Allons* donc ! 그의 승낙을 얻어낼 수 있다구요? 설마하니 !

～ *contre* …을 배반하다, 거스르다 : Cela *va contre* mon attente. 이것은 내 기대에 어긋난다. **～ *de soi* ; ～ *sans dire*** 자명하다, 당연하다, 말할 나위도 없다 : Je l'inviterai aussi ; cela *va sans dire*. 그 사람도 물론 초대하겠습니다. **～ *jusqu'à***＋*inf.* …까지 하기에 이르다 : Il *est allé jusqu'à* m'insulter. 그는 나를 욕하기까지 했다. **～ *sur*** (어느 연령에) 가까워지다 : Il *va sur* ses 30 ans. 그는 만 30세가 되었다. ***Allez !*** 《경기에서 출발신호로》 자, 출발 ! ***Allez*** 〔***va***〕 ! 자 ; 정말, 참 ! ***Ça va !***[1] 됐어, 좋아, 오케이. ***Ça va comme ça ! Ça va très bien ! ; Ça va !***[2] 《구어》 작작 해 둬, 그만하지 못하겠니. ***Cela va sans dire.*** 그건 물론이다. ***Cela*** 〔***Ça***〕 ***va tout seul.*** 일이 아주 쉽게 된다, 거저 먹기다. ***faire* ～** 가게 하다 ; 작동시키다 : Le courant *fait* ～ le moulin. 물의 흐름이 물레방아를 움직이게 한다. ***laisser* ～** qc …을 방임하다, …에 무관심하다 : Elle *laisse* ～ son ménage. 그녀는 살림을 잘 돌보지 않는다. ***Mais va donc !*** 그럴 리 없지, 무슨 소리야. ***ne pas* ～ *sans*** qc 반드시〔으레〕 …이 따르다 : Une nombreuse famille *ne va pas sans* ennuis de toutes sortes. 식구 많은 집안에는 으레 온갖 근심이 따르게 마련이다. ***se laisser* ～** 되는 대로 살아가다. ***se laisser* ～ *à*** qc …에 몸을 내맡기다, 빠져 버리다 : Il *se laisse* ～ *à* la joie. 그는 기뻐 어쩔 줄 모른다 / *se laisser* ～ *à* la tentation 유혹에 빠지다. ***se laisser* ～ *dans*** un fauteuil 안락의자에 털썩 주저앉다. ***va pour*** qc …이면 좋다, …으로 하자 : *Va pour* 100 francs ; les voici. 100 프랑이라면 좋아요. 자 여기 있습니다. ***y* ～** ⓐ 일에 착수하다 : J'*y vais* ! ; On *y va* ! 곧 갈게〔할게〕 ! ⓑ 《y ～＋부사》 …하게 행동〔말〕하다 : Vous *y allez* fort. 너무 하십니다 / *Allez-y* doucement avec lui. 그를 살살 다루시오. ⓒ 《간투사적으로》 *Allez-y* 〔*Vas-y*〕 ! 자, 해보세요〔자, 가요〕 ! / Comme vous *y allez !* 《구어》 너무 성급하시군요. ***y* ～ *de*** qc ⓐ …에 돈을 쓰다〔들이다〕 ; 〖놀이〗 …만 걸다 : Il *y va de* ses économies pour l'achat de cette voiture. 그는 이 자동차를 사는 데 저축한 돈을 다 쓴다 / J'*y vais de* dix francs. 10 프랑 걸겠습니다. ⓑ 《구어》 …을 제공하다 : *y* ～ *de* sa chanson (여흥으로) 노래를 하다.

— *v. impers.* ***Il en va*** (＋부사) 사정은 …하다 : *Il en irait* bien mieux si... 만약 …라면 일은 훨씬 잘 될 것이다. ***Il en va de*** A ***comme de*** B. A 의 경우도 B 의 경우와 마찬가지다 : *Il en va de* cette affaire *comme de* l'autre. 이번 일도 전번 일과 마찬가지다. ***Il en va ainsi*** 〔***de même***〕 (***de*** 〔***pour***〕...) (…의 경우도) 마찬가지다. ***Il va de soi*** 〔***sans dire***〕 ***que***＋*ind.* …은 물론이다〔자명한 일이다〕. ***Il y va de*** qc …이 문제가 되다, 관계되다 : *Il y va de* sa réputation. 그건 그의 평판에 관계되는 일이다.

— **s'en ～** *v.pr.* ① 가(버리)다, 떠나 버리다 : Les jours *s'en vont* et ne reviennent pas. 세월은 한번 가면 되돌아오지 않는다 / *Allez-vous-en ! Va-t'en !* 가시오 ! 꺼져라 ! / On *s'en va*. 자, 여기를 나가자.

② 죽다 ; 죽어 가다 : Il *s'en va* 〔*s'en est allé*〕 de la poitrine. 그는 폐병으로 죽어 가고 있다〔죽었다〕.

③ 《주어: qc》 없어지다, 사라지다 ; (시간이) 흘러가다 : La couleur *s'en va*. 색깔이 바래다 / Le temps *s'en va*. 시간이 흐른다.

④ (힘이) 약해지다 ; 쇠약해지다 ; (물건이) 닳다 : Le malade *s'en va* doucement. 환자가 조금씩 쇠약해지고 있다.

⑤ 《s'en ～＋*inf.*》 ⓐ …하러 가다 : Je *m'en vais* faire mes courses. 나는 물건을 사러 간다. ⓑ 《직설법 현재 1 인칭 단수로만 쓰임》 곧 …하려 하다 : Je *m'en vais* vous raconter une histoire amusante. 지금부터 재미있는 이야기를 해 주겠소.

⑥ 《s'en ～＋현재분사》 줄곧〔항상〕 …하다 : Le fleuve *s'en allait* grossissant. 강물이 점점 불어 가고 있었다.

— *m.* ① 가기, 가는 길 : passer par Paris à l'～ 가는 길에 파리를 경유하다 / faire l'～ en train 가는 길은 기차로 가다 / *L'*～ A été plus facile que le retour. 가는 길은 오는 편보다 수월했다.

② 가는 표(= billet ～) : Donnez-moi un ～ (simple) pour Marseille. 마르세유행 편도표 한 장 주세요.

～ (*et*) *retour* ⓐ 왕복(의) : faire l'～ *et retour* en avion 비행기로 왕복하다 / tarif *et* *retour* 왕복 운임. ⓑ 왕복표 : billet d'~ *et retour* 왕복표.

allergène [alɛʀʒɛn] *adj.* 알레르기를 일으키는. —— *m.* 〖의학〗 알레르기 항원.

allergie [alɛʀʒi] *m.f.* ① 〖의학〗 알레르기, 이상과민증. ② 《구어》 《~ à》 (…에 대한) 반감, 혐오 : ~ *à* la politique 정치에 대한 혐오.

***allergique** [alɛʀʒik] *adj.* ① 〖의학〗 알레르기성〔이상 과민증〕의. ② 《~ à》 …에 알레르기 반응을 나타내는 ; …에 유달리 과민한 : Il est ~ *à* la vie rurale. 그는 시골 생활이 생리에 맞지 않는다.

allergologie [alɛʀgɔlɔʒi] *f.* 〖의학〗 알레르기학 ; 알레르기 치료법.

alliacé, e [aljase] *adj.* 〖식물〗 마늘의. —— *f. pl.* 파속(屬).

alliage [aljaːʒ] *m.* 합금하기 ; 합금 ; (불순한) 혼합물 ; (합금에 쓰는) 비금속. ***sans ~*** 합금 아닌 ; 순수한, 완전한 : or *sans* ~ 순금.

***alliance** [aljɑ̃ːs] *f.* ① 결연 ; 결혼 ; 결혼반지 (= anneau d'~) ; 인척 관계(= parenté). ② 동맹(= coalition) : conclure une 〔un traité d'〕~ avec un pays 어떤 나라와 동맹〔조약〕을 맺다. ③ 결합(= union), 조화. ④ 〖종교〗 (신과 선택받은 민족과의) 계약.

allié, e [alje] *adj.* ① 동맹의 ; 연합군의 : troupes ~*es* 연합군. ② 인척 관계를 맺은, 결연된 : être ~ à une noble famille 명문의 집안과 사돈 간이다. —— *n.* ① 인척. ② 동맹국. ③ 벗, 친구. —— **A~s** *m. pl.* 연합군.

***allier** [alje] *v.t.* ① 동맹하게 하다(= liguer) ; 인척 관계를 맺게 하다, 결연시키다 : ~ les deux pays 두 나라를 동맹 맺게 하다. ② 《~ qc à 〔avec〕 qc》 …을 …에〔와〕 결합시키다(= unir ; ≠ désunir) : Elle *allie* la beauté *à* la vertu. 그녀는 미와 덕을 겸비하고 있다. ③ (금속을) 화합〔합금〕시키다, (액체를) 혼화(混和)시키다, 섞다 ; (색깔을) 조화시키다 : ~ l'or avec 〔et〕 l'argent 금을 은과 화합〔합금〕시키다. —— **s'~** *v.pr.* 《~ à 〔avec〕》 ① …와 동맹하다 ; 인척 관계를 맺다(= s'unir, s'apparenter). ② 결합되다, 혼화되다, 섞이다 ; 합금〔화합〕되다. ③ 조화되다, 어울리다 (= s'accorder).

alligator [a(l)ligatɔːʀ] *m.* 〖동물〗 (아메리카산의) 악어.

allitération [a(l)liteʀasjɔ̃] *f.* 〖운율〗 두운법, 자음운《첫 자음 또는 중간 자음의 반복》.

***allô, allo** [alo] *interj.* 〖전화〗 여보세요.

allo- *préf.* 「다른 · 별개의」의 뜻.

allocataire [a(l)lɔkatɛːʀ] *n.* 급여금〔수당〕 수령자.

allocation [a(l)lɔkasjɔ̃] *f.* ① 지급 ; 〖법률〗 지불 승인. ② 급여(금), 수당(금) : ~ en espèce 현금 급여 / ~ vieillesse 노령 수당 / ~ de logement 주택 수당. ***~ de chômage*** 실업 수당. ***~s familiales*** 가족 수당.

allocutaire [a(l)lɔkytɛːʀ] *n.* 〖언어〗 대화자.

***allocution** [a(l)lɔkysjɔ̃] *f.* ① 《옛》 황제 · 장군의 훈시 ; (교황의) 유시. ② 간단한 연설, 담화 : prononcer 〔faire〕 une ~ 연설을 하다 / télévisée du chef de l'État 국가 원수의 텔레비전 연설〔담화〕. ③ 〖법률〗 논고.

allodial, e, aux [a(l)lɔdjal, -o] *adj.* (봉건 시대의) 자유지의.

allogène [a(l)lɔʒɛn] *adj.* 다른 종족의. —— *n.* 다른 종족 사람(≠ indigène).

allonge [alɔ̃ːʒ] *f.* ① (길게 만들기 위하여) 덧붙이는 것 ; (테이블 따위의) 날개판 ; (고기를 거는) 갈고리. ② (권투 선수의) 팔 길이.

allongé, e [alɔ̃ʒe] *adj.* ① 길어진 ; 길게 누워 있는 : rester ~ 드러누워 있다. ② 길쭉한 ; 호리호리한 ; 장방형의 : tête ~*e* 길쭉한 머리 / visage ~ 시무룩한 얼굴.

allongement [alɔ̃ʒmɑ̃] *m.* ① 늘이기 ; 연장, 늘어남. ② (시간을) 지연하기, 지체.

***allonger** [alɔ̃ʒe] [3] *v.t.* ① 길게 하다, 늘이다(≠ raccourcir) ; …의 시간을 끌다〔연장하다〕 : ~ une jupe de quelques centimètres 스커트의 길이를 몇 센티미터 늘이다 / ~ un procès 재판을 길게 끌다. ② 길어 보이게 하다 : L'âge lui *allonge* le chemin. 나이 탓으로 길이 멀어 보인다 / Cette robe vous *allonge*. 그 옷 때문에 당신 키가 커 보인다. ③ 뻗치다 : ~ les bras 팔을 뻗치다. ④ 《구어》 일격을 가하다 : ~ un coup de poing 주먹다짐하다. ⑤ 《구어》 (돈을) (내)주다 : ~ un pourboire à qn …에게 팁을 주다. ⑥ (소스를) 묽게 하다. —— *v.i.* 길어지다 ; 늦다, 지체하다 : Les jours *allongent*. 낮이 길어진다. —— **s'~** *v.pr.* ① 길어지다 ; 오래 끌다〔지속되다〕 : Notre conversation *s'alongeait* dans l'ennui. 우리 이야기는 지루하게 오래 끌었다. ② (길게) 뻗다. ③ 눕다 ; 《속어》 쓰러지다 : *s'*~ par terre 팍 쓰러지다.

allopathie [a(l)lɔpati] *f.* 대증(對症) 요법.

allouer [alwe] *v.t.* 급여〔지급〕하다 ; (일정한 시간을) 주다, 할당하다 ; (지출을) 승인하다 : ~ une pension 연금을 지급하다 / ~ un crédit 예산 할당을 승인하다. —— **s'~** *v.pr.* 자기가 차지하다.

allumage [alymaːʒ] *m.* ① 불을 켜기, 점화 ; 불을 붙이기 ; 발화 ; (광산의) 발파 : point d'~ 발화〔점화〕점 / raté d'~ (착화 · 점화의) 불발. ② 〖자동차 · 내연〗 점화 ; 점화기〔장치〕.

allume-cigare(s) [alymsigaːʀ] *m.* 《복수불변》 (자동차 안의) 라이터. 「점화기.

allume-gaz [alymgɑːz] *m.* 《복수불변》 가스

‡**allumer** [alyme] *v.t.* ① ⓐ …에 불을 붙이다, 점화하다; (불을) 피우다 ; (전등 따위를) 켜다(≠ éteindre) : ~ l'électricité 전깃불을 켜다 / ~ le poste de radio 라디오를 켜다. ⓑ 빛나게〔반짝이게〕 하다 : La nuit *allumait* ses premières étoiles. 밤이 되자 첫 별들이 반짝이기 시작했다. ② ⓐ 일으키다, 돋우다, 자극하다(= exciter, éveiller) : ~ la guerre 전쟁을 일으키다 / ~ la colère 분노를 불러일으키다. ⓑ ~ le sang 피가 끓게 하다, 흥분시키다. ③ 《~ qn》 …의 호기심〔욕망〕을 돋우다, 유혹하다 : ~ un client 손님의 구미를 돋우다. ④ 지켜보다(= regarder) : Le voilà, *allume !* 저기 있군, 보라니까. ⑤ 《은어》 (총 따위로) 쏘다 ; 비판하다. ***Allume ta pipe à la pompe !*** 《속어》 딴 데 가서 낚시질을 하지! 별꼴 다 보겠네!
—— *v.i.* 《속어》 서둘다 : *Allume !* 서둘러!
—— **s'~** *v.pr.* ① 불이 붙다, 점화되다 : Ce bois *s'allume* bien. 이 나무는 불이 잘 붙

는다. ② 환해지다 ; 빛나다 : Ses yeux *s'allumèrent* à ces mots. 이 말에 그의 눈은 빛났다. ③ (전쟁 따위가) 일어나다 ; 열중〔흥분〕하다 : La guerre *s'allumeni.* 전쟁이 발발한다.

allumette** [alymɛt] *f.* ① 성냥 : voîte à〔d'〕 ~s 성냥갑. ② 가는 팔다리. ***avoir les jambes comme des ~s 다리가 길고 가늘다. ***brûler comme une ~*** 매우 빨리 타다.

allumeur, euse [alymœːʀ, -øːz] *n.* ① (가로등 따위의) 불 켜는 사람. ② (야바위판·경매의) 한통속. ── *f.* 선정적인 여자.
── *m.* 점화기〔장치〕; 배전기 : ~ à gaz 가스 점화기 / ~ électrique 전기 점화기.

allure** [alyːʀ] *f.* ① 걸음걸이 ; (말의 달리는) 보조 ; (차·기계 따위의) 속도 ; 속력(= vitesse) : précipiter〔ralentir〕son ~ 걸음걸이를 빨리하다〔늦추다〕/ rouler à trop grande ~ 너무 빠른 속력으로 달리다. ② 행동, 거동, 태도 ; 외관, 외양(= apparence) : avoir l'~ de …같이 보이다 / Il a une grande liberté d'~s. 그는 행동거지가 매우 자유분방하다. ③ (일의) 진행 상태 ; 형세 ; 경향 : Cette affaire prend une bonne〔mauvaise〕~. 이 일은 호전〔악화〕되고 있다. ④ 〚해양〛 (바람에 대한 배의) 진행 방향. ***à belle*〔*grande, toute, vive*〕*~ 전속력으로. ***à l'~*** 정상 속도로. ***avoir de l'~*** (말이) 걸음걸이가 씩씩하다 ; (사람이) 품위가 있다.

allusif, ive [a(l)lyzif, -iːv] *adj.* 암시적인.

***allusion** [a(l)lyzjɔ̃] *f.* 암시, 넌지시 가리킴, 빗댐 : faire ~ à qc …을 암시하다 / parler par ~ 돌려서 말하다.

alluvial, e, aux [a(l)lyvjal, -o]**, alluvien, enne** [a(l)lyvjɛ̃, -ɛn] *adj.* 〚지질〛 충적토로 형성된 : plaine *alluviale* 충적 평야.

alluvion [a(l)lyvjɔ̃] *f.* 〚지질〛 ① (*pl.*) 충적토(土), 충적지(地)(= terrains d'~). ② 〚법률〛 충적토 형성에 의한 자연 증가지.

almanach [almana] *m.* ① 달력(= calendrier) ; 연감(= annuaire). ② 예언.

almée [alme] *f.* (이집트의) 무희.

aloès [alɔɛs] *m.* 〚식물〛 노회(蘆薈), 알로에 ; 노회 섬유 : ~ médicinal 농축 알로에진 / amer d'~ 노회 고미소(苦味素).

aloi [alwa] *m.* ① (화폐·귀금속의) 순도 ; 금위(金位). ② 품질(= qualité), 성질 : plaisanterie de mauvais ~ 악취미의 농담. ***de bon*〔*mauvais*〕*~*** 질이 좋은〔나쁜〕. ***monnaie d'~*〔*de bon ~*〕** 정확한 금위의 화폐. ***pièce de mauvais ~*** 법정 중량 미달 화폐, 악화.

‡alors [alɔːʀ] *adv.* ① 《과거》 그때〔그 당시〕(는) ; 《미래》 그때에는 : Il y eut un éclair ; ~ je pris peur. 번개가 쳤다. 그러자 나는 겁이 났다 / C'est ~ que l'événement s'est produit. 그 사건이 일어난 것은 그 당시였다. ② 그래서 ; 그렇다면, 그러면 ; 그렇게 되면 : *A~* vous viendrez ? 그럼 오시는 거죠 ? ③ 《대화의 시작》 *A~*, ça va ? 아, 잘 지내 ? ④ 《구어》《강조》 Chic ~ ! 멋진데 / Pour sûr, ~ ! 그렇다니까, 확실하다니까. ⑤ 《호기심·놀라움·비난의 강조》 *A~*, qu'en penses-tu ? 도대체 거기에 대해 어떻게 생각해 ? / *A~* quoi ? 그래서 ? / Non, mais ~ ! 됐어 ! 그만해 ! ***A~ comme ~.*** 《구어》 그때는 그때지. ***~ même que*** + *cond.* 설사 …일지라도 : ~ *même que* vous seriez riche 설사 당신이 부자일지라도. ***~ que*** + *ind.* …때에 ; …인데, …임에 반해 : On la critique ~ *qu*'elle n'est pas responsible. 그녀에게는 책임이 없음에도 불구하고 사람들은 그녀를 비난한다. ***Ça ~ !*** 저런 ! ***Et ~ ? ; A~ quoi ?*** 그러면 ? 그래서 ?
── *m.* 그때, 당시. ***d'~*** 그때의, 당시의 : gens *d'~* 그 당시의 사람들. ***depuis ~*** 그때부터. ***jusqu'~*** 그때까지.

alose [aloːz] *f.* 〚어류〛 청어류(類).

alouette [alwɛt] *f.* 〚조류〛 종달새(= ~ commune, ~ des champs) : Il attend que les ~s lui tombent toutes rôties (dans le bec〔dans la bouche〕). 《속담》 호박이 덩굴째 굴러 들어오기를 기다린다. ***manger comme une ~*** 조금밖에 안 먹다. ***se lever avec les ~s*〔*au chant de l'~*〕** 아침 일찍 일어나다.

alourdi, e [aluʀdi] *adj.* 무거워진 ; 무거운 ; 활발하지 못한, 둔한 : pas ~ 무거운 걸음.

alourdir [aluʀdiːʀ] *v.t.* ① 무겁게 하다(= alléger) ; …에게〔에〕 무거운 짐을 지우다〔싣다〕 : ~ les impôts 세금을 무겁게 하다. ② 둔하게 만들다(= engourdir) : L'âge commençait à l'~. 나이가 들면서 그의 몸은 둔해지기 시작했다. ── **s'~** *v.pr.* 무거워지다 ; 둔해지다 : Sa démarche *s'est alourdie.* 그의 걸음걸이가 느려졌다.

alourdissement [aluʀdismɑ̃] *m.* 무거워짐 ; 둔해짐 ; 침체.

aloyau [alwajo] *m.* (*pl.* ~**x**) 〚요리〛 소의 허리 윗부분 고기.

alpaca〔**ga**〕 [alpaka〔ga〕] *m.* 〚동물〛 알파카 ; 알파카의 털 ; 알파카 나사(羅紗).

alpage [alpaːʒ] *m.* ① (알프스의) 고지 하계 목장. ② (고지 목장의) 방목권. ③ (고지 목장의) 하계 방목 기간(= saison des ~*s*).

alpenstock [alpɛnstɔk] *m.* 등산 지팡이.

alpestre [alpɛstʀ] *adj.* ① 알프스 산맥의 ; 알프스 산맥 특유의 : paysage ~ 알프스 산맥 특유의 경치. ② 〚식물〛 아고산성(亞高山性)의 : plantes ~s 아고산 식물.

alpha [alfa] *m.* ① 그리스 자모의 첫째 글자 (A, α). ② 처음, 최초 ; 최초의 것 : l'~ et l'oméga 처음과 끝. ── *adj.* 〚물리〛 알파 입자〔선〕(= particule ~).

***alphabet** [alfabɛ] *m.* ① 알파벳, 자모 : ~ des aveugles 점자(點字) / ~ morse 모스 부호 / ~ télégraphique 전신 문자. ② 초보, 입문 ; 초보 독본 ; 입문서.

alphabétique [alfabetik] *adj.* 알파벳의, 알파벳순의 : par l'ordre ~ 알파벳순으로 / table ~ 알파벳의 색인 / écriture ~ 〚언어〛 단음 문자.

alphabétisation [alfabetizɑsjɔ̃] *f.* 문맹 퇴치, 문자 교육.

alphabétiser [alfabetize] *v.t.* 알파벳순으로 분류하다. ② (문맹에게) 글을 가르치다. ── *v.i.* 알파벳을 읽다〔쓰다〕.

alpha-numérique [alfanymeʀik] *adj.* 알파벳과 숫자를 결합한.

alphapage [alfapaːʒ] *m.* 문자 표시 호출기.

alpin, e [alpɛ̃, -in] *adj.* ① 알프스의 : chaîne ~*e* 알프스 산맥. ② 〚식물〛 알프스에서 나

는, 고산성의 : plantes ~*es* 고산 식물. ③ 등산의, 산악의 : club ~ 산악회. ***combiné* ~** 알파인 복합 스키. ***race ~e*** 〖인류〗 알프스 인종. ***ski* ~** 알펜스키. —— *m.* 알프스 엽보병(獵步兵)(= chasseur ~). —— *n.* 알프스의 주민.

***alpinisme** [alpinism] *m.* 등산, 등산 취미.

alpiniste [alpinist] *n.* 등산가.

alsacien, enne [alzasjɛ̃, -ɛn] *adj.* 알사스(*Alsace*)의. —— **A~** *n.* 알사스 사람. —— *m.* 게르만어 사투리.

altération [alteʀɑsjɔ̃] *f.* ① 변질(= détérioration) ; 악화 ; 부패 ; 손상 ; 변화 : ~ de voix (사춘기의) 변성; 음성 변조 / ~ d'une marchandise 상품의 손상. ② 왜곡 ; 변조 ; 날조 ; 위조 ; (문서의) 개악 ; (말의) 와전 : ~ de la vérité 진실의 왜곡. ③ (암석의) 풍화. ④ 〖음악〗 전조(轉調) : ~ d'une note 반음 변조. ⑤ 〖의학〗 변성(變性).

altercation [altɛʀkɑsjɔ̃] *f.* 언쟁, 말다툼 : avoir une ~ avec qn …와 언쟁하다.

altéré, e [alteʀe] *adj.* ① 《~ de》 …에 굶주린. ② 돈벌이에 열중한(= ~ de gain). ③ 변질된 ; 악화된. ④ 위조〔날조〕된.

alter ego [altɛʀego] *m.* 《복수불변》 분신 ; 절친한 벗 ; 심복, 동료.

***altérer** [alteʀe] [6] *v.t.* ① 변질시키다 ; (음식물을) 상하게 하다 ; (천 따위의) 색을 바래게 하다 : L'humidité et la chaleur *altèrent* les aliments. 더위나 습기는 음식물을 상하게 한다. ② 악화시키다, (건강을) 해치다(= détériorer) ; (풍속 따위를) 문란하게 하다. ③ 약화시키다(= affaiblir) : ~ l'amitié 우정을 식히다. ④ (암석을) 풍화시키다. ⑤ 왜곡하다 ; (문서를) 날조하다(= falsifier) ; (이야기를) 와전하다 : Ce témoignage *altère* la vérité. 이 증언은 진상을 왜곡하는 것이다. ⑥ 목마르게 하다 : Cette promenade m'*a altéré.* 산책을 했더니 목이 말랐다. —— **s'~** *v.pr.* 변질하다 ; 나빠지다, 상하다, 썩다 ; 변색하다 ; (얼굴이) 변하다 ; 악화되다 ; 약화되다 ; (바위가) 풍화하다 : Sa santé *s'est altérée.* 그의 건강이 악화됐다 / Son visage *s'altéra* 그는 안색이 변했다.

altérité [alteʀite] *f.* 〖철학〗 이타성(異他性).

alternance [altɛʀnɑ̃:s] *f.* 교대, 교체(= alternation) ; 〖농업〗 윤작 ; 〖식물〗 호생(互生) : ~ des générations 〖생물〗 세대 교번.

alternant, e [altɛʀnɑ̃ -ɑ̃:t] *adj.* 갈마드는, 교대하는 ; 교착하는 ; 〖농업〗 윤작의.

alternatif, ive [altɛʀnatif, -i:v] *adj.* ① 번갈아 뒤를 잇는, 교대〔교체〕의. ② 양자택일의, 선택적인. ***courant* ~** 〖전기〗 교류. ***culture ~ive*** 〖농업〗 윤작. —— *f.* ① 교대, 교체 ; 교착, 번갈아 뒤를 잇기. ② 양자택일; 진퇴양난〔유곡〕, 딜레마 : Je vous laisse l'~*ive.* 둘 중의 하나를 택하시오 / Il n'y a pas d'~*ive.* 선택의 여지가 없다. ③ 대안(代案).

alternativement [altɛʀnativmɑ̃] *adv.* 차례로, 번갈아 ; 교대로.

alterné, e [altɛʀne] *adj.* 번갈아 뒤를 잇는, 교대의, 엇갈린, 교착된.

***alterner** [altɛʀne] *v.i.* ① 번갈아 뒤를 잇다, 갈마들다, 교대〔교체〕하다 : Les deux conducteurs *alternèrent* au volant pendant tout le voyage. 여행하는 동안 내내 두 운전수가 교대로 운전했다. ② 《~ avec》 …와 번갈아 뒤를 잇다, 교대하다 : Il *alterne avec* les autres pour veiller. 그는 다른 사람과 교대로 야근한다. ③ 〖농업〗 윤작을 하다. —— *v.t.* 〖농업〗 윤작하다, 번갈아 하다 : ~ l'effort et le repos 일과 휴식을 번갈아 가며 하다.

altesse [altɛs] *f.* 전하(殿下)《경칭》.

altier, ère [altje, -ɛ:ʀ] *adj.* ① 《옛》 드높은, 우뚝 솟은. ② 도도한 ; 거만한, 건방진.

altimètre [altimɛtʀ] *m.* 고도계(高度計).

altiste [altist] *m.* 〖음악〗 ① 알토 가수. ② 비올라 연주자.

***altitude** [altityd] *f.* ① 해발, 표고(標高) : à 500 mètres d'~ ; à l'~ de 500 mètres 표고〔해발〕 500 미터에. ② 고지 : cure d'~ 〖의학〗 고지 치료(법) / mal des ~*s* 〔d'~〕 고지〔고산〕병. ③ 〖항공〗 고도 : prendre de l'~ 상승하다 / L'avion est à l'~ de 5,000 m. 비행기의 고도는 5,000 m이다.

alto [alto] 〖이탈리아〗 *m.* ① 〖음악〗 알토. ② 비올라. ③ 알토 악기《비올라와 첼로의 중간》.

altruisme [altʀɥism] *m.* 애타심 ; 애타〔이타〕주의(≠ égoïsme).

***aluminium** [alyminjɔm] *m.* 〖화학〗 알루미늄.

alun [alœ̃] *m.* 〖화학〗 명반(明礬).

alunir [alyni:ʀ] *v.i.* 달에 착륙하다.

alunissage [alynisa:ʒ] *m.* 달에 착륙하기.

alvéole [alveɔl] *f.* 〔*m.*〕 ① 벌집 구멍(= cellule), 우묵한 곳(= cavité) ; 〖전기〗 소켓 : ~ royale 여왕실. ② 〖해부〗 치조(= ~*s* dentaires) ; 폐포(= ~*s* pulmonaires).

alvéolé, e [alveɔle] *adj.* 벌집처럼 작은 구멍이 있는 ; 벌집 모양의. 「도(道))

A.-M. 《약자》 Alpes-Maritimes《프랑스의

a.m. 〔라틴〕《약자》 ante meridiem 오전.

amabilité [amabilite] *f.* ① 싹싹함, 상냥함(= affabilité), 친절, 호의 ; 애교 : recevoir qn avec ~ …을 호의적으로 영접하다, 환대하다 / avoir l'~ de+*inf.* 친절하게 …하다. ② (흔히 *pl.*) 자상〔친절〕한 배려, 예절 : faire des ~*s* à qn …에게 친절히 대하다. ***Auriez-vous l'~ de*** + *inf.* ***?*** …해 줄 수 없을까요?

amadou [amadu] *m.* 부싯깃.

amadouer [amadwe] *v.t.* 얼러맞추다, 살살 발라맞추다, …에게 아첨하다, 감언이설로 꾀다, 구슬리다 : Il cherche à nous ~ avec de bonne paroles. 그는 감언이설로 우리의 환심을 사려 애쓰고 있다. —— **s'~** *v.pr.* 기분이 좋아지다 ; 화가 풀리다.

***amaigri, e** [amɛgʀi] *adj.* ① 마른, 야윈 ; 용적을 줄인 ; 얇게 한. ② 메말라진, 불모가 된.

amaigrir [amɛ(e)gʀi:ʀ] *v.i.* 여위다, 수척해지다. —— *v.t.* ① 여위게 하다, 홀쭉하게 하다. ② (땅을) 메마르게 하다. ③ 가늘게〔얇게〕 하다. —— **s'~** *v.pr.* 여위다 ; 용적이 줄어들다, 두께가 얇아지다.

amaigrissant, e [amɛgʀisɑ̃, -ɑ̃:t] *adj.* 여위게 하는 : régime ~ 감지(減脂)요법.

amaigrissement [amɛgʀismɑ̃] *m.* ① 홀쭉해짐, 수척해짐, 야윔. ② 줄어짐, 얇아짐.

Amal 《약자》 amiral 제독(提督).

amalgame [amalgam] *m.* ① 〖화학〗 아말

A

감. ② 혼합물, 잡탕. ③ 〖언어〗 중합(重合). ④ 〖군사〗 연합.

amalgamer [amalgame] *v.t.* ① …의 아말감을 만들다, 수은과 화합시키다 : ~ l'or 금을 수은과 화합시키다. ② 혼합시키다 ; 합동〔합병〕시키다. ③ 〖군사〗 연합하다.
— **s'~** *v.pr.* ① 아말감이 되다. ② 혼합되다; 합동〔합병〕되다.

amande [amɑ̃:d] *f.* 〖식물〗 ① 편도(扁桃) : yeux en ~ (편도 모양의) 가늘고 긴 눈. ② (과일의) 씨. ~ ***mystique*** (중세 고딕식 건축에서의 성상(聖像)의) 후광(後光).

amandier [amɑ̃dje] *m.* 편도나무.

amanite [amanit] *f.* 광대버섯속(屬)의 버섯.

***amant, e** [amɑ̃, -ɑ̃:t] *n.* ① 《옛》 애인, 연인. ② (*pl.*) 애인 관계 : Les ~*s* ont rompu. 두 사람의 애인 관계는 끝이 났다. ③ 애호자 : ~ de la nature 자연을 사랑하는 사람.
— *m.* 정부(情夫)《이 경우의 여성형은 maîtresse》.

amarante [amaʀɑ̃:t] *f.* 〖식물〗 맨드라미.
— *adj.* 《불변》 맨드라미 빛의.

amarrage [amaʀa:ʒ] *m.* (배를) 매어 놓기 ; 계선(繫船), 계류(繫留) ; 정박(소) : canon 〔pieu, poteau〕 d'~ 계선주(繫船柱).

amarre [ama:ʀ] *f.* (선박을 매어 놓는) 밧줄, 닻줄 ; (*pl.*) 계선구(繫船具) : navire sur ses ~*s* 정박 중의 배.

amarrer [amaʀe] *v.t.* ① 〖해양〗 (선박을) 매어 놓다, 정박시키다(= attacher) ; (밧줄을 밧줄걸이에) 묶다 : ~ un navire au quai 배를 부두에 정박시키다. ② 묶어 놓다, 고정시키다 ; 《속어》 붙잡다(= retenir) : ~ des caisses sur un camion 트럭 위의 상자들을 밧줄로 묶어 두다. — **s'~** *v.pr.* 매이다 ; 정박하다.

amas [amɑ] *m.* 무더기, 퇴적, 산더미 ; 다량 ; 무리, 떼 ; (재산) 축적 ; (식량의) 저장 : ~ de neige 눈더미 / ~ stellaire 성단(星團).

amasser [amɑse] *v.t.* ① 쌓(아 올리)다(= amonceler), 더미를 만들다(= entasser). ② 축적〔저장〕하다, 모으다; 저축하다 ; 수집하다 : ~ du bien 큰돈을 벌다/ ~ la foule 군중을 모으다. — *v.i.* 돈을 저축하다.
— **s'~** *v.pr.* ① 쌓이다, 축적〔저장〕되다 ; 모이다 : Un orage *s'amasse.* 소나기가 쏟아지려 하고 있다. ② 떼짓다, 군집하다 : Une foule *s'est amassée* autour de lui. 군중이 그의 주위로 모여들었다.

amateur** [amatœ:ʀ] *m.* 《여성형 amatrice는 드묾》 ① 애호자〔가〕, 수집가 : ~ de musique 음악 애호가 / ~ de livres rares 희귀본 수집가/ Elle est ~ de bonne cuisine. 그녀는 미식가이다. ② 소인(素人), 아마추어 : championnat des ~*s* 아마추어 선수권. ③ 《구어》 (물건을) 살 사람, 구매자 : Arrêtez les enchères, je suis ~. 경매를 멈추십시오. 내가 사겠습니다. ***en **~** 도락 삼아, 취미로. — *adj. m.* 애호가의 ; 소인〔아마추어〕의 : musicien 〔peinture〕 ~ 아마추어 음악가〔화가〕.

amateurisme [amatœʀism] *m.* ① 〖스포츠〗 아마추어임〔신분〕 ; 아마추어주의. ② (예술 작품 따위의) 천박성(= dilettantisme).

amazone [amazo:n] *f.* ① (*A*~s) 〖그리스신화〗 아마존《전설적 여자 무인족》. ② 여장부. ③ 승마복을 입은 여자 ; 여자용 승마복.

ambages [ɑ̃ba:ʒ] *f.pl.* 완곡한 말투, 넌지시 돌려 말하기 : parler sans ~ 솔직히 말하다, 단도직입적으로 말하다.

ambassade** [ɑ̃basad] *f.* ① 대사의 직〔사명·역할〕 : envoyer qn en ~ …을 대사로 파견하다. ② 대사관 ; 《집합적》 대사관 직원 ; 사절(使節)(= députation) : attaché d'~ 대사관원. ③ 심부름, 전갈. ***se charger de l'~ 전갈을 부탁받다.

***ambassadeur** [ɑ̃basadœ:ʀ] *m.* ① 대사 : ~ auprès du roi d'Angleterre 주영(駐英) 대사 / ~ ordinaire 상주 대사 / ~ extraordinaire 임시 대사/ accréditer un ~ 대사에게 신임장을 주다. ② 사절 ; 사자 : ~ de la culture française 프랑스 문화 사절. ③ 심부름꾼.

ambassadrice [ɑ̃basadʀis] *f.* ① 대사 부인. ② 여자 대사.

ambi- *préf.* 「양쪽」의 뜻.

ambiance** [ɑ̃bjɑ̃:s] *f.* ① 환경, 분위기(= atmosphère) : ~ hostile 적대적인 분위기 / bonne ~ de travail 좋은 작업 환경. ② 명랑한 분위기, 활기. ***Il y a de l'~ 분위기가 즐겁다〔활발하다〕.

ambiant, e [ɑ̃bjɑ̃, -ɑ̃:t] *adj.* 주위의.

ambidextre [ɑ̃bidɛkstʀ] *adj.* 양손잡이의.
— *n.* 양손잡이《사람》.

:ambigu, ë [ɑ̃bigy] *adj.* 모호한, 애매한, 두 가지 뜻으로 해석되는(= équivoque ; ≠ précis). — *m.* 〖요리〗 잡채 ; 혼합물, 잡탕.

ambiguïté [ɑ̃bigɥite] *f.* (뜻의) 모호(함), 중의성(重義性)(= obscurité), 애매 : sans ~ 명확하게.

ambiophonie [ɑ̃bjɔfɔni] *f.* 서라운드〔입체음향〕 효과.

ambitieusement [ɑ̃bisjøzmɑ̃] *adv.* 대망을 품고, 야심을 가지고.

***ambitieux, euse** [ɑ̃bisjø, -ø:z] *adj.* ① 야심 있는, 대망을 품은 ; 《~ de》 …을 갈망하는 : ~ *du* pouvoir 권력을 노리고 있는 / être ~ *de*+*inf.* …하기를 갈망하다. ② (사물이) 야심적인 : projet ~ 야심적인 계획.
— *n.* 야심가 .

ambition** [ɑ̃bisjɔ̃] *f.* ① 대망, 야심 ; 야망 : jeune homme plein d'~ 야심만만한 젊은이 / avoir l'~ de qc 〔de+*inf.*〕 …에 대한〔하고자 하는〕 야심이 있다 / manquer d'~ 야심이 부족하다. ② 열망, 갈망, 소망. ***mettre son ~ à+*inf.* …할 야심〔대망〕을 품다. ***sans ~*** 야심이 없이〔없는〕.

ambitionner [ɑ̃bisjɔne] *v.t.* 열렬히 추구하다, 갈망〔열망〕하다. **~ *de***+*inf.* 몹시 …하고 싶어하다. **~ *que***+*sub.* …을 열망하다.

ambivalence [ɑ̃bivalɑ̃:s] *f.* ① 〖심리〗 반대 감정의 양립, 양면 감정. ② 양면성 : ~ de l'histoire 역사의 양면성.

ambivalent, e [ɑ̃bivalɑ̃, -ɑ̃:t] *adj.* ① 〖심리〗 반대 감정이 양립한, 양면 감정을 가진. ② 양면성을 지닌.

amble [ɑ̃:bl] *m.* 〖경마〗 측대보(側對步).

ambon [ɑ̃bɔ̃] *m.* 독경대(讀經臺), 설교단.

ambre [ɑ̃:bʀ] *m.* ① 용연향(龍涎香). ② 호박(琥珀)(= ~ jaune) : couleur d'~ 호박색〔황갈색〕. ***un homme fin comme l'~*** 교활한

사나이.

ambré, e [ɑ̃bʀe] *adj.* ① 용연향 냄새가 나는. ② 호박색〔황갈색〕의.

***ambulance** [ɑ̃bylɑ̃:s] *f.* ① 이동 야전 병원 ; 위생대 ; 가설 병원. ② 구급차, 병자용 침대차 ; 부상병 운반차 : transporter qn en ~ …을 구급차로 실어나르다 / Applez une ~ ! 구급차를 부르세요.

ambulancier, ère [ɑ̃bylɑ̃sje, -ɛ:ʀ] *n.* ① 위생대원. ② 구급차 운전수.

ambulant, e [ɑ̃bylɑ̃, -ɑ̃:t] *adj.* ① 순회〔순행・순력〕하는, 이동하는, 돌아다니는 : marchand ~ 행상인 / vie ~*e* 방랑 생활 / comédiens ~*s* 순회 극단 배우. ② 〖의학〗 이행(移行)의. — *m.* ① (철도의) 우편차(= bureau ~) ; 우편차 사무원. ② 행상인.

⁑**âme** [a:m] *f.* ① 영혼, 넋 ; 혼, 망령 : l'immortalité de l'~ 영혼의 불멸 / pays des ~*s* 황천 / prier pour (le repos de) l'~ de qn …의 명복을 빌다. ② 양심 : Les yeux sont le miroir de l'~. 눈은 양심의 거울이다. ③ 정신 ; 마음, 심정 ; 진정 : en avoir l'~ navrée 그 때문에 상심하고 있다 / ~ de bronze 냉혹한 마음 / force d'~ 정신력. ④ 감성, 감수성(= sensibilité) : manquer d'~ ; être sans ~ 냉담하다 / faire vibrer l'~ 심금을 울리다, 깊은 감명을 주다. ⑤ 생명, 목숨. ⑥ 인간, 사람 ; 주민 : ~ basse 〔de boue, de laquais〕 열등〔저속〕한 인간 / grande ~ 큰 인물, 고매한 인물 / ma chère ~ ; ~ de mon ~ 사랑하는 이 / Il y a cent mille ~*s* dans cette ville. 이 도시에는 10만의 인구가 있다. ⑦ 중심인물, 수뇌자 : ~ d'un complot 음모의 수뇌자. ⑧ (사물의) 생명, 중추, 중심 : ~ d'un parti 당의 기본 이념. ⑨ (포(砲)・펌프의) 내강(內腔) ; (바이올린의) 향주(響柱) ; (전선 따위의) 심(心), 심선(心線). ***~ en peine*** 지옥〔연옥〕의 고통을 겪고 있는 넋 ; 괴로움에 떨고 있는 넋. ***~ sœur*** 이상과 취향이 같은 사람. ***avoir charge d'~(s)*** 영혼을 구제하는 임무를 맡다 ; 지도하는 일을 맡다. ***dans l'~*** 마음속으로 ; 전적으로 ; 철두철미 : Il est militaire *dans l'~*. 그는 철두철미한 군인이다. ***de toute son ~*** 마음을 다하여. ***état d'~*** 기분, 정신 상태. ***être ému jusqu'à l'~*** 〔***jusqu'au fond de l'~***〕 깊이 감동되다. ***se donner corps et ~ à*** qn …에게 몸과 마음을 바치다, 온 정성을 다하다.

***amélioration** [ameljɔʀɑsjɔ̃] *f.* ① 개량, 개선, 개수 ; (건강의) 회복 ; 진보, 호전(≠ dégradation), 향상 : ~ de son état de santé 그의 건강 상태의 호전 / ~ du niveau de vie 생활수준의 향상. ② (*pl.*) (토지・가옥 따위의) 개량 작업, 보수 공사.

***améliorer** [ameljɔʀe] *v.t.* 개량〔개선・개수〕하다, 더 좋게〔낫게〕 하다(= embellir) ; …의 가치를 증가시키다 : ~ une maison 집을 개수하다 / lutter pour ~ les conditions de travail 근로 조건의 개선을 위해 투쟁하다. — **s'~** *v.pr.* 개량〔개선・개수〕되다 ; 가치가 증가하다 : Ma santé ne *s'est* pas *amélioreé*. 나의 건강은 호전되지 않았다.

amen [amɛn] *interj.* 아멘(= Ainsi soit-il). — *m.* 《복수불변》 ① 아멘. ② 동의, 찬성 : dire (oui et) ~ à qc …에 동의하다.

amenage [amna:ʒ] *m.* ① 수송, 운송 : frais d'~ 운임. ② 〖기계〗 가공 원료의 공급.

aménagement [amenaʒmɑ̃] *m.* ① 정리, 정돈, 정비 ; (집 따위에) 설비를 갖추기 ; 꾸미기. ② 설비 ; 비품. ③ 벌채〔벌초〕 구역을 정하기. ***~ du temps*** 시간의 계획적 이용. ***~ du territoire*** 국토 정비〔개발〕.

***aménager** [amenaʒe] [3] *v.t.* ① (집 따위에) 설비를 갖추다; (용도에 맞게) 꾸미다 ; 정리〔정돈・정비〕하다(= arranger) : ~ une usine 공장을 정비하다 / Le rez-de-chaussée *avait été aménagé* en laboratoire. 1층은 실험실로 꾸며져 있었다. ② 개조〔개수〕하다 : ~ une petite pièce en bureau 작은 방을 사무실로 개조하다. ③ (삼림의) 벌채〔벌초〕 구역을 정하다 ; 구획 정리하다 : ~ une forêt 산림의 벌채를 규제하다.

amendable [amɑ̃dabl] *adj.* ① 개량〔개선・수정〕할 수 있는. ② 〖고대법〗 벌금으로 갚을 수 있는.

amende [amɑ̃:d] *f.* ① 벌금(형) : ~ de 500 francs, 500 프랑의 벌금 / encourir une ~ 벌금을 부과받다. ② 사죄 : faire ~ honorable 공개적으로 용서를 빌다〔사죄하다〕. ***condamner*** qn ***à l'~*** 〔***une ~***〕 ***; mettre*** qn ***à l'~ ; frapper*** qn ***d'une ~ ; infliger une ~ à*** qn …을 벌금형에 처하다.

amendement [amɑ̃dmɑ̃] *m.* ① 개량, 개선 ; (토지를) 비옥하게 하기 ; (*pl.*) 비료. ② (법안의) 수정 ; 수정안. ③ 《옛》 건강의 회복.

amender [amɑ̃de] *v.t.* ① 개량〔개선〕하다 ; (땅을) 비옥하게 하다. ② 〖정치〗 (법안을) 수정하다 : ~ une proposition de loi 법률안을 수정하다. ③ 《~ qn》 …의 행실〔결점〕을 고쳐 주다. — **s'~** *v.pr.* ① 개량〔개선〕되다 ; 좋아지다. ② 행실〔결점〕을 고치다.

amène [amɛn] *adj.* ① 《드물게》 기분 좋은, 우아한, 아담한(= agréable). ② 《문어》 온순한, 온후한 ; 싹싹한, 상냥한.

⁑**amener** [amne] [4] *v.t.* ① ⓐ 데리고 오다 ; 운반하다, 가져오다 ; 이끌어 오다 ; 끌어당기다 : Il m'*a amené* à la gare dans sa voiture. 그는 나를 차에 태워 역에 데려다 주었다 / Le train *amène* le charbon à Paris. 기차는 파리까지 석탄을 운반한다. ⓑ 《~ à 〔dans〕》 …으로〔에〕 데려〔가져〕오다 ; …으로〔에〕 이끌어 들이다, 도입하다 : ~ l'eau *dans* une maison 집에 수도를 끌다. ② 이끌다, 인도하다 : ~ qn à son opinion …을 설득하여 자기 의견에 동의시키다 / Il *a été amené* peu à peu à modifier sa manière de penser. ③ 《주어 : qc》 초래하다, 야기시키다, 일으키다(= occasionner): Cet accident *a amené* sa mort. 그 사고는 그의 죽음을 가져왔다. ④ 〖해양〗 (돛・기 따위를) 내리다 : ~ les voiles 돛을 내리다 / ~ une embarcation 보트를 내리다. ⑤ 교묘하게 준비하다 : remarque bien *amenée* 적절한 주의. ***Quel bon vent vous amène ?*** 무슨 바람이 불어 이렇게 오셨습니까? — **s'~** *v.pr.* 《속어》 오다(= venir) : *Amène-toi* ici! 이리 오너라!

aménité [amenite] *f.* ① 온후, 온순 ; 상냥함, 친절. ② (문체의) 우아함 ; 아담함.

aménorrhée [amenɔʀe] *f.* 무월경(無月經), 월경 폐지〔감소〕.
amenuisement [amnɥizmɑ̃] *m.* ① 엷게 함. ② (깎아서) 작게 하기. ③ 당세 쇠퇴.
amenuiser [amnɥize] *v.t.* (깎아서) 작게 만들다 ; 얇게 하다(= amincir). — **s'~** *v.pr.* ① 작아〔얇아〕지다. ② (당세가) 쇠퇴하다.
amer[1] [amɛ:ʀ] *m.* 〖해양〗 항로 표지.
amer**[2], **ère** [amɛ:ʀ] *adj.* ① 쓴(= âpre), 씁쓸한 : goût ~ 쓴맛 / avoir la bouche *~ère* 입안이 쓰다. ② 쓰라린, 슬픈, 뼈저린, 비통한(= douloureux) : larmes *~ères* 비통한 눈물 / expérience *~ère* 쓰라린 경험 / Il est bien ~ à qn de + *inf.* …하는 것은 …에게는 견딜 수 없는 일이다. ③ 신랄한, 가혹한(= mordant, dur) : ironie *~ère* 신랄한 풍자〔야유〕/ faire d'~*s* reproches à qn …을 가혹하게 비난하다. ~ ***comme chicotin 〔***la suie***〕 지독하게 쓴. — *m.* 쓴 것 ; 담즙(膽汁).
amèrement [amɛʀmɑ̃] *adv.* 쓰라리게, 뼈아프게, 비통하게 ; 신랄하게, 가혹하게 : critiquer ~ 신랄하게 비난하다.
américain, e** [ameʀikɛ̃, -ɛn] *adj.* ① 아메리카(대륙)의 : continent ~ 아메리카 대륙. ② 아메리카 합중국의, 미국의. ***à l'~e 아메리카 식으로(의). ***avoir l'œil ~*** 《구어》 관찰력이 예리하다, 빈틈없다. ***vol à l'~e*** 우선 신용을 얻어 놓고서 행하는 사기. — **A~** *n.* 아메리카 사람, 미국인 : ~ du Sud 남아메리카 사람. — *m.* 미국어, 미국식 영어. — *f.* 경쾌한 4륜 마차 ; 미국제 자동차.
américanisation [ameʀikanizɑsjɔ̃] *f.* 아메리카화, 미국화.
américaniser [ameʀikanize] *v.t.* 미국식으로 만들다, 아메리카화〔미국화〕하다. — **s'~** *v.pr.* 아메리카〔미국화〕하다.
américanisme [ameʀikanism] *m.* ① 아메리카〔미국〕식. ② 《구어》 미국 숭배, 친미 경향. ③ 아메리카 연구. ④ 〖언어〗 미국 어법.
amérindien, enne [ameʀɛ̃djɛ̃, -ɛn] *adj.* 아메리카 인디언의. — **A~** *n.* 아메리카 인디언. — *m.* 아메리카 인디언어(語).
Amérique [ameʀik] *n.pr.f.* 아메리카. ~ ***du Nord*** 〔***Sud***〕 북〔남〕아메리카.
amérir [ameʀi:ʀ], **amerrir** [amɛʀi:ʀ] *v.i.* 〖항공〗 (비행기가) 바다에 내리다, 착수(着水)하다.
amérissage [ameʀisa:ʒ], **amerrissage** [amɛʀisa:ʒ] *m.* 〖항공〗 착수.
amertume [amɛʀtym] *f.* ① 쓴맛(≠ douceur). ② 고통, 쓰라림 ; 슬픔 ; 고초, 고난(= peine) : ~*s* de la vie 인생의 고초 / boire le calice d'~ 쓴 잔을 마시다 / ressentir l'~ d'un échec 좌절의 쓴맛을 보다. ③ 신랄함, 가혹함 : ~ de ses sarcasmes 그의 신랄한 빈정거림 / avec ~ 신랄하게.
améthyste [ametist] *f.* 〖광물〗 자수정(紫水晶). — *adj.* 《불변》 자수정빛의.
***ameublement** [amœbləmɑ̃] *m.* ① 《집합적》 가구(= meuble) ; 가구의 설치. ② 실내 장식 : tissus d'~ 실내 장식용 직물.
ameublir [amœbli:ʀ] *v.t.* ① 〖법률〗 (남편 또는 처의 부동산을) 부부 공유 재산에 넣다 ; (부동산을) 동산화하다. ② 〖농업〗 (토지를) 부드럽게 하다, 갈기 쉽게 하다.
ameublissement [amœblismɑ̃] *m.* ① (부동산의) 동산화. ② 토지를 부드럽게 하기.
ameuter [amøte] *v.t.* ① (사냥개를) 불러 모으다. ② (폭도를) 모으다 ; 선동하다(= soulever). ③ (화를) 돋우다, 흥분시키다.
— **s'~** *v.pr.* ① (사냥개가) 모여 떼를 짓다. ② 떼지어 모이다(= s'attrouper) ; (모여서) 폭도화하다.
‡**ami, e** [ami] *n.* ① 동무, 친구, 벗(≠ ennemi) : grand ~ 절친한 친구 / un de mes vieux ~*s* 나의 오랜 친구 중의 하나 / Hé l'~ ! 《구어》 여보게! ② 애호가 : ~ de la bouteille 애주가 / les ~*s* du livre 애서가(愛書家)들(= les bibliophiles). ③ 우방, 동맹국 ; 후원자 ; 지지자, 자기편 : nos ~*s* et alliés 프랑스의 우방과 동맹국. ④ 연인, 정부(= maîtresse) : Son petit ~ 그녀의 애인. ***~ de cœur*** 친우. ***~ de cour*** 불실한 벗. ***~ d'enfance*** 죽마지우. ***bon ~*** 〔***bonne ~e***〕 애인. ***en ~*** 친구로서. ***être ~ avec*** qn …와 친하게 지내다. ***mon ~*** 여보게, 이 사람아. — *adj.* ① 《~ de》 …을 애호하는, 사랑하는 : Il est ~ *des* arts. 그는 예술 애호가이다. ② 우정으로 결합된, 자기편의, 우방의 : peuples ~*s* 우방 국민 / main ~*e* 우정의 손길. ③ 호의적인, 다정한 : voix ~*e* 다정한 목소리. ④ 유리한, 순조로운, 다행한 : destins ~*s* 행운 / vents ~*s* 순풍. ⑤ 잘 어울리는 : couleurs ~*es* 잘 조화된 색채.
amiable [amjabl] *adj.* 화해적인, 합의로 이루어진, 타협적인. ***à l'~*** 합의하여, 협상으로 : divorce *à l'~* 합의 이혼 / règlement *à l'~* 협상에 의한 해결. ***~ compositeur*** 조정인, 중재인. ***nombres ~s*** 〖수학〗 친화수.
amiante [amjɑ̃:t] *m.* 〖광물〗 석면 : fibres d'~ 석면 섬유 / poussières d'~ 석면 가루.
amibe [amib] *f.* 〖동물〗 아메바.
***amical, e, aux** [amikal, -o] *adj.* ① 우정 어린 ; 친절한, 정다운 : ton ~ 친근한 어조 / mon ~ souvenir 나의 정다운 추억. ② (경기 따위가) 우호적인, 친선의 : match ~ 친선 경기 / relations ~*es* 우호적 관계.
— *f.* 친목회 ; 동창회 ; 클럽 : ~*e* des anciens élèves 졸업생 동창생 / ~*e* des anciens com battants 재향 군인회.
***amicalement** [amikalmɑ̃] *adv.* 우정을 기울여 ; 친절히 ; 정답게 : *À~* vôtre. 안녕히 《우정을 표시하는 편지의 결구》.
amidon [amidɔ̃] *m.* 전분, 녹말 : empeser une chemise à l'~ 와이셔츠에 풀을 먹이다.
amidonnage [amidɔna:ʒ] *m.* 풀 먹이기.
amidonner [amidɔne] *v.t.* (녹말풀로) …에 풀을 먹이다 ; 푸새하다.
amincir [amɛ̃si:ʀ] *v.t.* ① 가늘게〔얇게〕 하다 ; (몸 따위를) 야위게 하다(= amaigrir) : visage *aminci* 핼쑥해진 얼굴. ② 날씬해 보이게 하다 : vêtement qui *amincit* la taille 몸을 날씬해 보이게 하는 옷. — **s'~** *v.pr.* ① 가늘어〔얇아〕지다. ② 날씬해지다.
amincissant, e [amɛ̃sisɑ̃, -ɑ̃:t] *adj.* 날씬해 보이게 하는. 「게 되기 ; 날씬해지기.
amincissement [amɛ̃sismɑ̃] *m.* 가느다랗
amiral, aux [amiʀal, -o] *m.* ① 해군 대장〔장성〕; (해군) 사령관(= grand ~). ② 기함

(旗艦)(= vaisseau ~). ***contre-~*** 해군 소장. ***vice-~*** 해군 중장. — *adj.* 해군 대장〔장성〕이 타고 있는 : vaisseau ~ 기함.

amitié** [amitje] *f.* ① 우정, 우의 ; (국가 간의) 친선 : ancienne 〔solide〕 ~ 오랜〔돈독한〕 우정 / traité d'~ 우호 조약 / J'ai une constante ~ pour elle. 나는 그녀에게 변함없는 우정을 가지고 있다. ② 친절, 호의(= bienveillance) : recevoir qn avec ~ …을 환대하다. ③ 애정 : ~ de père 어버이의 사랑. ④ (*pl.*) 우정의 표시 ; 애무 ; 친절한 말 ; 선물. ***A~s 〔***Mes ~s***〕 ***à tout le monde.*** 여러분께 안부 전해 주십시오. ***être*** 〔***vivre***〕 ***en ~*** 〔***sur un pied d'~***〕 ***avec*** qn …와 사이가 좋다〔사이좋게 지내다〕. ***Faites*** 〔***Présentez***〕 ***mes ~s à votre père.*** 아버님께 안부 전해 주십시오. ***Faites-moi l'~ de***+*inf.* …해 주시면 감사하겠습니다. ***par ~*** 우정으로〔에서〕 ***se lier d'~ avec*** qn ***; nouer*** 〔***faire***〕 ***~ avec*** qn …와 우정을 맺다.

ammoniac, que[1] [a(m)mɔnjak] *adj.* 암모니아의. — *m.* 암모니아.

ammoniaque[2] [a(m)mɔnjak] *f.* 〔*m.*〕 〖화학〗 ① 암모니아. ② 암모니아수(水).

ammonite [a(m)mɔnit] *f.* 〖고대생물〗 국석(菊石), 암몬조개, 암모나이트.

amnésie [amnezi] *f.* 〖의학〗 건망증 ; 기억 상실.

amnésique [amnezik] *adj.* 건망증에 걸린 ; 기억 상실증의. — *n.* 건망증 환자 ; 기억 상실증에 걸린 사람.

amnistie [amnisti] *f.* ① 대사(大赦), 특사(= grâce) ; 사면. ② 용서(= pardon).

amnistier [amnistje] *v.t.* ① …에게 대사〔특사〕를 내리다. ② 용서하다 : ~ qn d'une faute ; ~ une faute de qn …의 죄를 용서하다. — **s'~** *v.pr.* ① 특사를 받다. ② 용서받다.

amocher [amɔʃe] *v.t.* 《속어》 (얼굴 따위에) 상처를 입히다(= blesser) ; 파괴하다(= esquinter) ; (군대를) 몰살하다 : Il lui *a amoché* la figure. 그는 그 사람의 얼굴에 상처를 입혔다. — **s'~** *v.pr.* 상처를 입다, 약해지다 ; 추해지다 ; 쓸모없어지다 : Il *s'est* bien *amoché* en tombant. 그는 넘어지면서 상처를 입었다.

amoindrir [amwɛ̃dʀiːʀ] *v.t.* 작게 하다, 줄이다, 감소〔축소〕시키다 ; 감퇴시키다 : ~ l'autorité de qn …의 권위를 약하게 하다 / ~ la fortune 재산을 감소시키다 / cette maladie *a amoindri* sa résistance physique. 그 병이 그의 체력의 저항력을 감퇴시켰다. — **s'~** *v.pr.* 작아지다 ; 줄다, 감소〔축소〕되다 ; 감퇴하다 ; (사람이) 가치〔품위〕가 떨어지다.

amoindrissement [amwɛ̃dʀismɑ̃] *m.* 감소 ; 축소(= diminution) ; 쇠약 : ~ du revenu 수입의 감소.

amollir [amɔliːʀ] *v.t.* ① 무르게 하다, 부드럽게 하다(≠ durcir). ② 나약하게 하다, 약하게 하다(= affaiblir) ; (용기를) 꺾다 ; 좌절시키다 : La paresse *amollit* le corps et l'esprit. 나태는 심신을 약하게 하다.
— **s'~** *v.pr.* ① 무르게〔부드럽게〕 되다 : Il *s'est amolli* depuis son mariage. 그는 결혼한 이래 성격이 부드러워졌다. ② 나약해지다 ; (감정이) 누그러지다 ; (용기가) 꺾이다.

amollissant, e [amɔlisɑ̃, -ɑ̃ːt] *adj.* ① 무르게 하는, 부드럽게 하는. ② 누그러지게 하는 ; (용기를) 꺾는 ; 나약하게 만드는 : climat ~ 몸을 나른하게 하는 기후.

amollissement [amɔlismɑ̃] *m.* ① 무르게 하기, 부드럽게 되기 ; (용기를) 꺾기 ; 나약하게〔약하게〕 하기 : ~ de la volonté 의지가 꺾임. ② 무기력, 쇠약 : ~ des tissus (인체) 조직의 쇠약.

amonceler [amɔ̃sle] [5] *v.t.* ① 쌓아 놓다〔올리다〕(= entasser, amasser) ; (바람이 구름을 한군데로) 모으다 : ~ les sables 모래를 쌓아 올리다. ② (증거 따위를) 수집하다 ; (재산을) 축적하다 : ~ des preuves contre un accusé 피고인의 유죄 증거를 모으다. — **s'~** *v.pr.* 쌓이다 ; 모이다, (구름이) 몰려오다, 수집되다 ; 축적되다 : Les livres *s'amoncellent* sur sa table. 그의 책상 위에는 책들이 산더미처럼 쌓인다.

amoncellement [amɔ̃sɛlmɑ̃] *m.* ① 쌓아 놓기 ; 모으기 ; 축적. ② 쌓인 것 ; 더미 : ~ de lettres 산더미같이 쌓인 편지들 / ~ des capitaux 자본의 축적.

amont [amɔ̃] *m.* ① (강의) 상류(上流)(≠ aval) : pays d'~ 상류 지방 / vent d'~ 상류에서 불어오는 바람. ② 전(前) 단계. ***en ~*** (***de***) …의 상류에, 사전에, 미리.

amoral, e, aux [amɔʀal, -o] *adj.* 도덕과는 무관한, 초〔무 · 비〕도덕〔윤리〕적인(≠ moral).

amoralisme [amɔʀalism] *m.* ① 무도덕주의 ; 도덕관념의 부재. ② 〖철학〗 부도덕설.

amoralité [amɔʀalite] *f.* 무도덕성.

amorçage [amɔʀsaːʒ] *m.* ① amorcer 하기. ② 〖군사〗 작렬(炸裂) 장치.

amorce [amɔʀs] *f.* ① 미끼 ; 밑밥 ; (새의) 먹이 ; 유혹 : ~ de fond (낚시의) 밑밥. ② (총포의) 화약 ; 뇌관(雷管) ; 도화선 ; (펌프의) 마중물. ③ 시초, 실마리 : ~ d'une négociation véritable 본격적인 협상의 시초. ***sans brûler une ~*** 총을 한 방도 쏘지 않고서. ***se laisser prendre à l'~*** 미끼〔유혹〕에 걸리다.

amorcer [amɔʀse] [2] *v.t.* ① …에 미끼를 달다 ; 밑밥으로 유인하다 : ~ l'hameçon 낚싯바늘에 미끼를 달다. ② 유혹〔유인〕하다, 꾀다. ③ …에 뇌관을 장치하다 ; (총포에) 화약을 다져 넣다 : ~ un canon 대포에 화약을 넣다. ④ (펌프에) 마중물을 붓다. ⑤ (이야기 따위를) 시작하다(= commencer) ; (건설에) 착수하다 ; (건물을) 기공하다 ; (기계를) 시동시키다 : ~ des négociations 협상을 시작하다 / ~ un geste 몸짓을 해보이다. — **s'~** *v.pr.* 시동하다 ; 시작되다(= débuter).

***amorphe** [amɔʀf] *adj.* ① 〖생물〗 무정형의. ② 〖광물〗 비결정의, 비정질(非晶質)의 : substances ~*s* 비결정 물질. ③ 《구어》 개성이 없는. ④ 원기가 없는, 무기력한(≠ vif).

amorti, e [amɔʀti] *adj.* ① 약해진. ② 감가(減價)상각된. — *m.* 〖축구〗 공을 멈추기 ; 〖테니스〗 드롭 샷. — *n.* 《구어》 성인.

amortir [amɔʀtiːʀ] *v.t.* ① 약하게 하다 ; 완화〔경감 · 감소〕하다 ; (소리를) 죽이다 ; (빛

깔·광선 따위를) 연하게 하다; (열정 따위를) 누그러뜨리다; (감각을) 무디게 하다(= émousser) : tampon destiné à ~ un choc 충격 흡수용 완충기. ② (고기를) 연하게 하다. ③ 〖상업〗 (할부로) 상환하다(= rembourser), 상각(償却)하다 : ~ une dette 부채를 할부로 상환하다 / ~ les équipements de production 생산 설비를 감가상각하다. — **s'~** *v.pr.* ① 약해지다, 완화〔경감·감소〕되다; (감각이) 무뎌지다. ② (고기가) 연해지다. ③ 〖상업〗 상각되다.

amortissement [amɔʀtismɑ̃] *m.* ① 약화, 완화, 감소, 소멸; 누그러뜨리기; 감속; 〖물리〗 감폭(減幅) : ~ d'un choc 충격 완화. ② 〖상업〗 상각 : ~ d'une voiture 차량의 감가상각. ***fonds*** 〔***caisse***〕 ***d'~*** 〖상업〗 감채(減債) 기금.

amortisseur [amɔʀtisœːʀ] *m.* ① 〖기계〗 제동 장치; 〖항공〗 완충 장치 : ~s d'une automobile 자동차의 제동 장치 / ~ d'avion (착륙 때의) 비행기의 완충 장치. ② 소음기(消音器)(= ~ de son).

‡**amour** [amuːʀ] *m.* 《복수는 여성이지만 요즈음은 흔히 남성으로 사용됨》 ① 사랑, 애정(≠haine); 동물의 암내, 발정(= rut); 연애 : ~ de 〔envers, pour〕 qn 〔qc〕 …에 대한 사랑, 애정 / premières ~s 첫사랑 / mal d'~ 상사병 / saison des ~s 교미 시기 / ~ maternel 〔paternel〕 모성〔부성〕애 / ~ de la patrie 조국애, 애국심 / ~ du prochain 이웃 사랑 / être en ~ 암내가 나다. ② 사랑하는〔귀여운〕 것〔사람〕, 애인 : mon ~; 《옛》 m'~ 여보, 얘야《남편·부인·딸·애인에 대한 애칭》 / Tu es mon ~. 그대는 나의 애인〔사랑〕이다 / un de mes anciennes ~s 나의 옛날 애인의 한 사람. ③ (*A~, a~*) 사랑의 신; 사랑의 신의 그림〔조각〕 : Elle est belle comme l'~ 〔un ~〕. 그녀는 사랑의 천사처럼 아름답다. ④ 기호, 애착, 열의 : ~ de la musique 음악에 대한 열의 / avoir l'~ de la science 학문을 즐기다. ***avec ~*** 정성들여. ***faire l'~*** (***avec*** qn) (…와) 육체관계를 맺다. ***Il n'y a point de laides ~s.*** 《속담》 제 눈의 안경이다. ***pour l'~ de*** …을 위하여; …때문에. ***s'éprendre d'~ pour*** qn …와 사랑에 빠지다. ***un ~ de...*** 《구어》 아주 예쁜 … : *un ~ de* chapeau 아주 예쁜 모자 / *un ~ d'*enfant 아주 예쁜 어린애.

amouracher (s') [samuʀaʃe] *v.pr.* 《s'~ de》 …에게 반하다. 「운 연정.

amourette [amuʀɛt] *f.* 일시적 사랑, 가벼

amoureusement [amuʀøzmɑ̃] *adv.* 애정을 기울여, 정답게, 순정껏; 연정을 품고.

***amoureux, euse** [amuʀø, -øːz] *adj.* ① 《~ de》 …에게 반한, …을 사랑하는; 애호하는 : tomber ~ *de* qn 〔qc〕 …와 사랑에 빠지다. ② 애정의, 사랑의 : vie ~*euse* 애정생활. ③ 애정을 품은; 다정한; 요염한 : regards ~ 사랑의 눈길. ④ 사랑에 약한, 쉽사리 사랑에 빠지는 : tempérament ~ 쉽사리 사랑에 빠지는 기질. — *n.* ① 사랑을〔연애를〕 하는 사람; 연인; 애인; 열애자 : son ~ 그의〔그녀의〕 애인 / ~ transi 소심한〔수줍은〕 애인. ② 〖연극〗 연인 역 : jouer les ~ 연인 역을 하다.

amour-propre [amuʀpʀɔpʀ] *m.* (*pl.* ~***s***-~***s***) ① 자존심, 자부심, 자만심 : blessures d'~ 자존심의 상처 / dénudé d'~ 자존심이 없는. ② 《옛》 이기심, 이기주의(= égoïsme).

amovible [amɔvibl] *adj.* ① (공무원을) 전임〔파면·해임〕시킬 수 있는; (직무가) 이동〔경질〕될 수 있는 : fonction~ 경질될 수 있는 직무. ② 〖기계〗 바꿔 끼울 수 있는.

amp. 《약자》 ampère 〖전기〗 암페어.

ampère [ɑ̃pɛːʀ] *m.* 〖전기〗 암페어.

amphi [ɑ̃fi] *m.* 《학생은어》 ① 계단 강의실. ② 강의(= cours). ③ 구두 발표(= exposé).

amph(i)- *préf* 「이중의·양측의」의 뜻.

amphibie [ɑ̃fibi] *adj.* ① 〖생물〗 수륙 양서(兩棲)의. ② 이중성격의; 정견 없는.

amphibole [ɑ̃fibɔl] *f.* 〖광물〗 각섬석(角閃石). — *adj.* 모호한, 불명확한.

amphibologie [ɑ̃fibɔlɔʒi] *f.* 모호한 문구〔어법〕; 〖논리〗 문의 불명(文意不明).

amphigouri [ɑ̃figuʀi] *m.* ① 뜻 모를 말, 횡설수설. ② 〖문학〗 난해한 작품.

amphithéâtre** [ɑ̃fiteɑːtʀ] *m.* ① 〖고대로마〗 원형 경기장. ② 계단 강당〔강의실〕; 해부실 : ~ d'anatomie 해부 교실. ③ 〖연극〗 (극장의) 계단식 좌석. ***en ~ 층층으로 높아진 : Les collines s'élèvent〔vont〕 *en ~*. 언덕들이 층층으로 높아져 있다.

amphitryon [ɑ̃fitʀijɔ̃] *m.* 주인 (역); (식사의) 접대역.

amphore [ɑ̃fɔːʀ] *f.* ① 〖고대그리스·로마〗 손잡이가 둘 달린 항아리. ② 항아리, 단지.

***ample** [ɑ̃ːpl] *adj.* ① 넓은, (≠ étroit); 여유 있는, (옷 따위가) 헐렁한, 낙낙한 : jupe ~ 헐렁헐렁한 치마. ② 수북한, 풍부한(= abondant); 충분한; 넉넉한; 상세〔자세〕한 : discours ~ 장황한 연설 / ~ moisson 풍부한 수확 / sujet très ~ 매우 광범위한 주제 / Donnez-moi de plus ~s renseignements. 좀 더 상세한 정보를 주십시오.

amplement [ɑ̃pləmɑ̃] *adv.* 넓게; 넉넉히, 충분히; 자세〔상세〕하게; 여유 있게 : gagner ~ sa vie 여유 있는 생활을 하다.

ampleur [ɑ̃plœːʀ] *f.* ① 넓음; 넓이; (옷 따위가) 헐렁함 : donner plus ou moins d'~ à une jupe 치마에 다소 여유를 두다. ② 풍부함; 넉넉함; 상세〔자세〕함; 폭넓음; (규모 따위가) 큼 : ~ de formes 풍만한 몸 / 《d'une ~+품질형용사》 La perte était *d'une ~* inouïe. 손실은 엄청난 규모였다. ***prendre de l'~*** 살찌기 시작하다; (규모가) 커지다.

ampli [ɑ̃pli] *m.* 〖무전〗 앰프, 증폭기.

ampliation [ɑ̃plijasjɔ̃] *f.* ① 확대. ② 등본, 부본 : ≪Pour ~≫ 「원본과 틀림없음」.

amplifiant, e [ɑ̃plifjɑ̃, -ɑ̃ːt] *adj.* 확대하는, 크게 보이게 하는 : verre ~ 확대경.

amplificateur, trice [ɑ̃plifikatœːʀ, -tʀis] *adj.* 확대하는, 증폭하는 : circuit ~ 증폭 회로. — *m.* 〖사진〗 확대기; 〖전기〗 증폭기.

amplification [ɑ̃plifikasjɔ̃] *f.* ① 확대. ② 부연; 과장. ③ 〖전기〗 증폭.

***amplifier** [ɑ̃plifje] *v.t.* ① 확대하다, 증대시키다 : ~ la production des céréales 곡물을 증산하다. ② 상세히 설명하다, 윤색하다, 부연하다; 과장하다(= exagérer) : Les journaux *amplifièrent* le scandale. 신문들은 스캔들을 과장해서 떠들어댔다. ③ 〖전기〗 증폭하다 : ~ le son à l'aide d'amplicateur 앰프로 음을 증폭하다. — **s'~** *v.pr.* 확대되다 ; 증대되다.

amplitude [ɑ̃plityd] *f.* ① 넓이, 폭. ② 광대함 ; 범위 ; 강도.

***ampoule** [ɑ̃pul] *f.* ① 유리병 : ~ de laboratoire 실험용 유리병. ② 전구 : ~ de 200 watts, 200 와트의 전구. ③ 〖의학〗 물집, 수포(水疱) : petite ~ (sur la peau) 수종(水腫). ④ 〖의학〗 (주사약의) 앰플.

ampoulé, e [ɑ̃pule] *adj.* ① 과장된 ; 표현만 훌륭하고 내용은 빈약한. ② 물집이 생긴.

amputation [ɑ̃pytɑsjɔ̃] *f.* ① 절단 ; 생략 ; 삭제 ; 단축, 축소. ② 〖외과〗 절단 (수술) : subir l'~ d'une jambe 다리를 절단하는 수술을 받다.

amputé, e [ɑ̃pyte] *adj.* 잘라진, 절단된. — *n.* 절단 수술을 받은 사람 : ~*s* de la guerre 상이군인.

amputer [ɑ̃pyte] *v.t.* ① 자르다, 절단하다 ; 절단 수술하다(=couper) : Il faut lui ~ la jambe droite. 그는 오른쪽 다리의 절단 수술을 받아야 한다. ② 생략하다 ; 삭제하다(=retrancher) ; 축소〔단축〕하다 : ~ le budget des dépenses non productive 비생산적인 지출에 대한 예산을 삭감하다. — **s'~** *v.pr.* 자기의 …을 절단하다.

amulette [amylɛt] *f.* 호부(護符), 부적.

‡**amusant, e** [amyzɑ̃, -ɑ̃:t] *adj.* 재미있는, 즐거운, 흥미있는(=plaisant, divertissant) : jeu ~ 재미있는 놀이 / film ~ à voir 보기에 재미있는 영화 / C'est ~ que+*sub.* 〔de+*inf.*〕 …하는 것은 재미있다.

amuse-gueule [amyzgœl] *m.* 《복수불변》 아페리티프와 함께 먹는 비스킷 따위.

amusement [amyzmɑ̃] *m.* ① 즐기기, 즐겁게 하기 : Les jouets servent à l'~ des enfants. 장난감은 아이들을 즐겁게 하는 데 쓰인다. ② 즐거움, 재미. ③ 놀이, 오락, 유희, 장난 ; 여흥(= divertissement, récréation) ; 심심풀이 : Cela n'est qu'un ~ pour lui. 그것은 그에게는 한낱 어린애 장난에 지나지 않는다. ***faire*** qc ***pour son ~*** …을 장난삼아〔심심풀이로〕 하다.

‡**amuser** [amyze] *v.t.* ① 즐겁게 하다, 재미나게 하다(=divertir, réjouir), 웃기다 : Le cirque *amuse* les enfants. 서커스는 애들을 즐겁게 해 준다 / Tu m'*amuses*. 너는 나를 데리고 노는구나 / Ça m'*amuse*, de jouer au football. 나는 축구라는 것이 재미있다. ② 《옛》 시간을 낭비하게 하다. ③ (농간부려) …의 관심을 사로잡다 ; (적당히 얼버무려) 속이다(=duper) : *Amuse*-le pendant qu'on ouvrira son coffre. 그의 금고를 열 동안 그 사람에게 적당히 수작을 걸게. ④ (슬픔·고통 따위를) 달래다. — **s'~** *v.pr.* ① 즐기다, (재미있게) 놀다(≠ s'ennuyer) : Il *s'amuse* au lieu de travailler. 그는 공부하지 않고 놀고 있다. ② 《s'~ de》 …을 비웃다, 조소하다, 놀리다(=se moquer). ③ 소일하며, 시간을 보내다, 빈둥거리다 : *s'*~ en route 도중에서 빈둥거리다. ***faire*** 〔***dire***〕 qc ***pour s'~*** 장난삼아 …을 하다, 농담으로 … 말을 하다.

s'~ à qc 〔+*inf.*〕 …하며 즐기다 : Je *me suis amusé à* ce film. 나는 이 영화를 재미있게 보았다 / Les enfants *s'amusent à* sauter à la corde. 아이들은 줄넘기를 하며 논다.

amusette [amyzɛt] *f.* 《구어》 심심풀이, 장난 ; 장난감, 노리개.

amuseur, euse [amyzœːʀ, -øːz] *n.* (말 따위를) 재미나게 하는 사람, 농담꾼.

amygdale [ami(g)dal] *f.* 〖해부〗 편도선(扁桃腺) : inflammation des ~*s* 편도선염.

amylacé, e [amilase] *adj.* 전분질의, 녹말의 ; 전분을 함유한. — *f.pl.* 전분, 녹말.

‡**an** [ɑ̃] *m.* ① 《기수+~》 연(年), 해 : dix ~*s* après, 10 년 후에 / pendant deux ~*s*, 2 년 동안 / Il a loué cette masion pour un ~. 그는 이 집을 1 년 계약으로 세냈다 / Il est malade depuis trois ~*s*. 그는 3 년 전부터 병석에 있다. ② 《정관사+ ~ +기수, 형용사》 (달력상의) 연(年) : le jour 〔le premier〕 de l'~ ; le nouvel ~ 정월 초하루 / tous les ~*s* 매년 / tous les trois ~*s*, 3 년마다 / l'~ dernier 작년 / l'~ prochain 내년 / le bout de l'~ 연말 ; 1 주기(週期) / l'~ de grâce 서력 기원 / en l'~ 300 avant Jésus-Christ 기원전 300 년에 / en l' ~ 2009, 2009 년에 / l'~ 50 de l'hégire 회교 기원 50 년. ③ 《기수+~》 …살, 세(歲) : Il a vingt ~*s*. 그는 20 세이다 / aller sur ses trois ~*s* 세 살이 되어 가다 / un enfant de neuf ~*s* 아홉 살 난 아이 / Il est âgé de trente ~*s*. 그는 나이가 서른 살이다 / Il a dans les soixante ~*s*. 그는 육십 살 정도이다. ④ (*pl.*) ⓐ 연령 ; (인생의 어느) 시절 : nos jeunes ~*s* 우리들의 청춘 시절 / la fleur des ~*s* 한창때. ⓑ 노령, 노년. ⓒ 긴 세월 : l'injure 〔l'outrage〕 des ~*s* 긴 세월이 입힌 손상. ***à la fleur des ~s*** 젊은 나이에. ***avoir*** 〔***être âgé de***〕 ***dix ~s*** 10 살이 되다. ***bon ~, mal ~*** (좋은 해와 나쁜 해를) 평균하여. ***le bout de l'~*** 연말 ***par ~*** 1 년에, 매년, 연간 : Il gagne tant *par* ~. 그는 매년 그만큼 낸다.

ana [ana] *m.* 금언집, 명구집(名句集) ; 일화집.

anabolite [anabɔlit] *m.* 〖생리〗 동화(同化) 물질, 동화 생성물.

anachorète [anakɔʀɛt] *m.* ① 수도사〔자〕, 도사. ② 은자(隱者), 은둔자(= ermite, solitaire). ***repas d'~*** 《구어》 검소한 식사.

anachronique [anakʀɔnik] *adj.* 시대착오적인 ; 시대에 뒤떨어진 ; 연대(표)가 잘못된 ; (사건의) 날짜가 틀린.

anachronisme [anakʀɔnism] *m.* ① 시대착오 ; 연대(표)의 잘못 ; (사건) 날짜의 틀림 : commettre un ~ 연대를 잘못 기술하다. ② 시대에 뒤떨어진 일〔사람〕.

anacoluthe [anakɔlyt] *f.* 〖문법〗 ① 파격(破格) 구문. ② (관계대명사의) 선행사 생략.

anaconda [anakɔ̃da] *m.* 〖동물〗 (남아메리카산의) 큰 뱀.

anaérobie [anaeʀɔbi] *adj.* 〖생물〗 혐기성(嫌氣性)의. — *m.* 혐기성균(菌).

anaglyphe [anaglif], **anaglypte** [anaglipt] *m.* 〔*f.*〕 ① 얕은 돋을새김, 얕은 부조(浮彫). ② 〖사진〗 입체 사진〔영상〕.

A

anagogie [anagɔʒi] *f.* 〖신학〗 ① 법열(法悅). ② 성서의 신비적 해석법.
anagramme [anagʀam] *f.* ① 전철어(轉綴語)《낱말의 철자를 바꾸어 놓아서 만든 말 ; signe → singe》. ② 글자 수수께끼.
anal, e aux [anal, -o] *adj.* 〖해부〗 항문의 ; 엉덩이의 : stade ~ 항문기(期)《*Freud* 의 정신 분석에서 소아의 항문 성욕 발달 단계》. — *f.* (물고기의) 꼬리지느러미.
analectes [analɛkt] *m. pl.* 선집, 어록.
analeptique [analɛptik] 〖의학〗 *adj.* 원기를 회복시키는. — *m.* 강장제.
analgésique [analʒezik] 〖의학〗 *adj.* 진통(작용)의. — *m.* 진통제. — *n.* 통각 탈실자.
anallergique [analɛʀʒik] *adj.* 알레르기를 유발하지 않는.
analogie [analɔʒi] *f.* ① 유사(= ressemblance) ; 흡사(=similitude ; ≠ différence) : ~ de deux situations 두 상황의 유사성 / ~ frappante 놀랄 만한 유사점 / presenter de l'~ 〔une certaine ~〕 유사한 점이 있다. ② 〖생물〗 상사(相似). ③ 〖논리〗 유추(類推). ***raisonner par* ~** (***avec*** qc) (…에서) 유추하여 추리〔추론〕하다.
analogique [analɔʒik] *adj.* 유사의, 상사의 ; 유추의.
analogiquement [analɔʒikmɑ̃] *f. adv.* 유추에 의해 ; 상사에 따라. 「법, 추리.
analogisme [analɔʒism] *m.* 〖논리〗 유추논
***analogue** [analɔg] *adj.* 《~ à》 유사한, 비슷한, 흡사한(= semblable) : esprit d'une nature ~ 성질이 비슷한 사람들 / J'ai eu une expérience ~ *à* la vôtre. 나는 당신과 비슷한 경험을 했습니다. — *m.* ① 유사물 : Ce terme n'a point d'~ en français. 이 말은 불어에 유사한 말이 없다. ② 〖생물〗 상사체(體), 상사 기관(器官).
analphabète [analfabɛt] *adj.* 문맹의(= illettré). — *n.* 문맹(자).
analphabétisme [analfabetism] *m.* 문맹.
analysable [analizabl] *adj.* 분석〔분해·해부〕할 수 있는.
analysant, e [analizɑ̃, -ɑ̃:t] *adj.* 분석〔해석〕을 하는. — *n.* 〖정신분석〗 피분석자.
‡analyse [anali:z] *f.* ① 분석, 해부, 분해(≠ synthèse) : roman d'~ 심리 해부 소설 / ~ qualitative 〔quantitative〕 〖화학〗 정성〔정량〕 분석 / faire l'~ de qc …을 분석〔해부〕하다. ② 개요, 적요, 요약(= abrégé) ; 음미, 비평. ③ 〖수학〗 ⓐ 해석(解析)(= ~ mathématique). ⓑ ~ infinitésimale 〔transcendante〕 미적분학. ③ 정신 분석. ***en dernière* ~** 요컨대, 결국.
***analyser** [analize] *v.t.* ① 분석〔분해·해부〕하다 : ~ ses sentiments 그의 감정을 분석하다. ② 요약하다 : ~ un roman 소설을 요약하다. ③ 〖수학〗 해석하다 ; 〖언어〗 (문장을) 분석하다. ④ 〖심리〗 정신 분석하다(= psychanalyer) : Elle s'est fait ~. 그녀는 정신 분석 치료를 받았다. — **s'~** *v.pr.* ① 자기 마음을 분석하다. ② 이해되다.
analyste [analist] *m.* 분석학자. — *n.* 정신분석학자〔의사〕. — *adj.* 분석적인.
analyste-programmeur, euse [analistəpʀɔgʀamœ:ʀ, -ø:z] *n.* (*pl.* **~s-~s**) (컴퓨터·전자 계산기의) 프로그램 분석가.
analytique [analitik] *adj.* ① 분석〔분해〕적인(≠ synthétique) : esprit ~ 분석적 정신 / langue ~ 〖언어〗 분석적 언어. ② 정신 분석학적인. — *f.* 분석법, 분석학.
***ananas** [anana] *m.* 〖식물〗 파인애플.
anaphore [anafɔ:ʀ] *f.* ① 〖수사학〗 두어(頭語) 반복. ② 〖언어〗 앞서 표현된 내용의 반복, 조응(照應)《예 : Vous êtes venu nier, je le sais》.
anaphorique [anafɔʀik] 〖언어〗 *m.* 조응소. — *adj.* 조응적인.
anaphylaxie [anafilaksi] *f.* 〖의학〗 과민증.
anaplasie [anaplazi], **anaplastie** [anaplasti] *f.* 〖외과〗 정형 수술.
anarchie [anaʀʃi] *f.* 무정부 상태 ; 《구어》 무질서(= confusion, désordre), 혼란 ; 무정부주의 : ~ des esprits 정신의 혼란 / tomber dans l'~ 무정부 상태〔무질서〕에 빠지다.
anarchique [anaʀʃik] *adj.* 무정부 상태의, 무질서의, 혼란 상태의(= désordonné) ; 무정부주의의.
anarchiquement [anaʀʃikmɑ̃] *adv.* 무정부(주의)적으로, 무정부 상태로, 무질서하게.
anarchisant, e [anaʀʃizɑ̃, -ɑ̃:t] *adj.* 무정부주의적 경향의. — *n.* 무정부주의 동조자.
anarchiser [anaʀʃize] *v.t.* 무정부 상태로 만들다 ; 혼란 상태로 이끌다.
anarchisme [anaʀʃism] *m.* 무정부주의.
anarchiste [anaʀʃist] *adj.* 무정부주의의. — *n.* 무정부주의자. 「자.
anarcho [anaʀʃ(k)o] *n.* 《속어》 무정부주의
anastomose [anastɔmo:z] *f.* 〖해부〗 (관상(冠狀) 기관의) 접합, 문합(吻合).
anathématiser [anatematize] *v.t.* ① 〖가톨릭〗 파문하다. ② 저주하다 ; 배척하다 ; 몹시 비난하다.
anathème [anatɛm] *m.* ① 〖가톨릭〗 파문. ② 저주 ; 맹렬한 비난 ; 배척 : frapper qn d'~ …을 저주〔파문〕하다 / jeter l'~ sur 〔à〕 …을 맹렬히 비난하다. — *n.* 저주받은 사람, 파문당한 사람.
anatomie [anatɔmi] *f.* ① 해부(학) ; 분석. ② 해부체 ; 해부 모형 : une pièce d'~ 해부된 인체의 일부분 ; 인체의 일부분의 모형. ③ 해부학적 구조. ④ 《구어》 체격 : dévoiler son ~ (사람 앞에서) 자신의 나체를 드러내 보이다. 「학의.
anatomique [anatɔmik] *adj.* 해부의 ; 해부
anatomiser [anatɔmize] *v.t.* ① 해부하다. ② 자세하게 분석하다. — **s'~** *v.pr.* ① 해부되다. ② 자세하게 분석되다. 「석가.
anatomiste [anatɔmist] *m.* 해부학자 ; 분
ancestral, e, aux [ɑ̃sɛstʀal, -o] *adj.* 조상의, 선조의 ; (풍습 따위가) 조상 전래의.
***ancêtre** [ɑ̃sɛtʀ] *n.* ① 조상, 선조(= aïeul) ; 《구어》 늙은이(= vieillard). ② (학설 따위의) 시조, 창시자. — *m. pl.* 조상들 ; 선인들(= prédécesseurs). 「의) 설관(舌管).
anche [ɑ̃:ʃ] *f.* 〖음악〗 (관악기의) 혀 ; (풍금
anchois [ɑ̃ʃwa] *m.* 〖어류〗 멸치류.
‡ancien, enne [ɑ̃sjɛ̃, -ɛn] *adj.* ① 《흔히 명사 뒤》 오래 된 ; 낡은, 구식의(= vieux) ; 옛날〔옛적〕의, 고대의(= antique) : ami ~ 오래전부터의 친구 / temps ~*s* 옛날 / histo-

ire ~*enne* 고대사 / appartement ~ 낡은 아파트 / livre ~*s* 고서 / meuble~ 고가구. ② 고참의, 선배의, 선임의 : juge ~ 고참 판사 / Il est plus ~ que moi dans le métier. 이 직종에서 그는 나보다 고참이다. ③《명사 앞》 퇴직〔퇴역〕한, 전의(≠ nouveau) : ~ ami 옛날 친구 / ~ ministre 전 장관 / ~ temps 지난날 / ~ modèle 이전의 모델 / ~*s* combattants 재향군인. ④《명사 앞》 (두 가지를 구별하는) 구(舊)… : *A*~ Testament 구약 성서 / ~ continent 구대륙. ***~ élève*** 졸업생. ***élèves ~s*** 상급생. ── *m.* (흔히 *pl.*) ① 고대인 ; (보통 *A*~) 고대 그리스 · 로마 작가〔사람〕. ② 선인(先人) ; 노인 ; 연장자 ; 〖종교〗 장로 ; 〖역사〗 족장 ; 선임자, 선배, 상급생, 고참병. ***à l'~enne*** 옛날 식으로.

anciennement [ɑ̃sjɛnmɑ̃] *adv.* 옛적에, 옛날에.

ancienneté [ɑ̃sjɛnte] *f.* ① 낡음, 오래됨 ; 선임(先任), 고참. ② 낡은 것, 고물 ; 고미술품. ***à l'~ ; par ~*** 선임순으로〔의〕. ***de toute ~*** 태고적부터.

ancrage [ɑ̃kʀa:ʒ] *m.* ① 정박소(碇泊所) ; 정박세(= droits d'~). ② 고정시키기, 묶기.

ancre [ɑ̃:kʀ] *f.* ① 닻 : lever l'~ 닻을 올리다 / demeurer à l'~ 닻을 정박하고 있다. ② (시계의) 앙크르. ③ 〖건축〗 이음쇠, 이음꺾쇠 ; 버팀목. ***jeter l'~ dans un lieu*** 《구어》 어떤 장소에 정착하다. ***jeter sa dernière ~*** 최후의 노력을 시도하다.

ancrer [ɑ̃kʀe] *v.i.* 닻을 내리다, 정박하다. ── *v.t.* ① 닻으로 정지시키다 ; 계류(繫留)하다. ② (꺾쇠로) 꽉 고정시키다, (움직이지 않는 것에) 꽉 묶다. ③ 확고하게 하다 ; 뿌리박게 하다 : idée *ancrée* dans la tête 머릿속에 뿌리박힌 생각. ── **s'~** *v.pr.* ① 《옛》 닻을 내리다, 정박하다. ② 확고해지다 ; 뿌리박다, 들어박히다 : *s'~* dans une place 어떤 곳에 뿌리를 박다〔정착하다〕.

andante [ɑ̃dɑ̃:t] 〔이탈리아〕 〖음악〗 *m.* 안단테, 평조(平調). ── *adv.* 느리게, 평조로.

andantino [ɑ̃dɑ̃tino] 〔이탈리아〕 〖음악〗 *adv.* 조금 느리게. ── *m.* 안단티노.

andouille [ɑ̃duj] *f.* ① 〖요리〗 순대, 소시지. ② 《구어》 얼간이, 바보(= niais, imbécile).

andouiller [ɑ̃duje] *m.* (사슴의) 뿔가지.

andouillette [ɑ̃dujɛt] *f.* 〖요리〗 (속을 잘게 다져서 넣은) 작은 순대〔소시지〕.

-andre, -andrie *suff.*, **andr(o)-** *pref.* 「수컷 · 남자 · 사람」의 뜻.

androgyne [ɑ̃dʀɔʒin] *adj.* 남녀 양성의. ── *m.* 남녀 양성 겸유자.

androïde [ɑ̃dʀɔid] *m.* 자동 인형, 로봇.

andropause [ɑ̃dʀɔpɔ:z] *f.* 〖생리〗 (연령에 의한) 남성의 성기능 퇴행〔감퇴〕.

âne, esse** [ɑ:n, ɑnɛs] *n.* ① 〖동물〗 당나귀(= baudet) : à dos d'~ 당나귀를 타고. ② 바보(= idiot, imbécile), 얼간이 : ~ bâté 멍텅구리 / entêté 〔têtu〕 comme un ~ 몹시 어리석은 외고집쟁이. ③ 〖기계〗 바이스. ***~ débâté 여자에게 사족을 못 쓰는 남자. ***~ vêtu 〔couvert〕 de la peau du lion*** 사자 가죽을 쓴 당나귀, 허세를 부리는 자. ***chercher son ~ et être dessus*** 자기 손안〔눈앞〕의 것을 찾다. ***contes de Peau-d'Â~*** 어린이 동화. ***en dos d'~*** (길 따위가) 등성이 진. ***mettre un bonnet d'~ à un enfant*** 바보 모자를 어린애에게 씌우다. ***On l'a sanglé comme un ~.*** 그는 혼이 났다. ***têtu 〔entêté〕 comme un ~*** 몹시 고집이 센.

***anéantir** [aneɑ̃ti:ʀ] *v.t.* ① 없애 버리다, 파괴해 버리다(= détruire) ; 전멸〔절멸〕시키다(= exterminer) ; 죽이다 ; 사라지게 하다, 소멸시키다 ; 폐지하다 ; 무효로 하다 : ~ l'autorité 권위를 무력하게 하다 / ~ l'ennemi 적을 섬멸하다 / Le temps *anéantit* l'amour. 시간이 흐르면 사랑은 사라져 버리고 만다. ② 기진맥진하게 하다(= briser) ; 어리둥절하게 하다(= consterner) : Cette longue marche m'*a anéanti.* 난 오래 걸어서 기진맥진했다. ── **s'~** *v.pr.* ① 전멸되다, 절멸되다 ; 사라지다 ; 폐지되다 ; 무효가 되다 : Nos espoirs *se sont anéantis.* 우리들의 희망은 사라졌다. ② 겸손해하다, 굽실거리다(= s'abaisser). ③ 서로 파괴하다(= se détruire).

anéantissement [aneɑ̃tismɑ̃] *m.* ① 없애기 ; 전멸시키기 ; 망치기 ; 폐지하기 ; 무효로 하기 ; (희망을) 꺾기, 소멸하기. ② 기진맥진 ; 극도의 쇠약(= abattement).

***anecdote** [anɛkdɔt] *f.* 일화 ; 짤막한 이야기(= historiette), 기담, 기문(奇聞) : ~*s* du boulevard 사교 인사들의 풍설.

anecdotique [anɛkdɔtik] *adj.* ① 일화적인 ; 일화를 이야기하기 좋아하는. ② 《경멸》 지엽적인 : détail ~ 지엽적인 세부 (사항).

anémiant, e [anemjɑ̃, -ɑ̃:t] *adj.* ① 빈혈성이 되게 하는. ② 빈혈을 일으키는.

anémie [anemi] *f.* ① 빈혈(증). ② 《비유》 쇠퇴, 위기, 악화.

anémier [anemje] *v.t.* ① 빈혈을 일으키게 하다. ② 《구어》 가난하게 하다 ; 허약하다(= affaiblir) : ~ une entreprise 기업을 약체화시키다.

anémique [anemik] *adj.* 빈혈(증)의 ; 《구어》 창백한, 힘없는, 활기 없는 : style ~ 힘없는 문체. 「력계.

anémomètre [anemɔmɛtʀ] *m.* 풍속계, 풍

anémone [anemɔn] *f.* ① 〖식물〗 아네모네. ② 〖동물〗 ~ de mer 말미잘.

anémoscope [anemɔskɔp] *m.* 풍향계.

ânerie [ɑnʀi] *f.* 무지막지, 몰지각 ; 바보 같은 짓 : faire des ~*s* 바보 같은 짓을 하다.

ânesse [ɑnɛs] *f.* 〖동물〗 암탕나귀.

anesthésiant, e [anɛstezjɑ̃, -ɑ̃:t] *adj.* 마취의. ── *m.* 마취제.

anesthésie [anɛstezi] *f.* ① 〖의학〗 마취, 마취법 : ~ générale 〔locale〕 전신〔국부〕 마취(법). ② 무감각, 무감동 ; (정치 · 경제 등의) 마비 상태 : ~ du cœur 무감동.

anesthésier [anɛstezje] *v.t.* ① 마비〔마취〕시키다 ; 지각을 잃게 하다. ② 《비유》 진정시키다, 잠재우다(= endormir).

anesthésique [anɛstezik] *adj.* 마취의, 마취를 일으키는. ── *m.* 마취약.

anesthésiste [anɛstezist] *m.* 마취사 : médecin ~ 마취사.

anévri(y)sme [anevʀism] *m.* 〖의학〗 동맥류(動脈瘤).

anfractuosité [ɑ̃fʀaktɥozite] *f.* ① 굴곡, 구

불구불함. ② 불규칙한 윤곽. ③ 우툴두툴함.
ange** [ɑ̃:ʒ] *m.* ① 천사; 천사 같은 사람: bon ~; ~ blanc 착한 천사 / Mon ~ 〔Mon bel ~, Mon petit ~〕 귀여운 사람 / ~ bouffi 〖미술〗 천사같이 포동포동한 귀여운 아기. ② 〖어류〗 전자리 상어(= ~ de mer). ***~ déchu 〔***rebelle***〕 ***; mauvais ~ ; ~ des ténèbres*** 악마. ***~ gardien*** 〔***tutélaire***〕 ***; bon ~*** 수호천사, 수호신; 간수, 교도관; (중요 인물의) 보디가드. ***boire aux ~s*** 실컷 마시다. ***chanter*** 〔***parler***〕 ***comme un ~*** 썩 잘 노래〔이야기〕하다. ***être aux ~s*** 무척 기뻐하다. ***être le bon*** 〔***mauvais***〕 ***~ de*** qn …을 좋은〔나쁜〕 길로 인도하다. ***parler aux ~s*** 혼잣말하다. ***rire aux ~s*** 천사 같은 웃음을 짓다, (아기가) 자면서 웃다. ***Un ~ passe.*** 천사가 지나간다《이야기가 끊어져 거북스러워 할 때 하는 말》.
angélique [ɑ̃ʒelik] *adj.* 천사의, 천사 같은(= céleste): sourire ~ 천사 같은 미소 / salutation ~ (성모 마리아에 대한) 천사 축사; 아베마리아의 기도. — *f.* 〖식물〗 안젤리카《미나릿과》; 〖요리〗 (그) 줄기를 설탕에 절인 것.
angelot [ɑ̃ʒlo] *m.* 어린 천사.
angélus [ɑ̃ʒelys] *m.* 〖종교〗 삼종 기도; 그 기도 시간을 알리는 종.
angine [ɑ̃ʒin] *f.* 〖의학〗 구협염(口峽炎), 안기나: ~ de poitrine 협심증(狹心症).
angi(o)- *préf.* 〖식물〗 「과실피(果實被)」; 〖의학〗 「맥관(脈管)」의 뜻.
angiosperme [ɑ̃ʒjɔspɛʀm] *adj.* 피자(被子)〔속씨〕의. — *f.* 〔*m.*〕 *pl.* 피자〔속씨〕 식물.
anglais, e** [ɑ̃glɛ, -ɛ:z] *adj.* 영국(*l'Angleterre*)의; 영어의: couronne ~*e* 영국 왕실 / semaine ~*e* 토요일 오전 근무제. ***à l'~e 영국식의. ***pommes*** (***de terre***) ***à l'~e*** 찐 감자. ***s'en aller*** 〔***filer***〕 ***à l'~e*** 《구어》 인사도 없이 (슬그머니) 가 버리다. — **A~** *n.* 영국 사람. — *m.* 영어(= langue ~*e*): parler (l')~ 영어를 하다. — *f.* ① 영국식의 서체(書體). ② (*pl.*) (여자의) 길게 말아 늘어뜨린 머리, 고수머리: porter des ~*es* 영국식 컬을 하다.
angle** [ɑ̃:gl] *m.* ① 각(角), 각도: ~ droit 직각 / aigu 예각 / ~ obtus 둔각. ② 모, 모퉁이(= encoignure): boutique d'~ 모퉁이 가겟집. ③ (성격 따위의) 모, 까다로움. ④ 시점(視點), 각도, 관점: sous cet ~ 이러한 관점에서. ***arrondir 〔***adoucir***〕 ***les ~s*** (까다로운 사람들을) 화해시키다; 난관을 제거하다. ***faire ~ avec la rue*** (집이) 한길 모퉁이에 있다. ***voir*** qc ***sous un certain ~*** …을 어떤 각도〔관점〕에서 보다.
Angleterre [ɑ̃glətɛ:ʀ] *n.pr.f.* 영국.
anglican, e [ɑ̃glikɑ̃, -an] *adj.* ① 영국 국교의: Église ~*e* 영국 국교회. ② 영국 국교를 믿는. — *n.* 영국 국교 신도.
anglicanisme [ɑ̃glikanism] *m.* 영국 국교.
angliciser [ɑ̃glisize] *v.t.* 영국식으로 만들다, 영어화(化)하다: ~ sa toilette 옷차림을 영국풍으로 하다 / ~ un mot 단어를 영어식으로 발음하다. — **s'~** *v.pr.* 영국식으로 되다; 영어화되다.
anglicisme [ɑ̃glisism] *m.* ① 영어 특유의 어법. ② 영어식 표현법.
angliciste [ɑ̃glisist], **angliste** [ɑ̃glist] *n.* 영어학자; 영어 교사.
anglomanie [ɑ̃glɔmani] *f.* 영국 심취.
anglo-normand, e [ɑ̃glɔnɔʀmɑ̃, -ɑ̃:d] *adj.* et *n.* 영국종과 노르망디종이 섞인 (말). — *m.* et *adj.* 앵글로 노르망어(語)(의). — *adj.* 〖역사〗 (영국 정복 후 잉글랜드에 정착한) 노르망디인의. ***l'archipel ~; les îles ~es*** 앵글로 노르망 군도.
anglophile [ɑ̃glɔfil] *adj.* 친영의. — *n.* 친영론자, 친영주의자.
anglophobe [ɑ̃glɔfɔb] *adj.* 영국을 싫어하는. — *n.* 영국 혐오자.
anglophone [ɑ̃glɔfɔn] *adj.* 영어를 사용하는, 영어가 통하는: Canada ~ 영어권 캐나다. — *m.* 영어를 사용하는 사람.
anglo-saxon, onne [ɑ̃glɔsaksɔ̃, -ɔn] *adj.* 앵글로색슨 민족〔사람〕의; 앵글로색슨어의; 영어 국민의. — **A~-S~** *n.* 앵글로색슨 민족; 영어 국민. — *m.* 앵글로색슨어(語).
angoissant, e [ɑ̃gwasɑ̃, -ɑ̃:t] *adj.* 마음을 괴롭히는; 매우 불안한, 근심〔걱정〕스러운: situation ~*e* 몹시 불안스런 상황.
angoisse** [ɑ̃gwas] *f.* ① 극도의 불안, 고민, 번민(= anxiété); 공포: ~ de l'agonie 단말마의 고통. ② 〖의학〗 불안증, 호흡 곤란: névrose d'~ 불안 신경증. ***avaler des poires d'~ 괴로움을 당하다.
angoissé, e [ɑ̃gwase] *adj.* 몹시 불안해 하는, 고민에 빠진, 괴로워하는; 깜짝 놀란: pousser un cri ~ 두려워 소리를 지르다.
angoisser [ɑ̃gwase] *v.t.* 극도의 불안에 몰아넣다, 고민〔번민〕하게 하다; 걱정시키다(= tourmenter): L'avenir m'*angoisse.* 나는 장래가 걱정이다. — **s'~** *vpr.* 불안에 사로잡히다, 고민〔번민〕하다.
angolais, e [ɑ̃gɔlɛ, -ɛ:z] *adj.* 《여성불변》 앙골라의. — **A~** *n.* 앙골라 사람.
angora [ɑ̃gɔʀa] *adj.* 앙고라(*Angora*)의. — *m.* ① 앙고라산의 고양이 · 토끼 · 염소. ② 앙고라 직물.
angström [aŋ〔ɑ̃g〕stʀœm] *m.* 옹스트롬《1,000만분의 1 밀리미터; 《약자》 Å》.
anguille [ɑ̃gij] *f.* 〖어류〗 뱀장어: échapper comme une ~ 미꾸라지처럼 잘 빠져나가다. ***Il y a*** (***quelque***) ***~ sous roche.*** 어딘가 좀 수상하다.
angulaire [ɑ̃gylɛ:ʀ] *adj.* 모난, 각형의; 모퉁이의: dent ~ 송곳니 / pierre ~ 주춧돌.
anguleux, euse [ɑ̃gylø, -ø:z] *adj.* 각이 많은; 모난: menton ~ 모난 턱.
anhydride [anidʀid] *m.* 〖화학〗 무수물(無水物): ~ carbonique 무수 탄산.
anicroche [anikʀɔʃ] *f.* 《구어》 (사소한) 지장, 장애, 고장, 사고(= incident).
anima [anima] *f.* 〖정신분석〗 아니마(≠ animus)《남성의 무의식 속 여성적 요소》.
⁑animal¹, aux [animal, -o] *m.* ① 동물; 짐승(= bête): ~ domestique 〔sauvage〕 가축〔야수〕 / ~*aux* longues oreilles 나귀 / L'homme est un ~ social. 인간은 사회적 동물이다. ② 《구어》 짐승 같은 놈.
animal², e, aux [animal, -o] *adj.* ① 동물

의; 동물 특유의: règne ~ 동물계 / chaleur ~*e* 체열. ② 동물적인, 짐승 같은; 본능적인(≠spirituel): L'instinct maternel est divinement ~. 모성 본능은 성스러운 것이다.

animalcule [animalkyl] *m.* 극미 동물.

animalerie [animalʀi] *f.* ① 실험 동물 사육장. ② 동물 매매.

animalier, ère [animalje, -ɛːʀ] *adj.* 동물을 그리는: peinture 〔sculpteur〕 ~ 동물 화가〔조각가〕/ littérature ~*ère* 동물 문학.
— *m.* 동물 화가〔조각가〕.

animalité [animalite] *f.* ① 동물성(≠ humanité). ② 동물계; 야수성, 잔인성.

animateur, trice [animatœːʀ, -tʀis] *adj.* et *n.* 생기〔활기〕를 주는 (사람); 고무하는 (사람). — *m.* 원동기, 발동기. — *n.* 주최자; (쇼·방송 프로의) 사회자; 〖영화〗 에니메이션 기술자; 문화 센터의 지도원: ~ d'un débat 토론의 진행자 / ~ d'un spectacle de variétés 버라이어티 쇼의 사회자〔진행자〕.

animation [animɑsjɔ̃] *f.* ① 생기〔활기〕를 띠게 하기〔띠기〕; 태동(胎動). ② 생기, 활기; 흥분; (거리의) 번창, 호황: parler avec ~ 힘찬 어조로 말하다 / ~ de l'industrie informatique 정보 산업의 활황. ③ (단체 활동의) 추진, 진행; 지도. ④ 〖영화〗 애니메이션, 동화(動畫) (기술): cinéma d'~ 만화 영화.

***animé, e** [anime] *adj.* ① 생명 있는, 살아 있는(=vivant): être ~ 생물. ② 생기 있는, 활기 있는; 경기 좋은, 번창한; 번화한; 흥분한; (그림 따위가) 율동적인: conversation ~*e* 활기찬 대화 / rue ~*e* 활기 있는 거리 / dessins ~*s* 〖영화〗 만화 영화. ③ 〖언어〗 생물을 지시하는: nom ~ 유정명사.
— *m.* 생명 있는 것.

***animer** [anime] *v.t.* ① …에〔에게〕 생명을 주다: Le soleil *anime* la nature. 태양은 자연에 생기를 준다. ② 생기〔열기〕를 띠게 하다; 자극하다; 고무하다: Le désir *anime* son regard. 욕망으로 그의 시선이 빛나고 있다. ③ 몰다, 충동〔선동〕하다: ~ la colère 〔le courage〕 de qn …의 화를 돋우다〔용기를 북돋우다〕/ ~ la foule contre l'agent 경찰에 대항해서 군중을 선동하다. ④ (화합을) 이끌다; 진행하다; 운영하다. ⑤ (기계를) 작동시키다. — **s'~** *v.pr.* ① 생기〔열기〕를 띠다: La rue *s'anime* le soir. 거리는 저녁이면 활기를 띤다. ② 흥분하다, 화내다: Il *s'animait* fort en discutant. 그는 토론하면서 몹시 흥분했다.

animique [animik] *adj.* 영혼의, 심적인.

animisme [animism] *m.* 〖철학〗 애니미즘, 물활론(物活論); 〖종교〗 정령(精靈) 숭배.

animiste [animist] *adj.* 물활론의; 정령 숭배의. — *n.* 물활론자; 정령 숭배자.

***animosité** [animozite] *f.* ① 원한, 증오, 적의: avoir de l'~ contre qn …에게 반감을 품다. ② (토론·논쟁 때의) 흥분, 격앙.

animus [animys] *m.* 〖정신분석〗 아니무스 (≠ anima)《여성의 무의식 속 남성적 요소》.

anis [ani(s)] *m.* ① 〖식물〗 아니스《미나릿과》; 아니스 열매(=graine d'~). ② 아니스 열매로 만든 봉봉(=bonbons à l'~).

anisette [anizɛt] *f.* 아니스 술.

ankylose [ɑ̃kiloːz] *f.* 〖의학〗 관절 경직.

ankyloser [ɑ̃kiloze] *v.t.* …의 관절에 경직이 일어나게 하다: Une arthrite lui *a ankylosé* le genou. 관절염으로 무릎이 마비되었다. — **s'~** *v.pr.* 관절에 경직이 일어나다, 마비되다.

ankylostome [ɑ̃kilɔstɔm] *m.* 〖동물〗 십이지장충.

anme 《약자》 anonyme 〖상업〗 유한 책임 회사.

annal, e, aux [a(n)nal, -o] *adj.* 〖법률〗 1년간 계속되는〔유효한〕.

annales [a(n)nal] *f.pl.* ① 연대기(=chronique). ② …지(誌)《종교·과학 따위에 관한 잡지의 제목》, 연보: ~ de géographie 지리학지. ③ 역사; 기록: ~ du crime 범죄사.

annaliste [a(n)nalist] *m.* 연대기 작가.

anneau [ano] *m.* (*pl.* **~x**) 고리; 반지; (*pl.*) 〖체조〗 링: ~ brisé 열쇠고리 / ~ de mariage 결혼반지 / ~ de fiançailles 약혼반지 / ~ d'une chaîne 쇠사슬의 고리. ~ ***pastoral*** 〔***épiscopal***〕 주교의 반지.

⁑**année** [ane] *f.* ① (달력상의) 해, 연(年); 1년: nouvelle ~ 새해 / l'~ prochaine 〔dernière, pasée〕 내년〔작년〕/ toute l'~ 1년 내내 / la présente ~; cette ~ 금년 / les ~*s* 2000, 2000 년대. ② 《수량부사와 함께》 …년간: travail de plusieurs ~*s* 여러 해가 걸리는 일 / Il est resté à Paris deux ~*s* pleines. 그는 만 2년간 파리에 머물렀다. ③ (특정한 기준에 의해 정해진) 연도; 해; 기간: ~ budgétaire 회계 연도 / ~ de la femme 여성의 해 / ~ scolaire 학년(도) / ~ d'abondance 풍년. ④ 《서수사와 함께》 해, …년(차), 학년, 살, …세(歲): C'est la quatrième ~ que je le connais. 내가 그를 안 지 4년째이다 / Il est en troisième ~ de médecine. 그는 의과 대학 3학년이다. ⑤ (*pl.*) 나이, 연령, 노령: chargé d'~*s* 나이를 많이 먹은 / être dans sa vingtième ~ 스무 살이다. ~ ***bissextile*** 윤년. ***Bonne ~ !*** 새해 복 많이 받으세요. ***bonne ~*** 풍년. ***d'~ en ~ ; d'une ~ à l'autre*** 해마다. ***les belles ~s*** 청춘 시절. ***souhaiter la*** 〔***une***〕 ***bonne ~ à*** qn …에게 새해 인사를 하다.

année-lumière [anelymjɛːʀ] *f.* (*pl.* **~s-~**) 〖천문〗 광년(光年).

annelé, e [anle] *adj.* 고리 모양의; (머리털이) 고수머리인; 〖생물〗 환상(環狀)의.

annelure [anlyːʀ] *f.* 곱슬머리, 곱슬곱슬한 머리털.

annexe [a(n)nɛks] *adj.* 부속된, 부수적인(=accessoire): pièces ~*s* 첨부 서류 / bâtiment ~ 별관. — *f.* ① 부속 건물, 별관: ~ d'un hôtel 호텔 별관. ② 추가 조항; 첨부 서류: en ~ à 〔de〕 ce document 이 문서의 참고 자료로서.

annexer [a(n)nɛkse] *v.t.* 《~ à》 ① …에 합병하다(=incorporer, rattacher). ② …에 첨가〔첨부〕하다: ~ une clause *à* un paragraphe de loi 법 조문에 한 조항을 첨부하다. ③ 《~ qn》 차지하다, 독점하다(=accaparer). — **s'~** *v.pr.* ① 합병하다; 제 차지로 만들다: *s'*~ le meilleur morceau 제일

좋은 몫을 차지하다. ② 병합되다 ; 첨가〔첨부〕되다.

annexion [a(n)nɛksjɔ̃] *f.* ① 합병, 병합 ; 병합된 영토. ② 첨가, 부가.

annexion(n)isme [a(n)nɛksjɔnism] *m.* 〖정치〗 합병주의, 합병론.

annexion(n)iste [a(n)nɛksjɔnist] 〖정치〗 *adj.* 합병주의의, 합병론의. ― *n.* 합병주의자, 합병론자.

annihilation [a(n)niilɑsjɔ̃] *f.* ① 전멸, 근절 ; 무(無)로 돌리기. ② 〖법률〗 무효화, 취소, 폐지, 파기 : ~ d'un acte 법령의 폐기.

annihiler [a(n)niile] *v.t.* ① 없애다, 전멸시키다(= anéantir) : ~ une résistance 저항을 완전히 없애다. ② 무(無)로 돌리다, 헛되게 하다 : ~ les efforts de qn …의 노력을 헛되게 하다. ③ 〖법률〗 무효로 하다 ; 취소하다, 폐지하다(= annuler) : ~ un privilège 특권을 폐지하다. ④ 《~ qn》 …의 뜻을 꺾다 (= paralyser).

***anniversaire** [anivɛʀsɛːʀ] *adj.* 주년(週年)의 ; 기념(일)의 : jour ~ 기념일. ― *m.* 주년일 ; 기념일 ; 생일(= ~ de naissance) : ~ de mon mariage ; mon ~ de mariage 내 결혼 기념일/ célébrer 〔fêter〕 le centième ~ d'un événement 어떤 사건의 100 주년을 기념하다 / Bon ~ ! ; Je vous souhaite un bon ~ ! 생일 축하합니다.

annonce** [anɔ̃ːs] *f.* ① 통지, 알림, 기별(= avertissement, avis) : L'~ de son départ m'a surpris. 그의 출발 소식은 나를 놀라게 했다 / faire l'~ de qc …을 발표하다. ② 고시(告示), 공고, 발표(= communication) ; 성명 ; 광고 ; 예고 : ~ publicitaire 선전 광고 / ~*s* lumineuses 전광 광고 / film-~ (영화의) 예고편 / insérer une ~ dans un journal 신문에 3 단 광고를 내다. ③ 전조, 징조(= présage, signe) ; 표시 : ~*s* de la maladie 병의 징조. ***~-article 광고 기사. ***petites ~s*** (신문의) 구인〔구직〕 광고.

***annoncer** [anɔ̃se] 2 *v.t.* ① 알리다, 기별하다, 통고하다(= aviser, communiquer) : 《~ qc à qn》 ~ *à* qn une bonne nouvelle …에게 좋은 소식을 알리다 / 《~+*inf.*》 Il *annonce* travailler. 그는 일할 수 있다고 알린다 / 《~ à qn que+*ind.*》 Il m'*a annoncé qu*'il se marie demain. 그는 내일 결혼한다고 내게 알렸다. ② 고시〔공고·발표〕하다 ; (복음을) 전하다 : ~ l'Évangile 복음을 전(파)하다. ③ 《주어 : qc》 예고하다(= présager) ; 나타내다, …의 징조〔전조〕이다 : Ces nuages noirs *annoncent* la pluie. 저 검은 구름을 보니 비가 올 모양이다. ④ 《주어 : qn》 …의 내방(來訪)을 알리다 : *Annoncez*-moi. 내가 온 것을 알려 주세요.
― **s'~** *v.pr.* ① 자기의 내방〔도착〕을 알리다 : Il *s'annonce* pour demain. 그는 내일 오겠다고 알린다. ② 예상〔예측〕되다, 전망이 …하다: La moisson *s'annonce* bien 〔belle〕. 추수의 전망은 좋다.

annonceur, euse [anɔ̃sœːʀ, -øːz] *n.* 아나운서. ― *m.* ① 광고자, (라디오·TV의) 광고주, 스폰서. ② 광고업자. ③ 《옛》 통고자.

annonciateur, trice [anɔ̃sjatœːʀ, -tʀis] *adj.* 예고하는 : signe ~ du printemps 봄의 전조. ― *n.* 예고자, 예언자.

annonciation [anɔ̃sjɑsjɔ̃] *f.* ① 〖가톨릭〗 성모영보(聖母領報) ; (*A*~) 성모영보제《3 월 25 일》(= fête de l'*A*~). ② 《옛》 통고, 고지.

annoncier, ère [anɔ̃sje, -ɛːʀ] *n.* (신문·잡지의) 광고 담당자, 광고 제작자.

annotateur, trice [a(n)nɔtatœːʀ, -tʀis] *adj.* 주석의, 주해의. ― *n.* 주석자, 주해자.

annotation [a(n)nɔtɑsjɔ̃] *f.* 주석, 주해.

annoter [a(n)nɔte] *v.t.* 주석하다, …에 주석을〔주해를〕 붙이다(= commenter).

annuaire** [a(n)nɥɛːʀ] *m.* ① 연보, 연감 : ~ historique 역사 연감. ② (해마다 발간되는) 명부, 일람표 : consulter l'~ du personnel (관청의) 직원 명부를 참조하다. ③ 연력(年歷), 책력 : ~ des marées 〖해양〗 조석표(潮汐表). ***~ téléphonique 〔***des téléphones***〕 전화번호부.

annualiser [a(n)nɥalise] *v.t.* 〖행정〗 1 년을 주기〔단위〕로 하다 : salaire *annualisé* 연봉.

annualité [a(n)nɥalite] *f.* 연도제 ; 연간계.

***annuel, elle** [a(n)nɥɛl] *adj.* ① 해마다의, 매년〔예년〕의, 연 1 회의 ; 1 년간의 : budget ~ 연간 예산 / salaire 〔revenu〕 ~ 연봉〔연수입〕. ② 임기 1 년의, 1 년간 지속되는 : fonction ~*elle* 임기 1 년의 직책 / plante ~*elle* 〖식물〗 1 년생 식물.

annuellement [a(n)nɥɛlmɑ̃] *adv.* 해마다, 매년 : avoir lieu ~ 연 1 회 열리다.

annuité [a(n)nɥite] *f.* ① 연부(年賦). ② 연부 상환금. ③ 연금 : ~ à vie 종신 연금.

annulaire [a(n)nylɛːʀ] *adj.* ① 고리 모양의, 환형의 : éclipse ~ 금환식(金環蝕). ② 반지 끼는. ― *m.* 약손가락, 무명지(= doigt ~).

annulation [a(n)nylɑsjɔ̃] *f.* ① 〖법률〗 무효화 : ~ d'un jugement 재판의 폐기. ② 취소, 파기, 해약 : ~ d'une réservation 예약 취소 / ~ de vol 결항(缺航).

***annuler** [a(n)nyle] *v.t.* ① 무효로 하다, 파기〔폐지·해제〕하다 : ~ l'élection 선거를 무효화하다/~ un contrat 계약을 해지하다. ② 취소하다, 철회하다 : ~ une commande 주문을 취소하다. ― **s'~** *v.pr.* ① 무효가 되다 ; 취소〔폐지·해약〕되다. ② 상쇄되다 ; 균등해지다 ; (힘이) 균형이 잡히다 : Ces deux forces *s'annulent.* 두 힘이 상쇄된다.

anobli, e [anɔbli] *adj.* 작위를 받은. ― *n.* 작위를 받은 사람.

anoblir [anɔbliːʀ] *v.t.* …에게 작위를 주다, 귀족으로 만들다 ; (이름을) 귀족풍으로 하다 : ~ un roturier 평민에게 작위를 수여하다. ― **s'~** *v.pr.* (작위가 붙은 직책을 사서) 귀족이 되다.

anoblissement [anɔblismɑ̃] *m.* 수작(授爵), 귀족으로 서임(敍任)하기.

anode [anɔd] *f.* 〖전기〗 양극(陽極).

anodin, e [anɔdɛ̃, -in] *adj.* ① 무해한, 위험하지 않은 : critique ~*e* 온건한 비평 / blessure ~*e* 경상. ② 하찮은, 평범한(= insignifiant) : personnage ~ 하찮은 인물. ③ 〖의학〗 진통의(= calmant) : remède ~ 진통제. ― *m.* 진통제.

anomal, e, aux [anɔmal, -o] *adj.* ① 이상한, 변칙적인, 비정상적인(= irrégulier). ② 〖생물〗 기형의. ③ 〖문법〗 불규칙의 : verbe

~ 불규칙동사.

anomalie [anɔmali] *f.* 비정상, 이례(異例); 변칙; 파격; 불규칙.

ânon [ɑnɔ̃] *m.* ① 새끼 나귀, 작은 나귀. ② 《구어》 바보, 저능아.

ânonnement [ɑnɔnmɑ̃] *m.* 망설이며(어름어름) 읽기(말하기·외우기).

ânonner [ɑnɔne] *v.i.* 망설이며(어름어름) 읽다(말하다·외다). — *v.t.* 어름어름 읽다(말하다·외다): ~ une langue étrangère 외국어를 더듬더듬 말하다.

anonymat [anɔnima] *m.* 익명, 무명: rester dans l'~ 이름(신분)이 노출되지 않다 / sous le couvert de l'~ 이름(신분)을 숨긴 채.

anonyme** [anɔnim] *adj.* ① 익명의; 무명의 (≠ connu); 작자 불명의: don ~ 익명의 기증 / lettre ~ 익명의 편지 / auteur ~ 무명의 작자 / foule ~ 대중의 무리. ② 비개성적인; 평범한: vêtements ~*s* 평범한 옷 / style ~ 개성 없는 문체. ***société ~ (par actions) 유한 책임 회사, 주식회사.
— *n.* 무명씨. — *m.* ① 익명 작가. ② 익명(=anonymat): garder l'~ 이름을 밝히지 않다. 「로.

anonymement [anɔnimmɑ̃] *adv.* 익명으

anonymie [anɔnimi] *f.* 익명(=anonymat).

anophèle [anɔfɛl] *m.* 〖곤충〗 학질모기.

anorak [anɔʀak] 〔에스키모〕 *m.* (스키어 등이 입는) 후드 달린 재킷.

anorexie [anɔʀɛksi] *f.* 〖의학〗 식욕 부진.

***anormal, e, aux** [anɔʀmal, -o] *adj.* ① 상궤를 벗어난, 비정상적인, 변칙적인, 불규칙한(=anomal, irrégulier): température ~*e* 이상 기온. ② 부당한, 불합리한, 불공평한: distribution ~*e* des richesses 부의 불공평한 분배. — *n.* 정신 이상자.

anormalement [anɔʀmalmɑ̃] *adv.* 상궤를 벗어나서, 비정상적으로, 변칙적으로.

anse [ɑ̃:s] *f.* ① (그릇·광주리 따위의) 손잡이, 고리: ~ d'une tasse 찻잔의 손잡이. ② 〖지리〗 내포(內浦), 작은 만(灣). ***faire danser (sauter) l'~ du panier*** (가정부가) 장보는 돈을 속여먹다.

anser [ɑ̃sɛ:ʀ] *m.* 〖조류〗 기러기.

antagonique [ɑ̃tagɔnik] *adj.* 반대의; 적대적인, 상극적인(≠allié); 대립을 야기(초래)하는: forces ~*s* 적대 세력.

***antagonisme** [ɑ̃tagɔnism] *m.* ① 적대 (관계), 반대, 대립, 상극(=conflit, rivalité): ~ des classes 계급 대립 / réduire l'~ les deux nations 두 국가 간의 반목을 해소하다. ② 〖생물〗 길항 작용: ~ microbien 미생물의 길항 작용.

antagoniste [ɑ̃tagɔnist] *adj.* 적대하는, 반대의; 〖해부〗 길항(拮抗)하는: partis ~*s* 대립하는 정당 / forces ~*s* 적대 세력. — *n.* 적; 반대자, 경쟁자. — *m.* 〖해부〗 길항근; 〖약학〗 길항제.

antan [ɑ̃tɑ̃] *m.* ① 《옛》 작년. ② 예전, 옛날, 왕년. ***d'~*** 지나간, 예전의: ma jeunesse *d'~* 그 옛날 내가 젊었을 때. ***les neiges d'~*** 시니산 일, 옛일.

antarctique [ɑ̃taʀktik] *adj.* 남극의: Continent *A~* 남극 대륙. — **A~** *n.pr.m.* 남극 대륙; 남극 해양.

ante [ɑ̃:t] *f.* (화필의) 붓대.

antécédence [ɑ̃tesedɑ̃:s] *f.* 앞서기, 선행.

antécédent, e [ɑ̃tesedɑ̃, -ɑ̃:t] *adj.* ① 《~ à》 …보다 전(먼저)의, …에 앞서는(선행하는). ② 〖의학〗 발병 전의 징후에 관한.
— *m.* ① 〖언어〗 선행사. ② 〖논리〗 전건(前件)(=terme ~), 〖수학〗 전항(前項); 〖의학〗 병력; 기왕증. ③ (*pl.*) 행적, 이력.

antéchrist [ɑ̃tekʀist] *m.* ① 예수 반대자, 그리스도의 적. ② (*A~*) (요한 묵시록에 나타나서 예언을 하는) 사이비 구세주. ③ 《구어》 무신론자; 악마, 악인.

antédiluvien, enne [ɑ̃tedilyvjɛ̃, -ɛn] *adj.* ① 노아의 대홍수(Déluge) 이전의. ② 옛날의, 태고의. ③ 《구어》 시대에 뒤진.

ante meridiem [ɑ̃temeʀidjɛm] 〔라틴〕 *loc. adv.* 오전.

antenne [ɑ̃tɛn] *f.* ① 삼각돛의 활대. ② 〖곤충〗 촉각: ~*s* d'un papillon 나비의 더듬이. ③ 〖무전〗 안테나; 방송: ~ dirigée 지향성 안테나 / ~ réceptrice (de réception) 수신 안테나 / ~ d'émission (de transmission) 발신 안테나 / officier ~ 통신 장교. ④ 비밀 정보망; 직감(直感). ⑤ ⓐ 지부, 지사, 지국. ⓑ 〖군사〗 ~ chirurgicale 전방 의료반; 구급차. ***avoir des ~s*** 직감이 예민하다. ***donner (prendre) l'~*** 방송을 하다(듣다). ***rendre l'~ au studio*** (중계반원이) 마이크를 스튜디오로 넘기다.

anténuptial, e, aux [ɑ̃tenypsjal, -o] *adj.* 결혼 전의.

antépénultième [ɑ̃tepenyltjɛm] *adj.* 끝에서 세 번째의. — *f.* 끝에서 세 번째 음절(=syllabe ~).

antéposer [ɑ̃tepoze] 〖문법〗 *v.t.* 전치(前置)하다. — **s'~** *v.pr.* 전치되다.

***antérieur, e** [ɑ̃teʀjœ:ʀ] *adj.* ① 《공간》 앞의 (≠ postérieur): pattes ~*es* 앞발. ② 《시간》 ⓐ 《~ à》 …보다 먼저의, 앞서는(≠ postérieur, ultérieur): événement ~ *à* la guerre 전쟁 이전의 사건. ⓑ 전의, 먼저의: futur ~ 전미래. ③ 〖문법〗 전설(前舌)의: voyelle ~*e* 전설모음(=voyelle d'avant).

antérieurement [ɑ̃teʀjœʀmɑ̃] *adv.* 그 전에, 먼저, 앞서; 《~ à》 …보다 이전에.

antériorité [ɑ̃teʀjɔʀite] *f.* (시간상의) 선행성: droit d'~ 〖법률〗 선취(우선·기득)권.

anthelminthique [ɑ̃tɛlmɛ̃tik] 〖약학〗 *adj.* 구충성의(=vermifuge). — *m.* 구충제.

anthologie [ɑ̃tɔlɔʒi] *f.* ① 사화집(詞華集). ② 선집, 문집: ~ des écrivains du XIXe siècle, 19 세기 작가선.

anthracite [ɑ̃tʀasit] *m.* 〖광물〗 무연탄.
— *adj.* 《불변》 짙은 회색의.

anthrax [ɑ̃tʀaks] *m.* 〖의학〗 ① 옹(癰), 정(疔). ② 비탈저(脾脫疽).

anthropo- *préf.* 「사람·인류」의 뜻.

anthropocentrique [ɑ̃tʀɔpɔsɑ̃tʀik] *adj.* 인간 중심적인.

anthropocentrisme [ɑ̃tʀɔpɔsɑ̃tʀism] *m.* 인간 중심주의.

anthropoïde [ɑ̃tʀɔpɔid] *adj.* 〖동물〗 사람 비슷한. — *m.* 유인원(類人猿)(=singe ~).

anthropologie [ɑ̃tʀɔpɔlɔʒi] *f.* 인류학: ~ culturelle 문화 인류학. ② 인간학, 인간론.

anthropologique [ɑ̃tʀɔpɔlɔʒik] *adj.* 인류학의.
anthropologiste [ɑ̃ʀtʀɔpɔlɔʒist], **anthropologue** [ɑ̃tʀɔpɔlɔg] *m.* 인류학자.
anthropométrie [ɑ̃tʀɔpɔmetʀi] *f.* 인체 측정(법).
anthropométrique [ɑ̃tʀɔpɔmetʀik] *adj.* 인체 측정의 ; 인체 감식의 : fiche ~ 범죄자 인체 측정 색인표.
anthropomorphe [ɑ̃tʀɔpɔmɔʀf] *adj.* 인간 형체를 한, 인간 비슷한. ── *m. pl.* 유인원.
anthropomorphisme [ɑ̃tʀɔpɔmɔʀfism] *m.* 신인 동형론(神人同形論) ; 의인주의.
anthropophage [ɑ̃tʀɔpɔfa:ʒ] *adj.* 식인(食人)의 : tribu ~ 식인종. ── *n.* 식인종.
anthropophagie [ɑ̃tʀɔpɔfaʒi] *f.* 식인 풍습(= cannibalisme) ; 〖의학〗 식인증(症).
anthropopithèque [ɑ̃tʀɔpɔpitɛk] *m.* 원인(猿人).
anti-[1] *préf.* 「선행(先行)」의 뜻.
anti-[2] *préf.* 「반대 · 적대 · 대항 · 치료」의 뜻.
antiaérien, enne [ɑ̃tiaeʀjɛ̃, -ɛn] *adj.* 공습에 대비하는, 대공(對空)의 : abri ~ 방공호 / défense *~enne* 대공 방어.
anti-âge [ɑ̃tiɑʒ] *adj.* 《불변》 피부 노화 방지의(= antirides) : crèmes de soins ~ 피부 노화 방지 크림.
antialcoolique [ɑ̃tialk(ɔ)ɔlik] *adj.* 금주(주의)의 : propagande ~ 금주 운동. ── *n.* 금주주의자.
antialcoolisme [ɑ̃tialk(ɔ)ɔlism] *m.* 금주주의 (운동).
antiatomique [ɑ̃tiatɔmik] *adj.* 원자력 방사능을〔방사 무기를〕 막는.
antibiotique [ɑ̃tibjɔtik] 〖의학〗 *adj.* 항생의. ── *m.* 항생 물질.
antibrouillard [ɑ̃tibʀuja:ʀ] *adj.* 안개를 뚫는 : phare ~ 대무(對霧) 조명등.
antibruit [ɑ̃tibʀɥi] *adj.* 《불변》 방음의, 소음 방지용의 : mur ~ 방음벽.
anticancéreux, euse [ɑ̃tikɑ̃seʀø, -ø:z] 〖의학〗 *adj.* 암 예방의, 암에 효험 있는(≠ cancérigène), 항암의 : remède ~ 항암제 / centre ~ 항암 센터. ── *m.* 항암제.
anticapitaliste [ɑ̃tikapitalist] *adj.* 반자본주의적인. ── *n.* 반자본주의자.
anticasseurs [ɑ̃tikasœʀ] *adj.* 《불변》 loi ~ 파괴 활동 방지법.
antichambre [ɑ̃tiʃɑ̃:bʀ] *f.* ① 대기실(= salle d'attente), 부속실. ② 《집합적》 청원자. ***courir les ~s*** 명사(名士)를 찾아다니다. ***faire ~*** 대기실에서 면회를 기다리다.
antichar(s) [ɑ̃tiʃa:ʀ] *adj.* 〖군사〗 대(對)전차용의 : canons 〔mines〕 *~s* 대전차포〔지뢰〕. ── *m.* 대전차용 병기(兵器).
antichoc [ɑ̃tiʃɔk] *adj.* 충격을 흡수하는, 완충의 : bourrelets *~s* 완충 쿠션.
anticipation [ɑ̃tisipasjɔ̃] *f.* ① 미리 하기 : régler une dette par ~ 빚을 미리 갚다. ② 예상(= prévision), 예견, 공상, 상상 : littérature 〔roman〕 d'~ 공상 과학 문학〔소설〕. ***par ~*** 미리 : payer *par ~* 선불하다.
anticipé, e [ɑ̃tisipe] *adj.* ① 미리 한〔하는〕 (≠ retardé) : connaissance *~e* 선견, 예견. ② 예상〔예감〕되는 : crainte *~e* 불길한 예감. ③ 기일〔기한〕 전의 : remboursement ~ 기한 전 상환 / retraite *~e* 정년(停年) 전의 조기 퇴직. ④ 예상보다 앞지른, 너무 이른 : retour ~ 예정보다 이른 귀환 / vieillesse *~e* 조로(早老). ⑤ 시대에 앞선.
***anticiper** [ɑ̃tisipe] *v.t.* ① 앞지르다 : ~ le temps 시간을 앞지르다. ② 예정보다 미리 하다, 앞당기다 : ~ un payement de cinq jours 지불을 닷새 앞당기다. ③ (즐거움 따위를) 미리 맛보다〔느끼다〕 : Le cœur *anticipe* les maux qui le menacent. 마음은 다가올 고통을 미리 느낀다. ④ 예상〔예견〕하다 : ~ l'avenir 장래를 예상하다.
── *v.t. ind.* 《~ sur》 ① …을 앞지르다 : ~ *sur* ses revenus 수입을 예상하고 미리 돈을 쓰다. ② …을 침해〔침범〕하다(= empiéter) : ~ *sur* les droits 〔terres〕 de qn …의 권리〔토지〕를 침해〔침범〕하다.
anticlérical, e, aux [ɑ̃tikleʀikal, -o] *adj.* 반교권주의의. ── *n.* 반교권주의자.
anticléricalisme [ɑ̃tikleʀikalism] *m.* 반교권주의.
anticlinal, e, aux [ɑ̃tiklinal, -o] 〖지질〗 *adj.* 배사(背斜)의. ── *m.* 배사.
anticolonialisme [ɑ̃tikɔlɔnjalism] *m.* 반제국〔반식민지〕주의.
anticolonialiste [ɑ̃tikɔlɔnjalist] *adj.* 반식민주의의. ── *n.* 반식민주의자.
anticommunisme [ɑ̃tikɔmynism] *m.* 반공산주의, 반공.
anticommuniste [ɑ̃tikɔmynist] *adj.* 반공산주의의. ── *n.* 반공산주의자.
anticonceptionnel, elle [ɑ̃tikɔ̃sɛpsjɔnɛl] *adj.* 피임의 ; 피임법 보급의 : pilule *~elle* 피임약.
anticonformisme [ɑ̃tikɔ̃fɔʀmism] *m.* 반(反)순응주의.
anticonformiste [ɑ̃tikɔ̃fɔʀmist] *adj.* 반순응주의의 : attitude ~ 반순응주의적 태도. ── *n.* 반순응주의자.
anticonstitutionnel, elle [ɑ̃tikɔ̃stitysjɔnɛl] *adj.* 헌법에 위배되는, 위헌의.
anticonstitutionnellement [ɑ̃tikɔ̃stitysjɔnɛlmɑ̃] *adv.* 헌법에 위배되게, 위헌적으로.
anticorps [ɑ̃tikɔ:ʀ] *m.* 〖생리〗 항체(抗體).
anticyclone [ɑ̃tisiklo:n] *m.* 〖기상〗 역선풍 ; 고기압(권) : ~ migratoire 이동성 고기압.
antidate [ɑ̃tidat] *f.* 전일부(前日附).
antidater [ɑ̃tidate] *v.t.* 전일부로 하다, 실제보다 날짜〔시기〕를 이르게 하다(≠ postdater) : ~ une lettre 〔un contrat〕 편지〔계약서〕의 날짜를 앞당겨 쓰다.
antidémocratique [ɑ̃tidemɔkʀatik] *adj.* 반민주주의의.
antidépresseur [ɑ̃tidepʀɛsœ:ʀ] *m.* 우울증 치료제 ; 강장제(= médicament ~).
antidérapant, e [ɑ̃tideʀapɑ̃, -ɑ̃:t] *adj.* (타이어가) 미끄럼 방지의 : pneus *~s* 미끄럼 방지 타이어. ── *m.* 미끄럼 방지 타이어.
antidiphtérique [ɑ̃tidifteʀik] *adj.* 디프테리아를 치료〔예방〕하는: sérum ~ 항디프테리아 혈청. ── *m.* 디프테리아 치료〔예방〕제.
antidoping [ɑ̃tidɔpiŋ] 〔영〕 *adj.* 《여성불변》 〖스포츠〗 흥분제 사용(doping) 방지의 : contrôle ~ 도핑 체크.
antidote [ɑ̃tidɔt] *m.* ① 해독제. ② 예방약 ; 치유책 : ~ à l'ennui 권태 치유책.

antidouleur [ɑ̃tidulœ:ʀ] *adj.* 《불변》 진통의 : médicaments ～ 진통제.
antienne [ɑ̃tjɛn] *f.* ① 〚가톨릭〛 교송 성가(交誦聖歌). ② 항상 되풀이하는 말(= refrain) : Je connais ton ～. 또 그 말이군, 그 똑같은 넋두리는 그만두게. ***chanter toujours la même ～*** 《구어》 언제나 같은 말만 되풀이하다.
antiesclavagiste [ɑ̃tiɛsklavaʒist] *adj.* 노예 제도 반대의. ── *n.* 노예 제도 폐지론자.
antifasciste [ɑ̃tifasist] *adj.* 반파시즘의. ── *n.* 파시즘 반대자.
antifébrile [ɑ̃tifebʀil] *adj.* 해열의. ── *m.* 「해열제.
antigang [ɑ̃tigɑ̃g] *adj.* 《불변》 강력 범죄 담당의. ***brigade ～*** 강력계.
antigel [ɑ̃tiʒɛl] *adj.* 《불변》 동결(凍結)을 막는. ── *m.* 동결 방지제 : ～ pour radiateurs d'automobiles 부동액(不凍液).
antigène [ɑ̃tiʒɛn] *m.* 〚의학〛 항원(抗原).
antigouvernemental, e, aux [ɑ̃tiguvɛʀnəmɑ̃tal, -o] *adj.* 반정부적인.
antigrippe [ɑ̃tigʀip] *adj.* et *m.* 유행성 감기 치료의〔치료제〕.
antihalo [ɑ̃tialo] 〚사진〛 *adj.* 《불변》 헐레이션《반사광에 의한 사진면의 흐림》을 방지하는. ── *m.* 헐레이션 방지제.
antihygiénique [ɑ̃tiiʒjenik] *adj.* 비위생 「적인.
anti-impérialisme [ɑ̃tiɛ̃peʀjalism] *m.* 반(反)제국주의.
antijeu [ɑ̃tiʒø] *m.* 〚운동〛 스포츠 정신에 위배되는 행위〔태도〕.
antillais, e [ɑ̃tijɛ, -ɛ:z] *adj.* 서인도 제도(*les Antilles*)의. ── **A～** *n.* 서인도 제도 사람.
Antilles (**les**) [lezɑ̃tij] *n.pr.f.* 서인도 제도.
antilogie [ɑ̃tilɔʒi] *f.* 〚논리〛 전후 모순, 자가당착.
antilope [ɑ̃tilɔp] *f.* 〚동물〛 영양(羚羊).
antimatière [ɑ̃timatjɛ:ʀ] *f.* 〚물리〛 반(反)물질, 반대 물질.
antimilitarisme [ɑ̃timilitaʀism] *m.* 반군국주의 ; 군국주의 반대.
antimilitariste [ɑ̃timilitaʀist] *adj.* 반군국주의의. ── *n.* 반군국주의자.
antimite (**s**) [ɑ̃timit] *adj.* 좀을 방지하는. ── *m.* 좀약, 방충제.
antinational, e, aux [ɑ̃tina〔ɑ〕sjɔnal, -o] *adj.* 반국가적인.
antinomie [ɑ̃tinɔmi] *f.* ① 〚철학〛 이율배반. ② 모순, 불합리(= contradiction).
antinomique [ɑ̃tinɔmik] *adj.* 이율배반의 ; 모순된.
antinucléaire [ɑ̃tinykleɛ:ʀ] *adj.* 반핵(反核)의, 원전(原電) 설치에 반대하는. ── *n.* 반핵주의자.
antiparasite [ɑ̃tipaʀazit] *adj.* 〚무전〛 잡음 방지의. ── *m.* 잡음 방지 장치.
antiparasiter [ɑ̃tipaʀazite] *v.t.* 〚무전〛 …의 잡음을 방지하다 ; 잡음 방지 장치를 하다.
antiparlementaire [ɑ̃tipaʀləmɑ̃tɛ:ʀ] *adj.* 의회 정치 반대의 ; 원규(院規)〔의회 관습〕에 어긋나는. ── *n.* 의회 정치 반대자.
antiparlementarisme [ɑ̃tipaʀləmɑ̃taʀism] *m.* 의회 정치 반대론〔반대주의〕.
antipathie [ɑ̃tipati] *f.* ① 반감, 혐오, 적의(= aversion) : ～ pour 〔contre〕 qn …에 대한 반감. ② 비(非)양립성 ; 부조화.
***antipathique** [ɑ̃tipatik] *adj.* ① 싫은, 불쾌한, 기분 나쁜(= désagréable) : visage ～ 불쾌한 얼굴. ② 상반되는, 상충하는, 상극의 : caractères ～s 상반된 성격.
antipatriote [ɑ̃tipatʀijɔt] *n.* 비애국자.
antipatriotique [ɑ̃tipatʀijɔtik] *adj.* 애국심이 없는, 비애국적인.
anti(**-**)**personnel** [ɑ̃tipɛʀsɔnɛl] *adj.* 〚군사〛 대인(對人)의, 인마(人馬) 살상용의.
antiphrase [ɑ̃tifʀɑ:z] *f.* 〚수사학〛 반어법(反語法), 반어적 표현《예 : C'est du propre ! 꼴 좋다 !》.
antipode [ɑ̃tipɔd] *m.* ① 대척지(對蹠地) ; 지구의 반대쪽. ② 《비유》 먼 곳, 원격지. ③ 정반대되는 것〔사람〕. ***être à l'～*** 〔***aux ～s***〕 ***de*** …와 반대 지점에 있다, …에서 아주 멀리 떨어진 곳에 있다 : *être aux ～s de la vérité* 사실과는 전혀 다르다.
antipodiste [ɑ̃tipɔdist] *m.* 누워서 발로 곡예를 하는 곡예사.
antipoison [ɑ̃tipwazɔ̃] *adj.* 《불변》 centre ～ 약물 중독 예방 및 치료 센터.
antipoliomyélitique [ɑ̃tipɔljɔmjelitik] *adj.* 소아마비 예방의 : vaccin ～ 소아마비 예방 백신.
anti(**-**)**pollution** [ɑ̃tipɔ(l)lysjɔ̃] *adj.* 《불변》 오염〔공해〕 방지의 : mesures ～ 공해〔오염〕 방지 조치.
antiprogressiste [ɑ̃tipʀɔgʀɛ〔e〕sist] *adj.* 반진보주의적인. ── *n.* 반(反)진보주의자.
antipsychiatrie [ɑ̃tipsikiatʀi] *f.* 반(反)정신 의학 ; 반정신 의학적 요법.
antiputride [ɑ̃tipytʀid] *adj.* 부패를 방지하는. ── *m.* 방부제.
antipyrétique [ɑ̃tipiʀetik] *adj.* 해열 작용을 하는. ── *m.* 해열제.
antiquaille [ɑ̃tikɑ:j] *f.* 고물 ; 유행에 뒤진 것〔사람〕 ; 《옛》 고대 미술품.
antiquaire [ɑ̃tikɛ:ʀ] *m.* ① 골동품 상인 ; 고서 상인. ② 골동품 연구가, 고고학자.
antique [ɑ̃tik] *adj.* ① 고대의, 고대풍의 : cité ～ 고대 도시. ② 아주 오래된, 옛날의 : nos ～s amis 우리들의 옛 친구들. ③ 시대〔유행〕에 뒤진, 구식의, 낡은(= démodé) : robe ～ 구식 옷 / Il est ～ et solennel. 그는 구태의연한 사람이다. ④ 《비꼼》 늙은. ***à l'～*** 고대풍으로〔의〕 ; 구식으로〔의〕. ── *m.* 고대풍, 고대 양식〔예술〕. ── *f.* 고(古)미술품.
antiquité [ɑ̃tikite] *f.* ① 낡음, 오램 ; 오랜 역사. ② ⓐ 태고(太古), 먼 옛날 : Cela remonte à la plus haute ～. 그것은 아주 먼 옛날로 거슬러 올라간다. ⓑ 고대 (문명), 그리스 · 로마의 고대 (문명). ⓒ 《집합적》 고대인 ; 고대 그리스 · 로마인. ③ (흔히 *pl.*) 고(古)미술품 ; 골동품 ; 오래된 것 : le Musée des *A～s* nationales 국립 고문화재 박물관 / marchand d'～s 골동품 상인. ***de toute ～*** 옛날 옛적부터 언제나.
antirabique [ɑ̃tiʀabik] *adj.* 공수병〔광견병〕에 잘 듣는. ── *m.* 공수병〔광견병〕 치료제.
antiraciste [ɑ̃tiʀasist] *adj.* 인종 차별주의를 반대하는. ── *n.* 인종 차별주의 반대자.
antiradiation [ɑ̃tiʀadjɑsjɔ̃] *adj.* 방사능을

A

방지하는(=antiatomique).
antiréglementaire [ɑ̃tiʀɛgləmɑ̃tɛːʀ] *adj.* 규칙에 어긋나는.
antireligieux, euse [ɑ̃tiʀəliʒjø, -øːz] *adj.* 반〔비〕종교적인.
antirides [ɑ̃tiʀid] *adj.* 《불변》 주름살 제거〔방지〕의 : crème ~ 주름살 방지 크림.
anti-roman [ɑ̃tiʀɔmɑ̃] *m.* 반(反)소설.
antirouille [ɑ̃tiʀuj] *adj.* 《불변》 녹을 제거〔방지〕하는. — *m.* 녹 방지제.
anti-scientifique [ɑ̃tisjɑ̃tifik] *adj.* 비과학적인.
antiségrégationniste [ɑ̃tisegʀegɑsjɔnist] *adj.* 인종 분리주의를 반대하는. — *n.* 인종 분리주의 반대자.
antisémite [ɑ̃tisemit] *adj.* 유대인 배척의. — *n.* 유대인 배척자.
antisémitisme [ɑ̃tisemitism] *m.* 유대인 배척주의, 반유대인주의.
antisepsie [ɑ̃tisɛpsi] *f.* 〖의학〗 방부법(防腐法), 소독법. — *m.* 방부제.
antiseptique [ɑ̃tisɛptik] *adj.* 방부의, 소독의. — *m.* 방부제, 소독제.
antisida [ɑ̃tisida] *adj.* 《불변》 〖의학〗 항(抗)에이즈의 ; 에이즈 퇴치의.
antisismique [ɑ̃tisismik] *adj.* (건축물 따위가) 내진(耐震)의, 지진에 견디는.
antisocial, e, aux [ɑ̃tisɔsjal, -o] *adj.* ① 반사회적인 : principes *~aux* 반사회적인 강령들. ② 노동자의 권익에 반(反)하는 : mesure *~e* 노동자에게 불리한 조치.
anti-sous-marin, e [ɑ̃tisumaʀɛ̃, -in] *adj.* 대(對)잠수함의 : grenade *~e* 대잠수함 폭뢰.
antispasmodique [ɑ̃tispasmɔdik] *adj.* 경련 치료의. — *m.* 경련 진정제.
antisportif, ive [ɑ̃tispɔʀtif, -iːv] *adj.* 스포츠에 반대하는 ; 스포츠 정신에 어긋나는.
antistatique [ɑ̃tistatik] *adj.* 정전기 방지의. — *m.* 정전기 방지제.
antitabac [ɑ̃titaba] *adj.* 《불변》 금연(禁煙)의 : campagnes ~ 금연 캠페인.
antitétanique [ɑ̃titetanik] 〖의학〗 *adj.* 파상풍에 효험 있는. — *m.* 파상풍 치료제.
antithèse [ɑ̃titɛːz] *f.* ① 〖수사학〗 대조법 ; 대구(對句). ② 〖철학〗 반대 명제, 반(反) : thèse, ~, synthèse 정(正), 반(反), 합(合). ③ 정반대 ; 대조, 대립.
antithétique [ɑ̃titetik] *adj.* ① 대조법적인 ; 대구가 많이 든. ② 〖철학〗 반대 명제가 들어 있는. ③ 정반대의(=contradictoire) ; 대조적인 : principes *~s* 서로 상반되는 원칙.
antitoxine [ɑ̃titɔksin] *f.* 항독소(抗毒素).
antituberculeux, euse [ɑ̃titybɛʀkylø, -øːz] *adj.* 결핵 예방〔치료〕의 : vaccin ~ 결핵 예방 백신. — *m.* 결핵 치료제.
antitussif, ive [ɑ̃titysif, -iːv] *adj.* 〖의학〗 진해(鎭咳)의, 가래를 없애는. — *m.* 진해제.
antivariolique [ɑ̃tivaʀjɔlik] *adj.* 천연두 예방의 : vaccination ~ 종두.
anti(-)vol [ɑ̃tivɔl] *m.* 도난 방지 장치.
antonomase [ɑ̃tɔnɔmɑːz] *f.* 〖수사학〗 환유(換喩).
antonyme [ɑ̃tɔnim] *m.* 반의어(≠ synonyme).
antonymie [ɑ̃tɔnimi] *f.* ① 반의(성), 반의 관계. ② 〖수사학〗 반의어법.
antre [ɑ̃ːtʀ] *m.* ① 동굴(=caverne), 소굴(=repaire) : ~ des conspirateurs 음모자들의 소굴. ② 위험한 장소 ; 숨은 곳. ③ 〖해부〗 공동(空洞).
anus [anys] *m.* 〖해부〗 항문(=《구어》 cul).
anxiété [ɑ̃ksjete] *f.* 걱정, 근심, 불안(=angoisse, inquiétude), 우려 : avec ~ 걱정스럽게, 불안스럽게.
anxieusement [ɑ̃ksjøzmɑ̃] *adv.* 걱정스럽게.
anxieux, euse** [ɑ̃ksjø, -øːz] *adj.* ① 《~ de》 …에 대해 걱정〔근심〕하는(=angoissé, inquiet) : Je suis ~ *de* l'avenir. 장래에 대하여 불안을 느낀다. ② 불안한, 걱정하는 : regard ~ 불안한 시선 / états ~ 불안한 상태. ~ ***de+*inf.* …하고 싶어서 안절부절못하는, …하기를 열망하는 : Je suis ~ *de* la revoir. 나는 그녀를 다시 보고 싶어 견딜 수가 없다. — *n.* 늘 불안에 떠는 사람.
A.O.F. 《약자》 Afrique Occidentale Française 프랑스령 서부 아프리카.
aorte [aɔʀt] *f.* 〖해부〗 대동맥(=artère ~).
aortique [aɔʀtik] *adj.* 〖해부〗 대동맥의.
****août** [u, ut] *m.* ① 8월 : en ~ ; au mois d'~ 8월에 / le Quinze-*A~* 〖가톨릭〗 성모 몽소승천일(Assomption 의 속칭). ② 《옛》 추수 : faire l'~ 추수하다.
aoûtage [(a)utaːʒ] *m.* 곡식 추수 (때).
aoûtat [auta] *m.* 〖동물〗 진드기의 일종.
aoûter [(a)ute] *v.i.* ① (햇볕으로) 무르익다. ② 목질화(木質化)하다. ③ 《지방어》 추수하다. — *v.t.* 무르익게 하다.
aoûtien, enne [ausjɛ̃, -ɛn] *n.* ① 8월 피서객. ② (피서 가지 않고) 8월에 파리나 대도시에 남아 있는 사람. — *adj.* 8월의.
ap. 《약자》 apud 저자명 · 저서명을 인용할 때의 표현: ~ Platon 플라톤에서 인용.
apache [apaʃ] *m.* ① (*A~s*) 아파치족(族) 《미국 남부의 인디언 부족》. ② 악당, 무뢰한, 불량배. — *adj.* 아파치풍의.
apaisant, e [apɛzɑ̃, -ɑ̃ːt] *adj.* 마음을 가라앉히는, 진정시키는 : vision *~e* 마음을 평온하게 해 주는 광경. — *m.* 〖의학〗 진정제.
apaisement [apɛzmɑ̃] *m.* 진정시키기, 평정 ; 진압 : ~ des flots 격랑에 가라앉음 / donner des *~s* 안심시키다.
***apaiser** [apɛ(e)ze] *v.t.* ① (사람을) 진정시키다, …의 마음을 가라앉히다(=calmer) ; 달래다 : ~ un enfant qui pleure 우는 아이를 달래다. ② (감정 따위를) 누그러뜨리다(=adoucir) ; (폭동 등을) 진압하다. ③ (갈증 · 시장기 따위를) 가시게 하다(=assouvir) : ~ la soif 〔la faim〕 목을 축이다〔요기하다〕. — **s'~** *v.pr.* ① 마음이 가라앉다, 진정되다. ② (감정 따위가) 누그러지다 ; (폭동이) 진압되다 : Sa colère *s'est apaisée.* 그의 분노가 가라앉았다. ③ (갈증 · 시장기 따위가) 가시다.
apanage [apanaːʒ] *m.* ① 〖역사〗 대군(大君)의 영지(領地). ② 《옛》 소유지. ③ 소유〔부속〕물 ; 속성(屬性), 고유한 것. ***avoir l'~ de*** qc …을 독점하다.
a pari [apaʀi] *loc. adv.* et *adj.* 〖논리〗 동등논리〔이유〕로서(의), 대등 추리로서(의).
aparté [apaʀte] *m.* (*pl.* ~(***s***)) ① 〖연극〗 방백(傍白) ; 독백. ② 밀담, 속삭이는 말.
apartheid [apaʀtɛd] 〔아프리카〕 *m.* (남아

연방의) 인종 차별, 인종 차별 정책.
apathie [apati] *f.* ① 〖철학〗 무관심. ② 무감각, 무신경. ③ 무기력(= inertie) : retomber 〔sombrer〕 dans l'~ 무력감에 다시 빠지다 〔파묻히다〕.
***apathique** [apatik] *adj.* 무감각한, 무신경한, 무관심한(= indolent) ; 무기력한.
apatride [apatʀid] *n.* 무국적자. — *adj.* 무국적의.
A.P.E.L. 《약자》 Association des parents d'élèves des écoles libres de France 프랑스 사립학교 학부모회.
apepsie [apɛpsi] *f.* 〖의학〗 소화 불량.
aperception [apɛʀsɛpsjɔ̃] *f.* ① 지각 (작용), 통각(統覺). ② 이해력(= appréhension).
‡apercevoir [apɛʀsəvwa:ʀ] 53 *v.t.* ① (안 보이던 것을 갑자기) 보다 ; (언뜻) 보다, 우연히 보다, 만나다 : On *apercevait* au loin l'incendie. 멀리 불난 것이 보였다 / Je l'*ai aperçu* hier dans la rue. 어제 길에서 얼핏 그를 보았다. ② 알아차리다, 깨닫다(= découvrir) : faire ~ ce qui échappe aux autres 남들이 알지 못하는 것을 깨닫게 하다 / J'aperçois maintenant ses intentions. 나는 이제야 그의 의도를 알겠다. **~ que**+ *ind.* …을 알아차리다. — **s'~** *v.pr.* ① 제 모습을 보다 : Elle *s'est aperçue* dans la glace. 그 여자는 거울 속의 자기 모습을 보았다. ② 서로 보다. ③ 눈에 띄다 : bateau à voile qui *s'aperçoit* à peine 보일 듯 말 듯한 배. ④ 《~ de》 …을 깨닫다, 알아차리다(= remarquer) : Elle *s'est aperçue de* son erreur. 그녀는 자기 잘못을 알아차렸다 / Il ne *s'en est* pas *aperçu.* 그는 그것을 깨닫지 못했다. ***s'~ que***+*ind.* …을 깨닫다 : Il *s'aperçut que* ses auditeurs étaient lassés. 그는 청중들이 지친 것을 알아차렸다 ***sans s'en ~*** 깨닫지 못하고, 저도 모르는 사이에.
apercevr-ai, -as, etc. ⇒ apercevoir.
aperçoi-s, -t, -ve, etc. ⇒ apercevoir.
aperçu** [apɛʀsy] *m.* ① 얼핏 보기, 일별(= coup d'œil). ② 통찰, 착상, 발상. ③ 개요, 개관 : ~ d'une affaire 사건의 개요 / donner un ~ de la situation 상황을 간략히 설명하다. ***en ~ 간략하게. ***par ~*** 대략.
***apéritif, ive** [apeʀitif, -i:v] *adj.* 식욕 증진의. — *m.* 식욕 증진제 ; 식전에 마시는 술 (= liqueur ~), 아페리티프(≠digestif).
apéro [apeʀo] *m.* 《속어》 아페리티프.
apesanteur [apəzɑ̃tœ:ʀ] *f.* 〖물리〗 무중력(상태) : en état d'~ 무중력 상태의.
apétale [apetal] *adj.* 〖식물〗 꽃잎이 없는.
‡à peu près [apøpʀɛ] *loc. adv.* 거의, 대략, 약 : Il est ~ 6 heures. 거의 6시가 되었다. — *m.* 《복수불변》《à-peu-près 라고도 씀》 어림잡아 헤아린 일, 대략, 개산(概算), 근사(近似) : calculer par ~ 대략 계산하다 / Je n'aime pas les ~. 나는 일을 대충 대충하는 것을 싫어한다.
apeuré, e [apœʀe] *adj.* 겁에 질린.
apeurer [apœʀe] *v.t.* 겁나게 하다, 무서워하게 하다.
apex [apɛks] *m.* ① 〖식물〗 상단(上端) ; 〖생물〗 첨단. ② 〖천문〗 (태양의) 향점(向點).
aphasie [afazi] *f.* 〖의학〗 실어증(失語症).
aphasique [afazik] *adj.* 실어증에 걸린. — *n.* 실어증 환자.
aphélie [afeli] 〖천문〗 *m.* 원일점(遠日點). — *adj.* 원일점상의 「〔탈락〕.
aphérèse [afeʀɛ:z] *f.* 두음절(頭音節) 생략
aphone [afɔn] *adj.* 〖의학〗 목소리가 안 나는, 실성(失聲)의. 「결핍.
aphonie [afɔni] *f.* 〖의학〗 실성(失聲), 음성
aphorisme [afɔʀism] *m.* 금언, 격언, 경구.
aphrodisiaque [afʀɔdizjak] 〖의학〗 *adj.* 성욕 촉진의, 최음(催淫)의. — *m.* 최음제.
aphte [aft] *m.* 〖의학〗 아구창(牙口瘡).
aphteux, euse [aftø, -ø:z] *adj.* 〖의학〗 아구창성의 : fièvre ~*euse* 〖수의학〗 아프타열.
A.P.I. 《약자》 alphabet phonétique international 국제 음성 자모.
api [api] *m.* 〖식물〗 작은 능금.
à-pic [apik] *m.* 《복수불변》 절벽 : l'~ d'un ravin 협곡의 절벽.
apiculteur [apikyltœ:ʀ] *m.* 양봉가.
apiculture [apikylty:ʀ] *f.* 양봉(養蜂).
apitoiement [apitwamɑ̃] *m.* 측은, 연민, 동정(= compassion, pitié).
***apitoyer** [apitwaje] 7 *v.t.* 《~ qn sur qn 〔qc〕》 …에 대해 불쌍한〔측은한〕 마음이 들게 하다(= attendrir) : Tâchez de l'~ *sur* le sort de ce malheureux. 그가 이 불행한 사람의 처지를 측은히 여길 수 있게 하시오. — **s'~** *v.pr.* 《s'~ qn sur qn 〔qc〕》 …을 측은히〔불쌍히〕 여기다, 동정하다(= compatir) : Elle *s'apitoya sur* ces orphelins. 그녀는 이 고아들을 불쌍히 여겼다.
ap.J.-C. 《약자》 après Jésus-Christ 서력 기원.
aplanir [aplani:ʀ] *v.t.* ① 고르게 하다, 평평〔평탄〕하게 하다(= égaliser). ② (장애를) 제거하다, 없애 버리다(= lever) : ~ les difficultés 곤란을 제거하다. — **s'~** *v.pr.* ① 평평〔평탄〕해지다. ② (장애가) 제거되다.
aplanissement [aplanismɑ̃] *m.* ① 평평〔평탄〕하게 하기. ② (장애의) 제거, 해소.
aplat, à-plat [apla] *m.* ① 〖미술〗 단일 색조, 전면 단색. ② (종이의) 매끈함. ③ 〖인쇄〗 impression ~ 평판 인쇄.
aplati, e [aplati] *adj.* ① 납작한, 평평한 : nez ~ 납작코. ② 납작해진, 평평해진. ③ 《구어》 기력을 잃은(= abattu) ; 녹초가 된 : Je me sens tout ~. 아주 녹초가 되었다.
aplatir [aplati:ʀ] *v.t.* ① 납작〔평평〕하게 하다 : ~ qc à coups de marteau 망치로 …을 납작하게 하다/ ~ un pli 주름을 펴다. ② 《~ qn》《구어》 납작하게 만들다, 찍소리 못하게 하다 : L'ennemi *a été aplati.* 적은 꼼짝 못했다, 괴멸했다. ***~ l'orgueil de*** qn …의 자만심을 꺾어 버리다. — **s'~** *v.pr.* ① 납작〔평평〕해지다. ② (바닥에) 엎드리다, 엎어지다(= s'étaler) : *s'~* contre un mur 벽에 몸을 바싹 붙이다/ *s'~* sur la pelouse 잔디밭 위에 엎드리다. ③ 《s'~ contre》 …에 부딪치다, 충돌하다. ④ 굽실거리다 : *s'~* devant qn …에게 저자세를 취하다.
aplatissement [aplatismɑ̃] *m.* ① aplatir 〔s'aplatir〕 하기. ② 납작〔평탄〕함. ③ 《구어》 의기를 꺾기, 제압, 분쇄 : ~ des forces 의

A

기소침 / ~ des armées ennemies 적군의 분쇄. ④ 퇴폐, 타락.

A

*__aplomb__ [aplɔ̃] *m.* ① 수직(垂直), 연직(鉛直), 평형, 균형(≠ déséquilibre) : grader son ~ 수직〔평형〕을 유지하다. ② (보통 *pl.*) 〖승마〗 (정지하고 있을 때의) 다리의 자세. ③ 태연함, 침착〔냉정〕함(= sang-froid) ; 뻔뻔스러움 : perdre 〔retrouver〕 son ~ 안정〔침착성〕을 잃다〔되찾다〕 / avoir l'~ de + *inf.* 뻔뻔스럽게도 …하다. ***à l'~ de*** qc …와 수직으로 ; …의 바로 위〔바로 아래〕에. ***avec ~*** 태연자약하게. ***d'~*** ⓐ 수직으로 ; 균형을 잡고 : Le soleil tombe *d'~*. 태양이 수직으로 내리쪼인다 / bien *d'~* sur ses pieds 넘어지지 않게 딱 버티고 서서. ⓑ 호조의, 정상적인 : Je suis 〔me sens〕 *d'~*. 나는 컨디션이 좋다 ***être d'~*** 균형이 잡혀 있다; 똑바르다; 건강하다. 「點).

apoastre [apoastʀ] *m.* 〖천문〗 원성점(遠星

apocalypse [apɔkalips] *f.* ① 묵시 ; 계시. ② (l'*A*~) 〖성서〗 요한 묵시록 ③ 《구어》 ⓐ (*A*~) 난해한 것. ⓑ (*a*~) 세상의 종말.

apocalyptique [apɔkaliptik] *adj.* ① 난해한, 상징적인 : style ~ 난해한 문체. ② 세상의 종말 같은, 황량한 ; 처참한(= dantesque).

apocope [apɔkɔp] *f.* 〖언어〗 낱말 마지막 음절의 생략〔소실〕(≠ aphérèse).

apocryphe [apɔkʀif] *adj.* ① 정경(正經) 외의. ② 의심스러운, 진위를 알 수 없는, 허위의(= faux, inauthentique) : testament ~ 위조의 의심이 가는 유언. — *m.* 〖가톨릭〗 위경(僞經).

apode [apɔd] *adj.* 〖동물〗 다리〔발〕 없는 ; 〖어류〗 배지느러미가 없는. — *m. pl.* 무족양서류 ; 배지느러미가 없는 어류.

apogée [apɔʒe] *m.* ① 〖천문〗 원지점(遠地點)(≠ périgée). ② 절정, 최고점 ; 전성기(= comble) : Il est à l'~ de sa grandeur. 그는 영화(榮華)의 절정기에 있다.

apolitique [apɔlitik] *adj.* et *n.* 정치 색채가 없는 (사람), 비정치적인 (사람).

apolitisme [apɔlitism] *m.* 정치적 무관심주의 ; 비정치적인 태도〔입장〕 ; 탈(脫)정치.

Apollon [apɔlɔ̃] *n.pr.m.* 〖그리스신화〗 아폴론. — **a~** *m.* ① 미남자. ② (고산 지대의) 흰나비(= parnassien).

apologétique [apɔlɔʒetik] *adj.* ① 변호〔변명·옹호〕의. ② 〖신학〗 호교(護敎)의, 기독교 변증의. — *f.* 〖신학〗 호교론, 변증론.

apologie [apɔlɔʒi] *f.* ① 변호, 변명, 옹호 : faire l'~ de qn …의 입장을 변호하다. ② 〖신학〗 호교(護敎).

apologiste [apɔlɔʒist] *n.* 변호자, 변명자 ; 〖종교〗 호교론자, 기독교 변증론자.

apologue [apɔlɔg] *m.* 교훈담 ; 우화.

apophtegme [apɔftɛgm] *m.* 금언, 격언, 명언, 경구 : ne parler que par ~*s* 늘 명언을 섞어 가며 말하다.

apophyse [apɔfiːz] *f.* 〖해부〗 돌기(突起) ; 골단(骨端), 관절단(關節端).

apoplectique [apɔplɛktik] *adj.* 〖의학〗 졸중(卒中)의 ; 졸중 체질의 : symptômes ~*s* 졸중의 징후 / ictus ~ 졸중 발작. — *n.* 뇌졸중 환자.

apoplexie [apɔplɛksi] *f.* 졸중, 뇌일혈, 뇌출혈 : attaque d'~ 뇌졸중 / être frappé d'~ ; tomber en ~ 뇌졸중으로 쓰러지다.

apostasie [apɔstazi] *f.* ① 배교(背敎), 환속(還俗). ② 변절 ; 탈당.

apostasier [apɔstazje] *v.t.* (신앙을) 버리다. — *v.i.* ① 배교하다 ; 환속하다. ② 변절하다 ; 탈당하다.

apostat, e [apɔsta, -at] *adj.* et *n.* ① 배교〔환속〕한 (사람). ② 변절〔탈당〕한 (사람).

aposter [apɔste] *v.t.* (사람을) 배치〔잠복〕시키다 : ~ un espion en quelque endroit 어느 곳에 첩자를 잠입시키다.

a posteriori, à posteriori [apɔsteʀjɔʀi] *loc. adv.* 귀납적〔후천적〕으로, 경험에 입각하여(≠ a priori) : raisonner ~ 귀납적으로 추리하다. — *adj.* 귀납적인, 실험적인, 후천적인 : méthode ~ 귀납법. — *m.* 귀납법.

apostille [apɔstij] *m.* ① (증서의) 난외의 추가문 ; 추신. ② 《옛》 각주(脚註), 방주(旁註).

apostiller [apɔstije] *v.t.* ① (난외에) 추천문을 기입하다. ② 방주〔각주〕를 붙이다.

apostolat [apɔstɔla] *m.* ① 사도의 직분〔사명〕. ② 포교 ; 선전.

apostolique [apɔstɔlik] *adj.* ① 사도의 ; 사도가 전한 ; 사도 전승의 : mission ~ 사도의 사명. ② 로마 교황의 : nonce ~ 교황 대사.

apostrophe[1] [apɔstʀɔf] *f.* ① 〖수사학〗 돈호법(頓呼法). ② 《구어》 불쑥 쏘아붙이는 말; 질책, 꾸지람, 호통. ***adresser une ~ à*** qn …을 꾸짖다, …에게 호통치다.

apostrophe[2] *f.* 〖문법〗 생략 부호(《 ' 》).

apostropher [apɔstʀɔfe] *v.t.* ① …에게 불쑥 말을 걸다 ; 호통치다 : Il m'*a apostrophé* dans la rue. 그는 거리에서 내게 불쑥 말을 걸었다. ② 약자 부호를 붙이다, 생략하다. — **s'~** *v.pr.* 서로 호통치다.

apothéose [apɔteoːz] *f.* ① 신으로 받들기 ; 극도의 예찬. ② 최고의 영예(= consécration) ; (재능 따위의) 찬란한 개화, 최고조(= apogée). ③ 〖연극〗 (몽환극 따위의) 대미(大尾), 클라이맥스.

apothicaire [apɔtikɛːʀ] *m.* 약국 주인, 약제사(= pharmacien). ***compte*** 〔***mémoire***〕 ***d'~*** 엄청나게 비싼 계산서.

apôtre [apoːtʀ] *m.* ① 사도(使徒) : princes des ~*s* 성 베드로와 성 바울. ② 전도〔포교〕자 ; (주의·사상의) 창도〔전파〕자 : se faire l'~ d'une idée 어떤 사상을 열심히 전파하다. ***Actes des A~s*** 〖성서〗 사도행전. ***faire le bon ~*** 선인〔성인·군자〕인 체하다.

‡**apparaître** [apaʀɛtʀ] 41 *v.i.* 《조동사는 être, 때로 avoir》 ① 보이다, 나타나다 (paraître ; ≠ disparaître): Dieu *apparut* à Moïse. 하느님이 모세에게 나타났다. ② 드러나다 ; 명백해지다(= ressortir) : La vérité lui *apparaît.* 그에게 진실이 명백해진다 / Cela *apparaît.* 그건 분명하다. ③ 《속사와 함께》 …한 것으로〔처럼〕 보이다(= sembler, paraître) : Ces remarques m'*apparaissent* fort utiles. 그 지적은 내겐 매우 쓸모 있는 것으로 보인다 / 《~ comme》 Sa fille lui *apparaissait comme* un ange. 자기 딸이 그에게는 마치 천사처럼 느껴졌다. — *v. impers.* 드러나다, 명백〔분명〕해지다. ***Il apparaît que*** + *ind.* 《주절이 부정문·의

문문일 때는+*sub.*》…이 드러나다, 분명해지다, …인 것 같다 : *Il* m'*apparaît* bien *que* c'est une erreur. 그것이 잘못이라고 생각된다 / *Il* n'*apparaît* pas *que* tous aient compris. 모든 사람이 이해한 것 같지는 않다. ***s'il apparaît que***+*sub.* …한 것 같다면 : *s'il* vous *apparaît que* cela soit ainsi 〖법률〗 그렇다는 것이 당신에게 명백하다면.

apparat [apaʀa] *m.* ① 호사, 호화 ; 화려, 사치 ; 성대함 : venir en grand ~ 화려하게 등장하다. ② 《옛》 용어집. ***~ critique*** (본문 하단의) 주석. ***avec ~*** 화려하게. ***d'~*** 화려한, 호화로운 : dîner *d'~* 향연 / discours *d'~* 형식적인 공식 연설. ***lettres d'~*** 장식 문자.

apparatchik [apaʀatʃik] *m.* 〖정치〗 소비에트 공산당의 중진 ; (당의) 중진 인사.

⁑**appareil** [apaʀɛj] *m.* ① 기구, 기계, 장치(=dispositif), 도구(=instrument) ; 사진기(=~ photographique) ; 비행기 ; 〖외과〗 치료 용구, 붕대 ; 〖전화〗 수화기 : ~*s* ménagers 세간살이 / ~ électrique 전기 기구〔기계〕 / ~ à sous 자동판매기 / ~ à douches 샤워 설비 / ~ de levage 기중기. ② (신체의) 기관 : ~ digestif 소화기(관) / ~ respiratoire 호흡 기관. ③ (조직체의) 기구(機構), 조직 ; (법률 따위의) 체제 : ~ syndical 조합 (기구) / ~ des lois 법제, 법률. ④ 〖건축〗 (돌의) 배열, 배치 ; (돌의) 두께, 크기. ***dans le plus simple ~*** 벌거벗고(=nu). ***Qui est à l'~ ?*** 〖전화〗 (상대방에게) 누구세요?

appareillage [apaʀɛjaːʒ] *m.* ① 〖해양〗 출범 준비. ② 설비, 부속 기구류, 비품.

appareiller[1] [apaʀɛ(e)je] *v.t.* ① 필요한 시설을 갖추다. ② 〖의학〗 보정 기구〔보철 기구〕를 달다. ── *v.i.* 〖해양〗 출범 준비를 하다 ; 출범하다(≠ mouiller).

appareiller[2] *v.t.* 짝짓다, 한 쌍이 되게 하다.

apparemment [apaʀamɑ̃] *adv.* ① 언뜻 보아, 아마, 십중팔구 : *A~*, il est sain d'esprit. 그는 겉으로 보기에는 정신이 말짱하다. ② 《옛》 분명히.

*__apparence__ [apaʀɑ̃ːs] *f.* ① 외양, 외모, 외관(=air, tournure) ; 풍채, 볼품 : juger sur l'~ 외모로〔외양으로〕 판단하다 / présenter une belle 〔piètre〕~ 외관이 훌륭하다〔초라하다〕 / enfant d'~ chétive 허약해 보이는 아이. ② 겉모습, 겉치레, 허울(=dehors, façade) : avoir l'~ de la santé 겉으로는 건강해 보이다. ③ 사실인 것 같음(=vraisemblance) ; 기색, 기미, 징후, 모양, 흔적 : Je n'y vois point d'~. 그런 것 같지 않다, 그런 기미는 안 보인다 / Ce soupçon n'est pas sans ~. 그 의혹은 전혀 근거 없는 것은 아니다. ***avoir de l'~*** 볼품이 있다 ; 풍채가 좋다. ***contre toute ~*** 예상과는 딴판으로. ***en ~*** 겉으로는, 보기에는. ***faire*** qc ***pour les ~s*** 겉치레로〔체면상〕 …을 하다. ***Il n'y a pas*** 〔***Il est hors***〕 ***d'~ que***+*sub* ; ***Il n'y a pas d'~ de***+*inf.* …일 것〔할 것〕 같지는 않다. ***Il y a*** (***toute***) ***~ que***+*ind.* …인 모양이다. ***sacrifier les ~s*** 체면을 아랑곳하지 않다. ***sauver*** 〔***garder, ménager***〕 ***de l'~*** 〔***les ~s***〕 체면을 살리다. ***selon*** 〔***suivant***〕 ***toute***(***s***) ***~***(***s***) 아마도, 십중팔구. ***sous l'~ de*** …의 모습을 꾸미고.

*__apparent, e__ [apaʀɑ̃, -ɑ̃ːt] *adj.* ① 보이는, 눈에 띄는(=visible), 드러나는(≠ discret) : couleur peu ~*e* 거의 드러나지 않는 색 / C'est très ~. 그것은 눈에 매우 잘 띈다. ② 명백한, 뚜렷한 : prétexte~ 뻔한 구실 / dangers ~*s* 명백한 위험 / sans mobile ~ 뚜렷한 동기 없이. ③ 뛰어난 : personne ~*e* 뛰어난 사람. ④ 표면상의, 허울뿐의 : raisons ~*es* 표면적인 이유 / piété ~*e* 허울뿐인 신앙심.

apparentage [apaʀɑ̃taːʒ] *m.* 인척 관계를 맺어주기〔맺기〕 ; 인척 관계.

apparenté, e [apaʀɑ̃te] *adj.* ① 인척 관계를 맺은 ; 결연된 : bien 〔mal〕 ~ 좋은〔나쁜〕 친척을 가진 / Il est ~ *à* mon mari. 그는 내 남편의 친척이다. ② (선거 때) 명부 연합 관계를 맺은; 정책적으로 연합한. ③ 비슷한, 유사한, 가까운 : élément ~ 〖화학〗 동족(同族) 원소.

apparentement [apaʀɑ̃tmɑ̃] *m.* 〖정치〗 (선거 때의) 명부 연합 ; 정책 연합.

apparenter (**s'**) [sapaʀɑ̃te] *v.pr.* ① 《s'~ à》 …와 인척이 되다, 결연하다 ; 〖정치〗 (선거 때) …와 연합하다, 제휴하다 ; 명부 연합하다 : *s'~ à* la noblesse 귀족과 혼인하다. ② 《s'~ à 〔avec〕》 …와 비슷하다, 닮다 : Son opinion *s'apparente à* la mienne. 그의 견해는 나의 견해와 비슷하다.

appariation [apaʀjɑsjɔ̃] *f.*, **appariement** [apaʀimɑ̃] *m.* 짝지우기 ; 결합.

apparier [apaʀje] *v.t.* 한 쌍이 되게 하다, 짝짓다 ; 짝지어 주다 : ~ des bas 양말의 짝을 맞추다 / ~ des pigeons 비둘기를 짝지어 주다. ── **s'~** *v.pr.* 한 쌍을 이루다 ; 짝이 되다 ; 짝짓기하다(= s'accoupler).

appariteur [apaʀitœːʀ] *m.* ① (대학의) 수위, 관리인. ② (연구실의) 조수. ③ 사환.

*__apparition__ [apaʀisjɔ̃] *f.* ① 나타남, 출현(≠ disparition) ; (책의) 출판 : ~ d'une comète 혜성의 출현 / ~ de la fièvre 발열 / ~ d'un livre 책의 출판. ② 환영(幻影)(=vision) ; 유령, 망령(=fantôme) : ~ d'un ange 천사의 환영 / avoir une ~ 〔des ~s〕 유령의 모습을 보다. ***faire son ~*** 모습을 보이다, 나타나다. ***ne faire qu'une ~*** 잠깐 나타나다〔얼굴을 보이다〕.

apparoir [apaʀwaːʀ] *v. impers.* 《부정법 현재와 3인칭 단수 현재(il appert)로만 쓰임》 명백하다 : comme il *appert* de cet acte 본 영장에 의해 명백한 바와 같이 / faire ~ de son droit 자기의 권리를 명백히 하다.

⁑**appartement** [apaʀtəmɑ̃] *m.* ① 주택, 아파트 : ~ à louer 임대 아파트 / ~ meublé 가구 딸린 아파트 / ~ de trois pièces 방이 세 개인 아파트 / ~ de célibataire 독신자 아파트. ② (궁전 따위의 여러 칸으로 된) 방. ***~s de réception*** 응접실. ***grands ~s*** (궁전의) 대접견실. ***petits ~s*** (궁전의) 거실. ***tenir ~*** 《옛》 (왕이) 사람들을 모이게 하다 ; 신치를 베풀다.

appartenance [apaʀtənɑ̃ːs] *f.* ① 부속 ; 소속. ② (*pl.*) 부속물. ③ 〖수학〗 (집합의) 포함. ④ 〖사회〗 groupe d'~ 귀속 집단.

‡appartenir [apaʀtəniːʀ] [16] *v.i. ind.* 《~ à》 ① …에 속하다 ; …의 것이다 : Ce stylo vous *appartient*-il ? 이 만년필은 당신 것입니까 ? / Cet île *appartient à* la France. 그 섬은 프랑스 영토이다. ② …에 소속되다, …의 일원이다 : Il *appartient à d'*honnêtes parents. 그는 버젓한 집안 출신이다. ③ …의 고유한 것〔특성 · 권한 · 특권〕이다 : Cela n'*appartient* pas *à* mon sujet. 그것은 내 문제가 아니다. ④ …에게 마땅히 주어져야 하다 : Cet éloge lui *appartient*. 그는 마땅히 찬양받을 만하다. ⑤ 《옛》 (사랑하는 사람에게) 몸〔마음〕을 바치다 ; …에 종속되다. — *v. impers.* ① 《Il appartient à qn de+*inf.*》 …하는 것은 …의 일〔권한 · 의무〕이다 : *Il* m'*appartient d'*en décider. 그것을 결정하는 것은 내 일이다. ② 《비꼼》 《Il vous appartient bien de+*inf.*》 …하다니 잘도 …한다. — **s'~** *v.pr.* 남에게 구애받지 않다, 자유롭다 ; 자제력을 갖다 : Il ne s'*appartenait* plus. 그는 자제력을 잃고 있었다.

appas [apɑ] *m. pl.* (여자의) 매력, 유혹, (매력의 요소인) 가슴, 유방 : Il s'est laissé prendre à ses ~. 그는 그녀의 매력에 사로잡히고 말았다.

appât [apɑ] *m.* ① 미끼, 낚싯밥(= amorce) : ~ de fond 밑밥. ② 유혹 ; 덫, 함정, 계략 : ~ du gain 물욕. ***mordre à l'~*** 미끼를 물다, 미끼에 걸려들다.

appâter [apɑte] *v.t.* ① 미끼로 유인하다, 유혹하다 ; (덫에) 미끼〔먹이〕를 달다. ② (새 · 가금에게 살찌도록 억지로) 모이〔먹이〕를 주다 ; (아기에게) 음식을 (억지로) 먹이다.

appauvrir [apovʀiːʀ] *v.t.* ① 가난하게 만들다(≠enrichir), 빈곤하게 하다. ② (토지를) 메마르게 하다 ; 빈약〔허약〕하게 하다 : ~ la terre 토지를 척박하게 하다 / ~ le sang 빈혈을 일으키다. — **s'~** *v.pr.* 가난해지다 ; 메말라 버리다 ; 빈약해지다.

appauvrissement [apovʀismɑ̃] *m.* 가난하게 하기, 가난해지기 ; (토지가) 메말라지기 ; 빈약〔허약〕해지기 ; 적어지기.

appel** [apɛl] *m.* ① 부름 ; 호출 ; 소환 ; (결투의) 도전 : ~ au téléphone 전화에 불러내기 / recevoir un ~ pressant 화급한 부름을 받다. ② 부르는 신호《종소리 따위》; (전화의) 벨 ; 〖군사〗 집합 신호의 북〔나팔〕소리 : sonner l'~ au dîner 저녁 식사를 알리다 / ~ téléphonique 전화의 벨소리. ③ 점호, 호명, 출석 부르기 : faire l'~ 호명하다, 출석을 부르다 / ~ du matin 아침 점호. ④ 징집(= recrutement) ; 소집, 동원(령) : ~ de mobilisation 〖군사〗 동원령. ⑤ 부르짖음, 호소 ; (정욕 따위의) 충동, 유혹 ; 《~ à》 …에의 선동 ; …에 대한 호소 : ~ de la conscience 양심의 부르짖음 / ~ du plaisir 쾌락의 유혹. ⑥ 〖법률〗 상소, 상고, 항소 : ~ d'un jugement 판결에 대한 항소. ⑦ 〖경제〗 청구(= demande). ⑧ (카드놀이의) 콜. ***~ d'air 〖기계〗 통풍. ***~ d'incendie*** 화재 경보. ***avis d'~ de fonds*** 〖경제〗 불입 청구서. ***faire ~ à*** …에 도움을 청하다, 호소하다. ***feuille d'~*** 출석부. ***interjeter ~*** 〖법률〗 공소하다. ***rendre l'~ à*** qn …에게 점호를 보고하다. ***sans ~*** 최종적인, 결정적인.

appelant, e [aplɑ̃, -ɑ̃ːt] *adj.* 〖법률〗 상소하는 : partie ~*e* 상소인. — *n.* 상소인. — *m.* 〖사냥〗 미끼새, 매조(媒鳥).

appelé, e [aple] *adj.* ① …라는 이름의, …라 일컫는. ② 부름을 받은 ; 소집된. ③ capital ~ 불입 자본금. — *m.* 소집병.

‡appeler [aple] [5] *v.t.* ① 부르다, 오게 하다 ; 전화에 불러내다(= ~ au téléphone) : ~ qn à son aide 〔secours〕 도와〔구해〕 달라고 …을 부르다 / ~ mémoire à son secours 기억력의 도움을 빌다 / Dieu l'*a appelé*. 그는 신의 부름을 받았다〔죽었다〕 / Je vous *appellerai* demain. 내일 전화하겠습니다. ② …의 이름을 부르다, 호명하다 : On *a appelé* son nom, mais elle n'était pas là. 그녀의 이름을 불렀으나 그녀는 결석이었다. ③ 〖군사〗 소집하다 ; 〖법률〗 소환하다 ; 호출하다 : ~ qn comme 〔à〕 témoin …을 증인으로 부르다〔호출하다〕. ④ 초빙하다, 임명하다(= nommer) : ~ qn à un poste …을 어떤 지위에 초빙하다. ⑤ …라고 부르다, …라는 이름을 붙이다 : On l'*appelle* Pierre. 그는 이름이 피에르다 / J'*appelle* cela une stupidité. 나는 그걸 어리석음이라 부른다. ⑥ 《주어 : qc》 요구〔촉구〕하다, 기원하다, 바라다 : Le patrie nous *appelle*. 조국은 우리를 필요로 한다 / Ce problème *appelle* une solution immédiate. 이 문제는 급속한 해결을 요한다. ⑦ 초래하다, 불러일으키다 : Sa mauvaise conduite *appelle* une punition. 그의 나쁜 행실은 벌을 받아 마땅하다. ***être appelé à*** qc 〔+*inf.*〕 …에〔하게끔〕 운명지어지다, 약속되어 있다, 반드시 …하게 되어 있다. ***Il en a appelé***. 그는 중병에서 회복되었다, 구사일생으로 살아났다. — *v.t. ind.* ① 《~ à》 …을 청하다 : ~ *au* secours 구원을 청하다. ② 《~ de》 〖법률〗 …에 대해 불복하다, 상소하다 ; …을 따르지 않다 : ~ *d'*un jugement 판결에 대해 상소하다. ***en ~ à*** 〔***auprès de***〕 qn ***; en ~ à*** qc …에게〔에〕 호소하다 : J'*en appelle à* votre décision. 나는 당신의 결정에 따르겠다. ***en ~ de*** qc …에 이의를 제기하다 : *en ~ de* sa défaite 자기의 패배를 인정하지 않다. — **s'~** *v.pr.* ① …라고 불리다, 이름이 …이다 : Il *s'appelle* André. 그의 이름은 앙드레이다. ② 불릴 만하다 ; …라 자칭하다 : Voilà ce qui *s'appelle* une vanité. 그게 바로 허영심이라 불리는 것이다. ***Cela*** 〔***Voilà ce qui***〕 ***s'appelle parler***. 《구어》 이거야말로 지당한 말이다, 참으로 명언이다.

appellation [ape(ɛl)lɑsjɔ̃] *f.* ① 일컬음, 칭함, 이름 붙이기, 명명(命名)(= dénomination). ② 이름(= nom), 칭호, 명칭 ; 상표 : ~ familière 속칭, 통칭 / ~ injurieuse 부당한 명칭. ③ 〖법률〗 상소, 상고.

appendice [a(p)pɛ̃dis] *m.* ① (책 따위의) 부록, 증보 ; 부가물. ② 부속 건물. ③ 〖해부〗 부속체, 돌기 ; 〖식물〗 부속 기관 : ~ vermiculaire 〔vermiforme〕 충수(蟲垂), 충양돌기 / enlever l'~ 충수를 떼어내다. ④ 《구어》 긴 코.

appendicite [a(p)pɛ̃disit] *f.* 〖의학〗 충수〔충양돌기〕염, 맹장염.

appentis [apɑ̃ti] *m.* ① (건물 벽에 비스듬히 덧붙인) 지붕〔차양〕. ② (건물 벽에 덧붙인) 달개(집), 곁채, 부속 건물 ; 헛간, 광.

appesantir [apzɑ̃tiːʀ] *v.t.* ① 무겁게 하다. ② 둔하게 하다(= engourdir), 활기를 잃게 하다 : La torpeur l'*appesantissait.* 마비 증세로 그는 몸놀림이 자유롭지 못했다.
— **s'~** *v.pr.* ① 무거워지다 : Ses paupières *s'appesantissaient.* 졸려서 그의 눈까풀이 점점 무거워졌다. ② 둔해지다. ③ 《s'~ sur》 …을 짓누르다. ④ 《s'~ sur》 …에 관해 장황〔상세〕하게 이야기하다 : Ne *vous appesantissez* pas *sur* les détails. 세부에 대해서 너무 신경 쓰지 마시오.

appesantissement [apzɑ̃tismɑ̃] *m.* (신체·정신의) 둔함 ; 나른함, 노곤함. ***~ de la main de Dieu*** 신이 내리는 무거운 벌.

appétence [a(p)petɑ̃ːs] *f.* 본능적 욕망.

appétissant, e [apetisɑ̃, -ɑ̃ːt] *adj.* ① 식욕을 돋우는, 먹음직한. ② 육감적인 ; 탐스러운 ; 매력 있는 : femme *~e* 육감적인 여자.

appétit** [apeti] *m.* ① 식욕 : ~ violent 〔vorace〕 왕성한 식욕. ② (흔히 *pl.*) 욕구, 욕망, 갈망 : ~ intellectuel 지적인 욕구 / ~ de pouvoir 권력욕. ③ 정욕(= ~ charnel) : ~*s* sexuels 성욕. ***à l'~ de …이 탐나서. ***avoir bon ~; avoir de l'~*** 식욕이 왕성하다. ***Bon ~ !*** 많이 드십시오. ***couper l'~ à*** qn …의 식욕을 없애다. ***Il n'est chère*** 〔***sauce***〕 ***que d'~.*** 《격언》 시장이 반찬. ***L'~ vient en mangeant.*** 《격언》 말 타면 경마 잡히고 싶다.

appétition [a(p)petisjɔ̃] *f.* ① 강한 욕망〔욕구〕. ② 〖생리〗 영양물 섭취욕.

***applaudir** [aplodiːʀ] *v.t.* ① …에게 박수갈채하다(≠ huer) : Les spectateurs *applaudissent* les acteurs. 관객들은 배우들에게 박수를 보냈다. ② 칭찬〔찬양〕하다(= approuver) : ~ qn de + *inf.* …이 …하는 것을 칭찬하다. — *v.i.* 박수갈채하다 : des gens payés pour ~ 고용된 박수 부대. — *v.t. ind.* 《~ à qc》 …에 박수갈채를 보내다, 찬성하다 : J'*applaudis à* votre initiative. 당신의 발의에 대찬성이오. — **s'~** *v.pr.* 《s'~ de qc 〔+ *inf.*〕》 …을〔하는 것을〕 자화자찬하다 ; 기뻐하다(= se féliciter).

applaudissement [aplodismɑ̃] *m.* ① (보통 *pl.*) 박수갈채(≠ huée), 환호. ② (흔히 *pl.*) 칭찬, 찬양. ***salve*** 〔***tonnerre***〕 ***d'~s*** 우레와 같은 박수갈채. ***soulever les ~s*** 박수갈채를 불러일으키다.

applicable [aplikabl] *adj.* ① 붙일 수 있는. ② 적용〔응용〕될 수 있는. ③ 《~ à》 …에 알맞은, 적당〔적절〕한 : mot ~ 알맞은 말.

applicateur [aplikatœːʀ] *adj.* et *m.* ① (법·이론 따위를) 실천하는 (사람), 응용하는 (사람). ② 칠하는 데 쓰는 (붓).

***application** [aplikɑsjɔ̃] *f.* ① 붙이기, 바르기, 칠하기 ; 가하기 : ~ de peinture 페인트칠 / pommade qui s'utilise en ~ locale 국부용 연고. ② 사용(= emploi), 적용(= adaptation) ; 응용 ; 충당 ; (약을) 쓰기, 복용 : ~ de la loi 법률 적용 / ~ d'un remède 약을 복용하기. ③ 실시, 시행. ④ (힘·주의 따위를) 기울이기, 전념, 열심(≠ négligence), 근면(= assiduité, zèle) : travailler avec ~ 열심히 일하다.

applique [aplik] *f.* ① 장식으로 덧붙이는 것 ; 〖재봉〗 아플리케. ② 벽등(壁燈).

appliqué, e [aplike] *adj.* ① 《~ à qc》 …에 전념하는. ② 열심히 일하는 ; 근면한. ③ 응용의 : mathématiques *~es* 응용 수학 / arts *~s* 장식 미술. — *m.* 〖재봉〗 아플리케.

***appliquer** [aplike] *v.t.* ① 《~ qc sur 〔à, contre〕》 …을 …에 (갖다) 대다 ; 기대다 ; 붙이다 ; 바르다, 칠하다 ; (타격 따위를) 가하다 : ~ l'oreille *au* trou de la serrure 열쇠구멍에 귀를 대다 / ~ un baiser *sur* la main 손등에 키스하다 / ~ une échelle *au* 〔*contre* le〕 mur 사닥다리를 벽에 기대 놓다. ② 《~ son esprit 〔attention〕 à》 (정신·주의를) …에 기울이다, 집중시키다. ③ 《~ qc (à)》 …을 (…에) 적용하다 ; 충당하다 ; 사용하다 ; (약을) 쓰다 : ~ une somme *à* une dépense 돈을 지출에 할당하다 / ~ un traitement *à* une maladie 병을 치료하다. ④ (법률 따위를) 실시〔실행〕하다, 집행하다 (= exécuter) : ~ un ordre 명령을 실행하다 / La peine *sera apliquée* sans délai. 형이 유예 기간 없이 집행될 것이다.
— **s'~** *v.pr.* ① 《s'~ sur 〔à〕》 …에 붙여지다. ② 《s'~ à qc 〔qn〕》 …에〔에게〕 적용되다 ; 들어맞다 : Ce jugement *s'applique* parfaitement *à* son cas. 이 판단은 그의 경우에 꼭 들어맞는다. ③ ⓐ 《s'~ à qc》 …에 전심〔전념·열중〕하다, 골몰하다 : s'~ *au* travail 일에 전심하다 / *s'~ à* une étude 면학에 전심하다. ⓑ 《s'~ à + *inf.*》 …하도록 〔하려고〕 노력하다〔애쓰다〕 : *s'~ à* garder son sangfroid 냉정을 유지하려고 애쓰다. ⓒ 《목적보어 없이》 열심히 일〔공부〕하다 : élève qui *s'applique* 공부에 전념하는 학생.

appoint [apwɛ̃] *m.* ① 차감 잔고, 잔금 ; 잔돈 : faire l'~ 잔금을 치르다. ② 조력, 협력, 지지, 도움(= appui, concours) ; 공헌, 기여, 이바지. ③ 보충, 덧붙이기(= complément, supplément) : salaire d'~ 부수입; 추가급. ***apporter son ~ à*** qc …에 공헌〔기여〕하다. ***par ~*** 빼고, 공제하고. ***ressources d'~*** 생활비를 보충하는 수단 ; 부수입.

appointé, e [apwɛ̃te] *adj.* 봉급을 받는. — *n.* 봉급생활자, 월급쟁이.

appointements [apwɛ̃tmɑ̃] *m. pl.* 봉급(= salaire), 급료 : recevoir 〔toucher〕 des ~ 봉급을 받다 / à forts *~s* 많은 봉급을 받는.

appointer[1] [apwɛ̃te] *v.t.* ① …에게 봉급을 주다(= rétribuer, rémunérer). ② 《옛》 (소송·분쟁 따위를) 조정하다. ③ 《옛》 …에게 일자리를 마련해 주다.

appointer[2] *v.t.* …의 끝을 뾰족하게 하다. — **s'~** *v.pr.* 뾰족하게 되다.

appontement [apɔ̃tmɑ̃] *m.* 〖해양〗 (배와 부두 사이의) 건널판, 판자 다리, 잔교(棧橋).

apport [apɔːʀ] *m.* ① 가지고 오기 ; 지참. ② 가져온 것 ; 지참금(= ~ dotal) ; 〖재정〗 출자(액) ; 〖법률〗 기탁(물) : ~ de pièces 서류의 기탁 / ~ de capitaux 출자 / ~*s* en société 주주(株主)가 출자한 재산〔자본〕. ③ 공헌(= contribution), 기여 : ~ de la France à la philosophie 철학에 미친 프랑스의 기여.

A

‡apporter [apɔʀte] *v.t.* ① 가져오다 ; 지참하다 ; 운반하다 : ~ à manger 먹을 것을 가져오다 / ~ du profit 이익을 가져다 주다 / ~ des difficultés 〔obstacles〕 à qc …을 방해하다. ② 지참하다, 출자하다 : ~ une dot (결혼) 지참금을 가져오다. ③ 내놓다, 내세우다, 제시하다 ; 인용하다 : ~ des raisons 이유를 내세우다. ④ 《주어 : qc》 초래하다, 일으키다, 야기하다 : une découverte qui *apportera* un changement profond 큰 변화를 초래하게 될 발견. ⑤ 기울이다 : ~ de l'attention 〔du zèle〕 à qc 〔+*inf.*〕 …에〔하는 데〕 주의〔열의〕를 기울이다.

apposer [apoze] *v.t.* (우표 · 광고 따위를) 붙이다, (도장 따위를) 찍다 ; (서명을) 첨부하다 : ~ sa signature 서명하다.

apposition [apozisjɔ̃] *f.* ① (우표 따위를) 붙이기, (서명을) 첨부하기, (도장 따위를) 찍기 : ~ d'un sceau 날인 / ~ des scellés 봉인. ② 〖생리〗 접합, 첨가, 〖문법〗 동격.

***appréciable** [apʀesjabl] *adj.* 평가〔측정 · 감정〕할 수 있는 ; 눈에 띌 정도의(= considérable), 감지될 만한 ; 상당한(= notable).

appréciateur, trice [apʀesjatœːʀ, -tʀis] *adj.* et *n.* 옳게 평가〔감정〕하는 (사람), 감상〔비판〕하는 (사람) ; 진가를 인정하는 (사람).

appréciatif, ive [apʀesjatif, -iːv] *adj.* ① 평가를 표시하는. ② 《옛》 〖신학〗 옳게 평가하는. ***état*** 〔***devis***〕 ~ 견적서.

appréciation [apʀesjɑsjɔ̃] *f.* ① 평가, 감정(= estimation) ; 측정 : note d'~ 〖학교〗 평점, 학점. ② 판단, 의견(= jugement, opinion) : ~ favorable 호평. ③ (예술 작품의) 감상 ; 감정 : ~ d'une œuvre 작품의 감상.

apprécier** [apʀesje] *v.t.* ① 평가하다, 감정하다(= estimer, évaluer) ; 측정하다 ; 감지(感知)하다, 느끼다(= discerner, sentir) : ~ une valeur d'une marchandise 상품의 가치를 평가하다 / Comment *appréciez*-vous ce roman ? 이 소설을 어떻게 평가하십니까? ② 감상〔음미〕하다 ; 맛보다 : ~ les bons repas 맛 좋은 음식을 좋아하다. ③ ⓐ 높이 평가하다(≠ mépriser) ; 존중하다 ; 인정하다 : Les critiques *ont* beaucoup *apprécié* ce film. 비평가들은 이 영화를 극찬했다. ⓑ 《~ qn》 존경하다. ***J'apprécie le fait que ... 나는 …라는 사실을 인정한다. ── **s'~** *v.pr.* ① 자기를 평가하다. ② 서로 존경하다. ③ 평가〔감정 · 측정 · 감상 · 음미〕되다.

appréhender** [apʀeɑ̃de] *v.t.* ① 붙잡다, 체포하다(= arrêter ; ≠ relâcher). ② 이해하다. ③ 염려하다, 두려워하다, 걱정하다(= craindre) : Il *appréhende* cet examen. 그는 이 시험을 두려워하고 있다. ~ ***de+*inf.* …하는 것을 염려하다〔두려워하다〕. ~ ***que*** +(***ne***) *sub.* …하지나 않을까 걱정하다 : J'*appréhende qu*'il *n*'arrive trop tard. 그가 늦지 않을까 걱정이다.

appréhension [apʀeɑ̃sjɔ̃] *f.* ① 붙잡기. ② 이해(력). ③ 염려, 걱정, 근심, 공포(= angoisse, anxiété, crainte). ***avoir une ~ que***+(***ne***) *sub.* …하지나 않을까 걱정하다.

‡apprendre [apʀɑ̃ːdʀ] [26] *v.t.* ① 배우다, 익히다, 습득하다 ; 터득하다 ; (듣고 · 읽고) 알다, 깨닫다 : ~ une technique 〔un métier〕 기술〔직업〕을 배우다 / ~ la nouvelle par la rumeur publique 소문을 통해 소식을 듣다〔알다〕 / J'*ai appris* l'anglais avec un professeur anglais. 나는 영국인 선생에게서 영어를 배웠다. ② 가르치다 ; 알려 주다 ; 깨닫게 하다 : ~ la grammaire aux élèves 학생들에게 문법을 가르치다 / Je lui *ai appris* la nouvelle. 나는 그에게 그 소식을 알렸다. ~ ***à***+*inf.* …하는 것을 배우다 : Il *apprend à* conduire 〔nager〕. 그는 운전〔수영〕을 배운다. ~ ***à*** qn ***à***+*inf.* …에게 …하는 것을 가르치다 : ~ *à* qn *à vivre* …에게 처세술을 가르쳐 주다. ~ ***à sa mère*** 〔***à son père***〕 ***à faire des enfants ; ~ à un vieux à faire des grimaces*** 《속담》 부처님에게 설법하다. ~ ***de*** 〔***par***〕 qn ***que*** …에게서 …라는 것을 들어서 알다. ~ ***par cœur*** 암기하다. ~ ***que***+*ind.* …라는 것을 알다. ***Ça vous apprendra*** (***à vivre***). 좋은 교훈이 될 거요. ***On apprend à tout âge.*** 《격언》 배움에는 노소가 없다. ── **s'~** *v.pr.* ① 배워지다, 습득되다 ; 암기되다. ② (스스로) 배우다. ***s'~ à***+*inf.* …하기를 배우다.

apprenn-e, es, etc. ⇒ apprendre.

apprenti, e** [apʀɑ̃ti] *n.* ① 도제, 수련〔연수〕생, 수습생. ② 초심자 ; 풋내기, 애송이. ~ ***marin 견습 선원. ~ ***sorcier*** 미숙한 사람.

apprentissage [apʀɑ̃tisaːʒ] *m.* ① 도제 수업, 견습, 수습. ② 견습〔수습〕 기간 ; 견습〔수습〕 근무〔훈련〕 : centre d'~ 직업 훈련소 / sortir d'~ 견습〔수련〕을 끝내다. ***faire l'~ de*** qc …의 경력을 쌓다, …을 체득하다.

apprêt [apʀɛ] *m.* ① (피륙 · 가죽 따위의) 마무리. ② (페인트의) 초벌칠. ③ 조리 ; 양념 : ~ des viandes 고기의 양념. ④ 허식, 꾸밈(= affectation) : parler sans ~ 꾸밈없이 말하다. ⑤ (*pl.*) 준비, 채비.

apprêté, e [apʀɛ(e)te] *adj.* 멋을 부린, 태깔〔부자연〕스러운 : style ~ 멋부린 문장.

apprêter [apʀɛ(e)te] *v.t.* ① 준비하다, 채비하다(= préparer) : ~ l'arme 사격 자세를 취하다. ② (피륙 · 가죽 따위를) 끝손질하다 ; (페인트의) 초벌 칠을 하다. ③ 요리〔조리〕하다, 양념하다 : ~ à manger 음식을 만들다. ── *v.i.* 요리를 하다 : Ce cuisinier *apprête* bien. 그 요리사는 요리를 잘 한다. ── **s'~** *v.pr.* ① 준비〔채비〕를 하다 ; 몸치장〔화장〕을 하다 : s'~ pour le bal 무도회에 나갈 준비를〔몸치장을〕 하다. ② 《s'~ à+*inf.*》 …할 준비를〔생각을〕 하다 ; 막 …하려고 하다 : Elle *s'apprête à* partir pour l'Afrique. 그녀는 아프리카로 떠날 준비를 한다. ③ 《s'~ qc (à soi-même)》 …을 자초하다.

appr-îmes, -irent, -is, -it ⇒ apprendre.

apprivoisable [apʀivwazabl] *adj.* 길들일 수 있는.

apprivoisement [apʀivwazmɑ̃] *m.* 길들이기.

***apprivoiser** [apʀivwaze] *v.t.* ① (새나 짐승을) 길들이다(= dresser) : ~ un faucon pour la chasse 매를 사냥시키려고 길들이다. ② (사람을) 순하게 하다(= adoucir), (감정 따위를) 가라앉히다. ── **s'~** *v.pr.* ① 길들다. ② 순해지다. ③ 《s'~ à 〔avec〕》 …에 익숙해지다 : s'~ *à* son nouveau milieu 새로운 환경에 익숙해지다.

approbateur, trice [apʀɔbatœːʀ, -tʀis] *adj.* et *n.* 찬성〔동의 · 승인 · 칭찬〕하는 (사람). ── *m.* 출판 허가를 내주는 검열관.

approbatif, ive [apʀɔbatif, -iːv] *adj.* 찬성〔동의 · 승인 · 칭찬〕을 표시하는 : mention ~*ive* 승인의 표시.

approbation [apʀɔbɑsjɔ̃] *f.* ① 찬성(= consentement), 동의, 승인 ; 허가, 인가(= autorisation) : ~ tacite 묵인 / ~ expresse 명백한 승인. ② 칭찬(≠ blâme), 찬양(= applaudissement) : exprimer son ~ 칭찬을 하다 / Cette idée reçut l'~ de tous. 그 생각은 모든 사람들의 칭찬을 받았다.

approchable [apʀɔʃabl] *adj.* 가까이〔접근〕할 수 있는(= accessible) ; (사람이) 가까이 하기 쉬운, 상냥한(= affable) : Le patron est difficilement ~. 사장은 가까이하기가 어렵다.

approchant, e [apʀɔʃɑ̃, -ɑ̃ːt] *adj.* ① 가까운, 비슷한(= proche, semblable), 근사한 : qc〔rien〕 d'~ 비슷한 그 무엇〔아무것도〕. ② 대략의(= approximatif). ── *adv.* 약, 대략 : Il est midi, ou ~. 12 시경이다 / deux heures ou ~ 두 시나 두 시쯤. ── *m.* 가까운 것, 비슷한 것. ── *prép.* 쯤, 가까이.

approche [apʀɔʃ] *f.* ① 가까워지기, 가까이 가기〔오기〕, 접근 ; (문제에 대한) 어프로치 ; 〖군사〗 공략(攻略) : homme d'(une) ~ difficile 사귀기 힘든 사람 / travaux d'~ 근접 작업 / lunette d'~ (지상용) 망원경 / ~ sociologique 사회학적 접근. ② 〖골프〗 어프로치(= coup d'~). ③ (*pl.*) 근처, 부근, 어귀 : aux ~s de la mer 바다 근처에서. ***à l'~*** 〔***aux ~s***〕 ***de*** …이 가까워지자〔다가오자〕 : Je hâte le pas *à l'~ de* mon logis. 나는 숙소가 가까워지자 발걸음을 재촉한다.

approché, e [apʀɔʃe] *adj.* 대략의, 어림잡은 : valeur ~*e* 〖수학〗 근사치.

approcher** [apʀɔʃe] *v.t.* ① 가깝게 하다, 접근시키다, 가까이 가져가다(≠ éloigner) : ~ deux objets 두 물체를 근접시키다. ② …에게 접근하다, …의 곁에 다가가다, …와 친해지다(= côtoyer) : Je n'ose pas ~ mon patron. 나는 감히 주인 곁에 가지 못한다. ~ qc ***de qn〔qc〕 …을 …에게〔에〕 가까이 놓다: Il *approcha* la chaise *de* son invitée. 그는 의자를 손님 곁으로 갖다 놓았다.
── *v.i.* 가까워지다; 가까이 가다〔오다〕 : La nuit *approche.* 밤이 다가온다.
── *v.t. ind.* 《~ de》 ① …에 가까이 가다, 근접하다 : ~ *de* la cinquantaine 거의 쉰 살이 다 되다 / Il *approchait de* nous. 그가 우리에게 다가오고 있었다. ② (목표 따위에) 거의 이르다, 근접하다 : ~ *de* la perfection 완성에 가깝다. ③ …에 가깝다, 필적하다 ; …와 비슷하다.
── **s'~** *v.pr.* ① 《s'~ de》 …에〔에게〕 가까이 가다〔오다〕, 접근하다 : Le navire *s'approche de* la terre. 배가 육지로 접근하다. ② 《s'~ de》 …에 가깝다, 필적하다 ; …와 비슷하다 : *s'~ de* la perfection 〔réalité〕 완벽〔사실〕에 가깝다.

approfondi, e [apʀɔfɔ̃di] *adj.* 깊은 ; 깊이 파고든, 철저한(= poussé ; ≠ superficiel).

***approfondir** [apʀɔfɔ̃diːʀ] *v.t.* ① 더 깊게 하다〔파다〕 : ~ un trou 구멍을 더 깊이 파다. ② 깊이 파고들다〔연구 · 조사하다〕 : ~ une question 문제를 철저히 규명하다. ③ (우정 · 애정 따위를) 더 크게 하다.
── **s'~** *v.pr.* ① 더 깊어지다 : La plaie *s'est approfondie.* 상처가 더 깊어졌다. ② 깊이 연구되다. ③ 자기를 깊이 살펴보다.

approfondissement [apʀɔfɔ̃dismɑ̃] *m.* 깊게 하기 ; 깊이 연구하기, 깊이 파기 : ~ d'un sujet 어떤 주제를 깊이 파고듦.

appropriation [apʀɔpʀijɑsjɔ̃] *f.* ① 점유, 소유(= acquisition), 횡령, 착복 : ~ par violence 〔ruse〕 강탈〔사취〕 / ~ du sol 땅을 차지하기. ② 《~ de qc à qc》 …에 적응시키기 : ~ *du* style *au* sujet. 문체의 주제에의 적응.

approprier [apʀɔpʀije] *v.t.* 《~ qc à qc》 …에 알맞게 하다, 적응시키다(= accorder, adapter) : ~ les remèdes *au* tempérament du malade 약을 병자의 체질에 맞추다.
── **s'~** *v.pr.* ① 《s'~ qc》 제 것으로 만들다, 횡령〔착복〕하다 : Il *s'est approprié* la decouverte d'un autre. 그는 남의 발견을 가로챘다. ② 《s'~ à》 …에 적응〔순응〕하다; …에 어울리다 : Notre corps *s'approprie aux* changements des climats. 우리들의 육체는 기후의 변화에 적응한다.

approuvé [apʀuve] *adj.* 《불변》 찬성〔승인, 인가〕된 : Lu et ~. 위 동의함《계약서에 서명할 때 쓰는 문구》. ── *m.* 승인〔인가〕의 서명.

approuver** [apʀuve] *v.t.* ① 동의〔찬성〕하다, 시인하다(≠ repousser) : Il *approuve* tout ce qu'elle fait. 그는 그녀가 하는 모든 일에 동의한다. ② 허가〔인가〕 하다, 승인〔인정〕하다(= autoriser) : ~ le projet de budjet 예산안을 승인하다. ③ 옳다고 생각하다, 칭찬하다(= louer ; ≠ blâmer) : ~ sa conduite 그의 행동을 칭찬하다 / 《~ qn (de + *inf.*)》 Nous l'*approuvons* dans sa décision 〔*d'en* avoir décidé ainsi〕. 우리는 그가 그렇게 결정한 것을 옳다고 생각한다〔칭찬한다〕. ~ ***que + *sub.* 〔《옛》 *ind.*〕 …에 동의〔찬성〕하다 : J'*approuve qu*'il revienne. 그가 돌아오는 데 찬성이다. ── **s'~** *v.pr.* ① 자찬(自讚)하다. ② 서로 칭찬하다.

approvisionné, e [apʀɔvizjɔne] *adj.* ① 필수품〔양식〕을 구입한〔보급받은〕 : magasin ~ de 〔en〕 marchandises 물품을 갖춘 가게.

approvisionnement [apʀɔvizjɔnmɑ̃] *m.* ① 필수품〔식료품〕의 공급〔조달 · 구입〕. ② (*pl.*) 재고품, 저장품 ; 식료품(= provision, vivres), 식량. ③ 선구(船具). ***faire un ~ de*** qc …을 사들이다〔장만하다〕.

approvisionner [apʀɔvizjɔne] *v.t.* ① 《~ qn 〔qc〕》 …에게〔에〕 필수품〔식료품〕을 공급〔보급〕하다 : ~ un marché 시장에 물품을 공급하다. ② 《~ qn 〔qc〕 de》 …에게〔에〕 …을 공급〔보급〕하다(= ravitailler) : ~ une place *de* munitions 요새에 군수품을 공급하다. ── **s'~** *v.pr.* ① 필수품〔식료품〕을 장만하다〔사들이다〕. ② 《s'~ de 〔en〕》 …을 장만하다〔사들이다〕 : s'~ *de* bois pour l'hiver 겨울에 땔감을 사들이다. ***s'~ chez*** qn …의 가게에서 필수품을 사다.

A

***approximatif, ive** [apʀɔksimatif, -iːv] *adj.* ① 대략의, 어림잡은 : cacul ~ 개산, 어림셈. ② 막연한, 어렴풋한 : s'exprimer en termes ~*s* 《비유》 막연한 말로 표현하다.

approximation [apʀɔksimɑsjɔ̃] *f.* 개산(槪算), 어림(치기) ; 〖수학〗 근사(법), 근사치(≠ précision). ***par*** **~** 근사법으로, 어림잡아.

approximativement [apʀɔksimativmɑ̃] *adv.* 대략, 거의(= à peu près), 약.

appt. 《약자》 ① approvisionnement 〖해양〗 식량 보급. ② appartement 아파트.

appui** [apɥi] *m.* ① 받치기, 괴기 ; 받침(대), 굄목, 버팀목, 굄돌(= soutien, support) : ~ d'escalier 계단 난간 / barre 〔mur〕 d'~ 난간〔옹벽〕 / ~ de fenêtre 창의 문지방. ② 뒷받침, 원조, 지지, 후원(= protection, soutien), 지원, 원호(= aide, protection) ; 근거 ; 〖군사〗 거점(= point d'~) : ~ moral 정신적 뒷받침 / être sans ~ 고립무원이다 / Je compte sur votre ~. 나는 당신의 후원을 기대한다. ③ 지지자 ; 기둥. ***à hauteur d'~ 팔꿈치로 기댈 만한 높이의, 가슴 높이에. ***à l'~ de*** …을 뒷받침〔지지·증명〕하기 위하여 : *À l'~ de* ses arguments 자기의 논의를 뒷받침하기 위해. ***avec preuves à l'~*** 확실한 증거가 있는. ***pièces à l'~*** 증거 서류. ***prendre sur*** qc …에 기대다.

appui-bras (*pl.* ~**s**-~), **appuie-bras** 《복수불변》 [apɥibʀa] *m.* (자동차·기차 따위의) 팔걸이.

appui-main (*pl.* ~**s**-~), **appuie-main** 《복수불변》 [apɥimɛ̃] *m.* (화가의) 팔받침.

appui-tête (*pl.* ~**s**-~), **appuie-tête** 《복수불변》 [apɥitɛt] *m.* (사진관·치과 병원의 의자, 열차 좌석 따위의) 머리받침.

appuyé, e [apɥije] *adj.* ① 강조된 ; 두드러진, 지나친 : regard ~ 집요한 시선. ② 《~ sur, contre》 …에 기댄, 근거를 둔 : théorie ~*e sur* des faits 사실에 입각한 이론.

***appuyer** [apɥije] [7] *v.t.* ① 《~ qc par 〔avec〕》 …으로 …을 받치다, 버티다, 괴다 (= soutenir). ② 《~ qc contre 〔sur, à〕》 …에 …을 기대다, 걸치다(= adosser) ; 기대〔걸쳐〕 놓다 : ~ une échelle *contre* un arbre 사닥다리를 나무에 걸쳐 놓다 / ~ sa tête *sur* un fauteuil 의자에 머리를 기대다 / ~ ses coudes sur la table 테이블 위에 팔꿈치를 짚다 / ~ ses lèvres *sur* qc …에 입술을 갖다대다. ③ 《~ qc sur》 …에 갖다 대다 ; …에 대고 누르다(= presser) : ~ le pied *sur* la pédale 발로 페달을 누르다. ④ 《~ qc sur》 …의 근거를 …에 두다 : ~ son opinion *sur* 자기 의견의 근거를 …에 두다. ⑤ 《~ qn 〔qc〕》 지원〔지지·후원〕하다, 뒷받침하다(= aider, soutenir) : ~ un candidat 어떤 입후보자를 지지하다. ⑥ 《~ qc》 …에 힘을 주다 : ~ les mots pour se faire comprendre 알아듣도록 힘을 주어 말하다 / Il *appuie* trop le pied en marchant. 그는 너무 발에 힘을 주어 걷는다. — *v.t. ind.* ① 《~ sur 〔contre〕》 …에 기대다, 얹히다, …위에 놓이다 ; …을 누르다 ; …에 힘을 주다. …을 강조하다 : ~ *sur* le frein 브레이크를 누르다 / L'armoire n'*appuie* pas *contre* le mur. 장롱이 벽에 기대져 있지 않다 / ~ *sur* la nécessité de qc …의 필요성을 역설하다. ② 《~ sur 〔à〕》 …쪽으로 향하다〔가다〕(= se diriger) : *Appuyez sur* votre droite pour laisser passer la voiture. 차가 지나가도록 오른쪽으로 바싹 붙이시오.
— **s'~** *v.pr.* ① 《s'~ à 〔contre, sur〕》 …에 기대다, 의지하다 : *s'~ sur* la rampe du balcon 발코니 난간에 기대다. ② 《s'~ sur》 …을 신뢰하다 ; …을 근거로 삼다 : *s'~ sur* une documentation solide 확실한 기록을 근거로 삼다 / Vous pouvez *vous ~ entièrement sur* moi. 당신은 나를 전적으로 믿어도 됩니다. ③ 《s'~ de》 …에 의거하다 : *Sur* quoi *s'appuient* vos soupçons ? 무슨 근거로 의심하십니까 ? ***s'~ une corvée*** 《구어》 고된〔지겨운〕 일을 억지로 하다.

***âpre** [ɑːpʀ] *adj.* ① 거친 ; (추위가) 매운 ; (맛이) 떫은, 신, 얼얼한 ; (소리가) 귀에 거슬리는 ; (바람이) 모진 : des poires encore vertes et ~*s* 아직 덜 익고 떫은 배 / ~ hiver 지독히 추운 겨울 / fruit ~ 떫은 과일. ② 《비유》 심한, 사나운, 힘드는, 어려운(= dur, pénible) ; 호된 : vie ~ 어려운 생활. ③ 악착스러운(= ardent), 탐욕스러운(= avide) ; 《~ à qc 〔+*inf.*〕》 …에 악착스러운 : ~ *au* gain 이익에 눈이 어두운.

âprement [ɑ〔a〕pʀəmɑ̃] *adv.* ① 가혹하게, 엄하게, 호되게. ② 열심히, 악착같이.

⁑**après** [apʀɛ] *prép.* ① 《시간·공간·차례》 …후〔뒤·다음〕에(≠ avant) : ~ le repas 식사 후에 / marcher ~ le guide 안내자 뒤에서 걸어가다 / le plus savant ~ qn …다음으로 가장 박식한 / un an ~ sa mort 그가 죽고 나서 1 년 후에 / ~ dix heures, 10 시 후에 / Il est arrivé ~ moi. 그는 나보다 나중에 도착했다 / Ma maison est juste ~ l'eglise. 우리 집은 교회 뒷집이다. ② …에, …위에 : grimper ~ un arbre 나무에 기어오르다 / accrocher qc ~ le clou …을 못에 다 걸다. ③ ⓐ …에 대해〔향해〕(= contre) : aboyer ~ qn (개가) …을 향해 짖다 / crier ~ les enfants 아이들에게 야단치다. ⓑ …을 뒤쫓아 : courir ~ qn …을 뒤쫓아〔잡으러〕 달려가다. ⓒ 《추구》 …을 찾아 ; …이 아쉬워 : chercher ~ qn …을 찾다 / courir ~ l'argent 돈을 벌려고 혈안이 되다. ④ 《~+부정법과거》 …하고 나서 : *A~* avoir dîné, il sortit. 저녁을 먹은 후에 그는 나갔다. ⑤ 《~+명사+과거분사》 ~ la paix faite 평화가 이루어진 뒤에. **~ *cela*** 그 다음에, 그리고 나서 ; 그래서. **~ *coup*** 나중에 가서, 뒤늦게야. **~ *que***+*ind.* …하고 나서, …한 다음에 : des années ~ *qu*'il eut quitté la maison 그가 집을 떠난 지 수년 후에. **~ *quoi*** 그 다음에, 그리고 나서. **~ *tout*** 결국, 요컨대. ***d'~*** …에 의하여, 의하면, 따라서〔따르면〕 : *d'~* ce qu'il a dit 그가 말한 바에 의하면. ***en avoir ~*** qn …에 대해 원한을 품고 있다. ***être ~ à***+*inf.* …을 하고 있는 중이다. ***être ~*** qc …을 (열심히) 하다. ***l'un ~ l'autre ; les uns ~ les autres*** 차례로.
— *adv.* ① 《시간》 (그) 후에, 나중에(= plus tard) : vingt ans ~, 20 년 후에 / les événements qui survinrent ~ 나중에 일어났던 사건들. ② 《공간》 뒤에(= derrière) : Dans

le cortège, les femmes marchent ~. 여자들은 행렬의 뒤에서 걷고 있다. ③《차례》 다음에 : Parlez d'abord, je parlerai ~. 먼저 이야기하시오. 다음에 내가 얘기하겠소. ***Et (puis) ~ ?*** 그래서 ; 그렇다면. ***le jour*** 〔***le mois, l'année***〕 ***d'~*** 그 다음날〔달 · 해〕. ***l'instant d'~*** 다음 순간.

***après-demain** [apʀɛdmɛ̃] *adv.* 모레 : Il arrivera ~ . 그는 모레 도착할 것이다. ── *m.* 《복수불변》 모레.

après-dîner [apʀɛdine] *m.* 저녁 식사 후 ; 《옛》 점심 후.

après-guerre [apʀɛgɛ:ʀ] *m.* 《복수불변》 (1차 · 2차) 대전 후, 전후(戰後)(≠ avant-guerre). ── *adv.* 대전 후에, 전후에.

⁑**après-midi** [apʀɛmidi] *m.* 〔*f.*〕 《복수불변》 오후 : cet ~ 오늘 오후에 / hier 〔demain〕 ~ 어제〔내일〕 오후에 / à deux heures de l'~ 오후 2시에 / une belle ~ d'automne 화창한 가을날의 오후.

après-rasage [apʀɛʀaza:ʒ] *m.* 애프터셰이빙〔셰이브〕(〖영〗 after-shaving), 스킨로션.

après-ski [apʀɛski] *m.* 《복수불변》 방한화 《스키 후에 신는》.

après-vente [apʀɛvɑ̃t] *adj.* 《불변》 판매 후의. ***un service ~*** 애프터서비스.

âpreté [ɑ〔a〕pʀəte] *f.* ① 거칢 ; (추위의) 매움 ; (바람의) 모짊 ; 떫은〔신 · 매운〕맛 ; 귀에 거슬림. ② 격렬함 ; 신랄함 ; 호됨 : ~ de ses critiques 비판의 신랄함. ③ 악착스러움, 탐욕 : ~ au gain 돈벌이에 급급함.

a priori, à priori [apʀijɔʀi] 〖라틴〗 *loc. adv.* 연역적으로 ; 선험적으로, 선천적으로(≠ a posteriori), 우선 보기에. ── *loc. adj.* 《불변》 연역적인, 선험적인, 선천적인. ── *m.* 《복수불변》 선험적 추리.

apriorisme [apʀijɔʀism] *m.* 연역 논법 ; 선험적 추리, 선험주의.

à-propos [apʀɔpo] *m.* ① 시기에 적합한 것 《말 · 행위 따위》. ② 시기에 적합함 ; 적절함 : avoir l'esprit d'~ 임기응변의 재주가 있다. ③ (행사 따위의) 때맞춰 쓴 연극〔시〕.

***apte** [apt] *adj.* ① 《~ à+*inf.* 〔qc〕》 …할 만한 소질〔능력〕이 있는(=capable de), …하기에 알맞은〔적합한〕(=propre à) ; …할 자격이 있는 : ~ *à* posséder des bénéfices 특권을 가질 자격이 있는 / Il est ~*à* tout. 그는 무엇이든 잘 해낸다. ② 《~ à+*inf.*》 …하는 경향이 있는. ③ 재능 있는, 유능한. ④ 적당한, 적절한 : exemple ~ 적절한 예.

aptère [aptɛ:ʀ] *adj.* 〖곤충〗 날개 없는(≠ ailé) : insecte ~ 날개 없는 곤충. ── *m. pl.* 무시류(無翅類).

aptitude** [aptityd] *f.* ① 소질, 천품, 재능, 적성(=prédisposition) : ~*s* physiques 〖군사〗 체격 : manifester des ~*s* pour les sciences 과학에 대한 소질을 보이다. ② 능력(=capacité) ; 자격, 면허. ③ 경향, 성향, 기질. ***avoir de l'~ 〔***des ~s***〕 ***à*** 〔***pour***〕 qc 〔+*inf.*〕 …의〔하는〕 재능이 있다. ***certificat d'~*** 자격증(=certificat) : *certificat d'~ professionnelle* 직업 교육 자격증(《약자》 C.A.P.). ── *n.* 적격자.

apurement [apyʀmɑ̃] *m.* 회계 감사 .

apurer [apyʀe] *v.t.* (회계를) 감사하다 ; 채무 없음을 입증하다.

aquacole [akwakɔl] *adj.* ① 수산 양식(업)의 : élevage ~ 수산 양식. ② 수경법의.

aquaculture [akwakylty:ʀ] *f.* ① 물고기 양식(업). ② 수경법, 물가꾸기.

aqua(-)fortiste [akwafɔʀtist] *m.* 부식 동판화가, 에칭(etching) 조각가.

aquaplanage [akwaplana:ʒ], **aqua(-)planing** [akwaplaniŋ] *m.* 〖자동차〗 하이드로 플래닝《도로의 수막으로 인한 미끄럼》.

aquarelle [akwaʀɛl] *f.* 수채화 : peindre à l'~ ; faire de l'~ 수채화를 그리다.

aquarelliste [akwaʀɛ〔e〕list] *n.* 수채화가.

aquarium [akwaʀjɔm] *m.* ① 어항 ; 수초(水草)항 ; 관상어 사육통. ② 수족관.

aquatel [akwatɛl] *m.* 해상(海上) 호텔.

aquatinte [akwatɛ̃:t] *f.* 〖조각〗 아쿠아틴트, 부식 동판(腐蝕銅版) 화법의 일종.

aquatique [akwatik] *adj.* ① 물속〔물가〕에서 사는, 수생의 : plantes ~*s* 수생 식물. ② 물 위의, 수상의 : sport ~ 수상 스포츠.

aqueduc [akdyk] *m.* ① (고가식) 수로(水路), 수도교(水道橋). ② 〖해부〗 도수관.

aqueux, euse [akø, -ø:z] *adj.* 수질의 ; 물기 있는 : solution ~*euse* 〖화학〗 수용액.

aquicole [akɥikɔl] *adj.* 수생의, 물에 사는.

aquiculture [akɥikylty:ʀ] *f.* ① 수서 동물 사육〔양식〕, 양어. ② 수생 식물 재배.

aquilin, e [akilɛ̃, -in] *adj.* 매부리 모양의 : nez ~ 매부리코.

aquilon [akilɔ̃] *m.* ① 《시어》 북풍, 삭풍(≠ autan) ; 강한 바람. ② 북쪽, 북방.

AR. 《약자》 ① arrière (자동차의) 뒤쪽 : plaque ~ 뒷번호판. ② accusé de réception 수령증, 영수증.

A.R. 《약자》 ① Altesse Royale 왕자, 전하. ② 〖철도〗 aller et retour 왕복표. ③ anno regni... 치세하(治世下) …년.

ara [aʀa] *m.* 〖조류〗 (남미산의) 금강잉꼬.

arabe** [aʀab] *adj.* ① 아라비아(*Arabie*)의 : chiffres ~*s* 아라비아 숫자. ② 아랍 (사람)의. ── **A~** *n.* 아라비아〔아랍〕 사람. ── *m.* 아랍어(=langue ~). ***République A~ Unie 아랍 연합 공화국(《약자》 R.A.U.).

arabesque [aʀabɛsk] *adj.* 아랍의 ; 아라비아식〔풍〕의. ── *f.* 아라베스크 모양, 당초 무늬. ── *m.* 아라베스크 양식(=genre ~).

arabica [aʀabika] *m.* 〖식물〗 아라비아산(産) 커피나무 ; 아라비카 커피.

Arabie [aʀabi] *n.pr.f.* 아라비아. ***Royaume de l'~ Saoudite*** 사우디아라비아 왕국.

arabique [aʀabik] *adj.* 아라비아의.

arable [aʀabl] *adj.* 경작할 수 있는(=labourable) : terre ~ 경작할 수 있는 땅.

arabophone [aʀabɔfɔn] *adj.* et *n.* 아랍어를 사용하는 (민족).

arachide [aʀaʃid] *f.* 〖식물〗 낙화생, 땅콩.

arachnéen, enne [aʀakneɛ̃, -ɛn] *adj.* 거미의 ; (피륙 등이) 거미줄처럼 얇고 가벼운.

arachnides [aʀaknid] *m. pl.* 거미류.

araignée [aʀɛ〔e〕ɲe] *f.* ① 거미 : toile d'~ 거미줄, 거미집. ② 꽹이그물. ***avoir une ~ au*** 〔***dans le***〕 ***plafond*** 머리가 약간 돌다.

aratoire [aʀatwa:ʀ] *adj.* 경작의, 농사에 쓰이는 : instruments ~*s* 농기구.

arbalète [aʀbalɛt] *f.* (중세의) 강철활, 쇠뇌.
arbitrage [aʀbitʀa:ʒ] *m.* ① 중재 ; 조정 ; 중재 재판 : soumettre un différend à l'~ 분쟁을 조정에 붙이다. ② 〖스포츠〗 심판 (직책).
***arbitraire** [aʀbitʀɛ:ʀ] *adj.* ① ⓐ 임의의(≠ motivé) : choix ~ 임의의 선택. ⓑ 제멋대로의(= fantaisiste) : interprétation ~ 제멋대로의 해석. ② ⓐ 독단적〔전제적〕인 : décision ~ 독단적인 결정. ⓑ 정당성 없는, 부당한, 불법적인 : arrestation ~ 불법 체포. —— *m.* 임의 ; 전제(= despotisme), 독단.
arbitrairement [aʀbitʀɛʀmɑ̃] *adv.* 임의로, 독단〔전제〕적으로, 제멋대로.
arbitral, e, aux [aʀbitʀal, -o] *adj.* 중재의, 중재에 의한. ***tribunal ~*** 중재 재판소.
***arbitre¹** [aʀbitʀ] *m.* ① 중재인. ② 절대적 지배자. ③ (운명·정세 따위를) 좌우하는 사람. ④ 〖스포츠〗 심판 : L'~ siffle une faute. 심판이 호각으로 반칙을 선언한다.
arbitre² *m.* 의지(= volonté). ***libre*** 〔***franc***〕 ***~*** 자유 의지. ***serf ~*** 예속 의지.
arbitrer [aʀbitʀe] *v.t.* ① 〖법률〗 결정〔재정·판정〕하다. ② 〖스포츠〗 심판하다.
arborer [aʀbɔʀe] *v.t.* ① 꼿꼿이〔우뚝〕 세우다 : ~ l'étendard de la révolte 반기를 들다. ② 보라는 듯이 드러내 보이다, 과시하다(= afficher) : ~ un air de supériorité 우월감을 공공연히 드러내다. ③ 〖신문〗 (큰 활자로) 대서(大書)하다 : ~ un titre 〔une manchette〕 표제를 크게 내붙이다.
arborescence [aʀbɔʀesɑ̃:s] *f.* 나무 비슷함, 교목성(喬木性).
arborescent, e [aʀbɔʀesɑ̃, -ɑ̃:t] *adj.* 나무 비슷한, 교목 모양의.
arbor(i)- *préf.* 「나무·수목」의 뜻.
arboricole [aʀbɔʀikɔl] *adj.* 수목 재배의 : technique ~ 수목 재배법.
arboriculteur, trice [aʀbɔʀikyltœ:ʀ, -tʀis] *n.* 수목 재배자.
arboriculture [aʀbɔʀikylty:ʀ] *f.* 나무 가꾸기, 수목 재배 : ~ fruitière 과수 재배.
arborisation [aʀbɔʀizɑsjɔ̃] *f.* 나뭇가지 모양.
arboriser [aʀbɔʀize] *v.i.* 나무를 가꾸다, 수목을 재배하다.
*:**arbre** [aʀbʀ] *m.* ① 나무, 수목, 교목 : les racines 〔la tige〕 d'un ~ 나무뿌리〔줄기〕 / ~ fruitier 과수 / ~ d'agrément 〔d'ornement〕 관상용 나무 / ~ d'alignement 가로수 / ~ (toujours) vert 상록수 / ~ de Noël 크리스마스트리. ② 〖기계〗 굴대, 축(軸) : ~ de transmission 구동축(驅動軸). ③ 〖해양〗 마스트, 돛대 : ~ de mestre 큰 돛대 / ~ de trinquet 앞 돛대. ④ 계통도, 계보 : ~ généalogique 계통수(系統樹). ***~ de la Croix*** (그리스도가 못 박힌) 십자가. ***couper l'~ pour avoir le fruit*** 눈앞의 이익에 눈이 멀어 앞날을 그르치다. ***Entre l'~ et l'écorce il ne faut pas mettre le doigt.*** 《격언》 집안 싸움에는 참견하지 말라. ***faire monter*** qn ***à l'~*** 《구어》 …을 속이다. ***Il ne faut pas juger de l'~ sur l'écorce.*** 《격언》 겉만 보고 판단하지 말라. ***L'~ ne tombe pas du premier coup.*** 《격언》 첫 숟갈에 배부를 수 없다. ***Les ~s cachent la forêt.*** 《격언》 부분에 치중하면 전체가 안 보인다. ***On connaît l'~ à ses fruits ; Tel ~ tel fruit.*** 《격언》 나무의 가치는 그 열매로 안다.
arbrisseau [aʀbʀiso] *m.* (*pl.* ~***x***) 관목.
arbuste [aʀbyst] *m.* 소(小)관목.
arc¹ [aʀk] *m.* ① 활 ; 활 모양, 궁형(= courbe) : tirer de l'~ 활로 쏘다 / tireur à l'~ 활의 사수. ② 〖수학〗 호(弧). ③ 〖건축〗 아치, 홍예 : ~ de triomphe 개선문. ***avoir plus d'une corde*** 〔***plusieurs cordes***〕 ***à son ~*** 여러 가지 수단〔대책〕을 가지고 있다.
arc² 〘〖영〗 < Aids Related Complex〙 *m.* 《복수불변》 〖의학〗 에이즈 감염 증후군.
arcade [aʀkad] *f.* 아케이드 ; 궁륭형 통로〔회랑〕 ; 홍예문.
arcane [aʀkan] *m.* ① (연금술의) 비방(약). ② (*pl.*) 비밀, 비법 ; 비결 : ~*s* de la science 학문의 비결. —— *adj.* 비밀의.
arc-boutant [aʀkbutɑ̃] *m.* (*pl.* ~***s***-~***s***) 〖건축〗 벽날개《두 벽 사이에 아치 모양으로 걸쳐서 궁륭의 압력을 막는 것》.
arc-bouter [aʀkbute] *v.t.* (궁륭을) 벽날개로 받치다 ; 지주로 받치다. —— **s'~** *v.pr.* ① 몸을 버티다. ② 《~ à 〔contre, sur〕》 …에 단단히 기대다, 기대어 버티고 서다.
arceau [aʀso] *m.* (*pl.* ~***x***) ① (둥근 천장·문·창 따위의) 반원형의 부분. ② (크로케의 반원형의) 작은 문.
arc-en-ciel** [aʀkɑ̃sjɛl] *m.* (*pl.* ~s***-~-~) 《발음불변》 무지개.
arch- *préf.* 「으뜸·상위」의 뜻.
archaïque [aʀkaik] *adj.* 고풍의(= ancien ; ≠ moderne) ; 시대에 뒤떨어진 ; 〖미술〗 고전기(古典期) 이전의 : méthodes 〔idées〕 ~*s* 시대에 뒤떨어진 방법〔생각〕.
archaïsant, e [aʀkaizɑ̃, -ɑ̃:t] *adj.* 예스러운 말투를 쓰는 ; 의고(擬古)의.
archaïsme [aʀkaism] *m.* ① 예스러운 말투, 고어(古語) ; 고어법. ② 고풍(古風) ; 고풍 모방, 의고(擬古) 취미, 의고주의.
archaïste [aʀkaist] *n.* 고어〔고어법〕을 애용하는 사람 ; 고풍 모방자, 의고주의자.
archange [aʀkɑ̃:ʒ] *m.* 대천사, 천사장.
arche¹ [aʀʃ] *f.* 교호(橋弧)(= ~ de pont), (다리·육교의) 아치, 홍예.
arche² *f.* ① (노아의) 방주 : ~ de Noé 노아의 방주. ② 교회.
archéo [aʀkeo] *adj.* 시대에 뒤떨어진, 고리타분한.
archéo- *préf.* 「옛·고대(古代)」의 뜻.
archéologie [aʀkeɔlɔʒi] *f.* 고고학.
archéologique [aʀkeɔlɔʒik] *adj.* 고고학의.
archéologue [aʀkeɔlɔg] *m.* 고고학자.
archer [aʀʃe] *m.* ① 활의 사수(射手). ② (옛날의) 순경. ***petit ~*** 큐피드, 사랑의 신.
archet [aʀʃɛ] *m.* (현악기의) 활, 악궁(樂弓) : art de l'~ 악궁 사용법.
archétype [aʀketip] *adj.* 원형의. —— *m.* 원형(= prototype) ; 원본 ; (도량형의) 원기.
archevêque [aʀʃəvɛk] *m.* 〖가톨릭〗 대주교 ; 〖기독교〗 대감독.
archi- *préf.* 「으뜸·상위」의 뜻.
archiduc [aʀʃidyk] *m.* 대공《1918년까지의 오스트리아 황태자의 칭호》.
-archie *suff.* 「지배·통치·정치·정부」의 뜻.
archiépiscopal, e, aux [aʀʃ(k)iepiskɔpal, -o] *adj.* 대주교〔대감독〕의.

archipel [aʀʃipɛl] *m.* 군도, 제도, 열도. — **A~** *n.pr.m.* 다도해, 에게 해(海).

***architecte** [aʀʃitɛkt] *m.* ① 건축가, 건축 기사. ② 《비유》 고안〔창안〕자, 창시자, 창설자.

architectonique [aʀʃitɛktɔnik] *adj.* 건축술〔학〕의 ; 〖철학〗 조직적인 ; 〖지질〗 구조에 관한. — *f.* 건축술〔학〕 ; 〖철학〗 체계론.

architectural, e, aux [aʀʃitɛktyʀal, -o] *adj.* 건축술의, 건축상의, 건축학의.

architecture [aʀʃitɛkty:ʀ] *f.* ① 건축, 건축술〔학〕 : ~ navale 조선술〔학〕. ② 건축 양식 ; 건축물. ③ 《비유》 구조, 구성. ④ 〖컴퓨터〗 (계산기 · 정보 체계의) 구성.

architecturer [aʀʃitɛktyʀe] *v.t.* (건축가처럼) 정밀하게 구성하다. 「의) 대륜(臺輪).

architrave [aʀʃitʀa:v] *f.* 〖건축〗 (원주 머리

archivage [aʀʃiva:ʒ] *m.* (고)문서 보관.

archiver [aʀʃive] *v.t.* 《옛》 고문서고(庫)〔기록 보관소〕에 넣다〔보관하다〕.

archives [aʀʃi:v] *f. pl.* ① 고문서 ; 기록. ② 고문서관(館) : ~ du savoir 지식의 보고.

archiviste [aʀʃivist] *m.* 고문서 보관인, 문서 담당자 ; 고문서 학자.

archivolte [aʀʃivɔlt] *f.* 〖건축〗 (아케이드의) 장식 홍예창틀.

arçon [aʀsɔ̃] *m.* (안장의) 앞테 : cheval d'~*s* (체조의) 안마(鞍馬). ***perdre*** 〔***vider***〕 ***les ~s*** 낙마하다; 당황하다.

arctique [aʀktik] *adj.* 북극의(≠ antarctique) : Océan (glacial) ~ 북빙양 / pôle ~ 북극. 「명사 어미.

-ard *suff.* 「경멸」의 뜻을 나타내는 형용사 ·

ardemment [aʀdamɑ̃] *adv.* 열심히, 열렬히.

ardent, e** [aʀdɑ̃, -ɑ̃:t] *adj.* ① 불타는(= incandescent, brûlant). ② 타는 듯한, 뜨거운 (= torride) ; 불빛 같은, (색깔이) 강렬한 : yeux ~*s* de colère 분노로 이글거리는 눈 / soleil ~ 작열하는 태양. ③ 불 같은, 강렬〔격렬〕한 : ~*e* conviction 강한 확신. ④ 열렬한, 열성〔열정〕적인(= bouillant, enthousiaste) ; 《~ à qc 〔+ *inf.*〕》 …에〔하기에〕 열심인 : Il est ~ *au* travail. 그는 일에 열성적이다. ***chapelle ~e 관(棺) 둘레의 촛불들.

ardeur [aʀdœ:ʀ] *f.* ① 타는 듯한 더위〔열〕 : ~ du soleil 이글거리는 태양. ② 강렬〔격렬〕함. ③ 열심, 열의, 열정 ; 《~ à + *inf.*》 열심히 …하기 ; 《~ de + *inf.*》 …하고 싶은 열의 : ~ *au* travail 〔*à* travailler〕 일에 대한 〔일하려는〕 열의 / ~ *de* s'enrichir 부자가 되고 싶은 열망. ***avec ~*** 열심히.

ardillon [aʀdijɔ̃] *m.* ① 버클핀. ② 〖인쇄〗 인쇄지를 고정시키는 핀. ③ (낚시의) 미늘.

ardoise [aʀdwa:z] *f.* ① 석반석, 슬레이트. ② 석반. ③ 《구어》 외상값 : avoir une ~ (chez un commerçant) 외상으로 거래하다.

***ardu, e** [aʀdy] *adj.* ① 험한, 가파른(= escarpé). ② 어려운, 고된(= pénible) : question ~*e* 어려운 문제. 「기호 a).

are [a〔ɑ〕:ʀ] *m.* 아르(면적의 단위로 100 m² ;

areligieux, euse [aʀəliʒjø, -ø:z] *adj.* 무종교의, 비(非)종교적인.

arène [aʀɛn] *f.* ① (모래를 깐 원형의) 투기상(鬪技場). ② 활약 무대, 난상 : ~ littéraire 문단. ③ (*pl.*) (고대 로마의) 원형 경기장. ***descendre dans l'~*** 도전에 응하다.

arénicole [aʀenikɔl] *adj.* 〖생물〗 모래땅에 사는. — *f.* 〖동물〗 갯지렁이.

aréole [aʀeɔl] *f.* ① 〖해부〗 유두륜(乳頭輪) ; (피진(皮疹)의) 홍륜(紅輪). ② 달무리.

aréomètre [aʀeɔmɛtʀ] *m.* 액체 비중계.

aréopage [aʀeɔpa:ʒ] *m.* ① 〖그리스사〗 (*A~*) 아레오파고스 법원. ② 최고 법원. ③ (학자 · 문필가 · 재판관 따위의) 모임.

***arête** [aʀɛt] *f.* ① 물고기의 뼈. ② (두 면의 접선이 이루는) 각(角) ; (산의) 능선, 산마루.

arêtier [aʀɛ〔e〕tje] *m.* 〖건축〗 모서리 서까래 ; 모서리 합각. 「衛).

ar.-g. 《약자》 arrière-garde 〖군사〗 후위(後

‡argent [aʀʒɑ̃] *m.* ① 은 ; 은화(= ~ blanc) : ~ orfévré ; vaissells d'~ 은식기. ② 돈, 금전(= capital) ; 재산(= fortune) ; 화폐 : affaire d'~ 금전 문제 / ~ liquide 현금 / ~ frais 회수금. ***~ comptant*** 현금(으로). ***A~ comptant porte médecine.*** 《속담》 돈이면 만사형통. ***avoir un ~ fou*** 《구어》 막대한 돈을 갖고 있다. ***d'~*** 은색의 ; (소리가) 은방울처럼 맑은. ***en avoir pour son ~*** 돈〔애〕 쓴 보람이 있다. ***faire ~*** 〔***de l'~***〕 ***de*** qc …을 팔아〔써서〕 돈을 마련하다. ***homme d'~*** 인색한 축재가, 수전노. ***jeter son ~ par les fenêtres ; dissiper*** 〔***gaspiller, manger***〕 ***son ~*** 돈을 물쓰듯 하다. ***L'~ est rond, il faut qu'il roule.*** 《격언》 돈은 둥글어 구르게 마련 ; 돈은 쉬 빠져나간다. ***L'~ lui fond dans*** 〔***entre***〕 ***les mains.*** 그는 돈을 물쓰듯 한다. ***L'~ ne fait pas le bonheur.*** 《격언》 돈만으로는 행복해질 수 없다. ***Le temps, c'est de l'~.*** 《격언》 시간은 돈이다. ***manger de l'~*** 돈을 하루하루 써 버리다. ***Point d'~ point de Suisse.*** 돈 안 받고 일할 사람 없다. ***prendre*** qc ***pour ~ comptant*** 〔***pour bon***〕 …을 곧이듣다, 고지식하게 믿다. — *adj.* 《불변》 은색의.

argentan [aʀʒɑ̃tɑ̃] *m.* 양은(= maillechort).

argenté, e [aʀʒɑ̃te] *adj.* ① 은을 씌운 ; 은빛의 ; 은발의. ② 《구어》 돈을 가진.

argenter [aʀʒɑ̃te] *v.t.* ① 은을 씌우다, 은도금하다. ② 은빛으로 만들다. — **s'~** *v.pr.* (머리털 따위가) 은빛이 되다, 희어지다.

argenterie [aʀʒɑ̃tʀi] *f.* 은그릇, 은제품.

argentier [aʀʒɑ̃tje] *m.* 《옛》 재무관. 「는.

argentifère [aʀʒɑ̃tifɛ:ʀ] *adj.* 은을 함유하

argentin, e[1] [aʀʒɑ̃tɛ̃, -in] *adj.* ① 은처럼 울리는, 은 같은, 맑은. ② 은빛의. — *f.* 〖어류〗 은어.

argentin, e[2] *adj.* 아르헨티나(*Argentine*)의 : République *A~e* 아르헨티나 공화국. — **A~** *n.* 아르헨티나 사람.

argenture [aʀʒɑ̃ty:ʀ] *f.* 은칠〔은도금〕(하기 · 기술) ; 칠한〔도금한〕 은.

argile [aʀʒil] *f.* 점토, 찰흙 ; 점토 그릇. ***statue*** 〔***colosse***〕 ***aux pieds d'~*** (토대가 튼튼치 못한) 겉만 번듯한 사람〔물건〕.

argon [aʀgɔ̃] *m.* 〖화학〗 아르곤(Ar ; 원자 번호 18).

***argot** [aʀgo] *m.* ① 은어(隱語), 변말. ② (어떤 집단, 직업의) 특유한 말, 속어.

argotique [aʀgɔtik] *adj.* 은어의, 곁말투의.

argousin [aʀguzɛ̃] *m.* ① 간수. ② 《속어》 순경. ③ 《속어》 투박한 사람.

arguer [aʀgɥe] 《발음을 명확히 하기 위해 tréma를 쓸 수도 있음 : j'*arguë* [ʒaʀgy], nous *arguïons* [nuzaʀgyjɔ̃]》 *v.t.* 《~ qc de》 …에서 …을 결론짓다, 추론〔추단〕하다 : Vous ne pouvez rien ~ *de* ce fait. 이 사실에서 당신은 아무런 결론도 내릴 수 없다. ~ qc ***de faux*** 〖법률〗 …이 허위라고 비난하다. ~ qn ***de*** qc …을 …라고 비난하다. ~ ***que***＋*ind.* …을 이유〔구실〕로 내세우다 : Il *argua qu*'il ne comprenait pas le français. 그는 프랑스어를 모른다고 내세웠다.
— *v.i* ① 추론하다, 결론짓다. ② 논쟁하다, 트집 잡다(= discuter).
— *v.t. ind.* 《~ de》 …을 이유로 내세우다, 구실로 삼다(= alléguer).

***argument** [aʀgymɑ̃] *m.* ① 추론, 논증(= raisonnement), 논법 : ~ en forme 삼단 논법. ② 논거(= preuve) : tirer ~ de qc …을 논거로 하다. ③ (책 따위의) 논지, 요지(= sommaire), (희곡·소설 따위의) 줄거리.

argumentaire [aʀgymɑ̃tɛːʀ] *adj.* 〖상업〗 상품의 설명에 관한 : liste ~ 설명이 붙은 카탈로그. — *m.* 〖상업〗 = liste ~.

argumentation [aʀgymɑ̃tɑsjɔ̃] *f.* 논의(하는 기술), 논증(술) ; 입론, 추론.

argumenter [aʀgymɑ̃te] *v.i.* ① 거론하다, 이론을 내세우다, 논증하다 : ~ contre qn …에게 반대론을 주장하다. ② 억설〔궤변〕을 늘어놓다. — *v.t.* 《옛》 《~ qn》 …와 논쟁하다. — **s'~** *v.pr.* 조리〔도리〕에 따르다.

argus [aʀgys] *m.* ① 감시인(= surveillant) ; 밀정, 스파이(= espion). ② (흔히 *A*~) 전문 정보지. — **A~** *n.pr.m.* 〖그리스신화〗 아르구스《백안거인(白眼巨人)》.

argutie [aʀgysi] *f.* 궤변, 억설(= argument, chicane) : user d'~*s* 궤변을 일삼다.

aria[1] [aʀja] *m.* 당황 ; 곤란, 난처함.

aria[2] 〔이탈리아〕 *f.* 〖음악〗 아리아, 영창.

***aride** [aʀid] *adj.* ① 마른, 건조한(= sec, desséché), 메마른(= stérile) : terre ~ 메마른 땅. ② 불모의(≠ fertile) ; (상상력이) 빈약한 (= pauvre) ; 무정한(= insensible) : cœur ~ 비정한 마음. ③ 무미건조한 : style ~ 무미건조한 문체.

aridité [aʀidite] *f.* 건조, 가뭄(= sécheresse) ; 무미건조 ; 무정 ; 불모, 빈약.

ariette [aʀjɛt] *f.* 〖음악〗 아리에타, 소영창(小詠唱).

aristocrate [aʀistɔkʀat] *n.* et *adj.* 귀족(의) ; 귀족 계급(의) ; 귀족 정치주의자(의).

aristocratie [aʀistɔkʀasi] *f.* ① 귀족 정치. ② 귀족 계급(= noblesse), 귀족 사회 ; 특권 계급. ③ 《집합적》 귀족 ; 최상층, 엘리트(= élite). ④ 우월, 탁월.

aristocratique [aʀistɔkʀatik] *adj.* 귀족의 ; 귀족적인 ; 귀족 정치〔계급〕의.

Aristote [aʀistɔt] *n.pr.m.* 〖그리스철학〗 아리스토텔레스.

aristotélicien, enne [aʀistɔtelisjɛ̃, -ɛn] *adj.* 아리스토텔레스(*Aristote*) 학파의. — *n.* 아리스토텔레스 학파의 사람.

aristotélique [aʀistɔtelik] *adj.* 아리스토텔레스(철학)의.

arithméticien, enne [aʀitmetisjɛ̃, -ɛn] *n.* 산술가.

arithmétique [aʀitmetik] *adj.* ① 산술의 ; 계산의. ② 《구어》 수학적〔논리적〕인. — *f.* ① 산술 ; 산술 교과서. ② 셈, 계산 ; 수학.

arithmomètre [aʀitmɔmɛtʀ] *m.* 〖수학〗 계산기 ; 계산자.

arkose [aʀkɔz] *f.* 〖광물〗 화강질 사암(砂巖).

arlequin [aʀləkɛ̃] *m.* ① 아를캥《울긋불긋한 옷을 입은 익살 광대》. ② 줏대 없는 사람.

armada [aʀmada] *f.* 대함대 ; 많은 군중.

armagnac [aʀmaɲak] *m.* 아르마냑(*Armagnac*)산 브랜디.

armateur [aʀmatœːʀ] *m.* 〖해양〗 의장자(艤裝者) ; 선주.

armature [aʀmatyːʀ] *f.* ① (건축물 따위의) 뼈대(= charpente) ; (콘크리트 공사의) 철근 ; 철골, 틀. ② 짜임새, 구조. ③ 《비유》 골격, 기반. ④ 〖음악〗 조표(= ~ des modes).

⁑arme [aʀm] *f.* ① 병기, 무기, 흉기 : ~(*s*) blanche(s) 백병《칼·창 등》 / ~(*s*) à feu 화기, 총포. ② 병과, 병종 : manœuvre des trois ~*s* (육·해·공군) 합동 연습. ③ (*pl.*) 군직(= métier des ~*s*), 군인 생활 ; 전투, 무공(= fait d'~*s*) : frère 〔compagnon〕 d'~*s* 전우. ④ (*pl.*) 검술, 펜싱 : faire des ~*s* 검술〔펜싱〕을 하다. ⑤ (*pl.*) (나라·단체·가문(家門)의) 문장(紋章)(= armoiries). ***Aux ~s !*** 무기를 들어라 ! ***courir aux ~s*** 무기를 들다, 무장하다. ***déposer*** 〔***rendre***〕 ***les ~s*** 무기를 버리다, 항복하다. ***être en ~s*** 무장하고 있다. ***être*** 〔***se mettre***〕 ***sous les ~s*** 무장하다. ***faire ses premières ~s*** 첫 출진하다 ; 데뷔하다. ***mettre bas les ~s*** 《구어》 싸움을 그만두다. ***mettre les ~s bas*** 항복하다. ***passer l'~ à gauche*** 《속어》 전사하다, 죽다. ***passer*** qn ***par les ~s*** …을 총살하다. ***porter les ~s*** 전쟁을 일으키다〔하다〕. ***portez ~s !*** 어깨총 ! ***suspension d'~s*** 휴전. ***tourner ses ~s contre*** qn 친했던 사람에게 싸움을 걸다.

armé, e[1] [aʀme] *adj.* ① 무장한 ; 장비된. ② 《~ de》 …으로 무장된 ; …을 갖춘 : ~ *d*'un vieux chapeau 낡은 모자를 쓰고 / personne ~*e d*'un pistolet 권총으로 무장한 사람. ③ 튼튼하게 된. ***béton*** ~ 철근 콘크리트.

⁑armée[2] [aʀme] *f.* ① 군대 ; 군 : entrer dans l'~ 입대하다 / ~ active 현역군 / ~ de réserve 예비군 / ~ de l'air 공군 / ~ de terre 육군 / ~ navale 〔de mer〕 해군. ② 무리, 대군, 다수 : une ~ de sauterelles 메뚜기 떼〔의 대군〕. ***À lui seul il valait une ~.*** 그는 일기당천의 용사였다. ***Dieu*** 〔***Éternel, Seigneur***〕 ***des ~s*** 만군의 주(主)《하느님·여호와》. ***les A~s célestes*** 천사들.

***armement** [aʀməmɑ̃] *m.* ① 무장 ; 장비(= équipement), 병기. ② (*pl.*) 군비 : limitation 〔réduction〕 des ~*s* 군비 제한〔축소〕 / course aux ~*s* 군비 경쟁. ③ 〖해양〗 의장(艤裝) ; 해운업.

Arménie [aʀmeni] *n.pr.f.* 〖지리〗 아르메니아《서아시아의 산악 지방》.

arménien, enne [aʀmenjɛ̃, -ɛn] *adj.* 아르메니아(*l'Arménie*)의. — **A~** *n.* 아르메니아 사람. — *m.* 아르메니아어(語).

***armer** [aʀme] *v.t.* ① 무장시키다 ; …에 대비시키다 ; …에게 대항하게 하다 : ~ les recrues 신병을 무장시키다. ② 장비하다 ; …에 군비를 갖추다 ; 《~ qc de》 …에 …을 설치하다〔갖추다〕. ③ 튼튼하게 하다(= renforcer), 보강하다 : ~ de fer une poutre 철재로 대들보를 보강하다. ④ 〖해양〗 의장하다 ; …에 선원·요원을 정비하다. ⑤ (대포 따위에) 장전(裝塡)하다 ; 장치하다 : ~ un fusil 소총에 장전을 하다 / ~ le déclic 사진기의 셔터를 장전하다. ⑥ (장치를) 조절하다. ── **s'~** *v.pr.* 무장하다 ; 《s'~ de》 …으로 무장하다 ; …을 갖추다 ; …으로 마음〔정신〕을 튼튼히 하다〔가다듬다〕: *s'~ d'un* bâton 몽둥이로 무장하다 / *s'~ de* patience 끝끝내 참기로 하다.

armistice [aʀmistis] *m.* 휴전(= trêve, cessez-le-feu). ***anniversaire* 〔*journée*〕 *de l'A~*** (제 1 차 대전의) 휴전 기념일《11 월 11 일》. ***rompre l'~*** 휴전 협정을 파기하다. ***signer l'~*** 휴전 조약에 조인하다.

***armoire** [aʀmwa:ʀ] *f.* 장롱, 옷장 ; 찬장, 찻장 : ~ frigorifique 냉장고 / ~ à provisions 찬장 / ~ à 〔au〕 linge 옷장.

armoiries [aʀmwaʀi] *f. pl.* (나라·가문 따위의) 문장(紋章), 가문(家紋)(= armes).

armoise [aʀmwa:z] *f.* ① 〖식물〗 쓴쑥속(屬). ② 얇은 명주.

armorial, e, aux [aʀmɔʀjal, -o] *adj.* 문장〔가문〕의. ── *m.* 문장 총람, 가문집.

armorier [aʀmɔʀje] *v.t.* …에 문장〔가문〕을 그리다, 문장〔가문〕으로 장식하다.

armure [aʀmy:ʀ] *f.* ① 갑옷 ; 장갑 철판(裝甲鐵板). ② 방어 수단. ③ (피륙의) 짜임새, 무늬.

armurerie [aʀmyʀʀi] *f.* 무기 제조 판매 ; 무기상 ; 무기 공장.

armurier [aʀmyʀje] *m.* ① 무기 제조 판매인. ② 〖군사〗 무기공(工), 무기계(係).

A.R.N. 《약자》 acide ribonucléique 리보 핵산(核酸)(〔영〕 R.N.A).

arnaque [aʀnak] *f.* ① 《구어》 사기, 사취 ; 절도(= vol.). ② 《옛》 사복 경찰.

arnaquer [aʀnake] *v.t.* 《구어》 ① 훔치다, 사취하다, 사기 치다. ② 붙잡다, 체포하다.

arnica [aʀnika] 〔라틴〕, **arnique** [aʀnik] *f.* 〖식물〗 아르니카.

aromate [aʀɔmat] *m.* 향료, 방향성(芳香性) 물질.

aromathérapie [aʀɔmateʀapi] *f.* 〖의학〗 방향제 요법.

aromatique [aʀɔmatik] *adj.* 향내 나는, 향기로운.

aromatisant [aʀɔmatizɑ̃] *adj.* 방향 물질의. ── *m.* 방향 물질.

aromatiser [aʀɔmatize] *v.t.* 향기롭게 하다.

arome, arôme [aʀo:m] *m.* 향기, 향미.

arondelle [aʀɔ̃dɛl] *f.* ① 《옛》 제비. ② 주낙줄. ③ 작은 배.

arpège [aʀpɛ:ʒ] 〔이탈리아〕 *m.* 〖음악〗 아르페지오.

arpent [aʀpɑ̃] *m.* 아르팡《약 1 에이커》.

arpentage [aʀpɑ̃ta:ʒ] *m.* 측량.

arpenter [aʀpɑ̃te] *v.t.* ① 측량하다. ② 성큼성큼 걷다 : ~ le trottoir 인도를 성큼성큼 걷다.

arpenteur [aʀpɑ̃tœ:ʀ] *m.* 측량사.

arpion [aʀpjɔ̃] *m.* 《속어》 발 ; (*pl.*) 발가락.

arqué, e [aʀke] *adj.* 활처럼 굽은〔휜〕, 활 모양의, 구부린(= voûté) : nez ~ 매부리코.

arquebuse [aʀkəby:z] *f.* 화승총.

arquebusier [aʀkəbyzje] *m.* ① 화승총수(手). ② 《옛》 병기 제조 판매인.

arquer [aʀke] *v.t.* 활처럼 구부리다. ── *v.i.* ① 활처럼 구부러지다. ② 《속어》 걷다(= marcher). ── **s'~** *v.pr.* 활 모양으로 구부러지다.

arr. 《약자》 arrondissement 시(市)의 구(區), 도(道)의 군.

arrachage [aʀaʃa:ʒ] *m.* (풀 따위를) 잡아뽑기, 뿌리째 뽑기 ; 《구어》 (못 따위를) 뽑기.

arraché [aʀaʃe] *m.* 〖스포츠〗 (역도에서) 인상. ***à l'~*** 《구어》 간신히, 있는 힘을 다해.

arrache-clou [aʀaʃklu] *m.* (*pl.* **~-~(s)**) 못뽑이.

arrachement [aʀaʃmɑ̃] *m.* ① 잡아뽑기. ② 단장의 서러움, 괴로움(= déchirement).

arrache-pied (d') [daʀaʃpje] *loc. adv.* 쉬지 않고, 내처, 단숨에, 줄곧.

arracher** [aʀaʃe] *v.t.* ① (나무 따위를) 뿌리째 뽑다 ; 뽑다 ; (잡아) 뜯다〔떼다〕: ~ une dent 이를 뽑다 / ~ des pommes de terre 감자를 캐다. ② (열매 따위를) 따다, 찢다 ; ~ un fruit de la tige 가지에서 과일을 따다. ③ 《~ qc de qc 〔à qn〕》 …을 …에서 뽑아〔떼어〕 버리다〔내다〕(= enlever) : Un obus lui *a arraché* le bras. 포탄에 맞아 그의 팔이 떨어졌다. ④ 《~ qc à qn 〔de qc〕》 …을 …에서 빼앗다 ; 강탈하다, 억지로 얻어내다 : ~ un enfant *à* sa mère 〔*des* mains de sa mère〕 어머니에게서 어린애를 빼앗다 / ~ de l'argent *à* un avare 수전노에게서 돈을 얻어내다. ⑤ 《~ qn d'un endroit》 …을 어디에서 쫓아내다, 떠나게 하다 : ~ qn *de* son lit …을 침대에서 일어나게 하다. ⑥ 《~ qn à qc》 …에게 …을 모면케 하다 : ~ qn *à* la mort …을 죽음에서 구하다. ***~ le cœur à qn (***de*** + *inf.*) (…하는 것은) …에게 말할 수 없이 마음 아픈 일이다.
── **s'~** *v.pr.* ① 《se는 직접목적보어》 《s'~ à 〔de〕 qc》 억지로 자기를 떼어놓다, 간신히 떨어지다 : Je ne puis *m'~ à* mes livres. 나는 아무래도 책에서 떨어질 수 없다 / *s'~ au* sommeil 잠을 깨다. ② 《수동적》 뽑히다. ③ 《se는 간접목적보어》 자기의 …을 (잡아) 뜯다〔뽑다〕: *s'~* un cheveu blanc 흰머리를 뽑다. ④ 《상호적, se는 간접목적보어》 …을 서로 빼앗으려고 하다 : On *s'arrachait* les dernières places. 마지막 남은 자리를 서로 차지하려고 싸웠다. ***s'~ les cheveux*** 자기의 머리카락을 쥐어뜯다 ; 안절부절못하다. ***s'~ les yeux*** 크게〔대판〕 싸우다.

arracheur, euse [aʀaʃœ:ʀ, -ø:z] *n.* 잡아뽑는 사람〔기구〕. ***mentir comme un ~ de dents*** 거짓말을 식은 죽 먹듯이 하다.

arraisonnement [aʀɛzɔnmɑ̃] *m.* 선박〔항공기〕 검사.

arraisonner [aʀɛzɔne] *v.t.* ① (선박·항공기를) 검사하다. ② 《옛》 사람을 설득하다.

arrangeant, e [aʀɑ̃ʒɑ̃, -ɑ̃:t] *adj.* 까다롭지 않은, 타협적인, 친절한(= accommodant).

arrangement [aʀɑ̃ʒmɑ̃] *m.* ① 정돈 ; 배열. ② 바로잡기. ③ 수리, 수선. ④ 계획, 준비. ⑤ 조정, 타결. ⑥ 타협, 화해 ; 협상. ⑦ 조처, 조치. ⑧ 〖음악〗 편곡.

‡arranger [aʀɑ̃ʒe] 3 *v.t.* ① 알맞게 배열〔정돈·정리〕하다 : ~ des papiers 서류를 정논하다 / ~ son appartement 아파트를 꾸미다. ② 바로잡다, 매만지다 : ~ sa coiffure

머리를 매만지다. ③ 알맞게 하다 ; 조절하다 ; (작품 따위를) 각색〔개작〕하다 ; 〖음악〗 편곡하다 : ~ une pièce de théâtre pour les besoins de la mise en scène 공연의 필요에 따라 각본을 각색하다. ④ 조리〔요리〕하다 ; 수리〔수선〕하다(= réparer) : donner sa voiture à ~ 자동차를 수리하러 보내다. ⑤ (모임 따위를) 마련하다, 계획〔준비 · 발기〕하다 (= préparer, organiser) : ~ un piquenique 피크닉을 준비〔계획〕하다. ⑥ 결말짓다, 조정하다, 타결하다 : ~ un différend 분쟁을 조정하다. ⑦ 《~ qn》 만족시키다, …의 마음에 들다(= satisfaire) : Cela m'*arrange*. 그것은 내게 안성맞춤이다. ⑧ 《bien ~ qn》 《구어》 ⓐ …을 혼내 주다 : Vous voilà *bien arrangé !* 큰 봉변을 당했군요. ⓑ …에게 망측한 옷차림을 시키다 : Le voilà *bien arrangé !* 옷차림이 엉망이군!

── **s'~** *v.pr.* ① 적당히 조처하다 : Ne vous inquiétez pas, je *m'en arrangerai.* 걱정 마십시오, 제가 알아서 하겠습니다. ② 《s'~ pour + *inf.*》 …할 태세를 갖추다〔준비를 하다〕 : *Arrange-toi pour* rester quelques jours. 며칠 머무를 수 있도록 해 봐 / 《s'~ pour que + *ind.*》 *Arrangez-vous pour* que nous partions à l'heure. 우리가 정시에 떠날 수 있도록 준비하시오. ③ 타협〔화해〕하다 : *s'~* avec qn …와 뜻이 잘 맞다. ④ 《s'~ de》 …으로 만족하다 : Il *s'arrange de* peu. 그는 얼마 안 되는 것으로 만족한다. ⑤ 타결〔낙착〕되다 ; (일이) 잘되다. ⑥ 정돈〔정리〕되다. ⑦ 각색〔개작〕되다 ; 〖음악〗 편곡되다. ⑧ 수리〔수선〕되다 : Ce mécanisme peut *s'~*. 이 장치는 수리될 수 있다. ⑨ 옷차림〔화장〕을 고치다. ***Arrangez-vous.*** 좋도록 하세요. ***Cela*** 〔***Ça***〕 ***s'arrangera.*** 잘 될 테지, 어떻게 되겠지.

arrangeur [aʀɑ̃ʒœːʀ] *m.* ① 중재인, 조정자. ② 〖음악〗 편곡자.

arrérager [aʀeʀaʒe] [3] *v.i.* 지불을 연체시키다.

arrérages [aʀeʀaːʒ] *m. pl.* 연체〔미납〕금, 연체 이자, 미불 연금〔배당금〕.

arrestation [aʀɛstɑsjɔ̃] *f.* 체포, 검거 ; 구류 : ~*s* en masse 대량 검거.

arrêt** [aʀɛ] *m.* ① 정지, 멈추기 ; 중단, 중지(= interruption) : ~ de travail 파업 ; 작업 중단. ② 정거(= stationnement) ; 정거장 : de autobus 버스 정류장. ③ 〖법률〗 체포(= arrestation) ; 구류, 유치 ; 압류 ; 〖군사〗 영창, 근신 ; 금족 ; 《학생은어》 외출 금지 : ~*s* forcés 〔de rigueur〕 금고(禁固). ④ 판결 ; 결정 ; 판단. ***en ~ 안전장치를 한. ***maison d'~*** 형무소, 유치장. ***mandat d'~*** 구속 영장. ***prononcer*** 〔***rendre***〕 ***un ~*** 〖법률〗 판결을 선고하다.

arrêté, e [aʀɛ〔e〕te] *adj.* 결정된 ; 최종적인, 확고부동한. ── *m.* 명령, 포고, 법령, 재결. ***~ de compte*** 〖상업〗 (회계의) 결산.

‡arrêter [aʀɛ〔e〕te] *v.t.* ① 멈추다, 세우다, 정지시키다(= immobiliser) ; 중단〔중지〕하다(= interrompre) : ~ sa voiture dans la rue 거리에서 차를 세우다. ② 저지〔제지〕하다(= retenir), 가로막다, 중단시키다 : On n'*arrête* pas le progrès. 진보를 가로막을 수는 없다 / ~ qn de + *inf.* …이 …함을 막다〔방해하다〕. ③ 《~ qn》 …의 말을 가로막다. ④ 체포하다(= appréhender) ; 구류〔구인〕하다 ; (상품 따위를) 압류하다(= saisir) : ~ un voleur 도둑을 잡다. ⑤ 정하다, 결정하다(= fixer) ; (계약을) 체결하다(= conclure) : ~ un plan 플랜을 정하다. ⑥ 《옛》 (사람을) 채용〔고용〕하다(= engager). ⑦ (방 따위를) 예약하다(= retenir) : ~ une chambre à l'hotêl 호텔방을 예약하다. ⑧ 계산을 마감하다 : ~ un compte 결산하다, 청산하다. ***~ de*** + *inf.* …하는 것을 그만두다〔그치다〕 : *J'ai arrêté de* fumer. 나는 담배를 끊었다. **~** qn (***tout***) ***court*** 별안간 …의 말을 가로막다. **~ *que*** + *ind.* 〔***de*** + *inf.*〕 …하기로 정하다〔결정하다〕 : 《비인칭》 Il *a été arrêté qu'*on se réunirait chez vous. 당신의 집에서 모이기로 결정되었다.

── *v.i.* ① 멈춰 서다, 정지하다 ; 차를 정지시키다 : Chauffeur, *arrêtez !* 기사님, (차를) 세우세요 ! ② 《~ à》 …에 머무르다 ; …에 들르다. ③ 활동〔말〕을 그치다〔중단하다〕 : Il travaille sans cesse, il n'*arrête* pas. 그는 쉴 새 없이 공부한다.

── **s'~** *v.pr.* ① 멈춰 서다, 정지하다 ; 그치다, 멈추다 : La pendule *s'arrête.* 괘종시계가 멈춘다. ② 《s'~ à》 …에 마음을 정하다〔굳히다〕, …으로 결정하다 : *s'~ à* une résolution 결심을 굳히다. ③ 《s'~ à 〔sur〕》 …에 집착하다 : *s'~ à* 〔*sur*〕 un détail 대수롭지 않은 일에 신경을 쓰다. ***s'~ à*** + *inf.* …하느라고 발길을 멈추다. ***s'~ de*** + *inf.* …하기를 그치다.

arrêtoir [aʀɛtwaːʀ] *m.* 〖기계〗 제동 장치.

arr.-g. 《약자》 arrière-garde 〖군사〗 후위(後衛) 부대.

***arrhes** [aːʀ] *f. pl.* ① 선금, 계약〔예약〕금. ② 《비유》 보증, 증거(= gage).

arriération [aʀjeʀɑsjɔ̃] *f.* 발육 부진.

‡arrière [aʀjɛːʀ] *adv.* ① 뒤로, 뒤에(≠ avant). ② (배의) 고물 쪽에. ***avoir vent ~*** [vɑ̃aʀjɛːʀ] 〖해양〗 순풍을 받다 ; 순조롭게 진행하다. ── *adj.* 《불변》 뒤의 : roues ~ (차의) 뒷바퀴 / feu 〔lanterne〕 ~ (차의) 후미등 / siège ~ (차의) 뒷좌석. ***la marche ~*** 역진, 역행, 후퇴 ; (차의) 후진. ***le vent ~*** 순풍. ── *interj.* 물러가라, 비켜라 ; 치워라 : *A~* la raillerie ! 농담은 그만두게 !

── *m.* ① 뒤, 뒷부분, 후면, 후부(後部). ② 선미(船尾), 고물(= poupe). ③ 〖군사〗 (전투 지역이 아닌) 후방 ; (*pl.*) (부대의) 후방. ④ 〖축구〗 후위, 백. ⑤ 늦음, 지체. ***avoir de l'~*** 늦다. ***En ~ !*** 물러가 ! ***en ~*** 뒤로, 뒤에서 ; 뒤처져서. ***en ~ de*** …의 뒤에(서) ; …이 없는 데서 ; …보다 뒤처져서 : Il est très *en ~ de* ses camarades. 그는 친구들보다 훨씬 더 뒤져 있다.

arriéré, e [aʀjeʀe] *adj.* ① (정신적 발육이) 늦은 ; 후진적인 ; 시대에 뒤진(= démodé) : gens ~*s* 시대에 뒤떨어진 사람들. ② 연체된 ; 지체된 : réclamer une dette ~*e* 연체된 빚을 독촉하다. ── *m.* 연체〔미불〕금.

arrière-bouche [aʀjɛʀbuʃ] *f.* (*pl.* **~-~s**) 입속, 인후(咽喉).

arrière-boutique [aʀjɛʀbutik] *f.* (*pl.* **~-~s**) 가게 뒷방〔골방〕.

arrière-cour [aʀjɛʀkuːʀ] *f.* (*pl.* **~-~s**) 뒷뜰. 「〖군사〗 후위, 후미 부대.
arrière-garde [aʀjɛʀgaʀd] *f.* (*pl.* **~-~s**)
arrière-gorge [aʀjɛʀgɔʀʒ] *f.* (*pl.* **~-~s**) 목구멍 안쪽. 「맛.
arrière-goût [aʀjɛʀgu] *m.* (*pl.* **~-~s**) 뒷
arrière-grand-mère [aʀjɛʀgʀɑ̃mɛːʀ] *f.* (*pl.* **~-~s-~s**) 증조모(= bisaïeule).
arrière-grand-père [aʀjɛʀgʀɑ̃pɛːʀ] *m.* (*pl.* **~-~s-~s**) 증조부(= bisaïeul).
arrière-grands-parents [aʀjɛʀgʀɑ̃paʀɑ̃] *m. pl.* 증조부모.
arrière-pays [aʀjɛʀpei] *m.* 《복수불변》 (해안 지방 · 항구의) 후배지(後背地).
arrière-pensée [aʀjɛʀpɑ̃se] *f.* (*pl.* **~-~s**) 속마음, 속셈, 저의.
arrière-petite-fille [aʀjɛʀpətitfij] *f.* (*pl.* **~-~s-~s**) 증손녀.
arrière-petit-fils [aʀjɛʀpətifis] *m.* (*pl.* **~-~s-~**) 증손자. 「*pl.* 증손.
arrière-petits-enfants [aʀjɛʀpətizɑ̃fɑ̃] *m.*
arrière-plan [aʀjɛʀplɑ̃] *m.* (*pl.* **~-~s**) 배경 ; 무대 안쪽(≠ premier plan) ; 눈에 띄지 않는 곳 ; 중요성 없는 위치(= second plan). ***artiste d'~*** 삼류 예술가. 「항(內港).
arrière-port [aʀjɛʀpɔːʀ] *m.* (*pl.* **~-~s**) 내
arriérer [aʀjeʀe] [6] *v.t.* 뒤떨어지게 하다 ; 늦어지게 하다 ; 지체시키다. ── **s'~** *v.pr.* 뒤지다, 낙오하다 ; 기한에 늦다, 지체하다.
arrière-saison [aʀjɛʀsɛzɔ̃] *f.* (*pl.* **~-~s**) ① 늦가을, 만추 ; 초겨울. ② 말기 ; 만년, 말년(= ~ de la vie).
arrière-train [aʀjɛʀtʀɛ̃] *m.* (*pl.* **~-~s**) ① (수레의) 뒤쪽. ② (짐승의) 엉덩이, 아랫도리 ; 《구어》 (사람의) 엉덩이.
arrimage [aʀimaːʒ] *m.* ① 뱃짐을 차곡차곡 싣기 ; (화차 · 비행기에) 짐을 싣기. ② 실린 짐 ; (배의) 균형. ③ (인공위성의) 도킹.
arrimer [aʀime] *v.t.* ① (뱃짐을) 차곡차곡 싣다 ; (짐을) 싣다. ② (짐을) 고정시키다.
arrivage [aʀivaːʒ] *m.* (선박의) 착항 ; (상품)의 도착, 입하 ; 도착 상품 : grand ~ de fruits aux halles 시장에 과일 대량 입하 / 《비꼼》 ~ de touristes 관광객들의 도착.
arrivant, e [aʀivɑ̃, -ɑ̃ːt] *n.* 도착자(≠ partant) : les ~*s* et les partants 도착자들과 출발자들.
arrivé, e[1] [aʀive] *adj.* ① 도착한. ② 성공〔출세〕한 : homme ~ 성공한 남자. ── *m.* 도착한 사람 : dernier〔nouvel〕 ~ 마지막으로〔새로〕 온 사람.
arrivée**[2] [aʀive] *f.* ① 도착(≠ départ) ; 도래. ② 도착 시간 : à l'~ de …이 도착할 때에. ③ 〖기계〗 (가스 따위의) 공급, 주입 ; 주입구. ④ 〖스포츠〗 결승점, 도착 장소. ***à l'~ 마지막으로, 결국. ***à mon ~*** 내가 도착하면〔하자〕.
⁑**arriver** [aʀive] *v.i.* 《조동사는 être》 ① ⓐ 《~ à》 …에 이르다(= atteindre), 도착하다(= parvenir), 오다(= venir) : ~ *à* Paris 파리에 도착하다 / Il *est arrivé à* l'âge de 30 ans. 그는 서른 살이 되었다 / On y *arrive* par une rue étroite. 좁은 길을 따라가면 그곳에 갈 수 있다 / 《~ de》 ~ *de* Londres 런던에서 오다 / 《~ + *inf.*》 《구어》 Elle *est arrivée* le chercher en voiture. 그녀가 그를 차로 데리러 왔습니다. ⓑ 《상황보어 없이》 도착하다 ; 오다 ; 도래하다 ; 닥쳐오다 : Nous voilà *arrivés !* 자, 우리가 왔습니다 ! ② 《~ à + *inf.*》 …하기에 이르다, …할 수 있게 되다, 드디어 …하다 : ~ *à* le convaincre 그를 설득하기에 이르다 / Il n'a pas pu ~ *à* le faire. 그는 그것을 할 수 없었다. ③ 성공〔출세〕하다 : C'est un homme qui *arrivera.* 그는 장차 성공할 사람이다. ④ ⓐ 일어나다, 생기다(= se passer, se produire) : Cela *arrive* tous les jours. 그런 일은 매일 일어나고 있다. ⓑ 《비인칭》 Comme il *arrive* ordinairement 보통 일어나듯이 / Il lui *est arrivé* un ennui. 그에게 귀찮은 일이 생겼다. ***arrive que pourra*** 〔***ce qui arrive, ce qui pourra, qui plante***〕 무슨 일이 일어나도〔있어도〕. ***~ à ce que*** + *sub.* …할 수 있도록 하다 : Je *suis arrivé à ce qu'*il le reconnaisse. 나는 결국 그가 그 점을 인정하도록 했다. ***en ~ à*** qc 마침내 …에 이르다 : *en* ~ *à* la rupture 마침내 절교하다. ***en ~ à*** + *inf.* 마침내 …하게 되다 : J'*en arrive à* me demander s'il pense ce qu'il dit. 나는 그가 말하는 것이 정말 그의 생각인지를 자문하게끔 되었다. ***en ~ là*** 거기까지 가다, 그 지경에 이르다. ***Il arrive que*** ⓐ + *sub.* 《가능한 사실》 …하는 일이 있다 : *Il arrive qu'*elle sorte le soir. 그녀는 밤에 외출하는 일이 있다. ⓑ + *ind.* 《현실적 사실》 어쩌다가〔우연히〕 …하다 : *Il arriva que* je le rencontrai. 우연히 나는 그를 만났다. ***Il en arrivera ce qu'il pourra.*** 될 대로 되라지. ***quoi qu'il arrive*** 무슨 일이 있더라도. ***Un malheur n'arrive jamais seul.*** 《격언》 불행은 잇달아 온다.
arrivisme [aʀivism] *m.* 출세주의, 출세욕.
arriviste [aʀivist] *n.* 출세주의자, 야심가.
ar(r)obase [aʀɔbaz] *f.* 〖컴퓨터〗 기호 활자 (@)《a commercial 이라고도 함》.
arrogance [aʀɔgɑ̃ːs] *f.* 거만, 오만, 건방짐.
arrogant, e [aʀɔgɑ̃, -ɑ̃ːt] *adj.* 거만한(≠ humble), 오만한(= hautain, impertinent), 건방진(= insolent). ── *n.* 거만한 사람.
arroger (s') [saʀɔʒe] [3] *v.pr.* (권리를) 부당하게 취득하다, 가로채다, 착취하다(= usurper) : *s'*~ un droit 권리를 가로채다.
arrondi, e [aʀɔ̃di] *adj.* ① 둥글게 된, 둥근(= rond ; ≠aigu) ; 오동통한(= potelé). ② 우수리 없는 : nombres ~*s* 어림수. ③ (문장이) 균형이 잡힌. ── *m.* 둥그스름한 부분.
***arrondir** [aʀɔ̃diʀ] *v.t.* ① 둥글게 하다 : ~ les angles 모서리를 둥글리다 ; 《구어》 일을 원만히 수습하다. ② 늘리다, 증가〔증대〕시키다(= augmenter) : ~ son bien 재산을 늘리다. ③ (액수의) 우수리를 없애다. ④ (문장을) 균형 있게 하다. ── **s'~** *v.pr.* ① 둥글게〔오동통하게〕 되다. ② (재산이) 늘다.
***arrondissement** [aʀɔ̃dismɑ̃] *m.* (시의) 구(區) ; 군(郡) : chef-lieu d'~ 군청 소재지.
arrosage [aʀozaːʒ], **arrosement** [aʀozmɑ̃] *m.* ① 물을 뿌리기〔끼얹기〕, 살수. ② 물을 대기, 관개. ③ 《구어》 축하하여 마시기. ***voiture*** 〔***tonneau***〕 ***d'~*** 살수차.
***arroser** [aʀoze] *v.t.* ① …에 물을 뿌리다〔주

다]; (비가) 적시다 : ~ les fleurs 꽃에 물을 주다. ② …에 물을 대다, 관개하다. ③ (땀·눈물 따위로) 적시다. ④ …을 가로질러[…에] 흐르다 : La Seine *arrose* Paris. 센강은 파리를 가로질러 흐른다. ⑤ (식사를) 술을 곁들이다 : ~ un repas 식사 중에 포도주를 마시다. ⑥ 《구어》 축하주를 마시다 : ~ un succès 성공을 축하하며 마시다. ⑦ 뇌물을 주다. **~ *son pain de ses larmes*** 비참하게 생활하다.

arroseur, euse [aʀozœːʀ, -øːz] *n.* 물 뿌리는 사람. — *f.* 살수차, 살수기(撒水器).

arrosoir [aʀozwaːʀ] *m.* 물뿌리개; 살수기.

arrow-root [aʀoʀut] 〔영〕 *m.* 갈분(葛粉).

A.R.S. 《약자》 Action républicaine et sociale 공화 사회 행동파《드골파의 분파》.

arsenal [aʀsənal] *m.* (*pl.* **~*aux***) ① 병기창; 해군 공창. ② 병기고; (대량의) 무기.

arsenic [aʀsənik] *m.* 〖화학〗 비소(砒素); 비소 화합물; 무수 아비산.

arsouille [aʀsuj] *n.* 부랑자, 망나니(= voyou); 주정뱅이. — *adj.* 《불변》 부랑자의, 망나니의.

‡art [aːʀ] *m.* ① 기법, 기술(= technique) : ~ oratoire 웅변술 / ~ culinaire 요리법 / ~ poétique 시학 / grand ~ 연금술 / ~ de la guerre 전술. ② 기교(= artifice; ≠ nature). ③ 재주, 재간, 솜씨(= adresse, habileté) : avoir l'~ de plaire (남의) 환심 사는 재간을 갖다. ④ 예술 : ~ populaire 대중 예술 / critique d'~ 예술 비평 / ~*s* plastiques 조형 예술 / ~ du temps 시간 예술. ⑤ (*pl.*) 미술; 공예. ***~s décoratifs*** 장식 미술. ***~s mécaniques*** 공예, 수예. ***avec ~*** 솜씨 있게. ***hutième ~*** 텔레비전. ***l'~ pour l'~*** 예술을 위한 예술, 예술 지상주의. ***les ~s libéraux*** 학예[문예] (과목). ***neuvième ~*** 만화. ***œuvre d'~*** 예술품. ***sans ~*** 자연스러운[스럽게]. ***septième ~*** 영화. ***terme d'~*** 술어, 전문어.

art. 《약자》 ① artillerie 〖군사〗 포병. ② article 항목; 물품; 기사.

***artère** [aʀtɛːʀ] *f.* ① 〖해부〗 동맥. ② (주요한) 도로, 간선 도로.

artériel, elle [aʀteʀjɛl] *adj.* 동맥의 : pression [tension] ~*elle* 혈압 / rues ~*elles* 간선 도로.

artério- *préf.* 「동맥」의 뜻.

artériole [aʀteʀjɔl] *f.* 소동맥.

artério(-)sclérose [aʀteʀjɔskleʀoːz] *f.* 〖의학〗 동맥 경화(증).

arthmique [aʀitmik] *adj.* 리듬이 없는; (맥박이) 고르지 않은.

arthrite [aʀtʀit] *f.* 〖의학〗 관절염.

arthritique [aʀtʀitik] 〖의학〗 *adj.* 관절염의, 관절염 체질의. — *n.* 관절염 환자.

arthritisme [aʀtʀitism] *m.* 〖의학〗 《옛》 관절염 체질.

arthropodes [aʀtʀɔpɔd] *m. pl.* 〖동물〗 절지동물문(節肢動物門); (*sing.*) 절지동물.

arthrose [aʀtʀoːz] *f.* ① 〖해부〗 관절(= articulation). ② 〖의학〗 관절증(症).

arti [aʀti] *f.* 《속어》 대포, 포병(= artillerie).

artichaut** [aʀtiʃo] *m.* 〖식물〗 아티초크《식용》 : feuille d'~ 아티초크의 포엽(苞葉). ***avoir un cœur d'~ 《구어》 바람기가 있다.

‡article [aʀtikl] *m.* ① 조항(條項), 항목, 조목 : en vertu de l'~ 15 de la constitution 헌법 제15조에 의거하여. ② 물품, 상품 : ~*s* de luxe 사치품 / ~*s* de toilette [de voyage] 화장[여행] 용품. ③ 문제, 점(= point) : sur [pour] cet ~ 그 점에 관해서는 / C'est un autre ~. 그것은 별문제이다. ④ (신문·잡지의) 기사, 논설, 평론 : ~ de fond 사설. ⑤ 찰나, 순간 : à l'~ de la mort 임종시에. ⑥ 〖문법〗 관사 : ~ défini 정관사. ***~ de foi*** 신조(信條); 절대적 진리. ***~ par ~*** 한 조항씩, 조목조목. ***faire l'~*** (상품을) 대대적으로 선전하다. ***Quel ~ fait-il ? ; Quel est son ~ ?*** 그의 장사는[그가 하는 일은] 무엇인가?

articulaire [aʀtikylɛːʀ] *adj.* 관절의 : rhumatisme ~ 관절 류머티즘.

articulation [aʀtikylɑsjɔ̃] *f.* ① 〖해부〗 관절; 〖식물〗 경절(莖節), 마디. ② 〖언어〗 조음(調音); 분절(分節), (명확한) 발음.

articulatoire [aʀtikylatwaːʀ] *adj.* ① 분절의, 분절에 관한. ② 〖언어〗 조음의.

articulé, e [aʀtikyle] *adj.* ① 관절이[마디가] 있는. ② 명확히 발음된; 조음된; 분절된.

***articuler** [aʀtikyle] *v.t.* ① 한 조목 한 조목 들어서 진술하다 : ~ des preuves 증거를 일일이 들다. ② (말 한 마디를) 음절로 나누어 명확히 발음하다; 진술하다. ③ 〖해부〗 (뼈를) 관절로 잇다. ④ 연접하다. — **s'~** *v.pr.* ① 《s'~ avec》 …와 관절로 이어지다; 《s'~ à [sur]》 …에 연결되다. ② 명확히 발음되다.

artifice [aʀtifis] *m.* ① 기술, 기교, 책략, 간계, 꾀(= ruse) : parler sans ~ 솔직하게 말하다. ② 화약; (*pl.*) 〖군사〗 섬광 신호, 조명탄. ***feu d'~*** 화포, 불꽃, 불꽃놀이.

***artificiel, elle** [aʀtifisjɛl] *adj.* ① 인공적인, 인조의(= factice) : fleurs ~*elles* 조화 / dents ~*elles* 의치(義齒). ② 인위적인, 부자연한, 거짓의 : rire ~ 억지웃음.

artificiellement [aʀtifisjɛlmɑ̃] *adv.* 인공적으로; 부자연스럽게(≠ naturellement).

artificieux, euse [aʀtifisjø, -øːz] *adj.* 교활한, 꾀바른, 간사한(= rusé, retors).

artillerie [aʀtijʀi] *f.* 《집합적》 〖군사〗 포병; 포병대, 포(砲), 대포; 포술.

artilleur [aʀtijœːʀ] *m.* 포병, 포수.

artimon [aʀtimɔ̃] *m.* 〖해양〗 뒷돛대.

artisan, e** [aʀtizɑ̃, -an] *m.* ① 장인(匠人), 장색, 직공 : atelier [boutique] d'~ 장색의 작업장. ② 제작인; 장본인 : Il a été l'~ de sa fortune. 그는 자수성가한 사람이다. ***À l'œuvre on connaît l'~. 작품을 보고 저자가 어떤 사람인가를 안다. — *f.* 여자 장색; 장색의 처.

artisanal, e, aux [aʀtizanal, -o] *adj.* 장색의; 수공업적인(≠industriel).

artisanalement [aʀtizanalmɑ̃] *ad.* 장색식으로, 수공업적으로.

artisanat [aʀtizana] *m.* ① 장인[장색] 계급. ② 장색의 신분. ③ 수공업, 가내 공업.

artison [aʀtizɔ̃] *m.* 〖곤충〗 좀.

***artiste** [aʀtist] *n.* ① 예술가; 미술가, 조각가, 건축가. ② 배우(= ~ dramatique); 연

예인 ; 연주가 ; 가수. ③ 대가, 명인. ④《옛》 기술자. ── *adj.* 예술적인 ; 예술가의.
artistement [aʀtistəmɑ̃] *adv.* 솜씨 좋게, 능란하게 ; 교묘하게. 「술〔미술〕적인.
***artistique** [aʀtistik] *adj.* 예술〔미술〕의, 예
artistiquement [aʀtistikmɑ̃] *adv.* 예술〔미술〕적으로. 「과》.
arum [aʀɔm] *m.* 〖식물〗 아룸속(屬)《천남성
aryen, enne [aʀjɛ̃, -ɛn] *adj.* 아리아(어)족의. ── **A~s** *m. pl.* 아리아족.
As 《약자》 arsenic 〖화학〗 비소.
as[1] [ɑːs] *m.* ① (트럼프의) 에이스, 한 점, (주사위·도미노의) 1. ② 제일인자, 명수(= champion) : C'est l'*as* de la classe. 반에서 제일이다. ③ (옛 로마의) 동화(銅貨) ; 도량형의 단위. ***être fichu***〔***ficelé, foutu***〕 ***comme l'as de pique*** 《구어》 옷차림〔꼴〕이 초라하다. ***être*** (***plein***) ***aux as***〔***à l'as***〕 《속어》 돈이 많다. ***passer*** qc ***à l'as*** 《속어》 속여서 빼앗다. ***veiller à l'as*** 《구어》 정신을 바짝 차리다.
as[2] [ɑ] avoir 의 직설·현재·2·단수.
a/s. 《약자》 aux soins de 〖우편〗 …씨 방(方), …씨 전교(轉交).
asa [aza] 〔영〕 *m* 《복수불변》 〖사진〗 감도.
asbeste [asbɛst] *m.* 〖광물〗 석면(石綿).
ascaride [askaʀid] *m.* 〖동물〗 회충.
ascendance [asɑ̃dɑ̃ːs] *f.* 선조, 조상(= ancêtre) : ~ maternelle 모계의 선조.
ascendant, e [asɑ̃dɑ̃, -ɑ̃ːt] *adj.* 오르는, 상승하는(= montant), 위를 향한(≠ descendant). ***gamme ~e*** 〖음악〗 상승 음계. ***vol ~*** 상승 비행. ── *m.* ① 영향력, 지배력, 세력(= influence) : prendre de l'~ sur qn …을 지배하다. ② (*pl.*) 조상, 선조(≠ descendants). ③ 〖천문〗 지평선 위로 떠오르기.
***ascenseur** [asɑ̃sœːʀ] *m.* 승강기, 엘리베이터 : prendre l'~ 승강기를 타다.
ascension [asɑ̃sjɔ̃] *f.* ① 오르기 ; 상승(≠ chute) ; 향상, 진보 ; 등반 ; 등산. ② (*A~*) 〖가톨릭〗 예수 승천 ; 예수 승천 축일(= fête 〔jeudi〕 de l'*A~*).
ascensionner [asɑ̃sjɔne] *v.i.* 산에 오르다.
ascension(n)iste [asɑ̃sjɔnist] *n.* ① 등산가(= alpiniste). ② 기구(氣球) 조종사.
ascèse [asɛːz] *f.* 고행〔금욕〕(정신).
ascète [asɛt] *n.* 고행자, 금욕자.
ascétique [asetik] *adj.* 고행의, 금욕주의의. ── *n.* 고행자, 금욕자.
ascétisme [asetism] *m.* 금욕주의 ; 고행 ; 금욕 생활.
-ase *suff.* 「효소(酵素)」의 뜻.
asepsie [asɛpsi] *f.* 〖의학〗 ① 무균 (상태). ② 방부법(防腐法).
aseptique [asɛptik] *adj.* 〖의학〗 무균의 ; 방부성의 : pansement ~ 무균 붕대. ── *m.* 방부제.
aseptiser [asɛptize] *v.t.* 〖의학〗 …에 방부처리를 하다, 살균〔멸균〕하다.
asexué, e [asɛksɥe], **asexuel, elle** [asɛksɥɛl] *adj.* 〖생물〗 성별이 없는, 무성(無性)의.
***asiatique** [azjatik] *adj.* 아시아(*l'Asie*)의 ; 아시아풍의. ── **A~** *n.* 아시아 사람.
Asie [azi] *n.pr.f.* 〖지리〗 아시아 : ~ du Sud 동남 아시아 / ~ Mineure 소(小)아시아.
asile [azil] *m.* ① 은신처, 피난〔피신〕처(= abri, refuge) ; 안식처(= retraite) : lieu d'~ 피신처. ② 보호〔구호〕소, 수용소(= hospice) : ~ des vieillards 양로원 / ~ d'aliénés 정신병원 / ~ de nuit (부랑자를 위한) 간이 숙박소. ③ 방호, 보호(= défense, protection).
A.S.L.V. 《약자》 assurance sur la vie 생명보험.
asocial, e, aux [asɔsjal, -o] *adj.* 반사회적인 ; 사회에 적응하지 못하는, 비사교적인.
aspe [asp] *m.* 물레(= asple).
aspect** [aspɛ] *m.* ① 보기, 일견(一見)(= vue). ② 외관, 양상, 모양(= apparence). ③ 용모, 모습(= air, allure) : être d'un ~ repoussant 모습이 흉측하다. ④ 광경(= spectacle). ⑤ 형세, 국면; 면, 견지(= côté, angle) : considérer une affaire sous tous les ~s 어떤 일을 모든 각도에서 검토하다. ⑥ 〖천문〗 (별의) 상(相). ⑦ 〖언어〗 상(相). ***à l'~ de …을 보고. ***au premier ~*** 언뜻 보아서. ***d'~*** 겉모습으로는.
asperge [aspɛʀʒ] *f.* 〖식물〗 아스파라거스 ; 《구어》 여윈 키다리(= ~ montée).
asperger [aspɛʀʒe] [3] *v.t.* …에〔에게〕 물을 뿌리다〔끼얹다〕 ; 적시다 : ~ qn d'eau …에게 물을 뿌리다〔끼얹다〕.
aspérité [aspeʀite] *f.* ① 우툴두툴한, 껄껄함(= rugosité). ② (성격이) 거칢 ; (목소리가) 귀에 거슬림 ; (문체 따위가) 까다로움.
aspersion [aspɛʀsjɔ̃] *f.* (물 따위를) 뿌리기, 끼얹기 ; 〖가톨릭〗 관수(灌水) 예식.
asphaltage [asfaltaːʒ] *m.* 아스팔트 포장.
asphalte [asfalt] *f.* 아스팔트 ; 아스팔트 포장길. 「로 포장하다.
asphalter [asfalte] *v.t.* (도로를) 아스팔트
asphodèle [asfɔdɛl] *m.* 〖식물〗 수선화.
asphyxiant, e [asfiksjɑ̃, -ɑ̃ːt] *adj.* 질식시키는 ; 숨막히는(= étouffant) : gaz ~ 독가스.
asphyxie [asfiksi] *f.* 질식 ; 정체, 마비.
asphyxié, e [asfiksje] *adj.* 질식한. ── *n.* 질식〔가사〕자.
asphyxier [asfiksje] *v.t.* ① 질식시키다. ② (산업을) 마비 상태에 이르게 하다. ── **s'~** *v.pr.* ① 질식하다 ; 가스 자살하다 : *s'*~ au gaz 가스 자살하다. ② 마비 상태에 이르다.
aspic[1] [aspik] *m.* 〖동물〗 살무사, 독사 ; 코브라.
aspic[2] *m.* 〖요리〗 고기 젤리.
aspirail [aspiʀaj] *m.* (*pl.* ***~aux*** [-o]) 공기〔통풍〕 구멍 ; 환기창.
aspirant, e [aspiʀɑ̃, -ɑ̃ːt] *adj.* ① 빨아올리는 : pompe ~*e* 빨펌프. ② 《~ à》 …을 지망하는, 열망하는. ── *m.* 사관 후보생, 해군 소위 후보생. ── *n.* 지망〔열망·지원·후보〕자.
***aspirateur, trice** [aspiʀatœːʀ, -tʀis] *adj.* 들이마시는 ; 빨아들이는 ; 흡기(吸氣)의. ── *m.* ① 진공청소기(= ~ de poussière) : passer une pièce à l'~ 방을 진공 청소기로 청소하다. ② 통풍기 ; 〖의학〗 흡인기.
aspiration [aspiʀɑsjɔ̃] *f.* ① 들이마시기 ; 빨아들이기. ② 열망, 갈망, 동경 : ~ vers l'Inconnu 미지의 세계에 대한 동경.
aspiré, e [aspiʀe] *adj.* ① 〖언어〗 유기음(有氣音)의. ② 모음 생략이나 연음을 하지 않는, 유성(有聲)의. ── *f.* 유기음.

***aspirer** [aspiʀe] *v.t.* (공기를) 들이마시다(= respirer); 빨아들이다; 흡수하다(= absorber). ── *v.t. ind.* 《~ à》 …을 열망〔갈망〕하다, 동경하다(= ambitionner, désirer); 《~ à + *inf.*》 …하기를 열망〔갈망〕하다: ~ ardemment *à* la possession d'un bien 한밑천 잡기를 열렬히 원하다 / Il *aspirait à* être nommé directeur. 그는 교장으로 임명되기를 열망했었다.

***aspirine** [aspiʀin] *f.* 〖약학〗 아스피린.

assagir [asaʒiːʀ] *v.t.* 영리〔현명〕하게 하다; 침착하게〔얌전하게〕 하다. ── **s'~** *v.pr.* 영리〔현명〕해지다; 침착〔얌전〕해지다.

assagissement [asaʒismɑ̃] *m.* 현명〔침착〕하게 하기; 현명〔얌전〕해지기.

assaillant, e [asajɑ̃, -ɑ̃ːt] *adj.* 공격하는, 침략적인. ── *n.* 공격자, 침략자.

assaillir [asajiːʀ] [13] *v.t.* ① 공격〔습격〕하다(= attaquer; ≠ défendre). ② 귀찮게 굴다, 괴롭히다(= tourmenter): ~ qn de questions …을 질문으로 괴롭히다.

assainir [asɛ(e)niːʀ] *v.t.* ① 위생적으로〔깨끗하게〕 하다. ② 건전하게 하다, 정화〔쇄신〕하다(= purifier): ~ les mœurs 풍속을 정화하다. ③ (화폐를) 안정시키다(= stabiliser): ~ un marché 시장을 안정시키다. ── **s'~** *v.pr.* ① 위생적으로〔깨끗하게〕 되다. ② 건전해지다, 정화〔쇄신〕되다.

assainissement [asɛnismɑ̃] *m.* ① 위생적으로〔깨끗하게〕 하기. ② 정화; 쇄신, 숙정; 〖군사〗 소탕(掃蕩).

assainisseur [asɛnisœːʀ] *m.* 탈취제〔기구〕; 공기 정화 장치.

assaisonnement [asɛzɔnmɑ̃] *m.* ① 맛내기; 조미법. ② 조미료, 양념: Ce plat manque d'~. 이 요리는 양념이 잘 되어 있지 않다. ③ 흥미〔묘미·풍취〕를 돋우는 것.

assaisonner** [asɛzɔne] *v.t.* ① 맛나게 하다; 조미하다, …에 양념을 하다: ~ un aliment 음식에 양념을 치다. ② …의 흥미〔묘미·풍취〕를 돋우다(= agrémenter): ~ la conversation de quelques mots plaisants. 약간의 농담으로 대화의 흥미를 돋우다. ③ 《~ qn》 《구어》 톡톡히 혼내 주다〔꾸짖다〕(= réprimander). ***La faim assaisonne tout. 《속담》 시장이 반찬.

assassin, e** [asasɛ̃, -in] *adj.* ① 암살〔모살〕의; 살인의. ② 뇌쇄(惱殺)하는: œillade *~e* 추파. ── *m.* 암살자; 살인자(= meurtrier). ***À l'~! 사람 살려!

assassinat [asasina] *m.* ① 암살; 〖법률〗 모살(謀殺). ② 폭력 행위, 침해, 말살: ~ de nos libertés 우리 자유의 침해.

***assassiner** [asasine] *v.t.* ① 암살〔모살〕하다(= tuer). ② 《비유》 말살하다, 유린하다. ③ 귀찮게 굴다, 괴롭히다(= accabler). ④ 《구어》 …에게 터무니없는 값을 요구하다.

assaut [aso] *m.* ① 공격, 습격(= attaque, offensive); 엄습, 내습; 〖군사〗 돌격. ② 시합; 경쟁: ~ d'armes 검술 시합. ③ 귀찮게 조르기, 간청(= sollicitation). ***A l'~!*** 〖군사〗 돌격! ***donner l'~*** 〔***livrer*** (***un***) ***~***〕 ***à...*** …을 습격〔공격〕하다. ***faire ~ de*** …을 겨루다.

asse 《약자》 assurance 보험.

-asse *suff.* 「경멸」의 뜻을 나타내는 형용사·명사 어미.

asséchement, assèchement [asɛʃmɑ̃] *m.* 말리기; 마르기, 건조.

assécher [aseʃe] [6] *v.t.* 말리다, …의 물을 빼다. ── *v.i.* et **s'~** *v.pr.* 마르다; 물이 빠지다.

assemblage [asɑ̃blaːʒ] *m.* ① 수집; 소집; 모임, 집합(= ensemble). ② 혼합; 조립; 〖건축〗 접합, 잇기; 〖의복〗 이어 붙이기; 〖전기〗 접속: ~ d'une automobile 자동차 조립 / pièce d'~ 〖건축〗 접합재.

assemblée** [asɑ̃ble] *f.* ① 모임, 집합, 집회, 회합, 회의(= réunion); 의회. ② 모인 사람들, 회중(會衆), 군중(= assistance, public). ~ ***générale 총회. ***A~*** (***nationale***) (1946년 이래의) 하원. ***Haute A~*** 상원(= le Sénat).

assembler** [asɑ̃ble] *v.t.* ① (물건을) 모으다; 수집하다: ~ les pièces d'une collection 컬렉션의 작품들을 수집하다. ② (사람을) 모으다; 소집하다; 결합〔결속〕시키다(= unir). ③ 합치다; 혼합하다; 조립하다; 〖건축〗 접합하다, 잇다; 〖의복〗 (천을 바느질하여) 이어 붙이다; 〖전기〗 접속하다: ~ les pièces d'une machine 기계의 부품을 조립하다. ── **s'~** *v.pr.* 모이다; 결속하다: Les ouvriers *se sont assemblés* en syndicat. 노동자들이 조합에 집결했다. ***Qui se ressemble s'assemble. 《속담》 끼리끼리 모인다.

assener [asne] [4], **asséner** [asene] [6] *v.t.* (타격을) 가하다〔주다〕.

assentiment [asɑ̃timɑ̃] *m.* 동의, 협찬, 찬동: signe d'~ 고개를 끄덕이기, 수긍 / demander 〔obtenir〕 l'~ de qn …의 동의를 구하다〔얻다〕.

assentir [asɑ̃tiːʀ] [18] *v.t. ind.* 《~ à》 …에 동의하다, 승낙하다.

‡asseoir [aswaːʀ] [62] *v.t.* ① 앉히다, 착석시키다: ~ un prince sur le trône 왕자를 즉위시키다 / ~ un enfant sur une chaise 아이를 의자에 앉히다. ② (자리잡아) 놓다〔세우다〕(= poser, établir): ~ un camp 진을 치다. ③ 기초를 놓다, 확립하다(= affermir): ~ son opinion sur le fait que …라는 사실에 의견의 근거를 두다. ④ (세금을) 부과하다; (저당을) 설정하다: ~ l'impôt sur le revenu 소득세를 확정하다 / ~ une hypothèque sur un immeuble 부동산에 저당을 설정하다. ⑤ 《구어》 깜짝 놀라게 하다, 당황하게 하다: J'en *suis assis.* 나는 매우 놀랐다. ── **s'~** *v.pr.* ① 앉다, 착석하다: *s'~* à table 식탁에 앉다 / *s'~* sur les talons 쭈그리고 앉다 / *Aseeyez-vous!* 앉으세요. ② 《주어: qc》 자리잡다. ***s'~ sur*** qc …을 무시하다; …에 조금도 구애받지 않다. ***s'~ sur*** qn 《구어》 …을 찍소리 못하게 하다. ***Va t'~!*** 《속어》 귀찮아! 꺼져!

assermentation [asɛʀmɑ̃tasjɔ̃] *f.* 선서.

assermenté, e [asɛʀmɑ̃te] *adj.* 선서한.

assermenter [asɛʀmɑ̃te] *v.t.* …에게 선서시키다. ── **s'~** *v.pr.* 맹세하다.

assertion [asɛʀsjɔ̃] *f.* 단언, 확언, 주장.

asservir [asɛʀviːʀ] *v.t.* ① 노예로 만들다; 굴복시키다(≠ libérer), 복종시키다(= assujettir): ~ qn à une tâche …을 어떤 일에

매이게 하다. ② 지배〔정복〕하다 ; 억제하다(=maîtriser) : ~ les forces naturelles 자연의 힘을 정복하다. ── **s'~** *v.pr.* ① 노예가 되다. ② 《s'~ à》 …에 굴복〔복종〕하다 : *s'~ aux* règles 규칙에 복종하다.

asservissement [asɛʀvismɑ̃] *m.* 노예화 ; 굴복시키기 ; 지배, 정복 ; 복종(=submission), 추종, 예속(=esclavage) : ~ de la presse 언론의 노예화 / ~ à la mode 무비판적으로 유행을 좇기.

assesseur [asesœːʀ] *adj. m.* 보좌〔배석〕하는. ── *m.* 보좌역 ; 배석자(=adjoint, assistant) ; 〖법률〗 배석 판사(=juge ~).

assey-ant, -e, -ons, etc. ⇒ asseoir.

‡assez [ase] *adv.* ① 충분히, 부족 없이, 실컷(=suffisamment) : bien ~ 실컷 / J'aurai ~ de cent francs. 100 프랑이면 충분할 거야. ② 상당히, 꽤, 제법, 웬만큼 : Je suis ~ de votre avis. 나도 대체로 당신 의견과 같습니다 / lettre ~ longue 꽤〔상당히〕 긴 편지. ③ 아주, 참(=très, bien) : Voilà qui est ~ plaisant. 참 재미있는 일이군 / Est-il ~ enfant! 그 사람 참 어린애 같군. ④ ⓐ 《~ de qc》 충분한 … ; 상당한〔꽤 많은, 제법 많은〕 … : J'ai ~ *d'*argent. 돈은 충분해 / *A~* de larmes! 이제 그만 울어! / Il fit ~ *de* chemin. 그는 꽤 걸었다. ⓑ ~ de personnes 꽤 많은 사람들. ***A~ ! ; C'est ~ ; C'en est ~. ; En voilà ~ !*** 그만 해! 이젠 지긋지긋하다. ***~ (de)... pour*** + *inf.* ***; ~ (de)... pour que*** + *sub.* …할 만큼 …하다 : Il n'est pas ~ grand *pour qu'*on le laisse seul. 혼자 내버려둘 수 있을 정도로 자라지는 않았다. ***avoir ~ 〔beaucoup〕 à faire de*** + *inf.* …하는 것만으로도 힘에 겹다. ***avoir ~ de*** qc …을 충분히 가지고 있다 ; …에 싫증이 나다. ***C'est ~*** + *inf.* …하는 것은 이제 충분하다 : *C'est ~* parler. 이야기는 그만하면 충분하다. ***C'est ~ de*** qc 〔+*inf.*〕 ***; C'est ~ que*** + *sub.* …이면〔하기만 하면〕 충분하다(=C'est suffisant) : *C'est ~ de* se faire comprendre. 서로 뜻이 통하기만 하면 된다. ***C'est ~ pour*** + *inf.* 〔***que*** + *sub.*〕 그것만으로도 충분히 …할 수 있다. ***en avoir ~ (de*** qc 〔+*inf.*〕) ***; en avoir ~ (de que*** + *sub.*) (은) 이젠 진저리가 나다 : *J'en ai ~ de* ce roman. 이 소설엔 넌더리가 났어.

assidu, e** [asidy] *adj.* ① 곁을 떠나지 않는. ② ⓐ 끈기 있는, 꾸준한, 부지런한, 열심인. ⓑ 《~ à》 …에 꾸준히 오는, 정근한 : employé ~ *à* son bureau 정근한 사원. ③ (노력 따위가) 끊임없는, 열성적인 : efforts ~*s* 부단한 노력. ***être ~ à + *inf.* 꾸준히〔부지런히〕 …하기에 힘쓰다.

assiduité [asidɥite] *f.* ① 곁을 떠나지 않음. ② ⓐ 끈기, 근면, 열심. ⓑ 《~ à qc》 …에 대한 끈기〔열심〕 : ~ *à* l'étude 면학열. ***avec ~*** 끈기 있게. ***à force d'~*** 부지런히 노력한 결과로. ***prix d'~*** 〖학교〗 정근상.

assidûment [asidymɑ̃] *adv.* 끈기 있게, 열심히, 끊임없이(=continuellement).

assied(s) ⇒ asseoir.

assiégé, e [asjeʒe] *adj.* 포위당한 ; 시달리는. ── *n.* 포위당한 사람 ; (*pl.*) 농성군(軍).

assiégeant, e [asjeʒɑ̃, -ɑ̃ːt] *adj.* 포위 공격하는. ── *n.* 포위자 ; (*pl.*) 포위군(軍).

assiéger [asjeʒe] 3·6 *v.t.* ① 포위 공격하다 ; 포위하다(=investir) : ~ une armée 군대를 포위 공격하다. ② 몰려들다, 쇄도하다 : Les journalistes *assiègent* la sortie. 기자들이 출입구로 몰려들고 있다. ③ 둘러싸다, 가두다(=emprisonner). ④ 괴롭히다, 귀찮게 굴다(=importuner).

assiér-ai, -as, etc. ⇒ asseoir.

assiette** [asjɛt] *f.* ① 《옛》 앉음새 ; 자세 ; 말을 탄 안정된 자세 : ~ incommode 불편한 자세. ② (배·비행기의) 안정된 상태, 균형 : ~ d'un sous-marin 잠수함의 평형. ③ (도시·요새 따위의) 지형학적 위치. ④ (건물 따위의) 토대, 기초 ; (학설 따위의) 기초, 근거 : ~ politique 정치적 기반. ⑤ 접시 ; 한 접시(의 분량) : une ~ de fruits 과일 한 접시 / ~ creuse 〔à soupe〕 수프 접시. ⑥ 《구어》 평소의 정신 상태, 침착성 : Il n'est pas dans son ~. 그는 여느 때 같지 못하다. ***l'~ de l'impôt 과세 기초〔근거〕. ***Son ~ dîne pour lui.*** 《구어》 참가 여부에 관계없이 회비를 내다.

assiettée [asjɛ(e)te] *f.* 한 접시(의 분량).

assignation [asiɲɑsjɔ̃] *f.* ① 〖법률〗 소환 ; 소환장. ② 충당, 할당. ***signifier 〔donner, envoyer, faire〕 une ~ à*** qn …에게 소환장을 발송하다.

assigner [asiɲe] *v.t.* ① (돈을) 충당하다(=affecter) : ~ un fonds au paiement d'une dette 기금〔자금〕을 빚 청산에 충당하다. ② 지정〔설정〕하다, 정하다(=fixer, déterminer) : ~ un terme à une durée 기간의 마지막을 정하다. ③ 주다, 부여하다, 할당하다 : ~ un lot dans une répartition 이익 분배에서 한 몫을 주다 / ~ une cause à un événement 어떤 사건을 어떤 원인의 탓으로 여기다. ④ (증인을) 소환하다(=appeler) : ~ en référé 급속 심리에 소환하다.

assimilable [asimilabl] *adj.* ① 동화될 수 있는. ② 《~ à》 …와 비교할 수 있는, 닮은.

assimilation [asimilɑsjɔ̃] *f.* 동일시(同一視) ; 비교(=comparaison) : ~ de la vie à un rêve 삶과 꿈의 동일시. ② 동화(≠dissimilation) ; (사상 따위를) 제 것으로 만들기, 이해 : pouvoir d'~ 이해력.

assimilé, e [asimile] *adj.* ① 동화된 ; 동일시된. ② 〖군사〗 《~ à》 …에 해당하는. ── *m.* (본직·본관에 준하는) 해당관(官).

***assimiler** [asimile] *v.t.* ① 《~ qn 〔qc〕 à》 …을 …와 같게 하다 ; 동일시하다 ; 비교하다. ② 《~ qc》 …을 동화〔흡수〕하다 : (사상 따위를) 제 것으로 만들다, 소화 흡수하다. ── **s'~** *v.pr.* ① 《s~ à》 자기를 …와 동일시하다 ; 자기를 …에 비교하다. ② 동화〔흡수〕되다. ③ 《se 는 간접목적보어》 (사상 따위를) 소화 흡수하다 : *s'~* tout ce qu'il apprend 배우는 것을 다 소화하다.

assir [asiːʀ] 《속어》 *v.t.* = asseoir. ── **s'~** *v.pr.* = s'asseoir.

***assis, e**[1] [asi, -iːz] *adj.* ① 앉아 있는 : demeurer 〔rester〕 ~ 앉은 채 있다 / places ~*es* (극장·기차·버스의) 좌석. ② 놓여 있는 ; 위치한, 자리를 잡은 : navire bien ~ sur l'eau 균형이 잘 잡힌 배. ③ 자리가 잡

힌, 기초가 튼튼한, 확고한(=établi) : réputation ~*e* 확고한 명성. ── *m.* voter par ~ et levé 기립과 착석으로 표결하다.

assise² [asi:z] *f.* ① 〖건축〗 (벽의 기초를 이루도록) 줄지어 깔아 놓는 돌〔벽돌〕; 토대; 기초(=base) : ~*s* d'une doctrine 어떤 학설의 토대. ② (*pl.*) 〖법률〗 중죄 재판소; (정당·단체 따위의) 집회, 회의(=congrès) : cour d'~*s* 중죄 재판소.

assistance** [asistɑ̃:s] *f.* ① ⓐ 도움; 원조(=aide), 협력(=concours), 구제(=secours), 원호; 구호 기관 : ~ médicale gratuite 무료 의료 사업 / ~ publique 빈민 구제 사업. ⓑ 곁에서 돕기; 보좌; 〖교회〗 수도원장 보좌. ② 출석, 참석(=présence), 열석, 입회. ③ 참석자(=assemblée), 회중(會衆), 관중, 청중(=auditoire). **~ *judiciaire (빈민에 대한) 사법 보호. **~ *maritime*** 해난 구조. **~ *sociale*** 사회 복지 사업. **~ *technique*** (발전 도상국에 대한) 기술 원조. ***prêter* 〔*donner, porter*〕 (*son*) ~ *à*** qn …을 원조하다.

assistant, e [asistɑ̃, -ɑ̃:t] *adj.* 보조〔보좌〕의; 참석〔열석〕한; 입회한. ── *n.* 조수; (대학의) 조교; 〖영화〗 조감독. ── *m. pl.* 참석자, 관중, 청중(=spectateurs, auditeurs).

assisté, e [asiste] *n.* 구제민, 구제아. ── *adj.* ① 곁에서 보살핌을 받은, 호위된, 동반된(=accompagné). ② 도움을 받은(=aidé, secouru). ③ 구제받은.

assister** [asiste] *v.t. ind.* 《~ à qc》 …에 참석하다, 입회하다; …을 목격〔참관〕하다 : ~ *à* une conférence 강연을 듣다 / ~ *à* une réunion 회의에 참석하다 / ~ *à* un événement 사건을 목격하다. ── *v.t.* 《~ qn》 곁에서 보살피다; 보좌하다; 돕다, 원조하다; 구조〔구제〕하다(= aider) : ~ un ami dans sa gêne 곤경에 빠진 친구를 돕다 / ~ un malade 병자를 간호하다 / ~ qn de ses conseils 조언을 하여 …을 돕다. (Que***) ***Dieu vous assiste !*** 하느님의 보살핌을 받으소서!《재채기를 하는 사람이나 적선을 하지 않는 사람에게》.

associatif, ive [asɔsjatif, -iv] *adj.* ① 〖수학〗 결합적인. ② 〖심리〗 연합의, 연상의 : mémoire ~*ive* 연상에 의한 기억.

association** [asɔsjɑsjɔ̃] *f.* ① 연합, 합동, 결합; 배합. ② 제휴, 협동, 협력; 참여(=participation). ③ 〖심리〗 연합, 연상(=enchaînement). ④ 협회, 조합, 결사, 회(=société, alliance) : ~*s* culturelles 문화 단체 / ~ sportive 스포츠 클럽 / ~*s* corporatives 협동조합. **~ *de secours mutuel 공제 조합. **~ *d'idées* 〔*des idées*〕** 관념 연합, 연상. **~ *ouvrière*** 노동조합. ***entrer en* ~ *avec*** qn …와 제휴〔협력〕하다.

associé, e [asɔsje] *n.* ① 회사의 구성원, 사원; 조합원. ② 협력〔협동〕자; 배우자; 공범자. ③ 준회원(=membre ~). **~ *commanditaire*** 익명 사원. **~ *principal*** 고급 사원. ***dernier* ~ ; ~ *intéressé*** 하급 사원. ── *adj.* ① 연합〔결합〕된; 연합〔합동·조합〕의. ② 공동의 : porteurs〔souscripteurs〕 ~*s* d'un titre 공동 주주 / membre ~ (학회의) 준회원. ***professeur* ~** 객원 교수.

***associer** [asɔsje] *v.t.* ① 《~ qn 〔qc〕 (복수)》 연합〔결합〕하다(=grouper, unir); 배합하다 : ~ des couleurs 색채를 배합하다 / ~ des partis 정당들을 연합하다. ② 《~ qc à qc》 …을 …에 결합시키다(=allier, joindre) : ~ le courage *à* la prudence 용기와 조심성을 겸비하다. ③ 《~ qn à qc》 …을 …에 참여〔참가·입회〕시키다 : qn *à* ses affaires …을 자기 사업에 참여시키다. ── **s'~** *v.pr.* ① 《s'~ à qc》 …에 참여하다(=participer), 관계하다 : s'~ *au* chagrin d'un ami 친구의 슬픔을 같이 나누다. ② 《s'~ avec qn》 …와 제휴〔협동·협력〕하다; 《s'~ à qn》 …와 어울리다 : *s'~ à* 〔*avec*〕 ses collègues pour un projet 어떤 계획을 성공시키기 위해 동료와 협력하다. ③ (서로) 연합〔결합〕하다. ④ 《주어 : qc (단수)》 《s'~ à 〔avec〕》 …와 조화되다, 어울리다 : Ce rideau vert *s'associe avec* le tapis. 이 녹색 커튼은 카펫과 잘 어울린다.

assoiffé, e [aswafe] *adj.* ① 목마른(=altéré) : Cette plan est ~*e.* 이 식물은 물이 필요하다. ② 《~ de》 …을 갈망하는, 찾는(=avide, affamé) : être ~ *d'*argent 〔*de* plaisir〕 돈〔쾌락〕을 좇다. ── *n.* ① 목마른 사람〔동물·식물〕. ② 갈망〔추구〕하는 사람.

assoir-ai, as, etc. ⇒ asseoir.

assolement [asɔlmɑ̃] *m.* 〖농업〗 윤작(輪作).

assoler [asɔle] *v.t.* 〖농업〗 (밭을) 윤작하다.

assombrir [asɔ̃bʀi:ʀ] *v.t.* 어둡게〔흐리게〕하다(≠ éclaircir); 《비유》 침울〔우울〕하게 하다(=attrister). ── **s'~** *v.pr.* 어두워〔흐려〕지다; 《비유》 침울〔우울〕해지다.

assombrissement [asɔ̃bʀismɑ̃] *m.* 어두워지기; 희미함, 흐릿함; 침울, 우울.

***assommant, e** [asɔmɑ̃, -ɑ̃:t] *adj.* ① 《구어》 귀찮은, 지루한, 싫증〔진력〕나는, 견디기 어려운 : discussion ~*e* 지겨운 토론. ② 압도적인, 치명적인 : coup ~ 치명적인 타격.

***assommer** [asɔme] *v.t.* ① 때려죽이다, 타살하다; 두들겨 패다. ② 귀찮게 굴다, 괴롭히다(=ennuyer, raser) : ~ qn de questions …을 질문으로 괴롭히다. ③ 압도하다, 꼼짝 못하게 하다(=accabler). ④ 《구어》 (육체적으로) 녹초가 되게 하다(=abrutir) : Je *suis assommé* par la chaleur. 나는 더위 때문에 녹초가 되었다.

assomption [asɔ̃psjɔ̃] *f.* ① 가정, 상정. ② 〖가톨릭〗 (성모 마리아의) 승천; (*A*~) 성모 몽소 승천 축일《8 월 15 일》(=fête de l'*A*~).

assonance [asɔnɑ̃:s] *f.* 〖운율〗 반해음(半諧音), 모음 압운(押韻)《동일〔유사〕 모음의 반복》.

assonancé, e [asɔnɑ̃se] *adj.* 반해음을 가진 : vers ~*s* 모음 압운 시구(詩句).

assorti, e [asɔʀti] *adj.* ① 잘 어울리는, 잘 맞는, 조화된 : cravate ~*e à* son costume 양복과 잘 어울리는 넥타이. ② 물건이 골고루 갖추어진, 구색을 갖춘 : épicier bien ~ 물품이 골고루 잘 갖추어진 식품점.

assortiment [asɔʀtimɑ̃] *m.* ① 배합, 조화(=assemblage), 어울림 : heureux ~ de couleurs 잘 된 배색. ② (물건의) 한 벌, 한 세트; 모둠 요리 : ~ de vaisselle 식기 한 벌. ③ 〖상업〗 재고 상품(=stock).

assortir [asɔʀti:ʀ] [10] *v.t.* ① 배합하다(=

assembler), 어울리게 하다, 조화시키다(= harmoniser) : ~ un manteau à sa robe 외투를 옷에 어울리게 하다. ② (필요한 물건을) 공급하다(= fournir) : ~ un magasin d'articles variés 상점에 다양한 물건을 공급하다. — *v.i.* (서로) 어울리다, 조화되다 ; 《~ avec 〔à〕》 …와 어울리다. — **s'~** *v.pr.* (서로) 어울리다, 조화되다 ; 《s'~ à》 …와 조화되다.

assoupir [asupiːʀ] *v.t.* ① 옅은 잠이 들게 하다, 졸게 하다(= endormir). ② (고통 따위를) 진정시키다(= apaiser), 가라앉히다(= calmer). — **s'~** *v.pr.* ① 옅은 잠이 들다, 졸다(= somnoler) : *s'~* dans un fauteuil 안락의자에 앉아서 졸다. ② 진정되다, 가라앉다 : La douleur va bientôt *s'~*. 고통이 곧 가실 것입니다.

assoupissement [asupismɑ̃] *m.* ① 졸음 ; 〖의학〗 마비 상태. ② 진정. ③ 게으름, 나태.

assouplir [asupliːʀ] *v.t.* ① 부드럽게 하다, 연하게 하다. ② 유순하게 하다(= adoucir) ; (규칙 따위를) 완화하다(= atténuer). ~ ***ses manières*** 《구어》 스스럼없이 행동하다, 몸가짐을〔태도를〕 편히 하다. — **s'~** *v.pr.* ① 부드러워지다, 연해지다. ② 유순해지다.

assouplissement [asuplismɑ̃] *m.* ① 유순〔유연〕하게 하기. ② 온화, 완화. ③ (*pl.*) 유연 체조(= exercices d'~).

assourdir [asuʀdiːʀ] *v.t.* ① 귀 아프게 하다, …의 귀청을 찢는 듯하다(= abasourdir) : Le bruit des travaux m'*assourdit*. 공사의 소음이 귀를 따갑게 한다. ② (소리를) 약하게 하다(= amortir) ; (빛·색깔을) 희미하게 하다 : Un tapis *assourdit* les pas. 양탄자는 발소리를 줄여 준다. ③ 〖언어〗 (유성 자음을) 무성음화하다. — **s'~** *v.pr.* (소리가) 약해지다 ; (빛·색깔이) 희미해지다 ; 〖언어〗 (유성 자음이) 무성음화하다.

assourdissant, e [asuʀdisɑ̃, -ɑ̃ːt] *adj.* 귀를 멍하게 하는, 귀를 찢는 듯한 ; 시끄러운 (= bruyant) : voix *~e* 시끄러운 목소리.

assourdissement [asuʀdismɑ̃] *m.* ① 귀가 멍멍한 상태. ② 소리를 죽이기(= amortissement) ; 음의 약화. ③ 〖언어〗 (유성 자음의) 무성음화.

assouvir [asuviːʀ] *v.t.* (욕망을) 실컷 채워주다, 만족〔충족〕시키다(= apaiser, satisfaire) : ~ sa soif 갈증을 달래다.
— **s'~** *v.pr.* ① 자기의 욕망을 실컷 채우다. ② 《주어 : qc》 만족〔충족〕되다 : Son ambition ne *s'assouvira* jamais. 그녀의 야망은 결코 충족되지 않을 것이다.

assouvissement [asuvismɑ̃] *m.* 포식〔만족〕시킴 ; 포만 ; 만족감.

assoy-ant, -ons, etc. ⇒ asseoir.

assuétude [asɥetyd] *f.* 〖의학〗 (극렬한 독물에 의한) 습관성.

assujettir [asyʒɛ(e)tiːʀ] *v.t.* ① 제압하다, 예속시키다(= asservir). ② 《~ qn à》 …을 …에게〔에〕 복종시키다, 구속하다, 강요하다 (= soumettre, contraindre) ; 《~ qn à+*inf.*》 …에게 …하기를 강요하다〔억지로 …하게 하다〕 : ~ qn *à* des règles …을 규칙에 복종시키다. ③ 《~ qc》 움직이지〔흔들리지〕 않게 하다, 고정시키다, 잡아매다(= fixer, attacher) : ~ les panneaux 〖해양〗 해치를 단단히 밀폐하다. — **s'~** *v.pr.* 자기에게 복종시키다 ; 《s'~ à》 …에 복종〔추종〕하다 : *s'~ à* la mode 유행을 따르다.

assujettissant, e [asyʒɛtisɑ̃, -ɑ̃ːt] *adj.* 부자유한, 속박하는, 잠시도 손을 뗄 수 없는 : travail ~ 잠시도 손을 뗄 수 없는 일.

assujettissement [asyʒɛtismɑ̃] *m.* ① 제압 ; 예속 상태(= soumission) ; 복종, 추종 : ~ aux modes 〔aux usages〕 유행〔관습〕을 따르기. ② 구속(= contrainte).

***assumer** [asyme] *v.t.* ① (책임 따위를) 인수하다, 맡다, 담당하다(≠ refuser) : ~ une fonction 〔un rôle〕 어떤 직책〔역할〕을 맡다. ② (자기의 상황을) 수용하다(= accepter).

assurance** [asyʀɑ̃ːs] *f.* ① 《옛》 안심(= quiétude), 신뢰. ② 확신, 자신(= certitude) : parler avec ~ 자신 있게 말하다. ③ 확언, 확약(= promesse) : recevoir l'~ de qn …의 언질을 받다. ④ 보증(= preuve), 담보, 저당 (= garantie) : exiger une ~ 〔des ~*s*〕 담보를 요구하다. ⑤ 보험 : compagnie d'~*s* 보험 회사 / ~ sur la vie 생명 보험 / contracter 〔résilier〕 une ~ 보험 계약을 체결〔해약〕하다. ***Agréez l'~ de ma considération 〔***mon dévouement, mon respect***〕. 경구《편지 끝에 쓰는 인사말》. ***avoir l'~ que***+*ind.* …라는 확신을 가지다.

***assuré, e** [asyʀe] *adj.* ① 자신〔확신〕 있는 ; 안심하고 있는 : ~ du succès 성공을 확신하고 있는 / Soyez ~. 안심하십시오. ② 확실한 : moyen ~ 확실한 방법. ③ 보험에 든 : objet ~ 피보험물. — *n.* 보험 가입자.

***assurément** [asyʀemɑ̃] *adv.* 확실히, 틀림없이 : Oui, ~. 그렇고 말고 / *A~* non ! 천만에 ; 절대 안 그래 !

***assurer** [asyʀe] *v.t.* ① 안정시키다, 확고부동하게 하다, 방어하다(= defendre) : ~ sa fortune 〔son pouvoir〕 자신의 재산〔권력〕을 지키다. ② 확실하게 하다 ; 확보하다. ③ (직분을) 맡아 하다, (근무 따위를) 하다 ; 시행하다 : ~ la marche d'un service 업무를 계속 수행하다. ④ 안전하게 하다 ; 보험에 넣다 : ~ une maison contre l'incendie 가옥을 화재 보험에 넣다. ⑤ 확언〔단언〕하다 ; 《~ à qn que+*ind.*》 …에게 …라고 단언하다 : Il *a assuré au* juge *qu*'il ne savait rien. 그는 판사에게 아무것도 모른다고 단언했다. ⑥ 《옛》 《~ qn de》 …에게 …을 보장하다, 확신하게 하다 : Il m'*a assuré de* son aide. 그는 나에게 그의 도움을 약속했다. — **s'~** *v.pr.* ① 안정된 자세를 취하다. ② 《s'~ de qc ; s'~ que 〔si〕+*ind.*》 …을〔라는 것을〕 확인하다 : *Assurez-vous si* 〔*que*〕 la porte est bien fermée. 문이 잘 닫혀 있는지 확인하시오. ③ 《s'~ de+*inf.* ; s'~ que》 …한다고〔라고〕 확신하다 : Je *m'assure qu*'il fera ce que je lui demande. 내가 원하는 것을 그가 틀림없이 해 줄 것이라고 믿는다. ④ 《s'~ (de) qc》 …을 확보하다. ⑤ 《s'~ de qn》 …의 지지를 얻다. ⑥ 《s'~ contre qc》 …에 대해 보험에 들다 ; *s'~ contre* les accidents 상해 보험에 들다.

assureur [asyʀœːʀ] *m.* 보험업자.

assyrien, enne [asiʀjɛ̃, -ɛn] *adj.* 아시리

아(*l'Assyrie*)의. — **A~** *n.* 아시리아 사람. — *m.* 아시리아어(語).

astéisme [asteism] *m.* 〖수사학〗 완곡한 풍자, 빈정거림.

astérie [asteʀi] *f.* ① 〖동물〗 불가사리. ② 〖광물〗 성상(星狀) 광채.

astérisque [asteʀisk] *m.* 〖인쇄〗 별표《*》.

astéroïde [asteʀɔid] *m.* 〖천문〗 소행성(小行星); 유성(流星), 운석(隕石).

asthénie [asteni] *f.* 〖의학〗 기능 쇠퇴, 쇠약.

asthénique [astenik] *adj.* 〖의학〗 쇠약한. — *n.* 쇠약한 사람.

asthmatique [asmatik] *adj.* 〖의학〗 천식성의; 천식을 앓는. — *n.* 천식 환자.

asthme [asm] *m.* 〖의학〗 천식(喘息): crise d'~ 천식 발작.

asti [asti] 〔이탈리아〕 *m.* 아스티(*Asti*)산(産) 백포도주.

asticot [astiko] *m.* ① 《구어》 (낚싯밥으로 쓰는) 구더기. ② 놈, 녀석.

asticoter [astikɔte] *v.t.* 《구어》 들볶다, 약을 올리다(= agacer, harceler).

astigmate [astigmat] 〖의학〗 *adj.* 난시의: vue ~ 난시. — *n.* 난시인 사람.

astigmatisme [astigmatism] *m.* 〖의학〗 난시(亂視).

astiquage [astikaːʒ] *m.* 닦기, 윤내기.

astiquer [astike] *v.t.* ① 닦다, 윤내다. ② 《속어》 때리다, 치다. ③ 《속어》 들볶다.

astragale [astʀagal] *m.* ① 〖해부〗 복사뼈. ② 〖건축〗 쇠시리, 구슬선.

astrakan [astʀakɑ̃] *m.* 아스트라칸 모피.

astral, e, aux [astʀal, -o] *adj.* 천체의, 별의, 별 같은: thème ~ 천궁도.

astre [astʀ] *m.* ① 천체(= corps céleste); 별(= étoile). ② 절세의 미인; 천재, 대가, 스타: cours des ~*s* 천체의 운행 / ~ naissant 기대되는 신인. ***beau*** 〔***belle***〕 ***comme un ~*** 매우 아름다운. ***être né sous un ~ favorable*** 복된 운명을 타고나다. ***louer*** qn ***jusqu'aux ~s*** …을 절찬하다.

astreignant, e [astʀɛɲɑ̃, -ɑ̃ːt] *adj.* ① 속박하는, 엄격한: règle ~*e* 엄격한 규칙. ② 잠시도 손을 뗄 수 없는, 힘드는.

astreign-ant, -ez, etc. ⇒ astreindre.

astreindre** [astʀɛ̃ːdʀ] 27 *v.t.* 《~ qn à qc》 …에게 …을 강제〔강요〕하다, 구속하다, 복종시키다(= contraindre, forcer). ~ qn ***à + *inf.* …에게 강제로 …하게 하다: Le médecin m'*a astreint à* un régime sans sel. 의사는 내게 무염식을 하게 했다.
— **s'~** *v.pr.* 《s'~ à qc》 …에 속박되다, 복종하다. **s'~ *à*** + *inf.* 억지로 …하다, …하도록 노력하다: *s'~ à* se lever tôt 일찍 일어나도록 애쓰다.

astreinte [astʀɛ̃ːt] *f.* 강제, 속박; 〖법률〗 연체료, 벌금(= amende).

astringent, e [astʀɛ̃ʒɑ̃, -ɑ̃ːt] 〖의학〗 *adj.* 수렴성의. — *m.* 수렴제(劑).

astro- *préf.* 「천체·천문·성운」의 뜻.

astrolabe [astʀɔlab] *m.* (고대의) 천문 관측의(觀測儀).

astrologie [astʀɔlɔʒi] *f.* 점성술(= atromancie), 점성학.

astrologique [astʀɔlɔʒik] *adj.* 점성술의, 「점성학의.

astrologue [astʀɔlɔg] *m.* 점성가.

astronaute [astʀonoːt] *m.* 우주 비행사.

astronautique [astʀɔnotik] *f.* 우주 비행학. — *adj.* 우주 비행(사)의

astronef [astʀɔnɛf] *m.* 우주선.

astronome [astʀɔnɔm] *m.* 천문학자.

astronomie [astʀɔnɔmi] *f.* 천문학: ~ physique 천체 물리학,

astronomique [astʀɔnɔmik] *adj.* 천문학(상)의; 천문학적인, 엄청난: observations ~*s* 천체 관측 / prix ~ 엄청난 가격 / chiffres 〔nombres〕 ~*s* 천문학적인 숫자.

astrophysicien, enne [astʀɔfizisjɛ̃, -ɛn] *n.* 천체 물리학자.

astrophysique [astʀɔfizik] *adj.* 천체 물리학의〔적인〕. — *f.* 천체 물리학.

astroport [astʀɔpɔːʀ] *m.* 우주 공항, 우주로켓 발사 기지.

astuce [astys] *f.* ① 간사, 교활(= ruse). ② 계교, 계략, 간책(= artifice); 교묘한 솜씨, 재치. ③ 농담, 익살(=plaisanterie).

astucieusement [astysjøzmɑ̃] *adj.* 교활하게, 계략을 써서, 교묘하게, 재치 있게.

***astucieux, euse** [astysjø, -øːz] *adj.* ① 교활한, 꾀빠른, 간책을 일삼는, 약삭빠른; 영리한. ② 교묘한, 재치 있는.

A.S.V. 《약자》 atterrissage sans visibilité 〖항공〗 맹목 착륙.

asymétrie [asimetʀi] *f.* ① 불균형. ② 〖수학·화학〗 비대칭. ③ 〖생물〗 비상칭(非相稱).

asymétrique [asimetʀik] *adj.* 불균형의, 균형이 잡히지 않은; 비대칭의.

A.T. 《약자》 ① Ancien Testament 구약 성서. ② assurance contre les accidents du travail 산업 재해 보험.

ataraxie [ataʀaksi] *f.* 〖철학〗 아타락시아, 평정(平靜), 안정.

atavique [atavik] *adj.* 〖생물〗 격세 유전의.

atavisme [atavism] *m.* 격세 유전.

***atelier** [atəlje] *m.* ① 작업장; 공장(= chantier): ~ d'enregistrement (레코드의) 녹음실. ② 아틀리에, 화실, 조각실; (사진) 촬영실(= ~ de pose); 〖영화〗 촬영소, 스튜디오(= studio). ③ 작업반; 《집합적》 작업 동료: ~ de téléphonie 전화 통신반.

atemporel, elle [atɑ̃pɔʀɛl] *adj.* 시간〔시대〕에 구애되지 않는, 영원한.

atermoiement [atɛʀmwamɑ̃] *m.* 지불 연기; (흔히 *pl.*) 연기; 지체; 핑계; 주저.

atermoyer [atɛʀmwaje] 7 *v.t.* (지불을) 연기하다; 《구어》 (회답을) 뒤로 미루다(= ajourner). — *v.i.* 우물쭈물하다, 우물쭈물 미루다, 지체하다(≠ se hâter); 주저하다.

-ateur, -atrice *suff.* 동작주를 나타내는 명사·형용사 어미.

***athée** [ate] *adj.* 무신론의. — *n.* 무신론자.

athéisme [ateism] *m.* 무신론.

Athé〔**ê**〕**na** [atena], **Athéné** [atene] *n.pr.f.* 〖그리스신화〗 아테나《지혜의 여신》.

athénée [atene] *m.* ① 학당(學堂), 문예〔학술〕 구락부. ② (*A~*) (그리스의) 아테네 신전.

athénien, enne [atenjɛ̃, -ɛn] *adj.* 아테네(*Athènes*)의. — **A~** *n.* 아테네 사람.

athlète [atlɛt] *m.* 〖고대그리스·로마〗 투기자(鬪技者). — *n.* ① 운동가(= sportif); 육

상 경기 선수. ② 건장한 사람, 역사, 장사. ③ (주의 따위의) 투사. ~ ***complet*** 만능 선수.

athlétique [atletik] *adj.* ① ⓐ 운동(가)의 ; 육상 경기의 : sport ~ 육상 경기. ⓑ 스포츠의. ② 건장한 : corps ~ 건장한 체격.

***athlétisme** [atletism] *m.* 경기, 운동, 육상 경기《달리기 · 던지기 · 도약의 총칭》: championat d'~ 육상 선수권전.

atlantique [atlɑ̃tik] *adj.* 아틀라스 산맥 (*l'Atlas*)의 ; 대서양의. ── **A~** *m.* 대서양(= océan *A~*). ***Charte de l'A~*** 대서양 헌장. ***Organisation du Traité de l'A~ Nord*** 북대서양 조약 기구《NATO 의 프랑스 명칭 ; 《약자》 O.T.A.N.》.

Atlas [atlɑːs] *n.pr.m.* ① 【그리스신화】 아틀라스. ② (l'*A~*) (북아프리카의) 아틀라스 산맥. ── **a~** *m.* 지도책〔첩〕; 도해집. 「압.

atm. 《약자》 atmosphère 【물리】 대기권, 기

***atmosphère** [atmɔsfɛːʀ] *f.* ① 대기 ; 공기 : ~ viciée 오염된 공기. ② 분위기, 주위, 환경(= environnement) : ~ de travail amical 화목한 작업 분위기. ③ 【물리】 기압.

atmosphérique [atmɔsfeʀik] *adj.* 대기의, 공기의 ; 기압의 : pollution ~ 대기 오염.

atoll [atɔl] *m.* 【지질】 환상(環狀) 산호초, 환초(環礁).

***atome** [atoːm] *m.* ① 원자, 미립자 ; 원자력 : ~ radioactif 방사성 원자. ② 《구어》 극소량, 티끌 ; 미미한 존재 : Il n'a pas un ~ d'intelligence. 그는 조금의 지혜도 없다.

***atomique** [atɔmik] *adj.* 원자의 ; 원자력의 : bombe ~ 원자 폭탄 / énergie ~ 원자력 / guerre ~ 원자전 / pile ~ 원자로 / poids 〔masse〕 ~ 원자량.

atomisé, e [atɔmize] *adj.* 원폭을 당한 ; 분열된. ── *n.* 원폭 피해자.

atomiser [atɔmize] *v.t.* ① 원자로 분해하다 ; (향수 따위를) 안개처럼 뿌리다. ② 원자탄으로 파괴하다. ③ 《비유》 (상대방의 논조 따위를) 분쇄하다 ; (국토 따위를) 세분하다.

atomiseur [atɔmizœːʀ] *m.* 분무기(= vaporisateur), 스프레이. 「자설, 원자론.

atomisme [atɔmism] *m.* 【철학 · 화학】 원

atomiste [atɔmist] *n.* et *adj.* 【철학】 원자론자(의) ; 【물리】 원자 물리학자(의).

atonal, e [atɔnal] *adj.* (*pl.* **~s**, ***-aux*** [-o]) 【음악】 무조(無調)의.

atone [atɔn] *adj.* ① 【언어】 악센트가 없는, 무강세의, 평음의 : syllabe ~ 무강세 음절. ② 무기력한, 맥없는 ; (눈빛이) 흐릿한 : vie ~ 활기 없는 생활. ③ 【의학】 (근육이) 이완된.

atonie [atɔni] *f.* 【의학】 아토니, 무력증, 허약, 근육 이완(弛緩).

atour [atuːʀ] *m.* (흔히 *pl.*) 《옛》 (여자의) 몸치장거리, 장식, 장신구 ; 패물(= parure).

atout [atu] *m.* ① (카드의) 으뜸〔상수〕패 : jouer ~ 으뜸패를 내다. ② 성공의 수단〔조건〕(= chance). ③ 타격(= coup). ④ 《구어》 용기(= courage) : avoir de l'~ 용기가 있다. ***avoir tous les atouts dans son jeu*** 성공의 모든 조건을 갖고 있다. 「의.

atoxique [atɔksik] *adj.* 독이 없는, 무독성

A.T.P. 《약자》 autorisation de transferts préalables 【경제】 (재산 따위의) 사전 이전 허가.

à.t.p. 《약자》 à tout prix ① 【상업】 값이 얼마든. ② 무슨 일이 있어도, 반드시.

atrabilaire [atʀabilɛːʀ] *adj.* ① 【고대의학】 흑담즙질의. ② 성미가 까다로운, 우울한. ── *n.* 우울한 사람.

atrabile [atʀabil] *f.* ① 【고대의학】 흑담즙(黑膽汁). ② 우울증.

âtre [ɑːtʀ] *m.* ① (벽난로의) 불 피우는 자리, 아궁이(= foyer). ② 벽난로(= cheminée).

-âtre *suff.* ① 《형용사 어미》「근사(近似)」의 뜻. ②「경멸」의 뜻.

***atroce** [atʀɔs] *adj.* ① 잔인한, 잔혹한, 흉악한(= cruel) : crime ~ 잔인한 범죄. ② 끔찍한, 혹독한(= abominable) : ~ à voir 보기에도 끔찍한. ③ 《구어》 견딜 수 없는, 지독한(= insupportable) : souffrances ~*s* 참을 수 없는 고통. ④ 추악한 ; 졸렬한.

atrocement [atʀɔsmɑ̃] *adv.* 잔인하게(= cruellement), 혹독하게 ; 지독하게(= excessivement), 끔찍하게.

atrocité [atʀɔsite] *f.* 잔인성, 흉악성(= cruauté) ; 만행(= barbarie) ; (흔히 *pl.*) 끔찍한 일, 험담, 중상(= calomnie).

atrophie [atʀɔfi] *f.* ① 【생물 · 의학】 위축(증), 쇠약. ② (정신 기능의) 감퇴.

atrophié, e [atʀɔfje] *adj.* ① 【의학】 위축한; 쇠약한. ② (지능 따위가) 감퇴된.

atrophier [atʀɔfje] *v.t.* ① 【의학】 위축시키다. ② 감퇴시키다, 쇠약하게 하다(= affaiblir). ── **s'~** *v.pr.* 위축하다 ; 쇠약해지다.

at(t). 《약자》 attaché 【주식】 이표(利票)가 붙어 있는.

attabler (s') [satable] *v.pr.* ① 식탁〔테이블〕에 앉다 : *s'*~ à son travail 일을 시작하다. ② 《구어》 모조리 자백〔실토〕하다.

***attachant, e** [ataʃɑ̃, -ɑ̃ːt] *adj.* 흥미를 끄는, 재미있는, 매력 있는(= captivant).

attache [ataʃ] *f.* ① 잡아매기 ; 묶기 : chien à l'~ 매어 놓은 개 / port d'~ 【해양】 모항(母港). ② 매는 데 쓰는 것〔끈 · 줄〕. ③ (*pl.*) 덩굴손 ; (팔 다리의) 관절, 손목, 발목 ; 【해부】 (근육의) 부착점(= points d'~). ④ 우정, 애정, 애착 : Je n'ai aucune ~ à Paris. 나는 파리에 전연 애착이 없다. ⑤ 속박, 구속 : vivre sans ~(s) 구속 없이 자유롭게 살다. ⑥ (*pl.*) 연고, 인연, 관계.

attaché, e [ataʃe] *adj.* ① ⓐ 묶인 : prisonnier ~ 묶인 죄수. ⓑ 《~ à》 …에 결부된 : Mon bonheur est ~ *au* vôtre. 내 행복은 당신의 행복에 매여 있다. ② 《~ à》 …에 애정〔애착〕을 가진, 충실한(= dévoué) : ~ *à* son maître 주인에게 충실한. ── *n.* 대〔공〕사관원, 담당관 ; 보좌관〔역〕 : ~ commercial 상무관 / ~ culturel 문화 담당관 / ~ de presse 공보관 / ~ militaire 〔naval〕 육군〔해군〕 무관.

attaché-case [ataʃekɛːz] *m.* 서류 가방.

attachement [ataʃmɑ̃] *m.* ① 애정, 애착(= affection). ② 집념 ; 전심, 몰두, 열성 ; 충실함(= fidélité) : ~ à ses devoirs 의무에 충실함. ***avoir de l'~ à*** 〔***pour***〕 qn 〔qc〕 …에게〔에〕 애정〔애착〕을 가지다.

‡**attacher** [ataʃe] *v.t.* ① 《~ qc 〔qn〕 à》 …을 …에 비끄러〔잡아〕매다, 묶다 : ~ une chèvre *à* un arbre 염소를 나무에 비끄러매다 /

~ la valise avec une ficelle 끈으로 가방을 묶다 / ~ des boutons 단추를 채우다. ② 《~ qc à 〔sur〕》 …을 …에 고정시키다, 붙이다 : ~ son regard 〔ses yeux〕 *sur* qn 〔qc〕 …을 물끄러미 바라보다. ③ (구두끈 따위를) 매다, (허리띠 따위를) 채우다 : ~ des lacets 구두끈을 매다. ④ 《~ qc à》 ⓐ …에 …을 결부시키다 : ~ son nom *à* une découverte 어떤 발견에 자기 이름을 결부시키다. ⓑ (의미·가치 따위를) 주다, 부여하다 : ~ un sens *à* un geste 몸짓에 어떤 의미를 부여하다. ⓒ …에 …을 집중시키다, 기울이다, 쏟다 : ~ son ambition *à* qc …에 야심을 기울이다. ⑤ 《~ qn à》 ⓐ …을 …에 소속시키다 : ~ un domestique *à* son service 하인을 고용하다. ⓑ …을 …에 집착하게 하다 : tout ce qui nous *attache à* la vie 우리들을 생에 집착하게 하는 모든 것. ⑥ (주의 따위를) 끌다 : Ce spectacle *attache* les yeux. 이 광경은 눈길을 끈다. ***~ de l'importance*** 〔***du prix***〕 ***à*** qc 〔***à ce que***+*sub.*〕 …을 중요시하다〔소중히 여기다〕.
— *v.i.* 《구어》 눌어붙다, 달라붙다 : Le gâteau attache. 케이크가 달라붙는다.
— **s'~** *v.pr.* ① 《s'~ à》 …에 달라붙다 ; 결부되다, 함께 하다 ; (정신이) …에 집중되다 ; 《s'~ sur 〔à〕》 (시선이) …에 쏠리다 : La poix *s'attache aux* doigts. 송진이 손가락에 달라붙는다 / avantages qui *s'attachent à* ce poste 이 자리에 따르는 이권. ② (허리띠 따위가) 채워지다. ③ 《주어 : qn》 《s'~ à》 ⓐ …에 전념하다 ; …에 애착을 갖다, 집착하다 : *s'~ à* l'étude 공부를 열심히 하다 / Tu t'*attache* trop *à* l'argent. 너는 너무 돈에 집착한다 / *s'~ à* qn pour la vie 목숨을 다해 …을 사랑하다. ⓑ …에 자신을 결부시키다. ④ 《s'~ qn》 …에게 자기를 따르게 하다 : Le professeur a su *s'~* ses élèves. 선생님은 학생들이 그를 따르게 할 줄 알았다. ***s'~ à*** +*inf.* 〔***à ce que***+*sub.*〕 …하기에〔하도록〕 전념하다〔애쓰다〕.

attaquant, e [atakɑ̃, -ɑ̃:t] *adj.* 공격하는, 습격하는. — *n.* 공격〔습격〕자.

attaque [atak] *f.* ① 공격, 습격 : ~ aérienne 공습 / déclencher 〔engager, lancer〕 une ~ 공격을 개시하다. ② 비난, 논박. ③ (흔히 *pl.*) 침해, 손상. ④ 〖의학〗 발작, (고통 따위의) 엄습 ; 뇌일혈(= ~ d'apoplexie). ⑤ 개시, 착수 ; 〖음악〗 (연주를) 시작하기 ; 〖언어〗 소리를 내기. ⑥ 〖스포츠〗 공격진(= ligne d'~) ; (경주의) 대시, 스퍼트. ***d'~*** ⓐ être *d'~* 원기가 있다, 쾌활하다. ⓑ homme *d'~* 활동가.

***attaquer** [atake] *v.t.* ① (적을) 치다, 공격하다, 습격하다(= défendre) : ~ qn à l'improviste 〔par surprise〕 …을 기습하다. ② 비난 공격〔비방〕하다, 헐뜯다, 논박〔공박〕하다 ; 〖법률〗 이의를 제기하다 : ~ un jugement 판결에 이의를 제기하다. ③ 침식〔부식〕하다 : La rouille *attaque* le fer. 녹은 쇠를 침식한다. ④ 해치다, 손상하다 ; (병 따위가) 침범하다. ⑤ (곤란 따위와) 맞서 싸우다 : ~ une difficulté 곤란에 맞서 싸우다. ⑥ 착수하다, 시작하다 : ~ une besogne 일에 착수하다. ⑦ 《구어》 먹기 시작하다. ⑧ 〖음악〗 연주를 시작하다. — **s'~** *v.pr.* 《s'~ à》 …에〔에게〕 대들다 ; 서로 공격하다 ; 침범당하다 ; 달려들다 ; 시작하다.

attardé, e [ataʀde] *adj.* et *n.* ① 늦어진 (사람), 뒤진 (사람). ② 시대에 뒤떨어진 (사람).

***attarder** [ataʀde] *v.t.* 늦어지게 하다, 지체시키다(= retarder): Les embouteillages nous *ont attardés.* 차의 혼잡으로 늦었다.
— **s'~** *v.pr.* 늦어지다, 지체하다. ***s'~ à***+*inf.* …하며 늑장부리다 : *s'~ à* boire 술을 마시느라고 늑장부리다.

atteindre** [atɛ̃:dʀ] 27 *v.t.* ① …에 손이 닿다 ; …을 (붙)잡다. ② 달성하다 : ~ le but 목적을 달성하다. ③ (어느 연령·크기·높이에) 달하다 : ~ le cinquante, 50 세가 되다. ④ (목적지에) 다다르다, 당도〔도착〕하다 : Nous *atteindrons* Paris dans dix minutes. 우리는 10분 후에 파리에 도착할 것이다. ⑤ …와 연락을 취하다 : ~ qn par téléphone 전화로 …와 연락을 취하다. ⑥ 맞히다, 적중시키다 ; (총탄 따위가) 맞다 : Le coup de feu l'*atteignit* au bras. 총알이 그의 팔에 맞았다. ⑦ 《주어 : qc》 ⓐ 해치다, 침범하다 : *être atteint* de maladie 병에 걸리다. ⓑ …에게 타격을〔상처를〕 주다. — *v.t. ind.* 《~ à》 (노력 끝에) …에 이르다〔도달하다〕 : ~ *à* la perfection 완성 단계에 이르다. ***~ à+*inf.* …하기에 이르다.

atteint, e[1] [atɛ̃, -ɛ̃:t] *adj.* ① 타격을 받은 ; 영향을 입은 ; 《구어》 불안한, 동요된 : être ~ par une baisse de prix 가격 인하로 타격을 받다. ② 《~ de》 …에 침범당한, (병에) 걸린. ③ 〖법률〗 기소된.

atteinte[2] [atɛ̃:t] *f.* ① 맞히기, 명중. ② (손·힘이) 미치는 범위(= portée). ③ 타격 : ~ mortelle 치명적 타격. ④ 손해, 손상, 훼손, 침해. ⑤ (병의) 침범, 발병 ; 발작. ***être hors d'~*** 손이 미치지 않는 곳에 있다, 안전한 곳에 있다.

attelage [atla:ʒ] *m.* ① (말·소에) 멍에를 메우기, 수레에 달기. ② 수레에 달린 한 쌍의 말〔소〕 ; (짝을 이루는) 협력자 ; 부부.

atteler [atle] 5 *v.t.* ① (말·소를 수레에) 달다 ; (말·소에) 멍에를 메우다 : ~ les chevaux 말을 수레에 달다. ② 〖철도〗 (차량 따위를) 연결하다. — **s'~** *v.pr.* ① (말·소가) 수레에 연결되다, 멍에를 메다. ② 《s'~ à》 …에 전념하다. ③ 《s'~ avec》 …와 손잡다, 협력하다.

attelle [atɛl] *f.* 〖외과〗 부목(副木).

attenant, e [atnɑ̃, -ɑ̃:t] *adj.* 인접한(= contigu) ; 《~ à 〔de〕 qc》 …에 인접한, 이웃한, …곁〔옆〕의 : maison *~e à* la ferme 농가에 이웃한 집. — *adv.* tout ~ 바로 곁〔옆〕에.
— *prép.* …에 인접한, …곁〔옆〕의.

***attendant (en)** [ɑ̃natɑ̃dɑ̃] *loc. adv.* 그동안, 그때까지, 우선 : J'ai rendez-vous dans une heure ; *en ~*, prenons un verre. 나는 한 시간 후에 약속이 있으니 그동안 한잔 합시다. — *loc. prép.* …까지 : *en ~* l'arrivée du courrier 우편물이 도착할 때까지.
— *loc. conj.* ***en ~ que***+*sub.* …하기까지 : *en ~ qu'*il arrive 그가 도착할 때까지.

‡attendre [atɑ̃:dʀ] 25 *v.t.* ① 기다리다 : ~ le train 기차가 도착하기를 기다리다 / 《~

de+*inf.*》 *Attendez d'*avoir trente ans. 서른 살이 될 때까지 기다리시오 / 《~ que+*sub.*》 *J'attends que* ça soit fini. 나는 그 일이 끝나기를 기다리고 있다. ② 기대하다(=compter, espérer) ; 예측하다, 대비하다 : Qu'*attendez*-vous de lui ? 그에게서 무엇을 기대한단 말이오? ③ 대기하다, 준비하고 기다리다 : Le dîner nous *attend.* 저녁 준비가 되어 있다. ④ 꾸물대다, 지체하다, 미루다(=différer) : Qu'est-ce que vous *attendez* ? 무엇을 꾸물대고 있소? ***aller ~ qn à la gare*** 역에 …을 마중 나가다. ***Attendez-moi sous l'orme.*** 느릅나무 아래서 나를 기다려라《아무리 기다려도 헛수고야》. ***~ de*** 〔때로는 ***à***〕+*inf.* ***; ~ que***+*sub.* 〔때로는 *ind.*〕 …하기를 기다리다. ***~*** qn ***de pied ferme*** 굳은 결의로〔두려움 없이〕 …을 기다리다. ***C'est là que je l'attends.*** 문제는 거기서 그가 어떻게 하느냐 하는 것이다. (Un coup) ***n'attendait pas l'autre.*** 계속적으로 타격이 가해졌다.

── *v.t. ind.* 《~ après》 …을 애타게 기다리다 ; 고대〔기대〕하다 : ~ *apres* le médecin 의사를 애타게 기다리다 / Il y a longtemps qu'on *attend après* vous. 당신을 기다린 지 오래되었다. ── *v.i.* 기다리다 : ~ jusqu'à demain 내일까지 기다리다. ***Attendez voir.*** 두고 보세요. ***Attends donc ! ; Attendez donc !*** 잠깐 ! ***ne rien perdre pour ~*** 《반어적》 늦게라도 당할 일은 당한다. ***Tout vient à point à qui sait ~.*** 《격언》 참고 기다리면 수가 생긴다.

── ***s'~*** *v.pr.* ① 《s'~ à qc》 …을 예상〔예기〕하다 ; 기대하다 ; 각오하다 : Il faut *s'~ à* tout. 무슨 일이 일어날지 모른다. ② 《s'~ à qn》 …에게 기대를 걸다, …을 믿다 : Ne *t'attends* qu'*à* toi seul. 오직 너 자신만을 믿어라. ③ 서로 기다리다. ***s'~ à*** 〔《옛》 ***de***〕 +*inf.* …하기를 예기〔기대·각오〕하다. ***s'~ que***+*ind.* 〔《드물게》 *sub.*〕 ***; s'~ à ce que*** +*sub.* 〔《드물게》 *ind.*〕 …을 예기〔기대·각오〕하다 : Il *s'attend à ce qu'*elle revienne. 그는 그녀가 다시 돌아올 것을 기대하고 있다.

attendrir** [atɑ̃dʀiːʀ] *v.t.* ① 부드럽게〔연하게·무르게〕 하다 : ~ une viande 고기를 연하게 하다. ② 감동시키다, 측은한 생각이 들게 하다 ; 마음을 누그러지게 하다 : Ces larmes *attendrissaient* mon cœur. 그 눈물은 나의 마음을 감동시켰다. ── ***s'~ *v.pr.* ① 감동하다 ; 측은한 생각이 들다. ② 마음이 누그러지다. ***s'~ sur*** 〔***pour***〕 qn ***; s'~ sur*** qc …을 측은히 여기다, 동정하다.

attendrissant, e [atɑ̃dʀisɑ̃, -ɑ̃:t] *adj.* 감동시키는, 감동적인(=émouvant) ; 눈물겨운 : spectacle ~ 감동을 주는 장면.

attendrissement [atɑ̃dʀismɑ̃] *m.* 감동 ; 측은한 마음, 동정심, 연민(=apitoiement, pitié) : larmes d'~ 동정의 눈물.

attendu, e [atɑ̃dy] *adj.* 기다려진 ; 기대된, 예기된. ── *prép.* …때문에, …에 비추어. ── *loc. conj.* ***~ que***+*ind.* …함에 비추어, …이므로, …이기 때문에. ── *m. pl.* 〖법률〗 (법령·판결 따위의) 이유 항목〔소목〕, 근거.

***attentat** [atɑ̃ta] *m.* ① 위해 행위, 습격, 테러 행위 ; (권리 따위에 대한) 침해 ; 음모(=complot). ② 〖법률〗 ⓐ 침해죄 : ~ à la pudeur 강간죄 / ~ aux mœurs 풍속 범죄. ⓑ 범행, 범죄.

attentatoire [atɑ̃tatwaːʀ] *adj.* 《~ à》 …을 침해하는, …에 위배되는(=préjudiciable) : décision ~ *à* la justice 정의〔법〕에 위배되는 결정.

attente** [atɑ̃:t] *f.* ① 기다림 ; 기다리는 동안 : L'~ n'a pas été longue. 기다린 지 오래되지 않았었다. ② 예기, 예상 ; 기대. ***contre toute ~ 예상을 뒤엎고. ***Dans l'~ de votre réponse.*** (서신에서) 귀하의 회답을 기다리며. ***être dans l'~ de*** qn 〔qc〕 …을 기다리고 있다, 기대하고 있다. ***remplir l'~ de*** qn ***; répondre à l'~ de*** qn …의 기대에 부응하다. ***salle d'~*** 대합실.

***attenter** [atɑ̃te] *v.t. ind.* 《~ à》 …에 가해 행위를 감행하다 ; (생명을) 해치려 하다, (자유 따위를) 침해하다 : ~ *à* la vie de qn …의 살해를 기도하다. ── *v.i.* 《옛》 《~ sur 〔contre〕 qn》 해치다 ; 범행을 저지르다.

attentif, ive** [atɑ̃tif, -iːv] *adj.* ① 주의 깊은 ; 《~ à qc》 …에 주의〔조심〕하는. ② 《~ auprès de qn》 …에게 친절한, 정중한 : être ~ *auprès d'*une femme 여자에게 친절히 대하다. ③ 면밀한, 세심한 : examen ~ 면밀한 검사. ***être ~ à+*inf.* ***; être ~ à ce que*** +*sub.* …하도록 주의〔조심〕하다.

‡attention [atɑ̃sjɔ̃] *f.* ① 주의, 조심(≠inattention), 긴장 ; 관심 : ~ suivie 세심한 주의 / arrêter 〔retenir〕 l'~ de qn …의 주의를 끌다 / appeler 〔attirer, éveiller〕 l'~ de qn sur qc …에 …의 주의를 환기시키다 / Faites ~ ! 주의하시오 ! / *A~* à voiture ! 차에 조심 ! / faute d'~ 부주의로. ② (흔히 *pl.*) 친절, 정중, 공대 : avoir de grandes ~*s* pour qn …에게 대단한 친절을 베풀다 / entourer qn d'~*s* …을 정성을 다해 보살피다. ***à l'~ de*** qn …씨 앞《편지나 메모 따위의 행선》. ***A~ !*** 조심해라, 위험하다 ; 〖해양〗 준비 ! ; 〖군사〗 차렷 ! ***faire*** 〔***prêter***〕 (***son***) ***~ à*** qc 〔qn〕 ***; accorder son ~ à*** qn 〔qc〕 …에〔에게〕 주의하다 : Ne *faites* pas ~ *à* eux. 그들에게 신경 쓰지 마. ***faire ~ à*** 〔***de***〕+*inf.* …하도록 주의하다 : *Faites ~ à* 〔*de*〕 ne pas tomber. 넘어지지 않도록 주의하시오. ***faire ~ que***+*ind.* …라는 사실에 주의하다. ***porter son ~ sur*** qc …에 주의를 기울이다.

attentionné, e [atɑ̃sjɔne] *adj.* 정중한, 친절한(=aimable) : être ~ pour 〔auprès de〕 qn …에 대해서 친절〔정중〕하다.

attentisme [atɑ̃tism] *m.* 형세 관망주의, 기회주의. 「기회주의자.

attentiste [atɑ̃tist] *adj.* 기회주의의. ── *n.*

***attentivement** [atɑ̃tivmɑ̃] *adv.* 주의 깊게, 조심스럽게 : écouter ~ 경청하다.

atténuant, e [atenɥɑ̃, -ɑ̃:t] *adj.* 〖법률〗 경감하는, 정상을 참작케 하는 : circonstances ~*es* 정상을 참작케 하는 사정.

atténuation [atenɥasjɔ̃] *f.* ① 약화, 경감, 완화 : ~ d'une douleur 통증의 완화. ② 〖법률〗 (범죄의) 정상 참작.

***atténuer** [atenɥe] *v.t.* ① 경하게〔약하게〕 하다, 경감하다(=diminuer) ; 완화하다, 부드

럽게 하다(= adoucir, modérer) ; (빛깔 따위를) 연하게 하다 : ~ les termes 말을 부드럽게 하다. ② 《옛》 수척〔쇠약〕하게 하다(= amaigrir). ── **s'~** *v.pr.* 약해지다, 경감되다 ; 완화되다 ; 연해지다 : Sa douleur *s'est atténuée.* 그의 고통은 가라앉았다.

atterrant, e [atɛʀɑ̃, -ɑ̃:t] *adj.* 깜짝 놀라게 하는 : nouvelle *~e* 깜짝 놀랄 소식.

atterrer [atɛʀe] *v.t.* ① 땅바닥에 넘어뜨리다, 때려눕히다. ② 낙담시키다(= accabler) ; 깜짝 놀라게 하다(= consterner, stupéfier) : Je *suis atterré* par cette nouvelle. 이 소식을 듣고 나는 대경실색했다.

⁑**atterrir** [atɛʀi:ʀ] *v.i.* 〖해양〗 육지에 닿다 ; 상륙하다 ; 〖항공〗 착륙하다.

atterrissage [atɛʀisa:ʒ] *m.* 상륙, 착륙 : ~ brutal 불시착.

atterrissement [atɛʀismɑ̃] *m.* 〖지질〗 충적토(沖積土).

attestation [atɛstɑsjɔ̃] *f.* 증명, 증언, 증거 ; 증명서 : ~ de domicile 거주 증명.

attester [atɛste] *v.t.* ① 증명하다, 증언하다(= certifier), 보증하다 : 《~ que+*ind.*》 J'*atteste que* cet homme est innocent. 나는 그 사람이 결백하다는 것을 증언한다. ② 《~ qn de qc》 …을 …의 증인으로 세우다. ③ 《주어 : qc》 …의 증거가 되다, 입증〔증명〕하다(= prouver, démontrer) : Ces paroles *attestent* qu'il n'a rien compris. 이 말은 그가 아무것도 이해하지 못했다는 증거다.

attiédir [atjedi:ʀ] *v.t.* ① 미지근하게 하다 ; 식히다, 냉각시키다. ② (흥분 따위를) 누그러뜨리다, 가라앉히다, 감퇴시키다 : L'absence *attiédit* l'amitié. 우정도 떨어져 있으면 식어 버린다. ── **s'~** *v.pr.* ① 미지근해지다 ; 식다. ② 가라앉다.

attiédissement [atjedismɑ̃] *m.* 미지근하게 하기〔되기〕; 식히기, 냉각 ; 감퇴(= affaiblissement) ; 미온화 : ~ de la foi 신앙심의 감퇴.

attifer [atife] *v.t.* 《옛》 치장하다 ; 《구어》 야하게〔지나치게〕 치장하다. ── **s'~** *v.pr.* 야하게〔지나치게〕 치장하다.

attiger [atiʒe] ③ 《구어》 *v.i.* 과장하다, 허풍떨다(= exagérer). ── *v.t.* 때리다(= frapper) ; 상처를 입히다(= blesser).

attique [atik] *adj.* 아티카(*l'Attique*)의 ; 아티카 사람의 ; 아테네풍으로 ; 세련된 : sel ~ 세련된 농담. ── **A~** *n.pr.f.* 아티카《고대 그리스의 한 지방》.

attirable [atiʀabl] *adj.* 끌어당길 수 있는.

attirail [atiʀaj] *m.* ① (전쟁·여행·사냥 따위에 필요한) 용구〔도구〕 일체(= équipement). ② 거추장스러운 물건.

attirance [atiʀɑ̃:s] *f.* 유혹(= attrait ; ≠répulsion) ; 매력 ; 마음이 끌리기 : ~ pour un aliment 어떤 음식물에 대한 기호.

attirant, e [atiʀɑ̃, -ɑ̃:t] *adj.* 끌어당기는 ; 마음을 끄는, 매력 있는(= séduisant ; ≠repoussant) : figure *~e* 매력적인 얼굴.

***attirer** [atiʀe] *v.t.* ① 끌어당기다(≠ repousser) : L'aimant *attire* le fer. 자석은 쇠를 당긴다. ② (시선·주의 따위를) 끌다 : J'*attire* votre attention sur ce point. 그 점에 주의해야 합니다. ③ 유인하다, 끌어당기다 : La fleur *attire* les papillons. 꽃이 나비를 유혹한다. ④ ⓐ 초래하다, 야기하다(= causer). ⓑ 《~ qc à 〔sur〕 qn》 …에게 …을 초래하다 : Cela lui *attira* des ennuis. 그 때문에 그에게 귀찮은 일이 생겼다. ⑤ (마음을) 끌다, 사로잡다 ; 호감을 사다 : Sa bienveillance lui *attirait* toutes les sympathies. 친절하기 때문에 그는 모든 사람의 호감을 사고 있었다. ── **s'~** *v.pr.* ① 서로 끌어당기다. ② 《s'~ qc》 (주의 따위를) 끌다 ; (총애 따위를) 얻다, 받다 ; 야기하다, 초래하다 : *s'~* des ennuis 〔affaires〕 난처한 지경에 빠지다 / *s'~* des haines 증오심을 사다.

attiser [atize] *v.t.* (불을) 쑤셔 일으키다 ; (욕망 따위를) 돋우다 ; 선동하다 : ~ les haines 증오심을 돋우다.

attitré, e [atitʀe] *adj.* ① 정식 자격을 가진, 정식으로 임명된(= en titre) : représentant ~ 정식 대표. ② (장사꾼 따위가) 지정된, 단골의(= habituel) : marchand ~ 단골 상인.

attitude** [atityd] *f.* ① 자세, 몸가짐 : ~ naturelle 자연스런 자세. ② ⓐ 태도, 거동(= air, manière, allure) : avoir une ~ ferme 확고한 태도를 가지다. ⓑ 꾸민〔부자연한〕 태도(= affectation). ***être en ~ 몸가짐이 부자연하다 ; 점잔 부리다.

attorney [atɔʀnɛ] 〔영〕 *m.* 변호사, 대리인.

attouchement [atuʃmɑ̃] *m.* ① 손을 대기, 손으로 만지기. ② 접촉(= contact).

attractif, ive [atʀaktif, -i:v] *adj.* ① 끌어당기는, 인력의. ② 마음을 끄는(= captivant).

attraction [atʀaksjɔ̃] *f.* ① 끄는 힘 ; 〖물리〗 인력 : ~ universelle 만유인력. ② 매력, 유혹(= attirance, attrait) ; 인기를 끄는 것. ③ (*pl.*) 오락, 여흥 ; 쇼, 흥행물.

attrait [atʀɛ] *m.* ① 매력, 유혹(= charme, séduction) : ~ de la nouveauté 새로운 것의 매력 / se sentir de l'~ pour qn …에게 매력을 느끼다. ② 마음의 경향, 성향, 기호 : avoir de l'~ pour …에 마음이 쏠리다. ③ (*pl.*) (여자의) 미색, 매력.

attrapade [atʀapad] *f.*, **attrapage** [atʀapa:ʒ] *m.* 《구어》 ① 싸움, 격투 ; 말다툼(= querelle). ② 꾸지람, 책망(= réprimande).

attrape [atʀap] *f.* ① (짐승을 잡는) 함정, 올가미, 덫(= piège) ; 속임수 ; 골탕 먹이기 ; 장난. ② (골탕 먹이기 위한) 물건. ***faire une ~ à*** qn 《구어》 …을 속여 넘기다.

attrape-mouche [atʀapmuʃ] *m.* (*pl.* ~-*~s*) 파리 잡는 끈끈이 ; 파리잡이풀.

attrape-nigaud [atʀapnigo] *m.* (*pl.* ~-*~(s)*) 유치한〔어리석은〕 속임수.

***attraper** [atʀape] *v.t.* ① (짐승을 올가미·함정·덫 따위로) 잡다 ; (도둑 따위를) 붙잡다, 체포하다(= arrêter) : Il s'est laissé ~ par la police. 그는 경찰에 잡혔다. ② (계략으로) 속이다(= abuser, duper) : Il m'*a* bien *attrapé*. 그녀석한테 보기 좋게 당했다 / se faire ~ 속다. ③ 《구어》 꾸짖다, 책망하다(= gronder, réprimander) : Il s'est fait ~ par ses parents. 그는 부모에게 꾸지람을 들었다. ④ (물건을) 잡다(= saisir) ; (기차 따위를) 잡아타다 : ~ un ballon à la volée 나는 공을 뛰어 잡다 / Il a réussi à ~ le train. 그는 용케 기차를 잡아탔다. ⑤ (뜻을) 파악하다 ; 모방하다 : ~ un style 문체

를 모방하다. ⑥ (매를) 얻어맞다 ; (병에) 걸리다 : ~ un coup 한 대 얻어맞다 / ~ un rhume 감기에 걸리다. ⑦ 《구어》 맞히다(= atteindre) : ~ le but en plein 과녁의 한복판을 명중시키다. ***Attrape ! ; Attrape-toi cela !*** 《속어》 꼴 좋다 ! ***Attrapé ! bien attrapé !*** 또 속았군. **~** qn ***sur le fait*** …을 현장에서〔현행범으로〕 체포하다. ***en ~ pour dix ans*** 《구어》 10 년 징역의 선고를 받다. ── **s'~** *v.pr.* ① (올가미에) 잡히다, 걸려들다. ② (병이) 옮다 : Cette maladie *s'attrape* facilement. 이 병은 쉽게 옮는다. ③ 《s'~ à qn》 …에게 대들다 ; 《s'~ avec qn》 …와 싸우다.

***attrayant, e** [atʀɛjɑ̃, -ɑ̃:t] *adj.* 마음을 끄는, 매력 있는(= attirant, plaisant).

attribuable [atʀibɥabl] *adj.* 《~ à》 …에 주어지는〔주어져야 할〕 ; …의 탓으로 돌려지는.

***attribuer** [atʀibɥe] *v.t.* 《~ qc à qn〔qc〕 …을 …에게 ~하다》 ① 부여하다(= accorder), 주다(= octroyer) : De nombreux avantages lui *ont été attribués.* 많은 특권이 그에게 부여되었다. ② 할당〔배당〕하다(= allouer, assigner) : ~ un rôle à qn 〖연극〗 …에게 어떤 배역을 맡기다. ③ …을 특유한 것으로 간주〔인정〕하다(= prêter) : On lui *attribue* une grande générosité. 그는 매우 관대하다고 한다. ④ (공로 따위를) …에게 돌리다, …의 탓으로 여기다, …에게 전가하다(= rapporter) : ~ à qn un accident 〔une faute〕 어떤 사고가〔잘못이〕 …의 탓이라고 하다 / ~ à qn une responsabilité …에게 책임을 지우다. ⑤ …의 저작으로 여기다 : On lui *attribue* ce livre. 그는 이 책의 저자라고 여겨지고 있다. ── **s'~** *v.pr.* ① 제 것이라 주장하다, (공로를) 자기의 탓으로 여기다 : *s'~* tout le mérite de qc …의 모든 공을 제 것으로 하다. ② ⓐ 《s'~ à qn》 …에게 부여되다, 주어지다. ⓑ 《s'~ à qn〔qc〕》 …에 귀착하다. ③ (상 따위를) 타다(= remporter) : Il *s'est attribué* tous les prix. 그는 모든 상을 휩쓸었다.

attribut [atʀiby] *m.* ① 속성, 특질 ; 특권(= prérogative) ; 상징, 표징(= emblème). ② 〖문법〗 속사(屬詞) : adjectif ~ 속사 형용사.

attribution [atʀibysjɔ̃] *f.* ① 부여 ; 〖법률〗 (재산 · 권리의) 부여. ② 할당, 배당 ; 할당된 직분. ③ (흔히 *pl.*) 특권, 권한(= pouvoir, droit, compétence) : Cela dépasse 〔n'est pas dans〕 mes ~*s*. 그것은 내 권한 밖이다.

attristant, e [atʀistɑ̃: -ɑ̃:t] *adj.* 슬프게 하는, 슬픈(= affligeant) ; 한심한 ; 음산한.

attrister [atʀiste] *v.t.* ① 슬프게〔서글프게〕 하다(= désoler, chagriner), 우울〔침울〕하게 하다(≠ réjouir) : La nouvelle de ce décès m'*a* profondément *attristé.* 이 죽음의 소식을 들은 나는 몹시 슬펐다. ② (자연 따위를) 음울하게〔음산하게〕 만들다. ── **s'~** *v.pr.* ① 슬퍼〔서글퍼〕지다 . ② 음울〔음산〕해지다.

attroupement [atʀupmɑ̃] *m.* 모여들기(≠ dispersion) ; 소란한〔불온한〕 모임.

attrouper [atʀupe] *v.t.* 불러모으다, 끌어모으다(= ameuter, assembler). ── **s'~** *v.pr.* 모여들다.

atypique [atipik] *adj.* 〖의학〗 비정형적인, 이형(異型)의(≠ typique).

au [o] = à+le.

aubade [obad] *f.* 〖음악〗 여명악(黎明樂), 아침의 곡(≠ sérénade).

aubaine [obɛn] *f.* 횡재, 요행 ; (뜻밖의) 행운 : Quelle bonne ~ ! 이런 횡재가 있나.

aube¹ [o:b] *f.* ① 첫새벽, 여명. ② 여명기, 시초, 시작 : être à l'~ de …의 시초에 있다. ③ 〖가톨릭〗 장백의(長白衣), 알바.

aube² *f.* 물받이판 ; (선풍기 따위의) 날개.

aubépine [obepin] *f.* 〖식물〗 (서양) 산사나무 ; 산사나무꽃.

auberge [obɛʀʒ] *f.* 여인숙, 여관 ; 주막 ; (시골풍의) 음식점(= restaurant) : descendre à l'~ 여관에 투숙하다. ***A~s de la jeunesse*** 유스호스텔. ***On n'est pas sorti de l'~.*** 점점 더 어려움이 많아진다, 일이 지체된다.

aubergine [obɛʀʒin] *adj.* 《불변》 가지빛의. ── *f.* 〖식물〗 가지.

aubergiste [obɛʀʒist] *n.* 여인숙 주인〔안주인〕.

aubier [obje] *m.* 〖식물〗 ① 백목질(白木質). ② 《지방어》 버드나무.

auburn [obœʀn] 〔영〕 *adj.* 《불변》 적갈색의.

⁑**aucun, e** [okœ̃, -yn] *adj. indéf.* ① 《긍정 · 비교 · 불확실 · 의문 · 가정을 나타내는 글에서》 어떤, 어느(= quelque) : Il travaille mieux qu'~ autre. 그는 다른 어떤 사람보다도 일을 더 잘한다 / Est-il ~*e* récompense plus belle ? 그보다 더 좋은 보수가 있을까 ? / s'il y a ~ empêchement 혹시 무슨 지장이 있으면. ② 《부정 ; ne 또는 sans 을 동반 ; 단 생략문에서는 단독》 어떠한, 하나도, 조금도(= pas un, pas une) : *sans* ~*e* exception ; *sans* exception ~*e* 하나의 예외도 없이 / Le fait *n'a* ~*e* importance. 이 사실은 조금도 중요하지 않다 / *A~* physicien *n'*ignore que... 어느 물리학자도 …을 모르는 사람은 없다. ③ (*pl.*) 《복수로만 쓰이는 명사 앞》 ~*es* funérailles 어떤 장례식도. ***d'~es fois*** 《문어》 때때로, 가끔. ── *pron. indéf.* ① 《긍정 · 비교 · 불확실 · 의문 · 가정을 나타내는 글에서》 어떤 사람, 어느 누구 : Je doute qu'~ d'eux réussisse. 그들 중에서 어느 누가 성공할지 의문이다. ② 《부정 ; ne 또는 sans 을 동반 ; 단, 생략문에서는 단독》 어느 누구도, 아무도 ; 어느 것도, 아무것도 : *A~ ne* me plaît. 아무(것)도 내 마음에 안 든다 / 《~ d'entre》 *A~ d'entre* vous *ne* permettra cette infamie. 당신들 중에 아무도 이런 수치를 용납하지 않을 것이오 / 《en 과 함께》 Il *n'en* est venu ~. 그중에 아무도 오지 않았다. ③ (*pl.*) 《문어》 《~s, d'~s》 어떤 사람들 : *A~s* 〔*D'~s*〕 pourront critiquer cette attitude. 이런 태도를 나무라는 이들도 있을 것이다. ***A~ n'est prophète dans*** 〔***en***〕 ***son pays.*** 《속담》 어느 누구도 제 고장에서는 존경〔인정〕 받기가 어렵다.

aucunement [okynmɑ̃] *adv.* ① 《부정》 조금도, 추호도(= nullement), 전혀 : Il n'est ~ responsable. 그에게는 조금도 책임이 없다. ② 《긍정》 얼마간, 어느 정도, 조금이라도 : Le connaissez-vous ~ ? 그를 조금이라도 알고 있습니까 ?

***audace** [odas] *f.* ① 대담(성)(= hardiesse,

bravoure) ; 대담한 수법 : coup d'~ 대담한 행동. ② 뻔뻔스러움, 방약무인(= aplomb, insolence). ***avec ~*** = audacieusement. ***avoir l'~ de***+*inf.* 대담하게도 …하다 : Il *a eu l'~ de* me contredire. 그는 건방지게 나를 반박했다. ***payer d'~*** 대담하게 해치우다 ; 자진하여 난국에 임하다.

audacieusement [odasjøzmɑ̃] *adj.* 대담〔과감〕하게 ; 뻔뻔스럽게 ; 방약무인하게.

***audacieux, euse** [odasjø, -ø:z] *adj.* et *n.* 대담〔과감〕한 (사람) ; 뻔뻔스러운 (사람).

au-deçà [odsa] *loc. adv.* ⇒ deça.

au-dedans [oddɑ̃] *loc. adv.* ⇒ dedans.

au-dehors [odəɔ:ʀ] *loc. adv.* ⇒ dehors.

au-delà [odla] *loc. adv.* ⇒ delà. — *m.* 《복수불변》 저승, 내세.

⁑au-dessous [odsu] *adv.* ① (그) 아래에, 그 밑에, (그) 아래층에 ; (그) 아래쪽〔남쪽 · 하류〕에 : Il n'y a personne ~. 아래엔 아무도 없다 / locataires ~ 아래층에 세든 사람들. ② 그 이하로 : Les enfants de dix ans et ~ paient demi-place. 열 살 이하의 아이들은 요금이 반이다. ③ 멀리 (저편에) ; 하루에 ; (그) 하위에 : village qui est à trois lieues ~, 30 리 밖에 있는 마을. ***~ de*** ⓐ …아래에〔의〕, …밑에〔의〕; …아래쪽〔남쪽 · 하류〕에〔의〕 : jupe ~ *du* genou 무릎 밑까지 오는 스커트. ⓑ …이하로〔의〕, 미만의 : six degrés ~ *de* zero 영하 6 도 / vendre 〔acheter〕 un objet ~ *de* sa valeur 어떤 물건을 제값보다 싸게 팔다〔사다〕. ⓒ …보다 하위의〔에〕 : être ~ *de* tout 무능하다, 아무것도 감당 못하다 / Il reste ~ *de* lui même. 그는 자기 진가를 충분히 발휘하지 못하고 있다 / 《비인칭》 Il est ~ *de* lui de se plaindre. 그가 불평을 하다니 그 사람답지 않다.

⁑au-dessus [odsy] *adv.* ① (그) 위에, (그) 위층에 ; (그) 위쪽〔북쪽 · 상류〕에 : Les chambres sont ~. 침실들은 위층에 있다 / cour avec un vitrage ~ 유리 지붕으로 덮인 안마당. ② (그) 이상으로 : La température atteint trente degrés et ~. 기온이 30 도나 그 이상 오른다 / mille francs et ~, 1,000 프랑과 그 이상. ③ (그) 상위에 : Il n'y a rien ~. 그보다 더 나은 것은 없다. ***~ de*** ⓐ …위에〔의〕; …위층에〔의〕; 위쪽〔북쪽 · 상류〕에〔의〕: L'avion est ~ *de* la Méditerranée. 비행기는 지중해 위를 날고 있다. ⓑ …이상으로〔의〕: cinq degrés ~ *de* zero 영상 5 도 / vendre ~ *du* cours 시가 이상으로 팔다. ⓒ …보다 상위에〔의〕; …을 초월해서 : être ~ *de* soi-même 자기 실력 이상의 힘을 발휘하다 / Cela est ~ *de* mes forces. 내가 감당하지 못할 일이다.

au-devant [odvɑ̃] *adv.* 앞에 ; 마중하러. ***aller ~ de*** qn …을 마중 나가다 ; 선수를 치다 : *aller ~* des desirs 〔souhaits〕 *de* qn …가 바라는 바를 미리 알아서 조처하다.

audibilité [odibilite] *f.* 가청도(可聽度).

audible [odibl] *adj.* 들을 수 있는, 가청의 ; 귀에 거슬리지 않는.

audience [odjɑ̃:s] *f.* ① 《옛》 듣기 ; 경청(傾聽) ; 관심 : trouver 〔avoir〕 l'~ de qn …의 관심을 끌다. ② 알현(謁見) ; 접견 ; 회견, 면담(= entretien) : donner ~ 면담하다. ③ (형사의) 심문, (민사의) 변론 ; 〖법률〗 공판 ; 법정. ④ 청중 ; 《집합적》 방청인. ***~ à huis clos*** 비공개 심문. ***~ publique*** 공판. ***ouvrir l'~; tenir ~*** 개정하다.

audimat [odima] *m.* (*pl.* ~(**s**)) ① 시청률 조사기〔측정기〕(= médiamat). ② 시청률.

audimètre [odimɛtʀ] *m.* (라디오 · 텔레비전의) 시청률 조사〔측정〕 장치.

audio- *préf.* 「청취」의 뜻.

audiogramme [odjɔgʀam] *m.* 〖의학〗 오디오그램, 청력도(聽力圖).

audiomètre [odjɔmɛtʀ] *m.* 청력계.

audionumérique [odjɔnymeʀik] *adj.* (소리가) 숫자로 기록된 : disque ~ 콤팩트디스크.

audiophile [odjɔfil] *n.* 오디오광(狂).

audiophone [odjɔfɔn], **audiphone** [odifɔn] *m.* 보청기.

audio(-)visuel, elle [odjɔvizɥɛl] *adj.* 시청각의. ***enseignement ~*** 시청각 교육.

***auditeur, trice** [oditœ:ʀ, -tʀis] *n.* 듣는 사람, 방청인 ; 청취자 ; 〖학생〗 청강생 : ~ libre (자유) 청강생 / les ~*s* 청중. — *adj.* 청취역(役)의, 배석의 : juge ~ 배석 판사. — *m.* 〖상업〗 감사역 ; 〖군사〗 법무관.

auditif, ive [oditif, -i:v] *adj.* 〖해부〗 귀의, 청각의, 청력(聽力)의.

audition** [odisjɔ̃] *f.* ① 듣기, 청취 ; 〖법률〗 신문(訊問), 심문 : ~ des témoins 증인 심문. ② 청취 테스트, 오디션. ③ 청력, 청각. ④ (연주가 · 가수의) 발표회, 연주회. ***~s musicales 라디오 콘서트. ***donner une ~*** 공중 앞에서 연설〔연주〕하다.

auditionner [odisjɔne] *v.t.* …의 청취 테스트를 하다, 오디션을 하다. — *v.i.* 청취 테스트를 받다, 오디션을 받다.

***auditoire** [oditwa:ʀ] *m.* ① 청중, 방청인(= assistance, public). ② 법정, 공판정 ; 강당.

auditorium [oditɔʀjɔm] *m.* ① (음악 · 연극 따위의) 강당. ② 방송실, 스튜디오, 녹음실.

auge [o:ʒ] *f.* ① 구유, 여물통 ; (말 · 소의) 물통(= abreuvoir). ② (미장이의) 반죽통.

augmentation** [ɔ(o)gmɑ̃tasjɔ̃] *f.* ① 증가, 증대 ; 불어나게 하기 : ~ de la circulation 교통량의 증가. ② (급료의) 인상 ; (가격의) 오름, 등귀(= hausse) : demander une ~ 급료의 증액을 요구하다. ③ 〖인쇄〗 증보. ④ 〖음악〗 증음(법). ***être en ~ 늘고 있다.

augmenter** [ɔ(o)gmɑ̃te] *v.t.* ① 늘리다, 불리다, 증가〔증대〕시키다(= hausser ; ≠ diminuer) ; (가옥을) 증축하다 ; (서적을) 증보하다 : ~ sa maison 집을 증축하다 / ~ la vitesse de la voiture 차의 속도를 증가시키다. ② ⓐ (가격 · 봉급 따위를) 올리다, 인상하다 ; …의 값을 올리다 : ~ le prix 가격을 인상하다 / ~ le pain 빵값을 인상하다. ⓑ 《~ qn》 …의 급료를 올리다 : ~ ses employés de cinq pour cent 종업원의 월급을 5% 인상하다. ***édition augmentée 증보판. — *v.i.* ① 늘다, 증가하다 ; 강물이 붇다 ; 《주어 : qn》 진보하다 : ~ en beauté 더 예뻐지다. ② 값이 오르다 : La vie *augmente* beaucoup. 생활비가 대단히 올랐다. — **s'~** *v.pr.* 늘다, 증가하다.

augure[1] [ɔ(o)gy:ʀ] *m.* ① 〖고대로마〗 점복

관(占卜官). ② 점쟁이(= devin) ; 예언자.

augure² *m.* ①〖고대로마〗점, 점술 ;《특히》새점. ② 징조, 전조(前兆)(= présage). ***en accepter l'~*** 그렇게 되기를 바라다. ***oiseau de bon* 〔*mauvais*〕 *~*** 길조〔흉조〕의 새 ; 재수 있는〔없는〕 사람. ***prendre*** qc ***à bon ~*** …을 길조로 여기다.

augurer [ɔ〔o〕gyʀe] *v.t.* 점치다 ; 추측〔예측〕하다. ── *v.i.* 예측하다. ***~ bien*** 〔***mal***〕 ***de*** qc …에 관해 낙관〔비관〕적 예측을 하다.

auguste [ɔ〔o〕gyst] *adj.* 엄숙한, 존엄한, 위엄 있는(= grand, solennel).

auj. 《약자》 aujourd'hui 오늘, 금일.

:aujourd'hui [oʒuʀdɥi] *adv.* ① 오늘 : journée d'~ 오늘 하루 / Il part ~. 그는 오늘 출발한다 / *A*~ nous sommes le dix septembre. 오늘은 9 월 10 일이다. ② 오늘날, 요즘, 지금(= maintenant) : *A*~, tout le monde a le télévision. 오늘날 모든 사람들이 TV를 갖고 있다. ***d'~*** ⓐ 오늘부터(= à partir d'~). ⓑ 오늘 중에(는) : Il ne viendra pas *d'*~. 그는 오늘은 오지 않을 것이다. ***d'~ en huit*** 〔***en quinze***〕 내주〔내내주〕의 오늘. ***il y a ~ huit jours*** 지난 주의 오늘. ***le*** 〔***au***〕 ***jour d'~*** 《구어》 오늘 이날에, 오늘날.
── *m.* 《불변》 오늘 ; 오늘날 ; 요즘 : la Corée d'~ 오늘의 한국 / les jeunes gens d'~ 요즘 젊은이들.

aulne [o:n] *m.* = aune¹.

aulx [o] *m. pl.* 《ail 의 복수》〖식물〗마늘.

aumône [ɔ〔o〕mo:n] *f.* 보시(布施), 동냥(= charité) ; 은혜 ; 혜택 : faire 〔donner〕 l'~ à un mendiant 거지에게 적선하다.

aumônier [ɔ〔o〕monje] *m.* ① 보시 분배 사제, 어용 사제. ② (학교 · 교도소 따위의) 부속 사제 : ~ militaire 군목(軍牧).

aune *f.* ①《옛》온《길이의 단위, 1.188 m에 해당》. ② 온 자 ; 자, 척도. ***L'homme ne se mesure pas à l'~.*** 《격언》 사람은 자로 잴 수 없다.

:auparavant [opaʀavɑ̃] *adv.* 미리, 먼저, 사전에, 이전에, 그전에 : comme ~ 그전〔종전〕대로 / quelques mois ~ 몇 달 전에 / Vous me raconterez cela, mais ~ asseyez-vous. 그것을 얘기해 주세요, 하지만 먼저 앉으세요. ── *prép.* 《옛》 …전에(= avant) : ~ le départ 출발 전에.

auprès** [opʀɛ] *adv.* 옆에, 곁에 : lieux situés ~ 아주 가까이에 위치한 장소 / Approchez-vous, Il faut vous asseoir ~. 이리 오시오, 곁에 앉아야 합니다. ***~ de qn 〔qc〕 ⓐ …옆〔곁〕에 : La maison est tout ~ *de* l'école. 집은 학교 바로 옆에 있다. ⓑ …에 파견된〔전속된〕 : ambassadeur ~ *du* roi de Suède 스웨덴 주재 대사. ⓒ …에게(서) ; …에 대해 : agir ~ *de* qn …에 대해 영향력을 행사하다 ; …에게 교섭〔운동〕하다 / Il passe pour un avare ~ *d'*elle. 그는 그 여자에게 구두쇠 취급을 받는다. ⓓ …에 비하면 : Cet homme n'est rien ~ *de* lui. 이 사람은 그에 비하면 아무것도 아니다.

***auquel** [okɛl] = à+lequel.

aura [ɔ〔o〕ʀa] *f.* ①〖심령술〗영기(靈氣). ② (어떤 사람의) 영적 분위기 ; 후광(= halo). ③〖의학〗(간질 따위의) 전조.

aur-a, -ai, -as, etc. [ɔ〔o〕ʀ-a, -e, -ɑ] ⇒ avoir 의 직설 · 미래 · 3 · 1 · 2 · 단수.

auréole [ɔ〔o〕ʀeɔl] *f.* ① 후광(後光)(= nimbe). ② 해무리, 달무리(= halo). ③ 영광(= couronne), 광휘(= éclat).

auréolé, e [ɔ〔o〕ʀeɔle] *adj.* 후광으로 둘러싸인 ; 영광에 빛나는.

auréoler [ɔ〔o〕ʀeɔle] *v.t.* 후광으로 둘러싸다〔장식하다〕(= glorifier).

auriculaire [ɔ〔o〕ʀikylɛ:ʀ] *adj.* 귀의 ; 귀로 듣는 : protecteur ~ 귀마개, 귀덮개. ── *m.* 새끼손가락(= doigt ~).

aurifère [ɔ〔o〕ʀifɛ:ʀ] *adj.* 금을 함유한, 금이 채취되는 : sable ~ 사금.

aurifier [ɔ〔o〕ʀifje] *v.t.* (치아에) 금으로 봉을 박다, 금을 씌우다 : dent *aurifiée* 금니.

auriste [ɔ〔o〕ʀist] *m.* 이과(耳科) 전문 의사.

aurochs [ɔ〔o〕ʀɔks] *m.* 〖동물〗들소.

aur-ons, -ont [ɔ〔o〕ʀɔ̃] ⇒ avoir 의 직설 · 미래 · 1 · 3 · 복수.

aurore [ɔ〔o〕ʀɔ:ʀ] *f.* ① 여명, 서광 ; 새벽(= aube) : à l'~ 새벽에. ② 여명기, 초기, 초창기 : être à l'~ de …의 초기〔여명기〕에 있다. ③ 동쪽. ④ 극광(極光), 오로라 : ~ boréale 〔australe〕 북〔남〕극광. ⑤ (*A*~) 〖로마신화〗아우로라《여명의 여신》. ***Travail d'~ amène l'or.*** 《속담》 새벽 일은 황금을 가져온다. 「진.

auscultation [ɔ〔o〕skyltɑsjɔ̃] *f.* 〖의학〗청

***ausculter** [ɔ〔o〕skylte] *v.t.* ① 청진하다 : ~ (les poumons d')un malade 환자(의 폐)를 청진하다. ② 《비유》 상세히 검토하다.

auspice [ɔ〔o〕spis] *m.* ① (흔히 *pl.*) 새점(占) ; 점 ; 점복관(占卜官). ② (*pl.*) 징조, 전조(= augure, présage), 운수 : prendre les ~*s* 길흉을 점치다. ③ (*pl.*) 보호, 찬조, 후원(= protection, patronage). ***sous de bons*** 〔***mauvais***〕 ***~s*** 운 좋게〔운 나쁘게〕, 좋은〔불리한〕 조건으로. ***sous les ~s de*** qn 〔qc〕 …의 보호〔후원〕하에.

:aussi [osi] *adv.* ① 역시, 또한 : Il se trompe et vous ~. 그는 오해하고 있습니다, 그리고 당신도 / J'admets ~ qu'il est intelligent. 나는 그가 영리하다는 것도 인정한다. ② 마찬가지로, 매한가지로 : Si vous entrez partout, ~ font les autres. 당신이 어디에나 들어가면 다른 사람들도 그렇게 한다. ③ 또, 게다가(= encore) : Il parle l'anglais et ~ l'allemand. 그는 영어에다 독일어까지 한다. ④ 《~+형용사〔부사〕+que》 …만큼, 같은 정도로 : Il est ~ grand *que* Jean. 그의 키는 장과 같다 / Il court ~ vite *que* vous. 그도 당신만큼 빨리 달린다 / Elle est ~ bonne *que* vertueuse. 그녀는 덕성이 높기도 하려니와 아름답기도 하다. ⑤ 《que 이하의 생략》 그만큼, 그렇게 : Je n'ai rien vu d'~ joli (*que* cela). 나는 그렇게 아름다운 것을 본 적이 없다. ⑥ 《양보》 《~+형용사〔부사〕+que+*sub.*》 아무리 …라 할지라도 : ~ riche *qu'*il soit ; ~ riche soit-il 그가 아무리 부자라 할지라도. ***~ bien que*** ⓐ …와 마찬가지로 : Vous le savez ~ *bien que* moi. 당신도 나와 마찬가지로 그것을 알고 있소. ⓑ …도 …도《동사는 단 · 복수 모두

쓰임》: Lui, ~ *bien que* sa femme pleuraient 〔pleurait〕. 그도 그의 아내도 다같이 울었다. **~ *longtemps que*** + *ind.* …하는 동안은, …하는 한. **~ *peu que*** 마찬가지로 … 아니다 : Il sait le latin ~ *peu que* le grec. 그는 그리스어와 마찬가지로 라틴어도 모른다. **~ *... que possible*** 되도록 …하게 : Venez me voir ~ souvent *que possible.* 되도록 자주 나를 보러 오시오. ***ne ... pas seulement...*, *mais* ~〔*encore*〕** ⇒ seulement.

— *conj.* 따라서, 그래서, 그러므로《절의 첫머리에 오며, 주어·동사의 위치가 흔히 바뀜》: Ces fleurs sont belles, ~ elles coûtent 〔coûtent-elles〕 cher. 이 꽃은 아름답다, 그래서 비싸다. **~ *bien*** 여하튼 ; 사실, 결국, …이니까(= après tout) : Laissez cette affaire ; ~ *bien*, je la connais mieux que vous. 이 일에 간섭하지 말아요. 사실 당신보다 내가 더 잘 알고 있으니까. ***mais* ~** 사실(= en effet) ; 게다가(= au surplus): *Mais* ~, pourquoi a-t-il accepté ? 게다가 그는 어째서 승낙했을까요 ?

aussitôt** [osito] *adv.* ① 곧, 즉각, 즉석에서(= immédiatement) : Il déguerpit ~. 그는 곧 도망쳤다. ② ⓐ《~+명사+과거분사》…하자마자 곧 : *A*~ l'argent reçu, je vous payerai. 돈을 받는 대로 지불해 드리겠습니다. ⓑ《~+과거분사〔상황보어〕》~ vêtu 옷을 입자 곧 / ~ seul 혼자되자 곧 / ~ dans la rue 거리에 나서자 곧. ***A~ fait que dit ; A~ dit, ~ fait. 말이 떨어지자마자 그렇게 됐다〔행해졌다〕. **~ *que*** + *ind.* …하자마자 : Il la reconnut ~ *qu'*il la vit 〔l'eut vue〕. 보자마자 그는 그녀를 알아보았다. **~ *que possible*** 되도록 빨리. — *prép.* …직후에 : ~ le jour 날이 밝자마자 / J'écrivis ~ mon arrivée. 도착하자마자 곧 나는 편지를 썼다.

auster [ɔ〔o〕stɛːʀ] *m.* 남풍.

austère [ɔ〔o〕stɛːʀ] *adj.* 엄한 ; 엄격한, 준엄한(= puritain, sévère) : homme ~ 엄격한 사람 / vie ~ 절제하는 생활.

austèrement [ɔ〔o〕stɛʀmɑ̃] *adj.* 엄하게, 엄격하게, 준엄하게.

austérité [ɔ〔o〕steʀite] *f.* ① 엄함 ; 준엄함. ② 간결 ; 간소. ③ (*pl.*) 고행 ; 내핍 생활.

austral, e, aux [ɔ〔o〕stʀal, -o] *adj.* 남쪽의, 남극의(≠boréal) : Continent ~ 오스트레일리아 / pôle ~ 남극 / terre ~*es* 남극 지방.

australien, enne [ɔ〔o〕stʀaljɛ̃, -ɛn] *adj.* 오스트레일리아(*Australie*)의. — ***A~*** *n.* 오스트레일리아 사람.

autan [otɑ̃] *m.* (남프랑스의) 남서풍 ; (*pl.*)《시어》 질풍 ; 열풍(= vent violent).

‡autant [otɑ̃] *adv.* Ⓐ《주로 que 와 함께 동등을 나타냄》그만큼, 그 정도로, 같은 정도로. ①《수·양·질의 동등》Ils sont ~ *que* vous. 그들은 당신들과 동수이다 / Ma voiture vaut ~ *que* la vôtre. 내 차는 당신 차만큼 값이 나간다 / Courageux, il l'est ~ *que* vous. 용감한 점에서는 그는 당신에 뒤지지 않는다 /《~ de+명사》Il y avait ~ *d'*hommes *que de* femmes. 같은 수의 남녀가 있었다 /《비교의 que 없이》Je ne l'ai jamais vu manger ~. 그가 그토록 먹는 것을 나는 본 적이 없다. ②《정도의 동등》Elle ne me plaît pas ~ *que* sa sœur. 그녀는 그의 누이만큼 내 맘에 들지 않는다 /《~ que+절》Il travaille ~ *qu'*il peut. 그는 최선을 다해 일한다.

Ⓑ ①《주어는 복수》《être ~ de+명사》어느 것이나, 죄다, 모두다 : Ses paroles *sont* ~ *de* mensonges. 그의 말은 죄다 거짓말이다 / Tous les Coréens *sont*-ils ~ *d'*artistes ? 한국인은 모두가 예술가일까 ? ②《C'est ~ de+과거분사》그 정도만큼 …이다 : *C'est* ~ *de* fait 〔*de* gagné, *de* perdu, *de* pris〕. 그만큼 해치운〔덕 본, 손해 본, 빼앗긴〕 셈이 된다. ③《en+동사 ~》마찬가지로〔똑같이〕 …하다 : Tâchez d'*en* faire ~. 똑같이 하도록 애써 보시오.

~ + *inf.* …하는 것과 마찬가지이다 ; 차라리 …하는 편이 낫다 : *A*~ parler à un mur. 소귀에 경읽기, 벽에 대고 말하는 것과 마찬가지이다 / *A*~ commencer tout de suite. 당장 시작하는 편이 낫다. ***A~*** + *inf.* = *A*~ vaut + *inf.* **~... *comme*...**《구어》…만큼 …한 : Il n'est pas ~ beau *comme* toi. 너만큼 그는 미남이 아니다. **~ *de*** + 명사(+ ***que***) …와 같은 양〔수〕만큼 : Il a ~ *d'*amis *que* vous. 그에게도 당신만큼 친구가 있다 / Il y a ~ *d'*étudiants que *d'*étudiantes. 여학생과 같은 수의 남학생이 있다. **~ (*de*)... ~ (*de*)...** …와 같은 만큼〔마찬가지로〕 … : *A*~ *de* têtes, ~ *d'*avis.《속담》열이면 열 다 의견이 다르다, 각인각색. **~ *dire*** 사실상, 말하자면 : Elle a ~ *dire* accepté. 그녀는 수락한 거나 다름없다. **~ *dire* (*que*)** …라고 해도 과언이 아니다 : *A*~ *dire qu'*il est un sot. 그는 바보라 해도 과언이 아니다. **~ *que*** ⓐ …만큼 : Je travaille ~ *que* lui. 나도 그만큼 일을 한다. ⓑ《~ que+*ind.*[1]》…만큼, …와 마찬가지로 : Faites ~ *que* vous pourrez. 최선을 다하시오. ⓒ《~ que+*ind.*[2] 〔《드물게》*sub.*〕》…하는 한(에 있어서) : ~ *qu'*il m'en souvient 〔souvienne〕 내가 기억하고 있는 한에서는 / L'homme n'est responsible qu'~ *qu'*il est libre. 인간은 자유로운 한에 있어서만 책임이 있다. ⓓ《~ que+*sub.*》① 아무리 많이 …하더라도《양보》: ~ *qu'*il ait plu 아무리 비가 많이 왔더라도. ⓔ …하는 편이 낫다 : *A*~ *qu'*il le sache tout de suite. 그가 그것을 곧 아는 편이 차라리 낫다. **~ *...que*** ⓐ …만큼 : Qu'il fasse ~ pour vous *que* j'ai fait pour lui. 내가 그를 위해서 한 만큼 그도 당신을 위해서 해야 한다. ⓑ …임과 마찬가지로〔동시에〕 : C'est ~ ta faute *que* la mienne. 그것은 내 잘못인 동시에 네 잘못이기도 하다. **~ *que possible* ; ~ *qu'il est possible* ; ~ *que faire se peut*** 되도록, 될 수 있는 대로. **~ *que si ...*** 마치 …처럼(= comme si). **~ (*vaut*)** + *inf.* (***que*** (***de***) + *inf.*) (…하는 것보다) …하는 편이 낫다 : *A*~ (*vaut*) faire cela sur-le-champ *que* (*de*) différer. 미루는 것보다 즉시 그것을 하는 편이 낫다. ***d'*~** ⓐ 그만큼 : Cela augmente *d'*~ son profit. 그만큼 그의 이득은 커진다. ⓑ boire *d'*~ 실컷 마시다. ***D'*~ *plus !*** 더군다나 그

렇다! ***d'~ plus*** 〔***mieux***〕 그만큼 더 많이〔잘〕, 그만큼 더욱 : Je l'en aime *d'~ plus.* 나는 그래서 더욱 더 그를 사랑한다. ***d'~ plus*** 〔***mieux, moins***〕***... que...*** 《원인절》 …인 만큼 더 (많이〔잘, 적게〕) …하다 : Je peux *d'~ mieux* le comprendre *que* j'ai eu la même maladie autrefois. 나도 예전에 같은 병을 앓은 일이 있기 때문에 그를 더더구나 잘 이해할 수 있다. ***d'~ plus*** 〔***mieux, moins***〕***... que... plus*** 〔***moins, davantage***〕 …하면 할수록 더욱 …하다 : On attire *d'~ plus* d'amis *que* l'on est *plus* généreux. 너그러우면 너그러울수록 많은 친구가 생기게 마련이다. ***d'~ que***+*ind.* …이므로, …이니까 : Je n'accepterai pas cette condition, *d'~ qu'*elle est inutile. 그 조건은 받아들일 수 없습니다. 소용없는 일이니까요. ***pour ~*** 그렇다고 해서《부정문과 의문문에서만 쓰임》 : Pleurera-t-elle *pour ~*? 그렇다고 해서 그 여자가 울까? ***pour ~ que***+*ind.*〔*sub.*〕 …하는 한(에서는) : *pour ~ que* je puis 〔puisse〕 me rappeler 내가 기억하는 한에서는. ***tout ~*** [tutotɑ̃] 똑같이.

autarcie [otarsi] *f.* 자급자족, 자립.

autarcique [otarsik] *adj.* 자급자족에 입각한.

autel [ɔ(o)tɛl] *m.* ① 제단 ; 〖가톨릭〗 제대, 성단 : (saint) sacrifice de l'~ 미사. ② (상징적으로) 종교, 교회. ***conduire*** 〔***accompagner, suivre***〕 qn ***à l'~*** …와 결혼하다.

auteur** [otœːr] *m.* ① 만들어 낸 사람, 창조자, (= créateur) : ~ de l'invention 발명자. ② 작가, 저자 : ~*s* modernes 현대 작가. ③ 주모자, 장본인 : ~ du crime 범(죄)인. ***droit d'~ 저작권. ***droits d'~*** 인세.

authenticité [ɔ(o)tɑ̃tisite] *f.* 진정함 ; 원본임 : certificat d'~ (그림 따위의) 감정서.

authentification [ɔ(o)tɑ̃tifikɑsjɔ̃] *f.* (확실성의) 인증 : cachet d'~ 인증인(印).

authentifier [ɔ(o)tɑ̃tifje] *v.t.* 정당성을 인정〔증명〕하다 ; 공증하다 : ~ une signature 서명을 인증하다.

***authentique** [ɔ(o)tɑ̃tik] *adj.* ① 진정한(= vrai, véritable) ; 진짜인(= original) ; 확실한 : documents ~*s* 확실한 자료 / livre ~ 진본 (≠apocryphe). ② 진실된 : sentiments ~*s* 진실된 감정. ③ 〖법률〗 인증〔공증〕된, 공정한 : testament ~ 공증된 유서〔유언〕.

authentiquement [ɔ(o)tɑ̃tikmɑ̃] *adv.* 진정〔진실〕하게, 확실히, 틀림없이.

autisme [ɔ(o)tism] *m.* 〖심리〗 자〔내〕폐증.

autiste [ɔ(o)tist], **autistique** [ɔ(o)tistik] *adj.* 자폐증의. ── *m.* 자폐증 환자.

***auto** [ɔ(o)to] *f.* 《구어》 자동차(= automobile) : aller en ~ 자동차로 가다 / faire de l'~ 자동차에 열중하다.

auto- *préf.* 「자동·자율」, 「자신의·자체의」의 뜻(≠hétéro-).

auto-accusation [ɔ(o)toakyzɑsjɔ̃] *f.* 자기 고발, 자기 규탄 ; 〖심리〗 자책 관념.

auto(-)adhésif, ive [ɔ(o)toadezif, -iːv] *adj.* 접착식의, (봉투·라벨 따위가) 풀 없이 붙는(= autocollant). ── *m.* 접착 테이프; 풀 없이 붙는 봉투〔라벨〕, 스티커.

auto-allumage [ɔ(o)toalymaːʒ] *m.* 자동점화.

autoberge [ɔ(o)tobɛrʒ] *f.* 제방 도로.

autobiographe [ɔ(o)tobjɔgraf] *m.* 자서전 작가.

autobiographie [ɔ(o)tobjɔgrafi] *f.* 자서전.

autobiographique [ɔ(o)tobjɔgrafik] *adj.* 자서전적인, 자서전풍의.

autobronzant, e [ɔ(o)tobrɔ̃zɑ̃, -ɑ̃ːt] *adj.* 선탠 제품의. ── *m.* 선탠 제품.

***autobus** [ɔ(o)tobys] *m.* 승합자동차, 버스, 시내버스 : ligne d'~ 버스 노선 / prendre l'~ 버스를 타다.

***autocar** [ɔ(o)tokaːr] *m.* 관광〔유람〕 자동차 ; 시외버스(= car).

autocaravane [ɔ(o)tokaravan] 〔영〕 *f.* 캠핑카, 야영차 ; 이동 주택(= motor-home).

autocensure [ɔ(o)tosɑ̃syːr] *f.* 자기 검열, 자주 규제.

autochenille [ɔ(o)toʃnij] *f.* 무한궤도 자동차.

autochtone [ɔ(o)tɔktɔn] *adj.* 토착의(= aborigène), 본토박이의 ; 원산의 : peuple ~ 토착민. ── *n.* 토착인 ; 원주민.

autoclave [ɔ(o)toklaːv] *adj.* 자동 폐쇄의. ── *m.* 증기 소독기 ; 고압솥〔냄비〕

autocollant, e [ɔ(o)tokɔlɑ̃, -ɑ̃ːt] *adj.* (봉투·라벨 따위가) 풀 없이 붙이는. ── *m.* 풀 없이 붙는 봉투〔라벨〕.

autocopie [ɔ(o)tokɔpi] *f.* 자동 복사(물).

autocrate [ɔ(o)tokrat] *adj.* 전제〔독재〕의. ── *m.* 전제 군주, 독재자.

autocratie [ɔ(o)tokrasi] *f.* 전제 정치, 독재 정치.

autocratique [ɔ(o)tokratik] *adj.* 전제〔독재〕적인.

autocritique [ɔ(o)tokritik] *f.* 자기 비판.

autocuiseur [ɔ(o)tokɥizœːr] *m.* 압력솥.

autocycle [ɔ(o)tosikl] *m.* 오토바이.

autodafé [ɔ(o)todafe] *m.* ① (종교 재판의) 판결 선고 ; 화형. ② 《구어》 소각(燒却).

autodéfense [ɔ(o)todefɑ̃s] *f.* 자기 방어, 자위(自衛).

autodestruction [ɔ(o)todɛstryksjɔ̃] *f.* (정신적·육체적) 자기 파괴.

autodétermination [ɔ(o)todetɛrminɑsjɔ̃] *f.* 〖정치〗 (한 국가·국민의) 결정, 자결.

autodictée [ɔ(o)todikte] *f.* (초등학생들의) 받아쓰기《철자법을 익히기 위함》.

autodidacte [ɔ(o)todidakt] *adj.* 독학의 ; 저절로 갖추어진. ── *n.* 독학자.

autodidaxie [ɔ(o)todidaksi] *f.* 독학.

autodirecteur [ɔ(o)todirɛktœːr] *adj. m.* 〖군사〗 (미사일의) 자동 추적의. ── *m.* 자동 추적 장치.

autodiscipline [ɔ(o)todisiplin] *f.* 자율 규제, 자체 규제.

autodrome [ɔ(o)todrɔ(oː)m] *m.* 자동차 경기장.

auto-école [ɔ(o)toekɔl] *f.* 자동차 학교.

autofinancement [ɔ(o)tofinɑ̃smɑ̃] *m.* 〖경제〗 자기〔자체〕 자금 충당〔조달〕.

autofinancer [ɔ(o)tofinɑ̃se] *v.t.* …에 자력 출자하다, 자력으로 자본을 대다.

autofocus [ɔ(o)tofɔkys] *adj.* 자동 거리 조절식의. ── *m.* 자동 거리 조절식 사진기.

autogène [ɔ(o)toʒɛn] *adj.* ① 자생의, 자기 발생의. ② 〖야금〗 자동 용접(鎔接)의.

autogestion [ɔ(o)toʒɛstjɔ̃] *f.* (노동자에 의한 경영의) 자주 관리〔운영〕, 조합 관리.

autographe [ɔ(o)tɔgʀaf] *adj.* 자필의, 친필의 : lettre (manuscrit) ~ 자필 서한. ── *m.* ① 자필 (문서, 원고) ; 친필 ; 사인. ② 복사기.

autographisme [ɔ(o)tɔgʀafism] *m.* 【의학】 피부 묘기증(描記症). 「법.

autoguidage [ɔ(o)tɔgidaːʒ] *m.* 자동 유도

auto-immun, e [ɔ(o)tɔi(m)mœ̃, -yn] *adj.* 【의학】 자기(自己) 면역성의.

automate [ɔ(o)tɔmat] *m.* ① 자동 기계(장치) ; 자동 인형 : geste d'~ 기계적인 동작. ② 꼭두각시 ; 괴뢰(= pantin) ; 로봇.

automation [ɔ(o)tɔmɑsjɔ̃] 《영》 *f.* 오토메이션, 자동화 (시스템).

*__automatique__ [ɔ(o)tɔmatik] *adj.* ① 자동의 ; 자동적인 : distributeur ~ de boissons 음료수 자동 판매기 / fermeture ~ des portes 문의 자동개폐 (장치). ② 기계적인 ; 무의식적인 : écriture ~ 자동 기술법 / gestes ~s 기계적 동작. ③ 《구어》 필연적인, 틀림없는. ── *m.* 자동식 권총, 자동식 전화기. ── *f.* 자동화 과학(공학).

automatiquement [ɔ(o)tɔmatikmɑ̃] *adv.* 자동적으로, 기계적으로 ; 무의식적으로.

automatisation [ɔ(o)tɔmatizɑsjɔ̃] *f.* 자동화 ; 오토메이션화.

automatiser [ɔ(o)tɔmatize] *v.t.* 자동식으로 만들다 ; 자동화(오토메이션화)하다.

automatisme [ɔ(o)tɔmatism] *m.* 자동성, 규칙성(= régularité) ; 【생물】 자동(자율) 현상 ; 【철학】 무의식적 운동.

automitrailleuse [ɔ(o)tɔmitʀajøːz] *f.* 【군사】 기관총 장비 장갑(자동)차.

automnal, e, aux [ɔ(o)tɔ(m)nal, -o] *adj.* 가을의.

‡**automne** [ɔ(o)tɔn] *m.* ① 가을 : dans (à) l'~ (de) 2008 ; en ~ de l'année 2008, 2008 년 가을에 / Les feuilles tombent des arbres en ~. 가을에는 낙엽이 진다. ② 난숙기 ; 초로기(初老期) ; 조락기 : être dans son ~ 초로기에 들어서 있다.

*__automobile__ [ɔ(o)tɔmɔbil] *adj.* ① 자동의 : voiture ~ 자동차. ② 자동차의 : assurance ~ 자동차 보험. ***canot ~*** 모터보트. ***route ~*** 자동차 도로. ***salon ~*** 자동차 전시회. ── *f.* (*m.*) 자동차 : ~ de tourisme 승용차/ courses d'~s 자동차 경주.

automobilisme [ɔ(o)tɔmɔbilism] *m.* 자동차 제조(공업 · 경기 · 여행).

*__automobiliste__ [ɔ(o)tɔmɔbilist] *m.* 자동차 운전수(경기자 · 사용자).

automoteur, trice [ɔ(o)tɔmɔtœːʀ, -tʀis] *adj.* 자동의. ── *f.* 【철도】 궤도식 전동차. ── *m.* (모터 달린) 거룻배.

*__autonome__ [ɔ(o)tɔnɔm] *adj.* 자치(자율)의 ; 자주독립의 ; 자주적인 ; 【정치】 자치제의 : État ~ 독립국 / territoire~ 자치령.

autonomie [ɔ(o)tɔnɔmi] *f.* ① 자치권 ; 자치제 ; 자율 ; 자립 : ~ communale 지방 자치. ② 【항공 · 해양】 항속 거리 : ~ de vol (d'un avion) 비행기의 항속 거리.

autonomiste [ɔ(o)tɔnɔmist] *m.* 자치주의자(= indépendantiste). ── *adj.* 자치주의의.

autopompe [ɔ(o)tɔpɔ̃ːp] *f.* 펌프 소방차.

auto(-)portrait [ɔ(o)tɔpɔʀtʀɛ] *m.* 자화상.

autopropulsé, e [ɔ(o)tɔpʀɔpylse] *adj.* 자동 추진에 의한 ; 자동 추진기가 달린.

autopsie [ɔ(o)tɔpsi] *f.* 【의학】 시체 해부 : faire (pratiquer) l'~ 시체를 해부하다.

autopsier [ɔ(o)tɔpsje] *v.t.* 【의학】 …의 시체 해부(검시 해부)를 하다.

auto(-)radio [ɔ(o)tɔʀadjo] *m.* 자동차용 라디오, 카 라디오.

autorail [ɔ(o)tɔʀɑːj] *m.* 레일카, 타이어 달린 디젤카(= automotrice).

autorégulation [ɔ(o)tɔʀegylɑsjɔ̃] *f.* (기계의) 자동 조정 ; (인체의) 자기 조정.

autoreverse [ɔ(o)tɔʀəvɛʀs] *adj.* 《불변》 오토리버스 : magnétophones ~ 오토리버스식 녹음기.

*__autorisation__ [ɔ(o)tɔʀizɑsjɔ̃] *f.* ① 허가, 인가(= permission) : l'~ de+*inf.* …하는 허가(승낙). ② 허가(인가 · 면허)증(= permis).

autorisé, e [ɔ(o)tɔʀize] *adj.* 권한이 부여된 ; 믿을 만한 ; 권위 있는 ; 인정된 : ≪stationnement ~≫ 「주차 허용」.

*__autoriser__ [ɔ(o)tɔʀize] *v.t.* ① …에게 허가하다, 권한을 주다 : Le médecin nous *autorise* la viande. 의사는 우리에게 육식을 허가한다. ② 《~ qn à+*inf.*》 …에게 …하는 것을 허가(허락 · 허용 · 용납)하다(= permettre à qn de) : On l'*a autorisé à* exploiter cette mine. 그는 그 광산의 개발을 허가받았다. ③ 《~ qc》 …을 허락(허가)하다, 인가하다(= permettre) : ~ les sorties 외출을 허가하다. ④ (학설 따위를) 권위 있게 하다. ⑤ 《주어 : qc》 가능케 하다 : Rien ne vous *autorise* à croire cela. 당신이 그렇게 생각할 수 있는 근거는 전혀 없다. ⑥ 《주어 : qc》 정당화하다(= justifier) ; 조장하다(= encourager) : Les violences *autorisent* les représailles. 폭력은 보복을 정당화한다.
── **s'~** *v.pr.* 《s'~ de》 …을 방패(구실)로 삼다 ; …의 권위를 빌다 : *s'~ de* l'exemple 선례를 구실로 삼다.

*__autoritaire__ [ɔ(o)tɔʀitɛːʀ] *adj.* 권력을 남용하는, 전제적(독재적)인 ; 독선적인(= impératif) ; 권위주의의. ── *n.* 독재적인 사람(= tyran, despote) ; 권위주의자.

autoritarisme [ɔ(o)tɔʀitaʀism] *m.* 전제(專制) ; 독선, 억지 ; 독재주의 ; 권위주의.

*__autorité__ [ɔ(o)tɔʀite] *f.* ① 권한 : exercer une ~ absolue 절대적 권한을 행사하다. ② 권위, 위신, 위력(= prestige, empire, influence) : prendre de l'~ 신망을 얻다, 존경받다. ③ 권위자, 권위서. ④ 정부 ; 관청 ; (*pl.*) 당국 : ~s d'une ville 시당국. ***d'~*** 독단으로. ***de pleine ~*** 전권으로. ***de sa propre ~*** 제멋대로, 의논하지 않고. ***faire ~*** 권위가 있다.

*__autoroute__ [ɔ(o)tɔʀut] *f.* 자동차 전용 도로, 고속도로 : ~ urbaine 도시 (관통 · 순환) 고속도로.

autoroutier, ère [ɔ(o)tɔʀutje, -ɛːʀ] *adj.* 자동차 전용 도로의 : réseau ~ 고속도로망.

auto(-)satisfaction [ɔ(o)tɔsatisfaksjɔ̃] *f.* 자기 만족.

autoscopie [ɔ(o)tɔskɔpi] *f.* 【심리】 자기 환시(幻視).

autos-couchettes [ɔ(o)tɔkuʃɛt] *adj.* 《불변》 train ~ 자동차 수송 겸용 침대 열차.

autosome [ɔ(o)tɔzom] *m.* 〖생물〗 상(常) 염색체《성(性)염색체 이외의 염색체》.

***auto-stop** [ɔ(o)tɔstɔp] *m.* 히치하이크 : faire de l'~ 무료 편승하다 / voyager en ~ 무료 편승으로 여행하다.

auto-stoppeur, euse [ɔ(o)tɔstɔpœʀ, -øːz] *n.* 무료 편승하는 사람.

autostrade [ɔ(o)tɔstʀad] *f.* 자동차 전용 도로.

autosuggestion [ɔ(o)tɔsygʒɛstjɔ̃] *f.* 〖심리〗 자기 암시.

auto(-)taxi [ɔ(o)tɔtaksi] *m.* 택시, 전세 자동차 ; 렌터카.

autour¹** [otuːʀ] *adv.* 둘레에, 주위(부근)에(= alentour) : regarder (tout) ~ (사방) 주위를 둘러보다. ***~ de ⓐ …의 주위(부근)에 : Cet enfant est toujours ~ *de* sa mère. 이 애는 늘 자기 엄마 곁에 붙어 있다. ⓑ 약, 대략, 쯤 : ~ *de* 8 heures, 8시쯤. ***tourner ~ de la question*** (***du pot***) 에둘러(완곡히) 말하다.

autour² *m.* 〖조류〗 참매.

⁑autre [oːtʀ] *adj. ind.* ① 《부정관사와 함께》 ⓐ 다른, 별개의(= différent) : Il est devenu *un* ~ homme. 그는 딴 사람이 되었다 / C'est *une* ~ question. 그건 별개의 문제이다. ⓑ 《un(e) ~+시간명사》 (미래의) 어느 : Venez me voir *un* ~ jour (*une* ~ fois, *d'*~*s* fois). 다음 날(다음에) 만나러 와 주시오. ⓒ 또 다른, 제2의(= second) : Donnez-moi *un* ~ verre. 또 한 잔 더 주세요 / *un* ~ Hugo 제2의 위고 / *une* ~ semaine s'écoula, 또 한 주일이 흘렀다. ⓓ 《복수 : d'~s》 Y a-t-il *d'*~*s* solutions? 다른 해결책이 있는가? ⓔ 《~ que...》 …와 다른, …이외의 : Il a acheté *une* ~ chapeau *que* celle-ci. 그는 이것과 다른 모자를 샀다 / 《~... que de+*inf.*》 Je n'ai (pas) d'~ désir *que de* vous plaire. 당신을 기쁘게 해 드리는 것 외에 다른 바람이 없습니다. ② 《정관사와 함께》 ⓐ 또 다른 하나의, 다른 쪽의 : *l'*~ monde 내세, 저세상 / *l'*~ bout 다른 쪽 끝 / *l'*~ rive 반대편 기슭. ⓑ 《le+시간명사》 (과거의) 어느 : *l'*~ jour 전날(에) / *l'*~ fois 지난번 / Elle est arrivée le mardi de *l'*~ semaine. 그녀는 지난주 화요일에 도착했다. ⓒ dans l'un ou *l'*~ cas 그 어느 경우에(나) / L'un et *l'*~ climat m'est (me sont) favorable(s). 그 어떤 기후도 내게는 적합하다. ⓓ 《복수 : les ~s》 그 외의, 나머지의 : Tous *les* ~*s* passagers ont péri. 다른 여행객들은 모두 죽었다. ③ 《관사 없이》 다른, 그 외의 : Il m'a dit cela sans ~ précision. 그는 다른 자세한 말은 없이 내게 그렇게 말했다. ④ 《기타 한정사와 함께》 다른 : mon ~ frère 나의 또다른 형제 / Je ne trouve aucune ~ solution. 나는 어떤 다른 해결책도 찾지 못한다. ⑤ 《부정대명사 뒤에서 : de와 함께 씀》 Y a-t-il quelqu'un *d'*~ ? 누군가 딴 사람이 있습니까? ⑥ 《속사로서》 다른, 상이한 : Mon opinion est ~ que la sienne. 내 의견은 그의 의견과 다르다 / Il est devenu tout ~. 그는 완전히 다른 사람이 되었다 / 《~ que+절》 Il n'est pas ~ *qu'*il paraît. 그는 겉보기와 다르지 않은 사람이다. ⑦ 《인칭대명사 강세형과 함께》 nous (vous) ~*s* 우리들(당신들)《다른 사람들과의 구별을 강조》 / vous ~*s* Français (Coréens) 당신들 프랑스 사람들(한국 사람들). ⑧ 뛰어난, 훌륭한 : C'est un tout ~ écrivain. 그는 매우 뛰어난 작가이다. ***A~ chose..., ~ chose...*** …와 …은 별개의 것이다 : *A~ chose* est de parler, ~ *chose* est d'agir. 말과 행동은 별개의 문제다. ***~ part*** 다른 곳에(서). ***d'~ part*** 또 한편으로는, 게다가 또. ***de***+(부정관사)+명사+***à ~*** (***à l'~***) …에서 …으로 : *d'*un jour *à* l'~ 나날이 ; 순식간에 / *d'*année *à* ~; *d'*une année *à l'*~ 연년 세세, 해마다. ***de temps à ~*** 이따금, 때때로. ***entre ~s choses*** 그중에서도. ***En voilà*** (***voici***) ***une ~!*** 또 난처한 일이 생겼군! ***Il n'en fait par d'~s.*** 그는 늘 똑같은 (바보)짓만 한다.

── *pron. indéf.* ① 《부정관사와 함께》 ⓐ 다른 사람 : Ce n'est pas elle, c'est *une* ~. 저 사람은 그 여자가 아니고 다른 여자이다 / 《d'~s》 *D'*~*s* vous diront que vous avez tort. (다른 사람들은) 모두들 당신이 잘못이라고 말할 것이다. ⓑ 《en과 함께》 또 다른 것 : Donnez-m'*en un* ~. 하나 더 주세요 / C'est une chose de promettre, c'*en* est *une* ~ de tenir. 약속을 하는 것과 지키는 것은 별개이다. ⓒ (…와는) 별개의 사람 : *un* ~ que moi 나와는 다른 사람. ② 《정관사와 함께》 ⓐ 《l'un, les uns과 대구적(對句的)으로》 다른 사람(것) ; 다른 쪽 : *L'un* est riche, *l'*~ est pauvre. 한 사람은 부자이고 다른 한 사람은 가난하다. ⓑ 《les ~s》 다른 사람(것) ; 타인 : ce que *les* ~*s* pensent de moi 세상 사람들이 나에 대해서 생각하는 것. ③ 《기타 한정사와 함께》 다른 사람 ; 다른 것 : Quel ~? 다른 누구요? / qulque ~ 어떤 다른 사람 / Tout ~ accepterait ces conditions. 다른 사람은 누구나 이 조건을 수락할 것이다. ***A d'~s!*** 다른 데 가서 이야기하시오(믿지 못하겠소). ***entre ~s*** 그 중에서도, 특히. ***l'un et l'~*** 양쪽 모두 : *L'un et l'*~ sont venus (est venu). 두 사람 다 왔다. ***l'un l'~; l'un à l'~; l'un de l'~*** (*f.* ***l'une... l'~;*** *pl.* ***les un***(***e***)***s... les ~s***) 서로 : Ils s'aiment *l'un l'*~. 그들은 서로 사랑한다 / Il s'écrivent *l'un de l'*~. 그들은 서로 편지를 주고받는다. ***Les uns..., d'~s... d'~s...*** 몇몇 사람들은… : *Les uns* allaient à droite, *d'*~*s* à gauche, *d'*~*s* dans tous les sens. 몇 사람은 오른쪽으로, 몇 사람은 왼쪽으로, 또 몇 사람은 여러 방향으로 갔다. ***l'un ou l'~*** 어느 쪽이건, 둘 중 하나 : *l'un ou l'*~ projet 어느 한 쪽의 계획. ***ni l'un ni l'~*** 어느 쪽도 …않다.

── *m.* 〖철학〗 타자(他者).

autrefois** [otʀəfwa] *adv.* 옛적에, 옛날에, 일찍이, 이전에(= jadis). ***d'~ 옛날의. ── *m.* 옛날, 이전 : mœurs *d'*~ 예전의 풍습.

⁑autrement [otʀəmɑ̃] *adv.* ① 다르게, 달리(= différemment), 다른 방법으로 : Faisons ~. 달리 합시다 / Il agrit ~ qu'il (ne) parle. 그는 말과는 달리 행동한다, 언행이 일치하지 않는다 ② 그렇지 않으면(= si non) : Partez tout de suite, ~ vous ne partirez jamais. 당장 떠나시오, 그렇지 않으면 영 떠나지 못할 것입니다. ③ 《구어》 훨

씬(= bien, beaucoup) ; 훨씬 더(= bien plus) ; 유달리, 몹시, 아주, 매우, 썩(= tellement) : Il est ~ intelligent que son frère. 그는 자기 형〔동생〕보다 훨씬 영리하다. ***Il en est bien ~.*** 사정은 전혀 다르다. ***ne... pas ~*** 《구어》 그다지〔별로〕 …않다 : Il *n'*est *pas* ~ riche. 그는 별로 부자가 아니다.

Autriche [otʀiʃ] *n.pr.f.* 〖지리〗 오스트리아.

***autrichien, enne** [otʀiʃjɛ̃, -ɛn] *adj.* 오스트리아(*l'Autriche*)의. ── **A~** *n.* 오스트리아 사람.

autruche [otʀyʃ] *f.* ① 〖조류〗 타조(駝鳥). ② 타조 가죽. ***estomac d'~*** 튼튼한 위. ***pratiquer la politique de l'~*** 위험한 사태를 바로 보기를 회피하다.

autrui** [otʀɥi] *pron. indéf.* 《주어 · 목적보어로 쓰이는 일은 드묾》 타인, 남 : le bonheur d'~ 남의 행복. ***Ne fais pas à ~ ce que tu ne voudrais pas qu'on te fît. 《격언》 네가 원치 않는 바를 남에게 행하지 말라.

auvent [ovɑ̃] *m.* 차일, 차양, 처마 ; 현관 지붕.

aux [o] = à+les.

auxiliaire** [ɔ(o)ksiljɛːʀ] *adj.* 보조〔보좌〕의 ; 부차적인 : personnel ~ (관청의) 고용직. ***bureau ~ 출장소. ── *n.* ① 보조자, 조수 : ~*s* médicaux 의료 보조인. ② 임시 직원 : ~*s* de l'enseignement 임시 교사. ── *m.* 〖문법〗 조동사(= verbe ~).

auxquels, auxquelles [okɛl] = à+lesquel(le)s.

Av.[1] 《약자》 avoir 〖부기〗 대변(貸邊).

A.V., Av.[2] 《약자》 avant 〖기계〗 앞 부분.

a.v. 《약자》 avenue (도시의) 대로, 가(街).

avachi, e [avaʃi] *adj.* ① 후줄근한, (모양이) 일그러진(= déformé). ② 무기력한(= mou, veule) ; (안색 따위가) 생기 없는.

avachir [avaʃiːʀ] *v.t.* ① 《~ qc》 (옷 따위를) 후줄근하게 하다, 일그러뜨리다(= déformer) ; (가죽 따위를) 부드럽게 만들다 : L'usage *a avachi* le pantalon. 오래 입어서 바지가 후줄근해졌다. ② 《~ qn》 무기력하게 만들다, 축 늘어지게하다(= amollir) : La chaleur m'*a* complètement *avachi.* 더위에 나는 완전히 늘어져 버렸다. ── **s'~** *v.pr.* ① (옷 따위가) 후줄근해지다, 일그러지다 ; (가죽 따위가) 부드러워지다 : Son corps *s'avachit.* 그녀의 몸매가 일그러져 간다. ② 무기력해지다, 축 늘어지다.

avachissement [avaʃismɑ̃] *m.* ① 무기력, 축 늘어지기 ; 쇠퇴(= affaiblissement) : ~ intellectuel 지력(智力)의 쇠퇴. ② 일그러진 모양 ; (가죽이) 부드러워짐.

aval[1] [aval] *m.* (*pl.* ~**s**) ① 하류(≠amont) : pays d'~ 하류 지역. ② 〖철도〗 하행(下行). ***canal d'~*** (물방아 · 발전소의) 방수로. ***en ~ (de...)*** (…의) 하류에, (…에) 뒤이어 : île située à 8 km *en* ~ *de* Nantes 낭트 하류 쪽 8 킬로에 위치한 섬. ── *adv.* 하류에〔로〕 : aller ~ 하류로 가다. ── *adj.* 《불변》 〖스포츠〗 (스키어의) 밑에 있는.

aval[2] *m.* (*pl.* ~**s**) ① 〖상업〗 (어음의) 보증, 배서(背書). ② 지지, 찬동. ***donner son ~ à*** qc …에 협조하다, …을 후원하다.

avalanche [avalɑ̃ːʃ] *f.* ① 눈사태 : ~ de terre 산사태. ② 《une ~ de...》 대량〔다량〕의 … : *une* ~ *d'*injures 빗발치는 욕설.

avalancheux, euse [avalɑ̃ʃø, -øːz] *adj.* 눈사태가 일어나기 쉬운. ***zone* 〔*région*〕 *~euse*** 눈사태 구역〔지역〕.

avaler**[1] [avale] *v.t.* ① (꿀꺽) 삼키다(= ingurgiter, gober) ; 먹다(= manger), 마시다 : ~ d'un trait un verre de vin 술 한 잔을 단숨에 마시다. ② (거짓말 따위를) 정말로 믿다, 곧이듣다. ③ 마구 먹다, 탐식하다(= dévorer) ; 탐독하다. ④ 꾹 참다, 감수하다(= supporter) : ~ un affront 모욕을 꾹 참다. ***vouloir tout ~ 무엇이든 덤벼들다《욕심 많고 주제넘은 사람에 대해 씀》.

avaler[2] *v.t.* = avaliser.

avaleur, euse [avalœːʀ, -øːz] *n.* 게걸스럽게 먹는 사람 ; 대식가(= glouton) ; 술고래. ***~ de sabres*** (곡예에서) 칼을 먹는 사람.

avaliser [avalize] *v.t.* ① (어음에) 보증하다, 배서하다. ② 후원하다, …에 협조하다.

avance** [avɑ̃ːs] *f.* ① 전진(= progression), 진행 : ~ d'une armée 군대의 전진. ② 돌출부. ③ (시간 · 공간적으로) 앞서 있음 : arriver (avec) 5 minutes d'~, 5 분 일찍 도착하다. ④ 선불〔가불〕금 ; 대부(금) : faire une ~ à qn …에게 가불하다 / ~ baincaire 은행 대부금. ⑤ (*pl.*) (화해 따위의) 교섭, 제의 ; (가까워지기 위해) 말을 붙이기, 제안 : faire des ~*s* à qn …에게 먼저 말을 붙이다. ***à l'~ ; d'~ ; 《문어》 ***par ~*** 미리, 사전에 : prévenir qn *par* ~ …에게 사전에 알리다. ***avoir* 〔*prendre*〕 *de l'~ sur*** qn …보다 앞서 있다, …을 앞지르다. ***en ~*** 시간 전에, 일찍 ; 앞선(≠en retard) : L'horloge est *en* ~. 벽시계가 빠르다.

***avancé, e** [avɑ̃se] *adj.* ① 앞으로 나간 ; 앞으로 내민, 돌출한 : position ~*e* 전진 진지(陣地). ② ⓐ 앞선 ; 진척된 ; 진보한 : élève ~ 학업이 진보한 학생. ⓑ 너무 이른(= prématuré) : couche ~*e* 조산. ③ 주장된 ; 제시된 : chiffres ~*s* 제시된 수치. ④ 선불된. ⑤ (고기가) 썩기 시작한, (과일이) 너무 익은, (치즈가) 너무 발효한 : fromage très ~ 너무 발효한 치즈. ⑥ (시간이) 흐른, (밤이) 깊은, (나이) 많은 : nuit ~*e* 깊은 밤 / être d'un âge ~ ; être ~ en âge 나이가 많다. ── *f.* ① 돌출(부) ; 앞 부분. ② 낚싯줄의 끝. ③ 《비유》 (협상 따위의) 적극적 제안.

avancement [avɑ̃smɑ̃] *m.* ① 전진 ; 진척 ; 진보, 향상 : ~ des sciences 과학의 진보. ② 승진, 진급(= promotion) : ~ à l'ancienneté 선임순에 따른 승진. ③ 선불.

***avancer** [avɑ̃se] [2] *v.t.* ① 앞으로 내밀다, 앞으로 가게 하다 ; 진척시키다 : ~ la voiture 차를 앞으로 빼다. ② 내놓다, 제시하다(= présenter) ; 주장하다(= affirmer) : Prouvez ce que vous *avancez.* 당신의 주장을 입증하시오. ③ 빠르게 하다, 앞당기다 ; 진척시키다, 추진하다 ; 촉진하다 : ~ son départ 출발을 앞당기다. ④ (이로운 것을) 얻다 ; …에게 이익〔도움〕이 되다 : À quoi cela vous *avance*-t-il? 그래 봐야 그게 당신에게 무슨 도움이 되겠소? ⑤ 승진〔진급〕시키다. ⑥ 선불〔가불〕하다 ; (돈을) 빌려 주다. ── *v.i.* ① 앞으로 나가다, 전진하다 : ~ d'un pas 한 걸음 앞으로 나아가다 / On

n'*avance* pas, il y a un bouchon. 차들이 밀려서 나아가지 못한다. ② 툭 튀어나오다, 돌출하다. ③ 진척되다 ; 진보하다 : ~ dans ses études 연구에 많은 진척을 보다. ④ (시간이) 가다, 흐르다 : La nuit *avance.* 밤이 깊어 간다. ⑤ (시계가) 빨리 가다 : Ma montre *avance* de cinq minutes. 내 시계는 5분이 빠르다. ⑥ 승진〔진급〕하다 ; 성공하다 : ~ à l'ancienneté 연공 서열로 승진하다.
— **s'~** *v.pr.* ① 앞으로 가다〔나아가다〕, 전진하다 : Il *s'avance* pour nous saluer. 우리에게 인사하려고 그가 다가온다. ② 툭 튀어나오다, 돌출하다. ③ 진보되다, 진척되다 : Je *me suis* bien *avancé.* 내 일이 많이 진척되었다. ④ (시간이) 가다, 흐르다 : Le printemps *s'avance.* 춘색(春色)이 짙어 간다.

avanie [avani] *f.* 《구어》 모욕(= affront).

⁑avant¹ [avɑ̃] *prép.* ① 《시간》 …전에 ; …이전에 ; …보다 먼저 ; …까지 ; …이내에 : ~ sept heures 일곱 시 전에 / Il est arrivé ~ moi. 그는 나보다 먼저 도착했다 / Il sera ici ~ une heure. 그는 한 시간 전에〔한 시간 이내에〕 여기 올 것이다. ② 《위치》 …앞에 : maison (juste) ~ la poste 우체국 (바로) 전에 있는 집. ③ 《차례》 …보다 앞에〔먼저 · 위에〕 : mettre la vertu ~ les richesses 덕을 부보다 앞세우다〔더 귀하게 여기다〕. **~ de**+*inf.* **; ~ que de**+*inf.* **; ~ que** (**ne**)+*sub.* …하기 전에 : ~ *de* partir 떠나기 전에 / Le lâche renonce ~ *que d'*avoir entrepris. 겁쟁이는 해보기도 전에 포기부터 한다. **~ tout ; ~ toute(s) chose(s)** 무엇보다도, 맨먼저.
— *adv.* ① 《시간》 전에(= auparavant) ; 먼저(= d'abord) : quelques jours ~ 며칠 전에. ② 《위치》 앞에, 앞으로 : Lequel des deux doit-on mettre ~ ? 둘 중의 어느 것을 앞에 놓아야 할까요? ③ 《차례》 앞에, 먼저 : La préface est ~, la conclusion après. 서문이 앞에 있고 결론은 뒤에 있다. ④ 《assez, bien, fort, plus, si, trop 와 함께》 멀리, 깊이 : Il est mêlé *bien* ~ dans cette affaire. 그는 그 일에 매우 깊이 관련돼 있다. **bien** 〔**très, fort**〕 **~ dans la nuit** 밤이 퍽 깊어서.

avant² *m.* ① 앞부분, 전면, 앞쪽 ; 〖해양〗 뱃머리, 이물 : cabine d'~ 앞쪽 선실 / Le wagon-restaurant est vers l'~ du train. 식당 칸은 기차의 앞쪽에 있다. ② 〖축구〗 포드, 공격수. **aller** 〔**pousser**〕 **de l'~** 전진하다 ; 단행〔강행〕하다. **en ~** 앞에〔으로, 의〕 : *En* ~, marche ! 〖군사〗 앞으로 가 ! **en ~ de** …앞〔선두〕에. — *adj.* 《불변》 앞의 ; 앞부분의 : semaine ~ 전 주일 / places ~ d'un voiture 차의 앞 좌석.

***avantage** [avɑ̃taːʒ] *m.* ① 이익, 이점(利點)(= intérêt) ; 편의 : ~ du métier d'enseignant 교사라는 직업의 장점. ② 유리한 입장, 우위(= supériorité) ; 특권, 특혜(= faveur) : ~ naturel 타고난 유리한 조건 / ~*s* fiscaux 세제상의 특혜. ③ 승리(= victoire) ; 성공(= succès). ④ 기쁨, 영광(= plaisir, honneur): ~ de votre visite 당신의 방문을 받는 영광. ⑤ 수익, 이득 : ~ pécuniaire 재정적인 이득. ⑥ 〖테니스〗 어드밴티지 《듀스 후 1점의 득점》: ~ dedans 〔au servant〕 듀스 후 서브를 한 사람이 얻은 한 점. ⑦ 《구어》 (*pl.*) (여자의) 젖가슴(= les seins). **à l'~ de** qn …에게 이롭게〔유리하게〕. **à son ~** 유리하게 ; 돋보이게 : être mis 〔vêtu〕 *à son* ~ 맵시가 한결 돋보이게 옷차림을 하고 있다. **avoir l'~** 우세하다, 이기고 있다. **donner l'~ à** qn 〖스포츠〗 (심판이) …의 우위를 선언하다. **Il y a** 〔주어+**avoir**〕 **~ à**+*inf.* 〔**à ce que**+*sub.*〕 …하는 것이 이롭다 : Vous *aurez* ~ *à* vous taire. 당신은 말하지 않는 것이 나을 것이다.

***avantager** [avɑ̃taʒe] [3] *v.t.* 유리하게 하다, …에게 이익〔혜택〕을 주다 : Cette coiffure l'*avantage.* 이 헤어스타일은 그를 돋보이게 한다. — **s'~** *v.pr.* ① 서로 이익을 주고받다. ② 《s'~ de》 …을 이용하다.

avantageusement [avɑ̃taʒøzmɑ̃] *adv.* 좋게, 유리하게(= favorablement) : parler ~ de qn …을 좋게 말하다.

***avantageux, euse** [avɑ̃taʒø, -øːz] *adj.* ① 유리한 ; (가격이) 아주 싼 : marché 〔traité〕 ~ 유리한 거래〔조약〕. ② 잘 어울리는, 돋보이게 하는 ; (몸이) 날씬한 : coiffure ~*euse* 잘 어울리는 헤어스타일 / taille ~*euse* 날씬한 몸매. ③ 거만한, 건방진 : air 〔ton〕 ~ 건방진 태도〔말투〕. — *m.* 《구어》 거만한 사람, 거드름쟁이.

avant-bras [avɑ̃bʀa] *m.* 《복수불변》 팔뚝.

avant-centre [avɑ̃sɑ̃ːtʀ] *m.* (*pl.* **~-~s**) 〖축구〗 센터포드.

avant-corps [avɑ̃kɔːʀ] *m.* 《복수불변》 〖건축〗 (건물 정면의) 돌출부.

avant-cour [avɑ̃kuːʀ] *f.* (*pl.* **~-~s**) 〖건축〗 (건물의) 앞뜰(≠ arrière-cour).

avant-coureur [avɑ̃kuʀœːʀ] (*pl.* **~-~s**) *adj.* 예고하는, 예보의(= annonciateur) : signes ~s 전조. — *m.* ① 선구자 ; 예고자. ② 조짐, 징후, 전조(= présage).

avant-dernier, ère [avɑ̃dɛʀnje, -ɛːʀ] (*pl.* **~-~s**) *adj.* et *n.* 끝〔마지막〕에서 둘째의 (것 · 사람).

avant-garde [avɑ̃gaʀd] *f.* (*pl.* **~-~s**) ① 〖군사〗 전위(前衛)(≠ arrière-garde) ; 〖해양〗 (함대의) 선두. ② 《비유》 전위, 선두, 첨단 ; 《집합적》 선구자 : artiste d'~ 전위 예술가.

avant-gardiste [avɑ̃gaʀdist] *adj.* 전위적인, 전위파의. — *n.* 전위 작가〔화가〕.

avant-goût [avɑ̃gu] *m.* (*pl.* **~-~s**) ① 미리 느껴지는 맛〔감각〕. ② 예감(= pressentiment) ; 전조(= présage) ; 예측.

avant-guerre [avɑ̃gɛːʀ] *m.* 〔*f.*〕 (*pl.* **~-~s**) (제 1 · 2차 대전 전(前))(≠ après-guerre).

***avant-hier** [avɑ̃tjɛːʀ] *adv.* 그저께.

avant-port [avɑ̃pɔːʀ] *m.* (*pl.* **~-~s**) 외항(外港).

avant-poste [avɑ̃pɔst] *m.* (*pl.* **~-~s**) 〖군사〗 전초(前哨).

avant-première [avɑ̃pʀəmjɛːʀ] *f.* (*pl.* **~-~s**) 〖연극〗 시연회(試演會) ; 〖영화〗 시사회 ; 〖미술〗 시람회 : en ~ 일반 공개 전에.

avant-projet [avɑ̃pʀɔʒɛ] *m.* (*pl.* **~-~s**) ① 초안(草案), 견적서. ② (건축 · 조각의) 모형(= maquette), 스케치(= esquisse).

avant-propos [avɑ̃pʀɔpo] *m.* 《복수불변》 서문, 머리말 ; (이야기의) 서두.

avant-scène [avɑ̃sɛn] *f.* (*pl.* **~-~s**) ① 무대 전면(= proscenium). ② 앞쪽 칸막이 좌석(= loge d'~).

avant-toit [avɑ̃twa] *m.* (*pl.* **~-~s**) 처마(= auvent) ; 지붕의 앞부분.

avant-train [avɑ̃tʀɛ̃] *m.* (*pl.* **~-~s**) ① (차체의) 전반부. ② 말의 앞몸통, 전구(前軀).

avant-veille [avɑ̃vɛj] *f.* (*pl.* **~-~s**) 전전날 ; (어떤 일이 일어나기) 얼마 전.

*__avare__ [ava:ʀ] *adj.* ① 인색한, 욕심 많은(≠ prodigue) : être ~ de louanges 칭찬에 인색하다. ② 불모의 ; 약한, 희미한 : terre ~ 메마른 땅 / jour ~ 희미한 빛. ③ 《~ de》 …을 아끼는(= ménager²) : être ~ *de* paroles 과묵하다. ── *n.* 수전노, 구두쇠, 노랑이.

avarice [avaʀis] *f.* 인색, 구두쇠 근성, 탐욕.

avarie [avaʀi] *f.* ① 해손(海損) ; 손해, 손상, 파손(= dommage) : ~*s* matérielles en mer 재물(財物) 해손 / causer 〔faire subir〕 une ~ à qc …을 파손하다 / subir une ~ 손해를 입다. ② 《구어》 매독(= syphilis).

avarié, e [avaʀje] *adj.* ① 손상된, 파손된, 부패한 ; 상한 : avion ~ 파손된 비행기 / viande ~*e* 상한 고기. ② 《구어》 부상한(= blessé) ; 병든(= malade). ── *n.* 매독 환자.

avatar [avata:ʀ] *m.* ① 〖힌두교〗 화신. ② 《구어》 전신(轉身)(= métamorphose), 변모(= changement), 변화. ③ (*pl.*) 영고성쇠, 부침(浮沈), 우여곡절 : auprès de nombreux ~*s* 숱한 우여곡절 끝에. ④ 불행, 사고, 재난(= malheur) : avoir des ~*s* au moteur 엔진에 문제가 생기다.

à vau-l'eau [avolo] *loc. adv.* ① 물결 흐르는 대로, 물결 따라. ② 제멋대로, 되는대로.

⁑**avec** [avɛk] *prép.* ① 《동반》 …와 함께, 더불어 : aller se promener ~ qn …와 산책하러 가다. ② 《동시》 …와 동시에, 같이: se lever ~ le jour 새벽같이〔새벽에〕 일어나다 / *A~* le temps, le haines s'assoupissent. 시간이 지남에 따라 증오도 누그러진다. ③ 《동조》 …의 편을 들어 : Il est ~ nous. 그는 우리 편이다. ④ 《양태》 …을 가지고 : ~ plaisir 기꺼이 / ~ des larmes aux yeux 눈에 눈물이 글썽하여. ⑤ 《수단 · 방법》 …으로 : ouvrir ~ une clef 열쇠로 열다 / marcher ~ des béquilles 목발로 걷다 / ⑥ 《소유》 …을 가진, 가지고 : ~ sa permission 그의 허가를 얻어 / robe ~ des dentelles 레이스가 달린 원피스. ⑦ 《혼합 · 혼동》 …와, …에 : confondre A ~ B, A를 B와 혼합하다 / mêler de l'eau ~ du vin 포도주에 물을 타다. ⑧ 《일치 · 조화 · 결합》 …와, …에, …와의 : être bien ~ qn …와 사이가 좋다 / être d'accord ~ qn …와 의견을 같이하다, 동감이다 / se fiancer 〔se marier〕 ~ qn …와 약혼〔결혼〕하다. ⑨ 《비교 · 유사》 …와, …에 : comparer A ~ B, A를 B에 비교하다. ⑩ 《상호 관계》 …와, …에 대하여 : faire connaissance ~ qn …와 알게 되다 / se battre ~ qn …와 싸우다. ⑪ 《조건 · 가정》 …을 가지면 : *A~* un peu de travail, il aurait réussi. 조금만 공부했다면 그는 합격했을 것이다. ⑫ 《양보》 …을 가지고도 : *A~* votre courage, ça n'irait pas. 당신의 용기를 가지고도 그건 안 될 거요. ⑬ 《대립》 …에도 불구하고 : *A~* tous ses défauts, je l'aime cependant. 그의 모든 결함에도 불구하고 나는 그를 사랑한다. ⑭ 《이유 · 원인》 …때문에 : On m'a trouvé ridicule ~ ces questions. 나는 그런 질문을 했기 때문에 웃음거리가 됐다. ⑮ 《첨가》 …와 더불어, …외에 : Et ~ ça 〔cela〕 madame? 이 밖에 (사실 것은) 또 없으신가요, 부인? ***A~ ça!*** 당치도 않다, 그럴 리가 있나. ***~ cela ; ~ ça*** 그 외에 ; 게다가. ***~ ça*** 〔***cela***〕 ***que*** + *ind.* 《구어》 게다가 …이다 ; 《반어적》 마치 …인 것처럼 : *A~ ça qu*'il ne s'est jamais trompé! 그가 틀린 적이 한 번도 없다고 생각하는 건 당치도 않다. ***~*** (***tout***) ***cela*** 그럼에도 불구하고, ***d'~*** 《분리 구별》 …와, …으로부터 : divorcer *d'~* sa femme 아내와 이혼하다 / séparer l'or *d'~* l'argent 금과 은을 분리하다. ── *adv.* 그것을 가지고 ; (사람과) 함께 : Tu viens ~? 같이 갈까?

aveline [avlin] *f.* 〖식물〗 개암.

Avé (**Maria**) [ave(maʀja)] *m.* 《복수불변》 ① 아베마리아《성모 마리아에게 드리는 기도》. ② (*a~*) 묵주, 성모 마리아의 염주알.

aven [avɛn] *m.* 〖지질〗 (프랑스 *Causses* 지방 석회암 지대의) 천연 우물.

avenant, e [avnɑ̃, -ɑ̃:t] *adj.* 상냥한, 친절한, 애교 있는(= aimable, gracieux) ; 쾌적한(= agréable) : femme ~*e* 애교 있는 여자. ***à l'~*** 응분의, 분에 맞도록. ***à l'~ de*** …에 어울리는, 알맞은. ── *m.* 〖법률〗 (보험 계약의) 변경 증서 ; (조약 따위의) 추가 조항.

avènement [avɛnmɑ̃] *m.* 즉위 ; 도래 ; 출현 ; 강림 : ~ du Messie 구세주의 강림.

*__avenir__ [avni:ʀ] *m.* ① 미래, 장래(= futur ; ≠ passé) ; 전도, 운명 : projets d'~ 미래의 계획 / jeune homme d'un grand ~ 〔d'un bel ~, de beacoup d'~〕 전도유망한 청년 / assurer l'~ de qn …의 장래를 보장하다. ② 후손 ; 후세(= postérité) : L'~ nous jugera. 후세가 우리를 판결할 것이다. ***à l'~*** 금후(에는), 장래에는. ***avoir de l'~*** 장래성이 있다 : Il *a de l'~*. 그는 전도가 유망하다. ***dans un prochain ~*** 가까운 장래에.

avent [avɑ̃] *m.* 강림절《크리스마스 전의 4주일을 포함하는 시기》.

*__aventure__ [avɑ̃ty:ʀ] *f.* ① 뜻밖의〔놀라운〕 일〔사건〕(= affaire) : C'est une drôle d'~. 그건 참 이상야릇한 사건이다. ② 모험 ; (*pl.*) 모험담 : homme d'~ 모험가 / roman d'~*s* 모험 소설. ③ 정사, 연애 사건(= ~ galante 〔sentimentale〕) : femme à ~*s* 바람둥이 여자. ④ 운명, 운수(= destin, sort). ***à l'~*** 되는대로, 닥치는 대로, 정처 없이. ⑤ 우연(= hasard) ; 요행. ***chercher ~ ; courir après les ~s*** 모험〔요행〕을 추구하다. ***coureur d'~s*** 모험〔요행〕을 쫓는 사람. ***dire*** 〔***tirer***〕 ***la bonne ~ à*** qn …의 운수를 〔길흉을〕 점치다. ***par ~ ; d'~*** 우연히. ***tenter l'~*** 운을 걸고 해보다, 투기하다.

aventuré, e [avɑ̃tyʀe] *adj.* 무모한, 모험적인 : entreprise ~*e* 모험적인 시도.

*__aventurer__ [avɑ̃tyʀe] *v.t.* (돈 · 목숨 따위를 위험한 일에) 걸다, 운에 맡기다(= hasarder, risquer) : ~ sa réputation dans une affaire 어떤 일에 명성을 걸다. ── ***s'~***

v.pr. 위험을 무릅쓰고 하다〔가다〕, 모험하다 : *s'*~ sur un pont branlant 흔들거리는 다리 위를 위험을 무릅쓰고 건너가다. ***s'~ à*** +*inf.* 위험을 무릅쓰고 …하다. ***s'~ sur chemin*** 〔***un terrain***〕 ***glissant*** 경솔한〔무모한〕 짓을 저지르다.

aventureusement [avɑ̃tyʀøzmɑ̃] *adj.* 모험적으로, 위험을 무릅쓰고.

aventureux, euse [avɑ̃tyʀø, -ø:z] *adj.* ① 모험을 좋아하는, 대담한(= audacieux). ② 모험적인, 무모한. ── *n.* 모험가.

aventurier, ère [avɑ̃tyʀje, -ɛ:ʀ] *n.* ① 모험가 ; 용병. ② 협잡꾼 ; 건달패. ── *adj.* 모험을 좋아하는.

avenu, e[1] [avny] *adj.* 《다음 표현에만 쓰임》 ***nul et non ~*** [nylenɔnavny] 발생하지 않은, 무효의.

avenue**[2] *f.* ① (도시의) 큰 가로, (가로수가 심어진) 한길. ② 《비유》 통로, 길. ③ 강림. ***l'~ de Jésus-Christ 예수 그리스도의 강림. ***les ~s du pouvoir*** 권력의 길.

avéré, e [aveʀe] *adj.* 확인〔확증〕된 ; 명백한(= incontestable ; ≠ contesté) : C'est un fait ~. 그것은 명백한 사실이다 / Il est ~ que+*ind.* …이 사실임이 공인되었다.

avérer [aveʀe] [6] *v.t.* (진실임을) 확인하다, 확증하다. ── **s'~** *v.pr.* 명백해지다, 확인되다, 증명되다 : 《~+형용사》 Ce raisonnement *s'est avéré* juste. 이러한 생각은 옳은 것으로 드러났다. ***Il s'avère que***+*ind.* …라는 것이 명백해진다〔증명된다〕.

avers [avɛ:ʀ] *m.* (화폐·상패 따위의) 표면.

***averse** [avɛʀs] *f.* 소나기(= ondée) : essuyer 〔recevoir〕 une ~ 소나기를 만나다.

aversion** [avɛʀsjɔ̃] *f.* 혐오, 염오, 싫증, 반감, 반발(= antipathie). ***avoir de l'~ pour 〔***contre***〕 qn …을 미워하다, 싫어하다. ***avoir*** qn 〔qc〕 ***en ~*** …을 미워하다, 싫어하다.

averti, e** [avɛʀti] *adj.* ① 통지를 받은, 경고를 받은. ② 경험 있는, 노련한(= expérimenté, expert) ; 《~ de》 …에 정통한, 조예가 깊은 : critique ~ *de* la peinture moderne 현대 회화에 조예가 깊은 비평가. ***se tenir pour ~ 조심하다. ── *n.* 위의 사람.

avertir** [avɛʀti:ʀ] *v.t.* 알리다, 예고하다(= informer) ; 경고하다 ; 주의를 주다 : ~ la police 경찰에 통보하다 / 《~ qn de》 *Avertissez*-moi *de* son arrivée. 나에게 그의 도착을 알려 주시오. ~ qn ***de+*inf.* …에게 …하도록 이르다 : *Avertissez*-le *d'*éviter cette route. 그에게 이 길을 피하라고 일러 주시오. ~ qn ***que***+*ind.* …에게 …을 알리다. ~ qn ***que***+*sub.* …에게 …하라고 이르다. ── **s'~** *v.pr.* 서로 경고〔충고〕하다.

avertissement [avɛʀtismɑ̃] *m.* ① 기별, 통지 ; 예고 ; 경고, 주의(= avis) ; 충고(= conseil) : recevoir 〔suivre〕 un ~ 경고를 받다〔따르다〕 / négliger les ~*s* d'un ami 친구의 충고를 무시하다. ② 〖법률〗 경고장 ; 〖재정〗 납세 독촉장. ③ 징계 처분 ; 〖군사〗 견책. ④ (책의) 머리말, 일러두기(= préface). ***~ au lecteur*** 머리말. ***billet d'~*** (법원의) 소환장.

avertisseur, euse [avɛʀtisœ:ʀ, -ø:z] *adj.* 경고하는. ── *m.* ① 통지자, 경고자. ② 경보기 ; 경적, 벨 : ~ d'incendie 화재 경보기.

aveu [avø] *m.* (*pl.* ***~x***) ① 자백, 고백 : ~ judiciaire 재판상의 자백 / faire l'~ d'un secret 〔d'un amour〕 비밀〔사랑〕을 고백하다. ② 승인, 인정, 허가(= approbation) : avec l'~ du gouvernement 정부의 인가를 얻어. ③ 증언(= témoignage). ***de l'~ de tout le monde*** 모두가 인정하는 바에 의하면. ***faire l'~ de*** qc …을 자백〔고백〕하다. ***homme sans ~*** 낭인(浪人) ; 부랑배, 방랑자.

A

aveuglant, e [avœglɑ̃, -ɑ̃:t] *adj.* ① 눈을 어둡게 하는, 눈부시게 하는 : soleil ~ 눈부신 태양. ② 명명백백한(= flagrant) : évidence ~*e* 명백한 사실. ③ 이성을 잃게 하는.

aveugle** [avœgl] *adj.* ① 눈먼, 눈이 어두운 : être ~ de naissance 태어날 때부터 눈이 멀다 / ~ d'un œil 애꾸눈의. ② 맹목의 ; 맹목적인 ; 분별없는 : être ~ sur les qualités de qn …의 장점을 보지 못하다. ③ 《시어》 어두운, 컴컴한(= obscur) : ~*s* ténèbres 컴컴한 어둠, 암흑. ④ 〖건축〗 막힌, 봉해진, 장식용으로 꾸민 : fenêtre ~ 봉창, 장식창(窓). ── *n.* 장님, 맹인. ***à l'~ ; en ~ 맹목적으로 ; 분별없이, 경솔하게 : parler 〔juger〕 *en* ~ 무분별하게 말하다〔판단하다〕.

***aveuglement** [avœgləmɑ̃] *m.* ① 실명(失明)(= cécité). ② 무분별, 주책없음 ; 망동.

aveuglément [avœglemɑ̃] *adv.* 맹목적으로 ; 분별없이, 주책없이.

aveugle-né, e [avœgləne] *adj.* et *n.* (*pl.* ***~s-~s***) 선천적으로 눈이 먼 (사람).

***aveugler** [avœgle] *v.t.* ① 눈멀게 하다, (잠시) 눈이 안 보이게 하다 ; (눈이 부셔) 앞이 캄캄해지게 하다(= éblouir). ② 이성을 잃게 하다, 현혹시키다 : *aveuglé* par la colère 노여움에 앞뒤를 잊고. ③ (물구멍 따위를) 틀어막다 ; 〖건축〗 (창문 따위를) 막다. ── **s'~** *v.pr.* 무분별해지다, 판단력을 잃다 : *s'*~ sur ses possibilités 자신의 능력을 과대평가하다.

aveuglette (à l') [alavœglɛt] *loc. adv.* 손으로 더듬어서 ; 되는대로, 아무렇게나.

aveulir [avœli:ʀ] *v.t.* 무기력하게 만들다 ; 누그러뜨리다 ; 나약하게 만들다. ── **s'~** *v.pr.* 무기력해지다, 나약해지다.

aveulissement [avœlismɑ̃] *m.* 무기력, 나약.

***aviateur, trice** [avjatœ:ʀ, -tʀis] *adj.* 비행기의 ; 항공용의. ── *n.* 비행사.

aviation** [avjɑsjɔ̃] *f.* ① 비행, 항공(술) ; 《집합적》 비행기 : compagnie d'~ 항공 회사 / ~ civile 민간 항공. ② 〖군사〗 비행대 ; 공군 : ~ de combat 〔de reconnaissance〕 전투〔정찰〕기. ***base d'~ 항공 기지. ***centre d'~*** 공항. ***groupe d'~*** 〖군사〗 비행 대대. ***lignes d'~*** 항공 노선.

avicole [avikɔl] *adj.* 조류〔가금〕 사육의.

aviculteur, trice [avikyltœ:ʀ, -tʀis] *m.* 조류 사육가, 가금(家禽) 사육자.

aviculture [avikylty:ʀ] *f.* 조류〔가금〕 사육.

***avide** [avid] *adj.* ① ⓐ 《~ de》 …을 갈망〔열망〕하는, 탐내는, …에 굶주린 : être ~ *d'*argent 〔*d'*honneur〕 금전을〔명예를〕 탐내다 / ~ de+*inf.* …하기를 갈망〔열망〕하다. ⓑ 〖화학〗 …을 흡수하는 : ~ d'eau 물을 잘 빨아들이는. ② 탐욕스러운 ; 열렬한(= ardent,

passionné) : regards ~s 탐욕스런 눈길.
avidement [avidmɑ̃] *adv.* 탐욕스럽게 ; 열심히 ; 걸귀처럼, 게걸스럽게.
avidité [avidite] *f.* ① 열망, 갈망. ② 탐욕 ; 탐욕스러운 식성 : manger 〔boire〕 avec ~ 탐욕스럽게 먹다〔마시다〕.
avilir [aviliːʀ] *v.t.* ① 천하게 만들다, …의 품위를 떨어뜨리다 ; 비열하게 만들다, 타락시키다(= abaisser) : Une telle conduite l'*avilit.* 이런 행실은 그의 품격을 떨어뜨린다. ② 중상하다, 헐뜯다, 깎아내리다(= ravaler). ③ 가치를〔가격을〕 떨어뜨리다(= déprécier) : L'inflation *avilit* la monnaie. 인플레이션은 화폐 가치를〔가격을〕 하락시킨다. ── **s'~** *v.pr.* ① 천하게 되다, 품격이 떨어지다 ; 타락하다. ② 가치가〔가격이〕 떨어지다. ***s'~ à***+*inf.* …할 만큼 타락하다 ; 비굴하게 …하다.
avilissant, e [avilisɑ̃, -ɑ̃ːt] *adj.* 가치를 떨어뜨리는, 타락시키는, 천하게 만드는.
avilissement [avilismɑ̃] *m.* ① 가치를 떨어뜨림 ; 가치의 하락 : ~ des marchandises 〔de la monnaie〕 상품〔화폐 가치〕의 하락. ② 권위의 실추 ; 전락, 타락.
aviné, e [avine] *adj.* 술에 취한 ; 술이 밴 : avoir les jambes ~*es* 갈짓자 걸음으로 걷다.
aviner [avine] *v.t.* (새 술통에) 술이 배게 하다. ── **s'~** *v.pr.* 술이 배다 ; 술에 취하다, 술을 진탕 마시다.
‡**avion** [avjɔ̃] *m.* 비행기(= aéroplane, appareil) : accident d'~ 비행기 사고 / ~ à réaction 제트 비행기 / ~ à hélice 프로펠러기(機) / ~ civil 〔militaire〕 민간〔군용〕기 / ~ de chasse 〔combat, guerre〕 전투기 / ~ de bombardement 폭격기 / ~ de ligne 정기 항공기 / ~ de reconnaissance 정찰기 / ~ de transport 수송기 / monter en ~ ; prendre l'~ 비행기에 타다 / descendre d'~ 비행기에서 내리다. ***en ~*** 비행기로, 비행기 편으로. ***par ~*** 항공 우편으로.
avion-cargo [avjɔ̃kaʀgo] *m.* (*pl.* ~**s**-~**s**) 화물 수송기.
avion-citerne [avjɔ̃sitɛʀn] *m.* (*pl.* ~**s**-~**s**) (공중) 급유기.
avionnette [avjɔnɛt] *f.* 경〔소형〕비행기.
aviron [aviʀɔ̃] *m.* ① (배의) 노(櫓)(= rame¹) : faire de l'~ 보트를 젓다. ② 조정(漕艇) : cercle 〔société〕 d'~ 조정 클럽.
‡**avis** [avi] *m.* ① 의견, 견해(= opinion) ; 판단 : Quel est votre ~ sur cette question? 이 문제에 대해 당신은 어떻게 생각하십니까? dire 〔donner〕 son ~ ; exprimer 〔émettre〕 un ~ 의견을 말하다 / être du même ~ que qn …와 같은 의견이다 / changer d'~ 의견을 바꾸다. ② ⓐ 충고, 조언(= conseil) : demander 〔prendre〕 l'~ de qn …의 의견을〔충고를〕 묻다〔듣다〕. ⓑ 경고, 주의(= avertissement) : donner ~ de qc …에 관하여 주의를 주다. ③ 의견서 ; 통지(서) ; 정보, 소식(= information) ; 공시 : note 〔lettre〕 d'~ 의견서, 통지서, 안내서. ④ 투표, 표결(= voix, vote) : aller aux ~s 표결하다. ***à moins d'~*** 〔***sauf ~***〕 ***contraire*** 반대 의견이 없는 한. ***à*** 〔***selon***〕 ***mon ~*** 내 의견으로는. ***Autant de têtes, autant d'~ ; Vingt têtes, vingt ~.*** 《격언》 각인각색. ***~ au lecteur*** 일러두기, 머리말 ; 경고. ***A~*** (***au public***) 국민〔시민〕에게 고함《게시판의 제목》. ***de l'~ de*** qn …의 의견에 따라 : *de l'~* unanime 만장일치로 / *de l'~ de* tous 모두의 의견으로는. ***donner ~ que***+*ind.* 〔*sub.*〕 …라는〔해야 한다는〕 주의를 주다. ***Je suis d'~ de***+*inf.* 나는 …할 생각이다. ***Je suis d'~*** 〔***Il m'est ~ ; Ce n'est ~ ;*** 《구어》 ***M'est ~***〕 ***que***+*ind.* …라고 나는 생각한다. ***Je suis d'~ que***+*sub.* 내 의견으로는 …해야 한다고 생각한다.
*__avisé, e__ [avize] *adj.* ① 사려 깊은, 신중한, 빈틈없는(= prudent) : homme ~ 사려 깊은 사람 / conduite ~*e* 신중한 행동. ② 생각이 미친. ***être bien*** 〔***mal***〕 ***~ de***+*inf.* …하는 것이 현명하다〔경솔하다〕 : *J'ai été bien ~ d'*attendre. 난 기다리기를 잘했다.
avisément [avizemɑ̃] *adv.* 신중히, 주의 깊게.
*__aviser__ [avize] *v.t.* ① 《~ qn 〔qc〕》 찾아내다, 발견하다, 보다(= apercevoir) : Je l'*ai avisé* dans la foule. 나는 사람들 틈에서 그를 발견했다. ② …에게 알리다, 통고하다. ~ qn ***de*** qc …에게 …을 통고하다 : Elle *avait été avisée du* mariage de sa cousine. 그 여자는 사촌이 결혼한다는 통지를 받았었다. ~ qn ***de***+*inf.* …에게 …하도록 통고하다 : Je vous *avise de* terminer votre travail la semaine prochaine. 내주에는 일을 끝내도록 알려드립니다. ~ qn ***que***+*ind.* …에게 …임을 알리다 : Il m'*avisa qu'*il fallait venir plutôt. 그는 내게 더 일찍 와야 한다고 알려 주었다. ── *v.t. ind.* 《~ à qc》 …에 주의하다 ; …을 숙고하다 ; 《목적보어 없이》 재고하다 : *Avisons* au plus pressé. 긴급한 일을 처리하자 / Il faudrait ~, au cas où elle ne viendrait pas. 그녀가 안 올 경우에는 재고할 필요가 있다. ***~ à***+*inf.* …할 것을 생각하다. ***~ à ce que***+*sub.* …하도록 궁리하다〔조심하다〕. ── **s'~** *v.pr.* 《s'~ de》 …을 생각해 내다 ; …을 알아차리다 ; 감히 …하다 : Je *me suis* brusquement *avisé de* sa présence. 나는 갑자기 그가 있는 것을 알아차렸다. ***Ne vous en avisez pas.*** 그런 일은 안 하는 게 좋다. ***s'~ de***+*inf.* …할 생각을 하다 : Ne *vous avisez* pas *de* me tromper. 나를 속일 생각일랑 아예 마시오. ***s'~ que***+*ind.* …라는 것에 생각이 미치다 : Il *s'est avisé qu'*il avait oublié les papiers dans la voiture. 그는 서류를 차에 두고 온 것을 깨달았다.
aviso [avizo] 〘에스파냐〙 *m.* 〖군사〗 (연락이나 호위를 위한) 소형 쾌속 전투함.
avitaminose [avitaminoːz] *f.* 〖의학〗 비타민 결핍증(= maladie par carence).
avivement [avivmɑ̃] *m.* 〖의학〗 (상처 따위의) 소파(搔爬).
aviver [avive] *v.t.* ① 활기〔생기〕를 띠게 하다, …의 기세를 돋우다, (불을) 활활 타게 하다 ; (생각을) 활발하게 하다. ② 선명하게 하다, (안색을) 생기 있게 하다 : ~ une couleur 빛깔을 선명하게 하다. ③ 날카롭게 하다, 갈다. ④ (상처 따위를) 자극하다, (고통 따위를) 더하게 하다 : ~ une douleur 고통을 더하게 하다 / ~ une blessure 상처를 자극하다. ── **s'~** *v.pr.* ① 활기〔생기〕를 띠다 ; 활발해지다. ② 선명해지다. ③ 자극되다.

av.J.-C. 《약자》 avant Jésus-Christ 서력 기원전.

avocat**[1] [avɔka] *m.* ① 변호사《여자 변호사의 경우 avocate는 《구어》이고, 성명 뒤에서는 언제나 avocat》: prendre un ~ pour sa défense 자기에 대한 변론을 변호사에게 의뢰하다. ② 변호인, 옹호자(= défenseur) : devenir l'~ de la science 과학〔학문〕의 옹호자가 되다. ***~ consultant 〔***conseil***〕 고문 변호사, 법률 고문. ***~ du diable*** 《구어》 (어려운 사건에서) 반대 변론을 하는 사람. ***~ général*** 차장 검사. ***être reçu ~*** 변호사 자격을 얻다. ***plaider par ~*** 변호사를 대어 소송하다.

avocat[2] *m.* 〚식물〛 아보카도(= poire d'~) 《열대 아메리카산의 과실》.

***avoine** [avwan] *f.* 〚식물〛 연맥, 귀리 : balle d'~ 귀리 껍질.

‡**avoir** [avwaːʀ] *v.t.* 🄰 ① 《소유·보유》 가지다, 소유하다 : ~ des droits 권리를 가지다 / ~ une canne à la main 손에 단장을 가지고 있다 / ~ du bien 재산이 있다 / ~ une robe blanche 흰 옷을 입고 있다 / Elle *avait* un chapeau. 그녀는 모자를 쓰고 있었다 / *Avez* vous l'heure? 지금 몇 시입니까? / ~ qn avec soi …을 데리고 있다. ② 《심신의 상태》 느끼다 : ~ de la peine 마음이 괴롭다 / ~ mal à la tête 머리가 아프다. ③ 《생각·감정》 경험하다, 품다 : ~ de la rancune 원한을 품다 / ~ de l'amitié pour qn …에게 우정을 품다 / ~ qn 〔qc〕 en horreur …을 혐오하다. ④ 《취득》 ⓐ 얻다, 획득하다 : Il *aura* le prix. 그는 상을 탈 것이다 / ~ son bac 대학 입학 자격을 얻다 / ~ une communication téléphonique avec qn ; ~ qn (au téléphone) …와 통화하다 / Il *a eu* un accident d'auto. 그는 자동차 사고를 당했다 / J'*ai eu* ce livre pour presque rien. 나는 이 책을 거저 얻다시피 했다. ⓑ ~ son train (de justesse) (가까스로) 기차를 잡아타다. ⓒ ~ un enfant 아이를 얻다 〔낳다〕. ⑤ 《나이·높이·깊이·넓이 따위》 …이다 : Il *a* vingt ans. 그는 스무 살이다 / Cette tour *a* vingt mètres de haut. 이 탑은 높이가 20미터이다. ⑥ 《~+무관사명사 ; 동사구》 ~ faim 배고프다 / ~ soif 목마르다 / ~ peur 두려워하다 / ~ honte 창피해하다 / Il *a* rasion. 그이 말이 옳다. ⑦ 《~+목적보어+속사》 ~ les yeux bleus 눈이 파랗다 / ~ la parole facile 입담이 좋다. ⑧ 《흔히 단순과거》 (동작을) 하다, (고함 따위를) 지르다, (한숨 따위를) 내쉬다, (웃음 따위를) 짓다 : Il *eut* un geste de découragement. 그는 절망의 몸짓을 보였다 / ~ une conversation 〔une querelle〕 avec qn …와 대화〔말다툼〕하다 / ~ un mouvement brusque 갑자기 몸을 움직이다. ⑨ 《~ qn》 ⓐ 자기 것〔편〕으로 만들다. ⓑ 《구어》 이기다, 꼼짝 못하게 하다(= vaincre) ; 혼내 주다 ; (여자를) 정복하다 : On les *a eus*. 우리가 이겼다. ⓒ 속이다(= tromper, rouler).

🄱 《il y a [ilja, 《구어》 ja] ; 비인칭 용법》 ① 《존재》 …이 있다 : *Il y a* de l'argent dans le portefeuille. 지갑에 돈이 있다 / Combien de personnes *y aura*-t-*il*? 몇 명이나 될까? / *Il y a* eu un accident. 사고가 났었다 / Qu'est-ce qu'*il y a* 〔《구어》 Qu'*y a*-t-*il*〕 sur la table? 탁자 위에 무엇이 있습니까? / *Il* n'*y a* rien 〔personne〕 아무것〔아무〕도 없다 / *Il* n'*y a* pas classe aujourd'hui. 오늘은 수업이 없다. ② 《시간》 ⓐ …전에 : *il y a* deux mois 두 달 전에. ⓑ *il y a* que+*ind.* …한 지 …가 되다, …전부터 …하다 : *Il y a* deux ans qu'il est parti. 그가 떠난 지 2년이 된다 / *Il y a* longtemps que je vous attends. 오래 전부터 나는 당신을 기다리고 있소. ③ 《거리》 *Il y a* trois kilomètres d'ici au village. 여기서 마을까진 3킬로미터이다 / Combien *y a*-t-*il* (d'ici à Paris)? (여기서 파리까지) 거리가 얼마나 됩니까? ④ *il y a*… et… …에도 여러 가지가 있다 : *Il y a* champagne et champagne. 샴페인에도 여러 가지가 있다. ⑤ *Il y a* quelque chose. 무엇인가 이상한〔알 수 없는〕 일이 있다 / Qu'*y a*-t-*il*? ; Qu'est-ce qu'*il y a*? 무슨 일이오.

🄲 《조동사 ; 모든 타동사·대부분의 자동사의 조동사로 쓰여서 복합시제를 구성》 Il *a* fait cela. 그는 그것을 했다 / Je les *ai* vu(e)s hier. 나는 어제 그들을 보았다.

~ à+*inf.* …해야 한다 : J'*ai à* lui parler. 그에게 이야기를 해야겠다 / ~ des lettres *à* écrire 써야 할 편지가 있다 / Je n'*ai* rien *à* faire. 나는 아무것도 할 일이 없다. ***~ de*** …와〔을〕 닮은 점이 있다 : Sa fille n'*a* rien *de* lui. 그의 딸은 조금도 그를 닮은 데가 없다. ***~ de quoi*** (***vivre***) 재산이 있다. **~** qn 〔qc〕 ***à***+*inf.* …할 …가 있다 : Il *a* sa famille *à* nourrir. 그에게는 부양해야 할 가족이 있다 / Je n'*avais* rien *à* faire. 나는 아무것도 할 일이 없었다. **~** qn 〔qc〕 ***comme***+무관사명사 …을 …으로 데리고〔가지고〕 있다 : Qu'est-ce que vous *avez comme* boisson? 마실 것은 무엇이 있습니까? **~** qn 〔qc〕 ***pour***+무관사명사 …은 …이다 : Je l'*ai pour* ami 〔chef〕. 그는 내 친구〔상사〕이다. ***~ pour*** qc ***de***+*inf.* …하는 것이 …이다. ***en ~*** 《속어》 건방지다 ; 원기〔용기〕가 있다 ; 총알에 맞다 : Il *en a* dans l'aile. 그놈 날개에 (총알이) 맞았다 ; 그도 앞날이 멀지 않았다. ***en ~ à*** 〔***contre, après***〕 qn …에게 원한을 품고 있다. ***en ~ assez de*** …에는 싫증이 나다, 지긋지긋하다. ***en ~ pour*** ⓐ (시간이) 걸리다 : J'*en ai pour* cinq minutes. 5분이면 된다. ⓑ (…의 값을) 치르고 사다 : Il *en a eu pour* cinq francs. 그는 그걸 5프랑에 샀다. ***Il n'en a pas pour longtemps.*** 그도 앞날이 멀지 않았다. ***Il n'y a pas de quoi.*** 천만의 말씀이오. ***Il n'y a qu'à***+*inf.* …하기만 하면 된다. ***Il n'y en a que pour*** qn …만 중요하게 여겨지고 있다, …의 독무대다. ***n'~ pas à***+*inf.* …하지 않아도 되다, …할 필요〔이유〕가 없다. ***n'~ plus qu'à***+*inf.* …할 밖에 도리가 없게 되다 ; 이제는 …하기만 하면 되다. ***n'~ qu'à***+*inf.* …하기만 하면 되다. ***Qu'avez-vous?*** 무슨 일이십니까, 왜 그러십니까? ***Quel âge avez-vous*** 〔***a-t-il***〕***?*** 몇 살이십니까〔그는 몇 살입니까〕? ***tant*** (***il***) ***y a que***+*ind.* 어쨌든 …이

A

다. ***Vous avez la parole.*** 말씀하세요.
— *m.* ① 재산 : Cette ferme représente un bel ~. 이 농장은 큰 재산이다. ② 〖상업〗 채권, 대변(貸邊). ***doit et ~*** 차변과 대변.

avoisinant, e [avwazinɑ̃, -ɑ̃:t] *adj.* 이웃에 있는, 인근의(= voisin, proche ; ≠ éloigné).

avoisiner [avwazine] *v.t.* ① 이웃해 있다, 인접해 있다, 가까이 있다(= ressembler à) : pays qui *avoisinent* la France 프랑스에 인접한 나라들. ② …에 가깝다, …와 비슷하다, 근사하다, …을 닮다 : La prétention *avoisine* la bêtise. 잘난 체하는 것은 어리석음에 가깝다. — **s'~** *v.pr.* ① 서로 이웃해 있다, 이웃지간이다. ② (계절 따위가) 가까워지다.

avortement [avɔʀtəmɑ̃] *m.* ① 유산(= ~ spontané) ; 낙태(= ~ provoqué), 임신 중절. ② 〖식물〗 낙과, 낙화 ; 발육 부전(不全)(= coulure). ③ 실패, 좌절.

avorter [avɔʀte] *v.i.* ① 유산하다, 낙태하다, 임신 중절하다 : se faire ~ 낙태 수술을 받다. ② 〖식물〗 낙과〔낙화〕하다 ; (나무가) 제대로 발육하지 못하다. ③ 좌절하다, 실패하다(= échouer) : Ce dessin *avorta.* 이 계획은 실패로 돌아갔다.

avorton [avɔʀtɔ̃] *m.* ① 조산아. ② 《드물게》 발육 부진의 동물〔식물〕. ③ 《구어》 난쟁이.

avouable [avwabl] *adj.* 공언〔고백〕할 수 있는 : projet ~ 떳떳이 말할 수 있는 계획.

avoué [avwe] *m.* 〖법률〗 소송 대리인 : cabinet 〔étude〕 d'~ 소송 대리인 사무소.

***avouer** [avwe] *v.t.* ① 자백〔고백〕하다(= confesser) : ~ son amour 사랑을 고백하다 / Il *a avoué* son crime. 그는 자기 범죄를 자백했다 / 《목적보어 없이》 : Le voleur *a avoué.* 도둑은 자백했다. ② ⓐ 사실로 인정하다, 시인하다(= admettre, reconnaître) : 《~+*inf.*》 J'*avoue* avoir été imprudent. 내가 부주의했음을 인정합니다 / J'*avoue* qu'il a raison. 그가 옳다는 걸 시인한다. ⓑ 《~ qc 〔qn〕》 자기 것으로 인정하다 : ~ un enfant 아이를 자기 자식으로 인정하다.
— **s'~** *v.pr.* ① 자기가 …임을 시인하다 : *s'~* coupable 자기가 죄인임을 시인하다. ② 자백되다 ; 시인〔인정〕되다. ③ 《s'~ de qn》 …을 보증인으로 삼다.

⁑avril [avʀil] *m.* ① 4월. ② 《시어》 봄. ***en ~ ; au mois d'~*** 4월에. ***poisson d'~*** 만우절에 장난으로 하는 거짓말.

axe [aks] *m.* ① 축(軸) ; 차축, 굴대(= essieu) ; 〖수학〗 축선 : ~ de la Terre 지축 / ~ des x 〔y〕 〖수학〗 x 〔y〕 축. ② 중심선 : ~ d'une rue 〔du corps〕 도로〔인체〕의 중심선. ③ (사상 따위의) 주축, 주노선(主路線) (= ligne), 주류 : ~ de la politique américaine 미국 정책의 주노선. ④ (*A~*) (제2차 대전 때의) 추축(樞軸). ⑤ (대도시를 연결하는) 간선 도로.

axer [akse] *v.t.* 《~ sur》 ① 축을 따라 배열〔배치〕하다 ; 《구어》 향하게 하다(= diriger) : ~ une construction *sur* une ligne 일정한 선을 따라 건물을 배치하다. ② (어떤) 축〔중심〕에 따라 전개시키다 : ~ sa vie *sur* un idéal 어떤 이상을 좇아 살다.

axial, e, aux [aksjal, -o] *adj.* ① 축의 ; 축에 관한 ; 축 비슷한 ; ② 축을 따라 일어나는.

axiomatique [aksjɔmatik] 〖수학 · 철학〗 *adj.* 공리적인, 자명한(= évident). — *f.* 공리계, 공리론.

axiome [aksjo:m] *m.* ① 〖수학〗 공리(公理), 자명한 원리. ② 격언, 금언(= adage).

ayant-cause [ɛjɑ̃ko:z] *m.* (*pl.* **~s-~**) 〖법률〗 권리 계승인.

ayant-droit [ɛjɑ̃dʀwa(ɑ)] *m.* (*pl.* **~s-~**) 〖법률〗 권리 소유자 ; 권리 승계자.

Az 《약자》 azote 《옛》 〖화학〗 질소.

azalée [azale] *f.* 〖식물〗 진달래.

azerty [azɛʀti] *adj.* 《불변》 (컴퓨터 자판이) 불어식의 : clavier ~ 불어식 자판.

azimut [azimyt] *m.* ① 〖천문〗 방위각(方位角), 방위 : prendre un ~ 방위를 정하다. ② 방향(= direction). ***dans tous les ~s*** 《구어》 사방으로. ***tous ~s*** [tuzazimy(t)] ⓐ 전방위의 : diplomatie *tous ~s* 전방위 외교 / défense *tous ~s* 전각(全角) 방위. ⓑ 도처〔사방〕에서(= partout).

azimuté, e [azimyte] *adj.* 《구어》 미친, 머리가 돈(= fou, 《구어》 cinglé).

azotate [azɔtat] *m.* 〖화학〗 질산염.

azote [azɔt] *m.* 〖화학〗 질소 : ~ atmosphérique 공중 질소.

azoté, e [azɔte] *adj.* 〖화학〗 질소를 함유한 : engrais ~*s* 질소 비료.

azot(o)- *préf.* 「질소」의 뜻.

azt [azedte] *m* 〖의학〗 에이즈 치료제의 일종.

aztèque [aztɛk] *adj.* 아즈텍의. — **A~** *n.* 아즈텍 사람. — *m.* 아즈텍어(語). — *n.* 《속어》 말라빠진 사람, 난쟁이.

azur [azy:ʀ] *m.* ① 하늘빛, 쪽빛, 푸른 빛 : ciel d'~ 창공 / flots d'~ 푸른 바다. ② 푸른 하늘(= ciel bleu) ; 창공(= ciel). ***Côte d'A~*** 코트다쥐르《리비에라 해안》.

azuré, e [azyʀe] *adj.* 하늘빛의, 푸른.

azurer [azyʀe] *v.t.* 하늘빛으로〔푸르게〕 물들이다. — **s'~** *v.pr.* 푸르게 되다〔물들다〕.

azyme [azim] *adj.* 누룩을 넣지 않은, 무효모의 : pain ~ 무효모빵. — *m.* 성체용 무교병(無酵餅). ***fête des ~s*** (유대교의) 유월절.

B

B, b[1] [be] *m.* ① 프랑스 자모의 제 2 자. ② 〖음악〗 나음, 나장조〔단조〕.

b[2] 《약자》 ① balle 고리(짝). ② billet 〖상업〗 어음 ; bénéfice 이윤 ; bonification 할인. ③ bougie 〖물리〗 촉광.

B / 《약자》 billet à ordre 〖경제〗 약속어음.

Ba 《약자》 baryum 〖화학〗 바륨.

B.A. 《약자》 bone action 선행《보이〔걸〕스카우트 용어》.

baba[1] [baba] *m.* 럼주 또는 버찌술(kirsch)로 적신 건포도 넣은 카스텔라.

baba[2] *adj.* 《불변》 깜짝 놀란, 어안이 벙벙한 (=ébahi). ***en rester*** 〔***être***〕 ~ 얼떨떨하다.

b.a.-ba [beaba] *m.* 《복수없음》 기본 지식, 초보 지식.

babeurre [babœ:ʀ] *m.* 버터밀크, 낙장(酪漿).

babil [babi(l)], **babillage** [babija:ʒ] *m.* 수다(=bavardage), 객설 ; (어린애의) 재잘거림.

babillard, e [babija:ʀ, -aʀd] *adj.* ① 수다스럽게 지껄이는. ② (새가) 지저귀는 ; (개울이) 졸졸 흐르는. — *n.* 수다쟁이.

babiller [babije] *v.i.* ① 재잘거리다. ② (새가) 지저귀다 ; (개울이) 졸졸 흐르다.

babine [babin] *f.* (보통 *pl.*) ① (개·원숭이 따위의) 늘어진 입술. ② 《구어》 (대식가·미식가의) 입술 : s'en lécher les ~s 《구어》 입맛을 다시다, 군침을 삼키다.

babiole [babjɔl] *f.* 장난감 ; 하찮은 것〔일〕.

bâbord [babɔ:ʀ] *m.* 〖해양〗 좌현(左舷) : accoster par ~ 배를 좌현 쪽으로 대다 / s'incliner sur le ~ (배가) 좌현으로 기울다.

babouche [babuʃ] *f.* ① (회교권 지역의 슬리퍼형) 가죽 신발. ② (슬리퍼형) 실내화.

babouin [babwɛ̃] *m.* 〖동물〗 비비(狒狒) 무리.

baby [ba〔e〕bi] 〔영〕 *m.* (*pl.* **~s**, ***babies***) ① 《구어》 아기 ; 아기 인형. ② (*pl.*) 구두의 일종.

baby-boom, baby-boum [ba〔e〕bibum] *m.* (*pl.* **~-~s**) 출생률의 급증.

baby-foot [ba〔e〕bifut] 〔영〕 *m.* 《복수불변》 축구 게임《실내 탁상 게임의 일종》.

baby-sitter [ba〔e〕bisitœ〔ɛ〕:ʀ] 〔영〕 *n.* (*pl.* **~-~s**) (급료를 받고) 아이를 돌보는 사람.

baby(-)sitting [ba〔e〕bisitiŋ] 〔영〕 *m.* (*pl.* **~-~s**) (급료를 받고) 아이를 돌보는 일 : faire du ~ 아기보는 일을 하다.

bac[1] [bak] *m.* ① 나룻배 ; (자동차 따위를 싣고 건너는) 페리선 : passer le ~ 나룻배로 강을 건너다. ② (여러 가지 용도의) 큰 나무통, 용기 : ~ à laver 세탁통.

bac[2] *m.* 《구어》 = baccalauréat.

bacantes [bakɑ̃:t] *f. pl.* 《속어》 코밑수염.

***baccalauréat** [bakalɔʀea] *m.* 대학 입학 자격 (시험) : ~ *ès* lettres 〔ès sciences〕 문과계〔이과계〕 대학 입학 자격 / candidat au ~ 바칼로레아 수험생.

baccara [bakaʀa] *m.* 〖카드놀이〗 바카라.

baccarat [bakaʀa] *m.* 바카라(*Baccarat*)산 크리스털 유리.

bacc. en dr. 《약자》 baccalauréat en droit 법과 대학 입학 자격 (시험).

bacc. ès l. 《약자》 baccalauréat ès lettres 문과 대학 입학 자격 (시험).

bacc. ès sc. 《약자》 baccalauréat ès sciences 이과 대학 입학 자격 (시험).

bacchanale [bakanal] *f.* ① 떠들썩한 주연(酒宴) ; 소란스러운 춤. ② (les *B*~s) 〖고대 로마〗 바쿠스제(祭).

bacchante[1] [bakɑ̃:t] *f.* ① 바쿠스의 여제관(女祭官). ② 술주정하는〔음탕한〕 여자.

bacchante[2] *f.* (보통 *pl.*) 《속어》 코밑수염.

Bacchus [bakys] *n.pr.m* 〖로마신화〗 바쿠스, 주신(酒神)《*Dionysos*의 별칭》.

bâchage [bɑʃa:ʒ] *m.* bâcher 하기.

bâche [bɑ:ʃ] *f.* (화물차 따위의 짐을 덮는) 포장 ; 방수포(=banne).

bachelier, ère [baʃəlje, -ɛ:ʀ] *n.* 대학 입학 자격자《baccalauréat 시험 합격자》.

bâcher [bɑʃe] *v.t.* (배·수레 따위에) 포장을〔방수포를〕 덮다 : ~ une voiture 자동차에 커버를 씌우다. — **se** ~ *v.pr.* 《구어》 잠자다, 묵다, 숙박하다.

bachique [baʃik] *adj.* 주신(酒神) 바쿠스(*Bacchus*)의.

bachot [baʃo] *m.* ① (바닥이 평평한) 작은 배. ② 《구어》 = baccalauréat. ***boîte*** 〔***four, usine***〕 ***à*** ~ 《경멸》 대입 자격 시험 예비 학교.

bachotage [baʃɔta:ʒ] *n.* 《학생은어》 (바칼로레아 시험을 위한) 속성 시험 준비.

bachoter [baʃɔte] 《학생은어》 *v.t.* …에게 바칼로레아 시험을 위한 속성 시험 준비를 시키다. — *v.i.* 속성 시험 준비를 하다.

bachoteur [baʃɔtœ:ʀ], **bachotier** [baʃɔtje] *m.* 《속어》 대학 입학 시험 준비생.

bacillaire [basi(l)lɛ:ʀ] *adj.* 〖의학〗 바칠루스성〔간균〕의.

bacille [basil] *m.* 〖의학〗 바칠루스, 간균(桿菌), 세균, 박테리아 : porteur de ~s 〖의학〗 보균자 / ~ de koch 결핵균.

bacillose [basi(l)lo:z] *f.* 〖의학〗 간균증(桿菌症) ; 결핵.

background [bakgʀaund] 〔영〕 *m.* (행위·사건의) 배경 ; 이면.

bâclage [bɑkla:ʒ] *m.* 《구어》 일을 날림으로 해치우기.

bâclé, e [bɑkle] *adj.* 《구어》 날림으로 해치운 : travail ~ 날림으로 해치운 일.

***bâcler** [bɑkle] *v.t.* ① (문·창을) 빗장을 질러 닫다. ② (일을) 날림으로 해치우다(=sabrer) : ~ son devoir 숙제를 대강 해치우다 / Il *bâcle* tout ce qu'il fait. 그는 하는 일마다 되는 대로 해치운다.

bacon [bekœ〔ɔ〕n] 〔영〕 *m.* 베이컨.

bactéricide [bakteʀisid] 〖의학〗 *adj.* 살균

성의. ── *m.* 살균제.

bactérie [bakteʀi] *f.* 세균, 박테리아 : ～ pathogène 병원균. 「의, 박테리아의.

bactérien, enne [bakteʀjɛ̃, -ɛn] *adj.* 세균

bactériologie [bakteʀjɔlɔʒi] *f.* 세균학.

bactériologique [bakteʀjɔlɔʒik] *adj.* 세균학의, 세균을 사용하는 : guerre ～ 세균전.

bactériologiste [bakteʀjɔlɔʒist], **bactériologue** [bakteʀjɔlɔg] *n.* 세균학자.

bactériostatique [bakteʀjɔstatik] *adj.* 세균 번식을 억제하는, 정균 작용의. ── *m.* (항생물질 중의) 세균 억제제. 「균 요법.

bactériothérapie [bakteʀjɔteʀapi] *f.* 세

badaboum [badabum] *interj.* 쿵 ; 쾅 《떨어질 때 나는 소리》.

badaud, e [bado, -oːd] *adj.* et *n.* 《여성형은 드묾》 부질없이 구경을 좋아하는 (사람).

badauderie [badodʀi] *f.* 부질없이 구경하기, 빈둥빈둥 돌아다니기.

baderne [badɛʀn] *f.* 《구어》 폐물 ; 《경멸》 (건강 · 연령 때문에) 쓸모없는 사람, 폐인. ***vieille ～*** 시대에 뒤진 사람〔늙은이〕.

badge [badʒ] 〔영〕 *m.* ① (소속 · 단체를 나타내는) 배지 ; 신분 명찰 ; 기장(記章). ② (익살스러운 말 · 그림이 담긴) 배지, 브로치.

badiane [badjan] *f.* 〖식물〗 붓순.

badigeon [badiʒɔ̃] *m.* 벽에 칠하는 도료(塗料) ; 〖의학〗 도포제(塗布劑).

badigeonnage [badiʒɔnaːʒ] *m.* ① (벽 따위를) 칠하기. ② 〖의학〗 (약 따위를) 바르기.

badigeonner [badiʒɔne] *v.t.* ① (벽 따위에) 도료를 칠하다 : ～ un vieux meuble 낡은 가구를 새로 칠하다. ② 〖의학〗 도포(塗布)하다 : ～ la gorge de teinture d'iode 목에 요드팅크를 바르다. ── **se** ～ *v.pr.* 《se는 간접목적보어》 자기의 …에 칠하다.

badin, e[1] [badɛ̃, -in] *adj.* 익살스러운, 희롱〔농담〕을 잘하는 ; 명랑한. ── *m.* (희극에서) 웃기는 사람. ── *n.* 웃기는 사람, 익살꾼.

badinage [badinaːʒ] *m.* 익살스러운 언행 ; 농담, 희롱 : par ～ 농담으로, 희롱으로.

badine[2] [badin] *f.* 가느다란 막대기〔단장〕.

badiner [badine] *v.i.* ① 희롱〔농담〕하다(= plaisanter) ; 장난삼아 하다, 경솔히 행동하다 : Il ne faut pas ～ avec cela. 그것은 경솔히 다룰 일이 아니다. ② ～ avec sa canne 단장을 휘두르다. ***ne pas ～ sur*** qc …을 소홀히 여기지 않다, …에 매우 엄격하다. ── *v.t.* 조롱하다, 놀리다.

badinerie [badinʀi] *f.* (흔히 *pl.*) ① 희롱, 농담, 익살스러운 짓〔말〕. ② 유치한 짓.

badminton [badmintɔn] *m.* 배드민턴.

baffe [baf], **baffre** [bafʀ] *f.* 《구어》 따귀(= gifle) : une paire de ～*s* 따귀 두 대.

baffle [bafl] 〔영〕 *m.* (확성기 따위의) 향명판(響鳴板), 스피커 시스템.

bafouer [bafwe] *v.t.* 비웃다, 조롱하다, 야유하다. ── **se** ～ *v.pr.* 자조(自嘲)하다.

bafouillage [bafujaːʒ], **bafouillis** [bafuji] *m.* ① 모름, 횡설수설 ; 《속어》 바보 같은 말. ② (기계의) 덜컹거리는 소리.

bafouille [bafuj] *f.* 《구어》 편지(= lettre).

bafouiller [bafuje] *v.t.* 더듬더듬 말하다(= balbutier). ── *v.i.* 《구어》 더듬더듬 말하다, 횡설수설하다 : L'émotion le faisait ～. 그는 충격으로 말을 더듬었다.

bafouilleur, euse [bafujœːʀ, -øːz] *n.* 횡설수설하는 사람 ; 더듬더듬 말하는 사람.

bâfrée [bɑfʀe] *f.* 《구어》 진수성찬, 향연.

bâfrer [bɑfʀe] *v.t.* 《구어》 게걸스럽게 먹다, 포식하다(= bouffer) ; 폭음하다.

bagage** [bagaːʒ] 〔영〕 *m.* ① (*pl.*) 수하물, 짐, 가방 ; 휴대품 : ～*s* à main 휴대품, 핸드캐리 여행용품 / chariot à ～*s* 여행 가방용 운반 수레 / garde des ～*s* 여행 물품 보관소 / faire ses ～*s* 여행 가방을 챙기다. ② 지식, 학식(= connaissance) ; 경험 ; 작품, 저작 : Son ～ scientifique est quasi nul. 그의 과학 지식은 전무하다. ***partir avec armes et ～s 소지품 일체를 가지고 떠나다. ***plier ～*** 짐을 꾸리다 ; 급히 출발하다 ; 도망가다 ; 죽다. ***pour tout ～*** 전부 통틀어.

bagagiste [bagaʒist] *adj.* 수하물을 다루는. ── *m.* (호텔 · 철도 등의) 수하물 운반인.

***bagarre** [bagaːʀ] *f.* ① 싸움(= bataille) ; 싸움판, 소동, 소란 ; 난투(극) : ～*s* entre les manifestants et la police 데모대와 경찰 사이의 난투극. ② 《구어》 주먹다짐, 폭력 : ～ pour le pourvoir 권력 쟁취를 위한 투쟁.

bagarrer [bagaʀe] *v.i.* 《구어》 싸우다 ; 투쟁하다 ; 논쟁하다. ── **se** ～ *v.pr.* 《구어》 ① 서로 다투다〔논쟁하다〕. ② 싸우다.

bagarreur, euse [bagaʀœːʀ, øːz] *adj.* et *n.* 싸우기〔논쟁하기〕 좋아하는 (사람).

bagatelle [bagatɛl] *f.* ① 하찮은 것〔일〕(= babiole, futilité) ; 몇 푼 안 되는 돈 : *B*～ que tout cela ! 그건 다 시시한 짓〔것〕이다. ② 연애 놀음, 정사(情事). ***être porté sur la ～*** 여자 꽁무니만 따라다니다 ; 색골이다. ***la ～ de*** 《반어적》 상당한 금액.

bagnard [baɲaːʀ] *m.* 도형수(= forçat).

bagne [baɲ] *m.* ① 도형수의 감옥 ; 도형장(徒刑場). ② 도형장을 방불케 하는 장소.

bagnole [baɲɔl] *f.* 《구어》 ① 낡은 마차〔자동차〕(= clou). ② 자동차(= automobile).

bagou(t) [bagu] *m.* 《구어》 (시시한 · 뻔뻔스런) 지껄임, 수다 ; 감언이설(= bavardage) : avoir du ～ 잘 지껄이다, 입심이 좋다.

bague** [bag] *f.* ① 반지, 가락지(= anneau) : ～ de fiançailles 약혼 반지 / porter une ～ au doigt 손가락에 반지를 끼고 있다. ② 고리 ; 고리 모양의 것 ; 바퀴 : ～ d'un pigeon-voyageur 전서구의 발에 끼우는 고리. ***aller comme une ～ au doigt (물건이) 꼭 맞다. ***C'est une ～ au doigt.*** 《구어》 그것은 부담 없이 바꿔칠 수 있다 ; 부담 없고 수입이 괜찮은 일이다. Sa place est ***une ～ au doigt.*** 그의 지위는 한직이다.

baguenauder [bagnode] *v.i.* et. **se** ～ *v.pr.* 부질없는 일로 시간을 보내다, 허송세월하다(= muser), 하릴없이 거닐다(= flâner).

baguer [bage] *v.t.* ① 반지로 치장하다. ② ⓐ …에 고리〔테〕를 두르다 : cigare *bagué* d'or 금테를 두른 여송연. ⓑ (비둘기에) 발고리를 끼우다. ③ 〖원예〗 환상박피(環狀剝皮)하다.

***baguette** [bagɛt] *f.* ① ⓐ 막대기 ; 지팡이 ; 지휘봉 : coup de ～ 막대기로 치기 / ～*s* de tambour 북채 / ～ de chef d'orchestre 오케스트라 지휘자의 지휘봉 / ～ magique (마

술사·요정 따위의) 마술 지팡이. ⓑ (*pl.*) 젓가락. ② (*pl.*) 〖군사〗 태형(笞刑)(= peine des ~*s*), 비평 ; 모욕. ③ 막대빵. ④ 〖건축〗 쇠시리, 몰딩(= molding). ⑤ (편지지의) 장식테 ; (바지, 양말 따위의) 가장자리 두름테. ***avoir de la ~*** 운이 좋다. ***commander*** 〔***faire marcher, mener***〕 qn ***à la ~*** …을 엄하게 다루다. ***marcher à la ~*** 엄한 규율하에 움직이다. ***passer par les ~s*** 태형을 받다 ; 혹독한 비평을 받다.

baguier [bagje] *m.* 반지〔보석〕 상자.

bah [bɑ] *interj.* 《의심·무관심 따위를 나타내어》 첫, 흥 ; 설마 ; 그럴 수가, 무슨 소리 ; 까짓것 : *B~ !* cela n'est pas possible. 설마, 그럴 수가 있나요.

bahut [bay] *m.* ① (중세기의 가운데가 불룩한) 궤 ; 장, 벽장형 가구. ② 《학생은어》 (중·고등) 학교, 사관학교.

bai, e[1] [bɛ] *adj.* (말이) 밤색의, 다갈색의 : jument ~*e* 밤색 암말. ── *n.* 밤색 말(= cheval ~). ── *m.* 밤색.

baie[2] [bɛ] *f.* ① 작은 만(灣), 내포(內浦) ; 《때로》 만(= golfe) ; 큰 만.

baie[3] *f.* (창문 따위의) 뚫린 공간, 창구(窓口) ; 문, 창 : ~ de fenêtre 창구, 창문.

baie[4] *f.* 〖식물〗 장과(漿果).

baignade [bɛɲad] *f.* ① 미역 감기, 목욕, 해수욕. ② (강의) 미역 감는 곳.

***baigner** [bɛ〔e〕ɲe] *v.t.* ① 미역 감기다, 목욕시키다 : ~ un enfant 어린애를 목욕시키다. ② (물·액체에) 담그다 : ~ le doigt malade dans de l'eau chaude 아픈 손가락을 더운 물에 담그다. ③ 적시다(= tremper) : visage *baigné* de larmes 눈물에 젖은 얼굴. ④ (빛이) …위에 퍼지다, 비추다 : Un rayon de soleil vint ~ son visage endormi. 한줄기 햇빛이 그의 잠든 얼굴을 감쌌다. ⑤ (강이) …에〔의 곁을〕 흐르다 ; (바다가) …을 둘러싸다〔에 닿다〕. ── *v.i.* 《~ dans》 ① (물·액체에) 잠기다. ② (안개 따위에) 둘러싸이다, 잠기다 : Tout le paysage *baignait dans* la brume. 온 풍경이 안개에 잠겨 있었다. ── **se ~** *v.pr.* 목욕하다 ; 미역 감다, 수영〔해수욕〕하다 : *se ~* dans la mer 〔dans une rivière〕 해수욕〔강에서 수영〕하다.

baigneur, euse [bɛɲœːʀ, -øːz] *n.* 미역 감는〔목욕하는〕 사람 ; 수영객, 해수욕객. ── *m.* 소형 셀룰로이드 나체 인형. ── *f.* 해수욕복 ; 수영 모자 ; 목욕 후의 어깨걸이.

***baignoire** [bɛɲwaːʀ] *f.* ① 목욕통, 욕조. ② 〖연극〗 1층의 칸막이 관람석〔특별석〕.

bail** [baj] *m.* (*pl.* ***baux [bo]) ① 임대차, 전세 ; 임대차 계약 ; 임대차 금액, 전세금 : ~ à loyer 가옥 임대차. ② 《구어》 오랜 시간〔세월〕 : C'est un ~ ! 참 오래 끄는군.

baille [ba〔ɑː〕j] *f.* 〖해양〗 ① 물통 ; 양동이. ② 《구어》 헌 배 ; 바다 ; 상선 학교.

bâillement [bɑjmɑ̃] *m.* ① 하품 ; (가금(家禽)의) 장취병(張嘴病). ② 벌어진 틈, 금.

bailler [baje] *v.t.* 《옛》 주다. ***Vous me la baillez belle*** 〔***bonne***〕. 속을 줄 알구.

bâiller** [bɑje] *v.i.* ① 하품하다 : ~ de sommeil 〔de fatigue, d'ennui〕 졸려서〔피로해서·지루해서〕 하품하다. ② (창문 따위가) 반쯤〔조금〕 열리다 ; (옷이) 벌어지다 : porte qui *bâille* 반쯤 열린 문. ***~ à se 〔***s'en***〕 ***décrocher la mâchoire*** 입이 찢어지게 하품하다.

bailleur, eresse [bajœːʀ, -ʀɛs] *n.* 〖법률〗 임대인. ~ ***de fonds*** (기업의) 출자자.

bâilleur, euse [bɑjœːʀ, -øːz] *n.* 하품하는 사람.

bailli [baji] *m.* (옛날의) 대법관.

bâillon [bɑjɔ̃] *m.* (말 못 하게 입을 틀어막는) 입마개, (짐승의) 재갈.

bâillonnement [bɑ〔a〕jɔnmɑ̃] *m.* ① 입마개 씌우기, 재갈 물리기. ② 함구령.

bâillonner [bɑ〔a〕jɔne] *v.t.* ① …의 입을 틀어막다, 함구시키다 ; 재갈물리다. ② (언론 따위를) 억압하다, 통제하다(= museler).

‡bain [bɛ̃] *m.* ① 목욕, 수영, 해수욕 ; (물에) 담그기, 적시기 : ~ de porpreté 목욕 / ~ de siège 뒷물, 좌욕 / ~ de vapeur 증기욕, 한증막 / ~ de sable 모래찜질 / cabine de ~ 탈의장 / ~ de boue 진흙 목욕 / ~ de soleil 일광욕 / costume de ~ 수영복 / ~ en piscine 수영장에서의 물놀이. ② 목욕물 ; 목욕통 ; 욕조; 수영장 ; (*pl.*) 공중 목욕탕 ; 온천장 : ~*s* de mer 해수욕(장) / faire couler un ~ 목욕물을 받다. ③ 침액(浸液), 용제(溶劑) ; 〖사진〗 용해약 ; 그 용기 : ~ révélateur 〔de développement〕 〖사진〗 현상액. ***~ de langue*** (외국어 학습의) 청취·반복·교정 따위의 집중 교육. ***être dans le ~*** ⓐ 관련〔연루〕되어 있다. ⓑ (일 따위에) 정통하다. ***jeter*** 〔***vider***〕 ***l'enfant*** 〔***le bébé***〕 ***avec le ~*** 〔***avec l'eau du ~***〕 교각살우(矯角殺牛). ***mettre*** qn ***dans le ~*** (좋지 않은 일에) 끌어들이다, 연루시키다. ***prendre un ~ froid*** 〔***chaud***〕 냉수〔온수〕욕하다. ***salle de ~*** 욕실 ; 목욕탕.

bain-douche [bɛ̃duʃ] *m.* (*pl.* **~s-~s**) 관수욕, 샤워 ; (*pl.*) 공중 목욕탕.

bain-marie [bɛ̃maʀi] *m.* (*pl.* **~s-~**) ① 중탕수, 중탕액 : chauffer au ~ 중탕하여 데우다. ② 중탕 냄비 ; 중탕기.

baïonnette [bajɔnɛt] *f.* 총검. ***B~ au canon !*** 꽂아 칼 ! ***charge à la ~*** 총검 돌격. ***douille*** 〔***culot***〕 ***à ~*** 〖전기〗 삽입 소켓.

baise [bɛːz] *f.* 《속어》 성행위, 입맞춤.

baisemain [bɛzmɛ̃] *m.* 손에 입맞추기 : faire le ~ 손에 입을 맞추다.

***baiser** [bɛ〔e〕ze] *v.t.* ① …에게〔에〕 입맞추다(= embrasser) : ~ qn à 〔sur〕 la bouche …의 입에 키스하다 / ~ la main d'une dame 부인의 손에 입맞추다. ② …와 육체관계를 맺다, 성교하다. ③ 《학생은어》 이해하다(= comprendre) : On n'y *baise* rien. 그건 전혀 모르겠다. ④ 《속어》 속이다 ; (현행범으로) 붙잡다 : se faire ~ 붙잡히다, 들키다. ── **se ~** *v.pr.* 서로 입맞추다 ; 접촉되다. ── *m.* 입맞춤, 키스.

baiseur, euse [bɛzœːʀ, -øːz] *n.* 입맞추기 좋아하는 사람.

baisse [bɛs] *f.* ① 낮아지기 ; (조수가) 빠지기 ; (기온이) 내려가기. ② (체력·영향력 따위의) 쇠퇴, 감퇴. ③ (물가의) 하락. ***en ~*** 내려가고 있는 : actions *en* ~ 하락하고 있는 주가. ***être à la ~*** 〖주식〗 하락세를 보이다. ***température en ~*** 하강 기온.

‡baisser [bɛ〔e〕se] *v.t.* ① (물건을) 낮추다,

B

내리다(= abaisser) : ~ le store 차양을 내리다 / ~ la vitre d'une automobile 자동차 유리창을 내리다. ② (눈·머리 따위를) 숙이다, 내리다(= incliner) : ~ la tête [le front] 머리를 숙이다. ③ (소리, 강도 따위를) 낮추다, 약하게 하다(= diminuer) : ~ la voix [le ton] 목소리[어조]를 낮추다 / ~ la radio 라디오의 볼륨을 줄이다. ④ 《구어》 …의 값을 내리다 : ~ la viande 쇠고기 값을 내리다. ⑤ (높이를) 낮추다 : ~ un mur 벽 높이를 낮추다. **~ le nez** 당황하다, 부끄러워하다. **~ les yeux** [**les paupières**] 시선을 떨구다 ; 부끄러워하다. **~ le ton** 거만한 태도를 누그러뜨리다. **faire** qc **tête baissée** …을 대담하게 해내다.

— *v.i.* ① 낮아지다 ; 내리다 ; (기온이) 내려가다 ; (물이) 줄다, 빠지다 ; (바람 따위가) 약해지다 ; (조수가) 빠지다; (해가) 기울다, (날이) 저물다 ; (램프가) 어두워지다 ; 『음악』 (음조가) 내려가다 : La mer *baisse* 조수가 빠지고 있다 / Le jour *baisse*. 날이 저문다. ② (체력 따위가) 쇠약해지다 ; 쇠퇴하다 : Sa vue *baisse*. 그의 시력이 약해지고 있다. ③ 값이 떨어지다 ; (물가가) 내리다 : Les prix *ont* considérablement *baissé*. 물가가 많이 내렸다. **~ dans l'estime de** qn …의 신용을 잃다. **~ d'un ton** 음조를 내리다 ; 말투를 부드럽게 하다.

— **se ~** *v.pr.* 몸을 굽히다, 구부리다(= se courber, se pencher) ; (물건이) 휘다 ; 낮아지다, 내려가다. ***Il n'y a qu'à se ~ pour les ramasser.*** 수없이 많아요 ; 그것은 쉬운 일입니다.

— *m.* 내리기 ; 내려가기 ; 낮아지기. **~ du rideau** 『연극』 막이 내림. **~ du soleil** 일몰.

bajoue [baʒu] *f.* (돼지·송아지 따위의) 볼 ; (사람의) 늘어진 볼.

bakchich [bakʃiʃ] 〔페르시아〕 *m.* 팁, 행하(行下) ; 뇌물(= pot-de-vin).

bakélite [bakelit] *f.* 베이클라이트《합성수지의 일종》.

baklava [baklava] *m.* (꿀과 편도를 넣은) 과자.

bal [bal] *m.* ① 무도회, 댄스파티 : robe de ~ 무도회복 / ~ costumé [travesti] 가장 무도회. ② 무도회장, 댄스홀.

balade [balad] *f.* 《구어》 ① 산책, 산보(= promenade). ② 소풍 ; 유람, 여행(= voyage) : bell ~ 멋진 소풍.

***balader** [balade] *v.t.* ① 산책시키다. ② 데리고[끌고] 다니다(= promener). — *v.i.* 산책하다, 어슬렁거리며 돌아다니다. **envoyer ~** qn [qc] …을 면직시키다 ; …을 내버리다.

— **se ~** *v.pr.* ① 산책하다, 거닐다 ; 유람하다. ② 《속어》 흩어져 있다, 널려 있다.

baladeur, euse [baladœːʀ, -øːz] *adj.* 《구어》 거닐기 좋아하는. — *n.* 거닐기 좋아하는 사람. — *f.* ① (행상인의) 손수레 ; (전차·자동차의) 부속차, 트레일러. ② (긴 전선이 달린) 휴대 전등. — *m.* '워크맨'류의 소형 카세트 재생기.

baladin, e [baladɛ̃, -in] *n.* (희극의) 어릿광대(= bouffon) ; 떠돌이 광대(= farceur).

balafo [balafo], **balafon** [balafɔ̃] *m.* 발라폰《중·서부 아프리카의 목금 비슷한 악기》.

balafre [bala(ɑː)fʀ] *f.* (얼굴의) 칼자국(= estafilade) ; 흉터.

balafré, e [bala(ɑ)fʀe] *adj.* ① (얼굴에) 칼자국이 있는. ② 찢어진(= déchiré) ; 금이 간. ③ (그림·데생 따위가) 굵은 선으로 그려진. — *n.* 얼굴에 칼자국이 있는 사람.

balafrer [bala(ɑ)fʀe] *v.t.* (얼굴에) 칼자국을 내다.

***balai** [balɛ] *m.* 비, 빗자루 ; 걸레 : ~ électrique 전기 청소기 / ~ mécanique 융단 청소기 / ~ de marine (갑판용) 자루 달린 빗자루. **donner un coup de ~** 전원 해고하다. **donner un coup de ~ à une pièce** 방을 소제하다. **manche à ~** 빗자루.

balai-brosse [balɛbʀɔs] *m.* (*pl.* **~s-~s**) 자루 달린 솔.

balais [balɛ] *adj. m.* rubis ~ 홍옥(紅玉).

balalaïka [balalaika] *f.* 발랄라이카《러시아 민속 현악기의 일종》.

***balance** [balɑ̃ːs] *f.* ① 저울, 천평칭(天平秤), 천칭 ; (정의의 상징인) 저울 : ~ automatique (상점에서 쓰는) 자동 저울 / ~ électronique 전자식 저울 / ~ thermique 열천칭 / ~ romaine 대저울, 간칭(桿秤) / se peser sur une ~ 저울에 올라 체중을 재다. ② 균형, 평형(= équilibre) : ~ des forces 힘의 균형. ③ 『상업』 대차(貸借)[수지] 대조(표), 대차의 차액 ; 결산 : ~ d'un compte [des comptes] 대차의 차감 잔액(= bilan) / ~ (générale) des comptes (한 나라의) 국제 수지. ④ 『어업』 가재(잡이) 그물. ⑤ (*B*~) 『천문』 천칭궁(天秤宮) **~ à bascule** 계량대(計量臺). **~ commerciale** [**du commerce**] 무역 수지. **~ politique** [**des pouvoirs**] (국제 간의) 세력 균형. **compte en ~** 대차가 균형 잡힌 계정. **faire la ~** 『상업』 수지를 결산하다, 청산하다. **faire pencher** [**incliner**] **la ~ en faveur de** qn [qc] …을 유리하게 하다, …의 편을 들다. **mettre** [**jeter**] qc **dans la ~** …을 써서 일의 결판을 내다. **peser dans la ~** 영향력을 가지고 있다[행사하다]. **tenir** [**maintenir**] **la ~ droite** [**égale**] **entre deux partis** 쌍방에 대해 공평하다.

balancé, e [balɑ̃se] *adj.* ① 균형이 잡힌. ② 균형 잡힌 몸매의 : bien ~ 멋진 몸매의.

balancelle [balɑ̃sɛl] *f.* (이탈리아·에스파냐 해안의) 돛대가 하나인 큰 배.

balancement [balɑ̃smɑ̃] *m.* ① 좌우[앞뒤]로 흔들림, 동요. ② 균형, 평형, 균형 상태(= équilibre). ③ 주저, 망설임.

balancer [balɑ̃se] [2] *v.t.* ① 좌우[앞뒤]로 흔들다 : Le vent *balance* les jeunes arbres. 바람에 어린 나무들이 흔들린다. ② 비교하다(= comparer) ; 숙고하다(= examiner) : ~ le pour et le contre 유리한 점과 불리한 점을 비교하다. ③ 균형잡히게 하다 : ~ une composition 구성[작문]을 짜임새 있게 하다. ④ 『상업』 청산하다 : ~ un compte 대차(貸借)를 청산하다. ⑤ (결점을) 채우다 : Ses vertus *balancent* ses vices. 그에게는 단점도 있으나 또 장점도 있다. ⑥ 《구어》 내던지다, 처분하다, 팔다 : *J'ai balancé* tous mes vieux meubles. 나는 헌 가구를 모두 처분했다. ⑦ 해고하다(= congédier) ; (애인을) 차버리다(= plaquer). — *v.i.* ① 주저하다(= hésiter), 망설이다 : Il n'y a pas à ~. 꾸물

거리고 있을 때가 아니오. ② 《주어 : qc》 불확실한 상태로 있다 : Longtemps la victoire *balança.* 오랫동안 승부의 결판이 나지 않았다. ── **se ～** *v.pr.* ① 좌우〔앞뒤〕로 흔들리다. ② 몸을 좌우〔앞뒤〕로 흔들며 걷다 ; 시소를 타다. ③ 균형잡히다 ; 〖상업〗 대차가 상쇄되다 : Le bon et le mauvais *se balancent.* 손익이 상쇄된다. ***Je m'en balance.*** 나는 그런 건 상관없어. ***se ～ en ses ancres*** (배가) 정박하다.

balancetiquer [balɑ̃stike] *v.t.* 《은어》 내던지다 ; 목을 자르다, 파면하다.

balance-trébuchet [balɑ̃stʀebyʃɛ] (*pl.* ***～s-～s***) *f.* 화학 천칭(天秤), 정밀 저울.

balancier[1] [balɑ̃sje] *m.* 저울 제조인.

balancier[2] *m.* ① (시계의) 흔들이, 추 ; (시계의) 균형륜(均衡輪). ② (줄타기의) 균형 잡는 장대, 평형봉. ***～ du vilebrequin*** 〖자동차〗 크랭크축 균형 장치.

balançoire [balɑ̃swaːʀ] *f.* ① 그네(= escarpolette) ; 시소. ② 《구어》 객설, 부질없는 이야기(= baliverne). ***envoyer*** qn ***à la ～*** …을 해고하다. ***faire la ～*** 〖연극〗 《속어》 사족을 붙이다.

balayage [balɛjaːʒ] *m.* 비질 ; 소제 ; 청소 : ～ d'une chambre 방청소.

*__balayer__ [balɛ(e)je] [8] *v.t.* ① 비로 쓸다, 청소〔소제〕하다(= nettoyer) ; (옷자락이 땅을) 쓸다〔스치다〕 : ～ sa chambre 방을 청소하다. ② (바람·물결이) (휩)쓸다 ; (탐조등 따위가) 이리저리 비추다 : Le vent *balaye* les nuages. 바람에 구름이 흘러간다. ③ 《비유》 일소하다, 소탕하다 : ～ un doute 의심을 일소하다 / ～ les obstacles 장애물을 제거하다. ④ 〖TV〗 (텔레비전·레이더가) 주사(走査)하다.

balayette [balɛjɛt] *f.* 작은 비.

balayeur, euse [balɛjœːʀ, -øːz] *n.* 청소부, 《특히》 도로 청소부. ── *f.* 도로 청소차.

balayures [balɛ(e)jyːʀ] *f. pl.* 쓰레기(= ordure, débris).

balbutiement [balbysimɑ̃] *m.* 말더듬기 ; 혀짤배기 소리 ; (*pl.*) (표현 방법의) 미숙 ; (학문·예술의) 요람기(= commencement).

balbutier [balbysje] *v.t.* ① 더듬더듬〔우물우물〕 말하다(= bafouiller) : ～ des excuses 우물우물 변명을 하다. ② 중얼거리다(= marmotter). ── *v.i.* (어린애가) 더듬더듬 말하다 ; (수줍음 따위로) 말을 더듬거리다 ; (기술 따위가) 초보 단계이다.

*__balcon__ [balkɔ̃] *m.* ① 〖건축〗 발코니, 노대(露臺) ; 발코니의 난간(= balustrade). ② 〖연극〗 2층 정면 관람석 : s'appuyer au ～ 난간에 몸을 기대다. 「집, 천개(天蓋).

baldaquin [baldakɛ̃] *m.* (침대 따위의) 닫

baleine [balɛn] *f.* ① 〖동물〗 고래. ② 고래수염(= fanon de ～), 고래뼈. ③ 코르셋의 받침살(= ～*s* d'un corset) ; 우산살. ***rire comme une ～*** 《구어》 입을 크게 벌리고 웃다.

baleineau [balɛno] *m.* (*pl.* ***～x***) 〖동물〗 새끼 고래.

baleinier, ère [balɛ(e)nje, -ɛːʀ] *adj.* 포경(捕鯨)의. ── *m.* ① 포경선(= navire-～). ② 고래잡이 어부. ── *f.* 포경정(艇).

balès [balɛs] *adj.* et *n.* = balèze.

balèze [balɛːz] *adj.* et *n.* 《속어》 건장한 (사람) ; 억센 (사람).

balisage [balizaːʒ] *m.* ① 〖해양〗 경표(警標) 설치 ; 〖항공〗 항공 표지 설치 ; 측량주(柱) 설치. ② 《집합적》 경표, 항공 표지 ; 측량주.

balise [baliːz] *f.* 〖해양〗 경표(警標), 항로 표지 ; 〖항공〗 항공 표지 ; 〖측량〗 측량주.

baliser[1] [balize] *v.t.* 〖해양〗 …에 경표를 설치하다 ; 〖항공〗 …에 항공 표지를 설치하다 ; 측량주를 설치하다.

B

baliser[2] *v.i.* 《구어》 두려워하다, 겁내다.

baliste [balist] *f.* 〖군사〗 박격포.

balistique [balistik] *adj.* ① 탄도(彈道)(학)의. ② 탄환을 발사하는 : engin 〔missile〕 ～ 로켓, 미사일. ── *f.* 탄도학.

balivage [balivaːʒ] *m.* 윤벌 수림(輪伐樹林)의 어린 나무 선택 ; 그 검인(檢印).

baliveau [balivo] *m.* (*pl.* ***～x***) (벌채림의) 베지 않고 남겨둔 어린 나무 ; 〖원예〗 묘목.

baliverne [balivɛʀn] *f.* 객설, 부질없는 이야기(= sornette) ; 쓸데없는 짓〔일〕.

balkanisation [balkanizɑsjɔ̃] *f.* 발칸화(化) ; 소국(小國)으로 쪼개지기 ; (지역의) 세분화.

ballade [balad] *f.* ① 발라드(《짧은 시형(詩形)의 일종》). ② 민요시, 담가(譚歌). ③ 〖음악〗 발라드, 담시곡.

ballant, e [balɑ̃, -ɑ̃ːt] *adj.* 건들거리는, 흔들리는. ── *m.* 흔들림, 진동 ; 〖골프〗 스윙 ; (자동차 따위의) 동요(= oscillation).

ballast [balast] 〔영〕 *m.* ① 〖해양〗 ⓐ (선박의) 밸러스트, 바닥짐. ⓑ (배 밑창의) 물 저장소 ; (잠수함의) 침강조(沈降槽)(= water-～). ② (길·철로에 까는) 자갈.

⁑**balle**[1] [bal] *f.* ① 공(《탁구공·테니스공·골프공 따위》) : ～ de ping-pong 〔de tennis〕 탁구〔테니스〕 공 / une belle ～ 〖테니스·탁구〗 멋진 타구. ② 탄환, 총탄 : ～ morte 〔perdue〕 유탄〔오발탄〕. ③ 《구어》 ⓐ 머리, 얼굴 : avoir une bonne ～ 얼굴이 잘생기다〔환하다〕. ⓑ 프랑(= franc) : J'en ai eu pour trois cents ～*s.* 그건 300 프랑 주고 샀어. ***enfant de la ～*** 조상의 직업을 물려받은 사람〔배우〕. ***faire ～*** 과녁에 명중시키다 ; 급소를 찌르다. ***faire des*** 〔***quelques***〕 ***～s*** 〖테니스·탁구〗 (연습으로) 공을 치다. ***prendre*** 〔***saisir***〕 ***la ～ au bond*** 튀는 공을 잡다 ; 호기(好機)를 재빨리 포착하다. ***rattraper la ～*** 응답하다, 응수하다. ***renvoyer la ～ à*** qn 공을 받아넘기다 ; 반격을 가하다 ; 잽싸게 대꾸하다.

balle[2] *f.* = bale.

balle[3] *f.* (행상인의) 커다란 봇짐(= ballot) ; 보따리, 짐 : faire une ～ (de marchandises) (상품) 보따리를 싸다. ***de ～*** 시시한, 가치 없는 : écrivain *de* ～ 서투른 작가.

ballerine [balʀin] *f.* 발레 댄서, 발레리나.

*__ballet__ [balɛ] *m.* 발레, 무도곡 ; 발레 음악 ; 발레단 : danser un ～ 발레를 하다.

*__ballon__[1] [balɔ̃] *m.* ① 기구(氣球) ; (고무) 풍선(= ～ à air, ～ à jouer) : ～ bombe 풍선 폭탄 / monter en ～ 기구로 하늘을 오르다 / ～ dirigeable 비행선(船). ② 큰 공(《럭비공·농구공·축구공 따위》) : jouer au ～ 공놀이를 하다, 구기(球技)를 하다. ③ 구형(求刑) 플라스크, 구형 컵(= verre ～) ; (산소 호흡용) 산소통〔병〕 : ～ d'oxygène 산소통. ④ 〖의복〗

manche ~ 퍼프슬리브《부풀린 짧은 소매》. ⑤ 알콜 혈액 농도 측정 기구(= ~ d'alcool-test) : souffler dans le ~ 알콜 테스트기에 입김을 불다. ***envoyer un ~ d'essai*** 풍향 기구를 날리다 ; 반응을 살피다.

ballon² *m.* 프랑스 동북부 보즈(*Vosges*) 지방의 산(山)의 호칭.

B

ballonné, e [balɔne] *adj.* 불룩해진, 부푼 ; 〖의학〗 팽창한.

ballonnement [balɔnmɑ̃] *m.* ① (스커트 따위의) 부푼 모양 ; 부풀리기. ② 〖의학〗 고창증(鼓脹症).

ballonnet [balɔnɛ] *m.* 작은 풍선 ; 작은 기구.

ballon-sonde [balɔ̃sɔ̃:d] *m.* (*pl.* **~s-~s**) 〖기상〗 탐측 기구, 라디오존데.

ballot [balo] *m.* ① (행상인의) 봇짐 ; 작은 고리짝 : 짐 ; 〖군사〗 잡낭. ② 《구어》 바보(= idiot), 얼간이.

ballottade [balɔtad] *f.* 〖경마〗 발로타드, 도약.

ballottage [balɔta:ʒ] *m.* 어느 후보자도 당선에 필요한 표를 얻지 못한 상태 ; 산표(散票) : candidat en ~ (산표에 의해) 당선 미확정 후보자. ***scrutin de*** ~ 결선 투표.

ballottement [balɔtmɑ̃] *m.* 흔들림, 동요.

ballotter [balɔte] *v.t.* ① 동요하게 하다, (이리저리) 흔들리게 하다(= agiter) : La mer *ballotte* le navire. 바다의 파도로 배가 흔들린다. ② 《~ qn》 ⓐ (둘 사이에서) 고민하게 하다《주로 수동태로 쓰임》: *être ballotté* entre son père et sa mère 양친의 어느 편도 들지 못해 고민하다. ⓑ 놀리다, 우롱하다. ── *v.i.* 흔들리다, 동요하다.

ballottin [balɔtɛ̃] *m.* 포장 팩.

ballottine [balɔtin] *f.* 닭고기〔새고기〕 완자.

ball-trap [baltʀap] 〔영〕 *m.* (사냥 연습용) 모조새 사출기(射出機).

bal(l)uchon [balyʃɔ̃] *m.* 《특히 옷의》 보따리, (옷)꾸러미 : faire son ~ 떠나다.

balnéaire [balneɛ:ʀ] *adj.* 해수욕의 ; 온천의, 광천의. ***station*** ~ 온천장 ; 해수욕장.

balourd, e [balu:ʀ, -uʀd] *adj.* et *n.* 우둔한 (사람), 재치 없는 (사람) ; 서투른 (사람). ── *m.* (회전 운동을 하는 기계의) 불균형.

balourdise [baluʀdi:z] *f.* ① 우둔함. ② 우둔한 짓〔말〕, 실수.

balsa [balza] 〔에스파냐〕 *m.* 발사(나무)《열대 아메리카산의 나무》; 발사나무 목재.

balsamine [balzamin] *f.* 〖식물〗 봉선화.

balsamique [balzamik] *adj.* 방향성(芳香性)의, 향기로운 : paroles ~*s* 위로의 말. ── *m.* 발삼제(劑), 향유제.

balte [balt] *adj.* 발트해(海)(*la Baltique*)의 ; 발트 연안의. ── *m.* 발트어(語). ── **B~** *n.* 발트 연안 사람.

baltique [baltik] *adj.* = balte. ── **la B~** *n.pr.f.* 발트해(= la mer *B~*).

balustrade [balystʀad] *f.* 난간(= garde-fou).

balustre [balystʀ] *f.* ① 난간의 기댐대 ; (*pl.*) (계단의) 난간. ② 《옛》 = balustrade.

balzane [balzan] *f.* (말 다리의) 흰 반점.

bambin, e [bɑ̃bɛ̃, -in] *n.* 어린애 ; 조무래기 ; 장난꾸러기(= gamin).

bambocheur, euse [bɑ̃bɔʃœ:ʀ, -ø:z] *adj.* et *n.* 방탕한 (사람), 외도하는 (사람).

bambou [bɑ̃bu] *m.* 〖식물〗 대나무 ; 대나무 단장 : pousses de ~ 죽순. ***attraper un coup de ~*** 《구어》 (더운 나라에서) 일사병에 걸리다. ***avoir reçu*** 〔***avoir***〕 ***le coup de ~*** 《속어》 머리가 돌았다 ; 몹시 지쳐 있다.

ban [bɑ̃] *m.* ① 《옛》 (왕에 의한) 귀족들의 소집령. ② 포고 ; (포고 전후에 치는) 북소리, 나팔 불기 ; 《구어》 박자를 맞춘 박수 : ouvrir 〔fermer〕 le ~ (선언에 앞서) 북을 치다〔멈추다〕. ③ (*pl.*) (교회에서의) 혼인 공시(公示)(= ~*s* de mariage) : publier les ~*s* (교회의 정문에) 결혼을 공시하다. ***être au*** 〔***se mettre***〕 ***~ de l'opinion publique*** 〔***de la société***〕 세상 사람들에게 배척받다. ***être en rupture de ~ avec*** qc …의 규제를 어기고 제멋대로 놀아나다. ***le ~ et l'arrière-~*** 《구어》 모두, 모든 사람 : Il invitera *le ~ et l'arrière-~*. 그는 친구 전부를 초대할 것이다. ***mettre*** qn ***au ~*** …을 추방하다.

*__banal, e__ [banal] *adj.* ① (*pl.* **-aux** [-o]) 《옛》 영주 소유의 ; 공유〔공동〕의. ② (*pl.* **~s**) 평범한, 진부한, 시시한(= fade) : roman bien ~ 신통치 않은 소설.

banalement [banalmɑ̃] *adv.* 평범하게, 진부하게.

banalisation [banalizɑsjɔ̃] *f.* ① 평범화, 속화(俗化). ② (경찰차의) 표지 제거.

banalisé, e [banalize] *adj.* (경찰차의) 표지가 제거된 : voiture de police ~*e* 경찰 표지를 제거〔은폐〕한 경찰차(= voiture-piège).

banaliser [banalize] *v.t.* ① 평범〔진부〕하게 만들다, 일반화하다, 보편화시키다. ② (경찰차의) 표지를 제거〔은폐〕하다.

banalité [banalite] *f.* 평범, 진부(= platitude) ; (*pl.*) 평범〔진부〕한 것 ; 상투적인 말〔생각〕 : ~ de la vie quotidienne 일상 생활의 진부함.

*__banane__ [banan] *f.* ① 〖식물〗 바나나 ; 파초의 열매. ② 《군대속어》 쌍발 헬리콥터. ***glisser sur une peau de ~*** 바나나 껍질에 미끄러져 넘어지다.

bananeraie [bananʀɛ], **bananerie** [bananʀi] *f.* 바나나 밭, 파초원.

bananier¹ [bananje] *m.* ① 〖식물〗 바나나 나무, 파초. ② 바나나 운반선(= cargo ~).

bananier², ère [bananje, -ɛ:ʀ] *adj.* ① 바나나 경작의〔경작에 관한〕. ② 〖정치〗 république ~*ère* 부패한 국가.

⁑**banc** [bɑ̃] *m.* ① 걸상, 벤치 ; 자리(= siège) : ~*s* de l'école 학생들의 걸상 / ~ de jardin 공원 벤치 / ~ des ministres 의회의 장관석 / ~ des prévenus 〔témoins〕 〖법률〗 피고〔증인〕석. ② (목수 따위의) 작업대(臺) ; 〖기계〗 (선반의) 반대(盤臺). ③ (암석 따위의) 층(層), 지층(= couche, assise) ; 초(礁), 해저의 융기 : ~ continental 대륙붕 / ~ de roches 암초 / toucher au ~ 〖해양〗 (배가) 좌초하다. ④ 〖어업〗 물고기 떼(= ~ de poissons) : ~*s* de morues 대구 떼. ***~ de sable*** 모래톱, 사주(砂洲). ***~ d'essai*** 《비유》 시험대. ***sur les ~s*** (***de l'école***) 재학 중인.

bancaire [bɑ̃kɛ:ʀ] *adj.* 은행의 : chèque ~ 은행 수표.

bancal, e, als [bɑ̃kal] *adj.* ① 다리가 구부러진〔휜〕, 앙가발이의. ② (의자가) 건들거리는(= boiteux). ③ 《비유》 (계획이) 엉성한, 허술한 : raisonnement ~ 잘 맞지 않는 추론.

bancarisation [bɑ̃kaʀizɑsjɔ̃] *f.* 〖재정〗 (인구의) 은행 계좌 보유 비율.

banco [bɑ̃ko] *adj.* 《불변》 《옛》 은행 가격의. ― *m.* 뱅크(《32 장의 카드로 하는 놀이》) : faire ～ 물주에 대해 혼자서 돈을 걸다.

bancroche [bɑ̃kʀɔʃ] *adj.* et *n.* (다리가) 구부러진〔휜〕 (사람).

bandage [bɑ̃da:ʒ] *m.* ① 붕대로 싸매기, 띠로 잡아매기. ② 바퀴의 강철테 ; 타이어.

bandagiste [bɑ̃daʒist] *adj.* 붕대 제조〔판매〕의. ― *n.* 붕대 제조〔판매〕인.

bandana [bɑ̃dana] *m.* 날염(捺染) 면 스카「프.

bande**[1] [bɑ̃:d] *f.* ① (천, 가죽, 종이, 금속 따위의) 띠 ; 밴드 ; 〖외과〗 붕대(= pansement) : ～ adhésive 반창고 / ～ périodique 생리대 / ～ enroulée 두루마리 밴드 / mettre une ～ autour d'un genou blessé 다친 무릎에 붕대를 감다. ② 띠 모양의 것 ; 지대(= ～ de terrain 〔terre〕) ; 지역(= ～ de territoire). ③ 줄무늬(= rayure) ; 〖문장〗 중사선(中斜線) ; (도로의) 선, 분리대 : chaussée à trois ～*s* 3 차선 도로 / ～ médiane (도로의) 중앙분리대. ④ 〖기계〗 대, 벨트 ; 〖물리〗 대(帶) : ～ de frequences 주파수대 / ～ du spectre 스펙트럼대(帶). ⑤ 〖영화〗 필름(= film) ; 녹음테이프(= ～ magnétique) ; (기관총의) 탄띠 ; 〖라디오〗 주파 역폭(域幅). ⑥ (당구대의) 쿠션. ***～ dessinée 연재 만화(《약자》 B.D.). ***par la ～*** 간접적 수단으로 ; 쿠션을 넣어서.

bande**[2] *f.* ① 떼, 무리, 집단(= troupe) : ～ de voleurs 도둑떼 / ～ d'idiots 〔d'imbéciles〕 바보 같은 놈들 / aller en 〔par〕 ～ 떼를 지어 가다. ② 한패, 도당(= clan, clique). ***faire ～ à part 혼자〔자기들끼리만〕 떨어져 있다.

bande[3] *f.* 〖해양〗 ① 《옛》 뱃전(= bord). ② (배의) 경사(傾斜).

bandé, e [bɑ̃de] *adj.* ① 붕대로 싸맨 : jambe ～*e* 붕대를 감은 다리. ② (말・사형수가) 눈을 가린. ③ (줄 따위가) 팽팽한 ; (몸이) 긴장된.

bande-annonce [bɑ̃danɔ̃:s] *f.* (*pl.* ～***s***-～***s***) (영화의) 예고편.

bandeau [bɑ̃do] *m.* (*pl.* ～***x***) ① 이마〔머리〕에 두르는 띠(= serre-tête) ; (모자의) 띠. ② 눈가리개(= œillère). ***avoir un ～ sur les yeux*** (정세에) 눈이 어둡다.

bandelette [bɑ̃dlɛt] *f.* 작은 붕대 ; 작은 띠.

bander [bɑ̃de] *v.t.* ① (상처를) 붕대로 싸매다 ; …에 띠를 두르다 : ～ le front d'un blessé 부상자의 이마를 붕대로 싸매다. ② (눈을) 가리다 : ～ les yeux d'un condamné 사형수의 눈을 가리다. ③ (밧줄을) 팽팽하게 매다 ; (활시위를) 당기다 ; (마음을) 긴장시키다. ― *v.i.* 《비어》 (남자의) 성기가 발기하다, (여자가) 성적 흥분을 일으키다. ― **se ～** *v.pr.* 팽팽해지다, 긴장되다.

banderille [bɑ̃dʀij] *f.* (투우사가 쓰는) 리본이 달린 짧은 창.

banderole [bɑ̃dʀɔl] *f.* ① 끝이 쌍갈진 길쭉한 기, 창기(槍旗). ② 작은 기 ; (글이 적힌) 플래카드.

bande vidéo [bɑ̃dvideo] *f.* (*pl.* [illegible]) 비「디오테이프.

***bandit** [bɑ̃di] *m.* ① 산적, 노상강도(= brigand) ; 갱 ; (*pl.*) 비적 : ～ d'honneur 의적. ② 무뢰한, 악당, 깡패.

banditisme [bɑ̃ditism] *m.* 산적〔불한당〕질 ; 산적〔강도〕의 날뜀.

bandonéon [bɑ̃dɔneɔ̃] *m.* 〖음악〗 반도네온(《아르헨티나 탱고에 쓰이는 소형 아코디언》).

bandoulière [bɑ̃duljɛ:ʀ] *f.* 멜빵 ; (어깨에 메는) 탄띠. ***en～*** 어깨에서 허리로 걸쳐 메어 : porter son fusil *en* ～ 자기 총을 어깨에 비스듬히 둘러메다.

bang [bɑ̃:g] *interj.* 펑 ! 꽝 ! 《폭음》. ― *m.* ① (비행기가 음속을 돌파할 때의) 충격파음. ② 〖천문〗 théorie du grand ～ 〔big-～〕 빅뱅 이론.

banjo [bɑ̃(d)ʒo] 〔미영〕 *m.* 〖음악〗 밴조.

bank-note [bɑ̃knɔt] 〔영〕 *f.* 〔*m.*〕 (영국의) 은행권, 지폐.

***banlieue** [bɑ̃ljø] *f.* (대도시의) 교외, 시외, 변두리 : proche ～ 근교 / grande ～ 원교 / ～ de paris 파리 교회 / train de ～ 교외선 열차 / habiter en ～ 교외에 살다.

banlieusard, e [bɑ̃ljøza:ʀ, -aʀd] *adj.* et *n.* 《구어》 대도시 교외에 사는 (사람).

banne [ban] *f.* ① (석탄 따위의) 운반차. ② 버들 광주리. ③ (차에 실은 화물을 덮는) 포장 ; (점포 앞에 치는) 차일.

banni, e [bani] *adj.* et *n.* 추방당한 (사람), 제외된 (사람), 따돌려진 (사람).

bannière [banjɛ:ʀ] *f.* (선박의 네모꼴) 기, (종교・음악 단체의) 단기 ; (봉건 시대의) 군기. ***se ranger*** 〔***marcher***〕 ***sous la ～ de*** qn …의 휘하로 들어가다 ; …의 편을 들다.

bannir [bani:ʀ] *v.t.* ① (국외로) 추방하다(= proscrire) ; 내쫓다(= expulser) : ～ du territoire national les personnes dangereuses 위험 인물들을 국외로 추방하다. ② 《～ qc》 물리치다(= rejeter) ; 없애다(= supprimer), 제거〔제외〕하다 ; 끊다 : ～ l'usage du tabac 담배를 끊다 / ～ une mauvaise pensée de son esprit 머리에서 나쁜 생각을 몰아내다. ― **se ～** *v.pr.* 《se ～ de》 …으로부터 망명하다(= s'exiler) ; …에서 쫓겨나다.

bannissable [banisabl] *adj.* 추방할 만한.

bannissement [banismɑ̃] *m.* ① 추방, 유배(= exil). ② 망명.

banque** [bɑ̃:k] *f.* ① 은행(업) : ～ des yeux 〔du sang〕 〖의학〗 안구〔혈액〕 은행 / ～ de crédit 신용 금고 / ～ de dépôts 보통 은행 / ～ d'État 국립 은행 / ～ priivée 민간 은행 / se faire ouvrir un compte en ～ 은행에 당좌 예금 계좌를 트다. ② 노름판의 물주의 돈 ; 물주. ***avoir un compte en ～ 은행에 예금이 있다. ***～ de données*** 〔***d'information***(***s***), ***de l'informatique***〕 데이터뱅크, 정보 은행. ***la B～*** (***de France***) 프랑스 은행. ***la B ～ Mondiale*** 세계 은행. ***billet de ～*** 은행권, 지폐. ***carnet*** 〔***livret***〕 ***de ～*** (당좌) 예금 통장. ***somme en ～*** 은행에 예금되어 있는 금액. ***tenir la ～*** (노름판에서) 물주가 되다.

banqueroute [bɑ̃kʀut] *f.* ① 파산, 도산(= faillite) : ～ involontaire 〔volontaire〕 강제〔임의〕 파산. ② 《문어》 《비유》 (기획의) 실패, 좌절 : ～ de la politique 정책의 실패. ***faire ～*** 파산하다. ***faire ～ à*** qc (명예 따위를) 손상시키다 ; …을 위배하다.

banqueroutier, ère [bɑ̃kʀutje, -ɛ:ʀ] *adj.* 파산한, 도산한 : société ～*ère* 파산 회사.

— *n.* 파산자, 지불 불능자.

banquet [bɑ̃kɛ] *m.* 연회, 향연, 축하연(= festin) : ~ nuptial 〔de nos〕 결혼 피로연. ***~ sacré*** 〔***céleste, divin, eucharistique***〕 〖종교〗 성찬식, 영성체.

banqueter [bɑ̃kte] 5 *v.i.* 연회에 참석하다 ; 잘〔맛있는 음식을〕 먹다.

banquette [bɑ̃kɛt] *f.* ① (등 없는) 걸상, (쿠션이 있는) 긴 의자 ; (버스 · 전차의) 좌석. ② 〖토목〗 (제방의) 작은 계단 ; (다리 · 철로 · 운하 따위의) 보도, 측도(側道). ③ 〖축성〗 흉벽 내부에 설치한 사격용 발판.

banquier, ère [bɑ̃kje, -ɛːʀ] *adj.* 은행(업)의. — *n.* ① 은행가〔업자〕《banquière는 은행가의 아내란 뜻도 됨》. ② 노름판의 물주.

banquise [bɑ̃kiːz] *f.* (남 · 북빙양 연안의) 대부빙군(大浮氷群)(= banc de glace).

banquiste [bɑ̃kist] *m.* 요술쟁이 ; 허풍선이, 사기꾼.

bantou, e [bɑ̃tu] *adj.* 반투족〔어〕의. — **B~** *n.* 반투족《남아프리카 흑인종의 총칭》. — *m.* 반투어(語).

banyuls [banjuls] *m.* (동부 피레네산의) 달콤한 포도주.

baobab [baɔbab] *m.* 바오밥나무.

b. à p. 《약자》 billet à payer 〖상업〗 지불 어음.

baptême** [batɛm] *m.* ① 〖종교〗 세례 ; 영세 : nom de ~ 세례명 / donner 〔conférer〕 le ~ 세례〔영세〕를 주다 / recevoir le ~ 세례〔영세〕를 받다. ② (종 · 배 따위의) 명명식(= bénédiction). ***~ de l'air 처녀 비행. ***~ du sang*** 피의 세례, 수난 ; 순교. ***recevoir le ~ du feu*** 처음으로 전투에 참가하다.

***baptiser** [batize] *v.t.* ① 〖종교〗 …에게 세례〔영세〕를 주다. ② …에게 이름〔별명〕을 붙이다 ; 명명하다 ; (종 · 배의) 명명식을 거행하다. ③ 《구어》 …에 물을 타다 : ~ du lait 〔vin〕 우유〔포도주〕에 물을 타다.

baptismal, e, aux [batismal, -o] *adj.* 세례〔영세〕의, 세례〔영세〕용의 : eau ~*e* 세례수(水).

baptisme [batism] *m.* 침례교.

baptiste [batist] *m.* 침례교도.

baptistère [batistɛːʀ] *m.* 〖종교〗 세례당.

baquet [bakɛ] *m.* ① 나무통, 함지. ② (스포츠카의) 움푹 파인 의자(= siège en ~).

***bar**[1] [baːʀ] 〔영〕 *m.* 바, 술집 ; (바의 술 마시는) 카운터(= zinc) : prendre une consommation au ~ 카운터에서 술을 마시다.

bar[2] *m.* 〖어류〗 농어(= loup).

bar[3] *m.* 바《기압의 단위》.

b. à r. 《약자》 billet à recevoir 〖상업〗 받을 어음.

baragouin [baʀagwɛ̃] *m.* 알아들을 수 없는 말, 영문 모를 말(= charabia, jargon).

baragouiner [baʀagwine] *v.t.* 알아들을 수 없게〔서투르게〕 말하다 : ~ l'anglais 서투른 영어를 하다. — *v.i.* 알아들을 수 없는 말을 하다 ; 영문 모를 말을 하다.

baragouineur, euse [baʀagwinœːʀ, -øːz] *n.* 알아들을 수 없는 말을 하는 사람.

baraka [baʀaka] *f.* (모로코에서) 하느님의 축복(= bénédiction) ; 행운(= chance).

baraque [baʀak] *f.* ① 가(假)건축물 ; (*pl.*) 〖군사〗 막사, 병사(兵舍). ② 허술한 집, 누추한 집(= bicoque). ③ 《속어》 한패, 일당.

baraqué, e [baʀake] *adj.* ① 병사〔병영〕에 들어 있는. ② 《속어》 건장한.

baraquement [baʀakmɑ̃] *m.* (보통 *pl.*) 〖군사〗 병사, 병영 ; (포로 · 피난민 따위를 수용하는) 막사, 바라크.

baratin [baʀatɛ̃] *m.* 《속어》 감언이설(로 속이기), 허튼수작, 허풍(= boniment) : faire du ~ à qn …에게 허튼수작을 늘어놓다.

baratiner [baʀatine] *v.t.* 《속어》 감언이설로 속이다 : ~ un client 고객을 교묘히 속이다. — *v.i.* 허튼수작하다, 허풍떨다.

baratineur, euse [baʀatinœːʀ, -øːz] *adj.* et *n.* 감언이설로 속이는 (사람).

barattage [baʀataːʒ], **barattement** [baʀatmɑ̃] *m.* (버터를 만들기 위해) 우유를 휘젓기.

baratte [baʀat] *f.* (버터 제조용) 교유기(攪乳器).

baratter [baʀate] *v.t.* (버터를 만들기 위해 우유를) 교유기에 넣고 휘젓다.

barbacane [baʀbakan] *f.* ① 〖축성〗 《옛》 외보(外堡) ; (성벽의) 총안(銃眼). ② 〖건축〗 (버팀벽의) 배수구(= canonnière).

barbant, e [baʀbɑ̃, -ɑ̃ːt] *adj.* 《구어》 지루한, 따분한, 귀찮은(= ennuyeux).

barbaque [baʀbak] *f.* 《속어》 품질이 나쁜 고기(= carne) ; 고기(= viande).

***barbare** [baʀbaːʀ] *adj.* ① (고대 그리스 · 로마 사람, 기독교도의 입장에서 보아) 외국의(= étranger) : invasion ~ 외적의 침입. ② 미개한, 야만스러운 ; 잔인한 : crime ~ 잔인한 범죄. ③ 상스러운, 세련되지 못한, 교양 없는 : musique ~ 상스러운 음악. ④ 어법에 어긋나는, 부정확한(= incorrect) : style ~ 어법에 어긋나는 문장. — *n.* ① 미개인, 야만인. ② 교양 없는 사람 ; 야인.

barbarie [baʀbaʀi] *f.* ① 야만, 미개(≠ civilisation). ② 잔인, 난폭 : commettre des actes de ~ 잔인한 짓을 자행하다. ③ 상스러움, 무지, 무교양. ④ (표현 따위의) 세련되지 못함 ; 어법에 어긋남, 부정확.

barbarisme [baʀbaʀism] *m.* 부정확한 어법〔어구〕.

barbe**[1] [baʀb] *f.* ① (턱 · 뺨 · 입술 밑의) 수염 : porter la ~ 수염을 기르고 있다. ② (새 · 물고기의) 수염 ; (밀 이삭 따위의) 꺼끄러기 ; (새깃의) 털 : ~ à papa 〖제과〗 솜사탕. ③ (*pl.*) (종이 가장자리의) 거스러미 ; 곰팡이. ***a la ~ de qn …의 면전에서. ***avoir de la ~ au menton*** 성년에 달했다. ***~ grise*** 노인. ***La*** 〔***Quelle***〕 ***~ ! ; C'est une*** 〔***la***〕 ***~ !*** 《구어》 이제 그만해 두지, 참 지긋지긋하군 ! ***parler dans sa ~*** 중얼거리다. ***prendre de la ~*** 나이가 들다 ; 곰팡이가 피다. ***rire dans sa ~*** 속으로〔남몰래〕 웃다. ***se faire faire la ~*** 수염을 깎게 하다. ***vieille ~*** 《구어》 늙은이 ; 시대에 뒤진 사람.

barbe[2] *m.* 바바리아(*la Barbarie*)산의 말.

barbeau[1] [baʀbo] *m.* (*pl.* ***~x***) ① 〖어류〗 돌잉어. ② 《속어》 기둥서방(= souteneur).

barbeau[2] *m.* (*pl.* ***~x***) 〖식물〗 수레국화.

Barbe-Bleue [baʀbəblø] *n.pr.m.* 푸른 수염《7명의 아내를 죽인 잔인한 남편》.

barbecue [baʀbəkju〔ky〕] 〔영〕 *m.* ① (숯불을 쓰는 야외용) 불고기판. ② 바비큐 요리.

barbelé, e [baʀbəle] *adj.* 수염이 있는 ; 가시가 있는 : fil de fer ~ 가시 철사. — *m.* 가

시 철사 ; (*pl.*) 철조망(= réseaux de ~*s*).

barber [baʀbe] *v.t.* 귀찮게〔지겹게〕 하다, 넌더리〔진저리〕나게 하다(= ennuyer) : Ça me *barbe.* 이제 진저리가 난다. — **se** ~ *v.pr.* 넌더리〔진저리〕나다(= s'ennuyer).

barbet, ette [baʀbɛ, -ɛt] *m.* ① 털이 긴 스패니얼 개. ② 돌잉어. — *adj.* 곱슬곱슬한 긴 털을 가진.

barbiche [baʀbiʃ] *f.* 염소 수염 ; 턱수염. — *m.* 북슬강아지.

barbichette [baʀbiʃɛt] *f.* 짤막한 턱수염.

barbier [baʀbje] *m.* 이발사(= coiffeur).

barbillon [baʀbijɔ̃] *m.* ① (물고기·곤충의) 수염. ② 〖어류〗 돌잉어. ③ (낚시의) 미늘.

barbiturique [baʀbityʀik] *adj.* acide ~ 〖화학〗 바르비투르산(酸). — *m.* 〖약학〗 바르비투르산제(劑)《진통〔진정〕제》.

barbon [baʀbɔ̃] *m.* 《경멸》 늙은이, 영감.

barbotage [baʀbɔtaːʒ] *m.* ① (부리로) 물·진창 속을 뒤지기 ; 물·진창 속을 절벅거리기. ② (기체를) 액체 속에 불어넣기 ; (액체를) 휘젓기. ③ 《속어》 훔치기(= vol), 들치기.

barbotement [baʀbɔtmɑ̃] *m.* = barbotage.

barboter [baʀbɔte] *v.i.* ① (물새가 부리로) 물·진창 속을 뒤적거리다 ; (사람이) 물·진창 속에서 절벅거리다(= patauger) : Les gamins *ont barboté* dans la rivière. 아이들은 강에서 절벅거리며 걸어다녔다. ② (가스가) 액체 속을 부글부글 통과하다. ③ 우물우물 중얼거리다. — *v.t.* ① 헹구다, 빨래하다. ② 《구어》 훔치다(= voler), 날치기하다.

barboteur, euse [baʀbɔtœːʀ, -øːz] *m.* ① 집오리. ② 교반기 ; 세척기. ③ (액체에 대한) 가스 반응기. — *f.* (어린이의) 놀 때 입는 옷 ; (유아의) 기어다닐 때 입는 옷.

barbouillage [baʀbujaːʒ] *m.* ① 서투른 그림〔글〕 ; 되는대로 한 칠 ; 휘갈긴 글씨 ; 더러움, 얼룩 : Je ne puis déchiffrer ce ~. 나는 이 갈겨쓴 글씨를 판독할 수 없다. ② 조리 없는 말투〔연설〕 ; 횡설수설.

barbouille [baʀbuj] *f.* 《경멸》 화가나 페인트공의 활동.

barbouillé, e [baʀbuje] *adj.* 구역질을 느끼는. ***avoir le cœur*** 〔***l'estomac***〕 (***tout***) ~ 《구어》 메스껍다, 구역질이 나다.

barbouiller [baʀbuje] *v.t.* ① 더럽게〔마구〕 칠하다 ; …에 괴발개발 글씨를 쓰다 : ~ un mur (de noir) 벽을 더럽게 칠하다〔마구 검게 칠하다〕 / ~ du papier 종이에 서투른 글을 쓰다. ② 서투르게 쓰다 : ~ un article 서투른 기사를 쓰다. ③ 《구어》 우물쭈물 말하다(= bafouiller). ~ ***le coeur*** 〔***l'estomac***〕 구토증을 일으키다. — **se** ~ *v.pr.* ① 얼굴을 더럽히다 ; 자기의 …을 더럽히다 : 《se는 직접목적보어》 Elle *s'est barbouillée* de confitures. 그녀는 잼으로 얼굴을 더럽혔다 / 《se는 간접목적보어》 *se* ~ le visage 얼굴을 더럽히다.

barbouilleur, euse [baʀbujœːʀ, -øːz] *n.* 서투른 화가(= ~ de toiles) ; 엉터리 작가.

barbouze [baʀbuːz] *f.* 《구어》 수염(= barbe). *m.*〔*f.*〕 비밀 경찰, 탐정, 밀정, 간첩(= agent secret).

barbu, e [baʀby] *adj.* 수염이 있는 ; 〖식물〗 꺼끄라기가 있는. — *m.* 수염이 많은 사람.

— *f.* 〖어류〗 넙치 ; 가자미.

barcarolle [baʀkaʀɔl] *f.* ① (곤돌라 뱃사공의) 뱃노래. ② 〖음악〗 바르카롤, 뱃노래.

bard [baːʀ] *m.* 들것 모양의 운반구 ; 손수레.

barda [baʀda] ① 《군대속어》 (병사의) 장비, 장구(= équipement). ② 《구어》 손짐, 짐(= bagage), 수하물(= chargement).

bardane [baʀdan] *f.* 〖식물〗 우엉.

barde[1] [baʀd] *m.* ① (켈트족의) 음유(吟遊) 시인. ② 서사〔서정〕 시인.

barde[2] *f.* ① 길마 ; 마갑(馬甲), 말의 갑옷. ② 〖요리〗 (고기를 싸서 굽는) 라드.

bardeau [baʀdo] *m.* (*pl.* ~***x***) 〖건축〗 지붕 널.

barder[1] [baʀde] *v.t.* ① (말에) 마갑을 입히다 ; …에게 갑옷을 입히다(= cuirasser). ② 《비유》《~ qc 〔qn〕 de》 …을 …으로 덮어〔둘러〕싸다 : *bardé de* croix 《속어》 (사람이) 훈장을 잔뜩 단 / malle *bardée d'*étiquettes 《속어》 표찰이 잔뜩 붙은 트렁크 / coffre *bardée de* ferrure 철판을 둘러댄 상자. ③ (닭·새고기를) 라드로 싸다.

barder[2] *v.i. impers.* 《구어》《주어 : 항상 3인칭》 (사태가) 격심해지다, 험악〔곤란〕해지다(= chauffer): S'il se met en colère, cela va ~. 그가 화를 낸다면 큰일〔야단〕 날걸. — *v.t.* (들것 모양의 운반구에) 실어 나르다.

barème [baʀɛm] 〔< (*François*) *Barrême*, 수학가·발명가〕 *m.* ① 계산표 ; 채점표 ; 운임표 : ~ des intérêts 이자표. ② 계산 : faire le ~ de ses gains 이익을 계산하다.

baréter [baʀete] 6 *vi.* (코끼리·코뿔소가) 울다(= barrir).

barge[1] [baʀʒ] *f.* 〖조류〗 흑꼬리도요.

barge[2] *f.* (네모꼴의) 너벅선 ; (르와르 강의) 바닥이 둥근 어선.

barguigner [baʀgiɲe] *v.i.* 주저하다, 망설이다(= hésiter ; ≠ décider) : acheter sans ~ 대뜸 사다.

baril [baʀil] *m.* ① (작은) 통(= tonnelet) ; 한 통의 분량 : ~ de poudre 화약통 ; 《비유》 화약고, 위험천만한 것〔상황·지역〕. ② 배럴《석유의 용량 단위》(= barrel). ***mettre*** qc ***en*** ~ …을 통에 넣다〔쟁이다〕.

barillet [baʀijɛ] *m.* ① 작은 통. ② (시계의) 유사통(= ~ de ressort) ; (펌프의) 피스톤통 ; (권총의) 탄창.

bariolage [baʀjɔlaːʒ] *m.* 잡색, 어울리지 않는 잡다한 빛깔 ; 잡탕 : ~ du style 문체의 부조화.

bariolé, e [baʀjɔle] *adj.* ① 잡색의, 얼룩덜룩한(= bigarré) ; 요란스런 빛깔의 : étoffe ~*e* 얼룩덜룩한 천. ② 조화되지 않는.

barioler [baʀjɔle] *v.t.* 얼룩덜룩하게 칠하다, 잡색으로 만들다(= bigarrer).

barmaid [baʀmɛd] 〔영〕 *f.* 술집 여급.

barman [baʀman] 〔영〕 *m.* (*pl.* ***-men*** [-mɛn]) 술집 주인〔급사〕.

barnache [baʀnaʃ], **barnacle** [baʀnakl] *f.* 〖조류〗 흑기러기.

barnum [baʀnɔm] *m.* 《구어》 흥행사.

baro- *préf.* 「무게·기압」의 뜻.

baromètre [baʀɔmɛtʀ] *m.* ① 청우계, 기압계 ; 진공계 : ~ à mercure 수은 기압계 / ~ enregistreur 자기(自記) 기압계. ② 《비유》 척도 : La presse est le ~ de l'opinion publique. 언론은 여론의 척도이다.

barométrique [baʀɔmetʀik] *adj.* 청우계의, 기압계의, 진공계의.

baron [ba(ɑ)ʀɔ̃] *m.* ① ⟪옛⟫ 제후. ② 남작. ③ ⟪구어⟫ 거물 : les (hauts) ~s de la finance (l'industrie) 재계(실업계)의 거물들.

baronne [ba(ɑ)ʀɔn] *f.* 남작 부인 ; 남작의 지위를 가진 여자.

baroque [baʀɔk] *adj.* ① 이상한, 기괴한 : idée ~ 괴상한 생각 / esprit ~ 기인. ② 〚미술 · 건축 · 문학〛 바로크식의 : style ~ 바로크 양식 / âge ~ (불문학에서) 바로크 시대. — *m.* 바로크 양식(풍).

baroquisme [baʀɔkism] *m.* (건축 · 미술 · 문학 작품의) 바로크적 성격.

baroud [baʀud] *m.* ⟪군대속어⟫ 전투(= combat); ⟪구어⟫ 싸움(= bagarre), 다툼. ~ ***d'honneur*** 명예를 위한 싸움.

baroudeur [baʀudœːʀ] *m.* ⟪구어⟫ 싸우기 좋아하는 사람, 호전적인 사람(집단).

barouf [baʀuf], **baroufle** [baʀufl] *m.* ⟪구어⟫ 떠들썩한 소리, 소란, 소동(= tapage) ; 싸움 : faire du ~ 소란을 피우다.

barque** [baʀk] *f.* (일반적으로 100톤 이하의) 작은 배, 보트 : ~ de passage 나룻배 / promenade en ~ 보트놀이. ***bien mener (***conduire***) ***sa*** ~ 재주 있게 해내다.

barquerolle [baʀkəʀɔl] *f.* 노로 젓는 작은 배, 놀잇배.

barquette [baʀkɛt] *f.* ① 작은 배. ② 배 모양의 비스킷. ③ 배 모양의 그릇.

barrage** [ba(ɑ)ʀaːʒ] *f.* ① (통행 · 수로를) 막기, (항만의) 폐색 : ~ d'une rue 거리의 통행 제한. ② 바리케이드, 방책 ; 장벽. ③ 둑, 방죽, 댐 : ~ d'une usine hydro-électrique 수력발전소의 댐. ***faire ~ à qc …을 저지(방해)하다. ***match de ~*** (동점자 간의) 결승전.

barre** [ba(ɑ)ːʀ] *f.* ① 막대기(= bâton) : ~ de bois 나무 막대기 / ~ de chocolat 막대 초콜릿 / ~ fixe 〚체조〛 철봉 / ~s parallèles 평행봉. ② 빗장(= bâcle) : ~ de porte 문의 빗장. ③ ⓐ 줄, 사선, 횡선. ⓑ 〚음악〛 소절선 (= ~ de mesure). ④ (법정의) 재판관석과 방청석 사이의 난간 : paraître à la ~ 법정에 출두하다. ⑤ (강어귀의) 사주(砂洲) (= ~ de sable). ⑥ 〚해양〛 (배의) 키 손잡이(= ~ du gouvernail). ⑦ (*pl.*) (어린이 놀이의) (사람) 잡기놀이(= jeu de ~s). ***avoir (***prendre***) ~(***s***) (***une ~***) ***sur*** qn …보다 낫다 ; …을 지배하다. ***avoir le coup de ~*** 녹초가 되다. ***donner un coup de ~*** 방향을 바꾸다. ***tenir*** (***prendre***) ***la ~*** 키를 잡다 ; 지휘하다.

barreau [ba(ɑ)ʀo] *m.* (*pl.* ~***x***) ① 창살 ; (철책 · 새장 · 사닥다리 등의) 살 : ~ d'une fenêtre 창살. ② (법정의) 변호사석 ; 변호사업(단 · 조합). ***être reçu*** (***admis***) ***au ~ ; se faire inscrire au ~*** 변호사가 되다. ***être sous les ~x*** 복역하다.

barrel [baʀɛl] (영) *m.* 배럴⟪석유의 단위량 ; 약 159 리터⟫(= baril).

barrer** [ba(ɑ)ʀe] *v.t.* ① (문에) 빗장을 지르다 ; (통로 · 물줄기 따위를) 막다, 가로막다 ; 〚군사〛 차단하다 : La rue *est barrée* à cause des travaux. 공사로 인해 길이 막혔다. ② ⟪비유⟫ 방해하다. ③ (페이지 · 글씨 쓴 곳에) 줄을 그어 버리다, 말소하다(= biffer, rayer) : ~ ce qui est écrit 써놓은 것을 줄 그어 지워버리다 / ~ un chèque 수표에 횡선을 긋다. ④ 〚해양〛 (배의) 키를 잡다, (배를) 조종하다. ~ ***le chemin (***le passage, la route***) ***à*** qn …의 통로를 막다 ; …의 계획을 방해하다. — *v.i.* 〚해양〛 (배의) 키를 잡다. — ***se*** ~ *v.pr.* ⟪속어⟫ 도망치다(= s'enfuir) : *se* ~ à toutes jambes 걸음아 날 살리라고 달아나다, 줄행랑치다.

barrette[1] [baʀɛt] *f.* ① 테 없는 납작한 모자. ② 추기경의 붉은 모자 : recevoir la ~ 추기경에 임명되다.

barrette[2] *f.* ① 작은 막대. ② 머리핀 ; (양복의) 칼라핀. ③ 훈장의 리본걸이 ; 약장(略章).

barreur, euse [ba(ɑ)ʀœːʀ, -øːz] *m.* 〚해양〛 조타수 ; 키잡이.

barricade [baʀikad] *f.* ① 바리케이드, 방책 : dresser (élever) des ~s 바리케이드를 쌓다. ② 폭동, 내란, 혁명. ③ 방해, 반대 ; 장벽, 장애물(= obstacle). ***être de l'autre côté de la ~*** (정치적으로) 반대되는 입장을 취하다 ; 야당의 입장에 있다.

barricader** [baʀikade] *v.t.* ① 바리케이드를 쌓다, 방책으로 막다 : ~ une rue 길에 바리케이드를 쌓다. ② (문을) 꽉 잠그다(닫다). ~ ***sa porte 두문불출하다. — ***se*** ~ *v.pr.* ① 바리케이드에 몸을 숨기다. ② (집안에) 들어박히다, 두문불출하다 : *se* ~ dans sa chambre 제 방에 들어박히다.

barrière** [ba(ɑ)ʀjɛːʀ] *f.* ① 울타리 ; 방책 ; 방벽 ; 〚철도〛 (개찰구의) 살문 ; 차단기 : ~s d'un passage à niveau 건널목의 차단기. ② (도시 · 성의) 문 ; 문이 있는 곳(근처). ③ 장벽, 장애물 : ~s douanières 관세 장벽 / ~ de la langue (linguistique) 언어 장벽 / mettre une ~ à qc …을 가로막다. ***mettre une ~ entre deux personnes ⟪구어⟫ 두 사람 사이에 장벽을 만들다. ~ ***de dégel*** 해빙기의 중량 차량의 통행 제한.

barrique [baʀik] *f.* 큰 통⟪200-250 리터들이⟫ ; 그 용량 : mettre du vin en ~ 포도주를 통에 담다. 「(= baréter).

barrir [baʀiːʀ] *v.i.* (코끼리 · 코뿔소가) 울다

barrissement [baʀismɑ̃] *m.* (코끼리 · 코뿔소의) 우는 소리.

bary- *préf.* 「무거운 · 중량」의 뜻.

baryе [baʀi] 〚물리〛 바리⟪압력의 단위⟫.

baryton [baʀitɔ̃] *m.* ① 〚음악〛 상저음(上低音), 바리톤 ; 바리톤 가수. ② 〚언어〛 마지막 음절에 강음이 없는 말(≠ oxyton).

baryum [baʀjɔm] *m.* 〚화학〛 바륨.

barzoï [baʀzɔi] *m.* (털이 긴) 러시아산의 그레이하운드계(系) 사냥개.

‡bas, basse [bɑ, bɑːs] *adj.* ① 높이가 낮은 (≠ haut) : maison *basse* de toit (à toit ~) 지붕이 낮은 집 / Les nuages sont ~. 구름이 낮게 드리웠다. ② ⓐ 정도가 낮은, 하급의 ; (나이가) 어린 : enfant en ~ âge 어린애 / *basses* classes 하층 계급, 저학년. ⓑ (소리가) 굵은, 낮은 : avoir la voix *basse* 목소리가 굵다. ⓒ (값이) 싼, (가치가) 적은, 낮은 : ~ prix 싼 값. ③ 신분이 낮은, (태생이)

비천한 : de *basse* [haute] extraction 지체가 낮은[높은] 집에 태어난. ④ 저속한 ; 야비한, 비열한. ⑤ ⓐ 낮은 곳에 있는 : les ~ degrés d'un escalier 계단 아래쪽의 층계. ⓑ 저지(低地)의 : la *basse* Allemagne 저지[북부] 독일. ⓒ 바다 · 하구에 가까운 : la *basse* Seine 센 강 하류 지방. ⑥ 후기(後期)의, 쇠퇴기의 : le ~ latin [la *basse* latinité] 후기[중세] 라틴어 / le *B*~-Empire 동로마제국. ***au ~ mot*** 적어도, 최소한. ***avoir la vue basse*** 근시이다. ***avoir l'oreille basse*** 창피를 당하다. ***à voix basse*** 낮은 목소리로. ***basse mer ; mer basse*** 썰물, 간조. ***en ce ~ monde*** 이승에서는. ***faire main basse sur*** qn [qc] …을 약탈하다. ***marcher*** [***avoir***] ***l'oreille basse*** [(***la***) ***tête basse, la queue basse***] 기가 죽어 있다, 의기소침해 있다.

— *adv.* ① 낮게, 나직이 ; 낮은 곳에, 아래[밑]에 : Les hirondelles volent ~. 제비들이 낮게 날아간다 / Il habite deux étages plus ~. 그는 두 층 아래에 산다. ② 낮은 목소리로 ; 낮게 : parler (tout) ~ (아주) 낮게 말하다. ③ (체력이) 약하게 ; (사회적 신분이) 낮게 ; 천하게 : se sentir ~ 체력이 약하게 느껴지다. ④ 저쪽에 ; (시대적으로) 뒤에, 후에 ; (책 따위) 아래에, 다음에 : là-~ 저쪽에(서) / Il demeure trois maison plus ~. 그는 세 집 건너에 살고 있다. ***Chapeaux ~!*** 탈모! ***ici-~*** 이승[속세]에서. ***jeter ~*** qc …을 내던지다[버리다] ; …을 버리다 ; …을 넘어[쓰러 · 무너] 뜨리다. ***mettre ~*** ⓐ 내려놓다, 내던지다 ; 버리다 ; (옷 따위를) 벗어버리다 ; (일을) 걷어치우다 : *mettre* chapeau ~ 모자를 벗다. ⓑ (짐승이) 새끼를 낳다. ***mettre ~ les armes*** 항복하다.

— *m.* ① 낮은 부분, 아래쪽 : ~ d'une montagne 산기슭 / ~ d'une page 책장의 아랫부분. ② 낮은 상태 : ~ d'une société 하층계급 / ~ de l'eau 간조, 썰물. ③ (음악 따위의) 낮은 소리, 저음부. ④ 《문어》 비열, 야비, 저속 : le haut et le ~ de notre cœur 우리 마음의 고귀한 점과 천한 점. ⑤ 긴 양말, 스타킹: une paire de ~ 양말 한 켤레 / ~ à jour 비치는 양말. ***à ~*** 아래로, 밑으로, 땅에(= à terre) : mettre [jeter] qc *à* ~ …을 넘어[쓰러]뜨리다 ; 타도하다 / Tous mes projets sont *à* ~. 나의 모든 계획은 수포로 돌아갔다. ***A ~!*** 부셔라 ; 집어치워라 : *À* ~ la réaction! 반동을 타도하라! ***A ~ les mains!*** 손대지 마라! ***~ de laine*** 모직 양말 ; 감추어 둔 돈. ***d'en ~*** 밑에서부터 ; 천한 신분에서. ***en ~*** 아래에[에서 · 로 · 의] : Il attend *en* ~. 그는 아래에서 기다리고 있다. ***en ~ de*** …밑에 : Il y a un café *en* ~ *de* la maison. 이 건물 아래층에 다방이 있다. ***de*** [***du***] ***haut en ~*** 위에서 아래까지; 거만하게. ***être au ~*** 돈이 다 떨어지다. ***par en ~*** 밑에서, 아래쪽에서 : tirer *par en* ~ 아래쪽에서 잡아당기다.

basalte [bazalt] *m.* 〖광물〗 현무암(玄武岩).

basaltique [bazaltik] *adj.* 현무암의.

basane [bazan] *f.* ① 무두질한 양가죽. ② (*pl.*) 기병복의 바지에 대는 양가죽.

basané, e [bazane] *adj.* 햇볕에 그을은, 구릿빛의(= bronzé).

bas-bleu [bɑblø] *m.* (*pl.* **~-~s**) 여류 학자, 여류 작가 ; 유식한 체하는 여자(= pédante).

bas-côté [bɑkote] *m.* (*pl.* **~-~s**) ① (차도 옆의) 보도, 인도 ; (철로 옆의) 측도(側道). ② 〖건축〗 (교회의) 측랑(側廊).

basculant, e [baskylɑ̃, -ɑ̃:t] *adj.* 앞뒤[위 아래]로 움직이는 ; 동요하는 ; 기울어지는 : benne ~*e* 덤프카.

bascule [baskyl] *f.* ① (시소처럼) 한쪽 끝을 누르면 다른 쪽 끝이 올라가게 된 장치 ; 시소(=jeu de ~). ② 앉은뱅이 저울, 계량대(= balance [pont] à ~) : ~ automatique 자동 계량기. ③ 《속어》 밀고자. ***chaise*** [***cheval***] ***à ~*** 흔들의자[목마]. ***parte à ~*** 회전문. ***wagon à ~*** 덤프카.

basculement [baskylmɑ̃] *m.* basculer 하기.

basculer [baskyle] *v.t.* ① 앞뒤[위 아래]로 움직이게 하다[흔들다], 동요하게 하다; 회전시키다 ; 기울이다. ② 뒤엎다, 전복시키다(= culbuter, renverser). ③ (전신 · 전화를) 연결시키다 : ~ sur l'antenne les communications téléphoniques 전화를 안테나로 연결하다. ④ (집단을) 이동시키다. — *v.i.* ① 앞뒤[상하]로 움직이다[흔들리다], 동요하다 ; 회전하다 ; 기울다. ② 균형을 잃다 ; 쓰러지다 : ~ qn en arrière …을 뒤로 넘어뜨리다 / Le wagon *a basculé* dans le fossé. 객차가 도랑에 처박혔다. ③ 《~ dans》 …으로 전향하다[가 버리다]. ~ *dans* l'opposition 야당으로 전향하다.

base** [bɑ:z] *f.* ① 기초(= fondement) ; (건물 · 벽 따위의) 토대, 주춧(돌), 초석(= fondations) ; (동상 따위의) 받침돌, 대좌(= socle) ; 밑(부분) ; (산)기슭; 〖군사〗 기지 ; 〖측량〗 기선(基線) ; (삼각형의) 밑변 : ~ de la colline 언덕 기슭 / ~ de ravitaillement 보급 기지. ② 기본, 근본 ; 근거 : ~ d'un système 체계의 기본 / établir [poser, jeter] les ~*s* d'une science 과학의 기초를 닦다. ③ 〖철도〗 기본 운임[요금] : ~ kilométrique 1 킬로미터당 기본 운임. ④ 〖화학〗 염기. ⑤ 〖언어〗 기본형 ; 어근(= radicale). ⑥ 〖정치〗 les militants de ~ ; la ~ (정당 따위의) 기본 당원들. ⑦ 〖스포츠〗 (야구의) 베이스. ***à ~ de …을 주성분으로 하여 만들어진. ***~s aériennes*** [***navales***] 공군[해군] 기지. ***jeter les ~s*** 기초를 구축하다. ***sans ~*** 근거 없는. ***traitement*** [***salaire***] ***de ~*** 기본급. ***vocabulaire de ~*** 기본 어휘.

base-ball [bɛzbo:l] 〔미영〕 *m.* 야구.

***baser** [bɑze] *v.t.* ① 《~ sur》 …에 기초[근거]를 두다 ; …을 기초로 하여 세우다(= fonder) : ~ de vaines espérances *sur* qc …을 근거로 하여 허무한 희망을 품다 / ~ son raisonnement *sur* une hypothèse 가설을 기초로 하여 이론을 세우다. ② 《être basé》 (비행기 · 군대 따위가) 기지를 갖다 : avion américain *basé* en Grande Bretagne 영국에 기지를 둔 미국 비행기.

— **se ~** *v.pr.* 《se ~ sur》 …을 기초[근거]로 삼다, …에 의거하다(= se fonder sur) : *Sur* quoi *vous basez*-vous pour dire cela? 당신은 무슨 근거로 그런 말을 하는 거요?

bas-fond [bɑfɔ̃] *m.* (*pl.* **~-~s**) ① 우묵한

곳, 저지(低地), 분지. ② (강이나 바다의) 얕은 곳, 여울. ③ (*pl.*) 최하층 ; 구렁텅이 : les ~*s* de la société 최하층 사회(의 사람들).

basic [bazik] 〖(영) < *B*eginners *A*ll-Purpose *S*ymbolic *I*nstruction *C*ode〗 *m.* 〖컴퓨터〗 베이직《초보자 교육용 다목적 코드》.

basilic¹ [bazilik] *m.* 〖식물〗 꿀풀과(科) 식물의 일종《향미료 · 약용》.

basilic² *m.* 〖동물〗 (열대 아메리카산의) 큰 도마뱀.

basilique [bazilik] *f.* 〖로마건축〗 ① 바실리카 회당(會堂)《재판을 하고 상품 거래를 하던 장방형의 건물》. ② (바실리카식 건축의) 초기 그리스도 교회당. ③ 대성당 ; 대교회당. ── *adj.* 바실리카식 건축의.

basique¹ [bazik] *adj.* 〖화학〗 염기성의.

basique² *adj.* 기초의, 기본적인.

basket¹ [baskɛt] *f.* (끈매는) 운동화.

***basket**²**(-ball)** [baskɛt(bo:l)] 〔영〕 *m.* 바스켓볼, 농구.

basketteur, euse [baskɛtœ:ʀ, -ø:z] *n.* 농구 선수.

bas-latin [bɑlatɛ̃] *m.* 후기〔중세〕 라틴어《로마제국 분열 후 중세에 통용된 라틴어》.

basoche [bazɔʃ] *f.* 《옛 · 경멸》 법률에 종사하는 사람들 ; 법조단.

basque¹ [bask] *f.* (예복 따위의) 늘어진 옷자락(= pans) ; 연미복의 꼬리. ***être toujours pendu aux ~s*** 〔***ne pas quitter les ~s***〕 ***de*** qn …을 항상 졸졸 따라다니다.

basque² *adj.* 바스크의. ── **B~** *n.* 바스크 사람《*f.* Basquaise》. ***aller comme un B~*** 《구어》 대단히 빨리 걷다. ***parler le français comme un B~*** (***espagnol***) 프랑스어를 서툴게 하다. ── *m.* 바스크어(= langue ~).

bas-relief [bɑʀəljɛf] *m.* (*pl.* **~-~s**) 〖조각〗 얕은 돋을새김, 저부조(低浮彫).

basse [bɑs] *f.* ① 〖음악〗 저음(부), 베이스. ② 저음 가수 ; 목소리가 낮은 사람. ③ 저음 악기 ; (악기의) 저음현. ④ 콘트라베이스.

basse-cour [bɑsku:ʀ] *f.* (*pl.* **~s-~s**) 가금(家禽) 사육장 ; 《집합적》 가금.

bassement [bɑsmɑ̃] *adv.* 비열하게, 치사하게 : s'exprimer ~ 천하게 말하다.

bassesse [bɑsɛs] *f.* ① (신분 따위가) 비천함 : ~ de la naissance 출생의 비천함. ② ⓐ (말투가) 천함, 상스러움(= vulgarité). ⓑ (행동 따위가) 비열함 ; 비열한 짓 : faire des ~*s* à qn …에게 야비한 짓을 하다.

basset [bɑsɛ] *adj.* (개가) 다리가 짧은. ── *m.* 다리가 짧은 사냥개(= chien ~).

bassette [basɛt] *f.* 카드놀이의 일종.

bassin [basɛ̃] *m.* ① ⓐ 대야(= cuvette) ; 수반(水盤) ; 양푼; 환자용 변기(= ~ hygiénique) ; 저울판. ⓑ 한 대야〔양푼 · 접시〕의 분량. ② (공원 따위의) 분수 ; 못 ; 저수지(= réservoir) ; 수영 풀(= piscine) : ~ de réception (강 상류의) 저수지. ③ 항내(港內) 정박구(區) ; 독, 선거(船渠). ④ (강 · 바다의) 유역, 연안 (지방) ; 분지(= cuvette) : ~ de la Seine 센 강 유역. ⑤ 〖지질〗 (석탄 · 광석 따위의) 층 : ~ houiller 탄층. ⑥ 〖해부〗 골반.

bassine [basin] *f.* (가정용 · 공업용) 냄비 ; 한 냄비의 분량 : ~ de 〔à〕 confiture 잼 냄비.

bassiner [basine] *v.t.* ① (침대를) 난상기(bassinoire)로 따뜻하게 하다. ② 《~ qn》 《구어》 귀찮게 굴다 ; 피곤하게 하다.

bassinet [basinɛ] *m.* 작은 대야〔양푼〕.

bassinoire [basinwa:ʀ] *f.* ① (숯불로 침대를 따뜻하게 하는) 난상기(爛床器). ② 《속어》 큰 회중시계. ③ 《속어》 성가신 사람〔것〕.

bassiste [bɑsist] *m.* ① 〖음악〗 저음 악기 연주자. ② 콘트라베이스 연주자(= contrebassiste).

basson [bɑsɔ̃] *m.* 〖음악〗 바순《저음 목관악기》 ; 바순 취주자.

bastide [bastid] *f.* ① 〖군사〗 (중세기의) 작은 요새. ② (남프랑스의) 작은 농가, 별장.

bastille [bastij] *f.* ① (중세기의) 방새(防塞), 성채(= château fort). ② ⓐ (*B~*) 바스티유 감옥. ⓑ 감옥(= prison) ; 《비유》 폭정, 독재.

bastingage [bastɛ̃ga:ʒ] *m.* (갑판의) 뱃전(의 난간).

bastion [bastjɔ̃] *m.* ① 〖축성〗 능보(稜堡). ② 《비유》 (자유 · 저항 등의) 보루(= rempart) : ~ de la liberté 자유의 보루.

bastonnade [bastɔnad] *f.* 몽둥이질 ; 채찍질 ; 태형 : recevoir une ~ 몽둥이로 맞다.

bastringue [bastʀɛ̃:g] *m.* 《구어》 ① 저질 댄스홀 ; 저속한 음악 ; 소음, 소란(= tapage). ② 잡동사니, (옷가지 등의) 소지품. ***emporter tout son ~*** 제 물건을 모두 가지고 가다.

bas-ventre [bɑvɑ̃:tʀ] *m.* (*pl.* **~-~s**) 아랫배 ; 《구어》 음부.

bât [bɑ] *m.* ① 짐 싣는 안장, 길마 : ~ pour le transport des blessés 부상자 운반용 안장. ② 짐(= fardeau). ***C'est là que*** 〔***Voilà où***〕 ***le ~ le blesse.*** 이것이 그의 약점이다.

bataclan [bataklɑ̃] *m.* 《구어》 잡동사니, 거추장스러운 물건들(= attirail, bazar). ***et tout le ~*** 그 밖의 모든 것.

bataille** [batɑ:j] *f.* ① ⓐ 전투, 교전(= combat) : champ de ~ 싸움터 / ligne de ~ 전선(戰線) / gagner 〔perdre〕 une ~ 전투에서 이기다〔지다〕. ⓑ 전투 대형 : armée rangée en ~ 전투 대형을 취한 군대. ② 싸움(= bagarre) ; 투쟁(= lutte) ; 언쟁 : ~ de l'audience 시청률 경쟁 / La ~ électorale a été ardente. 선거전은 치열했다. ***livrer 〔***donner***〕 ***~ à*** qn …에게 도전하다. ***porter*** 〔***mettre***〕 ***son chapeau en ~*** 모자를 비스듬히〔아무렇게나〕 눌러 쓰다. ***stationnement en ~*** 비스듬히 주차하기.

batailler [batɑje] *v.i.* ① 《옛》 전투〔교전〕하다. ② 싸우다 ; 투쟁하다 ; 논쟁〔언쟁〕하다(= lutter) : ~ pour gagner sa vie 먹고 살기 위해 싸우다.

batailleur, euse [batɑjœ:ʀ, -ø:z] *adj.* et *n.* 싸움〔논쟁〕하기 좋아하는 (사람).

bataillon [batajɔ̃] *m.* ① (보통 *pl.*) 군대(= armée). ② 〖군사〗 대대 : chef de ~ 대대장. ③ 떼, 무리, 많은 사람들(= troupe) : tout un ~ 굉장히 많은 사람들 / un ~ de touristes 한 무리의 관광단.

bâtard, e [bɑta:ʀ, -aʀd] *adj.* ① 사생(私生)의, 서출(庶出)의 (= naturel) : enfant ~ 사생아. ② 잡종의 ; 중간의 ; 절충한 : architecture ~*e* 절충식 건축. ── *n.* 사생아, 서자. ── *m.* 조당(粗糖)(= sucre ~) ; (무게로 팔지 않고 낱개로 파는) 고급빵(= pain ~, pain de fantaisie).

batardeau, bâtardeau [bɑtaʀdo] *m.* (*pl.*

~x) (하천 물막이 공사의) 방축(防築) ; (교각(橋脚) 공사용의) 잠함(潛函).

bâtardise [bɑtaʀdi:z] *f.* ① 사생, 서출(庶出). ② 잡종 ; 위조, 가짜, 사기.

batavia [batavja] *f.* 〖식물〗 양상추, 레터스.

bâté, e [bɑte] *adj.* 길마를 얹은. ***âne ~*** 무지몽매한 사람, 일자무식.

bateau** [bato] *m.* (*pl.* **~x**) ① 배(= navire) ; 한 배분의 짐 : ~ à voiles 범선 / ~ de plaisance 유람선 / ~ de pêche 어선. ② 《구어》 거짓말(= mensonge) ; 상투어(= rengaine, scie) : C'est un ~. 농담이야. ③ (차고 입구에 차의 출입을 위해) 보도를 차도와 같은 높이로 평평하게 한 곳. ***aller* 〔*se promener*〕 *en ~ ; faire une partie de ~ 뱃놀이 가다. ***mener*** qn ***en ~ ; monter un ~ à*** qn 《구어》 (거짓말하여) …을 속여 넘기다. — *adj.* 《불변》 ① 귀찮은(= ennuyeux). ② 《구어》 평범한, 진부한.

bateau-citerne [batositɛʀn] *m.* (*pl.* **~x-~s**) 유조선, 급수선.

bateau-feu [batofø] *m.* (*pl.* **~x-~x**) 등대선.

bateau-mouche [batomuʃ] *m.* (*pl.* **~x-~s**) (파리 센강의) 유람선.

bateau-pompe [batopɔ̃:p] *m.* (*pl.* **~x-~s**) 펌프선, 소방선.

batelage [batla:ʒ] *m.* ① 요술쟁이〔어릿광대 · 곡예사〕 노릇. ② 작은 배〔거룻배〕로 운반하기 ; 그 뱃삯.

bateler [batle] [5] *v.t.* 배로 운반하다. — *v.i.* 요술쟁이〔어릿광대〕 노릇을 하다.

bateleur, euse [batlœ:ʀ, -ø:z] *n.* 요술쟁이, 어릿광대, 곡예사 ; 《경멸》 배우.

batelier, ère [batəlje, -ɛ:ʀ] *n.* 뱃사공(= marinier) ; 나룻터지기.

batellerie [batɛlʀi] *f.* ① 《집합적》 (하천용) 배, 하선(河船). ② 국내 수상〔하천〕 운수업.

bâter [bɑte] *v.t.* (노새 따위에) 길마를 얹다.

bat-flanc(s) [baflɑ̃] *m.* 《복수불변》 ① (외양간의) 칸막이 판자. ② 〖군사〗 (초소(哨所)의) 나무판 침대.

bath [bat] *adj.* 《불변》 《구어》 ① 멋진, 훌륭한(= chic). ② 아름다운 ; 기분좋은, 신나는.

bathyscaphe [batiskaf] *m.* 바티스카프, 심해 잠수정.

bâti, e [bɑti] *adj.* ① (집 따위가) 세워진, 건설된 : propriété ~*e* 집이 들어선 토지. ② 조립된 ; 구성된. ③ 〖의복〗 가봉한. ***homme bien* 〔*mal*〕 *~*** 골격이 늠름한〔가냘픈〕 남자. — *m.* ① 틀잡이 구조, (건물의) 뼈대, (기계의) 틀(= châssis) : ~ de fenêtre 창틀. ② 시침질, 가봉 ; 가봉용 실.

batifolage [batifɔla:ʒ] *m.* 《구어》 batifoler하기.

batifoler [batifɔle] *v.i.* ① 장난치다, 즐겁게 놀다. ② (특히 여자와) 노닥거리다, 희롱거리다. ③ 하찮은 짓을 하며 놀다 ; 하찮은 일에 시간을 허비하다(= baguenauder).

***bâtiment** [bɑtimɑ̃] *m.* ① 건축물(= construction), 건물(= édifice) ; 건축업 : entreprise 〔entrepreneur〕 de ~ 건축업〔업자〕 / ouvrier du ~ 건축 노동자. ② 큰 배, 선박 : ~ marchand ~ de commerce 상선.

batimoteur [batimɔtœ:ʀ] *m.* 〖항공〗 발동기〔기관〕 받침.

***bâtir** [bɑti:ʀ] *v.t.* ① (집 따위를) 짓다, 건축하다, (다리 따위를) 건립〔건조〕하다, (둑 따위를) 쌓다 ; 구축하다(= construire, édifier) ; (문장을) 짓다, 꾸미다 : ~ une ville 도시를 건설하다 / 《목적보어 없이》 terrain à ~ 건축용 부지, 대지. ② 〖재봉〗 (옷을) 가봉하다 : ~ une jupe 치마를 가봉하다. ③ (재산 · 명성 따위를) 쌓다, 이룩하다 : ~ sa fortune 〔réputation〕 재산〔명성〕을 쌓다. ④ (이론 · 체계 등을) 세우다 : ~ une théorie 이론 체계를 세우다. — **se ~** *v.pr.* 건축〔건설〕되다, 건축〔건설〕 중이다 : La maison *se bâtit.* 집은 건축 중이다.

bâtisse [bɑtis] *f.* ① 건축열〔붐〕. ② 큰 건물 ; 《경멸》 볼품없는 집 : ~ de bois 목조 가옥.

bâtisseur, euse [bɑ〔a〕tisœ:ʀ, -ø:z] *n.* 건축가(= architecte) ; 건축광(狂).

batiste [batist] *f.* 바티스트〔캉브레〕 삼베《품질 좋은 흰 삼베》.

bâton** [bɑtɔ̃] *m.* ① ⓐ 막대기, 몽둥이, 방망이, 곤봉 ; 지팡이(= canne) : ~ d'aveugle 맹인용 지팡이 / recevoir des coups de ~ 몽둥이로 얻어맞다. ⓑ ~ d'une bannière 깃대 / ~ de la croix (받드는) 십자가의 손잡이 / ~ d'un instrument 연장의 손잡이〔자루〕. ② (직권 · 권위의 상징인) 단장, 홀장(笏杖) : ~ de commandement (장군의) 지휘봉. ③ 막대기 모양의 것 : ~ de craie 분필(조각) / ~ de rouge à lèvres 립스틱. ***à ~s rompus 생각나는 대로, 두서없이 : conversation *à ~s rompus* 두서없는 대화. ***à coups de ~*** 억지로. ***~ de maréchal*** 원수의 단장; 《구어》 최고의 영달. ***mettre des ~s dans les roues*** 《구어》 방해하다. (***mener une***) ***vie de ~ chaise*** 《구어》 방탕한 생활을 하다.

bâtonnat [bɑtɔna] *m.* 변호사회 회장(bâtonnier)의 지위〔임기〕.

bâtonner [bɑtɔne] *v.t.* ① 몽둥이로 때리다. ② (줄을 그어서) 지워 버리다 ; 말소하다.

bâtonnet [bɑtɔnɛ] *m.* ① 작은 막대기. ② 〖의학〗 간균(桿菌) ; (*pl.*) 망막의 간상체.

bâtonnier [bɑtɔnje] *m.* 변호사회 회장.

batraciens [batʀasjɛ̃] *m. pl.* 〖동물〗 양서류(= amphibiens).

battage [bata:ʒ] *m.* ① 마당질, 타작 ; (종종 *pl.*) 타작하는 계절 : ~ du blé 밀 타작 / ~ à la machine 기계 타작. ② (말뚝을) 때려 박기 ; (크림을) 휘저어 섞기 ; (금을) 두드려 금박으로 만들기. ③ 《구어》 과장, 허풍(= exagération, hâblerie) ; 과장된 광고 : faire du ~ autour de ce livre 이 책을 대대적으로 선전하다.

battant, e [batɑ̃, -ɑ̃:t] *adj.* ① 두드리는, 치는(= tapant) : pluie ~*e* 퍼붓는 비. ② 왕복운동을 하는 ; (문이) 열렸다 닫혔다 하는 ; (깃발이) 펄럭이는. ③ 고동치는, 격하게 움직이는. ***à dix heures ~es*** 열 시를 치자, 열 시 정각에. (***le***) ***cœur ~*** 가슴을 두근거리며. ***porte ~e*** 자동적으로 닫히는 문. ***tambour ~*** 북을 올리며 ; 신속하게. — *m.* ① 문짝(= vantail) ; (책상 따위의) 뚜껑. ② (종의) 추. ③ (깃발의) 펄럭이는 부분. ④ (기구 · 연장의) 움직이는 부분 : ~ d'un loquet 문걸쇠의 줏대〔걸쇠〕. ⑤ 《속어》 심장(= cœur) ; 용기(= courage). ***ouvrir une porte***

B

à deux ~s 두 문짝을 활짝 열다.
batte [bat] *f.* 망치, 방망이(= battoir, maillet); (크리켓의) 라켓; (야구의) 배트(= bat).
battement [batmɑ̃] *m.* ① ⓐ 부딪치기; 부딪치는 소리: ~ de la pluie contre les vitres 유리창에 부딪치는 빗소리. ⓑ (손뼉·북·날개 따위를) 치기, 마주쳐서 내는 소리; (발을) 구르기: ~ des mains 박수 / ~ de pieds 발구르기 / ~s d'ailes (새가) 날개를 퍼덕이는 짓〔소리〕. ② (심장·맥박의) 고동; (시계의) 똑딱거림; (피스톤의) 왕복 운동; (기계 따위의) 삐걱거림: avoir un ~ 〔des ~s〕 de cœur 심장이 고동치다 / ~ du pouls 맥박. ③ 시간의 여유; 대기 시간: ~ de 10 minutes entre deux trains (기차를 갈아타기 위한) 10분의 대기 시간 / Il y a du ~. 시간 여유가 있다.
batterie [batʀi] *f.* ① 치고받는 싸움, 난투. ② 북소리; 〖음악〗 (기타줄을) 손가락으로 두드리는 주법; (오케스트라의) 타악기. ③ 〖군사〗 포대; 포병 중대: disposer une ~ 포대를 배치하다. ④ 요소의 총체, (식기 따위) 한 벌: ~ de mesures 일련의 조치 / ~ de cuisine 부엌 세간 한 벌. ⑤ 〖전기〗 전지, 배터리(= ~ électrique): recharger la ~ de la voiture 자동차의 배터리를 재충전하다 / La ~ est à plat. 배터리가 다 소모되었다. ⑥ (*pl.*) 계책, 방책, 책략, 술책(= moyen): dresser 〔changer〕 ses ~s 계책〔방책〕을 세우다〔바꾸다〕. ***mettre une pièce en ~*** 포격 준비를 갖추다. ***~ de tests*** 테스트 배터리《각종의 테스트 방법을 모은 것》.
batteur, euse [batœːʀ, -øːz] *n.* ① 타작일꾼; (재즈밴드의) 타악기 치는 사람; (야구의) 타자. ② (사냥의) 몰이꾼. ③ (즙을 만드는) 믹서(= ~-broyeur): ~ à œufs 달걀 거품기. ④ 솜틀. — *f.* 탈곡기; 금속 압연기.
battle-dress [batlədʀɛs] 〖영〗 *f.* (제 2 차 대전 중의) 영·미 병사의 군복.
battoir [batwaːʀ] *m.* ① 빨랫방망이. ② 《구어》 크고 억센 손.
battre** [batʀ] [45] *v.t.* ① 때리다, 치다; 두들기다(= frapper, taper): ~ à coups de poings 주먹으로 갈기다 / ~ qn avec un bâton …을 몽둥이로 때리다 / ~ qn à terre …을 쓰러뜨리다 / ~ des vêtements (먼지를 털기 위해) 옷을 두들기다. ② (곡식을) 타작〔탈곡〕하다: ~ le blé 밀을 타작하다. ③ 휘젓다, 휘저어서 만들다; 〖카드놀이〗 (카드를) 섞다: ~ du beurre 〔des œufs〕 버터를 〔달걀을〕 휘젓다 / ~ les cartes 카드를 섞다. ④ (쇠를 두들겨) 불리다, 단련하다; (화폐를) 주조하다; (금속을) 두들겨 늘이다: ~ l'or 〔le cuivre〕 금〔동〕을 두드려 펴다 / ~ monnaie 동전을 주조하다; 《속어》 돈을 벌다. ⑤ (어떤 지방·지역을) 탐색〔답사〕하다, 탐험〔여행〕하다, (어떤 곳을) 돌아다니다; 샅샅이 뒤지다: ~ les forêts 숲속을 수색하다 / ~ la plaine 〔le pays〕 들판〔지방〕을 여기저기 돌아다니다. ⑥ 부딪치다, 두드리다: un ivrogne qui *bat* les murs 벽에 부딪치는 취객 / Les vagues *battent* la digue. 파도가 둑〔제방〕에 부딪친다. ⑦ (적을) 쳐부수다, 이기다(= triompher, vaincre): ~ un ennemi 적을 쳐부수다 / ~ son adversaire à la course 경주에서 상대방을 이기다. ⑧ (북을) 치다; 북을 쳐서 알리다; 〖군사〗 포격하다: ~ la charge 공격의 북을 치다〔나팔을 불다〕 / ~ une position ennemie 적진을 포격하다. ***~ la mesure (손·발 따위로) 박자를 맞추다. ~ qn ***en brèche*** 〔***en ruine***〕 (토론에서) …을 무찌르다; …의 평판을 손상시키다: ~ une théorie *en brèche* 어떤 이론을 철저히 분쇄하다.
— *v.i.* ① 《~ de》 …을 치다, 마주치다: ~ *des* mains 손뼉을 치다 / ~ *des* ailes (새가) 두 날개를 치다. ② 《~ contre》 (비바람이) …을 후려치다, (문 따위가) 덜컥거리다; (돛 따위가) 펄럭이다: La porte *bat.* 문이 덜컥댄다 / La pluie *bat contre* la vitre. 비가 유리창을 후려친다. ③ (햇볕이) 내리쬐다. ④ (심장이) 뛰다, 고동치다: La cœur *bat.* 심장이 고동친다. ⑤ (북이) 울리다: Le tambour *bat.* 북소리가 울린다. ***en retraite*** 퇴각하다; 후퇴하다; 물러서다, 양보하다.
— **se ~** *v.pr.* ① 서로 치다〔때리다〕(= se combattre): Ils *se sont battus* en duel. 그들은 결투를 했다. ② 《se ~ avec 〔contre〕》 …와 싸우다: Cet enfant *se bat* souvent *avec* les galopins du quartier. 이 아이는 종종 동네 개구쟁이들과 싸운다.
battu, e[1] [baty] *adj.* ① 얻어맞은, 매를 맞은: les enfants ~s 매 맞은 아이들. ② (쇠가) 불려진, 단련된: fer ~ 단철(鍛鐵). ③ (땅·길이) 밟혀서 다져진, 사람의 왕래가 잦은: chemin 〔sentier〕 ~ 사람들이 많이 지나는 길. ④ 패배당한(= vaincu): armée ~*e* 패군. ***avoir l'air d'un chien ~*** 겁에 질린 모습이다. ***les yeux ~s*** 멍이 든 것 같은〔피로한〕 눈. ***œufs ~s en neige*** 휘저어 거품이 허옇게 인 달걀. ***pas ~*** 〖무용〗 (발레에서) 마주치는 발놀림.
battue[2] [baty] *f.* ① 몰이꾼을 쓰는 사냥. ② (늑대·여우·멧돼지 따위의) 몰이.
baudet [bodɛ] *m.* ① 당나귀(= âne).
baudrier [bodʀije] *m.* ① (칼·북 따위의) 멜빵, 어깨끈. ② (알피니스트의) 보조끈.
baudroie [bodʀwa(ɑ)] *f.* 〖어류〗 아귀.
baudruche [bodʀyʃ] *f.* ① 소〔양〕의 장막(腸膜)으로 만든 얇은 가죽〔풍선〕. ② 줏대없는 사람; 엉성한 이론.
bauge [boːʒ] *f.* ① 멧돼지 굴; 돼지우리. ② 《구어》 누추한 집, 지저분한 곳.
baume [boːm] *m.* ① 방향성 수지(樹脂); 방향; 향유; 〖약학〗 진통제(= adoucissement); 방향제(劑). ② 위안(= consolation); 달콤한 말: mettre 〔verser〕 du ~ dans le cœur de qn …의 괴로운 마음을 위로해 주다.
baumé [bome] *adj.* 보메(*Baumé*, 프랑스의 화학자)의: degré *B*~ 〖화학·물리〗 보메도(度). — *m.* 〖화학·물리〗 보메의 비중계.
bauxite [boksit] *f.* 〖광물〗 보크사이트.
bavard, e** [bavaːʀ, -aʀd] *adj.* ① 수다스러운, 잘 지껄이는: Tu n'es pas ~ aujourd'hui. 네가 오늘은 말이 없구나. ② 입이 가벼운, 조심스럽지 못한. ③ (기사·말이) 산만한; 장황한: roman ~ 지루한 소설. ***être ~ comme une pie 《구어》 몹시 수다스럽다. — *n.* 수다쟁이, 입이 가벼운 사람:

un intarrisable ~ 요설가.

bavardage [bavaʀdaːʒ] *m.* ① 수다 ; 객설 ; 지껄이기. ② (흔히 *pl.*) (비밀을) 떠벌리기.

***bavarder** [bavaʀde] *v.i.* ① 수다를 떨다 ; 지껄이다, 담소하다 : perdre son temps à ~ 수다 떠는 데 시간을 허비하다 / ~ à tort et à travers 생각없이 지껄이다. ② (비밀을) 떠벌리다, 해서는 안 될 말을 하다.

bavarois, e [bavaʀwa(ɑ), -a(ɑ)ːz] *adj.* 바바리아(*la Bavière*)의. ── **B~** *n.* 바바리아 사람. ── *m.* 〖요리〗 바바르와《얼려서 차게 만든 생크림 앙트르메》.

bavasser [bavase] *v.i.* 《속어》 수다를 떨다 (= bavarder).

bave [baːv] *f.* ① 침 ; (말 · 개 따위의) 거품 ; (달팽이 따위의) 점액(粘液). ② 독설, 욕.

baver [bave] *v.i.* ① 침을 흘리다 ; 거품〔점액〕을 내뿜다. ② (피 따위가) 줄줄 흐르다 ; (펜의 잉크가) 흘러 떨어지다. ③ 《~ sur》 …에 대해 험담을 늘어놓다, …을 중상모략하다. ***en*** **~** 《속어》 힘든 일로 지치다〔고생하다〕. ── *v.t.* 《속어》 (조리 없는 말을) 지껄이다 : Quest-ce qu'il *bave*? 저 자식은 무슨 소릴 하는 건가?

bavette [bavɛt] *f.* ① 턱받이, 침받이 ; (앞치마의) 가슴에 대는 부분(= baverette). ② 쇠고기 등심의 아랫 부분 : un bifteck dans la ~ 등심 아래쪽 비프스테이크. ③ (창문의) 빗물막이. ***tailler une ~*** 〔***des ~s***〕 수다를 떨다, 지껄이다.

baveux, euse [bavø, -øːz] *adj.* ① 침을 흘리는. ② 〖요리〗 (오믈렛 따위가) 반숙의. ***lettres ~euses*** 인쇄가 선명치 않은 글자.

bavocher [bavɔʃe] *v.i.* et *v.t.* (글자 따위가) 선명하지 않게 인쇄되다.

bavoir [bavwaːʀ] *m.* 턱받이, 침받이.

bavolet [bavɔlɛ] *m.* ① 시골 여자의 모자. ② (여자 모자 뒤에 늘어뜨린) 장식 리본.

bavure [bavyːʀ] *f.* ① (쇠붙이 따위의) 이음매 ; (금속의) 접합 부분 : barber les ~*s* 접합 부위를 갈다. ② (인쇄의) 얼룩(= bavochure). ③ 과오, 실책 ; (공권력의) 불찰. ***sans ~*** 《구어》 완전한〔하게〕, 완벽한〔하게〕 : travail net et *sans* ~ 깔끔하게 처리된 일.

bayadère [bajadɛːʀ] *f.* (인도의) 무희(舞姬) ; 직업적인 댄서. ── *adj.* 〖직물〗 색동무늬가 있는 : écharpe ~ 색동무늬 스카프.

bayer [ba(ɛ)je] 8 *v.i.* 입을 벌리고 멍하니 바라보다. ***~ aux corneilles*** 〔***aux grues***〕 《구어》 멍하니 하늘만 바라보며 소일하다.

bazar [bazaːʀ] *m.* ① (근동 지방의) 시장(= souk). ② 염가 백화점 ; 자선시, 바자(= vente de charité). ③ 《속어》 ⓐ 난잡한 집, 《학생은어》 중 · 고등학교(= lycée). ⓑ 의류 기타의 소지품. ***de ~*** 질이 나쁜, 저급한 : article *de* ~ 조악품(粗惡品).

bazarder [bazaʀde] *v.t.* 《구어》 (헐값으로) 팔아 버리다 ; 처분〔처치〕하다.

bazooka [bazuka] *m.* 〖군사〗 바주카포《대전차 로켓포》.

B.C.B.G. 《약자》 bon chic bon genre 멋있는, 고상한 : restaurant ~ 근사한 식당.

B.C.G. [beseʒe] 〘< le vaccin *Bilié* de Calmette et *Guérin*〙 *m.* 결핵 예방 백신.

bd 《약자》 boulevard 한길, 대로.

B.D. [bede] 〘< *b*ande *d*essinèe〙 *f.* 《구어》 (신문 · 잡지의) 연재 만화 : lire des ~ 연재 만화를 보다.

béant, e [beɑ̃, -ɑ̃ːt] *adj.* ① 많이 열린 ; 벌어진 : bouche ~*e* 벌어진 입. ② (사람이) 입〔눈〕을 크게 벌린 : regarder qc bouche ~*e* 입을 벌리고 …을 멍하니 바라다보다.

béat, e [bea, -at] *adj.* ① 《옛》 지극히 행복한, 복이 많은, 복받은(= bienheureux). ② 〖종교〗 지복〔천복〕을 누리는 ; 믿음이 두터운 ; 믿음이 두터운 체하는. ③ (미소 따위가) 아주 만족스러워 보이는, 자기 만족의.

béatement [beatmɑ̃] *adv.* ① 《옛》 행복하게. ② 믿음이 두텁게. ③ 만족스러운 듯이 ; 태평스럽게 ; 멍청하게.

béatification [beatifikɑsjɔ̃] *f.* 〖가톨릭〗 (망자를 위한) 시복(諡福), 시복식(式).

béatifier [beatifje] *v.t.* ① 〖종교〗 (신이) 천복을 누리게 하다 ; (교황이) …의 시복을 선포하다. ② 매우 행복하게 하다.

béatitude [beatityd] *f.* ① 지복, 천복. ② 지극한 행복(= bien-être). ③ 만족감, 도취.

beau** [bo], **bel** [bɛl] (*f.* ***belle, *m. pl.* ***beaux***, *f. pl.* ***belles***) 《bel은 모음 또는 무성 h 로 시작하는 남성명사와 접속사 앞에 쓰임》 *adj.* ① 아름다운(≠ laid), 예쁜 ; 멋있는; 잘 된, 만족스러운 : ~ match 멋진 시합 / ~ rôti 먹음 직한 불고기 / ~ paysage 아름다운 경치 / ~ sexe 여성 / *bel* homme 미남 ; 건장한 남자 / ~ comme un astre 〔le jour〕 눈부시게 아름다운 / remporter un ~ succès 멋진 성공을 거두다. ② (날씨가) 맑게 갠, 화창한 ; (바다가) 잔잔한(= calme) ; (냇물이) 맑은(= limpide) : Il fait un ~ soleil. 눈이 부실 만큼 좋은 날씨이다 / La mer est *belle*. 바다가 잔잔하다. ③ (지적으로) 뛰어난(≠ médiocre) : très *belle* intelligence 아주 뛰어난 지성. ④ ⓐ (정신적으로) 훌륭한, 고상한, 숭고한, 고결한 : *belle* action 훌륭한 행동 / Il est ~ de+*inf.* …하는 것은 훌륭한 일이다 / *belle* âme 숭고한 정신. ⓑ 점잖은 ; 《구어》 예의 바른 : gens de *bel* air 상류 인사들 / avoir le *bel* air 태도가 점잖다. ⑤ 유리한, 바람직한, 좋은 : *belle* occasion 호기 / *belle* santé 좋은 건강 / avoir ~ jeu de 〔pour〕+*inf.* …하기 유리한 입장에 있다. ⑥ 꽤 많은, 막대한 : *belle* fortune 막대한 재산. ⑦ 심한, 대단한 : *belle* peur 대단한 공포. ⑧ 유쾌한, 즐거운(= gai) : *belle* humeur 유쾌한 기분. ⑨ 《반어적》 나쁜, 고약한 ; 보기 흉한 ; 하찮은 ; 불쾌한 : de *belles* paroles 감언이설 / un ~ monsieur, votre ami 당신 친구, 나쁜 사람이군 / C'est du ~ travail! 잘했군 그래 / La *belle* affaire! 쓸데없는 짓이다. ⑩ 《강조》 진짜의, 지독한 : se démener comme un ~ diable 진짜 악마처럼 날뛰다 / *bel* égoïste 지독한 이기주의자 / au ~ milieu de... …한 가운데. ⑪ 《애칭》 mon *bel* ami ; ma *belle* amie 여보게 / ma *belle* enfant 얘야. ⑫ 인척의, 혼인으로 인한 : ~-père 장인, 시아버지 / *belle*-mère 장모, 시어머니 / ~-frère 서남, 매부, 동서 / *belle*-sœur 시누이, 올케, 동서. ***Ça, c'est le plus ~!*** 그건 지독하다, 너무하다. ***Ce serait trop ~.*** 그렇게 되기만 하

B

면 그 이상 바랄 게 없다. ***C'est trop ~ pour être vrai.*** 너무나 멋이 있어서 진짜라고 생각하지 못하겠다, 마치 꿈과 같다. ***en***+동사+***de belles*** 어리석은〔심한〕…을 하다 : *en* dire *de belles* 어리석은 말을 하다〔(사람에 대해) 나쁘게 말하다〕. ***Il est***〔《구어》 ***C'est***〕 ~ ***de***+*inf.* …하는 것은 훌륭하다〔멋있다〕: *Il est* ~ *de* pardonner les fautes d'autrui. 남의 과오를 용서하는 것은 훌륭한 일이다. ***l'avoir belle*** (***de***+*inf.*) (…하는 데) 유리한〔형편이 좋은〕 입장에 있다. ***Tout cela est bel et bon***〔***bien***〕***, mais...*** 그건 모두 괜찮은데, 여하튼 간에…. ***un ~ jour, un ~ matin*** 어떤 날 (아침).

— *adv.* 《다음과 같은 표현에 사용》 ***avoir ~***+*inf.* 아무리 …해도 (소용없다) ; …이지만《대립·양보를 나타내며 주절에 선행》: J'*ai* ~ crier, il n'entend rien. 내가 아무리 소리를 질러도 그는 아무것도 듣지 못한다 / Il *a* ~ être tard, je vais me mettre en route. 시간이 늦었지만 나는 출발하겠다. ***bel et bien ;*** 《옛》 ***bien et ~*** 전적으로, 분명히, 참말로 : Il est *bel et bien* mort. 그는 정말로 죽고 말았다. ***de plus belle*** 더욱더. ***Il fait ~***+*inf.* …하는 것은 유쾌한 일이다 ; …하기는 쉽다 : *Il fait* ~ se promener par un temps pareil. 이런 날씨에 산책하는 것은 유쾌한 일이다. ***Il fait ~*** (***temps***)***.*** 날씨가 좋다. ***Il fera ~ quand j'y retournerai !*** 《속어》 나는 다시는 그곳에 가지 않겠다. ***Il ferait ~ voir que***+*sub.* 《반어적》《경고하는 말투》 …한다면 재미없을걸 : *Il ferait* ~ *voir qu*'on n'obéisse pas à mes ordres. 내 명령을 어기기만 해 보라지.

— *m.* ① 미(美) : le ~, le bien et le vrai 진선미. ② 아름다운〔좋은〕 것 : Cette boutique ne vend que du ~. 이 상점에서는 좋은 것만 판다. ③ 《le ~ (d'une chose)》(어떤 것〔일〕의) 미점 ; 장점 ; 흥미〔재미〕 있는 점 ; 《반어적》 결점 : Il s'est arrêté au plus ~ du récit. 그는 가장 흥미 있는 대목에서 이야기를 중단했다. ④ 맑은 날씨. ⑤ 멋쟁이 : un vieux ~ 멋쟁이 늙은이. ***C'est du ~.*** 《반어적》 잘한다, 꼴좋다. ***en ~*** 미화해서, 잘, 바람직하게 : voir tout *en* ~ 무슨 일이건 좋은 면만 보다〔낙관적으로 생각하다〕. ***faire le ~*** 우쭐대다, 모양을 내다. ***Le plus ~ de l'affaire c'est...*** 가장 좋은 것〔일·점〕은 …이다.

— *f.* ① 미인, 미녀 ; (젊은)여자 ; (*pl.*) 여성. ② 애인, 정부 ; 약혼녀. ③ (게임의) 결승전 : jouer〔faire〕 la *belle* 결승전을 하다. ④ 《은어》 탈주, 탈옥(= évasion). ***faire la belle*** (여자가) 점잔빼다. ***ma belle ; la belle*** 이 사람아, 여보시오.

‡beaucoup [boku] *adv.* ① 많이, 매우, 무척, 대단히(≠ peu) : Il travaille ~. 그는 일을 많이 한다 / Il a ~ changé. 그는 많이 변했다 / Merci ~ ; Je vous remercie ~. 대단히 고맙습니다. ② 《비교급과 trop 강조 ; 형용사 대용의 le 수식》 훨씬, 더욱더 : Il est ~ plus grand que moi. 그는 나보다 훨씬 더 크다 / Il travaille ~ trop lentement. 그는 일을 너무너무 느리게 한다 / C'est ~ mieux. 그 쪽이 훨씬 낫다 / Il y a ~ trop de bruit. 소음이 너무 심하다 / Aimable, il l'est ~. 그는 매우 상냥하다. ③ 《~ de+무관사명사》 많은, 다수의, 다량의 : ~ *d'*autres 많은 것들 / Il a ~ *de* courage. 그는 용기가 많다 / J'*en* ai ~. 나는 그것을 많이 가지고 있다. ***à ~ près*** 《주로 부정문에서》 훨씬 (미치지 않게) : Il n'est pas, *à* ~ *près*, aussi riche qu'on le dit. 그는 사람들이 말하는 것보다는 훨씬 부자가 못 된다. ***de ~*** 훨씬, 더욱더 : Cela dépasse *de* ~ mon attente. 그것은 내 기대를 훨씬 넘는다. ***il s'en faut*** (***de***) ***~*** 매우 다르다. ***un peu ~*** 상당히, 꽤.

— *m.* 《복수불변》 많은 분량 ; 대단한 일 ; 많은 것들 ; 많은 사람들 : à〔pour〕 ~ 많은 사람들에게 (있어서는) / *B*~ l'ont vu. 많은 사람들이 그것을 보았다 / J'ai ~ à vous dire. 당신에게 이야기할 것이 많다 / C'est un homme qui sait ~. 이 사람은 많은 것을 안다 / *B*~ sont de notre avis. 많은 사람들이 우리와 견해가 같다 / Plusieurs peu font un ~. 《속담》 티끌 모아 태산. ***C'est*** (***déjà***) ***~ que***+*sub.*〔***si***+*ind.*, ***de***+*inf.*〕 …라는 것은 (그만해도) 대단한〔상당한〕 일이다 : *C'est déjà* ~ *d'*avoir pu participer à ce concours. 이 경연에 참가할 수 있었던 것만 해도 대단하다. ***compter pour ~*** 중요시되다, 중요하다 : L'argent ne *compte* pas *pour* ~. 돈은 그의 생활에서 중요하지 않다. ***être ~ pour*** qn …에 있어서 중요하다 : Dix francs, c'*est* ~ *pour* un pauvre. 10 프랑이라도 가난한 사람에겐 큰돈이다. ***être pour ~*** (***dans*** qc) (…에) 큰 관계가 있다 : Elle *est pour* ~ *dans* le succès de son mari. 그녀는 남편의 성공에 크게 기여한다.

beau-fils** [bofis] *m.* (*pl.* ***~x-~) ① 의붓아들 ; 전처 자식. ② 《때로》 사위(= gendre).

beau-frère** [bofʀɛːʀ] *m.* (*pl.* ***~x-~s) 매형 ; 처남 ; 동서 ; 시숙 ; 형부 ; 시누이 남편.

Beaujolais [boʒɔlɛ] *n.pr.m.* (le ~) 보졸레 《프랑스 동부의 옛 지방》. — **b~** *m.* 보졸레산(産) 포도주.

beau-père** [bopɛːʀ] *m.* (*pl.* ***~x-~s) 시아버지 ; 장인 ; 의붓아버지.

beau-petit-fils [boptifis] *m.* (*pl.* ***~x-~s-~***) 의붓손자.

beaupré [bopʀe] *m.* 〖해양〗 선체 앞쪽에 비스듬히 설치된 돛대.

beauté** [bote] *f.* ① 미(美), 아름다움 ; 미점 ; 미용 : ~ d'un paysage 풍경의 미 / sentiment de la ~ 미적 감각 / ~ naturelle 자연스러운 미 / reine de ~ 미의 여왕 ; 미인 대회 우승자 / crème de ~ 미용 크림 / salon de ~ 미장원. ② 미녀, 미인 ; 《집합적》 여자, 여성 : ~ grecque 그리스적인 미녀 / jeune ~ 젊은 미녀. ③ (*pl.*) 아름다운 것〔점〕들 : ~*s* d'une femme 어떤 여자의 매력 / ~*s* du style de Racine 라신 문체의 아름다움. ④ (정신적인) 아름다움, 숭고함 ; 우아함, 신기함, 진기함 : ~ d'un sacrifice 희생의 고결함. ***en ~ 훌륭하게, 멋지게 : Elle est *en* ~ aujourd'hui. 오늘 그녀는 한층 아름다워 보인다.

***beaux-arts** [bozaːʀ] *m. pl.* 미술 ; 조형 예술 《회화·조각·건축 따위》: *B~-A ;* l'École des ~ 미술 학교.

beaux-enfants [bozɑ̃fɑ̃] *m. pl.* 의붓자식들.

*__beaux-parents__ [boparɑ̃] *m. pl.* 의부모, 계부모, 시부모, 장인과 장모.

‡__bébé__ [bebe] *m.* ① 갓난아기, 젖먹이 ; 《구어》 유치한 사람, 애송이 ; 맹추. ② 아기 인형. ③ 동물의 새끼 : ~(-)loup 새끼 늑대. ***faire le ~*** 갓난애처럼 굴다.

__bébé-éprouvette__ [bebeepʀuvɛt] *m.* 시험관 아기.

__bébête__ [bebɛt] *adj.* 《구어》 어리석은 ; 유치한.

__be-bop__ [bibɔp] 〔미영〕 *m.* 재즈 연주의 한 형태.

‡__bec__ [bɛk] ① (새의) 부리 ; (거북 · 오징어 따위의) 입 : frapper du ~ contre qc …을 부리로 쪼다 / nez en ~ d'aigle 매부리코. ② 《구어》 (사람의) 입 ; 코, 얼굴 : ~ à ~ 얼굴을 맞대고, 마주 앉아서 / avoir la cigarette au ~ 담배를 입에 물고 있다 / se mettre qc dans le ~ …을 먹다 / ouvrir le ~ 입을 열다, 말하다 / Ferme 〔Clos〕 ton ~ ! 입 닥쳐 ! ③ 부리 모양의 것 ; (주전자 따위의) 주둥이 ; (악기의) 입으로 부는 부분 ; 펜촉 ; 첨단. ***avoir la plume sur le ~*** 건강하다. ***avoir bon ~ ; avoir le ~ bien affilé ; être fort en ~*** 수다스럽다, 입담이 좋다. ***~ de gaz*** 가스등. ***~ fin*** 미식가. ***être pris par le ~*** (자기가 한 말의 모순 때문에) 꼼짝 못하게 되다, 당황하다. ***prise de ~*** 말다툼, 언쟁 : avoir une *prise de* ~ avec qn …와 말다툼하다. ***rester* 〔*être*〕 *le ~ dans l'eau*** 난처한 입장에 처해 있다. ***se défendre du ~*** 말대꾸하다, (상대방에게) 응수하다. ***se prendre de ~ avec*** qn …와 말다툼하다. ***tomber sur un ~*** (***de gaz***) 뜻밖의 장애에 부닥치다.

__bécane__ [bekan] *f.* ① 《구어》 자전거 ; 자동차 ; 오토바이. ② 《속어》 연장, 도구, 기구.

__bécarre__ [bekaːʀ] *m.* 〖음악〗 제자리표, 본위(本位) 기호(♮).

__bécasse__ [bekas] *f.* ① 〖조류〗 멧도요. ② 《구어》 어리석은 여자(= idiote).

__bécasseau__ [bekaso] *m.* (*pl.* **~x**) 〖조류〗 멧도요 새끼(= béchot) ; 깝작도요 무리.

__bécassine__ [bekasin] *f.* ① 〖조류〗 꺅도요. ② 어리석은 계집애.

__bec-d'âne__ [bɛkdɑːn] *m.* (*pl.* **~s-~**) 장붓구멍 파는 끌(= bédane) ; (금속용의) 끌.

__bec-de-cane__ [bɛkdəkan] *m.* (*pl.* **~s-~-~**) 오리 주둥이 모양의 손잡이〔핸들〕.

__bec-de-corbin__ [bɛkdəkɔʀbɛ̃] *m.* (*pl.* **~s-~-~**) 끝이 뾰족하게 굽은 각종 도구.

__bec-de-lièvre__ [bɛkdəljɛːvʀ] *m.* (*pl.* **~s-~-~**) 언청이.

__béchamel__ (__le__) [beʃamɛl] *f.* 베샤멜 소스(= sauce à la *B*~, sauce ~).

__bêche__ [bɛʃ] *f.* 삽, 가래 : profondeur de fer de ~ 한 삽으로 파는 깊이.

__bêchement__ [bɛʃmɑ̃] *m.* 삽질, 가래질.

__bêcher__ [bɛ〔e〕ʃe] *v.t.* ① 삽으로〔가래로〕 파다. ② 험담〔악평〕하다, 헐뜯다(= débiner).

__bêcheur, euse__ [beʃœːʀ, -øːz] *n.* ① 삽질〔가래질〕하는 사람. ② 헐뜯는 사람, 악평가 ; (아니꼽게) 뽐내는 사람.

__bécot__ [beko] *m.* 가벼운 키스.

__bécoter__ [bekɔte] *v.t.* 《구어》 가볍게 키스하다. ── **se ~** *v. pr.* 가벼운 키스를 주고받다.

__becquée, béquée__ [bɛ〔e〕ke] *f.* ① (새의) 부리로 한 입에 무는 모이. ② 한 입에 먹을 수 있는 양의 음식.

__becqueter__ [bɛkte] 5·4 *v.t.* ① (새가) 부리로 쪼다〔쪼아먹다〕(= picorer). ② 《속어》 (사람이) 먹다, 식사하다(= manger) : Qu'est-ce qu'il y a à ~ ? 먹을 것이 뭐 있나 ? ③ 《구어》 …에게 키스하다.

B

__bedaine__ [bədɛn] *f.* 뚱뚱한 배(= bedon).

__bedeau__ [bədo] *m.* (*pl.* **~x**) 《옛》 교회지기.

__bedon__ [bədɔ̃] *m.* = bedaine.

__bedonnant, e__ [bədɔnɑ̃, -ɑ̃ːt] *adj.* 《구어》 배가 뚱뚱한, 배가 불룩 나온.

__bedonner__ [bədɔne] *v.i.* 배가 뚱뚱해지다, 배에 살이 찌다.

__bée__ [be] *adj. f.* (입 따위를) 크게 벌린(= ouverte) : bouche ~ 멀거니 입을 벌리고.

__béer__ [bee] *v.i.* = bayer.

__beffroi__ [bɛfʀwa〔ɑ〕] *m.* 종탑, (교회의) 종각 ; 종각의 종, 경종.

__bégaiement, bégaîment__ [begɛmɑ̃], __bégayement__ [begɛjmɑ̃] *m.* 말을 더듬거리기 ; 더듬거리는 말, 혀짤배기 말.

__bégayer__ [begɛ〔e〕je] 8 *v.i.* 말을 더듬다, 더듬더듬 말하다, 중얼거리다(= balbutier). ── *v.t.* 더듬더듬〔더듬거리며〕 말하다 : ~ une excuse 더듬으며 사과하다.

__bègue__ [bɛg] *adj.* 말을 더듬는. ── *n.* 말더듬이.

__bégueule__ [begœl] *f.* 얌전빼는 여자, 숙녀티를 내는 여자, 새침떼기.

__béguin__ [begɛ̃] *m.* 《구어》 연정 ; 연인, 애인 : avoir le 〔un petit〕 ~ pour qn …에게 반하다.

__béguinage__ [beginaːʒ] *m.* 베긴 교단의 수녀원.

__béguine__ [begin] *f.* ① 〖종교〗 베긴 교단의 수녀. ② 신앙이 독실한 (체하는) 여자.

__behaviorisme__ [bihevjɔʀism,bia-], __behaviourisme__ [-vju-] *m.* 〖심리〗 행동주의.

*__beige__ [bɛːʒ] *adj.* (양털이) 자연색의 ; 염색하지 않은 ; 회갈색의 ; 베이지색의 : laine ~ 자연색의 양모. ── *m.* 베이지색.

__beignet__ [bɛɲɛ] *m.* 〖요리〗 튀김.

__béjaune__ [beʒoːn] *m.* ① (새끼새의) 노란 부리 ; 새끼매. ② 풋내기(= blanc-bec) ; 신입생.

__bel__ [bɛl] *adj. m.* ⇒ beau.

__bélandre__ [belɑ̃ːdʀ] *f.* 〖군사〗 부상병 운반차 ; (운하용의) 너벅선.

__bêlant, e__ [bɛlɑ̃, -ɑ̃ːt] *adj.* ① (양 · 염소가) 우는. ② 푸념하는, 우는 소리하는.

__bel canto__ [bɛlkɑ̃to] 〔이탈리아〕 *m.* 〖음악〗 벨칸토《이탈리아 오페라 전통에 따른 창법》.

__bêlement__ [bɛlmɑ̃] *m.* (양 · 염소의) 우는 소리 ; 《비유》 투덜투덜 불평하는 소리.

__bêler__ [bɛ〔e〕le] *v.i.* ① (양 · 염소가) 매애매애 울다. ② (사람이) 울먹이다 ; 투덜투덜 불평하다. ── *v.t.* 떨리는 목소리로 말하다〔노래하다〕.

__belette__ [bəlɛt] *f.* 〖동물〗 족제비.

*__belge__ [bɛlʒ] *adj.* 벨기에(*la Belgique*)의. ── **B~** *n.* 벨기에 사람.

__belgicisme__ [bɛlʒisism] *m.* 벨기에 사람 특유의 프랑스 어법.

*__Belgique__ (__la__) [labɛlʒik] *n.pr.f.* 벨기에 (왕국) : le Royaume de ~ 벨기에 왕국. ── **b~** *adj.* 벨기에(사람)의.

__bélier__ [belje] *m.* ① (거세하지 않은) 숫양. ② 〖군사〗 파벽추(破壁槌). ③ 〖토목〗 말뚝 박는

기계(= ~ à pilotage). ④ (le *B*~) 〖천문〗 백양궁(白羊宮).

bélière [beljɛːʀ] *f.* ① 숫양의 목에 다는 방울. ② (회중시계·훈장 따위의) 고리.

belître [bəlitʀ], **bélître** [belitʀ] *m.* 부랑자, 무뢰한, 무식쟁이; 《옛》 거지.

belladone [be(ɛl)ladɔn] *f.* 〖식물〗 벨라돈나.

bellâtre [bɛlɑːtʀ] *adj.* et *n.* 겉멋부리는 (사람); 미인(미남)으로 자처하는 (사람).

belle-dame [bɛldam] *f.* (*pl.* **~s-~s**) ① 〖식물〗 ⓐ = arroche. ⓑ = belladone. ② 〖곤충〗 작은 멋쟁이《나비의 일종》.

belle-de-jour [bɛldəʒuːʀ] *f.* (*pl.* **~s-~-~**) 〖식물〗 메꽃(liseron)의 속칭.

belle-de-nuit [bɛldənɥi] *f.* (*pl.* **~s-~-~**) ① 〖식물〗 분꽃. ② 〖조류〗 개개비.

belle-famille [bɛlfamij] *f.* (*pl.* **~s-~s**) 남편(아내)의 가족, 처가, 시가.

***belle-fille** [bɛlfij] *f.* (*pl.* **~s-~s**) 며느리(= bru); 의붓딸.

bellement [bɛlmɑ̃] *adv.* 어여쁘게, 귀엽게; 가만히, 조용히, 살며시; 완전히, 깨끗이.

***belle-mère** [bɛlmɛːʀ] *f.* (*pl.* **~s-~s**) 시어머니; 장모; 의붓어미.

belle-petite-fille [bɛlpətitfij] *f.* (*pl.* **~s-~s-~s**) 의붓손녀.

belles-lettres [bɛ(l)lɛtʀ] *f. pl.* 순문학.

***belle-sœur** [bɛlsœːʀ] *f.* (*pl.* **~s-~s**) 의붓자매; 시누이, 올케, 처형, 처제; 형수, 제수, 처남의 댁.

bellicisme [be(ɛl)lisism] *m.* 호전주의, 호전적 경향(≠ pacifisme), 주전론.

belliciste [be(ɛl)lisist] *adj.* 호전(주의)적인, 주전론적인(≠ pacifiste). ── *n.* 호전주의자, 주전론자.

belligérance [be(ɛl)liʒeʀɑ̃ːs] *f.* 교전 상태; 교전국의 자격(≠ neutralité).

belligérant, e [be(ɛl)liʒeʀɑ̃, -ɑ̃ːt] *adj.* ① 교전 중의(≠ neutre). ② 정규병으로서 전투하는; (정당 따위가) 대립하고 있는. ── *m. pl.* 교전자, 교전국; 정규병: *~s* et non *~s* 전투병과 비전투병.

belliqueux, euse [be(ɛl)likø, -øːz] *adj.* 호전적인(= pacifique), 싸움하기 좋아하는.

bellissime [be(ɛl)lisim] *adj.* 《옛구어》 굉장히 아름다운.

bellot, otte [bɛlo, -ɔt] *adj.* (아이가) 작고 예쁘장한, 귀여운. ── *n.* 귀여운 사람: mon petit ~; ma petite *~otte* 여보《호칭》.

belluaire [bɛllɥɛːʀ] *m.* ① 〖고대로마〗 맹수를 길들이는 사람, 맹수와 싸우는 사람. ② (현대의) 맹수를 다루는 사람.

belo(t)te [bəlɔt] *f.* 블롯 《카드놀이의 일종》.

bélouga [beluga] *m.* 〖동물〗 돌고래.

belvéder, belvédère [bɛlvedɛːʀ] *m.* 망루, 전망대, 정자.

bémol [bemɔl] *m.* 〖음악〗 플랫(♭), 반음 내림표: en si ~ 내림 나음조의. ── *adj.* 《불변》 플랫의, 반음 내리는.

bémolisation [bemɔlizɑsjɔ̃] *f.* 〖언어〗 약음화.

bémoliser [bemɔlize] *v.t.* 〖음악〗 플랫을 붙이다, 반음 내리다.

ben [bɛ̃] *adv.* 《속어》 = bien.

bénarde [benaʀd] *f.* 안팎에서 열 수 있는 자물쇠. ── *adj.* 안팎에서 열 수 있는.

B. en Dr. 《약자》 bachelier en Droit 법과대학 입학 자격자.

bene [bene] 〔라틴〕 *adv.* 잘. ***Nota ~*** 〔***N.B.***〕 주의하라, 주(註).

bénédicité [benedisite] *m.* 〖가톨릭〗 식사전의 기도.

bénédictin, e [benediktɛ̃, -in] *adj.* 베네딕트파의. ── *n.* ① 베네딕트파의 수도사(수녀); 박학근면한 사람: travailler comme un ~ 아주 끈기 있게 일하다 / C'est un ~. 그 사람은 석학이다. ② (les *B* ~*s*) 베네딕트회. ── *f.* 베네딕틴《술 이름》.

bénédiction [benediksjɔ̃] *f.* ① 축복(≠ malédiction): donner la ~ à qn …을 축복하다. ② 〖가톨릭〗 강복식, 성별식(聖別式). ③ 천복(= grâce); 천행, (하나님의) 가호, 은혜: pays de ~ 천혜(天惠)의 땅. ④ (*pl.*) 사의(謝意), 감사의 말. ***C'est*** 〔***C'en est***〕 ***une ~.*** 《구어》 …은 참으로 고마운 일이다. ***donner sa ~*** 축복하다; 신의 가호를 빌다. ***Quelle ~!*** 고맙기도 해라. ***Il neige que c'est une ~.*** 눈도 무던히도 온다.
── *interj.* ***B~*** (du ciel)! 하느님 맙소사!

bénéfice** [benefis] *m.* ① 이익, 이득(= profit, gain): ~ brut 총수익; 매상 / être en ~ 이익을 보다. ② 은전, 특전, 특권(= privilège): ~ de l'âge 연령상의 특권 / ~ des circonstances atténuantes 정상참작의 특권. ③ 〖종교〗 성직록(聖職祿); 직록이 따르는 성직. ***à ~ 액면(額面) 이상으로. ***au ~ de*** …을 위하여: conclure l'affaire *à son ~* 자신에게 유리하게 계약을 체결하다. ***héritier sous ~ d'intentaire*** 〖법률〗 한정 상속인. ***sous ~ d'inventaire*** 후일의 확인을 조건부로.

bénéficiaire [benefisjɛːʀ] *adj.* ① 이익(이득)을 얻는; 혜택을 받는: vente ~ 이익이 남는 장사. ② 〖법률〗 (상속인이) 한정(상속)의. ③ 〖가톨릭〗 성직록을 받는. ── *m.* 수익자; 성직록 수령자; 한정 상속인; (보험금의) 수취인.

bénéficier[1], ère [benefisje, -ɛːʀ] *adj. m.* 〖종교〗 성직록을 받는 (사람).

***bénéficier[2]** [benefisje] *v.t. ind.* ① 《~ de》 …의 이득을 보다, 혜택을 입다(= profiter de, jouir de); …을 얻다(받다): Vous *avez bénéficié d'*un traitement de faveur. 당신은 특별 대우를 받았소. ② 《~ à》 …에 도움이 되다, 기여하다(= profiter): ~ *au* développement économique 경제 발전에 기여하다. ── *v.i.* 《~ sur》 …으로 이득을 보다, 한몫 보다. ── *v.t.* (광산을) 유리하게 채굴하다; 유리하게 경영하다.

bénéfique [benefik] *adj.* 이로운, 유리한(= favorable).

Benelux (le), Bénélux (le) [ləbenelyks] *n.pr.m.* 베네룩스《*B*elgique, *Né*erlande, *Lux*embourg 3국의 총칭》.

benêt [bənɛ] *adj.* et *n.* 어리석은(미련한) (사람)(= niais, nigaud).

bénévolat [benevɔla] *m.* 자원 무료 봉사: pratiquer le ~ 봉사 활동을 벌이다.

bénévole** [benevɔl] *adj.* ① 호의적인, 너그러운(= bienveillant). ② 독지(篤志)의, 무보수의(= gratuit); 자발적인(= volontaire). ***auditeur ~ 임의 청강생. ***collaboration ~*** 무상 협력.

bénévolement [benevɔlmɑ̃] *adv.* 호의로, 무보수로(= gratuitement) ; 자발적으로.

Bengale (le) [ləbɛ̃gal] *n.pr.m.* 〖지리〗 벵골(만). ***feu de B~*** 〖해양〗 섬광(閃光) 신호.

bengali [bɛ̃gali] *adj.* 《불변》 벵골(*Bengale*)의. ── **B~** *n.* 벵골 사람. ── *m.* ① 벵골어(語). ② 〖조류〗 붉은가슴핀치.

bénignement [beniɲmɑ̃] *adv.* 너그럽게, 친절하게, 관대하게, 온건하게.

bénignité [beniɲite] *f.* ① 관대, 인자(= bonté). ② (병의) 경증 ; (기후의) 온화.

*__bénin, igne__ [benɛ̃, -iɲ] *adj.* ① 너그러운, 관대한, 인자한(= bienveillant). ② 이로운, 유리한(= bénéfique) ; 부드러운(= doux) ; 온화한 : vent ~ 온화한 바람. ③ (병이) 가벼운, 경미한, ; (종양 따위가) 양성의(≠ maligne) : accident ~ 대단치 않은 사고 / tumeur ~*igne* 〖의학〗 양성 종양.

béni-oui-oui [beniwiwi] *m.pl.* 《구어》 항상 「예예」하고 복종만 하는 사람.

bénir [beniːʀ] 《bénir의 과거분사로는 béni, bénit의 두 형이 있음》 *v.t.* ① ⓐ 축복하다(≠ maudire) ; …에게 신의 은총을〔가호를〕 빌다 : *Beni* soit... ! …에게 축복이 있기를 ! ⓑ ~ un mariage (신부가) 결혼식을 거행하다. ② 〖종교〗 축성(祝聖)하다, 성별(聖別)하다, (교회를) 봉헌하다(= consacrer, sacrer). ③ ⓐ (신을) 찬양하다 ; …에게 감사하다. ⓑ 진심으로 기뻐하다 : Je *bénis* votre arrivée. 당신의 도착을 진심으로 기뻐합니다. ④ (신이) …에게 복〔은총〕을 내려 주시다. ***Dieu soit béni !*** 잘됐다 ! ***Le ciel en soit béni !*** (그것은) 고마운 일이다. **(*Que*) *Dieu vous bénisse !*** 그대에게 신의 은총이 있기를 ! 《흔히 재채기하는 사람에게 말함》.

bénisseur, euse [benisœːʀ, -øːz] *adj.* et *n.* 알랑거리는 (사람), 아첨 잘하는 (사람).

bénit, e [beni, -it] *adj.* 축성〔성별〕된, 축복받은 : eau ~*e* 성수 / pain ~ 성체의 빵.

bénitier [benitje] *m.* ① 성수반(聖水盤). ② 〖패류〗 거거(車渠)(= tridacne). ***un diable dans un ~*** 《구어》 (궁지에서 빠져나오려고) 안절부절못하는 사람. ***grenouille de ~*** 《구어》 지나치게 신앙심이 깊은 여자.

benjamin, e [bɛ̃ʒamɛ̃, -in] *n.* 귀염둥이, 막내둥이 ; 최연소자 : Il est le ~ de son équipe. 그는 팀에서 최연소자이다. ── **B~** *n.pr.m.* 〖성서〗 베냐민《야곱의 막내아들》.

benji [bɛnʒi] *m.* 〖스포츠〗 번지 점프.

benjoin [bɛ̃ʒwɛ̃] *m.* 안식향 ; = benzoin.

benne [bɛn] *f.* ① (등에 지는) 짐바구니. ② 〖철도〗 화차 ; 〖광산〗 광석 운반차. ③ (화물 자동차의 한쪽으로 기우는) 짐싣는 부분(= ~ basculante) ; (기중기의) 흙·모래 따위를 퍼 올리는 버킷(= ~ preneuse).

benoît, e[1] [bənwa, -at] *adj.* 친절한, 너그러운 ; 《비꼼》 진실한 체하는.

benoîte[2] [bənwat] *f.* 〖식물〗 뱀무속(屬).

benoîtement [bənwatmɑ̃] *adv.* 친절한 듯이 ; 아주 만족하여.

benzène [bɛ̃zɛn] *m.* 〖화학〗 벤젠.

benzénique [bɛ̃zenik] *adj.* 〖화학〗 벤젠의.

benzine [bɛ̃zin] *f.* 〖화학〗 벤진, 석유성 휘발유.

benzoate [bɛ̃zɔat] *m.* 〖화학〗 안식향(安息香) 산염.

benzoin [bɛ̃zwɛ̃] *m.* 〖식물〗 안식향 나무.

benzoïque [bɛ̃zɔik] *adj.* 〖화학〗 안식향의.

benzol [bɛ̃zɔl] *m.* 〖화학〗 벤졸.

béotien, enne [beɔsjɛ̃, -ɛn] *adj.* 아둔한, 미욱한, 교양 없는. ── *n.* 아둔한〔미욱한·교양 없는〕 사람.

béotisme [beɔtism] *m.* 우둔 ; 무교양.

B.E.P. 《약자》 brevet d'études professionnelles 직업 교육 수료증.

béquée [beke] *f.* = becquée.

béquet [bekɛ] *m.* ① 〖인쇄〗 (교정쇄에 붙이는) 부전(附箋). ② 〖연극〗 무대 연습 중에 작가가 추가〔수정〕하는 부분.

béqueter [bɛ(e)kte] 5·4 *v.t.* = becqueter.

béquille [bekij] *f.* ① 협장(脇杖), 목발. ② 버팀대(= étai) ; (수레의) 바퀴 멈춤대 ; (비행기 꼬리의) 활재(滑材). ③ (지팡이·우산의) T자형 손잡이.

béquiller [bekije] *v.i.* 협장을 짚고 다니다, 목발로 걷다.

béquillon [bekijɔ̃] *m.* T자형 지팡이.

ber [bɛːʀ] *m.* ① 〖선박〗 진수가(進水架). ② (보일러의) 받침. ③ (짐수레의) 옆둘레 널판.

berbère [bɛʀbɛːʀ] *adj.* 베르베르(사람)의. ── **B~** *n.* 베르베르 사람《북아프리카의 종족》. ── *m.* 베르베르어(語).

bercail [bɛʀkaj] *m.* 《복수없음》 ① 양의 우리. ② 집, 가정(= foyer) ; 고향 : rentrer au ~ 고향으로 돌아오다. ③ 교회의 품안.

*__berceau__ [bɛʀso] *m.* (*pl.* **~x**) ① 요람 ; 어린〔유년〕 시절 ; 초기, 시초 ; 출생지 ; 발생지 : du ~ à la tombe 요람에서 무덤까지, 평생동안 / enfant au ~ 유아 / ~ de la civilisation occidentale 서구 문명의 발상지. ② (포도 덩굴 따위로 덮인) 정자(= tonnelle) ; 〖건축〗 반원 천장. ***au ~*** 어린 시절에. ***dès le ~*** 어릴 적부터.

bercelonnette [bɛʀsəlɔnɛt], **barcelonnette** [baʀsəlɔnɛt] *f.* (아기의) 작은 요람.

bercement [bɛʀsəmɑ̃] *m.* (요람을 살며시) 흔들기(= balancement) ; 흔들어 재우기 ; 《비유》 달래기, 위로하기(= apaisement).

*__bercer__ [bɛʀse] 2 *v.t.* ① 흔들어 재우다 ; (물결 따위가) 가볍게 흔들다 : canot *bercé* par les vagues 물결에 가볍게 흔들리는 보트. ② 달래다, 가라앉히다 : ~ un chagrin 슬픔을 달래다. ③ 현혹하다, 속이다(= leurrer) : On l'*a bercé* de vaines promesses. 그는 헛된 약속에 속았다. ④ (생각 따위가) 어릴 때부터 몸에 배다 : J'*ai été bercé* de ces récits. 나는 이 이야기를 자주 들으며 자랐다. ── **se ~** *v.pr.* ① 몸을 가볍게 흔들다. ② 《se ~ de》 …으로 자신을 달래다, 자위(自慰)하다 ; (헛된 희망을) 품다 : *se ~ d'*illusion 환상을 품다 / *se ~ des* promesses 약속에 꿈 같은 기대를 걸다.

berceur, euse [bɛʀsœːʀ, -øːz] *adj.* 살며시 흔드는 ; 흔들어 재우는 ; (슬픔 따위를) 달래주는. ── *n.* 아기를 흔들어 재우는 사람. ── *f.* ① 애보는 여자, 유모. ② 자장가 : ~*euse* de Schubert 슈베르트의 자장가. ③ 흔들의자(= rocking-chair).

*__béret, berret__ [beʀɛ] *m.* 베레모(帽).

bérézina [beʀezina] *f.* 《옛》 큰 재앙, 낭패.

bergamasque [bɛʀgamask] *adj.* 베르가

모(*Bergame*, 이탈리아의 도시)(사람 · 지방)의. ── **B~** *n.* 베르가모 사람. ── **B~** *n.pr.m.* 베르가모 지방.
bergamot(t)e [bɛʀgamɔt] *f.* 〖식물〗 베르가모트《오렌지의 일종》: essence de ~ 베르가모트 향유.
bergamot(t)ier [bɛʀgamɔtje] *m.* 〖식물〗 「베르가모트 나무.
B
berge¹ [bɛʀʒ] *f.* ① (강가 · 계곡 · 산 따위의) 높은〔비탈진〕 언덕, 벼랑, 낭떠러지. ② (높다란) 둑, 제방 : ~*s* d'un canal 운하의 양 둑. ③ (도로의) 경사면, 비탈(= talus).
berge² *f.* 《구어》 나이, 연령 : des types de cinquante ~*s*, 50 줄의 사람들.
berger, ère [bɛʀʒe, -ɛːʀ] *n.* ① (양치는) 목자 ; 《시어》 애인, 연인 : la vie du ~ 전원 생활. ② 지도자(= guide) ; 목사, 신부 : le bon ~ 목사, 신부. ***Étoile du*** **~** 〖천문〗 금성. ***l'heure du*** **~** 황혼 무렵. ── *f.* 안락의자. ── *m.* 양을 지키는 개(= chien de ~).
bergerette [bɛʀʒəʀɛt] *f.* ① 양치는 젊은 목녀. ② 〖음악〗 목가(牧歌).
bergerie [bɛʀʒəʀi] *f.* ① 양우리 ; 양떼. ② 목가, 전원시 ; 목가적인 작품. ***enfermer le loup dans la*** **~** 《구어》 도둑에게 집을 보게 하다. 「미새.
bergeronnette [bɛʀʒəʀɔnɛt] *f.* 〖조류〗 할
béribéri [beʀibeʀi] *m.* 〖의학〗 각기(脚氣).
béril [beʀil] *m.* = béryl. 「륨《원소명》.
berkélium [bɛʀkeljɔm] *m.* 〖화학〗 베르켈
berle [bɛʀl] *f.* 〖식물〗 미나리의 일종.
Berlin [bɛʀlɛ̃] *n.pr.m.* 〖지리〗 베를린.
berline [bɛʀlin] *f.* ① 베를린《4 륜마차의 일종》; 리무진 자동차. ② 석탄 운반차.
berlingot [bɛʀlɛ̃go] *m.* ① 캐러멜, 캔디. ② 우유통 ; 《군대속어》 탄환.
berlinois, e [bɛʀlinwa, -aːz] *adj.* 베를린(사람)의. ── **B~** *n.* 베를린 사람.
berlue [bɛʀly] *f.* ① 〖의학〗 일시적인 현기증. ② 《구어》 착각, 그릇된 판단. ***avoir la*** **~** 착각을 일으키다, 판단을 그르치다.
berme [bɛʀm] *f.* ① 〖축성〗 (해자(垓字) 위의) 벼랑길. ② 〖토목〗 강변 도로.
bermuda(s) [bɛʀmyda] 〔영〕 *m.* 무릎까지 내려오는 반바지.
bernache [bɛʀnaʃ], **bernacle** [bɛʀnakl] *f.* ① 〖패류〗 삿갓조개. ② 〖조류〗 흑기러기.
bernard-l'(h)ermite [bɛʀnaʀlɛʀmit] *m.* 〖동물〗 소라게.
berne¹ [bɛʀn] *f.* ① (담요에 눕히고) 헹가래치기. ② 담요. ③ 야유, 조롱.
berne² *f.* 반기(半旗) (상태) : drapeau en ~ 반기, 조기 / pavillon en ~ 〖해양〗 반기.
bernement [bɛʀnəmɑ̃] *m.* berner 하기.
berner [bɛʀne] *v.t.* ① (담요에 눕히고) 헹가래 치다. ② 조롱〔야유〕하다, 놀리다(= railler) ; 골탕 먹이다 ; 속이다(= duper).
berneur, euse [bɛʀnœːʀ, -øːz] *adj.* et *n.* 헹가래 치는 (사람) ; 조롱〔야유〕하는 (사람).
bernicle [bɛʀnikl] *f.* ① 〖패류〗 삿갓조개(= patelle). ② 〖조류〗 흑기러기(= bernacle).
bernique [bɛʀnik] *interj.* 제기랄, 틀렸어 《실망을 나타냄》.
berquinade [bɛʀkinad] *f.* ① 베르캥(*Berquin*) 류의 아동물 ; 소년소녀 취향의 교양 소설. ② 무미건조한 작품.
berret [bɛʀɛ] *m.* = béret.
berrichon, onne [bɛʀiʃɔ̃, -ɔn] *adj.* 베리(*le Berry*, 프랑스의 옛 지방)의. ── **B~** *n.* 베리 사람. ── *m.* 〖언어〗 베리 사투리.
bersaglier [bɛʀsa(g)lje] *m.* (*pl.* **~s, *bersaglieri*** [bɛʀsa(g)ljɛʀi]) 〖군사〗 (이탈리아의) 저격병.
Berthe [bɛʀt] *n.pr.f.* 베르트《여자 이름》. ***du temps où*** (***la reine***) **~ *filait*** 《구어》 옛날에. ── **b~** *f.* ① (여자의) 둥그스름한 장식 옷깃《décolleté 위에 걸침》; 짧은 외투. ② 운반용 우유통(= bouille).
berthon [bɛʀtɔ̃] *m.* 〖해양〗 (공기를 넣어서 쓰는) 접는 배.
béryl [beʀil] *m.* 〖광물〗 녹주석(綠柱石).
berzingue (**à tout(e)**) [atu(t)bɛʀʒɛ̃ːg] *loc. adv.* 《구어》 아주 빨리, 전속력으로.
B. ès A. 《약자》 bachelier ès Arts 《옛》 문과대학 입학 자격자.
besace [bəzas] *f.* (두 갈래로 된) 배낭, 바랑. ***être réduit à la*** **~** 거지 신세가 되다. ***porter la*** **~** 구걸하다 ; 몰락하다.
besacier [bəzasje] *m.* 거지(= mendiant).
besaiguë [bəzegy] *f.* ① 유리장이의 망치. ② 양 끝에 용도가 다른 끌이 달린 목수의 연장. ③ (중세의) 도끼 달린 창. 「화폐.
besant [bəzɑ̃] *m.* (십자군 시대의) 비잔틴의
besas [bəzɑːs], **beset** [bəzɛ] *m.* 주사위를 던져서 1 점이 둘 나오기《최하점》.
bésef [bezɛf] *adv.* 《주로 부정문에 쓰임》 《속어》 많이(= beaucoup).
besicles [bəzikl], **bésicles** [bezikl] *f. pl.* 구식 안경 ; 안경.
besigue [bəzig], **bésigue** [bezig] *m.* (두 서너 사람이 하는) 카드놀이의 일종.
B. ès L. 《약자》 bachelier ès Lettres 문과대학 입학 자격자.
besogne [bəzɔɲ] *f.* (해야 할) 일, 임무, 작업(= travail) : Il est accablé par sa ~. 그는 산적된 일로 시달리고 있다 / réussir une ~ difficile 어려운 임무를 해내다. ***aimer la*** **~ *faite*** 일하기 싫어하다. ***aller vite en*** **~** 많은 일을 재빨리 해치우다. ***faire de la belle*** 〔***bonne***〕 **~** ⓐ 《구어》 훌륭한 일을 하다. ⓑ 《경멸》 굉장한 일을 하다. ***mettre la main à la*** **~** 일에 착수하다. ***s'endormir sur la*** **~** 일에 늑장을 부리다. ***tailler*** 〔***donner***〕 ***de la*** **~** (***à*** qn) (…에게) 일거리를 만들어 주다 ; 고생시키다.
besogner [bəzɔɲe] *v.i.* (괴로운 · 지루한) 일을 하다. ── *v.t.* 하다, 행하다.
besogneux, euse [bəzɔɲø, -øːz] *adj.* 곤궁한〔옹색한〕, 수입이 변변치 않은 : gratte-papier ~ 수입이 적은 필생(筆生). ── *n.* 옹색한 사람 ; 벌이가 변변치 않은 사람.
‡**besoin** [bəzwɛ̃] *m.* ① 필요(= nécessité) ; 요구 ; 욕구(= exigence, désir) ; (*pl.*) 생존〔생활〕에 필요한 것, 필수품 ; 대소변(= ~*s* naturels) : ~ d'affection 애정의 갈망 / satisfaction des ~*s* 욕구의 충족 / faire ses ~*s* 〔ses petits ~*s*〕 ; satisfaire un ~ pressant 대변〔소변〕을 보다 / ~ de l'éxistence 생활 필수품 / subvenir aux ~*s* de ses parents 부모의 생활을 뒷바라지하다. ② 곤궁, 궁핍, 빈곤, 가난(= pauvreté ; ≠

aisance) ; 부족, 결핍(= manque) : être pressé par le ~ 가난에 쪼들리다 / sortir du ~ 곤궁한 신세를 벗어나다. ③ 〖법률〗 (어음의) 예비 지불인(= recommandataire). ***au*** 〔***en cas de***〕 ***~*** 필요하다면, 긴급한 경우에는. ***autant qu'il est ~*** 필요한 만큼. ***avoir ~ de*** qc 〔qn〕 …을 필요로 하다, …이 부족하다 : Il *a ~ d'*argent. 그는 돈이 필요하다 / Ces fleurs *ont ~ d'*eau. 이 꽃들에는 물이 부족하다. ***avoir ~ de***+*inf.*〔***que***+*sub.*〕 …하는 것을 필요로 하다 : Vous n'*avez* pas ~ *de* venir ici. 당신은 여기에 올 필요가 없어요 / J'*ai ~ que* vous m'aidiez. 나는 당신의 도움이 필요합니다. ***Il est ~ de***+*inf.*〔***que***+*sub.*〕 《문어》 《비인칭》 …하는 것이 필요하다 《특히 의문형·부정형으로 사용됨》 : *Est-il ~ de* le prévenir? 그것을 알릴 필요가 있을까? / *Il* n'*est* pas 〔n'*est* point〕 ~ *de* lui dire cela. 그에게 그렇게 말할 필요는 없다. ***pour le ~*** 〔***les ~s***〕 ***de la cause*** 자기의 입장을 변호〔변명〕하기 위하여. ***s'il est ; s'il en est ~ ; si ~ est*** 필요하다면, 부득이하면.

B. ès S. 《약자》 bachelier ès Sciences 이과 대학 입학 자격자.

besson, onne [besɔ̃, -ɔn] *adj.* 쌍둥이의. ── *n.* 쌍둥이.

bestiaire [bɛstjɛːʀ] *m.* ① 〖고대로마〗 (맹수와 격투하는) 투사. ② (중세의) 동물 우화집.

bestial, e, aux [bɛstjal, -o] *adj.* 짐승의, 짐승 같은, 야만적인(= brutal, sauvage) : amour ~ 동물적 사랑, 육욕.

bestialement [bɛstjalmɑ̃] *adv.* 짐승처럼.

bestialiser [bɛstjalize] *v.t.* 짐승처럼 만들다. ── **se ~** *v.pr.* 짐승같이 되다.

bestialité [bɛstjalite] *f.* 짐승 같은 마음〔성격〕, 잔인무도한 기질(= animalité).

bestiaux [bɛstjo] *m.pl.* 가축(= bétail) : foire aux ~ 가축 시장.

bestiole [bɛstjɔl] *f.* 작은 동물 ; 《특히》 곤충.

best-seller [bɛstselœ〔ɛ〕ːʀ] 〔영〕 *m.* (*pl.* **~-~s**) 베스트셀러.

bêta¹, asse [bɛtɑ, -ɑːs] *adj.* 어리석은, 바보 같은. ── *n.* 바보, 멍청이.

bêta² [bɛta] *m.* 그리스 자모의 제 2 자(B, β). ── *adj.* 《불변》 베타의 : rayons ~ 〖물리〗 베타선.

bétail** [betaj] *m.* 《집합적》 가축(= bestiaux). ***~ abattu 도살된 짐승. ***~ humain*** 짐승 같은 취급을 받는 사람들. ***~ sur pied*** 산 짐승. ***gros ~*** (소·말 따위) 큰 가축. ***menu*** 〔***petit***〕 ***~*** (양·돼지 따위) 작은 가축.

bétaillère [betajɛːʀ] *f.* 가축 수레.

‡bête [bɛt] *f.* ① 짐승, 동물(= animal) ; 《집합적》 가축(= bestiaux, bétail) ; 벌레(= insecte) ; 해충(= vermine) : ~ sauvage 〔farouche〕 야수 / ~ féroce 맹수 / ~ à cornes 뿔달린 짐승 / ~ à laine 양 / ~ de somme 짐을 나르는 가축 / ~ de trait 수레를 끄는 짐승 / ~*s* douces 사슴, 영양류(類) / ~*s* mordantes 곰, 늑대류 / ~ noire 진딧물 ; 귀뚜라미. ② 짐승 같은 사람 ; 이성 없는 사람 : ~ humaine (짐승 같은) 사람〔인간〕 / une méchante 〔vilaine〕 ~ 고약한 사람 / ~ brute 잔인한〔짐승 같은〕 사람 / bonne 〔brave〕 ~ ; ~ du bon Dieu 《구어》 호인. ③ 바보, 멍청이(= bêta) : grande 〔grosse〕 ~ 이 친구야, 이 바보야. ④ 《구어》 이상한 것 : La parallaxe, quelle ~ est-ce là? 시차라니, 그게 뭡니까? ***~ noire de*** qn …가 증오하는 사람〔것〕. ***chercher la petite ~*** 흠〔잘못〕을 끄집어내려고 하다. ***être malade comme une ~*** 몹시 고통스러워하다. ***faire la ~*** 바보처럼 굴다. ***regarder*** qn ***comme une ~ curieuse*** …을 집요하게〔짓궂게〕 바라보다. ***reprendre du poil de la ~*** (세력·원기 따위를) 만회하다〔되찾다〕 ; 한번 실패한 일을 다시하다. ── *n.* 어리석은〔바보 같은〕 일 : ce ~ de voyage 그 어리석은 여행. ── *adj.* 어리석은(= stupide), 바보 같은(= idiot, imbécile) : Suis-je ~ de pleurer ainsi! 이렇게 울고 있다니 무슨 바보짓이람! / Pas si ~. (속아넘어가리만큼) 그렇게 어리석진 않아 / C'est ~! 어처구니 없는 일이군! ***~ à manger du foin ; ~ comme un âne*** 〔***une cruche, une oie, un panier, un pot***〕 ***; ~ comme tout*** 매우 어리석은.

bétel [betɛl] *m.* 〖식물〗 구장(蒟醬) 《후춧과》.

bêtement [bɛtmɑ̃] *adv.* 어리석게, 바보같이. ***tout ~*** 단순히, 그저 : dire non *tout ~* 솔직히 아니오라고 말하다.

bêtifiant, e [bɛtifjɑ̃, -ɑ̃ːt] *adj.* 바보 같은 소리〔짓〕만 하는 ; 《옛》 바보로 만드는.

bêtifier [bɛtifje] 《구어》 *v.t.* 어리석게 만들다. ── *v.i.* ① 바보짓을 하다, 바보 같은 말을 하다. ② 바보인 체하다 ; 농담을 하다. ── **se ~** *v.pr.* 바보가 되다.

***bêtise** [bɛ〔e〕tiːz] *f.* ① 어리석음, 우둔함(= sottise, idiotie) : Il est d'une rare ~. 그런 바보는 흔치 않다 / avoir la ~ de+*inf.* 어리석게도 …하다. ② 어리석은 짓〔말〕 : faire 〔dire〕 des ~*s* 우둔한〔바보 같은〕 짓〔말〕을 하다 / faire une grosse ~ 큰 실수를 저지르다. ② 하찮은〔시시한〕 것 ; 싸구려 물건 ; 보잘것없는 (문학) 작품.

bêtisier [betizje] *m.* 소화집(笑話集).

bétoine [betwan] *f.* 〖식물〗 두견초.

bétoire [betwaːʀ] *f.* 〖지질〗 천수지(天水池) ; 지호(地壺).

béton** [betɔ̃] *m.* 콘크리트(= ~ de ciment) : ~ armé 철근 콘크리트 / pont en ~ 콘크리트 다리 / immeuble en ~ 콘크리트 건물. ***C'est du ~. 《구어》 그것은 아주 견고하다.

bétonnage [betɔnaːʒ] *m.* 콘크리트 공사.

bétonner [betɔne] *v.t.* 콘크리트로 짓다 : ~ une route 도로를 콘크리트로 포장하다.

bétonnière [betɔnjɛːʀ], **bétonneuse** [betɔnøːz] *f.* 콘크리트 믹서.

bette [bɛt] *f.* 〖식물〗 근대(= poirée).

betterave [bɛtʀaːv] *f.* 〖식물〗 무우류(類) 《순무우, 사탕무우, 당근》 : ~ rouge 당근.

betteravier, ère [bɛtʀavje, -ɛːʀ] *adj.* 사탕무우의 ; 자당(蔗糖)의. ── *n.* 사탕무 재배자 ; 자당 공장 직공.

bétyle [betil] *m.* 영석(靈石), 신석(神石).

beuglant, e [bøglɑ̃, -ɑ̃ːt] *adj.* (소가) 음매하고 우는. *m.* (음악을 곁들인) 저속한 카페. ── *f.* 요란스런 노래〔항의·함성〕.

beuglement [bøgləmɑ̃] *m.* (소의) 울음소리 ; (사람의) 고함 소리, 울부짖는 소리.

beugler [bøgle] *v.i.* ① (소가) 울다 ; 고래고래 소리지르다(=hurler). ② (라디오 따위가) 크게 울리다. — *v.t.* 큰 소리로 외치다.

beur [bœːʀ] *n.* 《구어》 (프랑스 태생의) 마그렙(*Maghreb*, 모로코 · 알제리 · 튀니지를 포함한 북아프리카 지역) 젊은이. — *adj.* (*f.* **~, ~e, ~ette**) beur의.

B

‡beurre [bœːʀ] ① 버터 : faire la cuisine au ~ 버터로 음식을 만들다 / crème au ~ 버터 크림 / ~ noir 〚요리〛 프라이팬에서 눋게 한 버터 / ~ blanc 버터로 만든 소스 / manger du pain et du ~ 버터 바른 빵을 먹다. ② 식물성 지방질 : ~ de cacao 카카오 버터. ***avoir les yeux* [*un œil*] *au ~ noir*** 《구어》 (얻어맞아) 눈언저리가 멍들다. ***Ça fait mon ~.*** 그건 내게 안성맞춤이다. ***C'est du vrai ~ ; C'est un* (*vrai*) *~.*** 《속어》 그건 누워서 떡먹기다. ***comme dans du ~*** 《구어》 아주 쉽사리, 조금도 힘 들이지 않고 : Le couteau entre dans cette viande *comme dans du* ~. 그 고기는 칼이 잘 들어간다. ***compter pour du ~*** 별로 중요하지 않다 ; (놀이에서) 제외되다. ***faire son ~*** 《속어》 교묘하게 돈을 벌다. ***mettre du ~ dans les épinards*** 《구어》 형편〔살림〕이 나아지게〔펴지게〕 하다. ***promettre plus de ~ que de pain*** 지키지도 못할 약속을 함부로 하다. — *adj.* 《불변》 버터색의(=~ frais).

beurré [bœʀe] *m.* 〚식물〛 배의 일종.

beurrée [bœʀe] *f.* ① 버터 바른 빵(=tartine de beurre). ② 《속어》 술에 취함.

beurrer [bœʀe] *v.t.* …에 버터를 바르다. ***savoir de quel côté son pain est beurré*** 《구어》 자기의 이해관계에 약삭빠르다.

beurrerie [bœʀʀi] *f.* 버터 제조업 ; 버터 제조소〔저장소〕.

beurrier, ère [bœʀje, -ɛːʀ] *adj.* 버터의 ; 버터를 생산하는 : industrie *~ère* 버터 제조법. — *m.* 버터 그릇(=pot ~). — *f.* 버터 저장통 ; (버터 제조용) 교반기.

bévue [bevy] *f.* 큰 실수(=gaffe), 오류, 잘못 : commettre une ~ 실수를 저지르다.

bézef [bezɛf] *adv.* 《속어》 잔뜩, 많이(=beaucoup). 「행.

B.F. 《약자》 Banque de France 프랑스 은

bi- *préf.* 「중복 · 이중」의 뜻.

biais, e [bjɛ, -ɛːz] *adj.* 비스듬한, 경사진(=oblique ; ≠ droit). — *m.* ① 비스듬함, 경사 ; (사물의 여러 가지) 측면, 관점, 각도(=côte, aspect) : ~ d'un 벽의 경사. ② 완곡한 방법, 방책, 수단(=détour) : aborder de ~ une question 넌지시 어떤 문제에 언급하다. ③ 〚의복〛 대각선의 방향 ; 비스듬하게 자른 가늘고 긴 천, 바이어스 : tailler dans le ~ 대각선으로 재단하다. ***chercher un ~ pour*** + *inf.* …하기 위해서 방책을 궁리하다. ***en* [*de*] *~*** 비스듬히 ; 간접적으로 : jeter un coup d'œil *de* ~ 곁눈질하다. ***regarder de ~*** 곁눈질하다, 흘겨보다. ***par le ~ de...*** …라는 간접적인 수단으로 ; …을 핑계 삼아.

biaiser [bjɛ〔e〕ze] *v.i.* ① 비스듬히 기울다, 경사지다 ; 비스듬히 가다, 사행하다. ② 완곡한〔간접〕 수단을 쓰다, 에둘러 말하다 ; 속임수를 쓰다, 핑계를 대다 : ~ avec sa conscience 양심을 속이다.

biathlon [biatlɔ̃] *m.* 〚스포츠〛 바이애슬론 《크로스 컨트리 스키 경주 도중 사격을 함》.

bibelot [biblo] *m.* ① 자질구레한 실내 장식품, 골동품. ② 《구어》 하찮은 것(=babiole).

bibeloter [biblɔte] *v.i.* ① 자질구레한 실내 장식품〔골동품〕을 수집〔매매〕하다. ② 하찮은 일에 몰두하다 ; 사소한 돈벌이를 하다.

bibeloteur, euse [biblɔtœːʀ, -øːz] *n.* 골동품 수집가〔매매인〕.

biberon[1] [bibʀɔ̃] *m.* ① 빨 꼭지가 달린 병. ② (젖먹이용) 포유기. ***élever* [*nourrir*] *un enfant au ~*** 우유로 아기를 키우다.

biberon[2]**, onne** [bibʀɔ̃, -ɔn] *adj.* 술을 좋아하는. — *n.* 술꾼, 주정뱅이.

biberonner [bibʀɔne] *v.t.* 《구어》 (술을) 마시다, 많이〔자주〕 마시다.

bibi[1] [bibi] *pron. pers.* 《속어》 나(=je, moi) 《동사는 3 인칭 단수형》 : C'est ~ qui a fait ça. 그건 내가 했어. — *m.* mon ~ 《구어》 아가《어린이에 대한 애칭》.

bibi[2] *m.* 《구어》 여성용 작은 모자.

bibine [bibin] *f.* ① 싸구려 맥주〔음료〕. ② 싸구려 선술집.

***Bible** [bibl] *f.* ① 구 · 신약 성서. ② (*b~*) 《비유》 권위서 ; 애독서. ③ (*b~*) (책으로서의) 성서 : une *b~* de poche 포켓판 성서.

biblio- *préf.* 「서적 · 책」의 뜻.

bibliobus [biblijɔbys] *m.* 순회〔이동〕 도서관(차).

bibliographe [biblijɔgʀaf] *m.* 서지학자 ; 서적통(通).

bibliographie [biblijɔgʀafi] *f.* ① 서지학. ② 참고 문헌 (목록). ③ (신간) 도서 목록.

bibliographique [biblijɔgʀafik] *adj.* 서지학의 ; 참고서류의, 문헌 목록의.

bibliomane [biblijɔman] *m.* 장서광, 진본애장가. 「서광증.

bibliomanie [biblijɔmani] *f.* 장서벽(癖), 진

bibliophile [biblijɔfil] *adj.* 서적을 애호하는. — *m.* 애서가, 진서 수집가.

bibliophilie [biblijɔfili] *f.* 애서 취미, 진서 수집 취미.

bibliopoche [biblijɔpɔʃ] *f.* 문고판 판매 서점. 「〔사서〕.

bibliothécaire [biblijɔtekɛːʀ] *m.* 도서관원

bibliothèque** [biblijɔtɛk] *f.* ① 서재 ; 도서관 ; 도서(열람)실 : ~ de prêt 대출 도서관 / ~ circulaire 순회 도서관. ② 책장, 서가, 책꽂이. ③ 장서 ; 총서(=collection) : se constituer une riche ~ 풍부한 장서를 갖추다. ***~ de gare 정거장의 서적 판매점. ***rat de ~*** 책벌레.

biblique [biblik] *adj.* 성서의, 성서에 관한 ; (문체가) 성서투의 : société ~ 성서 협회.

bibliste [biblist] *n.* 성서 연구가.

bic [bik] *m.* 볼펜 상표 ; 볼펜.

bicamérisme [bikameʀism], **bicaméralisme** [bikameʀalism] *m.* 〚정치〛 양원제. 「산염.

bicarbonate [bikaʀbɔnat] *m.* 〚화학〛 중탄

bicarbure [bikaʀbyːʀ] *m.* 〚화학〛 중탄화물 (重炭化物).

bicarré, e [bikaʀe] *adj.* 〚수학〛 4 차(四次)의 : équation *~e* 4 차 방정식.

bicentenaire [bisɑ̃tnɛːʀ] *m.* 200 주년.

bicéphale [bisefal] *adj.* 쌍두(雙頭)의 : aigle ~ 쌍두의 독수리. — *m.* 쌍두의 괴물.

biceps [bisɛps] 〖해부〗 *adj.* 이두근(二頭筋)의. — *m.* 이두근(= muscle ~). ***avoir du ~*** 《구어》 힘이 세다, 근육이 발달되다.

biche [biʃ] *f.* ① 〖동물〗 암사슴《cerf의 여성형》. ② 《구어》 젊은 여자〔처녀〕에 대한 애칭. ③ 《옛》 첩. ***ma ~*** 여보.

bicher [biʃe] *v.i.* 《3 인칭 단수에만 쓰임》 ① 《구어》 잘 되어 가다, 탈 없이 지내다. ② 《속어》 좋아하다, 만족하다. ***Ça biche, les affaires?*** 장사는 잘 됩니까?

bichette [biʃɛt] *f.* 〖동물〗 어린 암사슴 ; 《구어》 소녀에 대한 애칭 : ma ~ 얘야, 아가.

bichlorure [biklɔʀyːʀ] *m.* 〖화학〗 이염화물(二塩化物).

bichof [biʃɔf] *m.* 레몬을 넣은 달콤한 포도 「주.

bichon, onne [biʃɔ̃, -ɔn] *n.* (털이 길고 몸집이 작은) 복슬강아지 ; 《구어》 어린애에 대한 애칭 : mon petit ~ 《구어》 얘야, 아가. — *m.* 벨벳〔가죽〕제 실크모자 문지르개.

bichonner [biʃɔne] *v.t.* ① (머리를) 곱슬곱슬하게 지지다 ; (동물 · 어린아이 따위를) 몸치장시키다. ② 애지중지하다, 소중히 하다(= soigner). — **se ~** *v.pr.* 몸치장하다.

bicolore [bikɔlɔːʀ] *adj.* 2 색(色)의.

biconcave [bikɔ̃kaːv] *adj.* 양요면(兩凹面)의.

biconvexe [bikɔ̃vɛks] *adj.* 양철면(兩凸面) 「의.

bicoque [bikɔk] *f.* 《구어》 초라한〔누추한〕 집 : habiter une ~ 초라한 집에 살다.

bicorne [bikɔʀn] *adj.* 뿔 두 개의, 이각(二角)의. — *m.* 이각모(帽)(= chapeau ~).

bicot [biko] *m.* 《구어 · 경멸》 아라비아 사람, 《특히》 북아프리카 원주민.

bicross [bikʀɔs] *m.* ① 산악용 자전거. ② 자전거 크로스컨트리 경기.

biculturalisme [bikyltyʀalism] *m.* (한 지역 내의) 2 개 문화 공존. 「가 공존하는.

biculturel, elle [bikyltyʀɛl] *adj.* 2 개 문화

bicycle [bisikl] *m.* 구식 자전거.

***bicyclette** [bisiklɛt] *f.* 자전거(= bécan, vélo) : ~ de course 경주용 자전거 / ~ à moteur 모터사이클 / ~ double 2 인승 자전거 / aller à 〔《구어》 en〕 ~ 자전거를 타고 가다 / faire de la ~ 자전거를 타다.

bicycliste [bisiklist] *n.* 자전거 타는 사람. — *m.* 〖군사〗 자전거병.

bidasse [bidas] *m.* 《속어》 군인(= soldat).

bide [bid] *m.* ① 《속어》 배(때기)(= ventre) : prendre du ~ 배가 나오다. ② (공연의) 대실패(= four) ; 실패(= fiasco) : Cette pièce a fait un ~. 이 연극은 실패했다.

bidet [bidɛ] *m.* ① 조랑말, 말. ② (여성용) 국부 세척기, 비데. 「고기(= viande).

bidoche [bidɔʃ] *f.* 《속어》 품질 나쁜 고기 ;

bidon [bidɔ̃] *m.* ① 《옛》 (약 5 리터들이의) 용기. ② (휘발유를 넣는) 양철통 《1-2 리터들이》 ; (병사들의) 수통. ③ 《속어》 배(때기)(= ventre). ④ 《속어》 허풍, 거짓말(= bluff) : Ce n'est pas du ~. 그건 사실이다. ***se remplir le ~*** 《속어》 배를 채우다. — *adj.* 가장된, 위장된, 거짓으로 꾸민(= simulé) : médecin ~ 가짜 의사 / société ~ 유령 회사.

bidonnage [bidɔnaːʒ] *m.* 《구어》 (사건 따위를) 조작하기 ; (사진 따위의) 위조, 변조.

bidonnant, e [bidɔnɑ̃, -ɑ̃ːt] *adj.* 《구어》 익살스러운, 몹시 웃기는.

bidonner (se) [s(ə)bidɔne] *v.pr.* 《구어》 깔깔대며 웃다, 포복절도하다(= se marrer).

bidonville [bidɔ̃vil] *m.* (도시 주변의) 판잣집이 밀집된 거리, 빈민가.

bidule [bidyl] *m.* 《속어》 그것《어떤 물건 · 연장》 (= machin, truc) : Passe-moi ce ~. 그것 좀 주게 / Tu n'a pas vu ~? 거시기 못 봤어?

bief [bjɛf] *m.* ① 물방아에 물을 대는 도랑(= buse). ② 운하의 두 수문 사이 : ~ d'amont 〔d'aval〕 상방〔하방〕 수로.

bielle [bjɛl] *f.* 〖기계〗 크랭크암, 연간(連桿), 간(桿). ***~ d'accouplement*** (기관차의) 연결봉(棒). ***couler*** 〔***griller***〕 ***une ~*** 《구어》 (엔진 과열로) 연간을 녹여버리다〔태우다〕.

biellette [bjɛlɛt] *f.* 〖기계〗 ① 작은 bielle. ② 링크(〔영〕 link).

⁑**bien** [bjɛ̃] *m.* ① 선 ; 선행(≠ mal) ; 자선 (행위) ; 은혜 : le ~ et le beau 선과 미(美) / homme de ~ 선행〔자선〕을 하는 사람 / faire le ~ 착한 일을 하다 / discerner le ~ du mal 선과 악을 구분하다. ② 좋은〔이로운〕 일〔것〕 ; 이익 ; 이득(= avantage) ; 유용성(= utilité) ; 행복 ; 귀중한 것 : La santé est le plus précieux des ~s. 건강보다 더 귀중한 것은 없다 / ~ public 〔commun, général〕 공익 / ~ particulier 사사로운 이익 / ~s du corps 건강 / ~s de l'esprit 재능 / ~s de l'âme 덕 / se dévouer au ~ d'autrui 남을 위해 헌신하다 / Ce remède lui a fait beaucoup de ~. 이 약은 그에게 매우 효력이 있었다. ③ ⓐ 재산(= fortune) : ~s meubles 〔immeubles〕 동산〔부동산〕 / ~ de famille 가산(家産) / ~s publics 공유재산 / ~s privés 사유 재산 / avoir du ~ 재산이 있다 / laisser son ~ 〔ses ~s〕 à ses héritiers 자기의 전재산을 상속자에게 남기다 / dépenser 〔manger〕 tout son ~ 자기 재산을 탕진하다. ⓑ (*pl.*) 재물, 재화 : ~s de consommation 〔de production〕 소비〔생산〕재. ④ (성적의) 우수(= mention ~) 《20 점 만점에서 14 점 이상》 : très ~ 매우 우수《16 점 이상》 / assez ~ 양호《12 점 이상》 / avoir un ~ 우를 받다. ***dire du ~ de*** qn 〔qc〕 …을 칭찬하다. ***en ~*** 좋게, 선의로 : prendre qc *en* ~ …을 좋게 받아들이다. ***être du dernier ~ avec*** qn 《구어》 …와 매우 사이가 좋다. ***faire du ~*** 〔***faire grand ~***〕 ***à*** qn 〔qc〕 …에게 좋은 일을 하다, …을 (많이) 도와주다 ; …에게 (큰) 도움을 주다 ; …의 건강에 좋다 : Ces cachets me *font du* ~. 그 정제를 먹고 나니 괜찮습니다. ***Grand ~ vous fasse!*** 잘되시기〔성공하시기〕 바랍니다. ***mener*** qc ***à ~*** 성공시키다 ; 완수하다. ***vouloir du ~ à*** qn …을 도와주려고 하다 ; …에게 호의를 갖다 : Je *veux* toujours *du* ~ *à* mes amis. 나는 항상 친구가 잘되기를 바란다. ***vouloir le ~ de*** qn …의 행복〔성공〕을 빌다.

— *adv.* 《악센트를 받지 않고 다음 말을 직접 수식할 때는 연독함 ; une personne bien aimable [bjɛ̃nɛmabl] 처럼 비모음에 [n]이 첨가됨》 ① 올바르게 ; 선량하게(≠ mal) : agir ~ 정직하게 처신하다 / faire ~ les choses 일을 올바르게 처리하다 / se conduire ~ 품행이 단정하다. ② 잘, 능란[능숙]하게 ; 훌륭하게, 적절하게 ; 양호하게(≠mal) : Il a ~ vendu sa voiture. 그는 자동차를 잘 [비싼 값으로] 팔았다 / Tout s'est ~ passé. 만사가 잘[훌륭하게] 진행되었다 / femme ~ faite 몸매가 좋은 여자 / Cela est ~ dit. 그것은 적절한 말이다 / Cet habit lui va ~. 이 옷은 그에게 잘 맞는다. ③ ⓐ《형용사 · 과거분사 · 부사 앞》 매우, 대단히, 아주, 퍽(= très) ; 훨씬(= beaucoup) : Je suis ~ content. 나는 매우 만족한다 / manger ~ chaud 아주 뜨거울 때 먹다 / ~ souvent 매우 자주 / Il est ~ jeune pour cet emploi. 그는 이 일에는 너무 젊다 / ~ mieux [pire] 훨씬 더 좋은[나쁜]. ⓑ《동사와 함께》 많이, 몹시(= beaucoup) : Nous avons ~ ri. 우리들은 몹시 웃었다 / J'espère ~ vous voir. 당신을 뵙기를 간절히 바랍니다. ④《수량을 뜻하는 말 앞에서》 무려, 적어도 : il y a ~ deux ans, 2 년이나 전에. ⑤ 실로, 참으로, 그야말로, 분명히, 틀림없이 : C'est ~ de lui. 그야말로 그다운 일이군 / Il a été ~ averti de ne pas recommencer. 그는 다시 시작하지 말라고 틀림없이 주의 받았다. ⑥《강조》 ⓐ Il le fait ~, pourquoi pas moi? 그가 그것을 하는데, 나라고 못할 게 뭔가 / J'écrirai ~, mais répondra-t-il? 편지는 쓰겠지만, 그가 답장을 할까? ⓑ《ne... pas, mais ~》 Ce *n*'est *pas* un oubli, *mais* ~ une erreur. 그것은 잊은 것이 아니라, 잘못한 거요. ⑦《~ du [de la, des]+명사 ; ~ de+형용사+명사》 많은…(= beaucoup de) : avoir ~ *du* mal [*de la* peine] à faire qc … 하기가 매우 힘들다[어렵다] / ~ *du* monde 많은 사람들 / ~ *des* fois 여러 번 / ~ *d'*autres choses 많은 다른 것들. ⑧《감탄사적으로 동의, 놀라움, 감탄, 분개 따위를 나타냄》 *B*~! 좋아! / Ah ~ oui. 아, 그래《실망》/ Eh~! vous partez déja? 아니, 벌써 가시는 겁니까? Tu acceptes? — *B*~ *!* 어때, 받아들이겠어? — 좋아, 그래! ***aller* ~** 건강하다, 잘 지내다(= se porter ~) ; (사업 따위가) 잘 되어 가다 ; (시계가) 정확하게 가다. ***aussi* ~ *que*** …와 같이 : Je la connais *aussi* ~ *que* vous. 나도 당신만큼 그녀를 알고 있다. **~ *entendu*** 물론. **~ *plus*** 그 위에, 뿐만 아니라(= en outre) : Il ne m'aide pas ; ~ *plus* il m'empêche de travailler. 그는 나를 돕기는커녕 내가 일하는 것을 방해한다. **~ *que*** + *sub.* …함에도 불구하고 : *B*~ *qu'*il soit malade, il est sorti. 병중인데도 불구하고 그는 외출을 했다. **(*C'est*) ~ *fait.*** 《비꼼》 그것 잘됐다 : *B*~ *fait* pour lui! 그는 그래도 싸! ***ou* ~** 혹은, 그렇지 않으면. ***ni* ~ *ni* *mal*** 좋지도 나쁘지도 않게. ***quand* ~ *même* ;** 《옛》 ***quand* ~** ⇒ quand. ***si* ~ *que*** ⓐ《+*ind.*》《결과》 그래서(= de sorte que) ; 매우 …하므로 …하다 : La chance tourna, *si* ~ *qu'*il perdit tout cé qu'il avait gagné. 운이 기울어 그는 딴 것을 모두 잃었다. ⓑ《+*sub.*》《목적》 …하도록 : Faites *si* ~ *que* tout le monde soit d'accord. 모두가 동의할 수 있도록 잘 해보시오. ⓒ《+*sub.*》《양보》 아무리 잘 …하더라도 : *si* ~ *qu'*il se défende, il sera condamné. 아무리 변호를 잘 하더라도 그는 유죄 판결을 받을 것이다. ***tant* ~ *que mal*** 그럭저럭, 그저 그렇게.

— *adj.* 《불변》 ① 좋은, 양호한 : Tout est ~ qui finit ~. 결과가 좋으면 다 좋은 일이다 / Ce sera très ~ ainsi. 그러면 썩 좋을 겁니다. ② 건강이 좋은, 몸이 편한 : Je ne me sens pas ~. 나는 몸이 불편하다 / Il est ~ ces jours-ci. 그는 요사이 건강이 좋다. ③ 기분이 좋은, 마음이 흡족한, 안락한 : On est ~ ici. 여기 참 좋군요. ④ 선량한, 착한, 올바른 : un homme ~ 선량한[진실한] 사람 / Je ne trouve pas cela ~. 그건 옳지 않다고 생각합니다. ⑤ 적합한, 유능한(= compétent) : Il est ~ dans ses affaires. 그는 사업이 잘 되고 있다 / Elle est ~ dans ce rôle. 그녀는 이 역(役)을 잘 해낸다. ⑥ 용모가[인품이] 좋은 : Il est ~ de sa personne. 그는 풍채가 좋다 / Elle est ~. 그 여자 멋있는데. ⑦ 사이가 좋은 : Ils sont très ~ ensemble. 그들은 매우 사이가 좋다 / 《être ~ avec》 Il *est* ~ *avec* tout le monde. 그는 모든 사람들과 사이가 좋다. ***C'est* ~ *à vous de*** + *inf.* (당신이) …해주셔서 대단히 고맙습니다 : *C'est* ~ *à vous d'*être venu. 당신이 와주셔서 대단히 고맙습니다. ***Il est* [*C' est*] ~ *de*** + *inf.* [***que*** + *sub.*] …한다는 것은 잘한 일이다 : *Il n'est* pas ~ *d'*agir ainsi en public. 사람 앞에서 그렇게 행동하는 것은 잘못한 것이다.

bien-aimé, e [biɛ̃nɛ[e]me] *adj.* 가장 사랑하는(≠mal-aimé) : ma fils ~ 사랑하는 내 아들. — *n.* 가장 사랑하는 사람 ; 연인(= amant, amoureux) ; (*B*~) 그리스도.

bien-dire [bjɛ̃diːʀ] *m.* 《복수불변》 점잖은[아름다운] 언사, 훌륭한 말솜씨, 능변. ***être sur son* ~** 《옛》 조심해서 말하다.

bien-disant, e [bjɛ̃dizɑ̃, -ɑ̃:t] *adj.* et *n.* 말솜씨가 좋은[말씨가 점잖은] (사람).

bien-être [bjɛ̃nɛtʀ] *m.* 《복수없음》 ① 안락, 편안 ; 만족 ; 유복(= aisance) ; 행복 : éprouver [ressentir] du ~ 행복[만족]을 느끼다 / jouir d'un ~ 유복한 생활을 누리다. ② (국민의) 복지 ; 안녕 : ~ des peuples 국민의 복지.

bienfaisance [bjɛ̃fəzɑ̃:s] *f.* 자비, 친절, 선행(= bonté ; ≠malfaisance), 자선(= charité), 은혜, 의연(義捐) : œuvre de ~ 자선 사업.

bienfaisant, e [bjɛ̃fəzɑ̃, -ɑ̃:t] *adj.* ① 친절한, 자비로운, 자선적인(≠ malfaisant). ② 유익한, 이로운 ; 효험있는 : pluie ~*e* 단비.

bienfait [bjɛ̃fɛ] *m.* 선행, 친절 ; 은혜, 혜택 : les ~*s* de la civilisation 문명의 혜택.

bienfaiteur, trice [bjɛ̃fɛtœːʀ, -tʀis] *n.* 은인 ; 자선가 ; 후원자 : ~ d'un orphelin 고아의 후원자. — *adj.* 은혜를 베푸는 ; 후원하는.

bien-fondé [bjɛ̃fɔ̃de] *m.* 합법성(= légitimité) ; 합당[타당]성 : discuter le ~ d'une réclamation 이의 신청의 타당성을 검토하다.

bien-fonds [bjɛ̃fɔ̃] *m.* (*pl.* **~*s*-~**) 부동산.

bienheureux, euse [bjɛ̃nœʀø, -øːz] *adj.*

① 매우 행복한, 다행한(≠ malheureux) : vie ~*euse* 다복한 인생. ② 〖종교〗 (신의) 축복을 받은 ; 천복을 누리는 : séjour ~ 천국. — *n.* 〖종교〗 복자(福者), 성인.

bien-jugé [bjɛ̃ʒyʒe] *m.* 《복수없음》 〖법률〗 적법 판결.

biennal, e, aux [bje(ɛn)nal, -o] *adj.* ① 2년간 계속하는. ② 2년마다의(= bisannuel) : exposition ~*e*, 2년마다 열리는 전람회. — *f.* 2년마다 열리는 전람회〔공공 집회〕.

bien-pensant, e [bjɛ̃pɑ̃sɑ̃, -ɑ̃:t] *adj.* et *n.* 보수적인 (사람), 관례를 추종하는 (사람).

bien-portant, e [bjɛ̃pɔʀtɑ̃, -ɑ̃:t] *adj.* et *n.* 튼튼한 (사람), 건강한 (사람).

bienséance [bjɛ̃seɑ̃:s] *f.* ① 예의, 예절. ② 알맞은, 어울림 ; 격식〔규칙〕에 알맞음. ***Il est de la ~ de*** + *inf.* 〔***que*** + *sub.*〕 …은 예절에 맞는 일이다. ***par ~*** 예의상.

bienséant, e [bjɛ̃seɑ̃, -ɑ̃:t] *adj.* ① 예의바른(≠ malséant). ② 알맞은, 격에 맞는(= convenable). ***Il est ~ de*** + *inf.* …하는 것은 예의바른 일이다.

:bientôt [bjɛ̃to] *adv.* ① 이윽고, 오래지 않아, 곧(≠ tardivement) : *B*~ vous irez mieux. 곧 차도가 있을 겁니다. ② 재빨리, 신속하게 순식간에(= rapidement) : On eut ~ dépassé la forêt. 사람들은 순식간에 숲을 지났다. ***À*** (***très***) ***~ !*** (곧) 또 만납시다! ***~ après*** [bjɛ̃totapʀɛ] 바로 그 후에, 그 얼마 후에. ***Cela est ~ dit.*** 말하긴 쉽다.

bienveillance [bjɛ̃vɛjɑ̃:s] *f.* 친절, 호의, 온정(= bonté ; ≠ mechanceté) : montrer de la ~ à qn …에게 호의를 보이다. ***avec ~*** 친절하게. ***par ~*** 호의로.

***bienveillant, e** [bjɛ̃vɛjɑ̃, -ɑ̃:t] *adj.* 친절한, 호의 있는, 너그러운(≠ malveillant) : sourire ~ 친절한 미소 / critique ~*e* 호의적인 비평.

bienvenir [bjɛ̃vni:ʀ] *v.i.* 《다음 표현에만 쓰임》 ***se fair ~ de*** qn …에게 환영받다.

bienvenu, e**[1] [bjɛ̃vny] *adj.* 때마침 잘 온, 반가운, 환영받는(≠ malvenu) : invitation ~*e* 시기 적절한 초대 / Il est partout ~. 그는 어디서나 환영 받는다. — *n.* 환영받는 사람. ***Soyez le ~ 〔***la ~e***〕 ***!*** 잘 오셨습니다!

bienvenue[2] *f.* ① 환영, 환대 : discours de ~ 환영사 / *B*~ à nos hôtes! 여러분을 환영합니다! ② 《옛》 입회 ; 입회금. ***payer sa ~*** 《옛》 입회 피로연을 베풀다. ***pour la ~ de*** qn …을 환영하기 위하여. ***souhaiter la ~ à*** qn …에게 환영 인사를 하다.

bière**[1] [bjɛ:ʀ] *f.* 맥주 : ~ brune 〔blonde〕 흑〔보통〕 맥주 / ~ (à la) pression 생맥주 / ~ sans faux col 〔sans mousse〕 (거품 없이) 가득 따른 맥주잔. ***C'est 〔***Ce n'est pas***〕 ***de la petite ~.*** 《구어》 그건 하찮은 일이다〔일이 아니다〕.

bière[2] *f.* 관(棺)(= cercueil) : mise en ~ 입관.

biffe [bif] *f.* 《속어》 보병대.

biffement [bifmɑ̃] *m.* 말소, 삭제, 지우기.

biffer [bife] *v.t.* 말소하다, 삭제하다(= rayer), 지우다 ; 제거하다(= supprimer).

biffin [bifɛ̃] *m.* 《속어》 ① 넝마주이. ② 《군대 속어》 보병(= fantassin).

bifidus [bifidys] *m.* 〖미생물〗 비피더스균.

bifocal, e, aux [bifɔkal, -o] *adj.* 초점이 2개 있는.

***bifteck** [biftɛk] 〔영〕 *m.* 비프스테이크 : ~ bleu 〔saignant, à point, bien cuit〕 아주 살짝〔살짝, 알맞게, 잘〕 익힌 비프스테이크.

bifurcation [bifyʀkasjɔ̃] *f.* ① 두 갈래로 갈라지기, 분기(分岐) ; 분기점 : ~ des études 학과 선택의 분기점. ② 〖철도〗 연락역(驛).

bifurquer [bifyʀke] *v.t.* 두 갈래로 가르다. — *v.i.* ① 두 갈래로 갈리다, 분기하다, 쌍갈래지다 : La route *bifurque* au village. 길은 이 마을에서 두 갈래로 갈린다. ② 방향을 바꾸다, 다른 길로 접어들다 : 《~ sur 〔vers〕》 Le train *a bifurqué sur* une voie de garage. 기차가 차고행 선로로 접어들었다.

bigame [bigam] *adj.* 중혼의. — *n.* 중혼자.

bigamie [bigami] *f.* 중혼(≠ monogamie).

bigarré, e [bigaʀe] ① *adj.* 여러 색깔의, 얼룩덜룩한(= bariolé). ② 잡다한 : foule ~*e* 잡다한 분자의 집단, 어중이떠중이.

bigarreau [bigaʀo] *m.* (*pl.* **~x**) 〖식물〗 버찌의 일종.

bigarrer [bigaʀe] *v.i.* ① 잡색으로 만들다, 얼룩덜룩하게 색칠하다(= barioler). ② 잡다하게〔통일성 없게〕 만들다(= diversifier).

bigarrure [bigaʀy:ʀ] *f.* ① 잡색 ; 얼룩무늬. ② 잡다함(= diversité) ; 잡동사니(= variété).

big-bang [bigbɑ̃ŋ] 〔미영〕 *m.* ① 우주 폭발 생성 이론. ② 빅뱅, 대격변.

bigle [bigl] *adj.* 사팔눈의(= louche). — *n.* 사팔뜨기.

bigler [bigle] *v.i.* 사팔눈질하다(= loucher). — *v.t.* 《구어》 곁눈으로 바라보다〔살피다〕.

bigleux, euse [biglø, -ø:z] *adj.* et *n.* 《구어》 사팔뜨기(의) ; 눈이 잘 안보이는 (사람).

bigophone [bigɔfɔn] *m.* 비고폰《일종의 피리》. ② 전화(= téléphone).

bigorneau [bigɔʀno] *m.* (*pl.* **~x**) ① 작은 쌍각모루. ② 〖패류〗 경단고둥.

bigot, e [bigo, -ɔt] *adj.* et *n.* ① 편협한 신앙심을 가진 (사람). ② 편협한〔완고한〕 (사람).

bigoterie [bigɔtʀi] *f.* 편협한 신앙심 ; 변통성이 없는 성질 ; 고집불통, 완고함.

bigoudi [bigudi] *m.* (머리를 곱슬하게 하는) 컬클립.

bigre [bigʀ] *interj.* 《속어》 빌어먹을, 제기랄(= bougre).

bigrement [bigʀəmɑ̃] *adv.* 《구어》 엄청나게, 꽤, 굉장히.

biguine [bigin] *f.* (서인도 제도의) 민속춤.

bihebdomadaire [biɛbdɔmadɛ:ʀ] *adj.* 1주 2회의 : revue ~ 주 2회 발간되는 잡지.

***bijou** [biʒu] *m.* (*pl.* **~x**) ① 보석, 패물, 장신구, 귀금속 세공품 : coffret à ~*x* 보석함. ② 주옥 같은 것〔작품〕 ; 보배 ; 귀여운 것〔사람〕 : Mon ~ ! 《구어》 애야! 《애칭》.

bijouterie [biʒutʀi] *f.* ① 보석상, 장신구〔패물〕 제조업 ; 패물 장사〔상점〕. ② 《집합적》 패물, 보석류, 장신구.

bijoutier, ère [biʒutje, -ɛ:ʀ] *n.* 보석 상인, 보석 세공인.

bikini [bikini] 〔영〕 *m.* 비키니《수영복》.

bilabial, e, aux [bilabjal, -o] *adj.* 〖언어〗 두 입술에서 발음되는. — *f.* 양순음(兩唇音) 《p, b, m 따위》.

bilan [bilɑ̃] *m.* ① 〖상업〗 대차 대조표 ; 자

산·부채 명세서 ; 결산서 ; 잔고(殘高) : faire un ~ 대차 대조표를 작성하다. ② 결산, 평가 : ~ de la guerre 전쟁의 결산. ***déposer son*** ~ 파산 신고하다.

bilatéral, e, aux [bilateʀal, -o] *adj.* 양쪽의, 양면적인 ; 쌍방의, 쌍무적(雙務的)인(≠unilatéral) : contrat ~ ; convention ~*e* 쌍무 계약. — *f.* 〖언어〗 양측음(兩側音).

B

bilboquet [bilbɔkɛ] *m.* 〖장난감〗 ① 빌보케(놀이) ; 죽방울. ② 오뚝이(=poussah).

bile [bil] *f.* ① 담즙(=fiel) : ~ répandue《구어》황달. ② 울화, 역정, 분노(=colère) ; 근심, 걱정(=souci). ***s'échauffer la*** ~ 화가 나다, 노하다. ***se faire de la*** ~《구어》걱정〔괴로워〕하다.

biler (se) [s(ə)bile] *v.pr.*《구어》걱정하다, 안달하다(=s'inquiéter), 조바심하다.

bileux, euse [bilø, -ø:z] *adj.*《구어》걱정하는, 조바심하는 : Il n'est pas ~. 그는 조바심하는 사람이 아니다.

biliaire [biljɛ:ʀ] *adj.* 〖의학〗 담즙의 : vésicule ~ 담낭.

bilieux, euse [biljø, -ø:z] *adj.* ① 담즙이 많은, 담즙질의 : visage ~ (담즙이 많아서) 누런 얼굴. ② 성 잘 내는 ; 성질이 까다로운(=acariâtre) ; 성격이 우울한(=mélancolique) : personne ~*euse* 항상 침울한 사람.
— *n.* 담즙질의 사람.

***bilingue** [bilɛ̃:g] *adj.* ① 두 나라 말로 쓰여진 ; 두 나라 말을 하는 : région ~ 2 개 국어를 사용하는 지역. ② 〖동물〗 양설(兩舌)의.
— *n.* 2 개 국어 병용자. 「용.

bilinguisme [bilɛ̃gɥism] *m.* 2 개 국어 병

bill [bil]〔영〕*m.* ① 의안, 법안 : vote d'un ~ 법안의 의결. ② 법령(=acte).

billard [bija:ʀ] *m.* ① 당구 : faire un (petit) ~ ; faire une partie de ~ 당구를 (한판) 치다 / boule de ~ 당구공. ② 당구장(= salle de ~). ③ 당구대(= table de ~). ***C'est du*** ~.《구어》누워서 떡 먹기다.

bille¹ [bij] *f.* ① 당구공 ; (장난감) 구슬 ; (*pl.*) 구슬치기. ②《구어》머리(=tête) ; 얼굴(=figure). ③ 〖금속〗 강구(鋼球), 강철알 : roulement à ~*s* 볼베어링 회전(장치) / crayon 〔stylo〕 à ~ 볼펜. ***être à ~s égales*** 〔***pareilles***〕 백중하다.

bille² *f.* 통나무 ; 〖철도〗 침목 ; (가공하기 전의) 금속 덩어리 : ~ d'acier 강재(鋼材).

billebaude [bijbo:d] *f.*《옛》혼란, 무질서.

‡**billet** [bijɛ] *m.* ① 짧막한 편지, 쪽지 : ~ doux 연애 편지 / écrire 〔envoyer, faire parvenir〕 un ~ 몇 자〔간단한 편지〕를 적어 보내다. ② (철도·극장·복권 따위의) 표, 권(=ticket) : ~ de spectacle 관람권 / prendre 〔retenir〕 un ~ (기차 따위의) 표를 사다〔예약하다〕 / ~ de faveur 무료 입장권, 우대권 / ~ à demi-tarif 반할인권 / ~ garde-place(s) 〔de location de place〕 좌석권 / ~ à prix réduit 할인권 / ~ d'abonnement 정기권 / ~ de lotterie 복권. ③ 어음(=lettre de change) ; 증권 : ~ à ordre 〔simple〕 약속 어음 / ~ à courte 〔longue〕 échéance 단기〔장기〕 어음. ④ 지폐(= ~ de banque) ;《속어》1,000 프랑 지폐《구화》. ⑤ 투표 용지(= ~ de vote) ; 통지서(= ~ de (faire) part) ; 증명서(=attestation), 허가서 : ~ de confession 고백 성사표 / ~ de santé 건강 증명서 ; 검역증. ⑥ (신문의) 짧막한 시사란〔기사〕 : ~ littéraire 문예 단신. ~ ***d'aller ;*** ~ ***simple*** 편도 차표. ~ ***d'aller et retour ;*** ~ ***de retour*** 왕복 차표. ~ ***de logement*** 〖군사〗 숙박권. ~ ***d'entrée*** 입장권. ~ ***de banque*** 은행 지폐. ***tirer un*** ~ ***blanc*** (제비·복권에서) 공표를 뽑다.

billette¹ [bijɛt] *f.* ① 장작 ; 〖광산〗 갱도의 갱목 : fagot de ~*s* 장작단. ② 길고 가는 강철 막대, 철봉. ③ 목제(木製) 롤러. ④ 〖건축〗 장식 쇠시리.

billette² *f.* 세관의 영수증 ; (톨게이트의) (통행세) 표지판 ; 〖상업〗 정찰(正札).

billetterie [bijɛtʀi] *f.* ① (극장표·기차표 따위의) 발행 ; 매표(소). ② 현금 자동 지급기 ; 자동 매표기.

billettiste [bijɛtist] *n.* (신문의) 짧막한 시사란 담당자 : 매표원.

billevesée [bij(l)vəze] *f.* 부질없는 말, 객설(=sornette) ; 부질없는 생각〔계획〕.

billion [biljɔ̃] *m.* ①《옛》10 억(=mille millions, milliard). ② 1 조(=un million de millions)《1948년부터》.

billon [bijɔ̃] *m.* ① 통나무 ; 각목, 각재. ② 〖농업〗 발이랑. ③《옛》동전, 보조 화폐.

billot [bijo] *m.* ① (위가 평평한) 통나무. ② 도마 ; 모루받침. ③ (제화공의) 작업대.

bimane [biman] *adj.* 두 손 가진. — *m.* 두 손 가진 동물, 이수류의 동물.

bimbeloterie [bɛ̃blɔtʀi] *f.* 장난감 제조〔판매〕 ;《집합적》장난감. 「의.

bimensuel, elle [bimɑ̃sɥɛl] *adj.* 월 2 회

bimestre [bimɛstʀ] *m.* 두 달간(의 기간).

bimestriel, elle [bimɛstʀijɛl] *adj.* 두 달마다의 : revue ~*elle* 격월간 잡지.

bimétallisme [bimeta(l)lism] *m.* 〖경제〗 복본위제(複本位制).

bimoteur [bimɔtœ:ʀ] 〖항공〗 *adj.* 쌍발의 : avion ~ 쌍발기. — *m.* 쌍발기.

binage [bina:ʒ] *m.* 〖농업〗 이듬, 두번갈이 ; 괭이로 밭을 일구기〔김매기〕.

binaire [binɛ:ʀ] *adj.* ① 둘로 이루어지는 ; 이원(二元)의 ; 양면적인. ② 〖화학〗 2 원소의. ③ 〖수학·컴퓨터〗 이진(二進)의. ***composé*** ~ 2 원소 화합물. ***mesure*** ~ 〖음악〗 2 박자. ***numération*** ~ ***; système*** ~ 〖수학〗 2 진법. — *m.* 이원론, 이원성(=dualisme).

binard, binart [bina:ʀ] *m.* (바닥이 낮은) 석재(石材) 운반차.

biner [bine] *v.t.* 〖농업〗 이듬〔두벌갈이〕하다 ; (밭을) 괭이로 일구다〔김매다〕. — *v.i.* 〖가톨릭〗 하루에 미사를 두 번 보다. 「이.

binette¹ [binɛt] *f.* 밭을 일구는〔김매는〕 괭

binette² *f.*《속어》우스꽝스러운 얼굴 ;《속어》얼굴(=visage). 「笛).

biniou [binju] *m.* (부르타뉴 지방의) 풍적(風

binocle [binɔkl] *m.* 코안경 ; (손잡이 달린) 안경.

binoculaire [binɔkylɛ:ʀ] *adj.* 두 눈의, 쌍안(雙眼)의. — *f.* (프리즘) 쌍안경.

binôme [bino:m] *adj.* et *m.* 〖수학〗 2 항식(二項式)(의) : ~ de Newton, 2 항 정리.

binz, bin's [bins] *m.*《구어》난처한 일〔상

황] ; 뒤죽박죽.
bio- *préf.* 「생활 · 생명」의 뜻.
bioastronomie [biɔastʀɔnɔmi] *f.* 우주 생물학, 지구외 생물학. 「체 연료.
biocarburant [bjɔkaʀbyʀɑ̃] *m.* 식물성 대
biocénose, biocœnose [bjɔsenoːz] *f.* 〖생물〗 (일정 지역 내의 생물) 군집(群集).
biochimie [bjɔʃimi] *f.* 생화학.
biocide [bjɔsid] *m.* 〖화학〗 살생제, 살충제.
bioclimatologie [bjɔklimatɔlɔʒi] *f.* 생물기상학.
biodégradable [bjɔdegʀadabl] *adj.* 〖생물〗 미생물 등으로 분해되는 : détergent ~ (사용 후) 미생물로 분해되는 세제.
biodégadation [bjɔdegʀadɑsjɔ̃] *f.* 〖생물〗 미생물에 의한 분해〔부패〕.
bioénergie [bjɔenɛʀʒi] *f.* ① 생체 에너지. ② 〖심리〗 생체 에너지 요법.
bioéthique [bjɔetik] *f.* 생명 윤리(론).
biogène [bjɔʒɛn] *adj.* 다른 식물에 기생하는 : végétal ~ 기생식물. —— *m.* 〖생물〗 생원체(生源體), 활소(活素).
biogenèse [bjɔʒə(e)nɛːz], **biogénèse** [bjɔʒenɛːz] *f.* 생물 발생설. 「학
biogéographie [bjɔʒeɔgʀafi] *f.* 생물지리
biographe [bjɔgʀaf] *m.* ① 전기 작가. ② 〖영화〗 (초기의) 영사기.
***biographie** [bjɔgʀafi] *f.* 전기(傳記) ; 전기학 : écrire une ~ (어떤 사람의) 전기를 쓰다 / écrire sa propre ~ 자서전을 쓰다 / ~ des saints 성인전.
biographique [bjɔgʀafik] *adj.* 전기의, 전기적인, 전기체의 : dictionaire ~ 인명사전.
bio-industrie [bjɔɛ̃dystʀi] *f.* 생명 산업《생명 공학을 이용하는 산업》.
***biologie** [bjɔlɔʒi] *f.* 생물학. 「에 관한.
biologique [bjɔlɔʒik] *adj.* 생물학의 ; 생명
biologiste [bjɔlɔʒist], **biologue** [bjɔlɔg] *n.* 생물학자.
bioluminescence [bjɔlyminesɑ̃ːs] *f.* 〖생물〗 (곤충 · 심해어 따위의) 생물 발광(發光).
biomasse [bjɔmas] *f.* 〖생태〗 (한 구역 내의) 동 · 식물 총량.
biomatériau [bjɔmateʀjo] *n.* 〖의학〗 (인공장기가 거부 반응이 없는) 생체 적합재(材).
biomédical, e, aux [bjɔmedikal, -o] *adj.* 생체 의학의.
biométrie [bjɔmetʀi], **biométrique** [bjɔmetʀik] *f.* 생물 측정〔통계〕학 ; (인간의) 수명 측정(법). 「학(의).
bionique [bjɔnik] *f.* et *adj.* 생물〔생체〕 공
biophysique [bjɔfizik] *f.* 생물물리학.
biopsie [bjɔpsi] *f.* 〖의학〗 생검(生檢), 생체 조직 경검(鏡檢)〔검사〕. 「리듬.
biorythme [bjɔʀitm] *m.* 바이오리듬, 생체
biosciences [bjɔsjɑ̃ːs] *f. pl.* 생명 과학.
biote [bjɔt] *m.* (일정 지역의) 생물상(相).
biotechnologie [bjɔtɛknɔlɔʒi] *f.* 생물공학《생물의 생화학적 특성을 농업 · 공업 생산에 이용하는 분야》. 「법.
biothérapie [bjɔteʀapi] *f.* 〖의학〗 생물 요
biotope [bjɔtɔp] *m.* ① 〖생태〗 생활 환경. ② 무공해 지대〔지역〕.
bioxyde [bi(j)ɔksid] *m.* 이산화물(二酸化物).

bip [bip] *m.* ① 신호음《기계의 삐이 하는 소리》. ② (전자음을 발하는) 경보기(警報器).
biparti, e [bipaʀti], **bipartite** [bipaʀtit] *adj.* 두 부분으로 된 ; 양분된 ; 〖정치〗 두 개의 정당으로 구성된, 양당(兩黨) 연립의.
bipartisme [bipaʀtism] *m.* 양당 연립 정부〔정치〕 ; 양당제. 「갈라지기.
bipartition [bipaʀtisjɔ̃] *f.* 양분(兩分) ; 둘로
bip-bip [bipbip] = bip.
bipède [bipɛd] *adj.* 〖동물〗 두 발 가진. —— *n.* ① 두 발 가진 동물 : ~ sans plumes. 《구어》 인간. ② (말의) 짝다리 《전후, 좌우, 대칭으로 둘씩 짝을 지은》.
bipenne [bipɛn] *adj.* 날개가 둘 있는.
bipenné, e [bipɛnne] *adj.* 〖식물〗 두 깃 모양의, 이회우상(二回羽狀)의.
biplace [biplas] *adj.* 2 인승의. —— *m.* 2 인승 자동차〔비행기〕.
biplan [biplɑ̃] 〖항공〗 *adj.* 복엽의. —— *m.* (초기의) 복엽기(複葉機).
bipolaire [bipɔlɛːʀ] *adj.* ① 〖전기〗 양극의. ② 〖수학〗 coordonnées ~s 쌍극 좌표.
bipolarisation [bipɔlaʀizɑsjɔ̃] *f.* 양극화, 이분화 : ~ du monde politique 정계의 양극화. 「극성.
bipolarité [bipɔlaʀite] *f.* 〖전기〗 2 극성 ; 양
bique [bik] *f.* 《구어》 암염소. 「소.
biquet, ette [bikɛ, -ɛt] *n.* 《구어》 새끼 염
birbe [biʀb], **birbon** [biʀbɔ̃] *m.* 《속어》 ① 녀석, 놈. ② 늙은이, 늙정이(= vieillard).
biréacteur [biʀeaktœːʀ] *m.* 쌍발 제트기.
birman, e [biʀmɑ̃, -an] *adj.* 버마(*la Birmanie*)의. —— **B~** *n.* 버마 사람. —— *m.* 버마어.
biroute [biʀut] *f.* 〖항공〗 《은어》 비행기에 풍향을 알리는 길쭉한 천. 「~ 흑빵.
bis[1], **e**[1] [bi, -iːz] *adj.* 갈색의, 회갈색의 : pain
bis[2] [bis] *adv.* 다시 한번, 재차. ***B~ !*** 앙코르 ! 재청이오 ! ***crier ~*** 앙코르를 외치다.
—— *adj.* 둘째의, 2 호의, 을(乙)의 : numéro 5 ~, 5 호의 을, 5 번지 을호(乙號).
bis- *préf.* 「이배 · 이중」의 뜻.
bisaïeul, e [bizajœl] *n.* 증조부, 증조모.
bisaiguë [bizɛ(e)gy] *f.* = besaiguë.
bisannuel, elle [biza(n)nɥɛl] *adj.* 2 년마다의, 2 년 1 회의, 격년의 ; 〖식물〗 2 년생의.
bisbille [bisbij] *f.* 사소한 분쟁〔갈등〕 : être en ~ avec qn …와 사이가 틀어져 있다.
biscornu, e [biskɔʀny] *adj.* 모양이 흉한 ; 괴상한, 조리 없는 : chose ~*e* 해괴한 일 / idée ~*e* 괴상한 생각.
***biscotte** [biskɔt] *f.* 비스킷《딱딱하게 구운 빵》, 손가락 모양의 비스킷.
***biscuit** [biskɥi] *m.* ① 비스킷, 건빵 : ~ de mer〔de soldat〕 건빵 / ~*s* au fromage 치즈 비스킷. ② 케이크 : ~ de savoie 카스텔라, 스폰지 케이크. ③ (초벌구이한) 질그릇.
biscuiter [biskɥite] *v.t.* 질그릇을 초벌구이하다.
biscuiterie [biskɥitʀi] *f.* 비스킷 제조〔공장 · 판매소〕.
bise[2] [biːz] *f.* 《문어》 삭풍 ; 북풍.
***bise**[3] *f.* 《구어》 키스, 뽀뽀(= baiser) : faire une ~ à papa 아빠에게 뽀뽀하다.
biseau [bizo] *m.* (*pl.* **~x**) 비스듬한 단면, 사단면(斜斷面) : vitre〔glace〕 (taillée) en ~

비스듬히 자른 유리. 「斷).
biseautage [bizota:ʒ] *m.* 엇자름, 사단(斜
biseauter [bizote] *v.t.* ① 비스듬하게 자르다, 엇자르다. ② 〖카드놀이〗 (속이려고) 카드에 표적을 내다. 「다.
biser¹ [bize] *v.t.* 다시 물들이다, 다시 염색하
biser² *v.i.* (곡식이) 꺼멓게 되다, 썩다.
biser³ *v.t.* 《구어》 …에게 키스〔뽀뽀〕하다.
biset [bizɛ] *m.* ① 〖조류〗 산비둘기의 일종. ② 갈색의 거친 천. 「질.
bisexualité [bisɛksɥalite] *f.* 양성(兩性) 소
bisexué, e [bisɛksɥe], **bisexuel, elle** [bisɛksɥɛl] *adj.* 〖생물〗 양성의, 자웅동체의.
bismuth [bismyt] *m.* 〖광물〗 창연(蒼鉛), 비스무트.
bison [bizɔ̃] *m.* 〖동물〗 들소, 야생소.
bisonne [bizɔn] *f.* ① 들소의 암컷. ② 〖제본〗 (표지 안감용의) 쥐빛 천. 「표현).
bisou [bizu] *m.* 《구어》 키스, 뽀뽀《아이들
bisque¹ [bisk] *f.* (새우·가재류를 재료로 한) 걸쭉한 스프.
bisque² *f.* 《속어》 약오르기, 울화, 분통. ***avoir la ~*** 화가 나 있다. ***prendre la ~*** 화를 내다.
bisquer [biske] *v.i.* 약오르다, 화나다, 골나다(=rager) : faire ~ qn …을 약오르게 하다.
bissac [bisak] *m.* = besace.
bissecter [bisɛkte] *v.t.* 〖수학〗 2등분하다.
bissecteur, trice [bisɛktœ:ʀ, -tʀis] *adj.* 2등분하는. ― *f.* 〖수학〗 2등분선.
bissection [bisɛksjɔ̃] *f.* 〖수학〗 2등분.
bisséqué, e [biseke] *adj.* 2등분된.
bisser [bise] *v.t.* ① 반복〔되풀이〕하다. ② 《~ qn》 …에게 반복시키다; (가수에게) 앙코르를 청하다.
bissextil, e [bisɛkstil] *adj.* 윤(閏)의《다음 경우뿐》: an ~, année ~*e* 윤년.
bissexué, e [bisɛksye], **bissexuel, elle** [bisɛksyɛl] *adj.* ⇒ bisexué, bisexuel.
bistorte [bistɔʀt] *f.* 〖식물〗 범의 꼬리.
bistouri [bistuʀi] *m.* 외과용 메스.
bistourner [bistuʀne] *v.t.* 비틀다, 비꼬다. ― **se** ~ *v.pr.* 비틀리다.
bistre [bistʀ] *m.* 흑갈색. ― *adj.* 《불변》 흑갈색의; 거무죽죽한.
bistrer [bistʀe] *v.t.* 흑갈색으로 만들다.
bistro(t) [bistʀo] *m.* 《속어》 술집; 카페 (주인) : aller prendre un verre au ~ 술집에 한잔 하러 가다.
bistrotier, ère [bistʀɔtje, -ɛʀ] *n.* 《구어》 카페 주인. 「염.
bisulfite [bisylfit] *m.* 〖화학〗 중(重)아황산
bit [bit] *m.* 〖컴퓨터〗 비트 《컴퓨터 내부에서의 정보 표현의 최소 단위》.
B.I.T. 《약자》 Bureau International du Travail 국제 노동 사무국.
bitension [bitɑ̃sjɔ̃] *f.* 가전 제품 등 전기 기구가 두 가지 전압(110 V와 220 V)에 다 쓸 수 있는 성격.
bitoniau [bitɔnjo] *m.* (*pl.* ~*x*) 《구어》(기계 장치를 작동시키는) 스위치, 버튼.
bitte [bit] *f.* (갑판의) 밧줄 매는 쇠〔나무〕 말뚝, 계주(繫柱).
bitter [bitɛ:ʀ] *m.* 고미주(苦味酒).
bitture [bity:ʀ] *f.* ① 〖해양〗 갑판 위에 늘어진 닻줄(의 길이) ② 《속어》 취기, 취하기.
bitturer (se) [səbityʀe] *v.pr.* 《속어》 (술에) 취하다(=s'enivrer).
bitumage [bityma:ʒ] *m.* ① 역청을〔타르를〕 칠하기. ② 아스팔트 포장.
bitume [bitym] *m.* ① 타르, 역청(瀝青). ② 아스팔트; 《구어》 아스팔트 바닥; 보도.
bitumer [bityme], **bituminer** [bitymine] *v.t.* ① 역청을〔타르를〕 칠하다. ② 아스팔트를 포장하다.
bitumeux, euse [bitymø, -ø:z] *adj.* 역청〔타르〕질의, 역청을 함유한.
bivalve [bivalv] 〖패류〗 *adj.* 쌍각(雙殼)의. ― *m.* 쌍각류(類)《굴·소라고둥 따위》.
bivouac [bivwak] *m.* 〖군사·스포츠〗 야영 (=campement); 야영지; 야영 부대.
bivouaquer [bivwake] *v.i.* 야영〔야숙〕하다.
***bizarre** [biza:ʀ] *adj.* ① 이상한, 야릇한(=curieux, étrange), 괴상한, 기묘한 : ~ manie 묘한 기벽 / Je me sens tout ~. 왠지 거북하다 / Il est ~ que+*sub.* …하는 것은 기이한 일이다. ② 변덕스러운(= capricieux) ― *m.* 위의 사람〔것〕: le ~ 이상한〔괴이한·기이한·야릇한〕 것〔점〕.
bizarrement [bizaʀmɑ̃] *adv.* 이상〔괴상〕하게; 변덕스럽게.
bizarrerie [bizaʀʀi] *f.* 야릇함, 괴상스러움, 기현상; 괴벽; 변덕스러운 짓(=instabilité).
bizutage [bizyta:ʒ] *m.* 《학생은어》 (신입생 골리기 따위를 포함한) 신입생 환영식.
bizuter [bizyte] *v.t.* 《학생은어》 (신입생을) 골리다, 구박하다(=brimer).
bizut(h) [bizy] *m.* ① 《학생은어》 신입생(= nouveau). ② (모든 영역의) 신인, 풋내기.
bla(-)bla [blabla], **bla(-)bla(-)bla** [blablabla] *m.* 《복수불변》 장광설, 객설, 수다.
blackboulage [blakbula:ʒ] *m.* ① 낙제〔낙선〕시키기〔하기〕. ② 배척하기〔당하기〕.
blackbouler [blakbule] *v.t.* ① 반대 투표를 하다; 낙선시키다; 《구어》 낙제시키다 : se faire ~ 낙선〔낙제〕하다; 실패하다. ② 실각시키다, 배척하다(=repousser).
black-jack [blakʒak] 〔영〕 *m.* (*pl.* ~-~*s*) 블랙잭《카드놀이의 일종》.
black-out [blakawt] 〔영〕 *m.* 《복수불변》 ① 등화 관제. ② (정치상·외교상의 사건에 대한) 당국의 묵비.
blafard, e [blafa:ʀ, -aʀd] *adj.* 창백한, 생기 없는, 희끄무레한(=pâle), 어슴푸레한 : aube ~*e* 어슴푸레한 여명. ― *m.* 《구어》 은화(銀貨)(=pièce d'argent).
blague** [blag] *f.* ① 담배쌈지(= ~ à tabac, tabatière). ② 《구어》 거짓말, 허풍; 농담(= plaisanterie); 짖궂은 장난(=farce). ③ 서투른 짓, 실수(=erreur). ***~ à part; ~ dans le coin 농담은 빼고, 진지하게 말해서, ***faire une ~ à*** qn 《구어》 …에게 짖궂은 장난을 하다. ***dire*** 〔***débiter***〕 ***des ~s*** 농담을 하다. ***prendre*** 〔***traiter***〕 qc 〔***tout***〕 ***à la ~*** 《구어》 …을〔무엇이든지〕 농담으로 여기다. ***Sans ~ ?*** 정말? ***Sans*** 〔***pas de***〕 ***~ !*** 저런! 설마!
blaguer [blage] *v.i.* 거짓말하다, 허풍치다; 농담하다, 희롱하다(=plaisanter) : C'est assez ~ ! 농담은 그만합시다! ― *v.t.* 놀리다,

조롱하다(= railler, taquiner).

blagueur, euse [blagœ:ʀ, -ø:z] *adj.* et *n.* 농을 즐기는 (사람), 희롱을 좋아하는 (사람), 허풍 잘치는 (사람), 거짓말 잘하는 (사람).

blair [blɛ:ʀ] *m.* 《속어》 ① 코(= nez). ② 얼굴(= visage) ; 머리(= tête).

blaireau [blɛʀo] *m.* (*pl.* **~x**) ① 〖동물〗 오소리. ② (오소리 털로 만든) 화필 ; 면도솔.

blairer [blɛ〔e〕ʀe] *v.t.* 《속어》 ① …의 냄새를 맡다 ; 눈치채다, 알아채다(= pressentir). ② 《주로 부정형》 좋아하다, 존중하다 : ne pas pouvoir ~ qn …을 몹시 싫어하다.

blâmable [blɑmabl] *adj.* 비난〔힐난 · 견책〕 받을 만한(= condamnable ; ≠ louable).

*****blâme** [blɑ:m] *m.* ① 비난, 힐난(= reproche ; ≠ louange) : ~ public 공개 비난. ② 〖법률〗 징계, 견책(= réprimande) : recevoir un ~ 징계를 받다.

*****blâmer** [blɑme] *v.t.* ① 비난〔힐난〕하다, 나무라다(= désapprouver, critiquer ; ≠ louer) : ~ violemment qn 〔son attitude〕 …을〔의 태도를〕 거칠게 비난하다 / 《~ qn de+*inf.*》 Il *a blâmé* son fils *d'avoir* mal travaillé. 그는 아들이 공부를 제대로 안 했다고 나무랐다. ② 〖법률〗 징계하다 ; (공무원 따위를) 견책하다. **~** qn ***que***+ *sub.* 〔***de ce que***+ *ind.*〕 …인 것에 대해 …을 비난하다.
— **se ~** *v.pr.* 자신을 비난하다, 자책하다.

⁑blanc, blanche[1] [blɑ̃, blɑ̃:ʃ] *adj.* ① 흰, 순백의, 백색의(≠ noir) : ~ comme (la) neige 눈처럼 흰 / drapeau ~ 백기 / marbre ~ 흰 대리석 / la gelée *blanche* 서리 / fromage ~ 흰 치즈 / canne blanche (맹인용) 흰 지팡이. ② ⓐ 희읍스름한, 희끄무레한(= blanchâtre) ; 창백한 : argent ~ ; monnaie *blanche* 은화 / teint ~ 창백한 안색 / vin 〔pain〕 ~ 백포도주〔흰 빵〕 / sauce *blanche* 화이트 소스. ⓑ 《구어》 (사람이) 백발의 : un vieillard aux cheveux ~*s* 백발이 성성한 노인. ③ 무색〔투명〕의, 색이 없는 : verre ~ 무색 유리 / porcelaine *blanche* 채색을 하지 않은 도자기. ④ 아무것도 쓰여 있지 않은 ; 공백의 : page *blanche* 백면, 백지 / bulletin ~ (투표의) 백지표 / un intervalle ~ 〖인쇄〗 행간〔자간〕의 공백 / donner arte *blanche* à qn …에게 백지위임하다, 무조건 기회를 주다 / remettre une copie *blanche* 백지 답안을 내다. ⑤ 실효가〔실속이〕 없는 : mariage ~ 성적(性的) 교섭이 없는 결혼 / examen ~ 모의 시험 / opération *blanche* 모의 작전. ⑥ 깨끗한(= propre) : verre 〔drap〕 ~ 깨끗한 컵〔시트〕. ⑦ 결백한(= innocent ; ≠ coupable) ; 순결한(= immaculé) : ~ comme neige 순결무구한 / Il est sorti ~ de l'instruction. 그는 재판에서 무죄 판결을 받았다. ⑧ 백인(종)의 : race *blanche* 백인종 / la colonisation *blanche* en Afrique noire 백인(종)에 의한 검은 아프리카 대륙의 식민지화. ⑨ 〖역사〗 왕당파의 ; 반혁명〔반공산주의〕의 : terreur *blanche* 백색 테러. **~ *comme un linge*** 새파랗게 질린. ***n'être pas ~*** 아주 결백하지는 않다. ***nuit blanche*** 불면의 밤, 뜬눈으로 새운 밤.
— *n.* (보통 *B~*) 백인종 남녀, 백인.
— *m.* ① 흰 빛깔, 백색 : ~ pur 순백 / ~ laiteux 유백색. ② 흰 부분 ; (눈 · 달걀의) 흰자위 ; 공백 ; 여백 ; 〖인쇄〗 행간(行間), 자간(字間) ; (과녁의) 한복판 ; 과녁(= cible) : laisser des ~*s* 여백을 남겨두다. ③ 흰 것 ; 흰 옷 ; (화장용) 분 ; 백색 도료〔물감〕 ; 백묵, 분필 ; (당구용) 초크 ; 통조림한 청어 ; 작은 민물고기 ; 잔 물고기, 잔챙이(= blanchaille) : être vêtu de ~ ; porter du ~ 흰 옷을 입고 있다 / s'habiller en ~ 흰 옷을 입다 / exemplaire en ~ 〖제본〗 백지로 만든 견본. ④ 백포(白布), 린네르류〔제품〕, 란제리(= linge). ⑤ 백포도주 : boire du ~ 백포도주를 마시다. ⑥ 〖요리〗 화이트 소스(= sauce *blanche*). ⑦ 《옛》 작은 은화 ; 《옛 · 속어》 돈(= argent). ⑧ (식물의) 흰가루가 생기는 병(= maladie du ~). **~ *de l'oeil*** (눈의) 흰자위. ***chauffer à ~*** (금속을) 백열하도록 달구다 ; (사람을) 흥분시키다. ***écrire*** 〔***mettre***〕 ***noir sur ~*** 이론의 여지없이 명백하게 글로 표명〔주장〕하다. ***en ~*** ⓐ 하얗게 ; 흰 : mur peint *en* ~ 흰 칠을 한 벽. ⓑ 하얀 옷을 입은 : homme *en* ~ 외과의사. ⓒ 공란의 ; 백지의 : chèque *en* ~ 백지 수표 / laisser le nom *en* ~ 성명란을 공란으로 남기다. ***regarder*** qn ***dans le ~ des yeux*** …을 똑바로 쳐다보다. ***saigner*** qn ***à ~*** 《비유》 고혈을 짜내다. ***tirer à ~*** 공포 사격을 하다.
— *adv.* 희게〔하얗게〕 되도록 : geler ~ 서리가 내리다(= geler à ~) / voter ~ 백지 투표하다. ***dire ~ et noir ; dire*** (***tantôt***) ***~ dire*** (***tantôt***) ***noir*** 이랬다저랬다 하다.

blanc-bec [blɑ̃bɛk] *m.* (*pl.* **~s-~s**) 《구어》 풋내기, 애숭이.

blanchâtre [blɑ̃ʃɑ:tʀ] *adj.* 희읍스름한, 희끄무레한.

blanche[2] [blɑ̃:ʃ] *f.* ① 백인 여자(《blanc 의 여성형》). ② 〖당구〗 백구. ③ 〖음악〗 2 분음표. ④ 《구어》 (소설 따위의) 여주인공(= héroïne).

blanchement [blɑ̃ʃmɑ̃] *adv.* 깨끗하게.

blancheur [blɑ̃ʃœ:ʀ] *f.* ① (빛이) 흼 ; 흰빛 ; (극도로) 창백함. ② 순백함 ; 순결.

blanchiment [blɑ̃ʃimɑ̃] *f.* ① 희게 하기 ; 석회 도료를 칠하기. ② (직물의) 표백 ; (돈)세탁. ③ 〖요리〗 (야채 따위를) 살짝 데치기.

*****blanchir** [blɑ̃ʃi:ʀ] *v.t.* ① 희게 만들다(≠ noircir) ; 희게 칠하다〔바르다〕 ; 흰 것으로 덮다 : ~ un mur à la chaux 회로 벽을 희게 바르다 / La neige *blanchit* les sommets. 눈이 산마루를 하얗게 덮었다. ② 표백하다 ; 세탁하다 : donner son linge à ~ (속옷 따위의) 빨랫거리를 세탁하도록 주다. ③ (금속의) 광택을 내다(= fourbir). ④ (설탕 · 주철 따위를) 정제하다(= raffiner). ⑤ 〖인쇄〗 여백〔행간〕을 늘리다 : ~ une page 페이지의 여백〔행간〕을 늘리다. ⑥ (야채 따위를) 데치다, 삶다. ⑦ (금속 · 목재 따위를) 닦다, 광내다 ; (대패 · 줄 따위로) 매끈하게 하다. ⑧ …의 누명을 씻어 주다(= disculper) : Il est sorti *blanchi* du procés. 소송 결과 그의 무죄가 증명됐다. — *v.i.* ① 희어지다 ; (물이) 흰 거품이 일다 ; (새벽이) 훤하게 밝아 오다. ② (사람이) 백발(白髮)이 되다, 늙다(= vieillir) : Il *a blanchi.* 그는 백발이 되었다 / Il *a blanchi* dans les études. 《비유》 그는 연구

에 일생을 바쳤다. ③ 창백해지다(=pâlir) : ~ de peur 무서워서 파랗게 질리다.
— **se ~** *v.pr.* ① 희어지다 ; 뿌옇게 묻다. ② 자기의 결백함을 증명하다. ③ 자기의 옷을 세탁하다 ; 분을 바르다 : *se* ~ la figure 얼굴에 분을 바르다.

B

blanchis [blɑ̃ʃi] *m.* (벌채하거나 또는 남겨두기 위해서) 나무껍질에 새긴 표시.
***blanchissage** [blɑ̃ʃisaːʒ] *m.* 세탁, 빨래 ; (설탕의) 정제 ; (벽 따위의) 회칠.
blanchissant, e [blɑ̃ʃisɑ̃, -ɑ̃ːt] *adj.* 희어져 가는 ; 흰빛을 띤 ; 창백해진 ; (바다가) 흰 거품이 이는.
blanchissement [blɑ̃ʃismɑ̃] *m.* 희어지기 ; (동이) 훤하게 트기 ; (머리가) 세기.
***blanchisserie** [blɑ̃ʃisʀi] *f.* 세탁소 ; 세탁 기술 ; 표백 공장〔업〕.
***blanchisseur, euse** [blɑ̃ʃisœːʀ, -øːz] *n.* ① 세탁하는 사람; 세탁소 주인. ② 표백하는 사람, 마전쟁이. — *adj.* 세탁〔표백〕용의. — *f.* ~*euse* automatique 전기 세탁기. — *m.* 《구어》 (죄인의) 변호인.
blanc-manger [blɑ̃mɑ̃ʒe] (*pl.* **~s-~s**) *m.* 〖과자〗 우유로 만든 젤리.
blanc-poudré, e [blɑ̃pudʀe] (*pl.* **~s-~s**) *adj.* et *n.* 희게 분칠한 (사람).
blanc-seing [blɑ̃sɛ̃] *m.* (*pl.* **~s-~s**) 백지 서명 ; 〖법률〗 백지 위임장.
blanquette [blɑ̃kɛt] *f.* ① 〖요리〗 화이트 소스로 양념한 고기 스튜. ② 백포도의 일종 ; 백포도주의 일종.
***blasé, e** [blɑze] *adj.* ① 무감각〔무신경〕하게 된 ; (모든 것에) 싫증이 난. ② 환락에 싫증 난. — *n.* 환락에 싫증난 사람.
blaser [blɑze] *v.t.* ① (감각 따위를) 무디게 〔둔하게〕 하다. ② 《~ qn》 무감각〔무신경〕하게 만들다 ; …에 싫증나게 하다(=dégoûter).
— **se~** *v.pr.* ① 무감각〔무신경〕하게 되다. ② 《se ~ de》 …에 싫증 나다.
blason [blɑ〔a〕zɔ̃] *m.* 가문(家紋), 문장(紋章)(=armes) ; 가문〔문장〕학(=héraldique).
blasphémateur, trice [blasfematœːʀ, -tʀis] *adj.* et *n.* 신을 모독하는 (사람).
blasphématoire [blasfematwaːʀ] *adj.* 불경의(≠pieux), 신을 모독하는.
blasphème [blasfɛm] *m.* ① 신을 모독하는 〔불경한〕 언사(=sacrilège). ② 모욕적인 말.
blasphémer [blasfeme] *v.t.* 모욕적인 말〔욕설〕을 하다 : ~ la morale 도덕을 모독하다. — *v.i.* 신을 모독하는 언사를 쓰다.
blatte [blat] *f.* 〖곤충〗 바퀴.
blazer [blɛzœːʀ, blazɛːʀ] 〔영〕 *m.* 블레이저 (코트)《줄무늬의 플란넬 상의》 ; 단색 스포츠 상의.
bld 《약자》 = bd.
:blé [ble] *m.* ① 밀, 소맥(=~ froment) ; 밀알(=grain de ~) ; 밀밭(=champ de ~) : ~s d'or 황금빛 밀이삭 / moissoner le ~ 밀을 수확하다. ② 곡물 : grands ~s 밀과 호밀 / petits ~s 보리와 귀리 / grenier à ~ 곡물창고. ③ 《속어》 돈, 재산(=argent). ***~ d'Égypte*** 〔***de mai***〕 보리(=orge). ***~ de la Saint Jean*** 호밀(=seigle). ***~ de Turquie*** 옥수수. ***~ méteil*** 혼합맥. ***~ noir*** 〔***sarrasin***〕 메밀. ***Bon champ semé, bon ~ récolté.*** 《속담》 좋은 밭에 파종해야 좋은 수확을 얻는다. ***manger son ~ en herbe*** 〔***en vert***〕 생길 것을 예상하고 미리 써 버리다.
bled [blɛd] *m.* ① (북아프리카의) 내륙 ; 오지. ② 《구어》 작은 마을, 벽촌(=trou).
***blême** [blɛm] *adj.* ① 창백한, 파랗게 질린(=blafard, livide, pâle) : Il est ~ de peur. 그는 파랗게 질렸다. ② 《문어》 어슴푸레한 : lumière 〔lueur〕 ~ 어슴푸레한 빛.
blêmir [blɛ〔e〕miːʀ] *v.i.* ① 파랗게 질리다, 창백해지다 : ~ de peur 〔rage〕 공포〔분노〕로 창백해지다. ② 희미해지다, 어슴푸레해지다. — *v.t.* ① (얼굴을) 창백하게 하다. ② 희미하게 비추다.
blêmissant, e [blɛ〔e〕misɑ̃, -ɑ̃ːt] *adj.* ① 창백한, 파랗게 질린. ② 어슴푸레한.
blêmissement [blɛ〔e〕mismɑ̃] *m.* ① 창백해지기. ② 어슴푸레해지기.
blende [blɛ̃ːd] *f.* 〖광물〗 섬아연광(閃亞鉛鑛).
blennorr(h)agie [ble〔ɛn〕nɔʀaʒi] *f.* 〖의학〗 임질.
blépharite [blefaʀit] *f.* 〖의학〗 다래끼.
bléser [bleze] [6] *v.i.* 강자음을 약자음으로 발음하다《[ʃ]를 [s]로, [ʒ]를 [z]로》.
blessant, e [blɛsɑ̃, -ɑ̃ːt] *adj.* (마음에) 상처를 입히는 ; 모욕적인, 무례한 : Son orgueil le rend ~. 그의 오만함은 남의 기분을 상하게 한다.
blessé, e** [blɛ〔e〕se] *adj.* ① 상처입은, 부상당한 : ~ à mort 치명상을 입은. ② 마음이 언짢아진 ; 기분이 상한(=offensé), 화가 난. ***~ que+*sub.* ; ***~ de ce que***+*ind.*〔*sub.*〕 …에 기분이 상한〔화가 난〕. — *n.* 부상자.
:blesser [blɛ〔e〕se] *v.t.* ① (…에게) 상처를 입히다 ; (신체의 일부를) 아프게 하다 : J'ai les pieds *blessés* par mes chaussures neuves. 새 구두 때문에 발이 아프다. ② (눈·귀에) 거슬리다 : Ces couleurs criardes *blessent* la vue. 이 요란스러운 색채는 눈에 거슬린다. ③ …의 감정을 해치다(=froisser) ; 모욕을 주다(=offenser) : Il *est blessé* dans son amour-propre. 그는 자존심이 상했다. ④ 위배〔위반〕하다(=enfreindre) ; 해치다: ~ la loi 법을 어기다 / ~ les intérêts de qn …의 이익을 해치다.
— **se ~** *v.pr.* ① 상처를 입다, 부상하다 : *se* ~ la tête 머리를 다치다. ② 《se ~ de》 …을 불쾌히 여기다 : Elle *s'est blessée de* votre reproche. 그녀는 당신의 비난에 기분이 상했다.
blessir [blɛ〔e〕siːʀ] *v.i.* = blettir.
***blessure** [blɛ〔e〕syːʀ] *f.* ① 상처 ; 부상 : ~ légère 경상 / ~ mortelle 치명상 / ~ de guerre 전상(戰傷), marque 〔trace〕 d'une ~ 흉터 / coups et ~s 〖법률〗 상해. ② 모욕(=offense) ; (정신적인) 타격 ; 마음의 상처 ; 고통 : ~ d'amour-propre 자존심의 손상 / ~s de l'amour 사랑의 상처.
blet, ette[1] [blɛ, -ɛt] *adj.* (과일 따위가) 너무 익은, 물크러진.
blettir [blɛ〔e〕tiːʀ] *v.i.* 너무 농익다, 물크러지다.
:bleu, e [blø] *adj.* ① 푸른, 하늘빛의; 쪽빛의 : cravate ~*e* foncée 짙은 푸른색 넥타이. ② 푸르스름한 ; 검푸른. ③ 새파랗게 질린, 창백해진(=livide) : ~ de peur 〔d'émotion〕 공포로〔충격으로〕 파랗게 질린 / lèvres ~*es* de

froid 추위로 파래진 입술. ④ 멍든. ***avoir des colères ~es*** 화가 나서 새파래지다. ***Bibliothèque ~e*** (푸른 표지의) 기사도 이야기. ***bifteck ~*** 설익힌 비프스테이크. ***cordon ~*** 솜씨 좋은 여자 요리사〔가정부〕. ***en rester ~ ; en être tout ~*** 《구어》 대경실색하고 있다. ***maladie ~e*** 〖의학〗 청색증. ***vin ~*** 싸구려 포도주. ***zone ~e*** (도심의) 주차 제한 구역.

— *m.* ① 푸른색 ; 푸른 물감〔도료〕: teindre 〔teinter〕 le linge en ~ 리넨 제품을 푸르게 물들이다. ② 신병(新兵) ; 신입생 ; 초심자 ; 애송이. ③ (검푸른) 멍, 멍든 자국 : se faire un ~ 멍이 들다. ④ 청사진. ⑤ (흔히 *pl.*) (노동자의) 작업복《보통 청색》. ⑥ petit ~ 《옛》(파리의) 속달우편. ***~ d'Auvergne*** 〔***de Bresse***〕 오베르뉴〔브레스〕산 블루치즈. ***~ horizon*** (제1차 대전 때의 프랑스 육군의) 군복색. ***voir tout en ~*** 만사를 좋게 해석하다. — *f.* 《속어》 압생트 술(= absinthe). ***la Grande B~e*** 지중해(= la Méditerranée).

bleuâtre [bløɑːtʀ] *adj.* 푸르스름한.

bleuet [bløɛ] *m.* ① 〖식물〗 수레국화(= bluet). ② 〖조류〗 물총새.

bleuir [bløiːʀ] *v.t.* 푸르게 만들다 ; 창백하게 하다. — *v.i.* ① 푸르게 되다 ; 창백해지다. ② 푸르스름하게 보이다. 「기〕.

bleuissage [bløisaːʒ] *m.* 푸르게 하기〔되

bleuté, e [bløte] *adj.* 푸른 기가 도는, 푸르스름한 ; (렌즈가) 코팅된.

bleuter [bløte] *v.t.* 〖염색〗 푸르스름하게 하다, 푸른 빛을 띠게 하다 ; (렌즈에) 코팅하다.

blindage [blɛ̃daːʒ] *m.* ① 장갑(裝甲)(하기) ; 방탄 장비를 하기. ② 장갑 철판 ; (참호 따위의) 방탄벽 ; 〖전기〗 절연(재).

blindé, e [blɛ̃de] *adj.* ① 철갑을 두른, 장갑을 한 ; 방탄 장비를 한 : engin 〔véhicle〕 ~ 장갑차 / porte ~*e* 방탄장치를 한 문 / division ~*e* 기갑사단 / arbi ~ 방공호. ② 〖광산〗 (굴 안에) 방벽으로 버틴 ; 〖전기〗 절연된 : câble ~ 절연 케이블. ③ 《구어》 《~ contre》 (고생 따위에) 끄떡도 하지 않는. — *m.* ① 장갑차(= engin ~). ② (*pl.*) 기갑 부대.

blinder [blɛ̃de] *v.t.* ① 〖군사〗 장갑하다, 철갑으로 두르다 ; (참호 따위에) 방탄 장비를 하다. ② 〖광산〗 (굴 따위의 내벽에) 방벽을 하다 ; 〖전기〗 절연체를 씌우다. ③ (고생 따위에) 무감각하게 만들다. 「기.

blister [blistɛːʀ] *m.* 투명 플라스틱 포장 용

blitzkrieg [blitskʀig] 〔독일〕 *m.* ① 전격(작)전, 기습 (작전). ② 승리를 노린 정치 공세.

blizzard [blizaːʀ] *m.* 큰 눈보라, 폭풍설.

bloc** [blɔk] *m.* ① 큰 덩어리 ; 더미, 뭉치 : ~ de marbre 대리석 덩어리 / ~ de bois 통나무 / ~ de béton 콘크리트 블록. ② 집합체(= assemblage) ; 세트 ; (편지지 따위의) 한 묶음, 한 권 ; 집단 : ~ de livres 책더미 / ~ d'immeubles 아파트 단지. ③ 〖정치〗 블록, 진영, 세력권, 연합(= union) ~ politique 정치 블록 / ~ franc (프랑스 화폐) 프랑권. ④ 〖컴퓨터〗 블록 ; ~ de mémoire 기억 장치. ***à ~ 충분히, 철저하게, 완전히 : fermer un robinet *à* ~ 수도꼭지를 꽉 잠그다 / travailler à ~ 열심히 일〔공부〕하다. ***en ~*** 전체로서, 일괄하여, 통틀어 : refuser qc en ~ …을 전부 거절하다. ***faire ~ avec*** qc …와 일체〔한 덩어리〕를 이루다. ***faire ~ contre*** 〔***pour***〕 …에 반대〔찬성〕하기 위하여 결합하다. ***tout d'un ~*** 한 덩어리로 ; 단번에.

blocage [blɔkaːʒ] *m.* ① 〖건축 · 토목〗 (벽 따위에) 돌 · 벽돌 조각을 메우기 ; 시멘트 기초 공사. ② 〖인쇄〗 공백 ; 복자(伏字). ③ 폐색(閉塞) ; 차단 ; 봉쇄, 저지 ; (물가 따위의) 동결(凍結) : ~ des prix 가격 동결. ④ (기계 따위의) 정지, 고정 : ~ de freins 브레이크를 걸기. ⑤ 〖의학〗 (신체적 · 정신적) 기능의 정지, (심리적 장애로 인한) 부정적인 반응, 장애.

blocaille [blɔkɑːj] *f.* (벽 따위를 메우는) 돌〔벽돌〕 조각(= blocage).

bloc-cuisine [blɔkkɥizin] *m.* (*pl.* ***~s-~s***) 취사도구 일습《가스레인지 · 싱크대 · 냉장고 따위》.

blockhaus [blɔkoːs] 〔독일〕 *m.* ① 〖군사〗 보루 ; 토치카(= fortin). ② (군함의) 사령탑.

bloc(k)-notes [blɔknɔt] *m.* (*pl.* ***~s-~s***) 메모지철(綴), 비망록.

bloc-moteur [blɔkmɔtœːʀ] *m.* (*pl.* ***~s-~s***) 〖자동차〗 발동기 유니트.

block-system, bloc-système [blɔksistɛm] 〔영〕 *m.* 〖철도〗 폐색식(閉塞式).

blocus [blɔkys] *m.* 포위, 봉쇄 : ~ naval 해상 봉쇄 / ~ économique 경제 봉쇄 / faire le ~ 봉쇄하다 / lever 〔forcer〕 le ~ 봉쇄를 해제하다〔뚫다〕.

***blond, e** [blɔ̃, -ɔ̃ːd] *adj.* ① 블론드〔금발〕의 : jeune fille ~*e* 금발의 소녀. ② 황금 빛깔의 : ~*s* épis 황금빛의 이삭. ③ 〖직물〗 베이지색의. — *n.* 금발 머리의 사람 ; 애인. — *m.* 블론드색. — *f.* ① 보통 맥주. ② 연한 빛깔의 담배. ③ 비단 레이스.

blondasse [blɔ̃das] *adj.* et. *n.* 연한 블론드〔금발〕의 (사람).

blondeur [blɔ̃dœːʀ] *f.* (머리의) 블론드 색깔 ; (이삭 따위의) 황금색.

blondin, e [blɔ̃dɛ̃, -in] *adj.* et *n.* 금발〔블론드〕의 (사람). — *m.* 멋쟁이(= galant).

blondinet, ette [blɔ̃dinɛ, -ɛt] *adj.* et *n.* 금발의 (소년 · 소녀).

blondir [blɔ̃diːʀ] *v.i.* ① (곡식 따위가) 황금색으로 되다. — *v.t.* (머리를) 금발로 물들이다 ; 아마를 표백하다, 바래다.

bloquer** [blɔke] *vt.* ① 하나로 합치다〔묶다〕, 한데 모으다(= réunir, grouper) : ~ deux paragraphes en un seul 두 문단을 한 문단으로 묶다 / ~ les jours de congé 휴가일을 한데 모으다. ② 〖건축 · 토목〗 (벽 따위에) 돌 · 벽돌 조각을 메우다 ; (틈새를) 시멘트 따위로 틀어막다(= boucher). ③ (기계 따위를) 죄다〔멈추다〕 : ~ les freins 브레이크를 꽉 걸다. ④ 움직이지 못하게 하다(= immobiliser) : navire *bloqué* par les glaces 얼음으로 꼼짝할 수 없게 된 배 / Nous *avons été bloqués* une heure sur la route par un accident. 우리는 사고로 길 위에서 한 시간 동안 꼼짝 못했다. ⑤ 포위〔봉쇄〕하다 ; 폐색하다 ; 차단하다, 막다 ; 가로막다, 방해하다 ; 《구어》 (사람을) 가두다 : ~ une route 길을 차단하다 / Ne *bloquez* pas le passage. 통로를 가로막지 마시오. ⑥ 〖스포츠〗 (상대방의 공격, 공을) 차단하다 : ~ une balle 공을 차단하다. ⑦ (짧은 기간에) 집중하다(= grouper) : 《~ qc sur》 ~ ses jours de congé *sur* le mois de décembre 휴가를 12 월로 한데 몰아서 받다. ⑧ 〖경제〗 (수표의) 지불을 정지하다 ; (물가를) 동결하다 ; (임금을) 고정시키다 : Les crédits *sont bloqués.* 예산이 동결되었다. ***vote bloqué 〖정치〗 (의안의) 일괄 표결〔채결〕.

— **se** ~ *v.pr.* ① (기계가 고장으로) 정지하다, 멎다 : La clef *s'est bloquée* dans la serrure. 열쇠가 자물쇠 속에서 움직이지 않는다. ② (태도 따위가) 굳어지다.

***blottir (se)** [s(ə)blɔtiːʀ] *v.pr.* ① 쪼그리다. 웅크리다(= se tapir). ② (안전한 곳에) 숨다(= se cacher), 은신하다 ; 몸을 바싹 붙이다.

blousant, e [bluzɑ̃, -ɑ̃ːt] *adj.* (옷이) 낙낙한, 여유 있는, 헐렁한(≠ ajusté).

***blouse** [bluːz] *f.* ① 작업복, 일옷, 겉옷 : ~*s* blanches 의료인 ; 과학자. ② (여자 · 어린이용) 블라우스(= chemisier). ③ (당구대의) 포켓〔구멍〕.

blouser[1] [bluze] *v.i.* (옷이) 허리 께가 불룩「하다.

blouser[2] *v.t.* ① 《옛》 (당구에서 공을) 포켓〔구멍〕에 넣다. ② 《구어》 속이다, 함정에 빠뜨리다(= tromper). — **se** ~ *v.pr.* 속다 ; 큰 실수를 하다 ; 계략에 걸려들다.

***blouson** [bluzɔ̃] *m.* 점퍼, 짧은 상의 : ~*s* noirs (검은 가죽 점퍼를 입은) 불량 청년.

blue-jean(s) [bluʒin] 〔미영〕 *m.* 블루진, 청바지.

blues [bluːz] 〔영〕 *m.* 〖음악 · 무용〗 블루스「(곡).

bluet [blyɛ] *m.* 〖식물〗 수레국화(= bleuet).

bluette [blyɛt] *f.* 화포 ; 소품(小品).

bluff [blœf] 〔영〕 *m.* ① 허풍 ; 허세(= vantardise) ; 공갈(= chantage). ② 〖카드놀이〗 자기 패가 좋은 체하여 상대를 속임.

bluffer [blœfe] *v.i.* 공갈치다 ; 허세 부리다 ; 〖카드놀이〗 자기 패가 좋은 체하여 상대를 속이다. — *v.t.* 속이다(= tromper) ; 허풍떨다.

bluffeur, euse [blœfœːʀ, -øːz] *adj.* et *n.* 허풍떠는 (사람)(= vantard) ; 공갈치는 (사람) ; 속이는 (사람).

blutage [blytaːʒ] *m.* 체로 친 물건, 체질.

bluter [blyte] *v.t.* 체로 치다, 체질하다.

bluterie [blytʀi] *f.* 체질하는 장소 ; 체질하는 기구(의 회전부).

blutoir [blytwaːʀ] *m.* 체 ; 체질하는 기구.

B.N. 《약자》 Bibliothèque Nationale (파리의) 국립 도서관.

B.N.P. 《약자》 (la) Banque nationale de Paris 국립 파리 은행.

boa [bɔa] 〔라틴〕 *m.* ① 〖동물〗 왕뱀. ② (여성용) 모피 목도리.

boat people [botpipœl] 〔영〕 *m.* 《복수불변》 보트 피플, 선상 난민.

bob[1] [bɔb] *m.* 《속어》 회중시계.

bob[2] *m.* = bobsleigh.

bobard [bɔbaːʀ] *m.* 《구어》 허튼수작, 허풍(= blague), 유언비어 : lancer 〔raconter〕 des ~*s* 엉터리 수작을 늘어놓다.

bobèche [bɔbɛʃ] *f.* ① (초 · 촛대의) 받침판. ② 《속어》 머리(= tête). — *m.* 《구어》 어릿광대(= clown) ; 얼빠진 놈.

bobinage [bɔbinaːʒ] *m.* 실패에 감기 ; 감긴「실〔줄〕.

bobine [bɔbin] *f.* ① (실 감는) 보빈, 실패 ; (방적기의) 실 감개, 목관(木管) ; (전선 · 필름을) 감는 둥근 틀 ; 〖전기〗 코일 ; 코일 보빈(= corps de ~). ② 《속어》 우스꽝스러운 몰골 ; 얼굴 (표정). ***en faire une ~ ; faire une drôle de ~*** 부루퉁한 얼굴을 하다.

bobiner [bɔbine] *v.t.* (실 따위를 실패 · 틀에) 감다.

bobineur, euse [bɔbinœːʀ, -øːz] *n.* 실 감는 직공. — *f.* 실 감는 기계.

bobinoir [bɔbinwaːʀ] *m.* 실 감는 기계.

bobo [bobo] *m.* ① 《소아어》 아픔, 고통 : avoir ~ à la main 손이 아프다. ② 부스럼, 종기 ; 작은 상처.

bobonne [bɔbɔn] *f.* 《구어》 ① 《소아어》 유모 ; 하녀. ② 아내에 대한 애칭.

bobsleigh [bɔbslɛ(g)] 〔영〕 *m.* 〖스포츠〗 봅슬레이《핸들 달린 썰매》.

bocage [bɔkaːʒ] *m.* ① 작은 숲. ② (나무로 둘러싸인) 전원〔목장〕《프랑스 서부 지방에 특유한 풍경》.

bocager, ère [bɔkaʒe, -ɛːʀ] *adj.* 작은 숲에 사는 ; 작은 숲이 있는.

bocal [bɔkal] *m.* (*pl.* ***~aux*** [-o]) ① 주둥이가 넓은 병 ; 항아리. ② 어항(= aquarium) : ~ à poissons rouges 금붕어 어항. ***mettre des fruits en ~*** 과일을 병에 저장하다.

bocard [bɔkaːʀ] *m.* 〖야금〗 (광석 빻는) 쇄광기.

boche [bɔʃ] *adj.* 《경멸》 독일의. — **B~** *m.* 독일 사람.

bock [bɔk] *m.* (4 분의 1 리터 들이) 맥주컵 ; 맥주 한 컵.

bodybuilding [bɔdybildiŋ] 〔영〕 *m.* 근육발달 운동, 보디빌딩.

‡**bœuf** [bœf] *m.* (*pl.* **~s** [bø]) ① 소 ; (암소(vache)에 대해) 황소 ; 거세한 식용소 : ~ de mer 하마 / ~ sauvage 들소 / travailler comme un ~ ; être un ~ pour le travail 황소처럼 일하다. ② 쇠고기 : conserves de ~ 쇠고기 통조림. ③ 튼튼한〔부지런한〕 사람 ; 우직한 사람. ***avoir un ~ sur la langue*** 돈을 받고 침묵을 지키다. ***mettre la charrue avant les ~s*** 앞뒤가 뒤바뀌다, 본말이 전도되다. ***Qui vole un œuf, vole un ~.*** 《속담》 계란 도둑이 소도둑 된다《바늘 도둑이 소도둑 된다》. — *adj.* 《불변》 《여성형은 때로 bœuve [bœːv]》 《구어》 거대한 ; 굉장한, 엄청난, 희한한(= prodigieux) : un succès ~ 굉장한 성공.

bof [bɔf] *interj.* 《경멸 · 지겨움을 나타내어》 어휴, 아이구, 제기랄.

B.O.F. 《약자》 beurre-oeufs-fromages 《속어》 (전시(戰時)에 「버터 · 계란 · 치즈」의 암거래가 성행하던 관계로) 암거래 상인.

bogie [bɔʒi], **boggie** [bɔgi, bɔ(g)ʒi] *m.* 보기차(車)《차축이 자유로이 회전하는 차량》.

bogue[1] [bɔg] *f.* 〖식물〗 밤송이.

bogue[2] *f.* 〔*m.*〕 〖컴퓨터〗 버그, 컴퓨터 프로그램의 오류 : supprimer des ~*s* 버그를 없애다.

boguet [bɔgɛ] *m.* 무개 2 륜 마차.

Bohême, Bohème [bɔɛm] *n.pr.f.* 〖지리〗 보헤미아《체코슬로바키아 서부 지방》; 《집합

적》 보헤미아 사람(= les Bohémiens).

bohème [bɔɛm] *adj.* 보헤미안풍의; (방랑자처럼) 자유분방한. ── *n.* ① 《옛》 = bohémien. ② 자유분방한 생활을 하는 사람. ***mener une vie de ~*** 무절제한 생활을 하다. ── *f.* ① 《집합적》 보헤미안 : ~ de Montparnasse 몽파르나스의 방랑 예술인. ② 자유분방한 생활 (양식).

bohémien, enne [bɔemjɛ̃, -ɛn] *adj.* ① 보헤미아(*la Bohème*)의, 보헤미아 사람의; 집시의. ── *n.* ① (*B~*) 보헤미아 사람. ② 집시; 《경멸》 부랑자(= clochard).

:boire [bwaːʀ] 39 *v.t.* ① 마시다(= ingurgiter, prendre); (어린애가 젖을) 빨다 : ~ de l'eau (du café) 물을(커피를) 마시다 / Si le bébé pleure, donnez-lui à ~. 어린애가 울면 젖을 주세요. ② (물 따위를) 빨아들이다(= absorber), 흡수하다 : Ce papier *boit* de l'encre. 이 종이는 잉크가 잘 먹는다. ③ (재산 따위를) 술로 탕진하다. ④ (모욕 따위를) 꾹 참다(= endurer, souffrir) : ~ une injure 모욕을 꾹 참다. ***à ~*** 마실 것. ***Il y a à ~ et à manger dans cette affaire.*** 이 일에는 좋은 점도 있고 나쁜 점도 있다. ── **se ~** *v.pr.* 마셔지다. ── *m.* 마시기; 마실 것, 음료 : le ~ et le manger 마시기와 먹기; 마실 것과 먹을 것. ***en perdre*** (***oublier***) ***le ~ et le manger*** 《구어》 (열중하여) 침식을 잊다.

:bois [bwa(ɑ)] *m.* ① 숲, 삼림(= forêt) : ~ taillis 잡목림(林) / ~ domaniaux 국유림. ② 〖임업〗 수목, 나무(= arbre) : âge du ~ 수령 / coupe de ~ 벌채, 벌목. ③ 나무, 재목; 장작; 나뭇가지 : croix de ~ 나무 십자가 / ~ de chauffage 장작. ④ (*pl.*)(사슴 따위의) 뿔. ⑤ 〖인쇄·조각〗 목판; 목판화 : un beau ~ 아름다운 목판화. ⑥ 깃대; 목제품(부); 〖음악〗 목관 악기 : ~ de fusil 총의 개머리. ***abattre du ~*** 《구어》 부지런히 일하다. ***être du ~ dont on fait les flûtes*** 《구어》 남의 말만 따르고 주견이 없다. ***homme des ~*** ⓐ 미개인, 원시인; 촌스러운 사람. ⓑ 〖동물〗 오랑우탄(= orang-outang). ***toucher du ~*** (액운을 때우기 위해) 나무로 된 물건을 만지다. ***visage de ~*** 적의에 찬 얼굴, 표정.

boisage [bwa(ɑ)zaːʒ] *m.* ① 〖건축〗 (벽 따위에) 내장판을 대기; 내장재. ② (갱도의 내벽을) 갱목으로 버티기; 버팀재. ③ ~ d'un navire 배의 골조를 짜기.

boisé, e [bwa(ɑ)ze] *adj.* ① 나무가(숲이) 많은(우거진) : région ~*e* 산림지대. ② 갱목(굄목)으로 버틴; 내장판을 붙인.

boisement [bwa(ɑ)zmɑ̃] *m.* 식목; 조림(≠ déboisement); 조림지(의 나무).

boiser [bwa(ɑ)ze] *v.t.* ① (벽·천장 따위에) 내장판을 붙이다; (갱도 내벽 따위를) 갱목으로 버티다 : ~ une galerie de mine 광산 갱도에 갱목을 설치하다. ② …에 식목(조림)하다 : ~ une colline 언덕에 나무를 심다.

boiserie [bwa(ɑ)zʀi] *f.* ① 내장판, 소목 재료. ② 내장판 공사, 소목 일(세공).

boisseau [bwaso] *m.* (*pl.* **~x**) (연필식의) 연돌(통풍·하수)관(管); (수도 따위의) 물꼭지판(= ~ de robinet). ***mettre*** (***cacher***) ***la lumière sous le ~*** 진상을 숨기다.

boisson** [bwasɔ̃] *f.* ① 음료; 발효 음료; 술, 주류 : ~ gazeuse 발포성 음료 / ~ rafraîchissante 청량음료 / débit de ~*s* 주점, 술집. ② 음주벽. ***adonné à la ~ 술에 빠진. ***pris de ~*** 술에 취한.

boite [bwat] *f.* avoir la~ (걷기에 지쳐서) 다리를 절뚝거리다.

:boîte [bwat] *f.* ① 상자, 곽, 케이스, 통; 한 상자(통)(의 분량) : une ~ de conserve 통조림 한 통 / ~ à ordures 쓰레기통 / ~ d'allumette 성냥갑 / ~ à bijoux 보석 상자 / ~ à pharmacie 약품 상자 / ~ crânienne 〖해부〗 두개골 / ~ postale 사서함(《약자》 B. P.) / ~ de singe 《구어》 쇠고기 통조림. ② (기계 따위의) 상자 모양의 부분. ③ 《속어》 재미없는 곳(《학교·직장·공장·관청 따위》); 감옥, 교도소; 〖군사〗 영창 : ~ de vitesse (자동차의) 기어 박스 / ~ noire (비행기의) 블랙 박스 / changer de ~ 직장을 바꾸다. ④ 유흥장, 나이트클럽(= ~ de nuit). ***~ à bijoux*** 보석 상자. ***~ aux*** (***à***) ***lettres*** 우체통, 우편함. ***fermer sa ~*** 《속어》 입을 다물다. ***mettre*** qn ***en ~*** 《속어》 …을 놀리다.

boitement [bwatmɑ̃] *m.* ① 다리를 절기, 절름발이 걸음. ② (기계의) 건들거림, 흔들림.

***boiter** [bwate] *v.i.* ① 다리를 절다(= clocher); (가구 따위가) 흔들리다(= branler) : ~ du pied gauche 왼발을 절다 / chaise qui *boite* 흔들리는 의자. ② 순조롭지 못하다, 불완전하다; (문장 따위가) 고르지 못하다.

boiterie [bwatʀi] *f.* (동물이) 다리를 절기; 순조롭지 못함.

boiteux, euse [bwatø, -øːz] *adj.* ① 다리를 저는, 절뚝거리는(= claudicant). ② (책상 따위가) 흔들리는 : table ~*euse* 흔들리는 책상. ③ 불안정한; 균형을 잃은, (문장 따위가) 고르지 못한 : paix ~*euse* 불안정한 평화 / projet ~ 균형을 잃은 계획. ── *n.* 절름발이(= éclopé).

boîtier [bwatje] *m.* ① (칸막이) 도구(연장) 상자. ② 겉껍질, 케이스 : ~ de cassette vidéo 비디오 카세트 케이스. ③ 우편물 수집인. ④ 상자(케이스) 제조인.

boitiller [bwatije] *v.i.* 약간 다리를 절다.

boiv-e, -es, -ent ⇒ boire.

bol** [bɔl] *m.* ① 공기, 사발, 주발; (식후의) 핑거볼 : un ~ de riz 밥 한 공기. ② 한 공기(사발·주발)(의 양). ③ 《속어》 행운(= chance) : avoir du ~ 재수가 좋다. ***en avoir ras le ~ (***de*** qc) 《구어》 지긋지긋하다. ***Ne te casse pas le ~*** 《속어》 걱정하지 마. ***prendre un ~ d'air*** 맑은 공기를 마시러 밖으로(야외로) 나가다.

bolchevik [bɔlʃəvik] *n.* ① 〖정치〗 볼셰비키(≠ menchevik), 과격파(주의자). ② (1917년 혁명 후의) 러시아 공산당원.

bolchevique [bɔlʃəvik] *adj.* (러시아) 과격파의, 과격주의의.

bolchevisme [bɔlʃəvism] *m.* ① 〖역사〗 볼셰비즘, 과격주의. ② 〖정치〗 공산주의.

bolcheviste [bɔlʃəvist] *adj.* (러시아) 과격주의의. ── *n.* 러시아 과격파 당원; (1917년 혁명 후의) 러시아 공산당원; 《일반적》 과격주의자; 《경멸》 빨갱이.

bolée [bɔle] *f.* 한 공기〔사발〕 가득.
boléro [bɔleʀo] *m.* ① 볼레로《에스파냐 무용》; 볼레로곡. ② (여자의) 짧은 저고리; 작고 둥근 모자.
bolet [bɔlɛ] *m.* 〖식물〗 그물버섯.
bolide [bɔlid] *m.* ① 〖천문〗 화구(火球)《광도가 센 유성》; 유성(=météore); 운석. ② 《구어》 질주하는 차; 발이 빠른 사람. ***arriver*** 〔***passer***〕 ***comme un ~*** 번개같이 도착하다〔지나가다〕.
bolivien, enne [bɔlivjɛ̃, -ɛn] *adj.* 볼리비아(*la Bolivie*, 남미의 나라)의. — **B~** *n.* 볼리비아 사람.
bolonais, e [bɔlɔnɛ, -ɛ:z] *adj.* 볼로냐(*Bologne*, 이탈리아의 도시)의. — **B~** *n.* 볼로냐 사람. — *m.* 볼로냐어(語).
bombage [bɔ̃ba:ʒ] *m.* ① (판유리를) 불룩하게 구부리기. ② (금속판을) 우그리기.
bombance [bɔ̃bɑ̃:s] *f.* 진수성찬; 향연, 주연(=ripaille): faire ~ 대향연을 벌이다.
bombarde [bɔ̃baʀd] *f.* 〖군사〗 《옛》 석노(石弩); 구포(臼砲).
bombardement [bɔ̃baʀdəmɑ̃] *m.* ① 포격, 폭격: avion de ~ 폭격기 / ~ en formation 폭탄의 일제 투하 / ~ aérien〔par avion〕 공중 폭격. ② 《비유》 (폭탄처럼) 퍼붓기, 쏟아지기: ~ de fleurs〔de confettis〕 꽃을〔꽃종이를〕 던지기. ③ 〖물리〗 (원자의) 충격.
***bombarder** [bɔ̃baʀde] *v.t.* ① 포격하다, 폭격하다: ~ une ville 도시를 포격하다. ② 《~ qn de》 …에게 마구 퍼붓다; 공격하다: ~ qn *de* questions …에게 질문 공세를 퍼붓다 / ~ qn *de* cailloux〔fleurs〕 …에게 자갈〔꽃〕을 던지다. ③ 《구어》 갑자기 임명〔발탁〕하다: On l'*a bombardé* général. 그가 전격적으로 장군으로 임명되었다.
bombardier [bɔ̃baʀdje] *m.* ① 《옛》 석노(bombarde) 사수. ② 〖군사〗 박격 포수. ③ 〖공군〗 폭격기, 폭격수.
bombe**[1] [bɔ̃:b] *f.* ① 폭탄; 포탄. ② 둥근 유리 그릇; (기수의) 반구형 모자; 〖사냥〗 수렵모. ③ 《비유》 폭발적인 인기; 폭탄적 뉴스: nouvelle qui éclate comme une ~ 폭탄 같은 뉴스. ④ 대형 분무기; (살충제 등의) 스프레이; 〖물리〗 봄베. ***arriver 〔***tomber***〕 ***comme une ~*** 갑자기 오다〔닥쳐오다〕. ***~ à retardement*** 시한폭탄. ***~ atomique; ~ a*** 원자폭탄. ***~ glacée*** (원뿔 모양의) 아이스크림. ***~ H; ~ à (l')hydrogène*** 수소폭탄.
bombe[2] *f.* 《속어》 술잔치, 주연, 향연(=bombance). ***être en ~; faire la ~*** 진탕 마시고 떠들다; 방탕한 생활을 하다.
bombement [bɔ̃bmɑ̃] *m.* 불룩한 모양, 철형(凸形)(=convexité).
bomber [bɔ̃be] *v.t.* ① 철형(凸形)으로 만들다, 불룩하게 하다; 휘어서 불룩 튀어나오게 하다; (등을) 둥글게 구부리다: avoir le dos ~ 등이 굽었다 / ~ la poitrine 가슴을 불쑥 내밀다. ② (도로의) 가운데를 불룩하게 만들다. ***~ le torse*** 〔***la poitrine***〕 뻐기다.
— *v.i.* ① 불룩해지다, 불룩 튀어나오다; (돛 따위가) 부풀다: planche qui *bombe* 불룩하게 휜 판자. ② 《구어》 (차 따위가) 질주하다: voiture qui *bombe* 질주하는 자동차.
— **se ~** *v.pr.* 불룩해지다, 불룩하게 휘다.
bombyx [bɔ̃biks] *m.* 〖곤충〗 누에나방.
⁑**bon, bonne** [bɔ̃, -ɔn] *adj.* 《명사 앞에 위치, 연음의 경우는 [bɔn]; bon anniversaire [bɔnanivɛʀsɛ:ʀ]》 ① 좋은, 양호한, 훌륭한(≠mauvais): *bonne* terre 비옥한 땅 / avoir l'oreille *bonne* 귀가 밝다 / J'ai un ~ estomac. 위장이 튼튼하다 / *Bonne* année! 새해 복 많이 받으세요.
② 옳은, 확실한: Suis-je dans le ~ train pour Paris? 이 기차는 파리행이 틀림 없나요? / *bonne* voie〔route〕 올바른 길 / en ~ français 정확한 프랑스어로 / si j'ai *bonne* mémoire 내 기억이 틀림없다면.
③ 수지 맞는, 유리한(=avantageux): à ~ compte 싸게 / ~ vent 순풍 / ~ emploi 수지맞는 일자리 / être dans le monde sur un〔le〕 ~ pied 유리한 지위를 차지하다.
④ 《~ pour》 (표 따위가) 유효한; (약 따위가) 잘 듣는: billet ~ *pour* deux personnes 두 사람이 들어 갈 수 있는 입장권 / ~ remède 잘 듣는 약.
⑤ 행복한, 즐거운: un ~ moment 즐거운 한때 / C'est si ~ de+*inf.* …하는 것은 참으로 즐겁다 / le ~ temps 행복했던 시절, 옛날 / *B~* voyage! 즐거운 여행이 되기를!
⑥ 맛있는; 냄새 좋은; 기분 좋은: ~ gâteau 맛있는 과자 / *bonne* odeur 좋은 냄새 / ~ bain 기분 좋은 목욕.
⑦ 만족스러운, 완전한: *bonne* entente 만족스러운〔완전한〕 합의.
⑧ 선량한, 성실한, 착한: ~ fils 착한 아들 / *bonne* conduite 착한 행실.
⑨ 친절한, 상냥한; 사람 좋은: Vous êtes ~ de m'aider. 도와 주셔서 고맙습니다 / C'est un ~ type. 그는 호인이다.
⑩ 유능한, 우수한: ~ professeur 유능한 교수 / *bonne* plume 명필〔명문〕가.
⑪ 품위 있는, 점잖은, 어엿한: *bonne* société 상류 사회 / homme de *bonne* compagnie 점잖은〔품위 있는〕 사람.
⑫ 큰, 강한: donner un ~ coup 힘껏 때리다 / d'un ~ pas 기운 있는 걸음으로.
⑬ 적지 않은, 상당한, 막대한: une *bonne* fortune 막대한 재산 / une *bonne* partie de ces régions 이 지방들의 적지 않은 부분 / un ~ nombre (de) 상당한 수효(의) / à une *bonne* distance de l'école 학교에서 상당한 거리에 / donner ~ poids (중량을) 넉넉히 (달아) 주다 / un ~ quart d'heure, 15분 남짓이.
⑭ 무려: Ça fait une *bonne* semaine. 무려 일 주일이나 된다.
⑮ 결정적〔종국적〕인: Faisons-en une *bonne* fois. 한 번만 해 봅시다.
⑯ être ~ en …에 뛰어나다: Il *est* ~ *en* mathématiques. 그는 수학을 잘한다.
⑰ ⓐ 《~ pour qc〔+*inf.*〕》 …을 위해 좋은, …하기에 적합한: Quand on est en péril de mort, toutes les armes sont *bonnes pour* se défendre〔*pour* la défense〕. 죽음의 위험에 처해 있을 때는 무슨 무기든지 다 방어 수단이 될 수 있다. ⓑ 《~ à+*inf.*(qc)》 …에〔하기에〕 적합한, …할 만한, …에 쓸모있는: ~ *à* manger 먹을 수 있는 / un ~ *à*

rien [bɔnaʀjɛ̃] 《명사적으로》《속어》 쓸모없는 사람 / C'est ~ *à* savoir [se rappeler]. 그것은 알아 둘[기억해 둘] 만한 가치가 있다 / Elle n'est *bonne* qu'*à* cela. 그 여자는 그것밖에는 쓸모가 없다 / Puis je vous être ~ *à* quelque chose? 제가 도와드릴 일은 없습니까? ⓒ Il est ~ de+*inf.* [que+*sub.*] …함이 적당[현명]하다; trouver ~ de+*inf.* [que+*sub.*] …함이 적당[현명]하다고 생각하다[인정하다].
⑱ 《반어적》 대단한, 못된 : ~ coquin 대단한 악당 / ~ rhume 못된 감기 / *bonne* langue 말 많은[잘하는] 사람; 악담가 / On est ~! 큰일 났군, 꼴 좋게 됐군.
À quoi ~ (+*inf.*) ***?*** (…해 봤자) 그래 봐야 무슨 소용이 있는가?: *À quoi* ~ tous ses efforts? 이 모든 노력이 무슨 소용이 있는가? / *À quoi* ~? 그게 무슨 소용이냐? ***~ sens*** 양식(良識). ***Cela est ~ à dire.*** 《구어》 말하긴 쉽다. ***C'est ~!*** 좋아!; 그래 좋다. ***en raconter une bien bonne*** 묘한 이야기를 하다. ***En voilà une!; Elle est bien bonne!*** 《속어》 거 참 재미있는걸! ***être ~*** 《은어》 속다, 당하다(=être dupe) : Demain? Vous *êtes* ~! C'est impossible! 《구어》 내일? 그건 불가능해! ***être ~ comme le*** [***du***] (***bon***) ***pain*** 매우 친절하다. ***être ~ pour*** qc [+*inf.*] 《구어》 닥친 일을 감내하다 : Le dernier train est passé. Nous *sommes ~s pour* rentrer à pied. 막차가 가 버렸어. 걸어서 돌아가는 수밖에 없지. ***être dans ses ~s jours*** 기분이 좋다; 건강 상태가 좋다; 운이 좋다. ***Faites comme ~ vous semblera.*** 당신 좋을 대로 하시오. ***Les ~s comptes font les ~s amis.*** 《격언》 친구사이에는 금전 관계를 깨끗이 해야 된다. ***Son affaire est bonne!*** 《반어적》 그는 궁지에 몰렸다, 꼴 좋게 됐다! ***une bonne fois*** (***pour toutes***) 이번만은, 이것[그것]을 마지막으로, 결정적으로.
— *adv.* 좋게; 기분 좋게; 굳세게; 비싸게 : sentir ~ 좋은 냄새를 풍기다 / Il fait ~ ici. 여기는 기분이 좋다 / coûter ~ 가격이 비싸다. ***Il fait ~***+*inf.* …하는 것은 유쾌한[흐뭇한] 일이다 : *Il fait* ~ se promener dans le bois. 숲속을 산책하는 것은 즐겁다. (***pour***) ***tout de ~; pour*** (***tout***) ***de ~*** 정말로(=sérieusement) : Je parle, *tout de* ~. 진심으로 말씀드리는 것입니다 ***tenir ~*** (***contre*** [***devant***] qc) (…에) 견디어 내다, 저항하다 : *Tenez* ~, on arrive. 꿋꿋하게 버티시오, 곧 가오.
— *interj.* ① 《동의》 좋소, 좋아 : Ah ~! Ce n'est pas aussi grave que je le pensais. 아 그래, 그건 내가 생각하던 것처럼 심각[중대]하지는 않군. ② 《놀라움·실망》 아뿔싸, 할 수 없지.
— *n.* 좋은 사람 : C'est un ~. 좋은[믿을 만한] 사람이지. ***mon ~; ma bonne*** 여보게, 이 사람아 《호칭》.
— *m.* ① 선(善); 좋은 것[점·일] : Il y a du ~ et du mauvais chez lui. 그에게도 장점 단점 다 있다. ② (*pl.*) 선인(善人) 들 : les ~s et les mechants 선인과 악인들. ③ 전표(錢票), (돈·상품의) 지불권, 교환권 : ~ de caisse 현금 지불권 / ~ de commande 매입 주문서. ④ 채권; 증권; 어음; 차용증 : ~ au porteur (지참인에게 지불하는) 무기명 채권 / ~ du Trésor 국고 채권. ***~ à tirer*** 교정 완료(된 교정지). ***Il y a du ~;*** 《속어》 ***Y a ~.*** (일이) 잘 되어 나가다.

bonace [bɔnas] *f.* 바다의 잔잔함; 고요함; 휴식; 평온.

bonapartisme [bɔnapaʀtism] *m.* 나폴레옹[보나파르트] 정부[정책] 지지[옹호].

bonapartiste [bɔnapaʀtist] *adj.* 나폴레옹 정책[파]의. — *n.* 나폴레옹파 사람.

bonasse [bɔnas] *adj.* 지나치게 사람 좋은, 호인다운.

***bonbon** [bɔ̃bɔ̃] *m.* 봉봉 사탕, 당과(糖菓) : ~*s* au chocolat 초콜릿 봉봉.

bonbonne [bɔ̃bɔn] *f.* (등덩굴·대나무를 엮어 겉을 싼) 주둥이가 좁고 몸체가 둥근 큰 병.

bonbonnière [bɔ̃bɔnjɛːʀ] *f.* ① 봉봉 그릇. ② 아담한 집[방].

bond** [bɔ̃] *m.* ① 뛰어오름, 도약(跳躍); (공 따위가) 튀어오름, 바운드 : faire un ~ 껑충 뛰다 / franchir un obstacle d'un ~ 장애물을 껑충 뛰어넘다. ② (공 따위가) 튀기, 튀어오르기; (물가·주식 따위의) 급등, 폭등 : ~*s* d'une bound 공의 바운드 / La Bourse a fait un ~. 증권 시세가 급등했다. ③ 《비유》 약진, 비약 : L'économie a fait un ~. 경제가 비약적으로 발전했다. ***avancer par ~s 약진하다. ***d'un ~*** 껑충; 일약. ***du premier ~*** 대번에. ***faire faux ~ à*** qn …에게 약속을 어기다. ***par sauts et par ~s*** 껑충껑충 뛰어서 : n'aller que *par sauts et par ~s* 《비유》 (이야기 따위가) 지리멸렬하게 전개되다. ***ne faire qu'un ~*** 단숨에 달려가다.

bonde [bɔ̃ːd] *f.* ① (못 따위의) 수문(水門), 배수구. ② (물통·목욕통 따위의) 마개; 주둥이; (통의) 구멍 : remplir le tonneau jusqu'à la ~ 통에 물을 가득 채우다. ***lâcher*** [***lever***] ***la ~*** 수문을 열다. ***lâcher la ~ à sa colère*** 속이 후련하게 화풀이를 하다.

***bondé, e** [bɔ̃de] *adj.* 《~ de》 …으로 꽉찬; 만원이 된 : théâtre ~ *de* spectateurs 관람객이 만원인 극장 / train ~ 만원 열차.

bonder [bɔ̃de] *v.t.* (통을) 가득 채우다; 넘칠 만큼 채워 넣다(=remplir) : ~ le navire (화물 따위를) 배에 가득 싣다.

***bondir** [bɔ̃diːʀ] *v.i.* ① 뛰어오르다(=sauter); 펄쩍 뛰다; 《~ sur qc》 …에 덤벼들다, 달려들다 : Le chat *a bondi sur* la souris. 고양이가 생쥐에게 달려들었다. ② (가슴이) 뛰다, 두근거리다 : ~ de joie 기뻐서 펄쩍펄쩍 뛰다 / Le cœur lui *bondissait* de surprise. 그의 가슴이 놀라서 두근거렸다. ③ (공 따위)가 튀다.

bondissement [bɔ̃dismɑ̃] *m.* ① 뛰어오름; 도약; 튐. ② (가슴이) 뜀, 두근거림. ***avoir un ~ de cœur*** 가슴이 두근거리다.

bondon [bɔ̃dɔ̃] *m.* (통의) 마개(=bouchon); (통의) 주둥이, 구멍(=bonde).

bon enfant [bɔnɑ̃fɑ̃] *adj.* 《불변》 마음씨 착한, 천진스러운(=bonhomme) : manières ~ 천진난만한 태도 / air ~ 천진스러운 모습.

‡bonheur [bɔnœːʀ] *m.* ① 행복(≠malheur); 복 : recherche du ~ 행복의 추구 / ~ de

B

vivre 삶의 행복 / jouir d'un ~ 행복을 누리다. ② 성공(=succès) ; 행운, 요행(=chance) : coup de ~ 뜻밖의 행운 / ~ des armes 전쟁의 승리 / être en ~ (승부 · 내기에서) 운이 좋다 / jouer de ~ (절망 상태에서) 행운을 잡다, 성공하다 / Dieu lui a accordé ce ~. 하느님이 그에게 그러한 행운을 부여했다. ③ 기쁨, 즐거움(=joie) ; 만족 : C'est un grand ~ pour moi. 그것은 내게 커다란 기쁨이다. ***au petit ~*** 되는 대로, 닥치는 대로 (=au hasard): *Au petit ~!* 될대로 되라! ***avec ~*** 성공적으로, 희한하게 잘 : écrire *avec ~* 글을 아주 잘 쓰다. ***avoir du ~*** 운이 좋다. ***avoir le ~ de****+inf.* 다행히도〔운 좋게도〕 …하다. ***C'est un ~*** 〔***B~***〕 ***que****+sub.* …임은 다행한 일이다. ***mettre son ~ à****+inf.* …하는 것을 낙〔기쁨〕으로 삼다. ***par ~ ;*** 《옛》 ***de ~*** 다행히. ***porter ~ à*** (qn〔qc〕)(…에게〔에〕) 행복을 가져오다 : Cela vous *portera ~*. 그것은 당신에게 행운을 가져다 줄 것입니다. ***Quel ~ de****+inf.* 〔***que****+sub.*〕 …은 얼마나 다행한 일인가. ***Quel ~ de*** te rencontrer! 만나게 되어 기쁘구나!

bonheur-du-jour [bɔnœʀdyʒuːʀ] *m.* (*pl.* **~s-~-~**) (귀중품 간직용의 서랍 달린) 여성용 탁자《18 세기에 유행》.

bonhomie [bɔnɔmi] *f.* ① 순박함, 친절. ② 우직함(=bonasserie) : avoir la ~ de+*inf.* 고지식하게도 …하다. ***avec ~*** 친절하게.

*__bonhomme__ [bɔnɔm] (*pl.* ***bonshommes*** [bɔ̃zɔm]) *m.* ① 호인(好人), 순박한〔무던한〕 사람. ② 노인, 영감. ③ (중세의) 서민, 백성. ④ 《구어》《친밀감을 나타내어》 녀석 ; (연극 · 소설 따위의) 인물 ; 서투르게 만든〔그린〕 인물 : singulier ~ 이상한 녀석, 괴짜 / petit ~ 꼬마 (사내아이) / ~ de plomb 납인형. ***aller*** 〔***faire***〕 ***son petit ~ de chemin*** 조금씩 착실히 일해 가다. ***~ de neige*** 눈사람. — *adj.* 착한, 선량한 ; 순박한, 호인다운 : prendre un air ~ 순진한 체하다.

boni [bɔni] *m.* 보너스 ; 잉여금 ; 이익.

boniche [bɔniʃ] *f.* 《구어》 젊은 하녀.

boniface [bɔnifas] *adj.* et *n.* 마음씨 좋은 (사람), 미련한 (사람), 어리석은 (사람).

bonification [bɔnifikɑsjɔ̃] *n.* ① 개량, 개선. ② 〖상업〗 할인 ; 이익 배당.

bonifier [bɔnifje] *v.t.* ① 개량하다, 개선하다(= améliorer). ② 〖상업〗 (부족액을) 보충하다 ; 할인하다 ; 주다 ; 허용하다 : ~ qn d'une remise …에게 할인을 해주다. — ***se ~*** *v.pr.* 개량〔개선〕되다 : Son caractère *s'est bonifié*. 그의 성격이 좋아졌다.

boniment [bɔnimɑ̃] *m.* ① (뜨내기 약장수의) 구변 좋은 이야기. ② 《구어》 감언이설(= baratin) ; 허풍, 허튼수작, 거짓말(=mensonge) : faire du ~ à qn 〔une femme〕 …을 구워삶다〔여자를 달콤한 말로 꾀다〕.

bonimenter [bɔnimɑ̃te] *v.i.* 허튼수작을 늘어놓다, 허풍 떨다, 거짓말하다.

bonimenteur, euse [bɔnimɑ̃tœːʀ, -øːz] *adj.* 속이는, 거짓말하는, 구워삶는. — *m.* 구워삶는 사람.

⁑**bonjour** [bɔ̃ʒuːʀ] *m.* 《낮 또는 아침 인사》 안녕하십니까 ; 안녕히 계십시오〔가십시오〕. ***Bien le ~ à tout le monde.*** 여러분 안녕하십니까; 모든 분에게 안부 전해 주십시오. ***B~*** 〔***Le ~***〕 ***à*** qn …에게 안부〔말씀〕 전해 주시오. ***dire ~ à*** qn ; ***souhaiter*** 〔***donner***〕 ***le ~ à*** qn …에게 인사를 하다. ***simple comme le ~*** 《구어》 아주 간단한.

bon marché [bɔ̃maʀʃe] *adv.* 싼값으로, 헐값에. — *adj.* 값싼, 염가의.

bonne [bɔn] *adj.* bon 의 여성형. — *f.* 하녀 (=servante) ; 가정부, 어린애 보는 하녀(= ~ d'enfant) ; 여사환. ***~ à tout faire*** 살림 전반을 돌보는 하녀. ***contes de ~s*** 어린애에게 들려 주는 이야기 ; 엉터리 이야기.

Bonne-Espérance [bɔnɛspeʀɑ̃ːs] *n.pr.f.* ***le Cap de ~*** 〖지리〗 희망봉.

bonne femme [bɔnfam] *f.* 《bonhomme의 여성형》 노파, 할머니 ; 순박한 여자. ***contes de ~*** 꾸며낸〔터무니없는〕 이야기. ***remèdes de ~*** 민간 요법(약).

bonne-maman [bɔnmamɑ̃] *f.* (*pl.* **~s-~s**) 《소아어》 할머니(=grand-mère).

bonnement [bɔnmɑ̃] *adv.* 정직하게 ; 솔직하게 ; 참말로 ; 순진하게 : dire ~ son avis 자기 의견을 솔직하게 말하다. ***tout ~*** 아주 솔직하게 ; 그저, 단순히.

*__bonnet__ [bɔnɛ] *m.* ① (남자의) 챙 없는 모자 ; (여자의) 헝겊 모자 : ~ de coton 〔de nuit〕 나이트캡 / ~ de bain 수영모 / ~ basque 베레모 / ~ carré (교수, 박사, 재판관의) 각모. ② (반추 동물의) 제 2 위, 주름위. ③ 브래지어의 컵. ***avoir la tête près du ~*** 《구어》 걸핏하면 화를 내다. ***C'est blanc ~ et ~ blanc.*** 그건 결국 마찬가지다. ***donner un coup de ~ à*** qn …에게 인사하다. ***gros ~*** 거물, 높은 사람 ; 주방장(= grosse légume). ***prendre*** qc ***sous son ~*** …을 혼자 생각해 내다 ; 어떤 일을 떠맡다. ***prendre sous son ~ de****+inf.* …할 것을 착안하다 ; …할 것을 떠맡다.

bonneteau [bɔnto] *m.* (*pl.* **~x**) 〖카드놀이〗 (3 장을 갖고 알아맞히는) 카드놀이 ; 그 3 장의 카드.

bonneterie [bɔnt(ə)ʀi] *f.* 《집합적》 (헝겊 모자 · 양말 · 메리야스 따위의) 양품류 ; 그 제조〔판매〕업〔점〕.

bonneteur [bɔntœːʀ] *m.* ① bonneteau 놀이하는 사람. ② (놀음에서) 속임수를 쓰는 사람 ; 협잡꾼, 사기꾼(=filou).

bonnetier, ère [bɔntje, -ɛːʀ] *n.* (양말 · 메리야스 따위의) 양품 제조 판매인.

bonnette [bɔnɛt] *f.* 유아용 모자〔두건〕 ; 〖해양〗 보조돛 ; 〖사진〗 보조 렌즈.

bon-papa [bɔ̃papa] *m.* (*pl.* **~s-~s**) 《소아어》 할아버지.

⁑**bonsoir** [bɔ̃swaːʀ] *m.* 《저녁 인사》 안녕하십니까 ; 안녕히 주무십시오 ; 안녕히 계십시오〔가십시오〕 : Il est allé se coucher sans dire ~ à personne. 그는 아무에게도 잘 자라는 인사를 하지 않고 잠자리에 들었다. ***B~*** 〔***Le ~***〕 ***à*** qn ; …에게 안녕히 주무시라고 전해 주시오. ***dire ~ à*** qn ; ***souhaiter*** 〔***donner***〕 ***le ~ à*** qn …에게 저녁 인사〔저녁의 작별 인사〕를 하다. ***Tout est dit, ~!*** 《구어》 이제 할 말 다했습니다 ; 자, 그만!

*__bonté__ [bɔ̃te] *f.* ① 착함, 선량함(≠ méchanceté) ; 상냥함, 친절, 호의 ; (*pl.*) 친절한 행

위 : avoir de la ~ pour qn …에게 친절하다 / Il est d'une grande ~. 그는 아주 친절하다 / Vous avez de la ~ de reste. 당신은 너무 친절하오. ② 좋음, 양호 : ~ d'une terre 〔de l'air〕 좋은 땅〔공기〕. ③ 올바름, 정당, 타당 : ~ d'une cause 어떤 주장의 정당함. ***Ayez la ~ de***+*inf.* 제발 …좀 해주세요. ***B~ divine*** 〔***du Ciel, de Dieu***〕***!*** 저런!, 뭐야 도대체! 아이구 맙소사!

bonus [bɔnys] 〔영〕 *m.* ① 보너스(= boni), 상여금. ② (무사고 자동차 운전에 대한) 보험료 할인.

bonze [bɔ̃:z] *m.* ① 중, 승려. ② 거만한 사람; 두목, 거물(= pontife) : ~*s* d'un parti 정당의 거물. ③ 《속어》 늙정이(= vieux ~).

bonzerie [bɔ̃zʀi] *f.* 사찰, 절. 「의 여성형》.

bonzesse [bɔ̃zɛs] *f.* 여승, 비구니《bonze

book [buk], **bookmaker** [bukmɛkœ:ʀ] *m.* (경마의) 마권(馬券)업자.

boom [bum] 〔영〕 *m.* ① 가격의 폭등; 벼락경기, 붐; 대대적인 선전 : ~ des prix du pétrole 석유 가격의 폭등 / ~ de la construction 건축 붐. ② 《학생은어》 축제, 요란한 파티. ③ 엄청난 반향, 스캔들. ***en plein ~*** 급상승중, 활황(活況) 중.

boomerang [bum(e)ʀɑ̃:g] *m.* ① 부메랑《오스트레일리아 원주민의 나무 무기》. ② 본인에게 되돌아오는 욕 따위, 자업자득.

boots [buts] 〔영〕 *m. pl.* 부츠 : une paire de ~ en cuir noir 검은 가죽 부츠 한 켤레.

boqueteau [bɔkto] *m.* (*pl.* **~x**) 작은 숲(= petit bois).

borate [bɔʀat] *m.* 〖화학〗 붕산염.

borax [bɔʀaks] *m.* 〖화학〗 붕사.

borborygme [bɔʀbɔʀigm] *m.* 〖의학〗 뱃속이 편치 않을 때 나는 꾸르륵 소리 : avoir des ~*s* 뱃속에서 꾸르륵 소리가 나다.

****bord** [bɔ:ʀ] *m.* ① 가장자리; 가두리; (길·도랑·절벽 따위의) 가; (강·바다 따위의) 가, 연안; (*pl.*) 해안 (지방); 《시어》 나라(= contrée) : au 〔sur le〕 ~ de la route 길가에 / se promener au ~ de l'eau 물가를 거닐다 / sombres ~*s* 《비유》 저승 / maison sur le ~ de la mer 바다를 향한 집. ② (모자의) 챙; (옷의) 깃 : ~ d'une robe 옷깃 / chapeau à large ~ 챙이 넓은 모자. ③ 뱃전; 배; 항정(航程), 항로 : ~ du 〔sous le〕 vent 바람 받는 뱃전〔반대쪽 뱃전〕 / médecin du ~ 선의(船醫) / hommes du ~ (배의) 승무원 전원. ***à ~*** 배에(서) : monter à ~ 배에 오르다. ***à pleins ~s*** 가득히; 도도히 : couler *à pleins ~s* (강물이) 도도히 흐르다. ***avoir l'âme sur le ~ des lèvres*** 거의 죽어 가다, 빈사 상태에 있다. ***avoir cœur au ~ des lèvres*** 생각한 것을 바로 표현하다〔말하다〕 ***~ à ~*** [bɔʀabɔ:ʀ] 뱃전을 맞대고; 아주 가까이 : Les deux vaisseaux étaient ~ *à* ~. 두 배는 서로 뱃전을 맞대고 있었다. ***être à bout de ~*** 한 방향의 항정을 끝내다, 방향 전환 직전에 다다르다; 《구어》 돈에 궁색하다. ***être au*** 〔***sur le***〕 ***~ de*** +*inf.* 막 …하려고 하다. ***être au ~ de l'abîme*** 〔***du précipice, du gouffre***〕 위험〔절망〕 일보 직전에 있다. ***être du ~ de*** qn …와 의견〔입장〕이 같다.

bordage [bɔʀda:ʒ] *m.* ① (옷·돛 따위의) 선 두르기; 선(縇)(= bordé). ② (*pl.*) 〖해양〗 배의 외피판(外皮板). 「지; 농가.

borde [bɔʀd] *f.* 《옛·지방어》 (반타작) 소작

bordé [bɔʀde] *m.* ① 〖해양〗 뱃전; (배의) 외피판. ② (옷, 돛 따위의) 선(縇).

bordeaux [bɔʀdo] *m.* 보르도산(産) 포도주. ── *adj.* 《불변》 적자색의.

bordée [bɔʀde] *f.* ① 〖해양〗 현측 포열(舷側砲列); 그 일제 사격; (욕설 따위를) 퍼붓기 : lâcher une ~ d'injures 욕설을 마구 퍼붓다 / lâcher sa ~ 《구어》 속〔할 말〕을 털어놓다. ② 〖해양〗 근무, 당직(= quart) : grande 〔petite〕 ~ (밤의) 4 시간〔2 시간〕 교대의 당직. ③ (배가) 바람을 비스듬히 받으며 침로를 바꾸지 않고 달리는 거리. ***courir*** 〔***tirer***〕 ***une ~*** (배가) 침로를 바꾸지 않고 곧장 달리다; 《구어》 (선원·수병이) 유흥가를 돌아다니다.

bordel [bɔʀdɛl] *m.* 《속어》 ① 갈보집, 매음굴. ② 풍기 문란한 곳; 난잡함(= désordres); 소란(= tapage). ***B~ !; B~ de Dieu*** 〔***de merde***〕 ***!*** 빌어먹을!

bordelais, e [bɔʀdəlɛ, -ɛ:z] *adj.* 보르도(*Bordeaux*, 프랑스의 도시)의. ── **B~** *n.* 보르도 사람. ── *f.* ① (225-230 리터들이의) 큰 술통. ② (3/4 리터들이의) 보르도 포도주병.

border** [bɔʀde] *v.t.* ① (돛·옷 따위에) 선을 두르다. ② (배에) 외피판을 둘러치다. ③ 《~ qc de》 …으로 …의 가장자리를 두르다, 둘러싸다 : ~ de buis une plate-bande 화단 둘레에 회양목을 심다. ④ …의 가장자리를 이루다, 가에 늘어서 있다 : les arbres qui *bordent* le chemin 길가에 늘어선 나무들. ⑤ …에 인접하다, 경계를 이루다 : Un fossé *borde* le jardin. 도랑이 정원의 경계를 이루고 있다. ⑥ (배가) …의 옆을〔가를〕 따라가다 : ~ les côtes 해안을 따라 항해하다. ***~ un lit 이불의 가장자리를 매트리스 밑으로 접어 넣다.

bordereau [bɔʀd(ə)ʀo] *m.* (*pl.* **~s**) 계약서, 명세서 : ~ d'achat 〔de vente〕 구입〔판매〕 계약서 / ~ de crédit 〔débit〕 대출〔차용〕표.

bordure** [bɔʀdy:ʀ] *f.* ① 가장자리에 두른〔댄〕 것, 테, (옷의) 선, (화단·잔디밭 따위의) 가장자리; (숲의) 기슭 : ~ d'un chapeau 모자테 / ~ d'arbres 늘어선 나무들. ② 가장자리 장식. ***en ~ de… …에 바로 인접한 : des villas *en* ~ *de* la mer 바닷가의 별장들.

bore [bɔ:ʀ] *m.* 〖화학〗 붕소.

boréal, e, aux [bɔʀeal, -o] *adj.* 북방의; 북극의(≠ austral) : hémisphère ~ 북반구 / le pôle ~ 북극 / aurore ~*e* 북극광.

borgne [bɔʀɲ] *adj.* ① 애꾸눈의, 불완전한; (길이) 막다른 : fenêtre ~ 밖이 보이지 않는 채광창 / mur ~ 문이나 창이 나지 않은 벽 / rue ~ 막다른 골목; 사창가. ② 수상한(= malfamé), 희미한, 의심스러운 : hôtel ~ 수상쩍은 여관. ── *n.* 애꾸눈이. ***Au*** 〔***Dans le***〕 ***royaume des aveugles, les ~s sont rois.*** 《속담》 장님 왕국에서는 애꾸눈이 왕. ── *m.* = orvet.

borique [bɔʀik] *adj.* 붕소를 함유하고 있는 :

B

acide ~ 〖화학〗 붕산.

bornage [bɔʀnaːʒ] *m.* ① 경계표 세우기, 경계 획정; 경계. ② 〖해양〗 연안 항해.

borne** [bɔʀn] *f.* ① 경계표, 경계석 : ~ témoin 경계선 표시물. ② (도로의) 이정표 : ~ routière 이정표. ③ 〖전기〗 (배터리 따위의) 전극(電極). ④ (*pl.*) 경계, 국경; 한계, 한도(= limites), 끝 : ~*s* d'un État 국경 / joie sans ~ 무한한 기쁨 / ~*s* du possible 가능성의 한계. ***dépasser 〔***transgresser***〕 ***les ~s*** (***de*** qc) ***; n'avoir pas de ~s*** (…의) 한계를 뛰어넘다; 지나치다.

***borné, e** [bɔʀne] *adj.* ① 한정된, 국한된 : instruction ~*e* 한정된〔불충분한〕 교육 / horizon ~ 탁 트이지 않은 지평선 / La vue est ~*e.* 시야가 한정되었다. ② 편협한(= étroit); 시야가 좁은; 지능이 열등한 : homme ~ 편협〔열등〕한 사람 / esprit ~ 속이 막힌 사람.

borne-fontaine [bɔʀnəfɔ̃tɛn] *f.* (*pl.* **~s-~s**) ① (경계표 모양의) 시가지의 수도전(水道栓). ② 가솔린 펌프.

***borner** [bɔʀne] *v.t.* ① 경계표를 세우다, (담 따위로) 경계를 둘러치다 : ~ une route 이정표를 세우다 / ~ une propriété 소유지에 경계 표시를 하다. ② 한정하다; 제한하다(= limiter, restreindre); 억제하다(= modérer) : ~ ses désirs 욕망을 억제하다. ③ 막다, 가로막다(= arrêter) : montagnes *bornant* la vue 시야를 가로막는 산들. — **se ~** *v.pr.* ① 자제하다; 《se ~ à + *inf.*》 …하는 것으로 만족하다 : Je me *bourne à* suivre mon instinct. 나는 그저 내 직감을 따를 뿐이다. ② 《se ~ à 〔dans〕》 …에 제한〔국한〕되다 / Son rôle *se borne à* présider les débats. 그의 역할은 토론의 사회를 보는 것 뿐이다.

bosco [bɔsko] *m.* 〖해양〗 갑판장(= maître de manœuvre).

bosquet [bɔskɛ] *m.* 작은 숲, 총림.

boss [bɔs] 〔영〕 *m.* (*pl.* **~es**) ① 주인, 고용주, 경영주(= patron). ② 우두머리, 상관.

bossage [bɔsaːʒ] *m.* 〖건축〗 (벽의 장식으로) 돌 표면에 돋아나오게 한 돌기.

bosse [bɔs] *f.* ① 혹; (낙타의) 육봉(肉峰); 곱사등; (사람의) 알통, (뼈의) 융기; 돌기; (지면의) 기복 : terrain plein de ~*s* 울퉁불퉁한 지면 / ~*s* d'un chameau 낙타 등의 혹. ② 〖미술〗 돋을새김; 모형상(模型像). ③ 《구어》 재능(= don), 능력 : avoir la ~ du commerce 〔de la musique〕 장사〔음악〕에 타고난 재능이 있다. ④ 〖해양〗 지삭(止索), 밧줄. ***ne chercher*** 〔***rêver***〕 ***que plaies et ~s*** 싸움을 좋아하다, 성질이 난폭하다.

bosselage [bɔslaːʒ] *m.* (금은 세공의) 돋을새김, 부조(浮彫), 양각(陽刻).

bosseler [bɔsle] [5] *v.t.* ① (금은 세공을) 돋을새김하다. ② 도드라지게〔오목하게〕 하다; 울툭불툭하게 만들다. — **se ~** *v.pr.* 도드라지다; 울툭불툭하게 되다.

bosselure [bɔslyːʀ] *f.* 우툴두툴〔울툭불툭〕함; 돋을새김(한 장식).

bosser [bɔse] *v.t.* 〖해양〗 밧줄로 잡아매다. ② 《속어》 혹사하다; (일에) 열중하다. — *v.i.* 《속어》 열심히 일하다(= travailler dur) : Où est-ce que tu *bosses* maintenant? 요새는 어디서 일하니? 「눈가리개.

bossette [bɔsɛt] *f.* (재갈의) 장식; (말의)

bosseur, euse [bɔsœːʀ, -øːz] *n.* 《속어》 열심히 일하는 사람, 일꾼(= travailleur).

bossoir [bɔswaːʀ] *m.* 〖해양〗 (닻을 올리고 내리는) 양묘기(揚錨機); 뱃머리, 보트걸이.

bossu, e [bɔsy] *adj.* ① 곱사등이의, 꼽추의 : ~ par-derrière 곱사등이. ② (동물이 등에) 혹이 있는. ③ (땅 따위가) 울퉁불퉁한, 기복이 심한. — *n.* 곱사등이, 꼽추 : rire 〔rigoler, se marrer〕 comme un ~ 《구어》 박장대소하다, 배가 아프도록 웃다.

bossuer [bɔsɥe] *v.t.* 도드라지게〔오목하게〕 하다; 울퉁불퉁하게 만들다. — **se ~** *v.pr.* 도드라지다, 오목하게 되다; 울퉁불퉁하게 되다.

boston [bɔstɔ̃] *m.* ① 카드놀이의 일종. ② 왈츠풍의 댄스 스텝.

bot, e [bo, -ɔt] *adj.* (손 · 발 · 다리 따위가) 굽은, 기형의. ***main ~e*** 굽은 손, 병신 손. ***pied ~*** 앙가발이, 안짱다리(의 사람).

botanique [bɔtanik] *f.* 식물학. — *adj.* 식물학의 : jardin ~ 식물.

botaniser [bɔtanize] *v.i.* 식물을 채집하다.

botaniste [bɔtanist] *n.* 식물학자.

botte¹** [bɔt] *f.* ① 장화 : une paire de ~*s* 장화 한 켤레 / ~ basse 방한화. ② 〖스포츠〗 (축구에서) 슛, 킥(= coup de ~). ③ (사냥개의) 목걸이, 개줄. ④ 〖군사〗 (총 · 창 · 군기 따위의) 받이, 꽂이. ⑤ 《비유》 군화 : bruit de ~*s* 군화의 저벅저벅하는 소리, 전쟁의 낌새. ***en avoir plein les ~s 《구어》 너무 많이 걸어 지치다. ***être à la ~ de*** qn …에게 헌신하다, …의 명령에 복종하다. ***être ~ à ~*** (경쟁시험 따위에서) 백중세를 이루다. ***lécher*** 〔***crier***〕 ***les ~s de*** qn 《구어》 …에게 아첨하다.

***botte²** *f.* ① (밀짚 · 꽃 · 야채의) 다발, 단. ② 《구어》 많음 : une ~ de... 《구어》 많은….

botte³ *f.* ① 〖펜싱〗 (검 따위의) 일격, 찌르기 : ~ imparable 피할 수 없는 일격. ② (말 또는 글로 하는) 불의의 공격; 불의의 질문. ***porter*** 〔***pousser, allonger***〕 ***une ~ à*** qn …을 찌르다; …에게 불시에 질문하다.

botteler [bɔtle] [5] *v.t.* (다발로) 묶다, 다발 짓다.

botteleur, euse [bɔtlœːʀ, -øːz] *n.* 다발로 묶는 사람. — *f.* 다발짓는 기계(= botteloir).

botter [bɔte] *v.t.* ① …에게 장화를 공급하다〔팔다〕; …에게 장화를 신기다. ② (구두가) …의 발에 맞다; 《구어》 …에게 어울리다; …의 마음에 들다(= plair à). ③ (공 · 엉덩이 따위를) 차다, 걷어차다 : ~ le ballon vers le but 〖축구〗 슛하다. — **se ~** *v.pr.* ① 장화를 신다. ② 떠날 채비를 하다.

bottier [bɔtje] *m.* ① 장화 제조공〔판매인〕. ② (주문을 받아 만드는) 구둣방.

bottillon [bɔtijɔ̃] *m.* ① 작은 묶음〔다발〕. ② (발목까지 올라오는) 신발, 털신.

bottin [bɔtɛ̃] 〖< *Sébastien Bottin* (1763-1853), 최초의 상공 연감 편찬자〗 *m.* 연감(年鑑); 전화번호부(= annuaire des téléphones) : consulter le ~ 전화번호부를 찾아보다.

bottine [bɔtin] *f.* 편상화(編上靴); 반장화; 긴

고무 장화 : ~*s* de caoutchouc 고무 장화 / ~*s* d'escalade 등산화.

botulisme [bɔtylism] *m.* 〚의학〛 보툴리누스균 중독, 소시지 중독.

bouc [buk] *m.* ① 염소의 수컷《chèvre 의 남성형》. ② 염소 수염 같은 턱수염(= barbiche). ③ 더러운 사람 ; 불쾌한 녀석. ~ ***émissaire*** (옛 유대의) 속죄(贖罪)의 염소 ; 남의 죄를 대신 지는 사람 ; 희생, 제물.

boucan¹ [bukɑ̃] *m.* 《속어》 소동, 소란(= vacarme). ***faire du ~ ; faire un ~ de tous les diables*** 야단법석을 떨다, 소란을 피우다.

boucan² *m.* (카리브 사람의) 훈제 고기, 훈육(= viande fumée) ; 훈제소(所).

boucaner [bukane] *v.t.* ① 훈제하다. ② (햇볕에 살갗을) 그을리다, 선탠하다.

boucanier [bukanje] *m.* (카리브 숲의) 부랑자 ; (아메리카에 출몰하던) 해적.

bouchage [buʃaːʒ] *m.* ① 마개로 막기 ; 밀폐(하기). ② (용광로의) 점토로 된 마개.

‡bouche [buʃ] *f.* ① 입, 입술 ; (짐승의) 입, 아가리 : belle ~ 고운 입매 / parler la ~ pleine 입에 음식을 가득 문 채 말하다 / embrasser sur la ~ 입술에 키스하다 / sentir mauvais de la ~ 입에서 악취가 나다. ② 식구, 식솔(食率) : dépense de ~ 식비(食費) / ~ inutile 군식구, 기식자 / fine ~ 미식가 ; 입맛〔취향〕이 까다로운 사람 / Il a chez lui, cinq ~*s* à nourrir. 그에게는 다섯 명의 식구가 있다. ③ (말하는) 입, 말문 : ouvrir la ~ 발언하다 / dire tout ce qui vient à la ~ 멋대로 지껄이다 / paroles 〔nouvelles〕 qui passent de ~ en ~ 입에서 입으로 전해지는 말〔소식〕 / avoir l'injure à la ~ 욕을 하다 / *B*~ cousue ! 입 다무시오 ! ④ (가마 · 화덕의) 아궁이 ; 입구 ; (수도의) 꼭지 ; (화산의) 분화구; 포구(砲口) ; (*pl.*) 하구(河口), (만의) 입구, 해협 : ~ de métro 지하철의 출입구 / ~ d'accès (하수도의) 맨홀 / ~ d'incendie 소화전. ***à pleine ~*** 입 가득히 : manger *à pleine* ~ 게걸스레 먹다. ***avoir 〔faire〕 bonne 〔mauvaise〕 ~*** 뒷맛이 좋다〔나쁘다〕. ***avoir la ~ pleine de*** qc ; ***en avoir plein la ~*** …에 대해 계속 지껄이다. ***avoir 〔faire venir〕 l'eau à la ~*** 군침이 돌다 ; 탐이 나다. ***avoir le cœur sur la ~*** 솔직히 말하다. ***bonne ~*** 좋은 뒷맛 : laisser *qn* sur la *bonne* ~ 《구어》 …에게 맨 마지막에 맛있는 것을 내놓다. ***~ à ~*** 마주 대하고, 직접 맞대고. ***de ~ à oreille*** 남 모르게 귓속말로. ***enlever le pain de la ~ de*** qn ; ***ôter à*** qn ***les morceaux de la ~*** …의 음식〔생계수단〕을 빼앗다. ***être dans la ~ de tout le monde ; être dans toutes les ~s*** 모든 사람들의 이야깃거리가 되다. ***faire la petite ~*** 음식을 조금밖에 먹지 않다 ; 까다롭게 굴다. ***mauvaise ~*** ⓐ 나쁜 뒷맛. ⓑ 입이 험한 사람. ***prendre sur sa ~*** 식비를 아끼다.

bouché, e¹ [buʃe] *adj.* ① 막힌 ; 가로막힌 ; 마개로 막은 : avoir le nez ~ 코가 막히다 / cidre 〔vin〕 ~ 병에 넣은 능금주. ② 구름이 낀, 시계가 불투명한. ③ 머리가 막힌, 우둔한 (= imbécile). ***avoir l'esprit ~ ; être ~ (à l'émeri)*** 미련하다, 우둔하다. ***temps ~*** 흐린 날씨.

bouche-à-bouche [buʃabuʃ] *m.* 《복수불변》 (입을 맞대고 하는) 인공호흡(법) : pratiquer le ~ 인공호흡법을 쓰다.

bouche-à-oreille [buʃaɔʀɛj] *m.* (소식 · 정보의) 입에서 입으로의 전달.

bouchée²** [buʃe] *f.* ① 한 입(의 분량) : manger une ~ 한 입 먹다. ② (고기 · 생선이 든) 작은 파이(= ~ à la reine) ; 초콜릿 과자의 일종(= ~ de chocolat). ***acheter qc ***pour une ~ de pain*** …을 헐값에 사다. ***mettre les ~s doubles*** 급히 먹다〔일하다〕. ***ne faire qu'une ~ de…*** (음식을) 단숨에 먹어치우다 ; (일을) 간단히 해치우다 ; (적을) 쉽게 이기다.

‡boucher¹ [buʃe] *v.t.* ① 틀어막다, 막다(= fermer) ; (관(管) 따위를) 막히게 하다 : ~ un trou 구멍을 막다 / ~ une bouteille 병에 마개를 하다 / ~ une voie d'eau 물구멍을 막다. ② (통로 · 시야 따위를) (가로)막다 (= barrer) : Ne *bouchez* pas le passage. 길을 막지 마시오 / pluie qui *bouche* la vue 시야를 가로막는 비. ── **se ~** *v.pr.* ① 막히다(= se fermer) : L'évier *s'est bouché* 수채 구멍이 막혔다. ② 자기의 …을 막다 : 《se ~ + 신체부위 명사》 *se* ~ le nez 〔les oreilles〕 코〔귀〕를 막다.

***boucher²** *m.* 푸주한, 정육점 주인 ; (소 · 양 · 말의) 도살업자, 백정.

bouchère [buʃɛːʀ] *f.* 푸주한의 아내 ; 정육점 안주인.

***boucherie** [buʃʀi] *f.* ① 도살장. ② 푸줏간 ; 정육점. ③ 살육, 학살.

bouche-trou [buʃtʀu] *m.* 임시변통의 것〔사람〕, 빈자리만 메우는 것〔사람〕.

bouchon** [buʃɔ̃] *m.* ① (병 따위의) 마개 ; 〚놀이〛 병마개 쓰러뜨리기(= jeu de ~) : ~ de liège 코르크 마개 / vin qui sent le ~ 코르크 마개의 냄새가 나는 포도주 / ôter 〔remettre〕 le ~ 마개를 뽑다〔다시 끼우다〕. ② 낚시찌, 부표. ③ 나뭇가지 《옛날 선술집의 간판》 ; 선술집. ④ (짚 따위의) 뭉치 ; 수세미. ⑤ (일시적으로) 가로막는 것 ; 교통체증 : ~ de brume (통행을 방해하는) 짙은 안개 / ~ de cérumen 귀지 / On signale un ~ sur l'autoroute. 고속도로에 교통체증이 생겼음을 알리고 있다. ***aimer à faire sauter le ~ 술을 좋아하다. ***~ de circulation*** 교통의 일시적 혼잡, 교통체증 ***C'est plus fort que de jouer au ~.*** 《속어》 놀라운 일이다. ***envoyer 〔pousser〕 le ~ un peu loin*** 과장하다.

bouchonnage [buʃɔnaːʒ], **bouchonnement** [buʃɔnmɑ̃] *m.* 짚수세미로 말을 손질하기〔문질러 주기〕.

bouchonner [buʃɔne] *v.t.* ① 문지르다 ; (말을) 짚수세미로 문질러 주다. ② 《구어》 애무하다, 애지중지하다. ③ 뭉치다 ; (빨래를) 쥐어짜다 ; (옷을) 구기다. ── *v.i.* 《구어》 교통체증을 빚다, 교통체증에 걸리다 : Ça *bouchonne* sur l'autoroute. 고속도로가 차들로 꽉 막혔다.

bouchot [buʃo] *m.* ① (바닷가의) 어살. ② 홍합〔굴〕 양식장.

bouchure [buʃyːʀ] *f.* 《지방어》 산울타리.

bouclage [bukla:ʒ] *m.* ① 《군대속어》 감금, 투옥. ② 포위〔봉쇄〕 (작전)(= encerclement).

boucle [bukl] *f.* ① 버클, 고리쇠, 죔쇠: ~ deceinture (허리띠의) 버클. ② 고리 ; 귀고리(= ~ d'oreille) ; (짐승의) 코뚜레. ③ (머리칼의) 컬, 곱슬머리. ④ (강·길 따위의) 굽이, 만곡(= courbe). ⑤ 〖스포츠〗 일주, 한 바퀴 : la Grande *B*~ 프랑스 일주 자전거 경주. ⑥ 〖건축〗 (둥근 쇠시리를 장식하는) 작은 고리 ; (대문에 다는) 노커. ***boucler la*** **~** (비행기로) 공중제비하다 ; 완전히 일주하다 ; 《비유》 원점으로 돌아오다.

boucler [bukle] *v.t.* ① 버클을 채우다 ; 죔쇠로 졸라매다 : ~ sa ceinture 〔son ceinturon〕 혁대를 매다. ② 고리를 걸어 닫다 ; 《구어》 닫다(= fermer) : ~ le magasin 가게를 닫다. ③ (머리칼을) 컬하다, 곱슬곱슬하게 하다. ④ (소 따위에) 코뚜레를 끼우다. ⑤ 《속어》 감금〔투옥〕하다 (= emprisonner) ; 가두다(= enfermer). ⑥ 〖스포츠〗 (한 바퀴) 완전히 돌다. ⑦ 〖군사〗 완전 포위하다, 봉쇄하다(= encercler). **~ *la ceinture ; la*** **~** 《속어》 굶고 지내다. **~ *sa valise*** 〔***sa malle, son bagage***〕 트렁크를 〔짐을〕 닫다〔챙기다〕 ; 떠날〔죽을〕 준비를 하다. **~ *ses comptes*** 〖부기〗 장부를 마감하다. **~ *son budget*** 수지 균형을 맞추다. ── *v.i.* 곱슬곱슬해지다 : Ses cheveux *bouclent* naturellement. 그녀의 머리는 원래 곱슬이다. ── **se ~** *v. pr.* ① 버클이 채워지다, 버클로 졸라매이다. ② (머리털이) 곱슬곱슬해지다. ③ 들어박히다 : *se* ~ dans sa chambre 방안에 들어박히다.

bouclette [buklɛt] *f.* 작은 버클〔죔쇠〕 ; 작은 고리 ; 머리의 조그마한 컬.

bouclier [buklije] *m.* ① 방패 ; 보호〔방어〕물, 방어자 ; 보호, 방어. ② 〖군사〗 포순(砲楯) ; (터널을 팔 때 낙반을 막는) 구순(構楯). ③ (자동차의) 정면 창. ④ (원자로의) 방호판. ⑤ 〖동물〗 (거북의) 등딱지(= carapace) ; 〖곤충〗 딱지. ***faire un*** **~** ***de son corps à*** qn …을 자기 몸으로 보호하다〔가로막다〕. ***levée de*** **~*s*** 폭동 ; 데모 ; 항의 ; 〖고대로마〗 (병사의) 반란.

Bouddha [buda] *n.pr.m.* 부처, 불타.

bouddhique [budik] *adj.* 불교의.

bouddhisme [budism] *m.* 불교.

bouddhiste [budist] *adj.* 불교 신자의. ── *n.* 불교 신자 : prêtre ~ 스님.

bouder** [bude] *v.i.* 실쭉한 낯을〔태도를〕 보이다, 뾰루퉁하다, 토라지다(= faire la tête). **~ *à la besogne 일하기 싫어하다. ***ne pas*** **~** 활동적이다, 왕성하다 : *ne pas* ~ à la besogne 〔à l'ouvrage〕 열심히 일하다 / *ne pas* ~ à table 식욕이 왕성하다. ── *v.t.* ① 《~ qn 〔qc〕》 …에게〔…에 대해〕 불만을 표시하다 : Cette femme *boude* son mari. 이 여자는 남편에게 토라졌다. ② 혐오하다 ; 신용하지 않다, 기피하다 : ~ un lieu trop fréquenté 사람들이 너무 붐비는 곳을 피하다〔싫어하다〕.

bouderie [budʀi] *f.* 뾰루퉁함, 토라짐 ; 경원 ; 외면 : C'est une ~ qui se passera. 토라졌지만 곧 풀릴 것이다.

boudeur, euse [budœ:ʀ, -ø:z] *adj.* 불만스런, 뾰루퉁한, 토라지기 쉬운(= grognon). ── *n.* 뾰루퉁한 사람, 불평가. ── *f.* 등을 맞대고 앉는 긴 의자.

boudin [budɛ̃] *m.* ① (돼지의 선지·기름 따위로 만든) 순대(= ~ noir) ; 푸딩. ② 《구어》 (*pl.*) 뭉툭한 손가락 ; 나선형의 곱슬머리. ③ 《속어》 뚱보 여자(= femme grasse). ④ 《속어》 창자(= intestins). **~ *d'air*** (타이어의) 안쪽 튜브. ***faire du*** **~** 《구어》 토라지다, 뾰루퉁해지다. ***s'en aller*** 〔***finir, tourner***〕 ***en eau de*** **~** 수포로 돌아가다. ***se remplir le*** **~** 《속어》 음식을 먹다.

boudiné, e [budine] *adj.* 《구어》 ① 몸에 꼭 끼는 옷을 입은. ② (손가락이) 뭉툭한.

boudiner [budine] *v.t.* ① (실을) 조방(粗紡)하다, 초벌 꼬다. ② 《구어》 꼭 죄다.

boudoir [budwa:ʀ] *m.* ① (부인용) 안방, 규방(= petit salon). ② 장방형 비스킷.

boue** [bu] *f.* ① 진흙, 진창 : patauger dans la ~ 진창 속을 걸어가다. ② 비참한 처지 ; 비천 ; 치욕, 오욕(= infamie) : se vautrer 〔tomber〕 dans la ~ 비참한 생활을 하다. ③ 침전물, 찌꺼기, 앙금(= dépot) : ~*s* industrielle 산업 폐기물. ***âme de **~** 비열한 정신〔마음〕. ***couvrir*** qn ***de*** **~** …을 몹시 모욕하다. ***tirer*** qn ***de la*** **~** …을 비천한 처지에서 건져내다. ***traîner*** qn ***dans la*** **~** …을 모욕〔중상〕하다.

bouée [bwe] *f.* ① 〖해양〗 부표(浮標) : ~ lumineuse 등(燈) 부표. ② 구명튜브, 구명대(= ~ de sauvetage). ***être au vent de sa*** **~** 《옛》 일이 순조롭게 되어 가고 있다.

boueux, euse [bwø, -ø:z] ── *adj.* ① 진흙투성이의. ② 진창 같은 ; 걸쭉한. ③ 더러운 ; (인쇄 따위가) 지저분한. ── *m.* 《구어》 쓰레기〔도로〕 청소부(= boueur).

bouffant, e [bufɑ̃, -ɑ̃:t] *adj.* (옷이) 헐렁헐렁한 ; 부푼, 불룩한(= gonflé) : manche ~*e* 퍼프 소매. ── *m.* 부풀린 부분, 퍼프.

bouffarde [bufaʀd] *f.* 《속어》 파이프.

bouffe[1] [buf] *adj.* 우스꽝〔익살〕스러운 (≠ sérieux) : opéra ~ 희가극. ── *m.* 희가극의 가수(= chanteur ~).

bouffe[2] *f.* 《속어》 먹기 ; 음식물, 요리(= cuisine) : faire la ~ 요리하다.

bouffée [bufe] *f.* ① 내뿜는 입김 ; (담배 연기 따위를) 한 번 내뿜기 : entre deux ~*s* de tabac 담배를 피우면서. ② ⓐ ~ de vent 〔d'air〕 한바탕 지나가는 바람. ⓑ ~ de parfum 확 풍겨오는 향기. ③ (감정의) 번득임, 치밀어오름 ; 격발, 발작(= accès) : ~ de fièvre 급작스러운 발열. ***par*** **~(*s*)** 때때로, 이따금씩.

bouffer [bufe] *v.i.* ① 부풀다, 불룩해지다(= se gonfler). ② 《속어》 게걸스럽게 먹다 : ~ au resto 식당에서 먹다. ── *v.t.* ① 부풀게 하다. ② 《속어》 게걸스럽게 먹다 ; 소모하다 (= consommer) : voiture qui *bouffe* de l'huile 기름을 많이 소모하는 차. ── **se ~** *v.pr.* 서로 치고받다, 싸우다.

bouffetance [buftɑ̃:s] *f.* = bouffe[2].

bouffeur, euse [bufœ:ʀ, -ø:z] *n.* 《구어》 게걸스럽게 먹는 사람(= mangeur).

bouffi, e [bufi] *adj.* ① 부푼, 부은 : ~ d'orgueil 교만하기 짝 없는. ② (문체가) 과장된.

bouffir [bufi:ʀ] *v.t.* ① 부풀게〔붓게〕 하다(=

enfler) : visage *bouffi* 부은 얼굴 / *bouffi* de colère 화가 머리끝까지 난. ② (청어를) 훈제하다. — *v.i.* 부풀다, 붓다, 부어오르다 : Ses yeux *ont bouffi* à force de pleurer. 너무 울어서 그의 눈이 퉁퉁 부었다. — **se ~** *v.pr.* 부풀다, 붓다.

bouffissure [bufisy:ʀ] *f.* ① 부푼〔부풀어 오른〕 상태(= enflure) ; 〖의학〗 종창(腫脹). ② 교만, 자만. ③ (문체의) 과장.

bouffon, onne [bufɔ̃, -ɔn] *adj.* 우스꽝〔익살〕스러운(= burlesque, comique). — *m.* ① ⓐ 익살광대 ; (왕 따위를 섬긴) 어릿광대(= fou). ⓑ 익살꾼(= farceur) : faire le ~ 익살 떨다. ② 남의 웃음거리가 되는 사람 : être le ~ de qn …의 조롱거리가 되다. ③ 우스꽝〔익살〕스러운 것〔양식〕.

bouffonner [bufɔne] *v.i.* 익살부리다.

bouffonnerie [bufɔnʀi] *f.* 익살.

bougainvillée [bugɛ̃vile] *f.*, **bougainvillier** [bugɛ̃vilje] *m.* 〖식물〗 부겐빌리아《분꽃과(科)의 열대 식물》.

bouge [bu:ʒ] *m.* 누추한 집(= taudis) ; 갈보집 ; (저속한) 술집 ; 빈민굴.

bougeoir [buʒwa:ʀ] *m.* 휴대용 촛대.

bougeotte [buʒɔt] *f.* 《구어》 여행벽, 역마살. ***avoir la ~*** (좀이 쑤셔) 한자리에 가만히 있지 못하다.

***bouger** [buʒe] 3 *v.i.* ① 움직이다(= remuer) ; 이동하다(= se déplacer), 자리를 옮기다 : Ça *bouge*. 배가 흔들린다 / dent qui *bouge* 흔들리는 이 / Je ne *bouge* pas de chez moi aujourd'hui. 나는 오늘 집에 꼼짝하지 않고 있겠다. ② 변동하다, 달라지다(= changer) : Les prix n'*ont* pas *bougé*. 물가에 변동은 없었다. ③ 봉기하다, 들고 일어나다(= se soulever) : Le peuple commence à ~. 국민들이 들고 일어나기 시작한다.
— *v.t.* 《구어》 움직이다 ; 옮기다, 이동하다(= déplacer) : Ne *bouge* pas les bagages. 소지품을 옮기지 마라. ***sans ~ le petit doigt*** 꼼짝도 않고. — **se ~** *v.pr.* 《속어》 (몸을) 움직이다 ; 노력하다. ***Bouge-toi de là !*** 비켜! ; 가!, 꺼져!

bougie** [buʒi] *f.* ① 초, 양초(= chandelle). ② (내연기관의) 점화 플러그(= ~ d'allumage). ③ 촉광(燭光), 촉. ④ 〖외과〗 부지, 소식자(消息子)(= sonde). ***à la ~ 〔***aux ~s***〕 촛불빛으로.

bougnoul [buɲul] *m.* 《경멸》 깜둥이, 흑인, 토인.

bougon, onne [bugɔ̃, -ɔn] *adj.* et *n.* 투덜대는 (사람), 불평하는 (사람).

bougonnement [bugɔnmɑ̃] *m.* 투덜대기, 불평하기.

bougonner [bugɔne] *v.i.* 《속어》 투덜대다, 불평하다(= grogner). — *v.t.* 잔소리하다.

bougran [bugʀɑ̃] *m.* 경(硬)아마포.

bougre, esse [bugʀ, -ɛs] *n.* 《구어》 녀석, 놈, 년(= individu) : mauvais ~ 형편없는 자식. ***bonne ~esse*** 좋은 여자. ***B~ d'imbécile*** 〔***d'idiot***〕***!*** 이 바보 같은 놈아!
— *m.* 《나쁜 의미 없이》 녀석. C'est un bon ~. 괜찮은 녀석이야.
— *interj.* 빌어먹을, 제기랄.

bougrement [bugʀəmɑ̃] *adv.* 굉장히, 정말, 엄청나게(= beaucoup, très).

boui-boui [bwibwi] *m.* (*pl.* **~s-~s**) 《속어》 ① 싸구려 극장〔술집〕. ② 저속한 연극.

bouillabaisse [bujabɛs] *f.* 〖요리〗 부이야베스《남프랑스식의 생선 수프》.

bouillant, e** [bujɑ̃, -ɑ̃:t] *adj.* ① 끓고 있는, 끓어오르는 ; 뜨거운 : eau ~*e* 끓는 물. ② (사람·성격이) 혈기가 넘치는, 열정적인(= ardent) ; 흥분하고 있는 ; 격렬한(= violent) : caractère ~ 격렬한 성격. ***~ de colère 잔뜩 화가 난.

bouille [buj] *f.* ① (포도를 지고 나르는) 바구니. ② 《속어》 얼굴, 낯짝(= figure) ; 녀석.

bouilleur [bujœ:ʀ] *m.* 브랜디 증류 직공.

bouilli, e[1] [buji] *adj.* 끓인 ; 삶은 : eau ~*e* 끓인 물. — *m.* 삶은 (쇠)고기.

bouillie[2] [buji] *f.* ① 밀가루를 우유에 넣고 끓인 죽 ; 끈적한 액체 : ~ d'avoine 오트밀죽 / ~s pour bébé 유아용 죽. ② 〖제지〗 펄프. ***de la ~ pour les chats*** 무익한 일. ***en ~*** 엉망이 된, 짓이겨진. ***être comme de la ~*** 우유부단하다. ***être réduit en ~*** 곤죽이 되다.

bouillir** [buji:ʀ] 19 *v.i.* ① 끓다, 비등하다 : L'eau *bout* à 100 degrés 〔100°〕. 물은 100도에서 끓는다. ② 삶아지다 : faire ~ du linge 속옷을 삶다. ③ (노기 따위로) 흥분하다, 펄펄 뛰다 : ~ de colère 〔d'impatience〕 화가 나서〔초조해서〕 어쩔 줄 모르다. ④ (피·감정 따위가) 끓어오르다 : La tête me *bout*. 머리가 터질 것 같다. ***avoir le sang qui bout dans les veines 혈기가 넘치다, 성미가 팔팔하다. — *v.t.* 《구어》 끓이다, 삶다(= faire ~).

bouilloire [bujwa:ʀ] *f.* (물 끓이는) 주전자〔탕관〕 ; (귀금속 연마용 백금의) 작은 용기.

bouillon [bujɔ̃] *m.* ① (끓는 액체의) 거품(= bulle) ; (분출·낙하하는 액체의) 부글거림 ; (감정의) 격발, 복받침(= accès, effervescence) : ~ de la colère 〔passion〕 노기〔정열〕의 폭발. ② (고기·야채를 삶아서 만드는) 수프 : ~ gras 〔de viande〕 쇠고기 수프. ③ (*pl.*) 팔리지 않은 책〔신문·잡지〕, 반품. ④ (유리·금속의) 기포(氣泡). ***à gros ~s*** 철철, 콸콸, 부글부글. ***~ boire*** 〔***avaler, prendre***〕 ***un ~*** 《구어》 (헤엄치다) 물을 먹다 ; 큰 손해를 보다. ***d'onze heures*** 《구어》 독을 탄 음료. ***~ pointu*** 관장제(灌腸劑).

bouillonnage [bujɔna:ʒ] *m.* (신문·책 따위가 안 팔리고) 재고품으로 남기.

bouillonnant, e [bujɔnɑ̃, -ɑ̃:t] *adj.* 거품이 이는 ; 부글부글 끓는 ; 격렬한.

bouillonnement [bujɔnmɑ̃] *m.* ① 거품 일기, 부글부글 끓기. ② (감정의) 격앙, 폭발.

bouillonner [bujɔne] *v.i.* ① (액체가) 거품이 일다, 부글부글 끓다. ② (혈기 따위가) 끓어오르다 ; (감정이) 격해지다 : ~ de colère 화가 나서 어쩔 줄 모르다. ③ 《구어》 (신문·잡지 따위가) 반품이 많다, 잘 팔리지 않다 : journal qui *bouillonne* 재고가 쌓이는 신문.

bouillotte [bujɔt] *f.* ① 탕파(湯婆), 각파(脚婆). ② 작은 주전자. ③ 《속어》 머리, 얼굴(= tête). ④ 《옛》 카드놀이의 일종.

bouillotter [bujɔte] *v.i.* 서서히 〔보글보글〕 끓다.

boul. 《약자》 boulevard 불바르, 큰 거리.

boulaie [bulɛ] *f.* 자작나무 숲.
boulange [bulɑ̃:ʒ] *f.* 빵굽기, 빵제조, 빵장사 : être dans la ~ 빵장사를 하다.
‡boulanger¹, ère [bulɑ̃ʒe, -ɛ:ʀ] *n.* 빵 장수. — *f.* ① 여자 빵장수; 빵장수의 아내. ② 빵 배달차 ; (농부의) 시장용 짐수레.
B
boulanger² [bulɑ̃ʒe] *v.t.* 3 ① (밀가루로) 빵을 만들다〔굽다〕. ② (빵을) 굽다.
***boulangerie** [bulɑ̃ʒʀi] *f.* ① 빵제조(업), 빵장사 ; 빵가게. ② (빵집의) 빵 굽는 화덕.
boulangisme [bulɑ̃ʒism] *m.* 〖프랑스사〗 프랑스의 불랑제(*Boulanger*; 1839-1891) 장군 지지 (운동).
boule** [bul] *f.* ① 공, 구(球) ; 《구어》 지구(= globe terrestre) : rond comme une ~ 공처럼 둥근. ② 공 모양의 것 : ~ d'une canne 단장의 손잡이 / ~ de neige 눈덩이, 눈뭉치 / petite ~ de viande 고기 완자 / ~ de feu 번갯불. ③ (투표용의) 작은 공 ; 투표 용지(= ~ de scrutin) : déposer sa ~ dans l'urne 항아리〔투표함〕에 공을〔표를〕 던지다, 투표하다. ④ (*pl.*)(놀이 · 장난감에 사용되는) 공 ; 공굴리기, 공놀이 : ~ de bowling 볼링공 / jeu de ~s (나무) 공놀이 ; 공놀이터 / jouer à la ~ (카지노에서) 룰렛을 하다. ⑤ 둥근 빵(= ~ de pain) 《특히 군대에서》 ; 《구어》 머리(= tête) : coup de ~ 박치기 / perdre le ~ 미치다, 머리가 돌다 / Il a une bonne ~. 그는 호감이 간다. ***~ à vue 허겁지겁, 다짜고짜로. ***en ~*** 동그랗게, 둥근 모양으로 : chat roulé *en* ~ 동그랗게 몸을 움츠린 고양이. ***faire (la) ~ de neige*** (눈덩이처럼) 자꾸 커지다. ***mettre*** qn ***en ~*** …을 화나게 하다. ***perdre la ~*** 《구어》 머리가 돌다. ***se mettre en ~*** 화를 내다. ***mystère et ~ de gomme !*** 나는 아무것도 모르겠는데 ! 「무.
bouleau [bulo] *m.* (*pl.* ***~x***) 〖식물〗 자작나
boule-de-neige [buldənɛ:ʒ] *f.* (*pl.* ***~s-~-~***) 〖식물〗 까마귀밥나무 ; 《구어》 깜둥이.
bouledogue [buldɔg] 〔영〕 *m.* 불독《개의 일종》; 얼굴이 험상궂은 사람.
bouler [bule] *v.i.* ① (공처럼) 구르다. ② (비둘기가) 가슴을 부풀리다. ③ 《속어》 (배우가) 대사를 빠른 어조로 말하다. ***envoyer ~*** qn …을 내쫓다.
boulet [bulɛ] *m.* ① 《옛》 구형 포탄, 포환(砲丸)(= ~ de canon) : ~ rouge (발사 전에 불에 달군) 작열탄. ② (말 다리의) 구절(球節), 발목. ③ 조개탄(= ~ de charbon). ***arriver comme un ~*** 《구어》 맹렬한 기세로 오다. ***brutal comme un ~ de canon*** 인정사정 없는. ***joint à ~*** 〖기계〗 볼조인트 ***moulin à ~s*** 〖토목〗 볼 밀. ***pour un ~ de canon*** 절대로. ***tirer sur*** qn ***à ~s rouges*** …을 신랄하게 공격하다. ***traîner le 〔son〕 ~*** 《구어》 고생스러운 생활을 하다 ; 귀찮은 짐을 짊어지다.
boulette [bulɛt] *f.* ① 작은 공〔구〕. ② 〖요리〗 고기 단자〔만두〕. ③ 《구어》 큰 실패, 실수 : faire une ~ 실수를 하다.
boulevard** [bulva:ʀ] *m.* ① 가로수길 ; 큰 거리. ② 통속극(= théâtre de ~) : jouer du ~ 통속극을 공연하다 / théâtres de ~ 〔des ~s〕 통속극〔멜로 드라마〕 극장. ***les grands ~s (파리의) 마들렌(*Madeleine*)에서 바스티유(*Bastille*)에 이르는 큰 길들.
boulevardier, ère [bulvaʀdje, -ɛ:ʀ] *n.* (파리의) 불바르 산책자 ; 한량, 바람둥이(= mondain). — *adj.* 불바르의 ; 통속적인.
bouleversant, e [bulvɛʀsɑ̃, -ɑ̃:t] *adj.* 충격적인, 놀라운, 엄청난, 기막힌.
bouleversement [bulvɛʀsəmɑ̃] *m.* ① 전복 : ~ de l'Empire 제국의 붕괴. ② 대혼란 ; 격변 : ~*s* économiques 경제적 대혼란. ③ (마음의) 충격 ; 아연실색 : ~ de l'âme 마음의 격동.
***bouleverser** [bulvɛʀse] *v.t.* ① 뒤엎다, 전복시키다(= renverser) ; 뒤죽박죽으로 만들다, 혼란하게 하다(= perturber): ~ un pays 나라를 전복시키다 / ~ tout dans une chambre 방안의 모든 것을 뒤죽박죽으로 만들다. ② (감동으로) (마음을) 뒤흔들어놓다, 당황케 하다(= troubler) ; 아연실색하게 하다(= consterner) : Cet opéra *a bouleversé* les spectateurs. 그 오페라는 관객들에게 깊은 감동을 주었다 / La nouvelle de sa mort m'*a bouleversé*. 그의 부음은 내 마음에 큰 충격을 주었다. ③ 《목적보어 없이》 혼란시키다. — **se ~** *v.pr.* 마음이 뒤흔들리다, 당황하다(= se troubler).
boulier [bulje] *m.* (아이들의) 주판 모양의 계산기(= ~ compteur) ; (당구의) 득점판.
boulimie [bulimi] *f.* ① 〖의학〗 병적 허기증, 헛헛증. ② 심한 허기〔시장기〕.
boulimique [bulimik] 〖의학〗 *adj.* 병적 허기증의. — *n.* 병적 허기증 환자.
boulingrin [bulɛ̃gʀɛ̃] *m.* (정원의 장식으로서의) 잔디밭.
boulisme [bulism] *m.* 공굴리기, 공놀이.
bouliste [bulist] *m.* ① 공굴리기를 하는 사람. ② (관청 따위의) 사환. — *adj.* 공굴리기의 : club ~ 공굴리기놀이 클럽.
Boul'Mich' (le) [ləbulmiʃ] *m.* 《구어》 (파리의) 생미셸가(街)(= le Boulevard Saint-Michel).
boulocher [bulɔʃe] *v.i.* (오래 입은 옷에) 보풀이 일다.
boulodrome [bulɔdʀo:〔ɔ〕m] *m.* 공굴리기〔공놀이〕터〔경기장〕.
boulon [bulɔ̃] *m.* 〖기계 · 건축〗 볼트, 나사못 : ~ à écrou 나사볼트.
boulonnage [bulɔna:ʒ] *m.* 볼트로 죄기 ; 조립품의 볼트 한 벌.
boulonner [bulɔne] *v.t.* 볼트로 죄다〔묶다〕. — *v.i.* 열심히 일하다(= travailler).
boulot¹, otte [bulo, -ɔt] *adj.* 땅딸막한, 통통한 : une femme ~*otte* 땅딸막한 여자 / pain ~ 원통형의 빵. — *n.* 땅딸막한 사람.
boulot² *m.* ① 《구어》 일(= travail) : Au ~, maintenant. 자, 일하자 / aller au ~ 일하러 가다 / métro, ~, dodo (대도시 봉급 생활자의) 지하철, 일, 잠으로 반복되는 단조로운 생활 리듬. ② 음식, 식사(= nourriture).
boulotter [bulɔte] *v.i.* ① 별일 없이〔그럭저럭〕 살아가다〔지내다〕(= vivotter). ② 일하다(= travailler). ③ 《구어》 먹다. ***Ça boulotte.*** 그럭저럭 지내고 있다. — *v.t.* 《구어》 먹다(= manger, bouffer). 「소리》.
boum¹ [bum] *interj.* 쿵, 쾅《포격 · 폭파
boum² *m* 《boom 과의 혼동》 ① 《구어》 대성

공, 붐 : Sa pièce fait un ~. 그의 희곡은 대성공을 거두었다. ② 활동(= activité). ***être en plein ~*** 한창 활동〔진행 · 운행〕 중이다. — *f.* (대학생들의) 축제, 요란한 파티.

boumer [bume] *v.i.* 《속어》 잘 지내다, 잘 되어 가다 : Ça *boume* ? 재미좋아? 어때?

bouquet[1]** [bukɛ] *m.* ① 꽃다발 ; 다발, 묶음(= botte, gerbe) : ~ de roses 장미 꽃다발 / ~ de mariée 신부가 갖는 오렌지 꽃다발. ② 〖문학〗 ⓐ (시 · 가요 따위의) 집(集) : ~ de poèmes 〔de chansons〕 시〔가요〕집. ⓑ ~ à Chloris 〔à Iris, à Phylis〕 (애인에게 바치는) 연가, 연애시. ③ 포도주의 향기 : Ce vin a un ~ agréable. 이 포도주는 기분좋은 향기가 난다. ④ ⓐ 마지막을 장식하는 것 : le ~ d'un feu d'artifice 마지막으로 쏘아올리는 큰 꽃불. ⓑ 가장 훌륭한〔아름다운 · 멋진〕 것 : C'est le ~. 《반어적》 그것 참 지독히 따분한 일이군. ***garder 〔***réserver***〕 qc ***pour le ~*** 《구어》 …을 최후의 재밋거리로 남겨두다. ***pour le ~*** …끝으로 재미있는〔중요한〕 이야기.

bouquet[2] *m.* ① 《옛》 새끼 염소. ② 수토끼 ; 산토끼(= lièvre). ③ 큰 새우의 일종.

bouqueté, e [bukte] *adj.* ① (지면이) 숲으로 덮여 있는. ② (포도주가) 향기가 좋은.

bouquetière [buktjɛ:ʀ] *f.* 꽃 파는 여자 ; 꽃꽂이하는 여자.

bouquetin [buktɛ̃] *m.* 〖동물〗 (큰 뿔 있는) 야생 염소.

***bouquin** [bukɛ̃] *m.* 헌 책 ; 고본 ; 《구어》 책(= livre) : ~ neuf 새 책.

bouquiner [bukine] *v.i.* 헌 책〔고본〕을 찾아다니다 ; 독서하다, 책을 읽다(= lire).

bouquiniste [bukinist] *n.* 헌 책〔고본〕 장수《특히 파리 센 강변의》.

bourbe [buʀb] *f.* ① (늪 · 못 따위의 바닥에 깔린) 진흙, 진창. ② (악의) 수렁, 구렁텅이.

bourbeux, euse [buʀbø, -ø:z] *adj.* ① 땅이 질퍽한 ; 진창의. ② 더러운(= impur).

bourbier [buʀbje] *m.* ① 수렁, 진창. ② 궁지, 곤경(= embarras) ; 더러운 곳 : se tirer d'un ~ 궁지를 벗어나다.

bourbillon [buʀbijɔ̃] *m.* ① 진흙 덩어리 ; (잉크의) 찌꺼기. ② 〖의학〗 종기의 뿌리.

bourbon [buʀbɔ̃] *m.* (옥수수를 원료로 한) 미국산 위스키.

Bourbon [buʀbɔ̃] *n.pr.m.* 〖프랑스사〗 부르봉. ***les ~s*** 부르봉 왕가〔왕조〕. ***nez à la ~*** 부르봉코《큼직한 매부리코》.

bourbonien, enne [buʀbɔnjɛ̃, -ɛn] *adj.* 부르봉 왕가의. — *n.* 부르봉 왕가 지지자, 부르봉파.

bourdaine [buʀdɛn] *f.* 〖식물〗 털갈매나무.

bourdalou [buʀdalu] *m.* ① (모자의) 리본 ; (군모(shako) 하부의) 가죽 가장자리 장식. ② (17-18 세기의) 침실용 변기, 요강.

bourde [buʀd] *f.* ① 허풍, 거짓말(= blague) : débister 〔conter, donner〕 des ~*s* 《구어》 허풍떨다. ② 큰 실수, 실책 : faire 〔commettre〕 une ~ 실수하다. ③ 〖요리〗 애플파이.

bourdon[1] [buʀdɔ̃] *m.* ① 〖음악〗 (풍적(風笛) 따위의) 저음(관) ; (오르간의) 부르동 음전(音栓). ② 큰 종, 인경. ③ 〖곤충〗 뒝벌 ; 꿀벌 수컷(= faux ~). ④ 《속어》 우울(= cafard). ***avoir le ~*** 우울하다.

bourdon[2] *m.* 순례자의 지팡이.

bourdonnant, e [buʀdɔnɑ̃, -ɑ̃:t] *adj.* 윙윙거리는, 웅성거리는, 소란한.

bourdonnement [buʀdɔnmɑ̃] *m.* ① 윙윙〔붕붕〕거리는 소리 : ~ de ruche 벌떼의 윙윙거리는 소리. ② 웅성거리는 소리 : ~ de la foule 군중의 웅성거림. ③ (전화의) 잡음. ④ 이명(耳鳴), 귀울림(= ~ d'oreilles).

bourdonner [buʀdɔne] *v.i.* ① (벌 따위가) 윙윙〔붕붕〕거리다 ; (귀가) 윙윙거리다. ② (군중이) 웅성거리다 ; (사람이) 중얼거리다(= murmurer). — *v.t.* ① 낮은 소리로 노래하다〔말하다〕. ② (종을) 울리다. **~** qc **à** qn 《구어》 …을 …에게 귀찮게 중얼거리다.

bourg [bu:ʀ] *m.* (장이 서는) 큰 마을, 큰 부락, 읍.

bourgade [buʀgad] *f.* 작은 마을, 부락, 촌락(= village).

bourgeois, e** [buʀʒwa, -a:z] *n.* ① 《옛》 (노예(serf)에 대하여) 자유민 ; (귀족(noble)에 대하여) 평민 ; 특권 시민. ② 중산 계급 사람 ; (무산 계급 사람(prolétaire)에 대하여) 유산 계급 사람, 자본가, 부르주아. ***en ~ 평복을 입은. ***les petits ~*** 소시민 계급.

— *adj.* ① 부르주아의 ; 중산 계급의 ; 자본가의 : cuisine ~*e* 간소하고 맛있는 요리 / maison ~*e* (저택에 대하여) 중류 가옥. ② 일반 시민의 : préjugés ~ 인습적인 편견들 / idées ~*es* 소시민적 사상. ③ 취미가 저속한 ; 저급의, 속물의 : goût ~ 저속한 취향.

bourgeoisement [buʀʒwazmɑ̃] *adv.* ① 중산계급풍으로, 부르주아풍으로, 유복하게. ② 속물적으로, 저속하게(= vulgairement).

bourgeoisie** [buʀʒwazi] *f.* ① 부르주아의 신분, 중산 계급 ; 유산 계급. ② 《옛》 (귀족에 대한) 평민 계급. ***de bonne ~ 상당한 신분의 ; 《반어적》 점잖은 체하는. ***droit de ~*** 시민의 특권, 시민권. ***haute ~*** 상층 중산 계급, 상류 계급. ***~ moyenne*** 중층 중산 계급. ***petite ~*** 하층 중산〔소시민〕 계급.

bourgeon [buʀʒɔ̃] *m.* 싹, 눈 : ~ à fleur 꽃눈.

bourgeonnement [buʀʒɔnmɑ̃] *m.* 싹틈, 발아(發芽)(기) ; 부스럼〔여드름〕이 생기기.

bourgeonner [buʀʒɔne] *v.i.* ① 싹트다, 발아하다. ② 《구어》 (얼굴에) 부스럼〔여드름〕이 생기다 ; (코끝이) 붉어지다.

bourgeron [buʀʒəʀɔ̃] *m.* (노동자, 군인의) 작업복.

bourgmestre [buʀgmɛstʀ] *m.* (벨기에 · 독일 · 스위스 등의 중소 도시의) 시장.

bourgogne [buʀgɔɲ] *m.* 부르고뉴산(産) 포도주(= vin de *B*~).

bourguignon, onne [buʀgiɲɔ̃, -ɔn] *adj.* 부르고뉴(*Bourgogne*, 프랑스의 지방) (사람)의. — *n.* 부르고뉴 사람. — *m.* ① 부르고뉴 사투리. ② 〖요리〗 양파와 적포도주로 양념한 쇠고기찜(= bœuf ~).

bourlinguer [buʀlɛ̃ge] *v.i.* ① 〖해양〗 (배가) 난항(難航)하다. ② 《구어》 고된 〔헛된〕 일을 하다 ; 방랑하다.

bourlingueur, euse [buʀlɛ̃gœ:ʀ, -ø:z] *adj.* et *n.* 여행〔방랑 생활〕을 좋아하는 (사람). ***vieux ~*** 노련한 선원.

bourrache [buʀaʃ] *f.* 〖식물〗 서양지치《달여서 발한, 이뇨제로 쓰임》.

bourrade [buʀad] *f.* ① 주먹질 ; 떠밀기(= poussée) ; (손으로) 툭 치기(= tape). ② 폭

언, 심한 말.

bourrage [buʀa:ʒ] *m.* ① (의자·이불 따위에 털(속)을) 넣기 ; 다져(채워) 넣기 ; (구멍을) 메우기. ② 〖군사〗 (총의) 장전. ③ 《학생은어》 (암기 위주의) 주입식 공부. **~ de crâne** (허위적인) 설득(선전) 공작, 거짓말.

B

bourrasque [buʀask] *f.* ① 돌풍, 광풍, 질풍 : par ~(s) 돌풍으로 / ~ de pluie (neige) 돌풍을 동반한 비(눈). ② (감정의) 폭발 ; (민중의) 돌발적 난동(= ~ populaire) : ~ de colère 분노의 폭발.

bourratif, ive [buʀatif, -i:v] *adj.* 《속어》 (과식하여) 뱃속이 거북한(≠ léger) ; (요리가) 기름진.

bourre[1] [bu:ʀ] *f.* ① 짐승에서 뜯어낸 털뭉치. ② ~ de laine ; ~ lanice 양털 부스러기. ③ (말 안장·의자에 넣는) 털, 속. ④ (나무의 순·과실의) 솜털(= duvet). ⑤ 하찮은 것.

bourre[2] *f.* 《속어》 (대단히) 바쁨, 서두르기. ***de première ~*** 《속어》 썩 좋은, 훌륭한. ***être à la ~*** 《속어》 지각하다, 늦어지다.

bourre[3] *m.* 《은어》 경찰(= policier).

bourré, e[1] [buʀe] *adj.* ① 《~ de》 …으로 가득 찬 : portefeuille ~ *de* billets 지폐가 가득 들어있는 지갑. ② 만원의(= bondé), 꽉 들어찬(= tassé) : autobus ~ 만원 버스. ③ 《구어》 코가 비뚤어지게 마신, 취한(= ivre).

bourreau [buʀo] *m.* (*pl.* **~x**) ① 사형 집행인. ② 살인자(= meurtrier). ③ 잔인(냉혹)한 사람, 냉혈한. ***~ d'argent*** 낭비가. ***~ de travail*** 일을 척척 해치우는 사람. ***être le ~ de*** qn …을 괴롭히다. ***insolent comme un valet de ~*** 주제넘은, 건방진.

bourrée[2] [buʀe] *f.* 오베르뉴 (*l'Auvergne*) 지방의 댄스(곡).

bourrelé, e [buʀle] *adj.* 고통을 겪는.

bourrèlement [buʀɛlmɑ̃] *m.* 격통 ; (마음의) 고통, 가책, 고민. 「가책하다.

bourreler [buʀle] [5] *v.t.* 몹시 괴롭히다 ;

bourrelet [buʀlɛ] *m.* ① 털(속)을 넣은 어린이 모자《충격 방지용》 ; 짐꾼의 똬리(어깨받이). ② (창의) 틈막이 띠. ③ (목덜미·배 따위의) 불룩한 주름살 : avoir des ~s à la taille 지방질로 배가 늘어나다.

bourrelier [buʀəlje] *m.* 마구(馬具) 제조인 (상인). 「업 ; 마구 가게.

bourrellerie [buʀɛlʀi] *f.* 마구 제조(판매)

bourrer** [buʀe] *v.t.* ① (의자·이불 따위에) 털(속)(bourre)을 넣다 : ~ un fauteuil 안락의자에 털(속)을 넣다 / ~ un matelas (un coussin) 매트리스(쿠션)에 속을 넣다. ② (파이프에) 담배를 다져 넣다 ; 〖군사〗 (총에) 화약을 장전하다. ③ 《~ qc de qc》 …을 …으로 가득 채우다(= remplir) : Il b*ourre* son discours *de* citations. 그는 연설을 인용으로 가득 채운다. ④ 《~ qn de》 …에게 …을 함부로 많이 먹이다 : ~ un enfant de gâteaux 어린애에게 과자를 마구 먹이다. ⑤ (학과를) 주입하다 : ~ un enfant de mathématiques 어린이에게 수학을 주입하다. ⑥ 후려치다, 구타하다 ; 호통치다 : policiers qui *bourrent* la foule 군중을 구타하는 경찰. ⑦ 마구 처넣다 : ~ des papiers dans un tiroir 서류를 서랍에 마구 처넣다. ***~ le crâne à (***de***) qn …에게 거짓말을 하다, …을 속이다. ***~ les urnes*** 선거 부정을 저지르다.
— *v.i.* 《구어》 바쁘게 서둘다, 속력을 내다 : Il *a bourré* sur l'autoroute. 그는 고속도로를 질주했다. — **se ~** *v.pr.* ① (머리나 배에) 함부로 많이 채워 넣다 : *se ~* (l'estomac) 마구 먹어 대다. ② 서로 치고받다 ; 서로 욕설을 퍼붓다. ③ 도취하다(= s'enivrer).

bourriche [buʀiʃ] *f.* (사냥감, 생선 따위의 수송용) 손잡이가 없는 광주리.

bourrichon [buʀiʃɔ̃] *m.* 《속어》 머리, 대가리. ***se monter le ~*** 흥분하다, 환상을 품다.

bourricot, bourriquot [buʀiko] *m.* 작은 당나귀 ; 고집쟁이. ***kif-kif ~*** 아주 똑같이.

bourrin [buʀɛ̃] *m.* 《속어》 당나귀 ; 말 ; 경관.

bourrique [buʀik] *f.* ① 암탕나귀(= ânesse). ② 《구어》 멍텅구리, 바보. ③ 《속어》 경관(= bourre[3]). ***faire tourner*** qn ***en ~*** …을 들볶아 멍청하게 만들다.

bourru, e [buʀy] *adj.* ① 무뚝뚝한, 퉁명스러운. ② 거친(= rude) : fil ~ 굵기가 고르지 못한 실. ***lait ~*** 갓 짠 우유. ***vin ~*** 설익은 포도주. — *n.* 무뚝뚝한 사람.

Bourse [buʀs] *f.* ① 증권 거래소(시장)(= ~ des valeurs), 상품 거래소 ; 증권(주식) 거래 : jouer à la ~ 증권(주식)을 거래하다. ② 주식 시장 ; 주식 시세(= cours de la ~) : coup de ~ 주식 시세의 급변, 주가의 폭등(폭락). ***~ du travail*** 노동조합 사무소 ***~ de l'emploi*** 직업 소개소.

bourse** [buʀs] *f.* ① 돈주머니, 지갑(= porte-monnaie) : ~ de peau (cuir) 가죽지갑 / consulter sa ~ 주머니 사정을 생각하다. ② 지갑에 든 돈, 가진 돈 ; 같이 내는 돈 ; 재원 : avoir la ~ ronde 주머니가 두둑하다. ③ 장학금(= ~ d'études) : accorder une ~ à qn …에게 장학금을 주다 / avoir (jouir d') une ~ 장학금을 받다. ④ (권투 경기에서) 직업 선수에게 지급되는 돈, 파이트 머니. ⑤ 〖해부〗 낭(囊) ; (*pl.*) 음낭 : ~s testiculaires 음낭. ***avoir la ~ bien garnie 돈이 많다. ***coupeur de ~s*** 소매치기. ***faire ~ à part*** 계산을 제각기 하다. ***faire ~ commune*** 계산을 함께하다, 공동출자하다. ***La ~ ou la vie !*** 돈 안 내면 죽인다! ***sans ~ délier*** 공짜로, 거저. ***tenir*** (***les cordons de***) ***la ~*** 금전 출납을 맡아보다, 재정권을 쥐고 있다.

boursicoter [buʀsikɔte] *v.i.* ① 푼돈을 저축하다. ② 작은 액수로 주식에 손대다.

boursicoteur, euse [buʀsikɔtœ:ʀ, -ø:z], **boursicotier, ère** [buʀsikɔtje, -ɛ:ʀ] *adj.* et *n.* 소액의 증권 거래를 하는 (사람) ; 푼돈을 모으는 (사람).

boursier, ère[1] [buʀsje, -ɛ:ʀ] *n.* 장학생. — *adj.* 장학금을 받는.

boursier, ère[2] *n.* 증권거래인 ; 증권거래소 직원. — *adj.* 증권거래의 ; 증권거래소의.

boursouflage [buʀsufla:ʒ] *m.* ① 부풀기 (= boursouflement) ; 부푼 상태. ② 거만.

boursouflé, e [buʀsufle] *adj.* ① 부푼, 부어오른. ② 과장된 : style ~ 과장된 문체.

boursouflement [buʀsufləmɑ̃] *m.* 부풀림, 부풀음, 부기 ; 팽창 ; 〖의학〗 종창확대.

boursoufler [buʀsufle] *v.t.* ① 《~ qc》 부풀게 하다, 부어오르게 하다(= enfler, bouffir) : La maladie *a boursouflé* son visage.

병으로 그의 얼굴이 부었다. ② 《~ qn》 거만하게 만들다. — **se ~** *v.pr.* ① 부풀다, 부어오르다. ② 거만해지다.

boursouflure [buʀsuflyːʀ] *f.* ① 부풀음, 부어오름; 부푼〔부은〕 데, (땅의) 융기. ② (문체 따위의) 과장(= emphase).

bousculade [buskylad] *f.* ① 떼밀기 : recevoir une ~ 냅다 떼밀리다. ② 혼잡, 혼란. ***heure de la ~*** 혼잡한 시간, 러시아워.

***bousculer** [buskyle] *v.t.* ① 떼밀다(= pousser) ; 밀어젖히다, 부딪치다(= heurter) : Ne *bousculez* pas ! 밀지 마세요 ! ② 뒤엎다, 뒤섞다(= bouleverser) ; (적을) 혼란에 빠뜨리다 : On *a bousculé* tous mes livres. 누가 내 책을 모두 뒤섞어 놓았다. ③ 재촉〔독촉〕하다, 서두르게 하다(= presser) ; 야단치다 : *J'ai été* très *bousculé* cette semaine. 금주에는 눈코 뜰 새도 없었다. — **se ~** *v.pr.* ① 서로 떼밀다. ② 《구어》 서두르다.

bouse [buːz] *f.* 쇠똥(= ~ de vache).

bouser [buze] *v.i.* (마소가) 똥을 누다. — *v.t.* 쇠똥과 백토로 굳히다. 「성.

bouseux [buzø] *m.* 《구어》 농부, (천한) 백

bousier [buzje] *m.* 《속어》 똥구더기.

bousillage [buzijaːʒ] *m.* ① 〖건축〗 벽토(를 바르기). ② 《구어》 일을 날림으로 하기.

bousiller [buzije] *v.i.* 〖건축〗 벽토(壁土)를 바르다. — *v.t.* 《구어》 (일을) 날림으로 하다(= gâcher) ; 망가뜨리다(= abîmer).

bousilleur, euse [buzijœːʀ, -øːz] *n.* ① 벽토 바르는 일꾼〔미장이〕. ② 불성실한 일꾼, 서투른 일꾼.

boussole [busɔl] *f.* ① 나침반 ; (정신적인) 지침(= guide), 안내자. ② 《구어》 머리. ***perdre la ~*** 머리가 돌다 ; 어찌할 바를 모르다.

boustifaille [bustifɑːj] *f.* 《속어》 진수성찬 ; 잔치 ; 음식, 식사(= bouffé).

bout[1] ⇒ bouillir.

‡**bout**[2] [bu] *m.* ① 끝, 끄트머리(= extrémité), 말단 : ~ aigu 뾰족한 끝 / ~ du nez 코끝 / ~ du doigt 〔de la langue〕 손가락〔혀〕 끝 / ~ de cigarette 담배꽁초 / être assis au ~ de la table 테이블 끄트머리에 앉다 / au ~ du monde 이 세상 끝에, 아주 먼 곳에. ② 종말, 마지막(= fin), 한계 : arriver au ~ de sa vie 인생의 종말에 이르다 / jusqu'au ~ 끝까지. ③ 관점, 측면 ; 방법 : examiner un problème par tous les ~*s* 모든 각도에서 문제를 검토하다. ④ 소량, 약간, 단편, 토막, 조각 : ~ de chandelle 타고 남은 촛동강이 / manger un ~ de pain 빵을 한 조각 먹다 / un ~ de temps 얼마 동안 / un ~ de lettre 간단한 편지 / en connaître un ~ 《구어》 매우 유능하다. ⑤ 뱃머리, 이물(= proue) ; 총구(= ~ du fusil) ; 젖꼭지(= ~du sein). ⑥ 《구어》 어린 사람 : ~ d'homme 사내아이 / petit ~ 꼬마. ⑦ 〖해양〗 밧줄(= cordage). ⑧ 《속어》 남근. ***à ~*** (체력·인내 따위의) 한계에 : être *à ~* de patience 더 이상 참을 수 없게 되다. ***à ~ de*** …의 한계에, 끝에 : être *à ~ de* ressources 자금이 바닥나다, 방책이 없다. ***à ~ portant*** 총구를 들이대고 ; 가까이서 : obtenir un but *à ~ portant* 〖축구〗 골 직전에서 득점하다. ***au ~ de*** …끝에 ; …후에 : *au ~ d'*une heure 한 시간 후에 / *au ~ de* la rue 그 거리 끝에. être *au ~ de* ses peines 고통이 끝나가다 / être *au ~ de* ses ressources 〔ses écus, son rouleau〕 그 이상은 어찌할 길이 없게 되다. ***~ à ~*** 끝과 끝을 맞추어서 : mettre ~ à ~ 끝과 끝을 이어 맞추다. ***C'est (tout) le ~ du monde.*** 《구어》 그 이상은 될 수 없다. ***Il faut finir par un ~.*** 사람은 누구나 죽지 않으면 안 된다. ***Il faut finir par n'être pas au ~.*** 아직 할 일이 많다 ; 안심이 안 된다. ***bruler la chandelle par les deux ~s*** 금전〔정력〕을 낭비하다. ***de ~ en ~, d'un ~ à l'autre*** 끝까지, 처음부터 끝까지. ***joindre les deux ~s*** 수지를 맞추다 ; 일을 수습하다. ***le haut* 〔*bas*〕 *~*** 상석〔하석〕 ; 상위〔하위〕. ***tenir le bon ~* (*par devers soi*)** 《구어》 유리한 입장을 차지하다. ***tout au ~*** 결국, 궁극적으로. ***venir à ~ de*** 성취하다 ; 이겨 내다.

boutade [butad] *f.* ① 재치 있는 말, 재담(= saillie). ② 홧김에 하는 말. ③ 변덕(= caprice). ***par ~(s)*** 이따금씩, 변덕스럽게.

bout-de-pied [budpje] *m.* (*pl.* **~s-~-~**) (팔걸이 의자 앞에 놓는) 발디디개, 발판.

boute-en-train [butɑ̃tʀɛ̃] *m.* 《복수불변》 《구어》 모임에 활기를 불어넣는 사람.

boutefeu [butfø] (*pl.* **~x**) *m.* ① 《구어》 선동자. ② 〖광산〗 폭파 점화 장치 ; 폭파공.

‡**bouteille** [butɛj] *f.* ① 병 ; 한 병의 술 분량 ; 한 병 : ~ d'un litre, 1 리터들이 병 / ~ isolante 보온병(= ~ thermos) / bière (en) ~ 병맥주 / ~ en verre 〔plastique〕 유리〔플라스틱〕 병 / mettre du vin en ~*s* 포도주를 병에 담다 / déboucher une ~ 병마개를 뽑다. ② 포도주, 알코올 음료, 술 : boire une ~ 술 한 병을 마시다 / boire à la ~ 병째 마시다. ③ (상급 선원용) 변소. ***avoir de la ~*** (술이) 오래 되다 ; (사람이) 노련하다 ; 나이가 많다. ***en ~*** 병에 든 : bière *en ~* 병 맥주. ***être dans la ~*** 음모에 가담하다. ***prendre de la ~*** 《구어》 나이를 먹다 ; 낡아지다.

bouter [bute] *v.t.* 몰아내다, 격퇴하다.

bouteur [butœːʀ] *m.* 불도저.

boutique** [butik] *f.* ① 가게, 점포, 상점 : ~ franche (공항의) 면세점 / ~ en plein vent 노점 / ~ d'alimentation 식료품점 / avoir 〔tenir〕 ~ 장사하다, 가게를 경영하다 / fermer 〔ouvrir〕 ~ 가게를 닫다〔열다〕, 폐업〔개업〕하다 / se mettre en ~ 개점〔개업〕하다. ② 《구어》 장사, 사업 : parler ~ 장사〔사업〕 이야기를 하다. ③ 《집합적》 (상점 안의) 상품 ; 점원 : toute la ~ 《구어》 잡동사니, 잡다한 물건. ④ 누추한 집(= baraque, boîte). ***être de la ~ (어떤 일에) 능통하다, 전문가이다. ***prendre garde à la ~*** 자기 일〔장사〕에 골몰하다.

boutiquier, ère [butikje, -ɛːʀ] *n.* ① 가게 주인, 소매 상인. ② petit ~ 작은 사내. — *adj.* 가게 주인〔소매 상인〕의.

boutoir [butwaːʀ] *m.* ① 멧돼지의 코. ② (편자공의) 말굽 깎는 칼 ; (제혁공의) 가죽 훑는 칼. ***coup de ~*** 폭언, 독설 ; 공격.

***bouton** [butɔ̃] *m.* ① 싹, 움(= bourgeon) ; 봉오리 : ~ à feuilles 잎눈 / rose en ~ 장미꽃 봉오리. ② 부스럼 ; 여드름 : avoir le visage couvert de ~s 얼굴이 여드름투성이다. ③ 단추; 장식 단추: ~s de manchette(s) (와이셔츠의) 커프스 단추 / veste à deux ~s 단추가 둘 달린 윗도리. ④ 단추 모양의 것; (전기 기구의) 스위치; (초인종의) 버튼; (서랍의) 손잡이: tourner le ~ 손잡이를 돌리다 / ~ de sonnette 초인종의 누름 단추 / Appuyez sur le ~. 버튼을 누르시오.

B

bouton-d'or [butɔ̃dɔːʀ] *m.* (*pl.* **~s-~**) 〖식물〗 미나리아재비.

boutonnage [butɔnaːʒ] *m.* 단추로 채우기.

boutonné, e [butɔne] *adj.* ① 《구어》 말없는, 입이 무거운: Il est très ~. 그는 입이 아주 무겁다. ② 단추가 달린. **~ *jusqu'à la gorge*** 입이 몹시 무거운.

***boutonner** [butɔne] *v.t.* 단추를 채우다. — *v.i.* ① 〖식물〗 싹트다, 움트다. ② 부스럼〔여드름〕이 나다: Son visage commence à ~. 그의 얼굴에 여드름이 나기 시작한다. ③ 단추가 채워지다. — **se ~** *v.pr.* ① 단추가 채워지다. ② (자기 옷의) 단추를 채우다.

boutonneux, euse [butɔnø, -øːz] *adj.* ① 부스럼〔여드름〕이 난. ② (종이 따위가) 거칠거칠한.

boutonnier, ère [butɔnje, -ɛːʀ] *n.* 단추 제조〔판매〕인. — *f.* (장식) 단춧구멍.

bouton-poussoir [butɔ̃puswaːʀ] *m.* (*pl.* **~s-~**) 누름단추; 누름단추식 스위치.

bouton-pression [butɔ̃pʀɛsjɔ̃] *m.* (*pl.* **~s-~**) 암·수로 된 누름단추.

bout-rimé [buʀime] *m.* (*pl.* **~s-~s**) ① 제운시(題韻詩). ② (*pl.*) 제운 《시를 짓는 이에게 미리 주어지는 운》. 「번식).

bouturage [butyʀaːʒ] *m.* 꺾꽂이(에 의한

bouture [butyːʀ] *f.* 꺾꽂이 가지; 꺾꽂이: faire des ~s 꺾꽂이를 하다.

bouturer [butyʀe] *v.t.* 꺾꽂이하다; 분주(分柱) 번식시키다. — *v.i.* (꺾꽂이 한 나무에) 줄기가 돋아나다.

bouverie [buvʀi] *f.* 외양간.

bouvier, ère [buvje, -ɛːʀ] *n.* 소 치는 목동; 목축업자. — *m.* ① (플랑드르·벨기에의) 소·말을 지키는 개(= ~ des Flandres). ② (*B~*) 〖천문〗 목자(牧者) 자리.

bouvillon [buvijɔ̃] *m.* 어린 소(= bouveau).

bouvreuil [buvʀœj] *m.* 〖조류〗 피리새, 멋쟁이 새.

bovaryser [bɔvaʀize] *v.i.* 보바리 부인처럼 처신하다《Flaubert 작 *Mme Bovary* 의 여주인공에서》.

bovarysme [bɔvaʀism] *m.* 보바리 부인 기질; (여자가) 제멋대로 환상을 품기; 〖의학〗 (여성의) 감정적·사회적 욕구불만.

bovidés [bɔvide] *m. pl.* 〖동물〗 솟과(科).

bovin, e [bɔvɛ̃, -in] *adj.* 솟과의. — *m. pl.* 소류(類)(= bovidés).

bowling [bo(u)liŋ] 〔영〕 *m.* 볼링.

box[1] [bɔks] 〔영〕 *m.* (*pl.* **~es** [bɔks]) ① 마구간의 한 칸(= stalle). ② (차고·공동 침실 따위의) 한 칸. ③ (병원의) 격리실; (기숙사 따위의) 소침실. ④ 〖법률〗 (법정의) 칸막이 좌석, 피고석(= ~ des accusés). ⑤ 매표소.

box[2] **, box-calf** [bɔkskalf] 〔영〕 *m.* 복스 가죽《가방 제조용의 크롬 처리된 송아지 가죽》.

***boxe** [bɔks] 〔영〕 *f.* 권투.

boxer[1] [bɔkse] *v.i.* 권투하다. — *v.t.* …와 권투하다; (주먹으로) 두들겨 패다. — **se ~** *v.pr.* (서로 상대하여) 권투하다; 《구어》 서로 치고받다. 「복서.

boxer[2] [bɔksɛːʀ] 〔영〕 *m.* 테리어 비슷한 개,

boxeur, euse [bɔksœːʀ, -øːz] *adj.* 권투하는. — *n.* 권투선수: ~ amateur 〔professionnel〕 아마추어〔프로〕 권투선수.

box-office [bɔksɔfis] 〔영〕 *m.* (입장료 수입으로 따져 본) 흥행물〔배우〕의 성공률.

boxon [bɔksɔ̃] *m.* 《구어》 갈봇집.

boy [bɔj] 〔영〕 *m.* ① 식민지의 원주민 하인 《여성형: boyesse》. ② 소년 마부.

boyar(d) [bɔjaːʀ] *m.* (러시아의) 옛 귀족; 《속어》 부자, 부호.

boyau [bwajo] *m.* (*pl.* **~x**) ① 장(腸), 창자 (= intestin): gros 〔petits〕 ~x 큰창자〔작은 창자〕. ② 〖군사〗 연락호; 좁은 길. ③ 호스; 장선(腸線)(= corde de ~). ④ 도관, 파이프.

boycott [bɔjkɔt] *m.* 보이콧, 동맹 배척(= boycottage). 「척, 불매 동맹.

boycottage [bɔjkɔtaːʒ] *m.* 보이콧, 동맹 배

boycotter [bɔjkɔte] 〔영〕 *v.t.* 보이콧하다, 동맹 배척하다; 불매 동맹을 하다.

boy-scout [bɔjskut] 〔영〕 *m.* (*pl.* **~s-~s**) 보이스카우트, 소년단원; 《구어》 순진한 이상주의자.

B.P. 《약자》 boîte postale 사서함. 「도(道).

B.-P. 《약자》 Basses-Pyrénées 바스피레네

brabant [bʀabɑ̃] *m.* 금속제의 쟁기.

***bracelet** [bʀaslɛ] *m.* ① 팔찌: ~ en or 금팔찌. ② (팔목 시계의) 줄. ③ (윤내기 직공의) 팔받이(= ~ d'archer). ④ 〖건축〗 (둥근 기둥의) 고리장식.

bracelet-montre [bʀaslɛmɔ̃tʀ] *m.* (*pl.* **~s-~s**) 팔목 시계.

brachial, e, aux [bʀakjal, -o] *adj.* 〖해부〗 팔의, 상박(上膊)의.

brachiopodes [bʀakjɔpɔd] *m. pl.* 〖동물〗 완족류(腕足類).

brachy- *préf.* 「짧은」의 뜻.

brachycéphale [bʀakisefal] 〖인류〗 *adj.* 단두(短頭)의. — *n.* 단두인(短頭人).

braconnage [bʀakɔnaːʒ] *m.* 밀렵.

braconner [bʀakɔne] *v.i.* ① 밀렵하다. ② 밀어(密漁)하다. **~ *dans les œuvres de*** qn …의 저작을 표절하다. **~ *sur les terres d'autrui*** 남의 권리를 침해하다; 남의 아내에게 치근거리다.

braconnier, ère [bʀakɔnje, -ɛːʀ] *n.* 밀렵〔밀어〕자. — *adj.* 밀렵을〔밀어를〕 잘하는.

bractée [bʀakte] *f.* 〖식물〗 포(苞).

bradage [bʀadaːʒ] *m.* ① 헐값에 팔아넘김. ② 단념, 포기(= abandon).

brader [bʀade] *v.t.* 싸게 팔다; 헐값에 처분하다: J'*ai bradé* ma voiture. 나는 내 차를 중고 시장에서 팔았다 / ~ sa liberté 《비유》 자유를 내주다〔포기하다〕.

braderie [bʀadʀi] *f.* ① (북프랑스의) 중고 시장. ② 상품의 염가 판매. 「데.

braguette [bʀagɛt] *f.* 양복바지 앞쪽의 터진

brahmane [bʀɑman] *m.* 〖인도종교〗 바라문(婆羅門) 《인도의 4성(姓) 중 최고 종족인 승족(僧族)》. 「교의.

brahmanique [bʀɑ(a)manik] *adj.* 바라문

brahmanisme [bʀɑ(a)manism] *m.* 바라문교.

brai [bʀɛ] *m.* 역청, 타르, 콜타르.

braie [bʀɛ] *f.* ① (*pl.*) 《옛》 갈리아 사람의 바지. ② 기저귀(= lange).

braillard, e [bʀɑjaːʀ, -aʀd] *adj.* 고함지르는, 떠들어대는; (어린애가) 울어대는. ── *n.* 고함치는 사람(= brailleur).

braille [bʀɑːj] *m.* (맹인용) 점자(點字)(= écriture (alphabet) *B*~).

braillement [bʀɑjmɑ̃] *m.* 고함 소리.

brailler [bʀɑje] *v.i.* 고함치다, 큰 소리로 말(노래)하다, 울부짖다(= hurler). ── *v.t.* 큰 소리로 말하다(노래하다) : ~ une chanson (un slogan) 큰 소리로 노래부르다(구호를 외치다).

brailleur, euse [bʀɑjœːʀ, -øːz] *adj.* et *n.* = braillard.

braiment [bʀɛmɑ̃] *m.* 당나귀 울음소리.

brain-trust [bʀɛntʀœst] 〔영〕 *m.* 브레인 트러스트, 두뇌(자문) 위원회, 고문단.

braire [bʀɛːʀ] *v.i.* 《부정법 및 직설법 현재 3인칭에만 쓰임》 ① (당나귀가) 울다. ② 《구어》 고함치다; 울부짖다(= brailler) : Il ne chante pas, il *brait.* 그는 노래하는 것이 아니라 고함치고 있다.

braise [bʀɛːz] *f.* ① 잉걸불, 숯불; 뜬숯 : cuire (griller) sur la ~ 잉걸불에 굽다 / mettre de la ~ dans un four 화덕에 숯을 넣다. ② 《속어》 돈(= argent). ***des yeux de ~*** 이글이글 타는 눈(초리). ***être*** (***avoir les pieds***) ***sur la ~*** 안절부절 못하다. ***passer sur*** qc ***comme*** (***un***) ***chat sur*** (***la***) ~ (이야기나 문장에서) …에 살짝 손을 대다(언급하다).

braiser [bʀɛ(e)ze] *v.t.* (잉걸불·숯불에) 굽다(조리다·찌다); 약한 불로 찌다(조리다) : bœuf *braisé* 구운 쇠고기.

brame [bʀam], **bramement** [bʀɑmmɑ̃] *m.* 사슴의 울음소리.

bramer [bʀɑme] *v.i.* ① (사슴이) 울다. ② 울부짖다, 탄식하다(= brailler) : enfant qui *brame* sans cesse 계속 울어대는 아이 / ~ après (vers) qn (qc) …을 애타게 찾다, 갈구하다.

bran [bʀɑ̃] *m.* ① 왕겨. ② 《속어》 똥(= excrément) : *B*~ pour lui! 엿이나 먹어라!

brancard [bʀɑ̃kaːʀ] *m.* ① 들것, 담가(= civière) : transporter qn sur un ~ …을 들것으로 나르다. ② (수레를 말에 매다는) 2 개의 긴 막대.

brancarder [bʀɑ̃kaʀde] *v.t.* 들것으로(담가로) 운반하다.

brancardier [bʀɑ̃kaʀdje] *m.* 들것으로 나르는 사람; 〖군사〗 담가병.

branchage [bʀɑ̃ʃaːʒ] *f.* 《집합적》 나뭇가지 《한 나무의 가지 전체》; (*pl.*) 자른 나뭇가지; 《시어》 사슴의 뿔 : cabane de ~*s* 나뭇가지로 지은 오두막집.

branche** [bʀɑ̃ːʃ] *f.* ① 나뭇가지(≠ tronc) : de ~ en ~ 가지에서 가지로 / maîtresse ~ 굵은 가지 / ~ morte 마른 가지. ② (신경의) 가지; 지류(支流); (길의) 갈래; 분가(分家); 지부, 지점, (광맥의) 지맥, (철도의) 지선. ~*s* terminales d'un nerf 〖해부〗 신경의 말단 지류 / ~*s* d'un arbre généalogique 계통수의 가지 / ~ d'un chemin (철도의) 지선 / ~ d'un fleuve 지류. ③ (사슴 뿔의) 가지; (촛대의) 가지; (안경 따위의) 다리; 추진기의 날개; (쇠스랑의) 발; (열쇠의) 촛대 : chandelier à plusieurs ~*s* 가지 달린 촛대. ④ (학문 따위의) 부문, 분야, 분과 : différentes ~*s* de l'économie 경제의 여러 분야 / ~*s* de l'enseignement 중등교육의 분과. ⑤ 〖문학〗 (작품의) 부분 : ~*s* du Roman de Renart 「여우 이야기」의 지편(枝篇). ***avoir de la ~ 풍채가 좋다; 명문 출신이다. ***être comme l'oiseau sur la ~*** 불안정한 처지에 있다. ***ma vieille ~*** 여보게, 이 사람아 《친한 친구 사이의 호칭》. ***s'accrocher à toutes les ~s*** (***aux ~s***) (궁지에 몰려) 무엇에나 매달리려 하다. ***sauter de ~ en ~*** 《구어》 변덕부리다, 꾸준하지 못하다. ***scier la ~ sur laquelle on est assis*** 위험한 처지에 빠뜨리다.

branché, e [bʀɑ̃ʃe] *adj.* ① 연결된, 접속된. ② 《être ~ en direct sur》 …에 직결되다 : Cet article *est* ~ *en direct sur* ce qui se passe. 이 기사는 현실과 직결되어 있다.

branchement [bʀɑ̃ʃmɑ̃] *m.* ① (수도관·철도 따위의) 분기(分岐); 분기된 관, 지관(枝管). ② 〖전기〗 도선, 분기 회로.

brancher** [bʀɑ̃ʃe] *v.i.* (새가) 가지에 앉다. ── *v.t.* ① (수도관·전선 따위를) 본관(본선)에 연결하다, (전기 기구 따위를) 전류에 연결하다 : ~ une conduite de gaz 가스관을 (본관에서) 끌다 / ~ un poste de radio sur le courant eléctrique 라디오를 전류에 연결하다. ② ~ un abonné (전화 교환수가) 전화를 연결하다. ③ 《~ qn sur》 《구어》 …을 …에(에게) 알리다, …에 관심을 갖게 하다 : ~ le public *sur* l'affaire 사람들을 그 사건에 대해 관심을 갖게 하다 / Ça te *branche* d'aller au ciné? 영화보러 가는데 관심 있어? ── **se** ~ *v.pr.* ① (새가) 가지에 앉다. ② 《se ~ sur》 (전선 따위가) …에 연결되다; 《주어 : qn》 …와 연결되다. ***On vous a mal branché. 전화번호가 틀립니다.

branchette [bʀɑ̃ʃɛt] *f.* 잔 가지.

branchial, e, aux [bʀɑ̃ʃjal, -o] *adj.* 아가미의, 아가미 같은.

branchies [bʀɑ̃ʃi] *f. pl.* 〖동물〗 아가미.

branchu, e [bʀɑ̃ʃy] *adj.* 가지가 무성한.

brandade [bʀɑ̃dad] *f.* (남프랑스의) 대구 요리의 일종.

brandebourg [bʀɑ̃dbuːʀ] *m.* 군복의 장식 금줄, 장식 단추; 장식 끈.

brandevin [bʀɑ̃dvɛ̃] *m.* (포도주로 만든) 브랜디.

brandir [bʀɑ̃diːʀ] *v.t.* (칼 따위를) 휘두르다; (쳐들어) 흔들다(= agiter); (자랑스럽게) 흔들어대다 : ~ le poing 주먹을 휘두르다 / ~ de petits drapeaux 작은 기를 흔들다 / ~ l'étendard de la révolte 반기를 휘두르다.

brandissement [bʀɑ̃dismɑ̃] *m.* 휘두르기.

brandon [bʀɑ̃dɔ̃] *m.* ① (불 붙이는) 짚단. ② 타다 남은 불 : ~ de discorde 불화의 씨.

brandy [bʀɑ̃di] 〔영〕 *m.* 브랜디.

branlant, e [bʀɑ̃lɑ̃, -ɑ̃ːt] *adj.* 흔들거리는, 건들거리는(≠ solide) : chaise ~*e* 흔들거리는 의자 / dent ~*e* 흔들리는 이 / C'est un château ~. (사람·물건이) 건들거려서 금새 쓰러질 것 같다.

B

B

branle [bʀɑ̃:l] *m.* ① 흔들림, 동요, 진동 : sonner en ~ 종을 난타하다. ② 충격, 자극(=impulsion) ; 첫 움직임, 시동(始動). ③ ⦅옛⦆ 〚해양〛 (선원의) 해먹(=hamac). ***donner le ~ à*** qc …을 움직이게 하다, 추진하다. ***mener le ~*** 리드하다 ; 선두에 나서 일하다. ***mettre*** qc ***en ~*** …을 움직이게 하다, 활동을 개시하게 하다. ***se mettre en ~*** (사람이) 움직이기 시작하다, 활동을 시작하다.

branle-bas [bʀɑ̃lbɑ] *m.* ⦅복수불변⦆ ① 〚해군〛 전투 준비 ; 기상 신호. ② 소동, 소란, 혼잡 : ~ d'un départ 출발을 위한 법석. ***B~ !*** 기상 ! ***faire le ~ de combat*** 전투 준비를 하다.

branlement [bʀɑ̃lmɑ̃] *m.* 흔들림, 동요, 진동.

branle-queue [bʀɑ̃lkø] *m.* 〚조류〛 할미새.

branler [bʀɑ̃le] *v.t.* ① 흔들다(=secouer) : ~ la tête 고개를 흔들다. ② ⦅속어⦆ 하다(=faire) : Qu'est ce que tu *branles* là ? 거기서 너 뭘 하니 ? ── *v.i.* 흔들리다, 건들거리다 ; 움직이다 ; 동요하다(=osciller) : dent qui *branle* 흔들리는 치아 / ~ dans le manche 자루〔손잡이〕가 흔들리다 ; ⦅비유⦆ (지위가) 위태롭다. ***Tout ce qui branle ne tombe pas.*** ⦅속담⦆ 흔들린다고 모두 떨어지는 것은 아니다. ── **se ~** *v.pr.* ⦅속어⦆ 수음하다, 용두질하다.

branlette [bʀɑ̃lɛt] *f.* ① (3 단계로 된 낚싯대의) 가운데 대. ② ⦅속어⦆ 용두질.

branque [bʀɑ̃k] *m.* ⦅구어⦆ 바보, 천치.

braquage [bʀaka:ʒ] *m.* 향하게 하기, 겨누기 ; (자동차 따위의) 방향 전환.

braque [bʀak] *m.* (털이 짧고 귀가 늘어진) 사냥개, 포인터. ── *adj.* et *n.* 경망한〔방정맞은〕 (사람), 머리가 약간 돈 (사람).

***braquer** [bʀake] *v.t.* ① ⦅~ qc sur〔vers〕 qn⦆ …으로 향하게 하다(=diriger) ; (눈길 따위를) 돌리다 ; 겨누다(=pointer) : ~ un revolver *sur* qn …에게 권총을 겨냥하다 / ~ les yeux〔ses regards〕 *sur* qn …을 주시하다. ② 〚항공 · 자동차〛 …의 방향을 바꾸다〔꺾다〕 : ~ ses roues vers le trottoir 보도 쪽으로 바퀴를 꺾다 / ⦅목적보어 없이⦆ ~ à gauche 왼쪽으로 핸들을 꺾다. ③ ⦅~ qn contre qn〔qc〕⦆ …에 대해 반대〔반항〕하게 하다 : Il *est braqué contre* moi. 그는 나에 대해 반대 입장을 취하고 있다. ── *v.i.* 차가 방향을 바꾸다 : Cette voiture *braque* bien. 이 자동차는 핸들이 잘 듣는다. ── **se ~** *v.pr.* ① (말이) 말을 듣지 않다. ② ⦅se ~ contre⦆ …에 반대〔반항〕하다.

braqueur, euse [bʀakœ:ʀ, -ø:z] *n.* ⦅은어⦆ 권총 강도.

braquet [bʀakɛ] *m.* ① 단검. ② (구두의) 징. ③ (자전거의 앞뒤 톱니바퀴의) 연동(連動) 관계 : mettre un grand〔petit〕 ~ 속력을 내다〔늦추다〕 / changer de ~ 속력을 바꾸다.

:bras [bʀa] *m.* ① 팔, 상지, 상박(=haut du ~) : ~ droit〔gauche〕 오른〔왼〕팔 / Il m'a saisi par le ~. 그는 내 팔을 잡았다 / tenir〔serrer〕 qn dans ses ~ …을 포옹하다 / Il est blessé qu ~. 그는 팔을 다쳤다. ② 힘, 완력(=force, puissance) : le ~ de Dieu 신의 힘 / le ~ de la justice 법의 힘. ③ 팔 모양의 것 ; (의자의) 팔걸이(=~ d'un fauteuil) ; (강의) 지류 ; 닻가지 ; (십자가의) 가지(=~ d'une croix) ; (펌프의) 손잡이(=~ d'une pompe) : ~ d'une chaise 의자의 팔걸이 / ~ d'une manivelle 크랭크암. ④ ⓐ (*pl.*) 일꾼, 일손 ; 조력(자) : manquer de ~ 일손이 모자라다 / s'appuyer au ~ de qn …의 팔에 기대다. ⓑ (계획 따위의) 실행하는 사람. ⑤ 〚동물〛 (척추동물의) 앞다리 ; (갑각류의) 집게발 ; (두족류의) 촉수.
à ~ ; à force de ~ 완력으로. ***à ~ tendu(s)*** 팔을 쭉 펴서 ; 힘껏. ***à ~ le corps*** 허리를 얼싸안고. ***à pleins ~*** ⓐ 한아름, 양팔 가득. ⓑ 열심히 : travailler *à pleins ~* 열심히 일하다. ***à tour de ~*** 힘 있게, 능숙하게. ***avoir le ~ long*** 인망이 있다 ; 세력이 있다. ***avoir les ~ rompus*** 지쳐 빠지다. ***avoir*** qn〔qc〕 ***sur les ~*** …을 책임지다 : Elle *a sur les ~* son père infirme. 그녀는 몸이 불편한 아버지를 부양하고 있다. ***~ de mer*** 해협. ***~ dessus ~ dessous*** 서로 팔을 끼고 : être ~ *dessus* ~ *dessous* 매우 사이가 좋다. ***~ d'honneur*** 주먹감자 먹이기⦅팔뚝을 치켜들고 상대를 조롱하는 몸짓⦆. ***casser*** 〔***couper***〕 ***~ et jambes à*** qn …을 꼼짝 못하게 하다 ; …을 낙담시키다 : Cette nouvelle m'*a coupé ~ et jambes.* 그 소식을 듣고 나는 실망에 빠졌다. ***en ~ de chemise*** 셔츠 바람인(으로). ***être dans les ~ de*** qn …와 결합하다. ***être sur les ~ de*** qn …의 신세를 지고 있다. ***faire les beaux*** 〔***grands***〕 ***~*** 뽐내다, 잘난 체하다. ***gros ~*** ⦅구어⦆ 강자, 강력한 리더 ; 스포츠의 챔피언. ***gros comme le ~*** ⦅존대하여 부를 때 쓰임⦆ : appeler qn Monsieur *gros comme le ~* …을 Monsieur 라고 점잖게 부르다. ***Les ~ m'en tombent.*** 놀라운 일이다, 어이가 없다. ***recevoir*** qn ***à*** 〔***les***〕 ***~ ouverts*** …을 대환영하다. ***rester les ~ croisés ; se croiser les ~*** 수수방관하다. ***tendre les ~ vers*** qn〔qc〕 …의 도움을 청하다, …에게 탄원하다. ***tendre*** 〔***ouvrir***〕 ***les ~ à*** qn …을 환영하다 ; …의 잘못을 용서하다 ; …에게 도움을 주다. ***vivre de ses ~*** 자활하다.

braser [bʀɑze] *v.t.* 땜질하다, 용접하다.

brasero [bʀɑ(a)zeʀo] 〔에스파냐〕 *m.* 화로.

brasier [bʀazje] *m.* (타는) 장작불, 숯불 ; ⦅비유⦆ 열화, 열정 : Son cœur était un ~. 그의 가슴은 이글이글 타오르고 있었다 / Son corps est un ~. 그의 몸은 (고열로) 불덩어리 같다.

brasiller [bʀa(ɑ)zije] *v.t.* 잉걸불〔숯불〕에 굽다. ── *v.i.* ① (바다가) 반짝거리다 ; 벌겋게 타오르다. ② (고기가) 지글지글 구워지다.

bras-le-corps (à) [abʀa(ɑ)lkɔ:ʀ] *loc. adv.* ***saisir*** qn ***à ~*** 두 팔로 얼싸안다.

brassage [bʀasa:ʒ] *m.* ① 휘저어 섞기 ; 혼합(=mélange) : ~ de l'air 환기. ② (맥주의) 양조. ***~ des affaires*** 많은 일의 재빠른 처리 ; 다각 경영. ***~ des races*** 인종의 혼합.

brassard [bʀasa:ʀ] *m.* 팔거리 갑옷 ; 완장 : ~ de deuil 상장(喪章).

brasse [bʀas] *f.* ① 발⦅두 팔을 벌린 길이⦆ ; 〚해양〛 길⦅약 1.62-1.83 m⦆. ② (헤엄치는 사람이) 한 번 팔을 저어 나아가는 거리 ; 〚수영〛 평영(平泳)(=~ française) : nager (à) la ~ 평영을 하다. ~ ***sur le dos*** 배영(背泳). ~ ***papillon*** 〖수영〗 버터플라이.

brassée [brase] *f.* ① 한 아름. ② 평영으로 한 번 팔을 휘저어 가는 거리.

brasser [brase] *v.t.* ① (맥주를) 양조하다. ② 휘저어 섞다 ; 혼합하다(= mêler) : ~ la salade 샐러드를 뒤섞다 / ~ l'air 환기시키다 / ~ les cartes avant de donner 《구어》 카드를 나눠주기 전에 패를 섞다. ③ 《속어》 (음모를) 꾸미다(= tramer) : ~ des intrigues 음모를 꾸미다. ~ ***de l'argent*** 많은 돈을 움직이다. ~ ***des affaires*** 동시에 여러 사업을 벌이다. — **se** ~ *v.pr.* 섞이다, 혼합되다 (= se mêler).

brasserie [brasʀi] *f.* ① 비어홀, 레스토랑. ② 맥주 양조장.

brasseur, euse[1] [brasœːʀ, -øːz] *m.* 맥주 양조업자. ~ ***d'affaires*** 《속어》 동시에 여러 사업을 벌이는 사람 ; 수완가.

brasseur, euse[2] *n.* 〖수영〗 평영 선수.

brassière [brasjɛːʀ] *f.* 소매가 달린 어린이용 조끼 : ~ de sauvetage 구명 조끼.

bravache [bravaʃ] *adj.* et *m.* 허세부리는 (사람)(= fanfaron) : faire le ~ 허세부리다.

bravade [bravad] *f.* ① 도전적 태도〔언동〕. ② 허세, 허풍 : par ~ 허세로.

brave** [brɑːv] *adj.* ① 《명사 뒤》 용감한 (≠ lâche) : homme ~ 용감한 사람. ② 《명사 앞에서》 선량한, 충직한, 친절한 : ~ homme 좋은 사람. ③ 《때로 명사 뒤》 Il est bien ~, mais il m'ennuie. 그는 사람은 좋지만 함께 있으면 따분하다. ④ 멋지게 옷차림을 한(= vêtu avec soin). ***mon ~ (***homme***) ; ***ma*** ~ ***femme*** 이봐, 여보게《아랫사람을 정답게 부르는 말》. — *m.* ① 용감한 사람 ; 《옛》 자객. ② 《옛》 mon ~ 여보게. ***en*** ~ 용감하게. ***faire le*** ~ = bravader.

bravement [bravmɑ̃] *adv.* ① 용감하게, 대담하게(= courageusement). ② 《구어》 아주 잘, 썩 잘, 솜씨 있게(= fameusement).

***braver** [brave] *v.t.* ① 《~ qn》 …에게 용감히 맞서다, 도전하다(= défier) : ~ l'ennemi 적에게 맞서 싸우다 / Il n'hésita pas à ~ son père. 그는 주저없이 아버지에게 대들었다. ② 《~ qc》 ⓐ …을 무릅쓰다 : ~ la mort 죽음을 무릅쓰다. ⓑ …을 무시하다(= mépriser) : ~ l'ordre〔l'autorité〕 de qn …의 명령을〔권위를〕 무시하다.

***bravo** [bravo] 〔이탈리아〕 *interj.* 잘 한다! 좋다! — *m.* 박수갈채, 환호.

bravoure [bravuːʀ] *f.* 용감, 용맹, 용기(= courage) ; (*pl.*) 무공 : lutter avec ~ contre qn〔qc〕 …에 대항해 용감하게 싸우다 / faire preuve de ~ 용기를 보여주다. ***air de*** ~ 〖음악〗 화려한 곡. ***morceau de*** ~ (문학 작품의) 뛰어난 대목.

break [brɛk] 〔영〕 *m.* ① 대형 4 륜마차. ② 〖자동차〗 라이트밴. ③ 〖재즈〗 브레이크.

breakfast [brɛkfast] 〔영〕 *m.* 영국식 아침식사《오트밀 · 홍차 · 따위로 함》.

brebis** [brəbi] *f.* ① 암양 : lait de ~ 양젖. ② 온순한 사람. ③ 신자 : ~ égarée 길 잃은 양. ***À ~ tondue Dieu mesure le vent. 《속담》 하느님은 견디지 못할 시련은 주지 않으신다. ***B~ comptées, le loup les mange.*** 《속담》 가장 좋은 계획도 실패하는 수가 있다. ***repas de*** ~ 마실 것이 없는 식사.

brèche [brɛʃ] *f.* ① 터진 틈, 금, 구멍 : colmater une ~ 터진 틈을 막다. ② (전선의) 돌파구 : faire une ~ dans le front ennemi 적의 전선에 돌파구를 열다. ③ 손해, 손상 : C'est une ~ à l'honneur. 그것은 명예를 손상시키는 것이다. ④ (칼 따위의) 이 빠진 곳. ⑤ 〖지질〗 각력암(角礫岩). ***battre en*** ~ 포격하다, 맹렬히 공격하다. ***être sur la*** ~ 싸우고〔일하고〕 있다. ***mourir sur la*** ~ 전사하다 ; 한창 활동 중에 죽다.

brèche-dent [brɛʃdɑ̃] *adj.* 《불변》 앞니가 빠진. — *n.* 앞니 빠진 사람.

brechet [brəʃɛ], **bréchet** [breʃɛ] *m.* 《구어》 (새의) 가슴뼈.

bredouillage [brəduja:ʒ] *m.* 빨라서 알아듣기 어려운 말투〔말〕.

bredouillant, e [brədujɑ̃, -ɑ̃:t] *adj.* (말이) 빨라서 알아들을 수 없는.

bredouille [brəduj] *f. adj.* 《불변》 ① (낚시 · 사냥에서) 잡은 것이 없는. ② 《비유》 얻지 못한, 성과가 없는. ***être*** ~ 《구어》 완전히 실패하다. ***rentrer***〔***revenir***〕 ~ (사냥꾼이) 빈손으로 돌아오다. ***se coucher*** ~ 저녁밥도 안 먹고 자다 ; 취해서 자다.

bredouillement [brədujmɑ̃] *m.* = bredouillage.

bredouiller [brəduje] *v.i.* et *v.t.* 빠른 어조로 말하다, 중얼거리다 : ~ une excuse 알아듣기 힘들 만큼 빠른 말로 변명하다.

bredouilleur, euse [brədujœːʀ, -øːz] *adj.* et *n.* (알아듣기 힘들 만큼) 빠르게 말하는 (사람).

⁑**bref**[1], **ève** [brɛf, -ɛːv] *adj.* ① 짤막한, 간결한, 간단한(≠ long) ; 퉁명스러운(= sec) : ton ~ 퉁명스러운 어조 / ~ épisode 짤막한 삽화 / lettre ~*ève* 간결한 편지 / ~*ève* allocution 간결한 연설 / avoir un parler ~ 말수가 적다 / Soyez ~. 간단히 말하시오. ② 〖언어〗 단음의 : voyelle ~*ève* 단모음. ***en*** ~ 간단히 말해서. — *adv.* ① 요컨대(= en somme, enfin) : *B*~, il n'y a rien de changé. 요컨대 바뀐 것은 아무것도 없다. ② 간단하게 : parler ~ 간단하게 말하다. — *f.* ① 〖언어〗 단모음(= voyelle ~*ève*) ; 단음절(= syllabe ~*ève*). ② 〖방송〗 토막뉴스.

bref[2] *m.* 〖가톨릭〗 (로마 교황의) 교서.

brelan [brəlɑ̃] *m.* 카드놀이의 일종《3 장씩 가지고 함》; 같은 패 3 장. ② 도박장.

breloque [brəlɔk] *f.* ① (시곗줄에 매다는) 패물 ; 값싼 장신구. ② 〖군사〗 해산 신호. ***battre la*** ~ (시계 따위가) 불규칙하게 가다 ; (기계가) 엉망진창으로 돌다 ; 횡설수설하다.

brème [brɛm] *f.* 〖어류〗 잉어의 일종.

brésilien, enne [breziljɛ̃, -ɛn] *adj.* 브라질(*le Brésil*)의. — **B**~ *n.* 브라질 사람.

bretelle [brətɛl] *f.* ① 가죽끈 ; (총의) 멜빵 : mettre〔porter〕 l'arme à la ~ 총을 메다. ② (*pl.*) (양복바지의) 멜빵 ; (스커트의) 걸빵 : ~s réglables 조절 가능한 걸빵 / une paire de ~s 바지 멜빵. ③ 〖철도〗 교차 선로 ; 교차로. ④ (간신과 간신과의) 연결 노로(– ~ de raccordement). ***en avoir jusqu'aux***〔***par-dessus les***〕 ~***s*** 《구어》 이도저도 못

하게 되어 있다; 곤드레만드레 취해 있다.

breton, onne [bʀətɔ̃, -ɔn] *adj.* 브르타뉴(*la Bretagne*, 프랑스 서부의 지방)의.
── **B~** *n.* 브르타뉴 사람. ── *m.* 브르타뉴어(語).

bretteur [bʀɛtœːʀ] *m.* 결투하기 좋아하는 「사람.

bretzel [bʀɛtzɛl] *m.* 짭짤한 비스킷.

breuvage [bʀœvaːʒ] *m.* ① 음료(=boisson); 물약(《특별한 효력이 있는 것》). ② 〔캐나다〕 (알코올을 함유하지 않은) 음료수.

brève [bʀɛːv] *adj.* et *f.* ⇒ bref[1].

brevet [bʀəvɛ] *m.* ① 《옛》 (왕의) 인가서; 〖군사〗 칙령서. ② 면허장, 증서; 보증: délivrer〔décerner〕à qn ~ d'honnêteté …의 정직함을 보증하다. ③ 특허(증·권): possesseur du ~ 특허권 소유자. ***~ de capacité*** 수업〔수료〕증서. ***~ d'études professionnelles*** 직업교육 수료증(《약자》 B.E.P.). ***~ d'invention*** 〔***d'inventeur***〕 특허증. ***bureau des ~s*** 특허국. ***~ élémentaire*** 초등교육 수료 증서(《약자》 B.E.).

breveté, e [bʀəvte] *n.* 특허권〔면허장〕 소유자. ── *adj.* 특허를 얻은; 면허증을 가진, 유자격의(=qualifié, diplômé): ingénieur ~ 면허증을 가진 기술자.

breveter [bʀə(ɛ)vte] [4·5] *v.t.* …에게 면허(장)〔특허(장)〕을 주다: faire ~ une invention 발명 특허를 얻다.

bréviaire [bʀevjɛːʀ] *m.* ① 〖가톨릭〗 날마다 읽는 기도서, 성무 일과서. ② 애독서.

B.R.I. 《약자》 Banque des règlements internationaux 국제 결제 은행.

briard, e [bʀijaːʀ, -aʀd] *adj.* 브리(*la Brie*, 프랑스의 옛 지방) 지방의. ── **B~** *n.* 브리 지방 사람. ── *m.* ① 브리 사투리. ② 브리종(種)의 개 (《양을 지키는 털이 긴 개》).

bribe [bʀib] *f.* ① 작은 조각〔동강이〕(=morceau); (담배)꽁초; 토막, 단편(=fragment); 소량, 약간: ~s de souvenirs 기억의 편린들 / ~s de viande 소량의 고기. ② (*pl.*) 먹다 남은 음식; 나머지(=restes). ③ 《옛》 빵조각〔덩어리〕. ***par ~s*** 단편적으로, 조금씩.

bric [bʀik] *m.* 《다음 말에만 쓰임》 ***de ~ et de broc*** 여기저기서 (조금씩), 여기저기서 그러모아. ***de ~ ou de broc*** 이럭저럭.

bric-à-brac [bʀikabʀak] *m.* 《복수불변》 고물, 골동품; 고물〔골동품〕상.

bric. et de broc (de) [bʀiketdbʀɔk] *adv.* 여기저기서 조금씩 긁어 모아; 이럭저럭.

brick [bʀik] *m.* 작은 범선(帆船)(《돛대가 둘 달린 것》).

***bricolage** [bʀikɔlaːʒ] *m.* 《구어》 ① 여러 일〔직업〕에 손대기, 품일, ② (자질구레한) 수리, 뜯어 맞추기; 응급 수리; 아마추어〔일요〕 목수일. ③ 《경멸》 서툰 솜씨: C'est du ~! 참 엉성하군!

bricole [bʀikɔl] *f.* ① 마구의 가슴띠; (짐을 메는) 가죽 멜빵, 질빵. ② (흔히 *pl.*) 하찮은 일〔물건〕(=babiole); (돈벌이가 안 되는) 자질구레한 일: s'occuper à des ~s 하찮은 일에 관계하다 / Il me reste juste quelques ~s à faire. 이제 남은 것이라곤 하찮은 일 몇가지 뿐이다.

***bricoler** [bʀikɔle] *v.i.* ① (일정한 직업 없이) 여러 가지 일에 손을 대다: Cet ouvrier n'a pas de métier, il *bricole* par-ci, par-là. 이 노동자는 일정한 직업이 없고, 여기저기서 잡다한 일에 손대고 있다. ② (자기 집을 수리하는 따위의) 잔일을 하다: Le dimanche matin, j'aime ~. 나는 일요일 아침에 집에서 이것저것 잔일을 하기를 좋아한다. ── *v.t.* 손질〔수리〕하다; 아마추어로 무엇을 만들다: ~ son poste de radio 라디오를 손수 수리하다.

bricoleur, euse [bʀikɔlœːʀ, -øːz] *adj.* et *n.* 《구어》 ① (일정한 직업 없이) 여러 가지 일을 하는 (사람). ② (자기집을 수리하는 따위의) 잔일을 하기 좋아하는 (사람).

bride [bʀid] *f.* ① (말의) 굴레(《재갈과 고삐까지를 합하여》); 고삐; 속박, 구속: mettre la ~ à un cheval 말에 굴레를 씌우다 / fureur sans ~ 격노 / tenir qn en ~ …을 구속하다. ② (모자의) 턱에 거는 끈. ③ (단춧구멍의) 사뜨기, (고리 모양의) 단춧구멍. ***À cheval donné on ne regarde pas à la ~.*** 《격언》 받은 선물의 흠을 찾아내지 말라. ***aller ~ en main dans une affaire*** 신중하게 일을 하다. ***courir*** (***à***) ***~ abattue*** 〔***à toute ~***〕 질주하다. ***lâcher la ~ à*** qn 아무를 방임하다. ***tenir la ~ haute*** 〔***courte, serrée***〕 ***à*** qn***; serrer*** 〔***retenir***〕 ***la ~ à*** qn …을 엄하게 다루다. ***tourner ~*** 길을 되돌아오다.

bridé, e [bʀide] *adj.* ① 말 굴레를 씌운. ② 속박〔구속〕된.

brider [bʀide] *v.t.* ① (말 따위에) 굴레를 씌우다; 억제하다; 속박〔구속〕하다: ~ ses désirs 욕망을 억제하다 / Il ne faut pas trop ~ les enfants. 자식을 너무 구속하지 마시오. ② 비끄러매다; 졸라매다; 꽉 죄다: Ce veston le *bride*. 그의 윗옷이 꽉 죈다. ***Chacun bride sa bête.*** 《격언》 사람은 저 좋은 대로 행동한다.

bridge [bʀidʒ] 〔영〕 *m.* 브리지(《카드놀이의 일종》); 〖치과〗 가공의치(架工義齒). 「하다.

bridger [bʀidʒe] *v.i.* 〖카드놀이〗 브리지를

bridgeur, euse [bʀidʒœːʀ, -øːz] *n.* 〖카드놀이〗 브리지를 하는 사람.

Brie [bʀi] *n.pr.f.* 브리(《프랑스 동북부의 지방》). ── **b~** *m.* 브리산(産)의 치즈. 「하다.

briefer [bʀife] *v.t.* 브리핑을〔상황 보고를〕

briefing [bʀifiŋ] 〔영〕 *m.* ① 〖항공〗 (비행 전에 비행사에게 내리는) 간단한 지시. ② 브리핑, 상황 보고. 「게.

brièvement [bʀijɛvmɑ̃] *adv.* 짧게; 간결하

brièveté [bʀijɛvte] *f.* (시간이) 짧음; 간결함: pour plus de ~ 간결하게 하기 위해.

brigade [bʀigad] *f.* ① 〖군사〗 여단: général de ~ 여단장, 소장 / ~ d'infanterie 보병여단 / être de 〔faire〕 ~ avec qn …와 같은 여단에 있다. ② 기병〔헌병〕 분대; (노동자·경찰관의) 반(班), 조(組): ~ des mœurs 풍기 단속반 / ~ criminelle (경찰의) 강력계 / ~ de balayeurs 청소반. ***chef de ~*** 직공장. ***travail à ~s relevées*** 교대제 노동.

brigadier [bʀigadje] *m.* 여단장; 헌병 반장; 기병 하사(下士); (관청 따위의) 반장.

brigadier-chef [bʀigadjeʃɛf] *m.* (*pl.* ***~s-~s***) (기병의) 중사 대리, 중사 근무 하사.

brigand [bʀigɑ̃] *m.* ① 불한당, 강도 ; 사기꾼. ② 《옛》 산적. ③ 《옛》 보병. ***histoires de ~s*** 황당무계한 이야기.

brigandage [bʀigɑ̃da:ʒ] *m.* ① 산적 같은 행위, 강도질(= vol) ; 파렴치한 행위, 협잡. ② 강탈, 약탈(= pillage).

brigue [bʀig] *f.* ① 술책, 책략(= intrigue). ② 도당(= cabale) ; 결사(= ligue).

briguer [bʀige] *v.t.* ① 술책〔책략〕을 써서 얻으려 하다. ② 얻으려고 애쓰다, 열망하다 : ~ un poste 어떤 직위를 열망하다.

brillamment [bʀijamɑ̃] *adv.* 찬란하게, 눈부시게 ; 훌륭하게.

brillance [bʀijɑ̃:s] *f.* 광채, 광택.

brillant, e** [bʀijɑ̃, -ɑ̃:t] *adj.* ① 빛나는, 찬란한(≠ mat, terne) : soleil ~ 빛나는 태양. ② 화려한, 현란한, 눈부신(= éblouissant) : *~e* cérémonie 화려한 의식. ③ 훌륭한, 뛰어난, 빼어난(≠ médiocre) : ~ élève 우등생 / faire de *~es* études 학업 성적이 뛰어나다. ④ 재치가 넘치는 : conversation *~e* 재치 있는 대화. ── *m.* ① 광택, 광채. ② 화려함, 현란함. ③ 브릴리언트형(型) 다이아몬드(《다면체로 자른》). ***~ de l'esprit 재치의 번뜩임. ***en ~*** 브릴리언트형(型) 다이아몬드처럼. ***faux ~*** 가짜 다이아몬드 ; 겉치레, 허식.

brillanter [bʀijɑ̃te] *v.t.* ① (금강석 따위를) 다면체로 자르다. ② 번들번들하게 하다〔꾸미다〕. ③ 광택〔윤〕을 내다.

brillantine [bʀijɑ̃tin] *f.* 머릿기름, 포마드.

brillantiner [bʀijɑ̃tine] *v.t.* (머리에) 머릿기름을 바르다.

briller** [bʀije] *v.i.* ① 빛나다, 번쩍〔반짝〕이다, (태양이) 비치다(= resplendir) : Le soleil *brille.* 태양이 빛난다 / Tout ce qui *brille* n'est pas or. 《격언》 반짝이는 것이라고 모두가 금은 아니다 / Ses yeux *brillaient* de joie. 그의 눈은 기쁨으로 빛나고 있다. ② 뛰어나다(= exceller) ; 눈에 띄다 : ~ dans l'exercice d'un art 예술 방면에서 두각을 나타내다 / Il *a brillé* à son examen. 그는 뛰어난 성적으로 시험에 합격했다 / ~ par son absence …이 없는 것이 눈에 띄다. ***faire ~ qc ***à*** qn 〔***aux yeux de*** qn〕 …의 마음을 끌기 위해 …을 내세우다.

brimade [bʀimad] *f.* ① (신병·신입생을) 구박하기, 신고식. ② 가혹 행위, 학대.

brimbaler [bʀɛ̃bale] *v.i.* 흔들리다, 덜컹거리다(= cahoter). ── *v.t.* 계속하여〔마구〕 흔들다(= secouer), 요동치게 하다.

brimborion [bʀɛ̃bɔʀjɔ̃] *m.* 하찮은 것(= babiole), 시시한 것〔일〕.

***brimer** [bʀime] *v.t.* (신참·신입생을) 구박하다(= maltraiter) ; 골탕먹이다(= bizuter) : ~ les bizuts 〔bleus〕 신참에게 신고식을 치르게 하다.

brin [bʀɛ̃] *m.* ① 새싹, 어린 잎〔줄기〕 : ~ d'herbe 풀잎 / beau ~ de fille 《비유》 늘씬한 아가씨. ② (실·밀짚의) 오라기 ; (노끈의) 가닥 : ~ de fil 실오라기 / *~s* d'un câble électrique 케이블의 여러 전선 가닥. ③ 조금, 약간, 소량. prendre un ~ de repos 약간의 휴식을 취하다. ***aller prendre un ~ d'air*** 조금 쉬러 가다. ***~ à ~*** 조금씩. ***Il n'y en a ~.*** 조금도 없다. ***un beau ~ de fille*** 날씬한 소녀. ***un*** (***petit***) ***~*** 약간, 조금.

brindezingue [bʀɛ̃dzɛ̃:g] *adj.* 《속어》 술취한(= ivre) ; 머리가 약간 돈(= fou).

brindille [bʀɛ̃dij] *f.* 잔가지 ; (*pl.*) 꺾은 잔가지.

bringue¹ [bʀɛ̃:g] *f.* 《구어》 조각, 동강. ***en ~s*** 갈기갈기 ; 난잡하게. ***une grande ~*** 키가 크고 볼품없는 여자.

bringue² *f.* 《속어》 흥청망청 마시기, 주연(= bombe²). ***faire la ~*** 흥청망청 마시다 ; 방탕한 생활을 하다.

bringuebaler [bʀɛ̃gbale], **brinquebaler** [bʀɛ̃kbale] *v.i., v.t.* = brimbaler.

brio [bʀijo] *m.* ① 쾌활, 활발, 활기, 뛰어난 솜씨. ② 재주, 탁월함. ***avec ~*** 활발하게, 힘차게, 훌륭하게. ***con ~*** 〖음악〗 활발하게.

brioche [bʀijɔʃ] *f.* ① 둥그스름한 빵과자. ② 《속어》 실책, 실수(= gaffe) : faire une ~ 실수를 하다. ③ 《속어》 뚱뚱이배(= bedon) ; 배. ***prendre*** 〔***avoir***〕 ***de la ~*** 배가 나오다.

brioché, e [bʀijɔʃe] *adj.* brioche 모양의〔맛이 나는〕.

brique** [bʀik] *f.* ① 벽돌 : ~ à paver 포장 벽돌 / maison de ~ 벽돌집 / poser des *~s* 벽돌을 쌓다. ② 《속어》 만 프랑 (뭉치)(《구지폐로는 백만 프랑》). ── *adj.* 《불변》 벽돌 빛의, 불그스름한 : peau ~ 불그스레한 피부. ***bouffer 〔***manger***〕 ***des ~s ; vivre de ~s.*** 아무것도 먹을 것이 없다.

briquer [bʀike] *v.t.* ① (갑판을) 마석으로 문지르다〔닦다〕. ② 공들여〔반질반질하게〕 닦다 : ~ un meuble 가구를 열심히 닦다.

briquet** [bʀikɛ] *m.* 라이터 ; 부싯돌(= pierre à ~) ; 발화 장치, 점화기 : ~ à essence 〔à gaz, électronique〕 기름〔가스·전자〕 라이터. ***battre le ~ 불꽃을 내다 ; 《구어》 (보행 중에) 발목〔무릎〕을 치다.

briqueter [bʀikte] [5] *v.t.* ① 벽돌로 쌓다〔공사하다〕. ② 벽돌 모양으로 만들다.

briqueterie [bʀikt(ə)ʀi, -kɛtʀi] *f.* 벽돌 제조 ; 벽돌 공장.

briquetier [bʀiktje] *m.* 벽돌 제조〔판매〕인.

briquette [bʀikɛt] *f.* 연탄, 조개탄.

bris [bʀi] *m.* ① 파괴, 파손. ② 부서진 뱃조각, 표류물. ***~ de clôture*** 토지의 불법 침입. ***~ de prison*** 〖법률〗 탈옥.

brisant, e [bʀizɑ̃, -ɑ̃:t] *adj.* 파괴성이 강한 : explosif ~ 강력 폭약. ── *m.* 암초(= écueil, récif), 방파제(= brise-lames) ; 둑.

brise [bʀi:z] *f.* 미풍, 산들바람 : ~ de mer 바닷바람.

brisé, e [bʀize] *adj.* ① 파괴된 : amitié *~e* 깨진 우정. ② 몹시 피로한(= harassé, moulu). ③ 접게 된 : chaise *~e* 접의자.

brisées [bʀize] *f. pl.* (사냥꾼들이 짐승이 달아난 길에 표시하기 위해) 꺾어 놓은 나뭇가지. ***aller*** 〔***courir, marcher***〕 ***sur les ~ de*** qn …와 경쟁하다. ***revenir sur ses ~*** 《구어》 멈추었던 일을 다시 시작하다 ***suivre les ~ de*** qn 《구어》 …을 흉내내다.

brise-fer [bʀizfɛ:ʀ] *m.* 《복수불변》 (단단한 물건도) 잘 망가뜨리는 개구쟁이.

brise-glace(s) [bʀizglas] *m.* 《복수불변》 쇄빙기(碎氷器) ; 쇄빙선(= navire ~).

brise-jet [bʀizʒɛ] *m.* 《복수불변》 (물이 튀지 않게) 수도꼭지에 끼우는 고무〔금속〕관(管).

B

brise-lames [bʀizlam] *m.* 《복수불변》 방파제, 둑, 제방(= digue).

brisement [bʀizmɑ̃] *m.* 깨뜨림, 파괴 ; 깨어짐, 파손.

briser** [bʀize] *v.t.* ① 깨뜨리다, 부수다, 꺾다 (= casser) ; 파괴하다, 분쇄하다(= détruire) : ~ l'espoir de qn …의 희망을 꺾다 / ~ la résistance de l'ennemi 적의 저항을 분쇄하다 / ~ une grève 파업을 무산시키다. ② (조약 따위를) 파기하다. ③ 《~ qn》 몹시 피로하게 하다(= épuiser) ; 낙담〔낙심〕시키다(= accabler) : Ce voyage m'*a brisé*. 이 여행으로 나는 기진맥진해졌다. ④ (대화 · 연설을) 중단하다 : ~ un entretien 대화를 중단하다 / ~ une amitié 우정을 깨다. ⑤ (빛을) 굴절시키다. ⑥ 《~ qc à qn 》…에게 호되게 (비난 따위를) 퍼붓다 : Qu'est-ce que je lui *ai brisé* ! 호되게 야단〔호통〕을 쳐 줬어. ***~ le cœur 상심하게 하다. ~ ***les fers de*** qn …을 자유롭게 해주다, 석방하다. ***~ ses fers*** 〔***ses chaînes, son joug***〕 미련을 끊다. ── *v.i.* ① (파도가) 부서지다. ② 《~ avec qn》 …와 절교하다 ; 《~ avec qc》 …을 포기하다. ***Brisons là.*** 이야기를 여기서 그만둡시다. ── **se ~** *v.pr.* ① 깨지다, 부서지다 : Le verre *s'est brisé*. 유리컵이 깨졌다. ② 실패하다 ; 좌절되다(= échouer). ③ (파도가) 부서지다 ; (의자 따위가) 접혀지다.

brise-tout [bʀiztu] *m.* 《복수불변》 무엇이든 부수기 잘하는 사람〔아이〕, 방정꾸러기.

briseur, euse [bʀizœːʀ, -øːz] *n.* 파괴자 : ~ d'imager 〔d'idoles〕 우상 파괴자.

brise-vent [bʀizvɑ̃] *m.* 《복수불변》 바람막이.

bristol [bʀistɔl] *m.* 희고 질긴 판지(板紙)《명함용》; 명함 : déposer un ~ chez qn …의 집에 명함을 두고 나오다.

brisure [bʀizyːʀ] *f.* ① 깨어진 틈〔금〕(= cassure). ② (덧문 따위의 두 짝이 맞닿아) 접히는 부분. ③ (포탄의) 파편.

britannique** [bʀita(n)nik] 영국의 ; 영국인의. ***l'Empire ~ 대영 제국. ***les Îles B~s*** 영국 제도(諸島). ***Sa Majesté ~*** 대영 제국 국왕 폐하. ── **B~** *n.* 영국 사람.

broc[1] [bʀo] *m.* (손잡이 하나 달린) 물통, 물병 : ~ de toilette 세면용 물병.

broc[2] [bʀɔk] *f.* 《옛》 꼬치 《다음 숙어로만 쓰임》. ***faire*** qc ***de ~ en bouche*** …을 즉석에서 하다. ***manger*** qc ***de ~ en bouche*** …을 식기 전에 먹다.

brocante [bʀɔkɑ̃ːt] *f.* 고물〔골동품〕 매매상 : faire de la ~ 고물〔골동품〕 장사를 하다.

brocanter [bʀɔkɑ̃te] *v.i.* (고물 · 골동품을) 매매하다. ── *v.t.* 고물로〔골동품으로〕 매매하다.

brocanteur, euse [bʀɔkɑ̃tœːʀ, -øːz] *n.* 고물 장수, 골동품 상인(= antiquaire).

brocard [bʀɔkaːʀ] *m.* 비웃음, 야유, 빈정거림, 조롱(= moquerie, raillerie) : lancer 〔essuyer〕 des ~s 야유를 퍼붓다〔당하다〕.

brocarder [bʀɔkaʀde] *v.t.* 비웃다, 야유하다, 빈정거리다(= railler).

brocart [bʀɔkaːʀ] *m.* 〖직물〗 수단(繡緞), 금란(金襴).

brocatelle [bʀɔkatɛl] *f.* ① 〖직물〗 문직(紋織) 비단. ② 색무늬가 든 대리석.

brochage [bʀɔʃaːʒ] *m.* ① 〖직물〗 수단으로 짜기. ② 〖제본〗 가제본(假製本)하기.

brochant, e [bʀɔʃɑ̃, -ɑ̃ːt] *adj.* 〖문장〗 다른 무늬 위를 관통하는. ***~ sur le tout*** 게다가.

broche [bʀɔʃ] *f.* ① 〖요리〗 (고기 굽는) 쇠꼬챙이, 꼬치 : viande cuite à la ~ 꼬치에 꿰어 구운 고기 / enfiler sur une ~ 꼬치에 꿰다 / faire cuire un poulet à la ~ 꼬치 통닭구이를 하다. ② 브로치, 장식 핀. ③ 〖직물〗 북, 방추. ***faire un tour de ~*** 《구어》 난롯가에서 몸을 녹이다.

broché [bʀɔʃe] *m.* 〖직물〗 수단으로 짜기 ; 수단.

brocher [bʀɔʃe] *v.t.* ① 〖직물〗 수단으로 짜다. ② 〖제본〗 가제본하다 ; 《속어》 (일을) 아무렇게나 하다 : faire ~ un livre 책을 가제본시키다. ***pour ~ sur le tout*** 더구나.

brochet [bʀɔʃɛ] *m.* 〖어류〗 곤들매기.

brochette [bʀɔʃɛt] *f.* ① 〖요리〗 (고기 굽는) 쇠꼬치 ; 꼬치구이 : rognons à la ~ 꼬치구이 콩팥. ② 《비유》 모여 있는〔늘어선〕 사람들 : 《une ~ de》 *une ~ de* stars 일군(一群)의 스타들 / *une ~ d'*écoliers 일렬로 늘어선 초등학생. ③ (훈장을 다는) 핀 : ~ de décorations 줄줄이 단 훈장. ***enfant élevé à la ~*** 공들여 키운 아이.

brocheur, euse [bʀɔʃœːʀ, -øːz] *n.* ① 가제본 직공. ② 수단 직조공.

***brochure** [bʀɔʃyːʀ] *f.* ① 가제본(업) ; 가제본 공장 : livre en ~ 가제본된 책. ② 팸플릿, 소책자(= pamphlet, opuscule).

brocoli [bʀɔkɔli] *m.* 〖식물〗 ① 모란채, 브로콜리. ② 양배추의 어린 싹.

brodequin [bʀɔdkɛ̃] *m.* ① 편상화(編上靴), 군화. ② (고대의) 희극 배우의 반장화.

broder [bʀɔde] *v.t.* ① (직물에) 수놓다 : ~ un mouchoir 손수건에 수를 놓다 / 《목적보어 없이》 fil à ~ 자수용 실 / métier à ~ 자수틀. ② 아름답게 꾸미다, 장식하다(= embellir, orner, parer) ; (이야기를) 과장하다, 윤색하다 : ~ une histoire 이야기를 과장하다 / 《목적보어 없이》 Je le soupçonne d'*avoir brodé* un peu. 그는 이야기를 좀 과장한 것 같다.

broderie [bʀɔdʀi] *f.* ① 자수 ; 자수 제품 ; 자수업 : ~ sur métier 자수틀 수 / faire de la ~ 수를 놓다. ② 과장, 윤색.

brodeur, euse [bʀɔdœːʀ, -øːz] *adj.* ① 수놓는. ② 과장하는 ; 윤색하는. ── *n.* 수놓는 사람 ; 과장〔윤색〕하는 사람. ── *f.* 자수업 ; 자수 기계(= ~*euse* mécanique).

broiement, broîment [bʀwamɑ̃] *m.* 깨뜨림, 분쇄.

broker [bʀɔkœːʀ] 〔영〕 *m.* 〖재정〗 (영 · 미의) 금융 시장 종사자; (금융 · 상업 분야의) 중개인, 브로커.

brome [bʀoːm] *m.* 〖화학〗 취소, 브롬.

bromure [bʀɔmyːʀ] *m.* 〖화학〗 브롬화물.

***bronche** [bʀɔ̃ːʃ] *f.* 〖해부〗 기관지(= grosse ~) ; 기관지지(支枝)(= petite ~).

broncher [bʀɔ̃ʃe] *v.i.* ① 비틀거리다, 헛발을 디디다 : cheval qui *bronche* sur une pierre 돌에 걸려 휘청거리는 말. ② 몸을 움직이다(= bouger) ; 반응하다 ; 머뭇거리다, 망설이다(= hésiter) : Que personne ne *bronche*. 아무도 꼼짝마라. ③ 불평하다. ④ 실수하다, 틀리다 : réciter sa leçon sans ~ 틀리지 않고 암송하다. ***Il n'est*** 〔***Il n'y a***〕 ***si***

bon cheval qui ne bronche. 《격언》 실수하지 않는 말〔사람〕이란 없다. ***sans ~*** 까딱도 아니하고; 태연히 : obéir sans ~ 두말 않고 복종하다.

bronchite [bʀɔ̃ʃit] *f.* 〖의학〗 기관지염 : ~ aiguë 〔chronique〕 급성〔만성〕 기관지염.

broncho-pneumonie [bʀɔ̃kɔpnømɔni] *f.* 〖의학〗 기관지 폐렴.

bronzage [bʀɔ̃zaːʒ] *f.* ① 청동을 입히기; 청동색으로 칠하기. ② 살갗을 햇볕에 태우기; 햇볕에 탄 살갗〔얼굴빛〕(= hâle).

bronze** [bʀɔ̃ːz] *m.* ① 청동(青銅). ② 청동 제품《동상·메달》; 《문어》 대포; 《문어》 종 : statue de ~ 청동 동상 / ~ de Rodin 로뎅의 청동 조각. ***âge du ~ 청동기 시대. ***~ d'alluminium*** 알루미늄 청동. ***cœur de ~*** 냉혹한 마음.

***bronzé, e** [bʀɔ̃ze] *adj.* 청동색의; 햇볕에 그을은 : teint ~ 그을린 얼굴빛.

***bronzer** [bʀɔ̃ze] *v.t.* ① 청동색〔갈색〕으로 칠하다; 청동색으로 만들다. ② (햇볕이 피부를) 그을리다(= hâler) : Le soleil l'*a bronzé*. 햇볕이 그의 살갗을 태웠다. ── *v.i.* (햇볕에 피부가) 검게 타다 : ~ au soleil 햇볕에 몸을 태우다 / crème 〔huile〕 à ~ 썬텐 크림〔기름〕. ── **se ~** *v.pr.* ① 청동빛으로 되다. ② (피부가 햇볕에) 검게 타다.

bronzette [bʀɔ̃zɛt] *f.* 《구어》 선탠, (햇볕에) 피부를 그을리기 : faire ~ 선탠하다.

brossage [bʀɔsaːʒ] *m.* 솔질, 브러시질.

brosse** [bʀɔs] *f.* ① 솔, 브러시; 화필 : ~ à cheveux 머리솔 / ~ à habits 옷솔 / ~ à peindre 〔de peinture〕 (화가의) 화필. ② (*pl.*) 《옛》 수풀, 덤불. ③ (곤충 다리의) 센털. ***~ à dents 칫솔. ***cheveux (taillés) en ~*** 짧게 깎은 머리. ***fait à la ~*** 조잡하게 된〔만들어진〕 : tableau *fait à la* grosse ~ 조잡하게 그린 그림. ***donner un coup de ~*** 솔질하다. ***être d'une belle ~*** (그림이) 잘 그려져 있다. ***manier la ~ à reluire*** 비굴하게 아부하다.

brosser [bʀɔse] *v.t.* ① 솔질하다, 솔로 닦다 : ~ un habit 〔des souliers〕 옷〔신발〕을 솔질하다 / ~ ses cheveux 머리를 브러시로 빗다. ② 《구어》 때리다, 구타하다. ③ 화필로 그리다; (대략적으로) 묘사하다, 개관하다 : ~ le portrait de qn …의 초상화를 대략 그리다 / ~ un tableau général de la situation 《비유》 정세를 전반적으로 개관하다. ④ 〖스포츠〗 (공에) 회전력을 주다, 스핀을 걸다. ── **se ~** *v.pr.* ① 《se는 간접목적보어》 자기 …에〔옷에〕 솔질하다 : *se* ~ les dents 칫솔질하다 / Elle *s'est brossé* les cheveux. 그녀는 브러쉬로 머리를 빗었다. ② 《se는 직접목적보어》 자기 옷에 솔질하다 : Il ne *s'est* pas *brossé* avec soin 그는 정성들여 (자기) 옷솔질을 하지 않았다. ***se ~ le ventre*** 굶다. ***Tu peux te ~ !*** 단념해야지!

brosserie [bʀɔsʀi] *f.* ① 솔 제조〔판매〕. ② 솔 공장.

brou [bʀu] *m.* (호두 따위의) 껍데기, 껍질. ***~ de noix*** 호두주(酒); 호두 염료.

brouet [bʀuɛ] *m.* 묽은 죽, 수프의 일종.

brouette [bʀuɛt] *m.* (외바퀴의) 손수레.

brouettée [bʀuɛ〔e〕te] *f.* (외바퀴) 손수레 한 대의 분량 : une ~ de fumier 손수레 한 대분의 퇴비.

brouetter [bʀuɛ〔e〕te] *v.t.* (외바퀴) 손수레로 운반하다 : ~ du sable 모래를 손수레로 나르다.

brouhaha [bʀuaa] *m.* 웅성거림, 와글거림; 《옛》 환호, 박수갈채 : ~ d'une gare 역에서 사람들이 웅성거리는 소리 / À la fin de la représentation, ce fut un ~ dans la salle. 공연이 끝나자 장내가 웅성거렸다.

B

brouillage [bʀujaːʒ] *m.* 〖무전〗 (전파) 방해〔장애〕; 잡음.

brouillard**[1] [bʀujaːʀ] *m.* ① (짙은) 안개(= brume), 아지랑이 : ~ épais 농무 / Il fait 〔Il y a〕 du ~. 안개가 끼어 있다. ② 《비유》 흐릿한 것; 분명하지 않은 것 : esprit plein de ~*s* 두뇌가 명석하지 못한 사람. ***avoir un ~ devant les yeux 흐릿하게 보이다. ***~ à couper au couteau*** 짙은 안개. ***être dans le(s) ~(s)*** 오리무중이다; 취했다. ***n'y voir que du ~*** 《구어》 아무것도 안 보이다〔분간 못하다〕.

brouillard[2] *m.* 일계장(日計帳), 장부.

brouillasse [bʀujas] *f.* 〖해양〗 옅은 안개; 《구어》 는개.

brouillasser [bʀujase] *v. impers.* 안개가 끼다; 는개가 오다. ── *v.i.* (안개가) 끼기 시작하다.

brouille [bʀuj] *f.* 불화, 반목 : ~ dans une ménage 가정 불화. ***être en ~ avec*** qn …와 사이가 틀어지다. ***jeter la ~ dans une famille*** 가정에 풍파를 일으키다.

brouillé, e [bʀuje] *adj.* ① 뒤섞인; 혼잡한. ② (하늘이) 흐린; (피부가) 창백한 : Il a un teint ~. 그는 안색이 좋지 않다. ③ 《~ avec qn》 …와 사이가 틀어진; 《~ avec qc》 …이 서투른; …와 인연이 없는 : Je *suis brouillé avec* les chiffres. 나는 계산이 서툴다 / Il est ~ *avec* lárgent. 그는 돈과는 인연이 없다. ***œufs ~s*** 풀어서 휘저은 달걀.

brouiller** [bʀuje] *v.t.* ① 뒤섞다(= mêler), 혼합하다; 뒤죽박죽으로 만들다 : ~ les cartes 카드를 뒤섞다 / ~ les dossiers 서류를 뒤죽박죽으로 만들다. ② (기계 따위를) 고장나게 하다; 혼란하게〔당황케〕 하다(= troubler) : ~ les idées 〔la cervelle〕 à qn …의 생각을 〔머리를〕 혼란에 빠뜨리다. ③ (생각·머리·시력 따위를) 흐리게 하다; (술 따위를 흔들어서) 탁하게 하다 : La buée *brouille* les verres de mes lunettes. 김이 서려 내 안경 유리가 뿌옇게 된다. ④ 불화를 초래하다, 사이가 틀어지게 하다 : ~ deux amis 두 친구 사이를 갈라놓다. / Cette histoire les *a brouillés* definitement. 그 사건은 결국 그들 사이를 틀어지게 했다.⑤ 〖무전〗 (전신을) 방해하다 : ~ les émissions de la radio 라디오 방송을 방해하다. ── **se ~** *v.pr.* ① 뒤섞이다, 뒤죽박죽이 되다. ② 혼란해지다 : Tout *se brouille* en ma tête. 내 머릿속의 모든 것이 혼란스럽다. ③ (날씨가) 흐려지다 : Le temps *se brouille.* 날씨가 흐려진다. ① 《~ avec》 사이가 나빠지다〔틀어지다〕 : Il *se sont brouillés.* 그들은 사이가 나빠졌다. ***Les cartes se brouillent. 《구어》 사이가 나빠지고 있다; 사태가 어지럽게

B

되어 간다. ***se ~ avec la justice*** (나쁜 짓을 해서) 법망에 걸려들다.

brouillerie [bʀujʀi] *f.* 일시적인 불화, 사이가 틀어짐, 의견 충돌(= brouille).

brouillon[1]**, onne** [bʀujɔ̃, -ɔn] *adj.* 흐리멍덩한, 혼란스러운, 무질서한(= confus, désordonné) : humeur *~onne* 되는 대로 행동하는 기질 / esprit ~ 정신이 혼란한 사람. — *n.* 혼란스러운 사람, 말썽꾼(= trublion).

brouillon[2] *m.* ① 초고, 초안(= ébauche). ② = brouillard[2]. ***faire le ~ d'un document*** 어떤 문서를 초안하다.

broussaille [bʀusɑːj] *f.* (보통 *pl.*) 가시덤불. ***cheveux en ~*** 헝클어진 머리털. ***sourcils en ~s*** 짙은 눈썹.

broussailleux, euse [bʀusajø, -øːz] *adj.* 가시덤불에 뒤덮인, 덤불이 무성한 ; (머리털 따위가) 헝클어진, (눈썹 따위가) 짙은 : avoir la barbe *~euse* 수염이 텁수룩하다.

brousse [bʀus] *f.* ① 가시덤불이 무성한 땅. ② (열대 지방의) 삼림 지대, 미개간지.

brouter [bʀute] *v.t.* (짐승이 풀 따위를) 뜯어먹다(= paître) : Tu me les *broutes !* 《구어》 넌 나를 귀찮게 하는구나 ! — *v.i.* (기계 따위가) 덜거덕거리다.

broutille [bʀutij] *f.* ① 싹, 순, 잔 가지. ② (흔히 *pl.*) 하찮은 것〔일〕(= babiole) : se disputer pour une ~ 사소한 문제로 다투다 / acheter quelque ~s 자질구레한 것들을 사다.

brownien [bʀo〔aw〕njɛ̃] *adj. m.* 브라운(*R. Brown*, 영국의 식물학자)의 : mouvement ~ 브라운 운동, 무질서한 입자 운동.

broyage [bʀwajaːʒ] *m.* (빻아서) 가루로 만들기, 갈기, 빻기(= broiement) ; (물감을) 녹이기 ; (삼 따위를) 빗질하기.

broyer [bʀwaje] [7] *v.t.* ① 빻다, 찧다 ; 갈다 ; 으깨다(= triturer) ; 부수다(= écraser) ; (물감을) 녹이다 : ~ des couleurs 물감을 녹이다 / ~ le chanvre 삼줄기를 훑다 / ~ du poivre 후추 알갱이를 갈다 / ~ la main de qn …의 손을 부서질 듯이 움켜쥐다. ② (저항 따위를) 분쇄하다(= anéantir) ; 《~ qn》 (시련 따위가 사람을) 기진맥진하게 하다(= briser, abattre) : La douleur l'*a broyé*. 그는 고통으로 만신창이가 됐다. ***~ du noir*** 침울한 생각에 잠기다.

broyeur, euse [bʀwajœːʀ, -øːz] *adj.* 빻는, 찧는 ; 부수는. — *n.* 부수는 사람 ; 물감 타는 사람. ***~ du noir*** 침울한 사람, 비관주의자. — *m.* 분쇄기, 믹서 — *f.* 제초기.

brrr [bʀʀʀ] *interj.* 아아 춥다, 으스스《추위 · 공포로 떠는 느낌》.

bru [bʀy] *f.* 며느리(= belle-fille), 자부.

bruant [bʀyɑ̃] *m.* 〖조류〗 멧새속(屬)(= bre-ant).

brucelles [bʀysɛl] *f. pl.* (작은) 핀셋.

brugnon [bʀyɲɔ̃] *m.* 〖식물〗 유도(油桃).

bruine [bʀɥin] *f.* 는개, 이슬비(= crachin).

bruiner [bʀɥine] *v. impers.* 이슬비〔는개〕가 내리다 : Il *bruine* toute la journée. 온종일 이슬비가 내린다.

bruineux, euse [bʀɥinø, -øːz] *adj.* 안개비 내리는; 이슬비 모양의〔같은〕.

bruire [bʀɥiːʀ] *v.i.* 《부정법 · 3 인칭 · 현재분사로만 쓰임》 미미한 소리를 내다, 살랑거리다, 바스락거리다, 윙윙거리다(= murmurer) : Le vent *bruissait* dans les feuilles. 바람이 잎 사이에서 살랑거리고 있었다.

bruissement [bʀɥismɑ̃] *m.* 살랑〔바스락〕거리는 소리 : ~ d'une robe 옷자락이 스치며 사각거리는 소리.

‡bruit [bʀɥi] *m.* ① 소리, 소음, 잡음 : ~ du tonnerre 천둥소리 / ~ de moteur 〔pas〕 엔진〔발자국〕 소리 / à petit ~ 소리를 내지 않고, 살며시 / ~ à tout casser 〔rompre〕 귀청이 터질 듯한 소음 / ~ aigu 〔sonore〕 날카로운〔낭랑한〕 소리 / ~ retentissant 울리는 소리 / protection contre le ~ 소음 방지 / émettre 〔produire, faire〕 un ~ 소리를 내다 / faire grand ~ de 〔autour de〕 qc …에 대해 크게 떠들어대다. ② 소란(= tapage), 소동 : Il y aura du ~ dans cetle réunion. 이 집회에서 한바탕 소란이 벌어질 것이다. ③ ⓐ 소문, 풍문(= rumeur) : ~*s* en l'air 뜬소문, 유언비어 / faux ~ 헛소문. ⓑ (좋은) 평판(= retentissement) : Ce livre a fait du ~. 이 책은 평판이 자자했다. ***faire beaucoup de ~ pour rien*** 하찮은 일로 떠들어대다. ***faire du ~*** ⓐ 《주어 : qn》 소리를 내다, 떠들썩거리다. ⓑ 《주어 : qc》 평판이 자자하다 : L'affaire a fait grand ~. 그 사건으로 떠들썩했다. ***faire grand ~*** 굉장한 반향을 일으키다. ***Il n'est ~ que de cela.*** 그 소문이 자자하게 퍼져 있다.

bruitage [bʀɥitaːʒ] *m.* (영화 · 연극의) 음향 효과.

bruiter [bʀɥite] *v.i.* (영화 · 연극에) 음향 효과를 내다〔넣다〕.

bruiteur [bʀɥitœːʀ]**, bruitiste** [bʀɥitist] *m.* (영화 · 연극의) 음향 효과 담당자.

brûlage [bʀylaːʒ] *m.* ① (밭의 잡초 따위를) 태우기. ② (머리를) 지지기.

***brûlant, e** [bʀylɑ̃, -ɑ̃ːt] *adj.* ① 타는, 불타는, 몹시 뜨거운(= chaud ; ≠ froid) : boire du café ~ 몹시 뜨거운 커피를 마시다 / Le soleil est ~. 태양이 작열한다. ② 열이 있는 : avoir le front ~ 신열이 나다. ③ 열렬한, 열정적인 : jeter des regards ~*s* 열렬한 시선을 던지다. ④ 다루기 어려운, 미묘한, 위험한 : sujet d'une actualité ~*e* 논란이 많은 시사 문제. C'est une question ~*e*. 매우 미묘한 문제이다.

brûlé, e [bʀyle] *adj.* ① 불에 탄 ; 구운 ; 그을린 : teint ~ 볕에 그을린 피부 / mourir ~ 불에 타 죽다. ② 신용을 잃은 : homme ~ 신용을 잃은 사람. ③ (적에게) 탄로난 : réseau d'espionnage ~ 드러난 간첩망. ④ 타는 듯한 ; 격정적인: cerveau ~ ; tête ~*e* 광신자. — *m.* 탄 것 ; 탄 맛 ; 단내 : goût de ~ 탄 맛. ***sentir le ~*** 단내나다 ; 수상쩍다. — *n.* 화상을 입은 사람 : grands ~*s* 심한 화상을 입은 사람들. ***crier comme un ~*** 큰 소리로 외치다.

brûle-bout(s) [bʀylbu] *m.* 《복수불변》 촛대(= binet).

brûle-gueule [bʀylgœl] *m.* 《복수불변》 《구어》 짧은 담배 파이프.

brûle-parfum(s) [bʀylpaʀfœ̃] *m.* 《복수불변》 향로.

brûle-pourpoint (à) [abʀylpuʀpwɛ̃] *adv.* 급작스럽게, 불쑥 ; 노골적으로 : poser une question *à* ~ 느닷없이 질문하다 / dire *à* ~ 단도직입적으로 말하다.

brûler** [bʀyle] *v.t.* ① 태우다, 불사르다, 불지르다 : ~ des mauvaises herbes 잡초를 태우다 / ~ le rôti 불고기를 너무〔까맣게〕 굽다 / ~ du linge au repassage 다리미질하다가 옷을 태우다. ② 《~ qn》 …에게 화상을 입히다 ; 피부를 검게 태우다 : la peau *brûlée* par le soleil 햇볕에 그을린 피부 / *être* gravement *brûlé* dans l'incendie 화재로 중화상을 입다. ③ ⓐ (커피 따위를) 볶다 : ~ le café vert (생)커피를 볶다. ⓑ (포도주를) 증류하다. ④ (새 · 돼지 따위를) 통째로 굽다. ⑤ (난방 · 조명 따위로) …을 소모하다(= consommer) : ~ du bois 〔de la bougie〕 장작을〔초를〕 태우다〔소모하다〕 / ~ de l'electricité 〔du gaz〕 전기〔가스〕를 소모하다 / ~ de l'encens 향을 피우다. ⑥ (시체를) 화장하다(= incinérer) : ~ un cadavre 시체를 태우다. ⑦ (식물을) 마르게〔시들게〕 하다 ; 망가뜨리다 : Les bourgeons *ont été brûlés* par la gelée. 새싹이 서리맞아 시들었다. ⑧ 따갑게〔쓰리게〕 하다 : La fumée *brûlait* ses yeux. 연기가 그의 눈을 쓰라리게 했다 / L'estomac le *brûle.* 그는 속이 쓰리고 아프다. ⑨ 《비유》 몹시 흥분시키다, 불타오르게 하다(= enflammer) : Il *est brûlé* du désir de la revoir. 그는 그녀를 다시 보고 싶어 못견뎌한다 / Mille convoitises le *brûle.* 천만가지 갈망에 그는 불타고 있다. ⑩ (정거장 · 신호등 따위를) 그대로〔멎지 않고〕 지나치다, 추월하다 ; 무시하다 : ~ le feu rouge 〔un signal〕 붉은 신호등을 무시하고 휙 지나가다 / ~ la consigne 명령을 무시하다. ⑪ 《구어》 (스파이 따위의) 정체를 폭로하다 (= démasquer) : *être brûlé* 《구어》 (비밀조직의 일원이) 정체가 드러나다. ***Le pavé lui brûle les pieds. 그는 어서 떠나고 싶어한다. — *v.i.* ① 타다, 연소하다 : La forêt *a brûlé* entièrement. 숲이 완전히 타 버렸다 / La lampe *brûle.* 등잔불이 켜 있다 / La maison *brûle.* 집에 화재가 났다. ② 타는 듯이 뜨겁다 : ~ de soif 타는 듯이 목마르다 / Il *brûle* de fièvre. 그는 불같이 신열이 난다. ③ 《~ de+*inf.*》 열망하다 ; 초조해하다 : Il *brûle* *d'*être à Paris. 그는 무척 파리에 가고 싶어한다. ④ 《~ de》 …에 불타다 : ~ *d'*amour 사랑에 불타다. ⑤ 《~ pour qn》 …에게 연정을 느끼다, 사랑하다. ⑥ (놀이 · 수수께끼에서) 거의 알아맞히다 : Tu y es presque, tu *brûles!* 거의 맞았어, 아주 가까워! ***Les mains lui brûlent.*** 그는 좀이 쑤셔 안절부절못한다. ***Les pieds lui brûlent.*** 그는 빨리 출발하고 싶어한다.

— **se** ~ *v.pr.* ① 불에 데다, 화상을 입다, 타죽다 : *se* ~ avec de l'eau bouillante 끓는 물에 데다. ② 《se는 간접목적보어》 자기의 …을 태우다〔데다〕 : *se* ~ les doigts 손가락을 불에 데다. ③ 연정을 태우다 : *se* ~ aux yeux d'une jolie femme 아름다운 여인의 눈에 반해 연정을 태우다. ***se ~ la cervelle*** 권총으로 자기 머리를 쏘아 자살하다. ***se ~ les yeux à force de****+inf.* …때문에 눈이 피로해지다.

brûlerie [bʀylʀi] *f.* 《드물게》 ① (브랜디) 증류소, 양조장. ② 커피 원두 볶는 상점〔공장〕.

brûleur, euse [bʀylœːʀ, -øːz] *m.* (버너 풍로 따위의) 화구(火口) ; 분유기(噴油器) : ~ à mazourt 중유 버너 / ~ à gaz 가스 등구(燈口).

brûlis [bʀyli] *m.* 태운 초원 ; 화전.

brûloir [bʀylwaːʀ] *m.* 커피 볶는 도구.

brûlot [bʀylo] *m.* ① 《옛》 (해전용의) 화선(火船) ; 소이탄 ; 조명탄. ② 《비유》 위험한 생각〔발상〕 ; 격한 논조의 신문.

***brûlure** [bʀylyːʀ] *f.* ① 화상 : ~*s* du premier degré, 1 도 화상. ② 타는 듯한 느낌, 염증 : ~*s* d'estomac 속쓰림. ③ (옷 따위의) 탄 자국〔구멍〕 : ~ de cigarette sur une moquette 양탄자 위에 난 담뱃불 자국. ④ 〖농업〗 (식물의) 말라죽는 병 ; 깜부깃병.

brumaire [bʀymɛːʀ] *m.* 공화력(共和曆) 제 2 월, 무월(霧月)《10 월 23 일-11 월 21 일》.

brume** [bʀym] *f.* ① 안개(= brouillard) ; 〖해양〗 바다의 안개. ② 난해한 문제 ; 몽롱함 ; 우울, 불안 ; 애수 : ~*s* de l'alcool 취기. ***signal de ~ (철도의) 농무 경계 신호.

brumer [bʀyme] *v. impers.* 안개가 끼다.

brumeux, euse [bʀymø, -øːz] *adj.* ① 안개 낀, 안개가 자욱한 : temps ~ 안개 낀 날씨. ② 알쏭달쏭한, 난해한 : une philosophie ~*euse* 난해한 철학. 「용용) 분무기.

brumisateur [bʀymizatœːʀ] *m.* (의료 · 미

brun, e** [bʀœ̃, -yn] *adj.* 갈색의 ; 갈색〔밤색〕 머리카락의 : cheveux ~*s* 갈색 머리 / bière ~*e* 흑맥주 / peau ~*e* 거무스름한 피부 / femme ~*e* 갈색 머리의 여자. — *m.* 갈색 : ~ foncé 짙은 갈색 / cheveux d'un ~ roux 적갈색의 머리. — *n.* 거무스름한 사람 ; 머리카락이 갈색인 사람 : petite ~*e* aux yeux noirs 검은 눈동자에 갈색 머리의 아가씨. ***courtiser la ~e et la blonde ; aller de la ~e à la blonde 이 여자 저 여자로 전전하다.

brunâtre [bʀynɑːtʀ] *adj.* 갈색을 띤.

brunch [bʀœn(t)ʃ] *m.* (*pl.* ~(***e***)***s***) 브런치, 아침 겸 점심.

brunet, ette [bʀynɛ, -ɛt] *adj.* 갈색을 띤. — *n.* 갈색 머리를 한 예쁜 아이.

brunir [bʀyniːʀ] *v.t.* ① 갈색으로 만들다 ; (햇볕에) 그을게 하다(= hâler) : Le soleil *brunit* la peau. 햇볕에 피부가 그을다. ② (금속을) 광내다, 닦다. — *v.i.* 갈색으로 되다.
— **se** ~ *v.pr.* ① 갈색이 되다 ; 햇볕에 그을다. ② (금속이 갈려서) 광택이 나다.

brunissement [bʀynismɑ̃] *m.* 갈색으로 되기 ; (햇볕에) 그을리기(= bronzage).

brunisseur, euse [bʀynisœːʀ, -øːz] *n.* 금속을 광내는〔닦는〕 직공.

brunissoir [bʀyniswaːʀ] *m.* 금속 연마기.

brunissure [bʀynisyːʀ] *f.* (닦여진 금속의) 광택, 반들거림.

brushing [bʀœʃiŋ] 〔영〕 *m.* (머리칼을 컬하기 위해) 세트하기(= mise en plis).

***brusque** [bʀysk] *adj.* ① 《주로 명사 앞》 갑작스러운, 돌연한(= inattendu) : changement ~ 갑작스러운 변화 / ~ réveil 갑작스레 잠을 깨기 / départ ~ 급작스러운 출발. ② (경사 따위가) 가파른. ③ 《주로 명사 앞》 퉁명스러운(= sec) ; 버릇없는, 거친(= brutal, rude) : ton ~ 퉁명스러운 말투 / caractère ~ 과격한 성격 / manières ~*s* 거친 태도 / Ne sois pas trop ~ avec cet enfant. 이 아이에 대해 너무 거칠게 대하지 마라.

***brusquement** [bʀyskəmɑ̃] *adv.* ① 갑자기, 뜻밖에, 불쑥, 돌연히. ② 퉁명스럽게, 거칠게(≠ doucement) ; 버릇없이.

brusquer [bʀyske] *v.t.* ① 거칠게〔난폭하게〕 취급하다〔다루다〕 : ~ les enfants 어린이를 난폭하게 다루다. ② 급히〔서둘러〕 하다 (= hâter ; ≠ retarder) : ~ une solution 〔un dénouement〕 서둘러 해결〔결말〕을 짓다. ***attaque brusquée*** 〖군사〗 급습. ***~ une affaire*** 어떤 일을 서둘러 하다. ***vouloir ~ la fortune*** 일확천금을 꿈꾸다.

brusquerie [bʀysk(ə)ʀi] *f.* 퉁명스러움 ; 거친 언동, 버릇없음(= rudesse) : traiter qn avec ~ …을 거칠게〔버릇없이〕 대하다.

brut, e**[1] [bʀyt] *adj.* ① 천연의, 가공하지 않은, 날것〔생것〕 그대로의 : diamant ~ 가공하지 않은 다이아몬드 / terrain ~ 경작하지 않은 토지. ② (작품 따위가) 다듬어지지 않은, 미완성의 ; (태도 따위가) 세련되지 못한 (= vulgaire, grossier). ③ 〖경제〗 (이익금 · 생산량 따위가) 총체의 ; (무게가) 포장을 포함한 : traitement ~ (세금 공제 전의) 봉급 총액 / bénéfice ~ 총수익. ***champagne ~ 단맛 없는 샴페인. ***produit ~*** 총매상고. ***sucre ~*** 조당. ── *adv.* 총체로, 포장을 포함하여(= en poids ~) : Ces colis pèsent ~ 20 kilos. 이 소포들은 총 20 킬로 나간다. ── *m.* ① 원유. ② 급여 총액.

***brutal, e, aux** [bʀytal, -o] *adj.* ① 짐승의, 짐승 같은 ; 난폭한, 거친(≠ doux) : force ~*e* 폭력 / gardien ~ 가혹 행위를 하는 교도관. ② 꾸밈 없는, 노골적인 ; 냉엄한 : vérité ~*e* 있는 그대로의 사실 / description ~*e* 노골적인 묘사 / reponse ~*e* 당돌한 대답. ③ 맹렬한, 격심한, 격렬한(= rude) ; 갑작스러운(= soudain) : discussion ~*e* 격렬한 논쟁. ── *n.* 난폭한 사람.

brutalement [bʀytalmɑ̃] *adv.* 난폭하게 ; 격렬하게 ; 갑작스럽게.

brutaliser [bʀytalize] *v.t.* 학대〔혹사〕하다 : ~ un enfant 어린이를 학대하다.

brutalité [bʀytalite] *f.* ① 잔인성 ; 난폭성 ; 난폭한 언행 : Il est d'une grande ~. 그는 성격이 매우 난폭하다 / ~*s* policières 〔de la police〕 경찰의 난폭한 행동. ② 갑작스러움(= brusquerie) : être surpris par la ~ de l'événement 돌발적인 사건에 경악하다.

brute**[2] [bʀyt] *f.* ① 금수, 짐승(= bête). ② 난폭한 사람, 교양 없는 사람. ***Quelle ~ ! 사람 같잖은 놈이다! ***travailler comme une ~*** 《구어》 악착스레 일하다.

bruyamment [bʀɥijamɑ̃] *adj.* 시끄럽게, 소란하게 : protester ~ 큰 소리로 항의하다.

***bruyant, e** [bʀɥijɑ̃, -ɑ̃:t] *adv.* 소란한, 떠들썩한, 시끄러운 : enfant ~*s* 떠드는 아이들 / salle ~*e* de rires 웃음소리로 떠들썩한 방.

bruyère [bʀy〔ɥi〕jɛ:ʀ] *f.* ① 〖식물〗 히스 ; 히스 뿌리 : pipe de ~ 히스뿌리로 만든 담배 파이프. ② 히스가 우거진 황야.

bryologie [bʀijɔlɔʒi] *f.* 〖식물〗 선태학(蘚苔學).

bté 《약자》 breveté 특허를 얻은 ; 특허권 소유자.

bu, e [by] *adj.* 《속어》 취한(= ivre).

buanderie [bɥɑ̃dʀi] *f.* 세탁장, 세탁실.

buandier, ère [bɥɑ̃dje, -ɛ:ʀ] *n.* ① 세탁하는 사람. ② 새 리넨을 표백하는 사람.

bubon [bybɔ̃] *m.* 〖의학〗 림프선 종창(腫脹), 서혜선종.

bubonique [bybɔnik] *adj.* 〖의학〗 림프선 종창의, 서혜선종의.

buccal, e, aux [bykal, -o] *adj.* ① 〖해부〗 입의, 구강의. ② 〖언어〗 = oral.

buccin [byksɛ̃] *m.* ① 〖패류〗 쇠고둥. ② 〖고대로마〗 나팔의 일종.

bûche [byʃ] *f.* ① 장작. ② 《구어》 담배 속에 든 피울 수 없는 줄기. ③ 바보, 얼간이(= sot) : Quelle ~ ! 이런 바보가 있나! ***~ de Noël*** (크리스마스 때 먹는) 장작 모양의 케이크. ***ne pas se remuer plus qu'une ~*** 전혀 활동을 하지 않다. ***ramasser*** 〔***prendre***〕 ***une ~*** 《구어》 자빠지다. ***rester comme une ~*** 꼼짝 않고 있다.

bûcher[1] [byʃe] *m.* ① 장작 광〔곳간〕. ② (화장 · 화형용의) 장작더미 ; 화장대(火葬臺) ; 화형대 : faire un ~ de qc …을 다 태워버리다 / monter 〔mourir〕 sur le ~ 화형당하다.

bûcher[2] *v.t.* ① 《구어》 때리다: ~ comme un sourd 사정없이 때리다. ② 《구어》 열심히 공부〔일〕하다 : ~ son français 프랑스어를 열심히 공부하다 / 《목적보어 없이》 étudiant qui *bûche* ferme 열심히 공부하는 학생. ***~ un examen*** 열심히 시험 공부하다.

bûcheron, onne [byʃʀɔ̃, -ɔn] *n.* 나무꾼 ; 벌목 인부. ── *f.* 여자 나무꾼, 나무꾼 아내.

bûchette [byʃɛt] *f.* 작은 상자, 나뭇조각.

bûcheur, euse [byʃœ:ʀ, -ø:z] *adj.* et *n.* 열심히 공부〔일〕하는 (사람).

bucolique [bykɔlik] *adj.* 목동의 ; 목가적인, 전원 생활의 : existence ~ 전원 생활 / poète ~ 전원 시인. ── *m.* 목가체(體). ── *f. pl.* 목가, 전원시.

***budget** [bydʒɛ] *m.* ① (국가 · 공공 기관의) 예산 : ~ de l'État 국가의 예산 / préparer le ~ 예산안을 짜다 / équilibre du ~ 예산의 균형 / inscrire qc au ~ …을 예산에 올리다. ② (한 기업 · 일가 · 개인의) 예산 ; 수지 : ~ familial 〔domestique〕 가계 / boucler son ~ 수지 균형을 맞추다.

budgétaire [bydʒetɛ:ʀ] *adj.* 예산(상)의 : prévisions ~*s* 예산 견적서 / année ~ 회계연도 / crédit ~ 예산액.

budgétiser [bydʒetize] *v.t.* 예산에 넣다.

budgétivore [bydʒetivɔ:ʀ] *adj.* et *n.* 나라에서 먹여 살리는 (사람).

***buée** [bɥe] *f.* 김, 수증기 ; (가벼운) 안개.

buffet** [byfɛ] *m.* ① 찬장(= ~ de cuisine) : ~ glacière 냉장고. ② (역) 구내 식당, 간이식당; 식당의 진열대 ; (술집 따위의) 스탠드. ③ 식기대 ; 식기 한 벌 : ~ d'argenterie 은식기 세트. ④ (파티 따위에서) 음식을 차려 놓은 식탁 ; 그 음식 : dresser le ~ 뷔페를 차리다. ⑤ 《구어》 위, 밥통, 배 : avoir du ~ 배가 나와 있다. ⑥ ⓐ 파이프오르간의 틀〔케이스〕. ⓑ ~ d'orgues 소형 파이프오르간. ***~ de voyage 피크닉용 바스켓. ***n'avoir rien dans le ~*** 배가 고프다.

buffle [byfl] *m.* ① 물소. ② 물소 가죽〔뿔〕 : valise en (peau de) ~ 물소 가죽 가방.

buffleterie [byflə(ɛ)tʀi] *f.* (물소 가죽으로 만든) 무기 메는 가죽 끈, 가죽 장비.
bufflon, onne [byflɔ̃, -ɔn] *n.* 〖동물〗 어린 물소. ── *f.* 암물소.
bug [bœg] 〔영〕 *m.* 〖컴퓨터〗 (컴퓨터 프로그램의) 오류, 버그(= bogue).
bugle [bygl] *m.* 나팔(트럼펫의 일종).
building [bildiŋ] 〔영〕 *m.* 빌딩, 건물.
buis [bɥi] *m.* ① 회양목. ② 회양목 재목. ~ ***bénit*** 축성된 회양목 가지.
buisson [bɥisɔ̃] *m.* ① (관목의) 덤불; 수풀, 총림 : ~ épineux ; ~ d'épines 가시덤불 / ~ ardent 〖성서〗 (신이 모세에게 모습을 보인) 타오르는 덤불 숲 / guerre de ~*s* 게릴라전. ② 〖요리〗 피라밋형으로 담은 요리 : ~ de homards 쌓아올린 가재 요리.
buissonneux, euse [bɥisɔnø, -øːz] *adj.* 관목이 무성한, 덤불이 많은, 잔가지가 많고 키가 작은 : terrain ~ 관목 지대.
buissonnier, ère [bɥisɔnje, -ɛːʀ] *adj.* 덤불 속에 있는〔사는〕: école ~*ère* 야외〔임간(林間)〕 학교. ***faire l'école ~ère*** 학교를 빼먹다; 일터에 나가지 않다.
bulbe [bylb] *m.* ① 〖식물〗 구근(球根), 근경(根莖). ② 〖해부〗 구부(球部), 근(根); 연수(延髓) 안구, 조경(調經) : ~ dentaire 치근 / ~ pileux 모구, 모근 / ~ oculaire 〔de l'œil〕 안구.
bulbeux, euse [bylbø, -øːz] *adj.* 〖식물〗 구근으로 된, 구근이 있는; 구근 모양의 : plante ~*euse* 구근 식물 / clocher ~ 둥근 모양의 종탑.
bulgare [bylgaːʀ] *adj.* 불가리아(*la Bulgarie*)의. ── **B~** *n.* 불가리아 사람. ── *m.* 불가리아어(語).
bulldozer [buldozœːʀ] 〔영〕 *m.* 불도저; 《비유》 (일에 적극적인) 불도저 같은 사람.
bulle**[1] [byl] *f.* ① 거품; (금속·유리 등의) 기포(氣泡) : ~*s* du verre 유리의 기포. ② 〖의학〗 수포(水疱), 물집. ③ (만화에서 인물의 대사를 나타내는) 동그란 테(= ballon, fumée). ***coincer la ~ 《구어》 빈둥빈둥 놀다.
bulle[2] *f.* 교황의 옥새(玉璽); (교황의) 교서, 칙서(勅書) : ~ du pape 교황의 교서 / ~ d'excommunication 파문교서 / recevoir une ~ 교황으로부터 주교 임명의 사령장을 받다.
bulletin** [byltɛ̃] *m.* ① 투표 용지(= ~ de vote) : ~ nul 무효표 / dépouiller les ~*s* 개표하다. ② (공적인) 보고서; 공보; (단체·학회의) 회보; 법령집(= ~ des lois); 〖학교〗 성적표, 통지표 : ~ statistique 통계 보고서 / ~ syndical 조합회보 / ~ médical 환자의 용태 보고서 / avoir un bon ~ 좋은 성적을 받다. ③ (신문·방송의) …란, 면; 보도 자료 : ~ de l'étranger 해외면 / ~ d'information(s) 뉴스. ④ 권(券), 표; 명세서 : ~ de paie 〔de salaire〕 급료명세표 / ~ d'abonnement 구독〔예약〕 신청서. ***~ de bagage 수화물 물표. ***~ de commande*** 주문서. ***~ météorologique*** 일기 예보.
bungalow [bœ̃(ɔ̃)galo] 〔영〕 *m.* 방갈로.
bunker [bœnkœːʀ] 〔영〕 *m.* 〖골프〗 벙커.
buraliste [byʀalist] *n.* ① (우체국의) 사무원; 위탁 세금 징수인, 세무 사원. ② (지방의) 담배 가게 주인. ── *adj.* receveur ~ 수납계원 / recette ~ 수입 인지 파는 곳.
bure [byːʀ] *f.* ① (승복·죄수복 따위를 만드는) 거친 모직물; 그것으로 만든 옷. ② 승복; 승려의 신분 : prendre la ~ 수도자가 되다.
‡bureau [byʀo] *m.* (*pl.* ***~x***) ① 사무용 책상 : ~ américain 〔à rideau〕 (접이식의) 뚜껑 달린 책상. ② 사무실(= cabinet), 집무실; 서재 : ~ d'un avocat 변호사 사무실 / ~ de travail 서재, 연구실 / ~ de location 〔du théâtre〕 (극장의) 매표소. ③ ⓐ (관청·회사 따위의) 국(局), 부(部), 과(課) : ~*x* de la Mairie 시청의 각국 / deuxième *B~* (군의) 정보부 / chef de ~ 국장. ⓑ 사무, 집무 : heures de ~ 집무 시간. ④ (국회 따위의) 수뇌부; (정당·조합 따위의) 간부; (심의·연구) 위원회 : ~ d'études 심의 위원회 / ~ de vote 선거관리 위원회. ⑤ (*pl.*) 행정부; 관공서. ***Cette affaire est sur le ~.*** 《구어》 이 사건은 현재 심의 중이다. ***~ de placement*** 직업 소개소. ***~ de police*** 경찰서. ***~ de(s) poste(s)*** 우체국. ***~ de tabac*** 담배 가게. ≪***B~ restant***≫ (우편물의) 「국유치」. ***~ téléphonique*** 전화국. ***déposer un projet de loi sur le ~*** 법안을 제출하다. ***prendre l'air du ~*** 어떤 사건의 추이를 살피다; 사무실에 잠깐 얼굴을 내밀다.
bureaucrate [byʀokʀat] *m.* ① 관리, 관료. ② 《구어》 관료적인 사람.
bureaucratie [byʀokʀasi] *f.* ① 관료주의; 《구어》 관료적 방식 : les abus de la ~ 관료주의의 폐습. ② 《집합적》 관료(전체).
bureaucratique [byʀokʀatik] *adj.* 관리의, 관청의; 《구어》 관료적인. ***esprit ~*** 관료 근성.
bureaucratisation [byʀokʀatizɑsjɔ̃] *f.* 《경멸》 관료화, 관료주의화.
bureaucratiser [byʀokʀatize] *v.t.* 관료(주의)화하다; 《구어》 관청식으로 하다.
bureautique [byʀotik] *f.* (전산화에 의한) 자동 업무 처리. ── *adj.* 자동 업무 처리의 : outils ~*s* 자동 업무 처리 기기, OA기기.
burette [byʀɛt] *f.* ① (초·기름을 담는) 작은 병; 〖가톨릭〗 (미사용 포도주·물을 넣는) 병. ② (기계에 치기 위한) 기름 통.
burin [byʀɛ̃] *m.* ① 〖미술〗 (금속 조각용의) 끌(= ciseau) : ciseler 〔graver, sculpter〕 au 〔en〕 ~ 끌로 조각하다. ② 〖미술〗 (동판화의 한 기법인) 뷔렝 (조각); 뷔렝 (판화).
buriné, e [byʀine] *adj.* 끌로 새겨진 : visage ~ ; traits ~*s* 시련의 흔적이 깃든 얼굴.
buriner [byʀine] *v.t.* 끌로 조각하다, 새기다. ── *v.i.* 열심히 공부〔일〕하다(= bûcher).
burlesque [byʀlɛsk] *adj.* ① 우스꽝스러운, 익살스러운(= comique ; ≠ grave) : film ~ 희극 영화 / accoutrement ~ 우스꽝스러운 옷차림 / idée ~ 터무니없는 생각. ② 〖문학〗 genre 〔style〕 ~ 고상하고 웅장한 주제를 비속화함으로써 희극적 효과를 자아내는 장르〔문체〕《특히 17세기 전반기의 한 문학 양식》. ── *m.* 익살극.
burnous [byʀnu(s)] *m.* ① (아라비아 사람의) 두건 달린 겉옷; 아라비아풍의 외투. ② (두건 달린 소매 없는) 유아복. ***faire suer le ~*** 하층 계급의 사람〔원주민〕들을 착취하다.
bus [bys] *m.* 《구어》 = autobus, omnibus.

busard [byzaːʀ] *m.* ① 〖조류〗 말똥가리 무리. ② 〖건축〗 나무 홈통.

buse¹ [byːz] *f.* 〖조류〗 말똥가리 ; 《구어》 바보. ***On ne saurait faire d'une ~ un épervier.*** 《속담》 외덩굴에 가지 열릴까? 바보는 고칠 도리가 없다.

B

buse² *f.* (여러 종류의) 도관(導管), 관(管) ; (용광로의) 송풍관 ; 〖광물〗 (갱도의) 통풍관 ; (물을 대는) 홈통.

business [biznɛs] *m.* ① 장사, 거래, 사업(= commerce, affaires) : faire du ~ 사업을 하다 / aller à son ~ 직장에 (일하러) 가다. ② 《속어》 일(=travail) ; 뒤얽힌 일 ; 물건(= chose, truc) : Qu'est-ce que c'est que ce ~? 도대체 무슨 일인가? ③ 《은어》 매춘 : faire le ~ 매춘 행위를 하다.

businessman [biznɛsman] *m.* (*pl.* **-men** [-mɛn]) 실업가, 상인(=homme d'affaires).

busqué, e [byske] *adj.* 구부러진, 활 모양의 : nez ~ 매부리코.

buss-iez, -ions ⇒ boire.

buste** [byst] 〔이탈리아〕 *m.* ① 상반신(= torse) : rejeter le ~ en arrière 상반신을 뒤로 젖히다. ② 젖가슴, 유방. ③ 반신상, 흉상 : ~ de proue 선수상(船首像). ***se faire peindre en ~ 자기 반신상을 그리게 하다.

bustier [bystje] *m.* 끈 없는 브래지어.

⁑**but** [by, byt] *m.* 《지방에 따라 [byt]로 발음됨, 문장 끝에서 간혹 [byt]로 발음됨》 ① 과녁, 표적, 목표(=cible, objectif) : toucher le ~ 과녁을 맞히다 / viser le ~ 과녁을 겨누다 / manquer le ~ 실패하다. ② 목적지 ; 〖스포츠〗 결승점 ; (축구·핸드볼·하키 따위의) 골(포스트) ; 득점 : ~ du voyage 여행 목적지 / courir au ~ 결승점을 향해 달리다 / gardien de ~ (축구의) 골키퍼 / gagner par trois ~*s* à un, 3 대 1로 이기다. ③ 목적(= fin, objectif), 목표 : se fixer un ~ 목표를 설정하다 / atteindre le ~ 성공하다, 목적을 달성하다 / ~ de la vie 인생의 목적. ④ 〖문법〗 complément circonstanciel de ~ 목적 상황보어 / subordonnée de ~ 목적절. ***aller au-delà du ~*** 《구어》 예상 이상으로 성공을 거두다. ***aller*** (***droit***) ***au ~*** 대뜸 문제의 핵심을 찌르다. ***avoir pour ~***+명사〔***de*** +*inf.*〕 …을 목적으로 하다. ***dans le*** 〔***un***〕 ***~ de***+*inf.* …할 목적으로 : Il est parti *dans le ~ de* la rencontrer. 그는 그녀를 만날 목적으로 떠났다. ***de ~ en blanc*** 〖군사〗 (총·포가) 직사로 ; 대뜸, 불쑥, 단도직입적으로(= brusquement) : être interrogé *de ~ en blanc* 갑자기 질문을 받다.

butane [bytan] *m.* (가스 대용의) 천연 탄화수소 ; 〖화학〗 부탄 : gaz ~ 부탄가스.

buté, e¹ [byte] *adj.* 고집센, 완강한, 완고한 (= entêté) : avoir l'air ~ 고집스러워 보이다.

butée² [byte] *f.* ① 〖토목〗 교대(橋臺)(= culée), 지주(支柱). ② 〖기계〗 축받이(=palier de ~) ; 추압(推壓). ③ 〖기계〗 제동 장치.

buter [byte] *v.i.* ① (장애물에) 발부리를 부딪치다 ; 《~ contre 〔sur〕》 …에 (발부리를) 부딪치다 : ~ *contre* une pierre 돌멩이에 발부리를 부딪치다 / Sa tête *a buté contre* le par-brise. 그의 머리가 자동차 앞창에 부딪쳤다. ② 《비유》 어려움〔반대〕에 부딪치다 : ~ *sur* les limites technologiques 기술적인 한계에 부딪치다. ③ 《주어 : qc》 《~ contre》 …에 기대다 : poutre qui *bute contre* le mur 벽에 기대어진 들보. ④ 《옛》 《~ à》 목표로 삼다, 노리다 : ~ *à*+*inf.* …할 것을 노리다. ── *v.t.* ① 떠받치다, 버티다 : ~ un mur (au moyen d'un arcboutant) 벽을 (부벽으로) 버티다. ② 《~ qc contre》 …을 …에 기대어〔걸쳐〕 놓다 : ~ une poutre *contre* un mur 들보를 벽에 걸쳐 놓다. ③ 《~ qn》 (몰아붙여) 반항하게 하다 : ~ un enfant 아이를 몰아붙여 심통을 부리게 하다. ④ 《속어》 때려눕히다, 죽이다. ── **se ~** *v.pr.* ① 《se ~ contre 〔à〕》 …에 부딪치다 : Il *s'est buté contre* une souche. 그는 그루터기에 부딪쳤다. ② 《se ~ à qc 〔+*inf.*〕》 …을 고집하다, 집요하게 …하다 : *se ~ à* vouloir résoudre un problèm 집요하게 문제를 풀려고 하다.

buteur [bytœːʀ] *m.* 〖축구〗 골게터.

butin [bytɛ̃] *m.* ① 전리품, 노획물 ; 장물. ② 이득, 세간 ; (연구의) 성과 : faire son ~ dans une affaires 장사에서 두둑이 벌다.

butiner [bytine] *v.t.* ① 노획하다 ; (꿀벌이 꿀을) 모으다. ② (정보 따위를) 수집하다(= récolter) :~ des renseignements 정보를 수집하다. ── *v.t.* 노획물을 거두다 ; (꿀벌이) 꿀을 모으다.

butoir [bytwaːʀ] *m.* ① 완충 장치 ; 완충기 ; 〖철도〗 바퀴 멈춤 장치 : ~ d'une porte 문의 완충기. ② (가죽 벗기는) 칼(= drayoir).

butor [bytɔːʀ] *m.* ① 〖조류〗 알락해오라기. ② 《구어》 야비한〔상스러운〕 사람.

butte [byt] *f.* ① 작은 산, 언덕(=tertre) : la *B~* 〔la ~ Montmartre〕 몽마르트르 언덕. ② 표적, 목표, 대상. ***être en ~ à*** …의 대상〔표적〕이 되다. ***mettre*** qn ***en ~ aux rires*** …을 웃음거리로 만들다.

buvable [byvabl] *adj.* ① 마실 수 있는, 음료가 될 수 있는. ② 《구어》 받아들일 수 있는(= acceptable) ; 참을 수 있는(=supportable).

buvard [byvaːʀ] *adj.* (잉크를) 빨아들이는. ── *m.* 압지(=papier ~) ; 압지장(帳).

buvetier, ère [byvtje, -ɛːʀ] *n.* 간이식당 주인 ; (작은) 술집 주인.

buvette [byvɛt] *f.* (극장·역 따위의) 구내식당, 간이식당.

buveur, euse [byvœːʀ, -øːz] *adj.* 술 잘 마시는. ── *n.* 술꾼, 술고래 : gros 〔grand〕 ~ 대음주가 / ~ de bière 맥주꾼 / ~ d'eau 금주가.

buvot(t)er [byvɔte] *v.i.* 찔끔찔끔 마시다.

B.V.P. 《약자》 Bureau de vérification de la publicité 광고 심의 기구.

Bx-A. 《약자》 Beaux-Arts 미술 (학교).

byte [bajt] 〔영〕 *m.* 〖컴퓨터〗 바이트《컴퓨터의 정보 단위》.

byzantin, e [bizɑ̃tɛ̃, -in] *adj.* ① 비잔틴(*Byzance*)의, 동로마 제국의 : civilisation ~*e* 비잔틴 문명. ② 무익한, 쓸데없는 : discussion ~*e* 쓸데없는 토론. ***Empire ~*** 동로마제국. ***style ~*** 〖건축〗 비잔틴 양식. ── **B~** *n.* 비잔틴 사람. ── *m.* 장밋빛.

byzantinisme [bizɑ̃tinism] *m.* ① 비잔틴 문명 연구. ② 하찮은〔부질없는〕 논쟁.

C

C[1], **c** [se] *m.* ① 프랑스어 자모의 제 3 자. ② 〖음악〗 다음(音) ; 다조(調) ; 4 분의 4 박자. ③ 로마 숫자의 100 : *CL* = 150.

C[2] 《약자》 ① carbone 〖화학〗 탄소. ② coulomb 〖전기〗 쿨롱《전기량의 실용 단위》.

c' ce의 생략형.

ça**[1] [sa] *pron. dém.* 《구어 ⇒ cela, ceci》 ① 《사물 · 상황을 지칭》 이것, 그것, 저것 : tout *ça* 이것〔그것 · 저것〕 모두 / Donnez-moi *ça.* 저걸 주시오 / *Ça* vous plaît ? 그거 마음에 드세요 ? / Qu'est ce que *ça* veut dire ? 그게〔저게〕 무슨 뜻이지 ? ② 《비인칭적 주어》 Comment *ça* va ? 요즘 어때요 ? 《인사말》 / *Ça* a neigé toute la nuit. 밤새 눈이 왔다 / *Ça* m'étonne qu'il ne soit pas encore arrivé. 그가 아직도 도착하지 않다니 놀랍다. ③ 《의문 · 부정 · 긍정의 강조》 Qui *ça ?* 누구라고 ? / Où *ça ?* 어디라고 ? / *Ça* oui ! 물론 ! / *Ça* non ! 천만에 ! ④ 《놀라움 · 분노》 Ah *ça* alors ! 아, 저런 ! / *Ça,* par exemple ! 저런, 그럴 수가 ! ⑤ 《사람을 총칭하여》 Les enfants, *ça* grandit vite. 애들은 빨리 자란다. ⑥ 《경멸》 (사람을 가리켜서) 그 놈, 그 녀석 : *Ça* m'ennuie. 그 놈은 지겨워 / *Ça* barde trop. 그 녀석은 말이 너무 많아. ***à part ça 그건 별도로 하고. ***Ça y est.*** 됐다 ; 옳소. ***C'est ça.*** 그렇습니다 ; 좋아, 알았어. ***Il y a de ça.*** 그것도 일리 있다〔그럴 법하다〕. ***comme ça.*** 이렇게, 그렇게.

ça[2] *m.* 〖정신분석〗 개인의 본능적 충동, 이드 (= id).

çà [sa] *adv.* 여기, 이리, 이쪽으로 : Viens *çà.* 이리 오너라 / *çà et là* 여기저기에, 이쪽저쪽에. ── *interj.* 자, 여봐《격려 · 주의 환기 · 짜증 · 놀라움 등을 나타냄》. ***Ah çà !*** 뭐라고 ; 기가 막혀 ; 아 여보시오 : *Ah ça !* vous allez bientôt avoir fini de crier ? 여보시오, 소리 좀 그만 지르지 못하겠소. ***Çà !*** 여봐 ; 자 : *Çà,* travaillons. 자, 일합시다.

cabale [kabal] *f.* ① ⓐ 〖종교〗 히브리 신비 철학《유대인들의 구약 성서에 대한 신비적 해석》. ⓑ 신비술, 강신술. ② 음모, 책동(= complot) : monter une ~ 음모를 꾸미다. ③ 도당, 파당(= clique, faction).

cabaler [kabale] *v.i.* ① 음모를 획책하다〔꾸미다〕. ② 도당을 짜다〔짓다〕, 작당하다.

cabalistique [kabalistik] *adj.* ① 히브리 신비 철학의. ② 신비술의. ③ 신비스런(= mystérieux), 난삽한 : style ~ 난삽한 문장.

caban [kabɑ̃] *m.* 〖해양〗 (선원의) 두건 달린 웃옷 ; (장교용) 방수 외투.

cabane [kaban] *f.* ① 오두막집 : ~ de branchage 나뭇가지로 지은 오두막집. ② 가축 우리 ; 〖양잠〗 누에 섶 : ~ à lapins 토끼장. ③ 《구어》 누추한 집 ; 《속어》 감옥(= prison). ***attiger la ~*** 《속어》 과장하다, 허풍떨다.

cabanon [kabanɔ̃] *m.* ① 작은 오두막집 ; (프로방스 지방의) 작은 별장. ② (정신병자나 죄수를 수용하는) 독방. ***Il est bon pour le ~ ; Il est bon à mettre au ~.*** 《구어》 그는 감금해 두어야 한다 ; 그는 미쳤다.

cabaret [kabaʀɛ] *m.* ① 선술집 ; 술집, 주막 (= bistrot). ② 카바레(= boîte de nuit).

cabaretier, ère [kabaʀtje, -ɛːʀ] *n.* 술집(= cabaret) 주인.

cabas [kabɑ] *m.* (과일을 담는) 바구니, 장바구니.

cabestan [kabɛstɑ̃] *m.* 캡스턴《닻을 감아올리는 기계》, 권양기(捲揚機) ; 윈치.

cabillau (*pl.* **~x**), **cabillaud** [kabijo] *m.* 〖어류〗 생대구.

cabine** [kabin] *f.* ① 〖해양〗 선실. ② (비행기의) 캐빈, 조종사실 ; (기관차의) 기관사실 ; 승무원실 : ~ de pilotage〔de navigation〕 조종사실. ③ (해수욕장 따위의) 탈의실〔장〕(= ~ de bain); 공중전화실(= ~ téléphonique) : ~ de douche 샤워실. ***~ d'ascenseur (승강기의) 사람 타는 곳. ***~ de luxe*** 〖해양〗 특등실.

cabinet** [kabinɛ] *m.* ① 큰방에 딸린 작은 방 : ~ de bains 욕실 / ~ de débarras 짐을 넣어두는 방. ② 사무실 ; 진찰실 ; 《집합적》 (변호사 따위의) 고객, (의사의) 단골 환자 : ~ d'un avocat 변호사 사무실 / avoir un très bon ~ 많은 고객을 확보하고 있다. ③ 서재, 연구실 ; 집무실 : ~ de directeur 사장실. ④ 진열실, 전시실 : ~ d'objets d'art 미술품 진열실. ⑤ (흔히 *pl.*) 화장실(= ~*s* d'aisances) : aller aux ~*s* 화장실에 가다. ⑥ 〖정치〗 정부, 내각 ; (장관의) 비서실 : le *C~* de l'Elysée 프랑스 정부. ⑦ (귀중품용) 캐비넷. ***~ de toilette 화장실. ***~ de travail*** 〔***d'étude***〕 서재, 연구실 ; 사무실. ***~ noir*** 암실 ; 창고. ***~ de verdure*** 정자(亭子). ***chef du ~*** 수상. ***conseil de ~*** (대통령이 임석하지 않는) 각의(閣議). ***homme de ~*** 서재인 ; 사무가.

câblage [kɑblaːʒ] *m.* ① (밧줄을) 꼬기 ; 밧줄 제조. ② 《집합적》 (전기) 배선(配線).

câble [kɑːbl] *m.* ① 굵은 밧줄, 케이블 ; 〖해양〗 닻줄 ; 강삭(鋼索). ② 〖전기〗 피복선(被覆線) ; 전선 ; 해저 전선(= ~ sous-marin) : ~ souterrain 〔électrique〕 지하〔전기〕 케이블. ③ 《구어》 전신문 ; 해저 전신, (해외) 전보(= télégramme) : envoyer un ~ à qn …에게 전보를 치다. ***couper le ~ avec*** qn …와 관계를 끊다, 절교하다. ***filer le ~***[1] 〔***du ~***[1]〕 〖해양〗 닻줄을 슬슬 풀다. ***filer du ~***[2] 《구어》 시간을 벌다, 결심하기를 끌다. ***filer son ~ par le bout*** 〖해양〗 자기 배의 닻줄을 풀어 버리다 ; 《구어》 죽다.

câblé, e [kɑble] *adj.* ① 꼰, 꼬인. ② 〖전

축』(쇠시리가) 밧줄 모양의. ③ 『해양』(닻이) 밧줄이 달린. ── *m.* 굵게 꼰 밧줄〔장식끈〕.

câbler [kɑble] *v.t.* ① (여러 줄을 합쳐서) 꼬다. ② (해저 전신으로) 알리다〔타전하다〕; 전보를 치다. ③ (전기 설비를) 배선하다.

câblier [kɑ(a)blije] *m.* ① 밧줄〔피복선〕 제조업자. ② 해저 전선 부설선.

câblodistribution [kɑblɔdistʀibysjɔ̃] *f.* 《지방어》 유선〔케이블〕 텔레비전 방송 (방식).

C

câblogramme [kɑblɔgʀam] *m.* 해저(海底) 전신, 해외 전보.

cabochard, e [kabɔʃa:ʀ, -aʀd] *adj.* et *n.* 고집 센〔완고한〕 (사람)(= entêté).

caboche [kabɔʃ] *f.* ① 《구어》 머리, 대가리(= tête); 정신, 기억: avoir une bonne ~ 이해력이 좋다 / avoir la ~ dure 머리가 둔하다; 고집이 세다. ② 대갈못, 징(= clou ~).

cabochon [kabɔʃɔ̃] *m.* ① 둥그스름하게 간 보석: émeraude en ~ 모나지 않게 간 에메랄드. ② 장식 못.

cabosser [kabɔse] *v.t.* 찌부러뜨리다; …에 혹이 생기게 하다; …에 타박상을 입히다.

cabot[1] [kabo] *m.* 《구어》 개(= clébard, clebs).

cabot[2] *m.* 『군사』 하사(下士)(= caporal).

cabot[3] *m.* 《속어》 ① 엉터리 배우(= cabotin). ② 허세 부리는 사람.

cabotage [kabɔta:ʒ] *m.* 연안 항해, 근해 항해; 연안 무역.

caboter [kabɔte] *v.i.* 연안〔근해〕 항해를 하다; 연안 무역을 하다.

caboteur [kabɔtœ:ʀ] *m.* 연안 항해선.

cabotin, e [kabɔtɛ̃, -in] *n.* ① 서투른〔엉터리〕 배우. ② 연극조로 행동하는〔허세 부리는〕 사람: Il est trop ~ pour inspirer confiance. 그는 너무 허풍쟁이여서 신뢰가 안 간다. ── *adj.* 엉터리 배우 같은; 젠체하는.

cabotinage [kabɔtina:ʒ] *m.* ① (정치인 따위의) 허세. ② 서투른 연기, 무절제한 행실. ③ 엉터리 배우 노릇.

caboulot [kabulo] *m.* 《속어》 싸구려 술집〔음식점〕.

cabrer [kɑbʀe] *v.t.* ① (말을) 뒷발로 서게 하다. ② 『항공』 (비행기를) 급상승시키다: ~ un avion 비행기를 급상승시키다. ③ 《~ qn》 …을 반항하게 하다: Votre attitude l'*a cabré*. 당신의 태도가 그를 노하게 했다. ── **se ~** *v.pr.* ① (말이) 뒷발로 일어서다; (파도가) 치솟다. ② 반항하다(= se révolter); 발끈하다: *se* ~ à l'idée de céder 양보한다는 생각에 발끈하다.

cabri [kabʀi] *m.* 새끼 염소(= chevreau); (아프리카산의) 염소의 일종: bondir 〔sauter〕 comme un ~ 즐겁게 깡충깡충 뛰다.

cabriole [kabʀijɔl] *f.* ① 뛰기, 뛰놀기, 도약(= gambade). ② 『무용』 뛰어오르며 양발을 마주치기; (어릿광대의) 재주넘기: faiseur de ~*s* 곡예사 / ~*s* dún clown 광대의 재주넘기. ③ 《구어》 곤두박질; 파산(= culbute).

cabrioler [kabʀijɔle] *v.i.* 깡충깡충 뛰다.

cabriolet [kabʀijɔlɛ] *m.* (포장을 뒤로 젖힐 수 있는) 2륜 마차; 카브리올레형 자동차.

C.A.C. [kak] 〔< Compagnie des Agents de Change〕 *m.* 증권 거래소: Indice ~ 40, (우량) 40 대 기업 주가 지수.

caca [kaka] *m.* 《소아어》 똥(= excrément); 지지, 더러운 것: faire ~ 똥 누다, 응가하다.

cacahouète, cacahouette [kakawɛt], **cacahuate** [kakaɥat], **cacahuète** [kakaɥɛt] *f.* 『식물』 땅콩, 낙화생.

cacao [kakao] *m.* 『식물』 카카오의 열매〔가루〕; 코코아(= chocolat): beurre de ~ 카카오 버터.

cacaoté, e [kakaɔte] *adj.* 코코아가 들어 있는; 코코아가 나오는.

cacaotier [kakaɔtje] *m.* = cacaoyer.

cacaotière [kakaɔtjɛ:ʀ] *f.* = cacaoyère

cacaoyer [kakaɔje] *m.* 『식물』 카카오나무.

cacaoyère [kakaɔjɛ:ʀ] *f.* 카카오 재배원.

cacatoès [kakatɔɛs] *m.* 『조류』 (도가머리가 있는) 앵무새(= perroquet).

cachalot [kaʃalo] *m.* 『동물』 향유고래.

cache[1] [kaʃ] *f.* 숨기는〔숨길〕 곳, 숨는〔숨을〕 곳. ***trouver la ~*** 은닉 장소를 찾아내다.

cache[2] *m.* 『사진』 인화형(印畫型); 『인쇄』 종이 누르개.

cache- *pref.* 「가리는 것·감추는 것」의 뜻.

cache-cache [kaʃkaʃ] *m.* 《복수불변》 숨바꼭질: jouer à ~ 숨바꼭질을 하다.

cache-col [kaʃkɔl] (*pl.* ~-~(***s***)), **cache-cou** [kaʃku] (*pl.* ~-~(***s***)) *m.* (남자용) 얇은 실크 목도리.

cachemire [kaʃmi:ʀ] *m.* ① 캐시미어; 캐시미어 숄〔목도리〕. ② 《속어》 행주, 걸레(= torchon): donner un coup de ~ 훔치다.

cache-misère [kaʃmizɛ:ʀ] *m.* 《복수불변》 누추한 옷을 감추는 외투〔겉옷〕.

cache-nez [kaʃne] *m.* 《복수불변》 목도리, 머플러.

cache-pot [kaʃpo] *m.* 《복수불변》 (종이·천으로 만든) 화분 덮개, (화분 넣는) 장식용 그릇. ***à ~*** 몰래: vendre *à* ~ 술을 밀매하다.

cache-prise [kaʃpʀiz] *m.* (*pl.* ~-~(***s***)) 전기 콘센트 안전 장치.

⁑**cacher** [kaʃe] *v.t.* ① (남이 못 보게) 감추다, 숨기다; 가리다(= masquer; ≠ exposer): ~ des bijoux 〔de l'argent〕 보석〔돈〕을 감추다 / ~ son visage 얼굴을 가리다 / La maison *cache* la plage. 집 때문에 해변이 보이지 않는다. ② (남이 모르게) 숨기다, 은폐하다(= dissimuler), 비밀로 하다: ~ son âge 자기 나이를 숨기다 / ~ ses sentiments 자기 감정을 숨기다. ***~ sa vie*** 은둔 생활을 하다. ***~ son jeu*** 〔***ses cartes***〕 속셈을 감추다. ***L'arbre cache la forêt.*** 《격언》 나무만 보고 숲을 보지 못하다. ***pour en rien vous ~*** 숨김없이 말하자면. ── **se ~** *v.pr.* ① 숨다, 은신하다; 잠복하다: *se* ~ derrière l'arbre 나무 뒤에 숨다 / Va *te* ~! 꺼져 버려! ② 숨겨지다; 가려지다. ③ 《se ~ de qc》 …을 숨기다; 《se ~ de + *inf.*》 …하는 것을 비밀로 하다: Je ne *me cache* pas *de* la sympathie que j'ai pour lui. 나는 그에 대한 호감을 숨기지 않는다. ④ 《se ~ de qn》 …에게 하는 일을 숨기다, …몰래 하다: L'enfant fume en *se cachant de* ses parents. 어린애가 부모 몰래 담배를 피운다.

cache-radiateur [kaʃʀadjatœ:ʀ] *m.* 《복수불변》 (실내의) 난방기 가리개〔덮개〕.

cache-sexe [kaʃsɛks] *m.* 《복수불변》 소형 팬티(= slip); (미개인의) 앞가리개.

***cachet** [kaʃɛ] *m.* ① 도장, 인장(= sceau); 스탬프(= tampon); 소인(= timbre): appliquer 〔apposer, metter〕 un ~ sur qc …에

도장을 찍다. ② (찍힌) 인(印) ; 상표, 마크 : ~ d'un fabricant 상표. ③ 봉인(封印), 봉랍(封蠟) : ~ volant 봉하지 않은 편지. ④ 특징, 특이성 : ~ d'originalité 독창성. ⑤ 〖약학〗 약포(藥包) ; 정제(錠劑)(= comprimé) : ~ d'aspirine 아스피린정(錠). ⑥ 《구어》 보수, 사례금 : ~ d'un acteur 배우에 대한 사례금. ⑦ 《옛》 식권, 수강표, 회수권. ***~ d'oblitération ; ~ de la poste*** (우체국의) 소인(消印). ***~ du génie*** 천재의 특징〔표적〕. ***courir le ~*** 《구어》 출장 교수를 하다.

cache-tampon [kaʃtɑ̃pɔ̃] *m.* 《복수불변》 〖놀이〗 물건 감추기.

cacheter [kaʃte] *v.t.* 봉인하다, 봉하다(≠ décacheter) : cire à ~ 봉랍(封蠟).

cachette [kaʃɛt] *f.* 숨기는 곳, 숨는 곳, 은신처 : mettre de l'argent dans une bonne ~ 돈을 은밀한 곳에 숨기다. ***en ~*** 슬그머니, 남몰래 : fumer *en* ~ 몰래 흡인하다.

cachexie [kaʃɛksi] *f.* 〖의학〗 악액질(惡液質), 전신 쇠약.

cachot [kaʃo] *m.* ① (감옥의) 지하 독방(= basse-fosse), (흔히 *pl.*) 감옥(= prison) : être aux ~*s* 감옥살이를 하다. ② 독방 감금(의 형벌).

cachotterie [kaʃɔtʀi] *f.* 숨김, 숨기기.

cachottier, ère [kaʃɔtje, -ɛːʀ] *adj.* 숨기는, 숨기기 잘하는. ── *n.* 숨기기 잘하는 사람.

cachou [kaʃu] *m.* 아선약(阿仙藥) 《인도산 카테큐 나무를 졸여서 만든 것 ; 약제 · 염료》. ── *adj.* 《불변》 적갈색의(= brun rouge).

cacique [kasik] *m.* 《학생은어》 (고등 사범 학교(École normale supérieure)의) 수석 합격자 ; (시험, 경연 대회 따위의) 1 등.

caco- *préf.* 「나쁜」의 뜻.

cacographie [kakɔgʀafi] *f.* 오철(誤綴) ; 틀리게 한 말, 틀리게 쓴 글, 악필.

cacophonie [kakɔfɔni] *f.* 부조화음(不調和音), 귀에 거슬리는 소리 ; 〖음악〗 불협화음.

cacophonique [kakɔfɔnik] *adj.* 귀에 거슬리는 ; 불협화음의.

cactus [kaktys] *m.* ① 〖식물〗 선인장. ② 말썽, 분란(= complications.)

c.-à-d. 《약자》 = c'est-à-dire 즉, 바꾸어 말하면.

cadastral, e, aux [kadastʀal, -o] *adj.* 지적(地籍)의 ; 토지 대장의 ; 측지(測地)의.

cadastre [kadastʀ] *m.* ① 토지 대장, 지적부 ; 토지 대장〔등기부〕과. ② 측지(測地).

cadastrer [kadastʀe] *v.t.* ① 토지 대장〔지적부〕에 기입하다 ; (토지 대장을) 작성하다. ② 측지하다.

cadavéreux, euse [kadɑ(a)veʀø, -øːz] *adj.* 시체〔송장〕 같은, 사색을 띤 : teint ~ 매우 파리한 안색.

cadavérique [kadɑ(a)veʀik] *adj.* 시체의 ; 송장 같은 : lividité 〔pâleur〕 ~ 송장처럼 창백함, 사색. ***rigidité ~*** 사후 경직.

cadavre** [kadɑːvʀ] *m.* ① 시체, 송장(= corps mort). ② 《문어》 잔해, 유물 ; 폐허. ③ 《구어》 (다 마시고 난) 빈 술병. ④ 《구어》 범죄(= crime) ; 비밀(= secret). ***avoir un ~ dans le placard 숨기고 있는 범죄행위가 있다. ***Ça sent le ~.*** 사태가 악화되었다. ***Il y a un ~ entre eux.*** 그들은 공범자로 서로 얽매여 있다. ***sentir le ~*** 수상쩍다.

caddie, caddy [kadi] 〔영〕 *m.* ① 〖골프〗 캐디. ② (상품, 짐 따위를 운반하는) 손수레(= chariot).

cade [kad] *m.* 〖식물〗 노간주나무의 일종.

cadeau** [kado] *m.* (*pl.* ~x***) 선물 : offrir 〔recevoir〕 un ~ 선물을 주다〔받다〕 / ~ d'anniversaire 생일 선물 / ~ de mariage 결혼 선물 / ~ de nouvel an 연말연시의 선물. ***C'est*** 〔***Ce n'est***〕 ***pas un ~.*** 《구어》 재미없는 걸. ***faire ~ de*** qc ***à*** qn …에게 …을 선물하다. ***ne pas faire de ~ à*** qn 《구어》 …에게 엄하게 대하다, 깐깐하게 굴다.

cadenas [kadna] *m.* ① 맹꽁이자물쇠 : ~ à chiffres 〔à combinaisons, à secret〕 숫자 맞추기 자물쇠. ② (팔찌 따위의) 고리.

cadenasser [kadnase] *v.t.* 맹꽁이자물쇠를 채우다 ; 걸쇠〔죔쇠〕로 잠그다 : ~ une porte 문을 맹꽁이자물쇠로 잠그다.

cadence** [kadɑ̃ːs] *f.* ① 운율(韻律), 음률 ; 박자, 리듬(= rythme) ; (목소리의) 억양 : marquer la ~ 박자를 맞추다 / ~ de la marche 행진 보조(步調). ② 〖음악〗 종지형(終止形) ; 카텐차《콘체르토 따위에서의 곡의 종지 전의 무반주 솔로 부분》. ③ (일의) 속도. ***à la ~ de …의 속도로. ***à une bonne ~*** 순조로운 속도로. ***en ~*** 박자〔장단 · 보조〕를 맞추어.

cadencé, e [kadɑ̃se] *adj.* 운율이 고른 ; 율동적인, 박자가 맞는 : prose ~*e* 율동적인 산문 / marcher au pas ~ 발맞추어 행진하다.

cadencer [kadɑ̃se] [2] *v.t.* ① …에 음률〔운율〕을 붙이다(= rythmer) : ~ le style 문체에 리듬을 주다. ② (걸음 따위를) 박자에 맞추다, 율동적으로 하다.

cadet, ette** [kadɛ, -ɛt] *adj.* 둘째 아이의 ; 막내의 ; 손아래의(= puîné ; ≠ aîné) : frère ~ 동생. ***branche ~ette 분가. ── *n.* ① 둘째 아이 ; 막내(= benjamin) ; 손아랫사람, (회사 따위의) 후배 : Elle est ma ~*ette* de cinq ans. 그녀는 나보다 다섯 살 아래다. ② 사관 학교 생도. ③ 젊은이 : un fier ~ 용감한 젊은이. ④ 〖스포츠〗 소년, 소녀 《15-17세의 선수》.

cadi [kadi] *m.* (회교도의) 재판관.

cadrage [kɑdʀaːʒ] *m.* ① 〖사진〗 피사체(被寫體)를 파인더의 틀 속에 맞추기. ② 〖영화〗 영상의 배치. ③ 〖인쇄〗 (컬러 인쇄의) 색배합 ; (자료 따위의 페이지의) 지면 배치.

cadran [kadʀɑ̃] *m.* (시계의) 문자반, (계기의) 지침면(指針面), 지침반 ; (전화의) 다이얼 : ~ lumineux 야광 문자반 / ~ d'appel 전화 다이얼 / ~ à touches 숫자〔문자〕 키. ***faire le tour du ~,*** 12 시간을 줄곧 자다 ; 출발점에 되돌아오다.

***cadre** [kɑːdʀ] *m.* ① 액자(= encadrement) ; 창〔문〕틀(= châssis) ; 테두리(= bordure) : mettre une photo 〔un tableau〕 dans un ~ 사진〔그림〕을 액자에 넣다. ② 범위, 한계 ; 경계 ; 구역 ; 환경 ; (이야기 따위의) 배경 : sortir du ~ de ses fonctions 자기 본분을 벗어나다 / habiter dans un ~ agréable 쾌적한 환경에서 살다. ③ (자전거 따위의) 뼈대 ; (문예 작품 따위의) 윤곽. ④ (군대 · 기업체 따위의) 간부, 관리직 : ~ moyen 〔supérieur〕 중간〔고위〕 간부 / 《동격》 femme ~ 여성 간부 / Il est passé ~. 그는 간부가 됐다. ⑤ (흔히 *pl.*) 《집합적》 간부 (명단) ; 직무 인원

C

(명단). ⑥ 〖해양〗 (장교·승객·병자 등의) 침대. ***avoir passé par les ~s*** 장교로 승진하다. ~ ***d'activité*** 〔***de réserve***〕 《집합적》 현역〔예비역〕 간부 ~ ***de déménagement*** (이사짐〔가구〕 운반용의) 큰 상자. ***dans le ~ de*** ⓐ …의 범위 내에서 : *dans le ~ de* ses attributions 자기 권한의 범위 내에서. ⓑ …의 일환으로. ***être rayé des ~s*** 간부〔직무 인원〕 명단에서 제외되다 ; 해임되다. ***figurer sur les ~s*** 간부〔직무 인원〕 명단에 실려 있다.

C

cadrer [kɑdʀe] *v.i.* 합치〔일치〕하다(= s'accorder) 《~ avec》 Les explications ne *cadrent* pas *avec* le texte. 이 설명은 원문과 맞지 않는다. ── *v.t.* (사진 찍을〔촬영할〕 대상을) 파인더 틀 속에 잘 맞추다 : image mal *cadrée* 위치가 잘못된 영상.

cadreur, euse [kadʀœːʀ, -øːz] *n.* 〖영화〗 카메라맨, 촬영 기사.

caduc, uque [kadyk] *adj.* ① ⓐ (집 따위가) 낡아 빠진, 노후한. ⓑ (사람·건강 따위가) 노쇠한 : santé *~uque* (나이 들어) 쇠약한 건강. ② 덧없는, 일시적인(= précaire, passager) ; 시대에 뒤진 ; (법률 따위가) 무효가 된 : acte juridique ~ 취소된〔무효화된〕 법률 행위. ③ ⓐ 〖식물〗 낙엽성(性)의, 조락성의 : arbre à feuilles *~uques* 낙엽수. ⓑ 〖동물·언어〗 탈락성의 : e ~ 탈락성의 e(= e muet).

caducée [kadyse] *m.* 〖그리스신화〗 헤르메스〔메르쿠리우스〕의 지팡이《두 마리의 뱀이 감겨 있고, 정상에 두 개의 날개가 달린 지팡이로 평화·의학·상업의 상징》.

cæcal, e, aux [sekal, -o] *adj.* 맹장의.

cæcum [sekɔm] *m.* 〖해부〗 맹장 : inflammation du ~ 맹장염.

C.A.F., CAF 《약자》 coût, assurance, fret 보험 및 운임 포함 가격.

***cafard, e** [kafaːʀ, -aʀd] *adj.* 위선의(= hypocrite) ; 독실한 신자인 체하는(= cagot). ── *n.* ① 위선자, 독실한 신자인 체하는 사람. ② 《학생은어》 고자질하는 학생(= rapporteur) ; 《군대속어》 간첩(= espion).
── *m.* ① 〖곤충〗 바퀴(= blatte). ② 《구어》 우울, 울적함(= mélancolie). ***avoir le ~*** 《구어》 우울하다.

cafardage [kafaʀdaːʒ] *m.* 《구어》 고자질하기, 밀고 ; 위선적인 행동을 하기.

cafarder [kafaʀde] *v.t.* ① 《구어》 고자질하다, 밀고하다. ② 우울해지다. ── *v.i.* ① 《옛》 위선을 부리다, 독실한 신자인 체하다. ② 《학생은어》 스파이 짓을 하다 ; 고자질하다.

cafardeur, euse[1] [kafaʀdœːʀ, -øːz] *n.* 《구어》 고자쟁이, 밀고자.

cafardeux, euse[2] [kafaʀdø, -øːz] *adj.* 우울한 : atmosphère *~euse* 침체된 분위기.

⁑**café** [kafe] *m.* ① 커피 : ~ décaféiné 무카페인 커피 / ~ glacé 〔frappé〕 냉커피 / tasse 〔cueiller〕 à ~ 커피잔〔스푼〕 / faire le 〔du〕 ~ dans une cafetière 〔un percolateur〕 커피 포트로 커피를 끓이다. ② 커피 원두, 커피나무 : griller 〔torréfier〕 du ~ 커피 원두를 볶다. ③ 다방, 카페 : garçon de ~ (카페의) 급사, 웨이터. ④ 커피 마시는 시간 : arriver chez qn au ~ …의 집에 커피 시간에 도착하다. ~ ***au lait*** 밀크 커피. ~ ***complet*** 커피·우유·빵·버터 1 인분. ~ ***crème*** 크림을 탄 커피. ~ ***express*** (café filtre가 아닌 보통) 커피. ~ ***filtre*** 여과기 달린 커피. ~ ***nature*** 〔***noir***〕 블랙커피. ***C'est un peu fort de ~.*** 《구어》 그건 있을 수 없는 일이다〔너무하다〕. ***donner un mauvais ~ à*** qn. 《구어》 …에게 독을 타 먹이다.
── *adj.* 《불변》 커피 빛깔의.

café-concert [kafekɔ̃sɛːʀ] *m.* (*pl.* ***~s-~s***) 카페 콩세르《식사·음료를 들면서 음악·쇼 따위를 즐길 수 있음》(《구어》 caf'conc').

caféier [kafeje] *m.* 〖식물〗 커피나무.

caféière [kafejɛːʀ] *f.* 커피나무 밭, 커피 제조원.

caféine [kafein] *f.* 〖화학〗 카페인.

caféisme [kafeism] *m.* 커피 중독.

café-P.M.U. [kafepeɛmy] *m.* (*pl.* ***~s-~s***) 카페 페엠위《경마장의 중계를 받아 경마를 하는 카페》.

café-restaurant [kafeʀɛstɔʀɑ̃] *m.* (*pl.* ***~s ~s***) 레스토랑 겸 카페.

café-tabac [kafetaba] (*pl.* ***~s-~s***) 카페타바《담배가게를 겸한 카페》.

cafetan [kaftɑ̃] *m.* (터키 사람의) 모피로 안을 댄 망토.

cafeteria, cafétéria, caféteria [kafeteʀja] 〔에스파냐〕 *f.* 카페테리아《셀프서비스의 간이식당》 ; (기업·학교의) 구내식당.

café-théâtre [kafeteɑːtʀ] *m.* 카페 테아트르《연극을 공연하는 카페》.

cafetier, ère [kaftje, -ɛːʀ] *n.* 카페 주인. ── *f.* ① 커피포트. ② 《속어》 대가리(= tête).

cafouillage [kafujaːʒ] *m.* 《구어》 ① 혼란, 착오. ② 〖스포츠〗 (축구 경기 따위의) 반칙이 잦은 난장판. ③ (기계의) 상태 불량 : ~ de moteur 엔진의 부조(不調).

cafouiller [kafuje] *v.i.* 《구어》 어쩔 줄 모르다, (기계가) 상태가 나쁘다 ; 엉망이 되다, 뒤죽박죽이 되다 : L'entreprise *a cafouillé* dès le départ. 그 계획은 출발부터가 엉망진창이었다.

cafouilleur, euse [kafujœːʀ, -øːz] 《구어》 *n.* 바보스러운 사람. ── *adj.* ① 바보 같은 짓을 하는. ② 뒤죽박죽인, 흐리멍덩한.

cafouillis [kafuji] *m.* 《구어》 = cafouillage.

cage** [kaːʒ] *f.* ① 새장 ; (짐승의) 우리, 울 : ~s d'une ménagerie 동물원의 우리 / ~ à lapin 토끼장. ② 《구어》 감옥(= prison) ; 비좁은 방(= loge) : ~ d'un concierge 〔huissier〕 수위실. ③ (축구·하키의) 골(포스트). ④ (집 따위의) 뼈대 ; (기계의) 틀 : ~ d'une maison 외곽, 외벽 / ~ d'ascenseur 승강기가 오르내리는 통로. ~ ***thoracique 〖해부〗 흉곽. ~ ***de Faraday*** 〖전기〗 패러데이 차단판. ~ ***de l'escalier*** 계단곬《계단이 차지하는 공간》.

cageot [kaʒo] *m.* ① 작은 새장(= cagette). ② (과일 따위를 나르는) 고리바구니 : plusieurs ~s de pêches 몇 바구니의 복숭아.

cagibi [kaʒibi] *m.* 《구어》 작은 방(= réduit).

cagna [kaɲa] *f.* ① 《군대속어》 막사, 임시 병사(兵舍)(= baraquement) ; 대피호, 참호(= abri, tranchée). ② 《구어》 집 ; 초라한 집.

cagne [kaɲ] *f.* ① 《학생은어》 (고등 사범학교) 문과 수험 준비반(= khâgne). ② 암캐 ; 게으르고 채신없는 여자(= fainéante).

cagneux, euse [kaɲø, -øːz] *adj.* 다리가 X형으로 된 ; (다리가) 안쪽으로 휜 : jambes

~*euses* 안쪽으로 휜 다리. — *n.* 안짱다리. — *m.* 《학생은어》 cagne 의 학생.

cagnotte [kaɲɔt] *f.* ① (노름판의) 판돈 상자; 모인 판돈: manger la ~ 《구어》 판돈을 따먹다. ② 《구어》 저금, 푼푼이 모은 돈. ③ (협회·단체의) 공동 기금.

cagot, e [kago, -ɔt] *adj.* 신앙이 독실한 체하는, 위선의.

cagoule [kagul] *f.* ① (성직의) 두건 달린 소매 없는 외투. ② (복면 모양의) 두건 달린 수도복; 복면. ③ (어린이용) 방한모.

cahier** [kaje] *m.* ① 공책; 수첩(=carnet, calepin); 장부: ~ de dessin 스케치북 / ~ de devoirs 숙제장. ② 정기 간행 평론집, 잡지(=~ périodique) **~ *d'ecriture 습자장. **~ *des charges*** 입찰 규정서〔요강〕.

cahin-caha [kaɛ̃kaa] *adv.* 그럭저럭, 간신히(=péniblement): Ma santé 〔L'affaire〕 va ~. 나의 건강〔사업〕은 그저 그렇다.

cahot [kao] *m.* ① (마차 따위의) 흔들림, 덜거덕거림, 요동, 동요. ② 곤란, 장애, 시련 : les ~*s* de la vie 인생의 시련.

cahotant, e [kaɔtɑ̃, -ɑ̃:t] *adj.* 흔들리는, 덜거덕거리는, 동요하는; (길이) 울퉁불퉁한: route ~*e* 울퉁불퉁한 길. 「동.

cahotement [kaɔtmɑ̃] *m.* 흔들림, 동요, 요

cahoter [kaɔte] *v.i.* (차가) 흔들리다, 덜거덕거리다. — *v.t.* ① 흔들다, 덜거덕거리게 하다. ② 《비유》 시련을 겪게 하다: La vie l'*a cahoté*. 그는 인생의 갖은 시련을 겪었다.

cahoteux, euse [kaɔtø, -ø:z] *adj.* (길이) 우툴두툴한, 울퉁불퉁한.

cahute [kayt] *f.* 오막살이집, 오두막집(=cabane, baraque).

caïd [kaid] *m.* ① (알제리·터키의 행정·재판·군사·징세 따위를 주관하는) 행정관, 재판관. ② 《속어》 두목, 왕초(=chef), 보스: ~ du milieu parisien 파리 암흑가의 보스.

caillasse [kajas] *f.* (조약돌이 많은) 이회토(泥灰土); (도로 포장용의) 자갈.

caille [kɑ:j] *f.* ① 〖조류〗 메추라기. ② 《구어》 예쁜이《아이·여자》: ma petite ~ 귀여운 아가《애칭》. ***chaud comme une ~*** (옷을 입어서) 따뜻한. ***gras* 〔*rond*〕 *comme une ~*** 포동포동한. ***l'avoir à la ~*** 몹시 실망하다.

caillé, e [kɑje] *m.* 응유(凝乳)(=lait ~).

caillebot(t)is [kɑjbɔti] *m.* (통풍구의) 격자망: (진흙땅 따위에 까는 격자형) 디딤판.

cailler[1] [kɑje] *v.t.* 엉기게 하다, 응결시키다, 굳히다: La présure *caille* le lait. 응유효소가 우유를 응결시킨다. — **se ~** *v.pr.* 엉기다, 응결하다.

cailler[2] *v.i.* 《속어》 춥다: Ça *caille* aujourd'hui. 오늘은 춥다.

caillot [kajo] *m.* ① 엉긴 덩이(=grumeau): ~ du lait 우유의 엉긴 덩이. ② 〖의학〗 핏덩이 (=~ de sang), 혈전.

caillou** [kaju] *m.* (*pl.* **~*x) ① 조약돌, 자갈: ~*x* du chemin 길에 까는 자갈. ② (보석으로 쓰이는) 수정; 《속어》 보석. ③ 장애 (=obstacle); 근심(거리). ④ 《구어》 얼굴, 머리, 대가리. ***avoir le cœur dur comme un ~; avoir un cœur de ~; avoir un ~ à la place du cœur*** 《구어》 마음이 냉혹하다. ***casser des ~x*** 힘든 일을 하다.

cailloutage [kajuta:ʒ] *m.* 〖건축·토목〗 (길에) 자갈 깔기; 자갈 포장(을 하기).

caillouter [kajute] *v.t.* 조약돌〔자갈〕을 깔다: ~ une route 길에 자갈을 깔다.

caillouteux, euse [kajutø, -ø:z] *adj.* 조약돌〔자갈〕투성이의.

cailloutis [kajuti] *m.* ① (도로 포장용) 자갈. ② (정원 따위에) 깐 자갈; 자갈 포장.

caïman [kaimɑ̃] *m.* 〖동물〗 (중남미산) 악어 (=alligator).

Caïn [kaɛ̃] *n.pr.m* 〖성서〗 가인《아담과 이브의 장남으로 동생 아벨을 죽임》.

Caire (le) [ləkɛ:ʀ] *n.pr.m* 〖지리〗 카이로.

caisse** [kɛs] *f.* ① 상자; (물·기름의) 탱크; 한 상자의 분량: ~ à eau 물탱크 / ~ à bagages 트렁크 / acheter une ~ d'oranges 오렌지 한 상자를 사다. ② 금고; 계산대, 카운터; 출납 창구; 회계과: ~ enregistreuse 금전 등록기 / avoir une somme en ~ 금고에 돈이 있다, 수중에 자금이 있다. ③ 현금; 보유고; 기금, 자금: ~ noire 비자금 / petite ~ 소액 현금. ④ 금융 기관, 금고: ~ d'aide au chômage 실업자 원호 금고. ⑤ (기계 장치를 덮는) 상자: ~ d'une auto 자동차의 차체. ⑥ 북의 몸통, 북(=tambour): battre la (grosse) ~ 북을 치다; 《구어》 떠들썩하게 선전하다. ⑦ 〖요리〗 (비스킷 따위를 넣어서 굽는) 네모진 종이접시. ⑧ 《군대속어》 영창(=salle de police); 《구어》 배(=estomac); 가슴(=poitrine). **~ *claire 작은 북. **~ *de crédit mutuel*** 상호신용금고. **~ *d'épargne*** 저축 은행. **~ *du tympan*** 〖해부〗 고실(鼓室). **~ *plate*** 납작한 북. ***faire la* 〔*sa*〕 *~*** 현금 시재(時在)를 결산하다. ***grosse ~*** 큰북; 《군대속어》 영창. ***livre de ~*** 현금 출납부. ***passer à la ~*** (노동자가) 임금을 받다; 해고당하여 급료를 정산받다. ***s'en aller de la ~*** 폐가 나쁘다, 폐병 환자이다. ***tenir la ~*** 회계를 맡아보다.

caissette [kɛsɛt] *f.* 작은 상자.

***caissier, ère** [kɛ(e)sje, -ɛ:ʀ] *n.* ① 회계원, 현금 출납원: ~ d'une banque 은행의 현금 출납원. ② 상자 제조인.

caisson [kɛsɔ̃] *m.* ① 〖군사〗 운반차, 보급차: ~ de munitions 탄약 운반차. ② 〖토목〗 잠함(潛函), 케송. ③ 〖건축〗 격자: plafond à ~ 격자 천장 ④ (가구의) 수납 부분. ⑤ 《속어》 머리(=tête). ***maladie des ~s*** 〖의학〗 잠수병, 잠함병. ***se faire sauter le ~*** 《구어》 자기 머리를 쏘다, 권총 자살하다.

cajoler [kaʒɔle] *v.t.* ① 귀여워하다(=choyer). ② …에게 아양 떨다, 아첨하다, (감언이설로) 살살 꾀다, 구슬리다, 농락하다: ~ son supérieur 상사에게 아첨하다.

cajolerie [kaʒɔlʀi] *f.* 귀여워하기; 애무; 아양, 아첨, 아부, 응석.

cajoleur, euse [kaʒɔlœ:ʀ, -ø:z] *adj.* 아양 떠는, 아첨하는. — *n.* 아첨꾼.

cajou [kaʒu] *m.* 캐슈《열대 남미산으로 그 열매는 식용》.

cake [kɛk, keik] 〔영〕 *m.* (건포도 또는 과일이 든) 케이크.

cal [kal] *m.* (*pl.* **~*s***) 피부경결(硬結), 굳은 살, 못(=callosité, durillon). 「칼로리.

Cal. 《약자》 grande calorie 〖물리〗 큰〔킬로〕

cal. 《약자》 ① calibre 〖군사〗 구경(口徑). ② petite calorie 〖물리〗 작은〔그램〕 칼로리.
calage[1] [kala:ʒ] *m.* (쐐기·젬 기구 따위로) 괴기〔고정하기〕; 지탱하기; 조립〔조정〕하기: vis de ~ 고정 나사 / ~ d'un meuble (쐐기 따위를 사용한) 가구의 조립.
calage[2] *m.* ① (잘못된 조작·연료 부족으로 인한) 엔진 정지. ② 〖해양〗 (돛·마스트를) 내리기.

C

calamine [kalamin] *f.* ① 〖광물〗 이극광(異極鑛); 능아연광(菱亞鉛鑛); 규(硅)아연광. ② (차 엔진 따위에 끼는) 검댕.
calaminé, e [kalamine] *adj.* 검댕이 낀.
calaminer (se) [səkalamine] *v.pr.* 검댕이 끼다.
calamistré, e [kalamistʀe] *adj.* (머리털이) 곱슬거리는: cheveux ~*s* 웨이브진 머리.
calamistrer [kalamistʀe] *v.t.* (머리털을) 곱슬곱슬하게 하다, 컬〔웨이브〕하다.
calamité [kalamite] *f.* ① 재난, 재해, 참화(=catastrophe, désastre): ~ naturelle 천재(天災) / ~ de la guerre 전쟁의 참화. ② 비운, 불행(=désolation, malheur).
calamiteux, euse [kalamitø, -ø:z] *adj.* ① 재난〔재해〕의; 비통한, 비참한(=désastreux): époque ~*euse* 재난의 시대. ② 가련한, 애처러운(=pitoyable).
calandre [kalɑ̃:dʀ] *f.* ① 윤내는 기계, 광택기. ② 차체 앞의 그릴: ~ de radiateur 〖자동차〗 라디에이터의 그릴〔앞틀〕.
calandrer [kalɑ̃dʀe] *v.t.* 윤내는 기계〔광택기〕에 걸다, 윤을 내다.
calangue [kalɑ̃:g], **calanque** [kalɑ̃:k] *f.* (지중해의) 내포(內浦), 작은 만(=crique).
calcaire [kalkɛ:ʀ] *adj.* 석회질의: pierre〔roche〕 ~ 석회석〔암〕/ terrain ~ 석회질 토양 / eau ~ 경수. — *m.* 석회암.
calciner [kalsine] *v.t.* ① (석회석을) 태워서 석회로 만들다. ② 태우다(=brûler): ~ un rôti 불고기를 태우다. — **se** ~ *v.pr.* ① 석회가 되다. ② 타다.
calcium [kalsjɔm] *m.* 〖화학〗 칼슘: prendre du ~ 《구어》 칼슘제를 복용하다.
*__calcul__[1] [kalkyl] *m.* ① 계산, 셈; 산수: un écolier bon〔faible〕 en ~ 산수를 잘하는〔못하는〕 학생 / faire une erreur de ~ 계산을 틀리다. ② 타산, 계책, 계략(=combinaison): déjouer les ~*s* de qn …의 계략의 의표를 찌르다 / agir par〔sans〕 ~ 타산적으로〔이해타산 없이〕 행동하다. ③ 예측, 예상(=supputation, prévision): D'après mes ~*s*, il arrivera demain. 내 예측으로는 그는 내일 도착할 것이다. ~ ***différentiel*** 미분. ~ ***infinitésimal*** 미적분. ~ ***intégral*** 적분. ~ ***mental*** 암산. ***tout*** ~ ***fait*** 결국.
calcul[2] *m.* 〖의학〗 결석(結石): ~ rénal 신장 결석 / ~ urinaire 요도 결석.
calculable [kalkylabl] *adj.* ① 계산〔측정〕할 수 있는. ② 예측〔예상〕할 수 있는.
calculateur, trice [kalkylatœ:ʀ, -tʀis] *adj.* ① 계산하는. ② 타산적인, 빈틈없는. ③ 예측할 수 있는, 선견지명이 있는. — *n.* 계산하는 사람. — *m.* 계산기: ~ électronique 전자계산기 / ~ analogique〔digital〕 아날로그〔디지털〕 계산기. — *f.* (소형)계산기: ~*trice* électrique (전자)계산기.
calculé, e [kalkyle] *adj.* ① 계산된, 예측된: effet ~ 계산된 효과. ② 타산적인. ③ 예측할 수 있는, 선견지명이 있는; 의도적인: une bonté ~*e* 의도적인 친절.
*__calculer__ [kalkyle] *v.t.* ① ⓐ 계산하다, 셈하다: ~ une somme d'argent〔une dépense〕 금액〔지출액〕을 계산하다. ⓑ 조절하다(=régler): ~ sa dépense 지출을 조절하다. ② 미리 계산하다, 타산하다, 면밀히 계획하다(=combiner): ~ le moindre de ses gestes〔paroles〕 무슨 행동〔말〕이든지 이해관계를 따져서 하다 / ~ un acte 어떤 행동을 면밀히 계획하다. ③ 예측〔예상〕하다, 따져 보다(=supputer): ~ les chances de succès 성공 가능성을 따져 보다. — **se** ~ *v.pr.* ① 계산되다. ② 《se ~ sur》 …에 따라서 조절되다; …에 비례하다.
calculette [kalkylɛt] *f.* 휴대용 계산기.
cale[1] [kal] *f.* ① 〖해양〗 (배의) 화물창. ② 부둣가의 경사면 《하역용》; (항구의) 조선대(造船臺), 선박 수리대: ~ de chargement 짐 싣는 선창. ***être à fond de*** ~ 《구어》 돈 한 푼 없다. ***voyager à fond de*** ~ 밀항하다. 「쇠.
cale[2] *f.* 쐐기; 지주(支柱), 버팀목; 굄돌, 굄
calé, e [kale] *adj.* 《구어》 ① 고정된; (기계가) 정지된. ② 《주어: qn》 박식한(=instruit, fort): Il est rudement ~ en physique. 그는 물리를 매우 잘한다. ③ 《주어: qc》 어려운, 까다로운(=difficile, compliqué): problème ~ 풀기 어려운 문제.
calebasse [kalbɑ:(a)s] *f.* ① 〖식물〗 호리병박 (열매)(=gourde); 호리병 하나의 분량. ② 《속어》 머리(=tête); 늘어진 젖통.
calèche [kalɛʃ] *f.* ① (접는 포장 달린) 4륜마차. ② (18세기의) 여자용 두건.
caleçon [kalsɔ̃] *m.* (권투 선수용) 팬츠; (남자용) 팬티. ~ ***de bain*** 수영 팬티. ***jeter le*** ~ ***à*** qn …에게 싸움을 걸다.
calembour [kalɑ̃bu:ʀ] *m.* ① (동음이의어(同音異義語)의) 말재롱, 곁말《예: fatalité-fat alité》. ② 《속어》 모욕, 욕설, 험담.
calembredaine [kalɑ̃bʀədɛn] *f.* 허튼소리, 농담(=plaisanterie); 실없는 짓: dire〔débiter〕 des ~*s* 허튼소리를 지껄이다.
calendes [kalɑ̃:d] *f. pl.* 고대 로마 책력의 초하루, 삭일(朔日). ***renvoyer*** qc ***aux*** ~ ***grecques*** 《구어》 …을 무기 연기하다《그리스인에게는 삭일의 관념이 없었음》.
*__calendrier__ [kalɑ̃dʀije] *m.* ① 역법(曆法). ② 달력, 캘린더: ~ bloc〔américain, à effeuiller〕 한 장씩 뜯게 된 달력. ③ 일정표: ~ des examens 시험 일정표. ~ ***grégorien; nouveau*** ~ 그레고리오력, 양력. ~ ***julien; vieux*** ~ 율리우스력, 음력. ***Ce n'est pas un saint de votre*** ~; ***Il ne figure pas sur votre*** ~. 그는 당신의 친구가 아니다. ***vouloir réformer le*** ~ 쓸데없는 개혁을 하려고 하다.
cale-pied(s) [kalpje] *m.* 《복수불변》 (자전거 페달의) 발 끼우개.
calepin [kalpɛ̃] *m.* 수첩, 비망록(=carnet). ***Cela n'était pas dans son*** ~. 이것은 뜻밖의 일이었다. ***Mettez ça sur votre*** ~ ***!*** 《구어》 (교훈으로 삼아) 이것을 잊지 마라!

caler**[1] [kale] *v.t.* ① (굄목 · 굄돌 따위로) 괴다 : ~ la roue d'une automobile 자동차 바퀴를 괴다. ② 안정시키다 ; 고정시키다 : ~ sa tête sur un oreiller 베개를 베다. ③ 〖기계〗 (쐐기 · 전(栓)(clavette) 따위를) 꼭 끼우다 ; 조정하다 : ~ un allumeur 점화 시기를 조정하다. ④ ~ le 〔son〕 moteur 엔진을 (잘못 다루어) 갑자기 멎어 버리게 하다. ── *v.i.* ① (엔진 따위가) 갑자기 멎어 버리다, 정지하다. ② (사람이) 멈칫하다, 주저앉다, 기가 꺾이다 (= céder, reculer) : Il *a calé* devant la difficulté. 일이 어렵게 되자 그는 손들고 말았다. ── **se** ~ *v.pr.* ① (엔진 따위가 고장으로) 멎어 버리다 ② 《주어 : qn》 편하게 자리를 잡다〔앉다〕 : *se* ~ dans un fauteuil 안락의자에 편하게 앉다. ***se ~ l'estomac* 〔*les joues*〕 *; se les ~ 《구어》 배불리 먹다.

caler[2] *v.t.* ① 〖해양〗 (돛을) 내리다 : ~ un mât 돛을 내리다. ② 물에 잠그다. ── *v.i.* ① 《구어》 굴복하다, 기가 꺾이다. ② 《구어》 빈둥거리다, 일을 안 하다 : ~ de l'école 학교를 빼먹다. ③ 〖해양〗 (배가) 물에 잠기다 : ~ 8 métres 흘수(吃水) 8 미터이다.

caleter [kalte] ④ *v.i.* 《속어》 달아나다, (급히) 가 버리다(= calter).

calfater [kalfate] *v.t.* (뱃밥으로 선체의) 틈을 막다.

calfeutrage [kalføtʀa:ʒ], **calfeutrement** [kalføtʀəmɑ̃] *m.* calfeutrer 하기.

calfeutrer [kalføtʀe] *v.t.* (문 따위의) 틈을 막다〔메우다〕 : ~ une porte 〔une fenêtre〕 avec du papier 문〔창문〕틈을 종이로 메우다. ── **se** ~ *v.pr.* ① 틈이 메워지다〔막히다〕. ② 《구어》 죽치다, 틀어박히다, 칩거하다(= s'enfermer) : Il *se calfeutre* chez lui. 그는 집안에 틀어박혀 꼼짝 않는다.

calibrage [kalibʀa:ʒ] *m.* ① (총포, 관 따위의) 구경(口徑) 측정. ② (과일 따위를) 크기에 따라 분류하기.

calibre [kalibʀ] *m.* ① (총포 · 관 따위의) 구경(口徑) ; (탄환의) 직경, 지름(= diamètre) ; 탄경(彈徑) : ~ d'une conduite d'eau 수도관의 내경 / obus de gros ~ 거포탄(巨砲彈). ② 구경 측정기 ; (굵기 · 두께 따위의) 측정 기구. ③ 《구어》 ⓐ (사물의) 크기, 정도 : une bêtise de grand ~ 터무니없이 어리석은 짓. ⓑ (사람의) 성질, 종류(= acabit). ***canon de gros ~*** 대구경포, 중포(重砲). ***Il n'est pas de ce ~-là.*** 《구어》 그는 그런 종류의〔그렇게 훌륭한〕 위인이 못된다.

calibrement [kalibʀəmɑ̃] *m.* ① = calibrage. ② 검정(檢定)《눈금 매기기》.

calibrer [kalibʀe] *v.t.* ① (총포 · 관 따위의) 구경을 측정〔결정〕하다. ② 크기에 따라 분류하다 : ~ des fruits 과일을 크기에 따라 나누다. ③ (온도계 따위의) 눈금을 매기다.

calice[1] [kalis] *m.* (고대의) 술잔 ; 〖가톨릭〗 성배(聖杯) ; (종교적 의미의) 고난 : partager le ~ du Christ 그리스도의 고난을 함께 하다. ***boire* 〔*avaler*〕 *le ~* (*d'amertume*)** 고난을 맛보다. ***boire le ~ jusqu'à la lie*** 이면 고난도 끝까지 참고 견디다.

calice[2] *m.* 〖식물〗 꽃받침.

califat [kalifa] *m.* 칼리프의 직위〔통치 · 관할구〕.

calife [kalif] *m.* 칼리프《회교국의 왕》.

califourchon (**à**) [akalifuʀʃɔ̃] *loc. adv.* 말 타듯 걸터앉아서(= à cheval) : se mettre 〔s'asseoir〕 à ~ sur qc …에 걸터앉다.

câlin, e [kɑlɛ̃, -in] *adj.* 아양 부리는(= mignard) ; (시선 따위가) 부드러운, (말 따위가) 달콤한(= doux, caressant) : enfant ~ 아양 떠는 아이 / musique ~*e* 달콤한 음악. ── *n.* 아양 부리는 사람. ── *m.* 포옹, 애무 : faire un ~ 애무하다.

câliner [kɑline] *v.t.* ① (여자를) 애무하다 ; 귀여워하다 : ~ un enfant 아이를 어르며 귀여워해 주다. ② …에게 아양 부리다 ; 달콤한 말로 꾀다. ── **se** ~ *v.pr.* ① 서로 귀여워하다. ② 《구어》 게으름 부리다.

câlinerie [kɑlinʀi] *f.* ① 귀여워하기 ; 애무. ② 응석, 아양(스런 언동).

calisson [kalisɔ̃] *m.* 편도(amande) 과자.

calleux, euse [kalø, -ø:z] *adj.* (살갗에) 굳은살〔못〕이 생긴.

call-girl [kɔlgœʀl] 〔영〕 *f.* 콜걸.

calli- *préf.* 「아름다움 · 미(美)」의 뜻.

calligramme [ka(l)ligʀam] *m.* 칼리그램.

calligraphe [ka(l)ligʀaf] *n.* 서예가 ; 달필가, 명필. 「운 글씨, 달필.

calligraphie [ka(l)ligʀafi] *f.* 서예 ; 아름다

calligraphier [ka(l)ligʀafje] *v.t.* (글씨를) 잘쓰다, 공들여 쓰다.

calligraphique [ka(l)ligʀafik] *adj.* 서예의 ; 달필의. 「운.

callipyge [ka(l)lipi:ʒ] *adj.* 엉덩이가 아름다

callosité [ka(l)lozite] *f.* 굳은살, 피부 경결(硬結), 못.

calmant, e [kalmɑ̃, -ɑ̃:t] *adj.* 통증을 가라앉히는, 진통의. ── *m.* 〖의학〗 진통〔진정〕제.

calmar [kalma:ʀ] *m.* 〖동물〗 오징어.

calme** [kalm] *adj.* ① 고요한(= tranquille ; ≠ agité), 조용한, 잔잔한 ; 평온한 : mer ~ 고요한 바다 / passer un week-end ~ 주말을 조용히 보내다. ② ⓐ 냉정한(≠ emporté), 침착한 ; (사람이) 온화한 : être ~ et résolu 침착하고 단호하다. ⓑ 평탄한, 편안한 : avoir une vie ~ 순탄한 삶을 살다. ③ (경기가) 침체한, 활발하지 못한 : marché ~ 침체된 시장. ── *m.* ① 고요함, 잔잔함, 온화함 : ~ plat (바다가) 잔잔함. ② 평온, 무사 ; 침착, 냉정 ; 〖상업〗 활기 없음, 부진 : ~ de l'âme 영혼의 평안 / rétablir le ~ dans un pays 나라의 평안을 되찾다 / C'est le grand ~ dans les affaires. 사업이 영 부진하다. ***avec ~ 침착하게, 태연히. ***avoir du ~*** 냉정을 잃지 않다.

calmement [kalməmɑ̃] *adv.* 고요하게, 잔잔하게 ; 조용히, 침착하게 ; 평온하게.

***calmer** [kalme] *v.t.* (고통 따위를) 진정시키다, 가라앉히다 ; 《~ qn》 …의 마음을 누그러뜨리다, 침착하게 하다 : ~ sa colère 화를 가라앉히다 / ~ la soif 갈증을 풀다 / ~ les menifestants 시위자를 진정시키다. ── *v.i.* 〖해양〗 잔잔해지다. ── **se** ~ *v.pr.* 가라앉다 ; 고요해지다 ; 《주어 : qn》 마음이 진정되다, 침착해지다. La tempête s'est calmée. 폭풍우가 잠잠해졌다 / *Calmez-vous,* je vous en prie. 제발 진정하세요.

calmir [kalmi:ʀ] *v.i.* 〖해양〗 고요해지다, 잔

잔해지다.

calomniateur, trice [kalɔmnjatœːʀ, -tʀis] *adj.* et *n.* 중상〔험구〕하는 (사람).

calomnie [kalɔmni] *f.* 험구, 중상(= diffamation), 비방 : semer des ~*s* contre qn …에 대해 중상모략하다.

calomnier [kalɔmnje] *v.t.* 헐뜯다, 험구〔중상〕하다 : ~ qn au sujet de …에 대해 …을 비난하다 / ~ les gens de bien 선량한 사람을 비방하다 / 《목적보어 없이》 Il se plaît à ~. 그는 (남을) 중상하기를 좋아한다.

calomnieux, euse [kalɔmnjø, -øːz] *adj.* 헐뜯는, 중상적인(≠ flatteur) : écrit ~ 비방 문서 / dénonciation ~*euse* 〖법률〗 무고죄.

calorie [kalɔʀi] *f.* 칼로리《열량의 단위》.

calorifère [kalɔʀifɛːʀ] *adj.* 열을 전하는. — *m.* 난방 장치, 난로 : ~ à air chaud 〔à eau chaude〕 증기〔온수〕 난방 장치.

calorifique [kalɔʀifik] *adj.* 열의, 열을 발생하는 : capacité ~ 열용량.

calorifuge [kalɔʀifyːʒ] *adj.* 단열의 ; 내화성의 ; 내열의 : paroi à revêtement ~ 내화벽. — *m.* 단열재, 열 절연체.

calorifuger [kalɔʀifyʒe] *v.t.* 단열〔보온〕하다 : vêtement en tissu *calorifuge* 내열복.

calorimètre [kalɔʀimɛtʀ] *m.* 열량계.

calorimétrie [kalɔʀimetʀi] *f.* 열량 측정(법).

calorimétrique [kalɔʀimetʀik] *adj.* 열량 측정(법)의 : méthodes ~*s* 열량 측정법.

calorique [kalɔʀik] *m.* 열, 열소(熱素). — *adj.* 열을 내는 ; 열의, 열량의 : ration ~ (1일에 필요한) 칼로리 섭취량.

calot[1] [kalo] *m.* (챙 없는) 군모, 약모(略帽).

calot[2] *m.* ① 〖놀이〗 큰 공기돌. ② 《속어》 눈 : rouler des ~*s* 눈이 휘둥그레지다.

calotin, e [kalɔtɛ̃, -in] *n.* 《구어》《경멸》 ① 성직자. ② 성직자 지지파 ; 신자. — *adj.* 성직자의 ; 신자의.

calotte [kalɔt] *f.* ① (성직자의) 반구형의 검은 모자 ; 빵모자 : porter la ~ 성직에 있다. ② 《경멸》 성직자 ; 성직자 지지파. ③ 《구어》 손바닥으로 머리를〔뺨을〕 때리기 : donner 〔flanquer〕 une ~ 뺨을 한 대 치다.

calotter [kalɔte] *v.t.* 《구어》 …의 머리를〔뺨을〕 손바닥으로 찰싹 때리다.

calque [kalk] *m.* ① 투사, 복사 ; 모사 : prendre un ~ d'un plan 도면의 투사도를 뜨다. ② 모방, 표절(= imitation). ③ 〖언어〗 직역어《예 : gratte-ciel 은 영어 skyscraper의 직역어》.

calquer [kalke] *v.t.* ① 투사하다, 복사하다 ; 베끼다 : ~ au papier transparent 투사지로 베끼다 / ~ par frottement 탁본(拓本)을 뜨다. ② 모방하다, 흉내내다 : ~ une robe sur un modèle 모델을 붙여서 옷을 만들다 / ~ sa conduite sur celle d'un ami 친구의 행동을 본떠 그대로 행동하다. — **se** ~ *v.pr.* 《~ sur》 투사〔복사〕되다 ; 모방하다.

calumet [kalymɛ] *m.* (북미 인디언의) 긴 담뱃대. ***fumer le ~ de la paix avec*** qn …와 화해하다. ***offrir le ~ de la paix à*** qn …에게 화해를 제의하다.

calvados [kalvadoːs] *m.* 칼바도스(*le Calvados*)산의 사과브랜디(《약자》 calva).

calvaire [kalvɛːʀ] *m.* ① (*C~*) 골고다 언덕《그리스도가 못박힌 곳》. ② 십자가가 꽂힌 언덕 ; 십자가에 못박힌 예수 상(像). ③ 고난 : gravir son ~ 고난을 겪다.

calvinisme [kalvinism] *m.* 〖신학〗 칼빈(*Calvin*)주의.

calviniste [kalvinist] *adj.* 칼빈주의를 신봉하는, 칼빈파의. — **C~** *n.* 칼빈주의자.

calvitie [kalvisi] *f.* 대머리.

camaïeu [kamajø] *m.* (*pl.* **~x**) 단색화(單色畫) ; 《구어》 특색 없는〔단조로운〕 그림〔문학 작품〕 : peindre en ~ 단색으로 그리다.

camail [kamaj] *m.* ① 〖가톨릭〗 백의(白衣) 위에 입는 어깨 망토. ② (여자용) 케이프.

***camarade** [kamaʀad] *n.* 동무, 친구(= copain), 동료, 학우 ; 동지 : ~ de collège 동창생 / ~ de bouteille 술친구 / ~ de classe 〔promotion〕 동급〔동기〕생 / ~ de bureau 직장 동료 / ~ de pension 학우.

camaraderie [kamaʀadʀi] *f.* ① 우의, 우정, 동지애 : réunion empreinte de ~ 화기애애한 화합. ② 당파, 파벌 : ~ d'école 학연.

camard, e [kamaːʀ, -aʀd] *adj.* 들창코의, 코가 납작한. — *f.* 《구어》 죽음(= la mort).

cambiste [kɑ̃bist] *m.* 환전상 ; 거래 중개인. — *adj.* 환전(상)의. ***place ~*** 증권 거래 중심지.

cambodgien, enne [kɑ̃bɔdʒjɛ̃, -ɛn] *adj.* 캄보디아(*le Cambodge*)의. — **C~** *n.* 캄보디아 사람.

cambouis [kɑ̃bwi] *m.* (기계 따위의) 더러워진 기름 : tache de ~ 기름 얼룩.

cambré, e [kɑ̃bʀe] *adj.* (활 같이) 휜〔구부러진〕 ; 만곡한 : jambes ~*es* 안짱다리.

cambrer [kɑ̃bʀe] *v.t.* (활 모양으로) 휘게 하다, 구부리다 : ~ une poutre 기둥을 휘게 하다. — **se** ~ *v.pr.* 몸을 뒤로 젖히다 ; 가슴을 펴다.

cambrio [kɑ̃bʀijo] *m.* 《구어》 강도.

cambriolage [kɑ̃bʀijɔlaːʒ] *m.* 불법 침입, 강도 행위 ; 도둑질.

***cambrioler** [kɑ̃bʀijɔle] *v.t.* 《~ une maison 〔qn〕》 (가택에 침입하여) 강도질하다 : ~ un appartement 아파트를 털다 / Ils *ont été cambriolés.* 그들은 도난을 당했다.

cambrioleur, euse [kɑ̃bʀijɔlœːʀ, -øːz] *n.* 가택 침입 강도(= cambrio).

cambrure [kɑ̃bʀyːʀ] *f.* (활처럼) 휜 모양, 만곡.

cambuse [kɑ̃byːz] *f.* ① 〖해양〗 식량 저장고. ② (조선소 따위의) 주보(酒保)(= cantine); 술집. ③ 《속어》 누추한 집〔방〕.

came[1] [kam] *f.* 〖기계〗 캠《회전운동을 왕복운동으로 바꾸는 장치》: arbre à ~ 캠축.

came[2] *f.* 《속어》 ① 코카인(= cocaïne); 마약(= drogue). ② 싸구려 상품 ; 물품, 물건.

camé, e[1] [kame] *adj.* 마약에 중독된(= drogué). — *n.* 마약 중독자(= toxicomane).

camée[2] [kame] *m.* 카메오《돋을새김을 한 옥석(玉石) · 조가비》.

caméléon [kameleɔ̃] *m.* 〖동물〗 카멜레온 ; 《속어》 지조 없는 사람, 변덕쟁이.

camélia [kamelja] *m.* 〖식물〗 동백(꽃). ***dame aux ~s*** 창녀《*Dumas fils* 작 Dame aux ~s 「춘희」에서》.

camelot [kamlo] *m.* ① 노점 상인, 행상인. ② 신문팔이.

camelote [kamlɔt] *f.* ① 《구어》 싸구려 상품 ; 날림으로 만든 물건〔한 일〕: maison de ~ 날림으로 지은 집. ② 《구어》 상품, 물품 : bonne ~ 상등품.

***camembert** [kamɑ̃bɛːʀ] *m.* (노르망디산(産)의) 고급 치즈. 「하다.

camer (se) [s(ə)kame] *v.pr.* 《속어》 마약을

***camera, caméra** [kameʀa] *f.* 〖영화〗 촬영기 ; 〖TV〗 카메라.

cameraman, caméraman [kameʀaman] 〔영〕 *m.* (*pl.* ***-men***[-mɛn]) 〖영화〗 촬영 기사, 카메라맨.

camérier [kameʀje] *m.* (로마 교황의) 시종(侍從) ; (교황청의) 재무관.

camériste [kameʀist] *f.* ① (귀부인의) 시녀. ② 《구어》 하녀(= camérière).

camerounais, e [kamʀunɛ, -ɛːz] *adj.* 카메룬(사람)의. ── **C~** *n.* 카메룬 사람. 「라.

caméscope [kameskɔp] *m.* 비디오 카메

***camion** [kamjɔ̃] *m.* 짐수레 ; 화물차, 트럭(= ~ automobile) ; 4 륜 대형 짐마차 : ~ de dix tonnes, 10 톤 트럭.

camion-citerne [kamjɔ̃sitɛʀn] *m.* (*pl.* ***~s-~s***) (액체) 운반용 자동차〔트럭〕.

camionnage [kamjɔnaːʒ] *m.* 화물차로 운반하기 ; 화물차 운송비 ; 운송업.

camionner [kamjɔne] *v.t.* 화물차로 운반하다. 「소형 트럭.

camionnette [kamjɔnɛt] *f.* 작은 짐수레 ;

camionneur [kamjɔnœːʀ] *m.* ① 짐수레〔마차〕꾼 ; 트럭 운전수. ② 트럭〔짐마차 · 짐수레〕 운송업자.

camisole [kamizɔl] *f.* 캐미솔《여자용의 짧은 윗도리〔재킷〕》. ~ ***de force*** (정신병자 · 죄인에게 입히는) 구속복(拘束服) : Il mérite la ~ *de force.* 그는 미쳤다.

camomille [kamɔmij] *f.* ① 〖식물〗 카밀레《국화과의 약용 식물》 ; 카밀레꽃. ② 카밀레꽃을 달인 차.

camouflage [kamuflaːʒ] *m.* ① 〖군사〗 위장(술) ; 위장 용품 : ~ de branchages 나뭇가지에 의한 위장. ② 변장 ; 은폐(= déguisement) : ~ de bénéfices 이득〔소득〕의 은폐.

camoufler [kamufle] *v.t.* ① 〖군사〗 위장하다 ; 변장시키다(= déguiser) : tenue de combat *camouflée* 위장 도색한 전투복. ② 《구어》 숨기다(= cacher) : ~ un fait 〔sentiment〕 어떤 사실〔감정〕을 숨기다. ── **se ~** *v.pr.* ① 변장하다 ; 위장되다. ② 《구어》 숨다.

camouflet [kamuflɛ] *m.* ① (남의 얼굴에 대고 내뿜는) 담배 연기. ② 모욕 (= affront) : donner 〔infliger〕 un ~ 모욕을 주다.

camp** [kɑ̃] *m.* ① 야영, 야영지, 캠프장 : faire un ~ dans... …에서 야영하다 / lit de ~ 야전용 침대 / feux de ~ 캠프 파이어. ② 병영 ; 수용소 : ~ de prisonniers 〔de réfugiés〕 포로〔피난민〕 수용소 / ~ de travail 강제노동 수용소. ③ 〖군사〗 야영 부대 ; (*pl.*) 군대 : vie des ~*s* 군대 생활 / ~ d'instruction 훈련 기지. ④ 진영 ; 당파(= faction) ; (운동 · 놀이의) 조(組)(= équipe) : passer dans le ~ de l'opposition 반대 진영으로 가다 / tirer les ~*s* 조를 짜다. ***asseoir le ~ 야영 텐트를 치다. ***~ d'aviation*** (군용) 비행장, 항공기지. ***~ de concentration*** (전시 중 · 정치적 혼란기의) 외국인 · 적국 비전투원 따위의 수용소. ***~ volant*** 일시적인 주둔 ; 유격대 ; 《구어》 캠핑 (여행) : faire un ~ *volant* de sept jours, 7 일간의 캠핑(여행)을 하다. ***le ~ opposé*** 반대당 ; 반대편. ***prendre 〔ficher〕 le ~*** 물러가다 ; 달아나다.

campagnard, e [kɑ̃paɲaːʀ, -aʀd] *adj.* 농촌의, 시골의 ; 촌뜨기의(= rustique ; ≠ citadin) : douce vie ~*e* 시골의 조용한 생활. ── *n.* 촌사람 ; 시골뜨기.

‡**campagne** [kɑ̃paɲ] *f.* ① (산 · 숲에 대하여) 벌판, 들판, 평야, 밭(= champ): travaux de la ~ 밭〔농사〕일 / habiter en pleine ~ 벌판 한가운데 살다. ② 농촌, 전원, 시골 : vie de ~ 전원 생활 / maison de ~ 시골 별장. ③ 〖군사〗 (요새에 대하여) 전쟁터 ; 야전 ; 전투 ; 원정 ; 작전 : artillerie de ~ 야전 포병 / ~ d'Égypt (나폴레옹의) 이집트 원정. ④ (선거 따위의) 운동 : ~ électorale 선거 운동 / ~ de presse 신문에 의한 논전 / ~ politique 정치 운동 / ~ de propagande 선전 공세. ***aller à la ~*** 시골에 가다. ***aller en ~*** 일보러 나가다, 일하러 가다. ***battre la ~*** 일대를 수색하다 ; 헛소리하다 ; 탈선하다. ***~ scientifique*** 학술 탐험. ***entrer 〔se mettre〕 en ~*** 출전하다 ; 일을 시작하다. ***être à la ~*** 시골에 있다. ***être en ~*** 출정중〔활동 중〕이다. ***faire ~*** 싸우다. ***mettre en ~*** 활동하게 하다. ***ouvrir la ~*** 전투를 개시하다. ***pièce de ~*** 야포(野砲). ***plan de ~*** 작전 계획. ***tenir la ~*** 야전에서 적과 대항하다.

campagnol [kɑ̃paɲɔl] *m.* 〖동물〗 들쥐.

campanile, campanille [kɑ̃panil] *m.* ① 종각, 종탑. ② (건물 위의) 작은 종각.

campanule [kɑ̃panyl] *f.* 〖식물〗 초롱꽃.

campé, e [kɑ̃pe] *adj.* ① 자리잡은, 세워진 ; 버티고 선 : être bien ~ sur ses jambes 발을 버티고 서 있다. ② 잘 묘사된, 잘 그려진. ***gaillard bien ~*** 기골이 튼튼한 사나이. ***homme bien ~*** 지위가 안정된 사람. ***récit bien ~*** 잘 묘사된 이야기.

campement [kɑ̃pmɑ̃] *m.* ① 야영, 캠프 ; 야영지. ② 〖군사〗 야영 부대.

***camper** [kɑ̃pe] *v.i.* ① 야영하다 ; 캠핑하다, 야숙하다 : ~ en montagne 산에서 야영하다. ② (어떤 곳에) 임시로 거처하다 : Nous *campons* à l'hôtel. 우리는 호텔에 머무르고 있다. ── *v.t.* ① 야영시키다. ② (자리에) 놓다 ; 설치하다 : ~ son chapeau sur sa tête 머리에 모자를 눌러 쓰다. ③ (문학 · 미술에서) 생생하게 묘사하다〔그리다〕 : ~ ses personnages 인물을 선명하게 묘사하다.
── **se ~** *v.pr.* ① 야영하다. ② 버티고 서다〔앉다〕(= se dresser). 「는 사람.

campeur, euse [kɑ̃pœːʀ, -øːz] *n.* 캠핑하

camphre [kɑ̃ːfʀ] *m.* 장뇌(樟腦) : baume au ~ 장뇌유(油).

camphré, e [kɑ̃fʀe] *adj.* 장뇌를 함유한.

camphrier [kɑ̃fʀije] *m.* 〖식물〗 녹나무《장뇌의 원료》.

***camping** [kɑ̃piŋ] *m.* ① 캠핑 : matériel de ~ 캠핑용품 / faire du ~ 캠핑 생활을 하다. ② 캠프〔텐트〕 여행. ③ 캠프장(= terrain de ~).

camping-car [kɑ̃piŋkaʀ] *m.* (*pl.* ***~-~s***) 캠핑용 자동차.

campos [kɑ̃po] m. 《학생은어》 휴업, 휴가(= congé) : donner ~ 휴가를 주다 / Demain, on a ~ . 내일은 휴강이다.
campus [kɑ̃pys] m. 학교 구내, 캠퍼스.
camus, e [kamy, -y:z] adj. 코가 납작한 ; 당황한(= confus) : demeurer ~ 어쩔 줄 모르다. — n. 코가 납작한 사람.
Canada [kanada] n.pr.m. 〖지리〗 캐나다. — **c~** f. 사과의 일종(= pomme de C~).
canadair [kanadɛ:ʀ] m. (산불 진화용) 살수 비행기(= bombardier d'eau).
canadianisme [kanadjanism] m. 캐나다에 특유한 프랑스어(법).
*__canadien, enne__ [kanadjɛ̃, -ɛn] adj. 캐나다(le Canada)의. — **C~** n. 캐나다 사람. — f. 안에 양털을 댄 짧은 외투.
canaille [kanɑ:j] f. ① 《집합적》 천민, 하층계급(= populace) ; 너절한 놈들. ② 고약한 놈, 악당, 깡패(= coquin, crapule). ***~ fieffée ; franche ~*** 천하의 악당. ***cette petite ~*** (어린애에게 농으로) 요놈. — adj. 천한, 불량한 : air ~ 불량한 태도.
canaillerie [kanɑjʀi] f. 《구어》 ① 천함, 상스러움. ② 천한 짓 ; 상스러운 말 ; 너절한〔고약한〕 짓, 악당〔깡패〕 행위 ; 협잡 : C'est de la pure ~. 말할 수 없이 상스런 짓이다.
*__canal__ [kanal] m. (pl. **~aux** [-o]) ① 운하 ; 수로 ; 배수거(排水渠) ; (인공의) 개천 : le C~ de Suez 수에즈 운하 / ~ (à ciel) ouvert 노거(露渠) / ~ (à ciel) couvert 암거(暗渠). ② 해협(= détroit) : le C~ de la Manche 영불해협. ③ 도관(導管), 토관, 파이프 : ~ d'adduction d'eau 도수관. ④ 〖해부〗 관(管) ; 〖식물〗 맥관 : ~ alimentaire 소화관. ⑤ 〖방송〗 채널(= chaîne). ⑥ 수단, 경로(= voie), 방법 : ~ de distribution 유통 경로 ***~ à air*** 〔***d'aérage***〕 송기관(送氣管). ***par le ~ de la poste*** 우편으로.
canalisation [kanalizɑsjɔ̃] f. ① 운하 개착 ; 운하화. ② 도관 장치 ; (전기의) 도선 ; (석유의) 송유관 : établir une ~ dans un bâtiment 건물에 전기 배선〔수도 · 가스 배관〕을 하다 / ~ souterrain 지하 케이블망. ③ 도관에 의한 수송.
canaliser [kanalize] v.t. ① ⓐ 운하로 만들다 : ~ une rivière 강을 운하로 만들다. ⓑ …에 운하를 파다. ② ⓐ …에 도관을〔파이프를〕 부설하다. ⓑ 도관으로 수송하다. ③ (일정한 방향으로) 모으다 ; 집중시키다 ; (우편물 따위를) 집배(集配)하다 : ~ les correspondances 우편물을 수합하여 분류하다. ***~ la foule*** 군중의 교통을 정리하다. ***~ les spectateurs*** 관객을 안내하다.
*__canapé__ [kanape] m. ① 소파(= sofa), 긴의자 : ~ à deux places, 2 인용 소파. ② 카나페《생선 · 햄 · 치즈 · 야채를 얹은 토스트》.
canapé-lit [kanapeli] m. (pl. **~s-~s**) 침대 겸용의 긴 의자.
*__canard__ [kana:ʀ] m. ① 〖조류〗 오리《집오리 · 들오리》. ② 《구어》 허위 보도, 유언비어 ; 저급한 신문 : lancer des ~s 유언비어를 퍼뜨리다. ③ 《구어》 (커피 · 브랜디 따위에 담근) 각사탕. ④ 〖음악〗 음정이 빗나간〔틀린〕 소리 . ***~ domestique*** 집오리. ***~ privé*** 《속어》 (경관의) 끄나풀. ***froid de ~*** 지독한 추위. ***Il n'a pas cassé trois pattes à un ~.*** 그는 별재주가 없는 사람이다. ***marcher en ~*** 〔***comme un ~***〕(오리처럼) 뒤뚱거리며 걷다. ***mouillé*** 〔***trempé***〕 ***comme un ~*** 《구어》 흠뻑 젖은. ***plonger comme un ~*** 잠수를 잘하다 ; 《비유》 (위험을) 잘 피하다.
canarder [kanaʀde] v.t. (오리사냥처럼) 숨어서 쏘다〔저격하다〕 : se faire ~ 저격당하다. — v.i. 〖음악〗 틀리게 노래〔연주〕하다.
canardière [kanaʀdjɛ:ʀ] f. ① 오리 기르는 연못 ; 오리 사냥터. ② 물오리 사냥용 엽총.
canari [kanaʀi] m. 〖조류〗 카나리아. — adj. 카나리아 색의 : robes jaune ~ 카나리아 빛깔의 노란색 원피스.
canasson [kanasɔ̃] m. 《속어》 못쓸〔늙은〕 말 ; 《일반적》 말.
canasta [kanasta] f. 카나스타《카드놀이의 일종》.
cancan [kɑ̃kɑ̃] m. 《구어》 ① (특히 pl.) 험담, 쑥덕공론, 뒷공론 : dire 〔faire〕 des ~s sur qn …에 관하여 뒷공론을 하다. ② 캉캉춤(= french ~).
cancaner [kɑ̃kane] v.i. ① 험담하다, 쑥덕공론〔뒷공론〕하다. ② 캉캉춤을 추다.
cancanier, ère [kɑ̃kanje, -ɛ:ʀ] adj. et n. 험담하기〔욕하기〕 좋아하는 (사람).
*__cancer__ [kɑ̃sɛ:ʀ] m. ① 〖의학〗 암(癌), 암종 : ~ du sein 〔poumon, foie〕 유방〔폐 · 간〕암 / détection précoce d'un ~ 암의 조기 발견. ② 《비유》 해독, 암적인 존재 : ~ administratif 행정 기구에 도사리고 있는 병폐. ③ 〖동물〗 게. ***le C~*** 〖천문〗 게자리. ***tropique du C~*** 북회귀선, 하지선(夏至線).
cancéreux, euse [kɑ̃seʀø, -ø:z] adj. 암종성의, 암에 걸린. — n. 암(종)환자.
cancérigène [kɑ̃seʀiʒɛn] adj. 암이 생기게 하는, 발암의 : action ~ 발암 작용.
cancérologie [kɑ̃seʀɔlɔʒi] f. 암종학(癌腫學), 암 연구.
cancérologue [kɑ̃seʀɔlɔg] n. 암연구 전문가, 암전문의.
cancre [kɑ̃:kʀ] m. ① 〖동물〗 게의 일종. ② 《구어》 (학교의) 열등생. ③ 《구어》 욕심쟁이, 구두쇠.
cancrelat [kɑ̃kʀəla] m. 〖곤충〗 바퀴(= cafard).
cancroïde [kɑ̃kʀɔid] m. 〖의학〗 상피암(上皮癌).
candélabre [kɑ̃delɑ:bʀ] m. 나뭇가지 모양의 큰 촛대.
candeur [kɑ̃dœ:ʀ] f. 순진〔순박〕함, 천진난만함(= pureté, naïveté) : parler 〔agir〕 avec ~ 순진하게 말하다〔행동하다〕.
candi [kɑ̃di] adj. m. 반투명결정(結晶)의 ; 설탕에 절인. — m. 얼음사탕(= sucre ~).
*__candidat, e__ [kɑ̃dida, -at] n. 후보자, 지원자 ; 수험자 : Il y a plusieurs ~s à ce concours. 이 경쟁 시험에는 지망자가 여럿 있다 / ~ au baccalauréat 대학입학 자격 수험생 / ~ à la députation 국회의원 입후보자.
candidature [kɑ̃didaty:ʀ] f. 후보자의 자격 ; 입후보 : poser 〔retirer〕 sa ~ 입후보하다〔입후보를 사퇴하다〕 / ~ officielle 공인(公認) 후보.
candide [kɑ̃did] adj. 순진한, 순박한, 천진한(= naïf, simple) : air ~ 순진한 태도 / homme ~ 순수한 사람.
candidement [kɑ̃didmɑ̃] adv. 순진하게, 순박하게, 천진난만하게.

cane [kan] *f.* 〖조류〗 암오리 《canard의 암컷》.
caner [kane] *v.i.* ① (오리처럼) 엉덩이를 흔들며 걷다. ② ⓐ 겁내다, 물러서다 : ~ devant un danger 위험 앞에서 꽁무니빼다, 후퇴하다. ⓑ 죽다(= mourir).
caneton [kantɔ̃] *m.* 새끼 오리.
canette[1] [kanɛt] *f.* 새끼 오리 암컷.
canette[2], **cannette** [kanɛt] *f.* ① 《옛》 병 ; (자기 마개가 달린) 맥주병 : une ~ de bière 맥주 한 병. ② (재봉틀 · 방적기의) 실톳.
canevas [kanva] *m.* ① (자수의) 바탕천 ; 화포(畫布). ② 구상, 초안, (극 · 소설 따위의) 대강의 줄거리, 밑그림(= ébauche, plan) : ~ d'un discours 연설문 초고. ***broder sur le ~*** 《구어》 이야기를 윤색(潤色)하다.
caniche [kaniʃ] *m.* 복슬개〔푸들〕의 일종(= chien(ne) ~) : suivre qn comme un ~ …의 뒤를 졸졸 따라다니다.
caniculaire [kanikylɛːʀ] *adj.* 삼복의, 한여름의, 무더운 : chaleurs ~*s* 삼복 더위.
canicule [kanikyl] *f.* ① 삼복, 한여름. ② (*C~*) 〖천문〗 천랑성(天狼星) ; 큰개자리.
canif [kanif] *m.* 주머니칼, 나이프. ***donner un coup de ~ dans le contrat*** 《구어》 남편〔부인〕에게 불충실하다, 바람 피우다.
canin, e [kanɛ̃, -in] *adj.* 개의 : rage ~*e* (개의) 광견병 / avoir faim ~*e* 몹시 배가 고프다. ── *f.* 송곳니(= dent ~*e*).
caniveau [kanivo] *m.* (*pl.* **~x**) 홈을 판 돌 ; 도랑, (길가의) 배수구.
canna [kana] *f.* 〖식물〗 칸나. 「〔대마〕.
cannabis [ka(n)nabis] *m.* 〖식물〗 인도삼
cannage [kanaːʒ] *m.* 등나무로 엮기.
canne [kan] *f.* ① 〖식물〗 등류(藤類); 등나무 줄기〔껍질〕; 사탕수수 : sièges en ~ 등의자. ② 지팡이, 단장 : ~ à pêche 낚싯대 / ~ blanche 장님 지팡이 ; 소경. ***avoir la ~*** 《속어》 발기(勃起)하다. ***casser sa ~*** 《속어》 죽다. ***mettre les ~s*** 《속어》 도망치다.
cannelé, e [kanle] *adj.* ① 세로홈을 판 : pneu ~ 세로 홈을 넣은 타이어. ② (직물이) 주름 잡은, 골이 진 : tissu ~ 골진 직물.
canneler [kanle] *v.t.* 〖건축〗 (기둥에) 세로 홈(cannelure)을 파다.
cannelier [kanəlje] *m.* 〖식물〗 계수나무.
cannelle[1] [kanɛl] *f.* 계피, 육계(肉桂) 껍질. ***mettre en ~*** 《구어》 …을 산산조각으로 부수다 ; 쳐부수다.
cannelle[2] *f.* ① (통 따위의) 꼭지, 마개. ② (방적기의) 실톳(= canette).
cannelure [kanlyːʀ] *f.* (기둥 따위의) 길게 판 홈, 세로홈.
canner [kane] *v.t.* (의자의 밑판 · 등판을) 등(藤)으로 엮어 대다. 「자 직공.
canneur, euse [kanœːʀ, -øːz] *n.* 등나무의
cannibale [ka(n)nibal] *adj.* 식인(종)의 ; 야만의(= sauvage) : joie de ~*s* (야만족의) 광란의 축제. ── *n.* 식인종 ; 잔인한 사람.
cannibalisme [ka(n)nibalism] *m.* ① 식인 풍습. ② 잔인, 잔학(= cruauté, ferocité) : C'est du ~. 그건 잔학무도한 짓이다.
canoë [kanɔe, kanu] 〔영〕 *m.* 마상이, 카누 : faire du ~ 카누를 타다.
canoéiste [kanɔeist, kanuist] *n.* 카누 젓는 사람 ; 카누 선수.
canon**[1] [kanɔ̃] *m.* ① 〖군사〗 대포 ; 포 : ~ antiaérien 〔contre-avion(s)〕 고사포/ ~ antichar 대전차포 / projectiles de ~ 포탄. ② 포신, 총신, 총대 : fusil à deux ~*s*, 2연(連)총. ③ 《구어》 술병, 술잔 : boire un ~ 《구어》 한 잔 마시다. ***~ à tir rapide 속사포. ***~ de bord*** 함포. ***~ de campagne*** 야포. ***~ de tranchée*** 박격포. ***tirer le ~ à*** qn …을 위하여 예포를 쏘다.
canon[2] *m.* ① 〖가톨릭〗 교회 법령집, 종규(宗規) ; 기준, 표준(= norme). ② 교회 정경(正經) : ~ des Écritures 성서 정경, 정전(正典) / ~ juifs 유대교 정전. ③ (윤리 · 예술상의) 규준 ; 모범 ; 〖미술〗 이상적인 인체의 비율. ④ 〖음악〗 윤창곡(輪唱曲). ***~ de la messe*** 미사 전문(典文). ***~ pascal*** 이동축일표 ***droit ~*** 교회법.
cañon, [kaɲɔ̃] **canon**[3] *m.* 계곡.
canonial, e, aux [kanɔnjal, -o] *adj.* 〖가톨릭〗 교회 참사회원(chanoine)의.
canonicat [kanɔnika] *m.* 교회 참사회원의 직위〔자격〕.
canonique [kanɔnik] *adj.* ① 〖가톨릭〗 종규에 관한 ; 종규에 맞는 : peines ~*s* 교회법에 의거한 형벌. ② 《구어》 관습에 따른 ; 규범의(= normatif) ; 표준의(= général) : équation ~ 표준 방정식 / forme ~ 기준형. ③ cinq livres ~*s* (중국의) 오경(五經). ***âge ~***, 40세《성직자의 하녀가 될 수 있는 나이》; 《구어》 지긋한 나이. ***droit ~*** 교회 법전(= droit canon).
canonisation [kanɔnizɑsjɔ̃] *f.* 〖가톨릭〗 시성식(諡聖式), 성인품에 올리기.
canoniser [kanɔnize] *v.t.* ① 〖가톨릭〗 시성(諡聖)하다, 성인품에 올리다 : livre *canonisé* (성서의) 정전. ② 《구어》 무턱대고 칭찬하다.
canonnade [kanɔnad] *f.* 포격 ; 포화 : vive ~ 맹포격.
canonner [kanɔne] *v.t.* 포격하다 ; 《구어》 맹렬히 공격하다. ── **se ~** *v.pr.* 서로 포격하다 ; 《구어》 서로 공격하다.
canonnier [kanɔnje] *m.* 포수(砲手), 포병.
canonnière [kanɔnjɛːʀ] *f.* ① (하천 · 연안용) 포함(砲艦). ② 《옛》 (요새의) 포안(砲眼).
canot [kano] *m.* ① 《옛》 카누(= canoë). ② (갑판이 없는) 보트 : ~ automobile 〔à moteur〕 모터 보트 / ~ pneumatique 고무 보트 / ~ de sauvetage 구명 보트 / ~ de pêche 낚싯배. ***faire une partie de ~*** 뱃놀이를 가다.
canotage [kanɔtaːʒ] *m.* 보트 젓기, 보트 놀이 ; 〖스포츠〗 조정 : faire du ~ 보트 놀이를 하다 ; 조정을 하다. 「이를 하다.
canoter [kanɔte] *v.t.* 보트를 젓다, 보트 놀
canoteur, euse [kanɔtœːʀ, -øːz] *n.* 보트를 젓는〔보트 놀이하는〕 사람.
canotier [kanɔtje] *m.* ① (*f.* ***canotière***) 보트 젓는 사람. ② 밀짚모자, 맥고모자.
cant. 《약자》 cantonnement 〖군사〗 숙사, 숙영(지).
cantabile [kɑ̃tabile] 〔이탈리아〕 *m.* 〖음악〗 칸타빌레《느리고 애수를 띤 곡조》. ── *adv.* 노래하듯이, 우아하게.

cantal [kɑ̃tal] *m.* (*pl.* ~**s**) 칸탈 치즈《오베르뉴(*l'Auvergne*)산 치즈》.
cantaloup [kɑ̃talu] *m.* 【식물】 고급 멜론.
cantate [kɑ̃tat] *f.* 【음악】 칸타타, 가요(곡).
cantatrice [kɑ̃tatʀis] *f.* 여류 성악가.
cantilène [kɑ̃tilɛn] *f.* 【음악】 애가(哀歌), 영탄곡(詠嘆曲).
***cantine** [kɑ̃tin] *f.* ① 【군사】 주보(酒保) ; (학교 · 공장 따위의) 구내식당 ; 식료품 매점. ② 【군사】 야전용 취사 도구 상자 ; (장교 · 병사용) 트렁크 ; 휴대용 의료 상자.
cantinier, ère [kɑ̃tinje, -ɛːʀ] *n.* 주보 주인〔관리인〕; (학교, 공장 따위의) 식당계.
cantique [kɑ̃tik] *m.* 찬가(讚歌) ; 성가, 찬송가 : recueil de ~*s* 찬송가집 / ~ spirituel 영가 / entonner un ~ 성가를 부르다.
canton [kɑ̃tɔ̃] *m.* 지구(地區) ; 구역 ; 면(面)《canton 이 여럿 합하여 arrondissement 이 됨》; (스위스의) 주(州) : ~*s* voisins des frontières 국경 안전 지역.
cantonade [kɑ̃tɔnad] *f.* 【연극】 ① 《옛》 무대 측면 좌석. ② 무대 뒤〔옆〕. ***parler***〔***dire***〕 ***à la*** ~ 무대 뒤를〔옆을〕 향해서 말하다 ; 아무에게나 말하듯 하다.
cantonal, e, aux [kɑ̃tɔnal, -o] *adj.* canton 의, 지구의 : chef-lieu de ~ 면 소재지.
cantonnement [kɑ̃tɔnmɑ̃] *m.* ① 【군사】 숙영(지) ; 숙박 ; 숙사 : être en ~ 숙영 중이다. ② 구획 ; (철도의) 구간 ; (산림의) 구역 ; (어로 지정) 수역.
cantonner [kɑ̃tɔne] *v.t.* ① 【군사】 숙영시키다(=camper) : ~ une troupe 부대를 숙영시키다. ② 구획하다, 구분하다. ③ 격리시키다, 가두다 : ~ les bestiaux malades 병든 가축을 격리시키다. — *v.i.* 숙영하다.
— **se** ~ *v.pr.* ① 틀어박히다. ② …에 제한〔한정〕하다 ; …에 전념하다 : *se* ~ dans ses études 자기 연구에만 전념하다.
cantonnier, ère [kɑ̃tɔnje, -ɛːʀ] *m.* 도로(보수) 인부. — *adj.* 도로 인부의.
canulant, e [kanylɑ̃, -ɑ̃ːt] *adj.* 《구어》 지긋지긋한, 귀찮은(=rasant, barbant).
canular(d) [kanylaːʀ] *m.* 《학생은어》 거짓말, 허풍, 짓궂은 장난(=blague, farce) : monter〔faire〕 un ~ 속임수를 쓰다.
canularesque [kanylaʀɛsk] *adj.* 허풍의, 거짓말 같은 : histoire ~ 황당한 이야기.
canule [kanyl] *f.* (세척기 · 관장기의) 분출구, 노즐 ; (외과용) 투관(套管), (주사) 바늘.
canuler [kanyle] *v.t.* 싫증나게 하다, 귀찮게〔지긋지긋하게〕 굴다(=importuner) ; 《학생은어》 (장난으로) 속이다(=mystifier).
canyon [kanjɔ̃] 〔영〕 *m.* = cañon.
C.A.O. 《약자》 【컴퓨터】 conception assistée par ordinateur 컴퓨터를 이용한 설계 · 제조의 자동화 시스템(〔영〕 CAD).
caoua, kawa [kawa] *m.* (*pl.* ~**s**) 커피.
***caoutchouc** [kautʃu] *m.* ① 고무, 탄성 고무(=élastique) : ballon de ~ 고무공 / ~ brut 생고무 / ~ artificiel〔synthétique〕 인조〔합성〕 고무. ② 고무입힌 것〔제품〕; 방수 처리된 옷 ; 타이어 ; (*pl.*) 고무 장화 (=chaussures en ~) : lien de ~ 고무줄.
caoutchoutage [kautʃutaːʒ] *m.* 고무를 입히기.
caoutchouter [kautʃute] *v.t.* …에 고무를 입히다 ; 타이어를 달다 : tissu *caoutchouté* 방수 처리된 직물.
caoutchouteux, euse [kautʃutø, -øːz] *adj.* 고무(질)의 ; 고무 같은.
C.A.P., c.a.p. 《약자》 ① certificat d'aptitude professionnelle 직업 자격증. ② certificat d'aptitude pédagogique 교원 자격증.
cap [kap] *m.* ① 갑(岬), 곶(=promontoire). ② 뱃머리 ; 기수(機首), 선수(船首). ***changer de*** ~ 방향을 바꾸다. ***doubler***〔***franchir, dépasser, passer***〕 ***le*** ~ 《비유》 어려운 고비를 넘기다 : *doubler le* ~ de l'examen 시험의 난관을 돌파하다 / Elle *a dépassé le* ~ de la trentaine. 그 여자는 서른 고개를 넘었다. ***le C***~ (***de Bonne Espérance***) 희망봉. ***mettre le*** ~ ***sur...*** 뱃머리〔기수〕를 …으로 돌리다. ***ne plus savoir où mettre le*** ~ 《구어》 어찌할 바를 모르다. ***se trouver*** ~ ***à*** ~ ***avec*** qn …와 얼굴을 마주 대하다〔마주치다〕.
capable** [kapabl] *adj.* ① 《~ de qc〔de+*inf.*〕》 ⓐ …할 수 있는, (어쩌면) …할지도 모르는 ; …조차도 불사하는, 능히 …할 만한 : Il est ~ *de* comprendre cette explication. 그는 이 설명을 이해할 능력이 있다 / programme ~ *de* plaire aux auditeurs les plus difficiles 가장 까다로운 청중의 마음에도 들 만한 프로그램 / Voilà un détail ~ *de* passer inaperçu si on n'y veille pas. 이건 주의하지 않으면 빠뜨리기 쉬운 부분이다 / Voyons *de* quoi il est ~. 그가 무슨 일을 할 수 있는지 봅시다 / Il est bien ~ *d'*avoir oublié le rendez-vous. 약속을 잊어버리고도 남을 사람이다. ⓑ 《옛》 …을 지닐 수 있는 ; 《보어 없이》 넓은, 큰 : écuelle bien ~ 큼직한 대접. ⓒ …을 받아들일 수 있는 : segment ~ *d'*un angle donné 【기하】 주어진 각(角)과 같은 원주각(圓周角)을 갖는 원호(圓弧) / homme ~ *de* Dieu 신〔신앙심〕을 가질 수 있는 사람. ② 재주〔재능〕 있는(=ompétent, qualifié), 유능한, 솜씨 좋은(=droit, habile) : homme ~ 유능한 사람 / C'est un ouvrier très ~. 이 사람은 매우 능숙한 직공이다. ③ 【법률】 능력 있는, 법적 자격을 갖춘 : ~ en justice 사법권이 있는 / ~ de contracter 계약 능력이 있는. ***Il est ~ ***de tout.*** 그는 무슨 일이든지 다 해낼 수 있는 사람이다. ***Il n'est pas*** ~ ***de raison***〔***d'entendre quelque chose***〕. 그는 지금 무슨 말을 해도 귀를 기울일 사람이 아니다.
capacité** [kapasite] *f.* ① 【전기】 용량 ; 【해양】 (배의) 적재 용량(=charge limite) : ~ pulmonaire〔vitale〕 폐활량. ② 능력(=force), 역량, 재능, 수완 ; (*pl.*) 가능성 : homme de grande ~ 수완가 / ~ productrice d'une société 회사의 생산 능력 / C'est une tâche en dehors de mes ~s. 그것은 내 역량 밖의 일이다. ③ 【법률】 능력, 자격. (certificat de***) ~ ***en droit*** 법과 적격증.
caparaçon [kapaʀasɔ̃] *m.* 마의(馬衣), 마갑(馬甲).
caparaçonner [kapaʀasɔne] *v.t.* ① (말에) 마의를〔마갑을〕 입히다. ② 《구어》《~ qn de》 …에게 …을 입히다〔씌우다〕. — **se** ~ *v.pr.* 《구어》 괴상하게 옷차림하다.

cape [kap] *f.* (두건 달린) 소매 없는 망토 ; 두건(= capuchon) : ~ d'agent de police 경관의 망토. ***de ~ et d'épée*** 기사도의, 무용(武勇)의. ***roman de ~ et d'épée*** 활극〔무협〕 소설. ***sous ~*** 몰래, 속으로.

capeline [kaplin] *f.* ① 햇볕 가리는 챙넓은 여자 모자. ② 〖외과〗 모자형 붕대.

C.A.P.E.S. [kapɛs] 《약자》 Certificat d'aptitude pédagogique à l'enseignement secondaire 중등 교원 자격증.

capésien, enne [kapes〔z〕jɛ̃, -ɛn] *n.* 《학생은어》 중등 교원 자격(증) 소지자〔준비자〕.

capharnaüm [kafaʀnaɔm] *m.* ① 뒤죽박죽 물건이 쌓인 곳 : La boutique de ce brocanteur est un ~. 이 고물상 상점은 뒤죽박죽이다. ② (잡동사니를 두는) 광(= débarras).

capillaire [kapi(l)lɛːʀ] *adj.* ① 머리털의. ② 머리털같이 가는. ③ 모세관의. ***artiste ~*** 이발사. ***tube ~*** 〖물리〗 모세관. ***phénomènes ~s*** 〖물리〗 모세관 현상. ── *m.* ① 〖식물〗 (잎꼭지가 머리털 같은) 고사리류. ② (*pl.*) 〖해부〗 모세(혈)관(= vaisseaux ~s).

capillarité [kapi(l)laʀite] *f.* 〖물리〗 모세관 현상(= phénoméne de ~).

capilotade [kapilɔtad] *f.* 고기를 잘게 썰어 넣은 스튜 . ***avoir la tête en ~*** 《구어》 머리 전체에 타박상을 입다. ***mettre*** qn ***en ~*** 《구어》 …을 마구 두들겨 패다 ; …을 중상하다.

capitaine** [kapitɛn] *m.* ① 장수, 명장. ② 육군 대위, 중대장(= ~ commandant, ~ en premier) ; 〖해군〗 함장 ; (상선의) 선장 (= ~ marchand) ; 공군 대위(= ~ aviateur 〔d'aviation〕) : ~ de gendarmerie 헌병 대위 / ~ de long cours 원양 선박의 선장. ③ 수령, 두목 ; 우두머리, 장 ; (팀의) 주장 ~ des 〔de〕 pompiers 소방 대장 / ~ d'une équipe de football 축구팀의 주장. ***~ de corvette 〔***frégate, vaisseau***〕 해군 소령 〔중령 · 대령〕. ***~ général*** 총대장. ***les grands ~s de l'industrie*** 대실업가들. ***passer ~*** 대위가 되다.

capital**[1]**, e**[1]**, aux** [kapital, -o] *adj.* ① 중대한, 중요한(= essentiel, principal), 기본의 : jouer un rôle ~ 주역을 맡다 / point ~ 요점 / œuvre ~*e* d'un écrivain 어느 작가의 대표작. ② 수위(首位)의, 첫째의 : lettre ~*e* 머릿글자, 대문자 / ville ~*e* 수도. ③ 《옛》 머리의 : taille ~*e* 인두세(人頭稅). ④ 목숨이 걸린, 사형의 : peine ~*e* 사형 / exécution ~*e* 사형 집행. ***ennemi ~ 불구대천의 원수. ***Il est ~ de***+*inf.* 〔***que***+*sub.*〕 …함이 무엇보다도 중요하다 : *Il est ~ de* tenir votre parole. 약속을 지킨다는 것은 중요한 일이다 / *Il est ~ que* le secret soit parfaitement gardé. 비밀이 완전히 지켜진다는 것이 가장 중요하다. ── *m.* 중요한 것, 요점, 핵심.

***capital**[2]**, aux** [kapital, -o] *m.* ① 원금(= principal): J'ai tout remboursé, ~ et intérêt. 나는 원금과 이자를 모두 갚았다. ② 자산, 재산(= fortune) ; (지적 · 정신적) 부 : dilapider son ~ 재산을 낭비하다 / La santé est un precieux ~. 건강은 소중한 자산이다. ③ 자본, 자본금(= fonds) : ~ engagé 출자금 / ~ fixe 고정 자본. ④ (*pl.*) 〖재정〗 유동 자본 : ~ aux flottants 〔fébriles〕 부동 자금 / Les ~*aux* se font rares. 시중 자금 사정이 어려워진다. ⑤ 자본가 계급 ; 부자.

***capitale**[2] [kapital] *f.* ① 수도, 수부(首府) ; 《비유》 중심지 : Rome, ~ de l'Italie 이탈리아의 수도, 로마 / habiter la ~ 수도에서 살다. ② 대문자, 머릿글자 : Écrivez votre nom en ~*s.* 대문자로 이름을 기입하십시오.

capitalisable [kapitalizabl] *adj.* 자본화할 수 있는.

capitalisation [kapitalizɑsjɔ̃] *f.* ① 자본화 ; 자본 평가 ; (이자 수익의) 현가 계상 : taux de ~ 자본화율. ② 축재, 저축.

capitaliser [kapitalize] *v.t.* 자본화하다 ; 자본〔원금〕으로 환원하다 : ~ des intérêts 이자를 원금으로 환원하다. ── *v.i* 저축하다, 축재하다. ── ***se ~*** *v.pr.* 자본화되다.

capitalisme [kapitalism] *m.* ① 자본주의. ② 《집합적》 자본가 (계급), 자본주의 국가.

***capitaliste** [kapitalist] *m.* 자본가 ; 자본주의자 ; 《구어》 부자. ── *adj.* 자본가의 ; 자본주의의 ; 자본주의적인 ; 자본의 : régime ~ 자본주의 체제 / pays ~ 자본주의 국가.

capital-risque [kapitalʀisk] *m.* 벤처 캐피털, 위험 자본.

capiteux, euse [kapitø, -øːz] *adj.* ① (술이) 독한 : vin ~ 독한 술. ② 자극적인 ; (사람을) 취하게 하는, 홀리는(= excitant) : parfum ~ 사람을 취하게 하는 향수 / femme ~*euse* 매력적인 여자.

capiton [kapitɔ̃] *m.* ① (의자에 넣는) 풀솜. ② (의자에 넣은 속을 누벼 생긴) 불룩한 부분 ; (*pl.*) 의자의 쿠션 부분.

capitonnage [kapitɔnaːʒ] *m.* ① (의자에) 속을 넣고 누비기 ; 쿠션을 대기. ② (의자의) 쿠션 : ~ d'un fauteuil 소파의 쿠션.

capitonner [kapitɔne] *v.t.* (의자에) 속을 넣고 누비다(= rembourrer) ; 쿠션을 대다.

capitulaire [kapitylɛːʀ] *adj.* ① 〖종교〗 교회 참사회의 : salle ~ 교회 참사회실. ② (책의) 장(章)의 ; 장으로 나뉜 : lettre ~ (장의 첫머리의) 장식 대문자. ── *m. pl.* (프랑크족의 왕의) 법령집 : les ~s de Charlemagne 샤를마뉴 대왕의 법령집.

capitulation [kapitylɑsjɔ̃] *f.* ① 타협. ② 〖군사〗 항복 ; 항복 조약 ; 항복 문서 : ~ sans conditions 무조건 항복.

capitule [kapityl] *m.* 〖식물〗 두상화(頭狀花).

***capituler** [kapityle] *v.i.* ① 항복하다(= se rendre), 항복 조건을 정하다. ② 굴복하다, 타협하다(= céder) : ~ avec sa conscience 자기 양심을 굽히다〔속이다〕.

caporal [kapɔʀal] *m.* (*pl.* ***-aux*** [-o]) ① 〖군사〗 (육군 · 공군) 하사(下士). ② 《구어》 (프랑스의) 담배의 일종(tabac du soldat 보다는 상질). ***quatre hommes et un ~*** 《구어》 군사력 ; 최소 단위의 군대.

caporalisme [kapɔʀalism] *m.* 군국주의(= militarisme ; ≠ libéralisme) ; 군대식.

capot[1] [kapo] *m.* ① (자동차 · 비행기 따위의) 발동기 덮개, 보닛. ② 〖해양〗 (갑판 승강구의) 뚜껑문, (보트의) 깃.

capot[2] *adj.* 〖카드놀이〗 ① 한 번도 이기지 못한 ; 전패〔완패〕한 : rester ~ 완패하다 / faire qn ~ …을 전패시키다. ② 《구어》 당황

한, 어리둥절한 ── *m.* 〖카드놀이〗 완승의 수(手) : faire (un) ~ 완승하다.

capotage [kapɔta:ʒ] *m.* ① (자동차의) 전복, 곤두박질. ② 《구어》 실패.

capote [kapɔt] *f.* ① 두건 달린 외투 ; 〖군사〗 (군용) 외투. ② (마차·자동차) 포장, 덮개.

capoter *v.i.* ① 전복하다 ; (배가) 뒤집히다(= chavirer) ; (자동차가) 곤두박질하다(= culbuter) : L'auto *a capoté* dans un virage. 자동차가 커브길에서 전복했다. ② 실패하다(= échouer) : Son plan *a capoté.* 그의 계획은 실패했다.

câpre [kɑ:pʀ] *f.* 〖식물〗 서양 풍접초의 꽃봉오리 《요리용》 : sauce aux ~s 풍접초 꽃봉오리 소스.

***caprice** [kapʀis] *m.* ① 일시적 기분, 변덕 ; 일시적 사랑 ; 투정, 보챔 : agir par ~ 일시적 기분으로 행동하다 / travailler de ~ 기분에 따라 일하다 / faire un ~ 〔des ~s〕 투정부리다. ② (*pl.*) (유행의) 갑작스러운 변화〔변덕〕; (운명의) 장난 : suivre tous les ~s de la mode 유행의 온갖 변덕을 좇다 / les ~s du sort 운명의 장난 / les ~s des nuages 구름의 천태만상. ③ 〖음악〗 = capriccio.

capricieusement [kapʀisjøzmɑ̃] *adv.* 일시적 기분으로, 변덕스럽게, 제멋대로.

***capricieux, euse** [kapʀisjø, -ø:z] *adj.* ① 변덕스러운, 제멋대로인 : enfant ~ 변덕스러운 아이. ② 변화무쌍한 : mode ~*euse* 변화가 심한 유행. ── *n.* 변덕쟁이, 기분파.

capricorne [kapʀikɔʀn] *m.* ① 〖곤충〗 미끈이하늘소 무리. ② 〖동물〗 (아시아산의) 영양(羚羊)(= antilope). ③ (*C*~) 〖천문〗 염소자리 ; 〖점성〗 마갈궁(磨羯宮).

caprin, e [kapʀɛ̃, -in] *adj.* 〖동물〗 염소의 : espèces 〔races〕 ~*es* 염소류.

capsulage [kapsyla:ʒ] *m.* (병에) 쇠마개〔덮개〕 씌우기.

capsule [kapsyl] *f.* ① 〖식물〗 꼬투리 ; 〖해부〗 협막(莢膜), 피낭(被囊) ; (약의) 캡슐 : ~ articulaire 관절낭 / ~ de tulip 튤립의 꽃봉오리. ② (총포의) 뇌관(雷管) : pistole d'enfant à ~s 어린이용 딱총. ③ (코르크 마개 위에 씌우는) 금속제 덮개 ; 마개. ④ 〖항공〗 (우주선의) 머리 부분, 캡슐 : ~ spatiale 우주 캡슐 / ~ habitée 유인 우주선.

capsuler [kapsyle] *v.t.* (병에) capsule 을 「씌우다.

capsulerie [kapsylʀi] *f.* 뇌관 제조소.

captage [kapta:ʒ] *m.* ① 물을 끌어대기 : le ~ des eaux d'une source 수원에서 물을 끌어대기. ② (전류를 모터 따위에) 끌어대기 : ~ du courant 충전.

capter [kapte] *v.t.* ① (마음을) 끌다 ; (교묘〔교활〕하게) 얻다〔잡다〕 : ~ la faveur des électeurs 유권자의 호감을 사다. ② 〖법률〗 착복〔사취〕하다 : ~ un héritage (교묘하게) 유산을 손에 넣다. ③ ~qn 구슬러서 …의 마음을 사로잡다. ④ (무선 전신·방송을) 캐치〔포착〕하다 ; (전화를) 도청하다 : ~ une émisson de radio 라디오 방송을 캐치하다 / ~ un SOS 조난 신호를 포착하다 / ~ un sans-fil 무전을 캐치하다. ⑤ (물·전류를) 끌어대다 ; (열·에너지를) 모으다 : ~une source 샘물을 끌어대다 / ~ la chaleur solaire 태양열을 모으다.

capteur [kaptœ:ʀ] *m.* ① 나포선, 나포하는 사람. ② 〖기계〗 (오토메이션의) 픽업. ③ 태양열 집적기(= ~ solaire).

captieux, euse [kapsjø, -ø:z] *adj.* 속이기 쉬운, 궤변을 부리는, 엉큼한(= fallacieux): raisonnement ~ 엉큼한 논법.

captif, ive [kaptif, -i:v] *adj.* ① 《문어》 포로가 된(= prisonnier) ; 자유를 빼앗긴 : ville ~*ive* 함락당한 도시 / être ~ 포로가 되다. ② 《~ de》 …에 사로잡힌, 얽매인, …의 노예가 된 : être ~ *de* ses passions 정념에 사로잡히다. ③ (물건을) 매어 놓은(= attaché) : ballon ~ 계류 기구. ── *n.* 《문어》 포로(= prisonnier) : ~ de l'amour 사랑의 포로.

captivant, e [kaptivɑ̃, -ɑ̃:t] *adj.* 마음을 사로잡는, 매력 있는, 흥미진진한 : film ~ 흥미진진한 영화 / homme ~ 매력 있는 사람.

***captiver** [kaptive] *v.t.* 사로잡다 ; 호리다, 매혹하다(= séduire) : Le conférencier a su ~ son auditoire. 연사는 청중의 흥미를 끌 줄 알았다 / Il *est captivé* par ce récit. 그는 그 이야기에 열중해 있다. ── **se** ~ *v.pr.* 《se ~ à》 …에 굴복하다 ; …에 열중하다 : *se* ~ *à* une lecture 독서에 열중하다.

captivité [kaptivite] *f.* 포로 상태 ; 갇힘 ; 억류, 속박 : vivre en ~ 갇혀 지내다.

capture [kapty:ʀ] *f.* ① 사로잡기, 포획, 나포, 체포(= arrestation). ② 사로잡힌 사람(= butin, prise), 포획물.

***capturer** [kaptyʀe] *v.t.* ① 포획하다, 나포하다, 체포하다(= arrêter) ; 사로잡다(= attraper) : ~ un animal féroce 맹수를 사로잡다 / ~ un navire 배를 나포하다. ② (전류·가스를) 끌어 모으다.

capuche [kapyʃ] *m.* (어깨까지 덮이는) 여자용 두건, 후드 ; (우비 따위의) 두건.

capuchon [kapyʃɔ̃] *m.* ① (외투 따위에 달린) 후드 ; (수도사의) 두건(頭巾)(달린 외투): imperméable à ~ 두건 달린 비옷. ② 두건 모양의 것 ; (굴뚝·램프 등의) 갓 ; (만년필의) 뚜껑, 덮개 : ~ de cheminée 굴뚝의 갓. ***prendre le*** ~ 수도사가 되다.

capucin, e¹ [kapysɛ̃, -in] *n.* ① 카프친회(會)의 수도사〔수녀〕. ② 《구어》 독실한 신자인 체하는 사람.

capucinade [kapysinad] *f.* ① 따분한 설교. ② 독실한 신자인 체하기.

capucine² [kapysin] *f.* 〖식물〗 한련(의 꽃). ── *adj.* 《불변》 한련꽃 색의(= rouge-orange): robe ~ 오렌지색 원피스.

caque [kak] *f.* (절인 청어를 쟁이는) 통.

caquet [kakɛ] *m.* ① (암탉의) 꼬꼬댁거리는 소리(= gloussement). ② 《구어》 수다, 객설(= bavardage); 쓱덕공론 : ~ d'un fat 허풍선이의 수다. ***rabattre***〔***rabaisser***〕 ***le*** ~ ***à***〔***de***〕 qn …의 입을 다물게 하다.

caquetage [kakta:ʒ], **caquètement** [kakɛtmɑ̃] *m.* 꼬꼬댁거리기 ; 재잘거리기.

caqueter [kakɛte] 5 *v.i.* ① 꼬꼬댁거리다. ② 수다스럽게 지껄이다, 재잘거리다(= bavarder) : Elle *caquette* trop. 그 여자는 너무 수다스럽다.

***car¹** [ka:ʀ] *conj.* ① 왜냐하면 ; 까닭은 …때문(= parce que, puisque) : Ferme la fenêtre, ~ il y a un courant d'air. 창을 닫아라, 바

람이 부니까. ②《문두나 삽입절에서》 실제로 : *C*~ on peut supposer que... 사실은 …라고 가정해 볼 수 있다. ~ ***en effet*** 사실《car 는 중복어법》. ~ ***enfin*** 결국《car 를 강조한 형태》. — *m.* 《복수불변》 까닭, 이유 : les si les ~ 내세우는 핑계.

***car²** 〔영〕 *m.* 차량 ; 객차 ; 전차 ; 관광 버스(= autocar) : ~ d'excursion 유람 버스 / ~ de police 경찰의 죄수 호송차.

car. 《약자》 cartonné 〖출판〗 판지 장정의.

carabe [kaʀab] *m.* 〖곤충〗 딱정벌레.

carabin [kaʀabɛ̃] *m.* (16 세기 carabine 이란 총을 가진) 경기병 ; 《구어》 의과 대학생.

carabine [kaʀabin] *f.* 기병총 ; (가벼운) 소총 : ~ à air comprimé 공기총.

carabiné, e [kaʀabine] *adj.* 《구어》 격렬한, 지독한, 엄청난(= violent, fort) : amende ~*e* 엄청난 벌금 / orage ~ 폭우.

carabinier [kaʀabinje] *m.* 기병총을 가진 기병〔보병〕.

caracal [kaʀakal] *m.* (*pl.* ~***s***) 〖동물〗 (북아프리카 · 남아시아) 스라소니(lynx)의 일종.

caracoler [kaʀakɔle] *v.i.* ① 〖승마〗 선회하다, (말이) 빙빙 돌며 뛰어오르다. ② 뛰어다니다.

***caractère** [kaʀaktɛːʀ] *m.* Ⓐ ① (사물의) 성질, 성격(= nature, qualité) ; 특성, 특징, 특색(= caractéristique) : le ~ d'une œuvre 작품의 특색 / un chien d'un ~ hargneux 잘 무는 성질의 개 / un style plat et sans ~ 싱겁고 개성 없는 문체 / un intérieur aménagé sans aucun ~ 아무런 개성도 없게 꾸며진 실내 / le ~ difficile de cette entreprise 이 사업의 어려움 / le ~ discret de son allusion 그의 암시의 조심성. ② (사람의) 성격 ; 기질(= tempérament) ; 성품, 인품 ; 개성(= personnalité) ; 기골, 기개 : ~ français 프랑스 국민성 ~ dominant 〔récessif〕 우성〔열성〕 유전질 / un heureux ~ ; un ~ optimiste 낙천적인 성격 / les *C*~*s* (라브뤼이예르의) 성격론. ③ 인물, 인간 : les ~*s* de Corneille 코르네유의 인물, 성격 묘사.
Ⓑ ① 문자 글자(= lettre) : ~*s* chinois 한자(漢字) / écrire en ~*s* majuscules 대문자로 쓰다. ② 활자 ; 자체(字體) ; 글씨체 : ~*s* italiques 〔gothiques〕 이탤릭〔고딕〕체. ③ 기호, 부호 : ~*s* phonétiques 〔chimiques〕 발음〔화학〕 기호. ***avoir bon*** 〔***mauvais***〕 ~ 성격이 좋다〔나쁘다〕. ***avoir du*** ~ 기개가 있다. ***comédie de*** ~ 성격 묘사극. ***danse de*** ~ 민속 무용. ***homme de*** 〔***sans***〕 ~ 기개 있는〔무기력한〕 사람. ***manquer de*** ~ 줏대가 없다. ***sortir de son*** ~ 버럭 화를 내다.

caractériel, elle [kaʀakteʀjɛl] *adj.* 성격의. — *n.* 성격 장애자.

caractérisation [kaʀakteʀizɑsjɔ̃] *f.* 특징짓기, 성격 규정.

caractérisé, e [kaʀakteʀize] *adj.* ① 특징 있는 ; 분명한. ② (병이) 징후가 나타난.

***caractériser** [kaʀakteʀize] *v.t.* 특징짓다, …의 특징을 이루다, …의 특성을 나타내다(= définir) : les symptômes qui *caractérisent* une maladie 병의 특징을 이루는 징후들. — **se** ~ *v.pr.* 《se ~ par》 …으로 특징지어지다 : La cuisine de cette région *se caractérise par* l'utilisation d'herbes aromatiques. 이 지방 요리는 허브의 사용으로 특징지어진다.

caractéristique** [kaʀakteʀistik] *adj.* 특유한, 독특한, 특징을 나타내는 : trait ~ 특색, 특징 / propriété ~ 특성. — *f.* ① 특징, 특색, 특질 : ~*s* d'un appareil 기계의 특성들 / ~*s* régionales 지역적인 특성들. ② 〖수학〗 지표(指標). ③ 〖문법〗 지표자(字)(= lettre ~). ***être ~ ***de*** …의 특징이다.

caractérologie [kaʀakteʀɔlɔʒi] *f.* 성격학.

carafe** [kaʀaf] *f.* ① 물병(하나 가득). ② 《속어》 머리(= tête). ***laisser qn ***en*** ~ …을 버려둔 채 떠나가다. ***rester en*** ~ 외톨이가 된 채 잊혀지다 ; (연설 따위에서) 막히다.

carafon [kaʀafɔ̃] *m.* 작은 물병.

caraïbe [kaʀaib] *adj.* 카리브(*Caribes*)의. — **C**~ *n.* 카리브인《서인도 제도의 소(小)안틸리즈 열도(petites Antilles) 원주민》. ***mer des C~s ; mer C~*** 카리브해.

carambolage [kaʀɑ̃bɔlaːʒ] *m.* ① 〖당구〗 캐논. ② 《구어》 연쇄 충돌 : ~ d'automobiles 자동차의 연쇄 충돌.

caramboler [kaʀɑ̃bɔle] *v.i.* ① 〖당구〗 캐논을 치다. ② 《구어》 일거양득하다. — *v.t.* 떼밀다, 들이받다, 부딪치다(= heurter). — **se** ~ *v.pr.* 서로 부딪치다.

carambouillage [kaʀɑ̃bujaːʒ], **carambouille** [kaʀɑ̃buj] *m.* 외상으로 사서 현금으로 팔아 치우는 사기.

carambouilleur, euse [kaʀɑ̃bujœːʀ, -øːz] *m.* carambouillage 하는 사기꾼.

caramel [kaʀamɛl] *m.* 캐러멜 ; 소당(燒糖) ; 캐러멜 과자 : ~ au beurre 버터볼. — *adj.* 《불변》 캐러멜 빛〔갈색〕의.

caramélisation [kaʀamelizɑsjɔ̃] *f.* 캐러멜로 만들기.

caraméliser [kaʀamelize] *v.t.* (설탕을 달여서) 캐러멜로 만들다 ; …에 캐러멜을 섞다 : eau de vie *caramélisée* 캐러멜이 든 브랜디. — **se** ~ *v.pr.* 캐러멜이 되다 ; 캐러멜처럼 되다.

carapace [kaʀapas] *f.* ① 〖동물〗 등딱지, 갑각(甲殼). ② 딱딱한 껍질(= croûte). ③ 장갑(裝甲).

carapater (se) [s(ə)kaʀapate] *v.pr.* 《속어》 뺑소니치다(= décamper).

carassin [kaʀasɛ̃] *m.* 〖어류〗 붕어.

carat [kaʀa] *m.* ① 캐럿《보석의 무게 단위, 0.2 g.》 : un diamant de 10 ~*s*, 10 캐럿의 금강석. ② 순금 함유도 : or à vingt-quatre ~*s* 순금. ***sot à vingt-quatre ~s*** 《구어》 진짜 천치.

caravane [kaʀavan] *f.* ① 대상(隊商). ② (이동 · 여행하는) 단체, 무리 : ~ expéditionnaire 원정대 / ~ scolaire 수학 여행단. ③ 캠핑용 트레일러. ***Les chiens aboient, la ~ passe.*** 《격언》 남이야 뭐라건 자기 주관대로 해라.

caravanier, ère [kaʀavanje, ɛːʀ] *m.* 대상의 낙타몰이꾼.

caravan(n)ing [kaʀavaniŋ] 〔영〕 *m.* caravane 을 이용하는 캠핑.

caravansérail [kaʀavɑ̃seʀaj] *m.* ① 대상의 숙소. ② 각국 사람들이 많이 모이는 장소.

caravelle [kaʀavɛl] *f.* (15-16 세기) 쾌속범선.

carbo- *préf.* 「탄소」의 뜻.

carbochimie [karbɔʃimi] *f.* 석탄 화학 공업.

carboglace [karbɔglas] *f.* 드라이아이스.

carbonade [karbɔnad] *f.* (숯불에 구운) 불고기.

carbonarisme [karbɔnarism] *m.* 이탈리아 공화당의 비밀 결사 ; 그 주의.

carbonaro [karbɔnaro] *m.* (*pl.* ***carbonari***[-i]) 이탈리아 공화당의 비밀 결사원.

carbonate [karbɔnat] *m.* 〖화학〗 탄산염 : ~ de calcium 탄산칼슘.

carbonater [karbɔnate] *v.t.* 〖화학〗 탄산염으로 만들다 ; …에 탄산염을 넣다.

carbone [karbɔn] *m.* ① 〖화학〗 탄소 : dioxyde de ~ 이산화탄소. ② (복사용의) 카본지, 묵지.

carbonifère [karbɔnifɛːr] *adj.* ① 〖지질〗 석탄을 함유한 : terrain ~ 석탄이 매장된 땅. ② 석탄기의. ── *m.* 석탄기.

carbonique [karbɔnik] *adj.* 〖화학〗 탄소의 ; 탄산의 : acide ~ 탄산 / anhydride 〔gaz〕 ~ 탄산가스.

carbonisation [karbɔnizasjɔ̃] *f.* 탄화 ; 타서 숯이 되기 : ~ du bois 숯.

carboniser [karbɔnize] *v.t.* 탄화시키다 ; 숯이 되게 태우다 : ~ une viande 고기를 새까맣게 태우다 / L'incendie *a carbonisé* la forêt entière. 화재로 숲이 몽땅 타버렸다.

carbon(n)ade [karbɔnad] *f.* (숯불에 굽는) 불고기.

carburant, e [karbyrɑ̃, -ɑ̃ːt] *adj.* 탄화수소를 함유한. ── *m.* 발동기용 연료.

carburateur, trice [karbyratœːr, -tris] *adj.* 탄화시키는 ; 기화(氣化)의. ── *m.* 휘발장치 ; 기화기(器).

carburation [karbyrɑsjɔ̃] *f.* 〖화학〗 증열 ; 기화.

carbure [karbyːr] *m.* 탄화물 ; 탄화칼슘.

carburer [karbyre] *v.t.* ① 탄소와 화합시키다. ② 〖내연〗 (연료를) 기화시키다. ── *v.i.* 《구어》 (일이) 잘 돌아가다(= marcher).

carcan [karkɑ̃] *m.* ① (죄인의 목을 말뚝에 비끄러매는) 쇠고리, 항쇄(項鎖). ② 굴레, 구속, 속박(= contrainte).

carcasse [karkas] *f.* ① (짐승의) 해골(= squelette) ; 골격. ② 목걸이 ; 칼라. ③ 《구어》 몸뚱이, 육체. ③ (건물·배·작품의) 뼈대(= armature), 틀 : ~ d'un immeuble en ciment armé 철근 콘크리트 건물의 뼈대. ***n'avoir plus que la ~*** 피골이 상접하다.

carcéral, e, aux [karseral, -o] *adj.* 감옥의, 감옥 같은.

cardage [kardaːʒ] *m.* (양털을) 솔질하여 고르기.

cardan [kardɑ̃] *m.* 〖기계〗 만능 연결 장치, 커플링(= joint de *C*~).

carde [kard] *f.* ① 〖식물〗 (근대나 아티초크의 식용) 엽맥(葉脈). ② (양털을 고르게 하는) 솔 ; 소모기(梳毛機).

carder [karde] *v.t.* (양털 따위를) 솔질하다, 소모(梳毛)하다 ; …의 보풀을 세우다. ── **se** ~ *v.pr.* 소모되다.

carderie [kard(ə)ri] *f.* 소모〔소면〕 공장.

cardeur, euse [kardœːr, -øːz] *n.* 소모〔소면〕 직공. ── *f.* 소모〔소면〕기.

***cardiaque** [kardjak] *adj.* 심장의 ; 심장병의 : pulsations ~*s* 심장의 고동 / crise ~ 심장마비. ── *n.* 심장병 환자.

cardigan [kardigɑ̃] 〔영〕 *m.* 카디건《앞에 단추 또는 지퍼가 달린 스웨터》.

cardinal, e, aux [kardinal, -o] *adj.* 주요한, 기본적인(= principal). ***nombre ~*** 기수(基數). ***points ~aux*** 방위 기점, 동서남북. ***vertus ~es*** 기본 도덕. ── *m.* ① 〖가톨릭〗 추기경 : avoir le chapeau de ~ 추기경으로 뽑히다. ② 〖조류〗 (북미산의) 홍방울새.

cardi(o)- *préf.*, **-carde, -cardie** *suff.* 「심장」의 뜻.

cardiogramme [kardjɔgram] *m.* 〖의학〗 심장 박동 곡선도, 심전도.

cardiographe [kardjɔgraf] *m.* 〖의학〗 심장 박동계.

cardiologie [kardjɔlɔʒi] *f.* 〖의학〗 심장(병)학.

cardiologue [kardjɔlɔg] *m.* 〖의학〗 심장병 전문의.

cardiorespiratoire [kardjɔrɛspiratwaːr] *adj.* 〖의학〗 심장과 폐의.

cardiovasculaire [kardjɔvaskylɛːr] *adj.* 심장·혈관의 : troubles ~*s* 심장과 혈관의 장애.

carême [karɛm] *m.* ① 〖가톨릭〗 사순절《일요일을 제외한 부활절 전의 40 일간》, ② (사순절 동안의) 근신, 절제, 절식. ***face de ~*** 파리하고 침울한 얼굴.

carénage [karenaːʒ] *m.* ① 배 밑바닥〔선복(船腹)〕 수선(소). ② (선체·차체의) 유선형.

carence [karɑ̃ːs] *f.* ① 결핍, 결여(= manque). ② 〖의학〗 (비타민 따위의) 결핍증 : ~ alimentaire 영양실조. ③ 〖법률〗 지불 불능. ④ 의무 태만, 책임 회피.

carène [karɛn] *f.* ① 배 밑바닥, 선복. ② 배 밑바닥〔선복〕 수선(= carénage). ③ 유선형 차체〔선체〕.

caréner [karene] [6] *v.t.* ① (배의) 밑바닥〔선복〕을 수선〔청소〕하다. ② (비행기·자동차를) 유선형으로 만들다. ── *v.i.* (배가) 밑바닥이 청소〔수선〕되다.

caressant, e [karɛsɑ̃, -ɑ̃ːt] *adj.* ① 애무하는, 어루만지는 ; 쓰다듬는. ② 다정한, 정다운, 상냥한(= tender) : regard ~ 정다운 시선. ③ 알랑거리는, 아첨하는(= flatteur).

caresse [karɛs] *f.* ① 애무, 쓰다듬기, 어루만지기 ; 기분 좋은 촉감 : ~ des lèvres 키스 / ~ voluptueuse 애무. ② (*pl.*) 애정의 표시, 달콤한 말 : ~*s* trompeuses 감언.

caresser** [karɛ(e)se] *v.t.* ① 애무하다, 쓰다듬다, 어루만지다 : ~ des cheveux 머리를 쓰다듬다 / ~ une femme 여자를 애무하다. ② …에게 애정을〔호의를〕 보이다 ; 알랑거리다, 아첨하다(= flatter). ③ (희망·공상 따위를) 품다(= nourrir) : ~ une chimère 공상을 품다. ④ (작품 따위를) 애정을 기울여 제작하다. ***~ de l'œil 〔***du regard***〕 사랑스럽게 바라보다. ***~ les côtes à*** qn …을 때려주다. ── **se** ~ *v.pr.* ① 서로 애무하다. ② 자기의 …을 어루만지다.

caret [karɛ] *m.* (밧줄 제조용의) 얼레.

car-ferry [karferi] 〔영〕 *m.* (*pl.* ***~-~ies***) 카페리.

cargaison [kargɛzɔ̃] *f.* 〖해양〗 선하(船荷) ; (비행기·차의) 화물(= chargement) : dec harger la ～ 짐을 부리다.

cargo [kaʀgo] *m.* ① 〖해양〗 화물선. ② 슈퍼마켓, 소백화점. ～ ***mixte*** 화객선.

cari [kaʀi] *m.* 〖요리〗 카레 (가루) ; 카레 요리. ***riz au*** ～ 카레라이스.

cariatide [kaʀjatid] *f.* 〖건축〗 여인상주(女人像柱).

caribe [kaʀib] *adj.* et *n.* = caraïbe.

caribou [kaʀibu] *m.* 〖동물〗 캐나다순록.

caricatural, e, aux [kaʀikatyʀal, -o] *adj.* 만화〔풍자화〕적인 ; 과장〔왜곡〕된.

***caricature** [kaʀikatyːʀ] *f.* ① 만화, 풍자화, 희화. ② 우스꽝스러운 흉내〔묘사〕(= parodie) ; 꼴불견. ③ 우스꽝스러운 사람.

caricaturer [kaʀikatyʀe] *v.t.* ① 만화〔풍자화〕로 그리다 ; 희화거리로 만들다, (사회 따위를) 만평하다. ② 변질〔왜곡〕시키다 : ～ sa pensée 그의 생각을 왜곡하다. ── *v.i.* 만화를 그리다.

caricaturiste [kaʀikatyʀist] *m.* 만화가, 풍자화가, 희화가.

carie [kaʀi] *f.* 골양(骨瘍), 골저(骨疽), 카리에스 : ～ dentaire 치아 카리에스.

carié, e [kaʀje] *adj.* ① 카리에스에 걸린 : dent ～*e* 충치. ② (나무가) 부패병에 걸린.

carier [kaʀje] *v.t.* ① 〖의학〗 카리에스에 걸리게 하다 : dent *cariée* 충치. ② 서서히 썩게 하다. ── **se** ～ *v.pr.* 카리에스에 걸리다.

carillon** [kaʀijɔ̃] *m.* ① 주명종 ; 차임 ; 종악(鐘樂). ② 낭랑한 종소리. ③ (시계의) 자명종 : horloge à ～ 자명종 (시계). ④ 큰 소란(= charivari) : faire un beau ～ 고래고래 소리지르다. ***à double ～ 심하게.

carillonnement [kaʀijɔnmɑ̃] *m.* 종악 연주 ; 주명종의 울림 ; 소란스런 소리.

carillonner [kaʀijɔne] *v.i.* (종이) 종악을 울리다 ; 주명종을 울리다 ; 시끄러운 소리를 내다 : ～ à la porte de qn 《구어》 …의 문전에서 요란스럽게 초인종을 울리다. ── *v.t.* 주명종을 울리다 ; 주명종을 울려서 알리다 ; 《구어》 큰 소리로 꾸짖다.

carillonneur [kaʀjɔnœːʀ] *m.* ① 종악 연주가. ② 주명종을 치는 사람.

carlin [kaʀlɛ̃] *m.* 〖동물〗 코가 납작한 애완용 개.

carlingue [kaʀlɛ̃ːg] *f.* ① 〖해양〗 (선박의) 내용골(內龍骨). ② 〖항공〗 (비행기의) 동체.

carmagnole [kaʀmaɲɔl] *f.* 프랑스 대혁명 당시에 유행하던 윗도리〔댄스·혁명가〕.

carme [kaʀm] *adj.* 카르멜회의. ── *m.* 〖가톨릭〗 카르멜회의 수도사(= frère ～).

carmélite [kaʀmelit] *f.* 카르멜회의 수녀. ── *adj.* 《불변》 담갈색의. ── *m.* 담갈색.

carmin [kaʀmɛ̃] *m.* 양홍(洋紅)(빛) ; 입술연지. ── *adj.* 《불변》 양홍빛의.

carminé, e [kaʀmine] *adj.* 양홍빛의.

carnage [kaʀnaːʒ] *m.* ① 학살, 살육(= massacre). ② 〖사냥〗 (사냥한 짐승의) 고기.

carnassier, ère [kaʀnasje, -ɛːʀ] *adj.* 육식하는 ; 육식을 즐기는. ── *m.pl.* 〖동물〗 육식 동물류(類)(= carnivores).

carnation [kaʀnɑsjɔ̃] *f.* 살색(= teint) ; 담홍색 ; 〖미술〗 살색의 묘사.

***carnaval** [kaʀnaval] *m.* (*pl.* ～*s*) ① 사육제 ; 사육제의 소동. ② (*C*～) 사육제의 인형 : enterrer 〔brûler〕 *C*～ 사육제를 끝내다.

carnavalesque [kaʀnavalɛsk] *adj.* 사육제(소동)의, 사육제에 어울리는.

carne [kaʀn] *f.* ① (책상 따위의) 모서리. ② 질긴 싸구려 고기. ③ 심술궂은 사람.

carné, e [kaʀne] *adj.* ① 살빛깔의. ② 고기의 : alimentation ～*e* 육식.

carnet** [kaʀnɛ] *m.* ① 수첩 ; 통장 : ～ d'adresses 주소록 / ～ de notes 성적표 / ～ de banque 예금통장. ② (한 장씩 떼어 쓰게 된) 철, 첩(帖). ③ 승차권, 회수권. ～ ***de chèques 수표첩(帖). ～ ***de tickets*** 회수권. ～ ***de voyage*** 〖철도〗 (쿠폰식) 승차권.

carnier [kaʀnje] *m.* 사냥 망태기〔자루〕.

carnivore [kaʀnivɔːʀ] *adj.* 육식하는 : animaux ～*s* 육식 동물 / plantes ～*s* 식충 식물. ── *m.* 육식 동물. ── *m.pl.* 육식류.

carolingien, enne [kaʀɔlɛ̃ʒjɛ̃, -ɛn] *adj.* 〖프랑스사〗 카롤링거 왕조의 : dynastie ～*enne* 카롤링 왕조. ── **C**～ *m.* 카롤링거 왕조의 왕. ── **C**～ *m.pl.* 카롤링거 왕가.

caroncule [kaʀɔ̃kyl] *f.* ① 〖식물〗 종부(種阜)《씨가 껍질에 붙은 부분의 돌기》. ② (칠면조 따위의) 늘어진 살 ; (닭의) 볏.

carotène [kaʀɔtɛn] *m.*〔*f.*〕 〖화학〗 카로틴.

carotide [kaʀɔtid] *adj.* 경동맥(頸動脈)의. ── *f.* 경동맥(= artère ～).

carotte** [kaʀɔt] *f.* ① 〖식물〗 당근. ② 담배가게의 간판. ③ (지질 조사용으로 채취한) 원통(圓筒)형의 암석〔흙〕. ***Les ～s sont cuites. 《구어》 끝장났다. ***poil de*** ～ 빨강머리. ***vivre de ～s*** 검소하게 살다. ── *adj.* 《불변》 당근빛의(= rouge ～).

carotter [kaʀɔte] *v.t.* ① (지질 조사용) carotte를 채취하다. ② 《구어》 속여서 빼앗다, 사취〔사기〕하다(= escroquer) : Il nous *a carotté* mille francs. 그는 우리를 속여 1,000 프랑을 앗아갔다. ── *v.i.* 착복하다.

carotteur, euse [kaʀɔtœːʀ, -øːz], **carottier, ère** [kaʀɔtje, -ɛːʀ] *adj.* et *n.* 《구어》 사취〔착복〕하는 (사람).

caroube [kaʀub] *f.* 〖식물〗 캐롭나무 열매.

caroubier [kaʀubje] *m.* 〖식물〗 캐롭나무 《(지중해 연안산) 콩과(科)의 상록수》.

carpe[1] [kaʀp] *m.* 〖해부〗 손목 관절.

carpe[2] *f.* ① 〖어류〗 잉어. ② 〖스포츠〗 saut de ～ (엎드린 몸을) 뒤집기 ; 재크나이프 《다이빙의 일종》. ***bâiller comme une*** ～ 입을 벌리고 연달아 하품하다. ***faire l'œil 〔des yeux〕 de*** ～ 다정스러운 눈으로 보다. ***ignorant comme une*** ～ 전혀 모르는. ***muet comme une*** ～ 말문이 막힌. ***s'ennuyer comme une*** ～ 몹시 지루해 하다.

carpette [kaʀpɛt] *f.* ① 깔개, 양탄자 : ～ de foyer 벽난로 앞의 깔개. ② 《구어》 아첨꾼.

carquois [kaʀkwa] *m.* 화살통, 전동(箭筒).

carre [ka〔ɑ〕ːʀ] *f.* (판자의) 횡단면 ; (스케이트의) 날 ; (책의) 모서리 ; (구두의) 네모진 코.

‡**carré, e** [ka〔ɑ〕ʀe] *adj.* ① 정 4 각형의 ; 네모진, 4 각의 : figure ～*e* 정사각형 / épaules ～*es* 넓고 건장한 어깨. ② 〖수학〗 평방의, 제곱〔자승〕의 : dix mètres ～*s*, 10 평방미터 : racine ～*e* 제곱근. ③ 솔직한, 명확한(= franc, net) : être ～ en affaire 일처리가 오곧다, 직선적이다. ④ 직각의, 수직의 : voile ～*e* 〖해양〗 수직으로 달린 돛. ***homme ～ par la base*** (정신적으로) 균형잡힌〔착실

한〕 사람. ***tête ~e*** 견실한 〔외고집의〕 사람. ― *m.* ① 정사각형(= ~ parfait) ; 4각형, 네모꼴 : côté d'un ~ 정사각형의 변. ② 〖수학〗 평방수; 제곱, 자승 : élever un nombre au ~ 어떤 수를 제곱하다. ③ 네모진 것 ; 스카프 ; 네모진 작은 땅〔밭〕; 화단 : ~ de soie verte 초록색 비단 스카프 / ~ de légumes 네모진 채소밭. ④ 〖해양〗(고급 선원〔장교〕들의) 식당, 홀 : ~ des officiers (고급 선원들의) 식당 ; (해군의) 사관실. ⑤ 〖카드놀이〗(포커에서) 같은 패 4장 모으기, 포 카드. ⑥ 〖요리〗(양·송아지 따위의) 허리고기, 로인. ― *f.* 《속어》 방, 집.

carreau** [ka〔ɑ〕ʀo] *m.* (*pl.* ~x***) ① 작은 정4각형 ; (*pl.*) 바둑판 무늬 : veste à ~*x* 체크무늬 상의 / papier à ~*x* 모눈종이. ② 창문의 유리 : casser un ~ 유리창을 한 장 깨다. ③ 네모진 방석. ④ 타일 ; 포석(鋪石) ; 타일〔포석〕을 깐 방바닥〔땅〕. ⑤ 〖카드놀이〗 다이아몬드 : as de ~ 다이아몬드의 에이스. ***coucher*** 〔***jeter***〕 qn ***sur le*** ~ 《구어》 …을 쓰러뜨리다. ***rester*** 〔***demeurer***〕 ***sur le*** ~ (살해되어) 그 자리에 쓰러지다. ***se garder*** 〔***se tenir***〕 ***à*** ~ 《구어》 조심하다 ; 경계하다.

***carrefour** [kaʀfuːʀ] *m.* ① 네거리, 십자로. ② 갈림길, 기로(岐路)(= croisement) : se trouver à un ~ 기로〔갈림길〕에 서다. ③ (거리의) 광장 : musicien de ~ 거리의 악사. ④ 《비유》 교류점 ; 교류 ; 대화의 광장, 토론회, 좌담회 : ~ d'idées 사상의 교류점.

carrelage [ka〔ɑ〕ʀlaːʒ] *m.* ① 타일 붙이기 ; 포석 깔기. ② 타일을 깐 바닥. ③ 네모 무늬.

carreler [ka〔ɑ〕ʀle] 5 *v.t.* ① …에 타일〔포석〕을 붙이다〔깔다〕. ② …에 바둑판 무늬를 넣다. ***étoffe carrelée*** 바둑판 무늬의 천.

carrelet [ka〔ɑ〕ʀlɛ] *m.* ① 네모꼴 그물. ② 〖어류〗 넙치.

carreleur [ka〔ɑ〕ʀlœːʀ] *m.* 포장석〔타일〕 까는 인부.

carrément [ka〔ɑ〕ʀemɑ̃] *adv.* ① 네모지게. ② 꼿꼿이, 꿋꿋이 : s'établir 〔se tenir〕 ~ sur ses jambes 꿋꿋이 버티고 서다. ③ 솔직하게 ; 버젓이.

carrer (**se**) [s(ə)ka〔ɑ〕ʀe] *v.pr.* 깊숙이 앉다 (= s'enfoncer), 편하게 자리잡다 : *se* ~ dans un fauteuil 안락의자에 깊숙이 앉다.

carrier [kaʀje] *m.* 석수, 석공 ; 채석장 소유자.

carrière[1] [ka〔ɑ〕ʀjɛːʀ] *f.* ① 길, 행로, 활동무대 : ~ des lettres 문필업 ; 문학 / ~ du succès 성공의 길. ② 직업(= profession) ; 경력, 이력 ; (때로 *C*~) 외교관의 직업 : suivre 〔embrasser〕 une ~ 어떤 직업에 종사하다. ③ 생애, 일생. ④ (천체의) 운행 (제도) : Le soleil achève sa ~. 날이 저문다. ***de*** ~ 본직의 : militaire *de* ~ 직업 군인 ***donner*** ~ ***à*** qc …을 마음껏 활동하게 하다. ***entrer dans la*** ~ 일생을 바칠 직업에 들어서다 ; 어려운 일을 시작하다. ***faire*** ~ ***dans*** …의 직업에 종사하다, …의 직업에서 성공하다. ***faire une*** ~ ***rapide*** 빨리 진급하다.

carrière[2] *f.* 채석장.

carriérisme [ka〔ɑ〕ʀjeʀism] *m.* 《경멸》 출세 지상주의(= arrivisme).

carriole [kaʀjɔl] *f.* 작은 2륜 포장마차 ; 짐수레.

carrossable [ka〔ɑ〕ʀɔsabl] *adj.* 마차·자동차가 통행할 수 있는(= praticable).

carrosse [ka〔ɑ〕ʀɔs] *m.* 화려한 4륜포장마차. ***rouler*** 〔***avoir***〕 ~ 유복하게 살다.

carrosser [ka〔ɑ〕ʀɔse] *v.t.* ① (자동차에) 차체를 붙이다. ② carrosse로 실어 가다.

carrosserie [ka〔ɑ〕ʀɔsʀi] *f.* ① (자동차의) 차체. ② 4륜마차〔자동차 차체〕 제조(술).

carrossier [ka〔ɑ〕ʀɔsje] *m.* carrosse의 마부 ; 4륜마차 제조인.

carrousel [kaʀuzɛl] *m.* ① 기마 집단 경기 〔열병〕(장). ② 회전목마. ③ (사람·사물의) 혼잡한 왕래 : ~ des voitures 자동차의 대혼잡. ④ (한 직위의) 잦은 교체〔경질〕.

carrure [ka〔ɑ〕ʀyːʀ] *f.* ① 어깨 폭 ; (가슴 따위의) 넓이, 폭 ; (옷의) 품. ② 육중한〔튼튼한〕 모습. ③ 당당함, 명쾌함, (인물의) 역량.

cartable [kaʀtabl] *m.* ① (가죽 또는 두꺼운 판지로 만든 초등학생용) (책)가방.

:carte [kaʀt] *f.* ① 두꺼운 종이, 판지(= carton) ; 카드 : ~ d'invitation 초대장 / ~ de Noël 크리스마스 카드 / envoyer des ~s postales 엽서를 쓰다. ② 명함(= ~ de visite) : déposer 〔laisser〕 sa ~ 명함을 두고 가다. ③ 메뉴(= ~ de restaurant). ④ 지도 (= carte géographique) ; 도표 : ~ marine 해도, 수로도 / ~ de la Lune 월면도 / ~ muette 백지도 / ~ météorologique 기상도. ⑤ 〖카드놀이〗 카드, 패(= ~ à jouer) ; (*pl.*) 카드놀이 : jouer aux ~s 카드놀이를 하다. ⑥ 표, 증명서 : ~ d'identité 신분증 ; 권 / ~ d'abonnement (철도의) 정기 승차권 / ~ d'entrée 입장권 / ~ d'étudiant 학생증 / ~ de circulation (무료) 승차권 / ~ de crédit 신용카드 / ~ rose (자동차) 운전 면허증. ***à la*** ~ 메뉴 중에서 임의로 한 가지씩. ***avoir plus d'une*** ~ ***dans son jeu*** 수가 한두 가지가 아니다. ***brouiller les*** ~***s*** 분규의 씨를 뿌리다, 일을 혼란케 하다. ***cacher ses*** ~***s*** 심중을 감추다. ~ ***blanche*** 백지, 백지 위임장. ~ ***forcée*** 어쩔 수 없이 강요당하는 일. ~ ***postale*** 엽서. ~ ***postale illustrée*** 그림엽서. ***jouer*** ~***s sur table*** 정정당당하게 행동하다. ***jouer sa dernière*** ~ 마지막 패를 내다 ; 흥망을 걸고 해보다. ***perdre la*** ~ 방향을 잃다 ; 침착성을 잃다. ***savoir la*** ~ 요령을 알고 있다. ***savoir le dessous des*** ~***s*** 《구어》 내막을 알다.

carte-fiche [kaʀtəfiʃ] *f.* (*pl.* ~***s***-~***s***) 색인〔분류〕 카드.

cartel[1] [kaʀtɛl] *m.* 동업자 동맹, 기업 연합, 카르텔 ; (정당의) 연합 : ~ des gauches 좌파 연합 / ~ de production 〔vente〕 생산〔판매〕 카르텔.

cartel[2] *m.* ① 《옛》 결투장 ; 도전(= défi, provocation). ② (포로 교환) 협정 : ~ d'échange 포로 교환 협정. ③ (괘종시계의) 장식틀 ; 괘종시계(= pendule).

carte-lettre [kaʀtəlɛtʀ] *f.* (*pl.* ~***s***-~***s***) 봉함엽서.

carter [kaʀtɛːʀ] *m.* (기계 부분을 덮어주는) 통, 덮개, 케이스 : ~ des engrenages 톱니바퀴통.

carte-réponse [kaʀt(ə)ʀepɔ̃ːs] *f.* (*pl.* ~***s***-~***s***) 답신용 엽서.

cartésianisme [kaʀtezjanism] *m.* 데카르트(*Descartes*) 철학.

cartésien, enne [kaʀtezjɛ̃, -ɛn] *adj.* ① 데

카르트(철학)의. ② 합리적인, 명료한(=logique, clair). ── n. 데카르트 철학의 신봉자.

carte-télégramme [kaʀtətelegʀam] m. (pl. ~s-~s) 속달 우편.

cartilage [kaʀtila:ʒ] m. 〖해부〗 연골(軟骨), 연골 조직.

cartilagineux, euse [kaʀtilaʒinø, -ø:z] adj. 〖해부〗 연골의, 연골 모양의.

cartographe [kaʀtɔgʀaf] m. 지도 제도사.

cartographie [kaʀtɔgʀafi] f. 제도법, 지도 제작법.

cartographique [kaʀtɔgʀafik] adj. 지도 제도의, 지도 제작상의.

cartomancie [kaʀtɔmɑ̃si] f. 카드 점(占).

cartomancien, enne [kaʀtɔmɑ̃sjɛ̃, -ɛn] adj. 카드 점의. ── n. 카드 점쟁이.

carton** [kaʀtɔ̃] m. ① 두꺼운 종이, 마분지, 판지 : reliure de ~ (책의) 하드커버 장정. ② 판지로 만든 상자(=boîte de 〔en〕 ~) : ~ à chapeau(x) 모자 상자. ③ 서류 끼우개, 파일(=~ de bureau) ; (데생 따위를 넣는) 종이 끼우개(=~ à dessins) ; (초등학생의) 손가방(=cartable). ④ (벽화·장식 융단 따위의) 밑그림. ⑤ (판지로 된) 과녁(=cible). ⑥ 작은 지도. ⑦ 《구어》 초대장(=carte d'invitation) : recevoir un ~ 초대장을 받다. ⑧ 《구어》 카드. ***de ~ 겉뿐인, 허울좋은 : homme *de* ~ 허울좋은 사람. ***faire un ~*** 《구어》 과녁〔사람〕을 쏘다.

cartonnage [kaʀtɔna:ʒ] n. 〖제본〗 ① 판지 장정. ② 판지 제품 제조(업) ; 《집합적》 판지 제품〔상자〕. ③ 판지(상자) 포장.

cartonné, e [kaʀtɔne] adj. 〖제본〗 판지 장정의.

cartonner [kaʀtɔne] v.t. 판지〔하드커버〕로 장정하다. ── vi 《구어》 카드놀이를 하다.

cartonnerie [kaʀtɔnʀi] f. 판지 제조(소) ; 판지 장사.

cartonnier, ère [kaʀtɔnje, -ɛ:ʀ] adj. et n. 판지(제품)을 제조〔판매〕하는 (사람). ── m. (카드식의) 서류 정리함〔캐비닛〕.

carton-pâte [kaʀtɔ̃pɑ:t] m. 《불변》 혼응지(混凝紙), 재생지.

cartouche[1] [kaʀtuʃ] m. 소용돌이 장식, 카르투쉬《종이가 약간 말린 듯한 틀 장식》.

cartouche[2] f. ① (총알의) 약협(藥莢), 약포 ; (대포의) 탄약통. ② 폭약통 : ~ de dynamite 다이너마이트 (폭탄). ③ (궐련) 한 보루(의 포장 상자)(=~ de cigarettes).

cartoucherie [kaʀtuʃʀi] f. 약협〔약포(藥包)〕 제조소.

cartouchière [kaʀtuʃjɛ:ʀ] f. 탄약갑, 탄약통 ; 탄띠.

caryatide [kaʀjatid] f. = cariatide.

cas** [kɑ] m. ① 일, 사실 ; 경우, 사정, 상황(=circonstance) ; 입장, 처지, 형편(=situation) ; 사건(=événement) : ~ important 〔grave〕 중요한〔심각한〕 일 / fortuis 〔imprévu〕 우발적인 사건 / ~ de force majeure 불가항력의 사태 / être tous dans le même ~ 모두 같은 처지에 있다 / C'est un ~ assez rare. 그것은 아주 드문 일이다. ② 사례, 실례, 경우 : ~ général 일반적인 사례 / étude de ~ 사례 연구 / dans ce ~-là 그 경우에 / dans le ~ contraire 반대의 경우에. ③ 〖법정〗 범죄 사실, 죄 ; 소송 원인〔사유〕 : ~ de divorce 이혼 요건〔사유〕 / le ~ dont il est accusé 그의 기소 사유(가 된 범죄). ④ (중대한) 문제〔사건〕 : ~ de conscience 양심의 문제 ; 난처한 문제. ⑤ 기회, 호기 : C'est le ~ ou jamais. 다시없는〔절호의〕 기회이다 / C'est le ~ de+*inf.* …할 기회이다. ⑥ 존중. ⑦ 〖의학〗 병례(病例) ; 환자. ⑧ 〖문법〗 격(格). ***au 〔dans le〕 ~ où+*cond.* 만일 …하다면. ***au 〔en〕 ~ que***+*sub.* 만약 …한다면, …의 경우를 예상하여. ***en ~ de***+'무관사명사' …의 경우 : *en ~ de* malheur 불행한 일이 일어나면. ***en ~ de besoin 〔nécessité〕 ; le ~ échéant*** [kazeʃeɑ̃] 만약의 경우에(는). ***en 〔dans〕 ce ~*** 그런 경우에는, 그렇다면. ***en tout ~ ; en tous ~ ; dans tous les ~*** 어쨌든, 하여간. ***être dans le ~ de***+*inf.* …할 입장〔사정〕에 있다. ***faire ~ de*** qn 〔qc〕 …을 존중하다. ***faire peu de ~ de*** qn 〔qc〕 …을 소홀히 하다. ***hors le ~*** …의 경우는 제외하고. ***poser le ~ que***+*sub.* …하다고 가정하다. ***selon le ~*** 경우에 따라서, 임기응변으로.

casanier, ère [kazanje, -ɛ:ʀ] adj. et n. 외출하기 싫어하는 (사람).

casaque [kazak] f. ① (경마 기수의) 짧은 조끼. ② (여자용의) 헐렁한 브라우스.

***cascade** [kaskad] f. ① 폭포(=cataracte) : ~ artificielle 인공 폭포. ② 다량 ; 연속(적으로 일어나기) : ~(s) de rires 계속해서 터져 나오는 웃음소리 / en ~s 끊임없이, 연속적으로. ③ (소리의) 단속 : discours plein de ~s 더듬거리는 연설.

cascader [kaskade] v.i. 폭포가 되어 떨어지다 ; (웃음) 따위가 한바탕 일어나다.

cascadeur, euse [kaskadœ:ʀ, -ø:z] n. ① 방탕한 사람, 난봉꾼. ② (영화의) 스턴트맨.

cascatelle [kaskatɛl] f. 작은 폭포.

case [kɑ:z] f. ① 오두막집(=cabane). ② (장기판·서류함 따위의) 칸, 칸막이 : ~ postale 우편 사서함 / tiroir à plusieurs ~s 몇 개의 칸이 있는 서랍. ③ 《비유》 분할, 부분. ***avoir une ~ de vide 〔en moins〕*** 《구어》 머리가 약간 돌다.

caséine [kazein] f. 〖화학〗 카세인, 유(乳)단백질.

casemate [kazmat] f. 〖군사〗 참호, 토치카(=blockhaus).

***caser** [kɑze] v.t. ① 정돈하다, 적당한 자리에 넣다(=ranger) : ~ des papiers 서류를 분류 상자에 넣다. ② 《~ qn》 …에게 거처할 곳을 마련해 주다 ; …에게 일자리를 마련해 주다 ; 시집〔장가〕보내다 : Il *est* bien *casé*. 그는 좋은 일자리를 얻었다 / Il a deux filles à ~. 그에게는 시집보내야 할 딸이 둘 있다.
── **se ~** v.pr. ① 거처를 정하다; 취직하다 ; 가정을 가지다. ② 자리를 잡다. ③ (물건이 어떤 장소에) 놓여지다.

***caserne** [kazɛʀn] f. ① 병사(兵舍), 병영 ; 《집합적》 병사에 수용된 군인들 ; 병영 생활. ② 멋대가리 없는 (큰) 집.

casernement [kazɛʀnəmɑ̃] m. 병사에 수용하〔되〕기 ; 《집합적》 병영 설비, 병사.

caserner [kazɛʀne] v.t. (군대를) 병영에 주둔시키다 ; 《구어》 가두다 ; *être caserné* 집안에 죽치고 있다. ── v.i. 병사에 묵다.
── **se ~** v.pr. 숙박하다.

cash [kaʃ] 〔영〕 adv. 《속어》 현금으로(=

comptant) : payer ~ 현금으로 지불하다.

casier [kazje] *m.* (서류 따위를 넣어 두는) 칸막이〔선반함(函)〕, 정리장〔함〕: ~ du courrier 메일 박스 / ~-armoire (서랍 달린) 정리함〔장〕 ~ ***judiciaire*** 범죄 기록.

casino [kazino] 〔이탈리아〕 *m.* 카지노, 오락장, 도박장.

casoar [kazɔaːʀ] *m.* ① 〖조류〗 화식조(火食鳥). ② (사관생도 군모에 꽂는) 깃털 장식.

caspien, enne [kaspjɛ̃, -ɛn] *adj.* 카스피해 연안의. ── **la C~enne** *n.pr.f.* 카스피해(=la mer *C~enne*).

casque** [kask] *m.* ① 투구 ; 철모 ; 헬멧 : ~ de pompier 소방모 / ~ de motocyclette 오토바이용 헬멧 / ~ de chantier 작업모. ② (라디오의) 리시버, 헤드폰 : écouter au ~ 헤드폰으로 듣다. ***avoir le 〔***son***〕 ~ 《구어》 (과음하여) 골치가 아프다.

casqué, e [kaske] *adj.* 철모〔투구〕를 쓴.

casquer [kaske] *v.t.* 《구어》 돈을 내다〔치르다〕. ***faire*** ~ qn …에게 돈을 치르게 하다.

casquette** [kaskɛt] *f.* 캡, 학생모, 챙 달린 모자. ***avoir plusieurs ~s 요직을 겸하다.

cassable [kɑsabl] *adj.* ① 부서지기 쉬운, 깨어지기 쉬운. ② 파기할 수 있는.

cassage [kɑsaːʒ] *m.* 파괴, 깨뜨리기.

cassant, e [kɑsɑ̃, -ɑ̃ːt] *adj.* ① 부서지기〔깨어지기〕 쉬운(=fragile) : ~ comme du verre 유리처럼 잘 깨어지는. ② 퉁명스러운, 냉랭한 : ton ~ 퉁명스러운 어조. ③ 피곤한, 고된(=fatigant).

cassate [kasat] *f.* 카사타《설탕 절임 과일이 든 아이스크림》.

cassation [kɑ(a)sɑsjɔ̃] *f.* 〖법률〗 파기(破棄) : ~ d'un jugement 판결의 파기.

casse[1] [kɑːs, kas] *f.* ① 부수기, 부서짐 ; 파손품 ; 〖상업〗 폐품 : payer la ~ 파손품을 보상하다. ② 《비유》 손해, 피해(=dégat) ; 귀찮은 일(=ennui) ; 소동(=grabuge) : Il y aura de la ~. 한바탕 소동이 일어날 거야. ── *m.* 《구어》 가택 침입 (강도) 행위.

casse[2] *f.* 〖식물〗 계수나무(=cassier) ; 계수나무의 열매〔깍지〕《완하제》.

casse[3] *f.* 〖인쇄〗 활자 케이스.

cassé, e [kɑse] *adj.* ① 깨진, 부서진 ; 파손된. ② 노쇠한. ③ (포도주가) 변질된. ***papier*** ~ 파손지. ***voix ~e*** 쉰〔떨리는〕 목소리.

casse-cou [kɑsku] *m.* 《복수불변》 위험한 장소 ; 《구어》 무모한 사람(=téméraire). ── *adj.* 《불변》 무모한, 저돌적인.

casse-croûte [kɑskʀut] *m.* (*pl.* ~-~(***s***)) 가벼운〔간단한〕 (식사).

casse-croûter [kɑskʀute] *v.i.* 간단히 식사하다.

casse-cul [kɑsky] *n.* 《복수불변》 (짜증날 정도로) 귀찮게 하는 사람〔것〕. ── *adj.* 《불변》 귀찮은, 귀찮게 구는.

casse-gueule [kɑsgœl] *m.* 《복수불변》 위험한 짓 ; 위험한 장소(=casse-cou). ── *adj.* 《불변》 위험한, 무모한(=périlleux).

cassement [kɑsmɑ̃] *m.* ① 깨뜨리기, 파쇄. ② 피로 : ~ de tête 두통 ; 피로.

casse-noisettes [kɑsnwazɛt], **casse-noix** [kɑsnwɑ] *m.* 《복수불변》 ① 호두까개《기구》. ② 〖조류〗 잣까마귀 무리.

casse-pieds [kɑspje] *m.* 《복수불변》《구어》 귀찮은 사람〔것〕. ── *adj.* 《불변》 귀찮은.

casse-pipe(s) [kɑspip] *m.* 《복수불변》 ① (야시장 따위의) 사격장《사기 파이프가 과녁》. ② 《구어》 전쟁(=guerre) ; 교전 지역.

‡casser [kɑse] *v.t.* ① 깨다, 부수다(=briser) ; 꺾다, 부러뜨리다, 끊다(=rompre) : ~ une vitre 유리를 깨다. ② (뼈를) 삐다 ; (목이) 쉬게 하다 ; 망가뜨리다 : ~ une montre 시계를 망가뜨리다. ③ 〖법률〗 파기하다 ; (결정 · 결혼 따위를) 취소하다 : ~ un arrêt 판결을 파기하다 / ~ un mariage 파혼하다. ④ 《~ qn》 (하사관을) 병으로 강등시키다 ; 면직시키다, 해임하다 : ~ un fonctionnaire 관리를 면직시키다. ⑤ (저항 · 장애를) 분쇄하다, 극복하다. ⑥ 〖경제〗 (시장 기능을) 마비시키다, (주가를) 폭락시키다 : ~ les prix 〔les cours〕 물가〔주가〕를 급락시키다. ***à tout ~*** 마음껏 ; 전속력으로 ; 기껏해야. ***Ça ne casse rien.*** 그건 대수롭지 않다. ***~ du sucre sur le dos de*** qn …을 나쁘게 말하다, 험구〔험담 · 중상〕하다. ***~ la*** 〔***une***〕 ***croûte*** 〔***graine***〕 《구어》 간단히 요기하다, 식사하다. ***~ la figure*** 〔***la gueule, le cou***〕 ***à*** qn …의 미리를〔얼굴을〕 때리다. ***~ la tête à*** qn …을 골치 아프게 하다 ; (술이) 머리에 오르다. ***~ le morceau*** 《속어》 자백하다 ; 밀고하다. ***~ les pieds à*** qn …을 귀찮게 굴다. ***~ sa pipe*** 〔***canne***〕 《속어》 죽다.

── *v.i.* 깨지다, 부서지다 ; 부러지다, 꺾어지다 ; 끊어지다 : Le verre *a cassé* en tombant. 유리컵이 떨어져 깨어졌다. ***Quand la corde est trop tendue, elle casse.*** 《격언》 줄이 너무 팽팽하면 끊어진다, 무엇이든 한도가 있는 법이다. ***Tout passe, tout lasse, tout casse.*** 《격언》 세상만사가 무상하다.

── **se ~** *v.pr.* ① 깨지다, 부서지다 ; 부러지다, 꺾어지다 ; 끊어지다 ; 망가지다. ② 자기의 …을 부러뜨리다 : *se* ~ un bras 〔une jambe〕 en tombant 넘어지면서 팔이〔다리가〕 부러지다. ③ 쇠약해지다. ***se ~ la figure*** 〔***le cou***[1], ***la gueule, la tête***[1]〕 (높은 데서 떨어져) 다치다. ***se ~ la tete***[2] 머리를 쥐어짜다, 애쓰다. ***se ~ le nez*** 코가 깨지다 ; 예상이 어긋나다 ; 실패하다.

casserole** [kasʀɔl] *f.* ① (손잡이 달린) 냄비 ; 스튜 냄비. ② 《구어》 낡은 피아노 ; 음질이 나쁜 악기〔목소리〕. ***passer qn ***à la ~*** 《속어》 살해당하다 ; 죽을 지경으로 혼나다.

casserolée [kasʀɔle] *f.* 냄비 가득, 한 냄비.

casse-tête [kɑstɛt] *m.* 《복수불변》 ① 곤봉(=matraque). ② 두통거리, 고된 일.

***cassette** [kasɛt] *f.* ① (돈 · 보석 따위를 넣어 두는) 작은 상자, 궤(=coffret). ② 카세트 테이프〔녹음기〕 ; 카세트 필름.

casseur, euse [kɑsœːʀ, -øːz] *n.* ① 깨뜨리는 일꾼〔사람〕 ; (데모 때의) 기물 파괴자 ; 폐차업자. ② 《구어》 허세 부리는 사람(=fanfaron). ── *m.* ① 폐품업자. ② 폐차 부속품상. ── *adj.* ① 깨뜨리기 잘하는. ② (태도 따위가) 허세 부리는, 위협적인. 「(열매).

cassis[1] [kasis] *m.* 〖식물〗 까막까치밥나무

cassis[2] *m.* (도로를 가로지른) 도랑, 배수구.

cassolette [kasɔlɛt] *f.* 향로 ; (요리를 담는) 향로형 용기.

cassonade [kɑ〔a〕sɔnad] *f.* (한 번만 정제한) 조당(粗糖), 검누른 설탕.

cassoulet [kasulɛ] *m.* (랑그독 지방식의) 스튜.

cassure [kɑsy:ʀ] *f.* ① 깨진 금, 틈 ; (리넨 제품의) 주름. ② (우정 따위의) 파탄, 균열.

castagne [kastaɲ] *f.* 《은어》 주먹질 ; 싸움.

castagnettes [kastaɲɛt] *f. pl.* 〖음악〗 캐스터네츠.

caste [kast] *f.* (인도의) 카스트, 세습적 사회 계급 ; 특권 계급.

castel [kastɛl] *m.* 《옛》 작은 성(城).

casting [kastiŋ] 〔영〕 (배우 따위의) 선발, 캐스팅.

castor [kastɔ:ʀ] *m.* ① 〖동물〗 비버, 해리(海狸). ② 비버 모피 ; (장갑용의) 염소가죽.

castrat [kastʀa] *m.* 거세된 사내 ; 《특히》 (소프라노 유지를 위해 어릴 때) 거세된 가수.

castrateur, trice [kastʀatœ:ʀ, -tʀis] *adj.* 〖정신의학〗 거세 콤플렉스를 일으키는.

castration [kastʀɑsjɔ̃] *f.* 거세, 생식선 제거 : complexe de ～ 거세 콤플렉스.

castrer [kastʀe] *v.t.* 거세하다(= châtrer).

casualité [kɑ〔a〕zɥalite] *f.* 우연성 ; 불확실성.

casuel, elle [kɑzɥɛl] *adj.* ① 우연의 ; 불확실한 ; 임시의. ② 〖문법〗 격의. — *m.* 임시 수입 ; 〖가톨릭〗 《구어》 (결혼식 따위에서) 신부가 받는 사례금, 성식(聖式) 사례.

casuiste [kɑ〔a〕zɥist] *m.* 〖신학〗 (양심〔도덕〕 문제의) 결의론자(決疑論者). ② 궤변가.

casuistique [kɑ〔a〕zɥistik] *f.* ① 〖신학〗 결의론. ② 《경멸》 궤변(= subtilité excessive).

c.at. 《약자》 coupon attaché 〖주식〗 이익 배당권이 붙은 이자표.

cata- *préf.* 「반(反)·하(下)」의 뜻.

cataclysme [kataklism] *m.* ① 지각(地殼)의 변동, 대홍수 ; 지진. ② 대변동 ; 대이변 ; 재난(= catastrophe).

catacombes [katakɔ̃:b] *f. pl.* 〖옛로마〗 지하 묘지, 카타콤.

catadioptre [katadjɔptʀ] *m.* 〖광학〗 반사굴절 장치(= cataphote).

catafalque [katafalk] *m.* 영구대(靈柩臺).

catalan, e [katalɑ̃, -an] *adj.* 카탈로니아(*la Catalogne*)의. — **C～** *n.* 카탈로니아 사람. — *m.* 카탈로니아어(語).

catalepsie [katalɛpsi] *f.* 〖의학〗 (전신) 강직증, 카탈렙시.

cataleptique [katalɛptik] *adj.* et *n.* 〖의학〗 강직증〔카탈렙시〕의 (환자).

catalogage [katalɔga:ʒ] *m.* ① 목록 작성. ② 《경멸》 정리.

***catalogue** [katalɔg] *m.* 목록, 카탈로그 : ～ raisonné 설명문이 있는 목록〔카탈로그〕/ dresser un ～ 목록을 작성하다.

cataloguer [katalɔge] *v.t.* …의 목록을 작성하다 ; 종류별로 나누다.

catalyse [katali:z] *f.* 〖화학〗 촉매 작용.

catalyser [katalize] *v.t.* …에 촉매 작용을 미치다 ; 반응을 유발하다(= provoquer).

catalyseur [katalizœ:ʀ] *adj.* 촉매 작용을 일으키는. — *m.* 촉매 : jouer le rôle d'un ～ 촉매〔중개〕 역할을 하다.

catamaran [katamaʀɑ̃] *m.* ① (인도네시아의) 뗏목배. ② 쌍동선(雙胴船).

cataplasme [kataplasm] *m.* ① 〖의학〗 찜질, 습포. ② 기름진 음식. ③ 《구어》 두툼한 꾸러미.

catapulte [katapylt] *f.* ① 노포(弩砲). ② 공격 수단. ③ 〖항공〗 캐터펄트 《비행기·로켓의 발사 장치》.

catapulter [katapylte] *v.t.* ① (비행기를) 캐터펄트로 쏘아올리다〔발사하다〕. ② 《구어》 난폭하게 내던지다, 내동댕이치다.

cataracte [kataʀakt] *f.* ① 폭포 : La ～ du Niagara 나이아가라 폭포. ② 〖의학〗 백내장. ***lâcher les ～s*** 분통을 터뜨리다.

catarrhe [kata:ʀ] *m.* ① 〖의학〗 카타르. ② 《구어》 심한 감기(= rhume).

catarrheux, euse [kataʀø, -ø:z] *adj.* 〖의학〗 카타르에 걸린.

catastrophe** [katastʀɔf] *f.* ① 재변, 큰 불행(= calamité, cataclysme) ; 《구어》 사고, 귀찮은 일(= accident, ennuie). ② (희곡의) 비극적 결말, 파국(破局). ***en ～ 〖항공〗 위험한 상태에서 ; 긴급히, 부랴부랴 : atterrissage *en ～* 〖항공〗 긴급〔비상〕 착륙.

catastrophé, e [katastʀɔfe] *adj.* 《구어》 크게 실망한, 낙담한 ; 아연실색한(= abattu).

catastrophique [katastʀɔfik] *adj.* 파국적인, 큰 재앙〔이변〕의 ; 지독한, 형편없는.

catch [katʃ] 〔영〕 *m.* 프로레슬링.

catcher [katʃe] *v.i.* 프로레슬링을 하다.

catcheur, euse [katʃœ:ʀ, -ø:z] *n.* 프로레슬링(catch) 선수.

catéchiser [kateʃize] *v.t.* ① 〖가톨릭〗 …에게 교리를 가르치다. ② 납득시키다, 설득하다(= persuader) ; 훈계하다, 타이르다.

catéchisme [kateʃism] *m.* ① 〖가톨릭〗 교리 교육 ; 교리 문답 강의. ② 교리 문답집, 입문서. ③ 교리, 신조(= credo) ; 교훈, 훈계.

catéchiste [kateʃist] *n.* 교리 문답 지도자 ; 전도사.

catéchumène [katekymɛn] *m.* ① 교리 문답 수강자, 영세 지망자. ② 초심자, 입문자.

***catégorie** [kategɔʀi] *f.* ① 〖논리〗 범주, 카테고리 : ～s grammaticales 문법 범주《품사·성·수 따위》. ② 종류, 부류 ; 분야, 부문(= espéce) : ranger 〔classer〕 qc par ～s …을 종류별로 분류하다. ③ 등급 ; 계급.

catégoriel, elle [kategɔʀjɛl] *adj.* ① 〖경제〗 직종별의, 부문별의 : débrayages ～s 부문별 파업. ② 범주의 ; 부류의 ; 구별의.

catégorique [kategɔʀik] *adj.* ① 〖철학·논리〗 정언적(定言的)인 ; 단언적인 : proposition ～ 정언적 명제. ② 뚜렷한, 명확한(= clair, précis) ; 단호한(= autoritaire) : refus ～ 단호한 거절 / réponse ～ 확답.

catégoriquement [kategɔʀikmɑ̃] *adv.* ① 〖철학〗 범주에 따라. ② 명확히, 뚜렷이 ; 단호하게 : refuser ～ 딱 잘라 거절하다.

catégorisation [kategɔʀizɑsjɔ̃] *f.* (범주에 따른) 분류(= classment par catégories).

catégoriser [kategɔʀize] *v.t.* (범주에 따라) 분류하다, 유별하다.

caténaire [katenɛ:ʀ] *adj.* ① 사슬 모양의. ② 〖화학〗 연쇄의 : réactions ～s 연쇄 반응.

catharsis [kataʀsis] *f.* ① 〖의학〗 (위·장의) 세척(洗滌). ② (심성의) 카타르시스, 정화(淨化). ③ 〖정신의학〗 카타르시스, 정화법.

***cathédrale** [katedʀal] *f.* 주교좌 성당, 대성당. — *adj.* 《남성 복수형은 쓰이지 않음》

주교가 자리잡은; 대성당 소속의.

catherinette [katʀinɛt] *f.* 미혼녀, 미혼으로 25세가 된 처녀.

cathéter [katetɛːʀ] *m.* 〖의학〗 카테테르, 도뇨관(導尿管).

cathode [katɔd] *f.* 〖전기〗 음극(陰極)(≠「anode).

catholicisme [katɔlisism] *m.* 가톨릭교, 천주교; 가톨릭 사상.

catholicité [katɔlisite] *f.* 가톨릭 교의(教義); 전(全)가톨릭 교도.

C

***catholique** [katɔlik] *adj.* ① 가톨릭교의: l'Église ~ (로마) 가톨릭 교회. ② 《구어》 《특히 부정구문으로》 정통적인; 정상적인: cognac peu ~ 수상쩍은 코냑 / Ce n'est pas ~. 그건 도덕에 어긋난다; 그건 수상하다. ── *n.* 가톨릭 교도.

catimini (en) [ɑ̃katimini] *adv.* 몰래, 은밀히: s'aprocher *en* ~ 슬그머니 접근하다.

catin [katɛ̃] *f.* 창녀(=putain).

catogan [katɔgɑ̃] *m.* 쪽짓는 리본(매듭).

cat(t)leya [katlɛja] *f.* 〖식물〗 (열대 아메리카·멕시코산(産)) 난초.

cauchemar** [kɔ(o)ʃmaːʀ] *m.* ① 악몽, 흉몽. ② 두통거리. ③ 귀찮은 일(녀석): Il me donne le ~. 그 녀석 때문에 몹시 성가시다 / Les cours de maths, c'était mon ~ . 수학 수업이 나에게는 괴롭다. ***avoir le ~ (des ~s)*; *faire un ~ 악몽에 시달리다.

cauchemarder [kɔ(o)ʃmaʀde] *v.t.* 몹시 괴롭히다(귀찮게 하다). ── *v.i.* 무서운 꿈을 꾸다, 악몽에 시달리다.

cauchemardesque [kɔ(o)ʃmaʀdɛsk], **cauchemardeux, euse** [kɔ(o)ʃmaʀdø, -øːz] *adj.* 《속어》 악몽 같은.

caudal, e, aux [kodal, -o] *adj.* 〖동물〗 꼬리의. ── *f.* 꼬리지느러미(=nageoire ~*e*).

cauri(s) [koʀi(s)] *m.* (인도·세네갈에서 장식·돈으로 쓰이는) 코리 조개.

causal, e, aux [kozal, -o] *adj.* 《남성 복수형은 드묾》 ① 원인이 되는; 인과 관계를 나타내는: lien ~ 인과 관계. ② 〖문법〗 (접속사·절이) 원인을(이유를) 나타내는: conjonction ~*e* 원인 접속사.

causalité [kozalite] *f.* 〖철학〗 인과성, 인과관계: principe (loi) de la ~ 인과율.

causant, e [kozɑ̃, -ɑ̃ːt] *adj.* 이야기하기 좋아하는, 수다스러운: peu ~ 과묵한.

⁑**cause** [koːz] *f.* ① (행동의) 이유, 동기(=raison, motif, mobile); 원인(=origine): ~ de son absence 그가 결석한 이유 / ~ de troubles 소요(騷擾)의 원인 / ~ d'une convention 협정의 사유 / ~ du crime 범죄의 동기 / Il n'y a pas d'effet sans ~. 원인 없는 결과는 없다. ② 〖철학〗 원리, 원인: ~ première 제 1 원인《종교적으로는 신(神)》 / ~ souveraine (suprême, universelle) 신(神). ③ 〖법률〗 ⓐ 소송 (사건)(=procès): ~ civile (criminelle) 민사(형사) 소송 / instruire une ~ 소송 사건을 예심하다 / avoir (obtenir) gain de ~ 소송에 이기다. ⓑ (*pl.*) 증거, 특히 서증(書證): ~*s* et moyens d'appel 항소(抗訴)를 위한 서증 / ~*s* d'opposition 반대 서증. ④ 실정, 사정. ⑤ 입장, 주의주장, 대의(명분): défendre la ~ de qn …의 입장을 옹호하다 / pour la ~ de la justice 정의를 위해서. ***à ~ de*** …때문에; …을 참작하여: Il me pardonne *à ~ de* mes parents. 그가 나를 용서하는 것은 내 양친의 얼굴을 보아서이다. ***à ~ que*** = parce que. ***avoir pour ~*** qc …이 원인이다. ***en ~*** 소송 중인; 문제의: affaire *en* ~ 소송 중인 사건 / mettre qn *en* ~ …을 법정에 끌어내다; 연루시키다. ***en tout état de ~*** 어쨌든, 하여간. ***et pour ~*** 그것도 당연하다, 그만한 이유가 있다. ***être en ~*** 소송에 관계되다. ***être hors de ~*** 관계가 없다. ***être (la) ~ de...*** (***que***+*ind.*) …이 원인이다: Vous êtes ~ *de* ma perte. 당신이 나의 파멸의 원인이다. ***faire ~ commune avec*** (***prendre en main la ~ de***) qn …의 편을 들다, …와 공동보조를 취하다. ***hors de ~*** 소송과 무관계의; 문제 밖의: mettre qn *hors de* ~ …의 혐의를 벗기다. ***Non sans ~!*** 이유가 없는 것은 아니다. ***pour ~ de*** … 때문에, …의 이유로. ***pour la bonne ~*** 대의를 위해서; 결혼을 목적으로. ***prendre fait et ~ pour*** qn …을 두둔하다, …의 편을 들다.

***causer**[1] [koze] *v.t.* ① …의 원인이 되다, …을 일으키다, 야기하다: ~ un malheur 불행을 초래하다 / ~ du scandale 스캔들을 일으키다. ② 〖상업〗 ~ un billet 환어음에 발행 사유를 명기하다.

causer**[2] *v.i.* 이야기하다(=parler), 잡담하다; 수다를 떨다: Il *cause* avec son voisin. 그는 이웃사람과 이야기하고 있다 / ~ sur (qn) 쑥덕공론을 하다. ***~ de la pluie et du beau temps 하찮은 이야기를 하다. ***trouver à qui ~*** 《구어》 힘겨운 상대를 만나다. ── *v.t.* 이야기하다(=discuter): ~ littérature 문학 이야기를 하다.

causerie [kozʀi] *f.* 이야기, 담화(=conférence); 한담(閑談); 만필(漫筆).

causette [kozɛt] *f.* 잡담: faire la ~ avec qn; faire un bout de ~ avec qn …와 잠시 잡담하다.

causeur, euse[1] [kozœːʀ, -øːz] *adj.* et *n.* 이야기하기 좋아하는 (사람), 수다스러운 (사람).

causeuse[2] [kozøːz] *f.* 2인용 안락의자.

causse [koːs] *m.* (프랑스 중부 및 남부의) 석회질 고원.

causticité [kɔ(o)stisite] *m.* ① 〖화학〗 부식성(腐蝕性). ② 신랄함; 신랄한 야유.

caustique [kɔ(o)stik] *adj.* ① 〖화학〗 부식성의. ② 신랄한(=acerbe, satirique), 비꼬는.

cauteleux, euse [kotlø, -øːz] *adj.* 교활한, 음흉한, 능갈맞은.

cautère [kɔ(o)tɛːʀ] *m.* 〖의학〗 소작제(燒灼劑)(= ~ potentiel); 소작기. ***un ~ sur une jambe de bois*** 쓸데없는 미봉책.

cautérisation [kɔ(o)teʀizɑsjɔ̃] *f.* 〖의학〗 소작(燒灼)(법), 부식(腐蝕)(법).

cautériser [kɔ(o)teʀize] *v.t.* (상처를 불에 달군 쇠로) 소작하다; 부식제로 뜸 놓다: ~ une plaie 상처를 소작하다.

caution [kosjɔ̃] *f.* ① 보증(금)(=garantie, gage): demander une ~ 보증금을 요구하다. ② 보증인. ***se rendre ~ de*** qn; ***se porter ~ pour*** qn …의 보증인이 되다. ***su-***

jet à ~ 신용할 수 없는 : information *sujet à ~* 신빙성이 없는 정보.

cautionnement [kosjɔnmɑ̃] *m.* 보증 ; 보증서 ; (신원) 보증금 : ~ solidaire 연대 보증.

cautionner [kosjɔne] *v.t.* ① 보증하다, 지지하다, 찬동하다 : ~ une politique 어떤 정책을 지지하다. ②〖법률〗…의 보증인이 되다.

cav. 《약자》 cavalerie〖군사〗기병.

cavalcade [kavalkad] *f.* ① 기마 행렬 ; 기마 산책. ② 소란스러운 한 무리, (가장)행렬.

cavalcader [kavalkade] *v.i.* ① 여러 사람이 말 타고 산책하다. ②《구어》함께 어울려 뛰어다니다.

cavale¹ [kaval] *f.* ① (순종의) 암말. ②《속어》키다리 여자.

cavale² *f.* 《은어》 도망, 도주(= évasion).

cavaler [kavale] *v.i.* ① 말을 타다 ; 질주하다 ; 도망치다. ② ⓐ《~ après qn》…을 뒤쫓다, 추격하다(= poursuivre). ⓑ《~ sur》《속어》…을 괴롭히다, 귀찮게 굴다. ── *v.t.* 《~ qn》《속어》…을 괴롭히다, 귀찮게 굴다. ── **se ~** *v.pr.* 달아나다.

cavalerie [kavalʀi] *f.*〖군사〗《집합적》기병(대) ; 기갑 부대. ***grosse ~*** 중기병.

cavaleur, euse [kavalœːʀ, -øːz] *n.* 바람둥이, 화냥년. ── *adj.* 바람기 있는, 방탕한.

cavalier, ère [kavalje, -ɛːʀ] *n.* ① 말을 타는 사람 ; 기수. ② (댄스의) 파트너, 상대역. ── *m.* ①〖군사〗기병, 기갑 부대병. ② (서양장기의) 나이트. ③ 부인을 수행하는 남자 ; 사교계 인사 : servir de ~ à une dame 부인의 에스코트역을 하다. ***faire ~ seul*** 단독 행동을 하다 ;〖경마〗독주하다. ── *adj.* ① 승마용의 : piste *~ère* (공원의) 승마 전용 도로. ② 퉁명스러운 ; 무례한 : réponse *~ère* 무뚝뚝한 대답.

cavalièrement [kavaljɛʀmɑ̃] *adv.* 무람없이 ; 무례하게, 퉁명스럽게.

cave¹ [kaːv] *adj.* 움푹 팬〔들어간〕: œil ~ 움푹한 눈. ***veine ~***〖의학〗대정맥.

cave²** *f.* ① 지하실 ; 지하 저장고 : ~ à provisions 지하의 식료품 저장실. ② 지하 카바레〔술집〕. ③ (식당의) 술병 선반 ; (지하의) 술창고 ; (지하실에 저장된) 포도주류 : ~ d'un restaurant 레스토랑의 저장 포도주. ***aller de la ~ au grenier 〔***du grenier à la ~***〕 횡설수설하다 ; 극단으로 달리다.

cave³ *f.*〖카드놀이〗내깃돈, 판돈(= enjeu). ── *m.* 《은어》 바보, 얼간이(= dupe).

caveau [kavo] *m.* (*pl.* **~x**) ① 작은 지하실. ② 지하 카바레〔술집〕. ③ 지하 납골소.

caverne [kavɛʀn] *f.* ① 동굴(= grotte) : âge des ~s 혈거 시대. ② 소굴, 은신처. ③〖의학〗(폐 따위의) 공동(空洞).

caverneux, euse [kavɛʀnø, -øːz] *adj.* ① 동굴의 ; 동굴이 많은. ②〖의학〗공동이 있는. ***voix ~euse*** 굵고 우렁찬 목소리.

cavernicole [kavɛʀnikɔl] *adj.*〖동물〗혈거(穴居)하는. ── *m.* 혈거 동물.

caviar [kavjaːʀ] *m.* 캐비어《철갑상어의 알젓》. ***C'est du ~ pour le peuple.*** 《격언》 돼지에 진주.

caviarder [kavjaʀde] *v.t.* 《구어》 (검열에서 신문 기사 따위를) 삭제하다.

caviste [kavist] *m.* (호텔 · 레스토랑의) 지하 술창고 담당자 ; 포도주 제조 직공.

cavité [kavite] *f.* ① 우묵한 데, 구멍(= creux, trou) ; 동혈(洞穴). ②〖해부〗공동 ; 강(腔), 와(窩) : ~ abdomainale 복강.

C.B. 《약자》 Citizens' Band (개인들 사이의 다양한 무선 통신을 위한) 시민 주파수대.

cc. 《약자》 centimètre cube 세제곱 센티미터.

c.c. 《약자》 courant continu〖전기〗직류 전류.

c/c 《약자》 ① compte courant〖상업〗당좌 계정〔예금〕. ② cours de compensation〖증권〗이월 가격〔시세〕.

C.C.P. 《약자》 compte chèque postale, compte courant postal 우편 대체 예금 계좌.

Cd 《약자》 cadmium〖화학〗카드뮴.

CD 《약자》 compact-disc 시디, 콤팩트 디스크.

c.de f. 《약자》 chemin de fer 철도.

c.de g. 《약자》 centre de gravité〖물리〗중심(重心).

C.D.M. 《약자》 centre de distribution de modulations〖TV〗변조실(變調室).

C.D.R. 《약자》 Commission des réparations 배상 위원회.

CD-ROM [sedeʀɔm]〔〖영〗< *C*ompact *D*isc *R*ead *O*nly *M*emory〕*m.* 《복수불변》〖컴퓨터〗시디롬《콤팩트 디스크를 컴퓨터 판독의 전용 기억 매체로 한 것》.

Cdt 《약자》 commandant〖군사〗지휘관 ; 소령.

C.-du-N. 《약자》 Côtes-du-Nord 코트뒤노르도(道)《프랑스의 도》.

C.E. 《약자》 Communauté européenne 유럽 공동체.

Ce 《약자》 ① cérium〖화학〗세륨. ② compagnie〖상업〗회사, 상사.

⁑ce¹ [s(ə)] (***cet*** [sɛt]) (*f.* ***cette*** [sɛt], *pl.* ***ces*** [se])《cet는 모음 또는 무성 h로 시작하는 말 앞에 오는 남성단수형》*adj. dém.* Ⓐ ①《사람 · 사물을 가리켜》이, 그 : *cet* homme 이〔그〕사람 / *cet* arbre 이〔그〕나무 / *cette* chose 이것, 그것 / *ces* pays 이〔그〕나라들. ②《현재 또는 현재와 가까운 시간》*ce* matin〔soir〕오늘 아침〔저녁〕/ *cette* année 금년 / *cette* nuit 오늘 밤 ; 간밤 / un de *ces* jours 근일 중, 근간에. ③《이미 이야기하였거나 상대방이 알고 있거나 앞으로 이야기하려는 사람 · 사물》*ce* premier〔dernier〕전자〔후자〕/ Et *ce* café, garçon ? 웨이터, 내가 시킨 커피는 ? / Écoutez *cette* histoire ; elle vous amusera. 이런 이야기를 들어 보세요, 재미있을 겁니다. ④《관계절 · 보어와 함께》*ce* livre dont vous parliez 당신이 말한 그 책. ⑤《감정적 용법 : 경멸 · 찬탄 · 놀라움 · 동정 · 강조》*Ce* grand imbécile ! 이런 바보 ! / *Ce* courage ! 용감한데 ! / *Cette* idée ! 그런 생각을 하다니 ! / *Ce* pauvre ami ! 가엾은 친구 ! / Il a *cet* avantage qu'il tient sa parole. 그는 약속을 잘 지킨다는 장점이 있다.

Ⓑ《복합형 : ce ...-ci, ce ...-là》① ci 는 가까이 있는 것〔사람〕, là 는 멀리 있는 것〔사람〕을 가리킴 : *ce* tableau-*ci* 이 그림 / *ce* tableau-*là* 저 그림. ②《시간》ci 는 현재에 인접한 시간, là 는 현재에서 먼 시간《주로 과거를 가리킴》: *ces* jours-*ci* 요즘 / *ces* jours-*là* 그 당시 / *ce* jour-*là* 그 날. ***un de***

ces+'복수명사' 《구어》 지독한, 끔찍한 : *une de ces* faims 지독한 허기(증).

‡ce² *pron. dém. neut.* 《être 의 변화형과 대명사 en 앞에서는 c' : c'est, c'en est ; a 〔avait〕 뒤의 être 의 변화형 앞에서는 ç' : ç'a été》. Ⓐ ① 《être, devoir être, pouvoir être, être 를 조동사로 취하는 자동사(복합 시제)의 주어》 이것(들)〔그것(들)〕은 ; 이 사람(들)〔저 사람(들)〕은 : *C'est* vrai. 그건 정말이다 / *Ce* doit être vrai. 그건 정말일 것이다 / *C'est* arrivé hier. 어제 일어난 일이다 / *C'est* ma sœur. 내 누이동생이다 / *Ce* sont de braves gens. 친절한 사람들이다 《3 인칭 복수명사〔대명사〕 앞에서는 *ce sont*, 그 밖의 경우에는 *c'est* : *Ce sont* eux. 그들이다 / *C'est* nous 〔vous〕. 우리들〔당신들〕이다 / *C'est* du pain et de l'eau. 이건 빵과 물이다.》 ② 《*ce*... ici 〔là〕 = ceci 〔cela〕》 *C'est ici* mon fils. 이건 내 아들이다 / *Ce* n'est pas *là* mon parapluie. 그건 내 우산이 아니다. ③ 《주어의 강조》 Paris, *c'est* bien loin ; *C'est* bien loin, Paris ! 파리는 참 멀어 ! ④ 《가주어 : C'est... +부정법·명사절》 *C'est* un péché (*que*) *de* mentir. 거짓말하는 것은 죄악이다 / *C'est* heureux *que* tu sois là. 자네가 있어서 기쁘다. ⑤ 《C'est... qui 〔que〕...》 …은 …이다 : *C'est* moi *qui* lui ai écrit. 그에게 편지를 쓴 것은 나다 / *Ce* n'*est* pas à vous *que* je parle. 당신에게 이야기하는 게 아니오. ⑥ ⓐ 《c'est que》 Une chose regrettable, *c'est qu'*il n'est pas venu plus tôt. 유감스러운 일은 그가 더 일찍 오지 않았다는 사실이다. ⓑ 《c'est parce que》 S'il n'est pas venu, *c'est qu'*il est malade. 그가 오지 못한건 병이 났기 때문이다 《주절의 동사가 부정형일 때는 종속절 동사는 *sub.* : S'il ne dit rien, *ce n'est pas qu'*il *soit* sot. 그가 아무 말도 안 하는 것은 바보이기 때문이 아니다》. ⓒ *C'est qu'*il fait froid ! 참 춥기도 하네요 ! ⑦ 《Est-ce que... ? …인가 ?》 *Est-ce qu'*il est là ? 그 사람 거기 있는가 ? Ⓑ 《관계대명사의 선행사》 ① 《ce=la chose》 *ce* qui est devant moi 내 앞에 있는 것 / *ce* qu'il a vu 그가 본 것 / *ce* qu'il a d'original 그의 독창적인 점 / *ce* à quoi je pense 내가 생각하는 것 / *ce* dont il parle 그가 말하는 것. ② 《절의 동격》 On essaya de le convaincre, *ce* qui le fâcha. 그를 설득하려 했는데 그것이 그를 화나게 했다 / Il est parti, *ce* que je ne savais pas. 그는 벌써 떠났는데 나는 그걸 모르고 있었다 / Il veut employer la force, *ce* à quoi je m'opposerai toujours. 그는 폭력을 쓰려고 하지만 나는 언제나 그것에 반대할 것이다. ③ 《ce que... !》 《구어》 정말, 참으로(= comme) : *Ce qu'*il a changé ! 참말 그는 변했군 ! ④ 《à ce que, de ce que, en ce que, etc.》 chercher *à ce que*+*sub.* …하도록 애쓰다 / être content *de ce que*+*ind.* 〔*sub.*〕 …한 것이 기쁘다 / différer *en ce que* …하는 점이 다르다. ⑤ 《cela 대신》 On l'a attaqué et *ce* en plein jour. 그가 습격당했다, 그것도 대낮에. ***ce que*** 얼마나, 정말, 참으로(= comme, combien) : *Ce que* tu as changé ! 너 참 변했구나 ! ***Ce que c'est que de nous !*** 우리들은 얼마나 보잘것없는〔가련한〕 존재인가 ! ***ce*** (***que***) ***disant*** 그렇게 말하며 ***ce*** (***que***) ***voyant*** 그것을 보고. ***C'est que...*** …하기 때문이다 : Pourquoi ne venez-vous pas avec nous ? — *C'est que* je suis malade. 왜 우리들과 함께 안 오십니까 ? — 몸이 편치 않기 때문입니다. ***pour ce faire*** 그렇게 하기 위하여. ***pour ce qui est de*** …에 관해서는. ***sur ce*** 그리고 나서 곧.

C.E.¹ 《약자》 Communauté européenne 유럽 공동체(〖영〗 E. C.).

C.E.² 《약자》 cours élémentaire 초등 과정.

Cé [se] *m.* C 자의 명칭.

C.E.A. 《약자》 ① Commissariat à l'énergie atomique 원자력 위원회. ② compte d'épargne en actions 증권 투자 신탁. ③ Confédération européenne de l'agriculture 유럽 농업 연합.

céans [seɑ̃] *adv.* 《옛·구어》 이 곳〔집〕 안에, 여기에 : maître de ～ 이 집 주인.

C.E.C.A. 《약자》 communauté européenne du charbon et de l'acier 유럽 석탄 철강 공동체(〖영〗 E.C.S.C.).

‡ceci [səsi] *pron. dém. neut.* ① 《cela 와 대비적으로 가까운 사물 지시》 이것 : *C*～ est beau, *cela* est laid. 이것은 아름답고 저것은 보기 흉하다 / Il a richesse et vertu : ～ vaut milleux que *cela.* 그에게는 부와 덕이 있는데, 후자가 전자보다 가치 있다. ② 다음의 것, 다음과 같은 일〔사실〕 : Écoutez bien ～. 지금부터 하는 말을 잘 들으시오 / Retenez bien ～ : le travail est un trésor. 잘 기억해 두시오, 노력은 보배라는 것을. ③ 《～ que ; ～ de+형용사+que》 …라는 점〔사실〕 : Sa maison a ～ *de* particulier *qu'*elle est entièrement habitée par les Juifs. 그의 집은 유대인들만 살고 있다는 특수성이 있다. ***～, cela*** 이것저것, 이러쿵저러쿵 : Nous avons parlé de ～, de *cela.* 우리는 이런저런 이야기를 했다.

cécité [sesite] *f.* ① 〖의학〗 실명 : être frappé de ～ 실명하다. ② 《시어》 맹인. ③ 《비유》 무분별, 몰지각(≠ perspicacité).

C.E.D. 《약자》 Communauté européenne de défense 유럽 방위 공동체.

céder** [sede] [6] *v.t.* 양보〔양도〕하다(= concéder, donner) ; 매도하다, 팔아 넘기다(= vendre) : Il m'*a cédé* sa place. 그는 내게 자기의 자리를 내주었다 / Le cinéma *cède* la place à la télévision. 영화가 텔레비전에 자리를 내주고 있다. ***～ le pas à qn …을 앞서게 하다 ; …의 우월함을 인정하다. ***～ le passage*** 길을 양보하다. ***le ～ à*** qn (en qc) (…의 면〔점〕에서) …보다 못하다, 뒤지다 : Il ne *le cède à* personne *en* perspicacité. 그는 통찰력에 있어서 누구보다 못지 않다. ***maison à ～*** 팔 집. — *v.t. ind.* ① 《～ à qn 〔qc〕》 …에 굴복하다, 지다(= succomber) ; …에 복종하다, …을 따르다(= se plier, obéir) : ～ *aux* menaces de qn …의 협박에 굴복하다 / ～ *à* ses supérieurs 상사에게 복종하다 / Il *a cédé à* mes demandes. 그는 나의 요구에 지고 말았다. ② 《 ～ à qn en qc》 …에 관해서는 …보다 못하다 : Elle ne lui *cède en* rien. 그녀는 무엇보다 그보다

낫다. ③《 ~ à qc》 …에 몸을 맡기다 ; 탐닉하다 : ~ *à* son instinct 본능에 몸을 맡기다 / ~ *au* sommeil 졸음에 굴복하다.
— *v.i.* ① 굴복하다 ; 기가 꺾이다 ; 양보하다 : Il ne faut pas ~ sur les prix. 가격에 있어서 양보해서는 안 된다. ②《주어 : qc》 (눌려서 · 밀려서) 굽다, 휘다, 꺾이다, 무너지다 : branche qui *cède* sous le poids des fruits 열매의 무게로 휜 가지. — **se ~** *v.pr.* ① 양도〔매도〕되다. ② 서로 양보하다.

cédétiste [sedetist] *adj.* 프랑스 민주 노동 동맹(C.F.D.T)의. — *n.* 프랑스 민주 노동 동맹 조합원.

cedex [sedɛks] *m.* 《약자》 Courrier d'entreprise à distribution exceptionnelle (대기업 정부 단체 따위를 위한) 특별 배달 우편 제도〔우편물〕.

***cédille** [sedij] *f.* 〖문법〗 c 자 아래 붙이는 부호(ç), 세디유《a, o, u 앞에서 c 가 [s]음이 되는 것을 나타냄》.

cédrat [sedʀa] *m.* 〖식물〗 (일종의) 시트론 ; 시트론 나무.

cèdre [sɛdʀ] *m.* 〖식물〗 서양 삼나무.

cédule [sedyl] *f.* ① 〖법률〗 계약 증서, 차용증 ; 소환장. ② 〖행정〗 종별 소득 신고서.

C.É.E. 《약자》 Communauté économique européenne 유럽 경제 공동체(〖영〗 E.E.C.).

C.E.É.A. 《약자》 Communauté européenne de l'énergie atomique 유럽 원자력 공동체.

C.E.G. 《약자》 collège d'enseignement gé-「néral 일반 교육 중학교.

cégésimal, e, aux [seʒesimal, -o] *adj.* c.g.s. 단위제의《c. = centimètre, g. = gramme, s. = seconde》.

cégétiste [seʒetist] *adj.* et *n.* 《구어》 C.G.T. (Confédération Générale du Travail 노동총동맹)의 (회원).

ceign-ais, -ant, -is, etc. ⇒ ceindre.

ceindre [sɛ̃:dʀ] [27] *v.t.* …의 (몸을) 둘러싸다 ; …을 두르다 ; (관을) 쓰다 ; (칼을) 차다 ; (옷 따위를) 걸치다 : ~ son front *d*'un turban 머리에 터번을 두르다 / Un grand tablier la *ceignait.* 그녀는 큰 앞치마를 두르고 있었다 / ~ la couronne 왕관을 쓰다.
— **se ~** *v.pr.* 《se ~ de》 …을 (머리 · 몸에) 쓰다, 차다, 걸치다.

cein-s, -t ⇒ ceindre.

ceinture** [sɛ̃ty:ʀ] *f.* ① 허리띠, 혁대, 밴드 ; 〖유도〗 띠(= ~ de judo) : boucler 〔agrafer〕 sa ~ 혁대를 매다 / ~ de sécurité 안전벨트. ② (옷 · 몸의) 허리, 웨이스트 ; 허리 치수 : jupe trop large de ~ 허리가 너무 큰 치마. ③ 띠 모양의 것 ; 주변 지대 : route de ~ 순환도로. ④ (유도의) 띠, 품급 : ~ noire 검은띠(의 사람). **~ *verte (도시 주변의) 녹지대. ***chemin de fer de ~*** 〖철도〗 환상선(環狀線). ***ne pas arriver à la ~ de*** qn …보다 훨씬 작다〔낮다〕; …와는 비교도 안 되다. ***se boucler*** 〔***se mettre, se serrer***〕 ***la ~*** 허리띠를 졸라매다, 먹지 않고 참다.

ceinturer [sɛ̃tyʀe] *v.t.* 허리띠를 두르다 ; (벽 따위로) 둘러싸다 ; 〖스포츠〗 허리를 껴안다 : ~ un enfant 어린애에게 허리띠를 둘러주다 / ~ un adversaire (럭비 · 레슬링에서) 상대방의 허리를 껴안다.

ceinturon [sɛ̃tyʀɔ̃] *m.* (대검 · 총 따위를 차는) 요대, 혁대.

‡cela [s(ə)la] 《일상어에서는 흔히 ça로 됨》 *pron. dém. neut.* ①《ceci와 함께 대비적으로 먼 사물 지시》 그것 ; 저것 : *Ceci* vaut mieux que ~. 이것이 저것보다 낫습니다 / C'est pour ~ que je viens. 그 일로 왔습니다 / Vous n'emportez que *ça* de bagages ? 짐은 이것만 가지고 갑니까 ? / *Ça* doit être bon à manger. 그건 참 맛있겠군. ② 지금 막〔앞에〕 이야기한 것, 그 일, 그런 말 : Ne répétez pas ~. 그런 말 남에게 하지 마시오 / *C*~ dit, il partit. 그렇게 말하고 그는 떠났다. ③《화제가 되어 있는 상황을 가리켜》 그것 ; 그 일 : *C*~ n'est pas important. 그것은 중요하지 않다 / *C*~ va de soi. 그것은 당연하다. ④《경멸적으로 사람을 가리켜》 *C*~ fait l'important. 저게〔그게〕 잘난 체한다 / C'est *ça* les hommes ! 사내들이란 그런 거야 ! ⑤《의문의 강조》 Comment ~ ? 그건 어째서요 ? ; 뭐라구요 ? / 《놀라움》 Où ~ ? 어디로요 ? ⑥《~ que ; ~ de+형용사+que》 …라는 사실〔점〕 : La vertu a ~ *d*'heureux *qu*'elle se suffit à elle-même. 덕은 그 자체로 충분하다는 훌륭한 점이 있다. ***après ~*** 그리고 나서, 결국. ***avec*** (***tout***) ~ 그리고 ; 게다가 ; 그래서. ***C'est ~.*** 그렇습니다 ; 알았습니다. ***comme ~*** ⓐ 이처럼 ; 따라서. ⓑ 그렇게 되어 있는 : Je n'y peux rien, il est *comme* ~ . 나로서는 어쩔 도리가 없게 일이 그렇게 되었다. ***de ~*** 그것에 대해서 ; 그때부터 : Il y a longtemps *de* ~. 그때부터 오랜 시간이 지났다. ***en ~*** (***que ...***) 그〔…라는〕 점에서는. ***Pas de ~*** 〔***ça***〕 ***!*** 제발 그것을 그만두시오 ! ***pour ~*** 그 점에 관하여 ; 그런 이유로.

céladon [seladɔ̃] *m.* ① 연초록색, 담녹색. ② (동양의) 청자. — *adj.* 《불변》 연초록색의, 담녹색의.

célébrant [selebʀɑ̃] *m.* 〖가톨릭〗 미사 집전 사제(司祭). — *adj. m.* 미사를 집전하는.

célébration [selebʀɑsjɔ̃] *f.* (식(式)의) 거행 ; 축하, 찬양 : ~ d'un anniversaire 기념일의 축하 / ~ d'un mariage 결혼식의 거행.

célèbre** [selɛbʀ] *adj.* ① 유명한(= connu, renommé), 이름 높은 : film ~ 유명한 영화 / écrivain ~ 저명한 작가. ② 《옛》 성대한 (= solennel). **~ *par 〔***pour***〕 …으로 유명한 : France est ~ *par* 〔*pour*〕 ses vins. 프랑스는 포도주로 유명하다.

***célébrer** [selebʀe] [6] *v.t.* ① (의식을) 거행하다 ; 경축하다(= fêter) ; 기념하다 : ~ des funérailles 장례식을 올리다 / ~ un anniversaire 기념일을 축하하다 / ~ la messe 미사를 집전하다. ② 찬양하다 : ~ la mémoire de qn …의 유업을 찬양하다.

célébrité [selebʀite] *f.* ① 명성, 저명(= notoriété, renom). ② 명사, 저명 인사.

celer [s(ə)le] [4], **céler** [sele] [6] *v.t.* 숨기다, 은닉하다, 은폐하다(= cacher, dissimuler) : ~ qc à qn …에게 …을 숨기다.

céleri [sɛ(e)lʀi] *m.* 〖식물〗 셀러리. 「제삐곰.

célérité [seleʀite] *f.* 신속, 기민(= rapidité),

célesta [selɛsta] *m.* 첼레스타《종소리 같은 음을 내는 건반 악기》.

céleste [selɛst] *adj.* ① 하늘의(≠ terrestre). ② 천국 같은; 신(神)의 : ~ partie 천국 / courroux ~ 신의 노여움. ③ 천사 같은 : sourire ~ 천사 같은 미소. ***corps ~*** 천체. ***royaume ~*** 천국. ***voûte ~*** 창공.

célibat [seliba] *m.* 독신, 독신 생활 : vivre dans le ~ 독신 생활을 하다.

***célibataire** [selibatɛ:ʀ] *adj.* 독신자의 : mère ~ 미혼모(= fille-mère). — *n.* 독신자 (= vieux garçon, vieille fille).

C

celle [sɛl], **celle-ci** [sɛlsi], **celle-là** [sɛlla] *pron. dem. f.* ⇒ celui.

celles [sɛl], **celles-ci** [sɛlsi], **celles-là** [sɛlla] *pron. dém. f. pl.* ⇒ celui.

cellier [selje] *m.* (포도주 · 식량 따위의) 지하 저장실, 술광, 창고.

cellophane [selɔfan] *f.* 셀로판 : sous ~ 셀로판 포장의.

cellulaire [selylɛ:ʀ] *adj.* ① 세포의 ; 세포로 구성된. ② 독방의 : emprisonnement 〔prison〕 ~ 독방 감금.

cellule [selyl] *f.* ① 작은 방, 골방 ; 독방. ② 〖군사〗 영창(의 처벌). ③ 〖생물〗 세포 ; (사회 · 정치 조직의) 세포.

celluloïd [selylɔid] *m.* 셀룰로이드.

cellulose [selylo:z] *f.* 셀룰로오스, 섬유소.

cellulosique [selylozik] *adj.* 〖화학〗 섬유소의 ; 셀룰로오스를 함유하는.

celte [sɛlt] *adj.* = celtique. — *m.* = celtique. — **C~** *n.* 켈트 사람.

celtique [sɛltik] *adj.* 켈트족(les *Celte*)의 ; 켈트어의. — *m.* 켈트어(語).

⁑**celui** [səlɥi] (*f.* ***celle*** [sel], *m. pl.* ***ceux*** [sø], *f. pl.* ***celles*** [sɛl]) *pron. dém.* ① 《~ de＋보어》 그것 ; 그 사람 : Cette fleur est plus belle que *celle de* Marie. 이 꽃은 마리의 꽃보다 아름답다 / les mœurs *d'*aujourd'hui et *celles d'*autrefois 오늘날의 풍속과 예전의 풍속. ② 《＋관계대명사》 ⓐ 《앞에 나온 명사를 받는 겨우》 Cette maison est plus grande que *celle* qui est près de la gare. 이 집은 정거장 근처에 있는 집보다 크다 / Montrez-moi le livre, *celui* que vous lisez. 당신이 읽고 있는 그 책을 보여 주시오. ⓑ 《앞에 나온 명사를 받지 않는 경우》 …하는 사람 : Heureux *ceux* que satisfait la vie! 인생에 만족하는 사람들은 행복하도다! / *Celui* qui mange que dort bien. 적게 먹는 사람은 잠을 잘 잔다 / *celle* dont j'ai parlé 내가 말한 것〔사람〕. ③ 《~＋과거분사 · 형용사 · de 이외의 전치사》 Je joins à ma lettre *celle* écrite par le prince. 내 편지에 왕자가 쓴 편지를 동봉한다 / tous *ceux* porteurs d'un uniforme 제복을 입은 모든 사람들 / Son essai sur Renan est meilleur que ~ sur Taine. 그의 르낭론은 텐론보다 낫다.

celui-ci [səlɥisi] (*f.* ***celle-ci***, *m. pl.* ***ceux-ci***, *f. pl.* ***celles-ci***) *pron. dém.* ① 이것 ; 이 사람 : *Ceux-ci* coûtent plus cher que *ceux*-là. 이쪽 것들이 저쪽 것들보다 더 비싸다 / Toute la question est *celle-ci* ; Pourquoi n'est-elle pas venue? 문제는 다음과 같은 점이다. 즉 어째서 그 여자가 오지 않았는가? ② 《celui-là 에 대해 대조적으로 쓰일 때》 후자(後者) : J'ai rencontré un homme et une femme ; *celle-ci* était fatiguée, mais *celui-là* ne l'était pas. 나는 한 남자와 여자를 만났는데 후자는 피로했었고 전자는 그렇지 않았었다.

celui-là [səlɥila] (*f.* ***celle-là***, *m. pl.* ***ceux-là***, *f. pl.* ***celles-là***) *pron. dém.* ① 저것 ; 저 사람 : *celui-là* est heureux qui... …하는 사람은 행복하다 / Quant à vos livres, j'ai lu *ceux-là* seuls que vous m'aviez prêtés. 당신의 책에 대해서는, 당신이 빌려준 책만을 읽었습니다 / *Celui-là* a de la chance. 저 자는 운이 좋단 말이야. ② 《celui-ci 에 대해 대조적으로 쓰일 때》 전자(前者).

cément [semɑ̃] *m.* ① 〖야금〗 침탄재(浸炭材) 《목탄 · 일산화탄소 · 산화칼륨 따위》. ② 〖해부〗 (이의) 시멘트질, 백악질.

cémenter [semɑ̃te] *v.t.* 〖야금〗 (철을 침탄재로) 강화(鋼化)시키다. — ***se ~*** *v.pr.* (철이) 강화하다.

C.É.N. 《약자》 Centre d'études nucléaires 원자핵 연구 센터.

cénacle [senakl] *m.* ① 〖고대〗 예수 최후의 만찬실. ② 문학회, 서클, 동인(= cercle).

cendre** [sɑ̃:dʀ] *f.* ① 재, 회진(灰塵) ; 타다 남은 것 : ~*s* de cigarettes 담뱃재. ② (흔히 *pl.*) 유골(= restes). ***réduire 〔***mettre***〕 qn ***en ~*** …을 잿더미로 만들다. ***renaître de ses ~s*** 되살아나다, 새 생명을 얻다.

cendré, e[1] [sɑ̃dʀe] *adj.* 잿빛의 ; 재를 뿌린.

cendrée[2] [sɑ̃dʀe] *f.* ① 납 찌꺼기 ; 산탄(散彈). ② 〖스포츠〗 (경기장 트랙에 까는) 광물 찌꺼기.

cendrer [sɑ̃dʀe] *v.t.* ① 잿빛으로 칠하다. ② 재를 섞다; (트랙에) 광물 찌꺼기를 깔다.

cendreux, euse [sɑ̃dʀø, -ø:z] *adj.* 재투성이의 ; 잿빛의. 「떨이.

***cendrier** [sɑ̃dʀije] *m.* (난로의) 재받이 ; 재

Cendrillon [sɑ̃dʀijɔ̃] *n.pr.f.* 신데렐라 《*Perrault* 의 동화의 주인공》. — ***c~*** *f.* 허드렛일을 도맡아 하는 하녀.

cène [sɛn] *f.* ① (*C~*)(예수의) 최후의 만찬. ② (신교도의) 성찬(식) ; 영성체. ***la C~*** 최후의 만찬의 그림.

cenelle [s(ə)nɛl] *f.* 〖식물〗 산사나무의 열매.

cénobite [senɔbit] *m.* (공동 생활을 하는) 수도사(≠ anachorète) ; 고행자.

cénotaphe [senɔtaf] *m.* (유해가 없는) 기념비, 기념묘.

cens [sɑ̃:s] *m.* (선거권〔피선거권〕을 얻는 데 필요한) 납세 금액.

censé, e [sɑ̃se] *adj.* …으로 간주〔생각〕되는, …라고 여겨지는 : Il est ~ mort. 그는 죽은 것으로 여겨지고 있다. ***être ~*** ＋*inf.* …하는 것으로 여겨지다 : Nul n'*est* ~ ignorer la loi. 아무도 법을 모르고 있다고 여겨지지는 않는다. 「상, 명실공히.

censément [sɑ̃semɑ̃] *adv.* 이를테면 ; 사실

censeur [sɑ̃sœ:ʀ] *m.* ① (준엄한) 비평가. ② (출판물 · 영화 따위의) 검열관 ; (회사의) 감사역 ; (lycée 의) 학감. — *adj.* 트집거리를 찾는, 흠잡는.

censitaire [sɑ̃sitɛ:ʀ] *m.* (납세 금액에 의한) 선거〔피선거〕 자격자.

***censure** [sɑ̃sy:ʀ] *f.* ① (출판물 · 영화 따위의) 검열 ; 검열 위원회 ; 검열국. ② (회계의)

감사. ***motion de*** **~** 불신임 결의.

*__censurer__ [sɑ̃syʀe] *v.t.* ① (준엄하게) 비판하다(= critiquer) ; 비난하다(= blâmer). ② 검열하다. ③ …의 출판〔상영〕을 금지하다 ; (검열에서) …의 일부분을 삭제하다(= caviarder). — **se ~** *v.pr.* (준엄하게) 자기 비판하다.

*__cent__[1] [sɑ̃] *adj. num.* 《뒤에 다른 수사가 따르면 복수형이 되지 않음》 ① 100 의, 100 번째의 : ~ hommes 백 사람 / la page deux ~, 200 페이지 / ~ un [sɑ̃œ̃] 101 의 / deux ~ cinquante, 250 의 / trois ~*s* millions, 3 억 / le ~ mètres, 100 미터 경주. ② 많은 : avoir ~ fois raison 백 번 천 번 옳다 / ~ et un(e) [sɑ̃eœ̃, sɑ̃eyn] 수많은. ***en un mot comme en*** **~** 여러 말할 필요 없이, 요컨대. ***Il y a*** **~** ***sept ans.*** 아주 오래 전이다. ***le numéro*** **~** (여관의) 화장실. — *m.* 100, 백 : sept pour ~ d'intérêt, 7 퍼센트의 이자 / augmenter de cinq pour ~, 5 % 인상하다. **(*à*) ~ *pour* ~,** 100 % ; 완전히.

cent[2] [sɛnt] 〔영〕 *m.* 센트《미국의 화폐 단위 ; 1/100 달러》.

cent. 《약자》 ① centime 상팀. ② centième 100 분의 1. ③ centiare 〖도량형〗 100 분의 1 아르.

*__centaine__ [sɑ̃tɛn] *f.* ① 100 ; 100 개 ; 100 살 : attendre la ~, 100 살이 되다. ② 약 100 : par ~*s* 몇 백씩 / une ~ de mètres 약 100 미터.

centaure [sɑ̃tɔːʀ] *m.* ① 〖그리스신화〗 반인반마(半人半馬)의 괴물. ② 명기수(名騎手)(= excellent cavalier) ; 오토바이의 명수.

centaurée [sɑ̃tɔ(o)ʀe] *f.* 〖식물〗 수레국화.

centenaire [sɑ̃tnɛːʀ] *adj.* 100 년 된. — *n.* 100 살 된 사람. — *m.* 100 년제.

centésimal, e, aux [sɑ̃tezimal, -o] *adj.* 100 등분 된 : fraction ~*e* 분모 100 의 분수.

centi- *préf.* 「100 분의 일」의 뜻.

centiare [sɑ̃tjaːʀ] *m.* 100 분의 1 아르 《1 제곱미터》.

centième [sɑ̃tjɛm] *adj. num.* 100 번째의 ; 100 분의 1의 : ~ représentation 〔d'un spectacle〕(연극 · 영화 따위의) 100 회 공연. — *m.* 100 분의 1. — *f.* 100 번째의 공연(= ~ représentation).

centig(r)· 《약자》 ① centigramme 센티그램《100 분의 1 그램》. ② centigrade 〖물리〗 100 도 눈금의, 섭씨의.

centigrade [sɑ̃tigʀad] *adj.* 100 도로 나뉘어진, 100 도 눈금의. — *m.* (100 도 눈금의) 도.

centigramme [sɑ̃tigʀam] *m.* 센티그램《100 분의 1 그램》.

centil. 《약자》 centilitre 센티리터《100 분의 1 리터》.

centilitre [sɑ̃tilitʀ] *m.* 센티리터《100 분의 1 리터》.

centim· 《약자》 centimètre 센티미터.

*__centime__ [sɑ̃tim] *m.* 100 분의 1 프랑(franc), 상팀 : n'avoir plus un ~ 이제 한푼도 없다.

*__centimètre__ [sɑ̃timɛtʀ] *m.* ① 센티미터. ② 미터자, (센티 눈금의) 줄자.

centon [sɑ̃tɔ̃] *m.* 표절한 시, 독창성 없는 문학〔음악〕 작품, 모방작.

centrafricain, e [sɑ̃tʀafʀikɛ̃, -ɛn] *adj.* 중앙 아프리카 공화국(République centrafricaine)의.

centrage [sɑ̃tʀaːʒ] *m.* 집중 ; 중심 잡기.

*__central, e__[1]__, aux__ [sɑ̃tʀal, -o] *adj.* 중앙의 ; 중심적인, 중추적인 ; 주요한, 핵심적인(= capital, essentiel) : point ~ d'un cercle 원의 중심점 / personnage ~ d'un film 영화의 중심 인물 / pouvoir ~ 중앙 권력 (정부) / poste ~*e* 중앙 우체국 / unité ~*e* (컴퓨터의) 중앙 처리 장치 / La question financière est ~*e.* 재정 문제가 제일 중요하다. — *m.* ① 전화(교환)국 (= ~ téléphonique). ② 중앙 정보 처리 장치(〔영〕 CPU).

*__centrale__[2] [sɑ̃tʀal] *f.* ① 발전소 : ~ hydro-électrique 〔thermique〕 수력〔화력〕 발전소 / ~*e* atomique 〔nucléaire〕 원자력 발전소. ② 노동조합 연맹(= ~*e* ouvrière). ③ *C*~ 국립 고등 공예 학교(= École ~).

centralisateur, trice [sɑ̃tʀalizatœːʀ, -tʀis] *adj.* 집중하는, 중앙으로 모이는. — *n.* 중앙 집권주의자.

centralisation [sɑ̃tʀalizɑsjɔ̃] *f.* 집중(≠ décentralisation) ; 중앙 집권화.

centraliser [sɑ̃tʀalize] *v.t.* 중앙으로 집중시키다 ; (정보를) 모으다. — **se ~** *v.pr.* 중앙으로 집중되다 ; (정보가) 모이다.

‡__centre__ [sɑ̃ːtʀ] *m.* ① 중심 ; 중앙, 한복판 : ~ d'un cercle 원의 중심 / idée ~ 중심 사상. ② 중심지, 주요지, 요충(要衝) : ~ de la ville 시내 중심지 / ~ industriel 공업의 중심지. ③ 〖해부〗 중추(中樞). ④ 본부(= base, siège). ⑤ 학교, 연구소, 훈련소, (연구 따위의) 센터 : ~ de rééducation 재교육 기관, 연수원. ⑥ 〖정치〗 중도파《좌파 · 우파에 대하여》. ⑦ 〖축구〗 센터(= avant ~). ***au*** **~** (***de...***) (…의) 중심지에, 중앙에 : *au ~ du* carrefour 십자로 한가운데에. **~ *commercial*** 쇼핑 센터. **~ *d'aviation*** 비행장, 공항. **~ *de gravité*** 중심(重心). ***en plein*** **~** ***de...*** …의 한복판에 ***les grands*** **~*s*** 주요 도시.

centrer [sɑ̃tʀe] *v.t.* ① …의 중심을 정하다〔잡다〕. ② 중심〔중앙〕에 놓다〔맞추다〕 : ~ le sujet (사진 찍을 때) 피사체가 중앙에 오도록 하다. ③ 《~ qc sur》 …을 …에 집중시키다 : ~ une pièce *sur* un cas de conscience 희곡 작품의 초점을 양심 문제에 집중시키다. ④ 〖축구〗 (공을) 센터링하다. — *v.i.* 〖축구〗 센터링하다(= ~ le ballon).

centrifuge [sɑ̃tʀifyːʒ] *adj.* ① 원심성의(≠ centripète) : force ~ 원심력. ② 원심력에 의한 : essoreuse ~ 원심〔회전〕 건조기.

centrifuger [sɑ̃tʀifyʒe] [3] *v.t.* 원심 분리기에 넣다 ; 원심 분리하다.

centrifugeur, euse [sɑ̃tʀifyʒœːʀ, -øːz] *m.* 원심 분리기 — *f.* 〖항공〗 원심 가속 장치.

centripète [sɑ̃tʀipɛt] *adj.* 구심적(求心的)인(≠ centrifuge) : force ~ 구심력.

centriste [sɑ̃tʀist] *adj.* et *n.* 〖정치〗 중도파의 (사람 · 의원).

centuple [sɑ̃typl] *adj.* 100 배의. — *m.* 100 배. ***au*** **~**, 100 배로, 매우 많이.

centupler [sɑ̃typle] *v.t.* 백 갑절하다 ; 100 배로〔무수히〕 늘이다. — *v.i.* et **se ~** *v.pr.* 100 배로〔무수히〕 늘다.

centurie [sɑ̃tyʀi] *f.* 〖고대로마〗 백인대(隊).

centurion [sɑ̃tyʀjɔ̃] *m.* 〖고대로마〗 백인 대장, 백부장(百夫長) (= centenier).

cep [sɛp, sɛ] *m.* 《옛》 포도나무 그루터기.

C.É.P. 《약자》 certificat d'études primaires 초등 교육 졸업장.

cépage [sepaːʒ] *m.* (각종의) 포도나무, 포도「묘목.

cèpe [sɛp] *m.* 〖식물〗 식용 버섯의 일종.

cependant** [s(ə)pɑ̃dɑ̃] *adv.* 그(러는) 동안에. **~ *que …하는 동안에 ; …하지만.
— *conj.* 그렇지만 : Elle s'habille simplement, et ~ avec un goût très sûr. 그녀는 옷을 수수하게 입지만 아주 확실한 취미를 갖고 입는다 / Le froid est intense, nous essaierons ~ de partir. 추위가 지독하지만 우리는 출발해 보겠다.

céphalique [sefalik] *adj.* 머리의 : artère ~ 경(頸)동맥.

céramique [seʀamik] *adj.* 도자기의 ; 도자기 제조의 : art ~ 도자기 제조술. — *f.* ① 도자기 제조술〔법〕. ② 도자기 ; 타일.

céramiste [seʀamist] *m.* 도자기 제작인, 도공. — *adj.* 도자기 제작을 업으로 하는.

cerbère [sɛʀbɛːʀ] *m.* 문 지키는 개 ; 엄혹한 문지기. — **C~** *n.pr.m* 〖그리스신화〗 케르베로스《지옥문을 지키는 머리 셋 달린 개》.

cerceau [sɛʀso] *m.* (*pl.* **~x**) ① 둥근 테. ② (아이들 놀이용) 굴렁쇠 : jouer au ~ 굴렁쇠를 굴리며 놀다. ② 반원형의 테〔틀〕.

cerclage [sɛʀklaːʒ] *m.* 테 두르기〔끼우기〕 ; (바퀴에) 타이어를 끼우기.

cercle** [sɛʀkl] *m.* ① 원, 동그라미 : demi-~ 반원 / ~ annuel 나이테. ② 원주(= circonférence), 원둘레 : rayon d'un ~ 원의 반지름. ③ 술통 : vin en ~ 통에 든 포도주. ④ 서클, 클럽 : ~ littéraire 문학 서클 / ~ militaire 〔des officiers〕 장교 클럽 / aller à son ~ 서클 모임에 가다. ⑤ 범위, 한계(= étendue, limite) : ~ des connaissances humaines 인간 지식의 한계 / ~ de mes relations 내가 사귀는 범위. ⑥ 〖천문〗 권(圈) ; 순환, 주기 : ~ polaire arctique 〔antarcti- que〕 북〔남〕극권. **~ *vicieux 〖논리〗 순환논법 ; 악순환 ***en ~*** 원형으로, 둥글게(= en rond). ***former* 〔*faire*〕 *un* 〔*le*〕 ~** 원을 그리다, 둥글게 둘러서다.

cercler [sɛʀkle] *v.t.* ① 둥그렇게 둘러싸다. ② …에 테를 두르다, 타이어를 끼우다.

cercueil [sɛʀkœj] *m.* ① 관(棺) : mettre au ~ 입관(入棺)하다. ② 죽음 ; 무덤 ; 파멸.

***céréale** [seʀeal] *f.* 낟알, 곡식, 곡물. — *adj.* 곡식〔곡물〕의.

céréalier, ère [seʀealje, -ɛːʀ] *adj.* 곡식〔곡물〕의. — *n.* 곡물 재배자《특히 밀의》.

***cérébral, e, aux** [seʀebʀal, -o] *adj.* ① 〖해부〗 뇌〔대뇌〕의 : artères ~*es* 대뇌 동맥. ② 지적인, 정신적인 ; 이지적인 : travail ~ 정신노동. — *n.* 정신노동자 ; 이지적인 사람.

cérébro-spinal, e, aux [seʀebʀɔspinal, -o] *adj.* 뇌척추의 : méningite ~*e* 뇌척수막염.

cérémonial, e, s [seʀemɔnjal] *m.* 《보통 단수로만 쓰임》 예법, 의전 ; 의례, 예절 ; 〖가톨릭〗 전례서(典禮書)《이 경우에만 복수로도 쓰임》. — *adj.* 《드물게》 종교 의식의.

cérémonie** [seʀemɔni] *f.* ① (종교적) 의식 ; 예식 : tenue de ~ 정장(正裝). ② 의례(儀禮) : faire une visite de ~ 의례적 방문을 하다 / ~ du mariage 결혼식. ③ (*pl.*) 딱딱한 예절 (= manières). ***en* (*grande*) ~** 엄숙하게 ; 화려하게. ***faire des ~s 지나치게 격식을 차리다. ***sans ~*** 격식을 차리지 않고, 허물없이.

cérémonieusement [seʀemɔnjøzmɑ̃] *adv.* 의식 위주로 ; 지나치게 격식을 차려.

cérémonieux, euse [seʀemɔnjø, -øːz] *adj.* 의식〔형식〕 위주의 ; 지나치게 격식을 갖춘.

cerf [sɛːʀ] *m.* 〖동물〗 사슴 ; 수사슴(≠ biche).

cerfeuil [sɛʀfœj] *m.* 〖식물〗 파슬리류(類)《향료 · 샐러드용》.

cerf-volant [sɛʀvɔlɑ̃] *m.* (*pl.* **~s-~s**) ① 〖곤충〗 사슴벌레. ② 연 : jouer avec un ~ 연을 날리다.

cerisaie [s(ə)ʀizɛ] *f.* 버찌 과수원.

cerise** [s(ə)ʀiːz] *f.* 〖식물〗 버찌 : confiture de ~ 버찌잼 / tarte aux ~s 버찌파이. ***faire deux morceaux d'une ~ 《구어》 사소한 일에 구애되다. — *adj.* 《불변》 버찌 색깔의.「버찌나무 (재목).

***cerisier** [s(ə)ʀizje] *m.* 〖식물〗 서양벚나무,

C.E.R.N. [sɛʀn] 《약자》 Centre européen pour la recherche nucléaire 유럽 공동 원자핵 연구소, 세른.

cerne [sɛʀn] *m.* ① (눈 언저리에 생기는) 무리 ; (상처 주위의) 검푸른 멍. ② 달무리. ③ (나무의) 나이테.

cerné, e [sɛʀne] *adj.* ① 눈언저리에 거무스레하게 무리진 : yeux ~*s* 검푸르게 멍이 든 눈. ② 둘러싸인(= entouré) ; 포위된.

***cerner** [sɛʀne] *v.t.* ① 둘러싸다(= entourer) ; 포위하다(= encercler) : L'armée *a cerné* le palais présidentiel. 군대가 대통령 관저를 포위했다. ② (피로 따위가) 눈 주위에 거무스레한 무리를 그려 놓다 : La fatigue *cerne* les yeux. 피로 때문에 눈 둘레에 검은 무리가 졌다. ③ 성가시게 따라다니다, 괴롭히다(= assaillir) : Les soucis le *cernent* de toutes parts. 사방에서 그는 근심에 시달리고 있다. ④ 명확하게 구분하다.

:certain, e [sɛʀtɛ̃, -ɛn] *adj.* ① 확실한(= assuré) ; 뚜렷한(= évident) : fait ~ 확실한 사실. ② 확정된, 정해진, 일정한 : prix ~ 확정된 값 / but ~ 일정한 목적. ③ 《~ de qc》 …을 확신하는 ; 《~ de + *inf.* 〔que + *ind.*〕》 …하는 것〔임〕을 확신하다 : Je suis ~ *de* réussir. 나는 성공할 것을 확신하고 있다 / Je suis ~ *qu*'il viendra. 그는 틀림없이 올 거요. ④ 《명사 앞에서 ; 이 경우 다음 명사와 연음(liaison)함》 어떤 ; 몇몇 ; 얼마만큼의 : (un) ~ journaliste 어떤 신문 기자 / (de) ~*es* gens 어떤 사람들 / un ~ M. Dupont 뒤퐁이라는 어떤 사람 / dans un ~ sens 어떤 의미로는 / après un ~ temps 얼마 후에 / d'un ~ âge [d'œ̃ sɛʀtɛnaːʒ] 상당한 연배의. ***C'est sûr et ~.*** 그건 절대로 확실합니다. ***Il est ~ que...*** 《비인칭》 …은 확실하다 : *Il est ~ que* cette solution est meilleure. 이 해결책이 더 낫다는 것은 분명하다.
— *pron. indéf. pl.* 《다음 말과 연음(liaison) 하지 않음》 ① 어떤 사람들 : ~s disent 어떤 사람들은 말한다. ② 《한정된 사물 · 사람들

중의》 어떤 것〔사람〕들, 몇몇 : ~*s* d'entre eux 그들 중의 몇몇 / ~*es* de ses actions 그의 행동 중의 어떤 것들.
— *m.* ① 확실한 것〔일〕. ② 〖경제〗 환시세. ***Le ~ est que...*** 확실한 것은 …이다.

certainement** [sɛʀtɛnmɑ̃] *adv.* 확실히, 반드시 ; 꼭, 틀림없이 : Je ne viendrai ~ pas. 나는 분명코 오지〔가지〕 않을 것이다. ***C~ ! 물론입니다. ***Mais ~.*** 물론이죠. ***~ que...*** 《구어》 …을 확신하다(=Il est ~ que) : *C~ qu'*il viendera. 틀림없이 그는 올 것이다.

***certes** [sɛʀt] *adv.* ① 《문어》 물론 ; 확실히 : Oui ~. 암 그렇고말고요. ② 《양보》 …확실하지만, 확실히 …하면서도 : *Certes* il est jeune, mais il a beaucoup d'expérience. 그는 확실히 젊지만 경험은 풍부하다.

certif. 《약자》 certificat (학업) 수료증.

certificat** [sɛʀtifika] *m.* ① 증명서 ; 증서 : ~ authentique 증명서 원본 / faux ~ 위조 증명서 / délivrer 〔fournir〕 un ~ 증명서를 발급〔제출〕하다 / ~ médical 진단서. ② 수료증, 자격증, 자격 (시험) : titulaire d'un ~ 자격증 소지자 / ~ de licence 학사 증명서. ***~ d'aptitude (***pédagogique***) 초등〔콜레주〕 교원 자격증. ***~ d'aptitude pédagogique à l'enseignement secondaire*** 중등 교원 자격증(《약자》 C.A.P.E.S.). ***~ d'aptitude professionnelle*** 직업 적성 증명서(《약자》 C.A.P.). ***~ d'entrepôt*** 화물 보관증. ***~ de travail*** 근로 증명서. ***~ médical*** 건강 진단서.

certification [sɛʀtifikɑsjɔ̃] *f.* (문서에 의한) 보증, 증명.

certifié, e [sɛʀtifje] *adj.* et. *n.* 중등 교원 자격증(C.A.P.E.S.)을 가진 (사람)(=capésien).

certifier** [sɛʀtifje] *v.t.* 증명하다, 보증하다 : ~ une signature 본인의 서명임을 증명하다. ***~ que+*ind.* …을 보증하다 : Il m'*a certifié qu'*il viendrait. 그는 오겠다고 확약했다.

certitude [sɛʀtityd] *f.* ① 확실성 : ~ d'un fait 사실의 확실성. ② 확신 : J'en ai la ~. 나는 그것을 확신한다 / J'ai la ~ qu'il viendra. 나는 그가 올 거라는 확신을 갖고 있다.

cérumen [seʀymɛn] *m.* 〖생리〗 귀지.

céruse [seʀy:z] *f.* 〖화학〗 백연(白鉛) ; (회화용) 흰색 염료.

cerveau** [sɛʀvo] *m.* (*pl.* ***~x) ① 뇌 ; 뇌수 ; 대뇌 : rhume de ~ 코감기 / tumeur au ~ 뇌종양. ② 두뇌, 지능 ; 《구어》 머리(=tête) : ~ puissant 〔bien organisé〕 뛰어난 두뇌 / lavage de ~ 세뇌. ③ 중추(=centre) ; 중심 기관 ; 지적 중심. ④ 지식인 ; 우수한 두뇌의 소유자 : C'est un ~. 이 사람은 수재(秀才)이다. ⑤ (어떤 성격의) 사람 : ~ brûlé 흥분하기 잘하는 사람 / ~ creux 망상가.

cervelas [sɛʀvəla] *m.* 〖요리〗 굵고 짧은 소시지.

cervelet [sɛʀvəlɛ] *m.* 〖해부〗 소뇌.

cervelle** [sɛʀvɛl] *f.* ① 〖해부〗 뇌장 ; (요리용의) 골 : ~ de veau 송아지 골. ② 두뇌, 지능 : tête sans ~ 골 빈〔경솔한〕 사람 ~ d'oiseau 얼간이. ***rompre la ~ 시끄럽게 굴다. ***se brûler la ~*** 머리를 쏘아 자살하다. ***se creuser la ~*** 머리를 짜다.

cervical, e, aux [sɛʀvikal, -o] *adj.* 〖해부〗 ① 목의, 경부(脛部)의 : nerfs ~*aux* 목신경. ② 자궁 경관의.

cervidés [sɛʀvide] *m. pl.* 〖동물〗 사슴과(科).

cervoise [sɛʀvwa:z] *f.* 《옛》 맥주의 일종.

ces [se] *adj. dém. pl.* ⇒ ce[1].

C.E.S. 《약자》 ① collège d'enseignement secondaire 중학교. ② Conseil Économique et Social 국제연합 경제사회 이사회.

césar [seza:ʀ] *m.* 〖로마사〗 로마 황제. — **C~** *n.pr.m.* 율리우스 카이사르.

césarien, enne[1] [sezaʀjɛ̃, -ɛn] *adj.* ① 로마 황제의. ② 독재적인.

césarienne[2] [sezaʀjɛn] *f.* 〖의학〗 제왕 절개. — *adj.* opération ~ 〖의학〗 제왕 절개 수술.

césarisme [sezaʀism] *m.* 〖역사〗 황제〔독재〕 정치.

cessant, e [sɛsɑ̃, -ɑ̃:t] *adj.* 정지되는, 중지〔중단〕되는. ***toute(s) affaire(s)*** 〔***chose(s)***〕 ***~e(s)*** 만사를 제쳐놓고.

cessation [sɛsɑsjɔ̃] *f.* 중지, 정지.

cesse** [sɛs] *f.* 중단, 중절, 휴지(休止) : sans ~ 끊임없이, 줄곧. ***n'avoir (***pas***) ***de ~ que*** (***ne***) +*sub.* …할 때까지 그만두지 않다 : Il *n'aura pas de ~ qu'*il *n'*obtienne ce qu'il veut. 그는 자신이 원하는 것을 얻기 전에는 그만두지 않을 것이다.

***cesser** [sɛ(e)se] *v.t.* 멈추다, 그만두다, 중지〔중단〕하다 ; (관계 따위를) 끊다 : *Cessez* le feu ! 〖군사〗 사격 중지 ! / ~ toutes relations avec qn …와 일체 관계를 끊다. — *v.i.* 멎다, 그치다 ; 끝나다 : Le vent *a cessé.* 바람이 멎었다. — *v.t. ind.* ① 《~ de+*inf.*》 …하는 것을 멈추다 : Le radio *a* soudain *cessé de* fonctionner. 라디오가 갑자기 작동을 멈추었다. ② 《ne (pas) ~ de+*inf.*》 계속 해서〔항상〕 …하다 : La pluie *n'a pas cessé de* tomber. 비가 그치지 않고 계속 왔다 / Depuis lors, je *n'*ai plus *cessé d'*y penser. 그때부터 나는 줄곧 그것을 생각했다.

cessez-le-feu [sesel(ə)fø] *m.* 《복수불변》 정전, 휴전.

cessible [sesibl] *adj.* 〖법률〗 양도할 수 있는.

cession [sesjɔ̃] *f.* 〖법률〗 양도 : ~ de biens (채권자에 대한) 재산 양도.

cessionnaire [sesjɔnɛ:ʀ] *m.* 〖법률〗 피양도인(被讓渡人), 양수인.

c'est-à-dire** [sɛtadi:ʀ] *loc. conj.* 즉, 다시 말하자면(=autrement dit, soit)(《약자》 c.-à-d) : un livre, ~ un ami 책, 다시 말해서 친구. ***~ que+*ind.* 즉, 다시 말하면, 실은 : Vous venez avec nous dimanche ? — *C~ que* j'ai promis d'aller voir un ami. 일요일에 같이 가시죠? — 실은 어느 친구를 만나러 갈 선약이 있어서요 / Réduction du personnel, ~ *que* nous risquons le chômage. 감원이라지만, 실은 우리는 실직 위험에 처해 있다.

césure [sezy:ʀ] *f.* 〖운율〗 중간 휴지(休止).

cet [sɛt] *adj. dém. m.* ⇒ ce[1]

C.E.T. 《약자》 Collège d'enseignement technique 기술 교육 중학교.

cétacé, e [setase] *adj.* 고랫과(科)의. — *m.* 고랫과의 동물. — *m. pl.* 고랫과.

C.et F. 《약자》 coût et fret 운임 포함 가격

cette [sɛt] *adj. dém. f.* ⇒ ce.[1]

ceux [sø] *pron. dém.* ⇒ celui.

cf. 《약자》 confer 비교〔대조 · 참조〕하라.

C.F. coût et fret 〖상업〗 운임 포함 가격(=C.F.).

et F.).
C.F.A.O. 《약자》 conception et fabrication assistées par ordinateur 컴퓨터를 이용한 설계 및 제조 시스템.
C.F.D.T. 《약자》 Confédération française démocratique du travail 프랑스 민주 노동동맹.
C.F.P. 《약자》 Compagnie française des Pétroles 프랑스 석유 회사.
C.F.T.C. 《약자》 Confédération Française des Travailleurs Chrétiens 프랑스 기독교도 노동자 동맹(1919 년 창설). 「1 그램).
cg. 《약자》 centigramme 센티그램 《100 분의
C.G. 《약자》 consul général 총영사.
C.G.S., c.g.s. 《약자》 〖물리〗 centimètre-gramme-seconde 시지에스, (길이 · 질량 · 시간의) 센티미터 그램 초단위.
C.G.T. 《약자》 ① Confédération Générale du Travail 노동 총동맹. ② Compagnie générale transatlantique 대서양 해운 회사.
ch. 《약자》 ① 〖문학〗 chant (장시의) 편(篇), 절(節). ② cheval 마력. ③ chapitre 장.
chacal [ʃakal] *m.* (*pl.* **~s**) 〖동물〗 재칼.
⁑**chacun, e** [ʃakœ̃, -yn] *pron. indéf.* 《다음 말과 리에종(liaison)하지 않음》 ① 《글 속의 어떤 말과 관계하여》 각자, 각각, 저마다 : ~ de ces arbres 그 나무들 하나하나 / ~ de 〔d'entre〕 nous 우리들 각자 / ~ à son tour 차례를 돌아가며 / *C*~ d'eux a refusé. 그들은 모두 거절했다 / Ces livres coûtentcent francs ~. 이 책들은 값이 각각 100 프랑이다. ② 《단독적 용법 ; 이 때는 사람만을 가리키며 여성으로는 쓰이지 않음》 저마다, 누구나(= tout le monde) : *C*~ a [ʃakœ̃ a] sa chimère. 누구에게나 꿈이 있다 / *C*~ son métier. 저마다 자기 본업이 있다. ***C~ pour soi et Dieu pour tous.*** 《격언》 저마다 자기 일에 전념하고 남의 일은 신에게 맡기라. ***C~ son goût.*** 누구나 자기 취미에 따르게 마련이다. ── *m.* un ~ ; tout (un) ~ 《구어》 누구나, 모두. ── *adj.* 《옛》 각각의, 각자의.
chafouin, e [ʃafwɛ̃, -in] *adj.* 간사한 ; 엉큼한 ; 교활한.
chagrin¹, e [ʃagʀɛ̃, -in] *adj.* ① 슬픈, 우울한, 침울한, 울적한(= mélancolique, triste) : etre ~ de …을 슬퍼하다. ② 우울〔침울〕한 성격의, 무뚝뚝한(= bourru).
chagrin² [ʃagʀɛ̃] *m.* 슬픔, 괴로움, 근심(= tristesse, souci), 우울, 침울 : avoir du ~ 우울하다 ; 슬프다 / mourir de ~ 상심 끝에 죽다.
chagrinant, e [ʃagʀinɑ̃, -ɑ̃:t] *adj.* 슬프게 하는, 우울한(= attristant) ; 짜증나는.
chagriner [ʃagʀine] *v.t.* ① 슬프게 하다, 마음 아프게 하다(= attrister). ② 귀찮게〔짜증나게〕 하다(= importuner), 우울하게 하다.
chah [ʃa] *m.* 페르시아 왕(= schah).
chahut [ʃay] *m.* ① 소란(= tapage), 야단법석, 학생들의 소란 : faire du ~ 소란 떨다. ② 《옛》 (1840 년경 유행했던) 난잡한 댄스.
chahuter [ʃayte] *v.i.* ① 소란을 피우다. ② 난잡한 춤을 추다. ── *v.t.* ① (수업 중 학생들이 선생에게) 야유하다. ② 《구어》 뒤엎다, 엉망진창으로 만들다.
chahuteur, euse [ʃaytœ:ʀ, -ø:z] *adj.* et *n.* ① 《구어》 chahut 를 추는 (사람). ② 공연히 트집잡는 (사람). ③ 소란을 피우는 (사람).
chai [ʃɛ] *m.* 포도주 저장 창고.
chaîne** [ʃɛn] *f.* ① 사슬 ; (자동차 바퀴 따위의) 체인 ; 사슬 모양의 장신구 : La ~ a sauté! 자전거 체인이 벗겨졌다! / ~ de montre 회중시곗줄. ② 묶는 사슬 ; 속박, 구속 : forçats à la ~ 사슬에 묶인 죄인들 / mettre un chien à la ~ 개에 사슬 줄을 채우다. ③ 연쇄, 연속, 연관: ~ alimentaire 먹이 사슬 / collision en ~ 연쇄 충돌. ④ (연속 작업의) 열, 행정(行程) : ~ de fabrication 〔de montage〕 생산〔조립〕 라인. ⑤ (라디오 · 텔레비전의) 채널 : ~ de télévision 텔레비전 채널. ⑥ (상점의) 연쇄제(制), 체인스토어 : ~ de restaurants 체인식 레스토랑. ⑦ 장치, 세트 : ~ de haute-fidélité 하이파이 세트 / une ~ stéréo 스테레오 세트. ⑧ 〖지리〗 산맥 ; 〖컴퓨터〗 체인. ***~ à patins 무한궤도. ***~ de gilet*** 시곗줄. ***~ de montagnes*** 산맥. ***~ d'idées*** 연달아 일어나는 생각들. ***être rivé à la ~*** 감금되어 있다 ; 일에 얽매여 있다.
chaînette [ʃɛnɛt] *f.* 작은〔가는〕 사슬.
chaînon [ʃɛnɔ̃] *m.* ① (사슬의) 고리 ; (그물의) 코 ; 연속된 것의 일부. ② 〖지리〗 작은 산맥 : un ~ de montagnes 작은 산맥.
chair** [ʃɛ:ʀ] *f.* ① (사람 · 동물의) 살 ; 육신 ; 피부, 살갗(= peau) ; 살색(= ton de ~) : la ~ et les os 살과 뼈 / C'est une personne bien en ~. 그는 살집이 좋은 사람이다 / couleur (de) ~ 살빛. ② (식용의) 고기 ; 과일의 살, 과육 : ~ à pâté 잘게 다진 고기. ③ (정신에 대한) 육체 ; 육욕 : convoitise de la ~ 육욕. ***avoir la ~ de poule 소름끼치다. ***bien en ~*** 살이 포동포동한. ***en ~ et en os*** 현실의, 실제의. ***être de ~*** 피가 통하는 〔유혹에 빠질 수 있는〕 인간이다. ***ni ~ ni poisson*** 이것도 저것도 아닌, 우유부단한.
chaire [ʃɛ:ʀ] *f.* ① 설교 ; 설교단. ② 강단, 교단 ; 강좌 ; 교수직 : ~ de philosophie 철학 강좌. ***monter en ~*** 강단에 오르다.
⁑**chaise** [ʃɛ:z] *f.* (팔걸이 없는) 의자 : offrir une ~ à qn …에게 의자를 권하다 / s'asseoir sur une ~ 의자에 앉다 / ~ à bascule 〔berçante〕 흔들의자 ; 로킹체어. ***~ à porteurs*** 가마. ***~ brisée*** 접의자. ***~ de poste*** 역마차. ***~ longue*** 긴 의자. ***être assis entre deux ~s*** 두 토끼 쫓다 다 놓치다.
chaise-longue [ʃɛzlɔ̃:g] *f.* (접게 된) 야전용 침대 의자.
chaisier, ère [ʃɛ(e)zje, -jɛ:ʀ] *n.* ① 의자 직공. ② (공원 따위의) 의자 사용료 징수인.
chalan(d¹) [ʃalɑ̃] *m.* (바닥이 편편한) 짐배, 거룻배.
chaland², e [ʃalɑ̃, -ɑ̃:d] *n.* ① 단골손님, 고객(= client). ② 《구어》 친구, 녀석.
chalcographie [kalkɔgʀafi] *f.* 동판 조각술 ; 동판 인쇄집(集) ; 동판 조각 전시장.
châle [ʃɑ:l] *m.* 숄, 어깨걸이.
chalet [ʃalɛ] *m.* ① 오두막집. ② 산장 ; 별장.
***chaleur** [ʃalœ:ʀ] *f.* ① 열, 뜨거움 ; 더위 ; (*pl.*) 더운 시기 : ~ animale 체온 / les grandes ~s 혹서 기간. ② 난방 : fermer la ~ 난방장치를 끄다. ③ 열정, 열심 ; 온정 : ~ d'une

discussion 토론의 열기. ④ (*pl.*) 발정기(= époque des ~*s*). ***avec* ~** 열심히, ***coup de* ~** 일사병.

chaleureusement [ʃalœʀøzmɑ̃] *adv.* 열렬히, 열심히 ; 진정으로, 뜨겁게.

chaleureux, euse [ʃalœʀø, -øːz] *adj.* 열렬한, 열띤 ; 진정 어린.

châlit [ʃɑli] *m.* 침대틀.

challenge [ʃalɑ̃ːʒ] 〔영〕 *m.* ① 〖스포츠〗 도전. ② 우승배(= coupe ~).

challenger[1] [ʃalɑ̃ʒe] [3] *v.t.* (우승자에) 도전하다.

challenger[2] [ʃalɛnʒœʀ] 〔영〕, **challengeur** [ʃalɑ̃ʒœːʀ] *m.* 〖스포츠〗 도전자.

chaloir [ʃalwaːʀ] [64] *v. impers.* 관계되다 《다음의 경우에만 쓰임》. ***Il m'en chaut.*** 나에게 관계되는 일이다. ***Il ne m'en chaut guère ; Peu m'en chaut.*** 나와는 관계없다.

chaloupe [ʃalup] *f.* 〖해양〗 (군함의) 란치, 대형 보트.

chaloupé, e [ʃalupe] *adj.* (춤이) 몸을 흔드는 : tango ~ 몸을 흔드는 탱고.

chalumeau [ʃalymo] (*pl.* **~x**) *m.* ① 빨대, 스트로. ② 〖음악〗 피리 ; (퉁소의) 대. ③ 〖공업〗 취관(吹管).

chalut [ʃaly] *m.* 트롤망(網), 예인망.

chalutier, ère [ʃalytje, -ɛːʀ] *adj.* 트롤망〔예인망〕으로 고기잡이하는. ── *m.* 트롤망〔예인망〕 어부〔어선〕.

chamade [ʃamad] *f.* 〖군사〗 (협상 · 항복의) 북〔나팔〕 소리. ***battre la* ~** 협상〔항복〕의 북을 울리다. ***Son cœur battait la* ~.** 그(녀)의 심장은 두근거리고 있었다.

chamaille [ʃamaj] *f* = chamaillerie.

chamailler [ʃamɑje] *v.i.* 싸움을 하다. ── **se ~** *v.pr.* ① 《옛》 싸우다. ② 《구어》 큰 소리로 싸우다.

chamaillerie [ʃamɑjʀi] *f.* 말다툼, 언쟁.

chamailleur, euse [ʃamɑjœːʀ, -øːz] *adj.* et. *n.* 다투기 잘하는 (사람).

chaman [ʃamɑ̃], **chamane** [ʃaman] *m.* 샤먼, 무당.

chamanisme [ʃamanism] *m.* 샤머니즘.

chamarré, e [ʃamaʀe] *adj.* 치장한, 야한.

chamarrure [ʃamaʀyːʀ] *f.* ① 요란스러운 치장〔몸치장〕. ② (문체 따위의) 화려한 수식.

chambard [ʃɑ̃baːʀ] *m.* 《구어》 ① 뒤엎기 ; 대변혁. ② 소란 ; 소동 ; (격렬한) 항의.

chambardement [ʃɑ̃baʀdəmɑ̃] *m.* 전복 ; 난폭한 짓 ; 약탈 ; 대혼란.

chambarder [ʃɑ̃baʀde] *v.t.* 뒤엎다(= bouleverser) ; 약탈하다 ; 파괴하다(= détruire). ── *v.i.* 야단법석을 떨다.

chambouler [ʃɑ̃bule] *v.t.* 《구어》 뒤(집어)엎다, 뒤죽박죽으로 만들다(= bouleverser).

chambranle [ʃɑ̃bʀɑ̃ːl] *m.* (문 · 창의) 틀 ; 틀장식 : ~ de cheminée 벽난로 틀장식.

chambre [ʃɑ̃ːbʀ] *f.* ① 방, 실(室) ; 침실(= ~ à coucher) ; 〖해양〗 (함장 · 사관의) 방, 실 : ~ à coucher 침실 / ~ de malade 병실 / ~ d'hôtel 호텔방 / ~ garnie 〔meublée〕 à louer 가구 딸린 셋방 / travailler en ~ 자택에서 일하다. ② (특수 설비가 된) 방 ; ~ froide 냉장실 / ~ noire (사진) 암실 / ~ sourde 방음실. ③ 회의소, 조합 ; (*C*~) 의회 (= *C*~ des députés) 《1946 년 이후로는 l'Assemblée nationale》 : ~ de commerce et d'industrie 상공 회의소 / ~ d'agriculture 농업 회의소. ④ (재판소의) 법정 ; 법원의 부(部) : première 〔deuxième〕 ~ d'un tribunal 재판소의 제 1〔제 2〕 법정 / ~ correctionnelle 경범 재판부. ***C~ des députés*** 하원(下院), 국회. ***C~ haute*** 상원(上院). ***faire ~ commune* 〔*à part*〕** (부부가) 침실을 함께〔따로〕 하다. ***faire la* 〔*une*〕 ~** 방을 정돈〔청소〕하다. ***femme de* ~** 몸종, 하녀. ***garder la* ~** 병석에 누워 있다. ***musique de* ~** 실내악. ***travailler en* ~** (직공이) 자택에서 일을 하다.

chambrée [ʃɑ̃bʀe] *f.* (기숙사 · 병영 등의) 동거인 ; 내무반원들 ; 내무반.

chambrer [ʃɑ̃bʀe] *v.t.* ① 방 안에 가두다 ; (설득하기 위해) 격리시키다(= isoler). ② (포도주를) 실내 온도와 같게 하다.

chmbrette [ʃɑ̃bʀɛt] *f.* 작은 방.

chameau [ʃamo] *m.* (*pl.* **~x**) ① 〖동물〗 낙타. ② 《속어》 비열한 놈 ; 추잡한 계집. ***essayer de faire passer un ~ par le trou d'une aiguille*** 불가능한 일을 시도하다. ***rejeter le moucheron et avaler le* ~** 《구어》 작은 일에 매여 큰 일을 등한히 하다. ── *adj.* 비열한 ; 추잡한.

chamelier [ʃaməlje] *m.* 낙타 부리는 사람.

chamelle [ʃamɛl] *f.* 〖동물〗 암낙타.

chamois [ʃamwa] *m.* ① 〖동물〗 영양(羚羊). ② 영양 가죽 ; 섀 가죽 : gant de ~ 섀 가죽 장갑. ── *adj.* 《불변》 담황색의.

champ [ʃɑ̃] *m.* ① 밭 ; (*pl.*) 벌판, 들판 ; 전원, 농촌(= campagne) : ~ de glace 빙원 / ~ de blé 밀밭 / vie aux 〔des〕 ~*s* 전원 생활 / cultiver 〔labourer〕 un ~ 밭을 갈다. ② (경마장 따위의) 넓은 장소〔터〕 : ~ d'aviation 비행장 / ~ de courses 경마장. ③ 분야 ; 영역, 범위 ; (망원경의) 시계(視界) ; 시역(視域) : ~ d'activité 활동 범위 / ~ d'expérience 경험의 영역 / ~ de recherches 연구 분야〔영역〕 / ~ visuel 〔de vision〕 시야, 시계. ***à tout bout de* ~** 시종(始終), 줄곧. ***avoir un œil aux ~s et l'autre à la ville*** 모든 것에 주의를 기울이다. **~ *de bataille* 〔*d'honneur*〕** 전장. **~ *de repos* 〔*des morts, de la mort*〕** 묘지, 묘원. **~ *de visibilité* 〔*vision, visée*〕** 안계, 시야. ***être à bout de* ~** 별수 없게 되다, 꼼짝할 수 없게 되다. ***laisser le ~ libre à*** qn …에게 자유로이 행동할 여지를 주다. ***prendre du* ~** (도약을 위해) 뒤로 물러서다 ; 시간을 두다. ***se sauver à travers ~s*** 들을 가로질러 도망가다 ; 《구어》 (질문에 대해) 이리저리 회피하다. ***sur-le-~*** 즉석에, 당장에(= immédiatement), 곧 : Décidez-vous *sur-le-~*. 당장 결정을 내리시오.

champagne [ʃɑ̃paɲ] *m.* 샴페인(= vin de *C*~)《샹파뉴(*Champagne*) 지방의 발포성 백포도주》.

champagniser [ʃɑ̃paɲize] *v.t.* (샴페인처럼) 발포성으로 만들다.

Champ-de-Mars [ʃɑ̃dmaʀs] *n.pr.m.* (파리의 옛) 연병장《현재는 공원》.

champenois, e [ʃɑ̃pnwa, -aːz] *adj.* 샹파뉴(*Champagne*)의. ── **C~** *n.* 샹파뉴 사람.

champêtre [ʃɑ̃pɛtʀ] *adj.* 밭의 ; 전원의, 시골의 : vie ~ 전원 생활.

champignon** [ʃɑ̃piɲɔ̃] *m.* ① 〖식물〗 버섯 ; 균류(菌類) : ~ comestible 〔vénéneux〕 식용〔독〕버섯. ② 버섯 모양의 것. ***~ atomique 버섯구름, 원자운. ***pousser*** 〔***croître***〕 ***comme un ~*** 《구어》 무럭무럭 자라다. ***ville***(-)~ (급성장한) 신흥 도시.

champignonnière [ʃɑ̃piɲɔnjɛːʀ] *f.* 버섯 재배지.

C

***champion, onne** [ʃɑ̃pjɔ̃, -ɔn] *n.* ① 전사, 투사 ; 옹호자 : ~ de la liberté 자유의 투사. ② 선수 ; 우승자 ; 선수권 보유자 ; 뛰어난 사람 : ~ du ballon rond 훌륭한 축구 선수 / C'est un ~ dans ce domaine. 그는 이 분야에서는 일류이다. — *adj.* 일류의, 훌륭한 : C'est ~ ! 굉장하군 !

championnat [ʃɑ̃pjɔna] *m.* 선수권 대회 ; 선수권 : ~ international de basket-ball 국제 농구 선수권전.

‡chance [ʃɑːs] *f.* ① 운, 운수(= hasard, fortune) : souhaiter bonne ~ à qn ~ …에게 행운을 빌다 / Bonne ~ ! 행운이 있기를 (빕니다). ② 행운, 요행(= bonne fortune) : J'ai eu la ~ de le rencontrer. 다행히도 그와 만났다 / Pas 〔Manque〕 de ~ ! 운이 없군 ; 할 수 없지 ! / n'avoir qu'une ~ sur cent de + *inf.* …하는 것은 거의 불가능하다. ③ (*pl.*) 가능성, 가망 ; 확률 ; 기회 : calcul des ~*s* 〖수학〗 확률론 / Il y a beaucoup 〔peu〕 de ~*s* pour qu'il réussisse. 그가 성공할 가능성은 많다〔거의 없다〕 / calculer ses ~*s* de succès 성공의 확률을 점쳐 보다. ***avoir beaucoup*** 〔***peu***〕 ***de ~s*** + *inf.* …할 가능성이 많다〔거의 없다〕. ***avoir de la ~*** 운이 좋다. ***C'est bien ma ~ !*** 《비꼼》 내 운이라니 《재수가 없다》. ***courir la ~*** 운에 맡기고 해보다 : Nous en *courons la* ~. 되건 안 되건 한 번 해보는 거죠. ***par ~*** 다행히, 운좋게. ***porter ~*** 행운을 가져오다.

chancelant, e [ʃɑ̃slɑ̃, -ɑ̃ːt] *adj.* 비틀거리는, 흔들리는 ; 허약한 : d'un pas ~ 비틀거리는 걸음으로.

***chanceler** [ʃɑ̃sle] [5] *v.i.* ① 비틀〔휘청〕거리다(= vaciller, tituber) ; 동요하다, 흔들리다. ② 망설이다, 주저하다(= hésiter).

chancelier [ʃɑ̃səlje] *m.* ① 총재 ; (독일의) 수상(= ~ fédéral). ② 서기관 : ~ d'une ambassade 〔d'un consulat〕 대사관〔영사관〕의 1 등 서기관.

chancelière [ʃɑ̃səljɛːʀ] *f.* ① 대법관〔총재 · 수상〕 부인. ② 안에 털을 넣은 슬리퍼.

chancellerie [ʃɑ̃sɛlʀi] *f.* ① 《옛》 대법원 ; 법무부. ② (대사관 따위의) 사무국 : ~ consulaire 영사관 사무국 / Grande ~ (de la Légion d'honneur) 레지옹도뇌르 상훈국.

chanceux, euse [ʃɑ̃sø, -øːz] *adj.* 행운의, 운 좋은(= veinard). — *n.* 운 좋은 사람, 행운아. 「감(下疳).

chancre [ʃɑ̃ːkʀ] *m.* 〖의학〗 궤양, 《특히》 하

chandail [ʃɑ̃daj] *m.* (일종의) 재킷, 스웨터.

Chandeleur [ʃɑ̃dlœːʀ] *f.* 〖가톨릭〗 성촉절(聖燭節)《성모의 취결례(取潔禮)를 기리는 축제일 ; 2 월 2 일》.

chandelier [ʃɑ̃dəlje] *m.* 촛대. ***être sur le ~*** 영광의 자리에 앉다. ***mettre la lumière sur le ~*** 진실을 밝히다.

chandelle** [ʃɑ̃dɛl] *f.* ① 양초(= bougie) : souffler la ~ 촛불을 불어 끄다. ② 《속어》 콧물(= morve). ③ (비행기의) 수직 상승. ***brûler la ~ par les deux bouts 《구어》 돈〔정력〕을 낭비하다. ***devoir une belle*** 〔***fière***〕 ***~ à*** qn …에게 큰 은혜를 입다. ***en voir trente-six ~s*** (호되게 얻어맞아) 아찔하다, 얼얼하다. ***faire la ~*** (머리를 대고) 물구나무서다. ***Le jeu ne vaut pas la ~.*** 해볼 만한 가치가 없는 일이다. ***monter en ~*** (비행기가) 급상승하다. ***souffler sa ~*** 죽다.

chanfrein [ʃɑ̃fʀɛ̃] *m.* ① (말 따위의) 이마. ② 《옛》 말머리에 씌우던 투구.

chanfreiner [ʃɑ̃fʀɛ〔e〕ne] *v.t.* (석재 · 목재 · 금속 따위의) 모서리를 비스듬히 깎다.

change** [ʃɑ̃ːʒ] *m.* ① 교환(= échange). ② 환전 ; 환 ; 환시세(= cours des ~*s*) : au ~ du jour 현재의 환시세로 / bureau de ~ 환전소 / marché des ~*s* (외국) 환시장. ***donner le ~ à qn …을 속이다. ***gagner*** 〔***perdre***〕 ***au ~*** 바꾸어 이익을〔손해를〕 보다. ***lettre de ~*** 환어음. ***prendre le ~*** 속다.

changeable [ʃɑ̃ʒabl] *adj.* 바꿀 수 있는, 교환〔환금〕될 수 있는 ; 변경할 수 있는.

changeant, e [ʃɑ̃ʒɑ̃, -ɑ̃ːt] *adj.* 변하기 쉬운 ; (옷감이) 광선에 따라 수시로 색깔이 변하는.

***changement** [ʃɑ̃ʒmɑ̃] *m.* ① 변화, 변천 ; 변경 ; 교환 : ~ de temps 날씨의 변화 / ~ en mieux 〔en mal〕 호전〔악화〕. ② 교대 : ~ de sentinelle 보초의 교대. ③ 갈아타기 : J'ai deux ~*s* pour aller de chez moi à mon bureau. 집에서 회사에 가는 데 두 번 갈아타야 한다.

‡changer [ʃɑ̃ʒe] [3] *v.t.* ① 《~ qc contre, pour》 …을 …와 바꾸다, 교환하다 : ~ sa voiture *pour* une nouvelle 자동차를 새것과 교환하다 / ~ des tableaux *contre* des meubles 그림을 가구와 바꾸다 / ~ des dollars *contre* des francs 달러를 프랑으로 바꾸다. ② 《~ qc 〔qn〕》 갈다 : ~ son personnel 〔mobilier〕 직원을〔가구를〕 갈다 / ~ les draps 시트를 갈다. ③ 《~ qc 〔qn〕 de》 …의 …을 바꾸다 : ~ qc *de* place …을 옮겨놓다 / ~ qn *de* poste …을 전임시키다. ④ 《~ qc en》 …으로 만들다〔바꾸다〕 : Les alchimistes espéraient ~ les métaux *en* or. 연금술사들은 금속을 금으로 만들기를 바랐었다. ⑤ 《~ qc 〔qn〕》 ⓐ 고치다, 변경하다 : ~ sa manière de vivre 생활 태도를 고치다 / Rien ne peut ~ les lois de la nature. 아무것도 자연법칙을 고칠 수는 없다. ⓑ 달라지게〔변하게〕 하다 : Cette robe vous *change.* 이 옷을 입으면 당신은 딴 사람같이 보인다. ⓒ ~ un bébé 〔enfant〕 아기〔어린이〕의 옷을 갈아입히다 / ~ un malade 병자의 시트를 갈아 주다. ⓓ ~ de l'argent 돈을 바꾸다 ; 환금〔환전〕하다. — *v.i.* ① 달라지다, 변하다 ; 바뀌다 : Le temps *a changé.* 날씨가 변했다 / Il *a* bien *changé.* 그는 아주 달라졌다〔늙었다〕. ② 환금〔환전〕하다. — *v.t. ind.* ① 《~ de》 …을 바꾸다, 갈아타다 : ~ *de* nationalité 국적을 바꾸다 / ~ *de* file 차선을 바꾸다 / ~ *de* train 기차를 갈아

타다 / ~ *d'avis* 의견을 바꾸다 / ~ *de* chemise 셔츠를 갈아입다. ② 《~ de qc avec qn》 …와 …을 바꾸다 : ~ *de* place *avec* qn …와 자리를 바꾸다.

— **se ~** *v.pr.* ① 달라지다 ; 《se ~ en》 …으로 변하다, 바뀌다 : La pluie *se change en* neige. 비가 눈으로 바뀐다. ② 딴 사람이 되다 ; 행실을 고치다. ③ 옷을 갈아입다 : Elle est rentrée pour *se* ~. 그녀는 옷을 갈아입기 위해 귀가했다.

changeur, euse [ʃɑ̃ʒœːʀ, -øːz] *n.* 환전상 ; 잔돈 교환기.

chanoine [ʃanwan] *m.* ① 〖가톨릭〗 주교좌 성당의 참사원. ② 《구어》 금리 생활자. ***mener une vie de ~*** 풍족한 생활을 누리다.

chanoinesse [ʃanwanɛs] *f.* ① 봉건 시대의 여자 수도회 참사원, 현대의 수녀의 일종. ② 《구어》 금리로 사는 여자.

⁑**chanson** [ʃɑ̃sɔ̃] *f.* ① 노래, 가요, 샹송 : chanter une ~ 노래를 부르다 / ~ d'amour 연가 / ~ populaire 대중가요 / boîte à ~s 샹송 카페 / air 〔paroles〕 d'une ~ 가곡〔가사〕. ② 풍자 가요 ; (노래의) 곡 ; 악보 : composer une ~ 작곡하다. ③ (중세의) 무훈시(= ~ de geste). ④ (새 · 벌레 · 바람 따위의) 지저귐, 속삭임 : écouter la ~ du vent 바람의 속삭임을 듣다. ⑤ 상투적인 말 ; (*pl.*) 시시한 소리, 객설. ***C'est toujours la même ~.*** 그건 노상 되풀이되는 소리다. ***Voilà (bien) une autre ~ !*** 그건 문제가 전혀 다르다.

chansonnette [ʃɑ̃sɔnɛt] *f.* (가벼운, 풍자적인 내용의) 짤막한 가요.

chansonnier, ère [ʃɑ̃sɔnje, -ɛːʀ] *n.* ① 가요〔샹송〕 작자. ② 자작한 샹송을 카바레에서 노래하는 가수. — *m.* 가요〔샹송〕집(集).

*__chant__[1] [ʃɑ̃] *m.* ① 노래, 가곡 ; 성가 ; 성악 : maître de ~ 노래 선생 / apprendre le ~ 성악을 공부하다 / ~ d'adieu 이별의 노래. ② (새 · 벌레의) 울음소리, 지저귐 ; (악기의) 음 : au (premier) ~ du coq 첫닭 울 때, 꼭두새벽에 / ~ du violon 바이올린의 음. ③ 서사〔서정〕시, 시편.

chant[2] *m.* (벽돌 따위 평행육면체의) 측면.

*__chantage__ [ʃɑ̃taːʒ] *m.* 협박, 공갈 ; 강탈(= extorsion): faire du ~ 공갈 협박하다.

chantant, e [ʃɑ̃tɑ̃, -ɑ̃ːt] *adj.* ① 노래하는 : troupe ~*e* 음악 그룹. ② 노래하기 알맞은 〔쉬운〕. ③ 음악적인, 듣기 좋은. ***café ~*** 음악 카페. ***soirée ~e*** 노래의 밤.

⁑**chanter** [ʃɑ̃te] *v.t.* ① 노래하다 : ~ un air de Verdi 베르디의 아리아를 부르다 / ~ Noël 크리스마스 축가를 부르다. ② 찬양〔칭찬〕하다 ; 구가하다 : ~ la beauté de Vénus (시로) 비너스의 아름다움을 찬양하다. ***Qu'est-ce que tu nous chantes là ?*** 무엇을 지껄이는가 ? ***Qu'est-ce que vous chantez ?*** 무슨 소리야 ? — *v.i* ① 노래를 부르다 : ~ faux 〔juste, fort〕 가락이 틀리게〔정확하게, 큰 소리로〕 노래 부르다 / ~ en 〔dans un〕 chœur 합창하다. ② (곤충 · 새가) 울다, 지저귀다 ; (물이) 보글보글 끓다 : L'alouette *chante.* 종달새가 지저귄다. ***C'est comme si l'on chantait.*** 무슨 소리를 해도 소용없다. — *v.t ind.* 《~ à》 …의 마음에 들다(= plaire). ***comme ça vous chante*** 좋으실대로. ***si ça vous chante*** 《구어》 마음에 드시면.

chanterelle[1] [ʃɑ̃tʀɛl] *f.* ① 〖음악〗 샹트렐 《현악기의 최고 현(絃)》 : ~ de violon 바이올린의 제 1 현, E 선. ② 〖사냥〗 미끼새.

chanterelle[2] *f.* 〖식물〗 식용 버섯의 일종.

*__chanteur, euse__ [ʃɑ̃tœːʀ, -øːz] *adj.* 노래하는 ; (새가) 잘 지저귀는 : oiseaux ~*s* 잘 지저귀는 작은 새. — *n.* 가수, 성악가 : ~ amateur 〔professionnel〕 아마추어〔직업〕 가수.

*__chantier__ [ʃɑ̃tje] *m.* ① 작업장, 공사장, 일터. ② (재목 따위의) 건설 자재 저장소. ③ 조선소(= ~ (de construction) naval) ; 작업대. ***en ~ ; sur le ~*** 작업 중인 ; 진행중인 : navire *sur le* ~ 건조 중인 배 / Ce livre est encore *en* ~. 그 책은 아직 집필 중이다.

chantilly [ʃɑ̃tiji] *f.* glace à la ~ 생크림 아이스크림. — *adj.* 《불변》 〖요리〗 crème ~ 샹티이 크림.

chantonnement [ʃɑ̃tɔnmɑ̃] *m.* 낮은 소리로 노래하기.

chantonner [ʃɑ̃tɔne] *v.t.* et *v.i.* 낮은 소리로 노래하다, 콧노래를 부르다.

chantourner [ʃɑ̃tuʀne] *v.t.* (판자 · 금속을) 곡선으로 오리다〔도려내다〕.

chantre [ʃɑ̃ːtʀ] *m.* ① 시인, 찬양하는 사람. ② 〖가톨릭〗 성가대원.

chanvre [ʃɑ̃ːvʀ] *m.* ① 〖식물〗 삼, 대마(大麻). ② 대마 섬유 ; 삼베, 마포.

chaos [kao] *m.* ① (천지 창조 전의) 혼돈, 카오스. ② 혼란, 무질서(= désordre) : pays dans le ~ 대혼란에 빠진 나라.

chaotique [kaɔtik] *adj.* 혼돈된, 혼란한.

ch(ap). 《약자》 chapitre 장(章), 절(節).

chapardage [ʃapaʀdaːʒ] *m.* 《구어》 좀도둑질, 날치기(= larcin).

chaparder [ʃapaʀde] *v.t.* 《구어》 훔치다, 날치기하다.

chapardeur, euse [ʃapaʀdœːʀ, -øːz] *adj.* 훔치는. — *n.* 도둑, 날치기.

chape [ʃap] *f.* ① 〖가톨릭〗 (성직자의) 제의(祭衣) ; (추기경의) 법의(法衣). ② 덮개, 커버(= couvercle).

⁑**chapeau** [ʃapo] *m.* (*pl.* ~***x***) ① 모자 : ~ à cornes 삼각모 / ~ de cortège 의식용 모자 / ~ d'homme 〔de femme〕 남자〔여자〕용 모자 / ~ de paille 밀짚모자 / ~ de pluie 방수모 / ~ de soleil 〔plage〕 차양모 / ~ de haute forme 실크해트 / mettre 〔enlever〕 son ~ 모자를 쓰다〔벗다〕 / parler à qn ~ bas 모자를 손에 들고 …에게 (공손히) 말하다. ② (새의) 머리 ; (만년필의) 뚜껑 ; (굴뚝 따위의) 갓 ; (버섯의) 삿갓 : ~ d'un champignon 버섯의 갓. ③ (신문 · 잡지의) 기사 첫머리에 붙이는 소개문 : ~ d'un article de journal 신문 기사의 소개문. ***C~ !*** 《구어》 잘한다, 좋았어(= bravo) ! ***C~ (bas) !*** 탈모 ! ***faire passer le ~*** (기부금을 걷기 위해) 모자를 돌리다. ***faire porter le ~*** 책임을 지우다 ; 혐의를 걸다. ***mettre au ~*** (모자 돌림에) 기부하다. ***sur les ~x de roue*** 전속력으로. ***tirer son ~ à*** qn …에게 경의를 표하다, …을 찬양하다. ***travailler du ~*** 《속어》 머리가 비정상적이다〔돌다〕.

chapeauté, e [ʃapote] *adj.* 모자를 쓴.

chapeauter [ʃapote] *v.t.* ① …에게 모자를 씌우다. ② 《구어》 (사람 · 조직을) 감독하다,

지배하다. ── *v.i.* 《구어》 깊이 생각하다, 숙고하다.

chapelain [ʃaplɛ̃] *m.* 성당(chapelle)의 전속 신부〔사제〕.

chapelet [ʃaplɛ] *m.* ① 묵주, 로자리오 ; 묵주 신공 : dire 〔réciter〕 son ~ 묵주 신공을 바치다, 기도하다. ② 연속 : ~ de saucisses 줄지어 연결된 소시지.

chapelier, ère [ʃapəlje, -ɛːʀ] *n.* 모자 제조인〔판매인〕.

chapelle [ʃapɛl] *f.* ① (학교 · 병원 따위의) 예배당 ; 작은 성당 ; (교회의) 작은 제단. ② 《집합적》 제기(祭器) ; 성가대 (일동) : maître de ~ 성가대 지휘자.

chapellerie [ʃapɛlʀi] *f.* 모자 판매〔제조〕; 모자점 ; 모자 제품.

chapelure [ʃaplyːʀ] *f.* (요리용) 빵가루.

chaperon [ʃapʀɔ̃] *m.* ① (어깨까지 덮이는 중세의) 두건. ② 샤프롱《사교계에 나가는 젊은 여성을 보살피는 여자》: servir de ~ à qn …의 샤프롱 일을 맡아 하다.

chaperonner [ʃapʀɔne] *v.t.* (젊은 부인을) 수행하다, 보살피다.

chapiteau [ʃapito] *m.* (*pl.* **~x**) ① 〖건축〗 주두(柱頭), 기둥머리 ; (교각의) 머리 부분. ② 곡마단의 천막.

chapitre** [ʃapitʀ] *m.* ① (책의) 장(章) ; 조항, 항목. ② 문제, 주제 : Causons sur ce ~. 그 문제에 관해서 이야기해 봅시다. ③ 교회 참사회. ***avoir voix au ~ 발언권을 얻다 : 영향력을 갖다. ***sur le ~ de*** …에 관해서(는).

chapitrer [ʃapitʀe] *v.t.* ① 견책하다 ; 엄하게 꾸짖다(= réprimander) ; 훈계하다. ② (예산 따위를) 항목별로 나누다.

chapon [ʃapɔ̃] *m.* (식용으로 살찌운) 거세된 수탉. ***se coucher en ~*** 《구어》 배가 터지도록 먹고 자다.

chaptaliser [ʃaptalize] *v.t.* (발효 전 포도즙에) 설탕을 넣다.

:chaque [ʃak] *adj. indef.* 《복수없음》 …마다, 매(每), 각각의, 각자의 : ~ été 매년 여름에 / à ~ étage 각 층에 / *C~* homme a ses qualités. 사람에게는 저마다 장점이 있다 / ~ année 〔jour, mois〕 매년〔매일 · 매월〕 / ~ dix minutes 《구어》 10분마다 / à ~ cinq ou six pas 대여섯 걸음마다. ***~ fois que*** …할 때마다. ***C~ tête, ~ avis.*** 《격언》 십인십색(十人十色). ── *pron. indéf.* 《구어》 각자, 각기(= chacun) : Ces livres coûtent trois cents francs ~. 이 책들은 값이 각 권 300 프랑이다.

char [ʃaːʀ] *m.* ① 《옛》 2륜 마차. ② 짐마차, 달구지 ; 〖군사〗 전차, 탱크(= ~ d'assaut) ; (사육제의) 꽃마차 : régiment de ~*s* 기갑 부대.

charabia [ʃaʀabja] *m.* 종잡을 수 없는 말, 횡설수설.

charade [ʃaʀad] *f.* 문자 수수께끼 ; 몸짓 수수께끼(= ~ en action).

charançon [ʃaʀɑ̃sɔ̃] *m.* 〖곤충〗 바구미.

charançonné, e [ʃaʀɑ̃sɔne] *adj.* (곡식 따위가) 바구미가 먹은〔낀〕.

:charbon [ʃaʀbɔ̃] *m.* ① 목탄, 숯(= ~ de bois) ; 석탄(= ~ de terre) ; 탄가루 : mine de ~ 탄갱 / ~ aggloméré 연탄. ② 숯불 : faire griller de la viande sur des ~*s* 고기를 숯불에 굽다. ③ 〖미술〗 (데생용) 목탄(= fusain) ; 목탄화 : faire un carton de fresque au ~ 목탄으로 프레스코화의 밑그림을 그리다. ④ 〖의학〗 탄저병(炭疽病). ***être sur des ~s ardents*** 안절부절못하다 ; 몸이 달다.

charbonnage [ʃaʀbɔnaːʒ] *m.* ① 채탄. ② (흔히 *pl.*) 탄광, 탄전.

charbonner [ʃaʀbɔne] *v.t.* ① 숯으로 만들다 ; (음식을) 태우다. ② 목탄으로 그리다〔쓰다〕. ── *v.i.* ① 숯이 되다 ; 검게 그을리다. ② (배가) 석탄을 싣다.

charbonneux, euse [ʃaʀbɔnø, -øːz] *adj.* ① 석탄〔숯〕 같은 ; 숯으로 검게 된 ; 탄화된. ② 〖의학〗 탄저병의.

charbonnier, ère [ʃaʀbɔnje, -ɛːʀ] *adj.* 숯의 ; 석탄의 ; 채탄〔탄광업〕의 : industrie ~*ère* 석탄 산업 ── *n.* 숯〔석탄〕 장수. ── *m.* 석탄 운반선(= navire ~). ***C~ est maître dans sa maison.*** 《속담》 누구나 자기 집에서는 왕. ***la foi du ~*** 소박한 신앙심〔신념〕.

charcuter [ʃaʀkyte] *v.t.* ① (고기를) 마구 자르다〔썰다〕. ② 서투르게 수술을 하다.

***charcuterie** [ʃaʀkytʀi] *f.* ① 돼지고기 (제품) 장사〔가게〕. ② (햄 · 소시지 따위의) 돼지고기 제품〔가공업〕.

***charcutier, ère** [ʃaʀkytje, -ɛːʀ] *n.* 돼지고기 (제품) 장수 ; 돌팔이 외과의사.

chardon [ʃaʀdɔ̃] *m.* 〖식물〗 엉겅퀴 : ~ à foulon 산토끼꽃 / ~ étoilé 수레국화.

chardonneret [ʃaʀdɔnʀɛ] *m.* 〖조류〗 방울새의 일종.

charge** [ʃaʀʒ] *f.* ① ⓐ 짐, 적하(積荷) : navire de ~ 화물선 / porter une ~ sur les épaules 〔à bras〕 짐을 메어〔들어〕 나르다. ⓑ 하중(荷重), 무게, 압력: ~ d'eau 〖수력공학〗 수압 ; 낙차. ⓒ 짐을 싣기, 적재(= chargement) ; 적재량 : vaisseau en ~ 짐을 싣고 있는 배 / ~ limite ; capacité de ~ 화물 적재 한도량 / prendre en ~ un passager dans un véhicule 손님〔승객〕을 차에 태우다. ② 부담 ; 비용 ; 세금 ; 《비유》 짐스러운 것〔일〕 : ~ foncière 토지세 / ~*s* de famille 부양 가족 / Les frais sont à ma ~. 비용은 내가 치른다 / supporter de lourdes ~*s* 과중한 세금을 부담하다. ③ 의무, 책임 ; 임무 ; 직책 : ~*s* publiques 공직(公職) / occuper une ~ 일을 맡다 ; 직장을 갖다 / s'acquitter de sa ~ 책임을 완수하다 . ④ 〖전기〗 전하(電荷) ; 충전(充電) : conducteur en ~ 전류가 통하고 있는 도선(導線) / ~ d'une batterie d'accumulateurs 배터리의 충전. ⑤ (총포의) 장약(裝藥) ; 장전(裝塡). ⑥ (이야기 · 연기의) 과장 ; 회화, 캐리커쳐(= caricature) : portrait en ~ 회화로 그린〔회화적인〕 초상화. ⑦ 〖군사〗 돌격 (신호) ; 〖스포츠〗 (상대방 선수에 대한) 차징, 태클. ***à (***la***) ***~ de*** 〔***que***+*ind.*〕 …라는 조건으로 : Vous pouvez utiliser ma voiture *à ~ de la* maintenir en bon état. 잘 쓴다는 조건으로 제 차를 쓰셔도 됩니다. ***avoir*** (***la***) ***~ de***+*inf.* …할 임무가〔책임이〕 있다. ***être à*** (***la***) ***~ à*** qn …에게 부담〔짐〕이 되다, …의 신세를 지다, …에게 폐를 끼치다 : Ce travail lui *est à ~*. 이 일은 그에게 부담이 된다. ***être***

à la ~ de qn …의 부양을 받다 ; …에게 지불의 의무가 있다 : L'entretien de l'immeuble *est à la ~ du* locataire. 건물의 유지비는 세든 사람의 부담이다. ***prendre*** qn 〔qc〕 ***en ~*** …을 책임지다 ; 부양하다 ; 차에 태우다.

chargé, e [ʃaʀʒe] *adj.* ① 짐을 실은〔짊어진〕: cheval ~ 짐을 실은 말. ② 《~ de》 …을 실은〔짊어진〕; …으로 가득 찬 ; 덮인(= plein) : discours ~ *de* citations 인용구가 너무 많은 연설 / être ~ *de* dettes 빚이 잔뜩 있다. ③ 책임이 있는. ④ 총알이 장전된 ; 〖전기〗 충전된 : fusil ~ 장전된 총. ***lettre ~e*** 가격 표기 우편물. ── *m.* 담당자. ~ ***d'affaires*** 대리 대사〔공사〕. **~ *de cours*** (대학의) 시간강사. **~ *de mission*** 특별 임무를 띤 관리.

chargement [ʃaʀʒəmɑ̃] *m.* ① 짐싣기, 적재(積載) ; 화물. ② (총알의) 장전 ; 〖전기〗 충전(充電). ③ 〖컴퓨터〗 로드하기.

⁑**charger** [ʃaʀʒe] 3 *v.t.* ① (배 · 수레 따위에) 짐을 싣다, (사람을) 태우다 : ~ un navire 배에 짐을 싣다 / ~ des légumes dans un camion 채소를 트럭에 싣다 / taxi qui *charge* un client 손님을 태우는 택시. ② 《~ qc de》 …을 …에 올려놓다 ; 《~ qc sur》 …을 …에 많이 놓다 : ~ une valise *sur* son épaule 가방을 어깨에 메다 / ~ ses mains *de* bagues 손에 반지를 끼다. ③ 《~ qn de》 …에게 …을 부담시키다 ; 무게를 주다 : ~ le peuple *de* taxes 국민에게 세금을 지나치게 부과하다 / ~ l'estomac 위에 부담을 주다, 답답하게 하다. ④ 고발하다 : ~ qn d'un crime 어떤 죄로 …을 고발하다. ⑤ 급수 조정을 위탁하다, 부탁하다, 맡기다 : ~ d'un achat 구매를 위탁하다 / 《~ qn de》 ~ un avocat *de* la défense 어떤 변호사에게 변호를 맡기다 / On m'*a. chargé de* surveiller cette femme. 그녀의 감시를 내게 맡겼다. ⑥ 〖군사〗 (적을) 돌격하다 : ~ l'ennemi 적을 (향해) 돌격하다. ⑦ (총을) 장전하다 : ~ un fusil 〔un revolver〕 장총〔권총〕을 장전하다. ⑧ 《~ qc (de)》 …의 속을 채우다, …에 필요한 것을 넣다 : ~ un fourneau (*de* combustible) 보일러에 연료를 넣다. ⑨ (욕설 따위를) 퍼붓다 : ~ qn de coups 아무를 마구 두들겨패다. ⑩ 〖전기〗 (배터리 따위를) 충전하다 : ~ un accumulateur 축전지를 충전하다. ⑪ 《주어: qc》 짓누르다 ; 뒤덮다, 가득 채우다 : Les nuages *chargent* le ciel. 구름이 하늘을 뒤덮고 있다. ⑫ 〖컴퓨터〗 로드시키다《컴퓨터의 내부 기억 장치에 프로그램을 기억시키다》; (입력 장치에) 데이터 매체를 걸다.

── **se ~** *v.pr.* ① ⓐ 《se ~ de》 …을 짊어지다 ; …을 책임지다, 떠맡다 : *se ~ d'*un fardeau 짐을 짊어지다 / 《se ~ de+*inf.*》 *se ~ de* louer les places 자리를 예약하는 일을 떠맡다 / Je *me charge de* ce travail. 그 일은 내가 맡겠소. ⓑ 《se ~ de qn》 …을 맡다, 부양하다 ; …을 설복할 것을 책임지다. ② charger 따위. ③ 시고 들리이다.

chargeur [ʃaʀʒœːʀ] *m.* ① 하주(荷主) ; 하역인부. ② 〖군사〗 (대포 따위의) 탄약병 ; (자동소총의) 탄창. ③ 필름 매거진《필름 감는 통》. ④ 〖전기〗~ d'accumulateurs 충전기(器). ⑤ 〖컴퓨터〗 로딩 프로그램《로더 프로그램을 기억시키는 매체》.

chargeuse [ʃaʀʒøːz] *f.* 하물 적재기 ; 〖컴퓨터〗 로더.

chariot [ʃaʀjo] *m.* ① 짐차, 카트, 손수레, 왜건 : ~ à bagages 수하물 운반자 / ~ de supermarché 수퍼마켓의 카트 / ~ d'enfant 유아용 보행 보조기. ② (타이프라이터의) 캐리지(= ~ de machine à écrire) ; 〖영화〗 카메라 이동차《이동 촬영용》. ***le grand*** 〔***petit***〕 ***C~*** 〖천문〗 큰〔작은〕곰자리.

charisme [kaʀism] *m.* ① 카리스마《은총으로 주어진 특별한 능력〔증여〕》. ② (정치가 따위의) 교조적인 영향력.

charitable [ʃaʀitabl] *adj.* 자비심 많은, 인자한 : un geste ~ 적선, 자선 행위 / sourire ~ 인자한 미소. ***œuvres ~s*** 자선 사업.

charitablement [ʃaʀitabləmɑ̃] *adv.* 자비롭게, 인자하게 ; 관대하게, 너그럽게.

charité [ʃaʀite] *f.* ① 〖신학〗 애덕(愛德) ; (인간에 대한 천주의) 사랑. ② 자비심 ; 자선 행위, 시주 : faire la ~ à qn (자비심에서) …에 적선하다.

charivari [ʃaʀivaʀi] *m.* ① 떠들어대는 소리, 소란(= tapage), 난장판. ② 소란스러운 음악.

charlatan, e [ʃaʀlatɑ̃, -an] *m.* 돌팔이 의사 ; (거리의) 약장수 ; 협잡꾼, 사기꾼 : ~ politique 선동 정치가.

charlatanerie [ʃaʀlatanʀi] *f.* 협잡, 사기, 「야바위.

charlatanesque [ʃaʀlatanɛsk] *adj.* 약장수 같은, 야바위꾼의.

charlatanisme [ʃaʀlatanism] *m.* 협잡, 사기, 야바위짓.

charlemagne [ʃaʀləmaɲ] *m.* (카드의) 하트의 킹. ***faire ~*** (도박에서) 돈을 따고 내빼다.

charlotte [ʃaʀlot] *f.* 샤를로트《과일 · 비스킷 · 크림으로 만든 푸딩》.

***charmant, e** [ʃaʀmɑ̃, -ɑ̃ːt] *adj.* ① 즐거운, 유쾌한. ② 예쁜 ; 호감이 가는 ; 매혹적인 : voix ~*e* 매혹적인 목소리 / homme ~ 호감 가는 인물 / 《명사 앞》 《비꼼》 *C~e* Soirée ! 끔찍한 저녁 파티.

charme** [ʃaʀm] *m.* ① 주문(呪文) ; 마력(魔力), 마법 : opérer un ~ 마법을 걸다. ② 매력, 아름다움 : avoir du ~ 매력이 있다. ③ (*pl.*) (여자의) 아름다운 용모, 요염(妖艶) : ~ les ~*s* d'une femme 여자의 요염한 매력. ***être 〔***demeurer***〕 ***sous le ~*** 도취되어 있다. ***faire du ~*** 아양떨다. ***rompre le ~*** 요술을 풀다〔깨뜨리다〕. ***se porter comme un ~*** 아주 건강하다.

charmer [ʃaʀme] *v.t.* ① …에게 마술을 걸다, …을 홀리게 하다 : ~ un serpent (피리로) 뱀을 춤추게 하다. ② 매혹하다 ; 매우 기쁘게 하다, …의 마음을 끌다〔사로잡다〕: Ce spectacle nous *a charmés*. 그 공연은 우리를 매혹시켰다 / Votre carte de Noël m'*a charmé*. 크리스마스 카드 기쁘게 받아 보았습니다. ***être charmé de*** qc 〔+*inf.*〕 …때문에〔하여〕 매우 기쁘다 : Je *suis charmé de* votre visite 〔*de* vous voir〕. 방문해 주셔서 〔뵙게 되어〕 대단히 반갑습니다.

charmeur, euse [ʃaʀmœːʀ, -øːz] *n.* ① 마술사. ② 매혹하는 자, 마음을 끄는 사람. ***~ de***

serpent 뱀을 길들여 다루는 사람. ── *adj.* 매혹적인.

charmille [ʃarmij] *f.* ① 〖식물〗 소사나무의 묘목. ② 소사나무 가로수 길〔생울타리〕.

charnel, elle [ʃarnɛl] *adj.* ① 육체의, 관능적인(= sensuel), 성적인 : plaisirs ~s 관능적인 쾌락 / désir ~ 육욕. ② 물질적인.

charnellement [ʃarnɛlmɑ̃] *ad.* 관능적으로 ; 물질적으로.

C

charnier [ʃarnje] *m.* ① 납골당(納骨堂), 묘지. ② (대량 학살로 인한) 시체 구덩이.

charnière [ʃarnjɛːr] *f.* ① 돌쩌귀, 경첩. ② 교차점, 전환점 : être la ~ de deux époques 두 시대의 전환점에 있다. ***~ de coquille*** 〖해부〗 접합근(接合筋).

charnu, e [ʃarny] *adj.* 살의 ; 살이 많이 찐 ; 과육(果肉)이 많은 : bras ~ 굵은 팔.

charognard [ʃa〔ɑ〕rɔɲaːr] *adj. m.* 썩은 고기를 먹는. ── *m.* ① 〖조류〗 독수리의 일종. ② 남의 불행을 틈타 이득을 보는 사람.

charogne [ʃa〔ɑ〕rɔɲ] *f.* ① 짐승의 썩은 시체〔고기〕. ② 《욕지거리로》 못된 놈 ; 화냥년.

charpente [ʃarpɑ̃ːt] *f.* ① (건축물의) 뼈대, 골조 : ~ d'un toit 지붕의 골조. ② (생물의) 골격. ③ (문학 작품의) 구성, 구조 : ~ d'une pièce de théâtre 희곡의 구성.

charpenté, e [ʃarpɑ̃te] *adj.* 틀잡힌, 골격이 만들어진 : homme solidement ~ 골격이 튼튼한 사나이.

charpenter [ʃarpɑ̃te] *v.t.* 틀〔골격〕을 만들다〔세우다〕; (문학 작품을) 구성하다 : ~ un roman 소설의 골격을 구성하다. ***~ sur*** qn 《속어》 …을 세게 때리다.

***charpentier** [ʃarpɑ̃tje] *m.* 목수, 대목 : outillage de ~ 목수의 연장.

charpie [ʃarpi] *f.* (헌 천을 찢거나 뜯어서 만든) 붕대. ***en ~*** 잘게 찢은, 너덜너덜한. ***mettre*** qc 〔qn〕 ***en ~*** …을 산산조각으로 만들다 ; (사람을) 호되게 공격하다.

charretée [ʃarte] *f.* 짐수레 1 대분 ; 《구어》 많은 분량 : une ~ de lettres 많은 편지.

charretier, ère [ʃartje, -ɛːr] *m.* 짐수레꾼, 마차꾼. ── *adj.* 짐수레를 끄는 ; 수레가 지나갈 수 있는. ***Il n'y a si bon ~ qui ne verse.*** 《격언》 원숭이도 나무에서 떨어진다.

charrette** [ʃarɛt] *f.* (두 바퀴 달린) 짐수레(= carriole) ; 《구어》 자동차. ***bien conduire sa ~ 일을 잘 처리해 나가다. ***C'est la cinquième roue de la ~.*** 대수롭지 않다, 계산에 넣을 것이 못 된다. ***~ anglaise*** 2 륜마차. ***~ d'enfant*** (유아의) 보행기. ***mettre la ~ devant les bœufs*** 일의 순서를 뒤바꾸다. ***se mettre en ~*** 지각하다.

charriage [ʃarjaːʒ] *m.* ① 짐수레에 의한 운반. ② (충적물 따위의) 유출, 퇴적.

charrier [ʃarje] *v.t.* ① (짐수레로) 운반하다. ② (강물 · 바람 따위가) 휩쓸어가다. ③ 《속어》 놀리다 ; 조롱하다(= se moquer de). ***sans ~*** 농담은 그만두고. ── *v.i.* ① (강이) 얼음을 떠내려 보내다. ② 《속어》 과장하다, 허풍을 떨다(= exagérer). 「운반비.

charroi [ʃarwa〔ɑ〕] *m.* (짐수레에 의한) 운반 ;

charron [ʃa〔ɑ〕rɔ̃] *m.* 수레 만드는 목수.

charrue [ʃary] *f.* 쟁기 : faire passer la ~ dans un champ 밭을 쟁기로 갈다. ***mettre la ~ devant*** 〔***avant***〕 ***les bœufs*** 일의 순서를 뒤바꾸다, 본말이 전도되다. ***mettre*** 〔***tenir***〕 ***la main à la ~*** 직접 일을 하다. ***tirer la ~*** 힘든 일을 계속하다.

charte [ʃart] *f.* 〖역사〗 헌장(憲章) ; 증서, 고문서. ***la C~ des Nations Unies*** 유엔 헌장. ***l'École des ~s*** (파리) 고문서 학교.

charter [tʃartœːr, ʃartɛːr] *m.* 전세 (비행기)(편)(= avion nolisé).

chartiste [ʃartist] *adj.* et *n.* (파리의) 고문서 학교(l'École des chartes)의 학생〔졸업생〕(의).

chartreuse [ʃartrøːz] *f.* ① 〖가톨릭〗 샤르트르회의 수도원. ② 샤르트뢰즈《술 이름》.

chartreux, euse [ʃartrø, -øːz] *n.* 샤르트르회 수도사〔수녀〕.

chas [ʃa] *m.* 바늘구멍, 바늘귀.

chasse** [ʃas] *f.* ① 사냥 ; 사냥터 ; 수렵기 ; 사냥하여 잡은 짐승〔새〕; 사냥꾼 일행 : chien de ~ 사냥개 / fusil de ~ 엽총 / ~ gardée 금렵지 / ~ au lièvre 토끼 사냥 / permis de ~ 수렵 허가증 / aller à la ~ 사냥하러 가다. ② 추적, 추격 ; 추구 : ~ à l'homme (체포를 위한) 사람의 추격 / donner (la) ~ à …을 추격하다 / ~ aux souvenirs 《비유》 추억을 좇기. ③ 방수(放水), 배수(排水). ④ 〖항공〗《집합적》 전투기 부대 : avion de ~ 전투기. ***~ d'eau 수세(水洗) 장치 : actionner 〔tirer〕 la ~ *d'eau* (변기의) 수세 장치를 누르다〔당기다〕. ***Qui va à la ~ perd sa place.*** 《격언》 사냥하며 (놀고) 있으면, 자리〔지위〕를 잃는다.

châsse [ʃɑːs] *f.* ① 〖가톨릭〗 성골함(聖骨函). ② (안경 따위의) 테 ; (*pl.*) 《속어》 눈.

chassé-croisé [ʃasekrwaze] *m.* (*pl.* ***~s-~s***) ① 〖무용〗 크로스샤세. ② 교차(交叉) ; 교대, (직원 따위의) 배치 변경.

chasselas [ʃasla] *m.* 디저트용의 백포도주.

chasse-mouches [ʃasmuʃ] *m.* 《복수불변》 ① 파리채. ② (말에 입히는) 파리 막이 그물.

chasse-neige [ʃasnɛːʒ] *m.* 《복수불변》 (기관차 앞의) 제설기, 제설차 ; 〖스키〗 제동.

chasser** [ʃase] *v.t.* ① 사냥하다 : ~ le lièvre 산토끼를 사냥하다. ② 뒤쫓다, 추적〔추격〕하다 : ~ un ennemi 적을 추격하다. ③ 내쫓다, 축출〔추방〕하다(= bannir) ; 해고하다 ; (근심 따위를) 떨쳐버리다 ; (냄새 따위를) 몰아내다 ; (가축 따위를) 몰고 가다 : ~ un domestique 하인을 해고하다 / ~ de tristes pensées 슬픈 생각들을 떨쳐버리다 / ~ une mauvaise odeur 나쁜 냄새를 몰아내다 / ~ un troupeau de moutons 양떼를 몰고 가다. ④ 박다 : ~ un clou 못을 박다. ***~ sur les terres de qn 《구어》 …의 영역〔권한〕을 침범하다. ***Un clou chasse l'autre.*** 《격언》 새 사람이 들어서면 이 전 사람은 밀려난다. ── *v.t. ind.* 《~ à qc》 …을 사냥하다 ; 추구하다 : ~ *aux* 〔*à* la〕 perdrix 자고새를 사냥하다. ── *v.i.* ① 사냥하다. ② (구름 따위가) 밀려오다 : nuages qui *chassent* du nord 북쪽에서 밀려오는 구름. ③ (바퀴 따위가) 미끄러지다(= déraper) ; 〖해양〗 (닻이) 미끄러지다 : roues qui *chassent* 미끄러지는 바퀴.

chasseresse [ʃasrɛs] *f.* 《문어》 여자 사냥

꾼. ── *adj.* 사냥하는 : Diane ~ 사냥의 여신 다이아나.

chasseur, euse [ʃasœːʀ, -øːz] *n.* 사냥꾼 ; 수집가 : ~ sans permis 밀렵자 / ~ de papillons 나비 수집가. ── *m.* ① 엽기병(獵騎兵)(= ~ à cheval) ; 엽보병(= ~ à pied). ② (호텔의) 제복 입은 종업원. ③ 전투기.

chassie [ʃɑsi] *f.* 눈곱.

chassieux, euse [ʃasjø, -øːz] *adj.* 눈곱이 끼는〔낀〕. ── *n.* 눈곱이 낀 사람.

châssis [ʃɑsi] *m.* ① 테 ; 틀 : ~ d'une fenêtre 창문 틀 / ~ d'un tableau 캔버스 틀. ② (자동차의) 차대(車臺) ; 새시 ; (기계의) 프레임. ③ beau ~ (여자의) 멋진 몸매.

chaste [ʃast] *adj.* ① 순결한, 정숙한 : ~ épouse 정숙한 아내. ② 청순한 ; 순수한 : ~ amour 순애(純愛). ③ 단정한 ; 간결한 : tenue ~ 단정한 옷차림.

chastement [ʃastəmɑ̃] *adv.* 순결하게, 정숙하게 ; 단정하게.

chasteté [ʃastəte] *f.* 순결, 정숙, 동정, 정조.

chasuble [ʃazybl] *f.* 〚가톨릭〛 ① 상제의(上祭衣)《미사 때 사제가 입는 제의》. ② 샤쥐블《상제의 비슷한 드레스나 아동복》.

chat, chatte** [ʃa, ʃat] *n.* ① ⓐ 고양이 : une *chatte* et ses chatons 암코양이와 새끼들 / Le ~ miole 〔ronronne〕. 고양이는 야옹 하고 운다. ⓑ 《애칭》 《구어》 mon petit ~ 〔ma petite *chatte*〕 내 귀여운 사람〔당신〕. ② 고양잇과의 동물 : ~ sauvage 야생 고양이 / ~-tigre 살쾡이 / gros ~ 《소아어》 사자 ; 호랑이. ③ 〚놀이〛 술래 ; 술래잡기. ***acheter ~ en poche 보지 않고 물건을 사다. ***appeler un ~ un ~*** 사실을 사실대로 말하다, 까놓고 말하다. ***avoir un ~ dans la gorge*** (갑자기) 목이 잠기다, 목이 쉬다. ***C~ échaudé craint l'eau froide.*** 《격언》 자라 보고 놀란 가슴 솥뚜껑 보고 놀란다. ***donner sa langue au ~*** (수수께끼 따위를) 풀 수 없다고 손들다. ***écrire comme un ~*** 알아볼 수 없게 갈겨 쓰다. ***éveiller le ~ qui dort*** 《구어》 공연한 짓을 하다. ***faire une toilette de ~*** 간단하게 세수〔화장〕하다. ***Il n'est si petit ~ qui n'égratigne.*** 지렁이도 밟으면 꿈틀한다. ***Il n'y a pas un ~.*** 아무도 없다. ***Le ~ parti, les souris dansent.*** 《격언》 범 없는 골에 토끼가 스승이다. ***Qui naquit ~ court après les souris.*** 세 살 적 버릇이 여든까지 간다. ── *adj.* et. *n.* 애무를 좋아하는〔아양을 떠는〕 (사람) : C'est une *chatte.* 그 여자는 아양을 잘 떤다〔애무를 좋아한다〕.

châtaigne** [ʃɑtɛɲ] *f.* ① 〚식물〛 밤(= marron). ② 《속어》 주먹다짐. ***flanquer une ~ à qn …에게 주먹을 한 대 먹이다.

châtaigneraie [ʃɑtɛɲʀɛ] *f.* 밤나무 숲.

châtaignier [ʃɑtɛ〔e〕ɲje] *m.* 〚식물〛 밤나무.

châtain, e [ʃɑtɛ̃, -ɛn] *adj.* 밤색의 : cheveux ~*s* 밤색 머리털. ── *m.* 《복수불변》 밤색.

château** [ʃɑto] *m.* (*pl.* **~x**) ① 성, 성곽, 성채. ② 대저택, 별장 ; 궁전(= palais) ; (*C~*) 조정 ; 국왕 : ~ de versailles 베르사유 궁전. ***~ d'eau 큰 저수지 ; 급수탑. ***bâtir*** 〔***faire***〕 ***des ~x en Espagne*** 공중누각을 세우다 ; 공상에 잠기다. ~ ***de cartes*** (아이들이) 카드로 세운 성 ; 무너지기 쉬운 것. ***mener une vie de ~*** 호화로운 생활을 하다.

châteaubriand〔**t**〕 [ʃɑtobʀijɑ̃] *m.* 〚요리〛 두터운 비프스테이크의 일종.

châtelain, e [ʃɑtlɛ̃, -ɛn] *m.* 성주 ; 성관〔대저택 · 대별장〕의 주인. ── *f.* 성주의 부인 ; 여자 성주 ; 성관의 여주인.

chat-huant [ʃaɥɑ̃] *m.* (*pl.* **~s-~s**) 〚조류〛 올빼미의 일종.

châtier [ʃɑtje] *v.t.* ① 벌하다, 징벌하다. ② (문장을) 퇴고〔추고(推敲)〕하다 : ~ son style 문체를 다듬다. ***Qui aime bien châtie bien.*** 《격언》 귀여운 자식은 매로 키워라.

chatière [ʃatjɛːʀ] *f.* (문 밑의) 고양이가 다니는 구멍 ; (지붕의) 환기 구멍.

châtiment [ʃɑtimɑ̃] *m.* 벌, 징벌 : recevoir 〔subir〕 un ~ 벌을 받다.

chatoiement, chatoîment [ʃatwamɑ̃] *m.* 아롱진 빛깔, 다채로운 광채.

chaton[1], onne [ʃatɔ̃, -ɔn] *n.* 새끼 고양이.

chaton[2] [ʃatɔ̃] *m.* ① (반지의) 거미발《보석을 물리는 부분》. ② 반지의 보석.

chatouille [ʃatuj] *f.* 간질이기.

chatouillement [ʃatujmɑ̃] *m.* ① 간질이기 ; 간지럼. ② 가벼운 쾌감, 만족감.

chatouiller** [ʃatuje] *v.t.* ① 간지럽게 하다 : mouche qui le *chatouille* 그를 간지럽게 하는 파리. ② (자만심 따위를) 만족시키다, 쾌감을 주다, 기분 좋게 하다 : parfum qui *chatouille* l'odorat 〔le nez〕 코를 기분 좋게 자극하는 향기. ③ 《구어》 (남의 비위를) 건드리다. ~ qn ***à l'endroit sensible …에게 만족감을 주다.

chatouilleux, euse [ʃatujø, -øːz] *adj.* ① 간지럼을 잘 타는. ② 성을 잘 내는, 격하기 쉬운 ; 예민한, 민감한 : ~ sur le point d'honneur 명예의 문제에 민감한.

chatoyant, e [ʃatwajɑ̃, -ɑ̃ːt] 다채로운 ; (문장 따위가) 현란한 : style ~ 다채롭고 생기 있는 문체.

chatoyer [ʃatwaje] [7] *v.i.* (보석이나 옷감 따위가) 아롱거리다, 반짝이다(= etinceler) ; 생기가 나다.

châtré, e [ʃɑtʀe] *adj.* 거세된. ── *m.* 《구어》 내시, 환관. ── *n.* 금욕자.

châtrer [ʃɑtʀe] *v.t.* 거세하다(= castrer) ; (문학 작품 따위의) 일부를 삭제하다 : ~ une pièce de théâtre 희곡의 일부를 커트하다.

chatte [ʃat] *f.* chat 의 여성형.

chattemite [ʃatmit] *f.* 《구어》 얌전한 체하는 사람 ; 아첨꾼. ── *adj.* 얌전한 체하는.

chatterie [ʃatʀi] *f.* ① 아양, 아첨 ; 사탕발림 : faire toutes sortes de ~ 온갖 아양〔아첨〕을 떨다. ② (*pl.*) 달콤한 과자.

chatterton [ʃatɛʀtɔ̃] *m.* 〚전기〛 채터튼 혼합물 ; 절연(絶緣) 테이프.

chat-tigre [ʃatigʀ] *m.* (*pl.* **~s-~s**) 〚동물〛 살쾡이.

***chaud, e[1]** [ʃo, ʃoːd] *adj.* ① 뜨거운 ; 더운 ; 따뜻한 : eau ~*e* 뜨거운 물 / à peine ~ 미지근한 / climat ~ 따뜻한 기후 / serre ~*e* 온실. ② 열렬한 ; 격렬한 ; 정열적인 ; 극진한 : ami ~ 극진한 친구 / ~*e* discussion 격렬한 논쟁 / ~ admirateur 열렬한 예찬자 / ~*e* éloquence 마음을 후려잡는 웅변. ③ 열이 있는(= fiévreux) : se sentir le front ~

이마에 열이 있는 것을 느끼다. ④ 긴급한 : alerte ~*e* 긴급 경보 / n'avoir rien de plus ~ que de+*inf.* …하는 것보다 더 긴급한 일은 없다. ⑤ 새로운 : nouvelle toute ~*e* 아주 새로운 소식. ⑥ 〖미술〗 tons ~*s* ; couleurs ~*es* 따뜻한 느낌의 색조. ⑦ 《은어》 위험한. ***fièvre ~e*** 고열. ***Il fait ~.*** (날씨가) 덥다. ***Mains froides, ~es amours.*** 《속담》 손이 차면 정이 많다. ***n'être ni ~ ni froid*** 무관심하다, 냉담하다.

── *m.* 뜨거움 ; 더위 ; 따뜻함 : craindre le ~ autant que le froid 추위와 더위를 모두 타다 / On crève de ~, ioi ! 이곳은 더워 죽겠다. ***à ~*** ⓐ 불을 붙여, 데워서 : étirer un métal *à* ~ 금속을 뜨겁게 달구다. ⓑ 즉석에서 ; 현장에서 : régler un problème *à* ~ 문제가 발생하는 즉시 해결하다. ***au ~*** 따뜻한 곳에 ; 따뜻하게. ***avoir ~*** ⓐ 더위를 몸에 느끼다, 덥다 : J'*ai* ~. 덥다. ⓑ 두려워하다 : J'*ai eu* ~. 나는 겁이 났다. ***ne faire ni ~ ni froid*** 아무래도 좋은〔상관없는〕 일이다. ***prendre ~*** 더위를 느끼게 되다. ***tenir ~ à*** qc …을 따스하게 하다 : Ce chandail me *tient* ~. 이 스웨터는 따뜻하다.

── *adv.* ① 뜨겁게 ; 따뜻하게 : manger 〔boire〕 ~ 더운 음식을〔음료를〕 먹다〔마시다〕. ② 빨리(= vite) ; 곧, 즉시(= sans tarder) : *C~ ! ~ !* partons ! 어서 빨리 떠납시다 ! ***tout ~*** 곧, 즉각(= tout de suite) : porter *tout* ~ une nouvelle 방금 들어온 뉴스〔속보〕를 전하다.

chaude² [ʃoːd] *f.* ① 〖야금〗 가열 ; 열(熱) : faire une ~ 가열하다. ② 화롯불. ***à la ~*** 《옛》 즉각(= sur l'heure).

chaudement [ʃodmɑ̃] *adv.* 따뜻하게 ; 열렬히, 열심히.

chaudière [ʃodjɛːʀ] *m.* ① 큰솥, 가마솥(에 담긴 분량). ② 보일러, 기관(汽罐) : allumer 〔éteindre〕 la ~ 보일러를 켜다〔끄다〕.

chaudron [ʃodʀɔ̃] *m.* 냄비, 작은 솥.

chaudronnerie [ʃodʀɔnʀi] *f.* 주물 제조〔판매〕업 ; 주물 공장 ; (냄비 · 솥 따위) 주물.

chaudronnier, ère [ʃodʀɔnje, -ɛːʀ] *n.* 주물 제조〔판매〕업자 ; 보일러 제작공〔제조업자〕. ── *adj.* 주물(제조)의.

chauffage** [ʃofaːʒ] *m.* 난방 ; 난방 기구〔설비〕 : mettre 〔arrêter〕 le ~ 난방을 켜다 〔끄다〕 / ~ au gaz 〔par l'électricité, à la vapeur〕 가스〔전기 · 증기〕 난방 / Le ~ ne marche pas bien. 난방이 잘 되지 않는다. ***~ central 〔***individuel***〕 중앙〔개별〕 난방. ***~ urbain*** 〔***collectif***〕 지역 공동 난방. 「업자.

chauffagiste [ʃofaʒist] *m.* 중앙 난방 설비

chauffant, e [ʃofɑ̃, -ɑ̃ːt] *adj.* 열을 내는, 따뜻하게 하는 : couverture ~*e* 전기담요.

chauffard [ʃofaːʀ] *m.* 엉터리 운전사.

chauffe [ʃoːf] *f.* 불 때기, 가열 ; 덥게 하기 : donner une ~ à qc …에 열을 가하다 / porte de ~ (보일러 따위의) 아궁이.

chauffe-assiette(s) [ʃofasjɛt] *m.* 접시 데우는 기구. 「온수기.

chauffe-bain [ʃofbɛ̃] *m.* (*pl.* **~-~s**) 목욕물

chauffe-eau [ʃofo] *m.* 《복수불변》 온수기 : ~ instantané 순간 온수기.

chauffe-plats [ʃofpla] *m.* 《복수불변》 요리를 데우는 기구.

chauffer** [ʃofe] *v.t.* ① 덥히다, …에 가열하다 ; 데우다 ; (몸을) 녹이다 ; …에 점화(點火)하다 : ~ de l'eau à 100° 물을 100 도까지 끓이다 / ~ un appartement 〔une maison〕 아파트〔집〕에 난방을 하다. ② 《구어》 ⓐ ~ un examen 맹렬히 시험 공부하다 / ~ une affaire 일을 촉진하다〔서두르다〕 / ~ une scène 〖연극〗 무대에 활기를 불어넣다. ⓑ 《~ qn》 …의 열을 올리다, 흥분시키다, 고무하다 ; 부추기다 ; (여자에게) 열렬히 사랑을 호소하다 : ~ qn à blanc …을 몹시 흥분〔분기〕시키다 / ~ un public 관중을 열광케 하다. ── *v.i.* 더워지다, 뜨거워지다 ; 과열하다 ; 치열해지다 : faire ~ de l'eau 물을 데우다 / Le four *chauffe.* 솥이 뜨거워진다 / La roue *chauffe.* 차륜이 과열하고 있다. ***Ça chauffe ; Ça va ~. 《속어》 (논쟁 따위가) 격렬해지다. ***Le bain chauffe.*** 《구어》 소낙비가 한차례 쏟아질 것 같다. ── ***se ~*** *v.pr.* ① 더워지다, 뜨거워지다, 끓다. ② 몸을 덥게 하다〔녹이다〕 : ne pas *se* ~ du même bois 《비유》 의견을 달리하다 / montrer de quel bois on *se chauffe* 혼내 주다.

chaufferette [ʃofʀɛt] *f.* ① 발보온기. ② (자동차 따위의) 히터.

***chauffeur** [ʃofœːʀ] *m.* ① (증기 기관의) 화부. ② 자동차 운전사 : les ~*s* du dimanche 운전 솜씨가 서투른 운전사.

chauffeuse [ʃoføːz] *f.* ① 낮은 의자《난로 옆에서 사용함》. ② 여자 운전사.

chaulage [ʃolaːʒ] *m.* 〖농업〗 석회수에 담그기, 석회수를 붓기.

chauler [ʃole] *v.t.* (과수 · 흙에) 석회수를 뿌리다〔섞다〕 ; (벽을) 석회로 바르다(= ~ le mur) : ~ des terres 흙에 석회를 섞다.

chaume [ʃoːm] *m.* ① (밀 · 보리 따위의) 줄기. ② (밀 · 보리의) 그루터기 ; 그루터기가 늘어서 있는 밭.

chaumière [ʃomjɛːʀ] *f.* 초가집 ; (초가집의 멋을 살린) 식당, 접객업소 ; 《문어》 가난, 빈곤. ***une ~ et un*** 〔***son***〕 ***cœur*** 《구어》 검소한 부부 살림.

chausse [ʃoːs] *f.* 대학 교수의 견장(肩章) ; 여과용(濾過用) 헝겊.

***chaussée** [ʃose] *f.* ① 차도(車道) : ~ pavée 포장도로. ② 도로 ; 밭두렁(길). 「둣주걱.

chausse-pied [ʃospje] *m.* (*pl.* **~-~s**) 구

chausser [ʃose] *v.t.* ① (신 · 양말 따위를) 신다 : ~ ses souliers 〔ses bas〕 구두를〔양말을〕 신다 / ~ des lunettes 《구어》 안경을 쓰다 / ~ des skis 스키를 신다. ② 신〔양말〕을 신겨 주다 ; 신발을 만들어 주다 : ~ des bottes à un enfant 아이에게 장화를 신겨 주다 / se faire ~ chez qn …의 구둣방에서 구두를 맞추다. ③ (신, 양말이) …에게 맞다. ***Cela me chausse bien.*** 그건 내게 안성맞춤이다. ***~ sa voiture*** 차에 타이어를 달다. ***être difficile à ~*** 성미가 까다롭다. ***s'enfuir un pied chaussé et l'autre nu*** 황급히 달아나다. ── *v.i.* ① (신 · 양말이) 발에 맞다 : Ce soulier *chausse* bien. 이 구두는 잘 맞는다. ② (어떤 치수의) 신을 신다 : ~ du 40, 사이즈 40 의 신을 신다. ***~ de la même pointure*** 서로 뜻이 맞다.

— **se ~** *v.pr.* ① (신 · 양말을) 신다 : *se ~* avec un chausse-pied 구둣주걱으로 구두를 신다. ② *se ~* de ; *se ~* la tête de qc 〔qn〕 《구어》 …에〔에게〕 열중하다, 반하다.

chausse-trap(p)e [ʃostʀap] *f.* 함정, 덫, 올가미 ; 간계, 술책 : tomber dans une ~ 함정에 빠지다.

***chaussette** [ʃosɛt] *f.* 양말 : une paire de ~*s* 양말 한 켤레 / ~*s* hautes (무릎까지 오는) 긴 양말 / marcher en ~*s* 신을 벗고 살금살금 걷다 / ~*s* à clous 《속어》 징 박은 구두 / jus de ~ 《구어》 맛없는 커피.

chausseur [ʃosœːʀ] *m.* 구두 제조〔판매〕인, 구둣방 주인.

***chausson** [ʃosɔ̃] *m.* ① 실내화 ; 운동화 ; 무도화. ② 〖요리〗 과일 파이 : ~ aux pommes 사과 파이.

⁑chaussure [ʃosyːʀ] *f.* ① 신발, 구두 : ~ montante 발목 위까지 올라오는 신발 / ~ plate 굽 없는 신발 / ~*s* de sport 〔basket, ski, marche〕 스포츠〔농구 · 스키 · 보행〕화 / taille d'un ~ 구두의 사이즈 / mettre 〔enlever〕 ses ~*s* 신을 신다〔벗다〕. ② 구두 제조〔판매〕업 : travailler dans la ~ 구둣방〔제화점〕에서 일하다. ***avoir un pied dans deux ~s*** 양다리 걸치다. ***~ à tout pied*** 평범한 이야기. ***trouver ~ à son pied*** 〔***point***〕 구하던 것을 찾다 ; 호적수를 만나다.

chauve** [ʃoːv] *adj.* ① 대머리의 : crâne 〔tête〕 ~ 대머리. ② (산 따위가) 수목이 없는 : mont ~ 민둥산. ***~ comme un genou 〔***œuf***〕 《구어》 대머리의. — *n.* 대머리.

chauve-souris [ʃovsuʀi] *f.* (*pl.* **~*s*-~**) 〖동물〗 박쥐.

chauvin, e [ʃovɛ̃, -in] *adj.* 맹목적 애국주의〔배타주의 · 국수주의〕의. — *n.* 맹목적인 애국자, 배타〔국수〕주의자.

chauvinisme [ʃovinism] *m.* 맹목적〔배타적〕 애국심 ; 국수주의.

chaux [ʃo] *f.* 석회 : pierre à ~ 석회석 / blanchir un mur à la ~ 벽에 석회를 칠하다. ***~ vive*** 생(生)석회. ***eau de ~*** 석회수. ***être bâti à ~ et à sable*** 〔***ciment***〕 《구어》 체격이 건장하다.

chavirement [ʃaviʀmɑ̃] *m.* ① 전복, 뒤집힘. ② (쓰레기 따위를) 내던지기.

chavirer [ʃaviʀe] *v.i.* 전복하다, 뒤집히다 : Notre entreprise risque de ~. 우리 회사가 도산 위기에 처해 있다. — *v.t.* ① 전복시키다, 뒤엎다 : Une vague *a chaviré* notre canot. 파도가 우리 보트를 전복시켰다. ② 《비유》 (깊이) 감동시키다, 동요시키다 : Cette nouvelle nous *a* tous *chavirés*. 이 소식은 우리 모두에게 깊은 충격을 주었다.

chéchia [ʃeʃja] *m.* (아랍인의) 붉은 술이 달린 챙 없는 모자.

check-list [(t)ʃɛklist] 〔영〕 *f.* 〖항공〗 (이륙 전의) 기체 점검표 ; 검사 항목표.

check-up [(t)ʃɛkœp] 〔영〕 *m.* 〖의학〗 종합 건강 진단(= bilan de santé).

⁑chef [ʃɛf] *m.* ① 《옛》 머리. ② ⓐ 우두머리, 장(長), 수령 : ~ de famille 가장 / le [illegible] de l'État ; un ~ d'État 원수, 대통령, 황제, 왕 / ~ du gouvernement 수상〔총리〕 / ~ du bureau 국장〔부장〕 / ~ de pilote 〖항공〗 기장 / ~ d'atelier 공장장. ⓑ 지도자 ; 지휘자 : ~ spirituel 정신적 지도자 / ~ de bande 두목. ⓒ 〖군사〗 사령관 : (부대)장 ; 상관 ; 《구어》 상사(= sergent-chef) : ~ des armées 총사령관, 대원수 / ~ de bataillon 〔compagnie, section, peloton〕 대 〔중 · 소 · 분〕대장. ⓓ (가문의) 창시자, 시조. ⓔ 주방장(= ~ de cuisine). ③ (주요) 항목, 조항 : Il y a deux ~*s* d'accusation. 고소 조항이 두 가지이다. ④ 권위, 권력. ***au premier ~*** 제일, 가장. ***~ de gare*** 역장. ***~ d'équipe*** (팀의) 주장. ***~ de rayon*** (백화점의) 판매장 관리인. ***~ d'état major*** (***général***) 〖군사〗 참모(총)장. ***~ d'orchestre*** 〔***des chœurs***〕 오케스트라〔합창단〕의 지휘자. ***de ce ~*** 이러한 이유로. ***de son*** (***propre, plein***) **~** 자기의 생각으로, 독단으로, 독자적으로 : faire qc *de son* (*propre*) ~ …을 독단으로 하다. ***du ~ de*** qn 〖법률〗 …으로부터의 권리이양에 의해. ***en ~*** 우두머리〔지휘자〕로서 : rédacteur *en* ~ 편집장 / ingénieur *en* ~ 주임 기사.

***chef-d'œuvre** [ʃɛdœːvʀ] *m.* (*pl.* **~*s*-~**) ① 걸작, 명품 : un ~ de la Renaissance 르네상스기의 걸작 / un ~ d'architecture 이름난 건축. ② 대표작 : C'est son ~. 이것이 그의 대표작이다. ③ 완벽한 경지, 최고봉.

chef-lieu** [ʃɛfljø] *m.* (*pl.* **~*s*-~*x) 도청〔군청〕 소재지, 주읍(主邑). 「장.

cheftaine [ʃɛftɛn] *f.* 걸스카우트의 소녀단

cheik(h) [ʃɛk] *m.* (아라비아의) 족장(族長)(= scheik) ; 원로, 설교자.

chelem [ʃ(ə)lɛm] *m.* 《복수불변》 〖카드놀이〗 전승, 완승(完勝)(= schelem) : réussir le petit ~, 12 트릭을 따다. ***faire ~*** 전승〔완승〕하다. ***grand*** 〔***petit***〕 **~** 완승〔한 장 모자라는 완승〕.

chéloniens [kelɔnjɛ̃] *m. pl.* 〖동물〗 귀별류(龜鼈類).

⁑chemin [ʃ(ə)mɛ̃] *m.* ① 길, 도로(= route) : ~ montant 〔descendant〕 오르막〔내리막〕 길 / croisée de ~*s* 십자로, 네거리 / perdre son ~ 길을 잃다 / ~ de terre 비포장도로 / ~ de traverse 지름길, 간도(間道) / ~ rural 시골길 / grand ~ 대로 / Pourriez vous m'indiquer le ~ de la gare? 역으로 가는 길을 알려 주시겠습니까? ② 도정(道程), 여정, 거리 : Il y a une heure de ~ pour aller à l'école. 학교까지는 걸어서 한 시간 걸린다 / changer de ~ 도정을 변경하다 / J'ai retrouvé mon ~ après bien des difficultés. 수많은 난관을 거친 뒤에야 나는 내 갈 길을 찾았다. ③ 《비유》 (과정 · 수단으로서의) 길 ; 수단, 방법(= moyen) : Il est sur le bon ~. 그는 길을 잘 들었다〔잘 하고 있다〕 / ~ de la gloire 영광(에)의 길 / Il fera son ~. 그는 출세〔성공〕할 것이다. ***aller son grand ~*** 정정당당하게 행동하다. ***à moitié ~*** 중도에(서). ***~ battu*** 〔***fréquenté***〕 발길로 다져진 길, 왕래가 잦은 길. ***~ de Saint-Jacques*** 《구어》 은하수. ***~ faisant*** 도중에. ***demeurer*** 〔***s'arrêter***〕 ***en*** (***[illegible]***) 〔***[illegible]***〕 길을 중도에서 포기하다. ***en ~*** 도중에서. ***être dans*** 〔***sur***〕 ***le ~ de*** qn …의 방해가 되다. ***être en ~ de*** + *inf.* 목하 …하는 중이다. ***être toujours par***

voies et par ~s 늘 쏘다니다. ***être toujours sur les ~s*** 집에 붙어 있지 않다, 늘 활동하고 있다. ***faire*** 〔***abattre***〕 ***du ~*** 나아가다, 전진하다 ; (배가) 항진하다 ; 진보하다. ***faire la moitié*** 〔***une partie***〕 ***du ~*** (일의) 반을〔일부를〕 마치다. ***faire un bout de ~ avec*** qn …와 잠깐 동행하다. ***montrer*** 〔***ouvrir, tracer***〕 ***le ~*** 본보기를 보여 주다. ***ne pas y aller par quatre ~s*** 솔직하게 말하다. ***passer*** 〔***poursuivre***〕 ***son ~*** 길을 계속하다. ***prendre le ~ des écoliers*** 먼 길로 돌아가다 ; 《구어》 (아동이) 등교〔하학〕 길에 놀다. ***Qui trop se hâte reste en ~.*** 《격언》 일을 급히 서두르면 그르치기 쉽다. ***se mettre en ~ pour*** …으로 향하여 출발하다. ***se mettre sur le ~ de*** qn …을 방해하다, 어지럽히다. ***sur le ~ de*** …의 도중에서 : Je l'ai rencontré *sur le ~ du* retour. 집에 돌아오는 길에 그를 만났다. ***Tous les ~s mènent à Rome.*** 《격언》 모든 길은 로마로 통한다. ***trouver le ~ du cœur de*** qn …의 호감을 사는 요령을 알고 있다. ***vieux comme les ~s*** 아주 오랜. ***voleur de grand ~*** 노상강도.

‡chemin de fer [ʃ(ə)mɛ̃dfɛːʀ] *m.* (*pl.* **~s ~ ~**) ① 철도 : ligne de ~ 철도 노선 / accident de ~ 철도 사고. ② 철도 운송 (수단) : ~ rapide (기차의) 급행 / horaire des *~s de fer* 기차 시간표 / faire un voyage en ~ 철도 여행을 하다. ③ 철도 행정〔사업〕 : employés des *~s de fer* 철도 종사원.

chemineau [ʃ(ə)mino] *m.* (*pl.* **~x**) 방랑인, 부랑인 ; 〖해양〗 부정기 화물선.

***cheminée** [ʃ(ə)mine] *f.* ① 벽난로 ; 맨틀피스, (벽난로의) 앞 장식(= manteau de ~). ② 굴뚝, 배기관 : ~ d'usine 공장의 굴뚝. ③ (화산의) 분연구(噴煙口)(= ~ volcanique).

cheminement [ʃ(ə)minmɑ̃] *m.* ① 앞으로 나아가기 ; 〖군사〗 전진. ② (사상·이념의) 발전, 진보(= progrès) ; 사고(思考) 과정 : ~ de la pensée 사상의 진전.

cheminer [ʃ(ə)mine] *v.i.* ① (먼 길을 꾸준히) 걸어가다, 나아가다, 전진하다 : L'expédition *chemine* à travers la forêt vierge. 탐험대는 원시림을 헤치며 나아간다. ② (길이) 뻗다, 나 있다 ; (물·구름 따위가) 흘러가다 : sentier qui *chemine* à flanc de coteau 언덕 중턱을 올라가는 오솔길. ③ (생각 따위가) 진보하다 : L'esprit *chemine.* 정신은 진보한다.

cheminot, e [ʃ(ə)mino] *adj.* et *m.* 철도 종사원(의).

‡chemise [ʃ(ə)miːz] *f.* ① 셔츠, 내의, (여자용) 슈미즈 ; (정치 단체의) 제복 : ~ à manches longues 〔courtes〕 긴〔짧은〕 소매의 와이셔츠 / ~ de sport 스포츠 셔츠 / bras 〔manches〕 de ~ 윗도리를 벗고 / ~ de nuit (여자용) 잠옷 / ~ pour femme 블라우스 / ~ américaine 티셔츠. ② 탄피(彈皮) ; (책의) 커버 ; (두꺼운 종이를 둘로 접어 포갠) 서류 뚜껑 ; 홀더, 보호용 덮개 : ~ d'un projectile 탄피 / ranger des papiers dans une ~ 서류를 홀더에 정리해 두다. ***changer de*** qc 〔qn〕 ***comme de ~*** 《구어》 …을 쉽게 바꾸다〔갈아치우다〕 : Il *change d'*amis *comme de ~.* 그는 친구를 헌신짝처럼 갈아치운다. ***donner*** 〔***perdre***〕 ***jusqu'à sa ~*** 《구어》 가진 것을 몽땅 주다〔잃다〕. ***en ~*** 속옷 바람으로. ***être dans la même ~ ; être comme cul et ~*** 《속어》 매우 친하다 ; 서로 떨어질 수 없는 사이다. ***laisser dans une affaire jusqu'à sa dernière ~*** 파산하다. ***mettre*** qn 〔qc〕 ***dans sa ~*** …을 숨겨 주다. ***n'avoir même pas de ~*** 한푼 없다, 아주 가난하다. ***pommes de terre en ~*** 껍질째 요리한 감자. ***se moquer*** 〔***se soucier***〕 ***de*** qc ***comme de sa première ~*** 전혀 관심을 두지 않다. ***vendre sa ~*** 빚을 갚으려고 전 재산을 팔다.

chemiser [ʃ(ə)mize] *v.t.* 피복(被覆)하다 ; (실린더 따위의) 안을 대다.

chemiserie [ʃ(ə)mizʀi] *f.* 남자용 셔츠 제조업 ; (셔츠 따위의) 남자 용품점.

chemisette [ʃ(ə)mizɛt] *f.* (여자용) 반소매 블라우스 ; (남자용) 반소매 셔츠.

chemisier, ère [ʃ(ə)mizje, -ɛːʀ] *n.* 셔츠 제조〔판매〕인. — *m.* (여자용) 블라우스, 스포츠 셔츠.

chênaie [ʃɛnɛ] *f.* 떡갈나무숲.

chenal [ʃ(ə)nal] *m.* (*pl.* **-aux** [-o]) (하천·항구의) 수로(水路), 물길.

chenapan [ʃ(ə)napɑ̃] *m.* 《옛》 못된 놈, 건달, 깡패.

chêne** [ʃɛn] *m.* 〖식물〗 떡갈나무, 참나무 : fruit de ~ 도토리 / ~ des Indes 티크 나무. ***pousser 〔***être***〕 ***fort comme un ~*** 확 떼밀다, 무척 억세다.

chéneau [ʃeno] *m.* (*pl.* **~x**) (처마의) 낙수홈통(= gouttière).

chêne-liège [ʃɛnljɛːʒ] *m.* (*pl.* **~s-~s**) 〖식물〗 코르크떡갈나무.

chenet [ʃ(ə)nɛ] *m.* (벽난로의) 장작 받침쇠.

chenil [ʃ(ə)ni(l)] *m.* ① 개집 ; 개 사육장. ② 누추한 집. ③ 《지방어》 무질서, 난장판.

chenille [ʃ(ə)nij] ① *f.* (나비 따위의) 애벌레, 송충이(= ~ à poils). ② 〖기계〗 무한궤도 : tracteur à ~*s* 무한궤도 트랙터.

chenillé, e [ʃ(ə)nije] *adj.* 무한궤도가 달린.

chenillette [ʃ(ə)nijɛt] *f.* 〖군사〗 무한궤도식 소형 장갑〔자동〕차.

chenu, e [ʃ(ə)ny] *adj.* ① 백발의 ; 노쇠한 : tête ~*e* 백발이 성성한 머리. ② (나무의) 윗가지에 잎이 없는. ③ 《속어》 최고급〔상등〕의 : vin ~ 최고급 포도주.

cheptel [ʃ(ə)tɛl, ʃɛptɛl] *m.* 가축 임대(賃貸) ; 임대 가축(= ~ vif) ; 《집합적》 (한 농가〔지방·국가〕의) 가축 : ~ bovin 소의 총 마릿수.

chèque** [ʃɛk] *m.* 〖상업〗 수표 : un carnet de ~*s* 수표책 / ~ de voyage 여행자 수표 / ~ de cent francs 백 프랑짜리 수표 / tirer 〔émettre〕 un ~ 수표를 끊다〔발행하다〕 / payer par ~ 수표로 지불하다 / endosser un ~ 수표에 이서하다. ***~ barré 횡선 수표. ***~ certifié*** 보증 수표. ***~ de banque*** 〔***bancaire***〕 (은행 발행의) 예금 수표. ***~ en blanc*** 백지 수표. ***~ postal*** 우체국 발행 수표 ; 우편환. ***~ sans provision*** 〔***contrepartie***〕 부도 수표. ***compte ~ postal*** 우체국 예금 구좌. ***donner un ~ blanc à*** qn …에게 수표를 백지 위임하다 ; 모든 권한을 주다. ***toucher un ~*** 수표를 현금으로 바꾸다.

chèque-restaurant [ʃɛkʀɛstɔʀɑ̃] (*pl.* **~s-~**) *m.* 식권.

chéquier [ʃekje] *m.* 수표장(帳)(= carnet de chèques).

cher, ère**[1] [ʃɛːʀ] *adj.* ① 사랑하는 ; 친애하는 ; 정다운(= aimé) ; 귀중〔소중〕한(= précieux), 고귀한 : ~ monsieur 귀하 / Monsieur et ~ client 친애하는 고객 귀하 / ses ~*s* amis 그의 소중한 친구들 / mon père dont la mémoire m'est ~*ère* 내 추억 속에 고이 간직하고 있는 선친. ② 값진, 값비싼 ; 경비가 많이 드는 ; (물건을) 비싸게 파는 : lutte contre la vie ~*ère* 물가고와의 씨름 / La vie est ~*ère* à Paris. 파리에서는 생활비가 많이 든다 / Ça n'est pas ~ payé. 《구어》 그거 비싸게 먹힌 게 아니다. ── *adv.* 비싸게 : vendre ~ 비싸게 팔다, 바가지 씌우다 / acheter ~ 비싸게 사다. ***Cela ne vaut pas ~ ; Il ne vaut pas ~. 별로 값어치가 없다. ***coûter ~*** 비싸다 ; 경비가 많이 들다. ***Il me le payera ~ ; Il le payera plus ~ qu'au marché.*** 톡톡히 복수를 하고 말 테다, 어디 두고 보자. ***Je l'ai eu pour pas ~.*** 《구어》 나는 그것을 싸게 구했다. ***ne pas valoir ~*** (인물이) 대단치 않다 ; (물건이) 별로 값어치가 없다. ***vendre ~ sa vie*** 최후까지 용감히 싸우다. ── *n.* 친한 사람 : mon ~ ; ma ~*ère* 여보, 당신 《부부간 따위에서 쓰는 친숙한 호칭》.

chercher** [ʃɛʀʃe] *v.t.* ① ⓐ 찾다 ; 구하다 ; 강구하다 ; 탐구하다 : ~ qn dans la foule 군중 속에서 …을 찾다 / chien qui *cherche* une piste 발자취를 찾는 개 / ~ un emploi 직장을 찾다 / ~ une femme (결혼하려고) 여자를 물색하다 / Il l'*a cherché,* c'est bien fait pour lui ! 그는 그걸 자초한 셈이지만 그에게는 다행한 일이다 / ~ qc dans ses souvenirs 추억 속에서 …을 찾다 / ~ le moyen d'en sortir 빠져나갈 방책을 강구하다. ⓑ 《보어 없이》 Tu n'*as* pas assez *cherché.* 너는 충분히 찾아보질 않았어. ② 《~ à + *inf.* 〔à ce que + *sub.*〕》 …하려고〔하도록〕 애쓰다〔노력하다〕(= s'efforcer de) : ~ *à* savoir 〔deviner〕 알려고〔알아맞히려고〕 애쓰다 / *Cherchez à ce qu*'on soit content de vous. 남의 마음에 들도록 노력하시오. ③ 《~ + 간접의문문》 …인지 알아보다, 찾아보다 : Je *cherches* il y a une meilleure solution. 나는 더 나은 해결책이 있는지 알아보고 있다. ④ 《구어》 《주어 : qc》 《~ dans les...》 (액수가) …에 달하다(= atteindre) : Cela va ~ *dans les* 100 francs. 그것은 약 100 프랑 될 것이다. ⑤ 《구어》 (싸움 따위를) 걸어오다 (= provoquer) : Si tu me *cherches,* tu vas me trouver. 네가 싸움을 걸어오겠다면 상대해 주마. ⑥ ⓐ aller 〔venir〕 ~ qn 〔qc〕 …을 데리러〔찾으러, 가지러〕 가다 : *Venez* me ~ ce soir. 오늘 저녁 나를 데리러 오시오 / *J'irai* ~ mes amis à la gare. 나는 친구들을 역으로 마중가겠다. ⓑ 《envoyer ~ qn》 …을 부르러 보내다 ; 물건을 가지러 보내다 : *J'ai envoyé* ~ le médecin. 의사를 부르러 사람을 보냈다. ⑦ (불행 따위를) 자초하다, 초래하다 : ~ difficulté 〔le risque〕 스스로 곤란〔위험〕을 자초하다. ***~ aventure 〔***fortune***〕 무슨 좋은 수라도 생길까 바라다. ***~ midi à quatorze heures*** 공연히 일을 어렵게 만들다. ***~ querelle*** 싸움을 걸다.
── *v.i.* 찾다 ; 구하다. ***Qui cherche trouve.*** 구하는 자는 얻는다.
── ***se ~*** *v.pr.* ① 서로 찾다〔구하다〕 : Ils *se sont cherchés* longtemps. 그들은 오랫동안 서로 찾았다. ② 자아를 모색하다 ; 자기의 참 모습을 알려고 하다 ; 자기를 아끼다.

***chercheur, euse** [ʃɛʀʃœːʀ, -øːz] *adj.* 찾는 ; 탐구〔연구〕하는. ── *n.* 찾는 사람 ; 탐구가 ; 연구원 : ~ d'or 금광을 찾는 사람.

chère[2] [ʃɛːʀ] *f.* 음식, 요리, 진수성찬 ; 향연 : homme de bonne ~ 미식가 / ~ entière 여흥을 곁들인 대향연 / faire bonne ~ 맛 좋은 음식을 먹다 ; 호강하다.

chèrement [ʃɛʀmɑ̃] *adv.* ① 다정하게 ; 소중히 : conserver ~ un souvenir 추억을 소중히 간직하다. ② 비싸게 ; 비싼 대가를 치르고. ***payer ~ son succès*** 크나큰 희생을 치르고서야 성공을 거두다. ***vendre ~ sa vie*** 적에게 큰 손실을 입히고 죽다.

chéri, e [ʃeʀi] *adj.* 극진히 사랑하는, 애지중지하는(= préféré) : ma femme ~*e* 내 사랑하는 아내 / Masséna, l'enfant ~ de la Victoire 승리의 여신의 총아 마세나. ── *n.* 극진히 사랑하는 사람 ; 애인 : C'est le ~ de ses parents. 부모가 금이야 옥이야 떠받드는 자식이다.

chérif [ʃeʀif] *m.* ① 아라비아의 왕. ② 마호메트의 딸의 후예.

chérir [ʃeʀiːʀ] *v.t.* 극진히 사랑하다, 귀여워하다 ; 소중히 여기다 : ~ ses enfants 아이들을 귀여워하다 / ~ le souvenir 〔la mémoire〕 de qn …의 추억을 고이 간직하다.

chérot [ʃeʀo] *adj.* 《구어》 지나치게 귀여워하는 ; 엄청나게 비싼 : C'est ~. 비싸군.

cherry [ʃɛʀi] 〔영〕 *m.* ① 버찌. ② 체리브랜디(= ~ brandy).

cherté [ʃɛʀte] *f.* 고가(高價), 값비쌈 : ~ de la vie 높은 물가.

chérubin [ʃeʀybɛ̃] *m.* ① 게루빔, 지품 천신(智品天神) 《제 2 위의 천사》. ② 예쁜〔귀여운〕 어린이 : avoir une face 〔un teint〕 de ~ 동그란 얼굴에 뺨이 발그스름하다.

chétif, ive [ʃetif, -iːv] *adj.* ① 허약한, 연약한(≠ robuste), 가냘픈(= débile) : enfant ~ 허약한 아이. ② 빈약한, 변변치 못한, 보잘것없는 : ~*ive* récolte 신통치 못한 수확, 흉작.

cheval** [ʃ(ə)val] *m.* (*pl.* ***-aux [-o]) ① 말 ; 수말 《암말은 jument, 망아지는 poulain》 : ~ de course 경주용 말 / ~ de bataille 준마 / ~ de selle 승용마 / ~ de trait 〔de harnais〕 짐수레 끄는 말 / monter (sur) un ~ 말에 올라타다. ② 말고기(= viande de ~) : bifteck de ~ 말고기 스테이크 / manger du ~ 말고기를 먹다. ③ 《구어》 정력적인 사람 : C'est un vrai ~ de labour 〔à l'ouvrage〕. 정말 황소같이 일하는 사람이다 / grand ~ 《구어》 남자같이 크고 드센 여자. ④ 승마, 마술 : faire du ~ 승마를 하다. ⑤ 〚기계〛 마력(馬力)(= ~ vapeur) (《약자》 ch) : une quatre ~*aux* 《구어》 4 마력의 자동차. ⑥ (*pl.*) 기사, 기병(= cavaliers) : cinq cents ~*aux,* 500 명의 기병대. ***à ~*** 말을 타고. ***A ~ !*** 〚기병〛 승마 ! 《구령》. ***Cela ne se trouve pas dans le pas d'un ~.*** 《구어》 (대개 많은 액수에 대해 말할 때) 그리 흔하지 않다 ; 쉽사리 구할 수 없다. ***C'est son ~ de bataille.***

그것은 그가 늘〔즐겨〕 끄집어내는 이야기다. ***C'est un bon*** 〔***mauvais***〕 **~.** 그는 장래성이 있는〔없는〕 사람이다. ***~ échappé*** 다루기 힘든 망나니, 반항아. ***~aux de bois*** 회전목마. ***~aux de frise*** 〖군사〗 거마(拒馬). ***~ de bois*** (체조용) 목마. ***~ fondu*** 〖놀이〗 엎드린 이의 등짚고 뛰어넘기. ***~ marin*** 〖동물〗 해마(海馬). ***écrire une lettre à ~ à*** qn …에게 호된 문구로 편지를 쓰다. ***être à ~ sur*** 말 타듯 걸터앉아 있다. ***être à ~ sur l'étiquette*** 예의에 구애되다. ***fièvre de ~*** 심한 열. ***L'œil du maître engraisse le ~.*** 《격언》 주인이 살펴야 일이 제대로 된다. ***monter sur ses grands ~aux*** 화내다 ; 뽐내다. ***remède de ~*** 강력하고 효과적인 치료법 ; 극약(劇藥).

chevalement [ʃ(ə)valmɑ̃] *m.* 〖건축〗 버팀기둥, 지주 : ~ de sondage (유전의) 굴착탑.

chevaleresque [ʃ(ə)valʀɛsk] *adj.* 기사의 ; 기사도적인 ; 의협적인 : esprit ~ 기사도 정신 / actes ~*s* 의협적인 행동.

chevalerie [ʃ(ə)valʀi] *f.* ① (중세의)기사도, 기사 제도 : romans de ~ 기사도 이야기 / ~ errante 기사 편력, 무사 수업. ② 기사의 신분〔지위〕. ③ 〖종교〗 십자군 수도회.

chevalet [ʃ(ə)valɛ] *m.* ① (바이올린의) 줄받침, 브릿지. ② 대(臺), 받침대 ; 작업대 ; 화가(畫架), 이젤 : ~ de scieur 톱질 받침대 / ~ pour linge 빨래 거는 대〔틀〕 / ~ d'un tableau noir 칠판 받침대.

chevalier [ʃ(ə)valje] *m.* ① (중세기의) 기사 ; 기사단의 일원 : ~ de la Table ronde (아더왕 전설의) 원탁의 기사 / ~ errant (봉토를 갖지 않은) 편력 기사. ② (귀부인의) 수행원 ; 여자에게 정중한 남자. ③ 레지옹도뇌르 5등 수훈자(= ~ de la Légion d'honneur). ④ 기사 수도회의 기사. ⑤ 〖조류〗 흰꼬리도요의 무리. ***~ de fortune*** 행운을 찾아 떠돌아다니는 사람. ***~ de l'ordre de Jean-Guillaume*** 교수형을 받은 죄인. ***~ d'industrie*** 사기꾼. ***~ du crochet*** 넝마주이.

chevalière [ʃ(ə)valjɛːʀ] *f.* ① 여자 기사, 기사 부인. ② (가문(家紋) 따위가 새겨진 도장 대용) 반지(= bague à la ~).

chevalin, e [ʃ(ə)valɛ̃, -in] *adj.* 말의, 말 같은 : boucherie ~*e* 말고기 ; 말고깃간 / visage ~ ; figure ~ 말상(의 얼굴).

cheval-vapeur, cheval (vapeur) [ʃ(ə)val vapœːʀ] (*pl.* ***~aux-~*** [ʃ(ə)vo-]) *m.* 〖기계〗 마력(馬力).

chevauchée [ʃ(ə)voʃe] *f.* ① 기마 여행 ; 기마 행렬. ② 말이 쉬지 않고 갈 수 있는 거리.

chevauchement [ʃ(ə)voʃmɑ̃] *m.* ① 말타고 가기. ② (일부의) 중첩, 겹침.

chevaucher [ʃ(ə)voʃe] *v.i.* ① 말 타고 가다. ② (기와 따위가) 겹쳐지다, 포개지다. ③ 《~ sur》 (말 타듯) …에 올라타다, 타고 놀다. — *v.t.* (말 따위를) 타고 가다〔놀다〕 ; 말 타듯 걸터앉다. — **se ~** *v.pr.* 중첩되다, 서로 겹치다.

chevelu, e [ʃəvly] *adj.* ① 머리털이 난 ; 머리가 더부룩한 : des jeunes gens ~*s* 머리가 더부룩한 젊은이들. ② (나무가) 무성한 : monts ~*s* 《시어》 나무가 빽빽한 산. ③ 〖식물〗 (뿌리에) 털이 있는.

chevelure [ʃəvlyːʀ] *f.* ① 머리털, 모발. ② 〖식물〗 (종자나 뿌리의) 털. ③ (혜성의) 꼬리. ***C~ de Bérénice*** 〖천문〗 베레니스 성좌.

chevet [ʃ(ə)vɛ] *m.* ① 침대의 머리 ; 머리맡. ② 〖건축〗 (교회당의) 후진(後陣). ***lampe*** 〔***table***〕 ***de ~*** (침대) 머리맡 전등〔탁자〕. ***livre de ~*** 애독서. ***veiller au ~ de*** qn …의 머리맡에서 간호하다.

‡**cheveu** [ʃ(ə)vø] *m.* (*pl.* ***~x***) ① (흔히 *pl.*) 머리털 ; 《집합적》 머리(털)(= chevelure) : ~*x* blonds 금발 / faux ~*x* 가발 / avoir 〔porter〕 les ~*x* longs 〔courts〕 머리가 길다〔짧다〕 / se faire couper les ~*x* 머리를 깎다 / se laver 〔peigner〕 les ~*x* 머리를 감다〔빗다〕 / se teindre les ~*x* 머리를 염색하다. ② 《구어》 곤란한〔귀찮은〕 일(= ennui) ; 어려운 일 : Il y a un ~. 귀찮은 일이 생겼어 / Voilà le ~. 그게 어려운 점이다. ***arriver*** 〔***venir***〕 ***comme un ~*** 〔***des ~x***〕 ***sur la soupe*** 격에 맞지 않다 ; 나쁜 때에 …이 닥치다. ***avoir mal aux ~x*** 《구어》 (과음으로) 머리가 아프다. ***couper*** 〔***fendre***〕 ***les ~x en quatre*** 아주 세밀하게 따지다. ***faire dresser les ~x*** 머리칼이 쭈뼛하게 하다, 공포에 질리게 하다. ***ne pas toucher à un ~ de*** qn …의 털끝도 만지지 않다. ***ne tenir qu'à un ~ ; s'en falloir d'un ~*** 위기일발이다, 자칫하면 큰일 날 뻔하다. ***saisir l'occasion aux*** 〔***par les***〕 ***~x*** 《구어》 재빨리 기회를 잡다. ***s'arracher les ~x*** 《구어》 (비통한 나머지) 머리를 쥐어뜯다. ***se faire des ~x*** (***blancs***) 걱정을 하다. ***se prendre aux ~x*** 서로 머리채를 움켜잡다 ; 싸우다. ***tiré par les ~x*** 강제에 못 이겨 ; 억지의 : explication *tirée par les ~x* 억지 설명.

cheville** [ʃ(ə)vij] *f.* ① 쐐기 ; 볼트 ; 갈고리 : enfoncer 〔ficher〕 une ~ 쐐기를 박다. ② 발목 : robe qui arrive à la ~ 발목까지 닿는 옷. ③ 〖문학〗 (시의 운율을 맞추기 위해 넣은) 허사(虛辭). ***~ ouvrière (마차의) 중심 볼트 ; 주동 인물. ***être en ~ avec*** qn …와 함께 사업을 하다. ***ne pas arriver*** 〔***venir***〕 ***à la ~ de*** qn …의 발밑에도 미치지 못하다, …에게는 당할 수 없다 : Il *ne* vous *vient pas à la ~*. 그는 너를 따라가려면 아직 멀었다.

chevillé, e [ʃ(ə)vije] *adj.* ① 쐐기를 박은 ; 볼트로 죈. ② 《비유》 단단히 뿌리를 박은. ***avoir l'âme*** 〔***la vie***〕 ***~e au corps*** (중병을 이겨낼 만큼) 생명력이 강하다. ***avoir l'espoir ~ à l'âme*** 무슨 일이 있어도 희망을 잃지 않다.

cheviller [ʃ(ə)vije] *v.t.* ① …에 쐐기를 박다 ; 볼트로 죄다 : ~ une porte 문을 볼트로 고정시키다. ② (시구를) 허사로 메우다.

cheviot(t)e [ʃ(ə)vjɔt] *f.* 체비엇 양털《스코틀랜드산》 ; 그 모직물.

chèvre** [ʃɛːvʀ] *f.* ① 염소 ; 암염소《수컷은 bouc》 : fromage de ~ 염소젖으로 만든 치즈 / barbe 〔barbiche〕 de ~ 염소 수염. ② 〖기계〗 기중기(= bique). ③ (수레 만드는 목수의) 톱질 작업대. ***devenir ~ 화가 치밀어 오르다. ***Il serait amoureux d'une ~ coiffée.*** 그는 아무 여자에게나 반해 버린다. ***la C~*** 〖천문〗 카펠라성(星). ***ménager la***

*~ **et le chou*** 어느 편에나 좋게 행동하다 ; (화를 입지 않도록) 몸조심하다.

chevreau [ʃ(ə)vʀo] *m.* (*pl.* **~x**) 새끼 염소 ; (새끼) 염소 가죽 : gants de 〔en〕 ~ 염소 가죽 장갑.

chèvrefeuille [ʃɛvʀəfœj] *m.* 〖식물〗 인동덩굴.

chevrette [ʃ(ə)vʀɛt] *f.* 새끼 암염소 .

chevreuil [ʃ(ə)vʀœj] *m.* 〖동물〗 노루.

chevrier, ère [ʃ(ə)vʀi(j)e, -ɛ:ʀ] *n.* 염소지기.

chevron [ʃ(ə)vʀɔ̃] *m.* ① 〖건축〗 서까래. ② 〖문장〗 V 자를 거꾸로 한 문양. ③ 〖군사〗 갈매기표 수장(袖章).

chevronné, e [ʃ(ə)vʀɔne] *a.* (군인이) 고참인 ; 숙련된(=expérimenté) : vieux soldat ~ 고참병 / chauffeur ~ 노련한 운전사.

chevrotant, e [ʃ(ə)vʀɔtɑ̃, -ɑ̃:t] *adj.* (목소리가) 떨리는 : voix ~*e* 떨리는 목소리.

chevrotement [ʃ(ə)vʀɔtmɑ̃] *m.* 목소리의 떨림 ; 떨리는 목소리로 노래〔말〕하기.

chevroter [ʃ(ə)vʀɔte] *v.i.* (염소가) 메에하고 울다 ; 목소리를 떨며 말〔노래〕하다.

chevrotin [ʃ(ə)vʀɔtɛ̃] *m.* 새끼 염소 가죽.

chewing-gum [(t)ʃuiŋgɔm] *m.* 껌, 추잉껌.

⁑chez [ʃe] *prép.* ① …의 집에(서), …의 상점에(서), …의 나라〔지방〕에(서) : acheter qc ~ l'épicier …을 식품점에서 사다 / ~ mon voisin 이웃집에서 / passer ~ qn …의 집에 들르다 / venir de ~ qn …의 집에서 오다/ ~ nous 우리나라에서는 / porter la guerre ~ l'ennemi 적국 내에서 전쟁하다 / Je vais ~ le coiffeur. 나는 이발소에 간다 / 《전화》 Allô, je suis bien ~ M. Dubois ? 여보세요, 뒤부아씨 댁입니까 ? ② …에 있어서, …의 작품 속에 ; …의 마음속에 ; …의 시대에 ; … 사이에서(=parmi) : Il en est ainsi ~ les Français. 프랑스 사람들 경우에는 그러하다 / C'est ~ lui une habitude. 그것은 그의 습관이다 / ~ les Grecs 그리스 시대에 / ~ la postérité 후세에 있어서 / ~ Corneille 코르네유의 작품 속에 / ~ les animaux 동물의 세계에서. ③ 《직업명 앞에》 …의 근무처〔사무실〕에(서) : aller ~ le dentiste 치과에 가다 / aller ~ le directeur 부장실로 가다. ④ 《상호명으로 쓰여》 …의 : *C~* Marie 마리네 가게〔식당〕/ 《상호 앞에》 travailler ~ Citroën 시트로앵 회사에서 일하다. ⑤ 《de 〔par〕 ~》 …의 집〔지방 · 나라 · 상점〕: passer *par* ~ qn …의 집에 들르다 / Il est *de* ~ nous. 그는 우리 고장 출신이다. ***faire comme ~ soi*** 마음을 편안하게 하다 : *Faites comme chez vous.* 댁에 계신 것처럼 편히 하세요. ***Mais ~ qui ?*** 《속어》 설마.

chez-moi [ʃemwa], **chez-soi** [ʃeswa] *m.* 《복수불변》 자기 집, 가정 : Rien ne vaut un ~. 제집처럼 좋은 곳은 없다.

chiadé, e [ʃjade] *adj.* 어려운(=difficile) : problème ~ 어려운 문제.

chiader [ʃjade] *v.t.* et *v.i.* 《학생은어》 (시험) 준비를 하다(=préparer) ; 열심히 공부하다(=travailler) : ~ son bac 바칼로레아 응시 준비를 하다 / ~ une question 〔un problème〕 문제를 깊이 연구하다.

chialer [ʃjale] *v.i.* 《구어》 울다(=pleurer).

chiant, e [ʃiɑ̃, -ɑ̃:t] *adj.* 《구어》 귀찮은, 성가신 : travail ~ 성가신 일.

chianti [kjɑ̃ti] *m.* (이탈리아 *Sienne* 산(産)의) 적포도주.

chiasme [kjasm] *m.* 〖수사학〗 교착(交錯)어법, 변화 반복법《예 : Il faut *manger* pour *vivre* et non pas *vivre* pour *manger.*》.

chiasse [ʃjas] *f.* (파리 따위의) 똥 ; 《속어》 복통 ; 설사. ***avoir la ~*** 《속어》 설사하다 ; 《비유》 겁을 먹다.

chic** [ʃik] *m.* ① (특히 그림의) 기교 ; 묘기(妙技), 솜씨 : peinture qui a plus de ~ que de talent 재능보다는 기교가 있는 화가. ② 재주, 요령(=address), 솜씨 : ~ d'un artisan 장인의 솜씨. ③ 멋(=élégance), 유행 : ~ parisien 파리의 멋 / Cette voiture, quel ~ ! 이 차, 참 멋지다 ! ④ 《un ~》 《학생은어》 열렬한 박수〔환영〕(=ovation). ***avec ~ 멋있게. ***avoir le ~ pour*** 〔***de***〕 qc 〔+*inf.*〕 …하는 데 매우 능숙하다 : *avoir le ~ pour* faire les gâteaux 과자 만드는 재주가 있다. ***C'est le grand ~ à l'heure actuelle.*** 그것은 지금 대유행이다. ***de ~*** ⓐ 〖미술〗 모델 없이 : peindre 〔travailler〕 *de* ~ 모델 없이 그림을 그리다. ⓑ 준비 없이 : faire qc *de* ~ 준비 없이 …을 하다. ***Il a du ~.*** 그는 멋이 있다. ── *adj.* 《여성불변. *pl.* ~(**s**)》 ① 멋진, 근사한, 세련된 : gens ~(*s*) 세련된 사람들 / robe ~ 멋진 드레스. ② 《구어》 아주 좋은, 기막힌 : On a fait un ~ voyage. 우리는 아주 멋진 여행을 했다. ③ 상냥한, 친절한 : Il est très ~ à mon égard. 그는 나에게 매우 친절하다 / C'est un ~ garçon 〔type〕. 그는 마음씨 좋은 소년〔녀석〕이다 / Voilà une parole ~. 너그러운 말이다. ***Ça fait ~.*** 멋지다 ; 멋져 보인다. ***~ type*** 쾌남아 ; 좋은 친구. ── *interj.* *C~* alors ! 잘됐다 ! 멋지다 !

chicane [ʃikan] *f.* ① 억지, 트집, 언쟁 : chercher (des) ~(*s*) à qn …에게 트집을 잡다. ② (사소한 일로) 소송하기 ; 복잡한 소송 절차 : gens 〔homme〕 de ~ 법조인 ; 소송하기 좋아하는 사람. ③ 〖군사〗 지그재그형 통로, 장애물 : barrières en ~ 지그재그로 놓인 방책.

chicaner [ʃikane] *v.i.* 억지 부리다 ; 궤변을 늘어놓다. ── *v.t. ind.* 《~ sur》 …에 대해 억지를 부리다〔시비를 걸다〕 : ~ *sur* tout 매사에 억지를 부리다 / ~ *sur* le mots 말꼬리를 잡아 시비를 걸다. ── *v.t.* ① …에게 트집잡다〔시비를 걸다〕: On m'*a chicané* sur ces dépenses. 나는 그 지출에 대해서 트집을 잡혔다. ② 괴롭히다, 걱정시키다(=tracasser) : Cela me *chicane.* 그것이 걱정이다. ── **se ~** *v.pr.* 《~ avec》 …와 말다툼〔언쟁〕하다.

chicanerie [ʃikanʀi] *f.* 궤변, 억지, 트집.

chicaneur, euse [ʃikanœ:ʀ, -ø:z] *adj.* et *n.* 트집 잡기 잘하는 (사람) ; 소송 걸기 좋아하는 (사람) : esprit ~ 트집쟁이.

chicanier, ère [ʃikanje, -ɛ:ʀ] *adj.* et *n* = chicaneur.

chiche[1] [ʃiʃ] *adj.* ① 인색한, 쩨쩨한 ; 《~ de》 (말수가) 적은 : être ~ *de* ses paroles 말이 없다 / être ~ *d'éloges* 칭찬에 인색하다. ② 빈약한, 초라한 : ~ récompense 빈약한 보상. ***être ~ de***+*inf.* 《구어》 (감히) …할 수 있다 ; …할 만큼 당돌하다 : Tu n'*est* pas ~ *de* le faire. 너는 감히 그렇게 하지 못할 거다. ── *interj.* 《속어》 어림없다, 두고 봐라, 미친 소리 : *C~* que j'y arrive ! 꼭 해내고 말테다. ── *n.* 쩨쩨한 녀석.

chiche² *m.* 〖식물〗 이집트콩(= pois ~).

chichement [ʃiʃmɑ̃] *adv.* 인색하게 ; 빈약하게 ; 검소하게 : vivre ~ 검소하게 살다.

chichi [ʃiʃi] *m.* 점잔빼는 태도 ; 격식차리기. ***faire des ~s*** 점잔부리다, 격식을 찾다. ***gens à ~s*** 격식을 좋아하는 사람들.

chichiteux, euse [ʃiʃitø, -øːz] *adj.* 《구어》 점잔빼는 ; 젠체하는 ; 지나치게 멋부린.

chicorée [ʃikɔʀe] *f.* 〖식물〗 치커리 ; 꽃상추 ; 꽃상추 뿌리의 가루.

chicot [ʃiko] *m.* ① 나무의 그루터기. ② (부러진 · 썩은) 이의 뿌리, 치근.

chicotin [ʃikɔtɛ̃] *m.* 알로에 즙(汁).

chiée [ʃie] *f.* 《구어》 다수, 다량 : une ~ de types 많은 사람들.

chien, enne** [ʃjɛ̃, -ɛn] *n.* ① 개 : ~ courant 짐승을 쫓는 사냥개 / ~ de berger 양 지키는 개 / ~ policier 경찰견 / ~ de race 순종개 / ~ d'agrément 애완견 / ~ d'aveugle 장님을 인도하는 개 / ~ d'arrêt 포인터 / ~ de garde 집 지키는 개. ② (총의) 공이치기. ③ ⓐ 《구어》 말단에서 일하는 사람, 단역, 잡역 ; 잔소리꾼 ; 인색한 사람 : Son père est d'un ~. 그의 아버지는 지독한 노랭이다 / C'est un mauvais ~. 그는 잔소리가 심하다. ⓑ 개같은 놈, 못된 놈〔것〕《욕설》: Fils du ~ ! 개자식 / *C~* de temps ! ; Quel ~ de temps ! 고약한 날씨군. ④ 《구어》 (여자의) 매력 : avoir du ~ 성적 매력〔멋〕이 있다. ⑤ 이마에 내려뜨린 머리칼 : porter des ~s ; être coiffé à la ~*enne* 애교머리를 하다. ***à la ~enne 개처럼 : nager *à la ~enne* 개처럼 헤엄치다. ***Autant vaut être mordu d'un ~ que d'une ~enne.*** 양쪽이 모두 신통치가 못하다, 그게 그거다. ***C'est saint Roch et son ~.*** 그들은 늘 붙어 다닌다. ***Ce n'est pas fait pour les ~s.*** 《구어》 그것은 가치 있는 것이다. ***C'est un ~ qui aboie à la lune.*** 그는 어림도 없는 일을 하려는 주제넘은 사람이다. ***~ couchant*** 비굴한 아첨꾼 : faire le ~ *couchant* 비굴하게 아첨하다. ***~s écrasés*** 신문의 하찮은 삼면기사. ***C~ mort ne mord pas.*** 《속담》 죽은 사람은 말이 없다. ***C~ qui aboie ne mord pas.*** 《속담》 짖는 개는 물지 않는다. ***comme un ~*** 비참하게 ; 지독하게 ; 사정없이 : vivre *comme un* ~ 비참하게 살다. ***coup de ~*** 돌연한 폭풍우 ; 갑작스런 소요, 봉기. ***de ~*** 《구어》 지독한, 고약한, 비참한 : une vie *de* ~ 비참한 생활 / temps *de* ~ 고약한 날씨 (= ~ de temps). ***donner sa langue aux ~s*** 단념하다. ***entre ~ et loup*** 날이 저물어 갈 무렵에. ***être 〔faire〕 comme le ~ du jardinier*** 심보가 나쁘다. ***faire le ~ couchant*** 아첨하다. ***garder à*** qn ***un ~ de sa ~enne*** …에게 복수할 마음을 먹고 있다. ***Leurs ~s ne chassent pas ensemble.*** 그들은 서로 사이가 나쁘다. ***Nom d'un ~ !*** 《구어》 빌어먹을 ! ***Qui veut noyer son ~ accuse de la rage.*** 《속담》 핑계 없는 무덤은 없다. ***rompre les ~s*** 〖사냥〗 풀어 놓은 개를 불러들이다 ; (싸움이 벌어지지 않도록) 화제를 바꾸다. ***se regarder en ~s de faïence*** 서로 노려보다. ***traiter*** qn ***comme un ~*** 멸시하다 ; 푸대접하다. ***vivre 〔s'entendre〕 comme ~ et chat*** 사이가 매우 나쁘다.
── *adj.* ① 개의. ② 인색한, 탐욕스러운 ; 고약한. ***avoir l'air ~*** 탐욕스러워 보이다.

chien-chien [ʃjɛ̃ʃjɛ̃] *m.* 《구어》 멍멍개 ; 귀여운 사람.

chiendent [ʃjɛ̃dɑ̃] *m.* ① 〖식물〗 개밀 ; 개밀의 뿌리. ② 《구어》 난처한 일, 곤란.

chienlit [ʃjɑ̃li] *m.*〔*f.*〕《복수불변》 ① 《문어》 가장행렬. ② (사육제의) 가면 ; 괴상한 옷차림(을 한 사람). ③ 혼란, 소동, 난장판(= pagaïe).

chien-loup [ʃjɛ̃lu] *m.* (*pl.* **~s-~s**) 이리 비슷한 개《셰퍼드》.

chiennerie [ʃjɛnʀi] *f.* 《속어》 치사스러운〔인색한〕 짓 ; 파렴치한 행위.

chier [ʃje] *v.i.* 《비어》 똥 누다(= défequer). ***faire ~*** qn …을 진저리나게 하다.

chiffe [ʃif] *f.* ① 누더기, 넝마. ② 무기력한 남자. ***se sentir mou comme une ~*** 《구어》 완전히 맥이 빠져 버린 느낌이다.

chiffon** [ʃifɔ̃] *m.* ① 누더기, 걸레. ② 파지(破紙) ; 휴지조각 같은 것 : ~ de papier 무가치한 계약〔조약〕. ③ (여자의) 장신구. ***parler ~s (여자들이) 옷 이야기를 하다 ; 평범한 얘기를 주고받다. ***s'occuper de ~s*** (여자가) 몸치장에 정신을 팔다.

chiffonade [ʃifɔnad] *f.* 〖요리〗 시포나드《잘게 썬 상추 · 파슬리를 버터에 무친 것 ; 샐러드용》.

chiffonnage [ʃifɔnaːʒ] *m.* 구김살 ; 구겨진 천.

chiffonné, e [ʃifɔne] *adj.* ① 구겨진 : jupe toute ~*e* 구겨진 스커트. ② 《구어》 (얼굴이) 피로한 ; 반반하지 못하나 인상이 좋은. ***figure 〔mine〕 ~e ; minois ~*** 피로한 얼굴 ; 반반치 못하나 호감이 가는 얼굴.

chiffonner [ʃifɔne] *v.t.* ① 구기다(= froisser) : ~ une lettre 편지를 구기다. ② …의 마음을 언짢게 하다, 난처하게〔짜증스럽게〕 하다 : Ça me *chiffonne.* 그 일이 마음에 걸린다. ── *v.i.* ① 옷치장에 마음을 쓰다. ② 잔바느질하다.

chiffonnier, ère [ʃifɔnje, -ɛːʀ] *n.* 넝마주이, 폐품 회수업자 : ***se disputer 〔se battre〕 comme des ~s*** 체면불구하고 마구 다투다. ***vêtu comme un ~*** 구겨지고 더러운 옷을 입은.

chiffrable [ʃifʀabl] *adj.* ① 계산〔산정〕할 수 있는. ② 숫자〔암호〕로 적을 수 있는.

chiffrage [ʃifʀaːʒ] *m.* ① 계산 ; 산정 : ~ des pertes 손실의 산정. ② 숫자〔암호〕로 적기.

***chiffre** [ʃifʀ] *m.* ① 숫자 ; 총액 ~*s* arabes 〔romains〕 아라비아〔로마〕숫자 / nombre de deux 〔trois〕 ~*s* 두〔세〕자리 숫자 / ~ d'affaires (1기(期)의) 총매상고. ② 암호 (숫자 · 문자) ; 암호과(課)(= service du ~) : écrire en ~*s* 암호로 쓰다 / clef du ~ 암호를 푸는 열쇠. ③ (금고를 열기 위한) 숫자〔문자〕의 배합 : ~ d'un coffre-fort 금고의 비밀번호. ④ (성명의 첫글자 따위의) 연결 문자, 합자(= monogramme) ; (회사 따위의) 마크, 상표, 기장(= marque) : faire graver son ~

sur un cachet 도장에 자기의 이니셜을 새겨 넣게 하다. ⑤ 표징, 상징, 수수께끼 : Le vieux Testament est un ~. 구약성서는 하나의 상징이다《*Pascal* 의 말》.

chiffrement [ʃifʀəmɑ̃] *m.* (통신문의) 암호화(= chiffrage).

chiffrer [ʃifʀe] *v.t.* ① 숫자로 표시하다 ; …에 번호를 매기다(= numéroter) : ~ les pages d'un livre 책의 페이지에 번호를 매기다. ② 계산하다 ; 산정하다 : ~ le côut de la réparation 수리 비용을 산정하다. ③ 암호로 적다 : ~ une dépêche 전보를 암호로 적다. ④ (성명의 첫글자 따위의) 이니셜을 새기다 : ~ un mouchoir 손수건에 이니셜을 새겨 넣다. — *v.i.* ① 계산하다. ② 큰 금액이 되다 : Ça finit par ~ ! 엄청난 금액인데 ! — **se ~** *v.pr.* 계산되다 ; 총계 …가 되다.

chiffreur, euse [ʃifʀœːʀ, -øːz] *n.* ① 계산 잘하는 사람 ② 암호로 적는 사람.

chignol(l)e [ʃiɲɔl] *f.* ① 송곳, 전기 드릴. ② 《구어》 고물 자동차〔마차〕(= tacot).

chignon [ʃiɲɔ̃] *m.* (뒷머리에) 틀어올린 머리, 쪽진 머리.

chiite, chi'ite [ʃiit] 〖종교〗 *adj.* et *n.* 시아 「파의 (사람).

chilien, enne [ʃiljɛ̃, -ɛn] *adj.* 칠레(*le Chili*)의. — **C~** *n.* 칠레 사람.

chimère [ʃimɛːʀ] *f.* ① 공상, 망상, 몽상 : se forger 〔se créer〕 des ~*s* 공상을 그리다. ② (*C~*) 〖그리스신화〗 키메라 《사자의 머리 · 양의 몸 · 용의 꼬리를 가진 전설의 괴물》.

chimérique [ʃimeʀik] *adj.* 가공의(= fabuleux), 공상적인, 꿈 같은 : esprit ~ 공상에 잠긴 사람. — *n.* 공상〔몽상〕가.

***chimie** [ʃimi] *f.* 화학 : ~ organique 〔minérale〕 유기〔무기〕 화학 / ~ biologique 생화학 / expérience de ~ 화학 실험.

***chimique** [ʃimik] *adj.* 화학(상)의, 화학적인 : produit ~ 화학 제품 / génie ~ 화학 공학.

chimiquement [ʃimikmɑ̃] *adv.* 화학적으로, 화학 작용에 의하여.

***chimiste** [ʃimist] *m.* 화학자 : ingénieur ~ 화학 기술자.

chimpanzé [ʃɛ̃pɑ̃ze] *m.* 〖동물〗 (아프리카의) 검은성성이, 침팬지.

chinage [ʃinaːʒ] *m.* 〖직물〗 혼색으로 짜기 위해 실을 염색하기 ; 혼색으로 짜기.

chinchilla [ʃɛ̃ʃi(l)la] *m.* 〖동물〗 친칠라《남아메리카산의 다람쥐의 일종》; 그 모피.

Chine [ʃin] *n.pr.f.* 〖지리〗 중국. ***encre de ~*** 먹. ***République populaire de ~*** 중화인민 공화국. — **C~** *m.* ① 당지(唐紙). ② (때로 *f.*) 중국 자기.

chiner[1] [ʃine] *v.t.* (직물을) 혼색으로 짜다.

chiner[2] *v.t.* 《구어》 ① 《~ qn》 놀리다, 야유하다, 비웃다(= railler). ② 《~ qc》 …을 달라고 조르다 : ~ des sous à sa mère 어머니에게 용돈을 달라고 조르다. — *v.i.* ① 행상을 하다. ③ 고물을 수집하다〔매매하다〕.

chinetoque [ʃintɔk] *n.* et *adj.* 《구어》 《경멸》 중국인(의).

chineur, euse [ʃinœːʀ, -øːz] *n.* ① 고물상 《특히 헌옷 상수》. ② 비웃기 잘하는 사람.

chinois, e** [ʃinwa, -aːz] *adj.* ① 중국의 ; 중국식의 : caractère ~ 한자. ② 《비유》 기묘한, 알기 어려운. — **C~** *n.* ① 중국 사람. ② 괴상한 놈 ; 까다로운 사람. ***ombres ~es 그림자놀이. — *m.* ① 중국어(語). ② 《구어》 횡설수설 : C'est du ~. 도무지 무슨 말인지 모르겠군.

chinoiser [ʃinwaze] *v.i.* 《구어》 까다롭게 굴다, 트집잡다. — *v.t.* 중국인처럼 만들다.

chinoiserie [ʃinwazʀi] *f.* ① 중국산〔취미〕의 잡화〔골동품〕. ② (*pl.*) 번거로운 절차〔일〕 : ~*s* administratives 번거로운 행정 절차.

chiot [ʃjo] *m.* 어린 강아지.

chiottes [ʃiɔt] *f. pl.* 《속어》 변소.

chip [ʃip] 〔영〕 *f.* 〖전자〗 칩 《집적 회로의 전기 회로를 넣는 케이스》.

chiper [ʃipe] *v.t.* ① 《구어》 훔치다(= dérober) ; 가로채다 : ~ son portefeuille à qn …의 지갑을 훔치다. ② (병에) 걸리다(= attraper) : ~ un rhume 감기에 걸리다.

chipie [ʃipi] *f.* 까다로운 여자, 심술궂은 여자.

chipolata [ʃipɔlata] *f.* 작은 순대〔소시지〕.

chipoter [ʃipɔte] *v.i.* ① 맛없는 듯이 깨지락거리다(= grignoter). ② 마지못해 일하다. ③ 《~ sur》 (하찮은 일로) 트집잡다〔따지다〕; (값을) 치사하게 흥정하다 : ~ *sur* des comptes 계산을 가지고 옥신각신하다. — *v.t.* (값을) 치사하게 흥정하다. — **se ~** *v.pr.* (사소한 일로) 다투다.

chipoteur, euse [ʃipɔtœːʀ, -øːz], **chipotier, ère** [ʃipɔtje, -ɛːʀ] *adj.* et *n.* ① 마지못해 일하는 (사람). ② 대수롭지 않은 일로 말다툼하는 (사람).

chips [tʃip] 〔영〕 *m. pl.* 〖요리〗 포테이토칩, 얄팍한 감자튀김(= pommes ~).

chique [ʃik] *f.* ① 씹는 담배 . ② 《구어》 (치통 때문에) 부어오른 볼. ③ 〖곤충〗 모래벼룩(= puce ~). ***avaler sa ~*** 《속어》 죽다. ***avoir la ~*** 《속어》 이에〔잇몸에〕 염증이 생기다. ***Ça ne vaut pas une ~.*** 《속어》 그것은 한푼의 가치도 없다. ***couper la ~ à*** qn 《속어》 …의 말을 느닷없이 가로막다. ***mou comme une ~*** 아주 무기력한. ***poser*** 〔***déposer***〕 ***sa ~*** 《속어》 말을 중단하다, 잠자코 있다 ; 죽다.

chiqué [ʃike] *m.* 《구어》 점잖은 체하는 태도, 허세(= affectation) ; 속임수. ***C'est du ~.*** 그것은 허세다. ***faire du ~ ; la*** 〔***le***〕 ***faire au ~*** 점잔빼다 ; 잘난 체하다, 허세 부리다.

chiquement [ʃikmɑ̃] *adv.* 《구어》 멋있게 ; 친절하게 : être ~ fringué 멋지게 차려입다.

chiquenaude [ʃiknoːd] *f.* ① 손가락으로 튀기기 : donner une ~ à 〔sur〕 qc …을 손가락으로 튀기다. ② 약간의 충격〔자극〕.

chiquer [ʃike] *v.i.* 담배를 씹다. — *v.t.* ① (담배를) 씹다 : tabac à ~ 씹는 담배. ② ~ le 〔les〕 légume(s) 《구어》 식사를 하다, 먹다.

chir(o)- *préf.* 「손」의 뜻.

chiromancie [kiʀɔmɑ̃si] *f.* 손금 보는 법, 수상술(手相術).

chiromancien, enne [kiʀɔmɑ̃sjɛ̃, -ɛn] *n.* 손금쟁이.

chiropracteur [kiʀɔpʀaktœːʀ] *m.* 〖의학〗 척추 교정 지압사.

chiropractie [kiʀɔpʀakti], **chiropraxie** [kiʀɔpʀaksi] *f.* 척추 교정 지압(술).

chirurgical, e, aux [ʃiʀyʀʒikal, -o] *adj.* 외과의, 외과용의 : subir une intervention ~*e* 수술을 받다.

C

***chirurgie** [ʃiʀyʀʒi] *f.* 외과, 외과학〔술〕: ~ générale 일반 외과 / ~ plastique 〔esthétique〕 성형 외과.

***chirurgien, enne** [ʃiʀyʀʒjɛ̃, -ɛn] *n.* 외과 의사 : Ce ~ m'a opéré de l'appendicité. 이 외과 의사가 나의 맹장 수술을 해 주었다.

chitine [kitin] *f.* 키틴(질(質)).

chiure [ʃjy:ʀ] *f.* (파리 · 벼룩 따위의) 똥(=chiasse).

chlamyde [klamid] *f.* 〖고대그리스〗 (오른쪽 어깨 앞을 후크로 잠그는) 망토.

chlinguer, schlinguer [ʃlɛ̃ge] *v.i.* 《속어》 악취를 풍기다.

chlore [klɔ:ʀ] *m.* 〖화학〗 염소 ; 《속어》 염화칼슘.

chloré, e [klɔʀe] *adj.* 〖화학〗 염소를 함유한.

chlorhydrique [klɔʀidʀik] *adj.* 〖화학〗 염산의, 염산수소의 : acide ~ 염산.

chloroforme [klɔʀɔfɔʀm] *m.* 〖화학〗 클로로포름.

chloroformé, e [klɔʀɔfɔʀme] *adj.* ① 클로로포름을 함유한. ② (특히 정치 문제에) 무관심해진, 관심이 희박해진.

chloroformer [klɔʀɔfɔʀme] *v.t.* ① 〖의학〗 클로로포름으로 마취시키다. ② 〖약학〗 …에 클로로포름을 넣다. ③ 《비유》 마비시키다, 무감각하게 만들다.

chlorophylle [klɔʀɔfil] *f.* ① 〖식물〗 엽록소. ② 신선한 대기 ; 들판.

chlorophyllien, enne [klɔʀɔfiljɛ̃, -ɛn] *adj.* 엽록소의. ***corps ~s*** 엽록체.

chlorose [klɔʀo:z] *f.* 〖의학〗 위황병(萎黃病) ; 빈혈증 ; 〖식물〗 백변병(白變病).

chlorure [klɔʀy:ʀ] *m.* 〖화학〗 염화물(塩化物).

choc** [ʃɔk] *m.* ① 충돌(=collision) ; (정신적) 충격, 타격(=coup), 쇼크 ; (의견 · 이해 따위의) 충돌 : le ~ de voitures 자동차 충돌 / ~ opératoire 외과 수술에 의한 쇼크 / Cela m'adonné un ~. 나는 그 일로 충격을 받았다 / ~ des opinions 의견 충돌. ② 〖군사〗 (양군의) 충돌 ; 돌격, 습격. ③ 《접미사적으로》 충격적인, 충격을 주는 : *documentaire-~* 충격적인 기록 영화 / livres parus au *prix-~* de 3 F, 3 프랑이란 터무니없는 염가로 출판된 책. ***de ~ ⓐ 몹시 활동적인(=dynamique) ; 대담한(=entreprenant), 파격적인 : rayon *de* ~ 파격적인 염가매장. ⓑ 돌격의, 공격의 : troupes *de* ~ 돌격대. ⓒ 전투적인, 전위적인 : art *de* ~ 전위적 예술 / enseignement *de* ~ 집중 교육, 강훈. ***~ des verres*** 축배의 마주침. ***~ en retour*** 반동, 반발. ── *adj.* 충격적인 ; 멋진 : discours ~ 충격적인 연설 / prix ~ 파격적인 싼 값.

chocolat** [ʃɔkɔla(ɑ)] *m.* ① 초콜릿 ; 초콜릿 음료 : une tasse de ~ 초콜릿 한 잔 / glace au ~ 초콜릿 아이스크림. ② 초콜릿 색(=couleur ~). ── *adj.* 《불변》 초콜릿 색의. ***être ~ 《구어》 기대가 어긋나다, 속다 ; 도둑맞다 ; 죽다.

chocolaterie [ʃɔkɔla(ɑ)tʀi] *f.* 초콜릿 공장〔제조업〕.

chocolatier, ère [ʃɔkɔla(ɑ)tje, -ɛ:ʀ] *n.* 초콜릿 제조인〔판매인〕. ── *adj.* 초콜릿 제조〔판매〕의. ── *f.* 초콜릿 끓이는 기구.

chœur** [kœ:ʀ] *m.* ① 합창대 ; 성가대 : maître de ~ 성가대 지휘자, 성가대장. ② 합창곡 : ~ mixte 혼성 합창곡. ③ (같은 생각 · 태도를 가진 사람들의) 무리, 집단 : ~ des flatteurs 아첨꾼의 무리. ④ (종교적 의식 따위의) 합창 가무단. ***en ~ 일제히, 함께 : protester *en* ~ 이구동성으로 항의하다. ***enfant de ~*** 미사 때 신부를 거드는 아동 복사 ; 《구어》 풋내기.

choir [ʃwa:ʀ] [61] *v.i.* 《부정법과 과거분사 chu, e 로만 사용됨》 떨어지다 ; 넘어지다 : se laisser ~ dans un fauteuil 쓰러지듯 의자에 주저앉다. ***laisser ~*** qn 〔qc〕 …을 저버리다 ; …을 그만두다.

choisi, e [ʃwazi] *adj.* 선택된, 선발된 ; 정선(精選)한 : œuvres *~es* 선집(選集).

⁑choisir [ʃwazi:ʀ] *v.t.* ① ⓐ 선택〔선정 · 선발〕하다, 추리다, 고르다, 뽑다 : ~ ses mots 적당한 말을 고르다 / ~ entre 〔parmi〕 plusieurs choses 몇 개 중에서 골라내다 / ~ si l'on part ou si l'on reste 떠나느냐 남느냐 양자택일하다 / Il *fut choisi* pour 〔comme〕 chef. 그는 지휘자로 뽑혔다. ⓑ 《목적보어 없이》 선택하다 : Je vous donne à ~. 어느 쪽으로 하든지 당신이 결정하세요. ② 결정하다(=décider, opter) : 《~ de+*inf.*》 Il faut ~ *de* partir ou *de* rester. 떠날 것인지 남을 것인지 결정해야 한다 / 《~+의문사절》 *Choisissez* si vous partirez ou non. 떠날지 안 떠날지 결정하시오 / J'*ai choisi* où aller. 나는 어디로 갈 것인지 정했다. ── ***se ~*** *v.pr.* ① 자기를 위해서 선택하다. ② 서로 선택하다. ③ 선택되다.

choix** [ʃwa] *m.* ① 선택, 선정(=sélection) ; 선발, 선출(=élection) : ~ d'un métier 직업의 선택 / faire ~ de qc …을 선택〔선정〕하다. ② 선택권 ; 선택의 여지〔가능성〕: ne pas avoir le ~ 선택의 여지가 없다 / Vous avez le ~ entre le thé et le café. 차와 커피 중에서 고를 수 있습니다. ③ 뽑아〔추려〕낸 것〔사람〕; (작품의) 선집 : un ~ de poésies 시선집(詩選集). ④ (상품의) 등급, 품질 : article de tout premier ~ 최고급 품목 / vin de ~ spécial 특급 포도주. 《Au ~***》 〖상업〗「가격균일」. ***au ~*** (***de*** qn) ⓐ …의 의향대로. ⓑ 선택〔발탁〕에 의해 : avancement 〔promotion〕 *au* ~ 발탁에 의한 승진. ***de ~*** 특선된, 특선품. ***n'avoir que l'embarras du ~*** 얼마든지 있다. ***sans ~*** 구별 없이.

chol(é)- *préf.* 「담즙」의 뜻.

cholédoque [kɔledɔk] *adj.* 〖해부〗 canal ~ 수담관(輸膽管).

choléra [kɔleʀa] *m.* 〖의학〗 콜레라 : ~ morbus 〔asiatique〕 진성 콜레라 / ~ nostras 유사 콜레라. ② 《구어》 몹쓸 사람 ; 재앙.

cholérique [kɔleʀik] *adj.* 콜레라의. ── *n.* 콜레라 환자.

cholestérine [kɔlɛsteʀin] *f.*, **cholestérol** [kɔlɛsteʀɔl] *m.* 〖생리〗 콜레스테린, 콜레스테롤.

cholestérolémie [kɔlɛsteʀɔlemi] *f.* 〖의학〗 (혈액 속의) 콜레스테롤 농도.

choline [kɔlin] *f.* 〖생물〗 콜린 《lécithine의 성분》.

chômage** [ʃoma:ʒ] *m.* ① 조업 정지, 휴업 : ~ partiel 조업 단축 / ~ d'une usine 공장의 조업 중지. ② 실업, 실직 : asurance ~ 실업 보험 / ~ caché 잠재 실업 / ~ chronique 〔structurel〕 만성적〔구조적〕 실업 / mesures contre le ~ 실업 대책 / taux de ~ 실업률 / être en ~ 실직 중이다. ③ 실직 수당 : s'inscrire au ~ 《구어》 실직 수당을 받다. ***ouvriers en ~ 실업 노동자. ***secours* 〔*allocation, indemnité*〕 *de ~*** 실직 수당 ; 실업 구제.

chômé, e [ʃome] *adj.* 휴업의, 휴무의 : jour ~ et payé 유급 휴일.

chômer [ʃome] *v.i.* ① 일을 쉬다 ; (공장 따위가) 조업을 정지〔중단〕하다, 휴업하다 : ~ pendant la morte saison 불경기에 조업을 정지〔중단〕하다. ② 실직하다 : Il *chôme* depuis deux mois. 그는 2 개월 전부터 실직 중이다. ③ (자본 · 농지 따위가) 놀다 ; (이야기 따위가) 그치다 : laisser ~ son argent 돈을 놀려 두고 있다 / Une partie du canal *chôme.* 운하의 일부가 사용되지 않고 있다. — *v.t. ind.* 《~ de》 …이 없다〔부족하다〕. — *v.t.* 휴업하고 축하하다 : ~ (la fête d')un saint 성인의 날을 휴업하고 축하하다.

***chômeur, euse** [ʃomœːʀ, -øːz] *n.* 실업〔실직〕자. — *adj.* 실업 중인, 실직한.

chope [ʃɔp] *f.* 맥주컵, 조끼 ; (맥주컵) 한 잔의 분량 : boire une ~ (de bière) 맥주 한 조끼를 마시다.

choper [ʃɔpe] *v.t.* ① 《구어》 훔치다(=voler). ② 붙잡다(=arrêter), 잡다(=prendre) : Le voleur s'est fait ~. 도둑이 붙잡혔다. ③ (병에) 걸리다 : ~ un rhume 감기 들다.

chopine [ʃɔpin] *f.* 《옛》 (포도주) 병, 컵 ; 그 분량 : boire une ~ de vin 포도주 1 병을 마시다.

***choquant, e** [ʃɔkɑ̃, -ɑ̃ːt] *adj.* 불쾌한, 거슬리는 ; 눈에 띄는, 심한 : propos ~*s* 불쾌한 말.

***choquer** [ʃɔke] *v.t.* ① 마음을 언짢게 하다, 거슬리다 : Son attitude m'*a choqué.* 그녀의 태도가 나를 언짢게 했다 / ~ l'oreille 〔la vue〕 귀〔눈〕에 거슬리다. ② (잔을) 맞부딪치다 : ~ les verres 건배하다. ③ …에 어긋나다(=contrarier) : ~ la bienséance 예절에 어긋나다. — **se ~** *v.pr.* ① 《~ contre》 …에 충돌하다. ② 서로 맞부딪치다. ③ 《~ de》 …에 감정이 상하다 ; 분개하다.

choral, e [kɔʀal] (*pl.* **~s ;** 《드물게》 ***-aux*** [-o]) *adj.* 합창의, 합창대의 : composition ~*e* 합창곡. — *m.* (*pl.* **~s**) (합창용의) 성가 : ~*s* de Bach 바흐의 성가. — *f.* 합창대.

chorégraphe [kɔʀegʀaf] *m.* 안무가.

chorégraphie [kɔʀegʀafi] *f.* 무용술 ; (발레의) 안무법.

chorégraphique [kɔʀegʀafik] *adj.* ① chorégraphie 의. ② 무용의.

choriste [kɔʀist] *n.* 합창단원. — *m.* (교회의) 성가대원 ; (오페라의) 합창단원.

chorus [kɔʀys] *m.* ① 합창, 코러스. ② 동시에 지르는 함성. ③ (재즈 음악의) 주요 테마를 이루는 부분. ***faire ~*** 합창하다 ; 덩달아 찬성하다 ; 부화뇌동하다.

⁑**chose** [ʃoːz] *f.* ① 사물, 물건, 물품 : les êtres et les ~*s* 생물과 무생물 / traiter qn comme une ~ …을 물건 취급하다 / Il a acheté beaucoup de ~s. 그는 많은 물건을 샀다 / Dieu a créé toutes ~*s.* 신이 만물을 창조했다. ② 일, 것 ; 사항 ; 문제 : C'est ~ faite. 그것은 끝난 일이다 / *C~* curieuse, personne n'en savait rien. 이상하게도 그 일에 관해선 아무도 모르고 있었다 / J'ai beaucoup de ~*s* à faire aujourd'hui. 오늘 나는 할 일이 많다 / Je vais vous exploquer la ~. 제가 당신에게 그 문제에 대해 설명해 드리겠습니다. ③ (흔히 *pl.*) 현실, 사태 ; 사정, 내용 : regarder les ~*s* en face 사태를〔현실을〕 직시하다 / Je vois la ~. 나는 사정을 알고 있다 / Les ~*s* vont 〔tournent〕 mal. 사태는 악화되고 있다 / dans l'état actuel des ~*s* 현상태로서는 / ouvrage plein 〔vide〕 de ~*s* 내용이 충실〔빈약〕한 작품. ④ 말, 이야기 : J'ai plusieurs ~*s* à vous dire. 몇 가지 드릴 말씀이 있습니다. ***autre ~*** 다른 것《부정대명사로 다루어짐》: Ce n'est pas ce que je veux dire ; c'est *autre ~*. 그것은 내가 말하고자 하는 것이 아니라, 다른 것이다. ***avant toute ~*** 우선, 첫째로. ***Ce n'est pas ~ aisée de****+inf.* …하는 것은 그리 용이한 일은 아니다. ***C'est autre* 〔*tout autre*〕 *~.*** 그것은 전혀 다른 일이다. ***C'est peu de ~.*** 대단한 일은 아니다. ***C'est une ~ de****+inf.* ***; C'est une autre ~* 〔*c'en est une autre*〕 *de****+inf.* …하는 것과 …하는 것은 전연 별개의 문제다 : *C'est une ~ de* parler, *c'est est une autre d*'agir. 말하는 것과 행동하는 것은 별개의 문제이다. ***~ commune*** 〖법률〗 공유물《공기 · 물 따위》. ***~ publique*** 국사(國事) ; 사회의 복리 ; 국가 ; 국민. ***~s humaines*** 인간 만사. ***de deux ~s l'une*** 양단간(에), 둘 중 어느 하나인. ***dire le mot et la ~*** 사실대로〔기탄없이〕 말하다. ***Dites bien des ~s* 〔*des ~s aimables*〕 *de ma part à*** qn …에게 안부를 잘 전해 주시오. ***grand-~*** 많은 것《부정문에서 많이 쓰임》: Je n'y ai pas compris *grand-~*. 나는 잘 이해하지는 못했다. ***Il faut bien voir la ~.*** 사태를 똑바로〔올바르게〕 보아야 한다. ***ne pas faire les ~s à demi* 〔*à moitié*〕** 일을 중도에서 멈추지 않다. ***parler de ~s et d'autres*** 이 얘기 저 얘기하다. ***sur toute(s) ~(s)*** 무엇보다 먼저, 우선.

— *m.* 〔*f.*〕 《구어》 그것 ; 그 아무개 ; 거기, 그곳《이름이 생각나지 않거나 밝히기 곤란할 때 쓰는 말》: Donnez-moi un 〔ce〕 ~. 그것 하나〔그것〕 주시오 / (cette) madame *C~* ; (ce) monsieur *C~* 그 사람〔부인〕 / *à C~*, en Normandie 노르망디의 거기서.

— *adj.* 《불변》 《구어》 (기분이) 언짢은, 거북한, 난처한(=décontenancé) ; 바보스러운 : se sentir tout ~ 불편함을 느끼다. ***avoir l'air tout ~*** 어쩐지 심상치 않은 기색이다. ***être un peu ~*** 약간 바보이다.

chosifier [ʃozifje] *v.t.* 〖철학〗 (관념 등을) 구상〔실체〕화하다 ; (인간을) 사물로 간주하다.

chou** [ʃu] *m.* (*pl.* **~x**) ① 〖식물〗 양배추, 캐비지 : ~ rouge 보라색 양배추 / soupe aux ~*x* 배추 수프 / ~ farci 롤캐비지. ② (리본의) 나비매듭(=nœud de ruban). ③ 《구어》 《호칭》 귀여운 사람(=*f.* choute) : mon (petit) ~ 당신, 귀여운 이 / bout de ~ 《구어》 꼬마. ***aller planter ses ~x 시골로 은퇴하다. ***bête comme ~*** 《구어》 (문제 · 일이) 이해〔해결〕하기 쉬운. ***~ à la crème*** 슈

C

크림. ~ ***pour*** ~ 저마다의 값어치를 지니고; 《구어》 꼭 그대로; 적절히, 꼭 맞게: composer ~ *pour* ~ 〖인쇄〗 원고 그대로 조판하다. ***être dans les ~x*** 《속어》 궁지에 몰리다; (계획이) 뒤틀리다; (성적이) 꼴찌이다. ***faire ~ blanc*** 실패하다. ***faire ses ~x gras de*** qc …으로 돈을 벌다; 한몫 보다. ***feuille de ~*** 《구어》 엉터리〔싸구려〕 신문. ***mon (petit) ~*** 귀여운 애〔사람〕. ***rentrer dans le ~ à*** qn 《속어》 …을 맹렬히 공격하다; (자동차 따위가) …을 들이받다. ── *adj.* 《불변》 《구어》 귀여운, 근사한; 착한: Ce que tu es ~ 〔*choute*〕! 참 친절해, 너는!

chouan [ʃwɑ̃] *m.* 〖프랑스사〗 올빼미당원, 반혁명 왕당파《그 왕당파의 수령인 *Jean Cottereau*의 별명 *Jean Chouán*에서 유래》.

chouannerie [ʃwanʀi] *f.* 〖프랑스사〗 올빼미당(黨) 폭동〔봉기〕.

choucas [ʃuka] *m.* 〖조류〗 갈가마귀.

chouchou, oute [ʃuʃu, -ut] *n.* (*pl.* ~***x***) 《구어》 마음에 드는 사람, 귀염둥이: ~ du professeur 선생님의 마음에 드는 학생.

chouchouter [ʃuʃute] *v.t.* 《구어》 귀여워하다, 애지중지하다.

***choucroute** [ʃukʀut] *f.* 〖요리〗 슈크루트 《양배추 절임 요리》.

chouette[1] [ʃwɛt] *f.* 〖조류〗 올빼미.

***chouette**[2] *adj.* 《구어》 근사한, 아름다운, 멋진(= chic): ~ femme 아름다운 여자 / ~ voiture 근사한 차. ── *interj.* 근사하다: Ah, ~ alors! 참, 멋지다!

chou-fleur [ʃuflœːʀ] *m.* (*pl.* ~***x***-~***s***) 〖식물〗 꽃양배추, 꽃캐비지.

chouïa, chouia [ʃuja] *m.* 《구어》 un ~ 약간.

chou-navet [ʃunavɛ] *m.* (*pl.* ~***x***-~***s***) 〖식물〗 스웨덴 순무.

chou-rave [ʃuʀaːv] *m.* (*pl.* ~***x***-~***s***) 〖식물〗 양배추의 일종.

choyer [ʃwaje] 7 *v.t.* 귀여워하다, 애지중지하다. ── **se** ~ *v.pr.* 몸을 아끼다.

chrême [kʀɛm] *m.* 〖종교〗 성유(聖油)(= saint ~).

chrestomathie [kʀɛstɔmat(s)i] *f.* 고전 문선집.

chrétien, enne** [kʀetjɛ̃, -ɛn] *adj.* 기독교(도)의; 기독교적인: foi ~*enne* 기독교 신앙 / mener une vie ~*enne* 기독교도적인 생활을 하다. ── *n.* 기독교 신자. ***le roi très C~; Sa Majesté très ~enne 프랑스 국왕. ***par des moyens peu ~s*** 《속어》 비양심적인 수단으로.

chrétiennement [kʀetjɛnmɑ̃] *adv.* 기독교(도)적으로.

chrétienté [kʀetjɛ̃te] *f.* 기독교도국(國); 기독교도 《전체》: ~ primitive 초기 기독교도.

Christ [kʀist] *n.pr.m.* 그리스도. ***Jésus-C~*** 예수 그리스도《가톨릭 [ʒeʒykʀi], 신교 [ʒezykʀist], 또한 가톨릭에선 le ~, 신교에선 ~로 관사 없이 쓰임》: Cent ans avant J.-*C.* 기원전 100 년 전. ── **C~** *m.* 그리스도의 십자가상: ~s d'ivoire 상아 그리스도상.

christiania [kʀistjanja] *m.* 〖스키〗 크리스차니아《1/4 바퀴 회전하며 급히 멈추기》.

christianisation [kʀistjanizɑsjɔ̃] *f.* 기독교화.

christianiser [kʀistjanize] *v.t.* 기독교로 개종시키다, 기독교화시키다. ── **se** ~ *v.pr.* 기독교도가 되다.

***christianisme** [kʀistjanism] *m.* 기독교: se convertir au ~ 기독교로 개종하다.

chromage [kʀɔmaːʒ] *m.* 크롬 도금.

chromatique [kʀɔmatik] *adj.* ① 빛깔의, 색채에 관한. ② 〖음악〗 반음계의: gamme ~ 반음계. ③ 〖생물〗 염색체(= chromosome)의: réduction ~ 염색체의 감수분열.

chromatisme [kʀɔmatism] *m.* ① 착색, 채색(= coloration). ② 〖음악〗 반음계(의 성격).

chrome [kʀoːm] *m.* ① 〖화학〗 크롬. ② 크롬강 제품《자동차 따위의 차체》.

chromé, e [kʀome] *adj.* ① 크롬을 함유한. ② 크롬을 도금한; 크롬으로 처리한: acier 〔fer〕 ~ 크롬강〔철〕 / cuir ~ 크롬 가죽.

chromer [kʀome] *v.t.* ① 크롬 도금(鍍金)하다; (가죽을) 크롬으로 처리하다. ② 크롬과 화합시키다.

chromo [kʀɔmo] *m.*〔*f.*〕 ① 착색 석판화〔술〕. ② 저속한 채색 그림.

chromolithographie [kʀɔmɔlitɔgʀafi] *f.* 착색 석판술; 착색 석판화.

chromophotographie [kʀɔmɔfɔtɔgʀafi] *f.* 천연색 사진술.

chromoscope [kʀɔmɔskɔp] *m.* 〖사진〗 크로모스코프, 표색기(表色器).

chromosome [kʀɔmozoːm] *m.* 〖생물〗 염색체.

chromosomique [kʀɔmɔzɔmik] *adj.* 〖생물〗 염색체의, 염색체에 관한.

chromosphère [kʀɔmɔsfɛːʀ] *f.* 〖천문〗 채층(彩層).

chronicité [kʀɔnisite] *f.* 〖의학〗 만성(상태).

chronique[1] [kʀɔnik] *adj.* 〖의학〗 만성의; 계속 되풀이되는(= constant): maladie ~ 만성 질환 / chômage ~ 만성적인 실업.

chronique[2] *f.* ① 연대기(年代記). ② 편년지(編年誌); 신문 기사, 시평(時評); 고십: ~ littéraire 〔politique〕 문학〔정치〕 시평 / ~ scandaleuse 추문.

chroniquement [kʀɔnikmɑ̃] *adv.* 만성적으로.

chroniquer [kʀɔnike] *v.i.* (신문의) 보도 기사를 쓰다; 그날의 뉴스를 적다.

chroniqueur, euse [kʀɔnikœːʀ, -øːz] *n.* ① 연대기〔편년지〕 작자. ② 신문 보도원, 뉴스 보도 기자.

chrono [kʀɔno] *m.* 《구어》 = chronomètre.

chron(o)- *préf.* 「때」의 뜻.

chronologie [kʀɔnɔlɔʒi] *f.* 연대학; 연대기; 연표(年表); 연대순: établir la ~ des faits 사건들의 연대기를 작성하다.

chronologique [kʀɔnɔlɔʒik] *adj.* 연대학적; 연표의; 연대순의: ordre ~ 연대순.

chronologiquement [kʀɔnɔlɔʒikmɑ̃] *adv.* 연대학상으로; 연대순으로.

chronomètre [kʀɔnɔmɛtʀ] *m.* 크로노미터 《항해·천문학·물리학에 쓰이는 정밀 시계》.

chronométrer [kʀɔnɔmetʀe] 6 *v.t.* …의 시간을 측정하다; 〖스포츠〗 …의 타임을 재다: ~ une course 〔une épreuve sportive〕 경주〔운동 경기〕 시간을 재다.

chronométreur [kʀɔnɔmetʀœːʀ] *m.* 〖스포츠〗 시간 측정원, 타임키퍼; (노동 작업의) 시간 측정 담당자.

chronométrique [kʀɔnɔmetʀik] *adj.* 크로노미터의; 크로노미터로 측정한.

chrysalide [kʀizalid] *f.* 〖곤충〗 번데기. ***sortir de sa ~*** 《구어》 출세하다; 유명해지

다 ; 곤경에서 빠져나오다.
chrysanthème [kʀizɑ̃tɛm] *m.* 〖식물〗 국화.
chtimi, ch'timi [ʃtimi] *adj. et. n.* 《구어》 북부 내륙 지역의 프랑스어(의).
chu, e [ʃy] choir 의 과거분사.
C.H.U. 《약자》 centre hospitalier universitaire 대학 부속 병원.
chuchotement [ʃyʃɔtmɑ̃] *m.* 속삭이기, 쑥덕거리기, 밀담.
***chuchoter** [ʃyʃɔte] *v.i.* et *v.t.* 속삭이다, 쑥덕거리다, 밀담하다 : Il m'*a chuchoté* quelques mots à l'oreille. 그는 내 귀에 대고 몇 마디 말을 속삭였다.
chuintant, e [ʃɥɛ̃tɑ̃, -ɑ̃:t], **chuinté, e** [ʃɥɛ̃te] 〖언어〗 *adj.* 슈음(音)의. ― *f.* 슈음 (= consonne ~*e*)《ʒ, ʃ》.
chuintement [ʃɥɛ̃tmɑ̃] *m.* 〖언어〗 슈 음으로 발음하기 ; 슈우하는 소리 : ~ de la vapeur 증기가 슈우하는 소리.
chuinter [ʃɥɛ̃te] *v.i.* ① (올빼미가) 울다. ② 〖언어〗 슈 음을 내어 발음하다 《[s] [z] 를 [ʃ] [ʒ] 로 발음하는 일》. ③ (가스 따위가) 슈우 소리를 내다.
***chut** [ʃyt] *interj.* 쉬 ! 조용히 ! : *C*~, il dort. 쉿, 그가 자고 있어.
chute** [ʃyt] *f.* ① 떨어짐, 낙하, 추락 ; (이빨 · 머리털 따위의) 탈락, 빠짐 : ~ de pierres 낙석 / les ~*s* de neige 〔pluie〕 강설〔강우〕 / la ~ des cheveux 탈모 / faire une ~ 낙하하다, 넘어지다. ② 폭포(= ~ d'eau) : les ~*s* du Niagara 나이아가라 폭포. ③ 몰락, 와해(瓦解) ; 실패 : ~ du ministère 내각의 와해 / ~ des petites entreprises 영세 기업의 경영 악화 / ~ d'une pièce de théâtre 희곡의 실패. ④ 타락, 전락, 죄 : la ~ (de l'homme) (인간의) 원죄. ⑤ (물가 따위의) 하락 ; 저하 : ~ du dollar 달러의 하락 / ~ de pression 압력의 저하. ⑥ 끝, 끝나는 부분 ; (시 따위의) 결구(結句) ; (악구(樂句) 따위의) 결말, 마무리 : ~ de la phrase musicale 악구의 마무리 / ~ d'une histoire 이야기의 종말. ***~ du jour 일몰(日沒), 해질 무렵. ***la ~ des feuilles*** 낙엽 ; 가을. ***point de ~*** 낙하점 ; 정착지, 일자리, 직장(= poste).
chuter [ʃyte] *v.i.* ① (연극 따위가) 실패하다 : Cette pièce *a chuté.* 이 연극은 실패했다. ② 《구어》 쓰러지다(= tomber) : faire ~ le ministère 내각을 쓰러뜨리다. ③ (값이) 내리다(= baisser) ; (수가) 줄다 ; 떨어지다.
chyme [ʃim] *m.* 〖생물〗 유미즙(汁).
Chypre [ʃipʀ] *n.pr.f.* l'île de ~ 키프로스 섬. ― **C~** *m.* 키프로스 포도주.
chypriote [ʃipʀijɔt] *adj.* 키프로스(*Chypre*) 섬의. ― **C~** *n.* 키프로스 사람.
ci**[1] [si] *adv.* ① 《형용사 · 분사 앞》 여기에 있는, 가까운 : *ci*-annexé(e), *ci*-inclus(e), *ci*-joint(e) 동봉하는, 첨부의. ② 《지시형용사 (ce, cet, cette, ces)로 한정되는 명사 뒤》 이것〔이것들〕의…, 최근의… : *cet* homme-*ci* (et celui-là) 이 사람(과 저 사람) / *ce* livre-*ci* 이 책 / à *cette* heure-*ci* 이 시간에, 지금 / *ces* jours-*ci* 요즈음. ③ 《지시대명사 (celui, celle, ceux, celles) 뒤》 이것〔사람〕(들), 후자 : *Celui-ci* est plus beau que *celui-là.* 이것은 저것보다 아름답다. ④ 도합, 합계 : 3 objets à 5 francs, *ci* 15 francs, 5 프랑짜리 물건 세 개, 합계 15 프랑. ***ci-gît 〔***gisent***〕 여기 영면하다《묘비명》. ***par-ci par-là, de-ci de-là*** 여기저기.
ci**[2] *pron. dém.* 《구어》 이것《ça 와 함께 쓰임》. ***comme ci, comme ça 이럭저럭. ***demander ci et ça*** 이것저것 요구하다. ***faire ci et ça*** 이것저것 어중간한 일을 하다.
ciao [tʃao] *interj.* 안녕《작별 인사 ; chao, tchao 라고도 씀》.
ci-après [siapʀɛ] *adv.* 금후, 장래 ; (서류 따위에서) 밑에, 다음에.
cibiste [sibist] *m.* (무선의) 공공 주파수대 이용자.
ciblage [siblaːʒ] *m.* 〖광고〗 공략 목표〔대상〕 설정.
cible** [sibl] *f.* ① 과녁, 표적(標的) : tir à la ~ 표적 사격, 사격 연습. ② 목적, 목표, 대상 : cœur de ~ (어떤 상품의) 주된 고객. ***être la ~ de ; servir de ~ à …의 표적이 되다. ***prendre pour ~*** 공격하다. ― *adj.* 목표가 되는 : langue ~ 〖언어〗 목표 언어.
ciboire [sibwaːʀ] *m.* 〖가톨릭〗 성합(聖盒), 성체기(聖體器).
ciboule [sibul] *f.* ① 〖식물〗 파. ② 《속어》 머리 : Il a perdu la ~. 그는 이성을 잃었다.
ciboulot [sibulo] *m.* 《속어》 머리(= tête).
***cicatrice** [sikatʀis] *f.* ① 상처 자국, 흉터 ; 〖의학〗 반흔(瘢痕). ② (마음의) 상처, (전쟁 따위의) 흔적, 상흔 : ~*s* de la guerre 전쟁의 상흔.
cicatriciel, elle [sikatʀisjɛl] *adj.* 흉터의 ; 상처의.
cicatrisant, e [sikatʀizɑ̃, -ɑ̃:t] *adj.* (상처를) 아물게 하는 ; 〖의학〗 흉터를 굳히는. ― *n.* 유창약(癒創藥), 유착제. 「기, 유착.
cicatrisation [sikatʀizɑsjɔ̃] *f.* 상처가 아물기, 유착.
cicatriser [sikatʀize] *v.t.* ① (상처를) 아물게 하다 ; 치유하다. ② (마음의 상처를) 낫게 하다(= guérir, apaiser) : Le temps *cicatrise* les plus grandes douleurs. 시간은 가장 큰 고뇌라도 가라앉힌다. ― **se ~** *v.pr.* ① 상처가 아물다. ② (마음의 상처가) 낫다.
cicérone [siseʀɔn, tʃitʃeʀɔne] 〔이탈리아〕 *m.* (*pl.* **~ s, ciceroni** [tʃitʃeʀɔni]) (명소 · 고적의) 안내인 : faire le ~ 안내역을 맡다.
ci-contre [sikɔ̃:tʀ] *adv.* 반대쪽 페이지에, 이면에 ; 여백〔난외〕에 ; 부속 서류에.
ci-dessous [sidsu] *adv.* 하기에, 아래에, 다음에 : Voir ~. 하기 참조.
ci-dessus [sidsy] *adv.* 상기에, 전기한 바 : Voir ~. 상기 참조.
ci-devant [sidvɑ̃] *adv.* 앞에, 이전에. ― *n.* 《복수불변》 〖프랑스사〗 (대혁명 시대에) 칭호를 박탈당한 귀족 ; 《구어》 몰락한 집안.
cidre [sidʀ] *m.* 사과주, 과실주.
cidrerie [sidʀəʀi] *m.* 사과주 양조(장).
Cie 《약자》 compagnie 회사, 상사.
ciel** [sjɛl] *m.* (*pl.* ***cieux [sjø], 때로 ***ciels***) ① 하늘 : voûte du ~ 〔des *cieux*〕 천공 / immensité des *cieux* 하늘의 광대무변함 / eau du ~ 《문어》 비 / feu du ~ 《문어》 번개 / ~ bleu 〔nuageux〕 푸른〔구름 낀〕 하늘 / ~ étoilé 별이 총총한 하늘 / Le ~ est clair. 하늘이 맑다. ② 천국 ; (흔히 *C*~) 하느님, 신 ; 섭리 : notre père qui êtes 〔est〕 aux *cieux* 하늘에 계시는 우리 아버지〔하느님〕 / grâce

au ~ 하느님의 은총으로 / prier 〔remercier〕 le ~ 하느님께 기도하다〔감사하다〕. ③ (*pl.* 은 *cieux* 또는 *ciels*) 기후, 풍토(= climat) ; 고장, 나라(= pays) : aller sous d'autres *cieux* 다른 기후의 땅〔다른 나라 · 고장〕으로 가다 / sous le ~ méditerranéen 지중해 지역에서. ④ (*pl.*은 *ciels*) (교회 · 침대의) 닫집 ; (갱도 따위의) 천장 ; (용광로 따위의) 덮개 ; 그림에 그려진 하늘 : les ~s de Van Gogh 반 고흐의 하늘 그림. ⑤ (고대 우주론의) 하늘, 천체 ; 천명 : carte du ~ 천체도 / influences du ~ 천체의〔운명을 좌우하는〕 힘. ***à ~ ouvert*** 옥외〔야외〕에서 ; 공공연히. ***Aide-toi, le ~ t'aidera.*** 《격언》 하늘은 스스로 돕는 자를 돕는다. ***Au nom du ~ ! ; Plutôt au ~ !*** 제발 ! ***Cela était écrit au ~.*** 그렇게 될 운명이었다. ***C'est un coup du ~ !*** 천벌이다 ! ***C ~ 〔Cieu〕 ! ; Ô ~ ! ; Juste ~ !*** 《놀라움 · 괴로움을 나타내는 감탄사로》 어머나 ! 이런〔저런〕 변이 있나 ! 원통해라 ! 그럴 수가 ! ***couleur bleu (de) ~*** 하늘색(의). ***élever*** qn ***jusqu'au ~*** …을 극찬하다. ***être au septième ~*** 환희의 절정에 달하다. ***le feu du ~*** 벼락, 전광(電光). ***ne voir ni ~ ni terre*** 바로 눈앞에 있는 것도 보지 못하다. ***remuer ~ et terre*** 갖은 수단을 다 쓰다. ***tomber du ~*** 뜻하지 않게 나타나다 ; 놀라서 어안이 벙벙하다. ***voir les cieux ouverts*** 기뻐 하늘에라도 올라간 기분이다.
— *adj.* 《불변》 하늘색의(= bleu) : robes bleu ~ 하늘색 드레스.

ciels [sjɛl] *m. pl.* ⇒ ciel.

cierge [sjɛʀʒ] *m.* ① 〖종교〗 (성당용) 큰 양초 : brûler 〔offrir〕 un ~ à (l'autel) la Sainte Vierge 성모 마리아를 위해 촛불을 켜다. ② 〖식물〗 선인장속(屬). ***être 〔se tenir〕 droit comme un ~*** 《구어》 마치 촛대처럼 부동의 자세로 서 있다.

cieux [sjø] *m. pl.* ⇒ ciel.

C.I.F. 〔영〕 《약자》 cost, insurance, freight 보험 및 운임 포함 가격.

cigale [sigal] *f.* 〖곤충〗 매미.

***cigare** [sigaːʀ] *m.* 여송연, 엽궐련, 시가 : fumer un ~ 엽궐련을 피우다.

***cigarette** [sigaʀɛt] *f.* 궐련 : ~ à bouts filtres 필터 달린 궐련.

ci-gisent [siʒiːz], **ci-gît** [siʒi] *loc. adv.* 여기에 영면하다, 여기 고이 잠들다《묘비명》.

cigogne [sigɔɲ] *f.* 〖조류〗 황새.

ci-inclus, e [siɛ̃kly, -yːz] *adj.* 《명사 앞에서는 불변》 동봉의 : ~ copie de la réponse 답장의 사본을 동봉해서 / lettre ~*e* 동봉한 편지. — *adv.* 동봉해서.

ci-joint, e [siʒwɛ̃, -ɛ̃ːt] *adj.* 《명사 앞에서는 불변》 여기 첨부한 : Voir les documents ~*s.* 여기 첨부한 자료들을 참조토록.

***cil** [sil] *m.* 속눈썹 : avoir de longs ~*s* 속눈썹이 길다 / faux ~*s* 인조 속눈썹.

cilice [silis] *m.* (고행자가 입는) 거친 천으로 만든 셔츠〔띠〕.

ciller [sije] *v.i.* 눈을 깜박거리다 : ne pas ~ (겁이 나서) 꼼짝 못하다.

cime [sim] *f.* (나무 · 산 · 바위) 꼭대기(= sommet), 봉우리, 정상 : la ~ d'une montagne 산정 / ~ d'un sapin 전나무 꼭대기.

***ciment** [simɑ̃] *m.* ① 시멘트 : sac de ~ 시멘트 부대 / ~ armé 철근 콘크리트 / mur en ~ 시멘트 벽 / mettre une surface en ~ 표면에 시멘트를 칠하다. ② ~ dentaire 치과용 시멘트. ③ (정신적) 유대 : ~ de l'amitié 우정으로 맺은 유대.

cimenter [simɑ̃te] *v.t.* ① 시멘트를 바르다 ; 시멘트로 접합하다. ② 견고〔공고〕히하다 : ~ la paix 평화를 공고히하다 / ~ une alliance 동맹을 강화하다.

cimenterie [simɑ̃tʀi] *f.* 시멘트 산업〔공장〕.

cimentier [simɑ̃tje] *m.* 시멘트 제조자 ; 시멘트 사용 노동자.

***cimetière** [simtjɛːʀ] *m.* ① 묘지 : tombes d'un ~ 묘지의 무덤들. ② 많은 사람이 죽은 곳 ; 폐허 : faire d'une ville un ~ 어떤 도시를 폐허로 만들다. ③ (폐차 · 고물 따위의) 폐기장 : ~ de voitures 폐차장.

cinabre [sinabʀ] *m.* ① 〖광물〗 진사(辰砂). ② 주색(朱色).

ciné [sine] *m.* 《구어》 = cinéma.

***cinéaste** [sineast] *n.* 영화인 《시나리오 작가, 영화 감독, 영화 제작자 등》. 「클럽.

ciné-club [sineklœb] *m.* 영화 연구〔애호인〕

⁑**cinéma** [sinema] *m.* ① 영화(= cinématographe) : prises de vue de ~ 영화 촬영 / ~ en noir et blanc 〔en couleurs〕 흑백〔컬러〕 영화 / alisateur de ~ 영화 감독. ② 영화관(= salle de ~) : Ils vont au ~ une fois par semaine. 그들은 1 주일에 한 번씩 영화관에 간다 / ~ d'art 〔d'essai〕 예술〔실험〕 영화관 / ~ d'exclusivité 독점 개봉관 / ~ permanent 철야 상영관. ③ 영화계 : chercher une situation dans le ~ 영화계에서 일자리를 찾다. ***C'est du ~.*** 그건 엉터리다, 믿을 수 없는 이야기다. ***~ en relief*** 입체 영화. ***~ muet*** 무성 영화. ***~ parlant*** 발성 영화. ***faire du ~*** 영화에 출연하다 ; 영화를 만들다. ***gens qui font du ~*** 영화인. ***vedette de ~*** 영화계의 스타.

cinémascope [sinemaskɔp] *m.* 시네마스코프《상표명》.

cinémathèque [sinematɛk] *f.* 필름 라이브러리, 필름 보관소.

cinématique [sinematik] *f.* 운동학. — *adj.* 운동학의, 운동학적인.

cinématographe [sinematɔgʀaf] *m.* ① 《옛》 영화(= cinéma). ② (*Lumière* 형제가 고안한) 시네마토그라프《촬영 · 영사 장치》.

cinématographie [sinematɔgʀafi] *f.* 영화 기술.

cinématographique [sinematɔgʀafik] *adj.* 영화의 ; 영상의 ; 영화적인 : art ~ 영화 예술 / industrie ~ 영화 산업.

cinémomètre [sinemɔmɛtʀ] *m.* 속도계.

cinéphile [sinefil] *adj.* et *n.* 영화팬(의).

cinéraire [sineʀɛːʀ] *adj.* (화장한) 시체의 재를 담는, 납골용의. ***urne ~*** 납골 단지.

cinérama [sineʀama] 〔영〕 *m.* 시네라마.

ciné(-)roman [sineʀɔmɑ̃] *m.* (*pl.* ~(-) ~*s*) ① 영화 소설《영화를 소설로 만든 것》. ② 사진〔그림〕(으로 꾸민) 소설. ③ 영화 제작을 위해서 쓴 소설.

cinétique [sinetik] *adj.* 운동의 ; 운동학상의 : énergie ~ 운동 에너지. — *f.* 동력학.

cing(h)alais, e [sɛ̃galɛ, -ɛ:z] *adj.* 실론(*le Ceylan*)의. — **C～** *n.* 실론 사람. — *m.* 실론어(語).

cinglant, e [sɛ̃glɑ̃, -ɑ̃:t] *adj.* ① (채찍 따위로) 때리는. ② (바람·눈·비가) 후려치는; (추위가) 살을 에는 듯한: bise ～*e* 살을 에는 듯한 북풍. ③ (비평이) 가혹한, 준엄한: remarque ～*e* 신랄한 비평.

cinglé, e [sɛ̃gle] *adj.* et *n.* 《속어》 머리가 돈 (사람).

cingler[1] [sɛ̃gle] *v.t.* ① (채찍 따위로) 때리다, 후려치다. ② (바람·비 따위가) 휘몰아치다: La pluie *cingle* les vitres. 비가 창문에 내려치고 있다. ③ 힐난하다, …에게 일침을 가하다: ～ son adversaire d'une réplique impitoyable 가혹한 대답으로 상대방을 몰아세우다. ④ 〖야금〗 (철을) 불리다, 단련하다.

cingler[2] *v.i.* 〖해양〗 항로를 잡다; (배가) 항행하다.

cinnamome [si(n)namɔm] *m.* ① 〖식물〗 계수나무. ② 계피, 육계《향신료》.

cinoche [sinɔʃ] *m.* 《구어》 영화(관): aller au ～ 영화 보러 가다.

:cinq [sɛ̃(:)k] 《명사 앞에서는 [sɛ̃k], 그밖의 경우는 [sɛ̃:k], 자음자 또는 h aspiré 앞에서는 [sɛ̃]》 *adj. num.* 《불변》 ① 다섯의: ～ hommes [sɛ̃kkɔm] 다섯 사람 / ～ francs [sɛ̃fʀɑ̃] 5 프랑 / tragédie en ～ actes, 5 막으로 된 비극 / J'en ai ～ [sɛ̃(:)k]. 나는 그것을 다섯 개 가졌다. ② 《서수형용사의 대용; [sɛ̃:k]로 발음》 다섯 번째의: numéro (tome) ～ 제 5 번(권) / page ～ 제 5 페이지 / le ～ avril 4 월 5 일 / C'est la ～ ou sixième fois. 대여섯 번째이다. ～ ***minutes*** 잠시: Attendez-moi ～ *minutes.* 잠깐만 기다리시오. ***Il était* (*C'était*) *moins* ～.** 《속어》 하마터면 큰일 날 뻔했다《5 분만 더 있어도 당할 뻔했다》. ***répondre à*** qn ***en ～ lettres; dire à*** qn ***les ～ lettres*** 《구어》 …에게 개똥 같은 놈이라고 욕하다《'merde (똥)'의 다섯 글자로 대답하다》. — *m.* 《복수불변》 ① (숫자의) 5, 다섯: le ～ de cœur 하트의 5 / ～ pour cent, 5 퍼센트 / *C*～ et quatre font neuf. 다섯 더하기 넷은 아홉이다. ② (날짜·시간의) 5 일(시·분): le ～ mai, 5 월 5 일 / entre quatre et ～, 4 시와 5 시 사이에 / 3 heures moins ～, 3 시 5 분 전. ***en ～ sec*** 《구어》 잠시 동안에, 순식간에(= en un tour de main): *En* ～ *sec,* il a dépanné la machine. 그는 눈 깜짝하 사이에 기계 고장을 수리했다.

cinq-à-sept [sɛ̃kasɛt] *m.* 《복수불변》 오후의 초대(회합, 데이트 약속).

***cinquantaine** [sɛ̃kɑ̃tɛn] *f.* ① 약 50; 50 세; 50 대: atteindre la ～, 50 세가 되다. ② 50 년제(祭); 금혼식.

***cinquante** [sɛ̃kɑ̃:t] *adj. num.* ① 50 의: ～ ans, 50 년(세) / ～ mile, 5 만. ② 50 번째의: page ～ 제 50 페이지. — *m.* 《복수불변》 50; 50 번지: ～ pour cent, 50 퍼센트 / habiter au ～ rue de Rome 로마가(街) 50 번지에 살다. — *f.* 50 호실; 50 번 테이블.

cinquantenaire [sɛ̃kɑ̃tnɛ:ʀ] *m.* 50 년제: ～ du cinéma 영화 50 년제 / le ～ d'un mariage 금혼식. — *adj.* et *n.* 50 세(대)의 (사람).

cinquantième [sɛ̃kɑ̃tjɛm] *adj. num.* 50 번째의; 50 분의 1의: la ～ partie d'un tout 전체의 50 분의 1. — *n.* 50 번째의 사람. — *m.* 50 분의 1: trois ～*s* 50 분의 3.

***cinquième** [sɛ̃kjɛm] *adj. num.* ① 다섯 번째의: ～ édition (책의) 제 5 판. ② 5 분의 1 의: ～ partie d'un héritage 유산의 5 분의 1. — *n.* ① 다섯 번째 사람: Elle est la ～. 그 여자는 다섯 번째다. ② 제 5 학급 학생《중학교 2 학년에 해당》. — *m.* ① 5 분의 1: consacrer deux ～*s* d'un budget au loyer 가계의 5 분의 2 를 집세로 내다. ② 6 층: habiter au ～ 6 층에 살다.

cinquièmement [sɛ̃kjɛmmɑ̃] *adv.* 다섯 번째로.

cintrage [sɛ̃tʀa:ʒ] *m.* 아치형으로 하기.

cintre [sɛ̃:tʀ] *m.* ① 활 모양, 궁륭형(弓窿形), 아치 모양. ② 〖건축〗 (터널 따위의) 아치. ③ (어깨 모양의) 옷걸이. ***plein*** ～ 반원형.

cintré, e [sɛ̃tʀe] *adj.* ① 〖건축〗 활(아치) 모양의; 휜, 굽은. ② 《구어》 머리가 돈.

cintrer [sɛ̃tʀe] *v.t.* ① 활 모양(아치형)으로 만들다: ～ une porte 아치형의 문을 만들다. ② 구부리다: ～ une tube 관을 구부리다. ③ (재킷의) 허리통을 좁게 하다.

C.I.O. 《약자》 Comité international olympique 국제 올림픽 위원회(= IOC).

cirage [siʀa:ʒ] *m.* ① 밀초를 바르기; 구두닦기: ～ des parquents 마룻바닥에 왁스칠하기. ② 구두약; (가죽 따위의) 광택제. ***être dans le*** ～ ① 〖항공〗 《속어》 아무것도 안 보인다. ② 《구어》 아무것도 이해하지 못하다, 정신이 흐려지다.

circon- *préf.* 「주위」의 뜻.

circoncire [siʀkɔ̃si:ʀ] [31] *v.t.* 〖유대교〗 할례(割禮)를 하다.

circoncis, e [siʀkɔ̃si, -i:z] *adj.* et *n.* 할례를 받은 (사람).

circoncision [siʀkɔ̃sizjɔ̃] *f.* 할례《유대교의 의식》.

circonférence [siʀkɔ̃feʀɑ̃:s] *f.* ① 주위; 주변(= périphérie). ② 〖기하〗 원주(圓周).

circonflexe [siʀkɔ̃flɛks] *adj.* 〖언어〗 *accent* ～ 악상시르콩플렉스《^》.

circonlocution [siʀkɔ̃lɔkysjɔ̃] *f.* 완곡한 표현, 에둘러 하는 말: parler par ～*s* 완곡하게 말하다.

circonscription [siʀkɔ̃skʀipsjɔ̃] *f.* ① 한계, 경계. ② 지구, 관구; 구역: ～ électorale 선거구 / ～ administrative 행정 구역.

circonscrire [siʀkɔ̃skʀi:ʀ] [38] *v.t.* ① …의 주위에 경계선을 긋다: ～ sa propriété 자기 땅 둘레에 경계선을 긋다. ② 한정하다; 제한하다(= borner, limiter): ～ un incendie 화재가 번지지 않도록 하다 / ～ son sujet 주제를 제한하다. ③ 〖기하〗 (외접원을) 그리다. — **se** ～ *v.pr.* 한정(제한)되다; 집중되다: Le débat *se circonscrit* autour de cette idée. 토론은 이 견해에 집중된다.

circonscrit, e [siʀkɔ̃skʀi, -it] *adj.* ① 둘러싸인; 제한된: ville ～*e* par des remparts 성벽으로 둘러싸인 도시. ② 〖기하〗 외접한.

circonspect, e [siʀkɔ̃spɛ(pɛk(t)), -ɛkt] *adj.* 조심성 있는, 신중한(= prudent): attitude ～*e* 신중한 태도 / être ～ dans ses actions 신중하게 행동하다.

circonspection [siʀkɔ̃spɛksjɔ̃] *f.* 조심성, 신중함(= précaution) : parler avec ~ 말을 신중히 하다 / apporter [mettre] beaucoup de ~ dans sa conduite 행동이 아주 조심스럽다.

*__circonstance__ [siʀkɔ̃stɑ̃:s] *f.* ① 사정, 상황, 정황, 정세 ; 진상 ; 〖법률〗 정상(情狀) : concours de ~*s* 여러 사정의 겹침 / ~*s* défavorables 불리한 상황 / exposer un fait jusque dans ses moindres ~*s* 진상을 상세한 부분까지 설명하다 / ~*s* aggravantes [attenuantes] 〖법률〗 가중[경감] 사유. ② 경우, 형편, 계제: dans les ~*s* actuelles 현재의 형편으로서는 / selon [suivant] les ~*s* 경우에 따라 / Il faut profiter de la ~. 기회를 이용해야 한다. ③ complément de ~ 〖문법〗 상황 보어. ***~s et dépendances*** 〖법률〗 종물(從物). ***de ~*** ⓐ 사정에 맞는 : Ce n'est pas *de* ~. 그건 적합하지 않다. ⓑ 임시(변통)의 : mesures *de* ~ 임기응변의 조치. ⓒ 시사(時事)적인 : pièce *de* ~ 시사극 / vers *de* ~ 시사적 성격의 시. ***en égard aux ~s*** 정상을 참작하여. ***l'homme de la ~*** 이 상황에서 문제를 해결할 만한 인물. ***quand les ~s le demandent*** 형편에 따라서는.

circonstancié, e [siʀkɔ̃stɑ̃sje] *adj.* 자세한 ; 상세한(= détaillé) : compte rendu ~ 자세한 보고.

circonstanciel, elle [siʀkɔ̃stɑ̃sjɛl] *adj.* 사정[상황 · 정황 · 정세]의 : complément ~ 〖문법〗 상황 보어 / proposition ~*elle* 〖문법〗 상황절.

circonvenir [siʀkɔ̃vni:ʀ] 16 *v.t.* ① 《옛》 속이다, 농락하다. ② 구슬리다, 꾀다, 마음을 끌다 : ~ son auditoire 청중의 마음을 끌다.

circonvolution [siʀkɔ̃vɔlysjɔ̃] *n.f.* ① 맴돌기, 선회. ② 〖해부〗 (대뇌 · 장 따위의) 회전(回轉) : ~*s* cérébrales 대뇌의 회전. ***décrire des ~s*** 원을 그리다.

*__circuit__ [siʀkɥi] *m.* ① 둘레, 주위 : le ~ d'une ville 도시의 주위 / avoir un kilomètres de ~ 둘레가 1 킬로다. ② (여행 · 자전거 경주 따위의) 한 바퀴 돌기, 일주 : ~ touristique 일주 여행 / faire le ~ des lacs 호수를 한 바퀴 돌다. ③ 우회(迂廻) ; 에움길 ; (강 따위의) 굴곡. ④ 완곡한 표현, 에둘러 하는 말. ⑤ 〖전기〗 회로(回路), 회선(回線) : ~ intégré 집적 회로 / couper [rétablir] le ~ 회로를 끊다[잇다] / mettre une lampe en [hors] ~ 전등 스위치를 넣다[끄다]. ⑥ 〖경제〗 유통 : le ~ des capitaux 자본의 유통. ⑦ 〖자동차〗 서킷. ***en ~ fermé*** 《구어》 외부와 차단되어 ; 폐쇄회로의 : télévision *en ~ fermé* 폐쇄회로 TV. ***être hors ~ ; ne plus être dans le ~*** 더 이상 관여하지 않다. ***mettre dans le ~*** 이용하다(= utiliser). ***mettre une ligne en court ~*** 〖전기〗 전선을 합선시키다.

circulaire [siʀkylɛ:ʀ] *adj.* ① 원을 그리는 : mouvement ~ 〖기계〗 원운동. ② 원형의, 둥근 : scie ~ 둥근 톱. ③ 순환하는 ; 주기적인 : chemin de fer ~ 〖철도〗 순환선. ④ 회람의 : lettre ~ 회람장. ── *f.* 회장(回章), 회람장(回覽狀), 공문. ***raisonnement ~*** 〖논리〗 순환 논법. ***voyage ~*** 일주 여행.

circulairement [siʀkylɛʀmɑ̃] *adv.* 원을 그리며, 둥글게 ; 순환적으로 ; 회람으로.

*__circulation__ [siʀkylɑsjɔ̃] *f.* ① 교통, 통행, 왕래 ; 《집합적》 (통행 중인) 차, 교통량 : accident de la ~ 교통 사고 / ~ des piétons 보행자 왕래 / trains en ~ 운행 중인 열차 / agent de la ~ 교통 순경 / carte de ~ 통행증 / detourner la ~ 차를 우회시키다 / Il y a beaucoup de ~. 교통량이 많다. ② (액체 · 기체의) 순환 ; 혈액 순환 : ~ du sang [de la sève] 혈액[수액] 순환 / établir une double ~ d'air 환기하다. ③ (화폐 · 상품 따위의) 유통 ; (사상 · 소문 따위의) 유포, 보급 : ~ monétaire 화폐의 유통량 / ~ des fausses nouvelles 유언비어의 유포. ≪***C~ interdite***≫ 「통행 금지」.

circulatoire [siʀkylatwa:ʀ] *adj.* ① 〖해부〗 혈행(血行)의, 혈액 순환의 : appareil ~ 혈액 순환 계통[기관]. ② 순환하는 ; 유포되는.

*__circuler__ [siʀkyle] *v.i.* ① 돌다, 순환하다 ; (공기 · 전류 따위가) 흐르다 ; 퍼지다, 유포되다 ; (화폐 따위가) 유통하다 : Le sang *circule* dans le corps. 혈액은 체내를 순환한다 / faire ~ l'air [un bruit] 환기하다[소문을 퍼뜨리다] / faire ~ la bouteille 《구어》 술병을 차례로 돌리다. ② (사람 · 차가) 왕래하다 : Les autos *circulent*. 자동차들이 줄지어 간다. ≪***Circulez !***≫ 「가시오」(《교통 경찰이 통행로에 정지해 있는 사람 · 차량에게 통행을 명하는 지시》).

circumnavigation [siʀkɔmnavigɑsjɔ̃] *f.* 주항(周航) : voyage de ~ 세계 일주 항해.

cire [si:ʀ] *f.* ① 밀랍(蜜蠟)(= ~ d'abeilles). ② 밀초 ; 봉랍(封蠟) : poupée de ~ 밀랍 인형 / ~ à cacheter [d'Espagne] 봉랍(封蠟) / ~ grasse 구두 왁스. ③ 귀지(= ~ des oreilles) ; 눈곱(= ~ des yeux). ***arriver comme de ~*** 제때에 오다. ***caractère de ~*** 유순한[솔직한] 성격. ***C'est une ~ molle.*** 그 사람은 고분고분한 사람이다. ***comme de ~*** 적절하게 : aller *comme de* ~ 꼭 맞다. ***être jaune comme ~*** (얼굴이) 노랗다. ***un cœur de ~*** 대단히 유순한 사람.

ciré, e [siʀe] *adj.* 밀랍을 먹인[입힌] ; 방수제를 입힌 ; 왁스로[구두약으로] 닦은. ── *m.* (선원의) 방수복. ***toile ~e*** 방수포.

*__cirer__ [siʀe] *v.t.* …에 밀랍을 먹이다[입히다] ; (천에) 방수제를 입히다 ; 왁스로[구두약으로] 닦다 : ~ des meubles 가구를 왁스로 닦다 / Je *cire* mes chaussures tous les matins. 나는 매일 아침 구두를 닦는다. ***~ les bottes à*** qn 《구어》 …에게 비굴하게 아첨하다. ***~ ses bottes avant de mourrir*** 《구어》 죽기 전에 속죄하다.

cireur, euse[1] [siʀœ:ʀ, -ø:z] *n.* 밀랍[방수제] 입히는 사람. ── *m.* 구두닦이.

cireux, euse[2] [siʀø, -ø:z] *adj.* 밀랍색의, 밀랍질의, 밀랍 비슷한 : visage 밀랍색 얼굴.

*__cirque__ [siʀk] *m.* ① 서커스(단) ; 곡마[곡예]장 ; 《옛》 (고대 로마의) 원형 경기장(= arène) : gens du ~ 서커스 단원. ② 《구어》 야단법석 : Qu'est-ce que ce ~ ? 이 무슨 법석이람. ③ 〖지질〗 (빙하로 깍인) 원곡(圓谷).

cirrhose [siʀo:z] *f.* 〖의학〗 (간 따위의) 경변증(硬變症), 경화증(硬化症)(= ~ de foie).

cirrus [siʀys] *m.* 〖기상〗 새털구름, 권운.
cisaille [sizɑ:j] *f.* (흔히 *pl.*) 절단기 ; 재단기 ; (나뭇가지를 치는) 큰 가위, 전정 가위.
cisailler [sizɑje] *v.t.* ① cisailles 로 자르다 : ~ des fils de fer 철사를 자르다. ② 《구어》 《~ qn》 …을 해치다 ; 헐뜯다, 중상하다.
ciseau** [sizo] *m.* (*pl.* **~x**) ① 끌, 정 : ~ de menuisier 〔de sculpteur〕 목공〔조각〕 끌 / creuser une rainure au ~ 끌로 홈을 파다. ② 조각(술). ③ (*pl.* 《속어》에서는 *sing.*) 가위 : ~*x* à ongles 손톱가위 / ~*x* de couturière 〔de taileur〕 재단 가위. ④ 〖레슬링〗 (다리로 상대방을) 조르기 ; 〖체조〗 양다리의 가위식 개폐 ; 〖무용〗 (발레의) 가위뛰기(= saut en ~*x*). ***~x de la parque (생명의 줄을 끊는) 아트로포스의 가위. ***coup de ~x*** 가위질 ; 〖수영〗 발놀림의 일종. ***faire un livre à coups de ~x*** 풀과 가위로 책을 편집하다. ***mettre les voiles en ~x*** 서로 바람을 막지 않도록 돛을 엇갈리게 돌리다.
ciseler [sizle] [4] *v.t.* ① (금·은 따위를) 끌로 새기다 ; 조각하다(= sculpter) : ~ un bijou 보석을 세공하다. ② (시 따위를) 잘 다듬다(= polir), 조탁(彫琢)하다 : phrase *ciselée* 다듬은 글.
ciseleur, euse [sizlœ:ʀ, -ø:z] *n.* 조금사〔彫金師〕, 조각사 ; (금은) 세공사(= orfèvre).
ciselure [sizly:ʀ] *f.* ① 조금술(彫金術), 조각술. ② 조각물 : fines ~*s* 섬세한 조각물.
cistercien, enne [sistɛʀsjɛ̃, -ɛn] *adj.* 〖종교〗 시토(*Citeaux*, 프랑스 지명) 수도회의. — *n.* 시토 수도회의 수도사〔수녀〕.
cistre [sistʀ] *m.* (16-7세기의 만돌린 비슷한) 현악기.
citadelle [sitadɛl] *f.* ① 성채(城砦), 요새(= fortification) : ~ du cœur 마음의 보루. ② (종교·사상 등의) 본거지, 아성.
***citadin, e** [sitadɛ̃, -in] *adj.* 도시의, 도시에 사는 : populations ~*es* 도시민. — *n.* 도시인(≠ campagnard). — *f.* 《옛》 삯마차.
citation [sitɑsjɔ̃] *f.* ① 인용(문구) : tirer une ~ de …에서 인용하다. ② 〖법률〗 소환(장). ③ 〖군사〗 표창(表彰) : ~ (à l'ordre du jour) (군령에 의한) 표창. ***notifier une ~ à*** qn …에게 소환장을 내다, …을 소환하다.
cité** [site] *f.* ① ⓐ 도시 국가 : les ~*s* grecques 고대 그리스의 도시 국가들. ⓑ (바티칸의) 시국(市國)(= État de la ~ du Vatican). ② (큰) 도시 ; 몇몇 도시의 발상지〔중심지〕 : (l'île de) la *C*~ 센강 한복판의 섬《파리의 발생지》 / la *C*~ de Londres 런던의 금융·상업 중심가. ③ (도시 교외의) 가옥〔주택〕 단지 : ~ ouvrière 노동자 주택 단지 / ~ universitaire 대학생촌. ***droit de ~ 시민권. ***~ céleste*** 천국. ***~ sainte*** 로마, 예루살렘 ; 메카.
cité-dortoir [sitedɔʀtwa:ʀ] *f.* (*pl.* **~s-~s**) 교외 주택지, 베드타운.
cité-jardin [siteʒaʀdɛ̃] *f.* (*pl.*~**s-~s**) 전원도시.
citer** [site] *v.t.* ① 인용하다 ; (증거로서) 끌어대다 ; (…의 이름을) 들다 : ~ un passage de l'Évangile 성서의 한 구절을 인용하다 / *Citez* trois constructeurs d'automobiles françaises. 프랑스의 자동차 제조업체 이름을 3개 들어 보시오 / ~ un exemple à l'appui d'une règle 규칙을 증명하기 위해 예를 들다. ② 〖법률〗 소환〔호출〕하다 : ~ un témoin 증인을 소환하다. ③ 〖군사〗 표창하다 : ~ qn (à l'ordre du jour) (군령에 의해) …을 표창하다. ~ qn 〔qc〕 ***en 〔***comme, pour***〕 ***exemple*** …을 예로 들다. — ***se ~*** *v.pr.* ① 자기를 들먹이다. ② 인용되다.
citerne [sitɛʀn] *f.* ① 저수지(= réservoir) ; 저수조〔탱크〕. ② 급수선, 유조선(船). ***bateau-~*** 유조선. ***wagon ~*** 급수차.
cithare [sita:ʀ] *f.* 〖음악〗 (고대 그리스의) 하프 비슷한 악기.
***citoyen, enne** [sitwajɛ̃, -ɛn] *n.* ① (고대의) 시민권 소유자(≠ esclave, étranger). ② 시민, 국민, 공민 ; (도시의) 주민 : ~ d'honneur 명예 시민 / droits de ~ 시민〔공민〕권 / un ~ français 프랑스 국민. ③ 《구어》 인간, 녀석(= individu) : un drôle de ~ 별난〔좋지 못한〕 녀석.
citoyenneté [sitwajɛnte] *f.* 공민〔시민〕의 신분〔자격〕 ; 시민〔공민〕권 : la ~ française 프랑스 시민권.
citrate [sitʀat] *m.* 〖화학〗 구연산염.
citrique [sitʀik] *adj.* 〖화학〗 레몬에서 뽑은 : acide ~ 구연산.
citron** [sitʀɔ̃] *m.* ① 레몬 : jus de ~ ; ~ pressé 레몬 주스 / thé au ~ 레몬 차. ② 《구어》 머리. ***être jaune comme un ~ 얼굴이 샛노랗다. ***presser*** qn ***comme un ~*** …을 이용할 대로 이용하다, 착취하다. ***se presser*** 〔***se creuser***〕 ***le ~*** 머리를 짜내다. — *adj.* 《불변》 레몬색의 : étoffes ~ 레몬빛천.
citronnade [sitʀɔnad] *f.* 레몬수(水), 레모네이드.
citronnier [sitʀɔnje] *m.* 〖식물〗 레몬나무.
citrouille [sitʀuj] *f.* ① 〖식물〗 호박《courge 의 일종》. ② 《구어》 대가리 ; 바보.
civet [sivɛ] *m.* 〖요리〗 양파와 포도주를 넣고 끓인 토끼 따위의 스튜 요리.
civette *f.* [sivɛt] ① 사향고양이. ② 사향고양이의 사향. ③ 사향고양이 모피.
civière [sivjɛ:ʀ] *f.* 들것, 담가(= brancard) : charger un blessé sur une ~ 부상자를 들것에 싣다 / porteur de ~ 들것 운반인.
civil, e** [sivil] *adj.* ① 시민〔공민〕의 : société ~*e* 시민 사회. ② 〖법률〗 민법상의 ; 민사의 (≠ criminel) : code ~ 민법전 / droits ~*s* 민법상의 권리 / acte de l'état ~ 호적등본 / procédure ~*e* 민사소송 / partie ~*e* (형사 재판의) 손해 배상 청구인. ③ 민간인의 ; 속계의, 비종교적인 : vêtement ~ 평복 / retrouver la vie ~*e* 민간인으로 돌아가다 / enterrement ~ 종교 의식을 따르지 않는 장례(식). ***droit ~ 〖법률〗 민법. ***guerre ~e*** 내란. ***liste ~*** 국가원수(元首) 의 세비(歲費). — *m.* ① (군인에 대하여) 민간인, (성직자에 대하여) 속인 ; 민간인 생활. ② 〖법률〗 민사 : poursuivre qn au ~ …에게 민사소송을 제기하다. ***dans le ~*** 《구어》 (군대 생활이 아닌) 민간 생활에서는. ***en ~*** 평복 차림으로(의) : policier *en* ~ 사복 경찰.
civilement [sivilmɑ̃] *adv.* ① 종교 의식 없이 : se marier ~ (교회가 아닌) 시청에서 결혼하다. ② 민법상, 민사상 : être ~ responsable 민법상 책임이 있다.

civilisateur, trice [sivilizatœːʀ, -tʀis] *adj.* 개화시키는, 문명을 보급시키는. — *n.* 개화자, 교화자.

***civilisation** [sivilizɑsjɔ̃] *f.* ① 문명, 문화(≠ barbarie) : ~ orientale 동양 문화 / ~ de consommation 소비 문화 / aire de ~ 문화권. ② 개화, 교화(= progrès) : ~ d'un peuple aborigène 원주민의 교화.

civilisé, e [sivilize] *adj.* 개화〔개명〕된, 문명화된(= cultivé ; ≠ barbare). — *n.* 문명인.

C

civiliser [sivilize] *v.t.* ① 개화〔교화〕하다 : La conquête romaine *a civilisé* la Gaule. 로마의 정복이 골을 개화시켰다. ② (태도 따위를) 세련되게 하다(= polir) ; 예절바르게 하다. — **se ~** *v.pr.* 개화되다 ; 세련〔예절바르게〕 되다 : Il *s'est civilisé* au contact de cette famille. 그는 이 가족과 만나면서 예절바르게 되었다.

civiliste [sivilist] *m.* 민법학자.

civilité [sivilite] *f.* ① 예의, 예절. ② (*pl.*) 경의. ***faire des ~s à*** qn …에게 경의를 표하다. ***Mes ~s à Madame votre mère***. 자당님께 안부 전해 주시오.

civique [sivik] *adj.* 공민의 ; 시민의 ; 애국의 : chant ~ 애국가 / droits ~*s* 공민권.

civisme [sivism] *m.* 공민 정신, 애국심.

clabaudage [klabodaːʒ] *m.* 욕지거리, 험담, 비방.

clabauder [klabode] *v.i.* 《~ sur 〔contre〕》 …을 험담하다, 비방하다 : Il ne cesse de ~ *contre* vous. 그는 당신에 대해 계속 험담을 하고 있다.

clabauderie [klabodʀi] *f.* 험담, 비방, 욕지거리.

clac [klak] *m.* 철썩〔덜그럭 · 삐걱 · 덜컥〕하는 소리.

claie [klɛ] *f.* ① (버들가지 · 철사 따위로 엮어 만든) 망, 발, 바자 ; 채반 ; 체 : cribler 〔passer〕 du sable sur une ~ 모래를 체질하다. ② (나무 또는 쇠로 만든) 울타리, 울(= clôture) : ~ de parc à bestiaux 가축장 울타리.

‡**clair, e**[1] [klɛːʀ] *adj.* ① 밝은, 환한(= lumineux, éclairé) : feu ~ 잘 타는 밝은 불 / chambre ~*e* 환한 방 / temps ~ 갠 날씨 / Il fait ~. 날이 밝다. ② (빛깔이) 엷은, 연한 : vert 〔bleu〕 ~ 연두색〔하늘색〕 / teint ~ 흰〔해맑은〕 얼굴빛. ③ 맑은, 투명한 : l'eau ~*e* d'un ruisselet 맑은 개울물 / vitre ~*e* 투명한 창유리. ④ (소리가) 또렷한, 낭랑한 : avoir la parole ~*e* 말소리가 분명하다 / tintement ~ 맑은 종소리. ⑤ (표현 · 의미 · 태도 따위가) 명료한, 분명한, 명확한, 똑똑한 : exposé ~ 분명한 설명 / règle peu ~*e* 애매한 규칙. ⑥ (머리가) 명석한 : avoir l'esprit ~ 통찰력이 있다. ⑦ (사실 따위가) 명백한, 확실한 : Cette affaire n'est pas ~*e*. 그 사건은 석연치 않다 / C'est ~ ! 확실해, 사실이야. ⑧ (천이) 올이 성긴, (숲이) 나무가 성긴〔적은〕 : bois ~ 나무가 성긴 숲 / tissu ~ 올이 성긴 피륙 / sauce trop ~*e* 너무 묽은 소스. ***argent ~*** 현금. ***C'est ~ comme le jour*** 〔***de l'eau de roche***〕**.** 명약관화하다. ***Il est ~ que***+*ind.* …은 명백하다 : *Il est ~ qu'*il se trompe. 그가 틀렸다는 것은 명백하다. ***Son affaire est ~.*** 《구어》 그는 영락없이 벌 받을 거다.

— *m.* ① 빛(= clarté) : au ~ de (la) lune 달빛 속에, 달밤에 / Il y a ~ de lune. 달빛이 밝다. ② 밝은 곳 ; (흔히 *pl.*) (그림 따위의) 밝은 부분. ***dépêche en ~*** (암호를 사용하지 않은) 보통 문자의 전문. ***en ~*** 암호를 쓰지 않은 ; 분명히 말해서 : Il m'a répondu évasivement ; *en ~*, cela ne l'intéresse pas. 그는 어물어물 답했다, 분명히 말해서 관심이 없는 것이다. ***le plus ~ de*** qc …의 요점〔핵심〕 ; …의 대부분 : passer *le plus ~ de* son temps à dormir 대부분의 시간을 잠을 자며 보내다 / *Le plus ~ de* l'affaire, c'est que...사건의 핵심은 …이다. ***mettre sabre au ~*** 칼을 빼들다. ***tirer au ~*** 밝히다 : *tirer* une affaire 〔une question〕 *au ~* 일을〔문제를〕 밝히다.

— *adv.* 똑똑히, 분명히, 명료하게 : parler haut et ~ 큰 소리로 또렷또렷하게 말하다. ***Il fait ~.*** 밝다 ; 낮이라 환히 보인다. ***voir ~*** 똑똑히 보다 ; 빤히 들여다보다. ***y voir ~*** 알다 ; 눈이 잘 보이다.

claire[2] [klɛːʀ] *f.* 굴 양식장 ; 양식굴(= huîtres 〔fines〕 de ~).

***clairement** [klɛʀmɑ̃] *adv.* 분명하게, 명쾌히, 똑똑히(= distinctement) : s'expliquer ~ 자기 생각을 분명히 말하다.

claire-soudure [klɛʀsudyːʀ] *f.* 〖미술〗 납과 주석의 합금.

clairet, ette [klɛʀɛ, -ɛt] *adj.* (빛 · 소리가) 연한 ; 맑은 ; 묽은 : voix ~*ette* 맑은 목소리 / soupe ~*ette* 묽은 수프. — *m.* 빛깔이 연한 적포도주.

claire-voie [klɛʀvwa] *f.* (*pl.* **~s-~s**) (창 · 문의) 살 ; 살울타리 ; 격자창. ***à ~*** 빛이 새는 : clôture *à ~* 살울타리.

clairière [klɛʀjɛːʀ] *f.* (숲속의) 빈터(= éclaircie).

clair-obscur [klɛʀɔpskyːʀ] *m.* (*pl.* **~s-~s**) ① 〖미술〗 명암(의 배치〔효과〕). ② 희미한 빛, 미광. ③ 애매모호함(= ambiguïté).

clairon [klɛʀɔ̃] *m.* (군대) 나팔 ; 나팔수 : sonner 〔jouer〕 du ~ 나팔을 불다.

claironnant, e [klɛʀɔnɑ̃, -ɑ̃ːt] *adj.* (소리가) 날카로운, (목소리가) 쉿소리인.

claironner [klɛʀɔne] *v.i.* ① 나팔을 불다. ② (목소리가) 쉿소리를 내다. — *v.t.* (소문 따위를) 퍼뜨리다(= publier) : ~ un secret partout 비밀을 동네방네 터뜨리다.

clairsemé, e [klɛʀsəme] *adj.* 성긴, 듬성듬성한 : cheveux ~*s* 성긴 머리털 / arbres ~*s* 듬성듬성한 나무들.

clairvoyance [klɛʀvwajɑ̃ːs] *f.* 통찰력 ; 선견지명 ; 총명.

***clairvoyant, e** [klɛʀvwajɑ̃, -ɑ̃ːt] *adj.* ① 통찰력 있는, 선견지명이 있는, 명민〔총명〕한 : esprit ~ 명민한 머리. ② 시력이 정상인(≠ aveugle). — *n.* ① 통찰력 있는 사람. ② (맹인에 대하여) 시력이 정상인 사람.

clam [klam] *m.* 〖패류〗 대합조개.

clamer [kla(ɑ)me] *v.t.* 외치다(= crier), 부르짖다 ; 주장하다(= proclamer) : ~ son innocence 자신의 무죄를 부르짖다. — *v.i.* 외치다, 부르짖다, 아우성치다.

clameur [kla(ɑ)mœːʀ] *f.* 아우성, 함성(= acclamation) : ~*s* de la foule 군중의 함성.

clamser [klamse] [2] *v.i.* 《속어》 죽다(=mourir).

clan [klɑ̃] *m.* ① 씨족(=tribu) ; (스코틀랜드 · 아일랜드의) 족벌. ② 당파, 파벌(=parti, coterie) : esprit de ~ 당파심.

***clandestin, e** [klɑ̃dɛstɛ̃, -in] *adj.* 비밀의, 은밀〔내밀〕한(=secret) ; 불법적인(≠ légal) : journal ~ 비밀〔지하〕 신문 / marché ~ 암시장 / passager ~ 밀항자. — *n.* 밀항자 ; 불법 노동자 ; 지하 운동가.

clandestinement [klɑ̃dɛstinmɑ̃] *adv.* 몰래, 은밀하게 : se marier ~ 몰래 결혼하다.

clandestinité [klɑ̃dɛstinite] *f.* ① 비밀, 은밀함. ② 지하 운동, 불법 활동.

clapet [klapɛ] *m.* ① 〖기계〗 판(瓣), 밸브(=valve). ② 《구어》 입(=bouche) ; 혓바닥 ; 수다 : Ferme ton ~ ! 아가리 닥쳐 !

clapier [klapje] *m.* ① 토끼굴 ; 토끼장. ② 《구어》 누추한 집 ; 싸구려 갈보집.

clapotement [klapɔtmɑ̃] *m.* = clapotage.

clapoter [klapɔte] *v.i.* (물결이) 찰랑거리다.

clapotis [klapɔti] *m.* (물결이) 찰랑거림 ; 찰랑거리는 소리(=clapotage).

clappement [klapmɑ̃] *m.* 혀 차는 소리.

clapper [klape] *v.i.* 혀를 차다.

claquage [klakaːʒ] *m.* 〖의학〗 (지나친 운동으로 인한) 근육〔인대〕 손상.

claquant, e [klakɑ̃, -ɑ̃ːt] *adj.* 《구어》 기진맥진하게 하는 : travail ~ 맥빠지는 일.

claque[1] [klak] *f.* ① 손바닥으로 치기 : donner 〔recevoir〕 une ~ sur la joue 따귀 치다〔맞다〕. ② 《집합적》 (돈 주고 고용한) 박수부대. ***en avoir sa ~*** 《구어》 기진맥진하다, 진력이 나다. ***prendre ses cliques et ses ~s*** 슬그머니 달아나다, 봇짐을 싸다.

claque[2] *m.* 오페라 해트(=chapeau à ~).

claquement [klakmɑ̃] *m.* 철썩 · 덜그럭 · 삐걱 · 쾅 따위의 소리 : ~ d'un fouet 철썩하는 매질 소리.

claquemurer [klakmyʀe] *v.t.* 방안에 가두다, (좁은 감옥에) 감금하다. — **se ~** *v.pr.* (자기 집에) 죽치고 있다 ; 들어박히다.

claquer** [klake] *v.i.* ① 철썩〔덜그럭〕 소리가 나다 ; (깃발이) 펄럭거리다 ; (문이) 쾅 닫히다 ; (손가락으로) 딱〔탁〕 소리를 내다 : faire ~ ses doigts 손가락을 마주 튀겨 딱 소리를 내다 / un drapeau qui *claque* au vent 바람에 펄럭이는 깃발 / faire ~ la porte 문을 쾅 닫다. ② 《구어》 죽다(=mourir), 뒈지다 : Il *a claqué* d'une crise cardiaque. 그는 심장 발작으로 죽었다. ③ 《구어》 깨지다, 부서지다, 끊어지다. ***~ dans la main 〔***dans les mains, dans les doigts***〕 ***à*** qn 《구어》 실패로 돌아가다 ; 배신하다. ***~ du bec*** 《구어》 배가 고프다. ***faire ~ sa langue*** 혀를 차다. — *v.t.* ① (문 따위를) 쾅 닫다 : Le vent *a claqué* la porte. 바람에 문이 쾅 하고 닫혔다. ② 《~ qn》 …의 빰을 치다(=gifler) ; (배우에게) 박수갈채를 보내다 : Il m'*a claqué*. 그는 내 빰을 쳤다. ③ 《속어》 마구 쓰다, 낭비하다(=gaspiller) : ~ un billet de mille francs 1000 프랑짜리 지폐를 마구 쓰다. 《구어》 지쳐빠지게 하다 : ~ un cheval 말을 지치게 하다. ***~ la porte au nez de*** qn …을 문밖으로 내쫓다, 괄시하다.
— **se ~** *v.pr.* ① 《구어》 지쳐빠지다 ; 죽다, 뒈지다 : Il *s'est claqué* pour préparer son examen. 그는 시험 준비로 녹초가 되었다. ② 자기의 …을 다치다 : *se* ~ un tendon 힘줄을 다치다.

claquette [klakɛt] *f.* ① 딱딱이 ; 〖음악〗 캐스터네츠. ② (*pl.*) 탭댄스(=danse à ~*s*).

clarification [klaʀifikɑsjɔ̃] *f.* ① 여과, 정화(=épuration). ② (문제의) 해명.

clarifier [klaʀifje] *v.t.* ① (액체를) 맑게 하다 ; 정화하다. ② 정제하다 : ~ du sucre 설탕을 정제하다. ③ 밝히다, 분명히 하다 : ~ une situation 상황을 분명히 하다. — **se ~** *v.pr.* ① 맑아지다. ② 정제되다.

clarine [klaʀin] *f.* (가축의 목에 단) 방울.

clarinette [klaʀinɛt] *f.* 클라리넷 (연주자).

clarinettiste [klaʀinɛ〔e〕tist] *n.* 클라리넷 연주자.

clarté** [klaʀte] *f.* ① 빛, 밝음, 광명 : ~ de la lune 달빛 / ~ de l'aurore 〔du crépuscule〕 박명, 미광. ② (물 · 유리의) 맑음, 투명 : la ~ de l'eau 물의 맑음. ③ 명료, 명확, 분명 ; 명석. ④ (*pl.*) 《옛》 (정통한) 지식. ***avoir des ~s sur qc …에 관하여 환히 알고 있다. ***~ du jour*** 햇빛 ; 생명. ***parler avec ~*** 명료하게 이야기하다.

⁑classe [klaːs] *f.* ① 계급 : hautes 〔basses〕 ~*s* 상류〔하류〕 계급 / ~ laborieuse 근로자 계급 / ~ ouvrière 노동자 계급 / ~ moyennes 중류 계급 / ~ dirigeante 〔dominante〕 지배 계급 / ~*s* de la société 사회의 계급 / lutte des ~*s* 계급 투쟁. ② 종류(=catégorie, espèce) : toutes les ~*s* de lecteurs 온갖 계층의 독자들. ③ 등급 ; 급수가 높음, 일류, 우수함 : wagon de première ~, 1 등칸 / ~ économique 〔touriste〕 이코노믹〔투리스트〕 클라스 / ingénieur de première ~ 일류 기사 / athlète de ~ internationale 국제급 선수 / musicien de grande ~ 뛰어난 음악가. ④ ⓐ 〖생물〗 (동식물 분류상의) 강(綱). ⓑ 〖언어〗 (부)류. ⑤ (학교의) 클래스, 반, 학급, 학년 ; 수업, 교실(=salle de ~) ; 학교 : ~ de première 〔de philosophie〕 중등학교 6 학년〔7 학년 철학 학급〕 / hautes ~*s* ; ~*s* supérieures 고학년 / petites ~*s* 저학년 / redoubler 〔sauter〕 une ~ 낙제〔월반〕하다. ⑥ 〖군사〗 동년병(同年兵)《전체》, 동기 : ~ (de) 1970, 1970 년도 (입대) 동기 / être bon pour la ~ 《구어》 병역 적격자이다. ⑦ 병역 만기, 제대 : être de la ~ 얼마 있으면 제대한다 / Vive la ~ ! 제대 만세 !
aller en ~ 등교하다. ***avoir ~*** 수업이 있다 : Nous n'*avons* pas ~ aujourd'hui. 우리는 오늘 수업이 없다. ***avoir de la ~*** 급수가 높다, 탁월하다 ; (예술가가) 재능이 있다. ***~s populaires*** 서민 계급, 대중. ***de première ~*** 제일급〔일등〕의. ***être en ~*** (교실에서) 수업을 받고 있는 중이다. ***faire la ~*** (교사가) 수업하다 : Ce professeur *fait* bien *la* ~. 그 선생님은 잘 가르치신다. ***faire ses ~s*** 중등학교에 재학 중이다 ; 신병 교육을 받다 : J'*ai fait mes* ~*s* au lycée Henri Ⅳ. 나는 앙리 4 세 학교를 졸업했다. ***soldat de première*** 〔***deuxième***〕 ***~*** 일등〔이등〕병.

classement [klɑsmɑ̃] *m.* ① 분류, 정리(=

classification) : ~ (par ordre) alphabétique 알파벳순에 의한 분류. ② 등급을 매기기 ; 성적 : avoir un bon ~ 등급이 오르다.

classer** [klɑse] *v.t.* ① 분류하다 : ~ les plantes 식물을 분류하다 / ~ des fiches 카드를 분류하다. ② …의 등급을 매기다 ; 평가하다 : ~ un vin 포도주의 등급을 매기다 / tableau *classé* comme chef d'œuvre 걸작으로 치는 그림. ③ 정리하다 : ~ des papiers 서류를 정리하다. ④ (기념물 따위로) 지정하다 : ~ un édifice comme monument historique 어떤 건물을 역사적 기념물로 지정하다. **~ *une affaire 사건을 매듭지은 것으로 처리하다. — **se ~** *v.pr.* ① 분류〔정리〕되다 : *se* ~ parmi les meilleurs 최상급으로 분류되다. ② 등급이 매겨지다.

classeur, euse [klɑsœːʀ, -øːz] *m.* 서류 끼우개〔꽂이〕; 서류함 ; 서류 케이스 ; 파일 : tiroir ~ 서류 정리 서랍.

classicisme [klasisism] *m.* ① 〖문학·미술〗 고전주의. ② 고전적 성격, 고전미.

classificateur, trice [kla(ɑ)sifikatœːʀ, -tʀis] *adj.* et *n.* 분류하는 (사람) ; 정리를 좋아하는 (사람).

classification [kla(ɑ)sifikɑsjɔ̃] *f.* 분류(법) ; 등급 매기기(= classement) : ~ en botanique 식물학상의 분류.

classifier [kla(ɑ)sifje] *v.t.* 분류하다, 등급별로 나누다.

classique** [klasik] *adj.* ① ⓐ (고대 그리스·로마) 고전 (시대)의 : langue ~ 고전어《그리스어·라틴어》. ⓑ 〖문학〗 (17 세기 프랑스) 고전주의의, 고전(주의)적인 ; 〖미술·음악〗 고전파의 : goût ~ 고전주의적 취미 / théâtre ~ 고전극 / musique ~ 클라식 음악 / grands écrivains ~*s* 고전주의 대작가들. ② 본보기가 되는, 권위 있는, 전형적인 ; 상투적인 : doctrine devenue ~ 널리 인정받는 학설 / C'est un ~ du genre. 이것은 그 분야에서 권위 있는 것으로 일컬어진다. ③ 전통적인, 고전적인 : beauté ~ 고전적 미〔미인〕/ veston de coupe ~ 전통적 방식으로 재단된 윗도리. ④ 학교에서 가르치는, 학교용인 : livres ~*s* 교과서. ***C'est un 〔***le***〕 ***coup ~.*** 그건 상투 수단이다. — *m.* ① 고전 ; 고전이 된〔권위 있는〕 작품 : les ~*s* du cinéma 명화들. ② 고전(주의) 작가. ③ 고전 음악(= musique ~).

classiquement [klasikmɑ̃] *adv.* ① 고전적으로. ② 전통적으로, 관례에 따라.

claudication [klodikɑsjɔ̃] *f.* 《문어》 절뚝거림, 절름발이 걸음.

claudiquer [klodike] *v.i.* 《문어》 절뚝거리다(= boiter).

clause [kloːz] *f.* 〖법률〗 (계약) 조항, 약관 : ~ d'un contrat 〔d'une loi〕 계약〔법률〕 조항 / ~ additionnelle 부가 조항.

claustral, e, aux [klostʀal, -o] *adj.* 수도원의, 수도원 같은 : vie ~*e* 수도원 생활.

claustration [klostʀɑsjɔ̃] *f.* 유폐(幽閉) ; 칩거 ; 죽치고 있음(≠ liberté).

claustrer [klostʀe] *v.t.* 유폐〔감금〕하다, 가두다 : rester *claustré* 틀어박힌 채로 있다.

claustrophobie [klostʀɔfɔbi] *f.* 〖정신의학〗 (신경쇠약에 의한) 밀실 공포증.

claveau [klavo] *m.* (*pl.* **~*x***) 〖건축〗 (아치의) 홍예머릿돌, 종석(宗石).

clavecin [klavsɛ̃] *m.* 〖음악〗 클라브생《피아노의 전신》.

claveciniste [klavsinist] *n.* 클라브생 연주자.

clavette [klavɛt] *f.* 쐐기, 쐐기마개, 꺾쇠.

clavicule [klavikyl] *f.* 〖해부〗 쇄골(鎖骨).

***clavier** [klavje] *m.* ① (피아노·컴퓨터 따위의) 건반. ② (악기·음성의) 음역(音域), 성역. ③ (감정의) 폭 : Cet écrivain a un vaste ~. 이 작가는 감정의 폭이 넓다.

claviste [klavist] *m.* 〖인쇄〗 식자기.

clayette [klɛjɛt] *f.* (음식을 나르는 데 쓰는) 고리바구니(= cageot).

clayon [klɛjɔ̃] *m.* (치즈를 거르는) 작은 체 ; (과자를 담는) 채반.

clayonnage [klɛjɔnaːʒ] *m.* (말뚝에 나뭇가지를 엮어 만든) 책(柵), 토사막이.

***clé** [kle] *f.* = clef.

clébard [klebaːʀ], **cleb** [klɛb], **clebs** [klɛps] *m.* 《속어》 개(= chien).

clef** [kle] *f.* ① 열쇠 : ~ passe-partout 만능 열쇠 / fausse ~ 위조 열쇠 / ~ maîtresse 마스터키 / ~ de voiture 자동차 열쇠 / fermer la porte à ~ 열쇠로 문을 잠그다 / fabriquer une seconde ~ 예비 열쇠를 만들다. ② 해결의 열쇠〔실마리〕; 비결 : La ~ de la réussite, c'est la ténacité. 성공의 비결은 끈기다 / ~ du mystère 비밀의 열쇠. ③ 관문, 요충지 : Ce fort est la ~ de la position. 이 요새는 진지의 요충지이다. ④《다른 명사와 동격적으로》 관건이 되는, 중요한, 핵심적인 : industrie(-)~ 기간 산업 / poste(-)~ 중요한 지위 / mot(-)~ 주요어 / occuper une position ~ 주요한 자리를 차지하다. ⑤ 나사돌리개, 스패너 : ~ anglaise 만능 스패너 / ~ d'accordeur 〖음악〗 조율 스패너. ⑥ 〖무전〗 키. ⑦ 〖음악〗 음부 기호 ; 음자리표 ; 관악기의 키 : ~ de sol 높은음자리표 / ~ de fa 낮은음자리표. ***à la ~ ⓐ 당연히, 결국 : et une amende *à la* ~ 그리고 당연히 벌금이 있다. ⓑ 곁들여. ***~ de voûte*** 홍예머릿돌(= claveau) ; 요점, 핵심, 관건. ***~s en main*** 즉시 이용할 수 있는 : louer une maison ~*s en main* 당장 입주할 수 있는 셋집을 얻다. ***la ~ des champs*** 자유(= liberté). ***mettre la ~ sous la porte*** 《속어》 몰래 사라지다 ; 포기하다. ***mettre*** 〔***tenir***〕 qc ***sous ~*** …에 (자물)쇠를 채워 두다. ***mettre*** qn ***sous ~*** …을 감금하다. ***prendre la ~ des champs*** 떠나다 ; 도주하다.

clématite [klematit] *f.* 〖식물〗 참으아리속(屬)《미나리아재빗과(科)》.

clémence [klemɑ̃ːs] *f.* ① 관대, 인자, 너그러움(= générosité) : ~ de Dieu 신의 자비. ② (기후 등의) 온화함(= douceur).

clément, e [klemɑ̃, -ɑ̃ːt] *adj.* 관대한, 인자한, 너그러운. ***ciel ~*** 온화한 기후 ; 행운. ***hiver ~*** 포근한 겨울.

clémentine [klemɑ̃tin] *f.* 〖식물〗 작은 귤《오렌지와 밀감의 교배종》.

clenche [klɑ̃ːʃ], **clenchette** [klɑ̃ʃɛt] *f.* (문빗장의) 걸쇠 : lever 〔abaisser〕 la ~ 빗장 걸쇠를 벗기다〔걸다〕.

cleptomane [klɛptɔman] *adj.* 절도벽이 있

는. ── *n.* 도벽 환자(= kleptomane).

cleptomanie [klɛptɔmani] *f.* 절도증 ; 도벽.

clerc [klɛːʀ] *m.* ① 성직자(= clergé). ② 《옛》 지식인(= intellectuel) ; 학자(= savant). ③ 서기, 서생 : ~ de notaire 공증인 사무소의 서기. ***petit ~*** 수습 서기. ***un pas de ~*** 실수.

clergé [klɛʀʒe] *m.* 《집합적》 성직자. ***~ régulier*** 수도(修道) 성직자. ***~ séculier*** 교구〔재속(在俗)〕 성직자.

clergyman [klɛʀʒiman] 〘영〙 *m.* (*pl.* ***clergymen*** [-mɛn]) (신교의) 목사. ***habit de ~*** (평복 비슷한) 가톨릭 신부의 옷.

clérical, e, aux [kleʀikal, -o] *adj.* 성직자의 ; 성직권 옹호의. ── *n.* 성직권 옹호자.

cléricalisme [kleʀikalism] *m.* 〚정치〛 교권주의, 성직자 지상주의《성직자의 정치 · 교육에 관여함》.

cléricature [kleʀikatyːʀ] *f.* 성직(지망)자의 신분.

clic [klik] *interj.* 찰깍, 덜그럭, 딸그락 : *C~ !* la photo est prise. 찰깍하고 사진이 찍혔다. ── *m.* 찰깍〔덜그럭〕하는 소리. ***~ clac*** 찰깍〔덜그럭〕(하는 소리).

cliché [kliʃe] *m.* ① 〚인쇄〛 연판, 스테로판 : ~ en plomb 납연판 / ~ de cuivre 동판. ② (사진의) 음화(陰畫), 네거티브(= négatif) : ~ sur pellicule 필름 원판, 네가 필름. ③ 판에 박은 듯한〔상투적인〕 문구, 진부한 생각 : phrases *~es* 상투적인 문구들.

***client, e** [klijɑ̃, -ɑ̃ːt] *n.* ① (상점 · 호텔 · 택시 등의) 손님, 고객 : Le ~ a toujours raison. 손님은 왕 / ~ d'un médecin 의사의 환자 / ~ d'un avocat 변호사의 의뢰인. ② 거래처 ; 수출입 상대국. ③ 단골 : Cette boutique fait crédit aux *~s.* 저 가게는 외상이 통한다. ④ 《구어》 녀석, 작자(= individu) : Quel drôle de ~ ! 별난 녀석이다 !

clientèle** [klijɑ̃tɛl] *f.* ① 《집합적》 손님, 고객 ; 환자 ; 의뢰인 ; 승객 ; 숙박객 : une belle ~ 좋은 단골손님들 / magasin plein de *~s* 손님이 가득한 상점. ② 《집합적》 신봉자, 지지자(= partisans, adeptes) : ~ électorale 선거의 지지자층. ③ 단골 노릇 : accorder *sa* ~ à qn …의 가게를 단골로 삼다. ***faire de la ~ 《옛》 (의사 · 변호사가) 개업하다.

clignement [kliɲmɑ̃] *m.* 눈을 깜박거리기 ; 눈짓 : lancer un ~ d'œil à qn …에게 눈짓〔윙크〕하다.

cligner [kliɲe] *v.t.* (눈을) 깜박거리다(= clignoter) ; (눈을) 가느다랗게 뜨다, 지그시 감다 : regarder un tableau en *clignant* des yeux 눈을 가늘게 뜨고 그림을 바라보다. ── *v.t. ind* 《~ de》 …에게 눈을 가늘게 뜨다 ; 깜박이다 ; (눈을) 깜빡거리다, 눈짓하다 : ~ *de* l'œil 〔des yeux〕 윙크〔눈짓〕하다 / ~ des yeux 〔des paupières〕 눈을 깜박여 보이다.

clignotant, e [kliɲɔtɑ̃, -ɑ̃ːt] *adj.* (눈을) 깜박거리는 ; (별 · 램프 따위가) 깜박거리는, 점멸하는 : lumière *~e* 깜박이는 빛 / feux *~s* 점멸 신호. ── *m.* ① 〚자동차〛 점멸식(點滅式) 방향등(燈), 깜박이. ② (경제 동향을 나타내는) 지표(= indicateur).

clignotement [kliɲɔtmɑ̃] *m.* (눈의) 깜박임 ; (별 · 램프 따위의) 깜박거림, 점멸.

clignoter [kliɲɔte] *v.i.* ① (눈을) 깜박거리다. ② (빛이) 명멸〔점멸〕하다.

***climat** [klima〔ɑ〕] *m.* ① 기후, 풍토 : ~ sec 〔humide〕 건조한〔습한〕 기후 / ~ continental 〔océanique〕 대륙성〔해양성〕 기후 / sous nos *~s* 이곳 풍토로는. ② 분위기(= atmosphère), 환경, 상황 : ~ social 사회 환경 / ~ politique 정치 상황 / Son intervention a assombri le ~ de la réunion. 그의 발언은 집회의 분위기를 어둡게 했다. ③ 지방, 고장, 나라(= région, pays) : sous ces *~s* 그 지방에서는.

climatique [klima〔ɑ〕tik] *adj.* 기후(상)의, 풍토적인 : variations *~s* 기후 변화.

climatisation [klimatizɑsjɔ̃] *f.* 실내 공기 조절(= conditionnement), 에어컨디셔닝.

***climatiser** [klimatize] *v.t.* …의 온도를 알맞게 하다 ; 난방〔냉방〕 장치하다 : ~ une salle 방에 공기 조절 장치를 하다.

climatiseur [klimatizœːʀ] *m.* 냉난방 장치, 에어컨디셔너.

clin d'œil** [klɛ̃dœj] *m.* (*pl.* ***~s d'~, ***~s d'yeux***) 눈짓, 윙크 : faire un ~ 눈짓을 하다. ***en un ~*** 눈 깜짝할 사이에, 순식간에.

clinicien, enne [klinisjɛ̃, -ɛn] *adj.* 임상(臨床)의. ── *m.* 임상 의사(= médecin ~) 《여의사에 대해서는 최근에 clinicienne라는 여성형도 쓰임》.

***clinique** [klinik] *adj.* 임상의 : médecine ~ 임상 의학 / signe ~ 임상 징후《보거나 촉진 따위로 알 수 있는》. ── *f.* ① 임상 진단법. ② 임상 의학 ; 임상 강의 : chef de ~ 임상 교육 지도 의사. ③ 개인〔사립〕 병원 ; 진료소.

clinquant, e [klɛ̃kɑ̃, -ɑ̃ːt] *m.* ① 번쩍거리는 얇은 금속 조각《금박 · 은박 · 동박 따위》. ② 겉치레, 허식. ── *adj.* (야단스럽게) 번쩍거리는 : des bijoux *~s* 번쩍거리는 값싼 보석.

clip[1] [klip] *m.* ① 뮤직 비디오, 영상 효과용 비디오 필름. ② 예술가 ; 유명 정치인.

cilp[2] 〘영〙 *m.* (보석 · 만년필 따위의) 클립 ; (클립식) 브로치.

clique [klik] *f.* ① 도당, 패거리 ; (정치적) 파벌. ② 《집합적》 (북과 나팔로 구성된) 군악대. ***prendre ses ~s et ses claques*** 허겁지겁 달아나다.

cliquer [klike] 〘영〙 *v.i.* (컴퓨터의) 마우스를 누르다.

cliqueter [klikte] [5] *v.i.* (유리 · 금속 등이) 짤랑〔달그락〕거리다 ; 부딪히는 소리를 내다.

cliquetis [klikti] *m.* (단단한 것이) 부딪치는 소리, 짤랑〔달그락〕거리는 소리 : un ~ de clefs 열쇠들이 짤랑거리는 소리. ***~ de mots*** 화려한 언변, 요란스럽게 늘어놓는 객설.

clitique [klitik] *adj.* 접어(接語)의 : pronom ~ 접어대명사. ── *m.* 무강세어, 접어《프랑스어의 무강세 인칭대명사를 이름 : Il *me l'a* dit 에서 me, le 따위》.

clitoris [klitɔʀis] *m.* 〚해부〛 음핵(陰核).

clivage [klivaːʒ] *m.* ① 분화, 분열 ; 구분 ; 단층(斷層) : *~s* sociaux 사회 계급의 분화. ② 결대로 쪼개기, 결에 따라 쪼갠 것.

cliver [klive] *v.t.* ① (광석을) 결에 따라 쪼개다. ② 분열시키다 ; 〚의학〛 분리하다. ── ***se ~*** *v.pr.* 결 대로 쪼개지다. ② 분열하다.

cloaque [klɔak] *m.* ① 《옛》 하수구 : le grand ~ de Rome 《옛》 로마의 대하수구. ② 시궁창 ; 불결한 곳 ; 소굴 : ~ de vices 악의 소굴.

***clochard, e** [klɔʃaːʀ, -aʀd] *n.* 부랑자, 뜨내기, 룸펜, 거지(= vagabond, mendiant).

clochardiser [klɔʃaʀdize] *v.t.* 무직자로〔빈민으로〕 만들다. — **se ~** *v.pr.* 무직자가〔빈민이〕 되다.

cloche**[1] [klɔʃ] *f.* ① 종 ; 종소리 : On entend sonner les ~s. 종소리가 들린다 / coup de ~ 타종. ② ⓐ 종 모양의 덮개 ; 종 모양의 유리 기구 : ~ à fromage 치즈 뚜껑 / ~ de métal 접시 보온 뚜껑. ⓑ (챙이 없는 여자용) 종 모양의 모자(= chapeau ~). ③ ~ à plongeur 종 모양 잠수기(潛水器) / fleurs en ~ 종 모양의 꽃《히스꽃 따위》. ***à la ~ de bois 남몰래, 슬그머니, 비밀로 : mariage *à la ~ de bois* 식을 올리지 않은 결혼. ***heures hors ~*** 잔업, 시간외 근무. ***n'entendre qu'un son de ~*** 한 가지 의견만 듣다〔고집하다〕. ***se taper la ~*** 배불리〔잘〕 먹다. ***son de ~*** 《구어》 말하는 견지 ; 문제의 양상. ***sonner les ~s à*** qn …을 몹시 꾸짖다.

cloche[2] *f.* ① 《구어》 바보, 미련퉁이 : Quelle ~ ! 미련퉁이 같으니라구 ! ② 《집합적》 부랑배 ; 부랑자. — *adj.* 바보 같은(= stupide), 어리석은, 미련한.

cloche-pied (à) [aklɔʃpje] *loc. adv.* 한쪽 발로 : sauter *à ~* 한 발로 뛰다.

***clocher**[1] [klɔʃe] *m.* ① 종루, 종각 ; 종탑 : la flèche du ~ 종루의 뾰족탑. ② 교구(敎區)(= paroisse) ; 고향(= pays natal) : revoir 〔retrouver〕 son ~ 《문어》 그리운 고향〔정든 곳〕에 돌아오다.

clocher[2] *v.i.* ① 결함이 있다, 잘 안 되어 가다 : Il y a quelque chose qui *cloche* ? 무언가 잘못됐나요 ?

clocheter [klɔʃte] [5] *v.i.* (종 따위가) 울리다 ; 울려퍼지다.

clocheton [klɔʃtɔ̃] *m.* 작은 종루(鐘樓) ; 〖건축〗 작은 종루〔피라미드〕 모양의 장식.

clochette [klɔʃɛt] *f.* ① 방울, 작은 종. ② 발모양의 꽃 : ~s du muguet 은방울꽃 / ~ des bois 히아신스.

clodo [klɔdo] *m.* 《구어》 부랑자(= clochard).

***cloison** [klwazɔ̃] *f.* ① (실내·선반 따위의) 칸막이 : ~ de brique 벽돌 칸막이. ② 〖해양〗 (배 내부의) 격벽(隔壁) ; 〖해부〗 격막 : ~s du cœur 심장막. ③ (정신적) 장벽 : abattre 〔faire tomber〕 les ~s entre les classes 계급 사이의 장벽을 무너뜨리다.

cloisonnement [klwazɔnmɑ̃] *m.* ① 칸막이하기 ; 《집합적》 칸막이식 구조. ② (조직 따위의) 세분화, 분할.

cloisonner [klwazɔne] *v.t.* ① (건물 따위를) 칸막이하다 ; (조직 따위를) 세분화하다. ② (사람을) 분리〔격리〕하다.

cloître [klwatʀ] *m.* ① (수도원 안뜰을 둘러싼) 회랑(廻廊). ② 수도원(= monastère, couvent) ; 은둔 생활(= retraite) : enfermer dans un ~ 수도원에 가두다.

cloîtrer [klwatʀe] *v.t* ① 수도원에 넣다. ② 가두다, 격리하다. — **se ~** *v.pr.* ① 수도원에 들어가다, 속세를 버리다. ② 은둔 (생활을) 하다, 죽치다, 들어박히다.

clonage [klɔnaːʒ] *m.* 〖생물〗 ① 클론화 (化). ② (특정 유전자 또는 플라스미드를 갖는 세포의) 클론 추출.

clope [klɔp] *f.* 《은어》 담배꽁초(= mégot) ; 담배.

clopin-clopant [klɔpɛ̃klɔpɑ̃] *adv.* ① 절뚝거리며. ② 그럭저럭 : Les affaires vont ~. 일이 그럭저럭 되어 간다.

clopiner [klɔpine] *v.i.* 《구어》 절름거리며 걷다 ; 절뚝거리다.

cloporte [klɔpɔʀt] *m.* 〖동물〗 쥐며느리.

cloque [klɔk] *f.* 〖의학〗 (화상에 의한) 물집, 수포(水泡)(= ampoule) ; (페인트칠의) 부풂(= boursouflure), 기포. ***être en ~*** 《구어》 (임신해서) 배가 부르다.

cloquer [klɔke] *v.i.* (페인트칠 따위가) 기포가 생기다 ; 물집이 생기다. — *v.t.* (피륙에) 물집 무늬를 넣다.

clore [klɔːʀ] [35] *v.t.* ① 《문어》 (문을) 닫다 ; 막다 ; (눈을) 감다 ; (입을) 다물다 ; (편지를) 봉하다 : ~ un passage 통로를 막다 / ~ la porte 문을 닫다 / ~ la bouche à qn …의 입을 다물게 하다. ② 울타리로 둘러싸다, 둘러막다 : ~ un jardin 정원에 울타리를 둘러치다. ③ ⓐ 《문어》 끝맺다 ; 종결하다(= terminer) : ~ un chapitre 장을 마무리하다. ⓑ 폐회하다 : ~ la séance 폐회하다.

clos[1]**, e** [klo, -oːz] *adj.* ① 닫힌(= fermé) : avoir la bouche ~*e* 침묵〔비밀〕을 지키다. ② 울타리를 두른 : jardin ~ de murs 담으로 둘러싸인 정원. ③ 끝난 ; 종료된 : La séance est ~*e*. 폐회되었다. ***à huis ~*** 비공개로. ***à la nuit ~e*** 완전히 밤이 되었을 때. ***champ ~*** 시합장. ***les yeux ~*** 눈을 감고 ; 무턱대고, 무모하게. ***L'incident est ~.*** 이 사건에 대해서는 다시 말하지 말자.

clos[2] [klo] *m.* ① (울타리를 두른) 밭, 채마밭. ② 포도밭(= ~ de vigne).

***clôture** [klotyːʀ] *f.* ① 울, 울타리, 담장 : ~ de haies vives 생울타리 / ~ métallique 철책. ② 〖종교〗 (출입이 금지된) 수도원 경내 ; (수도사의) 칩거 생활. ③ 종결, 마감 ; 폐회 : ~ de la session parlementaire 국회의 폐회 / ~ d'un compte 〖상업〗 결제, 결산.

clôturer [klotyʀe] *v.t.* ① …에 울타리를 둘러치다(= clore, enclore) ; 폐쇄하다. ② 마감하다, 끝내다, 종결하다(= terminer) ; 폐회하다 ; 〖상업〗 결산하다.

clou** [klu] *m.* ① 못 ; 징 ; 장식못 : petits ~s 짧은 못 / ~ à tête 보통 못 / ~ sans tête 쐐기못 / ~ à crochet 꺾쇠못 / ~ de tapissier (가구의) 장식못 / ~ barbelé 스파이크 / enfoncer 〔fixer〕 un ~ avec un marteau 망치로 못을 박다 / planter des ~s 못을 박다 / rabattre un ~ 못대가리를 구부려 처박다. ② (박람회·흥행물 따위의) 인기거리 : ~ d'une fête 축제의 인기거리. ③ 횡단보도를 표시하는 징; (*pl.*) 《구어》 징 박은 횡단보도(= passage clouté) : traverser dans les ~s 〔aux ~s〕 횡단보도를 건너가다. ④ 〖의학〗 정(疔) (= furoncle) : ~ de rue 〖수의학〗 (못에 찔려 생기는) 염증. ⑤ ⓐ 《구어》 낡아빠진 차〔자전거〕 ; 낡은 기계, 고물 ; 연장(= outil). ⓑ 전당포(= mont-de-piété) ; 유치장(= poste de police) ; 《군대속어》 영창(營倉). ***Ça ne vaut pas un ~. 《구어》 아무런 가치도 없다. ***Des ~s !*** 《부정·비꼬는 말투》 아무것도(= rien) ; 조금도, 전혀, 천만에

(= pas du tout) ; 그런 소리〔어림없는 소리〕 마. ***maigre comme un ~*** 빼빼 마른. ***mettre*** qc ***au ~*** …을 저당 잡히다.

cloué, e [klue] *adj.* ① 못〔징〕을 박은. ② (못박힌 듯이) 꼼짝 않는, 움직이지 않는 : être 〔rester〕 ~ sur place par peur 공포 때문에 꼼짝달싹을 못하다.

clouer** [klue] *v.t.* ① …에 못을 박다, 못박아 고정시키다 : ~ le couvercle d'une caisse 상자 뚜껑에 못을 박다. ② 꼼짝 못하게 하다 ; 우두커니 서 있게〔앉아 있게 · 누워 있게〕 하다 : maladie qui *cloue* au lit 침대에 누워 있어야 하는 병 / être 〔rester〕 *cloué* sur place (놀람 · 감탄으로) 그 자리에 꼼짝 않고 있다. ***~ la bouche 〔***le bec***〕 ***à*** qn … 을 입 다물게 하다.

clouté, e [klute] *adj.* 장식못〔징〕을 박은. ***passage ~*** (징으로 표시된) 횡단보도.

clouter [klute] *v.t.* …에 장식못〔큰못 · 징〕을 박다 ; (편자)를 박다.

***clown, esse** [klun, -ɛs] *m.* (서커스 따위의) 어릿광대, 피에로(= ~ blanc) ; 익살꾼, 경박한 사람. ― *f.* 우스꽝스러운 옷차림〔화장〕을 한 여자.

clownerie [klunʀi] *f.* 어릿광대짓 ; 익살, 우스꽝스러운 짓 : faire des ~*s* 어릿광대짓을 하다.

clownesque [klunɛsk] *adj.* 어릿광대의, 「바보 같은.

club [klœ(y)b] *n.m.* ① ⓐ (스포츠 · 문화 · 사교 등을 위한) 클럽(= association) ; (문학 · 예술) 서클(= cercle), 단체 : le *C*~ alpin 등산 클럽 / le pen *C*~ 펜 클럽. ⓑ (정치적) 결사. ② 가죽 안락의자. ③ 골프채.

clystère [klistɛːʀ] *m.* 《옛》 〖의학〗 관장(灌腸)(= lavement).

cm 《약자》 centimètre 〖도량형〗 센티미터.

C.N.P.F. 《약자》 Conseil national du patronat français 프랑스 경영자 전국 평의회.

Co· 《약자》 compagnie 회사, 상사.

co- *préf.* 「공동 · 합동」의 뜻.

coaccusé, e [kɔakyze] *n.* 〖법률〗 공동 피고.

coach [koːtʃ] 〔영〕 *m.* ① 4 인승 투도어형 승용차. ② (외국 배우에게 프랑스어를 가르치는) 교사. ③ 〖스포츠〗 코치(= entraîneur).

coacquéreur [kɔakeʀœːʀ] *m.* 〖법률〗 공동 취득자.

coadministrateur [kɔadministʀatœːʀ] *m.* 공동 관리자.

coagulabilité [kɔagylabilite] *f.* 응결〔응고〕성 : ~ du sang 피의 응결성.

coagulable [kɔagylabl] *adj.* 응결할 수 있는.

coagulant, e [kɔagylɑ̃, -ɑ̃ːt] *adj.* 응결〔응고〕성의. ― *m.* 응결〔응고〕제.

coagulation [kɔagylɑsjɔ̃] *f.* 〖화학 · 물리〗 응결, 응고(= congélation).

coaguler [kɔagyle] *v.t.* 응결〔응고〕시키다, 엉기게 하다. ― *v.i.* 응고하다. ― **se ~** *v.pr.* 응결〔응고〕되다, 엉기다.

coalisé, e [kɔalize] *adj.* 동맹〔연합 · 제휴 · 단결〕한 : puissances ~*es* 동맹국들 / armées ~*es* 연합군, 다목적군.

coaliser [kɔalize] *v.t.* 동맹〔연합 · 제휴 · 단결〕하게 하다(= grouper ; ≠ désunir) : ~ les nations contre un ennemi commun 공동의 적에 대하여 여러 국가들이 동맹을 맺게 하다. ― **se ~** *v.pr.* 동맹〔연합 · 제휴 · 단결〕하다(= s'unir).

coalition [kɔalisjɔ̃] *f.* 동맹, 연합, 제휴(= association) : ministère 〔cabinet〕 de ~ 연립 내각.

coaltar [koltaːʀ] *m.* 콜타르.

coassement [kɔasmɑ̃] *m.* 개구리 울음소리.

coasser [kɔase] *v.i.* ① (개구리가) 개골개골 울다. ② (사람이) 시끄럽게 떠들다.

coassocié, e [kɔasɔsje] *n.* 공동 사업자, 협동자.

coauteur [kootœːʀ] *m.* 공저자, 공동 집필자 ; 공범자.

coaxial, e, aux [kɔaksjal, -o] *adj.* 같은 축(軸)을 가진 : câble ~ 동축 케이블.

cobalt [kɔbalt] *m.* 〖화학〗 코발트《금속 원소의 하나》 : alliage au ~ 코발트 합금.

cobaye [kɔbaj] *m.* ① 〖동물〗 기니피그, 모르모트. ② 《비유》 실험 재료 : servir de ~ 실험 재료로 쓰이다.

cobol [kɔbɔl] *m.* 〖컴퓨터〗 코볼《일반인에게도 컴퓨터가 쉽게 사용될 수 있도록 개발된 사무 계산용 언어》.

cobra [kɔbʀa] *m.* 〖동물〗 코브라《인도의 독사》.

coca [kɔka] *m.* ① 〖식물〗 코카《일종의 관목》. ② 《구어》 코카콜라. ― *f.* 코카 잎에서 채취한 흥분제.

coca-cola [kɔkakɔla] *m.* 《복수불변》 〖상표명〗 코카콜라(《구어》 coca).

cocagne [kɔkaɲ] *f.* 《다음 숙어로만 쓰임》 ***mât de ~*** 보물 따먹기 기둥. ***pays de ~*** 풍요의 나라. ***vie de ~*** 안락한 생활.

cocaïne [kɔkain] *f.* 〖약학〗 코카인.

cocaïnomane [kɔkainɔman] *n.* 코카인 남용〔중독〕자.

cocaïnomanie [kɔkainɔmani] *f.* 코카인 남용벽〔중독증〕.

cocarde [kɔkaʀd] *f.* (군모 따위의) 휘장, 모표(帽標) ; (리본의) 꽃 매듭.

cocardier, ère [kɔkaʀdje, -ɛːʀ] *n.* 맹목적 애국자, 국수주의자. ― *adj.* 맹목적 애국심을 가진, 국수주의적인.

cocasse [kɔkas] *adj.* 《구어》 우스꽝스러운, 익살맞은(= comique, bouffon) ; 얄궂은, 괴상한 ; 별난(= original) : un enfant ~ 별난 아이 / une histoire ~ 괴상한 이야기.

cocasserie [kɔkasʀi] *f.* 우스꽝스러운 것〔짓 · 일 · 말〕.

coccinelle [kɔksinɛl] *f.* 〖곤충〗 무당벌레.

coccyx [kɔksis] *m.* 〖해부〗 꽁무니뼈, 미저골(尾骶骨).

coche[1] [kɔʃ] *m.* (옛날의) 역마차, 승합마차. ***manquer*** 〔***rater, louper***〕 ***le ~*** 《구어》 좋은 기회를 놓치다.

coche[2] *f.* (오목하게) 새긴 자리〔금〕(= entaille, enroche), 계수용(計數用)의 금《막대기 따위에 새겨 두는 것》.

cochenille [kɔʃnij] *f.* ① 〖곤충〗 연지벌레. ② (연지벌레에서 짜낸) 양홍(= carmin).

cocher[1] [kɔʃe] *m.* ① 마부. ② le C- 〖천문〗 마부자리. ***Fouette, ~ !*** 《구어》 자, 어서 하자〔가자〕!

cocher[2] *v.t.* ① …에 금을 새기다〔긋다〕. ② (명부의 이름 따위에) 선을 긋다〔표시하다〕.

cochère [kɔʃɛːʀ] *adj.f.* 마차가 드나들 수 있는 : porte ~ 마차가 드나들 수 있는 대문, 정문.

cochon**[1] [kɔʃɔ̃] *m.* 돼지(=porc) ; 〖요리〗 돼지고기〔제육〕 (요리) : Le ~ grogne. 돼지가 꿀꿀거린다. ***amis 〔***copains***〕 ***comme ~s*** 《구어》 절친한 친구. ***avoir une tête de ~*** 성질이 고약하다, 고집이 세다. ***C'est donner des perles*** 〔***de la confiture***〕 ***à un ~.*** 《구어》 돼지에 진주, 말 귀에 염불이다. ***~ de fer*** 〖동물〗 호저. ***~ de lait*** 젖먹이 돼지. ***~ de mer*** 돌고래. ***gras comme un ~*** 돼지처럼 뚱뚱한. ***Nous n'avons pas gardé les ~s ensemble.*** 《구어》 친한 체하지 마시오.

cochon[2]**, onne** [kɔʃɔ̃, -ɔn] *n.* ① 더러운 여자〔남자〕; 추잡한〔음탕한〕 여자〔남자〕, 상스러운 여자〔남자〕: C'est vraiment un ~. 참 돼지처럼 더러운 사람이군. ② 《구어》 더러운 것, 싫은 것 : Quel ~ de temps! 더러운 날씨군! / *~onne* de vie 고약한 생활. — *adj.* 돼지 같은 ; 더러운 ; 추잡한, 음탕한 : histoire *~onne* 음담패설 / film 〔cinéma〕 ~ 도색 영화.

cochonnaille [kɔʃɔnɑːj] *f.* 《구어》 돼지고기 요리 ; 돼지고기 가공품《햄 · 소시지 따위》.

cochonner [kɔʃɔne] *v.t.* ① (일을) 아무렇게나〔되는 대로〕 하다, 잡치다, 망치다. ② 더럽히다, 못쓰게 만들다 : ~ ses vêtements 옷을 더럽히다.

cochonnerie [kɔʃɔnʀi] *f.* ① 《속어》 불결(=malpropreté). ② 더러운 것 ; 형편없는 음식. ③ 《구어》 불쾌한 것 ; 치사스런 짓. ④ 《속어》 추잡한〔음탕한〕 짓〔말〕. ***faire une ~ à*** qn …에 대해 치사스런 수법을 쓰다.

cochonnet [kɔʃɔnɛ] *m.* ① 새끼 돼지. ② 〖놀이〗 jeu de boules 에 사용하는 표적구.

cocker [kɔkɛːʀ] 〔영〕 *m.* 〖동물〗 (스파니엘 종의) 작은 사냥개.

cocktail [kɔktɛl] 〔영〕 *m.* ① 칵테일 ; 칵테일 파티 : ~ au gin 진 칵테일. ② 혼합물, 잡탕(=mélange) : un ~ d'idées empruntées 빌어온 생각들의 혼합물. ***~ Molotov*** 화염병, 병폭탄.

coco[1] [kɔ〔o〕ko] *m.* ① 야자 열매, 코코넛(=noix de ~) : gâteau à la noix de ~ 코코넛이 든 케이크〔과자〕 / huile de ~ 야자유. ② 《구어》 위, 배 : se remplir le ~ 배불리 먹다. ③ 《구어》 머리(=tête).

coco[2] *m.* 《소아어》 ① 닭, 꼬꼬 ; 달걀. ② (어린애 따위에 대한) 애칭《여성형은 cocotte》. ③ 《구어》 녀석, 놈, 자식 : un drôle de ~ 괴상한 녀석. 「(의).

coco[3] *n.* et *adj.* 《구어》 빨갱이〔공산당원〕

coco[4] *f.* 《속어》 코카인(=cocaïn).

cocon [kɔkɔ̃] *m.* (누에)고치 : ~ de ver à soie 누에고치. ***s'enfermer*** 〔***se retirer***〕 ***dans son ~*** 세상을 등지고 살다 ; 폐쇄적 삶을 살다.

cocorico [kɔkɔʀiko] *m.* 꼬끼오《수탉 우는 소리》. ***chanter ~*** 승리를 기뻐하다.

cocotier [kɔkɔtje] *m.* 〖식물〗 야자나무.

cocotte[1] [kɔkɔt] *f.* 스튜 냄비. ***poulet ~*** 〖요리〗 스튜 냄비로 조리한 닭고기.

cocotte[2] *f.* ① 《소아어》 암탉, 꼬꼬 ; 종이(로 접은) 병아리〔새〕. ② 《구어》 고급 창녀. ③ 말(=cheval) : Hue, ~! 이러! 《말을 부리는 소리》. ④ ma ~ 귀여운 아가《어린애 따위에 대한 애칭, coco²의 여성형》.

cocu, e [kɔky] *m.* 간부(姦婦)의 남편, 오쟁이진 남편. ***avoir une veine de ~*** 무척 운이 좋다. — *adj.* 속은, 오쟁이진.

cocufier [kɔkyfje] *v.t.* 《구어》 오쟁이지게 하다, …을 속이고 화냥질하다 : ~ son mari (아내가) 바람을 피우다.

COD 《약자》 contrat à durée déterminée 기한부 고용 계약.

coda [kɔda] 〔이탈리아〕 *f.* 〖음악〗 코다, 종악장(終樂章), 종결부(終結部).

codage [kɔdaːʒ] *m.* (통신을) 전신 약호로 하기 ; 약호〔암호〕로 옮기기(≠ décodage).

code** [kɔd] *m.* ① 법전 ; 법규집, 법령 전서 ; 《구어》 법률, 법규 ; 규범, 규정, 준칙(=règlement) : ~ de la route 도로 교통법 / ~ de la politesse 예의 범절. ② 신호〔암호〕서 ; 전신 약호(電信略號) : ~ morse 모스 부호 / ~ télégraphique 전신 약호 / télégramme en ~ 암호 전보 / ~ postal 우편 번호. ③ 〖언어〗 기호 체계, 코드. ***C'est dans le ~. 합법적이다. ***~ civile*** 민법전. ***~ de commerce*** 상법전. ***~ de la morale*** 도덕률. ***C~ international de signaux*** 〖해양〗 국제 신호부. ***~ maritime*** 항해법. ***~ Napoléon*** 나폴레옹 법전. ***~ pénal*** 형법전. ***~ secret*** 암호부 ; 암호체계. ***phare*** 〔***éclairage***〕 ~ 〖자동차〗 (법규로 제한된) 조명. ***se mettre en ~*** 〖자동차〗 조명을 법규대로 하다〔어둡게 하다〕. ***se tenir dans les marges du ~*** 《구어》 교묘하게 법망을 벗어나다.

codécision [kɔdesizjɔ̃] *f.* 〖정치〗 (관계 기관들 사이의) 공동 의사 결정.

coder [kɔde] *v.t.* ① (통신을) 전신 약호로 하다 ; 약호〔암호〕로 옮기다. ② 코드화하다.

codex [kɔdɛks] *m.* 약전(藥典), 약국 처방, 처방집. 「서〕.

codicille [kɔdisil] *m.* 유언 추가서〔변경 증

codification [kɔdifikɑsjɔ̃] *f.* ① 법전 편찬, 성문화. ② 코드화, 체계화, 합리화.

codifier [kɔdifje] *v.t.* ① 법전화하다 ; (관습법 따위를) 법전으로 작성〔편찬〕하다. ② 체계화〔코드화〕하다.

codirecteur, trice [kɔdiʀɛktœːʀ, -tʀis] *adj.* 공동 지배〔관리〕의. — *n.* 공동 지배〔관리〕인. 「〔관리〕.

codirection [kɔdiʀɛksjɔ̃] *f.* 공동 지배

coefficient [kɔefisjɑ̃] *m.* ① 〖수학〗 계수(係數) ; 〖경제〗 지수(指數) : ~ des prix 물가지수. ② 〖물리〗 계수, 율(率) : ~ d'élasticité 〖기계〗 탄성률 / ~ de frottement 마찰계수. ③ 요인 ; 비율, 정도 : ~ d'erreur 오차 비율.

cœlentérés [selɑ̃teʀe] *m. pl.* 〖동물〗 강장(腔腸)동물.

coéquipier, ère [kɔekipje, -ɛːʀ] *n.* 〖스포츠〗 같은 팀〔그룹〕의 동료.

coercible [kɔɛʀsibl] *adj.* ① 〖물리〗 압축〔응축〕할 수 있는. ② 억제할 수 있는.

coercitif, ive [kɔɛʀsitif, -iːv] *adj.* 강제의, 강압 수단에 의한 : force *~ive* 강제력.

coercition [kɔɛʀsisjɔ̃] *f.* 〖법률〗 강제(=contrainte) ; 강제력〔권〕: exercer une ~ 강제권을 발동하다.

‡**cœur** [kœːʀ] *m.* ① 심장 ; 가슴 ; 위(의 주변) :

une maladie de ~ 심장병 / greffe du ~ 심장 이식 / presser 〔serrer〕 qn sur 〔contre〕 son ~ …을 가슴에 껴안다 / avoir mal au ~ ; avoir, le ~ barbouille 구역질나다, 메스껍다 / J'ai encore le dîner sur mon ~. 나는 저녁 먹은 것이 아직 안 내려가고 있다. ② 마음, 심정 ; 기분 : coup au ~ 강렬한〔진한〕 감동 / serrement de ~ 마음 졸임, 조바심 / mettre du baume au ~ 마음에 위안을 주다 / avoir un 〔le〕 ~ sensible 다감하다 / toucher le ~ 감동시키다 / Ces parloes me vont droit au ~. 그 말은 내 가슴을 찌른다〔정곡을 찌른다〕 / avoir le ~ léger 〔joyeux, gai〕 마음〔기분〕이 가볍다〔즐겁다〕. ③ 인정, 친절 ; 착한 마음씨 : C'est un bon ~. 친절한 사람이다 / homme de ~ 관대한〔마음씨 착한〕 사람 / ~ dur 〔sec〕 무정한〔냉혹한〕 사람 / ~ de pierre 목석 같은 사람 / C'est un ~ d'or 〔un brave ~〕. 매우 관대한〔선량한〕 마음의 소유자이다. ④ 정, 애정, 사랑 : affaire de ~ 연애, 정사(情事) / ~ d'une mère 모성애 / courrier du ~ (잡지의) 연애 상담란 / gagner le ~ de qn …의 사랑을 얻다. ⑤ 용기, 기력 : Le ~ lui manque. 그에게는 용기가 없다 / y aller de bon ~ 용기있게 행동하다. ⑥ 성의, 진심 ; 본심 : avoir la rage au ~ 내심으로 격분하다 / épancher 〔ouvrir〕 son ~ 본심을 털어놓다 / ami de ~ 가까운 벗. ⑦ 의욕, 열의(= enthousiasme, zèle) : ne pas avoir le ~ à rire 웃을 기분이 아니다 / donner du ~ à l'ouvrage 일에 열의를 보이다. ⑧ 심장 모양의 것〔장식품 · 보석〕 ; (카드놀이의) 하트 : ~ suspendu à un collier 목걸이에 달려 있는 하트 모양의 장식 / rois 〔reine, as〕 de ~ 하트의 킹〔퀸 · 에이스〕. ⑨ 한복판, 중심부 ; (나무 따위의) 심, 고갱이, 응어리 ; 핵심 : au ~ de la ville 도심지에서 / au ~ de l'hiver 한겨울에 / ~ du problème 문제의 핵심. ***à ~*** 흉금을 털어놓고, 솔직하게 ***à contre ~*** 마지못해. ***à ~ joie*** 기꺼이 ; 마음껏 : s'en donner *à ~ joie* 마음껏 즐거운 시간을 갖다. ***à ~ ouvert*** 솔직하게 ; 열렬히 : discuter *à ~ ouvert* 터놓고 토론하다 / recevoir qn *à ~ ouvert* …을 마음으로부터 환영하다. ***aller au ~*** 감동시키다. ***au ~ de*** 한창때에 : *au ~ de* l'été 성하(盛夏)에, 한여름에. ***avec ~*** 열심히, 열렬히. ***avoir 〔prendre〕 à ~ de***+*inf.* ***; avoir à ~ que***+*sub.* …하기〔이기〕를 열망하다. ***avoir la mort dans le ~*** 의기소침하다. ***avoir le ~ à***+*inf.* …할 생각이 있다. ***avoir le de***+*inf.* …할 만한 용기가 있다, …하리만큼 냉혹하다 : *Il* n'*aura* pas *le ~ de* faire cela. 그는 차마 그런 일은 하지 못할 것이다. ***avoir le ~ gros*** 슬픔〔설움〕이 가슴에 복받치다. ***avoir le ~ sur la main*** 친절〔관대〕하다. ***beau 〔joli, gentil〕 comme un ~*** 매우 아름다운〔어여쁜, 귀여운〕. ***~ à ~*** 흉금을 터놓고, 솔직하게. ***Cela lui tient au 〔à〕 ~.*** 그것이 그에게는 매우 중요하다〔그의 마음을 사로잡고 있다, 그의 마음에 걸린다〕. ***Cela soulève 〔porte sur〕 le ~.*** 그것은 구역질이 난다. ***de bon ~ ; de grand ~; de tout ~ ; de gaîté de ~*** 기꺼이, 진심으로 : Je vous l'offre *de bon ~*. 나는 기꺼이 그것을 당신에게 드리겠소. ***de tout*** (***son***) ***~*** 진심으로, 성심껏, 열심히 : Je vous remercie *de tout mon ~*. 진심으로 감사드립니다. ***en avoir le ~ net*** 진상을 명확히 파악하다. ***faire la bouche en ~*** 아양떨다, 상냥한〔친절한〕 체하다. ***ouvrir son ~*** 심정을 토로하다. ***par ~*** ⓐ 외어서, 암기하여 : apprendre *par ~* 외다, 암기하다. ⓑ 구석구석까지 잘 : connaître qn *par ~* …의 성격이나 생활 태도를 속속들이 알고 있다. ⓒ diner *par ~* 《구어》 (먹을 것이 없어서) 끼니를 거르다, 굶다. ***porter*** qn ***dans le ~*** …을 사랑하다. ***prendre une chose à ~*** 어떤 일을 심각하게 생각하다. ***rester sur le ~*** 마음에 걸려 잊혀지지 않다. ***sans ~*** 냉정〔냉혹〕한 (사람), 인정머리 없는 (사람). ***si le ~ vous en dit*** 마음에 드신다면, 그럴 생각이 있으시다면.

coexistence [kɔɛgzistɑ̃:s] *f.* 공존, 양립 : ~ pacifique 〖정치〗 평화적 공존.

coexister [kɔɛgziste] *v.i.* 《~ avec》 …와 공존하다, 양립하다.

coffrage [kɔfʀa:ʒ] *m.* ① 〖토목 · 광업〗 (갱도(坑道)의) 토사를 막는 판장벽 (부설 공사). ② (콘크리트 공사의) 틀.

coffre [kɔfʀ] *m.* ① 궤, 함, 상자 ; 귀중품 상자 : ~ à outils 도구 상자 / ~ à bijoux 보석함. ② (가정용) 냉동고. ③ 금고(= ~-fort) : ~*s* de l'État 《구어》 국고. ④ 《구어》 흉부(= thorax) ; 가슴(= poitrine, poumon). ⑤ (자동차의) 트렁크. ***avoir du ~*** 체격이 좋다 ; 성량이 풍부하다 ; 용기가 있다.

coffre-fort [kɔfʀəfɔ:ʀ] *m.* (*pl.* **~s-~s**) 금고 : chiffre 〔secret〕 d'un ~ 금고의 비밀 번호.

coffrer [kɔfʀe] *v.t.* ① 《구어》 감옥에 가두다. ② 〖토목〗 …에 토사 방지 판장벽을 만들다.

coffret [kɔfʀɛ] *m.* 손궤, 작은 상자 : ~ à bijoux 보석함.

cofinancer [kɔfinɑ̃se] *v.t.* 공동 출자하다.

cogérance [kɔʒeʀɑ̃:s] *f.* 공동 관리.

cogérant, e [kɔʒeʀɑ̃, -ɑ̃:t] *n.* 공동 관리인.

cogérer [kɔʒeʀe] *v.t.* 공동 관리〔운영〕하다.

cogestion, co-gestion [kɔʒɛstjɔ̃] *f.* 〖법률〗 공동 경영〔관리〕.

cogitation [kɔʒitɑsjɔ̃] *f.* 《비꼼》 사고(思考), 사유(思惟), 사색.

cogiter [kɔʒite] *v.i.* 《비꼼》 사색하다, 생각「하다.

cogito [kɔʒito] *m.* 코기토《데카르트 철학의 기본 원리》; (사유로부터의) 존재 연역.

cognac [kɔɲak] *m.* 코냑.

cogne [kɔɲ] *m.* 《구어》 경관.

cognée [kɔɲe] *f.* 도끼. ***jeter le manche après la ~*** (실망하여) 내동댕이치다, 포기해 버리다.

·**cogner** [kɔɲe] *v.t.* ① 두드리다 ; (못 따위를) 두들겨 박다 : ~ un clou 못을 박다. ② 부딪치다(= heurter), 충돌하다 : ~ un passant 행인과 부딪치다. ③ 《구어》 때리다, 치다(= battre, rosser) ; 패다 : ~ qn du coude …을 팔꿈치로 쿡 찌르다 / Je vais te ~ ! 너 맞는다 ! — *v.t. ind.* ① 《~ à, contre》 …을 두드리다 ; …에 부딪치다 : ~ *à* 〔*contre*〕 la porte 문을 쾅쾅 두드리다 / ~ *contre* le mur 벽에 부딪치다. ② 《~ sur》 툭〔쾅〕 치다 : ~ du poing *sur* la table 주먹으로 테이블을

쾅 치다. ── *v.i.* ① 부딪치다; 충돌하다: J'entends quelque chose qui *cogne.* 무엇인가가 부딪치는 소리가 들린다. ② (기계 따위가 고장으로) 덜컥거리다, 노킹을 일으키다. ── **se** ~ *v.pr.* ① 《구어》 서로 때리다〔치고받고 하다〕. ② 《se ~ à, contre》 …에 부딪치다: *se* ~ *à* une difficulté 난관에 부딪치다. ③ 《se ~ qc à, contre》 …에 자기의 …을 부딪치다: *se* ~ la tête *contre* un mur 벽에 머리를 부딪치다. ***s'en ~ la tête contre les murs*** 절망하고 있다.

C

cognitif, ive [kɔgnitif, -iːv] *adj.* 인식의〔에 관한〕, 인식하는: faculté ~*ive* 인식력.

cognition [kɔgnisjɔ̃] *f.* 〖철학〗 인식, 인식력.

***cohabitation** [kɔabitɑsjɔ̃] *f.* ① 동거; 공존. ② 〖정치〗 (내각 따위의) 연립, 보혁(保革) 공존.

***cohabiter** [kɔabite] *v.i.* ① 동거〔동서〕하다. ② (사물이) 공존하다; 〖정치〗 보혁 공존하다.

cohérence [kɔeʀɑ̃ːs] *f.* (논리적) 일관성; 긴밀한 결합: Ce discours manque de ~. 이 연설은 일관성이 없다.

***cohérent, e** [kɔeʀɑ̃, -ɑ̃ːt] *adj.* 조리 있는, 일관성 있는, 이로(理路) 정연한: politique ~*e* 일관성 있는 정책.

cohésif, ive [kɔezif, -iːv] *adj.* 응집성의; 결합력 있는: force ~*ive* 응집력.

cohésion [kɔezjɔ̃] *f.* ① 〖물리〗 응집(력). ② 결합, 통합, 단결(=union). ③ 일관성.

cohorte [kɔɔʀt] *f.* ① (고대 로마의) 보병대. ② 《구어》 떼, 무리, 집단.

***cohue** [kɔy] *f.* (떠들썩한) 무리, 군중; 혼잡: ~ du marché 시장의 혼잡.

coi, coite [kwa, -at] *adj.* 조용한, 말없는: se tenir 〔rester〕 ~ 가만히〔잠자코〕 있다.

C.O.I. 《약자》 Comité olympique international 국제 올림픽 위원회 (〖영〗 I.O.C.).

coiffe [kwaf] *f.* 여자용 모자〔머리쓰개〕; (수녀의) 두건; 수녀들의 머리쓰개.

coiffé, e [kwafe] *adj.* ① 머리 치장을 한. ② 《~ de qn 〔qc〕》 …에게 열중한, 반한: Il est ~ *de* cette femme. 그는 저 여자에게 반했다. ***être né ~*** 《구어》 행운을 타고나다.

coiffer** [kwafe] *v.t.* ① ⓐ 《~ qn de》 …에게 모자를 씌우다: ~ qn *d'*un chapeau 〔casque〕 …에게 모자〔철모〕를 씌우다. ⓑ 《목적보어 없이》 (어떤 치수의) 모자를 쓰다; (모자가) 맞다: Du combien *coiffez*-vous? 당신 모자의 치수는 얼마입니까? ② …의 머리 손질을 해 주다, 머리를 빗겨 주다: ~ un enfant 어린아이의 머리를 손질하다 / 《목적보어 없이》 Ce coiffeur *coiffe* bien. 이 이발사는 이발을 잘한다. ③ 《~ qc de》 …에 …을 씌우다: ~ une lampe *d'*un abat-jour 램프에 갓을 씌우다. ④ 《주어 : qc》 덮다(=recouvrir): toit qui *coiffe* la maison 집을 덮고 있는 지붕. ⑤ 《구어》 …의 우두머리이다, …을 통솔하다: bureau central qui *coiffe* les comités locaux 지방 위원회를 통솔하는 중앙 사무국. ***~ sainte Catherine 《구어》 (여성이) 미혼으로 25세를 맞이하다.
── **se** ~ *v.pr.* ① 《se ~ de》 모자를 쓰다: *se* ~ *d'*un joli chapeau 예쁜 모자를 쓰다. ② 머리 손질을 하다.

***coiffeur, euse** [kwafœːʀ, -øːz] *n.* 이발사, 미용사: aller chez le ~ 이발소에 가다 / boutique de ~ 미용원. ── *f.* 소형 화장대.

***coiffure** [kwafyːʀ] *f.* ① 머리쓰개, 모자: merrre 〔porter〕 une ~ 모자를 쓰다 / ôter sa ~ 모자를 벗다. ② 머리형, 헤어스타일: ~ bouclée 〔frisée〕 컬한 머리 / ~ négligée 흩어진 머리 / Tiens, vous avez changé de ~! 헤어스타일을 바꿨군요! ③ 미용, 이발: salon de ~ 미용원.

:coin [kwɛ̃] *m.* ① 모서리, 모퉁이, 귀퉁이, 구석(=encoignure): ~ de la table 테이블의 모서리 / bistrot du ~ 모퉁이의 술집 / quatre ~*s* d'une chambre 방의 네 구석 / se cacher dans un ~ du jardin 정원 구석에 숨다 / épousseter ~*s* et recoins 구석구석의 먼지를 털다. ② 작은 공간: ~ de terre 땅뙈기. ③ 구석진 곳, 궁벽(窮僻)한 고장: mourir au ~ d'un bois 혼자 구석진 곳에서 쓸쓸히 죽다. ④ 일부의 공간 / 한 구석; (신문의) 난, 코너: ~ des disques d'un grand magasin 백화점의 음반 코너 / ~ du médecin 의학란. ⑤ 끝, 가, 가장자리: regarder du ~ de l'œil 은밀히 바라보다 / sourire en ~ 빈정거리는 미소. ⑥ 쐐기 모양의 연장 《쇠로 만든 것》; 쐐기: enfoncer un ~ entre 〔dans〕 …에 쐐기를 박다. ***~ du feu*** 노변, 난롯가. ***~ fenêtre*** (기차 따위의) 창가의 좌석. ***le(s) petit(s) ~(s)*** 《구어》 화장실, 변소. ***les quatre ~s*** 〖놀이〗 구석 차지하기. ***les quatre ~s du monde*** 세계의 구석구석〔도처〕. ***les ~s et recoins*** 구석구석: connaître qc dans tous *les ~s et recoins* …을 속속들이 알고 있다. ***petit ~*** 시골의 한적한 곳; 변소: aller au petit ~ 변소에 가다.

***coincé, e** [kwɛ̃se] *adj.* ① 움직이지 않는, 꼼짝 않는. ② 《구어》 궁지에 몰린.

coincement [kwɛ̃smɑ̃] *m.* (기계의) 고장, 정지; (쐐기의) 박음.

***coincer** [kwɛ̃se] [2] *v.t.* ① 쐐기를 박아 움직이지 않게 하다, 쐐기로 죄다: ~ des rails 레일을 쐐기로 고정시키다. ② 《흔히 수동태로》 움직일 수 없게 하다, 고정시키다, 끼우다: Le tiroir *est coincé.* 서랍이 걸려서 움직이지 않는다 / avoir les doigts *coincés* dans la porte 문에 손가락을 끼우다. ③ 《구어》 몰아붙이다, 궁지에 빠뜨리다, 꼼짝 못하게 하다; 체포하다: ~ un voleur 도둑을 몰아붙이다〔붙잡다〕 / se faire ~ sur une question 그 질문에 꼼짝 못하게 되다. ── *v.i.* et **se** ~ *v.pr.* (고장으로) 움직이지 않게 되다.

***coïncidence** [kɔɛ̃sidɑ̃ːs] *f.* 일치, 합치, 부합; 동시성: une curieuse ~ 우연의 일치.

coïncident, e [kɔɛ̃sidɑ̃, -ɑ̃ːt] *adj.* ① 《~ avec》 …와 일치〔합치·부합〕하는. ② 동시에 일어나는(=simultané).

***coïncider** [kɔɛ̃side] *v.i.* ① 〖기하〗 (도형이) 겹치다, 합동(合同)이다. ② 동시에 일어나다; 《~ avec》 …와 일치〔부합〕되다: Les deux faits *coïncident.* 그 두 사실은 동시에 일어났다 / Les deux témoignages *coïncident.* 두 증언이 일치한다.

coin-coin [kwɛ̃kwɛ̃] *m.* 《복수불변》 꽥꽥《오리의 울음소리》; 《구어》 (자동차) 경적 소리.

coïnculpé, e [kɔɛ̃kylpe] *n.* 〖법률〗 연대(連

帶) 피고〔용의자〕.

coing [kwɛ̃] *m.* 〖식물〗 마르멜로 열매 : être jaune comme un ~ 안색이 안 좋다.

coït [kɔit] *m.* 성교, 교미, 교접.

coke [kɔk] 〔영〕 *m.* 코크스.

cokéfaction [kɔkefaksjɔ̃] *f.* 코크스화.

cokéfier [kɔkefje] *v.t.* 코크스화하다.

col** [kɔl] *m.* ① ⓐ 《옛》 목. ⓑ (병 따위의) 목. ⓒ 〖해부〗 경부(頸部) : ~ de l'utérus 자궁 경관(頸管). ② 칼라, 깃 : ~ montant 세운 깃 / ~ rabattu 접은 깃. ③ (산간의) 고개, 재(=défilé, gorge) : ~*s* des Pyrénées 피레네 산맥의 고개. **~ *blanc 화이트 칼라. **~ *bleu*** 《구어》 수병(水兵). ***faux* ~** (떼었다 붙였다 할 수 있는) 칼라 ; 《구어》 맥주의 거품 : un demi sans *faux* ~ 거품 없이 (맥주) 반 잔. ***se pousser du* ~** 《구어》 허세부리다.

cola [kɔla] *m.* 〖식물〗 = kola.

colback [kɔlbak] *m.* ① 〖군사〗 털모자. ② 《속어》 멱살(=col, collet) : attraper qn par le ~ …의 멱살을 잡다.

colchique [kɔlʃik] *m.* 〖식물〗 콜히쿰속(屬).

col-de-cygne [kɔldəsiɲ] *m.* (*pl.* **~*s*-~-~**) 〖기계〗 (S자 형으로) 두 번 굽은 도관.

coléoptères [kɔleɔptɛːʀ] *m.pl.* 〖곤충〗 초시류(鞘翅類).

⁑**colère** [kɔlɛːʀ] *f.* ① 분노, 노여움, 성, 화 : être rouge de ~ 분노로 얼굴이 빨갛다 / sentir la ~ monter 분노가 치밀어 오르는 것을 느끼다 / sous le coup de la ~ 홧김에. ② 《une ~ ; des ~s》 분노의 폭발〔발작〕 : avoir *des* ~*s* terribles 〔fréquentes〕 성이 나면 무섭다〔성을 자주 내다〕 / faire *une* ~ 〔*des* ~*s*〕 화를 내다. ③ 《비유》 ~ du vent 〔des flots〕 휘몰아치는 바람〔파도〕. ***avec* ~** 화가 나서, 화를 내며. **~ *bleue*** 〔***blanche, noire***〕 격노. ***être en* ~** 화가 나 있다. ***se mettre*** 〔***entrer***〕 ***en* ~** 화를 내다.

coléreux, euse [kɔleʀø, -øːz] *adj.* 성 잘 내는, 성마른, 성미 급한.

colibacille [kɔlibasil] *m.* 〖병리〗 대장균.

colibacillose [kɔlibasiloːz] *m.* 대장균 질환.

colibri [kɔlibʀi] *m.* 〖조류〗 벌새.

colifichet [kɔlifiʃɛ] *m.* 하찮은 물건, 값싼 장신구(=babiole, bagatelle).

colimaçon [kɔlimasɔ̃] *m.* 〖동물〗 달팽이. ***escalier en* ~** 나선 계단.

colin [kɔlɛ̃] *m.* 〖어류〗 검정 대구 ; 〖조류〗 (북미산의) 자고 비슷한 새.

colin-maillard [kɔlɛ̃majaːʀ] *m.* 〖놀이〗 술래잡기 : jouer à ~ 술래잡기 놀이를 하다.

colique [kɔlik] *f.* ① 〖의학〗 (흔히 *pl.*) 복통. ② 설사. ③ 《구어》 귀찮은 일〔녀석〕. ***avoir la* ~** 배가 아프다 ; 설사가 나다 ; 《구어》 겁내다, 무서워하다. ***donner la* ~ *à*** qn …을 귀찮게 하다, 성가시게 하다.

***colis** [kɔli] *m.* 꾸러미, 짐(=bagage, paquet) ; 소포, 소하물 : ~ postal 우편 소포 / recevoir 〔expédier〕 un ~ 소포를 받다〔발송하다〕.

Colisée (le) [ləkɔlize] *m.* (로마의) 콜로세움.

colistier [kɔlistje] *m.* (동일 선거인 명부에 실린) 경쟁자 후보.

colite [kɔlit] *f.* 〖의학〗 대장염(=inflammation du côlon).

collabo, kollabo [kɔ(l)labo] *m.* 《구어》 (제2차 대전 중의) 독일 협력자 ; (적과의) 내통자 《collaborateur 의 약자》.

collaborateur, trice [kɔ(l)labɔʀatœːʀ, -tʀis] *n.* ① 협력자 ; 공저자 ; (신문·잡지) 기고가. ~*s* d'un dictionnaire 사전의 공동 집필자. ② (제2차 대전 중의) 독일 협력자.

***collaboration** [kɔ(l)labɔʀasjɔ̃] *f.* ① 협력, 공저 : livre écrit en ~ 공저(로 된 책). ② 《~ à》 기고 : ~ d'un specialiste *à* un journal 전문가의 신문 기고. ③ (제 2차 대전 중의) 대독(對獨) 협력.

***collaborer** [kɔ(l)labɔʀe] *v.t. ind.* ① 《~ avec qn》 …와 협력하다, 공저〔합작〕하다 ; 공동 편찬〔연구·사업〕하다 : Dans une opération l'anesthésiste *collabore* avec le chirurgien. 수술할 때 마취사는 외과 의사와 협력한다. ② 《~ à qc》 …에 협력하다, 참여하다 ; …에 기고하다 : ~ *à* ce film 영화 제작에 참여하다 / ~ *à* une revue 잡지에 기고하다. — *v.i.* (제 2차 대전 중) 독일에 협력하다.

collage [kɔlaːʒ] *m.* ① 풀칠(하여 붙이기). ② 〖미술〗 콜라주. ③ 《구어》 동거.

collant, e[1] [kɔlɑ̃, -ɑ̃ːt] *adj.* ① 들러붙는, 접착의 : bande de papier ~ 접착 테이프. ② (옷이) 몸에 꼭 끼는 : jupe ~*e* 타이트 스커트. ③ 《구어》 (사람이) 달라붙어 떨어지지 않는. — *m.* ① 타이츠(=maillot 〔pantalon〕 ~) : 팬티스타킹. ② 접착 테이프.

collante[2] [kɔlɑ̃ːt] *f.* 《학생은어》 (시험 날짜·장소를 알리는) 통지서.

collapsus [kɔ(l)lapsys] *m.* 실패 ; 궤멸(潰滅) ; 〖의학〗 허탈(虛脫) (상태).

collatéral, e, aux [kɔ(l)lateʀal, -o] *adj.* ① 방계(傍系)의 : héritier ~ 방계 상속인. ② 옆에 있는 ; 나란히 있는. — *n.* 방계 친족 (=les parents ~*aux*).

collation [kɔ(l)lɑsjɔ̃] *f.* ① (원본과의) 대조, 교열. ② (학위 따위의) 수여. ③ 간단한 식사, 간식 : prendre une ~ 간식을 먹다.

collationnement [kɔ(l)lɑsjɔnmɑ̃] *m.* 대조, 교정 ; 조회.

collationner [kɔ(l)lɑsjɔne] *v.t.* 대조하다, 교정하다. — *v.i.* 간단한 식사를 하다.

***colle** [kɔl] *f.* ① 풀(= ~ de 〔en〕 pâte) ; 접착제 ; 아교(= ~ forte) : fixer avec de la ~ 풀로 붙이다. ② 《학생은어》 ⓐ 모의 시험, 구술 시험 ; 난문, 어려운 문제 : passer une ~ (blanche) 구술 시험을 치르다 / poser une ~ 어려운 문제를 내다. ⓑ (벌로) 방과 후에 남아 있기. ***pot de* ~** (귀찮게 달라붙어서) 떨어지지 않는 사람 : Quel *pot de* ~ *!* 참 귀찮은 놈이군!

collecte [kɔ(l)lɛkt] *f.* ① 의연금〔품〕 모집(=quête) : effectuer 〔faire〕 une ~ pour les sinistrés 이재민을 위해 의연금을 모으다. ② (쓰레기 등의) 수거 ; (정보 등의) 수집 : ~ des ordures ménagères 생활 쓰레기의 수거 / ~ des données 정보 자료의 수집.

collecter [kɔ(l)lɛkte] *v.t.* ① 모으다 : ~ des fonds 〔dons〕 자금〔기부금〕을 모으다. ② 돌아다니며 모으다, 수집하다 : ~ des signatures (돌아다니며) 여러 사람의 서명을 받다.

collecteur, trice [kɔ(l)lɛktœːʀ, -tʀis] *n.*

(의연금 · 서명 따위를) 모으는 사람 ; 《옛》 세금 징수인. — *m.* 〖전기〗 집전환(集電環)(= bague ∼*trice*). — *adj.* 모으는, 수집하는 : égout ∼ 하수도 본관.

***collectif, ive** [kɔ(l)lɛktif, -i:v] *adj.* ① 집합적인 : nom ∼ 집합명사. ② 집단적인, 단체적인, 공동의 : convention ∼*ive* 단체 협약 / visite ∼*ive* de musée 박물관의 단체 견학 / propriéte ∼*ive* 공유 재산, 공유지 / responsabilité ∼*ive* 공동 책임 / habitat ∼ 집단 주택 / hygiène ∼*ive* 공중 위생. — *m.* ①〖문법〗 집합명사. ② 추경 예산안. ③ 공동주택.

***collection** [kɔ(l)lɛksjɔ̃] *f.* ① 채집, 수집 : faire ∼ de timbres 우표를 수집하다 / Il a une riche ∼ de livres. 그는 많은 책을 소장하고 있다. ② 수집품, 컬렉션 ; 총서(叢書), 전집 : ∼ privée 개인 소장품 / ∼ de poche 문고판 총서 / ∼ d'échantillons 상품 견본집. ③ 신작 의상(衣裳) (발표회) : nouvelle ∼ de printemps 봄 신작 발표회 / présentation de ∼ chez Dior 디오르 상점에서의 컬렉션 쇼.

collectionner [kɔ(l)lɛksjɔne] *v.t.* ① 모으다 ; 채집〔수집〕하다 : ∼ des cartes postales 〔des objets d'art〕 우편엽서를〔미술품을〕 수집하다. ② 《구어》 실패를 거듭하다 : Il *collectionne* les échecs. 《구어》 그는 실수를 많이 저지른다.

collectionneur, euse [kɔ(l)lɛksjɔnœ:ʀ, -ø:z] *n.* 채집자, 수집가.

collectivement [kɔ(l)lɛktivmɑ̃] *adv.* 집합적으로, 전체적으로, 공동으로.

collectivisation [kɔ(l)lɛktivizɑsjɔ̃] *f.* 집산화, 공유화 ; 국유화 : ∼ des moyens de production 생산 수단의 공유화.

collectiviser [kɔ(l)lɛktivize] *v.t.* 집산화(集産化)하다 ; 공유하다 : ∼ des terres 토지를 공유화하다.

collectivisme [kɔ(l)lɛktivism] *m.* 집산주의(集産主義).

collectiviste [kɔ(l)lɛktivist] *n.* 집산주의자. — *adj.* 집산주의의.

***collectivité** [kɔ(l)lɛktivite] *f.* ① 집단, 단체 (= communauté), 공동체 : ∼*s* professionnelles 직능 단체 / ∼ nationale 국가 / ∼ publique 공공 단체. ② 공유 : des moyens de production 생산 수단의 공유.

collège** [kɔlɛ:ʒ] *m.* ① 공립〔사립〕 중학교 《11-18 세》; 《집합적》 중학교 학생 ; 학교 : petit 〔moyen, grand〕 ∼ (공 · 사립 중학교의) 하급〔중급 · 상급〕 학년 / ∼ d'enseignement général 일반 교육 중학교(《약자》: C.E.G.) / ∼ d'enseignement technique 직업 교육 중학교 (《약자》: C.E.T.). ② ⓐ 회(會), 단(團). ⓑ 선거구의 유권자 전체, 선거인단(= ∼ électoral). ***C∼ de France 콜레주 드 프랑스. ***∼ des cardinaux ; sacré ∼*** 추기경단. ***∼ universitaire*** (국립대학이 없는 지방 도시에 설치된) 교양학부.

collégial, e, aux [kɔleʒjal, -o] *adj.* ① 공립〔사립〕 중학교의. ② 성직자회의. ③ 합의제의. ***église ∼e*** 성직자회에 소속된 교회. ***tribunal ∼*** 합의 재판소.

collégialité [kɔleʒjalite] *f.* 집단 지도제, 합의제.

collégien, enne [kɔleʒjɛ̃, -ɛn] *n.* ① 공립〔사립〕 중학생. ② 《경멸》 풋내기.

***collègue** [kɔ(l)lɛg] *n.* (기업체 등의) 동료, 동직자 : ∼*s* de bureau 회사 동료.

***coller** [kɔle] *v.t.* ① (풀칠하여) 붙이다 ; 풀칠하다 : ∼ une affiche 포스터를 붙이다 / ∼ un timbre sur une enveloppe 봉투에 우표를 붙이다. ② 밀착〔접합〕시키다(= conglutiner, agglutiner) : Le sang *avait collé* ses cheveux. 피로 그의 머리카락이 엉겨붙어 있었다. ③ 붙이다, (갖다) 대다(= appliquer, attacher) : ∼ son front aux vitres 이마를 유리창에 대다 / ∼ son regard 〔son œil, ses yeux〕 sur qn 〔qc〕 …을 응시하다, 뚫어지게 바라보다. ④ 《구어》 …에게 성가시게 달라붙다 : Il nous *a collé* tout le temps. 그는 줄곧 우리에게 붙어 다녔다. ⑤ 《학생은어》 (어려운 질문으로) 대답 못 하게 하다 ; (시험에) 낙제시키다 ; (학생을 벌로) 잡아 두다 : Il *a été collé* à son examen. 그는 시험에 낙제했다 / ∼ (une privation de sortie à) un élève 학생을 외출 금지시키다.

— *v.i.* ① 달라붙다, 밀착하다 ; (옷이) 몸에 꼭 달라붙다: Ce timbre ne *colle* pas. 이 우표는 잘 붙지 않는다 / pantalon qui *colle* bien 몸에 꼭 붙는 바지. ② 《구어》 (일이) 잘 되어 가다(= aller, marcher) : S'il y a quelque chose qui ne *colle* pas, préviens-moi. 잘 안 되는 일이 있으면 내게 알려 줘. ***Ça colle ?*** 《속어》 (건강 · 일이) 어때요 ?

— *v.t. ind.* 《∼ à》 ① …에 꼭 들어맞다 : description qui *colle à* la réalité 사실에 꼭 맞는 묘사. ② …에 전념〔몰두〕하다 : ∼ *à* une difficulté 난관과 씨름하다.

— **se ∼** *v.pr.* ① 《se ∼ à 〔contre, sur〕》 …에 달라붙다 : vêtement qui *se colle sur* la peau 피부〔몸〕에 꼭 달라 붙는 옷. ② 《se ∼ avec》 《구어》 …와 동서하다. ***se ∼ sur ses livres*** 책과 씨름하다, 열심히 공부하다.

collerette [kɔlʀɛt] *f.* (여성복의) 장식깃.

collet [kɔlɛ] *m.* ① 《옛》 칼라, 깃. ② 덫, 올가미 : poser des ∼*s* 덫을 놓다. ***∼ monté*** 근엄한 체하는 사람 ; 점잔 빼는 사람. ***prendre*** qn ***au ∼ ; mettre la main au ∼ de*** qn …의 멱살을 잡다 ; …을 체포하다.

colleter [kɔlte] [5] *v.t.* …의 멱살을 잡다. — *v.i.* 올가미를〔덫을〕 놓다. — **se ∼** *v.pr.* 서로 싸우다, 드잡이하다. ***se ∼ avec la misère*** 〔***avec mille difficultés***〕 가난〔온갖 어려움〕과 악전고투하다.

colleur, euse [kɔlœ:ʀ, -ø:z] *m.* ① (벽보 따위를) 붙이는 사람. ② 풀〔갖풀〕 먹이는 직공 ; 〖제지〗 아교 포수(泡水)하는 직공. ③ 《학생은어》 시험관.

collier** [kɔlje] *m.* ① 목걸이 ; 목걸이 훈장 ; (개의) 목(고리) 줄 ; (마차를 끄는 말의) 목에 거는 마구 : ∼ de perle 〔de diamants〕 진주〔다이아몬드〕 목걸이 / ∼ de chien 개의 목고리 줄. ② 관자놀이까지 올라간 짧게 깎은 수염(= ∼ de barbe). cheval de ∼ 짐수레 끄는 말. ***donner un coup de ∼ 열심히 노력하다. ***prendre*** 〔***reprendre***〕 ***le ∼*** 《구어》 하기 싫은 일을 시작하다.

collimateur [kɔ(l)limatœ:ʀ] *m.* ① 〖천문〗 콜리미터, 시준의(視準儀). ② 〖광학〗 시준기(視準器). ***avoir*** 〔***prendre***〕 ***dans le ∼*** (경

계하며) 면밀히 관찰하다, 주시하다 ; 공격의 표적으로 삼다.

***colline** [kɔlin] *f.* 언덕, 동산 : monter sur une ~ 언덕 위에 오르다 / le sommet d'une ~ 언덕 꼭대기 / ~ arrondie 둥근 언덕.

collision [kɔ(l)lizjɔ̃] *f.* ① 충돌 : ~ de voitures 자동차 충돌 / Il y a eu une ~ de trains. 열차 충돌 사고가 있었다 / ~ de particules 〖물리〗 분자 충돌. ② 알력, 불화 (= désaccord) : ~ des intérêts 이해 관계의 대립. ***entrer en ~ avec*** qn …와 충돌하다, 싸움을 벌이기 시작하다.

colloïdal, e, aux [kɔ(l)lɔidal, -o] *adj.* 〖화학〗 아교질의, 콜로이드성의.

colloïde [kɔ(l)lɔid] *m.* 〖화학〗 아교질, 콜로이드.

colloque [kɔ(l)lɔk] *m.* ① 회화, 대담, 대화. ② 토론(회), 학술회의(= symposium) : ~ de sociologie 사회학 심포지엄.

collusion [kɔ(l)lyzjɔ̃] *f.* 〖법률〗 공모, 결탁.

collutoire [kɔ(l)lytwaːʀ] *m.* 〖의학〗 입안을 씻어내는 약《구강도포제(口腔塗布劑)》.

collyre [kɔ(l)liːʀ] *m.* 〖의학〗 안약.

colmatage [kɔlmataːʒ] *m.* colmater 하기.

colmater [kɔlmate] *v.t.* ① 침니법으로 (땅을) 메우다. ② (구멍 · 틈 따위를) 메우다 : ~ une fuite 〔une fissure〕 물 새는 곳을 〔갈라진 데를〕 막다. 「사람.

colocataire [kɔlɔkatɛːʀ] *n.* 공동으로 세든

Cologne [kɔlɔɲ] *n.pr.f.* 〖지리〗 쾰른 《독일의 도시》. ***eau de ~*** 오데콜론 《화장수》.

Colomb [kɔlɔ̃] *n.pr.m.* Christophe ~ 크리스토퍼 콜럼버스.

colombage [kɔlɔ̃baːʒ] *m.* 〖건축〗 목골(木骨) 기둥 ; 목골벽 구조.

colombe [kɔlɔ̃ːb] *f.* ① 〖조류〗 비둘기(= pigeon) 《평화의 상징》. ② 〖정치〗 비둘기파.

colombier [kɔlɔ̃bje] *m.* 《문어》 비둘기장.

colombin, e [kɔlɔ̃bɛ̃, -in] *adj.* 비둘기 같은 ; 비둘기색의. — *m.* 〖광물〗 녹연광(綠鉛鑛). — *f.* 비둘기 똥 ; 가금의 똥《거름》.

colombophile [kɔlɔ̃bɔfil] *adj.* et *n.* 비둘기를 기르기 좋아하는 (사람). 「기〔사육〕.

colombophilie [kɔlɔ̃bɔfili] *f.* 비둘기 기르

colomnifère [kɔlɔmnifɛːʀ] *adj.* 《옛》 〖건축〗 원주가 있는.

colon [kɔlɔ̃] *m.* ① 소작인 ; 농부. ② (본국 출신의) 식민지 주민. ③ 하기(夏期) 학교 (colonie de vacances) 에 참가한 아이.

côlon [kolɔ̃] *m.* 〖해부〗 결장(結腸).

***colonel** [kɔlɔnɛl] *m.* 육군 대령, 연대장.

colonelle [kɔlɔnɛl] *f.* 육군 대령 부인.

colonial, e, aux [kɔlɔnjal, -o] *adj.* 식민지의 : empire ~ 식민지 제국 / régime ~ 식민지 체제. — *n.* 식민지 거주민. — *f.* 프랑스 식민지 부대(= troupes ~*es*).

colonialisme [kɔlɔnjalism] *m.* 식민지주의, 제국주의(= impérialisme).

colonialiste [kɔlɔnjalist] *adj.* 식민지주의〔제국주의〕의 : politique ~ 제국주의 정책. — *n.* 식민지주의자.

colonie** [kɔlɔni] *f.* ① 식민 ; 식민지 : émancipation des ~*s* 식민지 해방. ② ⓐ 《집합적》 교포, 거류민 ; (타지방에 이주한) 동향인 : ~ française de Londres 런던의 프랑스 교포〔거류민〕. ⓑ (한곳에 모여 사는) 집단 : petite ~ de peintres 화가들의 소집단, 화가촌. ③ 〖생물〗 (동물 따위의) 집단, 군집, 떼 : ~ d'abeilles 꿀벌떼. ***~ de vacances 학기 학교.

colonisateur, trice [kɔlɔnizatœːʀ, -tʀis] *adj.* 식민하는 ; 식민지 건설의. — *n.* 식민지 개척자 ; 식민지 지배자.

colonisation [kɔlɔnizɑsjɔ̃] *f.* 식민 ; 식민지화 : la ~ de l'Amérique par l'Europe 유럽에 의한 아메리카 대륙의 식민지화.

colonisé, e [kɔlɔnize] *adj.* 식민된 ; 식민지가 된. — *n.* 식민지 피지배자.

coloniser [kɔlɔnize] *v.t.* ① 식민하다 ; 식민지화하다 : pays *colonisés* 식민지화된 나라들. ② 《비유》 …에 많이 몰려들다.

colonnade [kɔlɔnad] *f.* 〖건축〗 열주(列柱), 주랑(柱廊).

colonne** [kɔlɔn] *f.* ① 원주 ; 기둥 : rangée de ~*s* 원주열 / statue-~ 조상주(彫像柱) / fût d'une ~ 주간(株幹) / ~ dorique 〔ionique〕 도리아〔이오니아〕식 원주. ② 원주 모양의 건립물 : la *C*~ ; la ~ Vendôme 방돔 기념비 / ~ Morris 파리의 광고탑 / ~ commémorative 기념탑. ③ 기둥 모양의 것 : ~ de feu 불기둥 / ~ de mercure 수은주. ④ 〖신문〗 난(欄), 칼럼 ; 〖인쇄〗 단(段) : cinq ~*s* à la (page) une (신문의) 1 면 5 단. ⑤ 〖군사〗 종대(縱隊), 종렬. ⑥ 〖해부〗 ~ vertébrale 척주. ***cinquième ~ 〖정치〗 제 5 열. ***~ par deux*** 〔***par quatre***〕 2 열 〔4 열〕 종대. ***marcher sur deux ~s*** 2 열 종대로 행진하다.

colonnette [kɔlɔnɛt] *f.* 작은 기둥〔원기둥〕.

colophane [kɔlɔfan] *f.* 송진(= arcanson).

coloquinte [kɔlɔkɛ̃ːt] *f.* ① 〖식물〗 콜로신트. ② 《구어》 머리(= tête).

colorant, e [kɔlɔʀɑ̃, -ɑ̃ːt] *adj.* 착색〔염색〕하는 : substance ~*e* 착색제, 염색제. — *m.* 염료, 착색제.

coloration [kɔlɔʀɑsjɔ̃] *f.* ① 착색, 염색, 채색 : se faire faire une ~ 머리 염색을 하다. ② 색조 : prendre une belle ~ (요리 등이) 예쁜 색조를 내다. ③ (감정 · 음성 등의) 투 ; (정치적) 경향, 입장 : ~ politique d'un journal 신문의 정치색.

coloré, e [kɔlɔʀe] *adj.* ① 착색된, 염색된 : verre ~ 색유리. ② 혈색이 좋은 : avoir le ~ 혈색이 좋다. ③ (표현이) 유려한, 생기 있는 : description ~*e* 생생한 묘사 / style ~ 현란한 문장.

colorer [kɔlɔʀe] *v.t.* ① 착색〔채색〕하다, 물들이다 : Le soleil *colore* les nuages. 태양이 구름을 붉게 물들인다. ② 곱게 꾸미다 ; (이야기를) 윤색하다(= embellir). ③ 그럴듯하게 꾸며대다, 얼버무리다 : ~ une faute 잘못을 얼버무리다. — **se ~** *v.pr.* ① 빛깔을 띠다, 물들다, (얼굴 · 빰 따위가) 붉어지다. ② 《비유》 《se ~ de》 …의 빛을〔기미를〕 띠다 : tendresse qui *se colore de* curiosité 약간 호기심이 깃든 듯한 친절.

coloriage [kɔlɔʀjaːʒ] *m.* 색칠, 착색, 염색.

colorier [kɔlɔʀje] *v.t.* 색칠하다, 착색하다 : ~ aux crayons de couleur 크레용으로 칠하다.

C

coloris [kɔlɔʀi] *m.* ① (그림의) 채색법, 색의 배합. ② (꽃·옷감 따위의) 빛깔. ③ (문체 따위의) 정채(精彩); 〖음악〗 음색.

coloriste [kɔlɔʀist] *m.* ① 채색 화가. ② 〖미용〗 머리 염색 기술자. ③ (산업 디자인의) 컬러 코디네이터.

colossal, e, aux [kɔlɔsal, -o] *adj.* 거대한; 대규모의; 굉장한: fortune ~*e* 막대한 재산 / entreprise ~*e* 대규모 사업.

C

colossalement [kɔlɔsalmɑ̃] *adv.* 굉장히: Il est ~ riche. 그는 굉장한 부자이다.

colosse [kɔlɔs] *m.* ① 거상(巨像); 거인; 거물: *C*~ de Rhodes 로도섬의 아폴로신의 거상. ② 대국; 거대기업.

colportage [kɔlpɔʀtaːʒ] *m.* ① 행상, 도붓장사. ② 유포(流布), 전파, 퍼뜨리기.

colporter [kɔlpɔʀte] *v.t.* ① 행상하다, 도붓장사하다, 도부치다. ② 《구어》 (소문을) 퍼뜨리다, 유포시키다: ~ des bruits 소문을 퍼뜨리다.

colporteur, euse [kɔlpɔʀtœːʀ, -øːz] *n.* ① 행상인, 도붓장수. ② (말을) 퍼뜨리는 사람.

colt [kɔlt] 〔영〕 *m.* 자동 권총; 권총.

coltiner [kɔltine] *v.t.* (짐을) 지고 나르다, 운반하다. — **se** ~ *v.pr.* 《구어》 (힘든 일을) 떠맡다: *se* ~ la vaisselle 설거지를 하다.

columbarium [kɔlɔ̃baʀjɔm] *m.* (*pl.* ***columbaria*** [-a]) 유골 안치소, 납골당.

colvert [kɔlvɛːʀ] *m.* 〖동물〗 들오리.

colza [kɔlza] *m.* 〖식물〗 평지, 유채; 평지씨.

coma [kɔma] *m.* 〖의학〗 혼수 (상태): être dans le ~ 혼수 상태에 빠져 있다.

comateux, euse [kɔmatø, -øːz] *adj.* 〖의학〗 혼수 상태의. — *n.* 혼수 상태의 환자.

combat** [kɔ̃ba] *m.* ① ⓐ 전투; 교전(=bataille); (*pl.*) 《문어》 전쟁(=guerre): ~ offensif 〔défensif〕 공격〔방어〕전 / ~ acharné 치열한 전투. ⓑ 싸움(=bagarre, rixe); 시합; 결투: ~ de boxe 권투 시합. ② 투쟁(=lutte); 경쟁(=rivalité); 알력(=opposition): ~ d'esprit 두뇌 싸움 / ~ contre la maladie 투병 / La vie est un ~ perpétuel. 인생은 투쟁의 연속이다. ~ ***aérien 공중전. ~ ***de coqs*** 닭싸움. ~ ***de durée*** 지구전. ~ ***d'intérêts*** 이해 충돌. ~ ***d'usure*** 소모전. ~ ***naval*** 해전. ~(***s***) ***de rue***(***s***) 시가전. ~ ***singulier*** (1 대 1의) 결투, 맞겨룸. ***hors de*** ~ (군함·포대 등이) 전투력을 잃은. ***livrer*** ~ ***à l'ennemi*** 적과 교전하다.

combatif, ive [kɔ̃batif, -iːv] *adj.* et *n.* 싸움〔투쟁〕을 좋아하는 (사람); 호전적인 (사람).

combativité [kɔ̃bativite] *f.* 투쟁성; 호전성; 투지, 사기: ~ d'une troupe 부대의 사기 / perdre sa ~ 투지를 상실하다.

***combattant, e** [kɔ̃batɑ̃, -ɑ̃ːt] *n.* 〖군사〗 전투원: non-~ 비전투원 / anciens ~*s* 재향군인. — *adj.* 싸우는, 전쟁하는: troupes ~*es* 전투 부대.

***combattre** [kɔ̃batʀ] [45] *v.t.* ① 《~ qn 〔un animal〕》 …와 싸우다: ~ l'ennemi 〔l'adversaire〕 적과 싸우다 / Napoléon *combattit* la Russie. 나폴레옹은 러시아와 싸웠다. ② 《~ qn 〔qc〕》 …을 논박하다, 공격하다: ~ une opinion 어떤 의견을 논박하다 / ~ un projet de loi 법률안에 반대하다 / ~ le racisme 인종 차별을 반대하다 / L'opposition *combattit* le gouvernement. 야당은 정부를 공격했다. ③ 《~ qc》 (진압〔억제〕하기 위해) 싸우다: ~ l'incendie 화재와 싸우다 / ~ le froid 추위와 싸우다. — *v.i.* ① ⓐ 싸우다: ~ pour la liberté 자유를 위해 싸우다 / ~ à l'arme blanche 백병전을 벌이다 / ~ contre la maladie 병과 싸우다. ⓑ 〖스포츠〗 (시합·경기에서) 싸우다. ② 《~ de qc》 …을 경쟁하다: ~ *de* politesse avec qn …와 서로 다투어 예의를 지키다.

combe [kɔ̃ːb] *f.* 골짜기, 계곡.

‡combien [kɔ̃bjɛ̃] *adv.* ① 《의문》 얼마, 얼마만큼, 얼마나: *C*~ coûte ce livre? 이 책은 값이 얼마인가? / *C*~ sont-ils? 그들은 몇 사람입니까? / *C*~ mesure-t-il? 그는 신장이 얼마나 됩니까? / *C*~ a-t-on payé? 얼마 치렀습니까? / *C*~ vous dois-je? 갚을〔지불할〕 돈이 얼마지요? / Ça fait ~? 얼마죠? / *C*~ y a-t-il d'ici à la mer? 여기서 바다까지는 얼마나 됩니까? ② 《감탄》 (그) 얼마나: *C*~ il était brave! 그는 얼마나 용감했던가! / *C*~ je suis heureux de le revoir! 그를 다시 만나서 얼마나 기쁜지! / Si vous saviez ~ je l'aime! 제가 그를 얼마나 사랑하는지 당신이 아신다면! ③ 《~ de+명사》 얼마나 (많은) …: ⓐ 《의문》 *C*~ de livres avez-vous?; *C*~ avez-vous de livres? 책을 얼마나 가지셨습니까? / *C*~ de fois y avez-vous été? 몇 번이나 거기에 가셨습니까? / En ~ de temps? 시간이 얼마나 걸리지요? ⓑ 《감탄》 *C*~ de gens se sont ruinés! 얼마나 많은 사람들이 파산했던가! / *C*~ de fois ne lui a-t-on pas répété! 얼마나 여러 번 그에게 되풀이했던가! 《이와 같은 반어적 표현에서는 ne... pas 의 ne 를 생략하는 일이 많음》 / *C*~ n'en a-t-on vu(s)? 얼마나 많이 보았던가! 《이런 경우 en 에 대해 과거분사를 일치시켜도 되고 안 시켜도 됨》. ***C'est ~ ?; C~, ceci ?; Ça fait ~ ?*** 《구어》 이것 얼마죠? ***C~ de peine cela m'a coûté!*** 그것 때문에 내가 얼마나 고생을 했던가! ***je ne sais ~*** (de+무관사명사) 《구어》 수없이 많은: On lui a teléphoné *je ne sais ~ de* fois. 그에게 수없이 전화를 걸었다.

— *m.* 《복수불변》 ① 몇 번째, 며칠: 《le 〔la〕 ~》 《순위·날짜 따위를 물을 때》 Le ~ es-tu? — Le 〔La〕 troisième. 너는 몇 번째냐? — 셋째 번입니다 / Le ~ sommesnous 〔est-ce〕? — Le six. (오늘은) 며칠입니까? — 6 일입니다. ② 《tous les ~》 얼마마다, 몇 분마다: Tous les ~ passe l'autobus? — Tous les dix minutes. 버스는 몇 분마다 옵니까? — 10분마다 (옵니다).

combientième [kɔ̃bjɛ̃tjɛm] *adj.* et *pron.* 《구어》 몇 번째의: On descend à la ~ station? 몇 번째 역에서 내립니까? — *n.* 몇 번째 (사람): Il est le ~ de la classe? 그는 반에서 몇 번째냐?

***combinaison** [kɔ̃binɛzɔ̃] *f.* ① 조합, 배합; 결합; 〖화학〗 화합: ~ de couleurs 색의 배합 / ~ chimique 화학적 결합, 화합물. ② 술책, 계략, 책략: des ~*s* politiques 정치적 책략. ③ 콤비네이션《여자용 속옷》; (상하가

연결된) 작업복(= ~ de mécanicien), 비행복 : ~ de plongée 〔ski〕 잠수복〔스키복〕. ④ (금고 · 자물쇠 따위의) 숫자 배합. ***deranger les ~s de*** qn …의 계획을 뒤틀리게 하다.

combinard, e [kɔ̃bina:ʀ, -aʀd] *adj.* et *n.* 교활한 (사람), 술책을 부리는 (사람).

combinat [kɔ̃bina] *m.* (옛 소련의) 콤비나트《종합 공업 공동체》.

combine [kɔ̃bin] *f.* 《구어》 교활한 방법, 계략, 책략.

combiné, e [kɔ̃bine] *adj.* 배합된 ; 연합된 : armées *~es* 연합군. — *m.* ① 배합〔결합 · 연합〕된 것, 혼합물. ② 〖화학〗 화합물. ③ 〖전화〗 송수화기. ④ (스키의) 복합 경기. ***~ phono-radio*** 라디오 겸용 전축.

***combiner** [kɔ̃bine] *v.t.* ① 조합하다 ; 배합하다 ; 결합하다 ; 〖화학〗 화합시키다 : ~ des chiffres 숫자를 조합하다 / ~ un acide avec une base 산과 염기를 화합시키다. ② 고안〔안출〕하다, 꾸며내다 ; 《~ de + *inf.*》 …할 것을 궁리해내다 : ~ un plan 계획안을 꾸미다 / ~ un mauvais coup 나쁜 일을 꾸미다 / Il *a* tout *combiné* pour partir demain. 그는 내일 떠날 수 있도록 모든 준비를 다 해 놓았다. — **se ~** *v.pr.* ① 배합〔결합〕되다. ② 고안〔안출〕되다.

comble**[1] [kɔ̃:bl] *m.* ① (건물의) 꼭대기 ; 지붕 틀〔골조〕 ; (*pl.*) 다락방 : aménager les *~s* en grenier 다락방을 창고로 개조하다. ② 절정, 극치 : être au ~ du désespoir 극도의 절망에 빠져 있다 / Sa colère était à son ~. 그의 분노는 극도에 달했었다. ③ 과잉, 여분(= surcroît, surplus) : ~ d'un boisseau 한 말 가득 차고도 남는 분량. ***Ça, c'est le ~ ! 그거 참 대단하군 ; 이젠 더 참을 수 없다. ***de fond en ~*** 전부, 완전히, 위에서 아래까지. ***loger sous les ~s*** 《구어》 고미다락살이하다. ***pour ~ de malheur*** 〔***misère, infortune***〕 엎친 데 덮치기로, 설상가상으로.

comble[2] *adj.* ① 가득 찬, 만원의 : L'autobus est ~. 버스는 만원이다. ② 최대한의, 극도의. ***La mesure est ~.*** 더 이상 견딜 수 없다.

comblement [kɔ̃bləmɑ̃] *m.* 가득 채우기 ; 메우기 ; 매립 : ~ d'un puits 〔d'un lac〕 샘〔호수〕의 매립.

combler [kɔ̃ble] *v.t.* ① 가득 채우다(= remplir) ; (틈 따위를) 메우다(= boucher) : ~ les creux d'une route 길의 팬 곳을 메우다. ② (손해 따위를) 메우다 ; 보충하다 : ~ le déficit du budget 예산의 결손을 메우다 / ~ une lacune 결함을 메우다. ③ 충족시키다 : ~ les désirs 욕망을 채워 주다/ ~ les vœux de qn …의 소원을 성취시키다. ④ 《~ qn》 …을 만족시켜 주다, 매우 기쁘게 하다 : Vous me *comblez !* 친절하시군요 / *être comblé* 만족하다, 복이 많다. ⑤ 《~ qn de》 …을 …에게 많이〔한껏〕 주다 ; …을 …으로 가득 채우다 : ~ qn *de* bienfaits …에게 은혜를 한껏 베풀다 / Cela me *comble de* joie. 그것은 나를 기쁨으로 가득 채워 준다.

comburant, e [kɔ̃byʀɑ̃, -ɑ̃:t] *adj.* 〖화학〗 연소시키는. — *m.* (로켓 연료용) 산화제.

combustibilité [kɔ̃bystibilite] *f.* 가연성 ; 연소력.

combustible [kɔ̃bystibl] *adj.* 연소성〔가연성〕의 : matière ~ 가연성 물질 / corp ~ 연료. — *m.* ① 연료 : *~s* gazeux 〔liquides, solides〕 기체〔액체 · 고체〕 연료 / ~ nucléaire 핵연료. ② 《구어》 돈.

combustion [kɔ̃bystjɔ̃] *f.* 연소 : chaleur de ~ 연소열. ***avoir la tête*** (***tout***) ***en ~*** 《옛》 머리가 어수선하다. ***mettre*** qc ***en ~*** …을 태우다. ***moteur à ~ interne*** 내연 기관.

come-back [kɔmbak] 〔영〕 *m.* 컴백, 복귀.

comédie** [kɔmedi] *f.* ① ⓐ 희극(≠ tragédie) ; 우스꽝스러운 일 : courte ~ 촌극 / ~ grecque ancienne 고대 그리스 희극. ⓑ 연극 ; 희곡 : jouer la ~ 연극을 공연하다. ② 극장. ③ (아이들의) 못된 짓, 장난 : Allons, pas de ~. 그만 작작 해 둬. ***donner la ~ aux gens 세상 사람들의 웃음거리가 되다. ***jouer la ~*** 거짓 태도를 꾸미다. ***Quelle ~ !*** 무슨 연극 같은 짓〔위선〕인가!

***comédien, enne** [kɔmedjɛ̃, -ɛn] *n.* ① 희극 배우(≠ tragédien) ; 배우(= acteur) : ~ de talent 재능 있는 배우 / mauvais ~ 서투른 배우. ② 위선자 (= hypocrite). — *adj.* 겉으로 꾸민: manières 〔paroles〕 *~ennes* 부자연스런 태도〔말투〕.

***comestible** [kɔmɛstibl] *adj.* 먹을 수 있는, 식용의 : champignon ~ 식용 버섯 / denrées *~s* 식료품. — *m.* 음식물(= aliment) ; (*pl.*) 식료품 : marchand de *~s* 식료품상.

comète [kɔmɛt] *f.* 〖천문〗 혜성. ***tirer des plans sur la ~*** 《구어》 공상적인〔터무니없는〕 계획을 세우다.

comice [kɔmis] *m.* ① (*pl.*) 〖고대로마〗 민회(民會). ② 〖프랑스사〗 (대혁명 당시의) 선거회(= ~ électoral). ***~(s) agricole(s)*** 농사 연구회 ; 농사 공진회.

comique** [kɔmik] *adj.* ① 희극의 : piéce ~ 희극 작품 / film ~ 희극 영화. ② 우스운, 우스꽝스러운(= drôle) : visage 〔tête〕 ~ 우스꽝스러운 얼굴. ***avoir le masque ~ 희극 배우가 될 만한 얼굴을 하고 있다. — *m.* ① 희극 배우〔작가〕 ; 우스꽝스럽게 구는 사람. ② 희극(= genre ~), 희극적인 것〔점〕 : avoir le sens de ~ 유머 감각이 있다. ③ 유머 (기질) ; 우스운 점〔일〕 : avoir le sens de ~ 유머 감각이 있다.

comiquement [kɔmikmɑ̃] *adv.* 희극적으로, 우스꽝스럽게.

comité** [kɔmite] *m.* 위원회 ; 《집합적》 위원 : nommer 〔élir, désigner〕 un ~ 위원을 임명〔선출 · 지명〕하다 / ~ de conciliation 조정 위원회. ***~ consultatif 〔***exécutif***〕 자문〔집행〕 위원회. ***~ de gestion*** 관리 위원회. ***~ d'entreprise*** 경영 위원회. ***en petit ~ ; en ~ restreint*** 《구어》 친밀한 사람들끼리 : dîner *en petit* ~ 친한 사람들〔집안〕끼리의 저녁 식사. ***se constituer en ~*** (회의가) 위원회로 넘어가다.

command [kɔmɑ̃] *m.* 〖법률〗 익명자《타인 명의로 재산을 취득하는 자》; 익명 구매자.

***commandant, e** [kɔmɑ̃dɑ̃, -ɑ̃:t] *m.* ① 〖군사〗 지휘관, 사령관 : ~ en chef 총사령관 / ~ d'une troupe 부대장. ② (육군 · 공군의) 소령(= chef de bataillon). ③ 선장, 함장 ; 기

장(= ~ de bord). ── *adj.* ① 지휘하는. ② 《구어》 권위적인.

*__commande__ [kɔmɑ̃:d] *f.* ① 〖상업〗 주문 ; 주문품 : bon de ~ 주문서 / recevoir 〔refuser〕 une ~ 주문을 받다〔거절하다〕. ② 〖기계〗 조종 장치, 운전〔제어〕 장치 : ~*s* manuelles 수동식 조종 장치 / ~ à distance 원격 조종 장치 / se mettre aux ~*s* ; prendre les ~*s* 조종간을 잡다. ③ (주로 *pl.*) 조종, 지휘 : être aux ~*s* d'un avion 비행기를 조종하다 / tenir les ~*s* (사업을) 지휘하다, 이끌다. ***de*** **~** 주문에 의한 ; 꾸민, 거짓의 : larmes *de* ~ 거짓 눈물 / sourire *de* ~ 억지 웃음. ***livre de ~s*** 주문 장부. ***machine à ~ électrique*** 전기로 가동되는 기계. ***mettre*** qc ***en*** **~** …을 주문하다. ***organes de ~*** 조종 장치. ***passer*** 〔***faire***〕 ***une ~ à*** qn …에게 주문을 하다. ***sur ~*** 주문에 따라〔따른〕 : travail 〔ouvrage〕 *sur* ~ 주문 제작.

commandement [kɔmɑ̃dmɑ̃] *m.* ① 지휘, 명령 ; 〖군사〗 구령 : ~ de feu 발포 명령 / d'un 〔sur un〕 ton de ~ 명령조로. ② ⓐ 지휘권 ; 명령권 ; 사령권 : poste de ~ 사령탑, 지휘소 / ~ opérationnel 작전 지휘권. ⓑ 사령부 : le haut ~ des armées 총사령부. ③ (종교적) 계명, 계율. ***avoir*** 〔***prendre***〕 ***le ~ de*** qc …을 지휘하다. ***avoir*** qc ***à son ~*** 〔***à ~***〕 …을 얼마든지〔마음대로〕 가지고 있다〔구사할 수 있다〕. ***les dix C~s*** 〖종교〗 십계명. ***obéir au ~*** 《구어》 명령에 복종하다. ***tourelle de ~*** 〖해군〗 사령탑(司令塔).

*__commander__ [kɔmɑ̃de] *v.t.* ① 명하다, 명령하다(= ordonner) : ~ une attaque 〔retraite〕 공격을〔후퇴를〕 명하다 / 《~ à qn de + *inf.* 〔que + *sub.*〕》 Je vous *commande de* vous taire. 침묵해라 / 《목적보어 없이》 Vous n'avez qu'à me ~. 명령만 내리십시오. ② 지휘하다(= diriger), 통솔하다 : ~ un bataillon 〔une attaque〕 대대를〔공격을〕 지휘하다. ③ 《~ qn》 …을 지배하다 : Il n'aime pas qu'on le *commande*. 그는 남에게 지배되는 것을 좋아하지 않는다. ④ 주문하다 : ~ un café au garçon 웨이터에게 커피 한 잔을 주문하다. ⑤ 《주어 : qc》 내려다보다, 굽어보다(= dominer), 부감(俯瞰)하다 : Cette tour *commande* la ville. 이 탑에서는 시가지가 내려다보인다. ⑥ 《주어 : qc》 ⓐ (존경심 따위를) 불러일으키다(= inspirer) : Sa conduite *commande* le respect 〔l'admiration〕. 그의 행동은 존경심〔찬탄〕을 불러일으킨다. ⓑ 요구하다, 촉구하다(= exiger, réclamer) : L'honneur *commande* la vengeance. 명예는 복수를 요구한다 / La circonstance *commande* que... 사정이 그러니 …할 수밖에 없다. ⑦ 《주어 : qc》 …의 요소(要所)〔입구〕를 차지하다 : La salle à manger *commande* le salon. 응접실로 가자면 식당을 거쳐야 한다. ⑧ 《주어 : qc》 (기계를) 작동하게 하다(= actionner) : manette qui *commande* la sonnerie d'alarme 경보를 울리게 하는 손잡이.

── *v.t. ind.* 《~ à》 ① 《~ à qn》 …을 지휘하다, 지배하다 : Le père *commande à* ses enfant. 아버지는 자식을 지배한다. ② 《~ à qc》 …을 억제하다, 제어하다 : ~ *à* ses passions 감정을 억누르다.

── *v.i.* 명령하다 ; 지휘하다, 지배하다 : Qui est-ce qui *commande* ici? 여기 지휘가가 누구인가? / Le travail *commande*. 일이 우선이다.

── **se ~** *v.pr.* ① 자제하다. ② 제어되다. ③ 마음대로 되다 : La sympathie ne *se commande* pas. 공감을 마음대로 만들어낼 수는 없다. ④ (방 따위가) 서로 통하다.

commandeur [kɔmɑ̃dœ:ʀ] *m.* ① 〖역사〗 기사령을 가진 기사. ② ~ de la Légion d'honneur 레지옹도뇌르 3등 훈장자.

commanditaire [kɔmɑ̃ditɛ:ʀ] *n.* 〖상업〗 (합자 회사의) 유한 책임 사원 (= associé ~).

commandite [kɔmɑ̃dit] *f.* ① 〖상업〗 합자 회사(= société en ~). ② 합자 회사 사원의 출자금. ③ 〖인쇄〗 (식자공의) 청부 공동 조합. **~ *par actions*** 주식 합자 회사. ***travail en ~*** 능률급으로 하는 일.

commanditer [kɔmɑ̃dite] *v.t.* (합자 회사 사원으로서) …에 출자하다.

commando [kɔ(m)mɑ̃do] *m.* 〖군사〗 특공대(원), 결사대(원) : ~ de parachutistes 낙하산 특공대.

‡**comme** [kɔm] *conj.* et *adv.* 《부사 · 전치사 기능을 겸함》 ① 《비교 · 유사》 …처럼, …와 같이, …와 마찬가지로. ⓐ 《~ + 명사〔대명사〕》 rapide ~ l'éclair 번개같이 빠른 / un homme ~ lui 그 같은 사람 / par un temps ~ ça 이런 날씨에 / Il sera médecin ~ son père. 그는 그의 아버지와 마찬가지로 의사가 될 것이다. ⓑ 《~ + 부사(구)〔과거분사〕》 Il fait doux ~ au printemps. 봄처럼 날씨가 온화하다 / Il sont arrivés ~ prévu. 그는 예정대로 도착했다. ⓒ 《~ + 절》 Il écrit ~ il parle. 그는 이야기하는 것처럼 글을 쓴다 / Tout s'est passé ~ je l'avais prédit. 모든 것은 내가 예언한 대로 진행되었다. ② 《부가》 …와, …와 함께 : sur la terre ~ au ciel 땅과 하늘에서 / les jeunes ~ les vieux 늙은이도 젊은이도 / Le français ~ l'italien viennent de latin. 프랑스어와 이탈리아어는 라틴어에서 파생한 것이다. ③ 《양태》 ⓐ 마치 …한 듯한〔듯이〕 : Il est ~ mort. 그는 마치 죽은 듯하다 / faire des signes ~ pour nous appeler 마치 우리를 부르는 듯이〔것처럼〕 손짓하다. ⓑ …같은 것 : Il eut ~ une suffocation. 그는 숨이 막히는 듯했다. ④ 《자격》 …으로서, …으로(= en tant que) : agir ~ délégué 대표로 행동하다 / Je vous dis cela ~ ami. 당신에게 친구로서 이 말을 하는 것이다. ⑤ 《감탄》 얼마나, 참으로(= combien) : *C*~ il est bon! 얼마나 친절한 사람일까! / Voyez ~ elles courent! 보세요, 저 여자들이 뛰는 모습을! / *C*~ il est grand! 정말 그는 키가 크구나! ⑥ 어떻게, 어떠한(= comment) : Voilà ~ il est. 그는 그런 사람이다. ⑦ 《예시》 …등등의, … 따위의 ; 예컨대 …같은(= tel que) : les animaux domestiques ~ le chien, le chat, le cheval 개 · 고양이 · 말과 같은 가축들. ***C'est tout ~.*** 그건 꼭 같다〔마찬가지다〕. **~ *ça*** 〔***cela***〕 그렇게, 이렇게; 그래서, 그럼 ; 그럭저럭 : Alors, ~ *ça* il paraît que vous nous quit-

tez? 그래 떠나시려는 모양이지요? **~ ci ~ ça** 그럭저럭. **~ il faut** 더할 나위 없는(없이), 훌륭한(하게). **~ on peut** 간신히, 겨우. **~ par le passé** 예나 마찬가지로. **~ qui dirait** 말하자면 …와 같은: J'ai aperçu ~ *qui dirait* un éclair. 나는 번개 같은 것을 보았다. **~ quoi** 얼마나(어찌하여) …인가를; 그러니, 이렇듯: Faites lui un certificat ~ *quoi* son état de santé nécessite du repos. 건강 때문에 휴양이 필요하다는 증명서를 써 주게 / Il est heureux maintenant, ~ *quoi* tout finit par s'arranger. 그는 지금 행복하다, 이렇듯 모든 일은 마침내 순조롭게 해결된다. **~ si** ⓐ 마치 …인 것처럼《보통 직설법 반과거·대과거와 함께 쓰임》: Il travaille ~ *s'il* avait vingt ans. 그는 마치 20세의 젊은이처럼 일하고 있다. ⓑ《faire ~ si》…인 체하다: Ell *a fait* ~ *si* elle ne m'avait pas remarqué. 그녀는 나를 못본 체했다. ⓒ《독립적》*C~* si j'avais le temps! 내가 어디 시간이 있어야지! **~ tout** 대단히, 매우, 극히: Elle est jolie ~ *tout*. 그녀는 굉장히 예쁘다. **Dieu sait ~.** 《구어》(어떻게 그렇게 했는지는) 신만이 아신다, 아무도 모른다: Ce travail a été fait *Dieu sait ~ !* 그 일은 어떻게 이루어졌는지는 아무도 모른다. **(il) faut voir ~** 《구어》 훌륭하게, 멋지게: *Il* sén est tiré, *faut voir* ~. 그는 아주 멋있게 빠져나왔어. **tout ~** 《구어》 거의, …같은: Il sera écrivain *tout* ~ son père. 그는 바로 자기 아버지처럼 작가가 될 것이다. — *conj.* ①《원인·이유》 …이니까, …이므로: *C~* il arrive demain, il faut préparer une chambre. 그가 내일 오니까, 방을 준비해야겠다 /《도치》 Riche ~ il est, il pourra vous aider. 그는 부자니까 당신을 도울 수 있을 것이다. ②《동시성》 …때에, …하려니까: Nous sommes arrivés ~ il partait. 우리가 도착하려니까 그는 출발하고 있었다 / *C~* j'allais me coucher, le téléphone a sonne. 내가 막 자러 가려고 할 때 전화가 왔다. ③《비례》 …함에 따라서: *C~* le temps passait, il s'impatientait de plus en plus. 시간이 흘러감에 따라 그는 점점 초조해졌다.

commedia dell'arte [kɔ(m)medjadɛlaʀte] 〖이탈리아〗 *f.* 코메디아 델아르테《16-17세기 이탈리아에서 성행한 즉흥희곡》.

commémoratif, ive [kɔ(m)memɔʀatif, -iːv] *adj.* 기념하는: fête *~ive* 기념제 /《~ de》 jour ~ *d'*une victoire 전승 기념일.

commémoration [kɔ(m)memɔʀasjɔ̃] *f.* 기념; 추도; 기념제. **en ~ de** …을 기념하여. **la ~ des morts** 〖가톨릭〗 위령의 날.

commémorer [kɔ(m)memɔʀe] *v.t.* 기념하다, 추념하다; 추모하다: ~ la naissance de qn …의 탄생을 기념하다.

commençant, e [kɔmɑ̃sɑ̃, -ɑ̃ːt] *adj.* 초심의, 초학의. — *n.* 초학자, 초심자.

***commencement** [kɔmɑ̃smɑ̃] *m.* ① 처음, 시작, 개시, 첫머리: ~ de l'année 연초 / ~ d'un roman 소설의 첫머리 / du ~ (jusqu')à la fin 처음부터 끝까지. ② (*pl.*) (지식·학문 따위의) 기초, 토대. ③ (*pl.*) 첫 기간(무렵), 데뷔 시절: des ~*s* prometteurs 장래가 기대되는 데뷔 시절. **au ~** 처음에(는); 〖성서〗 태초에(는). **dès** (**depuis**) **le ~** 처음부터. **prendre** (**son**) **~** 시작되다.

‡commencer [kɔmɑ̃se] [2] *v.t.* ① ⓐ 시작하다, 착수하다: ~ un livre 책을 읽기(쓰기) 시작하다 / ~ un travail (une affaire) 일에 착수하다 /《~ par》 Il *commencs* sa *journée par* la lecture de journal. 그는 신문을 읽는 것으로 하루를 시작한다. ⓑ《주어: qc》…의 처음에 있다: le mot qui *commence* la phrase 문장의 맨 첫말. ②《~ qn》 ⓐ …에게 초보 지식을 깨우쳐 주다(지도하다): ~ un élève 학생에게 초보 지식을 가르치다. ⓑ Cette nourrice *a commencé* cet enfant. 이 유모가 이 아이에게 맨 처음에 젖을 먹였다. **~ à** (때로는 **de**) + *inf.* …하기 시작하다: Il *commence à* pleuvoir. 비가 오기 시작한다 / Les arbres *commencent à* avoir des feuilles. 나무에 잎이 나기 시작한다. **Ça commence à bien faire**《구어》 이젠 지겨운데.

— *v.i.* ①《주어: qc》 시작되다: Le cours *commence* à neuf heures. 강의는 9시에 시작된다. ②《주어: qn》 시작하다: Je ne savais pas par où ~. 나는 어디서부터 시작해야 할지 몰랐다. **A moitié fait qui commence bien.**《격언》(좋은) 시작이 반. **~ Ça commence bien!**《반어적》 잘 되어 가는군! 처음부터 싹수가 노랗군! **par** + *inf.* 우선 …하는 것부터 시작하다. **~ par** qc …부터 시작하다: Cette maladie *commence par* des migraines. 이 병은 처음에 두통이 난다. **pour ~** 우선.

commensal, e, aux [kɔ(m)mɑ̃sal, -o] *n.* 식탁을 같이하는 사람, 회식자; 단골손님.

‡comment [kɔmɑ̃] *adv.* ①《방법·양태》 어떻게: *C~* trouvez-vous ce chapeau? 이 모자는 어떻습니까? / *C~* dire? 어떻게 말하지? / Il est ~?《구어》 그 사람 어때? / *C~* partiras-tu, en voiture ou par le train? 무엇으로 떠나겠나, 자동차인가 기차인가? / *C~* s'appelle-t-il? 그의 이름은 뭐지? /《간접의문문》 Je ne sais ~ il a pu s'échapper. 그가 어떻게 도망칠 수 있었는지 알 수 없다. ②《이유·원인》 왜, 어째서: *C~* est il toujours en retard? 그는 왜 늘 지각하지? / *C~* n'êtes-vous pas avec les autres? 왜 다른 사람들과 같이 있지 않소?; 다른 사람은 다 어디 가고 혼자 있소? ***C~ allez-vous?*** 안녕하십니까? ***C~ cela?*** 어찌하여(왜) 그렇습니까? ***C~*** (***dites-vous***) ***?*** 무슨 말씀이지요? ***C~ faire?*** 어떻게 할까? **~ que** 《속어》 어떻게, 어떠한(= ~ est-ce que): *C~ qu'*elle est, cette maison? 그 집은 어떤가? ***C~ se fait-il que*** + *sub.* (*ind.*)**... ?** …라는 것은 어찌된 일입니까?

— *interj.* 뭐, 저런: *C~ !* n'étiez-vous pas au courant? 뭐라고요, 모르고 계셨단 말이오? / *C~ !* vous voulez la faire? 무어라구요, 그것을 하고 싶단 말입니까? ***Et ~ !; mais ~ donc!***《속어》 물론이지! ***n'importe ~*** 아무렇게나: Il travaille *n'importe* ~. 그는 아무렇게나 일한다.

— *m.* 방법: Il ne s'intéresse pas au ~, il ne voit que le résultat. 그는 방법에는 관심

이 없고 결과만을 본다.

commentaire** [kɔ(m)mɑ̃tɛːʀ] *m.* ① ⓐ (텍스트의) 주해, 주석 : faire le ~ d'un texte 본문에 주석을 달다. ⓑ 설명 : ~ diffus 장황한 설명. ② ⓐ 논평 ; (뉴스의) 해설 : ~s de presse 신문의 논평. ⓑ (남의 언동에 대한) 악의 있는 비평, 비판, 비난. ③ (*pl.*) 역사적 회상록〔기록〕(= mémoires). ***Cela* 〔*Voilà qui*〕 *se passe de ~s. 《구어》 그건 설명이 필요 없다〔명백하다〕. ***faire des ~s sur*** qn …을 비판〔비난〕하다. ***Point* 〔*Pas*〕 *de ~s!*** 《구어》 설명은 필요 없다! 듣기 싫다! ***Sans ~s!*** 《구어》 마음대로 판단하시오! 노코멘트! ***prêter* 〔*donner lieu*〕 *aux ~s*** 비난을 사다.

commentateur, trice [kɔ(m)mɑ̃tatœːʀ, -tʀis] *n.* 주해자, 주석자 ; (뉴스) 해설자.

***commenter** [kɔ(m)mɑ̃te] *v.t.* ① 주해하다, 주석을 달다 ; 해설하다 : ~ un poème 시에 주석을 달다 / ~ les nouvelles 뉴스 해설을 하다. ② 비판하다, 논평하다 ; 험담하다 : ~ les actions de qn …의 행동을 험담하다.

commérage [kɔmeʀaːʒ] *m.* 《구어》 (보통 *pl.*) 쑥덕공론, 험담(= cancan, potin).

***commerçant, e** [kɔmɛʀsɑ̃, -ɑ̃ːt] *adj.* ① 상업에 종사하는 ; 장사에 능한 ; 상인의 : esprit ~ 상인 기질. ② 상업이 번창한 ; 상거래가 행해지는 : ville ~*e* 상업 도시 / rue ~*e* 상가. ── *n.* 상인 : petit ~ 소상인 / ~ en gros 〔en détail〕 도매〔소매〕상인.

commerce** [kɔmɛʀs] *m.* ① 상업, 장사, 거래, 무역, 통상 : acte de ~ 〖법률〗 상행위 / ~ extérieur 무역 / faire du ~ ; être dans le ~ 장사를 하다 / exercer un ~ 상업에 종사하다 / ~ en détail 〔en gros〕 ; ~ de détail 〔de gros〕 소매〔도매〕상 / déficit 〔excédent〕 du ~ extérieur 무역 수지 적자〔흑자〕 / convention 〔traité〕 de ~ 무역 협정. ② 상업계, 《집합적》 상인들 : le haut 〔petit〕 ~ 도매상인〔소매상인〕들. ③ 상점(= magasin de détail) : tenir un ~ 상점을 경영하다. ④ ⓐ 교제, 교섭, 교류 : personne de ~ agréable 상냥한 사람 / avoir 〔entretenir〕 un ~ d'amitié avec qn …와 친교를 맺고 있다〔교제하다〕. ⓑ 육체적〔성적〕 관계 : ~ adultère 간통 / ~ incestueux 근친상간. ***chambre de ~ 상업 회의소. ***fonds de ~*** 재고품. ***livres de ~*** 장부. ***Ministère du ~*** 상무성.

commercer [kɔmɛʀse] [2] *v.i.* ① 장사하다, 상업하다, 무역하다. ② 교제하다.

***commercial, e, aux** [kɔmɛʀsjal, -o] *adj.* ① 상업〔무역·통상〕의 : politique ~*e* 상업 정책 / publicité ~*e* 상업 광고 / traité ~ 통상 조약. ② 《경멸》 영리적인, 영리 위주의 : film ~ 영리만을 노린 영화.

commercialisation [kɔmɛʀsjalizɑsjɔ̃] *f.* 상품화 : ~ d'un produit 제품의 상품화.

commercialiser [kɔmɛʀsjalize] *v.t.* 상업화〔상품화〕하다 : Cet article *sera* bientôt *commercialisé*. 이 상품은 곧 시판될 것이다.

commère [kɔmɛːʀ] *f.* ① 《옛》 〖가톨릭〗 대모(代母)(= marraine). ② 아주머니, 수다스런 여자, 아낙네 : propos de ~ 수다스런 여자들의 쑥덕공론.

commérer [kɔmeʀe] [6] *v.i.* 수다를 떨다.

commettant [kɔmɛtɑ̃] *m.* 〖법률〗 위임자, 대리 지정인.

***commettre** [kɔmɛtʀ] [46] *v.t.* ① (죄를) 범하다, 저지르다 : ~ un crime 죄를 범하다 / ~ un délit 위법 행위를 하다 / ~ une faute 〔erreur〕 실수를 저지르다 / ~ une trahison 배반하다. ② 《~ à》 맡기다, 위임하다 : J'*ai commis* cette affaire *à* vos soins. 이 일은 당신에게 위임했습니다. ③ 위태롭게 하다 (= compromettre) : ~ sa réputation 명망〔명성〕을 위태롭게 하다. ── **se ~** *v.pr.* ① 《se ~ avec》 …와 관계를 가지다 : *se ~ avec* des voyous 건달들과 관계를 갖다. ② 저질러지다, 범행되다 : 《비인칭》 Il *se commet* bien des atrocités pendant les guerres. 전쟁 중에는 잔인한 일이 많이 일어난다.

comminatoire [kɔ(m)minatwaːʀ] *adj.* ① 〖법률〗 (법령 따위가) 위협적인 : clause ~ 위협 조항. ② 협박적인 : lettre ~ 협박장.

commis [kɔmi] *m.* 사무원(= employé) ; 서기, 점원(= vendeur)《여점원은 ~*e*》, (거래의) 대리인 : ~ des douanes 세관원 / ~ aux écritures 회계 사무원 / ~*e* de librairie 서점의 여점원 / ~ voyageur 외판사원 / ~ d'agent de change 주식 중개인.

commisération [kɔ(m)mizeʀɑsjɔ̃] *f.* 《문어》 연민, 동정(= compassion) : avoir de la ~ pour qn …에게 동정심을 품다.

commissaire** [kɔmisɛːʀ] *m.* ① 위원 ; 임원 ; (연회 따위의) 간사. ② 〖스포츠〗 경기(진행) 임원 : ~ à l'arrivée 결승점 심판원. ③ (여객선의) 사무장(= ~ du 〔de〕 bord). ④ 경찰서장, 경찰 : porter plainte devant le ~ 경찰에 고발하다. ***~ aux Affaires étrangères 외교 위원. ***~ de la Marine* 〔*de l'Air*〕** 〖해군·공군〗 경리관. ***~ de police*** 경찰서장. ***~ des* 〔*aux*〕 *comptes*** 회계 감사역. ***~s d'un bal* 〔*d'une réunion*〕** 무도회〔회합〕 간사.

commissaire-priseur [kɔmisɛʀpʀizœːʀ] *m.* (*pl.* **~s-~s**) ① 공매인, 경매인. ② (경매품의) 평가인.

commissariat** [kɔmisaʀja] *m.* ① 위원〔임원〕. ② (정부 기관의) 청. **~ (*de police*)** 경찰서. ***~ des comptes 감사원.

commission** [kɔmisjɔ̃] *f.* ① ⓐ (임무·직권의) 위임 ; 위임된 임무, 직권, 권한. ⓑ 〖군사〗 (장교의) 임관. ② 위원회(= comité) : ~ du budget 예산 위원회 / ~ administrative 관리〔운영〕 위원회 / ~ parlementaire 국회 의원회. ③ 〖상업〗 ⓐ 위탁 ; 위탁 판매업 ; 중개, 거간. ⓑ 수수료, 구문, 구전, 커미션 : toucher sa ~ 수수료를 받다. ④ 심부름 ; 전갈(= message) : Tu peux faire une ~ à ta mère? 어머니께 말씀 전해 주시겠습니까? ⑤ (*pl.*) 장보기(= course), 일용 식품의 구입 ; 장 본 물건(= provisions) : aller faire les ~s 장보러 가다. ***~ secrète 뇌물. ***droits de* 〔*pour*〕 ~** 중개 수수료, 구전. ***faire une ~*** 심부름을 하다. ***représentant à la ~*** 중개인. ***vente à la ~*** 위탁 판매.

commissionnaire [kɔmisjɔnɛːʀ] *m.* ① 〖상업〗 위탁 판매〔대행〕업자, 중개〔중매〕인 : ~ d'achat 구매계원 / expéditeur 〔de transport〕 운송업자 / ~ en douane 통관 절차 대

행인. ② 심부름꾼 : petit ～ 잔심부름꾼.

commissionner [kɔmisjɔne] *v.t.* …에게 위임(위탁)하다 ; …에게 매매를 위탁하다.

commissure [kɔ(m)misy:ʀ] *f.* 〖해부〗 접합점, 접합부.

commode** [kɔmɔd] *adj.* ① ⓐ 편리한(=pratique) : moyen ～ 편리한 방법. ⓑ《～ pour》…에 알맞은(=convenable) : lieu ～ *pour* la conversation 담소하기에 알맞은 장소. ⓒ《～ à+*inf.*》…하기 편한 : outil ～ *à* manier 다루기 편한 연장. ② 편안한, 안락한(=agréable) : vie ～ 쾌적한 삶 ; 안락한 생활. ③ ⓐ 쉬운, 간단한(=facile, simple) : C'est trop ～. 그건 너무 쉽다. ⓑ《～ à+*inf.*》…하기 쉬운 : texte qui n'est pas ～ *à* traduire 번역하기 까다로운 텍스트. ④ (사람이) 양순한, 순한(=accommodant) : homme ～ *à* vivre 사귀기 쉬운 사람. ***Ce que vous me demandez là n'est pas ～.《구어》그건 어려운 부탁이군요. ── *f.* 서랍장.

commodément [kɔmɔdemɑ̃] *adv.* 편리하게 ; 편안하게 ; 용이하게(=facilement).

***commodité** [kɔmɔdite] *f.* ① 편리, 편의 ; 안락 : à sa ～ 편한 대로. ② (*pl.*) ⓐ 편리(쾌적)한 설비 : ～*s* d'un appartement 아파트의 여러 설비. ⓑ 변소(=lieux d'aisances).

commodore [kɔmɔdɔ:ʀ] 〔영〕 *m.* (영국·미국의) 해군 준장.

commotion [kɔ(m)mosjɔ̃] *f.* ① 진동 ; (정신적인) 충격 : ～ morale 정신적 충격. ② 〖의학〗 진탕 : ～ cérébrale 뇌진탕.

commotionner [kɔ(m)mosjɔne] *v.t.* …충격을 주다 ; 〖의학〗 진탕을 일으키게 하다.

commuer [kɔ(m)mɥe] *v.t.* 〖법률〗 (형벌을) 감형하다. **～ *en*** …으로 감형하다 : ～ la peine de mort *en* réclusion criminelle à perpétuité 사형을 무기 징역으로 감형하다.

commun, e**[1] [kɔmœ̃, -yn] *adj.* ① 공동의, 공유의 : choses ～*es* 공유물 / biens ～*s* 〖법률〗 (부부의) 공유 재산 / puits ～ 공동 우물 / J'ai rien de ～ avec lui. 그와 아무런 관련도 없다. ② 공통의 : traits ～*s* 공통의 특징 / but ～ 공통의 목적 / C'est un point ～ entre eux. 그것은 그들 사이의 공통된 점이다. ③ 일반의, 공공의(=général, public) : langue ～*e* (전문어 아닌) 일반어 ; 공통어 / opinion ～*e* 여론. ④ 보통의, 평범한, 흔한(=ordinaire, banal) : lieux ～*s* 흔히 하는 말 / expression peu ～*e* 흔하지 않은(진지한) 표현. ⑤ 품위가 없는, 저속한(=vulgaire) : manières ～*es* 저속한 태도. ⑥ 흔해 빠진, 시시한(=quelconque, médiocre) : marchandise ～*e* 시시한 상품. ***maison ～e 시청, 군청, 면사무소, 읍(동)사무소. ***nom ～*** 〖문법〗 보통명사. ***sens ～*** 상식.

── *m.* ① 공동 ; 공유 (물). ② 대다수. ③《집합적》일반 대중 ; 서민층 ; 하인. ④ 보통 (수준). ⑤ 흔해 빠진(시시한) 것 : un livre (tableau) du ～ 시시한 책(그림). ⑥ (*pl.*) 부속 건물 ; 변소. ***avoir*** qc (***de***) ～ (***en ～***) ***avec*** qn …와 …을 공통으로(공통의 …을) 갖고 있다. ***en ～*** 공동으로 : transports *en* ～ 공공운송, 대중교통 / travailler *en* ～ 공동 작업하다. ***le ～ des hommes*** (***des mortels***) 대다수의 사람들, 일반 대중.

communal, e, aux [kɔmynal, -o] *adj.* ① 시(읍·면)의. ② 공유(공동)의. ── *m. pl.* 공유지. ── *f.* 공립 초등학교(=école ～*e*).

communard, e [kɔmyna:ʀ, -aʀd] *n.* et *adj.* 〖프랑스사〗 (1871년) 파리 코뮌당원(의).

communautaire [kɔmynotɛ:ʀ] *adj.* 공동체의 ; 공동의 : esprit ～ 공동체 정신.

communauté** [kɔmynote] *f.* ① 공유 ; 〖법률〗 (부부의) 공유 재산제 : ～ des biens 재산의 공유. ② 공통(성) : ～ d'idées (de langue) 사상(언어)의 공통성. ③ (이해가 같은) 단체, 공동체 : ～ culturelle 문화 공동체 / ～ nationale 국가(공동체) / vivre en (dans une) ～ 공동 생활을 하다. ***～ chrétienne 교회. ***～ d'intérêts*** 이해 공동체 ; 연방. ***C～ Européenne*** 유럽 공동체.

commune**[2] [kɔmyn] *f.* ① 시, 읍, 면(=municipalité)《프랑스의 최소 행정구》. ② 〖프랑스사〗 자유 도시, 자치 도시. ***C～ (***de Paris***) 〖프랑스사〗 파리 코뮌《(1789-95 및 1871 의) 파리 혁명 정부》. ***la Chambre des C～s ; les C～s*** (영국의) 하원.

communément [kɔmynemɑ̃] *adv.* 일반적으로, 보통 : ～ parlant 일반적으로 말해서.

communiant, e [kɔmynjɑ̃, -ɑ̃:t] *n.* 〖가톨릭〗 성체 배령자(聖體拜領者).

communicable [kɔmynikabl] *adj.* (다른 사람에게) 통지(전달)할 수 있는.

communicant, e [kɔmynikɑ̃, -ɑ̃:t] *adj.* 서로 통하는. 연결된 : chambres ～*es* (문으로) 연결된 침실들.

communicateur, trice [kɔmynikatœ:ʀ, -tʀis] *adj.* 연락(연결)하는 ; 전달하는. ── *n.* ① 전달자. ② 광고 전문가, 홍보 전문가.

communicatif, ive [kɔmynikatif, -i:v] *adj.* ① (웃음·기쁨 따위가) 쉽게 전파되는. ② 마음을 터놓는, 이야기하기 좋아하는 : caractère ～ 싹싹한 사람.

communication** [kɔmynikɑsjɔ̃] *f.* ① ⓐ 전달 ; 통지, 고지(告知), 통고 : ～ d'un renseignement 정보의 전달 / recevoir ～ de qc (어떤) 통지를 받다. ⓑ (학회에서의) 보고, 발표 : faire une ～ (à un congrès) (학회에서) 발표하다. ⓒ 전할 말, 통보, 정보(=message, information) : J'ai une ～ à vous faire. 당신에게 전할 말이 있습니다. ② 연락 ; 교섭 ; (사상의) 교환, 소통 : Toutes les ～*s* entre les deux villes sont coupées. 두 도시간의 연락이 끊겨 있다 / ～ des idées 사상의 전파 ～ de masse 대중 전달, 매스커뮤니케이션. ③ 교통(로) ; 통로, 도로 ; 통신 ; 통화 : voie (moyens) de ～ 교통로(수단) / couper (fermer) les ～*s* 도로를 폐쇄하다 / ～ optique 광통신 / ～ de voi sinage 시내 통화 / fausse ～ 잘못 걸린 전화 / prix de la ～ 통화료. ④ 홍보, 광고 : ～ d'entreprise 기업 홍보 / stratégie de ～ 광고 전략. ⑤ (도서 따위의) 대출 : ～ des lives 도서 대출. ⑥ 감염 : ～ d'une maladie 병의 전염. ***～ locale (***à longue distance***) 장거리 전화. ***donner*** (***faire***) ***～ de qc à*** qn …에게 …을 진하다(알리다). ***Vous avez la ～ ; Vous êtes en ～.*** 〖전화〗 말씀(통화)하세요.

communier [kɔmynje] *v.i.* ① 〖가톨릭〗 영성체하다, 성체를 배령하다. ② 공감하다 ;

(정신적인) 연대감을 갖다 : ~ avec la nature 자연과 교감하다.

communion [kɔmynjɔ̃] *f.* ① (사상·감정의) 일치(= accord). ② 〖가톨릭〗 영성체(領聖體), 성체 배령. ③ (신앙이 같은 사람들의) 모임, 단체 ; 종파 : diverses ~*s* chrétiennes 기독교의 여러 종파. ***être en ~ d'idées avec*** qn 생각이 …와 꼭 같다. ***la ~ humaine*** 인간 사회, 인류(= humanité).

C

communiqué [kɔmynike] *m.* 공보(公報), 공식 성명, 〖라디오〗 뉴스 : ~ officiel 공식 성명 / annoncer 〔publier〕 un ~ à la presse 보도진에 공식 성명을 발표하다.

*__communiquer__ [kɔmynike] *v.t.* ① 알리다, 통지하다(= faire connaître) : 《~ qc (à qn)》 ~ ses desseins *à* son ami 자신의 의도를 친구에게 알리다. ② 나누다, 함께하다(= faire partager) : ~ sa joie à qn …와 즐거움을 나누다. ③ 전달하다(= transmettre) : Le soleil *communique* sa chaleur à la terre. 태양은 지구에 열을 전달한다. ④ (병을) 전염시키다 : ~ la grippe à ses enfants 아이들에게 유행성 감기를 전염시키다. ── *v.i.* ① 《~ avec qn》 …와 연락하다, 교섭을 갖다, 통신하다 : ~ par téléphone 〔lettre〕 전화〔편지〕로 연락하다 / ~ *avec* un ami 친구와 연락하다. ② 《주어 : qc》 《~ avec, à》 …와 연락하다 ; (방 따위가) 통하다 : porte qui *communique au* 〔*avec* le〕 jardin 정원으로 통하는 문. ── **se ~** *v.pr.* 《se ~ à》 …에 전달〔전염·전파〕되다, 번지다 : Le feu *s'est communiqué aux* bâtiments voisins. 불이 이웃 건물에 번졌다.

communisant, e [kɔmynizɑ̃, -ɑ̃:t] *adj.* 《구어》 공산주의〔공산당〕에 동조하는, 공산주의적인. ── *n.* 공산주의〔공산당〕 동조자.

*__communisme__ [kɔmynism] *m.* 공산주의.

*__communiste__ [kɔmynist] *adj.* 공산주의의, 공산당의. ── *n.* 공산주의자, 공산당원.

commutateur [kɔmytatœ:ʀ] *m.* 〖전기〗 전환기, 정류자(整流子), 스위치 : tourner le ~ 스위치를 돌리다.

commutation [kɔmytɑsjɔ̃] *f.* ① 〖수학〗 대입, 치환. ② 〖전기〗 전환. ③ 〖법률〗 감형(= ~ de peine). ④ 〖언어〗 대치(代置).

compacité [kɔ̃pasite] *f.* 밀도 ; 밀집.

compact, e [kɔ̃pakt] *adj.* ① 촘촘한, 꽉 들어찬 ; 밀집한(= dense) : foule ~*e* 밀집한 군중. ② 소형의, 작은 : voiture ~*e* 소형차.

compagne [kɔ̃paɲ] *f.* ① 《compagnon의 여성형》 (여자) 친구, 동료 : ~*s* d'école 〔de classe〕 학교의 여자 동급생. ② 《문어》 아내(= epouse), 동거녀, 정부(= maîtresse). ③ (동물 한 쌍 중) 암컷 ; 부수물.

*__compagnie__ [kɔ̃paɲi] *f.* ① 함께 있음, 동행 : aimer la ~ 사람과 함께 있는 것을 좋아하다 / dame de ~ (노인, 병자를 보살피는) 간병인. ② ⓐ 회사(= société) : ~ d'assurances 보험 회사 / ~ aérienne 〔de navigation〕 항공〔해운〕 회사. ⓑ 단체, 회 ; 극단 : ~ de ballets 발레단 / ~ savante 학술 단체 / *C*~ de Jésus 〖가톨릭〗 예수회. ③ 〖군사〗 (보병·공병의) 중대 : ~ de débarquement 해병대. ④ 모임 ; 한패, 동아리, 일동 : Bonsoir 〔Salut〕 la ~ ! 《속어》 여러분 안녕 ! ⑤ (새·짐승의) 떼, 무리. ***aller*** 〔***voyager***〕 ***de ~ avec*** qn …와 함께 가다〔여행하다〕. ***de ~*** 함께(= ensemble). ***en ~ de*** …와 함께(= avec) : Elle était *en ~ de* son frère. 그녀는 자기 동생과 함께 있었다. ***en galante ~*** (남자가) 여자와 함께 있는. ***et C~*** ⓐ 회사, 상사(《약자》 et Cie) : Dupont *et Cie* 뒤퐁 상회. ⓑ …와 그 동류 : Ces gens-là, c'est hypocrite *et* ~. 그자들은 위선자 집단이다. ***être de bonne*** 〔***mauvaise***〕 ~ 가정 교육이 잘〔잘못〕 되어 있다. ***fausser ~ à*** qn …와 만날 약속을 어기다 ; …을 혼자 두고 가버리다. ***la bonne ~*** 상류 사회. ***tenir ~ à*** …곁에 머물다, …의 상대를 하다.

*__compagnon__ [kɔ̃paɲɔ̃] *m.* ① 동무, 친구 ; 동료(= camarade, copain) ; 동행인 : ~ d'école 학우 / ~ de route 〔de voyage〕 동반자, 일행 / ~ de jeu (경기의) 파트너 / ~ d'enfance 죽마고우. ② 남편 ; (동물의) 수컷 ; 동거하는 남자, 정부. ③ 〖역사〗 (옛날 동업 조합〔길드〕의) 미숙련 장색(《밑으로는 apprenti, 위로는 maître 에 대하는 말》). ***bon ~*** 《구어》 좋은 녀석. ***~ d'armes*** 전우. ***joyeux*** 〔***fameux***〕 ~ 유쾌한〔재미있는〕 녀석. ***vivre en ~s*** 친구로 (터놓고) 지내다.

comparable [kɔ̃paʀabl] *adj.* 《~ à 〔avec〕》 …와 비교될 수 있는, 견줄 만한 : Il ne vous est pas ~. 그는 당신과는 비교가 안 된다.

*__comparaison__ [kɔ̃paʀɛzɔ̃] *f.* ① 비교, 대조 : point de ~ 비교의 기준 / faire 〔établir〕 la ~ entre A et B, A와 B를 비교하다 / Il n'y a pas de ~ possible. 비교의 여지가 없다. ② 비유 ; 〖수사학〗 직유 : ~ figée 굳어진 비유, 성구 / ~ qui accentue la différence 차이를 두드러지게 하는 비유. ***adverbe de ~*** 비교부사. ***C~ n'est pas raison.*** 《속담》 비유는 증명이 아니다. ***en ~ de ; par ~ à*** …에 비교하여〔비교하면〕. ***établir une*** 〔***la***〕 ***~ entre deux choses ; faire la ~ de deux choses*** 두 가지 것을 비교하다. ***être hors de*** 〔***toute***〕 ~ 견줄〔비견할〕 만한 것이 없다. ***mettre*** qc ***en ~ avec*** qc …을 …와 비교하다. ***par ~*** 비교적. ***sans ~*** 비할 데 없이 ; 단연. ***trois degrés de ~*** 〖문법〗 비교의 3급(《원급·비교급·최상급》).

*__comparaître__ [kɔ̃paʀɛtʀ] [41] *v.i.* (법정에) 출두하다, 출정하다 : ~ dervant le tribunal 법정에 출두하다 / appeler qn à ~ comme témoin …을 증인으로서 출두시키다.

comparant, e [kɔ̃paʀɑ̃, -ɑ̃:t] *n.* 〖법률〗 출두인, 출정인.

comparatif, ive [kɔ̃paʀatif, -i:v] *adj.* 비교의 : étude ~*ive* 비교 연구. ── *m.* 〖문법〗 비교급 : ~ d'égalité 〔d'infériorité, de supériorité〕 동등〔열등·우등〕 비교급.

comparativement [kɔ̃paʀativmɑ̃] *adv.* 비교적 ; 《~ à》 …와 비교하여, …에 비하여 : ~ *à* autre chose 다른 것에 비하여.

*__comparer__ [kɔ̃paʀe] *v.t.* ① 《~ qc 〔qn〕 avec 〔à〕》 …을 …와 비교하다 : ~ un écrivain *avec* un autre 어떤 작가를 다른 작가와 비교하다 / 《목적보어 없이》 Vous avez entendu deux témoignages, *comparez.* 당신은 두 증언을 다 들었소, 비교해 보시오. ②

《~ qc 〔qn〕 à 〔avec〕》 …을 …와 동등하게 여기다, …에 비하다, 비기다, 견주다 : On ne peut ~ aucun poète *à* Racine. 어느 시인도 라신에 비길 수는 없다. ③《~ qc 〔qn〕 à》 …을 …에 비유하다 : On peut ~ le rôle du cœur *à* celui d'une pompe. 심장의 역할은 펌프의 역할에 비유할 수 있다. ④ 대조하다(= confronter) : ~ un document avec l'original 서류를 원본과 대조하다.
— **se ~** *v.pr.* ① 비교되다 : Ces choses ne sauraient *se* ~. 이것들은 도저히 비교할 수 있는 물건이 아니다. ② 동등하게 여겨지다, 비겨지다.

comparse [kɔ̃paʀs] *m.* ①〖연극〗단역(배우). ② (사건의) 하수인.

***compartiment** [kɔ̃paʀtimɑ̃] *m.* ① 구획, 칸막이 : tiroir à ~*s* 칸막이한 서랍. ② (열차의) 칸, 실(室) : ~ pour fumeurs 흡연실. ③ (체스판 따위의) 눈금.

compartimentage [kɔ̃paʀtimɑ̃ta:ʒ] *m.* 구획짓기, 칸막이하기.

compartimenter [kɔ̃paʀtimɑ̃te] *v.t.* 구획〔구분〕하다, 칸막이하다 : ~ une armoire 옷장을 칸막이하다. 「출정.

comparution [kɔ̃paʀysjɔ̃] *f.*〖법률〗출두,

compas [kɔ̃pa] *m.* ① 컴퍼스 : tracer un cercle au 〔avec un〕 ~ 컴퍼스로 원을 그리다. ②〖해양〗나침반(= boussole) : naviguer au ~ 나침반으로 항해하다. ***avoir le ~ dans l'œil*** 눈대중이 정확하다. ***faire tout au*** 〔***par***〕 ~ 무엇이나 정확하게 하다.

compassé, e [kɔ̃pɑ〔a〕se] *adj.* 부자연스러운, 딱딱한, 어색한 : allure ~*e* 딱딱한 태도.

compassion [kɔ̃pɑ〔a〕sjɔ̃] *f.* 연민, 동정(= pitié) : par ~ 동정심에서.

compatibilité [kɔ̃patibilite] *f.* 양립성, 적합성; 합치, 양립(≠ désaccord).

***compatible** [kɔ̃patibl] *adj.* ① 합치되는 ; 양립할 수 있는, 서로 모순되지 않는 : caractères ~*s* 잘 어울릴 수 있는 성격. ②〖컴퓨터〗호환성이 있는.

compatir [kɔ̃pati:ʀ] *v.t. ind.* 《~ à》 …에 동정하다(= s'apitoyer sur) : ~ *à* la douleur de qn …의 고통에 동정하다.

compatissant, e [kɔ̃patisɑ̃, -ɑ̃:t] *adj.* ① 동정적인. ②《~ pour》 …에 대해 관대한.

***compatriote** [kɔ̃patʀijɔt] *n.* 동국〔동향〕인 : Nous sommes ~*s*. 우리는 동포이다.

compendium [kɔ̃pɛ̃djɔm] *m.* 요약, 개요, 대요(= résumé, condensé).

compensateur, trice [kɔ̃pɑ̃satœ:ʀ, -tʀis] *adj.* ① 보상의, 배상의 : indemnité ~*trice* (손해) 배상액. ②〖기계〗보정(補整)하는.

compensation [kɔ̃pɑ̃sɑsjɔ̃] *f.* ① 보상, 배상 : à titre de ~ 보상으로, 위자료로서. ② 상쇄 ;〖상업〗어음 교환 : ~ des dépens 소송 비용의 상쇄. ③〖기계〗조정, 보정(補整) ; 평형 : antenne de ~ 평형 안테나. ***Cela fait ~.*** 그것으로 보상은 된다. ***en ~*** 보상으로 ; 그 대신에.

compensatoire [kɔ̃pɑ̃satwa:ʀ] *adj.* 보상〔배상〕의 : indemnité ~ 보상금(액).

compensé, e [kɔ̃pɑ̃se] *adj.* ① 균형 잡힌 (= équilibré). ② (시계가) 보정된.

***compenser** [kɔ̃pɑ̃se] *v.t.* ① 보상하다(= équilibrer) ; (손해 따위를) 벌충하다, 보전(補塡)하다(= réparer) : ~ une perte par un gain 손해를 이익으로 벌충하다 / ~ un préjudice 손해를 배상하다. ②〖법률〗상쇄시키다 : ~ une dette par une autre 하나의 부채를 다른 부채로 상쇄시키다. — **se ~** *v.pr.* (서로) 보완하다, 균형을 이루다 : Leurs caractères *se compensent.* 그들의 성격은 서로 보완적이다.

compère [kɔ̃pɛ:ʀ] *m.* ①《옛》 대부(代父)(= parrain). ②《구어》 동무, 친구, 녀석 : bon 〔joyeux〕 ~ 마음씨 좋은〔유쾌한〕 녀석.

compère-loriot [kɔ̃pɛʀlɔʀjo] *m.* (*pl.* ~***s-~s***) ①〖조류〗꾀꼬리(= loriot). ②《구어》 다래끼《orgelet 의 속칭》.

compétence** [kɔ̃petɑ̃:s] *f.* ①〖법률〗권한 ; (법원 따위의) 관할 : ~ d'un préfet 도지사의 권한. ② 자격(= qualité) ; 능력(= capacité) ;〖언어〗언어 능력 : avoir de la ~ 〔des ~〕 능력이 있다. ③《구어》 자격 있는 사람, 권위자 : les plus hautes ~*s* médicales 의학의 최고 권위자들. ***Cela ne rentre pas dans ma ~ ; Cela n'est pas de ma ~. 《구어》 그것은 내가 관여할 문제가 아니다.

***compétent, e** [kɔ̃petɑ̃, -ɑ̃:t] *adj.* ① 적임의 ; 자격 있는 ; 정통한(= expert) : ~ en matière de finance 재정 문제에 밝은. ②〖법률〗(법원·판사 따위가) 권한 있는 ; 합법적인 (=légal) ; 법정의 : autorité ~*e* 주무 관청.

compétiteur, trice [kɔ̃petitœ:ʀ, -tʀis] *n.* 경쟁자. — *adj.* 경쟁하는.

compétitif, ive [kɔ̃petitif, -i:v] *adj.* 경쟁〔경합〕하는 : prix ~ 경쟁 가격 / marché ~ 자유 경쟁 시장. ② 경쟁이 벌어지는 : examen ~ 경쟁 시험.

***compétition** [kɔ̃petisjɔ̃] *f.* ① 경쟁, 대항 : être 〔entrer〕 en ~ avec …와 경쟁하다. ② 경기, 시합(= ~ sportive).

compétitivité [kɔ̃petitivite] *f.* 경쟁력.

compilateur, trice [kɔ̃pilatœ:ʀ, -tʀis] *n.* ①《경멸》 (여기저기서 자료를 모으는) 편집자〔편찬자〕. ②《경멸》 표절자(= plagiaire). ③〖컴퓨터〗컴파일러, 부호 번역기.

compilation [kɔ̃pilɑsjɔ̃] *f.* ① 편찬, 편집 ; 표절. ② 편집〔표절〕물. ③〖컴퓨터〗컴퓨터 언어로 번역하기.

compiler [kɔ̃pile] *v.t.* ① 편찬〔편집〕하다. ②《경멸》 (남의 작품을) 표절하다(= plagier). ③〖컴퓨터〗컴퓨터 언어를 번역하다.

complainte [kɔ̃plɛ̃:t] *f.* ① 애가(哀歌).

complaire [kɔ̃plɛ:ʀ] 33 *v.t. ind.* 《~ à》 …의 비위를 맞추다, …의 마음에 들게 하다, 환심을 사다 : Je cherche *à* lui ~. 나는 그의 마음에 들려고 애쓴다. — **se ~** *v.pr.* 《dans 〔à, en〕》 …을 좋아하다 ; 《se ~ à+*inf.*》 …하는 일에 만족하다 : Il *se complaît à* rendre service. 그는 남에게 봉사하는 데 만족을 느낀다. 「laire.

compl-ais, -aît, -aisons, etc. ⇒ comp-

complaisamment [kɔ̃plɛzamɑ̃] *adv.* ① 친절하게, 호의적으로. ② 스스로 만족하여.

complaisance [kɔ̃plɛzɑ̃:s] *f.* ① 환심을 사려는 생각 : basse ~ 아첨 ; 영합(迎合). ② 친절(= amabilité), 호의, 배려 : montrer de la ~ pour qn …에게 호의를 베풀다. ③ 자기만족 : Il a une grande ~ pour ce qu'il a fait. 그는 자기가 한 일에 아주 흐뭇해 한다.

complaisant, e [kɔ̃plɛzɑ̃, -ɑ̃:t] *adj.* ① 친절한, 상냥스러운 ; 관대한(= indulgent) : père trop ~ pour son fils 아들에게 너무 관대한 아버지. ② 스스로 만족하는.

***complément** [kɔ̃plemɑ̃] *m.* ① 보완, 보족(補足), 보충 : ~ d'information 보충 정보 / ~ à un ouvrage 작품의 보완물 / faire le ~ de …을 보충하다. ② 〖문법〗 보어 : ~ direct 〔indirect〕 직접 〔간접〕보어.

C

complémentaire [kɔ̃plemɑ̃tɛ:ʀ] *adj.* 보충하는, 보완적인 : clause 〔article〕 보충 조항 / indemnité ~ 추가 수당. ***pour renseignements ~s s'adresser à...*** 기타 상세한 것은 …에 문의할 것.

complémentarité [kɔ̃plemɑ̃taʀite] *f.* ① 보충. ② 〖철학〗 상보성(相補性).

complet, ète** [kɔ̃plɛ, -ɛt] *adj.* ① 완비된, 완전한(≠ incomplet) : un assortiment ~ 완전한 한 세트〔벌〕. ② 철저한, 전적인 : ruine 〔destruction〕 ~*ète* 완전한 파멸〔파괴〕. ③ ⓐ 완벽한 : aliment ~ (영양이) 완벽한 식품. ⓑ 《명사 앞 또는 뒤》 더할 나위 없는, 지독한 : un ~ idiot 지독한 바보. ④ (세월이) 꽉 찬, 만… : dix années ~*ètes* 만 10년. ⑤ (극장·버스 따위가) 빈 자리가 없는, 만원인(= plein, bondé) : autobus ~ 만원버스 / C'est ~. 만원입니다. ***Ça serait ~. 《구어》 그러면 볼장 다 보는 거지, 일은 망치고 말 거다. ***C'est ~ !*** 《비꼼》 완벽하군! 설상가상이군! ── *m.* ① 전원(全員). ② (남자용) 양복 한 벌. ***au*** (***grand***) ~ 전원이 함께 : famille *au grand* ~ 가족 전원.

***complètement** [kɔ̃plɛtmɑ̃] *adv.* 완전히, 전부(= totalement) ; 전적으로 : immeuble ~ détruit 완전히 파괴된 빌딩.

***compléter** [kɔ̃plete] 6 *v.t.* 온전〔완전〕하게 하다 ; 보충하다 ; 완결〔완성〕하다. ── **se** ~ *v.pr.* ① 서로 보충하다 : caractères qui *se complètent* 서로 보충하는 성격. ② 보충되다 ; 완결〔완성〕되다.

complétif, ive [kɔ̃pletif, -i:v] *adj.* 〖문법〗 보어 역할을 하는. ── *f.* 보어절(= proposition ~*ive*).

complexe** [kɔ̃plɛks] *adj.* ① 복잡한, 착잡한(= compliqué) : situation ~ 복잡한 상황. ② 복합의. ***nombre ~ 복소수(複素數). ***phrase*** ~ 〖문법〗 복문(複文). ── *m.* ① 복잡한 것. ② 〖경제〗 복합 산업 단지 ; 종합〔복합〕 시설 : grand ~ pétrochimique 석유 화학 복합 단지 / ~ urbain 도시 복합 주거 단지. ③ 〖심리〗 콤플렉스, 강박 관념 : avoir des ~*s* 열등감을 갖다. ~ ***d'infériorité*** 열등 콤플렉스. ~ ***d'Œdipe*** 오이디푸스 콤플렉스.

complexé, e [kɔ̃plɛkse] *adj.* et *n.* 《구어》 콤플렉스를 가진 (사람), 내향적인 (사람).

complexion [kɔ̃plɛksjɔ̃] *f.* 체질(= constitution) ; 기질, 성격(= tempérament) : ~ faible 〔robuste〕 허약한〔건장한〕 체질.

complexité [kɔ̃plɛksite] *f.* 복합성, 복잡성.

complication [kɔ̃plikɑsjɔ̃] *f.* ① 복잡함, 착잡 ; 분규(= ennui) : situation d'une ~ inextricable 복잡하게 뒤얽힌 상황. ② (*pl.*) 〖의학〗 병발증(併發症), 합병증.

***complice** [kɔ̃plis] *adj.* ① 《~ de》 …의 공범인 ; (나쁜 일에) 가담하는 : être ~ d'un meurtre 살인의 공범이다. ② (은밀히) 찬동하는 : attitude ~ 동조적인 태도 / échanger un regard ~ 공모의 눈짓을 나누다. ── *n.* 공범자(= acolyte) ; 가담자.

complicité [kɔ̃plisite] *f.* ① 공모 ; 공범 ; 가담 : être accusé de ~ 공범으로 기소되다. ② 암묵적인 동조, 묵계. ***de ~ avec*** …와 공모하여.

compliment** [kɔ̃plimɑ̃] *m.* ① 인사말 ; 안부의 인사말 : Vous ferez mes ~*s* 〔Mes ~*s*〕 à vos parents. 양친에게 안부 전해 주십시오. ② 축하〔치하〕의 인사말(= félicitation) ; 찬사(= éloge) : Tous mes ~*s* pour votre réussite! 성공을 축하합니다! ***faire des ~s à qn …에게 축하의 인사말을 하다. ***faire*** (***son***) ~ 〔***adresser des ~s***〕 ***à*** qn ***de*** qc 〔***de***+*inf.*〕 …에게 …에〔하는 것에〕 대해 축하〔치하〕하다.

complimenter [kɔ̃plimɑ̃te] *v.t.* ① 《~ qn de 〔pour, sur〕》 …에 대해〔에게〕 축하〔치하〕하다 : ~ qn *sur* son mariage …에게 결혼을 축하하다. ② 《~ qn》 …에게 인사하다.

complimenteur, euse [kɔ̃plimɑ̃tœ:ʀ, -ø:z] *adj.* et *n.* 칭찬하는〔아첨하는〕 (사람).

compliqué, e** [kɔ̃plike] *adj.* 복잡한, 착잡한, 이해하기 어려운, 까다로운 : machine ~*e* 복잡한 기계 / problème ~ 까다로운 문제. ***maladie ~e 병발증을 수반하는 병. ── *n.* 《구어》 까다로운 사람.

***compliquer** [kɔ̃plike] *v.t.* 복잡하게 만들다 ; (문제 따위를) 이해하기 어렵게 만들다 : Il *complique* toujours les choses. 그는 항상 일을 복잡하게 만든다. ── **se** ~ *v.pr.* 복잡해지다, 까다로워지다 : L'affaire *se complique.* 일이 복잡해진다.

complot [kɔ̃plo] *m.* 음모, 책략, 모의(= intrigue) : chef de ~ 주모자 / ~ contre la sûreté de l'État (국가) 반역죄. ***faire le ~ de***+*inf.* …할 음모를 꾸미다. ***mettre*** qn ***dans le*** ~ …에게 비밀 계획을 알리다.

comploter [kɔ̃plɔte] *v.t.* ① 음모〔모의〕하다, 획책하다 : ~ un coup d'État 쿠데타를 모의하다. ② 《구어》 의논하다. ~ ***de***+*inf.* …할 것을 모의〔음모〕하다 ; 《구어》 …할 것을 의논하다. ── *v.i.* 음모를 꾸미다.

comploteur, euse [kɔ̃plɔtœ:ʀ, -ø:z] *m.* 음모자, 책략자.

complu-s, -t, etc. ⇒ complaire. 「안.

compo [kɔ̃po] *f.* 《학생은어》 작문 ; 시험 답

componction [kɔ̃pɔ̃ksjɔ̃] *f.* 엄숙한 체하는 표정〔태도〕 : prendre un air de ~ 점잔을 빼다 / avec ~ 점잔 빼며.

***comportement** [kɔ̃pɔʀtəmɑ̃] *m.* 행동(= conduite) ; 처신, 태도(= attitude) : ~ d'un auditoire 청중의 반응 / avoir un ~ incompréhensible 이상한 행동을 취하다.

***comporter** [kɔ̃pɔʀte] *v.t.* ① 허용〔용인〕하다, 용납하다(= admettre, permettre) : Toute règle *comporte* des exceptions. 무슨 규칙에나 예외가 있다. ② 포함하다, 내포하다, 갖추다 : Cet appartement *comporte* cinq pièces.

이 아파트는 방이 5 개다 / roman *comportant* trois parties, 3 부로 구성된 소설.
— **se ~** *v.pr.* ① 행동하다, 처신하다, 태도를 보이다 : *se* ~ en 〔comme un〕 lâche 비겁하게 행동하다 / Cet élève *se comporte* mal en classe. 이 학생은 수업 중의 태도가 나쁘다. ② 《주어 : qc》 작동하다(= fonctionner) : Cette voiture *se comporte* bien sur la route. 이 차는 도로에서 작동이 좋다.

composant, e [kɔ̃pozɑ̃, -ɑ̃:t] *adj.* 구성하는, 성분을 이루는 : corps ~ 구성체. — *m.* ① 〖화학〗 성분 : L'hydrogène est un ~ de l'eau. 수소는 물의 한 성분이다. ② (기기 따위) 구성 부품 ; (전자 부품의) 소자(素子). — *f.* ① 〖물리〗 분력(分力)(= force ~*e*). ② (현상으로서의) 구성 요소, 요인 : ~*s* diverses d'une situation économique 경제 상황의 여러 가지 요인.

composé, e [kɔ̃poze] *adj.* ① 합성된 ; 복합의. ② 부자연스럽게 꾸민, 점잔빼는. ***corps ~*** 〖화학〗 화합물. ***mot ~*** 〖문법〗 합성어. ***temps ~*** 〖문법〗 복합 시제. — *m.* 〖문법〗 합성〔복합〕어 ; 〖화학〗 화합물. — *f. pl.* 〖식물〗 국화과(科).

***composer** [kɔ̃poze] *v.t.* ① 구성하다, 조성하다, 합성하다, 조직하다 : membres qui *composent* le jury 심사 위원의 구성원들. ② (예술 작품을) 창작〔제작〕하다 ; 작곡하다 ; 편지를 쓰다 ; 숙제를 하다 : ~ un bouquet 꽃다발을 만들다 / ~ un drama 드라마를 집필하다. ③ 〖인쇄〗 조판(組版)〔식자〕하다 : machine à ~ 식자 기계. ④ (안색 · 태도 따위를) 꾸미다 : ~ son visage 〔ses paroles〕 얼굴 표정〔말〕을 꾸미다〔꾸며 대다〕. ⑤ 만들어 내다, 만들다(= confectionner, faire). — *v.i.* ① 창작하다 ; 작곡하다 ; 작문을 하다 ; 답안을 쓰다 : ~ en mathématiques 수학 답안을 쓰다. ② 《~ avec》 …와 화해하다, 타협하다(= transiger avec) : ~ *avec* sa conscience 양심을 속이다. — **se ~** *v.pr.* 《~ de》 …으로 이루어지다, 성립〔구성〕되다 : L'appartement *se compose de* quatre pièces. 이 아파트는 방 네 개로 되어 있다.

composite [kɔ̃pozit] *adj.* ① 〖건축〗 (코린트식과 이오니아식의) 혼합 양식의. ② 뒤섞인, 짝짝이의.

compositeur, trice [kɔ̃pozitœ:ʀ, -tʀis] *n.* ① 〖음악〗 작곡가. ② 〖인쇄〗 식자공.

composition** [kɔ̃pozisjɔ̃] *f.* ① 성분, 조성(組成) : Quelle est la ~ de ce parfum? 이 향수의 성분은 무엇인가? / ~ de l'eau 물의 성분. ② (학교의) 시험 ; 작문 : Il a été premier en ~ de géographie. 그는 지리 시험에서 1 등을 했다 / ~ française 프랑스어 작문. ③ 구성, 편성 : ~ d'un roman 소설의 구성 / Le premier ministre a amorcé la ~ du nouveau gouvernement. 수상은 새 정부의 조각(組閣)에 착수했다. ④ (예술 작품 등의) 제작 ; 작품 ; 작곡 ; 악곡 : ~ d'un opéra 오페라 작곡 / ~ abstraite de Picasso 피카소의 추상화 작품. ⑤ 〖문법〗 (말의) 구성 ; 복합(법). ⑥ 〖인쇄〗 식자, 조판 : ~ photographique 사식. ⑦ 화해, 타협(= conciliation). ***entrer en ~ avec qn …와 타협하다. ***homme de bonne*** 〔***facile***〕 ~ 타협적인〔유순한〕 사람.

compost [kɔ̃pɔst] 〔영〕 *m.* 〖농업〗 퇴비.

compostage [kɔ̃pɔsta:ʒ] *m.* (표 따위에) 날짜〔소인 · 번호〕를 찍기.

composter [kɔ̃pɔste] *v.t.* (표 따위에 스탬프로) 날짜〔소인 · 번호〕를 찍다.

composteur [kɔ̃pɔstœ:ʀ] *m.* ① 〖인쇄〗 (표 따위에) 날짜〔소인 · 번호〕를 찍는 기구, 압인기, 스탬프. ② 〖인쇄〗 식자대.

compote [kɔ̃pɔt] *f.* ① 정과, 과일의 설탕 조림(= marmelade). ② 《옛》 일종의 스튜(= ragoût). ***des yeux en ~*** 멍든 눈.

compotier [kɔ̃pɔtje] *m.* (굽달린) 정과 그릇.

compréhensibilité [kɔ̃pʀeɑ̃sibilite] *f.* 이해될 수 있음(= clarté), 명료성.

***compréhensible** [kɔ̃pʀeɑ̃sibl] *adj.* 이해될 수 있는(= intelligible) ; 납득하기 쉬운, 당연한(= naturel, normal) : des paroles difficilement ~*s* 이해하기 어려운 말 / un désir bien ~ 극히 당연한 욕구.

***compréhensif, ive** [kɔ̃pʀeɑ̃sif, -i:v] *adj.* ① 〖논리〗 포괄적인. ② 이해력 있는 ; 관대한, 너그러운 : patron ~ 관대한 주인.

***compréhension** [kɔ̃pʀeɑ̃sjɔ̃] *f.* ① ⓐ 이해(력)(= entendement, intelligence) : avoir la ~ facile 〔lente〕 이해가 빠르다〔늦다〕. ⓑ (남에 대한) 이해심, 너그러움, 관용(= indulgence, bienveillance) : être plein de ~ à l'égard des autres 남들에게 아주 너그럽다. ② 〖논리〗 내포(內包).

compren-ant, -ons, etc. ⇒ comprendre.

‡comprendre [kɔ̃pʀɑ̃:dʀ] [26] *v.t.* ① 깨닫다, 이해하다(= saisir, concevoir), 알다, 납득하다 : ~ un texte 〔schéma〕 본문〔도식〕을 이해하다 / Comment *comprends*-tu ton rôle? 자네는 자네 역할을 어떻게 생각하나? / 《~ qn》 Parle plus distinctement, je te *comprends* mal. 더 명확히 말하게, 무슨 말인지 잘 모르겠네 / 《~ qc à》 Il *comprend* quelque chose *à* peinture. 그는 그림을 조금 안다 / 《~ qn de + *inf.*》 Je ne te *comprends* pas *de* ne pas ~. 당신이 왜 이해하지 못하는지 모르겠군요 / 《~ + *inf.*》 Elle *a compris* lui avoir fait de la peine. 그에게 고통을 주었다는 것을 그녀는 깨달았다 / 《~ + 간접의문문》 Personne n'*a compris* pourquoi il est parti. 그가 왜 떠났는지 아무도 알지 못했다. ② ⓐ 《주어 : qc》 포함하다(= comporter, renfermer) : Le loyer ne *comprend* pas le chauffage. 집세에 난방비는 포함되어 있다 / Le pourboire *est compris* dans le prix total. 전체 액수 속에 팁이 포함되어 있다. ⓑ 《주어 : qn》 포함시키다, 넣다(= inclure) : ~ le voyage dans les frais généraux 경상비에 출장비를 포함시키다. ***~ les choses*** 사리에 밝다 ; 마음이 관대하다. ***~ que*** + *ind.* …을 알다 : Vous *comprenez que* cela doit m'inquiéter. 그것은 내게 걱정이 된다는 것을 아시겠지요. ***~ que*** + *sub.* …을 당연하다고 생각하다, 납득하다 : Je *comprends qu*'il le fasse. 그가 그렇게 하는 것도 무리는 아닙니다. ***ne ~ rien à rien*** 전혀 모르다. ***ne rien ~ à*** qc …을 전혀 모르다 : Je *n'y comprends rien.* 뭐가 뭔지 도무지 모르겠다. — **se ~** *v.pr.* ① 서로 이해

하다. ② 이해되다 : Cela *se comprend.* 그건 당연한 일이다, 그야 그럴 테지. ③ 자기를 〔자기의 심정을〕 알다.

comprenette [kɔ̃pʀənɛt] *f.* 《구어》 이해력. ***avoir la ~ facile*** 〔***difficile***〕 잘 알아듣다 〔알아듣지 못하다〕.

compresse [kɔ̃pʀɛs] *f.* 〖의학〗 가제, 습포.

compresseur [kɔ̃pʀɛsœːʀ] *m.* ① 압착기 ; 도로 포장용 롤러. ② 〖외과〗 지혈기(止血器). ── *adj.* 압착용의.

compressibilité [kɔ̃pʀɛsibilite] *f.* ① 〖물리〗 압축률. ② (지출, 인원 따위의) 축소〔삭감〕 가능성.

compressible [kɔ̃pʀɛ〔e〕sibl] *adj.* 압축할 수 있는 ; (지출 따위를) 삭감할 수 있는.

compression [kɔ̃pʀɛsjɔ̃] *f.* ① 압착, 압축 : pompe de ~ 압축 펌프. ② 억압, 압제(= opression). ③ (예산의) 삭감 ; (인원의) 감소 : ~ du personnel 감원.

comprimé, e [kɔ̃pʀime] *adj.* ① 압착된, 압축된 : air ~ 압축 공기. ② 납작한 : front ~ 관자놀이가 납작한 이마. ③ 억압된 ; (감정 따위가) 억눌린. ── *m.* 〖약학〗 정제(錠劑), 알약 : un ~ d'aspirine 아스피린 1정.

comprimer [kɔ̃pʀime] *v.t.* ① 압축〔압착〕하다, 압박하다, 꽉 죄다 : ~ une artère (지혈을 위해) 동맥을 압박하다 / ~ un gaz 가스를 압축하다. ② (감정 따위를) 억누르다, 참다 : ~ ses larmes 〔sa colère〕 눈물을〔분노를〕 참다.

compr-îmes, -is, -it, etc. ⇒ comprendre.

compris, e [kɔ̃pʀi, -iːz] *adj.* ① 이해된 : (C'est) ~? 《구어》 알겠어요? ② 포함된 : service ~ 봉사료 포함. ***y ~*** …을 포함하여 : six cents francs l'éléctricité *y ~e* 전기료 포함하여 600 프랑.

compromettant, e [kɔ̃pʀɔmɛtɑ̃, -ɑ̃ːt] *adj.* 위험한, 누를 끼치는.

***compromettre** [kɔ̃pʀɔmɛtʀ] [46] *v.t.* ① 《~ qn》 …을 위험한 일에 끌어넣다〔연루시키다〕 ; …의 명예를〔평판을〕 위태롭게 하다 〔해치다〕 : ~ qn en se servant de son nom …의 이름을 도용하여 명예를 더럽히다 / homme politique *compromis* dans un scandale 스캔들에 말려든 정치가. ② 《~ qc》 (명예·평판 따위를) 위태롭게 하다〔해치다〕 : L'excès d'alcool *compromet* la santé. 과음은 건강에 해롭다. ── *v.i.* ① 〖법률〗 중재에 의해 타협하다, 중재 계약을 맺다. ② 타협하다. ── **se ~** *v.pr.* 자기의 명예를〔평판을〕 위태롭게 하다 ; 위험한 일에 연루되다 : *se ~* dans une affaire louche 석연치 않은 사건에 연루되다.

comprom-is, -isse, -it, etc. ⇒ compromettre.

compromis [kɔ̃pʀɔmi] *m.* ① 〖법률〗 중재(계약). ② 화해(= accord) ; 타협 : consentir à un ~ 화해에 동의하다.

compromission [kɔ̃pʀɔmisjɔ̃] *f.* ① 평판을 깎아내리는 언동. ② (양심과) 타협하는 행동 : Il est prêt à toutes les ~*s* pour réussir. 그는 성공을 위해서라면 온갖 타협을 할 준비가 되어 있다.

comptabiliser [kɔ̃tabilize] *v.t.* ① 〖회계〗 장부에 기입하다. ② 통계를 내다 : ~ les accidents 교통 사고의 통계를 내다.

comptabilité [kɔ̃tabilite] *f.* ① 부기(학) ; 회계, 출납 : livre de ~ 회계 장부. ② 회계과, 경리과 : chef de ~ 경리과 주임. ***tenir la ~*** 회계를 맡아보다〔담당하다〕.

comptable [kɔ̃tabl] *adj.* ① 회계의 ; 부기의 : chef ~ 회계 주임〔과장〕. ② 《~ de》 …에 대해 책임이 있는. ③ 〖언어〗 셀 수 있는 : nom ~ 가산(可算)명사. ***officier ~*** 경리관. ***quittance ~*** 영수증. ── *n.* 회계원(= agent ~). ***~ agréé*** 공인 회계사. ***~ contrôleur*** 회계 검사관〔감사역〕.

comptage [kɔ̃taːʒ] *m.* 계산, 셈, 회계.

comptant** [kɔ̃tɑ̃] *adj. m.* 현금의 : deux mille francs ~ 현금 2 만프랑. ***argent ~ 현금. ***prendre*** qc ***pour*** (***de l'***)***argent ~*** (이야기 따위를) 정말이라고 믿다, 곧이듣다. ── *adv.* 현금으로 : payer ~ 현금으로 전액 지불하다. ── *m.* 현금 : au ~ 현금으로.

***compte** [kɔ̃ːt] *m.* ① 셈, 계산(= calcul) : être loin de 〔du〕 ~ 계산이 틀리다 / solde de ~ 결산 / ~ rond 우수리없는 계산〔수〕. ② (대차의) 계정 ; 수지(收支) ; 금융 거래, (은행의) 구좌 ; 예금 ; (*pl.*) 회계(= comptabilité) : ouvrir un ~ dans une 〔en〕 banque 은행에 구좌를 트다 / ~ des profits et pertes 손익 계산서 / livre de ~*s* 회계 장부 / faire 〔rendre〕 ses ~*s* 회계〔회계 보고〕를 하다. ③ 이익, 이득(= profit, avantage). ④ 보고 ; 설명 ; 해명(= justification) : demander ~ 〔des ~*s*〕 à qn …에게 설명〔해명〕을 요구하다.

à bon ~ 값싸게, 싼 값으로 : en être quitte 〔s'en tenir〕 *à bon ~* 큰 손해 없이 일을 끝내다. ***à ce ~***(***-là***) 그렇다면, 그런 조건이라면 : À *ce ~-là*, je n'aurai aucune chance de réussir. 그런 조건이라면 나는 결코 성공할 수 없을 것이다. ***à ~*** 선금으로 : donner une somme *à ~* 일정 금액을 선금으로 주다. ***à ~ de*** qn ***; à son ~*** …의 부담〔책임〕으로 : publier un livre *à ~ d'auteur* 저자의 비용 부담으로 책을 내다. ***au bout du ~ ; en fin de ~ ; tout ~ fait*** 숙고 끝에, 결국. ***avoir son ~*** 계산이 맞다; 희망이 이루어지다 ; 《구어》 톡톡히 혼나다. ***avoir un*** 〔***être en***〕 ***~ chez*** qn …와 거래하다 ; 녹초가 되다. ***avoir un ~ en banque*** 은행에 구좌를 가지고 있다. ***Cela fait mon ~.*** 그건 내게 안성맞춤이다. ***~ à demi*** 공동 계산〔출자〕 : se mettre de ~ *à demi* avec qn …와 손익을 분담하다. ***~ à rebours*** 카운트다운 (〖영〗 countdown). ***~ courant*** 당좌 예금. ***~ rendu*** 보고서. ***cour des ~s*** 회계 검사원(院). ***de bon ~*** 정확히 세어서, 틀림없는 ; (사람이) 성실한, 공평한 : cent mille francs *de bon ~* 최소한 10만 프랑. ***demander son ~*** (사임 전에) 급료를 요구하다. ***devoir ses ~s à*** qn …에게 변명해야 할 입장에 있다. ***donner son ~ à*** qn (해고되는 사람에게) 급료를 계산하다 ; 《구어》 …을 해고하다 ; …을 혼내 주다. ***en avoir pour son ~*** 호되게 당하다 ; 곤드레만드레가 되다. ***être loin du ~*** 계산이 틀리다. ***faire bon ~*** 물건을 후하게 주다 : *faire bon ~* à qn …을 후대하다. ***faire le ~ de*** …을 세다, 계산하다. ***livre de ~s*** 〖상업〗 장부; (외상의)

통장. ***mettre*** qc ***sur le ~ de*** qn 〔qc〕 …을 …에게 전가하다〔…의 탓으로 돌리다〕: On *a mis* son erreur *sur le ~ de* la fatigue. 그의 실수는 피로 탓으로 여겨졌다. ***pour le ~ de*** qn ⓐ …을 위하여 : Il l'a acheté *pour son ~*. 그는 자신을 위해서 그것을 샀다. ⓑ …에 관해서는 : *Pourmon ~*, j'ai tout fait. 나로서는 할 일을 다했다. ⓒ …의 부담으로. ***règlement de ~s*** 원한을 풀기, 혼내 주기 ; 따지기 ; 죽여 버리기. ***régler son ~ à*** qn …에게 줘야 할 돈을 지불하다 ; 《구어》 …을 해고하다 ; …을 혼내 주다. ***rendre ~ de*** qc (***à*** qn) ⓐ (…에게) …을 보고〔설명 · 해설〕하다 : *rendre ~ d'*un accident 사고(의 경위)를 보고하다. ⓑ …을 변명하다 : *rendre ~ de* sa conduite 자기의 행위에 대해 변명하다. ***se rendre ~ de*** qc 〔***que***+*ind*〕 …을 납득하다, 이해하다, 깨닫다 : Elles *se sont rendue ~ de* leur erreur. 그녀들은 자신들의 실수를 깨달았다 / Je *me suis rendu ~ qu'*il me trompait. 그가 나를 속이고 있다는 것을 깨달았다. ***Son ~ est bon.*** 두고 보자 (혼내 줄 테다). ***sur le ~ de*** qn …에 관하여 : Il n'y a rien à dire *sur son ~*. 그에 관해서는 할 말이 아무것도 없다. ***tenir ~ de*** … 을 참작하다, 고려하다 : Je *tiendrai ~ de* vos conseils. 당신의 충고를 명심하겠소 / 《분사구문》 ~ *tenu de* la situation 상황을 고려하여. ***trouver son ~ à*** qc …에서 이득을 보다.

compte-gouttes [kɔ̃tgut] *m.* 《복수불변》 (안약 따위의) 점적기(點滴器), 피펫트. ***au ~*** 《구어》 아주 조금씩, 인색하게.

compter** [kɔ̃te] *v.t.* ① ⓐ 세다, 셈하다 : ~ de l'argent 돈을 세다. ⓑ 아끼다(= regarder à) : ~ l'argent que l'on dépense 돈을 아껴 쓰다. ② ⓐ 셈에 넣다 : N'oubliez pas de me ~. 나도 셈에 넣어 주시오〔한 몫 끼워 주시오〕. ⓑ 《~ parmi 〔au nombre de〕》 …에 포함시키다 ; …의 수에 넣다 : Je le *compte parmi* mes ennemis. 나는 그도 나의 적들 중의 한 사람으로 치고〔생각하고〕 있다. ③ 치르다, 지불하다(= payer) : ~ une somme à qn …에게 얼마의 금액을 치르다. ④ (수에) 달하다, (연한이) 되다 : ~ vingt ans 나이가 스무 살이다 / Cette ville *compte* cent mille habitants. 이 도시엔 인구 10 만이 있다 / Il *compte* trois années de service. 그는 근무 경력 3 년이 된다. ⑤ (비용으로) 요구〔청구〕하다 ; 견적하다 : Il m'*a compté* trois cent francs de réparation. 그는 수리비로 3 백 프랑을 요구했다. ⑥ 《il faut ~》 필요하다 : *Il faut ~* plusieurs heures pour faire cela. 이 일을 하자면 3 시간은 걸려야 한다. ⑦ 《~+*inf.*》 …할 작정이다 : Je *compte* partir demain. 나는 내일 떠날 예정이다. ⑧ 《~ que+*ind.*》 …라고 생각하다 : Je *compte* bien *qu'*il viendra demain. 나는 그가 내일 오리라고 생각한다. ⑨ 《~ pour》 …으로 여기다〔간주하다, 생각하다〕 (= considérer 〔regarder〕 comme) : Il le *compte pour* mort. 그는 그 사람을 죽은 것으로 여기고 있다 / ~ qc *pour* peu 〔beaucoup, rien〕 …을 경시〔중요시 · 무시〕하다. ***à pas comptés 느린 걸음으로. ***~ à rien*** qc …을 조금도 중요시하지 않다. ***être compté*** 〖권투〗 (다운당하여) 카운트되다. ***on peut ~*** qc 셀 수 있을 만큼 드물다. ***on ne compte plus*** qc 셀 수 없을 만큼 많다 : *On ne compte plus* les gaffes qu'il a commises. 그가 범한 실수는 부지기수이다. ***sans ~***+qc ; ***sans ~ que***+*ind.* …이외에도, …을 제외하고. ***Ses jours sont comptés.*** 그의 수명은 얼마 안 남았다. ***tout bien compte*** 결국. ***vingt tous comptés*** 도합 20.

— *v.t. ind.* ① 《~ sur qn 〔qc〕》 …을 믿다 ; …에〔에게〕 기대하다 : Je *compte sur* votre participation. 당신의 참여를 기대합니다 / Pour ce travail, je *compte* sur votre aide. 이 일은 당신이 도와 주시겠죠〔당신을 믿습니다〕 / 《y ~》 J'*y compte* bien. 그렇게 되리라 믿는다. ② ⓐ 《~ avec qn 〔qc〕》 …을 고려하다, 염두에 두다 : ~ *avec* l'opinion 여론을 고려하다 / On *avait compte* sans la grève. 파업을 고려하지 않았었다 / Il faut ~ *avec* le mauvais temps. 악천후를 고려하지 않으면 안 된다. ⓑ 《~ avec qn》 …와의 셈을 결산하다.

— *v.i.* ① 세다, 셈을 하다, 계산하다 : ~ sur ses doigts 손가락으로 헤아리다 / ~ de tête 암산하다. ② 셈에 들다 ; 편에 들다〔끼다〕 : ~ parmi 〔au nombre de〕 …들 중에 들다. ③ 중요하다(= importer) : Seul le résultat *compte.* 결과만이 중요하다. ***à ~ de*** …부터 : *À ~ de* ce jour-là, il ne revient plus. 그날 이후로 그는 다시 오지 않는다. ***Cela ne compte pas.*** 그건 문제도 되지 않는다, 중요하지 않다. ***~ pour du beurre*** 《구어》 조금도 중요하지 않다. ***ne ~ pour rien*** 아무 소용이 없다. ***sans ~*** 아낌없이.

— ***se ~*** *v.pr.* ① 세어지다. ② 《se ~ pour》 …으로 간주되다.

compte(-)rendu [kɔ̃tʀɑ̃dy] *m.* (*pl.* ***~s***(-)***~s***) 보고(서) ; 비평(란), 서평(란).

compte-secondes [kɔ̃tsəgɔ̃:d] *m.* 《복수불변》 스톱워치.

compte-tours [kɔ̃ttu:ʀ] *m.* 〖기계〗 회전속도계.

compteur, euse [kɔ̃tœ:ʀ, -ø:z] *adj.* 계산하는. — *n.* 계산하는 사람. — *m.* 계산기, 계량기, 미터 : ~ à gaz 〔eau〕 가스〔수도〕 계량기 / relever le ~ d'électricité 전기 계량기를 검침하다.

comptine [kɔ̃tin] *f.* 유희에서 뺄 사람이나 술래를 정할 때 어린애들이 부르는 노래.

***comptoir** [kɔ̃twa:ʀ] *m.* ① (카페 · 바의) 카운터 ; 계산대, 판매대 : prendre un verre au ~ 카운터에서 한잔하다. ② (상사 · 은행 따위의) 해외 지점. ③ (판매) 조합 : ~ de vente en commun 공동 판매 조합.

compulser [kɔ̃pylse] *v.t.* ① (서류 · 책 등을) 조사하다 ; 열람하다. ② (책, 메모 따위를) 참조하다(= consulter).

compulsion [kɔ̃pylsjɔ̃] *f.* ① 〖심리〗 강박. ② 《옛》 강제, 강요.

comte [kɔ̃:t] *m.* 백작.

comté [kɔ̃te] *m.* ① 백작령. ② 영국외 주「(州).

comtesse [kɔ̃tɛs] *f.* 백작 부인 ; 여자 백작 《백작령 소유자》.

con[1] [kɔ̃] *m.* 《비어》 여자 성기.

con², conne [kɔ̃, kɔn] *n.* 《구어》 바보, 얼간이(=imbécile) : Sale ~ ! 천치 같은 놈. ***à la ~*** 어리석은, 우스꽝스러운 : boulot *à la ~* 어처구니없는 일(거리). ***faire le ~*** 바보 짓을 하다. ***Quelle conne !*** 바보 같은 여자군. ── *adj.* 어리석은, 미련한

conasse [kɔnas] *f.* 《속어》 어리석은 계집.

concasser [kɔ̃kɑse] *v.t.* 잘게 분쇄하다(=broyer).

concasseur [kɔ̃kɑsœːʀ] *m.* 분쇄기, 쇄광「(碎鑛)기.

concave [kɔ̃kaːv] *adj.* 오목한, 요면의(≠convex) : miroir ~ 오목 거울.

concavité [kɔ̃kavite] *f.* 오목한 모양 ; 요면(凹面), 오목한 데〔곳〕.

concéder [kɔ̃sede] [6] *v.t.* ① 허가하다, 양도〔양여〕하다 ; 이권을 주다 : ~ une ligne d'autobus 버스 노선을 인가하다. ② (상대방의 주장 따위를) 받아들이다, 인정하다(=admettre, convenir) : 《~ qc à qn》 Je vous *concède* ce point. 그 점은 내가 양보하겠습니다 / 《~ que+*ind.*》 Je vous *concède* bien *que* vous avez raison sur ce point. 그 점에 관해선 당신이 옳다는 걸 인정합니다. ── **se ~** *v.pr.* 양도〔양보〕되다.

concélébrer [kɔ̃selebʀe] *v.t.* 〖가톨릭〗 (사제가 미사를) 공동 집전하다.

concentration [kɔ̃sɑ̃tʀɑsjɔ̃] *f.* ① 집중 ; 〖군사〗 집결 ; 〖경제〗 기업 집중 : ~ de la population dans les grandes villes 대도시로의 인구 집중 / ~ des troupes 부대의 집결. ② (정신의) 집중 : Cet enfant manque de ~. 이 아이는 집중력이 없다. ③ (인구 · 산업의) 밀집 지역(=agglomération). ④ 〖화학〗 농축(濃縮) ; 농도(濃度). ***camp de ~*** 정치범〔포로〕 수용소. ***~ des pouvoirs*** 중앙집권.

concentrationnaire [kɔ̃sɑ̃tʀɑsjɔnɛːʀ] *adj.* 강제 수용소의, 수용소에 수용된. ── *n.* (수용소에) 수용된 사람.

concentré, e [kɔ̃sɑ̃tʀe] *adj.* ① 집중된, 밀집한 ; 〖군사〗 집결된 : ville très ~*e* 인구가 밀집된 도시. ② 농축된 : solution ~ 농축 용액 / bouillon ~ 농축 수프. ③ 주의력 있는 ; 과묵한(=renfermé). ── *m.* 농축물(=extrait) : ~ de tomates 토마토 농축액.

***concentrer** [kɔ̃sɑ̃tʀe] *v.t.* ① 집중시키다 ; (부대 따위를) 집결시키다(=rassembler) ; (주의 따위를) 집중하다 : *Concentrons* nos efforts sur ce point. 이 일을 위하여 우리의 힘을 모읍시다. ② 농축하다(=condenser) : ~ du lait 〔une solution chimique〕 우유를〔화학 용액을〕 농축하다. ③ (감정을) 억제하다(=contenir) : ~ sa haine 〔douleur〕 증오를〔고통을〕 억제하다. ── **se ~** *v.pr.* ① 집중하다〔되다〕. ② 《se ~ sur》 …에 마음을 집중시키다, 전념하다 : *se ~* pour résoudre un problème 문제를 풀기 위해 주의를 기울이다 / *se ~ sur* son travail 일에 전념하다.

concentrique [kɔ̃sɑ̃tʀik] *adj.* ① 〖수학〗 동심(同心)의 : cercles ~s 동심원. ② 중심을 향한, 구심성의(=centripète).

concept [kɔ̃sɛpt] *m.* 〖철학〗 개념 : ~ pur 〔absolu〕 순수〔절대〕 개념.

concepteur, trice [kɔ̃sɛptœːʀ, -tʀis] *m.* (계획 따위의) 입안자, 창안자.

conception** [kɔ̃sɛpsjɔ̃] *f.* ① 잉태, 수태(受胎), 임신 : éviter la ~ 피임하다. ② 착상, 구상 ; 생각, 견해 ; 이론 : ~ d'un roman 소설의 구상 / C'est une ~ ! 《구어》 그것도 하나의 견해이다. ③ 입안, 설계, 기획 : ~ publicitaire 광고 기획 / ~ d'un nouveau produit 신제품의 설계. ***Immaculée C~ (성모의) 무염시태(無染始胎).

conceptualiser [kɔ̃sɛptɥalize] *v.i.* 개념을 형성하다. ── *v.t.* …을 개념〔이론〕화하다 ; …의 개념 체계를 구성하다.

conceptuel, elle [kɔ̃sɛptɥɛl] *adj.* 〖철학〗 개념의 ; 개념론의.

concernant [kɔ̃sɛʀnɑ̃] *prép.* …에 관하여(=touchant), …에 관한 : votre lettre ~ cette affaire 본건에 관한 귀하의 서신.

concerner** [kɔ̃sɛʀne] *v.t.* …에〔와〕 관계되다(=regarder, toucher), 관련되다 : mesures qui *concernent* les chômeurs 실업자에 관한 대책 / Cela ne vous *concerne* pas. 그것은 당신과는 관계없는 일이다. ***en 〔***pour***〕 ***ce qui concerne*** qc 〔qn〕 …에 관하여서는 : *En ce qui* me *concerne*, le service, cet hôtel est irréprochable. 이 호텔은 서비스에 관해서는 더할 나위 없다.

concert** [kɔ̃sɛːʀ] *m.* ① 연주회, 음악회 : aller au ~ 음악회에 가다 / donner un ~ 음악회를 열다. ② 조화, 협력, 제휴 : le ~ des nations 국제 협력. ***~ de louanges 이구동성의 칭찬. ***de ~*** (***avec***) (…와) 협력〔협조〕하여. ***salle de ~*** 음악〔연주〕회장.

concertant, e [kɔ̃sɛʀtɑ̃, -ɑ̃ːt] *adj.* 〖음악〗 연주하는 ; 합창〔합주〕하는. ── *n.* 연주자.

concertation [kɔ̃sɛʀtɑsjɔ̃] *f.* ① 협의, 협조 : ~ politique entre les grands 강대국 간의 정치적인 협의. ② 〖정치〗 합의 제도.

concerter [kɔ̃sɛʀte] *v.t.* 협의하다, 타합하다 ; 계획을 짜다 : ~ un plan avec ses collègues 동료와 계획을 협의하다 / Nous *avons concerté* une excursion. 우리는 소풍 계획을 세웠다 / 《~ de+*inf.*》 Ils *ont concerté de* partir ensemble. 그들은 함께 떠나기로 계획을 세웠다. ── *v.i.* 연주〔노래〕하다 ; 합주〔합창〕하다. ── **se ~** *v.pr.* 협의하다, 의논하다.

concertiste [kɔ̃sɛʀtist] *n.* 협주곡 연주자.

concerto [kɔ̃sɛʀto] 〔이탈리아〕 *m.* 〖음악〗 협주곡 ; 콘체르토.

concessif, ive [kɔ̃sesif, -iːv] *adj.* ① 양도〔양여〕의. ② 〖문법〗 양보를 나타내는 : proposition ~*ive* 양보절.

concession [kɔ̃sesjɔ̃] *f.* ① ⓐ 양도, 위탁 ; (관(官)의) 허가, 인가 ; (국유지의) 불하 : ~ de travaux publics 공공 사업의 위탁 / ~ pétrolière 석유의 채굴 허가. ⓑ 양보 : faire une ~ à son adversaire 상대방에게 양보하다. ② 불하받은〔빌려 받은〕 토지 : ~ à perpétuité 영구히 불하받은 묘지.

concessionnaire [kɔ̃sesjɔnɛːʀ] *adj.* 양도받은 ; 관의 허가를 얻은 : société ~ (한 지방의) 대리 판매 회사, 직매점. ── *n.* ① 양수인(讓受人) ; 관의 허가를 얻은 사람 ; 불하받은 사람. ② 직매점 경영자 ; 종합 대행사 : général de la publicité 광고 종합 대행사.

concevable [kɔ̃svabl] *adj.* 상상할 수 있는, 이해할 수 있는 : Cela n'est pas ~. 그건 상

상할 수 없는 일이다.

***concevoir** [kɔ̃svwa:ʀ] [53] *v.t.* ① ⓐ (생각·감정 따위를) 품다. ⓑ《목적보어 없이》 마음속으로 생각하다. ② 생각해 내다, 구상하다 : ~ un roman 소설을 구상하다. ③ 이해하다(= comprendre) : Je ne *conçois* pas votre pensée. 나는 당신 생각을 이해할 수 없다. ④ (편지·전보 따위를) 작성하다(= rédiger). ⑤ 잉태〔수태〕하다 : ~ un enfant 아이를 임신하다. ***~ que**+*ind.* …을 생각하다 ; …을 알다 : Je *conçois que* vous êtes fatigué. 자넨 (실제로) 지쳐 있는데 그건 보면 잘 알 수 있다. ***~ que**+*sub.* …을 당연하다고 생각하다, 납득〔이해〕하다 : Je *conçois que* vous soyez fatigué. 자네가 지쳐 있다는 것은 이해할 만하다. ── **se ~** *v.pr.* 생각되다 ; 이해되다 : Cela *se conçoit.* 그건 생각〔이해〕할 수 있는 일이다.

***concierge** [kɔ̃sjɛʀʒ] *n.* ① 문지기, 수위 ; (감옥의) 간수 : loge du ~ 수위실. ② 수다쟁이 : C'est une vraie ~. 정말 수다쟁이다.

concile [kɔ̃sil] *m.* ①〖가톨릭〗(사교 등의) 공의회 ; 종교 회의 : ~ national 전국 주교 회의. ② 회의(= assemblée, réunion).

conciliable [kɔ̃siljabl] *adj.* 서로 용납되는, 양립할 수 있는, 타협의 여지가 있는.

conciliabule [kɔ̃siljabyl] *m.* ①〖종교〗비밀 집회 : tenir un ~ 비밀 집회를 열다, 모의하다. ② 밀담, 귓속말.

conciliant, e [kɔ̃siljɑ̃, -ɑ̃:t] *adj.* 타협적인, 화해적인 : caractère ~ 타협적인 성격.

conciliateur, trice [kɔ̃siljatœ:ʀ, -tʀis] *adj.* 타협시키는, 화해시키는 ; 조정하는 : mesures ~*trices* 타협책. ── *n.* 화해자, 조정자 ***~ des antinomies*** 법규 조정 위원.

conciliation [kɔ̃siljɑsjɔ̃] *f.* ①〖법률〗중재(= arbitrage). ② 조정 ; 화해, 협조 : comité de ~ (노사 간의) 조정 위원회. ③ 양립시키기, 절충 : ~ de deux doctrines opposées 상반되는 두 학설의 절충.

concilier [kɔ̃silje] *v.t.* ① 화해시키다, 타협시키다 ; 중재하다, 조정하다 : ~ les opinions 여러 가지 의견을 조정하다 / ~ les deux époux 부부를 화해시키다. ②《~ avec》…와 일치〔양립〕시키다 : ~ la richesse du style *avec* la simplicité 훌륭한 문체에 소박함을 겸하다. ③《~ qc à qn》…에게 (호감·인심 따위를) 얻게 하다 : Son caractère aimable lui *concilie* la sympathie. 상냥한 성품의 덕분으로 그는 사람들의 호감을 사고 있다. ── **se ~** *v.pr.* ① 타협하다, 화해하다. ②《se ~ qn》…의 호감을 얻다〔사다〕 : ~ un auditoire 청중의 마음을 사로잡다. ③《se ~ qc》…을 얻다, 획득하다 : *se* ~ l'estime d'autrui 남의 존경을 얻다.

concis, e [kɔ̃si, -i:z] *adj.* 간결〔간명〕한(= bref, laconique) : style ~ 간결한 문체.

concision [kɔ̃sizjɔ̃] *f.* 간결, 간략(함) : avec ~ 간략하게.

concitoyen, enne [kɔ̃sitwajɛ̃, -ɛn] *n.* ① 동향인, 동국인, 동포. ② 자기편, 동지.

conclave [kɔ̃kla:v]〖가톨릭〗(추기경들의) 교황 선거 회의(장).

conclu-s, -t ⇒ conclure.

concluant, e [kɔ̃klyɑ̃, -ɑ̃:t] *adj.* 결정적인, 확고한, 명확한 : preuve ~*e* 결정적 증거.

***conclure** [kɔ̃kly:ʀ] [48] *v.t.* ① 결말짓다, 종결하다 : ~ un discours 연설을 끝마치다 / C'est une affaire *conclue.* 그것은 이미 결말이 난 일이다. ② (계약·조약을) 체결하다, 맺다 : ~ un trait 조약을 맺다 / Marché *conclu !* 거래가 성립됐소! ③《~ de》…에서 결론을 이끌어내다〔내리다〕, 결론짓다 : On ne peut rien ~ *de* cette expérience. 이 경험에서 아무런 결론도 얻을 수 없다 / J'en *conclus* que+*ind.* 나는 …라고 결론을 내린다. **~ de**+*inf.* …하기로 결정하다. ── *v.t. ind.*《~ à》…라고 결론짓다, 정하다 : Les enquêteurs *conclurent à* l'assassinat. 조사관들은 암살이란 결론을 내렸다 / Les juges *conclurent à* l'acquittement. 판사들은 방면(放免)을 결정했다. ── **se ~** *v.pr.* ① 결정되다. ② 체결되다. ③ 결론이 내려지다.

conclusion** [kɔ̃klyzjɔ̃] *f.* ① 결론 ; 종결, 결말 : ~ d'une thèse 논문의 결론 / ~ d'un débat 토론의 종결. ② (계약 따위의) 체결 : ~ d'un traité 조약의 체결. ③〖법률〗(배심의) 평결 ; (입회 검사의) 의견 ; (소송인의) 진술 ; (피고의) 항변. ***en ~ 결론적으로 ; 요컨대 ; 그러므로. ***formuler une ~*** 결론을 내리다. ***tirer une ~ de*** …에서 결론을 끌어내다.

concocter [kɔ̃kɔkte] *v.t.*《구어》…을 준비하다(= préparer) ; 고심하여〔애써〕 구상〔제작〕하다(= élaborer). ── **se ~** *v.pr.*《수동적》(공들여) 만들어지다.

conçoi-s, -t, -ve, etc. ⇒ concevoir.

concombre [kɔ̃kɔ̃:bʀ] *m.*〖식물〗오이. ***~ de mer***〖동물〗해삼.

concomitance [kɔ̃kɔmitɑ̃:s] *f.* 공존(共存), 병존(竝存).

concomitant, e [kɔ̃kɔmitɑ̃, -ɑ̃:t] *adj.* 병존〔공존〕하는, 동시에 일어나는(= coexistant) : symptômes ~*s* d'une maladie 어떤 병의 수반 증상.

concordance [kɔ̃kɔʀdɑ̃:s] *f.* ① 일치, 부합 : ~ des dates 날짜의 일치 /《en ~ avec》 mettre ses actes *en* ~ *avec* principes 행동을 원칙에 일치시키다. ②〖문법〗일치 : ~ des temps 시제의 일치. ③ (성서·문학 작품의) 용어 색인.

concordant, e [kɔ̃kɔʀdɑ̃, -ɑ̃:t] *adj.* ① 일치하는, 부합하는, ②〖음악〗협화음의.

concordat [kɔ̃kɔʀda] *m.* ① 화친 조약(和親條約)《교황과 정부 간의 계약》. ②〖법률〗강제 화의(和議) ; 화해, 협약(= convention).

concorde [kɔ̃kɔʀd] *f.* (마음의) 일치, 화합(≠ discorde), 융화, 조화(= harmonie) : esprit de ~ 화합의 정신 / vivre dans la ~ 화목하게 살다. ***la place de la C~*** (파리의) 콩코드 광장. ***le C~*** 콩코드기《1969 년에 개발한 초음속 비행기》.

***concorder** [kɔ̃kɔʀde] *v.i.* ①《~ avec》…와 일치〔부합〕하다 : Nos caractères *concordent* bien. 우리는 마음이 맞는다 / Son récit ne *concord* pas *avec* des autres. 그의 말은 다른 사람의 말과 일치하지 않는다. ② (같은 목적을 위해) 협력하다. ③ 동시에 일어나다.

***concourir** [kɔ̃kuʀi:ʀ] [20] *v.i.* ① 동일점에 모이다(= converger) : deux forces qui *con-*

courent vers un point 한 점으로 향하는 두 개의 힘. ② 〖법률〗 (채권자가) 경합하다 ; 경쟁하다 : ~ pour l'avancement 승진을 위해 경쟁〔경합〕하다 / ~ avec qn pour qc …을 얻기 위해 …와 경쟁하다. ③ 콩쿠르에 참가하다. ── *v.t. ind.* ① 《~ à》 ⓐ 《주어 : qn》 …에 협력하다(= collaborer) : ~ *au* même but 같은 목적에 협력하다. ⓑ 《주어 : qc》 …에 협동하다, 기여하다 : Toutes les circonstances *concourent à* sa ruine 〔*à* le ruiner〕 모든 사정이 일치하여 그를 파멸시키는 방향으로 가고 있다. ② 《~ avec》 …와 일치하다(= coïncider).

concours** [kɔ̃ku:ʀ] *m.* ① ⓐ 한곳에 몰려듦, 군집. ⓑ 겹치기, 중복. ⓒ 〖수학〗 ~ de deux lignes, 2 선의 교차. ② 일치, 부합 : ~ de circonstances 우연의 일치. ③ 협력 : avec l'aimable ~ de …의 협력을 얻어. ④ 경쟁 ; 경쟁 시험 ; 콩쿠르 ; 〖스포츠〗 육상경기 : ~ d'élégance 〔de beauté〕 미인 대회〔콘테스트〕 / ~ d'entrée aux grandes écoles 그랑제콜 입학 시험 ***admis au 〔***après***〕 ~ 경쟁 시험에 합격한. ***~ d'admission*** 입학시험. ***hors ~*** ⓐ 경쟁 외의; 무심사의. ⓑ 뛰어난, 유례 없는.

concouru-s, -t ⇒ concourir.

***concret, ète** [kɔ̃kʀɛ, -ɛt] *adj.* ① 구체적인 ; 구상적(具象的)인(≠ abstrait) ; 실제〔실질〕적인 : cas ~ 구체적 실례 / avantages ~*s* 실질적인 이익. ② 〖문법〗 nom ~ 구상명사. ③ 명확한(= précis) : esprit ~ 명확한 정신〔두뇌〕. ── *m.* 구체성 ; 구상(具象).

concrètement [kɔ̃kʀɛtmɑ̃] *adv.* 구체적으로 ; 실제적으로(= pratiquement) : expliquer ~ 구체적으로 설명하다.

concrétion [kɔ̃kʀesjɔ̃] *f.* ① 응결〔응고〕(물). ② 구체적 표현. ③ 〖의학〗 결석(結石)(형성) ; 〖지질〗 응괴(凝塊).

concrétiser [kɔ̃kʀetize] *v.t.* 구체화하다 ; 실현하다 : ~ un concept 개념을 구체화하다. ── **se ~** *v.pr.* 구체화되다 ; 실현되다.

conçu-s, -t ⇒ concevoir.

concubin, e [kɔ̃kybɛ̃, -in] *n.* 내연의 남편〔처〕; (*pl.*) 내연 관계의 부부.

concubinage [kɔ̃kybina:ʒ] *m.* 내연 관계.

concupiscence [kɔ̃kypisɑ̃:s] *f.* ① (세속적) 탐욕(= avidité, cupidité). ② 음욕(淫慾), 정욕 : ~ de la chair 육욕.

concupiscent, e [kɔ̃kypisɑ̃, -ɑ̃:t] *adj.* 탐욕스러운(= avide, cupide). ② 음탕〔음란〕한(= lascif) : regard ~ 음탕한 눈초리.

concurremment [kɔ̃kyʀamɑ̃] *adv.* ① 《~ avec》 …와 합동〔협동〕하여 : agir ~ *avec* qn …와 공동으로 행동하다. ② 경합하여 ; 동시에 : venir ~ 〖법률〗 (채권자가) 경합하다.

concurrence** [kɔ̃kyʀɑ̃:s] *f.* ① 일치, 부합(= coïncidence). ② 경쟁. ③ 〖법률〗 (채권자의) 경합, 동등한 권리. ***~ vitale 생존 경쟁. ***entrer*** 〔***être***〕 ***en ~ avec*** qn …와 경쟁하다〔경쟁하고 있다〕. ***faire ~ à*** qn (상인이) …와 경쟁하다. ***jusqu'à ~ de...*** 〖상업〗 액수가 …에 이르기까지, (얼마)까지 : *jusqu'à ~ de* mille francs, 1,000 프랑 한도로.

concurrencer [kɔ̃kyʀɑ̃se] [2] *v.t.* …와 경쟁하다, 겨루다 : nouveau produit qui *concurrence* les précédents 이전의 상품과 경쟁하는 새 상품.

***concurrent, e** [kɔ̃kyʀɑ̃, -ɑ̃:t] *adj.* 경쟁하는, 서로 겨루는 : entreprises ~*es* 경쟁 기업. ── *n.* 경쟁자 : éliminer 〔vaincre〕 un ~ 경쟁자를 물리치다〔이기다〕.

concurrentiel, elle [kɔ̃kyʀɑ̃sjɛl] *adj.* 경쟁〔경합〕하는 : prix ~ 경쟁 가격.

concussion [kɔ̃kysjɔ̃] *f.* (공무원의) 횡령, 착복 ; 독직(瀆職)(= malversation).

concussionnaire [kɔ̃kysjɔnɛ:ʀ] *adj.* 공금을 착복하는, 독직의 : fonctionnaire ~ 독직 공무원. ── *n.* ① 공금 착복자, 독직자.

condamnable [kɔ̃dɑ〔a〕nabl] *adj.* 처벌할 만한 ; 비난할 만한(= blâmable) : action ~ 비난받을 행동.

condamnation [kɔ̃dɑ〔a〕nɑsjɔ̃] *f.* ① 유죄 판결 ; 형의 선고 ; (선고된) 형 : ~ pour vol 〔meurtre〕 절도〔살인〕죄 / prononcer une ~ à mort 사형을 선고하다. ② (법에 의한) 금지 ; (서적의) 판매〔발행〕 금지. ③ 비난, 배척(= blâme, réprobation) : ~ du régime actuel 현체제에 대한 규탄. ***~ à mort*** 〔***à vie***〕 사형〔무기 징역〕 선고. ***passer ~*** (죄를 인정하고) 판결에 복종하다 ; 자기 잘못을 시인하다.

condamné, e [kɔ̃dɑ〔a〕ne] *adj.* ① 유죄 선고를 받은. ② (환자가) 죽음을 면할 수 없는. ── *n.* 죄인, 유죄 선고를 받은 사람 : ~ à mort 사형수.

***condamner** [kɔ̃dɑ〔a〕ne] *v.t.* ① 〖법률〗 유죄 판결을 내리다, 형을 선고하다 : ~ un criminel 죄인에게 유죄 판결을 내리다/ ~ qn à (la) mort …에게 사형을 선고하다 / ~ qn à 〔《옛》 en〕 cent francs d'amende …에게 100 프랑의 벌금을 과하다. ② …을 비난〔규탄〕하다(= désapprouver, blâmer) : Il *condamne* tout ce que font les autres. 그는 남들이 하는 일은 모두 비난한다 / 《~ qn de + *inf.*》 Je te *condamne d'*agir ainsi. 나는 그와 같은 행동을 하는 것이 못마땅하다. ③ (법률이) 금지하다 : La loi *condamne* la bigamie. 법률은 중혼을 금지하고 있다 / ~ un livre 책의 판매를 〔발행을〕 금지하다. ④ (환자의) 불치를 선언하다. ⑤ (문·통로 따위를) 폐쇄하다. ⑥ 《~ qn à + qc 〔+ *inf.*〕》 …에게 …을 〔할 것을〕 강요하다, 억지로 …하게 하다(= obliger) : ~ qn au repos …을 억지로 쉬게 하다 / La nécessité m'*a condamné à* accpter ce travail. 돈 때문에 나는 그 일을 인수하지 않을 수 없었다. ── **se ~** *v.pr.* ① 유죄 선고를 받다. ② 자기 죄를 스스로 드러내다 ; 자책하다. ③ 《~ à qc 〔+ *inf.*〕》 할 수 없이 …하다 ; …할 수밖에 없다 ; 억지로 …하다. ④ 서로 비난하다.

condensateur [kɔ̃dɑ̃satœ:ʀ] *m.* ① 〖전기〗 축전기, 콘덴서. ② 〖광학〗 집광(集光) 렌즈.

condensation [kɔ̃dɑ̃sɑsjɔ̃] *f.* ① 〖물리〗 (증기의) 응결, 응축 ; 〖전기〗 축전. ② (사상·표현의) 요약 ; (기억, 감각 따위의) 압축.

condensé, e [kɔ̃dɑ̃se] *adj.* 응축된 ; (소설 따위가) 압축〔요약〕된, 간추린 : texte ~ 발췌본. ***lait ~*** 연유(煉乳). ── *m.* 요약, 개요.

condenser [kɔ̃dɑ̃se] *v.t.* ① 응축〔응결〕시키다 ; (기체를) 액화하다 : ~ du lait 우유를 농축시키다 / ~ un gaz par pression 압력

을 가해 가스를 액화하다. ② ~ de l'électricité 축전하다. ③ 〖군사〗 (부대 · 대열을) 밀집시키다. ④ 간결하게 표현하다 ; 요약하다(= résumer) : ~ un écit 이야기의 골자를 요약하다. ── **se** ~ *v.pr.* ① 응축〔응결〕되다. ② 간결해지다.

condenseur [kɔ̃dɑ̃sœːʀ] *m.* ① 〖기계〗 응결〔응축〕기 ; 냉각기, 냉각 장치. ② 〖광학〗 (현미경의) 집광 렌즈, 콘덴서.

condescendance [kɔ̃desɑ̃dɑ̃ːs] *f.* 거만스러움 ; 교만(= hauteur, arrogance).

condescendant, e [kɔ̃desɑ̃dɑ̃, -ɑ̃ːt] *adj.* 건방진; 거만스러운(= hautain).

condescendre [kɔ̃desɑ̃ːdʀ] 25 *v.t. ind.* 《~ à》 …에 응해 주다, …대로 해 주다 : ~ *aux* désirs de qn …의 요구〔뜻〕대로 해 주다.

condiment [kɔ̃dimɑ̃] *m.* ① 〖요리〗 양념, 조미료(= épice). ② 《비유》 자극제.

condisciple [kɔ̃disipl] *m.* 학우, 동창생.

condition** [kɔ̃disjɔ̃] *f.* ① ⓐ 조건 ; 기본 요건, 필요조건 : poser une ~ à qn …에게 한 가지 조건을 제시하다 / L'air est une ~ de la vie. 공기는 생존을 위한 필요조건의 하나이다. ⓑ (협정 · 계약 등의) 조항 : ~s d'un contrat 계약 조항. ② 처지 : la ~ humaine 인간의 처지〔조건〕. ③ ⓐ 사회적 지위, 신분 : gens de simple ~ 신분이 낮은 사람, 서민 / Chacun doit vivre selon sa ~. 사람은 누구나 제 신분에 맞도록 살아야 한다. ⓑ 높은 신분(= noblesse) ; 귀족 계급 : une personne de ~ 지체 높은 사람, 귀족. ⓒ 하인의 신분, 고용살이. ④ 상태(= état) ; (*pl.*) (주위의) 상황, 사정(= circonstances) ; (생활의) 여건, 환경 : ~s de vie 〖생물〗 생활 환경. ***à cette ~ 그 조건으로. ***à*** ~ ***de***+*inf.* …한다는 조건 하에 : Vous pouvez sortir *à* ~ *de* rentrer avant minuit. 당신은 자정 안에 돌아온다면 외출해도 된다. ***à*** (***la***) ~ ***que***+*sub.* 〔*ind.*〕 …한다는 조건 하에, …하기만 한다면 : J'y consens bien volontiers *à la* ~ *que* vous dînerez chez moi ce soir. 당신이 오늘 저녁 우리 집에서 식사한다면 나는 기꺼이 그것을 승낙하겠습니다. ***dans ces ~s*** 이러한〔그러한〕 사정으로. ***en*** ~ 컨디션이 좋은, 유리한 상태의(= en bonne ~). ***marchandises à*** ~ 팔리지 않을 때는 반품한다는 조건부로 사는 상품 ; 실물을 본 다음에 매매를 결정하는 상품. ***mettre en*** ~ ⓐ 〖스포츠〗 (선수들의) 컨디션을 조절하다 : *mettre* un athlète *en* ~ 운동 선수의 컨디션을 조절하다. ⓑ (의견 따위에) 영향을 미치다, 작용하다 : La propagande *met en* ~ l'opinion publique. 선전은 여론을 조작한다. ***sous*** ~ 조건부로 : accepter *sous* ~ 조건부로 수락하다.

conditionné, e [kɔ̃disjɔne] *adj.* ① (어떤) 상태에 있는: bien 〔mal〕 ~ 좋은〔나쁜〕 상태에 있는, ② 조건지어진 ; (조건으로) 제약된, 조종된 : homme ~ par son milieu 환경의 지배를 받는 인간. ③ (온도 · 습도가) 조절된 : air ~ 조절된 공기 ; 냉난방된 공기.

***conditionnel, elle** [kɔ̃disjɔnɛl] *adj.* 조건부의 : promesse ~*elle* 조건부 약속. ── *m.* 〖문법〗 조건법(= mode ~).

conditionnellement [kɔ̃disjɔnɛlmɑ̃] *adv.* 조건부로(= sous condition).

conditionnement [kɔ̃disjɔnmɑ̃] *m.* ① (실내 공기의) 조절, 조정 : ~ de l'air 냉온방(조절). ② 〖직물〗 수분(水分) 검사(장). ③ (곡식의) 건조. ④ 〖상업〗 (상품의) 포장.

conditionner [kɔ̃disjɔne] *v.t.* ① …의 조건이 되다, …을 결정짓다, 좌우하다 : Son accord *conditionne* notre entreprise. 그의 동의가 우리 기획을 좌우한다. ② 《~ qn》 …에게 영향을 미치다(= influencer) : *être conditionné* par une propagande 선전의 영향을 받다. ③ (상품을) 포장하다 : ~ des articles 상품을 포장하다. ④ (온도 · 습도를) 조절하다 : ~ l'air 공기를 조절하다.

conditionneur, euse [kɔ̃disjɔnœːʀ, -øːz] *n.* 상품 포장공. ── *m.* 공기 조절기 ; 건조〔가습〕기 ; (상품) 포장기(器).

condoléances [kɔ̃dɔleɑ̃ːs] *f. pl.* 조상(弔喪), 문상(問喪) ; 조의〔애도〕의 인사말. ***lettre de*** ~ 문상 편지. ***offrir*** 〔***présenter***〕 ***ses*** ~ 조의를 표하다, 문상하다.

condominium [kɔ̃dɔminjɔm] *m.* 〖국제법〗 (2개국 이상의) 공동 지배〔통치〕; 공동 주권.

condor [kɔ̃dɔːʀ] *m.* 〖조류〗 콘도르 《아메리카산 대머리 독수리의 일종》.

condottiere [kɔ̃dɔ(t)tjɛːʀ] *m.* (*pl.* ***condottieri*** [-i]) 〔이탈리아〕 용병대(傭兵隊) 대장.

conducteur, trice** [kɔ̃dyktœːʀ, -tʀis] *adj.* ① 전도성(性)의 : tuyau ~ 도관(導管). ② 이끄는, 지도하는 : principe ~ 기본 방침. ***fil ~ 〖그리스신화〗 ⓐ 미궁(迷宮)의 길을 인도하는 실. ⓑ (연구 따위의) 길잡이, 지침. ── *n.* ① 안내자 ; 지휘자, 지도자 ; 감독자 : ~ des travaux (건축 따위의) 현장 감독. ② (가축의) 몰이꾼 ; 마부 ; 운전수 ; 기관사 : le ~ de l'autobus 버스 운전사. ── *m.* (전기 · 열의) (전)도체.

conductibilité [kɔ̃dyktibilite] *f.* (열 · 전기 따위의) 전도율〔도〕, 전도성.

conductible [kɔ̃dyktibl] *adj.* (열 · 전기 따위의) 전도성의 : corps ~ 전도체.

‡conduire [kɔ̃dɥiːʀ] 32 *v.t.* ① 이끌다, 인도하다, 데리고 가다, 인솔하다(= mener) ; 안내하다 ; 전송〔배웅〕하다 : ~ ses invités jusqu'à la porte 손님을 대문까지 전송하다 / ~ qn à+*inf.* …을 …할 마음이 나게 하다, …하도록 유도하다. ② 《주어 : qc》《~ à》 …으로 인도하다, …에 이르게 하다 : Cette réussite l'*a conduit à* la gloire. 이 성공은 그를 영광으로 인도했다 / 《목적보어 없이》 Cette rue *conduit à* la ville. 이 길은 시내로 통한다. ③ 지휘하다(= diriger) ; 지도하다(= guider) ; (회의의) 사회를 보다 : ~ une armée 〔un orchestre〕 군대〔오케스트라〕를 지휘하다. ④ 관리〔경영 · 감독〕하다 : ~ une entreprise 기업을 경영하다. ⑤ ⓐ (말 · 차 · 배를) 몰다, 운전하다 ; (비행기를) 조종하다 : ~ une auto 자동차를 운전하다 / ~ un avion 비행기를 조종하다. ⓑ 《목적보어 없이》 permis de ~ 운전 면허(증) / Il *conduit* bien. 그는 운전을 잘한다. ⑥ (물 · 전기 따위를) 전달하다, 보내다. ⑦ ⓐ ~ un mur 담을 연장하다. ⓑ ~ une ligne 선을 긋다 〔그리다〕. ── **se** ~ *v.pr.* ① 행동하다, 처신하다 : *se* ~ bien 〔mal〕 avec qn …와 사이가

좋다(나쁘다). ② (걸어)가다(= se diriger). ③ 운전되다 : Cette voiture *se conduit* facilement. 이 차는 운전하기 쉽다.

conduis, -ons, -ant, etc. ⇒ conduire.

conduit [kɔ̃dɥi] *m.* ① 도관(導管), 관, 파이프 : ~ d'eau 수도관, 낙수 홈통 / ~ d'eaux sales 하수도. ② 〖해부〗 관(管) : ~ respiratoire 기관지(氣管支)(= bronche).

C

conduite** [kɔ̃dɥit] *f.* ① 인도 ; 안내, 전송, 배웅 : être chargé de la ~ d'un aveugle 맹인의 안내를 맡다 / faire la ~ à qn …을 전송하러 가다. ② (자동차의) 운전대, 조종 : prendre des leçons de ~ 운전 교습을 받다 / voiture avec la ~ à gauche 좌측에 운전대가 있는 차. ③ 지휘, 지도; 감독 : prendre la ~ de qn …을 지휘(감독)하다. ④ 관리, 경영. ⑤ 행실, 행동, 품행 : bonne ~ 품행 방정 / ligne de ~ 행동 지침. ⑥ 관(管), 파이프 : ~ d'eau (de gaz) 송수(배수)관(가스 파이프). ***avoir de la ~ 품행이 좋다(단정하다). ***avoir une mauvaise ~*** 품행이 나쁘다. ***~ à droite*** (차량의) 우측통행. ***s'acheter une ~*** 《구어》 행실을 고치다.

conduite-intérieure [kɔ̃dɥitɛ̃terjœːʀ] *f.* (*pl.* ***~s-~s***) 세단형 승용차.

cône [koːn] *m.* ① 〖기하〗 원추(圓錐) ; 원뿔 ; 원뿔 모양의 것 : ~ circulaire 원추 / ~ d'un volcan ; ~ volcanique (화산의) 화산추(錐). ② 〖식물〗 솔방울 ; 구과(毬果) : ~ de pin 솔방울.

confection [kɔ̃fɛksjɔ̃] *f.* ① (과자 따위를) 만들기(= préparation) ; (기계 따위의) 제작 ; (약의) 조제 ; (도로 따위의) 건설 ; (명부의) 작성 ; (법률의) 제정 : gâteaux de sa ~ 그가 만든 케이크. ② (옷 따위의) 기성품(= costume (robe) de ~) : vêtement de ~ 기성복 / rayon de ~ (백화점의) 기성복부. ③ 제조업.

confectionner [kɔ̃fɛksjɔne] *v.t.* 만들다, 제조하다, 제작하다 : ~ un plat 요리를 만들다. ***article confectionné*** 기성품.

confectionneur, euse [kɔ̃fɛksjɔnœːʀ, -øːz] *n.* 기성복 상인.

confédéral, e, aux [kɔ̃federal, -o] *adj.* 연방의 ; 연맹의 : congrès ~ 연방 회의.

confédération [kɔ̃federɑsjɔ̃] *f.* ① 연방 국가 연합 : *C~* helvétique 스위스 연방. ② 연맹, 동맹, 연합 : *C~* des petites et moyennes entreprises 중소 기업 연맹 / *C~* générale du travail 노동 총동맹 (《약자》 C.G.T.).

confédéré, e [kɔ̃federe] *adj.* 연합의 ; 동맹(연맹)의 ; (상인이) 조합을 만든 / États ~s 연합(동맹)국. ── *m. pl.* 연합국 ; 〖역사〗 (남북전쟁 때의) 남군.

confédérer [kɔ̃federe] [6] *v.t.* 동맹(연합)시키다 : ~ les peuples 여러 민족을 연합시키다. ── **se ~** *v.pr.* 동맹(연합)하다.

conférence** [kɔ̃ferɑ̃ːs] *f.* ① 협의 ; 회의, 회담 ; 협상, 협의회 : ~ au sommet 정상 회담 / être en ~ 회의 중이다 / ~ de paix 강화 회의. ② 강연 ; 강의 : faire (donner) une ~ 강연을 하다. ***~ de presse 기자 회견. ***être en ~ avec*** …와 협의하고 있다. ***maître de ~*** 〖학교〗 강사. ***salle de ~s*** 강당.

conférencier, ère [kɔ̃ferɑ̃sje, -ɛːʀ] *f.* 연사, 강사, 강연자 ; (회의의) 사회자 ; 출석자.

conférer [kɔ̃fere] [6] *v.t.* ① (원문과) 대조하다 ; 비교하다 : *Conférez.* (문헌을) 참조하라. ② (작위 · 훈장 따위를) 수여하다, 주다 (= donner) : ~ le baptême 세례를 주다 / les privilèges que *confère* l'âge 나이 많음으로 해서 얻는 특권들. ── *v.i.* 상의(협의)하다 : ~ avec son avocat 변호사와 상의하다.

confesse [kɔ̃fɛs] *f.* 《항상 à, de 와 함께 무관사로 쓰임》 〖종교〗 고해(= confession), 참회. ***aller à ~*** 고해하러 가다.

confesser [kɔ̃fɛ(e)se] *v.t.* ① 자백하다, 고백하다, 인정하다(= avouer) : ~ son erreur (ses torts) 자신의 과오를 시인하다 / 《~ que + *ind.*》 Je *confesse que* j'avais tort. 내 잘못이었음을 인정한다. ② 〖가톨릭〗 (죄를) 고백하다 : ~ ses péchés à un prêtre 죄를 신부에게 고백하다. ③ 《~ qn》 (신부가 신자의) 고백을 듣다. ④ 《구어》 《~ qn》 …에게서 자백을 얻어 내다, …에게 자백(실토)하게 하다. ***C'est le diable à ~.*** 매우 어려운 일이다. ── **se ~** *v.pr.* ① 〖가톨릭〗 고백하다, 참회하다. ② ⓐ 《속사와 함께》 자기가 …임을 고백하다. ⓑ 《se ~ de qc (+*inf.* passé)》 …을(했다는 것을) 자백하다 : *se ~ d'*un vol 도둑질을 자백하다 / *se ~* criminel 죄인임을 고백하다.

confesseur [kɔ̃fɛsœːʀ] *m.* ① 〖가톨릭〗 고백(참회를) 듣는 신부. ② 〖종교〗 (초기 박해 시대의) 기독교 신앙 표명자.

confession** [kɔ̃fɛsjɔ̃] *f.* ① 자백, 고백 ; (*pl.*) 참회록. ② 〖가톨릭〗 ⓐ 고해, 참회. ⓑ 고백 청문, 청죄(聽罪). ③ (신앙의) 표명. ④ 교파, 종파. ***faire la ~ de qc …을 고백하다. ***faire la ~ de*** qn …의 고해를 듣다. ***On lui donnerait le bon Dieu sans ~.*** 그(녀)는 법 없이도 살 수 있을 것 같은 얼굴을 하고 있다.

confessionnal [kɔ̃fɛsjɔnal] *m.* (*pl.* ***-aux*** [-o]) 〖가톨릭〗 참회(고해)실.

confessionnel, elle [kɔ̃fɛsjɔnɛl] *adj.* 신앙 표명의 ; 종교의 ; 종파(宗派)의 : querelles *~elles* 종교 전쟁.

confetti [kɔ̃fɛ(t)ti, -eti] 〔이탈리아〕 *m.* (*pl.* ***~s***) (사육제 때 던지는) 색종이 조각(테이프).

confiance** [kɔ̃fjɑ̃ːs] *f.* ① 신뢰, 신임, 신용 (≠ méfiance, défiance) : ~ absolue (excessive, aveugle) 절대적인(극단적인 · 맹목적인) 신뢰. ② 자신, 확신 ; 안심(= assurance) : avec ~ 자신을 가지고 ; 신뢰하고. ③ 〖정치〗 (정부에의) 신임 : vote de ~ 신임 투표. ***avoir (de la) ~ en qn (***dans*** qc) ; ***faire (donner) ~ à*** qn (qc) …을 신용(신뢰)하다 : J'*ai* une ~ totale *en* cet ami. 나는 이 친구를 전적으로 신임한다. ***de ~*** ⓐ 신용하여(하고) : acheter qc *de* ~ …을 신용하고 사다. ⓑ 신용할 수 있는 : homme *de* ~ 신용(신임)할 수 있는 사람. ***en (toute) ~*** 신용하고, 안심하고.

confiant, e [kɔ̃fjɑ̃, -ɑ̃ːt] *adj.* ① 신뢰(신임 · 신용)하는 : être ~ dans le succès 성공을 믿다. ② 자부심이 강한 ; 자신이 있는(= assuré). ③ 쉽사리 남을 믿는 : caractère ~ 남을 잘 믿는 성격.

confidence [kɔ̃fidɑ̃:s] *f.* ① 속내 이야기 ; 비밀. ② 비밀을 알기 : mettre qn dans la ~ …에게 비밀을 알리다. ***en ~*** 내밀히, 비밀히 : parler *en* ~ 내밀히 이야기하다. ***être dans la ~ de*** qc …에 대한 속내 이야기를 듣게 되다. ***faire ~ de*** qc ***à*** qn …에게 …에 대한 속내 이야기를 하다.

confident, e [kɔ̃fidɑ̃, -ɑ̃:t] *n.* ① 속내 이야기를 할 수 있는 사람, 절친한 친구. ②〖고전극〗 속내 이야기를 듣는 역(役), 심복(心腹).

***confidentiel, elle** [kɔ̃fidɑ̃sjɛl] *adj.* 비밀의 : entretien ~ 비밀 회담 / à titre ~ 비밀(내밀)히.

confidentiellement [kɔ̃fidɑ̃sjɛlmɑ̃] *adv.* 비밀리에, 남몰래, 은밀히.

***confier** [kɔ̃fje] *v.t.* ① 맡기다, 위임하다(≠ ôter), 의뢰하다 : ~ qc à la garde (aux mains) de qn …을 …에게 맡기다 / Il m'*a confié* ses clés. 그는 열쇠를 맡겼다. ② (비밀 · 심정 따위를) 토로하다, 털어놓다(≠ cacher) : 《~ qc à》 ~ ses secrets *à* un ami 친구에게 비밀을 털어놓다 / 《~ à qn que+*ind.*》 Il me *confia qu'*il comptait partir. 그는 내게 출발할 계획이라고 말해 주었다. ── **se** ~ *v.pr.* ① 《se ~ à (dans, en) qn (qc)》 …을 신용(신뢰)하다, 믿다 : *se* ~ *au* hasard 운명을 하늘에 내맡기다. ② 《se ~ à qn》 …에게 내심을 털어놓다(토로하다) : Il ne *se confie à* personne. 그는 누구에게도 속내 이야기를 하지 않는다.

configuration [kɔ̃figyʀɑsjɔ̃] *f.* 외형, 윤곽 ; 지세(地勢), 지형 ; 형태 ;〖천문〗 위치 : ~ d'un pays 어떤 나라의 지형.

confiné, e [kɔ̃fine] *adj.* ① (공기가) 탁한 : air ~ 탁한 공기. ② …에 틀어박힌, 죽치고 들어앉은. ***vivre ~ chez soi*** 집 안에 틀어박히다, 두문불출하다. 「감금, 억류.

confinement [kɔ̃finmɑ̃] *m.* 가두기, 유폐,

confiner [kɔ̃fine] *v.t. ind.* 《~ à (avec)》 …와 접경(接境)하다 ; 《~ à》 …에 인접하다 : L'Espagne *confine à* la France. 스페인은 프랑스와 국경을 접한다. ── *v.t.* 감금하다, 가두다(=enfermer) : ~ un prisonnier dans sa cellule 죄수를 독방에 가두다. ── **se** ~ *v.pr.* ① 《se ~ dans (à)》 …에 틀어박히다, 은둔하다 : *se* ~ *à* la campagne 시골에 은둔하다. ② 《se ~ dans》 …에 전념(몰두)하다, 전문적으로 하다(=se spécialiser) : *se* ~ *dans* un rôle (배우가) 어떤 역할을 전문적으로 하다.

confins [kɔ̃fɛ̃] *m. pl.* 경계(=frontière), 국경 ; 한계 : ~ de la France 프랑스 국경 / ~ de la vie et de la mort 삶과 죽음의 경계.

confire [kɔ̃fi:ʀ] [31] *v.t.* 담그다 ; (과일 따위를) 설탕에 절이다.

confirmand, e [kɔ̃fiʀmɑ̃, -ɑ̃:d] *n.*〖가톨릭〗 견진성사(堅振聖事) 받는 사람.

confirmation [kɔ̃fiʀmɑsjɔ̃] *f.* ① 보증 ; 확인, 확증 : ~ d'une nouvelle (promesse) 정보(약속)의 확인. ②〖법률〗 추인, (조약의) 비준 : ~ d'un jugement (상급 법원에 의한) 전(前)판결의 확정. ③〖가톨릭〗 견진성사.

***confirmer** [kɔ̃fiʀme] *v.t.* ① 《~ qn dans》 (…의 생각 · 태도 따위를) 굳게(확고하게) 하다(=affermir) : ~ qn *dans* ses résolutions …의 결심을 굳게 하다. ② 확증하다, 확인하다 ; 입증하다 : ~ un bruit 소문을 확인하다 / 《~ que+*ind.*》 Je vais lui ~ *que* nous comptons arriver demain. 나는 그에게 우리가 내일 도착할 것이라는 것을 확인하려고 한다 / Cela *confirme* ce *que* j'ai dit. 그것으로 내가 한 말이 옳다는 것이 입증되었다. ③〖가톨릭〗 …에게 견진성사를 베풀다. ── **se** ~ *v.pr.* ① 《se ~ dans》 …을 확고히 하다, 견지(堅持)하다 : *se* ~ *dans* son opinion 제 의견을 굳히다(견지하다). ② 확인(확증)되다 : 《비인칭》 Il se confirme que +*ind.* …라는 것이 확인(확증)되다.

confis-ant, -ons, etc. ⇒ confire.

confiscation [kɔ̃fiskɑsjɔ̃] *f.* ① 몰수, 압수 : ~ des biens 재산 몰수. ② 몰수 재산. ***perdre*** qc ***par ~*** …을 몰수당하다.

confiserie [kɔ̃fizʀi] *f.* ① 당과 제조(판매). ② 과자점(공장). ③ 당과.

confiseur, euse [kɔ̃fizœ:ʀ, -ø:z] *n.* 당과 제조(판매)업자 ; 과자점 주인. ***trêve des ~s*** 《구어》 연말연시의 국회 활동의 중지.

confisquer [kɔ̃fiske] *v.t.* ① 몰수(압수)하다 ; (일시적으로) 빼앗다 : ~ des marchandises de contrebande 밀수 상품을 몰수하다 / ~ un pistolet à un écolier 학생에게서 물총을 압수하다. ② 《구어》 독점하다, 혼자 차지하다 : Je vous *confisque* votre sœur jusqu'au dîner. 저녁식사 때까지만 누이를 빼어가겠습니다.

confit, e [kɔ̃fi, -it] *adj.* ① (설탕 · 식초 따위에) 담근, 절인 : fruit ~ 과일 잼. ② 《~ en (dans) ; ~ de》 《비유》 …에 젖은, 몰두한 : ~ *en* dévotion (*dans* la piété) 신앙이 독실한. ── *m.*〖요리〗 지방으로 조린 고기 : ~ d'oie 거위고기 조림.

confiture** [kɔ̃fity:ʀ] *f.*〖요리〗 잼, 과일의 설탕 절임 : tartine de ~ 잼 바른 빵. ***avoir le bras en ~ 《구어》 팔이 으스러지다.

confiturier, ère [kɔ̃fityʀje, -ɛ:ʀ] *n.* 잼 제조(판매)인. ── *m.* 잼 그릇.

conflagration [kɔ̃flagʀɑsjɔ̃] *f.* 대소동, (정치적) 혼란 ; (국제적) 분쟁, 격돌.

conflictuel, elle [kɔ̃fliktɥɛl] *adj.* 분쟁이 잦은 ; 충돌의 : situation ~*elle* 분쟁 상태.

conflit** [kɔ̃fli] *m.* ① 분쟁, 충돌 : ~*s* internationaux 국제 분쟁 / ~ armé 무력 충돌. ② 갈등, 알력 ; 대립 : ~ d'intérêts 이해의 대립 / ~ des générations 세대 간의 갈등. ③〖법률〗 (상호)저촉. ***~s du travail 노동쟁의. ***être en ~ avec*** …와 충돌하다. ***tribunal des ~s*** 권한 쟁의 법원.

confluent, e [kɔ̃flyɑ̃, -ɑ̃:t] *adj.* (강이) 합류하는 ; (의견이) 일치하는 : opinions ~*es* 같은 의견. ── *m.* 합류점 ; (혈관의) 접합점.

confluer [kɔ̃flye] *v.i.* ① 《~ avec》 …와 합류하다 : La Marne *conflue avec* la Seine. 마른 강은 센 강과 합류한다. ② 《~ à》 ⓐ (사람이) …으로 모여들다(=affluer). ⓑ (갈망 · 노력 따위가) …을 지향하다, …으로 집중되다.

***confondre** [kɔ̃fɔ̃:dʀ] [25] *v.t.* ① ⓐ 섞다, 뒤섞다 : Ces deux fleuves *confondent* leurs eaux. 이 두 강은 합류한다. ⓑ 합치다 : ces yeux qui *confondaient* leurs regards sur lui 모두 그에게로 쏠리고 있던 그 눈들. ②

C

혼동하다, 잘못 알다 : 《~ A et 〔avec〕 B》 ~ le sucre *avec* le sel 설탕과 소금을 혼동하다 / ~ le vrai *avec* 〔*et*〕 le faux 진실과 허위를 혼동하다. ③ ⓐ 《~ qn》 꼼짝 못하게 하다 : ~ un adversaire 상대방을 꼼짝 못하게 하다. ⓑ 《~ qc》 무력하게 만들다, (적의 계획 따위를) 좌절시키다 : ~ les plans de l'ennemi 적의 계획을 분쇄하다. ④ ⓐ 《~ qn》 당황하게 하다, 어리둥절하게 하다, 아연실색하게 하다(= consterner) : Voilà qui me *confond.* 기막힌 노릇이군. ⓑ 몸둘 바를 모르게 하다 : Vous me *confondez.* 황송합니다. — **se ~** *v.pr.* ① (뒤)섞이다 ; 합쳐지다 ; 합류하다. ② 혼동되다. ③ ⓐ (사람이) 당황하다. ⓑ (정신이) 혼란해지다. ④ 황송해 하다 : *se* ~ en excuses 황송해 하며 사과하다.

confondu, e [kɔ̃fɔ̃dy] *adj.* ① 어리둥절한 ; 당황한, 아연실색한 : avoir l'air ~ 얼떨떨한 표정을 짓고 있다. ② 몸둘 바 모르는.

conformation [kɔ̃fɔʀmɑsjɔ̃] *f.* (인체 따위의) 구조, 형태 : mauvaise ~ 기형.

***conforme** [kɔ̃fɔʀm] *adj.* ① 《~ à》 …에 부합하는, 적합한, 일치하는 : mener une vie ~ *à* son idéal 이상에 맞는 생활을 하다. ② 《~ à》 …와 일치하는, 동일한 : produit ~ *à* l'échantillon 〔*au* modèle〕 견본과 동일한 상품 / Pour copie ~. 원본과 상위 없음〔같음〕.

conformé, e [kɔ̃fɔʀme] *adj.* 모양을 갖춘, 형태를 지닌 : bien ~ 얼굴이 잘생긴 / mal ~ 모양이 나쁜.

conformément [kɔ̃fɔʀmemɑ̃] *adv.* 《~ à》 …에 맞추어서, …에 따라서, …에 비추어서 : ~ *aux* règles 규칙에 따라서.

conformer [kɔ̃fɔʀme] *v.t.* 《~ qc à》 …을 …에 맞추다, 일치〔합치〕시키다(= accorder, adapter) : ~ sa conduite *à* ses paroles 언행을 일치시키다. — **se ~** *v.pr.* 《se ~ à》 …에 따르다, 복종하다 ; 순응하다 : *se* ~ *au* règlement 규칙을 따르다 / *se* ~ *aux* circonstances 환경에 순응하다.

conformisme [kɔ̃fɔʀmism] *m.* 순응적인 태도 ; (체제) 순응주의.

conformiste [kɔ̃fɔʀmist] *n.* 순응주의자. — *adj.* 순응주의의 ; 인습적인 : morale ~ 인습적 도덕.

conformité [kɔ̃fɔʀmite] *f.* ① 일치, 부합 ; 유사(성)(= ressemblance, analogie) : ~ de vues 견해의 일치 / ~ d'une chose avec une autre 〔de deux choses〕 이것과 저것의 유사성. ② 《~ à》 …에 따르기, …에 대한 복종 : la ~ *aux* usages établis 기성 관습의 고수. ***en ~ de*** …에 맞도록, …에 따라서. ***être en ~ avec*** …와 일치하다, …에 적합하다.

***confort** [kɔ̃fɔːʀ] *m.* ① 안락, 편안 ; 쾌적한 시설 : le ~ d'un appartement 아파트의 안락한 시설 / avoir tout le ~ 온갖 편리한 시설을 갖추다. ② 안일, 나태 : ~ intellectuel 〔moral〕 지적〔정신적〕 안일.

***confortable** [kɔ̃fɔʀtabl] *adj.* ① 안락한, 쾌적한 ; 마음이 편한 : fauteuil ~ 편안한 안락의자 / mener une vie ~ 안락한 생활을 하다 / se sentir ~ 마음이 편하다. ② (수량 따위가) 상당한 : revenus ~s 넉넉한 수입.

confortablement [kɔ̃fɔʀtabləmɑ̃] *adv.* ① 편안하게, 안락하게. ② 상당히 : être ~ payé 충분히 급료를 받다.

conforter [kɔ̃fɔʀte] *v.t.* ① 확고하게 하다 ; 견고하게 되다(= raffermir) : ~ qn dans son opinion …의 의견을 확고하게 하다. ② 힘을 돋우다, 위로하다(= encourager).

confortique [kɔ̃fɔʀtik] *f.* (업무의) 전산 · 자동화 연구. 「료의.

confraternel, elle [kɔ̃fʀatɛʀnɛl] *adj.* 동

confraternité [kɔ̃fʀatɛʀnite] *f.* (동료 간의) 교분 ; 우의.

***confrère** [kɔ̃fʀɛːʀ] *m.* 동업자, 동료, 동일 조합원, 동지

confrérie [kɔ̃fʀeʀi] *f.* 동업 조합(= corporation ; (종교 · 자선 사업 등의) 단체 ; 협회.

confrontation [kɔ̃fʀɔ̃tɑsjɔ̃] *f.* ① 〖법률〗 (피고와 증인과의) 대질(對質), 대결 : ~ de l'accusé avec les témoins 증인들과 피고와의 대질. ② 대조(= comparaison), 조회 : ~ de deux textes 두 텍스트의 대조.

***confronter** [kɔ̃fʀɔ̃te] *v.t.* ① 〖법률〗 대면〔대질〕시키다 ; 대결시키다 : ~ les témoins (entre eux) 증인들을 대질시키다 / ~ le prévenu avec les témoins 피의자를 증인과 대질시키다 / *être confronté* à qc (곤란 따위)에 맞서게 하다. ② 대조하다, 비교하다 : ~ des textes 텍스트를 비교 연구하다

confucianisme [kɔ̃fysjanism] *m.* 유교.

Confucius [kɔ̃fysjys] *n.pr.m.* 공자(孔子).

***confus, e** [kɔ̃fy, -yːz] *adj.* ① 혼잡한, 혼란한, 어수선한 : amas ~ de vêtements 어수선한 옷더미 / foule ~*e* 혼잡한 인파. ② 확실치 않은, 막연한 ; 어렴풋한 : situation ~*e* 혼미한 상황 / souvenir ~ 어렴풋한 추억. ③ 당황한 ; 송구스러워하는 ; 창피스러워하는 : être ~ de son erreur 실수한 것을 창피스러워하다.

confusément [kɔ̃fyzemɑ̃] *adv.* ① 막연히 ; 어렴풋이. ② 난잡하게, 어수선하게.

***confusion** [kɔ̃fyzjɔ̃] *f.* ① 혼잡, 혼란 : ~ politique 정치적 혼란. ② 혼동, 착오(= erreur) ; 오해(= méprise) : ~ de nom 〔date, personne〕 이름 〔날짜 · 사람〕의 착각. ③ 모호함, 막연함, 흐리멍덩함. ④ 당황 ; 황송한 마음 ; 창피한 생각 : être rouge de ~ 부끄러워 얼굴을 붉히다 / sourire avec ~ 당황한 나머지 미소를 짓다.

confusionnisme [kɔ̃fyzjɔnism] *m.* 〖정치〗 인심 교란 정책.

congé** [kɔ̃ʒe] *m.* ① 휴가 ; 휴일 / ~*s* payés 유급 휴가 / ~ de maladie 병가(病暇) / ~ de maternité 출산 휴가 / trois semaines de ~, 3 주간의 휴가 / demander un ~ 휴가를 신청하다. ② 《소유 형용사를 동반하여》 해고, 해임 ; 사직, 사임 : demander son ~ 사직서를 내다 / prendre son ~ 사임하다 ; 〖군사〗 제대하다. ③ (임대차의) 계약 해제 통고 : recevoir son ~ 집주인으로부터 해약 통지를 받다. ④ 작별, 하직 : donner ~ à qn …을 떠나보내다. ⑤ (상품의) 운반 허가. ⑥ 〖군사〗 귀휴《30 일 이상의 휴가》 ; 제대, 병역 면제 : ~ d'ancienneté 〔de libération〕 만기 제대. ***avoir ~ (휴가로) 쉬다. ***~ annuel*** 연가. ***donner à*** qn ***son ~*** …을 해고하다. ***en ~*** 휴가 중의 : être *en* ~ 휴가 중이다. ***pren-***

dre* ~ *de qn 〔qc〕 …을 하직하다, …와 작별하다.
congédiement [kɔ̃ʒedimɑ̃] *m.* 해고 ; 임대계약 해제의 통지 ; 〖군사〗 제대.
congédier [kɔ̃ʒedje] *v.t.* ① (손님을) 내보내다, 돌려보내다 ; (생각 따위를) 몰아내다 : ~ un visiteur importun 귀찮은 손님을 쫓아버리다. ② 해고하다(= chasser, licencier) : ~ un domestique 사원을 해고하다 / ~ un militaire 병사를 제대시키다.
congé-formation [kɔ̃ʒefɔʀmɑsjɔ̃] *m.* (교사·사원의) 연수 휴가.
congelable [kɔ̃ʒlabl] *adj.* 응고될 수 있는.
congélateur [kɔ̃ʒelatœːʀ] *m.* 냉각〔냉동〕기.
congélation [kɔ̃ʒelɑsjɔ̃] *f.* ① 동결 ; 냉동 : ~ de la viande 고기의 냉동. ② (액체의) 응고, 응결. ***point de*** ~ 빙점.
***congeler** [kɔ̃ʒle] 4 *v.t.* ① 얼리다, 빙결시키다, 냉동하다 : ~ des aliments 음식을 냉동시키다 / viande *congelée* 냉동육. ② 응결〔응고〕시키다(= coaguler). — **se** ~ *v.pr.* ① 얼다 : L'eau *se congèle* à 0℃. 물은 섭씨 영도에서 언다. ② 응고하다, 굳어지다.
congénère [kɔ̃ʒenɛːʀ] *adj.* 동류의, 동종의 : plantes ~*s* 동종의 식물. — *n.* 같은 종의 것 ; 《경멸》 동류, 같은 패거리 : lui et ses ~*s* 그와 그의 패거리들.
congénital, e, aux [kɔ̃ʒenital, -o] *adj.* 선천적인, 타고난 : maladie 〔malformation〕 ~*e* 선천적 질환〔기형〕.
congère [kɔ̃ʒɛːʀ] *f.* (바람에 쌓인) 눈더미.
congestif, ive [kɔ̃ʒɛstif, -iːv] *adj.* 〖의학〗 충혈성의, 충혈하기 쉬운.
congestion [kɔ̃ʒɛstjɔ̃] *f.* ① 〖의학〗 충혈, 울혈 : ~ cérébrale 뇌충혈. ② 교통 정체.
congestionner [kɔ̃ʒɛstjɔne] *v.t.* ① 〖의학〗 충혈시키다 ; (얼굴을) 붉히게 하다 : avoir ~ le visage *congestionné* de colère 화가 나서 얼굴이 새빨개져 있다. ② (교통을) 정체시키다 : l'autoroute (차가) 고속도로를 꽉 메우다.
conglomérat [kɔ̃glɔmeʀa] *m.* ① 〖암석〗 역암(礫岩). ② (이질적인 것의) 집단, 집적. ③ 〖경제〗 종합 회사, 그룹.
congolais, e [kɔ̃gɔlɛ, -ɛːz] *adj.* 〖지리〗 콩고(*le Congo*)의. — **C**~ *n.* 콩고 사람. — *m.* 코코넛 과자.
congratulation [kɔ̃gʀatylɑsjɔ̃] *f.* 《비꼼》 축하(= félicitation), 축사(= compliment) : échanger d'interminables ~*s* 끝없는 축하의 말을 주고받다.
congratuler [kɔ̃gʀatyle] *v.t.* 축하〔경축〕하다. — **se** ~ *v.pr.* 서로 축하하다 : Ils *se sont* longuement *congratulés.* 그들은 오랫동안 축하의 말을 나누었다. 「de mer).
congre [kɔ̃ːgʀ] *m.* 〖어류〗 붕장어(= anguille
congrégation [kɔ̃gʀegɑsjɔ̃] *f.* ① 〖가톨릭〗 수도회 ; 단식 서원(單式誓願) 수도회《성식(盛式) 서원에 의한 수도회는 ordre》. ② (로마 교황청의) 성성(聖省)(= ~ romaine) : ~ de la propagande 포교 성성. ③ (개신교에서 지역 공동체·소교구의) 회중, 신노 소합. ④ 집회, 협회(= société, association).
***congrès** [kɔ̃gʀɛ] *m.* ① (외교·학술 따위의) 회의 ; 위원회 : ~ de sociologie 사회학 회의. ② 국제 회의 : ~ international pour la paix 국제 평화 회의. ③ (*C*~) (미국의) 국회.
congressiste [kɔ̃gʀɛ(e)sist] *m.* ① (국제회의의) 회원. ② (미국의) 국회의원.
congru, e [kɔ̃gʀy] *adj.* ① 적합한, 적절한, 알맞은. ② 〖수학〗 ⓐ 합동(合同)의 : triangles ~*s* 합동 삼각형. ⓑ nombres ~*s* 등잉수(等剩數), 등여수(等餘數). ***portion*** ~***e*** 겨우 먹고 살 만한 급료〔수입〕.
conicité [kɔnisite] *f.* 원추형, 원뿔꼴.
conifère [kɔnifɛːʀ] *m.* 구과 식물《소나무·잣나무·삼나무 따위》 ; (*pl.*) 침엽수류 : forêts de ~ 침엽수림.
conique [kɔnik] *adj.* 원추형의, 원뿔꼴의. — *f. pl.* 〖수학〗 원추곡선(= sections ~*s*).
conjectural, e, aux [kɔ̃ʒɛktyʀal, -o] *adj.* 추측에 의한, 억측의.
***conjecture** [kɔ̃ʒɛktyːʀ] *f.* ① 추측, 짐작(= hypothèse, supposition) : faire 〔former〕 des ~*s* sur l'avenir 미래에 대해 추측하다. ② 《경멸》 억측 : se perdre en ~*s* 여러 가지 억측을 하다 ; 갈피를 못잡다.
conjecturer [kɔ̃ʒɛktyʀe] *v.t.* 추측〔억측〕하다, 짐작하다 : ~ l'évolution politique de ce pays 이 나라의 정치적 변화를 추측하다.
conjoint, e [kɔ̃ʒwɛ̃, -ɛ̃ːt] *adj.* 결합된 ; 부수된(= associé) : problèmes ~*s* 떼어놓을 수 없는 문제들 / maladie ~*e* (질환의) 병발증. — *n.* 배우자(= époux) ; (*pl.*) 부부.
conjointement [kɔ̃ʒwɛ̃tmɑ̃] *adv.* 《~ avec》 (…와) 협동하여, 공동으로, 함께 : signer ~ *avec* qn …와 함께 서명하다.
conjonctif, ive[1] [kɔ̃ʒɔ̃ktif, -iːv] *adj.* ① 〖해부〗 결합의 : tissu ~ 결합 조직, ② 〖문법〗 접속의 : locution ~*ive* 접속사구.
conjonction [kɔ̃ʒɔ̃ksjɔ̃] *f.* ① 결합, 제휴(= union), 만남 : faire qc en ~ avec qn …와 힘을 합쳐 …을 하다. ② 〖문법〗 접속사 : ~ de coordination 등위 접속사《et, mais, ou, donc 따위》.
conjonctive[2] [kɔ̃ʒɔ̃ktiːv] *f.* 〖해부〗 결막(結膜). 「염.
conjonctivite [kɔ̃ʒɔ̃ktivit] *f.* 〖의학〗 결막
conjoncture** [kɔ̃ʒɔ̃ktyːʀ] *f.* ① 상황, 정세, 국면. ② 〖경제〗 경제 정세, 경기(= économique) : étude de ~ 경기 예측 / haute ~ 호경기. ***dans 〔***en***〕 ***cette*** ~ 이런 경우에는.
conjoncturel, elle [kɔ̃ʒɔ̃ktyʀɛl] *adj.* 경기의, 경제 정세의 : politique ~*elle* 경기 대책.
***conjugaison** [kɔ̃ʒygɛzɔ̃] *f.* ① 〖문법〗 동사변화〔활용〕(표) : ~ régulière 〔irrégulière〕 규칙〔불규칙〕 동사변화. ② 결합(= union).
conjugal, e, aux [kɔ̃ʒygal, -o] *adj.* 부부의 : amour ~ 부부애 / foyer ~ 가정 / devoir ~ 부부 간의 성적 의무 / scène ~*e* 부부 싸움.
conjugalement [kɔ̃ʒygalmɑ̃] *adj.* 부부로서, 혼인상으로 : vivre ~ 부부 생활을 하다.
***conjuguer** [kɔ̃ʒyge] *v.t.* ① 〖문법〗 (동사를) 변화시키다, 활용시키다. ② 결합하다, 하나로 하다 : ~ les efforts de toute une équipe 전 단원의 노력을 결집시키다. — **se** ~ *v.pr.* 〖문법〗 (동사가) 변화하다.
conjuration [kɔ̃ʒyʀɑsjɔ̃] *f.* ① 음모(= conspiration) ; 모의 : monter 〔étouffer〕 une ~ 음모를 꾸미다. ② 주술(呪術), 푸닥거리.

conjuré, e [kɔ̃ʒyʀe] *adj.* 음모〔모의〕의. —— *n.* 모반자 ; (음모의) 가담자.

conjurer [kɔ̃ʒyʀe] *v.t.* ① ⓐ 모의하다, (음모 따위를) 꾸미다, 획책하다 : ~ la mort d'un tyran 폭군의 살해를 모의하다. ⓑ《보어 없이》 음모에 가담하다. ② ⓐ 악마〔마귀〕를 피하다. ⓑ《~ qc》 (재난 따위를) 쫓다〔예방하다〕 (=détourner, écarter) : On a tout tenté pour ~ l'échec. 실패를 예방해 보려고 온갖 시도를 다했다. ③《~ qn de+*inf.*》 …에게 …해 달라고 청원〔간청〕하다 : Je vous *conjure de* me croire. 제발 제 말을 믿어 주십시오. —— **se ~** *v.pr.* ① 공모하다, 음모를 꾀하다. ② 결탁하다.

connais ⇒ connaître.

‡connaissance [kɔnɛsɑ̃:s] *f.* ① 앎, 알기 ; (*pl.*) 지식 ; 조예 ; 이해력 ; 〚철학〛 인식(력) : avoir une bonne ~ de la question 〔du français〕 문제〔프랑스어〕를 잘 알고 있다 / 《~ en qc》 enrichir ses ~*s en* astronomie 천문학에 관한 지식을 풍부히 하다 / être en âge de ~ 철이 들 나이이다 / théorie de la 〚철학〛 인식론 / Toute ~ est une réponse à une question. 모든 인식은 어떤 문제에 대한 해답이다. ② 지각, 의식(=conscience) : tomber sans ~ 기절하다 / perdre 〔reprendre〕 ~ 의식을 잃다〔되찾다〕. ③ (*pl.*) (구체적) 지식, 알고 있는 사실 〔일 · 내용〕, 견식 : des ~*s* superficielles en biologie 생물학의 피상적인 지식 / approfondir 〔enrichir〕 ses ~*s* par l'étude 연구를 통해 지식을 깊게 하다〔풍요하게 하다〕 / étendre la sphère de ses ~*s* 지식의 범위를 넓히다. ④ 알음알이, 면식 ; 지인, 지기(知己) ; 교제 : vieille ~ 오래 전부터 아는 사람 / Je suis très heureux de faire votre ~. 처음 뵙겠습니다 / Ce n'est ni un ami, ni un camarade, c'est une simple ~. 친구도 동료도 아니고 그저 아는 사람이다 / Il est allé au bal avec sa ~. 그는 애인과 함께 춤추러 갔다. ***à la ~ de tous*** 누구나 알고 있는 대로, 주지하는 바와 같이. ***à ma ~*** 내가 아는 바로는. ***avoir ~ de*** qc …을 알고 있다. ***donner ~ de*** qc ***à*** qn ***; porter*** qc ***à la ~ de*** qn …을 …에게 알리다. ***en ~ de cause ; en pleine ~ des faits*** ⓐ 사정을 잘 알고 : agir *en ~ de cause* 사정을 잘 알고 행동하다. ⓑ 합당하게. ***faire ~ avec*** qn …와 알게 되다 : J'*ai* déjà *fait ~ avec* lui. 나는 벌써 그 사람과 인사를 나누었다.

connaiss-e, -es, etc. ⇒ connaître.

connaissement [kɔnɛsmɑ̃] *m.* 〚해양〛 선하 증권(船荷證券) ; 선하 수송 계약.

connaisseur, euse [kɔnɛsœ:ʀ, -ø:z] 《여성형이 쓰이는 일은 드묾》 *adj.* 잘 아는 ; 전문가다운 : Elle est très ~. 그녀는 그 분야의 전문가이다. —— *n.* 감정가 ; 정통한 사람 ; 전문가 : ~ en vins 포도주 감정사.

‡connaître [kɔnɛtʀ] 41 *v.t.* Ⓐ《~ qn》 ① (얼굴, 이름을) 알다 : Je ne *connais* pas cet auteur. 나는 그 작가를 모른다 / Je ne la *connais* que de vue 〔de nom〕. 그녀에 대해서는 얼굴〔이름〕밖에 모른다. ② (사람을) 알다, …와 친분이 있다 : chercher à ~ une personne en vue 이름 있는 사람을 사귀려고 애쓰다 / Je le *connaissais* étudiant. 학생 시절의 그를 나는 알고 있었다 / Je ne le *connais* plus. 《구어》 그와는 절교이다. ③ (성격 따위를) 알다 : Je *connais* bien les enfants. 나는 아이들을 잘 알고 있다 / Vous ne me *connaissez* pas encore. 당신은 내가 어떤 사람인가를 모릅니다. ④ 식별하다, 알아보다(=reconnaître) : ~ qn à sa voix 목소리로 …인지 알다 / Il a grandi à ne plus le ~. 그는 알아볼 수 없을 정도로 컸다. ⑤《~ qn pour 〔comme de〕》 …으로 인정하다, 승인하다 : ~ qn *pour* maître …을 주인〔스승〕으로 여기다 / Je te *connais comme* étant 〔*pour* être〕 menteur. 나는 너를 거짓말쟁이로 간주하고 있다.
Ⓑ ① ⓐ 알다 : ~ un fait 어떤 사실을 알다 / ~ l'adresse de qn …의 주소를 알다 / Je ne lui *connais* que des qualités. 내가 보기에 그는 장점만을 갖고 있다. ⓑ《~+*inf.*》 …할 줄 알다. ⓒ《~ que+*ind.*》 …라는 것을 알다, 알아차리다. ⓓ《속사와 함께》 …임을 알다 : la terre que nous *connaissons* fertile 우리가 비옥하다는 것을 아는 땅. ② (성질 따위를) 알다 ; (학문 따위에) 정통하다 : ~ un texte par cœur 텍스트를 외워서 알고 있다 / ~ son métier 자기의 직업에 정통해 있다 / Il *connaît* deux langues étrangères. 그는 두 가지 외국어를 알고 있다. ③ ⓐ (체험으로) 알다, 경험하다 ; 맛보다 : ~ un sort misérable 비참한 운명을 경험하다 / personne qui n'*a* pas *connu* la faim 배고픔이 어떤 것인지 알지〔경험하지〕 못한 사람. ⓑ《주어 : qc》 갖다, 얻다 ; 겪다(=subir) : comédie qui *a connu* un grand succès 대성공을 거둔 희극 / La Bourse *a connu* plusieurs crises. 주식 시장은 여러 차례의 위기를 겪었다. ④ (장소에) 간 적이 있다 : ~ une prison 감옥에 간 적이 있다 / *Connaissez*-vous l'Italie? 이탈리아를 아십니까? 《간 적이 있습니까?》. ⑤《부정적 표현에서》 …을 중요시하다 ; 관심을 두다(=considérer) : Il ne *connaît* que son intérêt. 그는 자기 이익밖에는 안중에 없다. ⑥ 식별하다 : ~ le bien et le mal 선악을 가리다.
faire ~ qc …을 알리다, 알려 주다 ; (감정을) 나타내다 : *faire ~* une idée 어떤 사상을 알게 하다〔가르치다〕 / *faire ~* son sentiment 자기 감정을 나타내다. ***faire ~*** qn …을 소개하다. ***Je ne connais que ça.*** 《구어》 할 일이 그것뿐이다 ; 그것이 최고다 : Une bonne pipe après le repas, *je ne connais que ça.* 식사 후에 파이프를 한 대 피우는 것, 이것이야말로 최고지. ***Je ne connais que lui*** 〔***cela***〕. 그 사람〔그것〕에 대해서는 잘 알고 있다. ***ne ~ que*** qc …밖에 모르다, …만을 존중하다 ; …라면 잘 알다. ***ne plus rien ~*** 자제력을 잃다 : Dans sa fureur, il *ne connaissait plus rien.* 그는 격분한 나머지 아무 말도 들으려 하지 않았다. ***se faire ~*** 제 이름을 알리다 ; 유명해지다 : Il *s'est fait ~* par son premier roman. 그는 처녀작으로 명성을 얻었다.
—— *v.t. ind.* 《~ de》 …의 재판권을 갖다 ; …을 판단할 능력이 있다.
—— **se ~** *v.pr.* ① 자신을 알다 : *Connais-toi*

toi-même. 너 자신을 알라. ② 서로 아는 사이다, 친분이 있다. ③ 《se ~ à [en]》 …에 정통하다 : Je *m'y connais ; Je me connais en* cela. 그 일에 관해서는 훤히 알고 있다. ***ne plus se ~*** (노기·취기 따위로) 제정신[이성]을 잃다 : Il *ne se connaît plus.* 그는 몹시 흥분해 있다.

connecter [kɔnɛkte] *v.t.* 잇다, 결합시키다 ; 〚전기〛 접속[연결]시키다. ── **se ~** *v.pr.* 서로 접속[연결]되다.

connerie [kɔnʀi] *f.* 바보 같은 짓[말] ; 《구어》 어리석은 짓(= imbécilité, absurdité) : dire des ~*s* 바보 같은 소리를 하다.

connétable [kɔnetabl] *m.* 〚역사〛 (1627년에 폐지된) 원수, 총사령관.

connexe [kɔ(n)nɛks] *adj.* ① 〚법률〛 부대(附帶)의 : causes ~*s* 부대 소송. ② (밀접한) 관계가 있는, 결합된 : idées ~*s* 관련 사항.

connexion [kɔ(n)nɛksjɔ̃] *f.* 결합, 연결, 관련 ; 밀접한 관계 ; 〚전기〛 접속 ; 〚수학〛 접속 ; 〚기계〛 연결 기관 : ~ entre le milieu et la politique 폭력배와 정계의 연줄.

connivence [kɔ(n)nivɑ̃:s] *f.* ① 공모(= complicité) ; 은밀한 합의 : sourire de ~ 의미 있는 미소. ② (나쁜 일을) 눈감아주기, 묵인. ***de ~ avec*** qn …와 공모하여.

connotation [kɔ(n)nɔtɑsjɔ̃] *f.* ① 〚언어〛 공시(共示), 언외에 함축된[암시적인] 의미(≠ dénotation). ② 〚논리〛 내포(內包).

connoter [kɔ(n)nɔte] *v.t.* ① 〚언어〛 …을 공시하다, 언어의[암시적인] 의미를 나타내다(≠ dénoter). ② 〚논리〛 …을 내포하다.

connu, e** [kɔny] *adj.* 알려진 ; 확실한, 명백한 ; 유명한 : Ça c'est ~ ! 그건 뻔한 거야. ***Air ~ ! 그것은 흔히 둘러대는 변명이다. ***C'est bien ~.*** 그건 잘 알려진 사실이다. ***ni vu ni ~*** 아무도 모르게 : Il est parti, *ni vu ni ~*. 그는 아무도 모르게 떠났다. ── *m.* 이미 알려진 사실. ── *f.* 〚수학〛 기지수.

connu-s, -t ⇒ connaître.

conque [kɔ̃:k] *f.* ① 소라고둥 ; 고둥 모양의 장식. ② 〚해부〛 이각(耳殼), 귓바퀴.

conquérant, e [kɔ̃keʀɑ̃, -ɑ̃:t] *adj.* ① 정복하는, 정복한 : nation [peuple] ~ 정복국[민족] / ambition ~*e* 정복욕. ② 자신만만한, 의기양양한 : air ~ 《구어》 거만한 태도. ── *n.* 정복자 ; 여자를 쉽게 정복하는 남자. ***en ~*** 의기양양한 태도로 : rentrer chez soi *en* ~ 의기양양한 태도로 돌아오다.

***conquérir** [kɔ̃keʀi:ʀ] [15] *v.t.* ① 정복하다 ; 쟁취하다(= soumettre, vaincre) : ~ un pays 어떤 나라를 정복하다 / ~ un marché 시장을 장악하다. ② (존경심·애정 따위를) 획득하다 ; (사람의 마음을) 끌다, 사로잡다(= gagner) : ~ le cœur d'une femme 여자의 마음을 사로잡다 / ~ l'estime de ses supérieurs 상관의 신임을 획득하다. ── **se ~** *v.pr.* 쟁취[획득]하다.

conquête** [kɔ̃kɛt] *f.* ① 정복 ; 쟁취 ; (사람의 마음을) 사로잡기 : ~ du pouvoir 권력의 장악. ② 정복[점령]국[지] ; 쟁취[획득]한 것 ; 손아귀에 넣은 남자[여자] : une remarquable ~ de la science 과학의 눈부신 성과. ***faire la ~ de …의 마음을 사로잡다. ***pays de ~*** 피점령국. ***vivre comme en pays de ~*** 《구어》 제멋대로 행동하다.

conquier-s, -t, etc. ⇒ conquérir.

consacré, e [kɔ̃sakʀe] *adj.* ① 축성(祝聖)[성별(聖別)]된, 성스러운 : hostie ~*e* 축성된 빵 / terre ~*e* 축성된 묘지. ② 《~ à》 …에 바쳐진, 할당된 : vie ~*e à* la littérature 문학에 바쳐진 인생. ③ 인정된, 정식의 : terme ~ 공인된 용어.

***consacrer** [kɔ̃sakʀe] *v.t.* ① 신에게 바치다 ; 〚가톨릭〛 (미사 때의 포도주·빵 따위를) 축성하다 ; 《문어》 신성화하다 : 성별하다 : ~ sa vie à Dieu 일생을 신을 위해 바치다 / ~ une église [l'hostie] 교회를[빵을] 축성하다. ② 《~ qc à qc [qn]》 (생애·시간 따위를) …에 바치다 ; …을 …에게 할애하다, 내어주다 : ~ sa jeunesse *à* l'étude 청춘을 연구에 바치다 / Combien de temps pourrez-vous me ~ ? 저에게 시간을 얼마나 내주실 수 있습니까? ③ (오류·잘못된 용어 따위를 관용으로) 시인하다 ; 인정하다 : ~ une coutume par l'usage 어떤 습관을 관습에 따라 인정하다. ── **se ~** *v.pr.* ① 《se ~ à》 …에 몸을 바치다, 헌신하다 : Elle *s'est consacrée à* ses enfants. 그 여자는 평생을 자식들을 위해 바쳤다. ② 축성[성별]되다.

consanguin, e [kɔ̃sɑ̃gɛ̃, -in] *adj.* 부계(父系)의 ; 부계 혈족의, 이복(異腹)의 : frère ~ 이복형제 / sœur ~*e* (배다른) 자매. ── *m.* 부계 혈족, 배다른 형제[자매].

consanguinité [kɔ̃sɑ̃(ɥ)ginite] *f.* 혈족 ; 부계 혈족 관계.

consciemment [kɔ̃sjamɑ̃] *adv.* 의식적으로, 일부러.

conscience** [kɔ̃sjɑ̃:s] *f.* ① 의식 ; 자각, 인식 : ~ collective 집단 의식 / ~ de classe 계급 의식 / ~ de soi 자의식 / perdre [reprendre] ~ 의식을 잃다[되찾다] / prendre ~ de qc …을 자각하다[깨닫다] / prise de ~ de qc …에 대한 자각[인식]. ② 양심 : obéir à sa ~ 양심에 복종하다 / agir selon [contre] sa ~ 양심에 따라[어긋나게] 행동하다. ③ ⓐ 신앙 : liberté de ~ 신앙의 자유. ⓑ 속마음, 내심, 심중. ④ 의무감, 책임감, 성의 : ~ professionnelle 직업적 의무감 / faire preuve d'une grande ~ 강한 책임감의 소유자임을 보여주다. ***avoir [prendre] ~ de qc [***que***+*ind.*] …을 의식[자각]하다 : Il *a ~ de* son talent. 그는 자기의 재능을 의식하고 있다. ***avoir de la ~*** 양심적이다. ***avoir la nette [pure, tranquille] ; avoir la ~ en paix [en repos]*** 양심에 거리낄 것이 없다. ***avoir*** qc ***sur la ~*** …때문에 양심의 가책을 받다. ***bonne ~*** 거리낌 없는 양심 : avoir *bonne ~ ;* être en *bonne ~* 양심에 거리낌이 없다 / se donner *bonne ~* 떳떳한 양심을 가지다. ***dire tout ce qu'on a sur la ~*** 마음속에 있는 것을 전부 털어놓다. ***en ~*** 진실하게, 양심껏. ***en avoir gros sur la ~*** 양심에 크게 가책을 느끼다. ***en mon âme et ~ ; dans ma ~*** 양심에 맹세코, 정직하게. ***faire [se faire] une ~ de***+*inf.* …하기를 꺼리다[주저하다]. ***la main sur la ~*** 가슴에 손을 얹고 ; 솔직하게.

consciencieusement [kɔ̃sjɑ̃sjøzmɑ̃] *adv.* 양심적으로, 정직하게, 성실히.

***conscienciеux, euse** [kɔ̃sjɑ̃sjø, -øːz] *adj.* 양심적인, 성실한, 정직한(=honnête).

conscient, e** [kɔ̃sjɑ̃, -ɑ̃ːt] *adj.* ① 의식을 가진; 현명한: homme ~ 현명한 사람. ② 《~ de》 …을 자각〔의식〕한: être ~ *de* ses responsabilités 자기의 책임을 자각하다. ***être ~ 의식을 가진 존재(자), 지각자(知覺者): L'homme est un *être* ~. 인간은 의식을 가진 존재다. — *m.* (무의식에 대하여) 의식(≠inconscient). ***acte*** ~ 의식적인 행위. ***efforts*** ~***s*** 의식적인 노력.

conscientiser [kɔ̃sjɑ̃tize] *v.t.* 《~ qn》 …을 의식화시키다, 자각하게 하다.

conscription [kɔ̃skʀipsjɔ̃] *f.* 〖군사〗 징병, 모병: tirer à la ~ 징병 추첨을 하다.

conscrit [kɔ̃skʀi] *m.* ① 〖군사〗 징병 적령자; 신병. ② 〖학교〗 신입생; 《구어》 무경험자, 풋내기. ***se faire avoir comme un*** ~ 쉽사리 속아 넘어가다.

consécration [kɔ̃sekʀɑsjɔ̃] *f.* ① 〖가톨릭〗 신에게 바치기, (빵·포도주의) 축성(祝聖), 성별(聖別); (교회 따위의) 봉헌(奉獻); (주교의) 서품(식): ~ d'un évêque 주교의 서품식. ② 영원〔확고〕하게 하기; (명성 따위의) 확립. ③ (사회적) 용인, 공인, 인정: Son succès est la ~ de son talent. 그의 성공에 의해 그의 재능은 널리 인정되었다.

consécutif, ive [kɔ̃sekytif, -iːv] *adj.* ① 계속되는, 연속되는: pendant dix heures *consécutives*, 10 시간 계속해서. ② 《~ à》 …의 결과로 일어나는(=causé, entraîné): embouteillage ~ *à* un accident 사고로 인해 생긴 교통 체증. ③ proposition ~*ive* 〖문법〗 결과절.

consécutivement [kɔ̃sekytivmɑ̃] *adv.* ① 뒤이어, 연달아: Il eut ~ deux accidents. 그는 연달아 사고를 두 번 당했다. ② 《~ à》 …의 결과로: ~ *à* la hausse du prix du pétrole 원유가 상승의 결과로.

‡conseil [kɔ̃sɛj] *m.* ① 조언, 권고, 충고: suivre le ~ de qn …의 충고에 따르다 / J'ai porté plainte sur le ~ de mon avocat. 변호사의 권고에 따라서 나는 고소했다 / ~ d'ami 친구로서의〔사심없는〕 충고. ② 조언자, 상담역, 자문역, 고문: avocat-~ 고문 변호사 / ingénieur-~ 기술 고문 / ~ fiscal 세무 상담역 / ~ judiciaire 〖법률〗 후견인. ③ ⓐ 회의, 회: réunir 〔assembler〕 un ~ 회의를 소집하다. ⓑ 평의회, 심의회, 이사회, 위원회: président du *C*~ 국무총리 / *C*~ municipal 시〔읍·면〕의회 / ~ des professeurs 교수회. ***chambre du C***~ 회의실. ~ ***d'administration*** 이사회. ***C***~ ***de Sécurité*** (국제 연합의) 안전보장 이사회. ***C***~ ***des ministres*** 각의. ***C***~ ***d'État*** 참사원(參事院). ***demander*** ~ ***à*** qn …에게 의견을 묻다, 상의하다. ***donner*** ~ ***à*** qn …에게 충고를 하다. ***homme de*** (***bon***) ~ 분별 있는 사람. ***La nuit porte*** ~. 《격언》 밤이 되면〔하룻밤 자고 나면〕 좋은 생각이 떠오르는 법이다. ***tenir*** ~ 회의를 열다〔하다〕.

***conseiller¹** [kɔ̃sɛ(e)je] *v.t.* ① 권하다, 권고하다: ~ qc à qn; ~ à qn de+*inf.*; ~ que +*sub.* …에게 …을〔하도록〕 권하다 / Je vous *conseille de* partir. 출발하시는 게 좋겠습니다 / Je vous *conseille* la prudence. 신중을 기하시는 게 좋겠습니다. ② 《~ qn》 …에게 충고〔조언〕하다: Vous *avez été* mal *conseillé*. 당신은 좋지 못한 의견을 들었소.

conseiller², ère** [kɔ̃sɛ(e)je, -ɛːʀ] *adj.* 충고하는; 권고하는. — *n.* ① 충고자, 권고자, 조언자; 고문: ~ juridique 〔technique〕 법률〔기술〕 고문. ② ⓐ (conseil 의) 의원: ~ général; ~ de préfecture 도의회 의원, 도의원 / ~ municipal 시〔읍·면〕의회 의원, 시〔읍·면〕의원. ⓑ (상급 법원) 판사: ~ à la cour d'appel 〔de cassation〕 고등 법원 판사. ~ ***d'ambassade 대사관 참사관.

conseilleur, euse [kɔ̃sɛjœːʀ, -øːz] *n.* 조언자, 상담역, 의논 상대자.

consensus [kɔ̃sɛ̃sys] 〔라틴〕 *m.* (의견 따위의) 일치, 합의. ***par le*** ~ ***commun*** 〔***omnium***〕 만장일치로.

consentement [kɔ̃sɑ̃tmɑ̃] *m.* 승낙, 동의; 〖법률〗 합의: donner son ~ à qc …에 동의하다 / se marier sans le ~ de ses parents 부모의 승낙을 받지 않고 결혼하다. ***du*** ~ ***de tous*** 〔~ ***universel***〕; ***par le*** ~ ***universel*** 만장일치로.

consentir** [kɔ̃sɑ̃tiːʀ] [18] *v.t. ind.* 《~ à》 …에 동의하다, …을 승낙하다: ~ *au* mariage 결혼을 승낙하다 / Je *consens à* votre départ 〔(*à* ce) que vous partiez〕. 당신의 출발을 승낙합니다 / 《~ à+*inf.*》 Le directeur *consent à* lui accorder trois jours de congé. 사장은 그에게 3 일간의 휴가를 주는데 동의했다. ~ ***que 〔***à ce que***〕+*sub.* …에 동의하다: Je *consens à ce qu'*il y aille. 그가 거기에 가는 것에 나는 동의한다. — *v.t.* ① 동의〔승낙〕하다(=accepter); 〖법률〗 승인하다. ② 《옛》 인정하다. — *v.i.* 〖해양〗 (돛대 따위가) 휘다.

conséquemment [kɔ̃sekamɑ̃] *adv.* 따라서, 그러므로. ~ ***à*** qc …의 결과로서, …에 따라서.

conséquence** [kɔ̃sekɑ̃ːs] *f.* ① 결과(=effet, résultat; ≠cause): proposition subordonnée de ~ 〖문법〗 결과 종속절 / entraîner 〔impliquer〕 de graves ~*s* 중대한 결과를 초래하다. ② 귀결, 결론(=conclusion): ~ nécessaire 필연적 귀결. ③ 중요〔중대〕성(=importance, gravité): homme sans 〔de peu de〕 ~ 영향력이 작은 사람, 보잘것없는 인물. ***de (***la dernière***) ~ (매우) 중요〔중대〕한: personne *de* ~ 중요한 인물. ***en*** ~ 따라서, 그러므로; 그에〔그것에〕 상응하여. ***en*** ~ ***de*** …의 결과로서; …에 따라서: *en* ~ *de* vos ordres 당신의 명령에 따라. ***tirer à*** ~ 전례가 되다; 《구어》 중요〔중대〕하다: Cela ne *tire* pas *à* ~. 그것은 상관없다; 지장없다 / Cela *tire à* ~. 그것은 중대한 일이다.

conséquent, e [kɔ̃sekɑ̃, -ɑ̃ːt] *adj.* ① 《~ de》 …의 결과로서 일어나는. ② 일관성 있는, 합리적인; 필연적인; 《~ à 〔avec〕》 …와 합치〔일치〕된: argumentation ~*e* 일관성 있는 논증 / acte ~ *à* ses principes 자신의 원칙에 어긋나지 않는 행위 / Il n'est pas ~ *avec* lui-même. 그는 자가당착〔모순〕에 빠져 있다. ③ 《구어》 중요〔중대〕한(=important, grave) ; 상당한, 큰 : somme ~*e* 상당한 금액. — *m.* 〖논리〗 후건(後件)(= terme ~) ; 〖수학〗 후항(後項). ***par*** ~ 그러므로, 따라서 : Il pleut, *par* ~ le projet de promenade est abandonné. 비가 오고 있다, 따라서 산책 계획은 포기되었다.

***conservateur, trice** [kɔ̃sɛʀvatœːʀ, -tʀis] *adj.* ① 보수주의의 : parti ~ 보수당. ② 《~ de》 …을 보존〔보호〕하는. — *n.* ① 보수당원 ; 보수주의자. ② 관리인, (도서관의) 관장, 학예 연구원 : ~ des eaux et des forêts 산림 관리인 / ~ d'une bibliothèque 〔d'un musée〕 도서관〔미술관 · 박물관〕장. — *m.* (식품을 보관하는) 냉동고(= congélateur).

conservation [kɔ̃sɛʀvɑsjɔ̃] *f.* ① 보존, 보관 ; 저장 ; 유지 ; 보전 : ~ des aliments par le froid 음식물의 냉동 보존〔저장〕 / instinct de ~ 생존 본능. ② 보존 상태. ③ 관리자의 직 ; 관리소 : ~ des hypothèques (저당) 등기소. ④ 〖정치〗 보수 : politique de ~ 보수 정책. 「보수주의.

conservatisme [kɔ̃sɛʀvatism] *m.* 〖정치〗

conservatoire [kɔ̃sɛʀvatwaːʀ] *m.* (음악 · 미술 따위의) 예술 학교 : *C*~ national supérieur de musique 국립 고등 음악 학교 / *C*~ national d'art dramatique 국립 연극 학교 / *C*~ des arts et métiers 공예 학교.

conserve** [kɔ̃sɛʀv] *f.* ① 절여서 저장한 음식, 통조림 : ~ de poisson 생선 통조림 / boîte à 〔de〕 ~ 통조림 통 / musique en ~ 《구어》 레코드. ② (*pl.*) 선글라스. ***de ~ 함께 : aller *de* ~ 함께 가다 / agir *de* ~ 행동을 같이하다. ***mettre*** qc ***en*** ~ …을 통조림으로 하다. ***naviguer de*** ~ ⓐ 〖해양〗 같은 항로를 따르다. ⓑ 같은 길을 가다.

conservé, e [kɔ̃sɛʀve] *adj.* ① 보존된, 오래 보존된. ② 《구어》 젊어 보이는 : Elle est bien ~*e*. 그녀는 나이에 비해 젊다.

***conserver** [kɔ̃sɛʀve] *v.t.* ① 보존〔보관 · 저장〕하다 : ~ des aliments 식품을 저장하다 / ~ le double de cette lettre 그 편지의 사본을 보관하다. ② 잃지 않다, 유지하다 ; (추억 따위를) 간직하다 : ~ la ligne 몸의 선을 유지하다 / J'*ai conservé* votre souvenir. 나는 당신을 기억하고 있습니다. — **se** ~ *v.pr.* ① 자기를 (…한 상태로) 유지하다 : *se* ~ dans un poste 지위를 보존하다. ② 보존〔저장〕되다. 「〔공장〕.

conserverie [kɔ̃sɛʀv(ə)ʀi] *f.* 통조림 제조

considérable** [kɔ̃sideʀabl] *adj.* ① (금액 · 수량 따위가) 많은, 막대한 : pertes ~ 막대한 손실 / sommes ~*s* 거액의 돈. ② 중요한 ; 대단한 ; 유력한 : C'est un personnage ~. 그 분은 매우 중요한 인물이다 / Cette pièce a obtenu un succès ~. 이 희곡은 대성공을 거두었다. ***peu ~ 중요하지 않은, 대수롭지 않은.

considérablement [kɔ̃sideʀabləmɑ̃] *adv.* 매우, 몹시, 대단히.

considération** [kɔ̃sideʀɑsjɔ̃] *f.* ① 고찰 ; (*pl.*) 논고(論考), 논(論) : ~*s* sur la politique 정치 논고. ② ⓐ 고려, 참작, 심사 : digne de ~ 고려해 볼 만한 / demander une longue ~ 오랜 검토를 요하다. ⓑ 신중한 고려, 배려 ; 조심(= circonspection, attention) : apporter de la ~ à qc …에 신경을 쓰다, 조심을 하다. ③ ⓐ 존경, 존중(= estime, égard) ; 경의, 공손(= déférence) : jouir de la ~ générale 모든 사람들에게서 존경받다. ⓑ 중요성(= importance) : Ceci est de peu de ~. 그것은 그다지 중요하지 않다. ④ (행동의) 동기, 이유(= motif, raison) : Ces ~*s* l'ont porté à partir. 이러한 생각〔이유〕 때문에 그는 떠나게 되었다. ***en ~ ***de*** …을 고려〔참작〕하여, …에 비추어 : *En* ~ *de* son grand âge, on l'a relâché. 그가 고령임을 감안하여 그를 석방했다. ***faire entrer*** 〔***mettre, prendre***〕 qn ***en*** ~ …을 참작〔고려〕하다. ***par*** ~ ***pour*** …을 고려하여. ***prise en*** ~ ***d'un projet de loi*** 〖정치〗 법안의 심의 개시.

considérer** [kɔ̃sideʀe] 6 *v.t.* ① 관찰하다, 주시하다(= observer) : ~ qn bien en face …의 얼굴을 정면으로 바라보다. ② 《~ comme》 …으로 보다, 간주하다 : Je *considère* cette réponse *comme* un refus. 나는 이 대답을 거절의 뜻으로 간주한다. ③ 생각〔판단〕하다 : 《~ que + *ind.*》 Je *considère qu*'il a eu raison. 나는 그가 옳았다고 생각한다. ④ 고려하다 ; 고찰하다, 검토하다(= examiner) : ~ qc sous tous ses aspects …을 다각적으로 고찰〔검토〕하다 / Ce n'est pas à ~. 그것은 고려〔생각〕하지 않아도 된다 / ~ que + *ind.* …라는 것을 고려하다. ⑤ 《~ qn》 존경〔존중〕하다(= estimer) : homme que l'on *considère* beaucoup 대단히 존경하는 사람. ***à tout ~ ***; tout bien considéré*** 모든 것을 다 검토한 결과, 결국. ***considérant que...*** 〖법률〗 …인 까닭에, …임에 비추어. — **se** ~ *v.pr.* ① 자신을 바라보다. ② ⓐ 자기를 …하게 생각〔평가〕하다. ⓑ 《se ~ comme》 자기를 …으로 생각하다〔여기다〕.

consignation [kɔ̃siɲɑsjɔ̃] *f.* 위탁 ; 공탁(供託) ; 위탁 판매 ; 공탁금 : vente en ~ 위탁 판매 / caisse des dépôts et ~*s* 공탁소.

consigne** [kɔ̃siɲ] *f.* ① 〖군사〗 (보초 따위에게 내리는) 명령(= instruction) ; (일반적으로) 명령(= ordre) : donner à qn (la) ~ de + *inf.* …에게 …하라는 명령을 내리다 / observer 〔respecter, appliquer〕 la ~ 명령〔지령〕을 지키다〔따르다, 실행에 옮기다〕. ② 〖군사 · 학교〗 금족(禁足), 외출 금지 : soldats en ~ 외출 금지령을 받은 병사. ③ 〖철도〗 (정거장의) 수하물 일시 보관소: déposer ses bagages à la (en) ~ 짐을 수하물 보관소에 잠시 맡기다. ④ (상인이 구매자에게) 상품의 포장 상자〔병〕에 대한 영수증을 써 주기 ; 환불금. ~ ***automatique 코인 로커 (〔영〕 coin locker). ***brûler la*** ~ 명령을 무시하다. ***être de*** ~ 근무 중이다. ***forcer la*** ~ 보초선을 돌파하다 ; 《구어》 밀고 나아가다. ***Je ne connais que la*** ~***.*** 《구어》 명령은 따라야 한다, 명령은 명령이다. ***manger la*** ~ 《구어》 명령을 〔권고를〕 잊어버리다.

consigner [kɔ̃siɲe] *v.t.* ① (돈을) 공탁(供託)하다 ; (물건을) 위탁하다 ; (짐을) 맡기다 : ~ une somme d'argent 일정 금액을 공탁하다 / ~ ses bagages 짐을 수하물 일시 보관소에 맡기다. ② 기입하다, 기록하다 : ~ une réflexion sur un carnet 수첩에 어떤 생각을 기록해 두다. ③ ~ un emballage

〔une bouteille〕 (상인이 구매자에게) 포장 상자〔병〕에 대한 영수증을 써 주다. ④ 《~ qn》 (병사·학생 등을) 금족에 처하다, 외출 금지시키다: Les troupes *sont consignées.* 군대는 대기 중에 있다. ⑤ (어떤 장소의) 출입을 금지하다 : ~ un cabaret 카바레의 출입을 금지하다. ~ qn ***à sa porte ; ~ sa porte à*** qn …에게 면회를 사절하다.

C

consistance [kɔ̃sistɑ̃:s] *f.* ① 견고도 ; 농도, 밀도(密度) : ~ de la boue 진흙의 점도. ② 꿋꿋함, 견실함, 굳건함 : esprit sans ~ 나약한〔줏대 없는〕 정신. ③ 확실성 ; 신빙성 : temps qui n'a pas de ~ 변덕스러운 날씨. ***bruit sans ~*** 근거 없는 소문. ***homme sans ~*** 줏대 없는 사람. ***prendre (de la) ~*** 굳어지다 ; 확실해지다.

***consistant, e** [kɔ̃sistɑ̃, -ɑ̃:t] *adj.* ① 견고한, 단단한 ; 진한 ; 질긴 : sauce *~e* 진한 소스. ② 꿋꿋한, 견실한, 굳건한 : l'esprit ~ 꿋꿋한 정신. ③ 《구어》 푸짐한 : petit déjeuner ~ 푸짐한 아침 식사. ④ 근거 있는 ; 일관성 있는 : argument ~ 일관성 있는 논거.

***consister** [kɔ̃siste] *v.i.* ① 《~ en》 …으로 성립되다, 이루어지다(= être composé de) : Son revenu *consiste en* rentes. 그의 수입원은 연금이다. ② 《~ dans》 …에 있다(= résider) : Le bonheur *consiste dans* la vertu. 행복은 미덕에 있다. ③ 《~ à 〔《옛》 de〕 + *inf.*》 …하는 데 있다 : Son habileté ~ *à* savoir se servir des autres. 그의 수완은 다른 사람들을 사용할 줄 안다는 데 있다.

consistoire [kɔ̃sistwa:ʀ] *m.* 〖종교〗 추기경 회의 ; (신교의) 장로회의.

consœur [kɔ̃sœ:ʀ] *f.* ① 같은 수도원의 수녀. ② 동업자《여자》 ; 동료《여자》《confrère의 여성형》.

consolable [kɔ̃sɔlabl] *adj.* 위안받을 수 있는.

consolant, e [kɔ̃sɔlɑ̃, -ɑ̃:t] *adj.* 위안〔위로〕하는 : parole *~e* 위안이 되는 말.

consolateur, trice [kɔ̃sɔlatœ:ʀ, -tʀis] *adj.* 위안이 되는, 위로하는. ── *n.* 위안자.

consolation [kɔ̃sɔlɑsjɔ̃] *f.* 위안, 위로(= adoucissement, apaisement) ; 위로가 되는 것〔사람〕 : adresser des mots de ~ 위로의 말을 하다 / Son fils est sa seule ~. 그의 아들은 그의 유일한 위안이다.

console [kɔ̃sɔl] *f.* ① 〖건축〗 S 자형 까치발. ② (벽에 대어 장치한) 까치발 달린 테이블.

***consoler** [kɔ̃sɔle] *v.t.* ① 《~ qn》 …을 위로〔위안〕하다 : ~ les malheureux 불행한 사람들을 위로하다. ② 《~ qn de qc》 …의 …을 위로하다 : ~ qn *de* sa peine …의 괴로움을 위로하다 / Cette nouvelle l'*a consolé de* son échec. 이 소식은 낙방한 그를 위로해 주었다. ③ 《~ qc》 (슬픔·괴로움을) 가라앉히다, 달래다(= apaiser) : ~ un chagrin 슬픔을 달래다. ── **se ~** *v.pr.* ① 마음을 달래다 : Il ne peut *se* ~ de son mal. 그는 그의 고통을 달랠 길이 없다. ② 위안받다.

consolidation [kɔ̃sɔlidɑsjɔ̃] *f.* ① 공고히〔튼튼히〕하기, (지위·세력 따위의) 강화 : ~ d'un pont 교량의 보강 / ~ du pouvoir 권력의 강화. ② 〖경제〗 (일시 차입금의) 장기 공채화. ③ 〖의학〗 (골절 따위) 유착(癒着).

consolider [kɔ̃sɔlide] *v.t.* ① 튼튼히 하다, 공고히 하다 ; 강화하다(= renforcer) : ~ une alliance 동맹을 공고히 하다 / Le parti *a consolidé* sa position. 정당은 그의 지반을 굳혔다. ② 〖경제〗 (일시 차입금을) 장기 공채(公債)로 하다. ③ 〖의학〗 (상처를) 유착시키다. ── **se ~** *v.pr.* 강화〔보강〕되다.

***consommateur, trice** [kɔ̃sɔmatœ:ʀ, -tʀis] *m.* ① 소비자(≠ producteur), 수요자. ② (카페 따위의) 손님(= client). ③ 완성자, 성취자.

***consommation** [kɔ̃sɔmɑsjɔ̃] *f.* ① 소비 ; 소비량 : biens de ~ 소비재 / société de ~ 소비 사회 / La ~ d'alcool a diminué. 알콜 소비량이 줄었다. ② (카페에서 마시는) 음료(= boisson) ; 음식물 : boire une ~ au comptoir 카운터에서 음료를 들다. ③ 완수, 성취, 완결.

consommé, e [kɔ̃sɔme] *adj.* 완전한, 완벽한(= parfait) ; 《~ en 〔dans〕》 …에 노련한, 능숙한 : artiste ~ 완벽한 예술가 / diplomate ~ 노련한 외교관 / homme ~ *dans* les affaires 사업에 능란한 사람. ── *m.* 〖요리〗 콩소메, 맑은 수프.

***consommer** [kɔ̃sɔme] *v.t.* ① 소비하다 ; (연료 따위를) 소모하다 : Cette voiture *consomme* beaucoup d'essence. 이 차는 가솔린을 많이 소모한다. ② (음식물을) 먹다, 마시다 : On *consomme* ici peu de poisson. 이곳에서는 사람들이 물고기를 거의 먹지 않는다 / 《목적보어 없이》 ~ au café 카페에서 음료를 마시다. ③ 완성〔성취〕하다(= achever) ; 이행하다 ; (범죄를) 범하다(= commettre) : ~ son œuvre 사업을 완성하다 / ~ un crime 죄를 범하다. ── *v.i.* ① 소비하다. ② (카페에서) 음식을 먹다. ── **se ~** *v.pr.* 음식을 먹다〔마시다〕 ; (…하여) 먹다〔마시다〕 : Ce plat *se consomme* chaud. 이 요리는 뜨거울 때 먹어야 한다.

consomption [kɔ̃sɔ̃psjɔ̃] *f.* 《문어》 〖의학〗 (오래된 중병으로 인한) 체력 소모, 쇠약.

consonance [kɔ̃sɔnɑ̃:s] *f.* ① 〖음악〗 협화(음)(≠ dissonance). ② 〖언어〗 ⓐ 어미 동음〔유음(類音)〕. ⓑ (낱말·어구의) 음조(音調) : nom aux *~s* harmonieuses 음조가 조화를 이룬 이름.

consonant, e [kɔ̃sɔnɑ̃, -ɑ̃:t] *adj.* ① 〖음악〗 협화음의 : intervalles *~s* 협화음조. ② 〖언어〗 (낱말·어구가) 동음〔유사음〕으로 끝난. ── *f.* 〖언어〗 공명음(共鳴音).

consonantique [kɔ̃sɔnɑ̃tik] *adj.* 자음(자)의(≠ vocalique) ; 자음화한.

***consonne** [kɔ̃sɔn] *f.* 〖언어〗 자음(자(字)) ; 자음화 : *~s* sourdes 무성 자음《[p, t, k...]》 / *~s* sonores 유성 자음《[b, d, g...]》 / *~s* nasales 비(鼻)자음《[m, n, ɲ]》.

consort [kɔ̃sɔ:ʀ] *adj.* 《남성형으로만 쓰임》 (왕·여왕의) 배우자의 : reine ~ 왕비, 왕후 / prince ~ (여왕의) 부군. ── *m. pl.* 일당(一黨), 파당, 패거리 : un tel et *~s* 모(某) 씨와 그의 일당.

consortium [kɔ̃sɔʀsjɔm] *m.* 〖상업〗 기업연합〔합동〕, 컨소시엄 : ~ de vente (여러 기업의) 합동 판매 회사.

conspirateur, trice [kɔ̃spiʀatœ:ʀ, -tʀis] *adj.* 음모의. ── *n.* 음모자.

conspiration [kɔ̃spiʀɑsjɔ̃] *f.* 음모, 공모, 모

반 : chef de la ~ 음모의 주동자 / fomenter 〔tramer, ourdir〕 une ~ contre qn … 에 대하여 음모를 꾸미다.

conspirer [kɔ̃spiʀe] *v.i.* ① 음모를 꾸미다 : ~ contre qn 〔qc〕 …에 대해 음모를 꾸미다. ② 협력〔협동〕하다. ── *v.t. ind.* 《~ à qc 〔+*inf.*〕》《주어 : qc》 …에〔하는 데〕 협동하다(= concourir à) : Tout *conspire à* son bonheur 〔malheur〕. 모든 것이 일치하여〔한결같이〕 그를 불행하게 만들고 있다.

conspuer [kɔ̃spɥe] *v.t.* 망신을 주다, 야유하다(= huer) : ~ un orateur 〔une pièce〕 연사를〔연극 작품을〕 야유하다.

***constamment** [kɔ̃stamɑ̃] *adj.* 끊임없이, 줄곧(= incessamment) ; 한결같이 : être ~ malade 줄곧 아프다 / aimer qn ~ …을 변함없이 사랑하다.

constance [kɔ̃stɑ̃:s] *f.* ① 굳은 지조, 성실. ② 끈기, 인내(= patience), 집요함 ; 확고부동 : travailler avec ~ 끈기 있게 일하다 / Vous avez de la ~ ! 참을성이 많으시군요 ! ③ 불변, 항구성(= permanence), 항상성 : la ~ de ses échecs 끊임없이 계속되는 그의 실패 / la ~ de votre amitié 변함없는 당신의 우정.

constant, e** [kɔ̃stɑ̃, -ɑ̃:t] *adj.* ① 마음이 변함없는, 한결같은 ; 성실한 : être ~ en amitié 변함없는 우정을 가지다. ② 끈기 있는(= persévérant) : être ~ dans la poursuite d'un but 목적을 끈기 있게 추구하다. ③ (사물이) 불변의, 항구적인(= durable, permanent) : En ce monde, il n'y a rien de ~. 이 세상에는 항구불변한 것은 하나도 없다. ***Il est ~ que+*ind.* 《부정문에서는 *sub.* 또는 *ind.*》 …은 확실하다. ── *f.* 〖수학〗 상수(常數), 불변수(≠ variable).

constat [kɔ̃sta] *m.* ① 〖법률〗 공정 증명(公正證明), 조서(調書)(= procès-verbal de ~) ; 확인서 : ~ d'accident 사고 조서 / ~ amiable 사고 합의서. ② 확실한 사실 : ~*s* scientifiques 확실한 과학적 사실.

constatation [kɔ̃statɑsjɔ̃] *f.* ① 확인 ; 검증, 증명 : ~ d'identité 신원의 확인 ; 신원증명. ② (*pl.*) 확인된 사실, 확인 사항 : ~*s* d'une enquête 설문을 통해 확인된 사항. ③ 조서. ***faire la ~ de*** qc …을 확인하다.

***constater** [kɔ̃state] *v.t.* ① 확인하다, (사실임을) 인정하다 (= reconnaître) : ~ l'absence de qn …의 결석을 확인하다 / ~ son erreur 자기의 잘못을 인정하다. ② (공식 서류에) 기록하다, 기재하다(= consigner) : ~ un décès 사망을 (공식 서류에) 기록하다 ; 사망 증명서를 내주다 / ~ une chose par procèsverbal 어떤 사실을 조서에 기록하다. ③ 《주어 : qc》 증명하다 : Les pièces de la procédure *constatent* que... 소송 서류가 …임을 증명하고 있다.

constellation [kɔ̃ste(ɛl)lɑsjɔ̃] *f.* ① 〖천문〗 성좌, 별자리 : ~ de la Grande Ourse 큰곰자리. ② (별처럼) 반짝이는 것 ; 《비유》 한 무리의 유명 인사들 : ~ du romantisme français 프랑스 낭만주의의 거장들.

constellé, e [kɔ̃ste(ɛl)le] *adj.* ① 별이 총총한 ; 찬란한 : ciel ~ 별이 총총한 하늘. ② (별처럼) 총총히 박힌 : robe ~*e* de perles 진주가 박힌 옷.

consternant, e [kɔ̃stɛʀnɑ̃, -ɑ̃:t] *adj.* 깜짝 놀랄 만한, 망연자실할 (만한) : nouvelles ~*es* 깜짝 놀랄〔비통한〕 소식.

consternation [kɔ̃stɛʀnɑsjɔ̃] *f.* 깜짝 놀람, 경악, 아연실색 ; 비탄(= désolation).

consterner [kɔ̃stɛʀne] *v.t.* 깜짝 놀라게 하다 ; 아연실색하게 하다(= stupéfier) ; 비탄에 빠뜨리다 : Cette nouvelle m'*a consterné*. 이 소식을 듣고 나는 망연자실했다.

constipation [kɔ̃stipɑsjɔ̃] *f.* 〖의학〗 변비증 : ~ chronique 만성 변비.

constiper [kɔ̃stipe] *v.t.* 《~ qn》 변비증을 일으키다 ; 변비에 걸리게 하다 : Il *est constipé*. 그는 변비에 걸렸다.

constituant, e [kɔ̃stitɥɑ̃, -ɑ̃:t] *adj.* ① 구성하는 : éléments ~*s* de l'eau 물의 구성 요소〔성분〕. ② 〖정치〗 헌법 제정권을 가진. ***L'Assemblée ~e*** 제헌 의회. ── *m.* ① 구성 요소〔분자〕. ② 제헌 의회 의원. ── *f.* (la *C~e*) 〖프랑스사〗 (1789 년의) 제헌 의회.

***constituer** [kɔ̃stitɥe] *v.t.* ① 이루다, 구성하다(= composer) : parties qui *constituent* le tout 전체를 구성하는 여러 부분 / Cette action *constitue* un délit. 이 행위는 경범죄를 이룬다. ② 설립하다 ; 조직하다(= organiser) : ~ une société commerciale 상사를 설립하다 / ~ une équipe d'experts 전문가의 팀을 구성하다 / ~ un ministère 조각(組閣)하다. ③ (연금 따위를) 지정하다, 설정하다 : ~ une rente 〔dot〕 à qn …에게 연금〔지참금〕을 주기로 하다. ④ 〖법률〗 임명하다, 지정하다 : ~ qn son héritier …을 자신의 유산 상속인으로 지정하다. ── **se ~** *v.pr.* ① 구성〔성립〕되다 ; 설립〔조직〕되다 ; 설정되다. ② 스스로 …이 되다 : *se ~* prisonnier 자수하다, 포로가 되다 / *se ~* en comité (자기들이) 위원회를 구성하다.

constitutif, ive [kɔ̃stitytif, -i:v] *adj.* ① 《~ de》 …을 구성하는: éléments ~*s d'*un délit 범죄의 구성 요건. ② 〖법률〗 권리를 설정하는 : titre ~ de propriété 부동산 권리증서.

***constitution** [kɔ̃stitysjɔ̃] *f.* ① 구성, 조직(= organisation) ; 설립 : ~ d'un comité 위원회의 설치 / ~ du dossier 일건 서류의 작성. ② 구조, 성분(= composition) : ~ d'une substance 물체의 성분. ③ 설정, 제정 : ~ de dot 지참금 설정. ④ 〖법률〗 (변호인 따위의) 지정, 임명. ⑤ 체질 ; 체격 : avoir 〔être d'〕 une bonne 〔solide〕 ~ 체격이 좋다. ⑥ (*C~*) 헌법 ; (헌법에 의해 정해진) 정체(政體) : réviser 〔réformer〕 la *C~* 헌법을 개정하다.

constitutionnalité [kɔ̃stitysjɔnalite] *f.* 헌법에 맞음, 합헌성.

constitutionnel, elle [kɔ̃stitysjɔnɛl] *adj.* ① 입헌〔합헌〕적인, 헌법에 의한, 헌법상의 : monarchie ~*elle* 입헌 군주제 / conseil ~ 헌법 재판소. ② 체질적인, 선천적인 : faiblesse ~*elle* 허약 체질. ── *m.* 헌법 옹호자 ; 입헌당원.

constitutionnellement [kɔ̃stitysjɔnɛlmɑ̃] *adv.* 헌법에 따라서, 합헌적으로.

constructeur, trice [kɔ̃stʀyktœ:ʀ, -tʀis] *m.* 건설〔건조〕자 ; 제작자(= ingénieur) ; 건축

가(= architecte) : ~ de maisons 건축 기사 / ~ mécanicien 기계 기사. — *adj.* 건축하는 ; 건설적인 ; 구성력이 있는 : société *~trice* 건설 회사 / intelligence ~ *trice* 구성력.

***constructif, ive** [kɔ̃stʀyktif, -i:v] *adj.* ① 건축〔제조〕 능력을 지닌. ② 건설적인 ; 창조적인 : critique *~ive* 건설적인 비판.

***construction** [kɔ̃stʀyksjɔ̃] *f.* ① 건조(建造), 건립 ; 건축, 건설 ; 제조, 제작 : ~ navale 〔aéronautique, automobile〕 선박〔항공기 · 자동차〕 제조(업계) / La nouvelle gare est en ~. 새 역사(驛舍)는 건축 중이다. ② 건축〔건조〕물 ; 건설업 : élever une ~ 건축물을 짓다. ③ (이론 따위의) 수립 ; (소설 · 시 따위의) 창작, 제작 ; (줄거리 따위의) 구성 : ~ d'une thèse 논문의 구성. ④ 〖문법〗 구조, 구문 : ~ grammaticale 문법 구조.

⁑construire [kɔ̃stʀɥi:ʀ] [32] *v.t.* ① 건조〔건축 · 건설〕하다(= bâtir, édifier), 가설〔부설〕하다(≠ détruire) ; (기계 따위를) 제작하다 : ~ une maison 〔un pont, un vaisseau〕 집〔다리 · 선박〕을 건조하다 / ~ une machine 기계를 조립하다 / permis de ~ 건축 허가(증). ② (이론 따위를) 세우다 ; (소설 · 시 따위를) 창작하다; (줄거리 따위를) 구성하다(= composer) ; (문장 · 글을) 짓다 : ~ un systèm 〔une théorie〕 (철학의) 체계를〔이론을〕 세우다 / Cette phrase est très mal *construite.* 이 문장은 구성이 잘못되었다. ③ 〖기하〗 도형을 그리다. — **se ~** *v.pr.* ① 건조〔건축 · 건설 · 가설 · 부설〕되다. ② 《se ~ qc》 자기를 위해 …을 건조〔건축 · 건설〕하다.

consul** [kɔ̃syl] *m.* ① 영사 : ~ général 총영사. ② 〖고대로마〗 집정관. ③ 〖프랑스사〗 (1799-1804년의) 집정(관). ***le Premier C~ 제 1 집정《나폴레옹》.

consulaire [kɔ̃sylɛ:ʀ] *adj.* ① 영사의 : agent ~ 영사관. ② 〖프랑스사〗 집정(관)의.

***consulat** [kɔ̃syla] *m.* ① 영사의 직〔임기〕. ② 영사관. ③ 〖프랑스사〗 집정 정부.

consultant, e [kɔ̃syltɑ̃, -ɑ̃:t] *adj.* 고문의 ; 입회의 : avocat ~ 고문 변호사 / médecin ~ 진찰〔왕진〕 전문 의사 ; 입회 의사. — *n.* ① 고문. ② (변호사 · 의사의) 의뢰인, 검진자. ③ 진찰〔왕진〕 전문 의사.

consultatif, ive [kɔ̃syltatif, -i:v] *adj.* 의견 상대가 되는; 자문의 : à titre ~ 참고로. ***avoir*** (***une***) ***voix ~ive*** 발언권을 가지다. ***comité*** ~ 자문 위원회.

consultation** [kɔ̃syltɑsjɔ̃] *f.* ① 의논, 상담, 협의. ② 진찰 ; 진단서 : ≪*C~* externe≫ 「외래 환자 진찰실〔부〕」/ aller à la ~ 진찰받으러 가다. ③ (전문가 · 변호사의) 감정(서), 진술〔의견〕(서) / ~ d'un expert en bijoux 보석 감정인의 감정서. ④ 참조, 조회 ; 열람 : ~ d'un document 서류의 열람 / dictionnaire d'une ~ facile 찾아보기 쉬운 사전. ***après ~ d'avocat 변호사와 상의하고서. ***cabinet*** 〔***salon***〕 ***de ~*** 〖의학〗 진찰실 ; 〖법률〗 변호사 사무실. ***~ populaire ; ~ de l'opinion*** 여론 조사. ***entrer en ~ avec*** qn ***sur*** qc …에 관하여 …와 상의하다. ***frais de ~*** 진찰료.

consulter** [kɔ̃sylte] *v.t.* ① 《~ qn》 …와 의논〔상의〕하다, …에게 문의하다, …의 의견을 묻다 ; (변호사에게) 사건을 상의하다 ; (의사의) 진찰을 받다 : ~ qn sur qc …에 관해서 …와 의논하다 / ~ un médecin 의사의 진찰을 받다. ② 《~ qc》 (책 따위를) 참고〔참조〕하다 ; (문서를) 열람하다 ; (시계 · 온도계 따위를) 보다 : ~ un dictionnaire 사전을 찾아보다 / ~ un plan 지도를 보다 / ~ sa montre 시간을 보다〔확인하다〕. ③ 《비유》 고려하다, 생각해 보다 : ~ ses forces 자기의 능력을 생각해 보다 / Il ne *consulte* que son intérêt. 그는 자기의 이익밖에 생각지 않는다. ***~ son oreiller 〔***son bonnet de nuit, son chevet***〕 《구어》 하룻밤을 지나며 깊이 생각해 보다. — *v.i.* ① 협의하다, 의논하다(= délibérer). ② (혼자서) 곰곰이 생각하다, 망설이다. — **se ~** *v.pr.* ① 숙고하다. ② 상담하다(= s'entretenir). ③ 참조하다.

consumer [kɔ̃syme] *v.t.* ① 《옛》 소비하다 (= consommer) ; 소모하다 : ~ sa vie dans l'étude 연구에 일생을 보내다. ② 《주어 : qc》 소멸시키다 ; 태워 버리다(= brûler) : Le feu *a consumé* tout le village. 화재로 그 마을 전체가 타 버렸다 / Le temps *consume* tout. 시간은 모든 것을 소멸시킨다. ③ 쇠약하게 하다, 초췌하게 하다(= affaiblir, dévorer) : *être consumé* par la maladie 〔le chagrin〕 병〔슬픔〕으로 초췌해지다. — **se ~** *v.pr.* ① 소멸되다 ; 소진하다. ② 쇠약해지다, 쇠진하다, 초췌해지다.

contact** [kɔ̃takt] *m.* ① (사람과의) 접촉 ; 교제, 연락 ; 교섭 : ~s humains 사람과의 접촉 / avoir un bon ~ avec qn …와 좋은 관계를 유지하다. ② 〖전기〗 접촉 ; 스위치 ; (엔진의) 점화 : clef de ~ (자동차) 엔진키. ③ (물체와의) 접촉 ; 촉감, 감촉 : ~ du velours 벨벳의 촉감 / contagion par ~ 접촉에 의한 감염. ④ 〖군사〗 교전 : entrer en ~ avec l'ennemi 적과 교전하다. ***épreuve 〔***copie***〕 ***par ~*** 〖사진〗 밀착 인화. ***établir*** 〔***mettre***〕 ***le ~*** 스위치를 넣다. ***garder*** 〔***perdre***〕 ***le ~*** 접촉을 유지하다〔잃다〕. ***prendre ~ avec*** qn 〔qc〕 …와 접촉하다. ***verres*** 〔***lentilles***〕 ***de ~*** 〖광학〗 콘택트 렌즈.

***contacter** [kɔ̃takte] *v.t.* 접촉하다, 연락하다(= rencontrer) : ~ qn par téléphone …와 전화로 연락하다.

***contagieux, euse** [kɔ̃taʒjø, -ø:z] *adj.* ① 전염〔감염〕성의 : maladie *~euse* 전염병. ② 옮기기 쉬운 ; 영향을 끼치는 : Le rire est ~. 웃음은 전염된다. ③ 해를 끼치는, 유해한 ; 독 있는. ④ 전염을 매개하는. — *n.* 감염균 소유자, 전염병 환자.

contagion [kɔ̃taʒjɔ̃] *f.* ① 전염, 감염 ; 전염병 : ~ des maladies 병의 전염. ② (악습 따위의) 만연 ; (웃음 따위가) 옮아가기, 퍼지기 : ~ de la mode 유행의 전파.

container [kɔ̃tɛnɛ:ʀ], **containier** [kɔ̃tɛnje] 〖영〗 *m.* (화물 수송용) 컨테이너.

***contamination** [kɔ̃taminɑsjɔ̃] *f.* ① 전염, 오염, 감염 : ~ radio-active 방사능에 의한 오염 / ~ de l'eau par des produits chimiques 화학물질에 의한 수질 오염. ② 악영향.

***contaminer** [kɔ̃tamine] *v.t.* ① 《~ qc》 전염시키다, 오염시키다, 감염하다(= infecter) : *être contaminé* par un virus 바이러스에 의

해 감염되다. ② 《~ qn》 (악습 따위에) 물들게 하다 ; 악영향을 주다 : ~ la jeunesse 젊은이들에게 악영향을 주다.

conte** [kɔ̃:t] *m.* ① (가공의) 짧은 이야기, 설화 : *C~s* des Mille et une nuits 천일야화. ② 동화 ; 콩트, 단편소설 : *~s* de Maupassant 모파상의 단편소설. ③ 꾸며낸 이야기 ; 거짓말. ***~ à dormir debout ; ~ de bonne femme 터무니없는 이야기. ***~ de fées*** 요정 이야기, 옛날 이야기, 동화. ***~ de ma mère l'Oie*** 믿을 수 없는 옛날 이야기. ***~ en l'air*** 거짓말, 허풍. ***~s rimés*** 자장가.

contemplatif, ive [kɔ̃tɑ̃platif, -i:v] *adj.* ① 주시〔응시〕하는. ② 명상적인, 정관하는 : vie *~ive* 명상하는 생활. ── *n.* 명상가.

contemplation [kɔ̃tɑ̃plɑsjɔ̃] *f.* ① 주시, 응시 ; 조망 : rester en ~ devant une œuvre d'art 예술 작품을 유심히 바라보다. ② 명상, 묵상, 정관, 숙고 : être plongé dans la ~ 명상에 잠겨 있다.

***contempler** [kɔ̃tɑ̃ple] *v.t.* ① 물끄러미 바라보다, 응시〔주시〕하다 : Il *contemplait* le paysage avec admiration. 그는 감탄하면서 그 경치를 바라보고 있었다. ② 정관하다, …에 관해 명상하다 : ~ la mort 죽음에 대해 명상하다 / 《목적보어 없이》 Il passe sa vie à ~. 그는 명상하면서 생을 보내고 있다.

***contemporain, e** [kɔ̃tɑ̃pɔʀɛ̃, -ɛn] *adj.* ① 동시대의 : être ~ de qn …와 같은 시대를 살다. ② 현대의(= moderne, actuel) : histoire *~e* 현대사 / les auteurs 〔écrivains〕 *~s* 현대 작가. ── *n.* 동시대인 ; 현대인 : nos *~s* 우리들의 동시대인 ; 현대인.

contenance [kɔ̃tnɑ̃:s] *f.* ① 용적, 용량(= capacité) ; 적재량 ; 면적(= superficie) : Ce champ est d'une ~ de cent hectares. 이 밭의 면적은 100 헥타르이다. ② 태도, 몸가짐, 거동(= attitude, air) ; 태연한 태도, 침착성 : ~ ferme 〔fière〕 굳센〔거만한〕 태도. ***faire bonne ~*** 태연자약하다, 침착하다. ***perdre ~*** 당황하다, 어쩔 줄 모르다. ***se donner*** 〔***se faire***〕 ***une ~*** 태연한 척하다.

contenant, e [kɔ̃tnɑ̃, -ɑ̃:t] *adj.* 포함하고 있는, 지니고 있는. ── *m.* 그릇, 용기(容器).

conteneur [kɔ̃tnœ:ʀ] *m.* 컨테이너.

***contenir** [kɔ̃tni:ʀ] 16 *v.t.* ① 포함하다, 내포하다, 함유하다(= renfermer) : Ce livre *contient* de grandes vérités. 이 책에는 큰 진리가 담겨 있다. ② 용적〔용량·면적〕이 …이다 (= tenir) : Cet autocar peut ~ trente personnes. 이 자동차는 정원이 30 명이다. ③ 억제하다, 억누르다(= refouler) : ~ son émotion 감정을 억누르다 / ~ ses larmes 눈물을 억제하다. ④ 저지하다(= arrêter) : ~ les manifestants 데모대를 저지하다.

── **se ~** *v.pr.* 자제〔억제〕하다 : ne pouvoir *se* ~ de joie 기뻐해 마지않다, 기쁨을 억누를 수 없다.

⁑content, e [kɔ̃tɑ̃, -ɑ̃:t] *adj.* ① 만족한(= satisfait ; ≠ mécontent) ; 기쁜(= gai, joyeux) : Je ne l'avait jamais vu si *~e.* 그 여기가 그렇게 만족해 하는 것은 나는 보지 못했었다. ② 《~ de》 …에 만족한 : 《être ~ de qc》 Il *est* ~ *de* sa situation. 그는 자신의 지위에 만족하고 있다 / 《être ~ de+*inf.*》 Je *suis* ~ *de* vous voir. 만나뵙게 되어 반갑습니다 / 《être ~ que+*sub.* 〔de ce que+*ind.* 또는 *sub.*〕》 Je *serais* ~ *que* vous veniez me voir. 당신이 저를 보러 오신다면 좋겠는데요 / Je *suis* très ~ *de ce que* vous avez 〔ayez〕 réussi. 당신이 성공해서 매우 기쁩니다. ***être ~ de soi*** 자기가 한 일에 대해서 만족해하다 ; 잘난 체하다, 뻐기다. ── *m.* 《구어》 만족할 만한 양〔수〕. ***avoir son ~ de*** qc …을 마음껏 갖다. ***manger tout son ~*** 배불리〔실컷〕 먹다.

contentement [kɔ̃tɑ̃tmɑ̃] *m.* ① 만족(함) ; 기쁨. ② 《~ de》 …의 만족, …을 만족시키기 : ~ *des* sens 관능의 만족 / ~ *de* peu 적은 것에 만족하기. ***avoir*** 〔***donner***〕 ***~*** 만족해하다〔만족하게 해 주다〕. ***~ de soi***(***-même***) 자기 자신에 대한 만족(감). ***C~ passe richesse.*** 《격언》 만족은 부(富)보다 낫다.

contenter** [kɔ̃tɑ̃te] *v.t.* 《~ qn 〔qc〕》 만족시키다(= satisfaire) : ~ ses desirs 욕망을 만족시키다 / Cette place *a contenté* son ambition. 이 지위는 그의 야심을 만족시켰다. ── **se ~** *v.pr.* 《se ~ de》 …으로 만족하다 : Il *se contente d'*un petit appartement 그는 작은 아파트로 만족한다. ***se ~ de*+inf.* …하는 것에 그치다 : Pour répondre, elle *s'est contentée de* sourire. 그녀는 대답 대신 미소만을 지었다. ***se ~ que****+sub.* …에 만족하다.

contentieux, euse [kɔ̃tɑ̃sjø, -ø:z] *adj.* 소송의, 계쟁(係爭)의. ── *m.* 소송, 분쟁, 소송과〔계〕. ***agent*** 〔***chef***〕 ***du ~*** 법률 고문, (회사 따위의) 소송 대리인.

contention [kɔ̃tɑ̃sjɔ̃] *f.* ① 긴장, 집중(= application). ② 〖의학〗 (골절 따위의) 고정.

contenu¹, e [kɔ̃tny] *adj.* ① 들어 있는, 내포된, 함유된. ② 억제된 : colère *~e* 울분.

contenu² [kɔ̃tny] *m.* 내용(물), 알맹이(≠ contenant) : ~ d'un livre 책의 내용 / ~ d'un récipient 그릇의 내용물.

conter [kɔ̃te] *v.t.* ① 말하다, 이야기하다 : Il nous *a conté* ses peines. 그는 자기의 고생을 우리에게 이야기했다. ② 터무니없는 말을 하다 : Que me *contez*-vous là? 그런 터무니없는 거짓말은 마세요. ***Allez ~ ça ailleurs!*** 《구어》 거짓말 마라. ***en avoir long à ~*** 《구어》 말하면 길어지다, 할 얘기가 많다. ***en ~*** (***de belles, de fortes***) ***à*** qn …을 속여 넘기다.

contestable [kɔ̃tɛstabl] *adj.* 이의가 있는, 이론의 여지 있는(= discutable) : Il n'est pas ~ que+*ind.* …에는 이의를 제기할 여지가 없다.

contestataire [kɔ̃tɛstatɛ:ʀ] *adj.* et *n.* 기성 질서에 반대〔항거〕하는 (사람), 반체제주의의 (사람).

contestation [kɔ̃tɛstɑsjɔ̃] *f.* ① 이의, 이론(異論) : mettre un droit en ~ 권리에 이의를 제기하다. ② 논쟁(= discussion) ; 분쟁 ; 의견 차이(= différend). ③ (정치〔사회〕 문제에 대한) 항의 ; 〖정치〗 (소수파의) 항의, 반체제. ***entrer en ~ avec qn*** …에게 반대하다 ; …와 사이가 나빠지다. ***être en ~ avec*** qn …와 다투다. ***hors de ~*** 논쟁의 여지가 없는, 확실한. ***sans ~*** 이의 없이, 분명히.

conteste [kɔ̃tɛst] *m.* 쟁의, 논쟁(= contestation). ***sans ~***이의 없이, 물론, 말할 것도 없이 : Il est *sans ~*, le plus grand poète français. 그는 두말할 것도 없이 프랑스의 가장 위대한 시인이다.

contester** [kɔ̃tɛste] *v.t.* …에 대해 이의를 제기하다(≠ admettre) ; 인정하지 않다(= récuser), 부인하다(= nier) ; 논박하다 : Il *contest* toujour ce que je dis. 그는 항상 내가 하는 말에 이의를 제기한다. ***~ que+*sub.* …을 인정하지 않다 : Il *conteste que* votre rôle ait été important. 그는 당신이 중요한 역할을 했다는 것을 인정하지 않는다. ***ne pas ~ que (ne)*** + *sub.* …을 부인하지 않다 : Il *ne conteste pas que* vous (*ne*) disiez la vérité. 그는 당신이 진실을 말하고 있다는 것을 부인하지 않는다. ── *v.i.* ①《~ avec》 …와 다투다, 언쟁〔논쟁〕하다 : Je ne veux pas ~ *avec* vous. 나는 당신과 다투고 싶지 않소. ②《~ contre》 …에 항변하다, 반대하다. ③《보어 없이》(정치 · 사회 문제에 대해) 항의하다 ; (기성 질서에) 반대〔항거〕하다, 반항하다 : Les jeunes aiment ~. 젊은 사람들은 반항하기를 좋아한다. ***sans ~*** 이의 없이.

conteur, euse [kɔ̃tœːʀ, -øːz] *m.* 이야기하는 사람 ; 콩트 작가.

***contexte** [kɔ̃tɛkst] *m.* ① 문맥(文脈), (문장의) 전후 관계: éclaircir un mot ambigu par le ~ 문맥을 통해 모호한 단어의 의미를 밝히다. ② 전후의 사정, 배경, 맥락 : ~ historique 〔politique〕 역사적〔정치적〕 상황.

contextuel, elle [kɔ̃tɛkstɥɛl] *adj.* 문맥상의, 문맥에 의한 : sens ~ 문맥상의 의미.

contexture [kɔ̃tɛkstyːʀ] *f.* ① (뼈 · 근육 따위의) 조직, 구조 : ~ des os 골격. ②《구어》(이야기 따위의) 구성, 구조(= composition).

contigu, ë [kɔ̃tigy] *adj.* ① 인접한 ; 《~ à 〔avec〕》 …에 잇달린 : deux chambres *~ës* 붙어 있는 두 방 / maisons *~ës à* l'église 교회에 인접한 집들. ② 근접한, 비슷한.

contiguïté [kɔ̃tigɥite] *f.* ① 인접 : ~ de deux terrains 인접한 두 토지. ② 밀접한 관계, 유사성 : ~ des idées 사상의 유사성.

continence [kɔ̃tinɑ̃ːs] *f.* ① 절제(= abstinence) ; 금욕. ② 정숙, 정조, 순결.

continent[1], **e** [kɔ̃tinɑ̃, -ɑ̃ːt] *adj.* 금욕하는, 자제력 있는 ; 정숙한(= chaste), 순결한 : moine ~ 금욕을 지키는 수도자.

***continent**[2] [kɔ̃tinɑ̃] *m.* ① 대륙 ; (영국에 대하여) 유럽 대륙 : Ancien ~ 구대륙《유럽 · 아시아 · 아프리카》/ Nouveau ~ 신대륙《아메리카》. ② (섬에 대하여) 뭍; 본토, 육지.

continental, e, aux [kɔ̃tinɑ̃tal, -o] *adj.* 대륙의 ; 대륙적인, 대륙성의 : climat ~ 대륙성 기후. ── *n.* 대륙의 주민.

contingence [kɔ̃tɛ̃ʒɑ̃ːs] *f.* ①〚철학〛우연성, 우발성. ② (주로 *pl.*) 우발적인 사건〔사태〕: *~s* de la vie quotidienne 일상 생활의 시시한 일들.

contingent, e [kɔ̃tɛ̃ʒɑ̃, -ɑ̃ːt] *adj.* ① 우연의, 우발적인(accidental ; ≠ nécessaire) : événement ~ 우발적인 사건. ② 사소한, 중요하지 않은 : faits *~s* de la vie 생활의 사소한 일들. ③ 할당된, 분담의. ── *m.* ① 우발 사건. ② 몫(= portion *~e*) ; 분담액, 할당액 : réclamer son ~ 제 몫을 요구하다 / ~ d'importation 수입 할당액. ③〚군사〛징병 정원(定員) : les soldats du ~ 징집병.

contingentement [kɔ̃tɛ̃ʒɑ̃tmɑ̃] *m.* 할당 ; 분배 : ~ des importations 수입량의 제한.

contingenter [kɔ̃tɛ̃ʒɑ̃te] *v.t.* 할당하다 ; 할당에 의해 분배하다.

continu, e [kɔ̃tiny] *adj.* 연속된, 계속된(≠ discontinu) ; 부단한, 끊임없는(= continuel, interrompu) : chaîne *~e* 연속 공정 / fournir un effort ~ 꾸준한 노력을 기울이다. ── *m.* ① 연속(체). ②〚전기〛직류(= courant ~).

continuateur, trice [kɔ̃tinɥatœːʀ, -tʀis] *n.* 계승자, 후계자.

continuation [kɔ̃tinɥɑsjɔ̃] *f.* 계속, 연속(= suite) ; 연장(= prolongation) : ~ de ses recherches 연구의 계속 / ~ d'une autoroute 고속도로의 연장. ***Bonne ~ !***《구어》(계속) 잘 하세요 ; 《비꼼》해 보시게 !

***continuel, elle** [kɔ̃tinɥɛl] *adj.* 연속적인, 부단한(= constant) ; 빈번한(= fréquent) : pluie *~elle* 줄기찬 비 / avoir de *~elles* disputes avec qn …와 끊임없이 다투다.

continuellement [kɔ̃tinɥɛlmɑ̃] *adv.* 끊임없이, 시종, 항상, 줄곧(= sans arrêt) : travailler ~ 쉬지 않고 일하다.

⁑continuer [kɔ̃tinɥe] *v.t.* ① 계속하다(≠ cesser, interrompre) : ~ son chemin (그대로) 계속 가다 / ~ ses études 연구를 계속하다. ② 계승하다, 이어 가다 : ~ une tradition 전통을 계승하다 / ~ la politique des prédécesseurs 전임자들의 정책을 이어 가다. ③ 연장하다(= prolonger) ; 갱신하다(= renouveler) : ~ une ligne 선을 연장하다. ***~ à 〔de〕*** + *inf.* …하기를 계속하다 : Il *a continué à* parler pendant deux heures. 그는 두 시간 동안 이야기를 계속했다.
── *v.i.* ① 계속되다 : La pluie *continue.* 비가 계속 온다. ② 연장되다 ; 갱신되다. ③ (도로 따위가) 뻗어 가다 : Cette route *continue* jusqu'à Paris. 이 길은 파리까지 이른다.
── **se ~** *v.pr.* 계속되다 ; 계승되다.

continuité [kɔ̃tinɥite] *f.* 계속(성), 연속(성) ; 연장 : assurer la ~ d'une tradition 전통을 계승하다 / solution de ~ 단절.

continûment [kɔ̃tinymɑ̃] *adj.* 연속적으로, 연달아, 끊임없이, 줄곧(= sans arrêt).

contondant, e [kɔ̃tɔ̃dɑ̃, -ɑ̃ːt] *adj.* 〚의학〛 타박상을 입히는 : arme *~e* 둔기.

contorsion [kɔ̃tɔʀsjɔ̃] *f.* ① (근육 · 사지의) 뒤틀림 ; 찡그린 얼굴(= grimace) : *~s* d'un acrobate 곡예사의 몸비틀기. ② 과장된 몸짓〔표정〕. ***faire des ~s*** 얼굴을 찡그리다.

contorsionner [kɔ̃tɔʀsjɔne] *v.t.* 비틀다, 뒤틀다 ; (얼굴을) 찡그리다. ── **se ~** *v.pr.* 몸을 뒤틀다.

contour [kɔ̃tuːʀ] *m.* ① 둘레, 주위. ② (*pl.*) 윤곽, 선 : dessin aux *~s* précis 윤곽이 뚜렷한 데생 / *~s* du corps humain 인체의 선. ③ (강 · 산길 따위의) 모퉁이, 굽이, 굴곡(= détour, lacet) : *~s* d'une rivière 강의 굴곡.

contourné, e [kɔ̃tuʀne] *adj.* 비뚤어진, 뒤틀린 ; (문장 따위가) 부자연스런 : jambes

~*es* 비뚤어진 다리 / style ~ 부자연스런 문체. ***croissant*** **~** 하현(下弦)달.

contournement [kɔ̃tuʀnəmɑ̃] *m.* 우회하기 ; 빙 돌기, 일주(一周) ; 회피 : route de ~ d'une ville 도시의 우회 도로.

contourner** [kɔ̃tuʀne] *v.t.* ① 비틀다, 뒤틀다 : ~ la vérité 진실〔사실〕을 왜곡하다. ② 우회하다, 돌다 ; 일주하다 : La rivière *contourne* la ville. 강은 도시를 우회하여 흐른다. ③ 교묘히 피하다(= éluder) : ~ un obstacle 장애물을 피하다. **~ *la loi 《구어》 법망을 교묘히 피하다.

contra- *préf.* 「반대 · 방어」의 뜻.

contraceptif, ive [kɔ̃tʀasɛptif, -i:v] *adj.* 피임의 : produits ~*s* 피임약. ── *m.* 피임약〔기구〕 : ~ oral 경구용 피임약.

contraception [kɔ̃tʀasɛpsjɔ̃] *f.* 피임(법).

contractant, e [kɔ̃tʀaktɑ̃, -ɑ̃:t] *adj.* ① 계약하는 : parties ~*es* 계약 당사자. ② 수축하는. ── *m. pl.* 계약자(= parties ~*es*).

contracté, e [kɔ̃tʀakte] *adj.* ① 수축된, 굳어진 ; 긴장한. ② 〖문법〗 축약된, 단축된 : article ~ 축약 관사.

contracter[1] [kɔ̃tʀakte] *v.t.* ① (계약 · 협정 따위를) 맺다 ; 계약하다 : ~ un pacte 협정을 맺다〔체결하다〕 / ~ un marché 매매 계약을 맺다. ② (빚 · 의무를) 지다 : ~ des dettes 빚을 지다. ③ (습관 따위를) 들이다(= prendre) ; (병에) 걸리다(= attraper) : ~ l'habitude de fumer 흡연 습관을 들이다 / ~ un rhume 감기에 걸리다.

contracter[2] *v.t.* ① (몸 · 근육 따위를) 수축시키다(≠ dilater) : Le froid *contracte* le corps. 추위로 몸이 오그라든다. ② (얼굴 · 눈살을) 찌푸리다. ③ 〖문법〗 축약〔단축〕하다. ── **se ~** *v.pr.* ① 수축되다. ② (얼굴이) 찌푸려지다, 긴장되다 : Son visage *se contracte*. 그의 얼굴이 일그러진다.

contraction [kɔ̃tʀaksjɔ̃] *f.* ① (근육 · 혈관 따위의) 수축 ; (얼굴 따위의) 일그러짐 ; 정신적인 긴장 : ~ brève 경련 / sensation de ~ 불안감. ② 〖문법〗 축약, 단축.

contractuel, elle [kɔ̃tʀaktɥɛl] *adj.* ① 〖법률〗 계약에 의한 : rapports ~*s* 계약 관계. ② 촉탁의 ; 임시의 : agent ~ 임시 직원. ── *n.* 임시 직원 ; (주차 위반을 단속하는) 경찰 보조원.

contracture [kɔ̃tʀakty:ʀ] *f.* 〖의학〗 위축 ; (근육의) 연축(= crampe).

contradicteur [kɔ̃tʀadiktœ:ʀ] *m.* 반대자, 「반박자.

contradiction** [kɔ̃tʀadiksjɔ̃] *f.* ① 반대, 반박(≠ approbation) ; 〖법률〗 항변(抗辯) : apporter 〔porter〕 la ~ dans un débat 토론에서 반론을 제기하다. ② 〖논리〗 모순 ; 자가당착 : se heurter à une ~ 자가당착에 빠지다. ***esprit de* ~** 반항심. ***être en* ~ *avec qn 〔qc〕 …와 대립하다〔모순되다〕 : Ses paroles *sont en* ~ *avec* ses acts. 그의 말은 행동과 모순된다.

***contradictoire** [kɔ̃tʀadiktwa:ʀ] *adj.* ① 반대의 ; 상반된 : affirmation ~ à 〔avec〕 une autre 다른 것에 상반되는 주장. ② 모순된 ; 양립되지 않는 : Sa conduite est ~. 그의 행동은 앞뒤가 맞지 않는다. ***conférence* ~** 토론회. ***examen* ~** 〖법률〗 반대 심문.

contradictoirement [kɔ̃tʀadiktwaʀmɑ̃] *adj.* 모순되게 ; 상반되게.

contraignant, e [kɔ̃tʀɛɲɑ̃, -ɑ̃:t] *adj.* 강제〔강요〕하는 ; 구속하는 ; 속박하는 : obligation ~*e* 구속력을 갖는 의무.

contraign-e, -ez, -ons, etc. ⇒ contraindre.

***contraindre** [kɔ̃tʀɛ̃:dʀ] 27 *v.t.* ① 《~ qn à qc ; ~ qn à 〔de〕+*inf.*》 …에게 …을 〔할 것을〕 강제하다, 강요하다, 억지로 시키다(= forcer, obliger) : ~ qn *au* silence …에게 침묵을 강요하다 / ~ qn *à* partir …을 강제로 출발시키다 / 《être contraint de+*inf.*》 Il *est contraint de* vendre sa maison. 그는 집을 팔지 않을 수 없는 상태다. ② ⓐ 구속〔속박 · 억압〕하다 : La prudence *contraint* l'esprit. 조심성은 정신을 구속한다. ⓑ (감정 따위를) 억제하다, 억누르다(= refouler, réprimer). ── **se ~** *v.pr.* ① 자제하다, 참다 : Il ne sait pas *se* ~. 그는 자제할 줄 모른다. ② 《se ~ à 〔de〕+*inf.*》 억지로 …하다 : *Contraignez-vous à* suivre son conseil. 싫더라도 그의 충고를 따르시오.

contraint, e[1] [kɔ̃tʀɛ̃, -ɛ̃:t] *adj.* ① 강요된, 강제당한 : ~ et forcé 강요당해서. ② 억지로 꾸민, 어색한 : sourire ~ 억지웃음.

contrainte**[2] [kɔ̃tʀɛ̃:t] *f.* ① 강제 ; 구속, 속박, 억압 : agir sous la ~ 강압에 의해 행동하다 / ~ sociale 사회적 구속 / vivre dans la ~ 예속 상태에서 살다. ② 거북함, 거리낌(= gêne) : air de ~ 거북스러운 표정〔태도〕. ③ 〖법률〗 (민사) 구속 ; 압류. ***avec* ~** 조심스럽게 : parler *avec* ~ 말을 삼가다. **~ *par corps 〖법률〗 (민사상의) 신병 구속 . **~ *par saisie de biens*** 〖법률〗 재산 압류. ***par* ~** 강제에 못이겨. ***par la* ~** 강제로. ***sans* ~** 거리낌없이, 무람없이. ***tenir*** qn 〔qc〕 ***en* ~** …을 억압〔억제〕하다.

‡contraire [kɔ̃tʀɛ:ʀ] *adj.* ① 반대의, 상반되는(= opposé) ; 역(逆)의(= inverse) ; 《~ à》 …와 상반되는 ; …에 어긋나는 : deux opinions ~*s* 상반된 두 견해 / ~ *à* la raison 이성에 어긋나는, 비상식적인 / vent ~ 역풍. ② 불리한(= défavorable) ; 《~ à》 …에 해로운 : aliment ~ *à* la santé 건강에 해로운 음식 / Le vin lui est ~. 그는 술이 받지 않는다. ── *m.* ① 반대 ; 역, 대립 ; 〖문법〗 반의어 : soutenir 〔affirmer, prétendre〕 le ~ 반대 주장을 하다. ② 불리, 유해(有害). ***aller au* ~ *de*** qn …에게 불리하게 되다. ***au* ~** 그와 반대로. ***au* ~ *de*** …에 반하여, …와 반대로 : *Au* ~ *de* ses concurrents, il a survécu à la crise. 경쟁자들과 달리, 그는 그 분위기를 견디어냈다.

contrairement [kɔ̃tʀɛʀmɑ̃] *adv.* 《~ à》 …와 반대로, …에 반(反)하여, …에 어긋나게 : Il a agi ~ *à* mes ordres. 그는 내 명령과는 반대로 행동했다.

contralto [kɔ̃tʀalto] 〖이탈리아〗 *m.* (*pl.* ~(***s***), ***contralti*** [kɔ̃tʀɑalti]) 〖음악〗 콘트랄토 ; 최저 여성음 (가수).

contrariant, e [kɔ̃tʀaʀjɑ̃, -ɑ̃:t] *adj.* ① (사정이) 난처한, 귀찮은, 공교로운 : pluie ~*e* 달갑잖은 비 / Comme c'est ~ ! 난처하게 되었는걸 ! ② 방해하는 ; 반대하기 좋아하는 ;

불쾌하게 하는 : homme ~ 불쾌한 사람 / Que vous êtes ~ ! 당신 정말 짓궂군요.

***contrarier** [kɔ̃tʀaʀje] *v.t.* ① 《~ qc》 반대〔방해〕하다(= contrecarrer) : ~ les projets 〔l'action〕 de qn …의 계획〔행동〕을 반대〔저지〕하다. ② 《~ qn》 …의 뜻을 거역하다 ; …을 화나게 하다(= fâcher), …을 기분 나쁘게 하다(= mécontenter) : Il ne cesse de me ~. 그는 끊임없이 내 기분을 해친다. ③ (색깔 따위를) 대조시켜 돋보이게 하다. ── *v.t. ind.* 《~ à》 《옛》 …에 대립하다. ── **se** ~ *v.pr.* ① 서로 모순〔대립〕되다 ; 서로 방해가 되다. ② 화를 내다, 기분 나빠하다.

C

contrariété [kɔ̃tʀaʀjete] *f.* ① 대립, 상반, 모순(= contradiction) : ~ d'opinions 의견 대립. ② 불만, 곤혹 ; 난처함. ③ 방해, 장애.

contraste** [kɔ̃tʀast] *m.* ① 대조, 대비 ; 상반(相反) : ~ entre 〔de〕 deux choses 두 가지 사물의 대조. ② 〖TV〗 (영상의) 선명도, 콘트라스트 : régler le ~ 콘트라스트를 조정하다. ***comme ~ à …을 두드러지게 하는 것으로서. ***être en 〔faire〕 ~ avec*** …와 대조를 이루다. ***mettre une chose en ~ avec une autre*** …을 …와 대조시키다.

contrasté, e [kɔ̃tʀaste] *adj.* 〖사진〗 대조〔콘트라스트〕가 강한.

***contraster** [kɔ̃tʀaste] *v.i.* 《~ avec》 …와 대조를 이루다 ; …와 아주 다르다 : Ces deux couleurs *contrastent* violemment. 이 두 색깔은 아주 대조적이다. ── *v.t.* 《문어》 대조〔대비〕시키다.

contrat** [kɔ̃tʀa] *m.* ① 계약(= pacte) : ~ d'assurance 보험 계약 / ~ de location 임대 계약 / casser 〔annuler〕 un ~ 계약을 취소하다 / rompre un ~ 계약을 파기하다. ② 계약서(= acte) : signer un ~ 계약서에 서명하다 / dresser 〔rédiger〕 un ~ 계약서를 작성하다. ③ 약속, 협정. ~ ***social 사회계약(설). ***passer un ~ avec*** qn …와 계약을 맺다. ***rupture de ~*** 계약 파기.

contravention** [kɔ̃tʀavɑ̃sjɔ̃] *f.* (법규의) 위반(= infraction) ; 경범죄(= ~ de simple police) ; 경범죄의 조서, 딱지(= procès-verbal de ~) : ~ pour excès de vitesse 속도 위반 / payer ~ 벌금을 내다. ***dresser une ~ à qn …에 대해 딱지를 떼다〔경범죄의 조서를 작성하다〕 ***être 〔se mettre〕 en ~ ; commettre une ~*** 법규를 위반하다.

⁑contre [kɔ̃(:)tʀ] *prép* ① 《대립 · 충돌 · 반대》 …에 반대하여 ; …에 반하여 ; …에 대하여 ; …을 향하여 ; …을 거슬러 ; …와 대항하여 ; …와 맞부딪쳐: nager ~ le courant 흐름을 거슬러 헤엄쳐 올라가다 / agir ~ l'avis de ses parents 부모의 의견을 거역하는 행동을 하다 / ~ toute attente 모든 기대에 어긋나게 / se fâcher ~ qn …에 대하여 화를 내다 / lancer une pierre ~ une fenêtre 창문을 향하여 돌을 던지다 / remède ~ la fièvre 해열제 / se heurter ~ le mur 벽에 부딪치다 / se battre ~ l'ennemi 적과 (대항하여) 싸우다. ② 《방지 · 예방》 …에 대비하여, …을 피하여 : s'abriter ~ la pluie 비를 피하다 / s'assurer ~ l'incendie 화재보험에 들다. ③ 《양보》 …임에도 불구하고 : ~ toute apparence 보기와는 다르게 / ~ vents et marées 역경에도 불구하고. ④ 《접촉 · 근접》 …에 기대어, 맞대어 ; …곁에 : joue ~ joue 뺨을 맞대고 / s'appuyer ~ le mur 벽에 기대다 / s'asseoir ~ elle 그녀 곁에 앉다. ⑤ 《교환》 …와 교환으로 : échanger une chose ~ une autre 어떤 것을 다른 것과 바꾸다. ⑥ 《비율》 …대(對) …: résolution adopté à dix voix ~ six, 10 표 대 6 표로 가결된 결의안. ***avoir quelque chose ~*** …에 대하여 반대이다. ***envers et ~ tout 〔tous〕*** 어떤 일이 있더라도.

── *m.* ① 반대 : Il y a du pour et du ~. 찬반 양론이 있다. ② 〖카드놀이〗 (브리지의) 더블 ; 〖스포츠, 특히 권투〗 반격. ***à ~*** 반대 방향으로 ; 바람을 거슬러서. ***disputer le pour et le ~*** 가부(可否)를 논하다. ***le pour et le ~*** 찬부(贊否) ; 유리한 점과 불리한 점. ***par ~*** 그와는 반대로, 그 대신에.

── *adv.* ① 반대로, 반대하여 : Êtes-vous ~ ? 당신은 반대합니까? ② 그것에 기대어〔맞대어〕 ; 그 곁에 : s'appuyer ~ 기대다. ***parler pour et ~*** 찬성하기도 하고 반대하기도 하다. ***tout ~*** 바로 곁에. ***voter ~*** 반대 투표하다.

contre- *préf.* ① 「반대(opposition)」의 뜻. ② 「인접 · 부근 (proximité)」의 뜻.

contre-allée [kɔ̃tʀale] *f.* 측도, 인도, 보도.

contre-amiral [kɔ̃tʀamiʀal] *m.* (*pl.* **~-~aux**[-o]) 해군 소장.

contre-appel [kɔ̃tʀapɛl] *m.* 〖군사〗 불시 점호, 재점호. ~ ***d'agir*** 역기류.

contre-attaque [kɔ̃tʀatak] *f.* 〖군사〗 역습, 반격 : passer à la ~ 반격으로 나가다.

contre-attaquer [kɔ̃tʀatake] *v.t.* 역습〔반격〕하다 : ~ l'ennemi 적을 역습하다. ── *v.i.* 반격에 나서다.

contrebalancer [kɔ̃tʀəbalɑ̃se] *v.t.* …와 균형〔평형〕을 이루다 ; …와 대등하다, …에 필적하다(= égaler) : poids qui en *contrebalance* un autre 다른 무게와 균형을 이루는〔같은〕 무게 / Sa puissance *contrebalance* celle de César. 그의 권력은 시저의 권력과 맞먹는다. ── **se** ~ *v.pr.* 《s'en ~》 《구어》 개의치 않다(= se moquer de) : Je *m'en contrebalance*. 그건 문제삼지도 않을 거야.

contrebande [kɔ̃tʀəbɑ̃:d] *f.* ① 밀수입 ; 불법 반입 : articles de ~ 밀수품. ② 밀수입품. ***de ~*** 금지된, 비합법적인. ***en ~*** 밀수로, 불법적으로 ; 몰래.

contrebandier, ère [kɔ̃tʀəbɑ̃dje, -ɛ:ʀ] *n.* 밀수입자.

contrebas [kɔ̃tʀəbɑ] *m.* 낮은 곳, 낮은 데. ***en ~*** 낮은 곳에, 밑에, 밑으로. ***en ~ de...*** …보다 더 낮은 곳에, …아래쪽〔밑〕에 : Cette maison se trouve *en ~ du* chemin. 그 집은 길보다 낮은 쪽에 있다.

contrebasse [kɔ̃tʀəbɑ:s] *f.* 〖음악〗 콘트라베이스《최저음 관악기》.

contrebassiste [kɔ̃tʀəbɑsist] *m.* 콘트라베이스 연주자〔취주자〕.

***contrecarrer** [kɔ̃tʀəka(ɑ)ʀe] *v.t.* 《~ qn 〔qc〕》 반대하다, 거부하다, 저지하다 : ~ un projet 계획을 정면으로 반대하다.

contre-clef [kɔ̃tʀəkle] *f.* 〖건축〗 종석(宗石) 옆의 홍예석.

***contrecœur (à)** [akɔ̃tʀəkœːʀ] *loc. adv.* 마지못해(≠ de bon cœur) : accepter une proposition *à* ~ 마지못해 제안을 수락하다.

contrecoup [kɔ̃tʀəku] *m.* ① 반동, 반발 ; 반향(反響), 여파 : subir le ~ d'un désastre 재해의 영향을 받다. ② 충격(= choc) ; 심한 진동. ***faire*** ~ 〖기계〗 반동에 이겨내다. ***par*** ~ 여파를 받아 ; 그 결과로서.

contre-courant [kɔ̃tʀəkuʀɑ̃] *m.* 역류, 역행. ***à*** ~ 흐름을 거슬러 : naviguer *à* ~ 조류를 거슬러 향해하다.

contredanse [kɔ̃tʀədɑ̃ːs] *f.* ① 카드리유《댄스》; 그 댄스 곡. ② 《구어》 규칙 위반.

***contredire** [kɔ̃tʀədiːʀ] [29] *v.t.* ① 《~ qn》(남의 말에) 반대하다, 반박하다(= démentir, réfuter) : ~ ses idées 〔ses opinions〕 그의 생각〔의견〕에 반대하다. ② 《주어 : qc》 …에 상반되다, …을 부정하다(= infirmer) : Les faits contredisent ces assurances. 사실은 이 보증들과 어긋납니다. — **se** ~ *v.pr.* ① 스스로 모순되는 말을 하다. ② 상호 모순되다.

contredit [kɔ̃tʀədi] *m.* 〖법률〗 답변서 ; 이의(= objection), 이론(異論). ***sans*** ~ 이의 없이(= sans contraste), 물론.

***contrée** [kɔ̃tʀe] *f.* 지방(= région) ; 나라(= pays) ; 고장 : ~ fertile 비옥한 지방 / ~*s* lointaines 먼 나라들.

contre-espionnage [kɔ̃tʀɛspjɔnaːʒ] *m.* 간첩 감시 조직 ; 대간첩 활동〔조직〕.

contre-expertise [kɔ̃tʀɛkspɛʀtiːz] *f.* 재감정(再鑑定).

contrefaçon [kɔ̃tʀəfasɔ̃] *f.* ① 위조(= falsification) : ~ de billets de banque 지폐의 위조. ② 위조물 ; (특허 · 판권의) 침해 : ~ d'un livre 해적판.

contrefaction [kɔ̃tʀəfaksjɔ̃] *f.* 위조.

contrefaire [kɔ̃tʀəfɛːʀ] [28] *v.t.* ① (놀리려고) 흉내내다(= parodier) : ~ la voix 〔les gestes〕 de qn …의 목소리〔동작〕을 흉내내다. ② 위조하다, 표절하다(= plagier) : ~ un sceau 인감을 위조하다. ③ (자기 글씨 · 목소리 따위를) 위장하다, 속이다(= déguiser) : ~ sa écriture 자신의 필체를 (바꾸어) 위장하다.

contrefait, e [kɔ̃tʀəfɛ, -ɛt] *adj.* ① 위조한 ; 표절한 : voix ~*e* 변조된 목소리. ② 기형의 : corps ~ 기형. ③ 거짓의 ; 위장된.

contre(-)ficher [kɔ̃tʀəfiʃe] *v.t.* …에 버팀목을〔대를〕 괴다〔박다〕. — **se** ~ *v.pr.* 《se ficher 의 강조형》 문제삼지 않다, 아랑곳하지 않다. ***Je m'en fiche et m'en contrefiche.*** 그런건 조금도 문제가 안 된다.

contre-fil [kɔ̃tʀəfil] *adv.* 거꾸로. ***à*** ~ 반대 방향으로. ***à*** ~ ***de*** …을 거슬러.

contre-filet [kɔ̃tʀəfilɛ] *m.* = faux-filet.

contrefort [kɔ̃tʀəfɔːʀ] *m.* ① 〖건축〗 버팀벽, 부벽(扶壁). ② 〖지리〗 (산맥의) 지맥.

contrefoutre (se) [s(ə)kɔ̃tʀəfutʀ] *v.pr.* 《속어》 아랑곳하지 않다, 무시하다 : Je *m'en contrefous.* 그까짓것 아무래도 좋다.

contre-haut (en) [ɑ̃kɔ̃tʀəo] *loc. adv.* 아래에서 위로(≠ contre-bas), 높은 곳에〔의〕. ***en*** ~ ***de*** qc …보다 높은 곳에〔의〕 : *en* ~ *d'*une route 길보다 고지대에 있는 집.

contre-indiqué, e [kɔ̃tʀɛ̃dike] *adj.* 〖의학〗 금기의, 맞지 않는 ; 부적당한 : traitement ~ 금기시하는 치료법.

contre-indiquer [kɔ̃tʀɛ̃dike] *v.t.* 〖의학〗 《주어 : qc》 (약 · 수술을) 금기(禁忌)하다.

contre-interrogatoire [kɔ̃tʀɛ̃tɛʀɔgatwaːʀ] *m.* 〖법률〗 반대 심문(審問).

contre-jour [kɔ̃tʀəʒuːʀ] *m.* ① 역광선 ; 역광사진. ② 그늘진 곳. ***à*** ~ 광선을 등지고, 역광선을 받고 : photo prise *à* ~ 역광선을 받고 찍은 사진.

contremaître, esse [kɔ̃tʀəmɛtʀ, -tʀɛs] *n.* 직공장, 감독, 십장.

contremander [kɔ̃tʀəmɑ̃de] *v.t.* (명령 · 주문을) 취소하다(= annuler ; ≠ confirmer).

contre-manifestant, e [kɔ̃tʀəmanifɛstɑ̃, -ɑ̃ːt] *n.* (어떤 시위에 대한) 반대 시위 참가자.

contre-manifestation [kɔ̃tʀəmanifɛstɑsjɔ̃] *f.* (어떤 시위에 대한) 반대 시위.

contre-manifester [kɔ̃tʀəmanifɛste] *v.i.* (어떤 시위에 대해) 반대 시위를 하다.

contremarque [kɔ̃tʀəmaʀk] *f.* ① (상품 포장재에 붙이는) 꼬리표 ; (금은 세공품의) 극인(極印), (화폐의) 부인(副印). ② (극장에서 잠시 외출할 때 받는) 외출표.

contre-mesure [kɔ̃tʀəm(ə)zyːʀ] *f.* ① 대책, 반대 조치 : prendre des ~*s* 대책을 강구하다. ② 〖음악〗 à ~ 박자가 맞지 않는. ***jouer à*** ~ 〖음악〗 박자를 틀리게 연주하다.

contre-offensive [kɔ̃tʀɔfɑ̃siːv] *f.* 반격, 역습《contre-attaque 보다 대규모의 작전》.

contrepartie [kɔ̃tʀəpaʀti] *f.* ① 상대물, 보완물, 보상 : obtenir une ~ financière 보상금을 손에 넣다. ② 반대론, 반대 의견 ; 반대편 : soutenir la ~ d'une opinion 반대 의견을 내세우다. ***en*** ~ 그 대신에, 그 대가로(= *en* revanche) : Ce travail est difficile mais, *en* ~, il est mieux rémunéré. 이 일은 어렵지만 대신 보수가 매우 두둑하다. ***maison de*** ~ 〖증권〗 엉터리 증권 회사.

contre-performance [kɔ̃tʀəpɛʀfɔʀmɑ̃ːs] *f.* 〖스포츠〗 (뜻밖의) 실패, 성적 부진.

contre-pèterie [kɔ̃tʀəpɛtʀi] *f.* 문자 · 음절 또는 어순을 바꿔 놓기《C'en est *fait*, il est *mort.* 를 C'en est *mort*, il est *fait.* 로 하는 따위》.

contre-petterie [kɔ̃tʀəpɛtʀi] *f.* = contre-pèterie.

contre-pied [kɔ̃tʀəpje] *m.* 《복수 없음》 (어떤 의견 · 입장의) 정반대 : Votre opinions sont le ~ des siennes. 당신의 의견은 그의 의견과는 정반대이다. ***à*** ~ (***de***) (…와) 거꾸로 : Le balle l'a surpris *à* ~. 공이 그가 예상치 못한 곳으로 날아왔다. ***en*** ~ 그 대신에. ***être pris à*** ~ 허를 찔리다. ***prendre le*** ~ (***de***) (…에) 반대하다.

contre-plaqué, e [kɔ̃tʀəplake] *adj.* 겹쳐 붙인, 합판의. — *m.* 합판, 베니어판.

contre-plongée [kɔ̃tʀəplɔ̃ʒe] *f.* 〖영화 · TV〗 상향(上向) 촬영, 앙각(仰角) 촬영.

contrepoids [kɔ̃tʀəpwa〔ɑ〕] *m.* ① 평형추(錘), 분동(分銅) ; (시계의) 추(= balancier). ② (줄타기 곡예사의) 평형봉. ③ 《비유》 균형, 평형. ***faire*** ~ ***à*** …와 균형을 이루다. ***Il y a*** ~. 균형이 잡혀 있다. ***servir de*** ~ ***à***

C

qc (보완 · 견제하여) 균형을 이루게 하다.
contre-poil (à) [akɔ̃tʀəpwal] *loc. adv.* 털의 결과 반대 방향으로; 거꾸로 : brosser un chapeau *à* ~ 모자의 털결과 반대로 솔질을 하다. ***prendre*** qn ***à*** ~ …에게 거역하다.
contrepoint [kɔ̃tʀəpwɛ̃] *m.* ① 〖음악〗 대위법(對位法)(을 사용한 곡). ② 《비유》 다른 것과 겹쳐지는 부주제(副主題).
contrepoison [kɔ̃tʀəpwazɔ̃] *m.* ① 해독제 (=antidote). ② 치료제; 해결책, 대책.
contre(-)projet [kɔ̃tʀəpʀɔʒɛ] *m.* 대안(對案) : proposer des ~*s* 여러 가지 대안을 제시하다.
contre(-)proposition [kɔ̃tʀəpʀɔpozisjɔ̃] *f.* 반대 제안.
contre(-)publicité [kɔ̃tʀəpyblisite] *f.* ① 대항 선전, 도전 광고. ② (광고 · 선전 따위의) 역효과.
contrer [kɔ̃tʀe] *v.t.* ① 〖권투〗 (강타를) 받아치다. ② 《구어》 《~ qn》 (…에게 맞서서) 반대하다, 역습하다 : ~ une attaque 《비유》 공을 물리치다 / ~ un projet 계획에 반대하다. — *v.t.* et *v.i.* 〖카드놀이〗 (bridge 에서) 더블을 걸다.
contre-réforme [kɔ̃tʀəʀefɔʀm] *f.* 〖종교사〗 반(反)종교 개혁.
contre-révolution [kɔ̃tʀəʀevɔlysjɔ̃] *f.* (*pl.* **~-~s**) 반혁명.
contre-révolutionnaire [kɔ̃tʀəʀevɔlysjɔnɛːʀ] *adj.* 반혁명의. — *n.* 반혁명가.
contrescarpe [kɔ̃tʀɛskaʀp] *f.* 〖축성〗 누호(壘壕)의 바깥 축대.
contresens [kɔ̃tʀəsɑ̃ːs] *m.* ① 반대의 뜻; 오해; 오역 : faire un ~ 오해하다, 오역〔오독〕하다. ② 반대 방향. ③ 이치에 어긋남(=absurdité), 비상식(=nonsens). ***à*** ~ 거꾸로, 틀려서. ***à*** ~ ***de*** …와 반대 방향으로 : nager *à* ~ *du* courant 물결을 거슬러 헤엄쳐 나가다. ***prendre le*** ~ ***de la marée*** 조류를 거슬러 가다. ***prendre le*** ~ ***des paroles de*** qn …의 말을 곡해하다. ***prendre le*** ~ ***d'une affaire*** 일을 거꾸로 시작하다.
contresigner [kɔ̃tʀəsiɲe] *v.t.* …에 부서〔연서〕하다 : ~ l'acte de mariage 결혼 증서에 연서하다.
contretemps** [kɔ̃tʀətɑ̃] *m.* 《복수불변》 뜻밖의 사고(=accident), 난처한 일 : Quel ~ ! 이렇게 공교로울 수가 있나. ② 〖음악〗 신코페이션, 변조(變調). ***à ~ 시기〔운〕 나쁠 때에; 계제 나쁘게(=mal à propos) : arriver *à* ~ 운 나쁜 때 오다.
contre-terrorisme [kɔ̃tʀətɛʀɔʀism] *m.* 보복〔역(逆)〕 테러.
contre-terroriste [kɔ̃tʀətɛʀɔʀist] *m.* 보복〔역(逆)〕 테러리스트. — *adj.* 보복〔역(逆)〕 테러의.
contre-torpilleur [kɔ̃tʀətɔʀpijœːʀ] *adj.* 어뢰정 방어의. — *m.* 구축함(=destroyer).
contretype [kɔ̃tʀətip] *m.* 〖사진〗 좌우 반대의 음화; 복제 양화 필름.
contre-valeur [kɔ̃tʀəvalœːʀ] *f.* 〖재정〗 교환 가치; 대가(對價).
contrevenant, e [kɔ̃tʀəvnɑ̃, -ɑ̃ːt] *adj.* 위반하는. — *n.* 위반자.
contrevenir [kɔ̃tʀəvniːʀ] [16] *v.t. ind.* 《~ à》 …을 위반하다, 어기다(=violer) : ~ *au* Code de la route 도로 교통법을 어기다.
contrevent [kɔ̃tʀəvɑ̃] *m.* (창문의) 덧문(=perisienne), 겉창.
contre(-)vérité [kɔ̃tʀəveʀite] *f.* ① 허위, (선의의) 거짓말. ② 반어(=antiphrase), 역설; 풍자.
contre-visite [kɔ̃tʀəvizit] *n.f.* ① 재검사, 재심사; 재검역. ② 〖의학〗 재진(再診).
contre-voie (à) [akɔ̃tʀəvwa] *loc. adv.* 〖철도〗 반대측 선로로, 역방향으로 : circuler *à* ~ 역방향으로 진행하다 / descendre *à* ~ (플랫폼과) 반대쪽에 내리다.
contribuable [kɔ̃tʀibɥabl] *n.* 납세자. ***aux frais du*** ~ 공금을 낭비하여.
***contribuer** [kɔ̃tʀibɥe] *v.t. ind.* 《~ à》 ① ⓐ …에 출자하다, 분담금을 내다; 납세하다 : ~ *aux* charges publiques 세금을 내다. ⓑ 《간접보어 없이》 ~ pour un tiers 비용의 3분의 1을 분담하다. ② …에 협력하다, 기여〔공헌〕하다, 이바지하다(=concourir, coopérer) : ~ au succès d'une entreprise 사업〔계획〕의 성공을 위해 힘이 되어 주다 / 《~ à+*inf.*》 ~ *à* redresser la situation 사태를 호전시키는 데 기여하다.
contribution** [kɔ̃tʀibysjɔ̃] *f.* ① 출자(出資); 기부(금); 분담(금), 할당(액) : ~ à une entreprise 기업에의 출자 / verser sa ~ 분담금을 내다. ② 세금, 조세(=impôt); (*pl.*) 세무 (행정); (*C*~) 세무서 : être dans les ~*s* 세무서에 근무하다 / lever 〔percevoir〕 une ~ 세금을 징수하다. ③ 공헌, 기여 : apporter sa ~ à la science 학문 발전에 기여하다. ***mettre qn 〔qc〕 ***à*** ~ …에게 분담〔출자〕시키다; …의 도움을 청하다; …을 이용하다.
contrit, e [kɔ̃tʀi, -it] *adj.* ① 〖종교〗 회개하는(=pénitent). ② 후회하는(=repentant); 원통해하는(=mortifié) : cœur ~ 회개하는 마음 / air ~ 후회하는 태도.
contrition [kɔ̃tʀisjɔ̃] *f.* ① 〖종교〗 회개(=pénitence). ② 후회, 회한(=remords).
contrôlable [kɔ̃tʀolabl] *adj.* 조사〔확인〕할 수 있는; 조절〔통제〕할 수 있는.
contrôle** [kɔ̃tʀoːl] *m.* ① 단속; 감독; 관리 : ~ de qualité (제품의) 품질 관리. ② 통제, 억제; 조절; 조정 : ~ des naissances 산아 제한 / ~ des prix 가격 통제. ③ ⓐ 확인; 검사, 점검; 감사; (입장권 · 차표 따위의) 개찰, 검찰 : ~ d'une comptabilité 회계 감사 / ~ des billets (기차표 따위의) 검표. ⓑ 검사소(=bureau de ~); 개찰구. ④ 등록부; 인원 명부 : dresser le ~ d'une compagnie 회사의 사원 명부를 작성하다. ⑤ 〖항공〗 (공항의) 관제탑. ⑥ (금은 세공품 · 보석 따위의) 순도 검증 각인(=poinçon 〔cachet〕 de ~). ~ ***de soi 자제, 자기 감정의 억제. ***exercer un*** ~ ***sévère sur*** …을 엄중히 감독〔통제〕하다.
***contrôler** [kɔ̃tʀole] *v.t.* ① 감독〔감시〕하다; 관리하다 : ~ les publications 출판물을 검열하다. ② 확인하다; 검사〔검토〕하다; (차표 따위를) 개찰〔검찰〕하다 : ~ les comptes 회계 감사를 하다 / ~ un renseignement 정보를 확인하다. ③ 억제하다, 통제하다; 조절〔조정〕하다 : ~ la hausse des prix 물가의

상승을 억제하다 / ~ le volume du son 음량을 조절하다. ④ (금은 세공품 따위에) 순도 검증 각인을 찍다(= poinçonner). ── **se ~** *v.pr.* 자제하다, 자기 감정을 억제하다.

***contrôleur, euse** [kɔ̃tʀolœːʀ, -øːz] *n.* ① 〚행정〛 감독관 ; 감사관(= inspecteur). ② (작업 따위의) 감독자 ; (화물 따위의) 점검〔검사〕원. ③ (극장 · 철도의) 개찰〔검찰〕원. ④ 항공 관제관(= ~ aérien) ; (전차 · 버스의) 차장. ── *m.* 조절기 ; 제동〔제어〕 장치 ; 자동 표시기 : ~ d'atelier 타임리코더, 작업 시간 기록기. ── *adj.* appareil ~ 조절 장치.

contrordre [kɔ̃tʀɔʀdʀ] *m.* 취소 명령.

controuvé, e [kɔ̃tʀuve] *adj.* 날조〔조작〕된, 허위의: nouvelle ~*e* 허위 정보.

controverse** [kɔ̃tʀɔvɛʀs] *f.* 논쟁, 논란(= discussion), 논의 : susciter une ~ 논쟁을 불러일으키다. ***hors de ~ 논란의 여지 없는. ***soutenir une ~ contre*** …을 논박하다.

controversé, e [kɔ̃tʀɔvɛʀse] *adj.* 논쟁〔논란〕의 대상이 되는(= contesté) : théorie ~*e* 논란의 대상이 된 학설.

contumace [kɔ̃tymas] *f.* 〚법률〛 (법정에서의) 결석 : jugement par ~ 결석 재판. ── *adj.* 〚법률〛 결석한. ── *n.* 결석 피고(= accusé(e) ~).

contumax [kɔ̃tymaks] *adj.* et *n.* = contumace.

contusion [kɔ̃tyzjɔ̃] *f.* 타박상.

contusionner [kɔ̃tyzjɔne] *v.t.* …에게 타박상을 입히다. ── **se ~** *v.pr.* 타박상을 입다.

conurbation [kɔnyʀbɑsjɔ̃] *f.* (대도시의 위성 도시 또는 여러 도시로 이루어진) 집합 도시, 연합 도시, 메갈로폴리스.

convaincant, e [kɔ̃vɛ̃kɑ̃, -ɑ̃ːt] *adj.* 설득력 있는(= persuatif) ; 납득할 만한(= probant) : preuve ~*e* 설득력 있는 증거.

***convaincre** [kɔ̃vɛ̃ːkʀ] 49 *v.t.* ① 《~ qn》 납득시키다, 설득하다(= persuader) : ~ un incrédule 의심하는 사람을 설득하다 / 《~ qn de + *inf.*》 Je l'*ai convaincu de* renoncer à son projet. 나는 그의 계획을 포기하도록 그를 설득했다 / 《~ qn de 〔que + *ind.*〕》 Je l'*ai convaincu qu*'il fallait partir tout de suite. 당장 떠나야만 한다고 그를 설득했다. ② 《~ qn de qc》 …에게 …을 확인시키다〔입증하다〕 : ~ qn *de* trahison …에게 그가 배반했다는 것을 입증하다〔확인시키다〕 / ~ un accusé *de* son crime 피고에게 그의 죄를 입증하다 / 《비유》 Sa doctrine *fut convaincue d*'erreur. 그의 설은 틀렸다는 것이 증명되었다. ── **se ~** *v.pr.* ① 납득하다 ; 확신하다 : 《se ~ de 〔que + *ind.*〕》 *se ~ des* avantages de la solution 그 해결책의 이점을 깨닫다. ② 《se ~ de qc》 서로 …을 확인하다 : Ils *se sont convaincus* mutuellent *de* la loyauté de leurs intentions. 그들은 서로의 의도가 성실한 것임을 깨달았다.

convaincu, e [kɔ̃vɛ̃ky] *adj.* ① 납득한 ; 확신하는 : parler d'un ton ~ 자신 있는 어조로 말하다 / 《~ de qc 〔que + *ind.*〕》 Êtes-vous ~ *de* son appui? 그의 지지를 확신하십니까? ② 《~ de》 (죄가) 입증된 : Il est ~ *de* mensonge. 그의 거짓말이 입증됐다.

convainqu-ait, -ant, -is, etc. ⇒ convaincre.

convalescence [kɔ̃valesɑ̃ːs] *f.* 회복기 : maison de ~ 요양원 / entrer 〔être〕 en ~ 회복기에 들어가다〔있다〕. ② (불안정한) 재개, 회복 : ~ morale 도덕성 회복.

convalescent, e [kɔ̃valesɑ̃, -ɑ̃ːt] *adj.* 병이 나아가는, 회복기의. ── *n.* 회복기 환자.

***convenable** [kɔ̃vnabl] *adj.* ① 알맞은, 적합〔적절〕한, 어울리는(= approprié) : choisir le moment ~ 적절한 시기를 택하다. ② 수락할 만한, 충분한(= acceptable, suffisant) : salaire ~ 만족할 만한 봉급. ③ 상당히 좋은, 편리한(= favorable) : logement ~ 쓸 만한 주거 (공간). ④ 예절〔예의〕바른, 단정한 : tenue ~ 단정한 옷차림.

convenablement [kɔ̃vnabləmɑ̃] *adv.* 알맞게, 적절하게 ; 예의바르게.

convenance** [kɔ̃vnɑ̃ːs] *f.* ① 알맞음, 적합, 적절(= propriété), 합당. ② (취미 따위의) 일치, 합치(= affinité) : ~*s* de goût entre deux amis 두 친구 간의 취향의 일치. ③ 편의, 유리 ; 사정 : consulter sa ~ 그의 형편〔사정〕을 알아보다. ④ (흔히 *pl.*) 예의, 예절(= bienséance) : manque de ~ 결례. ***à la ~ de qn …의 형편에 맞는, …의 형편대로 : gîte *à sa ~* 그의 취향에 맞는 숙소. ***braver* 〔*respecter, observer*〕 *les ~s*** 예의를 무시하다〔지키다〕. ***être à la ~ de*** qn …의 기호〔요구〕에 맞다. ***faire*** qc ***à sa ~*** 자기 형편에 맞게 …을 하다. ***par ~*** 체면상.

convenant, e [kɔ̃vnɑ̃, -ɑ̃ːt] *adj.* ① 적당한, 합당한. ② 예의바른.

convenir** [kɔ̃vniːʀ] 16 *v.t. ind.* ① 《주어 : qc》 《~ à qn》 《조동사는 avoir》 ⓐ …에게 알맞다, 적당하다, 걸맞다 : la date qui vous *conviendrait* le mieux 당신에게 가장 알맞은 날짜 / un moyen de transport qui *convient aux* gens pressés 바쁜 사람들에게 적합한 교통 기관. ⓑ …의 뜻에 맞다, 마음에 들다 : Cette maison m'*a convenu.* 그 집은 내 마음에 들었다. ② 《~ de》 《조동사는 보통 avoir, 문어에서는 être》 ⓐ 《주어 : *pl.*》 《~ de qc 〔+ *inf.*〕 ; ~ que + *ind.*》 …에 관해서 합의〔동의〕하다 ; 결정짓다(= décider) : Nous *avons convenu d*'un lieu de rendez-vous 〔*de* nous réunir〕. 우리는 만날 장소에〔모이기로〕 합의했다. ⓑ 《수동》 Une date *a été convenue* pour cette fête. 그 축제를 위해 날짜가 합의〔결정〕되었다. ⓒ 《주어 : *sing.*》 《~ de qc 〔+ *inf.*〕 ; ~ que + *ind.*》 …을 시인〔인정〕하다 : ~ *de* sa faute 잘못을 시인하다 / Il en *a convenu.* 그는 그것을 시인했다 / *Convenez que* vous avez tort. 당신이 틀렸다는 것을 시인하시오. ***comme convenu 합의〔결정〕된 대로. ***J'ai eu tort, j'en conviens.*** 내가 잘못했어, 나도 그것을 시인한다. ── *v.i.* 알맞다, 적당하다 : Cela *conviendra.* 그러면 될 것이오. ── *v. impers.* ① 《Il convient de + *inf.* 〔que + *sub.*〕》 …하는 것이 좋다〔적합하다〕 ; …해야 한다 : Il *convient que* ce projet soit mieux étudie. 이 계획안은 좀 더 검토하는 것이 좋겠다 / Il *convient que* chacun fasse un effort. 각사 힘써야 한다. ② 《Il est convenu que + *sub.* 〔*ind.*〕》 …하기로 합의〔결정〕되다 : Il *a été convenu que* les denrées alimentaires ne seraient pas taxées. 식료품은 과세하지 않도록 결정되었다. ***comme il convient*** 적당하게 ; 예의바르게. ── **se ~** *v.pr.* ① 서로 적합하다. ② 서로 뜻이 맞다, 의기투합하다 (= s'accorder). 「회.

convent [kɔ̃vɑ̃] *m.* (비밀 결사의) 총회 ; 집

convention** [kɔ̃vɑ̃sjɔ̃] *f.* ① 협약, 조약, 협정, 약정, 규약(= accord, traité) ; 협정〔약정〕서 : ~ commerciale 통상 협정 / ~ collective (du travail) (노사 간의) 단체 협약 / conclure 〔établir, ratifier〕 ~ 협약을 체결하다. ② (*pl.*) (협약의) 조항, 세목(= article). ③ 합의〔약속〕 (사항)(= entente) : Ce 〔Cela〕 n'était pas dans nos ~*s*. 그것은 약속과 다르다. ④ 묵계 ; 관례, 관습, 규범 : ~*s* (sociales) 사회적 관례〔관습〕. ***de ~ ⓐ 관례적인 ; 관용의 : langage *de* ~ 의례적인 말. ⓑ 진부한, 상투적인.

conventionné, e [kɔ̃vɑ̃sjɔne] *adj.* (사회보장의 집행 기관과 보험) 협정을 맺은 : médecin ~ 보험의(醫).

conventionnel, elle [kɔ̃vɑ̃sjɔnɛl] *adj.* ① 협정의, 약정의 : clause ~*elle* 합의 조항. ② 관례의, 묵계에 의한 ; 인습적인, 상투적인 : formule ~*elle* de politesse 의례적인 인사말. ── *m.* 〖프랑스사〗 국민 의회(Convention nationale) 의원.

conventionnellement [kɔ̃vɑ̃sjɔnɛlmɑ̃] *adv.* 협약〔협정〕에 의하여 ; 인습적으로.

conventuel, elle [kɔ̃vɑ̃tɥɛl] *adj.* 수도원의. ── *m.* 수도사〔승〕(= religieux ~).

convenu, e [kɔ̃vny] *adj.* ① 약정의, 정해진 : somme ~*e* 약정된 금액. ② 판에 박힌, 상투적인 : style ~ 진부한 문체. ***C'est ~ !*** 그렇게 합시다 ! ***comme ~*** 결정된 대로, 예정대로. ── *m.* ① 협정 (사항). ② 틀에 박힌 것, 관례적〔상투적〕인 것. ***s'en tenir au ~*** 협정을 굳게 지키다.

convergence [kɔ̃vɛʀʒɑ̃:s] *f.* ① (노력 따위의) 집중 ; 일치 : ~ des efforts 노력의 집중 / ~ des opinions 의견의 일치. ② 〖군사〗 집중 사격 ; 〖물리〗 수렴 ; 〖광학〗 (렌즈의) 굴절력 ; 〖생물〗 근사(近似) 현상.

convergent, e [kɔ̃vɛʀʒɑ̃, -ɑ̃:t] *adj.* 집중하는, 집중적인, (한점으로) 모이는 : feux ~*s* 집중 포화 / lentille ~*e* 집광〔볼록〕렌즈.

***converger** [kɔ̃vɛʀʒe] 3 *v.i.* ① 집중하다, 한 점으로 모이다(≠ diverger) ; 같은 목표로 향하다 : faire ~ les feux d'une batterie 〖군사〗 포병대의 화력을 집중시키다. ② 〖물리〗 수렴(收斂)하다.

⁑conversation [kɔ̃vɛʀsɑsjɔ̃] *f.* ① 담화, 회화 ; 화제 : ~ familière 일상적인 회화, 잡담 / sujet de ~ 화제 / changer de ~ 화제를 바꾸다. ② 화술, 말솜씨 : cultiver la ~ 화술을 기르다. ③ 회담 ; 교섭(= pourparlers) : ~ diplomatique 외교 교섭. ***alimenter la ~*** 화제 거리를 제공하다. ***avoir de la ~*** 화술이 능란하다. ***être en ~*** (***avec*** qn) (…와) 담화 중이다. ***faire*** (***la***) ***~ à*** qn …와 담소하다. ***homme de bonne ~*** 이야기를 재미나게 하는 사람. ***lier*** 〔***entrer en, engager la***〕 ***~ avec*** qn …와 이야기를 시작하다.

conversationnel, elle [kɔ̃vɛʀsasjɔnɛl] *adj.* 〖컴퓨터〗 대화 방식의 : mode ~ 대화모드 / écran ~ 대화형 디스플레이.

converser [kɔ̃vɛʀse] *v.i.* 이야기하다, 담화하다(= causer) : ~ avec …와 이야기를 주고받다.

conversion [kɔ̃vɛʀsjɔ̃] *f.* ① 《~ (en)》 (…으로의) 변환, 전환(轉換) ; (…으로의) 환산 : ~ des valeurs *en* argent liquide 유가증권의 환금 / ~ de fractions *en* fractions décimales 분수의 소수로의 전환 / table de ~ (도량형 따위의) 환산표 / ~ de rente (채권의) 이율 인하. ② 《~ (à)》 (…으로의) 개종(改宗) ; (…으로의) 개심, 전향(轉向) : ~ du pêcheur 죄인의 개심 / ~ *au* liberalisme 자유주의로의 전향. ③ 〖군사〗 선회(旋回) ; 회전 운동. ④ (기업 등의) 방향 전환.

converti, e [kɔ̃vɛʀti] *adj.* 개심〔개종〕한. ── *n.* 개심자, 개종자.

convertibilité [kɔ̃vɛʀtibilite] *f.* 《~ en》 (…으로) 바꿀 수 있음, 전환할 수 있음 ; 태환(兌換)〔환산〕할 수 있음 : ~ des valeurs *en* espèces 유가증권의 현금으로의 전환〔환금〕성.

convertible [kɔ̃vɛʀtibl] *adj.* 바꿀 수 있는, 전환할 수 있는 ; 태환할 수 있는 ; 환산할 수 있는 : chèque ~ *en* espèces 현금으로 교환되는 수표. ── *m.* 수직 이착륙기.

convertir [kɔ̃vɛʀti:ʀ] *v.t.* ① ⓐ 《~ en》 …으로 바꾸다, 변환〔전환〕하다 ; …으로 태환하다 ; …으로 환산하다 : ~ une lande *en* pâturage 황무지를 목장으로 바꾸어 놓다 / ~ ses biens *en* espèces 자기 재산을 현금으로 바꾸다 / ~ des francs *en* dollars 프랑을 달러로 환산하다. ⓑ ~ une rente 채권의 이율을 인하하다 / ~ un titre 채권을 변환하다. ② 《~ qn》 신에게 귀의시키다 ; 《~ qn à》 …을 …으로 개종〔개심〕시키다 : ~ qn *au* christianisme …을 그리스도교로 개종시키다. ③ 〖논리〗 환위(換位)하다. ── **se ~** *v.pr.* ① 신에게 귀의하다 ; 《se ~ à》 …으로 개종〔개심〕하다. ② 《se ~ en》 …으로 바뀌다. ③ 〖논리〗 환위되다.

convertisseur [kɔ̃vɛʀtisœ:ʀ] *m.* ① 〖야금〗 전로(轉爐). ② 〖전기〗 정류기(整流器), 변류기(變流器).

convexe [kɔ̃vɛks] *adj.* 볼록한 모양의, 철형(凸形)의(= concave) : miroir ~ 볼록거울.

convexité [kɔ̃vɛksite] *f.* 볼록한 모양 ; 철면(凸面), 철형판(版).

conviction** [kɔ̃viksjɔ̃] ① 확신(≠ doute), 자신(= certitude) : agir avec ~ 확신을 갖고 행동하다 / parler sans ~ 자신 없이 말하다. ② (*pl.*) 신념, 신조 : ~*s* politiques 정치적 신조. ③ 진심, 진지함 : faire son travail avec ~ 진지하게 자기 일을 하다. ***avoir la ~ que+*ind.* …을 확신하고 있다. ***d'après ses ~s ; par ~*** 신념에 따라, 신념대로. ***pièce à*** 〔***de***〕 ***~*** 〖법률〗 (형사 사건의) 증거품〔서류〕.

conviendr-ai, -as, -a, etc. ⇒ convenir.

convien-s, -t ⇒ convenir.

***convier** [kɔ̃vje] *v.t.* ① 《~ qn à》 …을 …에 초대하다 : ~ qn *à* une soirée …을 저녁 모임에 초대하다. ② 《~ qn à 〔+*inf.*〕》 …에게 …을 권(유)하다(= engager, solliciter) : Il nous a *conviés à* loger chez lui. 그는 우리

에게 그의 집에 머물도록 권했다.
convin-s, -t ⇒ convenir.
convive [kɔ̃vi:v] *m.* (식사에의) 초대객, 회식자(= invité, hôte).
convivialiste [kɔ̃vivjalist] *n.* 〖컴퓨터〗 (컴퓨터 사용 체계를 개발하는) 컴퓨터 전문가; 정보 처리 전문가.
convocation [kɔ̃vɔkɑsjɔ̃] *f.* 호출장, 출두명령(서), 소환장 : ~ de l'Assemblée nationale 국회의 소집 / ~ à un examen 시험 통지; 수험표.
convoi [kɔ̃vwa] *m.* ① 일단의 차량〔선박〕; 〖군사〗 수송대; 호송대. ② 〖해양〗 호송받는 상선단; 호송 함대. ③ 장례(葬禮) 대열(= ~ funèbre). ④ 〖철도〗 열차(= train) : ~ de voyageurs 여객 열차. ***aller au* 〔*suivre le*〕 ~ *de*** qn …의 장례식에 참석하다.
***convoiter** [kɔ̃vwate] *v.t.* 갈망하다, 탐내다 : ~ une femme 여자를 탐내다 / ~ le pouvoir 권력을 노리다.
convoitise [kɔ̃vwati:z] *f.* 소유욕; 갈망(= avidité), 탐욕(= cupidité); 음탕(= concupiscence), 선망 : ~ des richesses 금전욕 / ~ de la chair 육욕. ***regarder*** qc ***avec ~ 〔d'un œil de ~, avec un œil de ~〕*** …을 탐욕스럽게 바라보다.
convoler [kɔ̃vɔle] *v.i.* (여자가) 재혼하다; 《구어》 결혼하다 : ~ en secondes 〔troisièmes〕 noces 재혼하다〔세 번째 결혼하다〕 / ~ en justes noces 《구어》 결혼하다.
***convoquer** [kɔ̃vɔke] *v.t.* ① (회의 따위를) 소집하다 : ~ une assemblée 의회를 소집하다 / ~ les candidats à un examen 수험자를 소집하다. ② 소환하다; 호출하다, 출두를 명하다 : ~ les témoins 증인을 소환하다. ── **se ~** *v.pr.* 소집되다.
convoyer [kɔ̃vwaje] [7] *v.t.* 〖군사〗 호송하다, 경호하다(= escorter).
convoyeur, euse [kɔ̃vwajœ:ʀ, -ø:z] *adj.* 호송하는. ── *m.* ① 호송함; 〖철도〗 호송 경비원 : ~ de fonds 현금 수송차의 경비원; 〖군사〗 호송 장교. ② (곡물 따위의) 컨베이어벨트(= ~ à bande).
convulser [kɔ̃vylse] *v.t.* ① 경련을 일으키다. ② 부들부들 떨게 하다(= crisper) : visage *convulsé* par la peur 공포로 부들부들 떨고 있는 얼굴. ── **se ~** *v.pr.* 경련이 일다.
convulsif, ive [kɔ̃vylsif, -i:v] *adj.* 〖의학〗 경련성의; 발작적인(= spasmodique). ***pris d'un rire ~*** 포복절도하여.
convulsion [kɔ̃vylsjɔ̃] *f.* ① 〖의학〗 경련 : ~*s* toniques 강직성 경련. ② 격동, 격변 : ~*s* politiques 대정변. ③ (분노 따위로) 부들부들 떨기, 발작.
convulsionner [kɔ̃vylsjɔne] *v.t.* ① 경련을 일으키다 : visage *conrulsionné* 경련을 일으킨 얼굴. ② 진동시키다; 대혼란에 빠뜨리다.
convulsivement [kɔ̃vylsivmɑ̃] *adv.* 경련을 일으킨 듯이 : sangloter ~ 흐느껴 울다.
cool [kul] *adj.* 《불변》 ① 《구어》 (사람이) 차분한, 냉정한. ② 〖음악〗 jazz ~ 쿨 재즈.
coolie [kuli] *m.* (중국·인도 등지의) 하급 노동자, 쿨리, 인부.
coopérant, e [kɔɔpeʀɑ̃, -ɑ̃:t] *n.* (발전도상국에 파견하는) 해외 협력 파견원, 파견 교사. ── *adj.* 협조적인 : Il est très ~. 그는 협조를 잘 한다.
coopérateur, trice [kɔɔpeʀatœ:ʀ, -tʀis] *n.* ① 협력자, 협동자, 동료. ② 협동 조합원. ── *adj.* 협력하는 : agent ~ 협력자.
***coopératif, ive**[1] [kɔɔpeʀatif, -i:v] *adj.* 협동의, 협력적인; avoir l'esprit ~ 협동심이 있다.
***coopération** [kɔɔpeʀɑsjɔ̃] *f.* ① 협력, 협동, 협조 : société de ~ 협동조합. ② (발전 도상국에 대한) 원조 (정책), 대외 협력 : service de ~ technique 기술 협력 해외 복무. ③ 〖경제〗 협동조합 체제 : société de ~ 협동조합 방식 회사.
coopératisme [kɔɔpeʀatism] *m.* 협동조합제.
coopérative[2] [kɔɔpeʀati:v] *f.* 협동조합(= société ~) : ~ agricole 농업협동조합 / ~ de consommation 소비조합.
***coopérer** [kɔɔpeʀe] [6] *v.i.* 협력〔협동〕하다(= collaborer). ── *v.t. ind.* 《~ à》 …에 협력〔협조〕하다 : ~ *à* l'exécution d'un projet 계획의 실천에 협력하다 / 《보어 없이》 Le témoin a accepté de ~. 증인은 협조할 것을 수락했다. **~ à**+*inf.* …하는 데 협력하다.
cooptation [kɔɔptɑsjɔ̃] *f.* (회원에 의한) 신입 회원의 선거〔지명〕.
coopter [kɔɔpte] *v.t.* (신입 회원을) 회원들 자신이 선출〔호선〕하다.
coordinateur, trice [kɔɔʀdinatœ:ʀ, -tʀis] *m.* 조정자, 코디네이터. ── *adj.* 조정하는.
coordination [kɔɔʀdinɑsjɔ̃] *f.* ① 배열, 정리; 조정된 상태. ② 〖문법〗 등위(等位) : conjonction de ~ 등위접속사《et, mais, ou 따위》. ③ 결집, 연합.
coordonné, e [kɔɔʀdɔne] *adj.* ① 정리〔조정〕된, 질서 있는 : actions ~*es* 조직적인 행동. ② 〖문법〗 등위의 : propositions ~*es* 등위절. ── *f.pl.* ① 〖수학·천문〗 좌표(축); 〖지리〗 경위(經緯) : ~ astronomiques 천문좌표. ② 《구어》 연락처《주소·전화번호 따위》; 신상명세 : Donnez-moi vos ~. 당신의 연락처를 알려 주세요. ③ 〖문법〗 등위절.
***coordonner** [kɔɔʀdɔne] *v.t.* ① 정리〔정돈〕하다; (알맞게) 통합하다, 조정하다 : ~ ses idées 생각을 정리하다 / ~ des efforts 노력을 통합하다. ② 〖문법〗 (문의 요소를) 등위접속사로 연결하다, 등위절로 만들다.
***copain** [kɔpɛ̃] *m.* 《구어》 친구《여성형은 copine》, 동무, 단짝(= ami). ── *adj.* 동무인, 친한 : être ~ avec …와 친하다.
copeau [kɔpo] *m.* (*pl.* **~x**) 대팻밥; 지저깨비; (금속의) 깎은 부스러기.
Copenhague [kɔpɛnag] *n.pr.f.* 〖지리〗 코펜하겐《덴마크 수도》.
Copernic [kɔpɛʀnik] *n.pr.m.* 〖역사〗 코페르니쿠스《폴란드의 천문학자》.
copiage [kɔpja:ʒ] *m.* ① 〖학교〗 커닝. ② 모사; 복사; 모조; 모방, 흉내.
***copie** [kɔpi] *f.* ① 사본, 부본; 〖법률〗 초본, 등본 : faire la d'un diplôme 증서의 사본을 만들다 / ~ certifiée conforme 원본 대조필 사본. ② 〖학교〗 (수제·시험 따위의) 답안·정서 용지 : corriger des ~*s* 답안을 고치다〔채점하다〕. ③ (예술품의) 복사, 복제(複製); 모사(模寫); (영화 필름의) 복제 : ~ d'une

œuvre de maître 걸작품의 복제. ④ 〖인쇄〗 원고(原稿)(= manuscrit). ⑤ 꼭 닮은 사람(= réplique); 흉내, 모방. **~ *d'un modèle*** 〔***d'un type***〕 ***de fabrication*** 〖상업〗(제품의) 견본. ≪***pour ~ conforme***≫ 〖행정·법률〗「원본과 틀림없음을 증명함」(《약자》 P.C.C.) ***prendre*** 〔***tirer***〕 ***~ de*** …의 사본을 뽑다. ***se faire la ~ de*** qn …을 본뜨다.

C

copier** [kɔpje] *v.t.* ① …을 복사하다; 베끼다; …의 사본을 만들다: ~ des documents 자료를 복사하다. ② 모사하다, 복제하다; 모조하다; 본뜨다: ~ un tableau 〔un maître〕 그림 〔거장의 작품〕을 모사하다. ③ 《보어 없이》 (시험에서) 커닝하다, 베끼다: On l'a surpris en train de ~. 그는 커닝 현장을 들켰다 / ~ sur son voisin 옆사람의 답안을 베끼다. ④ 모방하다, 흉내내다(= imiter): ~ un style 문체를 모방하다. **~ *au propre 정서하다. ***machine à ~*** 등사기, 복사기.

copieur, euse [kɔpjœːʀ, -øːz] *adj.* et *n.* 〖학교〗 커닝하는 (학생). ── *m.* 복사기. ~ ***électrostatique*** 복사기(= électrocopieur).

copieusement [kɔpjøzmɑ̃] *adv.* 듬뿍, 푸짐하게, 잔뜩: manger ~ 잔뜩 먹다 / être ~ rémunéré 듬뿍 보수를 받다.

***copieux, euse** [kɔpjø, -øːz] *adj.* 수북한, 풍부한, 많은(= abondant): faire un repas ~ 푸짐한 식사를 하다.

copilote [kɔpilɔt] *m.* 〖항공〗 부(副)조종사.

copine [kɔpin] *f.* 《copain 의 여성형》 친구.

copiner [kɔpine] *v.i.* 친구로 사귀다, 벗하다: ~ avec une bande de jeunes 한떼의 젊은이들과 사귀다.

copinerie [kɔpinʀi] *f.* 《구어》 ① 벗하기, 사귐. ② 《집합적》 친구.

copiste [kɔpist] *n.* ① 베끼는 사람, 모사하는 사람. ② 모방자, 표절자.

copra(h) [kɔpʀa] *f.* 코프라 《코코야자의 열매의 알맹이를 말린 것》.

coproduction [kɔpʀɔdyksjɔ̃] *f.* 〖영화〗 공동 제작; 합작 영화.

copropriétaire [kɔpʀɔpʀi(j)etɛːʀ] *n.* 〖법률〗 공유자. 「유(물).

copropriété [kɔpʀɔpʀi(j)ete] *f.* 〖법률〗 공

copulation [kɔpylɑsjɔ̃] *f.* ① 〖화학〗 연결, 결합. ② 성교, 교접. ③ 〖동물〗 교미(交尾).

copule [kɔpyl] *f.* ① 〖논리·문법〗 계사(繫辭) 《동사 être 를 말함》. 「權).

copyright [kɔpiʀajt] *m.* 저작권, 판권(板

coq**¹ [kɔk] *m.* ① 수탉 《암탉은 poule》; (꿩 따위의) 수컷. ② 〖요리〗 닭 (요리) 《요리에서 coq 는 poulet》: ~ au vin 포도주가 든 소스로 조리하여 삶은 영계. ③ 《구어》 정력적인 남자. ④ (지붕에 다는 수탉 모양의) 풍향기 (= ~ de clocher). ***À nous le ~. 우리가 이겼다. ***avoir des jambes*** 〔***mollets***〕 ***de ~*** 다리가 가냘프다. ***beau ~*** 여자에게 인기가 있는 남자. ***combat*** 〔***concours***〕 ***de ~s*** 닭싸움, 투계. ***~ de village*** 〔***de paroisse***〕 마을에서 제일가는 멋쟁이〔세력가〕. ***poids ~*** 〖권투〗 밴텀급. ***vivre comme un ~ en pâte*** 안락하게 살다.

coq² *m.* 〖해양〗 요리사, 조리사, 쿡. ***maître ~ ; maître-~*** 주방장.

coq-à-l'âne [kɔkalɑːn] *m.* 《복수불변》 종잡을 수 없는 이야기, 횡설수설: faire des ~ 횡설수설하다.

coquard, coquart [kɔkaːʀ] *m.* ① 늙은 수탉. ② 멋쟁이 노인; 바보. ③ (맞아서 눈가에 생긴) 멍.

coque [kɔk] *f.* ① (알의) 껍질. ② (호도 따위의) 껍질(= ~ de noix); 고치(= cocon). ③ 선체; (비행기의) 동체(胴體); (자동차의 프레임을 겸한) 차체. ④ 〖패류〗 새조개 무리 《bucarde 의 통칭》. ***œuf à la ~*** 반숙 계란. ***vieille ~*** 《구어》 낡아빠진 배.

-coque *suff.* 「균(菌)」의 뜻.

coquelet [kɔklɛ] *m.* 〖요리〗 수평아리, 영계.

coquelicot [kɔkliko] *m.* 〖식물〗 개양귀비; 개양귀비 향료를 넣은 사탕과자. ***rouge comme un ~*** (당황하거나 수줍어서) 얼굴이 빨개진. ── *adj.* 《불변》 심홍색의.

coqueluche [kɔklyʃ] *f.* ① 〖의학〗 백일해. ② 인기 있는 사람: être la ~ de la ville 장안의 인기를 끌다.

coquelucheux, euse [kɔklyʃø, -øːz] *adj.* 백일해에 걸린. ── *n.* 백일해 환자.

coquerico [kɔkʀiko] *m.* 꼬끼오 《닭 우는 소리》(= cocorico): pousser des ~*s* 꼬끼오하고 울다.

***coquet, ette** [kɔkɛ, -ɛt] *adj.* ① 멋부린, 젠체하는, 세련된. ② (여자가) 아양〔애교〕떠는, 교태부리는: femme ~*ette* 요염한 여자. ③ 말쑥한, 아담한, 예쁘장한: villa ~*ette* 아담한 별장. ④ 《구어》 상당한 액수〔양〕의: héritage assez ~ 상당한 유산. ── *f.* 요염한 여자; 바람둥이 여자.

coquetier [kɔktje] *m.* ① 닭 장수; 계란 장수. ② 반숙한 계란을 담는 그릇. ***gagner*** 〔***décrocher***〕 ***le ~*** 《구어》 잘 해내다; 《비꼼》 실수를 저지르다.

coquettement [kɔkɛtmɑ̃] *adv.* 요염하게, 멋부려, 멋있게; 말쑥하게, 아담하게: maison ~ meublée 아담하게 세간을 갖춘 집.

coquetterie [kɔkɛtʀi] *f.* ① (이성에 대한) 애교, 교태〔아양〕(부리기). ② (복장·화장 따위의) 모양냄, 멋 (부림)(= chic, élégance). ③ 젠체함, 점잔뺌. ***avoir une ~ dans l'œil*** 《구어》 약간 사팔뜨기다. ***dire des ~s à*** qn (이성에게) 마음을 끄는 달콤한 말을 하다. ***faire des ~s à*** qn …에게 치근덕거리다.

coquillage [kɔkijaːʒ] *m.* 조가비; 조개: ~*s* comestibles 식용 조개류 / collier de ~*s* 조가비 목걸이.

coquillart [kɔkijaːʀ] *m.* 〖지질〗 패각층(貝殼層); 〖건축〗 조개껍데기를 함유한 석회석.

coquille** [kɔkij] *f.* ① 조개껍질, (호두·달걀 따위의) 껍질; 달팽이 껍질: ~ d'huître 굴껍데기 / ~ Saint-Jacques 가리비. ② 조가비 모양의 것 〔그릇·장식〕: ~ à hors-d'œuvre 오르되브르용 접시(= ravier) / ~ d'une commode 옷장의 조가비 (모양의) 장식. ③ 《비유》 자기만의 세계. ④ 〖인쇄〗 오식(誤植)(= ~ d'imprimerie). ***~ de noix 작은 배. ***ne jamais sortir de sa ~; rester dans sa ~*** 《구어》 집안에 들어박혀 있다; 침묵 속에 빠져들다. ***rentrer dans sa ~*** 입을 다물어 버리다; 고독감에 빠져들다.

coquillettes [kɔkijɛt] *f. pl.* 〖요리〗 조가비 모양의 국수.

coquin, e [kɔkɛ̃, -in] *n.* ① 무뢰한, 불한당, 악당(= canaille) ; 《욕설》 망나니, 고약한 놈〔년〕: ce ~ de Paul 그 망나니 같은 폴 녀석. ② 《구어》 장난꾸러기, 개구쟁이(= fripon, galopin). ③ 《구어》 녀석, 놈 : mon ~ de fils 내 아들 녀석. ***C~ de sort!*** 빌어먹을 신세〔팔자〕! ***heureux ~*** 행운아. — *adj.* ① 장난꾸러기의, 깜찍스러운 : Cet enfant est bien ~. 이 애는 아주 깜찍스럽다. ② 음탕한, 외설스러운(= égrillard) : regard ~ 음탕한 눈초리. ③ 《특히 여성형으로》 방탕한(= débauchée) : vie *~e* 방탕한 생활.

coquinerie [kɔkinʀi] *f.* 비행(非行), 못된 짓〔장난〕, 악랄한 수단.

cor[1] [kɔːʀ] *m.* ① 〖사냥〗 (*pl.*) 사슴의 양 가지 뿔《한쪽 가지만은 andouiller》. ② 뿔피리, 각적(角笛)(= olifant) ; 사냥나팔(= ~ de chasse). ③ 〖음악〗 호른 ; 호른 취주자(= corniste). ***à ~ et à cri*** (각적과 사냥개로) 소란스럽게.

cor[2] *m.* (발에 생긴) 못, 티눈.

corail[1] [kɔʀaj] *m.* (*pl.* ***coraux***) 산호(珊瑚) ; 산호충 : récif de ~ 산호초.

corail[2] *adj.* 《복수불변》 voiture ~ 《프랑스 국유 철도 회사(S.N.C.F.)의》 칸막이 없는 객차 / train ~ 칸막이 없는 기차.

corallien, enne [kɔʀa(l)ljɛ̃, -ɛn] *adj.* 산호로 된〔이루어진〕: récif ~ 산호초.

Coran [kɔʀɑ̃] *m.* 코란《회교 경전》.

coranique [kɔʀanik] *adj.* 코란의〔에 관한〕; 코란에 부합한.

corbeau [kɔʀbo] *m.* (*pl.* ***~x***) ① 〖조류〗 까마귀 ; 까마귀류의 새《corneille, freux 따위》. ② 〖건축〗 초엽 《돌출부를 버티기 위한 장치》, 까치발. ③ 《비유》 (가톨릭의) 성직자, 신부. ***noir comme un ~*** 새까만.

corbeille** [kɔʀbɛj] *f.* ① 바구니 ; 바구니에 든 것 : ~ à papier 휴지통. ② (원형·타원형의) 화단 ; 〖건축〗 꽃바구니 장식. ③ (극장의) 2층 정면의 좌석. ***~ de mariage 봉채(封採)《약혼녀에게 남자가 주는 선물》, 신혼부부에게 주는 선물.

corbillard [kɔʀbijaːʀ] *m.* 영구차.

cordage [kɔʀdaːʒ] *m.* 동아줄 ; 《집합적》 밧줄류 ; (라켓의) 장선(腸線), 거트.

corde** [kɔʀd] *f.* ① ⓐ 밧줄, 동아줄 ; 노끈 ; 줄, 빨래줄 : sauter à la ~ 줄넘기하며 놀다 / ~ à linge 빨랫줄 / danseur de ~ 줄타기 곡예사. ⓑ 목 매다는 줄 ; 교수형(= supplice de la ~). ⓒ (*pl.*) (라켓의) 줄, 장선 ; 〖권투〗 (링의) 로프 : être envoyé dans les *~s* 로프에 나가떨어지다. ⓓ (활의) 시위 ; (*pl.*) (악기의) 현, 줄 : instrument à *~s* 현악기. ② (경마장의) 트랙 안쪽에 친 줄 ; 트랙 안쪽. ③ (피륙의) 올. ④ 심금(心琴) : toucher 〔faire vibrer〕 la ~ sensible de qn …의 심금을 울리다. ⑤ 〖수학〗 현(弦), 활꼴. ⑥ 〖해부〗 인대(靭帶), 힘줄(= ligament musculaire) ; 성대(= *~s* vocales). ***aller 〔***être***〕 ***dans les ~s*** 곤경에 처하다, 궁지에 빠져 있다. ***avoir plus d'une corde*** 〔***plusieurs ~s***〕 ***à son arc*** (목적을 달성하기 위해) 여러 가지 수단을 가지고 있다. ***~ à sauter*** 줄넘기하는 줄. ***~ d'Hippocrate*** 아킬레스건. ***être au bout de sa ~*** 《구어》 진퇴양난이다. ***être sur la ~ raide*** 난처한 지경에 빠져 있다. ***être usé jusqu'à la ~*** (피륙의 올이 드러날 지경으로) 낡아빠지다. ***grosse ~*** (바이올린의) G선 ; 《구어》 거물, 명사 ; 가장 중요한 것. ***mettre la ~ au cou de*** qn …을 꼼짝 못하게 하다 ; …을 파멸〔파산〕시키다. ***parler de ~ dans la maison d'un pendu*** 하지 말아야 할 말을 하다 ; 실수를 하다. ***se mettre*** 〔***avoir***〕 ***la ~ au cou*** 궁지에 빠지다 ; 《구어》 결혼하다. ***tenir la ~*** 트랙의 안쪽을 달리다 ; 유리한 입장에 있다. (***trop***) ***tirer sur la ~*** 유리한 입장을 지나치게 이용하다.

cordeau [kɔʀdo] *m.* (*pl.* ***~x***) ① (지면·목재 따위에 직선을 긋기 위한) 가는 끈 ; 먹줄. ② 낚싯줄 ; 밧줄 : ~ de tirage 텐트 로프. ③ 〖광산·군사〗 도화선(導火線). ***au ~*** 일직선으로 (된) ; 질서정연하게 (된) : plate-bande tirée *au* ~ 질서정연한 화단.

cordée [kɔʀde] *n.f.* ① (밧줄로 묶은 물건의) 한 묶음 ; 한 다발, 한 단. ② 한 줄의 로프로 등반하는 등산대의 대열. ③ 〖낚시〗 목줄.

cordeler [kɔʀdəle] [5] *v.t.* (밧줄처럼) 꼬다.

cordelette [kɔʀdəlɛt] *f.* 가는 끈, 노끈.

cordelier, ère [kɔʀdəlje, -ɛːʀ] *n.* 〖종교〗 성(聖) 프란체스코 수도회원〔수도사·수녀〕. — *f.* ① 성프란체스코 수도회원의 허리띠. ② 〖인쇄〗 (페이지의) 가장자리 장식.

corder [kɔʀde] *v.t.* ① 꼬아서 밧줄로〔노끈으로〕 만들다, 꼬다 : ~ du chanvre 삼을 꼬아 밧줄로 만들다. ② (밧줄·노끈으로) 동여매다, 묶다 : ~ une malle 트렁크를 끈으로 동여매다. ③ (라켓에) 장선〔그물〕을 치다. — **se ~** *v.pr.* 꼬이다 ; 〖등산〗 (자일로) 서로 몸을 묶다.

***cordial, e, aux** [kɔʀdjal, -o] *adj.* ① 진심으로의 ; 다정한(= amical) : accueil ~ 환대. ② 〖약학〗 심장 기능을 강화하는 : remède ~ 강심제. — *m.* 강심제, 강장제.

cordialement [kɔʀdjalmɑ̃] *adv.* 진심으로, 충심(衷心)으로, 다정하게 : *C~* (vôtre) 경구(敬具)《편지의 맺음말》.

cordialité [kɔʀdjalite] *f.* 진심, 충심, 성의.

cordier, ère [kɔʀdje, -ɛːʀ] *adj.* 밧줄 제조〔판매〕의. — *m.* 밧줄 장수 ; (바이올린 따위의) 줄걸이.

cordillère [kɔʀdijɛːʀ] *f.* 〖지리〗 (특히 스페인·남미의) 산맥. ***les C~s*** 안데스 산맥.

cordon [kɔʀdɔ̃] *m.* ① (밧줄 따위의) 가닥, 꼰 줄 ; 끈 ; (커튼의) 끝 ; 〖전기〗 코드. ② (훈장의) 리본, 술. ③ 줄지어 선 것, 늘어선 줄 : ~ sanitaire (전염병 예방을 위한) 방역선. ④ 〖해부〗 탯줄(= ~ ombilical). ⑤ 도화선. ***~ de troupes*** 군대의 경계선. ***le grand ~ de la Légion d'Honneur*** ~ 레지옹도뇌르 대수장(大綬章).

cordon-bleu [kɔʀdɔ̃blø] *m.* (*pl.* ***~s-~ s***) 능란한 요리사《특히 여자》.

cordonnerie [kɔʀdɔnʀi] *f.* 구두 장사 ; 구둣방 ; 제화 공장. 「자수용 실.

cordonnet [kɔʀdɔnɛ] *m.* 가는 끈 ; 꼰 끈 ;

cordonnier, ère [kɔʀdɔnje, -ɛːʀ] *n.* 구두장이, 구두 장수 ; 구두 수선공, 제화공.

Corée [kɔʀe] *n.pr.f.* 한국. ***la République de ~*** 대한민국.

coréen, enne [kɔʀeɛ̃, -ɛn] *adj.* 한국(*Corée*)의. ── **C~** *n.* 한국 사람. ── *m.* 한국어.
coreligionnaire [kɔʀliʒjɔnɛːʀ] *n.* 동종자(同宗者), 동신자(同信者).
coriace [kɔʀjas] *adj.* ① (음식물이) 가죽처럼 질긴. ② 고집센, 완고한 ; 탐욕스러운.
corindon [kɔʀɛ̃dɔ̃] *m.* 〖광물〗 강옥석.
Corinthe [kɔʀɛ̃ːt] *n.pr.f.* 〖지리〗 코린트《그리스의 반도 · 도시 이름》: raisins de ~ 알이 작은 씨 없는 건포도.
corinthien, enne [kɔʀɛ̃tjɛ̃, -ɛn] *adj.* 코린트(*Corinthe*)(식)의. ── **C~** *n.* 코린트 사람. ── *m.* 〖건축〗 코린트식(= ordre ~).
cormoran [kɔʀmɔʀɑ̃] *m.* 〖조류〗 가마우지.
cornac [kɔʀnak] *m.* ① 코끼리 조련사. ② (여행) 가이드, 안내인(= cicerone).
corne** [kɔʀn] *f.* ① ⓐ 뿔 ; 각질(角質)(= kératine) : donner un coup de ~ 뿔로 들이받다 / bêtes à ~*s* 뿔이 있는 짐승《소 · 산양 따위》; (짐승의) 발굽. ⓑ 뿔 제품 ; 구둣주걱(= ~ à chaussure). ② (곤충의) 더듬이, 촉각(= antenne) ; (달팽이 따위의) 안각(眼角). ③ 각적(角笛), 나팔 ; 경적(= avertisseur) : ~ d'automobile 자동차의 경적(= klaxon) / sonner de la ~ 나팔을 불다(= corner). ④ 책 페이지의 모서리 ; 선단(先端), 돌출부 ; 모퉁이(= coin) : chapeau à trois ~*s* 삼각모 / faire une ~ à un livre 책 페이지의 귀를 접다《읽고 있는 중이라는 표시로》. ⑤ 뿔 모양의 것, 딱딱한 것 ; (발 뒤꿈치의) 못, 티눈. ~ ***d'abondance 〖그리스신화〗 풍요의 뿔. ***faire*** 〔***montrer***〕 ***les ~s à*** qn …을 놀리다, 업신여기다. ***montrer les ~s*** 공격 · 방어 자세를 취하다. ***rentrer les ~s*** 《구어》 몸을 움츠리다, 풀이 죽다.
corné, e¹ [kɔʀne] *adj.* 각질(角質)의 : peau ~*e* 각질화한 피부.
cornée² [kɔʀne] *f.* 〖해부〗 (눈의) 각막(角膜).
cornéen, enne [kɔʀneɛ̃, -ɛn] *adj.* 〖해부〗 각막의 : lentilles ~*ennes* 콘택트렌즈.
corneille [kɔʀnɛj] *f.* 〖조류〗 까마귀의 일종.
cornélien, enne [kɔʀneljɛ̃, -ɛn] *adj.* 코르네유(*Corneille*, 17 세기 프랑스의 비극작가)(풍)의, 코르네유의 비극 같은 : choix ~ 코르네유적 선택.
cornemuse [kɔʀnəmyːz] *f.* 〖음악〗 백파이프 ; 풍적(風笛).
corner¹ [kɔʀne] *v.i.* ① (뿔) 나팔을 불다 ; (자동차의) 경적을 울리다. ② (귀가) 윙윙거리다, 귀울음이 나다 : Les oreilles ont dû vous ~. (당신의 이야기를 많이 했는데) 귀가 가려웠겠지요. ── *v.t.* ① (뿔) 나팔을 불어서 알리다. ② 귀에 못이 박히도록 말하다, (소문 따위를) 퍼뜨리다(= claironner) : ~ une nouvelle 소식을 퍼뜨리다. ③ (책장 따위의) 귀를 접다 : ~ la page d'un livre 책장의 귀를 접다. ── **se ~** *v.pr.* ① (소문 따위가) 퍼지다. ② 뿔로 받다 ; 뿔처럼 딱딱해지다.
corner² [kɔʀnɛ〔œ〕ːʀ] 〔영〕 *m.* 〖축구〗 코너킥 : tirer un ~ 코너킥을 하다.
cornet [kɔʀnɛ] *m.* ① 작은 뿔나팔 ; (자동차의) 경적 : jouer du ~ 나팔을 불다. ② 아이스크림콘(= ~ de glace) ; 원추형(圓錐形) 종이 용기 ; 주사위통(= ~ à dés) ; (전화의) 수화기(= ~ de téléphone) : mettre sa main en ~ (잘 들리도록) 귀에 손을 갖다 대다. ~ ***à pistons*** 〖음악〗 코넷.
cornette [kɔʀnɛt] *f.* ① (옛 여성용) 모자 ; 수녀의 모자. ② 《옛》 깃발. ── *m.* 기수(旗手).
corniaud [kɔʀnjo] *m.* ① 잡종개, 똥개. ② 《구어》 바보(= imbécile), 멍청이.
corniche [kɔʀniʃ] *f.* ① 〖건축〗 코니스《벽 · 기둥 윗부분에 장식으로 두른 쇠시리 모양의 돌출부》. ② (암벽의) 선반 모양의 돌출부 ; 벼랑 끝에 얼어붙은 설층(雪層) ; 절벽 위의 좁은 길(= route en ~).
cornichon** [kɔʀniʃɔ̃] *m.* 〖원예〗 (피클용) 오이. ② 바보, 얼간이. ~ ***de mer 해삼.
cornier, ère [kɔʀnje, -ɛːʀ] *adj.* 구석의, 모퉁이의 : pilastre ~ 각주(角柱). ── *f.* ① (두 지붕이 맞닿는) 골 부분. ② L 자형의 앵글.
corniste [kɔʀnist] *m.* 호른 (cor) 취주자.
cornouiller [kɔʀnuje] *m.* 산수유 나무.
cornu, e¹ [kɔʀny] *adj.* ① 뿔이 있는. ② 〖식물〗 뿔 모양의 돌기가 있는. ③ 《옛》 괴상한.
cornue² [kɔʀny] *f.* 증류기.
corollaire [kɔʀɔ(l)lɛːʀ] *m.* 〖수학〗 계(系), 계론(系論) ; 필연적 귀결. ***Le droit n'est qu'un ~ du devoir.*** 권리는 의무의 당연한 귀결에 지나지 않는다.
corolle [kɔʀɔl] *f.* 〖식물〗 화관, 꽃부리.
coron [kɔʀɔ̃] *m.* (북프랑스와 벨기에의) 광부촌, 광부의 집.
coronaire [kɔʀɔnɛːʀ] *adj.* 〖해부〗 관상(冠狀)의 : artère ~ 관상 동맥.
coronarien, ne [kɔʀɔnaʀjɛ̃, -ɛn] *adj.* 〖의학〗 관상 동맥의. ── *n.* 관상 동맥병 환자.
coronal, e, aux [kɔʀɔnal, -o] *adj.* ① 〖해부〗 관상의 ; 전두(前頭)의. ② 〖천문〗 코로나의. ── 〖해부〗 *m.* 전두골(= os ~).
corozo [kɔʀozo] *m.* 상아종려《종려나무 열매에서 추출한 백색 물질》.
corporal [kɔʀpɔʀal] *m.* (*pl.* **-aux**[-o]) 〖가톨릭〗 성체포(聖體布).
corporatif, ive [kɔʀpɔʀatif, -iːv] *adj.* 동업조합의 ; 단체〔사단〕의.
corporation [kɔʀpɔʀɑsjɔ̃] *f.* ① 동업〔협동〕 조합, 길드. ② 《집합적》 동업자 전체.
corporatisme [kɔʀpɔʀatism] *m.* ① 동업조합주의. ② 단결심, 동료 의식.
corporel, elle [kɔʀpɔʀɛl] *adj.* ① 물질적인(= matériel) ; 육체를 가진 ; 육체의(= physique) : peine ~*elle* 체형(體刑). ② 유형(有形)의 : bien ~ 〖법률〗 유형 재산.
⁑corps [kɔːʀ] ① 몸, 육체, 신체 ; 동체(胴體)(= tronc ; ≠ membres) ; 시체(= cadavre) : ~ d'acier 건장한 신체 / prendre qn à bras le ~ 〔à bras-le-corps〕 …의 허리를 얼싸안다 / levée du ~ 출관(出棺) (의식). ② 〖물리 · 화학〗 물체 ; 〖해부〗 (인체 속의) (물질)체 : ~ vitré (눈의) 유리체(體). ③ (사물의) 주체부 ; 본체(= ~ de logis) ; 차체(車體), 선체(船體) ; (펌프 · 재봉틀 따위의) 몸통 ; (나무의) 밑둥 ; (기사 · 편지 따위의) 본문. ④ 〖군사〗 부대 ; 본대. ⑤ 집단(集團), 단체 ; 기관(= organe) : ~ diplomatique 외교단 / ~ constitués 행정부 및 사법부 / ~ politique 정치적 통일체, 국가 / ~ électoral 선거인단. ⑥ 〖문학 · 법률〗 전서(全書), 대전(大全), 문집 : ~ des poètes grecs 그리스 시인집 / ~

du droit civil 민법전서. ⑦ (물건의) 견고도, 질김(= consistance) ; (술의) 강도, 농도 ; (목소리의) 성량 ; (계획 따위의) 실체, 내용. ⑧ 인간, 개인(= individu) ; 인신(人身) : Regardez ce pauvre ~. 저 불쌍한 사람을 보라. ***~ à ~*** 맞붙어, 맞겨룸으로 : combat ~ *à* ~ 백병전 ; 접전. ***à ~ perdu*** 무턱대고. ***à mi-~*** 허리까지. ***à son ~ défendant*** 본의 아니게. ***~ et âme*** [kɔʀzeɑːm] 몸과 마음을 다하여〔송두리째〕. ***esprit de ~*** 단체정신. ***faire ~ avec*** …와 일체를 이루다. ***prendre ~*** 형체를 이루다, 구체화되다. ***prendre le ~*** 살찌다. ***prise de ~*** 〖법률〗 인신 구류. ***un ~ à ~*** 맞겨룸, 접전.

corps-à-corps [kɔʀakɔːʀ] *m.* 《복수불변》 백병전 ; 격투 ; 〖권투〗 클린치.

corpulence [kɔʀpylɑ̃ːs] *f.* ① 체격 : être de forte ~ 훌륭한 체격을 하고 있다. ② 비만.

***corpulent, e** [kɔʀpylɑ̃, -ɑ̃ːt] *adj.* ① 체격이 좋은. ② 비만한, 살찐(= gros).

corpus [kɔʀpys] 〔라틴〕 *m.* ① 〖문학 · 법률〗 문집, 대전(大全). ② ⓐ 〖언어〗 (언어 연구에 바탕이 되는) 자료군(群). ⓑ 자료집.

corpuscule [kɔʀpyskyl] *m.* 〖물리〗 미립자, 원자 ; 〖해부〗 소체(小體), 소구(小球).

corral [kɔʀal] *m.* (스페인 · 남미의) 가축 우리 ; 덫 우리.

***correct, e** [kɔʀɛkt] *adj.* ① 옳은, 정확한(= exact) : plan ~ d'un cadastre 토지 대장의 정확한 도면 / La cacul a été ~. 그 계산은 정확했다. ② 올바른, 정직한(= honnête) ; 예절바른 ; 단정한 : tenue ~*e* 단정한 복장 / homme ~ en affaires 양심적으로 장사하는 사람. ③ 《구어》 그만하면 괜찮은, 웬만한(= passable) : salaire ~ 웬만한 봉급.

***correctement** [kɔʀɛktəmɑ̃] *adv.* ① 옳게, 정확하게 : écrire ~ (글씨를) 정확하게 쓰다. ② 예의바르게 ; 단정하게. ③ 올바르게, 정직하게 : gagner ~ sa vie 정직하게 살다.

correcteur, trice [kɔʀɛktœːʀ, -tʀis] *n.* ① 교정자(校正者) ; 교정자 (矯正者) ; 〖학교〗 (시험 답안의) 채점자. ② 수도원장. ── *m.* 보정기(補整器). ── *adj.* 보정〔조절〕하는 : aimant ~ 수정 자석.

correctif, ive [kɔʀɛktif, -iːv] *adj.* 교정(矯正)하는 ; 징계하는 ; 〖의학〗 완화하는. ── *m.* 중화물(中和物) ; 〖의학〗 부작용 완화제.

correction** [kɔʀɛksjɔ̃] *f.* ① 수정, 정정 ; 〖인쇄〗 교정(校正) : signes de ~ 교정 기호. ② 교정(矯正) ; 징계, 징벌. ③ 정확함, 올바름 ; 정직함 ; 예절바름 ; 단정함 : ~ d'une traduction 번역의 정확성. ***administrer 〔***infliger***〕 ***une ~ à*** qn …을 징계하다. ***envoyer un enfant en ~*** 어린애를 감화원에 보내다. ***maison de ~*** 감화원. ***sauf*** 〔***sous***〕 ~ 틀렸으면 정정하기로 하고; 틀림이 없다면.

correctionnel, elle [kɔʀɛksjɔnɛl] *adj.* 〖법률〗 경범의. ── *f.* 경범재판소(= tribunal de police ~*elle*).

corrélatif, ive [kɔʀelatif, -iːv] *adj.* 상관적(相關的)인. ── *m.* 상관자, 상관물, 〖문법〗 상관어(語)《tel que 의 tel 과 que 따위》.

corrélation [kɔʀelɑsjɔ̃] *f.* ① 상호 관계, 관련. ② 〖생물〗 상관 작용. ③ 〖언어〗 상관적 대립《음운론의 용어》.

corrélativement [kɔʀelativmɑ̃] *adv.* 상관적으로.

correspondance** [kɔʀɛspɔ̃dɑ̃ːs] *f.* ① ⓐ 대응(對應), 상응, 일치(= accord), 부합 ; 조화 : Ils sont en parfaite ~ d'idées. 그들은 생각이 완전히 일치한다. ⓑ 〖문학〗 교감(交感), 공감각(共感覺) (= synesthésie). ② 통신, 교신(交信) ; 서신 ; 편지, 우편물 : vente par ~ 통신 판매 / la ~ de Flaubert 플로베르 서간집. ③ (두 지점 사이의) 교통, 연락 ; 갈아타기, 연락편(便) : gare de ~ (지하철) 환승역. ④ 〖신문 · 잡지〗 특파원 · 통신원란. ***bulletin 〔***carnet***〕 ***de ~*** 〖학교〗 성적〔통지〕표. ***être en*** 〔***entretenir une***〕 ***~ avec*** qn …와 교신하다. ***faire ~ avec*** (기선 · 기차가) …와 연락되다. ***petite ~*** 〖신문〗 인사란.

correspondancier, ère [kɔʀɛspɔ̃dɑ̃sje, -ɛːʀ] *n.* (회사의) 통신 사무원.

correspondant, e [kɔʀɛspɔ̃dɑ̃, -ɑ̃ːt] *adj.* ① 《~ à》 (…에) 대응〔상응 · 일치〕하는 : angles ~*s* 〖기하〗 동위각(同位角). ② 연락하는 ; 통신하는 : membre ~ (학회 따위의) 통신 위원. ── *n.* ① 통신자, 펜팔 ; 〖상업〗 통신 담당자 ; (학회 따위의) 통신 회원 ; 〖신문 · 잡지〗 통신원, 특파원 : ~ à l'étranger 해외 통신원 / ~ local 지방 통신원. ② 〖학교〗 (학생의) 보증인. ***~ de guerre*** 종군 기자.

***correspondre** [kɔʀɛspɔ̃ːdʀ] 25 *v.t. ind.* 《~ à》 …에 대응하다, 해당하다 ; …에 일치〔부합〕하다 : Cela ne *correspond à* rien. 그것은 아무것에도 부합하지 않는다. ── *v.i.* ① (두 방 따위가) 서로 통하다 ; (두 철로가) 연락되다 ; 《~ à 〔avec〕》 …으로〔와〕 통하다 : Ces deux pièces *correspondent.* 이 두 방은 서로 통해 있다. ② 《~ avec》 …와 통신〔교신〕하다, 연락되다 : ~ par téléphone 전화로 연락을 취하다. ── **se ~** *v.pr.* ① 상응〔대응〕하다, 일치하다 : Les éléments de ces deux ensembles *se correspondent* un à un. 그 두 집합의 원소는 일대일 대응한다. ② 서로 통하다. ③ 교신[통신]하다.

corrida [kɔʀida] *f.* 〔스페인〕 투우.

corridor [kɔʀidɔːʀ] *m.* ① 복도, 통로. ② 〖지리〗 회랑(回廊) 지대(= couloir).

corrigé, e [kɔʀiʒe] *adj.* 정정된, 수정된 ; 〖인쇄〗 교정된. ── *m.* 정정된〔모범〕 답안.

***corriger** [kɔʀiʒe] 3 *v.t.* ① 고치다, 바로잡다, 정정〔수정 · 교정(校正)〕하다(= rectifier) ; 중화〔완화〕하다(= atténuer, compenser). ② (결점 따위를) 고쳐 주다, 교정(矯正)하다(= redresser) : ~ une mauvaise habitude de qn ; ~ qn d'une mauvaise habitude …의 나쁜 습관을 고쳐 주다. ③ 《~ qn》 징계하다(= punir, châtier), 체벌을 가하다. ── **se ~** *v.pr.* ① 행실을 고치다 ; 《~ de》 …을 고치다 : *se* ~ de ses défauts 자기의 결점을 고치다. ② 중화〔완화〕되다.

corroboration [kɔʀɔbɔʀɑsjɔ̃] *f.* 확증, 확실하게 하기.

corroborer [kɔʀɔbɔʀe] *v.t.* 확증하다(= confirmer) ; 강화하다 : Cette preuve *corrobore* les faits. 이 증거가 사실을 뒷받침한다.

corroder [kɔʀɔde] *v.t.* 부식시키다, 침식(侵蝕)하다 ; 소모시키다. ── **se ~** *v.pr.* 부식되다, 침식되다 ; 소모되다.

***corrompre** [kɔʀɔ̃:pʀ] [25] *v.t.* ① 부패시키다, 썩게 하다(=pourrir, putréfier). ② 《비유》 변질시키다, 순수성을 잃게 하다, 망쳐놓다(=gâter) : L'inquiétude *corrompt* son plaisir. 불안감이 그의 즐거움을 흐리게 한다. ③ 퇴폐시키다, (풍속 따위를) 문란케 하다(=dépraver) ; (언어 따위를) 퇴화시키다 ; (원문을) 고쳐 쓰다, 개찬(改竄)하다(=altérer) ; 곡해하다. ④ 《~ qn》 타락시키다(=pervertir) ; 매수하다, …에게 증회(贈賄)하다(=acheter). ── **se ~** *v.pr.* ① 부패하다, 썩다. ② 변질하다. ③ 퇴폐하다. ④ 타락하다 ; 매수되다, 수회(收賄)하다.

C

***corrompu, e** [kɔʀɔ̃py] *adj.* ① 부패한, 썩은, 상한 : air ~ 오염된 대기 / viande ~*e* 썩은 고기. ② 문란한 ; 타락한 ; 매수된 : juge ~ 매수된 판사 / jeunesse ~*e* 타락한 청년층. ── *m.* 매수된 사람, 타락한 사람.

corrosif, ive [kɔʀozif, -i:v] *adj.* ① 부식시키는, 침식성(浸蝕性)의. ② 신랄한, 지독한(=virulent, caustique) : ironie ~*ive* 지독한 빈정거림. ── *m.* 부식제.

corrosion [kɔʀozjɔ̃] *f.* 부식, 침식.

corroyage [kɔʀwaja:ʒ] *m.* ① 무두질 ; 대패질 ; (반죽을) 개기. ② 〖야금〗 용접.

corroyer [kɔʀwaje] [7] *v.t.* (가죽을) 무두질하다 ; (쇠를) 용접하다 ; (나무를) 깎다, (회반죽을) 개다. ── **se ~** *v.pr.* 〖야금〗 용접되다.

corroyeur [kɔʀwajœ:ʀ] *m.* 무두장이.

corrupteur, trice [kɔʀyptœ:ʀ, -tʀis] *adj.* (풍속 따위를) 문란케 하는, 타락시키는 ; 매수하는. ── *n.* 풍속 파괴자〔교란자〕 ; 매수자, 증회자(贈賄者).

corruptible [kɔʀyptibl] *adj.* 부패하기 쉬운 ; 매수할 수 있는.

corruption [kɔʀypsjɔ̃] *f.* ① 부패, 오염 : ~ des aliments 음식물의 부패 / ~ de l'air 대기 오염. ② 퇴폐, 타락 : ~ de l'âme 영혼의 타락. ③ 매수(買收), 증회(贈賄), 수회(收賄), 독직(瀆職) : ~ électorale 선거의 매수 행위 / ~ de fonctionnaire 공무원의 독직.

corsage [kɔʀsa:ʒ] *m.* ① 〖의복〗 코르사주, 블라우스(=blouse) ; (여자 옷의) 상반신〔몸통〕 부분. ② 《옛》 (여자의) 상반신, 동부(胴部). ***avoir du ~*** (천 따위가) 고급이다.

corsaire [kɔʀsɛ:ʀ] *m.* ① 《옛》 사략선(私掠船) 《전시에 적국의 상선을 나포하도록 정부의 허가를 받은 민간 무장선》 ; 사략선 선장. ② 해적(=pirate) ; 협잡꾼(=aventurier). ── *adj.* 사략선의 ; 해적의. ***pantalon ~*** 판탈롱 바지.

corse [kɔʀs] *adj.* 코르시카(*Corse*)의. ── **C~** *n.* 코르시카 사람. ── *m.* 코르시카 사투리.

corsé, e [kɔʀse] *adj.* ① 향기가 있는 : vin ~ 향긋한 포도주. ② 양념이 진한 : sauce très ~*e* 양념이 많이 든 소스. ③ (이야기가) 추잡한 ; (일이) 까다로운.

corselet [kɔʀsəlɛ] *m.* 《옛》 흉갑(胸甲) ; 〖의복〗 (여자 옷의) 가슴받이 ; 〖곤충〗 (곤충의) 앞가슴.

corser [kɔʀse] *v.t.* (소스 따위를) 진하게 하다 ; (포도주의) 향미를 강하게 하다 ; (소설의 사건 따위를) 더 흥미롭게 하다. ── **se ~** *v.pr.* (사건이) 복잡해지다 ; (이야기가) 흥미로워지다, 점입가경(漸入佳境)이다.

corset [kɔʀsɛ] *m.* 코르셋 ; (보호용) 우리. ***~ de sauvetage*** 〖해양〗 구명 재킷〔조끼〕. ***~ orthopédique*** 정형외과용 코르셋.

corsetier, ère [kɔʀsətje, -ɛ:ʀ] *n.* 코르셋 제조〔판매〕인.

cortège [kɔʀtɛ:ʒ] *m.* ① 《집합적》 수행원 ; 행렬(=défilé, procession). ② 뒤따르는 것, 부수물. ***aller en ~*** 줄지어 가다. ***~ funèbre*** 장례 행렬.

cortex [kɔʀtɛks] *m.* 〖식물〗 피층(皮層), 후피(厚皮) ; 〖해부〗 피질(皮質), 외피 : ~ cérébral 대뇌피질 / ~ surrénal 부신피질.

cortical, e, aux [kɔʀtikal, -o] *adj.* 〖식물〗 피층의, 외피(外皮)의 ; 〖해부〗 피질의, 대뇌〔부신〕 피질의.

cortisone [kɔʀtizɔn] 〔영〕 *f.* 〖의학〗 코르티손《부신피질 호르몬의 일종》.

corvéable [kɔʀveabl] *adj.* 부역(賦役)을 과할 수 있는 ; 〖군사〗 잡일을 시킬 수 있는. ── *n.* 부역 노동자, 〖군사〗 사역병.

***corvée** [kɔʀve] *f.* ① 강제 노역(勞役), 부역. ② 《구어》 하기 싫은 일, 고역. ③ 〖군사〗 잡역, 사역(使役) : homme de ~ 잡역 당번병.

corvette [kɔʀvɛt] *f.* 〖해양〗(고대의) 작은 전함 : capitaine de ~ 해군 소령.

coryphée [kɔʀife] *m.* ① (고대 그리스 연극의) 합창대장. ② (가극의) 수석 가수 ; (발레의) 주역. ③ 《구어》 통솔자, 우두머리(=chef). 「기.

coryza [kɔʀiza] *m.* 〖의학〗 비염(脾炎), 코감

cosaque [kozak] *m.* 코자크 기병 ; 잔인한 사람. ── *f.* 코자크 댄스. 「인(의).

cosignataire [kɔsiɲatɛ:ʀ] *adj.* et *n.* 연서

cosinus [kɔsinys] *m.* 〖수학〗 코사인.

-cosme *suff.* 「세계 · 우주」의 뜻.

cosmétique [kɔsmetik] *adj.* 화장용의, 미용〔이발〕용의 : préparations 〔produits〕 ~*s* 화장품. ── *m.* 화장품, 코스메틱.

cosmétologie [kɔsmetɔlɔʒi] *f.* 미용술.

cosmétologue [kɔsmetɔlɔg] *n.* 화장〔미용〕품 연구가.

cosmique [kɔsmik] *adj.* ① 우주의, 외계의 : vaisseau ~ 우주선 / espaces ~*s* 우주계(界). ② 〖천문〗 (별이) 태양과 동시에 출몰하는. ③ 우주적 규모의, 엄청난.

cosmo- *préf.* 「우주」의 뜻.

cosmodrome [kɔsmodʀo:m] *m.* 우주로켓 발사 기지(基地).

cosmogonie [kɔsmɔgɔni] *f.* ① 우주개벽(설). ② 우주 진화〔발생〕론.

cosmogonique [kɔsmɔgɔnik] *adj.* 우주개벽(설)의 ; 우주 진화〔발생〕론의. 「지(誌).

cosmographie [kɔsmɔgʀafi] *f.* 우주형상

cosmographique [kɔsmɔgʀafik] *adj.* 우주형상지의.

cosmologie [kɔsmɔlɔʒi] *f.* 우주론.

cosmonaute [kɔsmɔno:t] *n.* 우주 비행사(=astronaute).

cosmopolite [kɔsmɔpɔlit] *m.* ① 세계주의자. ② 정처없는 사람. ── *adj.* 세계 공통의, 전세계에 걸친, 국제적인 : ville ~ 국제 도시.

cosmopolitisme [kɔsmɔpɔlitism] *m.* 세계주의 ; 국제성.

cosmos [kɔsmo:(ɔ)s] *m.* 우주 ; 〖식물〗 코스모스.

cossard, e [kɔsaːʀ, -aʀd] *m.* 〖조류〗 말똥가리. ── *n.* 《속어》 게으름뱅이(=paresseux). ── *adj.* 《속어》 게으른.

cosse[1] [kɔs] *f.* ① 〖식물〗 (콩 따위의) 깍지, 꼬투리. ② 〖전기〗 (전도체의) 단자(端子).

cosse[2] *f.* 게으름, 나태, 태만(=paresse, blemme). ***avoir la ~*** 게으름부리다.

cossu, e [kɔsy] *adj.* ① 깍지〔꼬투리〕가 많은. ② 《구어》 돈 많은, 부유한. ***en conter de ~es*** 《구어》 황당무계한 이야기를 하다.

costal, e, aux [kɔstal, -o] *adj.* 〖해부〗 늑골〔갈비뼈〕의.

costard [kɔstaːʀ] *m.* 《구어》 남자 옷(=costume).

costaud, e [kɔsto, -oːd] *adj.* 《구어》 튼튼한, 건장한(=fort, robuste) : homme ~ 건장한 남자. ── *m.* 튼튼한〔건장한〕 남자《때로 costeau, costo 라고도 씀. 여성형은 불변 또는 드물게 costaude 도 쓰임》.

costume** [kɔstym] *m.* ① (어떤 지역·민족·시대의) 의복, 의상(=vêtement) ; 무대 의상, 특수 의상(=accoutement) : ~ de cérémonie 예복 / ~*s* nationaux (한 나라의 전통적) 의복 / bal en ~ 가장 무도복(=bal costumé). ② (남자의) 정장(=complet), 양복 : se faire faire un ~ sur mesure 양복을 맞추다. ***~ tailleur 여성용 투피스. ***en grand ~*** 정장〔성장(盛裝)〕하고.

costumé, e [kɔstyme] *adj.* 가장한, 무대 의상을 입은. ***bal ~*** 가장 무도회.

costumer [kɔstyme] *v.t.* 의복〔의상〕을 입히다 ; 《~ en》 …으로 분장시키다. ── **se ~** *v.pr.* 《se ~ en》 …의 의복을 입히다 ; …으로 분장하다.

costumier, ère [kɔstymje, -ɛːʀ] *n.* (연극·무용 따위의) 의상 책임자〔제조업자·조달업자〕.

cosy [kozi], **cosy-corner** [kozikɔʀnœːʀ] 〖영〗 *m.* (방구석에 놓는) 장식장 달린 긴 의자, 코지코너.

cotangente [kɔtɑ̃ʒɑ̃ːt] *f.* 〖수학〗 코탄젠트.

cotation [kɔtɑsjɔ̃] *f.* ① 〖상업〗 (상품 따위의) 가격 표시. ② 〖주식〗 시세 매기기.

cote [kɔt] *f.* ① (세금 따위의) 사정액, 평가액 ; (출자금 따위의) 할당〔배당〕액 : ~ foncière 부동산의 사정액 / payer sa ~ 세금을 내다. ② (주식 따위의) 시세 (표) ; 〖학교〗 (숙제 따위의) 평점 ; 〖경마〗 (경마의) 승률(=~ d'un cheval). ③ (지도상의) 표고, 수위 : ~ d'une position 〖군사〗 (지도상의) 진지 좌표. ***actions inscrites à la ~*** 〖주식〗 상장주. ***avoir la ~*** 〔***une bonne ~***〕 높이 평가되다. ***~ d'alerte*** 위험 수위 ; 위기. ***~ d'amour*** 정실 평점 : ***~ d'écoute*** 〖방송〗 시청률.

coté, e [kɔte] *adj.* 평판이 좋은, 인기 있는 : champagne très ~ 격높은 샴페인.

côte** [koːt] *f.* ① 〖해부〗 갈비뼈, 늑골 ; 〖요리〗 갈비(=côtelette). ② (직물의) 이랑 ; 〖식물〗 (잎의) 주맥(主脈), 중맥. ③ 〖해양〗 배의 늑골, 늑재(肋材); 〖건축〗 (궁륭(voûte)의) 능(稜) 《갈비뼈 모양의 장식》. ④ 비탈(=pente) ; 언덕(=coteau) : monter la ~ 언덕길을 올라가다. ⑤ 해안(=bord, rivage). ***à mi-~ (산) 중턱에(서). ***avoir les ~s en long*** 《구어》 게으름뱅이다 ; 괴짜다. ***~ à ~*** 나란히, 가지런히. ***être à la ~*** 《구어》 장사〔사업〕에 실패하다 ; 속수무책이다 ; 무일푼이다. ***se tenir les ~s*** 《구어》 포복절도하다.

côté** [kote] *m.* ① (사람·동물의) 옆구리(=flanc) ; 옆가슴 : point de ~ 옆구리의 심한 아픔〔결림〕 / être blessé au ~ droit 오른쪽 옆구리에 부상을 입다. ② (사물·사람의) 옆, 곁, 측면 ; 편, 쪽 ; 방면, 방향 : ~ d'une salle 방의 측면 / Je me range de son ~. 나는 그의 편을 든다 / les ~*s* de la route 길 양쪽 / entrer par le ~ gauche 왼쪽으로 들어오다 / ~ midi 남쪽, 남향. ③ (사물·사람의 이러저러한) 면(面), 점(點)(=aspect, point), 성향 : les bons 〔mauvais〕 ~*s* de qn …의 좋은 점〔나쁜 점〕, 장점〔결점〕 / examiner tous les ~*s* de la question 문제의 모든 측면을 검토하다. ④ 진영, 당파, 한편 : se ranger toujours du ~ du plus fort 항상 제일 강한 쪽에 붙다. ⑤ (친척 따위의) 관계, 핏줄 ; 계통(=parenté) : ~ paternel 부계(父系). ⑥ 〖수학〗 선, 선분, 변 : deux ~*s* d'un angle 각의 2 변. ***à ~ (de) ⓐ …의 옆에, 곁에 : marcher *à ~ de* qn …의 옆에서 걷다. ⓑ …에서 빗나간, 벗어난 : C'est *à ~ de* la question. 그것은 문제 밖이다. ⓒ …에 비해서. ⓓ …와는 별개로 ; …에 덧붙여. ***à ~ de ça*** 《구어》 하지만, 반면에. ***au(x) ~(s) de*** qn …의 곁에서. ***de ce ~*** 이쪽에〔에서, 으로〕. ***de ~*** ⓐ 비스듬히 : regarder *de ~* 곁눈질하다. ⓑ 옆으로 : se tirer *de ~* 옆으로 비켜 서다. ***de ~ et d'autre*** 이쪽저쪽에〔에서, 으로〕. ***de mon ~*** 내 쪽에서는, 나로서는. ***de tous (les) ~s*** 도처에〔에서〕, 사방으로〔에서〕 : courir *de tous ~s* 사방 팔방으로 뛰어다니다. ***du ~ de*** …쪽으로(부터), …쪽에. ***d'un ~ ..., de l'autre...*** 한편으로는 …, 또 한편으로는 … : *D'un ~*, il est très intelligent, *de l'autre* très naïf. 한편으로는 그는 아주 총명하고, 또 한편으로는 아주 순진하다. ***d'un ~ à l'autre*** 이쪽저쪽으로, 이곳저곳. ***l'autre ~*** 저 세상, 저승 : passer 〔tomber〕 de *l'autre ~* 저승으로 가다, 죽다. ***laisser de ~*** 버려두다. ***mettre*** qc ***sur le ~*** …을 옆으로 눕히다 : *mettre* une bouteille *sur le ~* 《구어》 술병을 비우다. ***ne savoir de quel ~ se tourner*** (할 일이 너무 많아서) 어찌할 바를 모르다. ***prendre les choses par le bon ~*** 일을 낙관적으로 보다. ***répondre à ~*** 요령부득한 대답을 하다. ***se tenir les ~s de rire ; rire à se tenir les ~s*** 배를 잡고 웃다, 포복절도하다. ── *prep.* 《관사 없이》 …에 관해서는, …의 문제에 있어서는 : *C~* argent tout va bien. 금전 문제는 매우 순조롭다.

coteau [kɔto] *m.* (*pl.* ***~x***) ① 언덕의 경사면 ; 비탈 ; 작은 언덕. ② 포도밭.

côtelé, e [k(ɔ)otle] *adj.* 〖직물〗 이랑진.

***côtelette** [ko(ɔ)tlɛt] *f.* ① 〖요리〗 (양·송아지·돼지 따위의) 갈비 ; 커틀릿.

coter [kɔte] *v.t.* ① 부과〔과세〕하다 ; …의 시세를〔가격을〕 매기다 ; 〖학교〗 …의 평점을〔점수를〕 매기다 : ~ un devoir d'élève 학생의 숙제를 채점하다. ② (지도에) 고도〔수치〕를 표시하다. ③ (자료에) 정리 번호를 매기다. ④ 높이 평가하다, 존경하다(=évaluer).

coterie [kɔtʀi] *f.* 《경멸》 (정치·문단의) 당

파 ; 도당, 파벌(= clan).

côtier, ère [kotje, -ɛːʀ] *adj.* ① 비탈의, 가풀막의. ② 연안(沿岸)의 : pêche *~ère* 연안 어업. ― *m.* 연안 항해선(= bateau ~).

cotillon [kɔtijɔ̃] *m.* ① (연애의 대상으로서의) 여자 : courir le ~ 여자의 꽁무늬를 쫓아다니다. ② 코티용《네 사람 또는 여덟 사람이 함께 추는 일종의 피겨 댄스》. ***accessoires de*** ~ 코티용의 소도구《색종이, 테이프, 종이 모자, 종이 나팔 등속》.

cotisation [kɔtizɑsjɔ̃] *f.* ① 추렴, 갹출금, 모금 : faire 〔organiser〕 une ~ 모금 운동을 하다. ② 회비, 분담금 : (사회 보장 제도) 납입금 : ~ d'admission 입회금 / payer 〔verser〕 sa ~ 분담금을 내다.

***cotiser** [kɔtize] *v.i.* 분담금을〔회비를〕 내다 : ~ à un club 클럽 회비를 내다. ― **se** ~ *v.pr.* (여러 사람이) 돈을 갹출하다 ; 모금 운동을 하다 ; 세금을 내다 : Ils *se sont cotisés pour* m'acheter un cadeau. 그들은 내게 선물을 사 주려고 돈을 추렴했다.

côtoiement [kɔtwamɑ̃] *m.* 접근, 인접, 접촉.

coton** [kɔtɔ̃] *m.* ① 솜, 목화 ; 면사 ; 무명, 면포 : fil de ~ 무명실 / ~ à broder 자수용 면사 / ~ à repriser 바느질용 면사 / industrie du ~ 면직물 공업. ② (식물의) 솜털 ; (직물의) 보풀. ***avoir les jambes 〔***les bras***〕 ***en*** ~ 다리〔팔〕에 힘〔맥〕이 없다 ; 매우 지치다. ***élever un enfant dans du*** ~ 어린애를 귀하게〔애지중지〕 기르다. ***filer un mauvais*** 〔***vilain***〕 ~ 《구어》 (평판 · 건강 · 장사 따위가) 시원치 않다. ― *adj.* 《불변》《구어》 어려운, 까다로운(= difficile) : C'est ~, ce problème. 그것 참 어려운 문제군.

cotonnade [kɔtɔnad] *f.* 면포, 면직물.

cotonneux, euse [kɔtɔnø, -øːz] *adj.* ① 솜털이 많은 ; 솜 같은 : brouillard ~ 흰 뭉게구름. ② 《구어》 (과일이) 푸석푸석한, 곯은(= cotonné) ; (문체가) 힘이 없는 : style ~ 힘이 없는 문체.

cotonnier, ère [kɔtɔnje, -ɛːʀ] *adj.* 면의, 무명의 : industrie *~ère* 면직 산업. ― *m.* 〖식물〗 목화. ― *n.* 면직 산업 종사자.

coton-tige [kɔtiɔ̃tːʒ] *m.* (*pl.* ***~s-~s***) (귀 · 코 소제용) 면봉.

***côtoyer** [kotwaje] [7] *v.t.* ① (해안 따위를) 따라가다(= longer) ; 《~ qn》 …와 나란히 걸어가다. ② …에 접근하다(= frôler, friser).

cotte [kɔt] *f.* (가슴받이가 달린) 작업복(= bleu, combinaison). ~ ***de mailles*** (중세의) 쇠줄로 엮어 만든 갑옷.

cou** [ku] *m.* ① (사람 · 동물의) 목 : ~ de taureau 굵은 목 / ~ de cygne 길고 가느다란 목. ② (병 따위의) 목 ; (의복의) 칼라 : ~ d'une bouteille 병의 목 / ~ d'une chemise 와이셔츠의 칼라. ***jusqu'au ~ 목〔턱밑〕까지 ; 깊숙이, 완전히 : être dans les dettes *jusqu'au* ~ 빚으로 꼼짝 못하게 되다. ***laisser*** 〔***mettre***〕 ***la bride sur le*** ~ ***à*** qn …에게 완전한 자유를 주다. ***prendre ses jambes à son*** ~ 부리나케 달아나다. ***se jeter*** 〔***sauter, se prendre***〕 ***au*** ~ ***de*** qn …의 목을 얼싸안다. ***tendre le*** ~ 단두대에 목을 내밀다 ; 고통〔굴욕〕을 감수하다. ***todre le cou à...*** …의 목을 비틀다〔조르다〕.

couac [kwak] *m.* 〖음악〗 음조가 맞지 않는 음(音)(= canard), 불협화음.

couard, e [kwaːʀ, -aʀd] *adj.* 겁많은, 비겁한(= poltron, lâche) : homme ~ 겁쟁이. ― *n.* 겁쟁이.

couardise [kwaʀdiːz] *f.* 《옛》 겁, 비겁.

couchage [kuʃaːʒ] *m.* 잠자기, 숙박 ; 침구(= literie), 침상 : payer son ~ 숙박료를 지불하다 / sac de ~ 슬리핑백.

couchant, e [kuʃɑ̃, -ɑ̃ːt] *adj.* (해가) 저무는, 지는 ; 엎드리는 : soleil ~ 석양 / chien ~ 사냥개의 일종. ***faire le chien*** ~ 아첨하다. ― *m.* ① 일몰, 저녁 무렵 ; 석양. ② 서쪽. ③ 노년 ; 만년 ; 조락(凋落).

couche [kuʃ] *f.* ① 《문어》 잠자리(= lit) ; 신방, 결혼(= mariage) : partager la ~ de qn …와 잠자리를 같이하다 / ~ nuptiale 신혼 부부의 잠자리, 신방. ② (보통 *pl.*) 산욕 ; 분만(分娩) : ~s laborieuses 난산 / faire une fausse ~ 유산하다. ③ (*pl.*) 배내옷(= lange) ; 기저귀 : changer les ~s d'un bébé 아기의 기저귀를 갈아주다. ④ 〖원예〗 온상 : champignons de ~ 온상 재배한 버섯. ⑤ 표피, 막(膜) ; (페인트의) 칠 ; 도금 : ~ de peinture 페인트칠. ⑥ 〖지질〗 층(層), 지층(= assise, strate). ⑦ 계층, 계급 : ~s sociales 사회 계층. (***en***) ***avoir*** 〔***en tenir***〕 ***une*** ~ 《구어》 천치 바보이다. ***faire ses ~s*** 분만하다.

couché, e [kuʃe] *adj.* 누운 ; 쓰러진, 경사진 : rester ~ 누운 채로 있다 / à soleil ~ 해 질 무렵에. ***lettres ~es*** 〖인쇄〗 사체(斜體) 활자. ***papier*** ~ 아트지.

couche-culotte [kuʃkylɔt] *f.* (*pl.* ***~s-~s***) ① (팬티 모양의) 기저귀. ② 생리대.

‡coucher [kuʃe] *v.t.* ① 재우다, 유숙시키다 : ~ un enfant 아이를 재우다 / *être couché* et nourri chez qn …의 집에 하숙하다. ② 《~ qc》 누이다, 쓰러뜨리다 : Le vent *couche* les blés. 바람이 밀을 쓰러뜨린다. ③ 적어 넣다, 기입하다 : ~ qn sur son testament …의 이름을 유언장에 써넣다. ④ (페인트 따위를) 칠하다, 바르다 ; (금박 따위를) 입히다. ― *v.i.* ① 눕다 ; 자다 : ~ sur le dos 〔sur le ventre〕 반듯이 눕다〔엎드려 눕다〕 / ~ avec qn …와 동침하다 ; …와 육체 관계를 갖다. ② 숙박하다, 묵다. ― **se** ~ *v.pr.* ① 자리에 눕다 ; 취침하다 ; 《주어 : qc》 쓰러지다. ② 엎드리다. ③ (해가) 지다 : Le soleil *se couchera* dans une heure. 한 시간 후면 해가 질 것이다. ***Allez vous ~ ; Va te ~ !*** 《속어》시끄러워 ! 꺼져 ! ― *m.* ① 취침, 숙박 ; 침상. ② 일몰, 석양 : admirer un ~ de soleil 아름다운 석양을 바라보다.

coucherie [kuʃʀi] *f.* 《경멸》 육체 관계, 동침.

couchette [kuʃɛt] *f.* 작은〔어린이〕 침대 ; (배 · 기차의) 간이 침대.

coucheur, euse [kuʃœːʀ, -øːz] *n.* 동침자 ; 호색가. ***mauvais*** ~ 잠버릇이 나쁜 사람 ; 꽤 까다로운 사람.

couci-couça [kusikusa], **couci-couci** [kusikusi] 〔이탈리아〕 *loc. adv.* 그럭저럭(= comme ci(,) comme ça).

coucou [kuku] *m.* ① 〖조류〗 뻐꾸기 (울음소리) ; 뻐꾹시계(= pendule à ~). ② 〖식물〗

서양앵초(櫻草). ③ 《구어》 구식 비행기.

coude** [kud] *m.* ① 팔꿈치 ; 옷의 팔꿈치 : mettre ses ~*s* sur la table 두 팔꿈치를 테이블에 대다. ② (도로·강·해안의) 모퉁이, 굽이(= détour, tournant) ; 굴곡부 : La route fait un ~. 길은 크게 구부러진다. **~ *à* ~** ⓐ 팔꿈치를 맞대고, 나란히. ⓑ 《명사적》 결속, 단결 : ~ *à* ~ fraternel 형제의 결속. ***donner un coup de ~ à …을 팔꿈치로 가볍게 찌르다. ***jouer des ~s à travers la foule*** 팔꿈치로 인파를 헤치고 나아가다 ; 술수를〔편법을〕 쓰다. ***sous le ~*** 미해결인 채로.

coudé, e[1] [kude] *adj.* 팔꿈치 모양으로 구부러진. ***sous le ~*** 미해결인 채로.

coudée[2] [kude] *f.* 《옛》 길이의 단위(《약 50 cm, 팔꿈치에서 가운뎃손가락 끝까지의 길이》). ***avoir ses*** 〔***les***〕 ***~s franches*** 《구어》 행동이 자유롭다. ***dépasser*** qn ***de cent ~s*** …보다 우월하다.

cou-de-pied [kudpje] *m.* (*pl.* **~s-~-~**) 발목.

couder [kude] *v.t.* (팔꿈치처럼) 굽히다(= plier). ── **se ~** *v.pr.* 구부러지다.

coudière [kudjɛːʀ] *f.* 〖스포츠〗 팔꿈치 보호대.

coudoiement [kudwamɑ̃] *m.* 팔꿈치로 치기〔밀기〕 ; 《구어》 교제, 접촉.

coudoyer [kudwaje] [7] *v.t.* ① 팔꿈치로 밀다〔치다〕. ② …와 접촉하다, 이웃하다, 마주치다(= rencontrer) : ~ des inconnus dans la foule 군중 속에서 모르는 사람들과 부딪치다. ── **se ~** *v.pr.* ① 서로 팔꿈치로 밀다, 서로 떠밀다. ② (서로) 마주치다 : *se* ~ dans la rue 길에서 마주치다.

coudre** [kudʀ] [34] *v.t.* ① 꿰매다, 깁다, 바느질하다, 재봉질하다 : ~ à gros points 시침질하다, 가봉하다 / ~ un bouton à un vêtement 옷에 단추를 달다. ② 〖의학〗 (상처를) 꿰매다, 봉합하다 : ~ une plaie 상처를 실로 꿰메다. ── *v.i.* 바느질하다, 재봉질하다. **~ *à la machine 재봉틀로 바느질하다. **~ *à la main*** 손으로 깁다.

couenne [kwan] *f.* ① (요리용) 돼지껍질. ② 《속어》 (사람의) 피부(= peau). ③ 《구어》 바보, 얼간이 : Quelle ~! 바보 같은 자식.

couette[1] [kwɛt] *f.* ① 《옛》 작은 꼬리. ② 《구어》 (핀 따위로 묶은) 머리타래.

couette[2] *f.* ① 《옛》 깃털 이불. ② 〖기계〗 축받이. ③ 〖해양〗 선대(船臺), 선가(船架).

couffe [kuf] *f.*, **couffin** [kufɛ̃], **couf(f)le** [kufl] *m.* 큰 광주리(= cabas) : un ~ de figues 무화과 한 광주리.

couguar [kug(w)aːʀ], **cougouar** [kugwaːʀ] *m.* 〖동물〗 퓨마.

couic [kwik] *interj.* 끽! 꿱! ── *m.* (목을 조를 때 내는) 비명. ***faire ~*** 《속어》 숨이 끊어지다, 죽다. ***n'y comprendre*** 〔***connaître***〕 ***que ~*** 아무것도 이해하지〔알지〕 못하다.

couille [kuj] *f.* 《속어》 불알, 고환. **~ *molle*** 나약한 사람.

couillon [kujɔ̃] *m.* ① 불알, 고환. ② 바보, 멍청이. ── *adj.* (*f.* ***couillonne***) ① 어리석은 ; 멍청한. ② 불쾌한, 난처한.

couillonner [kujɔne] *v.t.* 속이나(= tromper) : se faire ~ 속다.

couiner [kwine] *v.i.* 《구어》 ① (토끼·쥐 따위가) 찍찍대다 ; (어린아이가) 칭얼거리다. ② (문 따위가) 삐걱거리다 : porte qui *couine* 삐걱거리는 문짝.

coulage [kulaːʒ] *m.* ① (액체의) 흘러〔새어〕 나감 ; 유출. ② 《구어》 낭비(= gaspillage). ③ (녹인 금속 따위를) 붓기 ; 주조.

coulant, e [kulɑ̃, -ɑ̃ːt] *adj.* ① (액체가) 흐르는, 유동성의(= fluide) ; (치즈 같은 고형물이) 흐물흐물해진. ② (문체가) 매끄러운, 유창한 : style 〔vers〕 ~ 유창한 문체〔시〕. ③ 《구어》 (사람이) 사근사근한 ; 너그러운(= indulgent) : Il est très ~ en affaires. 그는 속이 트인 사람이다. ── *m.* ① (혁대 따위의) 가죽고리. ② 〖식물〗 덩굴.

coulée [kule] *f.* ① 유출, 분출(된 것) : ~ de lave 용암의 유출. ② (녹인 금속 따위를) 붓기 ; 주조, 주물 : ~ de métal 〔d'acier〕 금속〔강철〕의 주조. ③ 초서(= écriture ~).

coul(e)melle [kulmɛl] *f.* 〖식물〗 송이버섯의 일종.

couler** [kule] *v.i.* ① (액체가) 흐르다, 흘러나오다 ; (세월이) 경과하다(= s'écouler) : Le sang *coule* de la blessure. 피가 상처에서 흘러나온다 / laisser ~ ses larmes (하염없이) 눈물짓다 / Le temps *coule.* 시간이 흐른다. ② (통 따위가) 새다 : récipient 〔robinet〕 qui *coule* 물이 새는 그릇〔수도꼭지〕. ③ 미끄러지다, 미끄러져 내려가다(= glisser). ④ (문장이) 유창하다, (말이 입에서) 유창하게 흘러나오다. ⑤ 꽃이 떨어지다 ; (과실이) 떨어지다. ⑥ (배가) 가라앉다, 침몰하다(= ~ bas 〔à fond〕). ⑦ (사업이) 도산하다, 신용이 떨어지다. ***faire ~ le sang 전쟁〔유혈극〕의 원인이 되다. ***laisser ~ l'eau*** 《구어》 일을 되는 대로 내버려두다. ── *v.t.* ① (액체를) 붓다, 쏟다 ; 여과하다 : ~ du sirop sur un gâteau 과자 위에 시럽을 붓다. ② (녹인 금속 따위를 주형에) 붓다 ; 주조(鑄造)하다(= mouler) : ~ une statue 상(像)을 주조하다. ③ (배를) 침몰시키다 ; 실각〔파멸·파산〕 시키다. ④ 슬쩍 주다〔넣다·보내다〕 ; (말을 귀에다) 속삭이다 ; (눈길을) 슬쩍 보내다 : ~ la clef dans la serrure 열쇠 구멍에 열쇠를 슬그머니 꽂다. ⑤ (시간·생애를) 보내다(= passer) : ~ des jours heureux 〔la vie heureuse〕 행복한 나날을〔생애를〕 보내다. ── **se ~** *v.pr.* ① 슬그머니 들어가다, (침대나 이불 속으로) 기어들다. ② 파산〔실각〕하다 ; 신용을 잃다. ***se la ~ douce*** 〔***bonne***〕 《속어》 안락하게 살아가다.

⁑couleur [kulœːʀ] *f.* ① 색, 빛깔 : photographie en ~*s* 색채〔천연색〕 사진 / robe de ~ claire 밝은 빛깔의 여성복 / ~ foncée 〔sombre〕 어두운 색 / ~ vive 선명한 색. ② 그림물감, 채색감, 페인트 : les arts de la ~ 미술 / ~*s* à l'huile 〔l'eau〕 유성〔수성〕물감. ③ (흔히 *pl.*) 안색, 피부색(= teint) : perdre ses ~*s* 안색이 좋지 않다 / homme 〔femme〕 de ~ 유색인(《특히 흑인》). ④ 외관, 양상, 모습(= apparence, aspect) ; 기색 : prendre une ~ tragique 비극적 양상을 띠다. ⑤ (그림의) 색조, 배색 : ~*s* contrastées 대비를 이루는 색조 ⑥ (문체 따위의) 생기(= brillant, éclat) ; 특색, 색채 : style sans ~ 생기〔특색〕 없는 문체. ⑦ 《비유》 성격 ; 성향, 정치색 : Ce journal est d'une ~ politique indécise. 이 신문은 정치적 색채가 불분명하다. ⑧ 핑계, 구실(= prétexte) : monter une ~ 《구어》 거짓말을 하다. ⑨ (*pl.*) 국기 ; 〖해양〗 기(= drapeau, pavillon) : envoyer 〔hisser〕 les ~*s* 기를 게양하다. ***changer de ~*** 얼굴빛이 달라지다. ***en dire*** 〔***conter***〕 ***de toutes les ~s*** 《구어》 여지없이 내리깎다. ***en voir de toutes les ~s*** 파란곡절을 겪다. ***être haut en ~*** 얼굴이 새빨갛다 ; 《비유》 노골적〔원색적〕이다. ***la ~ du temps*** 현재의 상황, 정황 ; 세태. ***ne pas voir la ~ de*** qc (빌려준 것이) 되돌아오지 않다. ***prendre ~*** 물들다 ; 〖요리〗 살짝 익기〔구워지기〕 시작하다 ; 사건〔일〕이 제모습을 드러내다. ***sous ~ de*** …을 구실삼아. ── *adj.* 《불변》 《~ (de) + 명사》 …색의 : étoffe ~ chair 살색 천 / robe ~ *du* temps 하늘색 드레스.

couleuvre [kulœːvʀ] *f.* 〖동물〗 독 없는 뱀의 일종. ***avaler des ~s*** 모욕을 꾹 참다.

couli [kuli] *m.* 쿨리《중국의 품팔이 일꾼》.

coulis [kuli] *adj. m.* 새어드는 : vent ~ 외풍. ── *m.* ① 〖요리〗 (조려서 체에 거른) 소스, 젤리 ; (과일) 퓌레. ② 〖건축〗 접착용제. ***~ de tomates*** 토마토 소스.

coulissant, e [kulisɑ̃, -ɑ̃ːt] *adj.* (문 따위가 홈에서) 미끄러지는 : porte ~*e* 미닫이.

coulisse [kulis] *f.* ① (미닫이 따위의) 홈(= glissière) : porte à ~ 미닫이문. ② 〖연극〗 (흔히 *pl.*) 무대 뒤, 출연자 대기소. ③ 내막, 흑막(= dessous) : ~*s* de la politique 정계의 내막. ④ 끈을 넣도록 만든 옷단. ⑤ 〖주식〗 장외(場外) 시장〔중개인〕. ***être*** 〔***se tenir***〕 ***dans la ~*** 뒤에 숨어 있다〔숨어서 조종하다〕. ***faire les yeux en ~; regarder*** qn ***en ~ ; jeter un regard en ~*** …에게 추파를 보내다.

coulisser [kulise] *v.i.* (홈 위를) 미끄러지다. ── *v.t.* …에 홈을 만들다 ; 〖재봉〗 (연달아) 누비다.

*__couloir__ [kulwaːʀ] *m.* ① 복도, 낭하(= corridor) ; (*pl.*) 〖정치〗 (국회 의사당의) 넓은 복도〔로비〕 : ~ d'un wagon de chemin de fer 여객 열차의 복도 / ~*s* du métro 지하철역의 통로. ② 통로(= passage) ; 골짜기 ; 〖지리〗 회랑 (지대). ***~ aérien*** 항공로. ***faire les ~s*** 국회의원에게 이면 공작을 하다. ***manœvre de ~*** 로비 활동.

coulomb [kulɔ̃] *m.* 〖전기〗 쿨롱《전기량의 단위》.

coulpe [kulp] *f.* 《옛》 죄 ; 죄과 ; 과실(過失), 허물 : battre sa ~ 잘못을 뉘우치다.

coulure [kulyːʀ] *f.* ① 주형(鑄型) 밖으로 새어나온 용해 금속. ② 낙과 (落果), 열매가 결실하지 않음.

⁑**coup** [ku] *m.* ① 치기, 때리기, 구타, 타격 ; 충격 : donner un ~ de poing sur la table 주먹으로 탁자를 치다/donner 〔recevoir〕 un ~ de pied 발〔발길〕로 차다〔차이다〕 / ~ d'épée 〔de sabre〕 검으로 찌르기〔치기〕. ② 상처(= blessure) : ~ mortel 치명상 / couvert de ~*s* 상처투성이의〔로〕. ③ (총포의) 사격, 포격, 발사, 발포 : ~ de feu 사격 / ~ de fusil 〔de canon〕 총격〔포격〕. ④ (치는, 울리는) 소리 : ~ de cloche 〔de sifflet〕 종소리 〔호각소리〕. ⑤ (신체의 부분의) 한 동작, 한 움직임 : ~ d'oeil 일별(一瞥) ; 조망, 경치 / ~ d'épaule 어깨로 밀기《동물의 경우》 / ~ d'ailes 날개치기. ⑥ 한 번(= fois) ; 한 모금 : boire à petits ~*s* 짤끔짤끔 마시다 / boire un ~ (de vin) (포도주를) 한 잔 마시다. ⑦ ⓐ (자연력 · 기상(氣象) 따위의) 치열한 작용〔움직임〕 ; 엄습 : ~ de vent 〔de mer〕 질풍〔풍랑〕. ⓑ (감정의) 작용, 충격 : sous le ~ de colère 화가 치밀어서, 홧김에. ⑧ ⓐ 행위, 짓 ; 솜씨 : mauvais ~ 악랄한 짓 / réussir 〔manquer〕 son ~ 성공〔실패〕하다. ⓑ 사건, 일(= affaire) : Je vais t'expliquer le ~. 일이 어떻게 됐는지 설명해 줄게. ***à*** (***~s***) ***de*** qc …을 사용하여 : *à ~s de* dictionnaire 사전을 열심히 찾아 가며. ***à ~ sûr*** 확실히. ***après ~*** 사후에, 때늦게, 일이 지난 뒤에. ***à tous ~s, à tout ~*** 매번 ; 언제나. ***attraper le ~ pour***+ *inf.* …하는 비결〔요령〕을 터득하다. ***avoir le ~ pour*** 〔***de***〕 + *inf.* …하는 비결〔요령〕을 알고 있다. ***boire à petits ~s*** 조금씩 음미하며 마시다. ***~ de chaleur*** 일사병. ***~ de chance*** 〔***veine***〕 행운, 요행, 횡재. ***~ de chapeau*** 인사. ***~ de fil*** 전화. ***~ de force*** (정부 · 당 · 개인의) 난폭한 권력〔폭력〕 행사. ***~ de foudre*** 전격(電擊), 벼락. ***~ de main*** ⓐ 도움, 조력(= aide) : donner un ~ *de main* à qn …을 돕다. ⓑ 습격, 강도질. ***~ de sang*** 졸중(卒中). ***~ de soleil*** 일사병. ***~ d'État*** 쿠데타, 정변. ***~ de tête*** 일시적 기분에 좌우된 행동. ***~ de théâtre*** 연극 사건의 돌변 ; 뜻하지 않은 사건. ***~ sur ~*** 차례차례로, 계속하여. ***~ heureux*** 요행. ***~ imprévu*** 뜻밖의 일. ***du ~*** 그 서슬에, 그 바람에 ; 이번엔. ***du même ~*** 동시에 ; 그 기회에. ***du premier ~*** 처음부터, 대번에. ***d'un ~*** 한번에 ; 단숨에. ***encore un ~*** 또 한번. ***en ~ de vent*** 바람처럼. ***être*** 〔***mettre*** qn〕 ***dans le ~*** 사건에 연루되어 있다 〔…을 사건에 끌어들이다〕. ***faire ~ double; faire d'une pierre deux ~s*** 《구어》 일석이조(一石二鳥)다. ***faire les*** (***quatre***) ***cents ~s*** 비행을 일삼다 ; 방종한 생활을 하다. ***marquer le ~*** (사건 따위를) 기리다, 기념하다. ***pour le ~*** 이번에는 ; 당장에는. ***sous le ~ de*** qc ⓐ …의 위협을 받고 있는 : être *sous le ~ d'*une condamnation 유죄 판결을 받을 위험이 있다. ⓑ …의 영향으로 : Il est encore *sous le ~ de* cette maladie. 그는 아직도 이 병에서 회복되지 않았다. ***sur le ~*** 곧, 즉석에서 : mourir *sur le ~* 즉사하다. ***tenir le ~*** 《구어》 저항을 하다, 버티어 내다. ***tout à ~*** 갑자기. ***tout d'un ~*** 단번에 ; 갑자기. ***valoir le ~*** 해볼 만한 가치가 있다.

*__coupable__ [kupabl] *adj.* ① 죄진, 유죄의(≠ innocent) ; 잘못을 저지른 : 《~ de》 L'accusé a été déclaré ~ *d'*homicide. 피고는 살인죄를 선고받았다. ② (행동 따위가) 책망받아 마땅한, 가증스런, 괘씸한(= blâmable) : un amour ~ 불륜의 사랑. ── *n.* ① 죄인, 범죄자. ② 장본인.

coupage [kupaːʒ] *m.* ① (꼴 · 담배잎 따위를) 잘게 썰기. ② (포도주에) 물을 타기 ; (여러 가지 술을) 섞기.

coupant, e [kupɑ̃, -ɑ̃ːt] *adj.* (칼날 따위가) 예리한 ; (목소리가) 날카로운 : ton ~ 날카

로운〔엄한〕 어조 / outils ～*s* 날붙이.

coup-de-poing [kudpwɛ̃] *m.* (*pl.* **～*s*-～-～**) ① 일종의 송곳. ② 소형 권총.

coupe**[1] [kup] *f.* ① 잔, 술잔; 잔에 든 음료〔술〕. ② 『스포츠』 우승배〔컵〕; 우승배 쟁탈전: ～ Davis 『테니스』 데이비스컵. ③ 《비유》 (고통·쾌락의) 잔. ***boire la ～ jusqu'à la lie 갖은 고생을 다 겪다.

coupe**[2] *f.* ① ⓐ 자르기, 베기: ～ des foins 건초용 풀베기 / étoffe dure à la ～ 가위질하기 힘드는 천. ⓑ (머리의) 커트, 이발: ～ en brosse 스포츠형 커트. ② ⓐ 벌목; 벌목 구역: ～ claire 숲의 대량 벌목. ⓑ 자른〔벤〕 것; 자르는 법; 『재봉·의복』 재단(법). ③ 자른〔벤〕 자리; 단면(斷面); 단면도: plan ～ d'une maison 집의 단면도. ④ 모습; 모양, 윤곽(= forme, contour): ～ gracieuse du visage 아리따운 얼굴 모습. ⑤ (글·음절 따위의) 끊어지는 데; 끊는 법; 『운율』 휴지(= pause). ***à la ～ 《구어》 시험삼아 잘라 보고. **～ *sombre*** 나무를 솎아내기; (글의) 많은 삭제; (인원·예산 따위의) 삭감. ***être*** 〔***se trouver***〕 ***sous la ～ de*** qn …의 지배하에 있다.

coupé[1] [kupe] *m.* ① 2 인승 4 륜마차. ② 쿠페《운전대가 차체 밖 앞쪽에 있는 2 인승차》.

coupé[2], **e**[1] [kupe] *adj.* ① 잘린, 깎인: cheveux ～*s* courts 짧게 깎은 머리. ② 『의복』 재단된. ③ 차단된, 끊긴: route ～*e* 차단된 도로. ④ (술이) 물을 탄; 《～ de, avec》 …을 탄: boire son vin ～ *d'*eau 물을 탄 포도주를 마시다. ⑤ 거세한: chat ～ 거세한 고양이. ⑥ balle ～*e* (테니스·탁구에서) 깎아 친 공. ***volée ～e-arrêtée*** 『테니스』 깎아치기.

coupe-choux [kupʃu] *m.* 《복수불변》 《구어》 ① 『군사』 (19 세기의) 보병의 총검. ② 《구어》 면도칼.

coupe-circuit [kupsiʀkɥi] *m.* 『전기』 안전기(安全器), 차단기.

coupe-coupe [kupkup] *m.* 《복수불변》 (밀림에 길을 내기 위한) 가지 치는 긴 칼.

coupe-courant [kupkuʀɑ̃] *m.* 《복수불변》 『전기』 타임스위치.

coupée[2] [kupe] *f.* 『해양』 (배의) 현문(舷門).

coupe-file [kupfil] *m.* 《복수불변》 (경찰 발급의) 자유 통행증.

coupe-gorge [kupgɔʀʒ] *m.* 《복수불변》 (강도·악당이 출몰하는) 위험한 장소.

coupelle [kupɛl] *f.* 작은 잔〔컵〕.

coupe-ongles [kupɔ̃:gl] *m.* 《복수불변》 손톱깎기.

coupe-pain [kuppɛ̃] *m.* 《복수불변》 빵 자르는 칼.

coupe-papier [kuppapje] *m.* 《복수불변》 종이 칼, 페이퍼 나이프.

⁑**couper** [kupe] *v.t.* ① 자르다, 베다, 끊다, 절단하다; 깎다; 재단(裁斷)하다; (책·연설 따위의 일부를) 삭제하다; (가축을) 거세하다; (바람이 살을) 에는 듯하다: ～ du bois 나무를 자르다 / ～ un pain en deux 빵을 두 조각으로 자르다 / ～ une robe 드레스를 재단하다 / se faire ～ les cheveux 머리를 깎다 / ～ de l'herbe 〔du foin, les blés〕 풀〔꼴·밀〕을 베다. ② 분할하다, (방 따위를) 칸막이하다: ～ une pièce par une cloison 방을 칸막이하여 둘로 나누다. ③ 중단하다; 중단시키다: ～ une communication téléphonique 전화를 끊다 / Je vous *coupe* la parole. 말 그만 하시오. ④ (길 따위를) 가로막다, 차단하다; (강물 따위를) 막다: ～ l'eau par crainte du gel 물이 얼까봐 수돗물을 끊다. ⑤ …와 교차하다, …을 횡단하다: Ce chemin en *coupe* un autre. 이 길은 다른 길과 교차하고 있다. ⑥ (신체의 활동을) 막다, 누르다: ～ l'appétit 식욕을 잃게 하다 / ～ la fièvre 열을 내리게 하다. ⑦ (술 따위에) 다른 액체를 섞다, 물을 타다: ～ d'eau son vin 포도주에 물을 타다. ⑧ 《구어》 …의 통화를 끊다: Ne me *coupez* pas. (전화를) 끊지 말아 주세요. ⑨ 『스포츠』 ～ une balle 〔le coup〕 (테니스·탁구에서) 공을 깎아 치다. ***à ～ au couteau*** (안개가) 아주 짙은; 보통이 아닌: bêtise *à ～ au couteau* 어처구니없는 바보짓. **～ *bras et jambes*** 〔***les bras***〕 ***à*** qn 《구어》 …을 아연실색케 하다; 꼼짝 못하게 만들다. **～ *la bourse à*** qn …의 지갑을 훔치다. **～ *les cartes*** 카드를 두 몫으로 나누다. **～ *les cheveux en quatre*** 너무 까다롭게 이론을 따지다. **～ *les jambes à*** qn …을 몹시 피로하게〔기진맥진하게〕 하다. **～ *ses effets à*** qn …의 말문을 막히게 하다, 기세를 꺾다; 의도를 빗나가게 하다.

── *v.i.* ① (칼 따위가) 베어지다, 잘 들다: Ce couteau *coupe* bien. 이 칼은 잘 든다. ② (지름길로) 질러가다: ～ par la forêt 숲을 가로질러 곧장 가다 / ～ à travers champ 들판을 지름길로 질러가다. ③ 《구어》 《～ dans qc》 (어리석게) …을 (정말로) 믿다, 신용하다; …에 속아 넘어가다. ④ 『펜싱』 (검으로) 상대방의 공격을 제치다. ⑤ 『카드놀이』 (둘로 나누어) 카드를 섞다. **～ *court*** 이야기를 간단히 끝내다. **～ *dans le vif*** 환부를 (생살까지) 도려내다; 《구어》 과감한 수단을 쓰다. ***pour ～ court*** 요컨대.

── *v.t. ind.* 《～ à》 《구어》 피하다, 회피하다, 면하다(= éviter): ～ *à* une corvée 고역을 면하다 / Il n'y *coupera* pas. 그건 피할 길이 없을 것이다 / 《ne pas y ～ de》 Il *n'y coupera pas d'*une bonne punition. 그는 벌을 면치 못할 것이다. **～ *court à*** qc …을 갑자기 차단하다; …을 종결짓다: ～ *court à* la discussion 토론을 돌연 중단시키다.

── **se ～** *v.pr.* ① 잘라지다, 베어지다. ② 교차하다. ③ (이야기가) 모순되다; (거짓이) 폭로되다. ④ 자기의 …을 베다: *se ～* le 〔au〕 doigt 손가락을 베다. ⑤ 《se ～ de》 …와 관계를 끊다; …의 지지를 잃다: Il *s'est coupé de* ses amis. 그는 친구들과 관계를 끊었다. ***se ～ en quatre*** (***pour*** qn) (…을 위해) 온갖 노력을 다하다; 여러 가지 일을 동시에 하다.

couperet [kupʀɛ] *m.* 고기 써는 칼; 단두대의 칼날.

couperose [kupʀo:z] *f.* 『의학』 (얼굴의) 농진(膿疹), 붉은 코.

coupeur, euse [kupœ:ʀ, -ø:z] *n.* ① 재단사; 포도 따는 사람. ② ～ de bourses 소매치기. **～ *de cheveux*** 〔***de fil***〕 ***en quatre*** 사소한 일에도 트집을 잡는 사람. ── *f.* ① 절단기, 재단기. ② 『광산』 굴착기. ③ 『곤충』 ～*euses* de feuilles (잎을 자르는) 벌의 일종.

coupe-vent [kupvɑ̃] *m.* 《복수불변》 (기관차 앞에 붙이는) 바람받이.

***couple** [kupl] *f.* ① (짝이 맞는) 한 쌍. ② (개·말 따위를 두 마리씩 매는) 가죽끈. — *m.* ① 부부, 내외 ; 남녀 한 쌍 ; (동물의 암수) 한 쌍 : un ~ de pigeons 비둘기 한 쌍 / un ~ bien assorti 천생배필의 부부. ② (같은 이해관계로 맺어진) 두 사람. ③ 〖기계〗 우력(偶力), 대력(對力).

C

coupler [kuple] *v.t.* ① 두 사람을〔두 개를〕 짝지우다, 한 쌍이 되게 하다. ② 〖전기〗 (회로 따위를) 접속하다 : ~ deux ordinateurs 두 개의 컴퓨터를 접속하다.

couplet [kuplɛ] *m.* ① (노래·시의) 절(節) ; (*pl.*) 노래, 시 : ~*s* de circonstance 세태를 풍자한 노래. ② 똑같은 문구, 되풀이하는 말 (= refrain).

coupole [kupɔl] *f.* ① 〖건축〗 둥근 지붕〔천장〕《coupole은 둥근 지붕의 내부, dôme은 외부를 가리킴》. ② (*C*~) 《구어》 아카데미 프랑세즈 : être reçu sous la *C*~ 아카데미 프랑세즈 회원이 되다.

coupon [kupɔ̃] *m.* ① 천 조각, 헝겊 : ~ de robe 드레스용으로 재단한 천. ② (한 장씩 떼어 쓰는) 표, 쿠폰 ; 회수권 : ~ d'embarquement 승선권, 탑승권. ③ 〖경제〗 배당권, 이자표 : ~ de dividende (주식의) 배당권 / ~ de rente 연금 배당권.

coupon-réponse [kupɔ̃ʀepɔ̃:s] *m.* (*pl.* **~*s*-~*s***) 국제 반신우표(= ~ international).

coupure [kupy:ʀ] *f.* ① 벤 상처 ; (피부의) 튼 자국 ; (직물 따위의) 흠. ② 소액 지폐. ③ (연극·영화 따위의) 삭제, 커트 : Il y a des ~*s* dans ce film. 이 영화에는 삭제된 부분이 있다. ④ (신문 따위의) 오려낸 것. ⑤ 《비유》 (세대 간 따위의) 단절, (시간상의) 중단 ; (전기 따위의) 차단 : ~ de courant 단전(斷電). ⑥ 〖지질〗 단층.

‡cour [ku:ʀ] *f.* ① 안마당, 안뜰 ; (공장 따위의) 구내 ; (학교의) 운동장(= ~ de récréation) : chambre sur ~ 안마당에 면한 방 / Les enfants jouent dans la ~ de l'éole. 아이들이 교정에서 놀고 있다. ② (상급) 법원 ; 재판소(= ~ de justice) ; 《집합적》 재판관 : ~ d'appel 항소 법원 / Haute ~ (de justice) (대통령·장관의 탄핵재판을 행하는) 고등법원 / *C*~ internationale de justice 국제 사법 재판소. ③ 궁정, 궁궐 ; 왕국 ; 《집합적》 조신(朝臣) ; (세력가의) 측근, 추종자들. ***être bien* 〔*mal*〕 *en* ~** 국왕〔권력자〕의 총애를 받다〔잃다〕. ***faire la* ~ *à une femme*** (남자가) 여자의 마음에 들려고 애쓰다.

courage** [kuʀa:ʒ] *m.* ① 용기, 담력(= cran), 용맹(= bravoure) ; 원기(= énergie, ardeur) : ~ moral 담력 / avoir le ~ de + *inf.* ; avoir du ~ pour + *inf.* …하는 용기가 있다. ② 열성(= zèle) : Avec du ~, vous réussirez. 열심히 하면 성공합니다. ③ 《감탄사적》 *C*~! 〔Du ~!〕 힘내라! / Bon ~! 자, 기운을 차려서 열심히 해라! ***avoir bon* ~ 〔*du* ~〕** 대담하다, 배짱이 있다. ***avoir le* ~ *de ses opinions 소신대로 해 나가다. ***donner* (*du*) ~ *à*** qn …에게 용기를 주다. ***perdre* ~** 낙담하다, 기운을 잃다. ***prendre* 〔*tenir*〕 *son* ~ *à deux mains*** 있는 힘을〔용기를〕 다 내다. ***reprendre* ~** 다시 용기를 되찾다〔기운을 내다〕.

courageusement [kuʀaʒøzmɑ̃] *adv.* 용감하게, 단호하게, 꿋꿋하게(= fermement) : supporter ~ 꿋꿋하게 견디어 내다.

***courageux, euse** [kuʀaʒø, -ø:z] *adj.* ① 용감한, 용기 있는, 대담한, 꿋꿋한 : être ~ au travail 꿋꿋하게 일하다 / âme ~*euse* 용기 있는 사람. ② 열의 있는, 정력적인: étudiants ~ 열심히 공부하는 학생.

couramment [kuʀamɑ̃] *adv.* ① 거침없이, 유창하게 : parler ~ le français 불어를 유창하게 하다. ② 일반적으로, 보통(= communément) : Ce mot s'emploie ~. 이 말은 흔히 쓰인다.

courant, e**[1] [kuʀɑ̃, -ɑ̃:t] *adj.* ① 달리는 : chien ~ (짐승을 쫓는) 사냥개. ② 흐르는 : eau ~*s* 흐르는 물, 수돗물 / écriture ~*e* 초서. ③ 현재의, 지금의(= actuel) : mois ~ 이달, 금월 / année ~*e* 금년 / le cinq ~ 이달 5일 / fin ~ 월말. ④ 유통되고 있는, 현행의 : prix ~ 현재의 단가, 시가 / monnaie ~*e* 통화. ⑤ 일상의(= usuel) ; 보통의, 흔한, 일반적인(= commun) : affaires ~*es* 일상 업무 / vie ~*e* 일상 생활 / opinion ~*e* 일반적인 의견. ⑥ 유창한 : d'une manière ~*e* 유창하게. ⑦ 길이의 : prix par mètre ~ 미터당 가격. — *m.* ① (물·액체 따위의) 흐름; 조류, 해류(= ~ marin) : ~ de l'eau 유수(流水) / ~ chaud 〔froid〕 난류〔한류〕. ② 기류(= ~ atmosphérique) ; 전류(= ~ électrique) : couper 〔rétablir〕 le ~ 전기를 끊다〔켜다〕. ③ 경과 ; 진행 ; 추세, 동향 : ~ des idées 〔d'idées〕 사조 / ~*s* de l'opinion 여론의 움직임. ④ (사람·물건의) 흐름 ; 유통 : ~ de population 인구의 이동 / ~*s* commerciaux 상품의 유통. ⑤ 기간 : dans le ~ de la semaine 〔de l'année〕 금주〔금년〕 중에. ***au* ~ *de la plume 붓대가 움직이는 대로, 생각나는 대로. ***être au* ~ *de*** qc 〔***que***+ *ind.*〕 …을 알고 있다 : *Êtes*-vous *au* ~ *de* notre projet? 당신은 우리의 계획을 알고 있습니까? / *Êtes*-vous *au* ~ *qu'*il a réussi son examen? 당신은 그가 시험에 합격했다는 사실을 알고 계십니까? ***mettre* 〔*tenir*〕** qn ***au* ~ *de*** qc …에게 …을 알려 주다 : Je vous *tiendrai*, par mes lettres, *au* ~ *des* nouvelles. 편지로 계속 소식을 드리겠습니다. ***se déguiser en* ~ *d'air*** 《구어》 슬그머니 사라지다. ***se mettre* 〔*se tenir*〕 *au* ~ *de*** qc …의 (돌아가는) 형편을 알아보다. — *prép.* 당월, 당년 : ~ novembre 당년〔그해〕 11월에.

courante[2] [kuʀɑ̃:t] *f.* ① (17세기의 프랑스의) 쿠랑트 무용곡. ② 《구어》 설사.

courbatu, e [kuʀbaty] *adj.* 《문어》 녹초가 된, 기진맥진한.

courbaturer [kuʀbatyʀe] *v.t.* 피로하게 하다, 사지가 쑤시게 하다 ; 기진맥진하게 하다.

***courbe** [kuʀb] *adj.* 휜, 굽은 : ligne ~ 곡선. — *f.* ① 곡선, (도로 따위의) 커브. ② 〖수학〗 곡선 ; 그래프(의 곡선) : ~ des prix 〔des salaires〕 물가〔임금〕 곡선.

courber [kuʀbe] *v.t.* ① 굽히다 ; 구부리다, 휘게 하다 : ~ au feu une barre de fer 쇠막

대를 불에 달구어 구부리다. ② (머리를) 숙이다, (몸을) 굽히다 : ~ les épaules 앞으로 몸을 굽히다. ~ ***la tête*** 〔***le front***〕 머리를 숙이다 ; 복종하다. ── *v.i.* 구부러지다, 휘다. ── **se** ~ *v.pr.* ① 구부러지다, 휘다. ② 몸을 굽히다 ; 머리를 숙이다. ③ 굽신거리다.

courbette [kuʀbɛt] *f.* ① 쿠르베트《말이 뒷발로 일어서서 앞발을 살짝 구부린 자세》. ② (*pl.*) 굽신거리기 ; 절(= révérence) : faire une ~ 가볍게 인사를 하다. ***faire des ~s à*** 〔***devant***〕 qn …에게 굽신거리다.

courbure [kuʀbyːʀ] *f.* 굽음, 만곡.

***coureur, euse** [kuʀœːʀ, -øːz] *n.* ① 달리는 사람〔동물〕; 〖스포츠〗 경주자, 달리기 선수 : ~ de fond 〔demi-fond〕 장〔중〕거리 주자〔선수〕. ② 《~ de》 …에 자주 드나드는 사람, …을 찾아다니는 사람 : ~ *de* jupons 엽색가 / ~ *de* dot 재산을 노리는 구혼자.

courge [kuʀʒ] *f.* ① 〖식물〗 호박류 ; 호리병박 : ~ melonnée 〔musquée〕 호박. ② 《구어》 바보, 멍청이.

****courir** [kuʀiːʀ] 20 *v.i.* ① 뛰다, 달리다 : ~ à toute vitesse 〔fond de train〕 전속력으로 달리다 / ~ à perdre haleine 숨을 헐떡거리며 뛰다 / ~ pour garder la forme 컨디션을 유지하기 위해 뛰다, 조깅하다. ② (경주에) 참가하다 : ~ dans une compétition d'athlétisme 육상 경기에 출전하다. ③ 서두르다, 서둘러 가다 ; 몰려들다(= accourir) : 《~ + *inf.*》 ~ chercher un médecin 급히 의사를 부르러 가다 / Je prends ma voiture et je *cours* chez vous. 내 차를 타고 당신 집으로 곧 가겠소. ④ (분주히) 뛰어다니다, (이리저리) 쏘다니다 : ~ toute la journée pour ses affaires 사업 때문에 온종일 뛰어다니다. ⑤ (시간이) 경과하다, 흐르다 : 흐르는 듯〔빨리〕 움직이다 : par le temps qui *court* 현재로서는, 목하 / faire 〔laisser〕 ~ sa plume sur le papier 펜이 가는 대로 종이 위에 쓰다. ⑥ (시냇물 따위가) 흐르다 ; (길이) 통하다 ; (해안·산맥 따위가) 길게 뻗다. ⑦ (소문·질병 따위가) 퍼지다 ; 유행하다 : la mode qui *court* 현재의 유행 / 《비인칭》 Il *court* des bruits. 소문이 퍼지고 있다. ⑧ (배가) 항로를 잡다, 항해하다 : ~ à terre 〔au large〕 육지를 향해 가다. ⑨ (매듭이) 풀리다. ⑩ 《~ à》 (결과를 향해) 달려가다, 치닫다 : ~ *à* sa perte 파멸을 초래하다 / ~ *à* la faillite 도산의 위기에 처하다. ⑪ (이자·집세·봉급 따위가) 기산되다〔시작되다〕: Les intérêts *courent* depuis un an. 이자가 일년 전부터 붙고 있다. ~ ***après*** qn 〔qc〕 …의 뒤를 쫓다, …을 갈망하다, 추구하다. ***laisser*** ~ 《구어》 되는 대로 내버려두다, 방임하다. (***tout***) ***en courant*** 달리면서 ; 급하게.

── *v.t.* ① …의 뒤를 쫓다 ; …을 뒤쫓다 : ~ le cerf 〔sanglier〕 사슴을〔멧돼지를〕 뒤쫓다. ② 추구하다, 갈망하다(= rechercher, poursuivre) : ~ les honneurs 명예를 추구하다. ③ (위험 따위를) 무릅쓰다 ; 당하다, 겪다 : ~ les aventures 모험을 하다 / ~ un danger 위험을 무릅쓰다. ④ (극장·술집 따위에) 자주 드나들다. ⑤ …을 이리저리 돌아다니다 : ~ la ville 〔les rues[1]〕 시내〔거리〕를 쏘다니다. ⑥ (적군이) 휩쓸다, 침략하다. ⑦ ~ une carrière 〔profession〕 어떤 직업에 종사하다〔몸담고 있다〕. ⑧ (경주에) 참가하다 : ~ une course 경주를 하다 / ~ le cent mètres, 100 미터 경기를 뛰다. ⑨ 《~ qn》 《속어》 귀찮게 굴다 : Tu me *cours*. 귀찮게 구는군. ~ ***la chance*** 운에 맡기고 해보다. ~ ***le monde*** 세계를 유람하다. ~ ***les rues***[1] 〔***la ville***〕 세간에 알려지다. ~ ***les rues***[2] 흔하다, 널리 알려져 있다. ~ ***une course*** 경주하다.

courlis [kuʀli], **courlieu** [kuʀljø] *m.* 〖조류〗 마도요.

couronne** [kuʀɔn] *f.* ① (꽃·잎 따위의) 관 ; 화관 ; 월계관 ; 《비유》 영예 ; 상 : ~ de laurier 월계관 / ~ de fleurs 화관 / ~ académique 우등상. ② 왕관(= diadème) ; 왕권, 왕위 ; 군주국, 왕국: héritier de la *C*~ 왕위 계승자 / donner la ~ à qn …을 왕위에 오르게 하다. ③ (관 무늬가 있는) 금화, 은화 : ~ anglaise (영국의) 크라운 은화. ④ 관 모양의 것 ; 환형(環形) ; 〖천문학〗 (태양·달 둘레의) 무리 ; (개기식(皆旣蝕) 때의) 광환(光環)(= halo, auréole). ~ ***d'épines (로마 병사들이 예수에게 씌운) 가시관 ; 슬픔, 고뇌. ***en*** ~ 관 모양〔환형〕의.

couronné, e [kuʀɔne] *adj.* ① 관을 쓴 ; 왕위에 오른 : tête ~*e* 제왕. ② 상을 받은 : ouvrage ~ 수상작 / auteur ~ du prix Goncourt 공쿠르 상 수상 작가. ③ 《~ de》 꼭대기가 …으로 덮인 ; 둘러싸인 : sommet ~ *de* neiges éternelles 만년설로 뒤덮힌 산. ④ 《~ de》 …으로 마무리지어진 〔끝난〕 : entreprise ~*e de* succès 성공리에 끝난 사업.

couronnement [kuʀɔnmɑ̃] *m.* ① 관을 씌우기 ; 대관식. ② 끝마무리, 완성, 성취 : Ce livre est le ~ de son œuvre. 이 책은 그의 최후를 장식 하는 것이다. ③ (건물·가구 따위의) 꼭대기 장식. ④ (나무를) 관 모양으로 전지하기. ⑤ 〖군사〗 (적진의) 점령.

couronner [kuʀɔne] *v.t.* ① …에게 관〔왕관〕을 씌우다; 왕위에 오르게 하다: Napoléon *fut couronné* empereur en 1804. 나폴레옹은 1804 년 황제에 즉위했다. ② (승리자에게) 영광의 관을 씌워 주다 ; …에게 상을 주다: ouvrage *couronné* par l'Académie Française 아카데미 프랑세즈 수상 작품. ③ 마무리짓다, 끝내다, …의 최후를 장식하다, 완성〔성취·대성〕하다 : ~ sa vie par une mort héroïque 영웅적인 죽음으로 생애를 끝내다 / Le succès *a couronné* son entreprise. 그의 사업은 마침내 성공했다. ④ 《주어 : qc》 …의 꼭대기를 장식하다 ; (눈 따위가) …의 꼭대기를 뒤덮다 ; (산이 도시·계곡 따위를) 둘러싸다 : La neige *couronne* les cimes. 눈이 산꼭대기를 뒤덮고 있다. ⑤ 〖군사〗 (적진을) 점령하다. ⑥ (말의) 무릎을 다치게 하다. (***et***) ***pour*** ~ ***le tout*** 《비꼼》 게다가 ; 결국은. ── **se** ~ *v.pr.* ① 왕관을 쓰다 ; 왕위에 오르다. ② 《~ de》 …으로 뒤덮다, 장식하다. ③ (말이) 무릎에 상처를 입다 ; 《구어》 (사람이) 무릎을 다치다.

courr-ai, -ons, etc. ⇒ courir.

courre [kuːʀ] *v.t.* (짐승을) 뒤쫓다, 몰다. ── *v.i.* ① 《옛》 달리다. ② 《현재에는 부정법에서만 쓰임》 : chasse à ~ (사냥개를 쓰는)

기마 수렵 / laisser ~ les chiens 사냥개를 놓아 짐승을 쫓게 하다.

courrier** [kuʀje] *m.* ① ⓐ 우편(물) : Est-ce qu'il y a du ~ pour moi ? 제 앞으로 온 우편물 있습니까? / expédier le ~ 우편물을 발송하다 / ~ économique 보통 우편. ⓑ 우체국 직원 ; 우편계 : ~ ambulant 우편 배달부. ② 우송 수단 ; 우편기(機) ; 《일반적》 정기 항공편 : ~ maritime 〔aérien〕 선편〔항공편〕. ③ (신문의) 통신란(欄), 시평(時評)난 : ~ de théâtres 연예란/ ~ littéraire 문예란 / ~ des lecteurs 독자의 투고란. ***~ convoyeur 우편 호송인. ***~ electronique*** 전자우편(= courriel). ***dépouiller son ~*** 우편물을 개봉하다. ***faire son ~*** 편지를 쓰다. ***par retour du ~*** 즉각 회신으로.

courriériste [kuʀjeʀist] *m.* 〖신문〗 (문예 · 예능 · 소식란의) 잡보〔탐방〕 기자.

courroie [kuʀwɑ] *f.* ① 혁대, 가죽끈. ② 〖기계〗 (전도) 벨트(= ~ de transmission).

courroucer [kuʀuse] [2] *v.t.* 노하게〔화나게〕 하다. — **se ~** *v.pr.* 노하다, 화를 내다 ; (바다가) 심하게 파도치다.

courroux [kuʀu] *m.* 노여움, 분노(= colère) : flots en ~ 《문어》 성난 파도, 노도.

‡cours [kuːʀ] *m.* ① (물의) 흐름 ; (혈액 · 체액의) 순환 : ~ rapide 〔impétuex〕 급류〔격류〕 /~ d'eau 《총칭》 하천 / les ~ du sang dans les veines 정맥 속에서의 피의 흐름. ② (천체의) 운행 : ~ du Soleil 〔de la Lune〕 태양〔달〕의 운행. ③ (시간의) 흐름 (계절의) 변화 ; (일의) 경과, 추이, 진행 방향 : ~ des saisons 계절의 변화 / ~ de la vie 인생 / ~ des événements 사건의 추이 / prendre un nouveau ~ 새로운 방향으로 나가다 / suivre son ~ (일이) 순조롭게 진행되다. ④ 강의 ; 강좌 ; 과정(課程) ; 강의록, 교과서 ; 학원 : ~ du soir 야학 / ~ de chimie 화학 강의 / ~ par correspondance 통신 강좌 / charge de ~ 강사 / ~ préparatoire 〔élémentaire, moyen〕 (초등교육의) 준비〔초급 · 중급〕 과정 / finir 〔terminer〕 ses ~ 대학을 졸업하다. ⑤ (화폐 따위의) 유통 ; (소문 따위의) 멀리 퍼짐, 유포 : ~ de monnaie 화폐의 유통. ⑥ (변동하는) 시가, 시세(時勢) : ~ du marché 시장 시세, 시가(時價) / ~ du change 외환 시세. ⑦ (가로수가 있는) 산책로, 큰길 : le ~ Mirabeau 미라보 산책로. ⑧ 〖해양〗 항해, 항정(航程) : navigation au long 원양 항해. ***au ~ de*** … 사이에, 도중에 : *au ~ de* la conversation 이야기하던 중에 / *au ~ de* ces dix dernières 과거 10 년 사이에. ***avoir ~*** 유통하다 ; 통하다, 허용되다 : Ces pièces n'*ont* plus ~. 이들 화폐는 이제 통용되지 않는다. ***~ d'eau*** 강, 내, 하천. ***donner ~ à*** (눈물을) 흘리다 ; (소문 따위를) 퍼뜨리다, (감정을) 터뜨리다. ***donner libre ~ à sa colère*** 〔***son imagination***〕 노발대발하다〔상상력을 제멋대로 발동하다〕. ***en ~*** 진행 중의, 현행의(= actuel) : travaux *en* ~ 진행 중인 공사. ***en ~ de***+무관사명사〔+*inf.*〕 …하고 있는 중의 : L'appartement est *en ~ d*'aménagement. 아파트는 지금 개축 중이다. ***en ~ de route*** 도중에서 ; 수송 중에〔의〕. ***laisser libre ~ à*** qc …을 자연적인 흐름〔경과〕에 내맡기다.

‡course [kuʀs] *f.* ① ⓐ 뛰기, 달리기 : prendre sa ~ 달려 나가다 / Il a attrapé son train à la ~. 그는 달려서 기차 시간에 맞추었다. ⓑ 〖스포츠〗 경주, 레이스 : ~ à pied 도보 경주 / ~ de 〔sur〕 cent mètres, 100 미터 경주 / ~ de vitesse 단거리 경주 / ~ de fond 〔demi-fond〕 장〔중〕거리 경주 / ~ d'automobiles 〔de motos〕 자동차〔오토바이〕 레이스 / ~ cycliste 자전거 경기. ⓒ (*pl.*) 경마(= ~*s* de chevaux) : cheval de ~ 경주마 / champ de ~*s* 경마장. ② 외출, 용무 ; 심부름(= commission) ; (*pl.*) 쇼핑 ; 산 물건들 : aller faire ses ~*s* 장을 보러 가다 / Il est en ~. 그는 (용무로) 외출 중이다. ③ ⓐ 산보, 하이킹(= excursion); 드라이브(= ~ en voiture). ⓑ 행정(行程), 도정(道程) ; 항정(航程) : faire une longue ~ 긴 행정을 가다. ⓒ (택시의) 요금, 주행 거리 : payer le prix de la ~ au chauffeur 택시 운전수에게 주행 요금을 지불하다. ④ (천체의) 운행(= cours) ; 사물의 진행(= mouvement); (물체의) 이동 ; (시간의) 흐름, 경과(= fuite) : la ~ du temps 〔des jours〕 시간〔세월〕의 흐름 / être au sommet de sa ~ 인생의 절정기에 있다. ⑤ 〖기계〗 (피스톤 따위의) 움직임, 운동폭. ⑥ 〖해양〗 약탈, 해적 행위 ; 〖군대〗 원정(= expédition) : guerre de ~ 적국 상선 나포, 약탈. ***à bout de ~*** 몹시 지친, 녹초가 된. ***à la ~*** 달리면서, 뛰어가면서. ***en fin de ~*** 종착점에 도달한 ; 전도가 없는. ***être dans la ~*** 《구어》 ⓐ 경쟁〔경주〕에 참가하다. ⓑ 사정을〔사태 · 추세를〕 잘 알고 있다. ***être hors de ~*** 경쟁에 뒤떨어지다, 세상물정에 뒤떨어지다.

coursier[1] [kuʀsje] *m.* 준마 ; 《시어》 말.

coursier[2]**, ère** [kuʀsje, -ɛːʀ] *n.* 심부름꾼.

coursive [kuʀsiːv] *f.* 〖선박〗 (배 안의) 좁은 통로.

‡court[1]**, e** [kuːʀ, kuʀt] *adj.* ① (길이가) 짧은 (≠ long) ; (키가) 작은 ; 단거리의, 가까운: robe ~*e* 짧은 드레스 / avoir la taille ~*e* ; être ~ de taille 키가 작다 / ~ chemin 지름길 / à ~*e* distance 근거리의 / homme à ~*es* vues 시야가 좁은 사람. ② ⓐ (시간적으로) 짧은(= bref) : roman très ~ 매우 짧은 소설 / dans le plus ~ délai possible 가능한 한 빠른 시일 내에. ⓑ 일시적인, 순식간의(= bref, éphémère, passager) : enthousiasme de ~*e* durée 일시적인 열광. ③ 《구어》 부족한, 궁한(= insuffisant) : être ~ d'esprit 재치가 모자라다 / Cent francs, c'est un peu ~. 백 프랑으론 좀 부족합니다. ④ 《문어》 재빠른, 민첩한(= prompt) : le plus ~ expédient 가장 빠른 방법 / Il est ~ dans ses décisions. 그는 결단이 빠르다. ***à ~e(s) vue(s)*** 편협한, 시야가 좁은 : homme *à ~e vue* 시야가 좁은 사람. ***à ~ terme*** 단기의, 단기적인 : crédit *à ~ terme* 단기 대부. ***avoir la mémoire ~e ; avoir ~e mémoire ; être ~ de mémoire*** 기억력이 나쁘다. ***la vue ~e*** 근시(近視). ***pour*** (***vous le***) ***faire ~*** 간단히 말하면.

— *m.* 첩경, 지름길, 간단한 방법. ***prendre***

le plus ~ ; couper au ~ 첩경을 따르다. ***savoir le ~ et le long de*** qc 《구어》 …의 자초지종을 알다.

— *adv.* ① 짧게 : couper les cheveux ~ 머리를 짧게 자르다. ② 별안간, 갑자기 : Il a arrêté ~ son cheval. 그는 갑자기 말을 멈춰 세웠다. ***couper ~ à*** ⇒ couper. (***être***) ***à ~ de*** qc …이 부족하여(= sans) : Il *est* maintenant *à ~ d'*argent. 그는 지금 돈이 부족하다. ***prendre*** qn ***de ~*** 《구어》 …의 허를 찌르다 ; …에게 여유를 주지 않다 ; …의 이야기를 가로막다. ***respirer ~ ; avoir la respiration ~e*** 숨을 헐떡이다. ***rester*** 〔***demeurer, se trouver***〕 (***tout***) ~ 말문이 막히다 ; 어찌할 바를 모르다. ***tourner ~*** 급커브를 꺾다. ***tout ~*** ⓐ 간략하게, 그저 : Elle a répondu non, *tout ~*. 그녀는 그저 「아니요」 라고만 대답했다. ⓑ 갑자기, 별안간.

court² [kɔʀt, kuːʀ] 〔영〕 *m.* (테니스) 코트.

courtage [kuʀtaːʒ] *m.* ① 중개, 중개업 : faire le ~ de …의 중개업을〔브로커를〕 하다. ② 중개 수수료, 구전.

courtaud, e [kuʀto, -oːd] *adj.* et *n.* 땅딸막한. — *n.* 땅딸보.

court-bouillon [kuʀbujɔ̃] *m.* (*pl.* ***~s-~s***) 〖요리〗 포도주와 후추 따위로 만든 소스 《생선 요리용》 ; 그 소스를 친 생선 요리.

court-circuit [kuʀsiʀkɥi] *m.* (*pl.* ***~s-~ s***) ① 〖전기〗 단락(短絡), 쇼트, 쇼트 사고, 누전. ② 《구어》 직접 교섭.

court-circuiter [kuʀsiʀkɥite] *v.t.* ① 〖전기〗 쇼트〔단락〕시키다. ② 《구어》 정상적인 절차를 생략하다, 직접 나서다 ; 독단적으로 행하다 : ~ la hiérarchie 계통을 밟지 않다.

courtepointe [kuʀtəpwɛ̃ːt] *f.* 누비이불 ; 침대에 덮는 이불, 침대보.

courtier, ère [kuʀtje, -ɛːʀ] *n.* 중개인, 브로커 : ~ en immeubles 부동산 중개업자.

courtilière [kuʀtiljɛːʀ] *f.* 〖곤충〗 땅강아지.

courtine [kuʀtin] *f.* ① 〖교회〗 (제단 뒤에 친) 포장. ② 침대 둘레에 친 커튼 ; 문 따위에 치는 포장〔커튼〕.

courtisan, e [kuʀtizɑ̃, -an] *m.* ① 궁정인(宮廷人). ② 추종자, 아첨꾼. — *adj.* 아첨〔추종〕하는.

courtiser [kuʀtize] *v.t.* ① …의 비위를 맞추다, …에게 아첨하다. ② ~ une femme 여자에게 치근거리다, 구애하다.

***courtois, e** [kuʀtwa, -aːz] *adj.* ① 예절 있는, 정중한, 상냥한(= poli, aimable) : geste ~ 정중한 태도. ② 〖역사〗 (중세) 궁정풍의.

courtoisement [kuʀtwazmɑ̃] *adv.* 정중하게, 예의바르게.

courtoisie [kuʀtwazi] *f.* (특히 여성에 대한) 정중함 ; 예절, 예의.

court-vêtu, e [kuʀvety] *adj.* (*pl.* ***~-~s***) 짧은 옷을 입은.

couru, e [kuʀy] *adj.* ① 유행하는, 인기 있는(= recherché). ② 《구어》 뻔한(= certain), 자명한 : C'est ~ ! 그건 뻔하다.

couscous [kuskus] *m.* ① 쿠스쿠스《곡물 가루, 주로 밀가루를 말려 좁쌀 모양으로 만든 것》. ② 〖요리〗 쿠스쿠스 (요리)《굵은 밀가루를 쪄서 고기, 야채에 매운 소스를 얹어 먹는 북아프리카 아랍인의 요리》.

cousette [kuzɛt] *f.* ① 《구어》 양재사 조수. ② 바늘통 ; 반짇고리.

cous-e, -es ⇒ coudre.

cous-ez, -ons, etc. ⇒ coudre.

***cousin¹, e** [kuzɛ̃, -in] *n.* ① 사촌, 종형제, 종자매 : ~ germain 친사촌 / ~*s* au deuxième degré ; ~*s* issus de germains, 6촌, 재종 《quatrième 를 넘으면 petit-~*s* 이라 부름》. ② (막연하게) 인척 : Ils sont un peu ~. 그들은 사돈의 팔촌쯤 되는 인척지간이다. ③ ⓐ 친한 사람 : être grands ~*s* 매우 친하다. ⓑ 비슷한 사람〔것〕 : Voleurs et escroes sont ~*s*. 도둑놈이나 사기꾼이나 비슷한 놈들이다.

cousin² [kuzɛ̃] *m.* 〖곤충〗 집모기.

cousinage [kuzinaːʒ] *m.* ① 사촌 간 ; 친척 관계 ; 《집합적》 친척. ② 비슷함, 유사함.

cousiner [kuzine] *v.i.* ① 《~ avec qn》 …와 친한 사이이다, 사이가 좋다. ② 서로 가까워지다, 친척으로 여기다.

cous-is, -it ⇒ coudre.

coussin** [kusɛ̃] *m.* 쿠션, 방석 : ~ de canapé 긴 의자용 쿠션. ***~ élastique 〔***à air***〕 공기 쿠션 ; 고무 베개.

coussinet [kusinɛ] *m.* ① 작은 쿠션, 패드. ② 〖기계〗 축받이, 베어링 ; 〖철도〗 (레일의) 좌철(座鐵).

cousu, e [kuzy] *adj.* 꿰맨, 수를 놓은 : ~ à la main 〔machine〕 손으로〔재봉틀로〕 꿰맨. ***avoir la bouche ~e*** 〔***les lèvres ~es***〕 입을 다물다, 비밀을 지키다. ***~ de fil blanc*** 속이 뻔히 들여다보이는 ; 일목요연한 : finesse 〔malice〕 *~e de fil blanc* 속이 뻔히 들여다보이는 술책〔수작〕. ***~ main*** 손으로 꿰맨 : des gants ~*s main* 수제품 장갑. ***être*** (***tout***) ***~ d'or*** 〔***d'argent***〕 대부호이다. ***visage ~ de petite vérole*** 얽은 얼굴.

coût [ku] *m.* ① 비용, 경비 : ~ de la vie 생활비 / ~ de transport 운송비. ② 대가, 보상 : ~ d'une imprudence 경솔한 행동의 대가.

coûtant [kutɑ̃] *adj. m.* 《다음 숙어로만 쓰임》 ***au*** 〔***à***〕 ***prix ~*** 원가로.

couteau** [kuto] *m.* (*pl.* ***~x) ① 칼, 나이프(= canif), 단도(= poignard) ; 식칼 : ~ de table 식탁용 나이프 / ~ de cuisine 식칼 / ~ pliant ; ~ de poche 접는 칼 / ~ à conserve 통조림 따개. ② (저울대의) 받침날, 나이프 에지(= ~ de balance). ③ 〖패류〗 긴맛조개. ***à couper au ~*** (안개가) 자욱한, 짙은. ***avoir le ~ sous*** 〔***sur***〕 ***la gorge*** 협박을 받다. ***enfoncer le ~ dans le cœur de*** qn …의 마음에 심한 고통을 주다. ***être à ~x tirés avec*** qn ***; être aux épées et aux ~x avec*** qn …와 사이가 나쁘다, …와 내놓고 싸우다, …와 반목하고 있다. ***jouer du ~*** 칼싸움을 하다.

couteau-scie [kutosi] *m.* (*pl.* ***~x-~s***) (빵 따위를 써는) 톱니칼.

coutelas [kutlɑ] *m.* ① 큰 식칼, 고기칼 ; (종이의) 재단칼. ② 《옛》 (외날의) 단검(短劍).

coutelier, ère [kutəlje, -ɛːʀ] *n.* 칼붙이 제조〔판매〕인, 칼 장수 — *adj.* 칼붙이(제조 · 판매)의.

coutellerie [kutɛlʀi] *f.* ① 칼붙이 제조〔판매〕업, 칼붙이 공장〔상점〕. ② 《집합적》 칼붙

이 제품.

‡**coûter** [kute] *v.i.* ① ⓐ《가격(을 나타내는) 상황보어와 함께》 값이 …이다(=valoir); 비용〔돈〕이 …들다(=revenir à): acheter du vin qui *coûte* 100 francs le litre 리터당 100 프랑짜리 포도주를 사다 / Combien cela *coûte*-t-il? 그것은 값이 얼맙니까? / Cela *coûte* 10 francs. 그것은 10 프랑이요 / Ça *coûte* cher 〔gros, chaud〕. 그것은 비싸다 / Ça ne *coûte* rien. 공짜이다, 거저이다. ⓑ《가격 상황보어 없이》 비용이 많이 들다: Les receptions *coûtent*. 리셉션은 비용이 많이 든다. ②《～ à qn》 ⓐ …에게 비용을 치르게 하다: Mon voyage m'*a coûté* 1,000 francs. 내 여행에 1,000 프랑이 들었다. ⓑ《가격 상황보어 없이》 …에게 괴롭게 여겨지다(=être pénible): Cela me *coûte à* dire. 그런 말을 하는 건 나에겐 괴롭다 / Cet aveu lui *a* beaucoup *coûté*. 그 고백을 하기가 그에겐 매우 괴로웠다. ***Cela coûtera ce que ça coûtera.*** 《구어》 비용은 얼마가 들든지 상관없다. ***Il n'y a que le premier pas qui coûte.*** 시작이 반.
── *v.t.* 《～ qc》 ① (고통·불안 따위를) 주다, 일으키다(=occasionner): Ce départ lui *a coûté* bien des larmes. 그렇게 떠나가야 한다는 것은 그에게 많은 눈물을 흘리게 했다. ② …을 잃게 하다: La guerre lui *a coûté* un fils. 전쟁으로 그는 아들 하나를 잃었다. ***coûte que coûte*** 기어코. ***～ la vie à*** qn …의 목숨을 잃게 하다. ***～ les yeux de la tête*** 굉장히 비싸다, 많은 비용이 들다.
── *v. impers.* Il en *coûte* la réputation. 명예에 관한 문제다. ***Il en coûte...*** (***à*** qn ***de*** +*inf.*) ⓐ …에 비용이 들다: *Il* m'*en a couté* sept mille francs pour acheter cette voiture. 이 차를 사는 데 7,000 프랑이 들었다. ⓑ …에게 …하는 고통을 주다: *Il* m'*en coûte de* refuser. 거절하기가 괴롭다. ⓒ …에게 …을 잃게 하다: *Il* t'*en coûtera* ton meilleur ami. (그런 짓을 하면) 너는 가장 친한 친구를 잃게 될 거다. ***quoi qu'il en coûte*** 어떤 희생을 치르더라도.

***coûteusement** [kutøzmɑ̃] *adv.* 많은 비용을 들여서.

***coûteux, euse** [kutø, -øːz] *adj.* ① 값비싼(=cher, dispendieux), 비용이 드는: peu ～ 값싼, 헐한. ② 희생〔고통〕이 따르는: gloire ～*euse* 많은 희생을 치르고 얻은 영광.

coutil [kuti] *m.* 〖직물〗 (매트 제조용) 아마포, 즈크: pantalon de ～ 즈크제 바지.

coutre [kutʀ] *m.* 보습; (장작 패는) 도끼.

coutume** [kutym] *f.* ① (사회의) 관습, 관례, 풍습(=usage): vieille 〔ancienne〕 ～ 오래된 풍습 / us et ～*s* [yzekutym] 관행, 풍습 / selon la ～ du pays 그 나라의 관습에 따라. ② 〖법률〗 관습법; 관례집: ～ internationale 국제 관례. ③《문어》 (개인의) 습관, 버릇: La ～ est une seconde nature. 습관은 제 2의 천성이다. ***avoir ～ de+*inf.* …하는 버릇이 있다. ***comme de ～*** 늘 하는 대로, 여느 때처럼. ***Il est de ～ de***+*inf.* …하는 것이 관습이다. ***prendre ～ de***+*inf.* …하는 습관을 몸에 붙이다. ***selon sa ～*** 평상시대로.

coutumier, ère [kutymje, -ɛːʀ] *adj.* ① 관습의; 평소의(=habituel). ② 〖법률〗 관습법의: droit ～ 관습법. ③《～ de+*inf.* 〔qc〕》 (…하는〔의〕) 습관이 있는. ***être ～ du fait*** 흔히 그런 (나쁜) 버릇이 있다. ── *m.* 관례집.

coutumièrement [kutymjɛʀmɑ̃] *adj.* 《드물게》 관습에 따라.

couture** [kutyːʀ] *f.* ① ⓐ 바느질, 재봉; 양장〔양재〕(업): faire de la ～ 재봉〔바느질〕하다. ⓑ 양장점, 의상실: maison de ～ 양장점 / haute ～《집합적》 고급 의상실. ② (천·가죽 따위를) 꿰매기. ③ 꿰맨 자국; 솔기; (금속판 따위의); 이음매, 접합 부분: ～ anglaise 뒤집어 꿰매기. ④ 상처 자국(=cicatrice); (*pl.*) 마마 자국, 곰보. ***battre à plate(s) ～(s) 《구어》 때려눕히다, (적을) 완전히 격파하다. ***examiner sur*** 〔***sous***〕 ***toutes les ～s*** 여러 각도에서〔매우 주의 깊게〕 검토하다.

couturé, e [kutyʀe] *adj.* 상처 자국이 있는(=balafré): visage tout ～ 상처투성이의 얼굴.

***couturier** [kutyʀje] *m.* ① (고급) 여성복 디자이너; 양장점: collection d'un ～ 디자이너의 신작 컬렉션. ② 〖해부〗 봉합근(縫合筋).

couturier, ère** [kutyʀje, -ɛːʀ] *n.* 양장 재단사, 양재사, 양장점 주인. ── *f.* 양장점 여점원, 여직공(=ouvrière ～*ère*). ***répétition des ～ères 〖연극〗 (총연습 전에) 의상 전문가들을 초대하여 의상을 마지막으로 점검하기 위한 연습. ── *adj.* ① 양재사의; 〖해부〗 봉합의. ② 〖조류〗 fauvette ～*ère* 재봉새.

couvain [kuvɛ̃] *m.* (곤충의) 알 덩어리; (꿀벌의) 알.

couvaison [kuvɛzɔ̃] *f.* (새의) 알품기, 포란(抱卵); 포란 기간.

couvée [kuve] *f.* ① 한배의 새끼〔병아리〕(=nichée); 한배에 품은 알. ② 《구어》 (한 가정의) 아이들.

couvent [kuvɑ̃] *m.* ① 수도원, 수녀원(=monastère, communauté): entrer au ～ 수도사〔수녀〕가 되다. ② 수녀원 부속 여자 기숙 학교.

couver [kuve] *v.t.* ① (새가 알을) 품다: appareil pour ～ artificiellement les œufs 인공 부화기. ② 《구어》 《～ qn》 …의 응석을 받아 주다, 애지중지하다(=choyer). ③ (생각을) 품다; (계획 따위를) 은밀히 준비하다, 꾸미다(=tramer): ～ des projets de vengeance 복수할 계획을 은밀히 꾸미다. ～ qn 〔qc〕 ***des yeux*** 〔***du regard***〕 …을 지긋이 바라보다. ── *v.i.* ① (새가) 알을 품다. ② (불씨 따위가) 속에서 은근히 타다; (정열·증오심 따위가) 가슴 속에서 달아오르다; (병이) 잠복하다. ③ 은밀히 준비되다〔꾸며지다〕. ── **se** ～ *v.pr.* 남몰래 〔은밀히〕 준비되다〔꾸며지다〕.

***couvercle** [kuvɛʀkl] *m.* 뚜껑, 덮개: mettre le ～ 덮개를 하다 / soulever 〔lever〕 le ～ 뚜껑을 벗기다.

***couvert, e** [kuvɛːʀ, -ɛʀt] *adj.* ① 《～ de》 …으로 덮인; 덮개가 있는; 지붕이 있는: allée ～*e* 나무로 그늘진 오솔길 / mont ～ *de* neige 눈으로 덮인 산 / visage ～ *de* cicatrices 상처투성이의 얼굴. ② 모자를 쓴: rester ～ 모자를 쓴 채로 있다. ③ 옷을 입은: ～ chaudement; bien ～ 따뜻이 입은. ④

〖군사〗 은폐된 ; 엄호된 : armée ~*e* par l'arrière-garde 후미 부대의 엄호를 받고 있는 군대. ⑤ (목소리가) 쉰, (날씨가) 흐린 : ciel 〔temps〕 ~ 흐린 날씨. ⑥ 덮여 가려진, 숨겨진 : ennemi ~ 보이지 않는 적. ⑦ 보호된, 안전한. ── *m.* ① 《집합적》 식탁용구 《식탁보 · 냅킨 · 접시 · 컵 · 스푼 · 나이프 · 포크 따위》 : ôter le ~ 식탁을〔식기를〕 치우다. ② (각 사람 분의) 식기 한 벌《포크와 스푼과 나이프》 : un repas de 15 ~*s*, 15 인 분의 식사 / des ~*s* d'argenterie 은식기. ③ (한 사람 분의) 식기, 테이블 세트 ; 회식자 : banquet de cent ~*s* 회식자 100 명의 연회. ④ ⓐ (나무의) 그늘 ; 〖사냥〗 그늘진〔우거진〕 숲, 덤불 : gibier qui se réfugie sous les ~*s* 덤불 속으로 숨어 버리는 짐승. ⓑ 은신처 ; 거처. ⑤ 겉봉, 봉투. ***à ~*** 감싸여서, 위험을 면하고, 안전하게. ***à ~ de*** …을 피하여. ***sous le ~ de*** ⓐ …의 책임하에 : agir *sous le ~ de* ses chefs 상사들의 책임하에 행동하다. ⓑ (편지를 제 3 자인) …에게 보내는 봉투에 넣어서 : Cela est arrivé *sous le ~ du* ministre. 그것은 장관 이름의 봉투에 들어서 도착했다.

***couverture** [kuvɛʀty:ʀ] *f.* ① 덮개 ; 싸개 ; 담요, 이불(= ~ de lit) : ~ de voyage 휴대용 모포 / ~ chauffante 〔électrique〕 전기 담요. ② (책 따위의) 커버(= jaquette) ; (서적의) 표지 : ~ cartonnée 하드 커버 / ~ toilée 천 커버 / ~ d'un magazine 잡지의 표지. ③ 〖군사〗 엄호〔은폐〕물 ; 보호 지대〔지역〕 ; 수비대 : ~ radar 레이더망 / troupe de ~ 엄호 부대. ④ 지붕(= toiture) : ~ en ardoises 슬레이트 지붕 / ~ en tuiles 기와 지붕. ⑤ 〖농업〗 (묘판 · 묘목 밑에 주는) 퇴비. ⑥ 구실, 핑계(= prétexte). ⑦ 〖상업〗 보증금, 담보물 ; 경비의 상환율 : ~ maladie 건강 보험 지급률. ⑧ (신문 기자 따위의) 담당 범위 ; 취재, 보도.

couveuse [kuvø:z] *f.* ① 알 품는 암탉 ; 인공 부화기(= ~ artificielle). ② 조산아(早産兒) 보육기(= incubateur).

couvi [kuvi] *adj. m.* (알이) 부화되지 않은, 상한, 썩은 : œuf ~ 곯은 계란.

courvre- *préf.* 「…을 덮는〔보호하는〕 것」의 뜻.

couvre-chef [kuvʀəʃɛf] *m.* (*pl.* **~-~s**) 《익살》 (남자용) 모자, 벙거지.

couvre-feu [kuvʀəfø] *m.* (*pl.* **~-~x**) ① 소등 시각 (을 알리는 종) ; 등화 관제 (경보). ② 야간 통행 금지령.

couvre-lit [kuvʀəli] *m.* (*pl.* **~-~s**) 침대 이불(= dessus-de-lit).

couvre-livre [kuvʀəli:vʀ] *m.* (*pl.* **~-~s**) (서적의) 커버.

couvre-pied(s) [kuvʀəpje] *m.* (*pl.* **~-~s**) 《옛》 침대 커버 ; 발치를 덮는 이불.

couvreur [kuvʀœ:ʀ] *m.* 지붕 잇는 일꾼 : ~ en ardoise 〔en tuiles〕 너새공, 기와공.

****couvrir** [kuvʀi:ʀ] 12 *v.t.* ① 덮다, 뒤덮다, 가리다, 덮어 숨기다, 감추다 : ~ une marmite 냄비를 덮다 / voile qui *couvre* le visage 얼굴을 가리고 있는 베일. ② 《~ qc 〔qn〕 de 〔avec〕》 …을 …으로 덮다〔뒤덮다 · 싸다 · 가리다〕 ; …에 …을 씌우다〔칠하다〕 ; …을 …으로 은폐하다〔숨기다 · 감추다〕 : ~ un lit *d'*un dessus de lit 침대에 침대보를 덮다 / ~ un nouveau-né *de* linge 갓난애를 강보로 싸다. ③ 《~ qn de》 …에게 …을 뒤집어씌우다 : ~ *de* boue un passant 행인에게 흙탕물을 뒤집어씌우다. ④ 《비유》 《~ qn de》 …에게 (찬사 따위를) 많이 주다〔보내다 · 바치다〕 ; …에게 (욕설 따위를) 퍼붓다 : ~ qn *d'*éloges …을 극구 찬양〔칭찬〕하다 / ~ qn *d'*injures …에게 욕설을 퍼붓다. ⑤ 《~ qn》 …에게 옷을 입히다〔이불을 덮어 주다〕 : ~ chaudement un enfant 어린애에게 따뜻하게 옷을 입히다. ⑥ 엄호〔옹호 · 보호〕하다 ; 두둔하다 : ~ qn (de sa protection) …을 보호하다 / ~ la retraite d'une troupe 부대의 후퇴를 엄호하다. ⑦ (비용 따위를) 부담하다, 지불하다 ; …에 대해 책임을 지다 : ~ un risque 〔des risques〕 위험의 책임을 지다 / ~ les fautes de qn …의 실수에 대한 책임을 지다. ⑧ 《주어 : qc》 (지출 · 손실 따위를) 보전(補塡)하다, 메우다(= compenser) ; (죄 · 잘못 따위를) 소멸시키다, 없애다 : Les recettes *couvrent* les dépenses. 수입은 지출을 커버한다〔메꿔 준다〕. ⑨ (어떤 거리를) 가다, 주파(走破)하다 : ~ 100 kilomètres en une heure, 1 시간에 100 킬로를 달리다. ⑩ 〖언론〗 (기자가 사건 뉴스를) 취재하다 ; 완전 보도하다 ; (방송 따위가) …에 미치다, 커버하다(= desservir) : événement *couvert* par les médias 언론에 보도된 사건. **~ *une enchère*** (경매에서) 값을 올려놓다. **~ *sa marche*** 〖군사〗 적이 눈치 채지 않게 행군하다.

── **se ~** *v.pr* ① 《se ~ de》 …을 몸에 두르다〔걸치다 · 입다〕 ; …을 머리에 쓰다 : *se ~ de* bijoux 온 몸에 패물을 주렁주렁 걸치다. ② 《se ~ qc》 자기의 …을 덮다〔가리다〕 : *se ~* le visage de ses mains 손으로 얼굴을 가리다. ③ 《se ~ de》 …으로 제 몸을 보호〔방어〕하다 : *se ~ de* l'autorité de qn …의 권위를 방패로 삼다. ④ 《se ~ de》 …으로 덮이다, 뒤덮이다 : Le ciel *se couvre de* nuages. 하늘이 구름으로 뒤덮인다. ⑤ (하늘 · 날씨가) 흐려지다.

cover-girl [kɔvœʀgœʀl] 〔영〕 *f.* (*pl.* **~-~s**) (잡지의) 표지 모델.

covoiturage [kɔvwɑtyʀaʒ] *m.* (영업용 자동차의) 운영, 운전자 순환제.

cow-boy [kaobɔj] 〔영〕 *m.* 카우보이, 목동.

coxalgie [kɔksalʒi] *f.* 〖의학〗 고(股)관절염.

coyote [kɔjɔt] 〔스페인〕 *m.* 〖동물〗 코요테 《아메리카 초원의 늑대의 일종》.

C.Q.F.D., c.q.f.d. 《약자》 ce qu'il fallait démontrer 위와 같이 증명됨.

cr. 《약자》 credit 〖부기〗 대변.

crabe** [kʀɑ:b] *m.* ① 〖동물〗 게 : marcher en ~ 《구어》 옆걸음치다. ② 《속어》 둔한〔고집 센〕 사람. ***panier de ~s 《구어》 집안 싸움에 여념이 없는 사람들.

crac [kʀak] *interj.* ① 《부러지는 · 무너지는 · 부딪치는 소리》 뚝, 딱, 와지끈. ② 《동작의 갑작스러움》 갑자기, 느닷없이.

crachat [kʀaʃa] *m.* 가래(침) ; (뱉은) 침.

craché, e [kʀaʃe] *adj.* 《불변》 닮은《명사 · 대명사의 뒤에만 놓임》. (***tout***) ~ 꼭 닮은(= très ressemblant) : C'est son père *tout* ~.

그는 아버지를 꼭 닮았다.

crachement [kʀaʃmɑ̃] *m.* ① 침〔가래침〕을 뱉기 ; (피 따위를) 토하기. ② (불꽃·증기·가스 따위의) 분출.

***cracher** [kʀaʃe] *v.i.* ① 침〔가래침〕을 뱉다 : ~ par terre 바닥에 침을 뱉다. ② 《구어》 …을 경멸하다 ; 중상〔비방〕하다 : ~ dessus 깔보다, 얕보다. ③ 《구어》 돈을 내다〔치르다〕(=casquer). ④ 잉크가 새다 ; (라디오 따위가) 잡음이 나다. — *v.t.* ① 내뱉다 ; 토해내다 : ~ du sang 각혈하다. ② 분출하다, 내뿜다 : volcan qui *crache* du feu 불을 뿜는 화산. ③ (욕지거리를) 내뱉다, 지껄이다(=~ des injures) : ~ qn toutes les malédictions …에게 온갖 저주를 퍼붓다. ④ 《구어》 지불하다.

C

cracheur, euse [kʀaʃœːʀ, -øːz] *adj.* et *n.* 자주 침을 뱉는 (사람) : ~ de feu (곡예단의) 입으로 불을 뿜는 사람.

crachin [kʀaʃɛ̃] *m.* 안개비, 이슬비, 가랑비, 는개(=bruine).

crachoir [kʀaʃwaːʀ] *m.* 타구(唾具). ***tenir le*** ~ 《속어》 이야기를 독차지하다, 자기만 지껄여대다. ***tenir le ~ à*** qn 《구어》 말 한 마디 못 하고 듣기만 하다.

crachotement [kʀaʃɔtmɑ̃] *m.* 연방 침〔가래침〕을 뱉기 ; 잡음을 말하기.

crachoter [kʀaʃɔte] *v.i.* 함부로 침을 뱉다.

crack [kʀak] *m.* 《구어》 ① (경마의) 명마, 인기마. ② (특히 자전거 경기의) 명수(名手).

***craie** [kʀɛ] *f.* ① 백묵, 분필. ② 백악 : les falaises de ~ de Douvres 도버 해협의 백악의 벼랑.

craign-ant, -ons, etc. ⇒ craindre.

:craindre [kʀɛ̃ːdʀ] [27] *v.t.* ① 두려워하다, 무서워하다, 겁내다(=redouter) ; 염려하다 ; 걱정하다, 근심하다 : Tous ses voisins le *craignent.* 모든 이웃 사람이 그를 무서워한다 / ~ la maladie 〔les reproches〕 병〔비난〕을 두려워하다. ② 경외(敬畏)하다, 공경하다(=respecter) : ~ Dieu 하느님을 경외하다. ③ 《주어 : qc》 싫어하다 ; (식물이 추위 따위를) 타다 ; (물건이 습기 따위에) 상하기 쉽다 : ~ le froid (식물 따위가) 추위를 타다. ~ ***de***+*inf.* …하는 것을 두려워하다, …하지나 않을까 (하고) 염려〔걱정·근심〕하다 : Il *craignait* d'être seul. 그는 혼자 있는 것이 두려웠다. ~ ***que***+(***ne***+) *sub.* …을 두려워하다, …아닐까 염려하다 : Je *crains qu'*il (*ne*) vienne. 그가 오지나 않을까 염려된다. ***Il est à ~ que***+(*ne*)+*sub.* …할 염려가 있다. ***Il est à ~ que qu'elle*** (***ne***) ***soit en retard.*** 그녀는 늦을 우려가 있다 : — *v.i.* 두려워하다 ; 걱정하다 : ~ pour qn …의 장래를 걱정하다 ; …의 안부를 염려하다 / ~ pour la vie de qn …의 목숨을 걱정하다.

crainte** [kʀɛ̃ːt] *f.* ① 두려움, 공포 ; 염려, 걱정, 근심 : ~ du châtiment 처벌에 대한 두려움. ② 공경, 경외 : ~ de Dieu 신에 대한 외경심. ***de 〔***par, dans la***〕 ~ ***de*** qc 〔+*inf.*〕 …을〔하지나 않을까〕 두려워하여〔염려하여〕 : *dans la* ~ *de* son départ 그가 떠날까 두려워서 / *dans la* ~ *d'*échouer 실패하지나 않을까 두려워서. ***de*** 〔***par, dans la***〕 ~ ***que***+(***ne***+) *sub.* …을 염려하여, …하지 않도록 : Hâtez-vous, *de* ~ *qu'*il *ne* soit trop tard. 너무 늦지 않도록 서두르시오. ***sans*** ~ 두려워하지 않고. ***prendre*** ~ 무서워하다, 기가 죽다.

craintif, ive [kʀɛ̃tif, -iːv] *adj.* ① 겁많은 ; 겁먹은, 겁에 질린 : caractère ~ 겁많은 성격 / regard ~ 불안한 눈빛. ② 《~ de qc+*inf.*》 …을 걱정하는, 염려하는: gouvernement ~ *des* difficultés économiques 불황을 염려하고 있는 정부.

craintivement [kʀɛ̃tivmɑ̃] *adv.* 두려워하며, 조심스럽게, 벌벌 떨며.

cramer [kʀame] *v.t.* 《구어》 약간 태우다.

cramoisi, e [kʀamwazi] *adj.* ① 진홍빛의. ② (안색이) 새빨간 : devenir ~ (부끄러워) 얼굴이 새빨개지다.

crampe [kʀɑ̃ːp] *n.f.* ① 〚의학〛 경련 : ~*s* d'estomac 위경련. ② 《구어》 귀찮은 사람〔일〕. ~ ***de poitrine*** 협심증.

crampon [kʀɑ̃pɔ̃] *m.* ① 꺾쇠 ; 쇠갈고리. ② (편자의) 바닥징. ③ 〚등산〛 아이젠, 스파이크 : chaussures à ~*s* 아이젠이 부착된 등산화. ④ 〚식물〛 부착근 ; 《구어》 귀찮게 구는 사람(=collant).

cramponner [kʀɑ̃pɔne] *v.t.* ① 꺾쇠로 고정〔고착·부착〕시키다. ② 《구어》 《~ qn》 …에게 귀찮게 붙어다니다 〔달라붙다〕. — *v.i.* 〚등산〛 암벽에 꺾쇠를 꽂다. — **se** ~ *v.pr.* 《~ à》 …에 달라붙다, 매달리다 : *se* ~ *au* cou de qn …의 목에 매달리다.

cran [kʀɑ̃] *m.* ① (무엇을 걸거나 고정시키기 위한) 홈 ; (톱니 따위의) 홈. ② 혁대의 구멍 : serrer sa ceinture d'un ~ 혁대를 한 구멍 죄다. ③ 단계, 정도(=degré) : monter 〔baisser〕 d'un ~ 한 단계 올리다〔낮추다〕. ④ 《구어》 대담성, 담력, 배짱(=audace, courage): avoir du ~ 대담하다. ⑤ 《구어》 《군대속어》 하루 동안의 영창 : avoir six ~*s*, 6일간 영창 신세가 되다. ⑥ 머리의 웨이브. ~ ***de mire*** 〚군사〛 (소총의) 가늠구멍. ***être*** 〔***se mettre***〕 ***à*** ~ 화가 머리 끝까지 나다.

crâne**[1] [kʀɑːn] *m.* ① 두개골. ② 머리 : ~ chauve 〔pelé〕 대머리 / avoir mal au ~ 두통을 앓다. ③ 《비유》 《구어》 머리, 두뇌 ; 지능, 기억력 : Il a le ~ dur. 그는 머리가 둔하다 / se mettre qc dans le ~ …을 기억하다. ***bourrer le ~ à qn 《구어》 (거짓을) 자꾸 되풀이해서 믿게 하다.

crâne[2] *adj.* 《구어》 ① 용감한, 대담한 ; 씩씩한, 튼튼한. ② 허세 부리는 ; 겉치레의.

crânement [kʀɑnmɑ̃] *adv.* ① 대담하게 ; 허세 부리며. ② 대단히 ; 무척(=beaucoup, extrêmement).

crâner [kʀɑne] *v.i.* 뽐내다, 잘난 척하다 ; 허세를 부리다.

crânerie [kʀɑnʀi] *f.* ① 대담함, 용감 ; 뱃심. ② 허세, 허풍.

crâneur, euse [kʀɑnœːʀ, -øːz] *adj.* et *n.* 뽐내는 (사람) ; 허세부리는 (사람).

crânien, enne [kʀɑnjɛ̃, -ɛn] *adj.* 〚해부〛 두개골의 : boîte ~*enne* 두개골.

crapaud [kʀapo] *m.* ① 〚동물〛 두꺼비. ② 《구어》 ⓐ 추남(醜男) : C'est un vilain ~. 아주 못생겼다〔추남이다〕. ⓑ 녀석, 놈 : Ce ~-là m'a fait rire. 그 녀석 참 우습던데. ③

소형 그랜드 피아노(=piano ~); (낮고 두툼한) 안락의자(=fauteuil ~). ***avaler un ~*** 《구어》 모욕을 참다. ***cracher des ~s*** 심한 욕설을 퍼붓다.

crapule [kʀapyl] *f.* 악당, 무뢰한; 《집합적》 고약한〔비열한〕 놈. — *adj.* 비열한.

crapulerie [kʀapylʀi] *f.* ① 부도덕한〔천박한〕 행위, 비열(한 짓). ② 외설 작품.

crapuleusement [kʀapyløzmɑ̃] *adv.* 비열하게; 방탕하게, 방탕에 빠져.

crapuleux, euse [kʀapylø, -øːz] *adj.* ① 비열한, 지저분한. ② 음탕한, 음란한, 외설적인: langage ~ 비속한 언어.

craque [kʀak] *f.* 거짓말, 허풍.

craqueler [kʀakle] 5 *v.t.* 〖요업〗 금이 가게 하다(=fendiller); 잔금나게 굽다: ~ de la porcelaine 도자기를 금이 가게 하다. — **se ~** *v.pr.* 금이 가다; 갈라지다.

craquelin [kʀaklɛ̃] *m.* ① 비스킷의 일종. ② 〖해양〗 삐걱거리는 낡은 배.

craquelure [kʀaklyːʀ] *f.* (니스·그림물감의) 금, 균열.

craquement [kʀakmɑ̃] *m.* ① 삐거덕〔와지끈·바스락〕 하는 소리. ② (집단 내의) 알륵, 불화; 몰락의 전조(=désaccord).

craquer** [kʀake] *v.i.* ① 삐거덕〔와지끈·바스락〕 하는 소리를 내다: Le parquet *craquait* sous nos pas. 마룻바닥이 우리 발밑에서 삐걱거렸다. ② (학이) 울다(=craqueter). ③ (옷 따위가 소리내며) 찢어지다: Mon veston *a craqué* au coude. 내 상의의 팔꿈치께가 북 소리내며 찢어졌다. ④ (계획 따위가) 파탄나다, 무너지다, 실패하다(=échouer). ⑤ 기력을 잃다, 무너지다, (정신적으로) 기진맥진하다. ***plein à ~ 터질 듯이 가득찬, 초만원의: La salle était *pleine à ~*. 그 홀은 초만원이었다. — *v.t.* ① 부러뜨리다, 깨다, 부수다. ② ~ une allumette 성냥을 긋다. ③ 《구어》 (돈을) 낭비하다.

craqueter [kʀakte] 5 *v.i.* ① 빠작빠작 소리를 내다, 달그락거리다. ② (황새·귀뚜라미 따위가) 울다.

crash [kʀaʃ] 〔영〕 *m.* (비행기의) 추락; 불시착, 동체 착륙.

crasse [kʀas] *f.* ① 때, 더러움; 찌꺼기: enlever la ~ 때를 벗기다. ② 《구어》 ⓐ 비열한 행위(=saleté, vacherie). ⓑ 천한 신분, 비천: être né dans la ~ 비천한 집안에 태어나다. ***faire une ~ à*** …에게 비열한 짓을 하다. — *adj.f.* 심한, 터무니〔어처구니〕없는: bêtise ~ 터무니없는 어리석음 / ignorance ~ 지독한 무지(無知), 무지막지.

***crasseux, euse** [kʀasø, -øːz] *adj.* 때묻은, 더러운: chemise *~euse* 때묻은 와이셔츠. — *n.* 비천한 사람; 구두쇠.

crassier [kʀasje] *m.* 〖야금〗 쇠찌꺼기〔광재〕 더미; 쇠찌꺼기〔광재〕 버리는 곳.

-crate, -cratie, -cratique *suff.* 「지배·계급」의 뜻.

cratère [kʀatɛːʀ] *m.* (화산의) 분화구.

cravache [kʀavaʃ] *f.* (승마용) 채찍 ***à la ~*** 채찍으로, 난폭하게: mener 〔conduire〕 qn 〔qc〕 *à la ~* 거칠게 끌고 다니다.

cravacher [kʀavaʃe] *v.t.* 채찍질하다: ~ un cheval 말에게 채찍질하다. — *v.i.* 《구어》 전속력으로 달리다.

cravate** [kʀavat] *f.* ① 넥타이; (여자용) 모피 목도리. ② 깃대 끝에 다는 장식 휘장; (훈장의) 수(綬). ③ 〖해양〗 (돛대·닻을 묶는) 굵은 밧줄. ***s'en jeter un* (*verre*) *derrière la ~ 한잔 들이키다.

cravater [kʀavate] *v.t.* ① ⓐ 《~ qn》 …에게 넥타이를 매어 주다. ⓑ 《~ qc》 …을 리본으로 묶다: ~ une gerbe de fleurs 꽃다발을 리본으로 묶다. ② 〖레슬링〗 …의 목을 조르다. ③ 《속어》 ⓐ 붙잡다, 체포하다(=attraper). ⓑ 속이다(=bluffer): se laisser ~ 속아넘어가다.

crawl [kʀoːl] *m.* 〖수영〗 크롤《수영법》: nager le ~ 크롤 수영을 하다.

crawler [kʀole] *v.i.* 크롤 수영을 하다.

crayeux, euse [kʀɛjø, -øːz] *adj.* ① 〖지질〗 백악질의. ② 백악 같은; 하얀: blanc ~ 희끄무레한 빛깔.

***crayon** [kʀɛjɔ̃] *m.* ① 연필; 연필 그림, 스케치; 연필 초상화(=portrait au ~): ~ de couleur 색연필 / ~ pastel 크레파스 / ecrire 〔dessiner〕 au ~ 연필로 쓰다〔그리다〕. ② 연필 모양의 것, 스틱(=bâton): ~ (de rouge) à lèvres 립스틱 / ~ à 〔pour les〕 soureils 눈썹먹. ③ 화법, 필치. ④ 〖컴퓨터〗 ~ émetteur 〔électronique, lumineux〕 라이트펜.

crayonnage [kʀɛjɔnaːʒ] *m.* 연필 그림〔스케치〕; 연필로 쓰기.

crayonner [kʀɛjɔne] *v.t.* ① 연필로 그리다; 스케치하다: ~ un paysage 풍경을 스케치하다. ② 간략하게 그리다〔묘사하다〕.

créance [kʀeɑ̃ːs] *f.* ① 채권 (증서): avoir une ~ sur qn …에 대하여 채권을 갖다. ② 신뢰; 신용; 신임(=confiance): lettres de ~ (외교관의) 신임장. ***donner ~ à*** …을 믿다; …을 믿게 하다. ***trouver ~*** 신임을 얻다.

créancier, ère [kʀeɑ̃sje, -ɛːʀ] *adj.* 채권을 가진. — *n.* 채권자: ~ importun 독촉이 심한 채권자.

créateur, trice [kʀeatœːʀ, -tʀis] *adj.* 창조하는; 창조적인: évolution *~trice* 창조적 진화. — *n.* ① 창조자; 창시〔창립·창설·설립〕자; 창안〔발명〕자; 창작자: ~ d'une théorie scientifique 학술 이론의 주창자. ② 〖종교〗 (le *C~*) 조물주, 신. ③ 〖연극〗 (어떤 역의) 초연자, 배우(=d'un rôle). ④ 〖상업〗 (상품의) 제조원.

créatif, ive [kʀeatif, -iːv] *adj.* 창조적인.

***création** [kʀeɑsjɔ̃] *f.* ① (신에 의한) 창조; 천지창조(=la *C~*): depuis la ~ du monde 천지개벽 이래로. ② 피조물, 삼라만상, 세계. ③ 창조, 창립; 창작품, 발명, 작품: ~ d'une société 회사의 창설 / ~ d'emploi 고용의 창출 / dernières ~s d'un grand couturier 일류 디자이너의 최신작. ④ (연극·음악의) 초연(初演).

créatique [kʀeatik] *f.* (특히 3차산업 부문에서의) 창조적 사고 유발 기법, 브레인스토밍(=brain storming).

créativité [kʀeativite] *f.* 창조성, 창의력.

creature [kʀeatyːʀ] *f.* ① 피조물(被造物). ② (특히 창조주 le Créateur에 대하여) 인간: ~ humaine 인간. ③ 《경멸》 여자, 품행이

나쁜 여자 : Je déteste cette ~! 저런 여자는 싫다! ④ (인간의) 창조물, 창작 ; 작품. ⑤ 《~ de qn》 (권력자 따위의) 앞잡이, 총신(寵臣). ***bonne ~*** 선량한 사람.

crécelle [kʀesɛl] *f.* ① 따르라기《부활제의 목·금 양요일에 종 대신 울리는 기구》. ② 《구어》 수다스런 사람. ③ voix de ~ 날카롭고 불쾌한 소리.

crécerelle [kʀɛ(e)sʀɛl] *f.* 〖조류〗 황조롱이.

crèche [kʀɛʃ] *f.* ① 여물통 ; (예수 탄생 때의) 구유. ② 요람 ; (3세 이하의) 탁아소. ③ 《구어》 방, 집.

crécher [kʀeʃe] *v.i.* 《속어》 살다(= habiter, loger).

crédence [kʀedɑ̃:s] *f.* ① 식기장, 찬장. ② (교회의) 제기단(祭器壇).

crédibilité [kʀedibilite] *f.* 신뢰성, 신빙성 : ~ d'un témoignage 증언의 신빙성.

crédible [kʀedibl] *adj.* 믿을 수 있는.

C.R.E.D.I.F. 《약자》 Centre de Recherche et d'Étude pour la Diffusion du Français 프랑스어 보급 연구 기관《프랑스어 시청각 교육으로 유명》.

*__crédit__ [kʀedi] *m.* ① 신뢰, 신용, 신임(= confiance) : avoir du ~ 신용이 있다. ② 《문어》 신망, 평판 ; 영향력(= influence) : jouir d'un grand ~ auprès de qn …의 절대적인 신임을 얻다. ③ (금전상의) 신용 : carte de ~ 신용카드 / lettre de ~ 신용장. ④ ⓐ 〖상업〗 대출(= prêt) ; 신용 대출 : ~ à long 〔court〕 terme 장기〔단기〕 대출 / prendre 〔avoir〕 un ~ sur dix ans, 10년 상환 대출을 받다. ⓑ 은행(= établissement de ~) : banque de ~ 금융 은행 / ~ foncier 부동산 담보 대부 은행 / *C~* industriel 산업 〔흥업〕 은행. ⑤ 〖부기〗 대변 : porter une somme au ~ de qn 어떤 금액을 …의 대변에 기입하다. ⑥ (*pl.*) (어떤 지출에 배당된) 예산(액) ; (국가의) 예산(액), 국비 : ~*s* ordinaires 〔extraordinaires〕 보통〔특별〕 예산 ; 경상〔임시〕비 / ~*s* supplémentaires 추가 예산. ***à ~*** 신용 대부로 ; 외상으로(≠ au comptant). ***avoir du ~* 〔*être en ~*〕 *auprès de*** qn …에게 신임을 받고 있다, …에게 신용이 있다. ***faire ~ à*** qn …에게 외상을 주다, …을 믿다 : 《La maison ne *fait* pas ~.》 (상점 문에) 「외상 사절」.

crédit-bail [kʀedibaj] *m.* 〖경제〗 (장기간의) 임대차(賃貸借)(= leasing).

créditer [kʀedite] *v.t.* ① 〖부기〗 …의 대변(貸邊)에 기입하다(≠ débiter) : ~ qn de cent francs ; ~ cent francs à qn, 100프랑을 …의 대변에 기입하다. ② 《~ qn》 …에게 돈의 인출을 허락하다, 신용 대출하다 : ~ un commissionnaire chez un banquier 위탁 대리인에게 은행에서 돈을 인출하게 하다. ③ 《~ qn de》 …에게 …의 공〔업적〕을 인정하다 : On peut le ~ *d'*une bonne gestion. 그가 업무를 잘 하겠다고 했다. ***être crédité de*** 〖스포츠〗 (선수가 기록을) 인정받다.

créditeur, trice [kʀeditœ:ʀ, -tʀis] *m.* 채권자 ; 〖부기〗 대변(貸邊). ── *adj.* 대변의 : compte ~ 대변.

credo [kʀedo] 〘라틴〙 *m.* 《복수불변》 ① 〖가톨릭〗 크레도, 사도신경 : le *C~* 사도신경. ② 신조, 주의, 소신 : ~ politique 정치적 신조.

crédule [kʀedyl] *adj.* 쉽사리 믿는(= confiant) ; 고지식한 ; 순진한(= naïf). ── *n.* (남의 말을) 잘 믿는 사람, 순진한 사람.

crédulité [kʀedylite] *f.* 남의 말을 쉽사리 믿기 ; 고지식함.

*__créer__ [kʀee] *v.t.* ① (신이) 창조하다 : Dieu *créa* le ciel et la terre. 신은 천지를 창조하셨다. ② (새로) 만들어 내다 ; 창시〔창립·창설·설립〕하다 ; 개발〔창안〕하다 : ~ une mode 유행을 만들어 내다 / ~ une nouvelle entreprise 새 기업을 창설하다 / ~ un produit 신제품을 개발하다. ③ (배우가 역을) 초연(初演)하다. ④ ⓐ (신설되는 직책을 맡을 사람을) 새로 임명하다 : ~ un ambassadeur 〔magistrat〕 새로 대사를〔법관을〕 임명하다. ⓑ 《~ qn+속사》 …에게 …의 직위를 주다, …을 …으로 임명하다 : ~ qn chevalier 〔baron〕 …을 기사〔남작〕에 봉하다. ⑤ (주식·어음을) 발행하다. ⑥ 《주어 : qc》 생기게 하다, 야기〔초래〕하다(= causer) : Ce contretemps nous *créa* des obstacles. 그 사고로 우리에게 지장이 생겼다. ── ***se ~*** *v.pr.* ① 자기를 위해 만들다 : *se* ~ des chimères 공상을 품다. ② 만들어지다, 창조되다, 생기다.

crémaillère [kʀemajɛ:ʀ] *f.* ① (벽난로 불 위에 냄비를 거는) 갈고리, 냄비걸이. ② 〖기계〗 래크, 래크 바 ; 〖철도〗 톱니 궤도 : ~ d'une bibliothèque 책장의 자재판. ***fauteuil à ~*** 높이를 조절할 수 있는 의자.

crémation [kʀemɑsjɔ̃] *f.* 화장(火葬)(= incinération), 다비(茶毘).

crématoire [kʀematwa:ʀ] *adj.* 화장(火葬)의. ── *m.* 화장가마(= four ~) ; 화장터.

*__crème__ [kʀɛm] *f.* ① ⓐ 크림, 유지(乳脂) : ~ fraîche 생크림 / ~ glacée 아이스크림 / chou à la ~ 슈크림. ⓑ 화장용 크림, 가죽용 크림 : ~ de beauté 미용 크림 / ~ à raser 면도용 크림 / ~ antirides 주름살 제거 크림 / ~ pour chaussures 구두약. ② 달콤한 리쾨르 : ~ de cacao 카카오 리쾨르. ③ 《구어》 가장 좋은 것〔사람〕, 정수(精髓), 알짜 : C'est la ~ des hommes. 참 좋은 사람이다. ***~ basse*** 기초 화장 크림. ***~ de menthe*** 박하술. ***~ froide*** 콜드 크림. ── *adj.* 《불변》 크림 빛의.

crémer[1] [kʀeme] [6] *v.i.* (우유에) 더껑이가 앉다, (우유가) 더껑이지다. ── *v.t.* 크림 빛으로 만들다.

crémer[2] [6] *v.t.* 태우다 ; 화장하다(= incinérer).

crémerie, crèmerie [kʀɛmʀi] *f.* ① (우유·치즈 따위의) 유제품 판매점 ; 유제품. ② (저렴한) 간이식당 : dîner à la ~ 간이식당에서 저녁식사를 하다.

crémeux, euse [kʀemø, -ø:z] *adj.* ① (우유가) 크림을 많이 함유한. ② 크림 모양의 ; 크림 빛의. ── *f.* 크림 분리기.

*__crémier, ère__ [kʀemje, -ɛ:ʀ] *n.* ① 우유 〔유제품〕 판매인. ② 간이식당 주인.

crémone [kʀemɔn] *f.* 여닫이창문의 빗장쇠.

créneau [kʀeno] *m.* (*pl.* ***~x***) ① (탑·성벽 따위의) 총안(銃眼) ; 총안형 장식. ② 〖군사〗 (각 부대 간의) 행군 간격. ③ 주차 공간 : faire un ~ (두 자동차 사이에) 주차하다. ④

(예정표 따위의) 빈 시간 ; (방송 따위의) 배당된 방송 시간 : J'ai un ~ entre 5 et 6 (heures). 5시와 6시 사이에 시간이 비어 있다. ⑤ 〖경제〗 미개척 시장 : se tailler un ~ 미개척 시장을 뚫다.

crénelé, e [kʀɛ(e)nle] *adj.* ① 총안을 뚫은 : mur ~ 총안을 뚫은 벽. ② (화폐 · 잎 따위의) 가장자리가 톱니 모양의.

créneler [kʀɛ(e)nle] 5 *v.t.* ① (성벽에) 총안을 뚫다 : ~ une muraille 성벽에 총안을 내다. ② (화폐 따위의 가장자리를) 톱니 모양으로 만들다 ; (바퀴의) 둘레에 톱니를 만들다.

crénom [kʀenɔ̃] *interj.* 체! 빌어먹을! (= Sacré nom de Dieu의 축약형).

créole [kʀeɔl] *n.* 식민지 태생의 백인 《특히 서인도 제도의》. — *adj.* 〖언어〗 크레올 말의. — *m.* 〖언어〗 크레올 말 《식민지, 특히 서인도 제도에서 원주민이 유럽인을 상대로 쓰는 프랑스어 · 에스파냐어 · 영어 등이 뒤섞인 혼성어》.

créosol [kʀeozɔl] *m.* 〖화학〗 크레오솔.

créosote [kʀeozɔt] *f.* 〖화학〗 크레오소트.

crêpage [kʀɛpa:ʒ] *m.* ① (크레이프를) 주름지게 짜기, 크레이프 가공. ② (머리를) 거꾸로 빗어올려 부풀리기.

crêpe [kʀɛp] *m.* ① 〖직물〗 크레이프 《주름진 피륙》 : ~ crêpé 결이 잔 크레이프. ② (크레이프 천으로 된) 상장(喪章) ; 미망인의 베일 : porter un ~ 상장을 달다. ③ 크레이프 고무 《구두창용》. ***~ de Chine*** 크레프드신 《주름진 두꺼운 비단의 일종》. — *f.* 〖요리〗 크레이프 빵, 도넛. ***retourner*** qn ***comme une ~*** 《구어》 …의 의견을 완전히 바꾸게 하다.

crêpelé, e [kʀɛple] *adj.* (머리가) 곱슬곱슬한, 웨이브를 한.

crêper [kʀɛ(e)pe] *v.t.* ① (머리를) 곱슬곱슬하게 하다, 지지다. ② (천을) 크레이프로 만들다 ; 크레이프처럼 만들다. — **se ~** *v.pr.* ① 곱슬곱슬해지다. ② 자기 머리를 곱슬곱슬하게 하다. ***se ~ le chignon*** 《구어》 (여자가) 서로 머리를 쥐어뜯으며 싸우다.

crêperie [kʀɛpʀi] *f.* 크레이프빵 가게.

crépi, e [kʀepi] *adj.* 초벽 바른. — *m.* 초벽 (에 쓰이는 벽토). 「프 상인.

crêpier, ère [kʀepje, kʀɛpjɛ:ʀ] *n.* 크레이

crépine [kʀepin] *f.* ① (가구 장식용) 술. ② (양 · 돼지 따위의) 대망(大網). ③ (펌프 · 관 따위에 다는) 여과기, 먼지받이.

crépinette [kʀepinɛt] *f.* 〖요리〗 (대망(大網)으로 만) 납작한 소시지.

crépir [kʀepi:ʀ] *v.t.* 초벽하다 ; (벽을) 애벌 바르다.

crépissage [kʀepisa:ʒ] *m.* (벽을) 애벌바르기, 초벽하기.

crépitation [kʀepitɑsjɔ̃] *f.* (불꽃이) 탁탁 〔따닥따닥〕거리는 소리. 「tion.

crépitement [kʀepitmɑ̃] *m.* = crépita-

crépiter [kʀepite] *v.i.* 탁탁〔따닥따닥〕 소리를 내다(= craquer).

crépon [kʀepɔ̃] *m.* ① 〖직물〗 두꺼운 크레이프. ② (여자용) 다리, 덧머리, 헤어패드.

crépu, e [kʀepy] *adj.* (머리가) 곱슬곱슬한 . chevelure *~e* 곱슬머리. 「하기.

crépure [kʀepy:ʀ] *f.* (머리를) 곱슬곱슬하게

crépusculaire [kʀepyskylɛ:ʀ] *adj.* ① 황혼의, 어스름한 : lueur ~ 석양의 어르스름한 빛. ② 《비유》 조락하는, 쇠퇴하는 : beauté ~ 시들어 가는 아름다움 / période ~ 조락기.

crépuscule [kʀepyskyl] *m.* ① (해가 진 직후의) 어스름한 빛, 황혼, 땅거미 : au ~ ; à l'heure du ~ 황혼녘에. ② 《비유》 말기 ; 말년 ; 쇠퇴기 : ~ de la vie 만년, 인생의 황혼기. ③ 《문어》 여명(= ~ du matin).

crescendo [kʀes(ʃ)ɛ̃(ɛn)do] 〔이탈리아〕 *adv.* ① 〖음악〗 점점 세게(≠ decrescendo). ② 《비유》 점점 더 강하게〔격심하게〕 : aller (en) ~ 더욱 더 격심해지다. — *m.* 《복수불변》 ① 점증적 강음화〔강렬화〕. ② 고조, 점증, 증폭.

crésol [kʀezɔl] *m.* 〖화학〗 크레졸.

cresson [kʀesɔ̃] *m.* ① 〖식물〗 크레송, 양갓냉이, 물냉이 《샐러드용》. ② 《속어》 머리카락. ***Il n'y a plus de ~ sur la fontaine.*** 《속어》 공산명월〔대머리〕이다. 「지.

cressonnière [kʀesɔnjɛ:ʀ] *f.* 물냉이 재배

crétacé, e [kʀetase] *adj.* 〖지질〗 백악질(白堊質)의. — *m.* 백악기.

crête [kʀɛt] *f.* ① (닭 따위의) 볏, 계관 ; (새의) 도가머리, 관모(= huppe). ② (지붕의) 용마루 ; (산의) 능선 ; (물결의) 마루 ; (성벽 · 건물 따위의) 꼭대기 : ~ d'une vague 파도머리, 물마루 / ~ d'un toit 지붕의 용마루.

crête-de-coq [kʀɛtdəkɔk] *f.* (*pl.* **~s-~-~**) 〖식물〗 맨드라미.

crétin, e [kʀetɛ̃, -in] *n.* 백치, 바보(= idiot) ; 〖의학〗 크레틴병 환자. — *adj.* 백치의, 바보의 ; 크레틴병에 걸린. 「짓〔말〕.

crétinerie [kʀetinʀi] *f.* 바보 같은〔어리석은〕

crétiniser [kʀetinize] *v.t.* 백치〔바보〕로 만들다(= abêtir). 「병 ; 백치.

crétinisme [kʀetinism] *m.* 〖의학〗 크레틴

crétois, e [kʀetwa, -a:z] *adj.* 크레타섬(*la Crète*)의. — **C~** *n.* 크레타섬 사람.

cretonne [kʀətɔn] *f.* 두툼하고 질긴 무명천 《커튼 따위에 쓰임》.

creusage [kʀøza:ʒ], **creusement** [kʀøzmɑ̃] *m.* ① (나무 따위를) 깎음, 파냄. ② (샘 · 운하 따위를) 파기, 굴착.

creuser** [kʀøze] *v.t.* ① ⓐ (구멍을) 파다, 뚫다 : ~ un trou 〔un puits, un tunnel〕 구멍〔우물, 터널〕을 파다. ⓑ 《주어: qc》 움푹 패게 하다 : visage *creusé* de rides 깊이 주름살이 패인 얼굴. ② 새기다(= champlever) : ~ une médaille 메달을 새기다. ③ ~ les reins 〔le dos〕 허리를 활등 모양으로 뒤로 젖히다(= cambrer). ④ 깊이 연구하다, (문제를) 파헤치다(= approfondir). ***~ sa fosse 〔***sa tombe***〕 묘혈을 파다. ***~ un abîme entre deux personnes*** (두 사람의) 사이를 갈라놓다. — **se ~** *v.pr.* ① 파지다, (골이) 패이다. ② 《속어》 머리를 쥐어짜다 : *se* ~ la tête 〔le cerveau, l'esprit〕 《속어》 머리를 쥐어짜다.

creuset [kʀøzɛ] *m.* ① 〖화학〗 도가니 ; 〖야금〗 (용광로의) 로상(爐床). ② 호된〔모진〕 시련(= épreuve) : passer par le ~ de l'adversité 역경의 시련을 겪다. ③ 《문어》 여러 가지가 뒤섞이는 장소, 도가니 : ~ de civilisations 문명의 도가니.

***creux, euse** [kʀø, -ø:z] *adj.* ① 속이 빈(≠

plein) : dent *creuse* 구멍이 뚫린 충치. ② 움푹〔우묵〕한(≠ plat) ; (볼 · 눈 따위가) 움푹〔쏙〕 들어간 : une assiette *~euse* 우묵한 접시 / avoir les joues *~euses* 〔les yeux ~〕 움푹 패인 볼〔쏙 들어간 눈〕. ③ (계곡 · 강 · 우물 따위가) 깊숙한(= profond). ④ 내용이 없는, 공허한, 허울뿐인 : raisonnement ~ 공론 / discours ~ 무의미한 담화. ⑤ 이용자가 적은, 한산한 : heures *~euses* 한산한 시간 / année *~euse* 경기가 부진한 해. ***avoir l'estomac*** 〔***le ventre***〕 ~ 허기지다, 시장하다. ***chemin ~*** (비탈 사이의) 골짜기 길, (울타리 사이의) 골목길. ***voix ~euse*** 낮고 굵은 음성. ── *m.* ① 공동(空洞), 움푹한 곳, 오목한 데 ; (땅의) 구덩이 : le ~ d'un rocher 암굴, 석굴 / ~ de l'aisselle 겨드랑 / ~ de l'estomac 명치. ② 한산한 시기 ; 불경기, 불황 : ~ dans la circulation 교통량이 적은 시간. ③ 굵은 (목소리의) 저음 : avoir du ~ 〔un bon ~〕 목소리가 듣기 좋은 저음이다. ***dire dans le ~ de l'oreille*** 귀에 대고 속삭이다. ***être dans le ~ de la vague*** 슬럼프에 빠져 있다. ***se sentir un ~ dans l'estomac*** 몹시 시장하다. ── *adv.* 공허하게. ***songer ~*** 공상〔몽상〕에 잠기다. ***sonner ~*** (소리가) 공허하게 울리다. ***tousser ~*** 헛〔마른〕기침하다.

crevaison [kʀəvɛzɔ̃] *f.* ① 터지기 ; 파열 ; (타이어의) 펑크. ② 《속어》 죽음 ; 피로.

crevant, e [kʀəvɑ̃, -ɑ̃:t] *adj.* 《속어》 ① (일이) 벅찬, 고달픈(= épuisant). ② 웃음이 터져나오게 하는, 익살맞은(= drôle) : gag ~ 배꼽 빠지게 하는 개그.

crevasse [kʀəvas] *f.* ① (터진) 틈바귀, 금, 균열(= fissure) ; (빙하의) 크레바스 : ~ d'un mur 벽의 균열. ② (*pl.*) 살갗의 튼 데(= gerçure) : avoir des *~s* aux mains 손이 트다.

crevasser [kʀəvase] *v.t.* ① 틈이 벌어지게 〔금이 가게〕 하다 ; 균열시키다. ② (피부를) 트게 하다(= gercer). ── *v.i.* ① 틈이 벌어지다 ; 금이 가다. ② (피부가) 트다. ── **se ~** *v.pr.* 틈이 벌어지다 ; 금이 가다.

crevé, e [kʀəve] *adj.* ① 터진, 펑크난 : pneu ~ 펑크난 타이어. ② 《속어》 죽은(= mort), 뒈진. ③ 지쳐 빠진, 기진맥진한(= fatigué) : Je suis complètement ~! 피곤해서 죽을 지경이다.

crève [kʀɛ:v] *f.* 《속어》 중병, 죽음(= la mort). ***attraper*** 〔***prendre***〕 ***la ~*** 중병에 걸리다 ; 죽다. ***avoir*** 〔***risquer***〕 ***la ~*** 몹시 아프다, 위독하다.

crève-cœur [kʀɛvkœ:ʀ] *m.* 《복수불변》 비통 ; 애끊는 심정 ; 지독한 실망.

crever** [kʀəve] [4] *v.t.* ① 터뜨리다, 찢다, 펑크내다 : ~ un ballon 풍선을 터뜨리다. ② 지쳐 빠지게 하다(= épuiser), 녹초가 되게 하다 : Je *suis crevé,* mais je lutterai jusqu'au bout. 기진맥진하지만 끝까지 싸우겠습니다. ~ ***le cœur à qn …을 몹시 가슴 아프게 하다. ~ ***l'écran*** (영화 따위에서) 강한 인상을 주다. ~ ***les yeux*** 잘 보이다, 명백하다 : Cela *crève les yeux.* 그건 명백한 일이다. ── *v.i.* ① 터지다, 찢어지다, 펑크나다 : J'*ai crevé* deux fois. 내 차가 두 번 펑크났다. ② 《구어》 (동물 · 사람이) 죽다 ; 《속어》 (사람이) 뒈지다(= claquer). ③ 《~ de》 ⓐ …으로 죽을 지경이다 : ~ *d'envie* 〔*de* chaleur, *de* faim, *d'*ennui〕 부러워〔더워 · 배고파 · 갑갑해〕 죽을 지경이다. ⓑ …으로 터질 지경이다, 부풀어오르다 : manger à en ~ 배가 터질 때까지 먹다. ***à ~*** 죽을 지경으로, 지독하게 : Il fait une chaleur *à ~*. 지독하게 덥다. ── **se ~** *v.pr.* ① 터지다. ② 《속어》 《se ~ de qc 〔+ *inf.*〕》 너무 …해서 죽을 지경이다 ; …으로 죽다 : *se ~ de* travail 일로 과로하여 죽을 지경이다 / *se ~ de* rire 배꼽을 빼다, 포복절도하다.

***crevette** [kʀəvɛt] *f.* 작은 새우.

cri** [kʀi] *m.* ① 고함, 외침, 부르짖음, 함성, 아우성, 소리 : jeter 〔pousser〕 un ~ 고함을 지르다 / applaudir avec des *~s* de joie 기쁨의 환호성으로 갈채를 보내다. ② (동물의) 울음소리, (물체의) 날카로운 소리 : ~ de la lime 줄로 쓰는 소리. ③ (여론의) 소리, (표명된) 의견 : *~s* des opprimés 억압된 사람들의 소리. ④ (내심의) 외침 : ~ de la conscience 양심의 외침. ***à cor et à ~ 야단법석 소리를 치며. ***à grands ~s*** 큰 소리로 고함을 지르며. ***jeter*** 〔***pousser***〕 ***les hauts ~s*** 소리 높여 항의하다. (***le***) ***dernier ~*** 《구어》 최신 유행〔최신형〕(의) 《형용사로 쓰일 때는 불변》 : Ce chapeau est *du dernier ~*. 이 모자는 최신형이다 / appareil photographique *dernier ~* 최신형 사진기.

criaillement [kʀiɑjmɑ̃] *m.* 시끄러운 소리, 아우성 ; (보통 *pl.*) 불평 ; 푸념, 잔소리.

criailler [kʀiɑje] *v.i.* ① 야단스럽게 고함을 지르다, 아우성치다 ; 투덜거리다, 불평하다. ② (거위 · 꿩 따위가) 울다, 꽥꽥거리다.

criailleur, euse [kʀijɑjœ:ʀ, -ø:z] *adj.* et *n.* 시끄럽게 소리치는〔떠드는〕 (사람) ; 우는 소리〔푸념〕하는 (사람) ; 잔소리꾼.

criant, e [kʀi(j)ɑ̃, -ɑ̃:t] *adj.* ① 외치는, 고함치는. ② 명백한(= manifeste) : preuve *~e* 명백한 증거. ③ 언어도단의, 극심한 : injustice *~e* 심한 불공평.

criard, e [kʀi(j)a:ʀ, -aʀd] *adj.* ① 시끄러운, 소란한, 떠들썩한. ② 툭하면 고함을 지르는, 잔소리 잘하는. ③ 귀에 거슬리는, (소리가) 날카로운, 거친 ; (빛깔이) 요란스러운 : voix *~e* 날카로운 목소리.

criblage [kʀibla:ʒ] *m.* 체로 치기 ; (광물의) 선별.

crible [kʀibl] *m.* 체(= tamis) ; 선별기(= ~ à la machine ; trieuse). ***passer*** qc ***au ~*** …을 체로 치다 ; …을 엄선하다 ; …을 세밀히 검토하다.

criblé, e [kʀible] ① 체질한, 체처럼 구멍 투성이의 : mur ~ de balles 총탄으로 구멍투성이가 된 벽. ② 《~ de》 …으로 뒤덮인, …투성이의 : ~ *de* dettes 빚투성이의.

cribler [kʀible] *v.t.* ① 체로 치다 ; 선별하다, 고르다(= trier) : ~ du blé 밀을 체질하다. ② …에 구멍을 많이 뚫다, 구멍투성이로 만들다 : ~ qn de blessures …의 전신에 상처를 입히다.

cric¹ [kʀi] *m.* 재크 : ~ d'automobile (차바퀴를 올리는) 재크.

cric² [kʀik] *interj.* (찢어지는〔부러지는 · 터지는〕 소리《보통 crac 와 병용》 : ~ crac 툭, 뚝, 탁, 딱, 와지끈.

cric(-)crac [kʀikkʀak] *interj.* 우지끈, 툭, 탁. ── *m.* 부러지거나 터지는 소리.

cricket [kʀikɛ(t)] 〔영〕 *m.* 〖스포츠〗 크리켓.

cricri, cri-cri [kʀikʀi] *m.* (*pl.* **~s-~s**) ① 귀뚜라미(=grillon). ② 귀뚜라미〔매미〕 울음소리.

criée [kʀi(j)e] *f.* 공매, 경매(=vente à la ~, enchère) : faire la ~ 경매에 부치다 / acheter à la ~ 경매로 사다.

⁑**crier** [kʀi(j)e] *v.i.* ① 고함치다, 외치다 ; 울부짖다(=gueuler) : ~ de peur 공포에 질려 울부짖다 / bébé qui *crie* 우는 아이 / ~ de joie 환희의 소리를 지르다. ② 《주어: qc》 삐걱거리다 : tiroir qui *crie* 삐걱거리는 서랍. ③ (귀뚜라미 · 새 따위가) 울다 ; (개 따위가) 짖다 : Les oiseaux *crient* dans la forêt. 숲에서 새들이 지저귄다. ④ 큰 소리로 말하다〔노래하다 · 알리다〕(=clamer, proclamer). ⑤ 《~ contre 〔après〕》 …에게 야단치다, 호통치다 : ~ *après* de mauvais élèves 나쁜 학생들에게 야단을 치다. ⑥ 《~ à qc》 …을 비난〔규탄〕하다 ; …에 항의하다 : ~ *à* la trahison 배신을 규탄하다 / ~ *à* l'injustice 부정을 규탄하다. ***~ à tue-tête ; ~ comme un sourd* 〔*un enragé, un fou, un damné, un putois, un veau*〕** 고래고래 소리지르다. ── *v.t.* ① 외치다, 큰 소리로 말하다 : ~ des injures à qn …에게 큰 소리로 욕을 퍼붓다 / ~ au feu 〔au voleur〕 "불이야〔도둑이야〕" 하고 외치다. ② (강하게) 호소하다 ; 요구하다 : ~ famine 〔misère〕 기아를〔빈곤을〕 호소하다 / ~ son innocence 자기의 결백을 부르짖다 / ~ vengeance 복수하겠다고 부르짖다. ③ 소문을 내다 ; 공포〔포고〕하다 : faire ~ qc par la ville …을 온 장안에 퍼뜨리게 하다 / faire ~ un objet perdu 잊은 물건을 공고하다. ④ (경매에서 상품의) 값을 부르다, 경매하다 : ~ des meubles 가구를 경매하다. ⑤ 《옛》 (사람을) 꾸짖다, 야단치다.

crieur, euse [kʀijœːʀ, -øːz] *n.* ① 외치는 사람, 떠드는 사람. ② 경매인. ③ 가두 판매인(=~ des rues). ***~ des journaux*** 신문팔이. ***~ public*** 《옛》 포고 사항을 공고하는 관원.

⁑**crime** [kʀim] ① (윤리적 · 종교적) 죄, 죄악 : ~ contre nature 반인륜적인 죄. ② 범죄 ; 〖법률〗 중죄, 형사범(≠contravention, délit) ; 살인죄(=assassinat) : commettre un ~ 죄를 범하다 / ~ parfait 완전 범죄 / lieu du ~ 살인 현장 / ~ crapuleux 〔passionel〕 강도〔치정〕 살인 / arme du ~ 흉기. ③ 중대한 과오, 큰 잘못 : Ce n'est pas un ~. 그것은 큰 잘못은 아니다. ***~ capital*** 사형을 받을 만한 중죄. ***~ d'État*** 국사범(國事犯). ***faire un ~ à*** qn ***d'une bagatelle*** 《구어》 하찮은 일로 …을 크게 나무라다.

criminalité [kʀiminalite] *f.* (행위의) 범죄성 ; 《집합적》 범죄 행위.

***criminel, elle** [kʀiminɛl] *adj.* ① ⓐ 죄를 범한 : se rendre ~ 죄를 범하다. ⓑ 죄가 되는 : acte 〔intention〕 ~ 〔~*elle*〕 범죄 행위〔의도〕. ② 형사의, 형사범의, 형사상의. droit ~ 형법 / code d'instruction ~*elle* 형사 소송법 / juridiction ~*elle* 형사 재판/ procès ~ 형사 소송 / peine ~*elle* 중죄형. ③ 《구어》 매우 유감스러운, 허물이 되는. ── *n.* ① 죄인. ② 〖법률〗 형사범, 범인 ; 살인범(=assassin, meurtrier) : ~ de guerre 전(쟁)범. ── *m.* 〖법률〗 형사 재판 : être jugé au ~ 형사 재판에 의해 재판을 받다 / poursuivre qn au ~ …에게 형사 소송을 제기하다 / avocat au ~ 형사 (재판) 변호인.

criminellement [kʀiminɛlmɑ̃] *adv.* ① 죄를 범하여. ② 형법상 ; 형사범으로서.

criminologie [kʀiminɔlɔʒi] *f.* 범죄학 : ~ clinique 임상 범죄학.

criminologiste [kʀiminɔlɔʒist], **criminologue** [kʀiminɔlɔg] *n.* 범죄학자.

crin [kʀɛ̃] *m.* ① (말 · 사자 따위의) 갈기털, 말총, 꼬리털. ② (말총의 대용이 되는) 식물 섬유(=~ végétal). ***à tous ~s ; à tout ~*** ⓐ (말이) 갈기와 꼬리가 온전한. ⓑ 《구어》 철저한, 열렬한 : pacifiste *à tous ~s* 〔*à tout ~*〕 철저한〔극단적〕 평화주의자. 「이.

crincrin [kʀɛ̃kʀɛ̃] *m.* 싸구려 바이올린, 깽깽

crinière [kʀinjɛːʀ] *f.* ① (말 · 사자 따위의) 갈기. ② (투구의) 장식털〔깃〕. ③ 《구어》 덥수룩한 머리 ; 탐스러운 머리.

crique [kʀik] *f.* ① 내포(內浦), 포구(=anse, baie, calanque). ② 〖군사〗 (성 밖에 설치한) 호(壕)(=fossé).

criquet [kʀikɛ] *m.* ① 〖곤충〗 메뚜기(=sauterelle). ② 《구어》 조랑말 ; 《옛》 작고 허약한 사내. ③ 《속어》 질 나쁜 포도주.

crise** [kʀiːz] *f.* ① (병세의) 급변 ; 발작 (=attaque) : ~ d'asthme 천식의 발작 / avoir une ~ de mélancolie 극심한 우울증에 사로잡히다. ② 위기, 난국, 급변 ; 공황 : ~ politique 정치적 위기 / ~ économique 경제 공황 / gérer la ~ 위기를 관리하다. ③ 부족, 결핍, …난 : ~ d'emploi 취직난 / ~ du logement 주택난 / ~ de locaux et de professeurs (교육계의) 건물 · 교수 부족. ④ 흥분, 열광 ; 변덕 : ~ religieuse 종교적 흥분 / ~ de (fou) rire 폭소 ⑤ (소설 · 연극 따위의) 절정, 클라이맥스. ***avoir une ~ de larmes 별안간 울음을 터뜨리다. ***~ de main-d'œuvre*** 인력난. ***~ ministérielle*** 내각 공백기 ; 내각 사직. ***piquer une ~*** 화를 벌컥 내다 ; 《속어》 실신〔기절〕하다.

crispant, e [kʀispɑ̃, -ɑ̃ːt] *adj.* 성가시게 구는, 귀찮은.

crispation [kʀispɑsjɔ̃] *f.* ① 수축 ; (근육의) 경련. ② 성가심 : donner des ~s à qn …을 성가시게〔짜증나게〕 하다.

crisper [kʀispe] *v.t.* ① 수축시키다, 오그라들게 하다(=contracter) ; (근육을) 경련시키다(=convulser) ; (얼굴을) 찡그리게 하다 : Le mécontentement *crispa* son visage. 불만스러워 그는 얼굴을 찡그렸다. ② (손을) 꽉 쥐다 : ~ les mains 〔poings〕 두 손〔주먹〕을 불끈 쥐다. ③ 속이 달게 하다 ; 성가시게〔화나게〕 하다(=agacer, irriter) : Sa lenteur me *crispe.* 그가 늑장부리는 데 울화통이 터진다. ④ 긴장시키다(=tendre) : ~ son esprit …을 긴장시키다. ── **se ~** *v.pr.* ① 수축되다, 얼굴을 찌푸리다. ② 화를〔[illegible]을〕 내다. ③ 손을 움켜쥐다 : Ses mains *se crispaient* sur le volant. 그의 손이 핸들을 꽉 움켜잡았다.

crissement [kʀismɑ̃] *m.* 이를 갈기〔가는 소리〕; (쇠붙이 따위의) 마찰 (소리).

crisser [kʀise] *v.i.* ① 《~ de》 (이를) 갈다 : ~ des dents 이를 갈다. ② 삐걱거리다.

cristal [kʀistal] *m.* (*pl.* **~aux** [-o]) ① 결정(체) : *~aux* de neige 눈의 결정체. ② 수정(= ~ de roche) ; 크리스탈(유리) ; (*pl.*) 크리스탈 제품 : magasin de *~aux* 크리스탈 전문점. ③ (수정처럼) 맑음, 투명함(= transparence) ; 맑은 물 : âme 〔cœur〕 de ~ 맑은〔깨끗한〕 마음 / voix de ~ 낭랑한 목소리. ④ (*pl.*) 세탁 소다(= ~aux de soude). ⑤ 〚물리〛 ~ liquide 액정(液晶).

C

cristallerie [kʀistalʀi] *f.* 크리스탈 글라스 제조(소) ; 《집합적》 크리스탈 글라스 제품.

cristallin, e [kʀistalɛ̃, -in] *adj.* ① 결정(結晶)한 ; 결정의 : corps ~ 결정체. ② (수정처럼) 맑은, 투명한. ③ 〚해부〛 수정체의 : lentille *~e* (눈의) 수정체. ── *m.* 결정질 ; 〚해부〛 (안구의) 수정체.

cristallisation [kʀistalizɑsjɔ̃] *f.* ① 결정(結晶) (작용 · 현상) ; 결정 형성. ② (수정 따위의) 결정체. ③ 《비유》 (생각 따위의) 구체화, 확정.

cristallisé, e [kʀistalize] *adj.* 수정 모양의, 「결정된.

cristalliser [kʀistalize] *v.i.* ① 결정(結晶)하다. ② 《비유》 ⓐ (생각 따위가) 구체화되다, 확고해지다. ⓑ 《주어: 여러 사람》 단합되다 : personnes qui *cristalisent* dans un sentiment commun 같은 감정으로 뭉쳐진 사람들. ── *v.t.* ① 결정시키다 : ~ un sel 소금을 결정시키다. ② 《비유》 굳히다, 결집시키다 ; 구체화시키다, 확정하다 : ~ un projet qui reste fluide 유동적인 계획을 확정짓다 : Cette mesure *a cristallisé* la colère des ouvriers. 이 조치로 노동자의 분노가 구체화되었다. ── **se** ~ *v.pr.* ① 결정하다. ② 《비유》 (생각 · 희망 따위가) 굳어지다 ; (사람들이) 뭉치다, 단합하다.

cristallisoir [kʀistalizwaːʀ] *m.* 〚화학〛 결정용 유리병〔접시〕.

cristallographie [kʀistalɔgʀafi] *f.* 결정「학.

cristaux [kʀisto] *m.pl.* 《구어》 세탁 소다.

critère [kʀitɛːʀ] *m.* ① (판별의) 표준, 기준 ; 이유, 근거 : ~ de choix 선택의 기준 / Ce n'est pas un ~. 그것은 근거〔이유〕가 되지 못한다. ② 〚철학〛 (진리의) 표지(標識) : ~ de (la) vérité 진리의 표지.

critérium [kʀiteʀjɔm] *m.* ① 《옛》 = critère. ② 〚스포츠〛 선발 경기.「학〛 비평주의.

criticisme [kʀitisism] *m.* 비평, 비판 ; 〚철

critiquable [kʀitikabl] *adj.* 비판의 여지가 있는 ; 비난받아야 할.

critique** [kʀitik] *adj.* ① 비평의, 비판적인 : esprit ~ 비판 정신. ② ⓐ 위기의, 위급한, 위험한 : situation ~ 위태로운 사태. ⓑ 〚의학〛 위태로운, 위급한 ; 결정적인, 중대한 : La maladie est entrée dans sa phase ~. 병은 중대한 고비로 들어갔다. ③ 〚수학 · 물리〛 임계의 : point ~ 임계점. ***âge 〔***temps***〕 **~** (여자의) 폐경기, 갱년기. ***moment* ~** 위기. ***texte* ~** 교정본. ── *m.* 비평가.
── *f.* ① ⓐ 비평, 비판 ; 평론 : exercer une ~ sur soi-même 자기비판하다. ⓑ 비난, 혹평, 흠잡기 : réfuter une ~ 비난을 반박하다. ② (텍스트의) 분석 ; 고증 : ~ d'un texte 텍스트의 고증. ③ 《집합적》 비평가들, 평론계(의 인사들). ④ 〚철학〛 (인식론적) 비판 ; 비판론. ***se répandre en* ~*s* *sur*** qc …에 비난을 퍼붓다.

***critiquer** [kʀitike] *v.t.* ① 비판하다, 비난하다 : ~ la politique exterieure du gouvernment 정부의 대외 정책을 비판〔비난〕하다. ② (작품 따위를) 비평하다, 평가하다 : ~ un ouvrage 〔écrivain〕 작품을〔작가를〕 비평하다. ③ 고증하다 : ~ un texte 텍스트를 고증하다. ④ 헐뜯다, 트집잡다. ── **se** ~ *v.pr.* ① 자기비판하다 ; 서로 비판〔비난〕하다. ② (작품 따위가) 비판받다: ouvrage qui ne peut que *se critiquer* 비난받아 마땅한 작품.

critiqueur, euse [kʀitikœːʀ, -øːz] *n.* 비평하는 버릇이 있는 사람 ; 까다로운 사람.

croassement [kʀɔasmɑ̃] *m.* ① 까마귀 우는 소리. ② 《구어》 악의에 찬 비평.

croasser [kʀɔase] *v.i.* ① (까마귀 따위가) 까악까악 울다. ② (악평하며) 떠들어대다.

croate [kʀɔat] *adj.* 크로아티아(*la Croatie*)의. ── **C~** *n.* 크로아티아 사람. ── *m.* 크로아티아어(語).

croc [kʀo] *m.* ① 갈고리, 훅 ; 갈고리장대(= harpon) : ~ de boucherie (정육점의) 고기를 매다는 갈고리. ② (*pl.*) (개 · 이리 따위의) 송곳니(= canine) ; 《구어》 (사람의) 이. ***avoir les* ~*s*** 《구어》 몹시 배고프다. ***montrer les* ~*s*** (이빨을 내보이며) 위협하다.

croc-en-jambe [kʀɔkɑ̃ʒɑ̃ːb] *m.* (*pl.* **~s-~-~**) ① 다리를 걸어 넘어뜨리기, 딴죽걸기 (= croche-pied). ② 남을 밀어내고 대신 그 자리를 차지하기. ***faire un* ~ *à*** qn …을 (다리걸어) 넘어뜨리다; 밀어내다.

croche [kʀɔʃ] *f.* ① 〚음악〛 8분음표. ② (*pl.*) (대장장이의 쇠를 잡는) 집게. ***double*** 〔***triple***〕 **~** 16〔32〕 분음표.

croche-pied [kʀɔʃpje] *m.* (*pl.* **~-~s**) = croc-en-jambe.

crocher [kʀɔʃe] *v.t.* ① (갈고리로) 걸다, 걸어잡다. ② 《구어》 《~ qn》 …의 팔을 끼다 : ~ un ami par le bras 친구의 팔을 끼다. ③ 《옛》 붙잡다(= attraper) ; 체포하다.

crochet [kʀɔʃɛ] *m.* ① 작은 갈고리(= petit-croc) ; (액자 따위의) 걸이 ; 〚의복〛 훅(= agrafe) ; (문 · 창문의) 걸쇠 : ~ de porte-faix 짐꾼의 갈고리 / ~ de boucherie 정육점의 고기 매다는 갈고리. ② (편물용) 뜨개바늘, 코바늘; 뜨개질 : faire du ~ 뜨개질하다. ③ (*pl.*) 〚인쇄〛 각괄호(〔 〕). ④ (*pl.*) (뱀의) 독아(毒牙) ; (짐승의) 이빨; (맹금의) 발톱. ⑤ 〚음악〛 (음표의) 꼬리 (♪의 수염 부분). ⑥ 〚권투〛 훅. ⑦ 《구어》 방향 전환 ; 우회 ; 길을 돌아가기 : faire un ~ 길을 돌아가다. ***vivre aux* ~*s de*** qn …에게 얹혀 살다.

crocheter [kʀɔʃte] [4] *v.t.* ① (문 · 자물쇠를) 갈고리로 걸쇠질하여 열다. ② (갈고리로) 걸어서 잡다〔거두다〕 : ~ de vieux chiffons dans une poubelle 쓰레기통에서 넝마를 갈고리로 거두다. ── *v.i.* 방향을 바꾸다 ; 우회하다(= faire un crochet).

crocheteur [kʀɔʃtœːʀ] *m.* ① (문을 걸쇠질하여 여는) 도둑(= ~ de portes) : ~ de bourses 소매치기. ② 《옛》 짐꾼, 인부.

crochu, e [kʀɔʃy] *adj.* ① 갈고리 모양으로 굽은(≠ droit): nez ~ 매부리코. ② (말이) 무릎과 무릎 사이가 가까이 붙은. ***avoir les mains ~es*** 《구어》 손버릇이 나쁘다.

*__crocodile__ [kʀɔkɔdil] *m.* 〖동물〗 악어 ; 악어 가죽 : portefeuille en ~ 악어가죽 지갑《속어로는 en croco》. ***larmes de ~*** 거짓 눈물.

crocus [kʀɔkys] *m.* 〖식물〗 사프란속(屬).

⁑**croire** [kʀwa[ɑ]:ʀ] [43] *v.t.* ① 《~ qc》 …을 믿다, …을 사실이라고 생각하다 : ~ une histoire 이야기를 믿다 / Nous *croyons* que tout se passera bien. 우리는 모든 것이 잘 되리라고 확신합니다 / faire ~ qc à qn … 에게 …을 믿게 하다 / 《~ qc de qn》 Je ne *crois* pas cela *de* lui. 나는 그가 그렇다고는 믿을 수 없다. ② 《~ qn》 …을 믿다, …의 말을 믿다 : ~ qn sur parole 말만으로 …을 믿다 ; …의 약속을 믿다 / Ce témoin mérite d'*être cru*. 이 증인은 신용할 만하다. ③ 《~ +*inf.* ; ~ que+*ind.* (부정문 또는 의문문에서는 *sub.*)》 …라고〔한다고〕 생각하다, …하는 것 같다 : Je *crois* rêver. 꿈 같다 / Je *crois qu*'il viendra. 그는 올 거라고 생각한다 / Je *crois* avoir trouvé la solution. 나는 해답을 알아냈다고 생각한다 / Je *crois que* oui〔non, si〕. 그렇다고〔그렇지 않다고〕 생각한다 / Je ne *crois* pas *qu*'il puisse réussir. 나는 그가 성공할 수 있다고 생각하지 않는다 / *Crois*-tu *qu*'il vienne ? 그가 오리라고 생각하니 ? ④ 상상하다 : Vous ne sauriez ~ à quel point j'en ai été touché. 내가 얼마나 감동했던지 상상도 못하실 겁니다. ⑤ 《en ~ qn〔qc〕》 …의 말을〔을〕 믿다, 신뢰하다 : Si vous m'*en croyez,* ne lui prêtez pas ce livre. 제 말을 믿으신다면, 그에게 이 책을 빌려 주지 마세요 / si j'en *crois* ce qu'on raconte 사람들의 이야기를 믿는다면. ⑥ 《+속사》 …이 …라고 생각하다 : Je le *croyais* riche. 나는 그가 부자라고 생각했었다. ⑦ 《~ qc à qn》 …이 …을 가졌다고 생각하다 : Je lui *crois* du talent. 그는 재능이 있다고 나는 생각한다. ***à ce que je crois ;*** (***que***) ***je crois*** 내 생각으로는, 내가 믿는 바로는. ***à l'en ~*** 그의 말에 의하면. ***Il est à ~ que***+*ind.* …라고 생각된다, …인 것 같다. ***Je vous*** 〔***te***〕 ***crois ! ; Je*** (***le***) ***crois bien !*** 물론이지요 ! 그렇구 말구요 ! ***On croirait que...*** 마치 …인 것 같다.
— *v.t. ind.* ① 《~ à qc》 ⓐ …을 믿다, …의 존재를 믿다 : ~ *à* la justice 정의를 믿다 / ~ *aux* revenants 유령의 존재를 믿다. ⓑ …의 진실성〔확실성〕을 믿다 : Le médecin *crut à* une pneumonie. 의사는 폐렴이라고 생각했다. ⓒ …의 실현성을 믿다 : ~ *à* la guerre 전쟁이 일어나리라고 믿다. ② 《~ en qn〔qc〕》 …을 신뢰하다 : ~ *en* ses amis 친구를 믿다 / ~ *en* soi 자신감을 갖다 ; 자만심에 빠져 있다. ***C'est à ne pas y*** 〔***n'y pas***〕 ***~.*** 믿어지지 않을 지경이다. ***~ en Dieu*** 신을 믿다〔신앙심을 가지다〕. — *v.i.* ① 믿다, 확신하다. ② 신앙을 갖다, 신자(信者)이다. — **se ~** *v.pr.* ① 《~ se+속사》 자기가 …라고 믿다 ; 자기에게 …이 있다고 믿다 : *se* ~ intelligent 자기가 영리하다고 생각하다 / Il *se croit de* l'esprit. 그는 자기에게 제법 기지〔재치〕가 있다고 생각한다. ② 《구어》 《경멸》 자만심이 강하다.

crois ⇒ croire.

croîs ⇒ croître.

croisade [kʀwazad] *f.* ① 〖역사〗 십자군. ② 사회 운동 ; 캠페인(= campagne) : ~ antialcoolique contre l'alcoolisme 금주 운동.

croisé, e[1] [kʀwaze] *adj.* ① 엇걸린 ; 엇갈린, 교차한 ; 십자형의. ② (옷의 양쪽 앞자락이) 겹쳐진, 더블의. ③ (동물이) 잡종의 : race ~*e* 잡종. ④ 〖직물〗 능직의 : tissu ~ 능직. ***mots ~s*** 크로스워드 퍼즐. ***rester les bras ~s*** 팔짱을 끼고 있다 ; 무위도식하다. ***rimes ~es*** 〖운율〗 교운(交韻). — *m.* ① 〖역사〗 십자군 병사 ; (*pl.*) 십자군. ② 〖직물〗 능직(물). ③ 〖생물〗 (동물의) 잡종.

croisée[2] [kʀwaze] *f.* ① 교차점(點) ; 십자로, 네거리(= carrefour). ② (십자형의) 유리창.

*__croisement__ [kʀwazmɑ̃] *m.* ① 교차시키기 ; 엇갈림, 교차(交叉) : ~ des jambes (의자에 앉아서) 다리를 꼬기〔포개기〕, 책상다리 / ~ de deux trains 두 열차의 교행. ② 교차점 ; 십자로, 네거리(= carrefour). ③ 〖생물〗 (동식물의) 잡교(雜交) ; 교배 ; 잡종 : ~ entre deux espèces 두 종(種) 사이의 교잡.

*__croiser__ [kʀwaze] *v.t.* ① ⓐ (두 가지 것을 십자형으로) 엇걸다 ; 교차시키다 : ~ 〔se ~〕 les bras 팔짱을 끼다 / ~ les jambes (의자에 앉아서) 다리를 꼬다〔포개다〕, 책상다리를 하다 / ~ les rimes 운(韻)을 교차시키다. ⓑ ~ un habit 〔une écharpe〕 옷〔숄〕의 앞자락을 포개다〔겹치다〕. ② 가로지르다(= traverser, couper) ; 《~ qn 〔une voiture〕》 …와〔차와〕 엇갈리다, 마주쳐 지나가다 : Je l'*ai croisé* près de la poste. 나는 우체국 옆에서 그와 마주쳐 지났다. ③ (동물을) 잡교〔교배〕시키다(= métisser). ④ (십자가를 그어) 말소하다. ⑤ 〖직물〗 능직으로 짜다. ***~ le chemin de*** qn …의 계획을 방해하다, …에게 훼방을 놓다. — *v.i.* ① (선박이) 왕래하다, 순항(巡航)하다. ② (옷의 양쪽 앞자락이) 겹쳐지다 : veste qui ne *croise* pas assez 양쪽 앞자락이 벌어진 웃옷. — **se ~** *v.pr.* ① 교차하다 ; 엇갈리다. ② 서로 마주쳐 지나가다. ③ (팔·다리를) 끼다, 꼬다 : *se* ~ les bras 팔짱을 끼다 ; 수수방관하다. ④ 잡교〔이종교배〕가 되다. ⑤ 〖역사〗 십자군에 참가하다.

croiseur [kʀwazœ:ʀ] *m.* 〖군사〗 순양함.

*__croisière__ [kʀwazjɛ:ʀ] *f.* ① 순항. ② 〖군사〗 순양 ; 순양함대 : missile de ~ 순항 미사일. ③ 항해 여행〔유람〕 ; (학술·연구를 위한) 조사 항해 : ~ océanographique 해양 학술 조사 항해 / ~ aérienne 비행기 단체 관광 여행. ④ (적응 단계를 지난) 정상적 가동〔운영〕 : allure 〔vitesse〕 de ~ 정상적 기능〔속도〕.

croisillon [kʀwazijɔ̃] *m.* ① (십자가의) 가로나무 ; (창문 따위의) 가로대. ② (교회당의) 외진(外陣).

*__croissance__ [kʀwasɑ̃:s] *f.* ① 발육, 성장 : âge de la ~ 성장기. ② 발전 ; 증대, 증가 : ~ d'une ville 도시의 발전. ***prendre toute sa ~*** 충분히 발육하다.

*__croissant__[1] [kʀwasɑ̃] *m.* ① 초승달. ② 크루아상《초승달 모양의 빵》. ③ 터키제국《국기

에 초승달이 있는 데서》. ④ 자루가 긴 낫.

croissant², e [kʀwasɑ̃, -ɑ̃:t] *adj.* 생장〔발육〕하는 ; 증대〔증가〕하는 : population toujours ~*e* 증가 일로의 인구.

croiss-e(s), -ez, -ons ⇒ croître.

croit ⇒ croire.

croît¹ ⇒ croître.

croît² [kʀwa(ɑ)] *m.* (가축의) 번식.

croître [kʀwa(ɑ:)tʀ] 41 *v.i.* ① 성장하다, 발육하다, 자라다(= grandir, pousser) : ~ à vue d'œil 눈에 띄게 자라다 / enfant qui *croît* régulièrement 정상적으로 성장하는 어린이. ② 증가하다, 늘다, (강물 따위가) 붇다, (비 · 바람 따위가) 심해지다, (낮 · 해가) 길어지다(= augmenter, se developper) : La rivière *a* beaucoup *crû.* 강물이 많이 불었다 / Le vent *croît.* 바람이 심해진다 / Son ambition *croissait* de jour en jour. 그의 야망은 날이 갈수록 커가는 것이었다. ③ (식물이) 자라다, 서식하다 : Ces plantes *croissent* vite. 그 식물은 성장이 빠르다 / pays où *croissent* la vigne et l'olive 포도와 올리브가 자라는 나라.

croix** [kʀwa] *f.* ① 십자가《특히 예수가 못 박혀 죽은 십자가 ; 첫 글자는 대문자》; (기독교의 상징으로서의) 십자가 ; (묘지의) 십자가 : jurer sur la ~ 십자가에 걸고 맹세하다 / faire le signe de la ~ 십자를 긋다 / mettre 〔attacher, clouer〕 qn sur la ~ …을 십자가에 못 박아 죽이다 ; 몹시 괴롭히다. ② 고난, 무거운 짐 : porter sa ~ 십자가를 짊어지고 있다 / Chacun a sa ~. 누구나 제각기 겪어야 할 시련이 있다. ③ 십자 훈장, 레지옹도뇌르 훈장 : la ~ de la Légion d'honneur 레지옹도뇌르 훈장. ④ 십자 표지, 십자 문자 : signer en faisant une ~ (글을 쓸 줄 모르는 사람이) 십자를 그려서 서명〔사인〕에 대신하다. ⑤ 십자형 (장식) : la *C*~ du Sud 〖천문〗 남십자성 / la *C*~-Rouge (국제) 적십자사. ⑥ 〖인쇄〗 단검표《†》. ⑦ 〖자수〗 point de ~ 십자수. ***aller à la ~ avant le temps 《구어》 쓸데없이 걱정을 하다, 공연한 걱정을 하다. ***avoir les bras en ~*** 팔짱을 끼고 있다. ***faire une ~ à la cheminée*** 《구어》 대서특필하다. ***faire une ~ sur*** qc …을 포기하다 ; 단념하다.

croquant¹, e [kʀɔkɑ̃, -ɑ̃:t] *adj.* 바삭바삭하는(= croustillant) : biscuit ~ 바삭바삭한 비스킷. — *m.* 〖요리〗 오도독뼈.

croquant² [kʀɔkɑ̃] *m.* 《경멸》 농부, 촌사람 (= paysan) ; 교양 없는 사람.

croque au sel (à la) [alakʀɔkosɛl] *adv.* 소금만으로 양념하여.

croque(-)mitaine [kʀɔkmitɛn] *m.* (*pl.* ~-~*s*) ① (아이들을 무섭게 하려고 말하는) 귀신, 도깨비. ② 매우 엄한〔무서운〕 사람.

croque-monsieur [kʀɔkməsjø] *m.* 《복수불변》 크로크 므시외《햄 샌드위치에 치즈를 얹어 구운 것》.

croque-mort [kʀɔkmɔ:ʀ] *m.* (*pl.* ~-~*s*) 《구어》 장의사(葬儀社)의 일꾼.

croquenot [kʀɔkno] *m.* 《구어》 큰 구두.

croquer** [kʀɔke] *v.i.* ① (음식물이 입속에서) 와작와작 소리를 내다(= craquer) : bonbons qui *croquent* sous les dent 씹으면 와작와작 소리가 나는 봉봉사탕. ② 《~ dans》 …을 씹다 : ~ *dans* une pomme 사과를 씹다. — *v.t.* ① 와작와작 씹어먹다 : ~ une pomme 사과를 와작와작 씹어먹다. ② (재물을) 낭비하다(= gaspiller) : ~ un héritage 유산을 낭비하다. ③ 스케치하다(= esquisser) : ~ un paysage 풍경을 스케치하다. ***chocolat à ~ 판(板) 초콜릿. ***~ le marmot*** 《구어》 지치도록 기다리다.

croquet [kʀɔkɛ] *m.* 크로케《나무공으로 하는 놀이》.

croquette [kʀɔkɛt] *f.* ① 〖요리〗 크로켓. ② 동글납작한 초콜릿.

croquignolet, ette [kʀɔkiɲɔlɛ, -ɛt] *adj.* 《비꼼》 귀여운(= mignon) ; 이상한, 괴상한.

croquis [kʀɔki] *m.* ① 크로키 ; 스케치, 소묘 ; 약도(= plan). ② 초고 ; 초안(= ébauche).

cross-country [kʀɔsku(œ)ntʀi] 〔영〕 *m.* 〖스포츠〗 산야 도보 횡단 경주.

crosse [kʀɔs] *f.* ① (주교(主敎)의) 홀장(笏杖), 지팡이. ② (지팡이 따위의) 구부러진 부분 : ~ d'une canne 지팡이의 구부러진 손잡이. ③ 소총의 개머리(판) ; 권총의 손잡이. ④ 〖스포츠〗 (하키 따위의) 스틱 ; (골프의) 클럽 ; (공을 치는) 배트. ***chercher des ~s à*** qn …에게 싸움을 걸다. ***mettre la ~ en l'air*** 《구어》 〖군사〗 적과 싸우기를 거부하다.

crotale [kʀɔtal] *m.* ① 〖동물〗 방울뱀. ② 〖고대그리스〗 캐스터네츠의 일종.

crotte [kʀɔt] *f.* ① (양 · 토끼 따위의) 똥 ; 《일반적》 똥(= excrément) : ~ de chien 개똥 / ~*s* de nez 《구어》 코딱지. ② 《구어》 (길의)진창(= boue) ; 곤경. ③ 《애정의 뜻》 ma (petite) ~ (en chocolat) 귀여운 아이 〔연인〕. ***~ de bique*** 《구어》 하찮은 것. ***~ de chocolat*** 초콜릿 과자. — *interj.* 《구어》 젠장, 빌어먹을.

crottin [kʀɔtɛ̃] *m.* (말 · 소 · 양 따위의) 똥.

croulant, e [kʀulɑ̃, -ɑ̃:t] *adj.* ① 무너져 가는, 쓰러져 가는 : immeuble ~ 붕괴 직전의 건물 / autorité ~*e* 쇠퇴해 가는 권위. ② 늙어빠진. — *m.* 《구어》 노인, 늙은이《특히 젊은이들이 부모에 대하여 사용》.

crouler [kʀule] *v.i.* ① ⓐ 무너지다, 붕괴하다(= s'écrouler) : Le tremblement de terre a fait ~ les immeubles. 지진이 건물들을 무너뜨렸다. ⓑ 쓰러지듯 주저앉다 : À cette terrible nouvelle, il se laissa ~ sur une chaise. 이 끔찍한 소식을 듣고 그는 의자에 쓰러지듯 주저앉았다. ② 《비유》 몰락하다 : empire qui commence à ~ 몰락하기 시작한 제국. ③ 실패하다(= échouer) : faire ~ un projet 계획을 실패로 돌아가게 하다. ***faire ~ la salle sous les applaudissements*** 장내가 떠나갈 듯 박수갈채를 하다.

croup [kʀup] *m.* 〖의학〗 크루프《위막성 후두염》: faux ~ 후두 카타르.

croupe [kʀup] *f.* ① (말의) 엉덩이 ; (오토바이의) 뒷좌석. ② (완만한) 산등성이. ③ 《구어》 (특히 여자의) 궁둥이. ***monter en ~*** 말꽁무니에 올라타다. ***tortiller la ~*** 궁둥이를 흔들며 걷다.

croupetons (à) [akʀuptɔ̃] *loc. adv.* 쪼그리고 : se mettre *à* ~ 쪼그리고 앉다.

croupi, e [kʀupi] *adj.* (물 따위가 괴어서)

썩은: eau ~*e* 썩은 물.

croupier [kʀupje] *m.* ① 크루피에《카지노에서 룰렛을 돌리거나 칩을 집배하는 사람》. ② 〚법률〛 금융 거래의 협력자.

croupière [kʀupjɛːʀ] *f.* (말의) 껑거리끈. ***tailler des ~ à*** qn …을 궁지에 몰아넣다, 괴롭히다.

croupion [kʀupjɔ̃] *m.* ① (새의 꼬리털이 나는) 선골부(仙骨部). ② (포유동물의) 꽁무니뼈.

croupir [kʀupiːʀ] *v.i.* ① (물이 괴어서) 썩다(=pourrir). ② 《~ dans》 《비유》 (굴욕적인 처지에) 머물러 있다, (게으름·무지 따위에) 빠져 있다: ~ dans le vice 악습에 빠져 있다.

croupissant, e [kʀupisɑ̃, -ɑ̃ːt] *adj.* (물이) 괴어서 썩고 있는; 빈둥빈둥 노는, 나태한.

croupissement [kʀupismɑ̃] *m.* (물 따위가) 괴어서 썩음, 부패; 나태, 게으름.

croustade [kʀustad] *f.* 〚요리〛 크루스타드《파이나 빵의 속을 도려내고 고기·생선 따위를 넣은 것》: ~ de foie gras 푸아그라 파이.

croustillant, e [kʀustijɑ̃, -ɑ̃ːt] *adj.* ① (비스킷이) 바삭바삭한(=croquant). ② 《구어》 (이야기가) 외설스러운, 음탕한(=grivois).

croustiller [kʀustije] *v.t.* (간단한 음식·과자 따위를) 먹다. ── *v.i.* ① (음식물이 입속에서) 바삭바삭거리다. ② 《속어》 먹다, 식사를 하다.

croûte [kʀut] *f.* ① 빵껍질; 빵부스러기; 파이 껍질: pâte en ~ 껍질이 딱딱한 파이. ② 치즈의 외피. ③ (물체의 표면에 생기는) 딱딱한 껍질, 층: ~ terrestre 지각. ④ 〚의학〛 (상처의) 딱지. ⑤ 《구어》 서투른 그림. ⑥ 《구어》 시대에 뒤진 사람(=croûton); 둔한 사람: vieille ~ 완고한 노인. ⑦ 《구어》 (가벼운) 식사, 간식; 《구어》 밥. ***À la ~ !*** 《구어》 자 먹읍시다. ***casser la ~*** 간단한 식사를 하다. ***~ au pot*** 〚요리〛 빵껍질〔빵조각〕을 넣은 수프. ***faire sa ~*** 자취하다. ***gagner sa ~ ; travailler pour sa ~*** 밥벌이하다.

croûter [kʀute] *v.i.* 《속어》 먹다(=manger).

croûton [kʀutɔ̃] *m.* ① (바게트 따위의) 긴 빵의 양 끝; 굳은 빵조각. ② 빵조각 튀김《수프에 띄움》. ③ 《구어》 아둔한 사람: vieux ~ 시대에 뒤진 사람; 늙다리.

croyable [kʀwajabl] *adj.* 《주로 부정문·의문문에서》 믿을 만한(≠ incroyable).

croyance [kʀwajɑ̃ːs] *f.* ① 믿음, 확신: ~ au progrès 진보에 대한 믿음 / ~ dans l'absurdité de l'existence 존재의 부조리에 대한 확신. ② 신앙, 종교: ~*s* chrétiennes 〔populaires〕 기독교〔민간〕 신앙 / ~ en Dieu 신에 대한 믿음. ③ 신뢰, 신용: ~ en l'honnêteté de qn …의 성실성에 대한 신뢰 / ~ en soi 자신(自信). ④ 신조, 신념, 예상: à ma ~ 내가 믿는 바에 의하면.

croy-ais, -ez, -ons ⇒ croire.

croyant, e [kʀwajɑ̃, -ɑ̃ːt] *adj.* 신앙을 가진. ── *n.* 신자; (*pl.*) 이슬람교도《자칭》.

C.R.S. 〔약자〕 Compagnies Républicaines de Sécurité 공화국 기동 경찰대: un ~ 기동대원.

cru¹ [kʀy] *m.* ① (포도주의) 특정한 포도원; (특정 포도원의) 포도주: grands ~*s* de France 프랑스의 특급 포도원〔포도주〕. ② 특산물; 특산지: ~ du beurre 버터의 특산지. ***de son ~ ; de son propre ~*** 자기가 만들어낸, 자가제의. ***journalistes du ~*** 《속어》 지방 신문기자. ***vin d'un bon ~*** 산지가 좋은 포도주.

*__cru², e¹__ [kʀy] *adj.* ① (음식이) 날것의, 생것의: légumes ~*s* 생야채 / viande ~ 날고기. ② (색깔이) 강렬한, 야한; (빛이) 눈부신: lumière ~*e* 직사광. ③ 정제되지 않은, 가공되지 않은: métal ~ 지금(地金) / soie ~*e* 생사(生絲). ④ (말이) 노골적인, 상스러운; 추잡한: parler en termes ~*s* 상스러운 말을 하다. ***à ~*** 그대로, 직접. ***dans le jour ~*** 뙤약볕에. ── *m.* 날것. ***monter à ~*** 안장 없이 말에 올라타다. ── *adv.* 솔직하게, 꾸밈없이: dire tout ~ 거침없이 말하다.

cru³, e² croire 의 과거분사.

crû, crue³ [kʀy] croître 의 과거분사.

cruauté³ [kʀyote] *f.* ① 잔인성, 잔혹성(=férocité); (주로 *pl.*) 잔인한 행위: ~ d'un crime 범죄의 잔인성. ② (운명의) 가혹함, 냉혹함: ~ du destin 운명의 가혹함.

cruche [kʀyʃ] *f.* ① (손잡이 달린) 단지, 항아리; 한 단지 가득한 양: ~ à eau 물 항아리 / une ~ d'huile 한 단지의 기름. ② 《구어》 바보(=imbécile). ── *adv.* 바보스럽게, 멍청하게.

cruchon [kʀyʃɔ̃] *m.* ① (손잡이 달린) 작은 단지〔항아리〕; 한 단지 분량. ② 《구어》 바보.

crucial, e, aux [kʀysjal, -o] *adj.* ① 십자형의. ② 결정적인(=décisif); 중대한(=capital): point ~ 가장 중요한 점 / problème ~ 기본 문제.

crucifié, e [kʀysifje] *adj.* ① 십자가에 못 박힌. ② 고통받는, 고뇌의: visage ~ 고뇌에 찬 얼굴. ── *m.* 십자가에 못 박힌 사람: le *C*~ 예수 그리스도.

crucifiement, crucifîment [kʀysifimɑ̃] *m.* ① 십자가에 매어달기, (특히 그리스도의) 책형(磔刑), 십자가에 못 박힌 그리스도의 그림. ② 수난, 고난.

crucifier [kʀysifje] *v.t.* ① 십자가에 못 박아 죽이다; 책형에 처하다. ② 몹시 괴롭히다.

crucifix [kʀysifi] *m.* (그리스도의) 십자가; (십자가에 못 박힌) 그리스도의 수난상.

crucifixion [kʀysifiksjɔ̃] *f.* 십자가에 못 박아 죽이기; 〚미술〛 그리스도의 수난도.

cruciverbiste [kʀysivɛʀbist] *n.* 크로스워드 퍼즐 애호자(=mots-croisiste).

crudité [kʀydite] *f.* ① 날것임; 생것임; (*pl.*) 날것. ② (빛·색깔의) 강렬함; (*pl.*) 노골적인 표현〔말투〕: ~ du langage 노골적인 말투. ***avec ~*** 노골적으로.

crue⁴ [kʀy] *f.* ① (식물의) 성장. ② (물의) 증가, (하천의) 범람.

*__cruel, elle__ [kʀyɛl] *adj.* ① 잔인한, 무자비한, 가차없는(=féroce); (여자가) 매정한, 냉담한; (어버이가) 엄격한: ennemi ~ 무자비한 적 / yeux ~*s* 매정한 눈초리. ② 《명사 앞》 귀찮은, 난처한: ~ homme 귀찮은 사람 / ~ contretemps 〔embarras〕 난처한 일. ③ ⓐ (운명 따위가) 가혹한, 참혹한, 무참한(=atroce): destin ~ 가혹한 운명. ⓑ (경험 따

위가) 끔찍한, 쓰라린 : chagrin ~ 견디기 힘든 슬픔. ⓒ (비평 따위가) 혹독한.
cruellement [kʀyɛlmɑ̃] *adv.* ① 잔인하게, 매정하게, 무자비하게. ② 《구어》 매우 ; 심하게 : souffrir ~ 몹시 괴로워하다.
crûment [kʀymɑ̃] *adv.* 노골적으로, 거침없이 ; 강렬하게 : parler ~ 노골적으로 말하다.
cru-s, cruss-e(s), etc. ⇒ croire.
crû-s, crûss-e(s), etc. ⇒ croître.
***crustacé, e** [kʀystase] *m. pl.* 〚동물〛 갑각류(甲殼類). ── *adj.* 〚동물〛 갑각류의 ; 등딱지가 붙어 있는.
crûtes ⇒ croire, croître.
cryo- *préf.* 「한랭 · 저온」의 뜻.
cryogène [kʀijɔʒɛn] *m.* 한제(寒劑). ── *adj.* 〚물리〛 저온 생성의.
cryolit(h)e [kʀijɔlit] *f.* 〚광물〛 빙정석(氷晶石).
cryométrie [kʀijɔmetʀi] *f.* 저온 측정.
cryoscopie [kʀijɔskɔpi] *f.* 〚물리〛 (용액의) 빙결점(氷結點) 측정〔연구〕.
cryothérapie [kʀijɔteʀapi] *f.* 〚의학〛 한랭요법(寒冷療法).
crypte [kʀipt] *f.* ① (교회당의) 지하 납골당. ② 지하 예배당. ③ 지하실.
crypté, e [kʀipte] *adj.* 암호화된 : chaîne de télévision ~*e* 유료 텔레비전 방송 채널.
crypter [kʀipte] *v.t.* 〚컴퓨터〛 암호화하다, 해독 불가능하게 하다 : ~ un message secret 비밀 통신문을 암호화하다.
crypt(o)- *préf.* 「숨은, 잠재적인」의 뜻.
cryptocapitalisme [kʀiptɔkapitalism] *m.* 잠재적 자본주의.
cryptocommunisme [kʀiptɔkɔmynism] *m.* 잠재적 공산주의.
cryptocommuniste [kʀiptɔkɔmynist] *n.* et *adj.* 비밀 공산당원(의).
cryptogame [kʀiptɔgam] 〚식물〛 *adj.* 은화(隱花)〔민꽃〕 식물의. ── *m.* 〔*f.*〕 *pl.* 은화〔민꽃〕 식물류.
cryptogramme [kʀiptɔgʀam] *m.* 암호문(서) : déchiffrer 〔décrypter〕 un ~ 암호문을 해독하다.
cryptographe [kʀiptɔgʀaf] *n.* 암호 취급자 ; 암호문 전문가. ── *m.* 암호 작성〔해독〕기.
cryptographie [kʀiptɔgʀafi] *f.* 암호표, 암호 코드 ; 암호(통신)법.
cryptographique [kʀiptɔgʀafik] *adj.* 암호 (통신)법의 : langage ~ 암호문 / caractères ~*s* 암호 문자 / message ~ 암호 통신문.
csardas [ksaʀdaːs] *f.* 헝가리 민속 무용.
ct 《약자》 ① courant (서신의 날짜에 따라) 이달의. ② centilitre 센티리터.
Cte 《약자》 ① compte 백작. ② compte 〚상업〛 계산(= c/).
c.u. 《약자》 ① charge utile 유효하중(有效荷重) ; 〚항공〛 적재량. ② cours unique 〚주식〛 단독〔무경쟁〕 시세.
cub. 《약자》 cube, cubique 입방의.
cubage [kybaːʒ] *m.* ① 체적 계산(법). ② 체적, 용적, 부피.
cubain, e [kybɛ̃, -ɛn] *adj.* 쿠바(*Cuba*) (사람)의. ── **C~** *n.* 쿠바 사람.
***cube** [kyb] *m.* ① 〚기계〛 입방체, 정육면체 : sucre en ~ 각(角)설탕. ② 〚수학〛 세제곱, 입방 : 27 est le ~ de 3. 27은 3의 세제곱이다. ③ (*pl.*) 집짓기 나무쪽 《장난감》 : jeu de ~*s* 나무토막 쌓기, 집짓기 놀이. ── *adj.* 세제곱의, 입방의 : mètre ~ 세제곱미터 (m^3).
cuber [kybe] *v.t.* 세제곱하다 ; 체적〔용적〕을 구하다. ── *v.i.* 용적이 …이다 : réservoir qui *cube* 20 litres 용적 20 리터의 물통.
cubique [kybik] *adj.* ① 입방체의. ② 〚수학〛 입방의, 세제곱의 : racine ~ 세제곱근.
cubisme [kybism] *m.* 〚미술〛 입체주의, 입체파.
cubiste [kybist] *adj.* 입체주의〔입체파〕의. ── *m.* 입체주의〔입체파〕 화가.
cubitière [kybitjɛːʀ] *f.* (갑옷의) 팔꿈치 가리개.
cubitus [kybitys] *m.* 〚해부〛 척골(尺骨), 팔꿈치.
cucu(l) [kyky] *adj.* 《불변》 《구어》 어리석은, 미련한(= niais), 바보 같은.
cucurbitacées [kykyʀbitase] *f. pl.* 〚식물〛 박과(科) 《오이(concombre), 호박(courge), 멜론(melon), 수박(pastèque) 따위》.
cueillette [kœjɛt] *f.* ① (과일 · 꽃을) 따기(= récolte), 《집합적》 수확물 : ~ des pommes 사과 수확. ② (과일 · 꽃을) 따는 계절.
cueillir** [kœjiːʀ] [14] *v.t.* ① (꽃 · 과일 따위를) 따다, 뜯다 : ~ un bouquet 꽃다발을 만들기 위해서 꽃을 따다. ② 얻다, 얻어내다(= prendre) : ~ un baiser 살짝 키스하다 / ~ des lauriers 명예를 얻다. ③ 주워 모으다, 수집하다(= ramasser, recueillir) : ~ des chiffons 넝마를 줍다. ④ 《~ qn》 《구어》 ⓐ 데리러 가다〔오다〕 ; 마중하다 : Il est venu nous ~ à la gare. 그는 역에 우리를 마중나왔다. ⓑ 잡다, 체포하다(= pincer) : ~ un voleur 도둑을 잡다. **~** qn ***à froid …을 불의에 습격하다.
cui-cui [kɥikɥi] *m.* 짹짹 《새의 지저귐》.
cuiller, cuillère** [kɥijɛːʀ] *f.* ① 숟가락, 스푼 ; 한 숟가락(의 양)(= cuillerée) : ~ à café 커피 스푼《소》 / ~ à dessert 디저트 스푼《중》 / ~ à soupe 수프 스푼《대》. ② (녹은 금속 따위를 뜨는) 국자 ; 숟가락 모양의 제물낚시 : pêcher à la ~ 제물낚시질하다. ***~ à pot 큰 숟가락. ***en deux 〔trois〕 coups de ~ à pot*** 《구어》 재빨리, 삽시간에. ***être (bon) à ramasser à la petite ~*** 《구어》 비참한 꼴이 되어 있다, 녹초가 돼 있다. ***ne pas y aller avec le dos de la ~*** 《구어》 멋대로 행동하다, 거침없이 말하다.
cuillerée [kɥijʀe] *f.* 한 숟가락(의 분량) : deux ~*s* de sucre 설탕 두 수저.
cuir** [kɥiːʀ] *m.* ① 피혁, 가죽 ; (동물 · 사람의) 피부 ; 가죽 제품 : chaussures en ~ 가죽 구두 / ~ de bœuf 〔de crocodile〕 소〔악어〕 가죽. ② 피혁 산업, 피혁 제품 판매업. ③ 《구어》 연음(liaison)의 실수 : faire un ~ 연음을 잘못하다. **~ *chevelu 〚해부〛 두피(頭皮). ***entre ~ et chair*** 피하(皮下)에 ; 살짝, 남몰래 : blessure *entre ~ et chair* 가벼운 상처.
cuirasse [kɥiʀas] *f.* ① 흉갑(胸甲), 갑옷 : cavalier en ~ 갑옷 차림의 기병. ② (군함의) 장갑(裝甲), 철갑. ③ 〚전기〛 (케이블의) 피막. ④ 〚동물〛 (거북 따위의) 등껍질, 각피

(殼皮)(= carapace). ⑤ 《비유》 방어, 보호(= défense) : la ~ de la justice 정의의 방패〔보호〕. ***défaut de la ~*** 갑옷의 빈틈 ; 약점.

cuirassé, e [kɥiʀase] *adj.* ① 갑옷을 입은 ; 장갑된. ② 《~ contre》 …에 대해 마음을 굳게 닫은, 무감각한 : être ~ *contre* les humiliations 모욕에 대해 무감각한. ── *m.* 장갑함(裝甲艦)(= navire ~).

cuirasser [kɥiʀase] *v.t.* ① …에게 갑옷을 입히다. ② (군함을) 장갑(裝甲)하다(= blinder). ③ 《~ qn contre》 …에 대해 강하게 만들다(= fortifier) ; …에 무감각하게 만들다. ── **se ~** *v.pr.* ① 흉갑을 입다. ② 《se ~ contre》 …에 끄덕도 안 하다, …에 대해 무감각한 태도를 취하다 : *se ~ contre* les injures 욕설에 대해 무감각한 태도를 취하다.

cuirassier [kɥiʀasje] *m.* 〖군사〗 기갑부대(병) ; 《옛》 흉갑기병(胸甲騎兵).

cuire** [kɥi:ʀ] [32] *v.t.* ① (음식물을) 익히다, 삶다, 굽다, (야채 따위를) 볶다 : ~ de la viande au four 고기를 오븐으로 굽다 / ~ à sec 볶다, 데치다. ② (피부를) 그을리다, (벽돌 따위를) 굽다 : ~ des poteries 도자기를 굽다. ***un dur à ~ 완강한 사람, (위험·설복 따위에) 끄떡 않는 사람. ── *v.i.* ① (음식물이) 익다 : laisser ~ vingt minutes, 20 분간 찌다〔삶다〕. ② 찌는 듯 덥다(= étouffer) : On *cuit* dans cette pièce. 이 방은 찌는 듯이 덥다. ③ (볼·손·눈 따위가) 화끈화끈하다, 얼얼하다, 쓰리다 : Les yeux me *cuisent*. 눈이 쓰리다. ***faire ~*** 익히다, 굽다. ***Il vous en cuira.*** 《비인칭》 후회하게 될거요.

cuisant, e [kɥizɑ̃, -ɑ̃:t] (상처 따위가) 쓰린 ; (실망 따위가) 쓰라린 ; (고통 따위가) 극심한 ; (맛이) 얼얼한 ; (추위가) 살을 에는 듯한 : douleur ~*e* 심한 고통 / froid ~ 혹독한 추위 / critique ~*e* 신랄한 비판.

cuis-ant, -ons, -ez, etc. ⇒ cuire.

⁑cuisine [kɥizin] *f.* ① 부엌, 주방, 취사장 : ustensiles de ~ 주방용품 / éléments de ~ 주방 설비. ② (음식의) 조리 ; 요리법; 취사 : livre de ~ 요리책 / recette de ~ 요리법. ③ 요리, 음식 : la ~ française 〔chinoise〕 프랑스〔중화〕 요리 / ~ grasse 기름진 요리. ④ 《구어》 협잡(= manœuvre louche), 잔재주 : ~ électorale 선거 협잡. ***batterie de ~*** 부엌 세간. ***~ de restaurant*** 식당 음식. ***de ~*** 엉터리의, 서투른, 질이 나쁜 : compte *de* ~ 엉터리 계산. ***faire la ~*** 음식을 만들다. ***faire aller*** 〔***rouler***〕 ***la ~*** 《옛》 식비를 요령 있게 쓰다.

cuisiné, e [kɥizine] *adj.* 조리된, 조리가 끝난 : plats ~*s* 조리가 끝난 요리

cuisiner [kɥizine] *v.i.* 음식을 만들다(= faire la cuisine). ── *v.t.* ① 조리하다, 요리하다. ② 《~ qn》 《구어》 (실토시키려고) 엄하게 심문하다.

cuisinette [kɥizinɛt] *f.* 간이부엌(= kitchenette).

cuisinier, ère** [kɥizinje, -ɛ:ʀ] *n.* 요리사, 쿡 : aide-~ 쿡 조수, 접시닦이 / Elle est très bonne ~*ère*. 그녀는 훌륭한 요리사이다. *m.* 요리책. *f.* 요리용 화덕. ~*ère* électrique 〔à gaz〕 전기〔가스〕 레인지. ***Trop de ~ères gâtent la sauce. 《속담》 사공이 많으면 배가 산으로 올라간다.

cuissard, e [kɥisa:ʀ, -aʀd] *f.* (주로 *pl.*) (넓적다리 끝까지 오는) 고무장화 (= bottes ~s).

cuisse** [kɥis] *f.* ① 넓적다리 (고기) : ~ de bœuf 소의 넓적다리 (고기). ② 《구어》 (주로 *pl.*) 넓적다리, 엉덩이. ***se croire sorti de la ~ de Jupiter 《구어》 거드름피우다, 우쭐대다.

cuisseau [kɥiso] *m.* (*pl.* ***~x***) 〖요리〗 (송아지의) 넓적다리 고기.

cuisson [kɥisɔ̃] *f.* ① (음식물을) 익히기〔굽기·삶기·볶기·졸이기〕. ② (벽돌 따위를) 굽기 ; 〖화학·공업〗 하소(煆燒). ③ 얼얼한 아픔; 쓰라림.

cuissot [kɥiso] *m.* (짐승의) 허벅다리 고기 ; 허벅살.

cuistance [kɥistɑ̃:s] *f.* ① 《구어》 취사, 취사 ; 음식. ② 《군대속어》 취사장.

cuistot [kɥisto] *m.* 취사 당번, 요리사 《cuistaud, cuisteau 라고도 씀》.

cuistre [kɥistʀ] *m.* ① 유식한 체하는 사람 ; 현학자. ② 예의〔교양〕 없는 사람. ── *adj.* 유식한 체하는 : Il est un peu ~. 그는 다소 현학자연한다.

cuistrerie [kɥistʀəʀi] *f.* ① 유식한 체하기. ② 예의〔교양〕 없는 태도.

cuit, e[1] [kɥi, -it] *adj.* ① 익힌, 구운 : baguette bien ~*e* 잘 구운 바게트 / bœuf bien ~ 잘 익은 쇠고기 / bœuf peu ~ 설익힌 쇠고기 / vin ~ (포도즙을 농축시킨) 아페리티프용 포도주. ② (벽돌 따위가) 구운 : brique ~*e* 구운 벽돌. ③ (햇볕에) 그을은(= hâlé) : visage ~ 햇볕에 그을린 얼굴. ④ 《속어》 술취한(= ivre). ***C'est*** (***du***) ***tout ~ !*** 《구어》 예상했던〔쉬운〕 일이다. ***être ~*** 《구어》 끝장이 나다, 파산하다.

cuite[2] [kɥit] *f.* ① (벽돌 따위를) 굽기 ; (시럽 따위를) 졸이기. ② 《속어》 취기, 명정(酩酊)(= ivresse) : avoir 〔prendre〕 une (bonne) ~ 《속어》 술에 취하다.

cuiter [kɥite] 《속어》 *v.t.* 취하게 하다. ── **se ~** *v.pr.* 술에 취하다(= s'enivrer).

cuivre** [kɥi:vʀ] *m.* ① 구리, 동(銅)(= ~ rouge) (《약자》 Cu) : ~ jaune 황동, 놋쇠(= laiton). ② (보통 *pl.*) 구리 제품, 《특히》 구리〔놋〕 그릇 : casserole en ~*s* 구리로 만든 스튜냄비. ③ (*pl.*) 금관악기 ; 금관악기의 소리 : orchestre de ~*s* 브라스 밴드. ④ 〖미술〗 동판(화)(= gravure sur ~). ⑤ 적동색, 구릿빛 : ciel de ~ 구릿빛 하늘. ***~ blanc 백동. ***~*** (***de***) ***rosette*** 순동(純銅). ***faire les ~s*** 구리〔놋〕 그릇을 닦다.

cuivré, e [kɥivʀe] *adj.* ① 구릿빛의, 적동색의 : peau ~*e* 구릿빛 피부. ② (소리가) 새된, 금속성을 띤.

cuivrer [kɥivʀe] *v.t.* ① 구리로 도금하다. ② 구릿빛〔적동색〕으로 만들다.

cuivrerie [kɥivʀəʀi] *f.* 구리 제련소 ; 구리 세공 ; 구리 제품 (판매소).

cuivreux, euse [kɥivʀø, -ø:z] *adj.* ① 구리 같은 ; 구리를 함유한. ② 구릿빛의, 적동색의 : couleur ~*euse* 구릿빛 색깔. ③ (소리가) 새된, 금속성을 띤.

cul [ky] *m.* ① (사람·동물의) 엉덩이 : trou du ~ 《비어》 항문. ② (병 따위의) 밑(바닥) ; (차 따위의) 뒷부분 ; (배의) 고물, 선미 :

pousser la voiture au ~ 《구어》 차를 뒤에서 밀다. ③ 《속어》 바보(= idiot, imbécile). ④ 《구어》 성행위 : histoire de ~ 음담패설. ***~ par-dessus tête*** 《옛》 곤두박질하여. ***~ terreux*** 농부. ***en avoir plein le ~*** 《속어》 진저리가 나다, 지긋지긋하다. ***en rester sur le ~*** 깜짝 놀라 넋을 잃고 있다, 기절초풍하다. ***être comme ~ et chemise*** 떨어질 수 없는 사이이다. ***être sur le ~*** 기진맥진하다, 탈진 상태이다. ***faire ~ sec*** 단숨에 술잔을 비우다.

culasse [kylas] *f.* ① (포신(砲身) 총대)의 뒤끝 ; 폐쇄기 ; 노리쇠. ② (내연기관의) 실린더 헤드.

culbutage [kylbyta:ʒ] *m.* 뒤집어엎기, 곤두박질.

culbute [kylbyt] *f.* ① 재주넘기, 곤두박질 ; 전복. ② 《구어》 파산(= banqueroute) ; 붕괴, 와해 (= ruine) : ~ d'un ministère (내각의) 실각. ③ 〖상업〗 (물건을 전매해서) 곱장사를 하기. ***faire la ~*** ⓐ 《구어》 곤두박질하다. ⓑ 〖상업〗 곱장사를 하다.

culbuter [kylbyte] *v.t.* ① 거꾸로 넘어뜨리다 ; 뒤엎다(= renverser) : ~ un tonneau 통을 쓰러뜨리다. ② 전복〔붕괴 · 와해〕시키다 ; 도산시키다 : ~ un ministère 내각을 붕괴시키다. ③ (적을) 물리치다, 격퇴하다 : ~ l'ennemi 적을 격퇴하다. — *v.i.* ① 곤두박질하다, 추락하다 : voiture qui *culbute* 곤두박질하는 자동차. ② 쓰러지다 ; 붕괴〔와해〕하다 ; 실각하다 ; 도산하다.

culbuteur [kylbytœ:ʀ] *m.* 〖기계〗 (내연기관의) 밸브로커 ; (트럭 따위의) 짐판을 기울게 하는 장치 ; 《옛》 오뚝이.

cul-de-basse-fosse [kydbɑsfo:s] *m.* (*pl.* **~s-~-~-~**) (습한) 지하 감옥.

cul-de-jatte [kydʒat] *m.* (*pl.* **~s-~-~**) ① 앉은뱅이, 두 다리가 없는 사람. ② 다리가 짧거나 구부러진 사람.

cul-de-lampe [kydlɑ̃:p] *m.* (*pl.* **~s-~-~**) 〖건축〗 천장의 장식《교회당의 등 모양의 것》.

cul-de-poule [kydpul] *m.* (*pl.* **~s-~-~**) (창문 쇠고리의) 손잡이. ***bouche en ~*** 둥글게 내밀며 비쭉거리는 입.

cul-de-sac [kydsak] *m.* (*pl.* **~s-~-~**) ① 막다른 길〔골목〕(= impasse) ; 출구가 없는 장소. ② 《비유》 (상황 따위의) 막다른 처지, 궁지 ; 장래성 없는 직업〔사업 · 지위〕.

culée [kyle] *f.* ① 〖토목〗 교대(橋臺) ; 〖건축〗 (아치 · 궁륭을 받치는) 대(臺), 측벽(側壁). ② (가죽의) 두터운 부분.

culer [kyle] *v.i.* 〖해양〗 (배가) 후진하다(= reculer).

culex [kylɛks] *m.* 〖곤충〗 모기.

culinaire [kylinɛ:ʀ] *adj.* 요리의 : art ~ 요리법.

culminant, e [kylminɑ̃, -ɑ̃:t] *adj.* ① 〖천문〗 자오선상(子午線上)의. ② 최대 고도의 ; 꼭대기의 : point ~ de sa gloire 영광의 절정 / point ~ des Alpes 알프스 산맥의 최고봉.

culminer [kylmine] *v.i.* ① (산 따위가) 정점에 달하다, 높이 솟다 : Ce sommet *culmine* à 3,100 m. 이 산의 최고봉은 3,100 미터다. ② 〖천문〗 (천체가) 자오선에 달하다, 남중하다.

culot [kylo] *m.* ① (물건의) 밑부분, (포탄의) 후미 : ~ d'obus 포탄의 후미. ② (용기 · 파이프 밑바닥에 괴는) 찌꺼기. ③ 《구어》 뻔뻔스러움, 무모함(= audace) : Il ne manque pas de ~. 그는 배짱도 좋다 / avoir du ~ 뻔뻔하다.

culoté, e [kylɔte] *adj.* 《구어》 뻔뻔스러운, 무모한.

culottage [kylɔta:ʒ] *m.* (파이프를) 담뱃진에 절게 하기.

culotte** [kylɔt] *f.* ① 짧은 바지, 반바지 ; 긴 바지(= pantalon) ; (여자의) 드로즈 : ~ de cheval 승마바지 / ~ de bain 수영팬티 / ~ de boxeur 권투 선수의 트렁크스. ② 〖요리〗 (소의) 넓적다리 고기. ③ 《구어》 (도박에서) 크게 잃기, 대실패. ***jouer ses ~s (노름 · 내기에서) 마지막 돈을 걸다. ***porter la ~*** 《구어》 (아내가) 남편을 휘두르다. ***prendre une ~*** 《구어》 (도박에서) 크게 잃다.

culotté¹, e¹ [kylɔte] *adj.* 짧은 바지를 입은.

culotté², e² *adj.* ① (파이프가 담뱃진에) 전 : pipe *~e* 검게 전 파이프. ② (오래 써서) 손때가 묻은 : gants ~ 손때가 묻은 장갑.

culotté³, e³ *adj.* 《속어》 뻔뻔스러운, 철면피한(= effronté).

culotter¹ [kylɔte] *v.t.* …에게 짧은 바지를 입히다. — **se ~** *v. pr.* 짧은 바지를 입다.

culotter² *v.t.* ① (파이프를 담뱃진에) 절게 하다. ② (오래 써서) 손때가 묻게 하다.

culpabilisation [kylpabilizɑsjɔ̃] *f.* 〖정신의학〗 죄의식을 갖게 하기 ; 죄악감.

culpabiliser [kylpabilize] *v.t.* 〖정신의학〗 죄의식을 갖게 하다.

culpabilité [kylpabilite] *f.* ① 유죄성(有罪性) (≠ innocence) ; 죄과(罪過) : démentrer la ~ d'un accusé 피고의 유죄를 입증하다. ② 〖정신의학〗 죄의식, 죄책감(= sentiment de ~).

culte** [kylt] *m.* ① (신에 대한) 예배 ; 예찬, 숭배(= adoration) : bâtiment du ~ 예배당, 교회. ② 신앙, 종교(= religion) : changer de ~ 종교를 바꾸다 / ~ catholique〔protestant〕 가톨릭교〔신교〕. ③ 종교 예식 ; (신교의) 예배 ; 제사(祭祀), 제식(祭式) : ~ catholique 가톨릭교의 예식, 미사 / ~ protestant 신교의 예배. ***avoir un ~ pour qn ***; rendre*** 〔***vouer***〕 ***un ~ à*** qn …을 숭배하다.

cul-terreux [kyltɛʀø] *m.* (*pl.* **~s-~**) 《경멸》 농부, 촌놈(= paysan).

cultivable [kyltivabl] *adj.* 경작에 적합한, 경작이 가능한 : ~ espace 경작이 가능한 공지(空地).

***cultivateur, trice** [kyltivatœ:ʀ, -tʀis] *n.* 농부, 경작자(= agriculteur, paysan) : riche ~ 부농 / petit ~ 영세농. — *m.* 작은 쟁기 ; 경운기. — *adj.* 농사에 종사하는.

cultivé, e [kyltive] *adj.* ① 경작된, 재배된 : terre *~e* 경작지 / plante *~e* 재배 식물. ② 단련된. ③ 교양 있는 : esprit ~ 교양인.

***cultiver** [kyltive] *v.t.* ① (땅을) 경작하다(= labourer) ; (작물을) 가꾸다, 재배하다 : ~ la terre〔un champ〕 토지를〔밭을〕 경작하다 / ~ la vigne 포도를 재배하다. ② (취미 따위를) 기르다 ; (학문 · 소질 따위를) 닦다, 연마하다 : ~ un goût〔don〕 취미를〔재질을〕 기르다. ③ …에 관심을 쏟다, 전념하다 (= s'intéresser à, s'adonner à) : ~ la poésie 시에 열중하다. ④ (교우 관계를) 돈독히

하다; (친구와) 교제하다: ~ ses relations 인간 관계를 소중히 하다 / ~ ses amis 친구들과 가까이 사귀다. — **se ~** *v.pr.* ① 경작되다. ② 교양을 쌓다; 취미를 기르다.

cultuel, elle [kyltɥɛl] *adj.* (종교) 의식상의; 예배의.

culture** [kylty:ʀ] *f.* ① 경작; 재배; (*pl.*) 경작지: ~ d'un champ 밭의 경작 / ~ fruitière 과수 재배 / ~ biologique 유기 재배. ② 농업, 농법: ~ intensive 집약 농업 / ~ mécanique 기계화 농법. ③ (굴 따위의) 양식; (세균의) 배양: ~ des huîtres 굴 양식 / ~ des abeilles 양봉 / ~ des tissus 〖생물〗 조직 배양. ④ (정신의) 수양; 연마; 도야: ~ de l'esprit 정신의 도야: ⑤ 교양, 소양: ~ générale 일반 교양 / ~ musicale 음악적 소양. ⑥ 문화: ~ occidentale 서양 문화 / la ~ française 프랑스 문화 / ~ de masse 대중문화. ***~ physique 체육. ***homme de haute ~*** 교양이 높은 사람.

culturel, elle [kyltyʀɛl] *adj.* 문화의; 교양의: centre ~ 문화관 / relations *~elles* 문화 교류 / ministère des affaires *~elles* 문화부.

culturisme [kyltyʀism] *m.* 보디빌딩.

culturiste [kyltyʀist] *adj.* 보디빌딩의. — *n.* 보디빌딩 운동가.

cumin [kymɛ̃] *m.* 〖식물〗 커민《미나릿과(科)의 풀》; 그 씨《조미료·향료로 쓰임》.

cumul [kymyl] *m.* ① 병합(倂合). ② 겸임, 겸직: ~ de mandats 공무의 겸임.

cumulable [kymylabl] *adj.* ① 병합 가능한. ② 겸직할 수 있는.

cumulatif, ive [kymylatif, -i:v] *adj.* 누적(累積)한; 〖법률〗 병합〔누가〕적인: donation *~ive* 누적 증여.

***cumuler** [kymyle] *v.t.* ① (증거 따위를) 누적(累積)하다. ② 겸임하다, 겸직하다: ~ deux fonctions 두 가지 직을 겸임하다.

cumulus [kymylys] *m.* 《복수불변》 〖기상〗 뭉게구름, 적운.

cunéiforme [kyneifɔʀm] *adj.* 설형(楔形)의: caractères *~s* (아시리아의) 설형 문자.

cupide [kypid] *adj.* 《문어》 (재물을) 탐하는, 욕심 많은(= avide): regard ~ 탐욕스런 눈초리. 「욕스럽게.

cupidement [kypidmɑ̃] *adv.* 욕심부려, 탐

cupidité [kypidite] *f.* 탐욕, 욕심.

Cupidon [kypidɔ̃] *m.* 〖로마신화〗 연애의 신, 큐피드. — **C~** *m.* 미소년, 미남 청년.

cuprifère [kypʀifɛ:ʀ] *adj.* 구리를 함유하는.

cupule [kypyl] *f.* 〖식물〗 잔 모양의 기관, (도토리·밤 따위의) 각두(殼斗), 깍정이.

curable [kyʀabl] *adj.* 고칠 수 있는, 치유할 수 있는: affection ~ 고칠 수 있는 병.

curaçao [kyʀaso] *m.* 퀴라소《오렌지 껍질로 만든 술 이름》.

curage [kyʀa:ʒ] *m.* ① 소제, 청소. ② 준설(浚渫), 준설토〔진흙〕: ~ d'un égout 하수구의 준설〔청소〕.

curare [kyʀa:ʀ] *m.* 쿠라레《남미의 토인들이 사용하는 화살 끝에 칠하는 독약; 현재는 마취용 약품으로 쓰임》; 쿠라레독이 채취되는 식물. 「견(後見).

curatelle [kyʀatɛl] *f.* 〖법률〗 재산 관리; 후

curateur, trice [kyʀatœ:ʀ, -tʀis] *n.* 재산 관리인, (미성년자·심신 장애자의) 후견인.

curatif, ive [kyʀatif, -i:v] *adj.* 치료의. — *m.* 약, 치료제. 「《향신료》.

curcuma [kyʀkyma] *m.* 〖식물〗 강황(薑黃)

cure[1] [ky:ʀ] *f.* ① 주의, 배려, 염려: avoir 〔prendre〕 ~ de …에 주의하다. ② 〖의학〗 치료; 요법; 온천 요법, 탕치: ~ d'air 대기 요법 / faire une ~ thermale 온천 (수) 치료를 하다 / ~ d'eaux minérales 탕치(湯治). ***n'avoir ~ de*** …을 개의치 않다.

cure[2] *f.* 주임 신부〔사제〕의 직분〔사택〕.

***curé** [kyʀe] *f.* 주임 신부〔사제〕(= prêtre); 《구어》 신부(= abbé).

cure-dent(s) [kyʀdɑ̃] *m.* 이쑤시개.

curée [kyʀe] *f.* ① 〖사냥〗 (사냥개에게 주는) 짐승의 내장; (사냥개에게) 짐승의 내장을 주기〔주는 때〕. ② (관직·이익 따위의) 쟁탈전: ~ des places 자리를 차지하려고 다투기. ***être âpre à la ~*** 이익을〔명예를〕 탐내다.

cure-ongles [kyʀɔ̃:gl] *m.* 《복수불변》 손톱 손질 기구.

cure-oreille [kyʀɔʀɛj] *m.* 귀이개.

cure-pipe [kyʀpip] *m.* (*pl.* **~-~s**) 파이프 소제 기구.

curer [kyʀe] *v.t.* ① (하수도 따위를) 청소하다, 쳐내다, 준설하다: ~ un canal 운하를 준설하다. ② (손톱·이 따위를) 소제하다. — **se ~** *v.pr.* 자기의 (손톱·이 따위를) 소제하다: *se* ~ les dents 〔oreilles〕 이를 쑤시다〔귀를 후비다〕.

curette [kyʀɛt] *f.* ① (녹 따위를) 긁어내는 기구. ② 〖의학〗 큐렛《이물질 적출용 기구》.

curie[1] [kyʀi] *f.* ① 〖고대로마〗 쿠리아《고대로마 시민의 구분 따위》; 원로원. ② 〖종교〗 로마 교황청(= la ~ romaine).

curie[2] *m.* 〖물리〗 퀴리《방사능의 단위; 현재는 becquerel 이 쓰임》.

curieusement [kyʀjøzmɑ̃] *adv.* ① 호기심으로; 신기한 듯이. ② 야릇하게, 기묘하게: être ~ habillé 야릇한 옷차림을 하고 있다.

⁑curieux, euse [kyʀjø, -ø:z] *adj.* ① ⓐ 《~ de qc》 …을 알고 싶어하는, 보고 싶어하는. ⓑ 《~ de + *inf.*》 …하고 싶어하는(= désireux): Je serais ~ *de* savoir comment. 어떻게 해서 그리 되는지 알고 싶다. ② 호기심 많은, 캐기 좋아하는(≠ indifférent): esprit ~ 호기심 많은 사람 / regarder qn d'un œil ~ …을 호기심 어린 눈으로 보다. ③ 이상스러운, 야릇한, 신기한(= bizarre, étrange): une *~euse* habitude 이상야릇한 버릇. ④ 《~ de》 《옛》 …을 염려하는, …에 관심을 가진: Il n'en est pas ~. 그는 그런 일에는 아랑곳하지 않는다. ***Chose ~euse, …*** 이상하게도 …하다: *Chose ~euse*, personne ne l'a reconnu. 이상하게도 아무도 그를 알아보지 못했다. — *n.* ① 호기심 많은 사람: petite *~euse* 호기심 많은 아가씨. ② 구경꾼: écarter 〔éloigner〕 les ~ 구경꾼을 내쫓다. — *m.* ① 이상스러운 점, 신기한 일. ② (골동품 따위의) 수집가(= collectionneur).

curiosité [kyʀjozite] *f.* ① 호기심, 관심: ~ intellectuelle 지적 호기심 / être poussé par la ~ 호기심에 이끌리다 / exciter 〔éveiller〕 la ~ 호기심을 자극하다. ② 이상

야릇함, 신기함. ③ (*pl.*) 진귀한 물건, 골동품 ; 명소 : ~s de Paris 파리의 명소 / magasin de ~s 골동품 가게. ***par ~*** 호기심에서.

curiste [kyʀist] *n.* 온천 요법을 하는 사람, 온천 요양자.

curium [kyʀjɔm] *m.* 〖화학〗 퀴륨.

curriculum vitæ [kyʀikylɔmvite] *m.* 이력(서) 《C.V. 로 생략》 : établir son C.V. 이력서를 작성하다.

C

curry [kyʀi] 〔영〕 *m.* 〖요리〗 카레 (가루) : riz au ~ 카레라이스.

curseur [kyʀsœːʀ] *m.* (계산자 · 저울 따위의) 슬라이더, 유표(遊標) ; (컴퍼스 따위의) 조정된 나사.

cursif, ive [kyʀsif, -iːv] *adj.* ① 초서(체)의, 흘림글씨의. ② (독서 · 문체 따위가) 조잡한. — *f.* 초서체, 흘림글씨 ; 〖인쇄〗 초서체 활자. ***écrire en ~ive*** 흘려 쓰다.

cursus [kyʀsys] 〔라틴〕 *m.* 전공 과정 : des ~s universitaires 대학의 전공 과정.

curvi- *préf.* 「굽은」의 뜻.

curviligne [kyʀviliɲ] *adj.* 곡선의(≠ rectiligne) ; 〖수학〗 호선(弧線)의.

cutané, e [kytane] *adj.* 〖해부〗 피부의 : affection 〔maladie〕 ~e 피부병.

cuticule [kytikyl] *f.* 〖생물〗 표피(表皮) ; 〖식물〗 상피(上皮).

cuti(-)réaction [kytiʀeaksjɔ̃] *f.* 〖의학〗 (투베르쿨린 따위의) 피부 반응 검사(《약자》 cuti).

cuve [kyːv] *f.* ① 큰 통, 탱크 ; 양조통 : ~ de brasseur 맥주 양조통 / ~ à mazout 연료 탱크 / ~ à lessive 빨래통. ② 〖사진〗 ~ à développement 현상통.

cuveau [kyvo] *m.* (*pl.* **~x**) 작은 통.

cuvée [kyve] *f.* ① 통 하나의 분량 : une ~ d'essence 한 통의 휘발류. ② 한 양조통 안의 포도주 : la ~ 1959, 1959 년산 포도주. ③ (한 포도원의) 포도주 생산량. ④ 포도주의 등급. ***boire une bonne ~*** 《속어》 술을 많이 마시다. ***un buveur de première ~*** 《구어》 술꾼. ***vin de ~ extra*** 〔***hors ligne***〕 특급주(酒). ***vin de la première*** 〔***seconde***〕 ~ 1 급〔2 급〕 포도주.

cuver [kyve] *v.i.* (술 따위가) 익다, 발효하다 : faire ~ le vin 포도주를 발효시키다. — *v.t.* ① 발효시키다. ② 술이 깨게 하다. ③ 《비유》 (감정 따위를) 진정시키다 : ~ sa colère 분노를 진정시키다. ***~ son vin*** 〔***sa boisson***〕 술을 깨게 하다 ; 진정하다.

cuvette [kyvɛt] *f.* ① 대야, 양푼 ; 세면대 ; (수세식) 변기 : ~ de toilette 세수대야. ② 〖건축〗 (지붕의) 빗물받이. ③ (기압계의) 수은 접시 ; (사진의) 현상 접시. ④ 〖지리〗 분지(盆地)(= bassin).

cuvier [kyvje] *m.* 빨랫대야.

C.V. 《약자》 curiculum vitae 이력서.

c.v. 《약자》 《옛》 cette ville (상용문에서) 당지(當地), 당시(當市).

cyanhydrique [sjanidʀik] *adj.* 〖화학〗 시안화(化)수소의.

cyanure [sjanyːʀ] *m.* 시안화물(化物) : ~ de potassium 청산칼리.

cybernéticien, enne [sibɛʀnetisjɛ̃, -ɛn] *n.* 인공두뇌학자. — *adj.* 인공두뇌학자의.

cybernétique [sibɛʀnetik] *f.* 사이버네틱스. — *adj.* 사이버네틱스의 〔에 의한〕 ; 컴퓨터에 의한.

cyclable [siklabl] *adj.* 자전거 전용의 : piste ~ (도로에 설치된) 자전거 전용 도로.

cycle [sikl] *m.* ① 〖천문〗 순환기, 주기(週期) ; 순환, 사이클 : ~ des saisons 계절의 순환 / ~ économique 경제 순환 / ~ solaire 태양의 주기. ② 자전거 《bicyclette, tricycle, motocyclette, vélomoteur 등의 총칭》. ③ 〖문학〗 (동일 사건 · 인물로 엮어지는) 서사시군(群) ; (소설 따위의) 연작. ④ 학사(學事) 과정(= ~ d'études) : enseignement du premier 〔second〕 ~ 중등교육 전기〔후기〕 과정 《전기는 우리 나라의 중학교, 후기는 고등학교 과정에 해당》 / premier ~ (대학의) 제 1 과정 《교양 과정》 / deuxième ~ 제 2 과정 《학사 · 석사 과정》 / troisième 제 3 과정 《박사 과정》.

-cycle *suff.* 「원(圓) · 바퀴」, 때로 「자전거」의 뜻.

cyclique [siklik] *adj.* ① 〖천문〗 주기(週期)의, 순환(기)의. ② 자전거에 관한. ③ 〖화학〗 환식(環式)의. ④ 〖문학〗 군(群)을 이루고 있는, 연작의 : roman ~ 연작 소설. ***fleur ~*** 〖식물〗 윤생화(輪生花). ***poèmes ~s*** 〖문학〗 (동일 사건 · 인물로 이어지는) 일군(一群)의 시〔서사시〕.

cyclisme [siklism] *m.* 자전거 경기〔여행〕.

***cycliste** [siklist] *n.* 사이클링 선수(= coureur ~), 자전거 타는 사람. — *adj.* 자전거의, 자전거 경주의.

cyclo [siklo] *m.* 모터바이크 《cyclomoteur 의 생략》; 자전거 여행자 《cyclotouriste의 생략》.

cyclo-cross [siklɔkʀɔs] *m.* 〖스포츠〗 사이클로크로스 《자전거 크로스컨트리 경주》.

cyclomoteur [siklɔmɔtœːʀ] *m.* 모터바이시클 《소형 모터가 달린 자전거》.

cyclone [sikloːn] *m.* ① 폭풍우, 태풍(= ouragan, typhon). ② 〖기상〗 사이클론, 열대성 저기압 ; 저기압권. ③ 《비유》 태풍 같은 사람.

cyclope [siklɔp] *m.* ① (*C~*) 〖그리스신화〗 키클로페스, 외눈의 거인. ② 거대한 사업을 하는 사람, 거인 : travail ~ 거대한 사업.

cyclopéen, enne [siklɔpeɛ̃, -ɛn] *adj.* 거대한, 거인의 : travail ~ 거대한 일.

cyclothymie [siklɔtimi] *f.* 〖의학〗 조울병.

cyclotourisme [siklɔtuʀism] *m.* 자전거 여행.

cygne [siɲ] *m.* ① 〖조류〗 백조 ; 백조의 솜털 : ~ chanteur 〔sauvage〕 큰 백조 / manteau garni de ~ 백조 솜털로 안을 댄 망토. ② (*C~*) 〖천문〗 백조자리. ③ bec de ~ (백조의 부리처럼 생긴) 수도꼭지 ; (외과용의) 겸자(鉗子). ***chant du ~*** (시인 · 음악가 등의) 최후의 대걸작(大傑作). ***col de ~*** (백조의 목처럼) 구부러진 관.

cylindre [silɛ̃ːdʀ] *m.* ① 〖기하〗 원기둥, 원주 : ~ direct 직원주. ② (증기 기관 · 발동기의) 기통(氣筒), 원통, 실린더(= rouleau) : moteur à quatre ~s, 4 기통 발동기. ③ (금속의) 압연 롤러 : ~ de laminoir 압연 롤러.

cylindrée [silɛ̃dʀe] *f.* ① 원기둥의 부피. ② 〖기계〗 (발동기의) 기통의 용적, 배기량 ; (엔진의) 총배기량 : voiture de 1,500 cm^2 de

~ 배기량 1,500 cc의 차 / grosse 〔petite〕 ~ 대형〔소형〕 엔진차.

cylindrer [silɛ̃dʀe] *v.t.* ① 롤러로 밀다〔감다·말다〕: ~ une route 길을 롤러로 밀다. ② 원통형으로 만들다.

cylindrique [silɛ̃dʀik] *adj.* 원기둥의, 원주의, 원통형의.

cymbale [sɛ̃bal] *f.* 심벌즈《악기 이름》.

cymbalier [sɛ̃balje], **cymbaliste** [sɛ̃balist] *m.* 심벌즈 주자.

cynégétique [sineʒetik] *adj.* 《문어》 사냥의, 수렵의. — *f.* 사냥술, 수렵술.

cynique [sinik] *adj.* ① 〖철학〗 퀴닉학파의, 견유학파(犬儒學派)의. ② 파렴치한; 추잡스러운(= impudent), 냉소적인: individu ~ 파렴치한 자. — *m.* ① 〖철학〗 견유학자. ② 파렴치한 사람.

cyniquement [sinikmɑ̃] *adv.* 파렴치하게; 추잡스럽게; 냉소적으로, 빈정거리며.

cynisme [sinism] *m.* ① 〖철학〗 견유주의; 냉소적 태도. ② 파렴치; 추잡스러움.

cynocéphale [sinɔsefal] *m.* 〖동물〗 (얼굴 모양이 개 같은) 비비(狒狒).

cynodrome [sinɔdʀoː〔ɔ〕m] *m.* 개 경주장.

cyprès [sipʀɛ] *m.* ① 〖식물〗 실편백《애도의 상징》. ② 《비유》 죽음, 애도, 슬픔.

cyprin [sipʀɛ̃] *m.* 〖어류〗 ① 잉어과(科)(의 물고기). ② 금붕어(= ~ doré).

cypriote [sipʀijɔt] *adj.* 키프러스 섬(*le Chypre*)의. — **C~** *n.* 키프러스 사람.

cyrillien, enne [siʀi(l)ljɛ̃, -ɛn], **cyrillique** [siʀi(l)lik] *adj. m.* alphabet ~ 키릴 자모《슬라브인의 사도라고 불리는 *Saint Cyrille* (827–869)이 고안했다는 문자》.

cystite [sistit] *f.* 〖의학〗 방광염.

cystotomie [sistɔtɔmi] *f.* 〖의학〗 방광 절개 수술.

-cyte *suff.* 「세포」의 뜻.

cytise [sitiːz] *f.* 〖식물〗 금작화류(類).

cyto- *préf.* 「세포」의 뜻.

cytologie [sitɔlɔʒi] *f.* 〖생물〗 세포학.

cytopathologie [sitopatolɔʒi] *f.* 〖의학〗 세포병리학.

cytoplasma [sitɔplasma], **cytoplasme** [sitɔplasm] *m.* 〖생물〗 세포질(細胞質).

czar [ksaːʀ] *m.*, **czaréwitch** [ksaʀevitʃ] *m.*, **czarine** [ksaʀin] *f.* = tsaʀ, tsaʀéwitch, tsaʀine.

D

D, d [de, 《드물게》 də] *m.* ① 프랑스 자모의 제 4 자. ② 〖음악〗 라음(音) ; 라조(調). ③ (*D*) 로마 숫자의 500. ***le système D***《D 는 débrouillard 의 머리 글자》《구어》 곤경에서 벗어나는 요령, 약은 꾀.
d' [d] de 의 단축형.
da, dà [da] *interj.* 《구어》《Oui, Non, Nenni 의 조사(助詞)로서 긍정 혹은 부정의 뜻을 강조함》: Oui-*da !* 암, 그렇고 말고 !
DAB, D.A.B. 《약자》 distributeur automatique de billets 자동 매표기.
d'abord [dabɔːʀ] ⇒ abord.
dacry(o)- *préf.* 「눈물」의 뜻.
***dactylo** [daktilo] *n.* 《구어》 타이피스트(= dactylographe). — *f.* = dactylographie.
dactylo- *préf.* 「손가락」의 뜻.
dactylographie [daktilɔgʀafi] *f.* 타자기 사용법.
dactylographier [daktilɔgʀafje] *v.t.* 타자기로 치다(= taper) : ~ une lettre 편지를 타자기로 치다.
dactylographique [daktilɔgʀafik] *adj.* 타자기의, 타자기로 치는.
dada [dada] *m.* ① 《소아어》 말(馬). ② 즐겨 하는 이야기 ; 지론(持論). ③ 〖미술 · 문학〗 다다이즘(= dadaïsme). ***enfourcher son ~*** 지론을 꺼내다〔되풀이하다〕. — *adj.* école ~ 다다파(派) / mouvement ~ 다다 운동.
dadais [dadɛ] *m.* 《구어》 멍텅구리, 얼간이 (= nigaud, sot) : grand ~ 큰 바보.
dague [dag] *f.* 단검(短劍).
daguet [dagɛ] *m.* 〖사냥〗 두 살짜리 수사슴.
dahlia [dalja] *m.* 〖식물〗 다알리아.
daigner [dɛ(e)ɲe] *v.t.* 《~+*inf.*》 …해주다 : Le roi *a daigné* lui parler. 임금님은 그에게 말을 걸어 주셨다 / *Daignez* accepter ces quelques fleurs. 이 몇 송이의 꽃을 받아 주십시오 / Il n'*a* même pas *daigné* répondre. 그는 대답조차 안 해주었다.
d'ailleurs [dajœːʀ] *loc. adv.* ⇒ ailleurs.
daim [dɛ̃] *m.* ① 사슴의 일종 ; 사슴 가죽(= peau de ~). ② 쉬에드 가죽(= cuir de suédé). ③ 《구어》 바보, 멍텅구리.
daine [dɛn] *f.* 《드물게》 암사슴《사냥꾼은 dine라 부름》.
dais [dɛ] *m.* ① (왕좌 · 제단 따위에 치는) 닫집(= baldaquin). ② 〖가톨릭〗 이동 닫집 ; 마차 · 자동차의 포장.
dal, dalle¹ [dal] *adv.* 《속어》《다음 경우에만 씀》 ***que dal(le)*** 《속어》 전혀, 아무것도(= rien) : ne voir 〔ne dire〕 *que dal(le)* 아무것도 안 보이다〔아무 말도 안 하다〕.
dalaï-lama [dalailama] 〔몽고〕 *m.* 달라이라마《티벳의 라마교의 교주》(= grand lama).
dallage [dalaːʒ] *m.* ① 포석〔타일〕을 깔기, 포장 공사. ② 포도(鋪道) ; 타일 바닥 : ~ de marbre 대리석 바닥.
dalle² [dal] *f.* ① 포석, 타일 ; (대리석 · 유리 따위의) 판(板) : ~ funéraire 〔tumulaire〕 (무덤의) 평석(平石). ② 《속어》 목구멍.
daller [dale] *v.t.* …에 포석〔타일〕을 깔다, 포장하다 : *dallé* de marbre 대리석을 깐.
— **se ~** *v.pr.* 포석〔타일〕이 깔리다, 포장되다.
dalleur [dalœːʀ] *m.* 포석〔타일〕 까는 사람.
dalmatien, enne [dalmasjɛ̃, -ɛn] *n.* 달마티아 개(= chien de Dalmatie).
dalmatique [dalmatik] *f.* 〖가톨릭〗 (부제(副祭)가 입는 짧은 소매의) 제의(祭衣).
daltonien, enne [daltɔnjɛ̃, -ɛn] *adj.* 색맹증(症)의, 색맹증에 걸린. — *n.* 색맹 (환자).
daltonisme [daltɔnism] *m.* 〖의학〗 색맹(色盲)(= achromatopsie).
dam [dɑ̃] *m.* ① 《옛》 손해(= dommage). ② 지옥에 떨어지기(= damnation). ***agir au grand ~ de*** qn …에게 손해〔폐〕를 끼치다. ***peine du ~*** 영겁〔지옥〕의 벌.
damage [damaːʒ] *m.* 〖토목〗 (땅바닥을) 다져서 굳히기.
damas [dama] *m.* ① 무늬를 짜 넣은 피륙의 일종《*Damas* 원산》. ② 〖식물〗 (*Damas* 원산의) 자두나무(prunus). — **D~** [damɑːs] *n.pr.m.* 〖지리〗 다마스커스《시리아의 수도》.
damasquinage [damaskinaːʒ] *m.* 금 · 은 상감술(象嵌術), 금 · 은 상감세공.
damasquiné, e [damaskine] *adj.* (쇠붙이에) 금 또는 은이 박힌.
damasquiner [damaskine] *v.t.* 〖공업〗 (쇠붙이에) 금 · 은을 박다〔상감하다〕.
damassé, e [damase] *adj.* ① 〖직물〗 무늬를 넣어 짠 ; 능직(綾織)풍의. ② acier ~ 다마스커스 강철. — *m.* 무늬를 넣어 짠 천.
‡dame¹ [dam] *f.* ① 부인(婦人)(≠ sieur) ; 부인(夫人)(= madame) ; 여성(= femme) ; 《구어》 아내, 여편네(= épouse) : devenir ~ 시집가다, 남의 아내가 되다 / la ~ Simon 시몽 부인 / ≪*D~s*≫ 「부인용 (화장실)」 / ≪Monsieur(-)~≫ (상점 · 식당 따위에서) 「신사 숙녀」 / Il est sorti avec sa ~. 그 녀석은 제 여편네와 함께 외출했다. ② 귀부인, 상류 부인 : ~ d'honneur 〔de la cour〕 궁녀, (궁중) 시녀 / ~ de charité 〔d'œuvres〕 ; ~ patronnesse 자선사업을 하는 귀부인. ③ 〖역사〗 (중세의 기사가) 충성을 맹세한 귀부인. ④ (어떤 교단의) 수녀. ⑤ (무도회에서) 파트너가 되는 여인. ⑥ (*D~*) 성모 마리아(= notre Dame, vierge Marie). ⑦ (*pl.*) 체커 놀이(= jeu de ~*s*). ⑧ (체커의) 여왕, (카드 · 체스의) 여왕, 퀸 : ~ de cœur 하트의 퀸 / jouer aux ~*s* 체커놀이를 하다. ⑨ (땅을 다

지는) 달구(= hie). ***aller à ~*** 쓰러지다(= tomber). ***~ de chœur*** 합창대의 수녀. ***D~ du Ciel*** 성모 마리아. ***faire la*** (***grande***) ***~*** 귀부인 행세를 하다. ***la première ~ de France*** 프랑스의 대통령 부인〔퍼스트 레이디〕. ***votre ~*** 댁의 부인.

dame² *interj.* ① 《놀라움》 저런. ② 《망설임》 글쎄. ③ 《oui, non, mais 등과 함께 쓰여서 뜻을 강조》 참말로 : *D~*, oui ! 그렇고 말고 ! / (Mais) ~ ! 그야 물론이지요 !

dame-jeanne [damʒaːn] *f.* (*pl.* ***~s-~s***) (버들가지 따위로 싼) 목이 가는 큰 병.

damer [dame] *v.t.* ① (체커 놀이에서 졸을) 여왕으로 만들다. ② (땅을 달구(dame)로) 다져서 굳히다. ③ (스키로) 눈을 다지다. ***~ le pion à*** qn …에게 이기다, …을 추월하다.

damier [damje] *m.* ① 체커 놀이판 : mots en ~ 크로스워드 퍼즐, 글자 맞추기. ② 〖직물〗 바둑판무늬(= carreau) : tissu en ~ 체크무늬의 천 / jupe à ~*s* 체크무늬의 치마.

damnable [dɑnabl] *adj.* ① 〖신학〗 지옥에 떨어져 마땅한 ; 천벌을 받을 만한 : action ~ 천벌을 받을 만한 행위. ② 《비유》 비난받을 만한, 가증스런(= détestable).

damnation [dɑ(a)nɑsjɔ̃] *f.* 지옥에 떨어뜨리기〔떨어지기〕 ; 서주 ; 영벌, 천벌 ; 보신 괴로움. ── *interj.* 《분노 · 절망을 나타내어》 제기랄, 빌어먹을 : Enfer et ~ ! 지옥에나 떨어져라, 제기랄(= Mort et ~ !).

damné, e [dɑne] *adj.* ① 지옥에 떨어진, 영벌〔천벌〕을 받은 : âme ~*e* 영벌을 받은 영혼 ; 악인. ② 빌어먹을 놈의, 망할 놈의 : Ces ~*s* gamins ! 이 빌어먹을 애새끼들 ! / cette ~*e* fièvre 이 제기랄놈의 열. ***être l'âme ~e de*** qn …에게 맹종하다. ── *n.* 지옥에 떨어진 사람, 영벌〔천벌〕을 받은 사람. ***souffrir comme un ~*** 지독하게, 고생하다.

damner** [dɑne] *v.t.* ① ⓐ 《주어 : Dieu(신)》 지옥에 떨어뜨리다. ⓑ 《주어 : qc〔qn〕》 영벌〔천벌〕을 받게 하다 : péché qui *damne* 천벌을 받을 죄. ② (천벌을 받을 놈이라고) 욕하다. ***Dieu me damne ! 《구어》 참말로 ; 세상에 이럴 수가. ***faire ~*** qn …을 몹시 괴롭히다 ; …을 화나게 하다. ── **se ~** *v.pr.* 지옥에 떨어지다 ; 천벌을 받다.

dan [dan] 〖일본〗 *m.* (유도의) 단(段).

dancing [dɑ̃siŋ] 〔영〕 *m.* 댄스홀《dancing house 의 생략》.

dandinement [dɑ̃dinmɑ̃] *m.* 몸을 좌우로 흔들기〔흔들며 걷기〕.

dandiner [dɑ̃dine] *v.t.* (몸을) 좌우로 흔들다 : ~ sa taille 몸을 좌우로 흔들다. ── **se ~** *v.pr.* 몸을 좌우로 흔들다, 건들거리다.

dandy [dɑ̃di] 〔영〕 *m.* (*pl.* ***~s, -ies***) 세련된 멋쟁이 ; 댄디즘 신봉자.

dandysme [dɑ̃dism] *m.* ① 멋, 멋쟁이 취미. ② 댄디즘《정신적 귀족주의》.

danger** [dɑ̃ʒe] *m.* ① 위험(= péril, risque) : éviter 〔fuir〕 un ~ 위험을 피하다 / échapper au ~ 위험을 모면하다 / signal de ~ 위험 신호 / Attention ~ ! 주의하시오, 위험합니다. ② 《~ de qc》 …이 미치는 위험, 악영향 : ~ *du* tabac 담배의 해독. ③ 걱정, 염려, 우려 : année de tous les ~*s* 모든 면에서 염려스러운 해. ④ (*pl.*) 암초(= écueil). ***courir (***le***) ***~ de*** …의 위험을 무릅쓰다. ***courir un ~*** 위험을 무릅쓰다, 위험한 일을 하다. ***en ~*** 위험한 상태에 : être *en* ~ 위태롭다 / mettre qc *en* ~ …을 위태롭게 하다. ***être en ~ de*** …의 위험에 처해 있다. ***hors de ~*** 위험을 벗어난. ***Il y a du*** 〔***quelque***〕 ***~ à***+*inf.* …하는 것은 위험하다 : *Il y a du ~ à* passer par là. 그 쪽으로 지나가면 위험하다. ***Il y a quelque ~ que***+(***ne***) *sub.* …할 우려가 있다. ***Pas de*** 〔***Il n'y a pas de***〕 ***~ !*** 《구어》 걱정 마라, 천만에.

dangereusement [dɑ̃ʒʀøzmɑ̃] *adv.* 위험스럽게 ; 위독하게 : être ~ blessé 〔malade〕 중상을 입다〔병이 위독하다〕.

dangereux, euse** [dɑ̃ʒʀø, -øːz] *adj.* ① 위험한(= périlleux) ; 해로운(= nuisible) ; (병이) 위독한 : ~ pour l'avenir 장래를 위해 위태로운 / maladie ~*euse* 중병. ② (사람이) 해를 끼치는, 고약한 : voisin ~ 해로운 이웃 / C'est un ~ criminel. 그는 흉악범이다. ***~ à+*inf.* …하기가 위험한〔해로운〕 : rivière ~*euse à* traverser 건너기가 위험한 개천. ***Il est ~ de***+*inf.* 〔***que***+*sub.*〕 …하는 것은 위험하다 : *Il est ~ de* se baigner dans cette zone. 이 지역에서 해수욕하는 것은 위험하다.

***danois, e** [danwa, -aːz] *adj.* 덴마크 (사람, 말)의. ── **D~** *n.* 덴마크 사람. ── *m.* 덴마크어(語) ; 덴마크 개(= chien ~).

‡**dans** [dɑ̃] *prép.* ① 《장소》 ⓐ …안에, 속에(서) : ~ la main 손 안에 / être ~ la maison 집 안에 있다 / demeurer ~ la ville 시내에 살다. ⓑ …에서 : ~ Corneille 코르네이유(의 작품)에(서) / copier qc ~ un livre …을 책에서 베끼다. ⓒ …의 안쪽에, 내부에 : ~ un rayon de 20 kilomètres 반경 20 킬로 내에. ⓓ …(안)으로 : entrer ~ la chambre 방으로 가다 / sortir ~ la rue 거리로 나가다. ⓔ …의 위에〔의〕 : Il y avait de la tristesse ~ son regard. 그의 시선에는 슬픈 기색이 감돌고 있었다.
② 《시간》 ⓐ …이내에, …안으로 : ~ la journée 그날 안으로 / ~ la semaine 주내로 / ~ les dix jours 열흘 이내에. ⓑ …후에 : *D~* combien de temps reviendrez-vous ? (지금부터) 얼마 후에 돌아오시렵니까 ? / ~ dix jours 열흘 후에. ⓒ …때에, …동안에 : ~ sa fuite 달아날 때 / ~ ce temps-là 그 때〔무렵〕(에) / ~ la suite 후에 / ~ le temps 옛날 / ~ ma jeunesse 나의 청춘 시절에 / ~ le temps que …하는 동안에.
③ ⓐ 《상태 · 사정 · 양태》 être ~ une mauvaise position 입장이 거북하다 / vivre ~ l'oisiveté 한가롭게 살다 / ~ un sourire de joie 기쁨의 미소를 짓고. ⓑ 《소속 · 직업》 entrer ~ une famille 가족의 일원이 되다 / être ~ le commerce 상업에 종사하고 있다 / être ~ les autos 자동차 장사를 하고 있다. ⓒ 《방식 · 양식》 …에 맞는 : agir ~ les règles 규칙에 따라 행동하다 / contrat qui est ~ les formes 형식〔격〕에 맞는 계약. ⓓ 《근거 · 기준》 …에 의하면, …에 따라서. ~ mon opinion 내 의견에 의하면 / ~ l'intention de …의 요량으로 / ~ cette hypothèse 이 가정에 따르면. ⓔ 《목적 · 의도》

…으로(서) : ~ ce but 이러한 목적으로 / agir ~ l'intérêt de qn …의 이익을 위해 행동하다. ⓕ《원인·이유》 …이므로 : *D*~ sa peur, elle a poussé un cri. 그녀는 공포에 질려 비명을 질렀다. ⓖ《대립》 …인데도 : Vous ne raisonnez pas trop mal, ~ l'ignorance où vous êtes. 당신은 모르면서도 그럴 듯하게 이론을 펴는군요.
~ les 《구어》 약, 대략 : Ce livre coûte ~ *les* vingt francs. 이 책은 약 20 프랑짜리쯤 될 것이다 / Il a ~ *les* quarante ans. 그는 마흔 살쯤 된다.

D

dansant, e [dɑ̃sɑ̃, -ɑ̃:t] *adj.* ① 춤추는 ; 춤추기 좋아하는 ; 무도의, 춤의. ② 춤추는 듯한 : pas ~ 춤추는 듯한〔경쾌한〕 걸음걸이. ③ (음악이) 춤추기에 알맞은, 흥겨운. ④ 춤이 벌어지는 : soirée 〔réunion〕 ~*e* 무도회.

danse** [dɑ̃:s] *f.* ① 춤, 무용, 무도 : airs de ~ 댄스 곡 / ~ classique 고전 무용. ② 무도법 (= chorégraphie) ; 무도곡. ③《구어》 꾸지람, 징계, 매질(= réprimande). ***~ de Saint-Guy 〖의학〗 무도병(= chorée). ***~ sur la corde*** 줄타기 ; 위험한 짓. ***donner une ~ à*** qn 《구어》 …을 꾸짖다〔때리다〕. ***entrer en*** 〔***dans la***〕 ***~*** 춤에 끼어들다 ; 《구어》 행동을 개시하다. ***mener la ~*** 앞장서서 춤추다 ; 일을 지휘하다. ***payer la ~*** 비용을 부담하다. ***salle de ~*** 무도장, 댄스홀.

danser** [dɑ̃se] *v.i.* ①《주어 : qn》 춤추다, 댄스하다 ; 펄쩍펄쩍 뛰다 ; 마음이 들뜨다 : ~ de joie 기뻐 날뛰다 / ~ sur la corde 줄타기를 하다 ; 위태로운 짓을 하다. ②《주어 : qc》 흔들리다, 요동하다 ; 아른거리다 : bateau qui *danse* sur les flots 물결에 흔들리는 배 / flamme qui *danse* 너울대는 불꽃. ***~ devant le buffet 《구어》 먹을 것이 없다. ***faire ~*** qn ⓐ (여성 파트너)와 춤추다. ⓑ (춤출 수 있도록) 어떤 곡을 연주하다. ⓒ《구어》 …을 혼내주다. ***faire ~ les écus*** 돈을 낭비하다〔물쓰듯 하다〕. ***faire ~*** qn …와 춤추다 ; 《구어》 …에게 귀찮은 일을 하게 하다 ; …을 혼내 주다. ***ne pas savoir sur quel pied ~*** 어찌할 바를 모르다 ; 어리둥절해 하다. ── *v.t.* (춤을) 추다 : ~ une valse 왈츠를 추다. ── ***se ~*** *v.pr.* 《주어 : qc》 춤이 추어지다 : Le menuet ne *se danse* plus. 사람들은 이제는 미뉴에트를 추지 않는다.

danseur, euse [dɑ̃sœ:ʀ, -ø:z] *n.* ① 춤추는 사람. ② 댄서, 무용가 ; 춤추기 좋아하는 사람 ; (댄스의) 파트너(= cavalier). ***~ de corde*** 줄타는 곡예사. ***monter en ~euse*** 자전거를 서서 타다.

dantesque [dɑ̃tɛsk] *adj.* ① 단테(*Dante*)풍의. ② 굉장한, 어마어마한, 무시무시한.

dard [da:ʀ] *m.* ① 투창(投槍)(= javelot) ; 〖어업〗 작살. ② 뱀의 혀 ; (벌 따위의) 침, 독침 ; 독설 : les ~*s* de la satire 풍자의 화살.

darder [daʀde] *v.t.* ① 투창으로〔작살로〕 찌르다. ② (투창 따위를) 던지다 ; (화살 따위를) 쏘다 ; (시선 따위를) 던지다 ; (벌 따위가 침을·뱀이 혀를) 내밀다 : ~ son regard sur qc 〔qn〕 …을 쏘아보다, 뚫어지게 바라보다 / Le soleil *darde* ses rayons. 태양이 따갑게 내리쬔다.

dardillon [daʀdijɔ̃] *m.* 작은 투창 ; (낚시의) 미늘.

dare-dare [daʀda:ʀ] *adv.* 《구어》 급히, 부랴부랴, 즉시 : partir ~ 급히 떠나다.

darne [daʀn] *f.* 〖요리〗 (연어·대구 따위의) 썬 토막.

dartre [daʀtʀ] *f.* 〖의학〗 수포진(水疱疹) ; 옴 ; (소 따위의) 발진성 피부병.

darwinien, enne [daʀwinjɛ̃, -ɛn] *adj.* 다윈의, 다윈설의.

D.A.T. 《약자》 ① Digital Audio Tape 디지털 방식의 녹음(테이프). ② défense antiaérienne du territoire 국토 방공(防空).

data [data] 〔라틴〕 *m. pl.* 논거 자료, 기지 사항.

datable [databl] *adj.* 날짜〔시대〕를 추정〔결정〕할 수 있는(≠ indatable).

datation [datɑsjɔ̃] *f.* 날짜를 써 넣기, 연월일을 기입하기.

date** [dat] *f.* ① 날짜, 연월일, 일시 : ~ de naissance 생년월일 / lettre qui porte la ~ du 15 juin, 6 월 15 일자의 편지 / fixer la ~ d'une réunion 모임 날짜를 정하다. ② 시기, 연대, 시대(= époque) ; (획기적) 사건 : ~ de la découverte de l'Amérique 아메리카를 발견한 해 / une ~ capitale de notre histoire 우리 역사의 획기적 대사건. ③ 기일 ; 기한(= terme, échéance) : ~ de valeur 유통 기한 / à longue 〔courte〕 ~ 장기〔단기〕의. ***de fraîche ~ 최근의. ***de longue*** 〔***vieille***〕 ***~*** 오래 전부터의, 연래(年來)의. ***être le premier en ~*** 연대적으로 가장 빠르다. ***faire ~*** 새 시대를〔기원을〕 긋다. ***prendre ~ avant*** qn …보다 우선권을 갖다. ***prendre ~ avec*** qn ***pour*** qn …와 …을 위해 만날 날짜〔장소〕를 정하다.

dater** [date] *v.t.* ① …에 날짜를 쓰다, (편지 따위에) 연월일·장소를 써 넣다 : *daté* du 10 janvier, 1 월 10 일부의 / *daté* de Paris 파리발(發)의. ② (사건 따위의) 연대를 추정〔결정〕하다. ── *v.i.* ①《~ de》 …부터 시작되다 ; …으로 거슬러 올라가다, …에 일어나다〔나타나다〕 : amitié qui *date de* loin 오래 전부터의 우의(友誼) / voiture qui *date de* 2008 〔*de* quinze ans〕, 2008년〔15 년 전〕에 나온 차. ② 새 시대의 획을 긋다(= faire date) : événement qui *date* dans l'histoire 역사상 획기적인 사건. ③ 유행에 뒤지다, 구식이 되다(= être démodé) : costume qui *date* 유행에 뒤진 옷 / une théorie qui commence à ~ 시대에 뒤떨어지기 시작하는 설〔이론〕. ***à ~ de... …부터. ***Cela ne date pas d'hier.*** 그것은 어제 오늘의 일이 아니다, 오래된 것이다.

dateur, euse [datœ:ʀ, -ø:z] *adj.* 날짜를 기입〔표시〕하는 : timbre ~ 일부인(日附印). ── *m.* 일부인 ; (시계의) 날짜 표시 장치.

datif[1], ive [datif, -i:v] *adj.* 〖문법〗 여격(與格)의. ── *m.* 〖문법〗 여격, 제 3 격.

datif[2], ive *adj.* 〖법률〗 (법원 또는 가족회의가) 선정한 : tuteur ~ 선정 후견인.

datte [dat] *f.* 〖식물〗 대추야자 (열매).

dattier [datje] *m.* 〖식물〗 대추야자나무.

daube [do:b] *f.* 스튜, 고기찜 : bœuf en 〔à la〕 ~ 쇠고기찜, 쇠고기 스튜.

dauber[1] [dobe] *v.t.* (고기를) 찜으로 만들다, 스튜로 하다.

dauber² 《옛》 *v.t.* ① 조롱하다(= railler, se moquer de) ; 험담하다. ② 주먹으로 치다. ── *v.i.* 《~ sur》 …의 험담을 하다, 헐뜯다 : ~ *sur* ses voisins 이웃사람들을 헐뜯다.

dauphin¹ [dofɛ̃] *m.* ① 〖동물〗 돌고래. ② (*D*~) 〖천문〗 돌고래좌(座).

dauphin² *m.* ① 〖프랑스사〗 ⓐ 프랑스 왕태자. ⓑ 도피네(*Dauphiné*)의 영주. ② 국가 원수가 지명한 후계자 ; 후계자. ***le Grand D~*** 루이 14 세의 왕태자.

dauphine [dofin] *f.* 〖프랑스사〗 프랑스 황태자비.

dauphinois, e [dofinwa, -aːz] *adj.* 도피네(*le Dauphiné,* 프랑스의 지방)의. ── **D~** *n.* 도피네 사람.

daurade [do(ɔ)ʀad] *f.* , **daurat** [do(ɔ)ʀa] *m.* 〖어류〗 도미의 일종.

davantage** [davɑ̃taːʒ] *adv.* ① 《동사를 수식하여》 ⓐ 그 이상, 더한층, 더 많이(= plus) : Il faut travailler ~. 더 많이 일해야 한다 / Je n'en dirai pas ~. 그것에 관해서 나는 더 이상 말하지 않겠습니다. ⓑ 더 오래(= plus longtemps) : Ne restez pas ~. 더 오래〔이상〕 머무르지 마시오. ② 《형용사를 대리하는 중성 대명사 le 를 수식하여》 그 보다 더 : La beauté est précieuse, mais la vertu l'est bien ~. 미모는 귀중하지만 미덕은 그보다 훨씬 더 귀중하다. ③ 《최상급 le plus 의 뜻으로》 : Ils s'empressaient à qui lui plairait ~. 그들은 그의 총애를 제일 많이 받으려고 서로 다투어 열성을 보였었다. ④ 《옛》 그 위에, 게다가, 그리고 또. ***bien ~ ; ~ encore 훨씬 더《davantage 의 강조》. ***~ de...*** 더 많은 …(= plus de) : Il y a chaque année ~ *de* voitures dans les rues. 해마다 거리에는 차가 늘어간다. ***~ que*** 보다 더 많이(= plus que) : Rien ne dérange ~ une vie *que* l'amour. 사랑보다 더 인생을 어지럽게 하는 것은 없다. ***Il ne me semble pas ~ que...*** 그리고 …라고도 생각되지 않는다. ***Il y a ~.*** 그뿐 아니다.

dazibao [da(d)zibao] *m.* 대자보(大字報).

db, dB 《약자》 décibel 〖물리〗 데시벨.

D.C.A. 《약자》 ① défense contre aéronefs 〔avions〕 〖군사〗 방공. ② canon de ~ 고사포.

D.D.T. 《약자》 dichloro-diphényltrichloréthane 디디티.

:de [də] *prép.* 《***d'***<de+모음〔무성 h〕; ***du*** <de+le ; ***des***<de+les》 Ⓐ ① 《동작 명사+de+보어》 ⓐ 《의미상의 주어》 l'arrivée *de* mon père 나의 아버지의 도착 / la chute *du* ministère 내각의 붕괴. ⓑ 《의미상의 목적어》 l'amour *de* la patrie 조국에 대한 사랑 / l'étude *des* lettres 문학 연구.

② 《소유 · 소속 관계》 …의 : le livre *de* Pierre 피에르의 책 / Ce n'est pas *d'*un honnête homme. 그것은 신사의 짓이 아니다.

③ 《목적 · 용도》 …을 위한 : robe *de* soirée 야회복 / cabinet *de* travail 〔toilette〕 서재 〔화장실〕 / salle *d'*attente 대합실.

④ 《재료》 …으로 된 : un pont *de* fer 철교 / sac *de* papier 종이 봉지.

⑤ 《양태》 …하게, …으로: *d'*une voix douce 상냥한 목소리로 / accepter *de* grand cœur 쾌히 승낙하다 / agir *de* concert 일치하여 행동하다 / *d'*un pas rapide 빠른 걸음으로.

⑥ 《특질 · 성질 · 종류》 objet *de* luxe 사치품 / homme *de* génie 재주있는 사람 / chambre *d'*hôtel 호텔방.

⑦ 《동사의 간접 목적보어 앞》 …을 : changer *d'*avis 의견을 바꾸다 / manquer *de* courage 용기가 없다 / se souvenir *de* …을 회상하다 / douter de …을 의심하다.

⑧ 《부분 · 분량》 …에 속하는, …중의 : la moitié *d'*une somme 어떤 금액의 절반 / l'un *de* nous 우리들 중의 하나 / Il est *de* la maison. 그는 그 집 식구다 / beaucoup *de* livres 많은 책.

⑨ 《출발점 · 이탈》 …에서, …으로부터 : *de* Séoul à Masan 서울에서 마산까지 / regarder *de* la fenêtre 창문으로 내다보다 / *de* place en place 이리저리, 여기저기서 / *de* vous à moi 당신과 나 사이에 / *de* 20 à 30 personnes, 20 명 내지 30 명.

⑩ 《수단 · 방법 · 도구》 …으로, …을 가지고 : travailler *de* la main 손으로 일하다 / être armé *d'*un bâton 몽둥이로 무장하고 있다 / montrer *du* doigt 손가락으로 가리키다.

⑪ 《수동태의 동작주(主)》 …에 의하여, …으로부터 : être aimé 〔respecté〕 *de* tous 모든 사람들로부터 사랑〔존경〕받다.

⑫ 《원인 · 동기》 …때문에, …으로 : mourir *de* maladie 병사하다 / être puni *de* ses fautes 자기 과실 때문에 벌받다 / mourir *de* faim 굶어 죽다 / Nous sommes heureux *de* sortir ce soir. 오늘 저녁 외출하게 되어서 기쁘다.

⑬ 《출신 · 기원》 …의 : Je suis *de* cette localité. 나는 이 곳 사람이다 / les vins *de* France 프랑스산 포도주 / *de* nouvelle date 최근의.

⑭ 《정도 · 수량》 …만큼 : être âgé *de* vingt ans 나이가 스무 살이다 / avancer *d'*un pas 한 걸음 앞으로 나가다 / retarder *de* cinq minutes, 5 분 늦다.

⑮ 《주제》 …에 관하여 : écrire *de* qc …에 관하여 쓰다 / parler *de* son pays 고향 이야기를 하다 / chapitre qui traite *de* la mode 유행을 다룬 장.

⑯ 《동격》 la ville *de* Paris 파리시 / ce maladroit *de* Pierre 그 서투른 피에르 녀석 / le mot *de* liberté 자유라는 말.

⑰ 《귀족 성 앞에》 Madame *de* Montespan 드 몽테스팡 부인.

⑱ 《형용사의 보어》 digne *d'*éloges 칭찬받을 만한 / rouge *de* figure 얼굴이 붉은.

⑲ 《막연한 시간》 *de* nos jours 오늘날에는 / *de* tout temps 어느 시대에나 / *du* vivant de... …이 살아 있었을 때 / *de* bonne heure 일찍 / partir *de* nuit 밤에 출발하다.

⑳ 《장소 · 방향》 *de* ce côté 이 쪽으로 / *du* côté *du* Panthéon 팡테옹 쪽에〔쪽으로〕 / *de* droite et *de* gauche 좌우로.

Ⓑ 《허사적(虛辭的) 용법》 ① 《de+*inf.*》 ⓐ 《주어 · 논리적 주어 앞》 Il est ennuyeux *de* rester chez soi. 집에 남아 있는 것은 따분하다 / C'est à vous *d'*y aller. 당신이 거기에 갈 차례다. ⓑ 《타동사의 직접 목적보어 부정법 앞》 J'ai oublié *d'*apporter le livre. 그 책을 가져오는 것을 잊었다 / Cessez *de*

parler. 말을 그만 그치시오. ⓒ《속사》 Mon intention n'est pas *de* vous faire insulte. 나의 의도는 당신을 모욕하려는 것이 아니다. ⓓ《비교의 대상이 되는 경우》 Plutôt mourir que *d'y* renoncer. 그것을 단념하느니 차라리 죽지. ⓔ《서술의 부정법》 Et les enfants *de* sauter et *de* crier. 그러자 아이들은 뛰고 소리질렀다.
② 《de+형용사》 ⓐ《부정대명사를 수식》 quelque chose *de* bon 무엇인가 좋은 것 / Quoi *de* neuf? 뭐 새로운 일이 있소? / ce qu'il a *d'*original 그의 독창적인 점. ⓑ《속사로 쓰여》 Nous avons trois jours *de* libres. 우리들에게는 노는 날이 사흘 있다 / Il qualifie ce journal *de* tendancieux. 그는 이 신문을 좌익적이라고 한다.
③ 《특수용법》 comme *de* juste 당연하게 / Ce ciel est *d'*un bleu! 하늘이 참 푸르기도 하다 / Il trouvait ça *d'*un mauvais goût. 그는 그것을 나쁘다고 생각했다 / Si j'étais (que) de Philippe, je montrerais moins *de* patience. 내가 필리프라면 그렇게 참지 않을 것이다.
C 《부분의 뜻을 갖는 소사(小辭)》 ① 《de+소유, 지시 대명사》 Mangez *de* ce gâteau. 이 과자를 좀 잡수시오 / Avez-vous *de* ses nouvelles? 그의 소식을 들으십니까?
② 《***du, de la*** 부분 관사》 ⓐ《셀 수 없는 물건의 부정량(不定量)》 얼마간의, 약간의: boire *de l'*eau (약간의) 물을 마시다 / avoir *du* courage 용기가 있다 / *du* monde 사람들. ⓑ《셀 수 없는 특정된 것의 일부》 J'ai-mangé *du* pain que vous m'avez donné. 당신이 준 빵을 (조금) 먹었소.
③ 《***des*** 부정관사 복수》 ⓐ《셀 수 있는 물건의 불특정 수》 몇 개의: acheter *des* crayons 연필을 몇 개 사다. ⓑ《셀 수 있는 특정된 것의 일부》 몇 개의…: Achetez *des* fruits de ma récolte. 내가 수확한 과일을 몇 개 사시오.
④ 《형용사 앞에서 du, de la, des는 ***de***로 됨. 단 복합명사 또는 그와 유사한 경우는 du, de la, des를 그대로 씀》 boire *de* [《구어》 *du*] bon vin 좋은 포도주를 마시다 / *de* hautes montagnes 높은 산들 / *des* jeunes filles 처녀들 / *du* bon sens 양식(良識).
⑤ 《부정문에서》 Je n'ai pas *d'*argent. 나는 돈이 없다《cf. Je n'ai pas *de* l'argent pour le dépenser follement. 낭비할 돈은 갖고 있지 않다》 / Il parle sans faire *de* fautes. 그는 틀리지 않고 말한다.
⑥ 《과장적 용법》 Elle gagne *des* cent francs par jour. 그녀는 하루에 몇 백 프랑이나 번다 / Il y a *des* années qu'il est mort. 그가 죽은 지 이미 여러 해가 된다.

dé¹ [de] *m.* ① 골무. ② 아주 작은 술잔. ~ ***à coudre*** 바느질 골무; 《구어》 아주 작은 술잔.

dé² *m.* ① 주사위; (*pl.*) 주사위 놀이[노름]: jeu de *dés* 주사위 놀이[노름]. ② 도미노 패; (골프의) 티(tee). ③ 『요리』 네모나게 썬 것: couper des carottes en *dés* 당근을 네모나게 썰다. ***coup de dé(s)*** 주사위를 한 번 던지기; 운수 점치기. ***jouer sa vie sur un coup de dés*** 운명을 한 판에 걸다. ***Le dé en est jeté; Les dés sont jetés.*** 주사위는 던져졌다; 일은 이미 결정되었다.

de-, dé-, des-, dés- *préf.* ① 「부정·반대·제지」 따위의 뜻. ② 뜻을 강조함《découper 따위》.

déambulation [deɑ̃bylɑsjɔ̃] *f.* 산보, 산책.

déambuler [deɑ̃byle] *v.i.* 《구어》 산책하다, 거닐다(= se promener).

débâcher [debɑʃe] *v.t.* (수레·짐 따위의) 포장을 벗기다.

débâcle [debɑːkl] *f.* ① (강 따위의) 해빙(解氷)(= dégel). ② 와해, 붕괴(= effondrement); (군대의) 궤주; (재정의) 파탄; 도산 (= faillite); (물가의) 폭락; (건강의) 쇠퇴: ~ financière 재정 파탄.

débâillonner [debɑjɔne] *v.t.* …의 재갈을 벗기다; …에게 표현[언론]의 자유를 주다.

déballage [debalaːʒ] *m.* ① 짐풀기. ② 노점; 노점의 싸구려 상품. ③ 《구어》 속마음을 털어놓기, 고백(= aveu, confession).

déballer [debale] *v.t.* ① ⓐ (화물·궤짝 따위의) 짐을 풀다(≠ emballer): ~ une caisse de livres 상자를 뜯어 책을 꺼내다. ⓑ (상품 따위의) 포장을 뜯다. ② (행상인이 상품을) 늘어[벌여] 놓다, 진열하다. ③ 《구어》 드러내 놓다, 드러내 보이다, 털어놓다: ~ ses secrets 비밀을 털어놓다. — **se** ~ *v.pr.* ① (짐이) 풀리다. ② 《속어》 옷을 벗다(= se déshabiller).

déballonner (se) [sədebalɔne] *v.pr.* 《속어》 기가 꺾이다, 용기를 잃다.

débandade [debɑ̃dad] *f.* 패주, 궤주(潰走) (= débâcle): ~ d'une armée 군대의 궤주. ***à la*** [***en***] ~ 산산이 흩어져; 지리멸렬하여.

débander¹ [debɑ̃de] *v.t.* ① …의 붕대[눈가리개]를 풀다[벗기다]: ~ les yeux à qn …의 눈가리개를 풀어 주다. ② (팽팽한 것을) 느슨하게 하다(= détendre); (마음의) 긴장을 풀다, 편하게 하다. — **se** ~ *v.pr.* 느슨해지다; 풀리다.

débander² *v.t.* 『군사』 패주[궤주]시키다. — **se** ~ *v.pr.* 『군사』 패주[궤주]하다; (군중 따위가) 흩어지다. ***en se débandant*** 산산이 흩어져서, 지리멸렬하여.

débaptiser [debatize] *v.t.* …의 이름을 갈아 주다, 개명시키다: ~ une rue 거리의 이름을 바꾸다. — **se** ~ *v.pr.* 개명하다.

débarbouillage [debaʀbujaːʒ] *m.* 얼굴을 씻기[닦기], 세수; (창 따위를) 닦기.

débarbouiller [debaʀbuje] *v.t.* …의 얼굴을 씻다[닦다] (= laver, nettoyer), 세수시키다; (창 따위를) 닦다. — **se** ~ *v.pr.* ① (자기의) 얼굴을 씻다[닦다]. ② 영리해지다.

débarcadère [debaʀkadɛːʀ] *m.* 선창, 부두 (= embarcadère); 플랫폼(= quai).

débarder [debaʀde] *v.t.* ① (배의) 짐을 내리다[풀다·부리다·양륙하다]; (뗏목을) 선창에 부리다. ② (벌채림·채석장(採石場)으로부터) 재목을[석재를] 운반하다.

débardeur, euse [debaʀdœːʀ, -øːz] *n.* 하역 인부; (목재·석재 따위의) 운반인.
— *m.* (조끼 모양의) 뜨개질하여 만든 옷.

débarqué, e [debaʀke] *adj.* 상륙[하차]한.
— *n.* 상륙인, 하차인: nouveau ~ 새로운 사람. — *m.* 상륙, 하차.

débarquement [debaʀkəmɑ̃] *m.* ① 뱃짐을 풀기. ② 상륙(≠embarquement), 하차, 하선. ③ 〖군사〗 상륙 (작전) : le *D*~ 노르망디 상륙 작전 / corps de ~ 해병대.

***débarquer** [debaʀke] *v.t.* ① (짐을) 부리다, 양륙하다 ; (승객을) 상륙〔하선·하차〕시키다 (= décharger ; ≠embarquer) : ~ les marchandises 〔passagers〕 화물을 하역하다〔승객을 하선시키다〕. ② 《구어》 해고하다(= congédier) ; 면직시키다, 쫓아내다(= destituer) : se faire ~ 해고되다. — *v.i.* ① 하차〔상륙〕하다. ② 《구어》 《~ chez qn》 …의 집에 갑자기 들이닥치다 : Il *a débarqué chez* nous sans prévenir. 그는 예고도 없이 우리 집에 들이닥쳤다.

débarras [debaʀa] *m.* ① 《구어》 귀찮은 일〔사람〕을 없애〔쫓아〕버리기. ② (잡동사니를 넣어 두는) 광, 다락방(= cabinet de ~, grenier). ***Bon ~ !*** 시원하다, 앓던 이가 빠진 것 같다. ***chambre de ~*** 헛간, 광.

débarrasser** [debaʀase] *v.t.* ① 《~ qc》 …에서 거추장스러운 것을 없애다〔치우다〕 : ~ la table 탁자〔식탁〕 위의 물건을 치우다. ② 《~ qc 〔qn〕 de》 …에서〔에게서〕 귀찮은 것〔사람〕을 없애다〔제거하다〕 ; …에서 벗어나게 하다 : ~ qn de son manteau …의 외투를 벗겨 주다 / ~ un enfant d'une mauvaise habitude 아이의 나쁜 버릇을 고쳐 주다 / *Débarrassez*-moi de ce casse-pieds ! 이 귀찮은 녀석을 좀 데려가게 ! ③ 《속어》 《~ qn》 유산〔낙태〕시키다(= faire avorter). — **se ~** *v.pr.* 《se ~ de qc 〔qn〕》 귀찮은 것을 없애 버리다 ; (옷을) 벗다 ; (짐을) 내려놓다 ; (빚을) 청산하다 ; 죽이다 : *se ~* d'une affaire 일을 해결하다〔남에게 맡기다〕. ***Débarrassez-vous ! 외투〔모자〕를 벗으시오 !

***débat** [deba] *m.* ① 논쟁, 토론, 토의(= discussion) ; (*pl.*) (정치 집회의) 토론 ; 〖법률〗 (사건의) 공판: ~ vif 격론 / ~ télévisé 〔public〕 텔레비전〔공개〕 토론 / être en ~ sur qc …에 대해서 논쟁 중이다. ② 언쟁, 말다툼(= altercation, querelle) : ~ de compte 계산상의 말썽 / À 〔Entre〕 eux le ~. 자기들끼리 실컷 떠들어 보라지. ③ (마음의) 갈등 : ~ intérieur 내적인 갈등 / ~ de conscience 양심의 갈등.

débattement [debatmɑ̃] *m.* 《드물게》 몸부「림, 발버둥.

***débattre** [debatʀ] ㊺ *v.t.* ① 논의〔토의·토론〕하다(= discuter) : ~ un problème 어떤 문제에 대해 토의하다. ② 흥정하다 : ~ un prix 값을 흥정하다. — *v.t. ind.* 《~ de 〔sur〕 qc》 …에 관해서 논의〔토의·토론〕하다. — **se ~** *v.pr.* ① 몸부림〔발버둥〕치다 : *se ~* comme un beau diable 악을 쓰며 발버둥치다. ② 《se ~ contre, avec》 …와 싸우다 : *se ~ contre* les difficultés 어려움과 싸우다. ③ 논의〔토의〕되다.

débattu, e [debaty] *adj.* 논의된. ***tout ~, tout bien pesé*** 심사숙고하고 나서.

débauchage [deboʃaːʒ] *m.* (직공을 직무에서) 이탈시키기 ; 해고 ; (군인을) 탈주시키기.

débauche [deboːʃ] *f.* ① 방탕, 난봉 ; 폭음, 폭식. ② 남용 ; 지나침, 과도. ***faire une petite ~ (de table)*** 호탕하게 놀다. ***une ~ de*** couleurs 가지각색의 빛깔.

débauché, e [deboʃe] *adj.* 방탕한, 방자한 (= dévergondé) ; 무절제한 ; 해고된. — *n.* 방탕자(= libertin, viveur), 난봉꾼.

débaucher [deboʃe] *v.t.* ① 방탕에 빠지게 하다, 타락시키다 ; 유혹하다. ② (직공을 꾀어서) 파업하게 하다 ; (군인을) 탈주하게 하다. ③ 해고하다(= congédier ; ≠ embaucher). — **se ~** *v.pr.* 방탕에 빠지다, 타락하다.

débecter [debɛkte] *v.t.* 구역질나게 하다 ; 혐오감을 일으키게 하다 : Ça me *débecte*. 그런 일엔 구역질난다. — *v.i.* 토하다.

débet [debɛ] *m.* 채무액 ; (결산 때의) 대차 부족액.

débile [debil] *adj.* ① 나약한, 허약한(= chétif, malingre) : une intelligence ~ 박약한 정신. ② 어리석은 ; 형편없는(= nul) : film ~ 형편없는 영화. — *n.* ① 허약〔나약〕한 사람 ; 발육이 늦은 사람(= arriéré) : ~ mental 정신 박약자. ② 《구어》 바보, 얼간이.

débilitant, e [debilitɑ̃, -ɑ̃ːt] *adj.* ① 쇠약〔허약〕하게 하는. ② 실망〔낙심〕시키는. — *m.* 쇠약하게 하는 약〔요법〕.

débilité [debilite] *f.* 허약, 쇠약(= faiblesse; ≠ force) : ~ mentale 정신 박약.

débiliter [debilite] *v.t.* ① 《~ qn》 쇠약〔허약〕하게 하다, 약하게 하다(= affaiblir). ② 실망〔낙심〕시키다(= décourager). — **se ~** *v.pr.* 허약〔쇠약〕해지다 ; 약화하다.

débinage [debinaːʒ] *m.* ① 《속어》 헐뜯기, 중상(= dénigrement) ; 폭로. ② 도망.

débine [debin] *f.* 《구어》 빈궁, 궁핍 ; 곤경 ; 영락(零落) : tomber dans la ~ 영락하다.

débiner [debine] *v.t.* 《속어》 ① 헐뜯다, 중상하다. ② (비밀 따위를) 폭로하다. — **se ~** *v.pr.* 《속어》 ① 무일푼이 되다, 영락하다. ② 달아나다 ; 가버리다.

débineur, euse [debinœːʀ, -øːz] *adj.* et *n.* 헐뜯는 (사람) ; 폭로하는 (사람).

débirentier, ère [debiʀɑ̃tje, ɛːʀ] *n.* 〖법률〗 연금 지급자(≠crédirentier).

débit[1] [debi] *m.* ① 팔기 ; 소매 ; 판매 성적 : article d'un faible ~ 잘 안 팔리는 물건 / une boutique qui a beaucoup de ~ 물건이 많이 팔리는 가게. ② 소매점, 가게 : ~ de boissons 주점, 술집. ③ (목재·석재의) 자르기 ; (고기의) 절단. ④ 〖공업〗 생산액; 공급량. ⑤ (물·전기 따위의) 유량(流量), (교통 수단의) 운송 능력 : ~ du courant de circulation 교통량. ⑥ 어조, 말투(= élocution). ***avoir le ~ facile*** 구변이 좋다, 잘 지껄이다.

débit[2] *m.* 〖상업〗 (부기의) 차변(≠ crédit) : note de ~ 차변표.

débitant, e [debitɑ̃, -ɑ̃ːt] *n.* 소매상인.

débiter[1] [debite] *v.t.* ① 소매하다, 팔다(= rendre) : ~ de la marchandise 상품을 소매하다. ② (목재·석재를 일정한 모양으로) 자르다 ; (고기를) 베다, 썰다 : ~ un arbre en planches 나무를 널빤지로 자르다. ③ 공급하다 ; 생산하다 ; (액체·가스를) 배출하다 : Cette usine *débite* trois cents voitures par jour. 그 공장은 하루에 300 대의 차를 생산해낸다. ④ 낭독하다 ; (단조롭게) 늘어놓다 ; 《경멸》 지껄이다 : ~ des banalités 시시한 얘기를 지껄여대다 / ~ des nouvelles 소문

을 퍼뜨리다.

débiter[2] *v.t.* 〖상업〗 차변에 기입하다(≠ créditer) : ~ une somme à qn ; ~ qn d'une somme 어떤 액수를 …의 차변에 기입하다.

débiteur[1], euse [debitœːʀ, -øːz] *n.* ① 목재를〔돌을〕 자르는 일꾼. ② (큰 상점의) 손님을 안내하는 점원. ③ 《경멸》 수다쟁이 : ~ de mensonges 거짓말쟁이.

débiteur[2], trice [debitœːʀ, -tʀis] *adj.* 채무〔부채〕의. ***compte ~*** 적자 계정. ── *n.* 〖법률〗 채무자 ; (정신적으로) 빚진 사람 : ~ insolvable 변제 불능의 채무자 / ~ solidaire 연대 채무자.

déblai [deblɛ] *m.* ① 〖토목 · 철도〗 뚫기, 파기, 개착(開鑿) : route〔canal〕 en ~ 파내고 만든 도로〔수로〕. ② (*pl.*) 파낸 흙.

déblaiement [deblɛmɑ̃] *m.* ① (장애물을) 제거하기 ; 파내기(≠remblayage), 개착. ② (파낸 흙을) 치우기.

déblatérer [deblateʀe] 6 *v.t.* (말을) 험하게 해대다, 패언(悖言)하다 : ~ des injures 욕설을 퍼붓다. ── *v.i.* 《~ contre qn》 (…에 대하여) 독설을 퍼붓다, 험구〔악담〕하다.

déblayer [deblɛ(e)je] *v.t.* 8 ① …에서 장애물〔사람〕을 제거하다〔치우다〕(= dégager) : ~ l'entrée〔le chemin〕 입구를〔길을〕 치우다. ② (지면을) 고르게 하다(= aplanir). ~ ***le terrain*** 《구어》 미리 장애물을 없애다.

déblocage [deblɔkaːʒ] *m.* ① 봉쇄〔동결〕의 해제 : ~ des salaires 임금 동결의 해제. ② 〖기계〗 제동을〔브레이크를〕 풀어 주기.

débloquer [deblɔke] *v.t.* ① …의 포위〔봉쇄〕를 풀다(≠ bloquer). ② (묶였던 것을) 풀어 놓다 ; 〖재정〗 …의 동결을 풀다 : ~ les prix 물가 동결을 해제하다. ③ (정체된 상황을) 타개하다 ; (장애물을) 제거하다 : ~ l'économie 경제 성장의 장애 요인을 제거하다. ── *v.i.* 《속어》 헛소리를 하다(= divaguer).

débobinage [debɔbinaːʒ] *m.* 〖전기〗 (감긴 코일을) 풀기.

débobiner [debɔbine] *v.t.* (감긴 코일을) 풀다. ── **se ~** *v.pr.* 《속어》 급히 도망가다.

déboguer [debɔge] *v.t.* 〖컴퓨터〗 프로그램의 오류를 수정하다, 버그를 없애다.

déboire [debwaːʀ] *m.* ① (술 · 약 따위의) 쓴 뒷맛 ; (쾌락 후의) 허전함. ② (*pl.*) 실망, 환멸. ③ 실패(= échec), 역경.

déboisement [debwazmɑ̃] *m.* 산림의 벌채.

déboiser [debwaze] *v.t.* ① (산림을) 베어내다 ; 벌채하다 : ~ les montagnes 산림을 베어내다. ② 〖철도〗 (갱도의) 지주를 철거하다. ── **se ~** *v.pr.* 나무가 없어지다.

déboîtement [debwatmɑ̃] *m.* 〖의학〗 탈구(脫臼).

***déboîter** [debwate] *v.t.* ① (박힌 것을) 빼〔뽑아〕내다, 분리시키다(= démonter). ② 《보어는 신체 부위 명사》 삐게 하다, 탈구(脫臼)시키다(= désarticuler, luxer) : chute qui *a déboîté* l'épaule 어깨를 삐게 한 추락〔낙상〕. ── *v.i.* 대열에서 벗어나다. ── **se ~** *v.pr.* ① 자기의 …뼈를 삐다 : Il *s'est déboîté* l'épaule. 그는 어깨를 삐었다. ② (뼈가) 삐어지다, 탈구하다 ; (관절이) 어긋나다.

débonder [debɔ̃de] *v.t.* ① 마개를 뽑다 ; 수문을 열다 : ~ une barrique 통의 마개를 뽑다. ② (속마음을) 털어놓다. ── *v.i.* 심중을 털어놓다 ; 《옛》 (액체가) 넘쳐 나오다. ── **se ~** *v.pr.* ① 마개가 뽑히다 ; 수문이 열리다. ② 심중을 털어놓다(= s'epancher).

débonnaire [debɔnɛːʀ] *adj.* (사람 · 태도가) 유순한 ; 유약한 : mari ~ 다루기 쉬운 남편. ── *n.* 순한 사람, 무골호인.

débonnairement [debɔnɛʀmɑ̃] *adv.* 온후하게 ; 순하게, 호락호락하게.

débord [debɔːʀ] *m.* ① (화폐의) 가장자리 ; (길의) 가. ② (의복의) 선.

débordant, e [debɔʀdɑ̃, -ɑ̃ːt] *adj.* ① 넘쳐 흐르는 ; 두드러진 : ~ de santé 건강이 넘쳐 흐르는 / joie ~*e* 억제하기 힘든 기쁨. ② 〖군사〗 우회하는: attaque ~*e* 우회 공격.

débordé, e [debɔʀde] *adj.* ① (강 · 호수가) 범람하는, 넘친. ② (군대가) 포위당한. ③ (일 · 주문 따위가 밀려) 정신 못차리는 : être ~ de travail 일에 몰려 있다.

débordement [debɔʀdəmɑ̃] *m.* ① 넘침, 범람(= crue). ② (군중의) 난입, 침입 ; 쇄도 : ~ de peuple dans la rue 도로로 난입한 군중. ③ (*pl.*) 방탕(한 생활)(= débauches). ④ (감정 따위의) 폭발 : ~ de joie〔d'injures〕 기쁨〔욕설〕의 폭발. ⑤ 〖군사〗 포위.

déborder** [debɔʀde] *v.i.* ① (물 · 강물 따위가) 넘치다 ; 범람하다 ; (컵 · 그릇 따위가) 넘치다 ; (사람이) 넘치다 : Les pluies ont fait ~ l'étang. 비가 많이 와서 연못이 넘쳐흘렀다 / Les spectateurs *débordent* sur la chaussée. 구경꾼들이 차도로 밀려든다. ② 《~ de》 …으로 넘치다 : En été, Paris *déborde d'*étrangers. 여름에는 파리에 외국인이 들끓는다 / ~ *de* vie〔*d'*esprit〕 생기〔재치〕에 넘치다. ③ 화를 내다. ***faire ~ le vase〔***la coupe***〕 마침내 …의 노기를 폭발시키고 말다. ***faire ~*** qn …을 화나게 하다. ── *v.t.* ① (강물 따위를) 넘치게 하다, 범람시키다. ② …보다 툭 튀어나오다, 삐어져 나오다 : maison qui *déborde* les autres 다른 집들보다 툭 튀어나온 집. ③ (한계를) 넘다, 벗어나다: ~ le cadre de la question 문제의 테두리를〔본론을〕 벗어나다. ④ …의 가장자리에 두른 것을 없애버리다. ⑤ ~ un lit 침대의 시트 끝을 매트 밑에서 빼 놓다. ⑥ 〖군사〗 포위하다. ── **se ~** *v.pr.* ① 넘쳐 흐르다. ② 자기의 이불이 매트에서 빠져나오게 하다 : *se* ~ en dormant 자면서 이불을 매트에서 빠져나오게 하다.

débosseler [debɔsle] 5 *v.t.* …의 혹을 없애다 ; …의 높낮이를 없애다.

débouchage [debuʃaːʒ] *m.* ① 병마개를 뽑기. ② 〖군사〗 시한신관(時限信管)을 끊기.

débouché [debuʃe] *m.* ① (좁은 곳에서 넓은 곳으로의) 출구 : ~ d'une vallée〔d'un canal〕 계곡〔운하〕의 출구. ② 〖상업〗 판로(= marché) ; 취직 자리 ; 돌파구 : crise des ~*s* 취업난 / ~ pour se tirer d'affaire 궁지에서 빠져나오기 위한 돌파구.

déboucher[1] [debuʃe] *v.t.* ① …의 마개를 뽑다 : ~ une bouteille 병마개를 뽑다. ② …의 막힌 것을 뚫다 : ~ une pipe〔un évier〕 막힌 파이프〔개수대〕를 뚫다. ③ 〖군사〗 시한신관(時限信管)을 끊다. ~ (***l'intelligence d'***) ***un enfant*** 《구어》 어린애의 지혜를 깨우쳐 주다. ── **se ~** *v.pr.* ① (막힌 것이) 뚫리

다. ② 지혜가 생기다.

déboucher² *v.i.* ① (좁은 곳에서 넓은 곳으로) 빠져나가다. ② 《~ dans》 (하천이) …으로 흘러들다 ; 《~ sur》 (군대가) …으로 진출하다 ; 《~ sur〔dans〕》 (길이) …으로 통하다, 이르다 : Cette rue *débouche sur* la plage 〔*dans* une avenue〕. 이 길은 해변으로〔큰 거리로〕 통한다.

déboucler [debukle] *v.t.* ① …의 버클을〔고리쇠를〕 풀다〔끄르다〕(= dégrafer). ② (고수머리를) 펴다(= défriser).
— **se ~** *v.pr.* ① 버클이〔고리쇠가〕 풀어지다. ② (고수머리가) 펴지다.

déboulé [debule] *m.* 〖사냥〗 (토끼 따위가) 굴에서 갑자기 튀어나와 달아나기.

débouler [debule] *v.i.* ① 굴러 떨어지다 ; 무너져 내리다. ② 《구어》 갑자기 튀어나와 달아나다. — *v.t.* …을 급히 내려오다 : ~ l'éscalier 계단을 급히 내려오다. — *m.* = déboulé.

déboulonnage [debulɔnaːʒ], **déboulonnement** [debulɔnmɑ̃] *m.* 볼트를〔빗장을〕 풀기〔벗기기〕.

déboulonner [debulɔne] *v.t.* ① …의 볼트를〔빗장을〕 풀다〔벗기다〕. ② 《구어》 (위신을) 떨어뜨리다 ; 면직시키다 : ~ qn de son poste de maire …을 시장자리에서 몰아내다.

débourrer [debuʀe] *v.t.* ① (가죽에서) 털을 제거하다. ② (소모(梳毛) 빗에서) 양털 부스러기를 제거하다. ③ (의자 따위의) 속을 뽑아내다. — *v.i.* 싹이 트다, 눈이 나다.

débours [debuːʀ], **déboursé** [debuʀse] *m.* (흔히 *pl.*) ① 지출, 비용(= dépense, frais). ② 〖상업〗 입체금, 선금 : rentrer dans ses ~ 입체금을 받아내다. 「불.

déboursement [debuʀsəmɑ̃] *m.* 지출, 지

débourser [debuʀse] *v.t.* 지불하다, 지출하다(= payer, dépenser). — *v.i.* 돈을 내다.

déboussoler [debusɔle] *v.t.* 어찌할 바를 모르게 〔당황하게〕 하다(= déconcerter, désorienter) : Son échec l'*a déboussolé*. 그는 실패하여 어찌할 바를 몰랐다.

‡debout [dəbu] *adv.* 《연음하지 않음》 ① 서서 ; 일어나서 ; 살아서 ; 끄떡없이 : Ne restez pas ~, asseyez-vous. 서 있지 말고 앉으시지요 / Cette muraille est toujours ~. 그 벽은 여전히 끄떡없다 / Le malade sera bientôt ~. 환자는 곧 일어설 것이다. ② 거슬러서 : avoir vent ~ 〖해양〗 바람을 거슬러 있다. ***être ~*** 서 있다. ***mettre ~*** 세우다 ; 훌륭하게 성취하다. ***ne pas* (*se*) *tenir ~*** (의견 · 작품 따위가) 돼먹지 않다, 얼토당토 않다. ***passer ~*** 〖세관〗 통관 허가증을 가지다. ***se tenir ~*** 서다, 서 있다. ***tenir ~*** 성립되다, 이치에 맞다. ***tomber ~*** 용하게 곤경을 벗어나다. — *adj.* ① 선, 일어나 있는 ; 수직의. ② 살아 있는. ***place ~*** 입석. ***record encore ~*** 〖스포츠〗 아직까지 깨뜨리지 못한 기록. ***vent ~*** 맞바람, 역풍. — *interj.* 일어서 ! 일어나 ! ***Allons, ~ !*** 자 일어나시오 ! ; 기운을 내시오 !

débouté [debute] *m.* 〖법률〗 《~ de qc》 …의 각하 : ~ *d'*opposition 이의 신청 각하 / jugement *de* ~ 각하 판결.

débouter [debute] *v.t.* 〖법률〗 《~ qn de》 …의 …을 각하하다, 기각하다 : ~ qn *de* sa plainte 〔demande〕 …의 고소를 기각하다.

déboutonner [debutɔne] *v.t.* …의 단추를 끄르다 : ~ son pardessus 외투 단추를 끄르다. — **se ~** *v.pr.* ① (옷이) 단추가 벗겨지다. ② 《구어》 흉금을 터놓다.

débraillé, e [debʀaje] *adj.* ① 옷차림이 단정치 않은(= négligé). ② 점잖지 못한, 추잡한, 외설스러운. — *m.* 단정치 못한 꼴 : sortir en ~ 단정치 못한 꼴로 외출하다.

débrailler (se) [s(ə)debʀɑje] *v.pr.* ① 가슴을 드러내다 ; 옷차림을 되는 대로 하다. ② 《비유》 (이야기 따위가) 문란〔추잡〕해지다.

débranchement [debʀɑ̃ʃmɑ̃] *m.* 〖전기〗 전원〔접속〕을 끊기, 절단.

débrancher [debʀɑ̃ʃe] *v.t.* 〖전기〗 전원〔접속〕을 끊다, 절단하다 : ~ le téléphone 전화를 끊다.

débrayage [debʀɛjaːʒ] *m.* ① 〖기계〗 (기계의) 연동 장치를 벗기기. ② 클러치 페달(= pédale de ~). ③ 파업(= grève).

***débrayer** [debʀɛ〔e〕je] 8 *v.t.* …의 연동 장치〔클러치〕를 벗기다. — *v.i.* 《구어》 (노동자가) 파업하다 ; 일을 중지하다 : On *débraye* à six heures. 6 시에 종업이다.

débridé, e [debʀide] *adj.* ① (말의) 굴레를 벗긴 ; 구속 없는, 분방한. ② 지나친(= excessif) ; (언행이) 방자한(= déchaîné).

débridement [debʀidmɑ̃] *m.* ① 말굴레를 벗기기 ; 짐풀기. ② 구속이 없음, 해방 ; (감정 따위의) 자유분방함 ; 폭발 : ~ des désirs 걷잡을 수 없는 욕망.

débrider [debʀide] *v.t.* ① (말 따위의) 굴레를 벗기다(≠brider). ② 구속에서 풀어 주다, 자유롭게 해주다. ***~ les yeux à*** qn 《구어》 …의 눈을 뜨게 하다. ***sans ~*** 쉬지 않고 ; 《구어》 줄곧, 계속해서.

***débris** [debʀi] *m.* (흔히 *pl.*) ① 부서진 조각, 파편, 잔해, 잔존물(= déchet) : ~ d'un vase 깨어진 꽃병의 파편. ② 먹다 남은 것 : ~ d'un repas 먹다 남은 음식.

débrouillage [debʀujaːʒ], **débrouillement** [debʀujmɑ̃] *m.* ① 얽힌 것을 풀기. ② 어려운 고비를 타개하기 ; (분규의) 해결.

débrouillard, e [debʀujaːʀ, -aʀd] *adj.* et *n.* 《구어》 수단 좋은 (사람), 약삭빠른 (사람) (= roublard, malin).

débrouillardise [debʀujaʀdiːz], **débrouille** [debʀuj] *f.* 능수능란함, 영악함.

***débrouiller** [debʀuje] *v.t.* ① (얽힌 것을) 풀다(= démêler) ; 해명하다(= élucider) ; 해결하다 ; 정리하다 : ~ un cas compliqué 복잡한 사건을 해결하다. ② (안색 등을) 밝아지게 하다. ③ 《~ qn》 《구어》 …의 이해력을 깨우치다 ; 영리하게〔약삭빠르게〕 만들다 : ~ un enfant 어린이의 이해력을 깨우치다. ④ 《~ qc》 …을 분간하다, 판별하다 : ~ une signature 사인을 판독하다. — **se ~** *v.pr.* ① 어려운 고비를 넘기다, 적절한 조치를 취하다: *Débrouillez-vous !* 그건 알아서 처리하시오 / *se* ~ pour+*inf.* 〔pour que+*sub.*〕 …하도록 적절한 조치를 취하다. ② 풀리다, 해명되다 ; 정리되다. ③ 밝아지다.

débroussailler [debʀusɑje] *v.t.* ① …에서 가시덤불을 제거하다. ② 명백하게 하다, 밝

히다(= élucider) ; 뚜렷하게 하다(= éclaircir) : ~ une question difficile 어려운 문제를 해결하다.

débuché, débûché [debyʃe] *m.* 〖사냥〗 (짐승이) 숲에서 나오는 때(= débucher).

débucher, débûcher [debyʃe] *v.i.* ① 〖사냥〗 (짐승이) 숲에서 나오다. ② (은둔자가) 세상으로 나오다. ── *v.t.* 〖사냥〗 (짐승을) 숲에서 내몰다. ── *m.* 짐승이 숲에서 나오는 때.

débudgétiser [debydʒetize] *v.t.* 〖정치·경제〗 예산에 넣지 않다.

D

débusquement [debyskəmɑ̃] *m.* ① 〖군사〗 (적을) 엄폐물〔진지〕로부터 격퇴하기. ② 《구어》 지위에서 내쫓기.

débusquer [debyske] *v.t.* ① 〖사냥〗 몰아내다. ② ⓐ 〖군사〗 엄폐물〔진지〕에서 (적을) 격퇴하다. ⓑ (지위에서) 내쫓다(= chasser, déloger). ── *v.i.* ① 〖사냥〗 (짐승이) 숲에서 나오다. ② 〖군사〗 엄폐물〔진지〕에서 나오다.

⁑**début** [deby] *m.* ① (흔히 *pl.*) (사회로의) 진출 데뷔 ; (배우의) 첫무대 ; 처녀작 ; (사교계로의) 등장 : discours de ~ 처녀 연설 / un chanteur qui a fait ses ~*s* dans les cabarets 카바레에서 첫무대를 밟은 가수. ② 처음, 시초, 발단(= commencement) ; 시작, 개시 ; 초기 : ~ d'un line 책의 첫머리 / ~ du jour 새벽 / du ~ à la fin 처음부터 끝까지, 철두철미. ③ (당구 따위의) 제 1 구를 치기. ***au ~ (de)*** (…의) 처음에. ***dès le ~*** 처음부터. ***faire son ~*** 데뷔하다.

débutant, e [debytɑ̃, -ɑ̃:t] *n.* ① 신참자, 초심자, 입문자. ② 신인 배우 ; 신진.

*__débuter__ [debyte] *v.i.* ① 첫발을 내딛다, 진출하다 : ~ dans la vie 인생의 첫발을 내딛다 / métier où l'on *débute* à mille francs par mois 초봉이 천 프랑인 직업. ② 데뷔하다 ; 첫 출연하다; 처녀작을 내놓다 : ~ dans un film 영화에 첫 출연하다. ③ (말을) 시작하다 ; (사물이) 시작되다(= commencer) : La séance *débute* à quinze heures. 회의는 15시에 개회된다 / ~ bien 〔mal〕 서두가 잘〔잘못〕되다 / 《~ par qc》 La symphonie *débute par* un allégro. 이 교향악은 알레그로로 시작된다. ***Par où ~?*** 무엇부터 시작할까? ***pour ~*** 우선. ── *v.t.* 시작하다 : ~ une partie 시합을 시작하다 / ~ la séance par un discours 연설로 개회하다.

deçà [dəsa] *prép.* … 이편〔쪽〕에 : ~ et delà qc …의 이편과 저편에. ── *m.* 이편, 이쪽. ***en*** 〔***au***(-)〕 ***~ de ...*** …이쪽에: maison qui se trouve *en ~ du* pont 다리 이쪽에 있는 집 / 《비유》 rester *en ~ de* la vérité 진실을 파악하지 못하고 있다. ***par*** 〔***au, en***〕 ***~*** 이쪽으로. ── *adv.* 이편〔쪽〕에 : ~ (et) delà 여기저기.

˙**déca-** *préf.* 「10」의 뜻.

décacheter [dekaʃte] 5 *v.t.* 개봉하다 : ~ une lettre (편지의) 겉봉을 뜯다.

décade [dekad] *f.* ① 열흘 ; (특히 공화력의) 10 일간. ② 10 장〔권〕으로 된 저서. ③ 10 년(= décennie) : la dernière ~ du XIXe siècle 19 세기의 마지막 10 년간.

décadence [dekadɑ̃:s] *f.* ① 쇠퇴, 쇠미, 조락(= déclin, abaissement) : entrer 〔tomber〕 en ~ 쇠퇴하기 시작하다. ② (풍속·문학·예술의) 퇴폐, 데카당스 ; 퇴폐기(期).

décadent, e [dekadɑ̃, -ɑ̃:t] *adj.* ① 쇠하는, 몰락하는, 퇴폐적인. ② 퇴폐기(期)의 ; 퇴폐파(派)의. ── *m.* 퇴폐파의 예술가〔작가〕.

décaèdre [dekaɛdʀ] 〖수학〗 *adj.* 10 면체의. ── *m.* 10 면체.

décaféiné, e [dekafeine] *adj.* 카페인을 제거한. ── *m.* 카페인을 제거한 커피 《= déca》.

décaféiner [dekafeine] *v.t.* (커피에서) 카페인을 뽑다. 「각형(의).

décagone [dekagɔn] *m.* et *adj.* 〖수학〗 10

décagramme [dekagʀam] *m.* 〖도량형〗 데카〔10〕그램《dag. 로 약기함》.

décaissage [dekɛsa:ʒ] *m.* ① (물건을) 상자에서 꺼내기. ② 〖원예〗 이식.

décaissement [dekɛsmɑ̃] *m.* ① = décaissage ①. ② 〖상업〗 지불.

décaisser [dekɛ(e)se] *v.t.* ① 상자에서 꺼내다(= déballer). ② 〖상업〗 (현금을) 지불하다. ③ 〖원예〗 옮겨 심다, 이식하다.

décalage [dekala:ʒ] *m.* ① 옮기기, 전환, (시간을) 바꾸기 : ~ de l'heure 〖행정〗 서머타임으로 바꾸기. ② 어긋남, 차이, 간격(= écart) : ~ horaire 시차 / ~ entre les principes et la réalité 원칙과 현실과의 괴리.

décalaminage [dekalamina:ʒ] *m.* 〖기계〗 (기통의) 탄소의 제거.

décalaminer [dekalamine] *v.t.* 〖기계〗 (기통의) 탄소를 제거하다.

décalcification [dekalsifikɑsjɔ̃] *f.* 〖의학〗 (뼈·피의) 칼슘 상실, 탈회법(脫灰法), 골질(骨質) 석회 제거.

décalcifier [dekalsifje] *v.t.* 〖의학·지질〗 …의 석회질〔칼슘〕을 제거하다.
── **se ~** *v.pr.* 칼슘〔석회질〕이 없어지다.

décalcomanie [dekalkɔmani] *f.* ① 전사술(轉寫術). ② 전사화(畫).

décaler [dekale] *v.t.* ① 옮기다, 이동시키다(= déplacer) ; (시간 따위를) 바꾸다, 고치다 : ~ l'heure 시간을 서머 타임으로 고치다. ② …의 쐐기〔지주〕를 빼다.

décalitre [dekalitʀ] *m.* 〖도량형〗 데카〔10〕리터《dal. 로 약기함》.

décalogue [dekalɔg] *m.* 〖종교〗 십계.

décalotter [dekalɔte] *v.t.* ① …의 베레모를 벗기다. ② …의 둥근 지붕을 없애다.

décalquage [dekalka:ʒ], **décalque** [dekalk] *m.* ① 전사, 복사. ② 전사화(畫). ***papier à ~*** 전사지, 카본지(紙).

décalquer [dekalke] *v.t.* 복사〔전사〕하다. ***papier à ~*** 전사지, 카본지.

décalvant, e [dekalvɑ̃, -ɑ̃:t] *adj.* 〖의학〗 탈모의, 대머리로 만드는.

décamètre [dekamɛtʀ] *m.* 〖도량형〗 데카〔10〕미터《dam. 로 약기함》.

décamper [dekɑ̃pe] *v.i.* ① 〖군사〗 진지를 철수하다. ② 《구어》 물러가다 ; 도망치다, 떠나다 : *Décampez* d'ici ! 여기서 꺼져 !

décaniller [dekanije] *v.i.* 《속어》 ① 도망치다, 물러가다(= décamper, partir). ② 잠자리에서 나오다, 일어나다.

décantage [dekɑ̃ta:ʒ] *m.*, **décantation** [dekɑ̃tɑsjɔ̃] *f.* ① 〖화학〗 경사(傾瀉) ; (액체의 침전물을 제거하기 위해) 윗물 옮겨 붓기. ② (사상·관념의) 명확화.

décanter [dekɑ̃te] *v.t.* ① (침전물을 제거하기 위해서) …의 윗물을 따라 옮기다, 경사(傾瀉)하다 : ~ de vin 포도주의 맑은 부분을 떠옮기다. ② (사상·관념을) 명확하게 하다. ~ *ses idées* 생각을 명확히하다. ― *v.i.* = se ~. ― **se** ~ *v.pr.* ① (불순물이 제거되어) 맑아지다. ② (생각 따위가) 명확해지다.

décapage [dekapa:ʒ], **décapement** [dekapmɑ̃] *m.* (금속의) 갈기, 닦기 ; 칠을〔때를〕 닦아내기.

décapant [dekapɑ̃] *m.* 연마제(= abrasif).

décaper [dekape] *v.t.* ① (금속 제품을) 묽은 산으로 씻다 ; (금속·돌의 표면을) 닦아내다, 갈다. ② …의 칠을〔때를〕 닦아내다.

décapeur, euse [dekapœːʀ, -ø:z] *m.* 금속을 갈아〔닦아〕내는 직공. ― *f.* 〖토목〗 스크레이퍼(= scraper).

décapitation [dekapitɑsjɔ̃] *f.* 참수(斬首) : être condamné à la ~ 참수형에 처해지다.

décapiter [dekapite] *v.t.* ① …의 목을 자르다, 참수형에 처하다(= guillotiner) : ~ un criminel 죄인을 참수하다. ② (나무의) 꼭대기를 자르다. ③ (수뇌부·주요 부분을) 제거하다, 괴멸시키다 : ~ un parti politique (지도자를 제거하여) 정당을 마비시키다.

décapotable [dekapɔtabl] *adj.* (자동차가) 접이 차개〔지붕〕의.

décapoter [dekapɔte] *v.t.* (자동차의) 차개(車蓋)를〔지붕을〕 접어서 치우다.

décapsulateur [dekapsylatœːʀ] *m.* (유리병의) 마개 뽑이.

décapsuler [dekapsyle] *v.t.* ① (병의) 마개를 뽑다 : ~ une bouteille 병마개를 따다. ② 〖의학〗 (신장의) 피막을 벗기다.

décapsuleur [dekapsylœːʀ] *m.* = décapsulateur.

décarcasser [dekaʀkase] *v.t.* …의 골격을 없애다. ― **se** ~ *v.pr.* 《구어》 무척 애쓰다, 고되게 일하다. ***se ~ le trou du cul*** 《속어》 (일을 하거나 궁리를 하느라고) 몹시 애쓰다.

décastère [dekastɛːʀ] *m.* 〖도량형〗 데카스테르, 10 입방미터《dast. 로 약기함》.

décasyllabe [dekasi(l)lab] *adj.* = décasyllabique. ― *m.* 10 음절의 시구〔시행〕.

décasyllabique [dekasi(l)labik] *adj.* 10 음절의. 「경기.

décathlon [dekatlɔ̃] *m.* (올림픽의) 10 종

décathlonien [dekatlɔnjɛ̃] *m.* 〖스포츠〗 10 종 경기 선수〔경기자〕. 「진.

décati, e [dekati] *adj.* 젊음을 잃은 ; 늙어빠

décatir [dekatiːʀ] *v.t.* ① 〖직물〗 …의 광택을 없애다(= délustrer). ② 《구어》 젊음을 잃게 하다 ; 노쇠하게 하다. ― **se** ~ *v.pr.* ① 〖직물〗 광택이 없어지다. ② 젊음을 잃다 ; 늙다, 노쇠해지다(= vieillir).

décavé, e [dekave] *adj.* ① 도박으로 빈털터리가 된. ② 《구어》 파산한. ③ 해쓱해진 ; 움푹 패인 : visage ~ 초췌한 얼굴. ― *n.* ① 위의 사람. ② 〖주식〗 (계약 불이행으로) 제명된 사람.

décaver [dekave] *v.t.* ① (도박에서) 건 돈을 몽땅 따 버리다. ② 《구어》 파산시키다. ― **se** ~ *v.pr.* ① (도박에서) 빈털터리가 되다. ② 《구어》 파산하다.

décédé, e [desede] *adj.* 죽은 ; 사망한. ― *n.* 사망자.

décéder [desede] [6] *v.i.* 《조동사는 être ; 특히 공용어에서 사용》 죽다, 사망〔서거〕하다(= mourir) : Il *est décédé* l'année dernière. 그는 작년에 사망했다.

décelable [dɛslabl] *adj.* 밝혀낼〔폭로할〕 수 있는 : sans cause ~ 원인 불명인 채로.

décèlement [desɛlmɑ̃] *m.* (비밀·음모 따위의) 적발 ; 폭로 ; 발각 : ~ d'un complot 음모의 적발.

déceler [dɛ(e)sle] [4] *v.t.* ① 알아내다, 간파하다, 밝혀내다, 적발〔검출〕하다(= découvrir) : ~ une intrigue 음모를 적발하다 / ~ un secret 비밀을 폭로하다 / ~ une fuite de gaz 가스의 누출을 검출하다. ② 드러내다, 나타내다(= révéler, trahir) : Le ton de sa voix *décelait* une certaine inquiétude. 그의 어조에는 불안감이 엿보였다. ― **se** ~ *v.pr.* ① 제 마음을 드러내다. ② 탄로나다 ; 폭로되다. ③ 드러나다.

décélération [deseleʀasjɔ̃] *f.* 감속(減速).

décem- *préf.* 「10」의 뜻.

***décembre** [desɑ̃:bʀ] *m.* 12 월, 섣달.

décemment [desamɑ̃] *adv.* ① 단정하게, 예의바르게(= convenablement), 점잖게 : homme ~ vêtu 단정하게 옷입은 사람. ② 올바르게, 정확하게(= correctement) ; 《보통 부정문에서》 온당〔타당〕하게(= raisonnablement) : *D*~, on ne peut pas refuser cette offre. 상식적으로 이 제안을 거절할 수가 없다.

décence [desɑ̃:s] *f.* 단정함, 예의바름(= bienséance, pudeur), 점잖음 ; 품위 : être dans la ~ 예절에 맞다 / mettre de la ~ dans ses expressions 표현을 점잖게 하다.

décennal, e, aux [dese(ɛn)nal, -o] *adj.* ① 10 년간 계속하는 : engagement ~, 10 년 계약. ② 10 년마다의 : fête ~*e*, 10 년제.

décennie [dese(ɛni)n] *f.* 10 년간 : au cours de la dernière ~ 최근의 10 년 간에.

décent, e [desɑ̃, -ɑ̃:t] *adj.* ① 단정한, 점잖은, 예의바른 ; 품위 있는 : tenue ~*e* 품위 있는 옷차림. ② 알맞은, 적당한, 괜찮은 ; 올바른, 온당한 : salaire ~ 적당한 봉급 / 《비인칭》 Il est ~ de+*inf.* …하는 것이 옳다.

décentrage [desɑ̃tʀa:ʒ] *m.* 중심에서 벗어나기 ; 〖광학〗 편심(偏心).

décentralisateur, trice [desɑ̃tʀalizatœːʀ, -tʀis] *adj.* 지방 분권에 관한. ― *n.* 지방 분권론자.

décentralisation [desɑ̃tʀalizɑsjɔ̃] *f.* ① 지방 분산 : ~ humaine 〔industrielle〕 인구〔산업〕의 지방 분산. ② 지방 분권 : ~ administrative 행정 기구의 지방 분권.

décentraliser [desɑ̃tʀalize] *v.t.* ① (산업체 따위를) 지방으로 분산하다(≠ centraliser). ② (행정 따위를) 지방 분권화하다 : ~ l'administration 행정의 지방 분권을 실시하다. ― **se** ~ *v.pr.* (산업체 따위가) 지방으로 분산되다 ; (행정이) 지방 분권화되다. 「trage.

décentration [desɑ̃tʀɑsjɔ̃] *f.* = décen-

décentrer [desɑ̃tʀe] *v.t.* …의 중심을 어긋나게 하다 ; 〖사진〗 (렌즈를) 상하·좌우로 이동하다. ― **se** ~ *v.pr.* (수레바퀴 따위가) 중심을 잃다, (렌즈의) 중심이 맞지 않다.

***déception** [desɛpsjɔ̃] *f.* ① 《옛》 기만, 배반(= tromperie). ② 실망, 환멸(= désillusion) : éprouver une ~ 환멸을 느끼다.

décernement [desɛʀnəmɑ̃] *m.* (상 따위의) 수여.

***décerner** [desɛʀne] *v.t.* ① 《옛》 〖법률〗 (영장을) 발부하다 ; (벌을) 과하다. ② (상 따위를) 수여하다 : ~ un prix à qn …에게 상을 주다 / ~ une récompense 상금을 수여하다. ③ 《옛》 명령하다, 인도하다.

décès** [desɛ] *m.* 사망, 죽음(= mort). ***acte de ~ 사망 증명서. ***faire-part de ~*** 부고. ***Fermé pour cause de ~*** 상중(喪中) 휴업.

décevant, e [dɛ(e)svɑ̃, -ɑ̃:t] *adj.* ① 속이는, 믿을 수 없는. ② 실망시키는 : réponse ~*e* 기대에 어긋나는 대답.

***décevoir** [dɛ(e)svwa:ʀ] [53] *v.t.* ① 속이다. ② 실망시키다 ; (기대를) 저버리다 : ~ la confiance 신뢰를 저버리다 / Cet étudiant m'*a déçu*. 이 학생은 나의 기대를 저버렸다.

déchaîné, e [deʃɛ(e)ne] *adj.* ① 사슬이 풀린 ; 맹위를 떨치는(= emporté, effréné) : mer ~*e* 물결이 사납게 몰아치는 바다. ② 광란하는 ; (감정이) 폭발〔격발〕한 : passions ~*es* 폭발할 듯한 감정.

déchaînement [deʃɛnmɑ̃] *m.* ① 사슬을 풀기〔풀어 주기〕 ; 맹위를 떨치기 : ~ de la tempête 폭풍우의 강습. ② (감정의) 폭발, 격분(= explosion) : ~ de la haine 증오의 폭발 / ~ de l'envie contre qn …에 대한 질투의 폭발. ***~ de l'opinion*** 노도 같은 여론.

déchaîner [deʃɛ(e)ne] *v.t.* ① (사람 · 개 따위의) 사슬을 풀다〔풀어 주다〕 : ~ un chien 개의 사슬을 풀어 주다. ② 《주어 : qc》 (감정 따위를) 격발〔폭발〕시키다(= provoquer, déclencher) ; (폭풍우 따위의) 맹위를 떨치게 하다 : ~ la colère 격분시키다 / ~ l'hilarité 《구어》 웃음이 터져나오게 하다 / ~ les vents 바람이 휘몰아치게 하다. ③ 《~ qn》 흥분〔격분〕하게 하다(= exciter) : ~ qn contre qn〔qc〕 …을 …에 대해 격분하게 만들다. ── **se ~** *v.pr.* ① 폭발하다 ; (폭풍우 따위가) 맹위를 떨치다 : Sa haine *s'est déchaînée*. 그의 증오심이 폭발했다. ② 흥분〔격분〕하다(= s'emporter).

déchanter [deʃɑ̃te] *v.t.* 《구어》 주장〔자만심 · 기대 · 환상〕을 버리다, 풀이 꺾이다 : Il finira par ~. 그는 마침내 환상에서 깨어날 것이다.

décharge [deʃaʀʒ] *f.* ① (배 · 차의) 짐을 풀기, 하역. ② 발포 ; 일제 사격 ; 〖전기〗 방전(放電) : une ~ d'artillerie 전대포의 사격 / batterie en ~ 방전 전지. ③ 헛간, 광(= chambre de ~) ; 쓰레기터(= lieu de ~). ④ 배출, 배수 ; 〖생리〗 배설 : bras de ~ 방수로 / tuyau de ~ 배수관. ⑤ 〖상업〗 (채무의) 변제 ; 영수증 : ~ de mandat 환어음의 지불 / ~ définitive 결제. ⑥ 부담의 경감 ; 면제 : ~ d'une taxe 세금의 감면. ⑦ 한시름 놓기, 안도. ⑧ 변호 : témoin à ~ 변호인. ***à la ~ de*** qn …의 변호를 위해 : Disons-le *à notre* ~. 말하자면 변명인 셈이지.

déchargement [deʃaʀʒəmɑ̃] *m.* ① 짐 부리기, 양륙(= débarquement). ② (총의) 탄환〔화약〕을 빼기 : ~ d'une mine 지뢰의 뇌관 제거. ***entrer en ~*** 짐을 풀기 시작하다.

:décharger [deʃaʀʒe] [3] *v.t.* ① (배 · 차의) 짐을 풀다〔부리다〕 ; (사람의) 짐을 내려 주다 : ~ un navire 배의 짐을 부리다. ② (짐을) 내리다, (승객을) 하선〔하차〕시키다(= débarquer) : ~ des bagages de la voiture 차에서 짐을 내리다. ③ 《~ qn de》 (일 · 책임 따위를) 면제하다(= dispenser), 경감하다 ; 대신해 주다 : ~ qn *d'*impôts …의 세금을 덜어주다 / ~ qn *d'*un travail …의 일에서 면제해 주다. ④ (피고의) 무죄를 증언하다, 변호하다(= disculper) : ~ un accusé 피고에게 유리한 증언을 하다. ⑤ 《비유》 (마음의) 짐을 덜다(= soulager) ; (마음을) 털어놓다 : ~ sa conscience 마음의 짐을 덜다, 고백하다 / ~ sa rate〔bile〕 실컷 화풀이하다. ⑥ (총의) 탄환〔화약〕을 뽑다. ⑦ (총을) 쏘다(= tirer) ; (타격을) 가하다 : ~ son fusil sur〔contre〕 qn …을 향해 총을 쏘다. ⑧ (축전지를) 방전(放電)시키다. ⑨ …의 하중을 줄이다 ; 배수〔방류〕하다.
── *vi.* ① (빛깔이) 바래다〔우중충해지다〕. ② 《구어》 사정(射精)하다(= éjaculer).
── **se ~** *v.pr.* ① 짐을 부리다 ; 짐을 내리다 : se ~ d'un fardeau 짐을 부리다. ② (총이) 발사되다; 방전되다; 방출되다 ; 터뜨려지다. ③ 《se ~ de qc sur qn》 (일 · 책임 따위를) 남에게 떠맡기다 : Il *s'est déchargé de* sa responsabilité sur moi. 그는 자기의 책임을 나에게 전가했다.

déchargeur [deʃaʀʒœ:ʀ] *m.* ① 짐을 부리는〔하역〕 인부 ; 하역 장치. ② 〖전기〗 어스.

décharné, e [deʃaʀne] *adj.* ① 살이 빠진, 야윈 : visage〔bras〕 ~ 야윈 얼굴〔팔〕. ② 메마른 ; 헐벗은 : montagne ~*e* 헐벗은 산.

déchaussement [deʃosmɑ̃] *m.* ① 신발을 벗기기. ② (담의) 기초가 드러남 ; (치아의) 뿌리가 드러나기.

déchausser [deʃose] *v.t.* ① …의 신발을 벗기다. ② …의 뿌리〔기초〕를 드러내다.
── **se ~** *v.pr.* ① 신발을 벗다. ② 뿌리〔기초〕가 드러나다.

dèche [dɛʃ] *f.* 《속어》 ① 빈궁, 궁핍. ② 비용 : Il n'y a pas de ~. 비용은 별로 들지 않는다. ***être dans la ~*** 〔***dans une ~ noire***〕 ; ***battre la ~*** 무일푼이다, 아주 궁핍하다.

déchéance [deʃeɑ̃:s] *f.* ① (명성 · 신용의) 하락, 실추(= chute). ② (증권 · 저작권 따위의) 실효(失効) : ~ de la propriété littéraire 저작권의 실효. ③ (국왕의) 폐위 ; 면직 : ~ d'un parlementaire 의원의 제명. ④ 쇠약 ; 쇠퇴 ; 타락 : ~ physique〔intellectuelle〕 체력〔지력〕의 쇠함.

décherr-ai, -as ⇒ déchoir

déchet [deʃɛ] *m.* ① (흔히 *pl.*) 찌꺼기, 부스러기, 폐물(= débris, résidu) ; 인간 쓰레기 : ~*s* industriels 산업 폐기물 / C'est un ~ de l'humanité. 그 작자는 인간 쓰레기다. ② (수송 중의) 감손, 손모(損耗)(= freinte).

déchiffonner [deʃifɔne] *v.t.* …의 구김살〔주름〕을 펴다 : ~ une jupe 스커트의 주름을 펴다. ── **se ~** *v.pr.* ① 구김살이 펴지다. ② 얼굴〔하늘〕이 환해지다.

déchiffrable [deʃifʀabl] *adj.* 풀 수 있는, 판독할 수 있는.

déchiffrage [deʃifʀa:ʒ] *m.* 해독, 해명.

déchiffrement [deʃifʀəmɑ̃] *m.* 해독(= décodage) ; 판독(判讀).

***déchiffrer** [deʃifʀe] *v.t.* ① (암호를) 풀다, 판독하다 ; 해독하다 : ~ des hiéroglyphes 상형 문자를 해독하다 / écriture difficile à ~ 알아보기 어려운 글씨. ② (의도 따위를) 알아채다, 간파하다 : ~ les intentions de qn …의 속셈을 간파하다. ③ 〖음악〗 (악보를) 초견(初見)으로 노래하다〔연주하다〕.

déchiffreur, euse [deʃifʀœ:ʀ, -ø:z] *n.* 해독자, 판독자 : ~ de dépêches 〔messages chiffrés〕 암호 전문 해독자.

déchiquetage [deʃikta:ʒ] *m.* ① déchiqueter 하기. ② 〖지질〗 (해안선·산이) 들쭉날쭉한, 요철이 심한 ; 울퉁불퉁한.

déchiqueté, e [deʃikte] *adj.* (지형이) 들쭉날쭉한 ; 〖식물〗 (잎 가장자리가) 톱니 모양의 : côte ~*e* 들쭉날쭉한 해안선.

déchiqueter [deʃikte] [5] *v.t.* ① (옷감 따위를) 잘게 찢다〔썰다〕 : ~ une étoffe 옷감을 잘게 자르다. ② (배·차를) 해체하다. ③ (평판을) 깎아내리다, 헐뜯다. ④ (가장자리를) 들쭉날쭉하게 만들다.

déchirant, e [deʃiʀɑ̃, -ɑ̃:t] *adj.* ① 애절한, 비통한(= navrant) ; 가슴을 찢는 듯한(= aigu, perçant) : séparation ~*e* 고통스러운 이별. ② (고통·추위 따위가) 격심한(= douloureux) : froid ~ 살을 에는 듯한 추위.

déchirement [deʃiʀmɑ̃] *m.* ① 찢어짐 ; 찢김(= lacération) : ~ d'une étoffe 옷감을 찢기. ② (정신적·육체적인) 괴로움, 고통 : ~ d'entrailles 심한 복통. ③ (*pl.*) (정치적) 분열, 내분, 소요, 파동: ~ au sien d'un parti 정당의 내분.

:déchirer [deʃiʀe] *v.t.* ① 찢다 ; 깨뜨리다 : ~ le silence 정적을 깨다 / ~ une lettre en menus fragments 편지를 갈기갈기 찢다 / bruit qui *déchire* l'air 하늘이 갈라질 듯한 요란한 소리. ② (계약을) 파기하다 ; (헌배·차량을) 해체하다 ; (국가·당파 따위를) 분열시키다(= diviser) : La guerre civile *a déchiré* le pays. 내전으로 나라가 분열되었다. ③ …에 고통을 주다(= affliger) : ~ le cœur 가슴아프게 하다 / toux qui *déchire* la poitrine 가슴이 찢어지는 듯한 기침. ④ 《~ qn》 험담〔악담〕하다, 중상하다(= calomnier) : La presse *déchire* ce politicien. 신문이 이 정치가를 혹평하고 있다. — **se ~** *v.pr.* ① 찢어지다 : Le sac *s'est déchiré.* 자루가 찢어졌다 / Son cœur *se déchirait.* 그의 마음은 찢어질 듯했다. ② 찢기는〔긁히는〕 상처를 입다 : *se* ~ le bras (aux épines) (가시에) 팔을 긁히다. ③ 서로 악담하다〔헐뜯다〕.

déchirure [deʃiʀy:ʀ] *f.* ① 찢어진〔갈라진〕 데, 틈 ; 찢어진 상처, 열상(裂傷). ② 격렬한 마음의 고통.

déchoir [deʃwa:ʀ] [61] *v.i.* 《주로 부정법·과거분사로만 쓰임 ; 반과거형·현재분사형은 없음 ; 조동사는 être, 동작을 강조할 때는 avoir》 ① (나쁜 상태로) 전락〔타락〕하다, 지위〔명성 따위〕를 잃다, 실추하다 : Vous pouvez accepter cela sans ~. 그것을 수락한다고 해서 체면이 손상되는 것은 아닙니다 / 《~ de》 ~ *de* son rang 지위를 잃다. ② 쇠약해지다 ; 미색을 잃다. ③ 《주어 : qc》 쇠퇴〔감퇴〕하다(= diminuer) ; (인기 따위가) 떨어지다 : Sa fortune a commencé à ~. 그의 재산이 급격히 줄어들기 시작했다. ④ 〖신학〗 은총을 잃다. — *v.t.* 《드물게》 (권리 따위를) 박탈하다, 면직하다.

déchoy-ons, -ez ⇒ déchoir.

déchristianisation [dekʀistjanizɑsjɔ̃] *f.* 비기독교화.

déchristianiser [dekʀistjanize] *v.t.* 기독교를 버리게 하다. — **se ~** *v.pr.* 기독교를 버리다.

déchu, e [deʃy] *adj.* ① 전락〔실추〕한 ; 권력〔명성〕을 잃은 ; 타락한 : ange ~ 타락한 천사 ; 악마 / ville ~*e* 삭막해진 도시. ② 《~ de》 …을 잃은.

déchu-s, -t ⇒ déchoir.

de-ci, de-là [dəsidla] *loc. adv.* ⇒ ci[1]

déci- *préf.* 「10 분의 1」의 뜻.

décibel [desibɛl] *m.* 〖물리〗 데시벨.

décidé, e** [deside] *adj.* ① 결정〔확정〕된 : C'est (une) chose ~*e*. 그것은 이미 결정된 일이다. ② 결연한, 단호한(= résolu) : homme ~ 결단성 있는 사람 / parler d'un ton ~ 단호한 어조로 말하다. ③ 분명한, 확실한. ***être ~ à 〔《속어》 ***de***+*inf.*〕 ***; être ~ à ce que*** +*sub.* …하기로 결심하다.

***décidément** [desidemɑ̃] *adv.* ① 단호하게, 결연히. ② 《글머리에서》 아무리 생각해도, 확실히, 정말로 : C'est ~ une question de chance. 그것은 확실히 운에 달린 문제야.

:décider [deside] *v.t.* ① 결정하다, 결심하다 : ~ un plan d'action 행동 계획을 결정하다 / 《~+간접의문절》 *Décidez* où on va. 어디로 갈 것인지 결정하시오 / 《목적보어 없이》 C'est moi qui *décide.* 결정하는 것은 나다. ② 해결하다, …에 결말〔해결〕을 짓다 : ~ une question 문제를 해결하다. ③ 《~ qn》 결심시키다 ; 《~ qn à qc 〔+*inf.*〕》 …에게 …을〔하도록〕 결심시키다 : Je l'*ai* enfin *décidé à* ce voyage 〔*à* venir me rejoindre〕. 나는 그에게 이 여행을 하도록〔나와 합류하도록〕 결심시켰다. **~ *de***+*inf.* …하기로 결심하다 : J'*ai décidé de* tenter ma chance. 나는 운수를 시험해 보기로 작정했다. ***~ en faveur de*** qn …에게 유리하게 결정하다. **~ *que***+*ind.*〔*sub.*〕 …을 결정하다 : Il *a décidé que* l'on ne sache rien de ce projet. 그는 그 계획을 아무에게도 누설하지 않도록 결정했다. ***Il est décidé que***+*ind.* 《비인칭》 …하기로 결정되어 있다.

— *v.t. ind.* 《~ de 〔sur〕》 ① 《주어 : qn》 …을 결정하다, …에 관해서 판단을 내리다 : ~ *de* l'éducation des enfants 자녀 교육에 대해 결정을 내리다 / ~ *sur* le bien-fondé d'une demande 요구의 정당성에 대해서 판단하다. ② 《주어 : qc》 결정짓다, 좌우하다 : C'est ce but qui *décidera de* la partie. 〖스포츠〗 이번 골이 승부를 결정지을 것이다.

— **se ~** *v.pr.* ① 결심하다, 결단을 내리다 ; 《se ~ à qc 〔+*inf.*〕》 …하기로 결심을 하다 : Il *se décide à* faire ce travail. 그는 이 일을 하기로 작정한다. ② 《se ~ pour》 …을 선택하기로 정하다 : *se* ~ *pour* la voiture rouge

빨간색 자동차로 정하다. ③ 결정되다 ; 해결되다 : Son sort *se décide* aujourd'hui. 그의 운명은 오늘 결정된다.

décigramme [desigʀam] *m.* 〖도량형〗 데시〔10분의 1〕 그램《dg. 로 약기함》.

décilitre [desilitʀ] *m.* 〖도량형〗 데시〔10분의 1〕 리터《dl. 로 약기함》.

décimal, e, aux [desimal, -o] *adj.* 〖수학〗 10진법에 의한 : système ~ 10진법. ── *f.* 소수(小數)(= fraction ~*e*).

décimaliser [desimalize] *v.t.* (계량 · 화폐 단위를) 10진법으로 하다.

décimer [desime] *v.t.* (전염병 · 전쟁 따위가 사람을) 무수히 죽이다 : épidémie qui *décime* une population 많은 주민의 생명을 앗아간 전염병.

décimètre [desimɛtʀ] *m.* 〖도량형〗 데시미터, 10센티미터《dm. 로 약기함》.

décintrer [desɛ̃tʀe] *v.t.* 〖토목 · 건축〗 …에서 공가(拱架)를 떼어 버리다.

décisif, ive [desizif, -iːv] *adj.* ① 결정적인 : moment ~ 결정적인 순간 / bataille ~*ive* 결전 / jugement ~ 〖법률〗 결정 판결. ② 단호한, 결연한 : d'un ton ~ 단호한 어조로.

décision** [desizjɔ̃] *f.* ① 결정 ; 의결 ; 〖법률〗 판결 ; 〖군사〗 명령서, 지령서 : ~ administrative 행정 결정 / ~ judiciaire 재판. ② 결심 : ~ de ne plus fumer 담배를 끊겠다는 결심. ③ 결단력, 과단성 : un chef qui a l'esprit de ~ 과단성 있는 상관. ④ 결말, 해결 : amener la ~ 해결을 짓다. ~ ***aux points 〖권투〗 판정. ***prendre*** 〔***arriver à***〕 ***une*** ~ 결심〔결정〕하다.

décisivement [desizivmɑ̃] *adv.* 결정적으로 ; 단호하게.

déclamation [deklamɑsjɔ̃] *f.* ① 낭독(법). ② 〖고대로마〗 연설(법). ③ 수사적 허식, 미문조(美文調) ; 웅변조의 연설.

déclamatoire [dekla〔ɑ〕matwaːʀ] *adj.* 웅변조의 ; 미사여구를 늘어놓은, 과장된(≠naturel) : un style ~ 과장된 문체.

déclamer [dekla〔ɑ〕me] *v.t.* 낭독〔낭송〕하다 : ~ un discours 연설문을 낭독하다 / ~ un poème 시를 낭송하다. ── *v.i.* ① 《~ contre》 …을 통박〔탄핵〕하다, 맹렬히 비난하다 : ~ *contre* le gouvernement 정부를 맹렬히 비난하다. ② 과장하여 말하다.

déclaratif, ive [deklaʀatif, -iːv] *adj.* ① 〖법률〗 선언적인 : jugement ~ 선언적 판결, 확인 판결. ② 〖문법〗 phrase ~*ive* 평서문 / verbe ~ 진술동사 《dire, raconter 따위》. ── *m.* 〖문법〗 = verbe ~.

déclaration** [deklaʀɑsjɔ̃] *f.* ① (의사의) 표명 : ~ de volonté 〖법률〗 의사 표시. ② 언명, 선언, 성명 ; 포고 : faire une ~ publique 공공연하게 선언하다 / ~ de neutralité 중립 선언. ③ 진술 : ~ d'un témoin 증인의 진술. ④ 신고 : ~ en douane 세관 신고 / ~ de changement de domicile 거주 이전 신고. ⑤ 고백 : ~ de ses péchés 〖종교〗 죄의 고백 ⑥ 계출 : ~ d'état-civil 호적상의 계출《출생 · 사망 · 이혼 따위의》. ⑦ 선고 ; 인정 : ~ de faillite 파산 선고. ~ ***d'amour 사랑의 고백. ~ ***de guerre*** 선전 포고. ~ ***d'expédition*** 〖철도〗 송장(送狀).

déclaré, e [deklaʀe] *adj.* 공공연한 : ennemi ~ 불구대천의 원수(= ennemi juré).

déclarer** [deklaʀe] *v.t.* ① 언명〔표명 · 진술〕하다(= assurer) : ~ ses intentions à qn …에게 의사를 표명하다 / 《~ que + *ind.*》 Il *a déclaré qu*'il partait en voyage. 그는 여행을 떠난다고 말했다. ② 선언〔선포〕하다(= proclamer) ; 선고하다 : ~ qn coupable …을 유죄라고 선고하다 / Le président *a déclaré* la séance ouverte. 의장이 개회를 선언하였다. ③ 신고하다, 계출하다 : ~ des marchandises à la douane 세관에 물품을 신고하다 / ~ un enfant à la mairie 아이의 출생을 구청에 신고하다. ④ 고백하다(= avouer) : ~ son amour 사랑을 고백하다. ⑤ 《옛》 명백히 알리다, 밝히다(= révéler). ~ ***la guerre à qc 〔qn〕 …에게〔에〕 선전포고하다. ~ ***que*** + *ind.* …라고 선언하다. ~ ***que*** + *sub.* …하도록 선고하다.

── **se** ~ *vpr.* ① 의사를 표명하다 ; 사랑을 고백하다 : Il ne veut pas *se* ~ sur ce point. 그는 그 점에 대해 자기의 의사를 밝히려 하지 않는다. ② 자기가 …라고 공언하다 : *se* ~ l'auteur du méfait 자기가 그 악행을 한 장본인이라고 자백하다. ③ 나타나다, 뚜렷해지다 ; (화재 · 병 따위가) 일어나다 : L'incendie *s'est déclaré* à l'hôpital. 병원에서 화재가 발생했다. ***se*** ~ ***pour*** 〔***contre***〕 …에(게) 대한 찬성〔반대〕의 뜻을 표명하다 : Il *s'est déclaré pour* 〔*contre*〕 les armements atomiques. 그는 핵무장에 대해 찬성〔반대〕의 뜻을 표명했다.

déclassé, e [deklɑse] *adj.* ① 사회적 지위를 잃은 ; 낙오한, 영락한. ② 등급이 떨어진 ; 〖스포츠〗 등수가 떨어진 : hôtel ~ 등급이 떨어진 호텔. ── *n.* 낙오자, 탈락자.

déclassement [deklɑsmɑ̃] *m.* ① 등급의 격하. ② 사회적 지위의 실추. ③ 제명.

déclasser [deklɑse] *v.t.* ① 뒤섞다. ② 《~ qc》 ⓐ …의 부류를〔등급을〕 변경하다 : ~ les dossiers 사무 서류의 분류를 변경하다. ⓑ …의 등급을 떨어뜨리다 : ~ un hôtel 호텔의 등급을 떨어뜨리다. ③ 《~ qn》 ⓐ …의 사회적 지위를 떨어뜨리다 ; 낙오시키다 : Cette affaire l'*a* définitivement *déclassé*. 그 사건으로 인해 그는 결정적으로 지위를 잃었다. ⓑ 〖스포츠〗 (반칙으로) 선수의 등수를 떨어뜨리다, 격하시키다. ── **se** ~ *v.pr.* 낙오하다, 사회적 지위가 떨어지다.

déclassifier [deklasifje] *v.t.* (문서 · 시설 따위를) 비밀 목록에서 빼다.

déclenche [deklɑ̃ːʃ] *f.* 〖기계〗 분리 장치.

déclenchement [deklɑ̃ʃmɑ̃] *m.* ① (걸쇠 따위를) 벗기기 ; 작동, 시동. ② (공격 따위의) 개시 ; 유발. ③ 〖사진〗 셔터 누르기.

déclencher** [deklɑ̃ʃe] *v.t.* ① …의 걸쇠를 벗기다 ; (기계의) 멈춤 장치를 벗기다 ; 시동시키다 ; 〖사진〗 …의 셔터를 누르다. ② (전쟁 따위를) 터뜨리다, 일으키다(= provoquer) : ~ une grève 파업을 일으키다. ③ (공격 따위를) 개시하다(= commencer) : ~ le feu 발포하기 시작하다. ── **se** ~ *v.pr.* ① (기계의) 멈춤장치가 벗겨지다〔떨어지다〕, 시동되다. ② (공격 따위가) 개시되다, 시작되다. ***se ~ ***le bras*** 《속어》 어깨를 삐다.

déclencheur [deklɑ̃ʃœːʀ] *m.* (기계의 멈춤 장치를) 벗기는 장치 ; 〖사진〗 셔터.
déclic [deklik] *m.* ① 〖기계〗 가동 정지 장치, 연결 차단 장치. ② (금속성의) 짤까닥하는 소리. ***chronomètre à ~*** 스톱워치.
déclin** [deklɛ̃] *m.* ① (해의) 기울음 ; (달의) 이지러짐 ; (한 해·하루의) 끝장 : Le soleil est à 〔sur〕 son ~. 해가 저물어 가고 있다 / ~ de la lune 달의 이지러짐, 하현(下弦). ② 쇠퇴, 기울음, 사향(斜向). ③ 조락(凋落), (인생 따위의) 종말. ***~ de la vie 〔***de l'âge***〕 만년. ***~ du jour*** 황혼. ***~ d'une civilisation*** 문명의 쇠퇴.
déclinable [deklinabl] *adj.* 〖문법〗 어미를 변화시킬 수 있는.
déclinaison [deklinɛzɔ̃] *f.* ① 〖문법〗 어미 변화. ② 〖천문〗 방위각(方位角) ; 적위(赤緯). ③ (자석의) 편차(偏差).
déclinant, e [deklinɑ̃, -ɑ̃ːt] *adj.* ① 기운, 기울어지는 : plan ~ 경사면. ② 쇠퇴하여 가는 : forces ~*es* 쇠퇴하여 가는 세력.
***décliner** [dekline] *v.i.* ① 쇠퇴하다, 약해지다(= baisser) : Sa vue *décline.* 시력이 약해지고 있다. ② (해가) 기울다 ; (날이) 저물다. ── *v.t.* ① 거절〔사절〕하다(= refuser) ; 〖법률〗 거부하다(= repousser) : ~ une invitation 초대에 못 가겠다고 사양하다 / ~ une responsabilité 책임을 거부하다. ② (성명·직업 따위를) 말하다 : ~ ses noms et qualités 성명과 자격을 말하다. ③ 〖문법〗 (성·수·격에 따라) 어미를 변화시키다, 굴절시키다. ── **se ~** *v.pr.* ① 거절〔사절〕되다 : charge qui ne peut *se* ~ 사퇴할 수 없는 직무. ② 〖문법〗 어미 변화를 하다.
déclive [dekliːv] *adj.* 경사진 : terrain ~ 경사지. ── *f.* 경사 ; 사면 ; 비탈, 내리받이 : en ~ 경사진(= en pente).
déclivité [deklivite] *f.* ① 경사(= pente) : ~ d'un terrain 땅의 경사. ② 경사지: ~ d'une montagne 산의 경사지.
décloisonnement [deklwazɔnmɑ̃] *m.* (학문·제도 따위의) 장벽 제거 : ~ des matières 교과목 사이의 장벽 제거.
décloisonner [deklwazɔne] *v.t.* (학문·행정 기구 따위의) 장벽을 없애다〔제거하다〕: ~ les corps des fonctionnaires 각 부·국 공무원 간의 장벽을 제거하다.
déclouer [deklue] *v.t.* …의 못을 빼다 ; (그림을) 못에서 떼어내다 : ~ une caisse 상자의 못을 빼다. ── **se ~** *v.pr.* 못이 빠지다.
décocher [dekɔʃe] *v.t.* ① (활을) 쏘다. ② 〖야금〗 (주물을) 주형(鑄型)에서 꺼내다. ***~ un coup à*** qn …을 주먹으로 치다. ***~ une épigramme contre*** qn …을 신랄하게 비난하다. ***~ une parole*** 말로 쏘아 붙이다. ***~ un regard*** 노려보다.
décocté [dekɔkte] *m.* 탕약.
décoction [dekɔksjɔ̃] *f.* ① (탕약을) 달이기. ② 탕약(= infusion, tisane).
décodage [dekɔdaːʒ] *m.* (암호 따위의) 해독.
décoder [dekɔde] *v.t.* ① (암호(문)을) 풀다, 해독하다. ② 〖전산〗 (부호를) 해독하다.
decodeur [dekɔdœːʀ] *m.* ① 〖전산〗 데코더, 해독기. ② 암호문 해독자.
décoiffer [dekwafe] *v.t.* ① …의 머리를 풀다〔헝클어뜨리다〕(= dépeigner) : Le vent l'*a décoiffée.* 바람 때문에 그녀의 머리가 헝클어졌다. ② …의 모자를 벗기다. ③ (병 따위의) 마개를 따다(= déboucher). ④ 〖군사〗 (포탄의) 신관(信管)을 벗기다. ── **se ~** *v.pr.* ① (자기의) 머리를 풀다〔헝클다〕. ② 모자를 벗다.
décoincer [dekwɛ̃se] *v.t.* ① (레일 따위의) 쐐기를 뽑다. ② (끼인 것을 제거해서) 움직일 수 있게 하다 : ~ un tiroir bloqué 걸린 서랍을 고치다. ── **se ~** *v.pr.* 쐐기가 빠지다.
déçoi-s, -t, -ve ⇒ décevoir.
décolérer [dekɔleʀe] [6] *v.i.* …의 노여움을 가라앉히다《특히 부정문에 쓰임》; 《비유》 (폭풍우가) 잠잠해지다: La mer ne *décolérait* pas. 바다의 물결이 사납게 일고 있었다.
décollage [dekɔlaːʒ] *m.* ① 뜯기, 떼기(= décollement). ② 〖항공〗 이륙(離陸), 이수. ③ (경제적) 비약, 발전.
décollé, e [dekɔle] *adj.* 《구어》 (귀가) 불쑥 나온 : oreilles ~*es* 불쑥 나온 귀.
décollement [dekɔlmɑ̃] *m.* ① 뜯기, 떼기 ; 뜯어〔떨어〕지기. ② 〖의학〗 절단, 박리(剝離) : ~ de la rétine 망막 박리.
***décoller** [dekɔle] *v.t.* ① (붙어 있는 것을) 뜯다, 떼다 ; 〖의학〗 박리(剝離)하다, 절단하다 : ~ un timbre-poste 우표를 떼다〔뜯다〕. ② 《구어》《~ qn》 …에게서 떼어놓다 : ~ un enfant de la télévision 아이를 텔레비전으로부터 떼어놓다. ── *v.t. ind.* 《~ de》《주로 부정문에 쓰임》 …에서 떠나다, 가버리다 (= s'en aller, partir) : Il ne *décolle* pas d'ici. 그는 여기서 떠나질 않는다 / Pas moyen *de* le faire ~. 그 자를 내보낼〔쫓아버릴〕 방도가 없군. ── *v.i.* ① 〖항공〗 떠오르다, 이륙〔이수〕하다(≠ atterrir, amerrir). ② (경제적으로) 상승하다. ③ 《구어》 야위다(= maigrir), 마르다 ; 안색이 나쁘다 : ~ à vue d'œil 눈에 띄게 야위다. ── **se ~** *v.pr.* ① 뜯어지다, 떨어지다. ② 《속어》 늙어빠지다 ; (병으로) 쇠약해지다.
décolleté, e [dekɔlte] *adj.* 가슴과 어깨를 드러낸, 옷깃을 넓게 튼 ; 노골적인, 음란한 : robe ~*e* 가슴과 등을 드러낸 야회복. ── *m.* ① (옷의) 깃을 파낸 부분 ; 네크(라인). ② 가슴과 어깨의 드러난 부분. ③ 노골적임.
décolleter [dekɔlte] [5] *v.t.* …의 가슴과 어깨를 드러내다 ; (옷의) 깃을 넓게 트다(= échancrer) : Cette robe la *décollette* trop. 그 옷은 그녀의 상체를 너무 드러낸다. ── *v.i.* (옷이) 깃과 등이 패이다. ── **se ~** *v.pr.* 가슴과 어깨를 드러내다 ; 깃을 넓게 튼 옷을 입다.
décoloniser [dekɔlɔnize] *v.t.* (식민지 상태를) 벗어나게 하다, 해방하다.
décolorant, e [dekɔlɔʀɑ̃, -ɑ̃ːt] *adj.* 표백하는, 탈색하는. ── *m.* 표백제, 탈색제.
décoloration [dekɔlɔʀɑsjɔ̃] *f.* ① 퇴색 ; 변색 ; 표백 ; 머리털 빛을 엷게 하기 ; 탈색. ② (얼굴빛·분장 따위의) 생기 없음.
décoloré, e [dekɔlɔʀe] *adj.* ① 퇴색한, 변색한 ; 표백된 ; 탈색한. ② (안색 따위가) 창백한 ; (문장 따위가) 생기 없는 ; (생활이) 무미건조한.
décolorer [dekɔlɔʀe] *v.t.* ① 퇴색〔탈색〕시

키다(= déteindre) ; 표백하다 : ~ ses cheveux 머리 빛깔을 엷게 하다. ② (문장 따위의) 생기를 없애다 ; 멋없게 하다 : ~ un style 문체를 무미건조하게 하다. — **se** ~ *v.pr.* ① 퇴색하다; 표백되다. ② 생기를 잃다(= se faner) ; 멋없게 되다.

***décombres** [dekɔ̃:bʀ] *m. pl.* 파편 잔해, 파괴된 물건 더미(= gravats, ruines), 잔해.

***décommander** [dekɔmɑ̃de] *v.t.* (명령 · 주문 · 약속 따위를) 취소하다(= annuler) ; 취소를 통지하다 : ~ une robe 옷 주문을 취소하다 / ~ des invités 초대객들에게 회합의 취소를 통지하다. — **se** ~ *v.pr.* 약속한 회합〔만남〕을 취소하다.

décomplexer [dekɔ̃plɛkse] *v.t.* 《구어》 강박관념에서 벗어나게 하다.

décomposer [dekɔ̃poze] *v.t.* ① 분해하다 ; 분석하다(= analyser) : ~ de l'eau par électrolyse 물을 전기 분해하다. ② 썩히다, 부패〔변질〕시키다(= putréfier) : La chaleur *décompose* les matières animales. 열은 동물성 물질을 부패시킨다. ③ 분할하다, 해체하다 : ~ une propriété 소유지를 분할하다. ④ (얼굴을) 일그러뜨리다 : visage *décomposé* 질린 얼굴. — **se** ~ *v.pr.* ① 분해되다. ② 부패되다. ③ (얼굴이) 일그러지다 : Son visage *se décomposa* de terreur. 그의 얼굴은 공포로 질렸다.

décomposition [dekɔ̃pozisjɔ̃] *f.* ① 분해 ; 분석 : ~ chimique 화학적 분해. ② 부패, (유기물의) 변질. ③ 해체, 붕괴. ④ (얼굴의) 일그러짐 : ~ des traits 표정의 일그러짐.

décompression [dekɔ̃pʀɛsjɔ̃] *f.* ① 압력 감소, 감압 : soupape de ~ 감압 밸브. ② 《구어》 (정신적인) 긴장의 완화, 휴식. ③ 〚의학〛 감압(법) : ~ cardiaque 심장 감압.

décomprimer [dekɔ̃pʀime] *v.t.* 압력을 줄이다 : ~ de l'air 공기의 압력을 줄이다.

décompte [dekɔ̃:t] *m.* ① 차감, 공제 ; 할인(= réduction) ; 차액, 잔액 : cent francs de ~ 10 프랑의 할인. ② 명세 계산 ; 명세서. ③ 《구어》 실망(= déception). ④ ~ syllabique (시의) 음절 계산. ***trouver* 〔*éprouver*〕 *du* ~** 기대가 어긋나다, 실망하다.

décompter [dekɔ̃te] *v.t.* ① 차감〔공제〕하다, 할인하다 : On m'*a décompté* dix pour cent. 나는 1 할의 할인을 받았다. ② 자세히 계산하다. ***trouver à* ~** 기대가 어긋나다. — *v.i.* (시계가) 시간을 틀리게 치다.

déconcentration [dekɔ̃sɑ̃tʀɑsjɔ̃] *f.* ① 〚행정〛 지방으로 행정을 분산시키기. ② (지방) 분산 : ~ industrielle 산업의 지방 분산.

déconcentrer [dekɔ̃sɑ̃tʀe] *v.t.* (경제력의 집중을) 배제하다, 분산시키다. ~ une ville saturée 포화 상태의 도시를 분산시키다.

déconcert [dekɔ̃sɛ:ʀ] *m.* ① 불일치. ② 당황, 혼란 : sans ~ 태연〔침착〕하게.

déconcertant, e [dekɔ̃sɛʀtɑ̃, -ɑ̃:t] *adj.* 난처하게 만드는, 당황케 하는, 어리둥절하게 하는(= déroutant), 난데없는(= inattendu) : attitude ~*e* 어리둥절하게 하는 태도.

***déconcerter** [dekɔ̃sɛʀte] *v.t.* ① (계획 따위를) 좌절시키다. ② 당황하게〔어리둥절하게〕 하다(= embarrasser) : Cette réponse nous *a déconcertés*. 그 대답을 듣고 우리는 당황했다 / 《목적보어 없이》 Il a de l'audace qui *déconcerte*. 그는 사람을 당황케 하는 대담성이 있다. — **se** ~ *v.pr.* ① 틀어지다. ② 당황하다, 쩔쩔매다.

déconfit, e [dekɔ̃fi, -it] *adj.* 당황한, 어쩔 줄 모르는 : air ~ 당황한 기색.

déconfiture [dekɔ̃fity:ʀ] *f.* ① 《구어》 실패, 낭패 ; 파멸(= échec) : ~ d'un parti politique aux élections 어떤 정당의 선거 참패. ② 파산, 도산(= faillite) : tomber en ~ 파산하다.

décongélation [dekɔ̃ʒelɑsjɔ̃] *f.* (얼었던 것을) 녹이기, 해동.

décongeler [dekɔ̃ʒle] [4] *v.t.* (얼었던 것을) 녹이다 ; 해동하다.

décongestionner [dekɔ̃ʒɛstjɔne] *v.t.* ① …의 충혈을 고치다〔완화하다〕. ② …의 혼잡〔붐빔〕을 덜다〔완화하다〕 : ~ une rue encombrée 도로의 혼잡을 완화하다.

déconnecté, e [dekɔnɛkte] *adj.* 분리된, 단절된 : ~ de la réalité 현실과 단절된.

déconnecter [dekɔnɛkte] *v.t.* ① 〚전기〛 끊다, 단절하다. ② 분리하다(= séparer).

déconner [dekɔne] 《속어》 *v.t.* (지루하게) 말하다. — *v.i.* 바보 같은 소리를 하다 ; (지루하게) 지껄이다, 지껄여대다.

***déconseiller** [dekɔ̃se(ɛ)je] *v.t.* 말리다, 그만두게 하다, 만류하다 : film à ~ pour les jeunes 청소년에게 보여줄 수 없는 영화 / 《~ qc à qn ; ~ à qn de+*inf.* ; 《드물게》 ~ qn de qc》 Il me l'*a déconseillé*. 그는 내게 그것을 만류했다.

déconsidération [dekɔ̃sideʀɑsjɔ̃] *f.* 악평 ; 불신(= discrédit) ; 신용을 잃음. ***jeter la* ~ *sur*** …에게 불신의 눈초리를 던지다. ***tomber en* ~** 평판이 나빠지다.

déconsidérer [dekɔ̃sideʀe] [6] *v.t.* …의 신용을 떨어뜨리다, 평판을 나쁘게 하다 : Cet événement l'*a déconsidéré*. 이 사건으로 그는 평판이 나빠졌다. — **se** ~ *v.pr.* 신용〔신망〕을 잃다 : Il *se déconsidère* par une telle conduite. 그는 그런 행동 때문에 신용을 잃었다.

déconsigner [dekɔ̃siɲe] *v.t.* ① 〚군사〛 …의 외출 금지를 해제하다. ② 〚철도〛 (수하물에서 짐을) 찾다.

décontaminer [dekɔ̃tamine] *v.t.* (오염된 장소나 물건을) 정화(淨化)하다, 위생적으로〔깨끗하게〕 하다(= assainir).

décontenancer [dekɔ̃tnɑ̃se] [2] *v.t.* 당황하게 하다(= démonter, déconcerter) : Sa question m'*a décontenancé*. 그의 질문이 나를 당황케 했다. — **se** ~ *v.pr.* 당황하다.

***décontracté, e** [dekɔ̃tʀakte] *adj.* ① (근육이) 이완된, 풀린(= détendu). ② 긴장이 풀린. ③ 《구어》 걱정 없는, 태평스런.

décontracter [dekɔ̃tʀakte] *v.t.* …의 긴장을 풀다(= détendre), 이완시키다. — **se** ~ *v.pr.* (몸 · 마음의) 긴장을 풀다 ; 긴장이 풀리다 : *Décontractez*-vous ! 마음을 편히 가지세요 !

décontraction [dekɔ̃tʀaksjɔ̃] *f.* (근육의) 이완, (긴장을) 풀기, 해이 ; 《구어》 느긋함.

déconvenue [dekɔ̃vny] *f.* ① 뜻밖의 실패(= insuccès). ② 실망(= déception), 낙담 :

éprouver une grande ~ 대단히 실망하다.

*__décor__ [dekɔːʀ] *m.* ① 꾸밈새, 장식 ; 겉치레 ; 겉모양 : ~ somptueux 호화로운 실내 장식 / Tout cela n'est que du ~. 이것은 모두 겉치레뿐이야. ② 〖연극〗 (*pl.*) 배경, 무대 장치; 환경, 배경. ***aller*** 〔***entrer***〕 ***dans le ~*** 《구어》 (자동차가) 벽을 들이받다. ***changement de ~*** 정세〔상황〕의 급변.

décorateur, trice [dekɔʀatœːʀ, -tʀis] *m.* ① 장식가, 실내 장식가 : peintre ~ 장식 화가. ② 무대 장치가(= ~ de théâtre) ; 배경화가 : ~ de télévision 텔레비전 무대 장치가.

décoratif, ive [dekɔʀatif, -iːv] *adj.* ① 장식(용)의, 장식적인 : art ~ 응용 미술. ② 《구어》 (사람이) 모임을 돋보이게 하는 ; 허식적인.

décoration [dekɔʀɑsjɔ̃] *f.* ① 장식술, 장식하기 : entendre bien la ~ 장식(술)을 잘 알다. ② 장식물 ; 〖연극〗 무대 장치 : ~s d'un salon 거실의 장식물〔품〕. ③ 훈장 : remise de ~ 훈장 수여.

décoré, e [dekɔʀe] *adj.* ① 꾸며진, 장식된. ② 훈장을 받은. — *n.* 훈장 수훈자.

*__décorer__ [dekɔʀe] *v.t.* ① 꾸미다, 장식하다(= orner) ; 미화하다(= embellir) : ~ un apartement 〔une vitrine〕 아파트를〔진열창을〕 장식하다 / tableaux qui *décorent* un salon 거실을 아름답게 해 주는 그림들. ② 겉치레하다, 허울 좋은 이름을 붙이다(= revêtir) : ~ sa cruauté du nom de justice 정의라는 이름으로 잔인함을 감추다. ③ 《~ qn》 …에게 훈장을 수여하다(= médailler) : ~ un soldat d'une médaille 병사에게 훈장을 수여하다. ④ …에게 레종도뇌르 훈장을 수여하다 : Il va *être décoré*. 그는 레종도뇌르 훈장을 받을 것이다. — **se** ~ *v.pr.* ① 장식되다. ② 《se ~ de》 …을 참칭〔자칭〕하다.

décorticage [dekɔʀtikaːʒ] *m.* 껍질〔깍지〕 벗기기, 찧기 : ~ du riz 벼를 찧기.

décortiquer [dekɔʀtike] *v.t.* ① …의 껍질을〔깍지를〕 벗기다 ; (벼 따위를) 찧다; (갑각류의) 껍데기를 벗기다 : ~ un arbre 나무의 껍질을 벗기다. ② 《비유》 철저하게 분석하다 : ~ des textes 텍스트를 면밀히 분석하다.

décorum [dekɔʀɔm] 〔라틴〕 *m.* 《복수없음》 ① 예의범절, 예의 : garder 〔observer〕 le ~ 예절을 지키다. ② (공식적인) 의식, 관례.

décote [dekɔt] *f.* 면세(免稅) ; 관세 할인.

découcher [dekuʃe] *v.i.* 외박(外泊)하다. — *m.* 외박.

découdre [dekudʀ] [34] *v.t.* ① (꿰맨 것을) 뜯다, …의 솔기를 풀다. ② (짐승이) 뿔로 받아 찢다〔터뜨리다〕. ***~ les lèvres*** 《구어》 입을 열다《부정문에 쓰임》. — *v.i.* 《en ~》 《구어》 싸우다 : Il est toujours prêt à *en* ~. 그는 걸핏하면 싸우려 한다.

découler [dekule] *v.i.* ① 《~ de》 …에서 생기다, 유래하다(= provenir, résulter) : 《비인칭》 Il *découle de* ce principe que+*ind.* 이 원칙에서 …라는 결과가 생긴다. ② (물이) 뚝뚝 떨어지다, 흘러나오다.

découpage [dekupaːʒ] *m.* ① (종이 · 고기 따위를) 자르기, 썰기. ② (선 · 가죽 · 금속판 따위를) 오려내기, 재단. ③ 오려내기 ; 오려낸 그림. ④ 〖영화〗 시나리오의 각 장면.

découpe [dekup] *f.* ① 〖의복〗 장식 구멍 ; (*pl.*) 부채꼴 가장자리 장식. ② (목재의) 절단. ③ (쇠고기 따위의) 분할법.

découpé, e [dekupe] *adj.* ① 잘린, 썬. ② 오려낸 : bien ~ (의복이) 재단이 잘된, 모양이 좋은. ③ (윤곽이) 뚜렷이 드러나 보이는.

*__découper__ [dekupe] *v.t.* ① ⓐ 자르다, 썰다. ⓑ 《목적보어 없이》 (익힌) 고기를 자르다 : couteau à ~ 고기 자르는 (식탁용의) 칼. ② 잘라〔오려〕내다 ; 재단하다 ; …에 톱니꼴을 만들다 : ~ un article dans un journal 신문 기사를 오려내다. ③ …의 윤곽을 뚜렷이 드러내다〔부각시키다〕(= détacher). — **se** ~ *v.pr.* ① 《~ sur》 …에 윤곽이 뚜렷이 드러나다 : La silhouette de la tour *se découpait sur* le ciel bleu. 푸른 하늘 위로 탑의 윤곽이 뚜렷이 드러났다. ② 잘리다 ; 오려지다.

découplé, e [dekuple] *adj.* ① 《옛》 동작이 자유로운. ② bien ~ 몸맵시가 좋은, 늘씬한.

décourageant, e [dekuʀaʒɑ̃, -ɑ̃ːt] *adj.* 낙심〔실망〕시키는 ; 맥이 빠지는 : nouvelle ~*e* 슬픈 소식 / Vous êtes ~ ! 참 딱하시구려 !

découragement [dekuʀaʒmɑ̃] *m.* 의기소침 ; 낙담, 실망, 낙심 : par ~ 낙심하여 / tomber dans le ~ 낙담〔의기소침〕하다.

*__décourager__ [dekuʀaʒe] [3] *v.t.* ① …의 의기를 꺾다, 낙담〔실망〕시키다, 맥이 빠지게 하다(≠ encourager) : Froid et hautain, il *décourageait* la familiarité. 냉정하고 거만해서 그에게는 친근감을 가질 수 없었다. ② (계획 따위의) 의욕을 꺾다(= dissuader) : ~ un projet 계획을 좌절시키다. ③ 저지하다(= arrêter) : Sa froideur *décourage* la familiarité. 그는 냉정해서 친근감을 가질 수 없다. ~ qn ***de*** qc 〔***de***+*inf.*〕 …에게 …할 마음이 내키지 않게 하다. — **se** ~ *v.pr.* 낙담하다, 의기소침하다 : Ne *vous découragez* pas ! 낙담하지 마시오 !

découronner [dekuʀɔne] *v.t.* ① …에게서 왕위를 빼앗다 ; (위신 · 영광 따위를) 박탈하다 : ~ un roi 왕을 폐위시키다 / ~ les gloires de qn …의 영광을 박탈하다. ② …의 윗가지를 자르다 ; …의 윗부분을 철거하다 : arbre *découronné* 윗가지가 꺾인 나무.

décous-ant, is, -ons ⇒ découdre.

décousu, e [dekuzy] *adj.* ① (꿰맨 것이) 풀린, 실밥이 뜯어진. ② 조리 없는, 일관성이 없는, 지리멸렬한(= incohérent) : propos ~s 일관성이 없는 말. — *m.* 지리멸렬, 조리 없음(= incohérence).

découvert[1], **e**[1] [dekuvɛːʀ, -ɛʀt] *adj.* ① 노출된, 드러낸; 모자를 쓰지 않은; (이마가) 벗겨진 : allée ~*e* 가로수가 하늘을 덮고 있지 않은 길 / avoir la tête ~*e* 모자를 쓰지 않고 있다. ② (자동차 따위가) 덮개가 없는 ; (토지가) 광활한. ③ (도시가) 방비 없는 ; (부대가) 엄폐물 없이 노출된. ***à visage ~*** 솔직히, 숨김없이. ***terrain ~*** (큰 건물 앞의) 광장 ; 〖군사〗 (엄폐물이 없는) 비보호 지역. — *m.* ① 〖상업〗 신용대부, 당좌대월. ② 〖재정〗 결손, 적자 : ~ du trésor 국고의 결손. ③ 〖군사〗 비보호 지역(= terrain ~)

découvert[2] **(à)** [adekuvɛːʀ] *loc. adv.* ① 벌판에서, 노천에서. ② 드러내놓고, 숨김없이 : montrer son cœur *à* ~ 자기 심중을 숨김없이 드러내 보이다. ③ 〖상업〗 보증없이, 무담

보로: crédit *à* ~ 신용 대부. ④ 〖군사〗 엄호 없이 ; 엄폐물이 없는 곳에서 : combattre *à* ~ 엄폐물이 없이 싸우다.

*__découverte²__ [dekuvɛʀt] *f.* ① 발견, 발명 ; 발견물 ; 발명품. ② (음모의) 간파 ; 〖군사〗 수색, 정찰(= reconnaissance). ***à la ~ de*** qc …을 발견〔탐험 · 정찰〕하기 위하여. ***voyage de ~*** 탐험 여행.

découvreur, euse [dekuvʀœːʀ, -øːz] *n.* 발견자 ; 탐험가.

⁑**découvrir** [dekuvʀiːʀ] 12 *v.t.* ① ⓐ (덮었던 것을) 벗기다, 노출시키다 ; 드러내다 : ~ un vase 그릇의 뚜껑을 열다 / vêtement qui *découvre* les épaules 어깨를 드러내는 옷. ⓑ 〖군사〗 무방비 상태로 하다 : ~ une frontière en retirant des troupes 부대를 철수시켜 국경을 무방비 상태로 만들다. ② (계획 · 의도 따위를) 드러내다(= révéler) ; 폭로하다(= divulguer) ; (속마음 따위를) 털어놓다 : ~ son cœur 마음속을 피력하다 / ~ les dessous d'une affaire 사건의 내막을 폭로하다. ③ (보이지 않던 것을) 보다, 멀리 바라보다 : Du haut de la colline, on *découvre* la mer. 언덕에 올라가면 바다가 보인다. ④ 알아내다 ; (음모 따위를) 간파하다 : ~ une qualité à qn …에게 장점이 있음을 알아내다. ⑤ 찾아내다 ; 발견하다, 밝혀내다 : ~ un trésor 보물을 발견하다 / ~ un astéroïde au télescope 망원경으로 소혹성을 발견하다 / ~ un talent à qn …의 재능을 찾아내다. ***~ le flanc aux attaques*** 공격의 기회를〔구실을〕 주다. ***~ le pot aux roses*** 비밀을 탐지하다. ***~ son jeu*** 〖카드놀이〗 패를 보이다 ; 계획〔생각〕을 알리다.
— *v.i.* (썰물이 되어) 모습을 드러내다 : Ce rocher *découvre* à marée basse. 이 바위는 썰물이 되면 모습을 드러낸다.
— **se ~** *v.pr.* ① 옷을 벗다 ; 모자를 벗다 : ~ pour saluer qn …에게 인사하기 위해 모자를 벗다. ② (날씨가) 개다 : Le ciel *se découvre.* 하늘이 개다. ③ 《se ~ à》 생각 · 계획 따위를 밝히다, 흉금을 털어놓다 : *se ~ à* ses amis 친구들에게 속마음을 털어놓다. ④ ⓐ 자기를 발견하다. ⓑ 《속사와 함께》 자기가 …임을 발견하다. ⑤ 드러나다 ; 나타나다 ; 탄로나다 : Ses noirs desseins *se sont découverts.* 그의 검은 흉계가 드러났다. ⑥ 무방비 상태가 되다, 틈을 보이다.

décrassage [dekʀasaːʒ], **décrassement** [dekʀasmɑ̃] *m.* 때를 벗기기 ; 《비유》 (정신적으로) 세련되게 하기, 도야.

décrasser [dekʀase] *v.t.* ① …의 때를 벗기다, 청소하다 : ~ les mains des enfants 아이의 손의 때를 벗기다. ② 교육〔세련〕시키다 : ~ son esprit 정신을 도야하다. — **se ~** *v.pr.* ① (자기의) 때를 벗기다. ② 세련되다, 교육을 받다.

décréditer [dekʀedite] *v.t.* …의 신용을〔권위를〕 떨어뜨리다 ; …의 명예를 손상〔훼손〕하다. — **se ~** *v.pr.* 신용을 잃다.

décrêper [dekʀɛpe] *v.t.* ① (곱슬한 머리를) 풀다. ② (퍼머넌트한 머리를) 원래대로 풀다.

décrépir [dekʀepiːʀ] *v.t.* ① 초벽칠한 흙을 떨어뜨리다. ② 노화시키다, 황폐시키다.
— **se ~** *v.pr.* ① 초벽칠한 흙이 떨어지다. ② 노화되다, 황폐하다.

décrépit, e [dekʀepi, -it] *adj.* ① 늙어빠진, 초췌한 : vieillard ~ 초췌한 늙은이. ② 낡아빠진 : maison ~*e* 낡아빠진 집.

décrépitude [dekʀepityd] *f.* ① 노쇠, 늙어빠짐. ② 쇠퇴, 몰락(= décadence) ; 노후, 황폐 : ~ d'une civilisation 문명의 쇠퇴.

decrescendo [dekʀeʃ(ʃ)ɛ̃do, -ʃɛndo] 〔이탈리아〕 *adv.* ① 〖음악〗 점점 약하게. ② 차츰 약해져〔사그라져〕. — *m.* ① 〖음악〗 데크레센도. ② 점차적인 약화.

*__décret__ [dekʀɛ] *m.* ① (주권자 · 행정 책임자의) 명령, 법령, 칙령(= ordonnance) ; 명령 : ~ présidentiel 대통령령 / ~ de grâce 사면령. ② 〖종교〗 교회(법)령 ; 천명.

*__décréter__ [dekʀete] 6 *v.t.* 정령〔법령〕으로 발포하다, 명령하다, 포고하다 ; 결정하다, 선언하다 : ~ que + *inf.* …임을 공표하다.
— *v.i.* 명령을 발부하다. **~ *contre*** qn …에게 체포 영장을 발부하다.

décret-loi [dekʀɛlwa] *m.* (*pl.* **~s-~s**) (법률과 동일한 효력을 갖는) 시행령, 칙령.

décrier [dekʀije] *v.t.* …의 평판을 떨어뜨리다, 헐뜯다, 중상하다(= dénigrer) : ~ ses voisins 이웃을 비난하다. — **se ~** *v.pr.* ① 평판이 떨어지다. ② 서로 중상하다.

*__décrire__ [dekʀiːʀ] 38 *v.t.* ① 묘사하다(= dépeindre) ; 서술하다, 기술하다 : ~ un événement en détail 사건을 상세히 묘사하다. ② (도형 따위를) 그리다. — **se ~** *v.pr.* 묘사되다. ***Cela ne peut (pas) se ~.*** 그것은 필설(筆舌)로 묘사〔표현〕할 수 없다.

décri-s, -t ⇒ décrire.

décrispation [dekʀispɑsjɔ̃] *f.* (정치 · 사회적인) 긴장 상태의 완화.

décriv-es, -ez, -ons ⇒ décrire.

décrochage [dekʀɔʃaːʒ] *m.* ① (고리 · 못 따위에서) 벗기기, 떼어내기 ; (수화기를) 들기. ② 〖군사〗 (적과의) 교전 중단, 후퇴. ③ (일 · 활동의) 중단. ④ 〖우주〗 궤도 이탈 : ~ de l'orbite lunaire (우주선의) 달궤도 이탈.

décrochement [dekʀɔʃmɑ̃] *m.* ① décrochage ①, ②. ② (벽 따위의) 움푹 들어간 부분. ③ 〖지질〗 수평 단층.

*__décrocher__ [dekʀɔʃe] *v.t.* ① (못 · 고리 따위에서) 벗기다 ; (걸려 있는 것을) 떼다 ; (수화기를) 들다 : ~ un tableau 그림을 떼어내다 / ~ le téléphone 전화의 수화기를 들다. ② 《구어》 손에 넣다, 획득하다(= dénicher). ***~ le grand succès*** 대성공을 거두다. ***~ les palmes*** 〔***la croix***〕 훈장을 타다.
— *v.i.* ① 〖군사〗 적과의 접촉을 끊다, 후퇴하다. ② 《구어》 일을 그만두다, 중단하다. ③ 《~ de》 …에서 분리되다, 이탈되다.
— **se ~** *v.pr.* ① (못 · 고리 따위에서) 벗겨지다. ② 일을 그만두다 ; (약속 따위를) 회피하다. ***bâiller*** 〔***rire***〕 ***à se ~ la mâchoire*** 《구어》 입을 크게 벌리고 하품하다〔웃다〕.

décroiser [dekʀwaze] *v.t.* (교차된〔짠〕 것을) 떼어놓다〔풀다〕 : ~ les bras 〔jambes〕 팔짱 낀 팔을〔걸친 다리를〕 풀다.
— **se ~** *v.pr.* (교차된〔짠〕 것이) 풀리다.

décroissance [dekʀwasɑ̃ːs] *f.* 감소, 감퇴, 쇠퇴(= diminution, déclin) ; 이울기, (달의) 이지러짐, (날이) 짧아지기.

décroissant, e [dekʀwasɑ̃, -ɑ̃:t] *adj.* 줄어가는, 감소하는 ; (달이) 이지러지는 ; 〖음악〗 소리가 점점 약해지는. 「croissance.
décroissement [dekʀwasmɑ̃] *m.* = dé-
décroiss-ons, -ez ⇒ décroître.
décroître [dekʀwa(ɑ:)tʀ] [41] *v.i.* 《조동사는 동작을 나타낼 때 avoir, 상태인 경우에는 être》 ① 감소하다, 줄어들다 ; 내리다, 하강하다, 작아지다(= diminuer, baisser) : Les eaux *ont* bien *décru* 〔*sont* bien *décrues*〕. 물이 줄었다 / La fièvre *décroît*. 열이 내린다. ② (날이) 짧아지다 ; (달이) 이지러지다 ; (빛 · 소리가) 약해지다 ; 쇠퇴하다.
décrotter [dekʀɔte] *v.t.* ① (구두 따위의) 진흙을 털다 : ~ des chaussures 구두를 닦다. ② 《구어》 촌티를 벗기다 ; 교육시키다. ── **se** ~ *v.pr.* 자기 몸의 진흙을 털다.
décrottoir [dekʀɔtwa:ʀ] *m.* 진흙떨이, 신발닦개.
décrue [dekʀy] *f.* ① (하천 따위의) 감수(減水) ; 감수량. ② 감소, 감퇴 ; 쇠퇴.
décru-s, -t ⇒ décroître.
décryptage [dekʀipta:ʒ], **décryptement** [dekʀiptəmɑ̃] *m.* (암호문의) 해독.
décrypter [dekʀipte] *v.t.* ① (암호문을) 해독하다. ② (난해한 문자를) 판독하다.
déçu, e [desy] *adj.* 실망한, 낙담한 ; 환멸을 느낀, (기대 따위가) 어긋난. **~ *que*** + *sub.*; **~ *de ce que*** + *sub.* 〔*ind.*〕 …에 실망한.
déculotter [dekylɔte] *v.t.* …의 (반) 바지(culotte)를 벗기다 : ~ un enfant 어린아이의 (반)바지를 벗기다. ── **se** ~ *v.pr.* (반)바지를 벗다 ; 《속어》 누설하다, 실토하다.
déculpabiliser [dekylpabilize] *v.t.* 《~ qn》 …을 죄의식에서 해방시키다. ── **se** ~ *v.pr.* 죄의식에서 해방되다. 「배.
décuple [dekypl] *adj.* 10 배의. ── *m.* 10
décuplement [dekypləmɑ̃] *m.* 10 배로 함.
décupler [dekyple] *v.t.* 10 배로 하다 ; 크게 증가〔증대〕시키다. ── *v.i.* 10 배로 되다 ; 크게 증가〔증대〕되다 ; (가격이) 무척 오르다. ── **se** ~ *v.pr.* 10 배로 되다; 10 배의 힘을 내다 ; 현저하게 커지다.
décu-s, -t ⇒ décevoir.
dédaignable [dedɛɲabl] *adj.* 멸시할 만한.
dédaigner [dedɛ(e)ɲe] *v.t.* ① 멸시〔경멸〕하다, 깔보다, 업신여기다(= mépriser). ② 무시하다, 개의치 않다 : Cette offre n'est pas à ~. 이 제안은 무시할 수 없다. ③ 거절〔거부〕하다(= repousser). **~ *de*** + *inf.* 얕보아 …하지 않다 : Il *dédaigne de* répondre. 그는 대답조차 하지 않는다.
dédaigneusement [dedɛɲøzmɑ̃] *adv.* 멸시하듯, 건방지게, 젠체하여.
dédaigneux, euse [dedɛɲø, -ø:z] *adj.* 《~ de》 건방진, 교만한, …을 경멸〔경시 · 무시〕하는 : ~ *des* honneurs 명예를 소홀히 하는 / 《~ de + *inf.*》 ~ *de* s'instruire 배우는 일을 경시하는. ── *n.* 건방진〔거드름을 피우는〕 사람 : faire le ~ 〔la ~*euse*〕 거드름 피우다, 젠체하다.
dédain [dedɛ̃] *m.* 경멸, 멸시(= mépris) ; 무시 ; (*pl.*) 경멸의 표시 : sourire de ~ 거만한 웃음 / ~ de 〔pour〕 l'argent 금전에 대한 무관심 / prendre qn en ~ …을 멸시하다.
dédale [dedal] *m.* ① 미로(迷路)(= labyrinthe), 미궁(迷宮). ② 착잡, 뒤얽힌 것. ── **D~** *n.pr.m.* 〖그리스신화〗 다이달로스 《크레타섬의 미궁을 만든 사람》.
dedans** [d(ə)dɑ̃] *adv.* 안에, 안으로(≠ dehors) : un trésor est caché ~. 안에 보물이 감추어져 있다. ***donner 〔***tomber***〕 **~** 《구어》 함정에 빠지다, 속아 넘어가다. ***entrer*** 〔***rentrer***〕 **~** ⓐ 《구어》 부딪치다, 충돌하다 : Une moto m'est entrée 〔rentrée〕 ~. 나는 오토바이에 부딪쳤다. ⓑ 《속어》 덤벼들다 ; 해치우다. ***être* ~** 《속어》 만취해 있다. ***mettre*** 〔***foutre, ficher***〕 qn ~ 《구어》 …을 속이다. ***ne pas savoir si*** qn ***est* ~ *ou dehors*** …의 속셈을 알 수 없다. ── *m.* ① 속, 내부 : ~ d'une boîte 상자의 내부 / ennemis du ~ 내부의 적 / du ~ au dehors 안에서 밖으로. ② 마음(속)(= âme, cœur). ③ 〖테니스〗 advantage ~ 어드밴티지《서브하는 측의 득점》. ***au*(-) ~** 안(쪽)에 ; 마음속에 ; 국내에 : garder ses sentiments *au*(-) ~ 감정을 마음속에 간직하다. ***au*(-) ~ *de*** …의 안(쪽)에 ; 마음속에 ; *au*(-) ~ *de* lui-même 그의 마음속에. ***de* ~** 안에서, 안쪽에서 : fermer la porte *de* ~ 문을 안에서 잠그다. ***en* ~** 안(쪽)에 ; 마음속으로 : avoir les yeux *en* ~ 눈이 움푹 들어가 있다 / rire *en* ~ 속으로 웃다. ***en* ~ *de*** …의 안(쪽)에, 범위 안에 ; 마음속에 : *en* ~ *de* ses moyens 그가 취할 수 있는 수단의 범위 안에서. ***être en* ~** 내성적〔내향적〕이다. ***personne en* ~** 내향적인 사람. ── *prép.* 《옛》 …속〔안〕에. ***~ et dehors*** qc …의 속과 밖에. ***par* ~**〔***par-~***〕 …의 안에(서), …의 안을 통해서.
dédicace [dedikas] *f.* ① (교회당의) 봉헌(奉獻) ; 헌당식(獻堂式). ② (저서 따위의) 헌정(獻呈) ; 증정 ; 헌사.
dédicacer [dedikase] [2] *v.t.* (저서 · 작품을) 바치다, 헌정하다, …에 헌사를 적다.
dédicateur, trice [dedikatœ:ʀ, -tʀis] *n.* 봉헌자, 헌정자, 헌납자. 「정의.
dédicatoire [dedikatwa:ʀ] *adj.* 봉헌의 ; 헌
dédier [dedje] *v.t.* ① (성당을) 봉헌하다. ② (권두에 헌사를 박아 저서 따위를) 바치다, 헌정하다 : ~ une œuvre à son père (권두에 헌사를 박아) 작품을 아버지에게 바치다. ③ (노력 따위를) 바치다(= consacrer). ── **se** ~ *vpr.* 몸을 바치다.
dédire [dedi:ʀ] [29] *v.t.* 부인하다, 반박하다 ; (한 말을) 취소하다. ***en* ~** qn …의 말〔약속〕을 부인〔부정〕하다. ── **se** ~ *v.pr.* ① 한 말을 취소하다 ; 《se ~ de》 (증언 따위를) 취소하다. ② 약속을 취소하다 ; 《se ~ de》 (계약 따위를) 취소하다 : *se* ~ *d*'un engagement 약속을 어기다. ***Il n'y a plus*** 〔***pas***〕 ***à s'en* ~.** 한 번 말한 일이다, 이제 뒤로 물러설 순 없다.
dédi-s, -t, -se(s) ⇒ dédire.
dédit [dedi] *m.* (한 말의) 취소 ; 철회 ; 위약(금) : en cas de ~ 위약할 경우에는.
dédommagement [dedɔmaʒmɑ̃] *m.* 손해배상 ; 벌충, 보상.
dédommager [dedɔmaʒe] [3] *v.t.* (손해를) 배상〔보상 · 변상〕하다 : ~ qn d'une perte …에게 손해배상을 해 주다 / 《간접보어 없이》 Comment pourrais-je vous ~?

D

어떻게 보답을 해드려야 할까요? ── **se ~** *v.pr.* 《se ~ de》 …을 벌충하다, …의 보상을 하다.

dédoré, e [dedɔʀe] *adj.* ① 도금이 벗겨진. ② 《구어》 볼품없이 영락한.

dédouanage [dedwanaːʒ], **dédouanement** [dedwanmɑ̃] *m.* ① 통관(通關). ② 명예 회복, 복권; (행동의) 정당화, 해명.

dédouaner [dedwane] *v.t.* ① (상품 따위를) 통관시키다; (어떤 품목의) 관세를 없애다. ② (…의 명예·신용을) 회복시키다; (행동을) 정당화하다: ~ qn en le nommant ministre …을 장관으로 임명하여 명예를 회복시켜 주다. ── **se ~** *v.pr.* 자신의 명예를 회복하다, 자신을 정당화하다.

dédoublement [dedubləmɑ̃] *m.* 둘로 나누기〔나뉘기〕, 양분: ~ d'une classe 반을 둘로 나누기, 분반 / ~ des prix 2중 가격. ***~ de la personnalité*** 〖심리〗 이중인격, 인격분열. ***~ d'un train*** 열차의 증발(增發). ***voie de ~*** 〖철도〗 측선(側線).

dédoubler [deduble] *v.t.* ① 둘로 나누다. ② (겹으로 된 것을) 외겹으로 만들다; 일렬로 만들다; (옷의 단 따위를) 펴다. ③ (옷의) 안감을 뜯다. ④ (열차를) 특별히 증발(增發)하다. ***~ un train*** 잇달아 두 열차를 운행하다. ── **se ~** *v.pr.* ① 둘로 나뉘다. ② 안감이 뜯어지다. ③ 이중인격을 가지다.

dédramatisation [dedʀamatizɑsjɔ̃] *f.* 비연극화; 극적으로 묘사〔이야기〕하지 않기.

dédramatiser [dedʀamatize] *v.t.* 비연극화하다; 극적으로 묘사〔이야기〕하지 않다; 심각하게 여기지 않다: ~ la divorce 이혼을 심각하게 여기지 않다.

déductible [dedyktibl] *adj.* 공제할 수 있는.

déductif, ive [dedyktif, -iːv] *adj.* 〖철학〗 연역적인(≠ inductif).

déduction [dedyksjɔ̃] *f.* ① 공제; 할인. ② 〖논리〗 연역법; 추론, 결론. ≪***Sans ~***≫ 「정가(正價)」. ***sous ~ de*** 10%, 1할 싸게.

déduire** [dedɥiːʀ] 32 *v.t.* ① 공제하다, 할인하다(= défalquer): ~ ses frais de voyage 여비를 공제하다. ② 〖철학〗 연역하다; 추론하다; 결론짓다. ***en ~ 《구어》 (남의 이야기를) 에누리해서 듣다. ***On peut en ~ que***+*ind.* 우리는 그것으로부터 …을 추론할 수 있다. ***tous frais déduits*** 모든 비용을 제하고. ── **se ~** *v.pr.* ① 공제되다; 할인되다. ② 연역되다; 추론되다; 결론이 내려지다.

dédui-s, -t ⇒ déduire.

déesse [deɛs] *f.* ① 여신: ~ de l'amour 〔de la sagesse〕 사랑〔지혜〕의 여신. ② 기품 있고 고상한 여인; 애인: port d'une ~ 여신과 같은 기품 있는 거동.

de facto [defakto] 〔라틴〕 *loc. adv.* 사실상: gouvernement ~ 사실상의 정부.

défaillance [defajɑ̃ːs] *f.* ① 실신, 기절; (정신·육체의) 쇠약, 쇠퇴, 감퇴: avoir une ~; tomber en ~ 기절하다. ② (기계 따위의) 고장, 장애; (조직 따위의) 비능률, 무능력: ~ mécanique 기계 고장. ③ 과오, 과실; (작품 따위의) 결점; 〖법률〗 의무 불이행. ***~ de mémoire*** 건망증. ***politique*** 〔***mémoire***〕 ***sans ~*** 확고한 정책.

défaillant, e [defajɑ̃, -ɑ̃ːt] *adj.* ① 쇠약해지는; 기력 없는; 기절한, 실신한: forces ~*es* 약해진 기력. ② (의욕 따위가) 쇠퇴한, 감퇴한. ③ (기계 따위가) 고장난; (조직 따위가) 비능률적인, 무능력한: pièces ~*es* 불량 부품. ④ 〖법률〗 결석의: témoin ~ 결석 증인. ── *n.* 〖법률〗 궐석자.

défaillir [defajiːʀ] 23 *v.i.* ① 없어지다, 결여되다. ② 쇠약해지다; 쇠퇴하다; 기절하다, 실신하다: ~ d'effroi 공포로 실신하다 / Ses forces *défaillent* de jour en jour. 그의 기력이 날로 떨어진다. ③ (기계·제도 따위의 기능이) 저하되다. ***~ à son devoir*** 의무를 저버리다. ***sans ~*** 확고하게.

***défaire** [defɛːʀ] 28 *v.t.* ① 해체하다, 부수다: ~ un mur 벽을 부수다 / ~ une machine 기계를 해체하다. ② (단추·목걸이 따위를) 풀다, 끄르다; (머리를) 풀어 헤치다; (옷을) 벗다: ~ sa coiffure 머리 모양을 흐트러뜨리다 / ~ les boutons 단추를 끄르다. ③ (얼굴을) 초췌하게〔수척하게〕 하다. ④ 없애다; 파괴하다; 죽여 버리다. ⑤ 패배시키다, 격파하다. ⑥ 《~ qn de 》 …에게서 …을 쫓아내다; 제거하다: ~ qn *d'*une mauvaise habitude …을 나쁜 습관을 고쳐 주다. ⑦ ~ la table 〔le couvert〕 (식후에) 식탁의 식기를 거두다 / ~ le lit 침대 시트를 걷다. ── **se ~** *v.pr.* ① 해체되다; 풀리다; 초췌해지다. ② 《se ~ de》 …을 떨쳐버리다〔해고하다·버리다·처분하다〕: *se ~ d'*un employé 종업원을 해고하다. ③ 《지방어》 옷을 벗다: *Défaites-vous*, et prenez place. 옷을 벗고 자리에 앉으시오. ④ 《옛》 자살하다; 당황하다.

défait, e[1] [defɛ, -ɛt] *adj.* ① 수척한; (얼굴이) 해쓱한, 일그러진. ② 풀어진; (머리털·옷 따위가) 헝클어진; 해체된, 무너진. ③ (군대가) 격멸된, 패주한.

***défaite**[2] [defɛt] *f.* ① 패배, 패전; 실패(= échec): essuyer 〔subir〕 une ~ 패배를 당하다〔실패를 겪다〕 / ~ électorale 선거에서의 패배. ② 핑계, 구실. ③ (상품의) 팔림새.

défaitisme [defɛ〔e〕tism] *m.* 패배주의; 비관론(= pessimisme), 자기 상실.

***défaitiste** [defɛ〔e〕tist] *n.* 패배주의자; 비관론자. ── *adj.* 패배주의의, 비관론의.

défalcation [defalkɑsjɔ̃] *f.* ① 〖상업〗 공제; 공제액: ~ faite de qc …을 공제하고. ② (공금의) 유용, 사용(私用).

défalquer [defalke] *v.t.* ① 공제하다; 차감(差減)하다(= déduire): ~ les frais *d'*une somme à payer 지불 금액에서 경비를 공제하다. ② (공금을) 유용하다. ── **se ~** *v.pr.* 공제되다.

défatiguer [defatige] *v.t.* …의 피로를 풀다. ── **se ~** *v.pr.* 피로가 풀리다.

défass-e, -es, etc. ⇒ défaire.

défausser [defose] *v.t.* 곧게〔바르게〕 하다; 펴다. ── **se ~** *v.pr.* 《se ~ de》 〖카드놀이〗 (불필요한 패를) 버리다〔던지다〕: *se ~ de* l'as de cœur 하트의 에이스를 버리다.

***défaut** [defo] *m.* ① 부족, 결핍, 결여(= manque): ~ d'attention 주의 부족 / ~ d'exercise 운동 부족. ② 결함, 단점, 결점; 약점, 흠(= imperfection): ~ de caractère 성격상의 결점 / ~ de prononciation 발음의 결함 /

Son plus grand ~ est la vanité. 그의 가장 큰 결점은 허영심이다. ③ (작품·일 따위의) 흠, 오류 : ~ de calcul 계산상의 오류 / Ce livre a le ~ d'être trop long. 이 책은 너무 긴 것이 흠이다. ④ 〖법률〗 궐석, 불출두 : jugement par ~ 궐석 재판. ***à ~ de; au ~ de*** …이 없는 경우에 ; …대신에 ; …이 없어서 : *à ~ de* mieux 차선책으로 / *Á ~ d'*aller au cinéma, je vais au museé. 나는 영화관에 가지 않으면, 박물관에 간다. ***être*** 〔***se mettre***〕 ***en ~*** 잘못하다 ; 위반하다 ; (기억 따위가) 불확실하다, 틀리다. ***faire ~*** 부족하다 ; 없다. ***mettre*** qn ***en ~*** …을 잘못〔실패〕하게 하다. ***prendre*** qn ***en ~*** …의 허(虛)를 찌르다. ***sans ~*** 결점 없는.

défaveur [defavœːʀ] *f.* 인망〔신용〕 없음, 실총(失寵), 악평(= discrédit) : encourir la ~ du souverain 군주의 노염을 사다. ***être en ~*** (auprès de qn) (…의) 신망을 잃고 있다. ***tomber en ~*** 인망을〔총애를〕 잃다.

***défavorable** [defavɔʀabl] *adj.* ① 불리한 : conditions ~*s* 불리한 조건. ② 호의적이 아닌, 반대하는 : Il est ~ à mon projet. 그는 내 계획에 반대한다.

défavorablement [defavɔʀabləmɑ̃] *adv.* 불리하게 ; 불친절하게.

***défavoriser** [defavɔʀize] *v.t.* 불리하게 하다.

défécation [defekɑsjɔ̃] *f.* ① 〖화학〗 (액체를) 맑게 하기. ② 〖생리〗 배변.

défectif, ive [defɛktif, -iːv] *adj.* 〖문법〗 결여적(缺如的)인 ; 〖수학〗 불완전한 : verbe ~ 결여동사 / hyperbole ~*ive* 불완전 쌍곡선.

défection [defɛksjɔ̃] *f.* ① 탈당 ; 탈퇴, 배반, 변절(= desértion) : ~ massive 대량 탈퇴 / ~ générale 주위 사람들의 외면. ② 결석, 불참. ***faire ~*** 탈당〔도망〕하다.

***défectueux, euse** [defɛktɥø, -øːz] *adj.* 미비한, 결함〔흠〕이 있는 ; 불완전〔불충분〕한 : article ~ 결함이 있는 상품.

défectuosité [defɛktɥozite] *f.* 결함, 결점, 미비 : ~ d'un produit 제품의 결함.

défendable [defɑ̃dabl] *adj.* 방어할 수 있는, 변호〔옹호〕할 수 있는.

défendeur, eresse [defɑ̃dœːʀ, -ʀɛs] *n.* 〖법률〗 (민사) 피고인(≠ demandeur).

‡**défendre** [defɑ̃ːdʀ] 25 *v.t.* ① 보호하다(= protéger) ; 방어〔수비〕하다, 막다, 지키다(≠ attaquer) : ~ son honneur 명예를 지키다 / ~ les faibles 약자를 보호하다 / Les vêtements nous *défendent* du froid. 옷은 우리를 추위로부터 보호해 준다. ② 변호하다 ; 지지하다 : ~ son fils 〔parti〕 자기 아들〔당〕을 변호하다. ③ (학설·이론 따위를) 주장하다, 옹호하다 : ~ son point de vue 자신의 견해를 주장하다. ④ 금지하다, 금하다(= interdire) : ~ l'alcool à un malade 환자에게 술을 금하다 / ~ sa porte à qn …을 출입 금지시키다. ***à son corps défendant*** 자위(自衛)를 위하여 ; 마지못해 ; 정당방위로. ***~ à*** qn ***de***+*inf.* …에게 …하는 것을 금하다 : Le médecin m'*a défendu de* boire. 의사는 내게 음주를 금했다. ~ qc à qn …에게 …을 금지하다. ~ qc ***contre*** 〔***de***〕 …을 …으로부터 지키다. ***~ que***+*sub.* …하는 것을 금하다 : Ma mère *défend que* je sorte le soir. 어머니께서는 내가 밤에 외출하는 것을 금하신다. ***Il est défendu de***+*inf.* …하는 것은 금지되어 있다.

— **se ~** *v.pr.* ① 자기를 지키다, 자위하다, 저항하다 ; (추위 따위를) 막다 ; 〖법률〗 자기를 변호하다 ; (비난 따위에 대하여) 변명하다. ② 《se ~ de qc 〔+*inf.*〕》 ⓐ …을〔임을〕 부인(否認)하다. ⓑ …하지 않도록 하다, …하지 않고 배기다. ***Ça se défend.*** 《구어》 쓸 만하다, 나쁘지 않다. ***ne*** (***pas***) ***pouvoir se ~ de***+*inf.* …하지 않을 수 없다.

défendu, e [defɑ̃dy] *adj.* ① 지켜진, 방위된 : navire bien ~ 파도에 강한 배. ② 금지된 : fruit ~ 금단의 열매 / livre ~ 금서(禁書).

défenestration [def(ə)nɛstʀɑsjɔ̃] *f.* (사람을) 창밖으로 내던지기.

défenestrer [dɛ(e)f(ə)nɛstʀe] *v.t.* (사람을) 창문으로 집어던지다.

défense** [defɑ̃ːs] *f.* ① 방어 ; 방위 ; 국방 : légitime ~ 정당 방위 / ~ nationale 국방 / ministère de la *D*~ nationale 국방부〔성〕 / ~ contre avions 방공 (수단). ② 옹호, 비호 ; 보호, 수호 : ~ des faibles 약자의 보호 / ~ de la liberté 자유의 수호. ③ 〖법률〗 변호, 항변 ; 변호인측 : La parole est à la ~. 변호인측의 발언을 허용합니다. ④ (*pl.*) 방어 시설 ; (코끼리·멧돼지 따위의) 엄니. ⑤ 금지 : ~ passive 방어 조치. ***avoir de la ~ (공격·유혹 따위에 대해) 저항력이 있다. ***《D~ d'afficher》*** 「벽보 금지」. ***《D~ de fumer》*** 「금연」. ***《D~ d'entrer》*** 「출입 금지」. ***faire ~ à*** qn ***de***+*inf.* …에게 …하는 것을 금하다.

défenseur [defɑ̃sœːʀ] *m.* ① 수호자, 옹호자 ; 지지자 : ~*s* de la patrie 조국을 수호하는 사람들 / ~ d'une théorie 이론의 지지자. ② 〖법률〗 변호인 : donner un ~ à un accusé 피고에게 변호사를 붙여 주다.

défensif, ive** [defɑ̃sif, -iːv] *adj.* ① 방어의, 수비의 ; 보호의 ; 옹호의 : système ~ 방어 체제. ② 수세(守勢)적인 ; 소극적인 : attitude ~*ive* 수세적인〔소극적인〕 태도. — *f.* 방어 태세, 수세. ***être 〔***se tenir***〕 ***sur la ~ive*** 방어의 입장〔수세〕에 서다. ***prendre la ~ive*** 수세를 취하다.

déféquer [defeke] 6 *v.t.* 〖화학〗 (액체 따위를) 맑게 하다. — *v.i.* 〖의학〗 배변하다.

défer-ai, -a ⇒ défaire.

déférence [defeʀɑ̃ːs] *f.* 공손, 공경, 존경, 경의(= respect) : avoir de la ~ pour qn …에 대하여 공손하다 / avec ~ 공손하게.

déférent, e [defeʀɑ̃, -ɑ̃ːt] *adj.* 겸양한, 정중한, 공손한(= courtois, poli, respectueux) : attitude ~*e* 공손한 태도.

déférer [defeʀe] 6 *v.t.* ① 〖법률〗 (사건을) 고소하다, (사람을) 소환하다, 고발하다(= ~ en 〔à la〕 justice). ② 수여하다(= conférer) ; 〖법률〗 (상속권 따위를) 인정해 주다. — *v.t.ind.* 《~ à》 …에(게) (공손하게) 복종〔양보〕하다 ; 경의를 표하다 : ~ *au* désir de qn …의 요구에 공손히 따르다〔응하다〕 / ~ *aux* parents 《옛》 부모에게 복종하다.

défer-ez, -iez, -ions ⇒ défaire.

déferlage [defɛʀlaːʒ], **déferlement** [defɛʀləmɑ̃] *m.* 돛을 펼치기 ; (깃발을) 게양

하기.

déferler [defɛʀle] *v.i.* ① (파도가) 부서지다. ② (군중 따위가) 몰려오다, 쇄도하다, (웃음·감정 따위가) 터지다, 폭발하다. — *v.t.* 〖해양〗 (돛을) 펼치다 ; (깃발을) 게양하다.

déferrage [defɛʀa:ʒ], **déferrement** [defɛʀmɑ̃] *m.* 편자를 떼기, 철구를 뜯기.

déferrer [defɛʀe] *v.t.* ① (말의) 편자를 떼다 ; …의 철구(鐵具)를〔레일을〕 뜯다 ; …의 쇠사슬을 풀다 : ~ un cheval 말의 편자를 떼다 / ~ un prisonnier 죄수의 사슬을 풀어주다. ② 《구어》 …을 당황하게 하다.
— **se** ~ *v.pr.* ① 편자〔철구〕가 떨어지다. ② 《구어》 당황하다.

défeuiller [defœje] *v.t.* 나뭇잎을 떨어뜨리다. — **se** ~ *v.pr.* 잎이 떨어지다.

défi** [defi] *m.* ① 도전, 도발 : relever un ~ 도전에 응하다. ② 《~ à》 …에 대한 반항, 멸시, …을 무시하기 : ~ *à* l'autorité de ses parents 부모의 권위에 대한 도전. ③ 시련, 곤란, 위협. ***en ~ de …을 무시하고, …에도 아랑곳없이. ***lancer*** 〔***adresser, jeter***〕 ***un ~ à*** qn …에게 도전하다; 결투를 신청하다. ***mettre*** qn ***au ~ de***+*inf.* …에게 …을 할 수 없으리라고 말하다.

défiance [defjɑ̃:s] *f.* 의심 ; 불신(= suspicion, méfiance) ; 자신 없음 : ressentir de la ~ pour qn …에 대해 의혹을 품다.

défiant, e [defjɑ̃, -ɑ̃:t] *adj.* 의심을 품은, 경계하는, 불신하는 듯한.

déficeler [defisle] [5] *v.t.* …의 끈을 풀다 : ~ un paquet 꾸러미의 끈을 풀다.
— **se** ~ *v.pr.* 끈이 풀리다.

déficience [defisjɑ̃:s] *f.* ① 결핍, 결여(缺如). ② (정신 따위의) 결함 ; 영양 부족.

déficient, e [defisjɑ̃, -ɑ̃:t] *adj.* ① 부족한 ; 결핍된 ; 불완전한, 불충분한. ② (정신적·육체적으로) 결함이 있는. — *n.* 정신 지체자 ; 장애자 : ~ visuel 시력 장애자.

déficit** [defisit] *m.* (*pl.* ~(s***)) 부족 ; 결손(액), 적자 : être en ~ 적자를 내고 있다.

déficitaire [defisitɛ:ʀ] *adj.* 적자의, 부족의 ; (수확이) 부족한〔적은〕, 흉작의.

défier** [defje] *v.t.* ① …에게 도전하다(= provoquer) ; 《옛》 결투를 신청하다 : ~ le tenant du titre 타이틀 보유자에게 도전하다 / ~ qn à la course …에게 경주하자고 도전하다. ② ⓐ 《~ qn de+*inf.*》 …에게 …을 할 수 없으리라고 말하다 : Je vous *défie de* m'en donner la preuve. 증거가 있으면 대봐 (못댈걸). ⓑ 《~ que+*sub.*》 …을 할 수 없으리라고 말하다 : Nous *défions* bien *qu*'on en fasse autant. 같은 일을 할 수 있는 사람이 있다면 해 보라구. ③ (위험·죽음 따위를) 무릅쓰다 ; 저항〔대항〕하다 : ~ le danger 위험을 무릅쓰다 / ~ la mort 죽음과 맞서 싸우다. ④ (통념·예상 따위를) 벗어나다, 넘어서다. ~ ***toute description 필설로 이루 형언할 수 없다.
— **se** ~ *v.pr.* ① 《se ~ à》 …을 하자고 서로 도전하다 : *se* ~ *au* combat 싸우자고 서로 도전하다. ② 《se ~ de》 …을 의심하다 ; 경계하다(= se méfier).

***défigurer** [defigyʀe] *v.t.* ① …의 모습〔모양〕을 흉하게 만들다 : usines qui *défigurent* la campagne 시골의 경관을 해치는 공장들. ② (사실 따위를) 왜곡하다(= dénaturer) : ~ la vérité 진실을 왜곡하다. — **se** ~ *v.pr.* ① (얼굴이) 흉하게 되다. ② (사실이) 왜곡되다.

défilade [defilad] *f.* 〖해양〗 (함대의) 종렬 행진, (사람이나 물건의) 긴 행렬.

défilage [defila:ʒ] *m.* (직물의) 올을 풀기.

défilé [defile] *m.* ① (산간의) 협로, 험로 ; (강 따위의) 좁은 부분. ② 〖군사〗 분열 행진, 종대 행진〔비행〕. ③ 행렬, 연속.

***défiler**[1] [defile] *v.i.* ① 줄지어〔잇달아〕 지나가다 ; 분열 행진하다, 종렬 행진하다 : ~ deux par deux, 2 열 종대로 행진하다. ② 차례차례로 나타나다〔지나가다〕. — *v.t.* 〖군사〗 ~ la parade 분열 행진을 펼치다.

défiler[2] *v.t.* ① (실로 엮은 것을) 풀다 ; (직물의) 올을 풀다 : ~ un colier 목걸이의 실을 빼다. ② (펄프로 만들기 위해 넝마를) 부수다, 파쇄하다. ③ 〖군사〗 엄폐〔차폐〕하다.
— **se** ~ *v.pr.* ① 실이 뽑히다 ; 풀리다. ② 도망치다, 숨다 ; 발뺌을 하다.

défini, e [defini] *adj.* ① 한정된, 일정한 ; 명확한 ; 정의된 : sans raison bien ~*e* 명확한 이유 없이. ② 〖문법〗 article ~ 정관사 / passé ~ 정과거. — *m.* ① 〖논리〗 한정 개념, 정의된 개념〔대상〕. ② 유한(有限).

***définir** [defini:ʀ] *v.t.* ① 정의하다 : ~ un concept 어떤 개념을 정의하다 / 《목적보어 없이》 Avant de décrire, il faut ~. 기술하기 전에 필히 (개념·용어 따위를) 정의해야 한다. ② 명확하게 표현〔규정〕하다 ; (조건 따위를) 정하다, 결정하다(= déterminer) : ~ les conditions d'un travail 근로 조건을 명시하다 / sensation difficile à ~ 뭐라고 말하기 어려운 느낌 / Je l'*ai* vite *défini* paresseux. 나는 이내 그가 나태한 사람이라고 파악했다.
— **se** ~ *v.pr.* ① 정의되다 ; 명확해지다 ; 한정되다 : Cela *se définit* de soi-même. 그것은 자명한 일이다. ② 스스로를 규정하다 : Il est difficile de *se* ~. 자신이 어떤 사람인지를 규정하는 일은 어려운 일이다.

définissable [definisabl] *adj.* 정의할 수 있는 ; 명확히 할 수 있는 ; 한정할 수 있는.

définitif, ive** [definitif, -i:v] *adj.* 결정적인 (≠ provisoire) ; 종국의(= final), 최종적인 : victoire ~*ive* 결정적인〔완전한〕 승리 / édition ~*ive* 결정판. ***en ~ive 결국, 요컨대. ***faire du ~*** 《구어》 결정적인 것이 되게 하다. — *n.* 결정적〔최종적〕인 일.

définition [definisjɔ̃] *f.* ① 정의(定義). ② 〖종교〗 (교의상의) 결정. ③ 한정, 규정, 결정. ~ ***d'une image*** 〖TV〗 (영상의) 선명도. ***par ~*** 원래, 본래, 당연히.

***définitivement** [definitivmɑ̃] *adv.* 결정적으로 ; 결국, 드디어, 마침내(= décidément).

défi-s, -t, -sse ⇒ défaire.

déflagration [deflagʀasjɔ̃] *f.* ① 폭발(= explosion) ; 폭발음. ② 〖화학〗 돌연(突燃).

déflation [deflasjɔ̃] *f.* ① 〖재정〗 통화 수축, 디플레이션(≠ inflation) : politique ~ 디플레이션 정책. ② 바람이 갑자기 멎기. ③ 〖지질〗 풍식(風蝕). 「레이션의.

déflationniste [defla〔ɑ〕sjɔnist] *adj.* 디플

déflecteur [deflɛktœ:ʀ] *m.* 〖기계〗 (가스의)

전향(轉向) 장치 ; 〖자동차〗 환기를 위한 작은 창문, 삼각창 ; 〖해양〗 편향 측정기.

défleuri, e [deflœʀi] *adj.* (나무가) 꽃이 진.

défleurir [deflœʀiːʀ] *v.i.* 꽃이 지다. — *v.t.* 꽃이 지게 하다 ; 신선미를 빼앗다. — **se ~** *v.pr.* ① 꽃이 지다. ② 매력을 잃다.

déflexion [deflɛksjɔ̃] *f.* 〖물리〗 굴절 ; 편차.

défloraison [deflɔʀɛzɔ̃] *f.* 《문어》 낙화(落花) ; 낙화의 계절.

défloration [deflɔʀɑsjɔ̃] *f.* 처녀성을 빼앗기〔잃기〕, 능욕(凌辱).

déflorer [deflɔʀe] *v.t.* ① …의 꽃을 꺾다. ② 처녀성을 빼앗다, 능욕하다(= dépuceler). ③ …의 신선미를 빼앗다〔없애다〕.

défoliant, e [defɔljɑ̃, -ɑ̃ːt] *m.* 고엽제(枯葉劑). — *adj.* (화학 병기 따위가) 나뭇잎을 말리는.

défoliation [defɔljɑsjɔ̃] *f.* ① 낙엽. ② (낙엽제(劑)에 의한) 고엽 작전(枯葉作戰).

défonce [defɔ̃ːs] *f.* 《구어》 (마약 따위를 복용한 후의) 환각 상태 : être en ~ 환각 상태에 있다.

défoncé, e [defɔ̃se] *adj.* ① 밑바닥이 빠진. ② 파헤쳐진 ; 파괴된.

***défoncer** [defɔ̃se] 2 *v.t.* ① …의 밑바닥을 빼다. ② 부수다, 파괴하다(= enfoncer). ③ 파헤치다(= creuser) : ~ une porte 문을 부수다. ④ (마약 따위가) 환각을 일으키게 하다. — **se ~** *v.pr.* ① 밑이 빠지다 ; 파헤쳐지다. ② 환각 증상을 일으키다, 도취하다.

déforestation [defɔʀɛstɑsjɔ̃] *f.* 산림 개척, 산림 벌채.

déformant, e [defɔʀmɑ̃, -ɑ̃ːt] *adj.* 변형시키는 ; 왜곡하는 : miroir ~ (형태를 변형시키는) 곡면경 / arthrite ~*e* 변형성 관절염.

déformation [defɔʀmɑsjɔ̃] *f.* ① 변형, 변모 ; 〖의학〗 기형. ② (사실의) 왜곡 ; 개악(改惡). ③ 〖미술〗 데포르마시옹. **~ *professionnelle*** 직업적 습벽(習癖).

***déformer** [defɔʀme] *v.t.* ① 변형시키다, 일그러지게 하다. ② (진실을) 왜곡하다 : ~ un fait 사실을 왜곡하다 / ~ les paroles de qn …의 말을 왜곡하여 전하다. — **se ~** *v.pr.* ① 변형되다, 일그러지다. ② 왜곡되다.

défoulement [defulmɑ̃] *m.* 〖심리〗 억압 제거 ; 《구어》 본능〔욕구〕의 해소〔발산〕.

défouler (se) [s(ə)defule] *v.pr.* 《구어》 본능을〔욕구를〕 해소〔발산〕하다.

défourner [defuʀne] *v.t.* (도기·빵 따위를) 가마〔솥·빵굽는 화덕〕에서 꺼내다.

défraîchi, e [defʀɛ(e)ʃi] *adj.* 신선미를 잃은 ; 색이 바랜 ; 한물간 ; 시든 : articles ~*s* 재고 정리품.

défraîchir [defʀɛ(e)ʃiːʀ] *v.t.* 신선미를 잃게 하다, 시들게 하다 ; 퇴색시키다. — **se ~** *v.pr.* 시들다 ; 퇴색하다.

défrayer [defʀɛ(e)je] 8 *v.t.* 《~ qn》 …에게 비용을 지불해 주다 : ~ qn de tout …에게 모든 비용을 지불하다. **~ *la conversation*** 이야기에 활기를 띠게 하다 ; 화제거리가 되다.

défrichage [defʀiʃaːʒ], **défrichement** [defʀiʃmɑ̃] *m.* (황무지의) 개간.

défriche [defʀiʃ] *f.*, **défriché** [defʀiʃe] *m.* 개간지(= terrain défriché).

défricher [defʀiʃe] *v.t.* ① 개간하다 : ~ une terre 땅을 개간하다. ② (새 분야를) 개척하다. — **se ~** *v.pr.* 개간되다.

défricheur, euse [defʀiʃœːʀ, -øːz] *n.* 개간자 ; 개척자 ; 선구자. — *m.*〔*f.*〕 개간 쟁기.

défriper [defʀipe] *v.t.* …의 주름을 펴다. — **se ~** *v.pr.* 주름이 펴지다.

défriser [defʀize] *v.t.* ① 컬을〔웨이브를〕 펴다. ② 《구어》 실망시키다. — **se ~** *v.pr.* 컬이〔웨이브가〕 펴지다.

défroisser [defʀwase] *v.t.* …의 주름〔구김살〕을 펴다. — **se ~** *v.pr.* 주름〔구김살〕이 펴지다.

défroncer [defʀɔ̃se] 2 *v.t.* ① 주름살〔구김살〕을 펴다. ② 눈살을 펴다 : ~ les sourcils 눈살을 펴다.

défroque [defʀɔk] *f.* ① 넝마, 헌옷(= frusque). ② (승려의) 유물 ; 보잘것없는 유물.

défroqué, e [defʀɔke] *adj.* 환속(還俗)한. — *n.* 《경멸》 환속자.

défroquer [defʀɔke] *v.t.* 환속시키다. — **se ~** *v.pr.* 환속하다.

défunt, e [defœ̃, -œ̃ːt] *adj.* 작고한, 고(故) : le roi ~ 선왕(先王). — *n.* 고인.

dégagé, e [degaʒe] *adj.* ① 《~ de》 …에서 해방된. ② 훤히 트인, 장애물이 없는 : front ~ 벗겨진 이마 / vue ~*e* 넓게 트인 조망. ③ 늘씬한 ; 거리낌〔무람〕없는(= cavalier) : ton ~ 거리낌없는 어조.

dégagement [degaʒmɑ̃] *m.* ① (저당물 따위를) 되찾기. ② (파묻힌 것을) 파냄, 발굴, 구해냄 : ~ des vestiges 유적의 발굴. ③ 해방 ; 석방 ; 이탈 ; 〖군사〗 구출. ④ (약속의) 취소, 해제. ⑤ 장애물의 제거 ; 청소 : ~ de la voie publique 공공도로의 장애물 제거. ⑥ 발산 ; 배출: ~ de vapeur 증기의 배출. ⑦ 빈터, 공지: un grand ~ devant la maison 집 앞의 넓은 공터. ⑧ (방 사이의) 통로, 복도 ; 출구 : ~ de secours 비상구.

dégager** [degaʒe] 3 *v.t.* ① (저당물 따위를) 되찾다 : ~ sa montre du mont-de-piété 전당포에서 시계를 되찾다. ② 빼내다, 끌어내다 ; (단추 따위를) 풀다 : ~ un bouton 단추를 풀다 / ~ les blessé des voitures accidentées 사고 차에서 부상자를 구출하다. ③ (결론·요지 따위를) 끌어내다 : ~ la conclusion d'un exposé 설명에서 결론을 끌어내다. ④ 해방하다, 벗어나게 하다; 〖군사〗 구출하다: ~ qn de sa parole〔promesse〕 …에게 약속의 이행을 면제하다. ⑤ (장애물 따위를) 없애다, 치우다 : ~ un passage 통로의 장애물을 제거하다. ⑥ (옷이) 몸매를 늘씬하게 하다; (목 따위를) 쑥 드러내다 : ~ la taille (옷이) 몸매를 뚜렷이 나타내다, 몸에 꼭 맞다. ⑦ (향기 따위를) 발산하다, 풍기다(= exhaler) : Toute sa personne *dégage* un air d'élégance. 몸 전체에서 고상한 기품이 풍긴다. **~ *sa parole*〔*promesse*〕** 약속을 취소하다. **~ *une somme d'argent (사용할 수 있도록) 돈을 마련하다. — *v.i.* *Dégagez!* 물러가요! 《경관이 교통 혼잡을 정리할 때 하는 말》.
— **se ~** *v.pr.* ① 《se ~ de》 …에서 빠져나오다 ; 해방되다 : se ~ *d'*une obligation 의무에서 해방되다 / *se* ~ *d'*une promesse

약속을 취소하다. ② (사실 따위가) 밝혀지다, 드러나다 : La vérité *se dégage* peu à peu. 사실이 차차 드러난다. ③ (가스·냄새 따위가) 발산되다: Une odeur discrète *se dégage* des roses. 은은한 향기가 장미꽃에서 풍겨나온다. ④ (하늘이) 맑아지다 ; (가슴이) 후련해지다 : La poitrine *se dégage.* 가슴이 후련해진다.

dégaine [degɛn] *f.* 《구어》 우스운 꼴, 망측한 꼴, 꼴불견.

dégainer [degɛ〔e〕ne] *v.t.* (칼을) 뽑다 ; (권총을) 빼들다. ── *v.i.* 칼을 뽑다.

D

déganter [degɑ̃te] *v.t.* …의 장갑을 벗기다. ── **se ~** *v.pr.* 장갑을 벗다.

dégarnir [degaʀni:ʀ] *v.t.* …의 장식〔비품·내용물을〕 없애다〔치우다·제거하다〕 : ~ une vitrine 진열대의 물건을 치우다 / ~ un lit 침구를 걷다 / ~ un compte en banque 예금을 다 꺼내 쓰다. ── **se ~** *v.pr.* ① 《se ~ de》 …이 없어지다, …을 잃다. ② (머리가) 벗겨지다 ; (나무의) 잎이 떨어지다 : Son front *se dégarni.* 그의 앞이마가 벗겨진다.

***dégât** [degɑ] *m.* (보통 *pl.*) 손해, 피해(= dommages) : constater 〔estimer〕 les ~s 손해를 따져 보다.

dégauchir [degoʃi:ʀ] *v.t.* ① 반반하게 하다 ; (석재(石材) 따위를) 다듬다. ② 《속어》 《~ qn》 세련되게 하다(= dégrossir).

dégazage [degɑza:ʒ] *m.* 가스 제거 ; (가스·침전물을 제거하기 위한) 유조선 탱크의 청소.

dégazer [degɑze] *v.t.* …에서 가스를 제거하다. ── *v.i.* (가스·침전물을 제거하기 위해 유조선의) 탱크를 청소하다.

dégel [deʒɛl] *m.* ① 얼음〔눈〕이 녹음, 해빙, 해동(解凍). ② 활동 재개 ; 개선.

dégelée [dɛ〔e〕ʒle] *f.* 《속어》 난타(亂打).

dégeler [dɛ〔e〕ʒle] [4] *v.t.* ① 녹이다 : ~ un tuyau 언 수도관을 녹이다. ② 《~ qn》 《구어》 긴장을 풀어 주다 ; (분위기를 부드럽게) 해 주다. ③ (자금 따위의) 동결을 풀다. ── *v.i.* 녹다 ; (상호간의) 긴장을 완화시키다, (조직 따위의) 활동을 재개시키다. ── *v. impers.* 눈〔얼음〕이 녹다, 해빙〔해동(解凍)〕하다. ── **se ~** *v.pr.* ① 눈〔얼음〕이 녹다. ② 《구어》 몸이 녹다.

dégénératif, ive [deʒeneʀatif, -iv] *adj.* 〖의학〗 퇴행성의.

dégénération [deʒeneʀɑsjɔ̃] *f.* 퇴화, 퇴폐, 타락 ; 변질 ; 쇠퇴(= dégénérescence).

dégénéré, e [deʒeneʀe] *adj.* 퇴화한, 퇴폐한 ; 변질된. ── *n.* 변절자 ; 전락자 ; 〖심리학〗 백치, 천치.

***dégénérer** [deʒeneʀe] [6] *v.i.* ① (동·식물이) 퇴화(退化)하다(= s'abâtardir) ; (풍속 따위가) 퇴폐하다. ② (사람이) 타락하다(= se dégrader). ③ 변질하다(= tourner) ; 《~ en》 …으로 되어 버리다 : dispute qui *a dégénéré en* rixe 주먹다짐이 되어 버린 언쟁.

dégénérescence [deʒeneʀesɑ̃:s] *f.* 〖생물〗 퇴화 ; 〖의학〗 변질 ; 타락 ; 정신박약.

dégingandé, e [deʒɛ̃gɑ̃de] *adj.* 어색한, 서투른《몸짓·걸음걸이 따위》.

dégivrage [deʒivʀa:ʒ] *m.* 냉장고.

dégivrer [deʒivʀe] *v.t.* (냉장고·유리 따위의) 서리〔성에〕를 제거하다. 「장치.

dégivreur [deʒivʀœ:ʀ] *m.* 서리〔성에〕 제거

déglacer [deglase] [2] *v.t.* ① …의 얼음을 녹이다 ; (사람의) 몸을 녹이다 ; (도로 따위의) 얼음을 치다. ② (종이의) 광택을 없애다.

déglinguer [deglɛ̃ge] *v.t.* 《구어》 뜯다, 부수다, 분해하다(= disloquer).

dégluer [deglye] *v.t.* …에서 끈끈이(glu)를 떼다〔없애다〕 ; 끈끈이에서 떼다 : ~ les yeux 눈곱을 떼다. ── **se ~** *v.pr.* ① 끈끈이에서 떨어지다. ② 제 눈곱을 떼다.

déglutir [deglyti:ʀ] *v.t.* 삼키다(= avaler).

déglutition [deglytisjɔ̃] *f.* 〖생리〗 삼킴.

dégobiller [degɔbije] *v.t.* et *v.i.* 《구어》 토하다(= vomir), 구토하다.

dégoiser [degwaze] *v.t.* 지껄이다, 재잘거리다(= débiter). ── *v.i.* 《구어》 수다를 떨다.

dégommage [degɔma:ʒ] *m.* dégommer 하기 ; 《구어》 파면(= destitution).

dégommer [degɔme] *v.t.* 《구어》 해고하다, 면직〔파면〕시키다 ; 내쫓다 : ~ un employé 종업원을 해고하다.

dégonflage [degɔ̃fla:ʒ] *m.* 《구어》 겁을 먹기, 기가 죽기.

dégonflé, e [degɔ̃fle] *adj.* ① 공기가 빠진. ② 겁먹은. ── *n.* 겁쟁이.

dégonflement [degɔ̃fləmɑ̃] *m.* 수축 ; 공기가 빠지기 ; 부기가 내리기.

dégonfler [degɔ̃fle] *v.t.* ① 수축시키다 ; (기구·타이어 따위의) 공기를 빼다 : ~ un ballon 공〔풍선〕을 수축시키다. ② 부기를 빼다 : ~ un abcès 종양의 부기를 빼다. ③ (가격·효과 따위를) 끌어내리다. ── **se ~** *v.pr.* ① 공기가 빠지다 ; 부기가 내리다 : Le pneu *s'est dégonflé.* 타이어가 펑크났다. ② 《속어》 기가 죽다, 겁을 먹다.

dégorgement [degɔʀʒəmɑ̃] *m.* 구토 ; 토하게 하기 ; 배출, 유출.

dégorger [degɔʀʒe] [3] *v.t.* ① 토하다 ; 토하게 하다 : égout qui *dégorge* de l'eau sale 오수를 토해내는 하수구. ② (막힌 관·연통 따위를) 뚫다, 제거하다 : ~ un conduit 〔évier〕 막힌 관을〔개수구를〕 뚫다. ── *v.i.* ① 《~ dans》 …으로 흘러들다 : une rivière qui *dégorge dans* la mer 바다로 흘러드는 강. ② 토하다 : faire ~ un ivrogne 취한 사람을 토하게 하다 ; 《속어》 …을 자백시키다. ***faire ~*** (고기·생선을) 찬물에 담가 불순물이 빠지게 하다.

dégot(t)er [degɔte] *v.t.* ① 《구어》 해고하다, 파면하다. ② 《구어》 찾다, 발견하다(= trouver) : Où *avez*-vous *dégoté* ce bouquin? 이 책은 어디서 난 거지요?

dégoulinade [degulinad] *f.*, **dégoulinage** [degulina:ʒ] *m.* 《구어》 굴러떨어짐 ; 똑똑 떨어지는 액체(의 자국).

dégouliner [deguline] *v.i.* 《구어》 (물 따위가) 듣다, 똑똑 떨어지다 ; (계단 따위에서) 굴러떨어지다.

dégoupiller [degupije] *v.t.* (죔나사의) 핀을 빼다 : ~ une grenade 수류탄의 안전핀을 뽑다.

dégourdi, e [deguʀdi] *adj.* 날렵한 ; 빈틈없는, 약삭빠른. ── *n.* 날렵한〔약삭빠른〕 사람.

dégourdir [deguʀdi:ʀ] *v.t.* ① 마비된〔저린·곱은〕 것을 풀리게 하다 ; (물 따위를) 약

간 데우다 : ~ ses doigts 곱은 손가락을 풀다 / faire ~ de l'eau 물을 미지근하게 데우다. ② 《~ qn》 《구어》 약삭빠르게〔영리하게〕 하다(= dessaler). — **se ~** *v.pr.* ① 마비된〔저린 · 곱은〕 것이 풀리다 ; (물 따위가) 미지근해지다. ② 약삭빠르게 되다, 영리해지다.

dégoût** [degu] *m.* (음식에 대한) 싫증, 식욕부진(= répugnance) ; 불쾌감, 혐오(= aversion) ; 반감. ***avoir du ~ pour qc ***; prendre*** qn ***en ~*** …을 싫어하다.

***dégoûtant, e** [degutɑ̃, -ɑ̃:t] *adj.* 불쾌한 ; 구역질나는, 역겨운 ; 더러운(= sale) ; 《구어》 추잡한. — *m.* 불쾌한 녀석, 불결한 놈.

dégoûté, e [degute] *adj.* ① 《~ de》 …에 싫증난, 진저리나는 : être *dégoûté du* monde 세상이 지긋지긋해지다. ② 까다로운(= délicat, difficile). ***n'être pas ~*** 《구어》 까다롭지 않다. — *n.* faire le ~ 〔la ~*e*〕 까다롭게 굴다.

dégoûter** [degute] *v.t.* 싫증나게 하다; 지긋지긋해지게 하다 : La lait me *dégoûte.* 나는 우유가 싫다. ~ qn ***de qc …에게 …이 싫증나게 하다. ~ qn ***de***+*inf.* 아무에게 …할 생각이 없어지게 하다. — **se ~** *v.pr.* 《se ~ de》 …에 싫증나다, 지긋지긋해지다.

dégoutter [degute] *v.i.* 똑똑〔방울져〕 떨어지다, 듣다 : La sueur lui *dégoutte* du front. 그의 이마에서 땀이 뚝뚝 떨어진다.

dégradant, e [degʀadɑ̃, -ɑ̃:t] *adj.* 품위를 떨어뜨리는(= avilissant), 체면을 손상하는.

dégradation [degʀadɑsjɔ̃] *f.* ① (지위 · 자격 따위의) 박탈, 파면 : ~ civique 공권 박탈. ② 타락, 퇴폐. ③ (건물 따위의) 파손, 파괴 ; (상황의) 점진적 악화. ***tomber dans la ~*** 타락하다.

dégradé, e [degʀade] *adj.* (색 · 빛이) 서서히 엷어지는. — *m.* (색 · 빛의) 점감(漸減) ; 〖영화〗 (화면의) 색조 처리 ; (머리를) 층층으로 커트하기.

dégrader [degʀade] *v.t.* ① …의 지위를〔자격 · 신분을〕 박탈하다〔떨어뜨리다〕. ② 파손〔파괴〕하다(= détériorer) ; (사태를) 악화시키다 : ~ un monument historique 역사적 기념물을 파괴하다. ③ …의 품위를 떨어뜨리다, 타락시키다(= abaisser, avilir) : L'alcoolisme *dégrade* l'homme. 알코올 중독은 인간을 망쳐 버린다. ~ qn ***du titre*** 〔***rang***〕 …의 자격을〔지위를〕 박탈하다. — **se ~** *v.pr.* ① 지위를〔신분을〕 잃다. ② 파손〔파괴〕되다 ; (사태가) 악화되다 : La situation politique *s'est* beaucoup *dégradée.* 정치적인 상황이 매우 악화되었다. ③ 타락하다.

dégrafer [degʀafe] *v.t.* …의 훅을 벗기다〔끄르다〕. — **se ~** *v.pr.* 훅이 끌러지다 ; 자기 옷의 훅을 끄르다.

dégraissage [degʀɛsa:ʒ] *m.* 기름 제거 ; 얼룩 빼기 ; 드라이클리닝.

dégraisser [degʀɛ(e)se] *v.t.* ① …의 기름기를 빼다 ; (땅을) 메마르게 하다 ; 《구어》 여위게 하다 : ~ un bouillon 국의 표면에 뜬 기름기를 제거하다. ② (옷 · 머리 따위의) 얼룩을〔때를〕 씻어내다 : donner un costume à ~ 의복을 드라이클리닝 보내다.

:degré [dəgʀe] *m.* ① (층계의) 계단 ; 단계 ; 도수, 도(度), 정도 : ~ alcoolique 알코올 도수 / brûlure du second ~ 〖의학〗 제 2 도 화상 / ~ centigrade 섭씨의 도(= ~ Celsius) / ~ Fahrenheit 화씨의 도 / angle de 90 ~*s* 〖수학〗 90 도 / Il fait vingt ~*s* à l'ombre. 그늘에서는 20 도이다. ② 계급 ; 정도. ③ 《옛》 학위 ; 〖문법〗 (형용사 · 부사의) 급(級). ④ 〖음악〗 음정(音程). ⑤ 〖수학〗 (방정식의) 차수(次數) ; 근(根)의 지수(指數) : équation du troisième ~, 3 차방정식. ⑥ 〖법률〗 친등, 촌수 : cousin au troisième ~ 삼종(三從) 형제. ⑦ 〖의학〗 기(期). ***au suprême*** 〔***au plus haut***〕 ***~*** 극도로. ***de ~ en ~*** 점점, 조금씩, 서서히. ***jusqu'à un certain ~*** 어떤 정도까지는 ***par ~s*** 점점, 서서히.

D

dégressif, ive [degʀesif, -i:v] *adj.* 차츰 줄어가는(≠ progressif) : impôt ~ 체감세.

dégrèvement [degʀɛvmɑ̃] *m.* ① 감세(減稅)(= décharge), 공제 : ~ pour charge de famille 부양가족 공제. ② 저당 해제.

dégrever [degʀəve] [4] *v.t.* ① …의 세금〔요금〕을 경감〔감면〕하다 : ~ un contribuable 〔une industrie〕 납세자〔기업〕의 세금을 경감해 주다. ② …의 저당을 해제하다.

dégriffé, e [degʀife] *adj.* (의류 따위가) 상표가 떨어져 헐값에 팔리는 : chaussures ~*es* 상표가 떨어져 헐값에 팔리는 구두. — *n.* 염가로 파는 옷(= vêtements ~*s*).

dégringolade [degʀɛ̃gɔlad] *f.* 《구어》 굴러떨어지기, 전락(= chute), 몰락 ; 폭락.

***dégringoler** [degʀɛ̃gɔle] 《조동사는 avoir, 또는 être》 *v.i.* ① 《구어》 굴러떨어지다(= tomber). ② 전락하다 ; 몰락하다 ; 폭락하다 : Il *a* 〔*est*〕 *dégringolé* dans l'escalier. 그는 계단에서 굴러떨어졌다 / La Bourse *dégringole.* 주식이 폭락한다. — *v.t.* 《구어》 뛰어 내려가다(= dévaler) : ~ l'escalier quatre à quatre 계단을 황급히 뛰어 내려가다.

dégrisement [degʀizmɑ̃] *m.* 술에서 깨어나기 ; 미망〔환상〕에서 깨어나기.

dégriser [degʀize] *v.t.* 술에서 깨어나게 하다 ; …의 미망〔환상〕을 깨우다. — **se ~** *v.pr.* 술에서 깨다 ; 제정신이 들다.

dégrossir [degʀosi:ʀ] *v.t.* ① 건목치다 ; 대충 다듬다 : ~ une épreuve 〖인쇄〗 초교(初校)를 보다. ② (계획을) 얼추잡다 ; 초잡다, 대강 줄거리를 작성하다. ③ 《구어》 《~ qn》 세련되게 하다(= décrasser). — **se ~** *v.pr.* 《구어》 (사람이) 세련되다 ; 영리해지다.

dégrossissage [degʀosisa:ʒ], **dégrossissement** [degʀosismɑ̃] *m.* 대충 다듬기 ; 초벌잡기 ; 세련되게 하기.

dégrouiller (se) [s(ə)degʀuje] *v.pr.* 《속어》 ① 척척 해내다. ② 서두르다. 「산.

dégroupement [degʀupmɑ̃] *m.* 분산 ; 이

dégrouper [degʀupe] *v.t.* (집단 · 집회를) 분산〔이산〕시키다.

déguenillé, e [dɛgnije] *adj.* et *n.* 누더기를 입은 (사람)(= dépenaillé).

déguerpir [degɛʀpi:ʀ] *v.i.* 물러가다 ; 도망치다(= s'enfuir) : faire ~ 퇴거시키다. — *v.t.* 《옛》 〖법률〗 (소유권을) 포기하다.

dégueulasse [degœlɑ:s] *adj.* 《구어》 더러운(= sale) ; 구역질나는, 불쾌한. — *m.* 더러운 놈 ; 구역질나는〔불쾌한〕 놈(= salaud).

dégueuler [degœle] *v.t.* et *v.i.* 《속어》 ① 토

하다(= vomir). ② 큰 소리로 말하다 : ~ des injures 고래고래 욕설을 퍼붓다.

déguisement [degizmɑ̃] *m.* ① 변장(= travesti) ; 가장. ② 숨김 : parler sans ~ 숨김없이 말하다.

déguiser [degize] *v.t.* ① 《~ qn》 변장〔가장〕시키다(= travestir) : ~ qn en …을 …으로 가장시키다. ② 《~ qc》 (목소리 따위를) 가장하다, (거짓) 꾸미다, 속이다 ; (감정 따위를) 숨기다 : ~ sa voix 목소리를 꾸미다. — **se** ~ *v.pr.* ① 변장하다 ; 《se ~ en》 …으로 변장〔가장〕하다 : *se* ~ *en* clochard 거지로 변장하다. ② 자기의 감정을 숨기다.

D

dégurgiter [degyʀʒite] *v.t.* (먹은 것을) 토해내다, 뱉아내다.

dégustateur, trice [degystatœːʀ, -tʀis] *n.* (포도주 따위의) 맛을 감정하는 사람.

dégustation [degystɑsjɔ̃] *f.* ① (특히 술맛의) 감정 ; 시음, 시식 ; (작품의) 감상 : ~ de vins 포도주의 감정. ② (술의) 큰 컵 한 잔.

déguster [degyste] *v.t.* ① (술 따위의) 맛을 보다〔감정하다〕; 즐거이 맛보다(= savourer) ; (작품 따위를) 감상하다 : ~ sa joie 즐거움을 음미하다. ② 《속어》 혼이 나다 : Tu vas ~. 혼 좀 날거야. ***~ des coups*** 《속어》 학대를 받다. ***Qu'est-ce que j'ai dégusté !*** 학대를 몹시도 받았지.

déhanché, e [deɑ̃ʃe] *adj.* ① 엉덩이를 삔. ② 허리〔엉덩이〕를 흔들거리는 : allure ~*e* 허리를 흔들며 걷는 걸음걸이.

déhanchement [deɑ̃ʃmɑ̃] *m.* ① 골반 탈구 (骨盤脫臼). ② 허리〔엉덩이〕를 흔들거리기.

déhancher (se) [s(ə)deɑ̃ʃe] *v.pr.* ① 골반을〔엉덩이를〕 삐다. ② 허리〔엉덩이〕를 흔들거리며 걷다(= se dandiner) : *se* ~ avec affectation 일부러 허리를 흔들며 걷다.

:dehors [dəɔ(ː)ʀ] 《다음 말과 연음하지 않음》 *adv.* 밖에서, 밖으로 : aller ~ 외출하다 / manger ~ 외식하다 / mettre qn ~ …을 내쫓다 ; 《구어》 해고하다. ***compter*** qn ~ 〖권투〗 …을 카운트아웃시키다. ***être*** (***tout***) ***en*** ~ 숨김이 없다 ; 외모에 중점을 두다.

— *m.* ① 바깥, 바깥쪽, 외부 : ~ de la caisse 상자의 겉부분. ② (흔히 *pl.*) 외관, 외모, 겉모양(= apparence) ; 체면 : avoir des ~ aimables 상냥해 보이다. ③ 국외, 외지 : travailleurs du ~ 외국인 노동자들. ***au*** ~ 〔***au-~***〕 밖에, 밖으로 : Il pleut à verse *au* ~. 밖에는 억수 같은 비가 퍼붓는다. ***au*** ~ 〔***au-~***〕 ***de*** qc …밖에서〔으로〕. ***de*** 〔***du***〕 ~ 밖으로부터. ***en*** ~ 밖에, 밖으로, 바깥쪽으로 : s'ouvrir *en* ~ (문·창이) 바깥쪽으로 열리다. ***en ~ de*** …의 밖에, …외에 ; …을 제외하고 : *en* ~ *de* moi 내가 모르는 사이에 ; 나를 제쳐놓고. ***garder*** 〔***sauver***〕 ***les*** ~ 외모를 꾸미다 ; 체면을 차리다. ***par*** ~ 〔***par-~***〕 밖으로부터 : maison belle *par* ~ 외관상으로는 아름다운 집.

— *prép.* 《옛》 …의 밖에 : dedans et ~ le monde 세계의 안과 밖에.

déicide [deisid] *adj.* et *n.* 신을 죽인 (사람), 신앙을 파괴하는 (사람). — *m.* 신을 죽인 죄 《그리스도를 십자가에 못 박은 죄를 가리킴》.

déification [deifikɑsjɔ̃] *f.* 신으로 섬기기〔숭배하기〕, 신격화.

déifier [deifje] *v.t.* 신으로 모시다〔섬기다〕; 신격화하다(= diviniser) ; 신처럼 받들다.

déisme [deism] *m.* 이신론(理神論) ; 자연신교(自然神教).

déiste [deist] *adj.* 자연신교를〔이신론을〕 믿는. — *n.* 이신론자(理神論者).

déité [deite] *f.* 신 ; 신성(神性).

:déjà [deʒa] *adv.* ① 벌써, 이미 : Il sera ~ parti lorsque vous arriverez. 당신이 도착할 때면 그는 벌써 출발했을 거요 / Est-il ~ midi ? 벌써 정오인가 ? ② 앞서, 전에 : Je vous l'ai ~ dit. 나는 그것을 전에 너에게 말했었다. ③ 《강조》 그 정도로도 : C'est ~ beaucoup. 그 정도로도 많은 셈이지〔훌륭하지〕 / Ça n'est ~ pas si mal. 그것만으로도 과히 나쁘지 않군. ④ 《잊어버린 것을 묻는 의문문 끝에》 도대체, 그런데 : Comment vous appelez vous ~? 그런데 네 이름이 뭐랬지 ? ***d'ores et ~*** 지금부터 (벌써).

déjanter [deʒɑ̃te] *v.t.* (바퀴에서) 타이어를 빼다. — *v.i.* ① (바퀴가 테에서) 빠지다. ② 《구어》 약간 돌다.

déjaunir [deʒoniːʀ] *v.t.* 노란색을 제거하다.

déjà-vu [deʒavy] *m.* 《복수불변》 ① 이미 본 것, 새롭지 않은 것. ② 기시감(既視感).

déjection [deʒɛksjɔ̃] *f.* 배설 ; (*pl.*) 배설물 ; (화산의) 분출물.

déjeté, e [dɛ(e)ʒte] *adj.* ① 굽은 ; 휜. ② 《구어》 늙어빠진 ; 기력 없는(= décati).

déjeter [dɛ(e)ʒte] 5 *v.t.* 휘게 하다, 구부러뜨리다(= courber, déformer).

— **se** ~ *v.pr.* 휘다, 굽다.

:déjeuner [deʒœne] *m.* ① 아침 식사 ; 점심. ② 아침 식사용 식기 세트. ***~ de soleil*** 색이 바래기 쉬운 직물 ; 오래 계속되지 않는〔변하기 쉬운〕 것. ***petit ~ ; premier ~*** 조반. ***prendre le ~*** 아침〔점심〕을 먹다. ***second ~*** 점심. — *v.i.* 아침〔점심〕을 먹다. ***~ de*** 〔***avec***〕 …으로 아침〔점심〕을 하다.

***déjouer** [deʒwe] *v.t.* (계획 따위를) 실패하게 하다, 좌절시키다 ; (감시 따위를) 피하다.

déjuger (se) [sədeʒyʒe] *v.pr.* 전 판결〔의견〕을 취소하다 ; 번의(飜意) 하다 : Il n'a pas hésité à *se* ~. 그는 주저없이 이전의 의견을 취소했다.

de jure [deʒyʀe] 〔라틴〕 *loc. adv.* et *adj.* 법률상(의) ; 합법적으로(≠de facto).

delà** [d(ə)la] *prép.* 《옛》 …의 저쪽에, 저편에. ***au ~ 〔***au-~***〕 ***de*** …의 저쪽에 ; …이상으로 ; …보다 앞서〔전에〕. ***de ~*** (la rivière) (강) 저쪽부터. ***par ~*** 〔***par-~***〕 …의 저쪽〔저편〕에 ; …이전에 ; …이상으로. — *adv.* 《옛》 저쪽〔저편〕에. ***au ~*** 〔***au-~***〕 저쪽〔저편〕에 ; 그 이상으로 ; 그보다 앞서〔전에〕. ***deça et ~*** 여기저기. ***en ~*** 더 멀리. ***par ~*** 〔***par-~***〕 저쪽〔저편〕에 ; 그 이상으로 ; 그보다 앞서〔전에〕. — *m.* 저쪽, 저편. ***l'au-~*** (*pl.* ***~-~s***) 저승, 내세, 피안.

***délabré, e** [delɑbʀe] *adj.* (집 따위가) 황폐된, (가구 따위가) 파손된, 상한 ; (옷이) 해진 ; 쇠약한 : des vêtements ~*s* 다 해진 옷.

délabrement [delɑ(a)bʀəmɑ̃] *m.* ① (가구 따위의) 대파손 ; (집 따위의) 황폐. ② (재산 따위의) 파산 상태. ③ (건강의) 쇠약.

délabrer [delɑbʀe] *v.t.* 파손시키다(= abîmer, détériorer) ; (건강 따위를) 해치다, 쇠약하게 하다. ── **se** ~ *v.pr.* 파손되다 ; 황폐하다 ; 쇠약해지다.

délacer [dela(ɑ)se] [2] *v.t.* (구두 따위의) 끈을 풀다(늦추다).

délai** [delɛ] *m.* ① 기일, 기한 ; 기간 : ~ de livraison (상품의) 인도 기일 / respecter (dépasser) les ~*s* 기한을 지키다(넘기다) / dernier ~ 최종 기한(마감). ② 유예(기간) : obtenir un ~ de dix jours 열흘간의 유예를 얻다 / ~ d'attente 〖컴퓨터〗 (컴퓨터의) 호출 시간. ***à bref ~ 단시일 내에. ***dans le plus bref*** (***court***) ~ 되도록 빨리. ~ ***de grâce*** 지불유예 기간. ~ ***de rigueur*** 유예 없는 막바지 마감. ***sans*** ~ 지체 없이, 즉시. ***user de*** ~ 지연 전술을 쓰다.

délaissé, e [delɛ(e)se] *adj.* 버림받은 ; 방기된 ; 방치된 : épouse ~*e* 버림받은 아내 / terre ~*e* 버려진 땅. ── *n.* 버림받은 사람.

délaissement [delɛsmɑ̃] *m.* ① 버림받은 상태. ② 〖법률〗 (상속권 따위의) 포기, 기권.

***délaisser** [delɛ(e)se] *v.t.* ① 《~ qn》 …을 돌보지 않다, 버리다(= abandonner) : Il *est délaissé* de tous. 그는 모든 사람에게서 버림받았다. ② (일 따위를) (내)버려두다, 소홀히하다(= négliger). ③ 〖법률〗 기권하다.

délassant, e [delɑsɑ̃, -ɑ̃:t] *adj.* 피로를 푸는 ; 심심파적의.

délassement [delɑsmɑ̃] *m.* ① 피로를 풂 ; 휴식. ② 오락, 기분 전환.

***délasser** [delɑse] *v.t.* 피로를 풀어 주다(= détendre, reposer) ; 기분을 전환시키다. ── **se** ~ *v.pr.* 피로를 풀다 ; 휴식하다 : *se* ~ de ses fatigues 피로를 풀다.

délateur, trice [delatœ:ʀ, -tʀis] *adj.* 밀고하는. ── *n.* 밀고자.

délation [delɑsjɔ̃] *f.* ① 밀고 : faire une ~ 밀고하다. ② 〖법률〗 고소, 소환.

délavé, e [delave] *adj.* ① (색이) 엷게 바랜, 엷은 : d'un bleu jean ~ (자주 빨아서) 색이 바랜 블루진 옷. ② 물에 잠긴.

délaver [delave] *v.t.* ① (물 따위로) 색을 엷게 하다 : ~ une aquarelle 수채화의 색을 엷게 하다. ② 물에 담그다, 물로 적시다.

délayage [delɛja:ʒ] *m.* ① 액체로 녹이기, 물을 타기. ② 장황함 ; 장황한 문체.

délayer [delɛ(e)je] [8] *v.t.* ① 액체로 녹이다, …에 물을 타다(= diluer) ; 연하게 하다. ② 《구어》 (이야기를) 장황하게 늘어놓다 : ~ une pensée 생각을 장황하게 늘어놓다.

delco [dɛlko] 〖《영》 < *D*ayton *E*ngineering *L*aboratories *Co*mpany〗 *m.* 〖자동차〗 델코 《엔진의 점화 배전기 ; 상표명》.

déléatur, deleatur [deleaty:ʀ] 〔라틴〕 *m.* 《복수불변》 〖인쇄〗 삭제 부호.

délectable [delɛktabl] *adj.* 《문어》 맛있는 ; 매우 즐거운, 아주 유쾌한.

délectation [delɛktɑsjɔ̃] *f.* 희열, 환희. ~ ***morose*** (유혹에 빠진 자의) 퇴폐적 쾌락.

délecter [delɛkte] *v.t.* 매우 즐겁게 하다. ── **se** ~ *v.pr.* 대단히 즐기다. ***se*** ~ ***à*** (***dans,*** 《옛》 ***en***) qc ; ***se*** ~ ***à***+*inf.* …에(하는 것에) 큰 즐거움을 느끼다.

délég. 《약자》 délégation 위임, 위탁.

délégation [delegɑsjɔ̃] *f.* ① 위임 ; 위탁 ; 위임장 : par (en vertu d'une) ~ 위임을 받고 (대리인으로). ② 대표단, 위원회 : envoyer une ~ 대표단을 파견하다 / ~ municipale (spéciale) 특별 시정 위원회.

délégué, e [delege] *n.* 대표자 : ~ à un congrès international 국제회의의 대표(자). ~ ***spécial*** 특사. ~ ***syndical*** 노조 대표. ── *adj.* 대표의 ; 위임(위탁)된.

déléguer [delege] *v.t.* [6] ① (대표로) 파견하다. ② (권리 따위를) 위임하다, 양도하다 : ~ ses pouvoirs à qn …에게 자기의 권한을 위임하다.

délestage [delɛsta:ʒ] *m.* (배의) 밑짐을 부리기 ; (기구의) 모래 주머니 투하 ; 〖전기〗 (일시적인) 송전 중단 ; (일시적인) 도로 폐쇄.

délester [delɛste] *v.t.* ① 〖해양〗 (배의) 바닥짐을 들어내다 ; 하중을 줄이다. ② 부담을 줄이다. ③ 《구어》 훔치다(= voler) : Un pickpocket l'*a délesté* de son portefeuille. 소매치기가 그의 지갑을 훔쳐갔다. ④ (일시적으로) 송전을 중단하다 ; 교통을 폐쇄하다. ── **se** ~ *v.pr.* 《se ~ de》 (무거운 짐을) 들어내다 ; 던져버리다.

délétère [deletɛ:ʀ] *adj.* 유독한, 해독을 끼치는 ; 해로운 : gaz ~ 유독 가스.

délibérant, e [delibeʀɑ̃, -ɑ̃:t] *adj.* 토의의, 심의의 : assemblée ~*e* 심의회.

délibératif, ive [delibeʀatif, -i:v] *adj.* 토의의 ; 의결 가능한. ***voix*** ~***ive*** 발언권.

délibération [delibeʀɑsjɔ̃] *f.* ① 토론, 심의. ② 숙고(熟考). ③ 의결. ***être en*** ~ 토의되고 있다. ***mettre*** qc ***en*** ~ …을 토의하다 ; …을 숙고하다. ***prendre une*** ~ 의결하다.

délibéré, e** [delibeʀe] *adj.* ① 결연한 ; 단호(확고)한 : d'un air ~ 결연한 태도로. ② 고의적인. ***de propos ~ 일부러, 고의로. ── *m.* 〖법률〗 재판관의 합의(에 의한 판결).

délibérément [delibeʀemɑ̃] *adv.* ① 단호하게. ② 곰곰이 생각한 끝에 ; 고의로, 일부러, 짐짓(= volontairement).

délibérer** [delibeʀe] [6] *v.t.ind.* 《~ de (sur)》 …에 대해 협의하다, 토의하다(= discuter). ── *v.i.* 곰곰이 생각하다, 숙고하다 (= réfléchir) ; 주저하다, 망설이다(= hésiter, tergiverser). ***sans ~ 주저없이. ── *v.t.* ① 토의하다 ; 결정하다(= décider). ② 숙고하다. ~ ***de***+*inf.* …하기로 결정(의결)하다.

délicat, e** [delika, -at] *adj.* ① 《문어》 은은한, 우아한(= fin) : couleur ~*e* 우아한 색채 / parfum ~ 그윽한 향기. ② 섬세한 ; 세련된 : style ~ 세련된 문체. ③ 허약한 ; 민감한, 예민한 : peau ~*e* 예민한 피부 / santé ~*e* 허약 체질. ④ 곤란한, 어려운, 미묘한 : situation ~*e* 힘든 상황. ⑤ 다감한 ; 세심한, 양심적인 : attention ~*e* 세심한 배려. ⑥ 까다로운(= exigeant) : être ~ sur la nourriture 입맛이 까다롭다. ~ ***à+*inf.* …하기 곤란한. ── *n.* 까다로운 사람. ***faire le*** ~ (***la*** ~***e***) 까다롭게 굴다.

délicatement [delikatmɑ̃] *adv.* ① 섬세하게, 솜씨 있게, 정교하게 : bijou ~ ciselé 섬세하게 세공한 보석. ② 완곡하게, 신중하게. ③ 부드럽게, 가볍게, 살짝.

***délicatesse** [delikatɛs] *f.* ① 진미 ; 풍미 ; (*pl.*) 맛있는 음식(것) : ~ d'un mets 요리의

D

세련된 맛. ② 미묘함 ; 섬세함 ; 우아함 ; 멋 : ~ des traits 용모의 섬세함. ③ 허약 ; 민감, 과민 : ~ des nerfs 신경과민. ④ 곤란함, 까다로움. ⑤ 세련됨 ; 예민함 ; 다감함 ; 세심함 ; 신중함 ; (*pl.*) 세심한 배려 : avoir des ~*s* envers qn …에게 대해 세심한 배려를 하다. ⑥ 꽤 까다로움. ***être en ~ avec*** qn …와 미묘한 관계에 있다, 반목하다.

délice [delis] *m.* ① 커다란 기쁨, 쾌락(= félicité, joie). ② 진미, 감미로운 것. — *f. pl.* 지극한 즐거움, 환희, 황홀. ***faire les ~s de*** qn …의 더없는 귀여움을 받다. ***faire ses ~s de*** qc …을 지극한 즐거움으로 삼다.

D

délicieusement [delisjøzmɑ̃] *adv.* ① 감미롭게, 즐겁게, 기분좋게. ② 매혹적으로.

***délicieux, euse** [delisjø, -ø:z] *adj.* ① 맛있는 ; 감미로운 ; 즐거운 ; (향기가) 그윽한 : sensation ~*euse* 감미로운 느낌 / fruits ~ 맛있는 과일. ② 매혹적인, 상냥한 : femme ~*euse* 매력적인 여자.

délictueux, euse [deliktɥø, -ø:z] *adj.* 〖법률〗 위법의 ; 범죄의 : acte ~ 범죄 행위.

délié, e¹ [delje] *adj.* ① 가는 ; 가냘픈 ; 엷은 : taille ~*e* 가냘픈 몸매. ② 예민한, 섬세한 ; 빈틈없는, 약삭빠른 : esprit ~ 예민한 정신. — *m.* (서체의) 가는 부분(≠ plein).

délié, e² *adj.* ① 끌러진, 풀린. ② 민첩한(= agile) : avoir les doigts ~*s* (피아니스트가) 손가락 놀림이 민첩하다. ***avoir la langue ~e*** 수다스럽게 지껄이다, 구변이 좋다.

délier [delje] *v.t.* ① (묶인 것을) 풀다, 끄르다 : ~ un fagot 묶음을 풀다. ② (의무 따위에서) 해방하다(= libérer) : ~ qn d'une promesse …을 약속에서 해방시키다. — **se ~** *v.pr.* ① (끈 따위가) 풀리다 : Sa langue *se délia.* 그의 말문이 열렸다. ② 해방되다.

délimitation [delimitɑsjɔ̃] *f.* ① 경계의 획정(劃定) ; 범위 (한정). ② 분류, 구별.

***délimiter** [delimite] *v.t.* …의 경계를 정하다 ; …의 범위〔한계〕를 정하다.

délinéament [delineamɑ̃] *m.* 윤곽(선).

délinéateur [delineatœ:ʀ] *m.* (반사물질을 칠한) 노변 표지선.

délinquance [delɛ̃kɑ̃:s] *f.* 《집합적》 범죄, 비행 : ~ juvénile 청소년 범죄.

***délinquant, e** [delɛ̃kɑ̃, -ɑ̃:t] *n.* 경범자 : ~ primaire 초범자. — *adj.* 경범죄를 범한, 비행을 저지른.

déliquescence [delikɛ〔e〕sɑ̃:s] *f.* ① 퇴폐(= décadence), 쇠퇴 : tomber en ~ 퇴폐하다. ② (정신·신체 따위의) 쇠약.

déliquescent,e [delikɛ〔e〕sɑ̃, -ɑ̃:t] *adj.* ① 퇴폐한, 쇠퇴한. ② 《구어》 쇠약한, 늙어빠진(= décrépit).

délirant, e [deliʀɑ̃, -ɑ̃:t] *adj.* ① 정신 착란의, 헛소리를 하는, 망상적인 : idée ~*e* 망상. ② 열광적인 : joie ~*e* 넘쳐 흐르는 즐거움. ***C'est ~.*** 너무 우스워 숨이 막힐 것 같다.

délire [deli:ʀ] *m.* ① 정신 착란 (상태) ; 헛소리 ; 〖의학〗 섬망(譫妄) ; 망상. ② 열광(= exaltation), 흥분. ③ 영감(= inspiration) : ~ poétique 시적 영감. ***avoir le ~ ; être en ~*** 정신 착란 상태에 빠져 있다.

délirer [delire] *v.i.* ① 정신 착란을 일으키다 ; 헛소리하다(= divaguer). ② 열광하다.

délirium tremens [deliʀjɔmtʀemɛ̃:s] 〔라틴〕 *m.* 《복수없음》 〖의학〗 (알코올 중독에 의한) 섬망증(譫妄症).

délit [deli] *m.* 〖법률〗 위법 (행위), 경범죄(= contravention). ***corps du ~*** 〖법률〗 범죄 사실, 죄체(罪體). ***en flagrant ~*** 범행〔위법〕 현장에서.

délivrance [delivʀɑ̃:s] *f.* ① 해방 ; 구출, 석방(= libération). ② (문서 따위의) 교부(= livraison). ③ 〖의학〗 분만, 해산, 후산.

délivre [deli:vʀ] *f.* 〖의학〗 후산(後産) ; 태반.

***délivrer** [delivʀe] *v.t.* ① 해방시키다, 석방하다 : ~ un captif de prison 포로를 감옥에서 석방하다. ② 《~ qn de》 …을 …에서 풀어주다 ; …에게 …을 면하게 하다 : ~ qn *d'*une maladie …의 병을 고쳐 주다 / ~ qn *de* ses craintes …을 공포에서 벗어나게 하다. ③ 교부하다(= remettre), 인도하다 : ~ un reçu 영수증을 발급하다. ④ 분만〔후산〕 시키다.

déloger [delɔʒe] ③ *v.i.* 이사하다 ; 떠나다 ; 퇴거하다 ; 〖군사〗 철수하다. — *v.t.* ① 집을 떠나게 하다 : ~ un locataire 세든 사람을 내보내다. ② 쫓아내다(= chasser, expulser) ; 격퇴하다 ; 몰아내다.

déloyal, e, aux [delwajal, -o] *adj.* ① 불성실한 : ami ~ 불성실한 친구. ② 〖스포츠〗 반칙의 ; 비겁한, 비열한 : procédé ~ 비겁한 방법.

déloyauté [delwajote] *f.* 불성실, 부정 ; 배신 행위 : acte de ~ 불성실한 행위.

delta [dɛlta] 〔그리스〕 *m.* ① 《복수불변》 그리스 자모의 제 4 자(《Δ, δ》). ② (*pl.* ~***s***) 〖지리〗 삼각주. ***en ~*** 삼각형의. 「주의.

deltaïque [dɛltaik] *adj.* 델타(지대)의, 삼각

deltaplane [dɛltaplan] *m.* (동체가 없는) 소형 삼각 글라이더. 「유 비행가.

deltiste [dɛltist] *n.* 행글라이더 비행가 ; 자

déluge [dely:ʒ] *m.* ① (*D~*) 노아의 대홍수(= ~ de Noé) ; 홍수 ; 폭우. ② 다량 : ~ de larmes 〔de sang〕 눈물〔피〕의 바다 / un ~ de protestations 쇄도하는 항의. ***remonter au ~*** 아주 오래되다 ; 《구어》 유행이 지나다.

déluré, e [delyʀe] *adj.* et *n.* 빈틈없는 (사람) ; 약삭빠른 (사람), 뻔뻔스런 (사람).

délustrer [delystʀe] *v.t.* 〖직물〗 …의 윤〔광택〕을 없애다 ; 보잘것없게 하다. — **se ~** *v.pr.* 광택을 잃다 ; 윤이 없어지다.

dem. 《약자》 demain 내일.

démagogie [demagɔʒi] *f.* ① 민중 선동(책). ② 폭민 정치.

démagogique [demagɔʒik] *adj.* 민중 선동〔농락〕적인.

démagogue [demagɔg] *m.* 선동 정치가 ; 폭도의 괴수. — *adj.* 민중을 선동하는.

démailler [demɑje] *v.t.* ① (그물 따위의) 코를 풀다. ② 〖해양〗 (사슬을) 닻에서 벗기다. — **se ~** *v.pr.* (그물 따위의) 코가 풀리다.

démailloter [demajɔte] *v.t.* (아이의) 배내옷을 벗기다(≠ emmailloter).

‡demain [dəmɛ̃] *adv.* ① 내일 : *D~* c'est dimanche. 내일은 일요일이다. ② 곧, 장차. ***~ (au) matin*** 〔***soir***〕 내일 아침〔저녁〕. — *m.* ① 내일. ② 장래. ***A ~ !*** 그럼 내일 또 만납시다. ***aujourd'hui pour ~*** 이제라도,

언제든지. ***Ce n'est pas pour ~; C'est pas ~ la veille.*** 《구어》 그것은 오늘 내일 있을 일이 아니다. ***de ~ en huit*** 내주의 내일. ***d'ici (à) ~*** 오늘부터 내일까지, 오늘 내일 사이에. ***jusqu'à ~*** 내일까지; 《구어》 오랫동안. ***la veille de ~*** 오늘.

démancher [demɑ̃ʃe] *v.t.* ① …의 자루를 뽑다〔빼다〕. ② 《구어》 해체하다(= disloquer); (뼈를) 탈구시키다, 빠지게 하다. — **se ~** *v.pr.* ① 자루가 빠지다. ② 《구어》 자기의 …을 삐다: *se ~* le bras 〔l'épaule〕 팔이〔어깨가〕 빠지다. ③ 결속이 무너지다.

demande** [dəmɑ̃:d] *f.* ① 소청, 청원, 간청, 의뢰; 요구; 신청: ~ d'emploi 구직 / ~ d'explication 해명의 요구. ② 요구서, 신청서: formuler une ~ 신청서를 작성하다. ③ 청혼, 구혼(= ~ en mariage). ④ 〖법률〗 청구, 소구(訴求): former une ~ en divorce 이혼 소송을 제기하다. ⑤ 〖상업〗 주문(= commande); 수요: fabriqué à la ~ 주문 생산된. ⑥ 질문, 물음(= question): faire des ~s et des réponses 묻고 대답하다. ***à la ~ de qn …의 요구〔의뢰·간청〕에 의하여. ***Belle ~!*** 《구어》 쓸데없는 질문이다! ***faire sa ~*** 청혼하다. ***l'offre et la ~*** 수요와 공급. ***sur la ~ de*** qn …의 요청에 의해서.

demandé, e [dəmɑ̃de] *adj.* 수요가 많은, 유행하는: article ~ 수요가 많은 상품.

⁑**demander** [dəmɑ̃de] *v.t.* ① ⓐ 요구하다, 원하다, 부탁하다(= prier): ~ un emploi 일자리를 구하다 / ~ son dû 자신의 몫을 요구하다 / 《~ qc à qn》 Il m'*a demandé* mon dictionnaire. 그는 나에게 사전을 빌려달라고 부탁했다 / 《~ à qn de+*inf.*》 Je lui *ai demandé d'*être à l'heure. 나는 그에게 시간을 지켜 달라고 당부했다 / 《~ que+*sub.*》 Je *demande que* vous m'écoutiez. 제 말에 귀 좀 기울여 주십시오. ⓑ 요청하다(= exiger): ~ la permission 〔l'autorisation〕 de faire qc …을 허락해 줄 것을 요청하다. ⓒ 《~ qn》 찾다, 구하다; (면담 따위를) 신청하다: On vous *demande.* 면회입니다; 전화 왔습니다 / On *demande* deux secrétaires. 두 사람의 비서를 구한다. ⓓ (가격 따위를) 청구하다; 기대하다, 바라다: Combien *demandez*-vous par ce bibelot? 당신은 이 골동품 값으로 얼마를 원하십니까? ⓔ (특히 여자에게) 청혼하다: ~ qn en mariage; ~ la main de qn …에게 청혼하다. ⓕ 《주어: qc》 요구하다, 필요로 하다(= exiger): Votre proposition *demande* réflexion 당신의 제안은 좀 생각해 봐야겠습니다. ② 묻다, 질문하다(= interroger sur): ~ l'heure 시간을 묻다 / 《~ qc à qn》 Je lui *ai demandé* la raison de son absence. 나는 그에게 불참한 이유를 물었다. ***~ à***+*inf.* ⓐ 《주어: qn》 …하기를 바라다(= désirer, souhaiter): Il *demande à* vous voir. 그는 당신을 만나기를 원합니다. ⓑ 《주어: qc》 …할 필요가 있다(= avoir besoin de): Cette plante *demande à* être arrosée tous les jours. 이 식물은 날마나 물을 주어야 한다. ***~ pardon*** 용서를 빌다. ***Je ne demande pas mieux.*** 안성맞춤이다, 이것도 과분하다. ***Je vous (le) demande un peu.*** 《구어》 글쎄 생각 좀 해보세요, 글쎄 그럴 수 있어요. ***ne ~ qu'à***+*inf.* 오로지 …하기만 바라다. ***ne pas ~ mieux que de***+*inf.* 〔***que***+*sub.*〕 …하기만 하면 더 이상 바랄 것이 없다: Je *ne demande pas mieux que de* l'aider. 저는 그를 도울 수 있기를 바라고 있습니다.
— *v.t. ind.* 《구어》 《~ après》 …의 안부를 묻다; …에게 말하고 싶어하다; …을 찾다. — **se ~** *v.pr.* ① 수요가 있다. ② 자문하다: Je *me demande* si j'irai. 나는 갈 것인가 망설이고 있다. ③ 문제가 되다: Cela ne *se demande* pas. 그것은 자명한 일이다.

demandeur¹, euse [dəmɑ̃dœ:ʀ, -ø:z] *n.* ① 청원자; 질문자. ② 〖경제〗 수요자; 신청자: ~ d'emploi 구직 신청자. ③ 〖전화〗 호출자.

demandeur², eresse [dəmɑ̃dœ:ʀ, -ʀɛs] *n.* 〖법률〗 원고: ~ en appel 공소인.

démangeaison [demɑ̃ʒɛzɔ̃] *f.* ① 가려움, 근질근질함. ② 《구어》 욕망, 욕구. ***avoir une ~ de***+*inf.* …하고 싶어 안달하다.

démanger** [demɑ̃ʒe] [3] *v.i.* et *v.t.* 가렵다; 근질근질하다: Son eczéma lui 〔le〕 *démange.* 그는 습진이 가렵다. ***Ça me démange de+*inf.* …하고 싶어 죽겠다. ***gratter*** qn ***où ça le démange*** …에게 아첨하다. ***La langue me démange.*** 나는 이야기가 하고 싶어 죽겠다. ***La main me démange.*** 때리고 싶어 주먹이 근질근질하다.

démantèlement [demɑ̃tɛlmɑ̃] *m.* ① (성벽·요새 따위의) 파괴, 붕괴. ② (기구·조직 따위의) 해체, 철폐.

démanteler [demɑ̃tle] [4] *v.t.* ① …의 방비를 철거하다; (군함의) 장비를 파괴하다; 부수다(= démolir). ② (기구·조직 따위를) 파괴하다(= détruire).

démantibuler [demɑ̃tibyle] *v.t.* ① …의 턱을 빠지게 하다. ② 《구어》 (기계 따위를) 망가뜨리다; 분해하다; 파괴하다.
— **se ~** *v.pr.* (기계 따위가) 파괴되다.

démaquillage [demakija:ʒ] *m.* 화장을 닦아내기〔지우기〕.

démaquillant, e [demakijɑ̃, -ɑ̃:t] *adj.* 화장을 지우는. — *m.* 클린싱 유액〔크림〕.

démaquiller [demakije] *v.t.* 화장을 닦아내다(= défarder). — **se ~** *v.pr.* ① 화장을 닦아내다. ② 화장이 벗겨지다.

démarcation [demaʀkɑsjɔ̃] *f.* ① 경계 획정; 구획, 경계(선); 한계: ligne de ~ 경계선. ② 구별, 구분.

démarchage [demaʀʃa:ʒ] *m.* 〖상업〗 방문판매: ~ par correspondance 통신 판매.

***démarche** [demaʀʃ] *f.* ① 발걸음, 걸음걸이(= allure): ~ légère 가벼운 발걸음. ② 거동; 태도; 행동. ③ 사고방식; (생각 따위의) 과정; 방법. ④ 교섭, 운동, 부탁, 수고: faire une ~ 교섭〔운동〕하다; 수고하다.

démarcheur, euse [demaʀʃœ:ʀ, -ø:z] *n.* 권유원, 외교원, 방문 판매원.

démarquage [demaʀka:ʒ] *m.* 표지〔마크〕를 없애기; (작품의) 표절(= plagiat).

démarque [demaʀk] *f.* 〖상업〗 (상품을 싸게 팔기 위해) 정찰을 바꿔 달기〔떼어내기〕.

démarquer [demaʀke] *v.t.* ① …의 표지〔마크〕를 없애다; (값을 내리기 위해 상품의)

D

정찰을 바꿔 달다〔떼어내다〕. ② 표절하다(= plagier). ③ 〚스포츠〛 (상대방의) 마크를 벗어나게 하다. ― **se** ~ *v.pr.* 〚스포츠〛 (상대방의) 마크에서 벗어나다.

démarrage [demaʀaːʒ] *m.* ① 출범(出帆). ② 출발 ; 발차(發車) ; (발동기의) 시동(始動) : bouton de ~ 시동 스위치〔단추〕. ③ 《비유》 시작, 개시 ; 약진, 발전. ***avoir* 〔*faire*〕 *un ~ sec*** 〚스포츠〛 스타트에서부터 떼놓다.

***démarrer** [demaʀe] *v.i.* ① 출범하다. ② (자동차·기계 따위가) 움직이기 시작하다, 발차〔출발〕하다, 떠나다(= partir) ; (사업 따위가) 잘 되기 시작하다 : faire ~ 출범〔발차〕시키다. ― *v.t.* ① (배의) 밧줄을 풀다. ② (발동기를) 시동하다 ; (자동차 따위를) 출발시키다 : ~ un travail 일을 시작하다.

démarreur, euse [demaʀœːʀ, -øːz] *m.* 〚기계·자동차〛 시동기, 시동 장치.
― *n.* 〚스포츠〛 스타트가 좋은 선수.

démasquer** [demaske] *v.t.* 가면을 벗기다 ; 정체를 폭로하다〔벗기다〕. ~ ***ses batteries 숨겼던 계획을 밝히다. ― **se** ~ *v.pr.* (자기의) 가면을 벗다 ; 정체를 드러내다.

démêlage [demɛlaːʒ], **démêlement** [demɛlmɑ̃] *m.* ① (얽힌 것을) 풀기 ; (머리를) 빗기 ; (양모의) 빗질. ② (사건·문제 따위의) 해결, 해명.

démêlé** [demɛ〔e〕le] *m.* (보통 *pl.*) 다툼, 말썽, 분쟁. ***avoir des ~s avec la justice 소송 사건에 말려들다.

démêler** [demɛ〔e〕le] *v.t.* ① (얽힌 것을) 풀다 ; (머리를) 빗다. ② (오해 따위를) 풀다 ; (사건을) 해명하다(= débrouiller). ③ 식별하다 ; 간파(看破)하다(= discerner), 밝히다(= éclaircir). ***avoir qc ***à ~ avec*** qn …와 …에 관하여 다투다.

démêloir [demɛlwaːʀ] *m.* 얽힌 것을 푸는 도구 ; (빗살이 성긴) 얼레빗.

démembrement [demɑ̃bʀəmɑ̃] *m.* 해체, (손발의) 절단 ; (나라 따위의) 분할, 세분화.

démembrer [demɑ̃bʀe] *v.t.* ① …의 사지(四肢)를 절단하다. ② 해체하다 ; 분할하다(= découper, partager).

déménagement [demenaʒmɑ̃] *m.* 이사, 이삿짐 : entreprise de ~ 이삿짐 운송업.

déménager** [demenaʒe] [3] *v.i.* ① 이사하다. ② 《구어》 제정신을 잃다, 미치다 : Tu *déménages* ! 너 미쳤구나 ! / Il 〔Sa tête, Sa raison〕 *déménage.* 머리가 돌았다. ~ ***à la cloche (***de bois***) 《속어》 야반도주하다. ― *v.t.* (가구를) 옮기다 ; 《속어》 쫓아내다.

déménageur [demenaʒœːʀ] *m.* 이삿짐 운송인〔업자〕.

démence [demɑ̃ːs] *f.* ① 발광, 정신 이상〔착란〕. ② 미친 짓, 광기(= folie). ***tomber en ~*** 정신 착란에 빠지다.

***démener (se)** [s(ə)dɛ〔e〕mne] [4] *v.pr.* ① 날뛰다 ; 소란을 피우다. ② 애쓰다, 분투하다 : *se* ~ contre la misère 빈곤과 싸우다.

dément, e [demɑ̃, -ɑ̃ːt] *adj.* 미친(= fou) ; 심신 상실의. ― *n.* 미친 사람.

démenti [demɑ̃ti] *m.* ① 부인, 부정 ; 취소, 반박 : donner un ~ à qn …의 말을 취소〔부인〕하다. ② 반증, 반대 사실.

démentiel, elle [demɑ̃sjɛl] *adj.* 발광의, 정신 착란의 : état ~ 착란 상태.

***démentir** [demɑ̃tiːʀ] [18] *v.t.* ① 《~ qn》 …의 말에 반대하다(= contredire). ② 《~ qc》 부인〔반박〕하다(= nier) : ~ un bruit 소문을 부인하다. ③ 《주어 : qc》 …와 어긋나다, 모순되다 : Ses actes *démentent* ses paroles. 그의 행동은 말과 일치하지 않는다. ― **se** ~ *v.pr.* ① 한 말을 취소〔번복〕하다 ; 자기 성격에 어긋나는 짓을 하다. ② 《주어 : qc》 모순되다 ; 《특히 부정문에서》 변하다 : Son amitié ne *s'est* jamais *démentie.* 그의 우정은 조금도 변하지 않았다.

démerdard, e [demɛʀdaːʀ, -aʀd] *adj.* et *n.* 《구어》 날랜〔빈틈없는〕 (사람).

démerder (se) [s(ə)demɛʀde] *v.pr.* 《구어》 벗어나다, 어려운 고비를 넘기다(= se débrouiller) : *se* ~ tout seul 혼자서 해결하다.

démérite [demeʀit] *m.* 과실, 허물, 죄과(= faute, tort), 단점 ; 비난의 대상.

démériter [demeʀite] *v.i.* ① 비난받을 행동을 하다, 잘못을 저지르다. ② 《~ auprès de》 남의 존경을〔애정을·호의를〕 잃다 ; 《~ de》 …을 더럽히다.

démesure [dɛ〔e〕m(ə)zyːʀ] *f.* 정상을 벗어난 태도〔감정〕, 도가 지나친 언동, 기상천외.

démesuré, e [dɛ〔e〕m(ə)zyʀe] *adj.* 지나친, 과도한, 엄청난(= excessif).

démesurément [dɛ〔e〕m(ə)zyʀemɑ̃] *adv.* 굉장히, 엄청나게.

démettre [demɛtʀ] [46] *v.t.* ① 탈구(脫臼)시키다 : ~ un bras à qn …의 팔을 탈구시키다. ② 《옛》 해직하다 ― **se** ~ *v.pr.* ① 삐다. ② 《se ~ de》 …을 사임〔사직〕하다.

démeubler [demøble] *v.t.* …의 가구를 없애다〔걷어치우다〕.

demeurant, e [dəmœʀɑ̃, -ɑ̃ːt] *adj.* 〚법률〛 거주하는. ― *n.* 〚법률〛 거주자. ― *m.* 《옛》 나머지. ***au ~*** 요컨대, 그래도 역시, 결국(= au reste, en somme).

demeure** [dəmœːʀ] *f.* ① 주택, 저택 ; 주소. ② 체류. ***à ~ 영구히. ~ ***céleste*** 천국. ***dernière ~*** 무덤. ***mettre*** qn ***en ~ de***+*inf.* …하도록 독촉하다. ***mise en ~*** 재촉, 독촉.

demeuré, e [dəmœʀe] *adj.* et *n.* 《지방어》 우둔한 (사람), 고지식한 (사람).

demeurer** [dəmœʀe] *v.i.* ① 《조동사는 être, 간혹 avoir》 머물러 있다 ; (동일한 상태에) 있다, …인 채로 있다(= rester) ; 남다, 존속하다(= persister, rester) : Il *était demeuré* là jusqu'à la nuit noire. 그는 밤이 깊도록 거기에 머물러 있었다 / Il *est demeuré* silencieux. 그는 말이 없었다 / image qui *est demeuré* dans mon souvenir 내 기억 속에 남은 영상. ② 《조동사는 avoir》 살다, 거주하다(= habiter, résider) : Il *a demeuré* dans cette maison. 그는 이 집에 살았다. ~ ***à+*inf.* …하는 데 시간이 걸리다 : Il *demeure* des heures *à* écrire une lettre. 그는 편지 한 장 쓰는 데 여러 시간 걸린다. ***en ~ là*** 진전이 없다, (일 따위를) 그 정도로 해두다.

‡demi, e [d(ə)mi] 《명사+et ~의 형식에선 명사와 같은 성의 단수명사로 간주되고, ~-명사의 형식에선 불변》 *adj.* 반의, 절반의, 불완전한 : un ~-litre 반 리터 / une ~-heure 반 시간 / un mois *et* ~ 한달 반 / Il est

deux heures *et* ~*e*. 2 시 반이다. ***À malin, malin et ~.*** 《속담》 뛰는 놈 위에 나는 놈 있다. — *m.* ① 반, 2 분의 1. ② (맥주의) 반 리터들이 컵, 맥주 한 잔. ③ 〖축구 · 럭비〗 중위, 하프. ***à ~*** 절반, 한 절반; 어중간하게: ouvrir un tiroir *à* ~ 서랍을 반쯤 열다.
— *f.* 절반; 반 시간: Est-il six heures? — Il est la ~*e*. 6 시요? — 반이요.
— *adv.* 절반으로; 불완전하게: ~-cuit 반숙의 / ~-mort 반 죽은, 다 죽어 가는.

***demi-** *préf.* 「반 · 불완전」의 뜻.

demi-bouteille [d(ə)mibutɛj] *f.* (*pl.* ~-~***s***) 반 병.

demi-cercle [d(ə)misɛʀkl] *m.* ① 반원. ② 측각기(測角器).

demi-dieu [d(ə)midjø] *m.* 반신(半神); 신인(神人)(적 인물).

demi-douzaine [d(ə)miduzɛn] *f.* (*pl.* ~-~***s***) 반 다스, 여섯 개; 여섯쯤.

demi-droite [d(ə)midʀwat] *f.* 〖기하〗 반직선.

demi-fin, e [d(ə)mifɛ̃, -in] *adj.* ① 12 금의, 50 % 의 순금을 지닌. ② 중간 크기의《gros와 fin 의 중간》. — *m.* ① 12 금. ② 중형 서체.

demi-finale [d(ə)mifinal] *f.* 준결승.

demi-fond [d(ə)mifɔ̃] *m.* 《복수불변》 〖스포츠〗 중거리 경주(= course de ~).

demi-frère [dəmifʀɛːʀ] *m.* 의붓형제: ~ de même père 〔mère〕 이부(二父)〔이복〕 형제.

demi-gros [d(ə)migʀo] *m.* 《복수불변》 중간 도매상.

demi-heure [d(ə)miœːʀ] *f.* 반 시간, 30 분. ***de ~ en ~; toutes les ~s,*** 30 분마다.

demi-intellectuel, elle [dəmiɛ̃tɛlɛktyɛl] *n.* 사이비 지식인.

demi-jour [d(ə)miʒuːʀ] *m.* (*pl.* ~-~(***s***)) 흐릿한 빛, 어스름, 여명빛, 땅거미.

demi-journée [d(ə)miʒuʀne] *f.* 반나절, 오전, 오후.

démilitarisation [demilitaʀizɑsjɔ̃] *f.* 비무장화.

démilitariser [demilitaʀize] *v.t.* 무장 해제하다; 비무장 지대로 만들다: zone *démilitarisée* 비무장 지대.

demi-litre [d(ə)militʀ] *m.* 반 리터.

demi-longueur [d(ə)milɔ̃gœːʀ] *f.* 〖스포츠〗 (말 · 소형 배 따위의) 절반 길이: gagner d'une ~ 절반 길이만큼 앞서 승리하다.

demi-mal [d(ə)mimal] *m.* (*pl.* ~***-maux*** [-o]) 《구어》 불행중 다행.

demi-mesure [d(ə)mimzyːʀ] *f.* ① 반분(半分). ② 임시변통의 수단; 어중간한 조치. ③ 〖음악〗 반 소절. ④ 반맞춤(옷).

demi-mondain, e [d(ə)mimɔ̃dɛ̃, -ɛn] *adj.* 화류계에 속하는. — *f.* 화류계 여자.

demi-monde [d(ə)mimɔ̃ːd] *m.* 화류계.

demi-mot (à) [ad(ə)mimo] *loc. adv.* 끝까지 말하지〔듣지〕 않고, 몇 마디 암시만으로.

déminage [deminaːʒ] *m.* 지뢰의 제거; 〖해군〗 소해(掃海).

déminer [demine] *v.t.* …에서 지뢰를 없애다〔제거하다〕; 소해(掃海)하다.

déminéralisation [demineʀalizɑsjɔ̃] *f.* 〖의학〗 광물질 탈실(脫失); 무기 성분 감소.

déminéraliser [demineʀalize] *v.t.* …의 광물질을 탈실(脫失)시키다.

démineur [deminœːʀ] *m.* 지뢰 제거인.

demi-pause [d(ə)mipoːz] *f.* 〖음악〗 반쉼표, 2 분 쉼표.

demi-pension [d(ə)mipɑ̃sjɔ̃] *f.* 반기숙(半寄宿) 제도《점심 식사만 제공받는 제도》.

demi-pensionnaire [d(ə)mipɑ̃sjɔnɛːʀ] *n.* 반기숙생.

demi-place [d(ə)miplas] *f.* 반액의 좌석(료): payer ~ 좌석료를 반액 할인받다.

demi-portion [d(ə)mipɔʀsjɔ̃] *f.* ① 반식분(半食分): ~ pour un enfant 어린이용의 반 사람분 식사. ② 《경멸》 꼬마, 난쟁이.

demi-queue [d(ə)mikø] *adj.* 《불변》 piano ~ 중형 그랜드 피아노. — *m.* 중형 그랜드 피아노(= piano ~).

démis, e [demi, -iːz] *adj.* (뼈를) 삔: remettre en place un poignet ~ 삔 손목을 바로잡다.

demi-saison [d(ə)misɛzɔ̃] *f.* 중간 계절《봄 · 가을》: vêtement de ~ 춘추복. — *m.* 《복수불변》 춘추복.

demi-sang [d(ə)misɑ̃] *m.* 《복수불변》 잡종말.

demi-savant [d(ə)misavɑ̃] *m.* 얼치기 학자, 사이비 학자.

demi-sel [d(ə)misɛl] *m.* 《복수불변》 약간 짭짤한 크림 치즈. — *adj.* 《불변》 약간 짭짤한, 살짝 소금을 친.

demi-sœur [d(ə)misœːʀ] *f.* 의붓자매.

demi-sommeil [d(ə)misɔmɛj] *m.* 반수(半睡) 상태, 얕은 잠(= somnolence).

démission** [demisjɔ̃] *f.* ① 사직; 사표; 사직서(= lettre de ~). ② 포기, 회피(= abandon); 기권. ***donner sa ~ 사직하다: *donner sa ~* d'office 권고 사직하다.

démissionnaire [demisjɔnɛːʀ] *adj.* et *n.* 사표를 낸〔사직한〕 (사람).

***démissionner** [demisjɔne] *v.i.* ① 사직하다. ② 《구어》 포기〔기권〕하다. — *v.t.* 사임하게 하다.

demi-tarif [d(ə)mitaʀif] *m.* 반액: billet (à) ~ 반액 할인권.

demi-teinte [d(ə)mitɛ̃ːt] *f.* ① 〖미술 · 사진〗 반농담(半濃淡), 중간색. ② 〖음악〗 반음.

demi-ton [d(ə)mitɔ̃] *m.* 〖음악〗 반음.

demi-tour [d(ə)mituːʀ] *m.* 반회전(半回轉); 되돌아가기. ***D~ à droite!*** 뒤로 돌앗! ***faire ~*** 뒤돌아가다; (차가) U 턴하다.

démiurge [demjyʀʒ] *m.* (플라톤 학파에서 말하는) 조화의 신, 조물주(= créateur).

demi-voix (à) [ad(ə)mivwa(ɑ)] *loc. adv.* 작은 소리로; 〖음악〗 중음(中音)으로.

démobilisateur, trice [demɔbilizatœːʀ, -tʀis] *adj.* ① 동원을 해제하는. ② 열의를 식히는, 의식을 약화시키는.

démobilisation [demɔbilizɑsjɔ̃] *f.* 〖군사〗 ① 동원 해제; 제대. ② 의식의 약화.

démobilisé, e [demɔbilize] *adj.* et *m.* 동원 해제된 (자); 제대 군인: soldats ~*s* 제대 군인.

***démobiliser** [demɔbilize] *v.t.* ① 동원 해제하다; 제대시키다. ② 의식〔투쟁 정신〕을 약화〔마비〕시키다; 탈의식화시키다.

démocrate [demɔkʀat] *adj.* 민주주의의; 민주당의. — *n.* 민주주의자, 민주당원.

***démocratie** [demɔkʀasi] *f.* ① 민주 정체〔정치〕; 민주주의: ~ représentative 대의 민주 정치. ② 민주 국가. ③ 서민 계급.

*__démocratique__ [demɔkʀatik] *adj.* 민주주의의; 민주적인; 대중의 : république ~ 민주 공화국〔정체〕.
__démocratiquement__ [demɔkʀatikmɑ̃] *adv.* 민주(주의)적으로.
__démocratisation__ [demɔkʀatizɑsjɔ̃] *f.* 민주화; 대중화 : ~ de l'enseignement 교육의 대중화.
*__démocratiser__ [demɔkʀatize] *v.t.* 민주화하다; 대중화하다. — **se** ~ *v.pr.* 민주화되다; 대중화되다.
*__démodé, e__ [demɔde] *adj.* 유행에 뒤진, 구식의 : chapeau ~ 구식 모자.
__démoder__ [demɔde] *v.t.* 유행에 뒤지게 하다. — **se** ~ *v.pr.* 유행에 뒤지다, 구식이 되어 버리다.
__démographe__ [demɔgʀaf] *m.* 인구통계학자.
__démographie__ [demɔgʀafi] *f.* 인구통계(학); 인구(수).
__démographique__ [demɔgʀafik] *adj.* 인구 통계의; 인구의 : poussée ~ 인구의 급증.
*__demoiselle__ [dəmwazɛl] *f.* 미혼 여자, 아가씨, 처녀(= fille); 여점원, 여사무원 : ~ de magasin 여점원 / votre ~ 《지방어》 댁의 따님. ~ ***d'honneur*** (왕비·왕녀의) 시녀; 들러리. ***rester*** ~ 독신으로 머물러 있다.
*__démolir__ [demɔliːʀ] *v.t.* ① 파괴하다, 허물다, 무너뜨리다(= détruire, abattre); 망가뜨리다 : ville *démolie* par un bombardement 폭격으로 파괴된 도시. ② 《비유》 (정부·논거를) 뒤엎다, 무너뜨리다. ③ 《~ qn》 《구어》 …의 평판·세력을 떨어뜨리다; 혹평하다; …의 건강을 해치다; 몹시 피로하게 하다(= esquinter) : La chaleur l'*a démoli.* 더위로 그는 녹초가 됐다. ④ 《~ qn》 《속어》 때려눕히다; 두들겨 패다(= battre). ~ (***le portrait à***) qn 《구어》 …을 때려눕히다.
__démolisseur, euse__ [demɔlisœːʀ, -øːz] *n.* 파괴자, 타도자; 철거원.
__démolition__ [demɔlisjɔ̃] *f.* ① 파괴(= destruction; ≠ construction); 타도. ② (*pl.*) 파괴된 건물의 잔해(= décombres).
__démon__ [demɔ̃] *m.* ① 〖성서〗 악마, 사탄, 마귀(= diable) : être habité〔possédé〕 du ~ 악마에 사로잡혀 있다, 마귀들리다. ② 악마 같은 사람; 장난꾸러기(= petit ~). ***faire le*** ~ 부산스럽게 굴다. ***le*** ~ ***de*** …의 (나쁜) 유혹 : *le* ~ *de* midi 중년에 빠지기 쉬운 이성의 유혹 / *le* ~ *de* la poésie 시(詩)의 영감.
__démonétisation__ [demɔnetizɑsjɔ̃] *f.* ① (화폐의) 유통 폐지. ② (신용·명성의) 추락.
__démonétiser__ [demɔnetize] *v.t.* ① (화폐의) 유통을 정지하다. ② 《구어》 …에 흠을 잡다, …의 평판〔신용〕을 떨어뜨리다.
__démoniaque__ [demɔnjak] *adj.* 악마의; 악마 같은(= diabolique, satanique). — *n.* 악마 같은 사람; 마귀들린 사람.
__démonstrateur, trice__ [demɔ̃stʀatœːʀ, -tʀis] *n.* 증명〔논증〕자; (기계의 사용법을 설명하는) 실연(實演) 판매원.
__démonstratif, ive__ [demɔ̃stʀatif, -iːv] *adj.* ① 증명〔논증〕의. ② {문법} 지시의 : adjectif 〔pronom〕 ~ 지시형용사〔대명사〕. ③ 감정을 드러내는(= expansif); 시위(示威)의. — *m.* 〖문법〗 지시사.
__démonstration__ [demɔ̃stʀɑsjɔ̃] *f.* ① 증명, 논증; 실험; (기계 사용법의) 실연. ② 〖군사〗 양동 작전. ③ (흔히 *pl.*) (감정의) 표명, 표시(= marque) : être touché par des ~*s* d'amitié 우정의 표시에 감격하다.
__démonstrativement__ [demɔ̃stʀativmɑ̃] *adv.* 논증적으로, 설득 가능한 방법으로.
__démontable__ [demɔ̃tabl] *adj.* 분해할 수 있는 : construction ~ 조립식 건물.
__démontage__ [demɔ̃taːʒ] *m.* 분해.
__démonté, e__ [demɔ̃te] *adj.* ① (기계가) 분해된; (시계가) 태엽이 풀린. ② (바다가) 풍랑이 심한(= agité).
*__démonter__ [demɔ̃te] *v.t.* ① (기계를) 분해하다; (문짝 따위를) 떼내다. ② 당황하게 하다; 실망시키다(= déconcerter, troubler). — **se** ~ *v.pr.* ① 분해되다. ② 당황하다 : sans *se* ~ 당황하지 않고, 침착하게.
__démontrable__ [demɔ̃tʀabl] *adj.* 증명할 수 있는 : proposition ~ 증명할 수 있는 명제.
*__démontrer__ [demɔ̃tʀe] *v.t.* ① 증명하다, 논증하다(= prouver) : La culpabilité de l'accusé n'*a* pas *été démontrée.* 피고의 죄과는 입증되지 않았다. ② 《주어 : qc》 명시〔표시〕하다, 보여 주다, 나타내다. ~ ***que*** + *sub.* …을 증명〔논증〕하다. ~ ***par A plus B*** 엄밀하게 증명하다. — **se** ~ *v.pr.* 증명〔논증〕되다.
__démoralisant, e__ [demɔʀalizɑ̃, -ɑ̃ːt] *adj.* ① 도덕〔풍속〕을 문란케 하는. ② 사기를 저하시키는; 실망을 주는(= décourageant).
__démoralisation__ [demɔʀalizɑsjɔ̃] *f.* ① 도덕의 퇴폐, 풍기 문란. ② 사기의 저하.
*__démoraliser__ [demɔʀalize] *v.t.* ① …의 사기를 저하시키다; …에게 실망을 주다(= décourager). ② …의 도덕〔풍속〕을 퇴폐〔문란〕케 하다. — **se** ~ *v.pr.* ① 사기를 잃다. ② 도덕〔풍속〕이 퇴폐하다.
*__démordre__ [demɔʀdʀ] [25] *v.i.* (잔뜩 물었던 것을) 도로 놓다. — *v.t. ind.* 《~ de》 단념하다, …을 포기하다(= renoncer à) 《항상 부정의 형태로만 쓰임》 : ne pas ~ *de* ses opinions 의견을 고집하다.
__démotivant, e__ [demɔtivɑ̃, -ɑ̃ːt] *adj.* 낙담〔실망〕시키는(= décourageant).
__démotivé, e__ [demɔtive] *adj.* 〖문법〗 (파생어가) 근거가 모호한.
__démotiver__ [demɔtive] *v.t.* 사기를 저하시키다.
__démoulage__ [demulaːʒ] *m.* 틀〔거푸집〕에서 꺼내기.
__démouler__ [demule] *v.t.* 틀〔거푸집〕에서 꺼내다.
__dem. réd.__ 《약자》 demandes réduites 〖상업〗 수요의 감소.
__démultiplication__ [demyltiplikɑsjɔ̃] *f.* 〖기계〗 감속; 감속률.
__démultiplier__ [demyltiplije] *v.t.* 〖기계〗 감속하다.
__démuni, e__ [demyni] *adj.* ① 《~ de》 …이 없는. ② 〖상업〗 품절이 된; 무일푼의.
__démunir__ [demyniːʀ] *v.t.* 《~ qn de qc》 …에게서 …을 빼앗다, 박탈하다 : Cet achat m'*a* complètement *démuni* (*de* mon argent). 그 쇼핑으로 나는 돈이 다 떨어졌다. — **se** ~ *v.pr.* 《se ~ de qc》 …을 빼앗기다; 포기하다, 내놓다(= se dessaisir) : *se* ~ *de* son passeport 여권을 빼앗기다.
__démuseler__ [demyzle] [5] *v.t.* ① (개 따위

의) 재갈〔부리망〕을 벗기다. ② 《비유》 (감정 따위를) 터뜨리다, 폭발시키다.

démystification [demistifikɑsjɔ̃] *f.* (미망으로부터의) 각성 ; (사물·관념의) 탈신화화.

démystifier [demistifje] *v.t.* (대중 따위를) 신비〔기만·허구·미망〕에서 깨어나게 하다.

démythifier [demitifje] *v.t.* 신화적 성격을 제거하다, 탈신화화하다.

dénasalisation [denazalizɑsjɔ̃] *f.* 〖언어〗 비모음(鼻母音)의 구강 모음화.

dénasaliser [denazalize] 〖언어〗 *v.t.* (비모음(鼻母音)을) 구강 모음으로 만들다.

dénatalité [denatalite] *f.* 출산율의 저하.

dénationalisation [denasjɔnalizɑsjɔ̃] *f.* ① 국적 박탈〔상실〕. ② (기업의) 민영화.

dénationaliser [denasjɔnalize] *v.t.* ① …의 국적을 박탈하다 : ~ une marchandise 상품을 다른 나라 제품으로 속이다. ② (기업을) 민영화하다.

dénaturalisation [denatyʀalizɑsjɔ̃] *f.* 국적 상실 ; 귀화권의 상실.

dénaturaliser [denatyʀalize] *v.t.* …의 국적을 박탈하다 ; 귀화권을 상실케 하다.

dénaturation [denatyʀɑsjɔ̃] *f.* 〖화학〗 변성(變性)시키기 ; (음식물의) 변질.

dénaturé, e [denatyʀe] *adj.* ① 변질된 : alcool ~ 불순 알코올. ② 자연적 감정에 어긋나는 ; 인간다운 점이 없는 ; 악독한 : fils ~ 패륜아.

***dénaturer** [denatyʀe] *v.t.* ① 변질시키다 ; 왜곡〔곡해〕하다(= fausser) : ~ un fait 사실을 왜곡하다. ② 인간다운 점을 잃게 하다 ; 악하게 만들다(= vicier).

dendro- *préf.*, **-dendron** *suff.* 「나무」의 뜻.

dénégation [denegɑsjɔ̃] *f.* 부정, 부인(= négation, désaveu) ; 〖법률〗 거부.

déneigement [denɛʒmɑ̃] *m.* (도로·철도 따위의) 제설(除雪).

déneiger [denɛ[e]ʒe] *v.t.* 제설(除雪)하다.

dengue [dɛ̃:g] *f.* 〖의학〗 뎅그열(熱).

déni [deni] *m.* 거절 ; 〖법률〗 거부 : ~ de justice (재판관의) 재판 거부.

déniaiser [denjɛ[e]ze] *v.t.* ① 영악해지게 하다, (세상) 물정에 익숙하게 하다. ② 《구어》 순결성을 잃게 하다.

***dénicher** [deniʃe] *v.t.* ① (새·알을) 새집에서 끄집어내다. ② (힘들여) 찾아내다(= découvrir) : ~ un appartement 아파트를 간신히 찾아내다. ③ (은신처 따위에서) 끌어내다. — *v.i.* ① (새가) 새집을 떠나 버리다. ② 달아나다 ; 사라지다.

denier [dənje] *m.* ① 드니에《프랑스의 옛 화폐 1/12 sou》; 〖고대로마〗 데나리우스 은화. ② (흔히 *pl.*) 돈. ***~s de l'État ; ~s publics*** 공금, 국가 수입. ***de ses ~*** 자기 돈으로 : payer *de ses ~s* 자기 돈으로 치르다. ***n'avoir pas un ~*** 한푼도 없다.

dénier [denje] *v.t.* (사실을) 부인하다(= nier), 부정하다 ; 거절〔거부〕하다(= refuser) : ~ sa faute 자기 과오를 부인하다 / ~ le droit à qn …에게 권리를 주지 않다 / 《~+부정법과거》 Il *dénie* avoir fait cela. 그는 그것을 하지 않았다고 단언한다.

dénigrement [denigʀəmɑ̃] *m.* 중상, 헐뜯기, 비방 ; 중상하는 말. ***par ~*** 경멸조로.

***dénigrer** [denigʀe] *v.t.* 중상하다, 헐뜯다, 비방하다(= débiner, décrier).

dénigreur, euse [denigʀœ:ʀ, -ø:z] *adj.* et *n.* 중상모략하는 (사람).

déniveler [denivle] [5] *v.t.* ① …의 높낮이를 고르지 않게 하다, 기복이 생기게 하다. ② 높낮이를 측량하다 ; 등고선을 표하다.

dénivellation [denivɛ(l)lɑsjɔ̃] *f.*, **dénivellement** [denivɛlmɑ̃] *m.* 높낮이를 고르지 않게 하기 ; 고저차, 기복(起伏).

dénombrable [denɔ̃bʀabl] *adj.* 수효를 계산할 수 있는, 셀〔열거할〕 수 있는.

dénombrement [denɔ̃bʀəmɑ̃] *m.* ① (사람·사물을) 세기, 열거(= énumération). ② (인구 따위의) 조사(= recensement).

***dénombrer** [denɔ̃bʀe] *v.t.* …의 수효를 계산하다 ; 일일이 열거하다 ; 주워섬기다 ; (인구 따위를) 조사하다(= recenser).

dénominateur [denɔminatœ:ʀ] *m.* 〖수학〗 분모. ***~ commun*** 〖수학〗 공분모 ; 공통점.

dénominatif, ive [denɔminatif, -i:v] *adj.* ① 이름을 표시하는 ; 명칭의. ② 명사에서 파생한. — *m.* 〖언어〗 명사 파생어.

dénomination [denɔminɑsjɔ̃] *f.* 호칭, 명칭.

dénommé, e [denɔme] *n.* (…라고) 불리우는 사람 : un ~ Dubal 뒤발이라는 사람.

dénommer [denɔme] *v.t.* ① …에 이름을 붙이다, 명명하다(= nommer, appeler) ; 지칭하다. ② 〖법률〗 지명하다.

dénoncer [denɔ̃se] [2] *v.t.* ① (조약 따위의) 파기를 통고하다 : ~ l'armistice 휴전 조약을 폐기하다. ② 《~ qn 〔qc〕》 고발하다(= accuser) ; 《~ qn》 밀고하다 : ~ ses complices (경찰에) 공모자의 이름을 자백하다. — **se ~** *v.pr.* 자수하다.

dénonciateur, trice [denɔ̃sjatœ:ʀ, -tʀis] *n.* 고발인, 밀고인. — *adj.* 고발〔밀고〕하는.

dénonciation [denɔ̃sjɑsjɔ̃] *f.* ① (조약 따위의) 폐기 (통고). ② 고발, 밀고 : ~ calomnieuse 〖법률〗 무고죄 / ~ spontanée 자수.

dénotation [denɔtɑsjɔ̃] *f.* ① 표시. ② 〖논리〗 외연(外延)(= extension) ; 〖언어〗 외시(外示)(≠ connotation).

***dénoter** [denɔte] *v.t.* ① 나타내다, 표시하다 (= indiquer, marquer) : Rien ne semble ~ sa culpabilité 〔qu'il soit coupable〕. 그가 범인이라는 것을 나타내는 아무런 증거도 없다. ② 〖논리〗 외연(外延)으로 나타내다 ; 〖언어〗 외시(外示)하다(≠ connoter).

dénouement [denumɑ̃] *m.* ① 풀기. ② 결말, 해결(= fin, solution) ; 끝대목, (희곡 따위의) 대단원 : heureux ~ 해피엔딩.

dénouer [denwe] *v.t.* ① …의 매듭을 풀다 (= délier) : ~ une cravate 넥타이를 풀다. ② 결말짓다(= résoudre), 해결하다 ; (희곡 따위를) 대단원으로 이끌다. — **se ~** *v.pr.* ① 풀리다 : Sa langue *s'est dénouée* à la fin. 그는 드디어 말하기 시작하였다. ② 결말지어지다 ; 해결되다.

dénoyauter [denwajote] *v.t.* (과실의) 핵을 〔씨를〕 빼다(= énoyauter).

***denrée** [dɑ̃ʀe] *f.* (흔히 *pl.*) 소비재, 상품 ; (특히) 식료품 ; 산물 : ~s périssables 상하기 쉬운 식료품 / ~s principales 주요 산물 /

~ rare 희귀한 물건.

***dense** [dɑ̃:s] *adj.* ① 밀도가 높은 ; 밀집한, 빽빽한(= compact) ; (안개 따위가) 짙은 : foule ~ 밀집한 군중 / feuillage ~ des arbres 빽빽한 나뭇잎. ② (문체 따위가) 밀도 높은, 압축된(= ramassé).

densimètre [dɑ̃simɛtʀ] *m.* 〖물리〗 밀도계, 비중계.

densité [dɑ̃site] *f.* ① 밀도, 농도 ; 비중. ② 조밀 ; (안개 따위가) 짙음. ~ ***de population*** 인구 밀도. ***flacon à*** ~ 비중병(甁).

‡dent [dɑ̃] *f.* ① 이, 치아(齒牙) : ~s du haut 〔du bas〕 윗〔아랫〕니 / ~*s* incisives 〔canines, molaires〕 앞니〔송곳니, 어금니〕 / ~*s* de sagesse 사랑니 / ~ gâtée〔cariée〕 충치 / se brosser les ~s 이를 닦다 / ~*s* artificielles ; fausses ~*s* 의치. ② (동물의) 이빨(= croc) : ~*s* de l'éléphant 상아(= défenses). ③ 톱니 ; 톱니 모양의 것. ④ 〖지리〗 뾰족한 봉우리, 첨봉(= créte, pic). ***à belles ~s*** ⓐ 게걸스럽게 : manger 〔mordre〕 *à belles ~s* 와작와작 먹다〔깨물다〕. ⓑ 맹렬히, 혹독하게 : déchirer qn *à belles ~s* … 을 지독하게 헐뜯다. ***armé jusqu'aux ~s*** 완전무장한. ***avoir la*** ~ 《속어》 배가 고프다. ***avoir la ~ dure*** 《구어》 입바른 소리를 잘하다. ***avoir les ~s longues*** 《구어》 욕심〔야심〕이 많다 ; 몹시 배가 고프다. ***avoir une ~ contre*** qn 《구어》 …에 대하여 불평〔원한〕이 있다. ***coup de ~(s)*** 비방, 악담, 혐구. ***du bout des ~s*** ⓐ 깨지락거리며 : manger *du bout des ~s* 깨지락거리며 먹다. ⓑ 마지못해 : rire 〔accepter〕 *du bout des ~s* 쓴웃음을 짓다〔마지못해 수락하다〕. ***entre ses ~s*** 입안에서 어물어물 : parler 〔murmurer〕 *entre ses dents* 입안에서 어물어물 말하다〔중얼거리다〕. ***être sur les ~s*** 기진맥진하다 ; 신경을 곤두세우고 있다. ***faire ses ~s*** 이가 나다. ***montrer les ~s à*** qn …에게 저항하다 ; …을 위협하다. ***n'avoir rien à se mettre sous la*** ~ 먹을 것이 아무것도 없다. ***ne pas*** 〔***plus***〕 ***desserrer les ~s*** 함구무언하다. ***prendre le mors aux ~s*** 말이 날뛰다〔덤비다〕. ***rire à pleines ~s*** 가가대소하다. ***se casser les ~s*** 《구어》 좌절〔실패〕하다. ***serrer les ~s*** (de douleur) 이를 악물고 (고통을) 꾹 참다. ***tomber sous la ~ de*** qn …에게 욕을 먹다 ; 학대받다. ***vouloir prendre la lune avec les ~s*** 도저히 불가능한 일을 바라다.

dentaire [dɑ̃tɛ:ʀ] *adj.* 이의 ; 치과의 : soins ~*s* 치과 치료.

dental, e, aux [dɑ̃tal, -o] *adj.* 〖해부〗 이의 ; 〖언어〗 치음의. — *f.* 치음.

dent-de-lion [dɑ̃dəljɔ̃] *f.* (*pl.* ~***s-~-~***) 〖식물〗 민들레(= pissenlit).

denté, e [dɑ̃te] *adj.* 이가 있는 ; 톱니 모양의 : roue ~*e* 톱니바퀴.

dentelé, e [dɑ̃tle] *adj.* 톱니 모양의, 깔쭉깔쭉한 : côte ~*e* (톱니처럼) 들쑥날쑥한 해안.

denteler [dɑ̃tle] [5] *v.t.* …의 가장자리〔둘레〕를 톱니 모양으로 만들다 ; …에 톱니 무늬를 넣다.

dentelle [dɑ̃tɛl] *f.* 레이스 ; (*pl.*) 레이스 세공품〔제품〕 : corsage de ~ 레이스 블라우스.

dentellier, ère [dɑ̃tɛ[e]lje, -tɛljɛ:ʀ] *n.* 레이스 제조업자. — *f.* 레이스 제조 여공 ; 레이스 제조기. — *adj.* 레이스의.

dentier [dɑ̃tje] *m.* 의치(義齒), 틀니.

dentifrice** [dɑ̃tifʀis] *m.* 치분(齒紛), 치약. ***eau 〔***pâte***〕 ~ 물〔연〕치약. ***poudre*** ~ 치분.

***dentiste** [dɑ̃tist] *n.* 치과의사(= chirurgien ~) : aller chez un ~ 치과에 가다.

dentisterie [dɑ̃tist(ə)ʀi] *f.* 치과술, 치과학.

dentition [dɑ̃tisjɔ̃] *f.* ① 이가 나기. ② 《집합적》 이, 치아 ; 치열 : ~ définitive 영구치.

denture [dɑ̃ty:ʀ] *f.* 《집합적》 이 ; 치열.

dénucléarisé, e [denykleaʀize] *adj.* 비핵(무장)화된.

dénucléariser [denykleaʀize] *v.t.* 비핵무기화하다.

dénudé, e [denyde] *adj.* 벌거벗은 ; (땅이) 나무가 없는, 대머리의.

dénuder [denyde] *v.t.* ① 벌거벗기다. ② 노출시키다 ; (짐승 · 나무의) 껍질을 벗기다, 잎을 떼어 버리다 : robe qui *dénude* les bras 팔이 드러나는 옷. — **se** ~ *v.pr.* ① 벌거숭이가 되다. ② 노출되다.

***dénué, e** [denɥe] *adj.* 결핍된(= dépourvu); 《~ de》 …이 없는 : rumeurs ~*es de* fondement 근거 없는 소문.

dénuement, dénûment [denymɑ̃] *m.* 궁핍, 빈곤, 빈궁(= pauvreté) ; 《비유》 (마음 · 사상 따위의) 결여 : être 〔vivre〕 dans un grand ~ 매우 궁핍하게 살다.

dénuer [denɥe] *v.t.* 《~ qn de》 …에 궁핍하게 하다 ; …을 빼앗다. — **se** ~ *v.pr.* 《se ~ de》 …을 잃다 ; 버리다.

dénutrition [denytʀisjɔ̃] *f.* 영양 불량(= malnutrition) ; 영양 실조.

déodorant, e [deɔdɔʀɑ̃, -ɑ̃:t] *adj.* 악취를 없애는 ; 몸의 냄새를 없애는(= désodorisant). — *m.* 방취제.

déontologie [deɔ̃tɔlɔʒi] *f.* ① 〖철학〗 의무론. ② (의사의) 본분(= ~ médicale).

dép. 《약자》 département (행정구역상의) 도(道).

dépannage [depana:ʒ] *m.* ① (고장의) 응급 수리 : équipe en ~ 응급 수리반. ② (궁지에 빠진 사람에 대한) 구조, 구원.

***dépanner** [depane] *v.t.* ① …의 고장을 고치다, (자동차를) 응급 수리하다(= réparer). ② 《구어》 (궁지에서) 구해〔도와〕 주다.

dépanneur, euse[1] [depanœ:ʀ, -ø:z] *m.* 〖자동차〗 응급 수리공, 기계 수리공.

dépanneuse[2] [depanø:z] *f.* (고장난 차의) 견인차 ; 응급 수리차.

dépaquetage [depakta:ʒ] *m.* 꾸러미를 풀기 ; 포장지 뜯기.

dépaqueter [depakte] *v.t.* [5] …의 꾸러미를〔포장을〕 풀다.

déparaffinage [depaʀafina:ʒ] *m.* (원유에서) 파라핀의 추출.

dépareillé, e [depaʀɛ[e]je] *adj.* 외짝이 된, 짝이 맞지 않은 : gant ~ 외짝 장갑.

dépareiller [depaʀɛ[e]je] *v.t.* 외짝이 되게 하다, 짝이 맞지 않게 하다.

déparer [depaʀe] *v.t.* …의 장식을 없애다 ; 미관을 해치다, 보기 싫게 하다(= enlaidir).

déparier [depaʀje] *v.t.* 외짝이 되게 하다.

‡départ[1] [depa:ʀ] *m.* ① 출발(≠ arrivée) ; 출범 ; 출진, 출항, 이륙 : jour 〔heure〕 du ~

출발 날짜〔시간〕/ préparatifs de ~ 출발 준비 / tableau des ~*s* et des arrivées 발착 시간표. ② 출발점 ; (계단의) 첫 단 ; 〖철도〗 발차 플랫폼. ③ 퇴직, 사임 : exiger le ~ d'un ministre 장관의 사임을 요구하다. ④ 시작, 시발 ; 〖스포츠〗 스타트 : ligne de ~ 출발선 / L'affaire a pris un mauvais ~. 그 일은 시작이 잘못되었다. ***au ~*** 출발시에 ; 처음에. ***dès le ~*** 최초부터 ; 처음부터. ***être sur le ~*** 막 떠나려 하고 있다. ***point de ~*** 출발점; 기원, 시초.

départ² *m.* 분리 ; 구별, 식별 ; 분할, 분배 ; 분담. ***faire le ~ du bien et du mal*** 《옛》 선과 악을 구별하다. ***faire le ~ entre A et B*** 〔***de A et de B***〕 A와 B를 구별하다.

départager [depaʀtaʒe] 3 *v.t.* ① (가부 동수일 때) 결정적 판결을 내리다. ② (둘 중 하나를) 택하다 : Venez nous ~. 판가름 좀 내 주시오. ③ 분리하다, 구별〔식별〕하다.

***département** [depaʀtəmɑ̃] *m.* ① (행정구역의) 도(道); (*pl.*) 지방(≠ capitale) : chef-lieu du ~ 도청 소재지. ② 〖행정〗 부(部), 성(省)(= ministère) : *D*~ des Finances 재무부 / *D*~ de l'Intérieur 내무부 / ~ de la Guerre 국방부. ③ (공공 기관 · 도서관 · 학교 따위의) 과(課). ④ 관할, 권한.

départemental, e, aux [depaʀtəmɑ̃tal, -o] *adj.* 도의, 지방의 : commission ~*e* 도 위원회 / route ~*e* 지방 도로.

départementaliser [depaʀtəmɑ̃talize] *v.t.* (해외 영토 따위에) 현정을 실시하다.

départir [depaʀtiːʀ] 18 *v.t.* ① 《~ à 〔entre〕》 (…에게) 분배하다, 할당하다 : les fonctions qui lui *sont départies* 그에게 부여된 임무. ② 《옛》 분리하다 ; 구별하다.
— **se ~** *v.pr.* 《se ~ de》 …을 단념〔포기〕하다, 버리다(= abandonner).

dépassant [depɑsɑ̃] *m.* (옷 끝에서 약간 비져나온 레이스 따위의) 장식.

dépassé, e [depɑse] *adj.* 뒤진 ; 시대에 뒤진(= démodé) : chapeau ~ 구식 모자 / théorie ~*e* 낡은 이론.

dépassement [depɑsmɑ̃] *m.* ① 추월. ② 〖회계〗 결손, 초과(액) : ~ de crédits 예산 초과. ③ 초월 ; 〖철학〗 지양.

***dépasser** [depɑse] *v.t.* ① 앞지르다, 추월하다(= devancer, distancer) : ~ un camion 트럭을 추월하다. ② (어느 지점을) 지나치다 : Le train *a dépassé* Lyon. 기차는 리옹을 지났다. ③ ⓐ (다른 것〔사람〕을) 능가하다(= surpasser) : ~ qn de la tête …보다 머리만큼 더 크다. ⓑ …보다 더하다 : ~ qn en violence …이상으로 폭력을 쓰다. ④ (한도 · 한계 따위를) 지나치다(= outrepasser) ; 넘다, 초과〔초월〕하다(= excéder) : Cela *dépasse* ses moyens 〔forces〕. 그의 능력으로는 불가능한 일이다. ⑤ 《~ qn》 《구어》 당황하게 하다 ; …에게 이해하기 어렵다 : Cela me *dépasse*. 나로서는 이해할 수 없는 일이다.
— *v.i.* 비죽 나오다 : Sa jupe *dépasse* de 〔sous〕 son manteau. 스커트가 망토 밑으로 나와 있다. — **se ~** *v.pr.* ① 자기 자신을 초월하다. ② 서로 앞지르다〔능가하다〕.

dépassionner [depa〔ɑ〕sjɔne] *v.t.* …의 흥분을 가라앉히다 ; (논쟁 따위의) 열을 식히다, 진정시키다 ; …의 정열을 잃게 하다.

dépatouiller (se) [s(ə)depatuje] *v.pr.* 《구어》 궁지에서 빠져나오다(= se débrouiller).

dépavage [depavaːʒ] *m.* 포석(鋪石) 제거.

dépaver [depave] *v.t.* 포석을 제거하다.

***dépaysé, e** [depeize] *adj.* ① 타향에 온. ② 낯선 느낌이 드는 ; 어리둥절한 : se sentir ~ 낯선 느낌을 갖다.

dépaysement [depeizmɑ̃] *m.* ① 환경〔습관〕의 변화. ② 낯섦, 낯선 느낌.

dépayser [depeize] *v.t.* ① 환경〔습관〕을 바꾸게 하다. ② 낯섦을 느끼게 하다, 어리둥절하게 하다(= dérouter).

dépeçage [depəsaːʒ, dɛpsaːʒ], **dépècement** [depɛsmɑ̃] *v.t.* ① 잘게 자르기, 저미기 ; (낡은 선박의) 해체. ② (나라의) 분열.

dépecer [depəse, dɛpse] 24 *v.t.* ① 잘게 자르다〔베다〕(= découper) ; (자동차 따위를) 해체하다. ② (국토 따위를) 분단하다 ; (나라를) 분열시키다(= démembrer).

dépêche [depɛʃ] *f.* ① 공문. ② 지급(至急) 통신문 ; 전보(= ~ télégraphique).

dépêcher** [depɛ〔e〕ʃe] *v.t.* ① 서둘러 하다 ; 빨리 해치우다〔먹어 치우다〕 : ~ son travail 일을 서둘러 하다 / 《목적보어 없이》 *Dépêchons*. 서두릅시다, 빨리 합시다. ② 급히 보내다, 급파하다 ; 급송하다 : ~ un correspondant à Londres 런던에 특파원을 급파하다. ③ 죽이다. — **se ~** *v.pr.* 서두르다(= se hâter, se presser) : *Dépêchez-vous*, le train va partir. 서두르시오, 기차가 떠납니다. ***se ~ de*+inf.* 서둘러서 …하다.

dépeigner [depɛ〔e〕ɲe] *v.t.* …의 머리털을 흐트러뜨리다(= décoiffer).

dépeindre [depɛ̃ːdʀ] 27 *v.t.* 묘사하다, 그리다, 표현하다(= décrire) : un romancier qui *a* bien *dépeint* ses personnages 인물을 훌륭히 묘사한 소설가.

dépenaillé, e [depənɑje, dɛpnɑje] *adj.* ① 누덕누덕 해진. ② 누더기를 입은(= déguenillé). ③ 초췌한 ; 쇠약해진.

dépénaliser [depenalize] *v.t.* 〖법률〗 처벌 대상에서 제외시키다.

dépendance** [depɑ̃dɑ̃ːs] *f.* ① 종속, 의존(= subordination, servitude). ② (흔히 *pl.*) 부속 건물〔대지〕 : ~*s* d'un hôtel 호텔 부속 건물. ③ 인과관계 ; 상관관계. ***être dans 〔***sous***〕 ***la ~ de*** qn …에게 종속되어 있다, …의 지배하에 있다.

dépendant, e [depɑ̃dɑ̃, -ɑ̃ːt] *adj.* 《~ de》 …에 종속된, 소속한(= subordonneé, soumis). ***être ~ de*** qn …에게 부양되다 ; …의 부하이다 ; 《구어》 좌지우지당하다.

dépendre¹ [depɑ̃ːdʀ] 25 *v.t.* (걸려 있는 것을) 내리다.

dépendre²** 25 *v.t. ind.* 《~ de》 ① …에 속하다, 소속되다(= appartenir à) : organisme qui *dépend du* ministère de l'Éducation nationale 문교부 산하의 기관. ② …에 종속하다, …의 (권한) 밑에 있다(= relever de) : Je ne *dépends* pas *de* lui. 《구어》 그의 지시는 안 받는다. ③ …에 달려 있다〔좌우되다〕 : Cela 〔*Ça*〕 *dépend de* vous. 그것은 당신 할 탓이오. ***Cela 〔***Ça***〕 ***dépend***. 그것은 사정 여하에 달렸다〔형편 나름이다〕.

Il dépend de qn ***de***+*inf.* 〔***que***+*sub.*〕《비인칭》…하고 안 하고는 …에게 달려 있다 : *Il n'a* pas *dépendu de* moi *que* l'affaire réussisse ou échoue. 일의 성패는 내게 달린 문제는 아니었다. ***ne ~ de personne ; ne ~ que de soi*** 자기 주장대로 하다.

dépens [depɑ̃] *m. pl.* ① 《옛》 비용(= dépense, frais). ② 〖법률〗 소송 비용. ***à ses propres ~ ; à ses frais et ~*** 자비로 ; 큰 희생의 대가로. ***aux ~ de*** …의 비용으로 ; …을 희생시켜서, …에게 손해〔폐〕를 끼치며 : vivre *aux ~ d'*autrui 타인의 신세를 지며 살다 / rire *aux ~ de* qn …을 놀리다.

D

dépense** [depɑ̃:s] *f.* ① (돈을) 쓰기, 지출(≠ économie) ; 경비, 비용(= frais) : ~ du ménage 생계비 / faire 〔engager〕 une ~ 지출하다. ② 소비, 사용(= usage, emploi) ; 소비량 : ~ de temps 시간의 소비 / ~ d'essence d'une automobile 자동차의 휘발유 소비량. ***regarder à la ~ 돈을 절약하다, 인색하다. ***se mettre en ~*** 많은 지출을 하다 ; 《구어》 무척 힘쓰다. ***vivre sur un pied de grande ~*** 사치스러운 생활을 하다.

⁑**dépenser** [depɑ̃se] *v.t.* ① (돈을) 쓰다 : ne pas ~ un sou 돈을 한 푼도 쓰지 않다. ② 소비하다 ; 소모하다, 낭비하다(= prodiguer) : Il *a dépensé* toutes ses économies pour se procurer une voiture. 그는 자동차를 구입하기 위해 저축한 돈을 다 써 버렸다 / Cette voiture *dépense* peu d'essence. 이 차는 휘발유 소비량이 극히 적다. ***~ sans compter*** 물 쓰듯 낭비하다. ***~ sa vie à*** … 에 생애를 바치다. ── **se ~** *v.pr.* ① 소비〔소모〕되다. ② 힘쓰다, 노력하다 : Il *se dépense* trop. 그는 자신을 혹사한다.

dépensier, ère [depɑ̃sje, -ɛːʀ] *adj.* 돈 쓰기 좋아하는, 낭비벽이 있는. ── *n.* 돈 쓰기 좋아하는 사람, 낭비가.

déperdition [depɛʀdisjɔ̃] *f.* ① 소모, 손실 : ~ de gaz 가스의 누출. ② (정신적) 감퇴, 쇠퇴 : ~ de volonté 의욕의 감퇴.

dépérir [depeʀiːʀ] *v.i.* 쇠약해지다, 쇠퇴하다(= s'affaiblir) ; 시들다(= s'étioler) : plante qui *dépérit* 시들어 가는 나무 / Cette entreprise commence à ~. 이 기업은 기울어지기 시작한다.

dépérissement [depeʀismɑ̃] *m.* 쇠약, 쇠미, 쇠퇴(= affaiblissement) ; 파손 ; 절멸(= ruine) : ~ de la santé 건강 쇠약.

dépersonnalisation [depɛʀsɔnalizɑsjɔ̃] *f.* 《문어》 비개성화 ; 〖심리〗 자아 상실.

dépersonnaliser [depɛʀsɔnalize] *v.t.* 인격〔개성〕을 잃게 하다. ── **se ~** *v.pr.* 인격〔개성〕을 잃다.

dépêtrer [depɛ(e)tʀe] *v.t.* 《~ qn de》 …을 …에서 해방하다 ; …에게 …을 모면케 하다. ── **se ~** *v.pr.* 《se ~ de》 …에서 빠져나오다, …을 모면하다; 탈출하다 : difficultés dont il ne parvient pas à *se* ~ 빠져나오기 힘든 어려운 처지.

dépeuplé, e [depœple] *adj.* 주민이 없어진, 텅 빈 : village ~ 폐촌.

dépeuplement [depœpləmɑ̃] *m.* 인구 감소 ; 서식물의 감소〔절멸〕; (산림의) 없어짐.

dépeupler [depœple] *v.t.* …의 인구를〔주민을〕 감소〔절멸〕시키다 ; 서식 동물을 감소〔멸종〕시키다 ; (숲의) 수목을 베어 없애다 : ~ un village 마을의 주민을 이주시키다. ── **se ~** *v.pr.* 인구가〔짐승이〕 줄다 ; 서식물이 멸종되다.

déphasage [defɑzaːʒ] *m.* ① 〖전기〗 위상의 변화〔격차〕. ② 《구어》 현실에 맞지 않음.

déphasé, e [defɑze] *adj.* 《구어》 현실에 맞지 않는, 비현실적인 : politique complètement ~*e* 시대의 요구에 동떨어진 정책.

dépiauter [depjote] *v.t.* 《구어》 (토끼 따위의) 가죽〔껍질〕을 벗기다.

dépilation [depilɑsjɔ̃] *f.* 〖의학〗 탈모(脫毛).

dépilatoire [depilatwaːʀ] *adj.* 탈모(용)의. ── *m.* 탈모약(= épilatoire).

dépiler [depile] *v.t.* 탈모시키다. ── **se ~** *v.pr.* 털이 빠지다.

dépiquer [depike] *v.t.* 〖농업〗 (이삭에서) 낟알을 떨다, 탈곡하다.

dépistage [depistaːʒ] *m.* ① (범인 따위의) 발견 ; 추적. ② 〖의학〗 (집단) 검진 : ~ de la tuberculose 결핵의 조기 발견.

dépister [depiste] *v.t.* ① (짐승의) 발자국을 찾아내다 ; 추적하다. ② …의 단서〔출처〕를 잡다 ; 찾아내다 : ~ l'origine d'une fausse nouvelle 거짓 소문의 출처를 캐다 / La police *a dépisté* le coupable. 경찰은 범인의 단서를 잡았다. ③ (추적자의) 눈을 속이다 : ~ les journalistes 기자들의 추적을 피하다.

dépit [depi] *m.* ① 《옛》 경멸. ② 분한 생각, 분통, 원통(= colère, rancœur) : avoir 〔éprouver〕 du ~ 원통해 하다. ***en ~ de*** …에도 불구하고, …에 아랑곳없이. ***en ~ de ce que***+*ind.* …임에도 불구하고. ***en ~ du bon sens*** 양식을 무시하고, 형편없이. ***par ~*** 홧김에.

dépité, e [depite] *adj.* 분해 하는, 화가 난.

dépiter [depite] *v.t.* 분한 생각이 들게 하다, 화나게 하다. ── **se ~** *v.pr.* 분해하다.

déplacé, e [deplase] *adj.* ① 제자리에 놓이지 않은 ; 위치가 바뀐 : livre ~ 제자리에 놓이지 않은 책. ② 부적당한 : remarque ~*e* 부적당한 지적. ③ 무례한 : des propos ~*s* 무례한 말. ***personne ~e*** (정치적인) 국외 망명자.

déplacement [deplasmɑ̃] *m.* ① 옮기기, 이동, 변동 : ~ d'un meuble 가구를 옮기기. ② 전임 ; 해직 : ~ d'office (공무원의) 좌천 / ~ de personnel 인사 이동. ③ 이전 ; 여행, 출장 : frais de ~ 여비, 출장비/être en ~ 출장 중이다. ④ 〖해양〗 (선박의) 배수량.

déplacer** [deplase] [2] *v.t.* ① 옮겨 놓다, 이동하다 ; (시간을) 변경하다 : ~ un bureau en banlieue 사무실을 교외로 이전하다. ② 전임시키다(= muter), 경질시키다. ③ 《비유》 (관점 · 방향을) 바꾸다, 빗나가게 하다. ***~ la question 문제를 비켜 놓다 ; 문제의 관점을 바꾸다. ── **se ~** *v.pr.* ① 이동하다. ② 몸을 움직이다 ; 여행하다 : Il ne *se déplace* qu'en avion. 그는 비행기로만 여행한다.

déplaire** [deplɛːʀ] [33] *v.t. ind.* 《~ à》 ① …의 마음에 들지 않다 : œuvre qui *déplaît au* public 독자들이 좋아하지 않는 작품 / Cette idée ne me *déplaît* pas. 그 생각은 나쁘지 않다〔마음에 든다〕. ② 불쾌하게 하다 ; …의 마음을 언짢게 하다(= blesser, froisser) : Il me *déplaît* de+*inf.* 〔que+*sub.*〕 …하는 것은 나에게 불쾌하다. ***n'en déplaise à qc 〔qn〕 …임에도 불구하고 ; …에게 실례가 되겠지만; …이 어떻다 하더라도. ***ne vous* (*en*) *déplaise*** 실례지만 ; 《구어》 놀랍게도. — **se** ~ *v.pr.* ① 불쾌히 여기다, 싫어하다 : *se* ~ à la campagne 시골에 싫증이 나다. ② 맞지〔적합하지〕 않다.

***déplaisant, e** [deplɛzɑ̃, -ɑ̃:t] *adj.* 불쾌한, 기분에 거슬리는(= désagréable, répugnant).

déplaisir [deplɛ(e)zi:ʀ] *m.* 불쾌, 불만(≠ satisfaction).

déplanter [deplɑ̃te] *v.t.* ① 뽑다 ; (나무를) 옮겨 심다. ② …의 나무를 뽑아 버리다 : ~ un jardin 정원의 나무를 뽑다. ③ 《~ qn》 환경을 바꾸게 하다(= dépayser).

déplâtrage [deplɑtʀa:ʒ] *m.* 깁스를 떼어 내기.

déplâtrer [deplɑtʀe] *v.t.* …의 벽토를 뜯어 버리다 ; …에서 깁스를 떼다 : ~ qn 〔un bras〕 …에게서〔팔에서〕 깁스를 떼다.

dépliage [deplija:ʒ] *m.* (접은 것을) 펴기.

dépliant, e [deplijɑ̃, -ɑ̃:t] *m.* 접어서 포갠 서책〔취지서·지도〕, 접는 앨범. — *adj.* 접는 식의 : fauteuil ~ 접의자 / mètre ~ 접자.

***déplier** [deplije] *v.t.* ① (접은 것〔싼 것〕을) 펴다 ; …의 주름을 펴다(= étendre) : ~ sa serviette 냅킨을 펴다. ② 전개하다. — **se** ~ *v.pr.* ① 펼쳐지다 : parachute qui *se déplie* 펼쳐지는 낙하산. ② 전개되다.

déplissage [deplisa:ʒ] *m.* 주름을 펴기.

déplisser [deplise] *v.t.* …의 주름을 펴다. — **se** ~ *v.pr.* 주름이 펴지다.

déploiement, déploîment [deplwamɑ̃] *m.* ① 펼치기 ; 전개 ; 〖군사〗 산개(散開) : ~ des ailes 날개를 펼치기. ② 발휘 ; 과시 : ~ de forces militaires 군사력의 과시.

***déplorable** [deplɔʀabl] *adj.* ① 한탄스러운 ; 통탄할 : Il est ~ que+*sub.* …하는 것은 통탄할 일이다. ② 가엾은, 비참한 ; 한심한 ; 불쾌한 : temps ~ 불쾌한 날씨.

déplorablement [deplɔʀabləmɑ̃] *adv.* 통탄〔한심〕스럽게도 ; 가엾게도.

***déplorer** [deplɔʀe] *v.t.* 슬퍼하다, 애도하다 ; 한탄〔개탄〕하다 ; 유감으로 생각하다(= regretter) : ~ les malheurs de qn …의 불행을 슬퍼하다 / 《~ de+*inf.* 〔que+*sub.*〕》 Tous *déplorent qu'*il ait échoué. 모두가 그가 실패한 것을 유감스럽게 생각한다.

déployer [deplwaje] [7] *v.t.* ① (접은 것을) 펼치다(= étendre, déplier) : oiseau qui *déploie* ses ailes 날개를 펴는 새. ② 전시하다 : Ses livres *étaient déployés* à la devanture des librairies. 그의 작품이 책방 진열장에 전시돼 있었다. ③ 발휘〔과시〕하다, 보여 주다(= manifester) : ~ un grand courage 비상한 용기를 발휘하다〔보여 주다〕. ④ 〖군사〗 전개〔산개(散開)〕시키다. — **se** ~ *v.pr.* ① 펼쳐지다. ② 전시되다. ③ 발휘〔과시〕되다. ④ 〖군사〗 전개〔산개〕하다.

déplu, -s, -t ⇒ déplaire.

déplumé, e [deplyme] *adj.* ① 깃이 빠진. ② 《구어》 대머리의(= chauve).

déplumer (se) [sədeplyme] *v.pr.* ① 깃털이 빠지다. ② 《구어》 대머리가 되다.

dépoétiser [depɔetize] *v.t.* …의 시적 정취를〔감흥을〕 없애다.

dépoitraillé, e [depwatʀɑje] *adj.* ① 가슴을 드러낸. ② 옷차림이 단정치 못한(= débraillé).

dépoli, e [depɔli] *adj.* 광택 없는 : verre ~ 반투명 유리.

dépolir [depɔli:ʀ] *v.t.* …의 윤〔광택〕을 지우다. — **se** ~ *v.pr.* 윤〔광택〕이 없어지다.

dépolitisation [depɔlitizɑsjɔ̃] *f.* 정치성 배제, 비정치화.

dépolitiser [depɔlitize] *v.t.* …에서 정치성을 배제하다, 비정치적으로 만들다. — **se** ~ *v.pr.* 비정치화하다, 정치성이 없어지다.

dépolluer [depɔ(l)lɥe] *v.t.* (대기·해양 따위의) 오염을 방지하다, 공해를 제거하다.

dépollution [depɔ(l)lysjɔ̃] *f.* 오염 방지, 공해 제거.

déponent, e [depɔnɑ̃, -ɑ̃:t] *adj.* 〖언어〗 이태(異態)의《라틴어에서 수동형으로 능동을 나타내는》. — *m.* 이태 동사(= verbe ~).

dépopulation [depɔpylɑsjɔ̃] *f.* 인구 감소 (= dépeuplement) ; 주민 이주.

déportation [depɔʀtɑsjɔ̃] *f.* ① (집단 수용소에의) 강제 수용 ; (특히 정치범의) 유형(流刑), 강제 이주. ② (재류 외국인의) 추방.

déporté, e [depɔʀte] *adj.* (집단 수용소에) 강제 수용된 ; 유배당한 ; 추방당한. — *n.* (집단 수용소에) 수용된 사람 ; 유형수 : ~ politique 유형 정치범.

déportement [depɔʀtəmɑ̃] *m.* ① (차량의) 진로 이탈. ② (*pl.*) 방탕, 품행의 탈선.

***déporter** [depɔʀte] *v.t.* ① 유형에 처하다 ; 강제 수용소에 보내다〔넣다〕 ② (자동차·비행기·탄환 따위를) 진로에서 벗어나게 하다, 빗나가게 하다(= dévier).

déposant, e [depozɑ̃, -ɑ̃:t] *adj.* ① 〖법률〗 진술하는 ; 증언하는. ② 예금하는 ; 기탁하는. — *n.* ① 〖법률〗 증인. ② 예금자 ; 기탁자.

dépose [depo:z] *f.* 제거 ; 철거.

déposé, e [depoze] *adj.* 〖법률〗 등록된 : marque ~*e* 등록 상표.

déposer¹ [depoze] *v.t.* 떼어내다, 치우다, 철거하다 : ~ des tentures 벽지〔벽포〕를 떼다.

déposer²** *v.t.* ① 내려놓다 ; 놓다, 두다 ; 버리다 : ~ qn à la gare …을 차로 역에 데려다 주다 / ~ sa carte chez qn …의 집에 명함을 놓고 가다 / ~ des ordures 쓰레기를 버리다. ② 맡기다 ; 위탁하다 ; 예금하다 : ~ ses bagages à la consigne 짐을 수하물 보관소에 맡기다. ③ 면직시키다 ; (국왕 따위를) 퇴위〔폐위〕시키다. ④ (물결이 표류물을) 퇴적시키다 ; (바람이 먼지를) 쌓이게 하다 ; (액체가 찌꺼기를) 침전시키다. ⑤ 제출하다 ; (소송을) 제기하다 ; 〖상업〗 (상표를) 등록하다 : ~ une plainte contre qn …을 고소하다 / ~ un projet de loi 법안을 제출하다. ⑥ 《~ que+*ind.*》 …라고 진술〔증언〕하다. ~ ***le masque 가면을 벗다, 본심을 드러내다. ~ ***les armes*** 전투를 중지하다. ***marque déposée*** 등록 상표. — *v.i.* ① 진술〔증언〕하다 : ~ contre 〔en faveur de〕 qn …에게 불리한〔유리한〕 증언을 하다. ② (액체가) 맑아지다(= se décanter). — **se** ~ *v.pr.* (먼지가) 앉다, 쌓이다; (찌꺼기가) 침전하다.

dépositaire [depozitɛ:ʀ] *n.* ① 보관자, 수탁자(受託者). ② 위탁 판매 상인. ③ (권력·

비밀 따위를) 위탁받은 사람.

déposition [depozisjɔ̃] *f.* ① 면직 ; 폐위. ② 〖법률〗 진술; 증언.

déposséder [depɔsede] [6] *v.t.* 박탈하다 (= dépouiller), 빼앗다 : 《~ qn de qc》 Il *a été* injustement *dépossédé de* sa place. 그는 부당하게 자리에서 쫓겨났다.

dépossession [depɔsesjɔ̃] *f.* ① 소유권 박탈, 몰수. ② 〖법률〗 소유권 상실.

dépôt** [depo] *m.* ① 맡기기 ; 기탁, 위탁 ; 공탁 ; 예치 : récépissé de ~ 예치〔보관〕증(서) / ~ d'une valise à la consigne 수화물 보관소에 트렁크를 맡기기. ② 기탁물 ; 예금 ; 공탁금 : confier un ~ à qn …에게 물건을 맡기다 / rendre 〔recevoir〕 un ~ 맡긴 물건을 돌려주다〔되찾다〕 / ~s bancaires 은행 예금. ③ 보관소 ; 창고 ; 차고 ; 수용소 ; 유치장 : ~ d'autobus 버스의 차고 / ~ (de la préfecture de la police) 파리 경찰청 유치장. ④ 침전물 ; 퇴적물. ***compte de ~s 예금 계정(計定). ***~ à échéance fixe ; argent en ~ à terme*** 정기 예금.

dépotage [depɔta:ʒ], **dépotement** [depɔtmɑ̃] *m.* ① (물 따위를) 갈아 넣기. ② (초목을) 화분에서 꺼내기.

dépoter [depɔte] *v.t.* ① (그릇에) 물을〔액체를〕 갈아 넣다. ② (초목을) 화분에서 꺼내다.

dépotoir [depɔtwa:ʀ] *m.* ① 분뇨 처리장〔저장소〕. ② 쓰레기 버리는 곳, 쓰레기통.

dépôt-vente [depɔvɑ̃t] (*pl.* **~s-~s**) 고객들이 팔기 위해 내놓은 물건을 위탁 매매하는 중개 상점.

dépouille [depuj] *f.* ① (짐승의) 가죽 ; 유해 (= ~ mortelle) : ~ d'un tigre 호랑이 가죽 / ~ d'un héros 영웅의 유해. ② (흔히 *pl.*) 유물 ; 전리품, 노획물 ; 횡령품.

dépouillement [depujmɑ̃] *m.* ① 가죽〔껍질〕을 벗기기. ② 몰수, 횡령, 약탈 ; 궁핍(= privation). ③ 검사, 검토 ; 개표. ④ 간결함, 검소함 : vivre dans le ~ 청빈하게 살다. ***~ du scrutin*** 개표(開票).

dépouiller [depuje] *v.t.* ① (동물의) 가죽〔껍질〕을 벗기다 ; (사람을) 약탈하다 : arbres *dépouillés* de ses branches 잎이 떨어진 나무/ ~ un voyageur 길손을 약탈하다〔털다〕. ② 《~ qn 〔qc〕 de》 …에게서 …을 빼앗다, 박탈하다 ; 제거하다〔떼어버리다〕 : Des escrocs l'*ont dépouillé* de ses économies. 사기꾼들이 그의 모아둔 돈을 몽땅 털어갔다. ③ 면직시키다 : ~ qn de sa charge …을 면직시키다. ④ 면밀히 조사하다, 검토하다 : ~ un livre 책을 (분석해 가며) 자세히 읽다. ⑤ (옷 따위를) 벗다 ; 버리다 : ~ tout amour-propre 자존심을 모두 버리다.
— **se ~** *v.pr.* 《se ~ de》 옷을 벗다 ; 잎이 떨어지다 ; …을 버리다, 포기하다 : *se ~ de* ses vêtements 옷을 벗다 / Les arbres *se dépouillent de* leur feuillage. 나무에서 잎이 떨어진다.

dépourvoir [depuʀvwa:ʀ] [60] 《부정법 현재 · 단순과거 · 과거분사 · 복합 시제에만 쓰임》 *v.t.* 빼앗다 : ~ qn de qc …에게서 …을 탈취하다. — **se ~** *v.pr.* 《se ~ de》 …을 놓치다, 잃다.

dépourvu, e [depuʀvy] *adj.* ① 《~ de》 …을 빼앗긴, …이 없는(= dénué, privé) : homme ~ *de* ressources 재산〔수입〕이 없는 사람 / livre ~ d'intérêt 흥미 없는 서적. ② 궁색한, 빈털터리가 된. — *m.* ***au ~*** 불시에, 뜻밖에 : être 〔se trouver〕 pris *au ~* 뜻밖에〔갑자기〕 일을 당하다.

dépoussiérage [depusjeʀa:ʒ] *m.* 먼지를 닦기〔털기〕, 소제.

dépoussiérer [depusjeʀe] [6] *v.t.* …의 먼지를 닦다〔털다〕.

「소기.

dépoussiéreur [depusjeʀœ:ʀ] *m.* 진공청

dépravation [depʀavɑsjɔ̃] *f.* ① 타락 ; 퇴폐. ② 변태, 성적 도착. ③ 《옛》 〖의학〗 변질.

dépravé, e [depʀave] *adj.* ① 퇴폐한, 타락한 : société ~*e* 퇴폐한 사회 . ② 변태성의, (성적으로) 도착된. — *n.* 타락한 사람.

dépraver [depʀave] *v.t.* ① 타락〔퇴폐〕시키다, 손상시키다(= corrompre, pervertir). ② (감각 · 판단 따위를) 비정상적〔변태성〕으로 만들다. — **se ~** *v.pr.* 타락〔퇴폐〕하다.

dépréciation [depʀesjɑsjɔ̃] *f.* ① 가치의 저하〔하락〕, 손상. ② 과소평가 ; 경시, 얕잡음.

déprécier [depʀesje] *v.t.* ① 가치를〔가격을〕 떨어뜨리다(= dévaloriser). ② 얕잡다, 경시 〔과소평가〕하다(= sous-estimer) ; 헐뜯다(= décrier, dénigrer). — **se ~** *v.pr.* 가치가 떨어지다 : Le dollar *s'est* beaucoup *déprécié*. 달러의 가치가 많이 떨어졌다.

déprédateur, trice [depʀedatœ:ʀ, -tʀis] 《문어》 *n.* ① 약탈자. ② 공금 횡령자.
— *adj.* ① 약탈하는. ② 공금을 횡령하는.

déprédation [depʀedɑsjɔ̃] *f.* ① 약탈(= rapine) ; 파손, 훼손. ② 횡령, 공금 사용(= détournement, malversation).

déprendre [depʀɑ̃:dʀ] [26] *v.t.* (붙은 것을) 떼어 놓다. — **se ~** *v.pr.* 《se ~ de》 …에서 떨어지다; 자유롭게 되다(= se détacher) : *se ~ d'*une habitude 습관에서 벗어나다.

dépressif, ive [depʀɛ(e)sif, -i:v] *adj.* (육체적 · 정신적으로) 쇠약하게 하는 ; 의기소침케 하는 ; 〖심리〗 우울증의.

dépression [depʀɛsjɔ̃] *f.* ① 함몰(陷沒), 침하(= enfoncement). ② 쇠약 ; 의기소침 ; 〖심리〗 우울증 : ~ nerveuse 신경쇠약. ③ (가격 따위의) 하락, 저하. ④ 〖경제〗 불황(= récession) ; 〖기상〗 저기압.

dépressionnaire [depʀɛsjɔnɛ:ʀ] *adj.* 저기압의. ***zone ~*** 〖기상〗 기압골.

dépressurisation [depʀesyʀizɑsjɔ̃] *f.* 〖항공〗 (비행기 · 우주선 내부의) 압력 저하.

dépressuriser [depʀesyʀize] *v.t.* 〖항공〗 (비행기 · 우주선 내부의) 압력을 저하시키다.

déprimant, e [depʀimɑ̃, -ɑ̃:t] *adj.* 쇠약하게 만드는(= affaiblissant) ; 낙담시키는, 의기소침하게 하는(= démoralisant).

「태.

déprime [depʀim] *f.* 《구어》 의기소침한 상

***déprimé, e** [depʀime] *adj.* ① 움푹 들어간 ; (줄기 · 가지가) 축 늘어진. ② 쇠약한 ; 의기소침한, 낙담한 : santé ~*e* 쇠약해진 건강.

déprimer [depʀime] *v.t.* ① 움푹하게 하다 (= affaisser). ② 쇠약하게 하다(= affaiblir) ; 의기소침케 하다, 낙담시키다(= décourager) : Son échec l'*a* gravement *déprimé*. 그는 이번 실패로 아주 풀이 죽어 있다. — *v.i.* 《구어》 의기소침하다, 낙담하다(= flipper).

de profundis [depʀɔfɔ̃dis] 〔라틴〕 *m.* 《복수불변》 애도가(哀悼歌).

déprogrammer [depʀɔgʀame] *v.t.* ① (예정된 상영·방송을) 취소하다. ② (자동화·정보 처리 프로그램 따위를) 삭제하다. ③ 심리적 억압 상태에서 벗어나게 하다.

déprotéger [depʀɔteʒe] *v.t.* 프로그램 보호〔안전〕 장치를 풀다 : ~ une disquette 디스켓의 보호〔안전〕 장치를 풀다.

dépucelage [depyslaːʒ] *m.* 《구어》 (처녀를) 범함 ; 처녀성을 잃음.

dépuceler [depysle] [5] *v.t.* 《구어》 ① (처녀를) 범하다(=déflorer). ② (병을) 따다.

‡depuis [dəpɥi] *prép.* 《모음, 무음 h 앞에서 연음함》 ① 《시간》 …부터, …이래로 : ~ hier 어제부터 / ~ la création du monde 천지개벽 이래 / ~ le matin jusqu'au soir 아침부터 저녁까지 / ~ le jour où nous nous sommes rencontrés 우리가 만난 그날부터. ② 《지속·기간》 …동안, …전부터 : ~ peu 조금 전부터, 최근에 / ~ longtemps 〔toujours〕 오래 전부터 / Je t'attends ~ deux heures. 나는 두 시간 동안 너를 기다렸다 / Il est absent ~ un mois. 그는 한 달 전부터 결근하고 있소. ③ 《장소》 …부터, …에서 : Il est venu à pied ~ Rouen. 그는 루앙에서부터 걸어서 왔다 / La France s'étend ~ le Rhin jusqu'à l'Océan. 프랑스는 라인 강에서 대서양에 이르고 있다 / ~ le haut jusqu'en bas 위에서 아래까지. ④ 《서열》 ~ le premier jusqu'au dernier ; ~ le début jusqu'à la fin 처음부터 끝까지. ***~ lors*** 그때부터. ***~ peu*** 최근에. ***~ le temps que***+*ind.* …한 이래로 ; 몹시 오래 전에 : *D~ le temps que* je vous connais, je devine votre réaction. 당신을 오래 알고 지내온 만큼 당신의 반응을 짐작하오. ***~ que***+*ind.* …한 다음부터, …한 이래 ; …한 까닭에 : *D~ que* je le connais, je n'ai cessé de l'estimer. 그를 알게 된 이후로 나는 계속 존경해 왔다. ***~ longtemps*** 오래 전부터. ── *adv.* 《연음하지 않음》 그 이래로, 그 뒤, 그 후 : *D~*, il l'a oublié. 그 후 그는 그것을 잊었다.

dépuratif, ive [depyʀatif, -iːv] *adj.* 정화(淨化)작용을 하는. ── *m.* 정화제(淨化劑).

dépurer [depyʀe] *v.t.* 깨끗이 하다, 정화하다(=purifier) ; 정련(精鍊)하다 : ~ le sang 피를 정화하다. ── ***se ~*** *v.pr.* 정화하다.

députation [depytɑsjɔ̃] *f.* ① (사절·대표의) 파견 ; 사절, 대표단(=délégation). ② 국회〔하원〕의원의 직. ***se présenter à la ~*** 국회〔하원〕의원에 입후보하다.

député** [depyte] *m.* ① 국회〔하원〕의원. ② 사절, 대표(=envoyé, délégué). ***la Chambre des ~s (1946년 이전 프랑스의) 하원.

députer [depyte] *v.t.* 사절〔대표〕로서 파견하다(=déléguer).

déqualification [dekalifikɑsjɔ̃] *f.* 자격 박탈〔상실〕.

der [dɛːʀ] *m.* 《복수불변》 《dernier, dernière의 단축형》 le ~ des ~ 마지막 한 잔. ── *f.* 《복수불변》 la ~ des ~ 최후의 전쟁.

déraciné, e [deʀasine] *adj.* ① 뿌리 뽑힌 ; 근절된. ② 고향〔조국〕을 떠난. ── *n.* 실향자.

déracinement [deʀasinmɑ̃] *m.* 뿌리 뽑기 ; 근절 ; 고향〔조국〕을 떠나기, 실향.

déraciner [deʀasine] *v.t.* ① 뿌리 뽑다(=arracher), 근절하다. ② 《~ qn》 …을 (고향·조국에서) 추방하다.

déraidir [deʀɛ(e)diːʀ] *v.t.* ① (사지를) 부드럽게 하다. ② 《구어》 (성격·태도를) 온화하게 하다, 누그러뜨리다. 「일탈.

déraillement [deʀɑjmɑ̃] *m.* 〖철도〗 탈선 ;

dérailler [deʀɑje] *v.i.* ① 〖철도〗 탈선하다. ② 《구어》 (사람이) 상궤를 벗어나다 ; 몰상식한 말〔짓〕을 하다(=déraisonner). ③ (기계가) 비정상적으로 움직이다 : La pendule *déraille.* 시계가 틀리게 간다.

dérailleur [deʀɑjœːʀ] *m.* ① 〖철도〗 전철(轉轍) 장치. ② (자전거의) 변속 장치.

déraison [deʀɛzɔ̃] *f.* ① 《문어》 부조리(不條理) ; 이성의 결여. ② 정신 착란, 발광.

déraisonnable [deʀɛzɔnabl] *adj.* 부조리한, 몰상식한, 비정상적인(=absurde).

déraisonner [deʀɛzɔne] *v.i.* 당찮은 말을 하다 ; 헛소리하다(=dérailler, divaguer).

dérangé, e [deʀɑ̃ʒe] *adj.* ① 뒤틀어진 ; 고장이 난 ; 탈이 난. ② 품행이 난잡한 : être ~ dans sa conduite 품행이 난잡하다. ***avoir le cerveau*** 〔***l'esprit***〕 ***~*** 머리가 돌았다. ***avoir le corps ~ ; être ~*** 배탈이 나다.

dérangement [deʀɑ̃ʒmɑ̃] *m.* ① 뒤섞임, 흩뜨림 ; 혼잡, 혼란. ② 뒤틀림, 고장 : téléphone en ~ 혼선〔고장〕 중인 전화. ③ 방해 ; 폐 : causer du ~ à qn …의 방해를 놓다, 시간을 빼앗다. ④ (기후의) 불순. ⑤ (정신의) 착란 ; 방탕. ~ (***de corps***) 설사, 배탈.

‡déranger [deʀɑ̃ʒe] [3] *v.t.* ① (정돈된 것을) 어지르다, 흐트러뜨리다, 뒤섞다. ② (기계 따위를) 고장나게 하다, (몸을) 탈나게 하다 : Le transport *a dérangé* la bascule. 운반으로 계량기가 고장이 났다 / Ce repas lui *a dérangé* l'estomac. 이 식사로 그는 배탈이 났다. ③ 《~ qn》 방해하다 ; …에게 폐를 끼치다(= gêner) : Ne le *dérangez* pas, il sommeille. 그를 건드리지 마시오, 잠들었으니까. ── ***se ~*** *v.pr.* 자리를 뜨다 ; 일손을 멈추다 ; 남의 일로 수고하다 : Ne *vous dérangez* pas. 그대로 계십시오. ***sans se ~*** 그대로의 자세로 ; 태연히.

dérapage [deʀa(ɑ)paːʒ], **dérapement** [deʀa(ɑ)pmɑ̃] *m.* 〖자동차〗 바퀴〔자동차〕가 미끄러지기 : faire un ~ sur une route mouillée 젖은 길에서 미끄러지다.

déraper [deʀa(ɑ)pe] *v.i.* ① 〖자동차〗 (바퀴·자동차가) 미끄러지다 : voiture qui *dérape* dans un virage 커브에서 미끄러지는 자동차. ② 〖스포츠〗 (스키 타는 사람이) 옆으로 미끄러져 나가다. ③ (사태가) 엉뚱한 방향으로 나아가다 ; (사람이 도덕적·사회적 규범을) 일탈하다.

dératé [deʀate] *m.* 비장을 뗀 개(=chien ~) : courir comme un (chien) ~ 《구어》 쏜살같이 달리다.

dératisation [deʀatizɑsjɔ̃] *f.* 쥐의 박멸.

dératiser [deʀatize] *v.t.* 쥐를 박멸하다.

derby [dɛʀbi] *m.* 경마 ; 경마차 ; 〖스포츠〗 (2개 도시 사이의) 축구 대항전.

derechef [dəʀʃɛf] *adv.* 다시(금)(=de nouveau), 또 한번.

déréglé, e [deʀegle] *adj.* ① 고장난 ; 불규칙한 ; 불순한. ② 문란한, 난잡한(=immoral).
dérèglement [deʀɛgləmɑ̃] *m.* ① 불규칙 ; 뒤틀림, 고장 ; (일기) 불순. ② 문란 ; 방탕.
déréglementation [deʀɛgləmɑ̃tɑsjɔ̃] *f.* 〖행정〗 (특정 분야의) 규제 완화〔철폐〕.
déréglementer [deʀɛgləmɑ̃te] *v.t.* 〖행정〗 규제를 완화〔철폐〕하다.
dérégler [deʀegle] *v.t.* 6 ① (기계 따위를) 고장나게 하다, (날씨 따위를) 불순하게 하다. ② 타락시키다, (행동 · 풍습 따위를) 문란해지게 하다. ── **se ~** *v.pr.* ① 고장나다 ; (날씨가) 불순해지다. ② 문란〔난잡〕해지다.
dérégulation [deʀegylɑsjɔ̃] *f.* 〖행정〗 (행위 · 활동에 대한) 규제 완화〔철폐〕.
dérider [deʀide] *v.t.* ① …의 주름살을 펴다 : ~ le front de qn …의 찌푸린 이맛살을 펴게 하다. ② 명랑하게 하다. ── **se ~** *v.pr.* ① 주름살이 펴지다. ② 명랑해지다.
dérision [deʀizjɔ̃] *f.* ① 비웃음, 우롱, 조롱(=moquerie) : rires de ~ 조소. ② 하찮은 것 : Dix francs ! c'est une ~. 10 프랑, 굉장히 싸군. ***par ~*** 조롱하여. ***tourner*** qn 〔qc〕 ***en ~*** …을 우롱〔조롱〕하다.
***dérisoire** [deʀizwaːʀ] *adj.* 가소로운 ; 극히 적은, 하찮은 : salaire ~ 박봉.
dérisoirement [deʀizwaʀmɑ̃] *adv.* 가소롭게, 하찮게, 터무니없게.
dérivatif, ive [deʀivatif, -iːv] *m.* ① 기분 전환이 되는 것(=distraction, divertissement) : ~ à l'ennui 심심풀이. ② 〖의학〗 유도제(劑).
dérivation [deʀivɑsjɔ̃] *f.* ① (흐르는 물의) 방향 전환 ; 〖해양〗 편류(偏流). ② 〖의학 · 수학〗 유도 ; 〖전기〗 분류(分流) ; 〖기계〗 측로, 측관. ③ 〖언어〗 파생(派生). ***canal de ~*** 도수로. ***conduit de ~*** 〖기계〗 측로, 측관.
dérive [deʀiːv] *f.* 〖해양 · 항공〗 편류(偏流), 표류(漂流) ; (비행기의) 방향타(方向舵) : ~ des continents 〖지질〗 대륙 표이(漂移)(설). ***à la*** 〔***en***〕 ***~*** 물결치는〔바람부는〕 대로. ***être à la ~*** 《구어》 어찌할 바를 모르다.
dérivé, e [deʀive] *adj.* ① 부차적인 : produit ~ 부산물(副産物). ② 〖의학 · 수학 · 화학〗 유도된. ③ 〖언어〗 파생한. ── *m.* ① 〖언어〗 파생어(= mot ~). ② 〖화학〗 유도체. ── *f.* 〖수학〗 도함수(導函數).
dériver [deʀive] *v.t.* ① (흐르는 물의) 방향을 돌리다, (물줄기를) 끌다. ② 유도하다 ; 파생시키다. ── *v.t. ind.* 《~ de》 …에서 유래하다(=découler, provenir) ; 〖언어〗 파생하다 : mot qui *dérive du* grec 그리스어에서 파생된 단어. ── *v.i.* ① (배 · 비행기 따위가) 떠내려가다, 표류하다 ; (물이) 흐르던 방향을 바꾸다. ② (주제에서) 벗어나다, 빗나가다.
dériveur [deʀivœːʀ] *m.* ① 〖해양〗 가동(可動)〔방형(方形), 측판(側板)〕 용골을 갖춘 배. ② 유망선(流網船).
derma(to)-, derm(o)- *préf.* 「피부」의 뜻.
dermatologie [dɛʀmatɔlɔʒi] *f.* 〖의학〗 피부병학.
dermatologique [dɛʀmatɔlɔʒik] *adj.* 피부병학의.
dermatologiste [dɛʀmatɔlɔʒist], **dermatologue** [dɛʀmatɔlɔg] *n.* 피부병 학자, 피부과 의사.
dermatose [dɛʀmatoːz] *f.* 〖의학〗 피부병.
derme [dɛʀm] *m.* 〖해부〗 진피(眞皮) ; 피부.
-derme, -dermie *suff.* 「피부」의 뜻.
dermique [dɛʀmik] *adj.* 진피(眞皮)의.
‡**dernier, ère** [dɛʀnje, -ɛːʀ] *adj.* ① 《명사 앞》 최후의 ; 최종의 : le ~ venu 마지막에 온 사람 / le ~ élève de la classe 학급의 꼴찌 / le ~ jour du mois 달의 최종일, 마지막 날 / dans les ~*s* temps de sa vie 그의 생애 만년에 / pour la ~*ère* fois 이것을 마지막으로. ② 《명사 앞》 최신의, 최근의(=le plus récent) : Il est habillé à 〔selon〕 la ~*ère* mode. 그는 최신 유행의 옷을 입고 있다 / dans ces ~*s* temps 〔jours〕 최근 / information de ~*ère* minute 최신 뉴스. ③ 《명사 뒤》 바로 전의, 요전의, 지난(=passé ; ≠ prochain) : le mois ~ 지난 달 / lundi ~ 요전 월요일 / la nuit ~*ère* 지난 밤 / l'an ~ ; l'année ~*ère* 지난 해. ④ 최하의, 최악의 : marchandise de ~*ère* qualité 최하 품질의 상품. ⑤ 《정관사를 앞세우고》 극도의(=extrême), 최고의 : protester avec la ~*ère* énergie 맹렬한 기세로 항의하다 / question de la ~*ère* importance 가장〔극히〕 중요한 문제 / Je suis du ~ bien avec lui. 《문어》 나와 그는 극친한 사이다. ***avoir le ~; avoir le ~ mot*** 《구어》 의론으로 이기다, 꼼짝 못하게 하다. ***C'est mon ~ mot.*** 더 이상은 양보할 수가 없다. ***en ~ lieu*** 끝으로. ***mettre la ~ère main à*** qc …에 마지막 손질을 하다.
── *n.* 최후의 것〔사람〕 ; 최하위의 것〔사람〕 : Il est arrivé (bon) ~. 《속사》 그가 마지막으로 도착했다 / le ~ de la classe 학급 중의 꼴찌. ***ce ~; cette ~ère.*** 후자(後者). ***en ~*** 마지막으로. ***être le ~ à pouvoir***+*inf.* ***; être le ~ qui***+*sub.* 어느 누구보다도 …할 자격이 없다 : Il *est le ~ à pouvoir* se plaindre. 그는 누구보다도 불평할 처지에 있지 않다 / C'*est le ~* sur *qui* on puisse compter. 도저히 기대를 걸 수 없는 사람이다. ***le ~ des ~s*** 인간 중에 가장 하등 인간, 인간 말짜.
dernièrement [dɛʀnjɛʀmɑ̃] *adv.* 최근에, 요즈음에(=récemment).
dernier-né [dɛʀnjene], **dernière-née** [dɛʀnjɛʀne] *m.* (*pl.* **~s-~s**) ① 막내. ② 최근〔최신식〕의 것.
dérobade [deʀɔbad] *f.* 탈주 ; 도피, 회피(=faux-fuyant, reculade).
dérobé, e [deʀɔbe] *adj.* 숨겨진, 은밀한, 비밀의(=secret) : escalier ~ 비밀 계단 / porte ~*e* 비밀문. ***à la ~e*** 은밀히, 남몰래.
dérober [deʀɔbe] *v.t.* ① 훔치다 ; (비밀 따위를) 알아내다, 탐지하다(=surprendre) : ~ une montre 〔un manteau〕 시계〔외투〕를 훔치다. ② 숨기다, 감추다(=cacher), 은닉하다 : ~ un criminel à la justice 범인을 은닉하다. ③ 모면케 하다(= soustraire) : ~ qn au danger …을 위험에서 구출하다.
── **se ~** *v.pr.* ① 《se ~ à》 …에서 빠져나가다 ; …을 모면하다 : *se ~ aux* regards 남의 눈을 피하다 / *se ~ à* une question 질문을 슬쩍 돌려 피하다. ② 숨다.
dérocher [deʀɔʃe] *v.i.* 〖등산〗 바위에서 떨

어지다(= dévisser).

dérogation [deʀɔgɑsjɔ̃] *f.* 저촉(= violation), 위반.

dérogatoire [deʀɔgatwaːʀ] *adj.* 법률에 저촉되는, 법률을 위반하는(≠ conforme).

dérogeance [deʀɔʒɑ̃ːs] *f.* 〖역사〗 (구체제하에서 어떤 일을 함으로써 야기되는) 귀족의 특권 상실.

dérogeant, e [deʀɔʒɑ̃, -ɑ̃ːt] *adj.* 《~ à》 …에 위배〔저촉〕되는.

déroger [deʀɔʒe] [3] *v.t. ind.* 《~ à》 ① …에 저촉되다, …을 위반하다(= manquer à) : ~ *à* l'usage établi 관례에 어긋나다 / ~ *à* la loi 법을 어기다. ② 훼손〔손상〕하다 : ~ *à* son rang 지위를〔체면을〕 손상하다 / 《보어없이》 Vous *dérogez* en agissant ainsi. 그렇게 행동하시면 위신이 떨어집니다.

dérouillage [deʀujaːʒ], **dérouillement** [deʀujmɑ̃] *m.* ① 녹을 벗기기. ② 《구어》 (팔·다리의 저린 것을) 풀기 ; (기억 따위를) 새롭게 하기. ③ 《구어》 구타 ; 주먹질.

dérouillée [deʀuje] *f.* 《구어》 구타 ; 주먹질.

dérouiller [deʀuje] *v.t.* ① …의 녹을 벗기다. ② (저린 팔다리를) 낫게 하다 : ~ les jambes 저린 다리를 풀다. ③ (무디어진 것을) 다시 활발하게 하다 : ~ l'esprit 정신을 일깨우다. ④ 《구어》 때리다 : se faire ~ 얻어맞다. ── *v.i.* 《구어》 얻어맞다 ; 야단맞다. ── **se** ~ *v.pr.* ① 녹이 벗겨지다. ② 자기의 곱은〔저린〕 …을 풀다 ; 자기의 무디어진 …을 다시 활발하게 하다 : *se* ~ sa mémoire 기억을 새롭게 하다.

déroulement [deʀulmɑ̃] *m.* ① (말린 것을) 펴기, 펼치기. ② 전개 ; (행렬의) 통과.

dérouler [deʀule] *v.t.* ① (말린 것을) 펴다, 펼치다 : ~ une carte 지도를 펴다. ② ⓐ 《주어 : qc》 (영화 따위가 사건·장면을) 전개하다 : Le film *déroule* son intrigue. 영화가 사건을 전개해 나간다. ⓑ 《주어 : qn》 개진〔설명〕하다 : ~ ses plans à ses amis 친구들에게 계획을 죽 이야기하다. ③ 〖컴퓨터〗 실행하다. ── **se** ~ *v.pr.* 풀리다, 펼쳐지다 ; 전개되다(= se passer) : La cérémonie *s'est* bien *déroulée.* 식이 잘 거행되었다.

déroutage [deʀutaːʒ], **déroutement** [deʀutmɑ̃] *m.* (기차·비행기·선박의) 항로〔진로〕 변경.

déroutant, e [deʀutɑ̃, -ɑ̃ːt] *adj.* 길을 잃게 하는 ; 당황하게 하는.

déroute [deʀut] *f.* ① 궤주(潰走), 패주(敗走) : mettre en ~ 궤주시키다. ② 혼란(= confusion) ; 파산, 대실패.

dérouter [deʀute] *v.t.* ① 길을 잃게 하다. ② 당황하게 하다, 어쩔 줄 모르게 하다(= déconcerter) : Son attitude l'*a déroutée.* 그의 태도가 그녀를 어리둥절하게 했다. ③ (선박, 비행기 따위의) 항로를 변경시키다.

der(**r**) 《약자》 dernier 〖상업〗 지난 달〔해〕의, 지난.

derrick [dɛʀik] 〔영〕 *m.* ① 데릭《기중기의 일종》. ② (유전(油田)의) 유정탑(油井塔).

‡derrière [dɛʀjɛːʀ] *prép.* ① 《장소》 뒤에 (≠ devant), 뒤쪽에 : se cacher ~ un arbre 나무 뒤에 숨다 / fuir sans regarder ~ soi 뒤도 안 돌아보고 도망치다. ② 《순서·서열》 …을 뒤따라, …에 이어서 ; …의 다음에 : marcher l'un ~ l'autre 서로 뒤따라서 걷다 / arriver ~ qn …에 이어서 도착하다. ③ …뒤에(서), 몰래 ; …의 지지를 받아 : C'est lui qui est ~ ce complot. 그가 그 음모의 배후자다 / faire qc ~ (le dos de) qn …의 뒤에서 …을 하다. ***de ~ ; par ~*** …의 뒤에서, …의 뒤로 : Passez *par* ~ la maison. 집 뒤로 돌아가시오.

── *m.* ① 뒤 ; 배후 ; (*pl.*) 〖군사〗 후방 부대 : porte de ~ 후문 / roue de ~ 뒷바퀴. ② 《구어》 엉덩이(= cul). ***avoir*** qn ***au ~*** …에게 뒤쫓기다. ***montrer le ~*** 도망가다. ***tomber sur le ~*** 엉덩방아를 찧다 ; 놀라다.

── *adv.* 뒤에(서) : regarder ~ 뒤를 보다 / marcher ~ 뒤를 따라 걷다. ***laisser*** qn ***bien loin ~*** 〔***bien ~ soi***〕 …을 크게 능가하다〔앞서다〕. ***par ~*** 뒤에서, 뒤로부터 : attaquer qn *par* ~ …을 뒤로 공격하다.

derviche [dɛʀviʃ], **dervis** [dɛʀvi] *m.* 마호메트교의 성직자.

des[1] [de] = de+les.

‡des[2] *art. indéf. pl.* 《un, une 의 복수형》 ① 어떤, 몇 개의 : ~ livres 몇 권의 책 / Il y a ~ enfants dans la cour. 뜰에 아이들 몇 명이 있다. ② ⓐ 《강조·과장》 많은, 대단한 : Vous avez ~ idées, Monsieur. 선생께서는 대단한 생각을 갖고 계시는군요. ⓑ 《수사와 함께》 gagner ~ cinq cents francs par heure 시간당 500 프랑이나 벌다. ⓒ 《형용사 앞·절대 부정문의 직접목적보어의 앞에서 de 로 바뀜》 *de* grandes villes 대도시들 / Je n'ai pas *de* sœurs. 내게는 누이가 한 명도 없다. ③ 《고유명사와 함께》 ⓐ …와 같은 사람 ; …가의 사람 : ~ Napoléon 나폴레옹과 같은 사람들 / ~ Bourbons 부르봉왕가의 사람들. ⓑ …의 작품 : ~ Rembrandt 램브란트의 작품.

des-, dés- *préf.* 「반대·박탈·분리·제거」 따위의 뜻.

dès** [dɛ] *prép.* ① 《시간》 …부터 (바로, 곧), …하자마자 바로 : ~ ce moment 그때부터 (벌써) / ~ à présent 〔maintenant〕 지금부터 (바로) / se lever ~ l'aurore 꼭두새벽에 일어나다 / ~ en naissant 출생하면서부터. ② 《장소》 …에서부터 : ~ l'entrée 입구에서부터 벌써. ***~ l'abord 당장에. ***~ l'instant*** 〔***le moment***〕 ***que***+*ind.* …하자마자, …하니까 바로 ; …하는 까닭에, …하는 이상. ***~ lors*** 그때부터 ; 그러므로. ***~ lors que***+*ind.* …인 이상, 이니까 ; …한 때부터. ***~ que***+*ind.* …하자마자 ; …이니까, …인 이상 : ~ *qu'*il viendra 그가 오기만 하면 곧 / ~ *qu'*il fut parti 그가 떠나자마자.

D.E.S. 《약자》 diplôme d'études supérieures 고등 교육 졸업 증서.

désabonnement [dezabɔnmɑ̃] *m.* 정기구독 중지.

désabonner [dezabɔne] *v.t.* …의 정기구독〔예약〕을 중지〔취소〕시키다. ── **se** ~ *v.pr.* 정기구독〔예약〕을 중지〔취소〕하다.

désabusé, e [dezabyze] *adj.* 미망에서 깨어난, 각성한 ; 환멸을 느낀.

désabusement [dezabyzmɑ̃] *m.* ① 미망에서 깨어남, 각성. ② 환멸, 실망.

désabuser [dezabyze] *v.t.* 잘못을 깨닫게 하다, 각성시키다(= détromper) ; 환멸을 느끼게 하다(= désenchanter) : ~ qn de qc …을 …에서 각성시키다.

désaccord [dezakɔ:ʀ] *m.* ① 불화(= discorde, brouille) ; 충돌, 분쟁(= différend) : le ~ entre les époux 부부 사이의 불화. ② 불일치, 어긋남 ; 모순(= contradiction) : ~ entre une théorie et les faits 이론과 사실의 모순. ③ 〖음악〗 부조화. ***en*** **~** 어울리지 않는. ***être*** 〔***se trouver***〕 ***en*** **~** ***avec*** qn …와 의견이 일치하지 않다.

désaccordé, e [dezakɔʀde] *adj.* 음조(音調)가 어긋나는 ; 조화되지 않은.

désaccorder [dezakɔʀde] *v.t.* ① 사이가 틀어지게 하다, 불화하게 하다(= brouiller) : ~ les époux 부부의 사이가 틀어지게 하다. ② 조화를 잃게 하다. ③ 〖음악〗 …의 음조를 어긋나게 하다. — **se ~** *v.pr.* ① 사이가 틀어지다. ② 음조가 어긋나다.

désaccoutumer [dezakutyme] *v.t.* 《~ qn de qc 〔de + *inf.*〕》 …에게 …의 습관을 버리게 하다(= déshabituer) : Il faut le ~ *de* mentir 〔*de* fumer〕. 거짓말하는〔담배피는〕 습관을 고쳐주어야 한다. — **se ~** *v.pr.* 《se ~ de》 습관을 버리다.

désacralisation [desakʀalizɑsjɔ̃] *f.* 비신성화(非神性化), 비신성시(視), 권위의 상실.

désacraliser [desakʀalize] *v.t.* 신성(神性)을 박탈하다, 신성하게 여기지 않다.

désactiver [dezaktive] *v.t.* 방사능을 제거하다.

désaffectation [dezafɛktɑsjɔ̃] *f.* (공공 건물·금액의) 용도 변경, 전용.

désaffecté, e [dezafɛkte] *adj.* (공공 건물·금액이) 용도가 변경된, 전용된.

désaffecter [dezafɛkte] *v.t.* (공공 건물·금액의) 용도를 변경하다, 전용하다.

désaffection [dezafɛksjɔ̃] *f.* 흥미의 상실, 애착의 엷어짐(= détachement).

désaffectionner (se) [s(ə)dezafɛksjɔne] *v.pr.* ① 흥미를〔애착·관심을〕 잃다. ② 이반(離反)하다.

***désagréable** [dezagʀeabl] *adj.* 불쾌한, 언짢은(= déplaisant) ; (사람이) 불쾌감을 주는 : impression très ~ 아주 불쾌한 인상.

désagréablement [dezagʀeabləmɑ̃] *adv.* 불쾌하게.

désagrégation [dezagʀegɑsjɔ̃] *f.* 〖지질〗 (암석의) 풍화 ; (조직 따위의) 붕괴, 해체.

désagréger [dezagʀeʒe] 36 *v.t.* 〖지질〗 풍화시키다 ; 분해하다(= décomposer) ; (조직 따위를) 붕괴〔분열〕시키다(= disloquer). — **se ~** *v.pr.* 풍화하다 ; 분해되다 ; 붕괴〔분열〕하다.

désagrément [dezagʀemɑ̃] *m.* 불쾌, 귀찮음(= ennui) ; 불쾌한 일〔것〕(= contrariété).

désaliéner [dezaljene] *v.t.* (구속·질곡에서) 벗어나게 하다, 해방시키다.

désaltérant, e [dezalteʀɑ̃, -ɑ̃:t] *adj.* et *n.* 갈증을 풀어 주는 (것) ; 위안이 되는 (것).

désaltérer [dezalteʀe] 6 *v.t.* ① 갈증을 풀어 주다, (목을) 축이다. ② (소원 따위를) 채워 주다, 만족시켜 주다(= satisfaire). — **se ~** *v.pr.* 갈증을 풀다 ; 소원을 풀다.

désamorçage [dezamɔʀsa:ʒ] *m.* 뇌관 제거 ; (펌프의) 물을 뽑기 ; (기계의) 작동 정지.

désamorcer [dezamɔʀse] 2 *v.t.* ① (총의) 뇌관을 뽑다 ; (낚시의) 미끼를 떼다 ; (펌프의) 물을 뽑다. ② (기계를) 정지시키다. ③ (위기·분쟁 따위를) 예방〔완화〕하다.

désappointé, e [dezapwɛ̃te] *adj.* 실망한, 낙담한 : mine ~*e* 실망한 표정.

désappointement [dezapwɛ̃tmɑ̃] *m.* ① 실망, 낙담(= déception). ② 《옛》 면직.

désappointer [dezapwɛ̃te] *v.t.* ① 실망〔낙담〕시키다(= décevoir ; ≠ satisfaire). ② 《옛》 면직〔파면〕시키다(= destituer).

désapprendre [dezapʀɑ̃:dʀ] 26 *v.t.* (배운 것을) 잊다(= oublier) : ~ à + *inf.* …하는 일〔방식〕을 잊다. — **se ~** *v.pr.* 잊혀지다.

désapprobateur, trice [dezapʀɔbatœ:ʀ, -tʀis] *adj.* 반대〔불찬성〕의. — *n.* 반대자.

désapprobation [dezapʀɔbɑsjɔ̃] *f.* ① 반대, 불찬성. ② 비난.

***désapprouver** [dezapʀuve] *v.t.* ① 찬성하지 않다, 반대하다 : Il ne *désapprouve* pas que vous veniez. 당신이 오는 것에 그는 반대하지 않습니다. ② 비난하다(= condamner), 나무라다(= critiquer).

désarçonner [dezaʀsɔne] *v.t.* ① 낙마(落馬)시키다. ② 당황하게〔아연하게〕 하다(= déconcerter).

désargenté, e [dezaʀʒɑ̃te] *adj.* ① 은도금이 벗겨진. ② 무일푼이 된(= fauché) : Je suis ~. 나는 빈털터리이다.

désargenter [dezaʀʒɑ̃te] *v.t.* ① …의 은도금을 벗기다. ② 《구어》 무일푼으로 만들다.

désarmant, e [dezaʀmɑ̃, -ɑ̃:t] *adj.* 대항할 수 없게 하는 ; 상대방의 마음을 누그러지게 하는 : naïveté ~*e* 어이없는 순진성.

désarmé, e [dezaʀme] *adj.* ① 무장이 해제된 ; 군비가 축소된. ② 탄환〔뇌관〕을 뺀.

désarmement [dezaʀməmɑ̃] *m.* 무장 해제 ; 군비 축소 : conférence du ~ 군축 회의.

***désarmer** [dezaʀme] *v.t.* ① …의 무장을 해제하다 ; 군비를 철폐〔축소〕하다. ② 〖군사〗 (총의) 탄환을 뽑다, 안전장치를 하다. ③ 화를 풀게 하다, (감정을) 누그러뜨리다 : ~ la haine 증오심을 풀게 하다 / Sa candeur, son rire me *désarment*. 그의 순진함과 웃음이 내 마음을 누그러뜨린다. — *v.i.* ① 군비를 철폐〔축소〕하다. ② 적의를 버리다 ; (감정이) 누그러지다.

désarroi [dezaʀwa(ɑ)] *m.* (정신적) 혼란, 낭패 : plonger qn dans un profond ~ …을 큰 혼란에 빠뜨리다. ***être en*** **~** 혼란되어 있다. ***mettre en*** **~** 혼란시키다.

désarticulation [dezaʀtikylɑsjɔ̃] *f.* 〖의학〗 탈구(脫臼) ; 《비유》 분해, 해체.

désarticuler [dezaʀtikyle] *v.t.* ① 〖의학〗 관절에서 자르다. ② 탈구(脫臼)시키다. ③ 《비유》 분해〔해체〕하다. — **se ~** *v.pr.* ① 탈구하다. ② 《비유》 분해〔해체〕되다.

désassorti, e [dezasɔʀti] *adj.* ① 구색〔짝〕이 맞지 않은 ; (상품이) 품절된. ② 어울리지 않는 : des époux ~*s* 사이가 좋지 않은 부부.

désassortiment [dezasɔʀtimɑ̃] *m.* 구색〔짝〕이 맞지 않음 ; (상품의) 품절.

désassortir [dezasɔʀti:ʀ] *v.t.* 10 조화되지 않게 하다, 어울리지 않게 하다 ; 짝이 맞

지 않게 하다, 불완전하게 하다 : service *désassorti* 불완전한 접대〔봉사〕/ *être désassorti* de qc 〖상업〗 …이 품절이 되다.

***désastre** [dezastʀ] *m.* ① 재난, 재앙, 재해(= calamité) : provoquer un ~ 재난을 유발하다. ② 대실패 ; 패배(= défaite) ; 파탄, 파산(= faillite).

désastreux, euse [dezastʀø, -ø:z] *adj.* 불행한, 비참한, 끔찍한 ; 고약한(= très fâcheux) : temps ~ 고약한 날씨.

désavantage** [dezavɑ̃ta:ʒ] *m.* ① 단점, 결점. ② 불리한 조건, 열세(劣勢)(= handicap). ***avoir le ~ 불리한 입장에 서다〔있다〕; 패하다. ***tourner au ~ de*** qn …에게 불리하게 돌아가다. ***voir*** qn ***à son ~*** …을 불리한 면에서 보다〔판단하다〕.

***désavantager** [dezavɑ̃taʒe] [3] *v.t.* …에게 손해를 입히다 ; 불리하게 하다.

désavantageux, euse [dezavɑ̃taʒø, -ø:z] *adj.* 불리한.

désaveu [dezavø] *m.* (*pl.* **~x**) ① 부인(否認), 부정 : ~ d'un acte 행위의 부인. ② 취소, 철회. ③ 반대, 비난 : encourir le ~ de l'opinion 여론의 비난을 사다.

désavouer [dezavwe] *v.t.* ① 부인하다 : ~ un enfant 애를 자기 자식으로 인정하지 않다. ② 용인하지 않다, 비난하다(= désapprouver) ; …에 반대하다 : ~ les lois de son pays 자국의 법률에 반대하다. ③《주어 : qc》…와 모순되다, …에 어긋나다 : faire ce que la morale *désavoue* 도덕에 어긋나는 일을 행하다. ④ (한 말 · 의견 · 약속 따위를) 취소〔철회〕하다(= rétracter).

désaxé, e [dezakse] *adj.* ① 축을 벗어난. ② (정신적으로) 균형을 잃은, 정신 이상을 일으킨(= déséquilibré). — *n.* 정신 이상자.

désaxer [dezakse] *v.t.* ① 〖기계〗 굴대〔축(軸)〕에서 벗어나게〔멀어지게〕 하다. ② (정신적으로) 균형을 잃게 하다(= déséquilibrer) ; 정신 이상을 일으키게 하다.

desceller [desɛ(e)le] *v.t.* ① …의 봉함을 뜯다, 개봉하다 ; (금고를) 비집어 열다. ② (모르타르로 고정시킨 것을) 떼어〔뽑아〕내다 : ~ une grille 철책을 뜯다.

descendance [desɑ̃dɑ̃:s] *f.* ①《집합적》자손, 후손, 후예(= postérité) ; 〖법률〗 비속친(卑屬親). ② 가계, 혈통(= filiation). ***en ~ directe de*** …의 직계 비속의.

descendant, e [desɑ̃dɑ̃, -ɑ̃:t] *adj.* 내려오는, 하강하는 ; 비속의, 자손의 : corps ~ 떨어지는 물체 / route ~*e* 내리막길 / train ~ 하행 열차. — *n.* 후예(後裔), 후손, 자손, 비속 : ~ direct 〔en ligne directe〕 직계 자손.

descendeur, euse [desɑ̃dœ:ʀ, -ø:z] *m.* 내리막길을 잘 달리는 자전거〔스키〕 선수.

⁑**descendre** [desɑ̃:dʀ] [25] *v.i.* 《조동사는 être 또는 고어에서 avoir》 Ⓐ《주어 : qn》① 내려가다〔오다〕(≠ monter) ; 남쪽으로 내려가다 : ~ d'une montagne 〔d'un arbre〕 산〔나무〕에서 내려오다 / jusqu'à Marseille 마르세유까지 내려가다. ② 투숙하다 : ~ à l'hôtel 〔chez qn〕 호텔〔…의 집〕에 묵다〔투숙하다〕. ③ (말 · 차 · 배에서) 내리다 : ~ du train 기차에서 내리다. ④ 침입하다, 급습하다, (경찰이) 임검하다 : La police *est descendue* dans cet hôtel. 경찰이 (임검을 위해) 호텔을 급습했다. ⑤《~ de》…의 혈통을 잇다, …의 자손이다 : ~ *d'*un ancêtre célèbre 고명(高名)한 조상의 가문에서 태어나다. Ⓑ《주어 : qc》① 가라앉다 ; 흘러내리다 ; (해가) 지다 ; (밤이) 내리다〔되다〕; (비 · 눈이) 내리다 : Le soleil *descend.* 해가 진다 / La nuit *descend.* 밤이 된다 / Les flocons de neige *descendent.* 함박눈이 내린다. ② 늘어지다. ③ 경사져 내려가다, 내리뻗다 : La route *descend* vers la plaine. 그 길은 평원으로 내리뻗는다. ④ 낮아지다, 하락〔저하〕하다 ; (바닷물이) 빠지다, 써다 : Les prix *descendent.* 물가가 내려간다 / La température *est descendue* de cinq degrés. 온도가 5도 내렸다. ***~ dans la rue*** 데모하러 거리로 나가다. ***~ en soi-même*** 〔***dans sa conscience***〕 반성하다. ***~ en ville*** 외출하다. — *v.t.* 《조동사는 avoir》 ① 내리우다 : ~ un peu le tableau 그림을 조금 내려서 걸다. ② …을 내려가다 : ~ un escalier 〔une rue, une montagne〕 계단〔길 · 산〕을 내려가다. ③ 하차〔하선〕시키다. ④《구어》(새를 총으로 쏘아) 떨어뜨리다, (비행기를) 격추하다. ⑤《속어》(사람을) 쏘아 죽이다 ; 때려눕히다 : ~ un malfaiteur d'un coup de revolver 악한을 권총으로 쏘아 죽이다.

descente** [desɑ̃:t] *f.* ① 내려감, 내려옴. ② 내리기, 하차, 하선. ③ 침입, 습격 ; 기습 ; 〖법률〗 임검(臨檢). ④ (물건 따위를) 내리기, 하역 : ~ des bagages 하역 작업. ⑤ 경사, 내리막길. ***~ de bain 목욕탕용 매트. ***~ de lit*** 침대 밑의 깔개.

descriptif, ive [dɛskʀiptif, -i:v] *adj.* 묘사의, 서술〔기술〕적인.

***description** [dɛskʀipsjɔ̃] *f.* 묘사, 서술, 기술 : faire 〔donner〕 une ~ de qn 〔qc〕 …을 기술〔서술〕하다.

desdits [dedi] ⇒ ledit.

déséchouer [dezeʃwe] *v.t.* 〖해양〗 (좌초한 배를) 물 위에 뜨게 하다 ; 부양시키다.

déségrégation [desegʀegɑsjɔ̃] *f.* 인종 차별의 철폐〔금지〕.

désembourber [dezɑ̃buʀbe] *v.t.* 진창〔진흙탕〕에서 끌어내다.

désembourgeoiser [dezɑ̃buʀʒwaze] *v.t.* …의 부르주아 근성을 없애다.

désembouteiller [dezɑ̃butɛ(e)je] *v.t.* (교통의) 혼잡을 해소하다.

désembuage [dezɑ̃bɥa:ʒ] *m.* (김 · 수증기 따위로) 흐린 유리를 닦아내기.

***désemparé, e** [dezɑ̃paʀe] *adj.* ① 손상을 입은 ; (선박 따위가) 파손된. ②《구어》당황한, 어찌 할 바를 모르는(= déconcerté).

désemparer [dezɑ̃paʀe] *v.t.* ① (함선을) 못 쓰게 만들다, 파손하다. ②《옛》…을 떠나다(= quitter). — *v.i.* 《옛》(어떤 장소에서) 떠나다, 떠나가다. ***sans ~*** 즉석에서 ; 줄곧.

désemplir [dezɑ̃pli:ʀ] *v.t.* (…의 가득 찬 것을) 약간 비우다; 조금 덜다 : ~ sa tête de qc …을 까맣게 잊어버리다. — *v.i.* et **se ~** *v.pr.* 조금 비다, 줄다 : 《ne pas ~》 Sa boutique *ne désemplissait pas.* 그의 상점은 늘 손님으로 대만원을 이루곤 했다.

désencadrer [dezɑ̃kadʀe] *v.t.* …에서 틀

을 떼어 버리다, 액자에서 빼내다.
désenchanté, e [dezɑ̃ʃɑ̃te] *adj.* 환멸을 느끼는, 실망한.
désenchantement [dezɑ̃ʃɑ̃tmɑ̃] *m.* ① 마술을 풀기〔이 풀리기〕. ② 환멸, 실망.
désenchanter [dezɑ̃ʃɑ̃te] *v.t.* 《~ qn》 환멸〔실망〕을 느끼게 하다(= désillusionner, décevoir) ; 환상〔꿈〕에서 깨어나게 하다.
désenclavement [dezɑ̃klavmɑ̃] *m.* 교통〔통신〕망을 넓히기 ; (벽지를) 개발하기.
désenclaver [dezɑ̃klave] *v.t.* 교통〔통신〕망을 넓히다 ; (벽지를) 개발하다.
désencombrer [dezɑ̃kɔ̃bʀe] *v.t.* (길 따위에서) 장애물을 치우다 ; 혼잡을 해소하다 : ~ la voie publique des immondices 공로에서 쓰레기를 치우다.
désendetter [dezɑ̃dɛ(e)te] *v.t.* …의 빚을 없애 주다. ── **se ~** *v.pr.* 빚을 갚다.
désenfiler [dezɑ̃file] *v.t.* …의 실을 뽑다 : ~ une aiguille 바늘의 실을 뽑다.
désenflement [dezɑ̃fləmɑ̃] *m.* 부기가 빠짐, 염증이 가라앉음.
désenfler [dezɑ̃fle] *v.t.* …의 부기(浮氣)를 빠지게 하다, 염증을 가라앉히다. ── *v.i.* et **se ~** *v.pr.* 부기가 내리다 ; 공기가 빠지다.
désengagement [dezɑ̃gaʒmɑ̃] *m.* 해약 ; 해고 ; 저당물을 되찾기.
désengager [dezɑ̃gaʒe] [3] *v.t.* ① …의 고용을 해약하다, 해고하다 ; (의무로부터) 풀어 주다. ② (약속 따위를) 취소하다(= retire). ③ (저당물을) 되찾다. ── **se ~** *v.pr.* 《se ~ de》 ① …을 취소하다 : *se ~ d'*une invitation acceptée 초대의 수락을 취소하다. ② …에서 풀려나다.
désengorger [dezɑ̃gɔʀʒe] [3] *v.t.* (막힌 것을) 터놓다 ; …의 장애물을 제거하다 : ~ un tuyau 관(의 막힌 곳)을 뚫다.
désenivrer [dezɑ̃nivʀe] *v.t.* ① …의 취기를 깨우다. ② 미망(迷妄)〔잘못〕에서 깨우다(= dessouler). ── *v.i.* 취기가 깨다 : Il ne *désenivre* pas. 그는 언제나 취해 있다.
désennuyer [dezɑ̃nɥije] [7] *v.t.* ① …의 권태〔무료〕를 풀어 주다(= délasser). ② 《목적보어 없이》 심심풀이가 되다 : Le cinéma *désennuie.* 영화는 기분 전환이 된다. ── **se ~** *v.pr.* 권태를 풀다, 심심풀이하다. ***se ~ à*** + *inf.* 심심풀이로 …하다.
désensabler [dezɑ̃sable] *v.t.* 모래 속에서 …을 끌어내다.
désensibiliser [desɑ̃sibilize] *v.t.* ① 〖사진〗 …의 감광도를 줄이다. ② (이 따위의) 신경을 죽이다. ③ 〖정신의학〗 (불안·자극에 대한) 과민성을 줄이다〔해소하다〕.
désensorceler [dezɑ̃sɔʀsəle] [5] *v.t.* …에 대한 마법을 풀다 ; …의 미몽을 깨우치다.
désentortiller [dezɑ̃tɔʀtije] *v.t.* ① (꼬인 것을) 풀다. ② (얽힌 사건의) 진상을 밝히다.
désépaissir [dezepesiːʀ] *v.t.* 조밀하지 않게〔성기게〕 하다 ; 묽게 하다. 「출.
désépargne [dezepaʀɲ] *f.* 〖경제〗 저축 인
déséquilibre [dezekilibʀ] *m.* ① 불균형 : ~ entre l'offre et la demande 공급과 수요의 불균형. ② 정신 이상.
déséquilibré, e [dezekilibʀe] *adj.* 정신 이상의 ; 균형을 잃은. ── *n.* 정신 이상자.
déséquilibrer [dezekilibʀe] *v.t.* ① …의 균형을 잃게 하다 ; ② 머리가 돌게 하다.
***désert¹, e** [dezɛːʀ, -ɛʀt] *adj.* ① 주민 없는 (= inhabité) ; 텅 빈(= vide) ; 인기척 없는 : A cette heure, la plage est ~*e.* 이맘때는 해변은 텅 비어 있다. ② 쓸쓸한, 황량한 ; 무미건조한 : journée ~*e* 지루한 하루.
désert²** [dezɛːʀ] *m.* ① 사막, 광야 ; 무인지경, 불모지 : ~ du Sahara 〔de Gobi〕 사하라〔고비〕 사막. ② 정신적인 고독. ***prêcher* 〔*parler*〕 *dans le ~ 쇠귀에 경 읽다.
déserter [dezɛʀte] *v.t.* ① 버리다(= abandonner) ; 탈퇴하다(= quitter) : ~ le parti 정당에서 탈퇴하다. ② (의무·주의·신앙 따위를) 저버리다(= renier, trahir). ③ 떠나 버리다, 저버리다(= négliger, lâcher). ── *v.i.* 도망하다 ; 〖군사〗 탈영〔탈주〕하다.
déserteur [dezɛʀtœːʀ] *m.* 탈당자 ; 〖군사〗 탈주병, 탈영자. 「황무지화.
désertification [dezɛʀtifikɑsjɔ̃] *f.* 사막화 ;
désertion [dezɛʀsjɔ̃] *f.* ① 탈퇴, 탈당 ; 〖군사〗 탈영, 탈주 : ~ à l'ennemi 투항. ② (주의·주장에 대한) 변절.
désertique [dezɛʀtik] *adj.* 〖지리〗 사막(성)의 ; 불모의 : climat ~ 사막성 기후.
désescalade [dezɛskalad] *f.* 단계적인 감퇴〔축소〕. 「망.
désespérance [dezɛspeʀɑ̃ːs] *f.* 《문어》 절
désespérant, e [dezɛspeʀɑ̃, -ɑ̃ːt] *adj.* 절망적인, 가망 없는(= décourageant), 실망하게 하는: nouvelle ~*e* 비통한 소식 / Cet enfant est ~. 이 아이는 어쩔 수가 없다 / Il fait un temps ~. 을씨년스러운 날씨이다.
***désespéré, e** [dezɛspeʀe] *adj.* ① (사람이) 절망한 ; (사태 따위가) 절망적인, 가망이 없는 : femme ~*e* 절망한 여자 / Le cas était ~. 사태는 절망적이었다. ② (눈길 따위가) 절망어린 : regard ~ 절망의 눈초리. ③ (노력 따위가) 필사적인 : effort ~ 필사적인 노력. ── *n.* 절망한 사람 ; 자살자. ***en* 〔*comme un*〕 ~** 필사적으로.
désespérément [dezɛspeʀemɑ̃] *adv.* ① 절망적으로. ② 필사적으로.
désespérer** [dezɛspeʀe] [6] *v.t.* 절망〔낙담〕시키다(= décourager, affliger). ── *v.t. ind.* ① 《~ de》 …에 대해 절망하다 : Je ne *désespère* pas *de* la guérison. 병이 나으리라는 희망을 버리지 않는다. ② 《~ de + *inf.*》 …하는 것을 단념하다, …할 가망이 없다고 생각하다 : Je *désespérais de* la revoir. 그녀와 재회하리라는 희망이 전혀 없었다. ~ ***que + *sub.* …할 가망이 없다고 생각하다. ***ne pas ~ que*** + (***ne***) + *sub.* …하는 것에 절망하지 않다 : Je *ne désespère pas qu'*il (*ne*) réussisse. 그가 성공하리라는 희망을 아직 버리지 않고 있다. ── *v.i.* 절망하다, 희망을 버리다. ── **se ~** *v.pr.* 절망〔낙심〕하다 (= se désoler). ***se ~ de*** + 부정법 과거〔***que*** + *sub.*〕 …하여서 절망〔낙심〕하다 : Il *se désespère de* n'avoir pas réussi. 그는 일이 잘 되지 않아 낙담하고 있다.
***désespoir** [dezɛspwaːʀ] *m.* ① 절망, 실망, 낙담(= affliction) : mettre qn au ~ …을 자포자기케 하다 / plonger 〔jeter〕 qn dans le ~ …을 절망에 빠뜨리다. ② 절망의 원인, 큰

걱정〔골칫〕거리 : Cet enfant est 〔fait〕 le ~ de ses parents. 이 아이는 그의 부모님의 큰 걱정거리라오. ***en ~ de cause*** 궁여지책으로서, 할 수 없이. ***être au ~ de***+*inf.* 〔***que***+*sub.*〕 …을 매우 유감스럽게 여기다.

déshabillage [dezabijaːʒ] *m.* ① 옷을 벗기기〔벗기〕; 스트립쇼. ② 《구어》 혹평.

déshabillé, e [dezabije] *adj.* 옷을 벗은. ── *m.* 평상복 ; (여자의) 실내복.

*⁎***déshabiller** [dezabije] *v.t.* ① …의 옷을 벗기다(=dévêtir) : ~ un enfant 어린애의 옷을 벗기다. ② (의자의) 커버·(방의) 장식 따위를 벗기다〔걷다〕: ~ un fauteuil〔un salon〕 안락의자의 커버를 벗기다〔살롱의 장식을 걷어 치우다〕. ③ 《~ qc 〔qn〕》 …의 정체를 폭로하다, …의 가면을 벗기다(=démasquer) : ~ sa pensée 자기 생각을 밝히다 / ~ un hypocrite 위선자의 가면을 벗기다. ***~ saint Pierre pour habiller saint Paul*** 한 난관을 뚫으려다가 또 다른 난관에 부딪치다, 빚을 갚으려고 새로 빚지다.
── **se ~** *v.pr.* 옷을 벗다 ; 평상복으로 갈아입다 : *se* ~ pour prendre un bain 목욕을 하려고 옷을 벗다.

déshabituer [dezabitɥe] *v.t.* 《~ qn de qc ; ~ qn de+*inf.*》 습관을 버리게 하다, 그만두게 하다(=désaccoutumer) : ~ qn *de* l'alcool 음주의 습관을 버리게 하다. ── **se ~** *v.pr.* 《se ~ de》 …의 습관을 버리다.

désherbage [dezɛʀbaːʒ] *m.* 풀뽑기.

désherbant [dezɛʀbɑ̃] *m.* 제초제《농약》.

désherber [dezɛʀbe] *v.t.* …의 풀을 뽑다(=sarcler).

déshérence [dezeʀɑ̃ːs] *f.* 〖법률〗 (유산) 상속자의 부재 : succession (qui tombe) en ~ 상속자가 없어 국고로 귀속된 유산.

déshérité, e [dezeʀite] *adj.* ① 상속권을 박탈당한. ② ⓐ 혜택을 받지 못한 ; 불구의 ; 불행한. ⓑ 《~ de》 …을 받지〔갖지〕 못한(=frustré, privé) : être ~ *de* toute affection 어떠한 사랑이라곤 받아 본 적이 없다. ③ 자원이 없는 : région ~*e* 자원의 혜택을 받지 못한 지역. ── *n.* ① 상속권을 박탈당한 사람. ② 혜택을 받지 못한 자 ; 불구자.

déshériter [dezeʀite] *v.t.* ① …의 상속권을 박탈하다. ② …에게 혜택을 주지 않다(=désavantager) : sœur *déshéritée* 못생긴 누이.

déshonnête [dezɔnɛt] *adj.* 부정직〔불성실〕한 ; 파렴치한(=inconvenant, indécent).

déshonneur [dezɔnœːʀ] *m.* 불명예, 치욕(=infamie) ; 수치(= honte) : tomber dans le ~ 치욕을 당하다 / Il n'y a pas de ~ à+*inf.* …하는 일은 치욕이 되지 않는다. ***être le ~ de*** …의 명예를 손상시키다. ***faire ~ à*** qn …을 욕되게 하다. ***tenir à ~ de***+*inf.* …하는 것을 수치로 여기다.

déshonorant, e [dezɔnɔʀɑ̃, -ɑ̃ːt] *adj.* 불명예스러운, 수치스러운 : conduite ~*e* 비행.

déshonorer [dezɔnɔʀe] *v.t.* ① …의 명예를〔체면을〕 훼손하다 : ~ sa famille 가명을 더럽히다. ② (여자를) 능욕하다, 욕보이다. ③ …의 미관을 손상하다 : ~ un édifice par des restaurations maladroites 졸렬한 복구공사로 건물을 손상하다. ── **se ~** *v.pr.* ① 명예를〔체면을〕 잃다. ② 능욕당하다.

déshumanisation [dezymanizɑsjɔ̃] *f.* 인간성 상실, 비인간화.

déshumaniser [dezymanize] *v.t.* …의 인간성을 상실시키다, 비인간화하다.

déshydratation [dezidʀatɑsjɔ̃] *f.* 〖화학〗 탈수(脫水) (작용) ; 탈수증 ; 수분 결여.

déshydraté, e [dezidʀate] *adj.* 탈수된, 메마른, 물기를 뺀 : être ~ 목마르다.

déshydrater [dezidʀate] *v.t.* 〖화학〗 …의 수분을 없애다, 탈수하다; 건조시키다(=dessécher). ── **se ~** *vpr.* ① 수분이 빠지다. ② 〖의학〗 탈수 증상을 보이다.

desiderata [dezideʀata] *m. pl.* desideratum 의 복수형.

desideratum [dezideʀatɔm] 〔라틴〕 *m.* (*pl.* ***desiderata***) (흔히 *pl.*) 희망〔요구〕 사항(=désirs, revendication).

design [di(e)zajn, dezain] 〔영〕 *m.* 상업〔공업〕디자인. ── *adj.* 《불변》 디자인된 : meuble ~ 디자인한 가구.

désignation [deziɲɑsjɔ̃] *f.* 지시 ; 지정(=indication) ; 지명 ; 명칭 ; 임명 : sa ~ comme président 그의 회장 임명.

designer [di(e)zajnœʀ] 〔영〕 *m.* 의장 도안자, 디자이너.

***désigner** [deziɲe] *v.t.* ① 지시하다, 가리키다 : ~ qn du doigt …을 손가락으로 가리키다. ② 지칭하다, 의미하다 : En anglais, ≪duck≫ *désigne* un canard. 영어의 duck 는 오리라는 말이다. ③ (시간·장소 따위를) 지정하다(=fixer) : à l'heure *désignée* 지정된 시각에. ④ 《~ qn pour qc 〔+*inf.*〕》 …을 …에게〔하도록〕 지명〔선정·임명〕하다 : *être désigné pour* une place 어떤 자리에 지명〔임명〕되다 / On l'*a désigné pour* diriger cette mission. 그는 이 사절단을 인솔하도록 선임되었다. ── **se ~** *v.pr.* ① 지시되다 ; 지칭되다. ② 《se ~ à》 (주의·시선 따위의) 표적이 되다.

***désillusion** [dezi(l)lyzjɔ̃] *f.* 환멸 ; 각성.

désillusionner [dezi(l)lyzjɔne] *v.t.* 각성시키다 ; 환멸을 느끼게 하다, 실망시키다.

désincarné, e [dezɛ̃kaʀne] *adj.* (영혼이) 육체에서 분리된 ; 비물질적인 ; 현실을 초월한, 관념적인.

désindexer [dezɛ̃dɛkse] *v.t.* 〖경제〗 (지수와) 연동시키지 않다 : ~ les salaires par rapport à l'inflation 임금을 인플레이션 지수와 연동시키지 않다.

désinence [dezinɑ̃ːs] *f.* 〖문법〗 (굴절) 어미 : ~ casuelle 〔verbale〕 격〔동사〕 어미.

désinentiel, elle [dezinɑ̃sjɛl] *adj.* 〖문법〗 (굴절) 어미의 : langue ~*elle* 굴절어.

désinfectant, e [dezɛ̃fɛktɑ̃, -ɑ̃ːt] *adj.* 소독의〔에 적합한〕. ── *m.* 소독제.

désinfecter [dezɛ̃fɛkte] *v.t.* 소독하다, 살균하다(=stériliser).

désinfection [dezɛ̃fɛksjɔ̃] *f.* 소독, 살균.

désinflation [dezɛ̃flɑsjɔ̃] *f.* 〖경제〗 인플레이션 억제.

désinformation [dezɛ̃fɔʀmɑsjɔ̃] *f.* 정보 「조작〔왜곡〕.

désinformer [dezɛ̃fɔʀme] *v.t.* …에게 조작〔왜곡〕된 정보를 제공하다 : ~ le public 대중에게 왜곡된 정보를 제공하다.

désinsectisation [dezɛ̃sɛktizɑsjɔ̃] *f.* 해충

구제. 「을 없애다.

désinsectiser [dezɛ̃sɛktize] *v.t.* …의 해충

désintégration [dezɛ̃tegʀɑsjɔ̃] *f.* ① 〖지질〗 분쇄, 붕괴, 풍화. ② 〖물리〗 (원자의) 핵분열. ③ 파괴, 해체.

désintégrer [dezɛ̃tegʀe] [6] *v.t.* ① 해체시키다, 파괴하다(=détruire), 분쇄하다. ② 〖물리〗 붕괴〔분열〕시키다 : ~ l'atome 원자를 분열시키다. ── **se** ~ *v.pr.* 파괴〔해체〕되다 ; 분쇄되다 ; 〖물리〗 붕괴〔분열〕되다.

désintéressé, e [dezɛ̃teʀese] *adj.* ① 이해관계를 떠난, 사심이 없는, 공정한 : attitude 〔conduite〕 ~*e* 이해관계를 떠난 태도〔행동〕. ② 관계없는 ; 무관심한.

désintéressement [dezɛ̃teʀɛsmɑ̃] *m.* ① 무관심 ; 무사 무욕 ; 공평. ② (채권자에 대한) 변제, 청산.

***désintéresser** [dezɛ̃teʀese] *v.t.* 《~ qn》 ① 관계없게 하다; 무관심하게 하다. ② (…의 손해를 갚아 주어) 이해관계가 없게 하다, …에게 변상해 주다, 빚을 변제〔청산〕하다. ── **se** ~ *v.pr.* 《se ~ de》 …에 무관심〔초연〕해지다 : *se* ~ *de* ses affaires 자기 일에 무관심해지다〔관여하지 않다〕.

désintérêt [dezɛ̃teʀɛ] *m.* 《문어》 무관심.

désintoxication [dezɛ̃tɔksikɑsjɔ̃] *f.* 중독의 해소, 해독, 독소 제거. 「다.

désintoxiquer [dezɛ̃tɔksike] *v.t.* 해독하

désinvestir [dezɛ̃vɛstiːʀ] *v.t.* ① 〖군사〗 포위를 풀다. ② 〖경제〗 …에의 투자를 중단〔축소〕하다. ── *v.i.* 〖심리〗 《~ dans 〔sur〕》 …에 정신력을 집중하지 않게 되다.

***désinvolte** [dezɛ̃vɔlt] *adj.* ① 경쾌한. ② 거리낌없는, 방자한, 무람없는, 건방진(=effronté, insolent) : réponse ~ 거침없는 대답.

désinvolture [dezɛ̃vɔltyːʀ] *f.* ① 경쾌. ② 거리낌없는〔무람없는〕 태도〔말투〕.

:désir [deziːʀ] *m.* ① 욕망, 욕구 ; 소망, 희망 : ~ de la gloire 명예욕 / ~ de savoir 지식욕, 호기심 / le ~ de vous plaire 당신을 기쁘게 하고 싶은 욕망 / Tous ses ~*s* se réalisent. 그의 모든 욕망이 성취된다. ② 정욕 : assouvir ses ~*s* 정욕을 채우다. ***avoir le ~ de****+inf.* …하고 싶어하다. ***le ~ que****+sub.* …이면 하는 욕망. ***sur*** 〔***selon***〕 ***le ~ de*** qn …의 희망에 따라.

désirable [deziʀabl] *adj.* 바람직한, 매력있는, 탐나는 : peu ~ 달갑지 않은.

:désirer [deziʀe] *v.t.* ① 바라다, 원하다, 탐내다 : Je vous *désire* heureux. 나는 당신이 행복하기를 바랍니다 / si vous le *désirez* 괜찮으시다면 / Il ne *désire* rien de plus. 그는 더 이상 아무것도 원치 않는다. ② (이성을) 육체적으로 탐내다, …에 대해 정욕을 느끼다 : ~ une femme 한 여인을 탐내다. ~ (***de***)+*inf.* …하고 싶어하다 : Je *désire* connaître la vérité. 나는 진실을 알고 싶다. ~ ***que****+sub.* …을 바라다 : Elle *désire qu*'il vienne la voir. 그녀는 그가 자기를 보러 오길 바란다. ***Il est à ~ que****+sub.* …이 바람직하다. ***laisser*** (***beaucoup***) ***à ~*** 불완전〔불행〕하다 : Votre explication *laisse à* ~. 당신의 설명은 불충분합니다. ***Monsieur*** 〔***Madame***〕 ***désire ? ; Vous désirez ?*** (가게 따위에서) 무엇을 드릴까요 ? ***se faire ~*** 기다리게 하다, 애타게 하다.

désireux, euse [deziʀø, -øːz] *adj.* 《~ de》 …을 원하는, 바라는. ~ ***de****+inf.* …하고 싶어하는 : Il paraissait ~ *d'*engager la conversation. 그는 말을 걸고 싶어하는 것 같았다.

désistement [dezistəmɑ̃] *m.* ① 포기, 단념 ; 〖법률〗 고소의 취하(=renoncement). ② 입후보의 철회.

désister (**se**) [s(ə)deziste] *v.pr.* ① 《se ~ de》 …을 단념〔포기〕하다(=renoncer à) ; 〖법률〗 (고소·공소를) 취하하다 : *se* ~ *d'*une action 고소를 취하하다. ② 입후보를 사퇴하다 : *se* ~ de sa candidature 입후보를 사퇴하다.

desk [dɛsk] 〖영〗 *m.* (신문·방송사의) 편집부, 데스크.

***désobéir** [dezɔbeiːʀ] *v.t. ind.* 《~ à》 …에게〔에〕 순종〔복종〕하지 않다, …을 거역하다 : ~ *à* ses parents 〔*à* ses maîtres〕 부모〔선생〕의 말을 듣지 않다 / ~ *à* un ordre 〔une règle〕 명령을 거역하다〔규칙을 어기다〕.

désobéissance [dezɔbeisɑ̃ːs] *f.* 불복종, 거역, 반항(=révolte) ; 위반.

désobéissant, e [dezɔbeisɑ̃, -ɑ̃ːt] *adj.* 《~ à》 순종하지 않는, 반항적인 ; 제멋대로 노는. 「임성 없음.

désobligeance [dezɔbliʒɑ̃ːs] *f.* 불친절, 붙

désobligeant, e [dezɔbliʒɑ̃, -ɑ̃ːt] *adj.* ① 불친절한 ; 무뚝뚝한. ② 《~ envers》 …에게 불쾌감을 주는(=désagréable).

désobliger [dezɔbliʒe] [3] *v.t.* …에게 불친절하게 대하다 ; …의 의사를 거스르다(=froisser, vexer) : Vous me *désobligeriez* beaucoup en refusant. 거절하신다면 저는 매우 섭섭하게 생각할 것입니다.

désobstruer [dezɔpstʀye] *v.t.* 막힌 것을 뚫다 ; (막힌 도로를)개통시키다.

désodorisant, e [dezɔdɔʀizɑ̃, -ɑ̃ːt] *adj.* 탈취의. ── *m.* 탈취제.

désodoriser [dezɔdɔʀize] *v.t.* …의 냄새를 없애다, 탈취(脫臭)하다(=déodoriser).

désœuvré, e [dezœvʀe] *adj.* 할 일 없는, 한가한 ; 빈둥빈둥한(=inactif, oisif) ── *n.* 할 일 없는 사람, 한인(閑人).

désœuvrement [dezœvʀəmɑ̃] *m.* 한가로움, 무위(도식), 나태 : par ~ 심심해서.

désolant, e [dezɔlɑ̃, -ɑ̃ːt] *adj.* ① 한탄스러운, 슬픈. ② 귀찮은 ; 난처한 ; 따분한(=ennuyeux) : un temps ~ 따분한 날씨.

désolation [dezɔlɑsjɔ̃] *f.* ① 황폐 ; 황량한 정경. ② 비탄, 깊은 슬픔, 고뇌 : être plongé dans la ~ 비탄에 잠겨 있다.

désolé, e** [dezɔle] *adj.* ① 황폐한, 황량한, 쓸쓸한. ② 비탄〔슬픔〕에 잠긴(=affligé) : avoir l'air ~ 침통해 보이다. ③ 《~ de qc 〔+*inf.*〕》 …을〔하는 것을〕 매우 유감으로〔애석하게〕 여기는 : Je suis ~ *de* vous avoir fait attendre. 기다리게 하여 미안합니다. ~ ***que*+sub.* ***; ~ de ce que****+sub.*〔*ind.*〕 …을 매우 유감으로〔애석하게〕 여기는.

***désoler** [dezɔle] *v.t.* ① 황폐하게 하다(=dévaster, ravager). ② 비탄에 빠뜨리다, 몹시 슬프게〔애석하게〕 하다(=affliger, attrister) : Cet échec me *désole*. 그 실패에 나는

몹시 가슴 아프다. ③ 난처하게 하다(= contrarier) : Ce retard me *désole.* 이렇게 늦어 나는 몹시 난처〔미안〕하다. ── **se ~** *v.pr.* 비탄에 잠기다 ; 《se ~ de qc 〔+*inf.*〕》 …을 〔하는 것을〕 몹시 슬퍼〔애석해〕하다 : Elle *se désole de* ne pouvoir vous aider. 당신을 도울 수 없어 그녀는 매우 애석하게 생각한다. ***se ~ que****+sub.* ***; se ~ de ce que****+sub.*〔*ind.*〕 …을 슬퍼〔애석해〕하다.

désolidariser [desɔlidaʀize] *v.t.* 《드물게》 …의 일치 협동을 깨뜨리다. ── **se ~** *v.pr.* 《se ~ de 〔d'avec〕》 헤어지다, 결별하다.

désopilant, e [dezɔpilɑ̃, -ɑ̃:t] *adj.* 우스운, 익살맞은(= comique).

désordonné, e [dezɔʀdɔne] *adj.* ① 무질서한, 난잡한 : vie *~e* 난잡한 생활. ② 불규칙한, 규모 없는 : dépenses *~es* 과도한 지출. ③ 무절제한, 방탕한(= déréglé).

désordre** [dezɔʀdʀ] *m.* ① 무질서, 난잡 ; 혼란 : ~ dans l'administration 행정〔관리〕의 난맥. ② 무절제, 방탕(= dérèglement, débauche) : vivre dans le ~ 방탕한 생활을 하다. ③ (*pl.*) 소란, 폭동(= troubles, agitation). ***en ~ 혼란된, 난잡한 : chambre *en ~* 흐트러진 방. ***jeter*** 〔***mettre, semer***〕 ***le ~ dans*** …을 혼란시키다.

désorganisateur, trice [dezɔʀganizatœ:ʀ, -tʀis] *adj.* 질서를 무너뜨리는. ── *n.* (질서의) 파괴자.

désorganisation [dezɔʀganizɑsjɔ̃] *f.* ① 조직〔질서〕 파괴, 붕괴. ② 무질서, 혼란.

désorganiser [dezɔʀganize] *v.t.* ① …의 조직을 파괴하다. ② …의 질서를 문란케 하다 ; 혼란케 하다(= troubler).

désorientation [dezɔʀjɑ̃tɑsjɔ̃] *f.* ① 방향을 잃게 하기 : ~ spatio-temporelle 〖의학〗 시공(時空) 감각 상실. ② 《구어》 당황하기, 어찌할 바를 모름.

désorienter [dezɔʀjɑ̃te] *v.t.* ① 방향〔길〕을 잃게 하다. ② 《구어》 어찌할 바를 모르게 하다(= déconcerter, embarrasser). ── **se ~** *v.pr.* ① 방향을 잃다 ; 길을 잃다. ② 당황하다, 어찌할 바를 모르다.

***désormais** [dezɔʀmɛ] *adv.* ① 금후, 차후, 이제부터(= dorénavant) : *D~* je ne l'écouterai plus. 이제부터 나는 그의 이야기를 듣지 않을 것이다. ② 그 후, 그때부터 : *D~* tout alla très bien. 그 후로는 모든 것이 순조로웠다. ③ 이 이상은, 이제는.

désossé, e [dezɔse] *adj.* ① 뼈를 발라낸, 뼈가 없는 : poisson ~ 뼈를 발라낸 생선. ② 《구어》 (신체가) 흐늘거리는(= disloqué) ; 뼈없는, 무기력한. ③ 《비유》 (이야기가) 지지부진한, 골자가 없는. ── *n.* 곡예사.

désosser [dezɔse] *v.t.* ① (물고기 · 새의) 뼈를 뽑다〔발라내다〕. ② 분해하다 ; 해부〔분석〕하다. ── **se ~** *v.pr.* ① 뼈가 발라지다. ② (곡예사 따위가) 몸을 자유자재로 뒤틀다〔휘다〕.

désoxydant, e [dezɔksidɑ̃, -ɑ̃:t] *adj.* 〖화학〗 산소를 제거하는 ; 탈산성의, (산화물을) 환원하는. ── *m.* 환원제, 탈산제.

désoxyder [dezɔkside], **désoxygéner** [dezɔksiʒene] 6 *v.t.* 〖화학〗 …의 산소를 제거하다 ; (산화물을) 환원시키다. ── **se ~** *v.pr.* 산소가 제거되다 ; 환원되다.

désoxyribonucléique [dezɔksiʀibɔnykleik] *adj.* 〖생화학〗 acide ~ 디옥시리보 핵산《세포핵의 형성 물질》(《약자》 A.D.N.).

despote [dɛspɔt] *m.* ① 전제〔독재〕 군주, 폭군, 압제자(= tyran). ② 〖역사〗 데스포테스《비잔틴 제국의 황제》. ── *adj.* 횡포한, 전제적인 : mari ~ 포학한 남편.

despotique [dɛspɔtik] *m.* 전제〔압제〕적인, 포학한(= tyrannique) ; 절대적인 : monarchie ~ 전제 군주제.

despotiquement [dɛspɔtikmɑ̃] *adv.* 전제〔압제〕적으로, 횡포하게.

despotisme [dɛspɔtism] *m.* ① 전제주의 ; 독재 군주제 ; 독재 정치 : ~ éclairé 계몽 전제주의. ② 압제, 폭정 ; 횡포.

desquamation [dɛskwamɑsjɔ̃] *f.* (피부 표피의) 박리, 낙설(落屑) ; 인개(鱗介) 탈락.

desquamer [dɛskwame] *v.t.* …의 비늘을 떨어지게 하다 ; …의 표피를〔껍질을〕 박리시키다. ── **se ~** *v.pr.* 비늘이 떨어지다 ; (피부가) 박리하다.

desquelles [dekɛl] = de+lesquelles.

desquels [dekɛl] = de+lesquels.

dessabler [desɑble] *v.t.* (보도 따위의) 모래를 제거하다〔치우다〕(= désensabler) : La pluie *dessable* l'allée. 비가 산책로의 모래를 씻어낸다.

dessaisir [desɛ[e]zi:ʀ] *v.t.* ① (소유물 · 권한 따위를) 빼앗다, 박탈하다 : ~ qn de qc …에게서 …을 빼앗다, 박탈하다. ② 〖법률〗 ~ un tribunal d'une affaire 법원에서 소송을 취하하다. ── **se ~** *v.pr.* 《se ~ de》 포기하다, 버리다, 내놓다(= renoncer à, abandonner), (법원이 소송을) 각하하다.

dessalage [desala:ʒ] *m.* ① 〖농업〗 소금기를 빼기 ; (토양의) 탈염(脫鹽). ② (석유의) 염수 분리 작업.

dessalement [desalmɑ̃] *m.*, **dessalaison** [desalɛzɔ̃] *f.* (생선 따위의) 소금기 제거, (바닷물의) 담수화.

dessaler [desale] *v.t.* ① …의 소금기를 빼다. ② 《구어》 약삭빠르게 만들다(= déniaiser). ── **se ~** *v.pr.* ① 소금기가 빠지다. ② 《구어》 약삭빠르게 되다.

dessanglement [desɑ̃gləmɑ̃] *m.* (말의) 복대를 늦춤〔풀어 줌〕.

dessangler [desɑ̃gle] *v.t.* 가죽 벨트를 풀다〔늦추다〕 : ~ un cheval 말의 복대를 풀다. ── **se ~** *v.pr.* 가죽 벨트를 풀다〔늦추다〕.

dessaouler [desule] *v.t.* = dessoûler.

desséchant, e [deseʃɑ̃, -ɑ̃:t] *adj.* ① 말리는, 건조시키는. ② (마음을) 메마르게 하는, 무미건조한 : vie *~e* 무미건조한 생활.

desséché, e [deseʃe] *adj.* ① (연못바닥이) 말라붙은, 고갈된. ② (나뭇가지 따위가) 말라죽은 ; (팔뚝 따위가) 말라빠진(= décharné) ; 초췌한: vieillard ~ 초췌한 노인. ③ (마음이) 메마른, 냉혹한(= endurci).

desséchement, dessèchement [desɛʃmɑ̃] *m.* ① 건조 ; 고갈 ; (토지의) 배수, 간척. ② 초췌. ③ 마음의 메마름, 냉혹 ; 무취미 : ~ de la sensibilité 감수성의 메마름.

dessécher [deseʃe] 6 *v.t.* ① 말리다, 건조시키다 ; 고갈시키다. ② (피부를) 트게〔거

칠게〕 하다 : vent qui *dessèche* la peau 피부를 트게 만드는 바람. ③ (식물을) 말라 죽게 하다 ; (병 따위가 사람을) 말라빠지게〔초췌하게〕 하다(= décharner). ④ (마음·상상력 따위를) 메마르게 하다(= appauvrir) ; 냉혹〔매정〕하게 만들다(= endurcir). — **se ~** *v.pr.* ① 말라 버리다. ② (피부가) 마르다 : Sa bouche *se dessèche* d'émotion. 감동으로 그의 입안이 바싹 마른다. ③ 시들다 ; 초췌해지다. ④ 냉혹〔매정〕해지다.

dessécheuse [desɛʃøːz] *f.* 〖공업〗 건조기, 건조 장치.

D

dessein** [desɛ̃] *m.* ① 계획, 의도(= projet) ; (작품 따위의) 구상(= plan) : former le ~ de + *inf.* …할 계획을 세우다 / nourrir de noirs ~*s* 흉계를 꾸미다. ② 결심(= résolution) ; 목적, 의도(= but, intention) : avoir le ~ de + *inf.* …할 의도를〔목적을〕 품다. ***à ~ 일부러, 고의로. ***à ~ de*** + *inf.* 〔***que*** + *sub.*〕 …할 목적으로. ***À quel ~*** (êtes-vous assemblés ici)**?** 무슨 목적으로 (여기 모였습니까)? ***avec ~*** 고의로. ***avoir des ~s sur*** …의 환심을 사려고 하다 ; …을 (차지하려고, 해치려고) 노리다. ***dans le ~ de*** + *inf.* …할 생각으로. ***de ~ formé*** 명확한 의도를 가지고. ***sans ~*** 무심코.

desseller [desɛ(e)le] *v.t.* (말의) 안장을 내리다〔풀다〕.

desserrage [desɛʀaːʒ] *m.* 늦추기, 풀기 : ~ d'une vis 볼트 풀기.

desserrement [desɛʀmɑ̃] *m.* ① 늦추기, 풀기. ② 규제〔통제〕의 완화.

desserrer [desɛʀe] *v.t.* ① (죄었던 것을) 늦추다, 느슨하게 하다, 풀다 ; (거머쥔 손 따위의) 힘을 빼다 : ~ sa cravate 넥타이를 풀다 / ~ son étreinte 껴안았던 팔을 늦추다. ② (마음을) 가벼워〔후련해〕지게 하다 : Le soulagement *desserra* son cœur. 시름이 덜려 그의 마음이 가벼워〔후련해〕졌다.

desser-s, -t ⇒ desservir.

***dessert** [desɛːʀ] *m.* ① 디저트 : au ~ 식후 디저트 때에 / prendre un fromage et un ~ 치즈와 디저트를 먹다. ② 《비유》 추가분, 덤 : C'est un bon ~ qu'une telle nouvelle. 이런 소식이 오다니 끝발이 좋군.

desserte[1] [desɛʀt] *f.* ① 식사의 나머지 음식. ② 식기대(食器臺) : table ~ roulante (바퀴 달린) 식품 운반대.

desserte[2] *f.* ① 〖가톨릭〗 미사〔예배〕의 집전. ② 교통편(= service) ; 교통의 연결 ; 우편 배달 : chemin de ~ (공사장 따위로 연결되는) 임시 도로. ***voie de ~*** 특설 연락 철도.

dessertir [desɛʀtiːʀ] *v.t.* (보석 따위를) 거미발에서 뽑다. — **se ~** *v.pr.* (보석 따위가) 거미발에서 빠지다.

desservant [desɛʀvɑ̃] *m.* 〖가톨릭〗 주임 사제, 본당 신부(= curé).

desservir[1] [desɛʀviːʀ] 18 *v.t.* ① (식탁을) 치우다 : ~ la table 식탁을 치우다. ② ⓐ 《~ qn》 해치다(= nuire) ; 중상하다(= dénigrer). ⓑ 《~ qc》 해롭게〔불리하게〕 하다, …을 방해하다(= contrarier) : ~ les projets de qn …의 계획을 방해하다. — **se ~** *v.pr.* 해를 입다 : Il *s'est desservi* par sa franchise. 그는 솔직한 탓으로 손해를 보았다.

desservir[2] 18 *v.t.* ① 〖가톨릭〗 (교구·교회를) 주관〔관리〕하다. ② (교통·통신 수단 따위가) 통하다 : Le chemin de fer ne *dessert* pas encore ce village. 철도는 아직 이 마을까지 들어와 있지 않다. ③ 공급하다, 보급하다 : ~ en électricité 어떤 지역에 전기를 보급하다. ④ (통로·문 따위가) 연결되다, 통하다.

dessiccateur [desikatœːʀ] *m.* 건조기, 건조 장치) : ~ à vide 진공 건조.

dessiccatif, ive [desikatif, -iːv] *adj.* 건조의, 건조용의. — *m.* 건조제.

dessiccation [desikɑsjɔ̃] *f.* ① 건조, 탈수. ② 〖농업〗 (토양의) 건조.

dessiller [desije] *v.t.* ① (눈을) 뜨게 하다, 깨닫게 하다. ② (훈련을 위해 가렸던 매의 눈을) 보이게 하다. ***~ les yeux à*** 〔***de***〕 qn …의 무지를 깨우치다 ; 계몽하다. — **se ~** *v.pr.* 눈을 뜨다 ; 각성하다.

:dessin [desɛ̃] *m.* ① 데생, 스케치, 소묘, 그림 : ~ à la plume 〔au crayon, au fusain〕 펜〔연필·목탄〕화 / ~ rapide 〔esquissé〕 크로키, 속사화. ② ⓐ 제도(= ~ industriel) ; 도면, 설계도 : ~ d'architecture (건축의) 설계도 / instruments de ~ 제도기 / ~ de machine 〔d'outil〕 용기화(用器畫). ⓑ (작품의) 구도(構圖), 구상 : ~ général du roman 소설의 전체적 구상. ③ (천 따위의)도안, 디자인 : ~ publicitaire 광고 도안. ④ 윤곽(선)(= contour) : un visage d'un ~ très régulier 윤곽이 고른 얼굴. ***~ à main levée*** 자유 소묘. ***~ animé*** 만화 영화. ***faire un ~ à*** qn …에게 정성들여 설명하다. ***vouloir un ~*** 끈질기게 설명을 구하다.

dessinailler [desinɑje] *v.t.* 끄적거리다, 낙서하다.

dessinateur, trice [desinatœːʀ, -tʀis] *n.* ① 데생〔소묘〕화가 ; 만화가 : ~ illustrateur de livres 서적 삽화가. ② 도안가. ③ 제도〔설계〕가.

dessinateur, trice-cartographe [desinatœʀkaʀtɔgʀaf, -tʀis-] *n.* (*pl.* **~s-~s**) 지도 제작자.

dessiné, e [desine] *adj.* ① 그려진 ; 디자인된. ② 윤곽이 뚜렷한 : visage bien ~ 이목구비가 뚜렷한 얼굴. ***bande ~e*** 연재〔장편〕 만화(= bande illustrée).

***dessiner** [desine] *v.t.* ① (선으로) 그리다 ; 데생하다 ; 소묘〔스케치〕하다 : ~ un bateau 〔des fruits〕 배를〔과일을〕 데생하다 / ~ au crayon 〔à la plume〕 연필로〔펜으로〕 그리다. ② 《주어 : qc》 …의 윤곽을 뚜렷이 그려내다〔나타내다〕 : vêtement qui *dessine* bien les formes du corps 몸의 윤곽을 뚜렷이 드러내는 의복 / La route *dessine* une courbe. 길이 곡선을 그린다. ③ 설계하다, …의 도면을 작성하다. ④ 도안하다, 디자인하다 : ~ un modèle de carrosserie 자동차 모델을 디자인하다. ⑤ 그려내다, 나타내다 : jeu de lumière qui *dessine* une auréole 후광 같은 형상을 그려내고 있는 광선. ⑥ (문장으로) 그리다 : ~ un caractère 어떤 인물의 성격을 묘사하다. — **se ~** *v.pr.* ① 윤곽이 뚜렷이 드러나다 ; 자태가〔모습이〕 뚜렷해지다 : ombre qui *se dessine* sur le mur 벽

에 뚜렷이 어리는 그림자. ② (계획 따위의) 윤곽이 밝혀지다, 명확해지다.

dessoler[1] [desɔle] *v.t.* 〖농업〗 …의 윤작 순서를 바꾸다. 「바닥을 깎다.

dessoler[2] *v.t.* 〖수의학〗 (말 따위의) 굽의

dessoucher [desuʃe] *v.t.* ① 〖농업〗 (땅의) 나무 그루터기를 뽑아내다. ② 깊이 갈다.

dessouder [desude] *v.t.* …의 납땜을 벗기다〔떼다〕. — **se** ~ *v.pr.* 납땜이 떨어지다.

dessoûler [desule] *v.t.* 《구어》 술이 깨게 하다. — *v.i.* et **se** ~ *v.pr.* 《구어》 술이 깨다. ***ne pas (se)*** ~ 언제나 술에 취해 있다.

‡**dessous** [dəsu] *adv.* ① 그 밑〔아래〕에(서), 그 밑〔아래〕로(≠ dessus) : On le cherchait sur le lit, il était ~. 침대 위에 있을 줄 알고 그를 찾았는데, 그는 밑에 (떨어져) 있었다. ② 〖해양〗 바람이 불어오는 방향으로: mettre la barre ~ 키를 바람이 불어오는 쪽으로 돌리다. ***bras dessus bras*** ~ 서로 팔을 끼고. ***ci-***~ ⓐ 이하에, 아래에 표시한 대로. ⓑ 이 아래에 ; 이 땅 밑에. ***en*** ~ ⓐ 밑에, 아래쪽에 : passer *en* ~ 밑으로 지나가다. ⓑ 몰래, 음험하게 : rire *en* ~ 음흉하게 웃다 / agir *en* ~ 위선적인 행동을 하다. ***là-***~ ⇒ là-dessous. ***par-***~ ⇒ par-dessous. ***par en*** ~ 《구어》 아래 쪽에(서). ***sens dessus*** ~ ⇒ sens[1].

— *prép.* …밑〔아래〕에 : chercher ~ la table 책상 밑에서 찾다. ***de*** ~ 밑으로부터 : sortir *de* ~ la table 테이블 밑에서 나오다. ***par-***~ ⇒ par-dessous. ***par-~ la jambe*** 재빨리, 아주 쉽게 : faire un travail *par-~ la jambe* 일을 쉽게 해 치우다.

— *m.* ① 하부 ; 밑 ; 밑바닥 ; 밑받침 : ~ de la table 책상 밑 / le ~ des pieds 발바닥 / le ~ de bouteille 병받침. ② 안 ; 내부, 내면 ; 이면, 뒷면. ③ 아래층. ④ (*pl.*) ⓐ (여자의) 속옷(= vêtements de ~). ⓑ 숨겨진〔감추어진〕 것, 은밀한 내막 : les ~ de la politique 정치의 내막. ⑤ 열세. ***au*** ~ (***de***) ⇒ au-dessous. ***avoir le*** 〔《옛》 ***du***〕 ~ 형세가 불리하다, 열세이다. ***être dans le troisième*** 〔***le trente-sixième***〕 ~ 《구어》 곤경에 빠져 있다, 절망적인 입장에 처해 있다.

dessous-de-bras [d(ə)sudbʀa] *m.* 《복수불변》 겨드랑밑받이《땀이 배지 않도록 옷 겨드랑이 부분에 받쳐대는 천 조각》.

dessous-de-plat [d(ə)sudpla] *m.* 《복수불변》 접시 받침, 쟁반.

dessous-de-table [d(ə)sudtabl] *m.* 《복수불변》 유리한 흥정을 위해 은밀히 쥐어 주는 돈, 뇌물.

dessuinter [desɥɛ̃te] *v.t.* 〖직물〗 (양털의) 기름기를 제거하다, 정련하다(= dégraisser).

‡**dessus** [dəsy] *adv.* 그 위에(서), 위로, 위를 (≠ dessous) : Ce qui est sous la table, mettez-le ~. 책상 밑에 있는 것을 위에 올려 놓으시오 / Prenez une chaise et asseyez-vous ~. 의자 하나 잡아서 그 위에 앉으시오 / Il m'a marché ~. 《구어》 그는 나의 발을 밟았다. ***avoir le nez*** ~ (찾는 물건이) 바로 옆에〔코 밑에〕 있다. ***ci-***~ 이상과 같이 (서술했듯이) : Voir *ci-*~ 전기(前記)〔앞에 나온 것〕 참조. ***compter*** ~ 그것에 기대를 걸다, 그것을 기대하다(= compter sur cela). ***en*** ~ 위에, 위쪽에. ***là-***~ ⇒ là-dessus. ***mettre la main*** ~ 잡다 ; 찾아내다 : Mon stylo a disparu, impossible de *mettre la main* ~. 내 만년필이 없어졌는데 아무리 해도 찾을 수가 없다. ***mettre le doigt*** ~ 《구어》 문제점을 바로 지적하다 ; 진상을 간파하다. ***par-***~ ⇒ par-dessus. ***tout*** ~ 〖해양〗 모든 돛을 올리고 : avoir *tout* ~ 모든 돛을 올리고 항해하다.

— *prép.* …위에 ; …에 관하여. ***de*** ~... …위로부터 : ne pas lever les yeux *de* ~ son livre 책에서 눈을 떼지 않다.

— *m.* ① 상부(上部) ; 〖음악〗 고음부. ② 위층 : voisins du ~ 위층에 사는 사람. ③ 덮개, 커버 : ~ de lit 침대보(= ~-de-lit). ④ 바깥쪽, 겉, 거죽 ; 《옛》 편지의 표기. ⑤ (*pl.*) 〖연극〗 무대 위쪽의 공간〔천정〕. ***au-***~ ⇒ au-dessus. ***au-~ de*** ⇒ au-dessus. ***avoir le*** ~ (싸움 · 논쟁 따위에서) 우세하다, 이기다. ***le ~ du panier*** 최상품 ; 일류 인사들. ***prendre le*** ~ (병 따위를) 이기다, 극복하다 ; 우세하게 되다. ***reprendre le*** ~ (환자가) 기운을 회복하다.

dessus-de-lit [d(ə)sydli] *m.* 《복수불변》 침대보〔커버〕.

dessus-de-plat [d(ə)sydpla] *m.* 《복수불변》 (식탁에 더운 요리를 덮어 내놓는) 접시 덮개.

déstabilisation [destabilizɑsjɔ̃] *f.* (정치 · 경제의) 불안정(화).

déstabiliser [destabilize] *v.t.* (정치 · 경제를) 불안정하게 하다. — **se** ~ *v.pr.* 불안정하게 되다.

déstalinisation [destalinizɑsjɔ̃] *f.* 비(非)스탈린(주의)화. 「주의화하다.

déstaliniser [destalinize] *v.t.* 비(非)스탈린

destin [dɛstɛ̃] *m.* ① 운명, 숙명(= fatalité, destinée, sort) : se livrer au ~ 운명에 몸을 맡기다 / finir son ~ 천명을 다하다 / On n'échappe pas à son ~ ! 자신의 운명에서 빠져나올 수가 없다. ② 장래, 전도, 앞날 : prédire le ~ de qn …의 미래를 예언하다. ③ 생애, 수명(= vie). ④ 《옛》 계획(= projet); 결과(= issue). ⑤ (*D*~) 〖신화〗 운명의 여신.

destinataire [dɛstinatɛːʀ] *n.* ① 수신인, 수취인(≠ expéditeur) : ~ in connu 수취인 불명. ② 〖언어〗 (메시지의) 수신자.

destinateur, trice [dɛstinatœːʀ, -tʀis] *n.* 《드물게》 발송자, 발신인. — *m.* 〖언어〗 (메시지의) 발신자.

destination [dɛstinɑsjɔ̃] *f.* ① 용도 ; 사용 목적 ; 사명(= mission) : la ~ de l'homme sur la terre 지상에서의 인간의 사명 / ~ d'un édifice 건물의 용도. ② 목적지 ; 송달처 : avion à ~ de Marseille 마르세유행 비행기 / Ce paquet est à votre ~. 이 소포는 당신에게 보내온 것이오.

***destinée** [dɛstine] *f.* ① 숙명, 운명(= destin, sort) : C'est sa ~ d'être aimé. 사랑받는 것이 그의 숙명이다. ② 수명(= vie) : abréger sa ~ 수명을 단축하다 / finir sa ~ 죽다. ③ 일생, 생애(= existence) : ~ tumultueuse 파란만장한 생애.

***destiner** [dɛstine] *v.t.* ① ⓐ 《~ qn à 〔《옛》 pour〕 qc》 …을 …에〔으로〕 예정하다〔운명

짓다〕: Il *destine* son fils *au* commerce. 그는 아들에게 장사를 시킬 작정이다. ⓑ《~ qn à qn》 …을 …와 결혼시키려고 미리 예정해두다 : ~ son fils *à* qn …와 아들을 결혼시킬 예정이다. ② ⓐ《~ qc à 〔《옛》 pour〕 qn》 …을 …에게 주려고 예정하다 : le triste sort qui lui *est destiné* 그에게 주어진 불행한 숙명. ⓑ《~ qc à 〔《옛》 pour〕 qc》 …에 쓰도록 예정하다, …에 충당하다. ③《옛》 미리 결정하다 ;《~ de+*inf.*》 …하려고 작정하다. ***être destiné à***+*inf.* …하도록 운명지어져 있다 ; …하도록 예정되어 있다. ── **se ~** *v.pr.* ①《se ~ à qc 〔+*inf.*〕》 …이 될〔…을 할〕 생각이다 : *se ~ à* la diplomatie 외교관을 지망하다. ②《se ~ à qn》 …와 결혼할 작정이다.

destituer [dɛstitɥe] *v.t.* ① 면직시키다. 파면하다(=révoquer), 해임하다 : ~ un fonctionnaire 공무원을 면직시키다. ②《옛》 (권리 따위를) 빼앗다.

destitution [dɛstitysjɔ̃] *f.* 면직, 파면, 해임.

destrier [dɛstʀije] *m.* (중세의) 군마(軍馬).

destroyer [dɛstʀwaje, dɛstʀɔjœ:ʀ] *m.* ①〖해양〗 구축함(=contre-torpilleur). ② 장거리 전투기.

destructeur, trice [dɛstʀyktœ:ʀ, -tʀis] *n.* 파괴자 : ~ d'une civilisation 문명의 파괴자. ── *adj.* 파괴하는(=dévastateur). ── *m.* ~ de déchets 쓰레기 소각로.

destructible [dɛstʀyktibl] *adj.* 파괴할 수 있는; 취약한.

destructif, ive [dɛstʀyktif, -i:v] *adj.* 파괴적인, 파괴력이 있는 : pouvoir ~ d'un explosif 폭약의 파괴력.

destruction [dɛstʀyksjɔ̃] *f.* ① 파괴(≠construction) : ~ d'une ville par les bombardements 폭격에 의한 도시의 파괴. ② 박멸, 섬멸 ; 폐기, 파기 ; (증거 따위를) 소멸시키기 : ~ d'un contrat 계약의 파기 / ~ de papiers compromettants 위험한 서류를 소멸시키기.

destructivité [dɛstʀyktivite] *f.* 〖정신의학〗 파괴적 성향, 파괴성.

déstructurer [destʀyktyʀe] *v.t.* …의 구조를 소멸시키다 ; 〖심리〗 (지각(知覺) 구조를) 파괴하다. ── **se ~** *v.pr.* 구조를 상실하다.

désuet, ète [des〔z〕ɥɛ, -ɛt] *adj.* 통용되지 않는, 폐지된 ; 낡아빠진(=démodé).

désuétude [des〔z〕ɥetyd] *f.* ① 폐용 ; 폐지 ; 실효(失效) : tomber en ~ 폐지되다 ; 효력을 잃다 / loi tombée en ~ 실효한 법. ② 〖생물〗 (기관의) 기능 정지.

désulfiter [desylfite] *v.t.* (포도즙 · 포도주에서) 무수아황산(無水亞黃酸)을 제거하다.

désulfurer [desylfyʀe] *v.t.* 〖화학〗 …의 황을 제거하다.

désuni, e [dezyni] *adj.* ① 불화의, 반목하고 있는 : couple ~ 불화가 생긴 부부. ② 〖스포츠〗 균형을 잃은. ③ (지면이) 고르지 않은. ***cheval ~*** 앞뒤 발걸음이 고르지 못한 말. ***coureur ~*** 몸의 균형을 잃은 달리기 선수.

désunion [dezynjɔ̃] *f.* ① 뗌, 떨어짐. ② 분리 : ~ de deux provinces, 2 주(州)의 분리. ③ 불화, 반목.

désunir [dezyni:ʀ] *v.t.* ① 분리하다, 떼어놓다(=séparer, détacher). ② …의 사이를 뒤틀어 놓다, 이간〔반목〕시키다(= brouiller). ── **se ~** *v.pr.* ① 떨어지다, 갈라지다 ; 분리되다. ② 사이가 틀어지다, 반목하다. ③ 〖스포츠〗 (운동 선수가) 몸의 균형을 잃다.

désurbanisation [dezyʀbanizɑsjɔ̃] *f.* 도시 집중 방지 (대책)《공장을 지방으로 이전하는 따위》.

désurbaniser [dezyʀbanize] *v.t.* (산업 따위의) 도시 집중을 막다.

désutilité [dezytilite] *f.* 〖경제〗 (계획 · 실행의) 부정적 측면, 마이너스 효과, 비효용.

détachable [detaʃabl] *adj.* 떼어 놓을〔분리할〕 수 있는 : coupon ~ 떼어 쓰는 쿠폰.

détachage[1] [detaʃa:ʒ] *m.* 떼어내기.

détachage[2] *m.* 얼룩 빼기, 세탁.

détachant, e [detaʃɑ̃, -ɑ̃:t] *adj.* 얼룩을 빼는. ── *m.* 얼룩 빼는 약.

détaché, e [detaʃe] *adj.* ① 풀어진 ; 떨어진 : ruban ~ 풀린 리본. ② 분리된 ; 파견된 : fonctionnaire ~ 파견 공무원. ③ 초연한, 집착하지 않는 : d'un air ~ 초연한 태도로. ④ 〖언어〗 분리〔유리〕의 : adjectif ~ 분리〔유리〕 형용사. ── *m.* 〖음악〗 스타카토.

détachement [detaʃmɑ̃] *m.* ① 분리 ; 이탈. ② 무관심 ; 초연함 : parler 〔répondre〕 avec ~ 초연하게 말〔대답〕하다. ③ 〖군사〗 파견 ; 분견〔파견〕대. ④ (공무원의) 파견 근무. ⑤ 〖언어〗 분리, 유리.

***détacher**[1] [detaʃe] *v.t.* ① (매어둔 것을) 풀다, 벗기다, 끄르다 : ~ un chien 개를 풀다 / ~ des vêtements 옷의 단추를 끄르다. ② ⓐ《~ qc〔qn〕 de》 …에서〔에게서〕 떼다, (글 따위를) 발췌하다, 분리시키다, 멀어지게 하다, 이탈시키다 : ~ un fruit *de* l'arbre 나무에서 열매를 따다 / ~ un exemple *d'*une texte 본문에서 용례를 발췌하다. ⓑ《~ qn de》 …에서 벗어나게 하다 ; …에서 초탈하게 하다 : ~ qn *d'*un engagement 약속〔의무〕에서 벗어나게 하다〔해방시키다〕. ③ 〖군사〗 (본대에서 떼어) 파견하다 ; (사람을) 파견하다. ④ 뚜렷이 드러나게 하다, 부각시키다(=envoyer) : un éclairage qui *détache* les silhouettes 실루엣을 부각시키는 조명. ⑤ 〖음악〗 스타카토를 연주하다.
── **se ~** *v.pr.* ① 자유롭게 되다 ; (매듭이) 풀리다. ② 떨어지다, 분리되다, 갈라지다 ; 초탈〔해탈〕하다. ③《se ~ de》 (마음이) 멀어지다, 관심이 옮어지다 : se ~ l'un *de* l'autre. ④ 뚜렷이 드러나다, 부각되다 : La silhouette du château *se détachait* sur le ciel. 성의 윤곽이 하늘에 뚜렷이 떠올랐다.

détacher[2] *v.t.* …의 얼룩을 빼다, 세탁하다.

détacheur, euse [detaʃœ:ʀ, -ø:z] *adj.* et *n.* 얼룩 빼는 (직공).

:détail [detaj] *m.* (*pl.* **~s**) ① 세분, 분할. ② 〖상업〗 소매 : commerce de ~ 소매상 / prix de ~ 소매 가격. ③ 세목(細目), 세부(細部), 상세, 명세, 세세한 일들 : connaître les moindres ~s 〔tous les ~s〕 구석구석까지 다 알다 / soigner les ~s (작품의) 세밀한 점을 정성들여 손질하다. ④ 지엽적인〔대수롭지 않은〕 일〔것〕 : petit ~ ; ~ sans importance 하찮은 일 / C'est un ~. 그것은 대단찮은 일이오. ⑤ 〖군사〗 officier de ~ 보

급사관(피복·행정 따위를 관리)). ***en ~*** 상세〔자세〕하게.
détaillant, e [detajɑ̃, -ɑ̃:t] *adj.* 소매하는. ── *n.* 소매상인(= débitant).
détaillé, e [detaje] *adj.* 상세한. ***état ~ de compte*** 〖상업〗 (계산의) 명세서.
détailler [detaje] *v.t.* ① 세분하다. ② 〖상업〗 소매하다. ③ …의 명세를 꾸미다; 상세히 말하다 : ~ son plan 계획을 소상히 말〔설명〕하다. ④ 잘게 썰다〔나누다〕: ~ une pièce de viande 살점을 잘게 썰다.
détaler [detale] *v.i.* 《구어》 도망하다(= décamper, filer), 내빼다. ── *v.t.* 〖상업〗 (재고품을) 정리하다.
détartrage [detaʀtʀa:ʒ] *m.* ① (보일러의) 물때 제거. ② 〖치과〗 치석 제거.
détartrant, e [detaʀtʀɑ̃, -ɑ̃:t] *adj.* 물때 방지〔제거〕의. ── *m.* 물때 방지제.
détartrer [detaʀtʀe] *v.t.* (보일러 내벽(內壁)의) 물때〔버캐〕를 제거하다; (이의) 치석을 긁어내다.
détartreur [detaʀtʀœ:ʀ] *adj.* 물때〔버캐〕 방지〔제거〕의. ── *m.* ① 물때〔버캐〕 제거 장치. ② 정수(淨水) 장치.
détaxation [detaksɑsjɔ̃] *f.* 감세; 면세.
détaxe [detaks] *f.* ① (간접세의) 과세액 조정〔경감〕. ② 세금의 환부.
détaxer [detakse] *v.t.* ① 《~ qn 〔qc〕》 감세〔면세〕하다(≠ surtaxer); 〖철도〗 …의 운임을 할인하다. ② …의 가격 통제를 철폐하다 : ~ la viande 고기 통제 가격을 철폐하다.
détecter [detɛkte] *v.t.* ① ⓐ 〖무전〗 검파(檢波)하다. ⓑ 검출〔탐지〕하다 : appareil à 〔pour〕 ~ les mines 광물 탐지기. ② (부정 따위를) 알아내다, 탐지하다.
détecteur, trice [detɛktœ:ʀ, -tʀis] *m.* ① 〖전자〗 검파기(檢波機), 검출기, 탐지기 : ~ de fuites de gaz 가스 누출 탐지기. ② 탐지하는 사람; 《문어》 탐구자. ── *adj.* 검출하는, 탐지하는 : lampe *~trice* 검파 진공관.
détection [detɛksjɔ̃] *f.* 검출, 탐지; 검파 : ~ de puissance 출력 탐지.
détective [detɛkti:v] 〔영〕 *m.* 탐정, 형사 : ~ privé 사설 탐정.
déteign-ais, -ant, etc. ⇒ déteindre.
déteindre** [detɛ̃:dʀ] [27] *v.i.* 물이 날다〔바래다〕, 퇴색하다(= se décolorer). ── *v.t.* 물이 날게 하다, 퇴색시키다. ***~ sur …에 물이 옮다; …에 영향을 주다 : Le ruban *a déteint sur* ma robe. 리본 빛깔이 내 옷에 배어 들었다. 「퇴색한.
déteint, e [detɛ̃, -ɛ̃:t] *adj.* 물이 나는〔바랜〕,
dételage [dɛ(e)tla:ʒ] *m.* ① (말·소를) 수레〔쟁기〕에서 풀어 놓기. ② (기관차·화차의) 연결을 풀기.
dételer [dɛ(e)tle] [5] *v.t.* ① (말·소를) 수레〔쟁기〕에서 풀다〔떼다〕. ② (수레〔쟁기〕를) 말·소에서 풀다. ③ 〖철도〗 (화차의) 연결을 풀다. ── *v.i.* ① 중지하다(= s'arrêter) : travailler toute la journée sans ~ 온종일 쉬지 않고 일하다. ② 차분한 생활을 하다.
détendeur [detɑ̃dœ:ʀ] *m.* ① 감압판, 안전판; 압력 조절기; 저압 실린더. ② (가스·감압을 위한) 냉각 장치.
détendre** [detɑ̃:dʀ] [25] *v.t.* ① 늦추다; 완화하다. ② (…의 긴장을) 풀다; 휴식시키다 : plaisanterie qui *détend* l'atmosphère 분위기를 부드럽게 하는 농담. ③ 〖물리〗 압력을 줄이다. ④ (커튼 따위를) 걷다, 떼어내다. ⑤ 〖화학〗 (용액을) 묽게 하다(= diluer). ***~ l'esprit 긴장을 풀다, 마음을 편히 하다. ── **se ~** *v.pr.* ① 느슨해지다; 완화되다. ② 풀리다; 가라앉다 : Les rapports *se sont détendus* entre eux. 그들의 관계가 부드러워졌다. ③ 피로를 풀다, 휴양하다.
***détendu, e** [detɑ̃dy] *adj.* 느슨한, 긴장이 풀린; 온화한 : visage ~ 평온한 얼굴 / pneu ~ 공기가 빠진 타이어.
***détenir** [dɛ(e)tni:ʀ] [16] *v.t.* ① 소지〔보유〕하다(= avoir); 차지하다; 쥐다(= garder) : ~ des titres en garantie 증권을 담보로 잡아두다 / ~ le pouvoir 권력을 장악하다 / ~ un secret 비밀을 쥐고 있다. ② 감금〔억류〕하다, 유치하다.
détente** [detɑ̃:t] *f.* ① 느슨해짐, 이완(弛緩); (긴장 따위의) 풀리기, 완화; (국가 간의) 긴장 완화; 휴식 : prendre un peu de ~ 잠시 휴식하다 / politique de ~ 긴장 완화〔데탕트〕 정책. ② ⓐ (총의) 방아쇠; 발사. ⓑ (시계의) 벨을 울리게 하는 시동 장치. ③ 〖물리〗 (압축 가스의) 팽창. ④ (기후 따위의) 온화해짐. ⑤ 〖음성〗 이완. ***être dur à la ~ 《구어》 인색하다. ***presser*** 〔《구어》 ***lâcher***〕 ***la ~*** 방아쇠를 당기다.
détenteur, trice [detɑ̃tœ:ʀ, -tʀis] ① 소지〔보유〕자 : ~ du pouvoir 집권자 / ~ de titres 주주(株主). ② 횡령자. ***tiers ~*** 〖법률〗 제 3 취득자.
détention [detɑ̃sjɔ̃] *f.* ① 보유, 소유, 소지(所持). ② 횡령. ③ 억류, (유치) 감금. ***~ arbitraire*** 불법 감금. ***maison de ~*** 유치장.
détentionnaire [detɑ̃sjɔnɛ:ʀ] *n.* 피억류〔감금〕자.
détenu, e [dɛ(e)tny] *adj.* et *n.* 억류된 (사람), 감금된 (사람). ***~ politique*** 정치범. ***prison des jeunes ~s*** 소년원.
détergence [detɛʀʒɑ̃:s] *f.* 세척(洗滌)〔세정〕 (작용).
détergent, e [detɛʀʒɑ̃, -ɑ̃:t] *adj.* 〖의학〗 세척용의(= détersif). ── *m.* 세척제.
déterger [detɛʀʒe] [3] *v.t.* ① 〖의학〗 세척하다. ② 〖기술〗 세척하다, 때를 벗기다.
détérioration [deteʀjɔʀɑsjɔ̃] *f.* ① 훼손; 파손. ② (품질의) 저하; (풍속의) 퇴폐, 악화 : ~ des conditions de vie 생활 환경의 악화. ***~ mentale*** 〖정신의학〗 정신 퇴행.
***détériorer** [deteʀjɔʀe] *v.t.* ① 손상하다; 파손하다, 망치다(= endommager, abîmer). ② (건강을) 해치다 : ~ sa santé par des excès 과로로 건강을 해치다. ── **se ~** *v.pr.* ① 손상〔파손〕되다. ② (건강이) 나빠지다.
déterminable [detɛʀminabl] *adj.* 결정될 수 있는; 한정〔측정〕할 수 있는.
déterminant, e [detɛʀminɑ̃, -ɑ̃:t] *adj.* 결정짓는, 결정적인. ── *m.* ① 〖수학〗 행렬식. ② 〖문법〗 한정사. ③ 〖생물〗 결정 인자(因子), 유전 기질.
déterminatif, ive [detɛʀminatif, -i:v] *adj.* 〖문법〗 한정적인 : complément ~ 한정 보어 ── *m.* 〖문법〗 한정(형용)사(= adjective ~).

D

détermination [detɛʀminɑsjɔ̃] *f.* ① 결정, 한정, 측정 : ~ d'une frontière 국경의 결정〔한정〕. ② 결의 ; 결심 ; 결단력〔성〕(= décision, résolution) : agir avec ~ 확고한 태도로 행동하다. ③ 〖문법〗 한정(限定). ④ 〖의학〗 (형·성질 따위의) 검출, 측정 ; 〖생물〗 결정(決定). ⑤ 〖철학〗 한정 ; 〖신학〗 예정 : ~ de la destinée humaine 인간 운명의 예정. ⑥ 〖수학〗 미지수의 결정, 추산.

déterminé, e** [detɛʀmine] *adj.* ① 결정된 ; 한정된 ; 일정한 : objectif ~ 정해진 목표. ② 〖철학〗 (현상이) 결정론을 따른. ③ 과단성 있는, 과감한, 단호한(= décidé, résolu) : air ~ 단호한 태도. ***être ~ à+*inf.* …할 결심을 하고 있다. — *n.* 과단성 있는 사람. — *m.* 〖문법〗 피한정어.

D

déterminer** [detɛʀmine] *v.t.* ① 결정〔확정〕짓다(= fixer) ; 명확하게 하다(= préciser) ; 명확히 측정하다 : ~ le point de chute d'une fusée 로켓의 낙하 지점을 측정하다. ② 〖문법〗 (뜻을) 한정하다, 규정하다 : complément qui *détermine* un verbe 동사를 한정하는 보어. ③ …의 원인이 되다, 야기하다 (= causer, provoquer) : un incident qui *détermine* une crise 위기의 원인이 된 사건. ④ 《~ qn à qc 〔+*inf.*〕》 …에게 …하도록 결심시키다(= décider) : Ses amis l'*ont déterminé à* partir 그의 친구들이 그에게 떠나도록 결심시켰다. ⑤ 《~ de+*inf.*》 …하기로 결정하다. ⑥ (동식물·광물의) 분류를〔성질을〕 결정하다 : ~ un animal 어떤 동물의 분류를 결정하다. ~ qc ***à+*inf.* …을 시키다. — **se** ~ *v.pr.* ① 결심하다. ② 명확해지다. ***se ~ à*** qc 〔+*inf.*〕 …하기로 결심하다.

déterminisme [detɛʀminism] *m.* ① 〖철학〗 결정론. ② (어떤 현상을 결정짓는) 조건의 총체.

déterministe [detɛʀminist] 〖철학〗 *adj.* 결정론의 : hypothèse ~ 결정론적 가설. — *n.* 결정론자.

déterrage [detɛʀaːʒ] *m.* ① 〖농업〗 (땅 속에서) 쟁기의 보습을 일으키기. ② 〖사냥〗 (여우·두더지 따위를) 굴에서 몰아내기.

déterré, e [detɛʀe] *adj.* 무덤에서 파낸. — *n.* 무덤에서 파낸 시체.

déterrement [detɛʀmɑ̃] *m.* 발굴.

déterrer [detɛʀe] *v.t.* ① 파내다, 발굴하다 (= exhumer). ② 발견하다, 찾아〔알아〕내다, 탐지하다(= découvrir).

déterreur, euse [detɛʀœːʀ, -øːz] *n.* ① 발굴자, 발견자. ② (여우 따위를) 굴에서 몰아내는 사람〔사냥꾼〕.

détersif, ive [detɛʀsif, -iːv] *adj.* 세척용의. — *m.* 〖의학〗 세척제.

détersion [detɛʀsjɔ̃] *f.* ① 〖의학〗 상처의 세척(= désinfection). ② 〖기술〗 세척.

***détestable** [detɛstabl] *adj.* ① 가증한, 밉살스런 ; 고약한 : Quel temps ~! 참 고약한 날씨군. ② 졸렬한, 돼먹지 않은.

détestablement [detɛstabləmɑ̃] *adv.* 가증스럽게 ; 고약하게 : Il joue ~. 그의 연기는 차마 눈 뜨고 볼 수 없다.

détestation [detɛstɑsjɔ̃] *f.* 증오, 혐오. ***avoir de la ~ pour*** …을 증오하다.

détester** [detɛste] *v.t.* ① 몹시 싫어하다, 미워하다, 참지 못하다 : se faire ~ de tous 〔par tout le monde〕 모든 사람의 미움을 사다. ② 《옛》 저주하다(= maudire). ~ (de***)+*inf.* …하기를 싫어하다. ~ ***que***+*sub.* …을 못마땅히 여기다 : Je *déteste que* l'on mente. 나는 남들이 거짓말하는 것을 참지 못한다. — **se** ~ *v.pr.* ① 자신을 증오하다. ② 서로 미워하다.

détirer [detiʀe] *v.t.* 잡아당겨 늘이다 : ~ son habit 옷의 주름을 펴다. — **se** ~ *v.pr.* 기지개 켜다.

détisser [detise] *v.t.* (천 따위의 올을) 풀다. — **se** ~ *v.pr.* (천의) 올이 풀리다.

détitrer [detitʀe] *v.t.* ① …의 칭호를〔타이틀을〕 빼앗다 : ~ un noble 귀족의 작위를 빼앗다. ② (품질 따위를) 떨어뜨리다.

détonant, e [detɔnɑ̃, -ɑ̃ːt] *adj.* 폭음을 내는, 폭발성의. — *m.* 폭약.

détonateur [detɔnatœːʀ] *m.* ① 뇌관(雷管), 기폭 장치. ② 《비유》 (사건 따위를 야기시키는) 기폭제.

détonation [detɔnɑsjɔ̃] *f.* 폭(발)음, 폭발.

détoner [detɔne] *v.i.* 폭음을 내다, 폭발하다 : faire ~ 폭발하다.

détonner [detɔne] *v.i.* ① 음정이 틀리게 노래〔연주〕하다. ② 《비유》 (빛깔이) 조화되지 않다, 어울리지 않다.

détordre [detɔdʀ] 25 *v.t.* 꼬인 것을 풀다〔펴다〕. — **se** ~ *v.pr.* (꼬인 것이) 풀리다〔펴지다〕.

détors, e [detɔːʀ, -ɔʀs] *adj.* 꼬였던 것이 풀린.

détortiller [detɔʀtije] *v.t.* ① (실 따위의) 꼬인 것을 풀다 : ~ des fils emmés 꼬인 실을 풀다. ② (감은 것을) 풀다, 펴다. — **se** ~ *v.pr.* 풀리다, 펴지다.

détour** [detuːʀ] *m.* ① 우회(迂廻) ; 에움길 : faire un ~ 우회하다, 돌아가다. ② 모퉁이, 굽이 ; 굴곡 : au ~ du chemin 길 모퉁이에서 ③ (*pl.*) 《집합적》 뒷골목 ; (마음속) 깊은 곳 : les ~s du cœur 인정의 기미(機微) / connaître Paris dans ses tours et ~s 파리의 구석구석을 다 알다. ④ 우회적인 수단, 술책(= biais, ruse) ; 핑계 ; 완곡한 표현 : Je connais ses tours et ~s. 그의 수를 다 안다. ***sans ~(s) 솔직하게, 단도직입적으로. ***user de ~*** 말을〔태도를〕 얼버무리다.

détourer [detuʀe] *v.t.* ① 〖기술〗 (설계도에 맞추어 부품의) 형태를 잡다. ② (사진 따위의) 배경을 검게 지워 버리다.

détourné, e [detuʀne] *adj.* ① 우회의 : chemin ~ 에움길. ② 에두른, 완곡한 ; 간접적인 : moyens ~s 간접적인 수단. ***par une voie ~e*** 간접적으로 ; 에둘러서 ; 《구어》 샛길로. ***sens ~*** 완곡한 의미.

détournement [detuʀnəmɑ̃] *m.* ① 방향 전환 ; 노선 전환 : ~ d'un cours d'eau 하천의 수로 변경. ② 횡령, 유용, 남용 : ~ des fonds publics 공금 횡령. ③ 유괴 : ~ de mineur 〖법률〗 미성년자 유괴. ④ 하이재킹 (= ~ d'avion). ~ ***d'actif*** 〖법률〗 (파산자의) 재산 은닉.

***détourner** [detuʀne] *v.t.* ① …의 방향을 바꾸다 ; 우회시키다 ; (얼굴·시선을) 돌리다 : ~ la route pendant la durée des travaux 공사 기간 중 우회로를 내다. ② 《~ qc de》

…에서 빗나가게 하다 : ~ un mot *de* son sens ordinaire ; ~ le sens *d'*un mot 말의 뜻을 왜곡〔곡해〕하다. ③《~ qn de》(길 · 의무 따위에서) 벗어나게 하다 : ~ qn *d'*un projet …에게 계획을 포기시키다 / ~ qn *de* son travail …의 일을 방해하다. ④《~ qn de qn》…을 …에게서 떼어 놓다 : ~ qn *de* ses amis …에게서 친구들을 떼어 놓다. ⑤ 횡령〔착복〕하다 ; 유괴하다, 유혹하다 : ~ un mineur 미성년자를 유괴하다. ***~ un avion*** 항공기를 납치하다. ~ qn ***de****+inf.* …에게 …하는 것을 단념시키다. **— se ~** *v.pr.* ①《se ~ de》(일을) 그만두다, (계획을) 포기하다 : *se* ~ *de* son travail 일을 잊다. ② (방향 · 길을) 바꾸다. ③ 얼굴〔시선〕을 돌리다, 외면하다.

détracteur, trice [detʀaktœ:ʀ, -tʀis] *adj.* 중상〔비방〕하는, 헐뜯는. **—** *n.* 중상〔비방〕하는 사람.

détraqué, e [detʀake] *adj.* ① (기계가) 고장난 ; (기후가) 불순한 : mécanisme ~ 고장난 기계 장치 / santé ~*e* 탈이 난 몸. ② (머리가) 돈, 정신이 이상한 : avoir le cerveau ~ 머리가 돌았다. **—** *n.* 미치광이.

détraquement [detʀakmɑ̃] *m.* 고장〔탈〕나게 하기 ; 고장.

***détraquer** [detʀake] *v.t.* ① 보조를 고르지 못하게 만들다. ② (기계를) 고장나게 하다(= dérégler) : ~ un moteur 〔une montre〕 모터〔시계〕를 고장내다. ③ 혼란케〔어지럽게〕 하다(= troubler, déranger). ④《~ qn》…의 건강을〔위(胃)를〕 해치다(= indisposer) : Le mélange des vins m'*a détraqué*. 포도주를 섞어 마셨더니 위가 탈이 났다. **— se ~** *v.pr.* ① 자기의 …을 뒤틀리게 하다. ② 고장나다 ; (건강 따위가) 나빠지다 : Le temps *s'est détraqué*. 날씨가 나빠졌다.

détrempe [detʀɑ̃:p] *f.* ①〖미술〗템페라 그림물감《고무 · 달걀 따위에 푼 물감》. ② 템페라화(畫)(= tempera). ***en*** 〔***à la***〕 ***~*** 평범한, 보잘것없는 : œuvre 〔ouvrage〕 *en* ~ 졸작.

détremper[1] [detʀɑ̃pe] *v.t.* ① (물 · 기름 따위를) 녹이다 : ~ des couleurs 데트랑프〔템페라〕 그림물감을 만들다. ② (물에) 잠기다 : champ *détrempé* 물에 잠긴 밭.

détremper[2] *v.t.* ①〖야금〗(강철을) 무르게 하다. ② 유약하게 하다(= affaiblir). **— se ~** *v.pr.* ① (강철이) 무르게 되다. ② 유약해지다.

détresse [detʀɛs] *f.* ① 비탄, 비통, 고뇌(= affliction, angoisse) : cris de ~ 고뇌의 절규. ② 궁지, 곤경(= malheur, misère). ③ 조난(= perdition). ***navire en ~*** 조난선. ***signal*** 〔***appel***〕 ***de ~*** 조난 신호《S.O.S》.

détriment [detʀimɑ̃] *m.* ① 손해(≠ avantage). ② (*pl.*) (암석 따위의) 쇄설(碎屑). ***à son ~*** …에게 불리하게 : L'affaire a tourné *à mon* ~. 이 사건은 내게 불리하게 전개되었다. ***au ~ de*** qn 〔qc〕 …을 희생시켜, …에게 폐를 끼쳐 : *au* ~ *de* la santé 건강을 돌보지 않고.

détritus [detʀity(s)] *m.* ①〖지질〗쇄설(碎屑). ② 쓰레기 ; 찌꺼기, 폐물, 잔해.

détroit [detʀwa〔ɑ〕] *m.* 해협 ; 협로(狹路) ; 애로, 《비유》《옛》 궁지(= détresse), 위기. ***D~ du Pas de Calais*** 영불 해협.

***détromper** [detʀɔ̃pe] *v.t.* 잘못을 깨닫게 하다, 각성시키다(= désabuser) ; 《비유》 눈뜨게 하다 : ~ qn de qc 〔qn〕 …에게 잘못한 생각을 깨우쳐 주다 / Personne n'a osé le ~ sur ce point. 아무도 이 점에 관해서 감히 그의 잘못을 환기시켜 주려고 하지 않았다. **— se ~** *v.pr.* 잘못을 깨닫다, 각성하다 : *Détrompez-vous.* 당신 생각은 잘못이오.

détrôner [detʀone] *v.t.* ① 왕위를 물러나게 하다, 폐위하다. ② 자리를 빼앗다, 실각시키다 : ~ une mode 유행의 자리를 빼앗다.

détrousser [detʀuse] *v.t.* ① (걷어올린 것을) 내리다, 늘어뜨리다. ②《~ qn》(금품을) 강탈〔약탈〕하다 ; (작품을) 표절하다 : ~ un voyageur 여행자의 소지품을 빼앗다.

détrousseur, euse [detʀusœ:ʀ, -ø:z] *n.* 강도 : ~ de grand chemin 노상강도.

***détruire** [detʀɥi:ʀ] [32] *v.t.* ① 파괴하다(≠ construire) : Le temps *détruit* tout. 시간은 모든 것을 파괴한다. ② 소멸〔멸망〕시키다 : ~ les soupçons 혐의를 일소하다. ③ 죽여버리다 ; 근절하다 ; 박멸하다(= tuer, exterminer) : ~ les insectes nuisibles 해충을 박멸하다. ④ (적을) 격파하다. ⑤ (논리 따위를) 타파하다 ; (희망을) 무산시키다 : ~ une théorie 학설을 뒤집다. ⑥ 엉망으로 만들다 : ~ A dans l'esprit de B, B 의 A 에 대한 신용을 떨어뜨리다. **— se ~** *v.pr.* ① 파괴되다. ② 자멸하다 ; 자살하다. ③ 서로 죽이다 ; 상쇄(相殺)되다 : *se* ~ deux à deux 〖수학〗 상쇄되다.

dette** [dɛt] *f.* ① 빚, 부채(≠ créance) : payer 〔rembourser〕 une ~ 빚을 갚다 / faire 〔contracter〕 des ~*s* 빚을 지다. ② (남에게서 입은) 신세, 은혜 : avoir une ~ de reconnaissance envers qn …의 신세를 지고 있다. ③〖재정〗공채(公債), 채권, 차관 : ~ publique 〔de l'État〕 공채〔국채〕. ***~s actives 〔***passives***〕 대부금〔부채〕. ***Cent ans de chagrin ne payent pas un sous de ~s.*** 《속담》 백 년을 한탄해도 빚은 한 푼도 갚아지지 않는다. ***payer sa ~ à la nature*** 《구어》 죽다. ***payer sa ~ à la patrie*** 병역을 필하다. ***Qui paye ses ~s s'enrichit.*** 《속담》 빚을 갚고 나야 돈이 모인다.

D.E.U.G. [dœg] *m.* 《약자》 Diplôme d'études universitaires générales 대학 교양 과정 수료증.

deuil** [dœj] *m.* ① 초상, (근친 · 사랑하는 이의) 사망 : avoir un ~ dans sa famille 집안에 상이 있다. ② (초상으로 인한) 슬픔, 애상, 애도 : ~ national 국상, 거국적인 애도. ③ 몽상(蒙喪) ; 상복 ; 상장(喪章) ; 장의용 검은 장막. ④ 복상〔몽상〕 기간 : six mois de ~, 6 개월의 복상 기간. ⑤ 장례 행렬. ⑥《비유》 깊은 슬픔〔설움〕 ; 슬픈 모습 : le ~ de la nature 자연의 슬픈〔황량한〕 모습. ***en ~ 슬픔〔애수〕에 잠긴 : la nature *en* ~ 애수에 잠겨 있는 자연. ***faire son ~ de*** qc 《구어》 …을 단념하다. ***porter le ~ ; être en ~*** 상중에 있다 ; 복상하다. ***quitter le ~*** 탈상하다.

deus ex machina [deysɛksmakina] *m.* (연극의 극한 상황에서 뜻밖에 다행한 결말을 지어 주는) 돌발적인 인물〔사건〕.

⁑deux [dø] *adj. num.* 《불변》 ① 둘의 : les ~ yeux [ledøzjø] 두 눈 / ~ enfants [døzɑ̃fɑ̃] 두 어린이 / des ~ côtés de la rue 길 양쪽에 / ~ fois 두 번 ; 두 배. ② 몇몇의 : C'est à ~ pas 〔à ~ minutes〕 d'ici. 여기서 아주 가깝다 / Vous y serez en ~ secondes. 곧 도착합니다. ③ 《명사를 생략하여》 둘 : Nous sommes ~. 우리는 두 사람입니다 / J'en ai lu ~. 나는 두 권 읽었다. ④ 《서수의 대용》 둘째(의) : à la page ~, 2 페이지에 / le ~ avril, 4 월 2 일 / le numéro ~, 2 번. ***De ~ choses l'une.*** 둘 중 어느 하나다(두 가지 가능성밖에 없다). ***entre ~ âges*** 중년의. ***Il n'y a pas ~ voix là-dessus.*** 그 점에서는 모두가 동감이다. — *m.* 《복수불변》 ① (숫자로서의) 2 : Un et un font ~. 하나에 하나를 더하면 둘이 된다 / couper 〔diviser〕 qc en ~ …을 둘로 자르다〔나누다〕. ② (날짜 · 번지 · 치수 · 성적 따위의) 2 : le ~ mai, 5 월 2 일 / habiter (au) ~ rue Monmartre 몽마르트르가(街) 2 번지에 살다 / acheter du ~ 사이즈 2 를 사다. ③ 〖무용〗 pas de ~ 파드되, 대무(對舞). ***à ~*** ⓐ 둘이서 : difficulté à vivre *à ~* 부부〔동거〕 생활의 어려움. ⓑ 〖음악〗 이중창〔주〕(= duo). ***À nous ~ (maintenant) !*** ⓐ 진지하게 이야기합시다. ⓑ (상대 적수에게) 둘이서 한번 붙어 보자. ***Cela* 〔*Ça*〕 *fait ~.*** 《구어》 그것은 별개의 문제다. ***~ à ~ ; ~ par ~*** 두 사람〔두 개〕씩. ***en moins de ~*** 《구어》 재빨리, 민첩하게. ***entre les ~*** 이도 저도 아닌, 중간쯤인. ***ne faire ni une ni ~*** 이내 결심하다, 머뭇거리지 않다. ***tous* 〔*toutes*〕 *(les) ~*** 둘이 함께, 둘 다. ***tous les ~ jours*** 이틀마다, 격일로. — *f.* 2 호실, 2 번 테이블, TV 의 제 2 채널 : note de la ~ 2 번 테이블의 계산서 / journal de la ~, 2 TV 뉴스.

deux-chevaux [døʃvo] *f.* 《복수불변》 2 마력 차(《약자》 2 cv).

⁑deuxième [døzjɛm] *adj. num.* 둘째의, 두 번째의 : le ~ chapitre d'un livre 책의 제 2 장 / la ~ fois 두 번째 / le ~ étage d'un immeuble 건물의 3 층. — *n.* 둘째의 것 : Elle est la ~ de la classe. 그녀는 반에서 성적이 2 등이다. — *m.* ① 문자 수수께끼의 두 번째 힌트. ② 3 층(= ~ étage). ③ 2 구(區)(= ~ arrondissement). — *f.* ① 2 등(= ~ classe) ; 〖학교〗 제 2 학급(고등학교 2 학년에 해당). ② 2 등칸〔석〕(= ~ classe) : wagon de ~, 2등차.

deuxièmement [døzjɛmmɑ̃] *adv.* 둘째로, 두 번째로(= seconde, en deuxième lieu).

deux-mâts [døma] *m. pl.* 쌍돛대의 배.

deux-pièces [døpjɛs] *m.* 《복수불변》 ① 투피스(《여자 옷》) ; 비키니(《수영복》). ② 방 두 개의 아파트.

deux-points [døpwɛ̃] *m. pl.* 〖문법〗 콜론(:) : mettre des ~ (글에) 콜론을 찍다.

deux-roues [døʀu] *m.* 《복수불변》 ① 《옛》 2 륜 마차. ② 2 륜차.

deux-temps [døtɑ̃] *m.* 《복수불변》 ① 〖음악〗 2 분의 2 박자(의 곡). ② 2 사이클 엔진.

dévaler [devale] *v.i.* ① (급히) 내려가다(= dégringoler) ; 흘러〔굴러〕 내려가다. ② (땅이) 내리막길이 되다. — *v.t.* ① (계단 따위를) 내려가다 : ~ l'escalier 층계를 내려가다. ② (실어) 내리다.

dévaliser [devalize] *v.t.* ① 훔치다, 빼앗다, 강탈하다 : ~ un voyageur de passage 여행객의 금품을 빼앗다 / ~ un appartement 아파트를 털어가다. ② 표절하다. ③ (상점에서 물건을) 듬뿍 사다, 매점(買占)하다 : ~ un magasin 상점 물건을 듬뿍 사다.

dévalorisation [devalɔʀizɑsjɔ̃] *f.* ① 〖경제〗 평가절하 ; 〖상업〗 가치의 하락. ② (사람의) 가치를 떨어뜨림.

dévaloriser [devalɔʀize] *v.t.* ① 〖상업〗 …의 값을〔가치를〕 떨어뜨리다(= déprécier) ; 평가절하하다(= dévaluer) : ~ le franc 프랑화를 평가절하하다. ② 과소평가하다 : ~ le talent 재능을 낮게 평가하다. — **se ~** *v.pr.* 〖상업〗 값이〔가치가〕 떨어지다 : L'argent *se dévalorise* en période d'inflation. 인플레이션의 시기에는 돈의 가치가 떨어진다.

dévaluation [devalɥɑsjɔ̃] *f.* = dévalorisation.

***dévaluer** [devalɥe] *v.t.* = dévaloriser.

devancement [dəvɑ̃smɑ̃] *m.* 앞서기 ; 능가 ; 앞지르기 : ~ d'une échéance 선불.

***devancer** [dəvɑ̃se] 2 *v.t.* ① 《공간적》 앞서다, 앞서 가다(= précéder) : ~ un concurrent dans une course 경주에서 경쟁자를 앞서다. ② 《시간적》 앞서 가다〔오다〕; 먼저 도착하다 : ~ son époque 시대를 한 걸음 앞서다 / ~ l'aurore 〔le jour〕 해뜨기 전에 일어나다. ③ ⓐ 《서열》 앞지르다(= dépasser) ; 능가하다(= surpasser) : ~ tous ses rivaux 모든 적수를 앞지르다〔능가하다〕. ⓑ (어떤 일을) 앞질러〔먼저〕 하다 ; 미리 하다 ; 미리 알아채다(= prévenir) : ~ les désirs de qn …의 욕망을 미리 알아채다.

devancier, ère [dəvɑ̃sje, -ɛːʀ] *n.* 선구자(= prédécesseur) ; 선행자, 선배, 전임자. — *m. pl.* 조상, 선조, 선인들.

⁑devant[1] [dəvɑ̃] *prép.* ① 《공간》 앞에(서), …앞을, …앞으로(≠ derrière) : regarder ~ soi 자기 앞을 보다 / être courageux ~ le danger 위험을 앞에 두고 용감하다 / Allez tout droit ~ vous. 앞으로 똑바로 가시오. ② 《차례》 …보다 먼저 : mettre l'honneur ~ toutes choses 무엇보다 먼저 명예를 존중하다. ③ 《시간》 …전〔이전〕에(= avant) : ~ l'aurore 새벽 전에. ④ …에 비추어, …에 비하여 ; …에 대하여 : Tous les hommes sont égaux ~ la loi. 만인은 법 앞에서 평등하다. ***aller droit ~ soi*** 곧장 앞으로 나가다 ; 목적을 향해 결연히 나가다. ***avoir du temps* 〔*de l'argent*〕 *~ soi*** 시간〔돈〕이 충분히 있다. ***de ~*** …앞에서 : Retirez-vous *de ~* la porte. 문 앞에서 물러서시오. ***par-~*** …앞을, …앞에서 ; 〖법률〗 …의 입회하에. ***s'en aller les pieds ~*** 죽다. — *adv.* ① 앞으로, 앞에(서) : Passez ~. 먼저 가시오 / être vent ~ 〖해양〗 맞바람을 받다. ② 이전에, 전에. ***aller ~*** 전진하다, 앞서 가다. ***sens ~ derrière*** 앞뒤가 거꾸로. — *m.* 앞, 전방 ; 전면, 정면 : ~ d'une maison 집의 정면. ***aller au-~ de*** qn …을 마중 가다 : Nous *irons au-~ de* vous. 우리는 당신을 마중하러 가겠소. ***prendre* 〔*gagner*〕**

les ~s 앞서다 ; 앞지르다 ; 선수를 치다.

devant² devoir 의 현재분사.

***devanture** [dəvɑ̃tyːʀ] *f.* ① (건물 따위의) 전면, 정면(=façade). ② 진열대, 진열창(=vitrine, étalage). ③ 진열 상품.

dévastateur, trice [devastatœːʀ, -tʀis] *adj.* 황폐하게 하는, 유린하는 : torrent ~ 모든 것을 휩쓸어 가는 격류. — *n.* 유린자, 약탈자, 교란자.

dévastation [devastɑsjɔ̃] *f.* 휩쓸어 가기, 황폐, 유린(=ravage), 참상 : ~*s* de la guerre 〔de l'incendie〕 전쟁〔화재〕에 의한 참상.

dévaster [devaste] *v.t.* ① 황폐하게 하다, 유린하다, 수라장으로 만들다(=ravager) : La guerre *a dévasté* cette région. 전쟁이 이 지역을 황폐시켰다. ② 약탈하다(=piller).

déveine [devɛn] *f.* 불운(=malchance) : avoir la ~ 운이 나쁘다.

***développé¹, e** [dɛ〔e〕vlɔpe] *adj.* (몸 · 정신이) 발달한 ; (국가 산업이) 발전한 : poitrine ~*e* 풍만한 가슴 / pays ~ 〔sous-~〕 선진〔저개발〕국.

développé² [dɛ〔e〕vlɔpe] *m.* ① 〖무용〗 데블로페. ② 〖역도〗 프레스, 추상(推上).

***développement** [dɛ〔e〕vlɔpmɑ̃] *m.* ① 펼치기 ; 확장 ; 〖군사 · 수학〗 전개 ; 〖제도〗 전개도 : ~ d'un colis 소포를 끄르기 / ~ d'un cube 입방체의 전개도. ② 발전, 발달, 발육, 성장 ; 진보 : ~ du commerce 상업의 발달 / ~ des sciences 과학의 진보. ③ (*pl.*) (사태의) 진전, 추이. ④ 상세한 설명, 부연 : entrer dans des ~*s* superflus 쓸데없는 설명을 늘어놓다. ⑤ 〖사진〗 현상 : ~ et tirage 현상과 인화. ⑥ (기술 따위의) 개발. ⑦ 〖미술〗 풍만하게 전개된 선 ; 〖음악〗 (주제의) 전개부.

***développer** [dɛ〔e〕vlɔpe] *v.t.* ① 펼치다, 펴다. ② 확장하다 : ~ son entreprise 자기 기업을 확장하다. ③ 〖군사 · 수학〗 전개하다, 〖제도〗 (평면도로) 전개하다 : armée qui *développe* ses ailes 양날개를 전개하는 부대. ④ 발전〔발달 · 증진〕시키다 ; 발육시키다 ; 조장(助長)하다 : ~ les échanges économiques entre deux pays 두 국가 간의 경제 교류를 발전시키다 / ~ son affaire 자신의 사업을 확장하다. ⑤ 상세히 설명하다, 부연하다 : Il nous *a développé* son projet. 그는 자기 계획을 우리에게 자세히 얘기했다. ⑥ (능력 따위를) 발휘하다 : ~ toutes les ressources de son talent 모든 재능을 발휘하다. ⑦ 〖사진〗 현상하다 : ~ un cliché 음화를 현상하다. — **se** ~ *v.pr.* ① 펼쳐지다 ; 전개되다 : La plaine *se développe* à l'infini. 평원이 끝없이 펼쳐진다. ② 발전하다, 퍼져 나가다 ; 발달〔발육〕하다 : mode qui *s'est* vite *développée* 급속도로 퍼져 나가는 유행. ③ 발휘하다.

‡devenir [dəvniːʀ] [16] *v.i.* 《조동사는 être》 ① 《속사와 함께》 …이 되다. ⓐ 《~+형용사》 Il *est devenu* riche et célèbre. 그는 부자가 되고 유명해졌다. ⓑ 《~+무관사명사》 Il *deviendra* avocat. 그는 변호사가 될 것이다. ⓒ 《~+한정사 붙은 명사》 : une source de désagrément 불화의 원인이 되다. ⓓ 《의문대명사 que, ce que 와 함께》 *Que* veux-tu ~? 너는 무엇이 되기를 원하느냐? / J'ignore *ce que* tout ceci *deviendra*. 나는 이 모든 것이 어떻게 될지 모른다. ⓔ 《비인칭》 《Il devient+형용사+de+*inf.* 〔que+*ind.*〕》 …하는 것은 …이 되다 : Il *devient* difficile *d'*obtenir des bourses. 장학금을 타는 것이 어려워진다 / Il *devenait* évident *qu'*il mentait. 그가 거짓말하고 있다는 것이 명확해졌다. ② 《속사 없이》 〖철학〗 생성(生成)하다, 변화〔진화〕하다 : Nous sommes parce que nous *devenons*. 우리는 변화하기 때문에 존재한다. ***C'est à ~ fou!*** 미칠 일이다. ***~ à rien*** 《옛》 무의미해지다, 무(無)로 돌아가다 ; (사람이) 마르다.
— *m.* 변전(變轉), 발전 ; 〖철학〗 생성(生成).

déventer [devɑ̃te] *v.t.* ① 바람을 가로막다 ; 바람을 맞지 않는 곳에 두다. ② (요트 경주에서 다른 배의) 바람을 막다.

déverbal, e, aux [devɛʀbal, -o] *adj.* 〖문법〗 동사에서 파생한(=déverbatif, post-verbal). — *m.* 동사에서 파생한 명사.

déverbatif [devɛʀbatif] *m.* = déverbal.

dévergondage [devɛʀgɔ̃daːʒ], **dévergondement** [devɛʀgɔ̃dmɑ̃] *m.* ① 방탕, 방종, 음탕. ② (자유) 분방 ; 엉뚱함 : ~ d'esprit 정신의 자유 분방함.

dévergondé, e [devɛʀgɔ̃de] *adj.* ① 방탕〔방종 · 음탕〕한(=débauché) : propos ~ 음담패설. ② (자유) 분방한 : imagination ~*e* 자유 분방한 상상력. — *n.* 방탕자, 음탕한 자.

dévergonder (se) [s(ə)devɛʀgɔ̃de] *v.pr.* ① 방탕〔방종, 음탕〕한 생활을 하다. ② (문학이) 음탕한 묘사를 하다.

dévernir [devɛʀniːʀ] *v.t.* …의 니스를 벗기다.

déverrouillage [devɛʀujaːʒ] *m.* ① 빗장을 벗기기. ② (총의) 노리쇠 당기기.

déverrouiller [devɛʀuje] *v.t.* ① …의 빗장을 벗기다 : ~ une porte 문의 빗장을 풀다. ② 잠금 장치를 풀다 : ~ une arme (총포의) 노리쇠를 당기다, (대포의) 폐쇄기를 열다.

devers [dəvɛʀ] *prép.* 《옛》 …편〔쪽〕에〔으로〕(=du côté de). ***par(-)~*** …앞에서 ; …소유로서, 수중에 : garder des documents *par-~* soi 서류를 자기 수중에 간직하다.

déversement [devɛʀsəmɑ̃] *m.* ① 방수(放水), 배수 ; 내버리기, 배출 : lieu de ~ 쓰레기 버리는 곳. ② (재목의) 휨, 만곡 ; (벽 · 길 따위의) 경사.

déverser¹ [devɛʀse] *v.t.* ① 기울게 하다, 경사지게 하다. ② (재목을) 휘게 하다. — *v.i.* (벽 · 기둥 따위가) 기울다 ; (재목이) 휘다. — **se** ~ *v.pr.* 기울다 ; 휘다.

déverser² *v.t.* ① (물을) 흘려보내다, 쏟다, 방출하다 : lac qui *déverse* ses eaux dans …으로 물이 흐르는 호수. ② (사람이 물건을) 쏟다 ; (열차가 여객을) 쏟아내다 : Le train *déverse* des flots de voyageurs. 기차로부터 많은 승객이 쏟아져 나온다. ③ (불만 따위를) 털어놓다, 토로하다 : ~ sa bile dans ses écrits 글 속에서 노여움을 토로하다. ***~ sa rancune sur*** qn …에게 원한을 털어놓다. — *v.i.* 쏟아지다. — **se** ~ *v.pr.* 쏟아지다 ; 《se ~ dans》 흘러 들어가다 : L'eau *se déverse dans* le bassin. 물은 연못으로 흘러 들어간다.

déversoir [devɛʀswaːʀ] *m.* ① 배수구, 유출구 ; (댐 따위의) 수문. ② (감정·정력 따위의) 배출구.

dévêtir [devɛ(e)tiːʀ] [22] *v.t.* …의 옷을 벗기다(= déshabiller) ; (옷을) 벗다 : ~ un enfant 어린아이의 옷을 벗기다. — **se** ~ *v.pr.* 옷을 벗다 ; 웃옷을 벗다 : *se* ~ quand il fait chaud 더울 때 웃옷을 벗다.

déviant, e [devjɑ̃, -ɑ̃ːt] *adj.* 정상적인 상태를 벗어난〔이탈한〕, 탈선한. — *n.* (사회 규범 따위의) 일탈자.

***déviation** [devjɑsjɔ̃] *f.* ① 빗나감, 벗어남 ; 편차(偏差) ; 〖물리〗 편의(偏倚). ② 탈선, 일탈 : ~ de conduite 탈선 행위. ③ 〖의학〗 (척추의) 만곡(彎曲) : ~ de la colonne vertébrale 척추 변형, 척추의 만곡. ④ (자동차 따위의) 우회 ; 우회로 : emprunter une ~ 우회로로 가다.

déviationnisme [devjɑsjɔnism] *m.* 〖정치〗 (당원의) 강령 이탈(주의), 비주류적(非主流的) 태도(≠ orthodoxie).

déviationniste [devjɑsjɔnist] *m.* 분파주의자, 비주류(파)의 인물. — *adj.* (정통주의에 대하여) 분파적인, 반주류(파)의.

dévider [devide] *vt.* ① 〖직물〗 (실을) 실타래에 감다 ; (고치의) 실을 뽑다 : ~ du fil〔une bobine de fil〕 실을〔실패를〕 감다. ② (감긴 것을) 풀다(= dérouler). ③ (묵주알을) 손가락으로 굴리다. ④ 장황하게 늘어놓다〔설명하다〕. ~ ***son chapelet***〔***son écheveau***〕《구어》 하고 싶은 말을 다 해 버리다.

dévideur, euse [devidœːʀ, -øːz] *n.* 실감는 직공, 조사공(繰絲工).

dévidoir [devidwaːʀ] *m.* ① 실감는 기계, 얼레. ② (낚싯줄의) 릴.

***dévier** [devje] *v.i.* 《~ (de)》 (…에서) ① 빗나가다 ; 딴데로 쏠리다 ; 벗어나다 : ~ *de* son chemin 길을 벗어나다. ② 일탈〔탈선〕하다 : Il ne *dévie* jamais *de* ses principes. 그는 결코 원칙을 어기는 일이 없다. ③ 굴절하다 ; (척추 따위가) 휘다. — *v.t.* ① 빗나가게 하다, 다른 데로 쏠리게 하다. ② (길 따위를) 우회시키다(= détourner) : ~ la circulation (도로 공사 따위를 위해) 사람·차를 우회시키다. ③ 조절시키다 ; 휘게 하다 : Le prisme *dévie* le rayon lumineux. 프리즘은 광선을 굴절시킨다. — **se** ~ *v.pr.* ① 《se ~ (de)》 (…에서) 빗나가다, 일탈〔탈선〕하다. ② (척추 따위가) 휘다.

devin, devineresse 〔《옛》 **devine**〕 [dəvɛ̃, dəvinʀɛs(dəvin)] *n.* 《옛》 점쟁이, 예언자(= prophète). ***Je ne suis pas ~.*** 점쟁이도 아닌데 어떻게 알겠는가. — *m.* 〖동물〗 왕뱀(= serpent ~).

deviner** [dəvine] *v.t.* ① 알아맞히다, 짐작하다, 알아채다 : ~ l'avenir 미래를 알아맞히다, 예언하다 / ~ les intentions d'autrui 타인의 의도를 알아채다 / 《~ que+*ind.*》 Il *devinait qu*'il se passait quelque chose. 그는 무슨 일이 일어나고 있음을 감지했다 / 《간접의문문과 함께》 *Devine* qui j'ai rencontré au marché. 시장에서 내가 누구를 만났는지 알아맞혀 봐. ② (수수께끼를) 풀다 : Œdipe *devina* l'énigme du Sphinx. 오이디프스는 스핑크스의 수수께끼를 풀었다. ③ 분간하다, 판별하다 : ~ un obstacle dans le brouillard 안개 속에서 장애물을 분간하다. — **se** ~ *v.pr.* ① 짐작〔간파〕되다, 드러나다. ② 서로 추측하다. ***Cela se devine. 《구어》 그건 뻔한 일이다.

devinette [dəvinɛt] *f.* 수수께끼(= énigme) ; 알아맞히기 : poser une ~ 수수께끼를 내다.

dévirer [deviʀe] *v.t.* (재목을) 휘게 하다.

devis [dəvi] *m.* ① 《옛》 한담, 잡담. ② (건축 따위의) 견적(서) : établir un ~ 견적서를 작성하다.

dévisager [devizaʒe] [3] *v.t.* ① …의 얼굴을 뚫어지게 바라보다. ② …의 얼굴을 할퀴다. — **se** ~ *v.pr.* 서로 뚫어지게 보다.

devise [dəviːz] *f.* ① 〖문장〗 제명(題銘), 명구(銘句) ; (메달 따위의) 금언 ; 표어, 모토 ; 신조, 좌우명 : Simplicité, c'est ma ~. 소박, 이것이 내 신조요. ② 〖경제〗 외국 어음 ; 외국 통화 : ~s étrangères 외국환.

deviser [dəvize] *v.i.* 잡담〔한담〕하다(= converser) : ~ de choses et d'autres 이런 이야기 저런 이야기를 하다.

dévissage [devisaːʒ], **dévissement** [devismɑ̃] *m.* ① 나사를 풀기, 뽑기. ② 〖등산〗 추락.

dévisser [devise] *v.t.* (나사를) 풀다 ; (마개를) 뽑다 : Cette vis est facile à ~. 이 나사는 쉽게 풀린다. ~ ***son billard*** 《구어》 죽다. — *v.i.* 〖등산〗 굴러 떨어지다, 추락하다 ; 《구어》 죽다. — **se** ~ *v.pr.* 나사가 빠지다.

de visu [devizy] 〔라틴〕 *loc. adv.* 보고 나서, 목격자로서 ; 직접 : raconter un fait ~ 사실을 보고 나서 이야기하다.

dévitaliser [devitalize] *v.t.* 〖치과〗 (특히 치아의) 신경을 죽이다.

dévitrifier [devitʀifje] *v.t.* (유리의) 투명성을 없애다.

dévoilement [devwalmɑ̃] *m.* 폭로, 공개 ; 「드러내기.

***dévoiler** [devwale] *v.t.* ① ⓐ …의 베일〔장막〕을 벗기다〔젖히다〕. ⓑ ~ une statue 상(像)의 제막식을 거행하다. ② 드러내다(= révéler) ; 폭로하다; 공개하다 : ~ les dessous de l'affaire 사건의 내막을 폭로하다 / ~ le nom du suspect 혐의자의 이름을 공개하다. ③ 보여주다. — **se** ~ *v.pr.* ① 베일을 벗다. ② 드러나다, 폭로되다, 분명해지다 : La vérité finira par *se* ~. 진실은 마침내 드러나고 말 것이다.

‡devoir¹ [dəvwaːʀ] [54] *v.t.* [A] 《~ qc à qn》 ① …의 의무가 있다, …하지 않으면 안 되다 : Un fils *doit* le respect *à* son père. 아들은 아버지를 존경해야 한다 / 《~ à qn de+*inf.*》 Je lui *dois de* garder le silence sur ce point. 나는 그에 대해 이 점에 관해서 침묵해야 할 의무가 있다. ② 빚지고 있다, 갚아야〔치러야〕 하다 : Je *dois* vingt mille francs *à* un ami. 나는 친구에게 2만 프랑 빚지고 있다 / Combien vous *dois*-je ? 《상점 따위에서》 값이 얼마죠 ? / 《목적보어 없이》 Il *doit* partout. 그는 도처에 빚이 있다 / Cet argent lui *est dû*. 이 돈은 그에게 빚진 것이다. ③ …의 덕〔은혜·신세〕을 입다 : Je lui *dois* la vie sauve. 내가 무사한 것은 그의 덕택이다 / Je vous *dois* beaucoup. 당신에게 많은 신세를 지고 있소 / Je vous *dois* d'être encore de ce monde. 내가 아직도 살아 있는 것은 당신의 덕택이다. ④ …에 기인하다 : Je lui *dois* tous mes maux. 내 모든 불행은 그의 탓이다 / Il *doit* son renommée *à* ce livre. 그는 그 책으로 인해 유명해졌다.

Ⓑ 《~+*inf.*》《조동사적 용법》 ① 《의무》 …하지 않으면 안 되다, …해야 한다 : Il *doit* terminer ce travail ce soir. 그는 오늘 저녁 이 일을 끝내야 한다 / ne pas ~+*inf.* …해서는 안 된다 / Il a cru ~ refuser. 그는 거절하지 않으면 안 된다고 생각했다. ② 《필연》 반드시 …하다, …하게 되어 있다 : Tous les hommes *doivent* mourir. 인간은 누구나 죽지 않을 수 없다. ③ 《미래의 의도 또는 예정》 …할 작정이다, …할 예정이다, …하게 되어 있다 : Il *doit* partir demain. 그는 내일 떠날 예정입니다 / Il *devait* aller à la campagne. 그는 시골에 가기로 되어 있었다. ④ 《직설법 반과거는 숙명을 나타내기도 함》 …하게 되었다, …하고 말았다 : Il ne *devait* plus les revoir. 그는 그 후 그들을 다시 만나지 못했다. ⑤ 《추측》 (아마도) …일 것이다, …임에 틀림없다 : Il *a dû* partir ce matin. 그는 오늘 아침 떠났음에 틀림없다 / Il *doit* être environ trois heures. 3 시쯤 됐을 것이다. ⑥ 《접속법 반과거 · 조건법 현재는 양보를 나타냄》 …라 할지라도 : *Dussé*-je 〔*Devrais*-je, Quand je *devrais*〕 en mourir 설사 그 때문에 죽는다 하더라도 / *Dussent* mes efforts n'aboutir à rien 설사 나의 노력이 수포로 돌아간다 할지라도.

── *v.i.* 빚이 있다 : ~ de tous (les) côtés 사방에 빚이 있다. ***~ à Dieu et au monde*** 〔***à diable***〕 여기저기에 빚투성이다. ***en ~ à*** qn …에게 (갚아야 할) 빚이 있다 : Il m'*en doit*; Je lui *en dois.* 그자에게 보복하고야 말겠다.

── **se ~** *v.pr.* ① 《se ~ de+*inf.*》 …할 의무가 있다 : Je *me dois de* le prévenir. 나는 그에게 (미리) 알려 주어야 할 의무가 있다. ② 《se ~ à》 …에 헌신할 의무가 있다 : Nous *nous devons à* notre patrie. 우리는 조국에 이바지할 의무가 있다. ③ 당연히 그래야 하다 : comme il *se doit* 당연히 / Cela *se doit.* 그것은 당연한 일이다. ④ 《se 는 간접 목적보어》 서로 …의 빚이〔의무가〕 있다 : Ils *se doivent* beaucoup. 그들은 서로 빚이 많다 / Les citoyens *se doivent* secours et assistance. 시민은 서로 도와야 한다.

⁑devoir² *m.* ① 의무, 책임, 본분 ; 〖철학〗 당위(當爲) : le droit et le ~ 권리와 의무 / homme de ~ 의무감이 강한 사람 / accomplir fidèlement son ~ 충실히 자기의 의무를 수행하다 / ~ conjugal (성생활을 용납해야 하는) 부부간의 의무. ② 숙제, 과제 : ~*s* de vacances 방학 숙제 / ~ sur table 즉석에서 하는 과제. ③ (*pl.*) 경의 : présenter 〔rendre〕 ses ~*s* à qn …에게 경의를 표하다. ④ 〖부기〗 차변. ***croire*** 〔***considérer***〕 ***de son ~ de***+*inf.* …을 자기의 의무로 생각하다. ***faire*** 〔***remplir***〕 ***son ~*** 의무를 다하다. ***Il est de mon ~ de***+*inf* …하는 것은 나의 의무이다. ***manquer à son ~*** 의무를 게을리하다. ***rendre à*** qn ***les derniers ~s*** …의 장례를 지내다, 장례에 참석하다.

se mettre en ~ de+*inf.* …할 준비를 하다, …에 착수하다.

dévolu, e [devɔly] *adj.* 〖법률〗 ① 《~ à qn 〔qc〕》 …에게〔에〕 귀속된(=attribué) : droits qui nous sont ~*s* 우리에게 주어진 권리. ② 《~ à qc》 부여된, 할당된 : budget ~ *à* la recherche 연구에 할당된 예산.

── *m.* 〖종교〗 (성직록의) 공위(空位), 귀속 임명권 ; (교황의) 임명장. ***bénefice tombé en ~*** 공위가 된 성직록. ***jeter son ~ sur*** qn 〔qc〕 《구어》 …을 선택하다, …에 눈독을 들이다.

dévolution [devɔlysjɔ̃] *f.* 〖법률〗 (권리 · 유산 따위의) 귀속 ; (소송 사건의) 이송.

dévorant, e [devɔʀɑ̃, -ɑ̃:t] *adj.* ① 게걸스럽게 먹는 ; (기갈이) 극심한. ② (정열이) 불타는 ; (고통이) 가슴을 에는 ; (불 따위가) 모조리 휩쓰는 ; (갈증이) 타는 듯한 ; (병이) 초췌케 하는 : faim ~*e* 심한 굶주림 / passion ~*e* 불타는 정열.

dévorer** [devɔʀe] *v.t.* ① (맹수가) (뜯어) 먹다 ; (사람이) 게걸스럽게 먹다 : Le lion *dévore* sa proie. 사자가 먹이를 이빨로 찢어 먹는다 / *être dévoré* par les moustiques 모기에게 물어뜯기다. ② (불 따위가) 모조리 휩쓸다 ; (재산을) 탕진하다 : Les flamme *ont* tout *dévoré.* 불길이 모든 것을 휩쓸어 버렸다. ③ (책을) 탐독하다 : ~ un roman 소설을 탐독하다. ④ (눈물 따위를) 삼키다 ; (모욕 따위를) 꾹 참다 ; 감수하다. ⑤ (병이) 초췌케 하다 ; (고통이) 가슴을 에다 ; (근심 따위가) 몹시 괴롭히다 : *être dévoré* par le chagrin 슬픔이 가슴을 에다 / L'ennui le *dévorait.* 권태가 그를 괴롭히고 있었다. ***~ l'espace 〔***la route***〕 단숨에〔빨리〕 달려가다, 길을 단숨에 가다. ~ qn ***des yeux*** …을 뚫어지게 보다.

dévot, e [devo, -ɔt] *adj.* ① 독실한 ; 경건한 (=pieux) ; 《~ à》 …을 신봉하는 : être ~ *à* (un saint) (성인)을 믿다. ② 독실한 체하는. ***livre ~*** 종교서 ; 경신서(敬神書). ── *n.* 독신자(篤信者) ; (사람 · 학설 따위의) 숭배자, 신봉자 : faux ~ 가짜 독신자, 위선자.

dévotement [devɔtmɑ̃], **dévotieusement** [devɔsjøzmɑ̃] *adv.* 경건하게, 깊은 신앙심을 가지고.

dévotion [devosjɔ̃] *f.* ① 신앙심(=piété) : être plein de ~ 신앙심이 충만하다. ② 헌신 ; 공경(=culte) ; 숭배. ③ (*pl.*) 신자의 의무 ; 예배. ***avoir ~ à*** (un saint) (성인을) 공경하다. ***être à la ~ de*** qn …에게 몸을 바치다. ***faire ses ~s*** (종교상의) 의무를 다하다.

dévoué, e** [devwe] *adj.* 헌신적인, 충성스런 (=fidèle) : ami le plus ~ 가장 충실한 친구 / être ~ à qn …에게 충성하다. ***Votre ~ serviteur; Votre tout ~ ; Veuillez croire à mes sentiments ~s. 경구(敬具)《편지의 끝맺음말》.

dévouement, dévoûment [devumɑ̃] *m.* ① 헌신, 충성 : Croyez monsieur, à mon entier ~ ; Recevez l'assurance de mon ~. 경구(敬具)《편지의 끝맺음말》. ② 친절.

***dévouer** [devwe] *v.t.* ① 바치다(=consacrer, offrir) : ~ ses enfants à la patrie 자식들을 조국에 바치다 / *être dévoué* à qn

…에게 충성하다. ② 내맡기다(=livrer).
— **se** ~ *v.pr.* ① 몸을 바치다 ; 《se ~ à》 …에 헌신하다(=se consacrer) : *se ~ à* son maître 주인을 충성스럽게 받들다 / *se ~ à* son travail 일에 몰두하다. ② 《se ~ pour》 …을 위해 희생하다(=se sacrifier) : *se ~ pour* le salut de sa patrie 조국을 구하기 위해 몸을 바치다.

dévoyé, e [devwaje] *adj.* ① 길잃은 ; 정도(正道)를 벗어난, 탈선한 ; 타락한 : esprit ~ 타락한 정신 / membre ~ 의견을 달리하는 회원. ② (굴뚝 따위가) 기운. — *n.* 탈선한 사람 : jeune ~ 〔~*e*〕 비행 소년〔소녀〕.

D

dévoyer [devwaje] 7 *v.t.* 길을 잘못 들게 하다 ; 탈선하게 하다 ; 타락시키다. — **se** ~ *v.pr.* 길을 잃다 ; 탈선하다 ; 타락하다.

devr-a, -ai, -as, etc. ⇒ devoir.

dextérité [dɛksteʀite] *f.* 능란함 ; 교묘함(=habileté) ; 솜씨(=adresse), 재간 : avec ~ 교묘하게, 능란하게.

dextre [dɛkstʀ] *adj.* ①〖문장〗오른편의. ② (조개가) 오른편으로 감긴. — *f.* 《옛》 오른손 ; 오른쪽 : à la ~ 오른편에. 「정(糊精).

dextrine [dɛkstʀin] *f.* 〖화학〗 덱스트린, 호

di- *préf.* 「2도·2배·이중(二重)」의 뜻.

dia [dja] *interj.* 이랴!《말을 왼편으로 모는 소리》. ***L'un tire à hue et l'autre à ~.*** 《구어》 서로 방해하다.

diabète [djabɛt] *m.* 〖의학〗 당뇨병(= ~ sucré). 「당뇨병 환자.

diabétique [djabetik] *adj.* 당뇨병의. — *n.*

diable** [djɑ:bl] *m.* ① 악마(=démon) ; (le D~) 사탄(=Satan) : chasser les ~*s* 마귀를 몰아내다 / faire un pacte avec le ~ 악마와 계약하다. ② 악마 같은 놈 ; 장난꾸러기, 악동 ; 놈, 녀석, 사람 : pauvre ~ 불쌍한 놈 / bon ~ 호인 / grand ~ 꺽다리 녀석. ③ 손수레. ④ (가정용 가마의) 연통 ; 중탕냄비. ⑤ 뚜껑을 열면 인형이 튀어나오는 장난감(= ~ à ressort). ⑥ (2륜의) 손수레 ; 목재 운반차. ⑦〖어류〗 ~ de mer 아귀. ***à la ~ 부랴부랴, 되는 대로. ***(Allez) au ~!*** 악마한테나 잡혀 가거라. ***au ~ vauvert*** 아주 멀리. ***avoir le ~ au corps*** 〔《구어》 ***dans le ventre***〕 악마가 깃들어 있다 ; 지칠 줄 모르는 정력가다, 혈기 넘치다 ; (아이가) 몹시 부산하다. ***Cela ne vaut pas le ~.*** 한 푼의 가치도 없다. ***Ce qui vient du ~ retourne au ~.*** 《속담》 부정한 돈은 오래 가지 못한다. ***Ce serait*** 〔***C'est***〕 ***bien le ~ si …*** …라면 이상한 일이다, 결코 … 아닐 것이다. ***C'est (là) le ~.*** 그게 어려운 점이야. ***C'est le ~ pour***+*inf.* 도저히 …하기 어렵다. ***comme un (beau) ~ ; comme tous les ~s*** 격렬하게, 미친 듯이. ***de tous les ~s ; du ~*** 많은, 엄청난 : bruit *de tous les ~s* 굉장한 소음 / avoir un esprit *de tous les ~s* 기지에 넘쳐 있다. ***~ de*** 사나운, 고약한, 해괴한 : ce ~ *d'*homme 이 고약한 놈 / un ~ *de* temps 지독한 날씨 / ***en ~*** 매우, 몹시. ***envoyer*** qn 〔qc〕 ***au ~*** 〔***à tous les ~s***〕 …을 걷어치우다 ; (물건을) 못 쓰게 만들다 ; (사람을) 쫓아 보내다. ***faire le ~ (à quatre)*** 소란 떨다 ; 동분서주하다, 분투하다. ***Le ~ c'est de***+*inf.* 〔***que***+*sub.*〕 문제는 …하는 데 있다. ***le ~ et son train*** 기타 등등 ; 잡동사니 ; 뒤얽힌 것. ***loger le ~ dans sa bourse*** 주머니에 동전 한 푼 없다. ***Que le ~ l'emporte!*** 악마에게나 잡혀 가라, 꺼져 버려. ***(Que) le ~ m'emporte si …*** 만약 …라면 목이라도 내놓겠다. ***s'en aller au ~*** 〔***à tous les ~s***〕 사라져 버리다 ; 실패하다 : *Va-t'en au ~!* 꺼져 버려! ***si le ~ s'en mêle*** 악마가 거들어 주면 모를까《성취하기 힘든 일》. ***tirer le ~ par la queue*** 몹시 가난하다〔궁핍하다〕.
— *interj.* ①《놀라움·감탄·분노》 저런, 제기랄 : *D~!* c'est un peu cher. 제기랄! 좀 비싸군. ②《의문사와 함께 뜻을 강조》 도대체 : Où ~ est-elle allée? 도대체 그 여잔 어딜 갔지? ***Que ~!*** 제기랄!
— *adj.* ① 악마적인, 심술 사나운 : Il n'est pas aussi 〔si〕 ~ qu'il est noir. 보기보다 나쁜 사람은 아니다. ② 장난기 있는, 까불거리는.

diablement [djɑ〔a〕bləmɑ̃] *adv.* 《구어》 지독히, 몹시 : Il fait ~ froid. 몹시 춥다.

diablerie [djɑ〔a〕bləʀi] *f.* ① 마법. ② 음모, 흉계 ; (짓궂은) 장난(=espièglerie).

diablesse [djɑblɛs] *f.* ① 마녀. ② 까다로운 여자 ; 말괄량이 : cette ~ de fille 그 괴상한 계집애.

diablotin [djɑ〔a〕blɔtɛ̃] *m.* ① 꼬마 악마 ; 《구어》 장난꾸러기, 개구쟁이. ② 폭죽 사탕《포장지를 열면 폭죽이 터지면서 사탕과 그림쪽지가 튀어 나옴》. 「性).

diabolicisme [djɑ〔a〕bɔlisism] *m.* 마성(魔

diabolique [djɑ〔a〕bɔlik] *adj.* ① 악마의 ; 악마와 같은, 악독한 : tentation 〔suggestion〕 ~ 악마의 유혹〔제의〕. ② 《구어》 곤란한, 어려운 : travail ~ 아주 힘든 일. ③ 터무니없는, 굉장한.

diaboliquement [djɑ〔a〕bɔlikmɑ̃] *adj.* ① 악마처럼 ; 악독하게. ② 지독하게 ; 몹시.

diabolo [djabɔlo] *m.* ① 디아볼로《장난감의 일종》. ② 레몬수와 시럽을 혼합한 청량음료.

diachronie [djakʀɔni] *f.* 〖언어〗 통시성(通時性), 통시태(通時態)(≠ synchronie) : raisonner en ~ 통시적으로 추론하다.

diachronique [djakʀɔnik] *adj.* 〖언어〗 통시적인.

diacide [djasid] *m.* 〖화학〗 2가산(酸), 2염기성산(=biacide).

diaconesse [djakɔnɛs] *f.* ① 초대(初代) 교회에서 교무를 보조하던 여자. ② (신교의) 여집사 ; 자선사업 부인회 회원.

diacre [djakʀ] *m.* 〖가톨릭〗 부사제 ; (신교의) 집사.

diacritique [djakʀitik] *adj.* ① 구별짓는 : signe ~ 〖언어〗 철자 부호《동일 문자의 발음·의미의 차이를 나타내는 부호》. ②〖의학〗 (증상이) 질병 특유의.

diadème [djadɛm] *m.* ① 왕관 ; 왕위, 제위. ② (왕관 모양의) 머리 장식《여자용》.

***diagnostic** [djagnɔstik] *m.* ①〖의학〗 진단(학) : ~ précoce 조기 진단 / erreur de ~ 오진(誤診). ②《비유》 예측, (경제 상황 따위의) 진단.

diagnostique [djagnɔstik] *adj.* 〖의학〗 진단의 : signes ~s du cancer 암 증상.

diagnostiquer [djagnɔstike] *v.t.* 〚의학〛 …임을 진단하다 : ~ une maladie 병을 진단하다 / ~ une crise économique 경제 위기라고 진단하다.

diagonal, e, aux [djagɔnal, -o] *adj.* 〚기하〛 대각선의 ; 비스듬한 : ligne ~*e* 대각선. — *f.* ① 대각선. ② 〚직물〛 능직. ***en ~e*** 대각선으로, 비스듬히 : lire *en ~e* 속독하다, 매우 빨리 읽다 / traverser une rue *en ~e* 길을 비스듬히 건너다.

diagramme [djagʀam] *m.* ① 도표(= graphique) ; 도해, 도식. ② 표, 그래프, 다이어그램 : ~ en bâton 막대그래프.

dialectal, e, aux [djalɛktal, -o] *adj.* 〚언어〛 방언의, 사투리의 : accents ~*aux* 사투리 말투.

dialecte [djalɛkt] *m.* 사투리, 방언(= patois).

dialecticien, enne [djalɛktisjɛ̃, -ɛn] *n.* 변증법론자 ; 변증법 교사. — *adj.* 변증법을 사용하는.

dialectique [djalɛktik] *f.* ① 논법, 논리 : opérer une ~ rigoureuse 엄밀한 논리를 전개하다. ② 변증법 : ~ hégélienne 헤겔의 변증법. ③ 대화법, 변론법. — *adj.* 추리〔추론〕에 의한 ; 변증법적인 : matérialisme ~ 변증법적 유물론.

dialectiquement [djalɛktikmɑ̃] *ad.* 변증법적으로.

dialectologie [djalɛktɔlɔʒi] *f.* 방언학.

dialectologue [djalɛktɔlɔg] *n.* 방언학자.

***dialogue** [djalɔg] *m.* ① 대화, 회화 ; 대담 : ~ intérieur 내면의 대화. ② 협상(= négociation), 토의 : ouvrir 〔reprendre〕 le ~ 협상을 개시〔재개〕하다. ③ (연극의) 대화 부분, 대사(臺詞) : ~ de film 영화의 대사. ④ 대화체로 된 문학 작품.

dialoguer [djalɔge] *v.i.* ① 대화하다, 대담하다. ② 협상하다, 교섭하다(= négocier). — *v.t.* 대화체로 만들다, 각색하다 : film bien *dialogué* 대사가 잘된 영화.

dialoguiste [djalɔgist] *n.* 〚영화〛 대사 작가.

diamant** [djamɑ̃] *m.* ① 다이아몬드, 금강석 : bague sertie de ~ 다이아반지. ② 《비유》 빛나는 것 ; 순수〔귀중〕한 것 : une voix de ~ 티없이 맑은 목소리 / cœur de ~ 냉정한 마음. ***avoir un ~ dans le gosier 목소리가 아름답다. ***~ à rabot*** 〔***de vitrier***〕 유리칼.

diamantaire [djamɑ̃tɛːʀ] *m.* 다이아몬드〔금강석〕 상인〔세공인〕. — *adj.* 금강석〔다이아몬드〕처럼 빛나는.

diamanté, e [djamɑ̃te] *adj.* ① 금강석을〔다이아몬드를〕 박은 ; 금강석〔다이아몬드〕처럼 빛나는. ② 다이아몬드를 입힌. ***ciel ~*** 별들이 반짝이는 하늘.

diamantifère [djamɑ̃tifɛːʀ] *adj.* 다이아몬드를〔금강석을〕 함유하는 : gîte ~ 다이아몬드 광상(鑛床).

diamétral, e, aux [djametʀal, -o] *adj.* 지름〔직경〕의 : ligne ~*e* 직경.

diamétralement [djametʀalmɑ̃] *adv.* ① 직경의 방향으로. ② 절대적인, 완전한 : ~ opposé 정반대의.

diamètre [djamɛtʀ] *m.* ① 지름, 직경 : ~ d'un cercle 원의 직경 / demi-~ 반지름(= rayon) / ~ d'un tube 관의 구경. ② 〚천문〛 ~ apparent d'un astre 천체의 시각(視覺).

diane [djan] *f.* 〚군사〛 기상 나팔, 기상 시간에 치는 북소리 : battre 〔sonner〕 la ~ 기상나팔을 불다〔북을 치다〕.

diantre [djɑ̃ːtʀ] *m.* 《옛》 악마 : Quelle ~ de cérémonie ! 참 까다로운 의식이군. ***D~ soit*** (***de***) qn 〔qc〕 …같은 건 보기도 싫다, 빌어먹을 놈의 …같으니. ***un*** 〔***une***〕 ***~ de*** + '명사' ***;*** ***ce*** 〔***cette***〕 ***~ de*** + '명사' 괴상한 … : *un ~ d'*homme 괴상한 녀석 / *ces ~s de* chemins 이놈의 고약한 길. — *interj.* ① 참, 제기랄 : *D~* que c'est cher. 그것 참 비싸군. ② 《강조》 Que ~ désirez-vous ? 도대체 무엇을 원하죠?

diapason [djapazɔ̃] *m.* ① 〚음악〛 음역(音域), 음폭(音幅). ② 음차(音叉), 소리굽쇠. ③ 음조(音調), 가락 ; 장단. ***se mettre*** 〔***être***〕 ***au ~ de*** qn …와 장단을 맞추다.

diaphane [djafan] *adj.* ① 반투명의(= translucide) ; 《문어》 투명한. ② (손 따위가) 희고 섬세한 : main ~ 백옥 같은 손.

diaphanéité [djafaneite] *f.* 반투명성〔도〕.

diaphragme [djafʀagm] *m.* ① 〚해부〛 횡격막(橫隔膜) ; 〚식물〛 격막. ② 〚생물〛 격벽(隔壁) ; 〚기계〛 막판(膜板), 간막이판. ③ 〚음향〛 진동판, 사운드 박스. ④ 〚의학〛 (여성의 피임용) 페서리. ⑤ 〚사진〛 조리개 : régler l'ouverture du ~ 조리개를 조절하다.

diaphragmer [djafʀagme] *v.t.* ① 광학 기기에 조리개를 장치하다. ② 〚사진〛 조리개를 조절하다.

diapo [djapo] *f.* 슬라이드.

diapositif [djapozitif] *m.*, **diapositive** [djapozitiːv] *f.* 〚사진〛 투명양화(陽畫) ; 슬라이드 : ~ en couleur 컬러 슬라이드 / passer 〔projeter〕 des ~*s* 슬라이드를 비추다.

diapré, e [djapʀe] *adj.* 알록달록한, 잡색의 ; 현란하게 꾸민 : vitraux ~*s* 극채색 스테인드 글라스.

diaprer [djapʀe] *v.t.* ① 다채롭게 물들이다〔장식하다〕, 알록달록하게 하다. ② (문장을 라틴어 따위로) 장식하다.

diaprure [djapʀyːʀ] *f.* 잡색 ; 다채로움 : ~ des prés au printemps 봄 벌판의 다채로운 색채.

diarrhée [djaʀe] *f.* 〚의학〛 설사 : avoir la ~ 설사하다.

diascopie [djaskɔpi] *f.* ① 〚의학〛 압시법, 투시 검사법. ② 환등기의 투사.

diaspora [djaspɔʀa] *f.* ① 〚역사〛 유대 민족의 사산 분리(四散分離). ② (일반적으로) 민족의 이산, 분산된 민족 집단.

diastole [djastɔl] *f.* 〚생리〛 (심장 · 동맥의) 확장, 팽창(≠ systole).

diatomacées [djatɔmase], **diatomées** [djatɔme] *f. pl.* 〚식물〛 규조류(硅藻類).

diatribe [djatʀib] *f.* 혹평(酷評) ; 독설(≠ apologie, éloge), 비방글 : faire une longue ~ contre qn …을 장황하게 힐난하다.

dichotome [dikɔtɔm] *adj.* ① 〚식물〛 두 갈래로 된, 분기된 : tige ~ 분기된 줄기. ② 〚천문〛 반달의 : lune ~ 반달.

dichotomie [dikɔtɔmi] *f.* ① 양단(兩斷), 이분 ; 〚논리〛 이분법. ② 〚식물〛 이분, 분기. ③ 〚천문〛 반달. ④ 의사의 사례금의 양분.

dicotylédone [dikɔtiledɔn], **dicotylédoné, e** [dikɔtiledɔne] *adj.* 쌍자엽의, 쌍떡잎의. ── *f. pl.* 쌍자엽〔쌍떡잎〕 식물.

dictaphone [diktafɔn] *m.* (속기용) 구술(口述) 축음기.

dictateur, trice [diktatœːʀ, -tʀis] *m.* ① 〖고대로마〗 집정관. ② 독재자, 압제자, 폭군 : ~ fasciste 파시스트 독재자.

dictatorial, e, aux [diktatɔʀjal, -o] *adj.* 집정관의 ; 독재적인; 오만스런, 위압적인(= impérieux), 전제적인 : régime ~ 독재정권 / air ~ 위압적인 태도.

D

*__dictature__ [diktatyːʀ] *f.* ① 〖고대로마〗 집정관의 지위 ; 집정기간. ② 독재권 ; 압제, 독재 ; 《비유》 절대적 지배 : ~ militaire 군부 독재.

dictée [dikte] *f.* ① 받아쓰기. ② 구술(口述) ; 《구어》 암시, 시사 : écrire sous la ~ de qn …의 구술을 받아쓰다. ③ 《비유》 암시, 명령 : agir 〔parler〕 sous la ~ les circonstances 상황에 따라 행동하다〔말하다〕.

*__dicter__ [dikte] *v.t.* ① 받아쓰게 하다, 필기시키다 : ~ une lettre à sa dactylo 타이피스트에게 편지를 받아쓰게 하다. ② 미리 암시〔시사〕하다 : ~ à qn la conduite qu'il doit tenir …에게 취해야 할 행동을 슬쩍 가르쳐주다. ③ 강요하다(= commander) ; (말 · 행동 따위를) 하게 하다(= inspirer) ; 규정하다(= prescrire) : ~ sa loi 자기의 규칙을 강요하다. ── *v.i.* 구술하다.

diction [diksjɔ̃] *f.* 어법(語法) ; 이야기투 ; 낭독법, 발성법 : avoir une ~ très nette 말투가〔발음이〕 매우 명확하다.

*__dictionnaire__ [diksjɔnɛːʀ] *m.* ① 사서, 사전 : consulter un ~ 사전을 펴보다 / ~ de langue 어휘사전 / ~ encyclopédique 백과사전. ② 총어휘(= vocabulaire) : ~ d'une époque 한 시대의 총어휘. **~ *ambulant* 〔*vivant*〕 ; *vrai* ~** 《구어》 박식〔정통〕한 사람 : C'est un ~ *vivant !* 그는 살아 있는 사전이다.

dicton [diktɔ̃] *m.* 속담 ; 격언(= adage, maxime) ; 《옛》 신랄한 말.

-didacte *suff.* 「가르침 · 배움」의 뜻.

didacticiel [didaktisjɛl] *m.* 〖컴퓨터〗 교육용 소프트웨어.

didactique [didaktik] *adj.* ① 교육적인, 교훈적인. ② 학술적〔전문적〕인 : terme ~ 학술어, 전문 용어. ── *f.* 교수법.

dièdre [djɛdʀ] *adj.* 〖수학〗 2 면(面)의 : angle ~, 2 면각. ── *m.* 2 면체.

diérèse [djeʀɛːz] *f.* ① 〖언어〗 연속된 두 모음을 각각 발음하기 ; 《옛》 분음부(分音符). ② 〖외과〗 분리 (수술).

dièse [djɛːz] *m.* 〖음악〗 샤프 기호, 반음 올림표(♯)(≠ bémol). ── *adj.* 반음 높은 ; 반음 올림표가 붙은.

diesel [di〔je〕zɛl] *m.* 〖기계〗 디젤 기관〔엔진〕, 디젤 자동차 : moteur ~ 디젤 엔진.

diéser [djeze] 6 *v.t.* 〖음악〗 샤프를 붙이다, 반음 올리다.

diète[1] [djɛt] *f.* 〖역사〗 (독일 · 스웨덴 따위의) 「국회, 의회.

diète[2] *f.* ① 절식(節食), 단식, 금식 : ~ absolue 단식. ② (치료를 위한) 규정식, 식이요법(= régime) : ~ lactée 〔végétale〕 우유〔야채〕 요법. ***être à la ~*** 절식하고 있다. ***faire ~*** 절식하다. ***mettre*** qn ***à la ~*** …에게 절식〔섭생〕을 시키다.

diététicien, enne [djetetisjɛ̃, -ɛn] *n.* 영양학자 ; 영양사.

diététique [djetetik] *adj.* 음식 섭생의, 식이요법의 : régime ~ 식이 요법. ── *f.* 음식 섭생론 ; 영양학 ; 식이 요법.

‡**dieu** [djø] *m.* (*pl.* **~x**) (*f.* ***déesse***) ① (다신교의) 신 : ~*x* de l'Inde 인도의 신들 / histoires des ~*s* 신화 / oracle des *D~s* 신탁(神託) ② (*D~*) (일신교의) 신, 천주, 하느님, 그리스도 : Fils de *D~ ; D~* le fils ; *D~* Homme (천주) 성자, 그리스도 / Mère de *D~* 성모마리아 / croire en 〔à〕 *D~* 신을 믿다, 신앙을 가지다. ③ 우상, 숭배물, 숭배자(= idole), 신격화된 사람〔사물〕 : ~*s* en pierre 돌로 만든 신상 / ~*s* de la terre 지상의 왕〔권력자〕들. ④ 《놀라움 · 찬탄 · 분개 · 저주를 나타냄》 Mon *D~ !*; Grand *D~ !*; juste *D~ !*; pour *D~ !*; *D~* du ciel ! 저런 ; 어쩌면 ; 어머나 / Bon *D~ !*; *D~* de *D~ !*; Bon *D~* de bon *D~ !*; (Sacré) nom de *D~ !* 《속어》 제기랄! 빌어먹을!
À la grâce de D~ ! 운을 하늘에 맡기자! ***bénir les ~x*** (***de*** + *inf.*) (…한 것을) 다행으로 여기다. ***Ce que femme veut, D~ le veut.*** 《속담》 여자가 원하는 것은 신도 그것을 원한다 ; 여자가 원하면 안 되는 게 없다. ***comme un ~*** 비상하게 ; 매우, 몹시 ; 능란하게 : faire qc *comme un ~* 훌륭하게 …하다. ***D~ merci !*** 다행히도, 고맙게도. ***D~ me pardonne !*** 정직하게 말해서, 감히 말씀드린다면. ***D~ sait si ...*** …인지 아닌지는 신만이 안다《…은 확실하다 ; …은 알 도리가 없다》. ***D~ vous le rende*** 〔***rendra***〕 ***!*** (은혜를 베풀어준 사람에게) 하느님이 갚아주시기를. ***en D~*** 훌륭하게. ***entre D~ et soi*** 비밀리에 ; 양심적으로. ***homme de D~*** 성직자. ***Il n'y a pas de bon D~...*** 《구어》 ⓐ 확실히《긍정의 강조》. ⓑ 인생이란 불공평한 거다. ***jurer ses grands ~x*** (***que...***) (…라고) 단언하다. ***le bon D~*** 《구어》 하느님 ; 성체(聖體) : manger *le bon D~* 매우 신앙이 깊다. ***paraître devant D~*** 신에게 가다, 죽다 (= mourir). ***Plaise*** 〔***Plût***〕 ***à D~ que*** + *sub.* 《희구(希求) · 아쉬움을 나타냄》 : *Plaise* 〔*Plût*〕 *à D~ qu*'il arrive demain ! 내일 그가 도착했으면 좋으련만. ***pour l'amour de D~*** ⓐ 제발. ⓑ 무보수로. ⓒ 《비꼼》 억지로, 대강대강. ***s'il plaît à D~ ; avec l'aide de D~ ; D~ aidant*** 일이 순조로우면〔잘 되면〕.

diffamant, e [difa〔ɑ〕mɑ̃, -ɑ̃ːt] *adj.* 명예를 훼손하는, 중상적인.

diffamateur, trice [difa〔ɑ〕matœːʀ, -tʀis] *n.* 중상자, 명예 훼손자. ── *adj.* 명예를 훼손하는, 중상하는.

diffamation [difa〔ɑ〕mɑsjɔ̃] *f.* 중상, 명예 훼손(= calomnie) ; 중상적인 언행.

diffamatoire [difa〔ɑ〕matwaːʀ] *adj.* 명예를 훼손하는 : pamphlet ~ 중상하는 문서.

diffamer [difa〔ɑ〕me] *v.t.* 명예를 훼손하다, 중상하다(= calomnier) : ~ son adversaire politique 정적을 중상〔모략〕하다.

différé, e [difeʀe] *adj.* 연기된, 시간을 늦춘 : émission ~*e* de télévision 텔레비전의 녹화 방영. ── *m.* émission en ~ 녹음 방송, 녹

화 방영(≠ émission en direct).

différemment [difeʀamɑ̃] *adv.* 다르게, 다른 방법으로(= autrement) : 《~ de》 agir ~ *des* autres 다른 사람과 달리 행동하다.

‡différence [difeʀɑ̃:s] *f.* ① 다름, 상이(相異), 차이 : ~ de A à B, A 의 B 에 대한 차이 / ~ entre A et B, A와 B 사이의 차이 / ~ de A et de B, A 와 B 와의 차이 / 《~ de》 Il y a une grande ~ *de* prix entre ces deux articles. 이 두 물건은 값의 차이가 크다. ② 차(= écart) ; 차액 : ~ en plus 〔moins〕 잉여〔부족〕 / La ~ entre 50 et 30 est 20. 50 과 30 의 차는 20 이다. ③ 구별(= distinction), 차별 : faire des ~*s* entre ses enfants 아이들을 차별하다. ④ 〖논리〗 종차(種差)(= ~ spécifique) ; 〖전기〗 전위차(= ~ de potentiel). ***à la ~ de*** …와는 달리 : *À la ~ de* sa sœur, Maire est travailleuse. 그의 언니와는 달리 마리는 공부를 열심히 한다. ***à la ~ que***+*ind.* …라는 차이는 있지만, …을 제외하고. ***faire la ~ de A avec B*** 〔***entre A et B***〕, A 와 B 의 차이점을 분별하다.

différenciateur, trice [difeʀɑ̃sjatœ:ʀ, -tʀis] *adj.* 분화시키는.

différenciation [difeʀɑ̃sjɑsjɔ̃] *f.* ① 구별, 구분(= distinction). ② 분화, 차이 : ~ des fonctions dans une entreprise 기업 내의 기능 분화. ③ 〖생물〗 분화 : ~ sexuelle 〔du sexe〕 성(性) 분화. ④ 〖수학〗 미분(= différentiation). ⑤ 〖언어〗 (언어의) 분화.

différencié, e [difeʀɑ̃sje] *adj.* 분화된 : tissus 〔organes〕 ~*s* 분화된 조직〔기관〕.

différencier** [difeʀɑ̃sje] *v.t.* ① 구별〔구분〕하다(= distinguer) : ~ deux espèces botaniques voisines 비슷한 두 종의 식물을 구분하다. ② 〖수학〗 미분하다. ***~ A de 〔***d'avec***〕 ***B,*** A 를 B 와 구별하다. ***~ entre A et B,*** A 와 B 를 구별하다. ── **se** ~ *v.pr.* ① 《se ~ de》 …와 자기를 구별하다 ; …와 구별하다 : *se ~ de* ses camarades par …에 의해 동료들과 구별되다. ② 분화(分化)되다.

différend [difeʀɑ̃] *m.* 분쟁, 쟁의(= démêlé) ; 의견 충돌(= discorde), 갈등 : avoir un ~ avec qn …와 다투고 있다 / régler un ~ 분쟁을 해결하다.

‡différent, e [difeʀɑ̃, -ɑ̃:t] *adj.* ① 다른(= dissemblable), 서로 다른, 차이 있는, 상이한(≠ semblable) : choses ~*es* à tous les égards 모든 면에서 다른 것들 / 《~ de》 Votre voiture est ~*e de* la mienne. 당신의 차는 내 차와 다르다. ② (*pl.*) 《명사 앞에서 관사 없이》 여러 가지의, 여러 종류의(= divers) : pour ~*es* raisons 여러 가지 이유로. ***à ~es reprises*** 여러 번. ***C'est ~.*** 이야기가 다르다. ── *m.* (메달·화폐의) 조폐국인(造幣局印), 각인.

différentiation [difeʀɑ̃sjɑsjɔ̃] *f.* 〖수학〗 미분.

différentiel, elle [difeʀɑ̃sjɛl] *adj.* ① 차이를 나타내는, 차별하는 : deux régions très ~*elles* 매우 판이한 두 지역. ② 〖수학〗 미분의. ***calcul ~*** 미분학. ***droit ~*** 차별 관세. ***psychologie ~elle*** 차이 심리학. ***tarif ~*** 차등 운임. ── *f.* 〖수학〗 미분. ── *m.* 〖기계〗 차동(差動) 장치.

différer**[1] [difeʀe] [6] *v.t.* 연기하다, 미루다(= remettre) : ~ le départ 출발을 연기하다 / 《목적보어 없이》 Partez sans ~. 늦추지 말고 떠나시오. ***~ à 〔***de***〕+*inf.* …하기를 연기하다. ── **se** ~ *v.pr.* 연기되다.

***différer**[2] [6] *v.i.* ① 서로 다르다, 상이하다 : deux acteurs qui *diffèrent* par leur caractère 성격이 다른 두 배우 / Ces deux opinions *diffèrent* du tout au tout. 이 두 의견은 완전히 다르다. ② 《~ de》 …와 다르다 ; 별개의 것이다 : Son caractère *diffère du* mien. 그의 성격은 나와 다르다. ③ 《~ sur》 …에 관하여 의견이 다르다(≠ ressembler) : Nous *différons sur* cette question. 이 문제에 대한 우리의 의견은 다르다. ④ 가지각색이다(= varier) : La mode *diffère* selon 〔suivant〕 les pays. 유행이 나라마다 다르다.

‡difficile [difisil] *adj.* ① 어려운(≠ facile) ; 곤란한 ; 힘든, 벅찬 ; (길이) 걷기 힘든 ; 괴로운, 고달픈(= dur, pénible) : travail ~ 어려운 일 / problème ~ 까다로운 문제. ② 난해한, 이해하기 힘든 : texte 〔auteur〕 ~ 난해한 텍스트〔작가〕. ③ (사람이) 까다로운(= exigeant) : C'est un homme ~ à vivre. 사귀기 어려운 사람이다 / 《~ sur》 être 〔se montrer〕 ~ *sur* la nourriture 음식에 대해 까다롭게 굴다. ***~ à***+*inf.* …하기 어려운 : enfant ~ *à* élever 양육하기 힘든 아이. ***Il est ~ de***+*inf.* 〔***que***+*sub.*〕 …하는 것은 어려운 일이다. ── *n.* 어려운 점, 난점 : Le plus ~, c'est que... 가장 어려운 점은 바로 …이다. ***faire le*** 〔***la***〕 ~ 까다롭게 굴다, 트집을 잡다.

***difficilement** [difisilmɑ̃] *adv.* 겨우, 간신히, 가까스로 : gagner ~ sa vie 간신히 생계를 이어 가다 / ~ lisible 판독하기 힘든.

difficulté** [difikylte] *f.* ① 어려움, 곤란 ; 어려운〔난처한〕 처지 : être en ~ 어려운 처지에 놓이다. ② 어려운 것〔일〕, 난점, 난관 ; (텍스트 따위의) 어려운 대목 ; 지장, 장애(= empêchement, obstacle) : ~*s* financières 〔matérielles〕 재정적인〔물질적인〕 어려움 / se heurter à des ~*s* 난관에 부딪치다. ③ 이의(異議), 반대(= objection) : soulever des ~*s* 이의를 제기하다. ④ 의견 충돌, 알력(= différend), 갈등 : avoir des ~*s* avec ses collègues 동료들과 사이가 좋지 않다. ***avoir de la ~ à+*inf.* …하기가 어렵다 ; 쉽사리 …할 수 없다. ***faire des ~s pour***+*inf.* 좀처럼 …하지 않다 : Il n'*a* pas *fait des ~s pour* venir. 그는 두말없이 왔다.

difficultueux, euse [difikyltɥø, -ø:z] *adj.* 까다로운 ; 곤란한.

difforme [difɔʀm] *adj.* ① 기형의, 불구의 : jambe ~ 불구의 다리. ② 보기 흉한, 불균형의 : visage 〔bâtiment〕 ~ 보기 흉한 얼굴〔건물〕. ③ 《문어》 비정상적인, 기이한.

difformer [difɔʀme] *v.t.* ① 《옛》 = déformer. ② (화폐·메달을) 변형시키다.

difformité [difɔʀmite] *f.* 보기 흉함, 기형 ; (정신적인) 결함, 추함, 비정상(= anomalie) : ~ de la vue 눈〔시력〕의 이상.

diffracter [difʀakte] *v.t.* 〖물리〗 (빛·선사 따위를) 회절시키다.

diffraction [difʀaksjɔ̃] *f.* 〖물리〗 (파동의) 회절(回折) : ~ de la lumière 빛의 회절 / ~

D

d'électron 전자 회절.

diffus, e [dify, -y:z] *adj.* ① 흩어진, 확산된 : cheveux ~ 흐트러진 머리카락 / chaleur ~*e* 확산열. ② 희미한 ; 막연한 : sentiment ~ 막연한 감정. ③ 산만한, 장황한(= prolixe) : style ~ 산만한 문체.

diffusément [difyzemɑ̃] *adv.* ① 희미하게 ; 어렴풋이(= vaguement). ② 산만하게 ; 장황하게 : parler ~ 장황하게 말하다.

***diffuser** [difyze] *v.t.* ① 흩뜨리다, 퍼뜨리다(= propager) ; (빛·열을) 확산시키다(= répandre) : ~ la chaleur 열을 확산시키다. ② 〖라디오〗 방송하다 : concert *diffusé* en direct 〔différé〕 생방송〔녹화 방송〕된 콘서트. ③ 배포〔배급〕하다(= distribuer) : ~ des livres (서점에) 책을 보급하다. ── **se** ~ *v.pr.* 흩어지다, 퍼지다, 확산하다.

diffuseur [difyzœ:ʀ] *m.* ① 방송 장치 ; 확성기 ; 〖기계〗 확산 장치. ② 〖라디오〗 방송자. ③ (출판물·영화 따위의) 배급원 ; (정보 전달의) 매체, 미디어. ④ (조명 기구의) 확산기. ⑤ 사탕무의 당즙 추출기. ⑥ (고속도로의) 인터체인지(= échangeur).

diffusion [difyzjɔ̃] *f.* ① 흩어짐, 확산, 산란 : ~ de la lumière 빛의 확산. ② 방송 : ~ du bulletin d'informations 뉴스 방송. ③ 보급, 전파 ; 분배(= distribution) ; 배급 : ~ des techniques 과학 기술의 보급. ④ 장황함.

digérable [diʒeʀabl] *adj.* 소화할 수 있는.

***digérer** [diʒeʀe] 6 *v.t.* ① ⓐ 소화하다 : Je ne *digère* pas le porc. 나는 돼지고기는 소화하지 못한다. ⓑ《목적보어 없이》 Il *digère* mal. 그는 소화불량이다. ② (책 따위를) 이해하다(= assimiler), 소화하다 : ~ une lecture 읽은 책을 소화하다. ③《구어》(모욕 따위를) 꾹 참다(= supporter) : ~ une insolence 무례함을 참다 / C'est dur à ~ . 그것은 참기 어렵다. ── *v.i.* ① 약한 불에 서서히 익다〔졸다〕. ②《옛》 액체가 서서히 스며들다. ── **se** ~ *v.pr.* 소화되다 ; 이해되다 ; 견디다.

digest [dajʒɛst, diʒɛst] 〔영〕 *m.* (과학서 등의) 적요(摘要), 적요서, 다이제스트.

digeste [diʒɛst] *adj.* 소화되기 쉬운 ; 이해하기 쉬운.

digestibilité [diʒɛstibilite] *f.* 소화율〔성〕.

digestible [diʒɛstibl] *adj.* 소화될 수 있는, 소화하기 쉬운(≠ indigeste).

digestif, ive [diʒɛstif, -i:v] *adj.* 소화의 ; 소화를 촉진하는 : appareil ~ 소화 기관 / trouble ~ 소화 불량. ── *m.* ① 소화제. ② 식후에 마시는 술(≠ apéritif).

digestion [diʒɛstjɔ̃] *f.* ① 〖생리〗 소화 : ~ pénible 소화 불량. ② 이해 : ~ des connaissances 지식의 소화. ③ 인내 ; 꾹 참기 : affront d'une ~ difficile 참기 힘든 모욕.

digicode [diʒikɔd] *m.* 알파벳과 숫자로 된 코드를 입력시켜 문을 여는 장치.

digit [di(d)ʒit] 〔영〕 *m.* 〖컴퓨터〗 디짓, 숫자.

digital[1], e[1], aux[1] [diʒital, -o] *adj.* 손가락의 ; 손가락 모양의 : empreinte ~*e* 지문.

digital[2], e[2], aux[2] *adj.* ① 수의, 숫자에 관한 : calcul ~ 수치 계산. ② 〖컴퓨터〗 디지털(방식)의(≠ analogue) : enregistrement ~ 디지털 녹음.

digitaline [diʒitalin] *f.* 〖약학〗 디기탈린《디기탈리스에서 추출한 독소; 강심제로 사용》.

digitaliser [diʒitalize] 〔영〕 *v.t.* 〖컴퓨터〗 수치화하다, 디지털화하다(= numériser).

digit(i)- *préf.* 「손가락」의 뜻.

digitigrade [diʒitigʀad] *adj.* 〖동물〗 지행성(趾行性)의. ── *m. pl.* 〖동물〗 지행류(趾行類)《개·고양이 따위》.

***digne** [diɲ] *adj.* ①《~ de qc. 〔+*inf.*〕 ; ~ que+*sub.*》 …할 만한, …을 받아 마땅한 : ~ *de* châtiment 벌을 받아 마땅한 / ~ *de* foi 신용할 만한 / être ~ *de* récompense 상을 받을 만하다 / Il a été jugé ~ *de* représenter son pays. 그는 자기 나라를 대표할 만한 자격이 있다고 판정되었다. ②《~ de qn〔qc〕》 …에 어울리는〔상당한〕 : fils ~ *de* son père 아버지에 어울리는 아들. ③《명사 앞》 존경할 만한, 훌륭한 : ~ homme 훌륭한 사람. ④ 의젓한, 점잖은, 품위 있는 ; 의연한, 위엄 있는 : personne ~ 의젓한 사람 / Il est resté très ~ dans son malheur. 그는 불행한 중에도 끝내 의연한 태도였다.

dignement [diɲmɑ̃] *adv.* ① 상당하게 ; 어울리게. ② 점잖게, 훌륭하게, 당당하게 : se comporter ~ 의연하게 행동하다.

dignitaire [diɲitɛ:ʀ] *m.* 고위, 고관 ; 《구어》 높은 양반 : grand ~ de l'État 고위 관리.

dignité [diɲite] *f.* ① 품격 ; 품위 ; 위엄, 존엄성(= respectabilité) ; 위풍 ; 관록 ; 자존심, 체면 : ~ de l'homme 인간의 존엄성 / avoir de la ~ 〔manquer de ~〕 자존심이 있다〔없다〕. ② 고위직, (*pl.*) 고관 : les plus hautes ~ militaires 군부의 최고위층.

digression [digʀɛsjɔ̃] *f.* (이야기 따위가) 본론을〔주제를〕 벗어남, 여담(餘談) ; 탈선 : faire une ~ ; se perdre 〔se lancer〕 dans une ~ 이야기가 탈선하다.

digue [dig] *f.* ① 둑, 제방, 방파제(= jetée, môle) : ~ maritime 해안 제방 / ~ en pleine mer 방파제 ② 장애, 방해물(= barrière, obstacle) : élever une ~ à 〔contre〕 qc …을 가로막다.

diktat [diktat] *m.* ① (국제 정치에서) 강제 조약. ② 강요 ; 일방적인 결정.

dilacérer [dilaseʀe] 6 *v.t.* 갈갈이 찢다.

dilapidateur, trice [dilapidatœ:ʀ, -tʀis] *adj.* ① 낭비하는(≠ économe) ; 탕진하는(≠ dépensier). ② 횡령〔착복〕하는. ── *n.* 위의 사람.

dilapidation [dilapidɑsjɔ̃] *f.* ① 낭비, 탕진(= gaspillage). ② 횡령, 착복(= concussion) : ~ des deniers publics 공금 횡령.

dilapider [dilapide] *v.t.* ① 낭비〔탕진〕하다 : ~ sa fortune 재산을 탕진하다. ② 가로채다, 횡령〔착복〕하다(= détourner) : ~ les fonds de la société 회사의 공금을 횡령하다.

dilatabilité [dilatabilite] *f.* 〖물리〗 팽창성.

dilatable [dilatabl] *adj.* 부풀게 할 수 있는 ; 〖물리〗 팽창할 수 있는.

dilatateur, trice [dilatatœ:ʀ, -tʀis] *adj.* 부풀리는, 팽창시키는. ── *m.* 〖외과〗 확장기 ; 〖해부〗 확장근(筋)(= muscle ~.)

dilatation [dilatɑsjɔ̃] *f.* ① 팽창, 확대, 확장 : ~ d'un vaisseau 혈관 확장 / ~ d'un solide 고체의 팽창. ②《비유》(희망 따위의) 부

풀음, 후련함, 해방감 : ~ de l'âme (희망으로) 마음이 부풀음.

dilater [dilate] *v.t.* ① 팽창시키다(= gonfler ; ≠ contracter) ; 확장〔확대〕하다 : ~ un liquide 액체를 팽창시키다. ② (마음을) 후련〔상쾌〕하게 하다 : L'espérance *dilate* le cœur. 희망으로 마음이 부풀어오른다. ── **se ~** *v.pr.* ① 팽창하다 ; 확장〔확대〕되다 : *se* ~ les poumons 심호흡을 하다. ② (마음이) 후련〔상쾌〕해지다. ***se ~ la rate*** 《구어》 깔깔거리며 웃다, 몹시 유쾌해하다.

dilatoire [dilatwa:ʀ] *adj.* 〖법률〗 연기시키는 ; 지연〔지체〕시키는, 늑장부리는 : moyens ~*s* 지연 작전.

dilemme [dilɛm] *m.* 딜레마 ; 진퇴양난, 곤경 : être devant un ~ 진퇴양난이다.

dilettante [dilɛ[e]tɑ̃:t] 〔이탈리아〕 *n.* (*pl.* ***~s, dilettanti*** [-ti]) ① ⓐ 《옛》 음악 애호가. ⓑ 문예〔예술〕 애호가. ② 애호가, 도락가, 딜레탕트 : faire des sciences 〔son travail〕 en ~ 도락으로 학문〔자기 일〕을 하다.

dilettantisme [dilɛ[e]tɑ̃tism] *m.* ① ⓐ 《옛》 음악 애호. ⓑ 문예〔예술〕 애호 : ~ en musique 음악에 대한 애호. ② 도락, 취미.

diligemment [diliʒamɑ̃] *adv.* ① 부지런히 ; 열심히 : travailler ~ 열심히 일하다. ② 신속하게 : courir ~ 신속하게 뛰어가다.

diligence [diliʒɑ̃:s] *f.* ① 근면, 열심, 부지런함(= zèle) : avec ~ 열심히. ② 신속, 민활 ; 빠름(= rapidité) : ~ du temps 화살처럼 빠른 시간. ③ 역마차, 승합 마차. ④ 〖법률〗 소송 ; 청구(= demande). ***en toute ~*** 신속하게, 부랴부랴. ***faire ~*** 서두르다.

diligent, e [diliʒɑ̃, -ɑ̃:t] *adj.* ① 부지런한, 근면한, 열성적인(= appliqué, zélé) : employé ~ dans ses affaires 일을 열심히 하는 사람. ② 민활한, 재빠른(= expéditif). ③ 《옛》 정성스러운(= soigneux).

diluer [dilɥe] *v.t.* ① 희석하다 ; (술 따위에) 물을 타다(= délayer) ; (물에) 녹이다(= dissoudre) : 《~ de》 ~ *de* l'alcool avec de l'eau 알코올을 물로 희석하다. ② 《비유》 (효과를) 약화〔감소〕시키다, 흐려지게 하다 : Il *a dilué* son exposé sur plusieurs heures. 그는 오랜 시간에 걸쳐서 설명을 하여 그 효과를 감소시켰다. ── **se ~** *v.pr.* 묽어지다 ; 물에 녹다.

dilution [dilysjɔ̃] *f.* ① 물 타기, 희석 ; 용해 ; 희석물. ② 《비유》 약화, 감소, 흐려짐.

diluvien, enne [dilyvjɛ̃, -ɛn] *adj.* ① 대홍수의 ; 대홍수 같은 : pluie ~*enne* 《구어》 호우. ② 홍적의 : terrain ~ 홍적층.

dimanche** [dimɑ̃:ʃ] *m.* 일요일, 〖가톨릭〗 주일(主日) : observer le ~ 안식일을 지키다 / passer le ~ en famille 일요일을 가족과 보내다. ***du ~ 《구어》 서투른 ; 아마추어의 : chauffeur *du* ~ 서투른 운전수 / habits *du* ~ 〔*des* ~*s*〕 나들이옷, 정장 / peintre *du* ~ 아마추어〔일요〕 화가. ***s'habiller de ~*** 나들이옷을 입다. ***se mettre en ~*** 《구어》 정장을 하다.

dîme [dim] *f.* ① 《옛》 10분의 1세(稅), 십일조(十日租). ② 미국의 10센트 은화. ***prélever*** 〔***lever***〕 ***une ~ sur*** qc …의 일부를 사취〔횡령〕하다.

dimension** [dimɑ̃sjɔ̃] *f.* ① (길이 · 넓이 · 높이의) 치수, 크기(= grandeur) : ~ d'une chaussure 신발의 치수 / Mesurez ce tissu dans la plus grande ~. 이 천을 길이로 재십시오. ② 《비유》 중요성 ; 규모, 차원(= importance, ampleur) : entreprise d'une ~ mondiale 세계적인 규모의 기업. ③ 〖수학 · 물리〗 차원(次元) : espace à trois ~*s*, 3차원의 공간. ***à la ~ 〔***aux ~s***〕 ***de*** qc …에 알맞은, 적합한(= approprié à). ***prendre les ~s de*** qc …의 치수를 재다. ***prendre ses ~s*** 신중히 대처하다.

dimensionner [dimɑ̃sjɔne] *v.t.* 크기를 재다, 측정하다.

diminué, e [diminɥe] *adj.* ① 줄어든, 축소된(= réduit) ; 단축된 : revenu ~ 줄어든 수입. ② 쇠약해진 ; 불구의 : vieillard ~ 심신이 쇠약한 노인. ── *m.* 심신이 쇠약한 사람 ; 불구자(= ~ physique).

***diminuer** [diminɥe] *v.t.* ① 줄이다, 작게 하다, 짧게 하다, 경감하다, 저하〔감소 · 약화〕시키다(≠ augmenter) ; (봉급 따위를) 내리다(= baisser) : ~ sa dépense 지출을 줄이다 / ~ la vitesse 속도를 줄이다 / ~ un salarié 봉급자의 월급을 내리다 / ~ l'ardeur 〔le courage〕 열의〔용기〕를 꺾다 / Ce rideau traîne par terre, il faut le ~. 이 커튼은 땅에 끌리니 줄여야겠다. ② 《~ qn》 (신용 · 평판 따위를) 떨어뜨리다, 깎아내리다(= rabaisser) : Cette affaire l'*a diminué*. 그 사건으로 인해 그의 평판이 나빠졌다. ③ 쇠약하게 하다(= affaiblir). ── *v.i.* ① 줄다 ; 짧아지다 ; 내리다 : ~ de longueur 길이가 줄다 / Les jours *ont diminué*. 낮이 짧아졌다. ② (신용 따위가) 떨어지다 ; (감정이) 누그러지다 ; 쇠약해지다 : Il *a diminué* à vue d'œil. 그가 눈에 띄게 쇠약해졌다 / Sa colère *diminue*. 그의 노여움이 누그러진다. ── **se ~** *v.pr.* ① 줄다, 작아지다 ; 약해지다. ② 자기를 과소평가하다.

diminutif, ive [diminytif, -i:v] *adj.* 〖문법〗 지소적(指小的)인(≠ augmentatif) : suffixe ~ 지소접미사. ── *m.* ① 〖문법〗 지소사(指小辭). ② 애칭.

diminution [diminysjɔ̃] *f.* ① 경감 ; 축소, 인하 ; 하락 ; 감소 : ~ des heures de travail 노동 시간의 감축 / ~ des impôts 감세(減稅). ② 《비유》 쇠퇴 ; 쇠약 ; 약화.

dinanderie [dinɑ̃dʀi] *f.* 유기그릇 (제조 공장).

dinar [dina:ʀ] *m.* ① 디나르《유고슬라비아 · 알제리 · 튀니지 등의 화폐 단위》. ② 《옛》 아라비아의 금화.

dînatoire [dinatwa:ʀ] *adj.* 저녁 식사를 겸한 : soirée ~ 저녁 식사를 겸한 야회.

dinde [dɛ̃:d] *f.* ① 암칠면조 ; 칠면조 요리〔고기〕 : ~ de Noël 크리스마스의 칠면조. ② 《구어》 바보《여자》. ── *m.* 《옛 · 지방어》 = dindon.

dindon [dɛ̃dɔ̃] *m.* ① (수)칠면조 : ~ faisant la roue 꼬리를 활짝 편 칠면조. ② 《구어》 바보《남자》. ***être colère comme un ~*** 몹시 성내다. ***être le ~ de la farce*** 속다, 남의 웃음거리가 되다.

dindonneau [dɛ̃dɔno] *m.* (*pl.* ***~x***) 칠면조 새끼.

dindonner [dɛ̃dɔne] *v.t.* 속이다(= duper) ;

우롱하다, 바보〔칠면조처럼〕 취급하다 : mari *dindonné* 오쟁이진 남편.

dîner** [dine] *m.* 저녁 식사, 만찬(회) ; 《옛 · 지방어》 점심 : ~ prié 만찬〔오찬〕회 / ~-concert 콘서트가 딸린 만찬회. ***Qui garde son ~, il a mieux à souper. 《속담》 장래를 예비하는 자에게는 후회가 없다. ── *v.i.* ① 저녁 식사를 하다 ; 《옛 · 지방어》 점심을 먹다 : inviter qn à ~ …을 저녁 식사에 초대하다. ② 식사하다(= manger) : ~ de 〔《구어》 avec des〕 légumes 야채로 식사하다. ***donner à ~*** 만찬에 초대하다. ***Qui dort, dîne.*** 《속담》 잠자는 자는 시장기를 잊는다.

dînette [dinɛt] *f.* 《구어》 소꿉장난 ; 가벼운 식사. ***~ sur l'herbe*** 소풍 도시락〔식사〕. ***faire la ~ ; jouer à la ~*** 소꿉장난하다.

dîneur, euse [dinœːʀ, -øːz] *n.* 저녁 식사하는 사람 ; 만찬회 참석자.

ding [diŋ] *interj.* 딩, 댕, 따르릉.

dinghy, dinghie [dingi] 〖영〗 *m.* (비행기 탑승원의) 구명용 고무 보트.

dingo, dingot [dɛ̃go] 《속어》 *adj.* 미친, 머리가 돈(= fou). ── *m.* 미치광이.

dingue [dɛ̃ːg] *adj.* 《구어》 ① 미친, 머리가 돈(= détraqué). ② 괴상한(= bizarre), 기묘한(= saugrenu). ── *n.* 미친 사람 : maison de ~*s* 정신 병원.

dinguer [dɛ̃ge] *v.i.* 《aller, venir, envoyer, faillir 따위의 보어로서 *inf.* 로만 쓰임》 《구어》 넘어지다, 나동그라지다(= tomber) : Les fruits sont allés ~ sur le trottoir. 과일들이 보도 위에 와르르 쏟아졌다. ***envoyer ~*** qc 《속어》 …을 내동댕이치다 ; …을 내쫓다.

dinosaure [dinɔzɔːʀ] *m.* 〖고생물〗 공룡.

diocésain, e [djɔsezɛ̃, -ɛn] *adj.* 교구의 ; 감독 관구의 : évêque ~ 교구의 주교. ── *n.* (교구의) 신도 ; (교구의) 주교.

diocèse [djɔsɛːz] *m.* ① 〖가톨릭〗 교구 ; 〖신교〗 감독 관구. ② 〖고대로마〗 주(州).

diode [djɔd] *adj.* et *f.* 〖전기〗 이극관(二極管)(의).

dionysiaque [djɔnizjak] *adj.* ① 디오니소스(*Dionysos*)의 : artiste ~ (고대의) 비극 배우. ② 《문어》 디오니소스적인, 격정〔열광〕적인(≠ apolinien). ── *f.* 주신(酒神) 무도 ; (*pl.*) 디오니소스제(= dionysies), 주신제.

Dionysos [djɔnizoːs] *n.pr.m.* 〖그리스신화〗 디오니소스《로마 신화의 바커스에 해당하는 주신》.

dioptrie [djɔptʀi] *f.* 〖광학〗 디옵트리《렌즈의 강도 단위》.

dioptrique [djɔptʀik] *adj.* 굴절 광학의. ── *f.* 굴절 광학.

diphtérie [difteʀi] *f.* 〖의학〗 디프테리아.

diphtérique [difteʀik] *adj.* 디프테리아의 ; 디프테리아에 걸린. ── *m.* 디프테리아 환자.

diphtongaison [diftɔ̃gɛzɔ̃] *f.* 〖언어〗 2중모음화.

diphtongue [diftɔ̃ːg] *f.* 〖언어〗 2중모음 《bien, lieu 따위의 ien, ieu》.

diphtonguer [diftɔ̃ge] *v.t.* 2중모음으로 만들다. ── **se ~** *v.pr.* 2중모음이 되다.

dipl(o)- *préf.* 「2개의 · 2중의」의 뜻.

diplodocus [diplɔdɔkys] *m.* 〖고대생물〗 공룡의 일종.

diplômant, e [diplomɑ̃, -ɑ̃ːt] *adj.* 학위 취득의 : stage ~ 학위 취득 연수.

diplomate [diplɔmat] *m.* ① 외교관 : femme ~ 여자 외교관. ② 과자의 일종. ── *adj.* et *n.* 외교적 수완이 있는 (사람) ; 교섭에 능란한 (사람) : Il est très ~ ; C'est un fin ~. 그는 교섭에 무척 능하다.

diplomatie [diplɔmasi] *f.* ① 외교 ; 외교술〔학〕 ; 외교관의 직 ; 《집합적》 외교단. ② 외교 수완 : user de ~ 능란하게 교섭하다.

diplomatique [diplɔmatik] *f.* 공문서학. ── *adj.* ① 외교의, 외교상의. ② 외교적인, 교섭에 능란한(= adroit, habile). ③ 공문서의(diplôme)의, 공문서학의. ***agent ~*** 외교관. ***corps ~*** 외교단. ***maladie ~*** 꾀병.

diplomatiquement [diplɔmatikmɑ̃] *adv.* ① 외교적으로 ; 사교적으로. ② 능란하게.

***diplôme** [diploːm] *m.* ① 공문서. ② 졸업증서 ; 학위 ; (교원 따위의) 면허장, 자격증 : ~ d'études approfondies 전문 연구 과정 수료증 (《약자》 D.E.A.) / ~ de licencié 학사 학위. ③ 면허〔학원〕 취득 시험.

diplômé, e [diplome] *adj.* et *n.* 면허장〔학위 · 졸업장 · 자격증〕을 취득한 (사람).

diptyque [diptik] *m.* ① 〖미술〗 2장 접이의 그림. ② 〖문학〗 서로 균형잡힌 두 부분으로 된 작품, 2부작.

***dire** [diːʀ] 29 A ① 말하다 ; 이야기하다(= raconter) ; 설명하다(= expliquer) ; 알리다(= annoncer) : ~ qc à voix basse 〔entre ses dents〕 나직한 소리로 …을 말하다 / ~ à l'oreille 〔tout bas〕 귓속말을 하다, 속삭이다 / ~ son avis 〔idée〕 자기 의견〔생각〕을 말하다 / Je vous l'*ai dit* cent fois. 나는 당신에게 골백번은 말했다 / 《~ + *inf.*》 Il *a dit* être fatiqué. 그는 피곤하다고 말했다 / 《~ que + *ind.*》 Il *a dit qu*'il viendra demain. 그는 내일 온다고 말했다 / 《+ qc 〔qn〕 + 속사》 On ne *dit* fort compétent. 그가 매우 유능하다고들 한다 / 《~ + 간접의문문》 *Dites*-moi ce que vous pensez. 당신이 생각하고 있는 바를 말해 주시오 / 《~ + 인용문》 Il *a dit*, ≪Allez-vous-en !≫ 「가라 !」 하고 그는 말했다. ② 단언하다, 주장하다(= assurer, affirmer) : Je vous *dit* que non. 분명히 아닙니다 ; 분명히 거절합니다 / à ce qu'il *dit* 그가 주장하는 바로는. ③ 전달하다, 전언하다(= communiquer) : ~ une nouvelle 어떤 소식을 전하다 / *Dites*-lui bien des choses de ma part. 그에게 내 안부 좀 전해 주시오. ④ 반대하다(= contredire, objecter) ; 비난하다(= blâmer) ; 누설〔폭로〕하다(= révéler) : Rien à ~, ça va. 굳이 말할〔반대할〕 게 없다, 그런대로 좋다. ⑤ 생각하다, 판단하다(= penser, juger) : Qu'en *dites*-vous ? 그것에 대해 어떻게 생각하십니까 ? ⑥ 예언하다(= prédire) : ~ la bonne aventure 점을 치다. ⑦ (글로) 표현하다, 쓰다(= écrire) ; 규정짓다 : La loi *dit* que ... 법은 …라고 규정짓고 있다. ⑧ 《~ de + *inf.* 〔que + *sub.*〕》 …하라고 말하다(= ordonner), 명령〔지시〕하다 : On nous *a dit de* rester ici. 우리더러 이곳에 머물러 있으라고 했다 / *Dites*-lui *qu*'il vienne me voir. 나를 만나러 오라고 그에게 말하시오. ⑨ 정하다, 합의하다(= décider, convenir de) : Venez un de ces jours, *dis*-

ons lundi. 근일 중에 오세요, 월요일이 좋겠구려 / Voilà qui *est dit; C'est dit.* 이것이 결정된 바다 ; 양해가 됐다. ⑩ 외다, 낭송〔낭독〕하다(=réciter) : L'auteur *dit* lui-même ses poèmes. 저자 자신이 자기의 시를 읊다. ⑪ (미사를) 드리다(=célébrer) : ~ la messe 미사를 드리다 / ~ son chapelet 로사리오의 기도를 드리다.
B 《주어 : qc》 ① 나타내다, 알려 주다(=indiquer), 말해 주다(=exprimer) : horloge qui *dit* l'heure exacte 정확한 시간을 가리켜 주는 시계 / Son attitude *dit* bien ce qu'elle veut ~. 그의 태도를 보면 그의 뜻을 확실히 알 수 있다. ② 《vouloir ~》 의미하다, 뜻하다(=signifier) : Qu'est-ce que ça veut ~? 그건 무슨 뜻입니까? / Que veut ~ cette phrase française? 이 불어 문장은 무슨 뜻입니까? ③ 마음에 들다(=plaire) ; …의 흥미를 끌다 : Aller au cinéma? Ça ne me *dit* rien. 영화 구경 가자고요, 나는 그럴 생각 없습니다 / Ça ne me *dit* rien d'être médecin. 의사가 되고 싶은 생각은 조금도 없다 / 《목적보어 없이》 Est-ce que cela vous *dit?* 마음에 드십니까?
autrement dit 달리 말해서. ***à vrai ~ ; à ~ vrai*** 사실인즉, 실상. ***ceci*** 〔***cela***〕 ***dit*** 그렇게 말하고 나서 ; 그런데. ***ce disant*** 그렇게 말하면서. ***Cela ne me dit rien.*** 그것은 내 마음에 들지 않는다. ***cela n'est pas à ~ que*** + *sub.* …라는 말은 아니다. ***Cela va sans ~.*** 그것은 뻔한 일이다. ***Ce n'est pas pour ~.*** 《구어》 이런 말 하기는 무엇하지만. ***c'est-à-~ ; c'est-à-~ que*** 다시 말하면. ***C'est beaucoup ~.*** 그건 너무 과장된 말이다. ***C'est comme qui dirait...*** 마치 …같다. ***C'est moi qui vous le dis!*** 내가 하는 말이니 틀림없어요! ***C'est tout ~; Cela dit tout.*** 그것은 모든 것을 말해 주고 있다 : Il n'a même pas daigné me recevoir. *C'est tout dire.* 그는 나를 만나 주지도 않았다. 그것만 봐도 알 만하지. ***Comment diton...*** …을 무엇이라고 말합니까? ***comme on dit*** 소위, 이른바. ***~ du bien*** 〔***mal***〕 ***de*** qn …을 좋게〔나쁘게〕 말하다. ***~ que...*** 《놀라움·분노를 표시》 : *D~ qu'*il n'a pas encore vingt ans! 아직 스무 살도 안 되었다니. ***Dis*** 〔***Dites***〕 ***donc!*** 이봐〔이봐요〕, 여보시오. ***disons-le ; disons le mot*** 솔직하게 말하자. ***dit-on***…라는 것이다〔…라고들 한다〕《삽입어구로》. ***Dites toujours!*** 계속해 봐요 ; 실컷 말해 봐요. ***en ~ beaucoup*** 〔***long***〕 (***sur*** qc) (…을) 웅변으로 말해 주다 ; 의미심장하다. ***en ~ de belles*** 〔***de bonnes, de toutes les couleurs***〕 엉뚱한 얘기를 하다. ***entre nous soit dit ; soit dit entre nous*** 우리끼리만의 얘기지만. ***Est-ce à ~ que ...?*** …하다는 말입니까? ***et ~ que*** 《놀라움·분노를 나타내어》 그런데 …하다니. ***J'ai dit.*** 저의 말은 이것으로 끝났습니다《연설을 끝맺는 말》. ***Je ne vous dis que ça*** 〔***cela***〕. 정말이라니까요《상대를 놀라게 하는 말을 할 때》. ***Je veux ~.*** 즉, 말하자면. ***Je vous l'avais dit; Je l'avais bien dit.*** 나는 이미 그걸 예견했었다. ***On aurait dit que***+*ind.* 흡사 …같았다. ***On dirait que*** 마치 …같다, …듯하다 : On *dirait qu'*il pleut. 비가 오는 것 같다. ***On dit que*** …라는 소문이다. ***pour ainsi ~*** 말하자면(=autant dire). ***pour ne pas ~*** …라고 말해서 안 된다면〔거북하다면〕. ***pour tout ~*** 잘라 말하자면. ***Puisque je vous le dis.*** 내 말이 틀림없소. ***que dis-je?*** 아니, 그게 아니라《말한 것을 수정하려 할 때》. ***Quand je vous le disais!; Je vous le disais bien!*** 내 그렇다고 하지 않았소, 글쎄 그렇다니까. ***Qu'est-ce à ~?*** 그것은 무슨 뜻이죠? ***Qu'est-ce que ça dit?*** 《구어》 그게 무슨 뜻이〔가치가〕 있는가? 어떻게 되어 가는가? ***Que tu dis!; Qu'il dit!*** 《구어》 과연 그럴까?《의심을 표시》 : Je n'ai rien oublié. Oui, *que tu dis!* 난 아무것도 잊지 않고 있어. 그래, 과연 그럴까. ***si le cœur vous en dit*** 원하신다면. ***soit dit en passant*** 덧붙여 말하자면. ***trouver à ~*** 결점을 들추어내다, 트집잡다 ; 나무라다, 비난하다. ***vouloir ~*** 의미하다. ***Vous l'avez dit.*** 아무렴, 말씀 그대로입니다. ***Vous n'avez qu'à ~.*** 말씀만 하십시오《바라시는 대로 해드리겠습니다》.
— ***se ~*** *v.pr.* ① 혼잣말하다, 생각하다 : On *se dirait* en France. 마치 프랑스에 와 있는 듯한 기분이다. ② 자칭하다 : Il *se dit* votre parent. 그는 자기가 당신의 친척이라고 말하고 있다. ③ 말하여지다 : Cela *se dit* souvent. 흔히 그렇게들 말한다.
— *m.* ① 말, 이야기. ② 〖법률〗 공술, 진술 : ~ des témoins 증인의 진술. ***au***(***x***) ***~s de*** qn ; ***selon le***(***s***) ***~***(***s***) ***de*** qn …의 말에 따르면 : *selon* ses *~s* 그의 말에 따르면.

direct, e** [dirɛkt] *adj.* ① 직접의, 직접적인 ; 직행의 : relations ~*es* avec l'acheteur 구매자와의 직접적인 교섭 / la cause ~*e* 직접 원인, 근인(近因). ② 곧은, 곧바른, 일직선의 ; 맞바른, 정면적인 ; 직선적〔단도직입적〕인 ; 솔직한 : route ~*e* 곧은 길 / attaque ~*e* 직격, 정면 공격 / faire une allusion ~*e* 노골적으로 암시하다. ③ 직속의 ; 직계의 : descendre de qn en ligne ~*e* …의 직계 비속(卑屬)이다. ④ 전적인(=complet). ⑤ 직행의 : train ~ pour …행(行) 직행 열차. ⑥ 〖문법〗 complément d'objet ~ 직접 목적보어 / style 〔discours〕 ~ 직접화법. — *m.* ① 생방송, 생중계(=émission en ~ ; ≠ en différé). ② 직행 열차(=train ~). ③ 《구어》 강한 일격. ***en ~ 생방송〔방영〕되는.

***directement** [dirɛktəmɑ̃] *adv.* ① 곧바로, 일직선으로 ; 직접 ; 곧장 : rentrer ~ chez soi 곧장 귀가하다. ② 전혀, 전적으로 : opinion ~ contraire 정반대의 의견.

‡directeur, trice [dirɛktœːr, -tris] *adj.* 지휘〔지도〕하는 ; 기준이 되는. ***comité ~*** 중역회(重役會). ***roue ~trice*** (자동차 · 자전거의) 앞바퀴. — *n.* ① 장(長), 지휘자, 교장, 사장, 지배인, 이사, 중역, 부장, 국장, 관리인, 감독관 : président général 이사장 겸 사장(《약자》 P.D.G.) / ~ commercial 〔administratif〕 영업〔총무〕부장 / ~ de journal〔revue〕 신문〔잡지〕 편집장 / ~ de la photographie 〖영화〗 촬영 감독 / ~ d'un lycée 〔collège〕 고등학교〔중학교〕의 교장 / Madame la ~*trice* 여교장 선생님. ② 〖프랑스사〗 집정

관. ③ 〖종교〗 지도자, 인도자. ~ ***de conscience*** 〔***spirituel***〕 〖가톨릭〗 영신(靈神) 지도자. ~ ***général des postes télégraphes et téléphones*** 체신부 장관. ── *f.* 〖수학〗 지도선(線), 준선(準線)(= ligne ~*trice*).

directif, ive [diʀɛktif, -iːv] *adj.* ① 지도적인 : pédagogie ~*ive* (비강제적인) 지도 교육(법). ② 지향성의 : antenne ~*ive* 지향성 안테나. ③ 독단적인, 명령적인(= autoritaire) : attitude ~*ive* 독단적인 태도. ── *f.* (보통 *pl.*) ① 〖군사〗 작전 지시 ; (정당의) 강령. ② 지령, 명령(= instruction, ordre).

D

direction** [diʀɛksjɔ̃] *f.* ① 방향, 방위(方位) : changer de ~ 방향을 돌리다. ② ⓐ 《비유》 방향 ; 방침 : faire des recherches dans une ~ nouvelle 연구의 방향〔방침〕을 바꾸다. ⓑ (*pl.*) (구체적) 지시 : donner des ~*s* à ses subordonnés 부하에게 지시를 내리다. ③ ⓐ 지휘 ; 지도, 감독, 관리 ; 운영 : ~ de l'entreprise 기업의 운영 / la ~ d'un professeur 교수의 지도 / la ~ d'une équipe 팀의 감독. ⓑ ~ (de conscience) ; ~ (spirituelle) 〖가톨릭〗 영신 지도. ④ 책임자〔장(長)〕의 직(職) : donner une ~ à qn …을 사장〔국장 · 부장〕으로 임명하다. ⑤ 책임자〔장〕의 사무실 : se présenter à la ~ 사장〔국장 · 부장〕실에 가다〔출두하다〕. ⑥ 책임자와 그 측근자 ; 부(部) ; 국(局) : Direction de l'Enseignement primaire 초등교육국. ⑦ 운전, 조종 ; 조종 장치. ***dans la ~ de ; en ~ de …의 방향으로〔에서〕. ***dans toutes les ~s*** 모든 방향으로, 사방팔방으로.

directionnel, elle [diʀɛksjɔnɛl] *adj.* 방향을 지시하는 : panneau ~ 방향 지시판.

directivité [diʀɛktivite] *f.* ① 〖기술〗 지향성. ② 지도성 ; 권위주의.

directoire [diʀɛktwaːʀ] *m.* ① 〖프랑스사〗 집행부 : ~ départemental 도(道)〔군〕회의 《1789-1799》. ② 〖법률〗 경영권자 회의 ; 이사회. ***Le D~*** 〖프랑스사〗 집정 내각 정부 《1795-1799》.

directorial, e, aux [diʀɛktɔʀjal, -o] *adj.* ① (사장 · 소장 · 원장 따위) 장(directeur)의 : bureau ~ 사장〔소장 · 원장 · 부장〕실. ② 〖프랑스사〗 집정 내각 정부의.

dirigé, e [diʀiʒe] *adj.* 지향된 ; 지도된. ***antenne ~e*** (라디오의) 지향성 안테나. ***économie ~e*** 계획 경제.

dirigeable [diʀiʒabl] *adj.* 조종〔유도〕되는. ── *m.* 비행선(= aerostat, zeppelin).

dirigeant, e [diʀiʒɑ̃, -ɑ̃ːt] *adj.* 지도하는 ; 지배하는 : classes ~*es* 지도층, 지배 계급. ── *m. pl.* 지도자 ; 지배자 ; 관리자 : les ~*s* d'une entreprise 기업의 경영자들.

***diriger** [diʀiʒe] [3] *v.t.* ① (…쪽으로) 향하게 하다 ; 향하여 가게 하다, 보내다 ; 발송하다 : ~ son regard 〔ses yeux〕 vers qn 〔qc〕 …을 향하여 시선을 보내다 / ~ son attention sur qn 〔qc〕 …쪽으로 주의를 기울이다. ② 이끌다 ; 인도〔안내〕하다 : ~ un convoi vers le village 수송대(隊)를 마을 쪽으로 인도하다. ③ 지도하다 ; 지휘〔통솔〕하다 ; 경영하다, 운영하다 : ~ un pays 나라를 다스리다 / entreprise *dirigée* avec sagesse 현명하게 운영된 기업 / ~ un orchestre 교향악단을 지휘하다. ④ 통제하다 ; (감정 따위를) 제어〔억제〕하다 : économie *dirigée* 통제〔계획〕 경제 / ~ ses passions 정념을 억제하다. ⑤ (차 · 배 · 항공기 따위를) 조종〔운전〕하다. ── **se** ~ *v.pr.* ① 《se ~ vers》 …으로 향하다 ; 향하여 가다〔흐르다〕 : L'avion *se dirige vers* le sud. 비행기가 남쪽으로 간다. ② 행동하다 ; 처신하다.

dirigisme [diʀiʒism] *m.* 〖경제〗 통제〔계획〕 경제 체제 : ~ économique 계획 경제.

dirigiste [diʀiʒist] *n.* 계획 경제〔통제 금융〕론자. ── *adj.* 계획 경제의.

dirimant, e [diʀimɑ̃, -ɑ̃ːt] *adj.* 〖법률〗 (결혼을) 무효로 하는 : empêchement ~ 결혼 방해, 결혼 무효화.

dis ⇒ dire.

dis-, di- *préf.* 「분리 · 차이 · 분산 · 결여의 뜻.」

discernable [disɛʀnabl] *adj.* 알아볼 수 있는; 판별〔식별〕할 수 있는.

discernement [disɛʀnəmɑ̃] *m.* ① 분별 ; 철 : âge de ~ 철들 나이. ② 판별, 식별(識別). ③ 안식(眼識). ***agir avec*** 〔***sans***〕 ~ 분별 있는〔무모한〕 행동을 하다.

discerner** [disɛʀne] *v.t.* ① (눈 · 귀 등으로) 알아보다, 확인하다(= reconnaître) : ~ l'écriture 글씨를 알아보다 / ~ une douleur 고통을 느끼다 / ~ un bruit lointain 먼 소리를 듣다. ② 식별〔판별 · 감별 · 구별〕하다(= distinguer) : ~ la cause d'un événement 사건의 원인을 판별하다. ③ 알아내다(= découvrir), 파악하다 : ~les défaut de son adversaire 상대의 약점을 파악하다 / Son but est facile à ~. 그의 목적은 뻔하다. ~ ***A de 〔***d'avec***〕 ***B,*** A와 B를 구별하다. ── **se** ~ *v.pr.* 구별〔판별 · 식별〕되다.

disciple [displ] *m.* ① 제자, 문하생 ; 계승자, 신봉자. ***les D~s (de Jésus-Christ)*** (예수의) 열두 제자. ② ~ de Bacchus 《구어》 술꾼, 주당.

disciplinable [disiplinabl] *adj.* 순종하는 ; (동물이) 길들일 수 있는.

disciplinaire [disiplinɛːʀ] *adj.* 규율상의, 풍기상의 ; 징계의 : mesure ~ 징계 처분 / règle ~ 복무 규칙. ── *m.* 〖군사〗 규율 징계 대원. ── *n.* 규율이 엄격한 사람.

disciplinairement [disiplinɛʀmɑ̃] *adv.* 규율에 따라서 ; 징계 삼아.

discipline** [disiplin] *f.* ① 《옛》 징계 ; 채찍. ② 규율, 풍기 ; 종규(宗規) ; 군기 : se plier à la ~ 규율에 순종하다. ③ 훈련, 훈육. ④ 학과, 교과(목) ; 학문(= matière, études, science) ; 〖스포츠〗 종목 : ~*s* littéraires 〔scientifiques, artistiques〕 문과계〔이과계 · 예능계〕 학문 / ~*s* obligatoires 〔facultatives〕 필수〔선택〕 과목. ***compagnies de ~ 〖군사〗 징치대(懲治隊). ***conseil de ~*** 〖학교〗 징계 위원회. ***salle de ~*** 〖군사〗 영창.

discipliné, e [disipline] *adj.* 규율이 바른, 잘 훈련된.

discipliner [disipline] *v.t.* ① 《옛》 징계〔징벌〕하다. ② 규율을 지키게 하다 ; 훈련시키다 : ~ une armée 군대에 군기(軍紀)를 지키게 하다 / ~ une classe 학급을 규율 바르게 하다. ③ (마음 · 정신 · 본능 따위를) 규범에 따르게 하다, 억제하다 : ~ les instincts

본능을 억제하다. ④ 《~ qc》 ⓐ 지배하다(= maîtriser) : ~ un cours d'eau 물의 흐름 〔수력〕을 지배하다 / ~ les cheveux 머리를 잘 매만지다. ⓑ …에 질서를 세우다 ; 정리하다 : ~ son travail 일에 질서를 세우다. ― **se** ~ *v.pr.* 규율에 복종하다 ; 규율이 서다 ; 훈련되다.

disc-jockey, disk-jockey, disque-jockey [diskʒɔkɛ] 〔미영〕 *m.* 디스크 자키.

disco [disko] 〔영〕 *m.* 디스코 : danser sur du ~ 디스코 음악에 맞춰 춤추다.

disco- *préf.* 「레코드 · 원반」의 뜻.

discobole [diskɔbɔl] *m.* 투원반 선수.

discographie [diskɔgʀafi] *f.* 레코드 목록 작성법 ; 레코드 목록〔리스트〕.

discographique [diskɔgʀafik] *adj.* 레코드 분류〔기재법〕의 ; 레코드 취입법의.

discontinu, e [diskɔ̃tiny] *adj.* ① 중단되는 ; 단속적인, 간헐적인(= intermittent) : effort ~ 중단된 노력 / bruit ~ 단속적인 소리. ② 불연속의 : fonction ~*e* 〖수학〗 불연속 함수 / morphème 〔constituant〕 ~ 불연속 형태소〔문장 성분〕. ― *m.* 중단, 불연속.

discontinuer [diskɔ̃tinɥe] *v.t.* 《문어》 중단〔중지〕하다(= cesser, suspendre). ― *v.i.* 중단하다, 그치다. ***sans*** ~ 쉬지 않고.

discontinuité [diskɔ̃tinɥite] *f.* 중단, 불연속, 단속 : ligne de ~ 〖기상〗 불연속선.

disconvenir [diskɔ̃vniːʀ] [16] *v.t. ind.* ① 《~ à 〔d'avec〕》 …에 어울리지 않다, 맞지 않다 : Ce genre de vie ne lui *disconvient.* 그런 식의 생활은 그에게 어울리지 않는다. ② 《~ de》 …을 부정〔부인〕하다 : Je n'en *disconviens* pas. 나는 그것을 부정하지 않는다. ***ne pas*** ~ ***que*** (***ne***) + *sub.* 〔*ind.*〕 …을 부인〔부정〕하지 않다, 인정하다 : Je *ne* peux *pas* ~ *qu'*il est plus intelligent que moi. 그가 나보다 똑똑한 것은 부정할 수 없다.

discophile [diskɔfil] *f.* 레코드 애호가.

discophilie [diskɔfili] *f.* 레코드 수집 취미.

discordance [diskɔʀdɑ̃ːs] *f.* 음률이 맞지 않음 ; 부조화 ; 불일치, 어울리지 않음 : ~ des opinions 일치되지 않는 의견 / ~ de couleurs 색채의 부조화.

discordant, e [diskɔʀdɑ̃, -ɑ̃ːt] *adj.* ① 음률이 맞지 않는, 부조화의, 귀에 거슬리는 : voix ~*e* 귀에 거슬리는 목소리. ② (의견이) 일치하지 않는, (성격이) 맞지 않는 : plan ~ 일관성이 없는 계획.

discorde [diskɔʀd] *f.* 불화, 반목(= désaccord ; ≠ accord) ; 갈등, 알력. ***brandon de*** ~ 불화의 씨, 이간질하는 사람. ***pomme de*** ~ 불화의 원인 ***semer la*** ~ 불화〔갈등〕의 씨를 뿌리다.

discothèque [diskɔtɛk] *f.* ① 레코드 수집장 ; (방송국의) 레코드실 ; 레코드 캐비닛. ② 수집된 레코드. ③ 디스코테크. 「(액).

discount [diskaunt, -kunt] 〔영〕 *m.* 할인

discounter [diskauntœ̃ʀ] *v.t.* 할인 판매하다 : ~ le pétrole brut 원유를 할인 판매하다.

discoureur, euse [diskuʀœːʀ, -øːz] *adj.* et *n.* 수다스러운 (사람), 말많은 (사람).

discourir [diskuʀiːʀ] [20] *v.i.* 떠벌리다, (수다스럽게) 지껄이다, 장광설을 늘어놓다(= bavarder) : Agissez au lieu de ~. 말로만 떠들지 말고 행동으로 보이시오.

discours** [diskuːʀ] *m.* ① ⓐ 담화, 이야기 : tenir un ~ à qn …에게 이야기를 하다. ⓑ 《경멸》 실없는 이야기, 객설 : Assez de ~ ! 그런 실없는 이야기는 이제 그만 해 둬. ② 연설(= harangue), 강연 ; 훈시, 인사, 치사, 축사(= allocution) : ~ de bienvenue 환영사 / ~ de soutien 지지 연설. ③ 《옛》 논문, 논(論)(= traité) : *D*~ de la méthode (데카르트의) 방법 서설(敍說). ④ 〖언어〗 말 ; 화법 : ~ indirect 〔direct〕 간접〔직접〕화법. ⑤ 견해 ; 〖정치〗 입장 : Il tient toujours le même ~. 그는 여전히 같은 견해를 가지고 있다. ⑥ 〖철학〗 추론(≠ intuition). ***C'est un autre ~. 그건 이야기가 다르다. ***Ce sont des*** ~ ***en l'air.*** 그것은 근거 없는 이야기다. ***perdre le fil de son*** ~ 이야기를 중단하다 ; 이야기가 탈선하다. ***prononcer*** 〔***faire***〕 ***un*** ~ 연설하다.

discourtois, e [diskuʀtwa, -aːz] *adj.* 무례한, 버릇없는(≠ courtois, poli)

discourtoisie [diskuʀtwazi] *f.* 무례, 실례, 버릇없음.

discrédit [diskʀedi] *m.* ① (지폐 따위의) 가치 하락(= baisse). ② 신용〔가치〕의 상실, 인기〔평가〕 하락(= déconsidération) : jeter le ~ sur qn …의 신용을 손상하다 / tomber dans le ~ 신용을 잃다.

discréditer [diskʀedite] *v.t.* ① (지폐의) 가치를 떨어뜨리다. ② …의 신용을〔인기 · 권위를〕 떨어뜨리다 ; 악평하다. ― **se** ~ *v.pr.* 신용을〔인기 · 권위를〕 잃다 : Il *s'est discrédité* dans l'esprit de ses collègues. 그는 동료들의 신임을 잃었다.

***discret, ète** [diskʀɛ, -ɛt] *adj.* ① 신중한, 사려깊은(= réservé) ; 분별있는 : avoir une attitude ~*ète* 태도가 신중하다. ② 말이 적은, 비밀을 지키는 : Ne vous confiez qu'à un ami très ~. 비밀을 잘 지킬 줄 아는 친구만을 믿으십시오. ③ 눈에 띄지 않는, 이목을 끌지 않는, 검소한(= sobre) : vêtements ~s 소박한 의복. ④ 은근〔은밀〕한 ; (장소가) 아늑한 : endroit 〔coin〕 ~ 후미진〔조용한〕 곳, 구석.

discrètement [diskʀɛtmɑ̃] *adv.* ① 조심성 있게 ; 소박하게 : femme ~ maquillée 엷은 화장을 한 여인. ② 비밀을 지켜 : garder ~ un secret 굳게 비밀을 지키다.

discrétion [diskʀesjɔ̃] *f.* ① 조심성, 신중함 ; (언동을) 삼가함. ② 은은함 ; 검소함 : s'habiller avec ~ 소탈하게 옷을 입다. ③ 비밀엄수. ***à*** ~ ⓐ 마음대로 : *à* votre ~ 당신 뜻〔처분〕대로. ⓑ 실컷 : manger *à* ~ 실컷 먹다. ***âge de*** ~ 철들 나이. ***avec*** ~ 조심스럽게, 신중하게. ***être*** 〔***se mettre***〕 ***à la*** ~ ***de*** qn …의 처분〔재량〕에 달리다.

discrétionnaire [diskʀesjɔnɛːʀ] *adj.* 〖법률〗 자유재량의. ***pouvoir*** ~ 〖법률〗 (재판관의) 자유재량권 ; 무제한의 권력.

discrimination [diskʀiminɑsjɔ̃] *f.* ① 구별, 식별, 판별 : ~ du bien et du mal 선악의 구별. ② (사회적인) 차별 : ~ raciale 인종 차별 / sans ~ 무차별로, 평등하게.

discriminatoire [diskʀiminatwaːʀ] *adj.* (인종 따위에 대하여) 차별적인.

discriminer [diskʀimine] *v.t.* 《문어》 구별〔판별·식별〕하다(=distinguer).

disculpation [diskylpɑsjɔ̃] *f.* 〖법률〗 무죄〔무고〕의 증명, 무죄〔무고〕임을 밝히기.

disculper [diskylpe] *v.t.* ① …의 무죄를 밝히다〔증명하다〕: ~ qn d'un crime imputé à tort …의 무고함을 증명하다. ② 변호하다(=justifier). ── **se** ~ *v.pr.* ① 자기의 무죄를 밝히다. ② 자기 변호를〔변명을〕 하다 : Il *se disculpe* de son retard. 그는 자기의 지각을 변명한다.

D

discursif, ive [diskyʀsif, -i:v] *adj.* ① 〖논리〗 추론의, 추리의, 논증적인(≠ intuitif) : pensée ~*ive* 추론적인 사고. ② (이야기 따위가)산만한, 여담이 많은(=digressif) : un récit ~ 여담이 많은 이야기. ③ 〖언어〗 담화(discours)의.

discussion** [diskysjɔ̃] *f.* ① 토의, 토론(=débat) ; 의논, 심의 : ~ d'un projet de loi 법안의 심의 / mettre une affaire en ~ 어떤 일을 토의하다. ② 말다툼, 논쟁, 격론 : ~ orageuse 격렬한 논쟁 / entrer en ~ avec qn …와 논쟁하다. ③ 《구어》 한담, 잡담. ***De la ~ jaillit la lumière. 《속담》 토론에서 지혜가 솟는 법이다. ***~ de biens*** 〖법률〗 (채무자의) 재산 검색. ***en ~*** 토의 중의. ***Pas de ~ !*** 잔소리 말아! ***sans ~*** 이의 없이.

discutable [diskytabl] *adj.* ① 논의〔비판〕의 여지가 있는, 따져볼 만한 : Cela n'est plus ~. 그건 이미 논의의 여지가 없다. ② 바람직하지 않은, 별로 좋지 않은 : goût ~ 별로 점잖지 않은 취미.

discutailler [diskytɑje] *v.i.* 《구어》 하찮은 일로 논쟁〔왈가왈부〕하다.

discuté, e [diskyte] *adj.* 논의의 여지가 많은, 이론이 분분한, 논란을 일으키고 있는 : homme très ~ 물의를 일으킨 인물.

‡discuter [diskyte] *v.t.* ① 토의〔토론·의논〕하다(= débattre) : ~ un point litigieux 계쟁점(係爭點)을 토의하다 / ~ un projet de loi 〔le budget〕 법안〔예산안〕을 심의하다. ② 논박하다, 이의를 제기하다(=contester) : ~ la vérité de qc …의 진가를 의심하다. ③ (값을) 흥정하다. ④ 〖법률〗 (채무자의) 재산을 검색하다. ── *v.i.* ① 토의〔토론·논의〕하다 : ~ sur un point avec qn 어떤 문제점에 대해 …와 논의하다 / ~ avec l'ennemi 적과 담판〔협상〕하다. ② 논쟁하다. ③ 《구어》 이야기를 하다(=bavarder) : ~ au café 까페에서 담소하다. ── **se** ~ *v.pr.* 토의〔토론〕되다 : Cette affaire *se discute* en conseil des ministres. 이 문제는 각의에서 토의되고 있다.

discuteur, euse [diskytœ:ʀ, -ø:z] *n.* 논쟁가. ── *adj.* 논쟁을 좋아하는.

disert, e [dizɛ:ʀ, -ɛʀt] *adj.* 구변 좋은, 능변의(=éloquent), 유창한.

disette [dizɛt] *f.* ① (필수품 특히 식량의) 궁핍 ; 기근 ; 결핍, 부족 : ~ d'eau 물 기근 / ~ de vivres 식량난. ② (사상·재능 따위의) 결여, 빈곤 : ~ des idées 사상의 빈곤.

diseur, euse [dizœ:ʀ, -ø:z] *n.* 말하는 사람 ; 낭독〔낭송〕자. (***beau***) ***~*** 능변임을 자처하는 사람. ***~ de bonne aventure*** 점쟁이. ***Les grands ~s ne sont pas les grands faiseurs.*** 《속담》 큰소리 치는 자 큰일을 하지 못한다.

disgrâce [disgʀɑ:s] *f.* ① 실총(失寵) ; 실추(=déchéance, chute) ; 면직(=destitution) : encourir la ~ du public 대중의 사랑을 잃다. ② 불행, 불운(=infortune) ; 불명예.

disgracié, e [disgʀasje] *adj.* ① 총애를 잃은 ; 실추한 ; 면직당한 : ministre ~ 해임된 장관. ② 불행한, 불우한. ③ 볼품없는, 못생긴 : visage ~ 못난 얼굴. ── *n.* ① 총애를 잃은〔면직당한〕 사람. ② 외모가 흉한 사람. ***les ~s de la fortune*** 박복한 사람들.

disgracier [disgʀasje] *v.t.* 총애를 거둬들이다 ; 면직시키다. ── **se** ~ *v.pr.* 총애를 잃다 : Il *s'est disgracié* auprès du roi. 그는 왕의 총애를 잃었다.

disgracieusement [disgʀasjøzmɑ̃] *ad.* 불쑥, 볼품없게 ; 무뚝뚝하게.

disgracieux, euse [disgʀasjø, -ø:z] *adj.* ① 보기 흉한, 볼품없는. ② 서투른, 어색한 ; 불쾌한. ③ 무례한 ; 퉁명스러운.

disjoindre [disʒwɛ̃:dʀ] 27 *v.t.* 떼어놓다, 분리하다(=séparer) : ~ deux questions, 2개의 문제를 떼어놓다. ── **se** ~ *v.pr.* (따로) 떨어지다, 분리되다.

disjoint, e [disʒwɛ̃, -ɛ̃:t] *adj.* ① 분리된, 따로 떨어진 ; 흩어진 ; 벗겨진 : ménage ~ 흩어진 가정. ② 〖음악〗 degrés ~s 도약 음정. ③ 〖문법〗 pronom ~ 분리 대명사.

disjoncter [disʒɔ̃kte] *v.t.* (전류를) 끊다 : ~ la ligne 전화를 끊다. ── *v.i.* 《구어》 ① (차단기가) 작동하다. ② 현실 감각을 잃다.

disjoncteur [disʒɔ̃ktœ:ʀ] *m.* 〖전기〗 자동 차단기 ; 교환기, 배전반.

disjonctif, ive [disʒɔ̃ktif, -i:v] *adj.* ① 〖논리〗 선언적(選言的)인 : syllogisme ~ 선언적 삼단논법. ② 〖문법〗 이접적(離接的)인. ── *f.* ① 〖논리〗 선언 명제. ② 〖문법〗 분리〔이접〕 접속사.

disjonction [disʒɔ̃ksjɔ̃] *f.* 분리, 분열 ; 차단 ; 〖법률〗 (소송의) 분리 : ~ d'un article de projet de loi (최종적인 재검토를 위한) 법안 중 한 조항의 분리.

dislocation [dislɔkɑsjɔ̃] *f.* ① 분열, 분해 ; 와해, 붕괴 ; 〖군사〗 해산 : la ~ d'un empire 국가의 와해 / ~ d'un manifestation 데모의 해산 / En place, repos ~ ! 차려, 쉬어, 해산! ② 〖의학〗 탈구. ③ 〖지질〗 단층(斷層).

disloqué, e [dislɔke] *adj.* ① 분해〔와해·붕괴〕된 ; 산산이 흩어진. ② 탈구된 ; 휜, 꼬인 : épaule ~*e* 빠진 어깨. ③ 단층이 생긴.

disloquer [dislɔke] *v.t.* ① 해체시키다(=démembrer) ; 분해하다(=démonter) ; 해산시키다 ; 와해〔붕괴〕시키다 : ~ les rouages 톱니바퀴를 분해하다. ② 〖의학〗 (뼈를) 탈구시키다, 삐게 하다(=démettre, déboîter). ③ 〖지질〗 단층이 생기게 하다. ── **se** ~ *v.pr.* ① 분해〔해산·해체·붕괴〕되다 : un parti politique qui *se disloque* 해산되는 정당. ② (뼈가) 삐다, 탈구하다.

‡disparaître [dispaʀɛtʀ] 41 *v.i.* 《조동사는 avoir ; 《옛·문어》에서 상태를 나타낼 때는 être를 씀》 ① 사라지다, 소멸하다, 자취를 감추다(≠ apparaître) : Toute inquiétude *a disparu* en un clin d'œil. 모든 불안이 눈 깜짝할 사이에 가시었다. ② (갑자기) 없어지

다 : Mon porte-monnaie *a disparu.* 내 지갑이 안 보인다. ③ 실종하다, 행방불명이 되다(= se perdre) ; (배가) 침몰하다 : marins qui *disparaissent* en mer 바다에서 실종한 뱃사람들. ④ 죽다(= mourir) : grand savant qui *disparaît* dans la force de l'âge 한창 나이에 죽는 대학자. ***faire ~*** qc …을 치우다, 숨기다 ; 지우다. ***faire ~*** qn …을 죽이다〔없애다〕.

disparate [dispaʀat] *adj.* ① 어울리지 않는, 부조화의(= discordant), 잡다한(= divers) : mobilier ~ 어울리지 않는 가구. ② 〖논리〗 concept ~ 괴리(乖離) 개념. ── *f.* 《문어》 부조화(= différence, disparité).

disparité [dispaʀite] *f.* 어울리지 않음, 같지 않음, 부조화, 차이.

disparition [dispaʀisjɔ̃] *f.* ① 사라짐, 행방불명, 실종 ; 분실 : la ~ d'un livre 책의 분실 / la ~ des prisonniers 죄수들의 도망. ② 소멸, 멸망 : espèce en voie de ~ 소멸해 가는 종(種).

disparu, e [dispaʀy] *adj.* ① 사라진, 없어진, 행방불명이 된, 실종한. ② 멸망한, 소멸된 ; 죽은 : espèce *~e* 소멸된 종〔생물〕. ── *n.* 행방불명자 ; 실종자 ; 사망자.

dispatcher[1] [dispatʃœːʀ, dispatʃɛːʀ] 〘영〙 *m.* (열차의) 배차원 ; (항공기의) 관제사.

dispatcher[2] [dispatʃe] *v.t.* 분배하다; 배치하다 ; 보급〔배달〕하다 : ~ les marchandises dans les rayons 상품을 매장에 진열하다.

dispendieux, euse [dispɑ̃djø, -øːz] *adj.* 비용이 많이 드는, 값비싼(= coûteux, onéreux) : mener une existence *~euse* 호화로운 생활을 하다.

dispensaire [dispɑ̃sɛːʀ] *m.* 무료 진료소.

dispensateur, trice [dispɑ̃satœːʀ, -tʀis] *n.* ① 급여자, 분배자(= distributeur). ② (고대 로마의) 경리 담당. ── *adj.* 분배하는.

dispense [dispɑ̃ːs] *f.* ① 면제 ; 허가, 인가 : ~ du service militaire 병역 면제 / ~ d'impôts 면세. ② 면제 증명서 ; 허가서, 인가서 ; ~ de bans 결혼 허가증.

dispenser** [dispɑ̃se] *v.t.* ① 급여〔지급〕하다, 주다(= accorder, donner) : ~ des bienfaits 은혜를〔자선을〕 베풀다. ② 《~ qn de》 …에게 …을 면제하다(= exempter), 면하게 하다(= épargner) : 《~ qn de + *inf.*》 On l'*a dispensé de* rédiger son rapport. 그에게 보고서 작성을 면제해 주었다 / *Dispensez*-moi *de* vos réflexions. 말씀은 그만하세요. ③ 주다, 나누어 주다(= distribuer) ; (호의를) 베풀다(= accorder) : ~ des bienfaits 은혜를 베풀다 / ~ de la musique 음악을 들려 주다. ④ 내다, 발산〔방출〕하다. ── **se ~** *v.pr.* ① 《se ~ de qc 〔+ *inf.*〕》 …에서 면제되다, …을 하지 않아도 되다 : Je *me dispenserais* bien *de* cette corvée. 나는 그 고역을 면할 것이다. ② 《옛》 《se ~ à + *inf.*》 서슴지 않고 …하다. ***ne pas pouvoir se ~ de + *inf.* …하지 않으면 안 되다, …하지 않을 수 없다.

dispersant [dispɛʀsɑ̃] *m.* 〖화학〗 (바다로 유출된 석유의) 분산제.

***disperser** [dispɛʀse] *v.t.* ① 흩뜨리다, 분산시키다, 해산시키다 : ~ des papiers 서류를 흩뜨리다. ② (노력 · 주의를) 분산시키다 : ~ son attention 주의를 분산시키다. ③ 〖군사〗 (적을) 궤주(潰走)시키다 : ~ l'ennemi 적을 쫓아 버리다. ── **se ~** *v.pr.* ① 흩어지다, 분산〔해산〕하다 : La foule *se disperse.* 군중들이 흩어진다. ② 마음이 산란하다.

dispersion [dispɛʀsjɔ̃] *f.* ① 흩뜨림 ; 흩어져 있음. ② 분산, 궤주 : ~ d'une armée ennemie 적군의 궤주. ③ 〖광학〗 (빛의) 분산.

disponibilité [dispɔnibilite] *f.* ① 〖법률〗 임의 처분권 : ~ des biens 재산의 임의 처분권. ② 〖행정 · 군사〗 휴직, 대기, (병사의) 귀휴(歸休). ③ (정신적) 개방성 ; (*pl.*) 여가 : ~ d'esprit 정신의 자유. ④ (*pl.*) 〖경제〗 유동 자산. ***mettre*** qn ***en ~*** …을 휴직으로〔대기로〕 돌리다. ***selon ses ~s*** 틈을 타서, 틈나는 대로.

disponible** [dispɔnibl] *adj.* ① 자유로이 처분〔사용〕할 수 있는 : Il reste deux places *~s* dans l'autocar. 관광 버스 안에 빈 자리가 둘 남아 있다 / biens *~s*; portion ~ 〖법률〗 처분 가능한 재산〔유산 할당분〕 / chambre 〔place〕 ~ 빈 방〔자리〕. ② (사람이) 시간이 있는, 한가한 : Si vous êtes ~ demain ... 내일 별일 없으시다면 / Revenez me voir demain ; aujourd'hui je ne suis pas ~. 내일 다시 오세요, 오늘은 시간이 없습니다. ③ 〖행정〗 대기〔휴직〕 중에 있는 ; 〖군사〗 예비역의 : fonctionnaire ~ 대기직 공무원. ── *m.* ① 〖상업〗 유동 자산(= actif ~). ② 〖행정 · 군사〗 대기〔휴직〕 중에 있는 관리〔장교〕. ***marché du ~ 〖상업〗 현물 시장.

dispos, e [dispo, -oːz] *adj.* 심신이 가뜬한, 생기발랄한(= gaillard ; ≠ las) ; 상쾌한(= agile) : Il se sentait frais et ~. 그는 싱싱한 원기가 넘치는 것을 느꼈다.

disposé, e [dispoze] *adj.* ① 배열된, 배치된 : fleurs *~es* avec goût 아취 있게 정렬된 꽃. ② …할 의향이 있는, …할 생각인 : être ~ à 〔pour〕 faire cela 그것을 할 생각이다. ***être bien*** 〔***mal***〕 ***~*** 기분이 좋다〔나쁘다〕. ***être bien*** 〔***mal***〕 ***~ pour*** 〔***en vers***〕 qn …에게 호의〔악의〕를 품다.

disposer** [dispoze] *v.t.* ① 배열〔배치〕하다 : ~ les meubles dans un salon 객실에 가구를 배열하다. ② 준비하다 ; 정돈〔정리〕하다 : ~ une pièce pour recevoir un ami 친구를 맞기 위해 방을 정돈하다. ③ 《~ qn à qc 〔+ *inf.*〕》 …에게 …에 대해 마음의 준비를 시키다, …할 각오를 하게 하다 ; 결심을 갖게 하다 : ~ un malade *à* la mort 〔*à* mourir〕 병자가 자기 죽음을 맞이하도록 준비시키다. ④ 《~ que》 …라고 규정하다. ── *v.t. ind.* ① 《~ de》 …을 자유로이 처분〔사용〕하다, 소유하다 : Il *dispose de* deux voitures. 그는 자유로이 사용할 수 있는 차가 2 대 있다 〔차를 2 대 가지고 있다〕. ② 《~ de qn》 …을 마음대로 하다 : *Disposez de* moi comme vous voudrez. 필요하시면 언제든지 저를 부르십시오 / 《간접목적보어 없이》 Vous pouvez ~. 좋으실 대로 하십시오. ── *v.i.* 규정하다 ; 결정하다. ***L'homme propose et Dieu dispose. 《속담》 일을 꾸미는 것은 인간이지만 성사는 하늘의 뜻이다. ── **se ~** *v.pr.* ① 《se ~ à》 …할 준비〔각오〕를 하다,

D

…하려고 하다 : Il *se dispose à* vendre sa maison. 그는 집을 팔 생각이다. ② 배열되다. 정리되다.

dispositif [dispozitif] *m.* ① 〖법률〗 판결 주문(主文) ; (법령의) 본문. ② 〖기계〗 장치 : ~ d'alarme 경보 장치. ③ 〖군사〗 배치, 부서 : ~ de combat 전투 배치〔부서〕.

disposition** [dispozisjɔ̃] *f.* ① 배열, 배치 : changer la ~ des meubles dans une salle 방에 놓인 가구의 배열을 바꾸다. ② 《~ à》 …하기 쉬운 경향, 기질, 체질(= prédisposition) : avoir ~ *à* contracter une maladie 병에 걸리기 쉽다. ③ (*pl.*) 기분, 의향(= humeurs, intentions) : Attendez qu'il soit dans de meilleures ~*s*. 그가 기분이 좋아질 때까지 기다리십시오. ④ (*pl.*) 소질, 재능(= aptitude) : avoir des ~*s* pour la peinture 그림에 소질이 있다. ⑤ (*pl.*) 조처, 조치(= mesures) ; 준비(= préparatifs) : J'ai pris toutes les ~*s* nécessaires. 나는 필요한 모든 준비를 했다. ⑥ 처분 : la libre ~ de ses biens 재산의 자유 처분 / être à la ~ de qn …의 처분〔마음〕대로 되다〔사용되다〕. ⑦ 〖법률〗 규정, 조항 : ~*s* d'un contrat 계약 조항 : ~*s* testamentaires 유증(遺贈) 조항. ***avoir la libre ~ de qc …을 자유로이 처분하다. ***être en bonne ~ pour***+*inf.* ; ***être en*** 〔***dans la***〕 ***~ de***+*inf.* …할 생각이다. ***libre ~ de soi-même*** 자기 결정, 자결. ***prendre ses ~s pour***+*inf.* 〔***pour que***+*sub.*〕 …할〔하도록〕 준비〔조치〕하다. ***se tenir*** 〔***se mettre, être***〕 ***à la ~ de*** qn …에게 도와주려고 하다 ; …의 뜻대로 되다 : Je *suis à* votre (entière) ~. 무엇이든지 시키는 대로 하겠습니다.

disproportion [disprɔpɔrsjɔ̃] *f.* 불균형, 어울리지 않음, 부조화 ; 불균등.

disproportionné, e [disprɔpɔrsjɔne] *adj.* 《~ à》 …와 균형이 잡히지 않은, 어울리지 않는(= démesuré, inégal) : récompense ~*e au* mérite 공적에 합당하지 않은 보상.

disproportionner [disprɔpɔrsjɔne] *v.t.* 균형을 잃게 하다, 어울리지 않게 하다.

dispute [dispyt] *f.* ① 언쟁, 논쟁, 싸움 : ~ de ménage 부부 싸움. ② 토의, 토론(= débat, discussion) ; 경쟁. ***chercher ~ à*** qn …에게 싸움을 걸다. ***en ~*** 논쟁 중인. ***hors de ~*** 물론 ; 논쟁할 것 없는. ***mettre*** qc ***à la ~*** …을 상품으로 걸어 경쟁시키다.

disputer** [dispyte] *v.t.* ① …을 (차지하려고) 다투다, 겨루다 ; 경쟁하다 : 《~ qc à qn》 Cet élève *dispute* la première place *à* ses camarades. 이 학생은 친구들과 일등을 다툰다. ② ~ un match 〔un combat, un concours〕 시합을 하다〔승부를 다투다 · 경쟁하다〕. ③ 《~ qc 〔qn〕 à qn 〔qc〕》 …에서 …을 떼어놓다, 구하다 : ~ son enfant *à* la maladie 아이를 병에서 구해 내다. ④ 《구어》 《~ qn》 꾸짖다(= gronder, réprimander). ***~ le terrain 한 치도 양보하지 아니하다. ── *v.i. ind.* ① 《~ de 〔sur〕》 …에 관하여 논쟁하다, 토론〔토의〕하다 : ~ *d'*un sujet 어떤 논제에 관해서 토의하다. ② 언쟁하다 : ~ avec qn …와 언쟁하다 / ~ contre qn …에게 항의하다. ③ 《~ de》 …을 다투다, 경쟁하다, 겨루다(= rivaliser) : ~ *de* beauté 〔*d'*esprit〕 미〔재치〕를 겨루다. ***Des goûts et des couleurs, il ne faut pas ~.*** 《속담》 맛과 색은 논쟁거리가 못 된다, 십인십색. ── **se ~** *v.pr.* ① (시합이) 행하여지다 : Le match *s'est disputé* hier. 어제 시합이 있었다. ② 언쟁하다, 싸우다, 다투다 : 《se ~ avec》 Il *s'est disputé avec* son frère. 그는 동생과 싸웠다. ③ 《주어 : *pl.*》 《se ~ qc》 …을 (차지하려고) 서로 다투다 : Ils *se disputent* la prééminence. 그들은 서로 패권을 다투고 있다.

disputeur, euse [dispytœːʀ, -øːz] *adj.* et. *n.* 언쟁〔논쟁〕하기 좋아하는 (사람).

disquaire [diskɛːʀ] *n.* 레코드 상인.

disqualification [diskalifikɑsjɔ̃] *f.* 자격 박탈, 실격.

***disqualifier** [diskalifje] *v.t.* ① 〖스포츠〗 …의 자격을 빼앗다, 실격시키다. ② …의 신망을 잃게 하다. ── **se ~** *v.pr.* ① 자격을 잃다, 실격하다. ② 신망〔신용〕을 잃다: Il *s'est disqualifié* par une telle attitude. 그는 그러한 태도 때문에 신용도 잃었다.

disque** [disk] ① 〖스포츠〗 (고대 · 근대의) 원반(圓盤) : lancer ~ 원반을 던지다. ② (축음기의) 레코드, 음반 : ~ microsillon, LP 레코드 / passer 〔mettre〕 un ~ sur un tourne-~ 플레이어에 레코드를 걸다. ③ 〖해부〗 원판, 반(盤) : ~ intervertébral 추간연골(椎間軟骨). ④ 〖컴퓨터〗 ~ laser 레이저 디스크. ***changer de ~ 《구어》 화제를 바꾸다. ***siffler au ~*** (기차가) 정지 신호판을 향해 기적을 울리다 ; 《구어》 돈을 요구하다 ; 여자를 설득시키려 들다.

disquette [diskɛt] *f.* 〖컴퓨터〗 플로피디스크(= disque souple), 디스켓 : enregistrer un fichier sur ~ 파일을 디스켓에 저장하다.

disrupteur [disʀyptœːʀ] *m.* 〖전기〗 안전기, 차단기.

dissection [disɛksjɔ̃] *f.* ① (시체 · 동물의) 해부 : ~ d'un cadavre 시체 해부. ② (작품 따위의) 세밀한 분석〔조사〕, 세분화.

dissemblable [disɑ̃blabl] *adj.* 비슷하지 않은, 서로 다른(= différent ; ≠ semblable).

dissemblance [disɑ̃blɑ̃ːs] *f.* 비슷하지 않음, 서로 다름, 부동(不同).

dissémination [diseminɑsjɔ̃] *f.* ① (씨앗 · 꽃가루 따위의) 뿌리기, 살포. ② 분산, 산재(시키기)(= dispersion, éparpillement). ③ 〖의학〗 (병균 따위의) 전파, 확산. ④ (사상의) 전파, 보급(= diffusion) : la ~ des idées 사상의 보급.

disséminer [disemine] *v.t.* ① (씨앗을) 퍼뜨리다. ② (군대 따위를) 분산시키다. ③ (사상을) 전파하다, 유포하다. ── **se ~** *v.pr.* 흩어지다 ; 보급되다 ; 살포되다.

dissension [disɑ̃sjɔ̃] *f.* (감정 · 신념의) 대립, 불화, 분쟁, 알력 : ~*s* intestines 내전 / ~*s* domestiques 〔familiales〕 가정 불화.

dissentiment [disɑ̃timɑ̃] *m.* ① 의견 차이. ② 감정의 이간 ; 불화, 충돌(= conflit).

disséquer [diseke] [6] *v.t.* ① 해부하다. ② (작품 따위를) 분석〔조사〕하다(= éplucher) : ~ un ouvrage 작품을 세밀히 분석하다. ③ (광선을) 분할〔분해〕하다(= diviser).

dissertation [disɛʀtɑsjɔ̃] *f.* ① 논설 ; 논문, 작문 : ~ philosophique 철학 논문. ② 《구어》 (아는 체하는) 지루한 설명, 허튼소리.

disserter [disɛʀte] *v.i.* ① 《~ sur, de》 (…에 관하여, …을) 논하다, 논설하다 : ~ *de* la situation politique 정세를 논하다. ② 《경멸》 장황하게 말하다. 「설자.

disserteur, euse [disɛʀtœːʀ, -øːz] *n.* 논

dissidence [disidɑ̃ːs] *f.* ① 이의, 의견의 불일치. ② 분리, 분열 ; 이탈(= sécession) ; 대립, 불화 : entrer 〔être〕 en ~ 반기를 들다〔반항 중이다〕. ③ 《집합적》 분리파, 반대파 : rejoindre la ~ 분리파〔반대파〕에 가담하다.

dissident, e [disidɑ̃, -ɑ̃ːt] *adj.* 이설(異說)을 내세우는. — *n.* 반대자, 반체제파.

dissimilation [disimilɑsjɔ̃] *f.* 〖심리〗 이화(異化) ; 〖언어〗 동음이화(同音異化).

dissimilitude [disimilityd] *f.* ① 상이〔상위〕, 부동(不同)(≠ similitude). ② 〖수사학〗 대비(對比).

dissimulateur, trice [disimylatœːʀ, -tʀis] *adj.* 숨기는, 은폐하는 ; 허위의. — *n.* 숨기는 사람, 은폐자 ; 위선자.

dissimulation [disimylɑsjɔ̃] *f.* ① 숨기기, 딴전부리기 ; 시치미 : agir avec ~ 엉큼하게 처신하다. ② 은폐 ; 허위 : ~ de revenus (dans une déclaration) au fisc 수입을 세무관에게 허위 신고하기.

dissimulé, e [disimyle] *adj.* ① (돈 따위가) 감춰진, 은닉된 : fortune ~*e* 은닉 재산. ② 속을 보여 주지 않는, 엉큼한, 음험한. — *n.* 엉큼한〔음험한〕 사람, 위선자.

dissimuler** [disimyle] *v.t.* ① (감정·의견을) 숨기다, 감추다 : ~ sa haine 〔sa jalousie〕 증오심〔질투심〕을 숨기다 / 《~ + *inf.*》 Je lui *ai dissimulé* être au courant de l'affaire. 나는 그에게 그 일을 잘 모르는 체했다. ② 모른 체하다, 아무렇지도 않은 체하다 : ~ une injure 〔une offense〕 욕설을 듣고도〔모욕을 받고도〕 아무렇지도 않은 체하다. ③ (가리어) 숨기다, 가리다(= masquer, voiler) : ~ son visage avec 〔arrière〕 ses mains 손으로 얼굴을 가리다 / ~ un prisonnier évadé 탈옥수를 숨겨 주다. ***~ que + *sub.* 〔*ind.*〕 …을 숨기다 : Il *dissimule que* cette solution ne lui plaît 〔plaise〕 pas. 그는 이 해결책이 마음에 드는 체한다. ***ne pas ~ que*** + *ind.* 〔***ne*** + *sub.*〕 …을 숨기지 않다. ***Qui ne sait pas ~ ne sait pas régner.*** 《속담》 속일 줄 모르는 사람은 통치할 수 없다. — **se ~** *v.pr.* ① 몸을 숨기다 ; 숨겨지다. ② 인정하지 않다 ; 그대로 보지 않다 : *se* ~ la vérité 진실을 받아들이지 않다. ***ne pas se ~ que*** + *ind.* 〔***ne*** + *sub.*〕 …을 인정하다 : Il *ne se dissimule pas qu'il* est 〔(*ne*) soit〕 perdu. 그는 자신이 회복의 가망이 없다는 것을 잘 알고 있다.

dissipateur, trice [disipatœːʀ, -tʀis] *adj.* 낭비하는. — *n.* 낭비자(= prodigue).

dissipation [disipɑsjɔ̃] *f.* ① 흩어짐, 소산(消散), 해소 : ~ du brouillard 안개가 걷힘. ② 낭비, 탕진 : ~ de l'héritage 유산의 탕진. ③ 방심 ; 부주의, 주의 산만.

dissipé, e [disipe] *adj.* ① 주의가 산만한, 다른 데로 마음이 쏠린. ② 《문어》 방탕한.

***dissiper** [disipe] *v.t.* ① 흩뜨리다 ; 없애 버리다 ; 일소하다 : Le soleil *dissipe* les ténèbres. 해가 어둠을 거두어 가다. ② 낭비〔탕진〕하다 : ~ une fortune 재산을 탕진하다. ③ 《~ qn》 …의 마음〔기분〕을 다른 데로 쏠리게 하다, 주의를 산만하게 하다 : élève qui *dissipe* ses voisins 옆의 아이의 공부를 방해하는 학생. — **se ~** *v.pr.* ① 흩어지다, 사라지다 ; 일소되다 : Notre inquiétude *se dissipa.* 우리의 불안은 사라졌다. ② 낭비〔탕진〕되다. ③ 기분 전환하다 ; 주의가 산만해지다.

dissociable [disɔsjabl] *adj.* 분리할 수 있는 : Les deux problèmes ne sont pas ~*s.* 이 두 문제는 분리할 수 없다.

dissociation [disɔsjɑsjɔ̃] *f.* ① 분리(= séparation) : ~ de deux problèmes 두 문제의 분리. ② 〖심리〗 (의식의) 유리(遊離). ③ 〖화학〗 해리(解離) : ~ électrique 전리.

dissocier [disɔsje] *v.t.* 분리시키다, 떼어놓다 ; 구별하다(= distinguer) ; 〖화학〗 해리하다 : ~ l'équipe 팀을 해체하다 / ~ des amis 친구들을 이간시키다. — **se ~** *v.pr.* 분리되다, 해체되다 ; 해리되다.

dissolu, e [disɔly] *adj.* ① 문란한, 방종한, 방탕한(= libertin, débauché). ② 《문어》 애매모호한 ; (색 따위가) 흐릿한.

dissolution [disɔlysjɔ̃] *f.* ① 분해 ; (시체 따위의) 부패 : ~ des matières organiques 유기물의 분해. ② 분열 ; 와해 ; (혼인 관계의) 해지 ; (국가 따위의) 붕괴 ; (의회 따위의) 해산 : ~ d'un mariage 이혼 / ~ de l'Assemblée 국회의 해산 / ~ d'un empire 제국의 붕괴. ③ 방탕(= débauche) ; 부패(= corruption) ; (풍기의) 문란 : ~ des mœurs 풍기 문란. ④ 〖화학〗 용해 ; 용해액 : ~ du sel dans l'eau 물 속의 소금의 용해. ⑤ 고무풀. ⑥ 분리.

dissolv-ez, -ons ⇒ dissoudre.

dissolvant, e [disɔlvɑ̃, -ɑ̃ːt] *adj.* ① 〖화학〗 용해력이 있는 : substance ~*e* 용해제. ② 인심을 부패시키는, 풍속을 교란하는 : doctrines ~*es* 미풍양속을 해치는 학설. ③ 약화시키는, 쇠약하게 하는. — *m.* ① 교란〔파괴〕시키는 것. ② 용해제.

dissonance [disɔnɑ̃ːs] *f.* ① 부조화(≠ consonance) ; 불일치 ; 모순(= désaccord) : ~ entre les paroles et les actes 말과 행동의 불일치. ② 〖음악〗 불협화음. ③ 〖언어〗 부조화음(= cacophonie).

dissonant, e [disɔnɑ̃, -ɑ̃ːt] *adj.* ① 〖음악〗 불협화의 ; 귀에 거슬리는 : accord ~ 불협화음. ② 부조화의, 일치하지 않는 ; 모순의 : sentiments ~*s* 서로 모순되는 감정.

dissoudre** [disudʀ] [40] *v.t.* ① 용해시키다, 녹이다 : L'eau *dissout* le sel. 물은 소금을 녹인다. ② (국회 따위를) 해산〔해체〕하다 ; (계약 따위를) 해소하다, 파기하다(= annuler, rompre) : ~ l'Assemblée nationale 국회를 해산하다 / ~ un mariage 이혼하다. ③ 와해〔붕괴〕시키다(= ruiner). — **se ~** *v.pr.* ① 용해되다, 녹다(= fondre). ② 해산〔해체〕되다, 해소되다, 파기되다 : L'assemblée *s'est dissoute.* 국회는 해산되었다. ***faire ~ 녹이다《se 의 생략》.

dissous, oute [disu, -ut] *adj.* ① 녹은, 용

D

해된 : corps ~ 〖화학〗 용해질. ② 해소된.

***dissuader** [disɥade] *v.t.* 《~ qn de qc〔+ *inf.*〕》 (생각·계획을) 포기〔단념〕하게 하다, 만류하다, 그만두게 하다 : J'ai réussi à le ~ *de* ce voyage. 나는 그에게 이번 여행을 단념시키는 데 성공했다.

dissuasif, ive [disɥazif, -i:v] *adj.* 생각을 포기〔단념〕하게 하는, 만류하는, 억제하는.

dissuasion [disɥazjɔ̃] *f.* 만류, 억제, 견제 : forces de ~ 〖군사〗 (핵무기 따위의) 억제력.

dissyllabe [disil(l)ab] 〖언어〗 *adj.* 2음절의. ── *m.* 2음절어.

dissyllabique [disi(l)labik] *adj.* 〖언어〗 2음절의, 2음절로 된.

dissymétrie [disimetʀi] *f.* 불균형, 비대칭.

dissymétrique [disimetʀik] *adj.* 균형이 잡히지 않은, 불균형의, 비대칭의.

distance** [distɑ̃:s] *f.* ① (공간적인) 거리 ; 간격 ; 노정, 여정, 통행〔주행〕 거리(=trajet, parcours) : la ~ de Paris à Lyon 파리에서 리옹까지의 거리 / à quelques pas de ~ 몇 발자국 떨어져서 / ~ focale d'un système optique 〖물리〗 광학 장치의 초점거리 / commande à ~ 〖기계〗 원격 조작 / ~ d'un point à une droite 〖수학〗 한 점에서 직선까지의 거리. ② (시간적인) 간격, 사이(=intervalle) : à trois ans de ~, 3년 사이에 / mettre une certaine ~ dans qc …에 적당한 시간적인 간격을 두다. ③ 〖스포츠〗 (경기의) 거리 ; (경주자의) 간격 : ~ des coureurs entre eux 경주자들 사이의 간격. ④ 상위, 차이 ; 현격(懸隔)(=différence) : ~ entre le désir et la réalité 꿈과 현실의 차이 / supprimer les ~*s* 계급의 차이를 없애다. ***à ~ 멀리서 ; 긴 시간의 거리를 두고. ***à égal ~ de*** …의 한가운데〔중간〕에. ***conserver*** 〔***garder***〕 ***ses ~s*** 사람과의 사이에 거리를 두다. ***de ~ en ~*** 군데군데 ; 이따금. ***tenir*** qn ***à ~*** …와 거리를 두다.

***distancer** [distɑ̃se] [2] *v.t.* 앞서다(=dépasser), 앞지르다 ; (순위 따위를) 떨어뜨리다 ; 능가하다 : se laisser ~ par ses camarades 동료들에게 뒤지다 / Le coureur *a distancé* tous ses concurrents. 그 경주자는 모든 경쟁자들을 따돌렸다.

distanciation [distɑ̃sjasjɔ̃] *f.* 〖연극〗 소격(疏隔) ; (대상에 대한) 객관적 시각.

distancier (se) [sədistɑ̃sje] *v.pr.* 《se ~ de qn〔qc〕》 …을 거리를 두고 바라보다, 냉정한 눈〔객관적〕으로 보다.

***distant, e** [distɑ̃, -ɑ̃:t] *adj.* ① (시간·공간이) 떨어져 있는, 먼(=éloigné ; ≠ proche) : deux villes ~*es* de 100 kilomètres, 100킬로 떨어져 있는 두 도시. ② 냉담한, 무뚝뚝한, 차가운 : air ~ 냉담한 태도 / Il s'est montré ~ envers nous. 그는 우리를 쌀쌀맞게 대했다.

distendre [distɑ̃:dʀ] [25] *v.t.* ① 극도로 팽창〔확장〕시키다, 늘어나게 하다 : ~ le ballon 기구를 팽창시키다. ② (유대 따위를) 느슨하게 하다 ; 약화시키다 : ~ des liens amicaux 친구 관계를 소원하게 하다. ── **se ~** *v.pr.* ① 팽창하다 ; 늘어나다. ② 느슨해지다(=se relâcher) ; 소원해지다.

distension [distɑ̃sjɔ̃] *f.* ① 극도의 팽창〔확장〕. ② 느슨해지기, 이완, 해이 : ~ de la peau 피부의 탄력 상실〔늘어짐〕.

distillateur [distilatœ:ʀ] *m.* ① (주류(酒類)의) 증류자, 주류 제조자 ; 증류주 판매인. ② 〖해양〗 해수 증류기 ; 해수 증류 장치가 있는 배(=navire ~).

distillation [distilɑsjɔ̃] *f.* 증류 ; (유류 따위의) 분해 증류 ; 《드물게》 증류물.

distiller [distile] *v.t.* ① 〖공업〗 증류하다 ; (석유 따위를) 분해 증류하다, 정제하다 : eau *distillée* 증류수 / ~ du pétrole 원유를 분해 증류하다. ② 똑똑〔한 방울씩〕 떨어뜨리다, 분비하다(=sécréter) : plantes qui *distillent* du venin 독을 분비하는 나무들. ③ 서서히 퍼뜨리다 : ~ l'ennui 권태를 퍼뜨리다(사람을 따분하게 만들다). ── *v.i.* ① (액체가) 뚝뚝 (흘러) 떨어지다 : liquide qui *distille* 방울방울 떨어지는 액체. ② 〖공업〗 증류에 의해서 분리되다, 증류하다.
── **se ~** *v.pr.* 증류되다.

distillerie [distilʀi] *f.* 증류소 ; 증류업 ; 증류물 판매소.

***distinct, e** [distɛ̃(:kt), -ɛ̃:kt] *adj.* ① 《~ de》 다른, 별개의 : problèmes ~*s* 전혀 다른 문제들 / La politique n'est pas ~*e de* la morale. 정치는 도덕과 별개의 것이 아니다. ② 분명한, 명확한 : traces ~*es* 분명한 흔적 / silhouette bien ~*e* 아주 뚜렷한 실루엣. ③ 〖철학〗 (개념 따위가) 판명(判明)한 : idée claire et ~*e* 명확하고 판명한 관념.

distinctement [distɛ̃ktəmɑ̃] *adv.* 분명하게, 똑똑히, 또박또박.

distinctif, ive [distɛ̃ktif, -i:v] *adj.* ① 차별〔구별〕을 짓는, 독특한 : marque ~*ive* 특징 / signe ~ 식별 표시〔기호〕. ② 〖언어〗 변별적인(=pertinent) : trait ~ 변별적 자질.

distinction** [distɛ̃ksjɔ̃] *f.* ① 분별 ; 구별, 차별 : ~ du bien et du mal 선과 악의 구별 / créer des ~*s* entre les personnes 사람들 사이에 차별을 두다. ② 특전 ; 영예 ; 훈장(=décoration) : traiter qn avec ~ …을 특별히〔정중하게〕 대우하다 / décerner une ~ 훈장을 수여하다. ③ 탁월 ; 고위 ; 품위, 기품 : femme d'une grande ~ 기품이〔품위가〕 있는 여자. ***avoir de la ~ 품위가 있다. ***emploi de ~*** 요직. ***personne de ~*** 수훈자, 공로자 ; 명사 ; 출신이 고귀한 사람. ***sans ~*** 구별 없이, 무차별하게.

distingué, e** [distɛ̃ge] *adj.* ① 품위 있는, 고상한, 우아한(=élégant) : jeune homme très ~ 기품 있는 청년 / manière ~*e* 우아한 몸가짐. ② 훌륭한, 뛰어난 : écrivain ~ 뛰어난 작가 / société ~*e* 상류사회. ③ 《편지의 결구에서》 각별한 : Recevez l'assurance de mes sentiments ~*s* ; Recevez l'expression de ma considération ~*e* 삼가 아룀, 경구(敬具). ***Croyez à ma considération ~e. 경백《편지 끝머리에 쓰는 인사말》. ***naissance ~e*** 명문의 태생.

distinguer** [distɛ̃ge] *v.t.* ① 구별하다, 분간하다, 판별하다(=différencier) : ~ le bien et le mal 선악을 분간하다. ② 분명히 알아보다 : ~ des traces de pas 발자국을 (분명히) 알아보다. ③ 유명해지게 하다. ④ 두드러지게 하다, 특징지우다 ; 구별짓다 : Le langage *distingue* l'homme des animaux. 언어가 인간을 동물과 구별짓는다. ⑤ 특별 대우하다; 발탁하다: ~ qn pour cette fonction 이 직무에 …을 발탁하다 / ~ cet acteur 이 배우와 염문이 있다. ***~ A de* 〔*d'avec*〕 *B, A와 B를 구별하다: On *distingue* facilement le cuir *du* 〔*d'*avec le〕 plastique. 가죽과 플라스틱은 쉽게 구별된다. ── *v.i.* 구별을 짓다; 사물을 분간하다: ~ entre deux choses 두 물건을 구별하다. ── **se** ~ *v.pr.* ① 두각을 나타내다; 유명해지다: Il *s'est distingué* par ses vertus. 그는 높은 덕행으로 유명해졌다. ② 《~ de》 …와 구별되다; 식별되다: Elle *se distingue de* sa sœur par ses grands yeux. 그녀는 눈이 커서 여동생과 구별된다. ③ 두드러지다, 모습을 드러내다(= se montrer).

distinguo [distɛ̃go] *m.* (*pl.* ~(***s***)) ① 미묘한 구별. ② (논리·추론에서의) 논리적 변별. ── *interj.* 《익살》 혼동하지 맙시다.

distique [distik] *m.* (프랑스의) 2 행시(詩).

distorsion [distɔʀsjɔ̃] *f.* ① 비틀림, 뒤틀림; 쏠림 ② 〖의학〗 염좌; 삠, 접질리기. ③ (렌즈의) 왜곡; 영상의 일그러짐. ④ 〖경제〗 불균형; 파행(跛行)(= déséquilibre): ~ entre l'offre et la demande 수요와 공급의 불균형.

distraction** [distʀaksjɔ̃] *f.* ① 방심, 부주의, 소홀: commettre des ~*s* 실수를 저지르다 / avoir des ~*s* 방심하다, 멍청하다. ② 오락, 심심풀이, 기분 전환: dessiner par ~ 심심풀이로 그림을 그리다 / La lecture, le cinéma sont ses principales ~*s*. 독서와 영화가 그의 주된 오락이다. ***par ~ 부주의로, 방심하여.

***distraire** [distʀɛːʀ] [44] *v.t.* ① 떼어내다, 분리하다(= séparer); 횡령〔착복〕하다: ~ une somme d'argent d'un dépôt 기탁금에서 일정 금액을 횡령하다. ② ⓐ 《~ qn》 …의 주의를〔정신을〕 딴 데로 돌리다, 방해하다(= déranger); (근심 따위를) 잠시 잊게 하다: ~ qn de ses travaux …의 일을 방해하다 / Il rédige son article; n'allez pas le ~. 그는 기사를 쓰고 있으니 그의 정신을 산만하게 하지 마라. ⓑ 《~ qc》 ~ l'attention 주의를 딴 데로 돌리다 / ~ la douleur 고통을 잠시 잊게 하다. ③ 《~ qn》 …의 기분을 전환시키다(= divertir); 즐겁게 하다(= amuser): Comment ~ nos hôtes? 어떻게 손님들을 즐겁게 해줄까? ── **se** ~ *v.pr.* ① 분리되다, 떨어져 나가다. ② 마음을 딴 데로 돌리다; 기분 전환하다: Il a besoin de *se* ~. 그는 기분 전환이 필요하다.

***distrait, e** [distʀɛ, -ɛt] *adj.* ① 분리된. ② 방심한; 멍한; 소홀한; 건성의(≠ attentif): écolier ~ 부주의한 학생 / jeter un regard ~ sur une revue (딴 생각을 하며) 잡지를 건성으로 훑어보다. ── *n.* 방심한 사람.

distraitement [distʀɛtmɑ̃] *adv.* 방심하고, 정신없이, 멍하니.

distray-ais, -ez, -ons ⇒ distraire.

distrayant, e [distʀɛjɑ̃, -ɑ̃:t] *adj.* 기분전환이 되는; 재미있는(= amusant), 심심풀이가 되는: film ~ 오락 영화.

distribué, e [distʀibɥe] *adj.* 분배된; 배치된: revenus ~*s* 배당 수익.

***distribuer** [distʀibɥe] *v.t.* ① 나누어 주다; 분배〔배당·배급〕하다; (삐라 따위를) 배포하다; (편지 따위를) 배달하다; (전기를) 배전〔공급〕하다; 할당하다; 배치〔배열〕하다; (상품을) 수여하다: ~ la tâche aux ouvriers 일꾼들에게 일을 할당하다 / ~ des prix 〔des récompenses〕 상〔상품〕을 수여하다 / ~ l'electricité 배전하다. ② (희곡 따위의) 배역을 정하다: ~ une pièce 〔un film〕 어떤 희곡〔영화〕의 배역을 정하다. ③ 구분하다: ~ un appartement 주택을 칸막이하여 여러 방으로 나누다. ④ (아낌없이) 주다, 헤프게 뿌리다(= prodiguer): ~ des coups 이 사람 저 사람 주먹으로 마구 후려치다 / ~ des sourires 사방팔방으로 미소를 뿌리다. ── **se** ~ *v.pr.* 나누어지다, 분배되다: Le sang *se distribue* dans l'organisme. 피는 몸의 기관으로 흘러 퍼진다.

distributeur, trice [distʀibytœːʀ, -tʀis] *n.* ① 분배자, 배급자; 배달인: ~ de films 영화 배급업자. ② 〖상업〗 유통업자. ── *m.* 분배기; 판매기; 〖전기〗 배전기. ***~ automatique*** 자동판매기. ***~ d'essence*** 가솔린 펌프. ── *adj.* 판매하는, 분배하는: appareil ~ de tickets 표 자동판매기.

distributif, ive [distʀibytif, -iːv] *adj.* ① 분배하는. ② ⓐ 〖문법·수학〗 배분의, 배분적인: adjectif ~ 배분적 형용사《chaque 따위》. ⓑ 〖논리〗 개별적인: concept ~ 개별 개념. ── *m.* 〖문법〗 배분사(詞).

distribution [distʀibysjɔ̃] *f.* ① 분배, 할당, 배당; 수여(授與); 배치; 배역(配役); 배급; 배달; 구분, 분류; 〖언어〗 (문(phrase)에서의 낱말의) 배열: ~ d'eau 급수(給水) / ~ de l'électricité 배전(配電) / ~ gratuite 무상 배급 / ~ des rôles d'une pièce 〔d'un film〕 극〔영화〕의 배역 할당 / Il n'y a pas de ~ le dimanche. 일요일에는 우편물의 배달이 없다. ② 〖인쇄〗 해판(解版). ③ 〖통계〗 분포; 분포표의 작성. ***~ de richesses*** 〖경제〗 부(富)의 분배. ***~ des prix*** 〖학교〗 시상식.

distributivement [distʀibytivmɑ̃] *adv.* 낱낱이, 개별적으로.

district [distʀik(t)] *m.* ① 관할구, 관구(管區). ② 지방; 지역(= region); 〖행정〗 지구(= ~ urbain): le ~ de Paris 파리 지구《Paris와 그 인접지를 한데 묶은 것》/ ~ houiller 탄전(炭田). ③ 《문어》 (전문) 영역, 분야(= domaine).

dit¹, e [di, -it] *adj.* ① 말한, 이야기된: la ~*e* maison 문제〔예〕의 집. ② 합의된, 결정된: à l'heure ~*e* 정해진 시간에. ③ …라고 불리는, 소위, …라는 별명이 붙은: Jean ~ le Bon 선인이라 불리는 장 / Louis XV, ~ le Bien-Aimé 통칭 le Bien-Aimé 라고 불리는 루이 15 세. ④ 〖법률〗 《정관사와 결합하여》 전기(前記)한, 앞서 말한: ledit acheteur 전술한 구매자 / ladite maison 앞서 말한 집. ***Ce qui est ~ est ~.*** 약속은 약속이다. ***C'est bien ~.*** 명언이다. ***C'est bientôt ~.*** 말하긴 쉽다. ***C'est ~; Voilà qui est ~.*** 잘 알았다, [illegible]. ***C'est tout ~.*** 그 이상 더 말이 필요 없다. ***prendre*** qc ***pour ~*** …을 더 말할 것 없다고〔물론이라고〕 생각하다. ***Tout est ~.*** 모든 것이 끝났다. ***Tout***

***n'est pas* ~.** 아직 이야기가 남아 있다. ── *m.* ① 《옛》 약속 ; 잠언, 금언. ② 《옛》 〖문학〗 이야기. ③ 《옛》 (재판의) 공술서.

dit², dît, dites, dîtes ⇒ dire.

dithyrambe [ditirɑ̃:b] *m.* ① 〖그리스문학〗 디오니소스 찬가. ② 열광적〔격정적〕인 시가 ; 격찬, 절찬.

dithyrambique [ditirɑ̃bik] *adj.* ① (디오니소스) 찬가의 : poème ~ 디오니소스를 찬양하는 시 ② 격찬〔절찬〕하는 : louanges ~*s* 《경멸》 절찬.

D

dito [dito] *adv.* 위와 같이, 전술한 대로. ── *m.* 《복수불변》 동일물(物).

dit-on [ditɔ̃] *m.* 《복수불변》 소문(= on-dit).

diurétique [djyretik] 〖의학〗 *adj.* 이뇨(利尿)의 ── *m.* 이뇨제.

diurne [djyrn] *adj.* ① 낮의, 주간의(≠ nocturne) ; 〖식물〗 낮에 피는 ; 〖동물〗 주행성의 : travaux ~*s* 낮일. ② 하루의 ; 하루살이의.

diva [diva] *f.* 인기 가수, 프리마돈나.

divagation [divagɑsjɔ̃] *f.* ① 횡설수설 ; 헛소리 ; 잡담, 객설 ; (흔히 *pl.*) 공상, 망상 : ~*s* d'un malade 환자의 헛소리 / ~*s* d'un ivrogne 술꾼의 횡설수설 / C'est de la ~. 《구어》 그것은 헛소리다. ② 〖지리〗 : ~ d'une rivière 물길의 이동.

divaguer [divage] *v.i.* ① 횡설수설하다 ; (환자가) 헛소리를 하다 : vieillard qui *divague* par moments 때때로 횡설수설하는 노인. ② (물길이) 이동하다 ; (이야기가) 주제를 벗어나다 ; 헤매다, 방황하다.

divan [divɑ̃] *m.* (등받이 · 팔걸이가 없는) 긴 의자 : ~-lit 침대 겸용의 긴 의자.

divergence [divɛrʒɑ̃:s] *f.* ① (의견 따위의) 상반, 불일치, 대립 : ~ d'opinions 견해차 / ~ des intérêts 이해의 대립. ② (길 따위의) 분기(分岐) ; 분산, 분출. ③ 〖물리〗 (원자로의) 임계(臨界) 상태.

divergent, e [divɛrʒɑ̃, -ɑ̃:t] *adj.* ① 분산하는, 갈라지는 : voies ~*es* 갈래길. ② (의견이) 서로 다른, 대립〔상반〕되는 : principes ~*s* 상충하는 원리.

***diverger** [divɛrʒe] [3] *v.i.* ① (길 따위가) 갈라지다, 분기하다(≠ converger) ; 〖물리 · 광학〗 발산하다 : Les deux chemins *divergent* à partir d'ici. 여기서부터 두 길이 갈라진다. ② 대립되다, 어긋나다 : Nous *divergeons* souvent dans nos opinions. 우리는 의견이 자주 갈린다. ③ 〖물리〗 (원자로가) 핵분열을 시작하다.

***divers, e** [divɛ:r, -ɛrs] *adj.* ① (*sing.*) 《옛》 다양한(= varié) ; 변하기 쉬운(= changeant) : Le travail est ~ selon les saisons. 일은 계절에 따라 다르다. ② (*pl.*) 여러 가지의, 각종의 : ~ sens d'un mot 한 단어의 여러 가지 뜻 / frais ~ ; dépenses ~*es* 잡비. ── *adj. indéf. pl.* 《관사 없이 언제나 명사 앞》 몇몇의(= quelques), 여러(= plusieurs) : ~*es* personnes 여러 사람들 / en ~*es* occasions 여러 기회에 / en ~ endroits 여러 곳에(서).

diversement [divɛrsəmɑ̃] *adv.* ① 여러 가지로, 가지각색으로. ② 서로 다르게 : On parle ~ de sa mort. 사람들은 그의 죽음에 관해서 서로 다르게 말하고 있다.

diversification [divɛrsifikɑsjɔ̃] *f.* ① 다양화, 다양성 : ~ du savoir 지식의 다양화. ② 〖경영〗 다각화(= différenciation).

diversifier [divɛrsifje] *v.t.* 가지각색으로 바꾸다, 다양화하다. ── **se ~** *v.pr.* 가지각색으로 되다〔다양화하다〕, 변화하다.

diversion [divɛrsjɔ̃] *f.* ① 기분 전환〔풀이〕 : faire ~ 기분 전환시키다. ② 〖군사〗 견제 공격. ***faire* ~ *à*** qc …을 잠시 잊게 하다.

diversité [divɛrsite] *f.* ① 가지각색, 다양성 : ~ des goûts 〔des opinions〕 취미〔의견〕의 다양성. ② (견해 따위의) 상위 ; 대립.

divertir** [divɛrti:r] *v.t.* ① 《~ qn》 …의 기분을 전환시키다, …의 마음을 쉬게 하다, 즐겁게 해주다 : Ce film vous *divertira.* 그 영화는 기분 전환이 될 것이다. ② 《~ qn》 …의 마음을 다른 데로 돌리게 하다(= détourner) ; 그만두게 하다(= dissuader) : ~ qn d'un projet …에게 계획을 그만두게 말리다. ── **se ~** *v.pr.* ① 기분 전환하다, 즐기다. ② 《se ~ de qn》 …을 비웃다, 조롱하다. ***se* ~ *à + *inf.* …하며 즐기다 : Ils *se divertissaient à* danser. 그들은 춤추며 즐겼다. ***se* ~ *de*** 〔***se* ~ *aux dépens de***〕 qn …을 조롱하다, 놀리다.

divertissant, e [divɛrtisɑ̃, -ɑ̃:t] *adj.* 기분을 전환시키는 ; 재미있는(≠ ennuyeux).

divertissement [divɛrtismɑ̃] *m.* ① 기분 전환 ; 오락, 유흥, 놀이 : film de ~ 오락 영화. ② 〖연극〗 막간 여흥. ③ 횡령.

dividende [dividɑ̃:d] *m.* ① 〖수학〗 피제수(被除數)(≠ diviseur). ② 〖재정〗 이익 배당, 배당금 ; 〖법률〗 분배금.

divin, e [divɛ̃, -in] *adj.* ① 신의, 신과 같은, 신에게서 오는 nature ~*e* 신성 / ~*e* Providence 신의 섭리 / *D*~ Enfant [divinɑ̃fɑ̃] 하나님의 아들《어린 그리스도》 / droit ~ 〖역사〗 (왕권신수설에 의한) 신수권. ② 신에 대한, 신에게 바치는 : culte ~ 신에 대한 예배 / office ~*e* 성무일 / service ~ 신에 대한 봉사. ③ 숭고한(= sublim) ; 완전무결한(= parfait), 아주 멋진, 훌륭한 : musique ~*e* 숭고한 음악 / repas ~ 아주 훌륭한 식사 / Il fait un temps ~. 기막힌 날씨다. ── *m.* 신(적인 것), 신성, 초자연.

divinateur, trice [divinatœ:r, -tris] *n.* 점쟁이. ── *adj.* 점치는 ; 선견지명이 있는.

divination [divinɑsjɔ̃] *f.* ① 점(占) ; 점술 ; 예언(= prédiction) : ~ de l'avenir 미래에 대한 예언. ② 예지력, 선견지명(= intuition).

divinatoire [divinatwa:r] *adj.* 점치는 ; 미래를 예견하는, 예지의 : art ~ 점복술 / faculté ~ 예지 능력.

divinement [divinmɑ̃] *adv.* ① 신의 힘〔위력〕으로. ② 훌륭하게, 완전무결하게 : chanter ~ bien 노래를 기막히게 잘 부르다.

divinisation [divinizɑsjɔ̃] *f.* ① 신으로 모시기 ; 신격화. ② 예찬, 찬미.

diviniser [divinize] *v.t.* ① 신으로 모시다 ; 신격화하다. ② 격찬하다 ; 예찬하다.

divinité [divinite] *f.* ① 신성(神性) ② (*D*~) 신(神). ③ 우상 ; 숭배의 대상 ; 미녀, 연인.

***diviser** [divize] *v.t.* ① 나누다, 분할하다 ; 〖수학〗 나눗셈하다 : ~ une pomme en deux 사과를 둘로 나누다 / ~ le travail 일을 분할하다 / Neuf *divisé* par trois égale trois. 9

나누기 3은 3이다. ② 분류하다, 구별하다. ③ 이간하다, 분열시키다 : Leurs opinions les *divisent.* 그들의 의견이 그들 사이를 갈라놓고 있다. — **se ~** *v.pr.* ① 나뉘다, 구분되다 ; 갈라지다 ; (나눗셈에서) 나누어 떨어지다 : *se ~* en …으로 나뉘다〔갈라지다〕. ② 분열하다 ; 의견을 달리하다(= se ~ d'opinions) ; 사이가 틀어지다 : Ils *se divisent* sur les questions politiques. 그들은 정치 문제에 관해 의견을 달리한다.

diviseur [divizœːʀ] *m.* 〖수학〗 제수(除數) ; 약수(約數) ; 인수 : ~ premier 소인수(素因數) / le plus grand commun ~ 최대공약수. — *adj.* et *n.* 분열을 일으키는 (사람 · 세력). ***nombre ~*** 제수.

divisibilité [divizibilite] *f.* 가분성(可分性) ; 〖수학〗 정제성(整除性) ; 〖법률〗 분할 가능성.

divisible [divizibl] *adj.* 〖수학〗 나눌 수 있는 ; 분할할 수 있는.

***division** [divizjɔ̃] *f.* ① ⓐ 나누기 ; 분할 ; 구분 ; 〖수학〗 나눗셈(≠ multiplication) : ~ d'un héritage 유산의 분배 / ~ d'une propriété 소유지의 분할 / ~ du travail 〖경제〗 분업 / ~ des pouvoirs 〖법률〗 삼권 분립. ⓑ 〖생물〗 분열 : ~ cellulaire 세포 분열 / ~ du noyau 핵분열. ② (구분된) 부분, 분야 : ~s administratives 행정 구획. ③ 〖군사〗 사단 ; 〖해군〗 분함대 ; 〖행정〗 국(局), 과(課) ; 〖학교〗 학급, 반 : ~ d'infanterie 보병 사단 / général de ~ 육군 소장, 사단장. ④ 불화, (의견의) 분열 : semer la ~ dans une famille 가정에 불화의 씨를 뿌리다. ⑤ (자 · 온도계 따위의) 눈금(= graduation) ⑥ 〖스포츠〗 (경기의) 리그 : tomber en seconde ~, 2부 리그로 떨어지다.

divisionnaire [divizjɔnɛːʀ] *adj.* ① 〖군사〗 사단의 ; (경찰) 본부의 : général ~ 사단장. ② 소액(小額)의 : monnaie ~ 보조 화폐. — *m.* 〖군사〗 사단장, 육군 소장.

divorce** [divɔʀs] *m.* ① 이혼 : demander le ~ 이혼을 요구하다. ② 절교. ③ 분열 ; 심한 차이 ; 모순, 불일치 : le ~ entre la théorie et la pratique 이론과 실제 사이의 모순. ***faire ~ avec …와 인연을 끊다. ***intenter une action en ~*** 이혼 소송을 제기하다.

divorcé, e [divɔʀse] *adj.* 이혼한, 결연한. — *n.* 이혼자.

divorcer [divɔʀse] [2] *v.i.* 《~ (d')avec》 이혼하다 ; 《~ avec》 절교〔절연〕하다 : Il *a divorcé (d')avec* sa femme. 그는 아내와 이혼했다.

divulgation [divylgasjɔ̃] *f.* (비밀의) 폭로, 누설 ; 공표 ; 유포.

divulguer [divylge] *v.t.* 입 밖에 내다, (비밀을) 폭로〔누설〕하다(≠ cacher) ; 공표하다. — **se ~** *v.pr.* 폭로〔누설〕되다 ; 공표하다.

‡dix [dis, diz, di] *adj. num.* 《불변》 《어군(語群) 끝에서는 [dis], 모음자 및 무성 h 앞에서는 [diz], 자음자 및 유성 h 앞에서는 [di]로 발음됨》 ① 10 의, 열의 ; 《서수적으로》 제 10 의, 열 번째의 : ~ francs 10 프랑 / Charles ~ 샤를 10 세. ② 열 개의 ; 많은 : répéter ~ fois la même chose 똑같은 말을 수차례 되풀이하다. — *m.* 《복수불변》 《발음은 [dis]》 ① 10, 열 ; 열흘, (달의) 10 일 : le ~ mai, 5월 10 일. ② (평점의) 10 점. ③ 〖카드놀이〗 10 의 카드.

***dix-huit** [dizɥi(t)] *adj. num.* 《불변》 《발음 규칙은 huit 와 같음》 ① 18 의, 열여덟의. ② 《서수적으로》 제 18 의, 열여덟 번째의. — *m.* 《복수불변》 ① 18 , 열여덟. ② (달의) 18일. ③ 18 번(= le numéro dix-huit) ; 18 번지, 18 호실 : ~ pour cent 18 퍼센트.

***dix-huitième** [dizɥitjɛm] *adj. num.* 제 18 의, 열여덟 번째의. — *n.* 열여덟 번째의 것〔사람〕. — *m.* 18 분의 1 ; 18 층(= ~ étage) 《우리식으로는 19 층》 ; (파리의) 18 구(區) (= ~ arrondissement). — *f.* 〖음악〗 18 음정(音程), 18 도.

dix-huitièmement [dizɥitjɛmmɑ̃] *adv.* 열여덟 번째로.

‡dixième [dizjɛm] *adj. num.* 제 10 의, 열 번째의. — *n.* 열 번째의 것〔사람〕. — *m.* ① 10 분의 1. ② (파리의) 제 10 구(= ~ arrondissement). ③ 10 층(= ~ étage) 《우리식으로는 11 층》. ④ (본권의) 10 분의 1 권, 1 할권. — *f.* ① 〖음악〗 10 음정(音程). ② 제 10 학급《초등학교 2 학년에 해당》.

dixièmement [dizjɛmmɑ̃] *adv.* 열 번째로.

***dix-neuf** [diznœf] *adj. num.* 《불변》 《발음 규칙은 neuf 와 같음》 ① 19 의, 열아홉의. ② 《서수적으로》 제 19 의, 열아홉 번째의. — *m.* 《복수불변》 ① 19, 열아홉. ② (달의) 19 일. ③ 19 번지 ; 19 점 ; 19 호실.

***dix-neuvième** [diznœvjɛm] *adj. num.* 제 19의, 열아홉 번째의. — *n.* 열아홉 번째의 것〔사람〕. — *m.* 19 분의 1 ; 19 층(= ~ étage) 《우리식으로는 20 층》 ; (파리의) 19 구(區) (= ~ arrondissement).

dix-neuvièmement [diznœvjɛmmɑ̃] *adv.* 열아홉 번째로.

***dix-sept** [di(s)sɛt] *adj. num.* 《불변》 《발음 규칙은 sept 와 같음》 ① 17 의, 열일곱의. ② 《서수적으로》 제 17 의, 열일곱 번째의. — *m.* 《복수불변》 ① 17, 열일곱. ② (달의) 17 일. ③ 17 번지, 17 호실.

***dix-septième** [di(s)sɛtjɛm] *adj.* 제 17 의, 열일곱 번째의. — *n.* 열일곱 번째의 것〔사람〕. — *m.* 17 분의 1 ; 17 층(= ~ étage) 《우리식으로는 18 층》 ; (파리의) 17 구(區) (= ~ arrondissement).

dix-septièmement [di(s)sɛtjɛmmɑ̃] *adv.* 열일곱 번째로.

dizain [dizɛ̃] *m.* ① 〖운율〗 10 행시. ② 10개의 염주알로 만든 팔찌.

dizaine** [dizɛn] *f.* ① 〖수학〗 10 ; 십자리의 수 ; 여남은, 열쯤, 약 10 : compter par ~s 10 씩 세다 / revenir dans la ~ 열흘 안에 돌아오다 / une ~ de jours 약 10 일간. ② 10 개의 알로 된 염주. ③ 《옛》 소구(小區), 분구(分區) 《파리 16 구의 구분》. ***une ~ de personnes 여남은 사람.

dizygote [dizigɔt] *adj.* (쌍둥이가) 이란성의 : jumeaux ~s 이란성 쌍둥이. — *m.* 이란성 쌍생아.

djellaba [dʒɛ(l)laba] *f.* (북아프리카인들이 입는) 두건 달린 긴 소매옷.

do [do] *m.* 《복수불변》 〖음악〗 도《장조 음계의 첫째 음》 ; 다 음, C 음 : symphonie en ~ majeur 다장조 교향곡.

DOC 《약자》 disque optique compact 시디롬(〖영〗 CD-ROM).
doc [dɔk] *m.* ① document 원화(原畫). ② docteur 박사, 의사.
docile [dɔsil] *adj.* 온순한, 순한; 다루기 쉬운(= maniable); 《~ à》 …에 순종하는(= obéissant): charactère ~ 온순한 성격 / cheval ~ 고분고분한 말 / élève ~ *aux* leçons de ses maîtres 선생님의 가르침에 순종하는 학생.
docilement [dɔsilmɑ̃] *adv.* 순하게, 온순하게, 순순히.
docilité [dɔsilite] *f.* 온순, 다루기 쉬움; 순종(= obéissance).

D

dock [dɔk] 〖영〗 *m.* ① 〖해양〗 독, 선거(船渠); 조선장: ~ de carénage 건(乾) 독 / ~ flottant 부(浮) 독. ② 〖상업〗 부두 화물 창고.
docker [dɔkɛ(œ):ʀ] 〖영〗 *m.* 부두 노동자; 하역(荷役) 인부(= débardeur).
docte [dɔkt] *adj.* 박식한; 현학적인, 유식한 체하는(= pédant). ── *m. pl.* 《옛》 학자.
doctement [dɔktəmɑ̃] *adv.* 박식하게, 학자답게; 현학적으로.
docteur** [dɔktœ:ʀ] *m.* ① 《옛》 박식가. ② 박사; 의학 박사(= ~ en médecine); 《구어》 의사: femme ~ 여의사《드물게 doctoresse를 씀》. ③ 《구어》 명인, 달인(達人): grand ~ aux échecs 장기의 명수. ***~ en théologie 〔***en droit***〕 신학〔법학〕 박사. ***~ ès lettres*** 〔***ès sciences***〕 문학〔이학〕 박사. ***être grand ~ en matière de*** qc 《구어》 …에 조예가 깊다. ***faire le ~*** 학자연하다.
doctoral, e, aux [dɔktɔʀal, -o] *adj.* ① 박사의: thèses ~*es* 박사 논문. ② 학자인 체하는, 아는 체하는; 현학적인.
doctorat [dɔktɔʀa] *m.* ① 박사 학위. ② (법학·의학의) 학위 취득 자격 심사 시험.
doctoresse [dɔktɔʀɛs] *f.* ① 여자 의학 박사; 여의사. ② 《구어》 학자연 하는 여자.
doctrinaire [dɔktʀinɛ:ʀ] *m.* ① 《경멸》 교조주의자; 〖프랑스사〗 (왕정 복고 시대의) 정리론자(正理論者). ② 이론가, 공론가. ── *adj.* ① 정리론적인; 교파적인. ② 공리공론적인; (어조가) 점잔빼는.
doctrinairement [dɔktʀinɛʀmɑ̃] *adv.* 《경멸》 독단적으로.
doctrinal, e, aux [dɔktʀinal, -o] *adj.* 교의적(教義的)인; 학리상의. ── *m.* (중세의) 교훈시〔본〕.
doctrinalement [dɔktʀinalmɑ̃] *adv.* 교의(教義)상, 교리상; 학리적으로.
***doctrine** [dɔktʀin] *f.* ① 교의, 가르침; 학설; 주의: ~ catholique 가톨릭 교리. ② 견해, 의견: la ~ officielle 공식 견해. ③ 〖법률〗 법해석, 학설.
***document** [dɔkymɑ̃] *m.* ① 문서, 기록; 참고 서류, 자료, 문헌: ~*s* diplomatiques 외교 문서 / original 〔copie〕 d'un ~ 서류의 원본〔사본〕 / ~*s* scientifiques 과학의 참고 자료. ② 증거물, 증거 자료(= pièce a conviction): à titre de ~ 참고자료로서 / enregistrements 〔films〕 utilisés comme ~*s* 증거물로 이용되는 녹음〔필름〕. ③ (*pl.*) 〖상업〗 증빙 서류: ~*s* de transport 선적서류.
documentaire [dɔkymɑ̃tɛ:ʀ] *adj.* ① 기록에 의한. ② 참고 자료가 되는: texte ~ 참고 자료〔문서〕 / crédit ~ 증권을 담보로 한 대부(貸付) / à titre ~ 참고 삼아, 참고 자료로서. ── *m.* 〖영화〗 기록 영화(= film ~).
documentaliste [dɔkymɑ̃talist] *n.* 문서 책임자, 자료 조사원.
documentariste [dɔkymɑ̃taʀist] *n.* 기록 영화 제작자.
documentation [dɔkymɑ̃tasjɔ̃] *f.* ① 인증(引證), 고증(考證); 문헌 조사〔수집〕. ② 《집합적》 참고 서류〔자료〕(= document).
documenter [dɔkymɑ̃te] *v.t.* ① …에게 참고 자료를 제공하다: ~ qn sur une question …에게 어떤 문제에 관한 참고 자료를 제공하다. ② 자료에 의해 뒷받침하다, 인증〔고증〕하다. ── **se ~** *v.pr.* 참고 자료를 참조〔수집〕하다.
dodéca- *préf.* 「12」의 뜻.
dodécaphonique [dɔdekafɔnik] *adj.* 〖음악〗 12 음의, 12 음 음악〔기법〕의.
dodécaphonisme [dɔdekafɔnism] *m.* 〖음악〗 12 음 음악〔기법〕.
dodécasyllabe [dɔdekasi(l)lab] *adj.* 12 음절어의. ── *m.* 12 음절 시구.
dodelinement [dɔdlinmɑ̃] *m.* (고개·몸 따위를) 가볍게 흔들기; (어린애를) 흔들기.
dodeliner [dɔdline] *v.i.* (고개·몸 따위를) 가볍게 흔들다, 끄덕거리다, 간들거리다: ~ de la tête 머리를 끄덕거리다. ── *v.t.* 가볍게 흔들다; (어린이를) 흔들어 주다.
dodo [do(ɔ)do] *m.* 《소아어》 ① 코하기, 자장, 잠. ② 잠자리, 침대(= lit). ***aller à*** 〔***au***〕 ***~*** 잠자리에 들다. ***faire ~*** 코하다.
dodu, e [dɔdy] *adj.* 《구어》 통통한, 포동포동한: joues ~*es* 포동포동한 뺨.
dogmatique [dɔgmatik] *adj.* ① 〖종교〗 교의의. ② ⓐ 〖철학〗 독단론의(≠ sceptique): philosophie ~ 독단 철학. ⓑ 독단적인; 교조주의적인. ③ (태도 따위가) 단정적인, 단호한; 거만한: ton ~ 거만한 말투.
── *f.* 〖종교〗 교의 신학(= théologie ~).
── *n.* ① 〖종교〗 교의론자. ② ⓐ 〖철학〗 독단론자. ⓑ 독단가.
dogmatiquement [dɔgmatikmɑ̃] *adv.* ① 교의적으로. ② 독단〔단정〕적으로, 독단주의적으로, 단정적인 말투로.
dogmatiser [dɔgmatize] *v.i.* ① 교의를〔학설을〕 세우다, 교의를〔학설을〕 강술하다. ② 독단적〔단정적〕인 말투로 이야기하다.
dogmatisme [dɔgmatism] *m.* ① 독단적 태도〔주장〕. ② 독단론, 독단〔교조〕주의.
dogmatiste [dɔgmatist] *adj.* ① 〖철학〗 독단론의. ② 독단〔교조〕주의의. ── *m.* ① 〖철학〗 독단론자. ② 독단〔교조〕주의자; 독단가.
dogme [dɔgm] *m.* ① 〖철학〗 교의, 교리; 교조, 학설: ~ du christianisme 기독교의 교리. ② 독단적 의견; 신조: ~*s* politiques 정치 신조.
dogue [dɔg] *m.* ① (불독 따위의) 집 지키는 개. ② 화를 잘 내는 사람.
***doigt** [dwa] *m.* ① 손〔발〕가락《각 손가락의 명칭: pouce 엄지손가락; index 검지, 집게손가락; majeur 〔médius, troisième doigt, grand doigt, doigt du milieu〕 가운뎃손가락; (doigt) annulaire 약손가락, 약지; auriculaire 〔petit doigt〕 새끼손가락》: em-

preinte du ~ 지문(指紋) / adresse 〔agilité, légèreté〕 des ~*s* 교묘한 손재주. ② 발가락(=orteil). ③ (어떤 종류의) 동물의 손가락; 장갑의 손가락; 손가락 모양의 것. ④ 손가락 하나의 폭: Sa robe est trop courte de deux ~*s*. 그녀의 드레스는 손가락 2개의 폭 쯤〔2센티 가량〕 길이가 짧다. ⑤ 소량: un ~ de vin 포도주 약간. ***à deux ~s de; à un ~ de*** …에서 아주 가까이에: être *à deux ~s de* la mort 빈사지경에 있다. ***au ~ et à l'œil*** 손가락하나 눈짓 하나로; 명백히. ***avoir de l'esprit jusqu'au bout des ~s*** 전신에 기지(機知)가 넘쳐흐르고 있다. ***avoir des ~s de fée*** 재주〔솜씨〕가 있다. ***du bout du ~*** 〔***des ~s***〕 (손가락으로 집듯이) 살짝, 정중하게. ***être comme les deux ~s de la main*** 떨어질 수 없는 사이이다, 매우 친밀하다. ***fourrer le ~ partout*** 무슨 일이든지 참견하다. ***glisser*** 〔***filer***〕 ***entre les ~s de*** qn …에게서 도망치다, 빠져나가다; 망가지다. ***Il s'en est fallu d'un ~ que...*** 자칫하면〔하마터면〕 …할 뻔했다. ***mettre le ~ sur*** 〔***dessus***〕 알아맞히다, 적중시키다. ***Mon petit ~ me l'a dit.*** 《구어》 다 알고 있어《어른이 아이에게 하는 말》. ***montrer*** 〔***désigner***〕 qn ***du ~*** …을 손가락질하다; 조롱하다. ***ne pas faire œuvre de ses dix ~s*** 무위도식하다. ***ne pas lever*** 〔***remuer***〕 ***le petit ~*** 꼼짝도 안 하다, 조금도 애쓰지 않다. ***On peut les compter sur les ~s*** (***d'une seule main***). (한쪽) 손가락으로 셀 수 있을 정도이다, 아주 적다. ***savoir*** 〔***connaître***〕 qc ***sur le bout du ~*** …을 썩 잘〔속속들이〕 알다. ***se lécher les ~s*** (***de*** qc) (…에) 입맛을 다시다; (…에) 맘껏 즐기다. ***se mettre*** 〔***se fourrer***〕 ***le ~ dans l'œil*** 《속어》 심한 착오를 하다. ***se mordre les ~s*** 후회하다. ***taper*** 〔***donner***〕 ***sur les ~s de*** qn …을 꾸짖다, 벌하다. ***toucher du bout du ~*** (문제 따위에) 약간 손대다. ***toucher*** qc ***du ~*** ⓐ …을 명확하게 하다, 분명히 알다. ⓑ 거의 …에 이르다: *toucher du ~* le but 〔la fin〕 목적 달성을 눈앞에 두다. ***y mettre les quatre ~s et le pouce*** 덥석 움켜잡다; 체면 불구하다.

doigté [dwate] *m.* ① 〖음악〗 손놀림, 운지법(運指法). ② 솜씨, 수완, 기지(=habileté).

doigter [dwate] *v.i.* 〖음악〗 (악기를 연주하며) 손가락을 놀리다, 운지하다. — *v.t.* 〖음악〗 ① (운지하여) 연주하다. ② (악보에) 운지법을 기입하다.

doigtier [dwatje] *m.* 손가락 씌우개; 골무.

doi-s, -t[1] ⇒ devoir.

doit[2] [dwa] *m.* 〖상업〗 부채면(負債面), 차변(借邊): ~ et avoir 차변과 대변.

doiv-e, -es, etc. ⇒ devoir[1].

dol [dɔl] *m.* 〖법률〗 사기(詐欺), 기만(=fraude, tromperie).

dolce [doltʃe] 〔이탈리아〕 *adv.* 〖음악〗 돌체; 부드럽게.

doléances [dɔleɑ̃:s] *f. pl.* 불평, 하소연(=plainte), 푸념, 앓는 소리: faire 〔présenter〕 ses ~s 하소연을 하다.

dolent, e [dɔlɑ̃, -ɑ̃:t] *adj.* ① 수심에 잠긴, 애절한, 처량한: voix ~*e* 처량한 목소리. ② 기분이 언짢은, 하소연〔푸념〕하는.

***dollar** [dɔla:ʀ] 〔영〕 *m.* 달러, 불(弗).

dolmen [dɔlmɛn] *m.* 〖고고학〗 고인돌.

dolomitique [dɔlɔmitik] *adj.* 〖광물〗 백운석을 함유한.

D.O.M. [deoɛm, dɔm] *m.* 《약자》 Département d'outre-mer 해외도(海外道).

domaine** [dɔmɛn] *m.* ① (상당히 큰 규모의) 소유지(=propriété). ② 《옛》 〖역사〗 영지, 장원: ~ de la couronne; ~ royale 왕령(王領) / ~ féodal 봉토(封土). ③ 〖법률〗 le ~ de l'État; le *D*~ 국유지 / ~ public 행정재산《하천·철도·병영 따위》 / ~ forestier 국유림 / ~ aérien 〔maritime〕 영공〔해〕. ④ 분야; 영역; 전문 분야: ~ technique 〔de l'informatique〕 기술〔정보 과학〕 분야 / dans tous les ~*s* 모든 분야에 있어서. ***Ce n'est pas de mon ~. 그것은 내가 나설 일이 아니다. ***tomber dans le ~ public*** 〖법률〗 (작품·발명 따위가) 저작권〔특허권〕을 소실(消失)하다.

domanial, e, aux [dɔmanjal, -o] *adj.* 영지의, 국유지의: forêt ~*e* 국유림.

dôme[1] [do:m] *m.* ① 〖건축〗 둥근 지붕, 둥근 천장, 궁륭(穹窿)《외부는 dôme, 내부는 coupole》: ~ du Panthéon 팡테옹의 둥근 지붕. ② ~ de feuillage 〔verdure〕 둥근 지붕 모양으로 우거진 나뭇가지. ③ 〖지리〗 둥근 산. ***~ des cieux*** 창공, 하늘.

dôme[2] *m.* (이탈리아, 독일의) 대성당.

domestication [dɔmɛstikɑsjɔ̃] *f.* ① 길들임, 순화(馴化); 교화. ② (이민족 따위의) 지배, 예속화. ③ (자연(력)의) 이용, 활용.

domesticité [dɔmɛstisite] *f.* ① 하인의 신분; 《집합적》 하인. ② 《드물게》 (가축이) 길든 상태. ③ 《구어》 비굴, 비굴한 행위.

***domestique** [dɔmɛstik] *adj.* ① 가족〔가정〕의: travaux ~*s* 《옛》 가사 / dieux ~*s* 가신(家神). ② 국내의: guerres ~*s* 내란. ③ (짐승이) 길든, 순화(馴化)된: animaux ~*s* 가축(≠ animaux sauvages). ④ 하인의: personnel ~ 《집합적》 하인. — *n.* ① 하인, 하녀, 노예. ② 고용인, 종업원: ~ d'un hôtel 호텔 종업원. — *m.* ① 《집합적》 하인. ② 〖역사〗 (왕후(王侯)의) 가신, 집사; 신하.

domestiquer [dɔmɛstike] *v.t.* ① (짐승을) 가축으로 만들다, 길들이다. ② 복종시키다(=asservir), 지배하다; 극복하다: ~ un peuple 어떤 민족을 예속시키다. ③ (자연(력)을) 이용〔활용〕하다: ~ l'énergie solaire 태양에너지를 이용하다. — **se** ~ *v.pr.* ① 길들다. ② 하인이 되다.

domicile** [dɔmisil] *m.* 주거, 거처, 처소; 〖법률〗 주소(지): personne sans ~ 떠돌이, 유랑인 / ~ d'une société 회사의 소재지. ***à ~ 자택에서: travailler *à* ~ 집에서 일하다. ***~ légal*** 〔***réel***〕 본적〔현주소〕. ***franco à ~*** 운임 지불필(畢). ***sans ~ fixe*** 주소 부정의. ***violation du ~*** 가택 침입.

domiciliaire [dɔmisiljɛ:ʀ] *adj.* 주소의, 처소의, 주택의: visite ~ 가택 수색.

domicilié, e [dɔmisilje] *adj.* 거주하는; 일정한 장소에 사는, 정주하는.

domicilier [dɔmisilje] *v.t.* ① 거주시키다. ② (어음의) 지급 장소를 지정하다. — **se** ~

v.pr. 주소를 정하다 ; 거주하다.

dominance [dɔminɑ̃:s] *f.* ① 지배, 패권 ; 통치. ② 우세 ; (문예상의) 주조(主調). ③ (질병의) 유행. ④ 〚생물〛 (유전의) 우성.

dominant, e [dɔminɑ̃, -ɑ̃:t] *adj.* ① 지배하는, 패권을 잡은 : nation ~*e* 지배 국가. ② 우세한 ; 주요한 ; 주조(主調)가 되는 : Le blé est la culture ~*e* de cette région. 밀은 이 지방의 주요 농산물이다 / gène ~ 〚생물〛 우성 유전 인자. ③ 굽어보는, 내려다보는, 부감(俯瞰)하는 : position ~*e* 높은 지위〔위치〕. — *f.* ① 특징. ② 〚음악〛 딸림화음의 제 5 음, 도미넌트. ③ 〚운율〛 주요 모음(= voyelle ~*e*), 주요 음절(= syllabe ~*e*).

dominateur, trice [dɔminatœ:ʀ, -tʀis] *adj.* ① 지배적인(= autoritaire) : force ~*trice* 지배력. ② 위압적〔강압적〕인, 거만한(= impérieux) : voix ~*trice* 위압적인 목소리. — *n.* 지배자, 통치자, 정복자.

domination [dɔminɑsjɔ̃] *f.* ① 지배, 통치 : ~ despotique 전제적인 통치 / être 〔vivre〕 sous la ~ de qn …에게 매어〔예속되어〕 살다. ② 세력 ; (정신적) 영향, 지배(= emprise, maîtriste) : ~ de soi-même 자제(력) / exercer une ~ spirituelle sur qn …에게 정신적 영향을 미치다. ③ 우세, 우위 : ~ masculine 남성 우위. ④ (*D*~*s*) (*pl.*) 〚신학〛 주천사《천사의 중급 제 1 위》.

***dominer** [dɔmine] *v.i.* ① 《~ sur》 …에 군림하다, …을 지배하다 : puissance qui *domine sur* un continent 대륙에 군림하는 강대국. ② 우위를 차지하다, 우세하다 : L'équipe de France *a dominé* pendant la première mi-temps. 프랑스 팀이 초반전에서 우세했다 / 《~ sur》 Il *domine* de très loin *sur* ses collègues. 그는 동료들보다 훨씬 낫다. ③ 압도〔지배〕적이다(= prédominer), 주조를 이루다 : tableau où les verts *dominent* 푸른빛이 주조를 이룬 그림. — *v.t.* ① 지배하다 ; 통치하다 ; 제압하다 ; 압도하다 : un candidat qui *domine* ses concurrents 경쟁자를 압도한 입후보자. ② 억제〔제어〕하다, 억누르다 : ~ sa colère 〔ses passions〕 분노를〔정열을〕 억제하다. ③ 굽어보다, 내려다보다, 부감하다 : falaise qui *domine* la mer 바다 위로 우뚝 솟은 절벽. ④ 전체적으로〔철저하게〕 파악하다. — **se** ~ *v.pr.* 자제하다.

dominicain, e [dɔminikɛ̃, -ɛn] 〚가톨릭〛 *adj.* 성도미니크(*Saint Dominique*)회의. — *n.* 성도미니크회 수도사.

dominical, e, aux [dɔminikal, -o] *adj.* ① 그리스도의. ② 주일의, 일요일의 : lettre ~*e* (달력의) 주일 문자 / promenade ~*e* 일요 산책. ***oraison ~e*** 주기도문(= Pater). — *f.* 주일 설교(= instruction ~*e*).

dominion [dɔminjɔ̃] 〔영〕 *m.* (영연방의) 자치령 : *D*~ du Canada 캐나다의 자치령.

domino [dɔmino] *m.* ① 도미노(의 패) ; (*pl.*) 도미노 놀이 : jouer aux ~*s* 도미노 놀이를 하다. ② (*pl.*) 《속어》 이, 이빨 ; 뼈. ***faire ~*** (도미노 놀이에서), 이기다. ***jouer des ~s*** 《속어》 아귀아귀 씹어 먹다. ***théorie des ~s*** 〚정치〛 도미노 이론.

dommage** [dɔma:ʒ] *m.* ① 손실, 손해 : ~ matériel 물질적인 손해 / ~*s* de guerre 전화(戰禍). ② 유감스러운〔애석한〕 일(= fâcheux) : C'est ~ ! ; Quel ~ ! ; D~ ! 유감스러운 일이다, 유감천만이다. ***C'est 〔***Il est***〕 ~ ***que***+*sub.* …은 유감스러운 일이다 : *C'est* ~ *que* vous ne puissiez l'attendre ! 그를 기다릴 수 없으시다니 유감입니다. ***~s et intérêts, ~s-intérêts*** 〚법률〛 손해 배상.

dommageable [dɔmaʒabl] *adj.* 손해를 입히는(≠ profitable) ; 해로운.

domotique [dɔmɔtik] *f.* 홈오토메이션 (기술).

domptage [dɔ̃ta:ʒ], **domptement** [dɔ̃tmɑ̃] *m.* 굴복시키기 ; 길들이기(= dressage) ; 제어, 억제.

dompter [dɔ̃te] *v.t.* ① (짐승을) 길들이다, 순화하다(= apprivoiser, dresser). ② 굴복시키다, 정복하다(= soumettre) : ~ les forces de la nature 자연의 힘을 정복하다. ③ 억제〔제어〕하다(= dominer, maîtriser), 억누르다 ; 지배하다 : ~ ses passions 열정을 억누르다. — **se** ~ *v.pr.* ① 자제하다. ② 길들여지다 ; 억제되다 ; 정복되다.

dompteur, euse [dɔ̃tœ:ʀ, -ø:z] *n.* 길들이는 사람 ; 정복자 : ~ de fauves 〔chevaux〕 맹수를 길들이는 사람〔조마사〕.

don**[1] [dɔ̃] *m.* ① 증여, 기증, 기부 : ~ de soi 헌신 / faire ~ de qc à qn …에게 …을 주다 / faire ~ de tous ses biens à un neveu 전 재산을 조카에게 주다. ② 선물, 증여품, 기부금품(= cadeau) : ~ d'argent 〔en argent〕 기부금, 구호금 / recevoir un ~ 기부를 받다. ③ 천품, 타고난 재능 : les ~*s* de la terre 대지의 산물 / ~*s* de Bacchus 포도주 / les ~*s* de Flore 꽃 / ~*s* littéraires 문학적인 재능. ***avoir le ~ de qc 〔***de***+*inf.*〕 …의 재능〔소질〕이 있다.

don[2] [dɔ̃ ; 모음 앞에서는 dɔn] *m.* ① 《옛》 에스파냐 귀족〔왕족〕의 존칭. ② 일반 에스파냐 남자의 존칭《이름 앞에 : *don* Juan》.

dona [dɔna], **doña** [dɔɲa] *f.* ① 《옛》 에스파냐 귀족〔왕족〕 부인의 존칭. ② 일반 에스파냐 부인의 존칭《이름 앞에 : *dona* Luisa》.

donataire [dɔnatɛ:ʀ] *n.* 〚법률〛 수증자(受贈者)(≠ donateur).

donateur, trice [dɔnatœ:ʀ, -tʀis] *n.* ① 〚법률〛 증여자. ② 기부자, 기증자.

donation [dɔnɑsjɔ̃] *f.* 〚법률〛 ① 증여, 기증 : ~ testamentaire 유언에 의한 증여 / ~ entre époux 부부간의 증여 / ~-partage (자식들에 대한) 재산 분여. ② 증여 증서.

‡**donc** [dɔ̃, dɔ̃:k] 《절의 첫머리에서는 [dɔ̃:k]로 발음, 그 밖의 경우는 [dɔ̃]》 *conj.* et *adv.* 《절 첫머리에 올 때는 *conj.*, 기타 경우는 *adv.*》 ① 《논리적 결론》 그러므로, 따라서 : Je pense, ~ je suis. 나는 생각한다, 그러므로 나는 존재한다 / J'ai refusé ; ~, inutile d'insister. 나는 거절했소, 그러니 고집해야 소용없소. ② 《의미의 강조》 도대체 ; 어서 : Qu'as-tu ~ ? 도대체 무슨 일인가 ? / Viens ~ ! 어서 오너라 / Qui ~ ? 대관절 누가〔누구를〕 ? / Venez ~ par ici ! 어서 이리로 오십시오 / Taisez-vous ~ ! 잠자코 있어요. ③ 《중단되었던 이야기를 다시 계속할 때》 그런데, 그래서 : Il se dirigea ~ vers nous. 그런데〔그래서〕 그는 우리쪽으로 향해 왔다 /

pour en revenir ~ à ce qui nous intéresse 그런데〔그래서〕 당면 문제로 이야기를 다시 돌리자면. ***Allons ~ !*** ⓐ 설마, 그럴 리가 있나 : *Allons ~ !* Vous plaisantez ! 설마 ! 농담하시는 거죠 ? ⓑ 자, 가세〔하세〕.

dondon [dɔ̃dɔ̃] *f.* 《구어》 뚱뚱한 여자.

donjon [dɔ̃ʒɔ̃] *m.* ① 성(城)의 큰 탑, 아성의 주루(主樓). ② 〖건축〗 소탑 ; 누(樓). ③ 〖해양〗 (군함의) 사령탑, 망루.

don Juan [dɔ̃ʒɥɑ̃] *n.pr.m.* 돈 후안. — *m.* (*pl.* **~(s) ~s**) 호색한, 엽색가.

don(-)juanesque [dɔ̃ʒɥanɛsk], **don(-)juanique** [dɔ̃ʒɥanik] *adj.* ① 돈 후안적인, 호색의. ② 돈 후안 전설의.

don(-)juanisme [dɔ̃ʒɥanism] *m.* ① 엽색, 호색. ② 〖정신의학〗 계속 새로운 성적 대상을 찾는 증세.

donnant, e [dɔnɑ̃,-ɑ̃:t] *adj.* 주기를 좋아하는 : Il n'est guère ~. 그는 매우 인색하다.

donne [dɔn] *f.* 〖카드놀이〗 골패〔카드〕의 분배 : À toi la ~. 네가 패를 나눌 차례야.

donné, e**[1] [dɔne] *adj.* ① 주어진, 베풀어진. ② 이미 알려진, 정해진 ; 〖수학〗 주어진 : dans un temps ~ 정해진 시간 후에 / nombres ~*s* 기지수. ③ 일정한, 어떤 : à un moment ~ 어떤 순간에. ④ 천부의, 타고난 : caractère ~ 타고난 성격. ⑤ 가능한(= possible) : 《Il est ~ à qn de+*inf.*》 s'*il* n'*est* un jour ~ *de* pouvoir le rencontrer 언젠가 그를 만날 수 있다면. ***C'est ~. 《구어》 거저나 다름없다, 아주 싸구려다. ***étant ~*** qc ⓐ …으로 보아, …때문에. ⓑ …이 주어졌다고 할 때 : *étant* ~(s) deux points ; deux points *étant* ~*s*, 2점이 주어졌을 때. ***étant ~ que***+*ind.* …때문에, …인 까닭에, …으로 인하여 : *étant* ~ *qu*'il ne vient pas 그가 오지 않으므로. — *m.* 〖철학〗 소여(所與), 여건.

donnée[2] [dɔne] *f.* ① 데이터, 자료, 정보 : ~*s* statistiques 통계 자료 / traitement de ~*s* 정보 처리. ② (작품의) 소재 ; 재료 ; 구상 : ~*s* d'une tragédie 비극의 소재. ③ 〖논리〗 기지의 사실〔조건〕. ④ 〖철학 · 심리〗 소여(所與), 여건. ⑤ 〖수학〗 기지수(≠ inconnue).

⁑donner [dɔne] *v.t.* ① 주다, 제공하다 : ~ de l'argent 〔un cadeau〕 à qn …에게 돈〔선물〕을 주다 / ~ un diplôme 학위를 수여하다 / ~ un travail au chômeur 실업자에게 일자리를 주다 / *Donnez*-moi un coup de téléphone. 제게 전화 주십시오 / ~ les cartes 〖카드놀이〗 카드를 나누다. ② 바치다, (노력 따위를) 기울이다, 쏟다 : ~ sa vie 〔son sang〕 à 〔pour〕 la patrie 조국에〔조국을 위해〕 목숨을 바치다 / ~ tout son temps 〔sa vie〕 à une œuvre 어떤 사업에 모든 시간〔일생〕을 바치다. ③ ⓐ 《~ qc pour 〔contre〕 qc》 …을 …와 바꾸다, 교환하다 : ~ des billes *pour* 〔*contre*〕 des timbres 구슬을 우표와 바꾸다 / *Donnez*-moi ça *pour* dix francs. 그거 10 프랑어치만 주세요《물건을 살 때》 / 《비유》 Je *donnerais* beaucoup 〔tout au monde, n'importe quoi〕 *pour*+*inf.* 〔*pour* que+*sub.*〕 …할 수만 있다면 어떤 대가〔희생〕이라도 치르겠다. ⓑ 《~ une somme de qc》 어떤 물건〔상품〕에 대해 …의 금액을 내다〔내고 사다〕 : Je vous en *donne* cent francs. (그 물건의 값으로) 100 프랑 드리겠소. ④ 부여하다 ; 추측하다 : ~ un nom à un enfant 아이에게 이름을 붙여〔지어〕 주다 / ~ un titre à un ouvrage 저서에 제목을 붙이다 / Quel âge lui *donnez*-vous ? 저 사람 몇 살이나 돼 보입니까 ? ⑤ (…에게, …의 손에) 건네주다, (…의 앞에) 내놓다 : ~ son parapluie à un visiteur 방문객에게 우산을 건네주다 / *Donnez*-moi la salière. 소금 그릇 좀 이리 주세요. ⑥ ⓐ 맡기다 : ~ son manteau au vestiaire 외투를 휴대품 보관소에 맡기다 / ~ une robe à la blanchisserie 옷을 세탁소에 맡기다. ⓑ 내맡기다 : ~ la main à qn …의 손을 잡아 주다 ; …와 악수를 하다 / ~ son bras à qn 노인 따위에게 자기의 팔을 잡게 하다. ⑦ 옮겨 주다, 감염시키다(= transmettre) : Il m'*a donné* son rhume. 그에게서 감기가 옮았다 / ~ ses goûts à ses proches 가까운 사람들에게 자기의 취미를 옮겨 주다. ⑧ ⓐ 알려 주다(= communiquer) : ~ son adresse 자기 주소를 알려 주다〔말해 주다〕 / pendule qui *donne* l'heure exacte 정확한 시간을 알려 주는 시계. ⓑ 알리다, 전달하다 : ~ l'alarme 경보를 울리다 / ~ le signal du départ 출발 신호를 하다. ⓒ 나타내다, 보이다(= montrer) : ~ des signes de fatigue 피로한 기색을 보이다. ⑨ ⓐ (강연 따위를) 하다 : ~ un cours 강의를 하다 / ~ une conférence 강연을 하다. ⓑ (파티 · 무도회 따위를) 개최하다 : ~ un bal 무도회를 열다. ⓒ (연극 · 영화 따위를) 상연하다 : ~ une pièce de théâtre 연극을 공연하다. ⑩ (의견 따위를) 표명하다 ; (논거 따위를) 제시하다 : ~ son avis 의견을 말하다 / ~ son accord 〔sa permission〕 동의하다〔허락하다〕. ⑪ (행위 · 동작을) 하다, 가하다 : ~ un coup de poing à qn …을 주먹으로 후려치다 / ~ des caresses à son chien 개를 쓰다듬어 주다 / ~ un coup de téléphone 전화 걸다. ⑫ 가져오다, 야기하다, 일으키다 : Cet enfant me *donne* bien du souci. 이 애 때문에 걱정이 태산 같다 / La marche *donne* de l'appétit. 걸으면 식욕이 난다. ⑬ 산출하다(= produire), 생산하다 : Cet arbre *donne* beaucoup de fruits. 이 나무는 열매를 많이 맺는다. ⑭ 출판하다(= publier) : Cet écrivain *donne* un roman par an. 이 작가는 소설을 일 년에 한 권씩 낸다. ⑮ 《구어》 고발하다, 밀고하다.

~ à+*inf.* ***; ~ lieu de***+*inf.* …할 기회〔이유〕를 주다, …하게 하다 : ~ *à* entendre 넌지시 알게 하다, 알아듣게 하다 / ~ *à* boire 〔manger〕 마실〔먹을〕 것을 주다. ~ qc ***à***+*inf.* …하도록 …을 넘겨 주다. ***~ à*** qn ***de***+*inf.* 〔***que***+*sub.*〕 …에게 …하기를 허락하다. ***~ A pour B,*** A를 B로서 제시하다, A를 B로 간주하다 : On le *donne pour* coupable. 그는 죄인으로 알려져 있다. ***en ~ ; en ~ à garder ; ~ une baie*** 《구어》 속이다. ***en ~ sa tête à couper*** (목을 걸고) 끝끝내 주장하다. ***Il est donné à*** qn ***de***+*inf.* 《비인칭》 …에게 …할 능력이 있다 : *Il* n'*est* pas *donné à* tout le monde *de* bien apprendre

D

les langues. 누구나 다 어학을 잘할 수 있는 게 아니다. ***la ~ belle à*** qn 《옛》 …을 속이려 들다.

— *v.i.* ① 주다; 증여하다. ② (농지가) 산출하다(= produire) ; 수확을 가져오다 : Le blé *a* bien *donné* cette année. 금년에는 밀이 풍작이었다. ③ 《~ dans》 …에 빠지다, 떨어지다 : ~ *dans* le luxe 사치에 빠지다 / ~ *dans* le snobisme 속물근성에 빠지다. ④ ⓐ 《~ contre》 …에 부딪치다 : ~ de la tête *contre* la porte 문에 머리를 부딪치다. ⓑ ~ *contre* 〔sur〕 un écueil 배가 암초에 부딪치다, 좌초하다 / ~ à la côte 해안에 좌초하다. ⑤ 《~ sur》 …으로 면(面)하다, 향하다 : La porte *donne sur* la rue. 문이 행길 쪽으로 나 있다. ⑥ 공격을 하다, 돌격하다 : La troupe va ~. 부대가 공격하려고 한다. ⑦ 《~ de》 ⓐ …으로 소리를 내다: Les chiens *donnent de* la voix. 개가 짖는다. ⓑ …(소리 · 음을) 발하다(= jouer de) : ~ *du* cor 각적(角笛)을 불다. ⑧ (천 · 밧줄 따위가) 늘어나다, 느슨해지다.

~ dans l'œil 〔***les yeux***〕 ***de*** 〔***à***〕 qn …의 눈을 부시게 하다 ; 매혹하다. ***ne pas savoir où ~ de la tête*** 어찌할 바를 모르다.

— **se ~** *v.pr.* ① 주어지다. ② 서로 주다 : *se* ~ des coups 서로 주먹질을 하다. ③ 자기에게 주다, 가지다, 사다. ④ 《se ~ à》 ⓐ …에 몸을 바치다〔맡기다〕; …에 빠지다 : *se* ~ *au* travail 일에 종사〔전념〕하다 / *se* ~ *à* sa patrie 조국에 헌신하다. ⓑ 굴복하다, 항복하다 ; (여성이) 몸을 맡기다 : *se* ~ *à* l'ennemi 적에게 굴복하다. ⑤ 개최되다 ; 출판되다 ; 상연〔발표〕되다. ⑥ 《se ~ pour》 …으로 자처하다, …의 행세를 하다 : *se* ~ *pour* le fils d'un millionnaire 백만장자의 아들 행세를 하다. ***se ~ des airs*** 점잔부리다. ***se ~ du bon temps ; s'en ~*** 즐거운 시간을 갖다. ***se ~ du mal*** 고심참담하다, 애쓰다. ***se ~ la peine de***+*inf.* 수고스럽게도 …하다 : *Donnez-vous la peine de* vous asseoir. 앉으십시오.

donneur, euse [dɔnœːʀ, -øːz] *n.* ① 주는 사람, 수여자 ; 〖카드놀이〗 카드〔골패〕 분배자 : ~ de caution 〖상업〗 보증인. ② 〖의학〗 (장기의) 제공자 ; 헌혈자(= ~ de sang) : ~ universel O 형의 헌혈자. ③ 《속어》 밀고자(= dénonciateur). ***n'être pas ~*** 돈을 내기 싫어하다.

don Quichotte [dɔ̃kiʃɔt] *n.pr.m.* 돈키호테 《*Cervantes* 의 동명 소설의 주인공》. — *m.* (*pl.* ***~s ~s***) 돈키호테적 인물《실현성 없는 이상을 추구하는 과대망상가》.

don(-)quichottisme [dɔ̃kiʃɔtism] *m.* 돈키호테식 사상〔행동〕.

‡dont [dɔ̃] ; 《 모음과 무성 h 앞에서는 연음하여 [dɔ̃t]로 발음함》 *pron. rel.* 《de qui, duquel, de quoi, d'où 등, 「de+관계대명사」의 구실을 하는 관계대명사》 ① 《동사(구)의 간접목적보어》 maison ~ je rêve 내가 꿈꾸고 있는 집 / homme ~ on parle 우리가 이야기하고 있는 그 사람 / livre ~ il a besoin 그가 필요로 하는 책 / ce ~ il s'agit 문제가 되는 것. ② 《형용사의 보어》 ami ~ il est jaloux 그가 시기하는 친구 / malheur ~ vous êtes responsable 당신이 (그것에 대해서) 책임이 있는 불행 / C'est ce ~ je suis fier. 이것이 내가 (그것에 대해서) 자랑으로 여기는 것이다. ③ 《명사의 보어》 pays ~ le climat est agréable 기후가 좋은 나라 / la maison ~ on aperçoit la façade (그것의) 정면이 보이는 집 / livres ~ une dizaine m'appartient (그 가운데) 여남은 권이 나의 소유인 책들. ④ 《문어》 《출발점 · 출처 · 출신》 chambre ~ il sort 그가 나온 방 / famille ~ il descend 그의 출신 가문. ⑤ 《수단 · 도구》 journal ~ il s'évente 그가 들고 부채질하는 신문. ⑥ 《원인 · 양태》 manière ~ elle est habillée 그녀의 옷차림새. ⑦ 《동작주》 femme ~ il est aimé 그를 사랑하는 여인. ⑧ 《부분을 나타냄》 gâteau ~ il a mangé 그가 얼마큼 먹은 케이크.

donzelle [dɔ̃zɛl] *f.* ① 젠체하는 여자〔아가씨〕. ② 《구어》 행실이 나쁜〔경박한〕 여자〔아가씨〕. ③ 《옛》 귀부인.

dopage [dɔpaːʒ] *m.* ① (말 따위에) 흥분제를 주기. ② 〖화학〗 활성화, 첨가제의 사용.

dopant, e [dɔpɑ̃, -ɑ̃ːt] *m.* ① (일종의) 흥분제. ② 〖기술〗 첨가제. — *adj.* 흥분 작용을 하는 ; 첨가의.

doper [dɔpe] 〔영〕 *v.t.* ① (말 또는 사람에게) 흥분제를 주다 : ~ un cheval de course 경주마에 흥분제를 투여하다. ② 《비유》 (활동 따위를) 자극하다, 활발하게 하다 : ~ l'économie 경제를 활성화하다. ③ 〖화학〗 강화하다. — **se ~** *v.pr.* 흥분제를 먹〔맞〕다.

doping [dɔpiŋ] 〔영〕 *m.* ① = dopage. ② 흥분제.

dorade [dɔʀad] *f.* 〖어류〗 만새기(= daurade) : ~ de la Chine 금붕어.

dorage [dɔʀaːʒ] *m.* 금도금.

doré, e** [dɔʀe] *adj.* 황금빛의 ; 금〔금박〕을 입힌, 금도금한 : boutons ~*s* 금빛 단추 / cheveux ~*s* 금발. ***être ~ 《속어》 운이 좋다. ***jeunesse ~e*** 부잣집 도련님, 귀공자. ***langue ~e*** 웅변. ***mots ~s ; paroles ~es*** 감언. ***rêve ~*** 희한한 계획, 아주 매혹적인 공상. — *m.* 금도금(= dorage).

dorénavant [dɔʀenavɑ̃] *adv.* 이제부터, 장차, 앞으로(는)(= désormais) : Je serai ~ plus circonspect. 앞으로는 더 신중하게 행동하겠습니다.

dorer [dɔʀe] *v.t.* ① 황금빛으로 만들다〔물들이다〕; …에 금〔금박〕을 입히다 ; 금도금하다 : ~ la tranche d'un livre ; ~ un livre sur tranche 책의 단면에 금박을 입히다 / Le soleil lui *a doré* la peau. 햇빛이 그의 피부를 구릿빛으로 태웠다. ② (과자에) 달걀 노른자를 바르다. ***~ la pilule*** 환약에 금물을 입히다 ; 달콤한 말로 구슬려 싫어하는 일을 강요하다. — **se ~** *v.pr.* ① 금도금되다. ② 꾸며지다 ; 황금빛으로 되다〔물들다〕.

doreur, euse [dɔʀœːʀ, -øːz] *n.* 금도금공(工), 금박 입히는 사람. — *adj.* 금도금하는.

dorique [dɔʀik] *adj.* 〖건축〗 도리아식의. — *m.* 도리아식(= ordre ~).

dorloter [dɔʀlɔte] *v.t.* 소중히 다루다 ; 애지중지하다(= cajoler, choyer) : ~ son enfant 아이를 애지중지하다. — **se ~** *v.pr.* 자기 몸을 돌보다 ; 안일하게 세월을 보내다.

dormant, e [dɔʀmɑ̃, -ɑ̃:t] *adj.* ① 잠자는. ② 잔잔한 ; 고정된 ; (물이) 괴어 있는(= stagnant) : eau ~*e* 흐르지 않는〔괴어 있는〕 물 / ligne ~*e* 물속에 고정시킨 낚싯줄 / vitrage ~ 열리지 않는 유리문. —— *m.* (문·창문의) 틀. —— *n.* 잠자는 사람.

dormeur, euse [dɔʀmœ:ʀ, -ø:z] *adj.* 잠자는 ; 잠자기 좋아하는 : poupée ~*euse* 눕히면 눈을 감는 인형. —— *n.* 잠자는 사람 ; 《구어》 잠꾸러기. —— *f.* ① 긴 의자 ; 침대마차. ② (보석 달린) 귀고리.

‡dormir [dɔʀmi:ʀ] *v.i.* ① 자다, 잠들다 : ~ d'un profond sommeil ; ~ profondément 깊이 잠들어 있다 / ~ d'un sommeil du juste 마음 편히 자다. ② 《비유》 정지 상태에 있다, 움직이지 않다 ; (자본 따위가) 활용되지 않다 ; (물이) 흐르지 않다 : capitaux qui *dorment* 유휴(遊休) 자본. ***à ~ debout*** 허황한, 황당무계한. ***~ à poings fermés ; ~ comme un sabot*** 〔***une marmotte, une souche, un loir, un plomb***〕 깊이 잠들다. ***~ sur les deux oreilles*** 안심하고 자다. ***~ sur son travail*** 일을 느릿느릿 하다. ***laisser ~*** qc …을 내버려두다. ***ne ~ que d'un œil; ne ~ que sur une oreille ; ~ les yeux ouverts; ~ en lièvre*** 〔***en gendarme***〕 편히 잠자지 못하다 ; 걱정〔경계〕하다. —— *v.t.* 《동족 목적어 somme, sommeil 와 더불어》《구어》 자다 : ~ un bon somme 한잠 잘 자다, 숙면하다. ***~ son dernier sommeil*** 죽다. —— *m.* 잠, 수면.

dorsal, e, aux [dɔʀsal, -o] *adj.* 등의 ; 등에 지는 : nageoire ~*e* 등지느러미. —— *m.* 〖의학〗 배근(背筋), —— *f.* ① 등지느러미. ② 〖언어〗 설배음(舌背音). ③ 〖지리〗 (산맥의) 능선 ; 해저 산맥. ④ 〖기상〗 ~*e* barométrique 기압의 능선. 「침실.

dortoir [dɔʀtwa:ʀ] *m.* (기숙사 따위의) 공동

dorure [dɔʀy:ʀ] *f.* ① 금도금 ; 도금. ② 금박, 입힌 금 ; 《시어》 황금빛 : ~ à chaud 〖제본〗 금박 무늬 박기. ③ (과자에 바르는) 달걀 노른자.

doryphora [dɔʀifɔʀa], **doryphore** [dɔʀifɔ:ʀ] *m.* 〖곤충〗 감자벌레.

‡dos [do] *m.* ① 등 ; 뒤, 배후 : avoir le ~ droit 〔voûté〕 등이 꼿꼿하다〔굽어졌다〕 / mettre les mains au ~ 뒷짐을 지다. ② (옷의) 등 : manteau à ~ ample 등이 넓은 망토 / ~-nu 등이 넓게 파인 옷. ③ (의자 따위의) 등, 뒤판, 등판 ; (종이의) 뒷면, 이면 ; (손·발의) 등 : ~ du pied 〔nez〕 발등〔콧등〕 / ~ d'une chaise 의자의 등 / voir au ~ 뒷면 참조 / ~ d'une colline 언덕의 뒷부분. ④ 〖스포츠〗 배영(背泳)(= nage sur le ~) : le 100 mètres ~ 배영 100 미터.
à ~ 등 뒤에, 뒤에, 배후에 : avoir l'ennemi *à ~* 배후에 적을 가지다. ***avoir bon ~*** 비난을 한 몸에 받다 ; 좋은 구실이 되다. ***avoir*** 〔***porter***〕 qc 〔qn〕 ***sur le ~*** …때문에 항상 시달리다〔감시당하다〕. ***dans le ~*** (등) 뒤에 : porter ses cheveux *dans le ~* 머리카락을 등에 늘어뜨리고 있다 / agir *dans le ~* de qn …의 뒤에서 몰래 행동〔획책〕하다. ***de ~*** 등쪽에서 : C'est elle, vue *de ~*. 뒤에서 보니 그 여자다. ***derrière le ~*** 배후에 : cacher qc *derrière son ~* …을 뒤에 숨기다. ***~ à ~*** [dozado] ⓐ 등을 맞대고. ⓑ 쌍방 모두 ***~ d'âne*** 안장 모양 : pont en ~ *d'âne* 양쪽 끝이 경사진 다리. ***en avoir plein le ~*** 《속어》 진저리나다, 지긋지긋하다. ***en ~ d'âne*** 아치형의 : pont *en ~ d'âne* 아치형 다리. ***être sur le ~*** 《구어》 자리에 누워 있다, 병환 중이다. ***être sur*** 〔***derrière***〕 ***le ~ de*** qn …을 항상 감시하다. ***faire froid dans le ~ à*** qn …에게 무서운 이야기를 하다. ***faire le gros ~*** (고양이가) 등을 둥글게 하다 ; (사람이) 거만하게 굴다. ***mettre*** qc ***sur le ~ de*** qn …에게 …의 책임을 전가시키다, …을 …의 탓으로 돌리다. ***prendre*** qc ***sur son ~*** …의 책임을 자기가 짊어지다. ***tomber sur le ~ de*** qn …에게 덤벼들다, …의 앞에 돌연히 나타나다 ; (사건·책임 따위가) …에게 닥치다〔돌아오다〕. ***tourner*** 〔***montrer***〕 ***le ~ à*** qn ⓐ …에게 등을 돌리다, 모르는 척하다. ⓑ 《옛》 도망치다. ⓒ …와 반대 방향으로 가다.

dosage [doza:ʒ] *m.* ① (약 따위의) 용량 결정, 조제 : faire un ~ (약을) 조제하다. ② 배합, 배분, 할당.

dos d'âne, dos-d'âne [dodan] *n.* 《복수불변》 ***en ~*** 가운데가 솟아 있는, 중앙부가 높은 : route *en ~* 중앙 부분이 불룩한 도로.

dose** [do:z] *f.* ① 〖화학〗 함유량 ; (약의) 조합량(量). ② (약의) 복용량 ; 분량. ***en avoir une ~ 《속어》 지극히 바보이다〔약하다〕.

doser [doze] *v.t.* ① (약을) 조제하다, 복용량을 정하다 : ~ un médicament 약을 조제하다. ② …의 분량〔함유량〕을 정하다, 적당히 넣다〔배합하다〕 : ~ les alcools d'un cocktail 칵테일의 알코올 분량을 정하다. ③ (샴페인에) 단맛을 넣다.

doseur [dozœ:ʀ] *m.* 〖화학〗 액량계(液量計).

dossard [dosa:ʀ] *m.* 〖스포츠〗 (경기자의) 백넘버.

***dossier** [dosje] *m.* ① (의자의) 등 ; 등을 기대는 것, 등판 ; (마차의) 뒷자리 ; (보트의) 뒷전 : ~ d'un canapé 소파의 등받이. ② 관계서류〔자료〕 ; 소송 기록, 조서 : ~ d'un malade 환자의 병력 / établir 〔constituer〕 un ~ 서류를 작성하다 / avoir un ~ lourdement chargé 전과가 있다.

dossière [dosjɛ:ʀ] *f.* ① 〖마구〗 등띠. ② 갑옷의 등, 배갑(背甲).

dot [dɔt] *f.* 지참금 : coureur de ~*s* 부잣집 색시를 구하는 사람 / épouser une ~ 《구어》 지참금을 목표로 결혼하다.

dotal, e, aux [dɔtal, -o] *adj.* 지참금의 : régime ~ 〖법률〗 부부 재산제.

dotation [dɔtɑsjɔ̃] *f.* ① 기부 재산 ; 보조금 지급. ② 황실비 ; (대통령의) 세비(歲費).

doter [dɔte] *v.t.* ① 지참금을 주다 : ~ richement sa fille 딸에게 다액의 지참금을 주다. ② 자금〔보조금〕을 급여하다 : ~ un hôpital 병원에 보조금을 주다. ③ 《~ de》 …을 …에 주다, (= munir) 부여하다 : ~ un hôpital d'une nouvelle salle d'opération 병원에 새로운 수술실을 갖추다.

douairier, ère [dwɛ[e]ʀje, dwɛʀjɛ:ʀ] *f.* ① 재산을 상속받은 과부. ② 《경멸》 신분이 높은 미망인.

D

douane** [dwan] *f.* ① 〖행정〗 세관《행정적으로는 *pl.*, 일반적으로는 *sing.*를 씀》. ② 세관 사무소 ; 세관 관리 ; 관세(=droit de ~). ***déclaration à la ~ 세관 신고. ***passer des marchandises en ~*** 화물의 통관 수속을 하다. ***payer la ~*** 관세를 지불하다.

douanier, ère [dwanje, -ɛːʀ] *adj.* 세관의, 관세의 : tarif ~ 관세율 / barrières *~ères* 관세 장벽. ── *m.* 세관 관리.

doublage [dublaːʒ] *m.* ① 두겹〔이중〕으로 하기, 둘로 접기, 중복. ② (의복 따위의) 안(감)을 대기 : ~ d'un vêtement 옷의 안감을 대기. ③ 〖영화〗 번역 대사의 녹음, 더빙 : ~ d'un film italien en français 이태리 영화의 불어판 녹음.

double** [dubl] *adj.* ① 이중의 ; 두 배의 ; 두 겹의 ; 복식의 : à ~ entente 이중의 뜻이 있는 / ~ fenêtre 이중창. ② 도수 높은 ; 진한 : bière ~ 도수가 높은〔독한〕 맥주. ③ 표리가 있는, 이중인격의 : personne ~ 이중 인격자, 위선자. ***~ vue 투시력, 천리안(= seconde ~). ***jouer un ~ jeu*** 양다리를 걸치다. ── *m.* ① 두 배, 갑절 : augmenter du ~ 두 배로 늘어나다. ② 사본(寫本), 부본 ; 복제, 복사 : ~ d'un objet d'art 미술품의 복제. ③ 〖스포츠〗 복식 (경기). ***au ~*** 두 배로. ***~ messieurs*** 〔***dames, mixte***〕 〖테니스〗 남자〔여자 · 남녀 혼합〕 복식. ***mettre*** 〔***mener***〕 qn ***en ~*** 《속어》 …을 속이다. ── *adv.* 두 배로, 이중으로 : plier ~ 겹으로 접다 / payer ~ en 배로 지불하다.

doublé, e [duble] *adj.* ① 두 배로 된, 두 겹인 : effectifs *~s* 배로 늘어난 인원. ② (옷 따위에) 안을 댄. ③ 도금된 : ~ d'or 〔d'argent〕 금〔은〕 도금을 한. ④ 《~ de》 …을 겸한 : savant ~ *d'*artiste 예술가를 겸한 학자. ⑤ 〖영화〗 대사가 번역 녹음된, 더빙된 : film américain ~ 더빙된 미국 영화. ── *m.* ① 금〔은〕을 씌운 세공품 : ~ argent 은도금 제품. ② 〖당구〗 공(空) 쿠션.

double-crème [dubləkʀɛm] *m.* 《복수불변》 화이트 치즈의 일종《물기를 빼고 크림을 가한 것》.

doublement[1] [dubləmɑ̃] *adv.* ① 이중으로. ② 두 배로.

doublement[2] *m.* ① 두 곱〔두 겹〕으로 하기, 이중으로 하기 ; (철자를) 중복시키기 : ~ des recettes 매상고의 배가 / ~ des consonnes 자음의 중복. ② (자동차의) 추월.

doubler** [duble] *v.t.* ① 두 배로 하다, 이중으로 하다, 두 곱하다 ; 두 겹으로 하다 ; 중복하다 ; (옷에) 안을 대다 : ~ le sillage 〖해양〗 속력을 증가하다 / ~ une consonne 자음을 중복시키다 / Il *a doublé* sa fortune. 그는 재산을 배로 늘렸다. ② 앞지르다, 추월하다 : ≪Défense de ~≫ 「추월 금지」. ③ 〖영화〗 …의 대사를 번역 녹음하다 : ~ en français un film étranger 외국 영화의 대사를 불어로 녹음하다. ④ 〖연극〗 …의 대역(代役)을 하다: Il se fait ~ par un cascadeur. 스턴트맨이 그를 대역 연기한다. ***~ le pas 발걸음을 빨리하다〔재촉하다〕. ***~ une classe*** 〖학교〗 낙제하다, 재수하다. ── *v.i.* (인구 따위가) 두 배가 되다 ; 《~ de》 …이 두 배가 되다 : ~ *de* valeur 값이 2배가 되다. ── **se ~** *v.pr.* 《se ~ de》 …이 겹치다, 곁들다 : haine qui *se double de* mépris 경멸 섞인 증오감.

doublet [dublɛ] *m.* ① 〖언어〗 이중어(語), 자매어《어원이 같은 말 : hôpital과 hôtel》. ② 모조 보석. ③ 이중 렌즈.

doublon [dublɔ̃] *m.* 〖인쇄〗 같은 문자〔낱말 · 행〕의 중복

doublonner [dublɔne] *v.i.* 《~ avec》 …와 중복되다, 겹쳐지다. ── *v.t.* …와 중복되다, 겹쳐지다.

doublure [dublyːʀ] *f.* ① (옷의) 안, 안감 : mettre une ~ 안감을 대다. ② 〖연극〗 대역(代役) ; 〖영화〗 스턴트맨. ③ 〖영화〗 대사의 번역 녹음.

douce [dus] *adj.f.* doux의 여성형.

douceâtre [dusɑːtʀ] *adj.* ① 들척지근한, 감칠 맛이 없는 ; 싱거운 : goût ~ 밍밍한 맛. ② 연약한 ; 느른한, 맥빠진 : ton ~ 느른한 말투 / style ~ 맥빠진 문체.

doucement** [dusmɑ̃] *adv.* ① 부드럽게 ; 기분 좋게. ② 가만히, 살그머니 ; 슬며시 ; 마음속으로, 남몰래 : Allez-y ~. 가만히〔살살〕 다루시오. ***D~ les basses! 《구어》 더 마음을 가라앉혀라. ***Qui va ~ va loin.*** 《속담》 느려도 착실하면 이긴다. ***tout*** 〔***bien, très***〕 ***~*** 그럭저럭 : aller 〔se porter〕 tout ~ 그럭저럭 지내다. ── *interj.* 조용히 ; 살그머니 ; 천천히 : *D~!* 조용히!

doucereux, euse [dusʀø, -øːz] *adj.* ① 들척지근한, 들큰한. ② 《경멸》 상냥한 체하는, 사뭇 부드러운〔다정스러운〕 듯한 : voix *~euse* 아양을 떠는 목소리. ── *m.* faire le ~ 〔la *~euse*〕 짐짓 상냥한 체하다.

doucet, ette [dusɛ, -ɛt] *adj.* 온순한, 온화한. ── *n.* 온순〔온화〕한 사람. ***faire la ~ette*** 온순한 체하다.

doucettement [dusɛtmɑ̃] *adv.* 아주 조용히, 살그머니 ; 아주 부드럽게.

douceur** [dusœːʀ] *f.* ① 단맛, 감미 ; (*pl.*) 과자 : ~ d'un fruit 과일의 단맛. ② 달콤한 이야기. ③ (성격 · 태도 따위의) 온순, 온유, 유순함 ; 친절, 다정스러움, 상냥함 ; 부드러움 : ~ angélique 천사같이 유순함 / traiter qn avec ~ …을 상냥하게 대하다. ④ 평온함 ; 다사로움, 아늑함 : ~ de vivre en paix 조용히 사는 즐거움〔낙〕 / ~ de l'oisiveté 무위도식의 낙. ***en ~ 조심스럽게 ; 서둘지 않고, 조용히, 슬슬 : atterrissage *en* ~ 연착륙 / réveiller qn *en* ~ …을 조용히 깨우다. ***par la ~*** 부드럽게, 상냥하게. ***prendre les choses en ~*** (조급하게 굴지 않고) 일을 슬슬하다.

‡douche [duʃ] *f.* ① 샤워, 관수욕 ; 샤워 장치〔시설〕 ; 샤워실(=cabinet 〔salle〕 de ~) : prendre une ~ 샤워를 하다. ② 《비유》 흥분을 가라앉히는 것 : jeter une ~ froide sur qn〔qc〕 …에게〔에〕 찬물을 끼얹다, …의 열을 식히다. ③ 물벼락 ; 소나기 : recevoir une ~ 물벼락을〔소나기를〕 맞다. ④ 꾸지람 ; 실망 : recevoir une ~ 야단맞다. ***~ écossaise*** 냉온수 교대 샤워 ; 불행과 행복의 교차.

doucher [duʃe] *v.t.* ① …에게 샤워를〔관수욕(灌水浴)을〕 시키다. ② se faire ~ 《구어》 비를 맞다. ③ 《구어》 꾸짖다 ; 실망시키다.

— **se ~** *v.pr.* 샤워를〔관수욕을〕 하다.

douchette [duʃɛt] *f.* ① 샤워 꼭지. ② 바코드 해독기.

doudoune [dudun] *f.* ① (따뜻하고 가벼운) 털 윗저고리. ② 《속어》 여자.

***doué, e** [dwe] *adj.* ① 천부의 재질이 있는. ② 《~ de》 …을 타고난, 부여받은 : ~ *d'*une excellente mémoire 훌륭한 기억력을 타고난. ③ 《~ pour》 …의 재능이 있는 : élève bien ~ *pour* les mathématiques 수학에 아주 재능이 있는 학생.

douer [dwe] ① 《옛》…에게 과부 재산을 주다. ② 《~ qn de qc》 (하늘이 재능 따위를) 주다, 가지고 태어나게 하다 : Il *est doué* pour les mathématiques. 그는 수학에 타고난 재주가 있다 / La nature l'*a doué de* beaucoup de patience. 그는 대단한 인내심을 타고났다.

douille [duj] *f.* 실린더 통 ; 화약통 ; 〖전기〗 콘센트 ; 소켓.

douillet, ette [dujɛ, -ɛt] *adj.* ① 포근한, 부드러운 : lit ~ 폭신한 침대. ② 고통 따위를 견뎌내지 못하는, 무른, 연약한, 나약한.
— *n.* (고통에) 민감한 사람 ; 연약한 사람 : faire le ~ 〔la ~*ette*〕 과민한 체하다.

douillettement [dujɛtmɑ̃] *adv.* 포근하게 ; 부드럽게 ; 편안하게.

⁑**douleur** [dulœːʀ] *f.* ① 고민 ; 고뇌, 비통 ; 고난, 시련(= épreuve) : chant de ~ 애가(哀歌) / avoir la ~ de faire part du décès de qn 애도하는 마음으로 …의 작고를 알리다. ② (*pl.*) 신경통, 진통, 류머티즘 : sentir une ~ 통증을 느끼다 / ~ lancinante 쿡쿡 쑤시는 아픔 / ~ dans 〔à〕 la tête 두통.

douloureusement [duluʀøzmɑ̃] *adv.* 아픈 듯이, 괴롭게, 비통하게.

***douloureux, euse** [duluʀø, -øːz] *adj.* 아픈, 고통스러운, 괴로운(= pénible) ; 비통한, 슬픈(= affligeant) : opération ~*euse* 고통스러운 수술 / règles ~*euse* (여자들의) 생리통 / la Voie ~*euse* 고난의 길《골고다 언덕에 이르는 길》. — *f.* 《구어》 (치러야 할) 계산서.

⁑**doute** [dut] *m.* ① 의심, 의혹, 회의(懷疑) : avoir des ~*s* sur 〔au sujet de, à l'endroit de〕 qn 〔qc〕 …에 관하여 의혹〔의심〕을 품다 / être dans le ~ 의심하고 있다 / un air de ~ 회의적인 태도 / Après plusieurs jours de ~, il a opté pour cette solution. 며칠 동안 주저한 끝에 이렇게 해결하기로 정했다. ② (철학·종교적인) 회의 : ~ métaphysique 형이상학적 회의. ***Cela ne fait aucun ~ ; Il n'y a pas de ~.*** 그것은 의심의 여지가 없다. ***Cela ne fait*** (***aucun***) ***~ pour personne.*** 누구에게나 명백하다. ***hors de ~*** 의심할 여지가 없는. ***mettre*** qc ***en ~ ; mettre en ~ que***+*sub.* …을 의심하다. ***Nul*** 〔***Aucun, Point de***〕 ***~ que***+ (***ne***) *sub.* ***; Il n'y a pas*** 〔***point***〕 ***de ~ que*** +(***ne***) *sub.* …임에 틀림없다. ***sans aucun*** 〔***nul***〕 ***~*** 틀림없이, 확실히. ***sans ~*** 아마 ; 《옛》 확실히, 틀림없이.

douter** [dute] *v.t. ind.* 《~ de qc 〔+*inf.*〕》 을 의심하다, 믿지 않다 : ~ du succès 성공을 의심하다 / J'*en doute* (fort). 도무지 믿을 수가 없다 / Pourquoi *doutez* vous *de* moi ? 왜 나를 믿지 않습니까? / Je *doute d'*avoir dit cela. 내가 그 말을 했는지 의심스럽다. ***à n'en point 〔***pas***〕 ***~*** 틀림없이, 확실히. ***ne ~ de rien*** 조금도 의문〔두려움〕을 갖지 않다. — *v.t.* 의심하다, 의심스럽게 생각하다 : ~ que+*sub.* …을 의심하다 / Je *doute* fort qu'il vienne. 그가 올지 어떨지 매우 의심스럽다 / ne pas ~ que (ne)+*sub.*〔*ind.*〕 …을 의심치 않다 / ~ si+*ind.*〔*cond.*〕 《문어》 …인지 어떤지 의심하다. — **se ~** *v.pr.* 《se ~ de qc 〔que+*ind.*〕》 …을〔일 것이라고〕 짐작하다, 알아채다, …이나 아닌가 하고 생각하다 : Je *m'en doutais* (bien). 그럴 것이라고 생각하고 있었다, 내가 예상하던 대로다 / sans *s'en* ~ 그런 줄을 모르고. ***ne se ~ de rien*** 꿈에도 생각하지 않다.

douteur, euse [dutœːʀ, -øːz] *adj.* et *n.* 의심 많은 (사람) ; 회의적인 (사람).

douteusement [dutøzmɑ̃] *adv.* 의심스럽게, 회의적으로.

douteux, euse [dutø, -øːz] *adj.* 의심스러운, 수상쩍은 ; 모호한, 어렴풋한 : lumière ~*euse* 희미한 빛. ***Il est ~ que***+*sub.* …인지 어떤지 의심스럽다. ***Il n'est pas ~ que*** +*ind.* 〔(***ne***)+*sub.*〕 …은 의심의 여지가 없다. — *n.* 회의적인 사람 ; 의심쩍은 일.

douve [duːv] *f.* ① 〖농업〗 도랑 ; (성벽 주위의) 호(壕), 해자. ② 통을 짜는 판자, 통널.

⁑**doux, douce** [du, dus] *adj.* ① 단 ; 단맛이 나는 ; 맛있는 : pomme *douce* 달콤한 사과 / vin ~ 단맛이 나는 포도주. ② (촉감·소리·향기 따위가) 부드러운 ; 기분 좋은, 즐거운 : peau *douce* 보드라운 살결 / ~ souvenir 흐뭇한 추억 / *douce* émotion 흐뭇한 감동 / mener une vie *douce* 안락한 생활을 하다. ③ 평온한 ; (기후가) 온화한 ; 다사로운 ; 아늑한 : hiver ~ 따뜻한 겨울 / température *douce* 쾌적한 기온. ④ (정도가) 완만한, 약한, (언덕 따위가) 가파르지 않은, (물매가) 뜬 : descente *douce* 완만한 내리막길 / croissance *douce* (경제의) 완만한 성장 / cuire à feu ~ 약한 불에 익히다. ⑤ 온순〔온유〕한, 정다운 ; 친절한 : animal d'humeur *douce* 순한 동물. ⑥ (처벌이) 가벼운 ; (값이) 싼 : châtiment ~ 가벼운 벌. ⑦ 연성(軟性)의. ⑧ 〖언어〗 연음(軟音)의. ***~ comme un agneau*** 아주 온순한. ***eau douce*** 담수(淡水) ; 단물. ***en douce*** 《속어》 살그머니, 살며시. ***Il fait ~.*** 날씨가 온화하다.
— *adv.* 조용히, 가만히. ***filer ~*** 《구어》 (남의 말에) 순순히 따르다. ***Tout ~ !*** 진정해!
— *f.* 애인, 아내 : ma *douce* 내 아가씨, 내 약혼녀《아내·애인에 대한 호칭》.
— *m.* ① 단 것 ; 감미. ② 온화(한 것), 부드러움. ③ 약음(弱音)(= son ~).

douzain [duzɛ̃] *m.* 〖운율〗 12 행시.

douzaine** [duzɛn] *f.* ① 한 타(打)〔다스〕 : douze ~*s* 12 다스, 1 그로스(grosse) / une ~ d'œufs 달걀 한 줄. ② 약 12 : enfant d'une ~ d'années 12 살쯤 되어 보이는 아이. ***à la ~ 12 개씩, 다스로 ; 《구어》 평범한, 흔히 있는. Il n'y en a pas treize *à la* ~. 그것은 어디에나 흔히 있는 물건이 아니다.

⁑**douze** [duːz] *adj. num.* 《불변》 12, 12 번째

의. — *m.* 12 ; (달의) 12 일 : habiter le 〔au〕 ~, 12 번지에 살다. ***les D~,*** 12 사도(使徒).

*__douzième__ [duzjɛm] *adj. num.* 12 번째의 ; 12 분의 1의. — *n.* 12 번째의 사람〔것〕: arriver le 〔la〕 ~ 12 번째로 도착하다. — *m.* 12 분의 1. ***~s provisoires*** 〖정치〗 한 달분의 가예산(假豫算).

douzièmement [duzjɛmmɑ̃] *adv.* 12 번째로.

-doxe *suff.*, **doxo-** *préf.* 「의견 · 견해」의 뜻.

doyen, enne [dwajɛ̃, -ɛn] *n.* ① 〖학교〗 학장 : ~ de la faculté des lettres 문과 대학장. ② 최연장자, 최고참자 ; (외교단의) 수석 : le ~ d'âge d'une assemblée 회합의 최연장자. ③ 〖종교〗 승원장, 장로 ; 수석 사제.

doyenné [dwajɛ(e)ne] *m.* doyen 의 직분〔저택〕; 〖식물〗 배의 일종.

Dr 《약자》 docteur 박사, 의사.

dr 《약자》 ① débiteur 〖부기〗 차변(借邊). ② droit de souscription 신청금.

drachme [dʀakm] *f.* ① 〖고대그리스〗 무게의 단위《3.24 g》. ② 드라크마《현대 그리스의 화폐 단위》.

draconien, enne [dʀakɔnjɛ̃, -ɛn] *adj.* ① 준엄한, 엄격한, 가혹한 : mesures *~ennes* 준엄한 조치. ② le code ~ 드라콘(*Dracon,* 아테네의 입법자) 법전.

dragage [dʀaga:ʒ] *m.* ① (강 · 항구 따위의) 준설(浚渫). ② 《구어》 여자〔남자〕를 낚기.

dragée [dʀaʒe] *f.* ① 설탕절임 아몬드 ; 당과(糖菓). ② 〖약학〗 당의정(糖衣錠). ***tenir la ~ haute à*** qn …을 목이 빠지도록 기다리게 하다 ; …에게 엄청난 값을 치르게 하다.

dragéifier [dʀaʒeifje] *v.t.* 당의를 입히다.

dragon, onne[1] [dʀagɔ̃, -ɔn] *m.* ① 전설의 용 ; (기독교에서 악마를 표상하는) 용. ② 〖군사〗 용기병(龍騎兵) ; 강직한 사람. ③ 사나운 여자 ; 《구어》 장난꾸러기. ④ 《구어》 엄격한 감시인〔감독자〕. ⑤ 《옛》 근심, 걱정(= soucis). ⑥ 〖문장〗 용 비슷한 상상의 동물, 이족(二足)용. ⑦ (*D~*) 〖천문〗 용좌(龍座). ***endormir le ~*** 《구어》 감시인의 눈을 속이다. ***faire le ~*** 정숙한 체하다. — *adj.* ① 용의. ② 용기병의. ***à la ~onne*** 용기병식으로 ; 대담하게 ; 문란하게.

dragonne[2] [dʀagɔn] *f.* 칼자루에 달린 끈 ; (우산 따위의) 손잡이 끈.

drague [dʀag] *f.* ① 준설기(機) ; 준설선. ② 〖어류〗 소형 쓰레그물《굴 · 조개잡이용》; 저인망. ③ 《옛》 기뢰 탐색 제거기.

draguer [dʀage] *v.t.* ① 준설하다 : ~ un chenal 수로를 준설하다. ② 쓰레그물로 조개류를 잡다. ③ (일정 지역의) 기뢰를 제거하다. ④ 《구어》 (낚아채려고 여자에게) 접근하다. ***~ des mines*** 〖해군〗 소해(掃海)하다. — *v.i.* 《구어》 여자를 낚다.

dragueur, euse [dʀagœ:ʀ, -ø:z] *n.* ① 준설 인부. ② 《구어》 낚을 상대를 찾아다니는 남자〔여자〕. — *m.* 준설선(= bateau ~) ; 소해정(= ~ de mines).

drain [dʀɛ̃] 〔영〕 *m.* ① 〖농업〗 지하 배수로, 배수관 ; 〖의학〗 배농관(排膿管). ② 배수.

drainage [dʀɛna:ʒ] *m.* ① (밭의) 배수 ; 〖의학〗 배농(排膿). ② 흡수 ; (금, 자본의) 국외 유출 : ~ des capitaux 자금의 흡수.

draine [dʀɛn] *f.* 〖조류〗 개똥지빠귀의 일종.

drainer [dʀɛ(e)ne] *v.t.* ① (땅을) 배수하다 ; 〖의학〗 배농하다 : ~ un polder 매립지에서 물을 빼다. ② 흡수하다 ; 끌어내다 ; (돈을 국외로) 유출시키다 : ~ la circulation vers une nouvelle route 교통량을 새로운 도로로 흡수하다.

draisienne [dʀɛzjɛn] *f.* 드레식(式) 자전거《19세기 초엽에 *Drais* 가 발명한 자전거》.

drakkar [dʀaka:ʀ] *m.* (스칸디나비아의) 해적선.

*__dramatique__ [dʀamatik] *adj.* ① 연극의 : écrivain ~ 극작가. ② 비극적인(= tragique) ; 비장한 ; 극적인, 감동적인(= émouvant) : film ~ 감동적인 영화 / accident ~ 비극적인 사고 / situation 〔dénouement〕 ~ 극적 상황〔결말〕. ③ (연극 장르로서의) 드라마의 : comédie ~ 희비극. ***chanteur*** 〔***cantatrice***〕 ~ 오페라 가수. — *f.* 텔레비전〔라디오〕 방송국. — *m.* ① 극 분야(= genre ~). ② 극적인 것 ; 극적 감흥.

dramatiquement [dʀamatikmɑ̃] *adv.* 연극적으로 ; 극적으로, 비극적으로.

dramatisation [dʀamatizɑsjɔ̃] *f.* 극적으로 묘사〔이야기〕하기, 극화 ; 각색 ; 극적인 과장 ; 〖정신의학〗 희곡화.

dramatiser [dʀamatize] *v.t.* ① 극으로 꾸미다, 연극화하다 ; 극적으로 묘사〔이야기〕하다. ② 과장하다(= exagérer).

dramatiste [dʀamatist], **dramaturge** [dʀamatyʀʒ] *m.* 극작가.

dramaturgie [dʀamatyʀʒi] *f.* 극작법; 연출법 ; 희곡론.

*__drame__ [dʀam] *m.* ① 연극 ; 《옛》 희곡, 각본 : ~ lyrique 가극, 오페라. ② 〖불문학〗 드라마《비극에 희극을 가미한 것》: ~ bourgeois 시민극 / ~ romantique (고전극에 대하여) 낭만주의극. ③ 참극(慘劇), 비극(= catastrophe, tragédie) : ~ passionnel 치정극 / ~ de sa vie 그의 생애의 비극. ***en faire un ~*** 극적으로 과장하다; 침소봉대하다.

*__drap__ [dʀa] *m.* ① 나사(羅紗), 모직물 ; (비단 · 금실 따위로 짠) 고급 직물 : ~ fin 소모직 / gros ~ 방모직. ② 침대 시트(= ~ de lit), 홑이불 : une paire de ~s 아래 · 위 시트 한 벌. ③ 타월 : ~ de plage 〔bain〕 비치〔목욕〕 타월. ④ 〖의학〗 ~ mouillé 습포. ***être dans de beaux*** 〔***jolis, mauvais, vilains***〕 ***~s*** 궁지에 빠져 있다, 진퇴유곡이다.

drapé, e [dʀape] *m.* 〖의복〗 (옷의) 드레이프, 주름. — *adj.* ① 나사(羅紗)로 감싸인. ② 주름진〔잡힌〕. ③ 나사 같은.

*__drapeau__ [dʀapo] *m.* (*pl.* ***~x***) ① 기, 국기, 군기(= ~ militaire), 깃발 : ~ national 국기 / ~ en berne 반기(半旗) / ~ tricolore 삼색기《프랑스 국기》/ hisser 〔arborer〕 le ~ 기를 올리다〔게양하다〕. ② 《옛》 (*pl.*) 천 조각 ; 기저귀 ; 누더기. ***être sous les ~x*** 병역에 복무하다 ; …휘하에 있다. ***hisser le ~ blanc*** 백기를 들다, 항복하다.

draper [dʀape] *v.t.* ① 〖직물〗 (모직물을) 나사로 가공하다. ② (초상의 표적으로) …에 검은 휘장을 두르다〔치다〕. ③ (피륙 따위를) 주름지게 늘어뜨리다 ; (사람 · 상(像) 따위를) 우아한 주름이 드러나게 감싸다 : ~ un mannequin 마네킹에 헐렁한 옷을 입히다 / ~ des rideaux 커튼을 느슨하게 늘어뜨리다. ── **se** ~ *v.pr.* ① 《se ~ de 〔dans〕》 …을 몸에 두르다 : *se* ~ *dans* une cape 케이프를 몸에 걸치다. ② 주름이 지다. ③ 《se ~ dans》 자만하다 : *se* ~ *dans* sa dignité 위엄을 과시하다.

draperie [dʀapʀi] *f.* ① 나사(羅紗) 판매상〔제조업 · 제조소〕. ② 나사류의 모직물 ; 휘장. ③ 헐렁헐렁한 주름진 옷.

drap-housse [dʀaus] *m.* (*pl.* **~s-~s**) (매트리스에 씌우는) 시트.

drapier, ère [dʀapje, -ɛːʀ] *n.* 나사 상인〔제조인〕. ── *adj.* 나사의 ; 나사 상인〔제조인〕의 : marchand ~ 나사 상인.

drastique [dʀastik] *adj.* ① 〖의학〗 심한 설사를 일으키는. ② 가차없는 ; 강력한, 준엄한, 철저한(= draconien) : mesures financières ~*s* 긴축 재정 조치.

dressage [dʀɛsaːʒ] *m.* ① 설비, 설치 ; ~ de la tente 천막〔텐트〕 치기. ② ⓐ 동물 훈련, 조련 : ~ élémentaire 〔supérieur〕 (말 따위의) 초등〔고등〕 조교(調教). ⓑ 《구어》 스파르타식 교육. ③ (문의서) 작성.

dresser** [dʀɛ(e)se] *v.t.* ① 일으키다 ; (똑바로) 세우다 ; 쳐들다(= lever) : ~ une échelle contre un mur 사다리를 벽에 기대어 세우다 / ~ la tête 고개를 들다. ② 짓다 ; 설비하다, 설치하다 : ~ une tente 천막을 치다 / ~ un monument 기념비를 건립하다. ③ (식탁을) 차려 놓다 ; (잠자리를) 깔다. ④ ⓐ 훈련하다(= entraîner) : ~ des animaux de cirque 서커스 동물들을 길들이다〔훈련하다〕. ⓑ 《구어》 …에게 버릇을 고쳐주다, …을 엄하게 다루다 : Je vais te ~. 네 버릇 좀 고쳐 줘야겠다. ⑤ (문서 · 지도 따위를) 작성하다 : ~ un plan 설계도를〔도면을〕 그리다. ⑥ (목재 · 석재를) 손질하다, 다듬다 : ~ une pierre 〔planche〕 석재 〔판자〕를 다듬다. ~ ***A contre B*,** A 를 B 에게 적대하게 하다〔맞서게 하다〕. ~ ***l'oreille 귀를 기울이다. ~ ***ses batteries*** 적을 향해 포신(砲身)을 돌리다 ; 적에 대한 대책을 세우다.
── **se** ~ *v.pr.* ① ⓐ 몸을 일으키다, 일어서다 ; 우뚝 서 있다 : *se* ~ sur la pointe des pieds pour mieux voir 더 잘 보려고 발끝으로 서다. ⓑ 《주어 : qc》 솟아 있다 : montagne qui *se dresse* à l'horizon 지평선에 우뚝 솟은 산. ② 세워지다. ③ 《se ~ contre 〔en face de〕》 …에 반항〔반대〕하다, 반대하여 궐기하다.

dresseur, euse [dʀɛsœːʀ, -øːz] *n.* ① (동물의) 훈련사, 조련사(= dompter) : ~ de chevaux 조마사. ② (채석장의) 마무리 석공. ── *f.* (합판 제조용) 가두리 재단기.

dressing [dʀɛsiŋ], **dressing-room** [dʀɛsiŋʀum] 〔영〕 *m.* (침실 옆에 달린) 화장실, 탈의실.

dressoir [dʀɛswaːʀ] *m.* 찬장, 식기대.

dreyfusard, e [dʀɛfyzaːʀ, -aʀd] *adj.* et *n.* 〖프랑스사〗 드레퓌스파(派)(의).

dreyfusisme [dʀɛfyzism] *m.* 〖프랑스사〗 드레퓌스 지지〔동조〕주의〔운동〕.

dribble [dʀibl] 〔영〕 *m.* 〖스포츠〗 드리블.

dribbler [dʀible] *v.t.* 〖스포츠〗 (공을) 드리블하다.

drille[1] [dʀij] *m.* 병정 ; 녀석, 놈 : bon 〔joyeux〕 ~ 착한〔명랑한〕 녀석 / vieux ~ 교활한 늙은이.

drille[2] *f.* 송곳, 드릴.

dring [dʀiŋ] *interj.* 따르릉《초인종 소리》.

drisse [dʀis] *f.* 〖해양〗 (돛 · 깃발 따위를) 올리는 줄.

drive [dʀajv] 〔영〕 *m.* 〖테니스 · 골프〗 드라이브.

driver [dʀajvœʀ, dʀivœʀ] *m.* 〖테니스〗 드라이브를 치는 선수 ; 〖골프〗 드라이버, 1 번 우드 ; 〖컴퓨터〗 드라이버.

drogue [dʀɔg] *f.* ① 값싼 약, 엉터리 약. ② 마약, 환각제 : trafiquant de ~ 마약 밀매인 / intoxication par la ~ 마약 중독.

drogué, e [dʀɔge] *adj.* (마약) 중독의.
── *n.* ① 마약 중독자. ② 《비유》 중독자.

droguer [dʀɔge] *v.t.* 과다하게 약을 먹이다 ; 마약을 먹이다. ── **se** ~ *v.pr.* 과다하게 약을 먹다 ; 마약을 상용하다.

droguerie [dʀɔgʀi] *f.* ① 약종(상). ② (약품 · 화장품 따위의) 일용 잡화점 ; 약국.

droguiste [dʀɔgist] *m.* ① 화학 제품 상인. ② 약종상(商) ; 약품 · 화장품 · 일용품 잡화상 : ~-épicerie 식료품 잡화상.

⁑**droit[1], e** [dʀwa(ɑ), -a(ɑː)t] *adj.* ① 바른, 곧은(≠courbe) ; 수직(垂直)의 : angle ~ 직각 / palmier ~ 곧은 종려나무 / ligne ~*e* 직선 / se tenir ~ 똑바로 서다. ② 오른쪽의 : côté ~ 우측 / à main ~*e* 오른손에〔으로〕. ③ 옳은, 올바른, 공명정대한 : un cœur ~ 곧은 마음〔심정〕 / pièce ~*e* 표준 화폐 / ~ chemin 올바른 길, 정도(正道). ④ 〖정치〗 우익(파)의 : centre ~ 중도우파. ***dans le ~ fil de...*** …의 연장선상에 : mesure *dans le ~ fil de* la nouvelle politique 신정책에 직결되는 조치. ~ ***comme un I*** 〔***un jonc, un piquet, un cierge, une statue***〕 대쪽같이 곧은, 말뚝같이 꼼짝 않는. ***en ligne ~e*** 〔**~*e ligne***〕 일직선으로, 똑바로 ; 직접, 직계의. ***être le bras ~ de*** qn …의 오른팔이다, 충실한 조수이다. ***suivre la ligne ~e*** 〔***la ~e voie, la voie ~e, le ~ chemin***〕 정도(正道)를 걷다.
── *m.* 직각(直角)(= angle ~) ; (메달의) 표면(= côté ~). ***au ~ de*** qc …와 직각을 이루어 ; …와 수평으로.
── *f.* ① 오른쪽, 오른손 ; 우파, 우익(右翼) : se diriger vers la ~*e* ; prendre sur la ~*e* 오른쪽으로 향하다 / voter à ~*e* 우파에 투표하다. ② 직선(= ligne ~*e*) : segment de ~*e* 선분. ***à*** 〔***de***〕 **~*e*** 오른쪽에. ***à ~e de*** …의 오른편에 ; 우파에, 보수파에 : *à ~e de* la maison 그 집의 오른쪽에. ***à ~e et à gauche ; de ~e et de gauche*** 사방팔방으로. ***tenir la*** 〔***sa***〕 **~*e ; prendre sa*** 〔***la***〕 **~*e*** 우측을 통행하다.
── *adv.* 똑바로, 일직선으로(= tout ~) ; 곧장, 직접 : marcher ~ 똑바로 걸어가다 ; 행실이 올바르다 / avancer ~ devant soi 가는 길을 곧장 전진하다 / aller ~ au fait 직접 본론으로 들어가다.

⁑**droit[2]** [dʀwa(ɑ)] *m.* ① 법, 법규 ; 법률학 : *D~s* de l'homme 인권 / responsable en ~ 법률상의 책임이 있는 / ~ civil 〔penal〕 민

법〔형법〕/ ~ du travail 노동법 / étudiant en ~ 법과 대학생. ② 권리(≠ devoir) : avoir le 〔être en〕 ~ de+*inf.* …할 권리가 있다 / les ~*s* et les devoirs 권리와 의무 / ~ d'auteur 저작권 / ~*s* d'impression réservés 판권 소유 / ~*s* acquis 기득권 / ~*s* civils 민법상의 권리/faire valoir son (bon) ~ 정당한 권리를 주장하다. ③ 세금, 조세 ; 보수 : ~*s* de succession 상속세 / acquitter les ~*s* 세금을 납부하다 / ~ de douane 관세 / ~ de mutation 양도세 / ~*s* d'auteur 인세. ④ 도리 ; 이론 : jugement de ~ 이론적 판단(≠ jugement de fait). ***à bon ~*** 정당하게, 당연히. ***à qui de ~*** 권리〔권한〕 있는 자에게 ; 관계자에게. ***avoir ~ à*** qc …을 요구할 권리가 있다. ***avoir le ~ pour soi ; être dans son (bon) ~*** (도덕적으로나 법률적으로나) 정당하다. ***avoir un ~*** 〔***des ~s***〕 ***sur*** …을 마음대로 할 권리가 있다. ***de (plein) ~*** 정당한 권리를 가지고, 당연히. ***donner ~ à*** qn …에게 권리가 있다고 판정〔인정〕하다. ***être en*** 〔***avoir le***〕 ***~ de***+*inf.* …할 권리가 있다. ***faire ~ à*** (요구에) 응하다, (요구를) 들어 주다. ***par voies de ~*** 법률상의 절차를 밟아.

droitement [dʀwa〔ɑ〕tmɑ̃] *adv.* 바르게 ; 올바르게, 정당히, 정직하게 : parler ~ 솔직하게 말하다.

droitier, ère [dʀwa〔ɑ〕tje, -ɛːʀ] *adj.* ① 오른손잡이의. ② 《구어》 우파의 ── *n.* 오른손잡이(≠ gaucher). ── *m.* 우익 정당원.

droitiste [dʀwa〔ɑ〕tist] *n.* et *adj.* 〖정치〗 우파(의)(≠ gauchiste).

droiture [dʀwa〔ɑ〕tyːʀ] *f.* 올바름, 공정함, 정직 ; 정확함 : avec ~ 공명정대하게 / ~ de caractère 〔cœur〕 곧은 성품〔마음〕.

drolatique [dʀɔlatik] *adj.* 《문어》 우스운, 재미있는, 익살스러운 ; 천한, 상스러운 : incidents ~*s* 우스꽝스러운 사건.

drôle** [dʀoːl] *adj.* ① 우스운, 익살맞은, 재미있는(= amusant, comique) ; 유쾌한, 즐거운 : mot ~ 재담 / histoire ~ 우스운 이야기 / C'est d'un ~ ! 농담이야 ! ② 이상한, 기묘한, 신기한(= singulier, étranger) : trouver ~ que+*sub.* …을 이상하다고 생각하다. ***~ de ⓐ 야릇한, 묘한, 우스운 : Quelle ~ *d'idée* ! 참 묘한 생각이군 ! ⓑ 《속어》 대단한, 굉장한, 놀라운 : Il a fait des ~*s de* progrès ! 그는 굉장한 발전을 했군 / une ~ *de* tempête 심한 폭풍우. ***Ce n'est pas ~*** (***de***+*inf.*) 《구어》 곤란하다, 난처하다 : *Ce n'est pas ~ d'*être toujours seul. 늘 혼자 있는 것은 힘들다. ***Cela*** 〔***Ça***〕 ***me fait ~*** (***de***+*inf.*) 《구어》 내게는 그것이 야릇하다. ***un ~ de garçon*** 이상한 소년. ***une ~ de fille*** 이상한 계집애. ── *n.* 괴짜, 별난 사람.

***drôlement** [dʀolmɑ̃] *adv.* ① 우습게 ; 이상하게, 희한하게. ② 《구어》 몹시, 대단히(= très, beaucoup) : Il fait ~ froid aujourd'hui. 오늘은 무척 춥다. 「담.

drôlerie [dʀolʀi] *f.* 우스꽝스러움 ; 익살, 농

drôlesse [dʀolɛs] *f.* 말괄량이 ; 화냥년.

dromadaire [dʀɔmadɛːʀ] *m.* 〖동물〗 단봉(單峰) 낙타.

dromo- *préf.*, **-drome**, **-dromie** *suff.* 「뛰다」의 뜻.

droper¹ [dʀɔpe] *v.i.* 달아나다, 도망치다.

droper² *v.t.* ① 〖항공〗 투하하다. ② 《속어》 버리다(= abandonner) ; 소홀히 하다(= négliger). ── *v.i.* (사회에 대한 반발로) 학업〔직업〕을 버리다.

dru, e [dʀy] *adj.* ① 밀집한, 빽빽한, 조밀한, 무성한(= épais, serré) ; 올이 촘촘한 : barbe 〔cheveux〕 ~*e* 〔~*s*〕 숱이 많은 수염〔머리〕 / pluie 〔neige〕 ~*e* 억수같이〔펑펑〕 쏟아지는 비〔눈〕. ② 활발한 ; 강한, 왕성한 : style ~ 예리한 문체. ── *adv.* 밀집하여, 빽빽하게 : L'herbe pousse ~. 풀이 무성하게 자란다. ***tomber ~*** (비가) 억수같이 쏟아지다.

drugstore, drug-store [dʀœgstɔːʀ] 〖미영〗 *m.* 약국《신문 · 잡지 · 문방구 · 약 · 화장품 · 담배도 팔고 식당과 다방도 겸한 복합 상업 공간》.

druide, esse [dʀɥid, -ɛs] *n.* 〖프랑스사〗 골(*la Gaule*)의 드루이드교의 승려〔여승〕.

druidique [dʀɥidik] *adj.* 드루이드(교)의.

druidisme [dʀɥidism] *m.* *Gaule*의 드루이드교(敎). 「따위》.

drupe [dʀyp] *f.* 〖식물〗 핵과(核果)《잣 · 호두

dryade [dʀijad] *f.* 숲의 여신(女神)〔요정〕.

du¹ [dy] = de+le.

du²** *art.part.m.* (*f.* ***de la, *pl.* ***des***) 《du, de la 는 모음 또는 무음 h 앞에서 ***de l'***가 됨》 ① 《불특정의 양》 약간의, 얼마간의. ⓐ 《물질명사 앞》 manger *du* pain 빵을 먹다 / boire *de la* bière 맥주를 마시다. ⓑ 《추상명사 앞》 avoir *de la* conscience 양심적이다 / éprouver *de la* répulsion 혐오감을 품다. ⓒ 《집합명사 앞》 pêcher *de la* sardine 정어리를 낚다. ② 상당한 : Il y a *du* monde dans les magasins. 상점들에 상당히 많은 사람들이 있다 / Cent mille francs, c'est *de l'*argent, 10 만 프랑이라면 상당히 큰돈이다. ③ 《인물 따위의 특징 · 성질》 …와 같은 것 : Il y a *de l'*enfant en lui. 그에게는 어린애 같은 면이 있다. ④ 《고유명사 앞》 …의 작품(일부) : J'ai lu *du* Corneille. 코르네유의 작품을 읽었다. ⑤ 《faire 의 보어에 붙여서 스포츠 · 학문 분야 따위를 나타냄》 faire *du* ski 스키를 타다 / faire *du* violin 바이올린을 하다 / faire *du* français 프랑스어를 공부하다.

dû, due** [dy] *adj.* ① 지불해야 할, 치러야 할 ; 정당한 ; 당연한 ; 정식의 : somme *due* 지불해야 할 금액 / en temps *dû* 약속 기일 안에. ② 《~ à》 …에 의한, 기인한 : L'accident est *dû à* votre imprudence. 사고는 당신의 부주의 탓이다. ***en bonne et due forme 정식으로, 정규에 따라. ***en port ~*** 운임 후불로〔수취인 지급으로〕(≠en port payé). ── *m.* ① 당연히 받아야 할 것, 몫 : réclamer son ~ 당연히 받을 것을 요구하다. ② 빚 ; 의무 : payer son ~ 당연히 갚을 것〔빚〕을 치르다. (***À***) ***chacun son ~.*** 《구어》 싫은 사람에게도 인정할 점은 인정해 주어야 한다. ***pour le ~ de ma conscience*** 내 마음이 편하도록.

dual, e [dɥal] *adj.* 〖수학〗 (2 항(項) 관계에서) 쌍대(雙對)의.

dualisme [dɥalism] *m.* ① 〖철학 · 종교〗 2 원론(二元論), 2 원설. ② 합방제 (合邦制).

dualiste [dɥalist] *adj.* 2 원적 ; 2 원론의 :

religion ~ 2원론 종교. ── *n.* 2원론자.

dualité [dɥalite] *f.* 2원성(性), 2중성 ; 〖수학〗 쌍대성(雙對性).

dubitatif, ive [dybitatif, -i:v] *adj.* 의심을 나타내는 : réponse *~ive* 확실하지 않은 대답. 「을 품고, 반신반의하며.

dubitativement [dybitativmɑ̃] *adv.* 의심

duc [dyk] *m.* ① (공국의) 군주, 공(公) ; 공작. ② 〖조류〗 부엉이. ③ 4륜 마차의 일종.

ducal, e, aux [dykal, -o] *adj.* 공(公)의 ; 공작의.

ducat [dyka] *m.* (옛 유럽의) 듀카 금화.

duché [dyʃe] *m.* 공국(公國) ; 공작 영지.

duchesse [dyʃɛs] *f.* ① 공비(公妃), 여공작 ; 공작 부인 ; 점잔빼는 여자. ② (등널 있는) 긴 의자. ③ 〖식물〗 배의 일종.

-ducte *suff.* 「관(管)」의 뜻.

ductile [dyktil] *adj.* ① 늘일 수 있는, 가연성의 ; 펼 수 있는 : métal ~ 가연(可延) 금속. ② 《구어》 (성격이) 유순한, 온순한.

dudit [dydi] = de+ledit ⇒ ledit.

due [dy] *adj.f.* dû 의 여성형.

duègne [dɥɛɲ] *f.* ① (에스파냐에서) 귀한 집 딸의 신변을 보살피는 여자. ② 가정교사. ③ 성미 까다로운 여자.

duel[1] [dɥɛl] *m.* ① 결투 ; (둘 사이의) 투쟁, 대결 : provoquer 〔appeler〕 qn en ~ …에게 결투를 신청하다. ② 싸움, 기합, 경쟁(=compétition) : ~ oratoire 논전(論戰).

duel[2] *m.* 〖언어〗 쌍두(雙頭).

duel[3]**, elle** [dɥɛl] *adj.* ① 〖언어〗 쌍수(雙數)의. ② 2원론의, 2원적인, 2중(성)의.

duettiste [dɥɛ(e)tist] *n.* 〖음악〗 2부 합창자, 2부 합주자.

duffel-coat, duffle-coat [dœfœlkot] 〔영〕 *m.* 성긴 나사로 만든 후드 달린 상의.

dulcinée [dylsine] *f.* 기사(騎士)가 사모하는 부인 ; 《구어》 의중의 연인 ; 애인.

dûment [dymɑ̃] *adv.* 정식으로 ; 틀림없이 : *D~* reçu 정(正)히 영수함.

dûmes ⇒ devoir. 「賣).

dumping [dœmpiŋ] 〔영〕 *m.* 덤핑, 투매(投

dune [dyn] *f.* 모래 언덕, 사구(砂丘) : *~s* maritimes 〔littorales〕 해안 사구.

dunette [dynɛt] *f.* ① 작은 모래 언덕. ② 〖해양〗 맨 위의 뒷갑판.

duo [dɥo] 〔이탈리아〕 *m.* ① 〖음악〗 2부 합주〔합창〕, 2중주〔창〕 ; 2부 합주〔합창〕곡 : chanter en ~ 이중창을 하다. ② 《구어》 말다툼 : ~ d'injures 서로 주고받는 욕설.

duodécimal, e, aux [dɥɔdesimal, -o] *adj.* 12진법의.

duodénal, e, aux [dɥɔdenal, -o] *adj.* 〖해부〗 십이지장의. 「장(十二指腸).

duodénum [dɥɔdenɔm] *m.* 〖해부〗 십이지

dupe [dyp] *adj.* 속은, 속기 쉬운 : Je ne suis pas ~. 나는 속아 넘어가지 않는다. ── *f.* 속은 사람, 속기 쉬운 사람 : être sa (propre) ~ 잘못 생각하다. ***C'est un jeu de ~s.*** (상거래 · 계약에서) 속아 넘어가다. ***être*** (***la***) ***~ de*** …에 속다. ***prendre*** qn ***pour sa ~*** 을 속이다〔이용하다〕.

duper [dype] *v.t.* 속이다(=tromper) : se faire ~ 속아 넘어가다. ── **se ~** *v.pr.* ① 속다, 잘못 생각하다. ② 서로 속이다.

duperie [dypʀi] *f.* ① 사기, 속임, 기만. ② 속음. 「만자.

dupeur, euse [dypœ:ʀ, -ø:z] *n.* 사기꾼, 기

duplex [dyplɛks] *adj.* 《불변》 2중의, 중복의 : télégraphie ~ 이중 전신법(電信法). ── *m.* ① (전신 · 전화의) 동시 송수신 장치 ; 이원〔다원〕 방송(=émission en ~). ② (아래위 두 층을 사용하는) 복식 아파트.

duplexage [dyplɛksa:ʒ] *m.* (방송의) 다원화 ; (통신의) 동시 송수신 방식화.

duplicata [dyplikata] *m.* 《복수불변》 사본(寫本), 복사 ; 등본, 부본 : ~ d'un diplôme 학위증 사본.

duplicateur [dyplikatœ:ʀ] *m.* ① 복사기, 등사기. ② 〖전기〗 더블러.

duplication [dyplikɑsjɔ̃] *f.* ① 2배로〔2중으로〕 하기, 중복, 복사 : ~ chromosomique 염색체의 일부 중복. ② = duplexage.

duplicité [dyplisite] *f.* ① 중복, 이중성. ② 이중성격, 위선, 표리부동.

duquel [dykɛl] = de+lequel.

‡dur, e [dy:ʀ] *adj.* ① 굳은, 단단한, 딱딱한, 빳빳한 ; (고기 따위가) 질긴 ; 경성(硬性)의 (≠ doux) : viande *~e* 질긴 고기 / eau *~e* 경수 / lumière *~e* 강한 광선. ② (귀가) 먼 ; (감각이) 둔한, 무딘 : avoir l'oreille *~e* ; être ~ d'oreille 귀가 멀다, 가는귀먹다. ③ 무자비한, 인정머리없는, 냉혹한 : loi *~e* 엄격〔가혹〕한 법 / avoir le cœur ~ 무정하다, 냉혹하다. ④ 괴로운, 벅찬 ; 곤란한, 어려운, 힘드는 ; 가혹한 : ~ travail 힘든 일 / livre ~ 어려운 책 / 《~ à+*inf.*》 sentier ~ *à* monter 올라가기 힘든 산길. ⑤ (기후가) 혹독한 ; 엄한. ⑥ (어조 따위가) 무뚝뚝한 ; 험상궂은 ; (눈 · 귀에) 거슬리는 ; (문장 따위가) 생경한. ⑦ (포도주가) 떫은. ⑧ 《~ à》 완강한, 끈기 있는 : ~ *au* travail 일에 끈기가 있는. ***avoir la tête ~e*** 우둔하다 ; 고집세다. ***être ~ à cuire*** 다루기 힘들다. ***être ~ d'oreille ; être ~ de la feuille*** 가는귀를 먹다. ── *adv.* ① 심하게, 몹시, 세차게 : frapper ~ 세게 후려치다 / Le vent souffle ~. 바람이 몹시 분다. ② 끈기 있게 : travailler ~ 끈기 있게 일하다. ── *m.* ① 굳은〔딱딱한〕 것. ② 《구어》 기차. ③ 난폭한 사람. ④ (*pl.*) 《속어》 도형(徒刑). ⑤ 《속어》 브랜디. ── *n.* 강인한 사람 ; 강경파. ***un***(***e***) ***~***(***e***) ***à cuire*** 《구어》 다루기 어려운 사람. ── *f.* ① 딱딱한 침상(=couche *~e*). ② 《군대속어》 고기. ***coucher à*** 〔***sur***〕 ***la ~e*** 마루〔땅〕바닥에 눕다. ***en dire de ~es à*** qn …에게 심한 말을 하다, 비난하다. ***en faire voir de ~es à*** qn …을 마구 다루다, 혹사하다. ***en voir de ~es*** 혼나다, 고생하다.

***durable** [dyʀabl] *adj.* 계속되는, 영속적인 ; 항구적인(=permanent) ; 오래가는, 오래 견디는 ; 내구성의, 견고한 ; 안정된(=stable) : paix ~ 항구적 평화 / amour ~ 변함없는 사랑 / construction ~ 영구적인 건축물.

durablement [dyʀabləmɑ̃] *adv.* 영속적〔항구적〕으로.

duralumin [dyʀalymɛ̃], **duraluminium** [dyʀalyminjɔm] *m.* 〖야금〗 듀랄루민.

***durant** [dyʀɑ̃] *prép.* … 동안, …을 통하여 : ~ toute sa vie 일생을 통하여 / ~ la nuit

밤새도록 / parler une heure ~ 한 시간 내내 말하다 / Il y a de grandes festivités ~ trois jours. (연속) 사흘 동안 대축제가 있다. ~ ***que*** 《옛》 … 동안에.

duratif, ive [dyʀatif, -iːv] *adj.* 〖언어〗 (동작·상태의) 지속을 나타내는 : aspect ~ 지속상(相). ── *m.* 지속사《savoir, posséder, petit, ivre 따위》.

durcir [dyʀsiːʀ] *v.t.* 굳게 만들다, 굳히다, 견고하게 하다 ; 냉혹하게 하다 ; 격화시키다 : ~ son cœur 마음을 단단히 먹다 / ~ les conditions du crédit 대출 조건을 강화하다. ── *v.i.* 굳게 되다, 굳어지다. ── **se** ~ *v.pr.* 굳어지다, 굳다 ; 냉혹해지다.

durcissement [dyʀsismɑ̃] *m.* ① 굳힘. ② 굳어짐, 굳어져 있음, 경화.

durée** [dyʀe] *f.* ① 지속, 계속 : ~ des vacances 방학〔휴가〕 기간 / combat de ~ 지구전. ② 지속 기간. ③ 내구성 ; 수명 ; 〖법률〗 유효 기간 : ~ de la vie moyenne 평균 수명. ***de courte 〔***longue***〕 ~ 오래가지 않는〔오래가는〕, 단기〔장기〕의. ***être de*** ~ 오래 가다.

durement [dyʀmɑ̃] *adv.* ① 심하게, 세게 : travailler 〔lutter〕 ~ 심하게 일하다〔싸우다〕. ② 엄하게, 가혹하게, 사정없이 : enfant ~ élevé 엄하게 교육받은 아이. ③ 무정하게, 냉담하게.

***durer** [dyʀe] *v.i.* ① 계속〔지속〕되다 ; 견디다, 오래가다 : Le discours *a duré* deux heures. 연설은 두 시간 동안 계속되었다 / Cette mode ne *durera* pas. 이 유행은 오래 가지 못할 것이다. ② (시간이) 길게 생각되다, 지루하게 여겨지다 : Le temps lui *dure*. 그에겐 시간이 길게 생각된다 / Il me *dure* de+*inf.* …하는 것이 내게는 길게 생각된다〔지루하기만 하다〕. ③ 《옛》 머무르다, 눌러 있다 : ne (pas) pouvoir ~ en place 한 곳에 눌러 있지 못하다.

***dureté** [dyʀte] *f.* ① 단단함, 경도(硬度) : ~ du marbre 대리석의 경도. ② 곤란, 고통, 쓰라림. ③ 무정, 박정, 준엄, 냉혹, 가혹 ; (*pl.*) 냉혹한 말 : ~ de cœur 박정, 무자비 / ~ d'oreille 난청 / avec ~ 퉁명스럽게. ④ 딱딱함, 거침, 부조화 : ~ d'un style 거친 문체.

durillon [dyʀijɔ̃] *m.* ① (손발에 생기는) 못. ② (나무의) 마디, 옹이. ── *adj.* 《속어》 = duraille.

du-s, -t, -sse(s) ⇒ devoir.

duvet [dyvɛ] *m.* ① 솜털 ; (복숭아 따위의) 털 : ~ du canard 오리 솜털 / couette de ~ 솜털 이불. ② 〖직물〗 보풀. ***coucher sur le*** ~ 《구어》 사치스럽게 살다.

duveté, e [dyvte] *adj.* 솜털〔보풀〕로 뒤덮인 : pêche ~*e* 잔털로 뒤덮인 복숭아.

duveter (se) [s(ə)dyvte] *v.pr.* 솜털〔보풀〕로 덮이다.

duveteux, euse [dyvtø, -øːz] *adj.* 솜털〔보풀〕 같은 ; 솜털〔보풀〕이 많은.

dynam(o)- *préf.*, **-dynamie** *suff.* 「힘·동력」의 뜻.

***dynamique** [dinamik] *adj.* ① 힘의 ; 역학적인 : unité ~ 힘의 단위. ② 동적(動的)인 (≠ statique) ; 다이내믹한. ③ (사람이) 힘〔활기〕 있는, 정력적인, 활동적인 : jeune cadre ~ 활동적인 젊은 간부 사원. ── *f.* 〖물리〗 역학, 동력학 ; 추진력.

dynamiquement [dinamikmɑ̃] *adv.* ① 역학상. ② 정력적으로 ; 활기 있게.

dynamiser [dinamize] *v.t.* 힘을 주다, 활동력을 주다. ── **se** ~ *v.pr.* (힘이) 집중하다 ; 활동하다.

dynamisme [dinamism] *m.* ① 〖철학〗 역동설 ; 역본설(力本說). ② 《구어》 활력, 정력, 생명력 : Il manque de ~. 그에게는 활력이 부족하다.

dynamitage [dinamitaːʒ] *m.* 다이너마이트에 의한 폭파〔파괴〕.

dynamite [dinamit] *f.* 다이너마이트.

dynamiter [dinamite] *v.t.* 다이너마이트로 폭파〔장치〕하다.

dynamiteur, euse [dinamitœːʀ, -øːz] *n.* ① 다이너마이트 제조인. ② 다이너마이트를 사용하는 테러범.

dynamo [dinamo] *f.* 발전기 : ~ *à* courant continu 〔alternatif〕 직류〔교류〕 발전기.

dynamographe [dinamɔgʀaf] *m.* 〖생리〗 근력(筋力) 기록기.

dynamomètre [dinamɔmɛtʀ] *m.* 〖기계〗 역량계(力量計) ; 악력계(握力計) ; 동력계.

dynastie [dinasti] *f.* (역대의) 왕조 ; (한 가계에서의) 유명인의 속출 ; (유명한) 가문, 명가 : la ~ capétienne 카페 왕조 / ~ des Kennedy 케네디 가문.

dynastique [dinastik] *adj.* 왕조의 : querelle ~ 왕위 계승 분쟁. ── *m. pl.* 왕조당(黨).

dyne [din] *f.* 〖물리〗 다인《힘의 단위》.

-dyne *suff.*, **dyn(o)-** *préf.* 「힘」의 뜻.

dys- *préf.* 「불량·곤란·장애」의 뜻.

dysenterie [disɑ̃tʀi] *f.* 〖의학〗 이질, 적리(赤痢) : ~ bacillaire 세균성 적리.

dysentérique [disɑ̃teʀik] *adj.* 이질〔적리〕의. ── *n.* 이질 환자.

dysfonctionnement [disfɔ̃ksjɔnmɑ̃] *m.* 〖의학〗 기능 장애.

dyslexie [dislɛksi] *f.* 〖의학〗 실독증(失讀症), 독서 장애.

dyslexique [dislɛksik] *adj.* 실독증(失讀症)에 걸린. ── *n.* 실〔난〕독증 환자.

dyspepsie [dispɛpsi] *f.* 〖의학〗 소화 불량.

dytique [ditik] *m.* 〖곤충〗 물방개.

E

E, e[1] [e, ə] *m.* ① 프랑스 자모의 제 5 자. ② 〖음악〗 마음(音)《고정 도 창법의 「미」》; 마조(調). ***e fermé*** 폐음의 e[e]. ***e muet*** 〔***caduc***〕 무음의 e[ə]. ***e ouvert*** 개음의 e[ɛ].
e[2] 《약자》 〖물리〗 électron 전자, 일렉트론.
É, é [e] *m.* 《e accent aigu 로 발음》.
é- *préf.* 「분리 · 이격 · 상태의 변화 · 행위의 완수」의 뜻.
E.A.O. 《약자》 enseignement assisté par ordinateur 컴퓨터 보조 교육 시스템.
****eau** [o] *f.* (*pl.* **~*x***) ① ⓐ 물 ; 담수 : boire de l'~ 물을 마시다 / aller à l'~ 물 길러 가다 / ~ chaude 온수 / ~ froide 냉수 / ~ douce 연수(軟水) ; 민물, 담수 / ~ dure 경수, 센물. ⓑ 수도(물) : ~ du robinet 수돗물 / conduite d'~ 수도관 / compagnie des *eaux* 수도 회사. ② 광천〔온천〕수, 미네랄워터(= ~ minérale) ; (*pl.*) 광천〔온천〕장 : ville d'~(*x*) 온천 마을 / aller aux ~*x* 온천에 가다. ③ 비 : Il tombe de l'~. 비가 내린다. ④ ⓐ 호수 ; 내, 강 ; 바다 ; 못 ; 샘물 : au bord de l'~ 물가에서 / cours d'~ 하천. ⓑ (*pl.*) les grandes ~*x* (공원 따위의) 분수 / les ~*x* territoriales ; les ~*x* (d'un pays) 영해(領海). ⑤ (*pl.*) 용수(用水) ; 용제(溶劑)로서의 물 : ~*x* industrielles 공업용수 / ~ oxygénée 과산화수소수. ⑥ 음료 ; (과일 따위의) 즙, 액(液). ⑦ 땀 ; 눈물 ; 침 ; 소변 : Cela lui fait venir l'~ à la bouche ; L'~ lui en vient à la bouche. 《구어》 그것이 그에게 군침이 돌게 한다 / être tout en ~ 땀에 흠뻑 젖어 있다. ⑧ 투명도 ; (직물 따위의) 광택 : diamant de belle ~ 맑은 금강석 / donner de l'~ à une étoffe 직물에 광택이 나게 하다. ***à grande ~*** 물을 흠뻑 써서. ***aller au fil d'~*** 흐름에 내맡기다. ***de la plus belle ~*** 《비유》 최고의 : escroc *de la plus belle ~* 지독한 사기꾼. ***~ de Seltz*** 소다수. ***~ mère*** 〖화학〗 모수(母水). ***être dans les ~x de*** qn …을 추종하다, …와 같은 의견이다, …의 편을 들다. ***faire de l'~*** 〖해양〗 (배가) 음료수를 적재하다 ; 《속어》 소변을 보다, 오줌을 누다. ***faire ~*** (배가) 침수하다. ***Il faut laisser couler ~.*** 되는대로 내맡길 수밖에 없다. ***Il n'est pire ~ que celle qui dort.*** 《속담》 겉보기에 순해 보이는 사람이 더 무서운 법이다. ***jet d'~*** 분수. ***mettre de l'~ dans son vin*** 포도주에 물을 타다 ; 비용을 줄이다 ; 점잖아지다, 부드러워지다. ***prendre les ~x*** 광천을 마시다 ; 탕치(湯治)하다. ***revenir sur l'~*** 다시 떠오르다, 회복하다. ***tomber à*** 〔***dans***〕 ***l'~*** 수포로 돌아가다.
***eau-de-vie** [odvi] *f.* (*pl.* **~*x*-~-~**) ① 화주(火酒), 증류주. ② 브랜디 : ~ de grain 〔fruit〕 곡주〔과일주〕 / ~ de vin 코냑.
eau-forte [ofɔʀt] *f.* (*pl.* **~*x*-~*s***) ① 〖화학〗 (공업용) 질산. ② 〖미술〗 동판 부식화, 에칭(〖영〗 etching).
ébahir [ebaiːʀ] *v.t.* 깜짝 놀라게 하다, 어리둥절하게 하다(= abasourdir) : une nouvelle qui m'*ébahit* 나를 깜짝 놀라게 하는 소식. **── s'~** *v.pr.* 깜짝 놀라다 ; 어리둥절하다.
ébahissement [ebaismɑ̃] *m.* 깜짝 놀람, 경악(= suprise) ; 망연자실.
ébarber [ebaʀbe] *v.t.* (책 · 동판 따위의) 가장자리를 자르다 ; (보리 따위의) 꺼끄러기를 제거하다 ; (식물의) 뿌리털을 자르다.
ébats [eba] *m.* (보통 *pl.*) 깡충거리기 ; 뛰놀기 : prendre ses ~*s* 뛰놀다.
ébattre (s') [sebatʀ] [45] *v.pr.* ① 깡충거리다(= gambader) ; 뛰놀다. ② 《비유》 노닐다 : Ma pensée s'*ébattait* au gré de sa fantaisie. 나의 상념은 제멋대로 노닐고 있었다.
ébaubir (s') [sebobiːʀ] *v.pr.* 깜짝 놀라다(= se stupéfier).
ébauchage [eboʃaːʒ] *m.* 스케치, 밑그림, 초벌 손질.
ébauche [eboːʃ] *f.* ① 초안, 밑그림, 초벌 손질(= esquisse) ; 조잡한〔불완전한〕 작품. ② (어떤 일의) 시초, 태동, 어렴풋한 윤곽, 희미한 형태 : ~ d'un sourire 희미한 미소.
ébaucher [eboʃe] *v.t.* ① …의 윤곽을 잡다 ; 초벌 그리다 ; 초벌 손질하다; …의 초안을 잡다 : ~ le plan d'un pont 다리 공사 계획의 초안을 작성하다. ② 희미하게〔약간〕 나타내다(= esquisser) : ~ un sourire 미소를 띄우다. ③ …의 준비를 하다, 착수하다(= préparer) : ~ une négociation avec qn …와 협상을 개시하다. **── s'~** *v.pr.* ① 대충 윤곽이 잡혀지다 : L'œuvre *s'ébauche* lentement. 작품의 틀이 서서히 잡혀 간다. ② 약간〔어렴풋이〕 나타나다(= s'esquisser).
ébauchoir [eboʃwaːʀ] *m.* (조각용) 끌.
ébène [ebɛn] *f.* ① 흑단(黑檀) ; 흑단 세공품. ② 칠흑(빛) : cheveux (d'un noir) d'~ 칠흑 같은 머리. ***bois d'~*** 《옛 · 속어》 (노예 상인의 용어로) 흑인.
ébéniste [ebenist] *m.* 흑단 세공인(細工人), 고급 가구 제조인.
ébénisterie [ebenist(ə)ʀi] *f.* 고급 가구 제조(업) ; 흑단 세공(품), 고급 가구.
éberlué, e [ebɛʀlɥe] *adj.* 《구어》 깜짝 놀란 ; 멍한.
***éblouir** [ebluiːʀ] *v.t.* ① 눈부시게 하다 : être *ébloui* par les phares 자동차 헤드라이트에 눈이 부시다. ② 현혹시키다 ; 경탄〔감탄〕케 하다 ; …의 판단을 흐리게 하다, 속이다(= tromper) : Elle *a ébloui* l'assistance par son charme. 그녀는 그녀의 매력으로 회중을 사로잡았다.
éblouissant, e [ebluisɑ̃, -ɑ̃ːt] *adj.* ① 눈부

신 : soleil ~ 눈부신 태양 / blancheur ~*e* 눈부신 백색. ② 현혹적인 ; 놀랄 만한, 경탄을 불러일으키는 : interprétation ~*e* d'un musicien 음악가의 경탄할 만한 연주.

éblouissement [ebluismɑ̃] *m.* ① 눈부심 ; 황홀. ② 현혹 ; 경탄. ③ 현기증(= vertige) : avoir des ~*s* 현기증이 나다. ~ ***acoustique*** (기압의 급변으로) 귀가 멍멍해지기.

ébonite [ebɔnit] 〔영〕 *f.* 에보나이트.

éborgner [ebɔʀɲe] *v.t.* ① 애꾸눈으로 만들다 ; …의 눈에 상처를 입히다. ② (과일나무의) 필요 없는 순(les yeux)을 따 버리다. ~ ***une maison*** (앞에 집을 세워) 집에 햇빛이 잘 들지 않게 하다. ── **s'~** *v.pr.* 애꾸눈이 되다 ; 한 쪽 눈을 다치다 : J'ai failli *m'~*. 하마터면 눈을 다칠 뻔했다.

éboueur, euse [ebwœːʀ, -øːz] *n.* 도로 청소원. ── *f.* 도로 청소기.

ébouillanter [ebujɑ̃te] *v.t.* 뜨거운 물에 담그다〔데치다〕; …에 뜨거운 물을 붓다 : ~ des légumes 야채를 뜨거운 물에 데치다. ── **s'~** *v.pr.* 뜨거운 물에 데다 : Elle *s'est ébouillanté* les mains. 그녀는 손을 데었다.

éboulement [ebulmɑ̃] *m.* ① 무너짐, 붕괴 ; 낙반 : ~ de terre (산)사태. ② 무너진 토사.

ébouler [ebule] *v.i.* 무너지다(= crouler), 붕괴하다. ── **s'~** *v.pr.* 무너지다(= s'écrouler).

éboulis [ebuli] *m.* 무너진 흙〔바위〕 : ~ de roches 무너진 바위더미.

ébouriffant, e [ebuʀifɑ̃, -ɑ̃ːt] *adj.* 깜짝 놀랄 만한, 엄청난, 믿을 수 없는(= incroyable) : succès ~ 깜짝 놀랄 성공.

ébouriffé, e [ebuʀife] *adj.* ① (머리털이) 헝클어진 : tête ~*e* 헝클어진 머리. ② 깜짝 놀란.

ébouriffer [ebuʀife] *v.t.* ① (머리털을) 헝클어뜨리다. ② 깜짝 놀라게 하다(= ahurir) : La nouvelle m'*a ébouriffé*. 그 소식은 나를 까무러치게 했다.

ébrancher [ebʀɑ̃ʃe] *v.t.* …의 가지를 잘라내다〔치다〕; 전지(剪枝)하다 : ~ un arbre 나무의 가지를 치다.

ébranlement [ebʀɑ̃lmɑ̃] *m.* ① 진동, 흔들림 ; (마음의) 동요, 격동 : ~ des vitres 유리창의 진동 / ~ de la raison 정신 착란. ② 위기(= menace) ; 파산의 위험 : ~ du ministère 내각의 위기. ~ ***au cerveau*** 뇌진탕.

***ébranler** [ebʀɑ̃le] *v.t.* ① 뒤흔들다, 흔들리게 하다, 진동시키다(= secouer) : Les camions *ébranlent* la rue. 트럭이 (지나면서) 길을 뒤흔든다. ② …에 타격을 주다, 해치다, (나라 · 내각 따위를) 위태롭게 하다 : L'accident *a ébranlé* sa santé. 이 사건으로 그의 건강이 몹시 나빠졌다. ③ (결의 · 용기 따위를) 흔들리게 하다, 무너뜨리다 : Cet argument a fini par ~ sa conviction. 그 이론은 마침내 그의 신념을 흔들어 놓았다. ④ 《~ qn》 …의 마음을 뒤흔들다, 움직이다 : Ces témoignages l'*ont ébranlé*. 이 증언은 그녀의 마음을 흔들어 놓았다. ── **s'~** *v.pr.* ① 흔들리다, 동요하다 : foi qui *s'ébranle* 흔들리는 신념. ② (군대 · 차량 따위가) 움직이기 시작하다, 출발하다 : Le convoi *s'ébranle* lentement. 수송대가 천천히 움직이기 시작한다.

ébrécher [ebʀeʃe] 6 *v.t.* ① (칼날 따위의) 이를 빼다, 흠내다 : ~ une assiette 접시 가장자리에 흠을 내다. ② 《비유》 (재산을) 축내다(= entamer) ; (명성을) 손상시키다(= endommager) : ~ sa fortune 재산을 축내다. ── **s'~** *v.pr.* ① (칼날의) 이가 빠지다. ② (재산이) 축나다 ; (명예 따위가) 손상되다.

ébréchure [ebʀeʃyːʀ] *f.* (칼날 따위의) 이빠진 데 ; (접시 따위의 깨진) 조각〔파편〕, 흠.

ébriété [ebʀijete] *f.* ① 취기, 만취(= ivresse) : ~ complète 만취 상태. ② 심한 흥분.

ébrouer (s') [sebʀue] *v.pr.* ① (말이) 놀라 거센 콧김을 내다 ; (동물이) 재채기하다. ② (사람 · 짐승이 물기를 털기 위해) 몸을 흔들다 : *s'~* en sortant de l'eau 물속에서 나오면서 몸을 털다.

ébruitement [ebʀɥitmɑ̃] *m.* 소문 퍼뜨리기 ; (비밀의) 누설.

ébruiter [ebʀɥite] *v.t.* (소문을) 퍼뜨리다, (비밀을) 누설하다(= divulguer) : ~ un secret 비밀을 퍼뜨리다. ── **s'~** *v.pr.* (비밀이) 퍼지다, 누설되다, 알려지다.

ébullition [ebylisjɔ̃] *f.* ① 끓음, 비등(沸騰) : point d'~ 비등점 / entrer en ~ 끓기 시작하다. ② 흥분, 열광(= effervescence, excitation), 소란 ; 혼란 : foule en ~ 열광하는 군중.

éburné, e [ebyʀne] *adj.* ① (색깔 · 질감이) 상아 같은 : substance ~*e* 〖해부〗 상아질. ② 상아질화(化)된.

écaillage [ekɑjaːʒ] *m.* ① (생선의) 비늘을 벗기기 ; (굴 따위의) 껍질 까기. ② (니스 · 칠 따위가) 벗겨지기.

écaille [ekɑːj] *f.* ① (물고기의) 비늘 ; (식물 · 나비의) 인편(鱗片) ; 거북의 등껍질, 귀갑(= ~ de tortue) ; 조가비(= coquille) : des ~*s* d'huître 굴 껍질. ② 비늘 같은 것 ; 박편(薄片). ***en ~s*** 비늘 모양의. ***Les ~s lui tombèrent des yeux.*** 《비유》 그는 혼미 속에서 깨어났다.

écailler[1] [ekɑje] *v.t.* ① (물고기의) 비늘을 벗기다 ; (조개의) 껍질을 까다. ② (표면을) 얇게 벗겨내다. ── **s'~** *v.pr.* (표면이) 비늘처럼 떨어지다〔벗겨지다〕 : Le crépi *s'écaillait*. 칠이 벗겨져 떨어졌다.

écailler[2]**, ère** [ekɑje, -ɛːʀ] *n.* 굴 까는 사람 ; 굴장수. ── *f.* 굴 까는 칼.

écailleur, euse[1] [ekɑjœːʀ, -øːz] *n.* ① 비늘 벗기는 사람. ② 굴 까는 사람.

écailleux, euse[2] [ekɑjø, -øːz] *adj.* ① 비늘이 있는. ② (비늘처럼) 껍질이 벗겨지는.

écale [ekal] *f.* (호두 · 밤 따위의) 껍질, (콩 따위의) 깍지, 꼬투리.

écaler [ekale] *v.t.* …의 껍질을〔깍지를〕 벗기다. ── **s'~** *v.pr.* 껍질이〔깍지가〕 벗겨지다 ; (나무 껍질이) 엷게 벗겨지다.

écarlate [ekaʀlat] *f.* 진홍색 ; 빨간 피륙. ── *adj.* 진홍색의(= cramoisi), 새빨간 : ruban ~ 새빨간 리본.

écarquillement [ekaʀkijmɑ̃] *m.* (눈을) 크게 뜨기, (다리를) 크게 벌리기.

écarquiller [ekaʀkije] *v.t.* (다리를) 크게 벌리다 ; (눈을) 크게 뜨다 : ~ les yeux pour bien voir 잘 보려고 눈을 크게 뜨다.

***écart** [ekaːʀ] *m.* ① (두 물건 · 두 부분 사이

의) 벌어짐 ; 간격, 거리(= distance) : ~ des branches d'un compas 컴퍼스의 다리 사이의 간격. ② 차(差), 차이 ; 〖수학〗 편차(偏差) : l'~ du prix 가격의 차이 / ~ type 〖통계〗 표준 편차. ③ 빗나가기 ; (정도를) 벗어나기(= déviation) ; 상궤를 벗어난 일〔행동〕 ; 과오(= faute, erreur) : ~ de conduite 과실 ; 탈선 행위 / ~ de la jeunesse 젊은 시기의 과오. ④ (중심지에서) 외진 곳〔마을〕 ; 교외, 벽촌. ⑤ 〖언어〗 일탈(逸脫). ⑥ 〖사격〗 오차. ***à l'~*** 따로 (떨어져서) : Il se tenait *à l'~* modestement. 그는 겸손히 물러나 있었다. ***à l'~ de*** …에서 멀리 (떨어져서) : Cette maison est *à l'~ du* village. 이 집은 마을에서 떨어져 있다. ***faire le grand ~*** (무용에서) 다리 가랑이가 땅에 닿도록 두 다리를 쪽 벌리다.

écarté¹ [ekaʀte] *m.* 에카르테《카드놀이의 일종》.

écarté², e [ekaʀte] *adj.* ① 벌어진, 벌린 : se tenir les jambes *~es* 두 다리를 크게 벌리고 서다. ② ⓐ 외딴, 쓸쓸한(= isolé) : rue *~e* 뒷골목. ⓑ (사람이) 고립된. ③ 배제된 ; 밀려난 : obstacle ~ 제거된 장애.

écartèlement [ekaʀtɛlmɑ̃] *m.* ① 능지처참. ② 양분되기, 분열, 갈등(= tiraillement). ③ 〖문장〗 (가문을) 넷으로 나누기.

écarteler [ekaʀtəle] [4] *v.t.* ① 능지처참하다. ② (상반된 감정 사이에서) 양분〔분열〕시키다 : *être écartelé* entre des désirs contraires 상반된 욕망 사이에서 이러지도 저러지도 못하다. ③ (방패꼴 문장(紋章)을) 네 쪽으로 나누다.

écartement [ekaʀtəmɑ̃] *m.* ① (두 물건의) 사이를 떼기. ② 간격, 갈라진 틈 : ~ de voie 〖철도〗 궤간(軌間) / un ~ de nuages 구름 사이(의 공간).

écarter** [ekaʀte] *v.t.* ① …의 사이를 떼어 놓다〔벌리다〕 ; (커튼 따위를) 열다 ; 헤치다 : ~ les bras 팔을 벌리다 / ~ la foule pour passer 군중들 틈을 헤치고 지나가다. ② 《~ qc de》 …을 …에서 떼어 놓다 : ~ les enfants *de* la cheminée 아이들을 벽난로에서 떼어 놓다. ③ 제쳐 놓다, 제외〔배격〕하다, (생각 따위를) 뿌리치다 : On *l'a écarté* de la liste 〔de l'équipe〕. 그는 명단〔팀〕에서 탈락되었다. ④ 빗나가게〔벗어나게〕 하다. ⑤ 비켜서게〔물러가게〕 하다 ; 물리치다 : ~ la foule 군중을 물리치다 / Essayez d'~ les gens pendant que je lui parlerai. 그와 이야기하는 동안 아무도 오지 못하게 해 주시오. ***~ les soupçons 의혹을 풀다. ***~ un danger*** 위험을 피하다. ***~ une proposition*** 제안을 뿌리치다. — **s'~** *v.pr.* ① 사이가 벌어지다, 서로 떨어지다〔멀어지다〕. ② 《s'~ de》 …에서 멀어지다. ③ 《s'~ de》 …에서 벗어나다 ; 빗나가다 ; 비켜서다 : *s'~ du* sujet 주제에서 빗나가다.

ecce homo [ɛkseɔmo] 〔라틴〕 *m.* 《복수불변》 머리에 가시관을 쓴 예수의 상(像).

ecchymose [ekimo:z] *f.* 〖의학〗 피하일혈(皮下溢血), 반상출혈(斑狀出血).

ecclésiastique [eklezjastik] *adj.* 교회의 · 성직자의(≠ civil, laïque). — *m.* 성직자 ; 목사, 전도사.

écervelé, e [esɛʀvəle] *adj.* et *n.* 경솔한 (사람), 지각 없는 (사람)(= étourdi).

échafaud [eʃafo] *m.* ① (건축의) 발판, 비계. ② 사형대, 교수대, 단두대 ; 사형(= peine de mort) : un criminel qui monte à 〔sur〕 l'~ 단두대에 오르는 죄수.

échafaudage [eʃafoda:ʒ] *m.* ① 〖건축〗 비계를〔발판을〕 세우기 ; 발판, 비계 : ~ en fer 철재로 세운 비계 / dresser un ~ 발판을 쌓다. ② 《비유》 쌓아올린 것, 더미, 축적(= amas, tas) : ~ de volumes 책 더미.

échafauder [eʃafode] *v.i.* 비계를〔발판을〕 세우다. — *v.t.* ① 쌓아 올리다. ② (책을) 엮다, 편집하다 ; (거짓말을) 꾸미다 ; (가설 따위를) 세우다 : ~ des plans 계획을 꾸미다 / ~ des hypothèses 가설을 세우다.

échalas [eʃala] *m.* ① 〖농업〗 (포도나무 따위의) 지주(支柱), 받침대. ② un grand ~ 《구어》 (비쩍 마른) 키다리.

échalote [eʃalɔt] *f.* 〖식물〗 염교《작고 길쭉한 양파의 일종》 : ~ d'Espagne 마늘.

échancré, e [eʃɑ̃kʀe] *adj.* 초승달〔V자〕 모양으로 패인 : col ~ (의복의) V자형 목.

échancrer [eʃɑ̃kʀe] *v.t.* (옷깃 따위를 초승달〔V자〕 모양으로) 도려내다〔파다〕 : rivage *échancré* 들쭉날쭉한 해안(선) / robe *échancrée* 가슴을 드러낸 드레스.

échancrure [eʃɑ̃kʀy:ʀ] *f.* ① V자 모양으로 도려낸 자리 ; 오목한 모양〔자국〕. ② 안으로 굽은 해안선.

échange [eʃɑ̃:ʒ] *m.* ① 주고받기, 교환 : ~ de coups 주먹으로 서로 때리기 / ~ de lettres 편지를 주고받기. ② (주로 *pl.*) 〖상업〗 교역, 무역 : volume des ~s 교역량. ***en ~*** 그 대신, 그 대가로 : Je te donne *en échange* mon stylo. 나는 그 대신 네게 내 만년필을 주겠다. ***en ~ de*** qc …와 교환으로, …대신. ***libre ~*** 자유 무역. ***valeur d'~*** 〖경제〗 교환 가치.

échangeable [eʃɑ̃ʒabl] *adj.* 교환할 수 있는, 교환되는.

échanger** [eʃɑ̃ʒe] [3] *v.t.* ① 맞바꾸다, 교환하다 : ~ des prisonniers 포로를 교환하다 / ~ des timbres 우표를 교환하다. ② (서로) 주고받다 : ~ des lettres d'amour 연애편지를 주고받다 / Nous *avons échangé* nos idées. 우리는 서로 의견을 나누었다. ~ qc ***pour 〔***contre***〕 qc …을 …와 교환하다 : un enfant qui *échange* des billes *contre* stylo 구슬을 만년필과 바꾸는 아이.
— **s'~** *v.pr.* 교환되다, 맞바꾸어지다 : Le dollar *s'échange* à six francs. 1 달러당 6 프랑에 환전된다.

échangeur, euse [eʃɑ̃ʒœ:ʀ, -ø:z] *m.* ① (액체의) 온도 변화기 : ~ de chaleur 열(熱) 교환기. ② 입체 교차로 ; (고속도로의) 인터체인지.

échangisme [eʃɑ̃ʒism] *m.* (부부들 간의) 배우자 교환〔맞바꾸기〕.

échantillon [eʃɑ̃tijɔ̃] *m.* ① 견본 ; 표본(= spécimen) : livre d'~s 견본첩, 패턴북 / ~s de parfum 향수의 견본품. ② 규격 : bois 〔brique, tuile〕 d'~ 규격 목재〔벽돌 · 기와〕. ③ (재능 따위의) 일면, 단편 · (인간의) 유형 타입 ; 모형, 예 : donner un ~ de son talent musical 음악적인 재능을 약간 보여 주다. ④ 〖통계〗 추출 표본.

échantillonnage [eʃɑ̃tijɔnaːʒ] *m.* ① 견본〔표준〕에 맞추기 ; 견본 대조하기. ② 《집합적》 견본집, 견본 모음. ③ 〖통계〗 표본 추출.

échantillonner [eʃɑ̃tijɔne] *v.t.* ① 견본〔표준〕에 맞추다 ; 견본과 대조하다. ② …의 견본을 만들다〔추리다〕; 견본대로 만들다.

échappatoire [eʃapatwaːʀ] *f.* (곤경을 벗어나기 위한) 꾀(= ruse), 핑계(= faux-fuyant) : trouver une ~ 빠져나올 핑계를 찾다.

échappé, e[1] [eʃape] *adj.* 도망친, 탈주한. — *n.* 도망〔탈주〕자.

échappée[2] [eʃape] *f.* ① 〖스포츠〗 (자전거 선수가) 별안간 선두에 나서 속력을 내기, 스퍼트. ② 간격, 틈 ; (틈으로 내다보이는) 조망. ③ (마당·주차장 따위의) 통로. ***~ de vue*** (가로수길·산 따위의 사이로 내다보이는) 조망〔경치〕. ***faire*** qc ***par ~(s)*** 때때로 생각난 듯이 …을 하다.

échappement [eʃapmɑ̃] *m.* ① 시계의 탈진기(脫進機). ② 〖기계〗 (가스·증기의) 배기(排氣), 배출 ; 배기 장치 : tuyau d'~ 배기관. ③ (가스·수돗물의) 누출.

échapper** [eʃape] 《조동사는 동작에는 avoir, 동작의 결과에는 être》 *v.t. ind.* ① 《~ de》 ⓐ 《주어 : qn》 …에서 도망치다, 탈출하다(= s'enfuir de) : ~ *de* prison 탈옥하다. ⓑ 《주어 : qc》 …에서 빠져나가다(= tomber) : La bouteille lui *a échappé des* mains. 그는 병을 떨어뜨렸다. ② 《~ à》 ⓐ 《주어 : qn》 …을 빠져나가다〔모면하다〕; …을 피하다, 회피하다 : ~ *à* un accident 사고를 모면하다 / ~ *à* la prison 투옥당하는 것을 모면하다. ⓑ 《주어 : qc》 (눈·귀로 포착이) 안 되다 ; 이해 안 되다 ; 기억되어 있지 않다 : Son nom m'*a échappé.* 그의 이름을 잊어버렸다 / 《비인칭》 Il ne lui *a* pas *échappé* que vous étiez mécontent. 당신의 불만을 그는 모르지 않았다. ⓒ 《주어 : qc〔qn〕》 …에서 멀어지다 ; …에서 벗어나다 : Je sens qu'il m'*échappe.* 그는 내게서 멀어져 가는 것 같다. ⓓ (말 따위가) 입 밖으로 새어 나오다 : 《비인칭》 Il lui *est échappé* un mot inconvenant. 그는 무심코 무례한 말을 했다. ③ 《목적보어 없이》 도망치다 ; 빠져나가다 ; 난을 모면하다. ***laisser ~ ⓐ (기회 따위를) 놓치다 : *laisser* ~ une bonne occasion 좋은 기회를 놓치다. ⓑ (자기도 모르게) 새어 나오다 : *laisser* ~ un cri 외마디 소리를 지르다.

— *v.t.* 모면하다. ***l'~ belle*** 간신히〔가까스로〕 위험을 모면하다 : Il *l'a échappé belle.* 그는 큰일 날 뻔했다.

— **s'~** *v.pr.* ① 도망치다, 탈출하다(= s'évader) : Le prisonnier *s'est échappé.* 죄수가 도망쳤다. ② 빠져나가다〔나오다〕; (액체·기체 따위가) 새어 나가다〔나오다〕: La vapeur *s'échappe* de la chaudière. 김이 솥에서 새어 나온다. ③ (희망 따위가) 사라지다. ④ 〖스포츠〗 (경주 따위에서) 다른 주자들을 제치고 앞질러 달리다. ⑤ (그물의 코가) 풀어지다. ***faire ~*** qn …을 도망치게 하다《se 의 생략》. ***s'~ jusqu'à*** + *inf.* 《구어》 …할 정도로 정신이 없다〔흥분하다〕.

écharde [eʃaʀd] *f.* (살에 박힌) 가시 : avoir une ~ au doigt 손가락에 가시가 박히다.

écharpe** [eʃaʀp] *f.* ① 현장(懸章), 깃장식, 어깨에 메는 띠, 멜빵. ② 스카프, 목도리, 숄. ③ 〖의학〗 어깨에 거는 붕대 : porter〔avoir〕 le bras en ~ 팔에 붕대를 감아 목에 걸다. ④ (장식용) 현수막. ***en ~ 비스듬히 ; 한쪽 어깨에서 반대쪽 옆구리로. ***feu d'~*** 〔***en ~***〕 〖군사〗 사사(斜射)《tir d'~ 라고도 함》. ***porter*** qc ***en ~*** …을 비스듬히 어깨에 메다. ***prendre*** qc ***en ~*** 비스듬히 충돌하다 : autocar *pris en* ~ par train 기차에 의해서 옆으로 받힌 자동차.

écharper [eʃaʀpe] *v.t.* ① (칼 따위를 휘둘러) 큰 상처를 입히다 ; 마구 두들겨 패다, 뭇매질하다. ② 〖군사〗 (적을) 쳐부수다.

échasse [eʃɑː〔a〕s] *f.* ① 죽마(竹馬) ; 《속어》 가늘고 긴 다리. ② 〖조류〗 장다리 물떼새.

échassier, ère [eʃɑ〔a〕sje, -ɛːʀ] *m.* 〖조류〗 섭금류(涉禽類)《학·두루미 따위》.

échauder [eʃode] *v.t.* ① 뜨거운 물에 담그다, 데치다 ; 뜨거운 물로 씻다. ② 《~ qn》 ⓐ 뜨거운 물에 데게 하다. ⓑ 《비유》 혼내다, 골탕먹이다 ; 손해〔낭패〕를 보게 하다 : se faire ~ ; *être échaudé* 손해를 보다. ***Chat échaudé craint l'eau froide.*** 자라 보고 놀란 가슴 솥뚜껑 보고 놀란다.

échauffement [eʃofmɑ̃] *m.* ① 뜨겁게 데우기 ; 가열 ; (기계의) 과열. ② (곡식 따위의) 발효(醱酵). ③ 《비유》 흥분, 격앙(= excitation).

échauffer [eʃofe] *v.t.* ① 뜨겁게〔덥게〕 하다 ; 가열시키다, 달아오르게 하다(≠ refroidir) : *être échauffé* par une course rapide 빨리 뛰어서 몸이 더워지다. ② 《비유》 몹시 흥분시키다, 자극하다(= exciter) ; 활기를 주다(= animer) : esprits *échauffés* 열광적인 사람들. ③ (곡식·건초를) 발효시키다. ***~ la bile*** 〔***la tête, le sang, les oreilles***〕 ***à*** 〔***de***〕 qn …을 화나게 하다. — **s'~** *v.pr.* ① 뜨거워지다, 가열되다. ② 뜨다, 발효하다. ③ (논쟁 따위가) 활기를 띠다 ; 흥분하다.

échauffourée [eʃofuʀe] *f.* 드잡이 ; 싸움, 난투(= bagarre, rixe) ; 〖군사〗 소전투 : ~ entre les manifestants et la police 데모대와 경찰의 충돌.

échauguette [eʃogɛt] *f.* 〖축성〗 망대, 망루 ; 「감시대.

èche [ɛʃ] *f.* = aiche, esche.

échéance [eʃeɑ̃ːs] *f.* ① (어음·빚의) 지불 기일〔기한〕(= terme) : à 4 mois d'~, 4 개월 기한의 / d'un loyer 집세의 지불 기한. ② 지불 만기가 된 어음 ; 그 금액 : payable à l'~ 기한이 되어 지급해야 할 / venir à l'~ (어음이) 만기가 되다. ③ 《비유》 (어떤 일의) 종국 ; 기일의 도래 : ~ électorale (선거의) 투표일. ***à ~ de...*** 〖행정〗 …의 기한 내에. ***à longue*** 〔***brève***〕 ***~*** 장〔단〕 기간에〔의〕: projet *à longue* ~ 장기 계획.

échéant, e [eʃeɑ̃, -ɑ̃ːt] *adj.* 〖상업〗 기한이 찬, 만기의. ***le cas ~*** 경우에 따라서는, 만일의 경우에는 : *Le cas* ~, je m'en occuperai. 필요한 경우에는 내가 그 일을 맡겠다.

échec** [eʃɛk] *m.* ① 실패(≠ succès) : subir〔essuyer〕 un ~ 실패하다. ② (*pl.*) 서양장기, 체스 : jouer aux ~s 장기를 두다. ③ (서양장기의) 장군 : faire ~ (et mat) 장군을 부르다. ***aller au-devant d'un ~ ; courir à un ~ 실패를 초래하다. ***faire*** 〔***donner***〕 ***~***

à qn …을 방해하다. ***mettre en ~*** 꼼짝 못하게 하다. ***tenir*** qn ***en ~*** …의 행동을 저지하다. ── *adj.* 《불변》 être ~ (장기에서) 장군이 꼼짝 못하게 되다 ; 《구어》 진퇴유곡에 빠지다, 이러지도 저러지도 못하다.

échelle** [eʃɛl] *f.* ① 사닥다리 : dresser une ~ contre un mur 담벼락에 사닥다리를 세우다. ② (지도 따위의) 축척(縮尺) : carte à l'~ de 1/50,000, 5만분의 1 지도. ③ ⓐ (각종 계기의) 눈금 : ~ thermométrique 온도계의 눈금. ⓑ 척도, 규모 : ~ des valeurs 가치 척도. ④ ⓐ 단계, 서열, 등급, 계급(= hiérarchie) : ~ des salaires 급료의 등급 / s'élever dans l'~ sociale 사회적 지위가 높아지다. ⓑ 〖음악〗 ~ des sons ; ~ musicale 음계. ⓒ 〖경제〗 ~ des salaires 임금률. ***à l'~ de qc 〔+형용사〕 …의 규모의, …에 비례된 : *à l'~ du* monde 세계적 규모의. ***carte à grande ~*** 대축척 지도. ***~ mobile*** 〖경제〗 (임금·물가의) 연동제. ***faire la courte ~ à*** qn (높은 곳에 닿도록) …을 어깨〔등〕에 태워 주다 ; …을 도와주다. ***Il n'y a plus qu'à*** 〔***Il faut***〕 ***tirer l'~.*** 더 좋은 방법이 없다, 어쩔 수 없다.

échelon [eʃlɔ̃] *m.* ① (사닥다리의) 가로장. ② 계단 ; 단계 ; 계급 ; 등급, 급(級) : les ~*s* de l'administration 공무원의 계급〔등급〕/ La corruption règne à tous les ~*s* de la société. 부패가 사회의 모든 계층에 만연해 있다. ③ 〖군사〗 계통 ; 제형(梯形)〔사다리꼴〕 편성, (제형 편성의) 각 부대 : ~ d'attaque 공격 부대. ***à l'~ de*** qc 〔+형용사〕 …의 수준으로, …의 단계로. ***à l'~ national*** 전국적 규모로, 전국적으로. ***par ~(s)*** 점차로.

échelonnement [eʃlɔnmɑ̃] *m.* ① (물건을) 간격을 두고 배열하기. ② (지불을) 나누어 하기 : paiements par ~ 분할 지불.

échelonner [eʃlɔne] *v.t.* ① 일정한 간격을 두고 늘어놓다 : ~ des sentinelles 보초를 일정한 간격으로 세우다. ② (지불 따위를) 여러 번에 나누어 하다 : ~ les paiements 분할 지급하다. ③ 〖군사〗 (부대를) 사다리꼴로 배치하다. ***doses échelonnées*** 〖약학〗 나누어 먹을 약의 분량. ── **s'~** *v.pr.* 일정한 간격〔시간〕을 두고 늘어서다〔계속되다〕.

échenillage [ɛʃnijaːʒ] *m.* 쐐기 벌레 구제(驅除) 작업.

écheniller [ɛʃnije] *v.t.* ① 〖농업〗 (과수에서) 쐐기 벌레를 구제(驅除)하다. ② (문장 따위의) 필요 없는 부분을 삭제하다.

écheveau [ɛʃvo] *m.* (*pl.* ***~x***) ① 실타래. ② (사건의) 얽힘, 복잡(한 것)(= complication) : démêler 〔débrouiller〕 l'~ d'une affaire 사건의 실마리를 풀다.

échevelé, e [eʃəvle] *adj.* ① 머리털이 헝클어진. ② 뒤얽힌, 혼잡한(= désordonné). ③ 《비유》 열광적인, 광란의(= effréné) : danse ~*e* 광란의 춤.

écheveler [eʃəvle] 5 *v.t.* …의 머리털을 헝클어뜨리다. ── **s'~** *v.pr.* 머리털이 헝클어지다.

échevin [ɛʃvɛ̃] *m.* ① (프랑스 대혁명 전의) 시·읍·면 행정관. ② (벨기에·네덜란드 등의) 시·읍·면 부행정관. 「vin 의.

échevinal, e, aux [ɛʃvinal, -o] *adj.* éche-

échine [eʃin] *f.* ① 등골, 척주(脊柱)(= ~ dorsale). ② 돼지의 등심. ***avoir l'~ souple*** 남에게 굽실거리다. ***crotté jusqu'à l'~*** 《속어》 온몸이 진흙투성이가 된.

échiner (s') [seʃine] *v.pr.* ① 등골이 부러지다. ② 몹시 애쓰다, 고생하다. ***s'~ à*** qc 〔+*inf.*〕 …에〔하느라고〕 몹시 애쓰다 : Il *s'est échiné à* porter ce bois. 그는 이 나무를 운반하느라고 기진맥진했다.

échinodermes [ekinɔdɛʀm] *m. pl.* 〖동물〗 극피동물.

échiquier [eʃikje] *m.* ① 장기판, 바둑판 ; 격자 무늬 : en ~ 격자〔바둑판〕 무늬로(의). ② 《비유》 (정치·외교 따위의) 각축장, 경쟁 무대 : ~ politique 정치판.

écho [eko] *m.* ① 메아리, 산울림 ; 반향(反響) : ~ simple 단순 반향 / ~ multiple 다중 반향. ② 《비유》 반응, 응답(= réponse), 찬동 : Sa proposition n'a trouvé 〔éveillé〕 aucun ~. 그의 제안은 반응이 전혀 없었다. ③ 반영(하는 사람) ; 대변(자) : Cet auteur se fait l'~ des revendications ouvrières. 이 작가는 노동자의 요구를 반영하고 있다. ④ 소문(= bruit), 소식(= information) : Avez-vous eu des ~*s* de la réunion? 그 모임에 대한 소식을 들었소? ⑤ (*pl.*) 〖신문〗 가십(난). ***à tous les ~s*** 도처에 ; 공공연하게. ***faire ~*** 메아리치다, 울리다. ***se faire l'~ de*** qc …을 그대로 되풀이하다 ; …을 퍼뜨리다 ; …을 반영하다.

échographie [ekogʀafi] *f.* 〖의학〗 초음파 기록기에 의한 검진.

échoir [eʃwaːʀ] 61 *v.i.* 《3 인칭 단수·복수와 부정형 외에는 거의 사용하지 않음. 조동사는 être》 ① 기한이 되다 ; (어음 따위가) 만기가 되다 : payer (le) terme *échu* 기한이 되어 지불하다. ③ (재산 따위가) 굴러들어오다 : 《비인칭》 Il lui *est échu* une succession. 유산이 그에게 굴러들어왔다.

échoppe [eʃɔp] *f.* 구멍가게, 노점.

échotier, ère [ekɔtje, -ɛːʀ] *m.* (신문의) 가십난 기자.

échouage [eʃwaːʒ] *m.* ① 〖해양〗 (수리를 위해) 배를 바닷가에 올려놓기, 양륙(揚陸). ② 좌초 ; 얕은 여울.

échouer** [eʃwe] *v.i.* ① (배가) 암초에 걸리다, 좌초하다 : Le navire *a* 〔*est*〕 *échoué.* 배가 좌초했다. ② 좌절하다, 실패하다(≠ réussir) : ~ à 〔dans〕 un examen 시험에 낙제하다. ③ (포류물이 해안에) 밀려와 닿다, 표착(漂着)하다. ④ 《비유》 (마침내) …에 다다르다 : Il *échoua* finalement sur un banc du jardin public. 그는 마침내 어느 공원 벤치에 걸터앉았다. ***échoué à sec (배가) 육지에 얹혀 버린 ; (물건이) 해안에 밀려온. ***faire ~ un projet*** 계획을 망치다. ── *v.t.* (배를) 뭍으로 올리다 ; 좌초시키다. ── **s'~** *v.pr.* 뭍에 오르다, 좌초되다.

échoyait ⇒ échoir.

échu ⇒ échoir.

écidie [esidi] *f.* 〔*m.*〕 〖식물〗 수균류(銹菌類)의 균사체(菌絲體). 「기.

écimage [esimaːʒ] *m.* (식물의) 상순을 자르

écimer [esime] *v.t.* ① (식물의) 상순을 자르다 ; (기념비의) 꼭대기를 자르다. ② 《비유》 깎아내리다, 저하시키다(= abaisser).

éclaboussement [eklabusmɑ̃] *m.* (물·진창 따위를) 튀기기.

éclabousser** [eklabuse] *v.t.* ① …에게 물·흙탕 따위를 튀기다 : ~ les passants 행인에게 흙탕물을 튀기다. ② …에게 누를 끼치다, 언걸입게 하다 : Le scandale *a éclaboussé* tous ses amis. 그 추문은 그의 동료들에게 누를 끼쳤다. ③ …에게 부를 뽐내다 : Il cherche à nous ~. 그는 우리에게 잘사는 것을 뽐내고 싶어한다. ~ qn (de son luxe***) …에게 호사〔사치〕를 자랑하다.

éclaboussure [eklabusyːʀ] *f.* ① 튀어서 묻은 흙탕물〔잉크〕; (금속의) 조각. ② 누(累), 언걸, 피해. ***recevoir des ~s*** 죄를〔잘못을〕 온통 뒤집어쓰다.

E

éclair** [eklɛːʀ] *m.* ① 번개, 전광 : un ~ suivi d'un violent coup de tonnerre 무서운 천둥이 뒤따르는 번갯불. ② (순식간의) 반짝임, 섬광 : ~*s* d'un flash de photographe 사진사의 플래시의 섬광. ③ (재능 따위의) 번득임 : ~ d'intelligence 지성의 번득임. ④ 에클레르《과자의 일종》. ***en un coup d'~ 순식간에. ***Il fait des ~s.*** 번개가 번쩍인다. — *adj.* 《불변》 매우 빠른, 전격적인 : train ~ 특급 열차.

***éclairage** [eklɛʀaːʒ] *m.* ① 조명 ; 등화(燈火) : ~ direct 〔indirect〕 직접〔간접〕 조명 / appareil d'~ 조명 기구 / ~ au néon 형광등. ② 채광(採光), 광선(≠ obscurité). ③ 〖군사〗 정찰. ④ 《비유》 관점, 견지(= point de vue) : sous cet ~ 이러한 관점〔견지〕에서 보면.

éclairagiste [eklɛʀaʒist] *m.* 조명 기사.

éclairant, e [eklɛʀɑ̃, -ɑ̃ːt] *adj.* 조명의 : pouvoir ~ 조명도, 광도(光度).

éclaircie [eklɛʀsi] *f.* ① 구름 사이의 트인 하늘 ; 날씨의 일시적 갬(= embellie). ② 숲 속의 빈터. ③ (사태의) 호전 ; 소강(小康).

éclaircir** [eklɛʀsiːʀ] *v.t.* ① 밝게〔맑게〕 하다 : mêler du blanc à la peinture pour ~ la teinte 색조를 밝게 하기 위해 물감에 흰색을 섞다. ② (묘목을) 솎아 내다, (숲을) 간벌(間伐)하다 : ~ des plants 묘목을 솎아 주다. ③ (목소리를) 또렷하게 하다, 가다듬다. ④ (소스 따위를) 묽게 하다 ; 엷게〔연하게〕 하다 : ~ un potage 수프를 묽게 하다. ⑤ 《비유》 (모호한 것을) 밝히다, 해명〔설명〕하다. — **s'~** *v.pr.* ① 밝아지다, 맑아지다 : Le ciel *s'éclaircit.* 하늘이 맑아진다〔갠다〕. ② 성기게 되다 ; 묽어지다. ③ 명백해지다 ; 해명되다. ***s'~ la voix 〔***la gorge***〕 목소리를 가다듬다〔가다듬기 위해 기침하다〕.

éclaircissement [eklɛʀsismɑ̃] *m.* ① (의혹·모호한 것에 대한) 해명, 설명 : demander des ~*s* sur une affaire 사건에 대한 해명을 요구하다. ② 주해, 주석.

éclairé, e [eklɛ〔e〕ʀe] *adj.* ① 밝은, 채광이 잘된 ; 조명된 : bien 〔mal〕 ~ 햇볕이 잘 드는〔안 드는〕. ② 견식 있는, 교양 있는.

éclairement [eklɛʀmɑ̃] *m.* ① 비추기, 조명. ② 〖광학〗 조명도, 광도.

***éclairer** [eklɛ〔e〕ʀe] *v.t.* ① 비추다, 밝히다 ; 조명하다 : Le soleil *éclaire* le jardin. 해가 정원을 비추고 있다. ② 《구어》 불을 켜다(= allumer) : ~ une lampe 등불을 켜다. ③ 《문어》 (기쁜 감정이 얼굴을) 밝게〔환하게〕 하다 : Un sourire *éclairait* son visage. 미소가 그의 얼굴을 환하게 만들었다. ④ 《비유》 밝히다, 해명하다, 설명하다(= expliquer) : Voilà qui *éclaire* les dessous de cette affaire. 이것으로 이 사건의 이면이 밝혀졌다. ⑤ 《~ qn》 …의 길을 밝히다, 인도하다 ; 깨우쳐〔가르쳐〕 주다(= instruire) : Je vais vous ~ jusqu'à la porte. 문까지 불을 비쳐 드리겠습니다 / *Éclairez*-moi sur ce détail. 그것에 대해 자상히 가르쳐 주시오. ⑥ 〖군사〗 전방을 정찰하다(= ~ la marche). — *v.i.* 빛을 던지다, 빛나다. — *v. impers.* 번개가 치다 : Il *éclaire.* 번개가 친다. — **s'~** *v.pr.* ① 불을 밝히다, 비추어지다 ; 밝아지다. ② 해명되다 ; 명확〔분명〕해지다. La question *s'est éclairée.* 문제가 밝혀졌다. ③ (얼굴이) 빛나다, 환해지다 : Son visage *s'éclaira* d'un sourire. 그의 얼굴이 미소로 활짝 피었다. ④ 자기의 길을 비추다 : *s'~* à la bougie 촛불로 자기의 길을 비추다.

éclaireur, euse [eklɛʀœːʀ, -øːz] *m.* 〖군사〗 정찰병, 정찰대 : avion ~ 정찰기. — *n.* 보이〔걸〕 스카우트의 대원 : chef ~ 보이 스카우트 대장.

éclat** [ekla] *m.* ① 조각, 파편 : un ~ de verre 〔de bombe〕 유리〔폭탄〕 조각〔파편〕. ② 파열, 작렬 ; 파열음 ; 폭음 ; 《비유》 (감정의) 폭발 : ~*s* de rire 폭소 / parler avec des ~*s* de voix 언성을 높여 말하다. ③ 광채, 섬광, 빛 : ~ de soleil 눈부신 햇빛. ④ 화려함, 찬란함(= magnificence) ; (용모 따위의) 싱싱한 아름다움 ; (승리 따위의) 혁혁함 : l'~ d'une cérémonie 의식의 화려함 / ~ de sa beauté 그의 싱싱한 아름다움. ⑤ 소문 ; 물의, 추문 : Cette affaire fera (un) grand ~. 이 사건은 크게 물의를 일으킬 것이다. ***action d'~ 혁혁한 공적. ***coup d'~*** 멋진 일격. ***faire*** (***de l'***)***~*** 세상을 놀라게 하다, 명성을 떨치다. ***faire un ~*** 추문을 일으키다. ***rire aux*** 〔***en***〕 ***~s*** 가가대소(呵呵大笑)하다.

***éclatant, e** [eklatɑ̃, -ɑ̃ːt] *adj.* ① 터지는 ; 터질 듯한 : être ~ de santé 건강이 넘쳐 흐르다. ② (소리가) 크게 울리는, 우렁찬 : voix ~*e* 쩌렁쩌렁한 목소리. ③ 빛나는(= radieux), 눈부신, 훌륭한, 혁혁한 : ~ de jeunesse 젊음으로 빛나는 / mérite ~ 혁혁한 공적. ④ 명백한, 현저한(= manifeste) : mensonge ~ 뻔한 거짓말.

éclatement [eklatmɑ̃] *m.* ① 파열, 폭발 : ~ d'un pneu 타이어의 파열. ② (단체 따위의) 분열 ; 분산 : ~ d'un parti 당의 분열.

***éclater** [eklate] *v.i.* ① ⓐ 터지다, 파열하다 ; 폭발하다 : obus qui *éclate* 터지는 포탄 / Le pneu *a éclaté.* 타이어가 펑크 났다. ⓑ (정당 따위가) 분열하다 ; (도로·시설 따위가) 갈라지다. ② 갑자기 (요란한 소리를 내며) 울려 퍼지다 : Le tonnerre 〔L'orage〕 *éclate.* 갑자기 천둥이〔천둥 치는 소나기가〕 울린다〔쏟아진다〕. ③ (전쟁이) 발발(勃發)하다 ; (갑자기) 일어나다 : Un conflit *a éclaté* au Moyen Orient. 중동에 분쟁이 일어났다. ④ 《주어 : qn》 ⓐ (참다 못해) 화를 내다, 분노를 터뜨리다 : ~ contre une injustice 불의에 대해 격노하다. ⓑ 《~ en》 (노여움·기쁨 따위를) 나

타내다 : ~ *en* reproches 비난을 퍼붓다. ⑤ 《옛》 (찬연히) 빛나다; 이름을 떨치다: jeune chanteur qui *éclate* dans la scène internationale 국제 무대에서 이름을 떨치고 있는 젊은 가수. ⑥ 명백히 나타나다(= se manifester) : La vérité commence à ~. 진실이 명백히 드러나기 시작한다. ~ (***de rire***) 웃음을 터뜨리다. ***~ en injures*** 욕설을 퍼붓다. — *v.t.* ① 〖원예〗 (나무뿌리를) 가르다. ② 《옛》 파열시키다, 터뜨리다. — **s'~** *v.pr.* 파열하다, 터지다.

éclectique [eklɛktik] *adj.* ① 〖철학〗 절충주의의. ② (취향 따위가) 폭넓은; 절충적인: être ~ en littérature 문학적 취향이 폭넓다.

éclectisme [eklɛktism] *m.* ① 〖철학〗 절충주의. ② 절충적 태도; 다양함; 탄력성.

éclipse [eklips] *f.* ① 〖천문〗 (해·달의) 이지러짐, 식(蝕) : ~ annulaire 금환식 / ~ de lune 〔soleil〕 월식〔일식〕. ② (활동의) 공백, (일시적으로) 사라지기, (명예가) 빛을 잃기 : actrice qui reparaît après une longue ~ 오랜 침묵 끝에 다시 나타난 여배우. ***à ~*** 점멸〔명멸〕하는: phare *à* ~ 명멸하는 등대.

éclipser [eklipse] *v.t.* ① (태양·달에) 식(蝕)을 일으키다, 이지러뜨리다; 그림자로 가리다 : La lune *éclipse* le soleil. 달이 해를 가린다. ② …의 빛을 막다, (일시적으로) 가리다; 사라지게 하다; 압도〔능가〕하다(= surpasser) : Il *a éclipsé* tous ses rivaux. 그는 모든 경쟁자들을 압도했다. — **s'~** *v.pr.* ① (태양·달이) 식(蝕)을 일으키다, 이지러지다. ② 빛을 잃다, (일시적으로) 가리우다 : 사라지다 : s'~ dans la brume 안개 속에 묻혀 보이지 않게 되다.

écliptique [ekliptik] 〖천문〗 *adj.* ① (태양·달의) 식(蝕)의. ② 황도(黃道)의. — *f.* (태양의) 황도; (지구의) 궤도.

éclisse [eklis] *f.* ① 쐐기 모양의 나뭇조각. ② 치즈를 거르는 기구. ③ 〖외과〗 부목(副木)(= attelle). ④ 〖철도〗 (레일 따위의) 이음쇠.

éclopé, e [eklɔpe] *adj.* 절름발이의, 다리를 저는(= boiteux). — *n.* 절름발이.

éclore [eklɔːʀ] 35 《조동사는 주로 être. 직설법 반과거·단순과거·접속법 반과거·현재분사는 없고, 부정형 및 3인칭 이외는 쓰이지 않음》 *v.i.* ① (병아리·새 새끼가) 알을 까고 나오다, 부화하다 : Les poussins *sont éclos*. 병아리들이 부화했다. ② (꽃이) 피다, (꽃봉오리가) 벌어지다(= s'épanouir) : fleur à peine *éclose* 방금 피어난 꽃. ③ 《비유》 나타나다(= paraître), (재능 따위가) 피어나다, (생각) 떠오르다 : Le jour vient d'~. 해가 방금 떠올랐다〔날이 샜다〕 / Une idée *a éclos* dans son esprit. 그의 머릿속에 어떤 생각이 떠올랐다《때로 동작을 나타낼 때는 avoir 를 조동사로 취할 때도 있음》. ***faire ~ des poussins*** 병아리를 부화하다. ***faire ~ un projet*** 계획을 실현시키다.

éclos ⇒ éclore.

éclosion [eklozjɔ̃] *f.* ① 알을 까고 나오기, 부화(孵化). ② 개화(開花) : ~ d'une fleur 〔d'un bourgeon〕 개화〔발아〕. ③ 탄생, 발생; 시작 : ~ d'un projet 계획의 착수.

écluse [eklyːz] *f.* ① (운하 따위의) 수문(水門) : fermer 〔lâcher, ouvrir〕 les ~*s* 수문을 닫다〔열다〕. ② 둑. ③ 《비유》 막는 것; 억제, 자제 : ~ de la liberté 자유의 억제.

écluser [eklyze] *v.t.* ① (배를) 수문으로 통과시키다. ② 《구어》 (술을) 마시다.

éclusier, ère [eklyzje, -ɛːʀ] *adj.* 수문의. — *m.* 수문지기, 수문 관리인.

écœurant, e [ekœʀɑ̃, -ɑ̃ːt] *adj.* ① (맛이) 느끼한(= fade) : gâteau ~ 느끼한 케이크. ② 불쾌한, 진저리 나는, 역겨운 : Cette odeur est ~*e*. 이 냄새는 역겹다. ③ 낙담하게 하는.

écœurement [ekœʀmɑ̃] *m.* ① 구역질(= nausée) : manger jusqu'à l'~ 물리도록 먹다. ② 불쾌감, 혐오감 : être pris d'~ devant pareil spectacle 그와 같은 광경을 보고 불쾌감에 사로잡히다. ③ 낙담, 의기소침.

***écœurer** [ekœʀe] *v.t.* ① 구역질나게 하다. ② 불쾌하게 하다, 혐오감을 일으키게 하다 : Ses basses flatteries *écœurent* tout le monde. 그의 천박한 아첨은 모든 사람을 역겹게 한다. ③ 실망시키다, 낙담시키다 : ~ son adversaire 상대방의 전의를 꺾다.

:école [ekɔl] *f.* ① ⓐ 학교; 《특히》 초등학교(= ~ primaire); 초등 교육 : maître d'~ 초등학교 교사(= instituteur) / ~ communale 공립 초등학교 / ~ libre 〔privée〕 사립 학교 / ~ maternelle 유치원. ⓑ (초등학교) 수업; 초등학교의 구성원《학생·교직원》: Il n'y a pas ~ aujourd'hui. 오늘은 수업이 없다〔쉰다〕 / Toute l'~ est réunie dans la cour. 전교 학생이 운동장에 모였다. ⓒ (특수 교육의) 각종 학교, 교습소, 강습소, 학원 : ~ de musique 음악 학교 / ~ de danse 댄스 교습소 / auto-~ 자동차 운전 학원. ② 파(派), 학파; 유파 : les différentes ~*s* existentialistes 여러 실존주의 학파 / ~ stoïcienne 스토아 학파. ***à l'~ de*** …의 지도를 받고, …에게 사사하여 : apprendre qc *à l'~ d'*un éminent professeur 저명한 교수의 지도하에 …을 배우다. ***aller à l'~*** (초등학교 학생이) 학교에 다니다, 등교하다. ***~ du soldat*** 〖군사〗 신병의 기초 군사 훈련. ***être à bonne*** 〔***rude***〕 ~ 좋은 선생〔고된 시련〕의 가르침을 받다.

écolier, ère** [ekɔlje, -ɛːʀ] *n.* ① 초등학생, 아동. ② 풋내기, 초심자(= débutant) : faute 〔bévue〕 d'~ 초보자의 실수. ***chemin de l'~ 가장 긴 길, 에움길. — *adj.* 초등학생(용)의 : cahier format ~ 초등학생용 크기의 노트.

écologie [ekɔlɔʒi] *f.* 〖생물〗 ① 생태학. ② 자연환경 보호 (운동).

écologique [ekɔlɔʒik] *adj.* ① 생태학의, 생태학적인. ② 자연환경 보호의.

écologiste [ekɔlɔʒist] *n.* 생태학자; 자연환경 보호론자. — *adj.* 자연환경 보호의.

écomusée [ekomyze] *m.* 생태학 박물관.

éconduire [ekɔ̃dɥiːʀ] 32 *v.t.* ① …의 요구를 거절하다, 퇴짜놓다 : ~ un soupirant 구애자를 퇴짜놓다. ② 내보내다, (방문객을) 따돌리다 : ~ un visiteur importun 귀찮은 손님을 구슬려 돌려보내다.

économat [ekɔnɔma] *m.* ① (국가의) 재무관의 직; (공공단체의) 회계직; 회계과(= intendance). ② (회사의) 매점; 체인점.

économe [ekɔnɔm] *adj.* 검소한, 돈을 아껴

쓰는, 절약하는 : maîtresse de maison ~ 검소한 주부. ***être ~ de paroles*** 과묵하다, 말이 적다. —— *n.* 재무관, (학교·병원·공공단체의) 회계〔출납·경리〕 담당자.

économico- *pref.* 「경제의·경제적인」의 뜻.

économie** [ekɔnɔmi] *f.* ① ⓐ 경제(학) ; 경제 제도 ; 경제 조직 : ~ politique 경제학 ; 정치경제학 / ~ nationale 국민 경제. ⓑ 《옛》 경영, 관리. ② 절약, 검약 : vivre avec ~ 검소하게 살다 / Vous faites ainsi une ~ de mille francs. 그렇게 하면 1,000 프랑 절약할 수 있다. ③ (*pl.*) 저축(금) : Cet achat a englouti presque toutes ses ~*s*. 그것을 사느라고 그는 저금을 거의 다 써 버렸다. ④ 구성, 구조(= structure) ; 체계, 조직 ; 조화(= harmonie) : ~ du corps humain 인체의 구조 / ~ d'une pièce de théâtre 희곡의 구성. ~ ***domestique 가정(家政), 가정 관리. ~ ***humaine*** 〔***sociale***〕 인간〔사회〕 경제학. ***faire l'~ de...*** …을 절약하다, …없이 견뎌내다. ***Il n'y a pas de petites ~s ; Les petites ~s font les bonnes maisons.*** 《격언》 티끌 모아 태산.

***économique** [ekɔnɔmik] *adj.* ① 경제적인, 절약되는(= avantageux, bon marché) : poêle ~ 연료 절약 난로 / un moyen de transport ~ 경제적인 수송 방법. ② 경제상의 ; 경제학의 : crise ~ 경제 위기, 공황 / politique ~ 경제 정책 / science ~ 경제학. —— *f.* 경제학. —— *m.* 경제 활동 ; 경제 (현상) : l'~ et le politique 경제와 정치.

économiquement [ekɔnɔmikmɑ̃] *adv.* ① 경제상, 경제적으로 : ~ parlant 경제적으로 말하면. ② 절약하여 : vivre ~ 알뜰하게 살다.

économiser [ekɔnɔmize] *v.t.* ① 절약하다 : ~ l'énergie 에너지를 절약하다 / savoir ~ son temps 시간을 효과적으로 쓸 줄 알다. ② 저축하다 : ~ dix mille francs 1만 프랑을 저축하다. —— *v.i.* 《~ sur》 …에서 저축하다 : Elle *économise sur* ses modestes rentes. 그녀는 얼마 안 되는 연금에서 저축을 한다.

économiste [ekɔnɔmist] *m.* 경제학자, 경제 전문가 ; (*pl.*) (18세기의) 경제 이론가.

écoper [ekɔpe] *v.t.* ① (배의 물을) 국자로 퍼내다. ② 《구어》 (벌 따위를) 받다, (모욕을) 받다 : Il *a écopé* une punition. 그는 벌을 받았다. —— *v.i.* 《구어》 벌을 받다 ; 모욕〔비난〕을 받다.

écorce [ekɔʀs] *f.* ① (나무·과실의) 껍질 : ~ d'orange 오렌지 껍질. ② 지각(地殼)(= ~ terrestre). ③ 외관, 표면. ④ 〖해부〗 ~ cérébrale 대뇌 피질.

écorcer [ekɔʀse] [2] *v.t.* …의 껍질을 벗기다 : ~ un arbre 나무껍질을 벗기다.

écorché, e [ekɔʀʃe] *adj.* (동물이) 박피(剝皮)된 ; 살갗이 벗겨진. —— *m.* 박피 해부체, (인체·동물 등의) 박피 표본.

écorcher [ekɔʀʃe] *v.t.* ① …의 가죽을 벗기다 : ~ un lapin 토끼의 가죽을 벗기다. ② …의 살갗을〔피부를〕 벗겨지게 하다 ; …에 찰과상을 입히다(= égratigner) ; (가구 따위에) 긁힌 자국을 내다. ③ (귀·미각 따위에) 불쾌감을 주다 : ~ les oreilles (소리가) 귀에 거슬리다. ④ 《구어》 …의 돈을 우려내다, (손님에게) 바가지 씌우다. ⑤ (말을) 부정확하게 하다〔발음하다〕 : mot qui *écorche* la bouche 〔la langue〕 발음하기 어려운 단어. —— **s'~** *v.pr.* ① 찰과상을 입다. ② 서로 찰과상을 입히다(= s'égratigner).

écorcheur, euse [ekɔʀʃœːʀ, -øːz] *n.* ① 가죽을 벗기는 사람. ② 남의 금품을 우려내는 자 ; 폭리배.

écorchure [ekɔʀʃyːʀ] *f.* 할퀸 자국〔상처〕 ; 〖의학〗 찰과상.

écorner [ekɔʀne] *v.t.* ① (동물의) 뿔을 꺾다〔자르다〕. ② …의 귀퉁이를 꺾다〔접다〕 : ~ un livre 책 귀퉁이를 접다. ③ 《구어》 (재산 따위를) 축내다(= ébrécher) : ~ son héritage 〔capital〕 유산〔자본금〕을 축내다.

écossais, e [ekɔsɛ, -ɛːz] *adj.* 스코틀랜드(사람·말)의. —— *m.* 스코틀랜드어(語). —— *f.* 스코틀랜드 무도(곡)(= danse ~*e*).

écosser [ekɔse] *v.t.* (콩 따위의) 깍지를〔껍질을〕 벗기다, 까다.

écosystème [ekɔsistɛm] *m.* 생태계.

écot[1] [eko] *m.* ① (회식비의 각자) 할당액(= quote-part) ; 분담금(= contribution).

écot[2] *m.* 가지를 완전히 자르지 않은 통나무.

écoulement [ekulmɑ̃] *m.* ① (액체·기체의) 배출, 유출 ; 배수 : ~ des eaux de pluie 빗물의 배수. ② (사람·차의) 소통 ; (시간의) 흐름, 경과 : ~ du temps 시간의 흐름 / accélérer l'~ des véhicules 차량의 소통을 더욱더 신속히 하다. ③ (상품·화폐의) 유통, 판로 : ~ des produits agricoles 농산물의 판로. ***marchandise d'~ facile*** 잘 팔리는 상품.

écouler [ekule] *v.t.* 유통시키다, (상품을) 팔다 : ~ des faux billets 위조지폐를 유통시키다. —— **s'~** *v.pr.* ① (액체가) 흐르다, 유출되다 ; (군중이) 밀려 나가다〔나오다〕 : La foule *s'écoule* lentement. 군중이 서서히 지나간다. ② (시간이) 경과하다 : Il *s'écoula* plusieurs heures. 몇 시간이 경과했다. ③ (상품·화폐가) 유통되다.

***écourter** [ekuʀte] *v.t.* ① (시간을) 줄이다, 단축하다 : ~ son séjour 체재 기간을 단축하다. ② (길이를) 짧게 하다 : ~ un habit 옷의 기장을 줄이다.

écoute[1] [ekut] *f.* ① (전화·방송 등의) 청취. ② 엿듣기 (좋은 곳). ③ 〖군사〗 음향 탐지 : appareil d'~ sous-marine 해저(海底) 음향 탐지기. ***être*** 〔***rester***〕 ***à l'~ ; prendre*** 〔***se mettre à***〕 ***l'~*** 라디오를 청취하다. ***être*** 〔***se tenir***〕 ***aux ~s*** 엿듣다 ; 귀를 기울이다. ***Ne quittez pas l'~ !*** 〖전화〗 끊지 말고 기다려 주세요.

écoute[2] *f.* 〖해양〗 시트《돛 아랫귀를 펴서 묶는 밧줄》.

‡écouter [ekute] *v.t.* ① 듣다, …에 귀를 기울이다 ; 《~ qn》 …의 이야기를 듣다 : ~ les informations à la radio 라디오 뉴스를 듣다 / 《~ qn 〔qc〕 + *inf.*》 ~ la pluie tomber 비가 내리는 소리에 귀를 기울이다 / 《목적보어 없이》 J'*écoute* mais je n'entends rien. 귀를 기울이고 있으나 아무것도 들리지 않는다 / N'*écoute* pas cet homme. 저 남자의 말은 듣지 마세요. ② (남의 의견을) 받아들이다, 따르다(= suivre, obéir à) : J'*ai écouté*

ses conseils. 나는 그의 충고를 받아 들였다 / n'~ que ses instincts 본능에만 따르다 / ~ sa conscience 양심의 목소리에 따르다 / enfant qui *écoute* docilement ses maîtres 선생님 말씀을 잘 듣는 어린이. ***n'~ que soi-même*** 독단적으로 일을 처리하다. ── *v.i.* 듣다, 경청하다. ***Écoute*** 〔***Écoutez***〕 ***!*** 이봐〔여보세요〕! ***~ à la porte*** 〔***aux portes***〕 엿듣다. ***n'~ que d'une oreille*** 별로 귀담아 듣지 않다.
── **s'~** *v.pr.* ① 자기가 …하는 것을 듣다 : *s'~* (parler) 제 이야기에 취한 듯 천천히 말하다. ② 제 몸〔건강〕을 지나치게 돌보다 ; 자기 본위로 행동하다 : Si je *m'écoutais*, je n'irais pas à cette réunion. 내 기분으로는 이 회합에 가고 싶지 않은데.

écouteur, euse [ekutœːʀ, -øːz] *n.* ① 듣는 사람 ; 청취자. ② 엿듣는 사람. ── *m.* (전화의) 수화기 ; (라디오의) 리시버, 이어폰.

écoutille [ekutij] *f.* 【해양】 (갑판의) 승강구.

écouvillon [ekuvijɔ̃] *m.* ① 긴 자루 달린 걸레《굴뚝 청소용 따위》. ② (총의) 꽂을대.

écrabouillage [ekʀabujaːʒ], **écrabouillement** [ekʀabujmɑ̃] *m* 《구어》 짓이김, 박살냄.

écrabouiller [ekʀabuje] *v.t.* 《속어》 짓이기다, 짓누르다, 박살내다.

*__écran__ [ekʀɑ̃] *m.* ① (빛 · 열 · 소리 따위의) 가리개, 차단막 : ~ cheminée 난로의 열가리개 / ~ antibruit 방음벽 / ~ de fumée 연막(煙幕). ② ⓐ 영사막, 스크린 ; 영화(계) : ~ large 와이드 스크린 / vedette de l' ~ 영화 스타. ⓑ (텔레비전의) 화면 ; (컴퓨터의) 디스플레이 : ~ d'un récepteur de télé, TV 수상기의 화면 / ~ cathodique 브라운관. ③ 【사진】 필터, 차광막. ④ 【전기】 차폐(판) : ~ électromagnétique 전자 차폐. ***faire ~ à*** …을 감추다 ; …을 방해하다. ***porter*** 〔***présenter, mettre***〕 ***un roman à l'~*** 소설을 영화화하다.

écrasant, e [ekʀɑzɑ̃, -ɑ̃ːt] *adj.* ① 짓이기는, 분쇄하는 ; 짓누르는 듯한 : dettes *~es* 짓누르는 듯한 부채. ② 압도적인 ; (증거 따위가) 너무나 분명한(= accablant) : preuves *~es* 결정적인 증거.

écrasé, e [ekʀɑze] *adj.* ① 짓눌린, 분쇄된 ; 짓밟힌. ② (자동차 따위에) 치인 : mourir ~ (차에) 치어 죽다. ③ 압도된 : ~ de fatigue 지쳐서 기진맥진한. ***les chiens ~s*** (신문의) 흥미 없는 3 면 기삿거리. ***nez ~*** 납작코.

écrasement [ekʀɑzmɑ̃] *m.* ① 짓눌러 납작하게 하기, 부수기, 분쇄. ② 압도, 진압 : ~ d'une rébellion 반란의 진압. ③ 【언어】 (발음의) 축약.

*__écraser__ [ekʀɑze] *v.t.* ① 으스러뜨리다, 으깨다, 짓눌러 부수다 : ~ un insecte 벌레를 밟아 으깨다. ② (자동차 따위가) 치다 : se faire ~ par une voiture 차에 치이다. ③ (적을) 무찌르다, 괴멸시키다 ; 압도하다 : ~ la résistance ennemie 적의 저항을 물리치다. ④ 《구어》 강하게 밟다 : ~ l'accélérateur 액셀을 힘껏 밟다. ⑤ 억누르다, 괴롭히다 ; *être écrasé* de dettes 빚에 짓눌리다. ***en ~*** 《속어》 잠을 푹 자다. ── **s'~** *v.pr.* ① 부서지다, 으스러지다, 으깨지다 : L'avion *s'est écrasé* contre la falaise. 비행기는 절벽에 부딪쳐 산산조각이 났다. ② 자기의 …을 짓눌러 부수다. ③ 서로 짓누르다〔부수다〕. ④ (동물이) 몸을 웅크리다.

écraseur, euse [ekʀɑzœːʀ, -øːz] *adj.* et *n.* ① 짓누르는〔찍어 누르는〕 (사람). ② 《구어》 (특히 자동차의) 난폭 운전사.

écrémage [ekʀemaːʒ] *m.* ① (우유에서) 크림을 떠내기, 탈지(脫脂). ② (우수한 상품 · 인재 따위를) 뽑아냄.

écrémer [ekʀeme] [6] *v.t.* ① (우유에서) 크림을 떠내다 : lait *écrémé* 탈지유. ② (제일 좋은 부분을) 추려내다, 선별하다 : ~ une bibliothèque 장서에서 값진 것을 추려내다.

écrémeuse [ekʀemøːz] *f.* 크림〔유피(乳皮)〕 분리기. 「= écrémeuse.

écrémoir *m.*, **écrémoire** [ekʀemwaːʀ] *f.*

écrêter [ekʀɛ(e)te] *v.t.* ① (포격으로 성벽 따위의) 꼭대기를 무너뜨리다 ; (언덕을) 평평하게 밀어 버리다. ② …을 경감하다.

écrevisse [ekʀəvis] *f.* ① 【동물】 가재. ***aller*** (***à reculons***) ***comme les ~s*** 뒷걸음질치다. ***rouge comme une ~*** 얼굴이 새빨간.

*__écrier (s')__ [sekʀije] *v.pr.* 외치다, 소리지르다 : Vite ! *s'écria*-t-il. "빨리 !" 라고 그는 소리를 질렀다 / Il *s'écria* que c'était une injustice. 그는 그것이 부정이라고 외쳤다.

écrin [ekʀɛ̃] *m.* 보석 상자 (속의 보석류) ; (귀중품을 넣는) 작은 상자.

⁑**écrire** [ekʀiːʀ] [38] *v.t.* ① (글을) 쓰다 ; 적다 : Je ne sais pas ~ son nom. 나는 그의 이름의 철자를 모른다. ② (편지를) 써 보내다 ; 편지로 알리다 ; (조서 따위를) 작성하다 : ~ la réponse à une lettre 답장을 쓰다 / 《~ à qn de + *inf.* 〔que + *sub.*〕》 Il m'*a écrit que* sa sœur était malade. 그는 누이가 병이 났다고 나에게 편지를 써 보냈다. ③ (저서 · 작품을) 저작하다 ; (곡을) 작곡하다 : ~ un roman 소설을 쓰다. ***Il est écrit que*** + *ind.* …은 피치 못할〔정해 놓은〕 일이다. ── *v.i.* ① 글자를 쓰다, 글을 쓰다 ; 저작하다 : Il sait ~ 그는 글자를 쓸 줄 안다 / ~ mal 악필이다 / ~ en prose 산문으로 쓰다. ② 《~ à》 (…에게) 편지를 쓰다 : Il *écrit* rarement *à* ses parents. 그는 부모에게 좀처럼 편지를 쓰지 않는다. ③ (펜 따위가) 써지다. ④ 【법률】 서류에 기재하다. ── **s'~** *v.pr.* ① 쓰여지다, 철자화되다. ② 서로 서신을 교환하다.

écri -s, -t[1] ⇒ écrire.

*__écrit__[2]**, e** [ekʀi, -it] *m.* ① 쓰기 ; 필기시험(≠ oral) : consigner 〔coucher〕 qc par ~ …을 적어두다 / avoir de bonnes notes à l'~ 필기시험에서 좋은 점수를 얻다. ② (*pl.*) 저서 ; 작품 : *~s* de Racine 라신의 작품. ③ 문서, 서류 : ~ anonyme 〔signé〕 익명〔서명〕 문서 / faire 〔signer〕 un ~ 문서〔서류〕를 작성하다. ***Les paroles s'envolent, les ~s restent.*** 《격언》 말은 사라지나 글로 표현된 것은 남는다. ***par ~*** 기록하여, 서면으로, 문서로 : Mettez- moi cette adresse *par ~*. 그 주소를 써 주십시오. ── *adj.* ① 쓰여진 : loi *~e* 성문법, 제정법. ② 글로 표현된 ; 필기의 (≠ oral, parlé) : langue *~e* 문어 / examen ~ ; épreuve *~e* 필기시험. ③ 숙명적인, 피할 수 없는 : C'était ~. 그렇게 될 수밖에 없는 일이었다.

E

écriteau [ekʀito] *m.* (*pl.* **~x**) 게시(판), 푯말.
écritoire [ekʀitwa:ʀ] *f.* 《옛》 문구함(文具函) ; 잉크스탠드.
***écriture** [ekʀity:ʀ] *f.* ① (각 언어의) 문자, 글자 ; 서법(書法), 서체 ; 글씨, 필적 : avoir une belle ~ 달필이다 / ~ idéographique 〔phonétique〕 표의〔표음〕 문자 / ~ gothique 고딕체. ② (*pl.*) 문서, 서류, 기록 ; (*pl.*) 〖법률〗 소송 문서 : faux en ~ privée 〔publique〕 사문서〔공문서〕 위조. ③ 〖회계〗 기재, 기입 ; (*pl.*) 부기 : passer une ~ 장부에 기입하다 / ~*s* en partie double 복식 부기. ④ ⓐ 〖문학〗 기술법, (작가의) 문체 : roman d'une ~ recherchée 세련된 문체의 소설. ⓑ 〖미술〗 화법, 화풍. ⓒ 〖음악〗 작곡법 ; (*pl.*) 작곡, 악곡. ⑤ (*É*~(s)) 성서(=l'*É*~ sainte ; saintes *É*~*s*). ⑥ (*pl.*) 부기.
écrivailler [ekʀivɑje] *v.i.* 《구어》 되는대로 쓰다, 갈겨쓰다.
écrivailleur, euse [ekʀivɑjœ:ʀ, -ø:z] *n.*, **écrivaillon** [ekʀivɑjɔ̃] *m.* (마구 써 대는) 삼류 작가, 엉터리 작가.
***écrivain** [ekʀivɛ̃] *m.* ① (저)작가, 문필가 : grand ~ 대작가, 대문호 / femme ~ 여류 작가. ② 필경(筆耕) : ~ public 대서인. ③ 〖해양〗 (상선의) 장부 담당.
écrou[1] [ekʀu] *m.* 〖기계〗 너트, 암나사 : serrer l'~ 너트를 죄다.
écrou[2] *m.* 〖법률〗 죄수 명부에 올리기, 수감(收監) : levée d'~ 석방(령).
écrouer [ekʀue] *v.t.* 죄수 명부에 기입하다 ; 수감하다, 투옥하다(≠ libérer) : *écroué* au dépôt 수감된.
écrouir [ekʀui:ʀ] *v.t.* 〖야금〗 (금속을) 불에 불리지 않고 두들기다 ; 냉간 압연하다.
écrouissage [ekʀuisa:ʒ], **écrouissement** [ekʀuismɑ̃] *m.* 〖야금〗 금속을 불리지 않고 두들기기 ; 냉간 압연, 냉련.
écroulement [ekʀulmɑ̃] *m.* 붕괴, 몰락(≠ établissement) ; 좌절 : ~ d'un pont 교량의 붕괴 / ~ d'une empire 제국의 붕괴.
***écrouler (s')** [sekʀule] *v.pr.* ① 와르르 무너지다 ; 붕괴하다(= s'effondrer) : maisons qui *s'écroulent* lors d'un séisme 지진에 무너지는 집들. ② 몰락하다 ; 좌절하다 : régime qui *s'écroule* 붕괴하는 정권 / Tous ses plans s'*écroulèrent*. 그의 계획은 모두 수포로 돌아갔다. ③ 《구어》 털썩 주저앉다.
écru, e [ekʀy] *adj.* 생것의, 표백하지 않은 : soie ~*e* 생사(生絲).
ecstasy [ɛkstɑzi] 〖영〗 *f.* 마약의 일종(《약자》 ecsta.).
ectoplasme [ɛktɔplasm] *m.* ① 〖생물〗 (세포의) 외부 원형질. ② (영매(靈媒)의 몸에서 발산한다는) 심령체(心靈體).
ÉCU, écu[1] [eky] *m.* 《약자》 European Currency Unit 에큐, 유럽 통화 단위.
écu[2] *m.* ① 방패 ; 〖문장〗 방패꼴의 문장(紋章). ② 옛 금〔은〕화(《방패 문양이 들어 있음》). ***avoir des ~s*** 돈이 많다. ***ramasser des ~s*** 저금하다.
écueil [ekœj] *m.* ① 암초 : donner sur les ~*s* (배가) 암초에 얹히다, 좌초하다. ② 위험물, 장애물 : La vie est pleine d'~*s*. 인생에는 위험한 장애물이 많다.
écuelle [ekɥɛl] *f.* 대접, 사발 ; 한 대접(의 분량).
éculé, e [ekyle] *adj.* ① 뒤축이 찌그러진〔닳아빠진〕. ② 낡아 빠진(= usé) ; 진부한, 케케묵은 : expression ~ 케케묵은 표현.
écumage [ekyma:ʒ] *m.* 〖요리〗 거품을〔찌끼를〕 걷어내기.
écumant, e [ekymɑ̃, -ɑ̃:t] *adj.* ① 거품이 이는, 부글거리는. ② 격노한(= furieux). ***~ de rage*** 〔***colère***〕 노발대발한.
écume [ekym] *f.* ① (액체 표면에 일어나는) 거품. ② (사람 · 동물의 입에서 나오는) 거품, 게거품 ; (말의) 땀 ; 〖야금〗 (금속 따위의) 쇠똥 : mer blanche d'~ 하얀 거품이 일고 있는 바다. ③ 찌끼, 찌꺼기 ; 천민(賤民). ④ 해포석(海泡石)(= ~ de mer) ; 비료용 해초. ***~ de la société*** 사회의 최하층 사람들.
écumer [ekyme] *v.t.* ① …의 거품을〔찌꺼기를〕 걷어내다. ② 휩쓸며 다니다 ; 해적질하다 : ~ une région 〔une ville〕 지방을〔도회를〕 휩쓸다. — *v.i.* ① 거품이 일다 ; (사람 · 동물이) 침을 흘리다. ② 노발대발하다(= ~ de rage).
écumeur, euse[1] [ekymœ:ʀ, -ø:z] *n.* 거품을 떠내는 사람. ***~ de marmites*** 〔***tables***〕 식객. ***~ de mer*** 해적.
écumeux, euse[2] [ekymø, -ø:z] *adj.* 거품이 이는, 거품투성이의 ; 거품에 싸인.
écumoire [ekymwa:ʀ] *f.* 〖요리〗 거품 떠내는 조리〔국자〕.
écureuil [ekyʀœj] *m.* ① 〖동물〗 다람쥐. ② 기운찬〔활발한〕 아이〔청년〕. ***vif comme un ~*** 몹시 민첩한〔활발한〕.
écurie [ekyʀi] *f.* ① 마구간 ; 마사, 외양간 : garçon 〔valet〕 d'~ 마구간지기. ② 《구어》 (마구간처럼) 더러운 곳 : C'est une vraie ~. 마치 마구간 같다〔지저분하다〕. ③ 《집합적》 ⓐ (동일 마사 · 마주의) 말 ; 경마장. ⓑ (동일 회사 · 팀의) 경주용 자동차〔사이클〕; 선수. ***entrer quelque part comme dans une ~*** 어떤 곳에 인사하지 않고 들어가다. ***fermer l'~ quand les chevaux sont dehors*** 《속담》 소 잃고 외양간 고치다.
écusson [ekysɔ̃] *m.* ① 방패꼴 무늬〔문장(紋章)〕; (군복의) 방패꼴 표지, 견장의 문양. ② 〖원예〗 아접(芽接)할 싹이 돋은 나무껍질.
écussonner [ekysɔne] *v.t.* 〖원예〗 …에 아접(芽接)하다.
écuyère [ekɥijɛ:ʀ] *f.* ① 여승마자. ② 여곡마사. ***bottes à l'~*** 여성용 승마 장화. ***monter à l'~*** (여자가 말을) 걸터 타다.
eczéma [ɛgzema] *m.* 〖의학〗 습진.
eczémateux, euse [ɛgzematø, -ø:z] *adj.* 습진성의, 습진에 걸린. — *n.* 습진 환자.
éd. 《약자》 édition 판(版) ; édité(e) 편찬된.
édam [edam] *m.* 에담 치즈(《네덜란드산》).
edelweiss [edɛlvajs, -vɛs] 〖독일〗 *m.* 《복수 불변》 〖식물〗 에델바이스, 왜솜다리.
Éden (l') [ledɛn] *n.pr.m.* 〖성서〗 에덴 동산. — *m.* 《문어》 낙원.
édenté, e [edɑ̃te] *adj.* ① (사람이) 이가 빠진. ② 〖동물〗 빈치류(貧齒類)의. — *n.* 이 빠진 사람. — *m.pl.* 〖동물〗 빈치류.
édicter [edikte] *v.t.* (법률을) 공포하다 ; (법률로) 명하다, 규정하다(= décréter) : peines *édictées* pas la loi 법률에 의해 정해진 형벌.
édicule [edikyl] *m.* ① (성당 등에 소속된) 작은 건물〔예배당〕. ② (공공 도로에 설치된)

가두 매점 ; 《특히》 공중변소.
édifiant, e [edifjɑ̃, -ɑ̃:t] *adj.* 감화시키는, 교화적인, 모범적인 : vie *~e* 모범적 생활.
édification [edifikɑsjɔ̃] *f.* ① 건축, 건립, 건설 : ~ d'un monument 기념관〔물〕의 건립. ② (학문 · 이론 체계 따위의) 구축, 수립 : ~ d'une théorie 어떤 학설의 수립. ③ 교화, 감화 ; 선도 ; 계몽.
***édifice** [edifis] *m.* ① 건물 ; 《특히》 (궁전 · 성당 따위의) 대건축물 : ~ public 공공건물. ② 조직, 기구, 체계 : ~ social 사회 조직 / ~ des lois 법체계.
***édifier** [edifje] *v.t.* ① 세우다, 건립하다 ; 설립하다 : ~ un monument 기념비를 세우다 / ~ un temple 사원을 건립하다. ② (재산 · 학설 따위를) 쌓아 올리다, 구축하다 : ~ un système de lois 법 체계를 구축하다. ③ 《~ qn》 교화〔감화 · 선도〕하다 ; 계발〔계몽〕하다 ; 미망〔환상〕에서 깨어나게 하다 : Vous voilà *édifié !* 이제 알았죠 !
édile [edil] *m.* ① 〖고대로마〗 (공공건물을 관리하던) 조영관(造營官). ② 시장 ; 시 공무원.
édit [edi] *m.* ① 칙령, 왕령. ② (집정관에 의한) 법령, 포고. ***l'É~ de Nantes*** 〖역사〗 낭트 칙령《1598 년 앙리 4 세가 신교도에게 신앙의 자유를 허용한 칙령》.
***éditer** [edite] *v.t.* ① 출판하다, 발행〔간행〕하다(=publier) : ~ des romans 〔de la poésie〕 소설을〔시를〕 출판하다 / ~ un auteur 어떤 작가의 작품을 출판하다. ② (주석 따위를 붙여) 간행하다 ; 교정하다 ; 편찬하다.
éditeur, trice [editœ:ʀ, -tʀis] *n.* ① 출판사, 간행자, 발행자 : ~ scolaire 교과서 출판사 / ~ responsable 발행 책임자. ② 교정자, 편찬자 : notes de l'~ 편찬자의 주석. ── *adj.* 출판〔발행 · 간행〕하는 : société *~trice* 출판사 / libraire(-)~ 도서 출판 판매업자.
édition** [edisjɔ̃] *f.* ① 출판, 발행, 간행(=publication) ; 출판업 : maison d'~ 출판사 / travailler dans l'~ 출판사에서 일하다. ② (책의) 판(版) : nouvelle ~ 신판 / ~ originale 초판(본) / ~ revue et corrigée 〔augmentée〕 개정〔개정 증보〕판 / troisième ~ 제 3 판 / ~ de poche 포켓판. ③ 교정 ; 교정본〔판〕 : ~ critique 교정본. ④ (판화 · 악보 따위의) 발행 ; (영화의) 제작 상영 ; (레코드의) 제작 판매, 발매. ***C'est la deuxième 〔troisième〕 ~. (발언 · 사건 따위가) 이전 것의 되풀이다.
éditorial, e, aux [editɔʀjal, -o] *adj.* 편집의 ; 사설의 : comité ~ 편집 위원회. ── *m.* 사설 (=article ~).
éditorialiste [editɔʀjalist] *n.* (신문의) 사설 집필자, 논설위원.
édredon [edʀədɔ̃] *m.* 털 이불《새털을 넣은 것》.
éducateur, trice [edykatœ:ʀ, -tʀis] *adj.* 교육(상)의, 교육적인. ── *n.* 교육자, 교사.
éducatif, ive [edykatif, -i:v] *adj.* 교육의, 지식을 주는, 교육에 관한 : matériel ~ 교재 / film ~ 교육 영화.
⁑**éducation** [edykɑsjɔ̃] *f.* ① 교육 : ~ permanente 평생 교육 / faire l'~ de qn …를 교육하다 / maison d'~ 교육 시설 / ministère de l'*É*~ nationale 교육부 / ~ professionnelle 직업 교육. ② 예절 교양 : avoir de l'~ 교양이 있다 / Il manque d'~. 그는 교양이 없다. ③ 훈련, 단련 : ~ de la mémoire 기억력의 훈련.
éducationnel, elle [edykɑsjɔnɛl] *adj.* 교육의, 교육에 관한 : système ~ 교육 제도.
édulcorant, e [edylkɔʀɑ̃, -ɑ̃:t] *adj.* 달게 하는. ── *m.* 감미료 : ~ de synthèse 인공 감미료.
édulcorer [edylkɔʀe] *v.t.* ① (약 따위에) 감미료를 넣다 : ~ une tisane 탕약에 감미료를 넣다. ② (어조 · 비난 따위를) 완화하다.
***éduquer** [edyke] *v.t.* ① 교육하다 ; 예의범절을 가르치다 : ~ bien son enfant 아이를 잘 교육하다 / personne bien 〔mal〕 *éduquée* 예절이 바른〔나쁜〕 사람. ② 훈련시키다, 단련시키다 : ~ les sens 감각 기관을 훈련시키다 / ~ la volonté 의지력을 단련시키다.
ef- *préf.* 「분리 · 이탈 · 상태의 변화」의 뜻.
effaçable [efasabl] *adj.* 지울 수 있는, 말소할 수 있는 : encre ~ 지울 수 있는 잉크.
effacé, e [efase] *adj.* ① 지워진, 소실된 : trace *~e* 지워진 흔적. ② 눈에 띄지 않는 ; (태도 따위가) 겸손한, 주제넘지 않는(=humble, modeste) : vie *~e* 남의 눈에 띄지 않는〔겸소한〕 생활. ③ (색이) 윤이 없는, 흐릿한 : couleurs *~es* 흐릿한 색.
effacement [efasmɑ̃] *m.* ① 지워지기, 소실, 소멸 : ~ d'un souvenir 기억의 흐려짐. ② (표면에) 나서지 않음, 겸손 : ~ de soi-même 자신을 내세우지 않음.
***effacer** [efase] [2] *v.t.* ① 지우다 ; 말소하다 ; 삭제하다 ; 마손〔마멸〕시키다 : ~ un trait de crayon 연필 자국을 지우다 / 《목적보어 없이》 Cette gomme *efface* bien. 이 고무는 잘 지워진다. ② 《주어 : qc》 사라지게〔없어지게〕 하다 ; (추억 따위를) 잊혀지게 하다 : Le temps *efface* les souvenirs. 시간이 지나면 추억은 사라져〔잊혀져〕 버린다 / L'excuse n'*efface* pas le crime. 사죄한다고 해서 죄 자체가 없어지는〔소멸되는〕 것은 아니다. ③ 속죄하다, 씻다(=racheter, réparer) : ~ sa faute par son repentir 뉘우침으로써 과오를 속죄하다〔씻다〕. ④ 눈에 띄지 않게 하다, 무색하게 만들다(=éclipser) : Il *a effacé* la gloire de ses devanciers. 그는 선인들의 영광을 무색하게 했다. ⑤ 〖펜싱〗 (몸을) 옆으로 빼어 비스듬한 자세를 취하다. ── **s'~** *v.pr.* ① 지워지다, 사라지다 : Cette tache *s'efface* facilement. 이 얼룩은 잘 지워진다. ② (사람이 지나가도록) 비켜서다, 자리를 양보하다 : *s'~* pour laisser passer qn 지나가도록 옆으로 비켜 주다 / *s'~* devant qn …에게 상석을 양보하다.
effaceur [efasœ:ʀ] *m.* 잉크 지우는 수성펜. ── *adj. m.* ruban ~ (타자기의) 수정 리본.
***effarant, e** [efaʀɑ̃, -ɑ̃:t] *adj.* 놀랄 만한(=effrayant), 어처구니없는 : prix ~ 터무니없는 가격 / C'est ~ ! 어처구니가 없군 !
effaré, e [efaʀe] *adj.* 깜짝 놀란, 얼이 빠진 : regard ~ 겁에 질린 눈.
effarement [efaʀmɑ̃] *m.* 질겁함, 당황함, 깜짝 놀람.
effarer [efaʀe] *v.t.* ① 놀라게〔질겁하게〕 하다 (=effrayer, affoler) : Cette nouvelle *a effaré* les auditeurs. 이 뉴스는 청취자를 놀라게 했다. ② 당황하게 하다 : Sa naïveté m'*effare*. 그녀의 순진함이 나를 당황하게 한다.

effarouché, e [efaʀuʃe] *adj.* 겁이 난, 질겁한.

effarouchement [efaʀuʃmɑ̃] *m.* 질겁하게 하기; 질겁한 태도.

effaroucher [efaʀuʃe] *v.t.* ① (동물을) 놀라게 하다: Le moindre bruit *effarouche* les poissons. 작은 소리에도 물고기들은 놀라서 달아난다. ② (사람을) 겁먹게〔질겁하게〕 하다: Ces prix *effaroucheront* les clients. 이런 가격으로는 손님들을 끌지 못할 것이다.
— **s'~** *v.pr.* 겁내다, 질겁하다: *s'~* que+*sub.*; *s'~* de ce que+*ind.* 〔*sub.*〕 …에 놀라다, 당황하다 / Il *s'effarouche de* nos projets. 그는 우리 계획에 발빼을 한다.

E

effectif, ive [efɛktif, -iːv] *adj.* ① 실제의, 사실상의: prêter une aide *~ive* 실제적인 도움을 주다 / autorité *~ive* 실권. ② 실효있는, 유효한: L'armistice est devenu ~ depuis ce matin. 휴전은 오늘 아침부터 발효되었다. — *m.* ① (*pl.*) 병원(兵員). ② (집단의) 실제 인원; 정원: ~ d'une classe 한 학급의 인원.

***effectivement** [efɛktivmɑ̃] *adv.* ① 사실상, 실제로(=réellement): C'est ~ arrivé. 그것은 실제로 일어난 일이다. ② 확실히, 분명히; 과연: Le problème est ~ complexe. 확실히 그 문제는 복잡하다.

***effectuer** [efɛktɥe] *v.t.* 실행〔실현〕하다(=exécuter, réaliser); (약속 따위를) 이행하다: L'armée *a effectué* un repli stratégique. 군대는 전략상 후퇴를 했다. — **s'~** *v. pr.* 실행〔실현·이행〕되다: Ce plan ne tardera pas à *s'~*. 이 계획은 곧 실행될 것이다.

efféminé, e [efemine] *adj.* 여자 같은, 나약한(≠ viril); 야들야들한: manières *~es* 여자 같은 태도. — *n.* 나약한 사람.

efféminer [efemine] *v.t.* 여자같이 만들다, 나약하게 하다(=amollir).

effervescence** [efɛʀvesɑ̃ːs] *f.* ① 비등(沸騰), 끓음. ② 격앙; 동요; 흥분: ~ populaire 여론의 비등; 민중의 소란. ***en ~ 흥분하고 있는, 흥분의 도가니를 이룬: mettre la ville *en* ~ 온 도시 사람들을 흥분의 도가니로 몰아넣다. ***faire*** 〔***entrer en***〕 ~ (액체가) 끓다.

effervescent, e [efɛʀvesɑ̃, -ɑ̃ːt] *adj.* ① 비등하고 있는, 끓고 있는. ② 흥분한, 열광한: foule *~e* 흥분한 군중.

⁑**effet** [efɛ] *m.* ① 결과(=résultat; ≠ cause); 효과; 효력; 작용: rapport de cause à ~ 인과 관계 / ~ du hasard 우연의 결과 / ~ salutaire du remède 약효 / Il n'y a pas d'~ sans cause. 원인 없는 결과란 없다. ② 실행, 실현(=exécution, réalisation): J'attends l'~ de ses promesses. 나는 그가 약속을 이행하기를 기다리고 있다. ③ 감명, 인상(=impression): faire bon 〔mauvais〕 ~ sur qn …에 좋은〔나쁜〕 인상을 주다. ④ (당구·테니스공 따위에 가하는) 회전: donner de l'~ à une balle de tennis 테니스공에 회전을 걸다. ⑤ 〖경제〗 어음, 유가 증권: ~ de commerce 상업 어음 / *~s* publics 공채. ⑥ (예술상의) 효과; (*pl.*) 효과를 노리는 태도; 과시: ~ comique 희극적 효과 / faire des *~s* de jambes 〔d'érudition〕 다리를〔박식함을〕 과시하다. ⑦ (*pl.*) ⓐ (소유물로서의) 의류, 옷가지. ⓑ 〖민법〗 효력; 재산(=biens): *~s* (mobiles) 동산. ***à cet ~*** 그러기 위하여. ***à ~*** 《형용사적》 효과를 노린, 선멋 부린(=prétentieux). ***à l'~ de*** …의 목적으로, …하려고. ***avoir pour ~ de***+*inf.* 〔***que***+*ind.*〕 …하는〔라는〕 결과가 되다: Sa décision *a eu pour* ~ *d'*aggraver les choses. 그의 결정은 사태를 악화시키는 결과를 가져왔다. ***biens et ~s*** 가구 가재 등 동산 일체. ***en ~*** ⓐ 실제로, 사실. ⓑ 정말로, 확실히: Cette voiture me plaît beaucoup, *en* ~, elle est rapide et comfortable. 이 차는 내 마음에 꼭 든다. 정말로 빠르고 안전하거든. ⓒ 왜냐하면 …이니까. ***faire ~; faire de l'~*** 〔***son ~***〕 인상적이다, 눈에 띄다; 효력이 있다. ***faire l'~ de*** qc 〔+*inf.*〕 …같은〔하는〕 인상을 주다, …같이 보이다: Cette robe me *fait l'~ d'*être trop longue. 이 드레스는 내게 너무 긴 것 같다. ***prendre ~*** (법률 따위가) 효력을 발생하다. ***sous l'~ de*** la colère 〔***de*** la menace〕 화가 나서〔협박을 받아서〕.

effeuillage [efœjaːʒ] *m.* 잎〔꽃잎〕을 군데군데 뜯어버리기.

effeuiller [efœje] *v.t.* …의 잎〔꽃잎〕을 뜯다〔따다〕: ~ la marguerite 연애점을 치다 / Le temps *effeuille* les espérances. 때가 지남에 따라 희망이 하나씩 사라져 간다.
— **s'~** *v.pr.* 잎〔꽃잎〕이 떨어지다.

***efficace** [efikas] *adj.* ① 효력 있는, 효과적인, 유효한, 효율적인: traitement ~ du 〔pour le〕 rhumatisme 류머티즘에 효험 있는 치료 / moyen ~ 효과적인 수단. ② (사람이) 유능한: secrétaire ~ 유능한 비서.

efficacement [efikasmɑ̃] *adv.* 유효하게, 효과적으로.

efficacité [efikasite] *f.* 유효성, 효력, 효능, 효과; 효율, 능률: ~ d'un remède 약의 효력〔효험〕 / ~ des instruments 도구의 효율.

efficience [efisjɑ̃ːs] *f.* 능률, 효율, 효능.

efficient, e [efisjɑ̃, -ɑ̃ːt] *adj.* 결과를 낳는; 능률적인; 유능한.

effigie [efiʒi] *f.* (화폐 따위에 새겨진) 초상(=portrait); (조각·그림 따위의) 인물상: monnaie (frappée) à l'~ de la Reine Victoria 빅토리아 여왕의 두상(頭像)을 새긴 화폐. ***brûler*** 〔***prendre***〕 qn ***en ~*** (증오감을 나타내려고) …의 허수아비를 화형(火刑)하다.

effilé, e [efile] *adj.* ① 호리호리한; 끝이 뾰족한; 〖자동차〗 유선형의: lame *~e* 끝이 뾰족한 칼 / doigts *~s* 날씬한 손가락. ② 〖직물〗 (피륙의) 가장자리가 풀린, 술이 달린.
— *m.* 〖직물〗 (피륙의) 가장자리의 술 장식.

effiler [efile] *v.t.* ① (피륙의) 실을 풀다. ② ⓐ …의 끝을 뾰족하게 하다: ~ sa moustache 코밑수염을 매만져 끝을 뾰족하게 하다. ⓑ ~ les cheveux de qn …의 머리털 끝을 면도칼로 가늘게 치다.

effilocher [efilɔʃe] *v.t.* ① 피륙 따위의 올을 풀다. ② 〖제지〗 (원료용 넝마를) 풀다.
— **s'~** *v.pr.* 풀리다; 너덜너덜해지다.

effilocheur, euse [efilɔʃœːʀ, -øːz] *n.* 넝마 푸는 사람. — *f.* 넝마 푸는 기계.

effilochure [efilɔʃyːʀ] *f.* 실밥, 실 부스러기.

efflanqué, e [eflɑ̃ke] *adj.* 매우 여윈, 말라

빠진; 원기 없는.
effleurage [eflœʀa:ʒ] *m.* ① (가죽을) 다듬기. ② (피부의) 가벼운 마사지.
effleurement [eflœʀmɑ̃] *m.* 가볍게 대기 〔애무하기〕(= frôlement).
effleurer [eflœʀe] *v.t.* ① 가볍게 스치다(= frôler); 스쳐 지나가다; (문제 따위를) 약간 언급하다: les hirondelles qui *effleurent* l'étang 연못을 스치며 나는 제비들. ② …에 가벼운 상처를 입히다(= égratigner). ③ 《비유》 (생각을) 떠올리다: Cette pensée ne m'*a* jamais *effleuré*. 나는 꿈에도 그런 생각은 한 일이 없다.
efflorescence [eflɔʀesɑ̃:s] *f.* ① 〖식물〗 개화, 꽃피기 시작함. ② (예술 등의) 개화(기); ~ de l'art romantique 낭만주의 예술의 개화.
efflorescent, e [eflɔʀesɑ̃, -ɑ̃:t] *adj.* 〖식물〗 꽃피기 시작한; (예술 따위가) 개화하는.
effluent, e [eflyɑ̃, -ɑ̃:t] *adj.* 발산하는; 유출하는(≠ affluent). ── *m.* ① 하수; 폐수; 배출물; 폐기물: ~ urbain 도시 하수 / ~*s* radio-actifs 방사성 폐기물. ② 〖지리〗 (호수·빙하 따위에서 흘러나오는) 물의 흐름.
effluve [efly:v] *m.* ① (유기체가 발산하는) 향기, 냄새. ② 발산(= émanation); 영기(靈氣): ~*s* de la passion 정열의 발산. ③ 〖전기〗 망광 방전(芒光放電): ~ électrique 희미한 빛을 내는 방전.
effondré, e [efɔ̃dʀe] *adj.* ① 무너진, 붕괴된. ② (슬픔으로) 실의에 빠진, 몹시 낙담한: ~ dans la douleur 슬픔에 잠긴.
effondrement [efɔ̃dʀəmɑ̃] *m.* ① 무너짐, 붕괴; 와해: ~ du toit 지붕의 붕괴. ② 폭락: ~ des cours (시세의) 폭락. ③ 의기소침, 낙담.
effondrer [efɔ̃dʀe] *v.t.* ① 무너뜨리다, 붕괴〔와해〕시키다. ② (땅을) 깊이 파헤치다; (통 따위의) 밑을 뽑다. ── **s'~** *v.pr.* ① 무너지다, 붕괴〔와해〕하다(= s'écrouler); 폭락하다: La voûte va *s'~*. 천장이 무너지려 한다 / Les prix *se sont effondrés*. 물가가 폭락했다. ② (사람이) 털썩 쓰러지다; 갑자기 풀이〔기가〕 꺾이다: *s'~* dans un fauteuil 안락의자에 털썩 주저앉다.
efforcer (s')** [sefɔʀse] [2] *v.pr.* ① 《s'~ de 〔《옛》 à〕+ *inf.*》 …하려고 애쓰다〔노력하다〕, 전력을 다하다: *Efforcez-vous* de plaire à tout le monde. 누구에게나 마음에 들도록 노력하시오. ② 《보어 없이》 노력을 하다; 자제하다, 참다: *Efforcez-vous,* ne criez pas si fort! 참으세요, 그렇게 큰 소리를 지르지 말고요. ***s'~ pour + *inf.* 애써 …하려고 하다. ***s'~ que*** 〔***à ce que***〕+ *sub.* …하도록 애쓰다.
effort** [efɔ:ʀ] *m.* ① 노력, 수고: ~ physique 〔intellectuel〕 육체적 ~ 〔지적〕 노력 / faire des ~*s* 노력하다 / ouvrage laborieux qui sent l'~ 노력한 흔적이 보이는 노작. ② 역작(力作). ③ ⓐ (바람·물 따위의) 힘. ⓑ 〖기계〗 응력(應力): indicateur d'~ 〖기계〗 응력계. ④ 〖의학〗 염좌(捻挫)(= entorse); 근육통; 《구어》 탈장(= hernie): se donner 〔attraper〕 un ~ 《구어》 (힘을 너무 쓴 나머지) 탈장에 걸리다. ***faire des ~s de mémoire 기억해 내려고 몹시 애를 쓰다. ***faire tous ses ~s pour*** …을 위해 전력을 다하다. ***faire un ~ sur soi*** 〔***soi-même***〕; ***se faire ~*** 억제하다.
effraction [efʀaksjɔ̃] *f.* 〖법률〗 불법 침입: vol avec ~ 침입 강도.
effraie [efʀɛ] *f.* 〖조류〗 올빼미의 일종.
effranger [efʀɑ̃ʒe] [3] *v.t.* (피륙의) 가장자리를 풀어서 술로 만들다. ── **s'~** *v.pr.* 가장자리가 풀려서 술이 되다.
***effrayant, e** [efʀɛjɑ̃, -ɑ̃:t] *adj.* ① 무서운, 무시무시한, 소름이 끼치는(= terrifiant): bruits ~*s* 소름끼치는 소음. ② 《구어》 어마어마한, 굉장한(= formidable): prix ~ 어마어마한 가격 / Il fait une chaleur ~*e*. 굉장히 덥다.
effrayé, e [efʀɛ(e)je] *adj.* 겁먹은, 놀란, 당황한(= affolé).
effrayer** [efʀɛje] [8] *v.t.* ① 놀라게〔겁나게·질겁하게〕 하다, …의 간담을 서늘하게 하다(= épouvanter, terrifier): Le moindre bruit l'*effraie*. 작은 소리에도 그는 겁먹는다. ② 불안하게 하다; 질리게 하다, …의 기를 꺾다(= décourager): Le prix de ce voyage m'*effraie* un peu. 나는 그 여행 경비가 조금 걱정된다. ── **s'~** *v.pr.* ① 겁을 내다, 질겁하다. ② 질리다, 기가 죽다. ***s' ~ de qn 〔qc〕 …을 무서워하다. ***s'~ que*** + *sub.*; ***s'~ de ce que*** + *ind.* 〔*sub.*〕 …에 겁이 나다 〔가슴이 서늘해지다〕.
effréné, e [efʀene] *adj.* ① 재갈을 물리지 않은: cheval ~ (문장(紋章)에서) 재갈을 물리지 않은 말. ② 억제되지 않는; 광적인: désirs ~*s* 억제할 수 없는 욕망 / course ~*e* 광적인 질주.
effritement [efʀitmɑ̃] *m.* ① (토지를) 메마르게 하기; (암석의) 풍화 (작용). ② 《비유》 감소; 쇠약.
effriter [efʀite] *v.t.* ① 부스러뜨리다, 잘게 부수다: roches *effritées* 풍화된 암석. ② 〖농업〗 (토지를) 척박하게 만들다, 메마르게 하다(= rendre stérile). ── **s'~** *v.pr.* ① (암석이) 풍화하다; 부스러지다; (재산 따위가) 줄어들다. ② (정당 따위가) 분열하다, 쇠퇴하다: L'opposition *s'est effritée*. 야당의 세력이 줄어들었다.
effroi [efʀwa(ɑ)] *m.* 《문어》 (심한) 두려움, 공포: être saisi d'~ 공포에 사로잡히다 / yeux pleins d'~ 공포로 가득 찬 눈.
***effronté, e** [efʀɔ̃te] *adj.* et *n.* 뻔뻔스러운 (사람), 파렴치한 (사람), 방약무인한 (사람).
effrontément [efʀɔ̃temɑ̃] *adv.* 뻔뻔스럽게, 파렴치하게, 방약무인하게.
effronterie [efʀɔ̃tʀi] *f.* 뻔뻔스러움, 방약무인: payer d'~ 뻔뻔스럽게 강행하다.
***effroyable** [efʀwajabl] *adj.* ① 무시무시한, 끔찍한, 몸서리나는: ~ massacre 끔찍한 학살. ② 《구어》 엄청난, 굉장한: gâchis ~ 엄청난 혼란.
effroyablement [efʀwajabləmɑ̃] *adv.* 무시무시하게; 《구어》 지독히.
effusion [efyzjɔ̃] *f.* ① 흘러나오기, 유출: ~ de sang 유혈, 출혈. ② 심정의 토로〔발로〕; 감동, 감격. ***avec ~*** 진심을 토로하여. ***dans l'~ de sa joie*** 기쁨에 정신을 잃고.
égailler (s') [segɑje] *v.pr.* (새 따위가) 사방으로 흩어지다〔날다〕.
***égal, e, aux** [egal, -o] *adj.* ① ⓐ 같은, 동등한: partager qc en deux parties ~*es* …을

2등분하다 / Trois plus deux est ~ à cinq. 3더하기 2는 5이다. ⓑ 대등한, 평등한 : Les citoyens sont *egaux* devant la loi. 시민은 법 앞에서 평등하다. ② 한결같은, 고른 ; 평탄한 : climat ~ 언제나 변함없는 기후 / terrain ~ 평탄한 지면. ③ 상관없는, 아무래도 좋은(= indifférent) : Tout m'est ~. 어떻게 되든 나에겐 상관없다 / 《~ à qn de+*inf.*》 《비인칭》 Il lui était parfaitement ~ *d'*être ici ou là. 여기든 저기든 그에게는 전혀 상관없었다. ***Cela* 〔*Ça*〕 *m'est* 〔*lui est*〕 (*bien*) ~.** 나에겐〔그에겐〕 상관없다〔아무래도 좋다〕. ***c'est* ~** 어쨌든, 하여튼, 그래도 : Mais *c'est* ~, je pars demain. 하지만 어쨌든 나는 내일 떠나겠소. ***Il est toujours ~ à lui-même.*** 그이는 항상 변함이 없다. ***si cela vous est ~*** 상관없으시다면. ***toutes choses ~es* (*d'ailleurs*)** 다른 조건이 모두 같다면. — *n.* ① 동등한 사람, 동료 ; 동등한 것 : La femme est l'~*e* de l'homme. 여자는 남자와 동등하다. ② (*pl.*) 같은 신분의 사람들. ***être l' ~ de*** qn …와 대등하다. ***d'~*(*e*) *que*+**'명사' …외에는 비길 만한 것이 없다, …와 똑같이 상당하다 : Sa beauté *n'a d'~*(*e*) *que* son orgueil. 그녀는 미모도 그렇지만 오만함도 상당하다. ***n'avoir point d'~*** 필적하는 사람이 없다. ***sans ~*** 비길 데 없는. — *m.* 동등. ***à l'~*** 《옛》 동등하게. ***à l'~ de*** …와 동등하게. ***d'~ à~*** 〔《옛》 ***d'~***〕 대등하게, 대등한 입장에서.

égalable [egalabl] *adj.* 《~ à》 …에 비길〔필적할〕 수 있는.

***également** [egalmɑ̃] *adv.* ① 같게, 동등〔균등・평등〕하게 : Il traite ~ ses élèves. 그는 학생들을 평등하게 다룬다. ② 마찬가지로, 또한(= aussi), 역시 ; 그뿐더러 : J'irai ~. 나도 가야겠다.

***égaler** [egale] *v.t.* ① 같게 하다, 동등하게 하다 : Deux plus trois *égalent* cinq. 2 더하기 3은 5이다. ② …와 대등하다 ; …에 필적하다 : ~ qn en qc …에 있어서 …에 필적하다 / Rien n'*égale* sa beauté. 그녀의 아름다움에 필적할 만한 것은 아무것도 없다 / 《~ qn en qc》 Personne ne peut l'~ *en* intelligence. 지능에 있어 그에 필적할 만한 사람은 아무도 없다 / ~ un record 타이 기록을 내다. — **s'~** *v.pr.* ① 같아지다, 동등〔평등〕하게 되다. ② 《s'~ à》 …에 필적하다.

égalisateur, trice [egalizatœːʀ, -tʀis] *adj.* 같게〔평등하게〕 하는 : but ~ 동점 골.

égalisation [egalizɑsjɔ̃] *f.* ① 같게 하기 ; 평등화, 균등화 : ~ matérielle 물질적 평등화. ② 평평하게〔고르게〕 하기 : ~ d'un terrain 지면을 고르게 하기. ③ 〖스포츠〗 동점, 무승부 : obtenir l'~ 동점을 이루다.

égaliser [egalize] *v.t.* ① 같게 하다 ; 평등〔균등〕하게 하다 : ~ les cheveux 머리털을 가지런하게 자르다 / ~ les revenus 수입을 균등화하다. ② (땅 따위를) 고르게〔평평하게〕 하다 : ~ un terrain 토지를 고르게 하다. — *v.i.* 〖스포츠〗 동점이 되다. — **s'~** *v.pr.* ① 같아지다. ② 고르게〔평평하게〕 되다.

égalitaire [egalitɛːʀ] *adj.* 평등주의의. — *n.* 평등주의자.

égalitarisme [egalitaʀism] *m.* 평등주의.

égalité** [egalite] *f.* ① 같음, 동등 ; 평등 ; 동점 : rapport d'~ 동등 관계 / ~ des droits 〔chances〕 권리〔기회〕의 평등〔균등〕. ② 평탄 ; 불변, 한결같음 : ~ du pouls 규칙적인 맥박 / ~ d'humeur 《비유》 한결같은 기질. ***à ~ 동등한 조건〔입장〕으로. ***à ~ de*** …이 동등한 ; …이 같으면 : *À ~ de* prix, cette marchandise est préférable. 값이 같다면, 이 상품이 좋겠다. ***à ~* (*de points*)** 〖스포츠〗 동점의. ***être sur un pied d'~ avec*** qn …와 대등한 입장에 있다.

égard** [egaːʀ] *m.* ① 고려 ; 참작(= considération). ② 존경 ; 경의 ; (*pl.*) 존경〔경의〕의 표시 : témoigner à 〔pour〕 qn beaucoup d'~*s* …에게 심심한 경의를 표하다. ③ 《옛》 관점, 견지, 시각. ***à aucun ~ 어떤 점에서나. ***à certains ~s*** 어떤〔몇 가지〕 점에 대해서는 ; 어떤 의미에서는. ***à cet ~*** 그 점에 관해서. ***à l'~ de*** …에 대하여, …에 관하여 : *à l'~ de* cette affaire 이 건에 관해서는. ***à tous* (*les*) *~s*** 모든 점에서. ***avoir ~ à*** qc 어떤 일을 고려해 넣다, 참작하다 : *avoir ~ aux* circonstances 사정을 참작하다. ***eu ~ à*** …을 고려〔참작〕하여 : *Eu ~ à* son grand âge, on a adouci sa peine. 고령인 점을 감안하여 그의 형량을 낮추었다. ***par* 〔*sans*〕 *~ pour*** …을 고려하여〔고려하지 않고〕 : Ils l'ont condamnée *sans ~ pour* ses explications. 그들은 그의 설명을 고려하지 않고 그를 비난했다. ***témoigner de grands ~s à*** qn …에게 깊은 경의를 표하다.

égaré, e [egaʀe] *adj.* ① 길 잃은; 방황하는 ; 정도(正道)에서 벗어난 : brebis ~ 〖성서〗 길 잃은 양. ② 미친 듯한, 정신 나간 : avoir un air ~ 얼빠진 모습을 하고 있다.

égarement [egaʀmɑ̃] *m.* ① 미망(迷妄), 방황 ; 잘못, 과오, 실수. ② 《문어》 정신 착란(= ~ d'esprit) ; (표현의) 거칢. ③ 분실 ; (편지 따위의) 불착.

***égarer** [egaʀe] *v.t.* ① (길을) 잃게 하다, 헤매게 하다 ; 정도를 벗어나게 하다 : ~ les esprits 사람들을 올바른 길에서 벗어나게 하다, 탈선하게 하다. ② (정신・생각 따위를) 혼란〔혼미〕하게 하다 : L'amour *égare* la raison. 사랑은 이성을 혼란시킨다. ③ 잃다, 분실하다 : ~ ses papiers 신분증명서를 분실하다. — **s'~** *v.pr.* ① 길을 잃다 ; 방황하다 ; 빗나가다 : *s'~* dans la forêt 숲속에서 길을 잃다 / *s'~* dans sa conduite 그릇된 행동을 하다. ② (정신이) 착란하다, (머리가) 돌다, 혼란해지다(= être dérangé). ③ 분실되다 : La lettre a dû *s'~*. 편지는 분실된 것 같다. ④ (토론의 주제가) 빗나가다, 올바른 방향에서 벗어나다 ; (투표의 표가) 분산되다 : voix 〔votes〕 qui *s'égarent* 산표.

égayer [egɛje] 8 *v.t.* ① 명랑하게〔즐겁게・흥겹게〕 하다(= réjouir) : ~ une réunion 모임을 흥겹게 하다. ② 《~ qc》 …의 분위기를 즐겁게〔명랑하게〕 하다 ; (방・이야기 따위를) 화려하게〔재미있게〕 꾸미다 ; (고통・슬픔 따위를) 달래다 : ~ chagrin de qn …의 슬픔을 위로하다 / ~ son style 문장을 화려하게 꾸미다. — **s'~** *v.pr.* 명랑해〔즐거워〕지다, 들뜨다. ***s'~ à*+*inf.*** …을 하면서 즐기다〔놀다〕 : Je *me suis égayé à* voir ce spectacle.

나는 그 광경을 보며 즐겁게 보냈다.
Égée [eʒe] *n.pr.m.* 〖그리스신화〗 아이게우스 《아테네의 왕》. ── *adj.* 〖지리〗 la Mer ~ 〖지리〗 에게해(海).
égérie [eʒeʀi] *f.* (특히 정치가·예술가의) 여자 조언가(= conseillère).
égide [eʒid] *f.* ① 〖그리스신화〗 *Zeus*와 *Athéna*의 방패. ② 《구어》 보호. ***sous l'~ de*** qn 〔qc〕 …의 보호 아래, …에게 지켜져 : prendre qn *sous son* ~ …을 보호하다.
églantier [eglɑ̃tje] *m.* 〖식물〗 들장미, 찔레나무.
églantine [eglɑ̃tin] *f.* 〖식물〗 들장미꽃, 찔레꽃.
églefin [egləfɛ̃] *m.* = aiglefin.
⁑église [egli:z] *f.* ① (*É*~) ⓐ (기독교도의 집합체로서의) 교회 : ~ primitive 원시〔초대〕 그리스도 교회 / ~ catholique 〔protestante〕 가톨릭〔신교〕 교회. ⓑ 《집합적》 기독교도. ⓒ 성직자 (전체)(= clergé) ; 성직(= clergie) : homme d'*É*~ 성직자. ② 성당, 교회, 교회당 : aller à l'~ 교회에 가다. ***É~ catholique romaine*** 로마 가톨릭 교회. ***entrer dans l'É~*** 성직자가 되다.
églogue [eglɔg] *f.* 목가(牧歌).
égo [ego] 《라틴》 *m.* 〖철학·심리〗 자아(自我).
égocentrique [egɔsɑ̃tʀik] *adj.* 자기 중심의, 자기 본위의.
égocentrisme [egɔsɑ̃tʀism] *m.* 자기 중심주의, 자기 본위주의.
égohine, égoïne [egɔin] *f.* 회전 톱.
égoïsme [egɔism] *m.* 이기주의, 자기 본위, 자기 중심(≠ altruisme) : ~ de classe 계급적 이기주의 / être sans ~ 이기적이 아니다.
***égoïste** [egɔist] *adj.* 이기주의의(≠ altruiste) ; 이기적인, 자기 중심의. ── *n.* 이기주의자, 에고이스트 ; 자기 본위자 : agir en ~ 이기적으로 행동하다.
égoïstement [egɔistəmɑ̃] *adv.* 이기(주의)적으로, 자기 본위로.
égorger [egɔʀʒe] [3] *v.t.* ① (돼지·양 따위의) 목을 따다 ; 도살하다. ② 참살하다 ; 죽이다, 학살하다. ③ 《구어》 괴롭히다 ; 파산시키다 ; (손님에게서) 돈을 뜯어내다〔우려먹다〕 (= écorcher) : ~ ses clients 고객에게 바가지를 씌우다.
égorgeur, euse [egɔʀʒœ:ʀ, -ø:z] *n.* 도살자, 살육자 ; 폭리를 취하는 상인.
égosiller (s') [segozije] *v.pr.* ① (고함 따위로) 목이 쉬다. ② (새가) 길게 지저귀다.
égotisme [egɔtism] *m.* 〖문학〗 ① 자아주의 《자기 성찰과 분석을 중시하는 태도》. ② 자기 숭배 ; 자기 도취(= narcissisme).
égotiste [egɔtist] *adj.* 자아주의의 ; 자기 도취의. ── *n.* 자아주의자 ; 자기 도취자.
égout [egu] *m.* 하수구, 배수거(渠), 하수도 : bouche d'~ 하수구 / tuyau d'~ 하수관.
égoutier [egutje] *m.* 하수도의 청소부.
égouttage [eguta:ʒ] *m.* 물기를 빼기, 배수.
égouttement [egutmɑ̃] *m.* ① = égouttage. ② (물·피의) 떨어지는 방울.
égoutter [egute] *v.t.* …의 물기를 빼다, 배수하다 : ~ des terres 땅의 물을 빼다.
── **s'**~ *v.pr.* 물이〔물기가〕 빠지다 ; (물이) 한 방울씩 떨어지다〔듣다〕.
égouttoir [egutwa:ʀ] *m.* ① (치즈의) 물기 빼는 기구. ② 순갈〔국자〕걸이. ③ 접시 세우개 ; 병꽂이《병을 거꾸로 꽂아 놓는 기구》.
égrapper [egʀape] *v.t.* (포도 따위의 송이에서) 열매를 따다. ── **s'**~ *v.pr.* (열매가 송이에서) 저절로 떨어지다.
égratigner [egʀatiɲe] *v.t.* ① 긁다, 할퀴다(= érafler, griffer) ; …에 생채기를 내다 : Le chat l'*a égratigné* avec ses griffes. 고양이가 발톱으로 그를 할퀴었다. ② (부딪쳐서 가구 따위에) 흠을 내다 ; (밭을) 얕게 갈다 : ~ le sol 땅을 얕게 갈다. ③ (사람을) 깎아내리다, 헐뜯다. ── **s'**~ *v.pr.* ① 자신을 할퀴다. ② 서로 할퀴다〔깎아내리다〕.
égratignure [egʀatiɲy:ʀ] *f.* ① 할퀸〔긁힌〕 상처. ② 자존심의 상처, 모욕.
égrènement [egʀɛnmɑ̃] *m.* ① (이삭·꼬투리에서) 낟알을 털기, 탈곡. ② (염주를) 돌려세기. ③ ~ de lumières 점점이 이어진 등불.
égrener [egʀəne] [4] *v.t.* ① (이삭·깍지에서) 탈곡하다 ; (송이에서) 열매를 따다 ; (목화의) 씨를 뽑다 : ~ du blé 밀을 탈곡하다 / ~ du raisain 포도송이에서 포도를 따다. ② (명확하게) 하나씩 제시하다〔소리를 내다〕 : L'horloge *égrène* ses heures. 시계가 시각을 알리는 종을 친다. ***~ un chapelet*** 묵주알을 돌리면서 기도하다, 묵주 신공(神功)하다. ***~ un chapelet d'injures*** 《구어》 연달아 욕설을 퍼붓다.
── **s'**~ *v.pr.* ① (열매·낟알이) 이삭〔송이〕에서 떨어지다. ② (식물이) 씨〔열매〕를 떨어뜨리다. ③ 잇달아 나타나다〔죽어가다〕.
égrillard, e [egʀija:ʀ, -aʀd] *adj.* 음탕한, 상스러운 : sourire ~ 음탕한 미소.
égruger [egʀyʒe] [3] *v.t.* (설탕·소금 따위를) 찧다, 빻다(= broyer).
Égypte [eʒipt] *n.pr.f.* 〖지리〗 이집트.
égyptien, enne [eʒipsjɛ̃, -ɛn] *adj.* 이집트의. ── **É**~ *n.* 이집트 사람. ── *m.* (고대) 이집트어(語).
égyptologie [eʒiptɔlɔʒi] *f.* 이집트학.
égyptologue [eʒiptɔlɔg] *n.* 이집트 학자.
eh** [e] *interj.* ① 《경악·경탄·곤혹·기쁨·슬픔 따위를 나타내어》 저런, 허어, 아이구 : *Eh!* que c'est beau! 허어 참 멋진데! ② 《의문문을 유도》 *Eh!* qu'avez-vous encore à dire? 그래, 또 무슨 할 말이 있습니까? ③ 《남의 주의를 환기할 때》 *Eh!* docteur, docteur. 저어, 선생님, 선생님. ④ 《격려·위로》 *Eh!* restez calme! 자 그만, 진정하시오! ⑤ 《강조》 *Eh!* je le sais bien. 예, 그건 나도 잘 압니다. ***Eh bien **[ben]** ***!*** 《놀라움·분개·결심·설명·촉구 따위를 나타내어》 아니, 그렇다면, 자 : *Eh bien!* quelle histoire! 아참, 그 무슨 끔찍한 일이람. ***Eh donc!*** 《격려》 *Eh donc!* courage. 자, 힘을 내시오. ***Eh quoi!*** 《경악·분노》 뭐라고!
éhonté, e [eɔ̃te] *adj.* et *n.* 파렴치한 (사람).
eider [ɛ(j)dɛ:ʀ] *m.* 털오리《북극 지방산》.
éjaculation [eʒakylɑsjɔ̃] *f.* (액체의) 사출(射出) ; 〖생리〗 사정(射精) : ~ précoce 조루.
éjaculer [eʒakyle] *v.t.* 내뿜다, (액체를) 사출(射出)하다. ── *v.i.* 사정(射精)하다.
éjectable [eʒɛktabl] *adj.* 사출〔배출〕할 수 있는. ***siège*** ~ 〖항공〗 방출 좌석《유사시에 탑승자를 밖으로 방출하는 좌석》.

E

éjecter [eʒɛkte] *v.t.* ① (물・증기를) 배출〔방출〕하다. ② 《구어》 내쫓다 : Il s'est fait ~ de la classe. 그는 교실에서 내쫓겼다.

éjecteur [eʒɛktœːʀ] *m.* ① 방사기(放射器) ; 배기관(排氣管). ② (소총의) 탄피 제거 장치. — *adj.* 방출하는, 배출하는.

éjection [eʒɛksjɔ̃] *f.* ① 방사, 배출, 분출 ; 〖생리〗 배설 : ~*s* volcaniques 화산 분화물. ② 《구어》 추방, 축출.

élaboration [elabɔʀɑsjɔ̃] *f.* ① (정성 들여) 제작〔작성〕하기 ; 치밀한 구상 : ~ d'un projet 계획의 치밀한 구상. ② 〖생리〗 동화, 소화(= assimilation).

***élaborer** [elabɔʀe] *v.t.* ① 〔공들여〕 제작〔작성〕하다 ; 치밀하게 구상하다 : ~ un ouvrage 작품을 공들여 만들다. ② 〖생리〗 동화〔소화〕하다. — **s'~** *v.pr.* ① 제작〔구상〕되다. ② 동화〔소화〕되다.

élagage [elagaːʒ] *m.* (나무의) 가지치기 ; 쳐낸 「가지.

élaguer [elage] *v.t.* ① (나무의) 쓸모없는 가지를 치다, 전정(剪定)하다. ② (글 따위의) 쓸데없는 부분을 삭제하다.

élan¹** [elɑ̃] *m.* ① 도약, 약진, 비약 : prendre de l'~ 껑충껑충 뛰다. ② (감정 따위의) 폭발, 격발, 충동(= impulsion) ; 열정, 애정 : ~ de tendresse 폭발적인 애정 / parler avec ~ 열정적으로 말하다. ③ 기세, 속도 ; 돌진, 추진력. ***avancer par ~s 돌진하다, 비약적으로 나아가다. ***avec ~*** 열렬하게 ; 열심히. ***d'un seul ~*** 단숨에 (뛰어서). ***prendre son ~*** 뛰어오르다 ; (높이뛰기 선수 따위가) 뛰어오르려고 내달리다.

élan² *m.* 〖동물〗 고라니, 큰사슴《북미산》.

‡élancé, e [elɑ̃se] *adj.* (몸매가) 날씬한 : taille ~*e* 날씬한 몸매.

élancement [elɑ̃smɑ̃] *m.* ① (신・진리에 대한) 갈망, 동경. ② 통증, 격통(激痛).

***élancer** [elɑ̃se] [2] *v.t.* 《옛》 ① 힘껏 내던지다. ② 위를 향해 뻗치다 : La cathédrale *élançait* sa flèche. 대성당의 뾰족탑이 하늘 높이 우뚝 솟아 있었다. — *v.i.* 격통(激痛)을 느끼다, 쿡쿡 쑤시다 : La blessure *élance.* 상처가 욱신거린다. — **s'~** *v.pr.* ① 돌진하다, 내닫다(= se précipiter) : *s'~* au secours de qn …을 도우려고 내닫다 / *s'~* dans les bras de qn …의 품에 뛰어들다. ② (키가) 늘씬하게 자라다 ; (종각・나무 따위가) 우뚝 솟다 : Un groupe de tours *s'élancent* vers le ciel. 한 무리의 탑들이 하늘을 향해 우뚝 솟아 있다. ③ 솟아나오다, 분출하다 : La source *s'élançait* en bouillonnant. 샘물이 부글거리며 솟아나오고 있었다.

***élargir** [elaʀʒiːʀ] *v.t.* ① 넓히다 ; 넓어 보이게 하다 : ~ un orifice 관의 구멍을 넓히다 / ~ une rue de 3 mètres 도로 폭을 3 미터 확장하다. ② (지식 따위의) 폭을〔범위를〕 넓히다 ; 늘리다 ; 확대하다 : ~ un débat 토론의 폭을 넓히다 / ~ l'horizon 시야를 넓히다. ③ (규칙 따위를) 완화하다. ④ 석방하다 : ~ un prisonnier 죄수를 석방하다. — *v.i.* 《구어》 (어깨가) 넓어지다 ; 체격이 좋아지다 : Il *a élargi.* 그는 체격이 좋아졌다. — **s'~** *v.pr.* ① 넓어지다, 확대되다 : Sa face *s'élargit.* 그의 얼굴은 웃음으로 활짝 펴졌다. ② (규칙 따위가) 완화되다, 느슨해지다.

élargissement [elaʀʒismɑ̃] *m.* ① 확장 ; 증대, 확대 : travaux d'~ d'une voie 도로 확장 공사 / ~ d'un vêtement 옷을 늘이기. ② 〖법률〗 석방 : ~ d'un captif 포로 석방.

élasticité [elastisite] *f.* ① 탄력 ; 탄성 : limite 〔module〕 d'~ 탄성 한도〔률〕 / coefficient d'~ 탄성 계수. ② 신축성 ; 유연성 ; 순응〔적응〕성 ; 융통성 : ~ des muscles 근육의 유연성 / ~ d'une loi 법률의 융통성 / ~ de l'offre et de la demande 〖경제〗 수요와 공급의 탄력성.

élastique [elastik] *adj.* ① 탄력〔신축성〕 있는, 탄성이 풍부한 ; 탄성 고무의 : Le caoutchou est ~. 고무는 탄성이 풍부하다. ② 유연한 ; 융통성 있는(≠ flexible) : esprit ~ 유연한 정신 / règlement ~ 융통성 있는 규칙. ***mot ~*** 여러 뜻으로 해석되는 말. — *m.* 탄성 고무 ; 고무줄〔띠〕.

élastomère [elastɔmɛːʀ] *m.* 〖화학〗 (중합으로 얻은) 합성 고무.

eldorado [ɛldɔʀado] *m.* ① (*E~*) 황금의 나라《에스파냐 사람들이 남미에 있다고 상상한 나라》. ② 꿈의 나라, 낙원.

électeur, trice [elɛktœːʀ, -tʀis] *n.* 〖정치〗 선거인, 유권자 : inscription d'un ~ sur une liste électorale 선거인 명부에의 유권자 등록 / carte d'~ 선거인 카드.

électif, ive [elɛktif, -iːv] *adj.* 선거로 임명되는, 선거로 부여되는.

élection** [elɛksjɔ̃] *f.* ① ⓐ 선거 : ~ partielle 보궐 선거 / candidat à une ~ 입후보자 / se presenter aux ~*s* 선거에 입후보하다. ⓑ (*pl.*) ~*s* (législatives) 국민 의회〔국회〕 의원 선거 / jour des ~*s* 투표일, 선거일. ② 선정, 선택 : ~ de domicile 〖법률〗 주거지 선정 / partie d'~ 선택한 조국, 제 2 의 조국. ***annuler l'~ de qn …의 당선을 무효로 하다. ***vase d'~*** 선택된 그릇, 신의 선택을 받은 자.

électoral, e, aux [elɛktɔʀal, -o] *adj.* 선거의 ; 선거에 관한 : droit ~ 선거권 / liste ~*e* 선거인 명부 / loi ~*e* 선거법.

électorat [elɛktɔʀa] *m.* ① 선거권(의 행사). ② 《집합적》 선거민, 유권자.

***électricien, enne** [elɛktʀisjɛ̃, -ɛn] *n.* 전기 기사 ; 전기업자 ; 전기 제품 상인.

électricité** [elɛktʀisite] *f.* ① 전기, 전력 : installer l'~ dans une maison 집에 전기를 가설하다 / panne d'~ 정전. ② 전기 설비, 전등 : allumer 〔donner〕 l'~ 《구어》 전기를 켜다 / éteindre 〔couper〕 l'~ 《구어》 전기를 끄다. ***Il y a de l'~ dans l'air. 《구어》 (폭발할 정도로) 분위기가 가열했다. ***usine d'~*** 발전소.

électrification [elɛktʀifikɑsjɔ̃] *f.* ① 전기 공급, 배전. ② 전화(電化) : ~ des chemins de fer 철도의 전철화.

électrifié, e [elɛktʀifje] *adj.* 전력을 공급한 ; 전화(電化)된.

électrifier [elɛktʀifje] *v.t.* ① …에 전력을 공급하다, 배전하다 : ~ un village 마을에 배전하다. ② 전화(電化)하다 ; 〖철도〗 전철화하다 : ~ une ligne de chemin de fer 철도의 노선을 전철화하다.

***électrique** [elɛktʀik] *adj.* ① 전기의 ; 전기를 일으키는 ; 전기 장치의 : fil ~ 전선 / réseau de fils ~*s* 배선(망) / ampoule ~ 전구 / courant ~ 전류. ② 전격적인, 급속한.

électriquement [elɛktʀikmɑ̃] *adv.* 전기로, 전기 장치로 ; 《구어》 급속히.

électrisation [elɛktʀizɑsjɔ̃] *f.* ① 감전 ; 충전 ; 대전(帶電). ② 《구어》 감격 ; 열광.

électriser [elɛktʀize] *v.t.* ① 충전하다. ② 《구어》 흥분〔열광 · 감격〕시키다 : L'orateur *avait électrisé* son auditoire. 연사는 청중을 열광시켰다.

électro- *préf.* 「전기의, 전기에 관한」의 뜻.

électro-acoustique [elɛktʀɔakustik] *f.* 전기 음향악.

électro-aimant [elɛktʀɔɛmɑ̃] *m.* 전자석(電磁石).

électrocardiogramme [elɛktʀɔkaʀdjɔgʀam] *m.* 〖의학〗 심전도(心電圖).

électrochimie [elɛktʀɔʃimi] *f.* 전기 화학.

électro(-)choc [elɛktʀɔʃɔk] *m.* 〖의학〗 전기 충격 (요법).

électrocuter [elɛktʀɔkyte] *v.t.* 감전사시키다 ; 전기의자로 사형하다. ── **s'~** *v.pr.* 감전사하다.

électrocution [elɛktʀɔkysjɔ̃] *f.* 감전사 ; 전기의자 사형.

électrode [elɛktʀɔd] *f.* 〖전기〗 전극(電極).

électrodynamique [elɛktʀɔdinamik] *f.* 〖전기〗 전기 역학. ── *adj.* 전기 역학의.

électro-encéphalogramme [elɛktʀɔɑ̃sefalɔgʀam] *m.* 〖의학〗 뇌파, 뇌전도(腦電圖).

électrogène [elɛktʀɔʒɛn] *adj.* 〖전기〗 발전(發電)의.

électrolyse [elɛktʀɔli:z] *f.* 〖화학〗 전기 분해, 전해 ; 전해 반응

électrolyser [elɛktʀɔlize] *v.t.* 〖화학〗 전기분해하다.

électrolyte [elɛktʀɔlit] *m.* 〖화학〗 전해질(電解質) ; 전해질 용액.

électromagnétique [elɛktʀɔmaɲetik] *adj.* ① 전자기(電磁氣)의. ② 전자기학의.

électromagnétisme [elɛktʀɔmaɲetism] *m.* 전자기학.

électroménager, ère [elɛktʀɔmenaʒe, -ɛ:ʀ] *adj.* 가정 전기 제품의 : appareils ~*s* 가전제품. ── *m.* 가전제품 ; 가전제품 공업〔판매〕.

électrométallurgie [elɛktʀɔmetallyʀʒi] *f.* 전기 야금.

électromètre [elɛktʀɔmɛtʀ] *m.* 전위〔전압〕계.

électromoteur, trice [elɛktʀɔmɔtœ:ʀ, -tʀis] *adj.* 전동(電動)의 ; 전기를 일으키는. ── *m.* 전동기.

électron [elɛktʀɔ̃] *m.* 일렉트론, 전자(電子) : ~ négatif〔positif〕 음〔양〕전자.

électronicien, enne [elɛktʀɔnisjɛ̃, -ɛn] *n.* 전자 공학자 ; 전자 기술자.

***électronique** [elɛktʀɔnik] *adj.* 전자의 : microscope ~ 전자 현미경 / musique ~전자 음악. ── *f.* 전자 공학.

électronucléaire [elɛktʀɔnykleɛ:ʀ] *adj.* 원자력 발전의 : centrale ~ 원자력 발전소.

électrophone [elɛktʀɔfɔn] *m.* ① (전자석에 의한) 증음(增音) 수화기. ② 전축.

électroscope [elɛktʀɔskɔp] *m.* 검전기.

électrostatique [elɛktʀɔstatik] *adj.* 정전기(靜電氣)의. ── *f.* 정전기(학).

électrothérapie [elɛktʀɔteʀapi] *f.* 〖의학〗 전기 요법.

élégamment [elegamɑ̃] *adv.* ① 고상하게 ; 우아하게, 맵시 있게 : agir ~ avec qn …에게 정중하게 대하다. ② 솜씨 좋게, 멋있게 : Il s'en est sorti assez ~ . 그는 제법 교묘하게 난국을 헤쳐 나갔다.

***élégance** [elegɑ̃:s] *f.* ① 멋, 고상함, 우아함, 세련됨 : s'habiller avec ~ 세련되게 옷을 입다. ② (표현 따위의) 솜씨, 재치, 능숙함 : ~ de son geste 동작의 능숙함. ③ (행동의) 정중, 예의 바름 : procédé qui manque d'~ 예절이 결여된 태도.

élégant, e** [elegɑ̃, -ɑ̃:t] *adj.* ① 우아〔고상〕한 (= gracieux) ; 맵시 있는, 멋있는(= chic) : femme ~*e* 맵시 있는 여자. ② (표현 따위가) 멋들어진, 재치 있는 : solution ~*e* 멋진 해결. ③ (행동이) 정중한, 예절 바른(= correct). ── *n.* (*m.* 은 《드물게》) 우아한 사람. ***faire l'~ 〔***l'~e***〕 고상한 체하다.

élégiaque [eleʒjak] *adj.* ① 비가(悲歌)의, 애가(哀歌)의 : poésie ~ 애가. ② 애수에 젖은, 슬픈, 애절한 : accents ~*s* 애수를 띤 어조.

élégie [eleʒi] *f.* 엘레지, 애가(哀歌), 비가.

élément** [elemɑ̃] *m.* ① 《옛》 ⓐ (고대인이 생각한 우주의) 기본 요소 : les quatre ~*s*, 4 대 기본 요소《흙 · 물 · 불 · 공기》. ⓑ (*pl.*) 자연력 : lutter contre les ~*s* 자연력과 싸우다 ; (배 따위가) 풍랑과 싸우다. ② 〖화학〗 원소 : ~ radioactif 방사성 원소. ③ 요소, 구성 분자, (단체의) 구성 인원 ; 〖기계〗 부품, 부분품 ; 〖군사〗 (*pl.*) 편대, 부대 : ~*s* d'un roman 소설의 구성 요소 / ~*s* d'un médicament 약의 성분 / recrutement de nouveaux ~*s* 새 멤버 모집 / ~ d'un ensemble 〖수학〗 집합의 요소. ④ ⓐ (생물이 사는 곳으로서의) 4 대 기본 요소의 하나, 생활권(圈) : L'eau est l'~ du poisson. 물은 물고기가 사는 곳이다. ⓑ (사람의) (생활) 환경 ; 활동 영역(領域), 본령. ⑤ ⓐ (*pl.*) 기본적 원리, 초보 : ~*s* de latin 라틴어 초보. ⓑ 자료, 재료 : ~*s* d'appréciation 평가 자료. ***être dans son ~ 편안한 처지에 있다, 자기 장기(長技)를 발휘할 수 있는 처지에 있다.

***élémentaire** [elemɑ̃tɛ:ʀ] *adj.* ① (구성) 요소의 ; 〖화학〗 원소의. ② 기본의, 기초의 ; 초보의 ; 초등의 : principe〔notion〕 ~ 기본 원리〔개념〕 / cours ~ 초등 과정. ③ 최소한의, 간단한 : besoin ~ 최소한의 욕구 / C'est ~. 《구어》 그것은 간단한 일이다.

éléphant** [elefɑ̃] *m.* ① 〖동물〗 코끼리 : trompe d'un ~ 코끼리 코 / défense d'un ~ 상아. ② 뚱뚱보 ; 거대한 것. ***avoir une mémoire d'~ 기억력이 비상하다 ; 원한을 잊지 않다. ***~ de mer ; ~ marin*** 〖동물〗 해상(海象). ***un ~ dans un magasin de porcelaine*** 섬세한 일에 뛰어드는 둔한 사람.

éléphanteau [elefɑ̃to] *m.* (*pl.* ***~x***) 〖동물〗 새끼 코끼리.

éléphantesque [elefɑ̃tɛsk] *adj.* 코끼리 같은 ; 《구어》 거대한(= énorme, gigantesque).

éléphantiasis [elefɑ̃tjazis] *f.* 〖의학〗 상피병(象皮病).

***élevage** [ɛ(e)lva:ʒ] *m.* ① 사육(飼育) ; (물고기 따위의) 양식 : ~ des abeilles 양봉 / ~ des huîtres 굴 양식. ② 목축(= ~ du bétail) : produits de l'~ 축산물 / pays d'~ 목축업을 주로 하는 지방 / faire de l'~ 목축(업)을 하다.

élévateur, trice [elevatœːʀ, -tʀis] *m.* ① 들어올리는 기구, 기중기 ② 〖해부〗 거근(擧筋)(= muscle ~). ── *adj.* 들어올리는 : machine ~*trice* d'eau 양수기.

élévation [elevɑsjɔ̃] *f.* ① ⓐ 들어올리기 : ~ d'un fardeau 무거운 짐을 들어올리기 / ~ du bras 팔을 들어올리기. ⓑ (*É*~) 〖가톨릭〗 (미사 중의) 거양 성체(擧揚聖體)(= ~ de l'hostie). ② 건립, 건설(= construction) : ~ du barrage 댐 건설. ③ 오름, 상승 : ~ de la température 열〔기온〕의 상승. ④ 높은 곳 ; 언덕 ; 고지(= ~ de terrain). ⑤ 승진, 진급 : ~ de qn à un poste important 발탁하여 요직에 앉힘. ⑥ (정신의) 고양, 앙양 ; 고상, 숭고 : ~ de son esprit 정신의 고귀함.

élévatoire [elevatwaːʀ] *adj.* 짐을 들어올리는 ; 물을 빨아올리는.

:élève [elɛːv] *n.* ① (예술가 · 학자의) 제자, 문하생. ② 생도, 학생 : ~*s* des écoles primaires 초등학생. ③ 〖군사〗 (군대의) 후보생 : ~ caporal 〔brigadier〕 부사관 후보생.

***élevé, e** [ɛ(e)lve] *adj.* ① (위치가) 높은 : terrain ~ 높은 지면, 언덕 / plafond ~ 높은 천장. ② (정도가) 높은 ; 고도의 : rang social ~ 높은 사회적 지위 / niveau ~ des études 높은 연구 수준. ③ 고상한, 고귀한, 고매한 : style ~ 고상한 문체. ***bien* 〔*mal*〕 ~** 교육을 잘〔잘못〕 받은 ; 예의 바른〔버릇없는〕.

:élever [ɛ(e)lve] [4] *v.t.* ① ⓐ 올리다, 높이다, 쳐들다(≠ baisser) : ~ la maison d'un étage 집을 한 층 높이다. ⓑ (목소리 등을) 높이다 ; (정도 · 단계 따위를) 올리다 : Il n'ose plus ~ la voix. 그는 더는 우기려 들지 않는다 / ~ le taux de l'intérêt 이자율을 높이다 / ~ un nombre au carré 〔au cube〕 〖수학〗 어떤 수를 제곱〔세제곱〕하다. ② 《~ qn》 ⓐ (높은 지위에) 오르게 하다, 승진〔진급〕시키다(= promouvoir) : Il *a* été *élevé* au grade d'officier. 그는 장교로 승진했다. ⓑ 찬양하다. ③ (마음 · 정신 따위를) 고상하게 하다(= ennoblir) ; (용기 등을) 드높이다 : La lecture *élève* l'esprit. 독서는 정신을 고양시킨다. ④ 건립하다, 세우다 ; 확립하다 ; (의견 따위를) 내세우다, 제기하다 ; 일으키다 : ~ une maison 집을 짓다 / ~ une statue 동상을 세우다 / ~ un système philosophique 철학 체계를 구축하다 / ~ des objections 이의를 제기하다 / ~ des obstacles 방해하다. ⑤ 〖해양〗 ~ une côte 〔un phare〕 차차 육지〔등대〕로 접근하다. ⑥ (아이를) 키우다, 기르다 ; (가축을) 사육하다 ; (식물을) 재배하다 : ~ un enfant au sein 아이를 젖으로 기르다 / ~ des moutons 양을 치다 / ~ des fleurs 화초를 키우다. ⑦ (아이를) 교육하다 : *être élevé* dans la religion chrétienne 기독교 교육을 받으며 자라다. **~ qn (*jusqu'*) *aux nues*** …을 격찬하다. ── **s'~** *v.pr.* ① 오르다 ; 높아지다 : Le ballon *s'élève.* 풍선이 올라간다 / s'~ sur la pointe des pieds 발돋움하다 / Les prix *s'élèvent.* 물가가 오른다. ② 《s'~ à》 (수량 등이) …에 달하다, 이르다. ③ (집 따위가) 높이 서 있다 ; 솟아 있다 : Une maison *s'élève* sur la colline. 언덕 위에 집 한 채가 서 있다. ④ 일어나다 : 《비인칭》 Il *s'élève* des difficultés. 곤란한 문제가 일어난다. ⑤ 높은 지위에 오르다 : *s'~* dans le monde 출세하다. ⑥ ⓐ 일어서다 : *s'~* sur la pointe des pieds 발끝으로 일어나다. ⓑ 《s'~ contre》 …에 반대〔항의〕하다 : *s'~ contre* la peine de mort 사형 제도에 반대하다. ⓒ 《s'~ au-dessus de》 …을 초월〔극복〕하다 : Il *s'est élevé au-dessus de* tout égoïsme. 그는 모든 이기주의를 극복했다. ⑦ 자기를〔자기(自己) 품성을〕 높이다, 고상해지다. ⑧ 세워지다, 건립되다 ; 확립되다. ⑨ (아이가) 키워지다, 양육되다, (가축이) 사육되다, (식물이) 재배되다 : enfants qui *s'élèvent* sans peine 키우기 쉬운 아이들. ***s'~ à la lame*** 〖해양〗 물결을 타다. ***s'~ au vent*** 〖해양〗 (배가) 바람을 거슬러 가다.

éleveur, euse [ɛ(e)lvœːʀ, -øːz] *n.* (가축의) 사육자 : ~ d'abeilles 양봉업자.

elfe [ɛlf] *m.* (스칸디나비아 신화의 바람 · 불 · 흙을 상징하는) 정령(精靈)(= sylphe).

élider [elide] 〖문법〗 *v.t.* (모음자를) 생략하다 : article *élidé* 생략관사. ── **s'~** *v.pr.* (모음자가) 생략되다.

éligibilité [eliʒibilite] *f.* 피선거(권).

éligible [eliʒibl] *adj.* 피선거권이 있는(≠ inéligible). ── *n.* 피선거권자.

élimé, e [elime] *adj.* ① (옷이) 해진, 낡은(= usé) : manteau ~ 해진 망토. ② 《비유》 지친, 녹초가 된(= fatigué) : Il est ~ jusqu'à la corde. 그는 아주 녹초가 되었다.

élimer [elime] *v.t.* (옷을) 닳아 해지게 하다(= user). ── **s'~** *v.pr.* 닳아서 해어지다.

élimination [eliminɑsjɔ̃] *f.* ① 제거, 삭제 ; 제명 ; 제외. ② 〖생리〗 배설.

éliminatoire [eliminatwaːʀ] *adj.* 제거〔삭제〕하는 ; 떨어뜨리는 : épreuve ~ 예비 시험, 예선. ── *f.* 〖스포츠〗 예선(= épreuves ~*s*).

éliminer [elimine] *v.t.* ① 제거하다(= écarter) ; 삭제하다 ; 제명하다 : ~ un nom d'une liste 명부에서 이름을 삭제하다 / Il *a été éliminé* pour dopage. 그는 약물 복용으로 실격되었다. ② (지원자 따위를) 떨어뜨리다(= exclure) ; 〖스포츠〗 예선에서 탈락시키다 : *être éliminé* aux séries 예선에서 탈락하다. ③ 〖생리〗 배설하다(= excréter). ④ 〖수학〗 소거(消去)하다. ── **s'~** *v.pr.* ① 제거되다. ② (시험에서) 떨어지다 ; (예선에서) 탈락되다.

élire** [eliːʀ] [30] *v.t.* ① 뽑다, 선출하다, 선거하다 : Il *a été élu* députe. 그는 국회의원으로 뽑혔다. ② 〖법률〗 선정하다. **~ *domicile 법률상의 주거를 선정하다, 주소를 정하다. ── **s'~** *v.pr.* 뽑히다, 선출되다.

élision [elizjɔ̃] *f.* 〖문법〗 모음자의 생략《모음 또는 무성 h 앞에서 a, e, i가 생략되는 현상 : *l'école, j'aime, s'il* 따위》.

élite [elit] *f.* ① 《집합적》 정예(精銳), 정화(精華) : ~ de l'armée 군의 정예. ② (*pl.*) 일류층(의 사람들) ; 엘리트, 간부 : formation des ~s 엘리트〔간부〕 양성 / ~*s* locales 지방의 명사. ***d'~*** 정선된 ; 우수한 : étudiant *d'~* 우수 학생.

élitisme [elitism] *m.* 정예〔엘리트〕주의.

élitiste [elitist] *adj.* 정예〔엘리트〕주의의. ── *n.* 정예〔엘리트〕주의자.

élixir [eliksiːʀ] *m.* ① 정수(精髓)(= quintessence). ② 엘릭시르《약 이름》; 영약, 묘약 : ~ de longue vie 불로장생약 / ~ d'amour 미약(媚藥). **~ *de hussard*** 하등 브랜디.

elle** [ɛl] *pron. pers. f.* (*pl.* **~*s) 그 여자(는), 그것(은); 그 여자들은, 그것들은. ①《비강세형》ⓐ《사람》*E~* chante et ~ danse. 그 여자는 노래하고 춤추고 있다. ⓑ《사물》 Voici une robe ; *elle* est bleue. 여기에 드레스가 한 벌 있는데, 그것은 푸른빛이다. ⓒ《막연한 화제 내용》*Elle* est bonne ! 그 이야기는 걸작인걸. ②《강세형》ⓐ《주어》*E~* et lui, ils y sont allés. 그 여자와 그가 거기 갔다. ⓑ《속사》C'est ~ . 그것은 그 여자다. ⓒ《동격》Je la connais, ~ et son mari. 나는 그 여자와 그 여자의 남편을 알고 있다. ⓓ《전치사와 함께》Ces bijoux sont à ~. 이 보석들은 그녀의 것이다 / Je suis content d'~. 나는 그녀에게 만족한다. ⓔ《생략형의 종속절에서》Je suis plus grand qu'~ . 나는 그 여자보다 키가 크다 / Je fais comme ~. 나는 그 여자처럼 한다.

ellébore [e(ɛl)lebɔːʀ] *m.* 〖식물〗 원산초《옛날 정신병의 영약으로 여겨졌음》.

elle-même** [ɛlmɛm] *pron. pers. f.* (*pl.* **~*s*-~*s) 그 여자(들) 자신, 그것(들) 자체.

elles [ɛl] *pron. pers. f. pl.* ⇒ elle.

ellipse [elips] *f.* ①〖기하〗 타원. ②〖문법〗 (글의 일부분의) 생략; 생략법 : ~ du sujet 주어의 생략.

ellipsoïdal, e, aux [elipsɔidal, -o] *adj.* 〖기하〗 타원형의.

ellipsoïde [elipsɔid] *m.* 〖기하〗 타원체. ── *adj.* 타원형의.

elliptique [eliptik] *adj.* ①〖기하〗 타원의. ②〖문법〗 생략(법)의 : phrase ~ 생략문.

elliptiquement [eliptikmɑ̃] *adv.* ①〖문법〗 생략하여. ②〖기하〗 타원형으로.

élocution [elɔkysjɔ̃] *f.* ① (연설 따위의) 발성법; 낭독법; 말투. ② 화술; 문체. ③〖수사학〗 용어법, 표현법.

éloge [elɔːʒ] *m.* 찬사; 칭찬(= louange) : digne d'~*s* 칭찬받을 만한 / ~ funèbre 조사(弔辭). ***faire l'~ de*** qn …을 칭찬하다. ***faire son propre ~*** 《구어》 자화자찬하다.

élogieusement [elɔʒjøzmɑ̃] *adv.* 칭찬하여 : parler ~ d'un acteur 배우를 칭찬하다.

élogieux, euse [elɔʒjø, -øːz] *adj.* 칭찬하는, 찬사의 : consacrer au livre un article ~ 그 책에 대해 칭찬하는 기사를 쓰다.

éloigné, e** [elwaɲe] *adj.* ① ⓐ (시간 · 공간적으로) 멀리 떨어진, 먼; 동떨어진, 외딴(= reculé) : pays ~ 먼 고장 / remonter à un temps très ~ 아주 먼 옛날로 거슬러 올라가다 / localité ~*e* 외딴 곳. ⓑ 관계가 먼(= indirect) : parent ~ 먼 친척. ②《~ de》… 에서 먼〔멀리 떨어진〕: récit ~ *de* la vérité 진실과는 먼 이야기. ***être bien ~ de + *inf.* …할 생각은 꿈에도〔조금도〕 없다.

éloignement [elwaɲmɑ̃] *m.* ① 멀리 떨어져 있음; 먼 거리; 간격 : ~ de deux villes 두 도시 간의 거리. ② 멀리하기; 격리 : ~ des personnes suspectes 수상한 인물의 격리. ③ (사람의) 부재(不在), 떨어져 있음. ④ (시간적인) 먼 간격; 경과. ⑤ 반감, 혐오, 소원(疎遠); 망각 : ressentir un profond ~ pour qc …에 대해서 깊은 반감을 느끼다. ***vivre dans l'~ du monde*** 세상을 멀리하고 살다.

***éloigner** [elwaɲe] *v.t.* ①《~ qn〔qc〕(de)》 …을 (…에서) 멀리하다; 멀리 보내다; (멀리) 떼어 놓다 : Il faut ~ vos enfants *de* la ville. 당신의 어린 것들을 도시에서 멀리 떼어 놓아야겠소 / *Éloignez* ce fauteuil. 그 의자를 비켜 놓으시오. ② 멀리하다, 물리치다 : ~ les soupçons 유혹을 물리치다. ③ 연기하다(= différer ; ≠ rapprocher), 늦추다; 간격을 두다 : ~ un payement 지불을 늦추다 / ~ ses visites 방문의 간격을 두다.
── **s'~** *v.pr.* ① 멀어지다; (어떤 곳을) 떠나다; 물러서다 : *Éloignez-vous !* 비키시오, 물러서시오. ② 벗어나다, 빗나가다 : *s'~* du sujet 본제에서 벗어나다.

élongation [elɔ̃gasjɔ̃] *f.* ①〖의학〗 (근육의) 늘어남, 이완, 신장(伸長). ②〖천문〗 이각(離角).

élonger [elɔ̃ʒe] [3] *v.t.* ① (길게) 늘이다(= allonger). ②〖해양〗 …의 곁을 따라가다 : ~ une côte 해안을 따라 항행하다.

éloquemment [elɔkamɑ̃] *adv.* 구변 좋게; 유창하게; 웅변적으로.

éloquence [elɔkɑ̃ːs] *f.* ① 웅변, 능변; 웅변적 표현, 웅변술 : parler avec ~ 웅변적으로 말하다, 능변이다 / ~ politique 정치적 웅변술. ② 표현력, 설득력, 감동시키는 힘 : regard plein d'~ 호소력이 강한 시선.

éloquent, e [elɔkɑ̃, -ɑːt] *adj.* ① 구변 좋은; 웅변의, 능변의 : plaidoyer ~ 웅변적인 변호. ② 감동시키는, 표현력 있는, 설득력 있는. ***regard ~*** 의미심장한 눈길. ***silence ~*** 웅변적인 침묵.

élu, e [ely] *adj.* ① 선정된; 선출된; 당선된 : député ~ 당선 의원. ② 신에게 선택된 : le peuple ~ 하느님께 선택된 백성, 선민(選民)《유대 민족》. ── *n.* ① 선출〔선발〕된 사람; 당선자 : ~*s* du concours d'entrée 입학시험의 합격자. ② (신의) 선민(選民).

élucidation [elysidasjɔ̃] *f.* 밝히기; 설명, 해명 : recevoir son ~ 밝혀지다.

élucider [elyside] *v.t.* 밝히다; 설명〔해명〕하다 : ~ une question difficile 어려운 문제를 해명하다.

élucubration [elykybʀasjɔ̃] *f.* (흔히 *pl.*)《경멸》(고심했으나) 신통치 않은 작품.

éluder [elyde] *v.t.* 회피〔기피〕하다, 모면하다 : ~ la loi 법망을 피하다〔뚫다〕.

Élysée [elize] *n.pr.m.* 〖그리스신화〗 극락정토(= les Champs〔champs〕~*s*). (***le Palais de***) ***l'~*** 엘리제궁《프랑스의 대통령 관저》. ***les Champs-~s*** 파리의 샹젤리제 거리.

élyséen, enne [elizeɛ̃, -ɛn] *adj.* ① 극락세계의; 낙원 같은. ② 프랑스 대통령 관저의.

élytre [elitʀ] *m.* 〖곤충〗 겉날개, 시초(翅鞘).

Ém. 〖약사〗 Éminence 예하(추기경에 대한 존칭).

émacié, e [emasje] *adj.* 여윈, 말라빠진, 초췌한 : visage ~ 초췌한 얼굴.

émacier [emasje] *v.t.* 수척〔초췌〕하게 하다. ── **s'~** *v.pr.* 여위다, 수척해지다.

e-mail [imɛl] 〔영〕 *m.* (*pl.* **~-~s**) 〖컴퓨터〗 이메일, 전자 우편(= courriel).

émail [emaj] *m.* (*pl.* ***-aux*** [-o]) ① ⓐ (금속에 입히는) 법랑(琺瑯). ⓑ (보통 *pl.*) 법랑 세공품. ② (도자기에 입히는) 유약(釉藥)(= glaçure). ③ 에나멜(= ~ commun). ④ 《비유》 다채로운 빛깔.

émailler [emaje] *v.t.* ① 법랑〔에나멜〕을 입히다〔칠하다〕; (그릇 따위에) 유약을 입히다. ② 갖가지 빛깔로 장식하다 : étoiles qui *émaillent* le ciel 하늘을 수놓고 있는 별들. ── **s'~** *v.pr.* (에나멜·칠보가) 입혀지다; 장식되다.

E

émailleur, euse [emajœːʀ, -øːz] *f.* 법랑〔에나멜〕을 입히는 직공, 칠보공.

émanation [emanɑsjɔ̃] *f.* ① (빛·가스·냄새 등의) 발산; 발산물 : ~ de la lumière 빛의 발산 / ~*s* puantes 고약한 냄새. ② 발로, 표시, 발현(= manifestation) : ~ de la volonté populaire 민의의 발현.

émancipateur, trice [emɑ̃sipatœːʀ, -tʀis] *adj.* 해방하는. ── *n.* 해방자.

émancipation [emɑ̃sipɑsjɔ̃] *f.* ① 해방(= libération) : ~ de la femme 여성 해방. ② 〖법률〗 (미성년자에 대한) 친권〔후견〕 해제.

émancipé, e [emɑ̃sipe] *adj.* ① 해방된. ② 인습에 얽매이지 않은; 제멋대로의, 방종한. ③ 〖법률〗 친권〔후견〕에서 풀린.

émanciper [emɑ̃sipe] *v.t.* ① 해방하다(= libérer, affranchir) : ~ les femmes 여성을 해방하다. ② 〖법률〗 (미성년자의) 친권〔후견〕을 해제하다. ── **s'~** *v.pr.* ① 〖법률〗 친권〔후견〕의 해제를 받다. ② 《~ de》 …에서 해방되다 : *s'~ des* préjugés 편견에서 벗어나다. ③ 《구어》 제멋대로 행동하다, 방종에 기울어지다; 예절에서 벗어나다.

***émaner** [ema(ɑ)ne] *v.i.* ① 《~ de》 (냄새·빛 따위가) …에서 발산되다(= s'exhaler), 방사되다 : lumière qui *émane* du soleil 태양에서 뻗어 나오는 빛 / parfum qui *émane* des fleurs 꽃에서 풍겨 나오는 향기. ② 《~ de》 …에서 생기다, 나오다; 유래하다; …에 근원을 두다 : Le pouvoir *émane du* peuple. 권력의 근원은 국민에게 있다.

émargement [emaʀʒəmɑ̃] *m.* ① 난외(欄外) 기입; 난외 서명. ② 급료의 지불 : feuille 〔état〕 d'~ 급료 지급표.

émarger [emaʀʒe] ③ *v.t.* (급료 지급서 따위의) 난외에 기입〔서명〕하다 : ~ un état de traitement 급료 지급표에 서명하다. ── *v.i.* (난외에 서명하고) 급료를 받다.

émasculation [emaskylɑsjɔ̃] *f.* ① 거세(去勢)(= castration). ② 《비유》 약화; 감퇴; 무력화.

émasculer [emaskyle] *v. t.* ① 거세하다(= castrer). ② 《비유》 쇠약하게 하다; 약화시키다, 감퇴시키다.

emballage [ɑ̃balaːʒ] *m.* ① 짐 꾸리기, 포장 : papier d'~ 포장지 / ~ de la marchandise 상품의 포장. ② 포장용품(박스·봉투·끈 따위).

emballement [ɑ̃balmɑ̃] *m.* ① 《옛》 짐을 꾸리기, 포장. ② 흥분, 열중, 열광(= enthousiasme) : Méfiez-vous des ~*s*. 흥분은 금물입니다. ③ 〖기계〗 속도 초과, 과도한 회전. ④ (물가·주가 따위의) 폭등.

emballer [ɑ̃bale] *v.t.* ① 짐을 꾸리다, 포장하다(= empaqueter; ≠déballer) : ~ des fruits 〔verres〕 과일〔유리컵들〕을 포장하다. ② 《구어》 체포하다, 투옥시키다. ③ 〖기계〗 ⓐ (모터를) 전속력으로 회전시키다. ⓑ ~ une voiture 차를 전속력으로 몰다. ④ 《구어》 (사람을) 열중시키다, 흥분〔열광〕하게 하다. ── **s'~** *v.pr.* ① 〖기계〗 (모터가) 전속력으로 회전하다. ② (사람이) 흥분〔열광〕하다 : *s'~* pour le cinéma 영화에 열광하다.

emballeur, euse [ɑ̃balœːʀ, -øːz] *m.* 짐 꾸리는 인부; 포장하는 곳.

embarbouiller [ɑ̃baʀbuje] *v.t.* 머리를 혼란시키다, 갈피를 못잡게 하다 : Ce problème m'*embarbouille* la tête. 그 문제는 내 머리를 혼란스럽게 한다. 「창가.

embarcadère [ɑ̃baʀkadɛːʀ] *m.* 부두; 선

embarcation [ɑ̃baʀkɑsjɔ̃] *f.* 소형 보트 : ~ de sauvetage 구명보트.

embardée [ɑ̃baʀde] *f.* ① 〖해양·항공〗 (배·비행기의) 침로 이탈. ② (자동차가) 갑자기 옆으로 미끄러지기.

embargo [ɑ̃baʀgo] *m.* ① 〖해양〗 선박 억류, 출항 금지. ② (일시적) 통상〔수출〕 금지; 경제 봉쇄; (출판물의) 발매〔발행〕 금지. ***lever l'~*** 출항 금지를 풀다. ***mettre l'~ sur*** (un navire, un journal) (배의 출항, 신문의 발행)을 정지시키다.

embarqué, e [ɑ̃baʀke] *adj.* ① 배〔차·비행기〕에 타고〔실려〕 있는 : aviation ~ 항공모함 소속 항공대. ② (어떤 일에) 말려들어간, 연루된. ③ (일이) 시작된 : affaire assez bien 〔mal〕 ~*e* 시작이 잘〔잘못〕된 일.

embarquement [ɑ̃baʀkəmɑ̃] *m.* ① 승차, 승선, (비행기의) 탑승; 짐 싣기, 적하(積荷) : ouvrier d'~ 하역 인부 / carte d'~ 탑승권, 승선권 / ~ des passagers 승객의 탑승〔승선〕. ② (선원의) 승선 등록; 해상 근무 경력.

***embarquer** [ɑ̃baʀke] *v.t.* ① 배〔차·비행기〕에 싣다〔태우다〕(≠ débarquer) : ~ des voyageurs 승객들을 태우다 / ~ des marchandises dans un wagon 화차에 화물을 싣다. ② (까다로운 일에) 끌어넣다, 연루시키다 : se laisser ~ dans une affaire douteuse 수상쩍은 사건에 말려들다. ③ 《구어》 (사람을) 데리고 가다; (물건을) 가지고 가다 : Quelqu'un *a embarqué* mon parapluie. 누군가가 내 우산을 가지고 가 버렸다. ④ 《구어》 체포하다(= arrêter) : Des agents l'*ont embarqué*. 경찰들이 그를 체포했다. ⑤ (일을) 시작하다 : Il *a* bien 〔mal〕 *embarqué* son affaire. 그는 일을 잘〔잘못〕 시작했다. ⑥ (배가) 물을〔파도를〕 뒤집어쓰다 : ~ de l'eau 〔un coup de mer〕 배가 파도를 뒤집어쓰다. ── *v.i.* ① 배〔기차·비행기〕를 타다 : ~ en chemin de fer 〔en avion〕 기차〔비행기〕를 타다. ② (물이) 배 위로 밀려닥치다. ── **s'~** *v.pr.* ① 배〔차·비행기〕에 타다 : *s'~* sur un navire 배를 타다. ② (좋지 못한 일에) 손을 대다, 시작하다 : *s'~* dans une guerre 전쟁을 시작하다.

***embarras** [ɑ̃baʀa] *m.* ① ⓐ (통로 따위를 막

는) 방해 ; 혼잡. ⓑ (신체의 기관, 특히 위장의) 장애 : ~ (gastrique 〔intestinal〕) 위장 장애 / ~ du nez (코가) 막히기, 코감기 / ~ de la langue 언어 장애. ② 거추장스러운 일, 귀찮은 일 ; 지장. ③ 난처함, 당황 : être dans l'~ 난처한 처지에 있다. ④ 곤경 ; 궁지 : mettre qn dans l'~ …을 곤경에 몰아넣다 / se tirer d'~ 궁지에서 벗어나다. ***avoir l'~ du choix*** 선택이 곤란하다. ***faire de l'~ 〔des ~〕; faire ses ~*** 《구어》 꾸민 태를 내다, 뽐내다 ; 건방지게 굴다, 잘난 체하다. ***se mettre dans l'~*** 곤경에 빠지다 ; 돈에 궁하다.

embarrassant, e [ɑ̃baʀasɑ̃, -ɑ̃:t] *adj.* ① 방해되는, 거추장스러운 : bagages 〔paquets〕 ~s 거추장스러운 짐〔꾸러미들〕. ② 귀찮은 ; 난처한(= gênant) ; 어려운(= difficile) : problème ~ 까다로운 문제 / 《비인칭》 Il est ~ de+*inf.* …하는 것은 거북한〔난처한〕 일이다 / silence ~ (남을) 난처하게〔거북스럽게〕 만드는 침묵.

embarrassé, e** [ɑ̃baʀase] *adj.* ① 막힌 ; 장애를 일으킨 ; 혼잡한 : circulation ~*e* 대혼잡을 이룬 교통 / pièce ~*e* de meubles 혼잡스럽게 가구들이 놓인 방 / avoir l'estomac ~ 위장 장애를 일으키고 있다. ② 난처한, 당황한 : d'un air ~ 난처한 듯이 / étre ~ de sa personne 몸 둘 곳을 모르다 ; 부자연스럽다. ③ 복잡한, 뒤얽힌(= compliqué) ; 분명치 않은 : situation ~*e* 복잡한 상황 / se lancer dans des explications ~*es* 불분명한 설명을 시작하다. ***avoir la parole ~e 말을 더듬다.

***embarrasser** [ɑ̃baʀase] *v.t.* ① 《~ qc》 ⓐ (통로 등을) 막다, 혼잡하게 하다(≠ débarrasser) : colis qui *embarrassent* le couloir 복도에 거추장스럽게 쌓인〔통행을 막는〕 짐짝들. ⓑ (신체의 기관, 특히 소화 기관에) 장애를 일으키다 : nourriture qui *embarrasse* l'estomac 위장 장애를 일으키는 음식물. ② 《~ qn》 ⓐ …에게 거추장스럽다(= gêner) ; …의 행동을 방해하다 : Ce manteau m'*embarrasse.* 이 외투가 거추장스럽다. ⓑ 난처하게 만들다, 당황하게 하다(= déconcerter, troubler) : question qui *embarrasse* qn …을 당황〔난처〕하게 하는 질문.
— **s'~** *v.pr.* ① 《*s'~* de qc 〔qn〕》 …으로 행동을 방해당하다〔꼼짝하지 못하다〕, …때문에〔이〕 거추장스럽다 : *s'~ de* dettes 빚에 몰려 꼼짝달싹 못하다. ② 《s'~ de qc》 …을 걱정하다, …에 마음 쓰다 : *s'~ des* préjugés des autres 남들의 편견에 신경을 쓰다 / *s'~ de* l'avenir 미래의 일을 두고 걱정하다. ③ 《s'~ dans 〔à〕》 …에 걸리다, 걸려들다, 얽히다 : *s'~ dans* ses propres ruses 자신의 꾀에 걸려들다. ④ 당황하다, 쩔쩔매다, 난처해 하다.

embasement [ɑ̃bazmɑ̃] *m.* 〖건축〗 (건물의) 토대, 기초.

embauchage [ɑ̃boʃa:ʒ] *m.* 채용, 고용 : lois réglementant l'~ et le licenciement des travailleurs 근로자의 고용 및 해고 관련법.

embauche [ɑ̃bo:ʃ] *f.* 일자리 ; 채용, 모집 : bureau 〔office〕 d'~ 직업 소개소.

***embaucher** [ɑ̃boʃe] *v.t.* ① (직공・인부를) 고용〔채용〕하다(= engager) : ~ des journaliers 날품팔이꾼을 고용하다. ② 《구어》데리고 가다, 권하다 ; 가담시키다, 끌어넣다〔들이다〕(= entraîner) : Je t'*embauche* pour le prochain pique-nique. 요다음 피크닉에 자네도 함께 가세. — *v.i.* 고용〔채용〕하다 : Ici on *embauche.* 구인 중(求人中)이다.

embauchoir [ɑ̃boʃwa:ʀ] *m.* 구두골.

embaumement [ɑ̃bommɑ̃] *m.* 시체의 방부 처리 ; (해부 연구를 위한) 시체의 보존.

embaumer [ɑ̃bome] *v.t.* ① …을 향기로 채우다, 향기롭게 하다(= parfumer) : l'air *embaumé* de la campagne au printemps 봄이 온 들판의 향기로운 공기. ② …의 냄새가 나다 : Cela *embaume* le jasmin. 이것은 자스민 향이 난다. ③ (시체를) 방부제를 사용하여 보존하다 : ~ un cadavre 시체에 (향유・약품을 넣어) 방부 처리를 하다. — *v.i.* 향기를 풍기다 : Ce bouquet *embaume.* 이 꽃다발에서 향기가 난다.

embaumeur [ɑ̃bomœ:ʀ] *m.* 시체를 방부 처리하는 사람.

embellie [ɑ̃bɛ〔e〕li] *f.* 〖해양〗 (폭풍우 뒤의 또는 중간의) 쾌청, 잠시 개인 날씨.

embellir** [ɑ̃bɛ〔e〕li:ʀ] *v.t.* ① (더욱) 아름답게 하다(≠ enlaidir) : Cette coiffure vous *embellit.* 그 머리형은 당신을 더욱 돋보이게 한다. ② 미화하다 ; 윤색(潤色)하다 ; 장식하다 : L'imagination *embellit* la réalité. 상상은 현실을 미화한다 / ~ une histoire 이야기를 윤색하다 / ~ un intérieur de fleurs 실내를 꽃으로 장식하다. — *v.i.* 아름다워지다 : Comme elle *a embelli !* 그녀가 얼마나 아름다워졌는지 ! ***ne faire que croître et ~ 점차로 가중(加增)되다, 늘어나기만 하다.
— **s'~** *v.pr.* 아름다워지다 ; 장식〔윤색〕되다 : *s'~* par la parure 목걸이로 아름답게 치장하다.

embellissement [ɑ̃bɛlismɑ̃] *m.* ① 아름답게 하기〔되기〕, 미화(美化) : ~ de la ville 도시의 미화. ② (이야기의) 윤색(潤色) ; (인물・시대의) 이상화 : ~ d'une époque 한 시대를 이상화하기. ③ 장식(= décoration).

emberlificoter [ɑ̃bɛʀlifikɔte] *v.t.* 《구어》 (감언이설로) 속이다 ; 농락하다(= entortiller) : ~ un créancier 빚쟁이를 말로 따돌리다.
— **s'~** *v.pr.* ① 꼼짝 못하게 되다. ② 농락당하다.

embêtant, e [ɑ̃bɛtɑ̃, -ɑ̃:t] *adj.* 《구어》 ① 귀찮은 ; 골치 아픈, 난처한 : incident ~ 골치 아픈 사건 / C'est~ ! 정말 난처한데 ! ② 지루한, 따분한 : film ~ 지루한 영화.

embêtement [ɑ̃bɛtmɑ̃] *m.* 《구어》 난처함, 지겨움, 골칫거리 : J'ai assez d'~*s* comme ça. 이런 골칫거리는 이제 지긋지긋하다.

***embêter** [ɑ̃bɛ〔e〕te] *v.t.* 《구어》 ① 난처하게 하다, 귀찮게 굴다(= ennuyer) : se laisser ~ 귀찮은 사람에게 걸리다 / Ce problème m'*embête.* 이 문제는 나를 골치 아프게 한다. ② 지겹게 만들다, 따분하게 하다 : Ce spectacle m'*embête.* 이 연극은 정말 지루하다.
— **s'~** *v.pr.* 《구어》 따분해 하다, 지겨워하다 ; Ce qu'on *s'embête* ici. 여기는 정말 미분한 곳이다. ***s'~ comme un rat mort 〔comme une croûte de pain derrière une malle〕*** 몹시 지루해 하다.

E

emblavage [ɑ̃blava:ʒ] *m.* 〖농업〗 씨뿌리기, 파종.

emblaver [ɑ̃blave] *v.t.* 〖농업〗 …에 밀 (또는 다른 곡식의) 씨를 뿌리다, 파종하다.

emblée (d') [dɑ̃ble] *loc. adv.* 단번에, 단김에 : Il a réussi *d'*~. 그는 단번에 성공했다.

emblématique [ɑ̃blematik] *adj.* ① 상징적인. ② 《~ de》 …을 상징하는 : la colombe, figure ~ *de* l'innocence et *de* la paix 순결과 평화를 상징하는 비둘기.

emblème [ɑ̃blɛm] *m.* ① 표지(標識) ; 상징도(象徵圖) ; 가문(家紋) ; (제복 따위의) 표장, 문장(紋章), 배지 : ~ de la ville de Paris 파리시의 문장. ② 상징, 표상 : Le lis est l'~ de la pureté. 백합은 순결의 상징이다.

embobiner [ɑ̃bɔbine] *v.t.* 《구어》 …을 구슬리다, 감언이설로 속이다 : Il s'est laissé ~. 그는 달콤한 말에 걸려들었다.

emboîtage [ɑ̃bwata:ʒ] *m.* ① 상자에 넣기 ; 통조림하기 ; (책의) 커버, 케이스. ② (*pl.*) (어린이용) 블록 끼워 맞추기 (놀이).

emboîtement [ɑ̃bwatmɑ̃] *m.* 끼워 맞추기 ; 끼워 넣기 : ~ des tuyaux 파이프의 접합.

emboîter [ɑ̃bwate] *v.t.* ① 상자에 넣다. ② 끼워 넣다〔박다 · 맞추다〕 : ~ des tuyaux 파이프를 끼워 맞추다 / ~ un tenon dans une mortaise 〖목공〗 장부 구멍에 장부를 끼워 박다. ③ …에 꼭 맞다 : Cette chaussure *emboîte* bien le pied. 이 구두는 발에 꼭 맞는다. ~ ***le pas à*** qn 〖군사〗 앞 사람의 걸음에 발맞추어 가다. ── **s'~** *v.pr.* 《s~ dans》 …에 끼어 박히다 ; 서로 끼다.

embolie [ɑ̃bɔli] *f.* 〖의학〗 색전증(塞栓症) ; 혈전(血栓) : ~ cérébrale 뇌혈전.

embonpoint [ɑ̃bɔ̃pwɛ̃] *m.* 비대(肥大), 비만 : avoir de l'~ 비대하다 / prendre de l'~ 살찌다 / perdre (de) son ~ 살이 빠지다.

embosser [ɑ̃bɔse] *v.t.* (앞뒤 닻을 내려) 배를 정박시키다.

embouché, e [ɑ̃buʃe] *adj.* (말에) 재갈을 물린. ***être bien*** 〔***mal***〕~ 《구어》 말씨가 점잖다〔상스럽다〕.

emboucher [ɑ̃buʃe] *v.t.* ① (관악기를) 입에 대다, 불다 : ~ une flûte 플루트를 불다. ② (말에) 재갈을 물리다. ~ ***la trompette*** 숭고한〔드높은〕 어조로 말하다 ; (소문 따위를) 떠들썩하게 퍼뜨리다.

embouchure [ɑ̃buʃy:ʀ] *f.* ① 하구(河口) ; 입구 : l'~ de la Loire 르와르강의 하구. ② (관악기의) 취구. ③ (말의) 재갈.

embouquer [ɑ̃buke] *v.t.* et *v.i.* (운하 · 해협에) 들어가다.

embourber [ɑ̃buʀbe] *v.t.* 진창 속에 빠뜨리다 : voiture *embourbée* 진창 속에 빠진 자동차. ~ ***la réputation de*** qn 《구어》 …의 평판을 더럽히다. ── **s'~** *v.pr.* ① 진창 속에 빠지다. ② 궁지에 빠지다, 난처하게 되다.

embourgeoisement [ɑ̃buʀʒwazmɑ̃] *m.* ① 중산 계급화(化) ; 소시민화, 보수화. ② 저속화.

embourgeoiser [ɑ̃buʀʒwaze] *vt.* ① 중산계급으로 만들다, 부르주아화하다. ② 소시민적〔보수적〕으로 만들다. ── **s'~** *v.pr.* ① 중산 계급이 되다, 부르주아가 되다. ② 소시민적으로 되다 : *s'*~ en prenant de l'âge 나이가 들면서 소시민이 되어 가다.

embout [ɑ̃bu] *m.* (양산대 · 지팡이 끝의) 물미, 마구리 : ~ d'une canne 지팡이 끝.

***embouteillage** [ɑ̃butɛja:ʒ] *m.* ① 《옛》 병조림하기. ② 교통 체증〔혼잡〕 : être pris dans un ~ 교통 체증에 걸리다 / ~ aux heures de pointe 러시아워 때의 교통 혼잡 / J'ai été pris dans un ~. 내 차는 많은 차 사이에 끼어 꼼짝 못했다.

embouteiller [ɑ̃butɛ(e)je] *v.t.* (교통 · 통신이) 혼잡을 이루다 : Le boulevard *est embouteillé* vers sept heures. 그 대로는 밤 일곱시경에 큰 혼잡을 이룬다.

emboutir [ɑ̃buti:ʀ] *v.t.* ① 금속 각인을 하다 ; 금형(金形) 작업을 하다. ② (자동차가) 들이받다, …와 충돌하다 : Un camion *a embouti* l'arrière de ma voiture. 트럭이 내 차 뒤를 들이받았다.

emboutissage [ɑ̃butisa:ʒ] *m.* 금속 각인 ; 금형 작업.

embranchement [ɑ̃bʀɑ̃ʃmɑ̃] *m.* ① 나뭇가지. ② (도로의) 분기점 ; 갈래길(= croisement) ; 〖철도〗 지선(支線) ; 대피선 : ~ des deux routes 두 길의 분기점 / station d'~ 접선역(驛). ③ 〖생물〗 (분류상의) 문(門) : ~ des vertébrés 척추동물문.

embrancher [ɑ̃bʀɑ̃ʃe] *v.t.* (길 · 관 따위를) 접속〔연결〕시키다, 이어 놓다. ── **s'~** *v.pr.* ① 《~ sur 〔à〕》 …에 이어지다, 접속〔연결〕되다 : C'est ici que les deux routes *s'embranchent*. 여기서 두 길이 연결된다. ② 분기(分岐)하다, 갈라지다.

embrasement [ɑ̃bʀazmɑ̃] *m.* ① 불태우기, 불에 타기 ; 큰 불, 대화재 : ~ du soleil couchant 《구어》 타는 듯한 저녁놀. ② (눈부신) 장식 조명, 일루미네이션 : ~ du château de Versailles 베르사유궁의 일루미네이션. ③ 동란, 소요.

embraser [ɑ̃bʀaze] *v.t.* ① 불태우다, …에 불붙이다, 불지르다 : ~ des bûches 장작에 불을 붙이다 / ~ une maison 집에 불을 지르다. ② 몹시 뜨겁게 하다, (햇빛 따위가) 뜨겁게 내리쬐다 ; 붉게 물들이다〔밝히다〕 : Le soleil *embrasait* l'atmosphère. 태양이 대기를 뜨겁게 달구고 있었다 / Le soleil couchant *embrase* l'horizon. 석양이 지평선을 붉게 물들이고 있다. ③ 열중〔열광 · 흥분〕시키다(= enflammer) : amour qui l'*embrase* 그가 열중하고 있는 사랑 / pensée qui nous *embrase* de colère 우리를 분노하게 하는 생각. ④ 조명으로 장식하다 : ~ les édifices publics à l'occasion de la fête nationale 국경일을 맞이하여 공공건물을 조명으로 장식하다. ── **s'~** *v.pr.* ① 불붙다, 불타다. ② 시뻘겋게 되다, 붉게 물들다 : Le ciel *s'embrase*. 하늘이 붉게 물들어 있다. ③ 열중〔열광〕하다 : *s'*~ d'amour 사랑의 열정을 태우다.

embrassade [ɑ̃bʀasad] *f.* 포옹, 껴안음(=

embrasse [ɑ̃bʀas] *f.* 커튼 줄. ⌊accolade).

embrassement [ɑ̃bʀasmɑ̃] *m.* ① 포옹. ② (*pl.*) 성교(= union charnelle).

***embrasser** [ɑ̃bʀase] *v.t.* ① 포옹하다, 껴안다 : ~ qn étroitement …을 꼭 껴안다. ② …에게 입맞추다, 키스하다 : ~ qn au front …의 이마에 입맞추다 / Je vous *embrasse*

cordialement. 당신에게 마음으로부터의 키스를 보냅니다《편지를 끝맺는 말》. ③ 한눈에 보다 : ~ qn du regard …을 한눈에 보다 / Du sommet de la colline, on *embrasse* tout l'horizon. 언덕 꼭대기에서는 지평선이 보인다. ④ 포함〔포괄〕하다(= contenir), 미치다 : Les activités de cette multinationale *embrassent* de nombreux secteurs. 다국적 기업의 활동은 많은 분야를 포함하고 있다 / recherches *embrassant* un domaine très large 광범위한 연구. ⑤ (사업 따위를) 기도〔기획〕하다(= entreprendre) ; 꾀하다, 도모하다 : Il *embrasse* trop de choses à la fois. 그는 한꺼번에 너무 많은 일을 꾀한다. ***Qui trop embrasse mal étreint.*** 《격언》 욕심이 많으면 손해 본다.
— **s'~** *v.pr.* 서로 껴안다 ; 서로 키스하다. ***Allons, embrassez-vous !*** 자, 화해하시오.

embrasure [ɑ̃bʀazyːʀ] *f.* ① (문틀·창틀을 끼우기 위한) 벽구멍. ② (요새 성벽의) 포안(砲眼).

embrayage [ɑ̃bʀɛjaːʒ] *m.* ① 〖자동차·기계〗 (모터에) 연결하기(≠ débrayage) ; (클러치를) 맞물리게 하기. ② 연결〔연동〕 장치 ; 클러치 : ~ automatique (자동차의) 자동 기어 변속 장치.

embrayer [ɑ̃bʀɛ(e)je] [8] *v.t.* 〖자동차·기계〗 (모터와 기계 사이에 연동 장치를) 연결하다(≠ débrayer) : On *a embrayé* trop tôt. 클러치를 넣는 것이 너무 빨랐다. — *v.i.* 《구어》 ① 시작되다 ; 계속되다 : L'émission *a embrayé.* 방송이 시작되었다. ② 《~ sur》 …에 대해 영향력을 갖다.

embrigadement [ɑ̃bʀigadmɑ̃] *m.* 인원 모집 ; 편성〔조직〕하기 : ~ des agents 교통경찰 모집.

embrigader [ɑ̃bʀigade] *v.t.* (조직 따위에) 끌어들이다, 가입시키다 : Il a réussi à ~ beaucoup des gens dans son parti. 그는 그의 당에 많은 사람들을 입당시키는 데 성공했다. — **s'~** *v.pr.* 조직에 들어가다, 집단에 가입하다.

embringuer [ɑ̃bʀɛ̃ge] *v.t.* 《~ dans》 (어떤 일에) 끌어넣다, 가입〔가담〕시키다 : se laisser ~ *dans* une affaire louche 수상쩍은 사건에 말려들다.

embrochement [ɑ̃bʀɔʃmɑ̃] *m.* (육편을) 꼬챙이에 꿰기, 산적하기.

embrocher [ɑ̃bʀɔʃe] *v.t.* ① (고기를) 꼬챙이에 꿰다, 산적하다 : ~ un poulet 영계를 꼬챙이로 꿰다. ② 《구어》 (칼 따위로) 꿰뚫다.

embrouillamini [ɑ̃bʀujamini] *m.* 《구어》 대혼란, 대혼잡.

embrouillement [ɑ̃bʀujmɑ̃] *m.* ① (실 따위를) 얽히게 함 ; 얽힘. ② 혼란 ; 뒤죽박죽(= confusion).

embrouiller** [ɑ̃bʀuje] *v.t.* ① (실 따위를) 얽히게 하다(≠ débrouiller), 뒤섞다 : ~ la laine 털실을 헝클어 놓다 / Vous *avez embrouillé* toutes les fiches. 당신이 모든 자료카드를 뒤섞어 놓았다. ② 혼란하게〔복잡하게〕 하다 ; 뒤죽박죽이 되게 하다 : ~ la question 문제를 복잡하게 하다. ③ 《~ qn》 …의 머리를 혼란하게 하다, 갈피를 잡을 수 없게 하다 : Ton explication m'*embrouille.* 너의 설명을 들으면 머리가 혼란해진다. ***Ni vu ni connu, je t'embrouille. 《구어》 일이 너무나 감쪽같이 처리되어 어리벙벙하다.
— **s'~** *v.pr.* 얽히다, 혼란해지다, 뒤죽박죽이 되다 : L'affaire commence à *s'~*. 일이 복잡해지기 시작한다.

embroussaillé, e [ɑ̃bʀusɑje] *adj.* ① 가시덤불로 덮인. ② 《구어》 (머리가) 엉클어진.

embrumer [ɑ̃bʀyme] *v.t.* ① 안개로 덮다 : horizon *embrumé* 안개 낀 지평선. ② (기억 따위를) 흐리게 하다, 혼란시키다 : ~ les idées 생각을 혼란시키다.

embrun [ɑ̃bʀœ̃] *m.* (*pl.*) (파도의) 물보라.

embryo- *pref.* 「태아·배(胚)」의 뜻.

embryogéniste [ɑ̃bʀijɔʒenist] *m.* 〖의학〗 태생학자 ; 〖생물〗 발생학자.

embryon [ɑ̃bʀijɔ̃] *m.* ① 〖생물〗 배(胚) ; 〖식물〗 배아(胚芽) ; 〖의학〗 태아 ; 〖곤충〗 유충. ② 시초, 초기(= germe) ; 기원 : œuvre encore en 〔à l'état d'〕~ 미완성 작품.

embryonnaire [ɑ̃bʀijɔnɛːʀ] *adj.* ① 〖생물〗 배(胚)의 ; 〖의학〗 태아의 ; 〖곤충〗 유충의 : sac ~ 배낭(胚囊). ② 시작의, 초기의 : L'entreprise est demeurée à l'état ~. 그 사업은 시작 상태에 머물러 있다.

embûche [ɑ̃byʃ] *f.* (흔히 *pl.*) 함정 ; 계략(= piège). ***dresser*** 〔***tendre***〕 ***des ~s à*** qn …을 함정에 빠뜨리다. ***tomber dans l'~*** 함정에 빠지다.

embuer [ɑ̃bɥe] *v.t.* ① (수증기 따위로) 흐리게 하다 : pare-brise *embué* 김이 서린 (자동차의) 앞창. ② (눈물이 눈을) 흐리게 하다 : yeux *embués* de larmes 눈물이 글썽글썽한 눈. — **s'~** *v.pr.* (눈이) 흐려지다.

embuscade [ɑ̃byskad] *f.* 매복 (장소) ; 함정, 계략 ; 복병. ***se mettre*** 〔***se tenir***〕 ***en ~*** 매복하다. ***tomber dans une ~*** 매복에 걸려들다, 함정에 빠지다.

embusquer [ɑ̃byske] *v.t.* 매복(埋伏)시키다 : Il *a embusqué* ses hommes dans un bois voisin. 그는 인근 숲에 그의 부하들을 매복시켰다. — **s'~** *v.pr.* ① 매복하다. ② 후방 부대에 근무하다.

éméché, e [emeʃe] *adj.* 《구어》 얼근히 취한.

-ement *suff.* 《남성명사 어미, 현재분사의 어간에 붙어서》 「동작·행위」의 뜻.

émeraude [ɛ(e)mʀoːd] *f.* ① 에메랄드, 벽옥(碧玉). ② 에메랄드색, 선록색. — *adj.* 《불변》 에메랄드색의 ; 선록색의 : rubans ~ 선록색 리본.

émergence [emɛʀʒɑ̃ːs] *f.* ① (뜻밖의) 출현 : ~ d'idées nouvelles 새로운 사상의 출현. ② 〖물리〗 (광선의) 사출(射出) ; (샘·온천 따위의) 분출. ③ 〖해부〗 (신경·혈관의) 분기점. ④ 〖식물〗 모상체(毛狀體).

émerger [emɛʀʒe] [3] *v.i.* ① 수면(水面) 위에 드러나다〔떠오르다〕(≠ plonger) : îlot qui *émerge* à marée basse 간조 때 수면 위로 나타나는 작은 섬. ② 명백히 드러나다(= se manifester) ; (사람·작품 따위가) 두각을 나타내다, 주목을 끌다 : La vérité finira par ~. 결국 진실이 드러날 것이다 / C'est un élève très intelligent qui *émerge* de sa classe. 그는 반에서 두각을 나타내는 매우 총명한 학생이다. ③ (샘·온천 따위가) 솟아

나오다, 분출하다.

émeri(l) [ɛ(e)mʀi] *m.* 〖광물〗 금강사(金剛砂), 에메리. ***bouchon à l'~*** (병의) 금강사 유리〔젖빛 유리〕 마개. ***être bouché à l'~*** 《구어》 머리가 꽉 막혀 있다, 우둔하다. ***papier (d')~*** 샌드페이퍼, 사포(砂布).

émerillon [ɛmʀijɔ̃] *m.* ① 〖조류〗 쇠황조롱이《사냥용》. ② 〖낚시〗 회전 금속 고리.

émérite [emeʀit] *adj.* ① 명예퇴직한. ② 숙달한, 노련한 : chirurgien ~ 노련한 외과 의사. ***professeur ~*** 명예 교수.

émersion [emɛʀsjɔ̃] *f.* ① (수면 위로의) 부상(浮上) ; 노출. ② 〖천문〗 (천체의) 재현(再現) 《일식·월식 후》.

E

émerveillement [emɛʀvɛjmɑ̃] *m.* 감탄, 경탄 : avec ~ 감탄하여.

émerveiller [emɛʀvɛ(e)je] *v.t.* 감탄〔경탄〕하게 하다(= éblouir) : Ce film m'*a émerveillé.* 나는 이 영화를 보고 감탄했다 / Cet événement *a émerveillé* toute la ville. 이 사건은 온 마을 사람들을 감탄시켰다. ── **s'~** *v.pr.* 경탄〔감탄〕하다 : *s'~* de la beauté du paysage 풍경의 아름다움에 감탄하다. ***s'~ de*** + *inf.* …하여 감탄하다. ***s'~ que*** + *sub.* ; ***s'~ de ce que*** + *ind.* 〔*sub.*〕 …에 경탄하다.

émetteur, trice [emɛtœːʀ, -tʀis] *adj.* ① (수표·어음 따위를) 발행하는 : banque ~*trice* 발권(發券)은행. ② 〖무선〗 전파를 보내는, 발신하는 : poste ~ ; station ~*trice* 발신국 ; 방송국. ── *m.* ① 〖금융〗 (어음·채권 따위의) 발행인 : ~ d'un chèque 수표 발행인. ② 〖무선〗 송신기(= poste ~) ; 방송국 : ~ radiotélégraphique 〔radiotéléphonique〕 무선 전신〔전화〕 송신기.

***émettre** [emɛtʀ] 46 *v.t.* ① (소리 따위를) 내다, (빛·열 따위를) 발산하다 : ~ des sons aigus 날카로운 소리를 내다 / ~ une lumière douce 부드러운 빛을 발하다. ②(어음·공채 따위를) 발행하다 : ~ un emprunt 〔des chèques〕 공채〔수표〕를 발행하다. ③ (의견 따위를) 표명〔진술〕하다 : ~ un avis 의견을 표명하다. ④ 방송하다, 발신하다 : ~ sur ondes courtes 단파 방송을 하다.

émeu [emø] *m.* (*pl.* **~s**) 〖조류〗 에뮈《오스트레일리아산(產)의 큰 새》(= émou).

émeute [emøːt] *f.* 소요, 폭동 : soulever une ~ 소동을 일으키다 / La manifestation a tourné à l'~. 시위는 폭동으로 변했다.

émeutier, ère [emøtje, -ɛːʀ] *n.* 폭도 ; 폭동의 선동자.

-emie *suff.* 「피」의 뜻.

émiettement [emjɛtmɑ̃] *m.* ① 부스러뜨리기, 분쇄 ; (빵 따위의) 부스러기. ② 《비유》 (지나친) 세분(화), 분산 ; 낭비 : ~ des responsabilités 책임의 분산.

émietter [emjɛ(e)te] *v.t.* ① 부스러뜨리다 : ~ du pain 빵을 부스러뜨리다. ② 세분하다 ; 분산시키다(= éparpiller) ; 낭비하다 : ~ ses efforts 노력을 분산시키다 / ~ sa fortune 재산을 낭비하다.

émigrant, e [emigʀɑ̃, -ɑ̃ːt] *adj.* ① (딴나라로) 이주하는, 망명하는 : navire d'~*s.* 이민선 / population ~*e* 이주민. ② (동물이) 이동하는 ; (어류가) 회유하는 : oiseaux ~*s* 철새. ── *n.* 이민(≠ immigrant).

émigration [emigʀɑsjɔ̃] *f.* ① (딴 나라로의) 이주(移住), 망명 ; 《집합적》 이민(≠ immigration) : ~ obligatoire 강제 이주〔이민〕. ② (동물의) 이동 ; (어류의) 회유.

émigré, e [emigʀe] *adj.* ① 이주한, 이민의. ② 망명한. ── *n.* ① 이주민. ② 망명자.

***émigrer** [emigʀe] *v.i.* ① (딴 나라로) 이주〔이민〕하다(≠ immigrer) ; 망명하다(= s'expatrier). ② (동물이 철 따라) 이동하다 ; (물고기가) 회유하다 : L'hirondelle *émigre* en automne 제비는 가을에 이동한다.

émincé [emɛ̃se] *m.* 얇게 썬〔저민〕 고기.

émincer [emɛ̃se] 2 *v.t.* 〖요리〗 (고기·야채 따위를) 얇게 썰다(저미다).

éminemment [eminamɑ̃] *adv.* 뛰어나게 ; 《구어》 매우 : Il est ~ compétent. 그는 매우 유능하다.

éminence [eminɑ̃ːs] *f.* ① 언덕, 고지 : observatoire établi sur une ~ 높은 곳에 세워진 관측소. ② 뛰어남, 탁월. ③ 예하(猊下)《추기경의 존칭》 : Son *É*~ le cardinal 추기경 예하. ④ 〖해부〗 융기, 돌기. ***l'É~ grise*** 막후의 실력자, 막후의 추기경《추기경 *Richelieu*의 의논 상대였던 *Joseph* 신부를 일컬음》.

***éminent, e** [eminɑ̃, -ɑ̃ːt] *adj.* ① (지위가) 높은, 각별한 : poste ~ 높은 지위. ② 훌륭한, 뛰어난, 걸출한(= illustre ; ≠ médiocre) ; 탁월한 : écrivain ~ 탁월한 작가 / mon ~ collaborateur 나의 탁월한 협력자 / rendre d'~*s* services 뛰어나게 공헌하다.

émirat [emiʀa] *m.* (이슬람교국의) 수장의 지위 ; 수장국 : *É*~*s* arabes unis 아랍 수장국 연방.

émissaire [emisɛːʀ] *m.* 밀사 : envoyer des ~*s* 밀사를 파견하다. ── *adj.* bouc ~ 속죄(贖罪)의 염소 ; 남의 죄를 대신 지는 사람.

***émission** [emisjɔ̃] *f.* ① (열·빛의) 방출, 방사(放射) ; (오줌의) 배설, (정액의) 사정 ; (소리를) 내기 : ~ de voix 발성 / ~ d'urine 〔desperme〕 방뇨〔사정〕. ② 〖금융〗 (지폐·어음 따위의) 발행. ③ 송신 ; 방송 (프로그램) : antenne d'~ 송신 안테나 / ~ en différée 〔en direct〕 녹화〔생〕방송 / poste 〔station〕 d'~ 송신국 ; 방송국 / ~ publique 공개 방송.

emmagasinage [ɑ̃magazinaːʒ], **emmagasinement** [ɑ̃magazinmɑ̃] *m.* ① 〖상업〗 창고에 넣기, 입고(入庫) : ~ de marchandises 상품의 입고. ② (에너지 따위의) 저장 ; (지식 따위의) 축적.

emmagasiner [ɑ̃magazine] *v.t.* ① 〖상업〗 창고에 넣다, 입고하다 : ~ des marchandises 상품들을 창고에 넣다. ② 〖물리〗 (열·빛·에너지 따위를) 축적하다(= accumuler) : éléctricité *emmagasinée* dans une batterie 배터리에 축적된 전력. ③ (지식 따위를 머릿속에) 간직하다, 축적하다 : ~ les souvenirs 추억을 간직하다.

emmaillot(t)er [ɑ̃majɔte] *v.t.* ① (아기를) 포대기로 싸다 ; (상처를) 붕대로 감다. ② 《비유》 (사람을) 속박하다, 묶다.

emmanchage [ɑ̃mɑ̃ʃaːʒ], **emmanchement** [ɑ̃mɑ̃ʃmɑ̃] *m.* ① 손잡이를 달기. ② 〖기계〗 (선반 따위에) 바이트 끼우기〔달기〕.

emmancher [ɑ̃mɑ̃ʃe] *v.t.* ① …에 손잡이〔자루〕를 달다 : ~ un couteau 나이프에 자루를 달다. ② (바이스 따위를) 맞물리게 하

다 ; (구멍 따위에) 꽂다〔끼우다〕: ~ un tuyau à une conduite d'eau 수도관에 호스를 끼우다. ③ 《구어》 시작하다, 착수하다 : ~ une discussion 토론을 시작하다. ***affaire mal emmanchée*** 시작이 잘못된 일.

emmanchure [ɑ̃mɑ̃ʃy:ʀ] *f.* ① 소맷동, 소맷부리. ② (도구의) 손잡이 구멍.

emmêlement [ɑ̃mɛlmɑ̃] *m.* ① 엉클어짐, 뒤섞기 ; 얽힘. ② 착잡, 뒤죽박죽 ; (교통의) 혼잡.

***emmêler** [ɑ̃mɛ(e)le] *v.t.* ① 엉클다(= enchevêtrer), 뒤엉키게 하다, 뒤섞다(≠ démêler) : ~ des fils 실을 엉클어뜨리다. ② (사건·줄거리 따위를) 혼란하게 하다 : Mais non, ce n'est pas ça, tu *emmêles* tout ! 천만에, 그건 아냐, 너는 전부 혼동하고 있어.

emménagement [ɑ̃menaʒmɑ̃] *m.* (새집으로) 이사하기, 옮기기(≠ déménagement).

***emménager** [ɑ̃menaʒe] [3] *v.i.* 새집에 가구를 들여놓다 ; 새집으로 이사하다(≠ déménager).

emmener** [ɑ̃mne] [4] *v.t.* ① (사람을) 데리고 가다, 끌고 가다 : ~ qn à l'école …을 학교에 데리고 가다 / ~ un enfant chez le médecin 어린이를 병원으로 데리고 가다 / ~ le prisonnier 죄수를 연행하다. ② (물건을) 가지고 가다 : Il *a emmené* un livre pour se distraire. 그는 기분 전환을 위해 책을 가지고 갔다 / J'*ai emmené* ma voiture au garage. 차를 차고까지 끌고 갔다. ~ qn + *inf.* …을 하러 데리고 가다 : Je l'*ai emmené* passer l'hiver en Italie. 나는 이탈리아에서 겨울을 지내도록 그를 데리고 갔다. ~ qn ***à la campagne …을 시골로 데려가다 ; …을 경멸〔조소〕하다 : Je t'*emmène à la campagne*. 너 같은 놈은 보기도 싫다.

emment(h)al [emɛ̃(ɛn)tal] *m.* (스위스의) 에멘탈산(産) 치즈.

emmerdant, e [ɑ̃mɛʀdɑ̃, -ɑ̃:t] *adj.* 《구어》 귀찮은, 지겨운(= embêtant).

emmerdement [ɑ̃mɛʀdəmɑ̃] *m.* 《구어》 귀찮음, 성가심 ; (*pl.*) 귀찮은 일, 골칫거리(= embêtement) : Quel ~ ! 귀찮아 죽겠어 !

emmerder [ɑ̃mɛʀde] *v.t.* 《구어》 ① 귀찮게 굴다(= embêter) ; 《주어 : qc》 싫증나게〔따분하게〕 하다 : ~ les voisins 이웃들을 못살게 굴다 / La politique m'*emmerde*. 정치란 지겨운 것이다. ② (사람을) 깔보다, 상대도 하지 않다 : Je l'*emmerde*. 그 염병할 놈 같으니《글로 쓸 때는 보통 Je l'*em*...》/ Ces types-là, je les *emmerde* ! 저 자들 말이야, 난 거들떠보지도 않아. — **s'~** *v.pr.* 진저리나다 ; 지겨워〔따분해〕하다 : Ne *t'emmerde* pas pour si peu. 그런 사소한 일로 구시렁거리지 마.

emmerdeur, euse [ɑ̃mɛʀdœ:ʀ, -ø:z] *n.* 《구어》 귀찮은 놈〔년〕.

emmieller [ɑ̃mjɛ(e)le] *v.t.* ① …에 꿀을 바르다〔넣다〕. ② 《비유》 (어조 따위를) 완화하다. ③ 《구어》 귀찮게 굴다(= emmerder).

emmitoufler [ɑ̃mitufle] *v.t.* 《~ qn de, dans》 …을 …으로〔에〕 포근하게 감싸다 : dame *emmitouflée* d'épaisses fourrures 두터운 모피에 포근히 감싸인 부인. — **s'~** *v.pr.* 《s'~ de, dans》 …으로〔에〕 포근하게 몸을 감싸다〔두르다〕.

emmurer [ɑ̃myʀe] *v.t.* 유폐하다 ; (빠져나올 수 없게) 가두다 : Les mineurs *ont été emmurés* dans un puits. 광부들이 수갱에 갇혔다.

émoi [emwa] *m.* ① (깊은) 감동, (마음의) 동요, 흥분(= agitation), 소란 : Tout le village était en ~. 마을이 온통 흥분으로 들떠 있었다. ② 근심, 불안(= tracas, soucis) : d'~ d'un jour d'exame 시험을 치르는 날의 불안한 심정. ***mettre en*** ~ 흥분하여 가슴이 두근거리다.

émollient, e [emɔljɑ̃, -ɑ̃:t] *adj.* 〖약학〗 (염증을) 완화하는, 진통의. — *m.* 〖약학〗 완화제, 진통제.

émolument [emɔlymɑ̃] *m.* ① 〖법률〗 (상속인 따위의) 취득. ② (*pl.*) (공증인·집행관 따위의) 법정 사례〔보수〕(= honoraires) ; 《일반적》 (공무원의) 보수, 봉급(= rétribution).

émondage [emɔ̃da:ʒ] *m.* 〖원예〗 소용없는 가지를 쳐내기 ; 전지.

émonder [emɔ̃de] *v.t.* (나무의) 소용없는 가지를 쳐내다, 전지하다.

émondeur, euse [emɔ̃dœ:ʀ, -ø:z] *n.* 전지하는 사람.

émotif, ive** [emɔtif, -i:v] *adj.* ① 감정의, 정서의 : trouble ~ 정서 장애. ② 감동하기 쉬운, 민감한, 다감한(= sensible ; ≠ apathique) : enfant ~ (감수성이) 예민한 아이. ***peu ~ 감정에 동요되지 않는, 냉정한.

émotion** [emosjɔ̃] *f.* ① 감동, 흥분(≠ froideur) ; (마음의) 충격, 동요 : recevoir une mauvaise nouvelle sans ~ 태연하게 나쁜 소식을 받아들이다 / cacher son ~ 마음의 동요를 감추다. ② 〖심리〗 감정, 정서(= ~-sentiment). ***on n'a pas eu d'~ 《구어》 조금도 걱정하지 않았다.

émotionnel, elle [emosjɔnɛl] *adj.* 〖심리〗 감정〔감동〕의, 정동의(= affectif) : choc ~ 감정적 충격 / réaction ~*elle* 감정적 반응.

émotionner [emosjɔne] *v.t.* 《구어》 감동〔흥분〕시키다(= émouvoir) : ~ le public 관중을 감동시키다. — **s'~** *v.pr.* 감동하다.

émotivité [emɔtivite] *f.* 감동성 ; 감수성(= sensibilité) : C'est un enfant d'une grande ~. 저 아이는 감수성이 매우 예민하다.

émousser [emuse] *v.t.* (날붙이·감각·능력 등을) 무디게 하다 ; 감퇴시키다(= affaiblir) : ~ la colère de qn …의 노여움을 완화시키다 / L'accoutumance *émousse* la sensation. 습관은 감수성을 무디게 한다.

émoustillant, e [emustijɑ̃, -ɑ̃:t] *adj.* 《구어》 즐겁게 하는, 재미있는(= excitant) : historiettes ~*es* 재미있는 일화 / programme ~ 흥미진진한 프로그램.

émoustiller [emustije] *v.t.* 《구어》 흥겹게 하다, 들뜨게 하다(= exciter) : Les invités *étaient émoustillés* par la boisson. 손님들은 술로 완전히 들떠 있었다.

émouvant, e [emuvɑ̃, -ɑ̃:t] *adj.* 감동시키는, 감동적인(= attendrissant) : scène ~*e* 감동적인 장면.

***émouvoir** [emuvwa:ʀ] [56] *v.t.* 감동시키다(= toucher) ; …의 마음을 뒤흔들다(= bouleverser) : homme que rien ne peut ~ 아

무것에도 동요하지 않는 사나이 / 《목적보어 없이》 L'art *émeut.* 예술은 사람을 감동시킨다. — **s'~** *v.pr.* 마음이 동요하다, 불안해지다 ; 흥분하다 ; 감동하다 : *s'~* à la vue (à la pensée) de... …을 보고(생각하고) 마음이 흔들리다(감동되다). ***sans s'~*** 냉정(태연)하게.

empaillage [ɑ̃pɑjaːʒ] *m.* ① (의자에) 짚으로 심을 넣기. ② (동물을) 박제로 만들기.

empailler [ɑ̃pɑje] *v.t.* ① (의자 따위에) 짚을 넣다. ② (동물을) 박제로 만들다.

empailleur, euse [ɑ̃pɑjœːʀ, -øːz] *n.* (의자 따위에) 짚 넣는 사람 ; 박제사(師).

E

empaler [ɑ̃pale] *v.t.* 말뚝을 몸에 박아 죽이다《형벌》. — **s'~** *v.pr.* 뾰족한 물건에 떨어져 상처를 입다 ; 못 따위를 밟다.

empan [ɑ̃pɑ̃] *m.* (한)뼘《엄지와 새끼손가락을 벌린 사이의 거리》.

empanaché, e [ɑ̃panaʃe] *adj.* ① 깃털 장식이 달린. ② (문체가) 지나치게 꾸며 댄.

empaquetage [ɑ̃pakta:ʒ] *m.* 포장(하기)(= emballage).

empaqueter [ɑ̃pakte] [5] *v.t.* (물건을) 싸다, 포장하다(= emballer) : marchandises *empaquetées* 포장된 상품.

***emparer (s')** [sɑ̃paʀe] *v.pr.* ① 《s'~ de》 …을 탈취하다, 빼앗다 ; 점령하다 ; 독점하다(= prendre) : *s'~ d'*un héritage 유산을 가로채다 / *s'~ d'*une ville 도시를 점령하다 / *s'~ du* marché européen 유럽 시장을 독점하다. ② 《s'~ de qn》 …의 마음을 빼앗다(사로잡다) : orateur qui *s'empare de* son auditoire 청중을 사로잡는 연설자.

empâté, e [ɑ̃pɑte] *adj.* ① 끈적거리는. ② 살찐, 통통한 : visage ~ 포동포동한 얼굴.

empâtement [ɑ̃pɑtmɑ̃] *m.* ① 〖농업〗 (가금의) 비육. ② 〖미술〗 두터운 물감층. ③ (얼굴이) 포동포동함 : ~ des chairs 살이 찜 ; 살집이 좋음.

empâter [ɑ̃pɑte] *v.t.* ① 끈적끈적하게 하다. ② (가금(家禽)을) 사료로 살찌우다. ③ (얼굴 따위를) 살찌게 하다 : L'âge *empâte* les traits. 늙으면 얼굴이 부등부등해진다. ④ 〖미술〗 두껍게 색칠하다. — **s'~** *v.pr.* 살찌다(= grossir) : *s'~* avec l'âge 나이를 먹으면서 뚱뚱해지다.

empattement [ɑ̃patmɑ̃] *m.* ① (기둥 따위의) 토대 ; 기중기 밑의 버팀목. ② (자동차의) 축간(軸間) 거리. ③ 〖인쇄〗 (로마자 활자의) 세리프《위아래 부분의 가느다란 장식선》.

empaumer [ɑ̃pome] *v.t.* 《구어》 속이다, 농락하다(= rouler) : se faire (laisser) ~ 농락당하다, 속아 넘어가다.

empêché, e [ɑ̃pɛ(e)ʃe] *adj.* 형편이 여의찮은, 출석할 수 없는 : Le professeur, ~, n'a pu venir. 선생님은 형편이 여의찮아 올 수 없었다.

empêchement [ɑ̃pɛʃmɑ̃] *m.* 방해 ; 장애(물) ; 지장(= contretemps) : avoir un ~ 지장이 있다 / Il n'y a pas d'~. 아무런 지장이 없다. ***~ de mariage*** 〖법률〗 결혼 장애(불성립). ***en cas d'~*** 지장이 있을 경우에는. ***sans ~*** 지장 없이. ***trouver un ~ à*** qc …에 대하여 불복(不服)하다.

empêcher** [ɑ̃pɛ(e)ʃe] *v.t.* ① 방해하다, 막다, 못하게 하다 : ~ un mariage 결혼을 방해하다 / Cette muraille *empêche* la vue. 이 벽은 시야를 가로막는다. ② 《~ qn (qc) de+*inf.*》 …이 …하는 것을 방해하다(막다 · 못 하게 하다) ; 《~ que+(ne) *sub.*》 …하는 것을 방해하다 : Qu'est-ce qui vous *empêche* de partir ? 무엇 때문에 떠나지 못하십니까? / 《직접목적보어 없이》 La pluie *empêche d'*aller se promener. 비 때문에 산책 가지 못한다. ③ 《~ qc à qn ; ~ à qn de+*inf.*》 《옛》 …에게 …을(…이 …하는 것을) 못하게 하다. ***Cela n'empêche pas que (ne) + *sub.* 그래도 역시 …이다 : *Cela n'empêche pas qu'*il (*ne*) soit méchant. 그렇다 해도 그는 여전히 고약한 사람이다. ***(Il) n'empêche que***+*ind.* 그래도 …함에는 변함이 없다 : *Il n'empêche que* j'ai raison. 그래도 역시 내가 옳다. ***n'empêche*** 《구어》 그렇다 해도, 어쨌든 : Il est très occupé, mais *n'empêche,* il doit venir. 그는 몹시 바쁘지만 그래도 오긴 올 것이다. — **s'~** *v.pr.* ① 《s'~ de+*inf.*》 …하는 것을 참다(삼가다), 자제하다, …하지 않다(= se défendre) : *s'~ de* dormir pour l'attendre 그를 기다리느라고 자지 않다. ② 《옛》 《s'~ de qc》 …에 당황하다. ***ne (pas) pouvoir s'~ de***+*inf.* …하지 않을 수 없다 : Je *ne puis m'~ de* vous aimer. 당신을 사랑하지 않을 수 없다.

empêcheur, euse [ɑ̃pɛʃœːʀ, -øːz] *n.* 《구어》 방해자 : ~ de danser en rond 남의 즐거움을 망쳐 놓는 사람, 파흥자(破興者).

empeigne [ɑ̃pɛɲ] *f.* 구두의 등(= claque).

empennage [ɑ̃pɛ(n)naːʒ] *m.* ① 화살에 깃을 달기 ; 《집합적》 화살의 깃. ② 〖항공〗 (비행기 따위의) 뒷날개, 꼬리날개.

empenne [ɑ̃pɛn] *f.* (화살의) 깃, 살깃.

empenner [ɑ̃pe(ɛn)ne] *v.t.* (화살에) 깃털을 붙이다 ; (비행기에) 뒷날개를 달다.

***empereur** [ɑ̃pʀœːʀ] *m.* ① 황제, 제왕《여성형은 impératrice》 : Sa Majesté l'*E~* 황제 폐하. ② (*E~*) (프랑스의) 나폴레옹 1세 ; 나폴레옹 3세.

empesage [ɑ̃pzaːʒ] *m.* 풀 먹이기.

empesé, e [ɑ̃pze] *adj.* ① 풀을 먹인. ② 《비유》 (태도 · 문체 따위가) 딱딱한, 어색한(≠ aisé, naturel) : avoir l'air ~ 태도가 어색하다 / style ~ 딱딱한 문체.

empeser [ɑ̃pze] [4] *v.t.* 풀을 먹이다(= amidonner) : ~ un col de chemise 와이셔츠의 깃에 풀을 먹이다.

empester [ɑ̃pɛste] *v.t.* ① …에 악취를 퍼뜨리다 ; (악취를) 풍기다 : Son haleine *empeste* l'alcool. 그의 숨결에서 술 냄새가 난다. ② (사상 따위가) 해독을 끼치다.
— *v.i.* 악취를 풍기다 : Ça *empeste* ici. 여기는 고약한 냄새가 난다.

empêtré, e [ɑ̃pɛtʀe] *adj.* 서투른, 어색한, 난처한 : avoir l'air ~ 난처해 보이다.

empêtrer [ɑ̃pɛ(e)tʀe] *v.t.* ① (말 따위의) 발을 옭아매다 : ② (사람의 몸을) 거북하게 하다 : De gros vêtements nous *empêtrent.* 우리는 두툼한 옷 때문에 행동이 부자연스럽다. ③ (불쾌한 사건 따위에) 끌어넣다, 난처하게 하다, 방해하다 : l'~ dans une mauvaise affaire 그를 파렴치한 사건에 말려들게 하다. — **s'~** *v.pr.* ① 《s'~ dans》 …에 발이 묶이다(= *s'~* les pieds) : *s'~ dans* la neige 눈에 발이 묶이다, 눈 속에서 허우적거리다. ② 《s'~ dans》 …에 말려들다 : *s'~ dans* un complot 음모에 말려들다. ③ 꼼짝할 수 없게 되다, 난처해지다.

emphase [ɑ̃fɑːz] *f.* ① 과장된 말투 · 허풍 ; (몸짓 따위의) 과장(= grandiloquence) : discours plein d'~ 과장된 말투의 연설 / ~ d'un geste 몸짓의 과장 / sans ~ 과장 없이. ② 〖수사학〗 과장법(= hyperbole) ; 〖언어〗 강조.

emphatique [ɑ̃fatik] *adj.* ① 과장된, 허풍떠는 : ton 〔style〕 ~ 과장된 말투〔문체〕. ② 〖언어〗 강조된.

emphytéose [ɑ̃fiteoːz] *f.* 〖법률〗 장기 임대차(賃貸借) ; 영구 소작권.

empiècement [ɑ̃pjɛsmɑ̃] *m.* 요크《블라우스 · 드레스 따위의 어깨 또는 스커트의 허리 부분에 따로 대는 천》.

empierrement [ɑ̃pjɛʀmɑ̃] *m.* (길에) 돌을 깔기 ; (길을) 포장하기.

empierrer [ɑ̃pjɛʀe] *v.t.* (길에) 돌을 깔다.

empiétement [ɑ̃pjɛtmɑ̃] *m.* 잠식(蠶食), 침식 ; 침해, 월권 ; 유린 : ~ de la mer sur la terre 바다의 육지에의 침식 / ~ des autorités 〖법률〗 행정권의 남용.

***empiéter** [ɑ̃pjete] 6 *v.t. ind.* ① 《~ sur qc》 …을 침범〔침해〕하다, 잠식하다 : ~ *sur* la terrain du voisin 이웃의 토지를 잠식하다. ② 《~ sur qn》 …의 권리를 침해하다 : ~ *sur* les droits de qn …의 권리를 침해하다. — *v.t.* ① 침범〔침해〕하다. ② (왕권 따위를) 찬탈하다.

empiffrer [ɑ̃pifʀe] *v.t.* 《구어》 잔뜩 먹이다. — **s'~** *v.pr.* 《구어》 《~ de》 잔뜩 먹다(= se bourrer, se gaver) ; 뚱뚱해지다 : *s'~ de* gâteau 과자를 실컷 먹다.

empilage [ɑ̃pilaːʒ], **empilement** [ɑ̃pilmɑ̃] *m.* 쌓기, 퇴적(= empilage) ; 더미(= pile).

empiler [ɑ̃pile] *v.t.* ① 쌓다, 쌓아 놓다(= entasser) ; 빽빽이〔잔뜩〕 넣다 : ~ ses livres 책들을 쌓아 놓다 / ~ des voyageurs dans un wagon 객차에 승객을 잔뜩 태우다. ② 《속어》 속이다, 사기 치다(= duper) : se faire ~ 사기당하다. — **s'~** *v.pr.* 쌓이다.

empire [ɑ̃piːʀ] *m.* ① 제국 ; (제국의) 지배지, 영토 : *E*~ roman 〔byzantin〕 로마〔비잔틴〕 제국. ② 제정(帝政) ; 제위 : le Premier *E*~ (나폴레옹 1세의) 제 1 제정 / le Second *E*~ (나폴레옹 3세의) 제 2 제정 / abdiquer l'~ 제위를 물려주다. ③ 국가, 나라. ④ 주권 ; 지배권 : ~ de la mer 제해권. ⑤ (정신적) 권위, 지배력, 세력, 권력, 영향력(= pouvoir, influence) : exercer sur qn un ~ absolu …에게 절대적 권력을 행사하다 / Cet auteur exerce un grand ~ sur la jeunesse. 이 작가는 청년층에 커다란 영향력을 미치고 있다. ⑥ 식민지(= ~ colonial) : *E*~ français 프랑스 식민지. ***pas pour un ~*** 무슨〔어떤〕 일이 있어도 …하지 않다. ***sous l'~ de*** …의 지배 밑에 ; …에 움직여져서.

***empirer** [ɑ̃piʀe] *v.t.* 《문어》 악화시키다(≠ améliorer) : pour ~ les choses 게다가 곤란한 것은, 설상가상으로. — *v.i.* et. **s'~** *v.pr.* 더 나빠지다, 악화하다 : Son état *empire* de jour en jour. 그의 건강은 날이 갈수록 악화되고 있다.

empirique [ɑ̃piʀik] *adj.* 경험의〔에 의한〕 ; 경험적인 : connaissances ~*s* 경험적 지식.

empiriquement [ɑ̃piʀikmɑ̃] *adv.* 경험적으로, 경험에 의하여.

empirisme [ɑ̃piʀism] *m.* 〖철학〗 경험론 ; 「경험주의.

empiriste [ɑ̃piʀist] *m.* 〖철학〗 경험론자 ; 경험주의자.

***emplacement** [ɑ̃plasmɑ̃] *m.* ① 용지(用地), 부지(敷地), 공간 : ~ des usines 공장 부지 / réservé au personnel 직원 전용 주차 공간. ② (특정 용도를 위한) 장소, 지점 : chercher un bon ~ pour le tournage 영화 촬영을 위해 좋은 장소를 찾다. ③ (노점 따위의) 자리 ; 소재지 : ~ d'une troupe 부대의 주둔지. ④ 유적(遺跡) : faire des fouilles à l' ~ d'une cité antique 고대 도시의 유적을 발굴하다.

emplâtre [ɑ̃plɑːtʀ] *m.* ① 〖약학〗 고약 : mettre 〔lever〕 un ~ 고약을 붙이다〔떼다〕. ② 《구어》 무기력한〔트릿한〕 사람. ③ 《구어》 기름진 음식. ***C'est mettre un ~ sur une jambe de bois.*** 《구어》 그것은 아무 소용도 없다. ***mettre un ~ à*** qc …을 임시변통으로 꾸며 맞추다, 미봉하다.

emplette [ɑ̃plɛt] *f.* ① 물건을 사기, 구매, 쇼핑 : aller faire des 〔ses〕 ~*s* 물건을 사러 가다 / faire une mauvaise 〔《익살》 belle〕 ~ 비싸게 사다 ; 바가지 쓰다. ② 산 물건, 잡화 : Montre-moi tes ~*s*. 무엇을 샀는지 보자.

emplir [ɑ̃pliːʀ] *v.t.* 《문어》 가득 채우다(= remplir) : Les manifestants *emplissaient* la place. 데모대가 광장을 가득 메우고 있다 / ~ ses poches (d'argent) 돈을 톡톡히 벌다. — **s'~** *v.pr.* 《~ de》 …으로 가득 차다 : La rue *s'emplit de* bruits. 거리는 소음으로 가득 찼다.

emploi** [ɑ̃plwa] *m.* ① 사용 ; 용법 ; 쓸모, 용도 : mode d'~ 사용법, 사용 설명서 / trouver l'~ de cet argent 이 돈의 용도를 찾아내다 / faire un bon ~ du temps 〔de l'argent〕 시간〔돈〕을 유효하게 사용하다. ② ⓐ 일, 일자리, 직무, 직(職) : chercher 〔trouver〕 un ~ 일자리를 구하다〔찾다〕 / prendre un ~ 취직하다 / Pour cet ~, il faut quelqu'un d'expérimenté. 이 직책에는 숙련된 사람이 필요하다. ⓑ 〖경제〗 고용 : le plein ~ 완전 고용 / création d'~*s* 고용의 창출. ③ 〖부기〗 기장, 기입 : faux ~ (지출의) 부정 기입. ④ 〖연극〗 배역, 역할 : Cet acteur a 〔tient〕 l'~ des valets. 이 배우는 사환 역이 전문이다. ≪Demandes d'~.***≫ 〖광고〗 「구직」. ***double ~*** 쓸데없는 중복 ; 〖부기〗 이중 기입. ***~ du temps*** 일과 ; 시간표 ; 스케줄 : avoir un ~ *du temps* très chargé 스케줄〔일정〕이 꽉 차 있다, 몹시 바쁘다. ***être sans ~*** 실업 중이다. ≪***Offres d'~.***≫ 〖광고〗 「구인」.

***employé, e** [ɑ̃plwaje] *n.* 종원업, 직원, 사무원, 점원 : ~ de banque 은행원 / ~ de bureau 사무직원 / ~(*e*) de magasin (여)점원 / les ~*s* 봉급생활자 / ~ de maison 가사 노동을 위한 고용인《하인(= domestique)의 새 호칭》 / ~ subalterne 평사원, 말단 사원 /

les ~*s* d'une société 회사의 종업원.

‡employer [ɑ̃plwaje] [7] *v.t.* ① 쓰다, 사용하다(=se servir de) : ~ un terme impropre 부적절한 용어를 사용하다 / 《~ qc à qc〔+*inf.*〕》 ~ une somme *à* l'achat d'une voiture 자동차를 사는 데 얼마의 금액을 쓰다 / ~ toute une journée à rédiger mon courrier 편지를 쓰는 데 온종일을 보내다 / Ils *ont employé* tous les moyens pour gagner. 그들은 이기기 위해 온갖 수단을 다 썼다. ② (사람을) 쓰다, 고용〔채용〕하다 : ~ une femme de ménage 가정부를 고용〔채용〕하다 / Cette usine *emploie* cent ouvriers. 이 공장은 100 명의 노동자를 쓰고 있다. ③ 이용하다 : bien〔mal〕 ~ son temps 유익하게〔서투르게〕 시간을 이용하다. ── **s'~** *v.pr.* ① 《주어 : qc》 쓰이다, 사용되다 : Cette expression ne *s'emploie* plus. 이 표현은 이제 쓰이지 않는다. ② 《주어 : qn》《s'~ à》 …에 전념하다, 애쓰다(=s'occuper) : *s'~ à* la recherche d'une solution 해결책을 찾기 위해 노력하다 / Le gouvernement *s'emploie à* réduire le chômage. 정부는 실업을 줄이려고 애쓴다. ***~ le* (*bois*) *vert et le sec*** 사방으로 손을 쓰다, 온갖 수를 다 쓰다. ***s'~ à***+*inf.* …하기에 바쁘다 ; …에 종사하다. ***s'~ pour*〔*en faveur de*〕** qn …을 위하여 애쓰다.

employeur, euse [ɑ̃plwajœːʀ, -øːz] *n.* 고용주, 사용자 : certificat de l'~ 노동 증명서 《전 고용주가 발행》.

emplumé, e [ɑ̃plyme] *adj.* ① 깃장식이 달린 : chapeau ~ 깃장식 달린 모자. ② (새가) 다리에 털이 있는 : bête ~*e* 새, 가금.

emplumer [ɑ̃plyme] *v.t.* …에 깃장식〔깃털〕을 달다 : ~ une flèche 화살에 깃털을 달다. ── **s'~** *v.pr.* (새가) 다리에 털이 나다.

empocher [ɑ̃pɔʃe] *v.t.* (돈 · 이익 따위를) 착복하다, 받다(=recevoir, toucher) : ~ un pourboire 팁을 받다.

empoignade [ɑ̃pwaɲad] *f.* 《구어》 심한 말다툼 ; 격론(=altercation, dispute).

empoigne [ɑ̃pwaɲ] *f.* 움켜잡기, 거머쥐기. ***foire d'~*** (서로 움켜쥐려는) 난투판 ; 약육강식의 세계 : C'est une vraie *foire d'~*. 이곳은 정말 먹고 먹히는 난투판이다 / revenir de la *foire d'~* 《구어》 노획물을 많이 가지고 돌아오다.

empoigner [ɑ̃pwaɲe] *v.t.* ① 움켜잡다, 잡다 ; 체포하다 : ~ qn au collet〔par le bras〕 …의 목덜미를〔팔을〕 붙잡다 / ~ un voleur 도둑을 붙잡다. ② (사람의) 마음을 (사로) 잡다, 감동시키다(=émouvoir) : Le dénouement *empoignait* tous les spectateurs. 모든 관객이 대단원에 감격했다. ***~ l'occasion*** 기회를 포착하다. ── **s'~** *v.pr.* 싸우다, 다투다(=se colleter) : Ils sont prêts à *s'~*. 그들은 금새 맞붙어 싸울 기세이다.

empois [ɑ̃pwa] *m.* (세탁용) 풀, 녹말풀.

***empoisonnant, e** [ɑ̃pwazɔnɑ̃, -ɑ̃ːt] *adj.* ① 독이 되는, 해독을 끼치는. ② (냄새가) 고약한. ③ 《구어》 불쾌하기 짝없는, 귀찮은, 진저리〔넌더리〕나는(=embêtant) : travail ~ 지겨운 일 / visiteur ~ 귀찮은 손님.

empoisonnement [ɑ̃pwazɔnmɑ̃] *m.* ① 독을 넣기〔바르기〕 ; 독살 ; 음독(飮毒) : se suicider par ~ 음독자살하다. ② 중독(=intoxication) : ~ dû à des champignons vénéneux 독버섯에 의한 중독. ③ 악취 ; 오염 : ~ de l'air 대기 오염. ④ 《구어》 지겨움, 넌더리, 골칫거리(=ennui) : avoir des ~*s* avec son fils 자식 문제로 고민하다.

empoisonner [ɑ̃pwazɔne] *v.t.* ① ⓐ …에 독을 넣다, 독을 바르다 : ~ une boisson 음료에 독을 타다. ⓑ 독살하다 ; 중독시키다(=intoxiquer) : Elle *a empoisonné* son mari à l'arsenic. 그 여자는 남편을 비소로 독살했다 / Il *a été empoisonné* par des huîtres avariées. 그는 상한 굴을 먹고 중독되었다. ⓒ …에 악취를 퍼뜨리다 : La friture *empoisonne* tout l'appartement. 튀김 냄새가 고약하게 온 집안에 퍼져 있다 / 《목적보어 없이》 Il a une haleine qui *empoisonne*. 그의 입김에선 역한 냄새가 풍긴다. ② 오염시키다 : Les déchets industriels *empoisonnent* la rivière. 산업 폐기물이 강을 오염시킨다. ③ 《구어》 지겹게〔넌더리나게〕 하다, 귀찮게 굴다(=embêter) : Ça m'*empoisonne*. 그것 참 귀찮아 죽겠네. ── **s'~** *v.pr.* ① 독을 마시다 ; 음독자살하다. ② 중독되다 ; 독살되다. ③ 해독을 입다.

empoisonneur, euse [ɑ̃pwazɔnœːʀ, -øːz] *n.* ① 독살자 ; 서투른 요리인. ② 해독을 끼치는 사람, 풍속을 문란케 하는 사람. ③ 귀찮게 구는 사람, 진저리나게 하는 사람.

empoissonnement [ɑ̃pwasɔnmɑ̃] *m.* 물고기〔치어〕를 방류하기.

***empoissonner** [ɑ̃pwasɔne] *v.t.* (하천 따위에) 물고기〔치어〕를 방류하다 : ~ une rivière 강에 물고기를 방류하다.

***emporté, e** [ɑ̃pɔʀte] *adj.* ① 성 잘내는(≠calme) : caractère ~ 성 잘 내는 성격 / Ne soyez pas si ~. 그렇게 화내지 마세요. ② 흥분한, 격렬한 : cheval ~ 날뛰는 말.

emportement [ɑ̃pɔʀtəmɑ̃] *m.* ① 분노, 격앙, 격노, 분격. ② 흥분 ; 감격 ; 열광 : ~*s* de jeunesse 젊은 혈기의 과오. ***se laisser aller à son ~*** 분노를 폭발시키다.

emporte-pièce [ɑ̃pɔʀtəpjɛs] *m.* 《복수불변》 ① 구멍 뚫는 기구, 끌, 펀치. ② 《구어》 신랄한 사람. ***à l'~*** 신랄하게, 통렬하게 : mots *à l'~* 신랄한 말, 입바른 말.

emporter** [ɑ̃pɔʀte] *v.t.* ① 가져가다 ; 실어가다 ; 데려가다 : ~ des provisions pour le voyage 여행을 위해 식량을 가져가다 / Les secouristes *emportent* les blessés. 구조원들이 부상자를 실어간다 / Ce remède *emporte* la fièvre. 이 약은 열을 없앤다. ② 앗아가다 ; 강탈하다 ; 휩쓸어가다 ; (요새 따위를) 탈취〔점령〕하다 ; (승리 따위를) 획득하다 ; (병 따위가) …의 목숨을 빼앗다 ; (바람 · 포탄 따위가) 날려보내다 : *être emporté* par une maladie 병에 목숨을 앗기다 / ~ le prix 상을 획득하다 / Les voleurs *ont emporté* toute l'argenterie. 도둑들이 은그릇을 모두 가져가 버렸다. ③ 격하게 하다, 흥분시키다 : La colère l'*a emporté*. 그는 흥분하여 노발대발했다. ④ 수반하다, 포함하다(=comporter). ***Autant en emporte le vent. 바람과 함께 사라지다, 이루어지지 못할 일이다. ***~ la pièce*〔*le morceau*〕** 《옛》 (야유

가) 매우 신랄하다. ***l'~*** 이기다, 승리를 차지하다 ; 우세하게 되다 ; (갖고 싶던 것을) 얻는 데 성공하다. ***l'~ sur*** qn 〔qc〕 …을 이기다 ; …보다 우세하다 : *l'~ sur* ses rivaux 경쟁자를 물리치고 승리하다 / Notre équipe *l'a emporté* par trois buts à un. 우리 팀이 3 대 1 로 이겼다. ***Le plus fort l'emporte.*** 《격언》 법보다 주먹이 앞선다. ***se laisser ~ à la colère*** 화를 내다. — **s'~** *v.pr.* ① 실려가다 ; 운반되다. ② 화를 내다 ; (말이) 날뛰다 : *s'~* facilement 쉽게 격분하다 / *s'~* comme une soupe au lait 《구어》 버럭 화를 내다. ③ 흥분하다.

empoté, e [ɑ̃pɔte] *adj.* 《구어》 서투른 ; 우둔한, 굼뜬(≠ adroit, dégourdi). — *n.* 둔재, 느림보(= emplâtre, gourde).

empoter [ɑ̃pɔte] *v.t.* ① (식물을) 화분에 심다(≠ dépoter). ② (잼 따위를) 단지에 넣다.

empourprer [ɑ̃puʀpʀe] *v.t.* 붉게 물들이다 ; (얼굴을) 붉히다(= rougir) : Le soleil couchant *empourprait* le ciel. 석양이 하늘을 붉게 물들이고 있었다 / La colère *empourpre* son visage. 그의 얼굴이 분노로 새빨개진다. — **s'~** *v.pr.* ① 붉게 물들다. ② (얼굴이) 붉어지다.

empoussiérer [ɑ̃pusjeʀe] 6 *v.t.* 먼지투성이로 만들다. — **s'~** *v.pr.* 먼지투성이가 되다 ; 먼지를 뒤집어쓰다.

empreindre [ɑ̃pʀɛ̃:dʀ] 27 *v.t.* ① (도장 따위를) 찍다, …의 자국을 남기다 : ~ ses pas sur la neige 눈 위에 발자취를 남기다. ② (마음 · 얼굴 따위에) 새기다. — **s'~** *v.pr.* 찍히다, 자국이 나다 ; (기억 · 얼굴 따위에) 새겨지다 : Son visage commençait à *s'~* de tristesse. 그의 얼굴에는 슬픔의 빛이 역력히 드러나기 시작했다.

empreint, e[1] [ɑ̃pʀɛ̃, -ɛ̃:t] *adj.* 《~ de》 …이 깃든, 새겨진 : ton ~ *de* douceur 상냥함이 깃든 어조.

***empreinte**[2] [ɑ̃pʀɛ̃:t] *f.* ① ⓐ (찍힌〔눌린〕) 자국, 흔적 ; (화폐 · 메달의) 각인(刻印) : ~ du cachet 인영(印影) / ~ des roues 바퀴자국 / ~ de pas 발자국. ⓑ 지문(= ~ digitale) : Le criminel n'a pas laissé d'~*s*. 범인은 지문을 남기지 않았다. ② (정신적) 흔적 ; (성격적) 특징 : Ses traits portent l'~ de la douleur. 그의 얼굴 모습에 고뇌의 흔적이 새겨져 있다.

***empressé, e** [ɑ̃pʀɛ(e)se] *adj.* ① 바쁜, 서두르는. ② ⓐ 열성적인 : admirateurs ~*s* 열렬한 팬. ⓑ 《~ à 〔de〕+*inf.*》 열심히 …하는 ; 열렬히 …하고자 하는 : se montrer ~ *à* plaire à qn 열심히 …의 비위를 맞추려고 하다. ③ 친절한, 정중한.

empressement [ɑ̃pʀɛsmɑ̃] *m.* ① 서두름 ; 민첩, 민활. ② 열의, 열성 : montrer peu d'~ pour qc …에 대하여 별로 열의가 없다. ③ 호의, 친절, 정중. ***avec ~*** 재빠르게 ; 자진하여, 쾌히. ***~ à 〔de〕***+*inf.* …하는 열성, 열심히 …하기. ***marquer un grand ~ à 〔pour〕***+*inf.* 끊임없이 …하려 들다. ***mettre beaucoup d'~ à***+*inf.* …하는 데 매우 열심이다. ***témoigner de l'~ auprès de*** qn …에게 각별한 친절을 다하다.

***empresser (s')** [sɑ̃pʀɛ(e)se] *v.pr.* ① 《s'~ à 〔pour〕+*inf.*》 열심히 …하다, 열의를 보이다 : *s'~ à 〔pour〕* soigner des malades 열의를 다해 환자들을 돌보다. ② 《s'~ de+*inf.*》 서둘러서〔바쁘게〕 …하다(= se hâter) : Il *s'est empressé d'*en avertir tout le monde. 그는 모든 이에게 그것을 서둘러 알렸다. ③ 《s'~ auprès 〔autour〕 de qn》 …에게 친절을 다하다 ; …의 비위를 맞추다 : *s'~ auprès des* jolies femmes 예쁜 여자들의 환심을 사려고 애쓰다.

emprise [ɑ̃pʀi:z] *f.* ① 〖법률〗 토지 수용 ; 수용지. ② 세력, 지배(력), 영향력(= autorité, influence) : avoir de l'~ sur qn …에게 영향력을 갖다 / être sous l'~ de qn …의 (정신적) 지배하에 있다.

emprisonnement [ɑ̃pʀizɔnmɑ̃] *m.* 투옥, 감금, 금고, 구류 : peine d'~ 금고형 / ~ à temps 〔perpetuel〕 유기〔무기〕 금고 / ~ à vie 종신 금고 / ~ de simple police (2 개월 이하의) 구류.

emprisonner [ɑ̃pʀizɔne] *v.t.* ① 투옥〔감금 · 구금〕하다 : ~ un malfaiteur 범죄자를 투옥하다. ② 꼼짝 못하게 하다 ; 꽉 죄게 하다 (= serrer) : cou *emprisonné* dans un col trop étroit 너무 좁은 칼라에 꼭 끼어 버린 목.

emprunt [ɑ̃pʀœ̃] *m.* ① 차용금 ; 부채(= dette) : faire un ~ à la banque 은행에서 돈을 꾸다 / rembourser 〔restituer〕 un ~ 빚을 갚다 / Il a fait un ~ sur sa maison. 그는 집을 담보로 돈을 꾸었다. ② 채권, 국〔공〕채(= ~ public) ; 회사채 : ~ communal 〔d'État〕 지방〔국〕채 / émettre 〔lancer〕 un ~ 채권을 발행하다. ③ (주제 따위의) 차용, 모방(= imitation) : ~*s* que Moilère a faits à Plaute 몰리에르가 플라우투스에게서 빌려온 표현. ④ 〖언어〗 차용어. ***d'~*** 빌려 쓰는 ; 꾸며 댄, 가짜의 ; 어색한 : nom *d'~* 가명. ***vivre d'~s*** 빚으로 살다.

emprunté, e [ɑ̃pʀœ̃te] *adj.* ① 빌린 ; 차용한 : argent ~ 빌린 돈 / fonds ~*s* 차입 자금. ② 부자연한, 어색한 : d'un air ~ 어색한 태도로.

emprunter** [ɑ̃pʀœ̃te] *v.t.* ① 《~ qc à qn 〔qc〕》 빌리다, 차용하다(≠ prêter) : ~ des livres 책을 빌리다 / ~ une cravate noire *à* un ami 친구에게서 검은 넥타이를 빌리다. ② 《~ qc à 〔de〕 qc 〔qn〕》 (주제 따위를) 끌어오다, 따오다, 차용하다 : ~ une citation *à* Pascal 파스칼의 작품에서 인용문을 따오다 / Le français *a emprunté* de nombreux mots *au* 〔*du*〕 grec. 프랑스어의 많은 낱말은 그리스어에서 차용한 것이다. ③ (길을) 잡다 ; (교통수단을) 이용하다 : conducteur qui *emprunte* la voie de gauche 왼쪽 길로 접어드는 운전수 / ~ la ligne de métro n°6 지하철 6 호선을 타다. ***~ un nom 가명을 쓰다.

emprunteur, euse [ɑ̃pʀœ̃tœ:ʀ, -ø:z] *adj.* 빌리는 ; 돈 꾸는 버릇이 있는 : langue ~*euse* 차용어. — *n.* 차용자.

empuantir [ɑ̃pɥɑ̃ti:ʀ] *v.t.* ① 악취를 풍기게 하다 ; 오염시키다(≠ embaumer) : gaz d'échappement qui *empuantissent* l'atmosphère 대기를 오염시키는 배기가스. ② 해독을 끼치다.

***ému, e** [emy] *adj.* 감격한, 감동된 ; 흥분된 : répondre d'une voix ~*e* 흥분된 목소리로 대답하다 / ~ que+*sub.* ; ~ de ce que+*ind.* 〔*sub.*〕 …에 감동된.

émulation [emylɑsjɔ̃] *f.* ① 경쟁심, 대항 의식 : Il y a entre eux de l'~. 그들 사이에는 경쟁 심리가 있다. ② 〖컴퓨터〗 에뮬레이션 《다른 컴퓨터의 기계어 명령대로 실행할 수 있는 기능》.

émule [emyl] *n.* ① 경쟁자, 적수(敵手) : surpasser ses ~*s* 경쟁자들을 앞지르다. ② 필적하는 사람, 호적수 : être ~ de qn …의 호적수가 되다.

émulsion [emylsjɔ̃] *f.* 유제(乳劑) ; 유상액(乳狀液) : ~ photographique 감광 유제.

émulsionner [emylsjɔne] *v.t.* ① 유제로 만들다. ② 〖사진〗 감광 유제를 바르다.

E

‡en¹ [ɑ̃] *prép.* ① ⓐ 《장소, 위치》 …에, …에서 : demeurer *en* Suisse 스위스에 살다 / passer ses vacances *en* Bretagne 영국에서 휴가를 보내다 / *en* arrière 뒤에, 뒤로 / *en* avant 앞에, 앞으로 / avoir cent francs *en* poche 주머니에 백 프랑을 가지고 있다 / dîner *en* ville 외식하다. ⓑ …위에서(=sur) : avoir un casque *en* tête 머리에 헬멧을 쓰고 있다 / mettre des genoux *en* terre 땅에 무릎을 꿇다 / portrait *en* pied 전신상 / entrer *en* scène 무대에 등장하다. ⓒ 《관념상으로서의 지점》 …에, …에서, …속〔안〕에 : *en* lui 그의 (마음) 속에 / avoir *en* tête 머릿속에 간직하다 / docteur *en* droit 법학 박사.
② ⓐ 《시간》 …에, …에는 : *en* hiver 〔été〕 겨울〔여름〕에(는) / *en* (l'an) 2008, 2008 년에 / *en* fin de semaine 주말에 / *en* plein nuit 한밤중에 / Ne parlons pas de cela *en* son absence. 그가 없는 자리에서는 그 이야기는 하지 말자 / C'etait *en* septembre. 9 월이었다. ⓑ 《기간》 …걸려서, …동안에, …안에 : d'aujourd'hui *en* huit 오늘부터 일주일 안에 / terminer le travail *en* cinq jours 닷새 걸려서 일을 끝마치다 / *en* un clin d'œil 눈깜짝할 사이에, 순식간에.
③ 《방향》 …에, …으로 : aller *en* Allemagne 독일로 가다 / aller *en* ville 거리에 나가다 / mettre qn *en* prison …을 투옥하다.
④ 《상태》 …상태의 : *en* bonne santé 건강한 / *en* réparation 수리 중의 / arbre *en* fleur 꽃이 핀 나무 / être *en* guerre 전쟁 중이다 / personne *en* prière 기도를 드리고 있는 사람 / être *en* vacances 휴가 중이다 / *en* grève 파업 중인 / être *en* panne 고장이 나 있다.
⑤ 《복장》 …을 입은 ; …을 걸친 : être *en* civil 〔uniforme〕 사복〔제복〕을 입고 있다/ une femme *en* cheveux 모자를 쓰지 않고 있는 여자 / être *en* noir 검은 옷을 입다 / homme *en* lunettes 안경 쓴 사나이.
⑥ 《동기 · 목적》 …을 위하여(=pour) ; …으로 인하여〔인한〕 : *en* reconnaissance de … 을 감사하(기 위하)여 / *en* souvenir de votre visite 당신의 방문을 기념하여 / mettre *en* vente 팔려고 내놓다 ; 발매하다.
⑦ 《방법 · 수단》 …으로써, …으로 : parler *en* français 불어로 말하다 / voyager *en* avion 비행기로 여행하다 / vendre qc *en* détail 〔gros〕 …을 소매〔도매〕로 팔다.
⑧ 《재료 · 구조》 …으로 된(=de) : une montre *en* or 금시계 / maison *en* briques 벽돌집 / œuvre *en* trois volumes, 3 권으로 된 작품.
⑨ 《속사》 …으로서, …답게 : agir *en* brave 용감한 사람답게 행동하다 / envoyer qc *en* cadeau 선물로 …을 보내다.
⑩ 《형상》 …의 모양을 한, …으로 된 : *en* triangle 삼각형의 / escalier *en* spirale 나선계단 / route *en* zigzag 구불구불한 길.
⑪ 《변화 · 분할》 …으로 : mettre qc *en* pièces …을 산산조각 내다 / partager qc *en* deux …을 둘로 나누다 / changer A *en* B, A를 B로 바꾸다.
⑫ 《de... en...》 ⓐ 《장소》 …에서 …으로 : *de* main *en* main 손에서 손으로 / voyager 〔courir〕 *de* ville *en* ville 이 도시에서 저 도시로 여행하다〔놀러다니다〕. ⓑ 《시간》 *de* jour *en* jour 나날이, 매일 / *de* temps *en* temps 이따금 / *de* deux heures *en* deux heures 두 시간마다. ⓒ 《정도》 aller *de* mal *en* pis 점점 더 나빠지다 / *d'*heure *en* heure 시시각각으로 / *de* fil *en* aiguille 조금씩. ⓓ 《주기 · 단위》 …마다 : prendre un remède *de* cinq heures *en* cinq heures 약을 5 시간마다 먹다.
⑬ 《부정대명사 · 중성형용사 · 부사 따위와 함께 부사적 성구를 만듦》 *en* général 일반적으로 / C'est vrai *en* gros. 대체적으로 사실이다 / *en* tout 통틀어서 / *en* outre 게다가 / Cela ne me concerne *en* rien. 나와는 아무 상관도 없다 / *en* vain 헛되이 / *en* avant ou *en* arrière 앞으로 또는 뒤로.
⑭ 《en+현재분사(=gérondif)》 ⓐ 《때》 …할 때 ; …함에 따라 : *en* arriv*ant* à Paris 파리에 도착하자 / L'appétit vient *en* mange*ant*. 식욕은 먹으면서 나는 법이다 / *en* vous écriv*ant* hier 어제 당신께 편지를 쓰고 있었을 때에 / dès *en* naiss*ant* 태어나자마자. ⓑ 《동시에 서로 일어나는 동작》 …하면서《tout로 강조할 때도 있음》 : travailler (tout) *en* chant*ant* 노래하면서 일하다. ⓒ 《원인 · 이유》 …때문에 : *En* tomb*ant* il s'est démis le pied. 넘어졌기 때문에 그는 발을 삐었다. ⓓ 《수단》 …에 의하여 : On apprend *en* étudi*ant*. 사람은 공부에 의해 사물을 배우게 된다. ⓔ 《조건 · 가정》 …하면 : *En* fais*ant* cela, vous l'offenserez. 그렇게 하면 그를 화나게 할 겁니다. ⓕ 《양태》 Elle a répondu *en* souri*ant*. 그녀는 미소지으면서 대답했다. ⓖ 《양보》 …해도《même로 강조할 때도 있음》 : Même *en* pass*ant* par là, vous n'arriverez pas avant le coucher du soleil. 그리로 지나간다 해도 저녁까지 다다르지 못할 겁니다. ⓗ 《대립》 …라고는 하지만, …이기는 하지만《tout로 강조할 때도 있음》 : On a dit beaucoup de mal de Rousseau et de ses Confessions tout *en* les goût*ant*. 루소와 그의 참회록을 즐겨 읽으면서도 사람들은 이런저런 나쁜 점을 들추어 말했다.
⑮ 《en+관사 · 지시형용사 · 소유형용사》 : *en* ce temps-là 그 당시 / *en* mon âme et conscience 거짓 없이 / *en* l'absence de qn …가 없을 때〔없으면〕《정관사 앞에 en이 쓰이는 것은 드물며, 그런 경우 en l', en la의 형에 한정되고 en le, en les는 쓰지 않음》.

:en² *adv.* ① 《기점》 그곳에서(부터)《de là 의 단축형》: J'*en* suis. 나는 그곳 사람이다 / Êtes-vous allé à Londres? — Oui, j'*en* reviens. 런던에 다녀오셨습니까 — 예, 나는 그곳에서 막 왔습니다. ② 《막연히 출발점, 운동의 기점을 나타내어》 여기〔거기〕에서: s'*en* aller 떠나다 / s'*en* retourner 돌아가다 / s'*en* venir 오다 / Va-t'*en* 가거라.

:en³ *pron.* 《중성대명사라고 칭하며, de+대명사(de cela, de lui, d'elle, d'eux, d'elles)의 뜻을 가짐》 ① 《복수 부정관사·부분관사+명사를 대신함; 부분적 의미를 나타냄》 그것의 얼마큼: Avez-vous des cigarettes? — Non, je n'en ai pas. — *En* voulez-vous? 담배 가지셨습니까? — 아니오, 없습니다 — 좀 드릴까요? / As-tu de l'argent? — Oui, j'*en* ai. 너 돈 좀 가지고 있느냐? — 응, 좀 가지고 있어.

② 《수형용사+명사, 수량부사+de+명사에서 명사나 de+명사를 대신함》 그것(들)의, 그 사람(들)의: Combien de frères avez-vous? — J'*en* ai trois. 형제가 몇 분입니까? — 셋입니다 / As-tu des C.D? — Oui, j'*en* ai beaucoup(=J'ai beaucoup de C.D.). 시디를 갖고 있니? — 응, 많이 갖고 있어 / Connaissez-vous ses film? — J'*en* ai vu quelques-uns. 그가 나온 영화들을 아십니까? — 예, 몇 편 봤습니다.

③ 《명사의 보어》 그것의《소유자가 사람·동물인 경우에는 소유형용사를 씀》: J'ai une valise, mais je n'*en* ai pas la cléf. 가방이 있는데 그 열쇠가 없다 / L'église est encore loin, mais on *en* aperçoit déjà le clocher. 교회는 아직 멀지만, 벌써 그 종탑이 보인다.

④ 《de 를 동반하는 형용사의 보어》 La rues *en* sont pleines. 거리는 그것으로 가득 차 있다 / *en* être jaloux 그것을 샘내다 / Il n'*en* est pas capable. 그는 그런 능력이 없다 / Il a remporté le prix et il *en* est fier. 그는 상을 받았는데 그것을 자랑스러워한다.

⑤ 《목적보어에 de 를 요구하는 동사(구)의 간접목적보어》 그것을〔에·의〕, 그것에 관하여: N'*en* parlons plus. 이제 그 이야기는 그만하시오(=Ne parlons plus de cela) / Qu'*en* pensez-vous? 그것에 대해 어떻게 생각하세요? / Rendez-moi mon livre. J'*en* ai besoin(=J'ai besoin de mon livre). 내 책을 돌려 다오. 그것이 필요하거든 / Qu'il soit honnête, tout le monde *en* convient. 그가 성실하다는 것은 모두가 다 인정하고 있다.

⑥ 《상황보어》 ⓐ 《기원》 그곳에서: Il *en* tirera un joli bénéfice. 그는 거기에서 상당한 이익을 얻을 것이다 / Il *en* résulte que+*ind.* 그로부터 …라는 결과가 나온다. ⓑ 《재료》 그것으로(써), 그것을 사용하여: *en* faire le pain 그것으로 빵을 만들다 / Il a un fils et veut *en* faire un médecin. 그는 아들이 하나 있는데 그를 의사로 만들고 싶어한다. ⓒ 《출발점》 그곳에서(부터): Avez-vous été à marseille? — Oui, j'*en* arrive. 마르세유에 갔었습니까? — 예, 거기서 오는 길입니다. ⓓ 《수단·도구》 그것으로: s'*en* remplir 그것으로 가득 차다 / *en* vivre 그것으로 살아가다 / Il ramassa un bâton et *en* frappa son adversaire. 그는 몽둥이를 집어들고 그것으로 상대방을 때렸다. ⓔ 《이유·원인》 그 때문에, 그래서: Il a reçu une blessure à la tête et *en* est mort. 그는 머리에 부상을 입어서 그 때문에 죽었다 / Je vous *en* aimerai davantage. 나는 그 때문에 당신을 더욱 사랑하게 될 것입니다. ⓕ 《수동태의 동작주》 그것에 의해, 그것으로: Il aime son père, et il *en* est aime. 그는 아버지를 사랑하고 아버지에게 사랑받고 있다.

⑦ 《부분적인 의미를 지닌 명사를 받음》 얼마간, 몇 개: Il y *en* a qui viennent de très loin. 아주 멀리서 온 사람도 있다 / Parmi ces livres il y *en* a d'excellents. 이들 책 중에는 뛰어난 것도 몇 권 있다.

⑧ 《막연한 것을 나타내는 관용적 용법》 Il *en* est 〔va〕 ainsi de 〔pour〕 qn 〔qc〕 …에 대해서도 사정이 이렇다 / Il *en* est 〔va〕 de même de qn 〔qc〕 …에 대해서도 마찬가지다 / C'*en* est assez. 그만하면 충분하다 / C'*en* est fait. 다 틀렸다, 만사 끝장이다 / *en* être pour qc …만 허비하고 말다 / *en* savoir plus long 더 잘 알다 / Il *en* est de lui comme tout le monde. 그도 남들과 마찬가지다 / si le cœur vous *en* dit 원하신다면.

É.N. 《약자》 ① École normale 사범학교. ② Éducation nationale 교육(부).

en-¹ *préf.* 《b, m, p 앞에서는 em- 으로 됨》 ① 「…의 안〔속〕에」의 뜻: *en*cadrer, *em*barquer. ② ⓐ 「…하게 하다」, 「…에 이르게 하다」의 뜻: *en*ivrer. ⓑ 의미의 강조: *em*bellir.

en-² *préf.* 《b, m, p 앞에서는 em- 으로 됨》 「…에서」, 「…으로부터」의 뜻: s'*en*fuir, *em*mener

E.N.A. 《약자》 École Nationale d'Administration 국립 행정 학교《고급 공무원 양성소, grandes écoles 의 하나》.

enamouré, e [ɑ̃namuʀe], **énamouré, e** [enamuʀe] *adj.* 《~ de》 …에 반한; …에 열중한. — *n.* 사랑에 들뜬 사람.

énarchie [enaʀʃi] *f.* É.N.A. 출신의 고급 관료 체제; 《집합적》 그 관료(층).

énarque [enaʀk] *m.* É.N.A. 졸업생, É.N.A. 출신의 고급 관리.

en-avant [ɑ̃navɑ̃] *m.* 《복수불변》 〖축구〗 앞으로 하는 패스; 〖럭비〗 녹온(= knock-on).

en-but [ɑ̃byt] *m.* 《복수불변》 〖럭비〗 인골《골라인 뒤》(〔영〕 in goal).

encablure [ɑ̃kably:ʀ] *f.* 〖해양〗 연(鏈)《옛날의 길이의 단위; 185.2 m》.

encadré [ɑ̃kadʀe] *m.* (신문의) 박스 기사; 칼럼. — *adj.* 액자에 넣은.

encadrement [ɑ̃kɑ(a)dʀəmɑ̃] *m.* ① 틀〔테·액자〕에 끼우기; 틀, 테, 액자; 둘러싸기, 테를 두르기: ~ d'un tableau 그림을 액자에 끼우기 / ~ de la fenêtre 〔porte〕 창틀〔문틀〕. ② 〖군사〗 tir d'~ 협차 포격〔사격〕. ③ 〖군사〗 장교·부사관의 배치. ④ 《집합적》 간부, 스텝; 통솔, 지휘: renouveler l'~ d'une société 회사의 간부 배치를 새로이 하다.

encadrer [ɑ̃kɑdʀe] *v.t.* ① 틀〔테·액자〕에 끼우다: ~ une gravure 판화를 액자에 끼우

다. ② ⓐ《주어 : qc》 둘러싸다 ; (둘러싸서) 눈에 띄게 하다 : ~ un article de journal 신문 기사를 박스로 둘러싸다 / jardin *encadré* de haies 생울타리로 둘러싸인 정원. ⓑ《주어 : qc》 양쪽을 에워싸다 : Les gardes de corps *encadrent* le ministre. 경호원이 좌우에서 장관을 에워싸고〔호위하고〕 있다. ③ 삽입하다 : ~ un épisode dans un récit 이야기에 에피소드를 삽입하다. ④ ⓐ (조직 · 집단을) 관리〔지도 · 지휘 · 통솔〕하다 : ~ des enfants dans une colonie de vacances 임간 학교에서 아이들을 지도하다. ⓑ (부대에) 장교 · 부사관을 배치하다. ⑤ 〖군사〗 (목표물을) 포위하듯 포격하다, 협차(夾叉)하다《사정 거리를 측정하기 위해 목표물 앞뒤에 시험 사격을 함》. ── **s'~** *v.pr.* ① 틀에 끼워지다. ② 둘러싸이다 ; 삽입되다.

encadreur [ɑ̃kadʀœːʀ] *m.* 틀〔테 · 액자〕 제조인 ; 표구사.

encager [ɑ̃kaʒe] [3] *v.t.* ① (새 · 가축을) 새장〔우리〕에 넣다. ②《구어》 구금〔투옥〕하다.

encaissable [ɑ̃kɛsabl] *adj.* ① (돈을) 받을 수 있는 : somme immédiatement ~ 즉시 받을 수 있는 금액. ② (어음이) 현금화할 수 있는 : chèque ~ 현금화할 수 있는 수표.

encaisse [ɑ̃kɛs] *f.* (지갑에 든) 현금, 보유 현금, 재고 금액. **~ *métallique*** 금은화와 금은괴. **~ *or* (*et*) *argent*** 금은 보유고.

encaissé, e [ɑ̃kɛ(e)se] *adj.* (골짜기 · 길의) 양쪽이 험한 : vallée *~e* 험준한 협곡.

encaissement [ɑ̃kɛsmɑ̃] *m.* ① (대금의) 수령, 영수 ; (어음의) 현금화 : ~ des sommes dues 대부금의 회수 / remettre un chèque à l'~ 수표를 현금으로 바꾸다. ② (골짜기 · 길의) 양쪽이 험한 상태 : ~ du chemin 절벽 사이의 험한 길.

encaisser** [ɑ̃kɛ(e)se] *v.t.* ① (대금을) 수령하다, 영수〔회수〕하다 ; (어음을) 현금으로 바꾸다 : ~ trois mille francs 3천 프랑을 수령하다 / ~ la note d'électricité 전기 요금을 수금하다 / ~ le loyer 집세를 받다. ②《구어》 (타격 따위를) 받다, (모욕 따위를) 참다 ; 견디다 : boxeur qui sait ~ 타격에 끄떡않고 견딜 줄 아는 권투 선수 / ~ des coups 얻어맞다 / ~ des injures 모욕을 참다. ③ (산 · 바위가 길을) 양쪽에서 에워싸다 : Les bois et les rochers *encaissaient* la route. 숲과 암석이 길 양쪽을 에워싸고 있었다. **~ *un coup (권투 선수가) 강타당하다 ; (배가) 충돌하다. ── **s'~** *v.pr.* 양쪽에서 둘러싸이다.

encaisseur [ɑ̃kɛsœːʀ] *m.* 영수〔출납〕계원 ; 수금인 : ~ de gaz 가스 요금의 수금인.

encan (à l') [alɑ̃kɑ̃] *loc. adv.* 경매로 ; 금전으로 ; 매수하여 : mettre sa conscience *à l'~* 양심을 팔다 / mettre 〔vendre〕 qc *à l'~* …을 경매에 붙이다〔붙여 팔다〕 / justice *à l'~* 돈으로 매수된〔좌우되는〕 부정 재판.

encanailler (s') [sɑ̃kanaje] *v.pr.* ①《옛》 품격〔신분〕이 떨어지다, 천하게 되다(= s'avilir). ② 천한 사람들과 어울리다 ; 타락하다.

encapuchonner [ɑ̃kapyʃɔne] *v.t.* …에 두건을〔후드를〕 씌우다 ; 수도원에 넣다.

encart [ɑ̃kaːʀ] *m.* ① 〖제본〗 삽입지(插入紙). ② (신문 · 잡지의) 간지 광고.

encartage [ɑ̃kaʀtaːʒ] *m.* 〖제본〗 삽입지 ; 간지 광고.

encarter [ɑ̃kaʀte] *v.t.* ① (책 속에 삽입지 따위를) 끼워 넣다 ; (책 · 신문에 광고 따위를) 삽입하다 : ~ un bulletin de commande dans un catalogue 카탈로그에 주문서를 끼워 넣다. ② (핀 · 버튼 따위를) 판지에 고정시키다.

en(-)cas, encas [ɑ̃kɑ] *m.* 《복수불변》 ① 비상용으로 마련된 것. ② 가벼운 식사. ③ 청우(晴雨) 겸용 우산〔양산〕.

encastrer [ɑ̃kastʀe] *v.t.* 박아〔끼워〕 넣다, 꽂다. ── **s'~** *v.pr.* 박히다, 끼워지다.

encaustique [ɑ̃kɔ(o)stik] *f.* ① 〖미술〗 납화(蠟畫)(= peinture ~). ② (광〔윤〕을 내는데 사용하는) 왁스, 밀랍.

encaustiquer [ɑ̃kɔ(o)stike] *v.t.* ① …에 밀랍을〔왁스를〕 바르다. ② 윤〔광〕내다.

enceinte**[1] [ɑ̃sɛ̃ːt] *f.* ① 울타리 ; 성곽, 성벽 : une ville dotée d'une ~ 성벽으로 둘러싸인 도시. ② 부지 내, 구내, 실내 : pénétrer dans l'~ d'un tribunal 법정 안으로 들어가다 / ~ d'un parc 공원의 내부. **~ *acoustique 소리의 울타리《스테레오의 스피커가 듣는 이를 음향으로 둘러싸는 일》.

enceinte[2] *adj. f.* 임신한 : mettre une femme ~ 여자를 임신시키다 / être ~ de 3 mois 임신 3개월이다.

encens [ɑ̃sɑ̃] *m.* (종교 의식용) 향(香) : brûler de l'~ 향을 피우다. ②《구어》 칭찬 ; 아첨. ***brûler* 〔*offrir*〕 *de l'~ à* 〔*devant*〕** qn …에게 향을 바치다 ; …에게 아첨하다.

encensement [ɑ̃sɑ̃smɑ̃] *m.* ① 〖종교〗 향을 피우기, 분향. ②《구어》 칭찬〔아첨〕하기.

encenser [ɑ̃sɑ̃se] *v.t.* ① …앞에 향을 피우다, 분향(焚香)하다 : ~ un autel 제단에 향을 바치다. ② 칭찬하다 ; 아첨하다(= flatter) : ~ un personnage influent 유력한 인사에게 아부하다.

encensoir [ɑ̃sɑ̃swaːʀ] *m.* 〖종교〗 향로(香爐) : balancer l'~ devant l'autel 제단 앞에서 향로를 흔들다. ***coup d'~*** 향로를 흔들기 ; 아첨. ***donner des coups d'~ ; manier l'~*** 《구어》 몹시 아첨하다〔치켜 올리다〕.

encéphalite [ɑ̃sefalit] *f.* 〖의학〗 뇌염.

encéphalographie [ɑ̃sefalɔgʀafi] *f.* 〖의학〗 엑스선에 의한 뇌검사, 대뇌 촬영법.

encéphalopathie [ɑ̃sefalɔpati] *f.* 〖의학〗 뇌질환 : ~ spongiforme bovin (《약자》 ESB) 우해면상(牛海綿狀) 뇌질환《광우병》.

encerclement [ɑ̃sɛʀkləmɑ̃] *m.* 포위 : rompre 〔forcer〕 l'~ 포위를 돌파하다 / manœuvre d'~ 포위 작전.

***encercler** [ɑ̃sɛʀkle] *v.t.* 둘러싸다, 포위하다 : ~ une ville 도시를 포위하다.

enchaîné [ɑ̃ʃɛ(e)ne] *m.* 〖영화〗 오버랩(= fondu ~).

enchaînement [ɑ̃ʃɛnmɑ̃] *m.* ① 연결, 연쇄 ; 연관, 맥락(脈絡)(= liaison, suite) : ~ de circonstances 일련의 상황 / ~ des idées 사고의 맥락. ② 〖영화〗 오버랩에 의한 장면 전환 ; 〖연극〗 장면 전환을 연결하는 대사.

enchaîner [ɑ̃ʃɛ(e)ne] *v.t.* ① 사슬로 매다 : ~ un chien 개를 쇠사슬로 매다. ②《문어》 얽매다, 억압하다, 복종시키다 : ~ un peuple 어떤 국민을 예속시키다 / ~ la presse

언론을 억압하다 / *être enchaîné* par un contrat 계약에 얽매이다. ③ (논리적으로) 연결짓다(=lier, coordonner), 맥락을 잇다 : ~ des idées 관념을 연결짓다. ***~ la fortune*** 계속 성공하다. ~ qn〔qc〕 ***à son char*** …을 완전히 굴복시키다. — *v.i.* ① 〖연극〗 (배우가) 중단했던 대사(臺詞)를 계속하다 ; 이야기를 잇다. ② 〖영화〗 오버랩하다. — **s'~** *v.pr.* ① 얽매이다, 복종하다 : *s'~* à une dure besogne 힘든 일에 얽매이다. ② (서로) 연결되다〔연결지어지다〕: événements qui *s'enchaînent* les uns aux autres 서로 연관이 있는 일련의 사건들.

enchanté, e** [ɑ̃ʃɑ̃te] *adj.* ① 《~ de》 (…에) 대단히 만족한, 매우 기쁜 : ~ *de*+*inf.* …하여 매우 기쁜 / Je suis ~ *de* ma voiture. 나는 내 차에 무척 만족하고 있다. ② 마술〔마법〕에 걸린 : forêt ~*e* 마법의 숲. ***E~, monsieur 〔***de faire votre connaissance***〕. 처음 뵙겠습니다. ***pays ~*** 신비한 나라.

enchantement [ɑ̃ʃɑ̃tmɑ̃] *m.* ① 마술, 마법 ; 마술을 걸기〔에 걸리기〕, 마법 : jeter 〔défaire〕 un ~ 마법을 걸다〔풀다〕. ② 매혹, 황홀 ; 황홀한〔신기한〕 것〔일〕: Ce spectacle est un véritable ~. 이 광경은 정말 신기하다 / ~ de la musique 음악의 매력. ③ 큰 기쁨, 환희 : vivre dans l'~ 매일 기쁘게 보내다. (***comme***) ***par ~*** 마법처럼 ; 갑자기. ***formule d'~*** 마술〔마법〕의 주문(呪文).

***enchanter** [ɑ̃ʃɑ̃te] *v.t.* ① 마술〔마법〕을 걸다(=ensorceler) : La fée *a enchanté* le jeune homme. 요정이 젊은이에게 마법을 걸었다. ② 매혹하다, 황홀케 하다(=envoûter) ; 매우 기쁘게 하다 : ~ l'assistance avec son histoire 이야기로 청중을 매료시키다 / Ce cadeau l'*a enchanté*. 이 선물은 그를 매우 기쁘게 했다.

enchanteur, teresse [ɑ̃ʃɑ̃tœːʀ, -tʀɛs] *adj.* 황홀케 하는, 매혹하는 : sourire ~ 매혹적인 미소. — *n.* 마술사, 마법사.

enchâssement [ɑ̃ʃɑsmɑ̃] *m.* ① (보석 따위를) 박아 넣기 ; 상감(象嵌). ② 〖언어〗 (문장의) 삽입.

enchâsser [ɑ̃ʃɑse] *v.t.* ① (보석 따위를) 박(아 넣)다, 상감(象嵌)하다 : ~ un diamant dans une bague 반지에 다이아몬드를 박다. ② 끼워 넣다 ; 삽입하다 : ~ une citation dans un discours 연설에 인용문을 삽입하다. — **s'~** *v.pr.* 박히다 ; 삽입되다.

enchère [ɑ̃ʃɛːʀ] *f.* (경매에서) 더 비싼 값을 부르기 ; 올려 부른 값 ; 경매 : couvrir une ~ 값을 올리다 / ~*s* à l'américaine 미국식 경매《앞서의 경매가와의 차액을 그 때마다 지불하는 방식》. ***~ au rabais*** (최저가) 입찰. ***être à l'~*** 돈 때문에 양심을 팔고도 거리낌없다. ***mettre*** 〔***vendre***〕 qc ***aux ~s*** …을 경매에 붙이다. ***mettre*** 〔***poser***〕 ***une ~*** 남보다 더 부르다.

enchérir [ɑ̃ʃeʀiːʀ] *v.i.* ① 《~ sur qn》 (다른 사람보다) 더 비싼 값을 놓다 : ~ de mille francs *sur* qn …보다 천 프랑을 더 올려 부르다. ② 《~ sur》 …을 능가하다, 상회하다 ; ~ en audace *sur* son adversaire 상대방보다 더 대담하다. ③ 값이 비싸지다〔오르다〕.

enchérisseur, euse [ɑ̃ʃeʀisœːʀ, -øːz] *m.* 입찰자, 경매자 : fol ~ 터무니없는 값을 붙이는 입찰자.

enchevêtrement [ɑ̃ʃvɛtʀəmɑ̃] *m.* ① 얽히게 하기, 얽힘 : démêler l'~ des fils 얽힌 실을 풀다. ② 복잡함 ; 착잡함 ; 혼란 : ~ des ruelles 미로와 같이 복잡한 길.

enchevêtrer [ɑ̃ʃvɛ〔e〕tʀe] *v.t.* 얽히게 하다, 착잡〔복잡〕하게 하다(=embrouiller) : ~ les fils d'un écheveau 실타래의 실을 얽히게 하다 / ~ l'intrigue 〔les situations〕 줄거리를 〔상황을〕 복잡하게 하다. — **s'~** *v.pr.* ① 얽히다, 복잡해지다 : Ses idées *s'enchevêtrent*. 그의 생각이 혼란스러워진다. ② 당황하다, 어쩔 줄 모르다, 쩔쩔매다.

enchifrené, e [ɑ̃ʃifʀəne] *adj.* (감기로) 코가 막힌 ; 코감기에 걸린 : nez ~ 막힌 코.

enclave [ɑ̃klaːv] *f.* (남의 영토〔소유지〕로) 둘러싸인 지역 ; 내륙국 : avoir une ~ dans le pays voisin 이웃 나라 안에 영토를 가지고 있다.

enclaver [ɑ̃klave] *v.t.* ① (남의 토지를) 둘러싸다 : Ma propriété *enclave* ce petit champs. 내 소유지가 (남의) 작은 밭을 둘러싸고 있다. ② 끼워 넣다, 박아 넣다 : ~ un adjectif entre l'article et le nom 관사와 명사 사이에 형용사를 끼워 넣다.
— **s'~** *v.pr.* 둘러싸이다.

enclenchement [ɑ̃klɑ̃ʃmɑ̃] *m.* 〖기계〗 맞물림 ; 연동〔연결〕 장치.

enclencher [ɑ̃klɑ̃ʃe] *v.t.* ① 〖기계〗 맞물리게 하다, 연동(連動)시키다. ② 시작〔개시〕하다 : L'affaire *est enclenchée*. 일이 이미 시작되었다. — **s'~** *v.pr.* 맞물려지다, 연동되다.

enclin, e [ɑ̃klɛ̃, -in] *adj.* …의 경향이 있는, …의 버릇이 있는 : ~ au vol 도둑질하는 버릇이 있는 / Il est ~ à l'exagération. 그는 과장하는 경향이 있다.

encliqueter [ɑ̃klikte] 5 *v.i.* 〖기계〗 역전을 막다.

enclore [ɑ̃klɔːʀ] 35 *v.t.* ① 울타리로 둘러싸다, 울안에 가두다 : ~ un jardin d'une haie 정원을 울타리로 둘러싸다. ② (안에) 넣다, 포함시키다 : ~ un village dans la ville 마을을 도시에 편입하다.

enclos [ɑ̃klo] *m.* 울타리〔담〕 안의 땅 : ~ pour le bétail 가축을 위해 담을 두른 땅.

enclume [ɑ̃klym] *f.* ① 〖야금〗 모루, 철침(鐵砧) : billot d'~ 모루 받침 / table d'~ 모루의 면. ② 〖해부〗 침골(砧骨), 모루뼈. ***être entre l'~ et le marteau*** 《구어》 (두 사람) 사이에 끼어 이러지도 저러지도 못하다. ***Il faut être ~ ou marteau.*** 죽느냐 사느냐의 문제이다, 먹느냐 먹히느냐다.

encoche [ɑ̃kɔʃ] *f.* ① (끌 자국 모양으로) 파낸〔새긴〕 자리, 벤 자리 ; 홈. ② (화살의) 오늬. ③ 〖제본〗 (책의 횡단면에 찾아보기 쉽게 만들어 넣은) 반달 모양의 홈.

encocher [ɑ̃kɔʃe] *v.t.* ① (금속 부품·열쇠 따위에) 작은 자국〔홈〕을 새기다. ② (화살 오늬에) 시위를 끼우다. ③ 〖제본〗 (책의 횡단면에) 반달 모양의 홈을 만들다.

encodage [ɑ̃kɔdaːʒ] *m.* (정보 따위의) 기호화, 부호화 ; 〖언어〗 (메시지의) 코드화.

encoder [ɑ̃kɔde] *v.t.* ① (정보 따위를) 기호〔부호〕화하다. ② 〖언어〗 (메시지를) 코드화

E

하다 : ~ un énoncé 〔une phrase〕 언표(言表)를〔문장을〕 코드화하다.

enco(i)gnure [ɑ̃kɔ(wa)ɲyːʀ] *f.* (방의) 구석 ; (거리의) 모퉁이(= coin).

encollage [ɑ̃kɔlaːʒ] *m.* ① 풀을〔아교를〕 바르기 ; 풀을 먹이기. ② 풀, 아교.

encoller [ɑ̃kɔle] *v.t.* 풀을〔아교를〕 칠하다 : ~ le dos d'un livre (제본하기 위해) 책 등에 풀을 바르다.

encolure [ɑ̃kɔlyːʀ] *f.* ① (말 따위의) 목, 경부(頸部) ; 목의 길이 : flatter l'~ d'un cheval 말의 목을 쓰다듬다 / gagner d'une ~ 〖경마〗 목 길이 차이로 승리하다. ② (사람의) 목 ; 목둘레 : homme de robuste ~ 목이 굵은 남자 / chemise d'~ 39, 목둘레가 39 인 셔츠. ③ (옷의) 목둘레선, 네크라인 : robe à ~ dégagée 네크라인이 많이 파인 드레스.

***encombrant, e** [ɑ̃kɔ̃bʀɑ̃, -ɑ̃ːt] *adj.* 방해가 되는, 거추장스러운 ; 성가신 : meuble ~ 방해가 되는 가구 / ami ~ 귀찮은 친구.

encombre [ɑ̃kɔ̃ːbʀ] *m.* 장애, 곤란. ***sans ~*** 지장 없이, 무사히 : arriver sans ~ 무사히 도착하다.

encombré, e [ɑ̃kɔ̃bʀe] *adj.* (장소가) 혼잡한, 붐비는 : gare aérienne ~*e* de voyagers 여행객들로 붐비는 공항.

encombrement** [ɑ̃kɔ̃bʀəmɑ̃] *m.* ① 막기, 혼잡, 붐빔 : ~ de la rue 거리의 혼잡. ② 교통 체증 : ~ aux heures de pointe 러시아워의 교통 체증. ③ (가구가 차지하는) 공간, 면적, 치수 : lit d'un faible ~ 장소를 적게 차지하는 침대. ***marchandise d'~ 〖해양〗 (추가 운임을 물어야 하는) 부피가 큰 상품.

encombrer** [ɑ̃kɔ̃bʀe] *v.t.* ① 막다(= obstruer) ; 방해하다 ; 혼잡하게 하다(= embarrasser) : ~ le passage 통행을 방해하다. N'*encombrez* pas le trottoir. 인도를 막지 마시오. ② (가득히 채워) 거북하게〔어지럽게〕 하다(= surcharger) ; 《~ qn》 …을 귀찮게〔난처하게〕 하다 : Des ennuis de toutes sortes *encombrent* ma vie. 여러 가지 걱정거리가 내 생활을 어지럽게 만든다〔방해한다〕. ***~ le marché 시장에 상품을 산적하다. — **s'~** *v.pr.* ① 《s'~ de》 …으로 막히다 ; 혼잡해지다. ② 《s'~ de》 …으로 거추장스러워〔귀찮아·난처해〕지다〔하다〕 : *s'~ de* beaucoup d'inutiles bagages 쓸데없는 짐을 귀찮게 많이 가지고 있다.

encontre [ɑ̃kɔ̃(ː)tʀ] *prép.* 《현재는 다음 관용구로만 쓰임》 ***à l'~*** 반대하여 ; 역으로, 반대로 : Je ne vais pas *à l'~*. 나는 반대하지 않는다. ***à l'~ de...*** …을 향하여 ; …에 반대하여 ; …와 반대로 : Il a agi *à l'~ de* nos conseils. 그는 우리들의 충고와 반대로 행동했다. ***aller à l'~ de ...*** …에 반대하다 ; …으로 향해 가다.

encorbellement [ɑ̃kɔʀbɛlmɑ̃] *m.* 〖건축〗 돌출부 : fenêtre en ~ 돌출된 창.

encorder [ɑ̃kɔʀde] *v.t.* (등산자를) 자일로 묶다. — **s'~** *v.pr.* (등산자가) 서로 자일로 몸을 묶다.

‡encore [ɑ̃kɔːʀ] *adv.* ① (현재 또는 그때) 아직 ; (그때까지도) 여전히, 지금도(= toujours) : C'est ~ l'hiver. 아직 겨울이다 / Je ne suis ~ qu'étudiant. 나는 아직 학생에 불과하다 / Il n'est pas ~ arrivé. 그는 아직 도착하지 않았다. ② 다시, 또다시(= de nouveau) : Je vais ~ essayer. 나는 다시 해보겠다. ③ 더《수사와 함께》 : ~ un mot 한 마디 더 / *E~* une tasse de café. 커피를 한 잔 더 주십시오 / *E~* quelques mois, et je serai libre. 몇 달 더 지나면 나는 자유로워질 것이다. ④ 또, 그 위에, 게다가《새로운 사실을 추가》 : Que vous faut-il ~ ? 또 무엇이 필요합니까 ? / Je n'ai qu'un ciseau, ~ est-il émoussé ! 끌이 하나밖에 없는데 게다가 날이 무뎠어 / Vouloir est bien, ~ faut-il pouvoir. 의욕도 좋지만 성공도 해야지. ⑤ 더욱 더, 더 한층 : réduire ~ le prix 더욱 더 가격을 내리다 / Ce serait ~ pis. 그것은 더욱 나쁠 게다 / Il fait ~ plus chaud qu'hier. 어제보다도 더 덥다 / Riche, on veux s'enrichir ~. 돈이 많으면 더욱 부자가 되고 싶어하는 법이다. ⑥ 그런데도, 그것도, 하지만, 그래도《제한적 의미》《이 뜻으로 문장 첫머리에 쓰는 경우에는 주어와 동사를 바꾸어 놓는 것이 보통》 : Tout ceci est terrible, ~ ne sait-on pas tout. 참 무서운 일이야. 그런데도 또 무슨 일이 있는지 모르지 / C'est une conclusion intéressante, ~ n'est-elle pas définitive. 그 결론은 흥미롭기는 하지만 결정적인 것은 아니다 / *E~* vous aurait-il fallu me prévenir. 그래도 나에게 알려 줬어야 했을 건데. ***~ autant*** 이제 그만큼만. ***E~ est-il que*** + *ind.* 여하간 …라는 것은 사실이다. ***~ que*** + *sub.* …이지만 : ~ *qu'*il soit jeune 그가 젊기는 하지만. ***E~ si*** 〔***Si ~***〕 + *ind.* …하기만 하면, …하기만이라도 한다면 : ~ *si* on pouvait lui parler 그에게 말할 수만 있다면 / *Si* ~ il était beau ! Mais il est laid. 그가 미남이기라도 하다면 또 모를 일이지, 그런데 추남이란 말이야. ***et ~*** ⓐ 《의심》 그렇지만 말이야, 어떤지 모르겠다 : Il pourra s'en tirer, *et* ~. 그가 잘 헤쳐 나가겠지만, 글쎄 어떨지. ⓑ 《불만·분개》 그런데 말이야 : Je lui ai rendu service, *et* ~. 그를 위해서 애써 줬는데 말이야. ***Mais ~ ?*** 《상대방이 말하지 않는 것을 캐어 물음》 그렇다면〔그래도〕 (말해 보시오) : J'ai mes raisons. — Bon ! *Mais* ~ ? ... quelles sont-elles ? 나에겐 나대로의 이유가 있어. — 그래요, 그렇다면 그 이유가 뭡니까 ? / *Mais* ~ (fixez votre prix). 거듭 말씀드려 죄송하지만 (값을 정해 주시지요). ***non*** 〔***ne plus***〕 ***seulement ..., mais ~*** …뿐만 아니라 …도 또한 : *Non seulement* il est égoïste, *mais* ~ il est avare. 그는 자기 본위의 인간일 뿐만 아니라 또한 구두쇠이다. ***pas ~*** 아직도. ***Quoi ~ ?*** 그밖에 또 무엇이 ?

encourageant, e [ɑ̃kuʀaʒɑ̃, -ɑ̃ːt] *adj.* 용기를 돋우어 주는, 고무적인, 유망한 : résultats ~*s* 고무적인 결과.

encouragement [ɑ̃kuʀaʒmɑ̃] *m.* ① 용기를 돋우어 주기. ② 장려, 격려, 고무(鼓舞) : lettre d'~ 격려의 편지 / dire un mot d'~ à qn …에게 격려의 말을 하다.

***encourager** [ɑ̃kuʀaʒe] [3] *v.t.* ① …의 용기를 돋우어 주다 : Ce succès l'*a encouragé*. 그 성공이 그에게 용기를 주었다. ② ⓐ 격려하다, 고무하다 : ~ un coureur 달리기 선수

를 격려하다. ⓑ《~ qn à+*inf.*》…을 격려하여 …하게 하다 : Il *encourage* son fils *à* travailler. 그는 아들로 하여금 공부하도록 격려한다. ③《~ qc》…을 장려하다, 뒷받침하다 : ~ les arts 예술을 장려하다 / ~ un projet 계획을 뒷받침하다.

encourir [ãkuʀiːʀ] [20] *v.t.* (벌금·비용 따위를) 짊어지다 ; (비난·형벌을) 받다, 초래하다 : ~ un châtiment 벌을 받다 / ~ une forte amende 엄청난 벌금을 물게 되다.

encrage [ãkʀaːʒ] *m.* 〖인쇄〗 (롤러에) 잉크를 묻히기.

encrassement [ãkʀasmã] *m.* 때를 묻히기, 더럽히기, 때가 낌 : ~ d'une chaîne de bicyclette 자전거의 체인에 때가 낌.

encrasser [ãkʀase] *v.t.* …에 때를 묻히다, 더러움이 앉게 하다 : Le charbon *encrasse* les vêtements. 석탄이 옷을 더럽힌다 / La suie *encrassait* les vitres. 그을음이 창에 끼어 있었다. ── **s'~** *v.pr.* 때투성이가 되다, 더러움이 끼다.

encre** [ãːkʀ] *f.* ① 잉크 : écrire à l'~ 잉크로 쓰다 / ~ à tampon 스탬프 잉크. ② (낙지 따위의) 먹물. ***écrire de (la) bonne ~ à qn …에게 엄한 말투로 편지하다. ***~ de Chine*** 먹. ***~ sympathique*** 감응(感應) 잉크. ***mettre une épure à l'~*** (연필로 그린) 선 위에 잉크로 그리다. ***mise à l'~*** (연필화를) 잉크로 완성하기. ***se faire un sang d'~*** 무척 걱정하다.

encrer [ãkʀe] *v.t.* …에 잉크를 묻히다〔칠하다〕 : ~ un rouleau 롤러에 잉크를 묻히다.

encreur [ãkʀœːʀ] *adj.* 잉크를 칠하는 : rouleau ~ d'une presse 인쇄기의 잉크롤러.

encrier [ãkʀije] *m.* 잉크병, 잉크스탠드.

encroûtement [ãkʀutmã] *m.* ① 겉껍질〔물때〕(따위)로 뒤덮이기. ② 우둔 ; 침체.

encroûter [ãkʀute] *v.t.* ① 껍질〔물때〕로 덮다 ; 회반죽을 칠하다. ②《구어》 우둔하게 하다 ; 침체시키다. ── **s'~** *v.pr.* ① 껍질이 생기다 ; 물때가 끼다. ②《구어》 우둔해지다 ; 침체하다 : *s'~* en vieillissant 나이가 들면서 머리가 둔해지다.

encyclique [ãsiklik] *f.* (교황의) 회칙(回勅) (=lettre ~). ── *adj.* 교황 회칙의.

***encyclopédie** [ãsiklɔpedi] *f.* ① 백과전서, 백과사전 ; 전문 사전 : ~ illustrée 도해 백과사전 / ~ des sciences médicales 의학 사전. ② (*E~*) 백과전서《18 세기 *Diderot, d'Alembert* 에 의해 편찬된 것》. ③ 박식한 사람 : ~ vivante 살아 있는 사전.

encyclopédique [ãsiklɔpedik] *adj.* ① (지식이) 백과전서〔백과사전〕적인 : culture ~ 백과사전적인 교양. ② 해박한, 박식한 : esprit ~ 박식한 사람.

encyclopédisme [ãsiklɔpedism] *m.* 백과사전적인 지식주의〔지식 교육〕.

encyclopédiste [ãsiklɔpedist] *m.* ① (*pl.*) (18 세기 디드로, 달랑베르 등의) 백과전서파. ② 백과전서 저자〔기고가〕 ; 백과전서 편집자.

endémie [ãdemi] *f.* 〖의학〗 풍토병, 지방병.

endémique [ãdemik] *adj.* ① 〖의학〗 (병이) 풍토성의, 지방성의 : maladie ~ 풍토병. ② (특정 지역·사회에) 만성적인, 영속적인 : chômage ~ 만성적인 실업 사태.

endettement [ãdɛtmã] *m.* 빚지기, 부채 : ~ public 국채, 공채.

endetter [ãdɛ(e)te] *v.t.* 빚지게 하다 : entreprise *endettée* 빚이 있는 기업. ── **s'~** *v.pr.* 빚지다 : Ils *se sont endettés* pour acheter cet appartement. 그들은 아파트를 사기 위해 빚을 졌다.

endeuiller [ãdœje] *v.t.* 슬프게〔서글프게〕 하다 : Cette nouvelle *a endeuillé* toute la famille. 그 소식은 온 가족을 슬픔에 잠기게 했다.

endiablé, e [ãdjable] *adj.* ① 격렬한, 열렬한, 광적인(=fougueux) : rythme ~ 격렬한 리듬 / esprit ~ 번뜩이는 재치. ② 극성〔야단〕스러운 ; (길 따위가) 매우 나쁜 : enfant ~ 극성스러운 아이. ***être ~ après*** qc …을 광적으로 추구하다.

endiguer [ãdige] *v.t.* ① (강 따위를) 둑으로 막다, …에 제방을 쌓다 : ~ un fleuve 강에 제방을 쌓다. ② 가로막다, 저지〔제지〕하다 : ~ le flot des manifestants 데모대의 물결을 저지하다.

endimanché, e [ãdimãʃe] *adj.* ① 나들이옷을 입은 ; 멋있게 장식된 : enfant ~ 나들이옷을 입은 아이. ② 부자연스러운, 어색한 : allure ~*e* 부자연스러운 태도.

endimancher [ãdimãʃe] *v.t.* ① …에게 나들이옷을 입히다. ② 어색하게〔부자연스럽게〕 하다.

***endive** [ãdiːv] *f.* 〖식물〗 ① 꽃상추. ② 위틀로프(꽃상추의 일종)의 하얀 싹.

endocrine [ãdɔkʀin] *adj.* 〖의학〗 내분비의 : glande ~ 내분비선.

endocrinien, enne [ãdɔkʀinjɛ̃, -ɛn] *adj.* 〖의학〗 내분비선(腺)의.

endoctrinement [ãdɔktʀinmã] *m.* 《옛》 교육(=instruction) ; 가르치기, 교화.

endoctriner [ãdɔktʀine] *v.t.* 교화하다, 세뇌시키다 ; 자기 의견을 따르게 하다 : ~ les électeurs 유권자를 제편으로 만들다.

endogamie [ãdɔgami] *f.* 동족 결혼(≠ exogamie).

endolori, e [ãdɔlɔʀi] *adj.* 아픈 ; 가슴 아파하는 : âme ~*e* 괴로운 마음.

endolorissement [ãdɔlɔʀismã] *m.* 고통, 아픔 ; 아프게 하기.

***endommager** [ãdɔmaʒe] [3] *v.t.* ① 손해를 끼치다, 손상〔파손〕하다 : La grêle *a endommagé* les fruits. 우박이 과일에 피해를 입혔다. ②《비유》 (건강 따위를) 해치다, 훼손하다 : ~ la santé 건강을 해치다.

endormant, e [ãdɔʀmã, -ãːt] *adj.* (지루해서) 졸리게 하는 : sermon (film) ~ 지루한 설교〔영화〕.

endormeur, euse [ãdɔʀmœːʀ, -øːz] *n.* 갑갑증 나게〔지루하게〕 하는 사람.

endormi, e [ãdɔʀmi] *adj.* ① 잠든 ; 졸리는, 졸린 듯한 : bébé ~ 잠든 아기 / rue ~*e* 잠든 거리 / regard ~ 졸린 듯한 시선. ② 둔해진, 침체한 ; 진정된, 완화된 : esprit ~ 둔한 지성 / peines ~*es* 누그러진 고통. ── *n.* 멍한 사람, 무기력한 사람.

endormir** [ãdɔʀmiːʀ] [18] *v.t.* ① 재우다, 잠들게 하다 : Le bercement *endort* les bébés. 아기들은 흔들어 주면 잠이 든다 / Cette chaleur m'*endort.* 너무 더워서 졸린다. ② (마취 · 최면술로) 잠재우다 ; 마취시키다 : ~ un malade avant de l'opérer 환자를 수술하기 전에 마취시키다. ③ 《구어》 지루하게 하다 : Son discours m'*endort.* 그의 연설은 무척 지루하다. ④ 진정시키다, 완화시키다 : ~ le chagrin par des paroles de consolation 위로의 말로 슬픔을 달래 주다. ⑤ (감언이설로) 속이다, 회유하다 : ~ qn de belles promesses …을 감언이설로 회유하다〔속이다〕/ ~ les opposants 반대자를 회유하다. — **s'~** *v.pr.* ① 잠들다 ; 《문어》 영면하다 : *s'~* d'un sommeil de plomb 깊이 잠들다 / *s'~* du sommeil de la tombe〔la terre〕; *s'~* du dernier sommeil 죽다, 영면하다. ② 《s'~ sur》 …을 게을리하다 ; …에 빠지다, 안주하다 : s'~ *sur* ses succès 자신의 성공에 안주하다 / Ne *vous endormez* pas *sur* votre travail. 일을 게을리하면 안 됩니다. ③ (고통 · 감정이) 진정되다, 완화되다 : Avec le temps ses douleurs *se sont endormies.* 시간이 가면서 그의 고통이 진정되었다. ***s'~* (*sur le rôti*)** 호기(好機)를 잃다. ***s'~ sur une affaire 일을 질질 끌다.

E

endorphine [ɑ̃dɔʀfin] 〔영〕 *f.* 〖생화학〗 엔도르핀.

endos [ɑ̃do] *m.* (어음 · 수표의) 배서(背書), 이서(裏書)(= endossement) : ~ en blanc 백지식 배서.

endoscope [ɑ̃dɔskɔp] *m.* 〖의학〗 내시경(內視鏡).

endoscopie [ɑ̃dɔskɔpi] *f.* 〖의학〗 내시경 「검사(법).

endossement [ɑ̃dosmɑ̃] *m.* (어음 · 수표 따위의) 배서, 이서(= endos).

endosser [ɑ̃dose] *v.t.* ① (옷을) 입다, 걸치다 : ~ un uniforme 제복을 입다 ; 입대하다. ② …의 책임을 지다, …을 떠맡다 : J'en *endosse* la responsabilité. 내가 그 책임을 진다 / ~ une affaire délicate 미묘한 일을 떠맡다. ③ 〖상업〗 (어음 따위에) 배서하다.

endroit** [ɑ̃dʀwa〔ɑ〕] *m.* ① 장소, 곳(= lieu) : au même ~ 같은 장소에 / ~ public 공공 장소 / chercher un ~ pour se garer 주차할 장소를 찾다. ② 고장, 지방 : On est aimable dans cet ~. 이 고장 사람들은 친절하다. ③ (물체 · 작품 따위의) 부분, 군데 ; 대목 : À quel ~ avez-vous mal ? 어디가 아프십니까? / les meilleurs ~*s* d'un roman 소설의 가장 좋은 부분 / rire aux ~*s* comiques 희극적인 대목에서 웃음을 터뜨리다. ④ (피륙 따위의) 거죽, 겉, 표면(≠ envers) : étoffe à deux ~*s* ; étoffe sans ~ ni envers 안팎이 없는 피륙 / feuille imprimée seulement sur l'~ 표면에만 인쇄된 종이 / ⑤ 면(面), 측면, 점(點)(= aspect, point) : à considérer l'affaire par cet ~ 문제를 이런 측면에서 생각한다면. ***à l'~ 겉쪽을 밖으로 : Remets ton pull *à l'~*. 스웨터의 겉이 밖으로 나오도록 제대로 입어라. ***à l'~ de*** …에 대하여(= envers) : Il a mal agi *à mon ~*. 그는 나에 대해서 심술궂게 굴었다. ***par ~s*** 이곳저곳, 여기저기, 군데군데 : Sa robe est tachée *par ~s*. 그녀의 옷이 군데군데 얼룩졌다.

enduire [ɑ̃dɥiːʀ] 32 *v.t.* 《~ de》 …을 바르다, 칠하다 : ~ une affiche *de* colle 벽보에 풀을 바르다 / ~ un mur *de* chaux 벽에 석회를 바르다. — **s'~** *v.pr.* ① 발라지다, 칠해지다. ② 《s'~ de》 …을 몸에 바르다 ; 자기의 …을 칠하다 : *s'~ d*'huile d'olive 몸에 올리브 기름을 바르다.

enduit [ɑ̃dɥi] *m.* ① 도료(塗料) ; 유약(釉藥). ② 〖회화〗 (캔버스의) 밑칠 : ~ pour la peinture à l'huile 유화를 위한 밑칠.

endurable [ɑ̃dyʀabl] *adj.* 견딜 수 있는, 참을 수 있는(= supportable).

endurance [ɑ̃dyʀɑ̃ːs] *f.* 인내력, 참을성 ; 내구력, 지구력 : épreuve〔course〕d'~ 〖자동차〗 (내구력 시험을 위한) 장거리 경주 / Il court vite mais il manque d'~. 그는 달리기는 빠르지만 지구력이 없다.

endurant, e [ɑ̃dyʀɑ̃, -ɑ̃ːt] *adj.* ① 인내력이 강한, 참을성 많은 : peu ~ 성질 급한, 오래 견디지 못하는. ② 내구력〔지구력〕이 있는 : coureur ~ 지구력이 있는 경주자.

endurci, e [ɑ̃dyʀsi] *adj.* ① 강한, 단련된, 튼튼한 : travailleur ~ 튼튼한 노동자. ② 무정한, 냉혹한 : cœur ~ 무정한 마음. ③ 철저한, 상습적인 : criminel ~ 상습적인 살인범 / célibataire ~ 철저한 독신주의자.

endurcir [ɑ̃dyʀsiːʀ] *v.t.* ① (몸을) 튼튼하게 하다 ; 단련하다 : ~ qn au travail de force 힘겨운 일을 견뎌낼 수 있도록 …을 훈련시키다 / ~ ses muscles 근육을 단련시키다. ② 무정〔냉혹〕하게 만들다 ; 무감각하게 하다 : La misère lui *a endurci* le cœur. 빈곤이 그의 마음을 메마르게 했다 / 《목적 보어 없이》 L'habititude *endurcit.* 습관은 사람의 마음을 무디게 한다. — **s'~** *v.pr.* ① (몸이) 튼튼해지다, 단련되다 : Il *s'endurcit* peu à peu au froid. 그는 조금씩 추위에 강해진다. ② (마음이) 무감각해지다 ; 무정〔냉혹〕해지다 : Il *s'est endurci* par égoïsme. 그는 이기주의로 마음이 냉혹해졌다.

endurcissement [ɑ̃dyʀsismɑ̃] *m.* ① 튼튼해지기, 강해지기. ② 무감각〔둔감〕해지기 : ~ au péché 죄악에 대해 무감각해지기.

endurer [ɑ̃dyʀe] *v.t.* 참다, 견디다 : ~ les souffrances 고통을 참다 / ~ la faim 배고픔을 견디다.

enduro [ɑ̃dyʀo] *m.* 〖스포츠〗 장거리 오토바이 경주. — *f.* 장거리 경주용 오토바이.

énergétique [enɛʀʒetik] *adj.* ① 에너지의, 에너지를 주는 : crise ~ 에너지 위기 / dépense ~ 에너지 소비량. ② (약 · 음식 따위가) 정력을 돋우는. — *f.* 〖물리〗 에너지론(論)(= théorie ~).

énergie** [enɛʀʒi] *f.* ① 〖물리〗 에너지 : ~ atomique〔nucléaire〕원자력, 핵에너지 / sources d'~ 에너지 자원 / faire des économies d'~ 에너지를 절약하다 / ~ solaire 태양 에너지. ② 활력, 정력, 기력, 힘 : l'~ du style 문장력 / plein d'~ 원기왕성한 / apporter〔appliquer〕toute son ~ à qc〔+ *inf.*〕…에〔하는 데〕전력을 기울이다. ***avec ~ 정력적으로, 힘차게, 힘껏. ***sans ~*** 무기력한〔하게〕. ***sources d'~*** 에너지〔동력〕원.

***énergique** [enɛʀʒik] *adj.* ① 정력 있는 ; 힘찬, 활기찬 : homme d'affaires ~ 정력적인 기업가. ② 효력 있는 : ~ remède 효력이 강

한 약. ③ 단호한, 강력한 : prendre des mesures ~*s* 단호한 조치를 취하다.

énergiquement [enɛʀʒikmɑ̃] *adv.* ① 정력적으로 ; 힘차게 : agir ~ 정력적으로 활동하다. ② 단호하게, 강력하게 : protester ~ 강력하게 항의하다.

énergumène [enɛʀgymɛn] *m.* ① 열광자, 광분자. ② 무뢰한, 폭한.

énervant, e [enɛʀvɑ̃, -ɑ̃:t] *adj.* 성가시게 구는, 신경에 거슬리는 : bruit ~ 신경에 거슬리는 소음.

énerve [enɛʀv] *adj.* 〖식물〗 잎맥이 없는.

énervé, e [enɛʀve] *adj.* 신경이 날카로워진, 짜증이 난 ; 안절부절못하는, 흥분한 : foule ~*e* 흥분한 군중 / voix ~*e* 신경질적인 목소리.

énervement [enɛʀvəmɑ̃] *m.* 짜증, 초조함 ; 흥분 : être mort d'~ 신경질이 나서 죽을 지경이다 / être dans un état d'~ 흥분 상태에 있다.

***énerver** [enɛʀve] *v.t.* 신경질나게 하다, 성가시게〔짜증나게, 화나게〕하다 : Sa mauvaise foi m'*énerve*. 그의 불성실함은 나를 화나게 한다. — **s'~** *v.pr.* 짜증〔화〕나다, 안절부절못하다 : Ne vous *énervez* pas pour si peu. 그렇게 사소한 일로 화내지 마시오.

enfance** [ɑ̃fɑ̃:s] *f.* ① 유년기, 소년〔소녀〕 시절 : ami d'~ 죽마고우 / dans son ~ 그의 유년 시절에. ② 《집합적》 어린이, 아동 : protection de l'~ 아동 보호 / ~ délinquante 비행 소년〔소녀〕. ③ 초기, 여명기, 요람기 : secteur qui est encore dans son ~ 아직 요람기에 있는 산업 분야. ④ (아이로 돌아가는) 노쇠 현상 ; 노망 : tomber en ~ 노망하다. ***C'est l'~ de l'art. 《구어》 그것은 극히 초보적인 것이다. ***première ~*** 유아기.

⁑enfant [ɑ̃fɑ̃] *n.* ① 어린이, 아동 : ~ en bas âge 유아 / ~ gâté 응석받이 / ~ prodige 신동 / ~ Jésus 아기 예수 / jardin d'~*s* 유치원 / livre pour ~*s* 아동 도서. ② ⓐ 자식, 아들, 딸 : ~ adoptif 양자 / ~ légitime 적자 / ~ unique 독자 / ~ prodigue 방탕아《누가복음에서》 / ~*s* d'Adam 아담의 자손《인류》. ⓑ 자손, 후예 ; (상징적인 뜻으로서) 자식 : ~*s* de la Louve 늑대의 자식들, 고대의 로마인. ⓒ …태생의 사람, 출신자 : ~ de Paris 파리 태생의 사람 / ~ du peuple 서민 출신자. ③ 결과, 산물 : ~ du génie 천재의 소산(所産). ***bon ~***[1] 호인 : C'est un *bon* ~. 그 놈은 호인이다. ***C'est l'~ de son père*** 〔***sa mère***〕. 그는 꼭 자기 아버지〔어머니〕를 닮았다. ***C'est un jeu d~.*** 《구어》 그것은 아주 쉬운 일이다, 땅 짚고 헤엄치기다. ***~ naturel*** 〔***d'amour, de l'amour***〕 사생아. ***~ trouvé*** 업둥이. ***être en mal d'~*** 해산〔분만〕 중이다. ***être en travail d'~*** 산고(産苦)를〔진통을〕 겪고 있다. ***faire l'~*** 어린애처럼 굴다〔행동하다〕. ***faire un ~*** (남자가) 아이를 만들다〔낳다〕(= engendrer) ; 《구어》 (여자가) 아이를 낳다 : Il lui *a fait un* ~. 《구어》 그는 그녀를 임신시켰다. ***Il n'y plus d'~s.*** (언동이) 이젠 어린이답지 않다, 어른스럽다. ***les ~s de France*** 프랑스 왕족. ***mes ~s***[2] 《구어》 (윗사람이 아랫사람들에게, 특히 장교가 부하에게) 여러분. ***mon ~ ; mes ~s***[1] 얘야 ; 얘들아.

— *adj.* 《불변》 어린이의 ; 어린애 같은, 유치한 : Elle restait très ~. 그녀는 여전히 무척 어린애 같았다. ***bon*** 〔***bonne***〕***~***[2] 온순한, 온후한《여성명사를 수식할 경우에는 bonne ~ 처럼 일치하는 경우와 bon ~ 그대로 쓰는 경우가 있음》 : avoir l'air *bon* ~ 얌전해 보이다 / caractère *bon* ~ 온후한 성격.

enfantement [ɑ̃fɑ̃tmɑ̃] *m.* ① 《옛》 분만, 해산 : douleurs de l'~ 산고(産苦). ② (문예 작품 따위의) 창작, 제작 : ~ d'un roman 소설의 창작.

enfanter [ɑ̃fɑ̃te] *v.t.* ① (아이를) 낳다, 분만하다 : ~ une fille 딸을 낳다 / ~ un fils 아들을 낳다. ② 《문어》 (작품 따위를) 창작하다, 제작하다 : ~ un poème 시를 한 편 쓰다 / ~ une œuvre importante 중요한 작품을 창작하다.

enfantillage [ɑ̃fɑ̃tija:ʒ] *m.* 어린애 같음 ; 어린애 같은 짓〔말〕 ; (*pl.*) 유치함, 어린애 장난 : Agir de la sorte, c'est de l'~. 그런 식으로 행동하는 것은 애들이나 하는 짓이다.

enfantin, e [ɑ̃fɑ̃tɛ̃, -in] *adj.* ① 어린이의, 아동의 : langage ~ 유아어 / littérature ~*e* 아동 문학. ② 어린이 같은, 유치한 : voix ~*e* 어린애 같은 목소리. ③ 초보적인, 단순한 : problème ~ 초보적인 문제.

enfariné, e [ɑ̃faʀine] *adj.* 밀가루〔흰가루〕를 묻힌 ; 새하얗게 분칠한 : figure ~*e* d'un clown 어릿광대의 하얗게 칠한 얼굴. ***aborder*** qn ***la bouche*** 〔***gueule***〕 ***~e*** 《구어》 …에게 건방진 말을 하다. ***~ de poussière*** 먼지를 뒤집어 쓴.

enfer [ɑ̃fɛ:ʀ] *m.* ① (*pl.*) 황천, 명부(冥府), 저승 ; 지옥(≠ paradis). ② 지옥 같은 곳, 아수라장 : aller en ~ 지옥에 떨어지다 / C'est l'~. 지옥과 같다, 참을 수 없다. ③ 《집합적》 악마. ④ 혹독한 고통, 심한 번민 : Sa vie est un ~. 그의 생활은 비참하다. ***aller un train d'~*** 질주하다. ***appétit d'~*** 대단한 식욕. ***bruit d'~*** 큰 소음. ***feu d'~*** 지독한 포화(砲火). ***l'E~ de Dante*** 〖문학〗 단테의 지옥편. ***vision d'~*** 무시무시한 광경.

***enfermer** [ɑ̃fɛʀme] *v.t.* ① 가두다, 감금〔유폐〕하다 : ~ un oiseau dans une cage 새장에 새를 가두다 / ~ un malade mental dans un asile 정신병자를 정신병원에 넣다. ② (물건을 …에) 간수하다, 넣어 두다 ; (슬픔·고통 따위를) 숨기다, 감추다 : ~ de l'argent dans un coffre-fort 금고에 돈을 넣어 두다 / ~ sa douleur dans son cœur 고뇌를 마음속에 숨기다. ③ 《주어 : qn〔qc〕》 ⓐ 둘러싸다, 에워싸다(= entourer) : ~ un terrain de haies 땅에 생울타리를 둘러치다. ⓑ 〖스포츠〗 (접근하여 경주자를) 방해하다 : se laisser ~ au moment du sprint (주자가) 최후의 역주에서 방해받다. ④ (토론 따위로) 밀어붙이다 ; (어떤 상태에) 빠지게 하다 : ~ qn dans un dilemme …을 딜레마에 빠뜨리다. — **s'~** *v.pr.* ① 죽치다, 들어박히다 : *s'*~ dans sa chambre 방에 들어박히다. ② (어떤 태도 따위를) 지키다, 고집하다 : *s'*~ dans sa résolution 결심을 굽히지 않다.

enferrer [ɑ̃fɛʀe] *v.t.* (검으로) 찌르다 : ~ son adversaire 적을 칼로 찌르다. — **s'~** *v.pr.* ① 자기 칼에 찔리다. ② 제 꾀에 넘어

가다, 자승자박이 되다 : s'~ dans ses contradictions 자기모순에 빠지다.

enfiévrer [ɑ̃fjevʀe] 6 *v.t.* 열광시키다, 자극하다, 흥분하게 하다 : ~ la foule 군중을 열광시키다 / ~ l'imagination 상상력을 자극하다. ── **s'~** *vpr.* 열광하다, 흥분하다.

enfilade [ɑ̃filad] *f.* ① 하나로 이어짐, 일련(一連) : maisons en ~ 한 줄로 늘어선 집들 / ~ de voitures sur l'autoroute 고속도로에 늘어선 자동차들. ② 〖군사〗 tir d'~ 집중 사격. ***prendre*** qn 〔qc〕 ***en ~*** …에(게) 집중 사격을 하다.

enfilage [ɑ̃fila:ʒ] *m.* (바늘 · 구슬 따위에) 실을 꿰기 : ~ des perles 진주를 꿰기.

E

enfiler [ɑ̃file] *v.t.* ① (바늘 · 구슬 따위에) 실을 꿰다 ; (서류를) 철하다 : ~ une aiguille 바늘에 실을 꿰다. ② 《구어》 (옷을) 입다, (구두를) 신다, (장갑을) 끼다 : ~ son manteau 외투를 입다. ③ (길에) 접어들다, 들어서다 (= s'engager) : ~ un couloir 복도에 들어가다. ***~ des perles*** 《구어》 쓸데없는 일에 시간을 낭비하다. ***~ la venelle*** 《구어》 재빠르게 도망치다. ***~ un bon repas*** 《구어》 날쌔게 맛있는 음식을 먹다. ── **s'~** *v.pr.* ① 접어들다, 들어서다. ② 《구어》 먹다, 마시다 : s'~ un bifteck 비프스테이크를 먹어 치우다. ③ 《구어》 (하기 싫은 일을) 마지못해 하다.

⁂**enfin** [ɑ̃fɛ̃] *adv.* ① 끝으로(는), 마지막으로(는) ; 결국 : Il s'assit à son bureau, classa des dossiers, donna un coup de téléphone ; ~ il se mit à écrire. 그는 사무용 책상에 앉고 나서 서류를 정돈하고 전화를 한 통화 하더니 끝으로 무엇인가 쓰기 시작했다 / Il marcha longtemps de long en large, ~ il sortit. 그는 오랫동안 이리저리 걸어다니다가 결국 밖으로 나갔다. ② 드디어, 마침내 : *E~* vous voilà ! ; Vous voilà ~ ! 드디어 오셨군요 ! ③ 그러니까, 요컨대, 말하자면 ; 좌우간 : Il y avait les parents, les frères, ~ toute la famille. 부모님, 형제들, 그러니까 온 가족이 있었지 / 《car, mais 다음에》 C'est à vous d'endosser toutes les responsabilités, *car* ~ vous êtes le chef. 전 책임을 지는 것은 당신이요, 요컨대 당신이 우두머리니까 / Venez ce soir, demain, après-demain, ~ dès que vous pourrez. 오늘 저녁에 오시지요, 내일이든지, 모레든지, 좌우간 시간 나는 대로 와요. ④ 그렇지만, 그래도, 어쨌든 : Cela me paraît difficile, ~ vous pouvez essayer. 나로서는 어려워 보이는데, 어쨌든 해보시구려. ⑤ 《간투사적》 이제야 ; 여하튼, 맙소사 : C'est votre tour. — *E~ !* 당신 차례입니다 — 이제야 ! / *E~*, puisqu'il le faut ! 여하튼 할 수 없지 ! / C'est encore vous! *E~ !* 맙소사, 또 당신이야 !

enflammé, e [ɑ̃fla(ɑ)me] *adj.* ① 타고 있는, 불붙은 : brandon ~ 타오르는 불씨. ② 열정적인, 흥분한 : cœur ~ 열정적인 가슴. ③ 〖의학〗 염증을 일으킨.

enflammer [ɑ̃fla(ɑ)me] *v.t.* ① 불을 붙이다, 타오르게 하다 ; 붉게 물들이다 : ~ un fagot 장작을 태우다 / Le soleil couchant *enflammait* le ciel. 지는 해가 하늘을 붉게 물들이고 있었다. ② (감정 따위를) 끓어오르게 하다(= exciter) ; (사람을) 열광하게 하다 (= exalter) ; 흥분하게 하다 : Ce discours *enflamma* leur courage. 이 연설은 그들의 용기를 북돋았다. ③ …에 염증을 일으키다 : ~ une piqûre d'insecte en se grattant 벌레 물린 데를 긁어서 염증을 일으키다. ── **s'~** *v.pr.* ① 불붙다, 타오르다 : Ce bois *s'enflamme* difficilement. 이 나무는 잘 타지 않는다. ② 열렬해지다 ; 열광〔흥분〕하다 : Il est prompt à *s'~*. 그는 쉽게 흥분하는 성격이다.

enflé, e [ɑ̃fle] *adj.* ① 부은 ; 부풀어 오른 ; (강물 따위가) 수량이 증가한. ② 거만한, 득의양양한 : être ~ d'orgueil 잘난 체 우쭐하다. ── *n.* 《구어》 멍청이, 바보.

enfler [ɑ̃fle] *v.t.* ① 부풀게 하다, 붓게 하다 : Les engelures *enflent* les doigts. 동상 때문에 손가락이 붓는다. ② (양을) 늘리다, 부피를 늘리다 : ~ une rivière 강물이 불어나게 하다. ③ 과장하다 ; (목소리 따위를) 돋우다, 높이다 : ~ sa voix 목소리를 높이다. ── *v.i.* ① 부어오르다, 붓다 : Mon pied *a enflé*. 내 발이 부었다. ② (부피가) 늘다, 커지다.

enflure [ɑ̃fly:ʀ] *f.* ① 부풀음, 부기 ; 팽창. ② (문장 따위의) 과장(= exagération).

enfoncé, e [ɑ̃fɔ̃se] *adj.* ① 박힌, 끼워진 : clou ~ 박힌 못 / chapeau ~ 깊숙이 눌러 쓴 모자. ② 움푹 들어간 : yeux ~s 움푹한 눈. ③ 몰두하고 있는 : être ~ dans son travail 일에 몰두하고 있다. ④ 부서진, 파괴된 : porte ~*e* 부서진 문.

enfoncement [ɑ̃fɔ̃smɑ̃] *m.* ① 두드려 박기, 끼워 넣기 : ~ d'un clou dans le mur 벽에 못을 박기. ② 깨뜨리기, 파괴 : ~ d'une fenêtre 창의 파손. ③ 움푹 들어간 부분 ; 구석진 부분 : ~ d'une vallée 계곡의 골짜기.

enfoncer** [ɑ̃fɔ̃se] 2 *vt.* ① 박다, 처박다 ; 꽂다 ; 깊숙이 집어넣다 ; (모자를) 깊숙이 눌러 쓰다 : ~ un pieu en terre 말뚝을 땅에 박다 / ~ son mouchoir dans sa poche 손수건을 호주머니 깊숙이 집어넣다 / ~ son chapeau (sur la tête) 모자를 깊이 눌러 쓰다. ② 《~ qn》 (나쁜 상태에) 몰아넣다, 빠지게 하다 : Sa prodigalité l'*enfonce* peu à peu dans la misère. 낭비벽으로 그는 조금씩 빈곤에 빠진다. ③ 부수다, 파괴하다 ; 〖군사〗 (방위선 따위를) 돌파하다 : ~ une porte 문을 부수다 / ~ le front ennemi 적의 전선을 돌파하다. ④ 《구어》 (상대방을) 능가〔압도〕하다(= surpasser). ⑤ (통에) 밑바닥을 붙이다. ***~ le clou 같은 것을 몇 번이고 설명하다. ~ qc ***dans la tête*** 〔***le crâne***〕 ***de*** qn …에게 …을 억지로 납득〔명심〕하게 하다. ***~ une porte ouverte*** 쉬운 일에 애를 쓰다 ; 자명한 일을 애써 증명하다. ── *v.i.* ① ⓐ (사람 · 동물이 진창 따위에) 빠지다. ⓑ ~ dans les difficultés 《비유》 난처한 지경에 빠지다. ② (배 따위가) 침몰하다 ; 움푹 들어가다 : La barque *a enfoncé* brusquement. 배가 갑자기 가라앉았다. ── **s'~** *v.pr.* ① 들어박히다 ; 끼이다 ; 침몰하다 : vis qui *s'enfonce* dans le bois 나무에 박히는 나사 / Il *s'est enfoncé* dans son fauteuil. 그는 소파에 몸을 파묻었다. ② 《s'~ dans》 …에 빠지다 ; 깊이 들어가다 ; 몰두하다 : *s'~* jusqu'au cou *dans* l'étude 연

구에 깊숙이 몰두하다 / *s'~ dans* le sommeil 깊은 잠에 빠지다. ③ 파산하다 : affaire qui *s'enfonce* 망해가는 사업.

enfonceur, euse [ɑ̃fɔ̃sœːʀ, -øːz] *n.* 정복자, 지배자. **~ *de porte*(*s*) *ouverte*(*s*)** 아무것도 아닌 일에 야단법석하는 사람.

enfouir [ɑ̃fwiːʀ] *v.t.* ① 파묻다, 매몰하다(=enterrer) : Les pirates ont *enfoui* leur trésor. 해적들은 보물을 파묻었다. ② 넣어두다, 간수하다 ; 숨기다 : ~ sa douleur dans son âme 가슴속에 고뇌를 숨기다.
— **s'~** *v.pr.* 파묻히다 ; 숨다, 은거하다 : *s'~* dans un monastère 수도원에 은거하다.

enfouissement [ɑ̃fwismɑ̃] *m.* (땅속에) 묻기, 매장 ; 감추기.

enfourcher [ɑ̃fuʀʃe] *v.t.* ① …에 올라타다, 걸터타다 : ~ sa bicyclette 자전거에 올라타다. ② …에 집착하다 : ~ une idée 어떤 생각에 집착하다. **~ *son dada*** 《구어》 좋아하는 화제를 끄집어내다.

enfournage [ɑ̃fuʀnaːʒ], **enfournement** [ɑ̃fuʀnəmɑ̃] *m.* ① 화덕(가마솥)에 넣기. ② 〖물리〗 (원자로에) 넣기, (유리 제조의) 용해공정.

enfourner [ɑ̃fuʀne] *v.t.* ① (빵·도기 따위를) 화덕(가마)에 넣다 : ~ du pain 빵을 오븐에 넣다. ② 《구어》 끌어넣다, 처넣다(=fourrer) : Il l'*a enfourné* dans un taxi. 그는 그 사람을 택시에 밀어넣었다. ③ 《구어》 (음식을) 게걸스레 먹다 : ~ un gâteau 케이크를 게걸스럽게 먹다. ***À mal ~ on fait les pains cornus.*** 《격언》 시작이 나쁘면 종말도 나쁘다. — **s'~** *v.pr.* 들어가다 ; 타다 : *s'~* dans le métro. 지하철을 타다.

enfreindre [ɑ̃fʀɛ̃ːdʀ] 27 *v.t.* 《문어》 어기다, 위반하다(≠respecter) : ~ un traité (les lois) 조약(법률)을 위반하다.

***enfuir (s')** [sɑ̃fɥiːʀ] 21 *v.pr.* ① 도망하다, 달아나다 : Un prisonnier *s'est enfui*. 한 죄수가 탈옥했다. ② 빨리 가버리다 ; 사라지다 (=disparaître) : rêves *enfuis* 사라진 꿈.

***enfumé, e** [ɑ̃fyme] *adj.* 연기로 가득한 : pièce *~e* 연기가 가득찬 방.

enfumer [ɑ̃fyme] *v.t.* ① 연기로 가득 채우다 : poêle qui *enfume* une pièce 방 안을 연기로 가득 채우는 프라이팬. ② 연기로 그을리다, 연기를 피우다 : ~ un renard 여우를 연기로 몰아내다 / Tu nous *enfumes*, avec ta cigarette! 네 담배 연기 때문에 죽겠어!

***engagé, e** [ɑ̃gaʒe] *adj.* ① (정치에) 참여한 : écrivain ~ (littérature *~e*) 참여 작가(문학). ② (군에) 지원한 : soldats *~s* 지원병. ③ (기둥이) 벽에 박힌 : colonne *~e* 벽에 파묻힌 기둥. — *m.* 지원병 : *~s* et appelés 지원병과 소집병.

***engageant, e** [ɑ̃gaʒɑ̃, -ɑ̃ːt] *adj.* 마음을 끄는, 매력 있는 ; 느낌이 좋은.

engagement** [ɑ̃gaʒmɑ̃] *m.* ① 약속, 의무, 맹세 : ~ de sa parole 약속, 언질을 주기 / respecter ses *~s* 약속을 지키다 / manquer à ses *~s* 약속을 어기다. ② 병역 지원 ; 고용, (특히) 고용 계약. ~ volontaire 자발적인 군대 지원 / lettre d'~ 고용 계약서. ③ 자본 투입, 투자 : ~ de gros capitaux 대자본의 투입 / ~ financier 융자. ④ 〖군사〗 병력 투입 ; 국지전 : ~ des troupes 부대의 투입. ⑤ 개시, 시작 : ~ des négociations 교섭의 개시. ⑥ ⓐ 〖펜싱〗 칼을 맞대기, 결투 개시. ⓑ 〖스포츠〗 (경기에의) 출장 등록, 엔트리. ⓒ 〖축구·럭비〗 킥오프. ⑦ 〖문학〗 앙가주망 《지식인·예술가의 정치 참여》. ***contracter* (*prendre*) *un ~ 계약을 맺다. ***prendre l'~ de*+*inf.*** …하기를 약속하다.

engager** [ɑ̃gaʒe] 3 *v.t.* ① 저당잡히다 : ~ sa montre au mont-de-piété 전당포에 시계를 저당잡히다. ② (언질 따위를) 주다, 약속하다 ; (명예 따위를) 걸다 : ~ son cœur 사랑의 맹세를 하다. ③ 고용하다 ; 계약하다 ; (병사를) 징집하다 : ~ une domestique 가정부를 고용하다 / ~ des soldats 병사를 모집하다. ④ 끼우다, 꽂다, 맞물리게 하다 : ~ la clé dans la serrure 열쇠를 열쇠 구멍에 넣다. ⑤ (좁은 곳에) 끌고 들어가다 : ~ sa voiture dans une ruelle 차를 좁은 길로 몰고 들어가다. ⑥ ⓐ 끌어넣다 ; 참가시키다 ; 유인하다 : ~ qn dans une affaire …을 어떤 사건에 말려들게 하다. ⓑ 《~ qn à qc (+*inf.*)》 …을 …으로(하도록) 권유하다 : ~ qn *à* la prudence …에게 조심하라고 말하다 / Je vous *engage* fort *à* lire cette œuvre. 이 작품을 읽을 것을 권합니다. ⑦ 구속(속박)하다 : Cela ne vous *engage à* (en) rien. 그것은 당신에게 아무런 구속도 주지 않는다 / 《직접목적보어 없이》 Cela n'*engage à* rien. 그것은 아무런 구속도 주지 않는다. ⑧ 투입하다 ; 투자하다(=investir) : ~ des capitaux dans une entreprise 어떤 기업에 자본을 투자하다. ⑨ (전투·이야기 따위를) 시작하다, 개시하다 : ~ une discussion (des négociations) 토론(교섭)을 시작하다 / ~ la bataille 전투를 개시하다. **~ *sa foi 맹세하다. **~ *sa parole*** 언질을 주다. **~ *son honneur*** 명예를 걸다.
— *v.i.* 〖펜싱〗 칼을 맞대다 ; 〖축구·럭비〗 (단체 경기에서 킥오프로) 시합을(경기를) 시작하다.
— **s'~** *v.pr.* ① 저당잡히다. ② 《s'~ à qc (+*inf.*)》 …을(할 것을) 약속하다 ; …에 구속(속박)되다 ; …의(할) 의무를(책임을) 지다 ; …할 결심을 하다 : *s'~ à* payer ses dettes 빚을 갚기로 약속하다 / s'~ pour qn …에게 보증을 서 주다 / sans ~ *à* rien 아무런 구애도 받지 않고. ③ 고용되다 ; (지원하여) 입대하다 : *s'~* comme secrétaire 비서로 고용되다 / Il *s'est engagé* dans l'armée. 그는 군대에 지원했다. ④ 《s'~ dans》 …에 들어가다 ; (길 따위에) 접어들다 ; …에 참가하다 ; …에 말려들다 : Le train *s'engage dans* le tunnel. 기차가 터널로 들어간다 / 《상황보어 없이》 Il *s'est* trop *engagé* pour reculer. 그는 손을 떼기에는 너무나 깊이 관련되어 있다. ⑤ (작가·지식인들이) 사회·정치 문제에 참여하다 : écrivain (artiste) qui *s'engage* 참여 작가(예술가). ⑥ 시작(개시)되다, 착수되다(=commencer) : Le débat *s'engage* mal. 논쟁이 험악해지기 시작한다. ⑦ 뛰어들다, 투신하다, 손대다, 착수하다 : *s'~* dans une entreprise difficile 어려운 사업에 손을 대다. ⑧ 걸리다 : *s'~* sur le sable (배가) 좌초하

다. *s'~ à* qn …에게 충성을 다짐하다. ***s'~ à une femme*** 여자에게 충실할 것을 맹세하다.

engainer [ɑ̃gɛ(e)ne] *v.t.* ① (칼을) 칼집에 넣다. ② 〖식물〗 잎짚으로 싸다.

engeance [ɑ̃ʒɑ̃:s] *f.* ① 종족, (특히 가금의) 품종(= race) : chiens de belle ~ 혈통 좋은 개. ② 《집합적》《경멸》 족속, 놈들 : Quelle sale ~ ! 더러운 놈들 같으니!

engelure [ɑ̃ʒly:ʀ] *f.* 동상(凍傷).

engendrement [ɑ̃ʒɑ̃dʀəmɑ̃] *m.* ① (남자가〔수컷이〕) 자식을〔새끼를〕 낳음. ② 발생, 생겨남. ③ 《문어》 창조. ④ 〖언어〗 생성.

***engendrer** [ɑ̃ʒɑ̃dʀe] *v.t.* ① (남자·수컷이) 자식을〔새끼를〕 낳다 : Abraham *engendra* Isaac. 아브라함이 이삭을 낳았다. ② (결과를) 낳다, 일으키다, 야기하다(= produire, causer) : La guerre *engendre* bien des maux. 전쟁은 많은 불행을 가져온다. ③ 〖수학〗 (궤적을) 그리다 ; 〖언어〗 생성하다. ── **s'~** *v.pr.* 생기다, 야기되다.

engin [ɑ̃ʒɛ̃] *m.* ① ⓐ 도구, 기구(器具) ; 기계(장치) : ~*s* de pêche 고기 잡는 도구 / ~ de levage 기중기 / ~*s* agricoles 농기구. ⓑ 병기(兵器), 화기(= ~ de guerre) ; 장갑차, 전차(= ~*s* blindés) : ~*s* à tir courbe 곡사포. ② 〖군사〗 유도탄, 미사일, 로켓(= ~*s* spéciaux) : ~ atmosphérique 순항 미사일 / ~ balistique à porté moyenne〔intermédiaire〕 중거리 탄도탄 / ~ balistique intercontinental 〔transcontinental〕 대륙간 탄도탄. ③ 《구어》 (이름 모를 괴상한) 물건 (= machin, bidule). ***~ A*** 〔***H***〕 원자〔수소〕 폭탄. ***~ spatial*** 우주 비행체〔로켓〕. ***~ téléguidé*** 유도탄.

engineering [ɛnʒiniʀiŋ] 〔영〕 *m.* 엔지니어링, 공학, 공학 기술.

***englober** [ɑ̃glɔbe] *v.t.* ① 포함시키다, 병합하다(= réunir, annexer) : ~ un pays dans un empire 한 나라를 제국에 병합하다. ② 일괄〔총괄〕하다 : Cette théorie *englobe* toutes les théories existantes 이 이론은 기존의 모든 이론을 총괄하고 있다.

engloutir [ɑ̃gluti:ʀ] *v.t.* ① 《주어 : qn》 (음식 따위를) 삼키다, 게걸스럽게 먹다(= avaler, dévorer) : ~ son repas 게걸스럽게 식사하다. ② 《주어 : qc》 (바다 따위가) 삼켜 버리다 (= engouffrer) : La tempête *a englouti* le navire. 폭풍우가 선박을 쓸어갔다. ③ (재산 따위를) 탕진하다(= dissiper) : ~ sa fortune dans la spéculation 투기에서 재산을 날리다. ── **s'~** *v.pr.* ① 삼켜지다, 사라지다 : navire qui *s'engloutit* 침몰하는 배. ② 탕진되다.

engluage [ɑ̃glya:ʒ], *m.* ① (새잡는) 끈끈이를 바르기. ② 수목 보호용 합성제.

engluement [ɑ̃glymɑ̃] *m.* ① = engluage. ② 접목용 진흙, 콜타르.

engluer [ɑ̃glye] *v.t.* ① (새를 잡을) 끈끈이(glu)를 바르다 ; (새를) 끈끈이로 잡다 : ~ des oiseaux 끈끈이로 새를 잡다. ② (끈끈이처럼) 끈적끈적하게 만들다 : boue qui *englue* les chaussures 신발에 끈적끈적하게 달라붙은 진흙. ③ 속이다 ; 덫에 걸리게 하다, 함정에 빠뜨리다.

engoncer [ɑ̃gɔ̃se] [2] *v.t.* (옷이) 목을 파묻히게 하다, 움츠러져 보이게 하다 : Ce vêtement vous *engonce.* 이 옷을 입으면 당신의 목이 파묻힌다.

engorgement [ɑ̃gɔʀʒəmɑ̃] *m.* ① (관·통로 따위의) 막힘 ; 혼잡, 정체 : ~ de la circulation 교통 혼잡. ② 〖의학〗 충혈 종창.

engorger [ɑ̃gɔʀʒe] [3] *v.t* ① (관 따위를) 막히게 하다, (틀어)막다(= boucher). ② 〖의학〗 충혈시키다, 붓게 하다. ── **s'~** *v.pr.* (관 따위가) 막히다 : L'égout *s'est engorgé.* 하수도가 막혔다.

engoué, e [ɑ̃gwe] *adj.* 《~ de》 …에 열중한, 심취한 : être ~ *d'*une musique à la mode 유행 음악에 심취하다.

engouement [ɑ̃gumɑ̃] *m.* 《~ pour》 …에 대한 열광, 열중, 심취(= enthousiasme) : ~ *pour* la photo 사진에 대한 심취.

engouer [ɑ̃gwe] *v.t.* 목이 메게 하다 ; 숨 막히게 하다. ── **s'~** *v.pr.* ① 목이 메다. ② 《*s'~* de》 …에 열중〔심취〕하다(= s'emballer) : *s'~ d'*un bibelot 골동품에 열중하다.

engouffrement [ɑ̃gufʀəmɑ̃] *m.* (바람 따위의) 들이침, 몰아침 ; 휘말리기.

engouffrer [ɑ̃gufʀe] *v.t.* ① 던져 넣다 ; 삼키다(= avaler, engloutir) : ~ des bagages dans la cale 짐을 선창에 던져 넣다. ② (재산을) 탕진하다(= dissiper) : une entreprise qui *engouffre* des sommes énormes 막대한 돈을 탕진하는 기업. ③ 《구어》 마구〔게걸스럽게〕 먹다 : Il *a engouffré* son sandwich en deux minutes. 그는 2 분만에 샌드위치를 게걸스럽게 먹어치웠다. ── **s'~** *v.pr.* ① 휩쓸려 들어가다, 밀려들다 : la foule qui *s'engouffre* dans le métro 지하철로 휩쓸려 밀려드는 사람들. ② (바람이) 들이치다 ; (물이) 흘러들다 : Le vent *s'engouffre* dans les ruelles. 바람이 작은 길로 불어닥친다. ③ 탕진되다.

engoulevent [ɑ̃gulvɑ̃] *m.* 〖조류〗 쏙독새.

engourdi, e [ɑ̃guʀdi] *adj.* ① 마비된, 저린 : avoir un membre ~ 손〔발〕이 마비되다. ② 둔한 : esprit ~ 둔해진 지력.

engourdir [ɑ̃guʀdi:ʀ] *v.t.* ① 마비시키다, (손·발을) 저리게 하다, 곱게 하다(= paralyser). ② (정신 따위를) 둔하게 만들다 : L'oisiveté *engourdit* l'esprit. 나태는 정신을 둔하게 한다. ── **s'~** *v.pr.* ① 마비되다, 저리게 되다 ; (손이) 곱다. ② 둔해지다(= rouiller) : La mémoire *s'engourdit* avec l'âge. 기억력은 나이가 들어감에 따라 둔해진다. ③ (동물이) 동면하다.

engourdissement [ɑ̃guʀdismɑ̃] *m.* ① 마비, 무감각. ② 둔함 ; 무기력. ③ 동면.

engrais [ɑ̃gʀɛ] *m.* ① 비육(肥育) : bestiaux à l'~ 비육 중인 가축. ② 비료 : ~ artificiels 〔chimiques〕 화학 비료.

engraissage [ɑ̃gʀɛsa:ʒ] *m.* 가축을 살찌게 하기, 비육.

engraissement [ɑ̃gʀɛsmɑ̃] *m.* = engraissage.

***engraisser** [ɑ̃gʀɛ(e)se] *v.t.* ① (가축·가금을) 살찌게 하다, 비육하다 : ~ des porcs 돼지를 살찌우다. ② (땅을) 기름지게 하다, 비옥하게 하다 : Le fumier *engraisse* la terre. 비료는 땅을 비옥하게 한다. ── *v.i.* 뚱뚱해지다, 살찌다. ── **s'~** *v.pr.* ① 살찌다 ; 뚱뚱

해지다. ② (사람이) 부유해지다 ; (땅이) 기름지다.

engrangement [ɑ̃gʀɑ̃ʒmɑ̃] *m.* (곡물을) 곳간에 넣기, 입고. 「에 넣다.

engranger [ɑ̃gʀɑ̃ʒe] [3] *v.t.* (곡식을) 곳간

engrenage [ɑ̃gʀənaːʒ] *m.* ① 톱니바퀴〔동력 전달〕(장치) : train d'~ 톱니바퀴 전달 장치. ② (사정 따위의) 얽히고 설킴, 분규.

engrener [ɑ̃gʀəne] [4] *v.t.* ① (톱니바퀴를) 맞물리다. ② (일을) 시작하다(= mettre en train). ③《~ qn》(분규 따위에) 끌어넣다. — *v.i.* (톱니바퀴가) 서로 맞물리다. — **s'~** *v.pr.* ① (톱니바퀴가) 서로 물리다. ② 서로 관련〔연동〕되다. 「다.

engrosser [ɑ̃gʀose] *v.t.* 《구어》 임신시키

engueulade [ɑ̃gœlad] *f.* ① 꾸짖기, 질책 : recevoir une bonne ~ 호되게 질책을 하다. ② 욕지거리 ; 말다툼, 언쟁(= querelle) : avoir une ~ avec qn …와 말다툼하다 / passer une ~ à qn …에게 욕설하다.

engueuler [ɑ̃gœle] 《속어》 *v.t.* ① 욕하다. ② 꾸짖다, 야단치다(= réprimander). — **s'~** *v.pr.* 서로 욕하다.

enguirlander [ɑ̃giʀlɑ̃de] *v.t.* ① 화환으로 장식하다 ; 꽃장식하다(= enjoliver) ② 《구어》 = engueuler.

enhardir [ɑ̃aʀdiːʀ] *v.t.* 대담해지게 하다, 기운을 북돋우다 : Un verre de vin l'*a enhardi.* 한 잔의 술이 그를 대담하게 했다. — **s'~** *v.pr.* 기운을 내다, 대담해지다 : *s'~* à 〔jusqu'à〕+ *inf.* 대담하게 …하다.

énième [enjɛm] *adj.* et *n.* = nième.

énigmatique [enigmatik] *adj.* 수수께끼 같은 ; 이상야릇한, 이해할 수 없는(= mystérieux), 난해한 : personnage ~ 수수께끼 같은 인물 / poésie ~ 난해한 시.

***énigme** [enigm] *f.* 수수께끼(= devinette) ; 이상야릇한 일, 풀기 힘든 문제 ; 불가사의(= mystère) : parler par ~*s* 수수께끼 같은 말을 하다 / trouver le mot d'une ~ 수수께끼를 풀다.

enivrant, e [ɑ̃nivʀɑ̃, -ɑ̃ːt] *adj.* ① 취하게 하는. ② 도취〔열광〕케 하는 : louanges ~*s* 황홀한 칭찬 / parfum ~ 황홀한 향기.

enivrement [ɑ̃nivʀəmɑ̃] *m.* ① 술취함, 취기. ② 도취, 황홀 ; 열광 : ~ du premier amour 첫사랑의 황홀함.

enivrer [ɑ̃nivʀe] *v.t.* ① (술에) 취하게 하다 (= griser, soûler) : La bière l'*a enivré.* 맥주를 마시고 그는 취했다. ② 도취하게 하다, 열광하게 하다(= exalter) ; 의기양양하게 하다 (= enorgueillir) : La vitesse m'*enivre.* 스피드는 나를 도취시킨다. — **s'~** *v.pr.* ① 《s'~ à》 취하다 : *s'~ au* whisky 위스키에 취하다. ② 《s'~ de》 도취하다, 열광〔열중〕하다 ; 의기양양하다 : *s'~ de* ses succès 성공으로 우쭐해지다.

enjambée [ɑ̃ʒɑ̃be] *f.* ① 큰 걸음. ② (크게 벌린) 한 걸음 ; 한 걸음(= pas). ***à grandes ~s*** 큰 걸음으로, 성큼성큼.

enjambement [ɑ̃ʒɑ̃bmɑ̃] *m.* 〖운율〗 (시구가) 다음 행에 걸치기(= rejet).

enjamber [ɑ̃ʒɑ̃be] *v.t.* ① (성큼) 뛰어넘다(= franchir) : ~ un ruisseau 개울을 뛰어넘다. ② 걸치다 : le Pont-Neuf qui *enjambe* la Seine 센강에 걸쳐 있는 퐁뇌프 다리. — *v.i.* 《~ sur》 ① (시구(詩句)가 다음 행에) 걸치다 : Ce vers *enjambe sur* le suivant. 이 시구의 의미는 다음 행에 걸려 있다. ② 걸쳐지다 ; 삐져 나와 있다.

enjeu** [ɑ̃ʒø] *m.* (*pl.* **~x**) ① 내깃돈, 노름판에서 거는 돈 : un ~ de mille francs 천 프랑 걸다. ② 내거는 것 ; 목적(= but) : L'~ des prochaines élections, c'est l'avenir de la démocratie. 다음 선거에서 내거는 것, 그것은 민주주의의 미래다. ***retirer son ~ 내깃돈〔투자한 돈〕을 회수하다 ; 손을 떼다.

enjoindre [ɑ̃ʒwɛ̃ːdʀ] [27] *v.t.* 명령하다, 엄명하다(= commander, ordonner) : Il nous *a enjoints de* ne pas sortir. 그는 우리들에게 밖에 나가지 말라고 엄명했다.

enjôlement [ɑ̃ʒolmɑ̃] *m.* ① (감언이설로) 속이기, 농락. ② 아첨, 감언.

enjôler [ɑ̃ʒole] *v.t.* (감언이설로) 속이다, 농락하다(= duper, leurrer) : ~ une jeune fille 젊은 처녀를 농락하다.

enjôleur, euse [ɑ̃ʒolœːʀ, -øːz] *adj.* et *n.* 감언이설로 속이는 (사람), 농락하는 (사람).

enjolivement [ɑ̃ʒɔlivmɑ̃] *m.* 장식(물) ; 꾸밈 ; (이야기의) 과장, 윤색.

enjoliver [ɑ̃ʒɔlive] *v.t.* ① 더욱 아름답게 하다 ; 장식하다, 꾸미다(= décorer, embellir) : ~ une robe avec des rubans 드레스를 리본으로 장식하다. ② 윤색(潤色)하다 : ~ un récit 이야기를 윤색하다. — *v.i.* et **s'~** *v.pr.* 더 아름다워지다.

enjoliveur, euse [ɑ̃ʒɔlivœːʀ, -øːz] *n.* 이야기를 윤색하는 사람. — *m.* (자동차의) 차체 장식품.

enjoué, e [ɑ̃ʒwe] *adj.* 쾌활한, 명랑한(= gai) : caractère ~ 쾌활한 성격.

enjouement [ɑ̃ʒumɑ̃] *m.* 쾌활, 경쾌, 명랑 (= gaieté ; ≠ tristesse).

enkysté, e [ɑ̃kiste] *adj.* 〖의학〗 낭포(囊胞)에 싸인, 포피(包皮)된.

enkystement [ɑ̃kistəmɑ̃] *m.* 〖의학〗 낭종(囊腫)(화), 피낭 형성(被囊形成).

enkyster (s') [sɑ̃kiste] *v.pr.* 〖의학〗 (종양이) 낭종(囊腫)이 되다.

enlaçage [ɑ̃la(ɑ)saːʒ], **enlacement** [ɑ̃la(ɑ)smɑ̃] *m.* 얼싸안음, 포옹(= embrassement) : ~ des amoureux 연인들의 포옹.

enlacer [ɑ̃la(ɑ)se] [2] *v.t.* ① (끈으로) 매다 ; …에 휘감기다 : Le serpent *enlace* sa proie. 뱀이 사냥감에 휘감기다. ② 얼싸안다, 껴안다(= étreindre) : amants *enlacés* 껴안고 있는 연인들. — **s'~** *v.pr.* ① 서로 얽히다. ② 서로 얼싸안다.

***enlaidir** [ɑ̃lɛ(e)diːʀ] *v.t.* 추하게 하다, 보기 흉하게 하다. — *v.i.* et **s'~** *v.pr.* 추해지다 : Elle a *enlaidi* avec l'âge. 그녀는 나이와 함께 추해졌다.

enlaidissement [ɑ̃lɛ(e)dismɑ̃] *m.* 추하게〔보기 흉하게〕 하기 ; 추해짐.

enlevé, e [ɑ̃lve] *adj.* (음악 · 연극 따위가) 멋지게 연주〔연출〕된 : scène de comédie ~*e* 멋지게 연출된 희극의 한 장면.

enlèvement [ɑ̃lɛvmɑ̃] *m.* ① 납치, 유괴(= rapt) : ~ d'enfant 어린이 유괴. ② 치움 ; 제거, 회수, 수거 : ~ des ordures 쓰레기 수

E

거. ③ 탈취, 약탈 : ~ d'une position ennemie 적진의 탈취.

:enlever [ɑ̃lve] [4] *v.t.* ① 들어올리다. ② 걷어치우다, 치워 버리다 ; 떼어 버리다 ; 없애 버리다 ; 지워 버리다 ; (외투 따위를) 벗다, (껍질을) 벗기다 : ~ les ordures 오물을 수거하다 / ~ son chapeau pour saluer 인사하려고 모자를 벗다 / ~ une phrase d'un discours 연설의 한 구절을 삭제하다 / ~ la douleur 고통을 없애다 / 《~ qc de》 ~ les meubles *de* l'entrée 입구에서 가구를 치우다. ③ 《~ qc à qn》 …에게서 빼앗다, 탈취하다 ; 《~ qn》 유괴〔납치〕하다 : On lui *a enlevé* son sac. 그녀는 핸드백을 빼앗겼다 / ~ un poste 초소를 탈취하다 / ~ un enfant par séduction 아이를 유괴하다. ④ 가지고 가다 ; (상품을) 사 가다, 매점하다 ; 휩쓸어 가다 : faire ~ par camion les meubles 가구를 트럭으로 실어내다 / Ces soldes *ont été enlevés* avant midi. 이 특매 상품은 정오 전에 팔려 버렸다. ⑤ 《문어》 (죽음이) 앗아가다 : La mort nous l'*a enlevé*. 죽음은 우리들에게서 그를 앗아갔다. ⑥ (상 따위를) 획득하다, (시합에서) 이기다 : ~ le premier prix, 1등상을 타다 / ~ la majorité des suffrages 과반수를 득표하다 / ~ la victoire 승리를 차지하다. ⑦ …을 매료하다, 열광시키다 : son discours *a enlevé* l'auditoire. 그의 연설은 청중을 열광시켰다 / 《목적보어 없이》 orateur qui *enlève* 사람의 마음을 사로잡는 웅변가. ⑧ 시원스럽게〔훌륭하게〕 연주해〔일해〕 내다 ; (신문 기사 따위를) 시원스럽게〔빠르게〕 써 버리다. ***~ les suffrages*** (선거에서) 압도적으로 승리하다. ***~ un morceau de musique*** 음악을 훌륭하게 연주해 내다.
— **s'~** *v.pr.* ① 뛰어〔날아〕오르다. ② 자기의 …을 쳐들다. ③ 걷어치워지다 ; 없어지다, 벗겨지다 ; 제거되다 ; (상품이) 날개 돋친 듯 팔리다 : Ça *s'enlève* comme des petits pains. 그것은 날개 돋친 듯이 팔린다.

enlisement, enlizement [ɑ̃lizmɑ̃] *m.* ① (모래·진창 속에) 빠짐. ② 《비유》 부진, 침체, 정체 : ~ de l'industrie lourde 중공업의 침체.

enliser, enlizer [ɑ̃lize] *v.t.* ① (모래·진창 속에) 빠뜨리다, 매몰시키다 ; 끌어넣다 : ~ sa voiture dans la boue 차를 진창 속에 처박다. ② 정체시키다 : Cela *enlise* mon travail. 이것은 나의 일을 정체시킨다. — **s'~** *v.pr.* ① (모래·진흙 속에) 빠지다, 매몰되다(= s'embourber) : La voiture *s'est enlisée.* 자동차가 진흙에 빠졌다. ② 난관에 봉착하다 : L'enquête policière *s'enlise.* 경찰 수사는 난관에 봉착하고 있다.

enluminer [ɑ̃lymine] *v.t.* ① 채색하다, 화려하게 장식하다. ② (술 따위가 얼굴을) 붉게 만들다 : joues *enluminées* par le vin 와인으로 붉어진 얼굴.

enlumineur, euse [ɑ̃lyminœːʀ, -øːz] *n.* (특히 중세 사본의) 장식사, 채색〔삽화〕공.

enluminure [ɑ̃lyminyːʀ] *f.* (특히 중세 사본의) 채색술 ; 채색 삽화〔문자〕.

ennéa- *préf.* 「9」의 뜻.

enneigé, e [ɑ̃nɛ(e)ʒe] *adj.* 눈으로 덮인, 눈이 쌓인 : col ~ et fermé 눈으로 막혀 버린 고개.

enneigement [ɑ̃nɛʒmɑ̃] *m.* 적설(량).

ennemi, e** [ɛnmi] *n.* ① 적, 원수 ; (교전 상태의) 적국 ; 적군 : être tué à l'~ 전사하다 / se faire un ~ de qn …을 적으로 만들다 / ~ de l'État 국가의 적 / ~ politique 정적(政敵) / tomber entre les mains de l'~ 적의 수중에 떨어지다, 포로가 되다. ② 《~ de》 …을 싫어하는 사람 ; …의 반대자 ; …의 적 : ~ *du* régime 반체제주의자 / ~ *des* idées avancées 진보적인 사상을 싫어하는 사람. ③ 《~ de》 …의 방해물, …에 해로운 것, 서로 상극인 것 : L'eau est l'~*e du* feu. 물은 불과 상극이다 / L'abus d'alcool est l'~ *de* la santé. 과음은 건강에 해롭다. ***Le mieux est l'~ du bien. (격언) 잘 되어 가는 것은 그대로 내버려두라, 더 잘하려다간 일을 망친다. ***passer à l'~*** 적군에게로 넘어가다〔도주하다〕. — *adj.* ① 적의 ; 적국의 ; 적군의 : en pays ~ 적지에서 / territoire ~ 적의 영토. ② 해로운 ; 상극의, 반발하는 : fortune ~*e* 액운 / couleurs ~*es* 조화되지 않는 색 / pôles ~*s* (자석의) 양극. ③ 《~ de》 …이 싫은, 혐오하는 : Il est ~ *de* la peinture abstraite. 그는 추상화를 싫어한다.

ennième [enjɛm] *adj.* 《구어》 몇 번째의 《흔히 높은 숫자를 대표함》 : pour la ~ fois 몇 번이고, 거듭거듭. — *n.* 몇 번째의 것.

ennoblir [ɑ̃nɔbliːʀ] *v.t.* 고상〔고귀〕하게 만들다(= élever ; ≠ avilir) ; 향상시키다 : La vertu *ennoblit* l'homme. 미덕은 사람을 고상하게 만든다.

ennui** [ɑ̃nɥi] *m.* ① 권태, 갑갑증, 지루함 : ~ de la vie 생활의 권태 / tromper 〔dissiper〕 ~ 권태를〔갑갑증을〕 풀다. ② (흔히 *pl.*) 근심, 걱정(거리) ; 귀찮은〔난처한〕 일 : Chacun a ses ~*s.* 누구에게나 걱정거리는 있다 / ~*s* de santé 건강상의 염려 / *avoir* des ~*s* d'argent 돈에 궁하다 / L'~, c'est que ce projet est irréalisable. 난처한 일은 이 계획이 실천될 수 없다는 점이다. ③ (막연한) 우울(증), 우수(= mélancolie vague, spleen). ***Quel ~ ! 《구어》 아아 귀찮다!

ennuyé, e [ɑ̃nɥije] *adj.* 지루해 하는 ; 귀찮아 하는 ; 난처〔곤란〕해 하는.

ennuyer** [ɑ̃nɥije] [7] *v.t.* ① 권태를 느끼게 하다, 갑갑하게〔지루하게·싫증나게〕 하다 : conférencier qui *ennuie* son auditoire 청중을 지루하게 하는 연사. ② 귀찮게 굴다(= importuner) ; 난처하게 하다(= contrarier) : Tu m'*ennuies* avec tes histoires! 네 이야기 듣는 것이 귀찮다 / Je ne voudrais pas vous ~. 폐를 끼치고 싶지는 않습니다 / Je *suis* très *ennuyé*, j'ai perdu mes clefs. 난처하게도, 열쇠를 잃어버렸다 / 《비인칭》 Il 〔Cela〕 m'*ennuie* de + *inf.* 〔que + *sub.*〕 …하는 것은 난처하다〔걱정이다〕. — **s'~** *v.pr.* ① 갑갑하다, 지루하다. ② 《*s'*~ de》 …에 싫증나다 ; …이 귀찮다, 지긋지긋하다 : Je m'*ennuis de* paris. 이 놈의 파리가 지긋지긋하다. ***s'~ de 〔***après***〕 qn 《속어》 …가 없어서〔을 못 만나서〕 쓸쓸하다〔적적하다〕.

***ennuyeux, euse** [ɑ̃nɥijø, -øːz] *adj.* ① 싫증나게 하는, 지루한, 따분한 : paysage ~ 단

조로운 풍경 / discours ~ 지루한 연설. ② 귀찮은, 난처한, 곤란한, 성가신 : voisin ~ 귀찮은 이웃 사람. ③ 서글픈, 가슴 아픈(= triste, pénible) : incident ~ 서글픈 사건.

énoncé [enɔ̃se] *m.* ① 진술, 기술(= exposé) ; 서술 ; 표현 ; 발표(문) : faux ~ 허위 진술 / ~ d'un jugement 판결 언도. ② 〖언어〗 언표(言表), 발화(發話) ; 〖수학〗 여건. ③ (글의) 엄밀한 내용, 문면(文面) : ~ de la loi 법률 조문 / ~ d'un acte 증서의 문면.

***énoncer** [enɔ̃se] 2 *v.t.* ① ⓐ (구두 또는 문장으로 명확하게) 진술하다(= formuler) ; 서술하다(= exposer) ; 표현하다(= exprimer) : ~ une opinion 의견을 말하다 / ~ (un) faux 허위를 진술하다. ⓑ 〖수학〗 ~ un problème 〔une proposition〕 문제〔명제〕의 여건〔내용〕을 말하다. ② (조항 따위를) 규정하다(= stipuler). ③ (판결을) 선고하다(= prononcer) : ~ un jugement sans appel 최종 판결을 내리다. ── **s'~** *v.pr.* ① 진술되다 ; 서술되다, 표명되다. ② 자기 생각을 진술하다, 말하다.

énonciatif, ive [enɔ̃sjatif, -iːv] *adj.* 진술〔서술〕적인 : proposition *~ive* 〖문법〗 평서문.

énonciation [enɔ̃sjɑsjɔ̃] *f.* ① 기술, 표현, 진술 : ~ des faits par le témoin 증인에 의한 사실의 진술. ② 〖언어〗 발화〔언표〕 행위.

enorgueillir [ɑ̃nɔʀgœjiːʀ] *v.t.* 거만하게 만들다 ; 뽐내게 하다. ── **s'~** *v.pr.* 거만해지다 ; 자만하다, 뽐내다. ***s'~ de*** qc …을 자랑하다. ***s'~ de*** + *inf.* …하는 것을 뽐내다〔자만하다〕. ***s'~ que*** 〔***de ce que***〕 + *sub.* …을 자랑스럽게 여기다, …때문에 의기양양하다.

***énorme** [enɔʀm] *adj.* ① 거대한, 막대한, 대단한 ; 엄청난 : fortune ~ 막대한 재산 / effort ~ 엄청난 노력. ② 《구어》 놀랄 만한 ; 뛰어난, 훌륭한 : type ~ 걸출한 사람 / histoire ~ 깜짝 놀랄 이야기.

***énormément** [enɔʀmemɑ̃] *adv.* 막대하게, 대단히 ; 엄청나게 : 《~ de+무관사명사》 Il dépense ~ *d'*argent. 그는 돈을 엄청나게 쓴다 / Il y avait là ~ *d'*étrangers. 거기에는 엄청나게 많은 외국인들이 있었다.

énormité [enɔʀmite] *f.* ① 거대함, 막대함, 중대함, 엄청남 : ~ d'une faute 엄청난 과오. ② 엄청난 실수〔죄〕 ; 터무니없는 말〔행동〕 : dire des *~s* 터무니없는 말을 하다.

enquérir (s') [sɑ̃keʀiːʀ] 15 *v.pr.* ① 《*s'~* de》 …을 조사하다, …에 관해 알아보다(= s'informer, se renseigner) : *s'~ de* ce qui s'est fait 무슨 일이 있었는지 조사하다 / Il *s'est enquis des* horaires de train. 그는 기차 시간을 알아보았다. ② 《s'~ à 〔auprès de〕 qn》 …에게 알아보다, 물어보다.

enquête** [ɑ̃kɛt] *f.* ① 조사, 앙케트 ; 조회 : ~ par téléphone 전화를 통한 조사 / ~ d'un journal sur l'opinion publique 신문의 여론 조사. ② (행정 · 사법 당국의) 조사, 수사 ; 심문, 문초 : commission d'~ 조사 위원회 / conseil d'~ 〖군사〗 사문(査問) 회의. ***faire 〔***ouvrir, procéder à***〕 ***une ~*** (***sur*** qc) (…에 관하여) 조사하다.

enquêter [ɑ̃kɛ〔e〕te] *v.i.* 《~ sur》 ① …에 대하여 조사하다, 알아보다. ② 수사하다 : ~ *sur* un crime 범죄를 수사하다.

enquêteur, euse [ɑ̃kɛtœːʀ, -øːz] *n.* ① (학술) 조사원. ② 〖법률〗 (형사 사건) 수사관(= ~ de la police). ── *f.* 여자 앙케트 담당자 ; 〖신문〗 인터뷰 담당 여기자(= enquêtrice). ── *adj.* 조사 담당의, 수사〔심사〕하는.

enquêtrice [ɑ̃kɛtʀis] *f.* 여자 여론 조사원 ; 〖신문〗 인터뷰 담당 여기자.

enquiquinant, e [ɑ̃kikinɑ̃, -ɑ̃ːt] *adj.* 귀찮게〔성가시게〕 구는, 방해가 되는.

enquiquinement [ɑ̃kikinmɑ̃] *m.* 《구어》 성가심, 번거로움, 귀찮음.

enquiquiner [ɑ̃kikine] *v.t.* 《구어》 귀찮게 굴다, 성가시게 굴다(= agacer, emmerder) : Ce travail m'*enquiquine.* 이놈의 일 때문에 무던히도 속썩는다.

enquiquineur, euse [ɑ̃kikinœːʀ, -øːz] *n.* 귀찮게〔성가시게〕 구는 사람. ── *adj.* 《구어》 성가신, 귀찮은, 폐를 끼치는

enraciné, e [ɑ̃ʀasine] *adj.* ① (나무 따위가) 깊이 뿌리박은. ② 뿌리 깊은 : préjugé ~ 뿌리 깊은 편견.

enracinement [ɑ̃ʀasinmɑ̃] *m.* ① (나무가) 뿌리를 박기. ② (마음에) 깊이 뿌리내림.

enraciner [ɑ̃ʀasine] *v.t.* ① ⓐ (나무를) 뿌리박게 하다. ⓑ (사람을) 정착〔정주〕시키다. ② (마음속에 편견 따위를) 뿌리박히게 하다 : préjugés qui *sont enracinés* dans cette société 이러한 사회에 뿌리박은 편견.
── **s'~** *v.pr.* ① 《주어 : qc》 (마음속에) 뿌리를 박다 : Les mauvaises habitudes *s'enracinent* facilement. 나쁜 습관은 쉽사리 뿌리박는다. ② 《주어 : qn》 정착하다, 자리잡다 (= s'implanter).

enragé, e [ɑ̃ʀaʒe] *adj.* ① 공수병에 걸린. ② 몹시 화난 : être ~ contre qn …에 대해 몹시 화가 나 있다. ③ 열광적인, 과격한 : socialiste ~ 과격한 사회주의자 / pêcheur ~ 낚시광(狂). ***chien ~*** 미친 개. ***manger de la vache ~e*** 《구어》 궁핍한 생활을 하다. ── *n.* ① 과격한 사람. ② 열중한 사람, …광(狂) : ~ de football 축구광.

enrageant, e [ɑ̃ʀaʒɑ̃, -ɑ̃ːt] *adj.* 화나게 하는(= rageant) ; 미치게 하는 ; 짜증나게 하는 (= énervant) ; 안타까운.

enrager [ɑ̃ʀaʒe] 3 *v.i.* 몹시 화를 내다, 노발대발하다 ; 원통해하다 : faire ~ qn …의 분통을 터뜨리다. **~ *de*** + *inf.* 몹시 …하고 싶어하다 ; …하는 것에 화가 나다 : Il *enrage de* trouver la place usurpée. 그는 그 자리를 빼앗긴 것을 알고 화를 낸다. **~ *que*** + *sub.* …에 화가 나다.

enraiement [ɑ̃ʀɛmɑ̃] *m.* ① 바퀴에 브레이크를 걸기, 제동 ; 저지. ② (위험 확대의) 방지 : ~ d'une épidémie 방역.

enrayage [ɑ̃ʀɛjaːʒ] *m.* (기계 · 총의) 고장.

enrayement [ɑ̃ʀɛjmɑ̃] *m.* = enraiement.

enrayer [ɑ̃ʀɛ〔e〕je] 8 *v.t.* (…의 진행을) 막다, 저지하다(= juguler) : ~ la hausse des prix 가격의 상승을 막다 / ~ l'escalade de la violence 폭력의 격화를 저지하다. ── **s'~** *v.pr.* (기계 · 총이) 고장을 일으키다.

enrégimenter [ɑ̃ʀeʒimɑ̃te] *v.t.* ① 연대로 편성〔편입〕하다. ② 조직화하다 ; 끌어들이다, 가입시키다 : ~ les mécontents 불평분자들을 자기편으로 끌어넣다.

enregistrable [ɑ̃ʀʒistʀabl] *adj.* ① 기록할 수 있는 ; 기록해야 할 : chaleur ~ 기록적인 더위. ② 녹음〔녹화〕할 수 있는 : image ~ 녹화할 수 있는 영상.

***enregistrement** [ɑ̃ʀʒistʀəmɑ̃] *m.* ① 기입, 기록 ; 기재 : ~ de petits faits dans un journal 일기장에 사소한 사실들을 기록하기. ② 취입, 녹음 ; 녹화 : ~ du son 〔des images〕 녹음〔녹화〕/ ~ d'une chanson sur cassette 카세트에 노래를 녹음하다. ③ 등기, 등록 ; (*E*~) 등기소 : droits d'~ 등기료 / ~ d'une naissance 〔d'un décès〕 출생〔사망〕 신고. ④ (수하물의) 수탁(受託) : ~ des bagages (철도 · 운수 회사의) 수하물 수탁.

E

enregistrer** [ɑ̃ʀʒistʀe] *v.t.* ① 기입〔기록〕하다, 수록하다 ; 등기하다, 등록하다 : ~ l'adresse de qn sur le carnet 수첩에 …의 주소를 기입하다 / ~ les pulsations du cœur 심장의 박동을 기록하다 / ~ le bail 임대차 계약을 등기하다. ② ⓐ (기장함으로써) 수리하다 : ~ une naissance 출생 신고를 수리하다《수리하여 호적에 기록하다》. ⓑ 〖철도〗 수탁(受託)하다 : ~ les bagages 수하물을 탁송하다. ③ 기억해 두다, 확인하다 ; 나타내다 : On *enregistre* une légère amélioration dans son état de santé. 그녀의 건강 상태가 약간 호전된 것이 확인된다. ④ 녹음〔녹화〕하다 ; 취입하다 : musique *enregistrée* 녹음된 음악, 레코드 음악. ***société en registrée 법인 회사.

enregistreur, euse [ɑ̃ʀʒistʀœːʀ, -øːz] *m.* 자동 기록기 ; 녹음기 : ~ de vol 〖항공〗 항공 기록 장치, 블랙박스. — *adj.* ① 기록하는 ; 녹음하는. ② (장치가) 자동 기록의 : caisse ~*euse* 금전 등록기 / répondeur ~ 자동 응답기.

enrhumé, e [ɑ̃ʀyme] *adj.* 감기에 걸린.

enrhumer [ɑ̃ʀyme] *v.t.* 감기에 걸리게 하다. — **s'~** *v.pr.* 감기에 걸리다 : Il *s'est enrhumé* en restant sous la pluie. 비를 맞아서 그는 감기에 걸렸다.

enrichi, e [ɑ̃ʀiʃi] *adj.* ① 《경멸》 갑자기 부자가 된 : commerçant ~ 벼락부자가 된 상인. ② 농축된 : uranium ~ 농축 우라늄. — *n.* 벼락부자, 졸부, 신흥 부호.

***enrichir** [ɑ̃ʀiʃiːʀ] *v.t.* ① 부유해지게 하다 : Le commerce des vins *a enrichi* cette ville. 와인 장사로 그 마을은 부유해졌다. ② 《~ qc》 풍부〔윤택〕하게 하다 : des lectures qui *enrichissent* l'esprit 마음을 윤택하게 하는 독서. ③ 아름답게 꾸미다, 장식하다(= embellir) ; 윤색(潤色)하다 : ~ un habit de broderie 의복을 자수로 장식하다 / ~ son récit de termes pittoresques 화려한 어휘로 그의 이야기를 수식하다. ④ (품질을) 향상시키다, (우라늄 따위를) 농축하다. — **s'~** *v.pr.* 부유해지다, 풍부〔윤택〕해지다.

enrichissant, e [ɑ̃ʀiʃisɑ̃, -ɑ̃ːt] *adj.* (특히 정신을) 풍요롭게 하는(≠ abêtissement) : lecture ~*e* 정신의 양식이 되는 독서.

enrichissement [ɑ̃ʀiʃismɑ̃] *m.* 부유〔풍부〕하게 하기 ; 충실화 : travailler à l'~ d'un ouvrage 작품의 충실화에 힘쓰다.

enrobage [ɑ̃ʀɔbaːʒ], **enrobement** [ɑ̃ʀɔbmɑ̃] *m.* enrober 하기.

enrober [ɑ̃ʀɔbe] *v.t.* ① (외피로) 싸다 ; …에 당의(糖衣)를 입히다 : ~ des viandes (보존하기 위해) 고기에 젤라틴이나 지방층(層)을 씌우다 / ~ un cigare 여송연에 잎을 말다. ② (부드러운 말로) 완곡하게 하다 : ~ des reproches de termes affectueux 애정 어린 말로 나무라다.

enrôlé, e [ɑ̃ʀole] *adj.* 명부에 실린 ; 병적에 등록된. — *n.* 병적 등록자 : ~ volontaire 지원병.

enrôlement [ɑ̃ʀolmɑ̃] *m.* ① 입적 ; 등록. ② 〖군사〗 병적 등록(= engagement), 징집 ; 병적 등록서(= acte d'~) : ~ volontaire 병역 지원.

enrôler [ɑ̃ʀole] *v.t.* ① 〖군사〗 병적에 등록하다, 징집하다(= recruter) : ~ des soldats 군인을 징집하다. ② 《~ dans》 …에 가맹〔입회〕시키다. — **s'~** *v.pr.* ① 병적에 등록되다, 입대하다. ② 《s'~ dans》 …에 가입하다.

enroué, e [ɑ̃ʀwe] *adj.* (목 · 목소리가) 쉰 : avoir la voix ~*e* 목이 쉬다 / Je suis ~ depuis hier. 나는 어제부터 목이 쉬었다.

enrouement [ɑ̃ʀumɑ̃] *m.* 목이 쉬기.

enrouer [ɑ̃ʀwe] *v.t.* 목을〔목소리를〕 쉬게 하다. — **s'~** *v.pr.* 목이 쉬다 : *s'~* à force de crier 소리를 질러서 목이 쉬다.

enroulement [ɑ̃ʀulmɑ̃] *m.* ① 말기, 감기. ② 〖건축〗 나선〔소용돌이〕 장식.

enrouler [ɑ̃ʀule] *v.t.* (휘) 말다, 감다(≠ dérouler). — **s'~** *v.pr.* ① 감기다, 말리다. ② 《s'~ dans》 …에 몸을 감싸다 : *s'~ dans* une couverture 모포로 몸을 감싸다.

enrouleur, euse [ɑ̃ʀulœːʀ, -øːz] *adj.* 감는 데 쓰는.

enrubanner [ɑ̃ʀybane] *v.t.* ① 리본으로 치장하다 : dentelle *enrubannée* 리본 달린 레이스. ② (훈장의) 약장(略章)을 달다.

ensablement [ɑ̃sɑ(a)bləmɑ̃] *m.* 사주(砂洲), 모래톱 ; 모래를 깔기 ; 모래로 메우기.

ensabler [ɑ̃sɑble] *v.t.* ① 모래로 묻다〔메우다〕 : Les inondations *ont ensablé* la campagne. 홍수로 인해 전답이 토사로 뒤덮였다. ② (모래톱에) 좌초(坐礁)시키다 : bateau *ensablé* 모래톱에 얹힌 배.
— **s'~** *v.pr.* ① 모래에 묻히다 ; 모래로 메워지다. ② 좌초하다.

ensachage [ɑ̃saʃaːʒ], **ensachement** [ɑ̃saʃmɑ̃] *m.* ① 포대〔봉지〕에 넣기. ② (과일에) 봉지를 씌우기.

ensacher [ɑ̃saʃe] *v.t.* 포대〔봉지〕에 넣다 ; (과일에) 봉지를 씌우다 : ~ des bonbons 사탕을 봉지에 넣다.

ensanglanter [ɑ̃sɑ̃glɑ̃te] *v.t.* ① 피투성이로 만들다, 피로 물들이다 : visage *ensanglanté* 피투성이의 얼굴. ② (문어) 빨갛게 물들이다 : Le soleil couchant *ensanglantait* l'horizon. 석양이 지평선을 빨갛게 물들이고 있다. 「는.

enseignable [ɑ̃sɛɲabl] *adj.* 가르칠 수 있

***enseignant, e** [ɑ̃sɛɲɑ̃, -ɑ̃ːt] *adj.* 가르치는 : corps ~ 교수단. — *n.* (흔히 *pl.*) 교육자, 교원 : syndicat d'~*s* 교원 조합.

enseigne [ɑ̃sɛɲ] *f.* ① 간판, 광고판 : ~ lumineuse d'un hôtel 호텔의 네온사인. ② 군기(= étendard) ; 《문어》 기, 깃발(= drapeau) : ~ de guerre 군기 / combattre 〔marcher〕 sous les ~*s* de qn …의 휘하에서 싸우다. ③ 《옛》 휘장. ***À bon vin point d'~.*** 《격언》 좋은 술에는 간판이 필요없다. ***à telle(s) ~(s) que*** 너무 …해서 …하다(= tellement que) ; 그 증거로 …이다 : Il s'est rendu insupportable, *à telle enseigne que,* j'ai dû le congédier. 그가 비위에 거슬리는 태도를 보여서 나는 그를 해고할 수밖에 없었다. ***être logé à la même ~*** 같은 곤란에 직면하고 있다. ── *m.* ① 《옛》 (중대의) 기수. ② 해군 중위〔소위〕.

enseignement** [ɑ̃sɛɲmɑ̃] *m.* ① 가르치기 ; 교육. ② 교직(= carrière de l'~) ; 교육계 : entrer dans l'~ 교직에 몸을 담다. ③ 가르침, 교훈 : tirer 〔dégager〕 des ~*s* d'un échec 실패에서 교훈을 얻다〔끌어내다〕. ***~ libre 사립 교육. ***~ par correspondance*** 통신 교육. ***~ primaire*** 〔***secondaire, supérieur***〕 초〔중 · 고〕등 교육. ***~ universitaire*** 〔***professionnel***〕 대학〔직업〕 교육.

⁑**enseigner** [ɑ̃sɛ(e)ɲe] *v.t.* ① ⓐ 가르치다, 교수〔교육〕하다 : Il *enseigne* le français à l'université. 그는 대학에서 프랑스어를 가르친다. ⓑ 《~ qc à qn》 …에게 …을 가르치다 : ~ les mathématiques *aux* élèves 학생들에게 수학을 가르치다. ② 《주어 : qn 〔qc〕》 교훈을 주다, 교화하다 : ~ la valeur de l'amour 사랑의 가치를 가르치다 / L'expérience nous *enseigne* que la vie est brève. 경험은 우리에게 인생은 짧다는 교훈을 준다. ***~ à*** qn ***à*** 〔《옛》 ***de***〕+ *inf.* …에게 …하는 것을 가르치다 : Il m'*a enseigné à* ne jamais mentir. 그는 나에게 절대 거짓말을 하지 말라고 가르쳤다. ── ***s'~*** *v.pr.* 가르치다, 교수〔교육〕되다.

ensellure [ɑ̃sɛ(e)lyːʀ] *f.* 〖의학〗 척주 요부(脊柱腰部)의 안요(鞍凹).

⁑**ensemble** [ɑ̃sɑ̃ːbl] *adv.* ① 함께, 같이 ; 일제히 : vivre ~ 함께 살다 / Nous avons dîné ~. 우리는 다함께 저녁식사를 했다. ② 동시에 ; 한꺼번에 : Les coureurs doivent partir ~. 주자(走者)는 동시에 스타트해야 한다 / vendre tous ses meubles ~ 가구 전부를 한꺼번에 팔다. ③ 협력〔협동〕하여 ; 조화롭게, 어울려서 : Ils font ~ ce travail. 그들은 협력해서 그 일을 하고 있다. ④ 서로 : Ils sont bien 〔mal〕 ~ . 그들은 서로 사이가 좋다〔나쁘다〕. ***aller ~*** 잘 조화되다〔어울리다〕 ; 함께 가다 : Ces couleurs ne *vont* pas ~. 이 색깔들은 잘 어울리지 않는다. ***être ~*** 《구어》 함께〔같이〕 살다, 부부이다.
── *m.* ① 전체, 총체(= totalité) : ~ des employés d'une entreprise 기업체의 전 종업원 / enquête d'~ 전반적 조사 / étude d'~ 개설(概說) / opération d'~ 합동 작전. ② 통일 ; 앙상블, 전체적 조화 : action d'~ 통일된 행동 / roman qui manque d'~ 전체적 통일성이 없는 소설. ③ 한 벌, 한 쌍 : ~ de plage 수영복, 해수욕장용 복장. ④ 《un ~ de》 …의 집단, 그룹 ; 집합 : *un ~ de* danseurs 무용단 / ~ vocal 〔instrumental〕 합창〔합주〕단. ⑤ 종합 시설 (주택) 단지, 센터 : ~-loisirs 레저타운. ⑥ 〖수학〗 집합. ***avoir de l'~*** (말의 몸의) 균형이 잡히다. ***dans l'~*** 전체로서, 전체로 보아. ***dans son ~*** 총체적으로. ***grand ~*** 단지(團地). ***morceau d'~*** 합창〔합주〕곡. ***théorie des ~s*** 〖수학〗 집합론. ***vue d'~*** 개관(槪觀).

ensemblier [ɑ̃sɑ̃blije] *m.* 실내 장식가 ; (영화 · TV의) 무대 장치 담당자.

ensemencement [ɑ̃smɑ̃smɑ̃] *m.* 〖농업〗 씨뿌리기, 파종(播種).

ensemencer [ɑ̃smɑ̃se] [2] *v.t.* ① 〖농업〗 …에 씨를 뿌리다, 파종하다(= semer) : ~ un champ 밭에 씨를 뿌리다. ② (강 · 연못에) 치어를 방류하다(= aleviner).

enserrer [ɑ̃seʀe] *v.t.* ① 꽉죄다〔조르다〕 : collier qui *enserre* le cou 목에 꼭 끼는 목걸이. ② 꽉 껴안다 : tenir qn *enserré* dans ses bras …을 껴안고 있다. ③ 둘러싸다, 포위하다 : ~ l'ennemi 적을 포위하다 / *être enserré* dans un dilemme 딜레마에 빠져 꼼짝못하다.

ensevelir [ɑ̃səvliːʀ] *v.t.* ① 《문어》 매장하다(= enterrer) ; …에 수의(壽衣)를 입히다. ② 파묻다, 매몰하다 ; (바다 따위가) 삼켜 버리다 : avalanche qui *ensevelit* un chalet 산장을 파묻어 버린 눈사태. ③ 묻어 버리다, 숨기다, 감추다 : ~ la honte 수치감을 감추다. ── ***s'~*** *v.pr.* ① 매몰되다, 잠기다. ② 은둔하다. ③ 몰두하다.

ensevelissement [ɑ̃səvlismɑ̃] *m.* ① 《문어》 매장(= enterrement), 수의를 입히기. ② 매몰, 파묻힘 ; (온통) 뒤덮임. ③ 숨기기, 감추기 : ~ du passé 과거의 은폐.

en-soi [ɑ̃swa] *m.* 〖철학〗 (일반 철학에서) 물체 그 자체 ; 본질(= substance) ; (실존 철학에서는) 즉자(卽自)(≠ pour-soi).

ensoleillement [ɑ̃sɔlɛjmɑ̃] *m.* 햇빛〔햇볕〕이 들기 ; 일조(日照) 시간(= durée d'~).

ensoleiller [ɑ̃sɔlɛ(e)je] *vt.* ① 햇볕을 받게 하다, 볕들게 하다(≠ ombrager). ② 빛나게 하다. ③ 《문어》 밝게〔즐겁게〕 하다 : l'amour qui *ensoleillait* leur vie 그들의 삶을 즐겁게 해 주던 사랑.

ensommeillé, e [ɑ̃sɔmɛ(e)je] *adj.* 졸음이 오는 ; 졸고 있는 : voix ~*e* 졸리는 목소리.

ensorcelant, e [ɑ̃sɔʀsəlɑ̃, -ɑ̃ːt] *adj.* ① 호리는, 마술을 거는. ② 황홀케 하는, 매혹하는 : regard ~ 매혹적인 눈길.

ensorceler [ɑ̃sɔʀsəle] [5] *v.t.* ① 마술을 걸다, 호리다. ② 황홀케 하다, 매혹하다(= charmer) : *être ensorcelé* par la beauté d'une femme 여인의 미모에 현혹되다.

ensorceleur, euse [ɑ̃sɔʀsəlœːʀ, -øːz] *n.* ① 마술사, 마법사. ② 《구어》 매혹하는 사람. ── *adj.* = ensorcelant.

ensorcellement [ɑ̃sɔʀsɛlmɑ̃] *m.* ① 마술을 걸기, 주박(呪縛). ② 뇌쇄(惱殺) ; 현혹.

⁑**ensuite** [ɑ̃sɥit] *adv.* ① 《시간적》 그러고 나서 ; 그 다음에 ; 이어서(= après, par la suite) : Allons d'abord dîner, ~ nous irons au cinéma. 먼저 식사를 하고 그 다음에 영화를 보러 가자 / Et ~, qu'allez-vous faire ? 그 다음에는 무엇을 하실 겁니까 ? ② 《공간적》 그 뒤에, 뒤따라서 : Venait ~ le gros cortège. 뒤이어 거대한 행렬이 이어졌다. ***~ de*** 《옛》 …다음에. ***~ de quoi*** 《구어》 그 다음에, 그러고서, 그 결과.

E

ensuivre (s') [sɑ̃sɥiːvʀ] 36 *v.pr.* 《부정법과 3인칭으로만 쓰이며 복합시에는 en과 suivre가 떨어져 중간에 조동사 être가 들어감》 ① 결과로서 일어나다 : Les dépenses étaient trop fortes, la ruine *s'ensuivit.* 지출이 너무 많아서 그 결과 파산이었다. ② 뒤를 이어 일어나다〔오다〕: les jours qui *s'ensuivirent* 그 뒤에 온 나날. ***et tout ce qui s'ensuit*** 그 밖에, 등등. ***Il s'ensuit que***+*ind.* 《부정 · 의문에는+*sub.*》 …라는 결과가 되다 : Au vu des résultats de l'enquête, *il s'ensuit que* la majorité remportera les élections. 앙케트 결과를 보면, 여당이 선거에 이기게 되어 있다.

entaché, e [ɑ̃taʃe] *adj.* ① 《~ de》 …으로 더럽혀진, 손상된 : argument ~ *d'*erreur 오류가 있는 이론. ② 〖법률〗 acte ~ de nullité 무효화된 증서.

entacher [ɑ̃taʃe] *v.t.* (정신적으로) 더럽히다, 얼룩지게 하다(=souiller) ; (명예 따위를) 손상시키다 : ~ l'honneur de qn …의 명예를 더럽히다 / ~ la mémoire de qn 고인의 이름을 더럽히다.

entaille [ɑ̃tɑːj] *f.* ① 베어진〔파낸〕 자리 ; 새김눈, 눈금 ; 홈(구멍) ② (깊이 베인) 상처 : se faire une ~ à la main 손에 상처를 내다.

entailler [ɑ̃tɑje] *v.t.* ① …에 눈금을 새기다 ; …에 홈(구멍)을 파다 : ~ un rondin à coups de hache 도끼질을 해서 통나무에 홈을 파다. ② 베어〔찔러〕 상처를 내다 : Il m'*a entaillé* le visage. 그는 내 얼굴에 상처를 냈다. ── **s'~** *v.pr.* 상처를 입다 ; 자기의 …을 베다 : *s'~* le doigt 손가락을 베이다.

entame [ɑ̃tam] *f.* (빵 · 고기 따위를) 자른 첫 조각.

***entamer** [ɑ̃tame] *v.t.* ① (빵 따위를) 처음으로 잘라내다, (병 · 통 따위의) 마개를 따다 : On a demandé à l'invité d'~ le gâteau. 손님에게 케이크의 첫 조각을 자르도록 했다. ② …에 손대다, (재산 따위를) 헐다 : ~ un sac de bonbons 과자 봉지에 손을 대다〔먹기 시작하다〕/ ~ son patrimoine 유산에 손을 대다. ③ ⓐ (베어 · 찔러) 칼자국을 내다 ; …에 타격을 가하다 : ~ la peau 피부를 상하게 하다. ⓑ 《~ qn》 (신념 따위를) 흔들리게 하다 ; (평판 따위를) 손상시키다 : ~ la résolution de qn …의 결심을 흔들리게 하다. ④ …에 착수하다, …을 개시하다, 시작하다(=commencer) : ~ un travail 〔des négociations〕 일〔협상〕을 시작하다.

entartrate [ɑ̃taʀtʀat] *m.* 물때.

entartrer [ɑ̃taʀtʀe] *v.t.* (보일러 따위에) 물때가 끼게 하다 : tuyau *entartré* 물때가 낀 파이프.

entassement [ɑ̃tɑsmɑ̃] *m.* ① 쌓기 ; 축적. ② 퇴적(堆積), 더미(= tas) : ~ des livres (쌓아올린) 책더미. ③ (사람들의) 밀집(密集) 상태 : ~ urbain 도시의 인구 밀집.

***entasser** [ɑ̃tɑse] *v.t.* ① 쌓다(=empiler) ; 축적하다(=accumuler) : ~ des provisions dans le grenier 식료품을 창고에 쌓아 놓다. ② (사람 · 동물을) 빽빽하게 몰아넣다 : ~ des déportés dans un train 유형수들을 기차에 몰아넣다. ── **s'~** *v.pr.* ① 쌓이다. ② 빽빽하게 들어차다 : Les gens *s'entassaient* dans le bus. 사람들은 버스에 빽빽이 들어찼다.

ente [ɑ̃ːt] *f.* 〖원예〗 접지(接枝) ; 대목(臺木).

entendement [ɑ̃tɑ̃dmɑ̃] *m.* ① 이해력 ; 판단력 ; 양식(良識) : Cela dépasse l'~ humain. 그것은 인간의 능력으로는 이해할 수 없는 일이다. ② 〖철학〗 (칸트 철학에서 이성(理性)에 대응하는 용어로) 오성(悟性).

entendeur [ɑ̃tɑ̃dœːʀ] *m.* 《옛》 이해력이 빠른 사람《현재는 다음 표현에만 쓰임》. ***À bon ~, salut ! ; À bon ~ demi-mot*** 〔***peu de paroles***〕***!*** 영리한 사람은 한 마디만 하면 안다.

‡**entendre** [ɑ̃tɑ̃ːdʀ] 25 *v.t.* ① ⓐ 듣다, 들리다 : J'*entends* un bruit. 무슨 소리가 들린다 / Je vous *entends* mal, parlez plus fort. 당신 말소리가 안 들립니다. 더 크게 말하세요 / 《~+*inf.*》 J'*ai entendu* bouger. 움직이는 소리를 들었다 / J'*entends* les enfants chanter ; J'*entends* chanter les enfants. 나는 아이들이 노래하는 것을 듣는다 / 《~ que+*ind.*》 J'*entends qu'*on marche dans le couloir. 누군가 복도를 걷는 것이 들린다. ⓑ 《목적보어 없이》 Il n'*entend* pas. 그는 듣지 못한다 ; 그는 귀머거리다 / ~ clair 귀가 밝다 / ~ dur 〔mal, haut〕 귀가 멀다. ② (청(請)을) 들어 주다, 이루어 주다 : Que le ciel vous *entende !* 하늘이 당신의 소원을 들어 주시기를 ! ③ 귀를 기울이다, 경청하다 : ~ une conference 강연을 듣다 / ~ un témoin 〖법률〗 증언을 청취하다. ④ ⓐ 이해하다(=comprendre), 알다 : Je ne vous *entends* pas. 무슨 말씀인지 저는 모르겠습니다 / 《목적보어 없이》 *Entends-tu ?* ; 《구어》 Tu *entends ?* 알겠어 ? 《명령이나 위협의 말》 / Je n'*entends* rien à la peinture. 나는 그림에는 문외한이다. ⓑ 《옛》 …에 정통하다 : ~ l'algèbre 대수학에 정통하다. ⑤ 뜻하다, 의미하다(=vouloir dire) : Qu'*entendez*-vous par ce mot ? 어떤 뜻에서 그런 말을 하십니까 ? / J'*entends* par là que... 내가 말하고자 하는 것은 …이다. ⑥ 원하다, 바라다(=vouloir) : Faites comme vous l'*entendez.* 좋으실 대로 하시오 / 《~ que+*sub.*》 J'*entends qu'*on m'obéisse ; J'*entends* être obéi. (남이) 나에게 복종해 주기를 나는 바란다 / 《~+*inf.*》 Je n'*entends* pas m'opposer à votre projet. 당신의 계획에 반대할 생각은 없다. ***À l'~*** 그의 말에 의하면, 따르자면 : *À l'~,* l'affaire serait sérieuse. 그의 말을 들어 보면 일이 심각한 것 같다. ***donner à ~ ; laisser ~*** 넌지시 알리다〔비추다〕, 암시하다. ***~ la plaisanterie*** 농담에 화내지 않다. ***~ parler de*** qc 〔qn〕 …에 관한 이야기를〔소문을〕 듣다 : Je n'*ai* plus *entendu parler de* lui depuis longtemps. 오래전부터 그에 관한 소식을 듣지 못했다. ***~ raison*** 도리〔사리〕에 따르다 : Je vais lui faire ~ *raison.* 나는 그를 설복시키겠다. ***faire ~*** (소리 · 말을) 발음하다 ; 말하다, 표현하다. ***laisser ~ ; donner à ~*** 암시하다, 넌지시 비추다. ***n'~ ni rime ni raison*** 옳은 이치나 충고에 귀를 기울이지 않다. ***ne rien ~ à*** qc …을 전혀 알지 못하다, …의 소양이 조금도 없다.

— *v.t. ind.* 《~ à》《옛》 ① …에 주의하다. ② …에 동의하다, 응하다. ***ne savoir auquel ~*** 누구의 말을 들어야 할지〔누구의 말에 응해야 할지〕 모르다.

— **s'~** *v.pr.* ① 들리다 : Sa voix ne *s'entend* pas à plus de trois mètres. 그의 목소리는 3 미터 밖에서는 들리지 않는다. ② 이해되다, 해석되다 : Ce mot peut *s'~* de diverses manières. 이 낱말은 여러 가지 방식으로 이해될 수 있다. ③ 서로 이해하다 ; 합의하다 ; 의가 좋다 : Ils *s'entendent* à demi-mot. 그들은 말을 다하지 않고도 서로 이해를 한다 / *Entendons-nous* bien sur l'heure du rendez-vous. 만날 시간을 정합시다. ④ 《s'~ avec qn》 …와 뜻이 맞다, 사이가 좋다 ; …와 합의하다 : Il ne *s'entend* pas *avec* ses voisins. 그는 이웃사람들과 뜻이 맞지 않는다. ⑤ 《~ à 〔en〕》 정통하다, 밝다 : Il *s'entend* bien *à* ce travail. 그는 이 일에 아주 정통하다 / *s'~ en* musique 음악에 조예가 깊다. ***(Cela) s'entend.*** 수긍이 간다, 물론(이다), 명백한 일이다 : Je partage votre opinion, théoriquement *s'entend.* 나는 당신과 의견을 같이하는데, 물론 이론적으로 그렇다. ***Je m'entends ; nous nous entendons*** 내가〔우리가〕 말하고자 하는 것은 《말하고자 하는 것을 명백히 하기 위해》 : Quand je dis ≪libre≫, *je m'entends* : À un certain point. 「자유롭다」라는 말을 했지만, 그건 어느 정도까지〔어느 한도 내에서〕 그렇다〔자유롭다〕는 말입니다. ***s'~ comme chien et chat*** 사이가 서로 좋지 않다.

‡**entendu, e** [ɑ̃tɑ̃dy] *adj.* ① 잘 알고 있다는 듯한 : air 〔sourire〕 ~ 잘 알고 있다는 듯한 태도〔미소〕. ② 양해된 ; 합의된 : C'est une affaire *~e.* 그것은 합의된〔결정된〕 일이다. ***Bien ~ ! ;*** 《구어》 ***Comme de bien ~.*** 물론. ***C'est ~ ! ; E~ !*** 좋소 (그렇게 하겠소). ***Il est bien ~ que****+ind.* 물론 …이다 : *Il est bien ~ que* nous vous payons le voyage. 우리가 당신들의 여비를 대주는 것은 물론이다.

entente [ɑ̃tɑ̃:t] *f.* ① 상호이해 ; 합의 : arriver 〔parvenir〕 à une ~ 합의점에 도달하다, 타결하다 / ~ tacite 암묵의 합의. ② 협조 ; 협정 : ~ entre syndicats 노조 간의 협정 / politique d'~ 협조 정책. ③ 화합, 우정 : bonne ~ entre deux époux 부부 간의 화합.

enter [ɑ̃te] *v.t.* 〖원예〗 접목하다 ; 접붙이다(= greffer) : ~ un prunier 자두나무에 접을 붙이다.

-entère, -enterie *suff.* 「장(腸)」의 뜻.

entérinement [ɑ̃teʀinmɑ̃] *m.* 〖법률〗 확인, 인가.

entériner [ɑ̃teʀine] *v.t.* 〖법률〗 확인하다, 인가하다, 인정〔승인〕하다(= confirmer) : ~ une requête 청원을 인정하다.

entérite [ɑ̃teʀit] *f.* 〖의학〗 장염(腸炎).

entér(o)- *préf.* 「장(腸)」의 뜻.

enterré, e [ɑ̃tɛʀe] *adj.* ① 땅속에 묻힌 ; 매장된. ② 폐기된, 잊혀진, 망각된 : projet ~ 폐기된 계획 / histoire *~e* 잊혀진 이야기. ***Il est mort et ~.*** 그는 죽은 지 오래 된다 ; 《비유》 그는 완전히 잊혀졌다.

enterrement** [ɑ̃tɛʀmɑ̃] *m.* ① 매장(= inhumation) ; 장례식(= funérailles) : ~ civil 종교 예식 없이 치르는 장례식. ② 장례식의 행렬 ; 장례 비용. ③ 폐기(廢棄), 종말(= abandon, fin) : ~ d'un projet de loi 법안의 폐기 / C'est l'~ de toutes leurs espérances. 그것으로 그들의 모든 희망은 끝장이다. ***avoir une tête 〔***une mine, une figure, un air***〕 ***d'~*** 슬픈〔침울한〕 표정〔얼굴〕을 하고 있다. ***~ de première classe*** (계획 따위의) 완전한 포기〔실패〕 ; 혹평.

***enterrer** [ɑ̃teʀe] *v.t.* ① (땅 속에) 묻다(≠ déterrer) : ~ une conduite d'eau 수도관을 묻다. ② 숨기다(= cacher) : ~ un secret 〔un chagrin〕 dans son cœur 마음속에 비밀〔슬픔〕을 숨기다. ③ 매장하다 ; …의 장례식을 치르다 : ~ qn dans le cimetière …을 묘지에 매장하다 / On l'*a enterré* hier. 어제 그의 장례를 치렀다 / *être enterré* vivant 생매장되다. ④ 폐기하다 ; 청산하다 ; 포기하다 ; 잊어버리다 : ~ un projet 계획을 포기하다 / C'est une histoire *enterrée.* 그건 벌써 잊은 지 오래된 얘기다. ⑤ 《구어》 보다 더 오래 살다(= survivre) : Il nous *enterrera* tous. 그는 우리들 누구보다도 오래 살 것이다.

— **s'~** *v.pr.* 파묻히다, 은둔하다(= se retirer) : *s'~* en province 시골에서 은둔하다.

entêtant, e [ɑ̃tɛtɑ̃, -ɑ̃:t] *adj.* ① 머리를 아프게〔어지럽게〕 하는 : parfum ~ 골치 아프게 하는 향수 냄새. ② 집요한, 끈덕진.

en-tête [ɑ̃tɛt] *m.* (*pl.* **~-~(*s*)**) (편지지 따위의) 두서(頭書)《회사명 · 주소 따위》 ; 표제(表題) : papier à (lettre à) ~ (주소 · 성명이 인쇄된) 사무용 편지지.

***entêté, e** [ɑ̃tɛ(e)te] *adj.* 완고한, 고집센.

— *n.* 완고한 사람, 고집쟁이.

entêtement [ɑ̃tɛtmɑ̃] *m.* 완고, 고집(= obstination, ténacité).

entêter [ɑ̃tɛ(e)te] *v.t.* 《~ qn》 (술 · 냄새 따위가) 머리 아프게〔어지럽게〕 하다 : L'odeur du lis m'*entête.* 백합꽃 냄새에 머리가 아프다 / 《목적보어 없이》 vin qui *entête* 머리에 오르는 술. — **s'~** *v.pr.* 《s'~ dans》 …을 고집하다 ; 《s'~ à+*inf.*》 완강히 …하다 : *s'~ dans* ses opinions 자기 의견을 고집하다 / *s'~ à* ne pas vouloir croire qn 완강하게 …을 믿지 않으려 하다.

enthousiasmant, e [ɑ̃tuzjasmɑ̃, -ɑ̃:t] *adj.* ① 열광〔감격〕시키는. ② 마음을 끄는, 매력 있는 : projet ~ 마음을 끄는 계획.

enthousiasme** [ɑ̃tuzjasm] *m.* ① 열광, 흥분 ; 감격 ; 격찬 : applaudir qc 〔qn〕 avec ~ …에 열광적으로 갈채를 보내다. ② 정열, 열정 ; 열의. ***avoir de l'~ pour... …을 예찬하다. ***sans ~*** 열의 없이.

enthousiasmer [ɑ̃tuzjasme] *v.t.* 열광시키다, 흥분시키다(= passionner) : orateur qui *enthousiasme* les foules 군중을 열광시키는 웅변가. — **s'~** *v.pr.* 《s'~ pour 〔de〕》 …에 열광〔감격〕하다 : Il *s'enthousiasme pour* le football. 그는 열렬한 축구팬이다.

***enthousiaste** [ɑ̃tuzjast] *adj.* ① 열광〔감격〕한 ; 열중한(= passionné). ② 열광적인, 열렬한 : accueil ~ 열렬한 환영. — *n.* 정열가, …광(狂) ; 광신자.

entiché, e [ɑ̃tiʃe] *adj.* 《~ de》 …에 열중〔심

취〕한 : être ~ *de* sport 운동에 미쳐 있다.

entichement [ɑ̃tiʃmɑ̃] *m.* 《~ de 〔pour〕》 …에의 집념 ; 심취(心醉).

enticher (s') [sɑ̃tiʃe] *v.pr.* 《s'~ de》 …에 심취〔열중〕하다(= s'engouer, se passionner) : *s'~ d'*une femme 한 여자에게 빠지다.

entier, ère** [ɑ̃tje, -ɛːʀ] *adj.* ① 온, 전부의, 전체의(= total) : le monde ~ 전세계 / payer place ~*ère* (할인받지 않은) 요금 전액을 내다 / une semaine ~*ère* 꼬박 1주일 / lire un livre (en) ~ 책을 끝까지 읽다, 독파하다. ② 온전한, 흠없는(= complet, intacte) ; 완전한, 전폭적인 : jouir d'une ~*ère* liberté 완전한 자유를 누리다 / un gâteau ~ 온전한 케이크 하나. ③ 처음 그대로의, 여전한 : La difficulté reste ~*ère*. 어려움은 여전히 그대로 남아 있다. ④ 타협하지 않는, 고집스러운, 완고한 : caractère ~ 대쪽 같은 성격 / C'est un homme ~. 그는 고집쟁이이다. ***être* 〔*se donner, se livrer*〕 *tout ~ à qc …에 몸과 마음을 바치다 ; 몰두하다. ***nombre ~*** 〖수학〗 정수(整數). ── *m.* ① 전부, 전체, 총체. ② 〖수학〗 정수. ***en ~*** 전부, 온전히 : écouter une symphonie *en* ~ 교향악을 처음부터 끝까지 듣다.

***entièrement** [ɑ̃tjɛʀmɑ̃] *adv.* 전부 ; 완전히(= complètement), 전적으로(= totalement) : Je suis ~ d'accord. 전적으로 찬성이다.

entité [ɑ̃tite] *f.* ① 〖철학〗 본질, 실체. ② 실체적 존재, 실재물 : L'État, la patrie, la société sont des ~*s*. 국가, 조국, 사회는 실체적 존재다.

ento- *préf.* 「내부」의 뜻.

entoilage [ɑ̃twalaːʒ] *m.* ① 밑에 헝겊을 대기 ; 헝겊으로 덮기 ; 클로스 장정(裝幀). ② 밑에 대는 헝겊〔피륙〕; 〖항공〗 피복포.

entoiler [ɑ̃twale] *v.t.* ① 헝겊 위에 붙이다, 헝겊으로 안을 대다 : carte *entoilée* 헝겊을 밑에 댄 지도. ② …에 헝겊을 씌우다 ; 클로스로 장정(裝幀)하다.

entomo- *préf.* 「곤충」의 뜻.

entomologie [ɑ̃tɔmɔlɔʒi] *f.* 곤충학.

entomologique [ɑ̃tɔmɔlɔʒik] *adj.* 곤충학의.

entomologiste [ɑ̃tɔmɔlɔʒist] *m.* 곤충학자.

entonner¹ [ɑ̃tɔne] *v.t.* ① (술 따위를) 통 속에 넣다. ② (음식물을) 입 속에 넣어 주다. ③ 먹다, 마시다.

entonner² *v.t.* ① 〖음악〗 노래하기 시작하다. ② (시로) 읊다 : ~ les louanges de qn …을 찬양〔칭찬〕하다.

entonnoir [ɑ̃tɔnwaːʀ] *m.* ① 깔때기 ; 깔때기처럼 생긴 물건. ② (지뢰 · 폭탄 따위의 폭발로 인해) 움푹 패인 곳.

entorse [ɑ̃tɔʀs] *f.* ① 삐기, 겹질리기, 염좌(捻挫)(= foulure) : se faire une ~ au poignet 손목을 삐다. ② 《구어》 왜곡(歪曲)(= altération) ; 위반(= atteinte) : donner 〔faire〕 une ~ à la vérité 사실을 왜곡하다 / donner 〔faire〕 une ~ au code 법을 어기다〔남용하다〕.

entortillement [ɑ̃tɔʀtijmɑ̃] *m.* ① (덩굴이) 칭칭 감기 ; 휘감기. ② 칭칭 감긴 상태.

entortiller [ɑ̃tɔʀtije] *v.t.* ① 《~ dans》 …속에 똘똘 감싸다 ; 《~ avec 〔de〕》 …으로 휘감다 ; 《~ autour de》 …둘레에 휘감다 : ~ un bonbon *dans* du papier 사탕을 종이로 말아 싸다. ② (표현을) 모호하게 하다 : explications *entortillées* 모호한 설명. ③ 《구어》 (감언이설로) 속이다(= rouler), 꾀다 : Il a réussi à vous ~. 그가 당신을 속였군요. ── **s'~** *v.pr.* ① 《s'~ dans》 …에 감싸이다, 둘러싸이다 : *s'~ dans* une couverture 모포로 몸을 감싸다. ② 《구어》 표현을 모호하게 하다, 횡설수설하다 : *s'~ dans* un mauvais discours 서투른 연설을 횡설수설하다.

entour [ɑ̃tuːʀ] *m.* (*pl.*) 주위, 부근, 근방 : les ~*s* de la ville 마을의 부근. ***à l'~ de ; aux ~s de*** …둘레〔부근〕에 ; …경(頃)에.

***entourage** [ɑ̃tuʀaːʒ] *m.* ① 주위 사람들, 측근자들 : une personne de son ~ 그의 한 측근. ② 주위, 부근 ; (보석 따위의) 둘레 장식 : ~ de planches 판자 울타리 / ~ de perles 진주의 둘레 장식.

***entourer** [ɑ̃tuʀe] *v.t.* ① 둘러싸다〔에워싸다〕; 《~ qc de》 …을 …으로 둘러싸다, …에 …을 두르다, 둘러치다 : forêts qui *entourent* la vallée 계곡을 에워싸고 있는 숲 / ~ les épaules *d'*un châle 어깨에 숄을 두르다 / division *entourée de* tous côtés par les ennemis 사방이 적에게 포위된 사단(師團) / Il m'*entourait de* ses bras. 그는 나를 팔로 감싸안았다. ② …의 주위〔측근〕에 있다 : les gens qui *entourent* qn …의 주위를 둘러싼 사람들, 측근자들. ③ 돌보다, 보살피다 : ~ qn dans le malheur 불행에 빠진 …을 위로하다 / ~ qn de soins …을 정성을 다해 보살피다. ── **s'~** *v.pr.* ① 《s' ~ de》 …에 둘러싸이다 : *s'~ d'*amis 친구들에게 둘러싸여 있다 / *s'~ de* mystère 수수께끼에 싸여 있다. ② 자기의 …을 둘러싸다 : *s'~* le corps d'une couverture 이불로 몸을 감싸다.

entourloupette [ɑ̃tuʀlupɛt] *f.* 《구어》 짓궂은 장난 ; 나쁜 짓 ; 농간.

entournure [ɑ̃tuʀnyːʀ] *f.* 〖의복〗 소맷부리(= emmanchure). ***être gêné dans les* 〔*aux*〕 *~s*** 《구어》 거북하다, 답답하다.

en-tout-cas [ɑ̃tukɑ] *m.* 《복수불변》 양산 겸용 우산.

***entracte** [ɑ̃tʀakt] *m.* ① (연극 따위의) 막간 ; (음악회 · 영화 따위의) 중간 휴게 시간. ② 간주악(間奏樂) ; 막간의 여흥.

entraide [ɑ̃tʀɛd] *f.* 《복수없음》 상호 부조.

***entraider (s')** [sɑ̃tʀɛ(e)de] *v.pr.* 서로 돕다 : Il est naturel de *s'~* entre voisins. 이웃끼리 서로 돕는 것은 당연하다.

entrailles [ɑ̃tʀɑːj] *f. pl.* ① 내장 ; 창자(= intestins, boyaux) ; 《시어》 배, 위(胃) : tirer les ~ d'un bœuf abattu 도살된 소의 내장을 꺼내다 / secoué jusqu'au fond des ~ 뱃속까지 흔들린. ② 《옛》 태내 ; 어머니 : fruits des ~ 태의 열매, 자식 / l'enfant de mes propres ~ 내 속으로 낳은 아이. ③ 《문어》 가장 깊숙한 부분, 내부 : ~ de la terre 지구의 내부 / ~ de la question 문제의 핵심. ④ 마음속 ; 정, 인정 : avoir pour qn des ~ de mère …에 대하여 어머니 같은 애정을 품다 / homme sans ~ 무정한 사람. ***entendre crier ses ~*** 뱃속에서 꾸르륵거리는 소리가 들리다, 배가 몹시 고프다.

***entrain** [ɑ̃tʀɛ̃] *m.* 원기, 활기(= animation,

vivacité) ; 열의, 열성(= ardeur) ; 쾌활(= gaieté) : garçon plein d'～ 원기 왕성한 소년 / fête qui manque d'～ 활기 없는 축제.

entraînant, e [ɑ̃trɛnɑ̃, -ɑ̃:t] *adj.* 마음을 끄는〔사로잡는〕 : éloquence ～*e* 설득력 있는 웅변 / musique militaire ～*e* 신나는 군악.

entraînement [ɑ̃trɛnmɑ̃] *m.* ① 이끌기, 끌어넣기 : céder à l'～ des passions 정열의 힘에 이끌리다. ② 열중, 열광 : dans l'～ de la discussion 토론에 열중하여. ③ 유혹, 매력 : céder à ses ～*s* 유혹에 넘어가다. ④ 〖스포츠〗 훈련, 단련 : être à l'～ 연습〔훈련〕 중이다. ⑤ 〖기계〗 구동(驅動), 연동(連動).

entraîner** [ɑ̃trɛ(e)ne] *v.t.* ① (물체를) 끌고 가다 ; 휩쓸어가다 : Cette locomotive *entraîne* vingt wagons. 이 기관차는 20 량의 객차를 끈다 / L'avalanche *a entraîné* les skieurs. 눈사태가 스키어들을 휩쓸어 갔다. ② (사람을) 데려가다, 억지로 끌고 가다 : ～ qn en prison …을 투옥하다 / Il m'*a entraîné* dans un café, malgré moi. 그는 나를 카페로 억지로 데려갔다. ③ ⓐ《～ qn à qc〔+*inf.*〕》…으로 이끌다 ; …을 하도록 유인하다, 부추기다(= pousser) : Il *a entraîné* son camarade *à* voler. 그는 동료로 하여금 도둑질하도록 부추겼다 / La publicité *entraîne à* la consommation. 광고는 소비를 조장한다. ⓑ《～ qn dans qc》…에 끌어들이다, 유혹하다, 꾀다(= attirer) : *entraîné dans* un piège 함정에 빠진 / Il s'est laissé ～ *dans* une affaire louche. 그는 수상쩍은 일에 말려들었다. ④ …의 마음을 사로잡다, 설득하다(= captiver, convaincre) : idées capables *d'*～ les esprits 사람들을 사로잡을 수 있는 생각 / éloquence qui *entraîne* 호소력 있는 언변. ⑤ 〖기계〗 (모터 따위가 기계를) 움직이게 하다, 구동(驅動)하다, 연동(連動)시키다 : La locomotive *entraîne* les wagons. 기관차가 객차를 끈다. ⑥ 야기〔초래〕하다(= provoquer, occasioner) : ～ de graves conséquences 중대한 결과를 초래하다 / La course aux armements *entraînera* la guerre. 군비 경쟁은 전쟁을 야기할 것이다. ⑦ 〖스포츠〗 훈련〔연습〕시키다 ; 단련시키다 : ～ une équipe de football 축구팀을 훈련시키다 / boxeur bien *entraîné* 잘 훈련된 권투 선수 / 《～ qn à》 ～ des soldats *au* maniement des armes 병사들에게 총기 조작을 숙달시키다. ***se laisser **～** 끌려가다 ; (쾌락・감정 따위에) 빠져들다 : Il *s'est laissé* ～ par ses camarades. 그는 동료들의 꾀임에 빠졌다 / *se laisser* ～ dans une aventure 모험에 빠져들다.

— **s'～** *v.pr.* ① 이끌리다. ② 서로 이끌다, 서로 끌어당기다. ③ 자기를 훈련〔단련〕하다, 운동 연습을 하다 : *s'*～ à tous les sports 모든 운동을 할 수 있도록 몸을 단련하다 / *s'*～ à la discussion 토론 (방법)을 익히다.

entraîneur [ɑ̃trɛnœ:ʀ] *m.* ① 조마사(調馬師) ; (스포츠의) 코치, 트레이너, 감독. ② 지도자, 선도자 : ～ de peuple 민중의 지도자.

entraîneuse [ɑ̃trɛnø:z] *f.* (바・나이트클럽의) 호스테스.

entrant, e [ɑ̃trɑ̃, -ɑ̃:t] *adj.* 들어오는. — *n.* 들어오는 사람 : les ～*s* et les sortants 신입생과 졸업생, 입장자와 퇴장자.

entr(')apercevoir [ɑ̃trapɛrsəvwa:ʀ] [53] *v.t* 흘끗 보다 ; 《구어》 곁눈으로 보다.

entrave [ɑ̃tra:v] *f.* ① (말・소 따위의) 족쇄(足鎖) ; (노예・죄수 따위의) 차꼬, 쇠사슬 : mettre des ～*s* à qn 〔qc〕 …에 차꼬〔족쇄〕를 채우다. ② 구속, 장애, 방해 : sans ～*s* 아무 구속 없이.

***entraver**[1] [ɑ̃trave] *v.t.* ① (말・소 따위에) 족쇄를 채우다. ② 구속하다, 방해하다 : ～ la circulation 교통을 방해하다.

entraver[2] *v.t.* 《구어》 이해하다, 알다. ***n'y ～ que dalle*** 〔***couic, pouic***〕 전혀 알지 못하다.

entre** [ɑ̃tʀ] *prép.* ① ⓐ《공간・시간・정도・상태》 사이에(서) : ～ la fenêtre et la table 창(窓)과 테이블 사이에 / se situer ～ la France et l'Espagne 프랑스와 에스파냐 사이에 위치하다 / la distance ～ Paris et Lyon 파리와 리용 간의 거리 / ～ 10 et 11 heures, 10 시와 11시 사이에 / ～ (les) deux guerres ; ～ -deux-guerres 제 1 차와 제 2 차 세계대전 간의 / couleur ～ le gris et le bleu 회색과 청색의 중간색 / être ～ la vie et la mort 생사지경을 헤매고 있다. ⓑ《수량・계열》 rouler ～ 40 et 60 kilomètres à l'heure 시속 40 내지 60 킬로미터로 달리다 / Le grade de capitaine se situe ～ celui de lieutenant et celui de commandant. 대위는 중위와 소령 사이의 계급이다. ⓒ《선택・분할》 choisir ～ deux solutions 두 가지 해결책 중에서 선택하다 / partager l'héritage ～ deux fils 두 아들에게 유산을 분배하다. ② ⓐ (여럿) 가운데(서), 중에(서) : choisir ～ plusieurs choses 몇 개 중에서 고르다 / être grand ～ tous 누구보다도 위대하다 / Moi ～ autres ... 특히 나로서는. ⓑ《d'～》 …중의 : l'un *d'*～ eux 그들 중의 한 사람 / Lequel *d'*～ vous parle français ? 당신들 중에서 누가 프랑스어를 말합니까 ? ③ 《상호관계》 서로 ; …끼리(의) ; …간에〔의〕 : Ils s'aident ～ eux. 그들은 서로 돕고 있다 / un dîner ～ amis 친구들끼리의 저녁 식사 / conflit ～ deux nations, 2 국간의 분쟁. ④ 《비교》 사이의 : différence 〔ressemblance〕 ～ deux choses 두 물건 사이의 차이〔유사〕. **～ *autres 특히, 그중에서도. **～ *chien et loup*** 저물녘에. **～ (*les*) *deux*** 어느 쪽도 아닌. **～ *tous*** 〔***toutes***〕 그중에서도 특히. ***Soit dit*** **～ *nous.*** 우리들끼리만의 얘깁니다.

entr(e)- *préf.* 「…사이・중간」《명사의 경우》, 「상호적」《동사・명사의 경우》, 「절반」《동사・형용사의 경우》의 뜻.

entre(-)bâillement [ɑ̃trəbɑjmɑ̃] *m.* (문 따위의) 방긋이 열린〔벌어진〕 틈.

entre(-)bâiller [ɑ̃trəbɑje] *v.t.* (문 따위를) 조금〔방긋이〕 열다.

entrechat [ɑ̃trəʃa] *m.* ① 〖발레〗 앙트르샤《두 발꿈치를 여러 번 마주치며 공중으로 뛰어오르는 몸짓》. ② 깡충거림, 가벼운 도약.

entre(-)choquer (s') [sɑ̃trəʃɔke] *v.pr.* 서로 부딪치니, 충돌하다 : des bidons qui *s'entrechoquent* 서로 부딪치는 양철통.

entrecôte [ɑ̃trəko:t] *f.* 〔*m.*〕 〖요리〗 갈비뼈 사이의 쇠고기, 어깨 로스.

entrecouper [ɑ̃tʀəkupe] *v.t.* ① 군데군데 자르다〔끊다〕. ② 중단시키다 : ~ un récit de rires 웃음으로 연설을 군데군데 중단하다. — **s'~** *v.pr.* 교차하다 : lignes qui *s'entrecoupent* 교차하는 선.

entrecroisement [ɑ̃tʀəkʀwazmɑ̃] *m.* 교차, 교착.

entrecroiser [ɑ̃tʀəkʀwaze] *v.t.* 교차〔교착〕시키다. — **s'~** *v.pr.* 서로 교차하다.

entre(-)déchirer (s') [sɑ̃tʀədeʃiʀe] *v.pr.* ① 서로 찢다〔싸우다〕. ② 서로 비난하다.

entre(-)deux [ɑ̃tʀədø] *m.* 《복수불변》 ① 중간부. ② 〖의복〗 피륙 중간에 대는 자수나 레이스로 된 띠. ③ 〖농구〗 점프 볼. ④ 〖요리〗 (생선의) 가운데 토막.

E

entre-deux-guerres [ɑ̃tʀədøgɛːʀ] *m.* 《복수불변》 양차 대전 사이《1918-39》.

entre(-)dévorer (s') [sɑ̃tʀədevɔʀe] *v.pr.* 서로 잡아먹다, 서로 멸망시키다.

:entrée [ɑ̃tʀe] *f.* ① 들어감, 들어옴, 입장, 입학, 취임, 입국 ; 〖연극〗 (배우의) 등장 ; 〖컴퓨터〗 인풋, 입력 : ~ du train en gare 열차의 역(驛) 진입 / ≪*E*~ interdite≫ 「출입 금지」 / clown qui fait son ~ 무대에 등장하는 광대 / ~ des données dans un ordinateur 자료의 컴퓨터 입력. ② 입장료, 입회금, 입학금 ; 입장권 : carte 〔billet, bon〕 d'~ 입장권 / ~ de faveur 초대권 / ~ payante 유료 입장 / ~ libre 무료 입장. ③ 입구, 현관, 문 : ~ d'une maison 집 대문 / ~ de clef 열쇠구멍 / ~ d'une autoroute 고속도로의 초입 / ~ d'un tunnel 터널 입구. ④ 첫등장, 데뷔 ; 시작, 개시 ; 《문어》 시초, 초기 : ~ en action 활동 개시 / ~ en jeu 경기 시작. ⑤ (*pl.*) 출입의 자유〔허락〕. ⑥ 〖요리〗 앙트레《식사 처음에 먹는 음식》. ***à l'~ de*** (la vie) (인생) 초기에. ***d'~ de jeu*** 처음부터 ; 다짜고짜. ***~ dans le monde*** 탄생 ; 사교계에의 첫 등장. ***~ en matière*** 서론(序論). ***examen 〔concours〕 d'~*** 입학시험. ***organe d'~*** 〖컴퓨터〗 입력 장치.

entrée-sortie [ɑ̃tʀesɔʀti] *f.* (*pl.* **~s-~s**) 〖컴퓨터〗 입출력.

entrefaites [ɑ̃tʀəfɛt] *f.* 《다음 숙어만 쓰임》 ***sur l'~ ; sur 〔dans〕 ces 〔cette〕 ~*** 그러는 동안에 ; 그러자(= alors) ; 그〔이〕때에(= à ce moment).

entrefilet [ɑ̃tʀəfilɛ] *m.* (신문의) 짤막한 기사.

entregent [ɑ̃tʀəʒɑ̃] *m.* 처세술, 능란한 사교술(= doigté, savoir-faire) : avoir de l'~ 사교에 능란하다 ; 수완이 좋다.

entre(-)jambes [ɑ̃tʀəʒɑ̃ːb] *m.* 《복수불변》 〖의복〗 바짓가랑이의 안쪽 부분.

entrelacement [ɑ̃tʀəla〔ɑ〕smɑ̃] *m.* (이야기 따위의) 뒤얽힘, 교착(交錯).

'entrelacer [ɑ̃tʀəla〔ɑ〕se] [2] *v.t.* (끈 · 리본 따위를) 합쳐 엮다〔꼬다〕 ; 서로 얽히게 하다 (= enchevêtrer). — **s'~** *v.pr.* ① 서로 얽히다〔뒤섞이다〕(= s'entremêler). ② 교착되다.

entrelacs [ɑ̃tʀəlɑ] *m.* (당초 따위의) 엮음 무늬 ; 얽힘 장식.

entrelarder [ɑ̃tʀəlaʀde] *v.t.* ① 〖요리〗 (고기 속에) 비곗조각을 끼우다〔넣다〕. ② 《~ de》 …에 …을 삽입하다 : ~ un discours *de* citations 연설에 많은 인용구를 삽입하다.

entremêlé, e [ɑ̃tʀəmɛ〔e〕le] *adj.* 《~ de》 (뒤)섞인 ; 삽입된 : récit ~ *de* réflexions personnelles 개인적인 생각이 섞인 이야기.

entremêlement [ɑ̃tʀəmɛlmɑ̃] *m.* 혼합.

entremêler [ɑ̃tʀəmɛ〔e〕le] *v.t.* (뒤)섞다, 혼합하다 삽입하다: ~ A et B, A와 B를 섞다 / ~ A de B, A에 B를 섞다 / Il *entremêle* son discours *de* citations latines. 그는 연설에 라틴어 인용구들을 삽입한다. — **s'~** *v.pr.* (뒤)섞이다 ; 혼합되다.

entremets [ɑ̃tʀəmɛ] *m.* 〖요리〗 앙트르메 《식후 디저트 직전에 먹는 단 음식》.

entremetteur, euse [ɑ̃tʀəmɛtœːʀ, -øːz] *n.* 중개자, 중매인 ; 《경멸》 (여자) 뚜쟁이.

entremettre (s') [sɑ̃tʀəmɛtʀ] [46] *v.pr.* 중재하다, 중개하다, 알선하다 : s'~ dans une querelle 싸움을 중재하다.

entremise [ɑ̃tʀəmiːz] *f.* 중개, 중재, 알선. ***par l'~ de*** qn …을 통하여, …의 매개로.

entrepont [ɑ̃tʀəpɔ̃] *m.* 중갑판(中甲板) ; 3등 선실 : passager d'~, 3등 선객.

entreposage [ɑ̃tʀəpozaːʒ] *m.* 창고에 넣기 ; 〖상업〗 보세 창고 기탁.

entreposer [ɑ̃tʀəpoze] *v.t.* 창고에 넣다 ; 보세(保稅) 창고에 맡기다〔기탁하다〕.

entrepôt [ɑ̃tʀəpo] *m.* ① 창고 : ~ de la douane 〖세관〗 보세 창고. ② 화물 집산지(集散地). ***à prendre en ~*** 〖상업〗 창고도(倉庫渡). ***mettre*** qc ***en ~*** …을 보세 창고에 넣다. ***mise en ~*** 부두에의 인양 ; 보세 창고에 넣기, 입고(入庫).

***entreprenant, e** [ɑ̃tʀəpʀənɑ̃, -ɑ̃ːt] *adj.* ① 기업 정신이 왕성한 ; 활동적인, 적극적인 : esprit ~ 진취적 성격(의 소유자). ② (여자에게) 대담한(≠ timide).

entreprendre** [ɑ̃tʀəpʀɑ̃ːdʀ] [26] *v.t.* ① 착수하다, 시작하다(= commencer) : ~ une étude 연구에 착수하다 / ~ un commerce 상업을 시작하다〔에 투신하다〕. ② 꾀하다, 시도〔기도〕하다(= tenter), …하려 들다 : ~ une affaire dangereuse 위험한 일을 시도하다 / 《목적보어 없이》 vouloir ~ plus qu'on ne peut faire 능력 이상의 일을 해보려고 하다. ③ 설득하려 하다, 유혹하려 하다 : ~ une femme 여자를 유혹하려 하다. ④ …에게 장황하게 설명하다 ; (이야기나 질문으로) 괴롭히다 : Il m'*a entrepris* pendant deux heures sur la situation politique. 그는 나를 상대로 정치 정세를 두 시간이나 늘어놓았다. ~ ***de + *inf.* …하려고 꾀하다, …하려고 하다 : Il *a entrepris d'*écrire un roman. 그는 소설을 쓰기 시작했다. ~ ***un procès*** 소송을 제기하다.

entrepreneur, euse [ɑ̃tʀəpʀənœːʀ, -øːz] *n.* ① 청부업자 : ~ de 〔en〕 construction 건축(청부)업자. ② 기업가 : grand 〔petit〕 ~ 대〔소〕기업가.

***entreprise** [ɑ̃tʀəpʀiːz] *f.* ① 기도, 기획 ; 계획 : préparer une ~ 계획을 세우다〔짜다〕. ② 기업, 사업 ; 회사 : ~ privée 〔publique〕 사〔공〕기업 / chef d'~ 기업주 / petites et moyennes ~s 중소기업. ③ 《~ contre, sur》 …에 대한 침해 : ~ *contre* la liberté 자유의 침해 / ~ *sur* les droits de qn …의 권리의 침해. ④ 청부 : contrat d'~ 청부 계약 /

prendre qc à l'~ …을 청부맡다.

‡entrer [ɑ̃tʀe] *v.i.* 《조동사는 être》 ① 들어가다〔오다〕(≠ sortir) ; 입장〔입학 · 입대〕하다 : ~ dans une maison 집에 들어가다 / ~ à l'école 입학하다 / ~ dans un port 입항하다 / ~ en scène 무대에 등장하다 / Le train vient d'~ en gare. 기차가 방금 역에 도착했다 / 《~ + *inf.*》 Il *est entré* m'avertir. 그는 내게 알리러 들어왔다. ② (감정 따위가 마음속에) 스며들다 ; 싹트다, 떠오르다 : La haine *est entrée* dans son âme. 미움이 그의 마음속에 싹텄다 / faire ~ qc dans la tête de qn …을 …에게 이해시키다. ③ 가입하다 ; 참가하다 ; 가담〔관여〕하다 : ~ dans une famille 가족의 한 사람이 되다 / ~ dans un complot 음모에 가담하다 / ~ dans un parti politique 정당에 가입하다 / Nous *n'entrons* pas dans vos affaires. 우리는 당신의 일에 끼어들지 않겠소. ④ (어떤 신분 · 처지가) 되다 : ~ au couvent 수녀가 되다 / ~ dans l'enseignement 교직에 들어서다 / ~ dans le 〔au〕 barreau 변호사가 되다 / ~ dans la 〔en〕 politique 정치가가 되다 / ~ dans l'usage (신어 따위가) 널리 쓰이게 되다. ⑤ 《~ en》 (어떤 상태에) 빠지다 : Il *est entré en* colère. 그는 화를 냈다 / ~ *en* guerre 전쟁에 돌입하다 / ~ *en* possession de qc …을 소유하게 되다. ⑥ (어떤 시기에) 접어들다 : ~ dans l'hiver 겨울에 접어들다 / ~ dans son âge mûr 성숙기에 접어들다. ⑦ (문제 따위를) 다루다 ; (토론 따위를) 시작하다 ; 고찰하다 : ~ dans un débat 토론으로 들어가다 / dans les détails 세부를 다루기 시작하다 / ~ dans le vif du sujet 문제의 핵심으로 들어가다. ⑧ 이해하다, 공감하다 : ~ dans les idees de qn …와 같은 생각을 하게 되다 / Entrez-vous dans mes vues? 내 견해에 동의하십니까? ⑨ 포함되어 있다, 일부를 이루다, 관계가 있다 : ~ dans une catégorie 범주에 들다 / Cela n'*entre* pas dans ses intentions. 그것은 그의 의도에 들어 있지 않다 / 《비인칭》 Il y *entre* une part de comédie. 거기에는 희극적인 요소가 들어 있다. ≪***Défense d'~***≫ ; ≪***On n'entre pas***≫ 「출입 금지」. ***dans la* 〔*en*〕 *danse*** 댄스에 끼다 ; 집단에 참가하다. ***~ dans la vie*** 이 세상에 태어나다. ***~ dans le monde*** 사교계에 나가다. ***ne pas ~ dans l'affaire*** 사건에 관계가 없다.
— *v.t.* 《조동사는 avoir》 들이다, 넣다 : ~ des marchandises en fraude 상품을 밀수입하다.

entresol [ɑ̃tʀəsɔl] *m.* 〖건축〗 중이층(中二層).

***entre(-)temps** [ɑ̃tʀətɑ̃] *adv.* 그 사이에, 그 동안에 : Je suis resté absent un mois ; ~ elle avait quitté le France. 나는 1개월간 집을 비웠다 ; 그 사이에 그녀는 프랑스를 떠났다.

***entretenir** [ɑ̃tʀətniːʀ] 16 *v.t.* ① 유지하다, 보존하다(= maintenir, conserver) ; 손질하다 : ~ le feu 불이 꺼지지 않게 하다 / ~ la paix 〔l'amitié〕 평화를〔우정을〕 유지하다 / bâtiment bien 〔mal〕 *entretenu* 잘〔잘못〕 보존된 건물 / ~ une armée 군대를 보유하다 / ~ sa santé 건강을 유지하다 / Il *entretient* bien ses cheveux. 그는 머리를 잘 손질한다. ② …에게 생활비를 대다 ; 부양하다, 거느리다(= nourrir) : se faire ~ par qn …에게 얹혀 살다 / ~ une famille 〔des enfants〕 가족을〔자녀를〕 부양하다. ③ 《~ qn de 〔sur〕 qc》 …에 대해 …와 이야기하다 : ~ qn *de* 〔*sur*〕 ses projets …에게 자기의 계획을 이야기하다. ④ 《~ qn dans》 (어떤 심리 상태에) 머물게 하다, (어떤 생각을) 품게 하다 : ~ qn *dans* une douce rêverie …가 감미로운 몽상에 빠져 있게 하다.
— **s'~** *v.pr.* ① 《s'~ de》 …에 대해 서로 이야기하다(= converser) : *s'~* avec qn *de* qc …와 …에 관해 이야기하다 / Ils *se sont entretenus de* l'attitude à adopter. 그들은 어떤 태도를 취해야 할지 서로 의논했다. ② ⓐ 자기를 유지하다 : Cette femme *s'entretient* toujours jeune. 그 여자는 젊음을 여전히 간직하고 있다. ⓑ 생계를 유지하다.

entretenu, e [ɑ̃tʀətny] *adj.* ① 유지된, 보존된, 손질된 : voiture bien *~e* 잘 손질된 차. ② 부양받는. ***femme ~e*** 첩, 정부. ***homme ~*** 여자에게 얹혀 사는 남자.

entretien** [ɑ̃tʀətjɛ̃] *m.* ① 보존, 보수, 유지 ; 보존〔유지〕비(= frais d'~) : ~ des routes et des ponts 도로와 교량의 보수 유지 / ~ d'un immeuble 건물의 보전. ② 생활비 ; 부양(료). ③ 회담, 대담, 이야기 : avoir un ~ avec qn …와 회담하다 / homme d'un agréable ~ (화제가 많고) 이야기를 재미나게 하는 사람. ***faire l'~ du public 세상 사람들의 이야깃거리가 되다.

entretoise [ɑ̃tʀətwaːz] *f.* ① 〖건축〗 가로장, 도리, 들보. ② 〖기계〗 보강재.

entre(-)tuer (s') [sɑ̃tʀətɥe] *v.pr.* 서로 죽이다 ; 서로 죽도록 치고받다.

entreverr-ai, -as, etc., **entrevi-s, -t**, etc. ⇒ entrevoir.

entre(-)voie [ɑ̃tʀəvwa] *f.* 〖철도〗 복선 궤도 간의 간격.

***entrevoir** [ɑ̃tʀəvwaːʀ] 59 *v.t.* ① 흘끗 보다 ; 어렴풋이 보다(= apercevoir), 엿보다 : ~ qc dans le brouillard …을 안개 속에서 어렴풋이 보다. ② 《~ qn》 …와 잠시 만나다. ③ 어렴풋이 예감〔예상〕하다(= pressentir) ; 막연히 알다 : ~ la fin 결말을 예감하다 / Je commence à ~ la vérité. 나는 사실을 눈치채기 시작했다.

***entrevue** [ɑ̃tʀəvy] *f.* 회견, 회담, 대담(= entretien, tête-à-tête) : avoir une ~ avec qn …와 회담〔대담〕하다.

entropie [ɑ̃tʀɔpi] *f.* ① 〖물리〗 엔트로피. ② 〖컴퓨터〗 정보의 불확실성의 정도를 나타내는 수량.

entr(')ouvert, e [ɑ̃tʀuvɛːʀ, -ɛʀt] *adj.* 방긋이 열린, 반쯤 열린 : fenêtre *~e* 반쯤 열린 창문 / bouche *~e* 반쯤 벌린 입.

***entr(')ouvrir** [ɑ̃tʀuvʀiːʀ] 12 *v.t.* 방긋이 열다, 반쯤 열다 : ~ la porte 문을 반쯤〔살짝〕 열다. — **s'~** *v.pr.* 반쯤 열리다.

entuber [ɑ̃tybe] *v.t.* 《구어》 《~ qn》 …에게서 속여 빼앗다, 사기치다 : se faire ~ 사기를 당하다.

enturbanné, e [ɑ̃tyʀbane] *adj.* (머리에) 터번을 두른〔쓴〕.

énucléer [enyklee] *v.t.* ① 〖의학〗 (종양 · 안

E

구 따위를) 떼어내다, 적출하다. ② (과일의) 씨를 발라내다.

énumératif, ive [enymeʀatif, -i:v] *adj.* 열거하는 : liste *~ive* 일람표.

énumération [enymeʀasjɔ̃] *f.* ① 열거 : faire l'~ de qc …을 열거하다. ② 목록(= liste) : ~ des objets d'une collection 수집품 목록.

***énumérer** [enymeʀe] [6] *v.t.* 열거하다 ; 세다(= compter).

「이면(裏面).

env. 《약자》 environ 대충, 약(約) ; envers

***envahir** [ɑ̃vai:ʀ] *v.t.* ① …에 침입하다 ; 침략하다 ; 침해하다 ; 침식하다 : ~ un pays 〔une région〕 나라를 〔지역을〕 침략하다. ② (불이) …에 붙다, (물이) …에 밀려들다, (병이) 휩쓸다, (잡초가) …에 우거지다 : La mauvaise herbes *envahissent* le jardin. 잡초가 정원에 우거지고 있다 / Le feu *a envahi* tout l'immeuble. 건물 전체가 불길에 휩싸였다. ③ 《~ qn》 (졸음·감정 따위가) 엄습하다, 사로잡다(= saisir, gagner) : *envahi* par la tristesse 비탄에 잠긴.

envahissant, e [ɑ̃vaisɑ̃, -ɑ̃:t] *adj.* ① 침입〔침략〕하는 : armée *~e* 침략군. ② 《구어》 귀찮게 구는 : voisins *~s* 귀찮게 구는 이웃.

envahissement [ɑ̃vaismɑ̃] *f.* ① 침범, 침입, 침략(= invasion) : ~ du pouvoir 권한의 침해. ② 넘침, 범람.

envahisseur, euse [ɑ̃vaisœ:ʀ, -ø:z] *n.* 침략자, 침입자.

envasement [ɑ̃vazmɑ̃] *m.* 진흙으로 메우기 : ~ d'un canal 진흙으로 메워진 운하.

envaser (s') [sɑ̃vaze] *v.pr.* 진창 속에 빠지다 ; 진흙으로 메워지다 : Le canal *s'est envasé.* 운하가 진흙으로 메워졌다.

enveloppant, e [ɑ̃vlɔpɑ̃, -ɑ̃:t] *adj.* ① 둘러싸는, 포위하는 : mouvement ~ 포위 작전. ② 마음을 사로잡는 ; 매력적인.

enveloppe** [ɑ̃vlɔp] *f.* ① 봉투, 봉지 : mettre une lettre sous ~ 〔dans une ~〕 편지를 봉투에 넣다 / ouvrir une ~ 편지를 개봉하다 / ~ réponse 반신용 봉투. ② 싸개, 커버, 포장지 : ~ en papier d'un colis 소포의 종이 포장 / ~ d'un livre 책의 커버. ③ 《문어》 (인간의) 외관, 겉모습 : Sous cette ~ naïve, elle cachait un cœur cruel. 이 순박한 겉모습 밑에 그 여자는 냉혹함을 감추고 있다. ④ 뇌물, 수회 : recevoir une ~ 뇌물을 받다. ***donner 〔***recevoir***〕 ***une*** ~ 몰래 돈을 주다〔받다〕.

enveloppé, e [ɑ̃vlɔpe] *adj.* ① 싸인, 포장된 : paquet bien ~ 잘 포장된 소포. ② 《구어》 (사람이) 통통한.

enveloppement [ɑ̃vlɔpmɑ̃] *m.* ① 싸기, 포장. ② 포위 (작전). ③ 〖의학〗 습포.

envelopper** [ɑ̃vlɔpe] *v.t.* ① 싸다, 감싸다 : ~ qc dans du papier …을 종이로 싸다 / ~ un malade d'une couverture 환자를 모포로 감싸다. ② 둘러싸다, 포위하다 ; 뒤덮다 : brume qui *enveloppe* la ville 마을을 뒤덮은 안개. ③ 드러나지 않게 하다, 숨기다 ; 모호하게 하다 : ~ sa pensée 생각을 감추다 / ~ ses paroles 말을 흐리다. ***parler d'une manière enveloppée 넌지시 에둘러 말하다. ── **s'~** *v.pr.* ① 《s'~ dans, de》 …으로 몸을 싸다〔두르다〕 : *s'~ dans* un manteau 외투로 몸을 싸다. ② 《s'~ de》 …으로 둘러싸이다, 덮이다 : *s'~ de* mystère 신비로 싸이다.

envenimement [ɑ̃vnimmɑ̃] *m.* ① (상처 따위의) 덧내기, 악화. ② (상황 따위의) 격화 : ~ de la discussion 논쟁의 격화.

***envenimer** [ɑ̃vnime] *v.t.* ① (상처 따위를) 덧내다 : ~ une écorchure en la grattant 할퀸 상처를 긁어서 덧나게 하다. ② (사태를) 악화〔격화〕시키다 : ~ la situation 상황을 악화시키다. ── **s'~** *v.pr.* ① (상처가) 덧나다, 화농하다. ② (논쟁 따위가) 격화되다.

envergure [ɑ̃vɛʀgy:ʀ] *f.* ① (새·비행기 따위의) 날개의 폭 ; 돛폭. ② (사물의) 크기, 규모 : affaire de grande 〔vaste〕 ~ 대규모 사업. ③ 역량, 도량 ; 포용력 : esprit de grande 〔large〕 ~ 도량이 넓은 사람.

enverr-ai, -as, etc. ⇒ envoyer.

envers**[1] [ɑ̃vɛ:ʀ] *prép.* 《정신적 관계를 나타냄》 …에 대하여 ; …에 대항하여(= à l'égard de) : être sévère ~ qn …에 대해 엄격하다. ***~ et contre tout 〔***tous***〕 억지로라도, 무슨 수를 써서라도.

envers**[2] *m.* (천 따위의) 이면(裏面), 안(≠ endroit) ; 반대(쪽), 역(逆)(= contraire) : étoffe sans ~ 〔à deux ~s〕 안팎이 없는 천 / l'~ des événements 사건의 이면. ***à l'~ 반대로, 거꾸로, 뒤죽박죽으로 : le monde *à l'~* 거꾸로 된 세상 / avoir la tête *à l'~* 판단력이 없다 ; 혼돈되어 있다.

envi (à l') [alɑ̃vi] *loc. adv.* 《문어》 서로 다투어, 앞다투어.

enviable [ɑ̃vjabl] *adj.* 부러워할 만한, 샘이 나는 : situation ~ 부러운 지위.

:envie [ɑ̃vi] *f.* ① 선망, 부러움 : exciter 〔attirer〕 l'~ de bien des gens 많은 사람의 부러움을 사다. ② 샘, 질투, 시기심(= jalousie) : avoir une mortelle ~ contre qn …을 몹시 시기하다 / être rongé 〔dévore〕 d'~ 질투로 괴로워하다. ③ 욕망(= désir) ; (생리적) 욕구(= besoin) ; 갈망 : ~ de savoir 지식욕 / avoir ~ 《구어》 소변〔대변〕이 마렵다. ④ (임신부의) 입덧(= ~ de femme grosse). ⑤ (주로 *pl.*) (손톱의) 거스러미. ***avec*** ~ 부러운 듯이, 탐나는 듯이. ***avoir ~ que*** + *sub.* …을 바라다. ***avoir*** (***l'***)***~ de*** qc 〔+*inf.*〕 …을 가지고〔하고〕 싶다 : J'*ai* ~ *d'*une voiture. 나는 차를 갖고 싶다 / J'*ai* grande 〔bonne, bien, si〕 ~ *de* voyager. 나는 몹시 여행을 하고 싶다. ***donner ~ de*** + *inf.* 《주어 : qc》 …하고 싶어지게 하다 : Ce beau temps me *donne* ~ *de* me promener. 날씨가 좋아서 산책하고 싶어진다. ***faire ~ à*** qn …의 욕망을 일으키다. ***Il me prend ~ de*** + *inf.* …하고 싶은 욕망이 나에게 일어나다. ***Mieux vaut faire ~ que pitié.*** 《격언》 동정받느니보다 차라리 남이 부러워하는 사람이 되어라.

envier** [ɑ̃vje] *v.t.* 부러워하다, 탐내다 ; 새암〔질투·시기〕하다 : ~ la réussite de son ami 친구의 성공을 부러워〔시기〕하다 / Tous ses amis l'*envient.* 그의 모든 친구들이 그를 부러워한다. ***~ à qn ***de*** + *inf.* …이 …하는 것을 부러워하다. ~ qc ***à*** qn …의 …을 부러

워하다. ~ ***que***+*sub.* …을 부러워하다.

*__envieux, euse__ [ɑ̃vjø, -øːz] *adj.* 부러워하는; 샘을 내는, 질투〔시기〕하는: 《~ de》 être ~ *du* bonheur d'autrui 타인의 행복을 부러워하다. — *n.* 부러워하는 사람; 샘을 내는 사람. ***faire des*** ~ 남들을 부럽게 만들다.

⁑**environ** [ɑ̃viʀɔ̃] *adv.* 대략, 약(約): ~ deux heures 약 두 시간 / homme d'~ quarante ans 약 40세쯤 되는 남자. — *m. pl.* 근처, 부근. ***aux ~s de*** …부근에; …경에; 약: habiter *aux ~s de* Séoul 서울 근교에 살다 / *aux ~s de* 20%, 약 20%.

environnant, e [ɑ̃viʀɔnɑ̃, -ɑ̃ːt] *adj.* ① 주위의; 둘러싸고 있는. ② 근처의; 주변의.

environnement [ɑ̃viʀɔnmɑ̃] *m.* ① 주위, 환경: protection de l'~ 환경 보호 / ~ rural 〔urban〕 전원〔도시〕 환경. ② 정세: ~ international 국제 정세.

environner [ɑ̃viʀɔne] *v.t.* 둘러싸다, 에워싸다: remparts qui *environnent* la ville 마을을 둘러싼 성벽. — **s'~** *v.pr.* 《s'~ de》 …으로 둘러싸이다, 에워싸이다.

envisageable [ɑ̃vizaʒabl] *adj.* 생각할 수 있는, 예상〔예측〕할 수 있는(=prévisible).

*__envisager__ [ɑ̃vizaʒe] *v.t.* ① 보다, 검토하다, 고찰하다: ~ une question sous un certain aspect 문제를 어떤 측면에서 고찰하다. ② 고려하다, 생각해보다(=considérer); 계획하다; 《~ de+*inf.*》 …할 것을 고려하다 〔계획하다〕(=projeter): ~ un voyage en Fance 프랑스 여행을 계획하다 / Nous *envisageons de* passer nos vacances en Italie. 우리는 이탈리아에서 휴가를 보낼 생각입니다. ③ 예상하다, 예견하다: ~ le pire 최악의 경우를 예상하다.

envoi [ɑ̃vwa] *m.* ① 보냄, 파견, 발송: ~ d'une lettre par la poste 편지의 우송 / ~ de troupes 부대의 파견. ② 발송품. ***coup d'~*** 〖축구〗 킥오프; 개시, 개막. ***~ de fonds*** 송금.

envol [ɑ̃vɔl] *m.* 날아오름, 비상(飛翔); (비행기의) 이륙(=décollage).

envolée [ɑ̃vɔle] *f.* ① 날아오름, 비상; 〖항공〗 이륙. ② (정신의) 고양(高揚), 약동. ③ (가격의) 앙등.

*__envoler (s')__ [sɑ̃vɔle] *v.pr.* ① 날아오르다 〔가다〕; (비행기가) 이륙하다: 《se를 생략하여》 faire ~ des oiseaux 새를 날아가게 하다. ② (바람에) 날려가다: cheveux *envolés* (바람에) 흐트러진 머리(카락). ③ 《구어》 갑자기 없어지다, 사라지다: Ma montre *s'est envolée.* 내 시계가 없어졌다. ④ (시간이) 빨리 지나가다: Le temps *s'envole.* 시간은 빨리 흘러간다.

envoûtant, e [ɑ̃vutɑ̃, -ɑ̃ːt] *adj.* 매혹하는, 마음을 사로잡는(=captivant).

envoûtement [ɑ̃vutmɑ̃] *m.* ① 방자, 주술 (=sorcellerie). ② 매혹(=enchantement).

envoûter [ɑ̃vute] *v.t.* ① (바늘로 인형을 찔러) 방자하다, 저주하다. ② 매혹하다(=fasciner, captiver).

envoyé, e [ɑ̃vwaje] *n.* 사자(=messager), 사절; 파견원: ~ extraordinaire 특사 / de notre ~ spécial 〖신문〗 본사 특파원발.

⁑**envoyer** [ɑ̃vwaje] [7] *v.t.* ① (사람·물건을) 보내다; 파견하다; (편지 따위를) 발송하다: ~ un messager à qn …에게 심부름꾼을 보내다 / ~ un paquet par la poste 소포를 우편으로 보내다 / 《~ qn+*inf.*》 ~ qn chercher le médecin 의사를 부르러 …을 보내다. ② ⓐ 내던지다: ~ qn à terre …을 땅바닥에 쓰러뜨리다. ⓑ 《구어》 내뻗다: ~ un coup de pied à qn …을 걷어차다, 차버리다. ③ 발사하다: ~ un coup de canon 대포를 한 방 쏘다. ***~ chercher*** (사람을) 부르러 보내다; (물건을) 가지러 보내다. ***~ dire que***+*ind.* …라고 전하러 보내다. ***~ prendre des nouvelles de*** qn …의 소식을 들으러 보내다. ***~ promener*** 〔***dinguer***〕 《구어》 내쫓다, 쫓아버리다. ***ne pas ~ dire*** qc ***à*** qn 《구어》 …에게 맞대 놓고 …을 말하다: Je *ne* le lui ai *pas envoyé dire.* 나는 그에게 그것을 맞대 놓고 말해 주었다.
— **s'~** *v.pr.* ① 보내지다: *s'~* de la prison 감옥에 갇히다, 콩밥을 먹게 되다. ② (음식을) 먹다, 마시다. ③ (괴로운 일·불쾌한 일을) 억지로 하다.

envoyeur, euse [ɑ̃vwajœːʀ, -øːz] *n.* 발송인, 발신인: bureau ~ 발신국 / retour à l'~ 발송인에게 반송.

enzyme [ɑ̃zim] *f.* 〖화학〗 효소: ~ digestive 소화 효소.

É.O.A. 《약자》 élève officier d'active 〖군사〗 현역 사관 후보생, 사관학교 생도.

éolien, enne [eɔljɛ̃, -ɛn] *adj.* 바람에 의한, 풍력의. — *f.* 풍력 발동기(=moteur ~).

É.O.R. 《약자》 élève officier de réserve 〖군사〗 예비역 사관 후보생.

E.P. 《약자》 ① eau potable 음료수. ② enseignement primaine 초등교육. ③ équinoxe de printemps 춘분.

épacte [epakt] *f.* 〖연대학〗 태양력의 1년과 음력 1년의 차《전자가 약 11일 많음》.

épagneul, e [epaɲœl] *n.* 스패니얼《털이 긴 개의 일종》. — *adj.* 스패니얼의.

⁑**épais, aisse** [epɛ, -ɛs] *adj.* ① 두꺼운: mur ~ 두꺼운 벽 / planche *~aisse* de deux centimètres, 2센티미터 두께의 판자. ② 짙은; 진한; 빽빽한; 밀집한; 밀생한: brouillard ~ 짙은 안개, 농무(濃霧) / cheveux ~ 숱이 많은 머리 / foule *~aisse* 밀집한 군중. ③ (손가락 따위가) 굵은, (몸매가) 뚱뚱한: avoir les doigts ~ 손가락이 굵다. ④ 우둔한; 상스러운: plaisanterie *~aisse* 상스러운 농담. ***au plus ~ de*** qc …의 가장 깊은 곳에, …한복판에: *au plus ~ de* la foule 군중 한복판에. ***avoir la langue ~aisse*** 혀가 잘 돌지 않다, 말솜씨가 서투르다. — *adv.* 진하게; 빽빽하게: semer ~ 조밀하게 씨를 뿌리다.

*__épaisseur__ [epɛsœːʀ] *f.* ① 두께; 《수사와 함께》 겹: papier en double ~ 두 겹으로 된 종이. ② 짙음, 진함; 빽빽함; 무성함; 농도, 밀도: ~ du brouillard 안개의 짙음, 짙은 안개 / ~ de la nuit 밤의 짙은 어둠. ③ 우둔함(=lourdeur): ~ du jugement 판단력이 둔함. ***Il s'en est fallu de l'~ d'un cheveu*** 〔***d'un fil***〕 ***que*** (***ne***)+*sub.* 하마터면 … 할 뻔했다.

épaissir [epɛ(e)siːʀ] *v.t.* ① 두껍게 하다. ②

짙게 하다 ; 무성하게 하다. ── *v.i.* ① 두꺼워지다. ② 짙어지다 ; 무성해지다. ③ 뚱뚱해지다, 우둔해지다 : Elle *a* beaucoup *épaissi.* 그 여자는 살이 많이 쪘다. ── **s'∼** *v.pr.* ① 두꺼워지다. ② 짙어지다 ; 무성해지다 : L'ombre *s'épaissit.* 그늘이 짙어진다. ③ 우둔해지다 ; (혀가) 잘 돌지 않게 되다 : La langue *s'épaissit.* 혀가 돌아가지 않는다.

épaississement [epɛsismɑ̃] *m.* ① 두껍게〔짙게 · 조밀하게〕 함〔됨〕. ② 뚱뚱해짐 ; 둔해짐 : ∼ de l'esprit 정신의 둔화.

épanchement [epɑ̃ʃmɑ̃] *m.* ① (심정의) 토로, 표출. ② 〖의학〗 (혈액 따위의) 일출(溢出) : ∼ au cerveau 뇌출혈.

E

épancher [epɑ̃ʃe] *v.t.* (심정을) 토로하다(= confier) : ∼ son cœur 마음을 고백하다. ── **s'∼** *v.pr.* ① 〖의학〗 일출(溢出)하다. ② 심정을 토로하다. 「위의) 살포.

épandage [epɑ̃da:ʒ] *m.* (비료 · 살충제 따

épandre [epɑ̃:dʀ] [25] *v.t.* 〖농업〗 (비료 · 살충제 따위를) 살포하다, 뿌리다(= répandre) : ∼ du fumier sur 〔dans〕 le terrain 농지에 퇴비를 뿌리다. ── **s'∼** *v.pr.* ① 살포되다. ② 퍼지다, 확산하다.

épanoui, e [epanwi] *adj.* ① (꽃 따위가) 핀. ② (표정 따위가) 명랑한, 밝은(= radieux) : sourire ∼ 만면의 미소.

épanouir [epanwi:ʀ] *v.t.* ① (꽃을) 피게 하다. ② (날개 · 돛 따위를) 펴다. ③ (표정 따위를) 명랑하게〔밝게〕 하다 : Cette nouvelle lui *a épanoui* le cœur. 그 소식을 듣고 그의 마음이 밝아졌다. ∼ ***la rate*** 《구어》 매우 기쁘게 하다, 웃음짓게 하다. ── **s'∼** *v.pr.* ① (꽃이) 피다 ; (미색 · 매력 따위가) 활짝 피다 ; 성숙해지다. ② (얼굴 따위가) 밝아지다.

épanouissement [epanwismɑ̃] *m.* ① 개화(開化)(= éclosion) ; (문명 따위가) 피어오름 ; 성숙, 발달(= développement) : ∼ des roses 장미꽃의 개화. ② 명랑, 쾌활 : ∼ des traits 표정이 밝아짐.

épargnant, e [epaʀɲɑ̃, -ɑ̃:t] *n.* 절약가 ; 저축가 : petits ∼*s* 소액 예금자.

épargne [epaʀɲ] *f.* ① 절약, 검약(= économie ; ≠ gaspillage) : ∼ de l'énergie 에너지 절약 / vivre dans l'∼ 검소하게 살다. ② 저축, 예금 : ∼ à long terme 장기 저축.

épargner** [epaʀɲe] *v.t.* ① 절약하다 ; 저축〔저금〕하다(= économiser) : ∼ cinq cents francs par mois 매월 500 프랑 저축하다 / 《목적보어 없이》 ∼ pour ses vieux jours 노후를 위하여 저금하다. ② (노력 · 시간 · 힘 등을) 절약하다, 아끼다 : Il n'*a* pas *épargné* ni son temps ni son travail. 그는 시간도 노력도 아끼지 않았다 / ne rien ∼ pour + *inf.* …하기 위해서는 아무것도 아끼지 않다〔수단을 가리지 않다〕. ③ 용서하다, 너그럽게 봐주다 ; 목숨을 살려 주다 : n'∼ personne dans sa critique 그 누구도 가차없이 비평하다 / ∼ son ennemi vaincu 패배한 적을 살려 주다. ④ 《주어 : qc》 (재해 따위가) 피해를 입히지 않다〔면하게 하다〕 : les maisons *épargnées* par l'incendie 화재를 면한 집들. ⑤ 《∼ qc à qn》 …에게 …을 면하게 해 주다, 면제하다 : ∼ *à* qn la peine de + *inf.* …에게 …할 것을 면하게 하다. ***Qui épargne gagne. 《격언》 절약은 이득.

éparpillement [epaʀpijmɑ̃] *m.* ① 산재(= dispersion) ; 흩뿌리기 ; 낭비. ② 분산 : ∼ des forces 힘의 분산.

éparpiller [epaʀpije] *v.t.* ① (사방으로) 뿌리다, 흩뜨리다, 분산시키다(= disperser, disséminer) : La foule *s'est éparpillée* en petits groupes. 군중들이 삼삼오오 흩어졌다. ② (노력 따위를) 낭비하다. ── **s'∼** *v.pr.* ① 흩어지다, 분산되다. ② 머리가 산란해지다.

épars, e [epa:ʀ, -aʀs] *adj.* ① (보통 *pl.*) 흩어져 있는, 분산된, 산재한(= dispersé) : village aux maisons ∼*es* 드문드문 집이 있는 마을. ② 어수선한 ; 산만한 : cheveux ∼ 헝클어진 머리 / idées ∼*es* 산만한 생각들.

épatamment [epatamɑ̃] *adv.* 《구어》 놀랄 만큼, 희한하게 : Ça marche ∼ bien. 일이 놀랄 만큼 잘 되고 있다.

***épatant, e** [epatɑ̃, -ɑ̃:t] *adj.* 《구어》 놀라운, 훌륭한, 멋있는 : C'est ∼ ! 그거 멋있어 ! / voyage ∼ 멋진 여행.

épate [epat] *f.* 놀라게 하기. ***faire de l'∼*** (놀라게 하려고) 허풍 떨다.

épaté, e [epate] *adj.* ① 납작한, 밑이 퍼진 : nez ∼ 납작코. ② 《구어》 깜짝 놀란.

épatement [epatmɑ̃] *m.* ① 납작함. ② 《구어》 깜짝 놀람.

***épater** [epate] *v.t.* 《구어》 깜짝 놀라게 하다, 아연실색케 하다 : Ça m'*épate* qu'il ait réussi. 그가 성공했다니 놀라운 일이군.

épaulard [epola:ʀ] *m.* 〖동물〗 범고래.

épaule** [epo:l] *f.* ① 어깨 : Arme sur l'∼ ! 〖군사〗 어깨 총 ! / être large d'∼*s* 어깨가 딱 벌어지다 / hausser 〔lever〕 l'∼ 〔les ∼*s*〕 어깨를 으쓱해 보이다. ② (네발짐승의) 어깨 ; 어깨고기. ***avoir les ∼s assez fortes pour (+ *inf.*) …할 만한 역량이 있다. ***coup d'∼*** 어깨의 일격 ; 노력(= tour d'∼) ; 도움, 원조, 조력. ***donner un coup d'∼ à*** qn …에게 힘을 빌려 주다, 거들다. ***par-dessus l'∼*** 어깨 너머로 ; 되는 대로 ; 경멸하여 : lire *par-dessus l'∼* 남의 어깨 너머로 읽다 / regarder 〔traiter〕 qn *par-dessus l'∼* …을 얕보다, 경멸하다. ***porter*** qn ***sur ses ∼s*** 《구어》 …에 대해 책임을 맡다 ; …을 귀찮게 여기다. ***rouler les ∼s*** 으스대며 걷다.

épaulé-jeté [epoleʒ(ə)te] *m.* (*pl.* **∼s-∼s**) 〖역도〗 용상(聳上).

épaulement [epolmɑ̃] *m.* 흉벽 ; 버팀벽, 축대 ; 〖건축〗 (토사 따위를 막는) 축대.

épauler [epole] *v.t.* ① 돕다, 원조하다 : ∼ un ami désespéré 실의에 빠진 친구를 돕다. ② (쏘기 위해 총의) 개머리판을 어깨에 갖다 대다 : ∼ un fusil 거총하다. ③ (버팀벽으로) 막다, 받치다. ── **s'∼** *v.pr.* ① 서로 돕다. ② 〖군사〗 방벽 뒤에 몸을 숨기다.

épaulette [epolɛt] *f.* ① (군복의) 견장(肩章). ② (여자 옷의) 어깨 끈 ; 멜빵. ③ 〖복식〗 어깨심, 어깨받이(= padding).

épave [epa:v] *f.* ① 유실물. ② 표류〔표착(漂着)〕물 ; 난파선의 잔해. ③ 낙오자, 영락한 사람(= ∼ humaine).

épée [epe] *f.* ① 검(劍) ; 〖펜싱〗 에페《끝이 뾰족한 경기용 칼》 : lame d'une ∼ 검의 날 / se battre à l'∼ 결투하다. ② 검술가, 검객 :

fine ~ 검술의 명수. ③ 군직(軍職) : briser son ~ 군직에서 물러나다. ***à la pointe de l'~*** 갖은 노력 끝에, 우격다짐으로. ***À vaillant homme courte ~.*** 《격언》 용맹한 자는 단검으로 족하다《수단의 부족을 용기·지모로 보충한다》. ***coup d'~ dans l'eau*** 칼로 물베기 ; 헛수고. ***~ de Damoclès*** 늘 신변에 들이닥쳐 떠날 줄 모르는 위험. ***L'~ use le fourreau.*** 《격언》 재사다병(才士多病). ***les gens d'~*** 무관, 무인. ***mettre l'~ dans les reins à*** qn …을 들볶다 ; …을 몹시 재촉하다. ***rendre son ~*** 항복하다.

épeiche [epɛʃ] *f.* 〖조류〗 오색딱따구리.

épeire [epɛːʀ] *f.* 〖동물〗 (유럽산의) 큰 거미.

épéiste [epeist] *m.* 검술가 ; 〖펜싱〗 에페 경기자.

***épeler** [ɛ(e)ple] [5] *v.t.* ① …의 철자를 읽다[말하다]. ② 한자한자[더듬더듬] 읽다.

épellation [epɛ(l)lasjɔ̃] *f.* 철자를 말하기.

éperdu, e [epɛʀdy] *adj.* ① 제정신을 잃은, 어쩔 줄 모르는 : ~ de joie 기뻐서 어쩔 줄 모르는. ② 열광적인, 필사적인, 격렬한 : amour ~ 격정적인 사랑.

éperdument [epɛʀdymɑ̃] *adv.* 격렬하게, 미친 듯이 ; 필사적으로.

éperon [epʀɔ̃] *m.* ① 〖승마〗 박차 : donner de l'~ [des ~s] à son cheval 말에 박차를 가하다. ② 〖지리〗 (해안의 언덕 따위의) 돌출부, 산각(山脚). ③ (군함의) 충각(衝角) ; (배의 이물 끝의) 물결 헤치는 부분(= ~ de marche).

éperonner [epʀɔne] *v.t.* 박차를 가하다 ; 자극하다, 분발시키다(= animer, stimuler) : ~ son cheval 말에 박차를 가하다 / *être éperonné* par l'ambition 야망에 이끌리다.

épervier [epɛʀvje] *m.* ① 〖조류〗 새매. ② 〖어업〗 투망 : jeter l'~ 투망을 치다. ③ 〖정치〗 매파(派), 강경파(≠ colombe).

éphèbe [efɛb] *m.* ① 〖고대그리스〗 (18-20세의) 청년, 장정(= adolescent). ② 《비꼼》 잘생긴 젊은이, 미소년. —— *f.* 《드물게》 소녀.

éphélide [efelid] *f.* (흔히 *pl.*) 주근깨.

éphémère [efemɛːʀ] *adj.* ① 하루살이의, 하루뿐인 : insecte ~ 하루살이 곤충. ② 일시적인(= passageur) ; 덧없는(= fragile) : bonheur ~ 덧없는 행복. —— *m.* 〖곤충〗 하루살이.

éphéméride [efemeʀid] *f.* ① 일지 ; 일력. ② (*pl.*) 〖천문〗 (천체의) 위치 추산력.

épi [epi] *m.* ① (곡물의) 이삭 : ~ de blé 밀이삭. ② 곤두선 머리털(= ~ de cheveux). ***en ~*** 이삭이 팬 ; 이삭 모양의[으로] : monter *en* ~ 이삭이 패다.

épi- *préf.* 「위·밖·뒤」의 뜻.

épice [epis] *f.* 향신료 ; 양념 : pain d'~ 생강(을 넣은) 빵[과자]. ***Dans les petits sacs sont les bonnes ~s.*** 작은 고추가 맵다.

***épicé, e** [epise] *adj.* ① 향신료를[양념을] 넣은. ② 《구어》 신랄한 ; 외설스런.

épicéa [episea] *m.* 〖식물〗 독일가문비나무.

épicentre [episɑ̃:tʀ] *m.* (지진의) 진앙(震央)(= ~ sismique)《진원(震源)은 hypocentre》.

épicer [epise] [2] *v.t.* 향신료를 치다 ; 양념을 넣다.

***épicerie** [episʀi] *f.* ① 식료 잡화상, 식료품점 : aller à l'~ 식품점에 가다. ② 식료품 ; 저장 식품.

***épicier, ère** [episje, -ɛːʀ] *n.* ① 식료 잡화상인. ② 《구어》 편협한 사람, 속물 : mentalité d'~ 편협한 생각.

épicurien, enne [epikyʀjɛ̃, -ɛn] *adj.* ① 〖철학〗 에피쿠로스(*Épicure*) 학파의. ② 쾌락주의적인. —— *n.* ① 에피쿠로스파의 학자. ② 쾌락주의자.

épicurisme [epikyʀism] *m.* ① 〖철학〗 에피쿠로스파. ② 쾌락주의.

***épidémie** [epidemi] *f.* ① 전염병, 감염 : ~ de grippe 인플루엔자. ② 유행, 만연 : ~ de suicides 자살의 유행.

épidémiologie [epidemjɔlɔʒi] *f.* 〖의학〗 전염병학.

épidémique [epidemik] *adj.* 유행성의, 전염성의.

épiderme [epidɛʀm] *m.* 〖해부〗 (피부의) 표피 ; 〖식물〗 표피, 상피(上皮). ***avoir l'~ sensible*** [***délicat***] 신경과민이다.

épidermique [epidɛʀmik] *adj.* ① 피부의, 표피[상피]의 : greffe ~ 피부 이식. ② 피상적인(= superficiel).

épier[1] [epje] *v.i.* 《드물게》 이삭이 나다[패다].

***épier**[2] *vt.* ① 몰래 살피다 ; 감시하다 ; 염탐하다(= espionner) : ~ les mouvements de l'ennemi 적의 동정을 염탐하다. ② (기회 따위를) 엿보다, 노리다 : ~ l'occasion favorable 절호의 기회를 노리다.

épieu [epjø] *m.* (*pl.* ***~x***) (옛날) 사냥창.

épigastre [epigastʀ] *m.* 〖해부〗 윗배, 상복부(上腹部).

épigone [epigɔn] *m.* 후계자, 추종자(= successeur) ; 아류(= imitateur).

épigramme [epigʀam] *f.* ① 풍자시 ; 경구. ② 빈정거림, 야유, 신랄한 공격[비난].

épigraphe [epigʀaf] *f.* ① (건물·비석 따위의) 명(銘). ② (책의 서두·장 첫머리에 붙이는) 제사(題詞) ; 명구(銘句), 인용문.

épigraphie [epigʀafi] *f.* 제명학(題銘學), 비명학(碑銘學), 금석학.

épigraphique [epigʀafik] *adj.* 제명(題銘)의, 비명(碑銘)의.

épigraphiste [epigʀafist] *n.* 제명[비명]학자.

épilage [epilaːʒ] *m.*, **épilation** [epilasjɔ̃] *f.* 털의 제거, 탈모 : ~ définitive 영구 탈모.

épilatoire [epilatwaːʀ] *adj.* 탈모(脫毛)용의 : crème [pâte] ~ 탈모 크림. —— *m.* 탈모제.

épilepsie [epilɛpsi] *f.* 〖의학〗 지랄병, 간질.

épileptique [epilɛptik] *adj.* 지랄병의, 간질의. —— *n.* 간질 환자.

épiler [epile] *v.t.* …의 털을 뽑다, 탈모시키다 : une pince à ~ 족집게(= épiloir).
—— **s'~** *v.pr.* ① 털이 빠지다. ② 자기의 털을 뽑다 : *s'~* les sourcils avec une pince 족집게로 눈썹을 뽑다.

épilogue [epilɔg] *m.* (문학 작품 따위의) 종장, 에필로그(≠ prologue). ② (사건의) 결말.

épiloguer [epilɔge] *v.t. ind.* 《~ sur》 …에 대해 길게 따지다, 흠잡다 : ~ *sur* la qualité d'une œuvre 작품의 질에 대해 이러쿵저러쿵 흠을 잡다.

***épinard** [epinaːʀ] *m.* 〖식물〗 시금치 ; (*pl.*) 시금치 잎. —— *adj.* 《불변》 시금치 빛깔의 : vert ~ 암녹색, 시금치색.

E

épine** [epin] *f.* ① (식물·동물의) 가시. ② 〖식물〗 가시가 있는 나무〔관목〕. ③ 《문어》 곤란, 애로, 고난(=difficulté) : La vie est hérissée d'~*s*. 인생은 가시밭길이다. ④ (견갑골 따위의) 돌기 ; 두드러진 뼈 : ~ dorsale 척골 ; 척주 ; 《비유》 산등성이. ***avoir une ~ au pied 걱정거리가 있다. ***Il n'y a pas de roses sans ~s.*** 《격언》 가시 없는 장미는 없다, 낙이 있으면 고생도 있다. ***tirer*** 〔***ôter, enlever***〕 ***à*** qn ***une ~ du pied*** …의 걱정거리를 없애다, …을 곤경에서 벗어나게 해주다. ***trouver une ~ à*** qc …에 싫증나다.

épinette¹ [epinɛt] *f.* ① 〖농업〗 닭장, 닭어리(=mue). ② 〖식물〗 가문비나무(= épicéa).

épinette² *f.* 〖음악〗 스피넷《17-18세기에 보급된 작은 피아노의 일종》.

épineux, euse [epinø, -øːz] *adj.* ① (동식물이) 가시가 있는. ② 곤란한, 까다로운(=difficile) : problème ~ 까다로운 문제.

épingle** [epɛ̃ːgl] *f.* 핀 ; 장식 핀 : ~ à cheveux 머리핀 / ~ à linge 빨래 집게 / ~ de cravate 넥타이핀. ***chercher une ~ dans une botte de foin 불가능한 일을 하려 하다. ***coups*** 〔***piqûres***〕 ***d'~s*** 가시돋힌 말 ; 짓궂은 짓. ***être tiré à quatre ~s*** 《구어》 맵시 부린 몸치장을 하고 있다. ***mettre en ~*** 돋보이게 하다. ***monter*** qc ***en ~*** 무엇을 과장〔과시〕하다. ***pointe d'***(***une***) ***~*** 보잘것없는 일, 사사로운 일. ***tirer son ~ du jeu*** 궁지를 용케 벗어나다. ***Une ~ ne tomberait pas par terre.*** 입추의 여지도 없다. ***virage en ~ à cheveux*** (도로의) U자형 급커브.

épingler [epɛ̃gle] *v.t.* ① 핀으로 꽂다〔고정시키다〕 : ~ un ourlet 옷단을 핀으로 고정시키다. ② 《구어》 체포하다, 적발하다(=pincer) : se faire ~ 붙잡히다.

épinier, ère [epinje, -ɛːʀ] *adj.f.* 척골(脊骨)의. ***moelle ~ère*** 척수(脊髓).

épinoche [epinɔʃ] *f.* 〖어류〗 큰가시고기.

Épiphanie [epifani] *f.* 〖종교〗 주현절(主顯節) 《1 월 6 일》(= fête〔jour〕 des Rois).

épiphénomène [epifenɔmɛn] *m.* ① 〖의학〗 부증상. ② 〖철학〗 부대(附帶) 현상.

épiphyse [epifiːz] *f.* 〖해부〗 골단(骨端) ; 송과선(松科腺).

épiploon [epiplɔɔ̃] *m.* 〖해부〗 대망막(大網膜).

épique [epik] *adj.* ① 서사시(敍事詩)의 ; 서사시적인 : poème ~ 서사시. ② 웅장한 ; 《비꼼》 굉장한, 대단한 : Il y a eu des discussions ~*s*. 굉장한 토론이었다.

épiscopal, e, aux [episkɔpal, -o] *adj.* 〖종교〗 주교의 ; (영국 국교·감리교회) 감독의(≠ presbytérien) : l'Église ~*e* 영국 성공회. ── *n.* 감독 교회원 ; 영국 성공회원.

épiscopat [episkɔpa] *m.* 〖가톨릭〗 주교의 직(職) ; 주교단 ; 주교의 임기.우

***épisode** [epizɔd] *m.* ① 삽화(挿話), 에피소드 : film à ~*s* 옴니버스 영화 / ~ comique dans une histoire tragique 비극적인 이야기에 끼워진 희극적 에피소드. ② 삽화적인 사건, 우연한 일.

***épisodique** [epizɔdik] *adj.* ① 삽화적인(= secondaire) ; 부수적인(= accessoire) ; 중요하지 않은 : rôle ~ 조연(助演). ② 단속적인, 가끔씩의 : de façon ~ 생각나면 한 번씩.

épisodiquement [epizɔdikmɑ̃] *adv.* 삽화적으로, 부수적으로 ; 때때로.

épisser [epise] *v.t.* 〖해양〗 (밧줄의 두 끝을) 꼬아 잇다.

épissure [episyːʀ] *f.* 〖해양〗 (밧줄의 두 끝을) 꼬아 잇기.

épistémè [epistemɛ] *f.* 〖철학〗 (특정한 시대·사회의) 학문적 지식의 총체, 인식 체계.

épistémologie [epistemɔlɔʒi] *f.* 〖철학〗 인식론(認識論) : ~ génétique 발생적 인식론.

épistémologique [epistemɔlɔʒik] *adj.* 〖철학〗 인식론의.

épistémologiste [epistemɔlɔʒist], **épistémologue** [epistemɔlɔg] *n.* 〖철학〗 인식론(연구)자.

épistolaire [epistɔlɛːʀ] *adj.* 편지의, 서한문(書翰文)의 : littérature ~ 서한체 문학.

épistolier, ère [epistɔlje, -ɛːʀ] *n.* 편지 쓰기 좋아하는 사람 ; 서간문 작가.

épitaphe [epitaf] *f.* 묘비명(墓碑銘), 비문(碑文) : graver une ~ 묘비명을 새기다.

épithalame [epitalam] *m.* 축혼가(祝婚歌).

épithélial, e, aux [epiteljal, -o] *adj.* 〖해부〗 상피(上皮)의 : cellule ~*e* 상피 세포.

épithélium [epiteljɔm] *m.* 〖해부〗 거죽, 상피(上皮) ; 〖식물〗 피막(皮膜).

épithète [epitɛt] *f.* ① 〖문법〗 부가 형용사(= adjectif ~) ; 형용어 ; 형용사. ② 별명. ── *adj.* 부가 형용사의.

épitoge [epitɔːʒ] *f.* (법관·변호사·교수의 정복 왼쪽 어깨에 두르는) 견장(肩章).

épître [epitʀ] *f.* ① (고대 사람의) 서간 ; 《구어》 편지(= lettre). ② 서한체의 시. ③ (*É~*) 〖종교〗 사도(使徒) 서한(= *É~* des apôtres).

épizootie [epizɔɔt〔s〕i] *f.* 수역(獸疫), 가축 전염병.

éploré, e [eplɔʀe] *adj.* 눈물에 젖은, 비탄에 빠진 : visage ~ 눈물에 젖은 얼굴.

éployer [eplwaje] [7] *v.t.* 《문어》 (접은 것을) 펼치다(= déployer).

épluchage [eplyʃaːʒ] *m.* ① (과일 따위의) ; 껍질 벗기기. ② 《구어》 세심한 검토〔조사〕.

éplucheé-légume(**s**) [eplyʃlegym] *m.* (양날이 달린) 채소·과일 다듬는 도구.

***éplucher** [eplyʃe] *v.t.* ① (과일·야채 따위의) 껍질을 벗기다 : ~ des pommes de terre 감자 껍질을 벗기다 / ~ des marrons 밤을 까다. ② …에서 불순물〔불필요한 것〕을 제거하다. ③ 《구어》 세밀히 조사하다 ; …의 결점을 캐내다 : ~ un dossier 서류를 면밀히 검토하다.

éplucheur, euse [eplyʃœːʀ, -øːz] *n.* ① 껍질을 벗기는 사람. ② 트집쟁이. ── *m.* 껍질 벗기는 기구 : couteau-~ 껍질 벗기는 칼.

épluchure [eplyʃyːʀ] *f.* (흔히 *pl.*) (야채·고기 따위의) 썰고 남은 부스러기 ; (과일 따위를) 벗긴 껍질.

épode [epɔd] *f.* ① 미해(尾解) 《그리스 시가(詩歌)의 제 3 단 부분》. ② 장단격의 서정시.

épointer [epwɛ̃te] *v.t.* (바늘·연필 따위의) 끝을 무디게 하다〔부러뜨리다〕 : ~ une aiguille 바늘을 무디게 하다.

***éponge** [epɔ̃ːʒ] *f.* ① 〖동물〗 해면(海綿) ; 해면 동물. ② 스펀지 ; (해면으로 만든) 흑판 지우개 : ~ végétale 수세미. ③ 〖직물〗 타월천

(=tissu-~). ***boire comme une ~*** 술을 진탕 마시다. ***jeter l'~*** 〖권투〗 진 표시로 타월을 던지다. ***passer l'~*** 잊어버리다, 용서하다. ***presser l'~*** 옭아내다, 착취하다. ***vouloir sécher la mer avec une ~*** 불가능한 일을 기도하다.

***éponger** [epɔ̃ʒe] 3 *v.t.* ① (해면·걸레로) 닦다, 훔치다; (타월로 몸을) 닦다(=essuyer) : ~ de l'eau avec un torchon 행주로 물을 닦다. ② (초과·부족을) 흡수〔해소〕하다. — **s'~** *v.pr.* 땀을 닦다 : *s'~* le front avec un mouchoir 손수건으로 이마의 땀을 닦다.

éponyme [epɔnim] *adj.* 〖고대그리스〗 (도시 따위의) 이름의 시조(始祖)인, 명조(名祖)의 : Athéna, déesse ~ d'Athènes 아테나이의 이름의 시조〔명조〕인 여신 아테나.

épopée [epɔpe] *f.* ① 서사시(敍事詩). ② 서사적인 영웅적 행위.

époque** [epɔk] *f.* 시기, 시대(=période), 시절, 무렵; 《집합적》 동시대인(=contemporain) : ~ des grandes découvertes 대발견의 시대 / C'était à l'~ où j'étais édudiant. 그것은 내가 학생 시절의 일이다. ***à pareille ~ (다른 해의) 같은 시기 : l'an dernier *à pareille ~* 작년 이맘 때. ***à l'~ de*** …의 시대에. ***faire ~*** 한 시기를 긋다, 획기적이다.

épouillage [epujaːʒ] *m.* 이 잡기.

épouiller [epuje] *v.t.* …의 이를 잡다 : ~ un animal domestique 가축의 이를 잡다.

époumoner (s') [sepumɔne] *v.pr.* 숨차다; 목이 쉬다 : *s'~* à crier 목이 쉬도록 외치다.

épousailles [epuzɑːj] *f. pl.* 《지방어》 혼례.

épouse [epuːz] *f.* 배우자, 아내《époux 의 여성형》. ***les ~s de Jésus-Christ*** 〔***du Seigneur***〕 수녀. 「신부(=mariée).

épousé, e [epuze] *m.* 《드물게》 신랑. — *f.*

***épouser** [epuze] *v.t.* ① …와 결혼하다(≠divorcer) : Son mari l'*a épousée* pour sa beauté 〔pour sa fortune〕. 그녀의 남편은 그녀의 미모 때문에〔재산을 노리고〕 결혼했다. ② (생각·의견 따위에) 찬동하다, …을 지지〔신봉〕하다 : ~ les idées de qn …의 사상에 적극 찬동하다. ③ …에 꼭 들어맞다, …을 그대로 따르다 : robe qui *épouse* les formes du corps 몸에 꼭 맞는 옷. — **s'~** *v.pr.* 결혼하다.

époussetage [epustaːʒ], **époussètement** [epusɛtmɑ̃] *m.* 먼지 털기.

épousseter [epuste] 4·5 *v.t.* …의 먼지를 털다〔닦다〕 : ~ des bibelots 골동품의 먼지를 떨다. — **s'~** *v.pr.* 몸의 먼지를 털다.

époustouflant, e [epustuflɑ̃, -ɑ̃ːt] *adj.* 《구어》 놀라운 : nouvelle *~e* 놀라운 소식.

époustoufler [epustufle] *v.t* 《구어》 깜짝 놀라게 하다(=épater, stupéfier).

***épouvantable** [epuvɑ̃tabl] *adj.* ① 무서운, 가증스러운 : crime ~ 가증스런 범죄. ② 심한, 지독한 : chaleur ~ 지독한 더위.

épouvantablement [epuvɑ̃tabləmɑ̃] *adv.* 끔찍하게; 지독하게 : être ~ torturé 끔찍하게 고문당하다.

épouvantail [epuvɑ̃taj] *m.* ① 허수아비. ② 《구어》 도깨비; 몹시 추한 사람.

épouvante [epuvɑ̃ːt] *f.* ① 급격한 공포 : être saisi d'~ 공포에 사로잡히다 / film 〔roman〕 d'~ 괴기 영화〔소설〕. ② 심한 불안 : voir qc avec ~ …을 보고 불안에 떨다.

épouvanter [epuvɑ̃te] *v.t.* 공포심을 갖게 하다, (소름이 끼치도록) 무섭게〔겁나게〕 하다(=effrayer, terrifier).

***époux, ouse** [epu, -uːz] *n.* ① 배우자, (*pl.*) 부부 : prendre qn pour ~ …와 결혼하다. — *m.* 남편 : votre ~ 《구어》 당신의 주인 양반《보통은 votre mari》. — *f.* 아내 : votre *~ouse* 《구어》 당신의 부인《보통은 votre femme》.

époxy [epɔksi] *adj.* 《불변》 〖화학〗 에폭시기(基)의 : résine ~ 에폭시 수지(樹脂).

éprendre (s') [seprɑ̃ːdʀ] 26 *v.pr.* 《s'~ de》 …에게 반하다; …에 열중〔몰두〕하다 : *s'~ d'*une belle femme 미녀에게 반하다 / *s'~ de* son travail 자신의 일에 몰두하다.

épreuve** [epʀœːv] *f.* ① 시험, 테스트; 〖학교〗 시험; 답안 : ~ d'endurance 내구(耐久) 시험 / ~ écrite 〔orale〕 필기〔구술〕 시험. ② 〖스포츠〗 시합, 경기 : ~ finale 결승전 / ~ éliminatoire 예선 경기. ③ 시련; 고난. ④ 〖인쇄〗 교정쇄; 〖사진〗 원판(=~ négative); 인화, 양화. ***à l'~ de …을 견디어내는 : *à l'~ de* l'eau 〔*des* balles, *du* feu〕 방수〔방탄·방화〕의. ***à toute ~*** 모든 시련〔시험〕을 견디어 내는. ***être à l'~*** 시련을 받고〔겪고〕 있다 : Sa santé *est à l'~*. 그의 건강은 시련을 겪고 있다.

épris, e [epʀi, -iːz] *adj* 《~ de》 ① …에 몰두한, 열중한 : ~ *du* théâtre 연극에 몰입한. ② …에 반한 : Il est très ~ *de* cette femme. 그는 이 여자에게 몹시 반했다.

EPROM 《영》 《약자》 Erasable Programmable Read Only Memory 〖컴퓨터〗 이피롬 《소거 가능·프로그램 가능 판독 전용 기억 장치》.

éprouvant, e [epʀuvɑ̃, -ɑ̃ːt] *adj.* 견디기 어려운, 고통스러운.

éprouvé, e [epʀuve] *adj.* ① 확실한; 믿을 만한; (약 따위가) 시험필의 : technique *~e* 검증된 기술. ② 시련〔불행〕을 겪은.

⁑**éprouver** [epʀuve] *v.t.* ① 《~ qc 〔qn〕》 시험해 보다 : ~ la fidélité d'un ami 친구의 우정을 떠보다 / Dieu l'*a éprouvé*. 신은 그를 시험에 들게 했다. ② 체험하다; (감정을) 느끼다(=ressentir) : ~ de la joie 〔fatigue〕 기쁨을〔피로를〕 느끼다. ③ 《~ qn》 고통〔시련〕을 겪게 하다 : La guerre *a* durement *éprouvé* ce pays. 전쟁은 이 나라에 극심한 손해를 입혔다.

éprouvette [epʀuvɛt] *f.* 〖화학〗 시험관(管); 시험기(器).

épucer [epyse] 2 *v.t.* …의 벼룩을 잡다. — **s'~** *v.pr.* 제 몸의 벼룩을 잡다.

épuisant, e [epɥizɑ̃, -ɑ̃ːt] *adj.* 지치게 하는, 힘을 소모시키는, 벅찬(=éreintant, fatigant) : travail ~ 힘든 일 / effort ~ 엄청난 노력.

épuisé, e [epɥize] *adj.* ① 고갈된, 다 써 버린 : mine *~e* 폐광. ② 지친, 기진맥진한(=brisé, éreinté) : ~ de fatigue 피로하여 기진맥진한. ***édition ~e*** 절판(絕版).

épuisement [epɥizmɑ̃] *m.* ① 고갈, 품절 : ~ des ressources minérales 광물 자원의 고갈 / ~ du stock 재고품의 품절. ② 피로;

E

기진맥진 : tomber d'~ 지쳐 쓰러지다.
***épuiser** [epɥize] *v.t.* ① 고갈시키다 : ~ un étang 연못의 물을 다 퍼내다. ② 다 써 버리다, 다 소모[소비]하다 : ~ les vivres 양식이 다 떨어지게 하다 / ~ un stock 재고품을 다 팔아 버리다. ③ (문제를) 남김없이[철저하게] 규명하다. ④ 《~ qn》 쇠약하게 하다(= affaiblir) ; 피로하게[기진맥진하게] 하다(= exténuer) : Cette maladie l'*épuise*. 이 병으로 그는 기진맥진하게 된다. — **s'~** *v.pr.* ① (우물 따위가) 말라 버리다 ; 품절되다. ② 정력이 다하다, 기진맥진하다 : s'~ en efforts inutiles 헛된 노력에 정력을 다 소모하다.
épuisette [epɥizɛt] *f.* ① 〖어업〗 사내끼 ; 구망(球網). ② 〖해양〗 (배의) 물푸개.
épurateur [epyʀatœːʀ] *m.* 청정기(淸淨器) ; 정화 장치 : ~ d'eau 정수기.
épuration [epyʀasjɔ̃] *f.* ① 정화(淨化), 정제, 제련 : ~ des eaux usées [d'égout] 하수의 정화. ② 《비유》 순화 ; 세련 : ~ de la langue 언어의 순화. ③ 추방, 숙청.
épure [epyːʀ] *f.* ① 공작도(工作圖) ; 〖건축〗 설계도, 시공도. ② (소설의) 큰 틀[줄거리].
épurer [epyʀe] *v.t.* ① 정화(淨化)[순화(純化)]하다 : ~ une langue 국어를 순화하다. ② 정제[정련(精鍊)]하다. ③ 불순분자를 제거[축출·추방]하다 : ~ une assemblée 집회에서 불순분자를 축출하다. 「sérénité).
équanimité [ekwanimite] *f.* 평온 ; 침착(=
équarrir [ekaʀiːʀ] *v.t.* ① 네모지게 하다[자르다, 깎다] : ~ une poutre 대들보를 네모나게 하다. ② (가축을) 도살하여 각을 뜨다.
équarrissage [ekaʀisaːʒ], **équarrissement** [ekaʀismɑ̃] *m.* 네모지게 자르기 ; 각재(角材)(=bois d'~) ; 도살하여 각을 뜨기.
équarrisseur [ekaʀisœːʀ] *m.* 각뜨기 전문 백정 ; 각목공(角木工).
Équateur [ekwatœːʀ] *n.pr.m.* (l'~) 에콰도르 공화국(=la République de l'~).
équateur [ekwatœːʀ] *m.* 적도, 적도 지대.
équation [ekwɑsjɔ̃] *f.* ① 〖수학〗 방정식 : ~ du premier [deuxième] degré, 1차[2차] 방정식. ② 〖천문〗 ~ annuelle 연차(年差) / ~ du temps 시차(時差). ③ 〖심리〗 ~ personnelle 개인차.
équatorial, e, aux [ekwatɔʀjal, -o] *adj.* 적도의 ; 적도 지방의 : zone ~*e* 적도 지방. — *m.* 〖천문〗 적도의(赤道儀).
équatorien, enne [ekwatɔʀjɛ̃, -ɛn] *adj.* 에콰도르(*l'Équateur*)의. — **E~** *n.* 에콰도르 사람.
équerre [ekɛːʀ] *f.* T [L] 자 모양의 자 (尺), 직각자 : fausse ~ 각도자 / ~ en T 티자. ***d'~*** 직각의, 직각으로. ***en* [*à la*] *~*** 직각으로.
équestre [ekɛstʀ] *adj.* 승마의, 기마의, 마술(馬術)의 : statue ~ 기마상(像).
équeuter [ekø(œ)te] *v.t.* …의 줄기[꼭지]를 떼어내다.
équi- *préf.* 「동등한(= egal)」의 뜻.
équidés [ekɥide] *m. pl.* 〖동물〗 말과(科).
équidistance [ekɥidistɑ̃ːs] *f.* 〖기하〗 등거리(等距離).
équidistant, e [ekɥidistɑ̃, -ɑ̃ːt] *adj.* 〖기하〗 등거리의.
équilatéral, e, aux [ekɥilateʀal, -o] *adj.* 〖기하〗 등변(等邊)의 : triangle ~ 정삼각형.
équilibrage [ekilibʀaːʒ] *m.* 균형, 평형 : masse d'~ 평형추(錘) ; 평형력.
équilibration [ekilibʀasjɔ̃] *f.* 균형잡기 ; 균형 잡힌 상태.
équilibre** [ekilibʀ] *m.* ① 균형, 평형(≠ déséquilibre) ; 안정 : ~ des forces 여러 힘들의 균형 / établir [rétablir] l'~ entre les recettes et les dépenses 수지(收支) 균형을 맞추다. ② (건축·그림 따위의) 균제, 조화 : ~ des masses architecturales 육중한 건축물들의 조화된 배치[구성]. ③ 정신적 균형, 안정 : perdre [retrouver] son ~ 안정을 잃다[되찾다]. ***en ~ 균형이 잡힌(상태의). ***faire ~ à*** qc …와 균형을 이루다.
équilibré, e** [ekilibʀe] *adj.* 균형이 잡힌. ***mal ~ 균형을 잃은.
équilibrer [ekilibʀe] *v.t.* 균형 잡히게[균형을 이루게] 하다, 평형되게 하다 : ~ un poids par un contrepoids 분동으로 무게의 균형을 조정하다 / ~ le budget 예산의 균형을 맞추다. — **s'~** *v.pr.* 균형이 잡히다 ; (서로) 균형을 이루다.
équilibreur, euse [ekilibʀœːʀ, -øːz] *m.* 〖항공〗 비행 안정 장치.
équilibriste [ekilibʀist] *n.* 곡예사.
équille [ekij] *f.* 〖어류〗 양미리.
équinoxe [ekinɔks] *m.* 〖천문〗 춘분, 추분 : vent d'~ 춘분[추분] 무렵의 거센 바람. ***~ de printemps* [*d'automne*]** 춘분[추분](점).
équinoxial, e, aux [ekinɔksjal, -o] *adj.* 주야 평분의, 춘분[추분]의 : ligne ~*e* 주야 평분선 적도 / points ~*aux* 춘분[추분]점.
***équipage** [ekipaːʒ] *m.* ① 《집합적》 (선박·비행기의) 선원, 승무원 : homme d'~ (상선의) 승무원 / ~ d'une navette spatiale 우주선 탑승원. ② 〖기계〗 기계 장치 ; 장비 ; 공구 세트 : ~ de construction 건설 기재 / ~ radiologique 엑스선 장치 ③ 〖군사〗 군수품 : train des ~*s* 병참(兵站) 부대. ④ 《옛》 (왕족의) 일행《마차·말·수행원 따위》.
équipe** [ekip] *f.* ① (작업) 반(班) ; 한 조(組) ; 한 패 : chef d'~ 반장, 조장 / ~ de nuit 야근반. ② (운동 경기의) 팀 : l'~ de France 프랑스 대표팀 / esprit d'~ 단결심, 팀워크. ***faire ~ avec …와 한 조(組)가 되다. ***travail d'~*** 공동 작업.
équipé, e[1] [ekipe] *adj.* ① 의장(艤裝)된. ② 장비를 갖춘 : hôpital ~ de façon moderne 현대식 설비를 갖춘 병원.
équipée[2] [ekipe] *f.* 무모한 행동, 경거망동 (= frasque).
équipement [ekipmɑ̃] *m.* ① 장비, 용구, 비품 : ~ de pêche 낚시 장비 / ~ de ski 스키 용구. ② 설비, 시설 : ~ d'une usine 공장의 설비 / ~ hôtelier d'une station 행락지의 숙박 시설. ③ 〖군사〗(군대의) 장비 ; 〖항공〗 비행기의 비품.
équiper [ekipe] *v.t.* ① (배를) 의장(艤裝)하다(= gréer) : ~ un navire 배를 의장하다. ② 필요한 장비[설비]를 갖추게 하다 : ~ une armée 군대를 장비하다 / ~ électriquement une machine à coudre 재봉틀에 전기 장치를 하다 / ~ une cuisine 부엌

에 필요 설비를 갖추다. — **s'~** *v.pr.* ① 설비〔장비〕를 갖추다. ② 《~ de 〔en〕》 …을 갖추다 : *s'~ en* électroménager 가전제품을 갖추다.

équipier, ère [ekipje, -ɛːʀ] *n.* ① 작업반원, 대원. ② (운동 경기의) 팀의 일원.

***équitable** [ekitabl] *adj.* 공정한, 공평한 : sentence ~ 공정한 판결 / partage ~ 공평한 분배. 「평〕하게.

équitablement [ekitabləmɑ̃] *adv.* 공정〔공

***équitation** [ek(ɥ)itɑsjɔ̃] *f.* 승마, 마술(馬術) : école d'~ 승마 학교

équité [ekite] *f.* 공정(= impartialité), 공평 ; 〖법률〗 형평(衡平) : ~ d'un partage 배분의 공평성 / juger avec ~ 공정히 판단하다.

équivalence [ekivalɑ̃ːs] *f.* ① 등가(等價) ; 대등(對等). ② 〖수학〗 동치(同値).

***équivalent, e** [ekivalɑ̃, -ɑ̃ːt] *adj.* 동등한, 대등한, 등가(等價)의 ; 〖수학〗 동치의 : deux expressions *~es* 뜻이 같은 두 표현 / figures *~es* 〖수학〗 같은 면적의 도형. — *m.* 가치가 동등한 것 ; 동의어 : Ce livre est pour lui l'~ de la Bible. 이 책은 그에게는 성경과 마찬가지이다.

***équivaloir** [ekivalwaːʀ] 64 *v.t.ind.* 《~ à》 …와 대등하다(= égaler), …와 가치가 같다.

équivoque** [ekivɔk] *adj.* ① 애매한, 두〔여러〕 가지 뜻으로 해석되는 : user d'~ 애매하게 말하다 / signe ~ 〖의학〗 여러 병으로 해석되는 징후. ② 수상한, 모호한 : Il a des fréquentations *~s.* 그는 수상한 사람들과 사귀고 있다. — *f.* 애매(曖昧), 모호 ; 오해. ***prêter à l'~ 오해받을 우려가 있다. ***sans ~*** 명확한, 명확하게.

-er, -ère *suff.* 「…에 종사하는 ; …을 만들어 내는 ; …의 성질을 지닌」의 뜻.

érable [eʀabl] *m.* 〖식물〗 단풍나무 : ~ à sucre 사탕 단풍나무.

éradication [eʀadikɑsjɔ̃] *f.* ① 뿌리째〔송두리째〕 뽑기, 근절. ② 〖외과〗 적출(摘出).

éradiquer [eʀadike] *v.t.* ① 〖외과〗 (환부 따위를) 적출하다. ② (문제점을) 근절하다.

érafler [eʀɑfle] *v.t.* ① (피부에) 상처를 내다, 찰과상을 입히다(= écorcher). ② (가구·차 따위에) 긁힌 자국을 내다.

éraflure [eʀɑflyːʀ] *f.* 찰과상 ; 긁힌 자국.

éraillement [eʀɑjmɑ̃] *m.* ① (옷감·밧줄 따위의) 해어짐. ② (목소리의) 쉼. ③ (피부·벽면의) 생채기.

érailler [eʀɑje] *v.t.* ① (옷감 따위를) 해어뜨리다. ② (피부·벽면 따위에) 생채기를〔긁힌 자국을〕 내다(= érafler). ③ (목소리를) 쉬게 하다.

éraillure [eʀɑjyːʀ] *f.* (옷 따위의) 해진 곳 ; (표면의) 긁힌 자국〔상처〕(= éraflure).

ère [ɛːʀ] *f.* ① 기원 ; 서기(西紀), 연호 : l'~ chrétienne ; notre ~ 서기. ② 시대, 시기 : ~ industrielle 산업 시대. ③ 〖지질〗 대(代), 기(紀) : ~ primaire 〔paléozoïque〕 고생대.

érectile [eʀɛktil] *adj.* 〖생리〗 발기성(性)의.

érection [eʀɛksjɔ̃] *f.* ① 건립, 설립 ; 설치, 개설. ② 〖생리〗 발기(勃起) : difficulté d'~ 발기부전.

éreintage [eʀɛ̃taːʒ] *m.* 혹평.

éreintant, e [eʀɛ̃tɑ̃, -ɑ̃ːt] *adj.* (일 따위가) 몹시 피로하게 하는.

***éreinté, e** [eʀɛ̃te] *adj.* 기진맥진한.

éreintement [eʀɛ̃tmɑ̃] *m.* ① 기진맥진(하게 하기). ② 비방, 혹평.

éreinter [eʀɛ̃te] *v.t.* ① 《구어》 몹시 피곤하게〔기진맥진하게〕 하다. ② (작품 따위를) 혹평하다. — **s'~** *v.pr.* 기진맥진하다.

éreinteur, euse [eʀɛ̃tœːʀ, -øːz] 《구어》 *m.* 혹평가. — *adj.* 혹평하는. 「수령자.

érémiste [eʀemist] *n.* 극빈자 보호금(R.M.I.)

érémitique [eʀemitik] *adj.* 은둔의 ; 은자(隱者)의 : mener une vie ~ 은둔 생활을 하다.

-érèse *suff.* 「분리·제거」의 뜻.

éréthisme [eʀetism] *m.* ① 〖의학〗 과민증 ; 항진(亢進) : ~ cardiaque 심계(心悸) 항진. ② (감정 따위의) 격발, 흥분.

erg¹ [ɛʀg] *m.* (*pl.* ***areg*** [aʀɛg], ***~s***) (사하라 사막의) 사구(砂丘).

erg² *m.* 〖물리〗 에르그《일의 단위》.

-ergie *suff.* 「작용·힘」의 뜻.

ergonome [ɛʀgɔnɔm], **ergonomiste** [ɛʀgɔnɔmist] *n.* 인간 공학(연구)자.

ergonomie [ɛʀgɔnɔmi] *f.* 인간 공학.

ergonomique [ɛʀgɔnɔmik] *adj.* 인간 공학의, 인체에 딱 맞는 : sièges ~s 인간 공학적으로 만들어진 의자.

ergot [ɛʀgo] *m.* (닭 따위의) 며느리발톱, (개 따위의) 뒷 발톱. ***se dresser*** 〔***se hausser, se lever, monter***〕 ***sur ses ~s*** 《구어》 위협적〔공격적〕인 태도를 취하다. 「변.

ergotage [ɛʀgɔtaːʒ] *m.* 트집잡는 버릇 ; 궤

ergoter [ɛʀgɔte] *v.i.* ① 트집을 잡다(= chicaner). ② 궤변을 늘어놓다(= ratiociner).

ergoteur, euse [ɛʀgɔtœːʀ, -øːz] *adj.* ① 트집잡는. ② 궤변을 늘어놓는. — *n.* 궤변가.

ergothérapie [ɛʀgɔteʀapi] *f.* 〖의학〗 (사회복귀를 위한) 작업 요법. 「독.

ergotisme [ɛʀgɔtism] *m.* 〖의학〗 맥각 중

ériger [eʀiʒe] 3 *v.t.* ① 세우다, 건립하다. 설립하다 : ~ une société 회사를 설립하다. ② 《~ en》 …으로 승격시키다, …으로 삼다 : ~ qc *en* principe …을 원리로 삼다. — **s'~** *v.pr.* ① 《s'~ en》 …으로 자처〔자임(自任)〕하다. ② 세워지다.

ermitage [ɛʀmitaːʒ] *m.* ① 은자(隱者)의 암자. ② 외딴집 ; 쓸쓸한 곳.

ermite [ɛʀmit] *m.* 은자, 은둔자, 도사 : vivre en ~ 은둔 생활을 하다.

éroder [eʀɔde] *v.t.* 〖지질〗 침식하다 ; 〖화학〗 (금속 따위를) 부식하다.

érogène [eʀɔʒɛn] *adj.* 연정을 일으키는 ; 성욕을 자극하는 : zone ~ 성감대. 「능.

éros [eʀos] *m.* 〖정신분석〗 에로스, 생의 본

Érôs, Éros [eʀos] *n.pr.m.* 〖그리스신화〗 에로스, 사랑의 신《로마 신화의 큐피드》.

érosif, ive [eʀozif, -iːv] *adj.* 침식성〔부식성〕의 : action *~ive* 침식 작용.

érosion [eʀozjɔ̃] *f.* ① 〖지질〗 침식(작용) : des sols 토양 침식. ② 〖화학〗 부식.

érotico- *préf.* 「에로틱한」의 뜻.

érotique [eʀɔtik] *adj.* ① 에로틱한, 음탕한, 호색적인 : pose ~ 선정적인 포즈. ② 연애의 : poésie ~ 연애시.

érotiquement [eʀɔtikmɑ̃] *adj.* 색정적〔관능적〕으로, 에로틱하게.

érotiser [eʀɔtize] *v.t.* 관능적〔육감적〕으로 하다, 에로틱하게 하다.

érotisme [eʀɔtism] *m.* 색정, 정욕 ; 에로티시즘, 관능적 경향 : ~ d'un roman 소설의 에로티시즘.

érotomane [eʀɔtɔman], **érotomaniaque** [eʀɔtɔmanjak] *adj.* 색정광의, 색마의. — *n.* 색정광, 색마.

érotomanie [eʀɔtɔmani] *f.* ① 색정광 ; 호색증 ; 성욕 이상. ② 〖정신의학〗 연애망상.

errance [ɛʀɑ̃:s] *f.* 《문어》 편력 ; 방황.

errant, e [ɛʀɑ̃, -ɑ̃:t] *adj.* ① 방황하는, 방랑〔유랑〕하는(≠ sédentaire) ; 편력하는 : vie ~*e* 방랑 생활 / nuages ~*s* 뜬구름. ② (시선이) 멍하니 사방을 둘러보는 ; (공상 따위가) 종잡을 수 없는 : regard ~ 고정되지 않은 시선.

errata [ɛʀata] 〔라틴〕 *m.* 《복수불변》 (출판물의) 정오표(正誤表).

erratique [ɛʀatik] *adj.* ① 고정되지 않은 : planète ~ 〖천문〗 혜성(= comète). ② 〖의학〗 간헐성(間歇性)의 : fièvres ~*s* 간헐열. ③ 〖지질〗 bloc ~ 표석(漂石). ④ (사람이) 변덕스런(= inconstant) ; 침착하지 못한.

erratum [ɛʀatɔm] 〔라틴〕 *m.* (*pl.* ***errata*** 〔ɛʀata〕) 〖인쇄〗 오자(誤字) ; 오식(誤植).

erre [ɛ:ʀ] *f.* 〖해양〗 (속력을 내고 난 뒤에 배가 저절로 나아가는) 진항(進航) 속도.

errements [ɛʀmɑ̃] *m. pl.* 상습, 상투 수단 ; (늘 하는) 그릇된 버릇 : vieux ~ 인습.

***errer** [ɛʀe] *v.i.* ① 방황하다, 방랑〔유랑〕하다 : mendiant qui *erre* dans les chemins 길거리를 떠돌아다니는 거지. ② (구름 따위가) 떠돌다 ; (미소가) 감돌다 : sourire qui *erre* sur ses lèvres 그의 입가에 감도는 미소.

erreur** [ɛʀœ:ʀ] *f.* ① 잘못, 실수, 과오 ; 틀림, 착오 : trouver une ~ dans un texte 교재 속에서 틀린 것을 발견하다 / ~ de calcul 계산 착오 / ~ des sens 착각. ② 잘못된 생각, 오류 ; 유설(謬說) ; 〖심리〗 착각 : ~ courante 〔populaire〕 세상에 널리 퍼진 잘못된 생각. ③ (*pl.*) 단정하지 못한 품행〔행실〕, 탈선, 방탕. ***C'est une ~ de+*inf.* …하는 것은 잘못이다. ***E~ n'est pas compte.*** 과오는 고의로 저지르는 것이 아니다. ***faire ~*** 착각하다, 틀리다. ***par ~*** 실수〔잘못〕하여. ***sauf ~*** 잘못이 아니라면.

***erroné, e** [ɛʀɔne] *adj.* 틀린, 잘못된(= faux ; ≠ exact) : citation ~*e* 잘못된 인용.

erronément [ɛʀɔnemɑ̃] *adv.* 잘못하여.

ersatz [ɛʀzats] 〔독일〕 *m.* 대용품, 대용 식료품(= succédané) : ~ de savon 비누 대용품.

éructation [eʀyktɑsjɔ̃] *f.* 트림.

éructer [eʀykte] *v.i.* 트림을 하다. — *v.t.* 《문어》 (말을) 내뱉다, 욕설을 퍼붓다.

érudit, e [eʀydi, -it] *adj.* 박식한(= savant) ; (연구 따위가) 전문적인 : être très ~ en... …에 대단히 박식하다. — *n.* 석학(碩學) ; 전문가(= spécialiste).

érudition [eʀydisjɔ̃] *f.* ① 박학, 박식. ② 고증학적(考證學的) 연구〔지식〕.

éruptif, ive [eʀyptif, -i:v] *adj.* ① 분화(噴火)에 의한, 분출의 : roche ~*ive* 용암. ② 〖의학〗 발진성의 : fièvre ~*ive* 발진열.

éruption [eʀypsjɔ̃] *f.* ① (용암의) 분출 ; (화산의) 분화(噴火) : volcan en ~ 활화산, 분화 중인 화산. ② 〖의학〗 발진. ③ (감정의) 분출 ; 폭발 : ~ de colère 분노의 폭발.

érythème [eʀitɛm] *m.* 〖의학〗 홍진(紅疹), 홍반(紅斑).

érythr(o)- *préf.* 「적(赤)」의 뜻.

es [ɛ] être의 직설 · 현재 · 2 · 단수.

ès [ɛs] *prép.* 《en les 의 단축형》 …에 있어서 : licencié *ès* lettres 문학사 / docteur *ès* sciences 이학 박사《단수의 경우에는 en : docteur *en* droit 법학 박사》.

ESB [øɛsbe] *f.* 《약자》 encéphalopathie spongiforme bovine 우해면상(牛海綿狀) 뇌질환, 광우병(= BSE).

esbigner (s') [sɛsbiɲe] *v.pr.* 《구어》 도망치다, 도주하다.

esbrouf(f)e [ɛsbʀuf] *f.* 《구어》 허세, 허풍, 호언장담 : faire de l'~ 허세를 부리다 / faire qc à l'~ 뻔뻔스럽게 …하다.

esbrouf(f)er [ɛsbʀufe] *v.t.* 《구어》 허풍떨다, 허세를 부리다, 공갈치다(= bluffer).

esbrouf(f)eur, euse [ɛsbʀufœ:ʀ, -ø:z] 《구어》 *adj.* et *n.* 허세를 부리는 (사람), 허풍떠는 (사람).

esc. 《약자》 ① escompte 〖상업〗 할인. ② escadron 〖군사〗 기병(중)대.

É.S.C. 《약자》 École supérieure de commerce 고등 상업 학교.

esca. 《약자》 escadrille 〖해군〗 작은 함대, 「정대(艇隊).

escabeau [ɛskabo] *m.* (*pl.* ***~x***) ① (팔걸이 · 등받이가 없는) 나무 걸상. ② (사다리) 발판.

escadre [ɛska(ɑ:)dʀ] *f.* 〖해군〗 함대 ; 〖공군〗 연대 : chef d'~ 함대 사령관.

escadrille [ɛska(ɑ)dʀij] *f.* 〖해군〗 소함대 ; 〖공군〗 전투 비행 소대.

escadron [ɛska(ɑ)dʀɔ̃] *m.* 기병대 ; 기병중대 ; 기갑〔병참 · 헌병〕 중대 ; 공군 대대.

***escalade** [ɛskalad] *f.* ① 〖법률〗 가택 침입 : vol à l'~ 〖법률〗 가택 침입 절도. ② 기어오르기 ; 등반, 등정 : faire l'~ sur un arbre 나무 위로 기어 올라가다. ③ 에스컬레이션, (분쟁 따위의) 단계적 확대 ; (가격 따위의) 급등 : ~ des prix 물가의 급등.

escalader [ɛskalade] *v.t.* ① (담 따위를) 기어오르다 ; 등반하다 : ~ une montagne 산을 등반하다. ② 침입하다, 쳐들어가다.

escalator [ɛskalatɔ:ʀ] 〔영〕 *m.* 에스컬레이터(= escalier mécanique).

***escale** [ɛskal] *f.* ① 〖해양〗 기항지(寄港地) ; 〖항공〗 (도중) 착륙지 : faire ~ 기항하다 / port d'~ 기항지 / vol sans ~ 무착륙 비행. ② 기항〔착륙〕 시간.

escalier** [ɛskalje] *m.* 계단, 층계, 층층대 : ~ hors d'œuvre 밖에 붙인 계단 / ~ roulant 〔mécanique〕 에스컬레이터 / monter 〔descendre〕 l'~ 계단을 올라〔내려〕가다. ***avoir l'esprit de l'~ 《구어》 일이 끝나고 나서 했어야 할 일〔말〕이 생각나다.

escalope [ɛskalɔp] *f.* 〖요리〗 에스칼로프 《육류 · 생선 따위의 얇게 썬 고깃점》.

escamotable [ɛskamɔtabl] *adj.* 감출〔접을, 접어넣을〕 수 있는 : meuble ~ 접어넣을 수 있는 가구. ***train (d'atterrissage) ~*** 〖항공〗 (접어넣게 된) 비행기 착륙 장치.

escamotage [ɛskamɔta:ʒ] *m.* ① 속임수, 은폐. ② 소매치기 ; 사취. ③ (곤란한 일의) 회피, 얼버무림.

escamoter [ɛskamɔte] *v.t.* ① 요술부려〔속여서〕 감추다〔없애다〕. ② 슬쩍 훔치다, 낚아채다(= dérober), 소매치기하다 : ~ à un touriste son portefeuille 여행자에게서 지갑을 슬쩍하다. ③ (기계의 돌출부를) 접어넣다 : ~ le train d'atterrissage 비행기의 착륙 장치를 접어넣다. ④ (곤란한 일을) 회피하다, 얼버무리다 : ~ les difficultés d'un problème 문제의 어려운 부분을 적당히 얼버무리다.

escamoteur, euse [ɛskamɔtœ:ʀ, -ø:z] *n.* 요술쟁이 ; 소매치기.

escampette [ɛskɑ̃pɛt] *f.* 《옛》 도망(= fuite) 《다음 숙어로만 쓰임》. ***prendre* (*de*) *la poudre d'~*** 《구어》 도망치다.

escapade [ɛskapad] *f.* (할 일을 두고) 몰래 빠져나가기(= fugue) : faire une ~ 몰래 빠져나가 놀다.

escarbille [ɛskaʀbij] *f.* 〖해양 · 철도〗 (석탄의) 타고 남은 부스러기, 탄각(炭殼).

escarboucle [ɛskaʀbukl] *f.* 석류석(柘榴石)의 일종. ***yeux d'~*** 보석같이 빛나는 눈.

escarcelle [ɛskaʀsɛl] *f.* 《옛》 (중세기에 허리에 차던) 돈주머니 ; 《익살》 지갑.

escargot [ɛskaʀgo] *m.* ① 〖동물〗 달팽이. ② 나선 계단(= escalier en ~).

escargotière [ɛskaʀgɔtjɛ:ʀ] *f.* ① 식용 달팽이 양식장. ② 달팽이 굽는 접시.

escarmouche [ɛskaʀmuʃ] *f.* ① 가벼운 논전. ② 소규모의 교전.

escarpe [ɛskaʀp] *f.* 〖축성〗 성벽 외호(外濠)의 내안(內岸).

escarpement [ɛskaʀpəmɑ̃] *m.* 급경사, 가파른 비탈, 절벽, 낭떠러지.

escarpin [ɛskaʀpɛ̃] *m.* ① (여자의) 실내화. ② 무도화(舞蹈靴). ***jouer de l'~*** 도망치다.

escarpolette [ɛskaʀpɔlɛt] *f.* 《옛》 그네(= balançoire) : pousser l'~ 그네를 밀다.

escarre [ɛska:ʀ] *f.* 〖의학〗 딱지, 부스럼.

-escent *suff.* 형용사 어미로서 「경과 · 변화 · 상태」의 뜻.

eschatologie [ɛskatɔlɔʒi] *f.* 〖신학〗 종말론, 말세론.

esche [ɛʃ] *f.* 〖어업〗 미끼, 낚싯밥(= aiche, èche) : mordre l'~ 미끼를 물다.

escient [e〔ɛ〕sjɑ̃] *m.* 《옛》 의식(意識)《다음 숙어로만 쓰임》. ***à bon*** 〔***son***〕 ***~*** 잘 알면서, 고의로. ***à mauvais ~*** 잘못 알고(= à tort) ; 분별없이.

esclaffer (s') [sɛsklafe] *v.pr.* 가가대소하다, 웃음을 터뜨리다(= pouffer).

esclandre [ɛsklɑ̃:dʀ] *m.* 추문(醜聞) ; 소동 ; 소란 : faire de l'~ 소란을 피우다.

esclavage [ɛsklava:ʒ] *m.* ① 노예 상태, 노예의 신분 ; 노예 제도 : réduire qn en ~ …을 노예로 만들다. ② 속박(= oppression ; ≠ liberté), 예속(= sujétion ; ≠ domination).

esclavagiste [ɛsklavaʒist] *m.* 노예 제도 주장자. ***les États ~s*** 미국 남북전쟁 때 노예 제도를 주장한 남부 제주(諸州).

esclave [ɛskla〔ɑ〕:v] *n.* 노예 ; 《비유》 노예 같은 인간 ; 포로 : ~ affranchi 해방된 노예 / trafic des ~*s* 노예 매매 / se faire en ~ à qc …의 포로가 되다. ***être ~ de*** qc …에 매어 지내다, …에 사로잡히다 : *être ~ de* l'argent 〔de la mode〕 금전〔유행〕에 사로잡히다. ── *adj.* 노예의, 노예 같은 ; 《~ de qc 〔qn〕》 …에 속박〔예속〕된 : âme ~ 노예적 정신 / nègre ~ 흑인 노예 / être ~ *de* l'alcool 술의 노예가 되다.

escogriffe [ɛskɔgʀif] *m.* 키다리 ; 몸집이 큰 남자.

escomptable [ɛskɔ̃tabl] *adj.* 〖재정〗 할인할 수 있는.

escompte [ɛskɔ̃:t] *m.* ① 〖재정〗 (어음의) 할인 : banque d'~ 할인 은행. ② 〖상업〗 (선불 또는 현찰 지불에 대한) 할인. ***~ au comptant*** 현금 할인. ***faire l'~*** 어음을 할인하다. ***taux d'~*** 〔***de l'~***〕 할인율.

escompter [ɛskɔ̃te] *v.t.* ① 〖재정〗 (어음을) 할인하다. ② 예기하다, 기대하다(= prévoir, espérer). ③ 미리 즐기다〔낭비하다〕 : ~ un héritage 유산을 기대하고 돈을 낭비하다. ④ 앞당겨 써 버리다 : ~ sa jeunesse 젊을 때 정력을 너무 많이 쓰다.

escompteur [ɛskɔ̃tœ:ʀ] *m.* 할인인(人) ; 어음 할인 중매인.

escorte [ɛskɔʀt] *f.* ① 호위〔호송〕대, 호위함(艦). ② 호송, 호위 ; 수행. ***bâtiment*** 〔***vaisseau***〕 ***d'~*** 호송함. ***faire ~*** 〔***servir d'~***〕 ***à*** qn …을 호위〔호송〕하다.

escorter [ɛskɔʀte] *v.t.* ① 호위하다, 호송하다, 경호하다 : ~ un prisonnier 죄수를 호송하다. ② 수행하다, 뒤따르다(= suivre).

escorteur [ɛskɔʀtœ:ʀ] *m.* 〖해양〗 호송함.

escouade [ɛskwad] *f.* ① 〖군사〗 분대(分隊). ② (노동자 등의) 반 ; 조.

escrime [ɛskʀim] *f.* 검술, 펜싱 : ~ à la baïonnette 총검술 / maître 〔moniteur〕 d'~ 검술 사범 / faire de l'~ 검술〔펜싱〕을 하다.

escrimer (s') [sɛskʀime] *v.pr.* ① 《s'~ contre qn》 …와 싸우다. ② 《s'~ sur qc 〔à + *inf.*〕》 갖은 애를 쓰다, …하기에 진력하다 : s'~ *sur* son devoir 열심히 숙제를 하다 / s'~ *à* faire des vers 시구를 만들려고 애쓰다. ***s'~ des pieds et des mains*** 손발을 써서〔필사적으로〕 싸우다 ; 힘껏 노력하다.

escrimeur, euse [ɛskʀimœ:ʀ, -ø:z] *m.* 검객(劍客) ; 펜싱하는 사람.

escroc [ɛskʀo] *m.* 사기꾼(= aigrefin).

escroquer [ɛskʀɔke] *v.t.* 《~ qc à qn》 …에게서 …을 사취(詐取)하다, 속여서 빼앗다 ; 《~ qn》 사기하다, 속여먹다 : ~ de l'argent *à* qn …에게서 돈을 빼앗다 / ~ une signature *à* qn …을 속여서 서명하게 하다.

escroquerie [ɛskʀɔkʀi] *f.* 〖법률〗 사기, 사취 : ~ intellectuelle 지능적인 사기.

esc^{te} 《약자》 escompte 〖상업〗 할인.

E.-S.-E. 《약자》 Est-Sud-Est 동남동.

esgourde [ɛsguʀd] *f.* 《은어》 귀.

eskimo [ɛskimo] *m.* = esquimau.

Ésope [ezɔp] *n.pr.m.* 〖그리스〗 아이소포스, 이솝《우화 작가》.

ésotérique [ezɔteʀik] *adj.* ① 〖철학〗 비교(秘敎)의 ; 비의(秘義)적인(≠ exotérique). ② 어려운, 난해한 : poésie ~ 난해한 시.

ésotérisme [ezɔteʀism] *m.* ① 〖철학〗 비교(秘敎) ; 비의(秘義). ② 난해성, 불가사의.

espace** [ɛspa(ɑː)s] *m.* ① 공간 : art de l'~ 공간 예술 / occuper un grand ~ 넓은 공간을 차지하다. ② 우주 (공간)(= ~ cosmique) : lancer une fusée dans l'~ 우주 공간으로 로켓을 발사하다 / homme de l'~ 우주인 / exploration de l'~ 우주 탐험. ③ 장소, 자리 ; 지대, 지역 : ~*s* verts (도시의) 녹지대. ④ (공간·시간적인) 간격, 사이 ; 기간, 여지 ; 행간(行間) : laisser de l'~ 여백을 남기다 / dans l'~ d'un an, 1 년 이내에. ***dévorer l'~ (말 따위가) 질주하다. ***~s imaginaires*** 상상의 공간, 공상의 세계. ***~ vital*** 생활 공간. ***perdu dans l'~*** 허공에 사라지는 ; 공상에 잠긴. ── *f.* 〖인쇄〗 스페이스.

E

espacé, e [ɛspa(ɑ)se] *adj.* (공간적·시간적으로) 간격을 둔, 사이를 뗀 : visites très ~*es* 아주 뜸한 방문.

espacement [ɛspa(ɑ)smɑ̃] *m.* (공간적·시간적으로) 간격을〔사이를〕 두기 ; 자간(字間), 행간 : ~ des colonnes dans un bâtiment 건물 기둥 사이의 간격 / barre d'~ (타자기의) 스페이스바.

***espacer** [ɛspa(ɑ)se] [2] *v.t.* (공간적·시간적으로) 사이를 떼다, 간격을 두다 : ~ les lignes 〖인쇄〗 행간을 띄워 놓다 / ~ ses visites 점점 발길이 뜸해지다. ── **s'~** *v.pr.* (공간적으로) 사이가 뜨다, 간격이 생기다 ; (시간적으로) 뜸해지다.

espadon [ɛspadɔ̃] *m.* ① 《옛》 (두 손으로 잡는) 양날의 큰 검. ② 〖어류〗 황새치.

espadrille [ɛspadʀij] *f.* 운동화 ; 해수욕화.

***espagnol, e** [ɛspaɲɔl] *adj.* 에스파냐(*l'Espagne*)의, 에스파냐인〔어〕의. ── **E~** *n.* 에스파냐 사람. ── *m.* 에스파냐어(語).

espagnolette [ɛspaɲɔlɛt] *f.* (에스파냐식 창문의) 손잡이 달린 문고리.

espalier [ɛspalje] *m.* 〖원예〗 과수장(果樹牆) : culture en ~ 과수장 재배.

:espèce [ɛspɛs] *f.* ① 종(種), 종류 : diverses 〔différentes〕 ~*s* de délits 여러 종류의 경범죄 / 《de la même ~》 personnages *de la même ~* 같은 종류의 인물들 / 《de toute ~》 marchandises *de toute ~* 모든 종류의 상품들 / 《toute(s) ~(s) de》 *toutes ~s* d'alcools 모든 종류의 술 / 《de son ~》 Je ne discute pas avec des gens *de son ~*. 나는 그와 같은 사람과는 상대하지 않는다. ② 《une ~ de...》 ⓐ 일종의··· : *une ~ de* joie amère 일종의 씁쓸한 기쁨. ⓑ 《경멸》 *une ~ d'*imbécile 천치 같은 자식 / *E~* d'idiot ! 바보 같은 놈. ③ 《옛》 une (sotte) ~ 〔pauvre ~〕 ; 《비꼼》 une belle ~ 하찮은 녀석. ④ cas d'~ 특수한 경우 ; 〖법률〗 특수 사건. ⑤ 〖생물〗 종(種) ; 인류 : l'~ humaine 인류 / l'origine des ~*s* 종의 기원. ⑥ ⓐ (*pl.*) 금속 화폐, 경화(硬貨), 주화 ; (현물·수표·어음이 아닌) 현금 : payer en ~*s* 현금으로 치르다(= payer cash). ⓑ (*sing.*) 《옛》 화폐. ***cas d'~*** (일반 법칙이 적용되지 않는) 특별한 경우 : C'est un *cas d'~*. 이것은 특수한 경우이다. ***en l'~*** 이 경우. ***l'~ de*** 일종의··· ; ···의 종류. ***menteur de la plus belle ~*** 진짜 거짓말쟁이. ***sous les ~s de*** ···의 형태로.

espérance** [ɛspeʀɑ̃ːs] *f.* ① 희망(= espoir) ; 기대(= attente) : ~*s* trompeuses 헛된 희망 / être plein d'~*s* 희망에 넘쳐 있다 / entretenir 〔former〕 des ~*s* 희망을 품다 / fonder des ~*s* sur qc ···에 희망을 걸다. ② 기대되는 것 ; (*pl.*) 장래성 : Vous êtes notre unique ~. 당신은 우리의 유일한 희망이오. ③ (*pl.*) (상속이 기대되는) 유산 : oncle 〔tante〕 à ~*s* 유산을 남겨 줄 가망이 있는 아저씨〔백모〕 ④ 〖통계〗 ~ de vie (한 집단에 속하는 사람의) 평균 수명. ⑤ 〖신학〗 희망의 덕(德), 소망. ***contre toute ~ 예상과는 딴판으로 ; 예기치도 않았던. ***dans l'~ de*** qc ***; dans l'~ que***+*ind.* 〔《드물게》 *sub.*〕 ···(할 것)을 기대하여. ***donner de belles*〔*de grandes*〕 *~s*** 큰 기대를 가지게 하다 ; 전도유망하다. ***en ~*** 기대하고 있는, 기대 중인.

espérantiste [ɛspeʀɑ̃tist] *adj.* 에스페란토의. ── *n.* 에스페란토어 연구자.

espéranto [ɛspeʀɑ̃to] *m.* 에스페란토어.

:espérer [ɛspeʀe] [6] *v.t.* ① 《~ qc》 희망하다, 바라다(= souhaiter) ; 기대하다(= attendre) : ~ une récompense 보답을 기대하다 / N'*espère* de lui aucune aide. 그에게서 아무 도움도 바라지 마라. ② 《~ qn》 ···이 오는〔있는〕 것을 기대〔희망〕하다 : Enfin, vous voilà ! Je ne vous *espérais* plus. 이제야 오시는구려, 오시지 않을 줄 알았어요. ③ 《~+*inf.* 〔《옛》 de+*inf.*〕》 ···하기를 희망〔기대〕하다 : J'*espère* réussir. 성공했으면 합니다 / J'*espère* le voir ce soir. 오늘 저녁에 그를 만나게 되기를 기대합니다. ④ 《~ que+*ind.* 〔《드물게》 *sub.*〕》 ···라고 기대하다 ; ···라고 생각하다 : J'*espère qu'*il viendra. 나는 그가 올 것으로 생각한다 / 《주절이 부정·의문일 경우 종속절은 *sub.* 실현 가능성이 약할 때는 *ind.*》 *Je n'espère pas qu'*il vienne. 그가 오리라고 생각지 않는다 / *Espérez-vous qu'*il viendra ? 틀림없이 그가 올까, 너도 그렇게 생각하니 ? / 《가능성이 약하면》 *Eespérez-vous qu'*il vienne ? 그가 오리라고 생각하는가, 안 올 것 같은데. ***J'espère que non.*** 그렇지 않기를 바란다. ── *v.i.* 희망을 가지다 ; 《~ en》 ···에 희망을 걸다〔가지다〕.

espiègle [ɛspjɛgl] *adj.* (어린이가) 장난치기 좋아하는 ; (성격·태도 따위가) 장난기 있는. ── *n.* 장난꾸러기.

espièglerie [ɛspjɛgləʀi] *f.* 장난(= farce) ; 《옛》 장난치기 좋아하는 성질〔성격〕 : faire une ~ 장난을 치다.

***espion, onne** [ɛspjɔ̃, -ɔn] *n.* ① 간첩, 밀정, 스파이 ; 몰래 염탐하는 사람 : ~ double 이중 간첩. ② 《동격》 satellite-~ 정찰 위성 / caméra-~ 몰래 카메라.

espionnage [ɛspjɔnaːʒ] *m.* 간첩〔스파이〕 행위, 정탐 행위 ; 정보〔첩보〕 활동 : ~ industriel 산업 스파이 활동 / service d'~ 정보 기관 / romans d'~ 스파이 소설.

***espionner** [ɛspjɔne] *v.t.* 남의 동정을 살피다, 정탐〔염탐〕하다 ; 간첩 활동을 하다 : ~ un pays ennemi 적국(敵國)을 정탐하다.

espion(n)ite [ɛspjɔnit] *f.* 스파이 공포증.

esplanade [ɛsplanad] *f.* ① (큰 건물 앞의) 광장 ; (요새 주위의) 공지 : l'~ de l'Hôtel de ville 시청 광장. ② 조망대, 전망대.

:espoir [ɛspwaːʀ] *m.* ① 희망(= espérance) ;

기대(=attente) : caresser un ~ 희망을 품다 / 《l'~ de qc 〔+*inf.*〕》 *l'*~ *d'*une réussite 성공에 대한 희망. ② 희망〔기대〕의 대상 ; 유망주 : jeune ~ de la chanson française 프랑스 샹송계의 젊은 유망주 / Il est désormais notre unique ~. 그는 이제 우리가 기대하는 유일한 사람이다. ***avoir bon ~ que*** +*ind.* …라는 희망이 충분히 있다. ***dans l'~ de***+*inf.* ***; dans l'~ que***+*ind.* 〔《드물게》 *sub.*〕 …을 기대하여. ***mettre son ~ en*** …에 희망을 걸다.

‡esprit [ɛspʀi] *m.* ① ⓐ 〖성서〗 (신의) 입김, 성령(聖靈) : *E*~ Saint ; Saint-*E*~ 성령. ⓑ 생명의 근원, 영(靈), (사람의) 심령 ; 생명 ; 망령, 유령 : évocation des ~*s* 초혼 ; 강령술 / ~ malin 악령. ⓒ (신이 내리는) 영감(靈感). ⓓ 신령 ; 요정 : ~ de(s) lumières 〔ténèbres〕 천사〔악마〕 / ~ follet 도깨비. ② ⓐ 정신 ; 마음 ; 기질 ; 기풍 ; 재능 : être sain de corps et d'~ 심신이 건전하다 / création de l'~ 정신의 산물 / ~ de parti 당파심 / avoir l'~ ailleurs 정신이 딴 데에 가 있다, 방심하다 / ~ d'entreprise 무엇을 하고자 하는 정신, 기업 정신 / ~ d'indépendance 독립심 / ~ du siècle 세속의 풍조. ⓑ 정신의 소유자 ; 사람 : C'est un ~ audacieux. 그는 대담한 사람이다 / agiter les ~*s* 사람들을 선동하다 / ~ du commerce 상재. ③ 재치, 기지 : mots 〔traits〕 d'~ 재치 있는 말 / homme d'~ 재치있는 사람. ④ 의도, 계획, 생각(=idée) : agir dans un ~ de vengeance 복수할 의도로 행동하다 / avoir l'~ ailleurs 정신을 딴 데 팔고 있다. ⑤ (*pl.*) 정기(精氣), 기력, 기백 : ~*s* animaux 동물 정기 / recueillir ses ~*s* 원기를〔기력을〕 회복하다. ⑥ 정수(精髓) ; 본의, 진의, 취지, 정신 : entrer dans l'~ de son rôle 자기 역할의 진의를 파악하다 / ~ des lois 법의 진의〔정신〕. ⑦ 〖화학〗 정(精) : ~ de bois 목정(木精), 메틸알코올 / ~ de vin 주정(酒精), 에틸알코올 / ~ de sel 염산. ⑧ 〖그리스문법〗 ~ dur 〔rude〕 유기음(기호 ') / ~ doux 무기음(기호 '). ***avoir de l'~*** 재치가 있다. ***avoir de l'~ jusqu'au bout des ongles*** 재치가 넘치다. ***avoir le bon ~ de***+*inf.* …하는 착한 마음씨를 가지다 ; …하는 분별심을 가지다. ***avoir*** 〔***ne pas avoir***〕 ***l'~ à*** …할 기분이다 〔기분이 아니다〕. ***dans son ~*** 그의 생각〔사상〕은〔으로는〕. ***en ~*** 머릿속에서〔으로〕. ***Les grands ~s se rencontrent.*** 훌륭한 사람들은 서로 의기가 상통한다《두 사람의 의견이 같을 때 익살스럽게 하는 말》. ***L'~ court les rues.*** 《속담》 세상에는 재사가 너무 많아 탈이다. ***perdre ses ~s*** 《옛》 의식을 잃다. ***rendre l'~*** 숨지다, 운명하다. ***reprendre ses ~s*** 의식을 되찾다〔회복하다〕.

-esque *suff.* 고유명사에 덧붙여서 「…풍의」의 뜻.

esquif [ɛskif] *m.* 작은 배, 편주(片舟), 쪽배.

esquille [ɛskij] *f.* ① 〖외과〗 뼈 조각, 부서진 골편(骨片). ② (나무 따위의) 조각.

esquimau, aude, aux [illegible] *adj.* 《때로 불변》 에스키모 (사람 · 어)의 : chien ~ 에스키모 개. ── **E~** *n.* 《여성은 une femme *esquimau* 또는 une *Esquimaude*》 에스키모 사람. ── *m.* ① 에스키모어(語). ② 초콜릿 아이스바. ③ 편물로 뜬 아동용 내의.

esquintant, e [ɛskɛ̃tɑ̃, -ɑ̃:t] *adj.* 《구어》 몹시 피곤하게 하는(=très fatigant).

***esquinter** [ɛskɛ̃te] *v.t.* 《구어》 ① 손상하다, 망가뜨리다(=abîmer). ② 혹평하다(=éreinter) : ~ un livre 책을 혹평하다. ③ 녹초가 되게 하다(=épuiser, éreinter). ── **s'~** *v.pr.* ① 몹시 피로해지다. ② 《s'~ à+*inf.*》 …을 하느라고 몹시 애쓰다.

esquisse [ɛskis] *f.* ① 초벌 그림, 스케치(=croquis) : cahier d'~*s* 스케치북. ② 초안, 초고 ; 개요, 개략 : ~ d'un roman 소설의 초고. ③ 희미한 흔적, 기미 : ~ d'un sourire 희미한 미소.

esquisser [ɛskise] *v.t.* ① …의 초안을 잡다, 초벌 그리다 : ~ un paysage 풍경을 스케치하다. ② …을 하기 시작하다 ; (미소 · 태도 따위를) 어렴풋이 나타내다 : ~ un sourire 살짝 미소를 띠다. ── **s'~** *v.pr.* ① 초벌 그림이 그려지다. ② 윤곽이 잡혀지다.

esquive [ɛski:v] *f.* 〖스포츠〗 (권투 · 펜싱 따위에서) 상대편의 공격을 살짝 피하는 동작.

***esquiver** [ɛskive] *v.t.* (공격 따위를) 교묘하게 피하다(=se dérober à) ; (사람을) 따돌리다 : ~ un coup (권투에서) 펀치를 피하다 / ~ ses créanciers 빚쟁이들을 용케 따돌리다. ── **s'~** *v.pr.* 살짝 몸을 피하다 ; 눈에 띄지 않게 달아나다.

essai** [esɛ] *m.* ① (성능 따위의) 시험, 테스트 ; 실험 ; 〖야금〗 분석 시험 : tube à ~ 시험관 / ~*s* nucléaires 핵실험. ② 시도(=tentative) ; 〖럭비〗 트라이 : ~ de conciliation 화해의 시도 / marquer un ~ 〖럭비〗 트라이를 얻다. ③ 〖문학〗 시작(試作), 시론(試論) ; 평론 ; 수필, 에세이 : auteurs d'~ 수필가. ***coup d'~ 첫 시도. ***faire l'~ de*** qc …을 테스트하다. ***mettre*** qn 〔qc〕 ***à l'~*** 아무를〔무엇을〕 시험해 보다. ***prendre*** qc ***à l'~*** …을 시험 삼아 써 보다. ***vol d'~*** 시험 비행.

essaim [esɛ̃] *m.* ① (분봉(分蜂)하는) 꿀벌떼 : jeter (un) ~ (벌떼가) 분봉해 나가다. ② 떼, 무리 ; 집단 : ~ d'écoliers 초등학생의 무리.

essaimage [esɛma:ʒ] *m.* ① (꿀벌의) 분봉(分蜂). ② (기업의) 진출, 확대.

essaimer [esɛ〔e〕me] *v.i.* ① (꿀벌이) 분봉하다. ② 이주하다 ; (회사가) 지점을 늘리다.

essart [esa:ʀ] *m.* 〖농업〗 ① 개간지. ② 개간 예정 잡목림.

essayage [esɛja:ʒ] *m.* ① (기계의) 시험. ② 가봉(한 옷을 입어보기) : salon d'~ 가봉실.

‡essayer [esɛ〔e〕je] 8 *v.t.* ① (성능을) 시험하다 ; 시음〔시식〕하다 : ~ du vin 술 맛을 보다. ② (맞는지) 입어 보다〔신어 보다〕 ; 가봉하다 : ~ un chapeau 모자를 써 보다. ③ 〖야금〗 (광물 따위를) 분석 시험하다. ***~ de*** +*inf.* …하려고 하다 : ~ *de* dormir 잠들려고 애쓰다. ***~ que***+*sub.* …하도록 해보다 : J'*essaierai que* tout se passe bien. 모두 잘 되도록 애써 보겠소. ── *v.t. ind.* 《~ de》 《문어》 [illegible] d'un remède 약을 시험삼아 써 보다. ── *v.i.* 시험해 보다 : Je vais ~. 제가 해보겠어요 / Essayez un peu. 시험삼아 해보시오. ── **s'~** *v.pr.*

① 《s'~ à 〔dans〕; s'~ à+*inf.*》 자기의 힘을 시험해 보다 : Elle *s'essaye à* la couture. 그 여자는 시험 삼아 재봉 일을 해 본다 / *s'~ à* parler en public 대중 앞에서 연설을 시도해 보다. ② 《s'~ à+*inf.*》 실제로 …해보다 : *s'~ à* faire un plongeon 다이빙을 해 보다.

essayeur, euse [esɛjœːʀ, -øːz] *n.* ① 화폐 검사관; 성능 검사원. ② 가봉 담당원.

essayiste [esɛ(e)jist] *m.* 〖문학〗 수필가, 평론가.

esse [ɛs] *f.* ① S자. ② S자형 갈고리〔마개〕; (바이올린 동체의) S자형 구멍.

E

essence** [esɑ̃ːs] *f.* ① 〖철학·신학〗 본질; 정수(精髓), 진수(眞髓). ② 정유(精油), 에센스; 휘발유; 향유(香油). ③ 〖임업〗 (나무의) 종류 (=espèce). ***par ~ 본래, 원래. ***poste d'~*** 주유소.

essentialisme [esɑ̃sjalism] *m.* 〖철학〗 본질주의(≠existentialisme).

essentiel, elle** [esɑ̃sjɛl] *adj.* ① 〖철학·신학〗 본질적인(=fondamental); 근본적인 : accords ~*s* 〖음악〗 기본 화음. ② 주요한(=principal, capital); 필수적인, 불가결한(=indispensable) : le passage ~ de ce livre 책의 가장 중요한 귀절 / 《Il est ~ de+*inf.* 〔que+*sub.*〕》 *Il est ~ de* bien faire 〔*qu'on* fasse bien〕 ses devoir. 자기의 의무를 잘 수행한다는 것은 중요하다 / L'air est ~ à la vie. 공기는 생명에 불가결하다. ③ 《~ à》 …에 특유한 : caractères ~*s* 〖생물〗 (종·속을 구별하는) 본질적 특징 / maladie ~*elle* 〖의학〗 특발성(特發性) 질환. ④ 정제(精製)의. ── *m.* 요점, 주안점(主眼點). ***L'~ est de+*inf.* 〔***que***+*sub.*〕 요는 …함에 있다. ***pour l'~*** 요컨대, 결국은.

***essentiellement** [esɑ̃sjɛlmɑ̃] *adv.* ① 본질적으로(=par essence). ② 무엇보다도, 주로(=principalement); 반드시, 절대로.

esseulé, e [esœle] *adj.* 《문어》 고독한, 외로운.

esseulement [esœlmɑ̃] *m.* 고독, 외로움.

essieu [esjø] *m.* (*pl.* ~***x***) 차축(車軸), 굴대.

essor [esɔːʀ] *m.* ① 날아오르기, 비상(=envol) : laisser l'~ à son imagination 마음껏 상상의 나래를 펼치다. ② 비약, 비약적 발전 : L'industrie de ce pays est en plein ~. 이 나라의 공업은 비약적으로 발전하고 있다. ***donner libre ~ à son génie*** 천품을 자유로이 발휘하다. ***prendre son ~*** 〔***l'~***〕 (새가) 날다〔날아오르다〕; 발전하다.

essorage [esɔʀaːʒ] *m.* (세탁물의) 탈수, 물기를 짜내기.

essorer [esɔʀe] *v.t.* (세탁물을) 말리다, …의 물기를 없애다 : linge *essoré* 탈수된 세탁물.

essoreuse [esɔʀøːz] *f.* (세탁물의) 탈수기, 건조기.

essoriller [esɔʀije] *v.t.* (동물의) 귀를 자르다; 《옛》 (형벌로) 귀를 베다.

essoufflement [esufləmɑ̃] *m.* 숨가쁨, 헐떡거림.

essouffler [esufle] *v.t.* 숨가쁘게〔헐떡거리게〕 하다 : Cette course l'a *essoufflé*. 이번 달리기에서 숨이 가빴다. ── **s'~** *v.pr.* 숨이 가빠지다; (고통으로) 허덕이다.

essuie- *préf.* 「…을 닦는 도구」의 뜻.

essuie-glace [esɥiglas] *m.* (*pl.* **~-~(*s*)**) 〖자동차〗 와이퍼《앞 유리를 닦는 장치》.

essuie-main [esɥimɛ̃] *m.* (*pl.* **~-~(*s*)**) 손수건, 타월.

essuie-pieds [esɥipje] *m.* 《복수불변》 (신발의) 진흙떨이, 매트.

essuie-tout [esɥitu] *m.* 《복수불변》 (물 따위를 흡수하는 데 사용하는) 흡수종이.

essuie-verres [esɥivɛːʀ] *m.* 《복수불변》 유리 닦는 걸레.

essuyage [esɥijaːʒ] *m.* 닦기, 씻기; 씻는 법 : ~ de la vaisselle 식기 닦기.

essuyer** [esɥije] 7 *v.t.* ① 씻다, 닦다 : ~ le tableau noir 칠판을 닦아 지우다 / ~ ses mains à une serviette 수건에 손을 닦다 / ~ les larmes de qn …의 눈물을 닦아 주다, …의 슬픔을 위로하다. ② (패배·손상·모욕 따위를) 당하다, 입다, 받다(=subir) : ~ le feu de l'ennemi 적의 포화를 받다 / ~ une défaite 패배당하다. ***~ les plâtres 벽이 마르지 않은 새집에 들어가 살다; 《구어》 제일 먼저 불쾌함을 겪다. ── **s'~** *v.pr.* 자기 몸을 씻다〔닦다〕, 자기의 …을 씻다〔닦다〕 : *Essuie-toi* les pieds. 신발(바닥)을 (매트에) 문질러라.

est[1] [ɛ] être의 직설·현재·3·단수.

est**[2] [ɛst] *m.* 《복수없음》 동쪽, 동부, 동방(=levant, orient) : ~ quart nord-~ 동미북(東微北) / pays de l'*E~* 동유럽 제국 / Le soleil se lève à l'~. 해는 동쪽에서 뜬다. ***faire de l'~ 〖해양〗 동쪽으로 가다. ***vent*** (***d'***)~ 동풍. ── *adj.* 《불변》 côté ~ 동쪽 / longitude ~ 동경(東經).

est- 「동(쪽)의」의 뜻.

est. 〔약자〕 estampillé 〖주식〗 도장 찍힌 검「인필.

estacade [ɛstakad] *f.* (항구·강 따위의) 방파책(防波柵).

estafette [ɛstafɛt] 〔이탈리아〕 *f.* ① 〖군사〗 기병 전령(傳令). ② 《옛》 속달 파발꾼.

estafilade [ɛstafilad] 〔이탈리아〕 *f.* ① (얼굴의) 상처, 칼자국(=balafre). ② (스타킹의) 올이 풀어진 데.

estaminet [ɛstaminɛ] *m.* ① (북프랑스의) 작은 카페, 선술집. ② (대중적) 카페.

estampe [ɛstɑ̃ːp] *f.* ① 판화; 목판화(=~ en 〔sur〕 bois). ② 압형(押型); 압인(=étampe).

estamper [ɛstɑ̃pe] *v.t.* ① …에 압인〔압형〕을 찍다. ② 《~ qn》 《구어》 속이다, 사취하다, 등쳐 먹다(=escroquer).

estampeur, euse [ɛstɑ̃pœːʀ, -øːz] *n.* ① 각인〔압인〕을 찍는 사람. ② 《구어》 사기꾼, 편취자. ── *f.* 압형기(押型器). 「찍기.

estampillage [ɛstɑ̃pijaːʒ] *m.* 검인〔증인〕

estampille [ɛstɑ̃pij] *f.* ① 검인(檢印), 증인(證印). ② 〖상업〗 상표; 라벨(=label). ③ (흑인 노예 어깨의) 낙인; 날인기(捺印器).

estampiller [ɛstɑ̃pije] *v.t.* …에 검인〔증인〕을 찍다; …에 낙인(烙印)을 찍다.

⁑est-ce que [ɛskə] *adv. interr.* 《도치형을 쓰지 않고 의문문을 만듦》 ① 《평서문 앞에서》 *E~* vous venez? 오시는 것입니까? ② 《의문사와 함께》 Quand *est-ce qu'*il est arrivé? 언제 그는 떠났습니까? / Où ~ vous habitez? 어디에 사십니까?

ester[1] [ɛste] *v.i.* ① 《옛》 서다. ② 《부정법으로만 씀》 〖법률〗 출정(出廷)하다 : ~ en jugement 〔justice〕 법정에 출두하다, 출정하다.
ester[2] [ɛstɛːʀ] *m.* 〖화학〗 에스테르《향료》.
est-européen, enne [ɛstœʀɔpeɛ̃, -ɛn] *adj.* 동유럽〔동구〕의.
-esthésie *suff.*, **esthési(o)-** *préf.* 「감각」의 뜻.
esthète [ɛstɛt] *n.* 탐미주의자. ── *adj.* 탐미주의의.
esthéticien, enne [ɛstetisjɛ̃, -ɛn] *n.* ① 미학자 ; 심미가. ② 미용사. ~ ***industriel*** 디자이너(= designer, styliste).
esthétique [ɛstetik] *adj.* ① 미에 관한, 미적인, 심미적(審美的)인 : sens ~ 미적 감각. ② 아름다운, 예쁜 visage ~ 예쁜 얼굴. ③ 미용의 : chirurgie ~ 성형 외과〔수술〕. ── *f.* 미학 ; 미(= beauté) : traité d'~ 미학론 / ~ mâle 남성미.
esthétiquement [ɛstetikmɑ̃] *adv.* 미학적으로, 심미적으로.
estimable [ɛstimabl] *adj.* ① 존경할 만한, 훌륭한 : personne ~ 존경받을 만한 인물. ② 상당한, 어느 정도 가치 있는 : ouvrage ~ 상당한 작품.
estimatif, ive [ɛstimatif, -iːv] *adj.* 평가〔감정〕하는 ; 견적의 : devis 〔état〕 ~ 견적서.
estimation [ɛstimɑsjɔ̃] *f.* ① 평가, 감정 ; 견적 : prix de l'~ 평가액. ② 추정, 산정 : ~ de la population 인구의 추정.
estime [ɛstim] *f.* ① 존경, 존중 : avoir beaucoup d'~ pour qn …을 대단히 존경하다 / avoir l'~ générale 모든 사람에게서 존경받다 / ~ de soi-même 자존심 / monter 〔baisser〕 dans l'~ de qn …의 존경을 많이 받다〔덜 받다〕 / tenir qn en grande 〔médiocre〕 ~ …을 크게 존경하다〔대수롭게 여기지 않다〕. ② 평가, 평판 : succès d'~ 호평 / tenir qc 〔qn〕 en haute ~ …을 높이 평가하다. ***à l'~*** 어림쳐서.
*__estimer__ [ɛstime] *v.t.* ① ⓐ 평가〔감정〕하다(= évaluer) ; 견적하다 : Ce tableau *est estimé* deux cent mille francs. 이 그림은 20만 프랑으로 평가〔견적〕된다. ⓑ 추산〔추정〕하다 : Le nombre des blessés est encore difficile à ~. 부상자 수는 아직 추산하기 어렵다. ② 존중〔존경〕하다(= apprécier ; ≠ mépriser) : Je l'*estime* trop pour le soupçonner. 나는 그를 의심하기에는 너무 그를 존경한다. ③ 《~ que + *ind.* 《부정 · 의문에서는 보통 + *sub.*》 ; ~ + *inf.*》 …라고〔한다고〕 생각하다〔믿다〕(= penser, croire) : J'*estime* avoir fait mon devoir. 나는 의무를 다했다고 생각한다 / J'*estime* qu'il faut dix heures. 열 시간 걸릴 것이라고 생각합니다. ④ 《~ + 형용사(속사)》 …으로〔라고〕 생각하다, 간주하다(= juger, trouver) : Je l'*éstime* malin. 나는 그가 교활하다고 생각한다 / ~ indispensable qc 〔de + *inf.*〕 …을〔하는 것을〕 필요불가결한 것으로 생각하다. ── **s'~** *v.pr.* ① 자기를 평가하다. ② 자기를 …라고 생각하다. ***s'~ (à) son prix ; s'~ à sa juste valeur*** 자기를 정당하게 평가하다. ***s'~ heureux*** 자기가 행복하다고 생각하다.
estival, e, aux [ɛstival, -o] *adj.* 여름의 ; 피서의(≠ hivernal) : plante ~*e* 여름 식물 / station ~*e* 피서지.
estivant, e [ɛstivɑ̃, -ɑ̃ːt] *n.* 피서객.
est-nord-est [ɛstnɔʀɛst] *m.* 〖해양〗 동북동 (《약자》 E.-N.-E.).
estoc [ɛstɔk] *m.* 《옛》(가늘고 긴) 검(劍) ; 칼끝. ***coup d'~*** 〖펜싱〗 찌르기. ***frapper d'~ et de taille*** (검으로) 마구 찌르고 베고 하다 ; 온갖 수단을 다 동원하다.
estocade [ɛstɔkad] *f.* ① 검 끝으로 찌르기. ② 뜻밖의〔불시의〕 공격. ***donner l'~ à*** qn …을 완전히 항복시키다.
*__estomac__ [ɛstɔma] *m.* ① 위(胃) : mal d'~ 위통(胃痛), 복통 / La crème m'est restée sur l'~. 크림이 잘 소화되지 않았다〔얹혔다〕. ② 《구어》 용기, 대담성, 배짱(= audace) : manquer d'~ 겁쟁이이다. ***avoir de l'~*** 《구어》 배짱이 있다 ; 뻔뻔스럽다. ***avoir l'~ dans les talons*** 배가 몹시 고프다. ***avoir un ~ d'autruche*** 위가 튼튼하다. ***faire*** qc ***à l'~*** 《구어》 뻔뻔스럽게 …하다. ***rester sur l'~*** 잘 소화되지 않다.
estomaquer [ɛstɔmake] *v.t.* 《구어》 (불쾌한 일로) 깜짝 놀라게 하다(= scandaliser).
estompage [ɛstɔ̃paːʒ] *m.* ① 찰필(擦筆)로 흐리게 하기. ② 흐릿함.
estompe [ɛstɔ̃ːp] *f.* 찰필(擦筆)《목탄화의 선을 문질러 흐리게 하는 도구》 ; 찰필화.
estomper [ɛstɔ̃pe] *v.t.* ① 〖미술〗 찰필로 흐리게 하다. ② 어렴풋하게〔희미하게〕 하다(= voiler). ── **s'~** *v.pr.* 흐려지다, 어렴풋〔희미〕해지다.
estourbir [ɛstuʀbiːʀ] *v.t.* 《구어》 ① 때려죽이다. ② 깜짝 놀라게 하다.
estrade [ɛstʀad] *f.* 연단(演壇), 교단.
estrapade [ɛstʀapad] *f.* 《옛》 죄수를 묶어 높이 매달았다가 떨어뜨리는 형벌.
estropié, e [ɛstʀɔpje] *adj.* ① 불구의. ② (가구 따위가) 망가진. ── *n.* 신체 장애자.
estropier [ɛstʀɔpje] *v.t.* ① 불구자로 만들다. ② (말 · 문장 따위를 잘못 써서) 엉망으로 만들다, 왜곡하다 : ~ le français 프랑스어를 엉망으로 구사하다.
est-sud-est [ɛstsydɛst] *m.* 동남동(《약자》 「E.-S.-E.」).
estuaire [ɛstɥɛːʀ] *m.* (만을 이룬 큰) 하구.
estudiantin, e [ɛstydjɑ̃tɛ̃, -in] *adj.* 학생의 : vie ~*e* 학생 생활.
esturgeon [ɛstyʀʒɔ̃] *m.* 〖어류〗 철갑상어.
‡**et** [e] *conj.* 《et + 모음은 연음하지 않음 : Il lit *et* écrit [illieekʀi]. 그는 읽을 줄도 알고 쓸 줄도 안다》 ① 《첨가》 ⓐ …와, 그리고, 및, (그리고) 또 : le jour *et* la nuit 낮과 밤 / ami fidèle *et* loyal 신의 있고 또 충실한 벗 / répondre brièvement *et* vivement 짤막하게 그리고 활발하게 대답하다 / Il faisait très froid *et* les routes étaient verglacées. 날씨는 추웠으며 길에는 얼음이 깔려 있었다 / Deux *et* deux [døzedø] font quatre. 둘에 둘을 보태면 넷이 된다. ⓑ 《문장 첫머리에》 그런데 ; 그러자 ; 그리고는 : *Et* soudain la porte s'ouvrit. 그러자 갑자기 문이 열렸다 / *Et* vous ne ferez rien pour vous disculper. 그런데(도) 당신은 당신에게 죄가 없다는 것을 밝히기 위해 아무것도 안할 거란 말입니까. ② 《부가적 설명》 그것도 : Il parle l'anglais, *et* couramment. 그는 영어를 하는데

그것도 유창하게 한다 / Vous oubliez une chose, *et* une chose très importante. 그는 한 가지 일, 그것도 매우 중요한 한 가지 일을 잊고 있다. ③《명령·결과》 그리하여, 그래서; 그러면: Buvez ce remède, *et* vous serez guéri. 이 약을 마시시오, 그러면 병이 나을 것이오 / Les livres étaient chers *et* je ne pouvais en acheter beaucoup. 책들은 비쌌다. 그래서 많이 살 수가 없었다. ④《대립》 그런데, 그러면서: Tu ne fais rien, *et* tu veux réussir! 자넨 아무것도 안하면서 성공하겠다는 거야! ⑤《강조·반복》 그리고 또, 다시금: *Et* je serais complice de cette mauvaise action! 내가 그런 나쁜 짓의 공범자가 될 수야 있겠는가! / J'ai lu *et* relu. 나는 읽고 또 읽고 하였다 / pendant des heures *et* des heures 몇 시간을 두고 / *et* son père *et* sa mère 그의 아버지도 그의 어머니도. ⑥《et+부사》 그러고는, 그래: *Et* plus? 그러고는? / *Et* apres? 그 다음엔? ***Il y a livres et livres*** 〔***mensonge et mensonge***〕. 책에도〔거짓말에도〕 여러 가지가 있다.

-et, -ette *suff.* 형용사·명사에 붙는 지소사(指小辭)(=diminutif).

Établ 《약자》 『상업』 = étab.

étable [etabl] *f.* 외양간, (돼지)우리.

établi, e [etabli] *adj.* 확립된; 기정(旣定)의; 확고한; 정착한: considérer qc comme chose ～*e* …을 기정 사실로 보다 / usage ～ 뿌리내린 관례 / réputation (bien) ～*e* 확고부동한 명성. ── *m.* 작업대: ～ de menuisier 목수의 작업대 / aller à l'～ 《속어》 일하러 가다.

établir** [etabliːʀ] *v.t.* ① (일정한 자리에) 두다, 설치하다(=installer); 설립하다; 구축하다(=bâtir); (거처 따위를) 정하다(=fixer): ～ une usine dans une ville 도시에 공장을 설치하다 / ～ un pont sur la rivière 강에 다리를 가설하다 / ～ son domicile à Paris 주소를 파리에 정하다. ② (제도·원칙 따위를) 제정하다(=fonder, instituer); (질서·명성 따위를) 확립하다; (계산서 따위를) 작성하다; (계획·관계 따위를) 수립하다, 세우다: Il *est établi* que+*ind.* …라는 것은 일반적으로 정해져 있다 / ～ qn juge de qc …을 …의 심판자로〔재판관으로〕 정하다 / ～ des relations diplomatiques 외교 관계를 수립하다 / ～ une balance 대차 계정을 맞추다 / ～ un prix 가격을 정하다. ③ 확증하다(=prouver): ～ l'innocence d'un accusé 피고의 무죄를 확증하다. ④ 자리 잡게〔직업·지위를 갖게〕 하다; 시집〔장가〕 보내다: Il a cinq enfants à ～. 그는 다섯 아이들 살림을 차려 주어야 한다. ～ qn ***dans l'opinion publique …의 세평을 높이다. ***être bien établi auprès de*** qn …의 두터운 신임을 얻다. ── **s'～** *v.pr.* ① 자리잡다; 장가〔시집〕가다; 개업하다: *s'～* boulanger 빵집을 개업하다. ② …이 되다. ③ 세워지다, 확립되다; (바람곬·값 따위가) 정해지다. ④ 『군사』 포진하다.

établissement** [etablismɑ̃] *m.* ① 설치, 부설, 가설; 건설: ～ d'un pont 교량의 가설. ② 제정; 창설, 창립; 수립, 확립. ③ 시설; 공공 기관; 학교; 사무소, 영업소, 상사, 공장: ～ hospitalier 의료 시설 / ～ classé 공해 규제 적용 기업 / ～ de charité 자선 기관. ④ 거류지; 식민지. ⑤ 입증, 증명: ～ d'un fait 사실의 입증. ***droit d'～ 거주권(居住權). ～ ***public*** 공공 조직〔기관〕; 공공〔공익〕 사업; 공중의 집회소.

étab[t] 《약자》 établissement 『상업』 상점, 회사; 건물, 영조물.

étage** [etaːʒ] *m.* ① (가옥 따위의) 층: maison à un ～, 2층 집; 《옛》 1층 집 / maison sans 〔avec〕 ～ 단층 집. ② 층, 단(段); 등급; 신분, 계급: de bas ～ 저급한; 하층 사회의. ***fusée à trois ～s, 3단 로켓. ***menton à deux ～s*** 〔***à double ～***〕 2중턱.

étagement [etaʒmɑ̃] *m.* 층을 이루기.

étager [etaʒe] *v.t.* ① 층층으로 쌓다: ～ des livres 책을 층층으로 쌓다. ② 단계를 따라 행하다; …에 사이를 띄우다: ～ des augmentations sur cinq ans, 5년간 단계적으로 인상하다. ── **s'～** *v.pr.* 층층으로 겹쳐지다.

***étagère** [etaʒɛːʀ] *f.* (여러 층으로 된) 선반, 시렁: ～ à livres 책장, 책꽂이.

étai[1] [etɛ] *m.* 지주(支柱), 버팀목, 받침대.

étai[2] *m.* 『해양』 (돛대의) 버팀줄, 지삭(支索).

étain [etɛ̃] *m.* 『광물』 주석; 주석 제품; 주석제 식기: alliage d'～ 주석 합금 / papier d'～ 은종이.

étal [etal] *m.* (*pl.* ***-aux, ～s*** [eto, etal]) ① (시장의) 물품 진열대. ② (푸줏간의) 도마; 정육점(=boucherie).

***étalage** [etalaːʒ] *m.* ① (상품의) 진열; 《집합적》 진열품; 진열대: faire l'～ 상품을 진열하다 / mettre qc à l'～ …을 진열장에 늘어놓다. ② 과시: faire ～ de son érudition 박식을 과시하다.

étalagiste [etalaʒist] *n.* ① 노점상인(=marchand ～). ② (진열장의) 장식가.

étale [etal] *adj.* ① 움직이지 않는, 정지된(=immobile): mer ～ 정지 상태의 조수. ② 평온한, 안정된: vie ～ 평온한 생활.

étalement [etalmɑ̃] *m.* ① 상품의 진열; (손에 쥔 트럼프 패를) 보이기. ② (시차를 두고) 나누기, 분할하기: ～ des horaires (출퇴근 따위의) 시차제.

étaler** [etale] *v.t.* ① ⓐ (상품 따위를) 늘어놓다, 펼쳐 놓다, 진열하다(≠ramasser): ～ une couverture (par terre) (지면에) 모포를 펼쳐 놓다. ⓑ (물건을) 펴다, 펴 보이다: ～ ses cartes 트럼프 패를 펼쳐 보이다. ② (버터·페인트 따위를) 바르다, 칠하다: peinture facile à ～ 펴서 칠하기 쉬운 칠. ③ 뽐내다, 과시하다(=exhiber): ～ ses connaissances 〔sa fortune〕 지식〔재산〕을 과시하다. ④ 《구어》 때려눕히다: Il *a été étalé* d'un seul coup. 그는 한 방으로 뻗었다. ⑤ (시간의 간격을 두어) 안배하다(=échelonner): ～ les congés 여러 차례로 나누어 교대로 휴가를 주다. ～ ***sa marchandise 상품을 진열하다; 《구어》 뽐내다. ～ ***ses projets*** 자기 계획을 피력하다.

── **s'～** *v.pr.* ① 번듯이 눕다; 나가자빠지다, 나가떨어지다. ② 《s'～ sur》 장광설을 늘어놓다. ③ 자기를 과시하다, 뽐내다. ④ 진열되다; 안배되다.

étalon¹ [etalɔ̃] *m.* (도량형의) 원기(原器) ; 표준 계기 : balance ~ 표준 저울. ② (판단의) 척도, 기준 : ~ de valeur 가치의 척도. ③ 〖경제〗 본위(本位) : ~ d'or 금본위.
étalon² *m.* 종마(種馬), 씨말.
étalonnage [etalɔna:ʒ], **étalonnement** [etalɔnmɑ̃] *m.* (도량형 기구를) 원기(原器)의 표준에 맞추기.
étalonner [etalɔne] *v.t.* (도량형의) 표준에 맞추다 ; (원기에 맞추어) 눈금을 새기다.
étamage [etama:ʒ] *m.* ① 〖야금〗 주석 도금(鍍金). ② (거울) 안쪽의 수은 칠《주석과 수은의 합금》: ~ au zinc 아연 도금.
étamer [etame] *v.t.* ① 〖야금〗 …에 주석 도금하다. ② (거울 뒤쪽에) 주석과 수은의 합금을 칠하다.
étameur [etamœ:ʀ] *m.* 주석 도금공.
étamine¹ [etamin] *f.* 평직(平織)의 얇은 천 ; 체로 사용되는 천 : ~ à pavillon 기(旗)의 감. ***passer*** qc ***par l'~*** …을 거르다 ; …을 세밀히 검사〔검토〕하다.
étamine² *f.* 〖식물〗 수술.
étanche [etɑ̃:ʃ] *adj.* (액체 · 기체가) 새지〔스며들지〕 않는, 방수〔방습〕의 : montre ~ 방수 시계 / cloison ~ 〖선박〗 방수 격벽(隔壁).
étanchéité [etɑ̃ʃeite] *f.* 방수질(防水質) ; (물 · 공기 · 가스 따위가) 새지 않는 성질.
étanchement [etɑ̃ʃmɑ̃] *m.* 액체의 유출(流出)을 막기 : ~ du sang 지혈.
étancher [etɑ̃ʃe] *v.t.* ① (액체의) 흐름을 막다 ; 물이 스며들지 않게 하다. ② (통 따위를) 새지 않게 하다. **~ *la soif*** 갈증을 풀다.
étançon [etɑ̃sɔ̃] *m.* 지주(支柱), 버팀목.
étançonner [etɑ̃sɔne] *v.t.* (지주로) 버티다, 받치다.
***étang** [etɑ̃] *m.* 연못(= lac) ; 개펄(= ~ salé).
étant [etɑ̃] *m.* être 의 현재분사.
étape** [etap] *f.* ① 〖군사〗 숙영지(宿營地) ; 숙박(지), 휴게(지) : arriver à l'~ 숙박(예정)지에 도착하다. ② (사이클링 경주 등의) 1 주행 구간 ; 하루의 행정(行程), 하룻길 : course par ~s 구간 경주. ③ (발달 · 진보 따위의) 단계, 기간 : procéder par ~s 단계적으로 진행하다. ***à petites ~s 서서히. ***d'~ en ~*** 점진적으로, 한걸음 한걸음.
:état [eta] *m.* ① 상태 ; 처지, 상황 : en bon ~ 좋은 상태인, 파손되지 않은, 정연한, 정비가 잘 된 / en mauvais ~ ; hors d'~ 불량한 상태의, 파손된, 정비가 잘 되지 않은 / ~ d'âme 〔d'esprit〕 정신 상태 / ~ de guerre 전쟁 상태, 대립 상태 / ~ de nature 미개 상태 / ~ de la question 문제의 진전 상황 / ~ de cause 소송의 진행 상황 / dans cet ~ de choses 그러한 상황에서는 / L'~ du malade est stationnaire. 환자의 상태는 진전을 보이지 않는다. ② 신분, 지위 ; 계급 ; 직업 : ~ d'époux 배우자의 신분 / actes d'~ civil 호적 등본 / devoir d'~ 사회적 신분상의 의무 / donner un ~ à qn …에게 직업을 주다 / ~ militaire 군인 신분 / ~ ecclésiastique 성직(자 신분) / tiers ~ 제 3 신분 / Il est menuisier de son ~, 그의 직업은 목수이다. ③ 표(表) ; 보고서 : ~ de compte 〔des dépenses〕 계산서〔지출표〕 / ~ des clients 숙박객 일람표 / ~ des lieux (셋집에 들 때의) 차가 현상서(借家現狀書) / ~ de frais 비용 명세서 / ~ nominatif 명부 / ~ périodique 〖상업 · 공업〗 정기 보고서 / ~ des services 인사 기록 카드 / ~ de pertes 〖군사〗 사상표(死傷表). ④ (*É*~) 국가 ; (미국의) 주(州) ; 정체(政體) ; 정부 : *É*~ souverain 주권 국가 / *É*~ fédéral 연방 국가 / (femme) chef d'*É*~ (여자) 국가 원수 / homme d'*É*~ 정치가 / fonctionnaire d'*É*~ 국가 공무원 / école d'*É*~ 국립 학교 / religion d'*É*~ 국교 / conseil d'*É*~ 참사원(參事院) ; 최고 행정 재판소 / *É*~ français 프랑스국《1940-44, 독일 점령하의 프랑스 공식 명칭》/ affaires d'*É*~ 국사(國事), 국무 / *É*~ monarchique 군주 정체 / *É*~ tampon 완충국(緩衝國) / secrétaire d'*É*~ 〖역사〗 (영국의) 국무경(國務卿) ; (프랑스의) 각외상(閣外相) ; (영국의) 대신 ; (미국의) 국무장관. ***coup d'É~*** 쿠데타《무력에 의한 정변》. ***en ~ de...*** …의 상태로. ***en*** (***l'***)***~*** 원상 그대로,좋은 상태로〔의〕 : acheter une maison *en l'~* 상태가 좋은 집을 사다. ***en tout ~ de cause*** 어떤 경우든지, 여하튼. ***~ civil*** 호적. ***~ de choses*** 형세, 사태. ***É~s généraux*** 삼부회《혁명 전 프랑스 의회》. ***être dans un bel*** 〔***joli***〕 ***~*** 《비꼼》 눈 뜨고 볼 수 없는 꼴이다, 정말 꼴불견이다. ***être en ~ de***+*inf.* …하기 알맞은 상태에 있다 ; …할 수 있다. ***être hors d'~ de***+*inf.* …할 수 없다 : Il *était hors d'~ de* continuer ses études. 그는 학업을 계속할 형편이 아니었다. ***faire ~ de*** …을 존중하다 ; …할 생각이다 : *faire* grand ~ *de* …을 대단히 존경〔존중〕하다. ***former un É~ dans l'É~*** (국가 안에) 정부의 권위를 따르지 않는 집단을 구성하다. ***les È~s-Unis*** (d'Amérique) 미합중국. ***mettre*** qc ***en ~*** …을 정비하다.
étatique [etatik] *adj.* 국가 관리의, 국영의 : dirigisme ~ 국가 통제 경제.
étatisation [etatizɑsjɔ̃] *f.* 국가 관리 (체제) ; 국유화, 국영화.
étatiser [etatize] *v.t.* 국가에서 관리하다, 국유화〔국영화〕하다 : ~ une usine 공장을 국영화하다.
étatisme [etatism] *m.* 국가 사회주의 ; 국가 통제〔관리〕(론).
étatiste [etatist] *m.* 국가 통제〔관리〕론자. — *adj.* 국가 통제〔관리〕의〔에 관한〕.
état-major [etamaʒɔ:ʀ] *m.* (*pl.* **~s-~s**) ① 〖군사〗 참모(본)부 ; 사령부 : chef d'~ 참모장. ② 수뇌부 : ~ d'un parti politique 정당 수뇌부.
***États-Unis** (**les**) [lezetazyni] *n.pr.m. pl.* (아메리카) 합중국, 미국.
étau [eto] *m.* (*pl.* **~x**) 〖기계〗 바이스《공구(工具)》. ***avoir*** qc ***dans un ~*** …이 죄다 : *avoir* les pieds *dans un ~* 신발이 작아 발을 죄이다. ***être serré*** 〔***pris***〕 ***comme dans un ~*** 꼼짝달싹 못하게 되다.
étayage [etɛja:ʒ], **étayement** [etɛjmɑ̃] *m.* (벽 따위를) 지주로 떠받치기.
étayer [etɛ(e)je] [8] *v.t.* ① (벽 따위를) 지주로 떠받치다, 버티다. ② 지지하다, 강화하다. — **s'~** *v.pr.* ① 떠받쳐지다 ; 지지되다. ② 자신을 떠받치다 ; 서로 떠받치다.

***etc.** 《약자》 = et cætera.
et cætera, et cetera [ɛtseteʀa] 〔라틴〕 *loc. adv.* …운운(云云), 기타, 등등.
:été¹ [ete] *m.* 여름, 여름철, 하계 : tenue d'~ 여름옷, 하복 / vacances d'~ 여름 방학〔휴가〕 / cours d'~ 여름〔하계〕 강좌. ***en ~*** 여름에(는). ***heure d'~*** 서머타임. ***hiver comme ~*** 여름도 겨울도. ***se mettre en ~*** 여름옷을 입다.
été² être 의 과거분사.
éteign-ant, -is, -ons, etc. ⇒ éteindre.
éteignoir [etɛɲwaːʀ] *m.* ① (원추형) 촛불 끄는 기구. ② 흥을 깨뜨리는 사람〔것〕.
***éteindre** [etɛ̃ːdʀ] 27 *v.t.* ① ⓐ (불·등불·가스 따위를) 끄다(≠ allumer) : ~ le feu 〔la lumière, le gaz〕 불을〔등불·가스를〕 끄다. ⓑ 《의미의 확대》 ~ un couloir 복도의 불을 끄다 / ~ la télévision 〔la radio〕 텔레비전을〔라디오를〕 끄다. ② (색·빛깔을) 퇴색하게 하다, 약화시키다 : Le soleil *éteint* les couleurs. 햇빛이 색깔을 바래게 한다. ③ 가라앉히다, 진정시키다 : ~ la soif 갈증을 풀다 / Le temps *éteindra* sa haine. 시간이 지나면 그의 증오심도 사라질 것이다. ④ (종족 따위를) 소멸〔절멸(絕滅)〕시키다 ; (생명 따위를) 끊다 ; (싸움 따위를) 종결시키다 : ~ une race 어떤 종족을 절멸시키다.
— **s'~** *v.pr.* ① (불·등불·가스 따위가) 꺼지다 : Le feu *s'éteint* faute de bois. 나무가 없어서 불이 꺼진다. ② 절멸〔소멸〕되다 ; (촛불이 꺼지듯이) 죽다 : famille qui *s'éteint* 혈통이 끊어지는 가문.
éteint, e [etɛ̃, -ɛ̃ːt] *adj.* ① (불 따위가) 꺼진 : incendie ~ 진화된 화재 / fenêtre ~*e* 불 꺼진 창. ② 절멸한, 멸망한 ; 단절된 : race ~*e* 멸망한 종족. ③ 퇴색한 ; 흐릿한 ; 생기를 잃은 : couleur ~*e* 바랜 색깔 / voix ~*e* 힘없는 목소리. ④ 진정된 ; (희망 따위가) 사라진 : passion ~*e* 식어버린 정열. ***volcan ~*** 〖지질〗 사화산.
étendage [etɑ̃daːʒ] *m.* ① (빨래 따위를) 널기. ② 널어 말리는 줄, 빨랫줄.
étendard [etɑ̃daːʀ] *m.* 군기 ; 깃발 : lever l'~ de la révolte 반기(叛旗)를 들다.
étendoir [etɑ̃dwaːʀ] *m.* 건조대, 건조장.
étendre** [etɑ̃ːdʀ] 25 *v.t.* ① 펼치다, 펴다(= déployer) ; (팔·다리를) 뻗치다(= allonger) ; 널다 : ~ une carte 지도를 펼치다 / ~ du linge 빨래를 널다. ② (사람을) 누이다 ; 《구어》 때려눕히다 : ~ un blessé sur un lit 부상자를 침대에 누이다 / ~ qn sur le carreau …을 때려눕히다. ③ ⓐ (크게) 넓히다, 확장하다, 확대하다 : ~ sa culture en lisant 독서로 교양을 넓히다. ⓑ (길게) 늘이다 ; (술에) 물을 타다, 묽게 하다 : ~ l'or au marteau 망치로 금을 쳐서 늘이다 / ~ une sauce 소스를 묽게 하다. ④ (버터·페인트 따위를) 바르다, 칠하다 : ~ du beurre sur du pain 빵에 버터를 바르다. ⑤ 《구어》 낙제시키다 : se faire ~ au bachot 바칼로레아 시험에 낙제하다. — **s'~** *v.pr.* ① 펼쳐지다, 펴지다 ; 퍼지다 : Une plaine *s'étendait* devant nous. 우리들 앞에 평야가 펼쳐져 있었다. ② 자다, 눕다 : *s'~* tout de son long sur l'herbe 풀밭에 네 활개를 펴고 눕다. ③ 늘어나다 ; 확대〔확장〕되다 ; 미치다 : ***s'~ en nombre 〔volume〕 수〔부피〕가 늘어나다 / Son pouvoir *s'étendait* sur un vaste territoire. 그의 권한은 광대한 영역에 미치고 있었다. ***s'~ sur*** qc …에 대하여 상세히 논하다, 상술하다.
étendu, e [etɑ̃dy] *adj.* ① 펼쳐진 ; 뻗은 ; 광활한 : linge ~ 널어놓은 빨래 / forêt ~*e* 광활한 숲. ② 물을 탄 : couleurs ~*es* 묽게 만든 염료. ③ 폭넓은 ; 해박한 : connaissances ~*es* 해박한 지식. — *f.* ① 넓이, 면적 : de vastes ~*es* désertes 광막한 황야 / sur toute l'~*e* du pays 국내 전체에. ② (시간의) 길이, 기간 : pendant toute l'~*e* de sa vie 그의 한평생 동안 사뭇. ③ 범위, 정도 : ~*e* de l'application d'une loi 법률의 적용범위 / évaluer l'~*e* des dégâts 피해의 정도를 평가하다.
-eter *suff.* 「축소·반복」의 뜻을 나타내는 동사어미.
éternel, elle** [etɛʀnɛl] *adj.* ① 영원한, 영구한 ; 무궁한, 불멸의 : la croyance en un Dieu ~ 영원한 신에의 신앙 / Rome, la Ville ~ 불멸의 도시 로마 / Rien n'est ~ dans ce monde. 이 세상에서 영원한 것은 아무것도 없다. ② 변함없는, 한결같은 ; 끝없는 : sentiment ~ 변하지 않는 감정 / peines ~*elles* de l'enfer 지옥의 끝없는 고초. ③ 예의, 늘 같은 : homme avec son ~ chapeau 늘 같은 모자를 쓰고 다니는 사람. ***le repos 〔***le sommeil***〕 ***~*** 《시어》 영원한 잠《죽음》. ***neiges ~elles*** 만년설. — **É~** *m.* 신(神)(= Père ~).
éternellement [etɛʀnɛlmɑ̃] *adv.* ① 영원히, 영구히. ② 변함없이 ; 끊임없이.
éterniser [etɛʀnize] *v.t.* ① 오래 끌다 : ~ un discussion 토론을 오래 끌다. ② 영구화〔불멸화〕하다, 영구히 존속시키다. — **s'~** *v.pr.* ① 오래 지연되다 ; 오래 머물다. ② 영구히 존속되다 : *s'~* par ses exploits 무훈을 세워 이름을 영구히 남기다.
***éternité** [etɛʀnite] *f.* ① 영원, 무궁 ; 영원성, 불멸성 : ~ de l'esprit 영(靈)의 불멸성. ② 저승, 내세(來世). ③ 긴 기간〔시간〕 : de toute ~ 태고적부터. 「기).
éternuement [etɛʀnymɑ̃] *m.* 재채기(하
***éternuer** [etɛʀnɥe] *v.i.* 재채기하다.
êtes [ɛt] être 의 직설·현재·2·복수.
étêtage [etɛtaːʒ]**, étêtement** [etɛtmɑ̃] *m.* (못·나무 따위의) 꼭대기를 자르기 ; (생선 따위의) 대가리를 자르기.
étêter [etɛ(e)te] *v.t.* (못·나무 따위의) 꼭대기를 자르다 ; (생선의) 대가리를 자르다.
éteule [etœl] *f.* 〖농업〗 (수확 후의) 그루터기.
éther [etɛːʀ] *m.* ① 〖화학〗 에테르. ② 《시어》 대기(大氣), 하늘, 창공.
éthéré, e [eteʀe] *adj.* ① 〖화학〗 에테르성(性)의, 에테르를 함유한. ② 하늘의 : voûte ~*e* 《시어》 창공. ③ 《문어》 지극히 순수한.
éthéromane [eteʀɔman] *adj.* 에테르 중독의. — *n.* 에테르 중독자.
éthiopien, enne [etjɔpjɛ̃, -ɛn] *adj.* 에티오피아(*l'Éthiopie*)의. — **É~** *n.* 에티오피아 사람. — *m.* 에티오피아어(語).
éthique [etik] *adj.* 윤리학의, 도덕에 관한.

— *f.* 윤리(학).

ethnie [ɛtni] *f.* 민족《언어·풍속·교양이 같은 개인들의 자연적인 집단 ; race 는 해부학적으로 공통 특징을 지닌 집단》.

ethnique [ɛtnik] *adj.* 민족의 : caractères ~*s* 민족성.

ethn(o)- *préf.* 「민족」의 뜻.

ethnocentrisme [ɛtnɔsɑ̃tʀism] *m.* 민족(문화) 중심주의.

ethnocide [ɛtnɔsid] *m.* (약소 민족에 대한) 문화적 파괴 ; 민족의 말살.

ethnographe [ɛtnɔgʀaf] *n.* 기술(記述) 인류학자, 민족학자. 「류학, 민족학.

ethnographie [ɛtnɔgʀafi] *f.* 기술(記述) 인

ethnographique [ɛtnɔgʀafik] *adj.* 기술 인류학의, 민족학의. 「언어학.

ethnolinguistique [ɛtnɔlɛ̃gɥistik] *f.* 민족

ethnologie [ɛtnɔlɔʒi] *f.* 민족학.

ethnologique [ɛtnɔlɔʒik] *adj.* 민족학의.

ethnologiste [ɛtnɔlɔʒist], **ethnologue** [ɛtnɔlɔg] *n.* 민족학자.

éthologie [ɛtɔlɔʒi] *f.* 동물행동학《동물이 나타내는 행동과 외부 환경과의 관계를 연구하는 학문》.

éthyle [etil] *m.* 〖화학〗 에틸.

éthylique [etilik] *adj.* ① 에틸의 : alcool ~ 에틸알코올. ② 알코올 중독의. — *n.* 알코올 중독자(= alcoolique).

éthylisme [etilism] *m.* 알코올 중독(증).

étiage [etjaːʒ] *m.* (하천의) 최저 수위(표) : échelle d'~ 수량 기록기.

étincelant, e [etɛ̃slɑ̃, -ɑ̃ːt] *adj.* 빛나는, 반짝이는 : esprit ~ 번뜩이는 재기 / diamants ~*s* 반짝이는 다이아몬드.

étinceler [etɛ̃sle] 5 빛나다, 반짝이다, 번뜩이다 ; 뛰어나다, 돋보이다 : Le soleil *étincelle.* 태양이 빛난다.

étincelle [etɛ̃sɛl] *f.* ① 불꽃, 불똥, 불티 : ~ électrique 전기 불꽃, 스파크. ② 빛남, 번득임 : ~ de génie 재능의 번득임. ***C'est l'~ qui a mis le feu aux poudres.*** 그게 분쟁〔재난〕의 불씨였다. ***faire des ~s*** 《구어》 (시험 따위에서) 눈부신 성과를 올리다.

étincellement [etɛ̃sɛlmɑ̃] *m.* 번쩍거림, 번득임, 광휘(光輝), 광채.

étiolement [etjɔlmɑ̃] *m.* ① (식물이) 시듦. ② 허약〔쇠약·창백〕해지기. ③ 위축 ; 쇠퇴 : ~ de l'esprit 정신력의 감퇴.

étioler [etjɔle] *v.t.* ① (일광 부족으로 식물을) 시들게 하다, 변색시키다. ② (사람을) 허약하게〔창백하게〕 만들다 : Le manque d'exercice *étiole* les enfants. 운동 부족은 아이들을 허약하게 만든다. — **s'~** *v.pr.* ① (꽃 따위가) 시들다 ; 퇴색하다. ② (사람이) 허약〔쇠약·창백〕해지다. ③ (지력이) 쇠퇴하다.

étiologie [etjɔlɔʒi] *f.* 〖의학〗 병원학(病原學).

étique [etik] *adj.* 여윈, 앙상한(= maigre) : visage ~ 여윈 얼굴.

étiquetage [etiktaːʒ] *m.* 명찰을〔가격표를〕 붙이기 ; 분류.

étiqueter [etikte] 5·4 *v.t.* ① …에 명찰을〔가격표를〕 달다 : ~ des marchandises 상품에 가격표를 붙이다. ② (사람·작품 따위를) 분류하다 : On l'*étiquette* comme socialiste. 그를 사회주의자라고들 한다.

étiqueteur, euse [etiktœːʀ, -øːz] *n.* 명찰을〔가격표를〕다는 사람 ; 라벨을 붙이는 사람. — *f.* (병에) 라벨을 붙이는 기계.

***étiquette** [etikɛt] *f.* ① 명찰, 가격표, 부전(附箋) ; 라벨 : ~ de garantie 〔qualité〕 품질 보증〔표시〕 라벨. ② (같은 부류의 것〔사람〕을 가리키는) 명칭 : député sans ~ 무소속 국회의원. ③ 예의범절, 에티켓 : respecter l'~ 에티켓을 지키다.

étirage [etiʀaːʒ] *m.* (금속·가죽·직물 따위를) 펴기〔늘이기〕 : ~ du fil 철사 뽑기.

étirement [etiʀmɑ̃] *m.* ① (금속·가죽·직물 따위가) 늘어남(= allongement). ② 손발 뻗음 ; 기지개.

étirer [etiʀe] *v.t.* (금속·가죽·섬유·유리 따위를) 펴다〔늘이다〕 ; (팔·다리를) 뻗다. — **s'~** *v.pr.* ① 늘어나다. ② 기지개를 켜다.

étoffe** [etɔf] *f.* ① 천, 직물, 옷감 : ~ de laine 〔coton, soie〕 모〔면·견〕직물 / ~ de fibres synthétiques 화학섬유. ② 재료, 소재 ; (문학 작품 따위의) 제재, 내용 : un film qui manque d'~ 소재가 빈약한 영화. ③ (사람의) 소질, 자질 : manquer d'~ 재능이 부족하다 / Il n'a pas l'~ d'un médecin. 그는 의사의 소질이 없다. ***tailler en pleine ~ 마음껏 하고 싶은 대로 행동하다.

étoffé, e [etɔfe] *adj.* ① 내용이 풍부한, 충실한 : maison bien ~*e* 가구가 훌륭한 집 / voix ~*e* 성량이 풍부한 음성. ② 체격이 좋은, 살찐 : homme bien ~ 풍채가 좋은 사람. ③ (재료를) 충분히 사용한.

étoffer [etɔfe] *v.t.* ① (천·재료 따위를) 충분히 쓰다 : ~ un jupon 옷감을 넉넉히 써서 페티코트를 만들다. ② (작품 따위의) 내용을 풍부하게 하다. ③ 살을 붙이다 ; 부풀리다 : ~ un récit en y ajoutant des épisodes 삽화를 곁들여 이야기에 살을 붙이다. — **s'~** *v.pr.* ① 살이 붙다. ② 내용이 충실해지다.

:étoile [etwal] *f.* ① 별 : à la clarté des ~*s* 별빛으로〔에〕 / ~ du matin 샛별 / ~ errante 행성(行星) / ~ filante 유성 / ~ polaire 북극성. ② 운수의 별, 성수(星數), 운명 : avoir foi 〔être confiant〕 en son ~ 자신의 운명을〔운수를〕 믿다. ③ 별 모양의 것 ; 〖인쇄〗 별표(*) ; 성장(星章) ; 훈장 ; (길이 방사상으로 난) 원형(圓形) 광장 ; 별 모양으로 깨진 금〔자국〕 : avoir les deux ~*s* 소장이다 / Monsieur trois ~*s* 모씨(某氏)《M***》 / hôtel trois(-) ~*s* ; un trois-~*s* 별 셋자리 호텔 / montage 〔couplage〕 en ~ 〖전기〗 별꼴 결선(結線) / ~ jaune 유대인의 표지. ④ 인기 배우, 스타 : ~ du cinéma 인기영화 배우 / nouvelle ~ du tennis 테니스의 신성. ***à la belle ~*** 《구어》 총총한 별 밑에서, 야외에서. ***en ~*** 별 모양의, 별 모양으로 배치된. ***coucher*** 〔***dormir***〕 ***à la belle ~*** 《구어》 노숙(露宿)하다. ***~ du berger*** 금성(金星), 샛별. ***~ de mer*** 〖동물〗 불가사리. ***être né sous une bonne*** 〔***mauvaise***〕 ***~*** 좋은〔나쁜〕 운명의 별을 타고나다. ***obus à ~s*** 조명탄. ***voir les ~s en plein midi*** 《구어》 (얻어맞아서) 눈에서 불꽃이 튀다.

étoilé, e [etwale] *adj.* ① 별이 총총한 : ciel ~ 별이 총총한 하늘. ② 별모양의. ③ 별표를 한. ***La Bannière ~e*** (미국의) 성조기.

E

étoilement [etwalmɑ̃] *m.* ① 별 모양의 균열〔금〕. ② 방사상의 배치.

étoiler [etwale] *v.t.* ① (별들이 하늘을) 빛나게 하다 : astres qui *étoilent* le ciel 하늘에 총총한 별들. ② 별 모양으로 장식하다 : fleurs qui *étoilent* les prés 들판을 온통 장식한 꽃들. ③ (유리 따위를) 별 모양〔방사상〕으로 금이 가게 하다. ── **s'~** *v.pr.* ① (하늘에) 별이 총총 빛나다. ② (유리 따위가) 별 모양〔방사상〕으로 금이 가다.

étole [etɔl] *f.* ① 〖가톨릭〗 영대(領帶), 스톨라《겉옷 위에 목 뒤로 걸쳐서 몸 양쪽으로 늘어뜨리는 장식 천》. ② 〖의복〗 (모피나 천의) 스톨《긴 여성용 목도리》.

E

étonnamment [etɔnamɑ̃] *adv.* 놀랍게도, 깜짝 놀랄만큼.

étonnant, e** [etɔnɑ̃, -ɑ̃:t] *adj.* ① 놀라운, 뜻밖의 : nouvelle *~e* 놀라운 소식 / Rien d'~ à cela 〔que+*sub.*〕 그것은〔…임은〕 별로 놀랄 일이 아니다. ② 훌륭한, 굉장한 : film ~ 기막힌 영화 / homme ~ 훌륭한 분. ***C'est* 〔*Il est*〕 *~ que 〔+*sub.*〕 …은 놀라운 일이다.

étonné, e** [etɔne] *adj.* 놀란(=surpris) : avoir 〔prendre〕 l'air ~ 놀란 얼굴을 하다 / J'ai été très ~ de le rencontrer. 그를 만나게 되어 나는 매우 놀랐었다. ***être ~ que+*sub.* ***; être ~ de ce que***+*ind.* 〔*sub.*〕 …임에 놀라다.

étonnement [etɔnmɑ̃] *m.* ① 놀람(=surprise, stupeur) ; 경탄, 감탄 : à mon ~ 놀라운 일로는. ② (다이아몬드·벽의) 금, 균열.

:étonner [etɔne] *v.t.* 놀라게 하다, 경탄하게 하다 : Cela ne m'*étonne* pas. 별로 놀라운 일이 아니다. ***Cela m'étonne que***+*sub.* …라니 놀랍군. ***Cela m'étonnerait.*** 그렇지 않겠지. ***Ce qui m'étonne, c'est que***+*sub.* 〔*ind.*〕 놀라운 일은 …이다. ── **s'~** *v.pr.* 놀라다 : *s'*~ à l'annonce d'une nouvelle 소식을 듣고 놀라다. ***s'~ que***+*sub.* ***; s'~ de ce que***+*ind.* 〔*sub.*〕 …에 놀라다.

étouffant, e [etufɑ̃, -ɑ̃:t] *adj.* 숨막히는 ; 짓누르는 : dictature *~e* 견딜 수 없는 독재 / chaleur *~e* 찌는 듯한 더위.

étouffe-chrétien [etufkʀetjɛ̃] *m.* 《구어》 삼키기 어려운 음식.

étouffée [etufe] *f.* 〖요리〗 김으로 익히는 요리법, 찜 : poisson cuit à l'~ 생선찜.

étouffement [etufmɑ̃] *m.* ① 질식, 숨막힘 : mourir d'~ 질식사하다 / avoir des *~s* 숨막히다, 숨가쁘다. ② 억압, 진압 : ~ d'une révolte 반란의 진압.

étouffer** [etufe] *v.t.* ① 숨막히게 하다, 질식시키다 : La chaleur m'*étouffe.* 날씨가 더워 숨이 막힐 것만 같다. ② 억누르다 ; 진압하다 ; (불을) 덮어 끄다 ; (소리를) 죽이다 : ~ un sanglot 오열을 억누르다 / ~ l'opinion publique 여론을 억누르다 / ~ une affaire 사건을 흐지부지해 버리다 / Le tapis *étouffait* les pas. 융단이 발소리를 나지 않게 했다. ***Ce n'est pas qc ***qui l'étouffe.*** 《구어》 털끝만치도 …하지 않다 : *Ce n'est pas* la politesse *qui l'étouffe.* 그는 예의 따위에는 아랑곳없다. ── *v.i.* 숨이 막히다, 질식하다 : ~ de rage 분해 숨이 막힐 지경이다 / On *étouffe* ici. 여긴 숨이 막힌다. ── **s'~** *v.pr.* 숨이 막히다, 질식하다.

étouffoir [etufwa:ʀ] *m.* ① 〖음악〗 (피아노 따위의) 단음(斷音) 장치, 지음기(止音器). ② 《구어》 통풍이 잘 안 되는 방〔장소〕.

étoupe [etup] *f.* 삼〔대마〕 부스러기(=~ blanche) ; 밧줄 부스러기(=~ noire).

étoupille [etupij] *f.* (탄환의) 신관(信管).

étourderie [etuʀd(ə)ʀi] *f.* 경솔(한 언동) ; 부주의 : agir avec 〔par〕 ~ 경솔하게 행동하다 / faute d'~ 부주의로 인한 실수.

étourdi, e** [etuʀdi] *adj.* et *n.* 되통스러운 (사람), 경솔한 (사람). ***à l'~e ; en ~ 경솔하게 : agir *à l'~e* 경거망동하다. ***~ comme un hanneton*** 《옛》 몹시 덤벙거리는.

étourdiment [etuʀdimɑ̃] *adv.* 경솔하게, 무심코.

étourdir [etuʀdi:ʀ] *v.t.* ① 얼떨떨하게〔얼빠지게〕 하다 : Le coup de poing l'*a étourdi.* 주먹으로 한대 맞고 그는 얼떨떨했다. ② (시끄러운 소리로) 귀찮게 굴다 ; 어지럽게 하다 ; 취하게 하다 : Tout ce brouhaha m'*étourdit.* 이 소란한 소리에 나는 질려 버렸다 / Le vin m'*étourdit* très vite. 나는 술을 마시면 이내 취한다. ── **s'~** *v.pr.* ① 자기를 잊다 ; 마음을 다른 데로 돌리다 : boire pour s'~ 마음을 돌리려고 술을 마시다. ② 《s'~ de》 …에 열중하다, 도취하다.

étourdissant, e [etuʀdisɑ̃, -ɑ̃:t] *adj.* ① 귀를 멍하게 하는, 소란스러운 : vacarme ~ 멍하게 만드는 소음. ② 놀랄 만한, 눈부신, 굉장한 : succès ~ 놀랄 만한 성공.

étourdissement [etuʀdismɑ̃] *m.* ① 현기증, 망연자실 : avoir un ~ 현기증이 나다. ② 도취(=ivresse), 기분풀이.

étourneau [etuʀno] *m.* (*pl.* **~x**) ① 〖조류〗 찌르레기. ② 《구어》 경솔한 젊은이.

étrange** [etʀɑ̃:ʒ] *adj.* 이상한, 야릇한, 기묘한 (=bizarre, curieux) : d'un air ~ 이상한 얼굴로〔표정으로〕 / ~ coïncidence 야릇한 일치. ***Ce qui est ~, c'est que+*ind.* 〔*sub.*〕 야릇한 일은〔이상하게도〕 …이다. ***Ce qu'il y a d'~ dans sa conduite, c'est que...*** 그의 거동의 이상한 점은 …이다. ***Chose ~,*** (Il est revenu). 이상하게도 (그는 되돌아왔다). ***Il est* 〔*C'est*〕 *~ que***+*sub.* …은 이상한 일이다 : *Il est* bien ~ *qu'*il ait refusé. 그가 거절했다니 아무래도 이상한 일이다.

étrangement [etʀɑ̃ʒmɑ̃] *adv.* 이상하게, 야릇하게, 기묘하게 : touriste ~ habillé 옷차림이 이상한 관광객.

:étranger, ère [etʀɑ̃ʒe, -ɛ:ʀ] *adj.* ① 외국(인)의(≠autochtone) : langue *~ère* 외국어 / pays *~s* 외국 / Ministère des Affaires *~ères* 외무부. ② 딴 곳의, 외래의 ; 외부〔국외〕의 : entrée interdite à toute personne *~ère* 외부인 출입 금지. ③ 낯선, 모르는 : Ce visage ne m'est pas ~. 그 얼굴은 낯설지 않다. ④ 남의, 타인의. ⑤ 《~ à》 …에 관계없는, …에 무관심한 ; …에 생소한, …의 문외한인 : ~ *à* un art 어떤 예술의 문외한인 / Il est ~ *à* cette affaire. 그는 그 문제에는 관계가 없다. ⑥ 이질(異質)의 : corps ~ 〖의학〗 이물(異物). ── *n.* ① 외국인, 이방인. ② 타인, 모르는 사람, 국외자, 외부인. ── *m.* 외국, 해외 : voyager à l'~ 외국 여행을 하다 / vivre à l'~ 외국에서 살다.

étrangeté [etʀɑ̃ʒte] *f.* 이상함, 야릇함, 기묘함(= bizarrerie) : ~ de caractère 이상한 성격. ② 기묘한 것〔일〕; 야릇한 언동.

étranglé, e [etʀɑ̃gle] *adj.* ① 숨막힌, 목이 멘 : voix ~*e* 목메인 소리. ② 좁 ; 좁은, 답답한 : passage ~ 좁은 통로.

étranglement [etʀɑ̃gləmɑ̃] *m.* ① 목 조르기 ; 교살(絞殺) ; 졸라매기 ; 억압 : ~ des libertés 자유의 억압. ② 좁아진 부분〔곳〕; 좁아진 길목(= goulet d'~).

***étrangler** [etʀɑ̃gle] *v.t.* ① (목을) 조르다 ; 교살하다(= asphyxier) : ~ qn de ses mains 두 손으로 …의 목을 조르다. ② 졸라매다, 죄다 ; 좁히다 : corset qui *étrangle* la taille 허리를 죄는 코르셋. ③《구어》저지하다 : ~ un complot au berceau 음모를 미연에 방지하다. ④《비유》괴롭히다 ; 압박하다 : taxes qui *étranglent* les commerçants 상인들을 압박하는 세금. ── **s'~** *v.pr.* ① 숨막히다(= s'étouffer), 질식하다 : Il *s'étrangle* de colère. 그는 분노로 숨이 막힐 것 같다. ② 목이 메다 : voix qui *s'étrangle* 목메인 소리. ③ (도로 따위가) 좁아지다.

étrangleur, euse [etʀɑ̃glœːʀ, -øːz] *n.* 교살자.

étrave [etʀaːv] *f.* 〖해양〗 선수(재)(船首(材)), 이물, 뱃머리.

:être [ɛtʀ] *v.i.* Ⓐ 있다 ; …이다. ① 있다, 존재하다, 생존하다 : Je pense, donc je *suis.* 나는 생각한다, 그러므로 나는 존재한다 / ~ ou ne pas ~ 사느냐 죽느냐 / cesser d'~ 사라지다, 없어지다 / Ce temps n'*est* plus. 그 시대는 이미 지나가 버렸다 / Il n'*est* plus.《문어》그는 이미 이 세상에 살고 있지 않다 / Qui sait si nous *serons* demain? 우리가 내일도 살고 있을지 누가 알겠는가?
② …에 있다, …상태에 있다 : Nous *sommes* le dix. 오늘은 10 일이다 / ~ bien avec qn …와 사이가 좋다 / La voiture *est* au garage. 차는 차고에 있다 / Nous *sommes* en mai. 지금은 5 월이다 / Il *est* très bien 〔mal〕. 그는 건강이 퍽 좋다〔나쁘다〕/ ~ en costume et avec une cravate 넥타이를 맨 정장 차림이다 / ~ en promenade 산책 중이다.
③《속사를 이끄는 계사(繫辭)》…이다. ⓐ《명사와 함께》Il *est* médecin. 그는 의사이다 / C'*est* un homme sérieux. 그는 진실한 사람이다 / Un sou *est* un sou. 한 푼도 돈이다. ⓑ《형용사(구)와 함께》La terre *est* ronde. 지구는 둥글다 / Je *suis* jeune. 나는 젊다 / Il *est* de mon âge. 그는 나와 동갑이다 / Il *est* à son aise. 그는 마음이 편하다 : ⓒ《대명사와 함께》Qui *est*-ce? 그는 누구요? / Il n'*est* plus ce qu'il *a été.* 그는 옛날의 그가 아니다 / ~ quelqu'un 대단한〔알아줄 만한〕 사람이다.
④ …에 가다(= aller) : *Avez*-vous *été* en France? 프랑스에 가 본 적이 있습니까? / J'*ai été* à Rome l'an dernier. 나는 작년에 로마에 갔었다 / J'*avais été* à Paris. 전에 파리에 가 본 일이 있다 / 《~+*inf.*》 Je *fus* voir ma voisine. 나는 이웃을 보러 갔다 / 《s'en ~》 Il *s'en fut* sans rien dire. 그는 한 마디도 없이 가 버렸다.
⑤ 되다 : Elle *fut* sa femme et elle enfanta un fils. 그 여자는 그의 아내가 되어 아들을 하나 낳았다.
Ⓑ ①《~ à qn》…의 것이다 ; …의 차례다 ; …의 책임이다 : Ce livre *est à* moi. 이 책은 내 것이다 / Ceci *est à* toi. 이것은 너의 것이다 / Je *suis à* vous dans un instant. 조금 기다리세요, 곧 보아드리겠습니다 / C'*est à* vous à 〔de〕 parler. 당신이 이야기할 차례입니다 / C'*est à* vous de 〔à〕 veiller sur l'enfant. 어린애는 당신이 감독해야 합니다.
②《~ à qc》ⓐ《하고 있는 일》~ *à* son travail 일을 하고 있다 / Je *suis à* ce que vous dites. 당신의 말을 잘 듣고 있습니다. ⓑ《경향》Le temps *est à* la pluie. 비가 올 것 같은 날씨다 / Les prix *sont à* la baisse. 물가는 내릴 기미이다.
③《~ à+*inf.*》…하고 있다 ; …해야 하다 ; …할 만하다 : Il *est à* travailler. 그는 일을 하고 있다 / La maison *est à* louer. 그 집은 세놓을 집이다 / Elle *fut* dix mois *à* le faire. 그 여자는 그 일을 10 개월 동안이나 했었다 / Ils *sont* toujours *à* se quereller. 그들은 늘 싸우고 있다 / Tout *est à* refaire. 전부 다시 해야만 한다 / Cette personne *est à* admirer. 그 사람은 감탄할 만한 사람이다 / Cet homme *est à* plaindre. 동정할 만한〔불쌍한〕 사람이다.
④《~ de》ⓐ《소속 · 참여》: Il *est de* mes amis. 그는 나의 친구의 한 사람이다 / Il *est du* complot. 그는 음모에 가담하고 있다. ⓑ《출신 · 출처》Il *est de* Normandie. 그는 노르망디 사람〔태생〕이다 / Cette comédie *est de* Molière. 이 희극은 몰리에르의 작품이다 / Vous *êtes des* nôtres. 당신은 우리 편 사람이다. ⓒ《성질》Il *est d'*un bon caractère. 그는 훌륭한 성격의 사람이다 / C'*est de* première qualité. 그것은 최고급품이다. ⓓ《수량 · 가치》Le nombre des blessés *est de* trente. 부상자 수는 30 명이다 / Le prix de ce livre *est de* deux cents francs. 이 책값은 200 프랑이다.
⑤《~ en》ⓐ《옷차림》~ *en* blanc 〔deuil〕 흰옷〔상복〕을 입고 있다 / ~ *en* costume et avec une cravate 넥타이를 맨 정장 차림이다. ⓑ《재료》Cette montre est *en* or. 이것은 금시계이다. ⓒ《도달한 상태 · 형세》J'*en suis* là. 나는 이 지경이 되었소 / C'*en est* trop 〔assez〕! 더 참을 수 없다, 이제는 지긋지긋하다 / J'*en suis* pour mon argent. 나는 돈만 손해 봤다 / L'affaire *en est* là. 사태는 그쯤 되어 있다 / s'il *en est* ainsi 사정이 그렇다면.
⑥《y ~》ⓐ 알다(= comprendre) : J'*y suis.* 알았다. ⓑ《y ~ pour》…와 관계가 있다, …에 책임이 있다 : Je n'*y suis pour* rien. 나는 그 일에 아무 관계도 없다.
⑦《~ sans》ⓐ …이 없다 : ~ *sans* sous 돈이 한 푼도 없다. ⓑ n'~ pas sans+*inf.* …하지 않을 리 없다 : *n'~ pas sans* savoir qc …을 모를 리 없다.
⑧《~ pour》《대상》ⓐ Ce cadeau *est pour* toi. 이 선물은 너를 위한 것이다. ⓑ《찬성》Je *suis pour.* 나는 찬성이다. ⓒ《공헌》Il

n'*est pour* rien dans cette affaire. 그는 이 일에 아무런 관련도 없다.
⑨ 《c'est ... qui 〔que〕 ...》 ⇒ ce.
C 《조동사》 ① 《장소 · 상태 · 변화를 나타내는 일부 자동사의 복합시제》 Il *est* venu. 그는 왔다 / Nous *sommes* descendus. 우리는 내려왔다 / Elle *est* partie. 그녀는 떠났다.
② 《대명동사의 복합시제》 Il s'*est* promené. 그는 산책했다 / Ils se *sont* aimés. 그들은 서로 사랑했다.
③ 《수동》 La porte *est* ouverte. 문이 열려 있다 / Il *est* aimé de ses amis. 그는 친구들의 사랑을 받고 있다.
D 《C'est》 ① 《설명 · 강조》 《C'est... qui 〔que〕》 *C'est* moi *qui* l'ai dit. 그걸 말한 것은 바로 나다 / *C'est* elle *qui* parlait. 말하고 있던 사람은 바로 그녀다 / *C'est* pour l'aider *que* je suis intervenu. 내가 개입한 것은 그를 돕기 위해서이다.
② 《이유》 《C'est que+*ind.* ; Ce n'est pas que+*sub.*》 Pourquoi pleures-tu ? — *C'est que* je suis malade. 왜 우니 ? — 아프기 때문입니다.
③ 《비인칭 il est 의 의문(도치)형》 *Sera-ce* facile de le convaincre ? 그를 설득하기가 쉬울까요 ?
Ainsi soit-il. 아멘 ; 그대로 이루어지이다. ***cela étant*** 그렇기 때문에. ***Cela n'est pas.*** 그렇지가 않다, 그건 진실이 아니다. ***ce n'est pas que***+*sub.* …이기 때문은 아니다 《⇒ ce》. ***c'est que***+*ind.* …이기 때문이다. ***comme si de rien n'était*** 아무 일도 없었던 듯이. ***en ~ pour... dans*** qc …에 책임이 있다 : Tu *en* es *pour* beaucoup *dans* sa décision. 그가 그렇게 결심한 데에는 너의 책임이 크다. ***fût*** 〔***serait***〕***-ce*** 설사 …이라 하더라도 : J'irai avec toi, *serait-ce* jusqu'au bout du monde. 세상 끝까지라도 너와 함께 가겠다. ***Il en est.*** 그도 한편이다 ; 거기에 가담하고 있다 ; 《구어》 경찰의 끄나풀이다. ***J'en suis !*** 찬성이오 ! ***Je suis tout à vous.*** 무슨 일이든 들어 드리겠습니다. ***ne fût*** 〔***serait***〕***-ce que*** 설령 그것이 …에 지나지 않는다 할지라도 : Je veux rester auprès de vous, *ne serait-ce que* pour quelques jours. 설사 며칠 뿐일지라도 당신 곁에 있고 싶다. ***n'était ; n'étaient*** …이 없다면 : *N'était* l'amitié que j'ai pour vous, je vous dénoncerais. 당신에 대한 우정이 없다면 나는 당신을 고발할 것이오. ***n'eût*** 〔***n'eussent***〕 ***été*** ⓐ …라는 사실이다. ⓑ …이 없었더라면. ***n'était que***+*ind.* …이 없다면, 아니라면 : Je ne pourrais pas le croire, *n'était que* je l'ai vu moi-même. 내 눈으로 직접 보지 않았다면 나는 그것을 믿지 못할 것이다. ***si ce n'est...*** …이 아니라면, …을 제외하고는 : Qui osera dire cela *si ce n'est* vous ? 당신이 아니라면 그 누가 그런 말을 하겠소 ? ***si ce n'est que***+*ind.* …라는 사실만 아니라면, …라는 사실을 제쳐놓고는.
— *v. impers.* ① ***il est*** 있다(=il y a) : *Il était* une fois un roi. 옛날에 한 임금이 있었다 / *Il* n'en *est* rien. 그런 일은 조금도 없다, 그것은 사실이 아니다 / un héro s'*il* en *fut* (jamais) 그야말로 참으로 영웅.
② 《시간을 가리킴》 *Il est* midi. 정오다 / *Il est* temps de+*inf.* 〔que+*sub.*〕 …할 시간〔때〕이다.
③ 《부정법 또는 que 로 시작되는 종속절의 가주어로 사용됨》 *Il est* bon *de*+*inf.* 〔*que*+*sub.*〕 …이 좋다 / *Il est* vrai *que*+*ind.* …은 사실이다 / *Il est* de mon devoir *de*+*inf.* …하는 것은 나의 의무이다.
④ 《il en ~》 …라는 것은 사정이다 : *Il en est* de même de notre pays. 우리 나라도 사정이 같다 / *Il en est* ainsi. 사정은 이러하다. ***il n'est que de***+*inf.* …하기만 하면 된다 ; …하는 것이 상책이다 : *Il n'est que de* vouloir pour pouvoir. 이루기 위해서는 뜻을 품기만 하면 된다. ***s'il en fut*** (***jamais***) ***; s'il en est*** 더할 나위 없는 《최상급의 뜻》 : homme vertueux *s'il en fut* 더할 나위 없이 덕성스러운 사람 / mauvais garnement *s'il en est* 지독한 불량배. ***Toujours est-il que***+*ind.* 어쨌든〔하여튼〕 …이다.
— *interj.* ***Soit !*** 좋아 ! 그러세 !
— ***s'en~*** *v.pr.* 《단순과거로만 쓰임》 가다, 가 버리다 : Il *s'en fut* sans rien dire. 그는 아무 말 없이 가 버렸다.
— *m.* ① 존재 ; 실재(= existence) ; 유(有) ; 생명 ; 생존. l'~ et le devenir 존재와 생성.
② 본질(=essence), 실체 : l'~ et le paraître 실체와 외관.
③ 마음 : Nous étions bouleversés au plus profond de notre ~. 우리들은 마음속 깊이 충격을 받았었다.
④ 존재물 ; 존재자 ; 인간, 《구어》 인물, 녀석 : ~ animé 〔inanimé〕 생물〔무생물〕 / Quel ~ insupportable ! 정말 비위에 거슬리는 녀석이군. ***donner l'~ à*** qn …을 낳다, …에게 생명을 주다. ***~ humain*** 인간. ***Ê~ suprême*** 절대자, 신(神).

étreign-ant, -is, -onne, etc. ⇒ étreindre.

étreindre** [etʀɛ̃:dʀ] 27 *v.t.* ① 조르다, 죄다 : lutteur qui *étreint* son adversaire 상대를 조르는 레슬러. ② 껴안다(= serrer, enlacer), 포옹하다(=embrasser). ③ (공포 · 감동 따위가) …의 가슴을 조르다, 짓누르다 : Une sensation de détresse lui *étreignit* l'âme. 괴로운 생각이 그녀의 마음을 짓눌렀다. ***Qui trop embrasse mal étreint. 《속담》 두 마리의 토끼를 쫓는 자는 한 마리도 못 잡는다. — ***s'~*** *v.pr.* 서로 껴안다.

étreinte [etʀɛ̃:t] *f.* ① 졸라매기, 죄기 ; 구속, 압박 : sous l'~ de la misère 가난에 쪼들려. ② 껴안기, 포옹 : douce ~ 다정한 포옹.

étrenne [etʀɛn] *f.* ① (흔히 *pl.*) 새해 선물 ; (우체부 · 청소부 등에게 주는) 연말 선물. ② 사용 개시 ; 마수걸이. ***avoir l'~ de*** qc …을 처음으로 사용〔이용〕하다.

étrenner [etʀɛ(e)ne] *v.t.* 처음으로 사용하다 : ~ une nouvelle robe 새 드레스를 처음 입다. — *v.i.* (불쾌한 일을) 맨 먼저 당하다, 첫 희생자가 되다.

étrier [etʀije] *m.* ① (말의) 등자(鐙子) ; (*pl.*) 등산용 아이젠. ② 〖건축〗 U자형 죔쇠. ③ 〖해부〗 (귀의) 등골(鐙骨). ***avoir le pied à l'~*** 떠날 채비가 되다 ; 성공의 첫 발을 내딛다. ***coup*** 〔***vin***〕 ***de l'~*** 이별의〔마지막〕 술잔. ***mettre à*** qn ***le pied à l'~*** …을 도와

주다. ***tenir l'~ à*** qn …이 말에 오르는 것을 도와 주다; …의 계획을 밀어 주다. ***vider*** 〔***perdre***〕 ***les ~s*** 등자를 헛딛다, 낙마하다.

étrille [etʀij] *f.* (말의 털을 빗기는) 글겅이.

étriller [etʀije] *v.t.* ① (말을) 글겅이로 빗겨 주다. ② 《속어》 때리다; 혼내 주다(= malmener); 헐뜯다. ③ …에게서 돈을 우려내다, …에게 바가지를 씌우다.

étriper [etʀipe] *v.t.* ① (생선·닭 따위의) 내장을 발라내다. ② 《구어》《~ qn》 죽도록 때리다, 죽이다. ── **s'~** *v.pr.* ① 내장이 빠지다. ② 《구어》 서로 치고받다, 서로 죽이다. ***se faire ~*** 《구어》 호되게 당하다, 혼나다.

étriqué, e [etʀike] *adj.* ① (옷 따위가) 꼭 끼는: veston ~ 꼭 끼는 옷. ② 협소한, 비좁은: chambre ~*e* 비좁은 방. ③ 옹졸한; 옹색한: esprit ~ 옹졸한 사람.

étriquer [etʀike] *v.t.* ① (옷 따위를) 꼭 끼게 〔옹색하게〕 만들다; (옷이 사람을) 꼭 죄다. ② (문장 따위를) 줄이다, 요약하다. ③ (널판 따위를) 얇게 하다(= amincir).

:étroit, e [etʀwa〔ɑ〕, -a〔ɑː〕t] *adj.* ① 비좁은, 좁은(≠ large); 꼭 끼는: vêtements ~*s* 꼭 끼는 옷 / chemin de fer à voie ~*e* 협궤 철도. ② 편협한, 옹졸한(= borné): vue ~*e* 좁은 시야. ③ 밀접한, 긴밀한: rester en rapports ~*s* avec qn …와 긴밀한 관계를 유지하다. ④ 《비유》 엄격한, 엄밀한: ~*e* observation 엄격한 준수 / sens ~ 엄밀한 의미. ── *m.* ① 좁음, 협소. ② (산의) 좁은 길. ***à l'~*** 좁은 곳에; 옹색하게: être logé *à l'~* 비좁은 곳에서 살다 / vivre 〔être〕 *à l'~* 몹시 쪼들린 생활을 하다. ***faire l'~e*** 《구어》 (여자가) 정조가 굳은 체하다.

étroitement [etʀwatmɑ̃] *adv.* ① 좁게; 옹색하게: être logé ~ 좁은 집에 살다. ② 밀접〔긴밀〕하게; 친밀하게. ③ 엄밀〔엄격〕하게: observer ~ la régle 규칙을 엄수하다.

étroitesse [etʀwatɛs] *f.* ① 좁음, 답답함. ② 옹졸, 편협(= mesquinerie).

étron [etʀɔ̃] *m.* 《속어》 ① 똥(= crotte). ② 가치 없는 것〔물건·사람〕.

:étude [etyd] *f.* ① 연구; 학식, 학문; 공부: ~ du grec 〔du droit〕 그리스어〔법학〕 공부〔연구〕 / avoir de l'~ 학식이 있다 / homme d'~ 학자 / aimer l'~ 공부(하기)를 좋아하다 / son ardeur à l'~ 그의 학구열. ② 연구서, 연구 논문. ③ 자습실(= salle d'~); 자습 시간: maître d'~ 자습 감독 선생. ④ (*pl.*) 학업, 학교 교육: ~*s* primaires 〔secondaires, supérieures〕 초등〔중등·고등〕 교육 / faire ses ~*s* à... …에서 교육을 받다 / programme d'~*s* 교과 과정, 커리큘럼. ⑤ 조사, 검토(= examen): bureau d'~*s* (공장의) 조사부 / ~*s* de marché 시장 조사. ⑥ (변호사 따위의) 사무소; (변호사·공증인 따위의) 권리. ⑦ 주의; 노력: Cela sent l'~. 그것은 노력한 흔적이 보인다. ⑧ 〖미술〗 습작; 〖음악〗 연습(곡); 〖연극〗 시연(試演): mettre une pièce à l'~ 연극을 시연하다. ***être à l'~*** (문제 따위가) 검토 중이다, (계획이) 입안 중이다. ***faire son ~ de*** qc; ***mettre son ~ à*** qc …에 노력하다; …을 연구하다.

:étudiant, e [etydjɑ̃, -ɑ̃ːt] *n.* 학생, 대학생: ~ en lettres 문과 대학생 / ~ en médecine 의과 대학생 / vie d'~ 대학 생활 / carte d'~ 학생증. ── *adj.* 대학생의〔에 관한〕: vie ~*e* 대학 생활.

étudié, e [etydje] *adj.* ① 연구〔검토〕된; 공들인, 신중한: discours ~ 빈틈없는 연설 / rapport ~ 잘 준비된 보고서. ② 일부러 꾸민, 가장된(= faux): gestes ~*s* 어색한 몸짓.

:étudier [etydje] *v.t.* ① 연구〔관찰·조사·검토〕하다: ~ un auteur 〔un texte〕 작가〔텍스트〕를 연구〔검토〕하다. ② 공부하다; 암기하다: ~ l'histoire 〔le piano〕 역사〔피아노〕 공부를 하다 / élève qui *étudie* sa leçon 학과를 암기하는 학생. ③ 연습하다; 준비하다. ── **s'~** *v.pr.* ① 자기를 검토하다, 자기 정체를 파악하다: *s'~* pour se connaître 자신을 알기 위해서 스스로 검토하다. ② 연구되다. ③ 부자연스럽게 태도를 꾸미다, 젠체하다. ***s'~ à****+inf.* …하려고 애쓰다.

***étui** [etɥi] *m.* 케이스, 갑, 상자: ~ à cigares 〔cartes, lunettes〕 담배〔명함·안경〕 케이스 / ~ à chapeau 모자 상자.

étuve [etyːv] *f.* ① 한증실; 《구어》 한증막: ~ humide 증기 목욕, 터키탕. ② 건조기, 건조실; 열 살균기: ~ à désinfection 〔stérilisation〕 고온 살균실 / ~ à vide 진공 건조실.

étuvée [etyve] *f.* = étouffée².

étuver [etyve] *v.t.* ① (건조기 따위에서) 건조시키다; 열 살균하다: ~ les vêtements d'un malade 환자의 옷을 살균하다. ② 찌다; 〖의학〗 찜질하다.

étymologie [etimɔlɔʒi] *f.* 어원(語源); 어원학, 어원론.

étymologique [etimɔlɔʒik] *adi.* 어원의; 어원학의: recherches ~*s* 어원 연구.

étymologiquement [etimɔlɔʒikmɑ̃] *adv.* 어원적으로; 어원학적으로.

étymon [etimɔ̃] *m.* 〖언어〗 원의(原義); 어원어(語).

eu, e [y] avoir 의 과거분사.

É.-U. 《약자》 États-Unis (아메리카) 합중국.

eucalyptus [økaliptys] *m.* 〖식물〗 유칼립투스, 유칼리나무.

eucharistie [økaʀisti] *f.* 〖가톨릭〗 성찬(聖餐)(식), 성체(聖體), 성체 성사(聖事).

eucharistique [økaʀistik] *adj.* 〖가톨릭〗 성찬의, 성체 성사의.

euclidien, enne [øklidjɛ̃, -ɛn] *adj.* 〖수학〗 유클리드(*Euclide*, 그리스의 기하학자)의: géométrie ~*enne* 유클리드 기하학.

eugénique [øʒenik] *f.* 우생학(優生學), 우생론. ── *adj.* 우생학의.

eugéniste [øʒenist] *n.* 우생학자.

***euh** [ø] *interj.* 허어, 글쎄《놀라움·의심·주저 따위를 나타냄》.

eûmes [ym] avoir 의 직설·단순과거·1·복수.

eunuque [ønyk] *m.* 환관(宦官), 내시; 거세된 사람; 《비유》 우유부단한 남자.

euphémique [øfemik] *adj.* 완곡한 표현〔어법〕의.

euphémisme [øfemism] *m.* 〖수사학〗 완곡어법(婉曲語法).

euphonie [øfɔni] *f.* 좋은 음조, 조화음(調和音)(≠ cacophonie); 발음상의 편의.

euphonique [øfɔnik] *adj.* 음조가 좋은, 음조화의, 발음 편의상의.

euphorbe [øfɔʀb] *f.* 〖식물〗 버들옷.

euphorie [øfɔʀi] *f.* ① 행복감, 쾌감. ② 〖정신의학〗 다행증(多幸症).

euphorique [øfɔʀik] *adj.* 행복감을 주는 ; 행복〔만족〕을 느끼는 ; 상쾌한, 흐뭇한.

euphorisant, e [øfɔʀizɑ̃, -ɑ̃:t] *adj.* 행복〔만족〕감을 주는 ; 쾌적한 : médicaments ~s 신경 안정제. ── *m.* 우울증 치료제(=antidépresseur).

euphoriser [øfɔʀize] *v.t.* …에게 행복감을 주다, 쾌적하게 하다 : ~ le client 고객에게 쾌적감을 주다.

eurafricain, e [øʀafʀikɛ̃, -ɛn] *adj.* 유라프리카의, 유럽과 아프리카의.

eurasien, enne [øʀazjɛ̃, -ɛn] *adj.* 유라시아의. ── **E~** *n.* 유라시아 사람 ; 유럽과 아시아 혼혈인.

eurêka [øʀeka] *interj.* 알았다, 바로 이거다 《그리스어로 J'ai trouvé ! 의 뜻》.

euro [øʀo] *m.* 유로《유럽 연합(EU) 화폐 단위》.

eurocommunisme [øʀɔkɔmynism] *m.* 유러코뮤니즘, 서유럽형 공산주의.

eurodollar [ø〔œ〕ʀɔdɔla:ʀ] 〔영〕 *m.* 〖재정〗 유로 달러, 유럽 단기 달러 자금.

euromissile [øʀomisil] *m.* 유럽 중거리 핵미사일.

Europe[1] [øʀɔp] *n.pr.f.* 〖그리스신화〗 에우로페《페니키아의 왕녀, 제우스가 흰 소로 변신하여 크레타 섬으로 유괴하였다 함》.

Europe[2] *n.pr.f.* 유럽.

européanisation [øʀɔpeanizɑsjɔ̃] *f.* 유럽화.

européaniser [øʀɔpeanize] *v.t.* 유럽화하다. ── **s'~** *v.pr.* 유럽화되다.

européanisme [øʀɔpeanism] *m.* ① 유럽풍, 유럽 정신. ② 〖정치〗 유럽 통합주의.

européen, enne** [øʀɔpeɛ̃, -ɛn] *adj.* 유럽(사람)의 : civilisation *~enne* 유럽 문명. ***à l'~enne 유럽풍의, 유럽식으로.
── **E~** *n.* 유럽 사람.

Eurovision [øʀɔvizjɔ̃] *f.* 유러비전《유럽 텔레비전 교환 동시 방송 : Union européenne de radiodiffusion et de télévision의 약자》.

eurythmie [øʀitmi] *f.* 〖미술 · 건축〗 조화 ; 〖음악〗 리듬의 조화 ; 〖의학〗 맥박 정상.

euthanasie [øtanazi] *f.* 〖의학〗 고통 없는 죽음, 안락사(安樂死) (찬성론).

euthanasique [øtanazik] *adj.* 안락사의, 안락사에 관한.

eutrophisation [øtʀɔfizɑsjɔ̃] *f.* 〖생태〗 (호수 · 하천 따위의) 부영양화(富營養化).

‡**eux** [ø] *pron. pers.* 《3인칭 남성 복수 강세형》 그들, 그것들. ① 《전치사와 함께》 Je vis avec ~. 나는 그들과 함께 살고 있다 / Je pense à ~. 나는 그들을 생각한다 / l'un d'~ 그들 중의 한 사람. ② 《강조》 Ils n'irons pas, ~. 그들은 안 갈 것입니다, 그 사람들은 / *E~*, il ont réussi. 그들이야말로 성공한 것이다. ③ 《단독으로 주어가 되는 경우》 Moi, je travaille, ~ se reposent. 나는 일을 하고 있는데 그들은 쉬고 있다《Moi는 반드시 je로 반복해야 하지만, eux는 ils로 반복하지 않아도 됨》/ E~ revenus, nous repartîmes. 그들이 돌아오자 우리는 다시 떠났다. ④ 《목적보어의 동격》 Je les estime, ~. 나는 저 사람들을 존경합니다. ⑤ 《비교문》 Je suis plus grand qu'~. 나는 그들보다 키가 크다. ⑥ 《속사》 si j'étais ~ 내가 그들이라면 / C'est 〔Ce sont〕 ~. 저 사람들입니다. ⑦ 《ni... ni 와 함께》 Je ne les aime plus, *ni* ~ *ni* leurs enfants. 그들도 그들의 자식들도 나는 이제 좋아하지 않는다. ⑧ 《ne... que 구문에서》 Je *ne* connais *qu'*~. 나는 저 사람들밖엔 모른다. **~ *autres*** 《속어》 그들. ***~-mêmes*** 그〔그것〕들 자신.

évacuant, e [evakɥɑ̃, -ɑ̃:t], **évacuatif, ive** [evakɥatif, -i:v] 〖의학〗 *adj.* 배설 촉진의, 설사의(=laxatif). ── *m.* 배설 촉진제, 설사약, 하제.

évacuateur, trice [evakɥatœ:ʀ, -tʀis] *adj.* 배수용의 : conduit ~ 배수관.

évacuation [evakɥɑsjɔ̃] *f.* ① 배설(물) : ~ des excréments 배변. ② 배수, 배기 : ~ des eaux de pluie 빗물의 배수 / canal d'~ 〖토목〗 배수구, 방수로. ③ 철수, 퇴거(=départ), 피난 ; 〖군사〗 철병, 후방 수송 : ~ d'une place forte 요새로부터의 철수.

évacué, e [evakɥe] *m.* (공습 · 전쟁 따위로부터의) 피난민, 소개자(疎開者).

***évacuer** [evakɥe] *v.t.* ① 비우다 ; 배설하다 ; 배수〔배기〕하다 : ~ son urine 소변을 보다 / ~ les eaux d'égout 하수구의 물을 빼다. ② 《~ qc 〔qn〕》 피난시키다, 퇴거시키다 ; 〖군사〗 …에서 철수하다(=abandonner) : Les troupes *évacuèrent* la ville. 군대들이 그 도시에서 철수했다. ③ (군중이) 떠나다(=quitter) ; 명도하다. ── **s'~** *v.pr.* ① 비워지다 ; 배설〔배수 · 배기〕되다. ② 《s'~ dans》 (강물이) …으로 흘러들다.

évadé, e [evade] *adj.* 탈옥한, 탈주한.
── *n.* 탈옥수 ; 탈주자.

***évader (s')** [sevade] *v.pr.* 탈주하다, 도망하다(=s'enfuir, se sauver) ; 난국을 벗어나다 : *s'~ d'*une prison 감옥에서 탈출하다 / *s'~* du réel 현실도피하다.

évaluable [evalɥabl] *adj.* 평가〔측정〕될 수 있는(=calculable, mesurable) ; 견적되는.

évaluation [evalɥɑsjɔ̃] *f.* 평가 ; 견적 ; 측정 : ~ de biens 재산 평가 / ~ des emplois 직무 평가.

***évaluer** [evalɥe] *v.t.* ① 평가〔감정〕하다(=priser, estimer) : ~ un bien au-dessus 〔au-dessous〕 de sa valeur 재산 가치를 과대평가〔과소평가〕하다 / faire ~ un tableau par un expert 전문가에게 그림을 감정시키다. ② 산정〔견적〕하다, 추산하다 : ~ un dommage 손해액을 산정하다. ── **s'~** *v.pr.* 평가되다 ; 산정〔견적〕되다.

évanescence [evanesɑ̃:s] *f.* (기억 · 영상 따위의) 점차적인 소멸 : l'~ d'un rêve 꿈이 점점 사라짐.

évanescent, e [evanesɑ̃, -ɑ̃:t] *adj.* ① 점차로 소멸하는 : souvenirs ~s 덧없는 추억. ② 〖언어〗 무음화되는.

évangélique [evɑ̃ʒelik] *adj.* ① 〖교회〗 복음의 ; 복음에 적합한. ② 〖종교사〗 복음주의의, 신교의 : église ~ 복음 교회 ── *n.* 신교도, 복음주의자.

évangélisateur, trice [evɑ̃ʒelizatœ:ʀ, -tʀis] *adj.* 복음을 전하는, 전도하는 : mission *~trice* 포교단, 전도사. ── *n.* 복음 전도사.

évangélisation [evɑ̃ʒelizɑsjɔ̃] *f.* 복음 전파〔전도〕, 포교.

évangéliser [evɑ̃ʒelize] *v.t.* (이교도에게)

복음을 전파하다〔전도하다〕; (전도하여) 기독교로 개종시키다(= christianiser) : Allez et *évangélisez* les nations. 가서 복음을 전합시다《미사 끝의 경구》.

évangélisme [evɑ̃ʒelism] *m.* 복음주의.

évangéliste [evɑ̃ʒelist] *m.* ① (4 명의) 복음서 저자《마태(*Matthieu*), 마가(*Marc*), 누가(*Luc*), 요한(*Jean*)》. ② 전도사, 설교자.

évangile [evɑ̃ʒil] *m.* ① (*É*~) 기독교의 교리; 복음서 : répandre l'*E*~ 복음을 전파하다. ② (*É*~, *é*~) 〖가톨릭〗 미사 때 낭독하는 복음서의 일부. ③《비유》(어떤 주의의) 기본서. ***parole d'~*** 〔***d'É~***〕 이론의 여지가 없는 것, 절대적 진리, 금과옥조(金科玉條).

évanoui, e [evanwi] *adj.* ① 기절한, 실신한 : tomber ~ 실신하다. ② 꺼져 버린, 사라진 : rêve ~ 사라진 꿈.

***évanouir (s')** [sevanwiːʀ] *v.pr.* ① 사라지다(= disparaître, se dissiper) : Le bateau *s'évanouit* dans la brume. 그 배는 안개 속에 사라져 버렸다. ② 정신을 잃다, 실신〔기절〕하다 : *s'*~ de douleur 통증이 심하여 정신을 잃다.

évanouissement [evanwismɑ̃] *m.* ① 기절, 실신 : revenir d'un ~ 의식을 회복하다. ② 소멸, 소실 : ~ de ses espérances 희망이 사라짐.

évaporateur [evapɔʀatœːʀ] *m.* 증발기; 건조기. ***~ à vide*** 진공 증발기.

évaporation [evapɔʀɑsjɔ̃] *f.* 증발, 기화.

évaporé, e [evapɔʀe] *adj.* ① 증발된; 사라진. ②《구어》경솔한, 경박한 : avoir des airs ~*s* 경박한 태도를 보이다.

évaporer (s') [sevapɔʀe] *v.pr.* ① 증발〔기화〕하다 : faire ~ de l'eau 물을 증발시키다. ② 소멸하다, 사라지다;《구어》자취를 감추다 : Le malfaiteur *s'est évaporé.* 악한이 사라졌다 / brume qui *s'évapore* à la chaleur du soleil 햇볕에 걷히는 안개.

évasement [evɑzmɑ̃] *m.* (주둥이를) 너부죽하게 벌리기; 너부죽하게 벌어진 모양.

évaser [evɑze] *v.t.* (그릇 따위의) 주둥이〔입구〕를 너부죽하게 벌리다(≠ rétrécir). — **s'~** *v.pr.* 너부죽하게 벌어지다.

évasif, ive [evazif, -iːv] *adj.* 피하는, 회피하는; 어물어물하는, 애매한 : faire une réponse ~*ive* 대답을 얼버무리다.

évasion [eva(ɑ)zjɔ̃] *f.* ① 탈주, 도주 : faire une tentative d'~ 탈주를 시도하다. ② 도피; 회피 : ~ des capitaux 자본 도피.

évasivement [evazivmɑ̃] *adv.* 회피하는 태도로, 얼버무리며, 애매하게 : répondre ~ 어물어물 대답하다.

Ève [ɛːv] *n.pr.f.* 이브. ***fille d'~***《구어》(주로 경박하고 음탕한) 여자. ***ne connaître*** qn ***ni d'Adam ni d'~*** …을 전혀 모르다.

évêché [evɛ(e)ʃe] *m.* ① 주교의 직위; 주교구(主教區). ② 주교의 저택.

éveil [evɛj] *m.* ① 눈뜸; 깨어남; 각성; 경계 : se tenir 〔être〕 en ~ 경계하고 있다, 정신 차리고 있다. ② 경고 : donner l'~ à qn contre qc …에게 …에 대한 경고를 하다.

***éveillé, e** [evɛ(e)je] *adj.* ① 잠이 깬. ② 활발한, 쾌활한; 민첩한; 빈틈없는. — *n.* 쾌활한 사람.

***éveiller** [evɛ(e)je] *v.t.* ① (잠에서) 깨우다(= réveiller) : Le chant des oiseaux m'*éveilla.* 새의 지저귐에 잠이 깨었다. ② (주의를) 환기시키다; (호기심 따위를) 일으키다(= faire naître, susciter) : ~ la curiosité 호기심을 불러일으키다. — **s'~** *v.pr.* ① 잠이 깨다. ② (감정, 생각 따위가) 눈뜨다, 일어나다 : *s'*~ à l'amour 사랑에 눈뜨다.

événement** [evɛ(e)nmɑ̃] *m.* ① 일어난 일, 사건, 대사건(= incident) : ~ politique 정치적 사건 / ~ qui fait date 획기적 사건. ② (*pl.*) 시사, 정보 : ~*s* de la semaine 주간 정세 / connaître les ~*s* récents 최근의 정보를 알다. ***à tout ~ 무슨 일이 일어나더라도; 만일의 경우에 대비하여. ***dans*** 〔***en***〕 ***l'~*** 결국. ***en cas d'~*** 여차하면, 일단 유사시에는. ***faire ~*** 센세이션을 일으키다.

événementiel, elle [evɛnmɑ̃sjɛl] *adj.* 사실(史實)만을 기록하는 : histoire ~*elle* 실록.

évent [evɑ̃] *m.* ① 바람에 쐬기. ② (술 따위의) 김빠짐 : vin qui a un goût d'~ 김빠진 포도주. ③ 〖동물〗 (고래의) 분수 구멍; (거푸집의) 통풍구. ***mettre*** qc ***à l'~*** …을 바람에 쐬다. ***sentir l'~*** (고기 따위가) 변한〔썩은〕 냄새가 나다.

éventail [evɑ̃taj] *m.* ① 부채 : en ~ 부채꼴로〔의〕 / agiter un ~ 〔jouer de l'~〕 부채질하다. ②《비유》(선택 · 변동의) 폭 : large ~ de prix 폭 넓은 가격대.

éventaire [evɑ̃tɛːʀ] *m.* ① (행상인의) 광주리. ② (상점 밖의) 상품 진열대.

éventé, e [evɑ̃te] *adj.* ① 바람이 잘 통하는(= venteux) : terrasse très ~*e* 바람이 잘 통하는 테라스. ② (음모 · 비밀이) 밝혀진, 누설된 : secret ~ 드러난 비밀. ③ (음식물이) 변질된(= altéré) : parfum ~ 변질된 향수.

éventer [evɑ̃te] *v.t.* ①《~ qn》…에게 부채질해 주다. ②《~ qc》(의복에) 바람을 쐬다; (음식물을) 변질시키다 : ~ des meubles 가구를 통풍시키다. ③ (비밀 따위를) 알아내다(= découvrir). ***~ la mèche*** 〔***mine***〕 도화선을〔지뢰를〕 제거하다; 비밀을 폭로하다. — **s'~** *v.pr.* ① 부채질하다. ② (음식물이) 변질하다. ③ (비밀 따위가) 폭로되다.

éventration [evɑ̃tʀɑsjɔ̃] *f.* 〖의학〗 탈장, 복부 헤르니아.

éventrer [evɑ̃tʀe] *v.t.* ① …의 배를 째다〔가르다〕. ② 찢어발기다; …에 큰 구멍을 내다 : un mur *éventré* par un obus 포탄으로 뚫린 벽. — **s'~** *v.pr.* 할복하다.

éventualité [evɑ̃tɥalite] *f.* ① 우발성; 가능성 : considérer l'~ d'une guerre 전쟁이 발생할 가능성을 고찰하다. ② 일어날 수 있는 일〔사태〕, 돌발 사건 : parer à toute ~ 모든 사태에 대비하다, 만전을 기하다.

***éventuel, elle** [evɑ̃tɥɛl] *adj.* ① (경우에 따라서는) 일어날 수도 있는, 가능성 있는(= possible); 불확실한(= incertain) : s'assurer contre des accidents ~*s* 돌발 사고에 대비하다. ② 〖법률〗 불확정적인 : clause ~*elle* 불확정 조항. — *m.* ① 우발적인 사건(= cas [illegible]). ② (공무원 따위의) 임시 수당.

éventuellement [evɑ̃tɥɛlmɑ̃] *adv.* 경우에 따라서는; 혹시, 만일; 간혹.

***évêque** [evɛk] *m.* (가톨릭의) 주교, (그리스

정교 · 성공회의) 주교.

évertuer (s')** [sevɛʀtɥe] *v.pr.* 무척 애를 쓰다(= s'efforcer), 전력을 기울이다. ***s'~ à* 〔*pour*〕+ *inf. …하려고 매우 애쓰다.

éviction [eviksjɔ̃] *f.* ① 축출 ; 제거, 추방. ② 몰수 ; 〖법률〗 소유권 박탈.

évidage [evida:ʒ] *m.* 속을 도려내기〔파내기〕.

évidement [evidmɑ̃] *m.* ① 도려내기. ② 도려낸 부분 ; 홈. ③ 〖의학〗 절개 소파술.

***évidemment** [evidamɑ̃] *adv.* ① 명백히, 분명히(= assurément). ② 물론, 당연히(= naturellement) : Vous acceptez ? — *É~ !* 찬성하세요 ? — 물론이지요 !

évidence [evidɑ̃:s] *f.* ① 명백, 자명 ; 명백한 사실 : C'est l'~ (même). 그것은 명백한 일이다. ② 〖철학〗 명증(明證). ***à l'~ ; d'~ ; de toute ~*** 명백히. ***être de toute ~*** 지극히 명백하다. ***être en ~*** 눈에 띄다 ; 뚜렷하다. ***Il est de toute ~ que*** + *ind.* …은 명백한 사실이다. ***mettre*** qc ***en ~*** …을 분명히 드러내다 ; 강조하다 ; (상품을) 진열하다. ***nier* 〔*aller contre ; se refuser à*〕 *l'~*** 명백한 사실을 부정〔거부〕하다. ***se mettre en ~*** 남의 눈에 띄도록 하다.

évident, e** [evidɑ̃, -ɑ̃:t] *adj.* 명백한, 자명한 : C'est une chose *~e.* 명백한 사실이다. ***Il est ~ que + *ind.* …은 명백한 일이다, …은 의심할 여지가 없다 : *Il est ~ qu'*elle a menti. 그녀가 거짓말을 한 것은 분명하다.

évider [evide] *v.t.* ① …의 속을 도려내다〔파내다〕 : pomme *évidée* 심을 도려낸 사과. ② …에 홈을 파다. ③ (옷깃 따위를) 도려내다.

***évier** [evje] *m.* (부엌의) 개수대 ; 배수구.

évincement [evɛ̃smɑ̃] *m.* (경쟁자를) 물리치기, 몰아내기 ; (등교) 금지 ; 배척, 배제 : ~ d'un concurrent 경쟁자를 물리치기.

évincer [evɛ̃se] [2] *v.t.* ① 〖법률〗 …의 소유권을 박탈하다. ② 쫓아내다(= chasser) ; 배제〔배척〕하다 : Il *a été évincé* du comité central. 그는 중앙 위원회에서 배제되었다.

évitable [evitabl] *adj.* 피할 수 있는, 모면할 수 있는.

évitement [evitmɑ̃] *m.* 〖철도〗 대피(待避) : gare d'~ 대피선이 있는 역.

:éviter [evite] *v.t.* ① 피하다(= fuir, esquiver) ; 모면하다(= échapper à) : ~ l'obstacle 장애물을 피하다 / ~ un danger 위험을 면하다. ② 《~ qc à qn ; ~ à qn+*inf.*》 …에게 …을 피하게〔면하게〕 하다 : Cela m'*évitera* des ennuis. 그렇다면 나는 귀찮은 일을 면하겠군요. ***~ de*** + *inf.* ; ***~ que*** + (***ne***) *sub.* …하지〔…하게 되지〕 않도록 하다 : *Évitez de* sortir. 밖에 나가지 않도록 하시오.

évocateur, trice [evɔkatœ:ʀ, -tʀis] *adj.* et *n.* ① 망령을 부르는 (사람). ② 환기〔상기〕시키는 (사람) : un film ~ de la vie des mineurs 광부들의 생활을 연상시키는 영화.

évocation [evɔkɑsjɔ̃] *f.* ① 초혼(招魂) ; (망령 따위를) 불러냄. ② 환기, 상기(= rappel) : Il sourit à l'~ des années passées. 그는 지난 날을 떠올리고 미소짓는다.

évocatoire [evɔkatwa:ʀ] *adj.* ① 초혼의 : cérémonie ~ 초혼 의식. ② 상기〔환기〕하는.

évolué, e [evɔlɥe] *adj.* ① 진화한 ; 진보한, 발달한 : pays ~ 선진국. ② 교양 있는, 지성이 풍부한 : Ce n'est pas un homme ~. 그는 지성이 풍부한 사람은 아니다.

***évoluer** [evɔlɥe] *v.i.* ① 진화하다 ; 진전하다 ; 변화하다(= changer) : L'homme *évolue* sans cesse. 인간은 끊임없이 진화한다. ② (비행기 따위가) 선회하다 ; 움직여 돌아다니다 : Les carpes *évoluent* dans le bassin. 잉어가 연못을 헤엄쳐 돌아다니고 있다. ③ (군대 · 선박이) 기동〔이동〕하다 : faire ~ des troupes 부대를 이동시키다.

évolutif, ive [evɔlytif, -i:v] *adj.* 진화〔발전〕의 : maladie *~ive* 〖의학〗 진행성 질병.

***évolution** [evɔlysjɔ̃] *f.* ① 변화(= changement) ; 진전(= progression) ; 발전(= développement) : ~ économique 경제의 변동 / ~ des événements 사건의 진전. ② (보통 *pl.*) 〖군사〗 기동, 이동 ; (새 · 비행기 따위의) 선회. ③ 〖천문〗 운행, 공전(公轉) : ~ des astres 천체의 운행.

évolutionnisme [evɔlysjɔnism] *m.* 진화론.

évolutionniste [evɔlysjɔnist] *adj.* 진화론의. — *n.* 진화론자.

***évoquer** [evɔke] *v.t.* ① (망령을) 불러내다 : ~ les démons 주문을 외어 악마를 부르다. ② 불러일으키다, 상기〔환기〕시키다 : ~ le passé 과거를 떠올리다. ③ (문제 따위를) 거론하다, 언급하다 : ~ un problème 어떤 문제를 언급하다.

ex. 《약자》 ① exemple 예, 보기, 예증, 실례. ② exercice 〖부기〗 회계 연도.

ex- *préf.* ① 「전(前) · 원래」의 뜻. ② 「(안에서) 밖으로」의 뜻. ③ 「그전」의 뜻. ④ 강조의 표시.

ex(-)abrupto [ɛksabʀypto] *loc. adv.* 갑자기, 느닷없이, 돌연히 : question posée ~ 느닷없는 질문.

exacerbation [ɛgzasɛʀbɑsjɔ̃] *f.* ① 〖의학〗 병세 악화〔진전〕. ② 격앙, 격화, 분격.

exacerber [ɛgzasɛʀbe] *v.t.* (고통 · 감정을) 격화시키다(≠ apaiser) ; (병세를) 돋우다, 악화시키다 : ~ la douleur 고통을 가중시키다. — **s'~** *v.pr.* 격화하다 ; (병세가) 악화하다, 도지다.

:exact, e [ɛgza(kt), -kt] *adj.* ① 정확한(= précis) ; 옳은(= juste) : calcul ~ 정확한 계산 / raisonnement ~ 올바른 추론. ② 엄밀한(= rigoureux) ; 정밀한 : sciences *~es* 정밀 과학. ③ 시간을 엄수하는 ; 어김없는 : être ~ au rendez-vous 약속 (시간)을 잘 지키다 / être ~ à+*inf.* …을 어김없이 하다.

***exactement** [ɛgzaktəmɑ̃] *adj.* ① 정확히, 틀림없이, 바로 : Il est ~ six heures. 정확히 6 시다. ② 엄밀〔정밀〕하게 : pour parler plus ~ 좀더 엄밀하게 말하자면. ③ 아주, 완전히 : deux articles ~ semblables 아주 흡사한 두 개의 논설. ④ 어김없이 ; 꼼꼼하게.

exaction [ɛgzaksjɔ̃] *f.* ① (*pl.*) (국민에 대한) 권력 남용, 수탈. ② 〖행정〗 (관리의) 부당 징세〔요구〕, 비리.

exactitude [ɛgzaktityd] *f.* ① 정확성 ; 정밀, 엄밀 : ~ d'un compte 계산의 정확성 / avec ~ 정확하게 ; 엄밀하게. ② 꼼꼼함 ; 세심함 ; 시간 엄수.

***ex æquo** [ɛgzeko] 〔라틴〕 *loc. adv.* 동등하게, 동위(同位)로 : trois élèves ~ 동점〔동

위)의 세 학생. ***en cas d'~*** 동점인 경우에는. — *n.* 《복수불변》 동점자, 동위 : deux ~ 동순위의 두 사람.

exagération [ɛgzaʒeʀasjɔ̃] *f.* ① 과장 ; 과장된 표현〔말〕: parler avec ~ 과장하여 말하다. ② 지나침, 과도, 과다 : ~ de pose 〖사진〗 노출 과다.

exagéré, e [ɛgzaʒeʀe] *adj.* ① 과장된 : expression ~*e* 과장된 표현. ② 과도〔과대〕한, 지나친 : prix ~ 지나친 가격.

exagérément [ɛgzaʒeʀemɑ̃] *adv.* ① 과장하여. ② 과도〔과다〕하게.

***exagérer** [ɛgzaʒeʀe] [6] *v.t.* ① 과장하다(= amplifier) ; 허풍떨다 : ~ ses exploits en les racontant 이야기할 때 자기가 세운 공을 과장하다. ② 강조하다, 두드러지게 하다 : ~ un éclairage 〔un maquillage〕 조명〔분장〕을 세게〔짙게〕 하다. — *v.i.* 지나친 언동을 하다, 멋대로 굴다. — **s'~** *v.pr.* ① 자기를 과시하다. ② 《s'~ de》 …을 과대평가하다 : *s'~* la valeur *de* qc …의 가치를 과대평가하다. ③ 과장되다.

exaltant, e [ɛgzaltɑ̃, -ɑ̃:t] *adj.* 자극적인 ; 흥분〔열광〕케 하는 : aventure ~*e* 신나는 모험 / moments ~*s* 열광적인 순간들.

exaltation [ɛgzaltɑsjɔ̃] *f.* ① 찬양 ; 앙양(昻揚), 고양. ② 기능의 증진〔증대〕: ~ de la mémoire 기억력의 증진. ③ 흥분, 열광.

***exalté, e** [ɛgzalte] *adj.* ① 열광한, 흥분한 : manifestans ~*s* 흥분한 시위대. ② 찬양받은. ③ 강렬한 : splendeur ~*e* 강렬한 광채. — *n.* 열광자 ; 광신자(= fanatique).

***exalter** [ɛgzalte] *v.t.* ① 찬양하다(= louer, glorifier) : ~ les mérites de qn …의 장점을 찬양하다. ② (감정·생각 따위를) 앙양시키다, 끓어오르게 하다, 자극하다(= exciter) ; 증대〔증진〕시키다 : ~ l'imagination 상상력을 자극하다. ③ 열광〔흥분〕케 하다(= enthousiasmer) : ~ son auditoire par des paroles éloquentes 웅변으로 청중을 열광시키다. — **s'~** *v.pr.* ① 찬양되다. ② 앙양되다 ; 열광〔흥분〕하다.

‡examen [ɛgzamɛ̃] *m.* ① 시험 : ~ écrit 〔oral〕 필기〔구두〕 시험 / ~ d'entrée 〔de sortie〕 입학〔졸업〕 시험 / ~ de passage 진급 시험, 학년말 시험 / ~ d'État 국가고시. ② 검사, 조사, 심사, 검토 ; 〖법률〗 심문, 취조 ; 〖의학〗 진찰, 검진 : ~ contradictoire 반대심문 / subir un ~ médical complet 종합 건강 진단을 받다. ③ 〖철학〗 esprit d'~ 비판 정신 / ~ de conscience 자성(自省), 반성. ***après mûr ~*** 충분한 검토〔심사숙고〕 끝에. ***être à l'~*** 검토〔조사〕 중이다. ***être reçu*** 〔***refusé***〕 ***à l'~*** 시험에 급제〔낙제〕하다. ***passer*** 〔***subir***〕 ***un ~*** 시험을 치르다.

examinateur, trice [ɛgzaminatœːʀ, -tʀis] *n.* ① 시험관(= correcteur), 《특히》 구두 시험관. ② 검사〔조사·심사〕원. — *adj.* 검사하는, 조사하는, 심사하는.

***examiner** [ɛgzamine] *v.t.* ① 시험하다 : ~ qn en algèbre …의 대수 실력을 시험해 보다. ② 〖의학〗 진찰하다 : se faire ~ par un médecin 의사의 진찰을 받다. ③ 검사〔조사·검토〕하다 : ~ un problème 문제를 검토하다 / ~ qn de la tête au pied …을 머리부터 발끝까지 살펴보다. — **s'~** *v.pr.* ① 자성(自省)〔반성〕하다. ② 서로 유심히 살펴보다. ③ 검사〔조사·검토〕되다.

exanthème [ɛgzɑ̃tɛm] *m.* 〖의학〗 발진(發疹).

exaspérant, e [ɛgzaspeʀɑ̃, -ɑ̃:t] *adj.* 성가시게 하는, 화나게 하는, 짜증나게 하는(= agaçant, irritant).

exaspération [ɛgzaspeʀɑsjɔ̃] *f.* ① 격노 ; 격분 ; 울분(= irritation). ② (질병 따위의) 악화 ; 심화(= aggravation, exacerbation). ③ 자극 ; 흥분 : ~ d'un désir 욕망의 자극.

exaspéré, e [ɛgzaspeʀe] *adj.* ① 격분한, 격노한. ② (질병 따위가) 악화된, 심화된 : jalousie ~*e* 불타는 질투심. ③ 과격한, 격화된 : nationalisme ~ 과격한 국수주의.

***exaspérer** [ɛgzaspeʀe] [6] *v.t.* ① 몹시 화나게 하다, 성가시게 하다(= énerver, excéder). ② (병·고통 따위를) 악화〔격화〕시키다(= aggraver, exacerber) ; 자극하다 : Ce souvenir *exaspère* son chagrin. 이 추억은 그의 슬픔을 더하게 한다 / ~ un désir 〔besoin〕 욕망을〔욕구를〕 자극하다. — **s'~** *v.pr.* ① 몹시 화를 내다. ② (병·고통 따위가) 악화〔격화〕하다.

exaucement [ɛgzosmɑ̃] *m.* (신이 인간의) 소원을 들어주기, 청허(聽許).

exaucer [ɛgzose] [2] *v.t.* 《~ qn》 (신이) 청〔소원〕을 들어 주다 : Le ciel l'*a exaucé*. 하늘이 그의 소원을 들어 주었다.

Exc. 《약자》 Excellence 각하.

ex cathedra [ekskatedʀa] 〔라틴〕 *loc. adv.* 설교 단상에서 ; 권위〔위엄〕 있게. ***parler ~*** (교황이) 성좌(聖座)에서 말하다.

excavateur, trice [ɛkskavatœːʀ, -tʀis] *n.* 〖토목〗 굴착기(掘鑿機).

excavation [ɛkskavɑsjɔ̃] *f.* ① 〖토목〗 (굴·구멍을) 파기〔뚫기〕 ; 개착(開鑿), 굴착. ② 굴, 동굴, 웅덩이.

excaver [ɛkskave] *v.t.* (구멍·굴 따위를) 파다, 뚫다 : ~ un tunnel 터널을 뚫다.

excédant, e [ɛksedɑ̃, -ɑ̃:t] *adj.* 귀찮기 짝이 없는, 진저리 나는(= importun) : visite ~*e* 성가신 방문 / travail ~ 진저리나는 작업.

excédent [ɛksedɑ̃] *m.* ① 초과 ; 초과수〔량〕, 초과액 : ~ de bagages 〖철도〗 초과 수하물 / ~ de production 과잉〔초과〕 생산. ② 흑자 : ~ budgétaire 재정 흑자.

excédentaire [ɛksedɑ̃tɛːʀ] *adj.* 과잉의, 초과된 ; 흑자의 : production ~ 과잉 생산.

excéder [ɛksede] [6] *v.t.* ① 초과하다, 넘다(= dépasser) : La dépense *excède* la recette. 지출이 수입을 초과하다. ② (능력·권한을) 넘어서다 : ~ ses pouvoirs 월권(越權) 행위를 하다. ③ 몹시 귀찮게 굴다, 더 참을 수 없게 하다(= exaspérer) : Je *suis excédé* par ses plaintes. 그녀의 불평에는 진저리난다. — **s'~** *v.pr.* 기진맥진하게 되다. ***s'~ à*** + *inf.* …하여 기진맥진해지다.

excellemment [ɛksɛlamɑ̃] *adv.* 《문어》 뛰어나게, 훌륭하게, 탁월하게(= très bien).

excellence [ɛksɛlɑ̃:s] *f.* ① 뛰어남, 우수함, 탁월 ; prix d'~ (중·고등학교의) 우등상. ② (*E~*) 각하《대사·장관·주교(主敎) 등에 대한 존칭》: Son *E~* l'ambassadeur 대사 각하. ***par ~*** 전형적인, 대표적인, 특히.

excellent, e [ɛkselɑ̃, -ɑ̃:t] *adj.* ① 뛰어난, 우수한, 탁월한, 훌륭한 : ~*e* question 뛰어난 질문 / *E*~*e* idée! 아주 좋은 생각이야! / Il est ~ en mathématiques. 그는 수학을 뛰어나게 잘한다. ② 선량한, 사람이 좋은 : ~ homme 마음씨 좋은 사람.

exceller [ɛksɛ(e)le] *v.i.* 《~ en 〔dans, à〕》 …에 뛰어나다, 탁월하다, 썩 잘하다 : ~ dans sa profession 자기 직업에서 두각을 나타내다 / 《~ à+*inf.*》 Il *excelle à* conter des histoires drôles. 그는 우스운 이야기를 썩 잘한다.

excentrer [ɛksɑ̃tʀe] *v.t.* 〖기계〗 중심〔회전축〕에서 벗어나게 하다.

excentricité [ɛksɑ̃tʀisite] *f.* ① 중심 이탈 ; 편심성(偏心性). ② 괴벽 ; 괴상함 ; (*pl.*) 괴상한 짓〔생각〕 : faire 〔commettre〕 des ~*s* 기이한 행동을 하다. ③ 도심에서 떨어짐, 궁벽 : ~ d'un quartier 어떤 구역의 외짐.

excentrique [ɛksɑ̃tʀik] *adj.* ① 중심을 이탈하는. ② 괴상한(= bizarre, extravagant), 엉뚱한 : conduite ~ 기행(奇行) / idée ~ 엉뚱한 생각. ③ (거리가) 도심(都心)에서 떨어진, 변두리의 : quartier ~ 후미진 동네.
— *m.* 〖기계〗 편심기(器).

excentriquement [ɛksɑ̃tʀikmɑ̃] *adv.* 엉뚱하게, 기발하게, 괴상하게.

excepté[1] [ɛksɛpte] *prép.* …을 제외하고, …이외에(= sauf) : ~ les dimanches 일요일을 제외하고는 / 《~+절》 Je vais à pied, ~ quand il fait mauvais. 악천후가 아니면 걸어서 간다. ***~ que***+*ind.* 〔《드물게》 *sub.*〕 …을 제외하고는, …한 사실 이외에는 : Nous avons eu beau temps, ~ *qu'*il a un peu plu aprés-midi. 오후에 약간 비가 내린 것만 제외하면 날씨가 좋았다.

excepté[2], **e** *adj.* 《명사 뒤》 이외의, 제외된 : tous les habitants, les femmes ~*es* 여자를 제외한 주민 모두.

excepter [ɛksɛpte] *v.t.* 《~ qc 〔qn〕》 …을 …에서 제외하다, 빼다(= exclure) : ~ qn d'une liste 리스트에서 …을 제외하다 / On *excepte* les malades. 병자는 제외한다.

exception [ɛksɛpsjɔ̃] *f.* ① 예외 ; 제외 : tout le monde sans (aucune) ~ 한 사람도 빼놓지 않고 / Ce fait est 〔constitue〕 une ~. 그 사실은 예외다. ② 이례적인 것 : Cette personne est une ~. 이 사람은 좀 특별하다. ③ 〖법률〗 항변(抗辯), 반대 : alléguer une ~ 항변을 행사하다. ***à l'~ de ; ~ faite de*** …을 제외하고. ***d'~*** 특별한 : loi *d'*~ 특별법 / mesure *d'*~ 특별 조치. ***sans ~*** 예외 없이.

exceptionnel, elle [ɛksɛpsjɔnɛl] *adj.* ① 예외적인, 특별한 ; 이례적인 : congé ~ 특별휴가 / 《Il est ~ que+*sub.*》 *Il est ~ qu'*elle vienne me voir. 그녀가 나를 만나러 오는 것은 이례적인 일이다. ② 특출한, 뛰어난 : talent ~ 특출한 재능. — *m.* 예외적인 것, 특이한 점.

exceptionnellement [ɛksɛpsjɔnɛlmɑ̃] *adv.* ① 예외적으로 ; 이례적으로 ; 특별히. ② 특출하게 ; 극도로 : situation ~ complexe 극도로 복잡한 상황.

excès [ɛksɛ] *m.* ① 초과 ; 과다, 과잉, 과도 : ~ des dépenses sur les recettes 수입에 대한 지출 초과 / ~ de vitesse 과속. ② 과음, 과식 : ~ de table 폭음, 폭식. ③ 남용, 오용 : ~ de langage 지나친 말, 폭언. ④ (*pl.*) 폭행, 과격 행위 ; 무절제, 방탕. ***avec ~ ; (jusqu') à l'~*** 과도하게 : aller *à l'*~ 도를 넘다, 지나치다. ***dans l'~*** 극도로. ***~ de pouvoir*** 〖법률〗 월권, 직권 남용.

excessif, ive [ɛksɛ(e)sif, -i:v] *adj.* ① 지나친, 과도한, 극단적인, 심한 : chaleur ~*ive* 혹서(酷暑). ② 《명사 앞에서》 더할 나위 없는 ; 대단한 : traits d'une ~*ive* douceur 매우 온화한 얼굴 표정.

excessivement [ɛksɛsivmɑ̃] *adv.* ① 과도하게, 지나치게(= trop). ② 심히, 지극히(= très, extrêmement).

exciper [ɛksipe] 《~ de》 *v.t. ind.* ① 〖법률〗 …을 이유로 이의 신청을 하다 ; 항변하다. ② …을 방패삼다, 내세우다 : ~ *de* son droit 자신의 권리를 내세우다.

excipient [ɛksipjɑ̃] *m.* 〖약학〗 부형제(賦形劑), 보형약(補形藥)《약을 먹기 쉽게 하는 것》.

exciser [ɛksize] *v.t.* 〖외과〗 (종양 따위를) 자르다, 절제(切除)하다.

excision [ɛksizjɔ̃] *f.* 〖외과〗 잘라내기, 절제 : ~ d'un cor 티눈의 절제.

excitabilité [ɛksitabilite] *f.* ① 격하기〔흥분하기〕 쉬운 성질. ② 흥분성, 피자극성.

excitable [ɛksitabl] *adj.* 격하기〔흥분하기〕 쉬운 : caractère ~ 흥분하기 쉬운 성격.

excitant, e [ɛksitɑ̃, -ɑ̃:t] *adj.* ① 흥분시키는 ; 도발적인, 자극적인. ② 《구어》 《주로 부정문으로》 재미있는, 기분 좋은 : Ce n'est pas très ~. 별로 유쾌한 일이 아니군. — *m.* ① 흥분제, 자극제 : prendre 〔absorber〕 un ~ 흥분제를 복용하다. ② 자극.

excitateur, trice [ɛksitatœ:ʀ, -tʀis] *adj.* et *n.* 《문어》 자극〔선동〕하는 (사람). — *f.* 〖전자〗 여자기(勵磁機) 《교류 발전기에 직류 전기를 보내는 소형 발전기》.

excitation [ɛksitasjɔ̃] *f.* ① 자극, 흥분 : ~ sexuelle 성적 흥분. ② 《~ à》 …에의 부추김, 선동 : ~ *à* la révolte 반란에의 선동. ③ 〖전기〗 여자(勵磁).

excité, e [ɛksite] *adj.* 흥분한, 격앙된(= agité). — *n.* 흥분한 사람 : bande d'~*s* 흥분한 군중.

exciter [ɛksite] *v.t.* ① (감정 따위를) 불러일으키다, 유발하다(= provoquer, susciter) ; 부채질하다, 돋우다(= aviver, exalter) : ~ pitié 동정심을 불러일으키다 / ~ l'appétit 식욕을 돋우다. ② (사람 · 신경 따위를) 흥분시키다, 자극하다(≠ apaiser, calmer) ; 화나게 하다 : *excité* d'un désir curieux 강한 호기심에 이끌려 / La caféine *excite* le système nerveux. 카페인은 신경을 흥분시킨다. ③ 격려하다, 부추기다 ; 선동하다 : ~ la foule 군중을 선동하다 / ~ qn à qc 〔+*inf.*〕 …을〔하도록〕 부추기다. ④ 《주로 부정문으로》 관심을〔흥미를〕 끌다 : Ce travail ne l'*excite* pas beaucoup. 이 일은 그다지 그의 흥미를 끌지 않는다. ⑤ 〖전기〗 여자(勵磁)하다.
— **s'~** *v.pr.* ① 흥분〔분격〕하다 ; 화를 내다. ② 《구어》 《s'~ sur》 …에 열중하다.

exclamatif, ive [ɛksklamatif, -i:v] *adj.* 감

탄의 : phrase ~*ive* 감탄문.

exclamation [ɛksklamɑsjɔ̃] *f.* ① 외침, 부르짖음, 절규 : ~ de joie 기쁨의 탄성. ② 감탄 : point d'~ 〖문법〗 느낌표, 감탄 부호.

exclamer (s') [sɛksklame] *v.pr.* 부르짖다, 외치다(= s'ecrier) : *s'*~ d'admiration 〔d'indignation〕 감탄〔분노〕의 함성을 지르다.

exclu, e [ɛkskly] *adj.* ① 제명된, 축출된(= évincé) : membres ~*s* d'un parti 정당에서 제명된 사람. ② 소외된, 제외된 : Il se sent toujours ~. 그는 늘 소외감을 느낀다. ③ 받아들여지지 않는, 있을 수 없는 : C'est tout à fait ~. 그건 있을 수 없다, 그건 기대해선 안된다 / C'est une chose ~*e*. 그건 전혀 문제밖이다 / Il n'est pas ~ que+*sub.* …라는 일이 없으라는 법은 없다. ── *n.* 제명〔제외〕된 사람.

***exclure** [ɛksklyːʀ] 48 *v.t.* ① 제외〔제명〕하다, 내쫓다(= expulser, chasser) : ~ qn d'un parti politique …을 정당에서 제명하다. ② 배척〔배제〕하다(= écarter) ; 거부하다(= refuser) : ~ qn d'une société …의 입회(入會)를 거부하다. ③ 《주어 : qc》 용납하지 않다, …와 양립할 수 없다 : sentiments qui en *excluent* d'autres 다른 감정과 양립될 수 없는 감정. ── **s'**~ *v.pr.* ① 서로 용납되지 않다, 양립되지 않다. ② 《s'~ de》 …에서 탈퇴〔탈회〕하다 : *s'*~ *du* parti 당에서 탈퇴하다.

***exclusif, ive**[1] [ɛksklyzif, -iːv] *adj.* ① ⓐ 거부하는 : voix ~*ive* (제청된 후보자를 거부하는) 거부권. ⓑ 《~ de》 …와 모순되는 ; …을 배제하는 : droit ~ *de* tout autre droit 다른 모든 권리를 배제하는 권리 / deux prétentions ~*ives* l'une de l'autre 서로 모순되는 두 주장. ② ⓐ 특권적인 ; 독점적인 : privilège ~ 특권, 독점권 / droit de vente ~ 전매권. ⓑ 완고한, 편협한.

exclusion [ɛksklyzjɔ̃] *f.* ① 제외, 배제 ; 거부 ; 배척 : à l'~ de …을 제외하고. ② 제적, 제명 ; 퇴학 : ~ des fonctions publiques 공직 추방.

exclusivement [ɛksklyzivmɑ̃] *adv.* ① 오로지, 한결같이 : lire ~ des ouvrages philosophiques 오로지 철학 서적만 읽다. ② 제외하고, 포함하지 않고 : depuis lundi jusqu'à vendredi ~ 월요일부터 금요일까지《단 금요일은 포함되지 않음》.

exclusivisme [ɛksklyzivism] *m.* 배타주의, 독점주의 ; 배타성 ; 편협성.

exclusiviste [ɛksklyzivist] *n.* 배타주의자 ; 편협한 사람 ── *adj.* 배타주의적인.

exclusivité [ɛksklyzivite] *f.* ① 독점권, 전매권 : avoir l'~ d'une marque 어떤 상표의 독점 판매권을 가지다 / en ~ 독점적으로. ② (영화의) 독점 상영 : film en ~ 독점 개봉 영화. ③ (한 회사의) 독점〔전매〕품 ; (신문의) 독점 기사, 특종. ***en*** **~** 독점적으로.

excommunication [ɛkskɔmynikɑsjɔ̃] *f.* ① 〖종교〗 파문(破門). ② (조직 · 정당으로부터의) 축출 ; 추방 ; 제명. ***lever l'~*** 파문을 풀어 주다.

excommunier [ɛkskɔmynje] *v.t.* ① 〖가톨릭〗 파문하다. ② 추방〔축출〕하다 ; 제명하다.

excoriation [ɛkskɔʀjɑsjɔ̃] *f.* 〖의학〗 (살갗의) 찰상(擦傷) ; 찰과상.

excorier [ɛkskɔʀje] *v.t.* 〖의학〗 찰과상을 입히다 ; 표피를 벗기다.

excrément [ɛkskʀemɑ̃] *m.* (보통 *pl.*) ① 배설물, 《특히》 대변 : évacuation des ~*s* 배변. ② 《구어》 너절한 것〔사람〕.

excréter [ɛkskʀete] 6 *v.t.* 〖생리〗 배설하다 : matières *excrétées* 배설물.

excréteur, trice [ɛkskʀetœːʀ, -tʀis] *adj.* 〖생리〗 배설하는 : organe ~ 배설 기관.

excrétion [ɛkskʀesjɔ̃] *f.* 〖생리〗 ① 배설, 분비(分泌) : ~ de l'urine 배뇨 / ~ du sébum 피지선 분비. ② (*pl.*) 배설물, 분비물.

excroissance [ɛkskʀwasɑ̃ːs] *f.* ① (나무의) 옹이(= broussin) ; 사마귀, 혹(= protubérance), 돌기물. ② 《비유》 돌출된 것, 부속물.

excursion [ɛkskyʀsjɔ̃] *f.* ① 소풍, 유람, (당일치기) 여행 : ~ en montagne 등산 / ~(s) à pied 하이킹, 도보 여행. ② 탈선, 일탈.

excursionner [ɛkskyʀsjɔne] *v.i.* 소풍가다, 유람하다, 답사 여행하다.

excursionniste [ɛkskyʀsjɔnist] *adj.* et *n.* 소풍〔유람 · 여행〕하는 (사람) : ~ à pied 도보 여행자.

excusable [ɛkskyzabl] *adj.* 용서할 만한, 보아 넘길 수 있는(= pardonnable) : erreur ~ 용서할 수 있는 잘못.

excuse** [ɛkskyːz] *f.* ① 변명, 해명 ; 핑계 : chercher une ~ 변명할 말을 찾다 / faute sans ~ 변명의 여지가 없는 과오. ② (*pl.*) 사과(= pardon, regret), 사죄 : Je vous fais toutes mes ~*s*. 진심으로 사과드립니다. ③ (잘못의) 사유(= raison) ; (학생의) 결석계 : apporter un mot d'~ 결석계를 제출하다. ***donner pour ~ que+*ind.* …라고 변명하다. ***faible*** 〔***mauvaise***〕 **~** (이치에 닿지 않는) 어설픈 변명.

***excuser** [ɛkskyze] *v.t.* ① ⓐ 변명하다(= disculper), 변호하다 : ~ A auprès de B, B에게 A를 변명해 주면서 대신 사과하다. ⓑ 《주어 : qc》 …의 변명이〔핑계가〕 되다(= servir d'excuse à) : Rien n'*excuse* une telle conduite. 아무것도 그러한 행동의 구실은 될 수 없다. ② 용서하다(= pardonner à) : ~ la faute de qn …의 잘못을 용서하다 / ~ qn de+*inf.*[1] …이 …하는 것을 용서하다 / Veuillez ~ mon retard. 제가 늦게 온 것을 용서하십시오. ③ 면제하다(= dispenser) : ~ qn de+*inf.*[2] …에게 …하는 것을 면제해 주다 / se faire ~ 면제받다, 사절하다.

Excusez du peu. 너무하십니다, 좀 지나치십니다(= vous exagérez). ***Excusez-moi.; Excuse-moi; Vous m'excuserez.*** 죄송합니다만, 실례지만.

── **s'**~ *v.pr.* ① 변명하다 ; 용서를 바라다, 사과하다 : *s'*~ de+*inf.* …하는 것을 사과〔변명〕하다 / *s'*~ sur qn 〔qc〕 …에게 죄를 씌우다, …의 탓으로 돌리다 ; …에 대해 변명하다. ② 완곡하게 거절하다. ③ 용서되다. ***se faire*** **~** 사절하다.

***exécrable** [ɛgz〔ɛks〕ekʀabl] *adj.* ① 끔찍한, 혐오스러운(= abominable) : crime ~ 끔찍한 범죄. ② 지독한, 형편없는 : film ~ 형편없는 영화.

exécration [ɛgze〔ɛks〕ekʀɑsjɔ̃] *f.* 혐오, 증오 : avoir qn en ~ …을 증오하다.

E

exécrer [ɛgz(ɛks)ekʀe] *v.t.* 증오하다, 싫어하다, 혐오하다(= abhorrer, détester) : ~ l'odeur de tabac 담배 냄새를 싫어하다. ── **s'~** *v.pr.* 서로 증오하다.

exécutable [ɛgzekytabl] *adj.* 실현 가능한, 실행〔이행 · 수행〕할 수 있는.

exécutant, e [ɛgzekytɑ̃, -ɑ̃:t] *n.* ① 〖음악〗 연주자. ② 이행자, 집행자.

***exécuter** [ɛgzekyte] *v.t.* ① 실행〔이행 · 수행〕하다(= accomplir) : ~ un projet 계획을 실행하다 / ~ une promesse 약속을 이행하다. ② (작품을) 완성하다, 제작하다 : ~ le montage d'une machine 기계를 조립하다. ③ 《~ qn》 …의 사형을 집행하다, 처형하다 : Le condamné *a été exécuté* à l'aube. 사형수는 새벽에 처형되었다. ④ 〖법률〗 실시〔시행〕하다(= effectuer) ; 압류하다 ; (강제) 처분하다 : ~ une loi 법률을 시행하다. ⑤ 연주하다 ; 연기하다 : ~ un morceau de piano 피아노곡을 한 곡 연주하다. ── **s'~** *v.pr.* ① 재산을 처분하다 ; 돈을 지불하다. ② 실행〔시행 · 이행〕되다.

exécuteur, trice [ɛgzekytœ:ʀ, -tʀis] *n.* ① 실행자 ; 실시자 ; 집행자 : ~ testamentaire 〖법률〗 유언 집행인. ② 《옛》사형 집행인.

exécutif, ive [ɛgzekytif, -i:v] *adj.* ① 실행의, 집행의 ; 행정(상)의 : agents ~*s* 행정관. ② (예술 작품) 제작의. ── *m.* 행정부〔권〕.

exécution** [ɛgzekysjɔ̃] *f.* ① 실행, 이행, 시행 ; (법률의) 집행 : ~ d'un projet 계획의 실행 / ~ d'une promesse 약속의 이행. ② (예술 작품의) 제작 ; 완성 : ~ d'un tableau 그림의 제작. ③ 〖법률〗 압류 처분 : ~ d'un débiteur 채무자에 대한 압류. ④ 사형 집행 (= ~ capitale) : ~ sommaire 〖법률〗 약식 처형. ⑤ 연주 ; 공연 : droit d'~ 공연〔원작〕권 / ~ d'un opéra 오페라 연주. ***en cours d'~ 실시 중의. ***mettre*** qc ***à ~*** …을 실행〔이행〕하다. ***ordre d'~*** 사형 집행 명령.

exécutoire [ɛgzekytwa:ʀ] 〖법률〗 *adj.* 집행력 있는 ; 집행해야 할 : force ~ 집행력.

exégèse [ɛgzeʒɛ:z] *f.* 해석(= commentaire), 주해, 주석 ; 분석 : ~ historique (자료에 근거한) 역사학적 주석.

exégète [ɛgzeʒɛt] *m.* 해석〔주석〕학자, 성경 주해학자 ; 해설자.

exégétique [ɛgzeʒetik] *adj.* 주석〔해석〕에 관한 : théologie ~ 성서 주석〔해석〕학.

exemplaire[1] [ɛgzɑ̃plɛ:ʀ] *adj.* ① 모범적인, 훌륭한 : élève ~ 모범적인 학생. ② 본보기가 되는, 교훈적인.

***exemplaire**[2] *m.* ① 견본, 표본 ; 사본(寫本) : recopier qc en trois ~*s* 세 통의 사본을 만들다. ② (책 · 신문의 부수를 세는) 부(部), 권(卷), 책(冊) : imprimer un livre à mille ~*s* 책을 1,000 부 인쇄하다. ③ 같은 종류의 사람〔물건〕.

exemplairement [ɛgzɑ̃plɛʀmɑ̃] *adv.* 모범적으로 ; 본보기가 되도록 ; 훌륭하게.

exemplarité [ɛgzɑ̃plaʀite] *f.* 모범이 됨, 본보기가 됨.

exemple** [ɛgzɑ̃:pl] *m.* ① 모범, 본보기, 표본(= modèle) : l'~ du bon élève 좋은 학생의 표본 / punir qn pour l'~ 본보기로 …을 벌하다 / C'est un ~ pour nous tous. 그는 우리 모두의 귀감이다. ② 예 ; 실례 ; 예증 : ~ à suivre 〔éviter〕 따라야 할〔피해야 할〕 예. ③ 전례, 유례: fait sans ~ 유례 없는 사건. ④ 용례, 예문 : ~*s* d'un dictionnaire 사전의 용례. ***à l'~ de …을 본받아서, …의 예를 따라 : Il agit en tout *à l'~ de* son père. 그는 매사에 아버지를 따라 한다. ***citer*** qn 〔qc〕 ***en ~*** …을 모범으로써〔예로써〕 들다. ***donner l'~*** 모범을 보이다. ***Par ~*** ⓐ 예컨대 : Considérons, *par ~,* ce cas. 예컨대 이 경우를 생각해 봅시다. ⓑ 《구어》 하지만, 그렇다고는 하지만 : On mange très bien dans ce restaurant ; *par ~*, il ne faut pas être pressé. 이 식당의 음식은 아주 좋다, 다만 서둘러서는 안 된다. ⓒ 《구어》 설마하니, 천만에 : Ah ! non, *par ~ !* 안 돼, 당찮아! ***prêcher d'~*** 몸소 본보기를 보이다. ***prendre ~ sur*** qn …의 본을 따르다. ***prendre une ~*** 예를 들다. ***servir d'~ à*** qn …에게 교훈이〔경고가〕 되다. ***suivre l'~ de*** qn …을 본받다.

exemplifier [ɛgzɑ̃plifje] *v.t.* 예를 들어 설명하다, 예시하다, 예증하다.

exempt, e [ɛgzɑ̃, -ɑ̃:t] *adj.* ① 《~ de qc ; ~ de faire qc》 …에서 면제된(= dispensé) : ~ *d'*impôts 〔*du* service militaire〕 세금〔병역〕이 면제된. ② (편견 따위에) 사로잡히지 않는, 자유로운 : être ~ des superstitions 미신에 사로잡혀 있지 않다. ③ 《~ de》 …이 없는 : métier ~ *de* risques 위험성이 없는 직업. ── *m.* (의무 · 근무 따위의) 면제자.

exempté, e [ɛgzɑ̃te] *adj.* 면제된 : soldat ~ d'exercice 훈련이 면제된 병사. ── *n.* 면제자 ; (병역) 의무 면제자.

exempter [ɛgzɑ̃te] *v.t.* ① 《~ qn de qc 〔+ *inf.*〕》 …에게 …을〔하는 것을〕 면제하다 : ~ *d'*une peine 〔obilgation〕 형을〔의무를〕 면제하다. ② 《간접목적보어 없이》 …에게 병역을 면제해 주다 : ~ un jeune homme du service militaire 어떤 젊은이에게 병역 의무를 면제하다. ── **s'~** *v.pr.* 《s'~ de qc 〔+ *inf.*〕》 …이〔하는 것이〕 면제되다, 모면하다 〔하지 않아도 되다〕.

exemption [ɛgzɑ̃psjɔ̃] *f.* 면제, 모면 ; 《특히》 병역 면제 : ~ d'impôts 세금의 면제 / ~ de peine 형 면제.

exercé, e [ɛgzɛʀse] *adj.* 《~ à + *inf.*》 …하도록 훈련된 ; …하는 데 익숙한, 경험이 풍부한 : caricaturiste à la main ~*e* 능숙한 솜씨의 풍자화가.

***exercer** [ɛgzɛʀse] [2] *v.t.* ① ⓐ 《~ qc》 …을 훈련〔단련〕하다(= cultiver, former) : ~ ses muscles 근육을 단련하다. ⓑ 《~ qn à qc 〔+ *inf.*〕》 …에게 …을〔하는 것을〕 훈련〔단련〕시키다(= entraîner) : ~ les écoliers *à* la composition 생도에게 작문을 훈련시키다 / ~ les soldats *à* manier les armes 병사들에게 병기 다루는 법을 훈련시키다. ② (직업에) 종사하다 ; (직무를) 맡아 하다 : ~ la médecine 병원을 개업하고 있다. ③ (권리 따위를) 행사하다 ; 시행하다 ; (재능 따위를) 발휘하다 : ~ son droit 권리를 행사하다 / ~ son talent 재능을 발휘하다. ④ 《~ sur qn》 (영향 따위를) …에게 미치다. ── **s'~** *v.pr.* ① 훈련〔연습〕하다 ; 《s'~ à qc 〔+ *inf.*〕》

…을〔하는 것을〕 훈련〔연습〕하다 : *s'~* au violon 바이올린 연습을 하다. ② 행사되다, 발휘되다. ③ (영향 따위가) 미치다 : influence qui *s'exerce* sur qn 〔dans un domaine〕 …에게〔어떤 영역에〕 미치는 영향.

exercice** [ɛgzɛʀsis] *m.* ① 단련 ; 훈련 ; 연습(= entrainement) : *~s* de calcul 산수 연습 / ~ physique 체조 / faire l'~ 군사 훈련을 하다. ② (*pl.*) ⓐ 연습 문제(집) ; 연습곡 ; 〖군사〗 교련 : cahier d'*~s* 연습장 / cahier d'*~s* pour le violon 바이올린 연습곡집. ⓑ 운동 : défaut 〔manque〕 d'~ 운동 부족. ③ 《~ de》 (사업 따위의) 경영 ; (직업의) 종사 ; (직무의) 집행 ; (권력 따위의) 행사 : l'~ *d'*un droit 〔*du* pouvoir〕 권리〔권력〕의 행사 / ~ illégal de médecine 불법 의료 행위. ***donner* (*bien*) *de l'~ à qn 몹시 고되게〔바쁘게〕 일을 시키다. ***de plein ~*** 전 과정을 개설〔설치〕한. ***en ~*** 현역의, 업무 중인. ***entrer en ~*** 취임하다. ***faire* 〔*prendre*〕 *de l'~*** 연습〔운동〕을 하다.

exergue [ɛgzɛʀg] *m.* ① (메달 따위의) 연월일 또는 명(銘)을 새긴 곳 ; 각명(刻銘). ② (그림·글 따위에 부치는) 제명(題銘), 제사(題辭) (= épigraphe). ***mettre*** qc ***en ~*** …을 첫머리에 인용하다 ; …을 명백히 드러내다. ***portant en ~*** (…라는) 글귀가 새겨진.

exfoliant, e [ɛksfɔljɑ̃, -ɑ̃:t] *adj.* crème *~e* 각질 제거 크림.

exfoliation [ɛksfɔljɑsjɔ̃] *f.* ① 박리(剝離), 박편(薄片) : ~ de l'écorce d'un arbre 나무껍질 박편. ② 〖의학〗 박탈, 탈피.

exfolier [ɛksfɔlje] *v.t.* 껍질을 벗기다, 박리(剝離)하다. — **s'~** *v.pr.* 표피가 벗겨지다 ; 〖의학〗 박탈되다 : peau qui *s'exfolie* 껍질이 벗겨지는 피부.

exhalaison [ɛgzalɛzɔ̃] *f.* (수증기 따위의) 증발기(蒸發氣), (냄새 따위의) 발산물.

exhalation [ɛgzalɑsjɔ̃] *f.* 증발, 발산.

exhaler [ɛgzale] *v.t.* ① 발산하다, (기체를) 내뿜다, (냄새를) 풍기다 : ~ un arôme 향기를 발산하다. ② (분노·감정 따위를) 터뜨리다, 드러내다(= exprimer, manifester) : ~ sa rage contre qn …에 대해 노여움을 터뜨리다. ③ (숨·소리 따위를) 내다 : ~ des plaintes 〔des soupirs〕 한탄〔탄식〕 소리를 내뱉다. — **s'~** *v.pr.* ① 발산되다, (냄새가) 나다. ② (한숨 따위가) 새어 나오다, 터져 나오다. ③ (감정 따위가) 드러나다. ***s'~ en injures* 〔*plaintes*〕** 욕설〔불평〕을 퍼붓다.

exhaussement [ɛgzosmɑ̃] *m.* (건축물을) 높이기 ; 높아지기 : ~ d'une digue 제방 높이기.

exhausser [ɛgzose] *v.t.* ① (건축물을) 높이다(= élever) : ~ une maison d'un étage 집을 한 층 더 증축하다. ② 《문어》 《비유》 (정신 따위를) 향상〔고양〕시키다. — **s'~** *v.pr.* 높아지다 ; (지면 따위가) 융기하다.

exhausteur [ɛgzostœːʀ] *m.* (미각 증진을 위한) 식품 첨가물.

***exhaustif, ive** [ɛgzostif, -iːv] *adj.* (연구 따위가) 철저한, 완전한(= complet) : étude *~ive* 철저한 연구.

exhaustivement [ɛgzostivmɑ̃] *adv.* 남김없이, 전반에 걸쳐, 철저하게.

exhiber [ɛgzibe] *v.t.* ① 〖법률〗 (당국에) 제시〔제출〕하다 ; 보여 주다(= montrer) ; 전시〔진열〕하다 : ~ ses papiers 신분증을 제출하다. ② 자랑삼아 보이다, 과시하다(= étaler) : ~ son savoir 자기의 지식을 자랑해 보이다. — **s'~** *v.pr.* ① 제시〔제출〕되다 ; 전시되다. ② 자태를 보이다 ; 자기를 과시하다.

exhibition [ɛgzibisjɔ̃] *f.* ① 공시(公示) ; 제시 ; 전시. ② 〖법률〗 제출. ③ 자랑삼아 보이기, 과시. ④ 전람회 ; 전시회 : ~ de peinture 회화 전시회. ⑤ 〖스포츠〗 시범 경기. ***faire l'~ de*** …을 과시하다, 자랑삼아 보이다.

exhibitionnisme [ɛgzibisjɔnism] *m.* 〖심리〗 음부 노출증 ; 감정 노출벽(癖).

exhibitionniste [ɛgzibisjɔnist] *adj.* 음부 노출광의, 노출하는 취미가 있는. — *n.* 음부 노출증 환자, 노출광.

exhortation [ɛgzɔʀtɑsjɔ̃] *f.* 권고 ; 부추김, 격려(의 말) : ~ à bien faire 권선(勸善) / ~ à la prudence 신중하라는 권고의 말.

***exhorter** [ɛgzɔʀte] *v.t.* ① 《~ qn》 격려〔권고〕하다 ; 《~ qn à qc 〔+ *inf.*〕》 …에게 …하도록 격려〔권고〕하다 ; 설교〔훈계〕하다 : ~ qn *au* repentir 회개하도록 훈계하다. ② 부추기다, 자극하다. — **s'~** *v.pr.* 스스로 격려하다, 분발하다.

exhumation [ɛgzymɑsjɔ̃] *f.* ① (시체·유적 따위의) 발굴 ; 발견 : ~ de vestiges de l'Antiquité 고대 유적의 발굴. ② (잊혀진 고문서 따위를) 세상에 내놓기, 들추어내기.

exhumer [ɛgzyme] *v.t.* ① 파내다, 발굴하다 : ~ un corps pour l'autopsier 부검을 하려고 사체를 파내다. ② (잊혀진 고문서 따위를) 들추어내다.

***exigeant, e** [ɛgziʒɑ̃, -ɑ̃:t] *adj.* (사람이) 요구가 많은 ; 쉽사리 만족하지 않는 ; (성미가) 까다로운, 엄격한 : caractère ~ 까다로운 성격 / critique ~ 엄격한 비평가.

exigence [ɛgziʒɑ̃:s] *f.* ① 요구, 요청, 요망 : *~s* de la clientèle 고객의 요구. ② (흔히 *pl.*) 요구 사항 ; (봉급 따위의) 요구액 : Quelles sont vos *~s ?* 당신의 요구액은 얼마입니까? ③ 요구가 많은 성격, 까다로움 : Il est d'une ~ insupportable. 그는 참을 수 없을 정도로 까다로운 사람이다. ④ (직업 따위가 부과하는) 제약, 의무 사항 : satisfaire aux *~s* de sa profession 직업적 의무를 다하다.

exiger** [ɛgziʒe] 3 *v.t.* ① (강경히) 요구하다, 요청하다(= réclamer) : Qu'*exigez*-vous de moi? 당신은 내게서 뭘 요구하오? / ~ le silence 비밀을 지킬 것을 요청하다. ② 《주어 : qc》 필요로 하다, 요청하다(= requérir) : plante qui *exige* beaucoup d'eau 물을 많이 필요로 하는 식물 / diplôme *exigé* pour être admis 입학에 필요한 졸업장. ***~ de qn ***que*** + *sub.* …에게 …할 것을 강경히 요구하다 : La discipline *exige que* le subordonné respecte le chef. 규율은 하급자에게 상급자를 존경할 것을 요구한다.

exigibilité [ɛgziʒibilite] *f.* 〖법률〗 요구〔청구〕 가능 ; 지불 만기.

exigible [ɛgziʒibl] *adj.* 요구〔청구〕할 수 있는 ; 지불 기일이 된 : dette ~ 지불 기일이 된 부채.

***exigu, ë** [ɛgzigy] *adj.* ① 비좁은, 협소한(=

E

étroit) : appartement ~ 비좁은 아파트. ② 넉넉지 않은, 불충분한 : ressources ~*ës* 빈약한 자원.

exiguïté [ɛgziguite] *f.* 비좁음, 협소 ; 옹색, 부족 ; 짧음 ; 적음.

***exil** [ɛgzil] *m.* ① (조국으로부터의) 추방 ; 유배, 유형 ; 망명(지) : vivre en ~ 망명 생활을 하다 / envoyer qn en ~ …을 추방하다. ② 〖종교〗 (천국에 대하여) 지상, 이승.

exilé, e [ɛgzile] *adj.* (조국으로부터) 추방된, 망명 중의 ; 이국(異國)에 있는 : opposant politique ~ 추방된 정적(政敵). — *n.* 추방된 사람, 유형자 ; 망명자.

exiler [ɛgzile] *v.t.* ① (조국으로부터) 추방하다 : ~ un condamné politique 정치범을 국외로 추방하다. ② 귀양 보내다, 유형(流刑)에 처하다(= reléguer). ③ 몰아내다, 멀리 떠나게 하다. — **s'~** *v.pr.* ① 망명하다 ; 고국을 떠나다(= s'expatrier) : Il s'est *exilé* en Suisse. 그는 스위스로 망명했다. ② 은퇴하다 ; 은둔하다.

existant, e [ɛgzistɑ̃, -ɑ̃:t] *adj.* ① 존재〔현존〕하는, 실재하는(= réel). ② 현재의, 현행의(= actuel) : lois ~*es* 현행법. — *m.* ① 〖철학〗 실존자, 존재자. ② 〖상업〗 보유금 ; 재고품 : ~ en portefeuille 보유금.

***existence** [ɛgzistɑ̃:s] *f.* ① 존재, 실재 ; 〖철학〗 실존 : preuves de l'~ de Dieu 신의 존재의 증거. ② 생존, 생(生) ; 생활 (방식) ; 생계 : finir son ~ 일생을 마치다 / changer d'~ 생활 방법을 바꾸다 / moyens d'~ 생활 수단, 생계 / lutte pour l'~ 생존 경쟁. ③ 사람 ; (*pl.*) 살아 있는 것 : unir deux ~*s* 두 사람을 결합시키다. ④ 수명 ; 존속 (기간) : brève ~ de l'éphémère 하루살이의 짧은 목숨.

existentialisme [ɛgzistɑ̃sjalism] *m.* 〖철학·문학〗 실존주의.

existentialiste [ɛgzistɑ̃sjalist] *adj.* 실존주의의. — *n.* 실존주의자.

existentiel, elle [ɛgzistɑ̃sjɛl] *adj.* 〖철학〗 실존적인, 존재에 관한 ; 〖논리〗 존재의 : philosophie ~*elle* 실존 철학.

‡exister [ɛgziste] *v.i.* ① 존재〔현존·생존〕하다 ; 실존하다 : plair d'~ 사는 즐거움 / Le bonheur *existe*-t-il? 행복은 존재하는가? ② 《비인칭》 있다(= il y a) : Il *existe* deux villes qui portent ce nom. 이 이름을 가진 도시가 둘 있다. ③ 《흔히 부정》 중요하다, 가치 있다 : Le passé n'*existe* pas pour elle. 그 여자에게 과거는 중요하지 않다〔문제가 되지 않는다〕. ***Ça n'existe pas.*** 《구어》 말도 안 된다 ; 우스꽝스럽다.

ex-libris [ɛkslibris] *m.* 《복수불변》 장서표(藏書票) : collection d'~ 장서표 수집.

exo- *préf.* 「밖」의 뜻.

exocet [ɛgzɔsɛ] *m.* ① 〖어류〗 날치. ② (*E*~) 〖군사〗 엑조세 《프랑스제 공대함(空對艦)·함대함(艦對艦) 미사일》.

exode [ɛgzɔd] *m.* ① (집단) 이주(移住), 집단 탈출 : ~ des citadins à l'époque des vacances 휴가철에 도시 사람들의 대이동. ② 집단 피난. ③ 〖경제〗 유출 : ~ des capitaux 자본의 해외 유출.

exonération [ɛgzɔnerɑsjɔ̃] *f.* 면제 ; 면세 ; 감세(= dégrèvement) : ~ fiscale 세금의 면제 / ~ totale 〔partielle〕 완전〔일부〕 면세.

exonérer [ɛgzɔnere] [6] *v.t.* ① 《~ qn de》 …에게 …을 면제하다(= exempter) : ~ qn du service militaire …의 병역을 면제하다. ② 《간접목적보어 없이》 면세하다, 감면하다 : ~ un contribuable 납세자의 세금을 면제하다. — **s'~** *v.pr.* 《s'~ de》 …이 면제되다.

exophtalmie [ɛgzɔftalmi] *f.* 〖의학〗 안구 돌출증.

exorbitant, e [ɛgzɔrbitɑ̃, -ɑ̃:t] *adj.* 지나친, 과도한, 엄청난(= exagéré) : exigences ~*es* 과도한 요구.

exorbité, e [ɛgzɔrbite] *adj.* (눈이) 튀어나온.

exorciser [ɛgzɔrsize] *v.t.* ① (마귀를) 쫓다 ; (사람·물건에서) 마귀를 물리치다 : ~ un démon 〔possédé〕 마귀를 쫓다〔몰아내다〕. ② (공포·재난을) 물리치다 : ~ le spectre de l'inflation 인플레 요인을 없애다.

exorciseur, euse [ɛgzɔrsizœ:r, -ø:z] *n.* ① 마귀 쫓는 사람. ② 〖역사·가톨릭〗 구마사의 품급 중 3급품을 받은 성직자.

exorcisme [ɛgzɔrsism] *m.* ① 마귀 쫓는 기도〔주문〕 ; 구마경(驅魔經). ② 푸닥거리.

exorciste [ɛgzɔrsist] *n.* (주로 *m.*) = exorciseur.

exorde [ɛgzɔrd] *m.* ① 〖수사학〗 (연설의) 첫머리, 서두, 모두(冒頭). ② (작품의) 도입부, 서론.

exotérique [ɛgzɔterik] *adj.* 공개적인, 개방적인(≠ ésotérique).

***exotique** [ɛgzɔtik] *adj.* ① 외국의, 외래의 ; 열대 지역의 : souvenirs ~*s* 먼 나라들의 추억 / plantes ~*s* 열대 식물들. ② 이국적인, 이국적 취미〔정취〕의 : mœurs ~*s* 이국적인 풍습. — *m.* 외국〔이국〕적인 것 : goût de l'~ 이국 취향.

exotisme [ɛgzɔtism] *m.* 이국 정서〔취향〕.

expansible [ɛkspɑ̃sibl] *adj.* 〖물리〗 팽창성의, 팽창성이 있는 : Les gaz sont ~*s.* 기체에는 팽창성이 있다.

expansif, ive [ɛkspɑ̃sif, -i:v] *adj.* ① 팽창성의 ; 확장하는 ; 발전하는 : force ~*ive* de la vapeur 증기의 팽창력 / pays ~ 발전 중인 나라. ② (성격이) 외향적인 : caractère ~ 외향적 성격.

***expansion** [ɛkspɑ̃sjɔ̃] *f.* ① 팽창 ; 신장(伸張), 확대, 확장(= extension) ; 발전 : Cette industrie est en pleine ~. 이 산업은 한창 발전하고 있다 / ~ d'un gaz 〖물리〗 기체의 팽창. ② 증대, 증가 : ~ démographique 인구 증가. ③ 보급, 전파(= propagation) : ~ des idées nouvelles 신(新)사상의 보급. ④ (감정의) 토로, 표출 : ~ de l'âme 심정의 토로. ⑤ 〖생물〗 (기관의) 발달 ; 발달된 부분. ⑥ 〖언어〗 (기능 언어학에서의) 확대.

expansionnisme [ɛkspɑ̃sjɔnism] *m.* 영토 확장주의〔확장론〕 ; 경제 팽창주의.

expansionniste [ɛkspɑ̃sjɔnist] *adj.* 영토 확장주의〔확장론〕의 ; 경제 팽창주의의. — *n.* (주로 *m.*) 영토 확장주의자〔확장론자〕 ; 경제 팽창주의자.

expansivité [ɛkspɑ̃sivite] *f.* ① 팽창〔신장·확장〕성. ② 외향적 성격 ; 개방성 : ~ naturelle 타고난 개방적 기질.

expatriation [ɛkspatrijɑsjɔ̃] *f.* ① 국외 추방 ; 망명, 이주. ② (자본의) 해외 투자 : ~

des capitaux 해외 투자.

expatrié, e [ɛkspatʀije] *adj.* 국외로 망명한 ; 추방된(= exilé). ── *n.* 망명자 ; 국외 추방자.

expatrier [ɛkspatʀije] *v.t.* ① 국외로 추방하다. ② 해외에 투자하다 : ~ des capitaux 자본을 해외에 투자하다. ── **s'~** *v.pr.* 고국을 떠나다 ; 망명하다 ; 해외로 이주하다 : *s'~* pour des raisons politiques 정치적 이유로 망명하다.

expectatif, ive [ɛkspɛktatif, -iːv] *adj.* 기대를〔희망을〕 갖게 하는. ── *f.* (신중한) 태도, 대기 : rester dans l'~*ive* (행동 이전에) 신중하게 대기하다.

expectoration [ɛkspɛktɔʀasjɔ̃] *f.* ① 가래를 뱉기(= crachement). ② 담, 가래(= crachat).

expectorer [ɛkspɛktɔʀe] *v.t.* (가래를) 뱉다 ; 토하다(= cracher) : ~ du sang 각혈하다 / ~ des glaires 점액을 뱉다〔토하다〕.

expédient, e [ɛkspedjɑ̃, -ɑ̃ːt] *adj.* 《문어》 적합한, 적절한(= convenable, utile) : Vous ferez ce que vous jugerez ~ . 당신이 적합하다고 생각하는 것을 하시오 / 《비인칭》 Il est ~ de + *inf.* 〔que + *sub.*〕 …을 함이 적절〔유리〕하다. ── *m.* ① 편법 ; 방편 ; 술책 : chercher un ~ 방법을 모색하다 / ~ pour échapper à une corvée 고역을 피하기 위한 술책. ② 궁여지책, 미봉책. ***en être aux ~s*** (돈에) 궁해 있다. ***homme d'~s*** 수단가, 수완가, 수단꾼. ***vivre d'~s*** 그럭저럭 둘러맞춰 살아가다.

expédier** [ɛkspedje] *v.t.* ① 발송하다(= envoyer) : ~ une lettre 〔un colis〕 par la poste 편지〔소포〕를 발송하다. ② (사람 · 군대를) 파견하다 ; (귀찮은 사람을) 쫓아 버리다 : ~ le menu fretin 대수롭지 않은 사람을 쫓아내다. ③ 날림으로 해치우다〔처분하다〕(= bâcler) : ~son dîner 저녁식사를 빨리 먹어 치우다 / ~ son travail 일을 날림으로 해치우다. ④ 〖법률〗 (서류의) 등본〔사본〕을 교부하다 : bon à ~ 사본을 교부할 것, 교부 허가. ***~ les affaires courantes (신임자가 취임할 때까지 퇴임자가) 잔무 처리를 하다. ~ qn ***dans l'autre monde.*** …을 죽이다.

expéditeur, trice [ɛkspeditœːʀ, -tʀis] *n.* 발송〔발신〕인 : ~ d'un colis 소포 발송인. ── *adj.* 발송하는 : bureau ~ 발신 우체국 / gare 〔maison〕 ~*trice* 발송역〔운송점〕.

expéditif, ive [ɛkspeditif, -iːv] *adj.* 신속하게 처리하는 ; 민첩한, 재빠른 ; 간편한 : être ~ en affaires 일을 신속하게 처리하다 / moyen le plus ~ 가장 빠른 방법.

expédition [ɛkspedisjɔ̃] *f.* ① 발송, 송부(送付) ; 발송물 : ~ d'un colis par la poste 소포 우송 / Les ~*s* ont augmenté. 발송물이 늘어났다. ② (군대의) 파견 ; 원정 ; 탐험 : ~ au pôle sud 남극 탐험 / ~ punitive 토벌대 파견. ③ (일의) 급속한 처리 : ~ de ses devoirs 숙제를 급히 해치우기. ④ 〖법률〗 (판결문 · 계약서 따위의) 등본, 사본. ***bulletin d'~*** (화물의) 수송표 ; 〖세관〗 송장. ***~ en douane*** 세관 절차를 마치기. ***homme d'~*** 일을 척척 빨리 처리하는 사람.

expéditionnaire [ɛkspedisjɔnɛːʀ] *adj.* 〖군사〗 원정의 ; 파견의 : corps ~ 원정군. ── *n.* 발송인 ; 운송업자.

expérience** [ɛkspeʀjɑ̃ːs] *f.* ① 경험, 체험 : longues années d'~ 다년간의 경험 / acquérir de l'~ 경험을 쌓다 / connaître qc par ~ …을 경험을 통해 알다 / Ce fut pour moi une bonne ~. 그것이 나에게는 좋은 경험이었다 / vérité d'~ 경험적 사실 / homme d'~ 경험이 풍부한 사람. ② 시험, 실험(= essai, expérimentation) : ~ d'un remède 약품의 시험 / faire une ~ de chimie 화학 실험을 하다. ③ 시험, 시도(= tentative) : ~ de vie commune 공동 생활의 시도. ***avoir de l'~ 경험이 많다. ***avoir l'~ de*** …의 경험이 있다. ***faire l'~ de*** …을 체험하다 ; …을 시험하다.

expérimental, e, aux [ɛkspeʀimɑ̃tal, -o] *adj.* 실험상의 ; 경험적인 : à titre ~ 실험적으로 / médecine ~*e* 실험 의학.

expérimentalement [ɛkspeʀimɑ̃talmɑ̃] *adv.* 실험에 의해서, 실험적으로.

expérimentateur, trice [ɛkspeʀimɑ̃tatœːʀ, -tʀis] *adj.* 실험하는. ── *n.* (물리 · 화학의) 실험자.

expérimentation [ɛkspeʀimɑ̃tasjɔ̃] *f.* 시험 ; 실험 : ~ nucléaire 핵실험 / ~ humaine 〖의학〗 인체 실험.

***expérimenté, e** [ɛkspeʀimɑ̃te] *adj.* 경험있는, 노련한 : professionnel ~ 숙련공 / médecin ~ 경험이 풍부한 의사.

***expérimenter** [ɛkspeʀimɑ̃te] *v.t.* ① 실험하다, 시험하다 : ~ un médicament sur des souris 생쥐로 약의 실험을 하다. ② 경험에 의하여 확인하다 ; 경험하다 : ~ la vie 인생의 경험을 쌓다. ── *v.i.* 실험하다.

expert, e** [ɛkspɛːʀ, -ɛʀt] *adj.* 정통한, 노련한(= expérimenté), 숙련된 : technicien ~ 전문 기술자 / être ~ en la matière 그 문제에 정통하다 / 《être ~ à + *inf.*》 *être ~ à* manier une arme 무기를 다루는 데 숙달되다. ── *m.* ① 전문가, 숙련자 : C'est un ~ la matière. 그는 그 문제의 전문가다. ② 〖법률〗 감정인 ; 〖상업〗 평가인 ; (골동품) 감식가 : ~ en livres anciens 고서 감정인. ***à dire d'~s 전문가〔감정인〕의 말에 비추어서.

expert-comptable [ɛkspɛʀkɔ̃tabl] *m.* (*pl.* ***~s-~s***) 공인 회계사.

expertise [ɛkspɛʀtiːz] *f.* ① (전문가의) 평가, 사정 ; 〖법률〗 감정 : ~ mentale 〔psychiatrique〕 정신 감정. ② 감정서. ***faire l'~ de*** …을 감정〔평가〕하다.

expertiser [ɛkspɛʀtize] *v.t.* 감정하다 ; 평가하다 ; 사정하다 : ~ les dégâts 피해액을 사정하다 / faire ~un bijou 보석 감정을 의뢰하다.

expiable [ɛkspjabl] *adj.* 속죄할〔될〕 수 있는.

expiation [ɛkspjasjɔ̃] *f.* ① 죄 갚음, 속죄(= réparation) : en ~ de ses fautes passées 지난 날의 과오에 대한 속죄로서. ② 〖종교〗 속죄식 : Fête des ~*s* 속죄일.

expiatoire [ɛkspjatwaːʀ] *adj.* 죄를 씻는, 속죄의 : victime ~ 속죄의 제물.

expier [ɛkspje] *v.t.* ① (죄를) 갚다 ; 속죄하다 : ~ ses péchés par la pénitence 회개로써

죄를 속죄하다. ② …에 대한 대가를 치르다, 벌을 받다 : ~ ses imprudences 경솔한 행동으로 벌을 받다. ── **s'~** *v.pr.* 속죄되다, 처벌받다 : Cette faute doit *s'~*. 그러한 잘못은 처벌받아야 한다.

expirant, e [ɛkspiʀɑ̃, -ɑ̃:t] *adj.* 《문어》 ① 죽어 가는, 빈사의(= moribond) : malade ~ 빈사 상태의 환자. ② (불이) 꺼져 가는.

expiration [ɛkspiʀɑsjɔ̃] *f.* ① 숨을 내쉬기 ; 호흡, 숨. ② (어떤 기간의) 끝 ; 만료, 만기 : venir à ~ 기한이 끝나다, 만기가 되다 / ~ d'une trêve 휴전 기간의 만료. ***à l'~ de*** trois années, 3 년이 지난 뒤에.

E

***expirer** [ɛkspiʀe] *v.t.* (숨을) 내쉬다 : Inspirez profondément, *expirez* lentement. 깊이 숨을 들이 마시고 천천히 내쉬세요. ── *v.i.* ① 죽다, 숨지다, 운명하다(= mourir) : Le malade *a expiré* dans la nuit. 환자는 밤에 운명하였다. ② (빛 · 소리 따위가) 사라져 버리다, 소멸하다 : lueur qui *expire* 꺼져 가는 빛. ③ 만기가 되다, 기한이 끝나다 : Le bail *expire* à la fin de la semaine. 그 임대차 계약은 이번 주말로 만기가 된다.

explétif, ive [ɛkspletif, -i:v] 〖문법〗 *adj.* 허사(虛辭)적인. ── *m.* 허사.

explicable [ɛksplikabl] *adj.* 설명할 수 있는, 설명 가능한.

explicatif, ive [ɛksplikatif, -i:v] *adj.* 설명하는, 설명적인 : notice *~ive* (기구 따위의) 설명서 / notes *~ives* 주석 ; 주해.

:explication [ɛksplikɑsjɔ̃] *f.* ① 설명, 해설 ; 해석 ; 주석. ② 변명, 해명 : se lancer dans de longues *~s* 해명〔설명〕을 길게 늘어놓다. ③ 언쟁, 말다툼. ***avoir une ~* 〔*des ~s*〕 *avec*** qn …와 따지다 ; …와 언쟁하다, 다투다. ***demander une ~ à*** qn …에게 해명을 요구하다, 책임을 묻다. ***donner l'~ de*** qc …을 설명〔해명〕하다.

***explicite** [ɛksplisit] *adj.* ① 명시된 : condition ~ 명시된 조건. ② 명백한, 명료한(= claire, net) : réponse ~ 확실한 대답.

explicitement [ɛksplisitmɑ̃] *adv.* 명백하게, 명료하게 ; 명시적으로(≠ implicitement).

expliciter [ɛksplisite] *v.t.* 명백하게 하다, 명확히 진술하다, 명시하다 : ~ une clause implicite d'un contrat 계약의 모호한 조항을 명백히 하다 / ~ sa pensée 자기 생각을 분명하게 말하다.

:expliquer [ɛksplike] *v.t.* ① 설명하다 ; 해설하다 ; 해석하다 : ~ un texte difficile 어려운 텍스트를 설명하다 / Comment *expliquez*-vous ce passage? 이 대목을 어떻게 해석합니까? / 《~ que + *ind.*》 Il *explique* à ses élèves *que* la terre est ronde. 그는 학생들에게 지구가 둥글다는 것을 설명한다. ② 《주어 : qc》 설명해 주다, …의 원인이〔이유가〕 되다 : Cela *explique* bien des choses! 그것으로 많은 것들이 설명된다 / 《~ + 간접의문문》 Cela *explique* pourquoi il n'est pas venu. 그것으로 그가 왜 오지 않았는가를 알게 되었다. ③ 지시하다, 가르치다, 알려 주다 : ~ ses projets à qn …에게 자신의 계획을 알려주다. ④ 변명하다, 해명하다 ; …의 이유를 〔원인을〕 밝히다 : ~ un phénomène 어떤 현상의 이유를 설명하다 / 《~ + 간접의문문》 Il m'*a expliqué* pourquoi il est arrivé en retard au rendez-vous. 그는 왜 약속 시간에 늦었는지 나에게 변명했다 / 《~ que + *sub.*》 Comment *expliquez*-vous *qu*'il puisse vivre avec de si faibles revenus? 그가 그렇게 보잘것없는 수입으로 살 수 있다는 것을 어떻게 해명하시겠습니까?
── **s'~** *v.pr.* ① 자신의 의견을 설명하다(= s'exprimer) : Il *s'est expliqué* sur ses intentions. 그는 자기의 의도에 관해 설명했다. ② (이유 · 원인을) 이해하다 : Je ne *m'explique* pas son retard. 그가 늦게 오는 이유를 모르겠다. ③ 《주어 : qc》 설명되다 ; 이해되다 : Cet accident ne peut *s'~* que par une négligence. 그 사고는 부주의 때문에 일어났다고 밖에는 설명될 수 없다. ④ 변명하다, 해명하다 : Elle *s'est expliquée* sur ce qu'on lui impute. 그녀는 자신에게 가해지는 비난에 대해 해명했다. ⑤ 토의하다, 따지다 ; 《구어》 언쟁하다, 다투다. ***s'~ avec*** qn …에게 해명하다 ; …에게서 해명을 듣다 ; 《구어》 …와 언쟁하다, 다투다. ***Ainsi s'explique que*** + *sub.* 그리하여 …이 이해된다.

exploit** [ɛksplwa] *m.* ① ⓐ 공훈, 무공, 공적. ⓑ 뛰어난〔훌륭한〕 행동〔성과〕 : ~ sportif 스포츠의 엄청난 기록〔묘기〕. ② 《비꼼》 경솔한〔서투른〕 짓. ③ 〖법률〗 (집달리가 통고하는) 영장(= ~ d'huissier). ***Voilà un bel ~! 《비꼼》 참 잘한 짓이군!

exploitable [ɛksplwatabl] *adj.* 개척〔개발 · 채굴〕 할 수 있는 : domaine ~ 개발 가능한 토지.

exploitant, e [ɛksplwatɑ̃, -ɑ̃:t] *adj.* ① 개척〔개발〕하는 ; 운영하는. ② 〖법률〗 영장을 송달하는. ***huissier ~*** 영장 송달자. ── *n.* 경영자 ; 개발자 : ~ agricole 농업 경영자.

exploitation [ɛksplwatɑsjɔ̃] *f.* ① 개발, 개척 ; 경작, 개간 ; 채굴 : ~ forestière 삼림 개발 / ~ du sol 토지 경작. ② 개설, 경영 : ~ d'une ligne aérienne 항공 노선의 개설 / ~ d'un hôtel 호텔 경영. ③ 개척지, 채굴〔광〕지 ; 영업소, 작업소 : ~ commerciale 영업소 / ~ industrielle 공장, 작업장. ④ 활용, 이용(= utilisation) : ~ d'un renseignement 정보의 이용. ⑤ 악용 ; 착취 : C'est de l'~! 이건 착취야!《급여가 적을 때》. ⑥ 〖컴퓨터〗 système d'~ 오퍼레이팅 시스템, 컴퓨터 운용 체제.

exploité, e [ɛksplwate] *adj.* ① 개발〔개척 · 채굴 · 경작〕된 : mine *~e* 채굴 중인 광산 / terre *~e* 경작지. ② 착취된 ; 저임금의(= sous-payé) : employé ~ 임금이 낮은 고용인. ── *n.* 피착취자.

***exploiter** [ɛksplwate] *v.t.* ① 활용〔이용〕하다(= profiter de) : Il n'a pas su ~ son avantage. 그는 자기의 유리한 점을 이용할 줄을 몰랐다. ② 개발〔개척〕하다 ; 경작하다 ; 채굴하다 ; 경영하다 : ~ une mine 광산을 개발하다. ③ 착취하다 ; …에게서 폭리를 얻어내다 : ~ des ouvriers 노동자를 착취하다 / ~ un client 손님에게 바가지를 씌우다. ④ 악용하다 : Il *exploite* l'ignorance du public. 그는 공중의 무지를 악용하고 있다. ── *v.i.* 〖법률〗 영장을 작성〔송달〕하다.

exploiteur, euse [ɛksplwatœ:ʀ, -ø:z] *n.* ①

경영〔채굴 · 개척〕자. ② 착취자 ; 악용자. — *adj.* 착취하는, 혹사하는.

explorateur, trice [ɛksplɔʀatœːʀ, -tʀis] *n.* 탐험가 ; 탐구〔탐사〕자 ; 답사자 : équipe d'~s 탐험대 — *m.* 〖의학〗 소식자(消息子). — *adj.* 탐험하는 ; 답사하는.

exploration [ɛksplɔʀɑsjɔ̃] *f.* ① 탐험 ; 탐구, 연구 ; 답사 : ~ spatiale 우주 탐험 / ~ sous-marine 해저 탐사. ② 수색, 탐색 ; 〖군사〗 정찰 : ~ d'une pièce 방의 수색. ③ 〖의학〗 정밀 검사 : ~ radiologique 방사선 검사.

exploratoire [ɛksplɔʀatwaːʀ] *adj.* 사전의, 예비의 : entretien ~ 예비회담.

***explorer** [ɛksplɔʀe] *v.t.* ① 탐험〔탐사 · 답사〕하다 ; 탐색하다, 조사하다 : ~ une zone polaire 극지대를 탐험하다 / ~ une bibliothèque 도서관을 조사하다. ② 탐구〔연구〕하다 : ~ une nouvelle science 신학문을 연구하다. ③ 〖군사〗 정찰하다, 염탐하다. ④ 〖의학〗 탐진(探診)하다 ; 정밀 검사하다.

***exploser** [ɛksploze] *v.i.* ① 폭발하다, 터지다 : La grenade *a explosé.* 수류탄이 터졌다. ② (감정이) 터져나오다(= éclater) ; (사람이) 감정을 터뜨리다(= déborder) : ~ en injures 욕설을 퍼붓다. ③ 크게 발전하다, 급증〔급성장〕하다 : Les ventes *ont explosé* en décembre. 12 월에 매상이 급증했다.

explosible [ɛksplozibl] *adj.* 폭발성의 : matière ~ 폭발성 물질.

explosif, ive [ɛksplozif, -iːv] *adj.* ① 폭발하는 ; 폭발성의 : mélange ~ 폭발성 혼합물. ② 위험한 ; 긴박한 : La situation est *~ive.* 사태가 아주 긴박하다. ③ 급격한, 폭발적인 : hausse *~ive* du prix 가격의 급등. ④ 〖언어〗 파열음의. — *m.* 폭약, 폭발물 : attentat à l'~ 폭탄 테러. — *f.* 〖언어〗 파열음.

***explosion** [ɛksplozjɔ̃] *f.* ① 폭발 ; 파열 : ~ nucléaire 핵 폭발 / ~ volcanique 화산 폭발. ② (감정의) 격발 ; (전쟁 따위의) 돌발 : ~ de joie 〔de colère〕 기쁨〔분노〕의 격발 / ~ d'une épidémie 전염병의 돌발. ③ 급성장, 급증 : ~ démograghique 인구의 급증.

exponentiel, elle [ɛkspɔnɑ̃sjɛl] *adj.* 〖수학〗 지수(指數)의 : équation *~elle* 지수 방정식. — *f.* 지수함수. 「는.

exportable [ɛkspɔʀtabl] *adj.* 수출할 수 있

exportateur, trice [ɛkspɔʀtatœːʀ, -tʀis] *adj.* 수출하는. — *n.* 수출상인, 수출업자(= exporteur).

exportation [ɛkspɔʀtɑsjɔ̃] *f.* ① 수출 : commerce d'importation et d' ~ 수출입업. ② (*pl.*) 수출품. ***faire l'~*** 수출업을 하다. ***maison d'~ et d'importation*** 무역 회사. ***prime d'~*** 수출 장려금 ; 수출품에 대한 환불금.

***exporter** [ɛkspɔʀte] *v.t.* ① (상품을) 수출하다(≠ importer) : ~ du vin 포도주를 수출하다. ② (사상 따위를) 외국에 내보내다, 전파하다(= propager) : ~ une mode 유행을 전파하다. — **s'~** *v.pr.* 수출되다 ; 전파되다.

exporteur [ɛkspɔʀtœːʀ] *m.* 수출업자.

exposant, e [ɛkspozɑ̃, -ɑ̃ːt] *adj.* et *n.* (전시회 따위에) 출품하는 (사람), 출품자. — *m.* 〖수학〗 지수(指數).

exposé, e [ɛkspoze] *adj.* ① (열 · 햇빛 따위에) 노출된. ② 《~ à》 ⓐ …으로 향한〔면한〕 ; 양지바른 : bien ~ 햇빛을 잘 받는, 양지바른 / maison *~e au* nord 북향집. ⓑ (위태로운 일을) 당하고 있는. ⓒ …의 경향〔위험〕이 있는 : objet ~ *à* être renversé 뒤집혀지기 쉬운 물건. — *m.* ① 진술, 논술, 서술, 성명 : donner un ~ d'un projet 계획의 브리핑을 하다 / faire un ~ sur un sujet 문제에 대해서 논술하다. ② 설명 ; 보고(서) : ~ de la situation 상황 보고.

exposer** [ɛkspoze] *v.t.* ① 진열하다(= étaler) ; 전시하다, (전람회 따위에) 출품하다 : ~ des marchandises en vitrine 상품을 쇼윈도우에 진열하다. ② 설명하다(= expliquer) : ~ la situation économique en France 프랑스의 경제 상황을 설명하다. ③ 《~ qc à》 …에 면(面)하게〔향하게〕 하다(= orienter) ; (볕에) 쬐다 ; (바람에) 쐬다 ; (빛에) 드러내 놓다 ; 〖사진〗 감광시키다 : ~ à la chaleur 볕〔열〕에 쬐다〔내놓다〕. ④ 《~ qn à》 (위태로운 일을) 당하게 하다 : Il *est exposé à* faire faillite. 그는 파산의 위기에 처해 있다. ⑤ 《~ qn 〔qc〕》 위태롭게 하다 : ~ sa vie pour sauver qn …을 구하기 위해 목숨을 내걸다〔위험을 무릅쓰다〕. — **s'~** *v.pr.* ① (위태로운 일을) 당하다 : *s'~* au danger 위험에 빠지다 / *s'~* aux reproches 비난당할 우려가 있다. ② 자신을 위태롭게 하다 ; 자기의 목숨을 위태롭게 하다. ③ 출품〔전시〕되다. ④ 설명〔진술〕되다. ***s'~ à + *inf.*; ***s'~ à ce que*** + *sub.* …하는 지경에 빠지다.

exposition** [ɛkspozisjɔ̃] *f.* ① 진열(품) ; 전시회 ; (미술품) 전람회 ; 박람회 ; 품평회 : ~ de sculpture 조각 전람회 / ~ industrielle 산업 박람회 / ~ de fleurs 화훼 전시회〔품평회〕. ② 서술 ; 설명, 해설 : ~ d'une doctrine 학설의 설명. ③ (집 따위의) 좌향(坐向), 놓임새 : ~ à l'ouest (집의) 서향. ④ (볕에) 쬐기 ; (바람에) 쐬기 ; 〖사진〗 노출 : ~ d'un vêtement à l'air 옷을 바람에 쐬기. ***~ universelle 만국 박람회. ***salle d'~*** 진열실.

exprès¹, esse [ɛkspʀɛ, -ɛs] *adj.* ① 《옛》 〖법률〗 단호한(= formel) ; 명시된(= explicite) ; 엄격한 : ≪défense *~esse* de fumer≫ 「흡연 엄금」 / ordre ~ 엄명. ② 《불변》 (사절이) 급한 업무를 띤 ; (우편물이) 속달의 : lettre ~ 속달 편지. — *m.* 특사(特使) ; 〖우편〗 속달. ***lettre à remettre par ~*** 속달 편지.

exprès²** [ɛkspʀɛ] *adv.* 일부러, 고의로(= à dessein) ; 특별히(= spécialement) : J'ai fait cela ~ pour toi. 특별히 너를 위해 그것을 했다. ***C'est comme un fait ~ ! 참 공교롭게 됐군. ***faire ~ de*** + *inf.* 고의적으로 …하다. ***un fait ~*** 공교로운 일 : par *un fait* ~ 공교롭게도.

***express** [ɛkspʀɛs] *adj.* 《불변》 ① 급행의 ; 고속의 : train ~ 급행 열차 / route ~ 고속 도로. ② café ~ 익스프레스 커피《특수한 기계로 커피에 증기를 쐬어서 만드는 것》. ③ auberge-~ 스낵식(式) 드라이브인 / verdict ~ 간단한 판결. — *m.* 《복수불변》 ① 급행열차. ② 에스프레소 커피(= café ~).

(-)express *suff.* 「급행의 · 신속한」의 뜻.

expressément [ɛkspʀɛsemɑ̃] *adv.* ① 명백히, 명시하여 ; 단호하게 : Il est ~ défendu de fumer dans l'autobus. 버스 안에서 담배 피우는 것은 절대 금지이다. ② 일부러, 특별히.

***expressif, ive** [ɛkspʀɛsif, -iːv] *adj.* ① 표현〔표정〕이 풍부한 ; 의미심장한 : terme ~ 표현력이 풍부한 용어 / silence ~ 의미심장한 침묵. ② 생생한, 발랄한.

‡expression [ɛkspʀɛsjɔ̃] *f.* ① 표현 ; 표현법 ; 어구 : liberté d'~ 표현〔의사 표시〕의 자유 / ~ figurée 비유적 표현 / ~ littéraire 문학적 표현. ② 표정 : avec une ~ de désespoir 절망적인 표정으로. ③ 표출, 발현, 구현 : La loi est l'~ de la volonté générale. 법은 일반 의지의 구현이다. ④ 〖수학〗 식(式) : ~ algébrique 대수식. ⑤ 〖의학〗 압박법. ⑥ 〖언어〗 표현(= signifiant). ***avoir de l'~*** 표정이 풍부하다. ***réduire*** qc ***à sa plus simple ~*** …을 가장 간단하게〔알기 쉽게〕 만들다 ; 〖수학〗 (식을) 간단히 하다. ***selon l'~ de*** … 의 말에 의하면.

expressionnisme [ɛkspʀɛsjɔnism] *m.* 〖미술·문학〗 표현주의, 표현파.

expressionniste [ɛkspʀɛsjɔnist] *adj.* 〖미술·문학〗 표현주의의. —— *n.* 표현주의자.

expressivement [ɛkspʀɛsivmɑ̃] *adv.* 표정이 풍부하게, 의미심장하게.

expressivité [ɛkspʀɛsivite] *f.* 표현〔표정〕의 풍부함 ; 〖언어〗 표현성 : ~ d'un visage 얼굴 표정의 풍부함.

exprimable [ɛkspʀimabl] *adj.* 표현할 수 있는 : sentiment difficilement ~ 표현하기 어려운 감정.

***exprimer** [ɛkspʀime] *v.t.* ① (수분·액·즙을) 짜내다(= extraire) : ~ le jus d'un citron 레몬즙을 짜내다. ② (말·행동·표정 따위로) 표현〔표시〕하다 : ~ sa reconnaissance 감사의 뜻을 표명하다 / Sa physionomie *exprime* l'inquiétude. 그의 얼굴에 불안한 기운이 감돌고 있다. ③ (예술 작품으로) 표현하다, 묘사하다 : ~ la réalité 현실을 묘사하다 / Ce poète *exprime* bien les passions. 이 시인은 정열을 잘 표현한다. ④ (기호 따위가) 나타내다 ; 표시하다 : Le signe ≪+≫ *exprime* l'addition. '+'기호는 덧셈을 나타낸다. —— **s'~** *v.pr.* ① 자기 생각〔마음〕을 표현하다 : *s'~* bien en anglais 영어로 말을 잘하다. ② 표현〔표시〕되다 : Cette idée *s'exprime* difficilement. 이 생각은 쉽게 표현되지 않는다.

expropriation [ɛkspʀɔpʀijɑsjɔ̃] *f.* 〖법률〗 (토지 따위의) 수용, (강제) 징수 : ~ forcée 강제 수용 / jury d'~ 수용 심사 위원회.

exproprier [ɛkspʀɔpʀije] *v.t.* ① 《~ qn (de qc)》 〖법률〗 (공용을 위해) …에게서 소유물을 매상〔수용〕하다. ② 《~ qc》 수용하다 : ~ un immeuble 건물을 접수하다.

***expulser** [ɛkspylse] *v.t.* ① 내쫓다, 추방하다(= chasser) : ~ qn de son pays …을 국외로 추방하다 / se faire ~ 쫓겨나다. ② 퇴학시키다, 제명하다(= exclure) : ~ un étudiant d'une faculté 학생을 퇴학시키다. ③ (체내에서) 배출하다, 배설하다(= évacuer) : ~ les déchets 노폐물을 배출하다.

expulsion [ɛkspylsjɔ̃] *f.* ① (국외) 추방, 강제 퇴거 : ~ d'un étranger 외국인의 추방 / arrêté d'~ 퇴거 명령. ② 제외, 제명 : ~ de membres indisciplinés 규율을 어기는 회원의 제명. ③ 〖의학〗 배설(= évacuation), 배출.

expurger [ɛkspyʀʒe] [3] *v.t.* (문장에서) 불온한 부분을 삭제하다 : ~ un ouvrage 작품을 일부 삭제하다.

***exquis, e** [ɛkski, -iːz] *adj.* ① 진미의(= délicieux) ; (향기가) 그윽한 ; 감미로운 ; 미묘한(= délicat) : odeur ~*e* 그윽한 향기 / musique ~*e* 감미로운 음악. ② 우아한, 고상한 ; 섬세한, 세련된 : femme d'une ~*e* élégance 세련된 우아함을 드러내는 여인. ③ (사람이) 상냥한, 온화한.

exsangue [ɛksɑ̃ːg] *adj.* ① 빈혈의, 핏기 없는, 창백한(= pâle) : lèvres ~*s* 핏기 없는 입술. ② 《비유》 생기〔기력〕 없는, 빈약한 : théorie ~ 빈약한 이론.

exsudation [ɛksydɑsjɔ̃] *f.* 《옛》 발한(發汗) ; 〖의학〗 삼출(滲出).

exsuder [ɛksyde] *v.i.* (땀같이) 배어〔스며〕나오다. —— *v.t.* 배어〔스며〕나오게 하다.

extase [ɛkstɑːz] *f.* ① 황홀(= ravissement) ; 도취(= ivresse) : être〔tomber〕 en ~ 황홀경에 빠지다. ② 〖종교〗 법열(法悅)(= béatitude) ③ 〖의학〗 실신 ; 무감각 상태 ; 엑스터시.

extasié, e [ɛkstɑzje] *adj.* 넋을 잃은 ; 황홀한.

extasier (s') [sɛkstɑzje] *v.pr.* 황홀해서 넋을 잃다, 경탄하다 : faire s'~ 황홀하게 만들다 / *s'~* devant un chef d'œuvre 걸작품 앞에서 넋을 잃다.

extatique [ɛkstatik] *adj.* ① 황홀한, 넋을 잃은 : d'un air ~ 넋을 잃고. ② 〖종교〗 법열경의 : vision ~ 신비적 견신(見神).

extemporané, e [ɛkstɑ̃pɔʀane] *adj.* 〖약학〗 즉석의, 응급의 : médicament ~ 즉석 제조약.

extenseur [ɛkstɑ̃sœːʀ] *adj. m.* 〖해부〗 늘이는, 신장하는 : muscle ~ 신근(伸筋). —— *m.* ① 〖해부〗 신근. ② 근육 강화 기구.

extensibilité [ɛkstɑ̃sibilite] *f.* 신장성(伸長性) : ~ du caoutchouc 고무의 신장성.

extensible [ɛkstɑ̃sibl] *adj.* ① 늘어나는, 팽창성이 있는, 신장성이 있는 : métal ~ 신장성 있는 금속 / caoutchouc ~ 탄성고무. ② 확대 해석할 수 있는 ; (생각 따위가) 유연한.

extensif, ive [ɛkstɑ̃sif, -iːv] *adj.* ① 늘어나게 하는, 신장시키는 : force ~*ive* 신장력. ② 〖문법〗 광의(廣義)의 ; 〖논리〗 외연적(外延的)인 : mot pris dans un sens ~ 광의의 뜻으로 해석한 말.

extension [ɛkstɑ̃sjɔ̃] *f.* ① (사지를) 뻗기, 펴기. ② 늘이기, 신장, 연장 : ~ par traction 견인에 의한 신장. ③ 확대, 확장 ; 증대 ; (질병의) 만연 : ~ de son pouvoir 권한의 확대 / prendre de l'~ 확대〔확장〕되다. ④ 〖법률〗 확대 해석 : ~ donnée à une loi〔clause de contrat〕 법〔계약 조항〕에 대한 확대 해석. ⑤ 〖컴퓨터〗 확장 : ~ de la mémoire d'un ordinateur 컴퓨터 메모리의 확장. ⑥ 〖논리〗 (개념 따위의) 외연 ; 〖문법〗 (의미의) 확장 : par ~ 넓은 뜻으로.

exténuant, e [ɛkstenɥɑ̃, -ɑ̃ːt] *adj.* 지치게 하는, 기력을 쇠진시키는(= épuisant).

exténuation [ɛkstenɥɑsjɔ̃] *f.* 극심한 쇠약, 극도의 피로, 기진맥진 : jusqu'à complète

E

~ 완전히 탈진할 때까지.

exténué, e [ɛkstenɥe] *adj.* 초췌한; 기진맥진한: ~ de fatigue 피로로 기진맥진한.

exténuer [ɛkstenɥe] *v.t.* 초췌하게 하다; 기진맥진하게 하다(= épuiser): Cette longue marche l'*a exténué.* 오랫동안 걸어서 그는 몹시 지쳤다.

:extérieur, e [ɛksterjœːr] *adj.* ① ⓐ 외부〔외면〕의(≠ intérieur): monde ~ 바깥 세계. ⓑ 표면의, 밖에 드러난: aspect ~ 겉에 보이는 양상. ② 국외의; 대외적인: commerce ~ 국제 무역 / politique ~*e* 대외(對外) 정책. ③《~ à》…에서 벗어난, …와 무관한(= étranger): discussion ~*e au* sujet 본제와 무관한 논의. ④《경멸》겉치레의, 피상적인, 형식적인: politesse ~*e* 형식적인 예절. ── *m.* ① 외부; 옥외. ② (사물의) 외면, 외관, 외모; 풍채, 태도. ③ 외국, 해외: nouvelles de l'~ 해외 소식. ④ (*pl.*)〖영화〗야외촬영, 로케이션: prises de vue en ~ 로케이션. ***à l'~*** 옥외에서; 국외에서. ***à l'~ de*** …밖에서. ***juger de l'~*** 객관적으로 판단하다. ***rapports avec l'~*** 대외 관계.

extériorisation [ɛksterjɔrizɑsjɔ̃] *f.* ① (감정・욕망의) 표출, 표현, 외면화. ②〖철학〗외재화(外在化).

***extérioriser** [ɛksterjɔrize] *v.t.* ① (마음속에 있는 것을) 객관화하다, 겉으로 나타내다〔표현하다〕: ~ ses sentiments 자기의 감정을 표현하다. ②〖철학〗외재화(外在化)하다. ── **s'~** *v.pr.* (감정이) 밖으로 나타나다; 외면화〔객관화〕되다; 자기의 감정을 나타내다.

extériorité [ɛksterjɔrite] *f.*〖철학〗외재성(外在性); 표면성.

exterminateur, trice [ɛkstɛrminatœːr, -tris] *adj.* et *n.* 전멸〔근절〕시키는 (사람): peste ~*trice* (사람을) 몰살시키는 페스트.

extermination [ɛkstɛrminɑsjɔ̃] *f.* 근절, 일소; 전멸, 몰살, 박멸.

***exterminer** [ɛkstɛrmine] *v.t.* ① 근절시키다, 일소하다(= masacrer, anéantir): ~ les cafards 바퀴벌레를 근절시키다. ② 전멸〔몰살〕시키다;《구어》죽이다: peuple *exterminé* par des envahisseurs 침략자에 몰살당한 민족. ── **s'~** *v.pr.* ① 서로 전멸시키다. ②《s'~ à+*inf.*》《구어》…하느라고 기진맥진하다: *s'~ à* travailler 일하느라고 기진맥진하다.

externat [ɛkstɛrna] *m.* ① 통학 학교; 통학 제도; 통학생. ② (병원의) 통근 조수(의 직분); 외래(外來) 환자부.

externe [ɛkstɛrn] *adj.* ① 밖의, 외부의(≠ interne); (약이) 외용의: médicament à usage ~ 외용약. ② 외래의; 통학의: élève〔malade〕~ 통학생〔외래 환자〕. ── *m.* ① 통학생. ② (병원의) 통근 조수.

exterritorialité [ɛkstɛritɔrjalite] *f.*〖법률〗치외법권.

extincteur, trice [ɛkstɛ̃ktœːr, -tris] *adj.* 불을 끄는, 소화용(消火用)의: appareil ~ 소화기. ── *m.* 소화기: ~ à mousse carbonique 포말 소화기.

extinction [ɛkstɛ̃ksjɔ̃] *f.* ① (불을) 끄기, 소등(消燈); 소화(消火): ~ d'un incendie 화재의 소화. ② 소멸, 소실, 절멸: ~ d'un privilège 특권의 소멸. ③ (목소리 따위가) 끊어지기; (기능의) 약화, 쇠퇴: ~ de vue 시력의 쇠퇴. ④〖식물〗(권리・의무 따위의) 소멸; (채무의) 변제. ***~ des feux***〖군사〗소등 나팔. ***jusqu'à ~*** 완전히: payer une dette *jusqu'à ~* 빚을 다 갚다〔완제하다〕.

extinguible [ɛkstɛ̃gibl] *adj.* (불이) 꺼진; (굶주림이) 해소된, (갈증이) 풀린.

extirpation [ɛkstirpɑsjɔ̃] *f.* ① (잡초를) 뿌리째〔송두리째〕 뽑기: ~ des mauvaises herbes 잡초 뽑기. ② (악습 따위의) 근절; 일소: ~ des préjugés 편견의 근절.

extirper [ɛkstirpe] *v.t.* ① 뿌리째〔송두리째〕 뽑다; (환부를) 도려내다: ~ une plante 나무를 뽑다 / ~ une tumeur 종기를 완전히 도려내다. ② 근절시키다(= anéantir, abolir): ~ les vices 악을 근절시키다. ③《~ qc à qn》…에게서 …을 얻어내다: ~ un renseignement à qn …에게서 정보를 얻어내다. ④《~ qn》끌어내다: ~ qn de son lit …을 침대에서 일으키다. ── **s'~** *v.pr.* 빠져나오다.

extorquer [ɛkstɔrke] *v.t.* 강탈하다, 절취하다(= escroquer); 강요하다;《~ qc à qn》…에게 (약속・서명 따위를) 억지로 시키다: ~ *à* qn une signature〔une promesse〕…에게 서명〔약속〕을 강요하다.

extorqueur, euse [ɛkstɔrkœːr, -øːz] *n.* 강탈〔강요〕하는 사람.

extorsion [ɛkstɔrsjɔ̃] *f.* (돈의) 강탈, 갈취; (약속 따위의) 강요: ~ de fonds sous la menace 협박〔공갈〕에 의한 돈의 갈취.

extra [ɛkstra] *m.*《복수불변》① 특별한 것; 유별난 것《특히 식사》: faire un ~ pour accueillir des invités 손님을 접대하기 위해 특별 음식을 장만하다. ② 임시 근무; 임시 고용인, (영화의) 엑스트라: engager deux ~ 두 사람을 임시 고용하다. ── *adj.*《불변》(술 따위가) 최고의, 극상등의: vin (de qualité) ~ 최고급 포도주.

extra- *préf.*「밖의・여분의・극상(極上)의」의 뜻.

extracteur [ɛkstraktœːr] *m.* (화학 실험용) 추출기(抽出器), 분리기; (의료용) 적출기(摘出器): ~ centrifuge 원심 분리기.

extractif, ive [ɛkstraktif, -iːv] *adj.* ① (광물 따위를) 추출하는, 채굴의: industries ~*ives* 지하자원 산업〔광산업〕/ machine ~*ive* 채굴용 기계. ②〖문법〗추출을 표시하는.

extraction [ɛkstraksjɔ̃] *f.* ① 추출, 뽑아내기: ~ d'une dent cariée 충치를 뽑기. ② 파내기, 채굴: ~ de la houille 채탄(採炭). ③ (화합물의) 분리, 추출;〖수학〗근을 구하기: ~ de la racine carrée〔cubique〕〖수학〗제곱근〔세제곱근〕구하기. ④ 혈통, 가문: être de haute〔basse〕~ 고귀한〔비천한〕가문 출신이다. ⑤〖언어〗인출(引出), 발췌.

extrader [ɛkstrade] *v.t.*〖법률〗(타국 정부로부터 본국에) 인도(引渡)하다.

extradition [ɛkstradisjɔ̃] *f.*〖법률〗(타국 정부로부터) 범죄인의 인도.

extra(-)fin, e [ɛkstrafɛ̃, -in] *adj.* ① 매우 가는〔작은〕: plume ~*e* 매우 가는 펜. ② 극상의, 최고품의: beurre ~ 최상품 버터.

extra(-)fort, e [ɛkstrafɔːr, -ɔrt] *adj.* 아주 강한, 매우 튼튼한: colle ~*e* 강력 접착제. ── *m.* 가장자리를 감친 끈.

E

***extraire** [ɛkstʀɛːʀ] [44] *v.t.* ① 뽑아내다, 추출하다 : ~ une balle de la jambe d'un blessé 부상자의 다리에서 탄환을 뽑아내다 / ~ le jus d'un fruit 과일에서 즙을 짜내다. ② 캐내다, 채굴〔발굴〕하다 : ~ du charbon 석탄을 채굴하다. ③ (책에서) 발췌하다 ; 《비유》 이끌어내다 : dépouiller un livre pour ~ des citations 인용문을 발췌하기 위해 책을 뒤지다. ④ 빼내다, 구출하다 : ~ un condamné de sa cellule 죄수를 감방에서 빼내다. ⑤ (비밀 따위를) 캐내다, 알아내다 : ~ des aveux à qn …에게서 강제로 자백받다. ⑥ 〖수학〗 근을 구하다 : ~ la racine carrée 제곱근을 구하다. ── **s'~** *v.pr.* ① 뽑아지다. ② 《se ~ de》 (곤경 따위에서) 빠져나오다.

E

***extrait** [ɛkstʀɛ] *m.* ① 뽑아낸 것 ; 〖화학·약학〗 엑스 ; 정수(精髓). ② 발췌 ; 요약 : ~*s* du discours du président 대통령 연설의 발췌문. ③ 초본 ; 증명서 : ~ de naissance 출생 증명서 / ~ des registres de l'état civil 호적 초본.

extra-linguistique [ɛkstʀalɛ̃gɥistik] *adj.* 언어학 범주 외의, 언어 외적인.

extra(-)lucide [ɛkstʀalysid] *adj.* (점쟁이·영매(靈媒) 따위가) 투시력이 비상한.

extra-muros [ɛkstʀamyʀoːs] *adv.* 시외〔교외〕에 : habiter ~ 시외에 살다. ── *adj.* 《불변》 교외의, 시외의 : quartier ~ 교외 지역.

⁑**extraordinaire** [ɛkstʀaɔʀdinɛːʀ] *adj.* ① 비상한, 비범한 : homme ~ 비범한 사람. ② 괴상한, 야릇한, 놀라운 : raconter des histoires ~*s* 믿을 수 없는 이야기를 하다 / un prix ~ 터무니없는 값. ③ 특별한 ; 임시의, 비상시의 : ambassadeur ~ 특파 대사 / budget ~ 임시 예산 / prendre des mesures ~*s* 비상 수단을 쓰다. ④ 《구어》 훌륭한, 멋진 ; (음식이) 맛있는 : film ~ 훌륭한 영화. ***Il est ~ que***+*sub.* …은 놀라운 일이다. ***représentation ~*** 특별 공연. ── *m.* 이상한〔놀라운〕 일. ***L'~, c'est que...*** 이상한 것은 …라는 것이다. ***par ~*** 《옛》 만일 ; 예외적으로.

***extraordinairement** [ɛkstʀaɔʀdinɛʀmɑ̃] *adv.* ① 비상하게, 대단히, 몹시 : Il a chanté ~ (bien). 그는 대단히 노래를 잘 불렀다. ② 특별히, 예외적으로. ③ 이상하게 : s'habiller ~ 이상한 옷차림을 하다. ④ 만일, 혹시라도.

extrapolation [ɛkstʀapɔlɑsjɔ̃] *f.* ① 〖수학〗 외삽법(外揷法). ② 〖논리〗 (이미 알고 있는 사실의) 확대 적용, 연역.

extrapoler [ɛkstʀapɔle] *v.i.* ① 〖수학〗 외삽법(外揷法)을 적용하다. ② (단편적인 사실을) 확대 적용〔보편화·일반화〕하다.

extra-temporel, elle [ɛkstʀatɑ̃pɔʀɛl] *adj.* 초시간적인, 시간을 초월한.

extra(-)terrestre [ɛkstʀatɛʀɛstʀ] *adj.* 지구 외의, 대기권 외의 : vol ~ 대기권 밖의 비행. ── *n.* 외계인.

extravagance [ɛkstʀavagɑ̃ːs] *f.* ① 상궤를 벗어남, 엉뚱함, 기상천외, 부조리. ② (*pl.*) 기상천외한〔괴상한〕 언동(=excentricité).

***extravagant, e** [ɛkstʀavagɑ̃, -ɑ̃ːt] *adj.* ① 상궤를 벗어난, 엉뚱한, 기상천외의, 괴상한 : idée ~*e* 엉뚱한 생각. ② 엄청난, 도를 넘어선(=excessif) : dépenses ~*es* 엄청난 지출. ── *n.* 엉뚱한 사람, 괴짜. ── *m.* 기묘함.

extravaser (s') [sɛkstʀavɑze] *v.pr.* (혈액 따위가) 유출하다, 스며나오다.

extraverti, e [ɛkstʀavɛʀti] *adj.* et *n.* 〖심리〗 외향적인 (사람)(=extroverti).

***extrême** [ɛkstʀɛm] *adj.* ① 끝의 ; 말단의 : date ~ pour payer les impôts 납세 마감일 / ~ gauche 〔droite〕 〖정치〗 극좌〔극우〕. ② 극도의, 극심한 : ~ simplicité 극도의 단순성 / ~ misère 극빈. ③ 극단의, 과격한 : homme ~ 과격한 사람 / moyens ~*s* 극단적인〔최후의〕 방법. ④ 한서의 차가 심한 : climat ~ 한서의 차가 심한 기후.
── *m.* ① 끝 ; 극단 ; 극도 ; 절정 : les ~*s* 양극 / ~ du bonheur 행복의 절정. ② 〖수학〗 (비례의) 외항(外項). ***à l'~*** 극도로.

***extrêmement** [ɛkstʀɛmmɑ̃] *adv.* ① 극단적으로. ② 극히, 극도로(=très), 매우 : ~ beau 몹시 아름다운.

extrême-onction [ɛkstʀɛmɔ̃ksjɔ̃] *f.* 〖가톨릭〗 종부성사(終傅聖事).

Extrême-Orient (l') [lɛkstʀɛmɔʀjɑ̃] *m.* 〖지리〗 극동.

extrémisme [ɛkstʀemism] *m.* (정치적) 과격주의.

extrémiste [ɛkstʀemist] *adj.* 과격주의의, 과격파의. ── *n.* 과격주의자, 과격〔극단〕파.

***extrémité** [ɛkstʀemite] *f.* ① 끝, 말단(=bout) ; 극도, 극단 : ~ du doigt 손가락 끝. ② 최후 순간 ; 임종(=agonie) ; 궁지, 곤경 : être réduit à une penible ~ 고통스러운 궁지에 몰리다. ③ (*pl.*) 수족, 팔다리 : avoir les ~*s* glacées 손발이 차다. ④ 최후 수단 ; (*pl.*) 폭력 : se porter aux ~*s* contre 〔sur〕 qn …에게 폭력을 휘두르다.

extrinsèque [ɛkstʀɛ̃sɛk] *adj.* 외래(外來)의, 외부적인, 본질적〔고유의 것〕이 아닌(≠intrinsèque) : cause ~*s* 외인(外因).

exubérance [ɛgzybeʀɑ̃ːs] *f.* ① 풍성함, 넘쳐 흐름, 풍부, 충만, 충일 ; 과잉(=surabondance, profusion) ; (문장 따위의) 현란〔화려〕함 : ~ de la végétation 초목의 무성함. ② 과장(=exagération). ③ 원기 왕성 ; 개방적 성격〔태도〕 : manifester sa joie avec ~ 기쁨을 만면에 한껏 드러내다.

exubérant, e [ɛgzybeʀɑ̃, -ɑ̃ːt] *adj.* ① 풍성한, 풍부한, 충만한 : imagination ~*e* 풍부한 상상력. ② 원기 왕성한 ; (성격 따위가) 개방적인, 외향적인(=expansif) : caractère ~ 개방적인 성격.

exulcérer [ɛgzylseʀe] [6] *v.t.* 헐게 하다, 궤양(潰瘍)을 일으키게 하다. ── **s'~** *v.pr.* 궤양을 일으키다.

exultation [ɛgzyltɑsjɔ̃] *f.* 환희 : être au comble de l'~ 미칠듯이 기뻐하다.

exulter [ɛgzylte] *v.i.* 기뻐서 어쩔 줄 모르다 (=jubiler) : ~ de qc 〔de+*inf.* ; que+*sub.*〕 …을〔하기를〕 몹시 기뻐하다.

exutoire [ɛgzytwaːʀ] *m.* ① 〖의학〗 피부 인적법(引赤法), 타농(打膿). ② (감정의) 배출구 : ~ à sa colère 분노의 배출구.

ex-voto [ɛksvɔto] 〔라틴〕 *m.* 《복수불변》 (기원·감사의) 봉헌물 : suspendre des ~ 봉헌물을 걸다.

eye-liner [ajlajnœʀ] 〔영〕 *m.* (눈 화장용) 아이라이너.

eyra [ɛʀa] *m.* 〖동물〗 (남미산의) 작은 표범.

F

F¹, f¹ [ɛf] *m.* ① 프랑스 자모의 제 6 자. ② 〖음악〗 바음, 바조.

F² 《약자》 Fluor 〖화학〗 플루오르, 불소 ; Farad 〖물리〗 패럿.

°F 《약자》 degré Fahrenheit 화씨 온도.

f² 《약자》 forte 〖음악〗 세게 : ff fortissimo 매우 세게 / fff fortississimo 매우 매우 세게.

f. 《약자》 ① franc(s) 프랑. ② féminin 〖문법〗 여성. ③ fréquence 〖물리〗 주파수.

fa [fa] *m.* 음계의 제 4 음, 「파」 : clef de ~ 저음부 기호.

fable [fɑːbl] *f.* ① 우화(= apologue) : ~ de La Fontaine 라퐁텐의 우화. ② 《문어》 전설(= légende) ; (*F*~) 《집합적》 신화. ③ 지어낸 이야기 : C'est une pure ~. 그것은 완전히 꾸며낸 이야기이다. ④ (문학 작품의) 주제. ⑤ 웃음거리 : Il est la ~ de tout le village. 그는 마을의 웃음거리다.

fableau [fɑblo], **fabliau** [fɑblijo] *m.* (*pl.* **~x**) (13-14세기의 프랑스) 우화시(寓話詩).

fablier [fɑblije] *m.* 우화집 ; 《옛》 우화 작가.

***fabricant, e** [fabʀikɑ̃, -ɑ̃:t] *n.* 제조업자 ; 제조인 ; 공장주 : ~ de papier 제지업자 / ~ d'automobiles 자동차 메이커. ── *adj.* 제조하는, 제조업의.

fabricateur, trice [fabʀikatœːʀ, -tʀis] *n.* 제조자, 제작자 ; 위조자, 날조자.

fabrication [fabʀikɑsjɔ̃] *f.* ① 제조, 제작, 생산(= production) : article de ~ française 프랑스 제품 / ~ à la main 〔machine〕 수제〔기계제〕 / ~ maison 자가 제작. ② 날조, 위조 : ~ d'un faux acte 문서 위조.

fabrique [fabʀik] *f.* ① 제조 ; 제조법 : marque de ~ 상표. ② 제조소, 공장 ; 《집합적》 공장의 전 공원(全工員) : ~ de meubles 가구 제작소. ***de ~*** 싸구려의. ***prix de ~*** 원가.

***fabriquer** [fabʀike] *v.t.* ① 만들다, 제조〔제작〕하다 : Il *a fabriqué* de ses propres mains ce petit appareil. 그는 직접 이 자그마한 기구를 만들었다. ② 위조〔날조〕하다 ; 조작하다, 지어내다(= inventer) : récit qu'il *a fabriqué* 그가 지어낸 이야기. ③ 가장하다. ④ 《구어》 하다(= faire) : Qu'est-ce que tu *fabriques* ? 무엇을 만들고 있소? ; 무엇을 하고 있소? ── **se ~** *v.pr.* ① 만들어지다. ② 자기에게〔자기를 위해〕 …을 만들다.

fabulation [fabylɑsjɔ̃] *f.* ① (소설 따위를) 꾸미기 ; 허구(= affabulation). ② 〖의학〗 허담증 ; 〖심리〗 작화증.

fabuler [fabyle] *v.i.* 상상적인 이야기를 꾸며내다, 허담하다.

fabuleusement [fabyløzmɑ̃] *adv.* ① 우화식으로. ② 터무니없게(= prodigieusement), 엄청나게 : être ~ grand 엄청나게 크다.

fabuleux, euse [fabylø, -ø:z] *adj.* ① 전설인, 가공의, 신화적인 : personnage ~ 가공적인 인물. ② 믿기 어려운 ; 엄청난 : somme ~*euse* 엄청난 금액.

fabuliste [fabylist] *m.* 우화〔동화〕 작가.

fac. [fak] 《약자》 〖학교〗 학부, 단과 대학(= faculté) : être en ~ 대학에 다니고 있다.

***façade** [fasad] *f.* ① (건물의) 정면(= devant) ; (건물의) 면, 외면 : ~ de marbre 대리석으로 된 정면. ② 외관, 표면, 겉(= apparence) : n'avoir qu'une ~ d'honnêteté 겉보기엔 정직〔성실〕하다. ③ 《구어》 얼굴.

⁑face [fas] *f.* ① 얼굴, 안면(= figure) ; 모습 : avoir la ~ ronde 얼굴이 둥글다 / homme à deux ~*s* 〔double ~〕 표리가 있는 사람 / perdre 〔sauver〕 la ~ 체면을 잃다〔세우다〕. ② 표면(= surface) ; 앞, 정면 : ~ d'une médaille 메달의 앞면 / ~ de la terre 지표면. ③ 면(面) ; 평면. ④ 국면, 형세, 양상(= aspect) : examiner une situation 〔une question〕 sur toutes ses ~*s* 상황을〔문제를〕 모든 국면에서 검토하다 / changer de ~ 양상〔모습〕이 달라지다. ***à la ~ de*** …의 면전에(서). ***de ~*** 정면으로〔정면에서〕 : aborder une question *de* ~ 문제를 정면으로 다루다. ***en ~ de*** …의 면전에, …의 맞은 편에. ***~ à*** …으로 향한〔향하여〕 : ~ à une crise économique 경제 위기에 직면하여. ***~ à ~*** 서로 마주 대면하여. ***faire ~ a*** ⓐ …와 마주 대하다 : *faire* ~ *á* l'école 학교와 마주하고 있다. ⓑ …에 대항하다 ; (곤란 따위를) 극복하다 ; (지출 따위를) 감당해 내다 : *faire* ~ *à* ses engagements 약속을 이행하다.

face(-)à(-)face [fasafas] *m.* 《복수불변》 토론 ; 대담. 「안경.

face-à-main [fasamɛ̃] *m.* (*pl.* **~s-~-~**) 손

facétie [fasesi] *f.* 해학, 익살, 농담 : faire des ~*s* à qn …에게 장난을 치다.

facétieux, euse [fasesjø, -ø:z] *adj.* 익살스러운(= comique) ; 농담 잘하는. ── *n.* 익살스러운 사람. ── *m.* 익살스러움.

facette [fasɛt] *f.* ① (다면체의) 면 ; (보석 따위의) 결정면, (글라스 따위의) 각면(刻面) : corps à ~*s* égales 정다면체. ② 《비유》 양상, 모습. ③ 〖곤충〗 yeux à ~*s* 겹눈, 복안. ***à ~s*** 《비유》 여러 가지 모습〔양상〕을 지닌 : être *à* ~*s* 여러 가지 양상을 보이다.

***fâché, e** [fɑʃe] *adj.* ① 유감스럽게〔미안하게 · 섭섭하게〕 생각하는 : 《~ de qc 〔+*inf.*〕》 Je suis ~ *de* n'avoir pu vous aider. 당신을 도와드리지 못한 것이 유감스럽소 / 《~ que+*sub.*》 Je ne serais pas ~ *qu*'il parte. 그가 떠난다고 해서 섭섭할 것이 없다. 그가 떠나서 후련하다. ② 불만스러운, 불쾌한 ; 화난(= vexé) : avoir l'air ~ 화가 난 것 같다 / être ~ contre qn …에 대해 화가 나 있다.

③ 《~ avec》 …와 사이가 틀어진.

fâcher [fɑʃe] *v.t.* ① 화나게 하다(= irriter, mécontenter) : Ils *sont fâchés.* 그들은 사이가 틀어졌다. ② 난처하게 하다, 마음 괴롭게 하다, 섭섭한〔유감스러운〕 생각이 들게 하다(= contrarier) : Je *suis fâché* d'avoir manqué votre visite. 방문해 주셨는데 만나뵙지 못해 유감입니다. ***Cela* 〔*Il*〕 *me fâche de***+*inf.* 〔***que***+*sub.*〕 …은 나로선 괴롭다〔유감이다〕 : *Il me fâche de* le lui demander. 그 일을 그에게 부탁하기는 거북하다. ── **se ~** *v.pr.* ① 화내다, 분개〔격분〕하다 : Il *se fâche* pour des riens. 그는 걸핏하면 화를 낸다 / 《se ~ contre qn》 Je *me suis fâché* tout rouge *contre* lui. 나는 그에 대해서 몹시 화를 냈다. ② 《se ~ avec qn》 …와 사이가 틀어지다.

F

fâcherie [fɑʃʀi] *f.* ① 불만 ; 반목. ② 말다툼.

fâcheusement [fɑ(a)ʃøzmɑ̃] *adv.* 난처하게 ; 불행히도, 유감스럽게도 ; 불쾌하게.

fâcheux, euse** [fɑʃø, -øːz] *adj.* ① 난처한, 곤란한 : tomber dans une *~euse* situation 난처한 입장〔상황〕에 빠지다. ② 마음 아픈, 유감스러운 : événement ~ 유감스러운 사건 / *~euse* nouvelle 애석한 소식. ③ 귀찮은, 불쾌한 : cheval ~ à ferrer 다루기 힘든 말. ***Il est ~ de+*inf.* 〔***que***+*sub.*〕 …은 유감스러운 일이다. ── *n.* 귀찮은〔불쾌한〕 사람. ── *m.* 난처한 일 : Le ~, c'est que+*sub.* 〔*ind.*〕 곤란한〔난처한〕 점은 …이다.

facial, e, aux [fasjal, -o] *m.* 〖해부〗 얼굴의, 안면의 : massage ~ 안면 마사지 / névralgie *~e* 안면 신경통.

facies, faciès [fasjɛs] 〔라틴〕 *m.* 얼굴 ; 안색 ; 용모, 모습(= aspect).

‡facile [fasil] *adj.* ① 쉬운, 수월한, 용이한(≠ difficile) : Il lui est ~ de+*inf.* …하는 것은 그에게는 쉬운 일이다 / travail ~ 수월한 일 / remporter une victoire ~ 수월하게 이기다. ② 《~ à+*inf.*》 …하기 쉬운 : chose ~ *à* faire 하기 쉬운 일 / homme ~ *à* contenter 관대한〔너그러운〕 사람. ③ 능란한, 능숙한(= habile) : talent 〔génie〕 ~ 능숙한 재능〔재질〕. ④ (인품 · 성격이) 대하기 쉬운, 너그러운, 유순한 : homme ~ 대하기 쉬운 사람 / père trop ~ avec ses enfants 자녀에게 지나치게 무른 아버지 / caractère ~ 유순한 성격. ⑤ 《경멸》 쉽게 이루어진, 깊이 없는, 안이한(≠ recherché) : littérature ~ 깊이가 없는 문학 / style ~ 쉽게 쓰여진 문체 / effet ~ 쉽게 얻어지는 효과. ***avoir la parole ~*** 입담〔말주변〕이 좋다. ***avoir la vie ~*** 유복한 생활을 하다. ── *adv.* 《구어》 쉽사리 ; 적어도.

***facilement** [fasilmɑ̃] *adv.* ① 쉽게, 수월〔용이〕하게 : Cela se brise ~. 그것은 쉽게 부러진다. ② 사소한 일에도, 곧잘 : Il se vexe ~. 그는 툭하면 화를 낸다. ③ 적어도(= au moins).

facilité** [fasilite] *f.* ① 용이(함), 쉬움 : être surpris par la ~ de ce travail 그 일이 용이한 것에 놀라다. ② (쉽게 할 수 있는) 능력, 재능(= aptitude), 능란함 : écrire avec ~ 힘들이지 않고〔술술〕 글을 쓰다 / avoir une grande ~ pour parler 말주변이 매우 좋다. ③ (주로 *pl.*) 편리한 수단, 편의, 편익 : des *~s* de transport 교통〔수송〕의 편의 / apporter 〔fournir〕 à qn toutes *~s* pour …에게 …을 위한 모든 편의를 제공하다. ④ 너그러움 ; 안이, 안일 : ~ d'humeur 대범한 기질 / ~ à se laisser convaincre 쉽사리 남의 설득을 당하기. ***avec ~ 쉽게, 수월하게. ***avoir la ~ à***+*inf.* …하는 능력을 타고나다. ***avoir la ~ de***+*inf.* …을 쉽게 할 수 있다.

***faciliter** [fasilite] *v.t.* ① 쉽게〔용이하게〕 하다(= aider, arranger) : ~ à qn sa tâche …에게 그의 임무를 수월하게 해 주다. ② 조장하다 : ~ le progrès 진보를 촉진하다.

‡façon [fasɔ̃] *f.* ① 만들기, 제작 ; 품삯 : ~ d'un bijou 보석 세공. ② 만듦새, 지음새, 체제 : ~ de cette robe 그 의상의 만듦새. ③ 수법, 투, 양식, 방식, 방법 : habillé de ~ élégante 우아한 옷차림의 / ~ dont cette personne se conduit 그 사람이 처신하는 방법 / ~ d'un écrivain 〔peinture〕 작가〔화가〕의 작풍〔화풍〕. ④ (*pl.*) 태도, 행동 ; 지나친 예절, 점잔〔체면〕부리기 : avoir de bonnes *~s* 예절이 바르다, 행동이 점잖다 / Ses *~s* me déplaisent. 그의 행동이 마음에 거슬린다 / femme pleine de *~s* 젠 체하는 여자. ⑤ 《옛 · 문어》 종류(= espèce). ⑥ 〖농업〗 (토지의) 손질, 경작. ***à ~*** 품삯으로. ***à la ~ de*** qn …처럼, …식으로 : vivre *à sa ~* 자기 방식대로 살다. ***C'est une ~ de parler.*** 그건 하나의 표현 방식이다《문자 그대로 해석해선 안 된다》. ***de cette* 〔*la*〕 *~*** 이렇게 하여〔하면〕. ***de ~ à***+*inf.* …하도록 : Travaille *de ~ à* réussir. 성공할 수 있도록 공부해라. ***de ~ ou d'autre ; d'une ~ ou d'une autre*** 어떻게 해서든지 ; 어차피. ***de la bonne ~*** 훌륭한 방법으로, 훌륭하게. ***de la ~ de*** qn …이 만든, …의 독특한 : poème *de ma ~* 내 자작시. ***de quelque ~ que ce soit*** 어떤 방식으로라도. ***de* (*telle*) *~ que*** (+*sub.*) …하도록《목적》 ; (+*ind.*) 너무나 많이〔잘〕 …하였기 때문에 ; 그래서《결과》 : Il pleuvait *de ~ que* j'ai été obligé de rentrer. 비가 와서 되돌아갈 수밖에 없었다 / Parlez lentement *de ~ qu'*on vous comprenne. 알아들을 수 있게 천천히 말하시오. ***de toute*(*s*) *~*(*s*)** 어쨌든. ***en* 〔*d'*〕*aucune ~*** 조금도, 추호도. ***en quelque ~*** 어떤 점에서는, 말하자면, 이를테면. ***~ de parler ~ de rire*** 농담 삼아. ***faire des ~s*** 체면 차리다, 점잔 부리다. ***sans ~*(*s*)** 체면 차리지 않고, 허물없이 ; 버릇없이 : accepter une invitation *sans ~* 사양하지 않고 초대에 응하다 / réception *sans ~* 격식을 차리지 않은 간단한 리셉션. ***un homme sans ~*** 버릇없는 사나이.

faconde [fakɔ̃ːd] *f.* ① 능변 ; 달변 : avoir de la ~ 말솜씨가 좋다. ② 《구어》 수다.

façonnage [fasɔnaːʒ], **façonnement** [fasɔnmɑ̃] *m.* ① 가공 ; 세공 ; 완성 ; 제작. ② 〖직물〗 무늬넣기.

façonner [fasɔne] *v.t.* ① 만들다, 제작하다(= faire, fabriquer) : ~ une clé 〔un chapeau〕 열쇠〔모자〕를 만들다. ② (재료를) 가공하다(= travailler) : ~ du marbre 대리석을 가공하다. ③ (성격 따위를) 형성〔도야〕하

다(= former). ④ 〖농업〗 (땅을) 경작하다(= labourer) ; (작물을) 가꾸다 : ~ une terre 땅을 경작하다. ── **se ~** *v.pr.* ① 가공되다. ② 형성〔도야〕되다.

façonnier, ère [fasɔnje, -ɛːʀ] *adj.* et *n.* ① 체면 차리는 (사람), 점잔빼는 (사람). ② 가공하는 (사람), 삯일하는 (사람)(= ouvrier ~).

fac(-)similé [faksimile] *m.* (*pl.*~**-**~*s*) ① (자료 따위의) 복사(= reproduction) ; 모사(模寫). ② 팩스.

***facteur, trice** [faktœːʀ, -tʀis] *n.* ① 악기 제조업자 : ~ de pianos 피아노 제조업자. ② 우체부 ; 배달인 ; 운송원, 짐꾼. ── *m.* ① 요소, 요인 ; 〖생물〗 인자(= élément) : ~ de succès 성공의 요인. ② 〖수학〗 인수(因數) : ~ commun 공통 인수. ③ 〖물리〗 계수, 율 : ~ de réflexion 반사율.

factice [faktis] *adj.* ① 인조〔모조〕의, 가짜의 ; 인공적〔인위적〕인 : diamant ~ 인조 다이아몬드. ② 부자연한, 꾸며낸 ; 어색한, 틀에 박힌 : apitoiement ~ 거짓 동정.
── *m.* 부자연, 작위(作爲) ; 기교.

factieux, euse [faksjø, -øːz] *adj.* 당파적인, 파벌을 형성하는 ; 선동적인, 반체제적인, 반역적인 : discours ~ 선동적 연설.
── *n.* 반도(叛徒), 파괴분자.

faction [faksjɔ̃] *f.* ① 도당, 파당. ② 파수, 보초(= garde) ; 《구어》 오래 기다리기, 망을 보기(= surveillance) : être en ~ 보초 서다 ; 오래 기다리다. ***aller*** 〔***entrer***〕 ***en ~ ; monter la ~*** 보초를 서다, 파수 보다. ***mettre*** qn ***de ~*** …을 보초로 세우다.

factionnaire [faksjɔnɛːʀ] *adj.* 망 보는, 보초를 선. ── *m.* 보초, 파수병(= sentinelle).

factitif, ive [faktitif, -iːv] *adj.* 〖문법〗 사역의. ── *m.* 사역 동사(= verbe ~).

factoriel, elle [faktɔʀjɛl] *adj.* 〖수학〗 인수(因數)의 ; 〖심리 · 통계〗 인자(因子)의.
── *f.* 〖수학〗 계승(階乘).

factoriser [faktɔʀize] *v.t* 〖수학〗 인수분해하다.

factotum [faktɔtɔm] 〔라틴〕 *m.* ① 모든 일을 두루 맡아보는 사람(= intendant). ② 무슨 일에나 참견하는 사람.

factuel, elle [faktɥɛl] *adj.* 사실의 : information ~*elle* (논평 없는) 사실만의 보도.

facture[1] [faktyːʀ] *f.* (작품 따위의) 표현 양식, 기법, (제품의) 만듦새, 됨됨이 : vers 〔portrait〕 d'une bonne ~ 훌륭한 솜씨로 지은 시〔그려진 초상화〕.

facture**[2] *f.* 〖상업〗 송장(送狀) ; 계산서. ***prix de ~ 송장 가격. ***selon*** 〔***suivant***〕 ***~*** 송장에 따라서.

facturer [faktyʀe] *v.t.* 〖상업〗 …의 송장을 꾸미다, 계산서를 만들다.

facturette [faktyʀɛt] *f.* 간이 영수증.

facturier, ère [faktyʀje, -ɛːʀ] 〖상업〗 *m.* 송장〔계산서〕 대장 ; 송장계원(係員).
── *adj.* 송장 작성의.

facule [fakyl] *f.* 〖천문〗 (태양의) 백반(白斑).

***facultatif, ive** [fakyltatif, -iːv] *adj.* 임의의 ; 임의 선택의(≠ obligatoire).

facultativement [fakyltativmɑ̃] *adv.* 임의로.

***faculté** [fakylte] *f.* ① 능력(= capacités) ; 기능, 성능 : Ce travail dépasse ses ~*s.* 이 일은 그의 능력을 넘어선다. ② 임의, 수의. ③ 권한, 권리, 자격(= droit) : Il m'a laissé la ~ de choisir. 그는 나에게 선택할 권한을 주었다. ④ (*pl.*) 재능(= don) ; 재력, 자산. ⑤ ⓐ 단과 대학 (교수단), 학부 : ~ de droit 〔des lettres, des sciences, de pharmacie, de théologie〕 법과〔문과 · 이과 · 약학 · 신학〕 대학. ⓑ (la *F*~) 의과 대학(= ~ de médecine) ; 의학 ; 《집합적》 의사.

fada [fada] 〔남프랑스〕 *adv.* 머리가 좀 돈〔모자라는〕, 미련한(= cinglé, niais). ── *n.* 바보, 머리가 좀 돈〔모자라는〕 사람.

fadaise [fadɛːz] *f.* 하찮은 일〔이야기〕 ; (*pl.*) 객설 : dire des ~*s* 객적은 이야기를 하다.

fadasse [fadas] *adj.* ① 맛없는, 밋밋한, 맥빠진 : plat ~ 맛없는 음식. ② 빛바랜, 퇴색한.

***fade** [fad] *adj.* ① 무미한, 맛없는 ; 김빠진 ; (빛깔이) 희미한 : cuisine ~ 김빠진 음식 / avoir 〔se sentir〕 le cœur ~ 흥미를 잃다, 싫증나다. ② (이야기 따위가) 무미건조한, 싱거운, 멋없는 : compliment ~ 판에 박은 칭찬 / style ~ 맥빠진 문장.

fadeur [fadœːʀ] *f.* ① 맛없음 ; (빛깔의) 희미함. ② (문체 따위의) 무미건조함, 싱거움, 멋없음. ③ (*pl.*) 싱거운 말〔아첨〕.

fading [fa〔ɛ〕diŋ] 〔영〕 *m.* 〖무전〗 페이딩《수신 신호 · 음의 일시적 소실》.

fafio(t) [fafjo] *m.* 《구어》 지폐 ; 종이 ; 유아용 구두 : ~*s* 돈(뭉치).

fagot [fago] *m.* ① 나뭇단, 나뭇가지의 묶음 : mettre deux ~*s* dans la cheminée 벽난로에 나무를 두 단 넣다. ② (편지 따위의) 묶음. ③ (*pl.*) 하찮은 말〔일〕. ***sentir le ~*** 이단자 냄새를 풍기다. ***vin de derrière le ~*** 《구어》 최상급의 포도주.

fagoter [fagɔte] *v.t.* ① (나무를) 단으로 묶다. ② 《구어》 망측하게 옷을 입히다 : Sa mère la *fagote* si mal. 어머니는 그녀를 몹시 보기 싫게 옷을 입힌다. ③ 되는대로 만들다〔하다〕.

faiblard, e [fɛblaːʀ, -aʀd] *adj.* et *n.* 《구어》 좀 약한 (사람).

:faible [fɛbl] *adj* ① 약한(≠ fort) ; 허약한 ; 나약〔유약〕한 ; 취약한 ; 무기력한 : femme de ~ constitution 체구가 연약한 여자 / être ~ devant la tentation 유혹에 약하다 / esprit ~ 박약한 정신 / avoir les yeux ~*s* ; avoir la vue ~ 시력이 약하다 / être ~ en français 프랑스어가 서툴다 / côté 〔point〕 ~ 약점 / âge ~ 유년 / se sentir ~ devant l'adversité 역경에 처해 자신의 무력함을 느끼다. ② 미약한 ; 근소한 ; 빈약한 ; 박약한 ; 무력한 : pays ~ 약소국 / poutre trop ~ pour supporter un poids 무게를 버티기엔 너무나 약한 대들보 / brise ~ 미풍 / ~ lumière 희미한 빛 / ~ consommation 근소한 소비 / ~ différence 근소한 차. ③ 《보통 명사 앞에서》 적은, 작은, 미미한 : ~ quantité 소량 / Il y a de ~*s* chances pour que ＋*sub.* …할 가능성은 거의 없다. ④ (성분이) 부족한, 희박한, 연한 : café ~ 연한 커피. ⑤ (논거 따위가) 설득력이 없는, (작품 따위가) 별 가치 없는 : style ~ 박력 없는 문체. ⑥ 능력〔실력〕이 약한, 서투른 : ~ en mathématiques 수학이 서투른. ⑦ 〖언어〗

F

연성(軟性)의. — *m.* ① 약자 ; 유약한 사람 : prendre la défense des ~s 약자를 보호하고 나서다 / économiquement ~ (구호 대상의) 극빈자, 영세민. ② 약점, 단점(= défault) : Le ~ chez lui, c'est la mémoir. 그의 약점이라면 기억력이다. ***avoir un ~ pour*** qc 〔qn〕 …을 몹시 좋아하다, …에 오금을 못 쓰다.

faiblement [fɛbləmɑ̃] *adv.* 약하게 ; 가냘프게, 희박하게 ; 조금.

***faiblesse** [fɛblɛs] *f.* ① 약함 ; 허약 ; 나약 ; 취약 : ~ de constitution 체질의 허약 / ~ de la vue 시력이 약함. ② 쇠약, 무기력. ③ 기절(= évanouissement) : tomber de ~ ; être pris de ~ 기절하다, 졸도하다. ④ 미약 ; (수량의) 근소 ; 빈약 ; 박약 ; 무력 : ~ d'esprit 정신 박약 / ~ d'intelligence 지능의 낮음 / ~ d'un enfant 어린이의 무력함 / avoir la ~ de +*inf.* 마음 약하게도 …하다. ⑤ 능력〔실력〕 부족. ⑥ 약점 ; 결함 : La grande ~ de cet homme, c'est de... 그 사람의 큰 약점은 …이다. ⑦ (품행상의) 과실(過失) : femme qui a eu une ~ 몸가짐이 좋지 못한 여자.

***faiblir** [fɛbliːʀ] *v.i.* ① 약해지다, 쇠퇴하다 ; 무디어지다 : Le vent *a faibli.* 바람이 약해졌다. ② 마음이 약해지다 : ~ devant l'adversité 역경에 직면하여 약해지다.

***faïence** [fajɑ̃ːs] *f.* (이탈리아 *Faenza*)의 도기(陶器), 자기 : ~ fine 사기그릇 ; 자기.

faïencier, ère [fajɑ̃sje, -ɛːʀ] *adj.* 도기 제조〔판매〕의. — *n.* 도기 상인 ; 도기 제조인.

faille[1] [faj] *f.* 결이 굵은 일종의 비단.

faille[2] *f.* ① 〖지질〗 단층(斷層) ; 균열 : plan de ~ 단층면. ② (논리 따위의) 비약, 흠, 결점(= défaut) ; (단체 내의) 균열, 분열.

failli, e [faji] *adj.* ① 파산한. ② 시시한, 가치 없는. — *n.* 파산자.

faillibilité [fajibilite] *f.* 과실을 범하기 쉬움, 착오 가능성.

faillible [fajibl] *adj.* 과실을 범하기 쉬운 : Tout homme est ~. 모든 인간은 과오를 범하기 쉽다.

faillir** [fajiːʀ] [23] *v.i.* ① 없어지다, 결여되다 : La mémoire lui *a failli.* 그는 기억력이 쇠약해졌다. ② 《~ à》 (약속 따위를) 어기다, (의무 따위를) 저버리다, 게을리하다(= manquer à) : ~ à son devoir 의무를 저버리다 / ~ à sa parole 약속을 어기다. ③ 《~+*inf.* ; 《옛》 ~ à〔de〕+*inf.*》 자칫 …할 뻔하다(= manquer) : J'*ai failli* tomber. 나는 넘어질 뻔했다. ④ 파산하다. ***ne pas ~ à+*inf.* 틀림없이 …하다. ***sans ~*** 어김없이, 꼭.

faillite** [fajit] *f.* ① 파산(= ruine) : déclaration de ~ 〖법률〗 파산 선고. ② 좌절, 실패(= échec). ***faire ~ ; tomber en ~ 파산하다 ; 실패하다.

****faim** [fɛ̃] *f.* ① 굶주림, 기아, 허기, 시장기 : ~ insatiable 먹어도 차지 않는 허기증 / grève de la ~ 단식 투쟁 / mourir de ~ 굶어 죽다. ② 기근(= famine) : campagne contre la ~ 기아 퇴치 운동. ③ 《~ de》 (…에 대한) 갈망 : ~ *de* richesse 부에 대한 갈망 / avoir ~ *de* tendresse 애정에 굶주리다. ***avoir ~ de*** qc 〔***de faire*** qc〕 …을〔…을 하기를〕 갈망하다. ***donner ~ à*** qn 식욕을 돋우다. ***manger à sa ~*** 배불리 먹다. ***rester sur sa ~*** (먹고도) 배가 차지 않다. 「열매.

faine, faîne [fɛn] *f.* 〖식물〗 너도밤나무의

fainéant, e [fɛneɑ̃, -ɑ̃ːt] *adj. et n.* 게으른 (사람), 나태한 (사람).

fainéanter [fɛneɑ̃te] *v.i.* 빈둥빈둥 놀다, 게으름부리다. 「paresse).

fainéantise [fɛneɑ̃tiːz] *f.* 나태, 게으름(=

****faire** [fɛːʀ] [28] *v.t.* [A] 《주어 : qn 〔qc〕》 ① ⓐ 만들다, 만들어〔이루어〕 내다, 제작〔창작〕하다 ; 창조하다 ; (법률·제도 따위를) 제정하다 : ~ une maison 집을 짓다 / ~ du pain 빵을 만들다 / ~ une œuvre 〔un tableau〕 작품을 쓰다〔그림을 그리다〕 / Dieu *a fait* l'homme. 신이 인간을 만드셨다. ⓑ 배출〔양성〕하다(= former) : école 〔instructeur〕 qui *fait* de bons ingénieurs 우수한 기사를 양성하는 학교〔교사〕. ⓒ 얻(어 내)다 ; 돈을 벌다(= gagner) : Il *a fait* beaucoup d'argent avec ce commerce. 그는 이 장사로 많은 돈을 벌었다. ⓓ 산출〔재배〕하다(= produire en cultivant) : ~ du blé 〔de la betterave〕 밀을〔사탕무를〕 재배하다. ⓔ 배설하다(= évacuer) : ~ ses besoins〔petits besoins〕 대변〔소변〕을 보다. ⓕ (남자가) 아이를 만들다〔낳다〕(= engendrer) ; 《속어》 (여자가) 아이를 낳다 : Il lui a *fait* un enfant. 그는 그녀를 임신시켰다. ⓖ (이가) 나다 : bébé qui *fait* ses dents 이가 나는 젖먹이. ② ⓐ 하다, 행〔실행·이행〕하다 ; Qu'est-ce qu'il y a à ~? 할 일이 무엇이 있는가? / Il n'y a rien à ~. 아무것도 할 일이 없다 ; 별 수 없다 / ~ un devoir 숙제를 하다 / ~ son devoir 의무를 다하다 / Que *fait*-il (dans la vie)? — Il est électricien. 그는 직업이 무엇인가? — 전기 기사이다. ⓑ 《~+부분 관사+명사》 ~ du commerce 〔de l'industrie, du cinéma, du théâtre, du journalisme〕 장사를 하다〔공업에 종사하다 ; 영화에 출연하다 ; 연극을 하다 ; 기자 생활을 하다〕 / ~ du sport 〔de la natation, du ski〕 운동을〔수영을·스키를〕 하다 / ~ de la musique 음악을 하다〔연주하다〕. ③ 《~+부분 관사〔소유 형용사〕+명사》 공부〔수학(修學)〕하다 : ~ son droit 〔sa médecine〕 법학〔의학〕 공부를 하다. ④ 정돈〔청소·손질〕하다 ; 챙기다 : ~ le lit 침대를 정돈하다 / ~ la chambre 방을 청소하다 / ~ sa malle 〔sa valise〕 트렁크를〔가방을〕 챙기다. ⑤ 《~ qc 〔qn〕 de qc 〔qn〕》 …을 …으로 만들다 : L'amour *a fait* d'elle une femme heureuse. 사랑은 그녀를 행복한 여인으로 만들었다 / ~ *d'*une maison une boutique 집을 상점으로 만들다. ⑥ ⓐ 《~ qn+속사 명사》 …을 …으로 만들다 ; …을 …으로 취급하다〔여기다〕 : ~ son fils médecin 아들을 의사가 되게 하다 / ~ qn son héritier …을 상속인으로 지명하다. ⓑ 《~ qn+속사 형용사》 …을 …하게 만들다 : Le sculpteur l'*a faite* trop maigre. 조각가는 그녀를 너무 야위게 만들었다. ⑦ ⓐ …의 장사를 하다 : ~ les fruits 〔les légumes〕 과일〔야채〕 장사를 하다 / ~ le gros 〔le détail〕 도매상〔소매상〕을 하다. ⓑ 《부사·값을 나타내는 보어와 함께》 …의 값

을 매기다(= évaluer) ; 팔다(= vendre) : Combien *faites*-vous ce meuble ? — Je le *fais* cent francs. 이 가구를 얼마에 파십니까 ? — 100 프랑에 팝니다. ⑧ 저장하다 : ~ de l'essence (자동차에) 휘발유를 넣다. ⑨ (병을) 치르다〔앓다〕: ~ une rougeole〔une pleurésie〕 홍역〔늑막염〕을 하다〔앓다〕/ ~ de la fièvre 열이 나다. ⑩ 《~+공간(espace)을 나타내는 목적 보어》 (길이나 어떤 거리를) 가다(= parcourir) ; 《구어》 돌아다니다 ; 여행하다 : ~ un long trajet 먼 길을 가다 / voiture qui *fait* cent kilomètres〔du cent〕 à l'heure 시속 100 킬로로 달리는 자동차. ⑪ 《~+기간(durée)을 나타내는 목적 보어》 지속되다, 오래 가다(= durer) : Ce manteau m'a *fait* deux ans. 이 외투는 2 년을 입었다. ⑫ 《~+수량(quantité)을 나타내는 보어》 ⓐ (높이 · 넓이 · 길이 · 두께 등이) …이다 : athlète qui *fait* 1.80 mètres 신장 1 미터 80 의 운동 선수 / Quelle taille〔pointure〕 *faites* vous ? 신장이〔사이즈가〕 얼마입니까 ? ⓑ 용량이 …이다(= contenir) ; 무게가 …이다(= peser) : valise qui *fait* trois kilos 무게 3 킬로그램인 가방. ⓒ 값이 …이다(= coûter) : Les trois articles *font* dix francs. 그 세 상품의 값은 10 프랑입니다. ⑬ 《구어》 훔치다(= voler, piquer) : ~ le portefeuille de qn …의 지갑을 슬쩍하다. ⑭ 《~ qn》 ⓐ …의 배역을 맡아 하다 : Il *a fait* Hamlet. 그는 햄릿역을 맡아 했다 / ~ l'amoureux 연인역을 맡아 하다. ⓑ …으로 행동하다, …노릇을 하다 ; …이 되다 : ~ un bon mari 좋은 남편이 되다 / Il veut ~ un artiste 그는 예술가가 되고 싶어한다. ⓒ …을 가장하다, …인 체하다(= se donner l'air de) : ~ l'idiot 바보인 체하다 / Elle *fait* sa mijaurée. 그 여자는 여느 때처럼 또 부자연스러운 태를 내고 있다. ⑮ 《~+무관사 명사》 …같은 인상을 주다, …같아 보이다 : Elle *fait* déjà très femme. 그애는 벌써 아주 여인티가 난다 / Ça *fait* assez vieille demeure historique. 제법 고색 창연한 역사적 저택 같은데. ⑯ 《~ un animal》 《구어》 (사냥 · 낚시질에서) 잡다(= capturer) : chasseur qui *a fait* deux lièvres 토끼 2 마리를 잡은 사냥꾼. ⑰ 《~ qn à qc》 …을 …에 익숙해지게 하다(= habituer à) : Dès son enfance, on l'*avait fait* à l'idée de tolérance. 어릴 적부터 그는 관용이란 생각에 익숙해지도록 교육을 받았었다. ⑱ 《dire의 대용》 《직접 화법에서》 말하다 : Elle *fit* ≪non≫ en hochant la tête. 그녀는 머리를 흔들며 「아니」라고 말했다.

B 《주어 : qc》 ① 결과를 낳다 ; 일으키다 : Ce médicament *fait* de l'effet très rapidement. 이 약은 효과가 매우 빠르다 / succès qui *fait* notre joie 우리에게 기쁨을 주는 성공. ② 이루다, 구성하다(= constituer) : La clarté *fait* le mérite de son style. 명확성이 그의 문체의 장점이다. ③ (어떤 형상을) 띠다, (모양을) 하다 : Ce terrain *fait* des bosses. 이 땅은 울퉁불퉁하다. ④ (계산이) …이 되다 : Deux et deux *font* quatre. 2+2=4 / Combien cela *fait*-il ? — Ça *fait* cinq mille francs. 얼마가 되오 ? — 5 천 프랑입니다. ⑤ 《구어》 (차 · 기계 따위가) 소모하다(= consommer) : voiture qui *fait* dix litres aux cent, 100 킬로미터당 10 리터를 소모하는 자동차.

C 《~+*inf.*》 《사역 동사》 ① …시키다, …하게 하다. ⓐ[1] 《~+자동사, 직접 보어가 *inf.*의 주어》 ~ venir le médecin 의사를 오게 하다〔불러오다〕. ⓐ[2] 《~+대명동사》 ~ coucher un enfant 어린 아이를 자러 보내다《se 의 생략》/ ~ s'asseoir qn …을 앉게 하다〔앉히다〕. ⓑ[1] 《~+ 타동사+직접 목적보어. *inf.* 의 주어가 명시되지 않는 경우》 ~ construire un bateau 배를 건조하게 하다 / ~ prévenir un ami 친구에게 통지하게 하다. ⓑ[2] 《*inf.*의 주어가 명시되는 경우 : ~+직접 목적보어+à〔par〕 qn》 …으로 하여금〔을 시켜〕 …하게 하다 : On *fait* construire une maison *à*〔*par*〕 un architecte. 건축가에게〔로 하여금〕 집을 짓게 한다 / *Faites* écrire la lettre par lui 그에게 편지를 쓰게 하세요. ⓒ 《~+간접 타동사》 ~ renoncer qn à ses prétentions …으로 하여금 건방진 생각을 버리게 하다 / ~ changer d'idée à qn …으로 하여금 생각을 바꾸게 하다. ② …하는 것으로 여기다〔하다 · 간주하다〕: On l'*a fait* mourir vers le 1er s. avant J.-C. 그는 기원전 1세기경에 죽은 것으로 여겨지고〔추정되고〕 있다.

D 《~ que...》 ① 《+*ind.*》 …하게 만들다, …한 결과가 되다 : Votre présence *fait* que nous sommes moins triste. 당신이 계심으로 해서 우리는 한결 덜 슬픕니다 / Ça *fait* que... 그러므로 …이다. ② 《+*sub.*》 …하도록〔하게〕 하다 : *Faites* qu'il y aille demain. 내일 그가 거기에 가도록 조처하시오. ***à tout ~*** 모든 일을 할 수 있는〔하는〕: homme〔bonne〕 *à tout* ~ 만사에 능한 사람. ***Ça fait bien de***+*inf.* 《구어》 …하는 것은 점잖은 인상을 준다〔훌륭해 보인다〕. ***Fais ce que dois, advienne*** 〔***arrive***〕 ***qui pourra.*** 《격언》 무슨 일이 일어나든 할 일은 해라. ***Il n'y a rien à ~.*** 《구어》 별 도리가 없다. ***la ~ à*** qn 《구어》 …을 속이다. ***le ~ à*** qc …을 가장하다 : *le* ~ *à* la dignité 의젓한 체하다. ***n'avoir que ~*** 할 일이 없다 ; 소용이 없다 : ***n'avoir que ~ de*** qc …은 소용없다〔아무래도 좋다〕. ***n'avoir rien à ~ avec*** qc〔qn〕 …와 아무 관계도 없다 : Il *n'a rien à* ~ *avec* ce scandale. 그는 이 추문과 아무런 관계도 없다 / Je *n'ai plus rien à* ~ *avec* lui. 나는 그와 관계를〔손을〕 끊었다. ***n'en*** (***vouloir***) ***rien ~*** 그런 일은 (하려고) 하지 않다 : *N'en faites rien.* 그런 일은 하지 마시오. ***ne ~ que***+*inf.* …하기만 하다. ***ne ~ que de***+*inf.* 막…한 참이다(= venir de+*inf.*). ***Que ~ ?*** 무엇을 할 것인가 ? 어쩔 것인가 ? 하는 수 없는 일이지. ***Rien à ~ !*** 《구어》 뭐라 해도 소용없어 ! 싫소 !

— *v.i.* ① 행동하다, 하다 : bien[1]〔mal〕 ~ 잘〔잘못〕하다 / Comment ~ ? 어떻게 할까〔해야 할까〕? / *Faites* vite. 빨리 하세요. *Faites* comme vous voulez. 좋을 대로 하세요. ② 《bien ~ 《주어 : qn》〔~ bien[2]〕 à qn》 《주어 : qc》 …에게 좋은 효과가 있다 ; …을 좋게 대하다, 환대하다. ③ ⓐ 《~+부사+à

F

qc》…에 …도움이 되다〔효과가 있다〕; …에 관계가 있다 : Cela y *fait* beaucoup. 그것은 그 일에 많은 관계〔효과〕가 있다. ⓑ ~ plus 〔moins, autant〕 que... …보다 더 많은〔더 적은, 마찬가지의〕 효과가 있다 : Dans les révolutions, un nom *fait* plus qu'une armée. 혁명에서는 사람의 이름이 군대보다도 더 큰 효과가 있다. ④《~+*adj.*》…하게 보이다 ; …한 인상을 주다 : ~ vieux 〔jeune〕 늙어〔젊어〕 보이다 / Ça *fait* joli. 멋진데. ⑤《~ dans》…에 종사하다, 일하다 ; 전념하다 : ~ *dans* la mode 패션계에서 일하다 / ~ *dans* la recherche scientifique 과학 연구에 전념하다. ⑥ 대소변을 보다 : ~ dans sa culotte 반바지에 오줌〔똥〕을 싸다. **~ *bien* 〔*mal*〕³** 잘 어울리다〔어울리지 않다〕: Cette cravate *fait bien* avec votre habit. 이 넥타이는 당신의 옷에 잘 어울린다. **~ *bien de*+*inf.*** …하는 것이 좋다 ; …하기를 잘한다. **~ *tant* 〔*si bien, tant et si bien*〕 *que*** +*ind.* 매우 열심히 하여 …하게 되다. ***Faites donc!*** 어서 (그렇게) 하세요!, 좋습니다!

— *v. impers.* ① (날씨·기분·처지 따위가) …하다. ⓐ Il *fait* beau 〔mauvais〕. 날씨가 좋다〔나쁘다〕/ Il *fait* soleil 〔du soleil〕. 해가 나 있다 / Il *fait* du vent. 바람이 분다. ⓑ Il *fait* bon 〔mauvais〕+*inf.* …하는 것은 기분 좋은〔나쁜〕 일이다 : Beau temps, n'est-ce pas, *il fait bon* marcher. 날씨가 좋군요, 걷는 게 기분 좋은데요. ②《ça 〔cela〕 fait+시간의 보어》…이 되다 : *Ça fait* un mois qu'il pleut. 비가 한 달 동안이나 계속되고 있다 / Ça *fera* une semaine demain. 내일이면 1주일이 된다.

— **se ~** ① ⓐ《주어 : qn》성숙〔성장〕하다 : jeune fille qui *se fait* 성숙해 가는 처녀. ⓑ《주어 : qn》입신하다 : homme qui *s'est fait* tout seul 〔lui-même〕 자수성가한 사람. ⓒ《주어 : qc》만들어지다, 되다, 형성〔완성〕되다 ; 이루어지다 ; 생기다, 일어나다 : vin 〔fromage〕 qui *se fait* 만들어져 가는 포도주〔치즈〕/ Le vent *se fait.* 바람이 인다. ②《주어 : qc》ⓐ 행하여지다 : Cela *se faisait* au Moyen Age. 중세기에는 그렇게 했었다. ⓑ 유행하다 : Les tuniques *se font* beaucoup cette année. 금년에는 튜니크가 많이 유행한다. ③ ⓐ《se ~+형용사》…하게 되다 : *se* ~ vieux 늙어 가다, 나이를 먹다. ⓑ《se ~+형용사〔명사〕》(의식적으로) 자기를 …하게 만들다, …하여지다〔…이 되다〕: femme qui *se fait* belle 아름답게 화장〔치장〕하는 여자. ⓒ《se ~+형용사》자기를 …하게 보이다, …한 체하다 : *se* ~ plus pauvre qu'on n'est 사실보다 더 가난한 체하다. ④《se ~ à》ⓐ《주어 : qn》…에 익숙해지다 : Elle *s'est faite à* ce genre de vie. 그녀는 그런 생활에 익숙해졌다. ⓑ《주어 : qc》chaussure qui *s'est faite au* pied 발에 익은 신발. ⑤ ⓐ 자기에게 만들다, 얻다, 획득하다 ;《구어》(돈을) 벌다 : *se* ~ des amis 친구를 만들다〔얻다·사귀다〕/ *se* ~ dix mille francs par mois 한 달에 1만 프랑을 벌다. ⓑ 자기 마음속에 만들어 내다, 마음에 품다 : *se* ~ des illusions 환상을 품다. ⑥ 자기의 …을 손질하다 : *se* ~ les ongles 〔la barbe〕 손톱〔수염〕을 깎다. ⑦《se ~+*inf.*》자기를〔자기에게·자기의 …을〕 …하게 하다 : *se* ~ photographier 자기 사진을 찍게 하다 / *se* ~ couper les cheveux (자기의) 머리를 깎게 하다〔깎아 달래다〕. ⑧《비인칭》Il *se fait* tard. 밤이 깊었다〔깊어 간다〕/ Il *se fit* un grand silence. 아주 조용해졌다 / Il pourrait bien *se* ~ que+*sub.* …한 일도 충분히 있을 수 있을 것이다 / Comment *se fait*-il que+*sub.* …은 어찌된 일인가? / Comment *se fait*-il qu'il ne soit pas venu? 어찌하여 그는 오지 않았는가? ***Cela ne se fait pas.*** 그런 일을 해선 안 되오. ***s'en ~*** 《구어》ⓐ 걱정하다 : Ne *vous en faites* pas. 걱정하지 마시오. ⓑ 체면차리다 (= se gêner).

— *m.* ① 하기, 행하기, 행위 : Il y a loin du dire au ~. 말과 행동 사이에는 먼 거리가 있다. ② 기술, 수법, 필법 : ~ d'un artiste 어느 예술가의 수법.

faire-part [fɛʀpaːʀ] *m.* 《복수불변》통지서(= lettre de ~) : ~ de mariage 〔décès〕 청첩〔부고〕장 / envoyer un ~ 통지서를 보내다.

faire-valoir [fɛʀvalwaːʀ] *m.* 《복수불변》〖연극〗주역을 돋보이게 하는 역(役).

fair-play, fair play [fɛʀplɛ] 〔영〕 *m.* 페어플레이, 정정당당한 시합. — *adj.* 《불변》정정당당한, 페어플레이의.

faisabilité [f(ə)zabilite] *f.* (기술적) 실현〔실행〕 가능성 : étude de ~ 타당성 조사.

faisable [f(ə)zabl] *adj.* 할 수 있는, 할 만한 : La chose est ~. 그 일은 할 만하다.

faisan, e [f(ə)zɑ̃, -an] *m.* 〖조류〗꿩, 수꿩, 장끼(= coq ~), 까투리(= poule ~*e*).

faisandé, e [f(ə)zɑ̃de] *a.* 〖요리〗(사냥한 고기가) 숙성한 : viande ~*e* 숙성한 고기.

faisander [f(ə)zɑ̃de] *v.t.* (고기·새고기 따위를 저장하여) 연하게 만들다.

faisceau [fɛso] *m.* (*pl.* **~*x***) ① 묶음, 다발, 단 : ~ de branches 나뭇가지 다발 / lier 〔nouer〕 en ~ 다발로 묶다 ②《비유》집합, 결합 : former un ~ 결속〔단결〕하다. ③〖군사〗걸어총 : former les ~*x* 걸어총하다. ④〖수학〗속선(束線) :〖광학〗광속선(光束線) ;〖물리〗(전파·방사선 따위의) 빔 : ~ lumineux 광선속, 빛다발 / ~ d'un phare 등대〔헤드라이트〕의 빛.

faiseur, euse [f(ə)zœːʀ, -øːz] *n.* ① 하는 사람 ; 만드는 사람, 제작자, 장색 : ~ de mariages 중매쟁이 / ~ de meubles d'art 가구 제조인 / ~ de vers 〔de romans〕《옛·경멸》시인〔소설가〕. ②《구어》음모가, 사기꾼 ; 허풍선이. ***bon ~ ; bonne ~euse*** 일류 제작자〔직공〕.

faisselle [fɛsɛl] *f.* 치즈를 담아 물기를 빼는 소쿠리.

***fait¹, e** [fɛ, fɛt] *adj.* ① 만들어진 ; 된 ; 끝난 : costume bien 〔mal〕 잘〔잘못〕 만들어진 옷 / travail bien ~ 잘 끝난 일. ②《부사와 함께》(체격이) …인 : femme bien ~*e* 몸매가 좋은 여자. ③ 성숙한, 원숙한(= mûr) : homme ~ 성숙한 남자. ④ (치즈 따위가) 알맞게 발효된 : fromage ~ à cœur 중심부까지 잘 익은 치즈. ⑤ 정해진. ⑥ 화장된(= fardé) : yeux ~*s* 화장을 한 눈. ⑦ 꼼짝할 수 없게

된 ; 몰린, 도망칠 수 없는. ⑧《~ à》…에 익숙한 : Il n'est pas encore ~ *au* climat de ce pays. 그는 아직 이 나라의 기후에 길들지 않았다. ***C'en est ~*** 〔《옛》 ***C'est ~***〕. 이젠 다 틀렸다. ***être ~ pour*** qn 〔qc〕 …을 위해 만들어지다, …에 안성맞춤이다 : Il *est ~ pour* ce métier. 그는 그 직업을 위해서 태어난 사람 같다. ***~ main*** 수공의. ***tout ~ ; toute ~e*** 만들어져 있는 : habit *tout ~* 기성복 / expression *toute ~e* 틀에 박힌 표현.

fait²** [fɛ, fɛt] *m.* 《단수의 경우, 어군(語群) 끝, 즉 악센트를 받는 자리에 올 때는 보통 [fɛt]로 발음됨 : C'est un fait [fɛt]》 ① 행위, 행동, 짓(= action) : les ~*s* et les gestes de qn …의 행적, 모든 행동 / 《le ~ de+*inf.*》 *le ~ de* parler 말하는 행위. ② 일, 사건(= événement) ; (신문의) 기사 : ~(s) divers 일상사 / succession des ~*s* 사건의 추이 / dire 〔rapporter〕 des ~*s* 사건을 이야기〔보고〕하다 / ~ accompli 기정 사실. ③ 사실 ; 사태, 진실, 현상 : observer un ~ curieux 기이한 현상을 관찰하다 / juger sur 〔d'après〕 les ~*s* 사실에 비춰 판단하다. ④ 요점, 본론(= l'essentiel) : en revenir au ~ 본론으로 되돌아오다. ⑤ 공적, 위업 : ~ d'armes 〔de guerre〕 무훈 / hauts ~*s* 수훈. ⑥ 〖법률〗 사실 ; (위법) 행위 : voie de ~ 폭력 행위. ⑦ 해야할 일 ; 《le ~ de qn》 …이 할 만한 일. ⑧ 할당, 몫 ; 재산. ***aller au ~ (곧장) 본론으로 들어가다. ***Au ~ !*** 본론을 이야기하시오! ***au ~*** 사실 ; 요컨대, 결국. ***dans le ~ ; de ~ ; en ~ ; par le ~*** 사실상, 실상. ***de ~*** ⓐ 사실상의 : gouvernement *de ~* 사실상의 정부《합법 정부가 아닌》 / roi de nom plutôt que *de ~* 사실상이라기보다 명목상의 왕. ⓑ 실제로, 사실로 : Nulle envie d'y aller, *de ~* je suis resté à la maison. 그곳에 가고 싶은 마음이 전혀 없어 실제로 나는 집에 있었다. ***du ~ de*** qc 〔***que***+*ind.*〕 …으로 인하여, …의〔인〕 이유로 : *Du ~ de* sa maladie, il a manqué plusieurs cours. 그는 병 때문에 강의를 여러 번 빼먹었다. ***du*** 〔***par le***〕 ***seul ~ de*** 단지〔오직〕 …라는 사실로서. ***en ~ de*** …에 관하여 ***être au ~ de*** qc …에 정통하다. ***être le ~ de*** qn …이 할 일이다 ; 《옛》 …에 알맞은 일이다. ***être sûr de son ~*** 자기의 언동에 확신을 가지다. ***Il est de ~ que***+*ind.* …은 사실이다. ***le ~ de***+*inf.* ***; le ~ que***+*ind.* …라는 사실 : *le ~ de* n'avoir rien répondu 〔*qu'*on n'ait rien répondu〕 아무 대답도 하지 않았다는 사실. ***Le ~ est que***+*ind.* 〔*sub.*〕 사실인즉 …이다. ***par le ~ même*** 그 사실로써. ***prendre*** qn ***sur le ~*** …을 범행 현장에서 잡다. ***si ~*** 그렇다. ***tout à ~*** 전연, 아주.

faîte [fɛt] *m.* ① 〖건축〗 마룻대, 용마루. ② 꼭대기, 정상(= sommet) ; (명예 등의) 절정(= apogée) : être au ~ de la gloire 영광의 절정에 이르다. ***ligne de ~*** 〖지리〗 능선.

fait-tout 《복수불변》, **faitout** [fɛtu] *m.* 〖요리〗 (양쪽에 손잡이가 달린) 요리용 냄비, 스튜 냄비.

faix [fɛ] *m.* 《복수불변》 ① 무거운 짐(= fardeau) : ~ des obligations 무거운 의무 / ~ des années 늙어 가는 나이. ② 〖건축〗 (신축 가옥의) 침하. ③ 〖의학〗 태아(와 태반).

fakir [fakiːʀ] *m.* ① (회교 · 바라문교의) 탁발승, 고행자. ② 최면술사 ; 예언자.

falaise [falɛːz] *f.* (해안의) 절벽, 낭떠러지 : ~ morte (해안에서 들어간) 해식애(海蝕崖).

falbala [falbala] *m.* ① (스커트 단 따위의) 주름 장식(= volant). ② (*pl.*) 여성복의 복잡한 장식 ; 야하고 지나친 장식.

fallacieux, euse [fa(l)lasjø, -øːz] *adj.* 《문어》 허위의, 사람을 속이는, 사이비의, 거짓의(= faux, trompeur) : argumeut ~ 그럴 듯한 논증, 궤변 / promesses ~*euses* 기만적인 약속.

falloir** [falwaːʀ] [65] *v. impers.* ① 《~+qc》 필요하다 : Combien vous *faut*-il ? — Il me *faut* trois mille francs. 얼마나 필요하십니까? — 3천 프랑이 필요하오 / Il me *faut* deux ouvriers pour ce travail. 나는 이 일을 위해 두 사람의 일꾼이 필요합니다 / sommes qu'il nous *a fallu* 우리에게 필요했던 금액《과거분사는 불변》. ② ⓐ 《~+*inf.*》 …하지 않으면 안 되다 : Il *faut* enlever le chapeau avant d'entrer. (방에) 들어가기 전에 모자를 벗어야 한다 / Il *faut* l'avertir tout de suite, demain il sera trop tard. 곧 그에게 알려야 합니다, 내일은 너무 늦을 것이오 / Il (me) *faut* partir. (나는) 떠나야 한다. ⓑ 《중성 대명사 le로 *inf.*를 대용하여》 Vous irez le voir, il *le faut* (= il faut aller le voir). 그를 만나러 가세요. 그렇게 해야 합니다 / 《le를 생략하여》 parler plus qu'il ne *faut* 필요 이상으로 말하다. ③ 《~ que+*sub.*》 …하지 않으면 안 되다 ; …임에 틀림없다 : Il *faut* que vous partiez. 당신은 떠나지 않으면 안 된다 / Il *faut* qu'il ait été fâché pour avoir dit cela. 그런 말을 하다니 〔하는 것을 보면〕 그는 화냈음에 틀림없다. ***comme il faut 《주절의 동사가 과거라도 불변》 ⓐ 《부사구》 훌륭히 ; 정확히 ; 신사적으로 ; 《반어적》 점잖은 체하며 : se conduire *comme il faut* 신사적으로〔훌륭히〕 행동하다. ⓑ 《형용사구》 더 말할 나위 없는, 훌륭한, 신사적인, 예의 바른 : 《반어적》 점잖은 체하는 : homme *comme il faut* 훌륭한 사람, 신사, 양반. ***encore faut-il que*** 그래도〔어쨌든〕 …해야만 한다, …임에 틀림없다 : Je veux bien lui pardonner, *encore faut-il qu'*elle me fasse des excuses. 나는 그녀를 용서하고 싶지만, 그래도 그녀는 내게 사죄의 말을 해야 한다. ***Faut-il que*** 참말《감탄의 강조》 : *Faut-il qu'*il soit bête pour n'avoir rien compris. 아무것도 이해하질 못했다니 참말 바보군. ***Il faut voir ; Il faut vous dire que ...*** 요컨대, …라는 이야기이다. ***Il faudrait voir.*** 두고 봐야지, 생각해 봐야지. ***Qu'est-ce qu'il lui faut !*** 그에게 또 무엇이 필요한가! 《욕심도 많다는 뜻》.

— **s'en ~** *v.pr. impers.* 《~ de》 …이 모자라다, 부족하다(= manquer) : Il *s'en est fallu de* l'épaisseur d'un cheveu. 종이 한 간 차이였다 / Il *s'en faut de* deux francs que la somme entière (n')y soit. 전액이 되려면 2프랑이 부족하다. ***Il s'en faut (de) beaucoup que ; Tant s'en faut que ; Il***

s'en faut bien que ; Bien s'en faut que …이기는 어림도 없다 : *Il s'en faut de beaucoup qu'*il soit riche ; il est très pauvre. 그는 부자이기는커녕 매우 가난하다. ***Il s'en faut (de) peu que ; Peu s'en faut que*** 거의〔하마터면, 자칫하면〕…이다, 자칫 …할 뻔하다 : *Il s'en faut de peu qu'*il (ne) soit tombé. 그는 하마터면 넘어질 뻔했다.

falot¹ [falo] *m.* 큰 초롱.

falot², e [falo, -ɔt] *adj.* (사람이) 보잘것없는, 개성 없는(= insignifiant) ; (빛이) 희미한 ; 생기 없는 : personnage ~ 미미한 존재.

falsificateur, trice [falsifikatœːʀ, -tʀis] *adj.* et *n.* (화폐 · 문서 따위를) 위조〔날조〕하는 (사람).

falsification [falsifikɑsjɔ̃] *f.* 위조, 날조 ; (사실의) 왜곡 ; (저자명의) 도용 ; 섞음질하기.

falsifier [falsifje] *v.t.* ① (문서 · 화폐 따위를) 위조〔변조 · 날조〕하다, …의 가짜를 만들다(= truquer, contrefaire) : ~ un acte 증서를, 위조하다 / ~ la pensee de qn 《비유》 …의 생각을 왜곡해서 전하다. ② (술 따위에) 섞음질하다.

falzar(d) [falzaːʀ] *m.* 《속어》 바지.

famé, e [fame] *adj.* 《주로 mal, bien과 함께》 평판이 있는 : *bien*〔*mal*〕~ 평판이 좋은〔나쁜〕/ rue *mal* ~*e* 악명 높은 거리.

famélique [famelik] *adj.* 굶주린 ; (얼굴이) 허기진. ── *n.* 굶주린 사람.

fameusement [famøzmɑ̃] *adv.* 《구어》 매우, 몹시, 썩, 대단히(= très).

***fameux, euse** [famø, -øːz] *adj.* ① 《명사 뒤》 유명한, 이름 높은(= célèbre, renommé) : région ~*euse* pour ses fromages 치즈로 유명한 지방. ② 《명사 앞》 언급된, 화제에 오른 : C'est cela, ton ~ film? 네가 말하던 영화가 바로 이것이냐? ③ 《주로 명사 앞》 《비꼼》 굉장한, 터무니없는, 지독한 : Tu a fait une ~*euse* gaffe. 너는 굉장한 실수를 저질렀어 / Il est ~, votre apéritif. 당신의 식욕은 굉장하군 / Ce n'est pas ~. 신통치〔대단치〕 않다. ④ 《구어》 맛있는 ; 훌륭한, 고급의(= excellent) : Il est ~, votre vin. 당신 포도주는 맛이 좋군요.

familial, e, aux** [familjal, -o] *adj.* 가족의, 가정의 ; 가정에서 하는 ; 가정적인, 정다운 : problèmes ~*aux* 가정 문제 / éducation ~*e* 가정 교육. ***allocation ~e 가족 수당. ***maladie ~e*** 유전병. ── *f.* (가족) 여행용 자동차 : modèle de voiture ~*e* 스테이션 왜건형 자동차.

familiariser [familjaʀize] *v.t.* 《~ qn à 〔avec〕 qc 〔qn〕》 …을 …와 친해지게 하다, 친숙〔익숙〕해지게 하다 : ~ le soldat *au* maniement des armes 병사에게 무기의 조작을 익히게 하다. ── **se** ~ *v.pr.* 《se ~ avec》 …와 친숙해지다, …에 익숙해지다 : *se* ~ *avec* son nouveau travail 새로운 업무에 익숙해지다.

familiarité [familjaʀite] *f.* ① 친분, 친밀, 친교 : vivre dans la plus grande ~ avec qn …와 매우 친하게 살다. ② 허물〔무람〕없음. ③ (문장 따위의) 평이함 ; 속되고 평이한 표현. ④ (*pl.*) 무람〔허물〕없는 태도〔언행〕 : se permettre 〔prendre〕 des ~*s* avec qn …와 허물없이 지내다.

***familier, ère** [familje, -ɛːʀ] *adj.* ① 《~ avec》 친한 ; 사이가 가까운 ; 친근〔친밀〕한 : entretien ~ 정다운 대화 / ~ *avec* ses voisins 이웃들과 친숙하게 지내다. ② 익숙한 ; 버릇이 된 : Son visage m'est devenu ~. 그의 얼굴은 내게 익숙해졌다 / Le mensonge lui est ~. 그는 거짓말을 예사로 한다. ③ 평이한, 범속한 ; 일상적인 : mot ~ 구어 / expression ~*ère* 일상적 표현. ④ 무람없는, 허물없는 ; 버릇없는(= grossier) : manières ~*ères* 격식을 차리지 않는 태도 / être ~ avec les femmes 여자에게 대담하다.
── *m.* 가까이 지내는 사람, 자주 드나드는 사람(= habitué) : les ~*s* de ce café 이 다방의 단골 손님들 / faire le ~ 친숙한 체하다.

familièrement [familjɛʀmɑ̃] *adv.* ① 친숙하게 ; 허물없이. ② 평이한 말〔투〕로.

:famille [famij] *f.* ① 가족 ; 가정 ; 처자 ; 자녀 ; 일가, 혈족, 친족 : chef de ~ 가장, 세대주 / ~ proche 〔éloignée〕 가까운〔먼〕 친척 / fonder une ~ 가정을 이루다 / élever sa ~ 자녀를 기르다. ② 가문, 혈통 ; 명문(名門) : ~ royale 왕족 / nom de ~ 성(姓) / fils de ~ 명문〔양가〕의 자제. ③ 《비유》 집단, 그룹 ; 일파 : ~ politique 파벌 / la ~ des gens de lettre 《문어》 문단. ④ 〖동 · 식물〗 과(科), 속(屬). ⑤ 〖언어〗 어족(語族). ***avoir un (petit) air de ~*** 육친처럼 잘 닮다. ***en ~*** 가정에서, 가족끼리 모여서 : se sentir *en* ~ 가족적 분위기를 느끼다, 마음이 풀리다.

famine [famin] *f.* 기근, 기아, 굶주림 : salaire de ~ 생활비도 안 되는 임금 / crier ~ 기아를 호소하다 ; 빈곤을 한탄하다.

fan [fan] 〔영〕 *m.* 《구어》 팬(= fanatique).

fana [fana] *adj.* 《불변》 《구어》 열광적인 《fanatique 의 단축형》 : Elle en est ~. 그녀는 그것에 미쳐 있다. ── *n.* 팬, …광(狂).

fanal [fanal] *m.* (*pl.* **-aux**[-o]) 신호등 ; 전조등, 각등(角燈), 조명등(= ~ de tête) : tourelle de ~ (배의) 작은 등대.

***fanatique** [fanatik] *adj.* 광신적인〔열광적〕인 : nationalisme ~ 광신적인 민족주의자 / être ~ de musique 음악에 열중하다. ── *n.* 광신가, 열광자 : ~ du football 축구광.

fanatiquement [fanatikmɑ̃] *adv.* 광신적〔열광적〕으로.

fanatiser [fanatize] *v.t.* 열광케 하다, 광신(狂信)케 하다 ; 열광적인 신자로 만들다 : ~ les foules 군중을 열광시키다.

fanatisme [fanatism] *m.* 광신(적 행위), 열광 ; 탐닉 : ~ religieux 종교적 광신.

fandango [fɑ̃dɑ̃go] 〔에스파냐〕 *m.* ① 에스파냐 춤의 일종. ② 팡당고의 춤곡.

fane [fan] *f.* ① (나무에서 떨어진) 마른 잎, 가랑잎. ② (감자 · 당근 따위 지하경이 식용이 되는 식물의) 줄기와 잎.

faner [fane] *v.t.* ① (꼴을) 말리다. ② 시들게 하다 ; (빛깔 · 아름다움 따위를) 퇴색시키다. ── **se** ~ *v.pr.* 시들다 ; 퇴색하다(= flétrir).

faneur, euse [fanœːʀ, -øːz] *n.* 건초를 만드는 사람. ── *f.* (외양풀) 건조기 : ~ rotative 회전식 건조기.

fanfan [fɑ̃fɑ̃] *m.* 《구어》 아가 《어린애에 대한 애칭》.

fanfare [fɑ̃faːʀ] *f.* ① (나팔 따위의) 화려한 취주 ; 군악 ; 〖군사〗 군악대 : jouer 〔sonner〕 le ～ 팡파르를 불다 / sonner le réveil en ～ 기상나팔을 불다. ② 《구어》 격찬 ; 허세 ; 요란한 선전 : ce banquet annoncé par les ～*s* de presse 신문에 대대적으로 선전된 연회.

fanfaron, onne [fɑ̃faʀɔ̃, -ɔn] *adj.* 호언장담하는, 허풍떠는 : propos ～ 호언장담 / attitude ～*onne* 허세부리는 태도. — *n.* 호언장담꾼, 허풍선이 : faire le ～ 허세부리다.

fanfaronnade [fɑ̃faʀɔnad] *f.* ① 허풍, 호언장담. ② 허세 : Ses menaces ne sont que des ～*s.* 그의 협박은 허세에 불과하다.

fanfreluche [fɑ̃fʀəlyʃ] *f.* ① (흔히 *pl.*) 값싼 패물〔장신구〕. ② 하찮은 것.

fange [fɑːʒ] *f.* ① 진흙, 진수렁. ② 죄악의 수렁〔구렁텅이〕. ③ 비천한 신분〔생활〕 : sortir de la ～ 미천한 신분에서 출세하다 / vivre dans la ～ 추잡한 생활을 하다.

fanion [fanjɔ̃] *m.* 〖군사〗 (국기 이외의) 작은 기(旗) ; 단기 : ～ de la Croix-Rouge 적십자기 / ～ des scouts 스카우트기 / ～ de bataillon 대대기.

fanon [fanɔ̃] *m.* ① 《옛》 작은 깃발. ② 소의 목 밑에 늘어진 주름살. ③ 고래의 수염.

***fantaisie** [fɑ̃tɛ(e)zi] *f.* ① 환상 ; 공상, 상상 : se mettre dans la ～ de+*inf.* 〔que+*ind.*〕 …하는 공상에 잠기다 / femme pleine d'une ～ charmante 재치 있는 여인. ② 창조적 상상력, 독창성(= originalité), 기발함 : L'artiste a donné libre cours à sa ～. 그 예술가는 창조성을 마음껏 발휘했다. ③ 〖음악〗 환상곡 ; 환상적 작품 : ～ poétique 환상시. ④ 변덕(= caprice) ; 엉뚱한 행동〔생각〕 : satisfaire 〔se passer〕 une ～ 하고 싶은대로 하다 / avoir la ～ de+*inf.* …하고 싶은 생각이 나다 : La ～ m'a pris de+*inf.* ; Il m'a pris (la) ～ de+*inf.* 문득 …하고 싶은 생각이 들다. ⑤ 색다른 물건 : magasin de ～*s* 재미있는 소품을 파는 가게. ***à sa* ～** 제멋대로 : en faire 〔n'en faire qu'〕*à sa* ～ 제멋대로(만) 행동하다. ***de* ～** 상상〔환상〕의 ; 색다른 ; 독창적인, 기발한 ; 모조의 : uniforme *de* ～ 색다른 제복 / bijoux *de* ～ 모조 보석.

***fantaisiste** [fɑ̃tɛ(e)zist] *adj.* ① 변덕스러운, 제멋대로의 : étudiant ～ (학업에 충실하지 않은) 변덕스러운 학생 ② 믿을 수 없는, 근거 없는 : un médecin ～ 믿을 수 없는〔돌팔이〕 의사 / information ～ 제멋대로의 보도. — *n.* ① 환상 예술가 ; (카바레 따위에 출연하는) 연예인. ② 제멋대로 행동하는 사람 ; 괴짜.

fantasmagorie [fɑ̃tasmagɔʀi] *f.* ① 마술 환등《19 세기에 유행함》. ② 환영, 환상, 몽환.

fantasmagorique [fɑ̃tasmagɔʀik] *adj.* ① 마술 환등의. ② 환영의, 환상의, 몽환적인.

fantasme [fɑ̃tasm] *m.* 환상, 환영 ; 환각 : avoir des ～*s* de richesse 부에 대한 환상을 품다.

fantasmer [fɑ̃tasme] *v.t.* 환각〔상〕에 사로잡히다.

fantasque [fɑ̃task] *adj.* ① 변덕스러운, 일시적 기분에 좌우되는(= capricieux) : caractère ～ 변덕스러운 성격. ② 기이한, 기괴한, 야릇한(= bizarre, imprévu) : récit ～ 기이한 이야기. — *n.* 변덕스러운 사람, 기인(奇人), 괴짜.

fantasquement [fɑ̃taskəmɑ̃] *abv.* 변덕스럽게, 괴상하게.

fantastique [fɑ̃tastik] *adj.* ① 환상적인, 가공의, 공상에 의한 : cinéma ～ 공상 영화. ② 이상야릇한(= bizarre, extraordinaire) ; 믿을 수 없을 만한, 엄청난(= incroyable, extravagant, formidable) ; (예술 작품에서) 환상의 장르 : ～ en littérature 환상적 계열의 문학 / réussite ～ 어마어마한 성공.
— *m.* 환상적인 것.

fantastiquement [fɑ̃tastikmɑ̃] *adv.* 환상적으로, 공상으로 ; 괴상하게 ; 굉장하게.

fantoche [fɑ̃tɔʃ] *m.* ① 꼭두각시(= pantin), 괴뢰 : gouvernement ～ 괴뢰 정부. ② 의견이 변하기 쉬운 사람 ; 신용할 수 없는 사람.

fantôme [fɑ̃toːm] *m.* ① 환영(幻影) ; (흔히 *pl.*) 환상 : courir après le ～ d'une fausse gloire 헛된 영광의 환상을 쫓다. ② 유령, 귀신(= revenant) : maison hantée par les ～*s* 유령이 나오는 집. ③ 망령 ; 추억 : ～*s* du passé 과거의 망령. — *adj.* ① 환각에 따른, 환상의. ② 실재하지 않는. ③ 유령의, 유령처럼 나타나는 : vaisseau ～ 유령선.

fanzine [fɑ̃zin] *m.* (만화・공상 과학・음악・영화 따위의) 동호인지(誌), 그룹 회보.

F.A.O. 《약자》 fabrication assistée par ordinateur 〖컴퓨터〗 계산기 원용(援用) 생산.

faon [fɑ̃] *m.* 〖동물〗 사슴〔노루〕 새끼.

far [faːʀ] *m.* 〖제과〗 (브르타뉴 지방의) 서양오얏을 넣고 구운 과자.

farad [faʀad] *m.* 〖물리〗 패럿 ; 전기 용량의 단위.

faramineux, euse [faʀaminø, -øːz] *adj.* 《속어》 놀라운, 굉장한, 어마어마한(= extraordinaire) : prix ～ 엉터리없는 값.

farandole [faʀɑ̃dɔl] *f.* 〖무용・음악〗 파랑돌 《프로방스(*la Provence*) 지방의 시골 춤》.

faraud, e [faʀo, -oːd] *adj.* 겉멋부리는 ; 뽐내는, 허영심이 강한 : air ～ 뻐기는 태도 / être tout ～ de qc …을 뽐내다. — *n.* 겉치레꾼 ; 멋쟁이 : faire le ～ 잘난 체하다.

farce[1] [faʀs] *f.* 고기를 다져 생선・야채 속에 넣은 요리의 일종.

***farce**[2] *f.* ① (중세의) 익살극, 소극(笑劇) ; 익살스러운 일〔말〕. ② 《구어》 짓궂은 장난, 농담(= plaisanterie) : dire 〔faire〕 des ～*s* à qn …에게 농담〔짓궂은 장난〕을 하다. ③ 난봉 : faire ses ～*s* 난봉피우다. ④ 남을 놀래기 위한 장난감(= attrape). ***être le dindon de la* ～** 《구어》 완전히 속아넘어가다.

farceur, euse [faʀsœːʀ, -øːz] *n.* ① 《옛》 어릿광대. ② 익살꾼, 장난꾸러기 ; 신용할 수 없는 사람 : faire le ～ 익살부리다.
— *adj.* 익살스런, 농담 잘하는.

farci, e [faʀsi] *adj.* ① 다진 고기를 넣은. ② 《～ de》 …을 곁들인, …으로 가득 찬 : critique ～*e d'*erreurs 오류투성이의 비평.

farcir [faʀsiːʀ] *v.t.* ① …에 다진 고기를 넣다. ② …에〔에게〕 마구 처넣다〔먹이다〕 : ～ un discours de citations 연설을 인용구로 가득 채우다 / ～ un enfant de latin 어린애에게 라틴어를 마구 주입하다. — **se** ～ *v.pr.* ① 자기의 …을 가득 채우다 : *se* ～ la mémoire d'un tas d'inutilités 쓸데없는 것

으로 머리를 가득 채우다. ② 《se ~ qn 〔qc〕》 《속어》 싫은 사람〔일〕을 참다, 견디다(= supporter) : Il faut se le ~. 그 사람〔그것〕을 참고 견딜 수밖에 없다.

fard [faːʀ] *m.* ① 화장품 ; 분, 연지. ② 겉치레, 꾸밈. ***parler sans ~*** 꾸밈없고 숨김없이 이야기하다. ***piquer un ~*** 《구어》 얼굴이 붉어지다.

fardeau [faʀdo] *m.* (*pl.* **~x**) ① (무거운) 짐 : traîner un ~ 짐을 끌고 가다 / déposer son ~ 무거운 짐을 내려놓다. ② 중책, 부담 : ~ de ses responsabilités 막중한 책임.

farder [faʀde] *v.t.* ① …에 분을〔연지를〕 바르다, 화장하다 : ~ un acteur 배우를 분장시키다. ② (문체 따위를) 겉치레하다 ; (그럴듯하게) 꾸미다 ; (문체 따위를) 분식(粉飾)하다. ③ (진상 따위를) 숨기다 ; 카무플라주하다 : ~ la vérité 진실을 호도하다. ── **se ~** *v.pr.* ① 분을 바르다, 화장하다. ② 자기의 …에 분을 바르다.

farfadet [faʀfadɛ] *m.* ① (장난꾸러기 꼬마) 요정(妖精). ② 소탈하고 우스운 사람.

farfelu, e [faʀfəly] *adj.* 《구어》 괴상한, 엉뚱한(= bizarre) : idée *~e* 엉뚱한 생각.
── *n.* 별난 사람, 괴짜, 엉뚱한 사람.

farfouiller [faʀfuje] *v.t.* et *v.i.* 《구어》 (속을) 뒤져 찾다, 뒤지다.

faribole [faʀibɔl] *f.* 하찮은 일〔말〕, 객쩍은 일, 객설(= baliverne, bêtise).

farine** [faʀin] *f.* ① (곡물의) 가루 ; 밀가루 : ~ de blé 밀가루 / ~ lactée (유아용의) 맥아 분유. ② 분말, 가루 : ~ de poisson 어분(魚粉). ***Ce sont gens de (***la***) ***même ~.*** 《구어》 그놈이 그놈이다, 모두 같은 놈이다. ***se faire rouler dans la ~*** 《구어》 속이다.

farineux, euse [faʀinø, -øːz] *adj.* 가루를 〔전분을〕 포함하고 있는 ; 전분질의 ; 가루투성이의 : aliment ~ 녹말 식품.
── *m.* 전분질의 식품.

farniente [faʀnjɛnte] 〔이탈리아〕 *m.* 《복수 없음》 무위안일(無爲安逸), 빈둥거림.

***farouche** [faʀuʃ] *adj.* ① 야생의(= sauvage), 길들지 않은(= indompté) : cheval ~ 야생마. ② 비사교적인(= insociable), 내성적인(= timide) : enfant ~ 부끄럼타는 아이. ③ 거친, 사나운 ; 잔인한(= cruel), 야만적인(= barbare) : air ~ 거친 태도. ④ 완강한, 악착같은(= implacable) ; 심한 : ~ ennemi 완강한 적.

farouchement [faʀuʃmɑ̃] *adv.* 완강〔맹렬〕하게.

fart [faːʀ(t)] *m.* (스키에 바르는) 왁스.

farter [faʀte] *v.t.* (스키에) 왁스를 바르다.

fascicule [fasikyl] *f.* ① (약초 따위의) 한 아름. ② (총서 따위의) 별책, 분책.

fascinant, e [fasinɑ̃, -ɑ̃ːt] *adj.* 매혹적인 : beauté *~e* 사람을 호리는 아름다움〔미인〕.

fascination [fasinɑsjɔ̃] *f.* 매혹 ; 매력 ; (뱀이) 눈독 들여 호리기 : exercer une ~ sur …을 매혹하다.

***fasciner** [fasine] *v.t.* (뱀이) 눈독 들여 호리다 ; 매혹하다, 황홀케 하다, 현혹하다 : se laisser ~ par l'argent 돈에 홀리다.

fascisant, e [fas(ʃ)izɑ̃, -ɑ̃ːt] *adj.* 파쇼적인 ; 파시스트적인.

fascisme [fasism] *m.* 파시즘 ; 독재적 전체주의.

fasciste [fasist] *m.* ① 파시스트 당원. ② 파시즘 신봉자 ; 독재적 전체주의 지지자 ; 보수반동파. ── *adj.* 파시스트의, 파시즘의 ; 독재적인 : régime ~ 파시즘 체제.

fashion [fa(ɛ)ʃœn] 〔영〕 *f.* 유행 ; 유행계.

faste[1] [fast] *m.* ① 호사, 영화 : être entouré de ~ 호사를 누리다. ② 허식, 외면치레.

faste[2] *adj.* 길한, 상서로운, 행운의 : jour ~ 길일, 행운의 날.

fast-food [fastfud] 〔영〕 *m.* 패스트푸드, 값싼 즉석 음식 ; 패스트푸드(점).

***fastidieux, euse** [fastidjø, -øːz] *adj.* 진절머리나는, 진력나는, 싫증나는 : travail ~ 지루한 일 / orateur ~ 진절머리나는 연사.

fastueux, euse [fastyø, -øːz] *adj.* 호화로운, 사치스러운, 호사스러운 : mener une vie *~euse* 사치스러운 생활을 하다 / ~ décor 호화로운 무대 장치.

fat, e [fa(t), fat] *adj.* ① 자존심이 강한 ; 잘난 체하는, 건방진(= avantageux) : air ~ 건방진 태도. ② 《옛》 미련한, 어리석은.
── *m.* 자존심이 강한 사람.

fatal, e** [fatal] *adj.* ① 운명의 : Déesses *~es* 운명의 여신. ② 숙명적인 ; 불가피한, 필연적인(= inévitable) : conséquence *~e* 필연적인 결과 / heure *~e* ; moment ~[1] 숙명적인 〔죽음의〕 시각〔순간〕 / ennemi ~ 숙적. ③ 운명을 결정하는 : moment ~[2] 운명이 좌우되는 순간 ; 생사의 관두(關頭). ④ 파멸로 이끄는 ; 불길한 ; 불행한 ; 치명적인 : coup 〔accident〕 ~ 치명적인 타격〔사고〕 / ~ à 〔pour〕 qn 〔qc〕 …에게 치명적인, …에 결정적 타격을 주는 ; …에 해로운(= nuisible) / ~ à la santé 건강에 해로운. ***femme ~e 요부(妖婦). ***Il est ~ que***+*sub.* …은 불가피하다 : *Il était ~ que* cela finisse ainsi. 결과는 이렇게 될 수밖에 없었다.

fatalement [fatalmɑ̃] *adv.* ① 숙명적으로 ; 불가피하게, 어차피, 꼭. ② 치명적으로.

fatalisme [fatalism] *m.* ① 운명론, 숙명론. ② 체념 : se résigner par ~ 체념하고 감수하다.

fataliste [fatalist] *n.* 운명론〔숙명론〕자.
── *adj.* 운명론〔숙명론〕자의.

fatalité** [fatalite] *f.* ① 운명(= destin, destinée) : Par quelle ~ en est-il arrivé là? 그 무슨 운명의 장난으로 그렇게 된 것일까? ② 숙명 ; 불가피한 사정 ; 필연 : C'est comme une ~! 이것도 말하자면 숙명이다 / ~ historique 역사적 필연. ③ 불운 ; 불행한 우연. ***La ~ voulut que+*sub.* 〔(《드물게》)+*ind.*〕 운명의 장난으로 …하게 됐다.

fatidique [fatidik] *adj.* ① 운명을 예고하는 ; 예언의. ② 운명에 따라 정해진, 숙명적인(= fatal) : rencontre ~ 숙명적인 만남.

***fatigant, e** [fatigɑ̃, -ɑ̃ːt] *adj.* ① 피로하게 하는, 힘드는(= épuisant, rude), 벅찬 : journée *~e* 몹시 피곤한 하루 / exercice ~ 고된 연습. ② 진력나는 ; 귀찮은(= ennuyeux), 지겨운 : problème ~ 골치 아픈 문제.

***fatigue** [fatig] *f.* ① 피로, 피곤, 지침 : tomber 〔être mort〕 de ~ 피곤해서 쓰러질〔죽을〕 지경이다 / accablé 〔brisé, mort〕 de ~ 몹시 피곤한. ② 노고 ; 벅찬 일, 고생스러운 일, 노역 : ~s de la vie 인생의 고달픔.

‡fatigué, e [fatige] *adj.* ① 피로한, 지친 ; 쇠약한 : avoir la tête ～*e* 머리가 피로하다 / né ～《속어》 천성이 게으른. ② 해어진, 낡은 : vêtements ～*s* 낡은 옷.

‡fatiguer [fatige] *v.t.* ① 피로하게〔지치게〕 하다 : Une marche prolongée *a fatigué* les enfants. 아이들은 오래 걸은 탓으로 지쳤다 / professeur qui *fatigue* les élèves 학생들을 지치게 하는〔괴롭히는〕 선생. ②《～ de》 …으로 괴롭히다, 귀찮게 굴다(= ennuyer, importuner) : Il la *fatiguait de* ses questions. 그는 질문으로 그녀를 괴롭혔다.
— *v.i.* ① 지치다, 피로하다. ② (기계 따위가) 힘이 부치다 : Le moteur *fatigue* à la montée. 엔진이 오르막에서 허덕인다.
— **se** ～ *v.pr.* ① 지치다, 피로하다 : convalescent qui *se fatigue* rapidement 금새 피로를 느끼는 회복기 환자 / *se* ～ (à force) *de* danser 춤을 추어 지치다. ②《se ～ de》 …에 진력나다, 진저리나다 : On *se fatigue* vite *de* la mode. 사람들은 유행에 곧 싫증낸다 / *se* ～ *à*+*inf.* …하는 데 지치다. ③ 고생하다, 애쓰다 : Laisse donc tomber, ne *te fatigue* pas. 애쓸 것 없이 넘어지게 내버려 두게. ④ 자기의 …을 피로하게 하다 : *se* ～ les yeux à+*inf.* …하여 눈이 피곤하다 / *se* ～ la voix (힘껏) 소리를 지르다.

fatras [fatʀa] *m.* ① 잡동사니 ; 너절한 무더기 ; 뒤죽박죽(= fouillis). ② 모호한 문체.

fatuité [fatɥite] *f.* 거드름, 거만, 자만(自慢) : air de ～ 우쭐거리는 태도 / être plein de ～ 자만으로 가득 차 있다.

faub. 《약자》 faubourg 교외, 변두리 ; 부근.

faubourg [fobuːʀ] *m.* ① (도시의) 성밖, 교외(= banlieue). ② (Paris 따위 대도시의) 옛날 성밖에 있던 지역 ; 외곽 지대 ; 거리 : (rue du) *F*～ Montmartre 포브르 몽마르트가(街).

faubourien, enne [fobuʀjɛ̃, -ɛn] *adj.* 성밖〔교외〕에 사는, 변두리 구역의. ***accent*** ～ 하층민의 말투. — *n.* 교외〔외곽 지대 · 변두리 구역〕에 사는 사람〔노동자〕.

fauchage [foʃaːʒ] *m.* ① 풀베기. ② (기관총의) 소사(掃射). ③《구어》 훔치기 ; 도둑질.

fauchaison [foʃɛzɔ̃] *f.* 풀 베는 계절

fauche [foːʃ] *f.* ① 풀베기 ; 풀베는 계절. ② 무일푼. ③ 도둑질 ; 절도.

***fauché, e** [foʃe] *adj.* 《구어》 파산한, 돈이 떨어진 : Je suis (complètement) ～. 나는 동전 한푼 없다. — *n.* 《구어》 빈털터리.

faucher [foʃe] *v.t.* ① 낫으로 베다, (목장의) 풀을 베다 : ～ des céréales 〔du blé〕 곡식〔밀〕을 베다. ② 쓰러뜨리다, 넘어뜨리다 : rafales *fauchant* lés fleurs 꽃을 쓰러뜨리는 돌풍. ③《속어》 훔치다(= voler) : 《～ qc á qn》 On lui *a fauché* son portefeuille. 그는 지갑을 도난당했다. — *v.i.* 〖군사〗 소사(掃射)하다.

faucheur, euse [foʃœːʀ, -øːz] *n.* ① 풀 베는 사람. ②《속어》 도둑, 날치기. — *f.* 풀 베는 기구 : ～ rotative 회전형 풀 베는 기계.

faucille [fosij] *f.* 풀을 베는 반달 모양의 낫.

faucon [fokɔ̃] *m.* 〖조류〗 매 : chasse au ～ 매사냥.

fauconneau [fokɔno] *m.* (*pl.* ～***x***) ① 새끼 매. ② 소형 경포(輕砲).

fauconnerie [fokɔnʀi] *f.* ① 매사냥. ② 매의 훈련법.

faufilage [fofilaːʒ] *m.* ① 시침질, 가봉. ② 건조선(建造船)의 각 부분의 조립.

faufiler [fofile] *v.t.* 시침질하다, 가봉하다(= bâtir) : ～ une manche 소매를 시치다.
— **se** ～ *v.pr.* 교묘하게〔슬쩍〕 들어가다〔빠져나가다〕(= se couler, se glisser) : se ～ dans une foule dense 〔dans un passage étroit〕 밀집한 군중 사이로〔좁은 길목을〕 교묘히 헤치고 나가다.

faune¹ [foːn] *m.* 〖신화〗 반수신(半獸神), 목신(牧神)《반인반수의 산 · 들의 요정》.

faune² *f.* ① (한 지방 · 연대의) 동물군(群), 동물상(相). ② 동물보(譜), 동물지(誌). ③《경멸》 (특수한) 사람들의 무리, 집단.

faunesque [fonɛsk] *adj.* 목신(牧神)의 ; 목신 비슷한.

faussaire [fosɛːʀ] *m.* 위조자 ; 진실을 왜곡하는 자.

fausse [foːs] *adj.f.* ⇒ faux².

faussé, e [fose] *adj.* (생각 따위가) 비뚤어진, 잘못된 : esprit ～ 비뚤어진 마음.

fausse-couche [foskuʃ] *f.* 유산(流産).

faussement [fosmɑ̃] *adv.* ① 사실과 다르게, 틀리게, 그릇되게. ② 속여서.

fausser** [fose] *v.t.* ① 왜곡하다(= dénaturer) : ～ le sens d'un texte 원본의 의미를 곡해하다 / ～ l'esprit de qn …의 생각을 그르치다. ② (정신 · 판단력 따위를) 삐뚤어지게 하다 ; 곡조가 틀리게 노래〔연주〕하다 ; (목소리를) 어색하게 하다. ③ (약속 따위를) 어기다. ④ (열쇠 따위를) 뒤틀어지게 하다, 망가뜨리다 : ～ un mécanisme 기계 장치를 망가뜨리다. ～ ***compagnie à qn …을 슬그머니 따돌리다 ; …의 눈을 속여 달아나다.

fausset [fosɛ] *m.* ① 통의 마개. ② 〖음악〗 지어내는 목소리, 가성(假聲)(= voix de tête) : chanter en ～ 가성으로 노래하다.

fausseté [foste] *f.* ① 틀림, 그릇됨, 잘못, 오류 : ～ d'un jugement 판단의 오류. ② 허위, 위선 ; 허위 사실 : dire des ～*s* 거짓말하다.

‡faute [foːt] *f.* ① 틀림, 오류, 착오 : ～ d'impression 〖인쇄〗 오식(誤植) / faire une ～ de calcul 계산 착오를 하다. ② 잘못(= erreur) ; 실수, 과실(= maladresse) : commettre 〔faire〕 une ～ 잘못을 저지르다 / C'est la ～ de son frère. 그것은 그의 형〔아우〕 잘못이다. ③ 결함 ; 그릇된 행동, 과오 ; 죄 : ～ contre la religion 종교적인 죄과 / femme qui a fait une ～ dans sa jeunesse 젊어서 품행이 나빴던 여자. ④ 책임, 탓 : C'est de sa ～ ; 《구어》 C'est sa ～. 그것은 그의 책임〔잘못〕이다. ⑤ 결핍, 부족(= manque, défaut). ⑥ 〖법률〗 과실, 유책사유 : ～ de service 업무상 과실. ⑦ 〖스포츠〗 반칙. ⑧ 〖테니스〗 폴트. ***avoir*** ～ ***de*** qc 《옛》 …이 부족하다. ***être en*** ～ 과오를 범하고 있다. ***faire*** ～ 부족하다 : Vous lui *faites* ～. 당신이 없어서 그는 쓸쓸해 하고 있다. ～ ***de*** …이 없어서, …의 부족으로 : *F*～ *d'*argent, il n'a pu partir en voyage. 그는 돈이 없어서 여행을 떠날 수 없었다. ***ne pas se faire*** ～ ***de***+*inf.* 꼭〔틀림없이〕 …하다 : Il *ne se fait pas* ～ *de* mentir. 그는 거리낌없이 거짓말을 한다. ***ne pas se faire*** ～ ***de*** qc …

을 거리낌없이 마구 쓰다, 소중히 하지 않다. ***par la ~ de*** qn …의 잘못으로, …의 탓으로. ***sans ~*** 틀림없이, 꼭, 어김없이.

fauter [fote] *v.i.* ① 《옛》 잘못을 저지르다. ② 《속어》 (여자가) 몸을 망치다.

fauteuil** [fotœj] *m.* ① 팔걸이 의자, 안락의자 : ~ à bascule 로킹체어, 흔들의자. ② (극장의) 좌석 ; 의장석 : ~ d'orchestre 아래층의 1등석 / À qui le ~? 누가 의장인가? / porter qn au ~ …을 의장에 추대하다. ③ 아카데미 프랑세즈 회원의 자리. ***arriver (***comme***) ***dans un ~*** 〖경마〗 낙승(樂勝)하다. ***occuper le ~*** (회의에서) 의장이 되다.

fauteur, trice [fotœːʀ, -tʀis] *n.* ① 지지자. ② 선동자, 괴수, 장본인 : ~*s* de la guerre 전쟁 도발자들.

***fautif, ive** [fotif, -iːv] *adj.* ① (기억 따위가) 틀리기 쉬운, 확실치 않은 : mémoire ~*ive* 알쏭달쏭한 기억. ② 잘못투성이의 : calcul ~ 오산. ③ 잘못을 저지른. ── *n.* 잘못을 저지른 사람.

fautivement [fotivmɑ̃] *adv.* 잘못하여, 실수하여.

fauve** [foːv] *adj.* ① 담황갈색(淡黃褐色)의. ② 야수의 ; 야수 같은 : odeur ~ 지독한 동물적인 냄새. ③ 〖미술〗 야수파(풍)의 : période ~ de Matisse 마티스의 야수파 시대. ***bêtes ~s 야수, 맹수 《사자, 호랑이 같은 고양잇과(科) 동물》. ── *m.* ① 담황갈색. ② 야수, 맹수 : ~ en cage 우리에 갇힌 야수. ③ (les *F*~*s*) 〖미술〗 야수파.

fauvette [fovɛt] *f.* 〖조류〗 휘파람새과(科)의 새.

fauvisme [fovism] *m.* 〖미술〗 야수파.

faux¹ [fo] *f.* ① 〖농업〗 낫. ② 《문어》 (시간과 죽음을 상징하는) 낫 : ~ de la Mort 죽음의 낫 / ~ du temps 시간의 낫.

‡faux², fausse [fo, -oːs] *adj.* ① 거짓의, 허위의 ; 가장된 : *fausse* pièce ; pièce *fausse* 허위 문서 / ~ bruit 헛소문. ② 정확치 못한, 잘못된, 틀린 : idée *fausse* 잘못된 생각 / avoir de ~ soupçons 그릇된 혐의를〔의혹을〕 품다 / avoir l'oreille *fausse* 음치이다. ③ 인조〔모조〕의, 가짜의(= contrefait, artificiel) : *fausse* monnaie ; monnaie *fausse* ; ~ billet 위조화폐 / ~ nom 가명(假名). ④ 애매한, 모호한(= équivoque) : situation *fausse* 애매한 처지. ⑤ 위선적인, 엉큼한, 교활한(= hypocrite) : *fausse* naïveté 가장된 순진함 / *fausse* cordialité 겉뿐인 친절 / homme ~ 뱃속이 검은 사람 / ~ frère 배신자. ⑥ 부자연스러운, 생경한 ; 무리한 : couleur *fausse* 생경한 색채 / faire un ~ mouvement 무리한 몸짓을 하다 / ~ problème 얼토당토 않은 질문. ⑦ 음이 틀린, 부조화한 : *fausse* note ; note *fausse* 가락이 맞지 않는 음. ***faire fausse route*** 길을 잘못 들다. ***faire un ~ pas*** 발을 헛디디다 ; 비틀거리다 ; 실수하다. ***Il est ~ de***+*inf.* 〔***que***+*sub.*〕 …은 사실이 아니다 : *Il est ~ de* croire *qu*'on réussit facilement. 쉽게 성공한다고 생각하는 것은 잘못이다. ***Il est*** 〔***C'est***〕 ***~ que***+*sub.* 〔*ind.*〕 …은 사실이 아니다. ── *m.* ① 허위 : plaider le ~ pour savoir le vrai 거짓을 방편으로 진상을 알아내다. ② 위조, 모조 ; 모조품 : porter du ~ 가짜〔인조〕 보석을 몸에 지니다. ***à ~*** 잘못하여, 부정확하게. ***porter à ~*** 과녁을 빗나가다 : Cette critique *porte à* ~. 이 비평은 근거가 박약하다. ── *adv.* 틀리게, 부정확하게 : chanter ~ 곡조가 틀리게 노래하다 / raisonner ~ 그릇되게 추리하다 / rire qui sonne ~ 가짜 웃음 / sonner ~ 거짓 같은 인상을 주다.

faux-filet [fofilɛ] *m.* 〖요리〗 (소의) 등심살.

faux-fuyant [fofɥijɑ̃] *m.* (*pl.* **~-~s**) 핑계, 구실(= échappatoire, prétexte).

faux-monnayeur [fomɔnɛjœːʀ] *m.* 화폐위조자 ; 사전(私錢)꾼.

faux-semblant [fosɑ̃blɑ̃] *m.* 가식, 가장, 겉꾸밈.

faux-sens [fosɑ̃s] *m.* 《복수불변》 오역, 오해.

favela [favela] 〔포르투갈〕 *f.* (브라질의) 빈민가, 바라크 촌.

faveur** [favœːʀ] *f.* ① 호의, 은혜, 총애 : agir 〔plaider〕 en sa ~ 그를 위해 행동하다〔변호하다〕 / accorder 〔faire〕 une ~ à qn …에게 호의를 베풀다 / Faites-moi la ~ de+*inf.* 제발 …하여 주시오. ② 호평, 인기 : gagner la ~ du public 대중의 인기를 얻다. ③ 특혜, 특별 배려 : Il l'a comblée de ~*s*. 그는 그녀에게 온갖 특혜를 베풀어 주었다. ④ (*pl.*) (여자가 남자에게 주는) 사랑의 표시. ⑤ (과자 상자 따위를 묶는) 비단 리본. ***à la ~ de …의 도움을 받아, …을 이용하여 : Les évadés gagnèrent la frontière *à la ~ de* la nuit. 도망자들은 야음을 타고 국경에 이르렀다. ***en ~ de*** …을 위하여 ; …을 고려하여. ***être en ~*** 유행하고 있다. ***prendre ~*** 호평을 받다. ***prix de ~*** 특가.

favorable** [favɔʀabl] *adj.* ① 호의적인(= bienveillant) : Il m'a toujours été ~. 그는 내게 항상 호의적이었다 / Il est ~ à mon projet. 그는 내 계획에 호의적이다. ② 유리한, 순조로운(= avantageux, propice) ; 알맞은(= opportun) : occasion ~ 호기(好機) / être dans une position ~ 유리한 입장에 서다 / temps ~ pour faire une promenade 산책하기에 알맞은 날씨. ***peu ~ 호의적이 아닌 ; 불리한. ***vent ~*** 순풍(順風).

favorablement [favɔʀabləmɑ̃] *adv.* ① 유리하게, 순조롭게. ② 호의적으로 ; 관대하게.

favori, ite [favɔʀi, -it] *adj.* 좋아하는, 마음에 드는 ; 인기 있는 : mot ~ 마음에 드는 말 / actrice ~*ite* du public 인기 여배우. ── *n.* 총애를 받는 사람, 인기 있는 사람, 총아. ── *f.* (왕의) 애첩. ── *m.* ① 〖경마〗 인기 있는 말 (= cheval ~) ; 우승 후보. ② (*pl.*) 구레나룻. ③ (왕의) 총신.

***favoriser** [favɔʀize] *v.t.* ① …에게 특별히 호의를 베풀어 주다, 우대하다 ; 두둔하다 : L'examinateur *a favorisé* ce candidat. 시험관은 이 수험자를 특별히 보아 주었다. ② 돕다(= aider, faciliter) ; 장려하다, 조장하다 (= encourager) : L'obscurité *a favorisé* sa fuite. 어둠이 그의 탈출을 도왔다. ③ 《~ qn de qc》 …에게 …을 베풀다 : La nature l'*a favorisé* de ses dons. 자연은 그에게 은혜를 베풀었다. ── **se ~** *v.pr.* 서로 돕다.

favoritisme [favɔʀitism] *m.* 정실, 편파, 편애(偏愛), 불공평.

fax [faks] 〔영〕 *m.* 팩스(= télécopie) ; 팩스기

(= télécopieur) : envoyer un message par ~ 팩스로 전갈을 보내다.

faxer [fakse] 〔영〕 *v.t.* 팩스로 보내다 : ~ un document à qn …에게 팩스로 자료를 보내다.

fayot¹ [fajo] *m.* 《구어》 말린 강낭콩.

fayot² *m.* 《군대·학교은어》 (윗사람에게 잘 보이기 위해) 열심인 체하는 사람.

féal, e, aux [feal, -o] *adj.* 충실한. — *m.* 충신; 신봉자; 충실한 친구.

fébrifuge [febrifyːʒ] *adj.* 〖의학〗 해열(解熱)의. — *m.* 해열제.

fébrile [febril] *adj.* ① 〖의학〗 열이 있는; 열에 의한; 발열성의 : état ~ 발열 상태. ② 열에 들뜬 듯한, 몹시 흥분한 : impatience ~ 진정되지 않는 조바심.

fébrilement [febrilmɑ̃] *adv.* ① 열로 말미암아. ② 열에 들뜬 듯이; 몹시 흥분해서.

fébrilité [febrilite] *f.* ① 〖의학〗 열기, 열병 증세. ② 열광; 격변.

fécal, e, aux [fekal, -o] *adj.* 찌꺼기의; 분변(糞便)의 : matières ~*es* 똥; 인분.

fèces [fɛs] *f. pl.* 찌꺼기, 앙금; 인분, 똥.

fécond, e [fekɔ̃, -ɔ̃ːd] *adj.* ① 번식력〔생식력〕이 있는〔왕성한〕(≠ stéril) : semer une graine ~*e* 소출이 많은 씨앗을 뿌리다. ② 수확을 풍부하게 하는, (땅이) 기름진, 비옥한(= fertile) : terres ~*es* 비옥한 땅. ③ (상상력 따위가) 풍부한. ④ (작가가) 작품을 많이 내는, 다작의 : auteur ~ 다작(多作) 작가. ⑤ 《~ en》 …이 풍부한 : journée ~*e en* événements 사건이 많은 하루.

fécondation [fekɔ̃dasjɔ̃] *f.* ① 풍요하게 만들기; 번식력〔생산력〕의 증진. ② 수태(受胎); 수정, 수분(受粉) : ~ artificielle 인공 수정.

féconder [fekɔ̃de] *v.t.* ① 수태〔수정〕시키다, 〖식물〗 수분(受粉)시키다 : œuf *fécondé* 수정란. ② 풍요〔비옥〕하게 만들다; 번식력〔생산력〕을 크게 하다〔증진하다〕. ③ (정신을) 풍요롭게 하다 : La lecture *féconde* l'esprit. 독서는 정신을 풍요롭게 한다.

fécondité [fekɔ̃dite] *f.* ① 번식력, 다산성(多産性); 수태(受胎) 능력. ② 풍요, 풍부; 비옥. ③ (작가의) 풍부한 창작력.

fécule [fekyl] *f.* 전분(澱粉); 녹말.

féculent, e [fekylɑ̃, -ɑ̃ːt] *adj.* ① 전분〔녹말〕을 함유한. ② 침전물을 지닌, (용액이) 혼탁한 : liquide ~ 혼탁한 용액. — *m.* 전분질의 야채〔식량〕.

fédéral, e, aux [federal, -o] *adj.* 연방의; 연맹의, 연합의 : république ~*e* 연방 공화국. — *m. pl.* (미국 남북전쟁 당시의) 북부 연맹주의자, 북군.

fédéralisme [federalism] *m.* 연방제도〔주의〕.

fédéraliste [federalist] *adj.* 연방제도〔주의〕의. — *n.* 연방주의자.

***fédération** [federasjɔ̃] *f.* ① 연방. ② 연맹; 연합 단체 : ~ syndicale ouvrière 노동조합. ③ 〖프랑스사〗 (1789 년 프랑스의 혁명파) 시민 연맹.

fédéré, e [federe] *adj.* 〖정치〗 연방〔연맹〕을 형성하는. — *m.* ① (1815 년의) 국민 지원병. ② (1871 년) 파리코뮌의 국민군(= communard).

fédérer [federe] [6] *vt.* ① 연방화하다; 연합시키다. ② 무장 단결시키다. — **se** ~ *v.pr.* ① 연방이 결성되다; 연합하다. ② 무장 단결하다.

***fée** [fe] *f.* ① 선녀, 요정; 선녀 같은 여자 : avoir des doigts de ~ 솜씨가 교묘하다, 완전무결하다 / conte de ~*s* 선녀 이야기, 동화 / la ~ du logis 집안 일을 훌륭히 돌보는 여자〔주부〕 / pays des ~*s* 동화의 나라. ② vieille ~; ~ Carabosse 기분 나쁜 여자, 마귀 할멈.

feeling [filiŋ] 〔영〕 *m.* ① 《구어》 직관. ② 〖음악〗 (재즈·블루스 따위의) 표현력.

féerie [feri] *f.* ① 요술; 선경(仙境), 꿈 같은 곳. ② 몽환극(夢幻劇). ③ 휘황찬란한 광경 : ~ d'un coucher de soleil 일몰의 장관.

féerique [ferik] *adj.* ① 요정의; 선경의. ② 몽환극의, 환상적인. ③ 신비로운; 꿈같은.

feindre** [fɛ̃ːdr] [27] *v.t.* ① …인 체하다, 가장하다(= simuler) : ~ la joie 기쁜 체하다 / ~ une maladie 꾀병 부리다. ② 《목적보어 없이》 자기 생각〔감정〕을 위장하다, 거짓말하다, 속이다. **~ à** 〔**de**〕 + *inf.* 《옛》 …하기를 주저하다. **~ à** qn ***que …에게 …라고 믿게 하다〔거짓말을 하다〕. **~ *de*** + *inf.* …하는 체하다 : ~ *de* ne pas comprendre 못 알아들은 척하다. **~ *que*** …라고 상상하다. — *v.i.* (말이) 약간 다리를 절다. — **se** ~ *v.pr.* ① 스스로 자기 감정을 속이다. ② 스스로 …라고 생각하다.

feint, e¹ [fɛ̃, -ɛ̃ːt] *adj.* 가장된, 거짓의, 가공의(= artificiel, simulé) : douleur ~*e* 가장된 고통 / fenêtre ~*e* 장식 창문 / maladie ~*e* 꾀병. — *m.* 모조품.

feinte² [fɛ̃ːt] *f.* ① 가장, 꾸밈. ② 〖권투·검술〗 치는 시늉. ③ 《구어》 속임수, 계략(= attrape, piège). ***agir avec*** ~ 표리 있는 행동을 하다. ***faire une ~ de passe*** 〖축구〗 공을 패스하는 체하여 적을 속이다. ***parler sans*** ~ 솔직하게 말하다. ***sans*** ~ 꾸밈없이, 솔직하게.

feinter [fɛ̃te] *v.i.* 〖스포츠〗 치는 체하다; (축구·럭비 따위에서) 거짓 모션을 쓰다, 페인트하다. — *v.t.* ① 〖스포츠〗 거짓 모션으로 속이다. ② 《구어》 속이다.

fêlé, e [fɛ(e)le] *adj.* ① 금이 간, 균열이 생긴 : assiette ~*e* 금이 간 접시. ② 머리가 약간 돈 : avoir la tête ~*e*; avoir le cerveau 〔timbre〕 ~ 머리가 약간 돌다〔돌았다〕.

fêler [fɛ(e)le] *v.t.* (유리·도기 따위에) 금가게 하다. — **se** ~ *v.pr.* 금이 가다.

félibre [felibr] *m.* 프랑스어를 쓰는 작가〔시인〕.

félicitation [felisitasjɔ̃] *f.* (*pl.*) 축하〔치하〕의 말, 축사; 찬사; 칭찬 : lettre de ~*s* 축하장 / faire 〔adresser〕 des ~*s* à qn …에게 축사를 보내다 / recevoir les ~*s* du proviseur 교장의 치하를 받다.

félicité [felisite] *f.* ① 지극한 행복; 〖종교〗 지복(至福); 천복 : ~ éternelle de l'âme au paradis 천국의 영혼이 누리는 영원한 행복. ② (*pl.*) 기쁨 : ~*s* de l'amour 사랑의 기쁨.

***féliciter** [felisite] *v.t.* 축하하다; 칭찬하다, 치하하다(= applaudir, louer) : Je vous *félicite* de votre succès. 당신이 성공을 축하합니다 / Je l'*ai félicité* pour son action courageuse. 나는 그의 용감한 행동을 찬양하였다 / Il m'*a félicité* d'avoir éré prudent.

그는 내가 신중했던 것에 대해 치하했다. ~ qn ***de ce que***+*ind.* 〔*sub.*〕 ***;*** ~ qn ***que***+*sub.* 〔*ind.*〕 …가 …한 것을 축하〔치하〕하다. ── **se** ~ *v.pr.* ① 자축하다 ; 기뻐하다, 만족해 하다. ② 서로 축하〔칭찬〕하다. ***se ~ de*** qc 〔+*inf.*〕 …을〔한 것을〕 기뻐하다. ***se ~ que***+*sub.* 〔*ind.*〕 ***; se ~ de ce que***+*ind.* 〔*sub.*〕 …하다는 것을 기뻐하다.

félidés [felide] *m. pl.* 〖동물〗 고양잇과(科).

félin, e [felɛ̃, -in] *adj.* ① 고양잇과의. ② 고양이 같은 ; 아양 떠는, 간사스러운. ── *m.* 고양잇과의 동물.

fellation [fɛ̃(l)lɑsjɔ̃, felɑ-] *f.* 오럴 섹스.

félon, onne [felɔ̃, -ɔn] *adj.* 반역의, 불충한, 배신하는 : vassal ~ 불충한 가신. ── *n.* 불충한 사람 ; 반역자, 배신자.

félonie [felɔni] *f.* 《문어》 불충, 반역, 배반.

fêlure [fɛ(e)lyːʀ] *f.* ① 갈라진 흠, 금, 균열 : ~ d'une vitre 유리의 금 / ~ de l'amitié 우정의 금. ② (가벼운) 정신 이상.

***femelle** [f(ə)mɛl] *f.* ① (동 · 식물의) 암컷(≠ mâle). ② 여성 ; 《속어》 여자, 계집. ③ 〖기계〗 암나사, 너트. ── *adj.* ① 암컷의 ; 여성의 : fleur ~ 암꽃 / démon ~ 악녀 / espèce 〔gens, peuple〕 ~ 여자. ② 〖기계〗 암짝의 : prise ~ (전기) 콘센트 / vis ~ 암나사.

***féminin, e** [feminɛ̃, -in] *adj.* ① 여성의 ; 여성에 관한(≠masculin) : sexe ~ 여성 / intuition ~*e* 여성의 직감. ② 여자다운, 여성적인 : voix ~*e* 여자 목소리 ; 여자 같은 목소리. ③ 〖문법〗 여성의 : rime ~*e* 여성운(韻). ── *m.* ① 여자다움, 여성의 특성 : éternel ~ 영원한 여성, 여성의 불변의 특성. ② 〖문법〗 여성(형).

féminisation [feminizɑsjɔ̃] *f.* ① 여성화. ② (사회적인) 여성 진출, 여성 사원의 증가.

féminiser [feminize] *v.t.* ① 여성화하다, 여자처럼 만들다 ; 〖생물〗 자성화(雌性化)하다. ② (직장에서) 여자 숫자를 늘이다. ── **se** ~ *v.pr.* ① 여자처럼 되다 ; 자성화하다. ② (직장에서) 여자 숫자가 늘어나다 : L'enseignement *se feminise.* 교직에 여성이 많이 진출한다.

féminisme [feminism] *m.* 여성주의 ; 여성해방 운동 ; 여권 확장론.

féministe [feminist] *n.* 여권 확장론자. ── *adj.* 여권 확장론의 ; 여성 해방 운동의.

féminité [feminite] *f.* 여자다움, 여자 같은 성질 ; (여자 같은) 나약함.

⁑**femme** [fam] *f.* ① 여자, 여성(≠ homme) : les hommes et les ~*s* 남녀들 / homme à ~*s* 여자들의 환심을 사는 남자 / ~ jeune 젊은 여자 / jeune ~ 젊은 부인《새색시 또는 그 나이 또래》 / ~ médecin 여의사. ② 성인 여자 ; 기혼 여성 : ~ divorcée 〔adultère〕 이혼〔간통〕한 여자. ③ 아내, 처(= épouse ; ≠ mari) : la ~ Dupont 듀퐁가의 마나님 / avoir ~ 아내가 있다, 결혼한 사람이다 / prendre qn pour ~ …을 아내로 삼다. ④ 가정부, 하녀 : ~ de chambre (호텔의) 메이드 ; (기숙사 따위의) 청소부 / ~ de ménage 가정부 / ~ de journée 파출부. ***bonne ~*** ⓐ 《옛》 노파, 할머니 : sa *bonne* ~ de mère 그의 노모. ⓑ 《구어》 여자 : petite *bonne* ~ 여자 아이 / vieille *bonne* ~ 할머니. ⓒ 《비꼼》 여편네, 마누라(=épouse) ⓓ conte de *bonne* ~ 황당무계한 이야기. ***être ~ à***+*inf.* 능히 …할 만한 여자다 : Elle *est* ~ *à* se venger. 능히 복수할 만한 여자다. ***faire sa ~ de*** qn …을 아내로 삼다. ***~ auteur ; ~ de lettres*** 여류 작가. ***~ en puissance de mari*** 〖법률〗 기혼 부인, 유부녀. ***~ publique*** 창녀. ***maîtresse ~*** 여장부. ***prendre ~*** 아내를 얻다, 장가가다. ── *adj.* 여자다운, 여성적인 : Elle est très ~. 그녀는 무척 여성답다.

femmelette [famlɛt] *f.* ① 가냘픈 여자 ; 소심한 여자. ② 여자 같은 남자 ; 심약한 남자.

fémoral, e, aux [femɔʀal, -o] *adj.* 〖해부〗 대퇴부(大腿部)의.

fémur [femyːʀ] *m.* 〖해부〗 대퇴골(大腿骨).

fenaison [f(ə)nɛzɔ̃] *f.* ① 풀 베어 말리기 ; 건초 베기. ② 풀 말리는 계절.

fendant, e [fɑ̃dɑ̃, -ɑ̃:t] *m.* ① 펜당 《스위산의 백포도주의 품종 및 그 포도주》. ② 허세부리는 사람, 허풍선이(= bravache, fanfaron). ***faire le ~*** 허풍떨다. ── *adj.* 허세를 부리는, 건방진.

fendiller [fɑ̃dije] *v.t.* 금 가게 하다, (갈라져서) 흠이 생기게 하다. ── **se** ~ *v.pr.* 금이 가다, 흠이 생기다 : peau qui *se fendille* sous l'effet du froid 추위 때문에 튼 피부.

fendre [fɑ̃:dʀ] *v.t.* ① 쪼개다, (장작을) 패다, 가르다, 찢다 ; 터지게 하다, 금 가게 하다 : ~ du bois avec une hache 도끼로 나무를 패다 / La sécheresse *a fendu* le sol. 가뭄으로 땅이 갈라졌다. ② (가슴을 에듯) 아프게 하다(= affliger, désoler) : ~ le cœur 〔l'âme〕 à qn …의 가슴을 에듯 아프게 하다. ③ (군중 · 물결 따위를) 헤치며 나아가다 : Le navire *fend* les flots. 배가 물결을 헤치고 나아간다. ***à pierre ~*** 돌이라도 깰 듯이, 무척 : Il gèle *à pierre* ~. 돌이라도 깰 듯한 〔지독한〕 추위다. ***~ la foule*** 군중을 헤치며 걸어가다. ***~ l'air*** 쏜살같이 날아가다〔달려가다〕. ── **se** ~ *v.pr.* ① 쪼개지다, 갈라지다, 터지다, 금이 가다, 흠이 생기다 : Son cœur *se fendit* de chagrin. 그의 가슴은 슬픔으로 찢어질 듯하였다. ② (자기 신체의 일부가) 부러지다〔깨어지다〕 : Il *s'est fendu* le crâne en tombant. 그는 떨어져서 머리가 깨졌다. ③ 〖펜싱〗 (상대방을 공격하기 위해) 오른쪽 다리를 앞으로 쑥 내밀다. ④ 《구어》 《se ~ de》 …을 (큰맘 먹고) 선뜻 치르다 : Il *s'est fendu d'*une seconde tournée. 그는 선뜻 두 번째 술을 냈다 / *se ~ de* trente francs, 30 프랑을 선뜻 지불하다.

fendu, e [fɑ̃dy] *adj.* 《속어》 쪼개진, 갈라진, 터진, 금 간, 흠이 생긴 : yeux bien ~*s* 쭉 찢어진 눈 / jupe ~*e* derrière 뒤쪽에 트임이 있는 치마 / marbre ~ 금 간 대리석. ***être bien ~*** 《구어》 다리가 길다.

⁑**fenêtre** [f(ə)nɛtʀ] *f.* ① 창문, 유리창 : ~ à coulisse 〔à guillotine〕 미닫이〔내리닫이〕 창 / regarder par la ~ 창밖을 내다보다 / ~ d'observation 〖영화〗 (영사실의) 넘어다보는 창. ② (문서의) 공백, 공란 ; (편지 봉투의) 네모난 구멍 : enveloppe à ~ (편지에 적힌 주소가 보이게) 네모난 구멍이 뚫린 봉투. ③ 〖우주여행〗 (로켓의) 발사 시간대(帶).

jeter l'argent par les ~s 돈을 물쓰듯 쓰다. ***mettre la tête*** 〔***le nez***〕 ***à la ~*** 창문으로 얼굴을 내밀다.

fennec [fenɛk] *m.* 〖동물〗 (사하라 사막 지방의) 작은 여우.

fenouil [f(ə)nuj] *m.* 〖식물〗 회향풀《과실을 약용 또는 향신료로 사용함》.

fente [fɑ̃:t] *f.* ① 갈라진 금, 터진 틈〔구멍〕, 균열 : ~*s* d'une surface 지표면의 균열. ② (난간살 따위의) 틈새(= intervalle) : calfater les ~*s* d'une baraque 가건물에 생긴 틈을 막다. ③ (호주머니 따위의) 아가리 : ~ de poche 호주머니의 아가리.

féodal, e, aux [feɔdal, -o] *adj.* ① 영지의 ; 봉토(封土)의. ② 봉건적인, 봉건 제도의 : régime ~ 봉건제 / société ~*e* 봉건 사회. — *m.* 봉건 영주 ; 대지주.

féodaliser [feɔdalize] *v.t.* 봉건 제도를 펴다 ; 봉건 시대식으로 하다.

féodalisme [feɔdalism] *m.* ① 봉건 제도, (조직 따위의) 봉건성 : ~ de la société 사회의 봉건성. ② (권력의) 독점 ; 독점적 지배.

féodalité [feɔdalite] *f.* ① 봉건 제도〔시대〕. ② 봉건적〔독재적〕 지배력을 가진 것 : ~ financière 금융 자본의 독재.

fer** [fɛ:ʀ] *m.* ① 쇠, 철 : fil de ~ 철사 / ~ coulé 〔de fonte〕 주철, 무쇠 / ~ forgé 〔battu, soudé〕 연철(鍊鐵) / ~ en feuilles 〔en tôle〕 철판 / ~ à T, T자형의 철 / chaîne de ~ 쇠사슬. ② 칼날 ; 칼, 검 ; 흉기. ③ 편자, 마철(馬鐵)(= ~ à cheval) ; 철구(鐵具). ④ 〖세탁〗 다리미, 인두(= ~ à repasser). ⑤ (*pl.*) 쇠사슬 ; 감금 ; 노예 상태 : mettre un prisonnier aux ~*s* 죄수에게 쇠사슬을 채우다 ; 투옥하다. ***de ~ 철제의 ; 무쇠〔강철〕 같은, 억센 ; 견고한 ; (규율 따위가) 엄한 ; 무정한, 냉혹한 : corps *de* ~ 강철 같은 몸 / volonté 〔tête〕 *de* ~ 강인한 의지 / discipline *de* ~ 엄격한 규율. ***être aux ~s*** 쇠사슬에 묶여 있다. ***être dans les ~s*** 노예 상태에 있다. ***marquer*** qn ***au ~ rouge*** …에 낙인을 찍다.

fer-blanc [fɛʀblɑ̃] *m.* (*pl.*~*s*-~*s*) 양철.

ferblanterie [fɛʀblɑ̃tʀi] *f.* 양철 제조〔판매〕 ; 양철점 ; 양철 제품.

ferblantier [fɛʀblɑ̃tje] *m.* 양철공(工) ; 《구어》 땜장이.

***férié, e** [feʀje] *adj.* 축제일〔공휴일〕로 정해진 : jour ~ 축제일, 공휴일.

férir [feʀi:ʀ] *v.t.* 《sans coup férir란 표현과 과거분사 féru, e 밖에는 쓰이지 않음》 ① 치다, 때리다, (타격을) 가하다(= frapper). ② 반하게 하다, 열중시키다. ***sans coup ~*** 저항을 받지 않고 ; 쉽사리.

fermage [fɛʀma:ʒ] *m.* ① 소작료 ; 소작지. ② 소작 (경작).

ferme¹** [fɛʀm] *adj.* ① 단단한, 견고한, 튼튼한 : un sol ~ 단단한 지면 / des chairs ~*s* 탄탄한 살. ② 꿋꿋한, 굳센 ; 확고한 ; 단호한 ; 동요하지 않는 : écriture ~ 흔들리지 않는 필적 / être ~ sur ses pieds 꿋꿋하게 서 있다 / d'un pas ~ 확고한 걸음걸이로 / voix ~ 자신 있는 목소리 / être ~ dans ses résolutions 결의가 확고부동하다 / avoir la ~ intention 〔volonté, résolution〕 de+*inf.* …할 굳은 결심을 갖다. ③ (시세가) 변동 없는(= stable), 확정적인 : achat 〔vente〕 ~ 확정된 매매. ***être très ~ à+*inf.* …할 생각을 굳게 먹고 있다. — *adv.* ① 힘껏, 굳세게 (= dur, fort) : tenir ~ 단단하게 붙잡다 ; 완강하게 저항하다. ② 몹시, 무척 ; 열심히 : discuter ~ 열렬히 토론하다 / travailler ~ 열심히 공부하다. ③ 결정〔확정〕적으로 : acheter〔vendre〕 ~ (주식 따위를) 실물로 사다. ***fort et ~*** 단호하게, 굳게.

***ferme²** *f.* ① 소작 ; 소작 계약. ② 소작지 ; 농장(= domaine) : valet de ~ 머슴. ③ 농가(= maison de ~) : ~ située en plein champ 들 복판에 있는 농가.

fermé, e [fɛʀme] *adj.* ① 닫힌 : porte ~*e* à clé 열쇠로 잠근 문. ② 폐쇄적인 ; 비개방적인 : cœur ~ à la pitié 연민을 모르는〔매정한〕 마음 / garçon ~ aux mathématiques 수학적인 머리가 없는 아이. ③ 〖언어〗 (모음이) 닫힌 ; (음절이) 닫힌 : syllabe ~*e* 폐음절《자음으로 끝나는 음절》. ***avoir la main ~e*** 인색하다. ***les yeux ~s*** 눈을 감고 ; 아주 믿고서. ***visage ~*** 무엇을 생각하는지 알 수 없는 얼굴.

fermement [fɛʀməmɑ̃] *adv.* ① 굳세게, 꽉 : attacher ~ 단단히 매다. ② 확고하게, 단호하게 : croire ~ qc …을 확고히 믿다.

ferment [fɛʀmɑ̃] *m.* ① 효소, 효모, 누룩. ② 소인(素因), 요인, 씨《근본적 원인》 : ~ de discorde 불화의 씨.

fermentation [fɛʀmɑ̃tɑsjɔ̃] *f.* ① 발효. ② (정신의) 동요(= agitation), 소요 : ~ populaire 민심의 동요.

fermenter [fɛʀmɑ̃te] *v.i.* ① (술 따위가) 괴다, 익다, 삭다, 발효하다. ② 술렁이다, 동요하다(= s'agiter) : Les esprits *fermentent.* 사람들의 마음이 술렁인다.

fermer** [fɛʀme] *v.t.* ① 닫다(= clore) ; (눈을) 감다 ; 봉하다 : ~ la porte 문을 닫다 / ~ les yeux 눈을 감다 / ~ une lettre 편지를 봉하다 / ~ la parenthèse 괄호를 닫다. ② 봉쇄하다, 막다 : ~ les frontières 국경을 봉쇄하다 / route *fermée* à la circulation 통행이 금지된 길. ③ (가게·회사 따위를) 폐쇄하다, 폐점〔휴업〕하다 : ~ son bureau le dimanche 일요일 사무실 문을 닫다. ④ 둘러싸다, 가두다 : montagne qui *ferme* l'horizon 지평선의 끝을 이루는 산. ⑤ (자물쇠 따위를) 잠그다. ⑥ (책을) 덮다. ⑦ (전기를) 끄다 : ~ le robinet 〔la radio, l'électricité〕 수도꼭지〔라디오·전기〕를 잠그다〔끄다〕. ⑧ 끝내다, 마감하다 : ~ une souscription 가입 신청을 마감하다. ⑨ (마음을) 닫다. 받아들이지 않게 하다 : ~ son cœur à qc …에 마음을 닫다, …을 믿지 않다. ⑩ 〖전기〗 (회로 따위를) 닫다 : ~ le circuit 회로를 폐쇄하다. ***~ la bouche à qn …을 침묵시키다. ***~ sa boîte*** 〔***sa gueule, sa malle, son micro, son plomb, ça***〕 ; ***la ~*** 《속어》 그만 떠들다, 아가리 닥치다. ***Fermez-là ; La ferme !*** 《속어》 닥쳐 ! — *v.i.* ① (문이) 닫히다 : Cette porte *ferme* mal. 이 문은 잘 닫히지 않는다. ② (가게 따위의) 문을 닫다 : Ce magasin *ferme* un jour par semaine. 이 가게는 일 주일에 한 번 문을 닫는다.

— **se** ~ *v.pr.* ① 닫히다 : La porte ne *se ferme* pas à clef. 그 문은 열쇠로 잠가지지 않는다. ② (상처 따위가) 아물다 : Sa blessure *s'est fermée* vite. 그의 상처는 빨리 아물었다. ③ 받아들이지 않다, 마음을 닫다 : 《se ~ à》 Ce pays *se ferme à* l'immigration. 이 나라는 이민을 받아들이지 않는다.

fermeté [fɛʀməte] *f.* ① (물건의) 굳음, 견고함 : pâte qui a de la ~ 된 반죽. ② 꿋꿋함, 굳셈 ; 단호함, 확고부동함 : ~ du jugement 판단력의 확고부동함. ③ 적확함, 확실함(= sûreté). ~ ***de cours*** 〖주식〗 안정세. ***manquer de*** ~ 기골이 없다 : Ces parents *manquent de* ~ avec leurs enfants. 이 부모는 아이들에 대해 너무 너그럽다. ***parler avec*** ~ 단호하게 말하다.

fermette [fɛʀmɛt] *f.* (별장용의) 작은 농가.

fermeture** [fɛʀmətyːʀ] *f.* ① 닫기 ; 폐쇄 ; 마감 ; 폐지, 폐업. ② 닫는 시간 : heures de ~ d'un magasin 가게의 문닫는 시간. ③ 닫는〔잠그는〕 기구, 고리 ; 폐쇄 장치 ; (상점의) 덧문 : ~ automatique 자동 개폐 장치. ~ ***des ateliers 종업 시간 ; 폐업. ~ ***éclair*** 재크, 지퍼.

***fermier, ère** [fɛʀmje, -ɛːʀ] *n.* ① 소작인 ; 농부(= paysan, cultivateur) : ~ d'une pêche 어장 임차인(賃借人) / être ~ de père en fils 대대로 소작인이다. ② 〖역사〗 (징세의) 청부인. — *adj.* 소작지〔농지 · 농장〕의.

fermoir [fɛʀmwaːʀ] *m.* (문)고리, 걸쇠, 자물쇠, 스냅, 훅.

féroce [feʀɔs] *adj.* ① (동물이) 사나운 : animaux 〔bêtes〕 ~*s* 맹수. ② (사람이) 잔인한, 무자비한(= cruel) : examinateur ~ 사정없는 시험관 / être ~ dans les affaires 장사에 혈안이 되어 있다. ③ 맹렬〔강렬〕한, 심한, 터무니없는(= terrible) : envie ~ 강렬한 욕구 / faim ~ 참을 수 없는 허기.

férocement [feʀɔsmɑ̃] *adv.* 사납게, 잔인하게 ; 《구어》 무시무시하게.

férocité [feʀɔsite] *f.* ① 사나움, 잔인성 : avec ~ 가혹〔혹독〕하게. ② 잔인한 행위.

ferrage [fɛʀaːʒ] *m.* ① 철구(鐵具)를 달기. ② (말굽에) 편자를 박기 ; 수갑을 채우기.

ferraille [fɛʀɑːj] *f.* ① 고철(古鐵), 파쇠 : foire à la *F*~ 파리 고철 시장. ② 《속어》 동전. ***mettre*** 〔***envoyer***〕 qc ***à la*** ~ …을 폐품으로 하다, 폐기하다.

ferrailler [fɛʀɑje] *v.i.* ① 서투른 칼부림을 하다 ; 칼싸움하다. ② 격론을 벌이다, 말다툼하다(= se disputer).

ferrailleur [fɛʀɑjœːʀ] *m.* ① 고철 상인. ② 서투른 검객. ③ 다투기 좋아하는 사람, 논객.

ferré, e [fɛʀe] *adj.* ① 쇠를 붙인〔씌운〕, 편자를 박은 : cheval ~ 편자를 박은 말. ② 철의, 철도의. ③ (물이) 철분을 함유한. ④ 《구어》 《~ en 〔sur〕 qc》 능란한, 잘 아는, 통달한(= instruit). ***chemin*** ~ 자갈을 깐 길. ***eau*** ~***e*** 철분을 지닌 물. ***voie*** ~***e*** 철도 ; 철도 선로.

ferrer [fɛʀe] *v.t.* …에 쇠를 붙이다〔씌우다〕; …에 쇠붙이〔철구〕를 입히다〔붙이다〕; (말에) 편자를 박다. ~ ***la mule*** 《구어》 부정 이득을 취하다 ; 뇌물을 받다. ~ ***un cheval à glace*** 말에 미끄럼 방지용 편자를 박다. ~ ***un poisson*** 낚싯줄을 당겨 물고기를 낚다.

ferret [fɛʀɛ] *m.* (구두끈 · 장식끈 따위의) 끝에 씌운 쇠붙이.

ferretier [fɛʀtje] *m.* (편자를 벼리는) 망치.

ferreur [fɛʀœːʀ] *m.* 편자공 ; 철구〔쇠붙이〕 붙이는 사람.

ferreux, euse [fɛʀø, -øːz] *adj.* 쇠의 ; 쇠를 지닌 ; 철을 함유한 : sel ~ 제 1 철염 / métaux non ~ 비철금속.

ferronnerie [fɛʀɔnʀi] *f.* ① 철물 제조소〔판매소〕 ; 철공소. ② 철물, 쇠붙이.

ferronnier, ère [fɛʀɔnje, -ɛːʀ] *n.* 철물 제조인〔상인〕 : ~ d'art 철공예가. — *f.* 이마에 두르는 장식용 쇠사슬.

ferroviaire [fɛʀɔvjɛːʀ] *adj.* 철도의 : réseau ~ 철도망 / trafic ~ 철도 수송.

ferrugineux, euse [fɛʀyʒinø, -øːz] *adj.* 철분을 함유한. — *m.* 철제.

ferrure [fɛʀyːʀ] *f.* 쇠붙이, 철구(鐵具), 철물 ; 《집합적》 편자, 마철(馬鐵), 제철.

ferry-boat [fɛʀiboːt] 〔영〕 *m.* (*pl.* ~**-**~***s***) 철도 연락선, 페리선(船).

***fertile** [fɛʀtil] *adj.* ① 기름진, 비옥한(= fécond) : sol ~ 옥토. ② (창의력 · 화제가) 풍부한. ③ 《~ en》 …이 많은 : année ~ *en* événements 사건이 많이 발생한 해 / homme ~ *en* ruses 계략이 많은 사람.

fertilisant, e [fɛʀtilizɑ̃, -ɑ̃ːt] *adj.* 비옥하게 하는 : produit ~ 비료. — *m.* 비료.

fertilisation [fɛʀtilizɑsjɔ̃] *f.* 풍요〔비옥〕하게 하기 ; 〖생물〗 수정(受精).

fertiliser [fɛʀtilize] *v.t.* ① 풍요하게 하다, 비옥하게〔기름지게〕 하다 : Les engrais *fertilisent* la terre. 비료는 땅을 비옥하게 만든다. ② 〖생물〗 수정(受精)하다.

fertilité [fɛʀtilite] *f.* ① 비옥함 : année de ~ 풍년. ② 《비유》 (정신적) 풍요, 풍부함.

féru, e [feʀy] *adj.* ① 상처를 입은. ② 《~ de》 …에〔에게〕 열중한(= passionné) : être ~ *d'une* femme 여자에게 홀딱 반하다. ~ ***contre*** qn 《옛》 …에게 화가 난.

férule [feʀyl] *f.* ① 《옛》 (학생의 손을 때리던) 회초리. ② 엄격한 감독 ; 지배. ***être sous la*** ~ ***de*** qn 《문어》 …의 엄격한 감독하에 있다.

fervent, e [fɛʀvɑ̃, -ɑ̃ːt] *adj.* 열렬한 ; 열성을 기울인 : amour ~ 열렬한 사랑 / chrétien ~ 열렬한 기독교 신자. — *n.* 열중한 사람, 팬(= admirateur) : les ~*s* de Béethoven 베토벤에 심취한 사람들 / ~ du football 축구 팬.

ferveur [fɛʀvœːʀ] *f.* 열심, 열성(= chaleur), 열정, 열광 : avec ~ 열정적으로 ; 열심히.

fesse** [fɛs] *f.* ① 궁둥이, 엉덩이, 볼기 : ~*s* hautes 〔basses〕 커다란〔작은〕 엉덩이. ② (배의) 고물. ***attraper qn ***par la peau des*** ~***s*** (도망치는 사람의) 꽁무니를 붙잡다. ***avoir chaud aux*** ~***s*** 《속어》 겁먹다. ***botter les*** ~***s à*** qn …의 궁둥이를 발길로 차다. ***Gare tes*** ~***s !*** 《속어》 기운을 내! ***poser ses*** ~***s*** 《속어》 앉다.

fessée [fese] *f.* ① 볼기 때리기. ② 굴욕적 패배. ***donner une*** ~ 볼기를 때리다.

fesser [fese] *v.t.* …의 궁둥이〔볼기〕를 때리다 ; 《구어》 혼내다 : ~ un enfant 어린아이의 볼기를 때리다. ~ ***le cahier*** 아무렇게나

베껴 쓰다. ***se faire*** **~** 천대받다.

fessier, ère [fɛsje, -ɛːʀ] *adj.* 궁둥이〔볼기〕의, 둔부의 : muscles ~*s* 궁둥이 근육, 둔근. ── *m.* 《구어》 궁둥이, 볼기.

festin [fɛstɛ̃] *m.* 연회(= banquet), 잔치, 향연, 축하연 ; 《비유》 호화로운 식사 : faire (un) ~ 향연을 베풀다 / salle de ~ 연회장.

festiner [fɛstine] *v.t.* …에게 연회〔잔치〕를 베풀다. ── *v.i.* 잔치를 벌이다〔열다〕; 즐겁게 지내다.

festival [fɛstival] *m.* (*pl.* **~s**) 음악〔연극 · 영화〕제 ; 기념 음악회 : ~ de Cannes 칸 영화제.

festivalier, ère [fɛstivalje, -ɛːʀ] *adj.* et *n.* 음악〔연극 · 영화 · 예술〕제의 참가자〔참석 기자〕(의).

festivité [fɛstivite] *f.* (종종 *pl.*) 축제 ; 축제 분위기 ; 유흥, 환락.

feston [fɛstɔ̃] *m.* ① 꽃줄 ; 꽃줄 모양의 장식. ② 〚의복〛 스칼럽《깃 · 소매의 부채꼴 장식》.

festonner [fɛstɔne] *v.t.* 꽃줄로 장식하다 ; 꽃무늬로 가장자리를 꾸미다. ── *v.i.* 《구어》 (취해서) 비틀거리다.

festoyer [fɛstwaje] [7] *v.t.* 환대하다. ── *v.i.* 주연을 벌이다〔열다〕.

fêtard, e [fɛtaːʀ, -aʀd] *adj.* et *n.* 흥청거리기 좋아하는 (사람), 방탕한 (사람).

⁑**fête** [fɛt] *f.* ① 축제, 축전, 제전. ② 제일(祭日), 축제일, 명절(= jour de ~) ; 기념일 : ~ nationale 국경일 / ~ des Mères 어머니날 / ~ de la moisson 추수 감사절. ③ (개인의) 성명(聲名)〔세례명〕 축일 ; 수호성인의 축일 : souhaiter la ~ à qn …의 성명 축일을 축하하다. ④ 축하회 ; 축연(祝宴), 향연 : comité des ~*s* (음악회 따위의) 대회 준비 위원회 / offrir une ~ en l'honneur de qn …을 위해 축연을 베풀다. ⑤ 축제 기분, 즐거움 ; 환대 ; 환영 ; 환락 : un air de ~ 기쁨에 들뜬 모습 / Il n'a jamais été à pareille ~. 그렇게 즐거웠던 일은 일찍이 없었다. ***Ça va être ta*** 〔***sa***〕 ***~.*** 《구어》 너는〔그자는〕 호되게 당할 거야. ***Ce*** 〔***Il***〕 ***n'est pas tous les jours ~.*** 《속담》 언제나 좋은 일만 있는 것은 아니다. ***être à la ~*** 매우 흡족하다. ***faire ~ à*** qn …을 환대하다. ***faire la ~*** 한바탕 잘 놀다, 환락하다. ***ne pas être à la ~*** 어려운 입장에 처해 있다. ***se faire une ~ de*** qc 〔+*inf.*〕 …을〔…하는 것을〕 즐겁게 생각하다.

fête-Dieu [fɛtdjø] *f.* (*pl.* **~s-~**) 〚가톨릭〛 성체 첨례(星體瞻禮).

*__fêter__ [fɛ(e)te] *v.t.* ① 경축하다, 축하하다 : ~ Noël 성탄절을 축하하다 / ~ la naissance de qn …의 탄생을 축하하다 / ~ un succès 성공을 축하하다. ② 환대〔환영〕하다 : ~ le vainqueur 승리자를 환영하다.

fétiche [fetiʃ] *m.* ① 물신(物神)《야만인이 숭배하던 나무 · 돌 · 동물 따위》. ② 숭배의 대상. ③ 마스코트 ; 부적 : jouer son numéro ~ 자기의 매직 넘버에 돈을 걸다.

féticheur [fetiʃœːʀ] *m.* 물신(物神) 숭배의 남자 무당, 박수.

fétichisme [fetiʃism] *m.* ① 물신(物神) 숭배. ② 맹목적〔미신적〕인 숭배 : avoir le ~ du passé 과거를 맹목적으로 신봉하다.

fétichiste [fetiʃist] *adj.* 물신 숭배의 ; 미신적인 : culte ~ 물신 숭배. ── *n.* 물신 숭배자 ; 미신가.

fétide [fetid] *adj.* 냄새가 역한, 악취를 풍기는.

fétidité [fetidite] *f.* 악취.

fétu [fety] *m.* ① 짚, 지푸라기 : être emporté 〔traîné〕 comme un ~ 지푸라기처럼 (가볍게) 날려 가다. ② 하찮은 것, 너절한 것.

⁑**feu**[1] [fø] *m.* (*pl.* **~x**) ① 불 ; 화재(= incendie) ; 화롯불, 모닥불 ; (난로용의) 불 ; 〚요리〛 불 : allumer 〔faire〕 un ~ 불을 피우다 / faire du ~ de 〔avec〕 qc …을 불지르다 / coin du ~ 노변(爐邊) / ~de camp 캠프 파이어 / mettre une casserole sur le ~ 냄비를 불에 올려놓다 / cuire à ~ doux 〔à petit ~〕 약한 불로 굽다〔익히다〕/ couvrir le ~ 불을 재에 묻어 두다 / ~ de forêt 산불 / Au~ ! 불이야 ! / Le ~ a pris 〔a gagné〕. 불길이 번졌다. ② 화형. ③ 발포, 사격 ; 포화 ; 전쟁 ; 《속어》 권총 : *F*~ ! 〚군사〛 발포 ! 발사 ! / armes à ~ 화기, 총기 / recevoir un coup de ~ dans la jambe 다리에 총격을 받다 / ligne de ~ 전선. ④ 가정, 가족, 가구, 세대, 호(戶) : hameau de cinquante ~*x*, 50 호의 부락. ⑤ 등불 ; 등대 ; (다이아몬드 · 눈동자 따위의) 광채 ; 조명 ; 신호등 : ~ arrière (자동차 · 배의) 후미등(後尾燈) / ~*x* de la rampe 무대 전면의 등불 / ~ vert 청신호 / s'arrêter au ~ rouge 빨간 신호등에 멈추다. ⑥ 열기 ; 열정 ; 열의 ; 열중 ; 격렬한 기세, 열렬함(= passion, enthousiasme) : ~ de l'éloquence 열렬한 웅변 / avoir du ~ dans les veines 혈관 속에 열정이 흐르다 / Le ~ lui monta au visage. 그는 얼굴이 화끈 달아올랐다. ⑦ 영감(靈感)(= inspiration). ***avoir le ~ au derrière*** 《구어》 몹시 서두르다, 황급히 가다. ***brûler*** 〔***faire mourir***〕 qn ***à petit ~*** …을 천천히〔지글지글〕 태워 죽이다 ; 오랫동안 괴롭히다〔애타게 하다〕. ***C'est le ~ et l'eau.*** (두 사람은) 절대로 통하지 않는다, 상극이다. ***coup de ~*** ⓐ 사격. ⓑ 세찬 불기운 : Ce rôti a reçu un *coup de* ~. 이 불고기는 좀 타 버렸다. ⓒ 한창 바쁠 때 : Le cuisinier est dans son *coup de* ~. 요리사는 지금이 한창 바쁜 때다. ***être en ~*** 불타고 있다. ***être entre deux ~x*** 협공당하다. ***être tout ~ tout flamme pour*** qc 《구어》 …에 몸과 마음을 불태우다, 열중하다. ***faire faux ~*** 불발하다. ***faire ~*** 발포〔발사〕하다. ***faire ~ des quatre fers*** 〔***pieds***〕 (말이) 불꽃을 튀기며 질주하다 ; (성공하려고) 온갖 수단을 다 쓰다. ***faire ~ de tout bois*** 무엇이건 닥치는 대로 이용하다. ***faire la part du ~*** 불길을 막기 위해 구해낼 수 없는 것은 단념하다 ; 〚상업〛 손실을 막다. ***faire long ~*** (일을) 질질 끌다, 진척되지 않다 : ne pas *faire long* ~ 오래 지속되지 않다 ; (문제가) 쉽사리 해결되다. ***~ sacré*** 밤낮 꺼뜨리지 않고 피워 놓은 성화(聖火) ; 영감(靈感) ; 열성. ***~x de l'actualité*** 최대의 시사 문제, 대중의 주목의 표적. ***Il n'y a pas le ~.*** 《구어》 급히 서두를 필요가 없다. ***J'en mettrai la main au ~.*** 맹세하지만, 그건 틀림없다.

F

jeter ~ et flamme 노발대발하다. ***jouer avec le ~*** 위험한 장난을 하다. ***mettre la main au ~*** 굳게 맹세하다. ***mettre le ~ sous le ventre à*** qn …을 굳세게 격려하다. ***n'y voir que du ~*** 뭐가 뭔지 모르다, 얼떨떨하다. ***prendre ~*** 불이 붙다, 발화하다. ***se jeter dans le ~ pour*** qn …을 위해서라면 물불을 가리지 않다. ***souffler sur le ~*** 열정을 부채질하다.

feu², e [fø] *adj.* 고인(故人)이 된《정관사 또는 소유 형용사 뒤에 올 때는 명사에 일치함 ; 정관사 · 소유 형용사 앞에 올 때는 불변》: la ~*e* reine = ~ la reine 고(故)왕비 / mes ~*s* parents = ~ mes parents 나의 돌아가신 부모 / ~ madame X 고인이 된 마담 X.

***feuillage** [fœjaːʒ] *m.* ①《집합적》(초목의) 잎 ; 잎이 우거진 나뭇가지. ② 나뭇잎 장식.

feuillaison [fœjɛzɔ̃] *f.* ① 잎이 새로 돋아나기, 발아(發芽). ② 봄.

⁑feuille [fœj] *f.* ① 나뭇잎 ;《문어》꽃잎(= pétale) : matière colorante des ~*s* 엽록소 / ~*s* mortes 낙엽 / tréfle à quatre ~*s* 네잎클로버 / arbre à ~*s* persistantes 〔caduques〕 상록〔낙엽〕수 / ~ digitée 펼친 손모양의 잎. ② 얇은 조각〔판〕 : ~ de contre-plaqué 합판 / ~ de carton 포장 상자용 종이. ③ 종잇장, (종이) 한 장 ; (각종의) 전표, 서류 : une ~ de papier 종이 1 장 / endroit d'une ~ 종이의 앞면 / assemblage de ~*s* (편지 따위의) 철(綴), 공책, 책 / ~ blanche 〔vierge〕 백지 / ~ d'impôt 납세 고지표 / ~ de paye 급여 명세서. ④ 정기 간행물, 신문, 잡지 : ~ quotidienne 일간지 / ~ locale 지방 신문. ⑤《구어》귀(= oreille) : être dur de la ~ 귀가 약간 어둡다. ***~ de chou***《구어》너절한 신문 ; 질이 나쁜 담배 ; 화물 운송장. ***trembler comme une ~*** (두려움 · 추위 따위로) 부들부들 떨다.

feuillé, e¹ [fœje] *adj.* 잎이 달린 : rameau ~ 잎이 우거진 가지.

feuillée² [fœje] *f.* 우거진 나뭇잎 ; 나뭇잎 그늘.

feuillet [fœjɛ] *m.* ① 한 장, 1 매 ; (신고용) 용지 : tourner les ~*s* d'un livre 책의 페이지를 넘기다. ② 얇은 널, 판자. ③ (반추(反芻) 동물의) 제 3 위(第三胃).

feuilleté, e [fœjte] *adj.* 여러 겹의 껍질로 된 ; 층상(層狀)의 : pâté ~*e* 버터를 발라서 얇게 겹쳐진 반죽 / gâteau ~ 파이 / roche ~*e* 층상 암석 / verre ~*e* 얇은 유리판을 겹쳐 만든 유리. — *m.* (껍질이 벗겨지게 만든) 파이(= feuillantine).

feuilleter [fœjte] 5 *v.t.* ① (책 따위의) 페이지를 넘기다 ; 대충 훑어보다 : ~ un catalogue pour trouver un article 상품을 찾으려고 카탈로그를 대충 훑어보다. ② ~ la pâte (과자 껍질이 벗겨지도록) 반죽을 만들다.

***feuilleton** [fœjtɔ̃] *m.* 신문의 문예란 ; 문예란의 기사《연재 소설 따위》; 신문 소설 ; (텔레비전) 연속극 : C'est tout un ~ ! 그야말로 소설 같은 이야기다 / ~ dramatique (신문의) 연극 평 / publier un roman en ~ 소설을 신문에 연재하다.

feuilletoniste [fœjtɔnist] *n.* 신문 소설가.

feuillette [fœjɛt] *f.* 통《110-140 리터들이》; 작은 잎.

feuillu, e [fœjy] *adj.* 잎이 무성한(= touffu) : chêne ~ 잎이 무성한 참나무 / arbre ~ 활엽 낙엽수.

feuillure [fœjyːʀ] *f.* (창 · 문 따위를 끼워 넣는) 홈.

feulement [følmɑ̃] *m.* (호랑이의) 으르렁거리는 소리 ; (고양이의) 울음소리.

feuler [føle] *v.i.* (호랑이가) 으르렁거리다, (고양이가) 울다.

feutrage [føtʀaːʒ] *m.* ① 펠트 제조. ② 펠트 씌우기 ; (의자에) 속 넣기.

feutre [føːtʀ] *m.* 펠트, 전(氈), 모전(毛氈) ; 펠트 모자 : homme coiffé d'un ~ 펠트 모자를 쓴 남자.

feutré, e [føtʀe] *adj.* ① 펠트로 만든 ; 펠트처럼 가공한. ② 조용한, 조심스러운(= étouffé). ***à pas ~s*** 조심스러운 걸음걸이로.

feutrer [føtʀe] *v.t.* ① 펠트로 만들다. ② 펠트를 씌우다 ; (의자 따위에) 속을 넣다. — **se ~** *v.pr.* 펠트가 되다 ; 펠트처럼 되다.

feutrine [føtʀin] f. 올이 촘촘한 펠트 모직.

fève [fɛːv] *f.* ①〖식물〗잠두 ; 잠두의 열매 : ~ de cacao 카카오 열매. ② ~ des Rois 주현절(主顯節)의 잠두콩《주현절인 1 월 6 일에 내놓은 과자 안에 잠두콩이 들어 있어 이것에 걸린 사람이 그날의 왕〔여왕〕이 됨》. ***donner un pois pour avoir une ~***《구어》새우로 잉어를 낚다. ***gâteau de la ~***《옛》주현절(主顯節)에 내놓는 과자. ***rendre à*** qn ***~ pour pois*** …에게 호되게 되갚음하다, 되로 받고 말로 갚다. ***trouver la ~*** 재수 좋게 걸리다.

⁑février [fevʀi(j)e] *m.* 2 월.

fez [fɛːz] *m.*《복수불변》터키 모자.

FF, F.F.《약자》franc français 프랑스 프랑.

fi [fi] *interj.* 체, 피, 제기《혐오 · 멸시를 나타냄》: faire ~ de qc …을 멸시하다.

fiabiliser [fjabilize] *v.t.* 신뢰도를 높이다.

fiabilité [fjabilite] *f.* 신뢰도, 안전도 : essai de ~ 안전도 시험.

fiable [fjabl] *adj.* 신뢰〔신용〕할 수 있는, 신용도가 높은.

fiacre [fjakʀ] *m.* 삯마차 : chanter comme un ~《구어》서투르게 노래하다 / jurer comme un ~ 더러운 욕을 퍼붓다.

fiançailles [fjɑ̃sɑːj] *f. pl.* ① 약혼 ; 약혼식 ; 약혼 기간 : bague de ~ 약혼 반지 / rompre ses ~ 약혼을 파기하다 / au début de nos ~ 우리의 약혼 초기 시절에. ②《비유》(기업 · 정당 따위의) 합병〔제휴〕 계획.

***fiancé, e** [fjɑ̃se] *n.* 약혼자(= promis).

fiancer [fjɑ̃se] 2 *v.t.* 약혼시키다 :《~ qn à 〔avec〕 qn》Les parents *ont fiancé* leur fille *à* 〔*avec*〕 ce jeune homme. 부모가 딸을 이 젊은이와 약혼시켰다. — **se ~** *v.pr.*《se ~ à 〔avec〕》…와 약혼하다 ; 서로 약혼하다 : Ils *se sont fiancés* hier. 그들은 어제 약혼했다.

fiasco [fjasko] *m.* ① (남성의) 성적 불능. ② (계획 따위의) (대)실패 ; (영화 · 작품 따위의) 실패(작). ***faire ~*** 완전히 실패하다.

fiasque [fjask] *f.* (짚으로 싼, 목이 긴 이탈리아의) 술병.

fibran(n)e [fibʀan] *f.* 인조 양털.

fibre [fibʀ] *f.* ① 섬유 : ~ textile 직물 섬유 / ~*s* nerveuses 신경 섬유 / ~ minérale 인

조 섬유 / ~ synthétique 합성 섬유. ② (나무 뿌리 따위의) 줄기. ③ 기질 ; 소질 ; 자격 : faire vibrer 〔jouer〕 la ~ patriotique 애국의 충정(衷情)을 앙양시키다. ***atteindre*** qn ***jusqu'aux ~s*** …에게 마음속 깊이 감동〔충격〕을 주다. ***avoir la ~ sensible*** 감수성이 예민하다. ***les ~s du cœur*** 《구어》 심금(心琴)(의 줄).

fibreux, euse [fibʀø, -øːz] *adj.* 섬유가 있는 ; 줄기가 있는 : tissu ~ 섬유 조직.

fibrille [fibʀil] *f.* 〖생리〗 작은 섬유.

fibrine [fibʀin] *f.* 〖화학〗 섬유소(素).

fibro(-)ciment [fibʀɔsimɑ̃] *m.* (시멘트와 석면(石綿) 섬유로 만든) 섬유 시멘트.

fibrome [fibʀoːm] *m.* 〖의학〗 섬유종(腫).

fibroscope [fibʀɔskɔp] *m.* 내시경.

-fication *suff.* 「…하기, …화(化)」의 뜻.

ficelage [fislaːʒ] *m.* 끈으로 묶기 ; (물건을 묶는) 끈.

ficelé, e [fisle] *adj.* ① 끈으로 묶은 : paquet ~ 끈으로 묶은 소포. ② 《구어》 옷을 입은(= fagoté) : Elle est *~e* comme quatre sous. 그녀는 형편없는 옷차림을 하고 있다. ③ 정돈된, 배열된. ***mal ~*** (사람이) 옷차림이 흉한 ; (일이) 서투른. ***un travail bien ~*** 솜씨 좋게 해낸 일.

ficeler [fisle] *v.t.* 끈으로 매다〔묶다〕, 잡아매다 : ~ un paquet 소포를 끈으로 묶다.

ficelle** [fisɛl] *f.* ① 끄나풀, 가는 끈 : lier 〔attacher〕 avec des ~*s* 끈으로 묶다. ② (인형극의 인형을 조종하는) 끈 ; (예술, 작업상의) 비결, 기교 : Il connaît bien toutes les ~*s* du métier. 그는 직업의 요령〔비결〕을 알고 있다. ③ 책략(= ruse) ; 책략가. ④ 《구어》 (군복의) 계급줄, 수장(袖章) ; 포승, 수갑. ⑤ 가는 막대빵(= baguette). ***casser la ~ 이혼하다. ***tenir*** 〔***tirer***〕 ***les ~s*** 뒤에서 조종하다. ── *adj.* 《불변》 《구어》 약은, 교활한(= malin).

fiche [fiʃ] *f.* ① (나무 · 쇠의) 쐐기 ; 〖전기〗 플러그(= ~ d'alimentation) ; 〖측량〗 (땅에 꽂는) 측침(測針)(= ~ d'arpenteur) : ~ de (standard) téléphonique 전화 교환기의 플러그 / ~ mals 〔femelle〕 수〔암〕 플러그. ② 종이 쪽지 ; 카드 ; 표 ; 전표 ; 짐표, 꼬리표 ; (현미경의) 슬라이드 : ~ de bibliothèque 도서관의 색인 카드 / ~ médicale 진료 카드, 차트. ***~ policière*** (호텔의) 숙박부. ***jeu de ~s*** 카드 색인. ***mettre*** qc ***en*** 〔***sur***〕 ***~*** …을 카드에 기재하다.

ficher [fiʃe] *v.t.* 《부정법으로는 fiche를 더 많이 씀, 과거분사는 fichu》 ① (쐐기 따위를) 박다(= planter) ; 처박다 ; (시선 따위를) 쏟다, 집중시키다(= fixer) : ~ un clou dans un mur 벽에 못을 박다 / ~ les regards sur qn …을 뚫어지게 바라보다 / ~ une bougie dans un bougeoir 양초를 촛대에 꽂다. ② 《구어》 《foutre의 대용》 ⓐ 하다(= faire) : Il n'*a* rien *fichu.* 그는 아무것도 하지 않았다 / ne pas en ~ 〔*fiche*〕 un coup 〔une rame, une secousse〕 손가락 하나 까딱하지 않다. ⓑ 주다(= donner) ; (타격 따위를) 주다 : ~ une gifle à qn …의 따귀를 때리다 / Ça lui *a fichu* un coup. 그는 그 일로 큰 감명을 받았다. ⓒ 넣다, 집어〔쑤셔〕넣다(= mettre). ⓓ 내던지다(= lancer) : ~ qc par la fenêtre …을 창밖으로 내버리다. ⓔ 쓰러뜨리다(= renverser). ***~ qn à la porte*** …을 내쫓다. ***Fichez-moi la paix!*** 《구어》 귀찮게 굴지 마! 시끄러워! ***Je t'en ficherai.*** 《반어적》 네겐 그것을 앞으로는 안 줄 것이다. ***Qu'est-ce que ça fiche?*** 그런게 무슨 상관이야. ***Va te faire fiche!*** 뒈져라! ── **se ~** *v.pr.* ① 자기의 …에 집어넣다 : *se ~* une idée dans la tête 어떤 생각을 깊이 간직하다. ② 몸을 내던지다 ; 쓰러지다 : *se ~* par terre 땅바닥에 넘어지다. ③ 《se ~ de qn》 …을 우롱하다, 비웃다 : Il *s'est fichu de* moi. 그는 나를 우롱했다. ④ 《se ~ de qc》 …에 개의치 않다, 아랑곳 않다 : Il *se fiche de* son travail. 그는 일을 게을리〔소홀히〕 한다 / Je *m'en fiche* et je m'en contrefiche. 나는 이러나저러나 전혀 상관하지 않는다. ***se ~ dedans*** 잘못 생각하다(= se tromper).

ficher² *v.t.* 카드에 기록하다 ; …의 정보 카드를 작성하다 : ~ un renseignement 정보를 카드에 기재하다 / Il *est fiché* par la police. 그는 경찰의 요주의 인물 대장에 기재되어 있다.

fichier [fiʃje] *m.* 《집합적》 카드함(函) ; 색인표 : ~ d'adresses 주소 색인.

fichtre [fiʃtʀ] *interj.* 《구어》 ① 《놀라움 · 경탄 · 고통을 나타내어》 저런, 거참, 맙소사. ② 《긍정 · 부정을 강조》 *F~* non! 천만에! / *F~* oui! 물론이지! / *F~!* je ne le ferai pas! 난 하지 않겠단 말이야.

fichtrement [fiʃtʀəmɑ̃] *adv.* 《구어》 굉장히, 무척, 엄청나게.

fichu¹ [fiʃy] *m.* (여자 어깨에 걸치는) 삼각형 숄, 네커치프(= châle).

fichu², e [fiʃy] *adj.* ① 《구어》 망가진, 파멸된, 볼장 다 본 : Il est ~. 그는 볼장 다 본 사람이다 / Tout est ~. 만사 끝장이다 / Il a eu un accident ; sa voiture est ~*e.* 사고가 생겨서 그의 차는 망가져 버렸다 / santé ~*e* 파멸된 건강. ② 《명사 앞》 틀려 먹은, 고약한 : ~ temps 빌어먹을 날씨 / ~ pays 고약한 나라. ③ 《명사 앞》 적지 않은, 엄청난, 뚜렷한 : Il y a une ~*e* différence. 엄청난 차이가 있다. ④ 《être ~ de faire qc》 ⓐ …할 수 있다 : Elle n'*est* pas ~*e de* gagner sa vie. 그 여자는 밥벌이를 할 수 없다. ⓑ …할지 모른다, 아마 …할 것이다 : Il *est ~ d'*arriver en retard. 그는 아마 늦어질 것이다. ***bien*** 〔***mal***〕 ***~*** 잘된〔잘못된〕 ; 잘생긴〔못생긴〕 ; 건강이 좋은〔나쁜〕 ; 옷차림이 멋진〔초라한〕. ***être ~ comme quatre sous*** 〔***comme l'as de pique***〕 너절한 옷차림을 하고 있다. ***être*** 〔***se sentir***〕 ***mal ~*** 몸이 불편하다, 기분이 나쁘다.

fictif, ive [fiktif, -iːv] *adj.* ① 가공의, 가상의, 상상의, 허구의 ; 가장된(= feint) : personnage ~ 가공의 인물 / promesse ~*ive* 말뿐인 약속. ② 〖경제〗 협정에 따른, 명목상의 : monnaie ~*ive* 지폐 / valeur ~*ive* de la monnaie fiduciaire 신용 통화의 명목 가격.

fiction [fiksjɔ̃] *f.* 가상, 허구, 상상 ; 가상의 이야기〔작품〕 : Tout cela n'est qu'une pure ~. 이 모든 것이 한낱 지어낸 이야기에 불과

하다 / vivre dans la ~ 상상 속에서 살다 / science-~ 공상 과학 소설 / politique-~ 가상 정치 소설〔영화〕.

fictivement [fiktivmɑ̃] *adj.* 가공적〔상상적〕으로, 허구로서.

***fidèle** [fidɛl] *adj.* ① 《~ (à qn)》 성실한, 충실한(= loyal, dévoué) ; 정숙한 : femme ~ (*à* son mari) (남편에게) 충실한 아내 / ami ~ 성실한 친구 / ~ *à* sa parole 언약을 잘 지키는 / Il est ~ *à* sa jeunesse. 그는 젊었을 때와 꼭 같다〔같은 생각을 가지고 있다〕. ② 《~ à qc》 (책임 · 약속 따위를) 잘 지키는 ; (주의 · 습관 따위를) 고수하는, 변함없는 : ~ *à* sa marque préférée 좋아하는 상표의 상품을 변함없이 애용하는. ③ 사실에 대해 충실한 : historien ~ 정직한 역사가 / récit ~ 사실을 그대로 옮긴 이야기. ④ (기억력 · 번역 따위가) 정확한 : mémoire ~ 확실한 기억. ── *n.* ① 친우 ; 충복 ; 충신. ② 팬 ; 열성자 ; 신자 ; 단골 : ~ des concerts du samedi 토요 음악회의 팬. ③ (*pl.*) (기독교의) 신도.

F

fidèlement [fidɛlmɑ̃] *adv.* 충실히, 정확히 : *F*~ vôtre 올림, 근배《편지 말미에》.

fidéliser [fidelize] *v.t.* 단골손님으로 만들다 : clientèle *fidélisée* 단골손님.

fidélité [fidelite] *f.* ① 《~ (à qn)》 성실, 충실, 충성 ; 정숙 : servir avec ~ 충성을 다하여 섬기다. ② 《~ à qc》 (약속 등을) 성실히 지키기 ; (주의 따위에 대한) 집착, 고수 : ~ *à* ses amis 친구에 대한 성실함 / ~ *à* ses promesses 약속을 충실히 지키기 / ~ *à* ses convictions 신념의 고수. ③ 정직 ; 정확성 : ~ d'une traduction 번역의 원문 충실성. ***haute*** ~ 하이파이.

fiduciaire [fidysjɛːʀ] *adj.* 신탁의, 신탁을 맡은 ; 신용에 따른 : monnaie ~ 신용 화폐.

fief [fjɛf] *m.* ① 봉토(封土), 영지. ② (선거의) 기반 ; (학자 따위의) 전문 분야 : ~ électoral 선거의 기반.

fieffé, e [fjɛ〔e〕fe] *adj.* ① 봉토로 주어진. ② 《구어》 지독한, 흉악한 : ~ coquin ; coquin ~ 소문난 깡패 / ivrogne ~ 지독한 주정뱅이.

fiel [fjɛl] *m.* ① 담즙(= bile), 쓸개즙. ② 악의 ; 불만, 원한(= animosité, haine) ; 빈정대는 말투(= acrimonie) : discours plein de ~ 독설 / ~ de la vie 인생의 고난 / n'avoir point de ~ 악의가 전혀 없다.

fielleux, euse [fjɛlø, -øːz] *adj.* ① 담즙의 ; 쓴. ② 빈정대는 ; 원한을 품은 ; 가시 돋친 : langage ~ 가시 돋친 언사.

fiente [fjɑ̃ːt] *f.* (짐승의) 똥.

fienter [fjɑ̃te] *v.i.* (짐승이) 똥을 싸다.

fier[1] [fje] *v.t.* 《옛》 맡기다, 일임하다. ── **se** ~ *v.pr.* 《se ~ à, en》 신뢰〔신용〕하다, 믿다 : *Fiez-vous à* moi. 날 믿으시오 / *Fiez-vous*-y. 그걸〔그를〕 믿으시오 ; 《반어적》 어디 믿어 보시지 / Ne *vous* y *fiez* pas. 조심하시오 ; 믿지 마시오.

***fier**[2], **ère** [fjɛːʀ] *adj.* ① 거만〔오만〕한(= arrogant, hautain) : 《명사적》 faire le ~ 〔la ~*ère*〕 거만떨다. ② ⓐ 자부심이 강한 ; (성품이) 고결한(= noble) : Il est trop ~ pour accepter votre argent. 당신 돈을 받기에는 그의 자존심이 허락하지 않는다. ⓑ 《~ de》 …을 자랑스럽게 생각하는 : être ~ *de* ses enfants 자식들을 자랑스럽게 여기다 / 《de + *inf.*》 Il est ~ *d'*avoir réussi. 그는 성공한 것을 자랑으로 여기고 있다 / 《~ que + *sub.*》 Je suis ~ *que* tu aies réussi. 나는 네가 성공한 것을 자랑으로 여긴다. ③ 대담한(= audacieux). ④ 《구어》《명사 앞》 대단한, 지독한 : ~ coquin 지독한 불량배. ⑤ 《옛》 (사람 · 동물이) 사나운(= farouche). ── *n.* 거만한 사람.

-fier [fje] *suff.* 「만들다, 변형시키다」의 뜻으로 동사형 어미.

fier-à-bras [fjɛʀabʀa] *m.* (*pl.* ~(**s**)-~-~) 허풍선이, 허세를 부리는 사람.

fièrement [fjɛʀmɑ̃] *adv.* ① 자랑스럽게 ; 용감하게 ; 대담하게. ② 무척, 대단히.

fiérot, e [fjeʀo, -ɔt] *adj.* 거만한, 건방진. ── *n.* 거만(한 사람) : faire le ~ 〔la ~*e*〕 과시하다. 뻐기다.

fierté [fjɛʀte] *f.* ① 긍지, 자존심 ; 고결함 : grande ~ d'âme 고결한 마음씨 / tirer ~ de qc …을 자랑하다 / avoir la ~ de + *inf.* 도도하게〔당당하게〕도 …하다. ② 거만, 오만 ; 자만심 : rabattre la ~ de qn …의 콧대를 꺾다. ③ 《옛》 용기 ; 대담함.

fiesta [fjɛsta] 〔에스파냐〕 *f.* ① 축제. ② 《구어》 오락 파티, 연회 ; 들놀이, 피크닉.

⁑**fièvre** [fjɛːvʀ] *f.* ① 열 ; 열병 : les ~s (말라리아열 등의) 간헐열 / ~ scarlatine 성홍열. ② 흥분, 열광(= excitation, enthousiasme) ; 열정(= ardeur, passion) : ~ des timbres-poste 우표 수집열〔취미〕. ***avec*** ~ 열광적으로 ; 흥분하여. ***avoir la*** 〔***de la***〕 ~ 열이 있다. ***avoir les*** ~***s*** 열이 오르락내리락하다. ~ ***de cheval*** 《구어》 심한 열. ~ ***de la rampe*** (무대 위에서의) 흥분.

fiévreusement [fjevʀøzmɑ̃] *adv.* 《비유》 열광적으로, 열에 들뜬 듯이(= fébrilement).

fiévreux, euse [fjevʀø, -øːz] *adj.* ① 열이 있는 ; 열나게 하는, 열병을 일으키는 : joues ~*euses* 화끈거리는 두 볼〔뺨〕 / se sentir ~ 열이 있는 것을 느끼다. ② 흥분한(= agité) ; 열광적인, 불안한(= inquiet) : attente ~*euse* 조마조마한 기다림 / foule ~*euse* 흥분한 군중 ── *m.* 열병 환자.

fifre [fifʀ] *m.* ① 피리. ② 피리 부는 사람.

figaro [figaʀo] *m.* 《구어》 ① 이발사(= coiffeur). ② 책략에 능한 하인.

figé, e [fiʒe] *adj.* 응고된 ; 굳은 ; 고정된. ***locution*** 〔***expression***〕 ~***e*** 〖문법〗 성구(成句), 숙어. ~ ***sur place*** 그 자리에 꼼짝도 하지 않는. ***sourire*** ~ 억지웃음.

figement [fiʒmɑ̃] *m.* 응결, 응고(= congélation).

figer [fiʒe] [3] *v.t.* ① (추위로) 응결〔응고〕시키다, 굳어지게〔엉기게〕 하다(= coaguler) ; (피를) 얼게 하다(= congeler) : Le froid *fige* l'huile. 추위로 기름이 굳는다. ② (공포 따위로 몸이 굳어져 버린 듯) 움직이지 않게 하다, 꼼짝 못하게 하다, 아연실색케 하다(= immobiliser, pétrifier) : L'épouvante le *figea* sur place. 공포 때문에 그는 꼼짝하지 못했다. ③ (예금을) 동결하다 ; (급료 따위를) 고정시키다. ── **se** ~ *v.pr.* ① 응결〔응고〕하다, 굳어지다, 얼다 ; 어는 듯하다 ; (손 · 발

이) 곱다. ② 움직이지 않다 ; 꼼짝하지 않다 ; 고정된 자세〔태도〕를 취하다 : Son sourire *se figea* soudain. 미소짓던 그의 얼굴이 갑자기 굳어졌다 / *se* ~ dans une attitude 어떤 태도를 고수하다.

fignolage [fiɲɔlaːʒ] *m.* 맵시 내기 ; 공들이기 ; 마지막 손길 : ~ d'un dessin 데생의 마지막 손길.

fignoler [fiɲɔle] *v.i.* 공을 들이다. — *v.t.* 정성들여 가꾸다(= lécher), …에 공을 들이다 : travail *fignolé* 공들인 일. — **se** ~ *v.pr.* 맵시를 내다.

figue [fig] *f.* 〖식물〗 무화과 ; 무화과 열매 모양 같은 것 : ~ de Barbarie 선인장 열매 / ~ de mer 우렁쉥이. ***faire la ~ à*** qn …을 조롱하다 ; 경멸하다. ***mi-~, mi-raisin*** 애매한, 그 어느 편도 아닌, 좋기도 하고 싫기도 한 : accueil *mi-~, mi-raisin* 환대도 냉대도 아닌 그런 접대.

figuier [figje] *m.* 〖식물〗 무화과나무.

figurant, e [figyʀɑ̃, -ɑ̃ːt] *n.* ① 〖연극〗 단역(端役). ② 조역 ; 들러리. — *f.* (발레의) 댄서.

figuratif, ive [figyʀatif, -iːv] *adj.* 상형적(象形的)인 ; 구상(具象)적인 ; 상징적인. ***écriture ~ive*** 상형 문자. ***peinture ~ive*** 〖미술〗 구상화. — *m.* 구상파 화가〔조각가〕.

figuration [figyʀɑsjɔ̃] *f.* ① 형체로 나타내기, 형상화, 상형(象形), 묘사, 표시, 상징. ② 《집합적》 (극 · 영화의) 단역 배우 ; 엑스트라 : faire de la ~ 단역을 맡다.

‡figure [figyːʀ] *f.* ① 형상, 형태, 형체(= forme) : ~ humaine 인간의 형상. ② 얼굴, 모습(= visage) ; 태도(= air, mine, contenance) ; 인물(= personnage) : être bien de ~ 얼굴이 곱다 / Sa ~ *s'allongea.* 그의 표정이 우울해졌다 / grandes ~s du passé 과거의 위인. ③ 〖기하〗 도형 ; 그림(= dessin) ; 삽화(= planche, illustration) ; (회화 · 조각의) 초상, 화상, 조상(彫像)(= image) : livre orné de ~s 삽화가 많이 든 책 / ~ plane 평면 도형 / peindre une ~ 초상을 그리다. ④ (무용의) 몸짓, 피겨. ⑤ 상징(= symbole). ⑥ (말 · 사상 따위의) 수식(修飾) ; 수사(修辭) ; 문채(文彩) : ~s modifiant le sens des mots 사조(詞藻)《비유 · 환유 · 풍자 따위》. ***faire bonne ~*** 훌륭해 보이다 ; 중요한 역할을 맡다. ***faire ~ de*** …처럼 보이다 : une maison qui *fait ~ de* château 성같이 보이는 집. ***faire pauvre*** 〔***sotte, triste, piètre***〕 ~ 처량한 꼴을 하고 있다, 풀이 죽어 있다. ***jeter*** qc ***à la ~ de*** qn …을 …에게 내던지다 ; 정면으로 (모욕을) 퍼붓다. ***prendre ~*** 틀이〔형태가〕 잡히다.

figuré, e [figyʀe] *adj.* ① 인물〔동물〕을 나타낸 ; 그림 · 기호로 나타낸. ② (뜻 따위가) 비유적인 ; (문체가) 비유가 풍부한 : sens ~ 비유적인 의미 / style ~ 비유가 풍부한 문체. ③ (피륙이) 무늬가 있는. — *m.* 비유적인 의미(= sens ~). ***au ~*** 비유적인 의미로.

figurer** [figyʀe] *v.t.* ① 형체로 나타내다. ② 〖연극〗 단역을 맡아 하다, …으로 출연하다. ③ 상징하다 ; (기호로) 표시하다 : Les églises *sont figurées* par une croix sur la carte. 교회는 지도상에 십자가로 표시되어 있다. — *v.i.* ① 나타나다, 자태를 보이다 ; (명부 따위에) 실려 있다 : Son nom *figure* sur la liste. 그의 이름이 명단에 있다. ② (주위 분위기에) 어울리다. ③ 〖연극〗 단역을 맡아 하다. ④ 이채를 띠다. — **se** ~ *v.pr.* ① 상상〔생각〕하다. ② 형체로 표현되다 ; 상징되다 ; (기호로) 표시되다. ***Figurez-vous ! 생각 좀 해 보시지《주의를 환기시키기 위한 표현》: Il a réussi, *figurez-vous !*; *Figurez-vous* qu'il a réussi. 그가 성공했단 말이오! ***se ~+inf. ; se ~ que+sub.*** …라고 생각한다 : Il *se figure* pouvoir réussir. 그는 성공할 수 있으리라고 생각한다 / Ne *vous figurez* pas *que+sub.* …라고는 생각 마시오.

figurine [figyʀin] *f.* 작은 상(像) : ~ de cire 밀랍으로 만든 마네킹 / ~ de Noël 크리스마스 인형.

‡fil [fil] *m.* ① 실 ; 섬유 ; 《특히》 마사(麻絲)(= ~ de lin) : ~ de laine 털실 / ~ à coudre 재봉실. ② (일반적인) 선, 줄, 끈, 전선 ; 전화선 : ~ de fer 철사 / ~s d'un câble 케이블선 / téléphone sans ~ 무선 전화 / donner 〔passer〕 un cop de ~ (á qn)(…에게) 전화를 걸다 / ~ d'araignée 거미줄. ③ (칼의) 날(= tranchant) : ~ d'un rasoir 면도날. ④ (강의) 흐름, 강줄기(= courant) ; (이야기 따위의) 맥락(= enchaînement) ; 연속, 계속, 진행(= cours, suite) : ~ de la conversation 대화의 줄거리 / ~ des événements 사건의 추이 / perdre le ~ 본 줄거리를 놓치다. ⑤ (나무 · 돌 등의) 결 : à ~ fin 결이 가는〔고운〕. ⑥ 책략, 술책. ***avoir le ~*** (칼 따위가) 잘 들다 ; 《속어》 사람이 교활하다, 빈틈없다. ***avoir un ~ à la patte*** 《구어》 (여자 때문에) 꼼짝달싹 못하다. ***cousu de ~ blanc.*** (거짓말 따위가) 뻔한, 환히 들여다보이는. ***de ~ en aiguille*** 조금씩, 차츰차츰. ***donner du ~ à retordre à*** qn …을 난처하게 만들다. ***Il n'a pas inventé le ~ à couper le beurre.*** 《구어》 별로 똑똑한 위인은 아니다. ***ne tenir qu'à un ~*** 명맥이 거의 끊어져 가다, 극히 위태롭다. ***passer*** qn ***au ~ de la langue*** 《속어》 …을 내리깎다. ***tenir*** (***dans sa main***) ***les ~s d'une affaire*** (사건 · 음모 따위를) 배후 조종하다.

filament [filamɑ̃] *m.* ① 가는 섬유 ; (식물성 · 동물성 물질의) 가는 줄기〔줄〕. ② 〖전기〗 필라멘트.

filamenteux, euse [filamɑ̃tø, -øːz] *adj.* 가는 섬유가〔줄기가 · 심줄이〕 있는 : plante ~*euse* 섬유성 식물.

filandreux, euse [filɑ̃dʀø, -øːz] *adj.* ① (고기나 야채 따위가) 심줄이 많은, 섬유질의. ② (문장 · 말 따위가) 군소리가 많은, 복잡한 ; 흐리멍텅한(≠ clair) : écrivain ~ 문장이 산만한 작가.

filant, e [filɑ̃, -ɑ̃ːt] *adj.* (끈적거리는 것이) 줄줄 흐르는, 실처럼 늘어지는. ***étoile ~e*** 유성(流星), 별똥별.

filasse [filas] *f.* 삼실 뭉치 ; 섬유 다발. ***cheveux de ~*** 황백색 머리칼. — *adj.* 황백색 금발의.

filature [filatyːʀ] *f.* ① 제사 공장. ② 제사 공업. ③ (탐정의) 미행(尾行) : prendre qn en ~ …을 미행하다.

***file** [fil] *f.* ① 열, 행렬(= colonne), 줄 : ~ de

gens 사람들의 행렬 / aller en ~ 줄지어 가다 / une longue ~ de voitures 길게 늘어선 자동차. ② 〖군사〗 종렬, 종대 : défiler sur quatre ~*s*, 4 열 종대로 행진하다. ③ 연속 : deux heures à la ~, 2 시간 계속 / boire trois verres à la ~ 쉬지 않고 석 잔을 마시다. ***à la ~ ; en ~*** 일렬로. ***En ~ à droite*** 〔***gauche***〕 ***marche !*** 줄줄이 우〔좌〕로 (가) ! ***en*** 〔***à la***〕 ***~ indienne*** 일렬로 맞붙어서. ***prendre la*** 〔***sa***〕 ***~*** 줄 뒤에 서다 ; 순번을 기다리다.

filé, e [file] *adj.* 사상(絲狀)의 ; 길게 늘인 : son ~ 길게 늘인 음. ── *m.* 직조용 실.

filer** [file] *v.t.* ① (실을) 잣다, 실로 만들다 ; 길쌈하다, (천 · 옷을) 짜다 : ~ de la laine 양털을 잣다 / 《목적보어 없이》 machine 〔métier〕 à ~ 방적기. ② (실 잣듯이) 내뽑다 ; (거미가 줄을) 치다 ; (이야기를) 길게 끌다 : L'araignée *file* sa toile. 거미가 집을 짓는다. ③ 〖해양〗 (밧줄을) 풀다 ; (배가) 속력을 내다 : navire qui *file* trente nœuds, 30 노트의 속력으로 달리는 배 ④ 미행(尾行)하다 : policier qui *file* un suspect 용의자를 미행하는 경찰. ⑤ 《속어》 주다(= donner) : *File*-moi cent francs ! 내게 100 프랑을 줘 ! ⑥ 〖문학〗 전개하다, 부연하다 : ~ une scène 어떤 장면을 자세하게 전개하다 / ~ une métaphore 은유를 부연하다. ***~ des jours d'or et de soie 행복하고 안락한 나날을 보내다. ***~ le parfait amour*** 변함없는 사랑을 (서로) 다져 나가다. ***~ le train à*** qn 《구어》 …을 어디까지든지 쫓아가다.
── *v.i.* ① (액체 따위가 끊어지지 않고) 흐르다 : sirop qui *file* 줄지어 흘러내리는 시럽. ② (램프 따위가) 그을음을 내며 타다. ③ (밧줄 따위가) 풀리다, 풀어지다 : câble qui *file* 풀려 나가는 닻줄 / Son collant *a filé*. 그녀의 스타킹은 올이 풀렸다. ④ (배 · 차 따위가) 달리다 : ~ (à) vingt nœuds, 20 노트의 속력으로 달리다 / Le temps *file*. 세월은 빨리 흘러간다. ⑤ 《구어》 가버리다, 도망치다 : Allons, *filez !* 자, 가보시오〔물러가시오〕! / Il faut que je *file*. 그만 가봐야겠다. ⑥ 《주어 : qc》 빠져나가다, 없어지다 : L'argent *file* entre mes doigts comme du sable. 돈이 모래알처럼 내 손에서 빠져나간다. ***~ à l'anglaise*** 슬그머니 가버리다〔떠나가다 · 도망치다〕 ***~ doux*** 태도가 누그러지다, 순순히 복종하다.

filet**[1] [filɛ] *m.* ① 가는 실〔섬유〕; 가는 줄기〔줄〕; 극소량 : ~ d'eau 가는 물줄기 / un ~ de fumée 〔d'air〕 한 줄기 연기〔바람〕/ un ~ de vinaigre 아주 적은 양의 식초 / Il n'a qu'un ~ de vie. 목숨이 경각에 달려 있다. ② 〖해부〗 신경망. ③ 〖식물〗 (수술의) 꽃실 ; 〖요리〗 얇은 고기 조각 ; (소 · 염소 따위의) 안심 ; (뼈를 발라낸) 생선살. ④ 〖건축〗 작은 쇠시리(= moulure). ⑤ 〖기계〗 (나사못 둘레의 도드라진) 마루. ***avoir le ~ bien coupé, n'avoir pas le ~ 혀가 잘 돌다, 수다스럽다.

:filet[2] *m.* ① 그물, 망 : ~ à papillons 포충망 / ~*s* de pêche ; ~*s* à poissons 어망 / jeter un ~ 그물을 던지다. ② 〖철도〗 그물 선반(= ~ à bagages) : mettre des valises dans le ~ 여행 가방을 그물 선반에 얹다. ③ 망 ; 망태 : ~ à cheveux 머리망, 헤어네트 / ~ à provisions 장바구니. ④ 올가미, 함정, 계약(= piège) : attirer qn dans ses ~*s* …에게 올가미를 치다. ⑤ 〖스포츠〗 (배구, 탁구, 테니스의) 네트 ; (축구, 핸드볼의) 골네트 ; (서커스의) 보호망. ***avoir le ~*** (***mal coupé***) 혀가 잘 돌지 않다. (***beau***)***coup de ~*** 대어(大魚), 풍어 ; 일제 단속, 대량 검거. ***passer à travers les mailles du ~*** 그물을 뚫고 빠져나가다 ; 함정을 빠져나가다. ***prendre d'un seul coup de ~*** 일망타진하다. ***tendre un ~*** 그물을 치다 ; 올가미를 치다. ***travailler sans ~*** 위험을 무릅쓰다.

filetage [filtaːʒ] *m.* ① (금속을) 철사로 만들기. ② (나사못에) 골을〔마루를〕 만들기 ; 나사못의 마루 : ~ à droite 오른나사.

fileter [filte] [4] *v.t.* ① (금속을) 철사로 만들다. ② (나사못에) 골을 파다. ***tour à ~*** 나사못에 골을 파는 선반(旋盤).

filial, e, aux [filjal, -o] *adj.* 자식의, 자식으로서의 : amour ~ ; piété ~*e* 효심, 효도. ── *f.* 지사 ; 자회사 : nos ~*es* à l'etranger 해외의 자회사들.

filialement [filjalmɑ̃] *adv.* 자식으로서, 자식의 도리로서 ; 친자식처럼.

filiation [filjɑsjɔ̃] *f.* ① (자식의 입장에서) 친자 관계 : ~ paternelle 〔maternelle〕 부〔모〕자 관계. ② 가계 ; 혈통 ; 자손, 후예 : en ~ directe 직계의. ③ (사상 따위의) 연관, 맥락, 계통(= enchaînement), 관련 : ~ des idées 사상의 계보.

filière [filjɛːʀ] *f.* ① (철사 제조용의) 다이스 철판 ; (나사못에 골을 파는) 다이스 선반. ② 순서, 절차 ; 단계. ③ 〖물리〗 (원자로 구성 요소의) 편성. ***passer par la ~*** 《구어》 수속 절차를 밟다 ; (지위 따위의) 단계를 밟아 나가다. ***suivre la ~*** 단계적인 지위를 밟아 출세하다. ***travailler un métal à la ~*** 금속을 철사로 만들다.

filiforme [filifɔʀm] *adj.* ① 실 같은, 실처럼 가늘고 긴 ; 아주 호리호리한 : antennes ~*s* 사상(絲狀) 촉각 / Elle a des jambes ~*s*. 그 여자는 새다리이다. ② 〖의학〗 pouls ~ 아주 약한 맥박.

filigrane [filigʀan] *m.* ① (금 · 은 · 유리의) 선조(線條) 세공. ② (종이의) 투명 무늬. ***en ~*** 비춰보이는 ; 배후에 : apparaître *en* ~ 비춰보이다 / lire *en* ~ 행간을 읽다.

filin [filɛ̃] *m.* 삼 밧줄 ; 로프.

:fille [fij] *f.* ① 딸(≠ fils) : aînée 맏딸, 장녀 / ~ unique 무남독녀 / ~ adoptive 양녀 / ~ à papa 부모의 후광을 입은 딸 ; 부잣집 딸 / Ma ~ ! 《구어》 애야 ! ; 아가씨 ! / La jalousie est la ~ du soupçon. 《비유》 질투는 의혹의 소산이다. ② 계집아이, 소녀(≠ garçon) ; 아가씨(= jeune ~) : école de ~*s* 여학교 / grande ~ 처녀, 청춘기의 소녀 / petite ~ 어린 여자아이 / très jeune ~ 아주 젊은 아가씨 / nom de jeune ~ (여자의) 결혼 전의 성 / 《형용사적》 avoir un esprit très jeune ~ 정신적으로 아주 젊다. ③ 《구어》 하녀(= ~ de service) : ~ de boutique 여점원 / ~ de chambre (잔심부름하는) 하녀 / ~ de salle 웨이트리스 ; (병원의) 잡역부 / ~ d'honneur (여왕 따위의) 시녀. ④ 미

혼 여자, 처녀 ; 독신녀 : la ~ Mathieu 미혼녀 마티으 / ~-mère 미혼모 / vieille ~ 노처녀 / ~ à marier 결혼 적령기의 처녀. ⑤ 창녀, 갈보(= ~ publique). ⑥ 《문어》 (여자) 자손, 후예(= descendante) : ~ de rois 왕족의 후예 / ~ d'Eve. 이브의 딸, 여자. ⑦ 《직업을 나타내는 명사와 함께》 élève ~ 여학생 / ~ ingénieur 〔médecin〕 젊은 여성 기사〔의사〕. ⑧ 수녀 : ~s du Carmel 카르멜회 수녀. ***être bien la ~ de son père*** 〔***sa mère***〕 틀림없는 그 아버지〔어머니〕의 딸이다. ***être ~ à***+*inf.* 능히 …할 수 있는 여자이다. ***faire ~*** 여자 아이 같다 : Cette coiffure *fait* ~. 그 머리 모양은 여자아이 같다. ***jouer la ~ de l'air*** 《구어》 홀연히 사라지다. ***les ~s de la nuit*** 《문어》 별. ***rester ~*** 처녀로 살다, 독신으로 지내다.

fillette [fijɛt] *f.* 소녀, 계집애 ; 여자 아이 : ~ de onze ans 열한 살짜리 소녀 / rayons ~*s* (백화점 따위의) 소녀용품 매장.

filleul, e [fijœl] *n.* 영세 대자(代子)〔대녀(代女)〕 《parrain, marraine 에 대하는 말》 ; 피후견인.

film** [film] *m.* ① 〖영화 · 사진〗 필름 ; 영화(= cinéma) ; 영화 작품, 영화 한 편 : ~ de long 〔court〕 métrage 장편〔단편〕 영화. ② 엷은 막 : ~ d'huile 기름의 얇은 막. ③ (사건의) 전개(= déroulement) : suivre le ~ des événements 사건의 전개를 추적하다. ***~ annonce 예고편. ***~ documentaire*** 기록 영화. ***~ en relief*** 입체 영화. ***~ fixe*** 필름 스트립《슬라이드 교재용 필름》. ***~ muet*** 무성 영화. ***~ noir*** 공포〔범죄 · 엽기〕 영화. ***~ noir et blanc*** 흑백 영화. ***~ parlant*** 〔***parlé***〕 발성 영화, 토키. ***réaliser*** 〔***tourner***〕 ***un ~*** 영화를 제작하다 ; 영화를 상영하다.

filmage [filmaːʒ] *m.* 영화 촬영, 영화화(化).

filmer [filme] *v.t.* 영화 필름에 담다, 영화로 찍다, 촬영하다 : ~ une scène en studio 스튜디오에서 한 장면을 촬영하다 / ~ un roman 어떤 소설을 영화화하다 / ~ qc en vidéo …을 비디오로 녹화하다.

filmique [filmik] *adj.* 영화의.

filmographie [filmɔgʀafi] *f.* 〖영화〗 (장르별 · 감독별) 작품 리스트 ; (배우의) 출연작 일람.

filmologie [filmɔlɔʒi] *f.* 영화 연구, 영화학.

filmothèque [filmɔtɛk] *f.* 필름(도서)관.

filon [filɔ̃] *m.* ① 〖광산〗 광맥, 암맥 : ~ de cuivre 구리 광맥. ② 《비유》 원천, 근원 : ~ comique 희극의 원천. ③ 《구어》 노다지 ; 유리한 상황 : trouver le ~ 좋은 돈벌이를 발견하다 / un bon ~ 횡재 / Il tient le ~. 노다지를 발견하다. ④ (창작 따위의) 소재, 주제.

filou [filu] *m.* ① 소매치기, 도둑(= voleur) ; 협잡꾼(= escroc). ② 악동, 장난꾸러기.

filouter [filute] *v.t.* 《옛》 ① 소매치기하다 : ~ qn de qc …에게서 …을 슬쩍 훔치다. ② 편취〔협잡〕하다 : ~ qn de mille francs …에게서 1 천 프랑을 편취하다. —— *v.i.* 카드놀이에서 속임수를 쓰다 「(= tricherie).

filouterie [filutʀi] *f.* 소매치기 ; 사기, 편취

⁑**fils** [fis] *m.* ① 아들(≠ fille) : ~ aîné 맏아들, 장남 / ~ légitime 적자(適子) / ~ adoptif 양자 / ~ unique 외아들 / ~ naturel 사생아 / ~ à papa 권세가의 아들. ② (남자) 자손, 후손(= descendant) ; (어떤 지역, 계급의) 출신자 : ~ des Gaulois 골인의 자손 / ~ de Provence 프로방스 출신의 남자. ③ 사내아이 ; 젊은이 : Mon ~ ! 얘! ; 아들아 ; 여보게. ④ 제자, 후계자 ; 영향을 받은 사람 : ~spirituel de Platon 플라톤의 정신적 후계자. ⑤ 신도 ; 수도사 : ~ de Saint Benoît 성 베네딕트회 수도사. ***C'est bien le ~ de son père.*** 아버지를 쏙 뺐다. ***~ d'Apollon*** 시인. ***~ de Bélial*** 악인. ***~ de Dieu ; ~ de l'homme*** 그리스도. ***~ de Mars*** 전사(戰士). ***~ de ses œuvres*** 자수성가한 사람.

filtrage [filtʀaːʒ] *m.* ① 거르기, 여과 : ~ optique 광학 필터링. ② 검열 ; 검문 : ~ des nouvelles 뉴스의 검열. ③ (비밀 따위의) 누설.

filtrant, e [filtʀɑ̃, -ɑ̃ːt] *adj.* 여과에 사용되는 ; 여과용의 : verre ~ 〖광학〗 광학 필터, 필터 유리 / virus ~ 〖생물〗 여과성 바이러스.

filtration [filtʀasjɔ̃] *f.* ① 여과(濾過) ; 거르기 : ~ sous vide 흡입 여과. ② 침투 ; 투과 : eaux de ~ 침투수.

filtre¹ [filtʀ] *m.* ① (종이 · 베 따위의) 여과용 물질, 여과기〔장치〕, 필터 : ~ à air 〔à huile〕 〖자동차〗 에어〔오일〕 필터 / papier-~ 여과지 ; 커피 필터. ② 〖사진 · 무전〗 필터, 여파기(濾波器) : ~ coloré 색광(色光) 필터 / ~ passe-haut 〔passe-bas〕 고역〔저역〕 (高域〔低域〕) 여파 회로. ③ 담배 필터 : cigarettes à (bout) ~ 필터가 달린 담배.

filtre² *m.* 미약(媚藥)(= philtre).

***filtrer** [filtʀe] *v.t.* ① 여과하다, 거르다 : ~ de l'eau 물을 여과하다. ② 검열하다 ; (통행인을) 검문하다 : ~ les passants 행인들을 검문하다. ③ (뉴스 등을) 간추려 넘겨주다 ; (빛 · 소리를) 희미하게 통과시키다 : Le brouillard *filtre* le soleil. 태양이 안개 속에 뽀얗게 비치고 있다. —— *v.i.* ① 여과되다 ; 스며들다〔나오다 · 나가다〕, 삼투〔침투〕하다 : Ce café *filtre* lentement. 이 커피는 천천히 여과된다. ② (빛 · 소문 따위가) 새다 : laisser ~ une nouvelle 뉴스를 살짝 흘리다.

⁑**fin¹** [fɛ̃] *f.* ① (기간 · 시간의) 끝, 종말(= limite, terme) : ~ de l'année 연말 / ~ du jour 황혼, 저녁 / avant la ~ de l'hiver 겨울이 끝나기 전에 / ~ de la séance 폐회. ② (사물의) 끝 부분, 선단, 말단(= point bout) : arriver à la ~ d'un travail 일을 마치다 / ~ d'une autoroute 고속도로의 종점. ③ (행동, 작품의) 결말, 결론 ; 종료 : ~ d'un roman 소설의 결말 / ~ du match 시합 종료. ④ 소멸 ; 최후, 죽음(= mort) : ~ d'un empire 제국의 몰락 / ~ de la guerre 전쟁의 종결, 종전 / ~ prématurée 요절(夭折) / approcher de la ~ 임종이 가깝다. ⑤ (흔히 *pl.*) 목적, 목표(= but) ; 의도(= intention) : arriver 〔en venir〕 à ses ~*s* 목적을 달성하다 / La ~ justifie les moyens. 목적은 수단을 정당화하다. ⑥ 〖법률〗 이유, 사유 : ~*s* et conclusions du demandeur 원고의 사유와 진술. ***à ces ~s ; à cette ~*** 이와 같은〔그와 같은〕 목적을 달성하기 위하여. ***à cette ~ de***+*inf.* 〔***que***+*sub.*〕 …하기 위해. ***à la ~*** ⓐ 마침내, 결국. ⓑ 《구어》 정말《초조감을

나타내는 어조》: Dépêche-toi ! Vas-tu venir, *à la ~ ?* 좀 서두르게, 정말 갈 작정인가? ***à la ~ des ~s*** 가까스로; 결국, 끝에 가서. ***à seule ~ de***+*inf.* 〔***que***+*sub.*〕 오로지 … 하기 위해. ***à telle ~ que de raison*** ⓐ 정당한 목적을 위해서. ⓑ 온갖 결과에 대비하여. ***à toutes ~s*** 모든 일에 유용한, 만능의. ***à toutes ~s utiles*** 여차할 때 도움이 되도록, 만일의 경우에 대비하여. ***aux ~s de***+*inf.* …할 목적으로. ***C'est la ~ de tout*** 〔***des haricots***〕 ***!*** 이젠 끝장이다, 이젠 손쓸 방법이 없다. ***en ~ de*** …의 끝에 : *en ~ de* l'après-midi 오후 늦게. ***être sur sa ~*** 거의 끝나 가다; 임종이 가깝다. ***être sur ses ~s*** (사람이) 힘이 거의 다해 가고 있다. ***faire*** qc ***à bonne*** 〔***mauvaise***〕 ***~*** 좋은〔나쁜〕 의도로 …하다. ***~ de mois*** 월말의 월급 타기 전(의 어려운 시기); 〖상업〗 월말 결산(서) ***~ de siècle*** ⓐ 세기말; 《특히》 19세기말. ⓑ 《형용사적》 세기말의〔적인〕, 세련되고 퇴폐적인. ***mener*** qc ***à bonne ~*** …을 성취시키다, 유종의 미를 거두다. ***mettre ~ à*** 끝나게 하다, 종지부를 찍다. ***n'avoir ni ~ ni cesse*** (*que* ***ne***+*sub.*) …할 때까지는 그만두지 않다, 언제까지나 계속하다. ***ne pas voir la ~ de*** qc …의 끝이 보이지 않다; 여간해서 …을 끝낼 수 없다. ***prendre ~*** 끝나다, 그치다 : La réunion *a pris ~* très tard. 모임은 아주 늦게 끝났다. ***Qui veut la ~ veut les moyens.*** 《속담》 목적을 위해서는 필요한 희생을 치러야 한다〔모든 수단을 다 해야 한다〕. ***sans ~*** 끝없이; 끝없는. ***tirer*** 〔***toucher***〕 ***à sa ~*** 끝나가다, 죽어 가다 : Notre travail *touche à sa ~*. 우리 일은 거의 끝나 가고 있다.

fin²**, **e¹** [fɛ̃, -in] *adj.* ① 가느다란; 잔; 뾰족한; 엷은 : pluie *~e* 이슬비, 보슬비 / écriture *~e* 가는 글씨 / traits *~s* 갸름한 얼굴 / verre ~ 엷은 유리 / oiseau au bec ~ 부리 끝이 뾰족한 새. ② 가냘픈; 날씬한, 호리호리한 : taille *~e* 가는 허리; 날씬한 몸매. ③ 예민한, 섬세한 : avoir l'oreille *~e* 귀가 예민하다 / *~e* gueule 미각이 섬세한 요리통(通). ④ 미묘한; 명민한, 날카로운 : esprit ~ 명민한 정신 / regard ~ 날카로운 시선 / sourire ~ 미묘한 미소. ⑤ 순수한; 상질(上質)의; 맛좋은 : perles *~es* 진짜 보석. ⑥ 교묘한; 재치 있는; 능숙한 : *~e* plaisanterie 재치 있는 농담. ⑦ 꾀바른, 교활한, 영리한(= astucieux) : Il n'est pas très ~. 그는 그다지 영리하지 않다 / avoir l'air ~ 《비꼼》 우스꽝스럽다. ⑧ 《명사 앞》 (사람이) 능숙한, 뛰어난(= adroit) : ~ connaisseur 뛰어난 감식가 / *~e* cuisinière 명요리사. ***Bien ~ qui le prendra 〔***l'attrapera***〕. 그는 여간내기가 아니다. ***~ fond*** 밑바닥; 밑바탕. ── *adv.* ① 가늘게. ② 예민하게. ③ 《속어》 완전히(= complètement) : Elle est ~ prête. 그녀는 준비가 다 됐다. ── *n.* 예민한〔빈틈없는〕 사람. ***faire le ~*** 영리한 체하다. ***jouer au*** (***plus***) ***~*** 약은 꾀를 쓰다《상대방을 이기기 위해》. ── *m.* ① 정수; 요점. ② 순금속, 순금, 순은; 금위(金位). ③ 얇은 린네르 제품《내의 따위》; 상질 마포(麻布). ④ 가는 글씨. ***le ~ du ~*** 가장 좋은 것, 정수.

final, e¹** [final] *adj.* ① 끝의, 최후의; 종말의, 최종의 : résultat ~ 최종 결과 / effet ~ 궁극적인 효과 / point ~ 마침표, 종지부. ② 〖문법〗 어말(語末)의, 말미의; 목적의 : voyelle *~e* 어말 모음. ③ 〖철학〗 목적을 나타내는. ***cause ~e 〖철학〗 목적인(因), 궁극 원인. ***enfin ~e*** = enfin. ***proposition ~e*** 〖문법〗 목적절. ── *f.* ① 〖문법〗 어미, 어말; 어말음. ② 〖스포츠〗 결승전(= épreuve *~e*) : jouer en ~ 결승전을 하다. ③ 〖음악〗 주음(主音)(= tonique). ④ 〖연극〗 최종 막(幕).

final(e)² *m.* 〖음악〗 종곡(終曲), 피날레.

***finalement** [finalmɑ̃] *adv.* 마침내, 결국, 최후로 : Ils se sont ~ réconciliés. 그들은 마침내 화해했다.

finaliser [finalize] *v.t.* ① …에 목표를〔방향을〕 설정하다. ② 마무리 짓다, 마감하다 : ~ un projet 계획을 마무리 짓다.

finalisme [finalism] *m.* 〖철학〗 궁극 목적론.

finaliste [finalist] *n.* ① 〖철학〗 궁극 목적론자. ② 결승전 진출자 : ~ vainqueur 우승자.

finalité [finalite] *f.* 궁극성; 종극(終極) 목적.

finance** [finɑ̃:s] *f.* ① 《옛》 금전; 현금. ② 재정, 재무; 재계(財界), 금융계 : s'occuper de ~; être dans la ~ 금융계에 종사하다 / termes de ~ 재정 용어. ③ 《집합적》 재정가, 재계인, 자본가 : haute ~ 자본가, 은행가. ④ (*pl.*) 국가 재정; (*F~*) 재무부 : *~s* publiques 공공 재정 / gestion des *~s* 재무 관리. ⑤ 《구어》 개인의 재정 상태 : Ses *~s* vont mal. 그는 재정 상태가 좋지 않다. ***être court de ~ 《구어》 현금이 부족하다. ***être mal dans ses ~s*** 돈이 궁색하다. ***faire*** qc ***moyennant ~*** 《구어》 돈을 써서 …하다. ***homme de ~*** 재정가, 재계인. ***loi des ~s*** (의회에 제출하는) 세출 예산안. ***Ministère des ~s*** 재무부. ***moyennant ~*** 돈으로, 돈을 가지고; 돈을 받으면〔지불하면〕.

financement [finɑ̃smɑ̃] *m.* 출자, 융자.

***financer** [finɑ̃se] *v.t.* [2] …에 돈을 내다〔대다〕, 출자하다, 재정적으로 뒷받침하다; (국왕에게) 돈을 바치다; 돈으로 지불하다 : ~ une société en commandite 합자회사에 출자하다. ── *v.i.* 돈을 내〔치르〕다.

***financier, ère** [finɑ̃sje, -ɛ:ʀ] *adj.* 재정(상)의, 금융의 : année *~ère* 회계 연도 / crise *~ère* 재정의 위기 / politique *~ère* 재정정책 / marché ~ 금융 시장. ── *m.* ① 〖프랑스사〗 징세관. ② 금융업자; 재정가.

financièrement [finɑ̃sjɛʀmɑ̃] *adv.* ① 재정상, 재정적으로. ② 《구어》 물질적으로; 금전적으로 : *F~*, la situation est bonne. 금전적으로는 양호하다.

finasser [finase] *v.i.* 간책(奸策)을 쓰다; 간계를〔술책을〕 쓰다.

finasserie [finasʀi] *f.* 간책, 꾀, 농간 : user de ~ 꾀부리다.

finasseur, euse [finasœ:ʀ, -ø:z], **finassier, ère** [finasje, -ɛ:ʀ] *adj.* et *n.* 《구어》 농간〔꾀〕 부리는 (사람).

finaud, e [fino, -o:d] *adj.* et *n.* 교활한 (사람), 음흉한 (사람).

finauderie [finodʀi] *f.* 교활한 술책.

fine² [fin] *f.* 고급 브랜디(= ~ Champagne) :

une verre de ~ 한 잔의 브랜디.

finement [finmɑ̃] *adv.* ① 섬세하게 ; 정교하게 : objet ~ ouvragé 정교하게 만들어진 물건. ② 교묘하게 ; 미묘하게 ; 예민하게 ; 교활하게 : conclusion ~ amenée 교묘하게 이끌어낸 결론.

finesse [finɛs] *f.* ① 가냘픔 ; 날씬함 ; 고움, 얇음 ; 날카로움 : ~ d'une poudre 분말의 미세함 / ~ de la taille 몸매의 날씬함. ② 섬세함, 세밀함 ; 정묘함, 예민함 ; 미묘함, 민감함 ; 통찰력(= clairvoyance) : ~ d'un ouvrage 세공의 정교함 / ~ de l'ouïe〔du goût〕 청각〔미각〕의 예민함 / ~ d'esprit 두뇌의 명민함. ③ 교묘 ; 교활 ; 술책, 간책. ***chercher*** 〔***entendre***〕 ***~ à*** qc …을 곡해하다, 억지로 은밀한 뜻으로 해석하다. ***faire ~ de*** qc …을 숨기다.

fini, e** [fini] *adj.* ① 끝난, 끝장난. ② 국한된, 유한(有限)의(= limité) : L'homme est un être ~. 인간은 유일한 존재이다. ③ 더(할 나위) 없는, 완전한 ; 공들인 ; 완성된 : produits ~*s* 완제품 / vêtement bien ~ 끝손질이 잘된 옷. ④ (사람이) 볼장 다 본, 평판이 나쁜 : coquin ~ 볼장 다 본 무뢰한. ***C'en est ~ de (la guerre). (전쟁)은 끝났다. ***C'est ~ ; Tout est ~ ; C'est ~ tout ça.*** 이젠 끝장이다. ***C'est ~ de rire.*** 이제 그만 저만 웃지, 웃을 일이 아니다. ***C'est ~ entre nous.*** 우리의 관계는 이제 끝장이다. ***C'est ~ et bien ~.*** 완전히 끝났다. ***Il est ~ ; C'est un homme ~.*** 《구어》 끝장난 사람이다. ── *m.* ① 완성 ; 완성미 : donner du ~ à qc …을 마지막 손질하다, 완성시키다. ② 유한(有限).

‡finir [fini:ʀ] *v.t.* ① 끝내다(= terminer), 마치다, 완성시키다 : ~ une dissertation 토론을 끝내다 / ~ une pièce 작품을 완성시키다 / 《~ de+*inf.*》 *Finissez de* faire votre travail. 일하는 것을 끝마치시오 / 《목적보어 없이》 Il *a* presque *fini.* 그는 거의 끝내 간다. ② 그치다(= cesser), 그만두다 : *finissez* ces bavardages! 수다 좀 그만 떨어! / 《~ de+*inf.*》 La pluie ne *finit* pas *de* tomber. 비가 그치지 않는다. ③ (음식을) 다 먹어〔마셔〕 버리다 ; 《구어》 끝까지 사용하다 : ~ son pain 빵을 다 먹다 / ~ son verre 잔을 비우다 / Il portera ses chaussures pour les ~. 그는 신발이 해질 때까지 신을 것이다. ***~ de***+*inf.* …하기를 끝내다〔그치다〕.
── *v.i.* ① 일을 끝내다 : *Finissez* donc! ; Voulez-vous ~? 그만저만 해두시지. ② (기한이) 끝나다, 만기가 되다 : Le spectacle *finira* vers minuit. 공연은 자정 무렵에 끝날 것이다 / bail qui *finit* l'année prochaine 내년에 만기가 되는 임대 계약. ③ 죽다(= mourir) : ~ dans un accident 사고로 죽다. ④ 《bien, mal과 함께》 결말이 …하게 되다 : films qui *finissent bien* 결말이 해복한 영화 / Ce garçon *finira mal.* 이 소년은 싹수가 노랗다. ⑤ 끝나다, 멈추다 : 《~ en 〔par〕 qc》 rue *finissant en* cul-de-sac 막다른 골목으로 끝나는 길 / Tout *finit par* des chansons. 모든 것이 노래로 결말이 난다. ***à n'en plus ~*** (이야기 등이) 끝없이, 한없이 ; 《속어》 싫증이 나리만큼 : histoires *à n'en plus* ~ 끝없이 계속되는 이야기. ***en ~*** 끝나다, 끝장나다 ; 결말나다. ***en ~ avec*** 해결하다 ; 손을 끊다. ***~ par***+*inf.* 마침내 …하다. ***~ par*** qc 〔+*inf.*〕 …으로 끝나다 ; 마침내 …하다. ***n'en pas ~*** 한없이 계속되다 : Il *n'en finit pas* de raconter ses aventures. 그는 한도 끝도 없이 자기 모험담을 계속한다. ***pour en ~*** 결국, 요컨대. ***pour ~*** 끝으로. ***Tout est bien qui finit bien.*** 끝이 좋으면 모든 것이 좋다.
── **se ~** *v.pr.* ① 끝나다 ; 완성되다. ② 《구어》 제 손으로 옷을 입다.

finish [finiʃ] 〔영〕 *m.* ① (경기의) 종료 : match au ~ (어느 편이든 포기하기까지 계속하는) 회수 무제한 권투 경기. ② 라스트 스퍼트 ; 마지막 피치.

finissage [finisa:ʒ] *m.* 마지막 손질, 마감질, 마무리.

finissant, e [finisɑ̃, -ɑ̃:t] *adj.* 끝의, 끝나가는.

finisseur, euse [finisœ:ʀ, -ø:z] *adj.* 마지막 손질〔마무리〕의. ── *n.* ① 마무리 직공. ② 〖스포츠〗 라스트 스퍼트가 좋은 선수.

finition [finisjɔ̃] *f.* ① 마무리, 마감질. ② 《구어》 끝, 결말.

***finlandais, e** [fɛ̃lɑ̃dɛ, -ɛ:z] *adj.* 핀란드(*la Finlande*)의. ── **F~** *n.* 핀란드 사람.
── *m.* 핀란드어.

finnois, e [finwa, -a:z] *adj.* 러시아 서북단(특히 핀란드) 지방의. ── *m.* 핀란드어(語).

fiole [fjɔl] *f.* ① (약 따위를 넣는) 작은 유리병(= flacon) ; 플라스크. ② 《구어》 머리, 얼굴(= tête). ***avoir soupé de la ~ de*** qn …에게 몹시 시달리다.

fiord [fjɔ:ʀ] *m.* 〖지질〗 협만(峽灣) ; 피오르드(= fjord).

fioriture [fjɔʀity:ʀ] *f.* (흔히 *pl.*) ① 장식(= ornement) : ~*s* d'un dessin 도안의 장식. ② (문체 따위의) 수식. ③ 〖음악〗 장식음.

-fique *suff.* 「만드는, 하는」의 뜻.

firmament [fiʀmamɑ̃] *m.* 창공, 하늘 : astres du ~ 창공의 별들 / sous le ~ 이 세상에서.

firme [fiʀm] *f.* 상사(商社), 회사 ; 사명(社名), 상호.

***fisc** [fisk] *m.* 국고 ; 세무(稅務) ; 세무 관청, 국세청 ; 세무서 : frauder le ~ 탈세하다.

***fiscal, e, aux** [fiskal, -o] *adj.* 국고의 ; 세무의 ; 징세의 : timbre ~ 수입 인지 / droits ~*aux* 국세.

fiscaliste [fiskalist] *n.* 세무 전문가, 세무사.

fiscalité [fiskalite] *f.* ① 세제(稅制), 세법 ; 세무 제도 : réforme de la ~ 세제 개혁. ② 징세, 과세. ~ écrasante 중세(重稅).

FISE 《약자》 Fonds des Nations unies pour l'enfance 국제 연합 아동 기금《구칭 Fouds international de Secours à l'enfance》(〔영〕 UNICEF).

fissi- *préf.* 「분열·갈라짐」의 뜻.

fissible [fisibl] *adj.* 〖물리〗 (원자핵이) 분열될 수 있는, 핵분열을 일으킬 수 있는.

fissile [fisil] *adj.* ① 〖광물〗 갈라지기 쉬운 ; 박리하기 쉬운 : schiste ~ 박리성 편암. ② 〖물리〗 핵분열성의(= fissible) : corps ~ 핵분열체 / matière ~ 핵분열성 물질.

fission [fisjɔ̃] *f.* 〔물리〕 (원자의) 핵분열.

fissure [fisy:ʀ] *f.* ① (터진·갈라진) 틈, 균열 ; 간극 : ~ d'un mur 벽의 균열 / Il y a une ～ dans leur amitié. 그들 사이의 우정에 금이 갔다. ② 결함(= lacune, faille) : ～ dans un raisonnement 추론의 결함.

fissurer [fisyʀe] *v.t.* 균열이 생기게 하다, 터지게〔갈라지게〕 하다 : L'événement *fissurait* l'Europe en deux blocs. 그 사건이 유럽을 두 진영으로 갈라놓았다. ── **se** ～ *v.pr.* 터지다, 균열이 생기다 : La roche *s'est fissurée.* 바위에 금이 갔다.

fiston [fistɔ̃] *m.* ① 《구어》 아들(= fils). ② 얘야《소년에 대한 부름말》.

fistule [fistyl] *f.* 〖의학〗 누관(瘻管), 누공 ; 치루(痔瘻) : ～ anale 치루.

F.I.V. 《약자》 Fécondation in Vitro 시험관 수정, 인공 수정.

fivète [fivɛt] *f.* 인공 수정법, 시험관 수정법 : questions de bioéthique liées à la ～ 인공 수정과 관련된 생체 윤리학적 문제들.

fixage [fiksaːʒ] *m.* 고정 ; 〖사진〗 정착.

fixateur, trice [fiksatœːʀ, -tʀis] *m.* ① 정착액 분무기. ② 〖사진〗 정착액.

fixatif, ive [fiksatif, -iːv] *adj.* ① 고정시키기 위한 ; 퇴색 방지용의. ② 〖사진〗 고정용〔정착용〕의. ── *m.* 정착액〔제〕, 고정액.

fixation [fiksɑsjɔ̃] *f.* ① (날짜 따위의) 결정 ; 고정 ; 정착 : ～ d'une heure de rendez-vous 약속 시간의 결정 / ～ à vis 나사못으로 고정하기. ② 〖정신분석〗 병적 애착.

fixe** [fiks] *adj.* ① 고정된, 움직이지 않는(= immobile) : châssis ～ d'une fenêtre 창문의 고정틀. ② (상태가) 변하지 않는, 불변의, 안정된(= stable), 늘 지속하는 : couleur ～ 변하지 않는 색. ③ 일정한, 정해진(= déterminé) : à date ～ 정해진 기한 / manger à heure ～ 일정한 시간에 먹다. ***à prix ～ 정가로. ≪***Arrêt*** ～≫ 제차 정지. ***avoir le regard*** ～ 뚫어지게 보다, 응시하다. ***beau*** ～ 〖기상〗 계속될 좋은 날씨. ***étoile*** ～ 항성(恒星). ***idée*** ～ 고착 관념. ── *m.* 고정급. ── *interj.* ***F～ !*** 〖군사〗 주목 !

fixé, e [fikse] *adj.* 고정된 ; 결정된, 정해진, 일정한 ; 《～ sur》 …에 관하여 결심이 선 ; 마음이 작정된 : avoir les yeux ～*s sur* …을 뚫어지게 보다 / Je suis ～ *sur* son compte 〔*sur* lui〕. 나는 그를 어떻게 할 것인가에 대한 결심이 서 있다. ***ne pas être*** ～ 《구어》 마음이 결정되지 않다 ; 괴짜이다.

fixement [fiksmɑ̃] *adv.* 물끄러미, 뚫어지게 : ragarder ～ 물끄러미 바라보다.

fixer** [fikse] *v.t.* ① 고정〔고착〕시키다, 설치하다 : ～ les volets avec des crochets 쪽문을 걸쇠로 고정시키다 / ～ qc au mur …을 벽에 부착하다. ② 정착시키다, 머무르게 하다 : Il *a fixé* son domicile à Paris. 그는 파리에 거처를 정했다. ③ 정하다, 결정하다 ; 결정짓다(= définir, déterminer) : ～ une règle 규칙을 정하다/～ un rendez-vous 〔une date〕 약속〔시일〕을 정하다 / ～ un prix 가격을 정하다. ④ 《～ (du regard)》 《구어》 물끄러미 바라보다, 응시하다(= regarder fixement) : ～ l'horizon 수평선을 응시 하다 / ～ qn dans les yeux …의 눈을 뚫어지게 바라보다. ⑤ (시선·주의 따위를) 집중시키다, 쏟다 ; (남의 시선·주의 따위를) 끌다 : ～ son attention sur qc …에 주의를 집중하다. ⑥ …의 마음을 작정시키다, 결심시키다. ⑦ 〖사진〗 정착시키다 ; (그림에) 정착제를 뿌리다 ; 〖직물〗 염착(染着)시키다. ～ qc ***dans sa mémoire 〔***son esprit***〕 …을 기억〔마음〕에 간직해〔새겨〕 두다. ～ qn ***sur*** qc …에게 …을 정확하게 알리다 : Je l'*ai fixé sur* vos intentions à son égard. 나는 당신 의도를 그에게 정확히 알려 주었다. ── **se** ～ *v.pr.* ① 거처를 정하다. ② 고정〔고착〕되다 ; 결정되다 : Ce souvenir *s'est fixé* en moi. 그 추억은 내 마음속에 새겨졌다. ③ ⓐ 《se ～ à》 …으로 작정하다. ⓑ 《보어 없이》 마음을 정하다, 결심하다, 고집하다 : Sur quoi *vous fixez*-vous ? 어떻게 결심했습니까 ? / Mon choix *s'est fixé* sur lui. 나는 그를 선택하기로 했다. ④ 가정을 가지다, 결혼하다.

fixisme [fiksism] *m.* ① 〖생물〗 생물 고정론, 비(非)진화론. ② 〖지리〗 대륙 고정설.

fixité [fiksite] *f.* ① 부동, 고정, 불변 : ～ des yeux 〔du regard〕 응시. ② 《문어》 불변성 : doctrine de la ～ des espèces 종의 불변성 이론. ***avoir de la*** ～ ***dans ses idées*** 확고한 생각을 가지다.

fjord [fjɔːʀ] *m.* = fiord.

flac [flak] *interj.* 찰싹. ── *m.* 철썩〔풍덩〕하는 소리 : faire ～ (물로) 풍덩 떨어지다.

***flacon** [flakɔ̃] *m.* ① 작은 병 ; 플라스크 : ～ de laboratoire 실험용 플라스크 / ～ de parfum 향수병. ② 한 병의 분량 : boire un ～ de vin 포도주 한 병을 마시다.

fla(-)fla [flafla] *m.* 《복수불변》 자랑삼아 보이기, 겉치레, 멋. ***faire du*** ～ 멋을 내다.

flagellation [flaʒɛ(l)lɑsjɔ̃] *f.* 태형(笞刑) ; 채찍질 : supplice de la ～ 태형.

flageller [flaʒe〔ɛl〕le] *v.t.* ① 태형을 가하다 ; 채찍으로 때리다(= fouetter). ② 야유하다.

flageolant, e [flaʒɔlɑ̃, -ɑ̃ːt] *adj.* (앓다가 일어난 사람 따위가) 휘청거리는.

flageoler [flaʒɔle] *v.i.* (다리가) 떨리다 ; 휘청거리다 : Cet enfant *flageole* sur ses jambes. 이 아이는 다리가 휘청거린다.

flageolet[1] [flaʒɔlɛ] *m.* 〖음악〗 플라졸렛 ; 플라졸렛 음전(音栓).

flageolet[2] *m.* 〖요리〗 강낭콩의 일종.

flagorner [flagɔʀne] *v.t.* …에게 아첨하다 (= flatter).

flagornerie [flagɔʀnəʀi] *f.* 아첨 ; 추종.

flagorneur, euse [flagɔʀnœːʀ, -øːz] *n.* 아첨꾼 ; 추종자.

***flagrant, e** [flagʀɑ̃, -ɑ̃ːt] *adj.* 〖법률〗 현장에서의, 현행의 ; 명백한(= évident, incontestable) ; 목전의 : ～ délit 현행범 / Le fait est ～. 그 사실은 명백하다.

flair [flɛːʀ] *m.* ① (개의) 후각. ② 직감, 눈치, 감식력. ***avoir du*** ～ (개가) 냄새를 잘 맡다 ; 직감이〔눈치가〕 빠르다.

flairer [flɛ〔e〕ʀe] *v.t.* ① (동물이) (…의) 냄새를 맡다, 냄새로 분간하다 : ～ le gibier 사냥감을 찾아내다. ② (사람이) 킁킁거리며 냄새를 맡다(= renifler). ③ 《비유》 직감적으로 알다, 눈치 채다(= deviner) : ～ le mensonge 거짓말을 눈치 채다 / ～ une ruse 간계를 눈치 채다 / ～ le vent 《비유》 사태의 추이를 감지하다.

flamand, e [flamɑ̃, -ɑ̃:d] *adj.* 플랑드르(*la Flandre*)의. ── **F~** *n.* 플랑드르 사람. ── *m.* 플랑드르어.

flamant [flamɑ̃] *m.* 〖조류〗 홍학.

flambage [flɑ̃ba:ʒ] *m.* 슬쩍 굽기 ; (불에) 그슬리기 ; (보풀을) 태우기 ; 〖외과〗 화염 소독.

flambant, e [flɑ̃bɑ̃, -ɑ̃:t] *adj.* ① 타오르는 : bûche *~e* 활활 타오르는 장작. ② 《구어》 번쩍번쩍하는, 으리으리한, 근사한(= beau, superbe). *~ **neuf*** 〔***neuve***〕 아주 새로운.

flambard〔t〕 [flɑ̃ba:ʀ] *m.* ① 《구어》 허풍선이. ② 타다 남은 석탄.

flambé, e[1] [flɑ̃be] *adj.* ① 불에 그슬린 : aiguille *~e* 불에 소독한 바늘. ② 《구어》 잃은, 파산한, 몰락한(= ruiné, perdu) : Cette affaire est *~e.* 일은 결딴났다. ③ 〖요리〗 (오믈렛 · 과일 등에) 럼주나 알코올을 부어 불에 태운 : bananes *~es* 바나나 플랑베.

flambeau [flɑ̃bo] *m.* (*pl.* *~**x***) ① 횃불(= torche). ② 촛대(= candélabre, chandelier). ③ 빛, 광명 ; (사랑 · 생명의) 불꽃. ④ (전쟁 · 불화 따위의) 불씨. ***à la lueur des ~x ; aux ~x*** 횃불로. ***allumer le ~*** 〔***les ~x***〕 ***de l'hymen*** 결혼식을 올리다. ***~ de la nuit*** 달. ***le ~ du jour*** 《시어》 태양. ***les ~x de la nuit ; les célestes ~x*** 별.

flambée[2] [flɑ̃be] *f.* ① 확 타오르는 불, 모닥불. ② (감정 따위의) 폭발 : ~ de colère 분노의 폭발. ③ 〖경제〗 (가격 따위의) 급등 : ~ des cours de l'or 금시세의 급등. ***ne faire qu'une ~*** 오래 지속하지 않다.

flamber [flɑ̃be] *v.t.* ① (슬쩍) 굽다, 태우다, 그슬리다 : ~ une volaille 닭을 불에 그슬리다. ② 망하게 하다 ; (도박에서 남을) 속이다 ; (돈을) 마구 탕진하다. ***être flambé*** 결딴나다, 망하다. ── *v.i.* ① (이글이글) 타다 ; 불길을 내뿜다 ; 불길처럼 작열하다(= flamboyer) : bois sec qui *flambe* 타오르는 마른 장작. ② 《~ pour qn》 사랑에 불타다(= brûler). ③ (도박에서) 큰돈을 걸다 ; 야바위치다.

flambeur [flɑ̃bœ:ʀ] *m.* 《속어》 (노름의) 야바위꾼.

flamboiement [flɑ̃bwamɑ̃] *m.* 타오르는 불길 : ~ du soleil 이글이글 타오르는 태양.

flamboyant, e [flɑ̃bwajɑ̃, -ɑ̃:t] *adj.* ① 타오르는 ; 타는 듯한 ; 번쩍거리는 : d'un rouge ~ 타는 듯이 붉은 / regard ~ 타는 듯한 시선. ② 화려한. ③ 〖건축〗 플랑부아양 양식의, 불꽃식의. ***titres ~s*** (신문의) 제 1면 톱 좌단에서 우단에 걸친 제목. ── *m.* ① 〖건축〗 플랑부아양 양식. ② 〖식물〗 화염목(火焰木)《동서 인도산의 콩과 식물》.

flamboyer [flɑ̃bwaje] 7 *v.i.* 타오르다 ; (불길처럼) 번득〔번쩍〕이다 : bûches qui *flamboient* 활활 타는 장작.

flamenco [flamɛ̃ko] 〔에스파냐〕 *m.* 플라멩코《안달루시아의 민속 음악》. ── *adj.* 플라멩코의 : chants *~s* 플라멩코 노래.

flamingant, e [flamɛ̃gɑ̃, -ɑ̃:t] *adj.* et *n.* 플랑드르(*la Flandre*)말을 하는 (사람).

flamme** [fla〔ɑ:〕m] *f.* ① 불꽃, 불길 ; (*pl.*) 화세, 불 : ~ du gaz 가스 불꽃 / régler la ~ d'une lampe 램프의 불꽃을 조절하다 / maison tout(e) en *~s* 화염에 싸인 집. ② 〖해양〗 (함선의) 긴 기, 삼각기 ; 〖해군〗 신호기(旗) : ~ de lance 창기(槍旗). ③ 정열(= ardeur) ; 사랑 : déclarer sa ~ 사랑을 고백하다. ④ (편지의) 소인(消印). ***descendre en ~s (비행기를) 격추시키다 ; 《구어》 가차없이 공격〔비난〕하다.

flammé, e [flɑ〔a〕me] *adj.* 불꽃 모양의 ; 불꽃 무늬의.

flammèche [flamɛʃ] *f.* 불티, 불꽃.

flan[1] [flɑ̃] *m.* ① 〖요리〗 플랑《과자의 일종》; 향료를 친 크림 과자. ② (화폐용 · 메달용의) 지금(地金). ***en être*** 〔***rester***〕 ***comme deux ronds de ~*** 대경실색하다, 놀라서 말문이 막히다.

flan[2] [flɑ̃] *m.* 《구어》 엉터리, 허풍, 거짓말 : C'est du ~. 엉터리야, 거짓말이야. ***à la ~*** 아무렇게나 : travail *à la ~* 아무렇게나 한 일 ***au ~*** 되는대로, 아무렇게나 : dire qc *au ~* 입에서 나오는 대로 …을 말하다.

flanc [flɑ̃] *m.* ① 허리, 옆구리 : J'ai mal au ~ droit. 나는 오른쪽 옆구리가 아프다. ② 측면 ; 산허리 : ~ d'un navire 배의 측면, 뱃전. ***à ~ de*** …의 사면에 (있는). ***de ~*** 측면의 ; 측면에, 측면에서부터 : attaque *de ~* 측면 공격. ***être sur le ~*** 병상에 누워 있다 ; 기진맥진하다. ***prêter le ~ à*** qn …에게 허점을 보이다, 비난거리를 주다 : *prêter le ~ à* la critique 비평의 대상이 되다. ***se battre les ~s*** (동물이) 꼬리로 배를 치다 ; 《구어》 헛수고를 하다. ***se coucher sur le ~*** 모로 눕다. ***tirer au ~*** 《구어》 꾀병을 부리다 ; 게으름 피우다.

***flancher** [flɑ̃ʃe] *v.i.* (자동차 · 기차가) 고장을 일으키다 ; (심장이) 갑자기 멎어 버리다 ; (사기가) 꺾이다 ; 주춤하다, 머뭇거리다 : avoir la mémoire qui *flanche* 기억력이 약해지다 / ~ au dernier moment 마지막 순간에 주춤하다 / Le cœur du malade *a flanché* brusquement. 환자의 심장이 갑자기 멎었다.

flandrin [flɑ̃dʀɛ̃] *m.* 《구어》 키다리.

flanelle [flanɛl] *f.* 플란넬《직물》; 플란넬의 내복. ***avoir les jambes en ~*** 다리에 힘이 빠지다. ***faire ~*** (사지 않고) 값만 묻다 ; 빈들거리다.

flâner [flɑne] *v.i.* ① (한가로이) 거닐다 ; 산책하다(= se balader) : ~ sur les boulevards 거리를 한가로이 거닐다. ② 빈둥거리다 : travailler sans ~ 빈둥거리지 않고 일하다.

flânerie [flɑnʀi] *f.* 한가로이 거닐기 : 만보(漫步), 소요(逍遙), 산책 ; 빈둥거림.

flâneur, euse [flɑnœʀ, -ø:z] *n.* (한가롭게) 거니는 사람 ; 빈둥거리는 사람. ── *adj.* 빈둥거리는.

flanquer[1] [flɑ̃ke] *v.t.* ① 〖축성〗 …의 측면을 방어〔지원〕하다 ; 〖건축〗 옆에 잇대어 세우다 : ~ sa maison d'un garage 옆에 차고를 두다. ② …옆에 있다〔두다〕 ; …옆에 동반하다(= accompagner) : jeune fille *flanquée* de sa mère 어머니가 늘 따라다니는 처녀 / Quatre plats *flanquaient* ce pâté. 그 파이 옆에는 네 개의 접시가 놓여 있었다. ***être flanqué de*** 옆에 …을 동반하고 있다.

***flanquer[2]** *v.t.* 《구어》 ① (따귀 따위를) 때리다, (주먹을) 먹이다(= appliquer, donner) ; 내던지다(= jeter, lancer) ; 내쫓다 : ~ un

F

employé à la porte 직원을 해고하다 / ~ sa robe dans l'armoire 옷을 장롱 속에 팽개쳐 두다. ② 주다 : ~ la frousse à qn …에게 겁을 주다. ***~ la paix à*** qn …을 편안히 있게 해주다. ***~ un coup de pied à*** qn …을 걷어차다. ***~ un soufflet à*** qn …의 따귀를 때리다. —— **se ~** *v.pr.* ① 몸을 내던지다 : *se ~* par terre 털썩 넘어지다. ② 자기에게 주다. ③ 서로 치고받고 하다. ***se ~ une culotte*** 곤드레만드레 취하다.

flapi, e [flapi] *adj.* 《구어》 기진맥진한 ; 지친 : Nous sommes ~s. 우리는 지쳐 버렸다.

flaque [flak] *f.* 물구덩이, 웅덩이(= petite mare) : chemin couvert de ~s d'eau 물구덩이 투성이인 길.

flash [flaʃ] *m.* (*pl.* **~es**) ① 〖사진〗 플래시 ; 섬광(閃光) : prendre un photo au ~ 플래시를 터트려 사진을 찍다. ② 〖영화〗 플래시 《순간적 장면》. ③ 〖신문·방송〗 짧은 급보(急報)〔속보〕 : ~ d'information 스폿 뉴스.

flash-back [flaʃbak] 〔영〕 *m.* 〖영화〗 플래시백《장면이 과거의 회상으로 뒤바뀜》.

flasque[1] [flask] *adj.* 물렁물렁한 ; 무른(= mou) : chair ~ 물렁물렁한 살.

flasque[2] *f.* 납작한 작은 병.

flatté, e [flate] *adj.* portrait ~ 실물보다 낫게 그려진 초상화.

flatter** [flate] *v.t.* ① 쓰다듬다, 어루만지다(= caresser) : ~ un chien 개를 쓰다듬다. ② 아첨하다 ; …의 비위를 맞추다, 발라맞추다(= flagorner) : ~ qn bassement …에게 비굴하게 아첨하다 / Vous me *flattez.* 과찬의 말씀이십니다. ③ 기분좋게〔즐겁게·기쁘게〕 하다, 흐뭇하게 하다(= courtiser, charmer) : douce musique qui *flatte* l'oreille 듣기 좋은 감미로운 음악. ④ 《~ qn de》 헛된 …을 품게 하다, …으로 …을 속이다(= bercer, leurrer) : ~ qn d'une fausse espérance …에게 헛된 기대를 가지게 하다. ⑤ 《~ qc》 (자존심 따위를) 만족시켜 주다 ; (괴벽 따위에) 영합하다(= encourager) : Cela *flatte* son amour-propre. 그것은 그의 자존심을 만족시킨다 / ~ les préjugés publics 세상의 편견에 영합하다. ⑥ (초상화·모자 따위가 인물을) 아름다워 보이게 하다(= embellir, avantager), 미화하다 : Cette coiffure la *flatte.* 그녀는 머리를 그렇게 하니 더 예뻐 보인다. ***Je suis flatté(e). (칭찬을 받으니) 송구스럽습니다. —— **se ~** *v.pr.* ① 자만하다, 우쭐해 하다, 《se ~ de qc 〔+*inf.*〕》 …을〔하는 것을〕 자만하다, 우쭐해 하다 : *se ~ de* ses vices 자기의 악덕을 (책하지 않고) 미화하다. ② ⓐ 《se ~ de qc》 …의 환상을 품다 : *se ~ d'*un espoir insensé 터없는 희망을 품다. ⓑ 《se ~ de+*inf.*》 …하리라고 (헛되이) 희망을 품다〔은근히 기대하다〕 : Elle *se flattait de* réussir. 그녀는 성공하리라고 믿고 있었다.

flatterie [flatʀi] *f.* 아첨 ; 추종, 영합.

flatteur, euse [flatœːʀ, øːz] *adj.* ① 아첨하는 : courtisans ~s 아첨하는 신하들. ② 흡족하게 해 주는, 듣기 좋은, 기분 좋은, 즐거운. ③ 아름답게 꾸미는 ; 미화하는 : faire un tableau ~ de la situation 상황을 실제보다 좋게 묘사하다. —— *n.* 아첨꾼.

flatulence [flatylɑ̃ːs] *f.* 〖의학〗 위장에 가스가 괴기 ; 복부 팽만증.

fléau [fleo] *m.* (*pl.* ***~x***) ① 도리깨 : battre le blé au 〔avec le〕 ~ 일을 도리깨질하다. ② 저울대 ; (문의) 빗장. ③ 재난, 재앙, 재해(= calamité) ; 귀찮은 사람〔것〕 : ~ de la guerre 전쟁의 참화 / ~*x* de la nature 천재지변.

fléchage [fleʃaːʒ] *m.* (방향을) 화살표로 가리키기.

flèche** [flɛʃ] *f.* ① 화살 ; 화살표 : lancer des ~s avec un arc 활로 화살을 쏘다 / ~s de l'Amour 〔de Cupidon〕 사랑〔큐피트〕의 화살. ② 화살 모양의 것 ; 〖해양〗 돛대의 상부 ; (교회의) 뾰족탑, 종루(鐘樓). ③ 신랄한 말, 독설, 비꼼 : ~ du Parthe 《문어》 (싸움 끝에 하는) 두고 보자는 공갈. ***en ~ ⓐ 전위적인, 선구적인 : se trouver *en ~* (운동이나 단체의) 선두〔전위〕에 서다. ⓑ 급격히, 급속도로, 전속력으로 : prix de bourse qui montent *en ~* 급등하는 주가. ***faire ~*** 명중시키다 ; 목적을 달성하다, 성과를 얻다. ***faire ~ de tout bois*** 갖은 수단 방법을 이용하다. ***ne savoir plus de quel bois faire ~*** 이젠 어찌할 도리가 없다.

flécher [fleʃe] *v.t.* (방향을) 화살표로 가리키다 ; (길 따위에) 화살표〔방향 표지〕를 세우다 : ~ un itinéraire 길을 화살표로 가리키다.

fléchette [fleʃɛt] *f.* 작은 화살.

***fléchir** [fleʃiːʀ] *v.t.* ① 굽히다, 휘다(= courber, ployer) : ~ les bras 〔jambes〕 팔을〔다리를〕 굽히다 / ~ le genou devant qn …앞에 무릎을 꿇다 ; …을 예찬〔숭배〕하다. ② (노기 따위를) 누그러뜨리다 : ~ la colère de qn …의 분노를 누그러뜨리다. ③ 《~ qn》 …의 마음을 누그러뜨리다, 감동시키다, …의 동정을 얻다. —— *v.i.* ① 구부러지다, 휘다 : Le vent fait ~ les arbres. 바람이 나무를 휘게 한다. ② 약해지다(= faiblir). ③ 누그러지다 : Il *a fléchi* devant les supplications de sa femme. 그의 기분은 아내의 간청으로 누그러졌다. ④ 굴복하다(= céder) : faire ~ le courage de qn …의 용기를 꺾다. ⑤ (물가 따위가) 하락하다(= baisser), 수가 줄다 : Les cours de la Bourse *fléchissent.* 주식 시세가 내려간다.

fléchissement [fleʃismɑ̃] *m.* ① 굽힘 ; 구부러지기, 굴곡 : ~ du genou 무릎 꿇기. ② 쇠약, 약화, 저하 : ~ de la volonté 의지의 약화. ③ (물가의) 하락 : ~ des course en Bourse 주가의 하락.

fléchisseur [fleʃisœːʀ] *adj. m.* et *m.* 〖해부〗 (muscle) ~ 굴근(屈筋).

flegmatique [flɛgmatik] *adj.* ① 점액질(質)의. ② 냉정한, 침착한 : réponse ~ 침착한 대답 / tempérament ~ 냉정한 성격.

flegmatiquement [flɛgmatikmɑ̃] *adj.* 침착하게, 냉정하게.

flegme [flɛgm] *m.* ① 〖의학〗 점액(粘液). ② 냉담, 냉정, 침착, 태연스러움 : avoir un ground ~ 매우 침착하다.

flémarder [flemaʀde], **flemmarder** [flɛmaʀde] *v.i.* 게으름부리다, 빈둥거리다.

flemme [flɛm] *f.* 《구어》 게으름, 빈둥거림, 나태(= paresse). ***avoir la ~, battre la 〔sa〕 ~, cultiver la 〔sa〕 ~, tirer sa ~***

게으름 부리다, 빈둥거리다. ***avoir la ~ de*** +*inf.* …따위는 하고 싶지 않다. 「넙치류.

flétan [fletɑ̃] *m.* 〖어류〗 북양산(北洋産)의 큰

flétri, e [fletʀi] *adj.* 시든, 퇴색한 : fleur ~*e* 시든 꽃 / peau ~*e* 윤기 잃은 피부.

flétrir[1] [fletʀiːʀ] *v.t.* ① 시들게 하다, 이울게 하다(= faner) : Le vent [La chaleur] *a flétri* ces fleurs. 바람이 불어[무더워서] 이 꽃들이 시들었다. ② 생기를[싱싱함을] 잃게 하다, 퇴색시키다(= altérer, décolorer) : Les chagrins *ont flétri* sa jeunesse. 슬픔으로 그의 젊음이 퇴색했다. ③ 보잘것없게[추하게] 만들다(= avilir, enlaidir, corrompre). — **se** ~ *v.pr.* ① 시들다, 이울다 : La beauté de cette femme *s'est* lentement *flétrie.* 그 여자의 아름다움은 서서히 시들어 갔다. ② 생기를[싱싱함을] 잃다, 퇴색하다.

flétrir[2] *v.t.* ① …에게 낙인을 찍다. ② 굴욕적인 형벌에 처하다 ; 비난[규탄]하다(= condamner, blâmer) ; (명성 따위를) 떨어뜨리다(= stigmatiser) ; (명예를) 훼손하다(= déshonorer) : ~ la réputation [le nom] de qn …의 명성[이름]을 실추시키다 / ~ l'injustice 부정을 규탄하다.

flétrissure[1] [fletʀisyːʀ] *f.* ① 낙인. ② 《문어》 모욕, 불명예, 굴욕 ; 오점.

flétrissure[2] *f.* 시듦 ; 퇴색 ; 쇠퇴.

⁑**fleur**[1] [flœːʀ] *f.* ① 꽃 ; 꽃 모양의 장식[그림] : bouquet de ~*s* 꽃다발 / étoffe à ~*s* 꽃무늬 있는 옷감 / ~ artificielle 조화(造花). ② 꽃다운 빛[혈색] ; 정화, 정수(= essence) ; 가장 좋은 부분[것] : ~ du teint 얼굴 화색 / ~ des arts 예술의 정수 / ~ de farine 최상품 밀가루. ③ 한창때 ; 맏물 ; 젊은이 ; 처녀성 : perdre sa ~ 처녀성을 잃다 / ~ de la jeunesse 젊은 세대의 엘리트 / être dans la ~ de sa jeunesse 젊음이 한창이다. ④ 글의 장식, 꾸밈말 : ~*s* de rhétorique 미사여구. ⑤ (*pl.*) (포도주 · 식초 따위에 나는) 곰팡이. ⑥ 〖기술〗 (무두질한 가죽의) 바깥면, 털이 난 면 : ~ de peau 표피. ***à ~ de*** qc …와 같은 수준[높이]에[의] : *à ~ d'*eau 수면에 나타날 듯 말 듯. ***à la*** [***dans la***] ***~ de*** …의 가장 아름다울 때에, 한창때에 : mourir *à la ~ de* l'âge 꽃 같은 나이에 죽다. ***avoir les nerfs à ~ de peau*** 대단히 예민하다. ***comme une ~*** 《구어》 아주 쉽게 : Il est arrivé premier *comme une ~*. 그는 쉽게 1 등으로 도착했다. ***entrer en ~*** 꽃 피기 시작하다. ***être en ~(s)*** 꽃이 피어 있다. ***être ~*** 《구어》 동전 한 푼 없다, 빈털터리이다. ***être très ~ bleue*** (성품이) 매우 감상적이다, 센티멘털하다. ***faire une ~ à*** qn …에게 호의를[친절을] 베풀다 ; 특전을 주다, 선물하다. ***la ~ au fusil*** 총에 꽃을 꽂고 ; 의기양양하게. ***passer ~*** ⓐ (과수 · 포도 따위가) 개화기를 무사히 넘기다, 결실기에 들다. ⓑ 《비유》 여성이 한창때를 지나다.

fleur[2] *m.* 냄새, 향기.

fleurdelisé, e [flœʀdəlize] *a.* 〖문장〗 백합꽃으로 장식한 : drapeau ~ 프랑스의 왕실기(旗).

fleurer [flœʀe] *v.i.* 《문어》 냄새나다, 향기를 풍기다 : ~ bon 좋은 냄새를 풍기다 / Le vent *fleure* la lavande. 바람에서 라벤더 향기가 난다.

fleuret [flœʀɛ] *m.* 검술용 검(= épée) ; (펜싱의) 플뢰레 경기.

fleurette [flœʀɛt] *f.* ① 작은 꽃. ② (여자에게 하는) 달콤한 말, 사랑의 속삭임. ***conter ~ à*** qn …에게 달콤한 말을 속삭이다.

fleuri, e [flœʀi] *adj.* ① 꽃 핀 ; 꽃으로 장식한 : saison ~*e* 꽃이 피어 있는 계절, 봄. ② (얼굴에) 화색이 도는, 혈색이 좋은, 생기 있는, (문체 따위가) 화려한. ***avoir la boutonnière ~e*** 단춧구멍에 꽃을 꽂고 있다 ; 《구어》 훈장을 자랑해 보이다. ***style ~*** 화려한 문체. ***teint ~*** 홍안(紅顔).

*__fleurir__ [flœʀiːʀ] *v.i.* ① 꽃이 피다 : Au printemps, les arbres *fleurissent.* 봄에는 나무들이 개화한다. ② 번영[번창]하다(= prospérer)《이 뜻으로는 보통 현재분사는 *florissant,* 직설법 반과거는 *florissait*》: À cette époque, les arts *fleurissaient.* 그 시기에 예술이 발전하였다. ③ 《구어》 뾰루지가 생기다, 불그스레해지다 : nez qui *fleurit* 뾰루지가 난[불그스레해진] 코. — *v.t.* ① 꽃으로 장식하다 ; 꽃을 꽂다 : ~ un salon 응접실을 꽃으로 장식하다 / ~ une tombe de chrysanthèmes 묘를 국화꽃으로 장식하다. ② (문장 따위를) 꾸미다 : ~ son langage 말을 꾸미다. — **se** ~ *v.pr.* ① 자기 몸을 꽃으로 장식하다. ② 단춧구멍에 꽃을 꽂다.

*__fleuriste__ [flœʀist] *m.* ① 꽃 가꾸는 사람 ; 꽃장수 : commander une gerbe chez un ~ 꽃집에 꽃다발을 주문하다. ② 조화 제조인[판매인].

fleuron [flœʀɔ̃] *m.* ① 〖식물〗 (복합화의) 작은 꽃. ② 〖건축〗 꽃 장식. ***le plus beau ~*** (***de sa couronne***) 그의 가장 귀중한 것.

*__fleuve__ [flœːv] *m.* ① 큰 강, 대하(大河) ; 강의 신(神) : bords [rives] d'un ~ 강변[강둑] / en amont [aval] du ~ 강의 상류[하류]에. ② 흐름 : ~ de la vie 생애 / ~ d'éloquence 청산유수와 같은 웅변.

flexibilité [flɛksibilite] *f.* 휘기 쉬움, 낭창낭창함(= élasticité, souplesse), 유연성 ; 유순함 : ~ de l'osier 버드나무의 유연함 / ~ d'une langue 언어의 유연성.

flexible [flɛksibl] *adj.* ① 휘기 쉬운, 낭창낭창한 ; 나긋나긋한 : taille ~ 나긋나긋한 허리 / roseau ~ 휘기 쉬운 갈대. ② 유순한 ; 가변적인 : caractère ~ 유순한 성격.

flexion [flɛksjɔ̃] *f.* ① 구부러지기, 굴곡(= fléchissement) ; (근육에 의한 팔다리의) 굴곡 작용. ② (*pl.*) 〖언어〗 굴절, 어미 변화 : langue à ~ 굴절어.

flexionnel, elle [flɛksjɔnɛl] *adj.* 〖언어〗 굴절의, 굴절되는 : langue ~*elle* 굴절어.

flibuster [flibyste] *v.i.* 해적질하다. — *v.t.* 《구어》 훔치다, 소매치기하다(= voler).

flibustier [flibystje] *m.* ① 해적(= pirate). ② 사기꾼, 협잡꾼(= escroc, filou).

flic [flik] *m.* 《구어》 경관, 경찰관(= agent de police) ; 밀정, 탐정 : ~ en civil 형사.

flicflac, flic flac [flikflak] *m.* 철썩철썩《채찍질 소리》

flingue [flɛ̃ːg] *m.* 《속어》 총(= fusil) ; 권총.

flinguer [flɛ̃ge] 《속어》 *v.t.* (권)총으로 쏘다. — **se** ~ *v.pr.* 권총으로 자살하다.

F

flipper¹ [flipœ:ʀ] 〔영〕 *m.* 핀볼 게임 ; 《비유》 당구 : actionner les ~s 핀볼을 하다 / jouer au ~ 당구를 치다.

flipper² [flipe] *v.i.* 《구어》 ① (마약의 약효가 떨어져) 우울해지다. ② 의기소침하다, 낙담하다 ; 불안해 하다 : ~ avant de passer un examen 시험 보기 전에 불안해 하다.

flirt [flœʀt] 〔영〕 *m.* ① 장난삼아 하는 연애, 연애 유희(= amourette) : avoir un ~ avec qn …와 장난삼아 연애하다. ② 이성의 환심을 사려는 언동. ③ 장난삼아 하는 연애의 상대, 연인. ④ (두 회사·정부·사회 따위의) 접근 시도. ── *adj.* 《불변》 = flirteur.

flirter [flœʀte] *v.i.* ① (장난 같은) 연애를 하다 ; 남녀가 희롱거리다, 시시덕거리다 : adolescents qui commencent à ~ 풋사랑을 시작하는 청소년들. ② 《~ avec》 …와 가까워지다, 친해지다 ; …에 접근하다.

floc¹ [flɔk] *m.* (깃발·모자 따위의) 술.

floc² *interj.* 털석, 풍덩.

floche [flɔʃ] *adj.* ① 부드러운 ; (소리 따위가) 흐릿한. ② 보풀이 인. ***soie ~*** 푼사실. ── *f.* 작은 술 장식.

flocon [flɔkɔ̃] *m.* ① (털 따위의) 뭉치 ; 덩이 ; 송이 : ~ de neige 눈송이 / La neige tombe à gros ~s. 솜덩이 같은 눈〔함박눈〕이 온다. ② (*pl.*) (포타주(potage)에 넣는) 납작하게 만든 곡식.

floconneux, euse [flɔkɔnø, -ø:z] *adj.* 복슬복슬한, 솜 같은 : nuages ~ 솜 같은 구름.

flonflon [flɔ̃flɔ̃] *m.* (노래의) 후렴 ; (보통 *pl.*) (대중 음악 밴드의) 쿵쾅대는 소리 : ~s du bal 시끄러운 댄스 음악.

flop [flɔp] 〔영〕 *m.* 〖영화〗 실패작(= fiasco, four).

flop(p)ée [flɔpe] *f.* 《구어》 다량, 다수 : avoir une ~ d'enfants 자식이 많다.

floraison [flɔʀɛzɔ̃] *f.* ① 개화(開花) ; 개화기(期). ② (문명 따위가) 꽃을 피우기.

floral, e, aux [flɔʀal, -o] *adj.* 꽃의 ; 꽃에서 사는 : exposition ~*e* 꽃 전시회.

floralies [flɔʀali] *f. pl.* 꽃 축제, 화초 품평회〔전시회〕.

flore [flɔ:ʀ] *f.* ① (특정 지역의) 식물상(相), 식물군(群) : ~ du désert 사막에 사는 식물들 / ~ alpestre 산악 지대의 식물상. ② (*F*~) 〖로마신화〗 플로라《꽃의 여신》.

floréal [flɔʀeal] *m.* 〖프랑스사〗 화월(花月) 《프랑스 공화력의 8 월, 4 월 20〔21〕일-5 월 19〔20〕일》.

florence [flɔʀɑ̃:s] *m.* 얇은 비단. ── *f.* (낚싯줄용의) 천잠사(天蠶絲).

florentin, e [flɔʀɑ̃tɛ̃, -in] *adj.* 피렌체(*Florence*)의. ── **F~** *n.* 피렌체 사람.

florès [flɔʀɛs] *m.* 《다음 숙어로만 쓰임》 ***faire ~*** 《구어》 대성공을 거두다(= réussir) ; 명성을 떨치다(= briller) ; 낭비하다.

flori- *préf.* 「꽃」의 뜻.

floriculture [flɔʀikylty:ʀ] *f.* 화초 재배, 꽃 가꾸기 : ~ de serre 온실 화초 재배.

florifère [flɔʀifɛ:ʀ] *adj.* 꽃이 붙은 ; 꽃이 많이 피는 : tige ~ 꽃이 핀 가지.

florilège [flɔʀilɛ:ʒ] *m.* 명문집(名文集), 선문집, 사화집(詞華集).

florin [flɔʀɛ̃] *m.* 플로린《네덜란드의 화폐 단위 ; 《약자》 FL》.

florissant, e [flɔʀisɑ̃, -ɑ̃:t] *adj.* ① 번영하는, 융성한 ; 번창한 : commerce ~ 번창하는 산업 / pays ~ 번영하는 나라. ② 혈색이 좋은, 건강해 보이는 : mine ~*e* 건강해 보이는 얼굴. ***avoir une santé ~e*** 건강이 썩 좋다.

flot** [flo] *m.* ① (*pl.*) 물결, 파도(= onde, vague) ; 《시어》 바다 ; (강·바다의) 물 : ~s de la mer 〔d'un lac〕 바다〔호수〕의 물결 / couler à ~ 물결쳐 흐르다. ② 조수(= marée) ; 밀물, 만조 : ~ de souvenirs 추억의 밀물 / heure du ~ 만조 시간. ③ (리본·레이스 따위의) 물결처럼 늘어진 것 : ~s de ruban 물결치는 듯한 리본. ④ 《~ de+복수명사》 많은 것〔사람〕 ; 다수, 다량 : un ~ *de* voyageurs 여행자들의 떼 / ~ *de* paroles 많은 말. ⑤ 뗏목을 띄워 보내기(= flottage). ***à ~s 다량으로, 철철, 콸콸, 쏴아. ***à (grands, longs) ~s*** 다량으로, 철철, 수북이 : L'argent y coule *á* ~*s.* 돈이 철철 넘친다. ***être à ~*** 물 위에 떠 있다. ***jeter du bois à ~ perdu*** 통나무를 낱낱으로 강에 띄워 보내다. ***mettre une société à ~*** 《구어》 회사를 신설하다〔운영이 되도록 하다〕. ***mettre un navire à ~*** 배를 띄우다〔진수시키다〕. ***remettre*** qn ***à ~*** …에게 다시 한 번 떠오를〔성공할〕 기회를 주다.

flottable [flɔtabl] *adj.* ① 물 위에 뜰 수 있는. ② (강이) 뗏목을 띄울 수 있는.

flottage [flɔta:ʒ] *m.* 뗏목을 띄워 보내기 : bois de ~ 뗏목으로 띄우는 목재 / train de ~ 뗏목.

flottaison [flɔtɛzɔ̃] *f.* 부유(浮游) ; 흘수면(吃水面), 흘수선(線)(= ligne de ~).

flottant, e [flɔtɑ̃, -ɑ̃:t] *adj.* ① 물 위에 떠 있는 ; 허공에 뜬 ; 바람에 나부끼는 ; 펄럭거리는 ; (옷이) 헐렁헐렁한 : nuages ~s 공중에 떠도는 구름. ② 일정하지 않은(= variable) ; 〖재정·보험〗 부동(浮動)의, 유동적인 : dette ~*e* 유동 부채 / police ~*e* 부동 보험 증권. ③ 결단성 없는(= indécis, irrésolu), (의견 따위가) 확실치 않은, 변덕스러운(= instable) : caractère ~ 우유부단한 성격 / être ~ dans ses opinions 정견이 없다. ***îles ~es*** 부도(浮島)《늪·호수에 초목·개흙 따위가 얽혀 섬 모양으로 떠 있는 것》. ── *m.* (체육용의) 헐렁한 바지.

flotte¹ [flɔt] *f.* ① 선대(船隊), 선단 ; 함대(= escarde) : ~ marchande 상선대 / avoir une ~ d'amis 친구가 수없이 많다. ② 《집합적》 (한 나라의) 선박 : 해군력 ; (*F*~) 해군 : amiral 〔équipages〕 de la *F*~ 해군 제독〔승무원〕 / ~ d'une compagnie maritime 해운 회사의 총보유 선박 / ~ de commerce 상선. ③ ~ aérienne 공군 ; 공군 부대〔력〕. ④ 〖학생은어〗 해군 사관학교 입시 준비반. ***être de la ~*** 한패에 끼어 있다.

flotte² *f.* 《구어》 물(= eau) ; 비(= pluie) : boire de la ~ 물을 마시다 / tomber à la ~ 물에 빠지다 / Il tombe de la ~. 비가 온다.

flotte³ *f.* 낚시찌(= flotteur), 부이, 부표.

flottement [flɔtmɑ̃] *m.* ① 물위에 떠 있음, 부유(浮游). ② 〖군사〗 (행군 중의) 대열의 구불구불함 : ~ d'un drapeau 깃발의 펄럭임. ③ 주저, 망설임, 동요 : ~ des opinions 의견의 동요. ④ 〖경제〗 (화폐 가치의) 변동.

***flotter**[1] [flɔte] *v.i.* ① 물 위에 뜨다; 허공에 떠 있다; (뗏목이) 떠내려가다; (미소가 입가에) 떠오르다, 감돌다 : faire ~ une bouée 〔un radeau〕 부표를〔뗏목을〕 띄우다 / Un sourire *flottait* sur ses lèvres. 그의 입가에 미소가 감돌고 있었다. ② 파동하다; (깃발 따위가) 펄럭이다, 나부끼다; (대열이) 흐트러지다 : faire ~ un drapeau 깃발을 나부끼게 하다. ③ (생각 따위가) 동요하다, 흔들리다; 망설이다(= hésiter) : ~ entre l'espérance et la crainte 희망과 두려움 사이에서 마음이 흔들리다. ④ 〖경제〗 (화폐 가치가) 변동하다 : laisser ~ le franc 프랑화의 가치를 변동시키다. ── *v.t.* (재목을 뗏목으로 묶어) 띄워 보내다 : ~ du bois 목재를 강물에 띄워 보내다.

flotter[2] *v. impers.* 《구어》 비가 오다(= pleuvoir) : Il *a flotté* toute la journée. 하루 종일 비가 퍼부었다.

flotteur [flɔtœːʀ] *m.* ① 뜨는 물건; 부표(浮標), 부이 : ~ en liège d'une ligne 낚시찌 / ~ de carburateur d'une automobile 자동차 연료 탱크의 플로트. ② (수상 비행기의) 부주(浮舟) : ~*s* d'un hydravion 〔pédalo〕 수상 비행기〔페달보트〕의 부주.

flottille [flɔtij] *f.* ① 〖해양〗 선대(船隊); 소형 선단 : ~ de pêche 어선단 / ~ d'escorteurs 호위 함대. ② (해군 항공대의) 편대.

***flou, e** [flu] *adj.* ① (그림 따위가 윤곽이) 희미한, 흐릿한(= fondu) : images ~*s* 희미한 영상들 / photo ~*e* 흐릿한 사진. ② 《비유》 불분명한(= vague), 모호한, (생각 따위가) 막연한 : idée ~*e* 막연한 생각. ③ (여성복이) 헐렁헐렁한(≠ tailleur), 흐느적거리는 : robe ~*e* 헐렁헐렁한 드레스. ── *m.* ① 흐릿함, 희미함; 〖사진·영화〗 (영상을) 흐릿하게 하기 : effet de ~ 연조(軟調) 효과 / ~ artistique 연조 사진. ② (드레스 따위를) 헐렁하게 만들기. ③ 《비유》 (생각 따위의) 불분명함, 모호성 : ~ de sa biographie 그의 생애의 불분명한 부분. ── *adv.* 희미하게.

flouer [flue] *v.t.* 《문어》 《~ qn》 (…의 것을) 속여서 훔치다, 사취하다(= escroquer); 속이다(= tromper) : *être floué* par les promesses des politiciens 정치가의 약속에 속다.

fluctuant, e [flyktɥɑ̃, -ɑ̃ːt] *adj.* 파동하는, 변동이 있는; 오락가락하는, 일관성 없는 : être ~ dans ses opinions 의견이 자주 바뀌다 / prix ~*s* 변동하는 가격.

fluctuation [flyktɥɑsjɔ̃] *f.* (흔히 *pl.*) 파동, 유동; (가격의) 변동, 증감; 《드물게》 망설임 : ~*s* de l'opinion publique 여론의 변화 / ~*s* de la cote des changes 환율의 변동.

fluctuer [flyktɥe] *v.i.* ① 파동〔유동·동요〕하다(= flotter). ② 변동하다. ③ 망설이다, 주저하다.

fluer [flye] *v.i.* ① 흐르다(= couler). ② 〖의학〗 (고름이) 흐르다, (치질이) 출혈하다; (상처가) 고름이 나다; (밀물이) 차다, 오르다.

fluet, ette [flyɛ, -ɛt] *adj.* (신체 따위가) 가느다란, 날씬한; 호리호리한; (목소리가) 가냘픈 : jambes ~*ettes* 날씬한 다리.

***fluide** [flɥid] *adj.* ① 유동하는, 유동성의 : huile très ~ 아주 잘 흐르는 기름. ② (문체 따위가) 유창〔유려〕한(= coulant). ③ 교통 순환이 잘 되는, 차가 잘 빠지는 : circulation ~ 원활한 교통 소통. ── *m.* ① 유체(流體) : ~ électrique 전기 유체. ② 기(氣), 정기, 영기; 신비한 힘; 초능력 : ~ astral 별의 정기 / ~ magnétique 자력선(磁力線) / ~ nerveu 심기 / avoir ~ 초능력이 있다.

fluidité [flɥidite] *f.* ① 흐르기 쉬움, 유동성 : ~ de la circulation routière 도로 교통의 원활한 소통. ② 《비유》 유창함, 유려함 : ~ de la parole 〔d'une musique〕 유려한 말솜씨〔음악〕. ③ 가변성, 유동성 : ~ de la situation 상황의 유동성. ④ 〖경제〗 (시장의) 유동성, 완전 자유 경쟁 상태.

fluor [flyɔːʀ] *m.* 〖화학〗 플루오르, 불소(弗素).

fluorescence [flyɔʀesɑ̃ːs] *f.* 〖물리〗 형광(螢光) : éclairage par ~ 형광 조명.

fluorescent, e [flyɔʀesɑ̃, -ɑ̃ːt] *adj.* 형광성(性)의 : lampe ~*e* 형광등.

flûte** [flyt] *f.* ① 〖음악〗 플루트, 플루트 부는 사람 : grande ~; ~ traversière (연주용) 플루트 / petite ~ 피콜로 / ~ de Pan 팬플루트; 목신의 피리 / jouer de la ~ 플루트를 불다. ② 가늘고 긴 빵, 막대빵. ③ 굽 달린 가느다란 술잔. ④ (*pl.*) 《구어》 다리 : jouer des ~*s* 달리다 / se tirer des ~*s* 달아나다. ***Ajustez* 〔*Accordez*〕 *vos ~s. 《구어》 여러분의 의견을 조정하도록 하시오. ***Ce qui vient de la ~ s'en va par le* 〔*s'en retourne au*〕 *tambour.*** 《격언》 쉽게 번 돈 쉽게 나간다. ── *interj.* 《구어》 제기랄, 빌어먹을! : *F~* alors, c'est raté! 이런 제기랄, 망쳤군!

flûté, e [flyte] *adj.* 플루트 같은《소리》, 맑고 부드러운 : voix ~*e* 맑고 부드러운 목소리.

flûteau [flyto] *m.* (*pl.* ~ ***x***) ① 작은 피리, 목적(牧笛). ② 〖식물〗 질경이택사.

flûtiste [flytist] *m.* 플루트 부는 사람.

fluvial, e, aux [flyvjal, -o] *adj.* 강의, 하천의 : pêche ~*e* 강 낚시 / voie ~*e* 수로.

flux [fly] *m.* ① 흐름; 유출(流出) : Un ~ de sang lui monta au visage. 그는 얼굴을 확 붉혔다. ② 밀물(= marée montante; ≠ reflux) : le ~ et le reflux 밀물과 썰물, 조수의 간만. ③ 다량(= flot) : ~ de paroles 수다, 말이 많음. ④ 〖의학〗 배출, 배설 : ~ de ventre 설사 / ~ menstruel 월경. ⑤ 〖물리〗 유량(流量), 유속(流速) : ~ lumineux 광속.

fluxion [flyksjɔ̃] *f.* 유출; 〖의학〗 충혈, 염증; 종기 : ~ de poitrine 폐렴(= pneumonie).

F.M.I. 《약자》 Fonds Monétaire International 국제 통화 기금(〖영〗 I.M.F).

foc [fɔk] *m.* 〖해양〗 (뱃머리의) 삼각돛.

focal, e, aux [fɔkal, -o] *adj.* 초점의 : distance ~*e* 초점거리. ── *f.* 초점 거리 : objectif à ~ variable 줌 렌즈.

focaliser [fɔkalize] *v.t.* ① 〖물리〗 …의 초점을 맞추다, 집속(集束)시키다. ② (주의·노력 따위를) 집중시키다, 결집하다, 집약하다(= concentrer) : ~ son attention sur qc …에 대해서 주의를 집중하다.

fœhn, föhn [føn] *m.* 〖기상〗 푄 현상.

fœtal, e, aux [fetal, -o] *adj.* 〖생물〗 태아의; 태아에 관한 : dévelopement ~ 태아의 성장 / attitude 〔posture〕 ~*e* 태아의 위치.

fœtus [fetys] *m.* 〖생물〗 태아.

F

‡foi [fwa] *f.* ① 《옛》 서약(= serment), 약속(= promesse), 맹세 : donner sa ~ 서약〔약속〕 하다 / ~ conjugale 백년가약. ② 충실, 신의, 성실(= fidélité). ③ 믿음, 신용, 신뢰(= confiance) : avoir ~ en l'avenir 미래에 기대를 걸다 / personne digne de ~ 믿을 수 있는 사람 / ~ aveugle 맹신. ④ 신념, 신봉 : ~ politique 정치적 신념 / avoir ~ dans le socialisme 사회주의를 신봉하다. ⑤ (종교적인) 신앙(= croyance), 신앙심 : manque de ~ 신앙의 부족 / article de ~ (가톨릭의) 신조 / avoir〔perdre〕 la ~ 신앙을 가지다〔잃다〕. ⑥ 교의(敎義), 교리 ; 종교 ; 《특히》 그리스도교 : prêcher〔répandre〕 la ~ 전도〔선교 · 포교〕하다. ***ajouter***〔***attacher, prêter***〕 ***~ à*** qc …을 믿다. ***à la bonne ~*** 성실하게, 선의로 ; 솔직하게. ***de bonne ~*** 성실하게 ; 성실한 : homme *de bonne* ~ 성실한 사람 / possession *de bonne* ~ 〚법률〛 선의의 점유. ***de mauvaise ~*** 불성실한〔하게〕, 악의의〔로〕, 고의로. ***en ~ de quoi*** 〚법률〛 위에 적은〔상기한〕 바에 의거해서 : *En ~ de quoi*, j'ai signé le présent certificat. 상기한 사실에 의거해서 이 증명서에 서명하는 바이다. ***faire ~ de*** qc〔***que***+*ind.*〕 …을 입증하다. ***~ publique*** 공약. ***garder sa ~*** 약속을 이행하다. ***Il n'y a que la ~ qui sauve.*** 신앙만이 사람을 구제한다 ; 《비꼼》 맹목적인 신앙을 갖고 있다, 터무니없는 환상을 품고 있다. ***ma ~ ; par ma ~*** 참말로, 사실. ***mauvaise ~*** 악의 ; 불성실. ***n'avoir ni ~ ni loi*** 종교도 양심도 없다 ; 《구어》 신이든 법이든 상관하지 않다. ***Par***〔***Sur***〕 ***ma ~ !*** 명예를 걸고, 맹세코, 틀림없이, 참으로. ***profession de ~*** 신앙의 표명 ; 《구어》 〚정치〛 선언. ***sous la ~ du serment*** 선서하여, 서약하고, ***sur la ~ de*** …을 믿고.

foie** [fwa] *m.* ① 간, 간장(肝臟) : cancer du ~ 간암 / crise de ~ 간기능 장애. ② (식용의) 간 : manger du ~ de veau 송아지의 간을 먹다 / ~ gras 푸아그라《거위, 오리의 간》 / pâté de ~ 간 파테. ***avoir les ~s (***blancs***) 《속어》 겁쟁이다. ***se manger***〔***se ronger***〕 ***les ~s*** 몹시 걱정하다.

foin¹** [fwɛ̃] *m.* ① 꼴, 건초 ; 건초용의 풀. ② 〚의학〛 rhume des ~*s* 꽃가루 알레르기, 고초열(枯草熱). ③ 〚식물〛 ~ d'artichaut 아티초크 화탁(花托)의 섬모. ***avoir du ~ dans ses bottes 재산이 있다. ***faire du ~*** 소란을 피우다 ; 항의하다. ***faire les ~s*** 풀을 베어서 말리다. ***faire ses ~s*** 돈을 많이 벌다. ***quand il n'y a plus de ~ dans le râtelier*** 돈이 떨어지게 되면. ***tas de ~*** 건초 더미〔퇴비〕.

foin² *interj.* 《경멸 · 염오의 뜻을 나타내어》 체 ! ***faire ~ de*** 경멸하다.

foire¹** [fwaːʀ] *f.* ① (정기적으로 서는) 장 : ~ aux bestiaux 가축 시장 / marchands qui font les ~*s* 장꾼들. ② 상품 전시회, 박람회 (= exposition) : ~ internationale 국제 견본 전시회. ③ (일정한 시기에 열리는) 축제, 잔치. ④ 장터의 상인들이 벌여 놓은 오락(장)(= fête foraine) ; 《구어》 혼잡한 곳. ***champ de ~ (장이 서는) 장터. ***faire la ~*** 《속어》 난봉 피우다. ***la F~ aux Vanités*** 허영의 시장《*Thackeray* 의 소설》.

foire² *f.* 《속어》 설사(= diarhée) : avoir la ~ 설사하다 ; 겁을 먹다.

foirer [fwaʀe] *v.i.* ① 《속어》 설사하다. ② 겁내다. ③ 《구어》 실패하다(= rater) ; 체념하다, 포기하다 : Ce projet *a* complètement *foiré*. 그 계획은 완전히 실패했다.

foireux, euse [fwaʀø, -øːz] *adj.* ① 《속어》 설사를 하는 ; 똥으로 더러워진. ② 《구어》 겁 많은, 비겁한. ③ 《구어》 실패한, 좌절된 : un projet ~ 좌절된 계획.

‡fois [fwa] *f.* ① 번, 회(回) : une seule ~ 단 한 번 / plusieurs ~ 여러 번 / une ~ de plus 한 번 더 / cette ~-ci〔là〕 이번에〔저번에〕 : Combien de ~? 몇 번? / deux ~ par semaine 일 주일에 두 번 / bien des ~ ; mainte(s) ~ 여러 번, 아주 많이 / C'est la première ~ que je le vois. 내가 그를 보는 것은 처음이다 / Cela dépend des ~. 그것은 경우에 따라 다르다. ② 곱, 갑절, 배(倍) : trois ~ plus grand que …보다 3 배가 더 큰 / Trois ~ quatre font douze. 3 × 4 = 12. ③ 《복수의 수사와 함께 과장적으로》 C'est deux ~ plus ennuyeux. 그것은 한결 더 귀찮다 / Je vous l'ai dit vingt ~. 당신에게 여러 번 그렇게 말했다 / Merci mille. 정말 감사합니다 / Vous avez mille ~ raison. 당신 말이 백번 천번 옳습니다. ***à la ~*** 동시에, 한꺼번에 : être *à la* ~ ceci et cela 동시에 이것이기도 하고 저것이기도 하다 / Ne parlez pas tous *à la* ~. 모두 한꺼번에 말하지 마시오. (***à***) ***chque ~ que***+*ind.* ; ***toutes les ~ que***+*ind.* …할 때마다 : *Chaque* ~ *qu*'il vient, c'est pour râler. 그는 올 때마다 투덜거린다. ***bien des ~ ; dix***〔***vingt, cent, mille***〕 ***~*** 몇 번이고, 여러 차례. ***C'est*** (***bon***) ***pour une ~.*** 한 번만은 좋다. ***d'autres ~*** 다른 때에(는), 또 어떤 때는. ***des ~*** 《구어》 ⓐ 때때로, 이따금 : *Des* ~ il rit, *des* ~ il pleure. 그는 어쩌다간 웃고, 어쩌다간 운다. ⓑ 행여나, 혹시라도 : Si *des* ~ vous allez le voir, dites-lui bonjour de ma part. 혹시라도 그를 보러 가게 되면 그에게 내 안부를 전해 주시오. ***des ~ que*** +*cond.* 《구어》 ⓐ 혹시 …하는 경우에는, 어쩌다가 …할라치면. ⓑ (혹시) …할지도 모르다 : *Des* ~ *que* vous trouveriez une voiture. 차를 잡을 수 있게 될지도 모릅니다. ***deux ~ autant*** 갑절이나 많이. ***encore une ~*** 다시 한 번. ***la première***〔***dernière***〕 ***~ que***+*ind.* 처음〔마지막〕 …할 때. ***la prochaine***〔***dernière***〕 ***~*** 다음〔지난〕 번(에). ***l'autre ~*** 요전번(에). ***Non, mais des ~ !*** 《속어》 그럴 수가 있나, 너무 하구나. ***par deux ~*** 두 번이나. ***pour cette ~*** 이번에는, 이번만은. ***pour la première ~*** 처음으로. ***pour une ~*** 어쩌다가 한 번. ***tout à la ~*** 동시에, 한꺼번에. ***une autre ~*** 이 다음에, 다른 기회에. ***une*** (***bonne***) ***~ pour toutes*** 이번에는 정말로, 이번에야말로 ; 결정적으로, 아주 : Sachez-le *une* ~ *pour toutes*. 이번에야말로 그것을 알아두시오. ***une dernière ~*** 마지막으로 한 번 더 (말하지만). ***une ~*** ⓐ 한번 : retenir ce qu'on a *une* ~ appris 한 번 배운 것을 기억

해 두다. ⓑ 예전에, 한때 : Il y avait une ~... ; Il était une ~... 옛날 옛적에 …이 있었다. ⓒ 《une ~+과거분사〔상황보어〕》 *Une* ~ parti, il ne reviendra plus. 한번 떠나면, 그는 다시 돌아오지 않을 것이다. ***une ~ que*** 〔***dès qu'une ~, lorsqu'une ~***〕+*ind.* 일단 …하면〔하자마자〕: *Une ~ qu'*il s'est mis qc en tête, il ne veut plus rien entendre. 일단 결심을 하자마자, 그는 더 이상 아무것도 들으려 하지 않는다. ***une petite ~ seulement ; rien qu'une petite ~*** 단 한 번만. ***une seule ~*** 한 번 ; 《부정문에서》 한 번도.

foison [fwazɔ̃] *f.* 다량(= abondance), 많음. ***à ~*** 많이, 수북하게 : Il y avait là des livres *à ~*. 거기에는 책들이 무척 많이 있었다.

foisonnant, e [fwazɔnɑ̃, -ɑ̃:t] *adj.* 많이 있는, 풍부한(= abondant) : forêt *~e* de gibier 사냥감이 많은 숲.

foisonnement [fwazɔnmɑ̃] *m.* 풍성하게 많음, 풍부 ; 번식 ; 팽창.

foisonner [fwazɔne] *v.i.* ① 많이 있다(= abonder) : Les fruits *foisonnent* chez les marchands. 상점마다 과일이 가득하다 / Le gibier *foisonne* dans ce bois. 이 숲에는 사냥거리가 많다. ② 《~ en 〔de〕》 …이 많다, 풍부하다 : Cette province *foisonne en* blé. 이 지방에는 밀이 많다.

***fol** [fɔl] *adj. m.* = fou 《모음이나 무성 h로 시작하는 남성어 앞에 쓰임》.

folâtre [fɔlɑ:tʀ] *adj.* ① 장난기가 많은, 쾌활한(= espiègle, enjoué), 익살스러운. ② (기분 따위가) 흥겨운, 들뜬.

folâtrer [fɔlɑtʀe] *v.i.* 장난치다, 까불다, 익살부리다.

foliacé, e [fɔljase] *adj.* 나뭇잎 비슷한, 잎 모양의.

foliation [fɔljɑsjɔ̃] *f.* 〖식물〗 잎들이 달린 모양, 잎이 돋아나기, 발엽기(發葉期).

folichon, onne [fɔliʃɔ̃, -ɔn] *adj.* 명랑한(= folâtre) ; 재미있는(= amusant) ; 까부는 ; 장난기 많은 : propos ~ 장난기 있는 말 / humeur *~onne* 쾌활한 성격 / Il n'est pas ~. 그는 진득하다.

folie** [fɔli] *f.* ① 광기, 광증, 정신 착란 : accès 〔coup〕 de ~ 광증의 발작 / ~ discordante 〖의학〗 정신 분열 / ~ de la persécution 피해 망상증 / ~ raisonnante 편집증 / être atteint 〔pris〕 de ~ 미치다, 정신병에 걸리다 / simuler la ~ 미친 체하다. ② 무분별한 짓〔말〕, 철없는〔터무니없는〕 짓〔말〕; 과오, 잘못 : C'est ~ de+*inf.* 《문어》 …하는 것은 터무니없는 일이다 / C'est encore une de ses *~s*. 그것 역시 그의 터무니없는 생각이다. ③ 격정, 정열, 열애 : Il a la ~ de la musique ; La musique est sa ~. 그는 음악에 미쳐 있다. ④ 막대한 비용, 과다 지출 : Vous avez fait une ~ en nous offrant ce cadeau. 우리에게 이런 선물을 하다니 과용하셨군요. ***aimer à la ~ 미칠 듯이 사랑하다, 열애하다. ***à la ~*** 광적으로, 미친 듯이. ***être pris de ~*** 미치다, 발광하다. ***faire des ~s*** 어리석은 짓을 하다, (여자 때문에) 엄청난 돈을 쓰다 ; 진탕 놀다. ***faire des ~s pour*** qn 〔qc〕 …을 위하여〔… 때문에〕 많은 돈을 쓰다.

folio [fɔljo] *m.* ① (한정판 서적 따위의) (양면) 한 장(= feuillet) : ~ recto 앞면〔페이지〕(= recto) / ~ verso 뒷면〔페이지〕(= verso). ② 〖인쇄〗 페이지의 수, 쪽수.

foliole [fɔljɔl] *f.* 〖식물〗 작은 잎 ; 꽃받침.

folioter [fɔljɔte] *v.t.* 페이지를 기입하다 ; (인쇄물에) 페이지 수를 매기다.

folk [fɔlk] 〔영〕 *m.* 포크 송 : chanteur de ~ 포크 송 가수. ── *adj.* 포크 송의 : groupes *~s* 포크 송 그룹.

folklo [fɔlklo] *adj.* 《불변》 《구어》 = folklorique ②.

folklore [fɔlklɔ:ʀ] *m.* ① 민속학, 민속 연구. ② 민속, 민간 전승 : chants populaires du ~ provincial 지방에서 민간 전승되어 온 민중의 노래. ③ 겉치레뿐인 것, 외화내빈(外華內貧). ***C'est du ~.*** 《구어》 그것은 빛 좋은 개살구다.

folklorique [fɔlklɔʀik] *adj.* ① 민속의 ; 민간 전승의 ; 민속 예술의 : danse 〔costume〕 ~ 민속 무용〔의상〕. ② 보기에 화려하나 실속이 없는, 겉치레뿐인 : réunion politique un peu ~ 겉치레에 치우친 정치 집회.

***folle** [fɔl] *adj. f.* fou[1]의 여성형.

***follement** [fɔlmɑ̃] *adv.* ① 미친 듯이 ; 어리석게 : Il est ~ amoureux. 그는 미친 듯이 사랑에 빠져 있다. ② 극히 ; 대단히 : spectacle ~ intéressant 기막히게 재미있는 구경거리.

follet, ette [fɔlɛ, -ɛt] *adj.* ① 정신에 이상이 생긴 듯한 ; 얼빠진. ② 장난기 있는 ; 제멋대로인 ; 들쭉날쭉한 : esprit ~ 요정 / feu ~ 도깨비불 / poil ~ 솜털, 잔털 / cheveux ~ 삐져 나온 머리카락. ── *m.* 도깨비.

folliculaire [fɔ(l)likylɛ:ʀ] *m.* 신문 기자, 신문장이 ; 엉터리 신문 기자. ── *adj.* 신문의.

follicule [fɔ(l)likyl] *m.* ① 〖식물〗 대과(袋果), 협과(莢果). ② 〖해부〗 소포(小胞), 여포.

folliculine [fɔ(l)likylin] *f.* 〖생리〗 에스트론 《난포 호르몬의 일종》.

fomentation [fɔmɑ̃tɑsjɔ̃] *f.* 선동, 조장, 도발 ; 〖의학〗 찜질.

fomenter [fɔmɑ̃te] *v.t.* ① 선동〔조장·도발〕하다 : ~ la révolte 반란을 선동하다. ② 찜질하다.

***foncé, e** [fɔ̃se] *adj.* (색이) 짙은, 진한(≠clair), 어두운 : couleur *~e* 짙은 색 / peau *~e* 갈색의 피부 / cheveux châtain ~ 짙은 갈색 머리 《다른 색 형용사와 같이 쓰이면 불변》.

***foncer** [fɔ̃se] [2] *v.t.* ① (통 따위에) 밑판을 붙이다. ② (말뚝 따위를) 박다 ; (우물 따위를) 파다. ③ (빛깔을) 진하게〔짙게〕 하다. ── *v.i.* ① 《~ sur》 덤벼들다, 달려들다, 돌격〔습격〕하다(= charger) : Les blindés *fonçaient sur* l'ennemi. 기갑 부대가 적을 향해 돌진했다. ② 돌진하다, 달려가다, 빨리 가다. ③ 빛깔이 짙어지다. ④ 《옛·구어》 돈〔자금〕을 내다 : ~ à l'appointement 경비를 지불하다.

foncier, ère [fɔ̃sje, -ɛ:ʀ] *adj.* ① 토지의, 부동산의 : crédit ~ 부동산 은행 / impôt ~ 토지세. ② 타고난, 천부적인, 근본적인 : méchanceté *~ère* 타고난 심술 / qualités *~ères* 근본적인 성질. ── *m.* 토지세(= impôt ~).

foncièrement [fɔ̃sjɛʀmɑ̃] *adv.* 마음속에서 ; 근본적으로 ; 본질적으로 ; 지극히, 매우 : ~ bon 근본적으로 선량한 / Ils sont ~ différents. 그들은 완전히 다르다.

fonction** [fɔ̃ksjɔ̃] *f.* ① (흔히 *pl.*) 직무, 직분, 직책 ; 직업, 지위 : de 〔par〕 ses ~*s* 직무〔직책〕상 / ~ publique 공직 / ~ de directeur 사장직 / ~ enseignante 교직 / exercer ses ~*s* 직무를 수행하다. ② 기능, 구실(= rôle) ; 작용(= action) : ~ du foie 간 기능 / ~*s* d'un logiciel 소프트웨어의 기능. ③ 〖수학〗 함수 : ~ algébrique 대수 함수. ④ 〖가톨릭〗 (사제가 주재하는) 의식, 제식. ⑤ 〖화학〗 기(基) : ~ acide 산기(酸基). ***avoir pour ~ de+*inf.* …하는 것을 임무로〔직분으로〕 갖다〔삼다〕. ***en ~ de*** …에 따라서 ; …에 관련하여 : La mode varie *en ~ de* l'age. 유행은 시대에 따라 변화한다. ***être ~ de*** …에 달려 있다, …에 의존하다 : La qualité est ~ du prix. 품질은 가격에 달려 있다. ***faire ~ de*** …의 역할을〔대리를〕 하다 ; …의 기능을 갖다 : Il *fait ~ de* directeur. 그는 사장을 맡고 있다.

***fonctionnaire** [fɔ̃ksjɔnɛːʀ] *m.* 관리, 공무원 : haut ~ de l'État 국가 고급 공무원.

fonctionnarisation [fɔ̃ksjɔnaʀizasjɔ̃] *f.* 공영화, 공무원화.

fonctionnariser [fɔ̃ksjɔnaʀize] *v.t.* 공무원화하다 ; (기업을) 공영화〔공사화〕하다.

fonctionnarisme [fɔ̃ksjɔnaʀism] *m.* ① 관청 조직〔제도〕. ② 관료식, 관료주의.

fonctionnel, elle [fɔ̃ksjɔnɛl] *adj.* ① 기능에 관한 ; 기능의 : trouble ~ 기능 장애 / psychologie ~*elle* 기능 심리학 / mot ~ 〖언어〗 기능어. ② 기능적인 ; 편리한, 실용적인 : meubles ~*s* 기능적인 가구. ③ 〖수학〗 함수의 : équation ~*elle* 함수 방정식.

***fonctionnement** [fɔ̃ksjɔnmɑ̃] *m.* ① 기능 ; 작용 ; 작동 ; 운행 : ~ d'un organ 기관의 작용 / en (plein) ~ (최대한) 작동〔가동〕 중인. ② (기계 따위의) 돌아가는〔움직이는〕 상황, 상태 : ~ d'une affaire 사건의 진행 상황 / machine en (bon) état de ~ 운전이 잘 되는 기계.

***fonctionner** [fɔ̃ksjɔne] *v.i.* ① (기계 · 기관 따위가) 움직이다, 돌다 ; 작용하다 : faire ~ une machine 기계를 운전하다 / Ce moteur *fonctionne* à l'essence. 이 모터는 휘발유로 움직인다. ② 제 구실〔기능〕을 다하다 : L'estomac *fonctionne* mal. 위의 기능이 나쁘다. ③ 《주어 : qn》 《구어》 일하다(= travailler) : Il *fonctionne* au café. 그는 카페에서 일한다.

‡fond [fɔ̃] *m.* ① (용기의) 바닥, 밑바닥 : ~ d'une marmite 냄비의 바닥 / fouiller au ~ de sa poche 호주머니 속을 뒤지다. ② (용기의) 바닥에 남은 것 ; 소량 : un ~ de verre 약간의 술 / ~ de café 커피 찌꺼기 / Il en reste un ~. 그것은 조금밖에 남아 있지 않다. ③ (강 · 호수 · 바다의) 깊은 곳, 해저 ; 수심 : poisson de ~ 심해어 / ~ de la mer 해저(海底) / Il n'y a pas assez de ~ pour plonger. 다이빙하기에는 수심이 충분치 않다 / grands ~*s* 바다의 깊은 곳, 심연. ④ 가장 낮은 곳 ; 극단, (불행 따위의) 극한 : jusqu'au ~ de la douleur 고통의 극단까지 / toucher le ~ (du désespoir) 절망의 수렁에 빠지다. ⑤ 골짜기, 분지 : Ce village était situé dans un ~ de vallée. 이 마을은 골짜기에 위치해 있었다. ⑥ (광산의) 갱내(坑內) : mineur de ~ 갱내 광부. ⑦ 깊숙한 곳, 안쪽, 속 : au ~ du bois 숲속 깊은 곳에 / examiner le ~ de la gorge 목구멍 안쪽을 검사하다. ⑧ (마음 따위의) 속, 감추어진 곳 : découvrir le ~ de son cœur 진심으로 …에게 감사하다 / confier qn le ~ de sa pensée …에게 속마음을 털어놓다. ⑨ 근본, 본질, 핵심 ; 본성, 심층 : avoir un bon ~ 본성이 착하다 / aller au ~ des choses 사태의 핵심에 다가가다. ⑩ 뒤, 후부 : mettre un ~ à un pantalon 바지 엉덩이에 천 조각을 대다 / ~ d'un taxi 택시의 뒷자석. ⑪ 기초, 토대, 기반(= base, fondement) : colonne montant de 〔du〕 ~ 기초 위에 세워진 기둥 / bâtir une maison sur un ~ solide 단단한 지반 위에 집을 짓다. ⑫ 내용(= contenu) ; 주제, 취지 : article de ~ (신문의) 주요 기사 ; 사설 / analyser le ~ d'un ouvrage 작품의 내용을 분석하다. ⑬ 배경 ; 바탕, 바탕 천 : toile de ~ (무대의) 배경막 ; (사건 따위의) 배경 / musique de ~ 배경음악 / ~ de teint 파운데이션 (크림). ⑭ 〖스포츠〗 내구력, 지구력 : avoir du ~ 지구력이 있다 / courses de ~ 〔de demi-~〕 (육상의) 장거리〔중거리〕 경주. ⑮ un ~ (de verre) 소량, 조금. ***à ~*** 깊이, 철저하게 : connaître son sujet à ~ 주제를 숙지하다 / serrer un écrou *à ~* 나사를 끝까지 조이다. ***à ~ de train*** 전속력으로. ***au fin ~ de*** …의 맨 밑바닥에, 궁극에. ***au ~ ; dans le ~*** 사실상, 결국은, 근본을 파헤쳐 보면 : *Au ~*, ce n'est pas un mauvais garçon. 사실상 그는 나쁜 애가 아니다. ***faire ~ sur*** …에게 기대를 걸다, …을 신뢰하다 : On peut *faire ~ sur* lui. 그는 믿을 수 있는 사람이다. ***~ de l'air*** 《구어》 (햇볕이나 바람의 영향을 제외한) 실제의 기온. ***user ses ~s de culotte*** (***sur les bancs***) 《구어》 학교에 다니다, 공부하다. ***venir au ~ du problème*** 주제에 들어가다. ***vieux ~ de magasin*** 팔다 남은 재고품 ; 노처녀. ***voir le ~ du sac*** (사물 · 일 따위의) 진상을 보다.

***fondamental, e, aux** [fɔ̃damɑ̃tal, -o] *adj.* ① 기초의, 기본〔기초〕적인 ; 중요한(= essentiel) : lois ~*es* de l'État 국가의 기본법 / question ~*e* 중요한 문제 / science ~*e* 기초 과학 / fréquence ~*e* 〖음악〗 기본음. ② 근본적인, 철저한(= foncier) : mépris ~ 철저한 경멸. — *f.* 〖음악〗 기본음.

fondamentalement [fɔ̃damɑ̃talmɑ̃] *adv.* 근본적으로(= essentiellement), 본질적으로 ; 완전히(= complètement) : modifier ~ 근본적으로 개조하다 / maxime ~ établie 만고불변의 금언.

fondant, e [fɔ̃dɑ̃, -ɑ̃ːt] *adj.* 녹이는, 용해성의 ; (과일 따위가) 물기 많은. — *m.* ① 일종의 봉봉《과자》(= bonbon ~). ② 〖야금〗 용제(溶劑) ; 〖의학〗 용해제(= remède ~).

fondateur, trice [fɔ̃datœːʀ, -tʀis] *n.* 창립자, 창설자 ; 건국자 ; 개조(開祖), 교조(教祖) : ~ d'un dynastie 왕조의 창건자〔시조〕 / ~

d'une société 회사 설립자.

fondation [fɔ̃dɑsjɔ̃] *f.* ① 창설, 창립, 건설, 설립 : ~ d'une société 회사의 설립 / ~ d'un parti politique 정당의 결성. ② 기부 행위 ; 기금 ; 재단 ; (기부에 의한) 설립: ~ d'un hôpital (기부금에 의한) 병원의 설립 / *F*~ Thiers 티에르 재단 / acte de ~ 기부 행위. ③ (보통 *pl.*) 기초 공사 ; 토대, 기반 : ~*s* solides 확고한 기반. ***de* ~** 전통적인. ***jeter* 〔*poser*〕 *les* ~*s d'une maison*** 가옥 건축의 기초 공사를 하다.

fondé, e [fɔ̃de] *adj.* 근거 있는 ; 정당한, 도리에 합당한 : opinion bien ~*e* 충분한 근거가 있는 의견 / Cette critique n'est pas ~*e*. 이 비판은 근거가 없다. ***être* ~ *à***+*inf.* …할 근거〔이유〕가 있다 : Vous n'*êtes* pas ~ *à* vous plaindre. 당신은 불평할 자격이 없습니다. ── *m.* 〖법률〗 대리인. **~ *de pouvoir*** 〖법률〗 대리인 ; 〖상업〗 전무〔상무〕 이사 ; 대표자.

fondement [fɔ̃dmɑ̃] *m.* ① 토대, 기초, 기반. ② 원리(= principe) : *F*~*s* de la métaphysique des mœurs 도덕 철학의 원리《칸트의 저서명》. ③ 근거 ; 이유(= raison) : rumeur sans ~ 근거 없는 소문 / craintes sans ~ 까닭 모를 두려움. ④ 신용, 신뢰. ⑤ 《구어》 항문 ; 엉덩이. ***Il n'y a pas de* ~ *à faire sur*** qc …을 신용할 수 없다. ***jeter* 〔*établir, poser*〕 *les* ~*s de*** qc …의 기초를 만들다. ***sans* ~** 근거 없는.

fonder** [fɔ̃de] *v.t.* ① …의 기초를 쌓다. ② 창설〔건설〕하다, 세우다(= créer) : ~ une école 학교를 설립하다 / ~ une revue 잡지를 창간하다 / ~ une entreprise 기업을 창업하다. ③ (장학금 따위의) 기금을 내놓다〔기부하다〕 : ~ un prix littéraire 문학상의 기금을 기부하다. ④ 《~ sur》 …에 근거〔토대〕를 두다(= baser) : ~ ses espérances *sur* qc …에 기대를 걸다 / ~ son pouvoir *sur* la force 무력을 토대로 권력을 구축하다. ⑤ …의 근거를 제공하다, 정당화하다(= justifier) : Cet usage ne saurait ~ un droit. 이 관습은 법의 근거가 될 수 없을 것이다. **~ *la cuisine 《구어》 살아 나가기 위한 토대를 마련하다. ── **se ~** *v.pr.* 《~ sur》 …을 근거로 삼다, …에 의거하다.

fonderie [fɔ̃dʀi] *f.* 용광소 ; 제련소 ; 주조 공장 : ~ de fer 제철소 / opérations de ~ 주조 공정.

fondeur [fɔ̃dœːʀ] *m.* 제철 주조공 ; 금속 녹이는 사람 : ~ de canons 대포 주조공.

fondre** [fɔ̃ːdʀ] 25 *v.t.* ① 녹이다, 용해하다 ; 액화시키다 : ~ du sucre dans de l'eau 물에 설탕을 녹이다 / ~ un métal 금속을 용해하다 / Le soleil *a fondu* la neige. 햇빛에 눈이 녹았다. ② 합병하다(= fusionner, réunir), 융합하다 : ~ deux sociétés 두 회사를 합병하다 / ~ deux livres en un seul 두 책을 하나로 만들다. ③ (그림물감을) 섞다(= mêler). ④ (대포·활자 등을) 주조(鑄造)하다(= mouler) : ~ une cloche 종을 주조하다. **~ *la glace 《비유》 서먹서먹한〔냉랭한〕 분위기를 누그러뜨리다. ── *v.i.* ① 녹다, 용해하다, 액화되다 : Le ciel *fond* en eau. 《비유》 비가 억수같이 온다 / ~ en sueur 전신이 땀에 젖다 / faire ~ du beurre 버터를 녹이다. ② (돈 따위가) 녹아 버리듯 없어지다, 사라지다 : L'argent lui *fond* dans les mains. 그의 수중에서 돈이 사라진다. ③ 《구어》 (사람이) 여위다(= maigrir), 마르다 : Il *a fondu* depuis sa maladie. 그는 병이 든 후로 몸이 여위었다. ④ (감정이) 누그러지다 (= s'attendrir) : *J'ai fondu* devant sa gentillesse. 나는 그의 친절 앞에서 마음이 누그러졌다. ⑤ 《~ sur》 …에 달려들다(= s'abattre). **~ *en larmes* 〔*en pleurs, en eau*〕** 한없이 울다 ; 와락 울음을 터뜨리다. ── **se ~** *v.pr.* ① 녹다, 용해하다 : La neige *se fond* au soleil. 태양으로 눈이 녹다. ② (마음이) 누그러지다 : cœur qui *se fond* de pitié 가엾다는 생각에 누그러지는 마음. ③ (돈 따위가) 녹아 버리듯 없어지다. ④ 섞이다, 혼합〔융합〕되다. ⑤ 합병되다.

fondrière [fɔ̃dʀijɛːʀ] *f.* 와지(窪地) ; 웅덩이 ; 늪지, 소택지, 습지.

fonds** [fɔ̃] *m.* ① 토지(= ~ de terre) ; 부동산 : bâtir sur son ~ 자기 소유지에 가옥을 짓다. ② (보통 *pl.*) 자금, 자본, 밑천(= capital) ; 현금(= argent comptant) ; 돈 : bailleur de ~ 출자자 / ~ propres (기업의) 자기 자금 / déposer des ~ à une banque 은행에 예금하다. ③ 기금, 적립금 ; 운영 자금 : ~ de subvention 보조금 / *F*~ monétaire international 국제 통화 기금. ④ 기본적 자산 ; (도서관의) 주요 장서 ; (학문의) 자료 : ~ de science 학문의 온축(蘊蓄) / ~ d'une bibliothèque 도서관의 주요 장서(藏書) / Il a un grand ~ d'honnêteté. 정직이 그의 큰 밑천이다 / ~ 《un tel》 (도서관의) 모씨(某氏) 기증 장서. ⑤ 소질, 재능, 소양. ⑥ (시설을 포함한) 영업권(= ~ de commerce) ; 영업 재산 : céder son ~ 영업권을 양도하다 / acheter un ~ de commerce 영업권을 매수하다. ***à* ~ *communs 공동 출자로. ***être en* ~** 돈을 가지고 있다. ***être en* ~ *pour***+*inf.* 《구어》 …할 수 있는 상태이다. ***faire les* ~** 자금을 대다, 출자하다. **~ *d'État*** 국채. **~ *publics*** 공채. ***Les* ~ *sont en baisse* 〔*sont bas*〕.** 금융 사정이 핍박하다 ; 수중에 현금이 없다. ***manger le* ~ *avec le revenu*** 원금과 이자를 모두 탕진하다. ***ouvrage de* ~** 출판사가 저작권을 갖고 있는 책. ***prêter à* ~ *perdu*** 변제 능력이 없는 사람에게 돈을 빌려 주다.

fondu, e [fɔ̃dy] *adj.* ① 녹은 ; 용해된 : beurre ~ 녹은 버터. ② 주조된 : acier ~ 주강(鑄鋼). ③ 희미한 ; 흐릿한(= flou) : contours ~*s* 흐릿한 윤곽. ④ 〖미술〗 (색이) 서서히 엷어지는. ── *m.* ① 〖영화〗 (화면의) 명암(明暗) 조절 : fermeture en ~ 페이드아웃 / ouverture en ~ 페이드인 / ~ enchaîné 오버랩. ② (라디오의) 소리가 점점 작아짐. ── *f.* 퐁뒤《치즈와 백포도주를 섞어 불에 녹인 것에 빵 조각을 적셔 먹는 요리》 : ~ bourguignonne 부르고뉴 퐁뒤.

fontaine** [fɔ̃tɛn] *f.* ① 《옛》 샘(= source) : ~ de pétrole 분유정(噴油井) / ~ intermittente 간헐천. ② 분수(= ~ jaillissante). ③ 분수전(噴水栓), 급수장(= ~ publique). ④ 근원, 원천(= principe). ***Il ne faut pas

〔**jamais**〕 **dire : F~ je ne boirai pas de ton eau.** 《격언》 세상 일이란 알 수 없으니 큰소리 쳐서는 안 된다.

fontainier [fɔ̃tɛ〔e〕nje] *m.* ① 가정용 물탱크 제조〔판매〕자. ② 수도계원. ③ 지하수 탐사원.

fontanelle [fɔ̃tanɛl] *f.* 〖의학〗 (갓난아이 머리의) 숫구멍, 정문(頂門).

fonte[1] [fɔ̃:t] *f.* ① 녹임, 융해, 용해 : ~ des neiges 눈 녹음 / ~ d'un métal 금속의 용해. ② 주조 ; 주철(鑄鐵) : ~ brute 선철(銑鐵) / ~ d'acier 주강(鑄鋼) / ~ des monnaies 화폐의 주조 / jeter du métal en ~ 금속을 거푸집에 붓다. **pièces de ~ ; objets en ~** 주물(鑄物) ; 주조 제품.

fonts [fɔ̃] *m. pl.* 〖가톨릭〗 세례반, 영세반.

***football** [futbo:l] *m.* 축구.

footballeur, euse [futbolœ:ʀ, -ø:z] *n.* 축구 경기자〔선수〕.

footing [futiŋ] 〔영〕 *m.* 도보(徒步) ; 건강을 위한 산책.

for [fɔ:ʀ] *m.* ① 〖고대법〗 재판(권). ② 지방의 법률. **~ extérieur** 사회 도덕. **~ intérieur** 양심 : dans 〔en〕 son ~ *intérieur* 마음 속으로(는).

forage [fɔʀa:ʒ] *m.* ① 구멍 뚫기, 굴착 ; 우물 파기, 착정(鑿井). ② 뚫은 구멍. ③ 보링, 시추(試錐). **~ de prospection** 시굴(試掘). **tour de ~** 유정탑(油井搭).

forain, e [fɔʀɛ̃, -ɛn] *adj.* ① 타국〔타인〕의 ; 타지방의. ② 시골의. ③ 장〔장터〕의 : marchand ~ 노점 상인 ; 행상인 / acteur ~ 순회 극단 배우. **fête ~e** 장터에서 상인들이 벌여 놓는 오락(장). — *n.* ① 노점 상인 ; 행상인. ② 순회 극장 배우.

forban [fɔʀbɑ̃] *m.* 해적 ; 강도, 악당(= bandit) : ~ littéraire 표절자.

forçage [fɔʀsa:ʒ] *m.* 〖원예〗 (식물의) 촉성 재배 : ~ des primeurs 채소 촉성 재배.

forçat [fɔʀsa] *m.* ① 도형수(徒刑囚). ② 갤리선(船)을 젓는 죄수 : travailler comme un ~ 고되게 일하다.

‡**force** [fɔʀs] *f.* ① 힘, 체력, 기력 ; 폭력 : ~ physique 체력 / avoir de la ~ 힘이 세다 / ménager ses ~s 힘을 낭비하지 않다 / ne plus avoir la ~ de +*inf.* 더 이상 …할 힘이 없다 / recourir à la ~ 힘〔폭력〕에 호소하다. ② 정신력, 능력, 역량, 지력 ; 용기 : ~ de volonté 의지력 / être de la même ~ 능력이 백중하다 / ~ intellectuelle 지력 / ~ de caractère 성격의 힘 / épreuve de ~ 실력 대결. ③ (집단·조직의) 힘, 권력, 세력 : ~*s* politique 정치 세력 / railler les ~*s* d'opposition 반대 세력을 규합하다. ④ (물리·자연의) 힘 ; 강함, 강도, 튼튼함, 견고 ; 강인, 격렬성 ; (필치 따위의) 박진력 : ~ atomique 원자력 / ~ du vent 풍력 / ~ d'un choc 충격력 / faire installer la ~ chez soi 자기 집에 동력선을 끌어들이다. ⑤ (약 따위의) 효력 ; 자력 ; 영향력, 작용력 : ~ d'un médicament 약의 효력 / ~ d'une théorie 이론의 영향력. ⑥ 구속력 ; 필연성 : avoir ~ de loi 법과 같은 힘을 가지다 / ~ d'un argument 논법의 설득력 / Le mensonge a autant de ~ que la vérité. 허위는 진리와 맞먹는 힘을 가진다. ⑦ (흔히 *pl.*) 병력 : ~(s) militaire(s) 군사력 / ~ de frappe 기동 타격력. ⑧ 강점, 장점 ; 이점 : C'est sa persévérance qui fait sa ~. 그의 장점은 끈기이다. ⑨ 〖전기〗 힘 ; 전력, 3상 교류 : ~ électromotrice 기전력 / prise de ~ 전기 접속. ⑩ 〖물리〗 힘 : ~ d'inertie 관성의 힘 / ~s centrifuge et centripète 원심력과 구심력 / ~ de pesanteur 중력. ⑪ 다량. **à ~** 《구어》 많이, 듬뿍, 다량으로. **à ~ de** 많은 …으로, 많은 …에 의하여 : *à ~ d'*argent 돈을 하도 많이 써서, 돈의 힘으로 / *à la ~ des* bras 완력만으로. **à ~ de**+*inf.* 많이 …한 덕택으로 : *À ~ de* travailler il a réussi. 애써 일한 덕으로 그는 성공했다. **à toute ~** 어떤 일이 있더라도, 기어코 : Il voulait *à toute ~* que nous l'accompagnions. 그는 어떻게 해서든지 우리가 동행하길 바랐다. **avec ~** 세게, 힘차게. **C'est une ~ de la nature.** 《구어》 그는 활력에 넘쳐 있다〔굉장한 정력가이다〕. (mourir) **dans la ~ de l'âge** 한창 나이에 (죽다). **de ~ ; de vive ~** 힘으로, 억지로. (pianiste) **de première ~** 일류 (피아니스트) : être *de première ~* à 〔sur〕 qc …에 일류이다. **de toute ~** 절대로. **de toutes ses ~s ; de toute sa ~** 온힘을 다하여. **en ~** ⓐ 안간힘을 다하여(≠ en souplesse) : courir *en ~* 안간힘을 다하여 달리다. ⓑ 많은 인원을 동원하여 : être *en ~* 인원이 충분하다 / attaquer *en ~* 대공격을 가하다. **être à bout de ~s** 기진맥진하다. **être de ~ à**+*inf.* **; être en ~ de**+*inf.* …할 수 있다. **~ du sang** 혈연관계. **F~ est de**+*inf.* …할 수밖에 없다. **F~ lui est de**+*inf.* 그는 …할 밖에 달리 도리가 없다 : *F~ lui était de* prendre une décision. 그는 결심할 수밖에 도리가 없었다. **~ vive** 활력. **n'avoir ni ~ ni vertu** 활력이 전혀 없다, 기진맥진하다. **ne plus sentir sa ~** 《구어》 지독하게 강하다. **par ~** 억지로, 강제로, 마지못해 : Je l'ai accepté, mais *par ~*. 그것을 수락하긴 했지만 마지못해 그렇게 했다.

***forcé, e** [fɔʀse] *adj.* ① 억지로 지어낸, 부자연한 : sourire ~ 억지로 꾸민 미소. ② 강제〔강요〕된 ; 강행된 : consentement ~ (본인의 의사가 아닌) 강요된 동의 / vente ~*e* 강제 매각. ③ 불가피한 ; 어쩔 수 없는, 불가항력의 ; 필연의(= inévitable) : attérrissage ~ 불시착, 강제 착륙. ④ 과도한, 지나친 : plaisanteries ~*es* 지나친 농담. ⑤ 〖원예〗 촉성의 : culture ~*e* 촉성 재배. **avoir la carte 〔main〕 ~e** 강제에 못이겨 하다, 마지못해 하다. **C'est ~ que**+*sub.* …은 어쩔 수 없는 일이다.

forcement [fɔʀsəmɑ̃] *m.* ① 강제 ; 강행 : ~ d'un obstacle 장애물의 강행 돌파. ② 강제 징수〔회수〕 ; 성폭행 : ~ de 〔en〕 recettes 세금의 강제 징수. ③ (자물쇠 따위를) 억지로 열기 : ~ d'un coffre 금고를 비틀어 열기. **introduire** qc **à ~** …을 억지로 들이다.

***forcément** [fɔʀsemɑ̃] *adv.* 강제로 ; 필연적으로, 당연히, 반드시, 하는 수 없이 : Cela doit ~ se produire. 그것은 필연적으로 일어나고야 말 것이다 / 《ne... pas ~》 Ce qu'il dit *n'*est *pas* ~ ce qu'il pense. 그가 말하는

것은 반드시 그가 생각하는 것은 아니다.

forcené, e [fɔʀsəne] *adj.* ① 광란의, 분노한 (= furibond) : foule ~*e* 분노한 군중. ② 미치광이 같은, 격한, 맹렬한(= enragé, acharné) ; 열중한(= passionné) : étude ~*e* 맹렬한 공부 / 《~ de》 être ~ *de* la chasse 사냥에 미치다. ── *n.* 미치광이, 광인 ; 열광적인 사람 : crier comme un ~ 미치광이처럼 울부짖다.

forceps [fɔʀsɛps] *m.* 산부인과용 겸자(鉗子), 핀셋.

forcer** [fɔʀse] [2] *v.t.* ① 강제하다, 강요하다 (= contraindre, obliger) : 《~ qn à qc》 ~ qn *au* silence …을 억지로 침묵시키다 / 《~ qn à 〔《드물게》 de〕 + *inf.*》 ~ un malade *à* manger 환자에게 억지로 먹게 하다 / 《être *forcé* de + *inf.*》 Nous *étions forcés de* rester. 우리는 남아 있어야 했다. ② (동의 따위를) 강요하다, 억지로 얻어 내다 ; (감정 따위를) 불러일으키다 : ~ le consentement de qn 억지로 …의 동의를 얻다. ③ (문 따위를) 파괴하다, 억지로 열다 : ~ une serrure 자물쇠를 부수고 열다 / ~ un coffre 금고를 부수고 열다. ④ (명령 따위를) 무시하다, 어기다. ⑤ 혹사시키다, 무리하게 다루다 : ~ un cheval 말을 지치도록 달리게 하다 / ~ un moteur 발동기를 억지로 돌리다 / ~ sa voix 무리하게 높은 목소리를 내다. ⑥ 지나치다, 과장하다(= dépasser, exagérer) : ~ la dose 정량 외로 약을 쓰다 / ~ la dépense 과용하다. ⑦ (장애물 따위를) 극복하다, 돌파하다 : ~ un passage 진로를 뚫다. ⑧ (뜻 따위를) 억지로 해석하다, 왜곡하다 : ~ le sens d'un mot 〔d'une expression〕 말〔표현〕의 뜻을 억지로 둘러대다. ⑨ 성폭행하다. ⑩ (요새 따위를) 강습하여 점령하다. ⑪ (적을) 제압하다 : ~ l'ennemi 적진을 돌파하다. ⑫ (식물을) 촉성 재배하다 : ~ des fleurs 꽃을 촉성 재배하다. ***~ la main (말이) 기수의 말을 듣지 않다. ***~ la main à*** qn …에게 하고 싶지 않은 일을 억지로 시키다. ***~ la nature*** 〔***son talent***〕 역량 이상의 일을 하려 들다 ; 억지로 태도를 꾸며 보이려 하다. ***~ la note*** 과장하다.

── *v.i.* ① 무리하게 힘을 쓰다 ; 무리하다 : sans ~ 무리하지 않고 / Prends ton temps, ne *force* pas. 여유를 갖고 무리하지 말아라. ② 《~ sur》 《구어》 …을 과용하다 : Le cuisinier *a forcé sur* le sel. 요리사가 소금을 너무 썼다. ③ (바람이) 강해지다 : La brise *force.* 바람이 사나워진다. ④ 〖해양〗 (돛대가) 힘겹게 버티다, (밧줄이) 힘겹게 당기다.

── **se ~** *v.pr.* ① 무리해서 하다 ; 강제로 하다 : J'ai dû *me* ~ pour achever la lecture de ce roman. 나는 이 소설을 끝까지 읽기 위해 무리를 해야 했다. ② 자제하다, 참다. ③ (괴로운 일을) 억지로(라도) 하다 : 《se ~ à + *inf.*》 Il faut *se* ~ *à* travailler tous les jours. 꼭 참고 매일 공부해야 한다.

forcerie [fɔʀsəʀi] *f.* 촉성 재배 온실〔온상〕.

forcing [fɔʀsiŋ] 〔영〕 *m.* ① 〖스포츠〗 강공(強攻), 맹공 : faire le [illegible] 맹공을 [illegible]. ② 집중 훈련〔교육〕 : ~ dans des boîtes à bachot 대학 입학 자격 시험 예비 학교에서의 집중 교육.

forcir [fɔʀsiʀ] *v.i.* 《구어》 살찌다, 뚱뚱해지다 ; 키가 자라다 ; 튼튼해지다.

forclore [fɔʀklɔːʀ] *v.t.* 《부정법 및 과거 분사 forclos(e) 만이 쓰임》 ① 〖법률〗 (시효에 의하여) 소권(訴權)을 상실시키다 : *être forclos* 소권이 상실되다. ② 〖법률〗 유전(流典)시키다.

forclos, e [fɔʀklo, -oːz] *adj.* 〖법률〗 (시효에 의하여) 소권(訴權)을 상실한.

forclusion [fɔʀklyzjɔ̃] *f.* ① 〖법률〗 (시효에 의한) 소권 상실. ② (저당물의) 유전(流典).

forer [fɔʀe] *v.t.* ① …에 구멍을 뚫다 : ~ une roche 바위를 뚫다, 착암하다 ② (우물 따위를) 파다 : ~ un puits 우물을 파다.

forestier, ère [fɔʀɛstje, -ɛːʀ] *adj.* ① 산림의 : code ~ 산림(개발)법 / garde ~ 산림 감독, 임무관(林務官). ② 임무관의 : maison ~*ère* 임무관 관사. ── *m.* 임무관(= garde ~), 산림 간수.

foret [fɔʀɛ] *m.* 송곳, 구멍 뚫는 기구 : ~ hélicoïdal 드릴.

‡forêt [fɔʀɛ] *f.* ① 삼림, 산림, 숲 : ~ vierge 처녀림 / ~ dense 밀림. ② (돛대 따위가) 무수히 솟은 모양 ; (머리숱 따위가) 많음 : une ~ de mâts 빽빽이 늘어선 돛대. ***eaux et ~s*** [ozefɔʀɛ] 〖행정〗 산림 치수.

foreuse [fɔʀøːz] *f.* (금속·바위에) 구멍 뚫는 기계, 천공기(= perceuse), 착암기(= perforateur).

forfaire [fɔʀfɛːʀ] *v.i.* [28] 《부정법 현재, 직설법 현재 단수, 복합시제로만 쓰임》 《~ à》 어기다 : ~ *à* l'honneur 명예를 손상하는 일을 하다 / ~ *à* sa parole 약속을 어기다 / ~ *à* son honneur (여자가) 유혹에 지다, 몸을 망치다.

forfait[1] [fɔʀfɛ] *m.* 대죄(大罪), 중죄(重罪)(= crime) : commettre un ~ 중죄를 짓다 / expier un ~ 속죄하다.

forfait[2] *m.* ① 청부 (계약) : faire un ~ avec un entrepreneur 청부인과 청부 계약을 맺다. ② (세금의) 사정액(査定額), 견적, 과세액. ***à ~*** 청부로 ; (미리) 일정한 값으로. ***acheter*** 〔***vendre***〕 qc ***à ~*** (수확물·가격의 변동을 미리 견적하여) 일정한 값으로 사다〔팔다〕 ; 도매금으로 사다〔팔다〕. ***endossement à ~*** (약속 어음의) 무상 배서(無償背書). ***travail à ~*** 청부〔도급〕 일.

forfait[3] *m.* ① (경마 따위의 출장 취소에 대한) 위약금. ② (경기의) 출장 취소, 기권. ***match gagné par ~*** 상대방의 불출전에 의한 부전승(不戰勝). ***déclarer ~*** (말의) 출장을 취소하다.

forfaitaire [fɔʀfɛtɛːʀ] *adj.* 도급의 ; 통틀어서의, 총괄적인 : contrat ~ 도급 계약 / prix ~ 도급액 ; 청부 계약액.

forfaiture [fɔʀfɛ〔e〕tyːʀ] *f.* ① 독직죄(瀆職罪). ② (봉건 시대의) 반역죄. ③ 배신 ; 불충성.

forfanterie [fɔʀfɑ̃tʀi] *f.* 허풍, 허세(= fanfaronnade), 호언장담.

forge [fɔʀʒ] *f.* ① 대장간 ; (대장간의) 화덕 : artisans 〔ouvriers〕 d'une ~ 대장장이 / ronfler comme une [illegible] 드르렁드르렁 코를 골다 / rougir comme une ~ 얼굴이 새빨개지다. ② 제철 설비 ; (*pl.*) 제철소, 철공소 : maître de ~*s* 철공소 주인 ; 대장간.

forgé, e [fɔʀʒe] *adj.* ① 벼려서 만들어진, 단련된 : fer ~ 단련된 쇠. ② 만들어진, 꾸며진 (= inventé) ; 날조된 : exemple ~ 만들어 낸 예 / renseignement ~ 날조된 정보.

forger** [fɔʀʒe] [3] *v.t.* ① (쇠 따위를) 벼리다, 단련〔단조〕하다 : ~ le fer 쇠를 벼리다. ② 벼려서 만들다 : ~ une clé 〔un fer à cheval〕 열쇠〔편자〕를 벼려서 만들어내다. ③ 만들어내다(= fabriquer) ; 생각해내다(= inventer) ; 날조하다(= controuver) : ~ un mot nouveau 신어를 만들어내다 / ~ un mensonge 거짓말을 꾸며내다. ***C'est en forgeant qu'on devient forgeron. 《속담》 자꾸 단련해야 숙달한다.

forgeron [fɔʀʒəʀɔ̃] *m.* 대장장이, 단철공(鍛鐵工).

forgeur, euse [fɔʀʒœːʀ, -øːz] *n.* 날조자, 위조자. — *m.* 대장장이.

formalisation [fɔʀmalizasjɔ̃] *f.* 〖논리〗 형식화, 공리화(= axiomatisation) : ~ de la logique 논리의 형식화.

formaliser¹ (se)** [səfɔʀmalize] *v.pr.* 화를 내다, 기분 나빠 하다(= s'offenser, se vexer) : Ne *vous formaliserz* pas. 화내지 마세요. ***se ~ de qc ***; se ~ que***+*sub.* ***; se ~ de ce que***+*ind.* 〔*sub.*〕 …을 기분 나쁘게 생각하다.

formaliser² [fɔʀmalize] *v.t.* 〖논리〗 형식화〔공리화〕하다 : ~ un raisonnement 추론을 공리화하다.

formalisme [fɔʀmalism] *m.* ① 형식주의, 형식 존중, 허례(虛禮). ② 〖철학〗 형식주의.

formaliste [fɔʀmalist] *adj.* ① 형식에 사로잡힌, 형식적인 ; 허식〔허례〕의. ② 〖철학〗 형식주의의. — *m.* 〖철학〗 ① 형식에 사로잡힌 사람 ; 허식가. ② 형식주의자.

formalité** [fɔʀmalite] *f.* ① 형식 ; 격식 : ~ des donations 〔testaments〕 증여〔유언〕의 격식. ② 절차(= procédure), 수속 : ~ de douanes 세관의 (통관) 절차. ③ 의례(= cérémonial) : C'est une pure ~. 그건 단순한 형식에 불과하다. ***sans autre ~ ; sans plus de ~(s) 《구어》 더 이상 까다롭게 굴 것 없이. ***sans ~(s)*** 격식 차리지 않고, 흉허물없이, 탁 터놓고.

***format** [fɔʀma] *m.* ① 〖인쇄 · 사진〗 판(判), 형(型) : ~ de poche 포켓판 / ~ in-folio 〔in-quatro, in-octavo, in-seize〕 2절〔4절 · 8절 · 16절〕판, ② 크기 ; 가치, 중요성 : personne de petit ~ 몸집이 작은 사람 / événement de grand ~ 《비유》 중대 사건. ③ 〖컴퓨터〗 포맷.

formater [fɔʀmate] *v.t.* 〖컴퓨터〗 포맷하다 : ~ une disquette 〔un disque dur〕 디스켓을〔하드디스크를〕 포맷하다.

formateur, trice [fɔʀmatœːʀ, -tʀis] *adj.* ① 형성하는, 형체를 부여하는. ② 창조〔설립〕하는. ③ 양성〔육성〕하는 교육에 좋은 : ambiance ~*trice* 교육적인 분위기.
— *n.* 창조자 ; 설립자, 양성자, 교육자.

***formation** [fɔʀmɑsjɔ̃] *f.* ① 형성 ; 구성, 조성 : ~ d'une équipe 팀 편성〔구성〕. ② 조직, 설립, 창립 : ~ d'une entreprise 기업의 창설. ③ 양성, 육성 ; 훈련, 수련, 교육 : ~ de caractère 성격의 도야 / ~ professionnelle 직업 훈련. ④ 〖지질〗 생성 ; 지질 계통 ; 〖식물〗 같은 계통의 식물군(群) : ~ quaternaire 제 4 기층 / ~ sédimentaire 침전 생성(층). ⑤ 〖군사〗 (연대 등의) 편제, 편성 ; 편대 : ~ en carré 〔en ligne〕 방형〔종형〕진(陣). ⑥ 〖정치 · 사회〗 조직(체), 단체, 당, 조합 : grandes ~*s* politiques 〔syndicales〕 대정치〔대조합〕 조직. ⑦ 〖스포츠〗 팀.

‡forme [fɔʀm] *f.* ① 형상, 형체 ; 외형, 외관, 모양 ; 모습 ; 윤곽 : objet de ~ sphérique 원형의 물건 / ~ cristalline 결정체(結晶體). ② (*pl.*) 신체의 윤곽, 몸매, 자태 : apercevoir une ~ indécise dans le brouillard 안개 속에 어렴풋한 그림자가 보이다 / Elle a de belles ~*s*. 그녀는 몸매가 아름답다. ③ 존재, 형태, 양상, 양식 : diverses ~*s* de la vie 여러 가지 생활 양식 / différentes ~*s* de l'énergie 에너지의 여러 형태. ④ (내용에 대한) 형식 ; 구조(= structure), 표현 양식, 문체 : composition de ~ sonate 소나타 형식의 작품 / poème à ~ fixe 정형시. ⑤ (*pl.*) 예의, 예절(= manières) ; 태도 : respecter les ~*s* 예의범절을 지키다 / ~*s* raffinées 〔rudes〕 세련된〔거친〕 태도. ⑥ 형(型), 형판(型板), 틀, 본 ; 〖인쇄〗 판 : chapeau haut de ~ 실크 해트 / ~ à fromage 치즈의 형판. ⑦ 〖법률〗 형식, 서식 ; 수속, 절차(= formalité) : respecter la ~ légale 법적 절차를 밟다 / nullité pour vice de ~ 형식〔서식〕 미비에 의한 무효. ⑧ (말 · 운동 선수 따위의) 컨디션 : être en (pleine) ~ 컨디션이 (대단히) 좋다 ; 《구어》 건강이 좋다. ⑨ ⓐ 〖철학〗 《옛》 (아리스토텔레스 · 스콜라 철학에서) 개체의 형성 원리, 본질(= essence). ⓑ (칸트 철학에서) 형태, 범주(= catégorie). ***avoir des ~s*** 예절이 바르다. ***dans les ~s ; en bonne ~ ; en bonne et due ~*** 정식의〔으로〕, 격식에 맞춘〔맞추어〕 : avertir qn *dans les ~s* …에게 정식으로 통고하다. ***en ~ de ; par ~ de*** …의 형태로〔형식으로〕. ***être de pure ~*** 순전히 형식적이다. ***mettre en ~*** 편집하다, (문서를) 작성하다. ***n'avoir plus ~ humaine*** (너무 수척해서) 사람꼴이 아니다 ; 그것만으로. ***pour la ~*** 형식상으로, 체면치레로 : consulter qn juste *pour la ~* …와 그저 형식상으로 의논하다. ***prendre des ~s*** 《구어》 (몸집이) 뚱뚱해지다. ***prendre ~*** 형태를 갖추다. ***sous (la) ~ de*** …의 형태로, …의 형상을 띠고 : statistique *sous ~ de* tableau 표 형식의 통계 / apparaître *sous la ~ d'*un cygne 백조의 모습으로 나타나다. ***sous toutes les 〔ses〕 ~s*** 모든 형태의, 모든 면에 있어서 : vice *sous toutes ses ~s* 온갖 형태의 악.

-forme *suff.* 「…의 형태〔형상〕을 가진」의 뜻.

formé, e [fɔʀme] *adj.* ① 성장한, 성숙한 ; 원숙한 : fille ~*e* (결혼 적령기의) 성장한 처녀. ② (열매가) 결실한 ; (이삭이) 팬 : fruit ~ 익은 과일.

***formel, elle** [fɔʀmɛl] *adj.* ① 정식의, 명시된 ; 명확한 : preuve ~*elle* 명백한 증거 / défense ~*elle* 엄금. ② 형식적인 ; 형식에 관한 : système ~ 형식 체계 / beauté ~*elle* 형식미 / Il a montré une politesse toute ~*elle*. 그는 아주 형식적인 예의를 보여 주었다.

formellement [fɔʀmɛlmɑ̃] *adv.* ① 정식으로, 명문에 의하여 ; 명확하게, 단호하게 :

vérité ~ établi 명백하게 증명된 진실 / Il est ~ interdit de+*inf.* …하는 일은 엄금되어 있다. ② 형식적으로 : raisonnement ~ juste 형식적으로는 올바른 추론.

***former** [fɔʀme] *v.t.* ① 형성하다 ; 구성하다, 이루다, 만들다 ; (글 등을) 짓다 ; (도형 등을) 그리다 ; (목소리를) 내다 : Dieu *forma* l'homme à son image. 신은 자신의 형상대로 인간을 지으셨다 / ~ bien 〔mal〕 ses phrases 글을 잘〔잘못〕 짓다 / ~ les plis d'une jupe 치마의 주름을 잡다 / parties qui *forment* un tout 전체를 이루는 부분 / les gens qui *forment* l'élite de la société 사회의 엘리트인 사람들. ② 조직〔창설〕하다 ; 편성하다 : ~ un gouvernement 정부를〔내각을〕 조직하다 / ~ un bloc autour d'un leader 지도자를 중심으로 뭉치다. ③ 양성하다 ; (재능·성격 등을) 육성〔훈련〕하다 : ~ son goût par de bonnes lectures 좋은 책을 읽어서 취미를〔교양을〕 기르다 / ~ des soldats 군인을 양성하다. ④ (생각을) 품다 ; (계획 따위를) 세우다 : ~ le projet de+*inf.* …할 계획을 세우다 / ~ des vœux pour qn …을 위해 (번영·성공 등을) 기원하다. ⑤ (동맹·관계를) 맺다 : ~ une union 동맹을 맺다. ⑥ (이의 따위를) 표명하다 : ~ une opposition 이의를 제기하다.

— **se** ~ *v.pr.* ① 형성되다 ; 구성되다 ; 만들어지다 : idées qui *se forment* dans mon esprit 내 마음속에 떠오르는 생각 / 《비인칭》 Il *s'est formé* des liens entre eux. 그들 사이에 유대가 형성되었다. ② 《se ~ en》 …의 형태를 이루다 : Les menifestants *se formèrent en* cortège. 데모대는 긴 행렬을 이루었다. ③ 조직〔창설〕되다 ; 편성되다 : Une classe *s'est formée.* 학급이 편성되었다. ④ (인물 따위가) 양성되다 ; 육성〔훈련〕되다 : Cette jeune fille *s'est formée* de bonne heure. 이 소녀는 몸이 조숙했다. ⑤ (계획 따위가) 세워지다. ⑥ (관계가) 맺어지다. ⑦ (군대 따위가) 정렬하다. ⑧ 마음에 품다.

***formidable** [fɔʀmidabl] *adj.* ① 《옛》 무시무시한(= effrayant). ② 어마어마한, 엄청난(= extraordinaire, énorme) : foule ~ 어마어마하게 많은 군중 / somme ~ 거액의 돈. ③ 《구어》 굉장히 좋은〔아름다운·멋진〕, 희한한, 기막힌(= épatant, sensationnel) : film ~ 기막힌 영화 / C'est un type ~. 저 녀석은 무척 좋은 놈이야.

formidablement [fɔʀmidabləmɑ̃] *adv.* 무섭게, 엄청나게 ; 굉장히 : Il est ~ stupid. 그는 아주 어리석다.

formosan, e [fɔʀmozɑ̃, -an] *adj.* 타이완(*Formose*)의. — **F**~ *n.* 타이완 사람.

formulable [fɔʀmylabl] *a.* ① 표현〔표명〕할 수 있는 : désir difficilement ~ 말로 표현하기 어려운 욕구. ② 서식으로 작성할 수 있는 ; 공식으로 나타낼 수 있는.

formulaire [fɔʀmylɛːʀ] *m.* ① 서식집(書式集), 공식집 : ~ de prières 기도문집(集). ② 처방집. ③ (신청) 용지, 서면 ; 설문지, 앙케트 용지 : remplir un ~ 질문지에 기입하다.

formulation [fɔʀmylɑsjɔ̃] *f.* ① 표명, 진술, 확인 : ~ d'une politique 정책의 표명. ② (서식·처방의) 작성(법). ③ 공식〔정식〕화.

***formule** [fɔʀmyl] *f.* ① 서식(書式) : ~ d'un contrat 계약서의 서식. ② 형식, 양식, 방식, 방법 : ~ de paiement 지불 방법 / Le voyage par bateau est la ~ économique. 선박 여행은 경제적 방편이다. ③ 관례적인 문구〔표현〕; (주의·주장 따위의) 간결한 표현 ; 격언, 경구(= aphorisme) : ~ de politesse 인사의 말투〔문구〕 / ~ de prière 기도문 / ~ publicitaire 선전 문구. ④ 〖수학·화학〗 식, 공식 : La ~ chimique de l'eau est H_2O. 물의 화학식은 H_2O 이다. ⑤ 〖약학〗 처방. ⑥ (신청서) 용지, 서면(= formulaire) : ~ de télégramme 전보 용지. ⑦ 〖자동차〗 포뮬러 《공식 규격에 따른 경주용 차의 종별》.

***formuler** [fɔʀmyle] *v.t.* ① (서류를) 서식에 따라 꾸미다, 작성하다 : ~ un acte notarial 공증 증서를 작성하다. ② 명백하게 표현하다, 표명하다 : ~ une plainte 소송을 제기하다. ③ 말로 표현하다, 말하다 : ~ une objection 이의를 제기하다. ④ (원칙·규칙 따위를) 세우다. ⑤ 〖물리·화학·수학〗 식(式)으로 나타내다 : ~ un théorème 〔une réaction chimique〕 정리를〔화학 반응을〕 식으로 나타내다. — **se** ~ *v.pr.* ① 서식에 따라 꾸며지다〔작성되다〕. ② 표현하다〔되다〕. ③ 명백히 의식〔인식〕하다. ④ 스스로 표명되다 ; 스스로 세우다.

fornication [fɔʀnikɑsjɔ̃] *f.* 간음죄.

forniquer [fɔʀnike] *v.i.* 간음죄를 범하다.

fors [fɔːʀ] *prép.* 《옛》 …을 제외하고.

forsythie [fɔʀsiti], **forsythia** [fɔʀsis(t)ja] *m.* 〖식물〗 개나리.

:fort, e[1] [fɔːʀ, fɔʀt] *adj.* ① 힘센, 강한, 튼튼한(≠ faible) ; 견고한 : ville ~*e* 요새 도시 / ~ comme un Turc 〔un bœuf〕 아주 힘센 / sexe ~ 남성 / avoir des jambes ~*es* 다리가 억세다 / cheval ~ en bouche 재갈이 듣지 않는 말. ② 체격이 좋은, 큼직한 ; 풍만한, 뚱뚱한 : ~*e* charpente 건장한 체격 / nez ~ 큼직한 코 / femme ~*e* 뚱뚱한 여자 / ~*e* poitrine 풍만한 가슴. ③ 강렬한 ; (비바람·물결이) 거센 ; (바다가) 거친 ; 열이 높은 ; (술·담배 따위가) 독한 : vent ~ 강풍 / ~*e* mer 거친 바다 / haleine ~*e* 거센 숨결 / lunettes ~*es* 도수 높은 안경 / navire ~ de côte 쉽사리 기울지 않는 배. ④ (정신적으로) 억센, 굳센, 의지가 강한 ; 확고한 : caractère ~ 확고한 성격 / ~ dans l'adversité 〔l'épreuve〕 역경〔시련〕에 모질게 버티는. ⑤ 강력한 ; 유력한 : gouvernement ~ 강력한 정부 / homme ~ d'un parti 당의 실력자. ⑥ 막대한, 다대한 ; 대단한, 심한 : ~*es* chutes de neige 심한 강설(降雪) / une ~*e* somme d'argent 거액 / ~ buveur 술고래 / Il a pris une ~*e* cuite. 《구어》 그는 취해 떨어졌다 / ~*e* montée 가파른 오르막길. ⑦ 능숙한, 우수한, 뛰어난 : ~ à tous les jeux 모든 놀이에 능한 / ~ en mathématiques 수학을 잘하는 / ~ sur les questions économiques 경제 문제에 밝은 / le plus ~ de la classe 학급 가운데 가장 우수한 / pas très ~ 그리 강하지 못하는 / ~ en français 프랑스말을 잘하는. ⑧ 《구어》 (글 따위가) 잘된 : ne pas être ~ 신통치 않다. ⑨ 《구어》 정도가 지나친 ; 믿기 어려운, 과장된 : plaisanterie un peu ~*e* 좀 지나친 농담 / Ce qu'il y a de plus ~, c'est que ... 가장 지독한 일은 …이다 ; 가장 우수한 일은 …이다. ⑩《~ de》…에 힘을 얻어, …을 믿고 : *F~ de* son innocence, il méprisait les accusations. 그는 결백을 확신하고 있었기 때문에 비난을 무시했다. ⑪ 〖언어〗 경성(硬性)의. ***avoir affaire à ~e partie*** 강적을 만나다, 큰 곤란과 맞서다. ***C'est* (*par*) *trop ~ !; C'est un peu ~* (*de café*) *!*** 그건 너무〔좀〕 심하다. ***C'est plus ~ que moi !*** 나로서는 어쩔 수 없다. ***donner*** 〔***prêter***〕 ***main*** (-)***~e à*** qn …을 돕다. ***esprit ~*** 자유 사상가 ; 신앙 없는 사람. ***prix ~*** 〖상업〗 최고 가격. ***se faire ~ de***+*inf.* …할 수 있다고 자부〔장담〕하다 : Elle *s'est fait ~ de* réussir. 그녀는 성공한다고 장담했다. ***se porter ~ pour*** qn …의 동의를 얻을 것을 책임지다 ; …의 일을 보증하다.

── *adv.* ① 대단히, 매우, 몹시 : C'est ~ beau. 그것은 매우 아름답다. ② 강하게, 세게, 힘차게 : crier ~ 큰 소리로 부르짖다 / frapper ~ 세게 치다. ③ 심하게, 격렬하게, 세차게 : cœur qui bat ~ 심하게 뛰는 가슴 / Le vent souffle ~. 바람이 세차게 분다. ***avoir ~ à faire*** 할 일이 많다. ***Ça ne va pas ~.*** 《구어》 상태가 나쁘다, 일에 진전이 없다. ***De plus en plus ~ !*** 《구어》 이건 더 굉장한데, 더욱 더 훌륭한데! (***y***) ***aller ~*** 대담한 일을 하다 ; 과장하다.

── *m.* ① 강자, 힘센 사람 ; 인부(= ~ de la halle) : trouver plus ~ que soi 자기보다 강한 상대를 만나다 / ~ du port 부두 하역부. ② 강점, 장점 ; 장기(長技) ; 강한 부분 : le ~ et le faible de qn …의 장점과 단점 / La cuisine n'est pas mon ~. 나는 요리에는 자신이 없다. ③ 요새, 보루, 성채 : le ~ de Verdun 베르됭 요새. ④ 최전성기, 절정기, 한창때 ; 난점 ; 요점 : ~ de la forêt 숲의 한가운데. ⑤ le plus ~ ⓐ 놀랄 만한 일〔것〕, 믿을 수 없는 일〔것〕 : *Le plus ~*, c'est qu'il le croyait. 놀랄 만한 일은 그가 그렇게 믿고 있었다는 사실이다. ⓑ 곤란한〔어려운〕 것〔일〕 : *Le plus ~* est fait. 어려운 고비는 넘겼다. ***au ~ du combat*** 전투가 한창 벌어지고 있을 때. ***de son plus ~*** 온 힘을 다해서. ***du ~ au faible ; le ~ portant le faible*** 좋고 나쁜 것을 뒤섞어서, 평균해서. ***La raison du plus ~ est toujours la meilleure.*** 《격언》 강자가 되는 것이 최상이다.

forte² [fɔʀte] 〔이탈리아〕 *adv.* 〖음악〗 강하게 ; 힘차게. ── *m.* 《복수불변》 강음부.

***fortement** [fɔʀtəmɑ̃] *adv.* ① 힘차게 ; 억세게 ; 강력하게 ; 단단하게 : serrer ~ 꽉 쥐다 / lier ~ 단단하게 매다. ② 매우, 몹시 ; 열렬〔격렬〕하게 : insister ~ sur qc …을 강경히〔열심히〕 주장하다 / ~ irrité 격분하여 / Il est ~ intéressé par votre projet 그는 당신의 계획에 매우 관심이 많다.

forteresse [fɔʀtəʀɛs] *f.* ① 요새, 보루, 성채(城砦)(= fort, citadelle) : ~ volante 〖공군〗 하늘의 요새 / ~ inexpugnable 난공불락의 요새. ② (감옥으로 사용되는) 성채 : arrêts de ~ 영창 유치.

***fortifiant, e** [fɔʀtifjɑ̃, -ɑ̃:t] *adj.* 튼튼하게 하는 ; 기운을 돋우는 : nourriture ~*e* 강장 식품. ── *m.* 〖의학〗 강장제 ; 영양제.

fortification [fɔʀtifikɑsjɔ̃] *f.* ① (도시 따위의) 방비, 요새화. ② (흔히 *pl.*) 방어 시설〔공사〕, 보루(堡壘).

fortifier [fɔʀtifje] *v.t.* ① (몸을) 튼튼하게 하다(≠ affaiblir) : L'exercice *fortifie* le corps. 운동을 하면 몸이 튼튼해진다 / 《목적보어 없이》 remède qui *fortifie* 강장제. ② (사물을) 보강하다, 견고하게 하다(= renforcer) : pilier qui *fortifie* une construction 건축물을 튼튼하게 받쳐 주는 기둥. ③ 《비유》 (성격 · 의지 · 권위 따위를) 강하게〔확고하게〕 하다 : ~ son esprit 정신을 단련하다 / ~ l'amitié 우의를 다지다 / ~ ses soupçons 의심이 짙어지게 하다. ④ (도시 따위에) 방어 시설을 하다, 요새화하다 : ~ une frontière 국경에 방어 시설을 하다. ── **se ~** *v.pr.* ① (몸 · 정신이) 강해지다 : *se ~* dans une résolution 결심을 굳히다. ② 공고〔견고〕해지다 ; 강화되다. ③ 〖군사〗 방어 시설을 갖추다 ; 요새〔보루〕에 포진하다.

fortin [fɔʀtɛ̃] *m.* 작은 보루.

fortiori (**a, à**) [afɔʀsjɔʀi] *adv.* 하물며, 항차(= à plus forte raison).

fortissimo [fɔʀtisimo] 〔이탈리아〕 *adv.* 〖음악〗 아주 세게, 매우 힘차게. ── *m.* 《복수불변》 최강음부.

fortran [fɔʀtʀɑ̃] 〔〔영〕 < *For*mula *Tran*slation〕 *m.* 〖컴퓨터〗 포트란《컴퓨터 프로그램 언어의 일종》.

fortuit, e [fɔʀtɥi, -it] *adj.* 우연한, 우발적인, 뜻밖의(= accidentel, imprévu) : cas ~ 우연한 사고〔사건〕 / rencontre ~ 우연한 만남 / par cas ~ 우연히.

fortuitement [fɔʀtɥitmɑ̃] *adv.* 우연히, 뜻밖에.

fortune** [fɔʀtyn] *f.* ① 운(수)(= sort) ; 우연(= hasard) ; 운명(= destinée) ; (*F~*) 운명의 여신 : caprice de la ~ 운명의 장난 / être favorisé par la ~ 운이 좋다. ② 행운(≠ infortune) : homme de ~ 행운아 / avoir la bonne 〔heureuse〕 ~ de+*inf.* 다행스럽게도 …하다. ③ 재산(= biens, richesse) : avoir de la ~ 재산이 있다 / homme de ~ 재산가. ④ (입신)출세. ***à la ~ du pot 별로 차리는 것 없이 : inviter *à la ~ du pot* 특별히 차린 것 없이 초대하다. ***coup de ~*** 자기 앞으로 닥쳐온 운수. ***de ~*** 임시변통의. ***faire ~*** 재산을 벌다 ; (입신)출세하다. ***faire la ~ de*** qn …을 성공시키다. ***~ de guerre*** 무운. ***~ de mer*** 해상 사고. ***homme de bonnes ~s*** 여자에게 인기 있는 남자. ***tenter*** (***la***) ***~*** 운명을 걸고 해보다.

fortuné, e [fɔʀtyne] *adj.* ① 운수가 좋은 ; 행복한 : jour ~ 길일(吉日). ② 부유한, 유복한 : homme ~ 부자 / famille ~*e* 부유한 집안. ── *m.* 운좋은 사람.

forum [fɔʀɔm] 〔라틴〕 *m.* (*pl.* **~s** 또는 ***fora*** [fɔʀa]) ① 광장《로마 시대의 집회에 쓰이던 곳》. ② 공사를 토의하는 장소. ③ 심포지엄, 토론회(= colloque, symposium) : tenir un ~ sur la musique contemporaine 현대음악에 관한 심포지엄을 개최하다. ***luttes du ~*** 정쟁(政爭).

fosse** [fo:s] *f.* ① 구덩이 ; 함정 ; 묘혈 : ~ aux lions 〔ours〕 (동물원의) 사자 〔곰〕 의 굴 / ~ aux mâts 〖해양〗 마스트용 재목을 넣어 두는 못 / ~ de scieur 톱질하는 구덩이 / ~ d'orchestre 오케스트라 박스 / ~ d'aisances 대변통. ② 〖해부〗 구멍《콧구멍 따위》: ~*s* nasales 비강(鼻腔). ③ 〖지질〗 해구(海溝) (= fossé). ***avoir un pied dans la ~ ; être au* 〔*sur le*〕 *bord de la ~ 《구어》 죽음이 가깝다. ***creuser* (*soi-même*) *sa propre ~*** 무리한 일을 해서 죽음을 재촉하다. ***descendre dans la ~ aux lions*** 위험에 빠지다 〔직면하다〕. ***~ commune*** 공동묘지.

fossé** [fose] *m.* ① 도랑 ; (토지의 경계로 길게 파 놓은) 구덩이, 구렁 ; (성벽 둘레의) 외호(外濠), 해자(垓字). ② 《비유》 단절(= cassure) ; 격차 : ~ des 〔entre les〕 générations 세대 간의 단절〔격차〕. ③ = fosse. ***Ce qui tombe dans le ~ est pour le soldat. 《속담》 주운 사람이 주인. ***sauter le ~*** 주저하다가 결단을 내리고 일을 단행하다 ; 결혼하다.

fossette [fosɛt] *f.* ① (땅에 판) 작은 구멍. ② (볼 · 팔꿈치의) 오목한 데, 보조개.

fossile [fɔ〔o〕sil] *adj.* ① 화석의, 화석이 된 : homme ~ 화석 인류 / combustibles ~*s* 화석 연료. ② 《구어》 낡아 빠진, 케케묵은, 진부한 : mode ~ 시대에 뒤떨어진 유행. — *m.* ① 화석. ② 《구어》 시대에 뒤떨어진 사람, 생각이 케케묵은 사람.

fossiliser [fɔ〔o〕silize] *v.t.* 화석화시키다. — **se ~** *v.pr.* ① 화석이 되다. ② 《구어》 (사람이) 시대에 뒤떨어지다.

fossoyer [fɔ〔o〕swaje] 7 *v.t.* (구덩이 · 무덤을) 파다.

‡**fou**[1], **folle** [fu, fɔl] *adj.* 《모음 또는 무성 h로 시작되는 남성 명사, 때로 et 앞에서는 ***fol***》 ① 미친, 머리가 돈, 실성한, 발광한 : Il est devenu ~. 그는 미쳤다. ② ⓐ 미치광이 같은 ; 정신없는 : course *folle* 정신없는 달음박질 / gaieté *folle* 미친 듯한 쾌활성 / pensée *folle* 몰상식한〔당찮은〕 생각 / *fol* espoir 지나친〔헛된〕 희망 / regard ~ 방향을 잡지 못하는 시선. ⓑ 《~ de》 …에 (미친 듯이) 열중한, …을 무척 좋아하는 : être ~ *de* musique 〔*de* peinture〕 음악〔그림〕에 미쳤다《음악〔그림〕을 무척 좋아하다》 / Elle est ~ *de* lui. 그녀는 그에게 홀딱 반했다. ③ 당찮은, 무모한, 어리석은 : entreprise *folle* 무모한 기도 / 《~ de 〔pour〕 + *inf.*》 Il est ~ *d'*avoir accepté cette proposition. 그가 그 제의를 수락하다니 어리석군. ④ 심한, 엄청난, 굉장한 : mal de tête ~ 격심한 두통 / monde ~ 엄청난 사람들 / prix ~ 터무니없는 값 / succès ~ 대성공. ⑤ (기계가) 고장난 ; 헛도는 : balance *folle* 고장난 저울. ⑥ (움직임이) 불규칙적인 ; (식물이) 무성한 : vent ~ 줄곧 방향이 변하는 바람 / mèche *folle* 헝클어진 머리털 / herbes *folles* 무성한 잡초. ***~ de joie*** 너무나 기뻐서. ***~ rire*** 억제할 수 없는 웃음, 폭소. — *n.* ① 미친 사람, 광인 ; 미친 듯한 사람 ; ~ à lier 〔enfermer〕 완전히 돈 사람 / ~ du volant 무모한 운전자 / jeune ~ 분별없는 젊은이. ② 《~ de》 …에 열중한 사람, …광 : C'est un ~ *du* jazz. 그는 재즈광이다. ③ 몹시 쾌활한 사람, 들떠있는 사람. ***faire le* (*petit*) *~*** ⓐ 바보인 척하다. ⓑ 떠들썩하게 놀다. ***comme un ~*** 미친 사람처럼 ; 상궤를 벗어나서, 터무니없이.

fou[2] *m.* ① (옛날 왕후 · 귀족에게 고용되던) 어릿광대(= bouffon) : faire le ~ 어릿광대 짓을 하다 ; 겉으로 어리석은 체하다. ② (서양장기의) 비숍. ③ 〖조류〗 ~ (de Bassan) 북양가마우지.

fouailler [fwaje] *v.t.* ① 채찍질하다, 매질하다. ② 여지없이 힐난하다.

foudre**[1] [fudʀ] *f.* ① 벼락, 벽력, 낙뢰(落雷) : être frappé par la ~ 벼락 맞다. ② 갑자기 엄습하는 것, 청천벽력. ③ (*pl.*) 벼락 같은 분노〔혹평〕 ; 징벌, 제재 : s'attirer les ~*s* de qn …의 분노를 초래하다. ***coup de ~ ⓐ 낙뢰, 벼락. ⓑ 뜻밖의 불행〔대타격〕, 청천벽력. ⓒ 갑자기 타오르는 사랑의 불길, 한눈에 반하기. ***pierre de ~*** 운석. — *m.* ① (주피터의) 투창. ② 《옛》 뛰어난 사람. ***~ de guerre*** 맹장(猛將). ***~ d'éloquence*** 대웅변가.

foudre[2] *m.* 큰 (술)통(= grand tonneau).

foudroyant, e [fudʀwajɑ̃, -ɑ̃:t] *adj.* ① 전격적인, 급격한 ; 격렬한 : succès ~ 전격적인 성공 / mort ~*e* 급사(急死) / colère ~*e* 격노. ② 아연실색하게 하는, 무서운 : nouvelle ~*e* 아연실색하게 하는 소식.

foudroyer [fudʀwaje] *v.t.* ① 벼락으로 치다 ; 감전사시키다 : Il est mort *foudroyé*. 그는 벼락을 맞아 죽었다 / Il toucha le fil et tomba *foudroyé*. 그는 전선을 만져서 감전되어 쓰러졌다. ② (화력으로) 분쇄하다, 무찌르다. ③ 즉사시키다(= tuer) : Une crise cardiaque l'*a foudroyé*. 그는 심장발작으로 급사했다. ④ (반란 · 논적 등을) 분쇄하다. ⑤ 깜짝 놀라게 〔혼비백산케〕 하다 : J'*étais foudroyé* de ses paroles. 나는 그의 말을 듣고 간담이 서늘해졌다. ~ qn ***du regard*** …을 무섭게 노려보다. — *v.i.* ① 벼락 치다. ② 천둥 같은 소리를 내다, 호통치다.

fouet [fwɛ] *m.* ① 회초리, 채찍 : ~ de cocher 마부의 채찍. ② 회초리로 때리는 징벌. ③ 〖요리〗 (달걀 따위를 휘젓는) 교반기(攪拌機) : ~ mécanique 교반기. ***coup de ~*** 채찍질 ; 모욕 ; 자극, 격려, 고무 : mesure pour donner un *coup de* ~ à l'économie 경제를 활성화시키기 위한 조치. ***de plein ~*** 정면에서. ***donner un coup de ~ à*** qn 〔qc〕 …을 회초리로 때리다〔편달하다〕 ; …을 자극하다.

fouetter [fwɛ〔e〕te] *v.t.* ① 채찍으로 때리다 ; 매질하다 : *être fouetté* jusqu'au sang 피가 나도록 매맞다. ② (비 · 바람이) 후려치다(= cingler) : Le vent nous *fouettait* le visage 〔au visage〕. 바람이 우리의 얼굴을 후려쳤다. ③ (크림 따위를) 잘 휘젓다(= battre) : ~ de la crème 〔des œufs〕 크림〔계란〕을 잘 휘젓다. ④ 자극하다(= exciter, stimuler), 흥분시키다 ; 호되게 비판하다 : ~ le désir 욕망을 자극하다 / ~ le sang 피를 잘 돌게 하다. ***avoir d'autres chats* 〔*chiens*〕 *à ~*** 그런 일에는 관심이 없다, 다른 할 일이 있다. ***Fouette, cocher !*** 《구어》 자아 가자〔한다〕 ! ***~ un verre de vin*** 한잔 들이켜다. — *v.i.* ① (비 따위가) 내리치다. ② (돛 따위가) 펄럭이다 ; (기계가) 헛돌아가

F

다. ③《구어》악취를 풍기다(= puer) : ~ de la gueule 입에서 냄새가 나다.

fou(-)fou [fufu], **fofolle** [fɔfɔl] *adj.*《구어》머리가 좀 돈 ; 어리석은 ; 경솔한.

fougère [fuʒɛːʀ] *f.*〖식물〗고사리.

fougue [fug] *f.* ① 극성스러움, 왕성한 정력, 혈기, 정열 : ~ de la jeunesse 젊은이의 혈기. ② 과격〔격렬·맹렬〕성 ; 열띤 어조 : avec ~ 격분하여. ***cheval plein de ~*** 자주 발광하는 말. ***entrer en ~*** 격분하다.

fougueusement [fugøzmɑ̃] *adv.* 극성스럽게 ; 맹렬하게 ; 분격하여.

fougueux, euse [fugø, -øːz] *adj.* 분격한 ; 정열이〔혈기가〕넘치는, 극성스러운, 격렬한 : discours ~ 열변 / jeunesse ~*euse* 혈기 왕성한 청춘.

fouille [fuj] *f.* ① 파기 ; (고고학상의) 발굴 ; 판 구덩이 : faire des ~*s* 발굴하다 / chantier de ~*s* 발굴 현장. ② (도서관 따위를) 뒤짐, 조사, 검사 ; 소지품 검사 : ~ d'un suspect 용의자의 몸수색 / ~ en douane 세관에서의 짐 검사 / passer à la ~ 검사를 받다. ③《속어》호주머니(= poche).

fouiller** [fuje] *v.t.* ① 파헤치다 ; (유적지 따위를) 발굴하다 : ~ l'emplacement d'une cité antique 고대 도시의 유적지를 발굴하다. ② 뒤지다 ; 몸수색하다 ; 수색하다 ; 탐색하다 : La police *fouillait* tout le quartier. 경찰은 그 구역을 샅샅이 수색했다 / ~ tous les suspects 모든 수상한 자들의 몸을 검색하다. ③ (문제 따위를) 깊이 탐구하다 ; (문체 따위를) 가다듬다 : ~ un problème 문제를 깊이 연구하다. ── *v.i.* ① 땅을 파다. ②《~ dans》…을 뒤지다, 조사하다 : ~ *dans* sa mémoire〔ses souvenirs〕기억을 더듬어 생각해 내려고 애쓰다. ── **se** ~ *v.pr.* 자기 호주머니를 뒤지다. ***Tu peux (***toujours***) ***te ~!*** 아무리 해도 소용없어!《네가 바라는 것을 얻을 수 없다》.

fouilleur, euse [fujœːʀ, -øːz] *n.* ① 발굴자 ; ② 탐구자, 탐색자, 수색자 ; 조사자 : ~ d'archives 고문서를 조사하는 사람. ── *f.* ① 발굴기 ; 굴착기. ② 몸수색 계원. ***~ de poches*** 소매치기.

***fouillis** [fuji] *m.* 혼잡(= fatras), 난잡, 뒤죽박죽(= désordre) : ~ papiers 산더미 같은 서류 / ~ d'idées 착잡하게 뒤얽힌 생각.

fouine [fwin] *f.* ①〖동물〗흰 담비. ② 교활한 사람. ③〖농업〗쇠스랑.

fouiner [fwine] *v.i.* ① 조사하다, 찾다, 두리번두리번 찾아 헤매다 : ~ dans une bibliothèque 도서관을 뒤지다 / ~ chez les bouquinistes 헌 책방을 뒤지다. ②《경멸》꼬치꼬치 캐다(= fureter) ; 남의 일에 참견하다 : ~ dans les affaires de qn …의 일에 참견하다. ③《옛》도망치다, 달아나다(= fuir).

fouineur, euse [fwinœːʀ, -øːz] *adj.* et *n.* 꼬치꼬치 캐기 좋아하는〔호기심 많은〕(사람). ── *m.*〖컴퓨터〗해커(〖영〗haker).

fouir [fwiːʀ] *v.t.* (동물이 땅을) 파다 : ~ la terre 땅을 파다.

foulage [fulaːʒ] *m.* ① (포도의) 압착. ②〖직물〗축융(縮絨). ③ 짓밟기, 밟아 다지기. ④〖피혁〗무두질.

foulant, e [fulɑ̃, -ɑ̃ːt] *adj.* ① 압착〔압축〕하는. ②《구어》고된, 힘드는 : Ce n'est pas ~. 쉬운 일이다. ***pompe ~e*** 밀펌프.

***foulard** [fulaːʀ] *m.* ①〖직물〗(넥타이·네커치프 따위에 쓰이는) 얇은 비단. ② 명주로 만든 네커치프·스카프.

foule** [ful] *f.* ① 군중(= multitude), 청중(= assistants, public), 민중, 대중(= masse, peuple) : être pris dans la ~ 군중 속에 말려들다 / une ~ de visiteurs 많은 손님들. ② 다수, 많음(= grand nombre) ; 혼잡, 붐빔. ***en ~ ; 《옛》***à la ~*** 많이 ; (사람이) 여럿이서, 떼를 지어. ***il y a ~*** 사람들이 많다. ***se mettre au dessus de la ~ ; se tirer de la ~*** 뭇 사람 중에서 뛰어나다, 출중하다. ***une ~ de*** 다수의 : *une ~ de* clients est venue aujourd'hui. 오늘은 많은 고객이 왔다.

foulée [fule] *f.* ① 발자국. ② (뛰는 말·사람의) 한 걸음, 보폭 : allonger la ~ 보폭을 넓히다 ; 속도를 빠르게 하다. ③〖건축〗계단의 디딤판. ***à longues ~s*** 발을 크게 떼며, 성큼성큼. ***dans la ~ de*** qn〔qc〕ⓐ 같은 보조로, 페이스를 잃지 않고, ⓑ 이어서, …의 여세를 몰아서. ***en une seule ~*** 단번에, 단숨에. ***les dernières ~s***〖경마〗마지막 추격.

fouler [fule] *v.t.* ① 밟다, 짓밟다 ; (포도를) 압착하다 ; (땅을) 밟아 다지다 ; 밟으며 걷다 : ~ le sol de la patrie 조국의 땅을 밟다 / ~ du raisin 포도를 압착하다. ② (옷을) 구기다. ③ (민중을) 착취하다. ④ (손·발목 따위를) 삐다. ⑤ (안장이 말에) 찰상(擦傷)을 입히다. ⑥ (말을) 타서 지치게 하다. ⑦ (모직물을) 축융(縮絨)하다. ***~ aux pieds*** 짓밟다 ; 경멸〔무시〕하다 : ~ *aux pieds* les traditions 전통을 무시하다. ── **se*** ~ *v.pr.* ① 자기의 …을 삐다〔접질리다〕: Je *me suis foulé* le poignet. 나는 손목을 삐었다. ②《구어》서두르다 ; 애쓰다 : ne pas *se* ~ pour qc〔+*inf.*〕…을 하기 위해 노력하지 않다. ***se ~ la rate*** 애쓰다.

foulque [fulk] *f.*〖조류〗① 물닭 무리 : ~ noire 물닭. ② 농병아리.

foulure [fulyːʀ] *f.* 삠, 접질림, 염좌(捻挫) (= entorse).

four** [fuːʀ] *m.* ① 빵 굽는 화덕〔가마〕; 오븐 : ~ de boulanger〔à pain〕빵 굽는 화덕 / ~ électrique 전기 오븐 / ~ à micro-ondes 전자 레인지 / ~ de campagne 휴대용 오븐. ② (벽돌 따위를 굽는) 가마 : ~ à recuire 재소로(再燒爐) / ~ à réverbère 반사로(反射爐) / plat allant au ~ 내화(耐火) 접시. ③《구어》(공연 따위의) 실패(= échec) : C'est un ~ noir. 이것은 큰 실패다. ④〖제과〗petit ~ 프티 푸르《한입에 넣는 작은 과자》/ petit ~ sec 쿠키 / piéce de ~ 오븐에 구워낸 과자. ***Ce n'est pas pour vous que le ~ chauffe. 공연한 기대를 걸지 마라. ***faire*** (***un***) ***~***〖연극〗관객이 적다 ; 실패하다. ***On ne peut être au ~ et au moulin.*** 동시에 두 가지 일을 못한다. ***Vous viendrez cuire à mon ~.*** 언젠가 내가 필요할 때가 있을 겁니다.

fourbe [fuʀb] *adj.* et *n.*《문어》음흉한 (사람), 교활한 (사람). ── *f.* 간특한 짓 ; 사기, 협잡.

fourberie [fuʀbəʀi] *f.* 간특〔간악〕한 짓 ; 사기, 협잡.

fourbi [furbi] *m.* ① 《옛》 (병사의 무기를 포함한) 장비(= barda) ; 소지품 : se mettre en route avec son ~ 군장을 갖추고 출발하다. ② 잡동사니 ; 짐 ; 혼잡한 것. ③ 《구어》 (물건의 이름을 말하는 대신에) 그것, 저것, 거시기(= chose, machin, truc) : Qu'est-ce que c'est que ce ~? 이건 도대체 뭐야? ***connaître le ~*** (***du métier***) 일에 꼼꼼하다, 빈틈없다, 익숙해 있다. ~ ***arabe*** 알 수 없는 일 ; 혼란. ***un drôle de ~*** 괴상한 일.

fourbir [furbi:r] *v.t.* (금속 제품을) 닦다, 갈다(= astiquer, polir) : ~ une arme 무기를 닦다 ; 무장하다.

fourbu, e [furby] *adj.* ① 〖수의학〗 (말이) 제엽염(蹄葉炎)에 걸린. ② (사람이) 기진맥진한(= étreinté), 몹시 지친 : revenir ~ 기진맥진하여 돌아오다.

fourche [furʃ] *f.* ① 쇠스랑, 갈퀴 : ~ à foin 건초용 쇠스랑〔갈퀴〕/ ~ de jardinier 원예용 갈퀴 / ~ à deux 〔trois〕 dents 두〔세〕 갈래 갈퀴 / levée de ~ 《구어》 농민의 봉기. ② (길·강 따위의) 분기점 ; (바지의) 가랑이.

fourcher [furʃe] *v.i.* (길 따위가) 갈라지다 : La langue lui *a fourché.* 그의 말이 빗나갔다.

fourchette** [furʃɛt] *f.* ① 포크 : piquer sa ~ dans une pomme de terre 포크로 감자를 찍다. ② 포크처럼 생긴 부분. ③ 최대 격차 ; 〖경제·통계〗 (선거 예상·여론 조사 등의) 오차, 예상 폭 ; (가격 그 밖의 수치의) 변동 폭, 허용 변동 범위. ***avoir un bon 〔***joli***〕 ***coup de ~ ; avoir une bonne ~*** 대식가이다. ***déjeuner à la ~*** 점심. ***être une belle ~*** 식욕이 왕성하다. ***manger au hasard de la ~*** 있는 대로의 음식을 들다. ***manger avec*** 〔***se servir de***〕 ***la ~ du père Adam*** 《구어》 다섯 손가락을 써서 먹다. ***prendre son adversaire en ~*** ⓐ 〖카드놀이〗 상대편 카드의 바로 위와 바로 아래의 카드를 갖다. ⓑ 함정에 빠뜨리다, 꼼짝 못하게 하다(= piéger). ***repas à la ~*** 고기 요리를 곁들인 식사.

fourchu, e [furʃy] *adj.* 갈래를 이룬, 두 갈래로 된 : chemin ~ 두 갈래 길 / menton ~ 갈라진 턱. ***faire l'arbre*** 〔***le poirier***〕 ~ 다리를 벌리고 물구나무를 서다.

fourgon[1] [furgɔ̃] *m.* 부지깽이.

fourgon[2] *m.* 화물 운송차 ; 〖철도〗 유개 화차 : ~ de déménagement (이사용) 가구 운반차 / ~ à bestiaux 가축 차량. ***~ de pompes funèbres*** 영구차. ***~ postal*** 〔***des postes***〕 우편차.

fourgonner [furgɔne] *v.i.* ① 부지깽이로 불을 쑤시다. ② 《~ dans》 …의 속을 뒤적이다, 들쑤시다 : ~ *dans* une armoire 장롱을 뒤지다. — *v.t.* (불을) 쑤셔 일으키다.

fourgonnette [furgɔnɛt] *f.* 소형 유개 화물차〔트럭〕(= camionnette).

fourguer [furge] *v.t.* 《속어》 (도둑질한 물건을) 장물아비에게 넘기다 ; (나쁜 상품을) 팔아먹다.

fourme [furm] *f.* 프랑스 중부 지방산(産)의 치즈. ~ ***du Cantal*** 칸탈산 치즈.

fourmi** [furmi] *f.* ① 〖곤충〗 개미 : ~ rouge 〔noire〕 홍〔흑〕개미. ② 《구어》 근면한 사람, 검약가 : travail de ~ 꾸준한 일. ***avoir des ~s 《속어》 근질거리다 ; 저리다. ***avoir*** 〔***sentir***〕 ***des ~s dans les jambes*** 다리가 저리다. ***se faire plus petit qu'une ~ devant*** qn …의 앞에 나오면 기를 못 펴다.

fourmilier [furmilje] *m.* 〖동물〗 개미핥기.

fourmilière [furmiljɛ:r] *f.* ① 개미집 ; 개미떼. ② 사람들의 밀집 장소(= ruche).

fourmi(-)lion [furmiljɔ̃] *m.* (*pl.* ~***s***-~***s***) 〖곤충〗 개미귀신《명주잠자리과 유충》.

fourmillement [furmijmɑ̃] *m.* ① 복잡, 득실〔북적〕거림, 들끓기, 혼잡 ; 많음, 다수. ② 욱신욱신 쑤시는 느낌 ; 저림 ; 〖의학〗 의주감(蟻走感)《개미가 기어다니는 듯한 가려움증》(= formication).

fourmiller [furmije] *v.i.* ① 많이 있다, 들끓다, 득실〔우글〕거리다 : Cet ouvrage *fourmille* de fautes ; Les fautes *fourmillent* dans cet ouvrage. 이 작품은 오류투성이다. ② 《~ de》 …이 많다, 가득하다 : Ce quartier *fourmille de* magasins d'alimentation. 이 구역에는 식품점이 많다. ③ 근지럽다 ; 뜨끔뜨끔하다 : Les pieds me *fourmillent.* 발이 저려서 따끔거린다.

fournaise [furnɛ:z] *f.* ① 불에 단 큰 가마솥. ② 맹화(猛火) ; 도가니 ; 지독하게 더운 곳 ; 격전장 : Cette salle est une véritable ~ en été. 이 방은 여름에는 지독하게 더운 곳이다. ***C'est une ~.*** 가마 속같이 덥다.

fourneau** [furno] *m.* (*pl.* ~x***) ① (요리용) 풍로(= ~ de cuisine) ; 노(爐) : ~ à gaz 〔pétrole〕 요리용 가스〔석유〕 풍로. ② (숯 따위를 굽는) 가마 : ~ à charbon 숯가마 / ~ à réverbère 반사로 / ~ de fusion des métaux 용광로 / ~ atomique 원자로 / ~ de mine 〖광산〗 발파공. ③ 담뱃대의 담배통. ④ 《속어》 바보. ***haut ~*** 용광로 ; 제철소.

fournée [furne] *f.* ① 빵 한 가마, 한 가마분(分)의 빵. ② 《구어》 (운명을 함께하는) 일단, 한 무리 ; 입사〔승진〕 동기생 : ~ de ministres 장관들의 일단 / ~ de visiteurs 일단의 방문객. ***par ~***(***s***) 무리지어, 집단적으로.

fourni, e [furni] *adj.* ① 물건이 갖추어진 ; 물품이 풍부한 : magasin bien ~ 물품이 풍부한 상점. ② (숲이) 무성한 ; (머리털·수염이) 많은 : cheveux peu ~s 엉성한 머리털 / table bien ~*e* 호화로운 식사.

fournil [furni] *m.* 빵 굽는 곳〔주방〕.

fourniment [furnimɑ̃] *m.* ① 무장 용구, (병사의) 장비 일체 : partir avec tout son ~ 완전 무장을 하고 출발하다. ② (활동·직업을 위한) 필수품 일체 ; 장구(裝具) : partir camper avec tout son ~ 모든 장비를 갖추고 캠핑하다.

***fournir** [furni:r] *v.t.* ① 《~ qn de 〔en〕 qc》 …에게 …을 공급하다, 납품〔조달〕하다, 대다 : ~ une maison *de* pain (상인이) 가정에 빵을 단골로 대다 / ~ un restaurant *en* qc 식당에 …을 공급해 주다. ② 《~ qc de qc》 …에 …을 설치〔설비〕하다 : ~ une maison *de* meubles 집에 가구를 설비하다. ③ 《~ qc à qn》 …을 …에게 공급〔제공〕하다, 주다 : ~ (*à* qn) de l'argent …에게 돈을 대주다 / ~ du travail *aux* ouvriers 노동자들에게 일거리를 주다 / ~ des vivres *à* une armée 군대에 식료품을 납품하다. ④ 제시〔제출〕하다 :

~ un alibi 알리바이를 제시하다 / ~ les pièces nécessaires 필요한 서류를 제출하다. ⑤ 산출〔배출〕하다 : vignoble qui *fournit* un vin de qualité 훌륭한 포도주를 생산하는 포도밭 / école qui *fournit* des spécialistes 전문가를 배출하는 학교. ⑥《~ un effort, un travail》노력〔일〕을 하다 : ~ *un effort* considérable 대단한 노력을 하다. ⑦ 완수하다 : cheval qui *fournit* toute la carrière 전 코스를 주파하는 말. ── *v.i.* 물품을 대다, 납품하다. ── *v.t. ind.* ①《~ à》…을 충족시키다, …에 응하다 : ~ *à* l'entretien 〔la dépense〕 생활비를〔비용을〕 대주다. ②《~ sur qn》…앞으로 어음을 발행하다.
── **se** ~ *v.pr.* ① (숲 따위가) 무성해지다; (수염이) 짙어지다. ②《se ~ de》물품을 장만〔구입〕하다 : Il *se fournit* chez nous. 그는 우리 집 고객이다.

fournissement [furnismɑ̃] *m.* 갹금(醵金); 출자(금) : compte de ~ 출자금 산정.

fournisseur, euse [furnisœːr, -øːz] *n.* ① 출입 상인; 납품업자 : ~*s* d'une entreprise 한 회사의 납품업자들. ② 공급〔제공〕자, 공급〔수출〕국 : pays, ~ de la corée 한국에 수출하는 나라. ── *m. pl.* 소매 상인.

fourniture [furnityːr] *f.* ① 공급, 지급; 납품, 조달 : se charger de la ~ des vivres 식량 공급을 맡다. ② (흔히 *pl.*) 공급품; 납입품. ③ (흔히 *pl.*) ⓐ 필요품, 용품 : ~*s* scolaires 학용품. ⓑ (옷 따위를 만들 때의) 감이외의 재료, 부속품 : payer la façon et les ~*s* 공임(工賃)과 부속품 값을 지불하다. ④ 샐러드 양념으로 넣는 야채. **~*s de bureau*** 사무용품.

fourrage [furaːʒ] *m.* (가축의) 사료, 마초, 여물, 꼴 : ~ vert 생사료 / ~ sec 건조 사료.

fourrager[1] [furaʒe] ③ *v.i.* ①〖군사〗마량(馬糧) 징발을 하다. ②《~ dans》뒤적이다 : ~ *dans* les œuvres d'autrui 남의 작품을 표절하다. ── *v.t.* (밭을) 망쳐 놓다; 마구 뒤섞어 놓다 : cheveux *fourragés* par le vent 바람에 헝클어진 머리털.

fourrager[2]**, ère**[1] [furaʒe, -ɛːr] *adj.* 사료가 되는; 사료가 풍부한 : plantes ~*ères* 사료 작물.

fourragère[2] [furaʒɛːr] *f.* ① 사료용 초지. ② 사료 운반차. ③ (군인·경관 제복의) 어깨 장식 띠.

fourré[1] [fure] *m.* 덤불숲, 잡목림(= taillis).

fourré[2]**, e** [fure] *adj.* ① 모피가 달린; 모피로 안을 댄 : bottes ~*es* 털가죽 부츠. ② 숲이〔나무가〕 우거진. ③ (빵·과자 따위가) 속이 있는 : chocolat ~ à la crème 크림을 속에 넣은 초콜릿. ④《구어》(남의 집 따위에) 들어간, 잠입한 : Il est souvent ~ chez moi. 그는 자주 내 집에 찾아온다. ── *m.* 덤불, 우거진 숲. ***coup ~***〖검술〗맞치기;《구어》기습, 속임수.

fourreau [furo] *m.* (*pl.* **~*x***) ① 칼집; 케이스 : ~ d'épée 칼집 / ~ de parapluie 우산집. ② 몸에 꼭 끼는 옷〔속옷〕.

fourrer [fure] *v.t.* ① (외투 따위에) 모피로 안을 대다; 피복(被覆)하다 : ~ un manteau d'hermine 외투에 어민 모피로 안을 대다 / ~ une médaille d'or 메달에 금을 입히다. ②《구어》넣다; 쑤셔 넣다, 처넣다; 집어넣다; 놓다, 두다 : ~ ses mains dans ses poches 손을 호주머니에 넣다 / ~ un homme en prison 사람을 감옥에 처넣다 / ~ une idée fausse dans la tête de qn …에게 그릇된 생각을 품게 하다 / Où *ai*-je *fourré* mes lunettes? 내 안경을 어디 두었을까? ③《구어》마구 주다〔먹이다〕 : ~ des bonbons 〔friandises〕 à un enfant 어린애에게 봉봉을〔과자를〕 함부로〔많이〕 먹이다. **~** qn ***à la porte*** …을 문밖으로 몰아내다. **~** qn ***dedans*** …을 속이다;《속어》…을 감옥〔영창〕에 처넣다. **~ *son grain de sel*** 《구어》(남의 일에) 참견하다. **~ *tout dans son ventre***《구어》먹는 데 전 재산을 쏟아붓다. **~ *tout le monde dans le sac***《구어》모든 사람을 하나로〔한통속으로〕 취급하다. ***Il fourre son nez partout.*** 그는 무엇에나 참견한다.
── **se** ~ *v.pr.* ①《se ~ dans》ⓐ …으로 몸을 감싸다〔두르다〕. ⓑ (비집고) 들어가다; 참견하다. ②《se ~ sous》기어〔굴러〕 들어가다 : *se ~ sous* les couvertures 이불 밑으로 기어들다. ***chercher quelque trou où se ~***《구어》끼어들 장소〔취직 자리〕를 찾다. ***ne plus savoir où se ~*** 당황〔창피〕해서 몸둘 바를 모르다. ***s'en ~ jusque-là*** 〔***jusqu'aux oreilles***〕《구어》잔뜩 먹다, 포식하다. ***se ~ dedans***《구어》잘못하다, 틀리다, 실수하다.

fourre-tout [furtu] *m.* 《복수불변》① 광, 헛간(= débarras). ② (여행용) 잡낭. 「인.

fourreur [furœːr] *m.* 모피 상인; 모피 제조

fourrier [furje] *m.*〖군사〗보급 담당 부사관 : sergent-~ 보급계 부사관.

fourrière [furjɛːr] *f.* ① (들개 따위의) 수용소. ② (주차 위반 차량의) 계류장. ③ 땔감〔장작·석탄〕 창고.

*__fourrure__ [furyːr] *f.* ① (옷에 대는) 모피; 모피 옷, 갖옷 : manteau de ~ 모피 외투. ② (고양이·앙고라 따위의) 털(= pelage).

fourvoyer [furvwaje] ⑦ *v.t.* ① 길을 잃게 하다(= égarer) : Ce guide nous a *fourvoyés.* 안내인은 우리를 잘못 이끌었다. ② 잘못을 저지르게 하다, 생각〔행동〕을 그릇되게 하게 하다 : Le mauvais exemple *fourvoie* les jeunes gens. 이 나쁜 예가 젊은이들을 나쁜 길로 빠지게 한다. ── **se** ~ *v.pr.* ① 길을 잃다, 길을 잘못 들다. ② 잘못을〔실수를〕 저지르다 : Ici, le traducteur *s'est fourvoyé.* 여기서 역자가 실수를 했다.

foutaise [futɛːz] *f.*《속어》어리석은 짓, 하찮은 일 : C'est de la ~! 그건 하찮은 일이야!

foutoir [futwaːr] *m.*《속어》난잡한 곳〔집·방〕 : Quel ~! 정말 난잡하군!

foutre[1] [futr] *v.t.*《흔히 f..., fo... 로 생략함》①《구어》하다(= faire), 이다 : Qu'est-ce qu'il *fout*? 그는 도대체 무얼 하고 있느냐? / Qu'est-ce que ça *fout*? 그게 어쨌다는 거야? ② 두다(= mettre) : Où *as*-tu *foutu* mon bouquin? 내 책 어디다 두었니? ③ 치다, 갈기다 : ~ une baffe à qn …의 따귀를 갈기다. ④ (내)던지다(= jeter), 방치하다 : ~ en l'air 내팽개치다 / *Foutez*-le en prison. 놈을 감옥에 처넣어. ⑤《옛》주다(= don-

ner). ***Ça la fout mal.*** 좋지 않은 결과가 되다, 곤란하다. ***en ~*** (***un coup***) 매우 노력하다. ***n'avoir rien à ~ de*** qc 〔qn〕 아무래도 좋다, 상관없다(= Cela m'est bien égal). ***Va te faire ~ !*** 꺼져 버려 ! ; 어림도 없다 !
— **se ~** *v.pr.* ① 《se ~ de》 …을 무시하다, 조롱하다, 우습게 여기다(= se moquer de) : Tu *te fous de* moi ? 너는 나를 우습게 여기지 ? ② 《se ~ de》 아랑곳하지 않다, 신경 쓰지 않다 : Il *se fout de* tout. 그는 어떤 일에도 아랑곳하지 않는다. ***se ~ dedans*** 실수하다, 잘못하다. ***se ~ en l'air*** 죽다 ; 자살하다(= se tuer). ***se ~ sur la gueule*** 서로 때리다. ***s'en ~ plein la lampe*** 〔***la panse***〕 배를 가득 채우다.

foutre² *interj.* 《구어》 뭐라고, 그것 참, 제기랄 《놀람 · 칭찬 · 실망 · 분개 따위》.

foutre³ *m.* 정액(精液).

foutu, e [futy] *adj.* 《속어》 = fichu².

fox [fɔks] *m.* 《구어》 ① = fox-terrier. ② = fox-trot.

fox-terrier [fɔkstɛʀje] 〔영〕 *m.* 폭스테리어 「《개》.

***foyer** [fwaje] *m.* ① 불때는 자리, 화상(火床)(= âtre) ; (보일러의) 화실, 화로, 난로 ; (화상 · 화로에 타고 있는) 불 : s'asseoir près du ~ 노변〔물가〕에 앉다 / ~ d'une chaudière 보일러의 화실. ② 가족 단란의 중심, 집, 가정 ; (*pl.*) 고향 : fonder un ~ 가정을 꾸미다, 결혼하여 살림을 차리다 / femme au ~ 가정 주부 / rentrer 〔retourner〕 dans ses ~*s* 고향으로 돌아가다, 귀향하다. ③ 중심점 ; 근원 ; 온상 : ~ de contagion 〔d'infection〕 전염병 발생지 / ~ de corruption 부패의 온상 / ~ d'érudition 학문의 중심 / ~ de rébellion 〔d'intrigues〕 반란〔음모〕의 소굴 / ~ d'un incendie 화재의 발원점. ④ 집회소 : ~ des artistes 〔acteurs〕 『연극』 배우들의 대기실 / ~ du public 관객 휴게실, 복도 / ~ du soldat 주보(酒保), 군인들의 오락실. ⑤ 회관 : ~ de jeunes filles 소녀회관. ⑥ 『물리』 초점 ; 초점거리 ; 『수학』 초점 : lentile à long ~ 긴 초점의 렌즈.

frac [fʀak] *m.* 연미복, 프록코트.

fracas [fʀaka] *m.* ① 부서지는〔깨어지는〕 요란한 소리 ; 요란한 소리 ; 소란, 소음, 폭음 : ~ des vagues 파도가 부서지는 소리. ② 대소동 ; 떠들썩함. ***faire du ~*** 소란을 피우다, 센세이션을 일으키다.

fracassant, e [fʀakasɑ̃, -ɑ̃:t] *adj.* ① 소란한, 요란한 : coup de tonnerre ~ 귀를 째는 듯한 천둥소리. ② 센세이션을 일으키는 : succès ~ 굉장한 성공.

fracasser [fʀakase] *v.t.* 깨뜨리다, 부수다, 부러뜨리다 : avoir le bras droit *fracassé* 오른 팔의 뼈가 부러지다. — **se ~** *v.pr.* 깨어지다, 부서지다, 부러지다(= briser, casser) : La barque *s'est fracassée* sur un écueil. 배가 암초에 부딪쳐서 부서졌다.

fractographie [fʀaktogʀafi] *f.* 프랙토 그래피, 파면 해석(破面解析) 《금속의 깨진 단면을 검사하는 방법》.

***fraction** [fʀaksjɔ̃] *f.* ① (전체에 대한) 부분 ; 분파 ; 『군사』 부대 : ~ de terrain 토지의 일부 / importante de l'Assemblée 의회의 과반수. ② 『수학』 분수, 소수(= ~ décimale) : ~ ordinaire 상(常)분수 / ~ périodique 순환 소수 / ~ six dixième 분수 6/10. ③ 『정치』 (당파 내의) 소수파.

fractionnaire [fʀaksjɔnɛ:ʀ] *adj.* 『수학』 분수의 : expression 〔nombre〕 ~ 가〔대〕분수.

fractionnel, elle [fʀaksjɔnɛl] *adj.* 분열을 일으키는 : activité ~*elle* 분파적인 활동.

fractionnement [fʀaksjɔnmɑ̃] *m.* 분할, 구분 ; 세분화.

fractionner [fʀaksjɔne] *v.t.* ① 분할〔구분〕하다 ; 『수학』 분수를 쪼개다. ② 『화학 · 공업』 분류하다. — **se ~** *v.pr.* 분할〔구분〕되다 ; 분열하다.

fractionnisme [fʀaksjɔnism] *m.* 분열주의, 분파 행동.

fracture [fʀakty:ʀ] *f.* ① 파쇄, 파괴. ② 『광물』 단구(斷口) ; 단층. ③ 『의학』 골절.

***fracturer** [fʀaktyʀe] *v.t.* ① 부수다 : ~ une serrure 자물쇠를 부수다. ② (뼈를) 부러뜨리다 : crâne *fracturé* 두개골절(頭蓋骨折). — **se ~** *v.pr.* ① 부서지다 ; 부러지다. ② 자기의 …을 부러뜨리다 : Elle *s'est fracturé* le poignet. 그녀는 손목이 부러졌다.

***fragile** [fʀaʒil] *adj.* ① 깨어지기〔부서지기〕 쉬운(≠ solide). ② 허약한 ; 연약한 : avoir l'estomac ~ 위가 약하다, 배탈이 잘 나다. ③ 취약한, 불안정한 ; 확실성 없는 : une théorie ~ 근거가 박약한 이론. ④ 유혹에 빠지기 쉬운.

fragiliser [fʀaʒilize] *v.t.* 약체화하다, 부서지기 쉽게 하다 ; 약하게 보이게 하다 : ~ un enfant en l'élevant dans du coton 아이를 과보호 속에 길러 약골로 만들다.

fragilité [fʀaʒilite] *f.* ① 취약(脆弱), 허약, 약함, 깨어지기 쉬움 ; 근거 박약 ; 불안정성 : ~ du verre 잘 깨지는 유리 / ~ de sa santé 불안한 그의 건강 상태. ② 덧없음 : ~ la puissance 권력의 덧없음.

***fragment** [fʀagmɑ̃] *m.* ① 단편 ; 파편, 조각(= morceau, débris) : ~*s* d'un vase 깨진 꽃병의 파편들 / ~ de roche 암석편. ② (문장 · 시 따위의) 단장(斷章), 단편, 부분 원고 : ~*s* d'une lettre 편지의 한 구절. ③ 일부분, 한 조각, 한 면 : ~ de la vie 인생의 단면.

***fragmentaire** [fʀagmɑ̃tɛ:ʀ] *adj.* 단편적 ; 조각의 ; 불완전한 : débris ~*s* statue brisée 깨어진 조각의 파편들 / informations ~*s* 단편적인 정보.

fragmentation [fʀagmɑ̃tɑsjɔ̃] *f.* ① 세분, 분쇄, 분할 ; 분열 : ~ du chromosome 염색체 분열. ② 『지질』 (암석의) 파편화.

fragmenter [fʀagmɑ̃te] *v.t.* 단편〔토막〕으로 나누다, 분할하다 : ouvrage *fragmenté* 분책으로 나온 작품. — **se ~** *v.pr.* 단편〔토막〕으로 나뉘다, 분할되다.

frai [fʀɛ] *m.* ① (물고기의) 산란(産卵) ; 수정 ; 수정란 : saison du ~ 산란기. ② (양식장의) 치어, 어린 물고기. ③ (화폐의) 마손(磨損).

fraîchement [fʀɛʃmɑ̃] *adv.* ① 서늘하게 ; 시원하게. ② 냉정하게 ; 쌀쌀하게, 춥게. ③ 최근에 ; 산뜻하게 ; 방금 : ~ émoulu 갓 졸업한 / café ~ moulu 새로 갈아 낸 커피.

fraîcheur [fʀɛʃœ:ʀ] *f.* ① 시원함, 서늘함, 쌀쌀함, 냉기 : ~ d'une cave 지하실의 서늘함 / ~ du soir 저녁의 쌀쌀함 / sentir la ~ 냉기

를 느끼다. ② 《비유》 냉담함, 쌀쌀맞음 : ~ d'un accueil 냉대. ③ 싱싱함, 신선함 ; 새로움(= nouveauté) : ~ des fruits 과일의 싱싱함 / mode de la première ~ 최신 유행 / nouvelle de la première ~ 최신 뉴스. ④ 넘치는 생기, 원기 왕성함 : ~ du teint 생기 넘치는 안색. ⑤ (빛깔 따위의) 선명함 : ~ d'un coloris 색채의 선명함. ⑥ 풋풋함, 싱그러움, 순수함(= innocence) : ~ d'un premier amour 첫사랑의 풋풋함 / ~ des impressions d'un enfant 어린이의 천진무구한 느낌.

fraîchin [fʀɛʃɛ̃] *m.* 생선 비린내 ; 바다 냄새.

fraîchir [fʀɛ(e)ʃiːʀ] *v.i.* ① 서늘해지다 ; (기후가) 차가워지다, 식다 : Le temps *fraîchit.* 날씨가 쌀쌀해진다. ② 〖해양〗 바람이 일기 시작하다, 강해지다 : La brise *fraîchit.* 바람이 인다.

F

⁑frais¹, fraîche [fʀɛ, fʀɛʃ] *adj.* ① 서늘한, 쌀쌀한 ; 시원한 ; 찬 ; 추운 : eau de puits *fraîche* 시원한 우물 물 / Le temps est ~ aujourd'hui. 오늘은 날씨가 쌀쌀하다. ② 냉담한, 냉랭한 : recevoir un accueil plutôt ~ 쌀쌀한 대접을 받다. ③ 신선한 ; 싱싱한 ; 생(生)의 : poisson ~ 싱싱한 생선 / pain ~ 갓 구워낸 빵 / crème *fraîche* 생크림. ④ 산뜻한 ; 선명한. ⑤ 생기발랄한, 원기왕성한 : fille *fraîche* 생기발랄한 소녀 / être ~ et dispos 원기왕성하다. ⑥ 싱그러운, 풋풋한 ; 순진한, 순수한 : *fraîche* odeur de violettes 제비꽃의 싱그러운 향기 / âme *fraîche* d'enfant 어린아이의 순수한 마음. ⑦ 최신의, 새로운, 갓 나온 ; (기억 따위가) 생생한 : nouvelles *fraîches* 새 소식 / un souvenir très ~ de cet incident 그 사건의 생생한 기억. ⑧ 《구어》 처지가 딱하게 된 : Nous voilà ~! 딱하게 됐네. ***de fraîche date*** 최근의. ***~ comme une rose*** 《구어》 대단히 신선한. — *m.* ① 선선한 공기, 냉기. ② 찬〔서늘한〕 곳 : ≪A mettre au ~≫ 「찬 곳에 보관할 것」. ***de ~*** 새로, 최근에 : rasé *de* ~ 갓 면도한. ***mettre*** qn ***au ~*** 《구어》 …을 투옥하다. — *f.* ① 서늘한 시각 ; 시원한 장소 : sortir à la *fraîche* 서늘할 때 나가다. ② 찬 음료. — *adv.* ① 서늘하게 : boire 〔servir〕 ~ 찬 것〔음식〕을 마시다〔주다〕. ② 《과거분사 앞》 최근에, 갓 : roses toutes *fraîches* cueillies 갓 꺾어 온 장미 / livre tout ~ paru 최신간 / tête ~ tondue 방금 빡빡 깎은 머리.

frais²** [fʀɛ] *m. pl.* ① 경비, 지출(= coût, dépense) ; 수고 ; 희생 : ~ de déplacement 출장비, 교통비 / ~ d'habillement 의복비 / ~ d'entretien 유지비 / ~ bancaires 은행 수수료. ② 〖경제〗 비용, 경비 : ~ d'établissement 창업 비용 / ~ de fabrication 생산비 / ~ de main-d'œuvre 인건비. ***à ~ communs 공동 출자로. ***à grands ~*** 많은 비용〔희생〕을 치르고. ***à moitié*** (***de***) ***~*** 비용 반 부담으로. ***à peu de ~ ; à moindre ~*** 적은 비용으로 ; 별로 힘들이지 않고. ***aux ~ de*** qn …의 부담으로〔지출로〕. ***en être pour ses ~*** 비용만 손해 보다 ; 헛수고하다. ***faire des ~*** 돈을 많이 쓰다 ; 희생을 감수하다. ***faire les ~ de*** …의 비용을 부담하다. ***faire les ~ de conversation*** 많이 지껄이다 ; 이야깃거리가 되다. ***faire*** 〔***couvrir***〕 ***ses ~*** 출비를 보상받다, (사업의) 수지 계산이 맞다 ; (거래에) 손해를 보지 않다. ***faux ~*** 잡비, 임시비. ***rentrer dans ses ~*** 출비의 보상을 받다. ***se mettre en ~*** 비용〔돈〕을 많이 들이다 ; 무척 애를 쓰다 : *se mettre en* ~ de politesse pour qn …에게 예의를 갖추려고 애쓰다. ***tous ~ faits*** 모든 비용을 다 빼고.

fraisage [fʀɛzaːʒ] *m.* fraise³로 구멍을 넓히기(= fraisement).

fraise¹** [fʀɛːz] *f.* ① 딸기 : ~*s* des bois 산딸기 / ~ du désert 선인장 열매. ② (딸기 같은) 반점(斑點). ③ 《구어》 얼굴. ***ramener sa ~ 《구어》 허세를 부리다. ***sucrer les ~s*** 《구어》 (병 · 고령으로 인하여) 수족이 떨리다 ; 노망하다. — *adj.* 《불변》 딸기빛의.

fraise² *f.* 〖요리〗 (송아지 · 양 따위의) 장간막(腸間膜).

fraise³ *f.* ① 구멍을 넓히는 송곳 ; 프레이즈반. ② (치과용) 드릴.

fraise⁴ *f.* ① (16 세기의) 주름 잡은 둥근 옷깃, 주름동정. ② 〖축성〗 와책(臥柵) ; 〖토목〗 교각(橋脚) 주위에 박은 말뚝.

fraisé, e [fʀɛ(e)ze] *adj.* fève ~*e* 깍지를 벗긴 잠두(蠶豆).

fraiser [fʀɛ(e)ze] *v.t.* (프레이즈로) 구멍을 뚫다〔구멍의 아가리를 넓히다〕. ***machine à ~*** 프레이즈반(盤).

fraiseur, euse [fʀɛzœːʀ, -øːz] *n.* 프레이즈반(盤) 다루는 직공. — *f.* 프레이즈반.

fraisier [fʀɛ(e)zje] *m.* 〖식물〗 딸기나무 : ~ des Indes 뱀딸기.

fraisure [fʀɛ(e)zyːʀ] *f.* (나사못 대가리가 들어가는) 접시형 구멍.

***framboise** [fʀɑ̃bwaːz] *f.* ① 〖식물〗 나무딸기. ② 나무딸기 술.

framboiser [fʀɑ̃bwaze] *v.t.* 나무딸기 향을 「넣다.

***franc¹** [fʀɑ̃] *m.* ① 프랑화(貨)《프랑스 화폐의 단위》; 프랑《1 파운드에 해당하는 금화》: nouveau ~ ; 《구어》 ~ lourd 신(新) 프랑 《구(舊) 100 프랑에 해당되며, 1966 년부터 사용됨》 ② (유럽 각국에서 쓰이는) 프랑화(貨) : ~ belge 〔suisse, luxembourgeois〕 벨기에〔스위스, 룩셈부르크〕 프랑.

⁑franc², franche [fʀɑ̃, -ɑ̃ːʃ] *adj.* ① ⓐ 자유로운 : port ~ 자유항 / ville *franche* 자유시(市). ⓑ (부담 · 운임 · 우세 · 조세 따위에서) 면제된 ; 《~ de》 …에서 면제된 ; …에 구애되지 않는, …이 없는 : avoir le port ~ 우세(郵稅)를 면제받고 있다 / ~ *de* toute ambition 아무런 야심도 없는. ② 솔직한(= sincère) ; 성실〔공정〕한(= loyal) : homme ~ 솔직한 사람 / Je serai ~ avec vous. 솔직하게 말할게요. ③ 거리낌 없는 ; 노골적인, 명백한, (화풍 따위가) 대담한 : rire ~ 거리낌 없는 웃음 / montrer une *franche* hostilité 노골적인 적의를 보이다. ④ 순수한(= pure) ; 순전한 : vin ~ 순수한 포도주 / race *franche* 순수 혈통 / rouge ~ 순수한 적색. ⑤ 《경멸》 진짜의, 지독한 : *franche* canaille 진짜 잡놈 / ~ coquin 진짜 불량배. ⑥ 완전한 : huit jours ~*s* 만 8 일 ; 8 일 온전히 / dormir la *franche* matinée 아침 내내 실컷 자다. ***avoir son ~ parler*** 솔직히 말하다 ;

솔직하다. ***corps ~*** 〖군사〗 별동대. ***coup ~*** 〖스포츠〗 (축구의) 프리킥 ; (농구의) 자유투. ***être ~ du collier*** (말이 매질하지 않아도) 부지런히 끌다 ; (사람이) 열심히 일하다. ***~ comme l'or*** 〔***l'osier***〕 어린아이같이 순진한. ***~ de port*** 우세(郵稅)가 선납〔면제〕된 ; 운임이 선불〔면제〕된. ***jouer ~ jeu*** 〔***jeu ~***〕 정정당당하게 승부하다. ***y aller de ~ jeu*** 정정당당하게 행동하다.

— *adv.* ① 솔직하게 ; 대담하게(= carrément). ② 완전히. ***parler ~*** 솔직하게 이야기하다. ***pour parler ~*** 솔직하게 말하면.

franc[3], franque [fʀɑ̃, -ɑ̃:k] *adj.* 〖역사〗 프랑크족의. — **F~** *n.* ① 프랑크인 ; (*pl.*) 프랑크족. ② (근동 지방에서) 유럽인.

franc- *préf.* 「자유로운, 솔직한」의 뜻.

:français, e [fʀɑ̃sɛ, -ɛ:z] *adj.* ① 프랑스(*France*)의 ; 프랑스인〔어〕의 : citoyen ~ 프랑스 시민 / cuisine *~e* 프랑스 요리 / langue *~e* 프랑스어(語). ② 프랑스식〔풍〕의 : élegance bien *~e* 매우 프랑스적인 우아함. ***à la ~e*** 프랑스식의, 프랑스식으로. — **F~** *n.* 프랑스인 : un ~ 프랑스 남자 / une *~e* 프랑스 여자 / *F~* de souche 토박이 프랑스인. — *m.* 프랑스어 : apprendre le ~ 프랑스어를 배우다 / en (bon) ~ (좋은) 프랑스어로 ; 명백하게, 솔직히 / parler ~ 프랑스어를 하다 ; 명백한 언어로 말하다 ; ***Parlez-vous ~?*** 프랑스어 할줄 아십니까? ***Vous ne comprenez pas le ~?*** 무슨 말인지 모르시겠어요?

France (la)** [lafʀɑ̃:s] *n.pr.f.* 프랑스《정식 명칭은 République française》: roi de ~ 프랑스 국왕 / ambassade de ~ en Corée 주한 프랑스 대사관 / histoire de (la) ~ 프랑스사(史) / géographie de la ~ 프랑스 지리 / vins de ~ 프랑스산 포도주 / île de ~ 모리스(*Maurice*) 섬의 옛 이름 / ~ libre 자유 프랑스《제2차 대전시 해외 망명 정부의 호칭》. ***en ~ 프랑스에〔에서 · 로〕. ***Je suis de ~.*** 나는 프랑스에서 온 사람이다.

franchement** [fʀɑ̃ʃmɑ̃] *adv.* ① 솔직하게, 숨김없이 : Dites-moi ~. 숨김없이 말씀해 주십시오. ② 결연히, 명백히(= nettement) : poser ~ un problème 명백히 문제 제기를 하다. ③《형용사 앞》《구어》 정말로, 참말로 : Sa visite devenait ~ desagréable à ma tante. 그의 방문은 내 숙모님께 정말 불쾌한 것이 되었다 / Il joue ~ bien. 정말 멋지게 연주〔경기〕하는 군. ***à ~ parler ; ~ parlant 솔직히 말하면.

franchir** [fʀɑ̃ʃi:ʀ] *v.t.* ①《옛》 자유민으로 만들다, 해방하다. ② (뛰어)넘다 ; 건너다, 통과하다(= passer) : ~ un pont 다리를 건너다 / ~ le fossé d'un bond 도랑을 껑충 뛰어넘다. ③ 한계를 넘다, 돌파하다(= dépasser) : ~ le cap de la cinquantaine, 50 고개를 넘다 / ~ les bornes de la décence 예절의 한계를 넘다 / Sa gloire *a franchi* les siècles. 그의 명성은 이 수세기 동안 줄어들지 않았다. ④ 극복〔돌파〕하다 : ~ les barrières sociales 사회적인 장애를 극복하다. ***~ le pas 〔***le saut***〕 오래 주저하던 일을 단호히 행하다. ***~ le Rubicon*** 단호한 조처를 취하다.

franchisage [fʀɑ̃ʃiza:ʒ] *m.* 〖법률〗 독점 판매〔프랜차이즈〕 계약.

franchise [fʀɑ̃ʃi:z] *f.* ① ⓐ 〖역사〗 자치권. ⓑ (교회 따위의) 비호권, 불가침권 ; (외교관의) 특권. ② 면세, 우세(郵稅) 면세(= ~ postale) : ~ douanière 관세 면제 / ~ de bagages 일정한 중량의 수하물 운임 면제. ③ 솔직성, 정직성 ; (화풍(畫風) 따위의) 대담성. ***avec ~ ; en toute ~*** 솔직하게. ***en ~*** 면세로〔의〕 ; 우편 요금 무료로 : envoi *en ~* (우편물의) 무료 수송.

franchisé, e [fʀɑ̃ʃize] *adj.* 독점 판매〔프랜차이즈〕 계약을 한, 상표 사용권을 취득한. — *n.* 프랜차이즈 가맹점.

franchiser [fʀɑ̃ʃize] *v.t.* (프랜차이즈 계약에 의해) 독점 판매권 · 상표 사용권을 주다.

franchissable [fʀɑ̃ʃisabl] *adj.* 뛰어넘을 수 있는 ; 통과〔돌파〕할 수 있는.

franchissement [fʀɑ̃ʃismɑ̃] *m.* (뛰어) 넘기, 건너기 ; 돌파, 통과 : ~ des cours d'eau 〖군사〗 도강.

franchouillard, e [fʀɑ̃ʃuja:ʀ, -aʀd] *adj.* 《경멸》 보통〔평균적인〕 프랑스인의《결점의 측면에서》 ; 프랑스인다운.

francique [fʀɑ̃sik] *adj.* 프랑크족〔어〕의. — *m.* 프랑크어(語).

francisation [fʀɑ̃sizɑsjɔ̃] *f.* 프랑스(어)화(化) : ~ d'un mot d'emprunt 차용어의 프랑스어화.

franciscain, e [fʀɑ̃siskɛ̃, -ɛn] *adj.* et *n.* 프란체스코회의 수도사〔수녀〕.

franciser [fʀɑ̃size] *v.t.* 프랑스(어)화하다 : ~ des noms propres étrangers 외국의 고유 명사를 프랑스어화하다.

francisque [fʀɑ̃sisk] *f.* 〖고고학〗 도끼《프랑크인들이 쓰던 무기》.

franciste [fʀɑ̃sist] *n.* 프랑스어(문)학자.

francité [fʀɑ̃site] *f.* 프랑스적인 특성〔성격〕.

franc-jeu [fʀɑ̃ʒø] (*pl.* ***~s-~s***) *m.* 페어플레이, 정정당당하게 겨루기 : jouer ~ 정정당당하게 시합〔행동〕하다.

franc-maçon, onne [fʀɑ̃ma〔ɑ〕sɔ̃, -ɔn] *m.* (*pl.* ***~s-~s***) 프리메이슨 단원. — *adj.* 프리메이슨 단원의.

franc-maçonnerie [fʀɑ̃ma〔ɑ〕sɔnʀi] *f.* ① 프리메이슨단《근대 유럽에서 활약한 세계 시민주의적 · 자유주의적 단체》. ②《비유》(같은 직업 · 사상에서 비롯된) 동지 의식, 유대감.

franco [fʀɑ̃ko] *adv.* ① 운임 없이, 무료로(= ~ 〔franc〕 de port) : expédier un colis ~ 발송인 운임 부담으로 소포를 보내다. ②《장소 앞에서》…인도《판매자가 책임지고 상품을 인도하는 장소 · 운송 수단 따위의 명시》: *F~* Marseille 마르세유 인도 / *F~* à bord 본선인도(本船引渡)(= F.A.B.). ③《구어》 솔직하게, 단도직입적으로(= franchement, carrément) : Allez-y ~. 솔직하게 말하시오 ; 주저 말고 하시오. ≪***Catalogue ~ sur demande***≫ 「청구시 카탈로그 무료 증정」. ***livré ~*** 운임 무료.

franco- *préf.* 「프랑스」의 뜻.

francophile [fʀɑ̃kɔfil] *adj.* et *n.* 프랑스를 좋아하는〔지지하는〕 (사람).

francophilie [fʀɑ̃kɔfili] *f.* 친불(親佛)주의 ; 프랑스 지지.

F

francophobe [fʀɑ̃kɔfɔb] *adj.* et *n.* 프랑스를 싫어하는 (사람).

francophobie [fʀɑ̃kɔfɔbi] *f.* 프랑스 혐오.

francophone [fʀɑ̃kɔfɔn] *adj.* et *n.* 프랑스어를 말하는 (사람) : Canadiens ~*s* 프랑스어를 말하는 캐나다인.

francophonie [fʀɑ̃kɔfɔni] *f.* 프랑스어 사용 ; 《집합적》 프랑스어권(語圈)(의 나라들).

franc-parler [fʀɑ̃paʀle] *m.* 솔직한 언사 ; 무람〔허물〕 없는 말투 : avoir son ~ avec qn …에게 솔직히 말하다.

franc-tireur [fʀɑ̃tiʀœːʀ] *m.* (*pl.* **~s-~s**) ① 〖프랑스사〗 의용병 : ~ du journalisme 《구어》 (신문 · 잡지의) 자유 기고자. ② 〖군사〗 저격병 ; 유격병, 유격대원 ; (단체의 규율을 무시하는) 독립 행동자 : agir en ~ 제멋대로 행동하다.

F

frange [fʀɑ̃ːʒ] *f.* ① 술 ; 술 장식, 드림 장식 : écharpe à ~*s* bleues 파란 술이 달린 스카프. ② 술 장식처럼 늘어진 것 ; 이마를 덮은 머리카락(= ~ de cheveux) : avoir la ~ 이마에 머리카락이 늘어지다. ③ (두 상태 · 개념 사이의) 불명확한 한계. ④ (사람들의) 집단, 그룹 ; 부분 : ~ d'étudiants politisés 정치 의식화된 소수 학생. **~ (*de cheveux*)** 이마를 내리덮은 짧은 머리털. **~ *d'interférence*** 〖광학〗 간섭 무늬.

franger [fʀɑ̃ːʒe] [3] *v.t.* 술을 달다〔늘이다〕 : ~ un châle 숄에 술 장식을 하다.

frangin, e [fʀɑ̃ʒɛ̃, -in] *n.* 《구어》 형제, 자매 : Voilà ma ~*e*. 제 누이입니다.

frangipane [fʀɑ̃ʒipan] *f.* 편도로 만든 과자 제조용 크림 ; 편도 크림 과자.

franglais, e [fʀɑ̃glɛ, -ɛːz] *adj.* 영어식 표현이 섞인 프랑스어의. ── *n.* 영어가 뒤섞인 프랑스어.

franquette [fʀɑ̃kɛt] *f.* 《 다음 구에만 쓰임》 ***à la bonne* ~** 솔직히, 터놓고, 흉허물 없이 : Restez donc, on dînera *à la bonne* ~. 가지 마시오, 부담 없이 저녁이나 합시다.

frappant, e [fʀapɑ̃, -ɑ̃ːt] *adj.* 뚜렷한 인상을 주는, 인상적인, 놀라운(= impressionnant), 감명적인, 이목을 끄는, 현저한 : contraste ~ 인상적인 대조 / coïncidence ~*e* 놀라운 일치 / spectacle ~ 인상적인 광경.

frappe[1] [fʀap] *f.* ① (화폐의) 주조 ; 각인(刻印). ② 타자기 치기〔치는 솜씨〕. ③ 〖스포츠〗 (테니스 · 야구 따위에서) 공을 치기, 타격 ; 〖권투〗 히트, 가격(加擊). ***force de* ~** 〖군사〗 공격력 ; 핵 전력.

frappe[2] *f.* 《속어》 깡패, 망나니(= voyou).

frappé, e [fʀape] *adj.* ① 주조(鑄造)된 ; 각인(刻印)이 찍힌. ② (격렬한 감정 따위로) 충격을 받은, 놀란 : ~ d'horreur 공포에 휩싸여. ③ (음식물이 얼음에) 잘 식혀진 : champagne bien ~ 잘 식혀진 샴페인 / café ~ 냉커피.

frappement [fʀapmɑ̃] *m.* 때리기, 두드리기.

frapper** [fʀape] *v.t.* ① 치다, 때리다, 두드리다(= battre) : ~ qn au visage …의 얼굴을 때리다 / La mer *frappe* la falaise. 바닷물이 벼랑을 친다 / Le coup le *frappa* à mort. 그 일격에 그는 죽었다. ② …에게 강한 인상을 주다, 놀라게 하다(= étonner) : ~ les yeux 눈을〔주의를〕 끌다 / Ce qui me *frappe* le plus... 내게 가장 감명을 주는 것은… / Son nom m'*a frappé*. 그의 이름을 듣고 나는 놀랐다〔주의하게 되었다〕. ③ 주조(鑄造)하다 ; (화폐 따위에) 각인(刻印)을 두들겨 찍다 : ~ la monnaie 동전을 주조하다. ④ (질병 · 죽음 · 놀라움 따위가) 엄습하다, 침범하다, 감염하다(= atteindre) : *être frappé* de cancer 암에 걸리다. ⑤ ⓐ 과세하다, (세금 따위를) …에 과하다 : ~ certaines marchandises de droits à l'entrée 어떤 상품에 수입 관세를 과하다. ⓑ (세금이) …에(게) 과해지다 : impôt qui *frappe* certaines catégories de salariés 어떤 부류의 봉급 생활자에게 과해지는 세금. ⑥ (술 따위를) 얼음에 채우다 : vin blanc *frappé* 차갑게 한 백포도주 / café *frappé* 냉커피. **~ *les grands coups* ; ~ *un grand coup (큰 일을 하려고) 큰 수를 쓰다. **~ *les trois coups*** 〖연극〗 개막의 신호로 무대의 바닥을 세 번 치다. **~ *un coup*** 일격을 가하다 ; 모험을 감행하다.

── *v.t. ind.* 《~ a 〔sur, contre〕》 …을 치다, 두드리다, 노크하다 : ~ *à* la porte 문을 두드리다, 노크하다 / ~ *sur* la table 탁자를 치다 / ~ *contre* un mur 벽을 두드리다. **~ *à la tête*** 수뇌부〔주모자〕를 치다. ***On frappe.*** 《보어 없이》 누가 노크한다.

── *v.i.* 두드리다 ; 치다. **~ *des mains* ; ~ *dans ses mains*** 손뼉 치다, 박수하다. **~ *du pied* 〔*des pieds*〕** 발을 구르다.

── **se ~** *v.pr.* ① 제몸을 두드리다 ; 자기의 …을 두드리다. ② 부딪치다. ③ 서로 때리다. ④ 걱정하다 ; 속을 썩이다 : Ce n'est pas grave, ne te *frappe* pas ! 대단치 않으니 걱정하지 마라.

frappeur, euse [fʀapœːʀ, -øːz] *n.* ① 때리는〔두드리는〕 사람. ② (화폐) 주조공. ── *m.* ① 대장장이, 망치공(工). ② 메, 망치, 방망이. ── *adj.* esprit ~ 〖심령〗 가구 · 벽 따위를 두드려서 의사를 알리는 망령(亡靈).

frasque [fʀask] *f.* ① 짓궂은 장난(= farce). ② (흔히 *pl.*) 돌출 행동, 분별없는 짓.

fraternel, elle [fʀatɛʀnɛl] *adj.* ① 형제의, 형제다운 : amour ~ 형제애. ② 형제 같은, 우애 있는(= affectueux) ; 친절한 : charité ~*elle* 이웃 사랑 / correction ~*elle* 애정 어린 충고 / se monter ~ avec qn …에게 형제처럼 친하게 대하다.

fraternellement [fʀatɛʀnɛlmɑ̃] *adv.* 형제답게, 형제처럼 ; 우애 있게.

fraternisation [fʀatɛʀnizɑsjɔ̃] *f.* 형제처럼 지내기, 형제 같은 친교 ; 화협(和協).

fraterniser [fʀatɛʀnize] *v.i.* 《~ avec》 …와 형제처럼 지내다 ; 우호 관계를 맺다, 화해하다 : ~ aussitôt *avec* ses camarades 동료들과 곧 친밀하게 지내다.

***fraternité** [fʀatɛʀnite] *f.* ① 형제 관계 ; 형제간의 정, 형제애. ② 동포애, 우애 : Liberté, Égalité, *F*~ 자유 · 평등 · 우애.

fratricide [fʀatʀisid] *adj.* 형제 살해의 : guerres ~*s* 골육상쟁. ── *m.* 형제 살해. ── *n.* 형제 살해범.

fraude [fʀoːd] *f.* ① 사기, 속임수, 부정 행위(= tromperie). ② 밀수입(= contrebande) ; 탈세(= ~ fiscale) : ~ electorale 선거 부정. ***en* ~** 부정한 수단으로, 불법으로 : entrer

〔introduire, passer〕 qc *en* ~ …을 밀수입하다. ***en ~ de*** …을 속이고. ***faire la ~*** 밀수하다. ***par ~*** 속여서, 기만하여.

***frauder** [fʀode] *v.t.* ① 속이다, 사기하다. ② (세금을) 포탈하다 ; 밀수하다 : ~ les lois 법망을 뚫다 / ~ l'impôt 〔le fisc〕 세금을 포탈하다 / ~ la doune (세관을 속여) 밀수하다. ── *v.i.* ① 속임수를 쓰다 ; 커닝하다. ② 탈세〔밀수〕를 하다. ③ 피임하다 : ~ dans les transports en commun 무임 승차하다 / ~ à un examen 시험에서 커닝하다.

fraudeur, euse [fʀodœːʀ, -øːz] *n.* 사기꾼 ; 밀수입〔밀수출〕자 ; 탈세자. ── *adj.* 속임수를 쓰는 ; 밀수입〔밀수출〕하는 ; 탈세하는.

frauduleusement [fʀodyløzmɑ̃] *adv.* 부정한 수단으로, 남몰래 ; 탈세하여 : vendre ~ des marchandises 상품을 밀매하다.

frauduleux, euse [fʀodylø, -øːz] *adj.* 부정한 ; 사기의 성격을 띤 : trafic ~ 밀매 / edition ~*euse* 해적판.

frayer [fʀɛ(e)je] 8 *v.t.* ① (길을) 트다, 개척하다 : ~ un sentier 오솔길을 내다 / Cette œuvre *a frayé* la voie au nouveau roman. 이 작품은 새로운 소설의 길을 터 주었다. ② 〖사냥〗 문지르다, 비비다 : Le cerf *fraye* son bois aux arbres. 사슴이 나무에 대고 뿔을 비벼댄다. ③ 〖수의학〗 (마찰에 의해) 피부가 벗겨지다. ④ (화폐를) 마손(磨損)하다. ***~ le chemin à*** qn …에게 길을 열어 주다 ; …에게 지침을 보여 주다 : ~ *à* qn *le chemin* des honneurs …을 위해 영광의 길을 터 주다 ; …에게 모범을 보이다. ***~ le*** 〔***un***〕 ***chemin vers*** qc …으로의 길을 트다 ; …을 얻으려고 갖은 수단을 다 쓰다. ── *v.i.* ① (물고기가) 산란하다, 알을 낳다. ② 《~ avec》 …와 사귀다, 교제하다 : Il *frayait* peu avec ses collègues. 그는 동료들과 별로 어울리지 않았다. ── ***se ~*** *v.pr.* 《se 는 간접목적보어》 자기를 위해 개척하다. ***se ~ un chemin à travers la foule*** 〔***des difficultés***〕 군중을 헤치고 나아가다〔난관을 타개하다〕. ***se ~ un passage*** (자기를 위하여) 길을 터 나가다 ; 무리하게 밀고 나가다.

frayeur [fʀɛjœːʀ] *f.* 공포심, 무서움, 두려움 (= effroi, terreur) : ~ de la mort 죽음의 공포 / être saisi de ~ 공포에 사로잡히다 / faire ~ 두려워하게 하다.

fredaine [fʀədɛn] *f.* 젊을 때의 실수 ; 엉뚱한 짓 : faire des ~ 젊은 기분으로 엉뚱한 짓을 하다. 「밍.

fredonnement [fʀədɔnmɑ̃] *m.* 콧노래 ; 허

***fredonner** [fʀədɔne] *v.t.* 목소리를 떨며 노래하다 ; 가느다랗게 입속으로 노래 부르다 ; 콧노래하다 : mélodie *fredonnée* 콧노래 가락. ── *v.i.* 콧노래를 부르다.

fredonneur, euse [fʀədɔnœːʀ, -øːz] *adj.* et *n.* 콧노래 하기를 즐기는 (사람).

free-lance [fʀilɑ̃s] 〔영〕 *adj.* 《불변》 자유 계약의, 프리랜서의 : journaliste ~ 자유 기고가. ── *n.* 자유 계약자, 프리랜서. ── *m.* 자유 계약직 : travailler en ~ 자유 계약직으로〔프리랜서로〕 일하다. 「실.

freezer [fʀizœːʀ] 〔영〕 *m.* (냉장고의) 냉동

frégate [fʀegat] *f.* ① 《옛》 (15·16 세기의) 범선(帆船) ; (18·19 세기의) 돛대 3 개 달린 쾌속 범선, 프리깃함. ② (대(對)잠수함의) 경비함, 호위함. ③ 〖조류〗 군함조(軍艦鳥)《열대지방산의 거대한 새》. ***capitaine de ~*** 해군 중령.

frein** [fʀɛ̃] *m.* ① (말의) 재갈 ; 제동기(制動機), 브레이크 : ~ à air (comprimé) 에어 브레이크 / ~ à levier 〔main〕 핸드 브레이크. ② 《비유》 억제, 제한, 억지 ; 구속 : ~ de la loi 〔de la religion〕 법〔종교〕의 구속〔억제(력)〕 / Son ambition n'a pas de ~. 그의 야망은 멈출 줄 모른다. ***donner un coup de ~ à qn 《구어》 …의 행동·발언을 급히 제지하다, …의 콧대를 꺾다. ***mettre un ~ à*** qc …을 억제하다 : *mettre un ~ à* la hausse des prix 물가 상승을 억제하다. ***ronger son ~*** 간신히 초조함을 억누르다, 이를 악물고 참다. ***serrer*** 〔***mettre***〕 ***le ~*** 브레이크를 걸다.

freinage [fʀɛnaːʒ] *m.* 브레이크〔제동기〕를 걸기 ; 제동 장치.

***freiner** [fʀɛ(e)ne] *v.t.* ① 저지하다. ② (생산 따위를) 억제하다, 제한하다(= ralentir ; ≠ accélérer) : ~ la hausse des prix 물가 상승을 억제하다. ── *v.i.* 브레이크를 걸다 ; 브레이크가 걸리다 : voiture qui *freine* bien 브레이크가 잘 듣는 차.

frelatage [fʀəlataːʒ] *m.*, **frelatation** [fʀəlatɑsjɔ̃] *f.*, **frelatement** [fʀəlatmɑ̃] *m.* (술·약에) 불순물을 섞기.

frelaté, e [fʀəlate] *adj.* ① 불순물이 섞인 : vin ~ 섞음질한 포도주. ② 불순한, 타락한 : Il fréquente une société ~*e*. 그는 좋지 못한 곳에 자주 드나든다.

frelater [fʀəlate] *v.t.* ① (포도주 따위에) 나쁜 것을 섞다, 위조하다, 가짜를 만들다 : ~ de l'alcool 술에 다른 것을 섞다. ② 타락〔악화〕시키다, 변화시키다.

frêle [fʀɛl] *adj.* ① 연약한, 허약한, 약한 ; 가냘픈 ; 날씬한 : enfant ~ 허약한 아이 / être de santé ~ (몸이) 허약하다 / voix ~ 가냘픈 목소리. ② 《문어》 덧없는, 한순간의 ; 희미한 : ~s espérances 덧없는 희망.

frelon [fʀəlɔ̃] *m.* ① 〖곤충〗 무늬말벌. ② 《옛》 기생충 (같은 인간). 「한 남자.

freluquet [fʀəlykɛ] *m.* 경솔한 젊은이 ; 경박

frémir [fʀemiːʀ] *v.i.* ① 부들부들 떨다, 몸서리치다, 전율하다 : Ça me fait ~ quand j'y pense. 그 생각을 하기만 해도 소름이 끼친다 / ~ de tous ses membres 전신이 떨리다. ② 가볍게 흔들리다, 살랑거리다 ; (물·음식이) 끓기 시작하다 : L'eau commence à ~. 물이 (가벼운 소리를 내며) 끓기 시작한다. ***~ que***+*sub.* …하여 몸서리치다.

frémissant, e [fʀemisɑ̃, -ɑ̃ːt] *adj.* ① 부르르 떠는, 전율하는 ; 흔들리는 : voix ~*e* de colère 분노로 떨리는 목소리 / passion ~*e* 끓어오르는 열정. ② 살랑거리는 : feuillage ~ 살랑이는 나뭇잎.

frémissement [fʀemismɑ̃] *m.* ① 떨림, 전율. ② (나뭇잎·바람의) 살랑거림. ③ (끓기 전의) 가벼운 소리 ; 가볍게 끓음.

frêne [fʀɛn] *m.* 〖식물〗 서양물푸레나무.

frénésie [fʀenezi] *f.* ① 광란 ; 〖의학〗 조광(躁狂). ② 열중, 열광(= ardeur). ③ 격렬함, 맹렬함. ***avec ~*** 열광적으로, 열중해서. ***la***

~ **des timbres postes** 우표 수집열. **tomber en** 〔**dans une**〕 ~ 광란에 빠지다.

frénétique [fʀenetik] *adj.* 광란 상태에 빠진 ; 열광적인 : admirateur ~ 열광적인 팬 / rythme ~ 격렬한 리듬.

frénétiquement [fʀenetikmɑ̃] *adv.* 열광적으로, 열중하여.

fréquemment [fʀekamɑ̃] *adv.* 흔히, 빈번히, 자주 : Cela arrive ~. 그것은 자주 일어나는 일이다.

fréquence [fʀekɑ̃:s] *f.* ① 잦음, 빈발 : ~ des visites 빈번한 방문. ② 빈도(頻度), 빈도수 ; 〖물리〗 진동수, 주파수 : ~ des mots 〖언어〗 단어 사용 빈도수. ~ **respiratoire** 〔**du pouls**〕 〖의학〗 호흡〔맥박〕수. ~ **téléphonique** 가청 주파(可聽周波). **haute** 〔**basse**〕 ~ 고〔저〕주파.

F

*__fréquent, e__ [fʀekɑ̃, -ɑ̃:t] *adj.* ① 빈번한, 자주 일어나는, 흔한(≠ rare) : usage ~ 빈번한 사용. ② 〖의학〗 (맥박 · 호흡이) 빠른.

fréquentable [fʀekɑ̃tabl] *adj.* ① 사귈 수 있는, 사귈 만한 : individu peu ~ 사귀어선 안될 녀석. ② (장소가) 자주 갈 만한, 안전한 : quartier pas très ~ 자주 갈 만한 곳이 못 되는 구역.

fréquentatif, ive [fʀekɑ̃tatif, -i:v] 〖문법〗 *adj.* 반복을 나타내는 : aspect ~ 반복상(相) / verbe ~ 반복(상) 동사. ── *m.* 반복상(相) (= aspect ~).

fréquentation [fʀekɑ̃tɑsjɔ̃] *f.* ① 자주 다님 ; 빈번한 방문〔출입〕 ; 자주 만남 : ~ des théâtres 잦은 연극 관람 / ~ hospitalière 빈번한 병원 출입. ② 교제, 교우 관계 ; 한패, 동료 : ~ des gens raffinés 세련된 사람들의 교제 / avoir de bonnes 〔mauvaises〕 ~*s* 교우 관계가 좋다〔나쁘다〕. ③ (도로의) 교통량.

fréquenté, e [fʀekɑ̃te] *adj.* ① (장소가) 사람이 많이 모이는, 교통량이 많은, (항구가) 배가 많이 드나드는 : route ~*e* 교통량이 많은 도로 / endroit ~ par des artistes 예술가들이 많이 찾는 장소. ② 방문객이 많은 : lieu peu ~ 사람이 잘 찾지 않는 장소.

*__fréquenter__ [fʀekɑ̃te] *v.t.* ① …에 자주 드나들다, 자주 다니다 : ~ les théâtres 〔cafés〕 극장〔카페〕에 자주 드나들다 / élève qui *fréquent* telle école 모학교에 다니는 학생. ② …와 자주 만나다, 교제하다, 어울리다 : Il *fréquentait* des voisins. 그는 이웃들을 자주 만났다. ~ **la bonne société** 점잖은 사람들과 사귀다. ── *v.i.* 《~ chez qn 〔dans un lieu〕》 …의 집〔어떤 장소〕에 자주 드나들다. ── **se** ~ *v.pr.* ① 서로 자주 만나다, 서로 교제하다 : Ils ont cessé de *se* ~. 그들은 교제를 끊었다. ② 《속어》 수음(手淫)하다, 용두질하다.

⁑**frère** [fʀɛ:ʀ] *m.* ① 형, 아우(≠ sœur), 형제 : ~ aîné 형 / ~ cadet 아우 / ~*s* jumeaux 쌍둥이 형제 / ~*s* germains 친형제 / amitié entre ~*s* 형제애 / vivre comme des ~*s* 형제처럼 사이좋게 지내다. ② 수도사끼리 부르는 칭호 ; 수도사. ③ 동포 ; 동지 ; 동신자(同信者) ; 친구 : ~*s* d'opinions 의견을 같이하는 사람 / Tu es un vrai ~ pour moi. 너는 나에게 형제나 같다. ④ 《속어》 녀석, 놈. ⑤ 공통점이 있는 것, 비슷한 것 : Le sommeil est (le) ~ de la mort. 잠은 죽음과 상통하는 점이 있다. **bon** ~ 충실한 벗, 장난 친구. **demi-**~ 이부모(異父母) 형제. **faux** ~ 《구어》 배신자. ~ **consanguin** 배다른〔이복〕 형제. ~ **d'armes** 전우(戰友). ~ **ennemi** 의견이 맞지 않은 같은 당원. ~ **utérin** 이부(異父) 형제. ── *adj.* 형제와 같은, 우호적인 ; 동류의 : parti ~ 우당(友黨).

frérot [fʀeʀo] *m.* 아우, 동생 ; 형제.

fresque [fʀɛsk] *f.* ① 〖미술〗 프레스코 화법 : peindre à ~ 프레스코 화법으로 그리다. ② 대벽화 ; (한 시대, 사회를) 총체적으로 묘사한 글〔작품〕.

fressure [fʀesy:ʀ] *f.* (소 · 양 따위의) 내장.

fret [fʀɛ] *m.* ① 화물선의 운임, 운송료. ② 용선(傭船). ③ (기선 · 비행기의) 적하(積荷), 짐 : avion de ~ 수송기 / décharger son ~ 짐을 내리다. **faux** ~ 공(空)운임, 공짐, 이익이 없는 적하물. **prendre du** ~ 적하(積荷)하다. **prendre** 〔**donner**〕 **un navire à** ~ 배를 세내다〔세주다〕. 「借).

frètement [fʀɛtmɑ̃] *m.* 배의 임대차(賃貸

fréter [fʀete] [6] *v.t.* (배를) 임대하다(≠ affréter) ; (차를) 임차하다 : ~ une auto 《구어》 자동차를 임차하다.

frétillant, e [fʀetijɑ̃, -ɑ̃:t] *adj.* ① (물고기가) 팔딱팔딱 뛰는 : poissons ~*s* 싱싱한 생선. ② (사람이) 들떠 있는, 활기찬 : ~ de joie 기뻐서 들뜬.

frétillement [fʀetijmɑ̃] *m.* ① (물고기가) 팔딱팔딱 뜀 ; (개가) 꼬리를 흔듦. ② 안절부절못함.

frétiller [fʀetije] *v.i.* ① 팔딱팔딱 뛰다, 팔딱거리다 : Le chien ~ de la queue. 개가 꼬리를 친다. ② (기쁨, 흥분으로) 들뜨다, 안절부절못하다 : ~ de joie 기뻐서 들뜨다. ***La langue lui frétille.*** 그는 이야기하고 싶어 애가 타고 있다. ***Les pieds lui frétillent.*** 그는 가고 싶어서 안절부절못한다.

fretin [fʀətɛ̃] *m.* ① 《집합적》 잔 물고기 ; 새끼 물고기, 송사리. ② 쓸모없는 사람〔물건〕 ; 하찮은 사람〔것〕.

freudien, enne [fʀødjɛ̃, -ɛn] *adj.* 프로이트 학설의 : psychanalyse ~*enne* 프로이트의 정신 분석. ── *n.* 프로이트 학파의 사람, 프로이트 주의자. 「학설〔주의〕.

freudisme [fʀødism] *m.* 〖심리〗 프로이트

freux [fʀø] *m.* 〖조류〗 떼까마귀.

friabilité [fʀijabilite] *f.* 부서지기 쉬움 ; 가루가 되기 쉬움, 여림.

friable [fʀijabl] *adj.* 부서지기 쉬운, 부스러지는 : roche ~ 부서지기 쉬운 바위.

friand[1], e [fʀijɑ̃, -ɑ̃:d] *adj.* ① 음식을 가리는, 호식(好食) 취미가 있는 : avoir le goût ~ 맛을 잘 알다 ; 입이 대단히 짧다. ② 《~ de》 좋아하는 ; 몹시 갈구하는 : chatte ~*e de* lait 우유를 좋아하는 고양이 / ~ *d'*intrigue 음모 꾸미기를 좋아하는. ③ 맛있는, 진미의. ── *n.* 미식가(美食家).

friand[2] *m.* 〖요리〗 (소형의) 미트 파이 ; (소형의) 아몬드 케이크.

friandise [fʀijɑ̃di:z] *f.* ① 호식 취미, 식도락 : ~ de louanges 칭찬받기를 좋아함. ② 맛있는 것, 진미, 달콤한 것 ; 설탕 과자.

fric [fʀik] *m.* 《구어》 돈 ; 재산 : Je n'ai pas

de ~ sur moi. 나는 수중에 돈이 없다.

fricandeau [fʀikɑ̃do] *m.* (*pl.* **~x**) 〖요리〗 프리캉도《송아지 넓적다리 살에 베이컨을 끼워 찐 요리》.

fricassé, e [fʀikase] *f.* 〖요리〗 프리카세《잘게 썬 닭고기·쇠고기 따위를 소스에 졸여서 양념하여 무친 요리》.

fricasser [fʀikase] *v.t.* ① (잘게 썬 닭고기·쇠고기를) 소스에 졸이다. ② 《구어》 (재산을) 탕진하다.

fricatif, ive [fʀikatif, -iːv] *adj.* 〖언어〗 마찰에 의하여 생기는. — *f.* 마찰음, 마찰 자음《t, d, f, v, s, z, ʃ, ʒ 따위》.

fric(-)frac, fric frac [fʀikfʀak] *adv.* 죽죽《물건을 찢는 소리》. — *m.* ① Il n'y a ni *fric* ni *frac.* 제대로 된〔쓸 만한〕 것이라곤 아무것도 없다. ② 가택 침입. ③ 침입 강도.

friche [fʀiʃ] *f.* ① 미개간지, 황무지 : ~ industrielle 황폐화된 공단. ② 《드물게》 미개척 분야. ***en ~*** 황무지 상태의 ; 교육을 받지 못한, 세련되지 못한 : laisser ses dans en ~ 천부적 재능을 묻어두고 있다.

frichti [fʀiʃti] *m.* 《구어》 음식, 요리.

fricot [fʀiko] *m.* 《구어》 ① 스튜 ; 조잡한 음식 : faire le ~ 음식을 만들다. ② 〖군사〗 음식, 요리.

fricotage [fʀikɔtaːʒ] *m.* 부정 거래, 모리(謀利) 행위 : ~ des comptes 계산의 속임수.

fricoter [fʀikɔte] *v.t.* 《구어》 ① (토끼 고기를) 스튜로 만들다. ② (수상한 일을) 꾸미다 (= manigancer) : Qu'est-ce qu'il *fricote* encore? 또 무슨 일을 꾸미고 있을까? / ~ des comptes 계산을 속이다. — *v.i.* 부정거래를 하다, 부당 이익을 보다.

fricoteur, euse [fʀikɔtœːʀ, øːz] *n.* 부정 거래자, 모리배(= profiteur).

friction [fʀiksjɔ̃] *f.* ① (신체의) 마찰, 마사지 : se faire faire une ~ (du cuir chevelu) chez le coiffeur 이발소에서 머리를 감다. ② 《비유》 불화, 알력 : réduire les ~s commerciales avec les États-Unis 대미 무역 마찰을 완화하다. ③ 〖물리·기계〗 마찰 : force 〔bruit〕 de ~ 마찰력〔음〕.

frictionner [fʀiksjɔne] *v.t.* 마찰하다, 비비다, 문지르다. — **se ~** *v.pr.* 제 몸을 마찰하다〔문지르다, 비비다〕.

frigidaire [fʀiʒidɛːʀ] *m.* 냉장고 : mettre qc au ~ …을 냉장고에 넣다 ; …을 보류하다.

frigide [fʀiʒid] *adj.* ① 차가운, 한랭한 ; 냉담한 ; 활기 없는. ② (여자가) 불감증인.

frigidité [fʀiʒidite] *f.* 〖생리〗 (여자의) 불감증 : ~ temporaire (여자의) 일시적 불감증.

***frigo** [fʀigo] *m.* 냉장육, 냉동육 ; 냉장고.

frigorification [fʀigɔʀifikɑsjɔ̃] *f.* (육류의) 냉장.

frigorifié, e [fʀigɔʀifje] *adj.* 냉장된, 냉동된 ; 《구어》 (추위·공포 따위로) 얼어붙은 : Je suis ~. 《구어》 추워 죽겠다.

frigorifier [fʀigɔʀifje] *v.t.* ① 냉장하다, 냉동하다 : ~ de la viande 고기를 냉동〔냉장〕시키다. ② 《구어》 (무서움에) 얼어붙게〔떨게〕하다 : Avec son air sévère, il *frigorifiait* les candidats. 그의 냉엄한 태도는 응시자들을 얼어붙게 했다.

frigorifique [fʀigɔʀifik] 〔라틴〕 *adj.* 냉동〔냉장·냉각〕하는(= réfrigérant) : appareil ~ 냉각〔냉동〕 장치 / entrepôt ~ 냉장실 / industrie ~ 냉동업 / navire ~ 냉동선(船) / wagon ~ 냉동차. — *m.* 냉각기, 냉동기, 냉장고.

frileusement [fʀiløzmɑ̃] *adv.* 추워하며, 추운 표정으로, 추운 듯이 : se serrer ~ contre qn …에게 추운 듯이 몸을 꼭 붙이다.

***frileux, euse** [fʀilø, -øːz] *adj.* ① 추위를 잘 타는 : animal ~ 추위에 약한 동물. ② 추워하는, 추운 듯한 : posture ~*euse* 추운 듯한 모습. ③ 《비유》 겁이 많은, 소심한. ④ 《문어》 추운, 차가운 : ~*euse* saison 겨울. — *n.* 추위를 잘 타는 사람.

frimas [fʀimɑ] *m.* 된서리, 무빙(霧氷) ; (*pl.*) 겨울 : saison des ~ 겨울.

frime [fʀim] *f.* ① 《구어》 가장, 시늉, 속임수 (= feinte, comédie). ② 《구어》 얼굴. ③ 〖영화·연극〗 《속어》 단역. ***Ce n'est que de la ~.*** 그것은 표면상일 뿐이다〔가장이다〕. ***faire la ~ de*** (+*inf.*) …을 하는 체하다.

frimer [fʀime] 《속어》 *v.t.* ① 바라보다 ; 보다. ② 겉꾸미다 ; …하는 체하다. — *v.i.* 겉꾸미다, 겉치레하다 : ~ bien 〔mal〕 외모가 훌륭하다〔초라하다〕.

frimousse [fʀimus] *f.* ① 《구어》 (어린애·소녀의) 순진한 얼굴. ② 〖인터넷〗 이모티콘, 감정 표현 기호《^_^, ^^ 등》.

fringale [fʀɛ̃gal] *f.* 《구어》 ① 심한 허기증, ② 갈망. ***avoir la ~*** 대단히 배가 고프다. ***avoir une ~ de*** (***louange***) (칭찬받고) 싶어서 못 견디다. ***se sentir une ~ de loup*** 배가 몹시 고프다.

fringant, e [fʀɛ̃gɑ̃, -ɑ̃ːt] *adj.* ① (말이) 깡총거리는. ② (사람이) 활기 있는(= alerte) ; 멋있는(= élégant). — *n.* 팔팔한 사람. ***faire le ~*** 씩씩하게 굴다.

fringuer [fʀɛ̃ge] *v.i.* 《옛》 ① 깡충거리다(= gambader). ② 멋을 부리다. — *v.t.* 《구어》 옷을 입히다. — **se ~** *v.pr.* 옷을 입다.

fringues [fʀɛ̃ːg] *f. pl.* 《속어》 옷, 의복(= vêtement).

fripe [fʀip] *f.* 《옛》 누더기.

fripé, e [fʀipe] *adj.* ① (옷이) 꾸겨진 ; 입어서 해어진, 누덕누덕한 : livre ~ 구겨진 책. ② (얼굴이) 주름살이 잡힌 ; 피로에 지친, 수척한 : visage ~ 주름진 얼굴.

friper [fʀipe] *v.t.* ① (옷을) 구기다 ; 해어뜨리다 : ~ ses vêtements 해지도록 옷을 입다. ② (얼굴을) 주름살이 잡히게 하다(= rider). — **se ~** *v.pr.* ① (옷이) 구겨지다, 해어지다. ② (얼굴이) 주름살이 잡히다.

friperie [fʀipʀi] *f.* ① 고물, 헌옷, 넝마 ; 폐물. ② 고물상, 헌옷 장사.

fripier, ère [fʀipje, -ɛːʀ] *n.* 넝마 장수, 헌옷 장수, 고물상인.

fripon, onne [fʀipɔ̃, -ɔn] *adj.* ① 교활한, 악랄한. ② 장난기 있는 ; (여자가) 교태부리는 : regard ~ 장난기 있는 시선. — *n.* ① 사기꾼 ; 소매치기. ② 장난꾸러기 ; 개구쟁이 : ~ d'enfant 장난꾸러기 꼬마.

friponnerie [fʀipɔnʀi] *f.* ① 사기 ; 교활한 짓. ② 짓궂은 장난.

fripouille [fʀipuj] *f.* 《구어》 사기꾼 ; 악당, 불량배 ; 깡패.

fripouillerie [fʀipujʀi] *f.* 깡패질 ; 깡패 기

질 ; 사기 ; 비행.

frire [fʀiːʀ] *v.t.* 프라이하다, 기름에 튀기다 : poêle à ~ 프라이팬 / ~ des pomme de terre 감자를 기름에 튀기다. ── *v.i.* 프라이되다, 기름에 튀겨지다. 「스치는.

frisant, e [fʀizɑ̃, -ɑ̃ːt] *adj.* (빛이) 비스듬히

frise¹ [fʀiːz] 〔이탈리아〕 *f.* ① 〖건축〗 프리즈, 소벽(小壁)《엔태블러처(entablement)의 일부, corniche와 architrave 사이》. ② (방의 벽·벽난로·가구 따위의) 장식 띠. ③ (보통 *pl.*) 〖연극〗 하늘을 나타낸 현수막.

frise² *f.* ① 프라이즈, 거친 방모(紡毛) 직물 ; 〖해양〗 (물건 사이에 끼우는) 두툼한 펠트〔모직물〕. ② (모직물의) 보풀 세우는 기계.

frisé, e [fʀize] *adj.* 곱슬곱슬한 ; (잎 가장자리가) 톱니꼴인. ── *m.* ① 곱슬곱슬한 것〔사람〕. ② (*F*~) 《구어》 독일 사람.

friselis [fʀizli] *m.* (물·나뭇잎 따위의) 살랑거림, 바스락거림, (물의) 졸졸거림.

***friser¹** [fʀize] *v.t.* 곱슬곱슬하게 하다, (머리털을) 지지다 : fer à ~ 머리 인두, 헤어아이론 / se faire ~ 머리를 지지다. ── *v.i.* 곱슬곱슬해지다.

friser² *v.t.* ① 스치다, …의 곁을 스치듯 지나가다(= frôler, raser) : balle de tennis qui *frise* le filet 네트를 스치는 테니스공. ② …에 가까워지다〔가깝다〕(= toucher à) : ~ la cinquantaine 나이 50이 가깝다.

frisette [fʀizɛt] *f.* 짧은 곱슬머리 ; 작은 컬.

frisotter [fʀizɔte] *v.t.* (머리카락을) 곱슬곱슬하게 지지다, 컬하다. ── *v.i.* ① (머리카락이) 곱슬곱슬해지다. ② 〖인쇄〗 얼룩지다.

frisquet, ette [fʀiskɛ, -ɛt] *adj.* 싸늘한, 추워지기 시작하는 : vent ~ 싸늘한 바람. ── *m.* 싸늘한 추위 ; 쌀쌀함.

frisson** [fʀisɔ̃] *m.* ① (몸의) 떨림, 오한. ② (몸을) 소스라치기, 전율 : ~ de plaisir 기쁨으로 몸이 달아오름. ③ (자연이나 사물의) 떨림, 희미한 소리 ; (바람·초목 따위의) 흔들림. ***avoir le ~ 오한이 나다, 몸이 떨리다.

frissonnant, e [fʀisɔnɑ̃, -ɑ̃ːt] *adj.* ① 오한을 느끼는 ; 몸을 떠는 : ~ de froid 추위로 몸을 떠는 / être 〔se sentir〕 fiévreux et ~ 열과 오한이 나다. ② 산들거리는, 흔들거리는.

frissonnement [fʀisɔnmɑ̃] *m.* 가벼운 전율 ; (몸의) 떨림 ; 바스락거림, 흔들림.

frissonner [fʀisɔne] *v.i.* ① (몸을) 부르르 떨다, 오한을 느끼다. ② 전율하다, (몸을) 소스라치다 : ~ de crainte 공포에 떨다 / ~ de froid 추워서 떨다 / roseaux qui *frissonent* sous le vent 바람에 바스락거리는 갈대들.

frisure [fʀizyːʀ] *f.* ① 머리카락을 컬하는 법. ② 컬한 머리칼, 곱슬머리.

frit, e** [fʀi, -it] *adj.* ① 기름에 튀긴, 프라이한 : poisson ~ 생선 프라이. ② 《구어》 (사람이) 실패〔낭패〕한, 망한(= perdu, cuit). ***Il est ~. 그는 실패〔파산〕했다. ***Tout est*** ~. 만사 결딴났어. ── *f. pl.* 감자튀김(= pommes ~*es*).

friterie [fʀitʀi] *f.* ① (생선 통조림 공장에서) 프라이 만드는 곳. ② 감자 튀김 파는 가게.

friteuse [fʀitøːz] *f.* 프라이팬.

friture [fʀityːʀ] *f.* ① 프라이하기, 기름이 튀는 소리 ; 〖전화·라디오〗 잡음(= bruits de ~). ② 튀김, 프라이 ; 생선 프라이(= petite ~). ③ 프라이용 기름.

frivole [fʀivɔl] *adj.* ① 경박한(≠ sérieux), 가벼운 ; 《특히》 (애정이) 변덕스러운, 바람기가 있는 : amant 〔femme〕 ~ 변덕스러운 애인〔여자〕 / caractère ~ 변덕스러운 성격. ② 하찮은(= futile), 시시한(≠ sérieux) : pensées ~*s* 하찮은 생각. ── *n.* 경박한 사람, 불성실한 사람.

frivolité [fʀivɔlite] *f.* ① 경박, 경솔 ; 《특히》 (애정상의) 변덕스러움. ② 하찮은 일〔것〕. ③ (*pl.*) 《옛》 자질구레한 장신구(= colifichet).

froc [fʀɔk] *m.* ① (수도사의) 두건 ; 수도사의 옷, 승복 : jeter le ~ aux orties 《구어》 환속하다 ; 직업을 바꾸다 / porter 〔prendre〕 le ~ 수도사이다〔가 되다〕. ② 《구어》 바지.

:froid, e [fʀwa〔ɑ〕, -a〔ɑː〕d] *adj.* ① 찬, 차가운(≠ chaud) ; 식은 : chambre ~*e* 불기 없는 냉방 / ~ comme la glace 얼음같이 찬 / saison ~*e* 추운 계절 / vêtement ~ 따뜻하지 않은 옷 / viande ~*e* 냉동육(冷凍肉). ② 쌀쌀한, 냉담한(≠ chaleureux, enthousiaste) ; 냉정한, 침착한(≠ ardent) ; 무정한(= dur, insensible) : cœur ~ 냉혹한 마음 / rester ~ dans le danger 위험 속에서 침착성을 잃지 않다 / Cette nouvelle mode me laisse ~. 이 새로운 유행에 나는 관심 없다. ③ (감정 따위가) 감추어진, 억누른 : rage ~*e* 억누른 분노 / guerre ~*e* 냉전. ④ (작품 따위가) 감동을 주지 않는, 생기 없는(= inexpressif, terne) : style ~ 생기 없는 문체. ⑤ (여자가) 불감증인(= frigide). ***faire le*** ~ 쌀쌀한 태도를 취하다. ***Il fait*** ~. 춥다.
── *m.* ① 차가움, 추위, 냉기, 한기 ; 감기 : degrés de ~ (영하 이하의) 한랭도 / vague de ~ 한파 / On meurt 〔crève〕 de ~ ici. 《구어》 여기는 지독하게 춥다. ② 저온 ; 냉동 ; 냉장고 : industrie du ~ 냉동업. ③ 쌀쌀함, 냉담 ; 냉정 ; 어색함 : être en ~ avec qn …와 사이가 틀어져 있다 / ne faire ni chaud ni ~ à qn …에게 무관심하다, 냉담하다. ***à*** ~ 찬 그대로, 데우지 않고 ; 냉담하게 : opérer *à* ~ 염증이 없을 때 수술하다 / prendre 〔cueillir〕 un adversaire *à* ~ 〖스포츠〗 경기 서전(緖戰)부터 적을 기습하다. ***avoir*** ~ 추위를 느끼다, (몸이) 춥다 : *avoir* ~ aux mains 손이 시리다. ***coup de*** ~ 〖의학〗 오한 ; 〖기상〗 한파(寒波). ***donner*** 〔***faire***〕 ~ 추위를 느끼게 하다, 싸늘해지게 하다. ***Il fait un*** ~ ***de loup*** 〔***un*** ~ ***noir, un*** ~ ***de canard,*** 《속어》 ***un*** ~ ***de chien***〕 지독한 추위다. ***jeter un*** ~ 충격을 주다. ***prendre*** 〔***attraper***〕 ~ 감기 들다.
── *adv.* ① 찬 그대로, 데우지 않고 : boire 〔manger〕 ~ (음식을) 차게 해서 마시다〔먹다〕. ② 냉담하게, 쌀쌀하게. ***battre*** ~ ***à*** qn …을 쌀쌀하게 대하다.

froidement [fʀwadmɑ̃] *adv.* ① 추워하며. ② 쌀쌀하게, 냉담하게 ; 냉정하게 : accueillir ~ qn …을 냉담하게 대하다 / juger ~ les résultats 결과를 냉정히 판단하다. ***vêtu*** ~ 추워 보이는 차림을 한.

froideur [fʀwadœːʀ] *f.* ① 차가움, 추위 ; 냉정. ② 무기력 ; 무관심. ③ 불감증.

froidure [fʀwadyːʀ] *f.* ① 추위, 차가움 ; 겨

울. ② 동상.

froissement [fʀwasmɑ̃] *m.* ① ⓐ 구기기 ; (종이 · 천 따위가) 구겨지는 소리 ; 살랑살랑〔바삭바삭〕하는 소리. ⓑ (근육 따위에) 타박상을 입히기 ; 타박상 : ~ d'un muscle 근육의 타박상. ② (이해 · 성격 따위의) 부딪침 ; 충돌. ③ (감정을) 상하게 하기〔하는 일 · 행동〕; 모욕. ***éprouver des ~s*** 모욕을 느끼다, 감정을 상하다.

froisser** [fʀwase] *v.t.* ① (천 따위를) 구기다 (= chiffonner, friper) : Sa robe *a été froissée* dans l'autobus. 버스에서 그녀의 의복이 구겨졌다. ② 짓눌러 찌부러뜨리다 ; (근육 따위에) 타박상을 입히다, 삐게 하다. ③ …의 감정을 상하게 하다, …에게 불쾌감을 주다(= choquer) : ~ qn dans sa dignité …의 품격을 상하게 하다. **~** qn ***en passant 지나치다가 …와 부딪치다. ── **se ~** *v.pr.* ① 구겨지다 : Ce tissu ne *se froisse* pas. 이 천은 구겨지지 않는다. ② 자기의 …을 삐다 ; 타박상을 입다 : *se* ~ un muscle 근육에 타박상을 입다. ③ 《se ~ de》 …에 마음이 언짢아지다, 화를 내다. ***se ~ que***+*sub.* …인 것에 화를 내다.

froissure [fʀwasyːʀ] *f.* 구김살 : ~ d'une etoffe 천의 구김살.

frôlement [fʀolmɑ̃] *m.* 스치기 ; 가볍게 스치는 소리.

***frôler** [fʀole] *v.t.* ① 스치다 ; 살짝 건드리다 ; 스쳐 지나가다 : La balle lui *frôla* les cheveux. 탄환이 그의 머리를 스쳤다. ② 가까스로 모면하다, 자칫하면 …할 뻔하다 : Il *a frôlé* la mort. 그는 하마터면 죽을 뻔했다.

fromage** [fʀɔmaːʒ] *m.* ① 치즈 : ~ blanc 〔gras, à la crème〕 크림 치즈 / ~ fondu 〔industriel〕 가공 치즈 / sandwich au ~ 치즈 샌드위치 / rôtie au ~ 치즈를 얹은 토스트. ② 치즈로 만든 요리 : ~ de tête 〔de cochon〕 돼지 머리 · 족의 젤리 요리 ; 잘게 썬 제육 요리. ③ 한직(閑職)(= sinécure) ; 편하고 좋은 자리〔일〕. ***entre la poire et le ~ 식후의 디저트 때에. ***se retirer dans un ~*** 자기 혼자서 즐겁게 지내다.

fromager, ère [fʀɔmaʒe, -ɛːʀ] *adj.* 치즈 제조에 관한. ── *n.* 치즈 제조인〔판매인〕. ── *m.* ① 치즈의 물기 빼는 그릇, 치즈 틀. ② 〖식물〗 판야나무.

fromagerie [fʀɔmaʒʀi] *f.* 치즈 제조소〔저장소 · 판매점〕.

froment [fʀɔmɑ̃] *m.* 양질의 소맥, 밀 : farine de ~ 밀가루. ── *adj.* 《불변》 밀 빛깔의 : ~ clair 〔foncé〕 황금빛〔주홍빛〕의.

fronce [fʀɔ̃ːs] *f.* 구김살 ; 주름 : jupe à ~ 주름치마.

froncement [fʀɔ̃smɑ̃] *m.* 찌푸리기 ; (눈살을) 찌푸림.

froncer [fʀɔ̃se] 2 *v.t.* ① (이마 · 눈살을) 찌푸리다 : ~ le(s) sourcil(s) 눈살을 찌푸리다. ② 〖재봉〗 …에 주름을 잡다. ── **se ~** *v.pr.* 찌푸려지다 ; 주름이 잡히다, 주름살이 생기다.

froncis [fʀɔ̃si] *m.* 〖재봉〗 개더, 주름.

frondaison [fʀɔ̃dɛzɔ̃] *f.* ① 《집합적》 나뭇잎 (전체). ② 발엽기(發葉期), 싹틀 때.

fronde [fʀɔ̃ːd] *f.* ① 석궁(石弓), 투석기(投石器) ; 고무총. ② (*F~*) 〖프랑스사〗 프롱드의 내란(1648-53) ; 프롱드당(黨). ③ 반항, 폭동 : esprit de ~ 반항 정신.

fronder [fʀɔ̃de] *v.t.* ① 투석기로 던지다. ② 비난하다(= attaquer) : ~ le gouvernement 정부를 비난하다.

frondeur, euse [fʀɔ̃dœːʀ, -øːz] *n.* ① 남을 비난하기〔헐뜯기〕 좋아하는 사람. ② 〖프랑스사〗 프롱드 당원. ── *adj.* 비판적인, 반항적인.

‡front [fʀɔ̃] *m.* ① 이마 ; 머리 ; 얼굴 : ~ haut 〔large, étroit〕 긴〔넓은, 좁은〕 이마 / rides du ~ 이마의 주름살. ② 뻔뻔스러움, 파렴치 (= audace, insolence). ③ 정면, 앞면 : ~ d'un bâtiment 건물의 정면. ④ 《옛 · 시어》 (나무 · 산 따위의) 꼭대기, 봉우리(= cime, sommet). ⑤ 〖군사〗 전선(戰線)(= ~ de bataille) : mourir au ~ 전선에서 죽다 / être 〔monter〕 au ~ 전선에 나가 있다〔출동하다〕. ⑥ 《비유》 〖정치〗 전선(戰線) : ~ commun 공동 전선 / *F~* national (제 2 차 대전 중의) 국민 전선. ⑦ 〖기상〗 전선(前線) : ~ chaud 〔froid〕 온난〔한냉〕 전선 / ~ polaire 극전선. ***avoir du ~*** 뻔뻔하다. ***avoir le ~ de***+*inf.* 뻔뻔스럽게도 …하다. ***baisser*** 〔***courber***〕 ***le ~*** 머리를 숙이다 ; 항복하다. ***de ~*** 정면에서 ; (어깨를) 나란히 하고 ; 함께 ; 동시에 ; 마구 : attaquer *de* ~ 정면 공격하다 / heurter qn 〔qc〕 *de* ~ …와 정면 충돌하다 / mener plusieurs choses *de* ~ 여러 가지 일을 병행해서 해나가다. ***faire ~ à*** …에 직면하다 ; …에 대적하다, …와 대결하다. **~ *à* ~** 마주보고, 맞대고.

frontal, e, aux [fʀɔ̃tal, -o] *adj.* 이마의 ; 정면의 : attaque ~*e* 정면 공격 / collision ~*e* 정면 충돌. ── *m.* ① 머리띠 ; (말의) 이마끈. ② 이마〔앞머리〕뼈.

frontalier, ère [fʀɔ̃talje, -ɛːʀ] *adj.* 국경 가까운 ; 국경의 : zone ~*ère* 국경 지대. ── *m.* 국경 지대의 주민 : carte de ~ (국경 지대 주민용) 통행 허가증.

frontalité [fʀɔ̃talite] *f.* 〖건축, 미술〗 정면성.

fronteau [fʀɔ̃to] *m.* (*pl.* ***~x***) ① (수녀들의) 이마띠. ② 〖건축〗 작은 박공.

***frontière** [fʀɔ̃tjɛːʀ] *f.* 국경 ; 경계, 한계 : ~ naturelle 〔artificielle〕 자연〔인위〕 국경 / ~ de la vie et la mort 생사의 갈림길. ── *adj.* 국경(지대)의 : gardes ~*s* 국경 수비대.

frontispice [fʀɔ̃tispis] *m.* ① (건축물의) 정면, 앞면. ② (책의) 내제(內題), 속표지 ; 내제 왼편 페이지의 그림.

fronton [fʀɔ̃tɔ̃] *m.* ① 〖건축〗 (건축물 정면 위의 삼각형 또는 아치형의) 박공, 합각(合閣)(머리). ② (바스크 지방의) 공놀이용 벽 ; 그 놀이터.

frotté, e [fʀɔte] *adj.* 《~ de》 …을 겉핥기의 ; 〖미술〗 (배경을) 불투명색으로 흐리게 한. ── *f.* ① 《구어》 구타 : donner une ~*e* 때리다. ② 〖요리〗 프로테《마늘과 버터를 살짝 바른 빵》.

frottement [fʀɔtmɑ̃] *m.* ① 문지르기, 비비기, 마찰 ; 〖기계〗 접촉, 접합, 밀착. ② 불화, 알력, 충돌 : ~ des esprits et des intérêts 사상과 이해 관계로 생기는 마찰. ***~ du monde*** 세상 사람들과의 접촉〔교제〕. ***user*** qc ***par*** (***le***) ***~*** …을 닳게 하다.

***frotter** [fʀɔte] *v.t.* ① 마찰하다 : ~ une al-

F

lumette 성냥을 긋다. ② 문지르다, 비비다 ; (마루를) 닦다 : ~ les carreaux 유리창을 깨끗이 닦다. ③ 《~ qc de》 …에 …을 문질러 바르다 : ~ *d'huile* 〔*de* pommade〕 기름을 〔포마드를〕 바르다. ④ 《~ qn》 《구어》 때리다. ~ ***les oreilles à*** qn …을 때리다. ~ ***son nez à*** 〔***dans***〕 qc 《구어》 …을 꼬치꼬치 따지다, …에 말참견하다. ― **se** ~ *v.pr.* ① 문질리다. ② 자기의 …을 비비다 ; 제 몸을 문지르다 : *se* ~ de qc …을 제 몸에 문질러 바르다. ③ 서로 스치다. ④ 서로 때리다. ⑤ 《se ~ à》 …와 사귀다, 교제하다 ; …와 맞서다, 싸우다 ; (어떤 일에) 손을 대다. ⑥ 《se ~ de》 …을 약간 배우다, 겉핥기하다 : *se* ~ *de* latin 라틴어를 약간 배우다. ***Ne vous y frottez pas !*** 조심하시오, 위험하다, 상관하지 마라. ***Qui s'y frotte s'y pique.*** 《속담》 군자는 위험을 가까이하지 않는다.

F

frottis [fʀɔti] *m.* ① 〖미술〗 (캔버스 올이 보일 정도의) 엷은 채색. ② 〖의학〗 (현미경 검경판에 칠하는) 도말(塗抹) 표본.

frottoir [fʀɔtwaːʀ] *m.* ① 마찰용 수건 ; (성냥의) 마찰면. ② 〖전기〗 (발전기의) 브러시.

frou(-)frou [fʀufʀu] *m.* ① (나뭇잎 · 옷 따위의) 스치는〔살랑거리는〕 소리. ② 벌새(= oiseau-mouche). ***faire du*** ~ 거드름 피우다.

froufroutant, e [fʀufʀutɑ̃, -ɑ̃ːt] *adj.* (비단옷 따위가) 가볍게 스치는 소리가 나는.

froufrouter [fʀufʀute] *v.i.* (비단옷 따위가) 가볍게 스치는 소리가 나다.

froussard, e [fʀusaːʀ, -aʀd] *adj.* 겁많은. ― *n.* 겁쟁이.

frousse [fʀus] *f.* 《구어》 무서움, 겁(= peur). ***avoir la*** ~ 무서워하다, 겁에 질리다.

fr(s). 《약자》 franc(s) 프랑《복수》.

fructidor [fʀyktidɔːʀ] *m.* 〖프랑스사〗 실월(實月)《프랑스 공화력의 제 12 월, 8 월 18〔19〕일-9 월 7〔8〕일》.

fructification [fʀyktifikɑsjɔ̃] *f.* ① 결실. ② 결실기. ③ (민꽃식물의) 생식 기관.

fructifier [fʀyktifje] *v.i.* ① 열매를 맺다, 결실하다. ② (돈이) 이자를 낳다, (토지가) 수확을 내다, 소출이 있다.

fructueusement [fʀyktɥøzmɑ̃] *adv.* 유리하게, 유효하게, 많은 성과를 거두어.

***fructueux, euse** [fʀyktɥø, -øːz] *adj.* 이로운, 유리한, 유효한, 성과가 많은 : travail ~ 유익한 일 / placement ~ 유익한 투자.

frugal, e, aux [fʀygal, -o] *adj.* 소찬(素餐)으로 만족하는 ; 검소한, 간소한 : repas ~ 간소한 식사 / mener une vie ~*e* 검소한 생활을 하다.

frugalité [fʀygalite] *f.* 조식(粗食) ; 검소.

****fruit**[1] [fʀɥi] ① 열매 ; 과실, 과일 : arbre à ~ 과수(果樹) / ~*s* séchés 건과 / ~*s* à pépin 씨가 있는 과일. ② (*pl.*) 천연 산물, 산물, 수확물 : ~s de la terre 농산물 / ~*s* de mer 식용 연체동물. ③ 소산(所産), 성과 : ~ de l'expérience 경험의 성과. ④ 《문어》 아이 : ~ d'une union 〔d'un mariage〕 아이. ⑤ 〖법률〗 수익. ***avec*** ~ 성과〔보람〕 있게, 유효하게 : étudier *avec* ~ 연구의 성과를 거두다. ~ ***défendu*** 금단의 열매. ~ ***sec*** ⓐ 《학생은어》 졸업 시험의 낙제생. ⓑ 낙오자(= raté). ***porter*** ~ 열매를 맺다. ***sans*** ~ 효과〔보람〕 없이, 헛되이 : Ses efforts furent *sans* ~. 그의 노고는 성과가 없었다.

fruit[2] *m.* (벽 · 탑 따위의) 완만한 경사.

fruité, e [fʀɥite] *adj.* (식물성 기름 · 과실주 따위가) 과일 맛〔향〕이 나는 : vin ~ 과일 맛이 나는 술.

fruiterie [fʀɥitʀi] *f.* ① 과일 가게 ; 청과물 장사. ② 과일 저장소(= fruitier).

fruiticulteur, trice [fʀɥitikyltœːʀ, -tʀis] *n.* 과수 재배자, 청과물 생산자.

fruitier, ère[1] [fʀɥitje, -ɛːʀ] *adj.* 열매 맺는, 과일이 여는 : arbre ~s 과수(果樹) / jardin ~ 과수원. ― *n.* 과일 장수, 채소 장수. ― *m.* 과일 저장소, 과수원 ; 과일 전시용 선반.

fruitier, ère[2] *f.* 치즈 제조소 ; 치즈 제조 조합. ― *m.* 치즈 제조인(= fromager).

frusques [fʀysk] *f.pl.* 《구어》 옷가지(= fringues) ; 헌옷 : ~ d'occasion 기성복 / mettre ses belles ~ 나들이옷을 입다.

fruste [fʀyst] *adj.* ① 닳은, 마멸된(= altéré). ② (기억이) 희미한. ③ (표면이) 거친 (= grossier, rude) : marbre ~ 표면이 거친 대리석. ④ (사람이) 세련되지 못한 ; (문장 따위가) 거친 : paysan ~ 세련되지 못한 농민 / manières ~*s* 거친 태도. ― *m.* ① 마멸. ② 거친 표면. ③ 미숙.

frustrant, e [fʀystʀɑ̃, -ɑ̃t] *adj.* ① 기대에 어긋나는, 실망시키는 : attitude ~*e* 실망스러운 태도. ② 〖심리〗 욕구 불만을 일으키는.

frustration [fʀystʀɑsjɔ̃] *f.* ① 횡령. ② (기대 따위를) 배반하기, (희망을) 헛되게 하기. ③ 〖심리〗 욕구 불만.

frustrer [fʀystʀe] *v.t.* ① 《~ qn de qc》 …에게서 …을 횡령〔사취〕하다 : ~ un héritier *de* sa part 유산 상속인에게서 상속분을 사취하다. ② ⓐ 《~ qn》 …의 정당한 권리를 빼앗다. ⓑ 실망시키다, …의 기대 따위를 배반하다(= décevoir). ⓒ 《~ qc》 어긋나게 하다 (= tromper) : espérance *frustrée* 어긋난〔충족되지 못한〕 희망. ③ 〖심리〗 욕구 불만을 일으키다 : être 〔se sentir〕 *frustré* 욕구 불만을 느끼다.

F.S. 《약자》 ① faire suivre 〖우편〗 전송(轉送)해 주시기 바랍니다. ② franc suisse 스위스 프랑. 「수령초.

fuchsia [fyksja, fyʃa] *m.* 〖식물〗 푸크시아,

fuel [fjul], **fuel-oil** [fjulɔjl] 〔영〕 *m.* 연료유 (= mazout). ***fuel*** (***domestique***) = mazout.

fugace [fygas] *adj.* 곧 사라지는, 순간적인, 덧없는(= fugitif) ; 〖식물〗 조락성(凋落姓)의.

fugacité [fygasite] *f.* 순간성, 일시성, 덧없음 : ~ de la vie humaine 인생의 덧없음.

fugitif, ive [fyʒitif, -iːv] *adj.* ① 달아나는, 도망하는 : soldat ~ 도망병. ② 빨리 지나가는, 순간적인, 일시적인, 덧없는(= fugace, éphémère) : idée ~*ive* 순간적인 생각 / bonheur ~ 덧없는 행복. ― *n.* 도망자, 탈주자(= évadé).

fugitivement [fyʒitivmɑ̃] *adv.* 도망하듯, 순식간에, 덧없이.

fugue [fyg] 〔이탈리아〕 *f.* ① 탈주, 도망 ; (일시적인) 실종 ; 가출 : farie une ~ 행방을 감추다 / adolescent en ~ 가출 청소년. ② 〖음악〗 푸가, 둔주곡(遁走曲).

fugué, e [fyge] *adj.* 〖음악〗 둔주곡 형식의.

fuguer [fyge] *v.i.* ① 행방을 감추다, 가출하다. ② 〖음악〗 둔주곡 형식으로 작곡하다.
fugueur, euse [fygœːʀ, -øːz] *adj.* et. *n.* 〖정신병리〗 가출벽(癖)이 있는 (사람).
führer [fyʀœːʀ] *m.* 총통《히틀러의 칭호》.
fuir** [fɥiːʀ] [21] *v.i.* ① 달아나다, 도망〔도주 · 탈주〕하다 : ~ de sa maison 집에서 뛰쳐나가다〔나오다〕. ② 언뜻 지나가다, (강물 · 세월 따위가) 빨리 흘러가 버리다 : voiture qui *fuit* devant nous 우리 앞으로 질주해 가는 자동차. ③ (물 따위가) 새다 : vase qui *fuit* 새는 꽃병. ④ (이마 따위가) 뒤로 벗어지다. — *v.t.* (회)피하다(= éviter, esquiver), 멀리하다 : ~ le danger 〔les responsabilités〕 위험〔책임〕을 (회)피하다 / ~ son pays 조국을 떠나다. — **se** ~ *v.pr.* 서로 피하다. ***se ~ soi-même 마음을 딴 데로 돌리다.
fuite** [fɥit] *f.* ① 도망, 도주, 패주 : soldat en ~ 도망병. ② (강물 · 시간 따위가) 빨리 흘러가 버리기. ③ 피하기, 회피 ; 핑계, 변명, 발뺌 : être en ~ 도피 중이다 ; 〖법률〗 법정 출두 기피 중이다. ④ (물 따위가) 새어서 빠지기 ; (비밀 따위의) 누설 ; (자본 따위의) 유출. ***~ du domicile conjugal 〖법률〗 (남편 · 아내의) 가출, 실종. ***la ~ des cerveaux*** 두뇌 유출(〔영〕 brain-drain). ***mettre l'ennemi en ~*** 적을 패주시키다. ***prendre la ~*** 도망치다. ***user de ~s*** 핑계를 대다.
fulgurant, e [fylgyʀɑ̃, -ɑ̃ːt] *adj.* ① 번쩍거리는(= étincelant) ; 번개 같은, 번개치는 : clarte ~*e* 섬광 / regard ~ 타는 듯한 시선. ② (아픔이) 급격한, 전격적인.
fulguration [fylgyʀɑsjɔ̃] *f.* 섬광 ; 번개.
fuligineux, euse [fyliʒinø, -øːz] *adj.* ① 매연을 내뿜는 : flamme ~*euse* 매연을 내뿜는 불꽃. ② 매연색의, 우중충한 : ciel ~ 우중충한 하늘. ③ 불분명한, 애매한(= fumeux).
fulminant, e [fylminɑ̃, -ɑ̃ːt] *adj.* ① 벼락치는 ; 격노하는 ; 노발대발하는 : lettre ~*e* 협박장. ② 〖화학〗 폭발성의.
fulminer [fylmine] *v.i.* ① 《옛》 벼락을 치다. ② 《~ contre》 …에게 호통치다, …에 격노하다 ; 통렬히 비난하다 : ~ *contre* qn …에게 비난을 퍼붓다. ③ 〖화학〗 폭발하다(= exploser). — *v.t.* ① 〖가톨릭〗 (파문을) 선고하다, (판결을) 선고하다. ② (비난을) 퍼붓다.
fumade [fymad] *f.***, fumage**[1] [fymaːʒ] *m.***, fumaison** [fymɛzɔ̃] *f.* 〖농업〗 ① 비료를 주기, 시비(施肥). ② (*pl.*) 비료.
fumage[2] *m.* (불고기 · 고기의) 훈제(燻製) (= fumaison).
fumant, e [fymɑ̃, -ɑ̃ːt] *adj.* ① 연기가 나는. ② 김이 나는 : soupe ~*e* 김이 나는 수프. ③ 《문어》 (감정이) 격해진(= bouillonnant) : ~ de colère 노발대발하는. ④ 《구어》 훌륭한, 멋진 : C'est ~ ! 대단하군 !
fume-cigare [fymsigaːʀ] *m.* (*pl.* ~-~(***s***)) 여송연 작은 파이프.
fume-cigarette [fymsigaʀɛt] *m.* (*pl.* ~-~(***s***)) 궐련용 파이프.
fumé, e[1] [fyme] *adj.* 훈제(燻製)의 ; 《구어》 복장 다 본, 결딴난 ; (광선을 막으려고) 색칠한 : verres ~*s* 선글라스. — *m.* 갓 주조한 활자, 그 시험쇄(刷).
fumée**[2] [fyme] *f.* ① 연기 ; 담배 연기 ; 매연 : ~ de cigarette 담배 연기 / ~*s* industrielles 공장 매연. ② 김, 증기 ; (*pl.*) 연무(煙霧) : ~ de la soupe 수프의 김. ③ 헛된 일, 덧없는〔공허한〕 것. ④ (*pl.*) 취기(= ~*s* du vin 〔de l'ivresse〕) ; 도취, 흥분 : ~*s* de l'ambition 타오르는 야심. ⑤ (다이아몬드의) 흠. ⑥ (*pl.*) 〖사냥〗 (사슴 따위의) 똥. ***Il n'y a pas 〔point〕 de ~ sans feu. 《격언》 아니 땐 굴뚝에 연기 날까. ***s'en aller 〔partir, s'évanouir〕 en ~*** 연기처럼 〔허망하게〕 사라지다. — *adj.* 《불변》 연기빛의 : verres ~*s* 선글라스.
fumer**[1] [fyme] *v.i.* ① 연기가 나다, 연기를 뿜다, (난로 따위가) 내다 : La cheminée *fume.* 굴뚝에서 연기가 난다. ② 김이 나다 ; (말 따위가) 김을 발산하다. ③ 《구어》 격노하다, 노발대발하다. ***~ de colère 《구어》 화가 나서 펄펄 뛰다. ***~ sans pipe et sans tabac*** 《속어》 노발대발하다.
— *v.t.* ① (담배, 파이프를) 피우다, 빨다 : ~ une cigarette 담배를 피우다 / ~ deux paquets par jour 하루에 담배를 두 갑 피우다 / 《목적보어 없이》 s'arrêter de ~ 담배를 끊다. ② 그을리다 ; 훈제로 하다. ③ 〖사냥〗 연기로 몰아내다. ④ (사람을) 약오르게 하다. ≪***Défense de ~***≫ 「금연」. ***~ comme un sapeur*** 담배를 많이 피우다.
fumer[2] *v.t.* (토지에) 비료를 주다 : ~ un champ 밭에 비료를 주다.
fumerie [fymʀi] *f.* ① (담배 · 아편 따위의) 흡연. ② 흡연 장소. ***~ d'opium*** 아편굴.
fumerolle [fymʀɔl] *f.* ① (화산의) 분기공(噴氣孔). ② 화산 연기 · 가스의 분출.
fumeron [fymʀɔ̃] *m.* ① 내는 숯, 생숯. ② 《구어》 (특히 가는) 다리. ③ 《속어》 애연가.
fûmes [fym] être 의 직설 · 단순과거 · 1 · 복수.
fumet [fymɛ] *m.* ① (음식 · 술 따위의) 향기. ② (사람의) 체취 ; (식물 따위의) 냄새. ③ (작품 따위의) 독특한 취향, 감각(= goût). ④ 〖요리〗 (버섯 따위가 든) 진한 수프. ⑤ 〖사냥〗 사냥감의 냄새.
fumeur, euse[1] [fymœːʀ, -øːz] *n.* 흡연자 ; 아편 상용자 : grand 〔gros〕 ~ 애연가.
— *m.* 〖철도〗 흡연실.
fumeux, euse[2] [fymø, -øːz] *adj.* ① 연기 나는, 그을리는. ② 몽롱한 ; 불분명한, 모호한, 흐린 : esprit ~ 몽롱한 정신.
fumier [fymje] *m.* ① 퇴비, 비료, 거름 ; (가축의) 똥섞인 것. ② 더러운 것〔놈〕 ; 하찮은 것. ③ 《비유》 빈곤, 궁핍.
fumigation [fymigɑsjɔ̃] *f.* ① 〖의학〗 훈증(燻蒸). ② 〖위생 · 원예〗 훈증 소독법.
fumigène [fymiʒɛn] *adj.* 연기를 내는, 발연(發煙)의 : obus ~ 연막탄. — *m.* 발연기.
fumiste [fymist] *m.* ① 난로공(工). ② 불성실한 사람 ; 장난을 좋아하는 사람. — *adj.* 불성실한. 「어」 엉터리, 사기.
fumisterie [fymistəʀi] *f.* ① 난로업. ② 《구
fumivore [fymivɔːʀ] *adj.* 연기를 없애는.
fumoir [fymwaːʀ] *m.* ① 육류 훈증실(燻蒸室). ② 흡연실.
funambule [fynɑ̃byl] *n.* 줄타기 곡예사.
— *adj.* 줄타기 하는.
funambulesque [fynɑ̃bylɛsk] *adj.* ① 줄

타기 곡예(사)의. ② 《구어》 기괴한, 놀라운 (= bizarre).

funèbre [fynɛbʀ] *adj.* ① 장례〔장의〕의 : marche ~ 장송 행진곡 / honneurs ~s 장례 / cérémonie ~ 장례식 / veillée ~ 초상집에서의 밤샘. ② 구슬픈 ; 음울한(= lugubre) : voix ~ 침울한 목소리.

funérailles [fyneʀɑ:j] *f. pl.* ① 장례(식), 장의 : faire des ~ nationales à qn …을 국장으로 장례를 치르다. ② 《문어》 죽음(= mort) ; 종말, 멸망 ; 파멸.

funéraire [fyneʀɛ:ʀ] *adj.* 장례의 : frais ~ 장례비 / pierre ~ 묘석.

funérarium [fyneʀaʀjɔm] *m.* 빈소, 영안실.

funeste [fynɛst] *adj.* ① 불행한, 불길한 : ~ pressentiment 불길한 예감. ② 처참한 ; 치명적인 : coup ~ 치명타. ③ 재난을 초래하는 ; 해로운 : erreurs ~s 파국을 초래할 과오.

funiculaire [fynikylɛ:ʀ] *adj.* 케이블로 된〔움직이는〕. — *m.* 케이블 철도(= chemin de fer ~) ; 케이블카.

funk [fœnk] 〖음악〗 *m.* 펑크《1970 년대 후반에 유행한 록 음악》. — *adj.* 《불변》 펑크의.

funky [fœnki] 〔영〕 *m.* 〖음악〗 펑키《블루스풍의 흑인 재즈 음악》. — *adj.* 《불변》 펑키 음악을 (좋아)하는.

fur [fy:ʀ] *m.* 《옛》 비율, 비례《다음 숙어에만 쓰임》. ***au ~ et à mesure ;*** 《옛·구어》 ***à ~ et à mesure ; à ~ et mesure*** …와 동시에, …에 따라서 : Tout ce qu'il apprend, il l'oublie *au ~ et à mesure.* 그는 배우는 족족 그 자리에서 잊어버린다. ***au ~ et à mesure de***+qc …에 따라서, 응하여 : dépenser son argent *au ~ et à mesure de* ses besoins 필요에 따라 돈을 쓰다. ***au ~ et à mesure que*** …함에 따라, …하자 곧 : s'apercevoir des difficultés *au ~ et à mesure qu'*on avance 전진함에 따라서 곤란을 깨닫다.

furax [fyʀaks] 〔라틴〕 *adj.* 《불변》 《학생은어》 몹시 화가 난(= furieux).

furent [fy:ʀ] être 의 직설·단순과거·3·복수.

furet [fyʀɛ] *m.* ① 〖동물〗 흰 족제비. ② 꼬치꼬치 캐기 좋아하는 사람. ***chasse au ~*** 흰 족제비를 부리는 토끼 사냥. ***jeu de ~*** 〖놀이〗 고리 찾기 ; 〖카드〗 도둑잡기.

fureter [fyʀte] [5] *v.i.* ① 흰 족제비로 토끼 사냥을 하다. ② 꼬치꼬치〔미주알고주알〕 캐다 ; 샅샅이 뒤지다 : ~ dans un grenier 다락방을 샅샅이 뒤지다. — *v.t.* ① (토끼를) 흰 족제비를 부려 몰아내다. ② (서류 따위를) 샅샅이 뒤지다.

fureteur, euse [fyʀtœ:ʀ, -ø:z] *n.* ① 흰 족제비를 이용하는 토끼 사냥꾼. ② 꼬치꼬치 캐는 사람 : ~ de nouvelles 수소문하고 다니는 사람. — *adj.* (눈길 따위가) 샅샅이 뒤지는 듯한, 살피는, 훑어보는.

fureur** [fyʀœ:ʀ] *f.* ① 격분, 분노(= colère folle). ② 격렬, 맹렬(= violence) ; 광란(= déchaînement) ; 열중, 열광 : ~ de la mer 〔des flots〕 모질게 파도치는 바다. ***entrer 〔***se mettre***〕 ***en ~*** 노발대발하다. ***être en ~*** 노발대발하고 있다. ***faire ~*** 인기를 떨치다, 굉장히 유행하다. (***jusqu'***)***à la ~ ; avec ~*** 열렬히, 열광적으로.

furibond, e [fyʀibɔ̃, -ɔ̃:d] *adj.* 격노한 ; 미친 듯이 성난, 노기등등한 : regards ~s 노기등등한 눈초리. — *n.* 화를 잘 내는 사람.

furie [fyʀi] *f.* ① 격노, 분격(= fureur brutale). ② 광란(= déchaînement). ③ 열중, 열광 : ~ des passions 격정 / ~ des timbres-poste 우표 수집열. ④ (*F~s*) 〖그리스·로마신화〗 복수의 여신《머리카락이 뱀임》. ⑤ 독살스러운 여자. ***avec ~*** 맹렬히. ***en ~*** 미친 듯이 날뛰는, (바다가) 풍랑이 휘몰아치는 : mer *en ~* 광포한 바다. ***entrer*** 〔***se mettre***〕 ***en ~*** 격노하다. ***la ~ française*** 〖역사〗 프랑스군의 용맹심《1495 년 포르노보(*Fornovo*)의 전투에서의》.

furieusement [fyʀjøzmɑ̃] *adv.* ① 노발대발하여. ② 맹렬하게 : travailler ~ 맹렬히 일〔공부〕하다. ③ 《구어》 썩, 몹시 ; 엄청나게 : Elle est ~ belle. 그녀는 대단히 미인이다.

furieux, euse** [fyʀjø, -ø:z] *adj.* ① 몹시 노한, 노발대발하는, 분격한 : lion ~ 몹시 화난 사자. ② 맹렬한, 광란하는 ; 극심한, 굉장한 : attaque ~*euse* 맹렬한 공격. ③ 《~ de》 《옛》 미칠 듯이 좋아하는. ④ (정신 병자가) 난폭한. ***être ~ contre 〔《구어》 ***après***〕 qn …에 대하여 격노하고 있다. ***rendre*** qn ***~*** …을 격노시키다. — *n.* ① 노발대발하는 사람. ② 난폭한 정신 병자(= fou ~).

furoncle [fyʀɔ̃:kl] *m.* 〖의학〗 정(疔), 정저(疔疽)(= clou).

furonculose [fyʀɔ̃kylo:z] *f.* 〖의학〗 정다발증(疔多發症), 절종(節腫).

furtif, ive [fyʀtif, -i:v] *adj.* 남몰래 하는, 은밀한, 슬쩍〔슬그머니〕 하는 : d'un pas ~ 발소리를 죽이고 / jeter des regards ~s 남몰래〔슬쩍〕 엿보다.

furtivement [fyʀtivmɑ̃] *adv.* 남몰래, 슬쩍, 슬그머니.

fus [fy] être 의 직설·단순과거·1〔2〕·단수.

fusain [fyzɛ̃] *m.* 〖식물〗 ① 참빗살나무. ② 〖미술〗 (데생용의) 목탄 ; 목탄화.

fusant, e [fyzɑ̃, -ɑ̃:t] *adj.* ① 녹이는. ② (폭탄이) 공중에서 작렬하는(≠ percutant) : obus ~ 시한 폭탄. — *m.* 시한 폭탄.

fuseau [fyzo] *m.* (*pl.* ***~x***) ① 〖직물〗 물레가락, 방추(紡錘). ② 끝이 좁아진 바지 ; 운동용 바지, 스키 바지(= pantalon ~). ③ 방추형 : arbre taillé en ~ 방추형으로 가꾼 나무. ④ 〖기하〗 원궁형체(圓弓形體) ; 〖생물〗 방추상핵 : ~ sphérique 원궁형체. ***~ horaire*** 동일 표준 시간대. ***jambes de*** 〔***en***〕 ***~*** 가느다란 다리. (***pantalon***) ***~*** 밑이 좁은 운동 바지.

fusée** [fyze] *f.* ① 방추(紡錘) 한 개에 감긴 실의 양. ② 화전(火箭) ; 쏘아 올리는 불꽃 ; 신관(信管) ; 로켓 : ~ à temps 시한(時限) 신관 / ~ percutante 착발(着發) 신관 / ~ porteuse 인공위성의 로켓 / ~ balistique 탄도탄 / ~ engin ; ~ d'obus ; ~ de bombes 로켓탄 / tirer une ~ de détresse 조난을 알리는 불꽃 신호를 쏘아올리다 / lancer une ~ vers la lune 달에 로켓을 쏘아올리다. ③ 굴대 끝, 회전축. ④ 〖음악〗 (음정이 갑자기 변하는) 급창(急唱). ⑤ (웃음·농담 따위의) 분출, 폭발, 연발. ***démêler une ~ 난마(亂麻)를 풀다. ***~ à pétard*** 일종의 폭죽.

F

~ **triple** 〔**à trois étages**〕 3단 로켓. **lâcher** 〔**lancer**〕 **une** ~ 《구어》 게우다, 토하다.

fuselage [fyzlaːʒ] *m.* ① 〖항공〗 비행기의 동체, 기체(機體). ② 《문어》 방추형(紡錘形).

fuselé, e [fyzle] *adj.* 방추형(紡錘形)의 ; (자동차 따위가) 유선형인 ; 가느다란, 날씬한.

fuser [fyze] *v.i.* ① (양초 따위가) 녹다 ; (소금 따위가 불 위에서) 바작바작 타다 : chaux *fusée* 풍화 석회. ② (웃음소리 · 농담이) 터져 나오다(= jaillir) ; 분출하다 : Des ries *fusaient* de toutes parts. 사방에서 웃음소리가 터져 나왔다. ③ 번지다, 퍼지다, 확산되다 : parfum qui *fuse* 퍼져 나가는 향기.

fusette [fyzɛt] *f.* 바느질실을 감는 판지로 된 원통.

fusibilité [fyzibilite] *f.* 용해성.

fusible [fyzibl] *adj.* 녹기 쉬운, 가용성(可溶性)의. ── *m.* 〖전기〗 퓨즈. ~ **de sûreté** 안전 퓨즈 개폐기.

***fusil** [fyzi] *m.* ① 소총 : à une portée de ~ d'ici 여기서 총알이 닿는 거리 내에 / ~ à air comprimé 공기총 / vivre de son ~ 사냥하여 생활하다. ② 소총수(手). ③ 부싯쇠 ; 강철제(製)의 칼 가는 도구 ; 숫돌. **changer son ~ d'épaule** 총을 다른 어깨로 갈아 메다 ; 의견〔계획 · 정당〕을 바꾸다. **coup de** ~ 소총 사격, 총격 ; 총성 ; 《구어》 (음식점 · 여관 따위의) 폭리, 바가지 : essuyer 〔recevoir〕 le *coup de* ~ 바가지를 쓰다. **~ à vent** 공기총. **~ mitrailleur** 경기관총. **pierre à ~** 부싯돌.

fusilier [fyzilje] *m.* 사격병, 총수(銃手). **~ marin** 해병대 병사.

fusillade [fyzijad] *f.* ① 소총 연발 사격, 일제 사격 ; 총격전. ② 〖군사〗 총살(형).

***fusiller** [fyzije] *v.t.* ① 사격하다 ; 총살하다 : un traître 배신자를 총살형에 처하다. ② 《드물게》 사살하다 : ~ un lapin 토끼를 총으로 쏘아서 잡다. ③ 《구어》 퍼붓다, 늘어놓다 ; 쏘아보다 : ~ qn de critiques …에게 비판을 퍼붓다. ④ 《구어》 망가뜨리다(= abîmer) : ~ un moteur 모터를 망가뜨리다. ⑤ 《옛 · 구어》 낭비하다(= dépenser) : ~ tout son pèse 돈을 다 써 버리다. **~ le pavé** 《구어》 손가락으로 코를 풀다. **Vous allez ~ tout le bazar.** 《구어》 그러다가는 모든 게 엉망이 될 걸.

***fusil-mitrailleur** [fyzimitʀajœːʀ] *m.* 자동소총, 소형 기관총(《약자》 F.-M.).

***fusion** [fyzjɔ̃] *f.* ① 융해, 용해(= fonte) : point de ~ 융점 / ~ du sucre 설탕의 용해. ② 융합(= union) ; 합동, 합병(= réunion) : ~ de deux partis politique 두 정당의 합당. **entrer en ~** 녹기 시작하다. **~ nucléaire** 〖물리〗 핵융합. **opérer une ~** 합동하다.

fusionnement [fyzjɔnmɑ̃] *m.* (정당 · 회사 따위의) 합동, 합병 ; 연합.

fusionner [fyzjɔne] *v.t.* (정당 · 회사 따위를) 합동〔합병〕시키다 ; 연합시키다. ── *v.i.* 합동〔합병〕하다 ; 연합하다.

fuss-e, -ions, etc. ⇒ être.

fustanelle [fystanɛl] *f.* 치마 모양의 남자복.

fustiger [fystiʒe] [3] *v.t.* ① 채찍질하다, 태형에 처하다. ② 비난하다; 공격하다 ; 징계하다.

fut fût¹ ⇒ être.

fût² [fy] *m.* ① 《옛》 (나무) 밑동(= tronc), 줄기. ② (북의) 통(= tonneau). ③ (총의) 개머리, (도구의) 나무자루 ; (대패의) 몸. ④ 〖건축〗 주간(柱幹).

futaie [fytɛ] *f.* 크게 자란 나무숲. **de haute ~** (나무가) 큰 ; (사람이) 강건한. **demi-~,** 40년에서 60년 된 수림(樹林). **haute ~** 수령 120-200년의 큰 나무 숲.

futaille [fytɑːj] *f.* 술통 ; 《집합적》 통.

futé, e [fyte] *adj.* 약삭빠른, 꾀바른, 교활한 (= malin) : ~ comme un renard 여우처럼 교활한. ── *n.* 약삭빠른〔교활한〕 사람.

fûtes être의 직설 · 단순과거 · 2 · 복수.

***futile** [fytil] *adj.* 쓸데없는, 하찮은, 무의미한 ; 경박한 ; 시시한 : femme ~ 경박한 여자 / préoccupation ~ 쓸데없는 관심.

futilement [fytilmɑ̃] *adv.* 무익하게, 헛되이.

futilité [fytilite] *f.* ① 경박함, 쓸데없음. ② 무익한 언동, 하찮은 일.

***futur, e** [fytyːʀ] *adj.* 장래의, 미래의 : génération ~*e* 미래의 세대 / vie ~*e* 〖종교〗 내세 / ~*s* époux 장래의 부부. ── *n.* 미래의 배우자(= fiancé(e)). ── *m.* ① 미래, 장래 : à ~ 미래〔장래〕에. ② 〖문법〗 미래 (시제) : ~ simple 〔proche〕 단순〔근접〕 미래.

futurisme [fytyʀism] *m.* 〖미술〗 미래파, 미래주의(《20세기 초 이탈리아 시인 마리네티 (*Marinetti*)에 의해 주창됨》) ; 미래 지향.

futuriste [fytyʀist] *adj.* ① 〖미술〗 미래파의 ; 미래학의. ② 《구어》 미래주의적인 ; 시대에 앞선 : film ~ 공상〔과학〕 영화. ── *n.* 미래파 예술가.

futurition [fytyʀisjɔ̃] *f.* 미래성 ; 장래성.

futurologie [fytyʀɔlɔʒi] *f.* 미래학.

futurologue [fytyʀɔlɔg] *n.* 미래학자.

fuy-ais, -ons, etc. ⇒ fuir.

fuyant, e [fɥijɑ̃, -ɑ̃ːt] *adj.* ① 달아나는, 도망하는 ; (눈길이) 사람을 피하려는, 회피하는 : regard ~ 겁에 질린 눈길 ; 똑바로 보지 않는 눈길. ② (강물 · 세월 따위가) 빨리 흘러가는 ; 사라져 가는 : beauté ~*e* 사라져 버리는 아름다움. ③ (지평선 따위가) ; 점점 멀어지는, 저 멀리 아득한 : horizon ~ 아득히 멀어져 가는 지평선. ④ (이마 · 턱 따위가) 뒤로 젖혀진 ; (지면 따위가) 꺼지는. **front ~** 뒤로 벗어진 이마. **ligne ~e** 〖자동차〗 유선형. ── *m.* 원경(遠景) ; 멀리 보이는 부분.

fuyard, e [fɥijaːʀ, -aʀd] *adj.* ① 도망하는, 도망하는 버릇이 있는. ② 《문어》 (시간이) 흘러가는 ; (지평선 따위가) 멀어지는(= fuyant). ── *n.* 도망하는 사람. ── *m.* (전장에서의) 도망병, 탈주자.

G

G, g [ʒe] *m.* ① 프랑스 자모의 제 7 자. ② 〖음악〗 사음(音), 사조(調) 《고정 도 창법의 「솔」》. ③ gramme 〖도량형〗 그램의 약자.
gabardine [gabaʀdin] *f.* 개버딘 《모직물》; (개버딘제의) 레인코트.
gabare [gabaːʀ] *f.* ① 〖해양〗 (바닥이 평평한) 거룻배. ② 〖어업〗 저인망(底引網).
gabarit [gabaʀi] *m.* ① (실물 크기의) 모형; 거푸집, 형판(型板); (옷의) 본(partron). ② (표준의) 형, 타입, 사이즈, 규격 : être conforme au ~ 규격대로이다 / être de même ~ 같은 형이다. ③ 측정기(測定器); 〖철도〗 궤간계(軌間計). ④ 《구어》 (체격 따위의) 크기(= dimension), 정도; 타입 : homme d'un ~ respectable 풍채가 좋은 남자.
gabegie [gabʒi] *f.* ① 《옛》 속임수, 사기, 협잡. ② (정치·재정상의) 혼란, 난맥(= désordre); (공공 사업의) 낭비(= gaspillage).
gabelle [gabɛl] *f.* 〖역사〗 염세(塩稅); 염세서(署) : frauder la ~ (염세를) 탈세하다.
gable, gâble [gɑbl] *m.* 〖건축〗 ① 박공, 합각머리. ② (닫집 모양의) 차양.
gabonais, e [gabɔ̃nɛ, -ɛːz] *adj.* 가봉(*le Gabon*)(사람)의. ── **G~** *n.* 가봉 사람.
gâchage [gɑʃaːʒ] *m.* ① (물로) 이기기, 반죽하기. ② (일을) 되는 대로〔날림으로〕 하기. ③ 낭비(= gaspillage) : ~ du temps 시간의 낭비. ④ (재능 따위를) 썩히기.
*__gâcher__ [gɑʃe] *v.t.* ① (모르타르·회반죽 따위를 물에) 이기다, 반죽하다. ② (일을) 되는 대로〔날림으로〕 하다(= bâcler). ③ (일을) 망치다; (재산·시간을) 낭비하다; (재능 따위를) 썩히다 : ~ son argent〔temps〕 돈〔시간〕을 낭비하다. ~ ***lâche***〔***serré***〕 무르게〔되게〕 반죽하다. ~ ***le métier*** (부당하게) 싼 인금으로 일하다.
gâchette [gɑʃɛt] *f.* ① (자물쇠의) 걸림쇠. ② 〖군사〗 (소총의) 공이치기 용수철; 《구어》 방아쇠(= détente).
gâcheur, euse [gɑʃœːʀ, -øːz] *m.* ① 회반죽을 이기는 일꾼, 미장이. ② (목수의) 조수. ── *n.* ① 《비유》 서투른 일꾼, 날림으로 일하는 사람(= saboteur). ② 낭비자.
gâchis [gɑʃi] *m.* ① 회반죽; 진창(= boue). ② 《비유》 혼돈 상태, 뒤죽박죽(= désordre), 엉망진창 : Nous sommes en plein ~. 난처한 지경에 빠지고 말았군. ③ 낭비, 헛됨.
gadget [gadʒɛt] 〔영〕 *m.* ① 기발한 가정 용구, 아이디어 상품. ② (믿을 수 없는) 묘책, 묘안. ③ 《복합어로》 appreil-~ 신기한 기구 / idée-~ 기발한 생각.
gadgétiser [gadʒetize] *v.t.* 《구어》 신기한 것으로 만들다, 아이디어 상품화하다.
gadin [gadɛ̃] *m.* 《구어》 떨어짐, 추락, 실패. ***ramasser un*** ~ 떨어지다, 실패하다.
gadoue [gadu], **gadouille** [gaduj] *f.* ① 인분비료, 거름. ② 《구어》 진창, 진흙탕(= boue).
gaélique [gaelik] *adj.* 게일족의; 게일어(語)의. ── *m.* 게일어.
*__gaffe__ [gaf] *f.* ① 〖해양〗 갈고리 (장대), 작살. ② 《구어》 실수(= bévue), 실언. ***faire*** ~ (***à*** qc) 《구어》 …에 주의하다, 조심하다. ***faire une*** ~ 《구어》 실수하다.
gaffer [gafe] *v.t.* 갈고리〔작살〕로 끌어올리다. ── *v.i.* 《구어》 실수〔실언〕하다; 주시하다 : Vous *avez* encore *gaffé*. 또 실수를〔실언을〕 했어요 / *Gaffe* un peu! 좀 잘 봐!
gaffeur, euse [gafœːʀ, -øːz] *n.* 《구어》 실수 잘하는 사람, 얼간이. ── *adj.* 실수하는.
gag [gag] 〔영〕 *m.* 개그, 우스꽝스러운 짓거리〔장면〕.
gaga [gaga] *n.* 《속어》 노망한〔늙어빠진〕 사람. ── *adj.* 《불변》 노망한.
gage [gaːʒ] *m.* ① 저당〔전당·담보〕물; 인질 : prêter sur ~s 담보를 잡고 돈을 빌려주다. ② 보증; 공탁(금), 보증금(= caution). ③ 증거, 증언, 표시(= preuve, témoignage) : donner à qn un ~ de fidélité …에게 충성의 증거를 보이다. ④ (내기에서) 거는 돈〔물건〕; (*pl.*) 내기, 벌금놀이. ⑤ (*pl.*) 급료, 월급. ***à ~s*** 《경멸》 고용된, 급료를 받는 : tueur *à* ~s 청부 살인자. ***donner***〔***laisser, mettre***〕 qc ***en*** ~ …을 저당잡히다. ***être aux ~s de*** qn …에게 고용되어 있다. ~ ***d'amitié*** 우정의 표시. ~ ***d'amour*** 사랑의 표적, 아이. ***jouer aux ~s*** 내기〔벌금놀이〕를 하다. ***laisser*** qc ***pour*** ~(***s***) …을 잃다, 포기하다. ***mise en*** ~ 전당〔저당〕잡히기.
gager [gaʒe] [3] *v.t.* ① 《문어》 확신하다, 단언하다 : Je *gage* le connaître! 그를 알고 말고! ② (담보에 의해) 보증하다 : ~ un emprunt 부채를 돈을 내고 보증하다. ③ 《옛》 (내깃돈을) 걸다. ~+*inf.*; ~ ***que***+*ind.* …라고 단언하다 : Je *gage qu*'il ne nous trouvera pas. 그는 우리를 절대로 찾지 못할 것이다.
gageure [gaʒyːʀ] *f.* ① 내기; 내기에 거는 돈〔물건〕 : faire〔tenir〕 une ~ 내기하다. ② 《비유》 (도박 비슷한) 무모한 짓〔계획·생각〕 : Cela ressemble à une ~. 《구어》 그건 일종의 도박이다. ***soutenir la***〔***sa***〕 ~ ⓐ 내기에 응하다. ⓑ 무모한 계획을 끝까지 밀고 나가다.
gagnant, e [gaɲɑ̃, -ɑ̃ːt] *adj.* 이기는, 승자가 되는, 당첨의 : numéro ~ 당첨 번호 / jouer ~ 이길 말에 걸다. ── *n.* 승리자; 당첨자; 승마(勝馬).
gagne-pain [gaɲpɛ̃] *m.* 《복수불변》 ① 밥벌이 도구, 생계 수단 : Ces leçons de piano étaient son ~. 그는 그렇게 피아노 교습을

해서 먹고 살았다. ② (집안의) 벌이하는 사람.

gagne-petit [gaɲpəti] *m.* 《복수불변》 ① 소상인(小商人), 행상인. ② 돈벌이가 적은 사람, 박봉을 받는 사람.

*****gagner** [gaɲe] *v.t.* ① (돈 따위를) 벌다 ; (도박 따위에서) 따다 : ~ de l'argent 돈을 벌다 / ~ sa vie 〔son pain, de quoi vivre, 《구어》 sa croûte, son bifteck〕 생활비를 벌다 / 《~ qc à qc 〔+*inf.*〕》 ~ sa vie *au* jeu 〔*à* chanter〕 도박해서〔노래를 불러서〕 생활비를 벌다. ② ⓐ (신뢰 · 애정 따위를) 얻다, (남의 마음을) 휘어잡다 ; (승리 · 상 따위를) 획득하다 : ~ une certaine réputation 상당한 명성을 얻다 / ~ le prix 상을 획득하다. ⓑ 《비꼼》 (병 따위를) 얻다, …에 걸리다 : ~ un violent mal de tête 심한 두통을 앓다. ③ 《~ qn》 …의 호감을 얻다〔사다〕 ; 설득〔설복〕하다 (= persuader, convaincre) ; 포섭〔매수〕하다 : ~ qn à sa cause …을 자기 편에 끌어들이다 / ~ le cœur des peuples 민심을 얻다. ④ ⓐ (승부 · 노름 · 소송 따위에) 이기다, 승리하다(≠ perdre) : ~ la bataille 〔course〕 싸움〔경주〕에서 이기다 / ~ un procès 승소하다 / ~ les élections 선거에서 이기다. ⓑ 《~ qn》 …을 이기다. ⑤ (복권 따위에) 당첨되다 : ~ le gros lot à la loterie 복권에서 특상에 당첨되다. ⑥ …에 다다르다, 닿다, 도착하다, …으로 가다 ; …에 따라붙다 : ~ la gare 〔son domicile〕 역〔집〕에 도착하다. ⑦ (졸음 · 허기 · 감정 따위가) 엄습하다, 사로잡다 : La nuit nous *gagna*. 밤이 왔다. ⑧ (불 · 물 · 병 따위가) …에 번지다 : Le feu *a gagné* les murs des maisons. 불이 벽에 옮겨 붙었다. ***C'est autant*** 〔***toujours ça***〕 ***de gagné***. 그만큼 이득이다. ***donner gagné à*** qn …에게 졌음을 시인하다. **~ *du temps*** 시간의 여유를 얻다, 시간을 벌다. **~ *du terrain*** 전진하다 ; 우세하게 되다 ; (바다가 육지를) 침식하다 ; 땅을 매립하다. **~ *le dessus*** 우위를 차지하다, 이기다.

— *v.i.* ① 벌다 ; 이익〔이득〕을 얻다 : ~ gros 큰돈을 벌다 ; 큰 이익을 얻다 / ~ à la Bourse 주식 거래를 해서 돈을 벌다. ② 득을 보다 : Il n'y a rien à ~ à cela. 그것은 아무런 득도 안 된다. ③ (평판 · 포도주 따위가) 좋아지다 : Le vin *gagne* à vieillir. 포도주는 오래 될수록 맛이 좋아진다. ④ 당첨되다 ; (패가) 승리패가 되다 : ~ aux courses 경마에서 돈을 따다 / Il *a gagné* aux échecs. 그는 체스에서 이겼다. ⑤ 이기다 : ~ sur son adversaire 상대방에 이기다. ⑥ (불 · 병 따위가) 번지다, 퍼지다 ; 침식하다 : Le feu *a gagné* jusqu'au toit. 화재가 지붕에까지 번졌다. **~ *à*** + *inf.* …함으로써 득을 보다 : Il *gagne à* être connu. 그는 사귀어 보면 좋은 사람이라는 것을 알 수 있다. **~ *de*** + *inf.* …와 같은 득을 보다, …와 같은 결과를 얻다. **~ *en*** …의 점에서 좋아지다 : Son style *a gagné en* précision. 그의 글은 정확함에 있어서 좋아졌다.

— **se ~** *v.pr.* ① (돈이) 벌리다 ; 획득되다 ; 매수되다. ② (병이) 전염되다. ③ 습관이 붙다 ; (유행이) 생기다. ④ 자기를 이기다, 자기를 억제하다.

gagneur, euse [gaɲœːʀ, -øːz] *n.* ① (돈) 버는 사람 ; (싸움의) 승리자. ② (내기에서) 잘 이기는 사람.

*****gai, e** [ge] *adj.* ① 즐거운, 명랑한, 쾌활한(= jovial, joyeux) : garçon 〔caractère〕 ~ 명랑한 소년〔성격〕. ② (표정 · 색깔 따위가) 밝은 ; (날씨가) 청명한 : tapisserie aux couleurs ~*es* 밝은 색깔의 벽지 / Le temps était ~. 맑은〔좋은〕 날씨였다. ③ (이야기 · 노래가) 상스러운, 추잡한 : tenir des propos ~*s* 음란한 이야기를 하다. ***C'est*** **~**. 《반어적》 이거 낭패로군 : J'ai perdu la clef, *c'est* ~ ! 열쇠를 잃어버렸으니 이거 야단났군.

gaiement [gemɑ̃] *adv.* ① 즐겁게, 쾌활하게 (= joyeusement) : chanter ~ 즐겁게 노래하다. ② 활기〔원기〕 있게(= avec entrain).

gaieté, gaîté** [gete] *f.* ① 명랑, 쾌활, 즐거움 : perdre 〔retrouver〕 la ~ 명랑함을 잃다〔되찾다〕 / mettre qn en ~ …을 유쾌하게 하다. ② (술취해) 얼근한 기분 : être en ~ 거나하게 취하다. ③ (방 · 색깔의) 밝음. ④ (*pl.*) 즐거운 놀이 ; 음담. ***faire qc ***de*** **~** ***de cœur*** …을 자진해서〔기꺼이〕 하다 ; 고의로〔이유 없이〕 하다.

gaillard, e [gajaːʀ, -aʀd] *adj.* ① 쾌활한, 활기찬, 활발한 ; 호탕한. ② 《구어》 얼근히 취한. ③ (이야기 · 노래 따위가) 천한, 외설스러운(= licencieux). — *m.* ① 쾌활한〔호탕한〕 남자(= luron) ; 원기 왕성한〔건장한〕 남자. ② 약삭빠른〔빈틈없는〕 녀석. ③ mon ~ 여보게 《친밀한 호칭》. ④ 〖해양〗 (범선) 상갑판(上甲板)의 앞뒤 끝부분. — *f.* 건장한 여자 ; 품행이 나쁜 여자.

gaillardement [gajaʀdəmɑ̃] *adv.* 쾌활하게, 원기 있게, 씩씩하게 ; 대담하게.

gaillardise [gajaʀdiːz] *f.* ① 쾌활 ; 명랑 : par ~ 명랑한 기분으로. ② (*pl.*) 외설스러운〔상스러운〕 언동.

gain [gɛ̃] *m.* ① 이익, 이득(= profit) ; 벌이(≠ dépense), 수익 : amour 〔soif〕 du ~ 이욕(利慾) / tirer du ~ de qc …에서 이득을 보다. ② 절약 : ~ de temps 시간의 절약 / ~ de place 공간〔지면〕의 절약. ③ (전쟁 · 소송의) 승리(= succès, victoire). ***avoir*** 〔***obtenir***〕 **~** ***de cause*** 소송 〔논쟁〕에 이기다. ***donner*** **~** ***de cause à*** qn …에게 유리하게 결정하다.

gaine [gɛn] *f.* ① 칼집 ; (해저선 등의) 피복(被覆) ; (권총 · 카메라 따위의) 케이스 ; 포장, 커버. ② 〖의복〗 코르셋, 거들. ③ (미술품의) 받침, 대(臺). ④ 〖해부〗 (근육 따위의) 막(膜) ; 〖식물〗 엽초(葉鞘). ⑤ 《문어》 《비유》 굴레, 속박 : briser des ~*s* 속박에서 벗어나다.

gainer [gɛ〔e〕ne] *v.t.* ① (돛에) 테두리를 달다 ; 칼집을 달다. ② (옷 · 양말 따위가 몸에) 꼭 달라붙다 : maillot qui la *gaine* bien 그녀의 몸에 꼭 끼는 타이츠.

gala [gala] *m.* (공식적인) 대제전, (격식 갖춘) 리셉션 ; (연극의) 특별 상연 : dîner de ~ 경축연(회) / ~ de bienfaisance 자선 공연. ***dîner en grand*** **~** 진수성찬을 대접 받다. ***donner*** 〔***organiser***〕 ***un*** **~** 축제를 열다〔주최하다〕. ***habit de*** **~** 정장 ; 성장(盛裝).

gala-, galact(o)- *préf.* 「젖」의 뜻.

galactique [galaktik] *adj.* 〖천문〗 은하(계)의 : nébuleuse ~ 은하계 성운.

G

galamment [galamɑ̃] *adv.* ① (여자에게) 정중하게, 예의 바르게, 신사답게 : offrir ~ sa place à une dame 여성에게 친절히 자리를 양보하다. ② 교묘히, 솜씨 좋게 : s'en tirer ~ 교묘히 곤경에서 빠져나오다.

galant, e [galɑ̃, -ɑ̃:t] *adj.* ① (여자에게) 친절한〔정중한〕; (여자의) 환심을 사려는 : homme ~ 여자에게 친절한 남자. ② (남녀간의 색정에 관한 ; 요염한 : intrigue ~*e* 정사 / lettre ~*e* 연애 편지. ③ (여자가) 추파를 던지는, 바람난 : femme ~*e* 바람난 여자 ; 창부. — *m.* 여자를 꾀는 남자 ; 한량, 색골. ***faire le ~ auprès d'une dame*** 여인에게 수작을 걸다.

galanterie [galɑ̃tʀi] *f.* ① (여자에 대한) 정중함, 친절 : ~ française 프랑스 사람 특유의 여자에 대한 친절. ② (흔히 *pl.*) 여자의 환심을 사려는 언동(言動). ***dire des ~s*** (여자에게) 달콤한 말을 하다, 수작을 걸다. ***monde de la ~*** 매춘부의 사회.

galantine [galɑ̃tin] *f.* 〖요리〗 갈랑틴《양념을 넣어서 삶은 고기를 굳힌 것》.

galaxie [galaksi] *f.* 〖천문〗 ① (*G~*) 은하수, 은하계(= Voie lactée). ② 성운(星雲).

galbe [galb] *m.* (몸 · 얼굴 · 꽃병 따위의) 윤곽, (볼록한) 곡선, 멋진 형태 : jambes d'un ~ parfait 곡선미 만점의 다리. ***avoir du ~*** 몸매가 날씬하다.

galbé, e [galbe] *adj.* ① 〖건축〗 (원기둥) 중간이 불룩한. ② 윤곽이 잘 잡힌, 날씬한 : corps bien ~ 아주 날씬한 몸매.

gale [gal] *f.* ① 〖의학〗 옴, 습진류의 가려운 피부병 : ~ du ciment 시멘트 습진. ② (성미가) 고약한〔심술궂은〕 사람 : mauvais comme la ~ 몹시 성미가 고약한. ***n'avoir pas la ~*** 《구어》 남이 꺼리는 병이 없다, 건강하다.

galéjade [galeʒad] 〔남프랑스〕 *f.* (상대방을 어리둥절하게 하는) 농담, 허풍, 터무니없는 이야기(= blague). ***dire des ~s*** 허풍떨다.

galéjer [galeʒe] [6] 〔남프랑스〕 *v.i.* (상대방을 어리둥절하게 하는) 농담을 늘어놓다, 허풍떨다(= blaguer, plaisanter).

galène [galɛn] *f.* ① 〖광물〗 방연광(方鉛鑛). ② 〖라디오〗 (수신기 검파용) 광석.

galère [galɛ:ʀ] *f.* ① 갤리선(船) 《옛 노예선》. ② 《비유》 비참한 직업〔처지〕 : C'est une vraie ~. 정녕 생지옥이다. ③ (*pl.*) 갤리선을 젓는 형벌(= peine des ~*s*) ; 징역, 강제노동. ***Que diable allait-il faire dans cette ~ ?*** 그 사람 어쩌자고 그런 위험한 일에 상관했나? ***Vogue la ~ !*** 될 대로 되라지!

galérer [galeʀe] *v.i.* 《구어》 저소득의 잡일로 생계를 꾸려 나가다.

galerie** [galʀi] *f.* ① (성곽의) 좁고 긴 방 ; 회랑(回廊), (지붕 있는) 산책용 복도 : ~ à colonnes 주랑(柱廊). ② 화랑, 갤러리 ; 미술품 진열실. ③ 지하도, (광산의) 갱도 : ~ des câbles 〖전기〗 케이블 지하도. ④ 《집합적》 구경꾼, 관객, 관중 ; 세평(世評) : consulter la ~ 구경꾼의 의견을 묻다. ⑤ (미술품 따위의) 수집품, 컬렉션 ; 〖문학〗 일련의 성격 묘사 : ~*s* de tableaux 수집 미술품. ⑥ (극장, 경기장의) 관람석 ; 교회의 계랑(階廊) : secondes ~*s*, 3 층 관람석. ⑦ 지붕이 있는 긴 상점가, 아케이드 ; (*pl.*) 백화점의 상호(商號) : ~ marchande 상점가 / Aux *G~s* Lafayette 라파예트 백화점. ⑧ (가구 윗부분의) 쇠시리 장식, (마차 · 자동차 위에 장치된) 짐칸, 시렁(= porte-bagages). ***faire ~ 구경하다, 방관하다. ***pour la ~*** 좋게 보이려고, 갈채를 받으려고 : Il dit ça *pour la ~*, mais il n'y croit pas. 그는 체면치레로 그렇게 말했지만 실은 자기도 믿지 않는다.

galérien [galeʀjɛ̃] *m.* ① 〖역사〗 (옛날의) 갤리선을 젓는 노예〔죄수〕. ② 《문어》 도형수(徒刑囚), 복역수, 죄수. ***mener une vie de ~*** 비참한 생활을 하다. ***travailler comme un ~*** 매우 고된 일을 하다.

galet [galɛ] *m.* ① (해변 · 강변의) 자갈, 조약돌 ; 자갈이 깔린 해변. ② 〖기계〗 롤러 ; (침대다리 따위에 붙인) 작은 바퀴(= roulette).

galetas [galta] *m.* (지붕 밑) 다락방(= grenier) ; 누추한 집(= taudis).

galette [galɛt] *f.* ① (보통 둥글납작한) 팬케이크, 파이, 비스킷 : ~ des Rois 주현절(1월 6일)의 축제용 과자. ② 둥글납작한 물건〔매트리스〕. ③ 《속어》 돈, 재산 : la grosse ~ 큰 재산. ***plat comme une ~*** 아주 납작한.

galeux, euse [galø, -ø:z] *adj.* ① 옴이 오른 ; (나무에) 혹이 생긴 : éruption ~*euse* 개선성(疥癬性) 발진. ② 더러운, 불결한 (= sordide) : murs ~ (표면이 우둘투둘한) 더러운〔얼룩진〕 벽. ③ 부도덕한, 타락한. ***brebis ~euse*** 《구어》 (사회 · 집단에서) 미움〔따돌림〕받는 사람 ; 위험 인물. — *n.* ① 옴 환자. ② 멸시받을 만한 놈.

galimatias [galimatja] *m.* 뜻 모를 말〔문장〕, 횡설수설(= charabia).

galion [galjɔ̃] *m.* ① 《옛》 〖해양〗 (페루 · 멕시코에서 금은을 에스파냐로 실어 나르던) 큰 범선, 갈리온선. ② 보물선. ***Quand mes ~s sont arrivés...*** 돈이 잔뜩 생기면….

galiote [galjɔt] *f.* 〖해양〗 《옛》 소형 갤리선.

galipette [galipɛt] *f.* 《구어》 재주넘기, 곤두박질(= culbute). ***faire des ~s*** 재주넘다, 곤두박질하다.

galle [gal] *f.* 〖식물〗 오배자(五倍子), 몰식자(沒食子) ; (식물의 잎이나 줄기에 생기는) 혹.

gallican, e [ga(l)likɑ̃, -an] 〖가톨릭〗 *adj.* 프랑스 독립 교회의 : Église ~*e* 프랑스 교회. — *n.* ① 프랑스 교회파 신자. ② (*G~*) 《구어》 프랑스 사람.

gallicanisme [ga(l)likanism] *m.* 〖가톨릭〗 프랑스 교회 독립주의.

gallicisme [ga(l)lisism] *m.* ① 프랑스어 특유의 관용 어법〔구문〕. ② 외국어에 도입된 프랑스어의 구문이나 단어.

gallinacé, e [ga(l)linase] *adj.* 〖조류〗 순계류(鶉鷄類)에 속하는. — *m.* 순계류의 새 《닭 · 오리 · 거위 따위》.

gallo- *préf.* 「골〔갈리아〕의 프랑스」의 뜻.

gallois, e [galwa, -a:z] *adj.* (영국) 웨일스 (du pays de *Galles*) 지방의. — **G~** *n.* 웨일스 사람. — *m.* 웨일스어(語).

gallomanie [ga(l)lɔmani] *f.* 프랑스에 심취하기.

gallon [galɔ̃] 〔영〕 *m.* 〖도량형〗 갤런 《영국은 4.546 리터, 미국은 3.787 리터》.

gallophobe [ga(l)lɔfɔb] *adj.* et *n.* 프랑스를 싫어하는 (사람) (= francophobe).

gallo-romain, e [ga(l)lɔʀɔmɛ̃, -ɛn] *adj.*

골과 로마의 ; 갈로로망의《로마의 영향을 받은 골의》: civilisation *~e* 갈로로망 문명. — **G~-R~** *n.* 갈로로망 사람.

galoche [galɔʃ] *f.* ① 나무창을 댄 구두 ; 오버슈즈. ② 큰 팽이. ***menton de*** 〔***en***〕 ~ 주걱턱.

galon [galɔ̃] *m.* ① (옷 · 커튼 따위의 금 · 은 · 비단으로 된) 장식줄 ; (여자 신발의) 명주 리본. ② (*pl.*) (군복 소매에 두르는) 계급줄 ; 계급장, 견장, 수장(袖章) : gagner ses *~s* ; prendre du ~ 진급〔출세〕하다.

galonné, e [galɔne] *adj.* ① 장식줄을 붙인. ② (동물 따위가) 몸에 줄무늬가 있는. — *m.* 《구어》 (하)사관.

galop [galo] *m.* ① (말의) 구보(驅步) 《가장 빠른 걸음》, 질주 : mettre son cheval au ~ 말을 갤럽으로 달리게 하다 / au grand ~ 전속력으로 / prendre 〔courir〕 le grand ~ 빨리 달리다〔하다〕. ② 〖무용〗 갤럽 《2/4 박자의 빠른 무용(곡)》. ③ 《구어》 질책. ***Au ~ !*** ⓐ 〖군사〗 구보! 《말 탄 사람에 대한 구령》. ⓑ 어서 빨리! ***faire*** qc ***au ~*** …을 급히〔아무렇게나〕 하다. ***faire un temps de ~*** 잠시 동안 질주하다, 단거리를 질주하다. ***flanquer un ~ à*** qn …을 꾸짖다. ***~ d'essai*** ⓐ (말의) 시험 주행 ; (기계의) 시운전, 성능테스트. ⓑ 능력 테스트, 모의 시험. ***piquer un ~*** 《구어》 갑자기 달리기 시작하다.

galopade [galɔpad] *f.* ① (말의) 구보 ; 구보로 달릴 만한 거리 ; 질주. ② 〖무용〗 일종의 갈로(galop)춤, 급템포의 무용. ***à la ~*** 부랴부랴, 급히.

galopant, e [galɔpɑ̃, -ɑ̃:t] *adj.* ① 구보로 질주하는. ② 성장이 빠른, 급증하는 : hausse *~e* des prix 급격한 물가 상승.

galoper [galɔpe] *v.i.* ① (말이) 구보로 달리다, (기수가 말을) 구보로 달리게 하다, 질주하다 : ~ ventre à terre 전속력으로 달리다. ② (사람이) 급히 가다〔서두르다, 뛰어다니다〕 : ~ d'un bout à l'autre de la ville 온 시내를 여기저기 뛰어다니다. ③ (일이) 빨리 진행되다 : inflation qui *galope* 급속히 진행되는 인플레이션. — *v.t.* ① (말을) 구보로 달리게 하다. ② 《옛》 급히〔열심히〕 뒤쫓다. — *v.t. ind* 《~ après》 《구어》 …을 추구하다, 갈망하다 : ~ *après* les femmes 여자 뒤를 쫓아다니다.

galopin, e [galɔpɛ̃, -in] *n.* 《구어》 장난꾸러기, 개구쟁이(= garnement, polisson) ; 말괄량이 ; (나쁜 뜻 없이) 애, 이 녀석아.

galoubet [galubɛ] *m.* 갈루베《프로방스 지방의 구멍이 세 개인 피리》.

galvanique [galvanik] *adj.* 갈바니(*Galvani*, 이탈리아의 의학자 · 물리학자) 전기〔이론〕의, 평류(平流) 전기의.

galvanisation [galvanizɑsjɔ̃] *f.* ① 〖의학〗 갈바니 전기 요법. ② 〖야금〗 전기 도금법.

galvaniser [galvanize] *v.t.* ① 〖야금〗 전기 도금하다 : tôle *galvanisée* 양철판, 함석판. ② …에 활기를 띠우다 (= animer, exciter) ; 《~ qn》 열광시키다 : ~ la foule 군중을 (일시적으로) 흥분시키다.

galvano- *préf.* 「갈바니 전기 · 직류 전기 · 전기」의 뜻.

galvanomètre [galvanɔmɛtʀ] *m.* 〖전기〗 갈바노미터, 검류계(檢流計).

galvanoplastie [galvanɔplasti] *f.* 전기 도금법〔술〕 ; 〖인쇄〗 전기 제판술.

galvaudage [galvoda:ʒ] *m.* ① 낭비. ② 타락 ; 방탕 : passer sa vie en ~ 방탕한 생활을 하다.

galvauder [galvode] *v.t.* ① 《구어》 (명예 따위를) 욕되게 하다, 더럽히다(= déshonorer) : ~ son nom 〔sa gloire, sa réputation〕 그의 이름〔명예 · 명성〕을 더럽히다. ② (재능 따위를) 낭비하다(= gaspiller, perdre) : ~ son talent 〔ses dons〕 (천부의) 재능을 낭비하다. — **se ~** *v.pr.* 이름〔체면〕을 더럽히다 ; 신세를 망치다, 패가망신하다 : *se* ~ dans une affaire de drogue 마약 사건에 연루되어 체면이 손상되다.

gambade [gɑ̃bad] *f.* 깡충거림, (말의) 도약 : faire des *~s* 깡충깡충 뛰다.

gambader [gɑ̃bade] *v.i.* ① 깡충거리다, 까불며 뛰놀다 : ~ de joie 기뻐서 날뛰다. ② (상상 따위가) 마음껏 날개를 펴다.

gamberge [gɑ̃bɛʀʒ] *f.* 《은어》 생각, 숙고 ; 상상, 추리(= raisonnement).

-game, -gamie *suff.* 「결혼 · 교배」의 뜻.

gamelle [gamɛl] *f.* 〖군사〗 ① 도시락, 반합(飯哈). ② (군대의) 취사(炊事) ; 군대 생활 ; (해군 사관 따위의) 공동 식탁 : chef de ~ 급식계 사관(士官). ***ramasser*** 〔***prendre***〕 ***une ~*** 《구어》 (말에서) 떨어지다 ; 크게 실패하다.

gamète [gamɛt] *m.* 〖생물〗 배우자, 생식 세포 : ~ mâle 〔femelle〕 웅성(雄性)〔자성(雌性)〕 배우자.

gamin, e** [gamɛ̃, -in] *n.* ① 어린애 ; 소년, 소녀. ② 장난꾸러기, 말괄량이. ③ 《속어》 아들 ; 딸. — *adj.* 장난이 심한 ; 말괄량이의 : vent ~ 《옛》 장난치듯 부는 바람. ***faire ~ 장난꾸러기 같아 보이다.

gaminerie [gaminʀi] *f.* ① 어린애 같음, 어린애 같은 짓. ② (아이들의) 장난, 개구쟁이 짓 : Allons, pas de *~s!* 자아, 장난은 그만 둬!

gamma [ga(m)ma] *m.* 그리스 자모의 제 3 자《Γ, γ》. ***rayons ~*** 〖물리〗 감마선.

gammare [ga(m)ma:ʀ] *m.* 〖동물〗 새우의 일종.

gamme [gam] *f.* ① 〖음악〗 음계 : ~ majeure 〔mineure〕 장〔단〕음계. ② 모든 범위 〔단계, 종류〕. ③ 〖회화〗 색계(色階). ***changer de ~*** 《구어》 어조〔태도〕를 바꾸다. ***être*** 〔***mettre*** qn〕 ***hors de ~*** 당황하다〔…을 당황케 하다〕. ***faire des ~s*** 음계를 연습하다 ; (어떤 일에 익숙해지기 위해) 기초 연습을 하다. ***~ des couleurs*** 〔***des nuances, de ton***〕 색계(色階). ***toute la ~ des voluptés*** 온갖 종류의 쾌락.

gammée [game] *adj.f.* croix ~ 만(卍)자형의 / croix ~, emblème de l'Allemagne nazie 독일 나치의 문장인 역(逆) 만(卍)자형.

ganache [ganaʃ] *f.* ① (말의) 아래턱 ; 《구어》 (사람의) 아래턱. ② 《구어》 얼간이(= bête), 바보 ; 늙은이. — *adj.* 못난, 무능한 : Il est un peu ~. 그는 좀 못났다.

gandin [gɑ̃dɛ̃] *m.* 같잖은 젊은이, 선넛생이.

gandoura [gɑ̃duʀa] *f.* (근동 · 아프리카 지방의) 소매 없는 옷.

gang [gɑ̃:g] *m.* 《구어》 갱, 깡패, 악당.

ganglion [gɑ̃glijɔ̃] *m.* ① 〖해부·생리〗 신경절(節); 림프절(節). ② 《구어》 멍울: avoir des ~s 멍울이 서다.

ganglionnaire [gɑ̃glijɔnɛ:ʀ] *adj.* 〖해부〗 신경절(節)의, 림프절의.

gangrène [gɑ̃gʀɛn] *f.* ① 〖의학〗 괴저(壞疽), 탈저(脫疽); 〖식물〗 암종병(癌腫病). ② 《구어》 (사회 따위의) 암, 부패〔퇴폐〕의 근원.

gangrener [gɑ̃gʀəne] [4] *v.t.* ① 〖의학〗 괴저에 걸리게 하다; 〖식물〗 암종병에 걸리게 하다. ② 《구어》 (정신을) 부패〔타락〕시키다: ~ une société 사회를 부패시키다.
— **se** ~ *v.pr.* ① 괴저에 걸리다; (식물이) 암종병에 걸리다. ② (정신이) 부패하다.

gangreneux, euse [gɑ̃gʀə(ɛ)nø, -ø:z], **gangréneux, euse** [gɑ̃gʀenø, -ø:z] *adj.* 〖의학〗 괴저성〔암종병〕의. ***plaie* 〔*ulcère*〕 ~** 괴저성 상처〔궤양〕.

G

***gangster** [gɑ̃gstɛ:ʀ] *m.* 갱, 깡패; 강도; 악당(= crapule): film de ~ 갱 영화.

gangstérisme [gɑ̃gsteʀism] *m.* 갱과 같은 행위, 폭력 행위, 악덕 행위.

gangue [gɑ̃:g] *f.* ① 〖광물〗 맥석(脈石); 모암(母岩); 폐석(廢石): débarrasser un cristal de sa ~ 수정을 모암에서 채취하다. ② 〖해부〗 피질(皮質), 외피(外被); (덮고 있는) 불순물, 협잡물.

ganse [gɑ̃:s] *f.* 장식끈(= cordon); 둘레에 두르는 줄〔리본〕: coudre 〔poser〕 une ~ 장식끈을 달다.

gant** [gɑ̃] *m.* ① 장갑: mettre 〔quitter, retirer〕 ses ~s 장갑을 끼다〔벗다〕. ② (스포츠·화장 등에 쓰이는) 특수 장갑: ~s de boxe 권투용 글러브 / ~ de crin 마사지용 장갑. ***aller comme un ~ 꼭 맞다: Ce rôle lui *va comme un* ~. 이 역(役)은 그에게 안성맞춤이다. ***jeter le*** ~ 도전하다. ***mettre* 〔*prendre*〕 *des ~s*** (세심한) 주의를 하다, 조심하다. ***relever* 〔*ramasser*〕 *le*** ~ 도전에 응하다. ***retourner*** qn ***comme un*** ~ …의 생각을 완전히 바꿔 버리다. ***sans mettre les ~s*** 가차없이. ***se donner les ~s de*** qc …을 자기의 공으로 돌리다.

gantelet [gɑ̃tlɛ] *m.* (중세 기사의 갑옷의) 쇠장갑; (일할 때 사용하는) 가죽 장갑.

ganter [gɑ̃te] *v.t.* ① …에 장갑을 끼우다: monsieur *ganté* et cravaté 장갑 끼고 넥타이 맨 신사. ② (옷·장갑 따위가) 꼭 맞다: Ces gants vous *gantent* très bien. 이 장갑은 당신에게 꼭 맞습니다. — *v.i.* 《~ de》 (사이즈가) …이다: Je *gante du* sept. 내 장갑 사이즈는 7이다. — **se** ~ *v.pr.* (자기 손에) 장갑을 끼다; 장갑을 사다.

ganterie [gɑ̃tʀi] *f.* ① 장갑 장사〔제조〕. ② 장갑 상점〔공장〕. ③ 《집합적》 장갑류.

gantier, ère [gɑ̃tje, -ɛ:ʀ] *n.* 장갑 제조인〔상인〕. — *adj.* 장갑 제조〔판매〕의: ouvrier ~ 장갑 제조 직공 / marchand ~ 장갑 장수.

garage** [gaʀa:ʒ] *m.* ① 차고; 독, 정박소; 주차장: mettre sa voiture au ~ 자기 차를 차고에 넣다. ② 자동차 수리 공장. ③ 입고, 주차; 〖철도〗 (기차의) 환입(換入). ***voie de ~ ⓐ 〖철도〗 대피선(待避線). ⓑ (추세 전망이 없는) 한직: mettre qc 〔qn〕 sur une *voie de* ~ 한직으로 좇아내다.

***garagiste** [gaʀaʒist] *m.* 자동차 정비〔수리〕공; 자동차 정비〔수리〕 공장 주인.

garance [gaʀɑ̃:s] *f.* 〖식물〗 꼭두서니.
— *adj.* 《불변》 꼭두서니 물감으로 물들인, 새빨간: pantalons ~ (1915년 이전의 프랑스 보병의) 빨간 바지.

garant, e [gaʀɑ̃, -ɑ̃:t] *n.* ① 〖법률〗 (빚의) 보증인; (일반적으로) 책임자; 보증국(國): les (pays) ~s du traité 조약 보증국 / ~ de la dette 채무 보증인. ② 근거, 전거(典據); (소문의) 증인: citer pour ~ Aristote 전거로 아리스토텔레스를 인용하다. ***être* 〔*se porter, se rendre*〕 ~ *de*** qc 〔***que***+*ind.*〕 …을 〔…임을〕 보증하다: Je *me porte* ~ *de* sa conduite. 그의 행동에 대해 보증〔보장〕합니다. ***être ~ pour ses faits*** 자신의 언동에 책임지다. ***prendre*** qn ***à ~ de*** qc …을 …의 증인〔보증인〕으로 삼다. — *m.* et *adj.* 보증(하는): Votre amitié est mon meilleur ~. 당신의 우정은 나의 최선의 보증이다.

garanti, e[1] [gaʀɑ̃ti] *adj.* (품질 따위가) 보증〔보장〕된: voiture ~*e* (pour) 5 ans, 5 년간 보증된 자동차. — *m.* 〖법률〗 피보증인.

garantie**[2] [gaʀɑ̃ti] *f.* ① 〖법률〗 보증, 보장; 담보; 보상, 배상: ~*s* constitutionnelles 헌법에 의한 보장 / recours en ~ 담보 청구. ② (상품·품질의) 담보물, 보증금(= caution, gage); 보증서: voiture qui est encore sous ~ 아직 보증 기간이 지나지 않은 차. ③ 《비유》 (사실 따위에 대한) 보증, 보장: ~ de discrétion 비밀 보장. ***donner* 〔*prendre*〕** qc ***en ~ …을 담보로 주다〔잡다〕. ***donner une ~ pour*** qn …의 보증인이 되다. ***presenter* 〔*offrir*〕 *toutes les ~s*** 확실한 보증이 있다. ***verser une somme en*** ~ 보증금으로 어떤 금액을 지불하다.

***garantir** [gaʀɑ̃ti:ʀ] *v.t.* ① ⓐ 보증하다; (…을) 보장하다; 〖재정〗 (주식 따위를) 인수하다: ~ un appareil pour cinq ans 카메라의 품질을 5년간 보장하다 / ~ un cheval de tout défaut 말에 결점이 하나도 없음을 보증하다 / Je le *garantis* honnête. 그가 정직함을 보증한다. ⓑ 《~ qn de》 …에게 …을 보증하다: Ce qu'il vient de faire vous *garantit de* son honnêteté. 그가 한 일은 당신에게 그의 정직성을 보증하는 셈입니다. ② 《~ qn 〔qc〕 de 〔contre〕》 …을 …으로부터 지켜 주다; 보호하다: Le parapluie nous *garantit de* la pluie. 우산은 비를 막아 준다 / Ce paravent me *garantit du* froid. 이 병풍은 추위를 막아 준다. ③ 보험에 넣다: ~ une maison contre l'incendie 집을 화재 보험에 넣다. — **se** ~ *v.pr.* ① 《se ~ de, contre》 …에서 몸을 지키다: *se* ~ *du* soleil 햇볕에 타는 것을 막다. ② 《~ contre》 …에 대한 보험에 들다: *se* ~ *contre* l'incendie 화재 보험에 들다.

garce [gaʀs] *f.* 《gars의 여성형》 《속어》 화냥년, 매춘부; 못된 여자: Ah, la ~, elle m'a eu! 아, 망할 년, 날 등치다니! / Cette ~ de maladie! 이 몹쓸 놈의 병!

***garçon** [gaʀsɔ̃] *m.* ① 사내아이, 소년: petit ~ 남자 아이《12세 무렵까지》 / grand ~ (어린이를 부추길 때) 다 큰 아이 / jeune ~

청소년, 청년. ② 《구어》 아들(≠ fille). ③ (식당의) 보이, 사환, 급사 ; 수습공 : ~ d'hôtel 〔de restaurant〕 호텔〔식당〕 보이. ④ 젊은이, 청년 ; 남자 : beau 〔joli〕 ~ 미소년, 미남자 ; 호남아 : bon 〔brave〕 ~ 친절한 남자, 호인 / mon ~ 여보게, 이 친구야《호칭》. ⑤ 독신 남자, 총각 : rester vieux ~ 아직 노총각이다 / mener une 〔la〕 vie de ~ 독신으로 살다. ***enterrer*** 〔***dire adieu à***〕 ***sa vie de ~*** 《구어》 독신 생활을 청산하는 파티를 열다, 장가가다. ***être bien petit ~ auprès de*** qn …와는 감히 상대가 안 된다. ***N'oubliez pas le ~.*** 팁을 잊지 마시오.

garçonne [gaʀsɔn] *f.* (자립적이고 자유분방한) 사내 같은 아가씨.

garçonnet [gaʀsɔnɛ] *m.* (어른과 아이 사이의) 사내아이, 남아(男兒) : taille ~ (기성복의) 주니어 사이즈.

garçonnier, ère [gaʀsɔnje, -ɛːʀ] *adj.* (계집애가) 사내아이 같은 ; 말괄량이의 : manières *~ères* (계집애의) 사내아이 같은 태도. ── *f.* 《옛》 독신용 아파트.

⁑**garde**[1] [gaʀd] *f.* ① 보관, 보존, 관리(= conservation, préservation) : frais de ~ 보관료 / mettre des bijoux en ~ dans une banque 보석을 은행에 보관하다. ② 보호 ; 호위 ; 간호 ; 보살피기 ; (신의) 가호 : confier un enfant à la ~ de qn 아이를 …에게 맡기다 / à la ~ de Dieu 신의 가호로. ③ 감시, 망 ; 경비, 경계 ; 주의, 유의 : chien de ~ 집〔가축〕 지키는 개 / faire bonne ~ 엄중히 지키다. ④ ⓐ 《집합적》 근위대, 수비대 ; 보초, 위병 : corps de ~ 경비대 / ~ d'honneur 의장대. ⓑ 보초 (근무) ; 일직, 당직, 주번 : tour de ~ 당직, 당번 / infirmière qui fait des ~s 당직 근무 중인 간호원 / descendre la ~ 당직을 끝내다, 비번이 되다. ⑤ 〖펜싱 · 권투〗 방어 자세 ; (검의) 날밑 : se mettre 〔se tenir〕 en ~ 방어 자세를 취하다. ⑥ (책의) 간지(= pages de ~) ; (접촉을 막는) 공간 : la ~ au toit (dans la voiture) (자동차 안의) 머리와 지붕 사이의 공간. ***avoir ~ de***+*inf.* …하지 않도록 주의〔경계〕하다 : *J'aurai ~ de* ne pas oublier vos conseils. 당신의 충고를 잊지 않도록 조심하겠소. ***avoir*** qc ***en ~*** …을 관리하다〔맡다〕. ***avoir toujours ~ à carreau*** 항상 같은 답변을 하다. ***être de bonne*** 〔***mauvaise***〕 ***~*** 보관이 잘 되다〔안 되다〕. ***être de ~*** 당번이다 ; 보초를 서다 ; 감시하다. ***G~ à toi!*** 조심해! ***G~ à vous!*** 차렷! ***mettre*** qn ***en ~ contre*** qc …을 …에 대해 경계시키다. ***monter la ~*** 보초를 서다, 망보다. ***n'avoir ~ de***+*inf.* …하지 않도록 하다 ; …할 생각이 없다. ***n'avoir ~ que***+(***ne***) *sub.* …하지 않도록 하다. ***prendre ~*** 조심하다, 주의하다. ***prendre ~ à*** 〔***de***〕+*inf.* …하도록 조심하다 / *Prenez ~ à* rentrer de bonne heure. 빨리 돌아오도록 하시오. ***prendre ~ à*** qc …에 유의하다 : *Prenez ~ aux* voitures. 차 조심해. ***prendre ~ de***+(***ne pas***) *inf.* …하지 않도록 조심하다 : *Prenez ~ de ne pas* tomber. 넘어지지 않도록 조심하시오. ***prendre ~ que***+(***ne***) *sub.* ; ***prendre ~ à ce que***+(***ne*** *sub.*) …하지 않도록 조심하다 : *Prenez ~ qu'*il ne s'en aperçoive (pas)! 그가 눈치재지 않도록 조심하세요. ***prendre ~ que***+*ind.* …란 사실을 유의〔주목〕하다 : *Prenez ~ qu'*il va revenir. 그가 다시 온다는 사실을 알고 계십시오. ***prendre*** qn ***sous sa ~*** …을 보호〔감독〕하다. ***s'enferrer jusqu'à la ~*** 완전히 착각하다, 함정에 걸리다. ***sous la ~ de*** …의 감시〔경계 · 간호〕하에.

⁑**garde**[2] *m.* ① 감시인 : ~ forestier 산림 감시원. ② 경비원 ; 위병, 보초 ; 근위대, 친위대원 : ~ mobile 《구어》 기동 헌병대원 / ~ du corps 보디가드, 경호원 / ~s rouges (중국의) 홍위병. ③ 관리인, 보관인 : ~ des archives 문서 관리인. ④ (형무소 따위의) 수위, 간수. ***~ de nuit*** 야경원. ***~ de commerce*** 집달리. ***~ des Sceaux*** (프랑스의) 법무장관. ***~s du corps*** 근위〔친위〕병. ── *f.* (병자 · 노인 등의) 간호인, 간호사.

garde- *préf.* 「…을 지키는 사람〔것〕, …으로부터 보호하는 사람〔것〕」의 뜻.

garde-à-vous [gaʀdavu] *m.* 《복수없음》 ① 〖군사〗 차렷 자세 : *G~!* 차렷! ② 굳어진 태도, 경직된 자세.

garde-barrière [gaʀdəbaʀjɛːʀ] *n.* (*pl.* ***~s-~***(***s***)) (철도) 건널목지기.

garde-boue [gaʀdəbu] *m.* 《복수불변》 (자전거 따위의) 흙받이.

garde(**-**)**champêtre** [gaʀdəʃɑ̃pɛtʀ] *m.* (*pl.* ***~s-~s***) 전원 감시인, 사냥터지기.

garde-chasse [gaʀdəʃas] *m.* (*pl.* ***~s-~***(***s***)) 밀렵 감시인, (사유) 사냥터지기.

garde-chiourme [gaʀdəʃjuʀm] *m.* (*pl.* ***~***(***s***)***-~***(***s***)) ① 《옛》 (도형수(徒刑囚) · 갤리선의) 간수. ② 혹독한 감시인.

garde-côte(**s**) [gaʀdəkoːt] *m.* 《복수불변》 해안 경비함 ; 연안 어로(漁撈) 감시선.

garde-fou [gaʀdəfu] *m.* (*pl.* ***~-~s***) ① 난간(= balustrade) ; 보호책, 가드레일. ② 《비유》 (부당한 행위에 대한) 방책 ; 경고.

garde-magasin [gaʀdəmagazɛ̃] *m.* (*pl.* ***~s-~***(***s***)) 〖군사〗 창고 담당 부사관(= garde-mites) ; 피복창 요원.

garde-malade(**s**) [gaʀdəmalad] *n.* (*pl.* ***~s-~***(***s***)) 간호사(= garde) ; 간병인.

garde-manger [gaʀdəmɑ̃ʒe] *m.* 《복수불변》 식료품 저장실 ; 찬장.

garde-meuble [gaʀdəmœbl] *m.* (*pl.* ***~-~***(***s***)) 가구(家具) 창고 ; 창고방.

gardénal [gaʀdenal] *m.* 〖약학〗 루미날《진정 최면제의 상표명》.

gardénia [gaʀdenja] *m.*, **gardénie** [gaʀdeni] *f.* 〖식물〗 치자나무(꽃).

garden-party [gaʀdɛnpaʀti] 〔영〕 *f.* 〔*m.*〕 (*pl.* ***~-parties***) 원유회, 가든파티.

garde-pêche [gaʀdəpɛʃ] *m.* ① (*pl.* ***~s-~***) 어로 감시관. ② 《복수불변》 (연안의) 어로 경비선(= vedette ~) ; 〖해군〗 어선 경비함.

⁑**garder** [gaʀde] *v.t.* ① 보존하다, 간직하다 ; 남겨〔잡아〕 두다 ; (사람을) 붙잡아 두다 : ~ un double du contrat 계약서의 사본을 간직하다 / ~ de la viande pour le dîner 저녁 식사를 위해 고기를 남겨 두다 / Il m'a *gardé* une heure. 그는 나를 한 시간이나 붙들어 두었다. ② 보관하다 ; 관리하다 : ~ des marchandises en entrepôt 상품을 창고에 보관하다. ③ 감시하다 ; 지키다 ; 간호〔보호〕하다 ; 돌보다, 보살피다 ; (신이) 가호(加護)하다 : ~ qn de l'erreur …을 잘못에 빠지지 않게 지켜 주다 / ~ un malade 환자를 간호하다 / ~ un prisonnier 포로〔죄수〕를 감시하다 / Dieu me *garde* de la maladie. 신이여 병에 안 걸리게 나를 지켜 주소서 / 《~ qn de+*inf.*》 ~ qn *de* commettre une faute …을 범하지 않도록 보호하다. ④ (침묵 따위를) 계속하다, 유지하다 ; (비밀 따위를) 지키다 ; (옷 따위를) 착용한 채로 있다 : ~ une habitude 습관을 유지하다 / ~ le silence 〔secret〕 침묵〔비밀〕을 지키다 / *Gardez* cela pour vous. 그것은 당신만 알고 계십시오 / ~ son chapeau 모자를 쓰고 있다 / 《~ qc +속사》 ~ les mains propres 손을 깨끗하게 간직하다 / ~ les yeux baissés 눈을 내리 깔고 있다. ⑤ (장소를) 떠나지 않다, 지키다 : ~ sa chambre 방에서 떠나지 않다 / ~ le lit (환자 따위가) 앓아 누워 있다 / ~ les rangs 대열을 떠나지 않다. ***en donner à ~ à*** qn …을 속여 넘기다. ***~ la tête froide*** 침착〔태연〕하게 있다. ~ qc ***pour la bonne bouche*** 맛있는〔즐거운〕 것을 마지막에 먹으려고〔즐기려고〕 남겨 두다. ***~ son sérieux*** 진지한 태도를 하고 있다. ***~ une dent contre ; ~ rancune à*** qn …에 대해 원한을 품다. ***Nous n'avons pas gardé les cochons ensemble.*** 《구어》 친한 체하지 마시오.

── **se ~** *v.pr.* ① (제 몸을, 제 마음을) 지키다, 보호하다 ; 《se ~ de qc 〔de faire qc〕》 피하다, …않도록 조심하다 : Je *m'en garderai* bien! 나는 그런 일은 절대로 하지 않는다 / *Gardez-vous de* manquer votre train. 기차를 놓치지 않도록 조심하시오 / Il faut *se ~* des jugements hâtifs. 성급한 판단은 삼가야 한다. ② (음식물 따위가) 보존되다, 유지되다. ***Garde-toi !*** 조심해 !

garderie [gaʀd(ə)ʀi] *f.* ① 보육원, 탁아소. ② (삼림 간수의) 순회 구역, 감시 구역.

garde-robe [gaʀdəʀɔb] *f.* (*pl.* **~-~s**) 의상실 ; 옷장 ; 《집합적》 옷, 의류 : avoir une ~ fournie 옷가지가 많다.

gardeur, euse [gaʀdœːʀ, -øːz] *n.* 감시인 (= gardien) ; 목자(牧者)(= berger) : ~ de vaches 소치는 목동.

gardien, enne** [gaʀdjɛ̃, -ɛn] *n.* ① 감시인, 관리인, 수위, …지기 ; 간수(= geôlier) : ~ d'immeuble 맨션 관리인. ② 수호자, 보호〔옹호〕자 : ~ des libertés 자유의 옹호자. ***~ d'autos de parc à voitures 주차장 관리인. ***~ de la paix*** (파리의) 경관. ***~ du but*** 〖축구〗 골키퍼. ── *adj.* 지키는, 수호하는 : ange ~ 수호 천사.

gardiennage [gaʀdjɛnaːʒ] *m.* ① 감시원〔관리인〕의 직〔일〕. ② (철도 · 교량의) 보호. ③ 〖해양〗 (선박 · 항만 시설의) 관리 사무.

gardon [gaʀdɔ̃] *m.* 〖어류〗 잉엇과의 물고기. ***frais comme un ~*** 아주 건강해 보이는.

⁑gare¹ [gaːʀ] *f.* ① 정거장, 역 《철도역에 한함 ; 지하철역은 station》 : ~ d'arrivée 〔de départ〕 도착〔출발〕역 / ~ terminus 종착역 / salle d'attente d'une ~ 역대합실. ② 선착장, 부두. ③ (하천의) 배가 비켜갈 수 있게 되어 있는 곳, 대피소 : ~ d'évitement 〖철도〗 대피선. ④ 〖항공〗 ~ aérienne 공항 터미널(= aérogare). ***A la ~ !*** 《속어》 꺼져 버려 ! 없어져 버려 ! ***chef de ~*** 역장. ***colis à prendre en ~*** 역에서 찾는 짐. ***~ de marchandises*** 화물 전용역. ***~ routière*** 버스〔트럭〕 중계소.

gare² *interj.* 《~ à》 조심해, 주의 : *G~* la tête ! 머리를 숙이시오 / *G~* à la peinture ! 페인트 주의 ! / *G~* devant 〔dessous〕 ! 앞〔밑〕을 조심해 ! / *G~* à ne pas recommencer une telle sottise ! 그런 바보짓을 다시 하지 않도록 조심해 ! ***G~ la bombe !*** 《구어》 위험하니 조심해라 ! ***sans crier ~*** 아무 경고〔예고〕 없이 ; 뜻밖에.

garenne [gaʀɛn] *f.* 토끼 군서지(群棲地)〔사육장〕. ── *m.* 산토끼(= lapin de ~).

garer** [gaʀe] *v.t.* ① (수확물 따위를) 거두어 넣다, 창고에 넣다 : ~ son argent 《구어》 돈을 안전한 곳으로 옮기다. ② (배를) 선창에 대다 ; (열차를) 정거장〔대피선〕에 넣다 ; (자동차를) 차고에 넣다 ; 주차시키다 ; (비행기를) 격납고에 넣다 : ~ sa voiture dans le parking 차를 주차장에 주차시키다 / avion *garé* dans un hangar 격납고에 넣은 비행기. ── **se ~** *v.pr.* ① 옆으로 비켜서다 ; 《se ~ de》 피하다 : *se ~ des* coups 공격을 피하다. ② (차 · 선박 따위가) 주차〔정박〕하다 ; (열차가) 대피선으로 들어가다 : Je *me suis garé* dans la rue voisine. 《구어》 나는 자동차를 옆길에 주차시켰다. ***Garez-vous ! 비켜라 ! 길을 열어라 !

gargantua [gaʀgɑ̃tɥa] *m.* ① (*G~*) 가르강튀아 《*Rabelais* 소설의 주인공》. ② 《구어》 대식가(大食家).

gargariser (se) [s(ə)gaʀgaʀize] *v.pr.* ① (양치질하여) 목구멍을 가시다 : *se ~* à 〔de〕 l'eau tiède 미지근한 물로 목을 가시다. ② 《구어》 《se ~ avec 〔de〕》 …을 몹시 즐거워〔기뻐〕하다 : *se ~ de* compliments 아첨의 말을 듣고 좋아하다. ③ 《구어》 《se ~ de》 …을 한잔하다, 목을 축이다.

gargarisme [gaʀgaʀism] *m.* ① 목을 가시는 약. ② 양치질.

gargote [gaʀgɔt] *f.* 《경멸》 싸구려 식당 ; 불결한 요리 : cuisine de ~ 싸구려 음식.

gargotier, ère [gaʀgɔtje, -ɛːʀ] *n.* ① 싸구려 식당 주인 ② 《경멸》 서투른 요리사.

gargouille [gaʀguj] *f.* ① 〖건축〗 석루조(石漏槽), 이무기돌 《고딕 건축 따위의 괴물 형상을 한 낙수 홈통 배수구》. ② (차도와 인도 사이의) 도랑 ; (지하의) 하수관.

gargouillement [gaʀgujmɑ̃] *m.* 홈통 주둥이(gargouille) 속의 물 흐르는 소리 ; (뱃속에서) 꾸르륵거리는 소리(= borborygme).

gargouiller [gaʀguje] *v.i.* ① (낙숫물 홈통에서 빗물이) 콸콸 소리를 내다. ② (뱃속이) 꾸르륵거리다.

gargoulette [gaʀgulɛt] *f.* 물 식히는 질그릇.

garnement [gaʀnəmɑ̃] *m.* 선머슴, 말썽꾸러기, 악동(= galopin) ; 불량배(= voyou).

garni, e [gaʀni] *adj.* ① 〖요리〗 야채 따위를 곁들인 : bifteck ~ 야채가 곁들인 비프스테이크. ② 가득 찬, 풍성한, 내용물이 꽉 찬 : chevelure bien ~*e* 풍성한 머리카락 / table

bien ~*e* 진수성찬이 가득 차려진 식탁 / bourse bien ~*e* 돈이 두둑히 들어 있는 지갑. ③ 《~ de》 …을 갖춘, …으로 가득한 : tige ~*e d'*épines 가시투성이의 줄기 / manteau ~ *de* fourrure 모피 장식이 달린 코트. ④ 《옛》 (셋방이) 가구가 딸린.
— *m.* 《경멸》 가구가 딸린 싸구려 호텔〔여인숙〕, 가구 딸린 셋방〔셋집〕. ***loger en ~*** 셋방살이하다.

***garnir** [gaʀniːʀ] *v.t.* ① ⓐ 《~ qc》 …에 필요품을 갖추다 : ~ une boutique 가게에 상품을 갖추어 놓다. ⓑ 《~ qc de qc》 …에 …을 갖추다 ; 비치〔설비〕하다 : ~ un appartement *de* meubles 아파트에 가구를 구비하다. ② …에 부속품〔장식〕을 붙이다〔달다〕 : ~ un chapeau 모자에 안을 대다 / 《~ qc de》 ~ une table *de* fleurs 식탁을 꽃으로 장식하다 / ~ une robe *de* dentelle 옷에 레이스를 달다. ③ (진지 따위를) 튼튼히 하다 ; 장비하다(= equiper) : ~ des remparts de défenseurs 성채에 수비병을 배치하다. ④ (장소를) 가득 채우다, 뒤덮다 : livres qui *garnissent* les rayons d'une bibliothèque 서재의 서가를 채우고 있는 책들. ⑤ 〖요리〗 《~ de》 …을 곁들이다 : ~ *des* légumes une pièce de bœuf 쇠고기 요리에 야채를 곁들이다. — **se ~** *v.pr.* ① 《se ~ de》 …이 갖춰지다, 설비되다 ; …이 장식되다. ② 《se ~ de》 …으로 가득 차다. ③ 자기의 …을 가득 채우다 : La salle *se garnissait* peu à peu. 장내는 차차 사람들로 채워졌다.

garnison [gaʀnizɔ̃] *f.* 〖군사〗 주둔 부대 ; (요새 · 도시의) 수비〔경비〕대 ; 주둔(지) : vie de ~ 주둔지에서의 군대 생활. ***être en*** 〔***tenir***〕 ***~ à*** …에 주둔하고 있다.

garnissage [gaʀnisaːʒ], *m.* ① 갖추기, 설비. ② (옷 · 모자 따위의) 장식 ; (도자기에) 장식 넣기. ③ (자동차의) 좌석 부품 (제조 · 장치).

garniture [gaʀnityːʀ] *f.* ① 비품 ; 부속품 ; (도구의) 한벌 : ~ de bureau 사무용품 / ~ d'un lit 침구의 부속품. ② 〖의복〗 장식품 (= ornement). ③ 〖요리〗 (요리의) 곁들인 야채, 고명. ④ (기계 따위의) 보강재, 충전물, (피스톤 따위의) 패킹 ; 라이닝 《축받이 · 실린더 따위의 안에 댄 것》.

garrigue [gaʀig] *f.* (남프랑스의) 황야(의 덤불숲).

garrot[1] [gaʀo] *m.* (말 · 소 따위의) 기갑(鬐甲)《어깨뼈 사이의 융기(隆起)》.

garrot[2] *m.* ① 탕개목《줄을 비틀어 죄는 막대기》 ; 《옛》 막대기. ② 〖외과〗 (지혈(止血)을 위한) 혈관 압박기, 지혈대.

garrotter [gaʀɔte] *v.t.* ① 졸라매다, 단단히 묶다(= lier) ; 포박하다 : ~ un prisonnier 죄수를 단단히 포박하다. ② (정신적으로) 억압하다, 속박하다. ~ ***l'opposition*** 반대파를 꼼짝 못하게 하다.

gars [gɑ〔a〕] *m.* ① 《구어》 사내아이, 소년. ② 젊은이, 청년. ③ 녀석. ④ 어이, 이봐 《가까운 친구 사이의 호칭》 : Eh ! les ~ ! 애들아 / Bonjour, mon petit ~ ! 꼬마, 안녕 !

gascon, onne [gaskɔ̃, -ɔn] *adj.* ① 가스코뉴(*Gascogne*, 프랑스의 서남부 지방)의. ② 허풍선이의 ; 농담을 좋아하는 ; 빈틈없는.
— **G~** *n.* ① 가스코뉴 사람. ② 허풍선이. ***promesse de G~*** 지키지 못할 약속, 공수표. — *m.* 가스코뉴 지방 사투리.

gasconnade [gaskɔnad] *f.* 《문어》 허풍, 허세, 자랑 : dire 〔raconter〕 des ~*s* 허풍을 떨다.

gas(-)oil [gɑ〔a〕zɔjl, -zwal] 〔영〕 *m.* 경유, 디젤유.

gaspillage [gaspijaːʒ] *m.* (돈 따위의) 낭비, 허비(= prodigalité ; ≠ épargne) : ~ de forces 〔de talent〕 《비유》 힘〔재능〕의 낭비.

***gaspiller** [gaspije] *v.t.* 낭비〔허비〕하다 (≠ économiser) : ~ son temps 〔son talent〕 자기 시간〔재능〕을 헛되이 소모하다.
— **se ~** *v.pr.* 낭비되다.

gaspilleur, euse [gaspijœːʀ, -øːz] *adj.* et *n.* 낭비〔허비〕하는 (사람) : Il est très ~. 그는 씀씀이가 너무 헤프다.

gaster [gastɛːʀ] *m.* 배, 위(胃)(= estomac).

gastéro-, gastr(o)- *préf.* 「위(胃) · 복부」의 뜻.

gastéropodes [gasteʀɔpɔd] *m. pl.* 〖연체동물〗 복족류(腹足類).

gastralgie [gastʀalʒi] *f.* 〖의학〗 복통, 위통.

gastrique [gastʀik] *adj.* 위(胃)의 : embarras ~ 위장 장애, 소화 불량.

gastrite [gastʀit] *f.* 〖의학〗 위염(胃炎), 위카타르.

gastro-intestinal, e, aux [gastʀɔɛ̃tɛstinal, -o] *adj.* 위장의.

gastronome [gastʀɔnɔm] *m.* 식도락가, 미식가(= gourmet) ; 요리 전문가.

gastronomie [gastʀɔnɔmi] *f.* 식도락 ; 미식법, 요리법.

gastronomique [gastʀɔnɔmik] *adj.* 미식의, 요리법의 ; 진수성찬의 : menu ~ 특별 호화 메뉴 / la chronique ~ d'un journal 신문의 요리란.

gastropodes [gastʀɔpɔd] *m. pl.* = gastéropodes.

***gâté, e** [gɑ̃te] *adj.* ① (과일 · 고기 따위가) 썩은, 상한 : viande ~*e* 상한 고기. ② 너무 귀염받는, 응석받이의 : enfant ~ 응석동이. ③ 운〔재수〕 좋은 : enfant ~ de la fortune 행운아. — *m.* 썩은〔상한〕 부분.

gâteau** [gɑto] *m.* (*pl.* **~x**) ① 과자, 케이크 : part de ~ 케이크 한 조각 / ~ au chocolat 초콜릿 케이크 / ~ d'anniversaire 생일 잔치 케이크. ② 반죽 덩어리 : ~ de plâtre 석고의 반죽 덩어리. ③ 《구어》 이득 : avoir part au ~ (이득) 분배에 한몫 끼다. ***C'est du ~ ! 그거 참 좋군, 문제 없어. ***trouver la fève au ~*** 행운을 차지하다. — *adj.* 《불변》 (자식을) 애지중지하는, 응석을 받아 주는 : maman 〔père〕 ~ 자식을 애지중지하는 어머니〔아버지〕.

gâte-métier [gɑtmetje] *m.* (*pl.* **~-~(s)**) 《옛》 터무니없이 싼 임금으로 일하는 사람 ; 턱없이 싸게 상품을 파는 사람.

***gâter** [gɑte] *v.t.* ① ⓐ 망치다, 잡치다 (= gâcher) ; (좌흥을) 깨뜨리다 ; (식욕이) 가시게 하다 : ~ un tableau en le retouchant 다시 손질을 함으로써 그림을 망치다. ⓑ 못쓰게 만들다 ; 엉망진창으로 만들다 : La pluie *a gâté nos vacances.* 비 때문에 휴가가 엉망이 되었다. ② 상하게 하다 ; 썩게 하다 : Les pommes *ont été gâtées* par la pluie. 비가 와서 사과가 썩었다. ③ (풍속 따

위를) 해치다. ④ 지나치게 귀여워하다, 애지중지하다 : ~ un enfant 아이를 너무 귀여워하다. ⑤ 극진히 대접하다 ; 많은 선물로 기쁘게 하다 : Sa grand-mère l'*a gâté* pour Noël. 할머니가 그 애에게 많은 크리스마스 선물을 주었다 / C'est trop, vous me *gâtez*. 이건 너무 황송하군요, 이렇게까지 고맙게 해주시다니. ***ce qui ne gâte rien*** 더 잘된 일이다, 손해될 것이 없다. ~ ***le métier*** 싼 임금으로 일하다. — **se** ~ *v.pr.* ① 상하다, 썩다 ; 나빠지다, 악화되다 : Le temps *se gâte*. 날씨가 나빠지는군 / Les choses *se gâtent*. 사태가 악화되는군. ② 자기의 …을 나빠지게 하다 : *se* ~ la vue à trop lire 책을 너무 읽어 시력을 상하게 하다.

gâterie [gɑtʀi] *f.* ① (어린애의) 애지중지, 과잉 보호. ② 작은 선물(= menus cadeaux) ; (어린애에게 주는) 과자〔사탕〕 선물.

gâte-sauce [gɑtsoːs] *m.* (*pl.* ~-~(***s***)) 《속어》 서투른 요리인 ; 주방 심부름꾼.

gâteux, euse [gɑtø: -øːz] *adj.* ① 망령든, 노망한. ② 저능한, 어리석은 ; 《구어》 (열중한 나머지) 정신을 잃은, 멍한 : Ils sont complètement ~ de leur bébé. 그들은 아기가 귀여워서 제정신이 아니야. — *n.* ① 망령든〔노망한〕 사람. ② 바보, 천치.

gâtifier [gatifje] *v.i.* 노망이 들다 ; 제정신이 아니다.

gâtisme [gɑtism] *m.* ① 〖의학〗 가티슴《대소변을 지리는 상태》. ② 정신쇠약, 노망, 망령. ***tomber dans le*** ~ 노망하다.

G.A.T.T. 〔영〕 《약자》 General Agreement on Tariffs and Trade 관세 무역에 관한 일반 협정, 가트.

gauche** [goːʃ] *adj.* ① 왼쪽의, 좌측의(≠ droit) : main ~ 왼손 / rive ~ (de la Seine) 센 강의 좌안. ② (선 따위가) 비뚤어진, 뒤틀린(= dévié, tordu) : planche ~ 뒤틀린 판자. ③ 서투른 ; 어색한(= maladroit, embarrassé ; ≠ adroit), 부자연스러운 : geste ~ 어색한 몸짓 / manières ~*s* 서투른 매너. ***à main ~ 왼쪽에. ***mariage de la main*** ~ 내연 관계. ***se lever du pied*** ~ 화내며 일어서다. — *f.* 좌측, 왼쪽 ; 《집합적》 좌익, 좌파 : à la ~ de qn …의 왼쪽에 / à sa 〔ma〕 ~ 그의〔나의〕 왼쪽에 / partis de ~ 좌익 정당 / être de ~ 좌파이다 / Tenez votre ~. 좌측통행(하시오). ***à*** ~ 왼편으로, 좌측으로 : *À* ~, ~ ! 〖군사〗 좌향좌 ! 《구령》 / Dans ce pays on roule *à* ~. 이 나라에서는 좌측 통행이다. ***donner à*** ~ 《구어》 잘못 생각하다 ; 잘못〔실수〕하다. ***en mettre à*** ~ 《구어》 저금하다, 돈을 모으다. ***prendre*** qc ***à*** ~ …을 곡해하다, 오해하다. — *m.* ① 〖권투〗 왼쪽 주먹〔펀치〕 ; 〖축구 · 럭비〗 왼발 : crochet du ~ 레프트훅 / tirer du ~ 왼발 슛을 하다. ② (*pl.*) 〖정치〗 좌파, 좌익 정당.

gauchement [goʃmɑ̃] *adv.* 서투르게 ; 어색하게(= maladroitement).

gaucher, ère [goʃe, -ɛːʀ] *adj.* 왼손잡이의. — *n.* 왼손잡이.

gaucherie [goʃʀi] *f.* ① 왼손잡이(임). ② 서투름(= maladresse) ; 어색함(≠ aisance).

gauchir [goʃiʀ] *v.i.* (나무 따위가) 뒤틀리다, 비뚤어지다, 휘다. — *v.t.* ① 뒤틀다, 휘게 하다 : L'humidité *gauchit* une porte. 습기는 문짝을 휘게 한다. ② 왜곡하다(= altérer, déformer, fausser) : ~ un fait 사실을 왜곡하다. — **se** ~ *v.pr.* 뒤틀어지다, 휘다.

gauchisant, e [goʃizɑ̃, -ɑ̃ːt] *adj.* 좌익의 경향을 띤, 좌경한. — *n.* 좌익 지지자.

gauchisme [goʃism] *m.* 〖정치〗 극좌 사상, 극좌주의(≠ droitisme).

gauchissement [goʃismɑ̃] *m.* ① 휨, 뒤틀림 ; 〖항공〗 (날개의) 뒤틀림(= ~ des ailes). ② (사실의) 왜곡.

gauchiste [goʃist] *adj.* et *n.* 극좌〔과격파〕의 (사람) ; 신좌익의 (사람).

gaucho [go(t)ʃo] 〔에스파냐〕 *m.* 남미의 목동.

gaudriole [godʀijɔl] *f.* 《구어》 ① (보통 *pl.*) 음탕한 농담. ② 성관계, 정사.

gaufrage [gofʀaːʒ] *m.* ① 형판(型板)으로 눌러 무늬를 박기 ; 주름잡기 ; (철판 따위에) 골을 내기. ② 돋을새김 무늬, 주름.

gaufre [goːfʀ] *f.* ① 와플《벌집 모양 무늬가 박힌 철판에 끼워 구운 얇은 과자》 : ~ à la confiture 잼을 넣은 와플. ② 《옛》 꿀벌의 집, 밀방(= gâteau de cire).

gaufrer [gofʀe] *v.t.* (천 · 가죽 · 종이 따위에) 형판〔압형〕으로 무늬를 박다 ; (철판 따위에) 골을 내다 ; 〖직물〗 바둑판무늬를 넣다. ~ ***à la paille*** (베에) 주름을 잡다.

gaufrette [gofʀɛt] *f.* 〖제과〗 웨이퍼《바삭바삭한 얇은 과자》.

gaufrier [gofʀije] *m.* 〖제과〗 와플 굽는 틀.

gaufrure [gofʀyːʀ] *f.* (천 · 가죽 따위의) 무늬, 압형 무늬 : ~ de relieur 제본 무늬.

gaulage [golaːʒ] *m.* (과실을) 장대로 쳐서 떨어뜨리기.

Gaule [goːl] *n.pr.f.* 〖지리〗 골, 갈리아《지금의 프랑스에 해당하는 지역 ; 갈리아는 라틴명》.

gaule [goːl] *f.* ① 장대 ; 깃대. ② 낚싯대. ③ 승마용 채찍. ④ 《은어》 남근(男根). ***chevaliers de la*** ~ 《구어》 낚시꾼, 강태공.

gauler [gole] *v.t.* (과실을) 장대로 떨다 ; (과실을 떨기 위해 나무를) 장대로 치다.

gaullisme [golism] *m.* 드골(*De Gaulle*, 프랑스의 군인 · 정치가)주의.

gaulliste [golist] *adj.* et *n.* 드골파의 (사람).

gaulois, e [golwa, -aːz] *adj.* ① 갈리아〔골〕의 ; 갈리아 사람〔말〕의. ② ⓐ 골 사람 같은 ; 솔직담백한. ⓑ 《옛》 상스러운 ; 호탕한 ; 추잡한, 외설스러운, 노골적인. ***C'est*** ~. 《구어》 그거 정말 웃기네. ***contes*** ~ 노골적인 〔상스러운〕 이야기. ***esprit*** ~ 골 기질《쾌활하고 익살을 즐기는 솔직한 기질》. ***gaieté*** ~***e*** 천연덕스럽고 솔직한 쾌활함. ***le coq*** ~ 갈리아의 수탉 《프랑스의 국장(國章) ; 대혁명 후의 프랑스의 상징》. — **G**~ *n.* 갈리아〔골〕 사람. — *m.* 갈리아〔골〕어(語). — *f.* (프랑스의) 관제 담배 이름.

gauloisement [golwazmɑ̃] *adv.* 노골적으로, 농담으로, 외설〔추잡〕스럽게.

gauloiserie [golwazʀi] *f.* ① (명랑하고 개방적인) 골 기질. ② 쾌활한 음담.

gausser (se) [səgose] *v.pr.* 《~ de》 …을 비웃다, 조롱하다(= se moquer de) ; 《간접 보어 없이》 빈정거리다.

gavage [gavaːʒ] *m.* ① (가축에) 많은 사료를 먹여 살찌게 하기, 강제 사육. ② 〖의학〗 (병

자에게) 튜브를 통해 음식물을 공급해 주기, 강제 영양. 「(溪流).
gave [gaːv] *m.* (피레네 산중의) 급류, 계류
gaver [gave] *v.t.* ① (살찌우려고 가축에게) 억지로 (많이) 먹이다 : ~ des oies (살찌도록) 거위에게 먹이를 억지로 먹이다. ② 《~ qn de》 …에게 …을 많이 먹이다 : ~ un enfant *de* gâteaux 아이에게 과자를 많이 먹이다. ③ 《~ de》 (지식 따위를) 주입시키다 : ~ un écolier *de* connaissances 학생의 머리에 갖가지 지식을 주입하다. — **se ~** *v.pr.* 《se ~ de》 …을 많이 먹다 ; …을 실컷 즐기다 : *se ~ de* romans policiers 〔de cinéma〕 탐정 소설을〔영화를〕 실컷 읽다〔보다〕.
gavial [gavjal] *m.* 〖동물〗 인도 악어.
gavotte [gavɔt] *f.* 〖무용·음악〗 가보트(춤) 《16-19 세기의 2 박자의 무용》, 그 악곡.
gavroche [gavʀɔʃ] *m.* (건방지고 의협심이 강한) 파리의 부랑아《Hugo 의 *Les Misérables* 에 나오는 인물 *Gavroche* 에서》. — *adj.* 건방지고 협기 있는 ; 오기가 센.
gay [gɛ] *adj.* 《불변》 게이〔호모〕의. — *m.* 게이, (남자) 동성애자.
gaz** [gaːz] *m.* 《복수불변》 ① 기체, 가스 : ~ carbonique 탄산가스 / ~ à effet de serre 온실 효과 가스 / L'hydrogène est un ~. 수소는 기체다. ② 유독 가스 : ~ asphyxiants 독가스 / ~ lacrymogènes 최루 가스 / chambre à ~ 가스실, 가스 처형실. ③ (연료·조명용) 가스 ; 가스 회사 : ~ en bouteilles 프로판 가스 / ~ de ville 도시 연료 가스 / ~ naturel 천연가스 / allumer 〔fermer〕 le ~ 가스를 켜다〔끄다〕 / fuite de ~ 가스 누출 / relever le compteur à ~ 가스 미터의 검침을 하다 / usine à ~ 가스 제조 공장 / employé du ~ 가스 회사 직원. ④ (자동차, 비행기 따위의) 혼합 가스 : compression des ~ 혼합 가스의 압축 / ~ d'échappement 〔d'admission〕 배기〔흡입〕 가스. ⑤ (보통 *pl.*) 《구어》 체내 가스 ; 방귀 : avoir des ~ 배에 가스가 차 있다. ***Il y a de l'eau dans le ~. 《속어》 싸움이 벌어질 기세로군. ***lâcher du*** 〔***un***〕 ~ 《구어》 방귀를 뀌다. ***mettre*** 〔***ouvrir, donner***〕 ***les ~*** 액셀러레이터를 밟다, 전속력으로 달리다 ; 급히 서두르다.
gaze [gɑːz] *f.* ① 얇은 천, 박사(薄紗)·투명한 베일〔막〕 : étoffe de ~ 얇은 천. ② 〖의학〗 가제 : ~ stérilisée 〔oxygénée〕 소독 가제 / ~ à pansement 붕대. 「(사람).
gazé, e [gɑze] *adj.* et *n.* (독)가스에 중독된
gazéification [gazeifikɑsjɔ̃] *f.* ① 〖화학〗 가스화(化), 기화(氣化). ② (광천수·포도주 따위에) 탄산가스를 넣기 ; 탄산수 제조.
gazelle [gazɛl] *f.* 〖동물〗 영양(羚羊).
gazer[1] [gɑze] *v.t.* ① 사(紗)〔가제〕로 덮다. ② 《구어》 숨기다 ; 완곡하게 표현하다 : ~ son opinion 자신의 의견을 얼버무리다.
gazer[2] *v.t.* ① (적을) 독가스로 공격하다. ② 〖직조〗 (보풀을 없애기 위해) 가스에 쐬다. — *v.i.* ① 《구어》 (자동차·비행기가) 전속력을 내다. ② (일이) 잘 되다 ; Ça *gaze !* 《구어》 잘 달린다 ; (일이) 잘 되어 간다.
gazette [ga〔ɑ〕zɛt] 〔이탈리아〕 *f.* ① 《옛》 신문, 잡지 : *G~ de* France 「가제트 드 프랑스」 《18 세기의 주간지》. ② 《구어》 수다(쟁이) ; 소문, 수다스런 얘기.
gazeux, euse [gɑzø, -øːz] *adj.* ① 가스성〔기체성〕의. ② (음료가) 탄산가스가 들어 있는 : eau ~*euse* naturelle 천연 탄산수 / boisson ~*euse* (사이다와 같은) 탄산성 음료. — *f.* 탄산수(= limonade ~*euse*).
gazier, ère [gɑzje, -ɛːʀ] *adj.* 가스의 : industrie ~*ère* 가스 공업. — *m.* 가스 회사 직원 ; 가스공(工).
gazoduc [gɑ〔a〕zɔdyk] *m.* 가스 공급관(管).
gazole [ga〔ɑ〕zɔl] *m.* 경유, 디젤유(= gas-oil).
gazomètre [ga〔ɑ〕zɔmɛtʀ] *m.* 가스 탱크 ; 《옛》 가스계(計) ; 도시가스 미터기.
***gazon** [gɑzɔ̃] *m.* 잔디(밭) ; 《옛》 뗏장 : couper 〔tondre〕 le ~ 잔디를 깎다 / lever des ~*s* 뗏장을 뜨다.
gazouillement [gazujmɑ̃] *m.* ① (새의) 지저귐. ② (시냇물) 흐르는 소리. ③ (어린애의) 종알거리는 소리.
gazouiller [gazuje] *v.i.* ① (새가) 지저귀다 ; (시냇물이) 졸졸 흐르다. ② (어린애 따위가) 종알거리다(= babiller). — *v.t.* (지저귀듯) 속삭이다.
gazouillis [gazuji] *m.* = gazouillement.
GB 《약자》 Grande-Bretagne 영국《외국 자동차의 표지》.
G.C. 《약자》 grand-croix 레지옹 도뇌르 최고 훈장 소유자. 「공사.
G.D.F. 《약자》 Gaz de France 프랑스 가스
geai [ʒɛ] *m.* 〖조류〗 어치, 언치.
géant, e [ʒeɑ̃, -ɑ̃ːt] *adj.* 거대한 ; 아주 중요한 : entreprise ~*e* 대기업. — *n.* ① 거인, 거녀(巨女). ② 거대한 동식물. ③ 《비유》 거장(巨匠), 거물 ; 천재 : Fellini, ce ~ du cinéma 펠리니, 저 영화의 거장. ④ 초강대국 《미국·소련을 지칭》 ; 거대 기업〔그룹〕 : un ~ économique 경제 대국 / ~*s* de l'automobile 〔de l'acier〕 자동차계〔강철계〕의 대메이커. ***aller*** 〔***avancer***〕 ***à pas de ~*** 큰 걸음으로 걷다 ; 크나큰 발전을 하다.
geign-ais, -ant ⇒ geindre.
geignard, e [ʒɛɲaːʀ, -aʀd] *adj.* et *n.* 《구어》 불평 잘하는 (사람), 우는 소리를 잘하는 (사람).
geignement [ʒɛɲmɑ̃] *m.* 불평〔푸념〕, 한탄 ; 우는 소리, (어린애의) 흐느낌.
geindre [ʒɛ̃ːdʀ] 27 *v.i.* ① ⓐ 신음하다 (= gémir), 낑낑거리다 : Le blessé *geint* de douleur. 부상당한 사람이 고통으로 신음하고 있다. ⓑ 《주어 : qc》 《비유》 구슬픈〔처량한〕 소리를 내다. ② 공연스레 투덜거리다 (= se plaindre) ; 《구어》 노상 불평〔푸념〕하다 : Arrête de ~ ! 그만 좀 징징거려 !
gel [ʒɛl] *m.* ① ⓐ 영하의 추위, 혹한, 추운 날. ⓑ 결빙(기), 무빙(霧氷). ② 〖화학〗 겔, 교화체(膠化體). ③ 동결, 정지 : ~ du prix du pétrole 석유 가격의 동결 / ~ des armements 군비 경쟁의 정지.
gélatine [ʒelatin] *f.* 〖화학〗 젤라틴, 아교.
gélatineux, euse [ʒelatinø, -øːz] *adj.* 젤라틴질(質)의.
gelé, e[1] [ʒ(ə)le] *adj.* ① 언, 동결한 ; 몹시 추운 : fleuve ~ 얼어붙은 강 / être ~ jusqu'aux os 몸이 꽁꽁 얼어붙다. ② 얼음이 박

G

힌, 동상(凍傷)에 걸린; (식물이) 상해(霜害)를 입은: avoir les peids ~*s* 발이 동상에 걸리다. ③ 《비유》 쌀쌀한, 냉담한: Le public *est gelé.* 청중은 냉담하다〔반응이 없다〕. ④ 〖경제〗 동결된(= congelé); (활동·공사가) 정지〔중단〕된: capitaux ~*s* 동결 자본 / crédits 〔créance〕 ~*s* 동결 채권.

gelée² [ʒ(ə)le] *f.* ① 얼음 어는 추위, 영도 이하의 온도: protéger les tuyauteries contre la ~ 얼지 않게 도관(導管)을 보호하다. ② 서리: ~ blanche 흰서리. ③ 〖요리〗 (고기·과일의) 젤리: ~ de pommes 사과 젤리. ④ 젤리 상태의 물질: ~ de mer 《속어》 해파리.

***geler** [ʒ(ə)le] [4] *v.t.* ① 얼게 하다, 빙결〔동결〕시키다: L'hiver sibérien *gèle* profondément le sol. 시베리아의 겨울은 땅속 깊이 얼어붙게 한다. ② 동상에 걸리게 하다; (몸을) 꽁꽁 얼게 하다; (식물 따위에) 상해를 입히다. ③ …의 간담을 서늘해지게 하다, 소름이 끼치게 하다(= glacer): Ce ton sinistre *gela* l'auditoire. 그 험악한 어조는 청중의 간담을 서늘하게 했다. ④ 〖경제〗 동결하다, 정지시키다: ~ les capitaux 〔les salaires〕 자본〔임금〕을 동결하다. ── *v.i.* ① (바다·강물이) 얼다. ② (몸이) 얼다; 동상에 걸리다; (식물 따위가) 상해를 입다: Les légumes *ont gelé.* 야채가 추위〔서리〕로 상해를 입었다. ── *v. impers.* (날씨가 추워) 얼음이 얼다, 결빙(結氷)하다, 서리가 내리다: Il *a gelé* à moins dix. 영하 10 도의 추위였다. Il *gèle* à pierre fendre. 지독한 추위다.
── **se** ~ *v.pr.* ① (물 따위가) 얼다. ② (몸 따위가) 얼다, 몹시 춥다: On *se gèle* dans cette pièce. 이 방은 얼어붙는 것같이 춥다.

gélif, ive [ʒelif, -iːv] *adj.* (돌·나무 따위가) 추위로 터진, 동파(凍破)되는.

gelinotte [ʒ(ə)linɔt], **gélinotte** [ʒelinɔt] *f.* ① 〖조류〗 뇌조(雷鳥), 들꿩. ② 살찌운 암평아리.

gélule [ʒelyl] *f.* 교갑(膠匣), 캡슐.

gelure [ʒ(ə)lyːʀ] *f.* 〖의학〗 동상(凍傷).

gémeau, elle [ʒemo, -ɛl] *n.* et *adj.* (*pl.* **~x**) 《옛》 쌍둥이(의). ***Les G~x*** 〖천문〗 쌍둥이자리; 쌍자궁(雙子宮).

gémellaire [ʒeme〔ɛl〕lɛːʀ] *adj.* 쌍둥이의: grossesse ~ 〖의학〗 쌍태(雙胎) 임신.

gémination [ʒeminɑsjɔ̃] *f.* ① 〖생물〗 (꽃잎 따위의) 쌍생(雙生); 쌍자(雙子) 형성. ② 〖수사학〗 동일어의 반복; 〖언어〗 (동일 문자 또는 음의) 중복. ③ 〖교육〗 남녀 공학.

géminé, e [ʒemine] *adj.* ① 〖생물〗 쌍생의. ② 한 쌍을 이루는: écoles ~*es* (하급·상급 둘로 나눈) 남녀 공학 학교. ③ 〖언어〗 중복의(= double), 이중의; 〖수사학〗 반복한: consonne ~*e* 겹〔중복〕자음. ④ 〖건축〗 (기둥·창이) 쌍을 이루는.

***gémir** [ʒemiːʀ] *v.i.* ① 신음하다, 끙끙거리다; 비명을 지르다: un malade qui *gémit* 신음하는 환자. ② 탄식하다; 한탄하다; 울먹이다: ~ de son sort 얄궂은 운명을 한탄하다. ③ (문이) 삐걱거리다; (바람 따위가) 구슬픈 소리를 내다: Le vent *gémit.* 바람이 구슬픈 소리를 낸다. ④ 고통을 겪다, 괴로워하다: ~ sous la tyrannie 학정에 시달리다.
── *v.t.* 신음 소리를 내다: ~ une prière 신음하는 목소리로 기도하다.

gémissant, e [ʒemisɑ̃, -ɑ̃ːt] *adj.* ① 신음하는, 비명을 지르는. ② 탄식〔한탄〕하는; 구슬픈: voix ~*e* 탄식의 소리. ③ 삐걱거리는.

gémissement [ʒemismɑ̃] *m.* ① 신음, 비명. ② ⓐ 탄식, 한탄. ⓑ 고통(= douleur). ③ 신음하는 듯한 구슬픈〔가냘픈〕 소리.

gemme [ʒɛm] *f.* ① 〖식물〗 눈, 싹, 맹아(萌芽); 인경(鱗莖); 〖생물〗 아체(芽體). ② 〖광물〗 (색이 있는) 보석. ③ 〖임업〗 송진.
── *adj.* 보석의, 보석 같은. ***pierre ~*** 보석. ***sel ~*** 암염(岩塩).

gemmer [ʒɛ(m)me] *v.i.* (수목이) 싹트다.
── *v.t.* (진을 받기 위해) 줄기에 금을 내다.

gémonies [ʒemɔni] *f. pl.* 〖고대로마〗 탄식의 계단《죄인의 시체 공시장》. ***traîner*** 〔***vouer***〕 qn ***aux ~*** 《구어》 …을 대중 앞에서 모욕하다〔망신시키다〕.

***gênant, e** [ʒɛnɑ̃, -ɑ̃ːt] *adj.* ① (물건이) 거북한, 거추장스러운, 방해가 되는(= embarrassant): meuble ~ 거추장스러운 가구. ② (사람·일이) 불편한, (입장이) 난처한.

gencive** [ʒɑ̃siːv] *f.* ① 〖해부〗 잇몸. ② 《구어》 턱, 이. ***en prendre (***un grand coup***) ***dans les ~s*** 턱을 호되게 얻어맞다; 《비유》 모욕을 당하다.

gendarme** [ʒɑ̃daʀm] *m.* ① 헌병; 보안대원. ② 《구어》 까다로운 사람; 《구어》 여장부, 덩치가 큰 여자. ③ 〖프랑스사〗 근위(近衛) 기병《Charles 7 세 때의》. ④ 《속어》 훈제(燻製)한 청어. ***dormir en ~ 《구어》 자는 체하며 남을 살피다. ***faire le ~*** 감독〔단속〕하다. ***sommeil de ~*** 선잠.

gendarmer (se) [səʒɑ̃daʀme] *v.pr.* ① 《se ~ contre qn 〔qc〕》 …에게〔에〕 마구 화를 내다. ② 《se ~ contre qc》 …에 반대〔항의〕하다(= protester).

gendarmerie [ʒɑ̃daʀməʀi] *f.* ① 헌병대, 헌병; 헌병대의 막사〔본부〕. ② 지방 경찰; 경찰 지서. ③ 〖프랑스사〗 근위 기병대.

gendre** [ʒɑ̃ːdʀ] *m.* 사위. ***faire d'une fille deux ~s 같은 것을 두 사람에게 약속하다.

gène [ʒɛn] *m.* 〖생물〗 유전자: ~ dominant 〔récessif〕 우성〔열성〕 유전자 / intervention sur les ~*s* 유전자 조작.

gêne** [ʒɛn] *f.* ① 거북함, 난처함; 답답함, 불편, 부자유스러움: avoir 〔sentir〕 de la ~ dans la respiration 숨쉬기가 거북하다 / 《~ à+*inf.*》 éprouver une certaine ~ *à* avaler 삼키기가 힘이 들다. ② 옹색함, 궁색함: être dans la ~ 돈에 쪼들리다 / vivre 〔être〕 dans la ~ 가난한 생활을 하다. ***être sans ~ 스스럼없다, 버릇이 없다. ***mettre*** qn ***à la ~*** 《옛·구어》 …을 고문하다; …을 매우 난처하게 만들다. ***ressentir de la ~ en la présence de*** qn …앞에서 몹시 어려워〔거북해〕 하다. ***sans ~*** 스스럼없이; 버릇없이《형용사적·명사적으로도 쓰임》: Parlez *sans* ~. 툭 터놓고 말씀하세요 / C'est un *sans* ~. 그는 스스럼없는 사람이다.

gêné, e** [ʒɛ(e)ne] *adj.* ① 거북한; 어색한; 난처한; 답답한: se sentir ~ 거북하게 느끼다, 난처하다. ② 옹색한, 돈에 궁한. ***n'être pas ~ 스스럼없다, 버릇이 없다. ***On est ~ ici.*** 여기는 사람이 많아 갑갑하다.

généalogie [ʒenealɔʒi] *f.* ① 가계 ; 혈통 ; (동식물 · 언어 등의) 계통 : faire la ~ d'une famille 한 가족의 족보를 만들다. ② 계보학, 족보학.

généalogique [ʒenealɔʒik] *adj.* 족보의, 혈통의, 계보의. ***arbre* ~** 〖생물〗 계통수(系統樹). ***livre* ~** (말 따위의) 혈통서〔대장〕.

généalogiste [ʒenealɔʒist] *m.* 계보학〔족보학〕자.

gêner** [ʒɛ(e)ne] *v.t.* ① …에게 폐를 끼치다, 방해하다 : Dites-(le-)moi si je vous *gêne.* 방해가 되거든 말씀해 주십시오 / Cela vous *gênerait*-il de+*inf.* 〔que+*sub.*〕? …해 주실 수 없습니까? …하면 폐가 될까요? / Cela vous *gênerait*-t-il que je revienne demain? 내일 또 다시 오면 폐가 될까요? / Je crains de vous ~ en m'installant chez vous. 제가 댁에 있으면 폐가 되지나 않을까 두렵습니다. ② 거북〔난처 · 답답 · 곤란〕하게 하다 : Mes souliers me *gênent.* 구두가 꼭 끼어 거북하다 / Est-ce que la fumée vous *gêne?* 담배 연기가 싫으신가요? ③ (돈에) 옹색〔궁색〕하게 하다 : C'est une dépense qui va me ~. 그렇게 돈을 쓰면 내가 곤란하겠는데. — **se** ~ *v.pr.* ① 거북하게 생각하다 ; 어렵게 여기다, 체면차리다 : Ne *vous gênez* pas. 체면 차리실 것 없습니다 / Je vais me ~! 나라면 얼씨구나 하겠네. ② 거북함〔불편함〕을 참다, 자리를 좀 죄다. ③ 궁색한 생활을 하다, 생활비를 절약하다. ④ 서로 거북하게 하다 ; 서로 방해하다. ***ne pas se* ~ *pour*+*inf. 스스럼없이〔거침없이〕 …하다 : Il *ne s'est pas gênée pour* me dire toute la vérité. 그는 조금도 망설이지 않고 내게 모든 진실을 말했다.

⁑général, e, aux [ʒeneʀal, -o] *adj.* ① 일반적인 ; 전반적인 ; 보통의 : loi ~*e* 일반 법칙 / culture ~*e* 일반 교양 / C'est une question très ~*e.* 그것은 극히 일반적인 문제다. ② 전체의, 전체에 걸친 : opinion ~*e* 통설(通說) / mobilisation ~*e* 총동원 / répétition ~*e* (무대의) 총연습 / Le rire devint ~. 웃음은 전체로 번졌다. ③ (직무의 전반을) 통괄하는, 총… : procureur ~ 검찰총장 / quartier ~ 사령부 / état-major ~ 참모본부 / secrétaire ~ 사무국장〔총장〕. ④ 막연한, 애매한 : Ce que tu dis est trop ~. 네가 말하는 것은 너무 막연하다. ⑤ (병 따위가) 전신성의 : paralysie ~*e* 전신마비. ***d'une façon* ~*e*** 일반적으로, 대체로, 보통. ***en règle* ~*e*** 통칙적으로, 보통.

— *m.* ① 일반, 보편. ② 장군 : ~ de corps d'armée 육군 중장, 군단장 / ~ de brigade 육군 준장, 여단장 / ~ de division 육군 소장, 사단장 / ~ d'armée (et commandant en chef) 육군 대장. ③ (예수회 · 도미니크회의) 총회장. ***en* ~** ⓐ 일반적으로 ; 보통 : *En* ~, ils passent leurs vacances dans leur maison de campagne. 보통, 그들은 바캉스를 시골 별장에서 보낸다. ⓑ 일반의〔적으로〕 : l'homme *en* ~ 인간 일반.

— *f.* ① 장군 부인 ; 〖종교〗 여자 교구장. ② 〖군사〗 비상 신호《목소리 · 나팔소리 따위》 : battre 〔sonner〕 la ~*e* 비상 신호를 울리다. ③ 〖연극〗 (공연 직전의) 리허설, 총연습. ***faire la* ~*e*** 《속어》 (카드놀이에서) 항상 이기다.

***généralement** [ʒeneʀalmɑ̃] *adv.* ① 널리, 전반적으로 : opinion ~ acceptée 널리 받아들여지고 있는 의견. ② 일반적으로, 보통 : homme ~ estimé 일반 사람들로부터 존경을 받고 있는 사람. ③ 대체로 : ~ parlant 대체로 말해서.

généralisable [ʒeneʀalizabl] *adj.* 일반화〔보편화〕할 수 있는.

généralisateur, trice [ʒeneʀalizatœːʀ, -tʀis] *adj.* et *n.* 일반화〔총괄 · 개괄〕하는 (사람) ; 개념을 만드는 (사람).

généralisation [ʒeneʀalizɑsjɔ̃] *f.* ① 일반화, 보편화 ; 보급. ② 〖철학〗 종합, 개괄.

***généraliser** [ʒeneʀalize] *v.t.* ① 일반화하다 : ~ un cas particulier 어떤 특수한 케이스를 일반화하다. ② 확대하다, 보편화하다 ; (사상 따위를) 보급시키다(= répandre) : ~ une idée 어떤 사상을 보급시키다. — **se** ~ *v.pr.* ① 번지다, 만연하다 : La crise va *se* ~. 위기가 번지고 있다. ② (병이) 전신에 퍼지다 : L'épidémie *s'est généralisée.* 전염병이 널리 퍼졌다.

généralissime [ʒeneʀalisim] *m.* 대원수(大元帥), 총사령관, 총통.

généraliste [ʒeneʀalist] *adj.* 〖의학〗 종합 의학의 : médecin ~ (전문의에 대해) 일반 의사, 일반 개업 의사. — *n.* 일반 (개업) 의사.

généralité** [ʒeneʀalite] *f.* ① 일반성, 보편성 ; (*pl.*) 일반론, 총론, 개론 ; 개요. ② 대부분, 대다수, 태반. ***dans la* ~ *des cas 대개의 경우. ***s'en tenir à des* ~*s*** 일반론에 그치다. ***la* ~ *des hommes*** 대다수의 사람들.

générateur, trice [ʒeneʀatœːʀ, -tʀis] *adj.* ① 생식(生殖)의, 아이〔새끼〕를 낳는 : faculté ~*trice* 생식 능력. ② 《~ de》 …을 발생시키는, 일으키는 : ambiance ~*trice de* crime 범죄를 발생시키는 환경. ③ 발전(發電)하는 ; 기본이 되는 : son ~ 〖음악〗 기초음 / station 〔usine〕 ~*trice* 〖전기〗 발전소. — *m.* 〖기계〗 증기기관(= chaudière ~*trice*). — *n.* 〖전기〗 ~ 〔~*trice*〕 de courant 발전기. — *f.* 〖수학〗 모선(母線)(= ligne ~*trice*).

génératif, ive [ʒeneʀatif, -iːv] *adj.* ① 〖생물〗 생식의. ② 〖언어〗 생성의 : grammaire ~*ive* 생성 문법.

génération** [ʒeneʀɑsjɔ̃] *f.* ① 생식(生殖) : organes de la ~ 생식기(器) / ~ sexuée 〔asexuée〕 유성〔무성〕 생식. ② 형성, 생성 : ~ des mots 말의 생성. ③ (혈통의) 대(代) ; 자손 ; 세대 ; 시대 ; 같은 시대 사람들 : descendant à la sixième ~, 6 대째의 자손 / ~ actuelle 〔présente〕 현대인, 당대(當代) 사람들, 현세대 / jeune ~ ; ~ qui monte 젊은 세대, 청소년들. ④ 〖기술〗 발전 단계〔기, 세대〕 : ordinateur de la cinquième ~ 제 5 세대 컴퓨터. ***de* ~ *en* ~** 세세손손(世世孫孫), 대대로. **~ *spontanée 자연 발생.

généreusement [ʒeneʀøzmɑ̃] *adv.* ① 넉넉히, 후하게 : récompenser qn ~ …에게 후하게 보상하다. ② 너그럽게, 관대하게 : se conduire ~ envers ses ennemis 적에게 관대하게 대하다.

***généreux, euse** [ʒeneʀø, -øːz] *adj.* ① 너

그러운, 관대한, 후한 ; 활수(滑手)한 : cœur ~ 너그러운 마음 / gens ~ 인심이 후한 사람들. ② 고매한, 고결한 ; 의협심이 강한 : actes ~ 고결한 행동. ③ (토지가) 비옥한, 기름진(= fertile) ; 풍만한 ; 양질의 : terre *~euse* 비옥한 땅 / poitrine 〔gorge〕 *~euse* 풍만한 젖가슴 / repas ~ 푸짐한 식사.
── *n.* 관대한〔너그러운〕 사람 : faire le ~ 관대한 체하다, 대범하게 굴다.

générique [ʒeneʀik] *adj.* 〖생물〗 속(屬)의, 한 종류에 특유한 ; 〖언어〗 총칭적인 : terme ~ 종속명(名). ── *m.* 영화 첫머리의 자막 《감독 · 배역 · 제작자 등을 알림》.

générosité [ʒeneʀozite] *f.* ① 너그러움, 아량 ; 후함, 활수(滑手)함. ② (*pl.*) 시여(施與) ; 하사(下賜)(품) ; 증여품(= bienfait, don) ; 혜택. ③ 풍요함, 비옥. ***avec ~*** 관대하게.

genèse [ʒ(ə)nɛːz] *f.* ① 〖생물〗 발생. ② 《비유》 기원, 유래 ; 생성, 형성. ③ (*G~*) 〖성서〗 창세기 ; 개벽(설)(開闢(說)).

-génèse, -genèse *suff.* 「생성 · 형성 · 산출」의 뜻.

génésique [ʒenezik] *adj.* 〖생물〗 생식〔번식〕의〔에 관한〕 : instinct ~ 생식 본능.

genêt [ʒ(ə)nɛ] *m.* 〖식물〗 금작화.

généticien, enne [ʒenetisjɛ̃, -ɛn] *n.* 유전 학자.

génétique [ʒenetik] *adj.* ① 기원의, (생성) 과정의. ② 〖철학〗 발생론적인. ③ 〖생물〗 유전적인 ; 유전자의 : génie ~ 유전자공학 / information ~ 유전 정보. ── *f.* 유전학.

genette [ʒ(ə)nɛt] *f.* 〖동물〗 사향고양이.

gêneur, euse [ʒɛnœːʀ, -øːz] *n.* 말썽꾸러기 ; 훼방꾼, 방해자(= importun).

genevois, e [ʒə〔ɛ〕nvwa, -aːz] *adj.* 제네바의. ── **G~** *n.* 제네바 사람.

***génial, e, aux** [ʒenjal, -o] *adj.* ① 재능 있는, 천재적인 : artiste ~ 천재적인 예술가. ② 멋진, 기막힌, 뛰어난 : idée *~e* 기막힌 착상 / film ~ 훌륭한 영화.

génialement [ʒenjalmɑ̃] *adv.* 독창적으로 ; 멋지게.

génie** [ʒeni] *m.* ① 신, 수호신 ; 정령(精靈), 요정(妖精)(= esprit) ; 상징, 구현 : ~ des bois 숲의 정령 / ~ de la liberté 자유의 신 / ~ tutélaire 수호신. ② 재능, 재간, 천분, 소질 : 《le ~ de》 *le ~ de* la langue 타고난 언어 능력 / avoir *le ~ de* qc …에 대한 재간이 있다. ③ 천재 ; 천재성 : ~ de Napoléon 나폴레옹의 천재성 / avoir du ~ 천재적인 데가 있다 / ~ méconnu 알려지지 않은 천재. ④ 특성, 특징, 진수(眞髓), 정수 : le ~ du christianisme 기독교의 정수. ⑤ 〖군사〗 공병(대) (= ~ militaire) : officier du ~ 공병 장교. ⑥ 공학 ; 축성학(築城學) : ~ civil 토목 공학 ; 《집합적》 토목 기사 / ~ maritime 선박 공학 ; 《집합적》 선박 기사 / ~ informatique 컴퓨터 공학 / ~ génétique 유전자 공학. ***Ce n'est pas un ~. 《구어》 그 자는 아주 평범하다. ***de ~*** 독창적인 ; 천재적인 : homme *de ~* 천재 / peintre *de ~* 천재적인 화가 / découverte *de ~* 기발한 발견. ***le bon*** 〔***mauvais***〕 ***~*** 좋은〔나쁜〕 영향을 주는 사람. ***pauvre ~*** 빈약한 두뇌, 우둔한 사람. ***suivre son ~*** 천분을 기르다〔살리다〕.

-génie *suff.* 「탄생 · 형성 · 출산」의 뜻.

genièvre [ʒ(ə)njɛːvʀ] *m.* ① 《구어》 〖식물〗 노간주나무(= genévrier) ; 그 열매. ② 노간주나무 열매로 담근 술, 진(= gin).

génisse [ʒenis] *f.* (아직 새끼를 낳지 않은) 암소.

génital, e, aux [ʒenital, o] *adj.* 생식의 : organes *~aux* 생식기 / vie *~e* 성생활.

géniteur, trice [ʒenitœːʀ, -tʀis] *adj.* 낳는, 생식하는. ── *n.* 《구어》 부, 모 : nos *~s* 양친. ── *m.* 번식용 수컷, 종축(種畜).

génitif [ʒenitif] *m.* 〖언어〗 (라틴어 따위의 격변화어가 갖는) 제 2 격, 속격(屬格).

génito- 「생식」의 뜻.

génocide [ʒenɔsid] *m.* (인종 · 민족 따위의) 계획적 집단 학살 ; 나치 독일의 유대 민족 말살 계획 ; (공해에 의한) 인간 살육.

génois, e [ʒenwa, -aːz] *adj.* 제노바(*Gênes*)의. ── **G~** *n.* 제노바 사람. ── *m.* 제노바 사투리. ── *f.* 제노바 과자.

génome [ʒenoːm] *m.* 〖생물〗 게놈 : le ~ humain 인간 게놈.

‡genou [ʒ(ə)nu] *m.* (*pl.* ***~x***) ① 무릎 ; 《구어》 대머리 : s'enfoncer dans la neige jusqu'au(x) ~(*x*) 무릎까지 눈 속에 빠지다 / Elle a pris l'enfant sur ses *~x*. 그녀는 아이를 무릎에 올려놓았다 / se mettre à *~x* 무릎을 꿇다. ② 〖기계〗 너클이음, 토글 조인트. ***A ~x !*** 무릎 꿇어! ***couper comme un ~*** 《구어》 (칼 따위가) 들지 않다. ***être aux ~x de*** qn …에게 무릎을 꿇고 감사하다〔빌다〕 ; …에게 절대 복종하다. ***être sur les ~x*** 몹시 지쳐 있다. ***faire du ~ à*** qn (테이블 밑에서) 무릎을 살짝 남의 다리에 갖다 대다 ; 제 무릎으로 …의 무릎을 몰래 쳐서 신호하다. ***fléchir*** 〔***plier, ployer***〕 ***le***(***s***) ***~***(***x***) ***devant*** qn …의 앞에 엎드리다 ; …에게 굴복하다 ; …을 예찬하다. ***~***(***x***) ***creux*** 《속어》 게으름쟁이. ***mettre un ~ en terre*** 한쪽 무릎을 꿇다. ***tomber aux ~x de*** qn …을 찬양〔추종〕하다.

genouillère [ʒ(ə)nujɛːʀ] *f.* (갑옷의) 정강이받이 ; 〖스포츠〗 (하키 따위의 골키퍼의) 무릎싸개 ; (장화의) 무릎 닿는 부분.

‡genre [ʒɑ̃ːʀ] *m.* ① (동식물의) 종류(= espèce) ; 〖철학〗 유(類), 유개념 ; 〖생물〗 속(屬) : le ~ humain 인류. ② 《막연히》 종류(= sorte, espèce) : ce ~ de chapeau 이런 종류의 모자 / marchandise de tout ~ 온갖 종류의 상품 / Quel ~ de livres aimez-vous? 어떤 종류의 책을 좋아하십니까? ③ (문학 · 미술 따위의) 장르 ; 양식 ; 유형 : ~ dramatique 연극 장르 / peinture de ~ 풍속화 / ~ gothique 고딕 양식. ④ ⓐ 방식, 수법 ; (행동의) 양식 : ~ de vie 생활방식 / peindre dans le ~ de Matisse 마티스풍(風)으로 그림을 그리다. ⓑ 풍채 ; 스타일풍 ; 태도(= façon), 예의 : le ~ artiste 예술가풍 / avoir (un) bon 〔mauvais〕 ~ 예의 바르다〔바르지 못하다〕. ⑤ 취미, 취향 : Ce n'est pas mon ~. 내 취향에 맞지 않는다 ; 나는 그것을 좋아하지 않는다. ⑥ 〖언어〗 성(性) : accord en ~ 성의 일치. ***C'est*** (***d'un***) ***bon*** 〔***mauvais***〕 ***~.*** 좋은〔나쁜〕 형이다 ; 좋은〔나쁜〕 취미이다. ***C'est*** 〔***Ce n'est pas***〕 ***son ~ de***+*inf.* …하는 것은 그의 방식〔습관〕이다

〔아니다〕. ***Ce n'est pas son ~ d'être en retard.*** 그는 평소에 늦는 법이 없다. ***dans*** 〔***en***〕 ***son ~*** 그 분야에서 ; 그 나름의 : unique *en son* ~ 그 분야에서 유일한 / *Dans son* ~, il a du charme ~. 나름대로 그는 매력이 있다. ***faire*** 〔***se donner***〕 ***du ~*** (짐짓) 점잔부리다 ; 잘난 체하다.

gens** [ʒɑ̃] *m.*(*f.*) *pl.* 《바로 앞의 형용사는 여성형 : toutes ces bonnes ~ ; 그러나 남·녀 동형인 형용사는 남성형으로 씀 : tous ces pauvres ~ ; quelques, plusieurs, 수형용사 다음에는 쓰이지 않음》 ① 사람들 ; 《일반적》 인간 : beaucoup de ~ 많은 사람들 / bonnes ~ 선량한 사람들 / ~ de théâtre 연극인 / jeunes ~ 청년들 / peu de ~ 소수의 사람들 / la plupart des ~ 대부분의 사람들 / les bêtes et les ~ 짐승과 인간. ② 하인(= ~ de maison) ; 종자(從者), 수행원 ; 부하 : un grand seigneur et ses ~ 영주와 그 하인들. ③ 《~ de+무관사명사》 …(직업의) 사람 : ~ *de* lettres 문인 / ~ *de* guerre 군인 / ~ *d'* affaires 사업가 / ~ *de* robe 법조인. ***à la barbe des ~ 사람들 앞에서, 면전에서. ***des ~ bien*** 〔***comme il faut***〕 행실이 점잖은〔훌륭한〕 사람. ***Vous vous moquez des ~.*** 웃기지 마시오, 당치도 않은 소리 마시오.

gent [ʒɑ̃] *f.* ① 《옛》 민족, 종족. ② 패거리.

gentiane [ʒɑ̃sjan] *f.* 〖식물〗 용담속(屬) ; 용담속의 뿌리로 만든 술.

gentil¹, ille** [ʒɑ̃ti, -ij] *adj.* ① 귀여운, 얌전한, 예쁜 : *~ille* robe 예쁜 옷 / ~ enfant 귀여운 어린애. ② (성격이) 상냥한, 친절한 ; 너그러운 : être ~ avec 〔pour〕 qn …에게 친절하다 / *~ille* attention 친절한 배려〔관심〕. ③ (어린이가) 착한, 얌전한, 말 잘 듣는(= sage, obeissant) : Les enfants sont restés bien *~s* toute la journée. 아이들은 온종일 얌전히 지냈다. ④ (사물이) 아담한, 앙증맞은 : C'est ~ chez vous. 당신 집은 아담하군요. ⑤ 상당한, 적지 않은(= considerable, coquet) : Il en coûte la *~ille* somme de mille francs. 1,000 프랑이란 적지 않은 돈이 든다. ***Ce qui est ~ à voir, c'est... …은 보기에도 흐뭇한 광경이다. ***C'est ~ à vous de***+*inf.* …해 주셔서 정말 고맙습니다.
── *n.* 상냥〔친절〕한 사람. ***faire le ~*** 〔***la ~ille***〕 상냥한 체하다 ; 남의 비위를 맞추려고 하다.

gentil² [ʒɑ̃ti] *m.* (기독교도의 입장에서) 이교도 ; (히브리 사람의 입장에서) 이방인. ***Apôtre des ~s*** 성(聖)바오로(Saint Paul). ── *adj.* (*f.* ***gentile*** [ʒɑ̃til]) 이방인의.

gentilhomme [ʒɑ̃tijɔm] *m.* (*pl.* ***gentilshommes*** [ʒɑ̃tizɔm]) ① 귀족(= noble ; ≠ bourgeois). ② 신사, 교양 있는 사람 : agir 〔se conduire〕 en ~ 신사로서 행동하다. ***Foi de ~ !*** 귀족의 명예를 걸고 !

gentilhommière [ʒɑ̃tijɔmjɛːʀ] *f.* 귀족의 시골 저택, (시골의) 작은 성(= manoir).
── *adj.* 귀족(특유)의.

gentillesse [ʒɑ̃tijɛs] *f.* ① (아이가) 귀여움. ② 상냥함 ; 친절, 호의 : Je vous remercie de votre ~. 당신의 친절에 감사합니다. ③ (*pl.*) 친절한〔귀여운〕 언동, 재치 있는 언동. ④ 《반어적》 《비꼼》 악담, 비방(= injure). ***Auriez-vous la ~ de***+*inf.* ***... ?*** …해주시면 감사하겠습니다, …해 주실 수 없을까요 ?

gentillet, ette [ʒɑ̃tijɛ, -ɛt] *adj.* ① 귀여운, 사랑스러운. ② 《경멸》 그저 그런, 별 내용이 없는 : roman ~ 그저 그런 소설.

gentiment [ʒɑ̃timɑ̃] *adv.* 귀엽게 ; 상냥하게, 친절하게 ; 얌전하게 ; 온순히 : Vous voilà ~ arrangé. 참 근사한데《괴상한 모습을 한 사람에 대한 비웃음·농담》.

gentleman [dʒɛntləman] 〔영〕 *m.* (*pl.* ***-men*** [-mɛn]) 신사.

génuflexion [ʒenyflɛksjɔ̃] *f.* ① (예배 또는 존경·복종의 표시로) 무릎 꿇기. ② (*pl.*) 《문어》 추종, 아첨.

géo [ʒeo] *f.* 《구어》 지리(학) : prof. de ~ 지리교수.

géo- *préf.* 「땅·지구」의 뜻.

géodésie [ʒeɔdezi] *f.* 측지학(測地學), 삼각측량.

géodésique [ʒeɔdezik] *adj.* 측지(학)의, 삼각 측량의. ***point ~*** 〖측량〗 삼각점. ── *m.* 〖수학·물리〗 측지선(線)(= ligne ~).

géographe [ʒeɔgʀaf] *n.* 지리학자. ── *adj.* ingénieur ~ 측량 기사 ; 지도 제작사.

***géographie** [ʒeɔgʀafi] *f.* ① 지리(학) : ~ humaine 〔physique〕 인문〔자연〕 지리(학) / carte ~ 지도. ② 지리책, 지지(地誌).

***géographique** [ʒeɔgʀafik] *adj.* 지리학적인 ; 지리상의 : carte ~ 지도 / Institut ~ national 국립 지리 연구원.

géographiquement [ʒeɔgʀafikmɑ̃] *adv.* 지리학적으로, 지리학상.

geôle [ʒoːl] *f.* ① 《옛》 옥(獄), 감옥(= cachot, prison). ② 간수의 집 ; 간수의 막사.

geôlier, ière [ʒolje, -ɛːʀ] *m.* ① 감옥지기, 간수(= gardien). ② 감시자.

géologie [ʒeɔlɔʒi] *f.* 지질학 ; (어떤 지역의) 지질 구조.

géologique [ʒeɔlɔʒik] *adj.* 지질학적인, 지질학상의.

géologue [ʒeɔlɔg] *m.* 지질학자.

géomètre [ʒeɔmɛtʀ] *m.* ① 기하학자. ② 측량기사. ── *adj.* arpenteur ~ 측량기사.

géométrie** [ʒeɔmetʀi] *f.* ① 기하(학) : ~ analytique 해석 기하 / ~ dans l'espace 〔à trois dimensions〕 입체 기하 / ~ descriptive 도형 기하 / ~ plane 평면 기하. ② 기하학서(書). ③ 《옛》 수학. ④ 기하학적 구조 : bonne ~ (원자로의) 기하학적 배치. ***avion à ~ variable 가변익(可變翼) 비행기(= avion à ailes 〔forme〕 variable(s)).

***géométrique** [ʒeɔmetʀik] *adj.* ① 기하(학)의, 기하학적인. ② 정연한 ; 정확한.

géométriquement [ʒeɔmetʀikmɑ̃] *adv.* 기하학적으로 ; 정확하게, 엄밀하게.

géomorphologie [ʒeɔmɔʀfɔlɔʒi] *f.* 지형학.

géophysicien, enne [ʒeɔfizisjɛ̃, -ɛn] *n.* 지구물리학자.

géophysique [ʒeɔfizik] *f.* et *adj.* 지구물리학(의) : année ~ 지구 관측년.

géorgique [ʒeɔʀʒik] *adj.* 농사〔농업〕의, 전원의. ── *f. pl.* 전원시.

géostationnaire [ʒeɔstasjɔnɛːʀ] *adj.* 정지 궤도상의 : satellite de télécommunication ~ 정지 통신 위성.

gérance [ʒeʀɑ̃ːs] *f.* ① 관리 ; 관리 기관. ② 관리인의 직책〔임기〕 : être chargé de la ~ 관리직을 맡다. ③ 관리〔위탁〕 기간.

***géranium** [ʒeʀanjɔm] *m.* ① 〖식물〗 쥐손이풀속(屬) 식물. ② 〖원예〗 제라늄, 양아욱.

***gérant, e** [ʒeʀɑ̃, -ɑ̃:t] *n.* 관리인, 지배인 ; 업무 집행인 ; (회사의) 전무이사 : ~ de l'hôtel 호텔 지배인 / ~ d'une succursale 지점장. — *adj.* 관리하는 : rédacteur ~ (신문 따위의) 편집장.

gerbe [ʒɛʀb] *f.* ① 묶음, 다발, 단(= botte) : ~ de fleurs 꽃다발 / mettre du blé en ~s 밀을 다발로 묶다. ② (분수 · 불꽃 따위가 모여서 이루는) 다발 모양의 것 : ~ d'eau 분수, 물기둥 / ~ d'étincelles 다발을 이룬 꽃불. ***en ~*** 떼를 지어서. ***une ~ de*** (같은 것의) 떼, 집합 : *une ~ de* colonnes 수많은 기둥들.

gerbier [ʒɛʀbje] *m.* ① (밀짚 따위의) 쌓아올린 더미, 낟가리(= meule). ② 헛간, 광.

gerboise [ʒɛʀbwa:z] *f.* 〖동물〗 (아라비아 · 아프리카 사막 지방의) 쥐의 일종.

gercer [ʒɛʀse] *v.t.* ① (목재 · 지면 따위에) 금가게 하다, 갈라지게 하다. ② (피부를) 트게 하다 : lèvres *gercées* 튼 입술 / froid vif qui *gerce* les mains 손을 트게 하는 강추위. — *v.i.* ① 금이 가다, 터지다, 갈라지다. ② (피부가) 트다. — **se ~** *v.pr.* 금이 가다, 갈라지다 ; (피부가) 트다.

gerçure [ʒɛʀsy:ʀ] *f.* ① (피부의) 튼 데. ② 터져 생긴 금, 갈라진 데, 균열.

***gérer** [ʒeʀe] [6] *v.t.* ① (위탁에 의해) 관리하다(= administrer). ② 경영하다 : bien 〔mal〕 ~ qc …을 잘〔잘못〕 관리하다 : Il a mal *géré* ses affaires. 그는 자기의 사업 관리를〔경영을〕 잘못했다. — **se ~** *v.pr.* ① 관리되다 ; 경영되다. ② 〖법률〗 *se ~* créancier 채권자가 되다.

gerfaut [ʒɛʀfo] *m.* 〖조류〗 큰매.

gériatre [ʒeʀjatʀ] *n.* 〖의학〗 노인병 전문의.

gériatrie [ʒeʀjatʀi] *f.* 〖의학〗 노인병학.

gériatrique [ʒeʀjatʀik] *adj.* 노인병학의.

germain, e¹ [ʒɛʀmɛ̃, -ɛn] *adj.* ① (형제 · 자매가) 같은 부모에서 난 : frère ~ 친형제. ② 어버이끼리 형제〔자매〕간인 : cousin(e) ~(*e*) 사촌 형제. ③ 《문어》 닮은, 가까운 관계의. — *m.* 〖법률〗 친형제, 친자매 ; 사촌. ***cousins issus de ~(s)*** 육촌.

germain, e² *adj.* 〖역사〗 게르마니아 (*la Germanie*)의 ; 게르만 민족의. — **G~** *n.* 게르만 사람.

germanique [ʒɛʀmanik] *adj.* 〖역사〗 ① 게르만의. ② 독일식의 ; 게르만 사람〔말〕의. — *m.* 게르만어(語).

germanisation [ʒɛʀmanizɑsjɔ̃] *f.* 게르만화, 독일화.

germaniser [ʒɛʀmanize] *v.t.* ① 게르만화〔독일화〕하다. ② 독일의 지배 아래 두다. — **se ~** *v.pr.* 게르만풍〔독일풍〕으로 되다.

germanisme [ʒɛʀmanism] *m.* 독일어 특유〔고유〕의 어법 ; 독일어 어법에서의 차용.

germaniste [ʒɛʀmanist] *n.* 게르만 연구가 ; 독일어〔문학 · 문화〕학자.

german(o)- *préf.* 「독일 (사람)」의 뜻.

germe [ʒɛʀm] *m.* ① 〖생물〗 배(胚), 배아(胚芽), 배자(胚子), 배종(胚種) ; 싹 : pousser des ~s 싹이 트다 / œuf sans ~ 무정란(無精卵). ② (병 따위의) 싹틈 ; 근원 ; 기원 ; 원인 : ~ de vie 〔de mort, de maladie〕 삶〔죽음 · 병〕의 근원〔원인〕. ③ 〖의학〗 세균, 바이러스, 미생물 : porteur de ~ 보균자. ***étouffer une rébellion dans son ~*** 반란을 미연에 방지하다.

germer [ʒɛʀme] *v.i.* ① (종자 · 식물이) 싹〔움〕트다. ② (감정 따위가) 생기다, 싹트다(= se former). — *v.t.* 싹트게 하다, 발아시키다 : faire ~ de l'orge 보리를 싹트게 하다.

germinal¹**, e, aux** [ʒɛʀminal, -o] *adj.* 〖생물〗 씨눈의, 배아의 ; 생식의 : cellule ~*e* 생식 세포 / feuille ~*e* 떡잎.

germinal² [ʒɛʀminal] *m.* 〖프랑스사〗 파종의 달, 아월(芽月), 프랑스 공화력의 제 7 월 《3 월 21〔22〕 일–4 월 18〔19〕 일》.

germinatif, ive [ʒɛʀminatif, -i:v] *adj.* ① 〖식물〗 발아(發芽)의, 발아시키는. ② 〖생물〗 생식질의 : pouvoir ~ 발아력 / plasma ~ 배원질(胚原質), 생식질.

germination [ʒɛʀminɑsjɔ̃] *f.* 발아(發芽) ; 싹틈, 발생 : ~ des idées 사상의 발생.

gérondif [ʒeʀɔ̃dif] *m.* 〖언어〗 ① (라틴어의) 동사형 명사. ② (프랑스어의) 제롱디프《현재분사 앞에 en 을 붙인 형태》.

géront(o)- *préf.* 「노인 · 노년」의 뜻.

gérontocratie [ʒeʀɔ̃tɔkʀasi] *f.* 노인 정치〔정부 · 지배〕.

gérontologie [ʒeʀɔ̃tɔlɔʒi] *f.* 노인병학 ; 노년학.

gérontologue [ʒeʀɔ̃tɔlɔg] *n.* 노인학자.

gésier [ʒezje] *m.* ① (새의) 모래주머니, 사낭(砂囊). ② 《속어》 밥통, 위(= ventre).

gésir [ʒezi:ʀ] *v.i.* 《다음 형태로만 쓰임 : 직설법 현재 Je *gis*, tu *gis*, il *gît*, nous *gisons*, vous *gisez*, ils *gisent* ; 반과거 Je *gisais*, tu *gisais*, il *gisait*, nous *gisions*, vous *gisiez*, ils *gisaient* ; 현재분사 *gisant*.》 ① 누워 있다 : Il *gît* sur son lit. 그는 침대에 누워 있다. ② 있다, 존재하다 ; (광물 따위가) 묻혀 있다, 매장되어 있다. ③ (어려움 따위가) 가로놓여 있다. ***C'est là que gît le lièvre*** 〔***la difficulté***〕. 그것이 바로 문제의 핵심이다, 어려움은 바로 그것이다. ***Ci-gît... ; Ci-gisent...*** …이 여기에 잠들다《묘비명》.

gestapo [gɛstapo] 〔독일〕 *f.* (나치스 독일의) 비밀 경찰, 게슈타포.

gestation [ʒɛstɑsjɔ̃] *f.* ① 〖생리〗 잉태〔임신〕 (기간). ② (작품 따위의) 구상, 준비 작업 ; œuvre en ~ 구상 중인 작품 / ~ d'un poème 시의 준비 과정.

geste**¹ [ʒɛst] *m.* ① 손짓, 몸짓, 제스처 : s'exprimer par ~s 몸짓으로 표현하다 / langage par ~s 수화(手話) / faire un ~ de protestation 항의의 몸짓을 하다. ② 동작, 행위, 태도 : ~ d'autorité 권위적인 행동 / avoir le ~ noble 태도가 고상하다. ***avoir le ~ large 관대하다. ***faire un ~*** 착하게〔관대하게〕 행동하다. ***n'avoir qu'un ~ à faire pour*** qc 《구어》 …을 쉽사리 얻을 수 있다. ***ne pas faire un ~*** 꼼짝하지 않다. 전혀 움직이지 않다.

geste² *f.* 〖중세문학〗 무훈시(= chanson de ~). — *m.*〔*f.*〕 《옛》 위업, 공훈, 공적. ***les faits et ~s de*** qn …의 모든 행동 : La police interrogea le prévenu sur *ses faits et ~s.* 경찰은 피의자에게 그의 행동의 자초지종을 심문하였다.

gesticulation [ʒɛstikylasjɔ̃] *f.* ① 손짓, 몸짓. ② 〖군사〗 무력시위.

***gesticuler** [ʒɛstikyle] *v.i.* (말하며) 손짓〔몸짓〕하다 : Il *gesticule* en parlant. 그는 말하면서 제스처를 크게 한다.

gestion [ʒɛstjɔ̃] *f.* ① 관리, 경영, 운영 : ~ d'affaires 사무 관리 / avoir une bonne ~ d'une société 회사를 잘 운영하다. ② 관리 기간 ; 업무 집행.

gestionnaire [ʒɛstjɔnɛːʀ] *adj.* 관리에 관한 ; 관리인에 의한. ── *m.* 관리자, 지배인.

gestuel, elle [ʒɛstɥɛl] *adj.* 몸짓〔손짓〕의.

geyser [ʒɛ(j)zɛːʀ] 〔영〕 *m.* 〖지질〗 간헐 분출(間歇噴出) 온천 ; 큰 분수.

ghanéen, enne [ganeɛ̃, -ɛn] 〖지리〗 *adj.* 가나(*le Ghana*)의. ── **G~** *n.* 가나 사람.

ghetto [gɛ〔e〕to] *m.* ① 〖역사〗 (중세기 이탈리아의) 유대인 지구〔거류지〕. ② 《경멸》 유대인 거리. ③ 격리된 집단(의 거주 지구), 특수 부락 : ~*s* noirs 흑인가. 「원숭이.

gibbon [ʒibbɔ̃] *m.* 〖동물〗 (말레이산) 긴팔

gibbosité [ʒi(b)bozite] *f.* ① 혹(= bosse) ; 융기(隆起). ② 〖의학〗 척추 후만(脊椎後彎).

gibecière [ʒibsjɛːʀ] *f.* ① (양치는 목자의) 가죽 가방. ② (멜빵이 달린) 학생 가방. ③ 사냥 구럭 ; 고기잡이 망태기.

gibelotte [ʒiblɔt] *f.* 〖요리〗 백포도주를 넣은 토끼고기 프리카세.

gibet [ʒibe] *m.* 교수대 ; 형장(刑場) ; 〖종교〗 십자가 : envoyer un criminel au ~ 죄인을 처형하다 / ~ du Christ 그리스도의 십자가.

gibier** [ʒibje] *m.* ① 《집합적》 사냥감, 불치, 매치 ; 사냥감의 고기 : ~ à plume 새 / ~ à poil 짐승 / gros 〔menu〕 ~ 큰〔작은〕 불치 / poursuivre le ~ 사냥감을 추적하다 / manger du ~ 불치고기를 먹다. ② 《비유》 이용당할 사람, 봉. ***du ~ de cour d'assises 품행이 좋지 않은 인간. ***~ de potence*** 〔***galère, grève***〕 (교수형에 처할 만한) 악당.

giboulée [ʒibule] *f.* (우박・눈이 섞인) 소나기(= averse, ondée).

giboyeux, euse [ʒibwajœ, -øːz] *adj.* 사냥감이 많은 : plaine 〔forêt, région〕 ~*euse* 사냥감이 많은 벌판〔숲・고장〕.

gibus [ʒibys] *m.* 오페라 모자(= chapeau ~).

giclée [ʒikle] *f.* ① (물・피 따위의) 분출. ② (기관총의) 집중 사격.

giclement [ʒikləmɑ̃] *m.* ① (진창 따위가) 튀기. ② (피 따위가) 뿜어 나오기, 분출.

gicler [ʒikle] *v.i.* ① (물・피 따위가) 분출하다, 뿜어 나오다. ② (진창 따위가) 튀다. ③ 《문어》 (빛 따위가) 반사하다. ***~ des mirettes*** 《구어》 울다.

gicleur [ʒiklœːʀ] *m.* 〖자동차〗 (기화기의) 노즐, 분무관(噴霧管).

***gifle** [ʒifl] *f.* ① 따귀치기, 빰 때리기 : donner 〔flanquer〕 une ~ à qn …의 빰을 때리다. ② 모욕(= affront), 굴욕 : Cette défaite était une vraie ~ pour lui. 이 패배는 그에게 참을 수 없는 모욕이었다.

gifler [ʒifle] *v.t.* ① …의 빰을 때리다 ; 모욕하다 ; ~ un enfant 아이의 빰을 때리다. ② (비・바람 따위가) 후려치다. ③ 모욕하다.

giga- *pref.* 「10 억(배)」의 뜻《기호 G》.

***gigantesque** [ʒigɑ̃tɛsk] *adj.* ① 거인 같은 (= grand, colossal), 거대한(= énorme) : arbre ~ 거목. ② 터무니없는, 엄청난 : erreur ~ 엄청난 과오. ── *m.* 거대한 것.

gigantisme [ʒigɑ̃tism] *m.* ① (생체 조직의) 이상 비대(肥大) ; 〖의학〗 기형적 발육, 거인증(症) : ~ constitutionnel 선천적으로 큰 키. ② (기업・도시의) 이상 비대 현상.

gigogne [ʒigɔɲ] *f.* Madame (la mère) *G~* 지고뉴 아줌마《치마 밑에서 많은 아이들이 나오는 인형극의 인물》. ── *adj.* 다단식의 ; 한 벌〔한 동아리〕의 : meuble 〔table〕 ~ 차례로 포개져 들어가는 조립식 가구〔테이블〕 / vaisseau ~ 항공 모함.

gigolo [ʒigɔlo] *m.* 여자에게 얹혀 사는 정부, 기둥서방. ── *adj.* 훌륭한, 근사한, 멋진.

***gigot** [ʒigo] *m.* ① (양 따위의) 넓적다리 고기. ② 《구어》 (사람의) 넓적다리. ③ (여성복의) 소매에서 어깨 쪽의 부푼 부분 : manches à ~ ; des manches ~ (여성복의) 어깨쪽은 부풀고 팔꿈치 쪽부터 좁아진 소매.

gigoter [ʒigɔte] *v.i.* ① (토끼가 죽을 때) 다리를 떨다. ② 손발을 흔들다, 온 몸을 떨다 : Cet enfant ne fait que ~. 이 아이는 계속 손발을 흔들고 있다. ③ 격렬하게 춤추다.

gigue[1] [ʒig] *f.* 《구어》 다리 ; (식용으로 하는 사슴 따위의) 넓적다리. ***grande ~*** 《구어》 키 크고 마른 처녀.

gigue[2] *f.* 지그댄스《선원들 사이에 유행하는 빠른 템포의 춤》 ; 지그곡(曲) : danser la ~ 몸을 요란스럽게 흔들며 춤추다.

gilet** [ʒilɛ] *m.* ① (소매 없는) 조끼, 동의(胴衣) : ~ pare-balles 방탄조끼. ② 속옷, 내의 : ~ de coton 면내의. ③ 가디건 (= cardigan). ***~ d'armes (검술의) 방어용 조끼. ***~ de force*** (미친 사람 등에게 입히는) 구속복. ***~ de sauvetage*** 구명복. ***venir pleurer dans le ~ de*** qn …에게 와서 하소연하다.

gimb(e)lette [ʒɛ̃blɛt] *f.* 〖요리〗 가락지 모양의 과자. 「토닉.

gin [dʒin] 〔영〕 *m.* 진《술 이름》 : ~-tonic 진

gingembre [ʒɛ̃ʒɑ̃ːbʀ] *m.* 〖식물〗 생강 (뿌리), 생강 양념.

gingivite [ʒɛ̃ʒivit] *f.* 〖의학〗 치은염(齒齦炎).

ginkgo [ʒɛ̃ko, ʒiŋko] *m.* 〖식물〗 은행나무.

ginseng [ʒinsɛŋ] *m.* 〖식물〗 고려인삼.

giorno (à) [adʒɔʀno, a(d)ʒjɔʀno] 〔이탈리아〕 *loc. adv.* 대낮같이. ***éclairage à ~*** 대낮같이 밝은 조명.

gipsy [dʒipsi] 〔영〕 *n.* (*pl.* ***~ies***) 집시.

girafe** [ʒiʀaf] *f.* ① 〖동물〗 기린. ② 《구어》 키가 크고 여윈 사람 : cou de ~ 긴 목. ③ 〖영화・라디오〗 이동식 마이크의 설치봉. ***peigner la ~ 《구어》 쓸데없는 일을 하다 ; 아무것도 하지 않다.

girafeau [ʒiʀafo] *m.* (*pl.* ***~x***) 새끼 기린 《girafon 이라고도 씀》.

girandole [ʒiʀɑ̃dɔl] *f.* ① 불꽃의 불줄기 ; 분수의 물줄기. ② 가지 달린 촛대. ③ (축제를 위한) 꽃장식, 꽃전구.

giration [ʒiʀasjɔ̃] *f.* 선회(旋回), 회전(= rotation). ***carrefour à ~*** 로터리.

giratoire [ʒiʀatwaːʀ] *adj.* 선회〔회전〕의 (= rotatif) : mouvement ~ 회전 운동 / sens 〔carrefour〕 ~ 로터리의 선회 방향. 「수.

girl [gœʀl] 〔영〕 *f.* (뮤직홀) 댄서 ; (합창단) 가

girofle [ʒiʀɔfl] *m.* 〖식물〗 정향(丁香) (= clou de ~) : huile de ~ 정향유(油).

giroflée [ʒiʀɔfle] *f.* ① 〖식물〗 꽃무우(의 꽃). ② 《구어》 (손바닥으로) 호되게 갈김.

girolle [ʒiʀɔl] *f.* 〖식물〗 식용 버섯의 일종.

giron [ʒiʀɔ̃] *m.* ① (걸터앉았을 때) 무릎에서 허리까지의 부분 ; 무릎. ② 《비유》 가슴, 품(= sein) : enfant élevé dans le ~ maternel 어머니 품안에서 자란 아이. ***rentrer dans le ~ de l'Église*** (이단자가) 다시 가톨릭 신자가 되다.

girond, e [ʒiʀɔ̃, -ɔ̃:d] *adj.* 《구어》 아름다운, 몸매가 좋은, 포동포동한(= potelé).

girondin, e [ʒiʀɔ̃dɛ̃, -in] *adj.* ① 지롱드(*la Gironde*) 지방의. ② 〖프랑스사〗 지롱드당의. ── **G~** *n.* ① 지롱드 사람. ② 지롱드 당원 《프랑스 혁명 때의 온건 공화파》 : les *G~s* et les Jacobins 지롱드 당원과 자코뱅 당원.

girouette [ʒiʀwɛt] *f.* ① 바람개비 ; 풍향계 : Il change d'avis comme une ~. 그는 변덕스럽기가 죽끓듯 한다. ② 《구어》 변덕쟁이(= pantin). ***graisser la ~*** (***avant de souffler dessus***) 《구어》 (일이 잘 되도록) 미리 준비하다.

gisait [ʒizɛ] gésir 의 직설 · 반과거 · 3 · 단수.

gisant, e [ʒizɑ̃, -ɑ̃:t] *adj.* 누워〔넘어져〕 있는 ; 움직이지 않는. ***bois ~*** 〖임업〗 베어 넘긴 나무. ── *m.* (묘석의) 횡와상(橫臥像).

gisement [ʒizmɑ̃] *m.* ① 〖지질〗 지층 ; 〖광산〗 광상(鑛床), 광맥 : ~ pétrolifère 유전 / ~ d'or 금광맥. ② 〖해양〗 방위(각).

gît [ʒi] gésir 의 직설 · 현재 · 3 · 단수.

gitan, e[1] [ʒitɑ̃, -an] *n.* (에스파냐의) 집시. ── *adj.* 집시의 : danse 〔chanson〕 *~e* 집시의 춤〔노래〕.

gitane[2] [ʒitan] *f.* 지탄《프랑스 담배》.

gîte [ʒit] *m.* ① 숙소, 집 ; 〖군사〗 병참지 ; (동물의) 굴, 토끼굴 : lever un lièvre au ~ 토끼굴에서 토끼를 잡다. ② (바캉스용) 간이 숙소 : ~ rural 시골의 민박집. ③ 〖지질〗 광상(鑛床) : ~ houiller 탄광, 탄전. ④ 소의 허벅지 살(코기), 대접살 (= ~ à la noix).
── *f.* 〖해양〗 (배의) 경사 ; 좌초 지점 : avoir 〔donner, prendre〕 de la ~ (배가) 기울다. ***dans le ~*** 가장 좋은 ; 공들여 만든. ***revenir*** 〔***rentrer***〕 ***au ~*** 자기 집으로 돌아가다, 가족의 품으로 돌아가다.

gîter [ʒite] *v.i.* ① 머무르다(= loger) ; 살다, 거주하다 ; (동물이) 집을 짓다. ② 〖해양〗 (배가) 기울다, 좌초하다.

givrage [ʒivʀa:ʒ] *m.* 〖항공〗 (찬 공기 속을 날 때 비행기에 얼어붙는) 서리, 무빙(霧氷).

givre [ʒi:vʀ] *m.* (나무 따위에 앉는) 서리, 성에 ; 빙화(氷花), 무빙(霧氷) ; (마른 과일 따위에 붙는) 흰 결정상(結晶狀)의 가루, 백분.

givré, e [ʒivʀe] *adj.* ① 서리〔성에〕로 덮인. ② 《구어》 미친(= fou).

givrer [ʒivʀe] *v.t.* ① 서리〔성에〕로 덮다 : Le froid *givrait* les arbres. 추위로 나무에 서리가 덮었다. ② 서리 같은 흰 가루를 뿌리다.

glabre [glɑ:(a)bʀ] *adj.* ① (나뭇잎이) 잔털이 없는, 매끈한. ② 털〔수염〕이 없는 : visage ~ 면도한 얼굴.

glaçage [glasa:ʒ] *m.* ① (종이 · 천 따위의) 윤내기. ② (과자에) 당의를 입히기, 젤리로 싸기.

glaçant, e [glasɑ̃, -ɑ̃:t] *adj.* ① 얼게 하는 ; (바람이) 살을 에는 듯이 차가운. ② 《비유》 쌀쌀한, 냉담한 : attitude *~e* 쌀쌀한 태도.

⁑**glace** [glas] *f.* ① ⓐ 얼음 ; (*pl.*) 빙산(= iceberg), 유빙(流氷)(= *~s* flottantes) : à la ~ 얼음으로 만든 ; 몹시 찬 / glisser et tomber sur la ~ 얼음에서 미끄러져 넘어지다 / navire pris dans les *~s* 얼음덩이에 갇힌 배. ⓑ 아이스크림 : ~ à la vanille 바닐라 아이스크림. ② 냉담, 쌀쌀함(= froideur) ; 무감각, 무관심 : accueil de ~ 냉담한 대접. ③ 거울 : ~ â main 손거울 / se regarder dans la ~ 거울을 들여다보다, 거울에 모습을 비추어 보다. ④ (두꺼운) 판유리 ; (자동차) 유리창 : ~ d'une vitrine 쇼윈도의 유리 / baisser la ~ d'une voiture 차창을 내리다〔열다〕. ***avoir un air de ~*** 쌀쌀한〔냉담한〕 태도를 보이고 있다. ***être de ~*** 무감각〔무관심〕하다. ***rompre*** 〔***briser***〕 ***la ~*** 차가운〔거북한 · 서먹서먹한〕 분위기를 해소시키다 ; 먼저 시작하다, (힘든 일의) 실마리를 풀다.

*__glacé, e__ [glase] *adj.* ① 언 ; 차디찬 ; (음료 따위가) 차게 된 : café ~ 아이스커피 / vent ~ 차가운 바람. ② 열성이 식은 ; 냉담한, 싸늘한, 쌀쌀한 : accueil ~ 냉정한 대접. ③ (종이 · 천이) 윤기 있는 ; 윤〔광〕이 나는 : papier ~ 광택지. ④ (과자에) 당의를 입힌 : marrons *~s* 당의를 입힌 마롱 과자. ***avoir les mains*** 〔***pieds***〕 ***~es*** 〔***~s***〕 손〔발〕이 얼음같이 차다. ***~ jusqu'aux os*** 한기가 뼛속까지 스미도록 추운.

glacer [glase] *v.t.* ① 얼리다 ; 냉동시키다(= congeler, geler) ; 얼음에 채우다(= frapper), 냉각시키다(= refroidir), 차게 하다 : Le froid de la nuit *a glacé* la neige. 간밤의 추위로 눈이 얼어붙었다. ② 몸을 얼게 하다 : Le vent me *glace* les mains. 바람에 내 손이 언다. ③ 섬뜩〔오싹〕하게 하다, 소름이 끼치게 하다 : ~ qn d'horreur …을 공포로 소름끼치게 하다 / ~ le sang 소름끼치게〔오싹하게〕 하다. ④ (열정 따위를) 식게 하다 ; 《비유》 주눅들게 하다(= intimider) : Cet examinateur *glace* les candidats. 그 시험관은 수험생을 주눅들게 한다. ⑤ 〖요리〗 (과자 따위에) 당의를〔설탕을〕 입히다 : ~ un gâteau 〔une crème〕 과자〔크림〕에 설탕을 입히다. ⑥ (직물 · 종이 따위를) 윤〔광〕 나게 하다 : ~ des étoffes 천에 광택을 입히다.
── **se ~** *v.pr.* ① (액체가) 얼다. ② (공포 따위로) (피가) 얼어붙다, 소름끼치다 : Tout mon sang dans mes veines *se glace*. (두려움으로) 온몸의 피가 얼어붙는 듯하다.

glaciaire [glasjɛ:ʀ] *adj.* 〖지질〗 얼음의, 빙하의. ***période ~*** 빙하 시대.

*__glacial, e, als__ [glasjal, -o] *adj.* (*pl.* 《드물게》 ***-aux*** [-o]) ① (얼음이) 어는, 추위의 : vent ~ 혹독하게 싸늘한 바람. ② 얼음 같은, 차디찬. ③ 냉담한, 쌀쌀한 : accueil ~ 쌀쌀맞은 반응. ④ 한대의 : zone *~e* 한대(寒帶).

glaciation [glasjɑsjɔ̃] *f.* ① 빙화(氷花), 빙결(氷結). ② 〖지질〗 빙하 작용, 빙하기의 형성.

glacier [glɑsje] *m.* ① 〖지질〗 빙하 : *~s* polaires 극지 빙하. ② 아이스크림 장수.

glacière [glasjɛ:ʀ] *f.* ① 빙실(氷室), 아이스

박스 ; 냉장고(= réfrigérateur). ② 제빙기(製氷機) ; 제빙 공장 ; 아이스크림 제조기. ③ 《구어》 몹시 추운〔찬〕곳.

glacis [glasi] *m.* ① 완만한 경사, 비탈, 경사지. ② 〚축성〛 (요새 · 진지 전면의) 비스듬한 제방 ; 〚건축〛 경사로. ③ 〚미술〛 (마른 색채 위에 칠하는) 밝은 빛. ④ (강대국 주변 위성국이 만드는) 완충 지대.

glaçon [glasɔ̃] *m.* ① 얼음덩어리〔조각〕. ② 《구어》 (특히 사랑에) 냉담한 사람 : C'est un vrai ~. 그 사람 정말 목석 같다.

gladiateur [gladjatœ:ʀ] *m.* 〚고대로마〛 검투사(劍鬪士). 「(類).

glaïeul [glajœl] *m.* 〚식물〛 글라디올러스류

glaire [glɛ:ʀ] *f.* ① 달걀 흰자위. ② (점막의) 분비물, 점액(粘液), 점질(粘質).

glaireux, euse [glɛʀø, -ø:z] *adj.* ① 흰자질(모양)의, 난백(卵白)질의. ② 점액질.

glaise [glɛ:z] *f.* 진흙 ; 찰흙 ; 점토. ── *adj.* 점토질의 : terre ~ 점토 ; 도토(陶土).

glaiseux, euse [glɛzø, -ø:z] *adj.* 점토가 많은, 점토질(質)의 : sol ~ 점토질 토질.

glaive [glɛ:v] *m.* ① 《옛 · 문어》 칼(= épée), 검 ; 《비유》 전쟁 : tirer le ~ 전쟁을 선언하다, 선전포고하다. ② (선 · 정의 · 법 같은 힘의 상징으로) 권력, 생살여탈권. ***~ de la justice*** 〔***de la loi***〕 법〔정의〕의 힘. ***remettre le ~ au fourreau*** 전쟁을 그만두다.

glanage [glana:ʒ] *m.* 이삭줍기.

gland [glɑ̃] *m.* ① 〚식물〛 도토리 (= fruit du chêne). ② (커튼 따위의) 술 (장식). ③ 〚해부〛 (남자 성기의) 귀두(龜頭). ④ 《구어》 바보, 멍청이 (= gourde).

glande [glɑ̃:d] *f.* ① 〚해부〛 선(腺), 샘 : ~ lymphatique 림프선 / ~ lacrymale 누선, 눈물샘 / ~ du noir (오징어 · 낙지 따위의) 고락. ② 《구어》 연주창(= ganglion).

glander [glɑ̃de] *v.i.* 《구어》 어정어정 거닐다 ; 빈둥거리다, 허송 세월하다 : *J'ai glandé* toute la journeé. 나는 온종일 빈둥거렸다.

glandulaire [glɑ̃dylɛ:ʀ] *adj.* 〚해부〛 선(腺)의, 선으로 된 ; 선질(腺質)의.

glane [gla(ɑ:)n] *f.* ① 한 줌의 떨어진 이삭 ; 이삭 줍기. ② (양파 따위의) 엮은 한 두름 : une ~ d'oignons 양파 한 두름.

glaner [gla〔ɑ〕ne] *v.t.* ① (이삭을) 줍다 : ~ un champ 밭에서 이삭을 줍다. ② 《비유》 주워 모으다, (정보 따위를) 수집하다.

glaneur, euse [gla〔ɑ〕nœ:ʀ, -ø:z] *n.* 이삭 줍는 사람 : les *G~euses* 「이삭 줍는 여인들」 《밀레의 작품》.

glapir [glapi:ʀ] *v.i.* ① (여우 · 강아지 따위가) 날카롭게 울다. ② 《구어》 (사람이) 날카롭게 소리치다. ── *v.t.* 소리치며 말하다 : ~ des injures 큰 소리로 욕을 퍼붓다.

glapissant, e [glapisɑ̃, -ɑ̃:t] *adj.* (강아지 따위가) 짖어대는(= criard) ; 날카롭게 외치는.

glapissement [glapismɑ̃] *m.* ① (강아지의) 짖어대는 소리, (여우의) 우는 소리. ② 《구어》 (사람의) 날카롭게 외치는 소리.

glas [glɑ] *m.* 임종〔죽음〕을 알리는 종소리, 조종(弔鐘), 조포(弔砲). ***sonner le ~ de*** qc …의 조종을 울리다, …의 종말을 고하다.

glaucome [glokɔm] *m.* 〚의학〛 녹내장(綠內障).

glauque [glo:k] *adj.* 청록색의.

glaviot [glavjo] *m.* 《속어》 침, 가래침.

glèbe [glɛb] *f.* ① 밭, 경작지 ; 토지. ② (봉건 시대의) 영지.

glissade [glisad] *f.* ① 미끄러짐 ; 얼음지치기하는 곳〔길〕. ② 〚무용〛 활보(滑步). ***~ sur l'aile*** 〚항공〛 (비행기의) 횡전(橫轉).

glissant, e [glisɑ̃, ɑ̃:t] *adj.* ① 미끄러지기 쉬운 ; 위험한. ② (물고기 따위가) 미끈미끈한 : poisson ~ 미끈미끈한 물고기. ***être sur un terrain ~*** 극히 곤란한 입장에 있다. ***terrain*** 〔***sentier***〕 ***~ ; pente ~e*** 위험한 일 ; 곤란하고 미묘한 입장.

glisse [glis] *f.* (스키의) 활주 성능〔방법〕 : avoir une bonne ~ 스키가 잘 미끄러지다.

glissement [glismɑ̃] *m.* ① 미끄러지기, 미끄럼, 활주 : ~ d'un traîneau sur la neige 눈 위에서 썰매의 미끄러짐. ② (어떤 상태로의) 완만한 이행, 변화해 가기 : ~ de l'electorat vers la gauche 선거민의 좌경화 경향. ③ 〚지질〛 사태(= ~ de terrain), 침하.

glisser** [glise] *v.i.* ① 미끄러지다 : Le pied m'*a glissé*. 나는 그만 발이 미끄러졌다. ② 미끄럼 타다 : ~ sur la glace avec des patins 얼음판에서 스케이트를 타다. ③ 미끄러지듯 가다〔지나가다〕 ; (배 · 백조 따위가 물 위를) 슬며시 미끄러져 가다 ; (햇빛 · 달빛 따위가 나뭇가지 사이로) 새어〔스며〕들다 : Des rayons de soleil *glissent* à travers le feuillage. 햇빛이 나뭇잎 사이로 스며든다. ④ ⓐ 《~ sur》 …위를 스치다, 스쳐 지나가다 ; (어려운 문제 따위에) 깊이 언급하지 않다, 약간 언급하다 ; …에 집착하지 않다 : Une ombre *a glissé sur* son visage. 그림자가 그의 얼굴 위를 스쳐 지나갔다 / *Glissons sur* le passé. 과거에 집착하지 말자. ⓑ 《~ sur qn》 …에게 별 감동〔반응〕을 일으키지 않다 : un être *sur* qui tout *glisse* 모든 것에 무관심한 사람 / Les injures *glissent sur* eux. 욕을 해도 그들은 별 반응이 없다. ⑤ ⓐ 《~ à, vers》 …으로 슬그머니 옮아가다 : La majorité gouvernementale *glisse vers* la droite. 여당은 점점 우익으로 기울어져 간다 / Il *a glissé au* romanesque. 그는 공상가가 되었다. ⓑ 《~ dans》 …으로 점점 빠져들다 : ~ *dans* les abîmes du désespoir 점점 절망의 구렁텅이로 빠져들다. ***~ dans le péché 부지중에 죄를 범하다. ***~ entre les doigts comme une anguille*** 〔***une couleuvre, un poisson***〕 날렵하게 빠져나가다〔도망치다〕. ***Glissez, glissez !*** 고집은 그만 부리시오 ! ***se laisser ~*** 《구어》 죽다.

── *v.t.* ① (슬그머니) 들이밀다, 넣다 : ~ qc dans la poche de qn …의 호주머니 속에 …을 슬그머니 넣다. ② (말을) 살짝 속삭이다, 넌지시 비치다, 암시하다 : ~ un mot à l'oreille de qn …에게 살며시 귀띔하다 / Impossible de ~ un mot ! 나는 한 마디도 참견할 수 없었다.

── **se~** *v.pr.* 《se ~ dans, entre, sous, etc.》 …속〔사이 · 밑〕으로 슬그머니〔슬쩍〕 들어가다〔스며들다〕 : *se ~ dans* son lit 침대 속으로 슬그머니 들어가다 / 《비인칭》 Il *s'est glissé* quelques fautes *dans* l'impression de ce livre. 이 책에는 몇몇 오식이 있다.

glisseur, euse [glisœːʀ, -øːz] *n.* 스키어 《특히 활강(滑降) 선수》. ── *m.* ① 수상 활주정(滑走艇). ② 〖스키〗 슬라이더.
glissière [glisjɛːʀ] *f.* (미닫이 따위의) 가늘고 긴 홈; (*pl.*) 〖기계〗 활동로(滑動路). ***banc à ~(s)*** (보트의) 활좌(滑座). ***fermeture à ~*** (점퍼 따위를 잠그는) 지퍼. ***~ de sécurité*** (고속도로 따위의) 가드레일, 방호책. ***porte à ~*** 미닫이(문).
glissoire [gliswaːʀ] *f.* 얼음지치기하는〔미끄럼 타는〕 곳〔길〕.
global, e, aux** [glɔbal, -o] *adj.* 총체의, 전체의, 포괄적인 : revenu ~ 총수입 / méthode *~e* 〖교육〗 통합 교수법. ***déplacement ~ 〖해양〗 총배수톤수.
globalement [glɔbalmɑ̃] *adv.* 포괄적으로, 전체로서, 통틀어서.
globalisation [glɔbalizɑsjɔ̃] *f.* ① 전체〔종합〕화, ② 지구화, 세계화 : ~ des technologies 과학 기술의 세계화.
globaliser [glɔbalize] *v.t.* (어떤 문제를) 전체적 관점에서 다루다, 총괄하다.
globalité [glɔbalize] *f.* 총괄성, 전체성, 총체(= ensemble, totalité).
globe** [glɔb] *m.* ① 구(球), 구체 : ~ oculaire 안구(眼球). ② 《옛》 천체; 지구 : le ~ terrestre 지구; 지구의(儀) / ~ du Soleil 태양 / carte du ~ 지도. ③ 구형〔반구형〕 덮개〔용구, 갓〕 : ~ electrique 전구(電球). ***faire le tour du ~ 지구를 한 바퀴 돌다. ***~ de feu : ~ fulminant*** 〖천문〗 유성(流星). ***mettre*** qc ***sous ~*** …을 소중히 간직하다.
globe-trotter [glɔbtʀɔtœːʀ] 〔영〕 *m.* 세계관광 여행자 : journalistes *~s* 각국 취재 기자.
globulaire [glɔbylɛːʀ] *adj.* ① 구형(球形)의, 공 모양의. ② 혈구의 : numération ~ 혈구수 산출. ── *f.* 〖식물〗 글로불라리아속(屬)의 식물.
globule [glɔbyl] *m.* ① 작은 구〔방울〕; (물 · 기체 따위의) 작은 방울; 혈구(血球) (= *~s* du sang) : *~s* rouges〔blancs〕 적〔백〕 혈구. ② 작은 환약(丸藥).
globuleux, euse [glɔbylø, -øːz] *adj* 구(球) 모양의 : œil ~ 돌출 안구.
gloire** [glwaːʀ] *f.* ① 영광, 영예, 명예(= honneur); 《문어》 영화(榮華) : ~ immortelle 불후의 영광 / être au sommet de la〔sa〕 ~ 영광의 절정에 있다. ② 명성(= célébrité, réputation; ≠ obscurité), 평판 : ~ littéraire 문학적 명성 / connaître une ~ internationale 국제적 명성을 누리다. ③ 유명한 사람, 명사 : Il est l'une des *~s* de son pays. 그는 고향의 명사 중의 한 분이다. ④ 후광(= nimbe), 배광(背光), 광륜 : Christ en ~ 후광에 둘러싸인 예수. ⑤ 자랑, 긍지; 공훈, 공적(= mérite) : s'attribuer la ~ de la réussite 성공의 공적을 독차지하다. ⑥ 찬양, 찬송; (신의) 영광, 지복(至福) : *G~* à Dieu! 신을 찬양할지어다. ***à la ~ de …의 명예를 위하여, …을 찬양하여. ***mettre sa ~ à〔en〕*** qc …을 자랑으로 여기다. ***rendre ~ à*** qn〔qc〕 …을 찬양하다. ***se faire〔tirer〕 ~ de*** qc〔+*inf.*〕 …을〔하는 것을〕 자랑으로 여기다 : Je n'en *tire* aucune ~. 나는 그것을 조금도 자랑으로 여기지 않는다. ***tenir à ~ de****+inf.* 《옛》 …하는 것을 명예로〔자랑으로〕 여기다. ***travailler pour ~*** 《구어》 보수 없이〔거저〕 일하다. ***ville de ~*** 천국.
gloria [glɔʀja] 〔라틴〕 *m.* ① 〖가톨릭〗 대영광 송. ② 《옛》 (브랜디를 탄) 커피〔홍차〕.
gloriette [glɔʀjɛt] *f.* (정원의) 정자.
glorieusement [glɔʀjøzmɑ̃] *adv.* 영광스럽게; 명예롭게, 자랑스럽게; 찬란하게.
glorieux, euse [glɔʀjø, -øːz] *adj.* ① 영광스러운, 명예로운 : mort *~euse* 명예로운 죽음 / héros ~ 영광에 둘러싸인 영웅. ② 〖가톨릭〗 지복을 받은〔누리는〕 : corps ~ 영복을 받은 몸(의 부활 후 신체). ③ 교만한, 자만심이 많은; 《~ de》 …을 뽐내는 : être ~ *de* sa naissance 자기의 출생 신분을 자랑하다. ④ 찬란한, 장엄한(= splendide, magnifique) : ~ exploits 빛나는 위업.
glorification [glɔʀifikɑsjɔ̃] *f.* 찬양, 찬미 : ~ du libéralisme 자유주의의 찬양.
glorifier [glɔʀifje] *v.t.* ① 《~ qn〔qc〕》 …을 찬양하다, 기리다(= louer) : ~ une victoire 승리를 찬양하다. ② 《~ qn》 〖신학〗 (…에게) 영복을 주다. ── **se ~** *v.pr.* 《~ de》 자랑〔영광〕으로 여기다, 자만하다 : *se ~ de* sa réussite 성공을 자랑하다.
gloriole [glɔʀjɔl] *f.* (하찮은) 자만, 자부(심); (유치한) 허영심(= orgueil; ≠ humilité). ***petites ~s*** 하찮은 공명담. ***pour la ~*** 허영심에서 「평, 험구.
glose [gloːz] *f.* ① 주석, 주해. ② 《구어》 악
gloser [gloze] *v.i.* ① 《~ sur》 …에 대해〔…을〕 해설〔주석〕하다. ② 《~ de, sur》 …에 관해 험담〔악담〕하다, …을 비난하다. ── *v.t.* 주석〔해설〕하다(= commenter) : ~ un texte 원문 주석을 하다.
glossaire [glɔsɛːʀ] *m.* ① 권말의 용어 해설; 고어〔방언〕 사전. ② 어휘집. 「의 뜻.
-glosse *suff.*, **gloss(o)-** *préf.* 「혀 · 언어」
glottal, e, aux [glɔtal, -o] *a.* 성문(聲門)을 통해서 나오는 : vibrations *~es* 성문 진동.
glotte [glɔt] *f.* 〖해부〗 성문(聲門) : coup de ~ 〖언어〗 성문 파열음〔폐쇄음〕. 「뜻.
-glotte *suff.*, **glotto-** *préf.* 「혀 · 언어」의
glottique [glɔtik] *adj.* 성문의.
glouglou [gluglu] *m.* ① (병에서 나오는 물의) 콸콸〔꾸르륵〕 소리. ② (칠면조 · 비둘기의) 구구하는 소리.
glouglouter [gluglute] *v.i.* ① (병에서 액체가) 콸콸 흐르다; 꿀럭꿀럭 소리내며 마시다. ② (칠면조 · 비둘기가) 구구 울다.
gloussement [glusmɑ̃] *m.* ① (암탉이) 꼬꼬댁하고 우는 소리; 비둘기가 우는 소리. ② 《구어》 낄낄거리는 웃음.
glousser [gluse] *v.i.* ① (암탉이 병아리를 부르거나 알을 품으려고) 꼭꼭거리다; (비둘기가) 울다. ② 《구어》 (사람이) 낄낄 웃다.
glouton, onne [glutɔ̃, -ɔn] *adj.* 게걸스럽게〔아귀같이〕 먹는, 식탐하는. ── *n.* 식충이, 대식가. ── *m.* 〖동물〗 족제빗과의 동물《오소리(blaireau) 비슷함》.
gloutonnement [glutɔnmɑ̃] *adv.* 게걸스럽게, 닥치는 대로 : manger ~ 게걸스럽게 먹다.
gloutonnerie [glutɔnʀi] *f.* 폭식; 탐욕.

glu [gly] *f.* ① (새 잡는) 끈끈이 ; 갖풀, 아교. ② 《비유》 유혹하는 것 ; 《구어》 (달라붙어) 성가시게 구는 사람. ***avoir de la ~ aux doigts*** 〔***mains***〕 손재주가 없다 ; (맡긴 돈을) 착복하다. ***être collant comme de la ~*** 《구어》 (끈끈이처럼 달라붙어) 귀찮게〔성가시게〕 굴다. ***être pris*** 〔***se laisser prendre***〕 ***à la ~*** 유혹〔함정〕에 빠져들다.

gluant, e [glyɑ̃, -ɑ̃:t] *adj.* ① 끈적거리는 ; 《비유》 성가시게 구는. ② (사람이) 끈덕진.

glucide [glysid] *m.* 탄수화물.

gluc(o)- *préf.* 「당(糖)의」의 뜻.

glucose [glyko:z] *m.* 〖생화학〗 포도당.

glutamine [glytamin] *f.* 〖화학〗 글루타민.

gluten [glytɛn] *m.* 글루텐, 식물성 아교. ***pain de ~*** 글루텐 빵《당뇨병 환자용》.

glyc- *préf.* 「당(糖)」의 뜻.

glycémie [glisemi] *f.* 〖의학〗 혈당(血糖).

glycérine [gliseʀin] *f.* 〖화학〗 글리세린.

glycine [glisin] *f.* 〖식물〗 등나무.

glyco- *préf.* = gluc(o)-.

glycosurie [glikozyʀi] *f.* 〖의학〗 당뇨(병)(= diabète).

glyptique [gliptik] *f.* 보석 조각술.

G.M.T. 《약자》 Greenwich mean time 그리니치 평균시(時), 세계시(時).

gnan(-)gnan [ɲɑ̃ɲɑ̃] *adj.* 《불변》 나약〔연약〕한 ; 무기력한(= mollasse). ── *n.* 무기력한 사람.

gneiss [gnɛs] *m.* 〖지질〗 편마암(片麻岩).

gnocchi [ɲɔki] 〔이탈리아〕 *m. pl.* 〖요리〗 밀가루에 달걀 · 치즈를 넣어 구운 음식.

gnognot(t)e [ɲɔɲɔt] *f.* 《구어》 하찮은 것, 시시한 것 : C'est de la ~. 시시한 것이군.

gnole [ɲɔl], **gnôle** [ɲ:l] *f.* 《구어》 (싸구려) 브랜디.

gnome [gno:m] *m.* ① (난쟁이 모습을 한) 지신(地神). ② 난쟁이(= nain).

gnomon [gnɔmɔ̃] *m.* 해시계.

gnon [ɲɔ̃] *m.* 《구어》 매질, 때리기(= coup).

gnose [gno:z] *f.* ① 〖신학〗 그노시스, 신비적〔영적〕 인식. ② 〖종교사〗 그노시스설(說) ; 신비 철학 ; 접신론(接神論).

-gnose, -gnosie, -gnostique *suff.* 「지식 · 인식」의 뜻.

gnou [gnu] *m.* 〖동물〗 누《아프리카 영양(羚羊)》.

go[1] [go] *m.* 바둑.

go[2] (**tout de**) [tudgo] *loc. adv.* 《구어》 ① 곧바로, 즉각 ; 단도직입적으로(= sans détour). ② 거침없이 ; 허물없이.

goal [go:l] 〔영〕 *m.* 〖스포츠〗 골 ; 골키퍼.

gobelet [gɔblɛ] *m.* ① (손잡이 없는) 컵, 잔. ② (요술 · 주사위용) 컵.

Gobelins (**les**) [legɔblɛ̃] *n.pr.m. pl.* 파리의 고블랭 직물의 국영 공장.

gobe-mouche(s) [gɔbmuʃ] *m.* (*pl.* **~s-~s**) ① 〖조류〗 딱새무리. ② 〖식물〗 식충(食蟲)식물.

gober [gɔbe] *v.t.* ① (씹지 않고) 삼키다 (= avaler) ; 《구어》 먹다(= manger). ② 《구어》 덮어놓고 믿다, 경신(輕信)하다. ③ 좋아하다, 중히 여기다. ***~ l'appât*** 〔***l'hameçon, le morceau, la mouche***〕, ***la ~*** 속다, 끌려들다, 함정에 빠지다. ── **se ~** *v.pr.* 자만〔자부〕하다.

goberger (**se**) [s(ə)gɔbɛʀʒe] [3] *v.pr.* 《구어》 ① 맛있는 음식을 먹다. ② 편안히 지내다 ; 빈둥빈둥 살아가다.

gobeur, euse [gɔbœ:ʀ, -ø:z] *n.* ① 씹지 않고 (꿀꺽) 삼키는 사람. ② 《비유》 잘 속는 사람, 남의 말을 잘 믿는 사람(= crédule, naïf).

godailler [gɔdɑje] *v.i.* ① 《구어》 허랑방탕하게 살다. ② 《구어》 (옷이) 구겨지다, 주름이 생기다.

godasse [gɔdas] *f.* 《구어》 구두(= chaussure), 헌 구두(= godillot).

godelureau [gɔdlyʀo] *m.* (*pl.* **~x**) 《구어》 《경멸》 젊은 멋쟁이 ; 건방진 젊은이.

godemiché [gɔdmiʃe] *m.* 인공 음경(陰莖), 딜도(dildo)(《약자》 gode).

goder [gɔde] *v.i.* (종이 따위가) 구겨지다, (옷 따위가) 울다(= grigner).

godet [gɔdɛ] *m.* ① (다리 · 손잡이 없는) 작은 컵 ; 받침접시 ; (유화용) 그림물감 접시. ② (물방아의) 물받이 ; (양수기 · 준설기 따위에 달린) 두레박. ③ (천 · 옷 따위의) 주름, 구김살. ④ 《구어》 마실 것, 술.

godiche [gɔdiʃ], *adj.* 《구어》 얼빠진, 멍청한 (= benêt, niais) ; 서투른(= maladroit). ── *n.* 바보, 얼간이, 멍청이.

godille [gɔdij] *f.* ① (배 뒤의) 노(櫓), 고물노. ② 〖스키〗 속력을 늦추기 위한, 베델른. ***à la ~***. ⓐ 고물 노를 저어서. ⓑ 《구어》 아무렇게나, 되는 대로 ; 상태가 나쁜. ***marcher à la ~*** 고물노를 저어 가다.

godiller [gɔdije] *v.i.* 고물노를 저어 가다 ; 〖스키〗 속력을 늦추기 위해 지그재그로 활강하다.

godillot [gɔdijo] *m.* ① 《구어》 군화 ; 투박한 신발, 헌 구두. ② 〖정치〗 맹목적 추종자 ; 드골주의 신봉자.

goéland [gɔelɑ̃, gwalɑ̃] *m.* 〖조류〗 갈매기 《mouette 보다 큰 대형 갈매기》.

goélette [gɔelɛt, gwalɛt] *f.* (쌍돛대의) 경쾌한 범선, 스쿠너선(船)(= schooner).

goémon [gɔemɔ̃, gwamɔ̃] *m.* ① 해초, 바닷말(= varech). ② 해초로 만든 비료.

gogo[1] (**à**) [agɔgo] *loc. adv.* 《구어》 ① 많이, 풍족하게. ② 충분히 ; 안락하게. ***être à ~*** 안락하게〔사치스럽게〕 살다.

gogo[2] [gɔgo] *m.* 《구어》 잘 속는 사람, 남의 말을 쉽게 믿는 사람.

goguenard, e [gɔgna:ʀ, -aʀd] *adj.* 놀리는, 빈정거리는, 야유하는 : ton ~ 야유하는 어조. ── *n.* 빈정거리는 사람.

goguenarder [gɔgnaʀde] *v.t.* 놀리다, 빈정거리다, 야유하다.

goguenarderie [gɔgnaʀd(ə)ʀi], **goguenardise** [gɔgnaʀdi:z] *f.* 농담, 놀리기, 빈정거림, 야유(= plaisanterie, raillerie).

goguette [gɔgɛt] *f.* 《구어》 좋은 기분 ; 얼근한 취기. ***être en ~(s)*** 얼근히 취해 있다.

goinfre [gwɛ̃:fʀ] *m.* 《구어》 폭음 폭식가, 식충이 : manger comme un ~ 게걸스럽게 먹다. ── *adj.* 게걸스럽게 먹는.

goinfrer [gwɛ̃fʀe] *v.i.* 《구어》 폭음 폭식하다, 게걸스레 먹다(= s'empiffrer). ── **se ~** *v.pr.* 허기허기〔게걸스레〕 먹다

goinfrerie [gwɛ̃fʀəʀi] *f.* 폭음 폭식.

goitre [gwatʀ] *m.* 〖의학〗 갑상선종.

goitreux, euse [gwatʀø, -ø:z] *adj.* 갑상선

G

종의. ── *n.* 갑상선종 환자.

golden [gɔldɛn] *f.* 《복수불변》 골든 사과 《사과 품종》. ── *adj.* pomme ~ 골든 사과.

golf [gɔlf] 〔영〕 *m.* ① 골프 ; 골프장(= terrain de ~) : jouer au ~ 골프를 치다 / canne 〔club〕 de ~ 골프채 / ~ miniature 실내 골프 / terrain de ~ 골프장. ② 《옛》 골프 바지 (= culotte 〔pantalon〕 de ~).

golfe [gɔlf] *m.* 만(灣). ***le Courant du G~*** 멕시코 만류.

golfeur, euse [gɔlfœːʀ, -øːz] *n.* 골프치는 사람.

Golgotha [gɔlgɔta] *n.pr.m.* 〖성서〗 골고다 《그리스도가 십자가에 못박힌 언덕》.

Goliath [gɔljat] *n.pr.m.* 〖성서〗 골리앗《다윗의 돌에 맞아 죽은 거인(巨人)》.
── **g~** *m.* 거인.

gomina [gɔmina] *f.* 〖상표명〗 포마드.

gominer (se) [s(ə)gɔmine] *v.pr.* (머리에) 포마드를 바르다.

gommage [gɔmaːʒ] *m.* ① 고무를 입히기. ② 《비유》 (고무로) 지우기 ; (사물 · 특색 등을) 없애기.

gomme** [gɔm] *f.* ① (고무나무에서 채취한) 고무 : ~ arabique 아라비아 고무 / ~-résine 고무 수지. ② 고무지우개 : effacer un mot avec une ~ 어떤 낱말을 지우개로 지우다. ③ (우표 뒷면에 칠한) 고무풀. ***à la ~ 쓸모없는 : individu 〔type〕 *à la* ~ 무능한 사람. ***~ élastique*** 탄성(彈性) 고무 ; 고무지우개. ***mettre (toute) la ~*** 《속어》 (차의) 속력을 내다 ; 전력을 다하다.

gommé, e [gɔme] *adj.* ① 고무를 입힌 ; 고무풀을 칠한 : taffetas ~ 반창고. ② 지우개 〔고무〕로 지운.

gomme-gutte [gɔmgyt] *f.* (*pl.* **~s-~s**) 〖화학〗 자황(雌黃)《약품 · 안료로 쓰임》.

gommer [gɔme] *v.t* ① …에 고무를 입히다 ; …에 고무풀을 칠하다. ② 고무지우개로 지우다. ③ 《비유》 소멸시키다, 지우다 ; 잊어버리(게 하)다 ; (…에 대하여) 언급하지 않다.
── **se ~** *v.pr.* ① 모습을 감추다, 사라지다. ② (물건이) 잊혀지다(= s'effacer).

gommette [gɔmɛt] *f.* (풀이 칠해진) 스티커.

gommeux, euse [gɔmø, -øːz] *adj.* ① 고무성(性)〔질〕의 ; 고무를 함유한. ② (식물이) 고무진을 내는. ── *n.* 《구어》 시건방진 멋쟁이.

gommier [gɔmje] *m.* 〖식물〗 고무나무.

Gomorrhe [gɔmɔːʀ] *n.pr.* 〖성서〗 고모라 《*Sodom* 과 함께 신에 의해 멸망당한 도시》.

gonade [gɔnad] *f.* 〖생물〗 생식선(腺).

gond [gɔ̃] *m.* 경첩, 돌쩌귀(= charnière) : mettre une porte sur ses ~*s* 문을 돌쩌귀에 맞추어 달다. ***mettre*** qn ***hors des*** 〔***de ses***〕 ***~s*** …을 화나게 하다. ***sortir des*** 〔***de ses***〕 ***~s*** 《구어》 화를 버럭 내다.

gondole [gɔ̃dɔl] *f.* 곤돌라《베니스의 유람용 배》 : faire une promenade en 〔sur une〕 ~ 곤돌라 뱃놀이하다.

gondoler [gɔ̃dɔle] *v.i.* ① (선체 · 널 따위가 곤돌라처럼) 뒤틀어지다, 휘다. ② (칠한 페인트 따위가) 떠서 일어나다. ── **se ~** *v.pr.* ① 뒤틀어지다, 휘다. ② (칠한 페인트 따위가) 떠서 일어나다. ③ 《구어》 포복절도하다.

gondolier, ère [gɔ̃dɔlje, -ɛːʀ] *m.* 곤돌라 뱃사공.

-gone, -gonal *suff.* 「…각형, …모꼴」의 뜻.

gonflage [gɔ̃flaːʒ] *m.* 부풀게 하기, 팽창(한 상태) : ~ des pneus 타이어의 공기 주입.

gonflé, e [gɔ̃fle] *adj.* ① 부푼, 부어오른 : visage ~ 부은 얼굴. ② 《비유》 《~ de》 …으로〔이〕 가득한(= rempli) : éponge ~*e d'eau* 물이 가득 밴 스폰지. ③ 과장된, 부풀린 : prix ~ (실제보다) 부풀린 가격. ④ 《구어》 대담한, 뻔뻔스러운. ***avoir le cœur ~ de chagrin*** 슬픔으로 가슴이 터질 지경이다.

gonflement [gɔ̃fləmɑ̃] *m.* ① 부어오름, 부풀기 ; 증가, 팽창 : ~ du budget 예산의 팽창. ② 과장.

***gonfler** [gɔ̃fle] *v.t.* ① (공기 · 가스를 넣어) 부풀게 하다, 부풀리다, 팽창시키다 : ~ un pneu 타이어를 부풀리다 / ~ les joues 볼을 불룩하게 하다. ② (냇물 따위를) 붇게 하다 ; (눈 따위를) 붓게 하다 : L'orage *a gonflé* la rivière. 소나기로 강물이 불었다 ③ (계산 따위를) 불리다 ; 과장하다 : ~ l'importance d'un incident 사건의 중대성을 과장하다. ④ (마음을) 가득 채우다 : L'espoir me *gonfle* le cœur. 희망이 내 마음을 부풀게 한다.
── *v.i.* 부풀다 ; 붇다 : Son genou s'est mis à ~. 그녀의 무릎이 붇기 시작한다.
── **se ~** *v.pr.* ① 부풀다, 붇다 : L'humidité fait ~ le bois. 습기로 목재가 부푼다. ② 《se ~ de》 (어떤 감정으로) 가득 차다 : Son cœur *se gonfle d'*espoir. 그의 가슴은 희망으로 가득 차 있다. ③ 《구어》 우쭐하다 (= se ~ d'orgueil).

gonfleur [gɔ̃flœːʀ] *m.* (자동차의) 공기 펌프 : ~ à air comprimé 압축 공기 펌프.

gong [gɔ̃(ː g)] 〔영〕 *m.* 바라, 징 ; 〖권투〗 공 : coup de ~ (경기 시간을 알리는) 공소리.

-gonie *suff.* 「발생 · 생성」의 뜻.

gonio- *préf.* 「각도」의 뜻.

goniomètre [gɔnjɔmɛtʀ] *m.* ① 〖측량〗 고니오미터, 측각기(測角器), 각도계. ② 〖항공〗 (무선) 방향 탐지기.

goret [gɔʀɛ] *m.* ① 돼지 새끼. ② 《구어》 불결한 아이.

‡gorge [gɔʀʒ] *f.* ① 목 ; 목 언저리 ; 목구멍, 인후 : avoir mal à la ~ 목이 아프다 / crier à pleine ~ 고래고래 소리지르다 / serrer la ~ de qn …의 목을 조르다 / avoir la ~ serrée (감정이 복받쳐) 목이 메이다 / Un sanglot lui monte à la ~. 울음이 그의 목구멍까지 치밀어 오른다. ② (여자의) 가슴, 유방(= buste) : avoir une ~ abondante 풍만한 유방을 갖고 있다. ③ 협곡 ; 협로(峽路) : ~ encaissée 좌우 쪽이 험한 협로. ***avaler*** qc ***à pleine ~*** …을 단숨에〔꿀꺽〕 삼키다. ***avoir la ~ prise*** 목이 쉬다. ***avoir le couteau sur*** 〔***sous***〕 ***la ~*** 목 앞에 들이댄 단도에 위협받고 있다 ; 협박〔위협〕을 받다. ***couper la ~ à*** qn …의 목을 자르다, …에게 치명적인 타격을 입히다. ***faire des ~s chaudes de*** qc 〔qn〕 …을 공공연하게 비웃다. ***faire rentrer à*** qn ***les paroles dans la ~*** …에게 말을 취소시키다. ***mettre à*** qn ***le couteau sur*** 〔***sous***〕 ***la ~*** …의 목에 칼을 들이대다, …을 위협해 시키는 대로 하게 하다. ***prendre*** 〔***saisir, tenir***〕 qn ***par*** 〔***à***〕 ***la ~*** …의 목덜미를 잡다 ; 우격다짐으로 어

편 일을 시키다. ***rendre ~*** 《구어》 부당히 얻은 돈을 게워 내다. ***Sa ~ se serra.*** 감동하여 그는 목이 메었다. ***tendre la ~*** 목을 내밀다 ; 저항을 중지하다.

gorge-de-pigeon [gɔʀʒədpiʒɔ̃] *adj.* 《불변》 비둘기 목털 빛의, 광선빛에 따라 색깔이 바뀌는.

gorgée** [gɔʀʒe] *f.* 한 모금, 한 입. ***avaler qc ***d'une*** 〔***seule***〕 ***~*** …을 단숨에 꿀꺽 삼키다.

gorger [gɔʀʒe] 3 *v.t.* ① 《~ qn de》 …에게 …을 잔뜩 먹이다 : ~ un enfant *de* sucreries 아이에게 단것을 잔뜩 먹이다. ② 《~ qc de》 …을 …으로 가득 채우다. — **se ~** *v.pr.* ① 《se ~ de》 …을 잔뜩 먹다〔마시다〕. ② 《se ~ de》 …으로 가득 차다 : *se ~ de* bonnes lectures 좋은 책을 마음껏 읽다.

gorgonzola [gɔʀgɔ̃zɔla] *m.* (이탈리아의) 고르곤졸라 치즈.

gorille [gɔʀij] *m.* ① 〖동물〗 고릴라. ② 《구어》 (요인의) 신변 경호인 ; 비밀 공작원.

gosier [gozje] *m.* ① 목구멍, 인후(咽喉). ② 식도(食道)(= œsophage). ③ 성대(聲帶), 목청, 목소리. ***à plein ~*** 목청을 다하여. ***avoir le ~ en pente*** 《구어》 술을 잘하다. ***avoir le ~ sec*** 《구어》 목이 마르다. ***~ d'éponge*** 술고래. ***grand ~*** 대식가.

gospel [gɔspɛl] 〔영〕 *m.* 〖음악〗 (북미 흑인) 성가.

⁑**gosse** [gɔs] *n.* ① 《구어》 아이, 어린아이(= gamin), 소년, 소녀. ② (부모 쪽에서 보아) 자식 : avoir des ~*s* 자식이 있다. — *adj.* 어린 ; 젊은 : avoir l'air ~ 애송이 같다.

***gothique** [gɔtik] *adj.* ① 고트(Goths)족의. ② 고딕식의 ; 고딕체의 : écriture ~ 고딕 서체 / architecture ~ 고딕 건축 / caractères ~*s* 고딕체 활자. — *f.* 〖인쇄〗 고딕체. — *m.* ① 고딕식 건축 ; 고딕 미술. ② 〖언어〗 고트어(語)(= gotique).

gouache [gwaʃ] *f.* 〖미술〗 고무 수채화(법) 《아라비아 고무로 물감을 녹인 불투명 수채화》.

gouacher [gwaʃe] *v.t.* 고무 수채화로 그리다.

gouailler [gwɑje] *v.t.* 비웃다, 빈정거리다, 놀리다(= railler). — *v.i.* 조소하다.

gouaillerie [gwɑjʀi] *f.* 《구어》 비웃음, 빈정거림, 야유, 놀림.

gouailleur, euse [gwɑjœːʀ, -øːz] *adj.* et *n.* 《구어》 비웃는 (사람) ; 놀리는 (사람).

gouape [gwap] *f.* 《속어》 ① 불량배, 깡패 (= voyou). ② 깡패 노릇〔짓〕.

gouda [guda] *m.* 고다치즈 《네덜란드 지명에서》.

goudron [gudʀɔ̃] *m.* 타르, 역청(瀝青) ; 담뱃진 : ~ de gaz 〔houille〕 콜타르.

goudronnage [gudʀɔnaːʒ] *m.* (도로 따위에 하는) 타르칠, 아스팔트 포장.

goudronner [gudʀɔne] *v.t.* …에 타르를 〔역청을〕 칠하다, 아스팔트로 포장하다.

goudronneuse[1] [gudʀɔnøːz] *f.* 타르를 〔역청을〕 칠하는 기계, 아스팔트 기계.

goudronneux, euse[2] [gudʀɔnø, -øːz] *adj.* 타르〔역청〕질의.

gouffre [gufʀ] *m.* ① 깊은 구멍〔구렁〕 ; 균열 : ~ béant 크게 벌어진 균열. ② 《비유》 심연(= abîme) : sombrer dans le ~ de l'oubli 망각의 심연에 빠지다. ③ (바다의) 소용돌이. ④ 대(大)손실 · 파멸을 초래하는 것 : Ce procès est un ~. 이 소송은 한없이 돈이 든다 / ~ de tous les vices 모든 악덕의 온상. ⑤ 《구어》 돈을 물쓰듯 쓰는 사람 ; 낭비가 : C'est un ~ d'argent. 그건 돈이 무척 많이 드는 일이다. ***C'est un ~ que cet homme-là.*** 그는 돈을 물쓰듯 하는 사람이다.

gouge [guːʒ] *f.* ① 둥근 끌〔정〕. ② (통 만드는) 둥근 대패.

gouine [gwin] *f.* ① 《경멸》 여자 동성애자, 레즈비언. ② 《옛》 매춘부, 창녀.

goujat [guʒa] *m.* ① 상놈, 버릇없는 놈(= rustre). ② 《옛》 군대 소속 심부름꾼.

goujaterie [guʒatʀi] *f.* 상스러움 ; 버릇없는 〔비열한〕 태도(= grossièreté).

goujon [guʒɔ̃] *m.* 〖어류〗 모샘치, 모래무지. ***taquiner le ~*** 《구어》 낚시질하다.

goulache, goula(s)ch [gulaʃ] *f.* 〖요리〗 (헝가리식의) 쇠고기 스튜.

goulag [gulag] *m.* (소련의) 정치범 집단 수용소.

goule [gul] *f.* (근동(近東)의 전설에서) 여자 흡혈귀, 식인귀(食人鬼).

goulée [gule] *f.* 《구어》 한 입, 한 모금 : prendre 〔respirer, aspirer〕 une grande ~ d'air 공기를 크게 들이마시다.

goulet [gulɛ] *m.* ① 〖해양〗 항만의 좁은 어귀. ② (산간의) 좁은 길. ③ 《비유》 일시적 애로, 지장.

gouleyant,e [gulɛjɑ̃, -ɑ̃ːt] *adj.* (포도주 맛이) 개운한, 신선하고 담백한.

goulot [gulo] *m.* ① (병 따위의) 가느다란 목 : boire au ~ 병째 마시다. ② 《속어》 입, 목구멍. ***~ d'étranglement*** (발전 따위의) 저해요인, 장애(물).

goulu, e [guly] *adj.* 게걸스럽게 먹는 ; 탐욕스러운 : regards ~*s* 탐욕스런 눈초리. — *n.* 대식가(大食家).

goulûment [gulymɑ̃] *adv.* 게걸스럽게, 아귀아귀.

goumier [gumje] *m.* 토착민 부대의 병사.

goupille [gupij] *f.* 쐐기못, 고정 핀 : mettre une ~ à qc …을 핀으로 꽂다.

goupiller [gupije] *v.t.* ① goupille로 고정시키다. ② 《구어》 잘 처리〔준비〕하다 : Qu'est-ce qu'il est en train de ~ ? 무슨 수작을 하고 있는 중일까 ? — **se ~** *v.pr.* 《구어》 잘 준비〔처리〕되다 : Ça *s'est* bien *goupillé*. 일이 잘 됐다.

goupillon [gupijɔ̃] *m.* ① 〖가톨릭〗 성수 살포기, 성수채 ; 《비유》 종교계, 교회. ② (병 · 램프 등피 따위를 닦는) 긴 솔. ***le sabre et le ~*** 《경멸》 군대와 교회.

gourance [guʀɑ̃ːs], **gourante** [guʀɑ̃t] *f.* 《구어》 잘못하기, 실수(= erreur).

gourbi [guʀbi] *m.* ① (알제리의) 오막살이집, 오두막집(= cabane). ② (제1차 대전 때의) 참호. ③ 《구어》 누추한 집.

gourd, e[1] [guːʀ, guʀd] *adj.* (추위로) 마비된, (손발이) 곱은(= engourdi) : avoir les doigts ~*s* 손가락이 곱다. ***n'avoir pas les mains ~es*** 손이 빠르다, 금시 달려들다. — *f.* 《구어》 멍청이, 바보.

gourde[2] [guʀd] *f.* ① 〖식물〗 호리병박(= calebasse). ② 물통, 수통, 호리병. ③ 《구어》 바보, 멍청이. — *adj.* 얼빠진, 바보 같은.

gourdin [guʀdɛ̃] *m.* 곤봉, 몽둥이.

gourer (se) [səguʀe] *v.pr.* 잘못 생각하다,

G

착각하다(= se tromper).

gourgandine [guʀgɑ̃din] *f.* 《구어》 매춘부, 창녀 ; 방탕한 여자.

*__gourmand, e__ [guʀmɑ̃, -ɑ̃:d] *adj.* ① 식도락의, 미식가의(= gourmet) : repas ~ 잘 차린 식사 / ~ comme un chat 미식을 대단히 즐기는. ② 《~ de》 …을 즐겨 먹는 ; …을 갈망하는 : être ~ *de* qc …을 즐겨 먹다. ③ 《구어》 탐욕스러운 : regards ~*s* sur qc …을 탐내는 눈초리. ── *n.* 대식가 ; 미식가.

gourmander [guʀmɑ̃de] *v.t.* ① 몹시 꾸짖다, 야단치다(= gronder). ② ⓐ 《옛》 (말을) 거칠게 다루다. ⓑ (감정 따위를) 억제하다, 억누르다 (= maîtriser) : ~ ses passions 정열을 억누르다.

gourmandise [guʀmɑ̃di:z] *f.* ① 식도락 ; 대식(大食). ② (*pl.*) 맛있는 음식 ; 단것. ***manger avec*** ~ 게걸스럽게 먹다.

gourme [guʀm] *f.* ① 〖의학〗 농포성(膿疱性) 습진. ② 〖수의학〗 (어린 말의) 선역(腺疫). ***jeter sa*** ~ ⓐ (어린 말이) 처음으로 선역에 걸리다. ⓑ 젊은 혈기에 넘쳐 탈선하다.

G

gourmé, e [guʀme] *adj.* ① (태도가) 딱딱한, 점잔부린, 어색한. ② (말이) 재갈을 물린.

*__gourmet__ [guʀmɛ] *m.* ① (술·음식의) 맛을 잘 아는 사람 ; 음식통(通) ; 포도주 감정가. ② 《비유》 조예가 깊은 사람 : ~ de la littérature 문학에 조예가 깊은 사람.

gourmette [guʀmɛt] *f.* ① (말의) 재갈 사슬. ② (시계·팔찌 따위의) 사슬, 줄 : ~ d'or 금팔찌. ***lâcher la ~ à*** qn 《구어》 …을 마음대로 하게 내버려두다.

gourou, guru [guʀu] *m.* ① (브라만교의) 스승, 도사(道師). ② 교조(教祖), 정신적 지도자.

gouspin [guspɛ̃] *m.* 《구어》 장난꾸러기 아이, 개구쟁이(= gamin).

gousse [gus] *f.* 〖식물〗 ① (콩의) 깍지(= cosse) : ~*s* de pois 콩깍지. ② (마늘·골파 따위의) 쪽, 작은 구근 : manger des ~*s* d'ail cru 생마늘쪽을 먹다.

gousset [gusɛ] *m.* (조끼·바지의) 작은 호주머니 : montre de ~ 회중시계 / avoir le ~ bien garni 주머니가 두둑하다.

⁑**goût** [gu] *f.* ① ⓐ 미각 : avoir le ~ fin 미각이 예민하다 / organes du ~ 미각 기관. ⓑ 맛, 입맛, 풍미(= saveur) : ~ salé 〔sucré, acide, amer〕 짠〔단·신·쓴〕맛 / Cela a un ~ de qc 그것은 …의 맛이다 / n'avoir aucun ~ 아무 맛도 없다. ② ⓐ 취미, 센스 : avoir du ~ pour qc …에 취미가 있다 / tenue de mauvais ~ 센스가 나쁜 복장. ⓑ 좋아하는 것, 기호 ; (종종 *pl.*) 취향, 성향 : Il a du ~ pour la musique. 그는 음악을 좋아한다 / Nous avons des ~*s* communs. 우리는 공통의 취향을 갖고 있다. ③ 양식, 풍, 투 : ~ gothique 고딕 양식 / 《dans le ~ ; au ~》 tableau *dans le* ~ baroque 바로크풍의 그림. ④ 식욕 ; 《~ à》 …에의 의욕〔관심〕 : reprendre ~ *à* la vie 삶에의 의욕을 되찾다. ⑤ 감식력〔안〕(鑑識力〔眼〕) ; 미적 감각 : manquer de ~ 감식안이 없다 / homme de ~ 미적 감각이 있는 사람. ***avoir du*** ~ ⓐ 맛이〔맛내기가〕 좋다. ⓑ 센스가 있다, 감식안이 좋다. ***bon*** ~ 좋은 취미 ; 올바른 감식안. ***Chacun (à) son ~ ; À chacun son ~.*** 《격언》 사람마다 자기 취미가 있다. ***Des ~s et des couleurs on ne dispute point.*** 남의 취미는 비판할 수 없는 것이다, 각인각색. ***être à*** 〔***de***〕 ***mon*** ~ 나의 취미에 맞다. ***mettre*** qn ***en*** ~ …에게 …할 의욕을 갖게 하다. ***prendre ~ à*** …을 좋아하게 되다. ***Tous les ~s sont dans la nature.*** 《격언》 세상에는 여러 가지 취미의 사람들이 있는 법.

*__goûter__ [gute] *v.t.* ① 맛을 음미하다 ; 맛〔간〕을 보다 : ~ une sauce 소스를 맛보다 / ~ un vin 포도주를 시음하다 / 《목적보어 없이》 avaler sans ~ 맛을 음미하지 않고 먹다. ② 즐기다, 애호하다 : ~ la musique 음악을 애호하다 / ~ sa gloire 영광을 누리다 / ~ la vie champêtre 전원 생활을 즐기다. ③ 좋아하다, 존중〔시인〕하다 ; 높이 평가하다 : ~ vivement la poésie 시를 매우 좋아하다 / écrivain très *goûté* dans les années 1990, 1990 년대에 높이 평가받았던 작가. ── *v.t. ind.* ① 《~ à 〔de〕》 …을 맛보다, 시식〔시음〕하다 : ~ *à* un vin 포도주를 맛보다 / *Goûtez de* ce gâteau. 이 과자를 좀 잡수어 보시오. ② 《 ~ de》 …에 손을 대다 ; …을 경험하다 : ~ *de* la prison 옥살이를 겪다. ── *v.i.* (오후의) 간식을 먹다 : ~ à quatre heures, 4 시에 간식을 먹다. ── *m.* 간식 : C'est l'heure du ~. 간식 시간입니다.

⁑**goutte**[1] [gut] *f.* ① (물) 방울 : ~ de pluie 빗방울 / verser qc par ~*s* …을 한 방울 한방울 따르다 / Il suait à grosses ~*s*. 그는 구슬 같은 땀을 흘리고 있었다. ② (물방울 모양의) 반점(斑點) : oiseau parsemé de ~*s* blanches 흰 점이 박힌 새. ③ 《구어》 (액체의) 소량 ; 한 모금 ; (술) 한 잔 : 《une ~ de + 무관사명사》 *une* ~ *de* cognac 조금밖에 안 되는 코냑 / boire *une* ~ *de* vin 포도주를 한 모금 마시다. ④ 〖약학〗 구트 《약의 미량 단위》 ; (*pl.*) 점적제 : se mettre des ~*s* dans les yeux 눈약을 치다. ***avoir la ~ au nez*** 《구어》 콧물이 나오다. ***boire la*** ~ 〔***une*** ~〕 ⓐ 한 잔 마시다. ⓑ 물에 빠져 죽을 뻔하다 ; 사업에 실패하다. ***C'est une ~ d'eau dans la mer.*** 《속어》 그것은 대해(大海)의 물 한 방울이다. ***~ à ~*** 한 방울 한 방울, 한 방울씩 : couler ~ *à* ~ 한 방울 한 방울 흐르다. ***jusqu'à la dernière*** ~ 최후의 한 방울까지 ; 마지막까지, 최후의 순간까지 : boire *jusqu'à la dernière* ~ 마지막 한 방울까지 마시다. ***ne pas avoir une ~ de sang dans les veines*** 힘이 없다, 기진맥진하다. ***prendre une*** ~ 한 잔 마시다. ***se ressembler comme deux ~s d'eau*** 꼭 판박이다, 똑같이 닮았다. ── *adv.* 《옛》 《ne 와 함께》 조금도〔전혀〕 …아니다 : Je *ne* vois ~. 조금도 안 보인다 / *n'*y entendre ~ 조금도〔아무것도〕 모르다〔이해 못하다〕.

goutte[2] *f.* 〖의학〗 통풍, 통풍성 관절염(= ~ articulaire).

goutte-à-goutte [gutagut] *m.* 《복수불변》 〖의학〗 점적 주입(點滴注入) ; 점적 주입 장치 : pratiquer des ~ 점적 주입하다.

gouttelette [gutlɛt] *f.* 작은 (물)방울.

goutter [gute] *v.i.* 물방울이 듣다 : eau qui

goutte d'un robinet 수도꼭지에서 똑똑 떨어지는 물.

goutteux, euse [gutø, -ø:z] *adj.* 통풍에 걸린 ; 통풍에 관한. ── *n.* 통풍 환자.

gouttière [gutjɛ:ʀ] *f.* ① 〖건축〗 (지붕의) 빗물받이 홈통 ; 《옛》 처마, 차양. ② 〖외과〗 부목(副木), 깁스.

gouvernable [guvɛʀnabl] *adj.* 통치〔지배〕할 수 있는 : peuple difficilement ~ 통치하기 힘든 민족.

gouvernail [guvɛʀnaj] *m.* ① 〖해양〗 (배의) 키 ; 〖항공〗 (비행기의) 조종 날개 ; (풍차의) 날개. ② 통치 ; 지휘, 지도 : saisir le ~ 지휘권을 장악하다. **~ de direction** 〔**verticul**〕 〖항공〗 방향타(方向舵). **~ de profondeur** 〖항공〗 승강타(昇降舵). **tenir le ~ de** (국정(國政) 따위를) 지도하다 ; 〖해양〗 …의 키를 잡다.

gouvernant, e [guvɛʀnɑ̃, -ɑ̃:t] *m. pl.* 통치자, 위정자. ── *f.* ① (독신자 · 성직자의) 가정부. ② 여자 가정교사. ── *adj.* 통치〔지배〕하는, 정권을 잡은 : classe *~e* 지배 계급 / parti ~ 여당.

gouverne [guvɛʀn] *f.* ① 〖해양〗 조타(操舵) ; (*pl.*) 〖항공〗 방향타와 보조 날개. ② 행동 지침〔규범〕 : pour votre ~ (당신의) 행동 지침으로서.

gouverné, e [guvɛʀne] *adj.* ① 통치〔지배〕받는. ② 억제된. ── *n.* (주로 *pl.*) 피통치자.

⁑**gouvernement** [guvɛʀnəmɑ̃] *m.* ① 통치, 정치, 지배 : ~ d'une classe 한 계급의 지배. ② 제어(制御) ; 억제 : ~ de soi-même 자제(自制). ③ 정체(政體)(= régime) : ~ monarchique 〔constitutionnel〕 군주〔입헌〕 정체 / ~ représentatif 대의(代議) 정체. ④ 내각(= cabinet), 정부 : ~ fort 강력한 정부 / ~ de coalition 연립 내각 / entrer au ~ 입각하다 / constituer le ~ 내각을 구성하다 / membres du *G*~ 각료, 국무 위원. ⑤ 《옛》 관리, 지도, 제어 : ~ d'une maison 집의 관리. ⑥ 총독 · 지사의 직 ; 〖군사〗 요새 사령관의 직.

gouvernemental, e, aux [guvɛʀnəmɑ̃tal, -o] *adj.* ① 정부〔정치〕의 ; 통치의, 행정의. ② 정부측의, 정부를 지지하는 : parti ~ 여당.

gouverner** [guvɛʀne] *v.t.* ① 〖해양〗 (배의) 키를 잡다, 조종하다 : ~ une barque 작은 배를 몰다. ② 통치하다, 다스리다, 지배하다 : ~ un pays 〔un peuple〕 나라를 〔국민을〕 다스리다. ③ 지휘하다, 지도하다 ; 감독하다 : ~ un enfant 어린이를 지도하다. ④ ⓐ 제어하다, 조종하다 : ~ des chevaux 말을 조종하다. ⓑ (감정 · 욕망 따위를) 억제하다(= maîtriser) : ~ ses sentiments 감정을 억제하다. ⑤ 〖문법〗 지배하다(= régir) : verbe qui *gouverne* l'accusatif 목적격 지배의 동사. ── *v.i.* 〖해양〗 (키잡이가) 키를 잡다 ; (배가) 조종되다 : bateau qui *gouverne* bien 잘 조종되는 배. ***Gouvernez droit! 〖해양〗 (배의 진로를) 그대로 하라! ── **se ~** *v.pr.* ① 자치(自治)하다 : droit des peuples à *se* ~ eux-mêmes 민족 자결〔자치〕권. ② 처신하다. ③ 통치되다.

gouverneur [guvɛʀnœ:ʀ] *m.* ① 총독 ; 지사(知事). ② (은행의) 총재 ; 사장 : ~ de la Banque de France 프랑스 은행 총재. ③ 요새 사령관, 군사령관(= ~ militaire).

goyave [gɔja:v] *f.* 〖식물〗 번석류(蕃石榴)의 열매《잼 · 젤리 따위를 만듦》.

G.P.L 《약자》 gaz de pétrole liquéfiés 액화 석유 가스(〔영〕 LPG).

G.Q.G. 《약자》 Grand Quartier Général 〖군사〗 총사령부.

GR 《약자》 Gréce 그리스 《외국 자동차의 표지》.

gr. 《약자》 ① gramme 〖도량형〗 그램. ② grade 그레이드.

Graal (le) [ləgʀɑ:l] *m.* 〖중세문학〗 성배(聖杯) 《그리스도가 최후의 만찬 때 사용한 그릇》 (= le Saint-Graal).

grabat [gʀaba(ɑ)] *m.* 초라한 침대 ; 병상(病床) : être sur le ~ 병석에 누워 있다.

grabataire [gʀabatɛ:ʀ] *adj.* et. *n.* 병석에 누운 (사람).

grabuge [gʀaby:ʒ] *m.* 《구어》 싸움 ; 소동(= querelle) : faire du ~ 소동을 일으키다.

grâce** [gʀɑ:s] *f.* ① ⓐ 은혜, 친절 : faire une ~ à qn …에게 친절을 베풀다. ⓑ 호의, 후의(厚意) ; 특혜 ; 총애, 유예 : obtenir une ~ 특혜를 얻다 / donner à qn délai de ~ …에게 특별한 호의로 유예(猶豫) 기간을 주다 / Il est dans les bonnes *~s* de qn. 그는 …의 총애를 받고 있다. ② (신의) 은총 : avoir la ~ 은총을 입다 / Dieu a donné sa ~ à toutes les créatures humaines. 신은 모든 인간에게 은총을 주신다. ③ 용서, 사면(赦免), 〖법률〗 특사(特赦) : demander ~ 용서를 빌다 / accorder sa ~ à qn …을 용서해 주다 / droit de ~ (대통령이 갖는) 사면권. ④ (*pl.*) 감사 ; 식후의 기도 : dire les *~s* 식후의 감사 기도를 올리다 / rendre *~s* à qn …에게 감사하다. ⑤ 우아함, 기품 ; 매력, 아취(雅趣) : avoir de la ~ 우아하다 / faire des *~s* 아양을 떨다. ⑥ (*G*~) 영국 공작의 칭호. ***actions de ~s (신에 대한) 감사, 감사의 기도. ***à la ~ de Dieu*** 운을 하늘에 맡기고. ***avoir bonne ~ à***+*inf.* 솜씨 있게 …하다. ***avoir mauvaise ~ à***+*inf.* …하는 것은 부당하다. ***coup de ~*** 최후의 일격, 치명적 타격. ***De*** 〔***Par***〕 ***~!*** 《구어》 부디, 제발 : Taisez-vous! *De ~!* 제발 조용히 하시오! ***faire ~ de*** qc ***à*** qn …에게 …을 면제〔용서〕해 주다 : *faire ~ à* qn *d'une* dette …에게 부채를 탕감해 주다 / Je vous *fais ~ du* reste. 나머지는 생략하겠소. ***Grace!*** 제발 용서해 주세요. **~ à** …의 덕택으로 : *~ à* Dieu 신의 가호(加護)로, 다행히.

***gracier** [gʀasje] *v.t.* 〖법률〗 특사하다 ; 형을 감면하다 : condamné *gracié* par le chef de l'État 국가 원수의 특사를 받은 죄수.

gracieusement [gʀasjøzmɑ̃] *adv.* ① 우아하게 ; 상냥하게. ② 무보수로, 무료로.

gracieuseté [gʀasjøzte] *f.* ① 상냥함 ; 상냥한 언행. ② 행하(行下), 팁(= gratification) ; 선물(= cadeau). ***faire une ~ à*** qn …에게 상냥하게 하다.

***gracieux, euse** [gʀasjø, -ø:z] *adj.* ① 아담한, 맵시 있는, 우아한 : manières *~euses* 우아한 거동. ② 상냥한 ; 정중한 ; 친절한 : recevoir un accueil ~ 친절한 대접을 받다.

③ 무보수의, 무료의 : à titre ~ 무보수로 / exemplaire envoyé à titre ~ 증정본.

gracile [gʀasil] *adj.* 섬세한 ; 가냘픈(= frêle, grêle) : corps ~ 가냘픈 체격.

gracilité [gʀasilite] *f.* 섬세함 ; 가냘픔, 날씬함.

gradation [gʀadɑsjɔ̃] *f.* ① 점증(漸增), 점감(漸減) ; 점진(漸進) : par ~ 서서히 점진적으로. ② 단계 : passer par des ~*s* successives 단계를 좇아서 나아가다. ③ 〚음악〛 (음의) 단계적 상승. ④ 〚미술〛 농담법, 그라데이션《색조의 미묘한 변화》. ⑤ 〚수사학〛 점층〔점강〕법.

grade** [gʀad] *m.* ① 계급, 등급, 지위 : avancer 〔monter〕 en ~ 승진하다. ② (대학의) 학위, 칭호(= ~ universitaire) : être admis au ~ de docteur 〔licencié〕 박사〔학사〕 학위를 수여받다. ③ 그레이드 《각도의 단위 ; 직각의 100 분의 1 ; 《약자》 gr》. ***en prendre pour son ~ 《구어》 호되게 질책당하다.

-grade *suff.* 「보행」의 뜻.

gradé, e [gʀade] 〚군사〛 *m.* 부사관(副士官). — *adj.* 부사관의 계급을 가진.

gradin [gʀadɛ̃] *m.* ① 단(段), 시렁, 선반 : cultures en ~*s* 층층이 경작된 밭. ② (계단 교실 · 경기장 따위의) 좌석, 자리.

graduation [gʀadɥɑsjɔ̃] *f.* 눈금 매기기 ; 눈금 : ~ d'un thermomètre 온도계의 눈금.

gradué, e [gʀadɥe] *adj.* ① 눈금을 새긴 : verre ~ 눈금이 새겨진 컵. ② 단계적인 : exercices ~*s* 단계적인 연습.

***graduel, elle** [gʀadɥɛl] *adj.* 점차〔점진〕적인, 단계적인.

graduellement [gʀadɥɛlmɑ̃] *adv.* 차츰, 조금씩, 점차로.

graduer [gʀadɥe] *v.t.* ① …에 눈금을 매기다. ② 점진〔점증〕시키다 ; 조금씩 정도를 높이다 : ~ les difficultés 조금씩 어렵게 하다.

graffiter [gʀafite] *v.t.* ① …에 낙서하다 : ~ une palissade 울타리에 낙서하다. ② 낙서로 표현하다.

graffiti [gʀafiti] 〔이탈리아〕 *m. pl.* (*sing.* ***graffito*** [-o]는 드묾) 고적(古蹟)〔벽〕에 장난으로 그린 그림〔글〕 ; 《일반적》 벽의 낙서 ; 〚미술〛 프레스코 화법.

grailler [gʀɑje] *v.i.* 《구어》 먹다(= manger).

graillon¹ [gʀɑ(a)jɔ̃] *m.* ① 지방〔기름〕 타는 냄새 : sentir le ~ 기름이 탄 냄새가〔맛이〕 나다. ② 맛없는 기름진 요리 ; (*pl.*) (고기 튀김의) 찌꺼기.

graillon² *n.* 끈적끈적한 가래〔담(痰)〕.

graillonner¹ [gʀɑ(a)jɔne] *v.t.* (고기 따위가) 기름〔지방(脂肪)〕 타는 냄새를 풍기다.

graillonner² *v.t.* 가래를 뱉기 위해 기침하다 ; 그르렁거리다 ; 쉰 목소리로 말하다.

grain** [gʀɛ̃] *m.* ① 낟알, 곡식 알 ; (보통 *pl.*) 곡물, 곡류 ; 곡식 : ~*s* de riz 〔blé〕 쌀〔밀〕 알 / moudre le ~ 곡식을 빻다. ② 알 모양의 과실, 열매, 알맹이 : ~*s* de raisin 포도알 / ~ de café 커피 원두. ③ (염주 따위의) 알 ; (모래 따위의) 알, 부스러기 ; 〚약학〛 알약 : ~ de sable 모래알. ④ 소량, 미량 ; 《옛》 〚도량형〛 옛날의 무게 단위《54 밀리그램》 : C'est tout juste un ~. 그것은 하잘것없는 것이오. ⑤ (나무 · 가죽 · 직물 따위의) 우툴두툴한 모양 : ~ de la peau 피부결 / ~ d'un papier 종이결. ⑥ 〚해양〛 돌풍(突風), 스콜(= ~ de vent) ; 갑작스러운 소나기, 폭우. ***avoir un ~ (***de folie dans la tête***) 머리가 약간 이상하다. ***mettre*** 〔***mêler***〕 ***son ~ de sel*** (자기와는 관계없는) 남의 대화에 끼어들다〔참견하다〕. ***séparer le bon ~ de l'ivraie*** 독밀과 밀을 구분하다, 악인과 선인을 구분하다. ***veiller au ~*** 조심하다, 신중히 대처하다.

grainage [gʀɛnaːʒ] *m.* (화약 · 설탕 따위를) 과립(顆粒)으로 만들기.

graine** [gʀɛn] *f.* ① 종자, 씨, 씨앗 : semer des ~*s* 씨앗을 뿌리다. ② 《경멸》 《~ de》 장차 …이 될 만한 아이〔녀석〕 : C'est de la ~ *de* voyou. 그는 장차 깡패가 될 만한 녀석이다. ***casser la ~ 《구어》 간단히 요기하다. ***en prendre la ~*** 그것을 본보기로 삼다. ***monter en ~*** (채소 따위가) 쇠다 ; 《구어》 처녀가 나이 들어 혼기를 놓치다.

graineterie [gʀɛnt(ə)ʀi] *f.* 씨앗 장사, 곡물상, 곡물 가게.

grainetier, ère [gʀɛntje, -ɛːʀ] *n.* 곡물〔씨앗〕 장수.

graissage [gʀɛsaːʒ] *m.* 기름〔그리스〕칠 ; 주유, 급유 : vidange et ~ d'une voiture 자동차의 오일 교환 / huile de ~ 그리스, 윤활유.

***graisse** [gʀɛs] *f.* ① 지방(脂肪), 기름 : ~ de porc 돼지기름 / ~ à frire 프라이용 기름 / ~*s* animales 〔végétales〕 동물성〔식물성〕 기름. ② (인간의) 지방, 비만 : excès de ~ 지방 과다, 비만 / prendre 〔avoir〕 de la ~ 지방이 붙다, 살찌다. ③ (기계용) 윤활유, 그리스.

graisser [gʀɛ(e)se] *v.t.* ① (기계에) 윤활유〔기름 · 그리스〕를 치다, 기름칠하다(= huiler) : ~ sa voiture 차에 기름을 치다. ② (몸에) 기름을 묻히다, 기름으로 더럽히다. ~ ***la patte à*** qn …에게 뇌물을 주다. — *v.i.* (포도주 따위가 변질하여) 기름같이 되다.

graisseur, euse¹ [gʀɛsœːʀ, -øːz] *adj.* 기름을 넣는 ; 도유(塗油)〔주유〕용의. — *m.* ① 기름 넣는 직공. ② 주유기.

graisseux, euse² [gʀɛsø, -øːz] *adj.* ① 지방질의, 기름기 있는(= adipeux) : tissu ~ 지방 조직. ② 기름 묻은 : habits ~ 기름 묻은 옷.

graminé, e [gʀamine] *adj.* 〚식물〛 화본〔포아풀〕과(科)의. — *f.* 화본과 식물.

grammaire** [gʀa(m)mɛːʀ] *f.* ① 문법(학) : ~ comparée 비교 문법 / faute de ~ 문법상의 오류 / contre la ~ 문법 규칙을 어기고. ② 문법서, 문전(文典) ; 문법론(집) : ~ élémentaire 초급 문법책. ③ (음악 · 그림 따위의) 교본, 규칙서 : ~ du cinéma 영화 교본. ***classes de ~ 중등학교의 저학년《lycée 나 collège 의 제 6, 제 5, 제 4 학급 ; 중학교 1, 2, 3 학년에 해당함》.

grammairien, enne [gʀam(m)ɛʀjɛ̃, -ɛn] *n.* 문법학자 ; 언어학자.

grammatical, e, aux [gʀam(m)atikal. -o] *adj.* 문법(상)의, 문법에 관한 ; 문법(규칙)에 맞는 : exercices ~*aux* 문법 연습 문제.

grammaticalité [gʀa(m)matikalite] *f.* 〚언어〛 문법성(文法性).

***gramme** [gʀam] *m.* ① 〚도량형〛 그램 : bifteck de deux cents ~*s*, 200 그램의 비프스

테이크. ② 극소량 : Il n'a pas un ~ de courage. 용기라곤 티끌만큼도 없다.

-gramme *suff.* 「문자」의 뜻.

grand, e** [gʀɑ̃, -ɑ̃:d] 《연음할 때는 d 는 [t]가 된다 : grand arbre [gʀɑ̃taʀbʀ]》 *adj.* 《특별한 경우를 제외하고는 명사 앞》 ① 큰 ; 키가 큰 ; 긴 ; 넓은 : ~*s* yeux 큰 눈 / ~*es* jambes 긴 다리 / ~*e* distance 장거리 / ~*e* ville 대도시 / Il est ~ pour son âge. 그는 나이에 비해 크다. ② 성장〔생장〕한 ; 다 자란 : plante déjà ~*e* 성장한 식물 / être assez ~ pour 《구어》 …할 만큼 철이 들다, …할 능력이 있다 / les ~*es* classes 상급반, 고학년. ③ (수 · 양이) 대단한 ; 막대한 : ~*e* foule 대군중 / ~*e* fortune 막대한 재산 / à ~*e* vitesse 전속력으로 / laver à ~*e* eau 많은 물로 씻다 / deux ~*es* heures 2 시간씩이나 《시간이 오래 된다는 기분을 나타냄》. ④ (가치 · 지위 · 명성 등이) 높은, 저명한 ; 고귀한 ; 위대한 ; 탁월한 ; 고위의 : Alexandre le *G*~ 알렉산더 대왕 / ~*s* vins 고급 포도주 / ~ personnage 거물, 고관 / ~ homme 위인, 위대한 사람 / ~ poète 위대한 시인 / ~*es* actions 훌륭한 행동 / avoir ~ air 젠체하다. ⑤ 대단한, 큰 : 강한, 심한 : ~ buveur 술고래 / ~*e* différence 큰 차이 / ~*e* chaleur 혹서, 무더위 / ~ froid 혹한, 강추위 / ~ âge 고령 / ~ blessé 중상자 / au ~ jour 대낮에, 남이 다 알게 / au ~ air 야외에서, 한데에서 / faire ~ tort 큰 손해를 입히다 / avoir ~ besoin de qc …이 몹시 필요하다. ⑥ 주요한 ; 주된 : ~*e* nouvelle 중요한 뉴스 / ~*e* industrie 대〔주요〕산업 / ~ mât 〖해양〗 가장 큰 돛대 / ~ événement 대사건. ***de ~ cœur 진심으로, 기꺼이. ***~ air*** 대기. ***~e personne*** 어른. ***~es vacances*** 여름 방학, 여름 휴가. ***~ homme*** 위대한 인물. ***~ monde*** 상류 사회, 사교계. ***homme ~*** 키 큰 사람. ***le ~ public*** 대중. ***mener la ~e vie*** 호사스러운 생활을 하다. ***se faire ~*** 자라다, 성장하다.

── *n.* ① (아이들의) 연장자, 상급생. ② 어른, 성인(= adulte). ③ 《아이를 부르는 호칭으로》 mon ~ ; ma ~*e* 《구어》 얘야.

── *m.* ① 대국(大國), 강대국(= ~*e* puissance). ② 크기 : l'infiniment ~ 무한대. ③ 고위층의 사람, 고위 고관. ④ 장중함, 우람함 ; 고상함, 위대함 ; 《구어》 사치.

── *adv.* 크게 ; 대규모로 : ouvrir la fenêtre toute ~*e* 창문을 활짝 열다 / les yeux ~*s* ouverts 눈을 크게 뜨고. ***en ~*** 대규모로, 크게 ; 고상하게 ; 실물 크기로 : dessiner *en* ~ 실물크기로 그리다 / fabriquer *en* ~ 대량 생산하다. ***faire ~*** 대규모로 하다.

grand-angle [gʀɑ̃tɑ̃:gl] *m.* (*pl.* **~s-~s**) 〖광학〗 광각 렌즈.

grand-angulaire [gʀɑ̃tɑ̃gylɛ:ʀ] *adj.* et *m.* (*pl.* **~s-~s**) 〖광학〗 (렌즈가) 광각도(廣角度)(의).

grand-chose** [gʀɑ̃ʃo:z] *n.* 《복수불변》 《보통 pas 또는 sans 과 함께》 대단한 것〔일〕, 대수로운 것. Cela ne vaut pas ~. 그것은 대단한 가치가 없다 / Pas ~ de bon. 그다지 좋은 일은 아니다. ***un* 〔*une*〕 *pas ~ 보잘것 없는 사람(들).

grand-croix [gʀɑ̃kʀwa] *f.* 《복수불변》 (레지옹도뇌르의) 최고 (십자) 훈장. ── *m.* (*pl.* **~s-~**) 최고 훈장 패용자.

grand-duc [gʀɑ̃dyk] *m.* (*pl.* **~s-~s**) ① 대공(大公). ② (제정 러시아의) 황손, 황태자.

grand-duché [gʀɑ̃dyʃe] *m.* 대공국, 대공령 : ~ de Luxembourg 룩셈부르크 대공국.

Grande-Bretagne [gʀɑ̃dbʀətaɲ] *n.pr.f.* 〖지리〗 대영제국, 대(大)브리튼섬〔나라〕《잉글랜드 · 웨일스 · 스코틀랜드를 포함》.

grande-duchesse [gʀɑ̃ddyʃɛs] *f.* (*pl.* **~s-~s**) ① 대공비(妃) ; 여대공. ② (제정 러시아의) 황녀.

grandement [gʀɑ̃dmɑ̃] *adj.* ① 크게, 몹시, 완전히, 온통 : Il s'est ~ trompé. 그는 크게 잘못했다. ② 유난히, 다량으로, 충분히 ; 활수하게, 흡족하게 : avoir ~ de quoi vivre 충분히 먹고 살 것이 있다.

grand ensemble [gʀɑ̃tɑ̃sɑ̃:bl] *m.* (*pl.* **~s ~s**) (대도시 근교의) 현대적 주택 단지.

grande surface [gʀɑ̃syʀfas] *f.* (*pl.* **~s ~s**) (hypermarché, supermarché 따위의) 현대식 백화점, 슈퍼마켓.

grandeur** [gʀɑ̃dœ:ʀ] *f.* ① 크기, 넓이, 규모 : boîtes d'égale ~ 같은 크기의 상자. ② (질 · 양 · 정도의) 큼 ; 중대함, 심각함 : ~ d'un sacrifice 〔d'un danger〕 희생〔위험〕의 크기 / ~ d'un crime 죄의 중대성. ③ 위대함, 웅대〔장대〕함 ; 고귀, 숭고 : ~ de Napoléon 나폴레옹의 위대함. ④ 권세, 권위 ; 영화 : la ~ des Romains 로마인의 영화. ***~ nature 실물 크기의(= de ~ naturelle) : portrait 〔statue〕 ~ *nature* 실물 크기의 초상화〔조각상〕. ***regarder*** qn ***du haut de sa ~*** 《구어》 …을 얕보다. ***Sa* 〔*Votre*〕 *G~*** 각하《주교 · 대주교에 대한 경칭》.

grand-guignolesque [gʀɑ̃giɲɔlɛsk] *adj.* 무시무시한 ; 엽기적인, 오싹하는.

grandiloquence [gʀɑ̃dilɔkɑ̃:s] *f.* 호언장담, 문체〔언사〕 따위의 과장.

grandiloquent, e [gʀɑ̃dilɔkɑ̃, -ɑ̃:t] *adj.* 호언장담의, 과장된 : style ~ 과장된 문체.

grandiose [gʀɑ̃djo:z] *adj.* 거창한, 웅대〔웅장〕한, 장대한 ; 숭고한 : spectacle ~ 장관 / plan ~ 웅대한 계획. ── *m.* 웅대, 장대.

***grandir** [gʀɑ̃di:ʀ] *v.i.* 《조동사는 동작을 나타낼 때는 avoir, 결과적 상태를 나타낼 때는 être》 ① 커지다, 성장하다, 자라다 : Comme il *est* 〔*a*〕 *grandi !* 정말 많이 커졌군! / Les pluies ont fait ~ les blés. 비가 와서 밀이 자랐다. ② (정도가) 강해지다 : Son pouvoir *grandit* de jour en jour. 그의 세력이 하루하루 커지고 있다. ③ 훌륭해지다, 위대해지다. ── *v.t.* ① 자라게 하다, 성장시키다 ; 위대하게 하다 ; 향상시키다 : Les épreuves *l'ont grandi.* 시련이 그를 위대하게 했다. ② 크게 하다(= agrandir, grossir), 확대하다 : microscope qui *grandit* les objets 물체를 확대시켜 주는 현미경. ── **se ~** *v.pr.* ① 자신을 크게 보이게 하다 : *se* ~ en se haussant sur la pointe des pieds 발돋움해서 키가 커 보이게 하다. ② 훌륭해지다, 위대해지다 : On *se grandit* dans le malheur. 사람은 역경 속에서 성장한다.

grandissant, e [gʀɑ̃disɑ̃, -ɑ̃:t] *adj.* (서서

히) 커지는, 증대하는 : hostilité chaque jour ~*e* 나날이 커지는 적의.
grandissement [gʀɑ̃dismɑ̃] *m.* ① 커지게 함, 증대. ② 〚광학〛 확대율, 배율.
grand-maman [gʀɑ̃mamɑ̃] *f.* (*pl.* ~(**s**)-~**s**) 《소아어》 할머니(= grand-mère).
⁑**grand-mère** [gʀɑ̃mɛːʀ] *f.* (*pl.* ~(**s**)-~**s**) 조모, 외조모, 할머니 ; 《구어》 노파 : ~ paternelle 친할머니.
grand-messe [gʀɑ̃mɛs] *f.* (*pl.* ~(**s**)-~**s**) ① 〚가톨릭〛 대미사. ② 《비유》 (정치적 · 문화적인) 집회, 대제전 : la ~ annuelle du parti 당의 연례적인 집회.
grand-oncle [gʀɑ̃tɔ̃ːkl] *m.* (*pl.* ~**s**-~**s**) 종조부, 외종조부.
grand-papa [gʀɑ̃papa] *m.* (*pl.* ~**s**-~**s**) 《소아어》 할아버지(= grand-père).
grand-peine (**à**) [agʀɑ̃pɛn] *adv.* 간신히, 겨우, 가까스로.
⁑**grand-père** [gʀɑ̃pɛːʀ] *m.* (*pl.* ~**s**-~**s**) ① 조부, 외조부, 할아버지 : ~ paternel 〔maternel〕 친할아버지〔외할아버지〕. ② 《구어》 노인.
grand-rue [gʀɑ̃ʀy] *f.* (*pl.* ~**s**-~**s**) 큰길, 대로(大路).
*__grands-parents__ [gʀɑ̃paʀɑ̃] *m. pl.* (외)조부모.
grand-tante [gʀɑ̃tɑ̃ːt] *f.* (*pl.* ~(**s**)-~**s**) 대고모, (외)종조모.
grand-voile [gʀɑ̃vwa] *f.* (*pl.* ~(**s**)-~**s**) 〚해양〛 큰 돛.
*__grange__ [gʀɑ̃ːʒ] *f.* (농가의) 헛간, 광, 곡물〔곡식〕 창고.
grangée [gʀɑ̃ʒe] *f.* 광에 가득 찬 양.
grani- *préf.* 「곡식」의 뜻.
granit(**e**) [gʀani(t)] *m.* ① 〚광물〛 화강암, 쑥돌. ② 《비유》 (화강암처럼) 단단한 것 ; 비정한 것. ***cœur de*** ~ 무정한 마음.
granitaire [gʀanitɛːʀ] *adj.* (토지 따위가) 화강암질의.
granité, e [gʀanite] *adj.* 화강암 모양의, 우툴두툴한 : verre ~ 우툴두툴한 유리. ── *m.* 〚직물〛 우툴두툴한 직물의 일종.
granivore [gʀanivɔːʀ] *adj.* (조류가) 곡식을 먹는. ── *m. pl.* 곡식을 먹는 조류.
granulation [gʀanylɑsjɔ̃] *f.* ① 알갱이〔잔알〕로 만들기 ; (*pl.*) 과립(顆粒) 상태 ; 오톨도톨함. ② (*pl.*) 〚의학〛 육아(肉芽).
granule [gʀanyl] *m.* ① 알갱이, 세립(細粒). ② 〚약학〛 잔 환약(丸藥).
granulé, e [gʀanyle] *adj.* 알갱이〔잔알〕로 된, 입상(粒狀)의, 과립상(顆粒狀)의 ; 〚의학〛 육아(肉芽)가 생긴. ── *m.* 〚약학〛 잔 환약.
granuler [gʀanyle] *v.t.* 알갱이〔잔알〕로 만들다 ; 과립상으로 만들다.
granuleux, euse [gʀanylø, -øːz] *adj.* ① 알갱이〔잔알〕로 된 ; 오톨도톨한. ② 〚의학〛 육아(肉芽)로 된 : cellule ~*euse* 〚생리〛 백혈구.
grape(**-**)**fruit** [gʀɛpfʀut] 〖영〗 *m.* 〚식물〛 왕귤(= pamplemousse).
graphe [gʀaf] *m.* 〚수학 · 경제〛 그래프, 도표 : méthode des ~*s* 도식법, 그래프법.
-graphe *suff.* ① 「쓰는 사람 · 그리는 사람」의 뜻. ② 「쓰는〔그리는〕 (도구〔기구〕)」의 뜻.
graphème [gʀafɛm] *m.* 〚언어〛 문자소(文字素).
grapheur [gʀafœːʀ] *m.* 〚컴퓨터〛 그래픽 소프트웨어.
graphie [gʀafi] *f.* 기호 문자 사용 ; 철자법 ; 서기법(書記法) : ~ phonétique 표음 철자.
-graphie *suff.* ① 「서법(書法) · 화법(畫法) · 기록법」의 뜻. ② 「쓰여진〔그려진, 기록된〕 것」의 뜻.
graphique [gʀafik] *adj.* 선으로〔기호 · 도표 · 그래프로〕 표시한 : art ~*s* 그래픽 아트 / systéme ~ (알파벳 따위의) 표기법 / analyse ~ (필자의 성격과의 관계를 조사하는) 필적 측정. ── *m.* 〚수학〛 도표, 그래프 : ~ des températures d'un malade 환자의 체온표.
-graphique *suff.* ① 「서법 · 화법 · 기록법의」의 뜻. ② 「씌어〔그려〕진 것의 · 기록된 것의」의 뜻.
graphiquement [gʀafikmɑ̃] *adv.* 도식으로, 도표〔그래프〕로 : figurer une courbe ~ 곡선을 그래프로 표시하다.
graphisme [gʀafism] *m.* (개인 고유의) 필적 ; 자체(字體), 화풍(畫風), 서풍(書風).
graphiste [gʀafist] *n.* 도표〔도식 · 문자 · 기호〕 작성자 ; 도안가, 그래픽 디자이너.
graphite [gʀafit] *m.* 〚광물〛 석묵(石墨), 흑연(= plombagine).
graph(**o**)**-** *préf.* 「쓰는」의 뜻.
graphologie [gʀafɔlɔʒi] *f.* 필적〔필상〕학, 필적 감정.
graphologique [gʀafɔlɔʒik] *adj.* 필적학(상)의. ***examen*** ~ 필적 감정.
graphologue [gʀafɔlɔg] *m.* 필적〔필상〕자, 필적 감정가.
graphomètre [gʀafɔmɛtʀ] *m.* 《옛》 〚측량〛 측각기(測角器).
*__grappe__ [gʀap] *f.* ① 〚식물〛 (꽃 · 열매의) 송이 ; (야채 따위의) 단, 다발 : ~ de raisin 포도 송이 / ~ d'oignons 양파 한 단. ② (짐승 · 사람의) 밀집된 무리 : des ~*s* humaines 옹기종기 모인 사람들.
grappillage [gʀapijaːʒ] *m.* ① 수확하고 남은 포도를 따기. ② 《구어》 잔 이익을 보기 ; 적은 부당 이익.
grappiller [gʀapije] *v.t.* 《구어》 ① (과일 · 꽃 따위를) 여기저기서 따 모으다 ; (정보를) 여기저기서 얻다 ; 우연히 얻다. ② (잔 이득을) 얻다〔보다〕. ── *v.i.* ① 수확하고 남은 포도를 따다. ② 《구어》 잔 이익을 보다.
grappin [gʀapɛ̃] *m.* ① 〚해양〛 갈고리 닻 ; 탐묘(探錨). ② (*pl.*) (나무에 오를 때 신는) 스파이크화. ***jeter le*** 〔***mettre son***〕 ~ ***sur*** qn …을 움켜쥐다 ; …을 독차지하다.
⁑**gras, grasse** [gʀa, -ɑːs] *adj.* ① 지방성〔질〕의 ; 지방〔기름기〕 많은 : matières *grasses* 지방분. ② ⓐ 고기를 넣은 : potage (au) ~ 고기 수프. ⓑ 고기를 먹는, 육식의 : régime ~ 육식 / dîner ~ 고기 요리 만찬. ⓒ 살찐, 비만한, 뚱뚱한 : devenir ~ avec l'âge 나이가 들면서 뚱뚱해지다. ③ 기름진 ; 기름 묻은 ; 번지르르한 : aliments ~ 기름진 음식 / col ~ 기름때가 묻은 칼라. ④ (기름처럼) 끈적끈적한 : boue *grasse* 끈적끈적한 진흙. ⑤ (땅이) 기름진, 비옥한 : ~ pâturage 목초가 풍부한 목장. ⑥ 푸짐한, 많은(= abondant) : La prime n'est pas *grasse.* 보너스가 많지 않다. ⑦ 두툼한(= épais) : caractères ~ 굵은 활자, 고딕체 활자 / traits ~ d'un dessin 데생의 굵은 선. ── *adv.* ① 많이 : Il y

a ~. 《구어》 듬뿍 있다 ; 큰 돈벌이다. ② parler ~, r 음을 목구멍에서 발음하다 ; 추잡한 말을 하다. ③ 두텁게 : peindre ~ 칠을 많이 하다. ── *m.* ① 기름진 음식 ; 비계 ; 고기 요리. ② 살찐 사람 : les ~ et les maigres 뚱뚱이와 홀쭉이. ***faire* 〔*manger*〕 ~** (재일(齋日)에) 육식하다.

gras-double [gʀɑdubl] *m.* (*pl.* **~-~s**) 소의 위를 둘러싼 막(膜), 천엽, 양(月羊).

grassement [gʀɑsmɑ̃] *adv.* ① 《구어》 풍성하게(= largement) ; 윤택하게, 안락하게(= confortablement) : vivre ~ 안락하게 살다. ② 끈끈하게 : parler ~ 말투가 끈끈하다 ; 상스럽게 말하다.

grasseyement [gʀɑ〔a〕sɛjmɑ̃] *m.* 'r' 음을 목구멍으로 발음하기.

grasseyer [gʀɑ〔a〕sɛ〔e〕je] *v.i.* et *v.t.* 'r' 음을 목구멍에서 발음하다 : r *grasseyé* 목구멍으로 발음하는 'r' 《[ʀ]》.

grassouillet, ette [gʀɑ〔a〕sujɛ, -ɛt] *adj.* 《구어》 포동포동한, 토실토실한 : bébé ~ 토실토실한 아기.

gratifiant, e [gʀɑtifjɑ̃, -ɑ̃t] *adj.* 〖심리〗 욕구를 충족시키는, 만족감을 주는.

gratification [gʀatifikasjɔ̃] *f.* ① 특별 수당, 상여금, 보너스 : ~ de fin d'année 연말 상여금 / ~ cachée 〔illicite〕 뇌물. ② 팁. ③ 〖심리〗 만족감(≠ frustration), 욕구 충족.

gratifier [gʀatifje] *v.t.* ① 《~ qn de》 ⓐ …에게 혜택을〔호의를〕 베풀다 : ~ le garçon *d'*un pourboire 보이에게 팁을 주다. ⓑ …에게 (불쾌한 일을) 가하다 ; (책임을) 전가하다 : ~ qn d'une bonne volée …을 호되게 때려 주다. ② 《~ qn》 〖심리〗 …에게 심리적 만족감을 주다(≠ frustrer). ~ qn ***de ses bévues*** 자기의 실책을 …에게 전가시키다.

gratin [gʀatɛ̃] *m.* ① 〖요리〗 그라탱《치즈가루와 빵가루를 입힌 다음 노랗게 구운 요리》 : sole au ~ 가자미 그라탱. ② 최상〔최고〕의 것. ③ 《구어》 상류 사회, 엘리트 계층(= élite), 명사(名士) : ~ du monde politique 정계의 쟁쟁한 사람들.

gratiné, e [gʀatine] *adj.* ① 그라탱으로 만든 : soupe ~ 그라탱으로 만든 수프. ② 희한한 ; 터무니없는 : histoire ~*e* 엉터리 같은 이야기. ── *f.* 그라탱 수프(= soupe au ~).

gratiner [gʀatine] *v.t.* 〖요리〗 그라탱으로 만들다. ── *v.i.* (요리가) 눌어붙다.

gratis [gʀatis] *adv.* 무보수로 ; 무료로, 공짜로. ── *adj.* 《불변》 무료의, 공짜의 : entrée ~ 무료 입장 / billet ~ 무료 입장권.

gratitude [gʀatityd] *f.* 감사의 뜻〔마음〕 : témoigner sa ~ 감사의 뜻을 표하다.

grattage [gʀataːʒ] *m.* 긁기 ; 긁어 지우기 : lésion de ~ (피부의) 긁은 상처.

gratte [gʀat] *f.* ① 풀 뽑는 괭이《김매는 기구》. ② 《구어》 소액의 부당 이득. ③ 《속어》 옴(= gale). ***faire de la* ~** 잔 이득〔부당 이득〕을 얻어 내다.

gratte-ciel [gʀatsjɛl] *m.* 《복수불변》 마천루 「(摩天樓).

grattement [gʀatmɑ̃] *m.* 긁기 ; 긁어 지움 ; 긁는 소리.

gratte-ongles [gʀatɔ̃ːgl] *m.* 《복수불변》 손톱 가는 줄.

gratte-papier [gʀatpapje] *m.* 《복수불변》 《구어》 ① 필경(筆耕) ; (공증인 따위의) 서기. ② 엉터리〔3 류〕 작가(≠ plumitif). ③ 《구어》 회사의 평직원.

gratte-pieds [gʀatpje] *m.* 《복수불변》 (현관 따위에 놓인) 신발의 흙털개.

gratter** [gʀate] *v.t.* ① (손톱 따위로) 긁다 ; 긁어 지우다 ; 표면을 문지르다 : *Gratte*-moi (dans) le dos. 등을 긁어 줘 / ~ une étiquette 라벨을 긁어 떼다 / ~ un plancher avec de la paille 마룻바닥을 짚으로 문지르다. ② 《구어》 (자전거 경주에서) 앞지르다, 추월하다. ③ 《구어》 (잔 이득〔부당 이득〕을) 조금씩 얻어 내다 : Il n'y a pas grand-chose à ~ dans cette affaire. 이 일에는 별 이득이 없다. ④ 가렵게 하다, 근질근질하게 하다 : Ça me *gratte* terriblement 〔légèrement〕. 몹시〔조금〕 가렵다. **~ *le papier 《구어》 필경(筆耕)으로 살아가다. ── *v.i.* ① 《~ à》 문을 가볍게 두드리다(= ~ à la porte). ② 《~ de》 (바이올린 따위를) 서투르게 켜다. ③ 《속어》 일하다(= travailler). ④ 《구어》 《~ sur》 …에서 잔 이득〔부당 이득〕을 얻어 내다 ; …에서 절약하다. ── **se ~** *v.pr.* 자기 몸을 긁다 ; 자기의 …을 긁다 : *se* ~ la tête 〔l'oreille〕 머리〔귀〕를 긁다 / *se* ~ jusqu'au sang 피가 나도록 긁다. ***Tu peux toujours te* ~.** 아무리 해도 소용없어.

grattoir [gʀatwaːʀ] *m.* (글자 따위를 긁어 지우는) 나이프, 땅 표면을 긁는 쟁기, 긁는 도구 ; 《구어》 면도칼(= rasoir).

***gratuit, e** [gʀatɥi, -it] *adj.* ① 무보수의, 무료의, 무상의(≠ payant) : service ~ 무료 봉사 / enseignement ~ et obligatoire 무상 의무 교육. ② 이유〔동기 · 근거〕 없는 : supposition 〔insulte〕 ~*e* 근거〔까닭〕 없는 추측〔모욕〕. ***à titre* ~** 무료로.

gratuité [gʀatɥite] *f.* ① 무료, 무상 : ~ de l'enseignement 교육의 무상. ② 동기〔근거〕 없음 : ~ d'une hypothèse 근거 없는 가설.

gratuitement [gʀatɥitmɑ̃] *adv.* ① 무보수로, 무상으로, 무료로(= gratis) : Les enfants voyagent ~. 아이의 여비는 무료다. ② 이유〔근거〕 없이 ; (합리적) 동기 없이.

gravats [gʀava] *m. pl.* ① 체에 걸린 석고〔벽토〕 부스러기. ② (헐린 건물 따위의) 파편, 잔해.

***grave** [gʀɑ〔ɑ〕ːv] *adj.* ① 무게 있는 ; 엄숙한, 근엄한 : juge ~ 근엄한 재판관 / expression ~ 근엄한 표정. ② 중대한 ; 심각한 ; (병이) 위독한 : La situation est ~. 사정은 심각하다 / L'heure est ~. 지금은 중대한 시기다 / blessé ~ 중상자. ③ (소리가) 낮은(≠ aigu) ; 〖문법〗 중음(重音)의 : voix ~ 낮은 목소리 / accent ~ 〖문법〗 악상그라브《`》. ── *m.* ① 장중함. ② 저음.

graveleux, euse [gʀavlø, -øːz] *adj.* ① 자갈이 섞인. ② 《구어》 추잡한, 외설스러운 : histoire *graveleuse* 음탕한 이야기.

gravement [gʀavmɑ̃] *adv.* ① 무게 있게 ; 엄숙〔진중〕하게 ; 장중하게. ② 중대하게 ; 위중〔위독〕하게 ; 심하게 : ~ blessé 심한 상처를 입은 / être ~ malade 중태다, 위독하다.

graver [gʀave] *v.t.* ① 새기다, 조각하다 : ~ une épitaphe dans le marbre 묘비명을 대리석에 새기다. ② 인쇄하다 : faire ~ des cartes de visite 명함을 석판 인쇄시키다. ③ (마음에) 새기다, 명심하다 : ~ une chose dans le cœur 어떤 것을 마음에 새기다. ④ (음악 따위를) 취입하다 : ~ de la musique sur la cire d'un disque 음악을 레코드에 취입하다. — **se** ~ *v.pr.* ① 새겨지다, 조각되다. ② (마음에) 새겨지다 : *se* ~ dans la mémoire 기억에 새겨져 남다.

graveur [gʀavœ:ʀ] *m.* (돌·나무·금속을 사용하는) 조각사, 판각사(版刻師) : ~ à l'eau-forte 에칭 화가〔조각사〕. 「한.

gravide [gʀavid] *adj.* 〖의학〗 임신한, 수태

gravier [gʀavje] *m.* ① 자갈, 조약돌 : couvrir un chemin de ~ 도로에 자갈을 깔다. ② 〖의학〗 신장 결석, 사립상(砂粒狀) 결석.

gravillon [gʀavijɔ̃] *m.* (도로 포장용) 자갈.

gravillonner [gʀavijɔne] *v.t.* (도로 따위에) 자갈을 깔다.

gravir [gʀavi:ʀ] *v.t. ind.* 《~ sur〔à〕》《옛》 …에 기어오르다(= grimper) : ~ *sur* une muraille 성벽을 기어오르다. — *v.t.* (돌산·사닥다리 따위를) 기어오르다 ; (힘겹게) 오르다 ; 등반하다(= monter) : ~ escalier (힘겹게) 계단을 오르다 / ~ une pente raide〔un raidillon〕 가파른 언덕에 오르다.

gravitation [gʀavitɑsjɔ̃] *f.* 〖물리〗 인력, 중력 (작용) : lois de la ~ universelle 만유 인력의 법칙.

gravité [gʀavite] *f.* ① 〖물리〗 중력, 인력(= gravitation). ② (태도 따위의) 진중〔근엄〕함 ; 장중함 : Il a parlé avec beaucoup de ~. 그는 근엄하게 말했다. ③ 중요〔중대〕(성) ; 위중함 ; 심함 : ~ d'une maladie 병의 위중함. ④ 저음 ; 〖음악〗 억음(抑音). ***centre de*** ~ 〖물리〗 중심(重心).

graviter [gʀavite] *v.t.* ① 《~ vers》 중력으로 이끌리다 : ~ *vers* la terre 지구로 끌려가다. ② 《~ autour de》 …의 둘레를 중력으로 돌다 ; 《비유》 (사람이) …의 주위를 맴돌다 : La Terre *gravite autour du* Soleil. 지구는 태양의 둘레를 돌고 있다 / ~ *autour du* pouvoir 권력(자) 주변을 맴돌다.

gravure [gʀavy:ʀ] *f.* ① 조판(彫版), 조각(술) : ~ sur bois 목판(술) / ~ sur cuivre 동판술. ② 판화(술) ; (책 안의) 사진, 삽화. ③ (레코드의) 취입, 녹음.

gré** [gʀe] *m.* ① 의사, 의향, 의지(= volonté). ② 기호(= goût), 취미. ③ 사의(謝意), 감사. ***à*〔*selon*〕 *mon ~ 내 기호〔취미〕에 맞게〔맞는〕, 내 마음대로, 내 생각으로는 : Il en a fait *à son* ~. 그는 제멋대로 했다 / trouver une chambre *à son* ~ 제 마음에 드는 방을 찾다. ***au ~ de*** qc …대로 : *au* ~ *des* événements〔circonstances〕 상황에 따라 / *au* ~ *des* flots 물결치는 대로. ***au ~ de*** qn …의 뜻〔마음〕대로 ; …의 생각으로는 : *au* ~ *de* mes désirs 내 마음대로 / *À* votre〔ton〕 ~. 좋을대로 하세요 / Cela est préférable *á mon* ~. 내 생각으로는 그것이 더 좋습니다. ***bon ~ mal ~*** 좋든 싫든 간에. ***de bon ~ ; de son plein ~*** 기꺼이, 자진해서. ***de ~ à ~*** 합의를 본, 합의 끝에 (이루어진). ***de ~ ou de force*** 무슨 수를 써서라도, 좋든 싫든 간에 : Il obéira *de* ~ *ou de force.* 원하든 아니든 간에 그는 복종하게 될 것이다. ***prendre*〔*avoir*〕** qc〔qn〕 ***en*** ~ 《옛》 …에 호의를 갖다, …을 기꺼이 받아들이다. ***savoir* (*bon*) ~〔*mauvais ~, peu de ~*〕 *à*** qn ***de*** qc〔+*inf.*〕 …(해준 데)에 대해 …에게 감사하다〔불만을 품다〕 : Je lui *sais bon* ~ *d*'avoir fait cela. 그가 그것을 한 것을 기쁘게 생각한다.

grec, grecque¹ [gʀɛk] *adj.* 그리스(풍)의 : antiquité *grecque* 고대 그리스 / église *grecque* 그리스 정교회. — **G~** *n.* 그리스 사람. — *m.* ① 그리스어. ② 《구어》 알아들을 수 없는 말 : Ce que vous dites là est ~ pour moi. 당신 말은 알아들을 수 없소.

gréco- *préf.* 「그리스」의 뜻.

gréco-latin, e [gʀekɔlatɛ̃, -in] *adj.* 그리스·라틴의 : culture ~-~*e* 그리스·라틴 문화.

gréco-romain, e [gʀekɔʀɔmɛ̃, -ɛn] *adj.* 그리스·로마의, 그레코로망식의 : art ~ 그레코로망 예술.

***grecque²** [gʀɛk] *f.* 〖미술〗 완자 무늬, 그리스식 뇌문(雷紋).

gredin, e [gʀədɛ̃, -in] *n.* 무뢰한, 불량배, 망나니. — *f.* 말괄량이, 화냥년.

gréement [gʀemɑ̃] *m.* 〖해양〗 (돛을 조종하는) 선구(船具), 삭구(索具), (범선 따위의) 의장(艤裝).

gréer [gʀee] *v.t.* 〖해양〗 (배에) 선구(船具)를 갖추다, (돛대를) 장비하다, 의장(艤裝)하다.

greffage [gʀɛfa:ʒ] *m.* 〖원예〗 접목.

greffe¹ [gʀɛf] *m.* (법원의) 서기과 ; 기록 보관소.

greffe² *m. f.* ① 〖원예〗 접지(椄枝), 접수 (椄穗), 접목(법). ② 〖외과〗 (조직의) 이식(移植) 수술 : ~ du cœur 심장 이식.

greffer [gʀɛ(e)fe] *v.t.* ① 〖원예〗 접목하다, 접붙이다. ② 〖외과〗 이식하다. — **se** ~ *v.pr.* ① 접목〔이식〕되다. ② 《비유》 결합되다, 덧붙여지다.

greffier, ère [gʀɛ(e)fje, gʀɛfjɛ:ʀ] *m.* (법원의) 서기, 기록계.

greffon [gʀɛfɔ̃] *m.* ① 〖원예〗 접지(椄枝), 접수 (椄穗). ② 〖외과〗 이식(移植) 조직.

grégaire [gʀegɛ:ʀ] *adj.* ① 〖동물〗 군서(群棲)하는 ; 〖식물〗 군생(群生)하는 : instinct ~ 군거(群居) 본능. ② 군중〔집단〕(특유)의 ; 부화뇌동적인.

grégarisme [gʀegaʀism] *m.* 군거 본능, 군중 심리, 부화뇌동성.

grège [gʀɛ:ʒ] *adj.* ① 고치에서 뽑은 채로의 : soie ~ 생사(生絲). ② 생사 빛깔의 : robe de laine ~ 생사 빛깔의 드레스. — *m.* 생사 빛깔《회색과 베이지의 중간색》.

grégorien, enne [gʀegɔʀjɛ̃, -ɛn] *adj.* 로마 교황 그레고리우스(*Grégoire*)의〔가 정한〕. ***calendrier*** ~ 그레고리우스력(曆). ***rite*** ~ 그레고리오 성례(聖禮). — *m.* 그레고리안 성가(= chant ~).

***grêle¹** [gʀɛl] *adj.* ① 가느다란, 홀쭉한(= fluet), 날씬한 : jambes ~*s* 날씬한 다리. ② (소리가) 가냘픈 : voix ~ 가냘픈 음성. ③ 〖해부〗 intestin ~ 소장(小腸), 작은창자.

grêle² *f.* ① 우박. ② 《비유》 우박처럼 떨어지는 것 : ~ de balles〔coups〕 빗발치는 탄환〔매질〕. ***méchant comme la ~ ; pire que***

la ~ 심술궂은 ; 몹시 불쾌한.

grêlé, e [gʀɛ(e)le] *adj.* ① 우박의 해를 입은 : région ~*e* 우박의 피해를 입은 지역. ② (얼굴이) 곰보인〔얽은〕.

grêler [gʀɛ(e)le] *v. impers.* 우박이 오다 : Il *grêle.* 우박이 내린다. — *v.t.* ① (농작물에) 우박 피해를 입다 : Toute cette région *a été grêlée.* 이 지방은 온통 우박의 피해를 입었다. ② (얼굴을) 곰보로 만들다. — *v.i.* 우박처럼 떨어지다〔쏟아지다〕. ~ ***sur le persil*** 《구어》 얼토당토않은 비난을 마구 퍼붓다.

grêlon [gʀɛlɔ̃] *m.* 우박〔싸라기눈〕의 알갱이.

grelot [gʀəlo] *m.* ①방울. ② 《비유》 야단법석. ***attacher le*** ~ (고양이 목에 방울을 달다의 뜻으로) 자진하여 앞장서다, 솔선수범하다. ***avoir les*** ~***s*** 《속어》 무서워하다, 벌벌 떨다.

grelottant, e [gʀəlɔtɑ̃, -ɑ̃:t] *adj.* ① 벌벌 떠는. ② 방울처럼 울리는.

grelottement [gʀəlɔtmɑ̃] *m.* 벌벌 떪 ; (방울 따위의) 흔들림.

***grelotter** [gʀəlɔte] *v.i.* ① 《~ de》 (추위 · 공포 따위로) 떨다(= froissoner) : ~ *de* froid 추위에 떨다 / ~ *de* fièvre 몸이 오슬오슬 한기가 나다. ② 방울처럼 울리다.

grenache [gʀənaʃ] *m.* ① 남프랑스산의 포도나무. ② 그 열매로 만든 포도주.

grenade [gʀənad] *f.* ① 〖식물〗 석류 열매의 낟알. ② 〖군사〗 유탄(榴彈), 척탄(擲彈). ~ ***à fusil*** 총류탄. ~ ***à main*** 수류탄.

grenadier[1] [gʀənadje] *m.* 〖식물〗 석류나무.

grenadier[2] *m.* ① 〖군사〗 유탄〔척탄〕병 ; (특수 부대의) 정예병. ② 《구어》 un vrai ~ 덩치 큰 남자 ; 남자처럼 덩치 큰 여자.

grenadine[1] [gʀənadin] *f.* 석류 시럽 ; 석류 시럽 (한)잔.

grenadine[2] *f.* 〖직물〗 꼰 명주실 ; 그 명주실로 짠 직물.

grenaille [gʀənɑ:j] *f.* ① 광분(鑛粉). ② (가금(家禽)의 먹이로 쓰이는) 곡식 부스러기.

grenat [gʀəna] *m.* ① 〖광물〗 석류석(石榴石). ② 검붉은 색, 암홍색. — *adj.* 《불변》 검붉은 색의, 암홍색의.

grener [gʀəne] 4 *v.i.* 〖농업〗 (곡식이) 익다, 여물다. — *v.t.* ① 잔알로 만들다. ② 오톨도톨하게 하다.

grènetier, ère [gʀɛntje, -ɛ:ʀ] *n.* 곡물〔종자〕 상인.

***grenier** [gʀənje] *m.* ① 곡식 창고, 곳간(= grange) : ~ à blé 〔foin〕 밀〔건초〕 창고. ② 고미다락방, 지붕밑 방(= comble). ③ 곡창(지대) : ~ de l'Italie 이탈리아의 곡창지대.

Grenoble [gʀənɔbl] *n.pr.f.* 〖지리〗 그르노블《프랑스 남동부 이제르(*Isère*) 도의 수도》.

grenouillage [gʀənujа:ʒ] *m.* 《구어》 (정치적) 음모, 술책, 부정한 뒷거래.

grenouille [gʀənuj] *f.* ① 〖동물〗 개구리 : ~ verte 〔rousse〕 청개구리〔송장개구리〕 / La ~ coasse. 개구리가 운다. ② 《구어》 개구리 저금통 ; 공동 기금, 공금 : manger 〔faire sauter〕 la ~ 공금을 축내다. ***mangeurs de*** ~***s*** 《구어》 개구리를 먹는 사람들 《영 · 미국 사람이 프랑스 사람을 가리켜 말함》.

grenu, e [gʀəny] *adj.* ① (이삭 따위가) 낟알이 많은 ; 잘 여문 : épi bien ~ 낟알이 많은 이삭. ② (표면이) 오톨도톨한(= grené).

grès [gʀɛ] *m.* ① 〖지질〗 사암(砂岩). ② 사암으로 만든 도기(陶器).

gréseux, euse [gʀezø, -ø:z] *adj.* 사암질의, 사암성의 : calcaire ~ 사암질 석회암.

grésil [gʀezi(l)] *m.* ① (특히 초봄에 내리는) 싸락눈, 진눈깨비. ② 유리 가루.

grésillement [gʀezijmɑ̃] *m.* (프라이팬이) 지글거리는 소리 ; (빗방울이) 후두둑 떨어지는 소리 ; (라디오의) 직직거리는 잡음.

grésiller[1] [gʀezije] *v. impers.* 싸락눈이 오다.

grésiller[2] *v.i.* (불 따위가) 딱딱 튀다 ; (프라이팬이), 지글지글 소리 내다 ; (라디오가) 직직 소리 내다. — *v.t.* (불기운으로) 오그라들게 하다.

gressin [gʀɛsɛ̃] *m.* 막대 모양의 작은 빵.

grève**[1] [gʀɛ:v] *f.* 동맹 파업, 스트라이크 : ~ illimitée 무기한 파업 / usine en ~ 파업 중인 공장 / ~ des bras croisés ; ~ sur le tas 농성 파업, 태업 / ~ des transports 교통 · 운수 기관의 파업 / ~ de l'impôt 납세 거부 파업 / ~ du zèle 준법 스트라이크. ***casser la ~ 파업을 저지하다 ***être en*** ~ 파업 중이다. ***faire*** (***la***) ~ 스트라이크를 하다. ***faire la*** ~ ***de faim*** 단식 투쟁을 하다. ~ ***de solidarité*** 동정 파업. ~ ***générale*** 총파업. ~ ***perlée*** 태업. ~ ***surprise*** 기습 스트라이크. ~ ***tournante*** 연쇄 파업. ***piquet de*** ~ 파업자의 피켓. ***se mettre en*** ~ 동맹 파업에 들어가다.

grève[2] *f.* 모래밭〔사장〕, 모래톱(= plage) ; (이동성) 사주(砂洲).

grever [gʀəve] 4 *v.t.* 《~ de》 …에게 무거운 부담을 지우다 : pays *grevé d'*impôts 중세로 허덕이는 나라. — ***se*** ~ *v.pr.* 부담을 짊어지다 ; 자기 재산을 저당잡히다.

***gréviste** [gʀevist] *m.* 동맹 파업자. — *adj.* 동맹 파업의.

gribouillage [gʀibujа:ʒ] *m.* 서투른 그림 ; 갈겨쓴 글씨, 난필, 악필.

gribouille [gʀibuj] *m.* 미련퉁이, 얼간이.

gribouiller [gʀibuje] *v.t.* (그림을) 서투르게 그리다 ; 괴발개발 쓰다. — *v.i.* 서투른 그림을 그리다 ; 알아볼 수 없는 글씨를 쓰다.

gribouilleur, euse [gʀibujœ:ʀ, -ø:z] *n.* 엉터리 화가 ; 악필가(惡筆家).

gribouillis [gʀibuji] *m.* 서투른 그림 ; 난필(亂筆).

grièche [gʀijɛʃ] *adj.f.* 《옛》 성가신. ***pie-***~ 〖조류〗 때까치.

grief [gʀijɛf] *m.* ① 불만, 불평 : exposer 〔formuler〕 ses ~s 불평을 늘어놓다, 항의하다. ② (*pl.*) 〖법률〗 항소〔상고〕 이유서 : ~s d'appel 항소장 / ~s d'accusation 기소장. ***faire*** ~ ***à*** qn ***de*** qc …때문에 …에게 불평을 하다.

***grièvement** [gʀijɛvmɑ̃] *adv.* (부상 따위가) 중하게, 심하게 : Il a été ~ blessé 〔atteint, touché〕. 그는 중상을 입었다.

***griffe** [gʀif] *f.* ① (맹수 · 맹금의) 발톱 : donner un coup de ~ à qn …을 손톱으로 할퀴다 ; 짓궂게 비난 공격하다 / sortir ses ~*s* 자기의 발톱을 끄집어내다 ; 전의(戰意)를 보이다. ② 《구어》 권력, 지배 ; 독수(毒手). ③ 발톱처럼 생긴 세공 기구, (보석의) 거미발 ; ~ à papiers 클립 / marteau à ~ 장도리. ④ 〖식물〗 (포도 따위의) 덩굴손. ⑤ (위조 방

지를 위한) 서명인(署名印). ⑥ (작품 속에 나타나는) 작가의 특징〔개성〕: Ce roman porte sa ~. 이 소설은 아무래도 그녀다운 특징을 띠고 있다. ⑦ (의복 안쪽에 붙은) 재단사〔디자이너, 메이커〕의 상표. ***arracher A des ~s de B*** A를 B의 지배에서 벗어나게 하다. ***lancer*** 〔***donner***〕 ***un coup de ~*** 발톱으로 할퀴다. ***montrer les ~s ; sortir ses ~s*** 발톱을 세우다, 위협하다. ***tomber sous la ~*** 〔***dans les ~s***〕 ***de*** qn …의 마수에 걸려들다.

griffer [gʀife] *v.t.* ① 발톱〔손톱〕으로 할퀴다. ② (문서에) 도장을 찍다. ③ (의복 따위에) 디자이너〔브랜드〕명을 넣다.

griffon [gʀifɔ̃] *m.* ① 〖그리스신화〗 그리폰 《반은 사자 반은 독수리의 괴물》. ② 그리폰 테리어《사냥개의 일종》.

griffonnage [gʀifɔnaːʒ] *m.* ① 난필 ; 휘갈겨 쓴 글씨 ; 형편없는 그림. ② 잡문 : ~s de jeunesse 젊은 시절의 소감을 쓴 잡문.

griffonner [gʀifɔne] *v.t.* ① 괴발개발 쓰다, 휘갈겨 쓰다 ; (시 · 문장을) 아무렇게나 쓰다. ② 되는 대로 스케치하다.

griffu, e [gʀify] *adj.* (갈고리) 발톱을 가진. ***mains ~es*** 잔인한 손.

griffure [gʀifyːʀ] *f.* ① (손톱 · 발톱 따위에 의한) 할퀸〔긁힌〕 상처(= égratignure). ② 〖미술〗 (에칭 따위의) 묘선(猫線).

grignotage [gʀiɲɔtaːʒ] *m.* ① 조금씩 갉아먹기〔없애기〕. ② 〖정치〗 잠식 작전, 점진적 와해 전략.

grignotement [gʀiɲɔtmɑ̃] *m.* 갉아먹기 ; 갉아먹는 소리.

***grignoter** [gʀiɲɔte] *v.i.* 조금씩 갉아먹다, 쏠다. ── *v.t.* ① (야금야금) 갉아먹다 ; (재산을) 조금씩 까먹다 : ~ son argent 돈을 찔끔찔끔 다 써 버리다. ② (적을) 서서히 쳐부수다 : ~ un concurrent 경쟁자를 서서히 물리치다. ③ 《구어》 슬쩍하다 ; 잔 이득을 보다.

grigou [gʀigu] *m.* 《구어》 구두쇠, 욕심쟁이.

gri(-)gri [gʀigʀi] *m.* (*pl.* **~s(-)~s**) (원래는 아프리카 서부 흑인의) 호신부, 부적.

gril [gʀil] *m.* 〖요리〗 (고기 · 생선 굽는) 석쇠, 그릴, (홈이 있는) 스테이크용 철판 : bifteck cuit sur le ~ 그릴로 구운 비프 스테이크. ***être sur le ~*** 불에 그을리다 ; 《구어》 안절부절못하다, 매우 초조해 하다. ***tenir*** qn ***sur le ~*** …의 애간장을 태우다.

grill [gʀil] 〔영〕 *m.* 그릴(= grill-room)《손님 앞에서 고기나 생선을 구워 주는 식당》.

grillade [gʀijad] *f.* 〖요리〗 ① (고기 · 생선의) 석쇠구이 조리법. ② (그릴로) 구운 고기〔생선〕: ~ de porc 돼지 불고기.

grillage¹ [gʀijaːʒ] *m.* ① 석쇠에 굽기. ② 〖야금〗 배소(焙燒).

grillage² *m.* (나무 · 쇠의) 격자 (세공) ; 철책, 철망.

grillager [gʀijaʒe] [3] *v.t.* ① (창 따위에) 철망을 치다. ② 〖토목 · 건축〗 틀을 끼우다.

grille** [gʀij] *m.* ① 격자 ; 살창. (쇠격자) 살문 ; (공원의) 철책. ② (난로의) 쇠살 받침 ; (보일러의) 불판 ; (오븐 안의) 철망, 그릴 : ~ d'un fourneau 화덕의 석쇠. ③ (크로스워드의) 사각 칸막이(= ~ de mots croisés) ; (암호 해독용) 격자. ④ 일람표 : ~ de trains 〔d'horaires〕 열차 시간표 / ~ de programmes de radio 방송 시간표. ⑤ 〖전기〗 제어격자, 그리드 : lampe à double ~ 〖전기〗 2극관. ***être 〔***mettre***〕 ***sous les ~s*** 감옥에 갇혀 있다〔가두다〕.

grille-pain [gʀijpɛ̃] *m.* 《복수불변》 빵 굽는 기구(= ~ électrique), 토스터.

griller** [gʀije] *v.t.* ① 〖요리〗 석쇠〔그릴〕에 굽다 : ~ un poisson 생선을 굽다 / des marrons *grillés* 군밤 / du pain *grillé* 토스트. ② 뜨거운 열에 노출시키다 ; 눋게 하다, 태우다 ; (커피 따위를) 볶다 : ~ du café 커피를 볶다. ③ ~ une cigarette ; en ~ une 담배를 피우다. ④ (강한 햇볕에 식물을) 말라죽게〔시들게〕 하다. ⑤ 〖전기〗 《구어》 합선〔쇼트〕 시키다 : ~ une lampe 전구(의 필라멘트)를 태우다. ⑥ 《구어》 통과하다, 내쳐 달리다 ; 《구어》 (경쟁 상대를) 추월하다 : ~ un feu rouge 빨간 신호를 무시하고 달리다. ── *v.i.* ① 〖요리〗 구워지다 : faire ~ de la viande 고기를 굽다. ② 타는 듯이 덥다 ; (전구 · 엔진 따위가) 타다. ③ 《~ de faire qc》 《구어》 (…하고 싶어서, …을 기다리다 못해) 애가 타다 : Je *grille de* le voir. 어서 그를 만나고 싶다. ***~ d'impatience 초조하여 속이 바작바작 타다.

grilloir [gʀijwaːʀ] *m.* ① (고기 · 생선 따위를) 굽는 기구. ② 커피 원두 볶는 기계.

grillon [gʀijɔ̃] *m.* 〖곤충〗 귀뚜라미(= cricri). ***~-taupe ; taupe-~*** 〖곤충〗 땅강아지.

grimaçant, e [gʀimasɑ̃, -ɑ̃ːt] *adj.* ① 얼굴을 찌푸린〔찡그린〕. ② 주름잡힌 : robe ~*e* 주름잡힌 원피스.

grimace [gʀimas] *f.* ① 찌푸린〔찡그린〕 얼굴 : faire des ~*s* 찡그린 얼굴을 하다 / faire une ~ de douleur 아파서 얼굴을 찌푸리다 / faire la ~ (à...) (…에 대하여) 싫은 표정을 짓다, 불만을 나타내다. ② (*pl.*) 짐짓 꾸민〔점잔빼는〕 표정〔태도〕, 아양, 교태 : faire des ~s 점잔빼다, 태를 부리다. ③ 《구어》 (의복 · 천 따위의) 주름, 구김살.

grimacer [gʀimase] [2] *v.i.* ① 얼굴을 찌푸리다 ; (옷 따위가) 구겨지다. ② 부자연스러운 표정을〔태도를〕 짓다. ── *v.t.* (…하는) 척하다, 억지로〔마지못해〕 …을 가장하다 : ~ un sourire 쓴〔억지〕웃음을 짓다.

grimacier, ère [gʀimasje, -ɛːʀ] *adj.* et *n.* 얼굴을 찌푸리는 버릇이 있는 (사람) ; 부자연스러운 표정을〔태도를〕 짓는 (사람)

grimage [gʀimaːʒ] *m.* (배우의) 분장, 메이크업.

grimer [gʀime] *v.t.* 〖연극〗 (배우를) 분장시키다, 메이크업하다 : ~ un acteur en vieillard 어떤 배우를 노인으로 분장시키다. ── **se ~** *v.pr.* (자기 얼굴에) 분장을 하다.

grimoire [gʀimwaːʀ] *m.* ① 〖중세〗 마법사가 사용하던 책의 주문(呪文). ② 뜻 모를 책〔이야기〕: 읽기 어려운 필적, 난필(亂筆).

grimpant, e [gʀɛ̃pɑ̃, -ɑ̃ːt] *adj.* 기어오르는 ; 덩굴을 뻗는 : rose ~*e* 덩굴장미 / plantes ~*es* 덩굴 식물.

grimpe [gʀɛ̃p] *f.* 암벽 등반(= varappe).

***grimper** [gʀɛ̃pe] *v.i.* 《동작을 나타낼 때 조동사는 avoir, 동작의 결과인 상태를 나타낼 때는 être》 ① 기어오르다 : Il *a* 〔*est*〕 *grimpé* sur un arbre. 그는 나무 위에 기어올랐다.

② (담쟁이 따위가) 덩굴을 뻗다. ③ (길 따위가) 오르막이 되다; (열·물가 따위가) 급상승하다: Les prix *ont grimpé.* 물가가 갑자기 올랐다. ④ (높은 지위에) 노력하여 도달하다. — *v.t.* 기어오르다; 급히 오르다: ~ un escalier quatre à quatre 계단을 급히 뛰어오르다. — *m.* ① 〖체조〗 밧줄타기. ② (동물의) 기어오르기.

grimpette [gʀɛ̃pɛt] *f.* ① 기어오르기. ② 가파른 오르막.

grimpeur, euse [gʀɛ̃pœːʀ, -øːz] *adj.* (동물이) 기어오르기 좋아하는. ***oiseau ~*** 반목조(攀木鳥)《딱따구리 따위》. — *n.* ① 암벽 등반가. ② 오르막길에 자신 있는 사이클링 선수.

grinçant, e [gʀɛ̃sɑ̃, -ɑ̃ːt] *adj.* 삐걱거리는; 귀에 거슬리는: porte *~e* 삐걱거리는 문 / musique *~e* 듣기 싫은 음악.

grincement [gʀɛ̃smɑ̃] *m.* ① 삐걱거리기; 귀에 거슬리는 소리: ~ de dents 이 가는 소리. ② 불화, 알륵.

grincer [gʀɛ̃se] [2] *v.i.* ① 삐걱거리는〔귀에 거슬리는〕 소리를 내다: La porte *grince.* 문이 삐걱거린다. ② ~ des dents 이빨을 갈다.

grincheux, euse [gʀɛ̃ʃø, -øːz] *adj.* et *n.* 언제나 투덜거리는 (사람), 성미가 까다로운 (사람).

gringalet, ette [gʀɛ̃galɛ, -ɛt] *adj.* 빈약한, 보잘것없는, 빈상(貧相)의. — *m.* 왜소한 사람, 겁쟁이, 빈상의 사람.

griot, otte[1] [gʀijo, -ɔt] *n.* 그리오《아프리카 흑인의 마술사를 겸한 음유 시인》.

griotte[2] [gʀijɔt] *f.* 〖식물〗 산과(酸果)앵도《검고 신 버찌의 일종》.

grippage [gʀipaːʒ] *m.* ① 〖기계〗 (윤활유 부족에 의한) 기계 고장, 불꽃튀는 마찰. ② (사회 제도의) 기능 부전, 정체.

grippal, e [gʀipal, -o] *adj.* 〖의학〗 인플루엔자의〔에 관한〕.

grippe** [gʀip] *f.* ① 〖의학〗 유행성 감기(= influenza): avoir la ~ 감기에 걸려 있다 / attraper la ~ 감기 들다. épidémie de ~ 유행성 감기. ② 반감. ***prendre qn ***en ~*** …에게 반감을 품다.

grippé, e [gʀipe] *adj.* ① 〖의학〗 유행성 감기에 걸린. ② (기계 따위가) 마모된, 녹아 붙은. — *n.* 유행성 감기에 걸린 사람.

gripper [gʀipe] *v.t.* ① (기계를) 마모시키다, 작동이 안 되게 하다. ② (제도 따위의) 기능을 마비〔정지〕시키다. ③ (옷·천 따위를) 주름지게 하다. — *v.i.* et **se ~** *v.pr.* ① (옷·천 따위가) 주름지다〔잡히다〕. ② (제도 따위의) 기능이 마비〔정지〕되다. ③ (기계가) 마모하다, 작동이 정지되다.

grippe-sou [gʀipsu] *adj.* et *m.* (*pl.* *~-~*(***s***)) 인색한 (사람), 돈벌이에 악착같은 (사람).

grippeur, euse [gʀipœːʀ, -øːz] *adj.* 《드물게》 (손톱·발톱으로) 움켜잡는; 훔치는. — *n.* 도둑(= voleur).

****gris, e** [gʀi, -iːz] *adj.* ① 회색의, 그레이의; (머리털이) 희끗희끗한: yeux ~ 회색눈 / avoir des cheveux ~ 머리가 희끗희끗하다. ② (날씨가) 잔뜩 찌푸린; (표정·기분이) 음울한, 생기〔핏기〕 없는; 단조로운: Le temps est ~; Il fait ~. 날씨가 흐리다 / vie *~e* 잿빛 인생, 무미건조한 생활. ③ 《구어》 얼근히 취한. ***substance ~e du cerveau*** 〖해부〗 뇌의 회백질. — *m.* ① 회색, 쥐색: ~ argenté 은회색 / peindre le mur en ~ 벽을 회색으로 칠하다. ② (회색 포장지로 싼) 중급 담배, 싸구려 담배. ***voir tout en ~*** 기분이 울적해지다. ***~ (de) perle*** 회백색, 담회색.

grisaille [gʀizɑːj] *f.* ① 〖미술〗 그리자유《회색의 농담(濃淡)만으로 명암을 부각시키는 기법》; 그리자유 기법에 의한 작품. ② 《문어》 회색의 색조〔풍경〕: ~ de l'aube 새벽의 회색으로 물든 풍경. ③ 단조로움, 무미건조함, 음울함.

grisailler [gʀizɑje] *v.t.* 회색으로 그리다, 그리자유 화법으로 그리다. — *v.i.* 회색빛을 띠다; (머리가) 희끗희끗해지다, 반백이 되다.

grisant, e [gʀizɑ̃, -ɑ̃ːt] *adj.* 도취시키는: odeur *~e* 도취시키는 향내.

grisâtre [gʀizɑːtʀ] *adj.* ① 회색빛을 띤. ② 울적한, 서글픈(= désolant, morne): idées *~s* 서글픈 생각.

grisbi [gʀizbi] *m.* 《은어》 돈(= argent): Touchez pas au ~. 현금에 손대지 마라.

griser [gʀize] *v.t.* ① 회색으로 만들다〔칠하다〕. ② 《구어》 취하게 하다; 도취시키다: Cette odeur le *grisait.* 그 향기에 그는 도취했다 / se laisser ~ par le succès 성공에 도취되다. — **se ~** *v.pr.* 《구어》 《se ~ de》 …에 취하다; …에 도취하다.

griserie [gʀizʀi] *f.* ① 얼근한 취기. ② 도취, 심취: ~ du pouvoir 권력에 심취하기.

grisette [gʀizɛt] *f.* ① 싸구려 회색 천(의 옷). ② 바람난 젊은 여공.

gris(-)gris [gʀigʀi] *m.* 《복수불변》 (아프리카 서부 흑인의) 호신부(護身符), 부적(符籍).

grisonnant, e [gʀizɔnɑ̃, -ɑ̃ːt] *adj.* (머리털과 수염이) 희끗희끗한, 반백의.

grisonnement [gʀizɔnmɑ̃] *m.* (머리·수염이) 희끗희끗해지기, 반백이 되기.

grisonner [gʀizɔne] *v.i.* (머리·수염이) 반백이 되기 시작하다.

grisou [gʀizu] *m.* 〖광산〗 (인화성) 갱내 가스: coup de ~ 갱내 가스 폭발.

grive [gʀiːv] *f.* 〖조류〗 티티새, 개똥지빠귀. ***Faute de ~s, on mange des merles.*** 《격언》 궁한 판에 무엇을 가릴까《있는 그대로 만족해야 한다》. ***~ dorée*** 〖조류〗 꾀꼬리.

grivèlerie [gʀivɛlʀi] *f.* 무전취식; 무임승차.

grivois, e [gʀivwa, -aːz] *adj.* 추잡한, 외설스러운(= indécent, licencieux); 자유분방한(= gaulois): histoire *~e* 외설적인 이야기.

grivoiserie [gʀivwazʀi] *f.* 노골적인〔숨김없는〕 성격; 외설스러운〔추잡한〕 언행.

girzzli, grizzly [gʀizli] 〔영〕 *m.* 〖동물〗 (로키 산맥에 사는) 회색곰.

grœnendael [gʀɔ(n)ɛndal] *m.* (털이 검고 긴 벨기에산) 양 지키는 개.

Groenland, Groënland [gʀɔɛnlɑ̃ːd, gʀɔɛlɑ̃] *n.pr.m.* 〖지리〗 그린란드.

groenlandais, -e [gʀɔɛn(ɛ̃)lɑ̃dɛ, -ɛːz] *adj.* 그린란드(*le Groenland*)의. — **G~** *n.* 그린란드 사람. — *m.* 그린란드 말.

grog [gʀɔg] 〔영〕 *m.* 그로그《럼(rhum)에 설탕·레몬·뜨거운 물을 탄 음료》.

groggy [gʀɔgi] 〔영〕 *adj.* (권투 선수가 맞아

서) 비틀거리는 ; (술 취해) 비틀비틀하는.

grognard [gʀɔɲaːʀ, -aʀd] *m.* 〚프랑스사〛 (나폴레옹 시대의) 근위병 ; 노병(老兵).

grogne [gʀɔɲ] *f.* 《구어》 불평, 불만.

grognement [gʀɔɲmɑ̃] *m.* ① (돼지·곰 따위가) 꿀꿀거리는 소리, 으르렁거리는 소리. ② 《구어》 투덜거리기, 불평하는 소리.

grogner [gʀɔɲe] *v.i.* ① (돼지 따위가) 꿀꿀거리다, 으르렁거리다. ② (사람이) 투덜거리다 : Qu'est-ce que tu *grognes* ? 무엇을 투덜대는 거냐? — *v.t.* 불평하다.

grognon, onne [gʀɔɲɔ̃, -ɔn] *adj.* 항상 투덜거리는, 불평하는, 부루퉁한 : femme ~(*onne*) 늘 투덜대기만 하는 여자. — *n.* 불평객 ; 늘 투덜거리는 사람.

grognonner [gʀɔɲɔne] *v.i.* ① (돼지 따위가) 꿀꿀거리다. ② 불평하다, 투덜거리다.

groin [gʀwɛ̃] *m.* ① (돼지 따위의) 콧등. ② 《구어》 아주 못생긴〔추악한〕 얼굴.

G

grol(l)e [gʀɔl] *f.* ① 〚조류〛 갈가마귀. ② 《구어》 신발, 구두.

grommeler [gʀɔmle] 5 *v.i.* (입속말로) 투덜거리다, 불평하다 ; (멧돼지 따위가) 으르렁거리다. — *v.t.* (불평 따위를) 중얼거리다.

grommellement [gʀɔmɛlmɑ̃] *m.* 불평, 투덜거림 ; 투덜거리는 말.

grondant, e [gʀɔ̃dɑ̃, -ɑ̃ːt] *adj.* ① 투덜거리는. ② 으르렁거리는 ; 울려퍼지는.

grondement [gʀɔ̃dmɑ̃] *m.* ① (짐승의) 으르렁거림, 포효. ② (우레 따위의) 꽝꽝한 울림, 노호(怒號) : ~ du tonnerre 천둥소리.

***gronder** [gʀɔ̃de] *v.i.* ① (짐승이) 으르렁거리다, 포효하다 ; (천둥 따위가) 우르르 울리다 : Le chien *gronde.* 개가 으르렁거린다 / Le tonnerre *gronde.* 천둥이 우르르 한다. ② (혁명 따위가) 폭발하려 하다, 절박하다(= être menaçant) : L'émeute *gronde* dans la rue. 거리에서 폭동이 일어나려 한다.

— *v.t.* 꾸짖다 : ~ un enfant 어린애를 꾸짖다 / ~ qn sur 〔au sujet de〕 qc ; ~ qn d'avoir fait qc …에〔을 한 데〕 대해 꾸지람하다.

gronderie [gʀɔ̃dʀi] *f.* 꾸지람, 질책.

grondeur, euse [gʀɔ̃dœːʀ, -øːz] *n.* 잔소리〔꾸지람〕 잘하는 사람. — *adj.* 꾸짖는, 불평하는.

grondin [gʀɔ̃dɛ̃] *m.* 〚어류〛 성대.

groom [gʀum] *m.* 〔영〕 ① 마부, 하인. ② (호텔·식당 따위의) 보이, 급사.

gros, grosse** [gʀo, -oːs] *adj.* ① ⓐ 굵은, 큰 ; 뚱뚱한 ; 두꺼운 : ~ bâton 굵은 막대 / *grosse* femme 뚱뚱한 여자. ⓑ 《명사 뒤》 임신한 : femme *grosse* 임신한 여자 / rendre *grosse* 임신시키다. ② 막대한 ; 엄청난 ; 대단한 : avoir un ~ appétit 식욕이 대단하다 / la *grosse* industrie 중공업 / ~ mangeur 대식가 / ~ capitaliste 대자본가. ③ 중요한, 영향력 있는. ④ 맹렬한 ; (병 따위가) 위중한 ; (열이) 높은 ; 심한 ; (소리가) 요란한, 시끄러운 ; (빛깔이) 짙은 : *grosse* fièvre 고열 / ~ bleu 진한 감색 / ~ travaux 중노동. ⑤ (바다·날씨 따위가) 험악한 ; 거친, (비바람이) 센 : *grosse* mer 파도가 높은 바다, 거친 바다 / ~ temps 〚해양〛 거친 날씨. ⑥ 거친, 야비한 : ~ mot 버릇없는 말, 욕지거리. ⑦ 〚군사〛 중무장한 : *grosse* cavalerie 〚군사〛 중기병. ⑧ 투박한 : *grosses* chaussures 투박한 신발. ***avoir le cœur* ~** 서글프다. **~ *bonnet* ;** 《구어》 ***grosse légume 큰 인물, 명사. **~ *bon sens*** 평범〔진부〕한 상식. **~ *de*** …으로 굵어진〔커진〕 ; …으로 부푼〔부은〕 ; …을 내포한 : joue *grosse d'*une fluxion 염증으로 부은 볼 / yeux ~ *de* larmes 눈물이 가득한 눈. **~ *rire*** 홍소(哄笑) ; 큰 웃음.

— *n.* ① 《구어》 뚱보. ② 《소유형용사와 함께 호칭으로》 자네 : Ça va, mon ~ 〔ma *grosse*〕? 자네, 잘 지내나? ③ (종종 *pl.*) 《구어》 부자, 유력자.

— *m.* ① 가장 굵은〔많은〕 부분 ; 중요한 부분 : le ~ des hommes 대부분의 사람들 / Le plus ~ est fait. (일의) 고비를 넘겼다. ② 주력, 본대 : ~ de l'armée 군의 주력. ③ 도매(≠ détail) : maison de ~ 도매상. ④ 《구어》 다량, 다수. ***en* ~** ⓐ 도매로, 대량으로 : commerçant *en* ~ 도매상. ⓑ 굵은 글자로. ⓒ 대강, 대체로 : C'est vrai *en* ~. 그것은 대체로 사실이다.

— *f.* ① 굵은 자체(字體). ② 〚해상보험〛 모험대차(冒險貸借) (= grosse aventure) ; 〚상업〛 그로스《12 다스》. ③ 〚법률〛 등본(= expédition ; ≠ minute) : *grosse* d'un contrat 계약서의 등본.

— *adv.* 굵게 ; 크게 ; 많이 : gagner ~ 크게 벌다〔따다〕 / risquer ~ 큰 모험을 하다. ***en avoir* ~ *sur le cœur*** 몹시 걱정되다.

gros-cul [gʀoky] *m.* 《구어》 대형 트럭.

groseille [gʀozɛj] *f.* ① 〚식물〛 까치밥나무 열매(로 만든 시럽). ② 밝은 빨강색. **~ *à grappes*** 까치밥나무 (열매). **~ *à maquereau* 〔*verte*〕** 구즈베리 (열매). — *adj.* 《불변》 밝은 빨강색의, 까치밥나무 열매 색깔의.

groseillier [gʀozɛ(e)je] *m.* 〚식물〛 까치밥나무.

gros-grain [gʀogʀɛ̃] *m.* 〚직물〛 그로스그레인《골이 진 능직 비단》.

Gros-Jean [gʀoʒɑ̃] *m.* 바보, 얼빠진 녀석.

gros-porteur [gʀopɔʀtœːʀ] *adj.* (항공기가) 대량 수송력을 가진. — *m.* 대형 수송기.

grosse [gʀoːs] *f.* ① 〚상업〛 그로스《12 다스》. ② 〚법률〛 (증서·계약서 따위의) 등본.

***grossesse** [gʀosɛs] *f.* 임신 (기간) : robe de ~ 임신복 / ~ nerveuse 상상 임신 / troubles de la ~ 입덧 / être au sixième mois de sa ~ 임신 6 개월이다.

***grosseur** [gʀosœːʀ] *f.* ① 굵기, 크기, 두께 : caliber des oranges selon leur ~ 오렌지를 크기별로 나누다. ② 비만. ③ 〚의학〛 종기.

grossier, ère** [gʀosje, -ɛːʀ] *adj.* ① 거친, 조잡한 : tissu ~ 거친 천. ② 대략의, 대충의, 되는대로의 : avoir une ~*ère* idée de la question 문제에 대한 대체적인 개념만을 갖다. ③ 예절 모르는 ; 무례한, 실례되는 ; 상스러운 : ~ personnage 상스러운 사람 / dire des mots ~s 버릇없는 말을 하다 / propos ~ 외설스런 말. ④ (과실·무지 따위가) 두드러진, 심한 : faute ~*ère* 심한 과오. ⑤ 《문어》 교양 없는, 야만의. **~ *comme du pain d'orge 몹시 조잡한〔버릇없는〕. ***traits* ~s** 무뚝뚝한 얼굴. — *m.* 조잡한 것 ; 《옛》 도매상(= marchand ~).

grossièrement [gʀosjɛʀmɑ̃] *adv.* ① 조잡하게 ; 상스럽게, 야비하게 : Il m'a *repondu*

~. 그는 나에게 거칠게 대답했다. ② 되는대로 ; 대략, 대강 : calculer ~ un prix de revient 원가를 대충 계산하다. ③ 몹시, 심하게 : louer ~ qn …을 마구 치켜세우다〔칭찬하다〕.

grossièreté [gʀosjɛʀte] *f.* ① 거칢, 투박함, 조잡함. ② 무례 ; 상스러움. ③ (흔히 *pl.*) 무례한 언동, 버릇없는 말〔짓〕: dire des ~s 버릇없는 말을 하다.

***grossir** [gʀosiːʀ] *v.t.* ① 크게〔부풀게〕 하다 ; 커 보이게 하다 : ~ sa voix 목소리를 크게 하다. ② (수·양·강도를) 증대시키다, 불어나게 하다 : La fonte des neiges *a grossi* le fleuve. 눈이 녹아 강물이 불어났다. ③ 확대〔증대〕하다 ; 과장하다 : object *grossi* trois fois, 3배로 확대된 물체. ── *v.i* 《조동사는 avoir, 단, 상태를 나타낼 때는 être》 ① 굵어지다, 커지다, 부풀다 ; 붇다 : La foule *grossit.* 군중이 늘어난다. ② 뚱뚱해지다, 살찌다 : Elle *a grossi* depuis un an. 그녀는 1년 사이에 살이 쪘다. ③ 증가되다, 불어나다 : Le rivière *a grossi.* 강물이 불어났다. ④ 《비유》 확대되다, 과장되다(= s'amplifier) : rumeur qui *grossit* de plus en plus 점차 과장되어 퍼지는 소문. ── **se** ~ *v.pr.* 커지다 ; 수량이 늘다.

grossissant, e [gʀosisɑ̃, -ɑ̃ːt] *adj.* ① 커지는, 늘어나는, 증대〔증가〕하는. ② 확대하는. ***verre ~*** 확대경, 돋보기.

grossissement [gʀosismɑ̃] *m.* ① 커지기, 굵어지기 ; 비만 : ~ anormal 병적 비만. ② 증가, 증대 ; 과장. ③ (렌즈에 의한) 확대 ; 〖광학〗 배율(倍率).

grossiste [gʀosist] *n.* 도매상인(≠ détaillant).

grossomodo [gʀɔsomɔdo] 〔라틴〕 *adv.* 대충, 대강 : raconter ~ 대강 이야기하다.

***grotesque** [gʀɔtɛsk] *adj.* ① 기괴한, 이상한 : costume ~ 괴상한 옷차림. ② 우스꽝스러운 : C'est ~. 우스꽝스러운〔별난〕 일이군. ── *m.* 〖미술〗 그로테스크풍(風). ── *f. pl.* 그로테스크 무늬. ── *n.* 괴짜, 기인(奇人).

grotesquement [gʀɔtɛskəmɑ̃] *adv.* 기괴〔괴상〕하게, 우스꽝스럽게.

grotte [gʀɔt] *f.* 동굴, 굴 (= caverne) : ~ préhistorique 선사 시대의 동굴.

grouillant, e [gʀujɑ̃, -ɑ̃ːt] *adj.* 《구어》 우글거리는, 들끓는 ; 붐비는 : 《~ de》 rue ~*e de* monde 사람들로 붐비는 거리.

grouillement [gʀujmɑ̃] *m.* ① 우글거림 ; 《구어》 (사람들의) 붐빔, 들끓음. ② 뱃속이 끓기(= ~ des intestins).

grouiller [gʀuje] *v.i.* ① 우글거리다 : ~ de vers 벌레가 우글거리다. ② 《구어》 《~ de》 …으로 들끓다, 붐비다 : La foule *grouille* sur la place. 광장은 사람들로 들끓고 있다. ③ 《~ de》 …으로 가득 차다 : La plage *grouille de* baigneurs. 바닷가는 해수욕객으로 가득 차 있다. ④ 《구어》 (배가) 부글거리다 : Le ventre me *grouille.* 배가 꾸르륵거린다. ── **se** ~ *v.pr.* 서두르다 : *Grouillez-vous,* vous allez être en retard. 서두르시오, 늦으리다.

groupage [gʀupaːʒ] *m.* 〖상업〗 (철도로 운송하는 짐의) 집하(集荷), 한데 모으기.

***groupe** [gʀup] *m.* ① 무리, 떼, 조(組) : ~ de curieux 구경꾼의 무리 / par (en) ~*s* de deux 두 사람씩 조를 짜서. ② (이해·의견이 같은) 집단, 단체, 그룹, 파(派) : ~ politique 정치 집단 / ~ de pression 압력 단체 / ~ parlementaire (정당의) 원내파. ③ ⓐ (같은 종류의) 모임 ; (분류상의) 군(群), 형(型) : ~ de mots 어군(語群) / ~ sanguin 혈액형 / ~ industriel 기업 그룹. ⓑ 〖수학〗 군(群) ; 〖화학〗 기(基). ④ (보병의) 분대, (공군의) 비행 중대 : ~ de combat 전투 부대.

***groupement** [gʀupmɑ̃] *m.* ① 모으기, 모이기 ; 결속, 단결. ② 집단, 당파 ; 부대 : ~ politique 정치적 집단. ③ 〖군사〗 (임시로 편성된) 전투 부대.

***grouper** [gʀupe] *v.t.* ① (한데) 모으다 ; 집결〔단결·결속〕시키다 : ~ des soldats 군대를 집결시키다. ② (몇 개의 집단으로) 나누다, (정리하여) 분류하다 : On peut ~ ces animaux en trois familles. 이 동물들을 3개의 과(科)로 분류할 수 있다. ── **se** ~ *v.pr.* (한데) 모이다, 무리를 이루다.

groupie [gʀupi] *n.* (예능인의) 열성 팬《특히 젊은 여성 팬을 가리킴》.

groupuscule [gʀupyskyl] *m.* 군소 집단 ; 과격파 : ~s gauchistes 극좌 과격파.

grouse [gʀuːz] 〔영〕 *f.* 〖조류〗 뇌조(雷鳥).

gruau [gʀyo] *m.* (*pl.* **~x**) ① 애벌 찧은 귀리 ; (껍질을 벗기지 않은) 곡식의 낟알. ② 고운〔고급〕 밀가루. ③ 〖요리〗 오트밀(= ~ d'avoine).

grue [gʀy] *f.* ① 〖조류〗 두루미, 학. ② 〖기계〗 기중기(起重機), 크레인 : ~ de prise de vues (영화의) 이동 촬영용 크레인. ③ 《속어》 매춘부(= prostituée) ; 《구어》 헤픈 여자. ***cou de ~*** 가늘고 긴 목. ***faire le pied de ~*** 오랫동안 서서 기다리다.

gruger [gʀyʒe] 3 *v.t.* 《구어》 돈을 울궈내다, (사람을) 등쳐먹다(= duper, voler).

grume [gʀym] *f.* (벌채한 수목에 붙은) 나무껍질, 수피(樹皮) : bois en 〔de〕 ~ 껍질이 붙은 목재.

grumeau [gʀymo] *m.* (*pl.* **~x**) (우유·혈액 따위의) 응결물, 응괴. ***se mettre en ~x ; former des ~x*** (우유·혈액 따위가) 엉기다, 응고하다.

grumeler (se) [s(ə)gʀymle] 5 *v.pr.* (우유·혈액 따위가) 엉겨 굳어지다, 응결하다.

grumeleux, euse [gʀymlø, -øːz] *adj.* ① (우유 따위가) 덩어리진, 응결한. ② 거죽이 껄껄한 : peau ~*euse* 상어가죽.

grutier, ère [gʀytje, -ɛːʀ] *m.* 기중기 운전사.

***gruyère** [gʀyjɛːʀ] *m.* 그뤼에르 치즈 《스위스 *Gruyère* 지방산(産)의 치즈》.

Guadeloupe [gwadlup] *n.pr.f.* (프랑스령 서인도 제도의) 과들루프 섬.

guano [gwano] *m.* ① 구아노, 조분석(鳥糞石) 비료. ② (물고기로 만든) 인조 질소 비료.

Guatemala [gwatemala] *n.pr.m.* 〖지리〗 과테말라.

guatémaltèque [gwatemaltɛk] *adj.* 과테말라의. ── **G~** *n.* 과테말라 사람.

gué¹ [ge] *interj.* 《옛》 얼씨구나, 좋다《gaie의 변형 ; 노래의 후렴》

gué² *m.* 얕은 여울(= passage) : passer une rivière à ~ 냇물을 걸어서 건너다. ***On ne change pas les chevaux au milieu du***

~. 《속담》 강의 한가운데서 말을 갈아타지 않는다.

guéable [geabl] *adj.* (여울이) 걸어서 건널 수 있는.

guéguerre [gegɛːʀ] *f.* 《구어》 ① 사소한 싸움, 승강이. ② 소규모 전쟁.

guelte [gɛlt] *f.* 〖상업〗 (점원의) 매상고에 대한 구전, 커미션.

guenille [gənij] *f.* ① (*pl.*) 누더기 ; 남루한 옷 : en ~s 남루한 옷을 입은. ② 하찮은 것, 걸레. ③ 쓸개빠진 사람, 얼간이.

guenon [gənɔ̃] *f.* 암컷 원숭이 ; 못생긴 여자, 추녀.

guépard [gepaːʀ] *m.* 〖동물〗 치타.

guêpe [gɛp] *f.* ① 〖곤충〗 말벌. ② 약아빠진 교활한 여자. ***Pas folle, la ~ !*** 《구어》 그녀를 속이려 들다니 어림도 없지. ***taille de ~*** (여자의) 가는〔잘쑥한〕 허리.

guêpier [gɛ〔e〕pje] *m.* ① (말벌의) 벌집. ② 〖조류〗 벌잡이새. ***tomber*** 〔***donner, se fourrer***〕 ***dans un ~*** 《구어》 궁지에 빠지다.

guère,** 《옛 · 시어》 **guères** [gɛːʀ] *adj.* ① 《옛》 매우, 대단히(= beaucoup). ② 《ne... ~》 거의 …없다〔아니다〕, 별로 …없다〔아니다〕 : Cet enfant n'est ~ sage. 이 애는 별로 영리하지 않다 / Il n'a ~ dormi. 그는 거의 자지 않았다 / Ce costume ne lui va ~. 이 옷은 그에게는 별로 맞지 않는다 / Il n'a ~ d'argent. 그는 거의 돈을 안 갖고 있다. ③ 《ne... plus》 이제〔더 이상〕 거의 …아니다〔없다〕 : Il *n'*en reste *plus* ~. 이제 거의 남아 있지 않다 / Il *ne* tardera *plus* ~. 그는 더 이상 늦지는 않을 것입니다 / Il *n'*est *plus* ~ riche que vous. 저이는 당신보다 부자랄 것도 없다. ④ 《ne... ~ que》 …밖에는 거의 아니다 : Il *n'*y a ~ *que* vous qui puissiez faire ce travail. 그 일을 할 수 있는 사람은 당신밖에 없습니다 / Il *n'*y a ~ *que* deux heures qu'elle est partie. 그녀가 떠난 지 약 2시간밖에 되지 않았다. ⑤ 《ne 없이 생략적으로》: Aimez-vous cela ? — *G~*. 그걸 좋아합니까 ? — 별로 / Prenez-vous du vin ? — *G~*. 포도주를 마십니까 ? — 아주 조금요. ***Il ne s'en faut ~. 별로 부족한 것은 없다.

guéret [geʀɛ] *m.* 〖농업〗 ① 갈아 놓은 전답 ; 휴한지(休閑地). ② (*pl.*) 〖문학〗 밭 ; 수확 : muse des ~s 수확의 여신.

***guéri, e** [geʀi] *adj.* ① (병이) 회복된, 완쾌한 : Il est ~ de son asthme. 그는 천식이 나았다. ② (고통 · 습관 따위에서) 해방된.

guéridon [geʀidɔ̃] *m.* (다리가 하나 달린) 조형 원탁.

guérilla [geʀija] *f.* ① 게릴라 부대, 유격대. ② 유격전, 게릴라전.

guérille(é)ro [geʀijeʀo] *m.* 게릴라병, 비정규병.

***guérir** [geʀiːʀ] *v.t.* ① (병 · 병자를) 고치다, 회복시키다 : ~ un malade 〔une maladie〕 환자를〔병을〕 고치다 / Ce médicament vous *guérira*. 이 약을 먹으면 완쾌될 것입니다. ② 《~ qn de》 (…의 나쁜 버릇 따위를) 바로잡다, 교정하다 : ~ qn *d'*une habitude …의 어떤 버릇을 고쳐 주다 / Cette expérience l'*a guéri de* cette mauvaise habitude. 이 경험이 그의 악습을 고쳐 주었다. ③ (슬픔 따위를) 달래다 : ~ un chagrin 슬픔을 진정시키다. — *v.i.* ① ⓐ (병 · 환자가) 낫다 : Cette maladie *guerit* vite. 이 병은 곧 낫는다. ⓑ 《~ de qc》 (병에서) 치유되다, 회복되다 : ~ *d'*une cancer 암에서 회복되다. ② (고뇌 따위가) 가라앉다 ; (악습 따위에서) 벗어나다 : souffrance qui ne *guérit* pas 아물지 않는 고통 / ~ d'une obsession 강박관념에서 벗어나다. — **se ~** *v.pr.* ① (병 · 환자가) 회복하다, 완쾌되다. ② 《se ~ de soi-même》 스스로 병을 고치다 : *se* ~ à suivre un régime 식이요법으로 병을 고치다. ③ 《비유》 (고통 · 습관 따위에서) 벗어나다(= se débarraser) : *se* ~ d'un défaut 단점이 고쳐지다.

guérison [geʀizɔ̃] *f.* ① (병의) 치유, 완쾌, 회복 : en voie de ~ 회복 중인. ② (악습 따위의) 교정(矯正), 바로잡기.

guérissable [geʀisabl] *adj.* 고칠 수 있는, 회복의 희망이 있는 ; 교정할 수 있는.

guérisseur, euse [geʀisœːʀ, -øːz] *n.* (의사 면허 없이 마술이나 경험으로) 병 고치는 사람 ; 돌팔이 의사. — *adj.* 병을 고치는.

guérite [geʀit] *f.* ① 〖군사〗 보초막, 파수막 ; (성벽 따위의) 망루(望樓). ② (공사장 따위의) 바라크〔텐트〕.

⁑guerre [gɛːʀ] *f.* ① 전쟁(≠ paix) : ~ de mouvement 기동전(戰) / ~ éclair 전격전 / ~ civile 내전, 내란 / ~ froid 냉전 / ~ totale 〔locale〕 총력전〔국지전〕 / crime de ~ 전쟁 범죄 / état de ~ 교전 상태 / ~ étrangère 외국과의 전쟁 / ~ terrestre 〔navale〕 ; ~ de terre 〔sur mer〕 지상전〔해전〕 / matériel de ~ 전쟁 물자 / prisonnier de ~ 전쟁 포로 / déclarer la ~ 선전 포고하다 / entrer en 〔dans la〕 ~ 전쟁에 돌입하다. ② 싸움, 투쟁(= lutte) ; 갈등 ; 논쟁 : ~ des nerfs 신경전 / ~ des tarifs 가격 전쟁 / ~ littéraire 문학 논쟁 / ~ idéologique 〔psychologique〕 이데올로기전〔심리전〕. ③ 전술, 전법. ***À la ~ comme à la ~.*** 《구어》 전시에는 전시에 맞도록. ***C'est de bonne ~.*** 정정당당한 일이다. ***de ~ lasse*** 부득이, 참다 못해, 마지 못해 : *De ~ lasse*, il a fini par y consentir. 그는 마침내 지쳐서 동의하고야 말았다. ***faire la ~ à*** qn ***sur*** 〔***au sujet de***〕 qc …에 대해 …와 싸우다〔다투다〕. ***faire la ~ à*** 〔***contre***〕 ***un pays*** 어떤 나라와 싸우다. ***~ sainte*** 〖역사〗 성전(聖戰), 십자군. ***La Grande G~*** (제 1 차) 세계 대전. ***la première*** 〔***seconde***〕 ***~ mondiale*** 제 1〔2〕차 세계 대전. ***le ministère de la G~ ;*** 《구어》 ***la G~*** 육군성. ***nerf de la ~*** 군자금 ; 돈. ***nom de ~*** 가명(= pseudonyme). ***petite ~*** 모의 전쟁. ***se mettre en ~*** 전쟁을 시작하다. ***s'en aller*** 〔***partir***〕 ***en ~*** 출정하다. ***sur le pied de ~*** 임전 태세의 ; 반목하고 있는 : armée *sur le pied de* ~ 임전 태세를 갖춘 군대.

guerrier, ère [gɛʀje, -ɛːʀ] *adj.* 《문어》 전쟁의, 호전적인 : exploits ~s 무훈 / peuple ~ 호전적인 민족. — *n.* 전사, 군인.

guerroyer [gɛʀwaje] [6] *v.i.* 《~ contre》 …와 싸우다(= se battre) : ~ *contre* les abus 《비유》 폐습과 싸우다.

guet [gɛ] *m.* ① 감시, 경계, 파수 : faire le ~

〔être au ~〕 망보다. ② 《옛》 야경.

guet-apens [gɛtapɑ̃] *m.* (*pl.* **~s-~** [gɛtapɑ̃]) ① 매복 ; 잠복, 함정(= piège) : dresser un ~ à qn …을 숨어서〔매복하여〕 기다리다 / tomber dans un ~ 간계에 넘어가다. ② 음모, 간계. ③ 〖법률〗 고의 : de ~ 계획적인.

guêtre [gɛtʀ] *f.* ① 각반(脚絆). ② (펑크난 타이어의) 땜 헝겊〔가죽〕. ***traîner ses ~s partout*** 빈둥빈둥 돌아다니다.

***guetter** [gɛ〔e〕te] *v.t.* ① 노리다 ; 매복하여 기다리다 : Le chat *guette* sa proie. 고양이가 사냥감을 노린다 / 《목적보어 없이》 complice qui *guette* 망을 보고 있는 공범. ② 《주어 : qc》 (병 따위가) 위협하다(= menacer) : La maladie 〔mort〕 le *guette.* 병마가〔죽음이〕 그를 위협하고 있다. ③ (기회 따위를) 엿보다, 살피다 : ~ le bon moment 적당한 시기를 기다리다.

guetteur [gɛtœːʀ] *m.* 〖군사〗 감시병 ; 등대지기, 《옛》 망루지기.

gueulante [gœlɑ̃ːt] *f.* 《학생은어》 함성, 아우성.

gueulard, e [gœlaːʀ, -aʀd] *adj.* et *n.* 꽥꽥 소리지르는 (사람), 큰 소리로 떠드는 (사람).

gueule** [gœl] *f.* ① ⓐ (짐승 · 물고기의) 주둥이, 아가리 : ~ d'un chien 〔d'un tigre, d'un requin〕 개〔호랑이 · 상어〕의 입. ⓑ 《구어》 (사람의) 입 : Ferme ta ~ ! 〔Ta~ !, Vos ~s !〕 《구어》 입닥쳐, 조용히 해 ! / C'est une grande ~. 주책없는 수다쟁이다. ② 《구어》 얼굴, 낯짝 : avoir une sale ~ 밉상이다. ③ 《구어》 모양, 맵시 : Ce chapeau a une drôle de ~. 이 모자는 괴상한 꼴을 하고 있다 / avoir de la ~ 모양이 근사하다. ④ (물건의) 주둥이, 아가리, 구멍 : ~ d'un canon 포문(砲門) / ~ d'un four 아궁이. ***avoir de la ~ 《구어》 모양이 좋다, (내용이) 훌륭하다 : Son discours *avait de la ~*. 그의 연설은 훌륭했다. ***crever la ~ ouverte*** 《구어》 구조를 못 받고 죽다. ***faire une drôle de ~*** (낙심하여) 얼굴이 일그러지다, 낙담하다. ***pousser un coup de ~*** 고함지르다, 고함치듯 노래 부르다 ; 호령하다. ***se casser la ~*** ⓐ 넘어지다, 떨어지다 : Il *s'est cassé la ~* dans l'escalier. 그는 층계에서 굴러 떨어졌다. ⓑ (영화 작품이) 실패하다. ***se jeter*** 〔***se précipiter***〕 ***dans la ~ du loup*** 위험한 줄 뻔히 알면서도 경솔하게 모험을 하다.

gueule-de-loup [gœldəlu] *f.* (*pl.* **~s-~-~**) 〖식물〗 금어초(金魚草).

gueulement [gœlmɑ̃] *m.* (흔히 *pl.*) 《구어》 아우성 ; 항의.

gueuler [gœle] *v.i.* 《구어》 외치다, 고함치다 ; 항의하다 : ~ pour un rien 아무것도 아닌 일에 고함치다. ── *v.t.* ① 《구어》 (명령 따위를) 외치다, 고함치다. ② 〖사냥〗 (사냥개가 짐승을) 물다.

gueuleton [gœltɔ̃] *m.* 《구어》 (친구끼리의) 즐거운 식사 ; 대연회.

gueux, euse [gø, -øːz] *n.* ① 거지, 비렁뱅이 : mener une vie de ~ 거지 생활을 하다. ② 부랑배, 망나니 ── *f.* 매춘부, 타락한 여자. ***courir la ~euse*** 《구어》 난봉피우다, 계집질하다. ── *adj.* 극빈의, 거지 같은.

gui [gi] *m.* 〖식물〗 겨우살이.

guiches [giʃ] *f. pl.* (여자의 이마 · 볼 따위의) 애교머리.

***guichet** [giʃɛ] *m.* ① 쪽문, 협문(夾門) : portail muni d'un ~ 쪽문이 달린 정문. ② (매표소 따위의) 창구 : Adressez-vous à l'autre ~. 다른 창구에 가서 문의하시오. ③ (역 따위의) 개찰구, 출찰구. ④ (감방의) 들여다보는 창, 차입구(差入口). ⑤ ~ d'un confessional (성당) 고해실의 작은 격자창.

guichetier, ère [giʃtje, -ɛːʀ] *n.* ① 창구 담당 직원. ② (감옥의) 간수, 교도관.

guidage [gidaːʒ] *m.* ① 〖기계〗 가이드, 유도 장치. ② 〖항공〗 (비행기의) 무선 유도(= radio-guidage).

***guide** [gid] *m.* ① 안내자, 인도자, 가이드 : ~ de montagne 산악 안내인 / prendre un ~ 가이드를 고용하다 / servir de ~ à qn …의 안내자가 되어 주다. ② 안내서, 가이드북 ; 편람 : consulter un ~ 가이드북을 보다 / ~ touristique du Jura 쥐라 지방의 관광 안내서. ③ 지도자 ; 행동 원리, 지침 : ~ spirituel 정신적 지도자. ── *f.* ① 걸스카우트 단원 : les *G*~, de France 프랑스 걸스카우트. ② (흔히 *pl.*) 고삐(= rênes) : tirer sur les ~s 고삐를 잡아당기다.

guide-âne [gidɑːn] *m.* (*pl.* **~-~(s)**) ① (초보자를 위한) 간단한 설명서. ② 받침괘지.

***guider** [gide] *v.t.* ① 인도〔안내〕하다 ; 이끌다 ; 유도하다 : *être guidé* par l'intérêt 물욕에 이끌리다. ② 지도하다 ; (행동의) 지침이 되다 : ~ un étudiant dans ses études 학생의 연구를 지도하다. ── **se ~** *v.pr.* 《se ~ sur》 (…을 목표로) 나아가다 : *se ~ sur* 〔par〕 l'exemple de qn …을 본받아 행동하다.

guidon [gidɔ̃] *m.* ① 길의 푯말 : ~ de départ 출발 신호용 (작은) 깃발. ② 〖군사〗 (총의) 가늠쇠. ③ (자전거의) 핸들. ④ 〖해양〗 삼각기 ; 〖군사〗 향도기.

guigne[1] [giɲ] *f.* 《구어》 불운, 악운(= malchance). ***avoir la ~*** 운이 나쁘다.

guigne[2] *f.* 버찌의 일종.

guigner [giɲe] ① 곁눈질하다, 훔쳐보다. ② 남몰래 노리다 : ~ un héritage 유산을 노리다.

guignette [giɲɛt] *f.* 작은 낫.

guignol [giɲɔl] *m.* ① 꼭두각시 ; 망석중이 ; 우스꽝스러운 사람〔인물〕. ② 인형극(= théâtre de ~s), 인형극 극장.

guignolet [giɲɔle] *m.* 버찌(guigne)로 만든 브랜디.

guili(-)guili [giligili] *m.* et *interj.* 간질간질 《사람을 간질일 때 하는 소리》.

guilledou [gijdu] *m.* 수상한 곳 《다음 표현에만 쓰임》. ***courir le ~*** (이성을) 쫓아다니다 ; 바람을 피우다.

guillemet [gijmɛ] *m.* (주로 *pl.*) 인용부호, 따옴표(“ ”) : ouvrir 〔fermer〕 les ~s 글 앞〔끝〕에 인용부호를 붙이다.

guilleret, ette [gijʀɛ, -ɛt] *adj.* ① 쾌활한 ; 명랑한. ② 천박한, 외설스러운.

guillocher [gijɔʃe] *v.t.* (금속판 따위에) 꼰 밧줄〔비스듬한 격자〕 모양을 새기다.

guillochure [gijlɔʃyːʀ] *f.* (금속 세공 따위의) 꼰 밧줄〔비스듬한 격자〕 모양의 선.

guillotine [gijɔtin] *f.* ① 단두대, 기요틴 : monter sur la ~ 단두대로 올라가다. ② 사형 : condamner à la ~ 사형을 선고하다.

G

guillotiner [gijɔtine] *v.t.* 단두대에서 목을 베다, 참수형에 처하다.

guimauve [gimo:v] *f.* ①〖식물〗접시꽃속(屬) : ~ rose 접시꽃. ②〖제과〗마시멜로(= pâte de ~). ③《비유》film à la ~ 달콤하고 감상적인 영화.

guimbarde [gɛ̃baʀd] *f.* ①《구어》4 륜 짐마차 ; 털털이〔고물〕마차(= tacot). ② (홈바닥을 곱게 미는) 대패. ③《옛》〖음악〗(17 세기의) 두 박자 댄스(곡).

guimpe [gɛ̃:p] *f.* 〖의복〗① (수녀의 머리를 덮고 목 밑까지 내려오는) 두건. ② (여자의) 가슴 옷《소매 없는 일종의 슈미제트〔코르사주〕》. ③ (레이스의) 삼각형 어깨걸이〔조끼〕.

guincher [gɛ̃ʃe] *v.t.* 춤추다(= danser).

guindé, e [gɛ̃de] *adj.* ① (태도가) 부자연스러운, 점잔부린, 태를 부린. ② (문체 따위가) 어색한(= contraint), 과장된.

guinder [gɛ̃de] *v.t.* ①〖해양〗(도르래 따위로 돛대를) 세우다. ②〖기술〗기중기로 감아올리다. ③《구어》(문장·태도 따위를) 어색하게 꾸미다. — **se** ~ *v.pr.* 태를 부리다, 젠체하다.

Guinée [gine] *n.pr.f.* 〖지리〗기니《아프리카 서해안의 공화국》. ***la Nouvelle*** ~ 뉴기니. — **g~** *f.* 기니《영국의 옛날 금화》.

guinéen, enne [gineɛ̃, -ɛn] *adj.* 기니의. — **G~** *n.* 기니 사람.

guingois(de) [d(ə)gɛ̃gwa] *loc.adv.* 《구어》비스듬히 ; 형편이 나쁘게. ***avoir l'esprit de*** ~ 《구어》마음이 비뚤어지다.

guinguette [gɛ̃gɛt] *f.* (교외의) (선)술집.

guirlande [giʀlɑ̃:d] *f.* ① (꽃·잎·색종이를 길게 이은) 꽃〔잎〕장식, 꽃줄 : ~ de fleurs 화환. ② 한 줄로 이어진 것 : ~ de diamants 다이아몬드 목걸이. ③ (장식〔꾸미는〕부분의) 세부. ~ ***de Noël*** 크리스마스 장식.

guise [gi:z] *f.* 방식, 법식, 양식《현재는 다음 숙어로만 쓰임》. ***à sa*** ~ 제 나름의 방식으로 ; 마음〔멋〕대로 : agir *à sa* ~ 제멋대로 행동하다. ***À votre ~ !*** 마음대로〔좋을 대로〕하시오. ***en ~ de*** …대신에, …으로서 : prendre un bâton *en* ~ *d'épée* 검 대신 막대기를 들다.

***guitare** [gita:ʀ] *f.* 〖악기〗기타 : jouer〔pincer〕de la ~ 기타를 치다.

guitariste [gitaʀist] *n.* 기타 연주가.

guitoune [gitun] *f.* ①《구어》텐트. ②《구어》오막살이 ; (제 1 차 대전 때의) 대피호.

gummifère [gɔmmifɛ:ʀ] *adj.* 〖식물〗고무를 삼출(滲出)하는(= gommifère).

gustatif, ive [gystatif, -i:v] *adj.* ① 미각의, 맛의 : organe ~ 미각 기관. ② 맛있는.

gustation [gystɑsjɔ̃] *f.* ① 맛보기, 시식, 시음. ② 미감(味感).

guttural, e, aux [gytyʀal, -o] *adj.* 인후(咽喉)의 ; (소리가) 목구멍에서 나는 ;〖언어〗후(두)음의. — *f.* 후(두)음《[k], [g] 따위. 때로 연구개음(vélaire)이나 구개수음(avulaire)의 동의어로 사용됨》.

***gym** [ʒim] *f.* 《구어》체조 (기술) ; 체육(= gymnastique).

gymkhana [ʒimkana] *m.* 운동회, 체육 대회.

gymnase [ʒimnɑ:z] *m.* ①〖스포츠〗체조장, (실내) 체육관. ② 김나지움《독일·스위스의 고등학교》.

gymnaste [ʒimnast] *n.* 체조 선수 ; 체육〔체조〕교사.

gymnastique** [ʒimnastik] *adj.* 체조의 ; 체육의. ***pas ~ (보조를 맞춘) 구보. — *f.* ① 체조, 체육 : ~ rythmique 리듬체조 / faire de la ~ 체조를 하다. ②《구어》곡예와 같은 동작. ③ 정신적〔지적〕훈련 : ~ respiratoire 호흡 훈련 / ~ de l'esprit 두뇌 훈련.

gymnique [ʒimnik] *adj.* 체조〔체육〕의 : exercices ~*s* 체조. — *f.* 체육학.

gynécée [ʒinese] *m.* ①〖고대그리스〗규방(閨房). ② (이슬람교도의) 하렘. ③《비유》여자들만 사는〔작업하는〕곳.

gynécologie [ʒinekɔlɔʒi] *f.* 〖의학〗부인과학(婦人科學), 부인병학.

gynécologiste [ʒinekɔlɔʒist], **gynécologue** [ʒinekɔlɔg] *n.* 〖의학〗부인과 의사, 부인과 학자.

gypaète [ʒipaɛt] *m.* 〖조류〗수염수리(속)《산악 지대에 사는 대형 독수리》.

gypse [ʒips] *m.* 〖광물〗석고(石膏), 깁스.

gypseux, euse [ʒipsø, -ø:z] *adj.* 〖광물〗석고질(質)의, 석고를 함유한.

gyr(o)- *préf.* 「회전·우회」의 뜻.

gyrocompas [ʒiʀɔkɔ̃pɑ] *m.* 〖해양〗자이로컴퍼스, 회전 나침의(羅針儀).

gyrophare [ʒiʀɔfa:ʀ] *m.* (순찰·구급차 따위의) 회전 경보등.

gyroscope [ʒiʀɔskɔp] *m.* 자이로스코프, 회전의(回轉儀).

gyroscopique [ʒiʀɔskɔpik] *adj.* 자이로스코프의〔에 관한〕; 자이로스코프를 응용한 : compas ~ 자이로컴퍼스(= gyrocompas).

H

H¹, h¹ [aʃ, 《드물게》 ø] *m.* 〔*f.*〕 《ø로 발음할 때는 항상 *m.*》 프랑스 자모의 제 8 자. ***Heure H.*** 〖군사〗 전투 개시 시간 ; 결단의 시간.
H² 《약자》 ① hydrogène 〖화학〗 수소 : bombe *H* 수소탄. ② Hautesse 폐하.
h² 《약자》 ① heure 때 ; 시간. ② 〖언어〗 *h* aspiré 유음의 h ; *h* muet 무음의 h. ③ hecto- 〖물리〗 헥토, 100 : hg 헥토그램 / hl 헥토리터.
†ha [ɑ] *interj.* 《놀라움 · 아픔을 나타내어》 아아, 야아, 허어. ***Ha, ha!*** 아하《웃음소리》.
ha. 《약자》 hectare 〖도량형〗 헥타르.
†habanéra [abaneʀa] 〔에스파냐〕 *f.* 하바네라《쿠바의 노래와 무용》.
***habile** [abil] *adj.* ① 솜씨 좋은, 능란한, 노련한(= adroit) : d'une main ~ 솜씨 있게 / menuisier ~ 솜씨 좋은 목공. ② 꾀바른, 약삭빠른(= malin), 교활한 : Il est trop ~ pour être honnête. 그는 성실하기에는 너무나 꾀바르다. ③ (작품 따위가) 기교적인, 재치있는 : écrivain ~ plus qu'original 독창적이기보다는 재치가 있는 작가. **~ à**+*inf.* …하는 데 능란한 ; 〖법률〗 …할 능력〔자격〕이 있는. — *n.* ① 유능한 〔재간 있는〕 사람. ② 꾀바른 사람.
habilement [abilmɑ̃] *adv.* 솜씨 좋게, 재치 있게, 능란하게, 교묘하게.
***habileté** [abilte] *f.* ① 좋은 솜씨, 숙련, 민완, 수완 : Cet ouvrier est d'une grande ~. 이 일꾼은 아주 솜씨가 좋다. ② (*pl.*) (예술 · 직업상의) 기교, 기법, 요령(= artifice) : ~*s* du métier 작업의 요령.
habilitation [abilitɑsjɔ̃] *f.* ① 〖법률〗 자격 부여. ② (독일에서의) 대학 교수 자격 취득.
habilité [abilite] *f.* 〖법률〗 능력, 자격, 권리.
habiliter [abilite] *v.t.* ① 〖법률〗 자격〔능력〕을 주다 : ~ un mineur 미성년자에게 (법적) 능력을 주다 / 《~ qn à+*inf.*》 …에게 …할 능력〔자격〕을 주다 : *être habilité à* 〔pour〕+*inf.* …할 능력〔자격〕을 갖고 있다. ② (독일에서) …에게 대학 교수 자격을 주다.
habillage [abijaːʒ] *m.* ① 옷 입히기, 옷 입기, 옷치장 ; 옷의 매무새 : cabinet d'~ 탈의실. ② 준비 작업 ; 손질 ; 조리 : ~ d'un poisson 생선 손질. ③ (상품 따위의) 포장.
habillé, e [abije] *adj.* ① 옷을 입은 ; 복장을 단정히 한, 정장〔성장(盛裝)〕을 한 : ~ de 〔en〕 blanc 흰옷을 입은. ② ⓐ (옷이) 성장〔정장〕용의, 격식을 갖춘 : robe ~*e* 정장, 나들이옷 / soirée ~*e* (정장을 입는) 정식 야회. ⓑ (옷감 따위가) 화려한, 멋진 : tissu qui fait très ~ 매우 화려한 옷감.
habillement [abijmɑ̃] *m.* ① 의류 ; 의복 : magasin d'~ 의류 상점. ② 옷차림, 복장.
‡habiller [abije] *v.t.* ① …에게 옷을 입히다 : ~ qn d'un costume neuf …에게 새 옷을 입히다 / ~ qn en soldat …에게 군인 옷차림을 시키다 / ~ un enfant de 〔en〕 blanc 아이에게 흰옷을 입히다 / Le tailleur l'*a* bien *habillée.* 재단사가 그에게 잘 어울리는 옷을 만들어 주었다. ② …에게 옷을 지급하다 ; 옷을 만들어 주다 : Ce tailleur m'*habille* bien. 이 양복점은 내게 딱 맞는 옷을 만들어 준다. ③ (옷이) …에게 어울리다, 돋보이게 하다 : Ce vêtement vous *habille* bien. 그 옷이 당신에게 잘 어울립니다. ④ ⓐ 《~ qc de》 …을 …으로 둘러싸다, …에 …을 씌우다 : ~ des fauteuils *de* housses 의자에 커버를 씌우다. ⓑ 《~ qc》 (병 따위를) 포장하다 : ~ des bouteilles (라벨 따위를 붙여) 병에 장식을 하다. ⑤ 《비유》 (진실 따위를) 위장〔미화〕하다 : ~ la vérité 진실을 왜곡하다. ⑥ 《구어》 (사람을) 깎아내리다, 헐뜯다, 중상〔비방〕하다. ⑦ 〖기술〗 손질하다, 사전 준비 작업을 하다 : ~ des peaux 가죽을 손질하다. — **s'~** *v.pr.* ① 옷을 입다, 옷차림을 하다 ; 정장〔성장〕하다 : *s'*~ à la dernière mode 최신 유행의 복장을 하다 / Il faut *s'*~ pour ce dîner. 그 만찬회에 참석하려면 정장을 해야 한다. ② 옷을 맞춰 입다 : *s'*~ chez un tailleur réputé 이름난 재봉사에게 옷을 맞추어 입다.
habilleur, euse [abijœːʀ, -øːz] *n.* 《흔히 여성형》 (배우, 모델 따위의) 의상 담당자 ; 상품을 포장〔장식〕하는 사람.
habit** [abi] *m.* ① 옷 ; (*pl.*) 의복(= costume, vêtement) : ~*s* du dimanche 나들이 옷 / ~*s* de travail 작업복 / ~ de chasse 사냥옷 / ~ de cheval 승마복. ② (남자의) 예복, 야회복. ③ (특정한 용도의) 복장 : ~ vert 프랑스 한림원 회원의 예복. ④ 성직자〔수도사〕의 옷. **~ *du dimanche 나들이옷. ***être*** 〔***se mettre***〕 ***en ~*** 야회복을 입고 있다〔입다〕. ***L'~ ne fait pas le moine.*** 《격언》 사람이란 겉보기와는 다른 수가 있다. ***prendre l'~*** 성직자〔수도사〕가 되다.
habitabilité [abitabilite] *f.* ① 거주 가능성〔적합성〕. ② (자동차 · 승강기의) 수용 능력.
***habitable** [abitabl] *adj.* 거주할 수 있는, 거주하기에 적합한.
habitacle [abitakl] *m.* ① 《문어》 처소, 집. ② 〖해양〗 나침함(羅針函). ③ 〖항공〗 조종실.
***habitant, e** [abitɑ̃, -ɑ̃ːt] *n.* 《여성형은 드묾》 ① 주민, 거주자 : ~*s* de la ville 도시의 주민 / recensement des ~*s* 인구 조사. ② 《집합적》 그 고장의 주민 ; 토박이. ③ 《문어》 거주자 ; 서식 동물 : ~*s* des bois 〔forêts〕 들짐승, 야수(野獸) / ~*s* de l'air 하늘의 거주자, 새.
habitat [abita] *m.* ① 〖식물〗 환경, 자생지

(自生地). ② 〖동물〗 서식지 ; 주거, 거처 ; (인간의) 거주 조건 ; 주거 양식.

habitation [abitɑsjɔ̃] *f.* ① (사람의) 거주(居住) ; (동물의) 서식. ② 거처, 집, 주택 : changer d'~ 거처를 옮기다. ③ 거주지 ; (식물의) 자생지 ; (동물의) 서식지(= habitat).

habité, e [abite] *adj.* 사람〔생물〕이 사는 : satellite ~ 유인 위성 / Mars *est*-elle *habitée?* 화성에 사람이 살고 있을까?

‡habiter [abite] *v.t.* ① …에 살다 ; …에 서식하다 : Il *habite* Paris. 그는 파리에 살고 있다 / ~ la campagne 시골에 살다 / fromage *habité* 구더기가 끓는 치즈. ② …에 깃들이다 : L'enthousiasme *habite* son cœur. 감격으로 그의 마음은 가득 차 있다. ― *v.i.* 살다(= demeurer, vivre), 거주하다 : ~ à Paris 〔en France〕 파리〔프랑스〕에서 살다 / Où *habite*-t-il? 그는 어디에 삽니까?

‡habitude [abityd] *f.* ① 습관, 습성, 버릇(= coutume) ; 관습, 관례(= usage) : se conformer aux ~*s* du pays 그 지방〔나라〕의 관습에 따르다. ② 《옛》 (사람과의) 잦은 교제, (장소에) 자주 가기(= fréquentation) : avoir ses ~*s* dans une maison 어떤 집을 늘 찾아가다. ***à son ~ ; comme à son ~*** 늘 하는 버릇대로, 늘 그렇게 하듯이. ***avoir l'~*** 〔***avoir pour ~***〕 ***de***+*inf.* …하는 습관이 있다. ***comme d'~*** 여느 때처럼. ***d'~*** 보통, 평상시에는, 여느 때는. ***L'~ est une seconde nature.*** 《격언》 습관은 제 2 의 천성이다. ***par ~*** 습관에 의하여.

habitué, e [abitɥe] *adj.* 《~ à》 …에 익숙한, 습관이 된 : ~ *à* vivre seul 혼자 사는 데 익숙해진. ― *n.* ① 단골손님, 자주 드나드는 사람 : ~ d'un café 카페의 단골손님. ② 상용하는 사람.

***habituel, elle** [abitɥɛl] *adj.* 관례의, 습관적인, 관용의(= familier ; ≠ rare).

***habituellement** [abitɥɛlmɑ̃] *adv.* 평소에, 습관적으로, 보통 ; 늘.

***habituer** [abitɥe] *v.t.* 《~ à qc 〔à+*inf.*〕》 …에 익숙하게 하다, 습관을 갖게 하다(= accoutumer) : ~ les enfants *à* se lever tôt 아이들을 일찍 일어나도록 길들이다.
― **s'~** *v.pr.* 《s'~ à qc 〔à+*inf.*〕》 : …에 익숙해지다, 습관이 들다, 길들다(= s'accoutumer).

†hâblerie [ɑ(a)bləʀi] *f.* 허풍.

†hâbleur, euse [ɑblœːʀ, -øːz] *adj.* 허풍 떠는 : faire le ~ 허풍 떨다. ― *n.* 허풍선이.

†hache [aʃ] *f.* 도끼(= cognée) : fendre du bois avec une ~ 도끼로 나무를 패다. ***~ à main*** 손도끼. ***~ de pierre*** 돌도끼.

†haché, e [aʃe] *adj.* ① 잘게 벤〔썬, 다진〕 ; 갈갈이 찢긴. ② (문장 · 말 따위가) 짤막짤막한, 군데군데 끊어진 : style ~ 짧고 단속적인 문체. ― *m.* 〖요리〗 다진 고기.

†hache-légumes [aʃlegym] *m.* 《복수불변》 〖요리〗 야채용 식칼.

†hache-paille [aʃpɑːj] *m.* 《복수불변》 짚〔여물〕 써는 기구, 작두.

†hacher [aʃe] *v.t.* ① 잘게 베다, 썰다 ; 다지다 ; 아무렇게나〔서툴게〕 자르다 ; 손상시키다 : ~ de la viande 고기를 다지다 / La grêle *a haché* la récolte de maïs. 우박이 옥수수 수확을 엉망으로 만들어 놓았다. ② (문장을) 짤막짤막하게 하다 ; (이야기를) 중단시키다. ③ 〖기술〗 (칼 · 정 따위로) 표시를 해 두다. ***se faire ~*** (***en pièces***) 《구어》 끝까지 싸우다 ; 어떤 힘든 일도 마다하지 않다.

†hachereau [aʃʀo] *m.* (*pl.* ~***x***) 작은 도끼.

†hachette [aʃɛt] *f.* ① 손도끼, 까뀌. ② 〖어류〗 잉어의 일종.

†hache-viande [aʃvjɑ̃ːd] *m.* 《복수불변》 〖요리〗 고기 써는〔다지는〕 기구〔칼〕.

†hachis [aʃi] *m.* 〖요리〗 잘게 다진〔썬〕 고기〔생선〕 요리 ; (야채를) 잘게 다진 것.

†hachi(s)ch [aʃiʃ] *m.* 삼, 인도삼, 하시시《인도 삼에서 뽑은 마약(痲藥)》.

†hachischin [aʃiʃɛ̃] *m.* 마약 상용자.

†hachoir [aʃwaːʀ] *m.* ① 도마. ② 고기 써는 식칼. ③ 고기 다지는 기계.

†hachure [aʃyːʀ] *f.* 〖미술〗 선영(線影).

†hachurer [aʃyʀe] *v.t.* 〖미술〗 …에 선영을 넣다.

hadal, e, aux [adal, -o] *adj.* 〖해양〗 (수심 6,000 m 이상의) 초심해(超沈海)의.

†haddock [adɔk] 〔영〕 *m.* 〖요리〗 (북해산) 대구의 훈제.

Hadès [adɛs] *n.pr.m.* 〖그리스신화〗 하이데스《저승의 왕》 ; 지옥, 저승.

†hagard, e [agaːʀ, -aʀd] *adj.* ① (눈 · 표정 따위가) 얼빠진 듯한, 험상궂은 : yeux rouges et ~*s* 핏발선 험상궂은 눈. ② (감정 따위가) 격한, 격렬한 : colère ~*e* 격한 노여움.

hagio- *préf.* 「신성한」의 뜻.

hagiographe [aʒjɔgʀaf] *m.* 성인전(聖人傳) 작가, 구약성서 필자. ― *adj.* 《옛》 성인전에 관한 : livres ~*s* (모세 5 서와 예언서들을 제외한) 구약성서.

hagiographie [aʒjɔgʀafi] *f.* 성지(聖誌), 성인 연구 ; 성자전(聖者傳).

hagiographique [aʒjɔgʀafik] *adj.* 성지의, 성인 연구의 ; 성자전의.

hagiologie [aʒjɔlɔʒi] *f.* 성인전(聖人傳).

†haie** [ɛ] *f.* ① 울타리, 생울타리(= ~ vive) : ~ morte 〔sèche〕 마른 나뭇가지 울타리. ② 〖스포츠〗 장애물, 허들 : course de ~*s* 장애물 경기. ③ (사람의) 줄, 열(列). ***faire 〔***former***〕 ***la ~*** 열을 짓다.

†haïe [ai] *interj.* ① 이러《소나 말 모는 소리》. ② 아야《아픔》(= aïe).

†haillon [ɑ(a)jɔ̃] *m.* 넝마 ; (*pl.*) 누더기 (옷) : être couvert de ~*s* 누더기를 걸치고 있다.

†haillonneux, euse [ɑ(a)jɔnø, -øːz] *adj.* 누덕누덕 해진 ; 누더기를 입은. ― *m.* 거지.

‡†haine [ɛn] *f.* 《~ de 〔pour, contre〕》 …에 대한 증오, 혐오, 반감 ; 원한. ***avoir la ~ de*** qc 〔qn〕 ***; avoir*** 〔***prendre***〕 qc ***en ~*** …을 미워하다, 싫어하다. ***en*** 〔***par***〕 ***~ de*** qc 〔qn〕 …을 미워하는 나머지, …에 대한 반감에서. ***exciter*** 〔***allumer, déchaîner***〕 ***la ~ de*** qn …의 증오심을 불러일으키다.

†haineusement [ɛnøzmɑ̃] *adv.* 증오감을 품고 ; 밉살스러운 듯이.

†haineux, euse [ɛnø, -øːz] *adj.* 앙심 깊은 ; (사람 · 성질이) 사나운 ; 증오를 품은 : yeux ~ 증오심에 불타는 눈.

***†haïr** [aiːʀ] [11] *v.t.* 《~ qn 〔qc〕 ; de 〔《옛》 à〕 +*inf.* ; que+*sub.*》 미워하다, 증오하다, (몹시) 싫어하다(= détester) : ~ qn *à* mort …

을 몹시 증오하다 / se faire ~ *de*〔par〕ses subordonnés 부하들의 미움을 사다 / Je *hais de* vous déplaire. 나는 당신을 불쾌하게 하는 것을 싫어한다 / Il *hait qu'*on le contredise. 그는 자기 말에 반박하는 것을 싫어한다. ***ne pas ~*** (완곡하게) 좋아하다 : Je *ne* vous *hais* point. 난 당신을 좋아합니다(= Je vous aime). **~** qn ***comme la peste***〔***la mort***〕…을 몹시 싫어하다.
— **se ~** *v.pr.* ① 자기를 증오하다 ; 《se ~ de》 …한 데 대해 자책〔후회〕하다 : *se ~ de* ne pas y avoir pensé 그것에 대해 생각하지 못한 데 대해 자책하다. ② 서로 미워하다.

†hai-s, -t ⇒ haïr.

†haïssable [aisabl] *adj.* 가증스러운 ; 싫은 (= détestable, odieux) : Il fait un temps ~ cet été. 금년 여름에는 날씨가 고약하다. ***Le moi est ~.*** 자아(自我)는 가증스러운 것이다《*Pascal*의 말》.

Haïti [aiti] *n.pr.f.* 〔*m.*〕 〖지리〗 아이티 섬 ; 아이티 공화국.

†haïtien, enne [aisjɛ̃, -ɛn] *adj.* 아이티 (*Haïti*) 섬의 : patois ~ 아이티 섬의 사투리. — **H~** *n.* 아이티 사람.

†halage [ala:ʒ] *m.* 예선(曳船).

†hâle [ɑ:l] *m.* ① (사람 · 식물이) 볕에 탐, 햇볕에 탄〔그을은〕 피부색〔얼굴〕. ② 건조한 북풍〔동북풍〕.

†hâlé, e [ɑle] *adj.* 볕에 그을은, 검게 탄 ; 시든 : peau *~e* 그을린 피부.

haleine** [alɛn] *f.* ① 숨, 숨결 ; 입김 : ~ qui sent l'alcool 술 냄새 나는 입김 / avoir l'~ forte ; avoir mauvaise ~ 입에서 악취가 나다. ② 숨쉬기, 호흡(= respiration) : avoir l'~ courte 숨이 가쁘다 ; 《구어》 숨이 곧 막혀 버리다 / respirer d'une ~ égale 호흡이 고르다. ③ 향기(= parfum) : premières *~s* du printemps 봄의 첫 향기로운 미풍. ***courir à perdre ~〔***à perte d' ~***〕 숨이 가쁘게〔끊어지게〕 달리다. ***de longue ~*** 장기의 : ouvrage *de longue ~* 장시일을 요하는(일). ***d'une*** (***seule***) ***~*** 단숨에 : tout *d'une ~* 단숨에. ***~ égale*** 규칙적인 호흡. ***hors d'~*** 숨이 끊어질 지경으로 가빠서. ***perdre ~*** 숨이 끊어지게 가쁘다. ***reprendre ~*** 숨 돌리다. ***tenir qn en ~*** 숨 돌릴 겨를을 주지 않다, 훈련을 게을리 하지 않게 하다.

†haler [ɑ〔a〕le] *v.t.* 〖해양〗 (배를 육지에서) 끌어당기다 ; (밧줄로 배를) 끌다.

†hâler [ɑle] *v.t.* (햇볕 · 바람이 피부를) 검게 태우다(= bronzer) ; 시들게 하다.

†haletant, e [altɑ̃, -ɑ̃:t] *adj.* ① 헐떡거리는, 숨가쁜(= essoufflé) : être ~ d'avoir couru 뛰어서 숨이 차다. ② 《비유》 조마조마하게 하는 : roman policier ~ 조마조마하게 하는 탐정 소설.

†halètement [alɛtmɑ̃] *m.* 헐떡임 ; 숨가쁨.

†haleter [alte] *v.i.* [4] ① 헐떡거리다(= s'essouffler) : dire en *haletant* 헐떡거리며 말하다. ② 《비유》 조마조마해 하다.

†hall** [o:l] 〔영〕 *f.* 홀, 넓은 방 : ~ de l'hôtel 호텔 로비. **~ *de montage 조립실(組立室). **~ *des machines*** 기관실.

†hallage [ala:ʒ] *m.* 〖상업〗 시장세(市場稅).

†halle [al] *f.* ① (큰 도매) 시장(= marché) : ~ aux vins 포도주 도매 시장 / ~ au poisson 어시장(魚市場). ② (*pl.*) 중앙 (식료품) 시장 ; (특히) 파리의 중앙 시장. ***H~s*** (***centrales***) 파리 중앙 시장. ***langage des ~s*** 상스러운 말.

†hallebarde [albaʀd] *f.* 〖역사〗 미늘창《도끼를 겸한 창》. ***Il pleut***〔***tombe***〕 ***des ~s.*** 《구어》 비가 억수같이 쏟아진다.

hallucinant, e [a(l)lysinɑ̃, -ɑ̃:t] *adj.* 환각을 일으키는 ; 착각을 일으키는 : ressemblance *~e* 착각을 일으킬 만큼 흡사함.

hallucination [a(l)lysinɑsjɔ̃] *f.* ① 〖의학〗 환각 : *~s* auditives 환청(幻聽). ② 착각, 환각, 환영 : avoir des *~s* 착각하다.

hallucinatoire [a(l)lysinatwa:ʀ] *adj.* 환각의, 착각의 : vision ~ 환영(幻影).

halluciné, e [a(l)lysine] *adj.* et *n.* 환각에 사로잡힌 (사람) : toxicomane〔air〕 ~ 환각에 사로잡힌 마약 중독자〔모습〕.

halluciner [a(l)lysine] *v.t.* …에게 환각을 일으키다.

hallucinogène [a(l)lysinɔʒɛn] *adj.* 환각을 일으키는. — *m.* 환각제.

†halo [alo] *m.* ① 〖기상〗 (해 · 달의) 무리, 훈륜(暈輪). ② 영광, 광채 ; 《비유》 후광(= auréole) : ~ de gloire 빛나는 영광. ③ 〖사진〗 할레이션, 훈영(暈影).

†halogène [alɔʒɛn] *m.* 〖화학〗 할로겐, 조염(造塩) 원소. — *adj.* 할로겐의.

†halte [alt] *f.* ① 정지, 휴식 (= arrêt, repos) : faire ~ 정지하다 ; 휴식하다. ② 휴식처, 숙박지 ; (소규모의) 정거장, 작은 역. ③ 휴식 시간, 일시 중단. — *interj.* 정지! : *H~*-là! 정지! / *H~* au feu! 사격 정지!

haltère [altɛ:ʀ] *m.* 〖스포츠〗 중량 올리기, 아령(啞鈴) : poids et *~s* 역도.

haltérophile [alteʀɔfil] *adj.* 역기(力技)를 하는. — *m.* 아령 운동가 ; 역도 선수.

haltérophilie [alteʀɔfili] *f.* ① 아령 운동. ② 역도(= poids et haltères).

†hamac [amak] *m.* 해먹, 달아맨 그물 침대.

†hambourgeois, e [ɑ̃buʀʒwa, -a:z] *adj.* 함부르크의. — **H~** *n.* 함부르크 사람.

hamburger [ɑ̃bu〔œ〕ʀgœ:ʀ] 〔미〕 *m.* 〖요리〗 햄버거.

†hameau [amo] *m.* (*pl.* ***~x***) 부락, 촌락 ; 작은 마을.

hameçon [amsɔ̃] *m.* 낚싯바늘, 낚시 : prendre un poisson à l'~ 낚시로 물고기를 낚다. ***mordre***〔***se prendre***〕 ***à l'~*** (물고기가) 낚시에 걸리다 ; 《구어》 속아넘어가다.

†hammam, hammâm [a(m)mam] *m.* (터키의) 목욕탕 ; 터키식 목욕탕.

†hampe[1] [ɑ̃:p] *f.* 깃대, 붓대, (미늘창 따위의) 자루, (폭탄 따위의) 꼬리날개.

†hampe[2] *f.* ① 〖사냥〗 사슴의 가슴. ② 〖요리〗 소의 옆구리 고기 「일종》.

†hamster [amstɛ:ʀ] *m.* 〖동물〗 햄스터《쥐의

†hanche** [ɑ̃:ʃ] *f.* ① 허리 《엉덩이 위, 하반신과 상반신의 접합부》, 궁둥이. ② 〖해양〗 선측 후반부. ***mettre les poings〔***les mains***〕 ***sur les hanches*** 《구어》 주먹〔손〕을 허리에 대다 ; 도전하는 태도를 취하다. ***rouler***〔***balancer***〕 ***les ~s*** 엉덩이를 흔들다. ***tour de ~s*** 허리둘레, 히프 ; 〖레슬링〗 허리치기.

H

†**hancher** [ɑ̃ʃe] *v.i.* ① (걸을 때) 궁둥이를 흔들다. ② 체중을 한쪽 다리에 기울이다(= ~ sur une patte). ③ 절름거리다.

†**hand(-)ball** [ɑ̃dba(o)l] 〔영〕 *m.* 〖스포츠〗 핸드볼.

†**handballeur** [ɑ̃dbalœːʀ, ɑ̃dbolœːʀ] *m.* 〖스포츠〗 핸드볼 선수〔경기자〕.

*†**handicap** [ɑ̃dikap] 〔영〕 *m.* 핸디캡; 불리한 조건; 〖스포츠〗 핸디캡이 붙은 경기 : ~ économique des jeunes nations 신생국들의 경제적인 불리함.

†**handicapé, e** [ɑ̃dikape] *adj.* et *n.* 핸디캡이 붙은 (사람), 불리한 조건에 놓인 (사람).

†**handicaper** [ɑ̃dikape] *v.t.* 〖스포츠〗 ① …에게 핸디캡을 붙이다. ② 불리한 상태에 놓다 : Il *est handicapé* depuis son accident. 그 사고 이후 그는 불리한 위치에 놓여 있다.

†**handisport** [ɑ̃dispɔːʀ] *adj.* 장애자 스포츠의 : jeux olympiques ~*s* 장애인 올림픽 경기.

*†**hangar** [ɑ̃gaːʀ] *m.* ① 헛간, 광, 창고 : ~ à marchandises 상품 창고. ② 〖항공〗 격납고(格納庫) : ~ à locomotives 기관차 차고.

H

†**hanneton** [antɔ̃] *m.* ① 〖곤충〗 풍뎅이. ② 경솔한 사람, 덜렁이.

†**Hanovre** [anɔvʀ] *n.pr.m.* 〖지리〗 ① 하노버시(市). ② 하노버 주(州)〔왕국〕(= le ~). ***la maison de ~*** 하노버가(家)〔왕조〕.

hanovrien, enne [anɔvʀi(j)ɛ̃, -ɛn] *adj.* 하노버(사람)의. ── **H~** *n.* 하노버 사람.

†**hanté, e** [ɑ̃te] *adj.* 유령이 나오는 : château ~ 유령이 나오는 성.

†**hanter** [ɑ̃te] *v.t.* ① …에 자주 드나들다〔다니다〕(= fréquenter). ② …와 사귀다. ③ 머리에서 떠나지 않다(= obséder) : Ce souvenir le *hantait.* 그 추억은 그의 머리에서 떠나지 않고 있었다. ④ …에 (유령이) 나오다 : maison *hantée* 유령이 나오는 집. ***Dis-moi qui tu hantes, et je te dirai qui tu es.*** 《격언》 사귀는 친구를 보면 그 사람됨을 알 수 있다.

†**hantise** [ɑ̃tiːz] *f.* 강박〔고정〕관념(= obsession) : être poursuivi par la ~ de la mort 죽음의 강박관념에 사로잡히다.

†**happeau** [apo] *m.* (*pl.* **~x**) 새 올가미, 새 덫.

happening [ap(ə)niŋ] 〔영〕 *m.* ① 〖연극〗 해프닝; 즉흥극. ② 우발적인 사건.

†**happer** [ape] *v.t.* 덥석 물다; 《구어》 덥석 붙잡다(= attraper). ── *v.i.* 들러붙다.

†**happy few** [apifju] 〔영〕 *m.pl.* 소수의 특권자《부자, 지적인 엘리트 따위》.

†**hara-kiri** [aʀakiʀi] 〔일본〕 *m.* 할복 자살; 자살 : (se) faire ~ 자살하다; 목숨을 내던지다.

†**harangue** [aʀɑ̃ːg] *f.* ① 연설 : faire 〔prononcer〕 une ~ 연설을 하다. ② 장황한 연설, 훈시; 잔소리, 설교. ***faire une ~ à*** qn …에게 잔소리를 하다.

†**haranguer** [aʀɑ̃ge] *v.t.* …에게 연설하다; 《비유》 설교하다. ── *v.i.* 연설을 하다.

†**haras** [aʀɑ] *m.* 《집합적》 종마(種馬); 종마 사육장.

†**harassant, e** [aʀasɑ̃, -ɑ̃ːt] *adj.* 몹시 피로하게 하는, 벅찬.

†**harasser** [aʀase] *v.t.* 몹시 피로하게 하다, 기진맥진하게 만들다 : *être harassé* de travail 일로 지칠대로 지치다. ── **se ~** *v.pr.* 기진맥진해지다.

†**harcèlement** [aʀsɛlmɑ̃] *m.* 들볶기 : guerre de ~ 유격전.

†**harceler** [aʀsəle] [4] *v.t.* ① (적을) 집요하게 공격하다 : Les convois *étaient harcelés* par l'ennemi. 수송대는 적의 공격을 집요하게 받고 있었다. ② 귀찮게 굴다, 괴롭히다, 들볶다(= agacer, importuner) : ~ qn de questions 질문 공세로 …을 괴롭히다 / *être harcelé* de soucis 근심 걱정이 떠날 날이 없다.

hard [aʀd] 〔영〕 *adj.* 《여성불변》 ① (소리가) 격렬한, 요란한. ② 노골적인, 외설적인. ── *m.* 《복수불변》 ① 〖컴퓨터〗 하드웨어. ② 〖음악〗 하드록. ③ 포르노 영화.

†**hardes** [aʀd] *f.pl.* 《흔히 경멸》 헌옷, 옷가지 : marchand(e) de ~ 헌옷 장수.

*†**hardi, e** [aʀdi] *adj.* ① 대담한, 과감한 (= courageux, déterminé); (계획 따위가) 무모한(= téméraire) : action ~*e* 대담한 행동 / projet ~ 무모한 계획. ② 방약무인한, 파렴치한, 뻔뻔스러운(= effronté); (이야기·글 따위가) 노골적인(= osé) : ~ coquin 파렴치한 악당 / mensonge ~ 뻔뻔스러운 거짓말 / Il est bien ~ de m'interrompre ainsi. 이렇게 내 말을 가로막다니 참 뻔뻔스럽기도 하다. ③ (사상 따위가) 독창적인 (= original); 자유분방한 : peintre au pinceau ~ 분방한 필치를 지닌 화가. ── *interj.* 용기를 내.

†**hardiesse** [aʀdjɛs] *f.* ① 대담성, 과감성(= audace); 무모함 : ~ d'une entreprise 기획의 무모함. ② 방약무인한〔파렴치한, 뻔뻔스러운〕 태도; 노골성 : Quelle ~ d'aller dire cela! 그런 말을 하려고 하다니 뻔뻔스럽기도 하군. ③ (사상 따위의) 독창성; 독창적인 사상〔표현·행동〕 : ~ de l'expression 참신한 표현. ***prendre la ~ de*** + *inf.* 대담하게도〔감히〕 …하다.

†**hardiment** [aʀdimɑ̃] *adv.* ① 대담스럽게, 과감하게. ② 무례하게; 방약무인하게; 뻔뻔하게 : mentir ~ 뻔뻔하게 거짓말을 하다. ③ 《구어》 주저하지 않고, 단호하게.

†**hardware** [aʀdwɛːʀ] 〔영〕 *m.* 하드웨어《전자 계산기의 기계적 설비》.

†**harem** [aʀɛm] *m.* ① (회교도의) 부인방, 규방(閨房). ② 《집합적》 규방의 여자들; 처첩. ***avoir un ~*** 《구어》 (남자가) 많은 여자 관계를 가지고 있다.

*†**hareng** [aʀɑ̃] *m.* 〖어류〗 청어, 비웃. ***être serrés comme des ~s*** 《구어》 콩나물시루처럼 빽빽한.

†**harengère** [aʀɑ̃ʒɛːʀ] *f.* ① 비웃〔생선〕 파는 여자. ② 상스러운 여자 : parler comme une ~ 상스러운 말을 하다.

†**hargne** [aʀɲ] *f.* 언짢은 기분, 역정, 부아.

†**hargneussement** [aʀɲøzmɑ̃] *adv.* 퉁명스럽게; 심술궂게.

†**hargneux, euse** [aʀɲø, -øːz] *adj.* 성미가 까다로운, 성 잘내는, 심술궂은; (개·말 따위가) 걸핏하면 무는.

*†**haricot** [aʀiko] *m.* ① (*pl.*) 〖식물〗 강낭콩《열매》; (*sing.*) 강낭콩《식물》 : ~ d'Espagne 붉은꽃 강낭콩 / ~*s* verts 깍지 강낭콩. ② 〖요리〗 ~ de mouton 양고기 스튜. ③ (*pl.*) 《구어》 하찮은 것, 보잘것없는 것. ***aller***

manger des ~s 《구어》 교도소로 가다. ***C'est la fin des ~s.*** 《구어》 만사 끝났어, 끝장 다 났다. ***courir*** 〔***taper***〕 ***sur le ~ à*** qn 《구어》 …을 괴롭히다, 진저리나게 하다. ***Des ~s !*** 《구어》 아무런 소득도 없을 거야. ***toucher des ~s*** 보잘것없는 돈을 받다.

†**haridelle** [aʀidɛl] *f.* ① 야윈 말. ② 키가 크고 야윈 여자.

harmonica [aʀmɔnika] *m.* 하모니카.

harmoniciste [aʀmɔnisist] *n.* 하모니카 연주자.

harmonie** [aʀmɔni] *f.* ① 〖음악〗 화음, 화성 : ~s consonantes 〔dissonantes〕 협화음〔불협화음〕. ② 해조(諧調), 즐거운 가락, 듣기 좋은 음조 : ~ des vers 잘 조화된 시구 / ~ du style 유려한 문체. ③ 조화, 조합 ; 균형 ; (사람들 사이의) 융화, 화합, 협조, (의견 따위의) 일치 : ~ des sentiments 감정의 일치 / ~ politique 정치적 화합 / mettre en ~ A et B, A와 B를 조화시키다. ④ 취주악단 : ~ municipale 시립 취주악단. ***être en ~ avec …와 조화하다. ***~ imitative*** 《시어》 모음(模音). ***~ vocalique*** 〖언어〗 모음조화. ***musique d'~*** 취주악. ***table d'~*** (피아노 따위의) 공명반(共鳴盤). ***vivre en ~*** 화목하게 살다.

harmonieusement [aʀmɔnjøzmɑ̃] *adv.* ① 듣기 좋게 : chanter ~ 듣기 좋게 노래하다. ② 잘 조화되게, 잘 어울리게 : allier ~ deux couleurs 두 색을 조화되게 배합하다. ③ 사이좋게 : vivre ~ 사이좋게 살다.

harmonieux, euse [aʀmɔnjø, -øːz] *adj.* ① 듣기 좋은, 아름다운 : musique *~euse* 아름다운 음악. ② 잘 조화된, 잘 어울린, 균형잡힌 : système ~ 정연한 체계.

harmonique [aʀmɔnik] *adj.* ① 〖음악〗 화성의. ② 〖수학〗 조화(調和)의 : série ~ 조화급수. — *m.* 〔*f.*〕 〖음악 · 물리〗 배음(倍音). ***~s supérieurs*** 〖물리〗 고조파(高調波).

harmonisation [aʀmɔnizɑsjɔ̃] *f.* ① 〖음악〗 화음을 붙이기. ② 〖언어〗 모음조화(= ~ vocalique).

harmoniser [aʀmɔnize] *v.t.* ① 조화시키다, 어울리게 하다 : ~ des teintes 색조를 조화시키다. ② 화합시키다, 조정하다 (= accorder) : ~ les intérêts de plusieurs personnes 여러 사람의 이해 관계를 조정하다. ③ 〖음악〗 …에 화음을 붙이다 ; 편곡하다 ; (오르간 따위를) 조율(調律)하다. — **s'~** *v.pr.* 서로 어울리다, 조화되다 ; 《s'~ avec》 …와 조화하다, 어울리다.

harmonium [aʀmɔnjɔm] *m.* 소형 풍금.

†**harnachement** [aʀnaʃmɑ̃] *m.* ① 마구(馬具) ; 마구를 달기. ② 괴상한 옷차림 ; (보병 · 등산가 따위의) 중장비.

†**harnacher** [aʀnaʃe] *v.t.* ① …에 마구를 달다. ② …에게 괴상한 옷차림을 시키다(= accoutrer) : *être* bien *harnaché* 좋은 옷을 입고 있다. — **se ~** *v.pr.* 괴상한 옷차림을 하다 ; (군인 · 사냥꾼 따위가) 중무장을 하다.

†**harnais** [aʀnɛ] *m.* ① 마구, 말의 장식 : chevaux aux ~ dorés 금빛 말장식을 단 말들 / cheval de ~ 마차 말. ② 《옛》 갑옷(= armure) ; 《비유》 군직 : blanchir sous le ~ 일생을 무인(武人)으로서 보내다 ; 어떤 직업에 일생을 바치다. ③ 도구 일습 : ~ de pêche 〔chasse〕 낚시〔사냥〕 도구. ***endosser le ~*** 무인(武人)이 되다 ; 직업을 갖다.

†**haro** [aʀo] *m.* 꼼짝 마라 《범인을 잡을 때 외치는 소리》 ; 《문어》 비난, 규탄. ***crier ~ sur*** qn 분연히 …의 언행을 비난하다. ***faire ~ sur*** qn …을 고발하다. — *interj.* 사람 살려.

harpagon [aʀpagɔ̃] *m.* 인색한 사람 ; 수전노, 구두쇠《*H~*, Molière 의 희곡 *L'Avare* 의 주인공》.

†**harpe** [aʀp] *f.* 〖음악〗 하프.

†**harpie** [aʀpi] *f.* 〖그리스신화〗 하르퓌아《새의 몸과 여자의 얼굴을 가진 괴물》 ; 사나운 여자, 심술궂은 여자, 악처(妻).

†**harpiste** [aʀpist] *n.* 하프 탄주자.

†**harpon** [aʀpɔ̃] *m.* 고래 작살.

†**harponnage** [aʀpɔnaːʒ], †**harponnement** [aʀpɔnmɑ̃] *m.* (고래) 작살을 쏘기.

†**harponner** [aʀpɔne] *v.t.*, ① (고래) 작살을 쏘아 맞히다 ; 작살로 찍다. ② 《구어》 (도둑 따위를) 잡다(= saisir, arrêter).

†**harponneur** [aʀpɔnœːʀ] *m.* 고래 작살을 쏘는 사람.

*†**hasard** [azaːʀ] *m.* ① 운수(= sort, chance), 요행(= veine) ; 우연한 일(= accident) : caprices du ~ 운명의 장난 / profiter d'un ~ favorable 〔heureux〕 행운의 기회를 이용하다 / rencontre de ~ 우연한 상봉〔해후〕. ② 위험, 모험(= risque) : ~s de la guerre 전쟁의 위험성. ***à tout ~*** 어쨌든 ; 만약을 생각해서. ***au ~*** 무턱대고, 되는대로. ***au ~ de***+*inf.* …할 위험을 무릅쓰고. ***au ~ de*** qc …의 형편대로, …에 따라 : *au ~ de* la vie 살다 보면 (혹시). ***coup de ~*** 우연한 일 ; 요행, 행운. ***courir le ~*** 모험을 하다. ***jeu de ~*** 운에 맡기는 도박. ***par ~*** 우연히, 뜻밖에 ; 혹시 : découverte *par ~* 우연히 발견한 것 〔책〕. ***par le plus grand des ~s*** 전혀 뜻밖에, 예상외로. ***prendre le ~ de***+*inf.* 《문어》 기회를 틈타서 …하다.

†**hasardé, e** [azaʀde] *adj.* 위험한, 안전성 없는 ; 무모한 : entreprise *~e* 무모한 기도.

†**hasarder** [azaʀde] *v.t.* ① (생명 · 재산 따위를) 내걸다 : ~ sa fortune dans des spéculations 투기 사업에 재산을 내걸다 / ~ sa vie 생명을 내걸다. ② (용기를 내어) 해 보다 ; 감행하다 ; (의견 따위를) 이야기해 보다 : ~ une démarche auprès d'un ministre 장관에게 감히 청탁하다. — **se ~** *v.pr.* ① 위험을 무릅쓰다. ② 《se ~ à+*inf.*》 (용기를 내어) …해 보다 ; 《se ~ de+*inf.*》 《옛》 위험을 무릅쓰고〔운에 맡기고〕 …하다.

†**hasardeux, euse** [azaʀdø, -øːz] *adj.* ① 《옛》 모험적인, 무모한(= aventureux), 대담한. ② 위험한(= dangereux), 아슬아슬한 : conjecture *~euse* 근거 없는 추측.

†**hasardise** [azaʀdiːz] *f.* 모험.

hasch [aʃ] *m.* 《구어》 = haschi(s)ch.

†**haschi(s)ch** [aʃiʃ] *m.* 하시시《마약》 : prendre du ~ 하시시를 복용하다.

†**hase** [ɑːz] *f.* 〖동물〗 암토끼.

*†**hâte** [ɑːt] *f.* 서두름, 신속, 황급 (= précipitation, promptitude) : Quelle ~ à vouloir prendre la parole ! 발언하고 싶어 그 얼마나 안달인가 ! / ~ excessive 몹시 서두름. ***à***

la* ~** 서둘러서, 허둥지둥. ***avoir* ~ *de + *inf.* …을 서두르다. ***en* ~ ; *avec* ~** 서둘러. ***en toute* [*grande*] ~** 부랴부랴. ***faire* ~** (***de*** + *inf.*) (…하기를) 서두르다. ***mettre de la* ~ [*peu de* ~] *à*** + *inf.* …하기를 서두르다 [서두르지 않다].

†hâtelet [ɑtlɛ] *m.* 〖요리〗 작은 쇠꼬치.

†hâter** [ɑte] *v.t.* 빠르게 하다, 앞당기다; 촉진하다, 서두르게 하다 : ~ le pas 걸음을 빨리하다 / ~ son départ 서둘러 떠나다 / ~ la besogne 일을 서둘러서 하다. — **se ~** *v.pr.* 서두르다 ; 《se ~ de + *inf.*》 …하기를 서두르다, 서둘러서 …하다 : *Hâtez*-vous ! 서두르시오 ! / *se ~ de* terminer un travail 일을 빨리 끝내다[끝내려고 서두르다] / *se ~* vers la sortie 출구 쪽으로 달려가다. ***Hâtez-vous lentement. 《격언》 급할수록 천천히 하라.

†hâtif, ive [ɑtif, -iːv] *adj.* ① 조숙한, 올된(≠ tardif) : fruit ~ 조생 과일. ② (계절 따위가) 이른, 빠른. ③ 서둘러 한, 조급한 : jugement ~ 성급한 판단.

†hâtivement [ɑ(a)tivmɑ̃] *adv.* ① 올되게; 철 이르게. ② 서둘러서, 조급히.

†hauban [obɑ̃] *m.* 〖해양〗 ① 돛대줄(돛대 꼭대기에서 양쪽 뱃전에 쳐서 돛대를 고정시키는 밧줄). ② 버팀 밧줄 ; (기중기의) 켕김줄.

†haubert [obɛːʀ] *m.* 〖고고학〗 쇠사슬 갑옷.

***†hausse** [oːs] *f.* 오름, 상승 ; 등귀(騰貴) : ~ de la température 기온의 상승 / ~ du coût de la vie 생활비의 앙등. ***être à la* ~** (일이) 잘 되어 가다 ; (물가가) 오르는 경향이 있다. ***être en* ~** (물가가) 오르고 있다 ; 《구어》 (신용이) 더해지다 : marchandises *en ~* 값이 오르는 상품 / Les actions de cette société *sont en ~*. 그 회사의 주가가 상승하고 있다. ***jouer à la* ~** 값이 오르리라 고 내다보고 사다[매점하다].

†haussement [osmɑ̃] *m.* 올리기, 추켜올림 : ~ d'épaules 어깨를 으쓱하기

†hausser** [ose] *v.t.* ① 높이 올리다, 높이다, 추켜올리다 : ~ une maison d'un étage 집을 한 층 올리다. ② (값 · 세금 따위를) 올리다 : ~ les impôts 세금을 올리다. ③ (소리 · 음성을) 높이다, 크게 하다. ④ 《비유》 (가치 · 평가 따위를) 높이다 : ~ le niveau d'un enseignement 교육의 수준을 높이다. **~ *les épaules 어깨를 으쓱하다. **~ *le ton*** 소리를 높이다 ; 명령조가 되다, 소리를 거칠게 내다. — **se ~** *v.pr.* ① 몸을 추켜올리다, 발돋움하다 : *se ~* sur la pointe des pieds 발돋움하다. ② 올라가다(≠ s'abaisser). ③ 《비유》 (신용 · 지위 따위가) 높아지다.

†haussier [osje] *m.* 매점(買占)하는 사람.

haussier, ère [osje, -ɛʀ] *adj.* 가격이 오르는 ; 가격 인상을 주장하는 : tendances *~ères* 가격 상승세.

‡†haut, e [o, oːt] *adj.* ① 높은 ; (물이) 깊은 ; (바다가) 파도가 높은 : de *~es* montagnes 높은 산 / homme de *~e* taille 키 큰 사람 / mur ~ de deux mètres 2 미터 높이의 담 / pas plus ~ qu'une botte 몹시 작은 / ~ plateau 고원 / *~e* Loire 루아르강 상류 / *~e* marée 만조 ; 대조(大潮) / *~e* mer 난바다 ; 〖법률〗 공해(公海) / habiter le plus ~ étage d'une maison 집 제일 위층에 살다. ② (소리가) 높은, 강한 : lire à *~e* voix [à voix *~e*] 큰 소리로 읽다 / pousser les *~s* cris 고함을[소리를] 지르다. ③ 정도가 높은 ; (값이) 비싼, (봉급 따위가) 고액의 : *~s* salaires 고액 봉급 / acheter à ~ prix 비싼 값에 사다 / Le dollar est ~. 달러 시세가 높다. ④ (사회 계급 · 권력 따위가) 상류의, 고등[고위]의 : *~es* classes 상류 계급 / dans les *~es* sphères de l'armée 군 고위층에서. ⑤ (능력 · 가치 따위가) 고도의 : Il jouit d'une *~e* réputation. 그는 명성을 누리고 있다 / *~e* valeur de ses travaux 그의 업적의 커다란 가치. ⑥ 극도의 : au plus ~ degré 최고도로 / calculs d'une *~e* précision 극도의 정확성을 기한 계산 / C'est du plus ~ comique. 우습기 짝이 없는 일이다. ⑦ 강압적인, 거만한. ⑧ (시간적으로) 먼 : *~e* antiquité 먼 옛날[상고 시대]. ***avoir le cœur* ~** 아량이 있다. ***avoir le verbe* ~** 소리가 높다 ; 말투가 거만하다. ***être* ~ *à la main*** 걸핏하면 완력을 쓰다, 거만하다, 건방지다. ***marcher la tête* ~*e* [*le front* ~]** 으스대며 걷다 ; 거리낌 없다.

— *m.* ① 높이(= hauteur) ; 키 : Cette tour a 10 mètres de ~. 이 탑은 높이가 10 미터이다. ② 꼭대기, 위, 상부, 높은 곳, 정상(= sommet) : ~ d'une page 페이지의 윗부분 / le plus ~ du jour 대낮, 정오. ③ 〖음악〗 고음부(= notes *~es*). ④ 〖해양〗 *~s* d'un navire 선수[선미]루(樓). ***crier du* ~ *de sa tête*** 안간힘을 써서[목청껏] 외치다. ***de* ~** ⓐ 높은 데서 : voir qc *de ~* …을 위에서 내려다보다. ⓑ 《비유》 대국적으로 : regarder les choses *de ~* 대국적으로 보다. ⓒ 거만하게 : traiter qn *de ~* …을 거만하게 대하다. ***de* ~ *en bas*** 위에서 밑으로 ; 경멸하여. ***d'en* ~** ⓐ 위에서, 높은 데에서 : dents *d'en ~* 윗니. ⓑ 고위층에서 : ordres qui viennent *d'en ~* 상부의 명령. ***du* ~ *en bas*** 위에서 아래까지 : tomber *du ~ en bas* de l'escalier 계단의 위에서 아래까지 떨어지다. ***en* ~** 높은 데(서), 위에[로], 위층에 : Il est resté *en ~*. 그는 위층에 머물러 있었다. ***tomber de son* ~** 나자빠지다 ; 깜짝 놀라다, 혼나다.

— *adv.* ① 높이 ; 큰 소리로 ; 높은 곳에 ; 위층에 ; 비싸게 : voler ~ dans le ciel 하늘 높이 날다 / parler ~ 큰 소리로 말하다 / Les prix sont montés très ~. 물가가 껑충 뛰었다. ② (시간적으로) 옛날로 ; 이전으로 ; 《비유》 근원으로 : voir plus ~ (책 안에서) 앞을 참조할 것 / comme il est dit plus ~ 앞[위]에서 말한 바와 같이 / remonter plus ~ 더 옛날로 거슬러 올라가다. ③ 〖음악〗 고음으로 : monter une octave plus ~ 한 옥타브 더 올라가다. ④ 《비유》 (지위 따위가) 높이, 고위에 : personnes ~ placées 지위가 높은 사람, 고위층 (인사) / estimer très ~ 높이 평가하다. ***dire bien* ~** 분명히[숨김없이] 말하다. ***H~ le pied !*** 꺼져 !, 달아나라 ! ***H~ les mains !*** 손들엇 ! ***là-~*** 위에, 저기에, 하늘에. ***lire tout* ~** 큰 소리로 읽다. ***penser tout* ~** 생각한 바를 분명히 말하다. ***rêver tout* ~** 잠꼬대를 하다. ***tout* ~** 저 높은 곳

에 ; 큰 소리로.
— *f.* 《속어》 상류사회(= ~*e* société).

†hautain, e [otɛ̃, -ɛn] *adj.* 거만한 ; 불손한(= orgueilleux, arrogant) : prendre un air ~ 거만한 태도를 취하다.

†hautainement [otɛnmɑ̃] *adv.* 거만하게 ; 불손하게.

†hautbois [obwɑ] *m.* 〖음악〗 ① 오보에. ② 오보에 취주자(= hautboïste).

†hautboïste [obɔist] *n.* 오보에 취주자.

†haut-commissaire [okɔmisɛ:ʀ] *m.* (*pl.* **~s-~s**) 고관, 고등 판무관.

†haut-de-forme [odfɔʀm] *m.* (*pl.* **~s-~-~**) 실크해트.

†haute-fidélité [otfidelite] 〔영〕 *f.* (*pl.* **~s-~s**) 하이파이 : disques en ~ 하이파이 디스크. — *adj.* 하이파이의.

†hautement [otmɑ̃] *adv.* ① 높이. ② 큰 소리로 ; 명백〔공공연〕하게, 당당하게, 분명하게 : Lisez ~. 큰 소리로 읽으시오 / déclarer ~ 분명하게 말하다〔단언하다〕. ③ 뛰어나게, 매우 ; 고도로, 극도로 : ~ civilisé 고도로 문명화된. ④ 거만하게, 오만하게(= orgueilleusement). ~ ***estimé*** 높이 평가된.

†hauteur** [otœ:ʀ] *f.* ① 높이(= haut) ; 고도(= altitude) ; 키, 신장(= taille) : avoir 10 mètres de ~ 높이 10 미터이다 / construction en ~ 고층 건물 / ~ absolue 절대 고도, 해발. ② 《비유》 거만스러움 ; 교만한 언동 : parler avec ~ 오만하게 말하다. ③ 《비유》 탁월 ; 숭고, 고매(高邁) : ~ d'âme 숭고한 마음. ④ 고지, 언덕 : maison sur une ~ 언덕 위에 있는 집. ***à ~ de …의 높이에〔의〕. ***à la ~*** 《구어》 (사람이) 유능한, 감당할 능력이 있는. ***à la ~ de*** qc 〔qn〕 ⓐ …와 같은 높이〔위도〕에 : lever sa jambe *à la ~ d'œil* 눈높이까지 발을 들어올리다 / Paris est *à la ~ de* Strasbourg. 파리는 스트라스부르와 같은 위도상에 있다. ⓑ …의 위치에 ; …와 동일선상에 : tourner à gauche *à la ~ du* bureau de poste 우체국에서 왼쪽으로 돌다〔꺾다〕. ⓒ …와 견줄 수 있는 ; …에 알맞은 : Peu d'esprits sont *à la ~ de* ce grand génie. 그 위대한 천재와 비견할 만한 사람은 거의 없다. ⓓ (사태 · 임무에) 대처〔감당〕할 만한 : être *à la ~ des* circonstances 상황에 대처할 수 있다. ***de ~*** ⓐ 높이 …의. ⓑ 《옛》 거만하게, 완력으로. ***prendre de la ~*** 〖항공〗 상승하다. ***tomber de sa ~*** 쓰러지다 ; 깜짝 놀라다 : *tomber de* toute *sa* ~ 벌떡 나자빠지다.

†Haute-Volta [otvɔlta] *n.pr.f.* 〖지리〗 오트볼타《서아프리카의 공화국》.

†haut-fond [ofɔ̃] *m.* (*pl.* **~s-~s**) 물이 얕은 곳, 여울 ; 암초

†haut(-)fourneau [ofuʀno] *m.* (*pl.* **~s-~x**) 용광로, 제철소.

†haut-le-cœur [olkœ:ʀ] *m.* 《복수불변》 ① 구역 ; 욕지기. ② 혐오(= dégoût).

†haut-le-corps [olkɔ:ʀ] *m.* 《복수불변》 ① 〖경마〗 (말이) 껑충 뛰기. ② (놀라움 · 분노 따위로) 몸을 움찔하기 : avoir 〔faire〕 un ~ 몸을 움찔하다.

†haut-parleur [oparlœ:ʀ] *m.* (*pl.* **~-~s**) 확성기, 라우드스피커.

†haut-relief [oʀəljɛf] *m.* (*pl.* **~s-~s**) 〖조각〗 고부조(高浮彫), 고양각(高陽刻).

†Hauts-de-Seine [od(ə)sɛn] *n.pr.m. pl.* 오드센《1964년에 새로 생긴 파리 근처의 새 département의 이름》.

†hauturier, ère [otyʀje, -ɛ:ʀ] *adj.* 원양(遠洋)의 : navigation ~*ère* 원양 항해.

†havanais, e [avanɛ, -ɛ:z] *adj.* 아바나(*la Havane*)의. — **H~** *n.* 아바나 사람. — *m.* 아바나산 개.

†Havane (la) [laavan] *n.pr.f.* 아바나《쿠바의 수도》. — **h~** *m.* 아바나산의 여엽궐련 ; 엷은 밤색 : fumer de ~ 〔des ~s〕 아바나산의 엽궐련을 피우다. — *adj.* 《불변》 엷은 밤색의.

†hâve [ɑ:v] *adj.* 핏기 없는, 수척한, 여윈, 창백한 : figure ~ 창백한 얼굴.

†haveneau [avno] (*pl.* **~x**), **†havenet** [avnɛ] *m.* 〖어업〗 새우잡이 그물.

†haver [ave] *v.t* 〖광산〗 (광맥의 층리(層理)와 평행하게) 잘라 채굴하다.

†haveur [avœ:ʀ] *m* 〖광산〗 haver 하는 광부.

†havir [avi:ʀ] *v.t.* (고기 따위를) 겉만 눋게 하다. — *v.i.* et **se ~** *v.pr.* 겉만 눋다.

†havre [ɑ:vʀ] *m.* 항구. — **Le H~** *n.pr.m.* 르아브르《센강 어귀의 항구》.

†havresac [ɑ(a)vʀəsak] *m.* ① 배낭(背囊). ② 룩색 ; 연장 구럭.

hawaïen, enne [awajɛ̃, -ɛn] *adj.* 하와이(*Hawaï*)의. — **H~** *n.* 하와이 사람.

†Haye (la) [laɛ] *n.pr.f.* 〖지리〗 헤이그.

hayon [ɛjɔ̃] *m.* (수레 짐칸의) 앞 〔뒤〕 판자, (자동차 후부의) 문으로 이용되는 부분.

H.B.M. 《약자》 Habitation à bon marché 저렴한 가격의 주택.

†hé [e] *interj.* ① 《부르는 소리》 여봐, 여보 ; 《놀라움》 저런 ; 《만족감》 음 ; 《동의》 좋아 : *Hé !* vous, là-bas, venez ici ! 이봐요, 거기 있는 당신, 이리 좀 오시오 ! ② 《다음 말을 강조》 *Hé* oui ! 그래요. ***Hé bien !*** 《놀라움》 저런 ; 《격려》 자아 ; 《결의 · 권고》 그럼. ***Hé ! hé !*** 흠, 허 《동의 · 유감 · 조소 따위》.

†heaume [o:m] *m.* ① 〖고고학〗 투구. ② 《옛》 (투구 모양이 새겨진 중세의) 화폐, 금〔은〕화.

hebdo [ɛbdo] *m.* 《약자》 주간지(= hebdomadaire).

***hebdomadaire** [ɛbdɔmadɛ:ʀ] *adj.* ① 매주의, 주 1 회의, 주간(週刊)의 : revue ~ 주간지. ② 일주일의, 일주일간의 : travail ~ 일주일간의 노동. — *m.* 주간지《신문 · 잡지》.

hebdomadairement [ɛbdɔmadɛʀmɑ̃] *adv.* 매주, 주마다, 1 주일에 한 번씩 : ouvrier payé ~ 주급 노동자.

hébergement [ebɛʀʒəmɑ̃] *m.* ① 유숙시키기 ; (피난민 따위를) 받아들이기 : centre d'~ pour réfugiés 피난민 수용소. ② 향응(饗應), 환대. ③ 숙소(= logement).

***héberger** [ebɛʀʒe] 3 *v.t.* ① 유숙시키다(= loger) ; …에게 숙소를 제공하다 ; (피난민 따위를) 받아들이다 : ~ ses amis 친구를 유숙하게 하다 / ~ des sinistrés 이재민을 수용하다. ② 환대하다(= accueillir).

hébétant, e [ebetɑ̃, -ɑ̃:t] *adj.* 정신〔감각〕을 마비시키는 : action ~*e* de l'alcool 알코올의 정신 마비 작용.

hébété, e [ebete] *adj.* et *n.* 얼빠진 (사람).

hébétement [ebɛtmɑ̃] *m.* 정신이 몽롱함 ;

멍한 상태.

hébéter [ebete] 6 *v.t.* ① (정신 따위를) 몽롱하게 하다. ② (사람을) 정신이 몽롱해지게 하다, 얼빠지게 하다. ── **s'~** *v.pr.* 정신이 둔해지다; 얼이 빠지다.

hébraïque [ebʀaik] *adj.* 헤브라이 (문화)의; 헤브라이어의 : lettre ~ 헤브라이 문자.

hébraïsant, e [ebʀaizɑ̃, -ɑ̃:t] *adj.* 헤브라이어를 연구하는; 헤브라이즘을 신봉하는. ── *n.* 헤브라이어 학자; 헤브라이즘 신봉자.

hébreu [ebʀø] (*pl.* **~x**) *adj. m.* (*f.* ***hébraïque***) 헤브라이의. ── *m.* ① 헤브라이어; 《비유》 알 수 없는 일〔말〕. ② (*H~*) 헤브라이 사람 《*f.* 로는 Juive가 쓰임》: Épître aux *H~x* 히브리서(書)《신약성서 중의 하나》. ***C'est de l'~ pour moi.*** 《구어》 나로서는 통 알아들을 수가 없다.

†**H.E.C.** 《약자》 École des Hautes Études Commerciales 고등 상업 전문 학교.

hécatombe [ekatɔ̃:b] *f.* ① 소 100 마리의 희생〔제물〕. ② 대살육(大殺戮); 대량 학살. ③ 많은 낙제〔낙방〕.

***hectare** [ɛkta:ʀ] *m.* 헥타르 《100 아르(ares), 10,000 m²》.

hecto [ɛkto] *m.* ① = hectogramme. ② = hectolitre.

hect(o)- *préf.* 「백(100)」의 뜻.

hectogramme [ɛktɔgʀam] *m.* 헥토그램, 100 그램(《약자》 hg).

hectolitre [ɛktɔlitʀ] *m.* 헥토리터, 100 리터 (《약자》 hl).

hectomètre [ɛktɔmɛtʀ] *m.* 헥토미터, 100 「미터.

hectopascal [ɛktɔpaskal] *m.* 〖기상〗 헥토파스칼《기압의 단위로 1 밀리바; 《약자》 hPa》.

hédonisme [edɔnism] *m.* 〖철학〗 쾌락주의, 쾌락설.

hégélianisme [egeljanism] *m.* 〖철학〗 헤겔(*Hegel*) 철학.

hégélien, enne [egeljɛ̃, -ɛn] 〖철학〗 *adj.* 헤겔의. ── *n.* 헤겔 철학도; (*pl.*) 헤겔학파 (=école *~enne*).

hégémonie [eʒemɔni] *f.* 헤게모니, 패권, 주도권, 지배권 : guerre d'~ 주도권 싸움 / ~ économique 경제적 지배권 / avoir l'~ 주도권을 장악하다.

hégémonique [eʒemɔnik] *adj.* 패권의, 주도권의 : ambitions ~*s* 패권적 야망.

hégire [eʒi:ʀ] *f.* 〖종교〗 헤지라; 회교 기원(回教紀元)《마호메트가 메카에서 메디나로 도망한 해; 서기 622 년부터 시작》.

†**hein** [ɛ̃] *interj.* ① 《긍정의 대답을 기대하여》 어때요!, 그렇지 않아요! (= n'est-ce pas) : Vous viendrez, ~? 오시는 거지요, 그렇죠? ② 《놀라움을 나타내어》 뭐라고 : *H~*? En voilà une histoire! 뭐라고? 골칫거리가 하나 생겼군! ③ 《명령·경고 따위의 강조》 Tiens-toi, ~! 얌전히 있어야 돼!

‡**hélas** [elɑ:s] *interj.* 《탄식 소리》 아아! 슬프도다! : C'est, ~, vrai. 슬프게도 그건 사실이다 / *H~!* Trois fois ~! 유감천만이군! ── *m.* 탄식, 탄성.

*†**héler** [ele] 6 *v.t.* ① 〖해양〗 (메가폰으로 배에) 소리치다. ② (사람·택시 따위를) 소리쳐 부르다.

hélianthe [eljɑ̃:t] *m.* 〖식물〗 해바라기 무리의 식물 : ~ annuel 해바라기.

héliaque [eljak] *adj.* 〖천문〗 (별이) 태양과 동시에 출몰하는.

hélice [elis] *f.* ① 나선(螺旋) : escalier en ~ 나선형 계단. ② 〖해양〗 추진기; 스크루; 〖항공〗 프로펠러 : avions à ~ 프로펠러 비행기 / ventilateur à ~ 선풍기. ③ 〖동물〗 달팽이속(屬). ④ 〖해부〗 와우각(蝸牛殼).

hélicoïdal, e, aux [elikɔidal, -o] *adj.* 나선(螺旋) 모양의 : mèche ~*e* 드릴.

hélicoïde [elikɔid] *adj.* 나선형(螺旋形)의. ── *m.* 나선면(面).

Hélicon [elikɔ̃] *n.pr.m.* 〖그리스신화〗 헬리콘산(山)《*Muses* 가 산 것으로 전해짐》.

***hélicoptère** [elikɔptɛ:ʀ] *m.* 헬리콥터.

-hélie *suff.* 「태양」의 뜻.

hélio [eljo] *f.* = héliogravure. 「héli-》.

héli(o)- *préf.* 「태양」의 뜻《모음 앞에서는

héliocentrique [eljɔsɑ̃tʀik] *adj.* 〖천문〗 태양을 중심으로 하는.

héliochromie [eljɔkʀomi] *f.* 천연색 사진.

héliofuge [eljɔfy:ʒ] *a.* 〖식물〗 태양을 피하는, 배일성(背日性)의.

héliographe [eljɔgʀaf] *m.* 〖군사〗 (거울로 햇빛을 반사시키는) 회광신호기(回光信號機); 일조계(日照計); 〖천문〗 태양론(太陽論).

héliogravure [eljɔgʀavy:ʀ] *f.* 사진 요판술(凹版術), 그라비아.

héliophile [eljɔfil] *adj.* 호일성(好日性)의, 햇빛을 좋아하는 : plante ~ 호일성 식물.

hélioscopie [eljɔskɔpi] *f.* 태양 관측.

héliothérapie [eljɔteʀapi] *f.* 〖의학〗 일광요법.

héliotrope [eljɔtʀɔp] *m.* 〖식물〗 헬리오트로프; (*pl.*) 향일성 식물.

héliotropique [eljɔtʀɔpik] *adj.* 〖식물〗 향일성의, 해바라기 종류의; 헬리오트로프의.

héliotropisme [eljɔtʀɔpism] *m.* 〖식물〗 향일성(向日性), 굴광성(屈光性) : ~ positif 〔négatif〕 향일성〔배일성〕.

héliport [elipɔ:ʀ] *m.* 헬리콥터 이착륙장.

héliporté, e [elipɔʀte] *adj.* 헬리콥터로 운반〔수송〕된, : commando ~ 헬리콥터로 수송된 특공대.

hélium [eljɔm] *m.* 〖화학〗 헬륨.

hellène [e(ɛl)lɛn] *adj.* (고대) 그리스의. ── **H~** *n.* 그리스인.

hellénique [e(ɛl)lenik] *adj.* ① 《옛》 그리스의 : civilisation ~ 고대 그리스 문명. ② 그리스어〔문학〕의 : études ~*s* 그리스어〔문학〕연구. ── *m.* 고대 그리스어.

hellénisant, e [e(ɛl)lenizɑ̃, -ɑ̃:t] *adj.* 그리스 문화에 동화한; 그리스〔그리스어〕를 연구하는. ── *n.* 그리스(어) 연구가.

helléniser [e(ɛl)lenize] *v.t.* 그리스(어)풍(風)으로 만들다. ── *v.i.* 그리스화하다; 그리스(어)를 연구하다. ── **s'~** *v.pr.* 그리스화하다.

hellénisme [e(ɛl)lenism] *m.* ① 그리스 어법. ② 그리스 문화〔사상, 정신〕. ③ 헬레니즘.

helléniste [e(ɛl)lenist] *n.* 그리스(어)학자.

hellénistique [e(ɛl)lenistik] *adj.* 〖역사〗 ① 헬레니즘 시대의 : période ~ 헬레니즘 시대. ② 그리스어와 헤브라이어가 뒤섞인(= langage ~).

†**hello** [ɛllo] 〘영〙 *interj.* 《인사 · 부르는 소리》 어이, 이봐, 여보세요 : *H~ !* Ça va ? 어이, 잘 지내나?
helminth [ɛlmɛ̃t] *m.* 기생충, 회충.
helminthique [ɛlmɛ̃tik] *adj.* 구충(驅蟲)의. ── *m.* 구충제, 회충약.
helvète [ɛlvɛt] *adj.* 헬베티아(*Helvétie*)의, 스위스의. ── **H~** *n.* 스위스인.
helvétique [ɛlvetik] *adj.* 헬베티아의, 스위스의 : Confédération ~ 스위스 연방.
helvétisme [ɛlvetism] *m.* 〘언어〙 스위스의 프랑스어에 특유한 어법(= suissisme).
†**hem** [ɛm] *interj.* ① 《의심을 나타내어》 흠! ② 《주위의 환기》 에헴.
héma-, hém(o)-, hémat(o)- *préf.* 「피」의 뜻.
hématie [emati] *f.* 〘생리〙 적혈구(赤血球).
hématique [ematik] *adj.* 피의, 혈액의.
hématite [ematit] *f.* 〘광물〙 적철광(赤鐵鑛).
hématographie [ematɔgʀafi], **hématologie** [ematɔlɔʒi] *f.* 〘의학〙 혈액학.
hématologiste [ematɔlɔʒist], **hématologue** [ematɔlɔg] *n.* 혈액학자, 혈액 전문 의사.
hématome [ematɔm] *m.* 〘의학〙 혈종(血腫).
hématopoïèse [ematɔpɔjɛːz] *f.* 〘생리〙 혈구〔혈액〕의 생성, 조혈(造血).
hématurie [ematyʀi] *f.* 〘의학〙 혈뇨(血尿).
héméralope [emeʀalɔp] *n.* 〘의학〙 야맹증 환자. ── *adj.* 야맹증에 걸린.
héméralopie [emeʀalɔpi] *f.* 〘의학〙 야맹증.
hémi- *préf.* 「반」의 뜻.
hémicycle [emisikl] *m.* 반원; 반원형실(室), 반원형의 회의장, 반원형의 극장.
hémione [emjɔn] *m.* 〘동물〙 (아시아의) 야생 당나귀.
hémiplégie [emipleʒi] *f.* 〘의학〙 반신불수〔마비〕: ~ congénitale 선천적 반신불수.
hémiplégique [emipleʒik] *adj.* 〘의학〙 반신불수의 : paralysie ~ 반신불수.
hémisphère [emisfɛːʀ] *m.* ① 〘천문〙 반구(半球) : nord 〔sud〕 북반구〔남반구〕. ② 〘해부〙 뇌의 한 쪽 : ~*s* cérébraux 뇌. ③ 반구형. **~ *boréal*** 〔***austral***〕 북〔남〕반구. **~ *oriental*** 〔***occidental***〕 동〔서〕반구.
hémisphérique [emisfeʀik] *adj.* 반구(형)의 : calotte ~ 반구형 / vase ~ 반구형의 꽃병.
hémistiche [emistiʃ] *m.* 〘작시〙 반구(半句), 반행(半行).
hémoglobine [emɔglɔbin] *f.* 〘생물〙 혈색소(血色素), 헤모글로빈.
hémophile [emɔfil] *adj.* 혈우병(血友病)에 걸린. ── *n.* 혈우병 환자.
hémophilie [emɔfili] *f.* 〘의학〙 혈우병.
hémorragie [emɔʀaʒi] *f.* ① 〘의학〙 출혈, 일혈(溢血) : ~ cérébrale 뇌출혈. ② 인명 손실; (경제적) 손실, 유출 : ~ causée par une guerre 전쟁으로 인한 인명 손실 / ~ des capitaux 자본의 해외 유출.
hémorragique [emɔʀaʒik] *adj.* 출혈(성)의.
hémorroïdal, e, aux [emɔʀɔidal, -o] *adj.* 〘의학〙 치질의, 치질에 관한 : flux 〔sang〕 ~ 치질에 의한 출혈.
hémorroïdes [emɔʀɔid] *f. pl.* 〘의학〙 치질 : ~ fluentes 출혈성 치질.
hémostase [emɔstɑːz], **hémostasie** [emɔstɑzi] *f.* 지혈(止血), 지혈법.
hémostatique [emɔstatik] 〘의학〙 *adj.* 지혈(성)의 : pinces ~*s* 지혈용 집게. ── *m.* 지혈제(= remède ~).
hémovigilance [emoviʒilɑ̃s] *f.* 수혈 안전성 감시〔검사〕.
†**henné** [ene, ɛnne] *m.* ① 〘식물〙 헤나 《부처꽃과(科)에 속하는 열대 식물》. ② 헤나 염료 《머리털 따위를 물들이는 적갈색 염료》.
†**hennir** [eniːʀ] *v.i.* (말이) 울다; 《비유》 말울음 같은 소리를 내다 : Le vent *hennissait.* 바람이 윙윙 소리를 내며 불어대고 있었다.
†**hennissant, e** [enisɑ̃, -ɑ̃ːt] *adj.* (말이) 우는.
†**hennissement** [enismɑ̃] *m.* ① 말의 울음소리. ② (말 울음 같은) 날카로운 소리 : ~*s* d'un orgue mécanique 자동 오르간의 날카로운 소리.
†**hep** [ɛp] *interj.* 이봐, 어이 《부르는 소리》.
hépatique [epatik] *adj.* 〘해부〙 간장의; 간장염에 걸린 : fonction ~ 간기능 / cirrhose ~ 간경화증. ── *n.* 간장염 환자.
hépatisme [epatism] *m.* 〘의학〙 간장병.
hépatite [epatit] *f.* 〘의학〙 간염 : ~ B, B 형 간염 / ~ aiguë 〔chronique〕 급성〔만성〕 간염 /~ virale 바이러스성 간염.
hépat(o)- *préf.* 「간장」의 뜻.
hept(a)- *préf.* 「7」의 뜻.
héptacorde [ɛptakɔʀd] *adj.* 〘음악〙 칠현(七絃)의. ── *m.* 〘음악〙 칠현금; 칠음 음계.
heptagone [ɛptagɔn] 〘수학〙 *adj.* 7 각형의 (= heptagonal). ── *m.* 7 각형 : ~ régulier 정 7 각형.
heptathlon [ɛptatlɔ̃] *m.* 〘스포츠〙 여성 육상 7 종 경기.
Héraklès, Héraclès [eʀaklɛs] *n.pr.m.* 〘그리스신화〙 헤라클레스.
héraldique [eʀaldik] *adj.* 문장(紋章)의. ── *f.* 문장학(= science ~).
héraldiste [eʀaldist] *m.* 문장학자.
†**héraut** [eʀo] *m.* ① 군사(軍使). ② 《비유》 선구자; 전조(前兆) : ~ du printemps 봄의 전조(前兆); 봄의 시기를 알려 주는 사자(使者).
herbacé, e [ɛʀbase] *adj.* 〘식물〙 풀의; 풀 같은; 초본(草本)의 : plantes ~*es* 초본식물.
herbage [ɛʀbaːʒ] *m.* ① 풀; 목초. ② 목장.
herbagement [ɛʀbaʒmɑ̃] *m.* 가축을 목장에 놓아 주기, 목양(牧養).
herbager [ɛʀbaʒmɑ̃] [3] *v.t.* 〘농업〙 (가축을) 목장에 놓아 주다, 방목(放牧)하다.
‡**herbe** [ɛʀb] *f.* ① 풀; 초본; (향신료용 · 약용) 식물 : ruines envahies par l'~ 풀이 무성한 폐허 / ~*s* marines 해초, 바닷말 / ~*s* médicinales 약초 / ~*s* folles 잡초 /bien entretenue des plates-bandes 화단의 잘 가꾸어진 잔디. ② 《집합적》 풀, (사료용) 목초 : ~ séchée 건초 / donner de l'~ à un cheval 말에게 풀을 주다. ③ 〘요리〙 fines ~*s* (파슬리 · 세르피유 · 에스트라공 따위를 함께 다진) 향신 양념용 야채. ***À chemin battu il ne croît pas d'~.*** 《격언》 왕래가 많은 길에는 풀이 나지 않는다《많은 사람이 오가는 장사에는 이익이 없다》. ***blé en ~*** 덜 익은 보리. ***couper l'~ sous le pied de*** 〔***à***〕 qn 《구어》 …을 몰아내고 이익을 가로채다. ***en ~*** 미숙한; 《구어》 미래의, 장래의 :

musicien *en* ~ 장래의 음악가. ***faire de l'~*** 풀을 베다. ***~s potagères*** 야채. ***manger son blé en ~*** 수입이 들어오기 전에 미리 써 버리다. ***mauvaise ~*** 잡초; 《구어》 몹쓸 놈, 건달. ***toutes les ~s de la Saint-Jean*** 가능한 모든 수단.

herbette [ɛʀbɛt] *f.* 짧고 가는 풀, 잔디.

herbeux, euse [ɛʀbø, -ø:z] *adj.* 풀이 무성한 : sentiers ~ 풀이 무성한 오솔길.

herbicide [ɛʀbisid] *adj.* 잡초를 죽이는. ── *m.* 제초제(除草劑)(= produit ~).

herbicole [ɛʀbikɔl] *adj.* 풀에서 사는.

herbier [ɛʀbje] *m.* 압엽(押葉) 표본; 식물 표본 : confectionner un ~ 식물 표본을 만들다.

herbivore [ɛʀbivɔ:ʀ] *adj.* 풀을 먹는, 초식성의 : animaux ~*s* 초식 동물. ── *m.* 초식 동물; (*pl.*) 초식 동물류.

herboriser [ɛʀbɔʀize] *v.i.* (표본용·약용의) 식물을 채집하다. ── *v.t.* (식물을) 채집하다.

herboriseur [ɛʀbɔʀizœ:ʀ] *m.* 식물 채집자.

H

herboriste [ɛʀbɔʀist] *n.* 약초 판매인, 건재(乾材) 상인 : pharmacien ~ 약초 전문 약제사. 「건재상.

herboristerie [ɛʀbɔʀist(ə)ʀi] *f.* 약초 판매;

herbu, e [ɛʀby] *adj.* 풀이 무성한 : champ ~ 초원. ── *f.* ① 목장. ② 목초지로만 쓰이는 메마른 땅.

†hercher [ɛʀʃe] *v.i.* 〖광산〗 광차를 밀다, 광차로 운반하다.

†hercheur, euse [ɛʀʃœ:ʀ, -ø:z] *n.* 〖광산〗 광차 운반 인부.

Hercule [ɛʀkyl] *n.pr.m.* 〖그리스신화〗 헤라클레스(= Héraclès). ── **h~** *m.* 《구어》 힘센 사람, 장사 : homme taillé 〔bâti〕 en *h~* 장사 / travail d'*h~* 《구어》 무척 힘든 일.

herculéen, enne [ɛʀkyleɛ̃, -ɛn] *adj.* ① 헤라클레스와 같은; 힘이 장사 같은 : force ~*enne* 장사 같은 힘. ② (사업 따위가) 곤란한, 무척 힘든.

†hère [ɛ:ʀ] *m.* 《구어》 (재산·지위가 없는) 보잘것없는 사람; 어린 사슴 : pauvre ~ (재산·지위가 없는) 불쌍한 녀석.

héréditaire [eʀeditɛ:ʀ] *adj.* ① 세습(제)의; 상속하는 : biens ~*s* 상속 재산 / titre ~ 세습 칭호. ② 유전(성)의 : maladie ~ 유전병. ③ 부모〔조상〕에게서 이어받은; 대대로 내려오는 : ennemi ~ 대대로 내려온 원수.

héréditairement [eʀeditɛʀmɑ̃] *adv.* ① 〖법률〗 상속(권)에 의하여 : posséder ~ un immeuble 상속권에 의해 부동산을 소유하다. ② 〖생물〗 유전적으로.

hérédité [eʀedite] *f.* ① 세습, 계승; 〖법률〗 상속(권) : ~ de la couronne 왕위 계승. ② 〖생물〗 유전 : ~ spécifique 〔raciale〕 종(種)의 유전. ③ 유전적 특성 : lourde ~; ~ chargée (대대로 이어져 온) 유전적 결함.

hérésie [eʀezi] *f.* ① 이교(異敎), 이단(= hétérodoxie) : être suspect d'~ 이단의 혐의를 받다. ② 유설(謬說), 비정통적인 생각〔행동〕, 관습에 어긋나는 일 : Servir du bourgogne rouge avec le poisson, quelle ~ ! 생선 요리에 부르고뉴산(産) 적포도주를 내놓다니, 이건 관례가 아니다.

hérétique [eʀetik] *adj.* 이교의, 이단적인 : doctrine ~ 이단의 학설. ── *n.* 이교도, 이단자.

†hérissement [eʀismɑ̃] *m.* ① 《드물게》 (머리털 따위가) 곤두선 모양, 직립, 용립(聳立). ② 울화 : ~ de colère 〔rage〕 머리끝까지 치솟는 분노〔격노〕.

†hérisser [eʀise] *v.t.* ① (동물·사람이 털을) 곤두세우다(= dresser) : Cela m'a fait ~ les cheveux. (무서움에) 머리털이 곤두섰다. ② (뾰족한 것이) …에 비죽비죽 솟다 : De hautes montagnes *hérissent* toute cette région. 이 지역 일대에 높은 산이 우뚝 솟아 있다. ③ 《~ qc de》 …에 …을 비죽비죽 솟게 하다; …으로 온통 덮다, 가득 채우다 : ~ *de* mitrailleuses une ligne de défense 방어선에 기관총을 쭉 늘어놓다 / ~ sa conversation *de* malices 《구어》 비꼬는 말을 자주 섞어가며 이야기하다. ④ 《~ qn》 화나게 하다(= irriter) : Cela me hérisse. 그것은 나를 화나게 한다. ── **se ~** *v.pr.* ① 털을 곤두세우다. ② 《se ~ de》 …으로 덮이다, …투성이로 되다. ③ 《구어》 (사람이) 발끈 화를 내다 : Il *se hérisse* à la moindre remarque 그는 아주 사소한 지적에도 발끈 화를 낸다.

†hérisson [eʀisɔ̃] *m.* ① 〖동물〗 고슴도치. ② 《구어》 사귀기 어려운 사람. ③ (담 위에 박는) 담장 못. ④ 〖군사〗 (전선의) 방어 지점. ⑤ 굴뚝 청소기; 병 씻는 솔. ***~ de mer*** 〖동물〗 성게; 〖어류〗 가시복.

héritage [eʀita:ʒ] *m.* ① 상속(= succession); 유산 : laisser un bien pour 〔en〕 ~ 재산을 유산으로 남기다 / parts d'un ~ 상속의 몫. ② 《비유》 (시대·사회 따위의) 유산 : ~ culturel 문화 유산. ***faire un ~*** 재산을 상속받다. ***~ des coutumes*** 《비유》 대대로 내려오는 풍습.

***hériter** [eʀite] *v.i.* 유산을 상속하다〔이어받다〕; 《~ de qn》 …에게서 유산을 상속받다 : Il *a hérité d'*un oncle. 그는 숙부의 유산을 물려받았다. ── *v.t. ind.* 《~ de qc》 …을 상속하다〔이어받다〕, 물려받다 : ~ *d'*un immeuble 건물 한 채를 상속받다 / Il *a hérité des* qualités de son père. 《비유》 그는 아버지로부터 장점을 물려받았다. ── *v.t.* 상속하다, 이어받다; 계승하다 : 《~ qc de qn》 une maison qu'il *a héritée de* son père 그가 아버지로부터 상속받은 집 / ~ une tradition 전통을 이어받다〔계승하다〕 / ~ la gloire *de* ses ancêtres 《비유》 조상의 영광을 계승하다.

héritier, ère [eʀitje, -ɛ:ʀ] *n.* ① 상속인, 후계자 : ~ légitime 〔présomptif〕 〖법률〗 법정〔추정〕 상속인 / ~ d'une civilisation 《비유》 문명의 계승자. ② 자식, 후사 : Sa femme ne lui a point encore donné d'~. 그의 아내는 아직도 자식을 낳지 않았다.

hermaphrodisme [ɛʀmafʀɔdism] *m.* 양성구유(兩性具有), 자웅동체(雌雄同體).

hermaphrodite [ɛʀmafʀɔdit] *adj.* 〖생물〗 양성을 가진, 자웅동체(雌雄同體)의 : statue de dieu ~ 반음양의 신상. ── *m.* ① 〖동식물〗 남녀추니; 양성 동체의 동물; 자웅 양성 식물, 양성화(花). ② (*H~*) 〖그리스신화〗 헤르마프로디토스《남녀 양성을 가진 신》.

herméneutique [ɛʀmenøtik] *adj.* (성서 · 법률 따위의) 해석의 : philosophie ~ 해석철학 / science ~ 해석학. — *f.* 해석학 ; 성서 해석학(= ~ sacrée).

Hermès [ɛʀmɛs] *n.pr.m.* 〖그리스신화〗 헤르메스《제우스신의 아들로 상업 · 학술 · 체육 따위를 관장함》. — **h~** *m.* 〖미술〗 헤르메스 두상(頭像) ; 인두주(人頭柱).

hermétique [ɛʀmetik] *adj.* ① 연금술(鍊金術)의 : science ~ 연금술. ② 밀폐〔밀봉〕된 ; 엄밀한 : fermeture ~ 밀봉. ③ 신비로운(= impénétrable) ; 난해한(= obscur) : écrivain ~ 난해한 작가 / visage ~ 표정이 드러나지 않는 얼굴. — *f.* 연금술.

hermétiquement [ɛʀmetikmɑ̃] *adv.* 밀봉〔밀폐〕하여 ; 엄밀히 : ~ fermé 밀폐된.

hermétisme [ɛʀmetism] *m.* ① 〖문학〗 신비성, 난해성. ② 연금술(의 비교(秘敎)).

hermétiste [ɛʀmetist] *m.* 연금술사.

hermine [ɛʀmin] *f.* 〖동물〗 흰담비, 어민 ; 흰담비 모피 : manteau doublé d'~ 흰담비 모피로 안을 넣은 외투.

†herniaire [ɛʀnjɛːʀ] *adj.* 〖의학〗 헤르니아의. ***bandage ~*** 헤르니아대(帶), 탈장대(脫腸帶). — *f.* 〖식물〗 헤르니아풀.

†hernie [ɛʀni] *f.* ① 〖의학〗 헤르니아, 탈장(脫腸) : ~ abdominale 복부 헤르니아. ② 〖자동차〗 (자동차 · 자전거 타이어의) 부풂(= ~*s* des pneus).

†hernieux, euse [ɛʀnjø, -øːz] *adj.* 헤르니아에 걸린. — *n.* 헤르니아 환자.

héroïne[1] [eʀɔin] *f.* ① 여걸, 여장부. ② (문학 작품의) 여주인공 : ~ d'un conte 〔d'un roman〕 꽁트〔소설〕의 여주인공. ③ (사건 따위의) 중심 인물 : ~ d'une aventure 사건의 중심 인물.

héroïne[2] *f.* 〖화학〗 헤로인《마취 진통제》.

héroïnomane [eʀɔinɔman] *adj.* et *n.* 헤로인 중독의 (환자).

héroïque** [eʀɔik] *adj.* ① 영웅적인 ; 장렬한, 용맹한 : faire d'~*s* efforts 영웅적인 노력을 하다. ② (신화의) 영웅의 ; 영웅을 노래한, 서사시적인 : poésie ~ 영웅시, 서사시 / âge ~ ; siècles 〔temps〕 ~*s* 고대 영웅 시대《트로이 함락 이전》. ③ (약 따위가) 강력한 효력이 있는 ; (결단 따위가) 과감한, 단호한 : remède ~ 특효약 / prendre une décision ~ 과감한 결단을 내리다. ***poème 〔***poète***〕 ***~*** (영웅을 노래한) 서사시〔서사 시인〕. ***Symphonie ~ ; L'H~*** (베토벤의) 영웅 교향곡.

héroïquement [eʀɔikmɑ̃] *adv.* 영웅적으로, 장렬하게, 용맹스럽게, 씩씩하게 : se conduire ~ 영웅답게〔용감하게〕 행동하다.

héroïsme [eʀɔism] *m.* ① 영웅적 행위〔정신〕 ; 용맹 : montrer de l'~ 용기를 보이다. ② 《비꼼》 비범한 행위〔일〕.

†héron [eʀɔ̃] *m.* 〖조류〗 왜가리.

†héros** [eʀo] *m.* ① 〖신화〗 신인(神人), 반신(半神) ; 전설적인 영웅〔인물〕. ② (특히 전쟁의) 영웅, 용사 : mourir en ~ 용사답게 죽다 / Hector, ~ de la guerre de Troie 트로이 전쟁의 영웅, 헥토르. ③ 큰 인물, 위인(= grand homme) : les ~ dans l'histoire 역사상의 위인들. ④ (소설 · 희곡 따위의) 주인공 ; (사건 따위의) 주역, 화제의〔중심〕 인물 : le ~ de la fête 주빈(主賓). ***le ~ du jour 당대의 최고 인기인〔중심 인물〕.

herpès [ɛʀpɛs] *m.* 〖의학〗 (수)포진(疱疹).

herpétique [ɛʀpetik] *adj.* 〖의학〗 포진성의.

†herse [ɛʀs] *f.* ① 쇠스랑 : passer la ~ sur un champ 밭을 쇠스랑으로 갈다. ② 〖축성〗 내리닫이 살문(= sarrasine).

hertz [ɛʀts] *m.* 〖전기〗 헤르츠《주파수의 단위》.

hertzien, enne [ɛʀts(dz)jɛ̃, -ɛn] *adj.* (독일 과학자) 헤르츠의. ***onde ~ enne*** 헤르츠파(波), 전파.

hésitant, e [ezitɑ̃, -ɑ̃ːt] *adj.* ① 망설이는, 주저하는, 우유부단한(= incertain) : être de caractère ~ 우유부단한 성격의 소유자이다. ② (태도 · 동작 따위가) 자신이 없는 ; (사물이) 불확실한, 유동적인 : voix ~*e* 자신감이 없는 목소리 / réponse ~*e* 불확실한 답변.

***hésitaton** [ezitɑsjɔ̃] *f.* ① 주저, 망설임 : sans ~ 주저하지 않고, 서슴지 않고. ② (행동의) 멈춤, 중단 ; (말의) 더듬거림 : parler avec ~ 더듬거리면서〔주저하면서〕 이야기하다. **~ à** + *inf.* …하는 것에 대한 망설임.

hésiter** [ezite] *v.i.* ① 주저하다, 망설이다 : ~ dans ses croyances 신념이 흔들리다 / ~ sur ce qu'on fera 하려는 일에 대해 주저하다 / Il n'y a pas à ~. 주저할 것 없다, 뻔한 일이다. ② 더듬거리다. **~ à** 〔pour,*** 《옛》 ***de***〕 + *inf.* ***; ~ sur*** qc …하기를〔을〕 주저하다 : Le temoin *hésite à* dire la vérité. 증인은 진실을 말하기를 주저하고 있다.

hétér(o)- *préf.* 「다른(= autre)」의 뜻.

hétéroclite [eteʀɔklit] *adj.* ① 이상한 모양의 ; 기묘한. ② 잡다한(= disparate), 뒤얽힌.

hétérodoxe [eteʀɔdɔks] *adj.* 이단(설)의 ; 비정통(파)의 : marxiste ~ 비정통 마르크스주의자 / théologiens ~*s* 비정통파 신학자 / esprit ~ 자유사상(가)(≠ orthodoxe). — *n.* 이단자.

hétérodoxie [eteʀɔdɔksi] *f.* 이단(異端) ; 이단설(說) ; 비정통(≠ orthodoxie).

hétérogamie [eteʀɔgami] *f.* ① 〖생물〗 이형 생식(異形生殖). ② 〖인류학〗 족외혼(族外婚)(≠ homogamie).

hétérogène [eteʀɔʒɛn] 〔라틴〕 *adj.* ① 이질의, 이질물로 된 : éléments ~*s* d'un corps 물체를 구성하는 이질적인 제성분. ② 《비유》 혼합된 ; 잡다한 ; 상이한(≠ homogène) ; 균일하지 못한 : classe ~ (학생들의) 수준이 고르지 않은 학급 / nation ~ (단일 민족이 아닌) 혼합국가.

hétérogénéité [eteʀɔʒeneite] *f.* 이질(異質)(성), 이종 혼성(≠ homogénéité).

hétérosexualité [eteʀɔsɛksɥalite] *f.* 이성애(異性愛)(≠ homosexualité).

hétérosexuel, elle [eteʀɔsɛksɥɛl] *adj.* 이성애(異性愛)의(≠ homosexuel). — *n.* 이성애자.

†hêtraie [ɛtʀɛ] *f.* 너도밤나무 숲.

†hêtre [ɛtʀ] *m.* 〖식물〗 너도밤나무 ; 너도밤나무 재목(= bois de ~).

†heu [ø] *interj.* 《놀라움을 나타내어》 허어! ; 《의심 · 경멸을 나타내어》 흥! ; 그래 ; 《이야기 도중에》 에 : *Heu! heu!* tu crois qu'il viendra? 아니 그래, 그가 오리라고 믿는 거니?

heur [œːʀ] *m.* 《옛 · 문어》 행운. ***Il*** 〔***Tout***〕 ***n'est qu'~ et malheur.*** 행불행은 세상의 예상사.

‡heure [œːʀ] *f.* ① 한 시간 ; (*pl.*) 시간, 세월 : un quart d'~, 15 분 / une demi-~ 30 분 / vingt-quatre ~s, 24 시간〔하루〕/ ~ d'été 여름 시간, 서머타임 / ~ astronomique 천문시 / avancer 〔retarder〕 l'~ 시계를 빠르게 하다〔늦추다〕/ partir dans deux ~s, 2 시간 후에 떠나다 / Londre est à une ~ de Paris par avion. 런던은 파리에서 비행기로 한 시간의 거리에 있다. ② (시계의) 시 ; 시각 : ~ du dîner 저녁 식사 시간 / ~ légale 표준시 / ~ locale 현지 시간 / le train ~s 40, 7 시 4 0분 출발 기차 / journal de vingt ~s, 20 시 뉴스 / mettre une montre à l'~ (시계의) 시간을 맞추다 / Quelle ~ est-il ? ; Vous avez l'~ ? 몇 시입니까 ? ③ 때, 시기, 시절(= temps, moment) ; 기회, 호기 : aux ~s de bonheur 행복한 시절에 / l'~ du danger 위험한 시기, 위기 / attendre son ~ 기회를 기다리다 / Son ~ est passée. 그의 황금 시절은 끝났다. ④ (특정한) 시각 ; (약속) 시간(= moment) : ~s d'affluence (de pointe) 러시아워〔피크타임〕/ arriver avant 〔après〕 l'~ 약속 시간 전〔후〕에 도착하다 / 《être à l'~》 Vous n'*êtes* pas *à l'~*. 당신은 약속 시간을 지키지 않으시는군요 / 《c'est l'~ (de qc 〔+*inf.*〕)》 *C'est l'~ du* déjeuner. 점심 식사 시간이다. ⑤ 지금, 현재, 오늘(= ~ actuelle) : problème de l'~ 당면 문제 / L'~ est grave. (현재의) 시국은 중요하다. ⑥ (일하는) 시간, 수업 시간 : journée de huit ~s (de travail) 1일 8 시간 노동 / semaine de quarante ~s 주 40 시간 노동 / l'~ de français 프랑스어 (수업) 시간 / ~s supplémentaires 초과 근무 시간, 잔업 시간. ⑦ 임종(= ~ dernière, ~ suprême) : Son ~ est venue 〔a sonné〕. 그의 임종이 임박했다.

à cette ~ [《옛 · 지방어》 astœːʀ] 지금은, 현재는 : *À cette ~*, vous pouvez entrer. 이제는 들어오셔도 됩니다. ***À la bonne ~ !*** 좋아 ! 잘 됐어 ! : *À la bonne ~*, le temps s'annonce très beau pour l'excursion. 잘 됐군, 소풍을 위해서 날씨가 그만인 걸. ***à l'~*** 한 시간에 ; 시간제로 ; 정각에 : partir *à l'~* 정시에 출발하다 / rouler à cent (kilomètres) *à l'~* 시속 100 킬로로 달리다. ***à l'~*** + 형용사〔de + 명사〕 ⓐ …의 시대에〔의〕 : vivre *à l'~ de* l'audio-visuel 시청각 시대에 살다. ⓑ …식〔풍〕의. ⓒ …의 영향하에 : La France vivait alors *à l'~ du* Général de Gaule. 프랑스는 당시 드골 장군의 영향 아래 살고 있었다. ***à l'~ qu'il est ; à l'~ actuelle*** 이제, 지금(쯤), 이런 시간에. ***à ses ~s*** 기분이 나면 ; 때때로 : *À ses ~s*, il est bavard. 그는 신바람이 나면 수다를 떤다. ***À tout à l'~ !*** 안녕, 있다가 보자. ***à toute ~*** 늘, 언제나. ***de bonne ~*** 일찍 ; 일찍부터 : se lever *de bonne ~* 일찍 일어나다 / Il s'est intéressé à l'archéologie *de bonne ~*. 그는 일찍부터 고고학에 관심이 있었다. ***d'~ en ~*** 시시각각으로 ; 시간마다, 한 시간에 한 번씩. ***d'une ~ à l'autre*** 조금 있으면, 곧, 금방 ; 시간마다, 그때그때 : La situation peut changer *d'une ~ à l'autre.* 상황은 금새 바뀔지 모른다 / Il peut arriver *d'une ~ à l'autre.* 그는 금새라도 도착할지 모른다. ***n'avoir pas d'~*** 시간을 정확히 지키지 않다. ***n'avoir pas une ~ à soi*** 〔***de repos***〕 《구어》 시간이 전혀 없다, 몹시 바쁘다. ***payé 6 francs*** (***de***) ***l'~,*** 1 시간당 6 프랑 지불되는. ***pour l'~*** 지금으로서는, 지금은. ***prendre ~ avec*** qn …와 만날 시간을 정하다. ***sur l'~*** 곧, 즉시로. ***tout à l'~*** 곧, 조금 후에 ; 방금, 아까, 조금 전에 : Il va sortir *tout à l'~*. 그는 곧 외출할 것이다 / *Tout à l'~*, il est tombé un peu de neige. 조금 전에 눈이 좀 내렸다.

‡heureusement [œʀøzmɑ̃] *adv.* ① 행복하게. ② 다행히 : *H~* pour lui, le temps était clément. 그에게는 다행히 날씨가 포근했다. ③ 유리하게, 무사히 : terminer ~ une affaire 일을 성공리에 끝마치다. ④ 잘, 적절히 : Cela est ~ exprimé. 그건 잘 표현되어 있다. ***H~ que*** (j'étais là). 다행히도 (내가 거기에 있었다).

‡heureux, euse [œʀø, -øːz] *adj.* ① 행복한 (≠ malheureux) ; 기쁜, 만족한, 흐뭇한 : couple ~ 행복한 부부 / vivre ~ 행복하게 살다 / Il a un air ~. 그는 흐뭇한 표정을 하고 있다. ② 《보통 명사 앞》 행운의(= favorable), 운수 좋은 ; 다행한 ; 유리한 : ~ présage 〔augure〕 좋은 징조 / être né sous une *~euse* étoile 행운을 타고났다 / l'*~euse* issue de l'entreprise 계획의 유리한 결과. ③ (성격, 자질 따위가) 좋은, 탁월한(= bon) : ~ caractère 낙천적인 성격 / avoir une *~euse* mémoire 기억력이 뛰어나다. ④ (표현 따위가) 적절한(= bien trouvé), 적합한, 잘된 : expression *~euse* 적절한 표현 / choix ~ 잘된 선택. ***être ~ de*** qc 〔+*inf.*〕 ***; être ~ que*** + *sub.* ***; être ~ de ce que*** + *ind.* 〔*sub.*〕 …을 기쁘게 생각하다 : Je suis ~ *de* son succès. 나는 그의 성공을 기쁘게 생각한다 / Très ~ *de* faire votre connaissance. 만나뵙게 되어 매우 기쁩니다 / Je suis ~ *qu*'il aille mieux. 그의 건강이 좋아져서 흐뭇합니다. ***Il est*** 〔***C'est***〕 ***~ que*** + *sub.* …은 다행한 일이다 : *C'est ~ qu*'il ne nous ait pas vus. 다행히도 그는 우리를 보지 않았다.

†heurt [œːʀ] *m.* ① 충격, 충돌 : déplacer qc sans ~ …을 충격을 주지 않고 옮기다. ② 《비유》 (정신적인) 격돌 ; 대립, 항쟁.

†heurté, e [œʀte] *adj.* ① 배합이〔조화가〕 잘 안 된. ② 〖미술 · 사진〗 경조(硬調)의, 대조가 지나치게 강한. ③ (문장이) 거친 : style ~ 거친 문체. ④ (소리가) 귀에 거슬리는.

***†heurter** [œʀte] *v.t.* ① 《~ qc 〔qn〕》 …에 부딪치다 ; …와 충돌하다(= cogner) ; 《~ son qc contre 〔à〕 qc》 (이마 따위를) …에 부딪다 : ~ une voiture 자동차에 부딪치다 / ~ *son* front *contre* un mur 벽에 머리를 부딪치다. ② 《~ qn》 …의 감정을 상하게 하다 (= blesser) ; 《~ qc》 …을 거스르다 : Votre initiative va ~ de vieilles traditions. 당신의 행동은 오랜 전통을 거스르게 될 것이다. — *v.i.* ① 《~ à》 …을 두드리다 : ~ *à* la

H

porte 문을 노크하다. ② 《~ contre》 …에 〔에게〕 부딪치다 : ~ de la tête *contre* une muraille 벽에 머리를 부딪치다 / ~ du pied *contre* une pierre 발이 돌에 채이다. ***~ à la bonne porte*** 잘못을 저지르지 않다.
— **se ~** *v.pr.* 《se ~ à 〔contre〕》 ① …에 〔에게〕 부딪치다 : *se ~ à* un refus 거절당하다 / *se ~ à* de grosses difficultés 커다란 곤란에 직면하다. ② 서로 부딪치다, 서로 충돌하다 : Les deux voitures *se sont heurtées* de plein fouet. 두 자동차가 정면으로 충돌했다.

†heurtoir [œʀtwaːʀ] *m.* 문 두드리는 망치 ; 〖철도〗 완충기, 완충 장치.

hévé [eve] *m.*, **hévéa** [evea] *m.*, **hévée** [eve] *f.* 〖식물〗 파라고무나무.

hexa-] *préf.* 「육(6)」의 뜻.

hexacorde [ɛgzakɔʀd] *m.* 〖음악〗 6음 음계(六音音階).

hexaèdre [ɛgzaɛdʀ] *m.* 〖수학〗 6면체(六面體). — *adj.* 6면체의.

hexagonal, e, aux [ɛgzagɔnal, -o] *adj.* ① 6각형의 : prisme ~, 6각추. ② (프랑스 국토가 6각형인 데서부터) 프랑스의.

hexagone [ɛgzagɔn] *m.* ① 〖수학〗 6각형 : ~ régulier 정 6각형. ② l'*H*~ (français) 프랑스 본토. — *adj.* 6각형의(= hexagonal).

hexamètre [ɛgzamɛtʀ] *m.* (그리스 · 라틴의) 6각시(六脚詩) ; (프랑스의) 12음철시(十二音綴詩). — *adj.* 6각시의 ; 12음철시의.

hexapode [ɛgzapɔd] 〖곤충〗 *adj.* 발이 6개의, 6족(足)의. — *m. pl.* 6족충류(足蟲類) 〔곤충류〕.

†hi [i] *interj. hi hi* [ii] 히히, 킥킥《웃음소리》 ; 흑흑, 훌쩍훌쩍《울음소리》.

hiatus [jatys] *m.* ① 〖운율 · 문법〗 모음 중복 〔접속〕. ② 간격 ; 단절(= décalage) ; 중단 ; 틈, 공백(= lacune) : ~ entre les deux générations 두 세대 간의 간격.

hibernal, e, aux [ibɛʀnal, -o] *adj.* 겨울의, 동면(冬眠)의 : sommeil ~ 겨울잠, 동면.

hibernant, e [ibɛʀnɑ̃, -ɑ̃ːt] *adj.* 겨울잠을 자는 : animaux ~*s* 동면 동물.

hibernation [ibɛʀnɑsjɔ̃] *f.* ① 겨울잠, 동면 : ~ artificielle 〖의학〗 인공 동면. ② 《비유》 활동 정지, 정체(停滯) : sortir d'une longue ~ 오랜 정체 상태를 벗어나다.

hiberner [ibɛʀne] *v.i.* 겨울잠을 자다, 동면하다.

hibiscus [ibiskys] *m.* 〖식물〗 하이비스커스 「《무궁화과(科)》.

†hibou [ibu] *m.* (*pl.* **~x**) ① 〖조류〗 올빼미. ② 《구어》 교제를 싫어하는 사람. ***faire le ~*** 사람들을 피하고 혼자 울적해지다.

†hic [ik] *m.* 《복수불변》 난점, 난관 ; 중점. ***Voilà le ~ ! ; C'est bien là le ~.*** 바로 그것이 어려운 점이다.

†hideur [idœːʀ] *f.* ① 흉측함, 추악함 : ~ d'un visage 추한 얼굴. ② 흉측〔추악〕한 꼴. ***Quelle ~ !*** 《속어》 (못생긴 여자에 대하여) 아이 흉측해 !

†hideusement [idøzmɑ̃] *adv.* 흉악하게, 망측하게, 추악하게.

†hideux, euse [idø, -øːz] *adj.* 보기 흉한, 추한, 흉악한, 망측한(= affreux) ; 비열한(= ignoble) : grimaces ~*euses* 흉측하게 찌푸린 표정 / spectacle ~ 보기 흉한 광경.

hiémal, e, aux [jemal, -o] *adj.* 겨울의(= hibernal), 겨울에 성장하는.

hiémation [jemɑsjɔ̃] *f.* ① 겨울나기, 월동. ② 〖식물〗 동계 성장.

‡hier[1] [jɛːʀ] *adv.* ① 어제 : ~ (au) matin 〔soir〕 어제 아침〔저녁〕. ② 최근, 요즘 : dater d'~ 최근의 일이다 / l'enseignement d'un 과거의 교육. ***d'~ en huit*** 〔***quinze***〕 어제부터 1〔2〕주일 후에. ***être né d'~*** 《구어》 경험이 없다, 풋내기이다 : Je ne *suis* pas *né d'~*. 경험이 없다고 깔보지 마시오. ***ne pas dater d'~*** 아주 오래되었다. ***homme d'~*** 벼락감투를 쓴〔벼락부자가 된〕 사람. ***il y a eu ~ huit jours*** 어제부터 1주일 전에.
— *m.* 어제.

†hier[2] [je] *v.t.* (포석을) 다지다 ; (말뚝을) 박다.
— *v.i.* (기중기 따위가) 쓸려서 끽끽거리는 소리를 내다.

†hiérarchie** [jeʀaʀʃi] *f.* ① 계층 ; 계급 (제도) : ~ militaire 군대의 계급 제도. ② 위계, 서열 ; 조직 : respect de la ~ 위계 질서의 존중. ③ 단계, 서열, 순서 : ~ des devoirs 의무의 순위 / ~ des valeurs 가치의 고하(高下). ***degrés 〔***échelons***〕 ***de la ~*** 계층, 위계. ***être au sommet de la ~*** 조직의 정점 〔최고 위치〕에 서다.

†hiérarchique [jeʀaʀʃik] *adj* 계급의 ; 계급 〔위계〕 제도의 ; 서열의, 위계상의 : supérieur ~ 상관, 상사. ***par*** (***la***) ***voie ~*** 공식적 절차를 거쳐. ***ordre ~*** 위계질서.

†hiérarchisation [jeʀaʀʃizɑsjɔ̃] *f.* 계급〔등급〕을 두기 ; 등급을 매기기.

†hiérarchiser [jeʀaʀʃize] *v.t.* …에 계급〔등급〕을 두다 ; 계층화하다(= ordonner) : société fortement *hiérarchisée* 계급이 뚜렷한 사회.

hiératique [jeʀatik] *adj.* ① 성직(자)의 ; 성사(聖事)에 관한 ; 종교적 전통에 따른. ② (태도 등이) 엄숙한(= solennel), 장중한, 딱딱한 : attitude ~ 딱딱한 태도. ***style ~*** (그림 · 조각의) 종교적 양식.

hiératisme [jeʀatism] *m.* 엄숙함, 굳음.

hiér(o)- *préf.* 「신성한」의 뜻.

hiéroglyphe [jeʀɔglif] *m.* ① (고대 이집트의) 상형문자. ② 읽기〔알기〕 어려운 글 ; 알 수 없는 일〔말〕.

†hi-fi [ifi] *f.* et *adj.* 하이파이(= haute fidélité)(의), 고충실도(高忠實度)(의).

high-tech [ajtɛk] 〔영〕 *m.* 《복수불변》 ① (산업용 자재 · 요소를 건물 장식에 활용한) 건축 양식. ② 첨단 기술. — *adj.* 첨단 기술의 : médecine ~ 첨단 의학.

hilarant, e [ilaʀɑ̃, -ɑ̃ːt] *adj.* 웃음을 자아내는 : gaz ~ 웃음 가스 / histoire ~*e* 웃음을 자아내는〔익살스러운〕 이야기.

hilare [ilaːʀ] *adj.* 즐거워하는(= gai) ; (얼굴 따위가) 웃음띤 ; 명랑한 ; 크게 웃는.

hilarité [ilaʀite] *f.* 기쁨, 즐거움 ; 폭소 : provoquer 〔déclencher〕 l'~ générale 일동을 크게 웃기다.

hiloire [ilwaːʀ] *f.* 〖해양〗 뱃전판.

hindi [indi] *m.* 힌디어《인도의 공용어》.

hindou, e [ɛ̃du] *adj.* 인도(*l'Inde*)의 ; 힌두교의. — *n.* ① (*H*~) 《옛》 인도 사람. ② 힌

두교도.
hindouisme [ɛ̃duism] *m.* 힌두교.
hindouiste [ɛ̃duist] *adj.* 힌두교의. — *n.* 힌두교도.
hip [ip] *interj.* 《다음 표현으로만 쓰임》 *H~! ~! ~!* hourra! 만만세! 《열광》.
hip-hop [ipɔp] 〔영〕 *m.* et *adj.* 《불변》 힙합 스타일(의).
†**hippie,** †**hippy** [ipi] 〔영〕 *n.* et *adj.* (*pl.* ***hippies*** [ipi:z]) 히피족(의), 히피풍(의).
hippique [i(p)pik] *adj.* ① 말의, 마필(馬匹)의. ② 마술의; 경마의 : concours ~ 경마회(競馬會) / chronique ~ (신문 따위의) 경마란, 마사(馬事) 평가.
hippisme [i(p)pism] *m.* 말을 이용한 경기 《경마 · 승마 · 마차 경기 · 폴로 등》.
hipp(o)- *préf.* 「말(馬)의, 말에 관한」의 뜻.
hippocampe [i(p)pɔkɑ̃:p] *m.* ① 〖그리스신화〗 해마(海馬)《말 머리에 물고기 꼬리를 가진 괴물》. ② 〖어류〗 해마.
hippocentaure [i(p)pɔsɑ̃tɔ:ʀ] *m.* 〖그리스신화〗 반인반마 (半人半馬) 의 괴물.
hippodrome [i(p)pɔdʀo:(ɔ)m] *m.* ① 〖고대〗 (경마, 전차 경주용의 타원형) 경기장. ② 경마장.
hippophagique [i(p)pɔfaʒik] *adj.* 마육식(馬肉食)에 관한 : boucherie ~ 말고깃간.
hippopotame [i(p)pɔpɔtam] *m.* ① 〖동물〗 하마. ② 《구어》 덩치가 큰〔거대한〕 사람.
*__hirondelle__ [iʀɔ̃dɛl] *f.* 〖조류〗 제비 : Le retour des ~*s* annonce le printemps. 제비가 돌아오는 것은 봄의 징조다. ***~ de mer*** 제비갈매기; 〖어류〗 날치 무리. ***nid d'~*** 제비둥우리《중국의 고급 요리》. ***Une ~ ne fait pas le printemps.*** 《격언》 한 마리의 제비가 날아왔다고 봄이 온 것은 아니다, 하나만 보고 전체를 속단하지 말라.
hirsute [iʀsyt] *adj.* ① (머리 · 수염 따위가) 텁수룩한(= touffu); 털투성이의. ② (태도 따위가) 거친, 무뚝뚝한(= grossier).
hispanique [ispanik] *adj.* 스페인의.
hispanisant, e [ispanizɑ̃, -ɑ̃:t], **hispaniste** [ispanist] *n.* 스페인(어) 연구자.
hispanisme [ispanism] *m.* 스페인어의 특유한 어법.
hispan(o)- *préf.* 「에스파냐」의 뜻.
hispano-américain, e [ispanɔameʀikɛ̃, -ɛn] *adj.* 에스파냐와 아메리카의; 에스파냐계(系) 아메리카의. ***la guerre ~e*** 미서(美西) 전쟁. — **H~-A~** *n.* 에스파냐계 아메리카인(人). — *m.* 중 · 남미의 에스파냐어.
†**hisser** [ise] *v.t.* ① (돛 · 깃발 따위를) 끌어올리다, 게양하다; 〖기계〗 감아 올리다 : ~ le drapeau au 〔en〕 haut du mât 돛대 꼭대기에 기(旗)를 게양하다 / ~ les voiles 돛을 올리다〔달다〕. ② (힘들여) 끌어올리다, 들어올리다 : ~ un fardeau 무거운 짐을 들어올리다. (***Oh!***) ***hisse.*** 영차. — **se ~** *v.pr.* 몸을 추켜 올리다; (담 따위에) 기어오르다 : *se ~* sur la pointe des pieds 발돋움하다 / se ~ sur un mur avec agilité 민첩하게 벽에 기어오르다.
histamine [istamin] *f.* 〖화학〗 히스타민.
histio-, hist(o)- *préf.* 「조직」의 뜻.
histogramme [istɔgʀam] *m.* 〖통계〗 히스토그램, 도수(度數) 분포도, 막대 그래프.
⁑**histoire** [istwa:ʀ] *f.* ① 역사; 사학 : ~ de la Corée 한국사 / ~ universelle 세계사 / petite ~ 측면에서 본 역사, 야사, 소사(小史) / spécialiste d'~ 역사학자. ② 연혁; 전기; 경력, 내력 : ~ de Napoléon 1er 나폴레옹 1세의 전기 / écrire sa propre ~ 자서전을 쓰다. ③ 역사책, 사서(史書) : *H~* d'Hérodote 헤로도투스의 「역사」. ④ 이야기; 꾸며낸〔엉터리〕 이야기 : ~ de brigands 강도 이야기 / raconter une ~ intéressante 재미있는 이야기를 하다 / *H~* que tout cela!; Tout ça ce sont des ~*s*. 전부 거짓말이다. ⑤ 일, 사건, 문제 : C'est une ~ d'argent. 그건 돈 문제다 / Il m'est arrivé une drôle d'~. 나에게 묘한 일이 생겼다. ⑥ (*pl.*)《구어》 소란, 말썽 : s'attirer des ~*s* 말썽을 자초하다 / faire des 〔un tas d'〕 ~*s* 《구어》 말썽을 부리다 / chercher des ~*s* à qn …에게 트집을 잡다 / Je ne veux pas d'~*s*. 말썽을 일으키고 싶지 않다. ⑦ 《구어》 (시시한) 것, 물건 : Qu'est-ce que c'est que cette ~-là? 도대체 그것은 뭐야? ***à*** 〔***d'après***〕 ***ce que dit l'~*** 역사가 전하는 바에 의하면, 말하는 바에 의하면. ***C'est toujours la même ~.*** 《구어》 언제나 마찬가지다. ***C'est toute une ~.*** 이야기하자면 길어진다; 큰일이다. ***C'est une autre ~.*** 그건 별문제다. ***En voilà une ~.*** 《구어》 골칫거리가 하나 생겼군. **~ *de*** + *inf.* 《구어》 …하기 위하여 : ~ *de* rire 농담삼아 / Je suis sorti, ~ *de* fumer une cigarette. 그저 담배 한 대 피우려고 밖에 나왔다. ***~ naturelle*** 박물학, 박물지(誌). ***La belle*** 〔***bonne***〕 ***~!*** 《반어적》 겨우 그거야; 당치도 않은 소리. ***le plus beau de l'~*** 가장 주목할 만한〔기이한〕 일 : *Le plus beau de l'~*, c'est que …. (그 이야기 · 사건의) 핵심〔가장 흥미로운 대목〕은 …이다.
histologie [istɔlɔʒi] *f.* 〖생물〗 조직학.
historicité [istɔʀisite] *f.* 역사적 사실의 가치, 사실성(史實性), 진실성.
historien, enne [istɔʀjɛ̃, -ɛn] *n.* 역사가; 역사학자; 전기(傳記) 작가.
historier [istɔʀje] *v.t.* 장식하다.
historiette [istɔʀjɛt] *f.* 소화(小話), 일화.
historiographe [istɔʀjɔgʀaf] *m.* 사료 편찬관, 연대기 작가.
*__historique__ [istɔʀik] *adj.* ① 역사적인, 역사(학)의, 역사적 분석에 의한 : critique ~ 역사 비평 / documents ~*s* 사료(史料). ② 역사상 실재하는(= réel, vrai) : personnage ~ 역사상 인물 / âges 〔temps〕 ~*s* 유사 시대 / faits ~*s* 사실(史實) / pièce ~ 〖연극〗 사극(史劇), 시대극. ③ 역사에 남는, 역사상 중요한(= mémorable) : événement ~ 역사적 사건 / famille ~ 명문가 / journée ~ 기념할 만한 날. ***C'est ~.*** 《구어》 그것은 사실 있었던 일이다. — *m.* 연대기적 설명(= chronologie); 내력 : faire l'~ d'une affaire 사건의 경과를 순서대로 설명하다.
historiquement [istɔʀikmɑ̃] *adv.* 역사적으로, 역사적 견지에서; (주관적이지 않고) 정확하게〔사실대로〕 : ~ parlant 역사적 관점에서 말하면.
histrion [istʀijɔ̃] *m.* ① 〖고대로마〗 익살 광

H

대 ; 희극 배우(= bouffon). ② 《구어》 사기꾼 ; 《경멸》 서투른 배우(= cabotin) : ~ politique 정치 광대〔사기꾼〕.

histrionisme [istʀi(j)ɔnism] *m.* 〖정신의학〗 연극증(演劇症)(감동을 과장하여 표현하는 증상).

hitlérien, enne [itleʀjɛ̃, -ɛn] *adj.* 히틀러의, 히틀러식의. — *n.* 히틀러주의자.

hitlérisme [itleʀism] *m.* 히틀러주의.

†**hit(-)parade** [itpaʀad] 〔영〕 *m.* (*pl.* **~-~s**) (방송에서) 히트곡 순위표 ; 영화 · 연극 등의 인기 순위.

†**HIV** 〔영〕 《약자》 Human Immunodeficiency Virus 〖의학〗 인체 면역 결핍 병원체.

‡**hiver** [ivɛːʀ] *m.* ① 겨울 : ~ rigoureux 몹시 추운 겨울 / longues soirées d'~ 기나긴 겨울밤. ② 겨울의 추위, 혹한 : année du grand ~ 혹한이 오래 계속되는 해. ***en ~*** 겨울에(는). ***jardin d'~*** 온실.

hivernage [ivɛʀnaːʒ] *m.* ① 겨울철, 동절. ② (열대 지방의) 우기(雨期). ③ (가축들의) 겨울나기, 월동. ④ 〖농업〗 가을갈이, 억제 재배. ⑤ 〖해양〗 겨울철의 정박지〔정박기(期)〕.

hivernal, e, aux [ivɛʀnal, -o] *adj* 겨울의 ; 겨울 같은(≠ estival). ***station ~e*** (스키장 따위의) 피한지(避寒地). — *f.* 동계 등산(冬季登山) (= ascension ~).

hivernant, e [ivɛʀnɑ̃, -ɑ̃ːt] *adj.* (남프랑스 · 알제리 등지로) 피한(避寒)하는. — *n.* 피한객(≠ estivant).

hiverner [ivɛʀne] *v.i.* 겨울을 지내다 ; 피한하다 ; 동면하다 : ~ au sud 남쪽에서 겨울을 나다. — *v.t.* ① (가축을) 겨울나게 하다. ② (밭을) 겨울 전에 갈다, 가을갈이하다.

†**H.L.M.** [aʃɛlɛm] *m.* 〔*f.*〕 《약자》 habitation à loyer modéré 공영 주택, (영세민용) 임대 아파트 : habiter un ~ 공영 주택에 살다.

†**ho** [o, ho] *interj.* 《부르는 소리》 여보시오 ; 《놀라움을 나타내어》 호오!

†**hobby** [ɔbi] 〔영〕 *m.* (*pl.* ***hobbies*** [ɔbiːz]) 심심풀이, 오락.

†**hobereau** [ɔbʀo] *m.* (*pl.* **~x**) ① 〖조류〗 새호리기《작은 매의 일종》. ② 시골 신사.

†**hochement** [ɔʃmɑ̃] *m.* (머리 · 몸을) 흔들기, (머리 따위를) 끄덕거리기 ; 머리를 가로젓기 : approuver d'un ~ de tête 머리를 끄덕이며 찬성하다.

†**hoche(-)queue** [ɔʃkø] *m.* 〖조류〗 할미새.

*†**hocher** [ɔʃe] *v.t.* ① 뒤흔들다. ② (머리를 좌우 · 상하로) 흔들다. ~ ***la tête*** 머리를 설레설레 흔들다《부정의 표시》 ; 머리를 끄덕이다 《긍정》.

†**hochet** [ɔʃɛ] *m.* ① 장난감 젖꼭지 ; 딸랑이 : agiter un ~ 딸랑이를 흔들다. ② 《문어》 (마음의 위안이 되는) 하찮은 것 : ~ de la vanité 허영심을 만족시키는 하찮은 것.

†**hockey** [ɔkɛ] 〔영〕 *m.* 〖스포츠〗 (아이스)하키 : ~ sur glace 아이스하키.

†**hockeyeur, euse** [ɔkɛjœːʀ, -øz] *n.* 〖스포츠〗 (아이스)하키 선수.

hoirie [waʀi] *f.* 〖법률〗 상속.

†**holà** [ɔla] *interj.* ① 《부르는 소리》 여봐라, 어이 : *H~* !, vous, là-bas. 이봐요, 거기 있는 당신. ② 《말을 멈추는 소리》 워워. ③ 쉿, 이제 그만 : *H~*, ne faites pas tant de bruit. 쉿, 너무 떠들지 마라. — *m.* 정지(靜止). ***mettre le ~*** 싸움을 중재하다 ; 멈추게 하다. ***mettre le ~ à*** qc …을 정지시키다.

†**holding** [ɔldiŋ] 〔영〕 *m.* 지주(持株) 회사.

*†**hold-up** [ɔldœp] *m.* (은행 · 열차 따위를 터는) 무장 강도 행위.

*†**hollandais, e** [ɔ(l)lɑ̃dɛ, -ɛːz] *adj.* 네덜란드(*la Hollande*)의. — **H~** *n.* 네덜란드 사람. — *m.* 네덜란드어.

†**Hollande** [ɔ(l)lɑ̃ːd] *n.pr.f.* 네덜란드. — **h~** *m.* 네덜란드 치즈. — *f.* 네덜란드제의 엷은 피륙 ; 감자의 일종.

holo- *préf.* 「완전한」의 뜻.

holocauste [ɔlɔkoːst] *m.* ① 전번제(全燔祭)《짐승을 통째로 구워 바치는 유대 제사》 ; 제사. ② 제물, 희생(= sacrifice). ***s'offrir en ~*** 자기 몸을 제물로 바치다, 희생하다.

hologramme [ɔlɔgʀam] *m.* 〖광학〗 홀로그램《홀로그래피에 의해 재생된 영상》.

holographie [ɔlɔgʀafi] *f.* 홀로그래피《레이저 광선으로 3차원 간섭상을 재현하는 사진술》.

holothurie [ɔlɔtyʀi] *f.* 〖동물〗 해삼.

*†**homard** [ɔmaːʀ] *m.* 〖동물〗 바닷가재 : ~ épineux 〔de roche〕 대하. ***être rouge comme un ~*** 매우 붉다. ***nez et menton en patte de ~*** 《구어》 뾰족한 코와 턱.

†**home** [oːm] 〔영〕 *m.* 내 집, 가정 : ~ d'enfants 보육원, 탁아소.

homélie [ɔmeli] *f.* ① 복음서 강화(講和) ; 설교(= sermon). ② 《문어》 (지루한) 훈계, 잔소리 : faire une ~ à qn …에게 설교하다.

homéo- *préf.* 「유사한, 비슷한, 같은」의 뜻.

homéopathe [ɔmeɔpat] *m.* 유사요법(類似療法)론자 ; 유사요법을 시술하는 의사(= allopathe). — *adj.* 유사요법 주의의.

homéopathie [ɔmeɔpati] *f.* 호메오파티 ; 유사 요법(類似療法) 《생체의 병적 반응과 동일한 반응을 일으키는 약물에 의한 치료》.

Homère [ɔmɛːʀ] *n.pr.m.* 〖그리스문학〗 호머, 호메로스.

homérique [ɔmeʀik] *adj.* 호메로스(*Homère*)의 ; 호메로스 시풍의 ; 《비유》 웅장한 : poème ~ 호메로스의 시 / hymnes ~*s* 호메로스 찬가 / rire ~ 호탕한 웃음.

†**home-trainer** [ɔmtʀɛnœːʀ] 〔영〕 *m.* (*pl.* **~-~s**) 가정용 운동 기구.

homicide [ɔmisid] *m.* 〖법률〗 살인 ; 살인죄. ~ ***involontaire*** 과실 치사. ~ ***volontaire*** 모살(謀殺). — *adj.* 살인의 ; 살인자의. ***guerre ~*** 많은 사람의 생명을 앗아가는 전쟁. — *n.* 살인범, 살인자. ~ ***de soi-même*** 〖법률〗 자살자.

hominien, enne [ɔminjɛ̃, ɛn] *adj.* 《드물게》 〖인류〗 사람의. — *m.pl.* 사람과(科).

hommage [ɔmaːʒ] *m.* ① 존경, 경의 ; 찬양 : en signe d'~ 경의의 표시로. ② (*pl.*) 경의〔찬양〕의 표시 ; 정중한 인사 : Mes ~*s*, Madame. 안녕하십니까, 부인. ③ 헌상(獻上), 헌정(獻呈) : exemplaire en ~ 기증본. ***faire*** 〔***rendre***〕 ~ ***à*** qn …에게 신종(臣從)의 서약을 하다 ; …에게 공물(貢物)을 바치다. ***faire (l')~ de*** qc ***à*** qn …에게 …을 바치다. ***présenter*** 〔***offrir***〕 ***ses ~s à*** qn …에게 경의를 표하다. ***rendre ~(s) à*** qn

H

〔qc〕 …을 찬양하다, …을 존중하다 : *rendre* ~ *au* Créateur 창조주를 찬양하다.

hommager [ɔmaʒe] *m.* 신하.

hommasse [ɔmas] *adj.* 《경멸》 (여자가) 남자 같은 : manières ~s 남자 같은 태도 / s'habiller à l'~ 남자 같은 옷차림을 하다.

homme** [ɔm] *m.* ① 남자(≠ femme) ; 성인 남자 : ~ vierge 숫총각 / ~ à femmes 호색가, 바람둥이 / vêtements d'~ 남자 의복 / se montrer (un) ~ 사나이다운 태도를 취하다. ② 성인, 어른 : âge d'~ 성년(成年) / devenir ~ 어른이 되다. ③ 사람, 인간 ; 인류 : droits de l'~ 인권 / ~ du peuple 서민 / l'origine de l'~ 인류의 기원. ④ 〖군사〗 병졸(= soldat) ; 부하 ; 노무자 ; 직공 ; 〖해양〗 승무원. ⑤ 《소유 형용사와 함께》 적합한〔필요한〕 사람, …편 : Je suis votre. 나는 당신 편이다 / Voilà mon ~. 내가 찾던 사람이 바로 이 사람이다 / trouver son ~ 적합한 사람을 찾아내다. ⑥ 《구어》 남편 ; 애인, 연인. ***comme un seul ~ 만장일치로, 일심동체로. ***de mémoire d'~*** 인간이 기억할 수 있는 한. ***d'~ à ~*** 사나이답게, 솔직히 : Parlons *d'~ à ~*. 솔직히 이야기합시다. ***en*** ~ 남자답게 ; 남장하여. ***être ~ à***+*inf.* …할 수 있는〔할 만한〕 사람이다 : Il n'*est* pas ~ *à* manquer à son devoir. 그는 자신의 의무를 저버릴 사람이 아니다. ~ ***à procès*** 소송을 좋아하는 사람. ~ ***à tout faire*** 만사에 능통한 사람, 팔방미인, 만사도감 ; 잡역부. ~ ***de journée***〔***de peine***〕 날품팔이. ~ ***de la rue*** (길에서 보통 만날 수 있는) 평범한 사람. ~ ***de lettres*** 문필가. ~ ***de loi*** 법관, 변호사, 법조계 인사. ~ ***d'État*** 정치인. ***le premier*** ~ 아담. ***l'~-Dieu***〔***Fils de l'~***〕 그리스도. ***mon*** ~ 우리 집 주인, 내 남편. ***se battre ~ à ~*** 남자답게 싸우다. ***Soyez*** (***un***) ~. 남자답게 구세요. ***tuer son*** ~ 적수를 쓰러뜨리다. ── *adj.* 인간적인, 사나이다운.

homme-grenouille [ɔmgʀənuj] *m.* (*pl.* ~***s***-~***s***) 〖군사〗 잠수부〔병(兵)〕.

homme-orchestre [ɔmɔʀkɛstʀ] *m.* (*pl.* ~***s***-~***s*** [ɔmɔʀkɛstʀ]) ① 동시에 여러 악기를 연주하는 사람. ② 《비유》 (어떤 분야에서) 다재다능한 사람.

homme-serpent [ɔmsɛʀpɑ̃] *m.* (*pl.* ~***s***-~***s***) (몸을 자유자재로 휘는) 곡예사.

homo [ɔmo] *m.* = homosexuel.

homo- *préf.* 「유사(類似)·동일」의 뜻.

homogène [ɔmɔʒɛn] *adj.* ① 동질(同質)의, 등질(等質)의(≠ hétérogène) : substance ~ 균질체, 동질체. ② 〖수학〗 등차(等次)의 : fonction ~ 등차함수. ③ (의견·성질 따위가) 동일한, 일치된, 통일된(= uniforme) ; 일관성 있는(= cohérent). ***classe*** ~ 학생들의 학력이 고른 학급. ***équation*** ~ 〖수학〗 등차방정식. ***livre*** ~ 통일성이 있는 책. ***ministère*** ~ 같은 정견을 가진 각료들로 구성된 내각.

homogénéisation [ɔmɔʒeneizɑsjɔ̃] *f.* ① (우유 따위의) 균질〔등질〕화(= ~ du lait). ② (인간·사회 따위의) 동질화, 균일화.

homogénéité [ɔmɔʒeneite] *f.* ① 등질〔균질〕성 : ~ d'une substance 물질의 균질성〔등질성〕. ② 《비유》 (의견·감정 따위의) 일치 : 일관 ~ d'une équipe 한 팀의 일치 단결.

homographe [ɔmɔgʀaf] *adj.* 동형이의(同形異義)의 ; 동철이음(同綴異音)의. ── *m.* 동형이의어 ; 동철이음어.

homologation [ɔmɔlɔgɑsjɔ̃] *f.* ① 〖법률〗 (재판소의) 인가 ; 공인(公認). ② 〖스포츠〗 (기록의) 공인.

homologie [ɔmɔlɔʒi] *f.* 〖생물〗 상동(相同) ; 〖화학〗 동족 (관계) ; 〖수학〗 대응, 상응.

homologue [ɔmɔlɔg] *adj.* ① 〖수학〗 대응의 ; 〖화학〗 동족(同族)의 ; 〖생물〗 상동(相同)의 : angles ~s 대응각. ② 대등한(= équivalent) ; 상응하는(= correspondant). ── *m.* ① 대등한 사람〔존재〕 ; (외국인으로서 같은 직업·단체원인) 동료, 동지(= collègue) : nos ~s étrangers 외국의 우리 동료들. ② 〖수학〗 대응 ; 〖화학〗 동족체 ; 〖생물〗 상동기관.

homologuer [ɔmɔlɔge] *v.t.* 〖법률〗 인가〔승인〕하다 ; 〖스포츠〗 (기록 따위를) 공인하다 : ~ un record 기록을 공인하다.

homoncule [ɔmɔ̃kyl] *m.* 난쟁이, 꼬마.

homonyme [ɔmɔnim] *adj.* 발음은 같으나 뜻이 다른 ; 동음이의(同音異義)의 : mots ~s 동음어. ── *m.* 동음이의어(語) ; 《구어》 동명이인 ; 같은 이름의 다른 도시.

homonymie [ɔmɔnimi] *f.* 〖언어〗 동음이의(同音異意) ; 동명이인.

homophile [ɔmɔfil] *m.* et *adj.* (주로 남성) 동성애자(의).

homophone [ɔmɔfɔn] *adj.* ① 〖언어〗 동음(이의(異義))의 : signes ~s 동음 기호《f와 ph[f] 따위》 / syllabes ~s 동음 음철(同音音綴) 《au와 eau[o] 따위》. ② 〖음악〗 단선율(單旋律)의, 제창의. ── *m.* 동음이의어(= homonyme).

homophonie [ɔmɔfɔni] *f.* ① 〖언어〗 동음이의. ② 〖음악〗 단선율, 제창.

homosexualité [ɔmɔsɛksɥalite] *f.* (특히 남성 사이의) 동성애.

homosexuel, elle [ɔmɔsɛksɥɛl] *adj.* 동성애의 ; 동성 색정 도착증(倒錯症)의. ── *n.* 동성 연애자, 성도착자.

†hondurien, enne [ɔ̃dyʀjɛ̃, -ɛn] *a.* 온두라스(사람)의. ── **H**~ *n.* 온두라스 사람.

†hongre [ɔ̃:gʀ] *adj.* (말이) 거세된. ── *m.* 거세한 말.

***†hongrois, e** [ɔ̃gʀwa〔ɑ〕, -a〔ɑ〕:z] *adj.* 헝가리(*la Hongrie*)의 : République Populaire *H~e* 헝가리 인민 공화국. ── *m.* 헝가리어. ── **H**~ *n.* 헝가리 사람.

†honi, e [ɔni] honnir 의 과거분사(= honni).

honnête** [ɔnɛt] *adj.* ① 정직한, 성실한, 청렴한(= loyal, probe ; ≠ malhonnête) ; 정숙한 : une épouse ~ 정숙한 아내. ② 공정한, 온당한 ; 적절한(= convenable) ; 그만하면 괜찮은(= passable, acceptable) ; 상당한(= considérable) ; (가문이) 어엿한 : récompense ~ 적당한 보수 / Ce film est ~. 이 영화는 제법 괜찮다. ***homme ~ 정직한〔성실한〕 사람. ~ ***homme*** ⓐ 《옛》 교양인, 신사. ⓑ 정직한〔성실한〕 사람. ***peu*** ~ 불성실한, 정직하지 못한.

honnêtement [ɔnɛtmɑ̃] *adv.* ① 정직하게 ; 청렴하게(= loyalement) : vivre ~ 정직하게

살다. ② 적절하게, 상당하게 : être ~ payé 적절하게 보수를 받다.

honnêteté [ɔnɛtte] *f.* ① 정직, 성실, 청렴 ; 정숙. ② 정중(한 언동) ; 예절. ③ 공정 ; 적절, 적정(適正). ***faire mille ~s à*** qn …에게 정중한 예의를 갖추다.

‡honneur [ɔnœːʀ] *m.* ① 명예, 영광(≠ déshonneur) ; 명성 ; 체면(= dignité), 신의, ; 정조(貞操) : défendre son ~ 자신의 명예를 지키다 / manquer à l'~ 명예를 저버리다 / homme d'~ 신의가 있는 사람 / femme d'~ 정숙한 여자 / Il est l'~ de sa famille. 그는 집안의 영광이다. ② (*pl.*) 존경(의 표시) ; 경의(= culte, vénération) ; 예식 : ~ rendu aux dieux 신에 대한 존경(의 표시) / ~*s* militaires (군대의) 환영 의식 / rendre les ~*s* à qn …에게 경의를 표하다. ③ (*pl.*) 명예로운 직위, 영직(榮職) : parvenir au sommet des ~*s* 최고의 직위에 오르다 / rechercher les ~*s* 권세를 좇다. ④ (*pl.*) 〖카드놀이〗 으뜸패《에이스 · 킹 · 퀸 · 잭》. ***affaire d'~*** 명예에 관한 문제 ; 결투(決鬪). ***à*** 〔***pour***〕 ***l'~ de*** …의 명예를 위하여. ***à son ~*** 그의 명예를 위해 ; 훌륭히 : en sortir *à son* ~ 훌륭히 해내다. ***avoir l'~ de***+*inf.* …하는 영광을 갖다 : Il a eu *l'~ d'*être élu président. 그는 영광스럽게도 회장으로 선출되었다 / À qui *ai*-je *l'~* (*de* parler) ? 댁은 누구시죠 ? 《전화》. ***d'~*** 명예의 ; 명예를 중시하는 : champ *d'~* 전쟁터 / croix *d'~* 레지옹도뇌르훈장 / dame *d'~* 시녀 / demoiselle *d'~* 여자 들러리 / escorte *d'~* 의장대 / membre 〔president〕 *d'~* 명예 회원〔회장〕 / partie *d'~* 결승전 / place *d'~* 귀빈석 / prix *d'~* (초등학교의) 우등상 / tableau *d'~* 우등생 명부. ***en l'~ de*** …에게 경의를 표시하기 위하여. ***En quel ~ vous voit-on ici ?*** 《구어》 도대체 어떻게 여기 오셨소? ***en tout bien tout ~*** 성의를 가지고, 순수한 의도로. ***être en ~*** 〔***à l'~***〕 높이 평가되다, 유행하고 있다. ***faire à qn l'~ de***+*inf.* …에게 …해 주다 : *Faites moi l'~ de* me présenter à vos amis. 당신 친구에게 나를 소개해 주시오. ***faire ~ à*** …을 명예롭게 하다, …에 영광을 돌리다 : Cela lui *a fait* grand ~. 그것은 그의 커다란 영광이 되었다. ***faire ~ à sa signature*** 약속을 이행하다. ***faire ~ à un repas*** 음식을 많이 먹다. ***faire les ~s de sa table*** 〔***sa maison***〕 향연을 베풀다, 집에 맞아들여 접대하다. ***obtenir les ~s de guerre*** 〖군사〗 특전을 받고 항복하다《무기 · 군기를 적에게 내어주지 않고 물러가다》. ***parole d'~*** 명예를 걸고 하는 맹세 : donner sa *parole d'~* 맹세하다. ***point d'~*** 명예에 관한 일 : mettre son *point d'~* à+*inf.* …하는 데 명예를 걸다, 명예를 걸고 …하다. ***pour l'~*** 무상으로, 무보수로. ***rendre les derniers ~s*** 〔***les ~s suprêmes***〕 ***à*** qn …의 장례식을 거행하다 ; 장례식에 참석하다.

†honni, e [ɔni] honnir 의 과거분사(= honi).

†honnir [ɔniːʀ] *v.t.* 《옛》 …에게 치욕을 주다, 욕되게 하다. ***être honni de*** qn …에게 멸시를 받다. ***Hon(n)i soit qui mal y pense.*** 《격언》 사념(邪念)을 품은 자에게 화가 있을진저.

honorabilité [ɔnɔʀabilite] *f.* ① 명예로움 ; 명망, 신망 ; 존경할 만함. ② 신용할 만함.

honorable [ɔnɔʀabl] *adj.* ① 존경할 만한, 명예로운 ; 고귀한 : Il appartient à une famille ~. 그는 명문가에 속한다 / commerçant ~ 정직한 상인. ② 훌륭한 ; 그만하면 괜찮은 ; (재산이) 상당한 ; 우수한 : note 〔classement〕 ~ 우수한 성적 / avoir une fortune ~ 상당한 재산이 있다. ***mention très ~*** (박사 논문 심사에서) 최우수 등급. ***mon ~ contradicteur*** 존경하는 나의 반론자《의원들간의 호칭》.

honorablement [ɔnɔʀabləmɑ̃] *adv.* ① 명예롭게 ; 정중히 : se conduire ~ 정중하게 행동하다. ② 웬만큼(= assez bien) ; 훌륭히 : s'acquitter ~ de ses fonctions 훌륭하게 그의 임무를 이행하다 / gagner ~ sa vie 웬만큼 먹고 살다.

honoraire [ɔnɔʀɛːʀ] *adj.* 명예(직)의 : professeur ~ 명예교수 / membre ~ 명예회원. ── *m. pl.* (의사 · 변호사 · 공증인 등의) 사례금 ; (저자의) 인세.

honoré, e [ɔnɔʀe] *adj.* ① 존경받는(= estimé, honorable) : mon ~ maître 나의 존경하는 선생님. ② 《인사말에》 영광스러운 : Je suis très ~ (de qc). (…을) 영광스럽게 생각합니다. ③ (자유 계약으로) 보수를 받는. ── *f.* 〖상업〗 편지 : votre ~*e* du 20 novembre, 11 월 20 일자 귀한(貴翰).

honorer [ɔnɔʀe] *v.t.* ① 존경하다 ; 공경하다 ; (신을) 숭배하다 : ~ son père et sa mère 부모를 공경하다. ② 존중하다 ; (고인의 덕망 따위를) 찬양하다. ③ 명예롭게〔영광스럽게〕 하다 ; 《~ qn 〔qc〕 de》 …에게 〔에〕 …의 영광을 베풀다 : ~ une réunion *de* sa présence 회합에 참석의 영광을 베풀다 / Vous m'*honorez de* votre confiance. 신뢰해 주셔서 영광입니다. ④ (변호사 · 의사 등에게) 보수를 지불하다. ⑤ (어음을) 지급하다 ; (상품권 등의) 현물을 지급하다 : ~ une lettre de change 어음을 결제하다. ***~ la mémoire de*** qn …을 추념하다. ***~ sa signature*** 계약을 이행하다. ── ***s'~*** *v.pr.* ① 자기를 명예롭게 하다 : Il *s'est honoré* par cette action. 그런 행동을 함으로써 그는 떳떳했다. ② 《*s'~* de》 …을 영광으로 여기다 ; 《경멸》 자랑으로 여기다. ③ 서로 존경하다.

honorifique [ɔnɔʀifik] *adj.* ① 명예상의, 명예만이 따르는 : titre ~ 경칭 / charge ~ 명예직. ② 경의를 표하는, 존대말의 : mot ~ 경어. ***droits ~s*** 《옛》 (교회 따위에서) 귀빈석에 앉는 권리.

honoris causa [ɔnɔʀiskoza] 〔라틴〕 *loc. adj.* docteur ~ 명예 박사.

†honte** [ɔ̃ːt] *f.* ① 치욕, 수치, 불명예(= déshonneur, humiliation) : essuyer la ~ de …의 불명예를 입다 / être 〔faire〕 la ~ de la famille 가문의 수치이다. ② 부끄러움 ; 창피 ; 수줍음, 스스럼 : éprouver de la ~ 수치심을 느끼다 / rougir 〔être rouge〕 de ~ 창피해서 얼굴이 붉어지다 / J'ai la ~. ; C'est une ~. 《구어》 창피하다. ***à la ~ de qn …에게 불명예〔수치〕스럽게. ***avoir ~ de*** qc 〔+*inf.*〕 ***; avoir ~ que***+ *sub.* 〔***de ce que***+

ind.〕 …을 부끄럽게 여기다 : Il *a* ~ *de* ses actes. 그는 자기의 행동을 부끄럽게 여기고 있다. ***avoir perdu*** 〔***mis bas***〕 ***toute ~ ;*** 《옛》 ***avoir toute ~ bue*** 부끄러움을 모르다. ***C'est une honte de*** + *inf.* 〔***que*** + *sub.*〕 …하는 것은 수치스러운 일이다. ***faire ~ à*** qn …에게 창피를 주다 : Tu me *fais* ~. 넌 날 부끄럽게 한다. ***faire ~ à*** qn ***de*** qc …에게 …에 대해 수치심을 느끼게 하다 ; 비난하다 : *Faites*-lui ~ *de* son acte. 그가 자신의 행동에 대해 수치심을 느끼게 하시오. ***fausse*** 〔***mauvaise***〕 ***~*** 수줍음 : Acceptez sans *fausse* ~ cette récompense. 주저 말고 이 보답을 받으시오. ***H~ à vous !*** 수치를 알아라, 이 치사스러운 녀석아 ! ***sans ~*** 뻔뻔스럽게, 부끄럼 없이.

†**honteusement** [ɔ̃tøzmɑ̃] *adv.* ① 창피하게, 불명예스럽게 ; 치사하게 : Il est ~ payé pour ses travaux. 그는 한 일에 대해서 창피한 정도의 보수를 받았다. ② 부끄러운듯이.

*†**honteux, euse** [ɔ̃tø, -øːz] *adj.* ① 부끄러운, 수치스러운, 불명예스러운 : action ~*euse* 수치스러운 행동 / 《비인칭》 Il est 〔C'est〕 ~ (à lui) d'avoir agi ainsi. (그가) 그렇게 행동한 것은 수치스러운 일이다. ② 부끄러워〔창피해〕하는 : *être ~ d'être* en retard 늦은 것에 대해 부끄러워하다. ③ (사실을) 숨기고 있는 : pauvre ~ 빈곤을 내색하지 않는〔숨기는〕 가난뱅이 / communiste ~ 자칭하지 않는 공산당원. ④ 치부의 : maladies ~*euses* 성병 / parties ~*euses* 음부. ***être ~ de*** qc 〔qn〕 〔+ *inf.*〕 ***; être ~ que*** + *sub.* ***; être ~ de ce que*** + *ind.* 〔*sub.*〕 …을 부끄럽게 여기다 : Je *suis* ~ *de ce que* j'ai fait. 나는 내가 한 일을 부끄럽게 생각한다. ***Il est ~ que*** + *sub.* …하는 것은 부끄러운 일이다.

hooligan, houligan [uligan, uligɑ̃] 〔영〕 *m.* 훌리건《폭력을 행사하는 젊은이들》.

†**hop** [ɔp] *interj.* ①《부추길 때 또는 뛰어넘게 할 때》 자, 어서 : *H~* là ! 어서 / Allez, ~ *!* 자 어서. ②《갑작스런 동작을 가리키어》 훌떡, 훌쩍.

‡**hôpital** [ɔ〔o〕pital] *m.* (*pl.* ***-aux***〔-o〕) 병원 : entrer à l'~ 입원하다 / admettre 〔envoyer〕 un malade à 〔dans〕 un ~ 입원시키다 / ~ général 〔spécialisé〕 종합〔전문〕 병원 / faire les ~*aux* 병원에서 실습을 하다 / ~ auxiliaire 〖군사〗 적십자 병원 / ~ de campagne 야전 병원 / ~ des orphelins 고아원 / ~ pour enfants 소아과병원 / ~ privé 사립 병원, 개인 병원 / ~ psychiatrique 정신 병원 / Ordre de l'*H~* 〖역사〗 자혜 기사단 / vaisseau-~ 〖해군〗 병원선.

†**hoquet** [ɔkɛ] *m.* ① 딸꾹질 : avoir le ~ 딸꾹질이 나오다. ② 딸꾹질과 유사한 소리〔동작〕 : dernier ~ ; ~ de la mort 임종할 때의 헐떡거림 / ~ de sanglot 오열, 흐느낌.

†**hoqueter** [ɔkte] *v.i.* [5] 딸꾹질하다.

***horaire** [ɔʀɛːʀ] *adj.* ① 시간을 나타내는 ; 시간에 관한 : décalage ~ 시차. ② 매시간의 ; 한 시간당의 : vitesse ~ 시속 / salaire ~ 시간당 급료 / puissance ~ 〖공업〗 시간당 생산고. ③ 시간급을 받는(≠ mensuel) : travailleurs ~*s* 시간급 노무자. ── *m.* ① 〖철도〗 (열차의) 운행 시간표 ; 발착 시간 ; (상점 따위의) 영업 시간 : l'~ des trains 열차 시간표 / ~ d'ouverture 〔de fermeture〕 d'un magasin 상점의 개점〔폐점〕 시각. ② (수업 · 근로 따위의) 일정표 : ~ des cours 수업 시간표 / avoir un ~ chargé 〔bien rempli〕 일정이 꽉 짜여 있다.
── *n.* 시간급 노동자.

†**horde** [ɔʀd] *f.* ① 유목민(遊牧民). ②《구어》 오합지졸 ; (도둑 · 부랑자 무리의) 무리, 떼.

†**horion** [ɔʀjɔ̃] *m.* (흔히 *pl.*) 구타, 모진 매 : donner 〔recevoir〕 des ~*s* 구타하다〔구타당하다〕.

horizon** [ɔʀizɔ̃] *m.* ① 지평선, 수평선 : au-dessus de l'~ 지평선〔수평선〕상에. ② 안계(眼界), 시야 : Ce livre nous ouvre des ~*s* nouveaux. 이 책은 우리에게 새 경지를 열어준다. ③ 범위 ; 영역 : élargir l'~ de qn …의 시야를 넓히다. ④ (장래의) 전망 : L'~ politique s'éclaircit 〔s'assombrit〕. 정치의 전망이 밝아진다〔어두워진다〕. ***à l'~ 수평선〔지평선〕상에 ; 멀리, 미래에. ***tour d'~*** 개관, 개괄 검토 : faire un *tour d'~* (문제점들을) 두루 살펴보다.

horizontal, e, aux** [ɔʀizɔ̃tal, -o] *adj.* 가로〔횡〕의 ; 수평(방향)의(≠ vertical) : écriture ~*e* 가로쓰기, 횡서 / plan ~ 수평면 / concentration ~*e* 〖경제〗 (기업간의) 수평적 결합〔통합〕. ***se mettre dans la position ~e 《구어》 눕다. ── *f.* 수평선(= ligne ~*e*). ***à l'~e*** 수평으로, 가로.

horizontalement [ɔʀizɔ̃talmɑ̃] *adv.* 가로로, 수평으로 : cadran placé ~ 수평으로 놓인 나침반.

horizontalité [ɔʀizɔ̃talite] *f.* 수평 (상태 · 위치).

horloge** [ɔʀlɔːʒ] *f.* 큰 시계, 괘종시계 : ~ à sable 모래시계 / ~ solaire 해시계 / ~ électrique 〔électronique〕 전기〔전자〕 시계 / ~ murale 벽시계 / ~ à quartz 수정 전자시계 / la tour de l'~ 시계탑 / avoir une précision d'~ 시계처럼 정확하다, 시간을 지키다. ***être réglé comme une ~ (시계처럼) 규칙적으로 생활하다. ***~ parlante*** (전화 · 라디오에 의한) 시보(時報). ***une*** (***bonne***) ***heure*** 〔***deux heures, ...***〕 ***d'~*** 꼬박 한 시간〔두 시간, …〕 : Je l'ai attendu *deux heures d'~*. 나는 그를 꼬박 두시간 동안이나 기다렸다.

horloger, ère [ɔʀlɔʒe, -ɛːʀ] *adj.* 시계 판매〔제조 · 수리〕의 : industrie ~*ère* 시계 제조업. ── *n.* 시계 제조인〔상인〕. ***~ bijoutier*** 시계 귀금속상.

horlogerie [ɔʀlɔʒʀi] *f.* ① 시계 제조〔판매 · 수리〕업 : ~ de précision 정밀 시계 산업. ②《집합적》 시계, 시계류 ; 시계 부품. ③ 시계점, 시계 공장(= atelier d'~).

hormique [ɔʀmik] *adj.* 〖심리〗 호르몬의 ; 충동의 : théorie ~ 본능론.

†**hormis** [ɔʀmi] *prép.* 《다음 낱말과 연음하지 않음》 …을 제외하고, …이외에는(= excepté) : la majorité, ~ deux abstentionnistes 기권자 두 사람을 제외한 전원. ***~ que*** + *ind.* …을 제외하고는, …이외에는.

hormonal, e, aux [ɔʀmɔnal, -o] *adj.* 호르몬의 : traitement ~ 호르몬 치료.

hormone [ɔʀmɔn] *f.* 〖생리〗 호르몬.

hormonothérapie [ɔʀmɔnɔteʀapi] *f.* 〖의학〗 호르몬 요법.

†**hornblende** [ɔʀnblɛ̃:d] *f.* 〖광물〗 각섬석(角閃石).

horo- *préf.* 「시(時), 시간」의 뜻.

horodateur [ɔʀɔdatœ:ʀ] *m.* 〖공업〗 타임스탬프.

horoscope [ɔʀɔskɔp] *m.* ① (출생시의 별자리에 의한) 점성(占星). ② 예측. ***faire*** 〔***dresser, tirer, lire***〕 ***l'~ de*** qn …의 운명을 점성술로 예측하다.

horoscopie [ɔʀɔskɔpi] *f.* 점성술.

horreur** [ɔʀœ:ʀ] *f.* ① 무서움, 공포(= effroi, peur), 전율 : Glacé d'~, il restait muet. 공포에 얼어붙어 그는 입을 열지 못했다. ② 혐오, 증오(= aversion, abomination) ; 싫어함 : éprouver de l'~ pour qn 〔qc〕 …에 대해 혐오감을 느끼다. ③ 끔찍함, 참혹함 ; 소름끼치는 것〔사람〕 : ~*s* de la guerre 전쟁의 참화〔참혹〕 / Cela fait ~ à voir. 보기에도 끔찍한 광경이다. ④ 《구어》 아주 못생긴 사람 : Quelle ~ d'enfant ! 참 못생긴 아이로군 ! ⑤ (*pl.*) 잔인한 행위 ; 차마 들을 수 없는 말〔욕설〕, 외설스러운 말. ***avoir ~ de + qc 〔qn〕 〔+ *inf.*〕 ***; avoir ~ que*** + *sub.* …을 몹시 싫어하다 : J'*ai* ~ *qu*'on me dérange. 나는 방해받는 것을 몹시 싫어한다. ***avoir*** 〔***prendre***〕 qn 〔qc〕 ***en ~*** …을 몹시 싫어하다. ***être en ~ à*** qn …에게 몹시 미움을 받다. ***faire ~ à*** qn …을 소름끼치게 하다, …에게 심한 혐오감을 일으키다.

horrible** [ɔʀibl] *adj.* ① 소름끼치는, 무시무시한(= affreux) ; 끔찍한, 참혹한 ; 흉악한 : monstre ~ à voir 보기에도 소름끼치는 괴물. ② 몹시 보기 흉한〔못생긴〕 ; (날씨 따위가) 몹시 나쁜 ; 혐오스러운 ; 지독한 : J'ai un ~ mal de tête. 머리가 몹시 아프다 / Il fait un temps ~ . 몹시 궂은 날씨다. ***Il est ~ de + *inf.* 〔***que*** + *sub.*〕 …은 무서운〔끔찍한〕 일이다.

***horriblement** [ɔʀibləmɑ̃] *adv.* 무시무시하게, 끔찍하게, 흉악하게 ; 《구어》 몹시, 지독하게(= extrêmement) : C'est ~ cher. 그것은 지독하게 비싸다.

horrifiant, e [ɔʀifjɑ̃, -ɑ̃:t] *adj.* 《구어》 소름끼치게 하는, 무시무시한.

horrifier** [ɔʀifje] *v.t.* 《구어》 소름끼치게〔질겁하게〕 하다 : Elle se récria, *horrifiée*. 그녀는 소름이 끼쳐 '어마' 하고 소리를 질렀다. ***être horrifié de qc 〔+ *inf.*〕 ***; être horrifié que*** + *sub.* ***; être horrifié de ce que*** + *ind.* 〔*sub.*〕 …에 소름이 끼치다, 질겁하다.

horripilant, e [ɔʀipilɑ̃, -ɑ̃:t] *adj.* ① 소름끼치게 하는. ② 《속어》 울화가 치밀게 하는.

horripiler [ɔʀipile] *v.t.* ① 소름끼치게 하다. ② 《구어》 울화가 치밀게 하다.

*†**hors** [ɔʀ] *prép.* ① 《장소·상태》 …밖에(서), …의 범위 밖에 : habiter ~ la ville 도시 밖에서〔교외에서〕 살다 / mettre qn ~ la loi …에게서 법의 보호를 박탈하다. ② …을 넘어선, …보다 뛰어난 : modèle ~ série 특별주문 모델 / hôtel ~ catégorie 초일류 호텔. ③ …이외에(는), …을 제외하고(는) : ~ cela 그것 이외에는 / ~ son goût pour le jeu 도박에 대한 취미를 제외하고. ④ 《~ de》 ⓐ 《장소·시간·상태》 …의 밖에 : vivre ~ *de* son pays 국외에서 살다 / Nous voilà ~ *de* l'hiver. 이제 겨울은 지나갔다. ⓑ 《상태》 《명사 앞에 관사 없이》 ~ *d*'haleine 숨을 헐떡이며 / ~ *de* question 논외의 / L'achat *de* ce réfrigérateur est ~ *de* saison. 이 냉장고의 구입은 시기에 맞지 않는다 / La voiture est ~ *d*'usage. 이 차는 쓸 수 없다. ⑤ 《~ de + *inf.*》 《옛》 …하는 것 이외에는. ***être ~ de soi*** (제정신을 잃도록) 격분하다. ***être ~ d'état de*** + *inf.* …할 수 없다. ***~ de combat*** 전투력이 없는. ***~ de danger*** 난국을 뚫고, 위험을 벗어나. ***~ de doute*** 의심할 여지 없는. ***~ de prix*** 터무니없이 비싼. ***~ de service*** 사용할 수 없는 ; 근무에서 떠난, 퇴역의. ***~ de soi*** 흥분한, 분격한 : Vous la mettez ~ *d'elle*. 그녀를 화나게 하는구려. ***H~ d'ici !*** 여기서 나가 ! ***~ d'œuvre*** 〖건축〗 돌출한, 건물의 외측의. ***~ (la) barrière*** 관문 밖에 ; 교외에. ***~ ligne*** 〔***série***〕 뛰어난, 유별난. ***~ que*** + *ind.* …이외에는.

†**hors-bord** [ɔʀbɔ:ʀ] *m.* 《복수불변》 (모터가 배 밖에 달린) 모터보트. — *adj. m.* moteur ~ 선외(船外) 모터.

†**hors-concours** [ɔʀkɔ̃ku:ʀ] *m.* 《복수불변》 이미 상을 받았거나 실력이 너무 뛰어나서 콩쿠르에 나갈 수 없는 사람.

*†**hors-d'œuvre** [ɔʀdœ:vʀ] *m.* 《복수불변》 ① 〖요리〗 오르되브르, 전채(前菜) 《식사 전에 나오는 간단한 요리》. ② 〖건축〗 (건물의) 돌출부 ; 〖예술〗 (작품의) 주제와 관련 없는 〔부차적인〕 부분.

†**hors-jeu** [ɔʀʒø] *m.* 《복수불변》 〖스포츠〗 (축구·하키 따위에서의) 오프사이드.

†**hors-la-loi** [ɔʀlalwa] 〔영〕 *m.* 《복수불변》 법률의 보호를 박탈당한 자 ; 무법자.

†**hors-texte** [ɔʀtɛkst] *m.* 《복수불변》 〖제본〗 (따로 인쇄한) 삽화(揷畫).

hortensia [ɔʀtɑ̃sja] *m.* 〖식물〗 수국.

horticole [ɔʀtikɔl] *adj.* 원예의 : exposition ~ 화훼〔관상용 식물〕 품평회.

horticulteur [ɔʀtikyltœ:ʀ] *m.* 원예가.

horticulture [ɔʀtikylty:ʀ] *f.* 원예(園藝), (특히) 화훼분원예 : ~ forcée (온실 따위에 의한) 촉성 재배 / École nationale d'~ 국립 원예 학교.

hosanna [ɔza(n)na] *m.* ① 이스라엘 사람의 기도의 일종 ; 사순절 마지막 일요일 (= jour des Rameaux)에 부르는 찬송가. ② 환성(歡聲), 호산나, 환희의 노래.

hospice [ɔspis] *m.* ① (순례자·여행자를 위한) 수도원 숙박소. ② 양육원 ; 양로원, 구제원 : ~ d'aliénés 정신 병원 / ~ des enfants trouvés 고아원 / ~ de vieillards 양로원. ***finir à l'~*** 〔***dans un ~***〕 가난에 시달려 죽다.

***hospitalier, ère** [ɔspitlje, -ɛ:ʀ] *adj.* ① 양육원〔양로원〕의. ② 환대하는 ; 손님을 기꺼이 접대하는(≠ hostile) : Il est très ~. 그는 자기 집에 오는 손님을 극진히 환대한다. — *n.* 구호 사업에 종사하는 수도사〔수녀〕.

hospitalisation [ɔspitalizɑsjɔ̃] *f.* 입원, 구호원〔양육원〕에 넣기 ; 입원 기간 : procéder à l'~ d'un blessé 부상자를 입원시키다

***hospitaliser** [ɔspitalize] *v.t.* 입원시키다, 양육원〔구호소〕에 수용하다 : ~ un malade

환자를 입원시키다 / se faire ~ après un accident 사고로 입원하다.

hospitalité [ɔspitalite] *f.* 환대, 후대, 극진한 대접(= accueil) : donner 〔recevoir〕 l'~ 후대하다〔후대를 받다〕 / donner 〔offrir〕 l'~ à qn …을 환대하다, 유숙시키다. ***établissement d'~*** 무료 숙박소.

hosteau [ɔsto] *m.* (*pl.* **~x**) 《군대속어》 병원, 영창.

hostellerie [ɔstɛlʀi] *f.* = hôtellerie ① 의 ⓑ.

hostie [ɔsti] *f.* (신에게 바치는) 제물, 희생 ; 성체의 빵.

***hostile** [ɔstil] *adj.* ① 적대하는, 적대적인 : pays ~ 적국 / nature ~ 적대적인 성질. ② 《~ à 〔envers〕》 …에 대해 적의를 품은, 적대하는, 반대하는 : attitude ~ 적의를 품은 태도 / Il est ~ *à* cette opinion. 그는 그 의견에 반대한다.

hostilement [ɔstilmɑ̃] *adv.* 적대하여, 반대하여.

***hostilité** [ɔstilite] *f.* ① 적의, 반감 (= antipathie ; ≠ amitié) ; 반대 ; 적대 : ~ envers 〔contre〕 qn …에 대한 적의 / manifester de l'~ à ce projet 이 계획에 반대하다 / s'attirer l'~ de qn …의 반감을 사다. ② (*pl.*) 전투, 적대 행위 : commencer les ~*s* 전투를 개시하다 / cessation des ~*s* 전투 중지, 휴전.

hosto [ɔsto] *m.* 《구어》 병원 (= hosteau).

†hot-dog [ɔtdɔg] 〔영〕 *m.* (*pl.* **~-~s**) 핫도그.

hôte, hôtesse** [oːt, otɛs] *n.* ① 주인(= maître). ② 손님 ; (호텔 따위의) 숙박객 : ~ payant (개인집의) 하숙인. ③ (*f.*) 스튜어디스 (= hôtesse de l'air) ; (전람회 · 상점 따위의) 안내원. ***dîner à la table d'~ 정식을 먹다. ***faire bon visage d'~ à*** qn …을 진심으로 환대하다.

‡hôtel [o(ɔ)tɛl] *m.* ① 관저(官邸) ; 저택. ② 관용 건물, 국, 원. ③ 호텔, 여관 : ~ de tourisme 관광 호텔. ***descendre à un ~*** 호텔에 투숙하다. ***H~ des Monnaies*** 조폐국. ***H~ des Postes*** 우체국, 중앙 우체국. ***H~ des ventes*** 파리의 경매소. ***H~ de ville*** 시청. ***~ meublé*** 〔***garni***〕 가구 달린 셋집 ; 《구어》 하숙. ***maître d'~*** 호텔 식당의 급사장.

hôtel-Dieu [o(ɔ)tɛldjø] *m.* (*pl.* **~s-~**) 시립 병원.

hôtelier, ère [o(ɔ)təlje, -ɛːʀ] *n.* 호텔〔여관〕 주인 ; 호텔 경영자. ── *adj.* 호텔의.

hôtellerie [o(ɔ)tɛlʀi] *f.* ① ⓐ 《옛》 여관, 여인숙. ⓑ 민속풍의 야외 고급 요리점〔레스토랑〕 (= hostellerie). ② 여관〔호텔〕업(業).

hôtesse [otɛs] *f.* hôte 의 여성형.

†hotte [ɔt] *f.* ① 등에 지는 채롱. ② (벽난로의) 깔때기 모양의 굴뚝 구멍.

†hottentot, e [ɔtɑ̃to, -ɔt] *adj.* 호텐토트의. ── ***H~s*** *m. pl.* 호텐토트족《아프리카 남부의 미개 종족》. ── *m.* 호텐토트어.

†hou [u] *interj.* 우우! 엉터리다! 쳇!《비난 · 경멸을 표시하는 소리》.

†houblon [ublɔ̃] *m.* 〖식물〗 홉.

†houblonnier, ère [ublɔnje, -ɛːʀ] *adj.* 홉의 ; 홉이 나는. ── *n.* 홉 재배자. ── *f.* 홉밭.

†houe [u] *f.* 괭이.

†houille [uj] *f.* 석탄(= charbon) : gisement de ~ 탄층 / gaz de ~ 석탄가스 / goudron de ~ 코르타르 / mine de ~ 탄광, 탄갱. ***~ blanche*** (발전용) 수력. ***~ incolore*** 풍력(風力). ***~ verte*** 유수력(流水力).

†houiller, ère [uje, -ɛːʀ] *adj.* 석탄의 ; 석탄을 함유한 : bassin ~ 탄광 지대 / industrie ~*ère* 석탄 광업. ── *f.* 탄광, 탄갱(炭坑).

†houilleur [ujœːʀ] *m.* 탄광부. ── *adj.* 탄광에서 일하는. 「탄을 함유하는.

†houilleux, euse [ujø, -øːz] *adj.* 〖지질〗 석

†houle [ul] *f.* ① (파도의) 넘실거림, 파랑(波浪) : forte 〔grosse〕 ~ 높은 물결. ② 《비유》 (사람들 따위의) 물결 : ~ humaine 인파. ***~ de fond*** (해저 지진 따위로 인한) 큰 파도.

†houler [ule] *v.i.* 파도처럼 넘실거리다.

†houlette [ulɛt] *f.* ① 양 치는 목동의 지팡이. ② (주교의) 홀장(笏杖). ***être sous la ~ de*** qn …의 지도하에 있다.

†houleux, euse [ulø, -øːz] *adj.* ① (파도가) 넘실거리는. ② 소란스러운.

†houppe [up] *f.* ① (털 따위의) 뭉치, 타래, 술. ② 앞머리의 머리술 ; (새의) 도가머리 ; (나무의) 우듬지. ***~ à poudre*** 분첩, 퍼프.

†houppelande [uplɑ̃ːd] *f.* ① 《옛》 (소매가 넓고 헐렁헐렁한) 두꺼운 나사 외투. ② 성직자용 외투.

†houppette [upɛt] *f.* (털 따위의) 작은 뭉치 〔타래 · 술〕. ***~ à poudre de riz*** 분첩.

†hourdage [uʀdaːʒ] *m.* 〖건축〗 ① (요새 따위의) 방어단 쌓기. ② (격자틀에 바른) 회반죽층 ; 초벌칠 ; 초벌칠한 벽.

†hourdis [uʀdi] *m.* 〖건축〗 (마루 밑 · 벽 따위의 초벌 공사로) 목골(木骨)을 치고 벽돌 · 블록 따위를 쌓은 것, 초벽.

†hourra(h) [uʀa] *m.* 함성, 환호, 만세 : pousser trois ~*s* 만세를 삼창하다. ── *interj.* 만세 : Hip, hip, hip, ~! 만세, 만세, 만만세!

†hourvari [uʀvaʀi] *m.* ① 사냥개를 도로 부르는 소리. ② 《구어》 소란 ; 법석.

†houspiller [uspije] *v.t.* ① 윽박지르다, 야단치다. ② 함부로 대하다, 학대하다.

houspilleur, euse [uspijœːʀ, -øːz] *n.* 마구 다루는〔윽박지르는〕 사람.

†housse [us] *f.* ① 마의(馬衣), 안장 아래 모포. ② (가구, 좌석 등의) 커버, 포장. 「무.

†houx [u] *m.* 《복수불변》 〖식물〗 호랑가시나

†hovercraft [ɔvœʀ(ɛʀ)kʀaft] 《영》 *m.* 호버크래프트, 에어쿠션기(機).

†hoyau [wajo] *m.* (*pl.* **~x**) 곡괭이.

H·T· 《약자》 hors-taxe 면세(免稅)의.

†hublot [yblo] *m.* (배의) 현창(舷窓) ; (비행기의) 원창(圓窓) ; (세탁기의) 둥근 유리창.

†huche [yʃ] *f.* ① 빵 반죽 통, 빵〔곡식〕 넣는 통. ② (의류)함.

†hue [y] *interj.* 이러《말을 앞으로 또는 오른쪽으로 모는 소리》(≠ dia). ***L'un tire à ~ et l'autre à dia.*** 《구어》 서로 반대 방향으로 끌어당기다, 서로 방해하다.

†huée [ɥe] *f.* ① 〖사냥〗 짐승을 몰 때 지르는 함성. ② (*pl.*) 야유하는 소리, 욕설 : pousser des ~*s* 야유하는 소리를 지르다.

†huer [ɥe] *v.t.* ① 〖사냥〗 (짐승을) 함성을 지르며 몰다. ② 소리를 질러 야유하다 : ~ un auteur 〔une pièce〕 작가〔작품〕에 대해서 야유하다, 매도하다. ── *v.i.* (올빼미가) 울다.

†**huguenot, e** [ygno, -ɔt] *n.* et *adj.* 〖종교〗《경멸》 위그노《16-17 세기의 프랑스 신교도》(의), 칼뱅(*Calvin*)파 교도(의).

huilage [ɥilaːʒ] *m.* 기름칠 ; 기름에 담그기.

*****huile** [ɥil] *f.* ① 기름 ; 향유(香油) ; 식용유 : ~ alimentaire 식용유 / ~ de table 식량용 기름 / cuisine à ~ 기름에 튀긴 요리 / ~ pour la salade 샐러드 기름 / ~ sainte 〖종교〗 성유(聖油). ② 윤활유 : ~ à brûler 〔d'éclairage, de lamp〕 등유(燈油) / ~ de graissage 〖기계〗 윤활유 / vidanger l'~ d'une voiture 자동차에 엔진 오일을 교환하다. ③ 석유(= pétrole) : ~ minérale 광유 / ~ brute 원유 / ~ légère 〔lourde〕 경〔중〕유 / ~*s* essentielles 휘발유, 석유《따위》/ ~*s* minérales 석유류. ④ 〖미술〗 채색 기름, 유화 채료(油畫彩料) ; (한 폭의) 유화 (= tableau peint à l'~). ⑤ 《속어》 돈 ; (*pl.*) 《구어》 권력가〔세력가〕들 ; 당국(자들) : fréquenter des ~*s* 유력자들과 사귀다. ***dans l'~*** 극히 만족스럽게, 완전무결하게. ***faire de l'~*** (자동차가) 기름을 많이 먹다 〔소비하다〕. ***faire tache d'~*** 《구어》 (나쁜 것이) 점점 번져 가다. ***~ de bras*** 〔***de coude, de poignet***〕 《구어》 어려운 일을 하는 데 필요한 힘. ***jeter de l'~ sur le feu*** 불에 기름을 붓다. ***mer d'~*** 잔잔한 바다. ***mettre de l'~ dans les rouages*** 곤란을 제거하다 ; 적의(敵意)를 품은 사이를 부드럽게 하다. ***peinture à l'~*** 유화. ***sentir l'~*** (작품 따위에) 고심(苦心)의 흔적이 있다. ***verser*** 〔***mettre***〕 ***de l'~ sur les plaies de*** qn 《구어》 …을 위로하다, …의 고통을 덜어 주다.

huilé, e [ɥile] *adj.* ① 원활히 가동하는, 잘 작용하는 : organisation bien ~*e* 원활하게 잘 돌아가는 조직. ② 방수(防水)된 : papier ~ 기름 (먹인) 종이. ③ (요리 따위가) 기름을 사용한.

huiler [ɥile] *v.t.* (기계 따위에) 기름을 치다. ── *v.i.* (병든 식물이) 기름 모양의 수액(樹液)을 스며나오게 하다.

huilerie [ɥilʀi] *f.* 기름 공장, 기름 장사.

huileux, euse [ɥilø, -øːz] *adj.* ① 기름의, 기름을 함유한 : solution ~*euse* 〖약학〗 유상(油狀) 용액. ② 기름기 있는 ; 기름진 ; 기름을 바른 듯한 : cheveux ~ 반지르르한 머리카락 / mer ~*euse* 잔잔한 바다. ── *f.* 제유기(製油機).

huilier [ɥilje] *m.* (식탁용) 기름〔식초〕병, 기름 장수.

huis [ɥi] *m.* 문. ***à ~ clos*** 공개하지 않고, 비밀리에 : entretien *à ~ clos* 비밀 회담 / délibérer *à ~ clos* 방청을 금하고 심의하다. ***le ~ clos*** 〖법률〗 방청 금지, 비공개 : demander *le ~ clos* 비공개 재판을 요구하다.

huisserie [ɥisʀi] *f.* 〖건축〗 문틀.

huissier [ɥisje] *m.* ① (의회 · 관청 따위의) 수위, 경비원. ② 집행관, 집달리(執達吏) : ~ audiencier (재판소) 정리(廷吏) / acte d'~ 집행 영장.

*†**huit** [ɥit] *adj. num.* 《복수불변》《자음 또는 유성 h 앞에선 [ɥi]로 발음》 ① 여덟의, 8의 : journée de ~ heures, 8 시간 노동제 / ~ dizaines 약 80 / journal qui paraît sur ~ pages, 8 페이지짜리 신문. ② 《서수적으로》 8 번째의(= hutième) : leçon ~ 제 8 과 / Elle est arrivée ~ ou neuvième. 그 여자는 8 등 아니면 9 등으로 도착했다. ***donner ses ~ jours à*** qn, (1 주일분의 급료를 주고) …을 해고하다. ***~ jours***, 1 주일(간) : ~ dans ~ *jours* 1 주일 후에 / tous les ~ *jours* 매주. ***il y a samedi ~ jours*** 지난 주 토요일. ── *m.* 《복수불변》《발음은 보통 [yit]》 ① 여덟 ; 8 일 ; 8 의 글자 ; 1 주일간 : le huit mai, 5 월 8 일 / Deux et ~ font dix. 2 더하기 8 은 10 이다 / un ~ couché 무한대를 나타내는 기호(∞) / ~ romain 로마자 8 (Ⅷ). ② 8 자형(形) : patiner en essayant des ~ 8 자를 그리면서 스케이트를 타다. ***en ~*** 다음 주의, 1 주일 후의 : d'aujourd'hui *en ~* 내주의 오늘.

†**huitain** [ɥitɛ̃] *m.* 8 행시(八行詩).

†**huitaine** [ɥitɛn] *f.* ① 8 개, 약 8 개 : une ~ de livres 여덟 권 가량의 책. ② 1 주일(= une semaine) ; 주급(週給). ***dans la ~,*** 1 주일 이내에. ***mettre le personnel en ~*** 〖공업〗 1 주일간 폐쇄하다. ***remettre à ~,*** 1 주일 연기하다.

*†**huitième** [ɥitjɛm] *adj. num.* 제 8 의, 여덟째의. ── *n.* 제 8, 여덟째 (사람 · 것). ── *m.* 8 분의 1 : ~*s* de finale (스포츠의) 16 강 경기. ── *f.* 〖학교〗 제 8 학급(의 학생 · 교실) 《초등학교 3 학년에 해당》.

†**huitièmement** [ɥitjɛmmɑ̃] *adv.* 여덟째로.

huître [ɥitʀ] *f.* 〖조개〗 굴 : ~ perlière 〔à perle〕 진주조개 / parc à ~*s* 굴 양식장 / ~ d'élevage 양식굴.

†**hulotte** [ylɔt] *f.* 〖조류〗 올빼미.

†**hululement** [ylylmɑ̃] *m.* (올빼미 따위의 야행성 새의) 울음소리 (= ululement).

†**hululer** [ylyle] *v.i.* (올빼미가) 울다 ; 구슬프게 울다 : La chouette *hulule* 올빼미가 울다.

†**hum** [œm] *interj.* 《의심을 나타내어》 흠!

*****humain, e** [ymɛ̃, -ɛn] *adj.* ① 사람〔인간〕(고유)의 : personne ~*e* 〔l'être ~〕 인간 / nature ~*e* 인간의 본성, 인간성 / corps ~ 인체 / choses ~*es* 인간사, 세상사 / dignité ~*e* 인간의 존엄성. ② 인간적인, 인간다운 ; (사람이) 인정 많은 ; (행동 · 감정 따위가) 인간미〔인정미〕가 있는 : sentiments ~*s* 인간적 감정, 인정 / Il n'a rien d'~. 그는 아무런 인간미도 없다. ③ 인간으로 형성〔구성〕된 : espèce ~*e* 인류 / société ~*e* 인간 사회 / respect ~ 체면(치레) / ressources ~*es* 인적자원. ④ 〖언어〗 사람을 나타내는 : nom ~ 인물 명사. ⑤ 인간에 관한 ; 인문학의, 고전의 : sciences ~*es* 인문 과학 / lettres ~*es* 고전학 / anatomie ~*e* 인체 해부(학). ***le genre ~*** 인류. ***n'avoir rien d'~*** 피도 눈물도 없다. ***relation ~es*** 인간 관계, 교제. ── *m.* ① 인간 ; 인간성 ; 인간의 능력. ② (*pl.*) 사람들 ; 인류.

humainement [ymɛnmɑ̃] *adv.* ① 사람으로서 ; 인력으로 : ~ impossible 인간의 힘으로 불가능한. ② 인간적〔인도적〕으로, 온정으로 : traiter ~ un ennemi 적을 인도적으로 처우하다. ~ ***parlant*** 상식적으로 말해서.

humanisation [ymanizɑsjɔ̃] *f.* ① 인간화 ; 인격 부여. ② 교화 ; 개화.

humaniser [ymanize] *v.t.* ① …에 인간성

을 부여하다. ② 인간답게 하다, 교화하다(=civiliser). ③ 인간미를 띠게 하다, (규칙 따위를) 완화하다 : ~ les conditions de travail 노동 조건을 완화시키다. ── **s'~** *v. pr.* ① 인간성을 띠다. ② 교화되다 ; 온순해지다. ③ 온화해지다, 완화되다.

humanisme [ymanism] *m.* ① 인본주의, 휴머니즘 ; (문예부흥기의) 인문주의. ② 고전어 · 고전 문학 연구.

humaniste [ymanist] *n.* ① 휴머니스트, 인본주의자. ② (문예 부흥기의) 인문주의자. ③ 고전어 · 고전 문학 연구가. ── *adj.* 인본주의의 ; 인문주의의 ; 고전 연구의 : études ~s 고전 연구 / philosophies ~s 인간주의 철학.

humanitaire [ymanitɛːʀ] *adj.* 인도적인, 인도주의〔박애주의〕의 : sentiments ~s 인도적 감정. ── *n.* 인도주의자.

humanitarisme [ymanitaʀism] *m.* 인도주의.

humanité** [ymanite] *f.* ① 인성(人性), 인간성. ② 인류(=genre humain), 인간 : évolution de l'~ 인류의 진화. ③ 인정 ; 인간미, 자비 : faire preuve d'~ 인간미를 내보이다. ④ (*pl.*) 고전 연구, 고전학. ***faire ses ~s (고전 학급에서) 고전을 수학하다. ***payer le tribut à l'~*** 《구어》 죽다 ; 인간다운 과오를 범하다, 유혹에 지다. ***traiter*** qn ***avec ~*** …을 인자하게 대하다.

humanoïde [ymanɔid] *adj.* 인간과 닮은 것의, 인간을 연상시키는. ── *n.* (공상 과학 소설의) 인간과 유사한 생물〔외계인, 로봇〕.

humble** [œ̃ːbl] *adj.* ① ⓐ (사람이) 겸손한 (≠ orgueilleux) ; 공손한 : se faire ~ devant un supérieur 상사 앞에서 공손하게 행동하다. ⓑ (행동이) 겸손한 마음이 담긴, 겸허한 : à mon ~ avis 제 우견(愚見)〔소견〕으로서는. ② (신분 따위가) 비천한, 보잘것없는 : ~ demeure 보잘것없는〔누추한〕 집. ***~ condition 비천한 신분. ── *n.* (보통 *pl.*) 비천한 사람 ; 소박한 사람.

humblement [œ̃bləmɑ̃] *adv.* 겸손〔겸허〕하게 ; 수수하게, 검소하게.

humectage [ymɛktaːʒ] *m.* 〖공업〗 급습(給濕).

humecter [ymɛkte] *v.t.* 축축하게 하다, 축이다, 적시다 : Des larmes *humectent* ses paupières. 눈물이 그의 눈시울을 적신다. ── **s'~** *v.pr.* 젖다, 축축해지다. ***s'~ (le gosier)*** 《구어》 목을 축이다, 한잔하다.

†humer [yme] *v.t.* ① (코로) 들이마시다(=respirer) ; 빨아들이다 : ~ l'air frais du matin 신선한 아침 공기를 들이마시다. ② (냄새를) 맡다(= flairer) : ~ une prise de tabac 코담배를 한 번 맡다.

humérus [ymeʀys] *m.* 상박골(上膊骨).

humeur** [ymœːʀ] *f.* ① 성질, 기질, 성미(=caractère, tempérament) : Il est d'~ chagrine. 그는 우울한 성격이다 / ~ vagabonde 방랑의 기질 / d'~ batailleuse 싸움질을 좋아하는 성미. ② (상황에 따른) 기분 : De quelle ~ est-il aujourd'hui ? 오늘은 기분이 어떤가? ③ 나쁜〔언짢은〕 기분(=mauvaise ~) ; 화, 성, 신경질 : avoir de l'~ 화가 나 있다, 기분이 좋지 않다 / donner de l'~ à qn …을 기분 나쁘게 하다 / dans un mouvement d'~ 버럭 화를 내며. ***avec ~ 화가 나서. ***être de bonne*** 〔***mauvaise***〕 ***~*** 기분이 좋다〔나쁘다〕. ***être*** 〔***n'être pas***〕 ***d'~ à***+*inf.* …할 마음이 있다〔없다〕. ***être d'une ~ noire*** 우울한 기분이다 ; 성이 나 있다. ***être en ~ de***+*inf.* …하고 싶다《일시적으로》. ***homme d'~ égale*** 〔***inégale***〕 변덕이 없는〔변덕스러운〕 사람. ***~ vive*** 급한 성미. ***prendre de l'~*** 버럭 화를 내다.

humide** [ymid] *adj.* 축축한, 습한, 젖은(≠ sec) : cave ~ 습한 지하실 / chaleur ~ 무더위 / yeux ~s de larmes 눈물에 젖은 눈. ***~ élément 《시어》 물. ***~ empire ; ~s plaines ; plaine ~*** 《시어》 바다.

humidificateur [ymidifikatœːʀ] *m.* (방직용의) 습윤기(濕潤機).

humidification [ymidifikɑsjɔ̃] *f.* 적시기, 축축하게 하기, 습윤(濕潤), 가습(加濕).

humidifier [ymidifje] *v.t.* 적시다, 축축하게 하다, …에 습기를 주다.

humidité [ymidite] *f.* 습기 ; 습도 : ~ absolue 절대 습도 / ~ relative 상대 습도. ≪***Craint l'~***≫ 「건조한 곳에 보관할 것」. ***taches d'~*** 곰팡이.

humiliant, e [ymiljɑ̃, -ɑ̃ːt] *adj.* 굴욕〔모욕〕적인, 창피스러운 : essuyer un refus ~ 굴욕적인 거절을 당하다.

humiliation [ymiljɑsjɔ̃] *f.* ① 치욕, 모욕, 굴욕 : éprouver 〔ressentir〕 une ~ 굴욕을 느끼다 / infliger une ~ à qn ; accabler qn d'~ …을 모욕하다 / essuyer une ~ 모욕을 당하다. ② 굴종, 굴복.

humilié, e [ymilje] *adj.* et *n.* 모욕을〔굴욕을 · 창피를〕 당한 (사람).

***humilier** [ymilje] *v.t.* ① 《옛》 겸손하게 하다. ② …에게 창피를 주다 ; 모욕하다 ; …의 품위를 떨어뜨리다(= avilir). ③ (자존심 따위를) 꺾다. ── **s'~** *v.pr.* ① 겸손하게 행동하다. ② 비굴하게 굴다 ; 《s'~ jusqu'à+*inf.*》 …할 정도로 비굴하게 굴다.

humilité [ymilite] *f.* ① 겸손, 겸허 : courber la tête en signe d'~ 겸손의 표시로 고개를 숙이다 / vertu de l'~ 겸양의 미덕. ② 공손 : en toute ~ 아주 공손하게. ③ (신분 따위의) 비천함, 보잘것없음 : ~ d'un emploi 직업의 비천함.

humoral, e, aux [ymɔʀal, -o] *adj.* 《옛》 〖의학〗 체액(體液)의, 체액 작용에 의한 : trouble ~ 체액의 이상.

humorisme [ymɔʀism] *m.* ① 〖의학〗 체액병원설(病原說). ② 유머, 해학.

humoriste [ymɔʀist] *adj.* 《옛》 익살스러운, 해학적인, 유머가 있는 : écrivain ~ 유머 작가. ── *n.* 해학가, 익살꾼, 유머 작가 : salon des ~s 만화 전람회.

humoristique [ymɔʀistik] *adj.* 익살스러운, 해학적인, 유머 있는 : conte ~ 해학적인 단편 소설 / dessin ~ (풍자적인) 만화 / parler sur un ton ~ 익살스러운 어조로 말하다.

humour** [ymuːʀ] *m.* 《옛날에는 때로 *f.*》 유머, 익살, 해학. ***~ noir 블랙 유머.

humus [ymys] *m.* 〖원예〗 부식토(腐植土), 부식질.

†hune [yn] *f.* 〖해양〗 장루(檣樓) : mât de ~ 제일 접장(接檣), 중장(中檣).

H

hunier [ynje] *m.* 〖해양〗 중간 돛.

Huns [œ̃] *m. pl.* 〖역사〗 훈족(族).

†huppe [yp] *f.* 〖조류〗 오디새 ; (새의) 관모(冠毛), 도가머리. ***rabattre la ~ à*** qn 《옛 · 구어》 …의 콧대를 꺾다.

†huppé, e [ype] *adj.* ① 〖조류〗 관모가 달린. ② 신분이〔지위가〕 높은 ; 돈 많은 : famille *~e* 상류 가정.

†hure [yːʀ] *f.* ① (돼지 따위의) 머리. ② 돼지 머리로 만든 요리. ③ 《속어》 대가리 ; 낯짝.

†hurlant, e [yʀlɑ̃, -ɑ̃ːt] *adj.* ① 울부짖는, 아우성치는. ② (색깔 따위가) 어울리지 않는, 요란스러운 : couleurs *~es* 요란스러운 색깔.

†hurlement [yʀləmɑ̃] *m.* ① (개 · 이리 따위의) 짖는 소리(= cri). ② 고함 소리, 울부짖음, 아우성 ; (폭풍 따위의) 노호(怒號) : ~ de la foule 군중의 아우성 소리.

†hurler [yʀle] *v.i.* ① (개 · 이리 따위가) 소리를 길게 끌며 짖다. ② 고함을 지르다, 아우성치다, 울부짖다 ; (폭풍이) 노호(怒號)하다. ③ (색깔 따위가) 어울리지 않다(= jurer). — *v.t.* 외치다 : ~ des injures 큰 소리로 욕을 퍼붓다.

†hurleur, euse [yʀlœːʀ, -øːz] *adj.* ① 짖어대는. ② 울부짖는, 아우성치는. — *n.* 울부짖는〔아우성치는〕 사람. — *m.* ① 〖동물〗 (남미의) 짖는 원숭이. ② (라디오의) 고음 확성기.

hurluberlu, e [yʀlybɛʀly] *adj.* 경솔한, 지각 없는 ; 괴상한, 엉뚱한. — *m.* 경솔한〔지각 없는〕 사람, 소견머리 없는 사람.

†hurra(h) [uʀa] *m.* = hourra(h).

†hussard, e[1] [ysaːʀ, -aʀd] *m.* 경기병(輕騎兵) ; 헝가리의 (경)기병. — *adj.* ***à la ~e*** 경기병풍(風)으로 ; 난폭하게 ; 버릇없이 ; 무례하게 : bottes *à la ~e* 승마용 장화 / culotte *à la ~e* 승마 바지.

†hussarde[2] [ysaʀd] *f.* 헝가리 무용.

†hutte [yt] *f.* ① 오두막집(= cabane). ② (사냥꾼의) 휴대용 산막(山幕) : chasser à la ~ 산막에 숨어 새를 쏘다.

hyalin, e [jalɛ̃, -in] *adj.* 〖식물 · 광물〗 유리 같은, 투명한. ***quartz ~*** 수정. — *f.* 히알린.

hyaloïde [jalɔid] *adj.* 〖해부〗 유리 모양〔질〕의, 투명한 : humeur ~ (눈의) 유리체 / membrane ~ (눈의) 초자〔유리〕막.

hyalotechnie [jalɔtɛkni] *f.* 유리공예(工藝).

hyalotechnique [jalɔtɛknik] *adj.* 유리 공예(工藝)에 관한.

hybridation [ibʀidɑsjɔ̃] *f.* 〖생물〗 잡종 형성 : ~ par greffe 접목 잡종.

hybride [ibʀid] *adj.* ① 〖생물〗 잡종의 : Le mulet est un animal ~. 노새는 잡종 동물이다. ② 《비유》 혼합의, 절충의 : genre littéraire ~ 혼합적인 문학 장르. — *m.* ① 〖생물〗 (동 · 식물의) 잡종 : ~ simple 〔double〕 잡종 제 1 〔제 2〕대. ② 〖언어〗 혼종어(= mot ~).

hybrider [ibʀide] *v.t.* (이종의 동식물을) 교배시키다. — **s'~** *v.pr.* 종류가 다른 꽃가루로 수태(受胎)하다.

hydrargyre [idʀaʀʒiːʀ] *m.* 수은.

hydrargyrisme [idʀaʀʒiʀism] *m.* 〖의학〗 수은 중독(증).

hydratant, e [idʀatɑ̃, -ɑ̃ːt] *adj.* 피부에 수분을〔윤기를〕 주는 : crème *~e* (얼굴에 수분을 주는) 수화 크림. — *m.* 수화제.

hydratation [idʀatɑsjɔ̃] *f.* 〖화학〗 수화(水化), 수화 작용. ***chaleur d'~*** 수화열.

hydrate [idʀat] *m.* 〖화학〗 수화물(水化物).

hydrater [idʀate] *v.t.* 〖화학〗 수화시키다. — **s'~** *v.pr.* 수화되다.

hydraulique [idʀolik] *adj.* 수력의 ; 수력(학) 전문의 : usine centrale ~ 수력 발전소 / énergie ~ 수력, 조수력 / installation 〔ouvrage〕 ~ 수리 시설. — *f.* 수력학, 수리학 : ~ agricole 농업 수리학.

hydravion [idʀavjɔ̃] *m.* 수상 비행기, 수상기 : ~ à coque 비행정 / ~ de bord 함재(艦載) 수상기.

hydre [idʀ] *f.* ① 《옛》 〖동물〗 물뱀, 히드라. ② 〖그리스신화〗 ⓐ (~ (de Lerne)) 7 〔9〕 두사(頭蛇) 《머리가 7 개 또는 9 개인 뱀, 머리 하나를 자르면 곧 두 개가 생김. ⓑ 근절하기 어려운 악〔화근〕.

hydr(o)- *préf.* 「물 · 수소」의 뜻.

hydrocarbure [idʀɔkaʀbyːʀ] *m.* 〖화학〗 탄화수소.

hydrocéphale [idʀɔsefal] 〖의학〗 *adj.* et *f.* 뇌수종에 걸린 (사람).

hydrocuté, e [idʀɔkyte] *adj.* 냉수 쇼크 환자.

hydrocution [idʀɔkysjɔ̃] *f.* (찬 물 속에서의) 의식 상실, 냉수 쇼크 ; 수중 쇼크사(死).

hydrodynamique [idʀɔdinamik] *f.* 유체 동력학(流體動力學), 수력학(水力學). — *adj.* 유체 동력학상의, 수력학의.

hydro-électricité [idʀɔelɛktʀisite] *f.* 수력 전기, 수력 발전.

hydro-électrique [idʀɔelɛktʀik] *adj.* 수력 전기의, 수력 발전의.

hydrofuge [idʀɔfyːʒ] *adj.* 방수(防水)의, 방습(防濕)의 : tissu ~ 방수포. ***couche ~*** 〖건축〗 방습층.

hydrofuger [idʀɔfyʒe] [3] *v.t.* (천을) 방수(防水)하다.

hydrogène [idʀɔʒɛn] *m.* 〖화학〗 수소 : ~ lourd 중수소 / bombe à ~ 수소 폭탄.

hydroglisseur [idʀɔglisœːʀ] *m.* 수상 활주정(滑走艇).

hydrographe [idʀɔgʀaf] *m.* 수로 측량 기사(= ingénieur ~) ; 수리학자. — *adj.* 《불변》 navire 〔bâtiment〕 ~ 측량선(船).

hydrographie [idʀɔgʀafi] *f.* ① 수리학(水理學). ② (한 지방의) 하천과 호수, 수리. ③ 수로 측량술, 해도 작성. ***école d'~*** 《옛》 상선 학교.

hydrographique [idʀɔgʀafik] *adj.* 수권학(水圈學)의 ; 수로 측량의. ***carte ~*** 수로도(水路圖). ***service ~*** 〖군사〗 수로부.

hydrologie [idʀɔlɔʒi] *f.* 수리학(水理學), 광천학(鑛泉學).

hydrolyse [idʀɔliːz] *f.* 〖화학〗 가수분해.

hydromel [idʀɔmɛl] *m.* 꿀물 : ~ vineux 벌꿀술.

hydrophile [idʀɔfil] *adj.* 물을 빨아들이는, 흡수성의 ; 〖의학〗 친수(親水)의 : coton ~ 탈지면. — *m.* 〖곤충〗 물땅땅이.

hydrophobie [idʀɔfɔbi] *f.* 〖의학〗 ① 공수(恐水). ② 공수병, 광견병.

hydropisie [idʀɔpizi] *f.* 〖의학〗 수종(水腫).

hydroponique [idʀɔpɔnik] *adj.* 〖농업〗

culture ~ 수경(水耕) 재배.

hydrostatique [idʀɔstatik] *adj.* 정수역학(靜水力學)의, 정수의. ── *f.* 정수역학.

hydrothérapie [idʀɔteʀapi] *f.* 〖의학〗 (샤워·목욕에 의한) 물 치료법, 냉수 치료법.

hydrothérapique [idʀɔteʀapik] *adj.* (샤워·목욕에 의한) 물〔냉수〕 치료법의.

hydroxyde [idʀɔksid] *m.* 〖화학〗 수산화물. **~ *de sodium*** 수산화나트륨, 가성소다.

†**hyène** [jɛn] *f.* ① 〖동물〗 하이에나《아시아·아프리카에 사는 육식 동물》. ② 잔인한 사람, (특히) 잔인한 여자.

hygiène** [iʒjɛn] *f.* 위생(학), 보건 ; 건강법 : mauvaise ~ alimentaire 음식 부주의 ; 영양 부족. ***avoir beaucoup* 〔*peu*〕 *d'~ 매우 위생적〔비위생적〕이다. **~ *publique*** 공중위생. ***Ministère de l'H~*** 보건성〔부〕.

***hygiénique** [iʒjenik] *adj.* 위생의 ; 위생학의 ; 위생적인 ; 건강상의 : boisson ~ 건강음료 / vie peu ~ 비위생적인 생활 / faire une petite promenade ~ 건강을 위해 산책을 하다.

H

hygiéniste [iʒjenist] *m.* 위생학자.

hygromètre [igʀɔmɛtʀ] *m.* 습도계.

hygrométricité [igʀɔmetʀisite] *f.* ① 습도. ② 흡습률(吸濕率).

hygrométrie [igʀɔmetʀi] *f.* 〖물리〗 습도 측정(법) ; 습도.

hygrométrique [igʀɔmetʀik] *adj.* 〖물리〗 ① 습도 측정의. ② 습도의, 흡습성의.

hygroscope [igʀɔskɔp] *m.* 〖물리〗 검습기(檢濕器), 습도계.

hygroscopie [igʀɔskɔpi] *f.* = hygrométrie.

hygroscopique [igʀɔskɔpik] *adj.* ① 습도 측정의 ; 검습기의. ② 흡습성의.

hymen[1] [imɛn], **hyménée** [imene] *m.* ① (*H~*) 〖그리스신화〗 결혼의 신. ② 《옛·문어》 결혼(= mariage) : allumer les flambeaux de l'~ 결혼하다. ③ 《비유》 결합.

hymen[2] [imɛn] *m.* 〖해부〗 처녀막.

hyménoptères [imenɔptɛːʀ] *m. pl.* 막시류(膜翅類). ── *adj.* 막시류의.

hymne [imn] *m.* 국가(國歌)(= ~ national) ; 찬가, 송가(頌歌) ; (신 또는 영웅을 찬미하는) 시 : ~ à l'amour 〔à la nature〕 사랑〔자연〕의 찬가. ── *f.* 〖가톨릭〗 (라틴어) 성가, 찬송가.

hypallage [ipa(l)laːʒ] *m.* 〖수사학〗 변환법(變換法), 환치법(換置法).

hyper- *pref.* 「과도(過度)·초(超)」의 뜻.

hyperbole [ipɛʀbɔl] *f.* ① 〖수사학〗 과장(법). ② 〖수학〗 쌍곡선.

hyperbolique [ipɛʀbɔlik] *adj.* ① 〖수사학〗 과장법의 ; 과장된 : compliment ~ 지나친 장난 / louange ~ 과장된 찬사. ② 쌍곡선의 ; 쌍곡선 모양의.

hyperboliser [ipɛʀbɔlize] *v.i.* 과장하여 말하다.

hyperbolisme [ipɛʀbɔlism] *m.* 과장법의 남용.

hyperdulie [ipɛʀdyli] *f.* 〖종교〗 성모 숭배.

hypermarché [ipɛʀmaʀʃe] *m.* 슈퍼마켓.

hypermédia [ipeɛʀmedia] 〔영〕 *m.* et *adj.* 〖컴퓨터〗 하이퍼미디어《문자 정보 외에 도형·화상·음성·애니메이션 따위를 같은 환경으로 도입한 기술》(의).

hypermétrope [ipɛʀmetʀɔp] *adj.* 원시(遠視)의. ── *n.* 원시안을 가진 사람.

hypermétropie [ipɛʀmetʀɔpi] *f.* 〖의학〗 원시(遠視).

hypernerveux, euse [ipɛʀnɛʀvø, -øːz] *adj.* et *n.* 《구어》 신경이 극히 과민한 (사람).

hypersensibilité [ipɛʀsɑ̃sibilite] *f.* 지각〔감각〕 과민.

hypersensible [ipɛʀsɑ̃sibl] *adj.* 감성(感性)이 극도로 예민한, 과민한.

hypertendu, e [ipɛʀtɑ̃dy] *adj.* et *n.* 고혈압의 (사람).

hypertension [ipɛʀtɑ̃sjɔ̃] *f.* 〖의학〗 고혈압.

hypertexte [ipɛʀtɛkst] *m.* et *adj.* 〖컴퓨터〗 하이퍼텍스트《모니터 상에 나타난 단어를 마우스로 선택하면 이 단어에 관계된 기능과 정보에 접근할 수 있도록 한 기술》(의).

hypertrophie [ipɛʀtʀɔfi] *f.* ① 〖의학〗 (조직·기관의) 비대. ② 《비유》 이상 발달, 확대 : ~ de la capitale 수도의 과도한 팽창.

hypertrophié, e [ipɛʀtʀɔfje] *adj.* 비대해진, 과도하게 확대〔팽창〕된.

hypertrophier [ipɛʀtʀɔfje] *v.t.* 〖의학〗 (조직·기관을) 비대하게 하다. ── **s'~** *v.pr.* 비대해지다 ; 확장되다.

hypertrophique [ipɛʀtʀɔfik] *adj.* 비대성(性)의.

hypn(o)- *préf.* 「졸음·최면」의 뜻.

hypnose [ipnoːz] *f.* ① 최면 상태. ② 정신이 몽롱함 ; 황홀 ; 도취.

hypnotique [ipnɔtik] *adj.* ① 최면(술)의 : état ~ 최면 상태 / sommeil ~ 최면. ② 《비유》 정신이 몽롱한, 도취된. ── *m.* 수면제, 최면제 (= médicament ~).

hypnotiser [ipnɔtize] *v.t.* ① 최면술로 잠들게 하다. ② 《비유》 (…의) 정신을 빼앗다, 정신을 몽롱하게 하다, 도취시키다 (= éblouir, obnubiler) : *être hypnotisé* par les difficultés 어려운 문제로 정신을 온통 빼앗기다. ── **s'~** *v. pr.* 정신을 빼앗기다, 도취되다 : 《s'~ sur》 *s'~ sur* un travail 일에 몰두하다.

hypnotiseur, euse [ipnɔtizœːʀ, -øːz] *adj.* et *n.* 최면술을 거는 (사람).

hypnotisme [ipnɔtism] *m.* ① 최면술 ; (최면 상태를 연구하는) 최면학. ② 최면 상태〔현상〕.

hypo- *préf.* 「하위·감소·부족」의 뜻.

hypocondre [ipɔkɔ̃ːdʀ] *m.* 〖해부〗 아랫배. ── *adj.* et *n.* = hypocondriaque.

hypocondriaque [ipɔkɔ̃dʀijak] *adj.* et *n.* 우울증에 걸린 (사람), 침울한 (사람).

hypocondrie [ipɔkɔ̃dʀi] *f.* 우울증.

hypocoristique [ipɔkɔʀistik] *adj.* 〖언어〗 애칭적의. ── *m.* 애칭.

hypocrisie [ipɔkʀizi] *f.* ① 위선, 선한 체하기. ② 위선 행위 ; 감언, 아첨.

***hypocrite** [ipɔkʀit] *adj.* 위선의, 위선적인, 거짓의 (= faux) ; 엉큼한(= sournois) : air ~ 위선적인 태도 / verser des larmes ~s 거짓 눈물을 흘리다 / flatteur ~ 거짓 아첨꾼. ── *n.* 위선자.

hypocritement [ipɔkʀitmɑ̃] *adv.* 위선적으로.

hypodermique [ipɔdɛʀmik] *adj.* 〖의학〗 피하(皮下)의 : injection ~ 피하 주사.

hypogastre [ipɔgastʀ] *m.* 〖해부〗 아랫배, 하복부.

hypogée [ipɔʒe] *m.* 〖고고학〗 지하실, (특히) 지하 분묘(墳墓).

hypophysaire [ipɔfizɛːʀ] *adj.* 〖해부〗 뇌하수체의.

hypophyse [ipɔfiːz] *f.* 〖해부〗 뇌하수체.

hypostase [ipɔstɑːz] *m.* ① 〖철학〗 본질, 실체. ② 〖신학〗 (그리스도의) 인성(人性).

hypotendu, e [ipɔtɑ̃dy] 〖의학〗 *adj.* et *n.* 저혈압의 (사람).

hypotension [ipɔtɑ̃sjɔ̃] *f.* 〖의학〗 저혈압(증).

hypothécaire [ipɔtekɛːʀ] *adj.* 저당권 있는; 저당에 관한. ***banque ~*** 부동산 은행. ***créancier ~*** 저당권자. ***débiteur ~*** 저당권 설정자. ***dette ~*** 저당 채무. ***prêt ~*** 담보대부. — *n.* 저당권자.

hypothèque [ipɔtɛk] *f.* ① 저당(권) : immeuble grevé d'une ~ 저당잡힌 부동산 / emprunter sur ~ 저당잡히고 돈을 빌리다 / lever une ~ 저당권을 해제하다. ② 〖정치〗 장애 : lever l'~ 정치적 장애를 제거하다. ***exercer une ~*** 저당권을 행사하다. ***prendre une ~ sur l'avenir*** 소유하기 전에 미리 사용하다.

hypothéquer [ipɔteke] [6] *v.t.* ① 저당에 넣다, 저당잡히다 : ~ une maison 집을 저당잡히다. ② (장래를) 걸다. ***~ l'avenir*** 소유하기 전에 사용〔처분〕하다; 장래를 걸다.

hypothermie [ipɔtɛʀmi] *f.* 〖의학〗 체온 이상 하강, 저(低)체온증.

hypothèse** [ipɔtɛːz] *f.* ① 가설; 가정 : poser 〔formuler〕 une ~ 가설을 세우다 / vérifier l'~ 가설을 증명하다. ② 추측, 억측 (= conjecture) : ~ gratuite 근거 없는 추측 / faire des ~s sur qc …에 대해 갖가지 추측을 하다. ***dans l'~ que 〔***où***〕 + *ind.* 〔*sub.*〕 …라고 가정하고 : *Dans l'~ où* il ne viendrait pas, qui le remplacerait? 그가 오지 않는다면 그 대신 누구로 대체하겠습니까? ***en toute ~*** 모든 경우를 고려하여, 어쨌든. ***~ que*** + *sub.* …일지도 모른다는 가정. ***par ~*** 가령(…라고 한다면). ***se placer dans la plus mauvaise ~*** 최악의 경우를 가정하다.

***hypothétique** [ipɔtetik] *adj.* ① 가설적인, 가정의 : conception ~ 가설적인 개념. ② 불확실한, 의심스러운 (= douteux) : compter sur un héritage ~ 확실치 않은 상속을 기대하다. ③ 〖논리〗 가언적(假言的)인.

hypothétiquement [ipɔtetikmɑ̃] *adv.* 가정적으로, 가설적으로.

hypotonie [ipɔtɔni] *f.* ① 〖의학〗 근(筋) 긴장 감소(= atonie); 저혈압(= hypotension). ② 〖물리〗 (용액의) 저삼투압.

hypso- *pref.* 「높이」의 뜻.

hypsomètre [ipsɔmɛtʀ] *m.* 〖물리〗 비등점 기압계.

hypsométrie [ipsɔmetʀi] *f.* 〖지리〗 고도 측정, 측고술 (測高術).

hysope [izɔp] *f.* 〖식물〗 히솝《꿀풀과 식물》.

hystérie [isteʀi] *f.* ① 〖의학〗 히스테리 : ~ collective 집단적 히스테리. ② 극도의 흥분 〔열광〕 : être en pleine ~ 몹시 흥분해 있다 / C'est de l'~. 그것은 히스테리이다.

hystérique [isteʀik] *adj.* 히스테리성(증세)의; 극도로 흥분된〔열광된〕 : rire ~ 히스테릭한 웃음 / foule ~ 흥분한 군중.
— *m.* 히스테리 환자.

I

I, i[1] [i] *m.* ① 프랑스어 자모의 제 9 자. ② *i* grec 프랑스어 자모의 Y[y]자의 호칭. ***mettre les points sur les i*** 상세하게 설명하다.
iambe, ïambe [jɑ̃:b] *m.* ① 〖운율〗 단장격(短長格); 단장격의 시구. ② (*pl.*) (12 음절과 8 음절이 번갈아 쓰이는) 풍자시.
ïambique [jɑ̃bik] 〖운율〗 *adj.* 단장격의. ── *m.* 단장격의 시구.
ibérique [ibeʀik] *adj.* 이베리아의 ; 에스파냐와 포르투갈(사람)의 : péninsule ~ 이베리아 반도.
ibid. 《약자》 ibidem 위와 같음, 같은 곳에.
ibidem [ibidɛm] 〔라틴〕 *adj.* 같은 곳에, 같은 책에(《인용문의 출전을 나타냄 ; 《약자》 ib., ibid.》).
ibis [ibis] *m.* 〖조류〗 따오기.
-ible *suff.* 「가능한」의 뜻.
Icare [ika:ʀ] *n.pr.m.* 〖그리스신화〗 이카로스 《밀랍으로 붙인 날개로 하늘을 날다가 추락한 인물》.
iceberg [ajsbɛʀg, isbɛʀg] 〔영〕 *m.* 빙산.
ichtyologie [iktjɔlɔʒi] *f.* 어류학(魚類學).
‡**ici** [isi] *adj. v.* ① 여기에(서)(≠ là), 이곳으로〔에〕: On est bien ~. 이곳은 편안하다 / Viens ~ . 이리 와요 / Il habite près d'~. 그는 이 근처에 산다 / Veuillez signer ~. 여기에 서명해 주세요. ② (전화나 방송에서) 여기는 (…입니다) : Allo ! ~ Jean. 여보세요, 장입니다 / *Ici* Paris. 여기는 파리(방송국)입니다. ③ 《옛》 지금(《현재는 d'~, jusqu'~의 형태로만 쓰임》). ***d'~ à ce*** que+*sub.* 이제부터 …하기까지. ***d'~ (à) deux jours*** 이틀 이내에, ***d'~ (à) longtemps*** 오랫동안, 당분간. ***d'~ (à) samedi*** 지금부터 토요일까지. ***d'~ (à) Séoul*** 여기서 서울까지. ***d'~ là*** 여기서 거기까지; 지금부터 그때까지. ***d'~ peu*** 쉬이, 곧. ***~-bas*** 이승〔이 세상〕에(서) : les choses d'~-*bas* 세상살이의 근심 걱정. ***~ et là*** 여기저기. ***Je vois ça d'~.*** 《구어》 상상할 수 있다, 빤한 일이다. ***jusqu'~*** 여기까지 ; 지금까지. ***par ~*** 이쪽〔이곳〕으로 ; 이 근처에, 이 지역에 : *Par* ~, s'il vous plaît. 자, 이곳으로 오시지요 / Il habite *par* ~. 그는 이 근처에 산다. ***près d'~*** 이 근처에.
-icien, enne *suff.* 「…에 뛰어난 사람, …의 전문가」의 뜻.
icone, icône [iko:n] *f.* ① (그리스 정교의) 성화상(聖畫像), 석모상. ② 〖컴퓨터〗 아이콘.
iconographe [ikɔnɔgʀaf] *m.* 초상〔성상〕학자 ; (미술 출판의) 도판 담당자.
iconographie [ikɔnɔgʀafi] *f.* ① 초상학, 성상학. ② (저명 인물의) 초상〔성상〕집(集); 《집합적》 (미술 출판물의) 도판(圖版).
iconographique [ikɔnɔgʀafik] *adj.* iconographie의.
iconologie [ikɔnɔlɔʒi] *f.* 도상(圖像) 해석.
ictère [iktɛ:ʀ] *m.* 〖의학〗 황달(=jaunisse).
ictérique [ikteʀik] *adj.* 황달성(性)의 ; 황달에 걸린. ── *n.* 황달 환자.
ictus [iktys] *m.* (졸중(卒中)·간질의) 발작 : ~ apoplectique 뇌졸중.
id. 《약자》 idem 상동(上同), 위와 같음.
idéal, e, aux**〔**als**〕 [ideal, -o] *adj.* ① 관념적인, 공상적인 : monde ~ 공상의 세계. ② 이상적인 ; 완벽한 : amour ~ 이상적인 사랑 / Voilà la solution ~*e.* 이것이야말로 이상적인 해결책이다 / chercher un bonheur ~ 완벽한 행복을 추구하다. ── *m.* (*pl.* **~s, -aux**) ① 이상 ; 극치 : réaliser son ~ 이상을 실현하다. ② 이상적인 인물, 이상적인 것〔일〕: Cet homme est l'~ du fonctionnaire. 그 사람은 이상적인 공무원이다. ***L'~ est 〔***serait***〕 ***de***+*inf.* 〔***que***+*sub.*〕 …하는 것이 이상적이다. ***Ce n'est pas l'~.*** 그것은 가장 좋은 것은 아니다.
idéalement [idealmɑ̃] *adv.* 이상적으로.
idéalisation [idealizɑsjɔ̃] *f.* 이상화.
idéaliser [idealize] *v.t.* 이상화하다 ; 관념화하다 ; 미화하다. ── **s'~** *v.pr.* 이상화〔관념화〕되다 ; 미화되다 : L'enfance *s'idéalise* dans le souvenir. 유년 시절은 추억 속에서 미화된다.
idéalisme [ideɑlism] *m.* ① 이상주의(≠réalisme). ② 〖철학〗 관념론(≠matérialisme).
***idéaliste** [idealist] *n.* 이상주의자 ; 관념론자 (≠ matérialiste). ── *adj.* ① 이상주의적인 ; 비실제적인 : avoir une rue trop ~ du problème 문제를 지나치게 이상주의적인 시각에서 보다. ② 관념론적인.
‡**idée** [ide] *f.* ① 관념 ; 개념(=concept) : ~ fixe 고정관념 / association d'~*s* 관념연합 ; 연상 / l'~ de beauté 미의 개념. ② 생각 ; 아이디어, 창의, 착상, 구상 : C'est une bonne ~. 좋은 생각이다 / chercher des ~*s* 아이디어를 모으다 / Il a beaucoup d'~*s.* 그는 아이디어가 풍부하다. ③ 사고, 견해(= opinion), 소신 : ~ reçue 사회통념 / changer d'~ comme de chemise 자주〔쉽게〕 생각을 바꾸다 / chacun a ses ~*s.* 사람마다 나름의 소신이 있다. ④ (*pl.*) 사상 : ~*s* politiques 정치 사상 / ~*s* d'un écrivain 한 작가의 사상. ⑤ 개괄적인 이해(=aperçu); 어림짐작 : Je n'en ai aucune 〔pas la moindre〕 ~. 전혀 짐작이 가지 않는다 / As-tu une ~ du prix ? 대강 얼마일까 ? ⑥ 상상, 공상, 변덕(=fantaisie): vivre à 〔selon〕 son ~ 자기 멋〔생각〕대로 살다 / Voilà encore de vos ~*s* ! 또 묘한 생각을 하시는군요 ! ⑦ 모습, 심상(心像); (작품 따위의) 주제 : ~ maî-

tresse du livre 이 책의 주제. ⑧ 《구어》 조금, 약간 : 《une ~ (de qc)》 *une* ~ *de* sucre 약간의 설탕 / Reculez *une* ~. 조금 물러서시오. ***à l'~ de***+*inf.* 〔***que***+*ind.*〕 …라는 생각에, …라고 생각만 해도 : *À la* seule ~ *de* visiter Paris, mon cœur se met à battre. 파리에 간다는 생각만 해도 가슴이 뛰기 시작한다. ***à son ~*** 자기 생각에 따라. ***avoir dans l'~*** 〔***en ~***〕 ***que*** …라고 생각하다 : J'*ai dans l'~ qu*'il ne viendra pas. 그는 오지 않을 것만 같다. ***avoir des ~s noires*** 우울하다. ***avoir ~*** 〔***l'~***〕 ***que***+*ind.* 《주절이 부정이면+*sub.*》 …라고 생각하다 : J'*ai* ~ *qu*'il sera d'accord. 내 생각에는 그가 동의할 것 같다. ***avoir l'~ de***+*inf.* …할 생각이 들다 : J'*ai eu l'~ d*'aller me promener dans un parc. 나는 공원에 산책하러 갈 생각이 들었다. ***avoir une haute*** 〔***grande***〕 ***~ de*** qc …을 존중하다 ; …을 높이 평가하다. ***avoir une ~*** 〔***l'~***〕 ***de*** qc …이 머리에 떠오르다, …을 마음속에 그리다, 생각해 내다. ***dans*** 〔***avec***〕 ***l'~ de***+*inf.* …할 생각으로. ***en ~*** 상상으로, 상상 속에 : voir qc *en* ~ …을 상상하다. ***Il me vient à l'~*** 〔***en ~***〕 ***que***+*ind.* …할〔라는〕 생각이 들다, 떠오르다. ***L'~ m'est venue de***+*inf.* 〔***que***+*ind.*〕 …할 생각이 들었다, …하고 싶어졌다. ***se faire des ~s*** 《구어》 엉뚱한 생각을 하다, 공상에 잠기다. ***se faire une ~ de*** qc …에 대한 개념을 얻다. …이 무엇인가를 대강 알다. ***se mettre dans l'~*** 생각하다, 명심하다. ***Une bonne ~ !*** 그것 좋은 생각이다! 「개념.

idée-force [idefɔʀs] (*pl.* ***~s-~s***) *f.* 중심

idem [idɛm] *adv.* 〔라틴〕 ① 동상(同上)(《약자》 id.). ② 《구어》 마찬가지로 : Il est reçu à l'examen et moi ~. 그는 시험에 합격했고, 나도 마찬가지이다.

identifiable [idɑ̃tifjabl] *adj.* (신원 따위를) 확인〔식별〕할 수 있는 : corps difficilement ~ 식별 곤란한 사체.

identification [idɑ̃tifikɑsjɔ̃] *f.* ① 동일화, 동일시. ② (신원) 확인, 식별 ; 감정(鑑定).

identifier** [idɑ̃tifje] *v.t.* ① 동일화하다 ; 동일시하다 : ~ A et 〔avec〕 B, A와 B를〔A를 B와〕 동일시하다. ② (신원)을 확인하다, 식별하다 : ~ un voleur 도둑임을 확인하다/~ qn 〔qc〕 avec …을 …에 틀림없다고 확인하다. ③ (광석 따위를) 감정하다. ── ***s'~ *v.pr.* 《s'~ avec 〔à〕》 일체가 되다; 동일시되다: acteur qui *s'identifie avec* son personnage 작중(作中) 인물과 일체가 된 배우.

***identique** [idɑ̃tik] *adj.* 《~ à》 …와 같은, 동일한 : arriver *à* des conclusions ~*s* 동일한 결론에 도달하다 / Mon opinion est ~ *à* la vôtre. 내 의견은 당신 의견과 같다.

identiquement [idɑ̃tikmɑ̃] *adv.* 같게, 동일하게, 마찬가지로.

***identité** [idɑ̃tite] *f.* ① 동일(성), 일치(= accord) : ~ de goût entre deux êtres 두 사람의 공통된 취미. ② 본인임에 틀림없음 ; 신원, 신분: carte d'~ 〖행정〗 신분 증명서 / établir son ~ 신원을 밝히다 / pièces d'~ 신분 증명 서류 / plaque d'~ 명찰 ; 〖군사〗 인식표 / ~ judiciare (경찰의) 감식반. ③ 〖심리〗 아이덴티티 : ~ culturelle 문화적 아이덴티티. ④ 〖철학〗 동일성 : principe d'~ 동일 원리. ⑤ 〖수학〗 항등식(恒等式).

idéo- *préf.* 「관념 · 생각」의 뜻. 「자.

idéogramme [ideɔgʀam] *m.* 표의(表意) 문

idéographie [ideɔgʀafi] *f.* 표의(표기)법, 부호에 의한 의사 표시.

idéographique [ideɔgʀafik] *adj.* 표의의, 상형 문자의.

idéologie [ideɔlɔʒi] *f.* ① 〖철학〗 관념학 ; 관념론 ; 공상론. ② 이데올로기, 관념 체계 : ~ marxiste 마르크스주의적 이데올로기.

idéologique [ideɔlɔʒik] *adj.* ① 관념학적인. ② 관념론적인, 공리적(空理的)인. ③ 이데올로기적인.

idéologiquement [ideɔlɔʒikmɑ̃] *ad.* 이데올로기상, 관념적으로.

idéologue [ideɔlɔg], **idéologiste** [ideɔlɔʒist] *m.* ① 〖철학〗 관념 ; 학파. ② 관념론자 ; 공상가 ; 이상가.

ides [id] *f. pl.* 〖고대로마〗 (로마력(曆)의 3 · 5 · 7 · 10 월의) 15 일 ; (그 밖의 달의) 13 일.

id est [idɛst] *loc. conj.* 즉《i.e. 로 생략》.

idio- *préf.* 「고유의」의 뜻.

idiolecte [idjɔlɛkt] *m.* ① 개인 특유의 언어 사용. ② 〖언어〗 개인어.

idiomatique [idjɔmatik] *adj.* ① 관용적인, 특유 어법의 : expression ~ 관용 어법, 특수 어법. ② 방언의.

idiome [idjoːm] ① (한 국민〔지방〕 · 집단의) 고유 언어, 국어, 방언, 특유어. ② 《옛》 (한 국어의 특유한) 관용어(법) (= idiotisme).

idiosyncrasie [idjɔsɛ̃kʀazi] *f.* ① 〖의학〗 《일반적》 특이질(特異質), (약품에 이상 반응을 보이는) 특이 체질. ② 〖언어〗 (개인적) 특이성.

***idiot, e** [idjo, -ɔt] *adj.* ① 〖의학〗 백치의, 저능한. ② 《구어》 바보 같은, 어리석은 ; 어처구니없는 : histoire ~*e* 형편없는 이야기 / question ~*e* 터무니없는 질문 / film ~ 형편없는 영화 / Elle a été ~*e* d'avoir refusé cette invitation. 그 초대를 거절하다니 그녀도 바보였다. ── *n.* 〖의학〗 백치 ; 《구어》 바보 : faire l'~ 바보짓을 하다.

idiotie [idjɔsi] *f.* ① 〖의학〗 백치, 정신박약(= crétinisme). ② 우매 ; 바보짓, 멍청한 언동 (= bêtise): faire 〔dire〕 des ~*s* 바보짓〔멍청한 말〕을 하다. ③ 《구어》 형편없는 작품 : Quelle ~, ce film ! 이 영화, 정말 형편없군!

idiotisme[1] [idjɔtism] *m.* = idiotie.

idiotisme[2] [idjɔtism] *m.* (한 국어의 특유한) 관용어(법).

idoine [idwan] *adj.* ① 《~ à》 …에 적합한 ; 《~ à+*inf.*》 …할 자격이 있는 : ~ *à* un emploi 어떤 일에 적합한. ⓑ 《~ pour》 …에 적당한, 어울리는 : endroit ~ *pour* canper 캠핑하기에 적당한 장소. ② 《익살》 안성맞춤인, 적합한 : C'est ~ et adéquat. 안성맞춤이다.

idolâtre [idɔlɑːtʀ] *adj.* ① 우상을 숭배하는 : culte ~ 우상 숭배. ② 《~ de》 《문어》 …을 열렬히 사랑〔숭배〕하는 : mère ~ *de* ses enfants 자기 아이들을 열렬히 사랑하는 어머니. ── *n.* ① 우상 숭배자. ② 《문어》 열애하는 사람, 숭배자 ; 심취자.

idolâtrer [idɔlatʀe] *v.t.* 우상처럼 숭배하다 ;

열렬히 사랑하다. — **s'~** *v.pr.* 서로 열애하다.

idolâtrie [idɔlatʀi] *f.* ① 우상 숭배. ② (맹목적) 숭배; 심취; 열렬한 사랑: aimer qn jusqu'à l'~ …을 열렬히 사랑하다.

idolâtrique [idɔlatʀik] *adj.* ① 우상 숭배의. ② 우상처럼 숭배하는: attachement ~ 열렬한〔맹목적인〕애착.

idole [idɔl] *f.* ① 우상: culte des ~*s* 우상 숭배. ② 숭배의 대상; 열렬히 사랑받는 사람. ***faire une ~ de*** qn …을 숭배〔열애〕하다. **~ *du jour*** 시대의 총아.

idylle [idil] *f.* ① 목가, 전원시. ② 청순한 사랑, 순정.

idyllique [idilik] *adj.* 목가(牧歌)의, 전원시풍의: tableau ~ 목가적 그림.

i.e. 《약자》 id est 즉, 다시 말해서.

if [if] *m.* 〖식물〗 ① 주목(朱木). ② 삼각형의 등(燈)걸이; (물기를 없애는) 병(甁)걸이.

igloo, iglou [iglu] *m.* (에스키모의) 얼음집, 눈집.

igname [iɲ(gn)am] *f.* 〖식물〗 마.

ignare [iɲaːʀ] *adj.* ① 무식한: ~ en musique 음악에 대해 무식한. ② 무지몽매한. — *n.* 무식한 사람.

igné, e [igne] *adj.* ① 《문어》 불의; 불 같은. ② 〖지질〗 화성(火成)의: roches ~*es* 화성암.

igni- *préf.* 「불」의 뜻.

ignifugation [ignifygasjɔ̃] *f.*, **ignifugeage** [ignifyʒaːʒ] *m.* ① 내화성(耐火性)으로 만들기. ② 불연소성.

ignifuge [ignifyːʒ] *adj.* 내화성(耐火性)〔불연소성(不燃燒性)〕의: grenade ~ 소화탄(消火彈). — *m.* 불연물(不燃物); 내화 재료.

ignifuger [ignifyʒe] [3] *v.t.* 타지 않게 하다, 내화성으로 만들다.

ignition [ignisjɔ̃] *f.* ① 연소(燃燒) (상태). ② 〖물리〗 발화, 점화: point d'~ 발화점.

***ignoble** [iɲɔbl] *adj.* ① 비열한; 천한, 상스러운(= infâme): ~ individu 비열한 인간/ conduite ~ 비열한 행동 / propos ~*s* 상스러운 말. ② 몹시 불쾌한, 역겨운(= dégoûtant); 더러운: temps ~ 불쾌한 날씨.

ignoblement [iɲɔbləmɑ̃] *adv.* 상스럽게; 더럽게, 비열하게.

ignominie [iɲɔmini] *f.* ① 치욕; 불명예: se couvrir d'~ 치욕을 당하다. ② (행위의) 비열함, 추함: ~ d'un crime 범죄의 비열함.

ignominieusement [iɲɔminjøzmɑ̃] *adv.* 불명예스럽게, 굴욕적으로.

ignominieux, euse [iɲɔminjø, -øːz] *adj.* 불명예스러운, 굴욕적인, 수치스러운.

ignorance [iɲɔʀɑ̃ːs] *f.* ① 무지, 무식; 《~ de》 …을 모름, …에 관한 무지: les siècles *d'*~ 암흑 시대 / ~ crasse 고칠 수 없는〔극도의〕 무지. ② (*pl.*) 심한 착오, 실수. ***être dans l'~ de*** qc …을 모르고 있다. ***par ~*** 몰랐기 때문에, 모르고: pécher *par* ~ 무지한 탓에 죄를 짓다. ***prétendre cause d'~*** 〖법률〗 모른다고 주장하다.

***ignorant, e** [iɲɔʀɑ̃, -ɑ̃ːt] *adj.* 무지한, 무식한; 《~ de》 …을 모르는; 《~ en, dans, sur》 …에 (관해) 무식한, 지식이 없는: homme ~ 무식한 사람 / être ~ *des* usages 관습을 알지 못하다 / ~ comme une carpe 극도로 무식한 / Elle est ~*e en* sciences naturells. 그녀는 자연 과학에 관해서는 모른다. — *n.* 무식한 사람, 문맹자: faire l'~ 모르는 체하다.

ignorantin [iɲɔʀɑ̃tɛ̃] *adj. m.* 무식한, 교양 없는. — *m.* 무지한 형제(= frère ~).

ignoré, e [iɲɔʀe] *adj.* 알려지지 않은; 무시당한; 무명의(= inconnu): événements ~*s* 알려지지 않은 사건들 / 《~ (de qn)》 vivre ~ (de touts) 세상을 등지고 살다.

ignorer** [iɲɔʀe] *v.t.* ① 모르다; 경험이 없다: Elle *ignore* être trahie. 그녀는 배신당한 것을 모른다 / J'*ignorais* qu'il eût 〔avait〕 quitté Paris. 나는 그가 파리를 떠난 것을 모르고 있었다 / Il *ignore* qui je suis. 그는 내가 누군지를 모른다 / ~ la guerre 전쟁을 알지 못한다 / ~ la peur 〔faim〕 두려움〔굶주림〕을 모르다. ② 모르는 체하다; 무시〔묵살〕하다: J'ai décidé de l'~. 나는 그자를 무시하기로 마음먹었다. ~ + *inf.* **;** **~ *que + *sub.* 〔때로 *ind.*〕 …을 모르다. **~ *si*** …인지 어떤지 모르다. ***ne pas ~ que*** 〔+ *ind.*〕 …을 알고 있다. — *v.i.* 《~ de》 《옛》 …을 모르다: Il n'*ignore de* rien. 그는 모르는 것이 없이 다 알고 있다. — **s'~** *v.pr.* ① 자기로서는 눈치채지〔자각하지〕 못하고 있다: amour qui *s'ignore* 자기도 모르게 싹튼 애정. ② 서로 모르는 체하다: voisins de palier qui *s'ignorent* 서로 모르는 체하는 같은 층의 사람들.

iguane [igwan] *m.* 〖동물〗 이구아나《열대아메리카의 큰 도마뱀》.

il** [il] (*pl.* ***ils) *pron. pers. m.* 《구어에서는 종종 자음자 앞, 동사 뒤에서 [i]로 발음함》 그는; 그것은: Il est médecin. 그는 의사이다. — *pron. pers.* 《불변》 《단수·중성》 ① 《비인칭 동사의 주어》 《시간·날씨 기후를 나타내는 동사와 함께》 *Il* est dix heures. 10 시다 / *Il* fait beau. 날씨가 좋다. ② 《문법상의 가주어》 *Il* tombe de la neige. 눈이 내린다 / *Il* est honteux de mentir. 거짓말하는 것은 수치스러운 일이다 / *Il* est vrai qu'elle était malade. 그녀가 병중에 있었다는 것은 사실이다. ③ 《관용표현》 *Il* y a... …이 있다 / Il faut partir. 출발해야 한다. ④ 《고어투〔문어투〕에서》 = ce, cela: *Il* est possible. 그럴지도 모른다 / *Il* n'importe. 아무래도 좋다 / *Il* se peut. 그럴지도 모른다.

il- *préf.* ① 「부(否)·비(非)·불(不)」의 뜻. ② 「내(內)·중(中)·상(上)」의 뜻.

île** [il] *f.* ① 섬. ② (도시의 길로 둘러싸인) 일곽(一廓): ~ de sécurité 안전 지대. ③ les *Î*~*s* 서인도 제도. **~ *flottante 바다 위에 떠 있는 함선; 〖요리〗 달걀 흰자위를 휘저어 떨어뜨린 크림 수프.

ilion [iljɔ̃], **ilium** [iljɔm] *m.* 〖해부〗 장골.

illégal, e, aux [i(l)legal, -o] *adj.* 위법의, 불법의: détention ~*e* 불법 구금 / exercice ~ de la médecine 불법 의료 행위. — *n.* 무법자(= hors-la-loi).

illégalement [i(l)legalmɑ̃] *adv.* 위법〔불법〕적으로.

illégalité [i(l)legalite] *f.* 위법 (성), 범칙, 불법 행위: commettre une ~ 위법 행위를 하다.

illégitime [i(l)leʒitim] *adj.* ① 불법의, 비합법적인(≠ légitime): acte ~ 불법 행위. ② 부당한, 근거 없는: soupçons ~*s* 근거 없는

의심 / colère ~ 까닭 없는 노여움. ③ 사생의 ; 내연의 : enfant ~ 사생아 / union ~ 내연 관계. — *f.* 《구어》 내연의 처, 정부.

illégitimement [i(l)leʒitimmɑ̃] *adv.* 비합법적으로, 부당하게.

illégitimité [i(l)leʒitimite] *f.* ① 비합법(성) ; 내연(內緣) ; 사생(私生). ② 부당(성).

illettré, e [i(l)lɛtʀe] *adj.* 무식한, 문맹의. — *n.* 무식한 사람, 문맹자.

illicite [i(l)lisit] *adj.* ① 부정한, 불법의 : activité ~ d'un médecin marron 무면허의(醫)의 불법 개업. ② 부도덕한 ; 불륜의 : amour ~ 불륜의 사랑. ③ 〖스포츠〗 반칙〔규칙 위반〕의.

illico [i(l)liko] 〔라틴〕 *adv.* 즉시로, 곧.

illimité, e [i(l)limite] *adj.* 한없는, 무제한의 : recevoir des pouvoirs ~*s* 전권을 위임받다 / responsabilité ~*e* 〖상업〗 무한 책임 / être en congé ~ 무기한 휴가 중이다. ***pour une durée ~e*** 무기한으로. — *m.* 무한, 무제한.

illisibilité [i(l)lizibilite] *f.* 읽기 어려움 ; 읽을 가치가 없음.

illisible [i(l)lizibl] *adj.* 읽기 어려운 ; 읽을 가치가 없는 : manuscrit ~ 판독할 수 없는 원고 / roman ~ 읽을 가치가 없는 소설.

illocutionnaire [i(l)lɔkysjɔnɛʀ] *adj.* 〖언어〗 발화내적(發話內的)인.

illogicité [i(l)lɔʒisite] *f.* 비논리, 불합리.

illogique [i(l)lɔʒik] *adj.* 비논리적인, 불합리한, 부조리한 : Il est ~ que+*sub.* …하는 것은 비논리적이다.

illogisme [i(l)lɔʒism] *m.* ① 비논리〔불합리〕(성), 부조리(성). ② 비논리적인 것〔점〕. ③ 모순, 모순된 것 : C'est un ~ flagrant. 그것은 명백한 모순이다.

illumination [i(l)lyminɑsjɔ̃] *f.* ① 조명 ; (*pl.*) 장식등, 장식 조명 : ~ d'un monument 기념물의 조명. ② 〖종교〗 계시 : par l'~ du Saint-Esprit 성령의 계시로. ③ 영감(=inspiration) : ~*s* du poète 시인의 영감.

illuminé, e [i(l)lymine] *adj.* ① 환하게 조명된 ; 조명으로 장식된 : ville ~*e* 야간 조명으로 밝혀진 거리. ② (신의) 계시를 받은. ③ (얼굴 · 눈 따위가) 빛나는 : visage ~ de joie 기쁨으로 환한 얼굴. — *n.* 계시를 받은 사람 ; (종교상의) 환각자 ; 광신자.

***illuminer** [i(l)lymine] *v.t.* ① (환하게) 비추다, 조명하다 ; 일류미네이션으로 장식하다 : Le soleil *illuminait* la chambre. 해가 방을 비추고 있었다. ② (표정 따위를) 밝게〔빛나게〕 하다 : La joie *illumine* son regard. 그의 눈은 기쁨으로 빛나고 있다. ③ 〖종교〗 …에게 계시를 주다 ; 영감을 주다 : Une inspiration soudaine l'*illumina*. 문득 어떤 영감이 그의 머리를 스쳤다. — **s'~** *v.pr.* ① 환해지다, 조명되다. ② (얼굴 · 눈 따위가) 밝아지다, 빛나다 : Ses yeux *s'illuminent* de colère. 그의 눈이 분노로 이글거린다.

illusion** [i(l)lyzjɔ̃] *f.* ① 착각, 환각 ; 환영(幻影) : ~ d'optique 시각상의 착각 / être le jouet 〔la victime〕 d'un ~ 환각에 사로잡히다. ② 환상, 망상, 공상, 잘못된 생각 : se nourrir 〔se repaître〕 *d'~s* 환상을 품다, 공상에 잠기다 / être sans ~*s* (sur qn 〔qc〕) (…에 대해) 아무런 환상도 품지 않다. ③ 요술, 마술. ***faire ~ (***à*** qn) (…을) 속이다. ***se faire des ~ ; être dans l'~*** 환상을 품다, 잘못 생각하다.

illusionner [i(l)lyzjɔne] *v.t.* 환각〔착각〕을 일으키게 하다; 잘못 생각하게 하다. — **s'~** *v.pr.* 《s' ~ sur》 …에 대해 환상을 품다, 착각하다 : Elle *s'illusione sur* ses capacités. 그녀는 자기의 능력에 대해 환상을 품고 있다.

illusionnisme [i(l)lyzjɔnism] *m.* ① 요술, 마술. ② 《옛》 환영, 망상.

illusionniste [i(l)lyzjɔnist] *m.* 마술사, 요술쟁이.

illusoire [i(l)lyzwa:ʀ] *adj* ① 착각을 일으키는, 눈을 속이는 ; 실현되지 않는. ② 헛된, 허망한 : promesse ~ 공허한 약속.

illustrateur, trice [i(l)lystʀatœ:ʀ, -tʀis] *n.* 삽화가.

illustratif, ve [i(l)lystʀatif, -i:v] *adj.* 설명이 되는, 실례가〔실증이〕 되는 : 《~ de》 texte ~ *de* son point de vue 그의 관점을 잘 보여 주고 있는 문장.

***illustration** [i(l)lystʀɑsjɔ̃] *f.* ① 《~ de》 …의 이름을 드높이기〔빛내기〕 ; …의 현양(顯揚) : ~ *de* la famille 가명(家名)을 높이기. ② 《옛》 명성 ; 저명 인사. ③ 삽화(를) 넣기) : ~*s* d'un conte pour enfants 동화의 삽화. ④ (실례(實例)가 되는) 설명, 증명.

***illustre** [i(l)lystʀ] *adj* 저명한, 이름 높은(=célèbre fameux): famille ~ 명문 / Quel est cet ~ inconnu ? 《익살》 저자는 도대체 누구요? — *m.* 명사, 거장 ; 《옛》 고관.

illustré, e** [i(l)lystʀe] *adj.* ① 《~ par》 …으로 유명해진 : région ~*e par* ses vins 포도주로 유명한 지방. ② 삽화가 들어 있는. ***carte postale ~e 그림엽서. — *m.* 그라비아 잡지, 삽화가 있는 신문.

***illustrer** [i(l)lystʀe] *v.t.* ① 저명하게 하다 ; …의 이름을 드높이다〔빛내다〕. ② …에 삽화를〔사진을〕 넣다 : ~ un livre (de dessins) (그림)책에 삽화를 넣다. ③ 예증〔예시〕하다, (주석 따위로) 설명하다 ; (예로써) 보여 주다 (=éclairer) : ~ la définition d'un mot par des citations 인용을 통해 단어의 뜻을 설명하다. — **s'~** *v.pr.* 저명해지다, 이름을 떨치다 : Il *s'est illustré* dans la médecine. 그는 의학으로 이름을 날렸다.

îlot [ilo] *m.* ① 작은 섬 : ~ perdu 외딴섬. ② (도시의) 한 구획 ; (나무 · 집 따위의) 작은 무리 ; (고립된) 소집단, (활동의) 거점 : ~*s* de résistance 저항의 거점 / ~*s* de vieilles maisons 낡은 집이 남아 있는 (시내) 지구.

îlotage [ilɔta:ʒ] *m.* (도시 경찰의) 담당 구역.

ilote [ilɔt] *n.* ① 〖그리스사〗 (스파르타의) 노예 : Il a fait de sa femme une véritable ~. 그는 아내를 진짜 노예처럼 다루었다. ② 천민, 하층민, 무지몽매한 사람들.

ilotisme [ilɔtism] *m.* 〖그리스사〗 노예 제도 ; 노예의 신분 ; 천한 신분.

⁑**ils** [il] *pron. pers. m. pl.* 《IL의 복수》 ① 그들은 ; 그것들은. ② 《속어》 놈들은《상사 · 정부 · 군당국 · 지배 계급 따위를 지칭》.

im- *préf.* ① 「부(否) · 비(非) · 불(不)」의 뜻. ② 「내(內) · 중(中) · 상(上)」의 뜻.

⁑**image** [ima:ʒ] *f.* ① (거울 · 수면 따위에 비친) 상(像), 영상, 모습; 〖광학〗 상(像) : regarder son ~ dans un miroir 거울로 자기

I

모습을 비추어 보다 / ~ réelle 〔virtuelle〕 〖광학〗 실상, 허상. ② 《조형 미술로 구현되는 형상·모습》 화상(畫像), 조상(彫像); 초상(肖像); 그림, 사진, 판화 ; 〖종교〗 성화, 성상 ; (영화·TV의) 화면 : livre d'~*s* 그림책 / ~ de synthèse (컴퓨터에 의한) 합성 화상 / culte des ~*s* 성화 숭배. ③ (사물의 어떤) 모습, 실상(實像), 재현(再現) : ~ du Paris nocturne 파리의 밤 모습 / ~ vivante de sa mère 어머니를 그대로 닮은 모습 / Dieu créa l'homme à son ~. 하느님은 인간을 하느님의 모습대로 창조하셨다. ④ (마음에 비치는) 심상(心像), 이미지, 인상 ; 비유, 은유, 상징, 심벌 : Son style est riche en ~*s*. 그의 문체는 이미지가 풍부하다 / ~ de la jeunesse 청춘의 심벌 / s'exprimer par ~*s* 비유로써 자기 생각을 설명하다. ***expression qui fait*** **~** 그림처럼 생생한 표현 ; 비유적인 표현. **~ *de marque*** 상품〔기업〕 이미지 ; (개인·집단 등이 대중에게 주는) 이미지 : améliorer l'~ *de marque* d'une entreprise 기업의 이미지를 개선하다. ***sage comme une*** **~** (어린이가) 인형처럼 얌전한.

imagé, e [imaʒe] *adj* (문장이) 이미지〔비유〕가 풍부한, 다채로운, 생기 있는.

imagerie [imaʒʀi] *f.* ① 판화 제작업〔판매업〕 ; 《집합적》 판화 : ~ pieuse 종교화 / ~ populaire 통속화. ② 비유, 수사.

imaginable [imaʒinabl] *adj* 상상〔생각〕할 수 있는.

***imaginaire** [imaʒinɛːʀ] *adj.* ① 상상의, 가상의, 가공의(= irréel) : danger ~ 가상적 위험 / malade ~ 상상 환자. ② 〖수학〗 허수(虛數)의 : nombre 〔racine〕 ~ 허수 〔허근(虛根)〕. ── *m.* 상상의 세계 ; 환상, 몽상. ── *f.* 〖수학〗 허수.

imaginatif, ive [imaʒinɑtif, -iːv] *adj* 상상〔공상〕의 ; 상상력〔독창력〕이 풍부한 : faculté 〔puissance〕 ~*ive* 상상력. ── *n.* 상상력이 풍부한 사람, 공상가.

imagination** [imaʒinɑsjɔ̃] *f.* ① 상상(력) : avoir de l'~ 상상력이 풍부하다 / frapper l'~ 상상력을 자극하다. ② 공상, 환상 ; 허구 : se repaître d'~*s* 공상에 잠기다 / Sa peur n'est qu'une pure ~. 그의 공포는 터무니 없는 환상〔사실무근〕이다. ③ 독창력, 창의 ; 착상 : ~ poétique 시적 상상력 / ~ du mathématicien 수학자의 창의력. ***avoir l'~ frappée de qc …에 대한 깊은 인상을 간직하다. ***voir*** qc ***en*** **~** …을 상상하다.

imaginé, e [imaʒine] *adj.* 상상해낸, 고안된, 꾸며낸(= inventé) : histoire ~*e* de toutes pièces 처음부터 끝까지 꾸며낸 이야기.

‡imaginer [imaʒine] *v.t.* ① 생각하다(= croire) : Il *imagine* avoir raison. 그는 자기가 옳다고 생각한다 / ne pas ~ que + *sub.* …라고 생각하지 않다 / 《~ qn 〔qc〕 + 속사》 Je l'*imaginais* plus vieille que ça. 나는 그녀가 그보다 더 늙었다고 생각했었다. ② 상상하다 ; 가정하다(= supposer) : J'*imagine* très bien la scène. 그 장면이 쉽게 상상이 됩니다 / Vous n'*imaginez* pas comment 〔pourquoi〕... 어떻게〔왜〕 …한지 당신은 상상도 못한다 / 《~ que + *sub.*》 *Imaginons qu*'il finisse par céder. 그가 결국 양보한다고 가정해 보자. ③ 생각해 내다, 고안〔안출〕하다(= inventer) : les mesures que l'administration *a imaginées* 행정부가 고안해 낸 조처. ***comme on peut*** **(*se*)** ***l'~*** 상상할 수 있는 바와 같이. **~ *de*** + *inf.* …할 생각을 하다 : Il *a imaginé de* vendre sa voiture. 그는 자기 차를 팔 생각을 했다. **~** + *inf.* **; ~ *que*** + *ind.* 《주절이 부정·의문일 경우에는 + *sub.*》 …라고 생각하다 : J'*imagine qu*'il arrive ce soir. 그가 오늘 저녁 도착할 것으로 생각한다 / Je ne peux pas ~ *qu*'il puisse réussir. 나는 성공하리라고는 믿지 않는다. ***Vous plaisantez, j'imagine.*** 농담이시겠지요.

── **s'~** *v.pr.* ① 《se 는 간접목적보어》 상상하다, 생각하다: Elle *se* l'*imaginait* très différent de ce qu'il était. 그녀는 그것〔그 사람〕을 실제의 것〔모습〕과 아주 다르게 생각하고 있었다. ② 《se 는 직접목적보어》 …한 자기를 상상하다〔마음속에 그려 보다〕 : s'~ à ans, 40 세의 자기 모습을 상상하다 / Il *s'imagine* être grand musicien. 그는 자기가 위대한 음악가라고 믿고 있다. ③ 상상되다 : Cela *s'imagine* aisément. 그것은 쉽게 상상되었다. **s'~** + *inf.* **; s'~ que** + *ind.* 《주절이 부정·의문일 경우에는 + *sub.*》 …하다고〔라고〕 생각하다 : Il *s'imagine* tout savoir. 그는 자신이 모든 걸 안다고 생각한다 / Il *s'imagine qu*'il ne réussira pas son examen. 그는 시험에 합격하지 못할 것이라 생각하고 있다.

imago [imago] *f.* ① 〖곤충〗 엄지벌레, 성충(成蟲). ② 〖정신분석〗 이마고《유년기에 사랑했던 사람의 잔상》.

imbattable [ɛ̃bɑtabl] *adj.* ① 이길 수 없는, 무적의 : champion ~ 무적의 선수 / record ~ 깰 수 없는 기록. ② (가격 따위가) 낮출 수 없는 : soldes à des prix ~*s* 염가 대매출.

imbécile** [ɛ̃besil] *adj.* ① 저능한《I.Q. 20–50》. ② 어리석은, 멍청한 : question ~ 어리석은 질문. ── *n.* ① 〖의학〗 저능아. ② 바보 : Il faut être ~ pour faire ça. 바보가 아니라면 그런 짓은 할 수 없다 / Espèce d'~ ! 멍청한 녀석 ! ***faire l'~ 바보처럼 굴다.

imbécillité [ɛ̃besilite] *f.* ① 우둔함 ; 멍청함, 어리석음 : déplorer l'~ de qn …의 어리석음을 개탄하다. ② 어리석은 짓〔말〕: faire 〔dire〕 des ~*s* 어리석은 짓〔말〕을 하다. ③ 〖의학〗 저능.

imberbe [ɛ̃bɛʀb] *adj* ① 수염이 없는 : visage ~ 수염 없는 얼굴. ② 《경멸》 풋내기의, 애송이의 : jeune homme ~ 풋내기.

imbiber [ɛ̃bibe] *v.t.* ① 적시다 : ~ une éponge 스폰지를 적시다. ② 《~ qc de qc》 …을 …으로 적시다 : la terre *imbibée d*'eau 물에 흠뻑 젖은 땅. ③ (액체가) …에 스며들다. ***trop*** **~** 《구어》 지나치게 마시다.

── **s'~** *v.pr.* ① 《s'~ de》 …으로 적셔지다 ; 《비유》 …에 물들다 : *s'~ de* préjugés 편견에 물들다. ② (물을) 흡수하다 : La terre *s'imbibe d*'eau. 대지가 물기를 흡수한다. ③ 《s'~ dans》 스며들다. ***s'~ de vin*** 술에 취하다.

imbrication [ɛ̃bʀikɑsjɔ̃] *f.* 와상(瓦狀) 배열.

imbriqué, e [ɛ̃bʀike] *adj.* ① 기와〔비늘〕 모양으로 배열된. ② 《비유》 (복잡하게) 뒤얽

힌 : événements ~*s* les uns dans les autres 서로 복잡하게 뒤얽힌 사건들.

imbriquer [ɛ̃bʀike] *v.t.* 기와〔비늘〕 모양으로 배열하다. ── **s'~** *v.pr.* ① (기와 모양으로) 겹쳐지다. ② (문제 따위가) 뒤얽히다 : Cette question est venue *s'~* dans une situation déjà compliquée. 그만해도 복잡한 상황에 그 문제가 겹쳐졌다.

imbroglio [ɛ̃bʀɔljo, -glijo] 〔이탈리아〕 *m.* ① 혼잡, 착잡(=embrouillement), 혼미. ② (소설 · 각본 따위의) 복잡한 구성.

imbu, e [ɛ̃by] *adj* 《~ de》 (감정 · 사상 따위가) 스며든, …에 젖은 : ~ *de* préjugés 편견이 많은 / être ~ *de* soi-même 〔sa supériorité〕 자만심에 젖다.

imbuvable [ɛ̃byvabl] *adj* ① 마실 수 없는, 음료에 적합지 않은 : vin ~ 마실 수 없는 술. ② 《구어》 (사람 · 작품 따위가) 참기 힘든 : spectacle ~ 차마 볼 수 없는 연극 / Cet homme-là est ~. 저자는 상대할 수 없는 사람이다.

imitateur, trice [imitatœ:ʀ, -tʀis] *n.* 모방자 ; 흉내내는 사람 : ~*s* de Racine 라신의 아류들. ── *adj* 흉내내는, 모방을 잘하는.

imitatif, ive [imitatif, -i:v] *adj* 모방하는, 모방성의 ; (말이) 의성(擬聲)의 : mot ~ 〖언어〗 의성어.

imitation** [imitasjɔ̃] *f.* ① 모방, 흉내 ; (연기의) 모방 : don d'~ 모방하는 재주 / arts d'~ 모방 예술《회화 · 조각 따위》. ② 모범으로 삼기, 본받기 : ~ des grands esprits 위대한 정신〔인물〕을 본받기. ③ 모조(품), 가짜 ; 모조 보석 ; (화폐의) 위조 ; 번안 : veste ~ cuir 모조가죽 상의 / ~ de la signature 서명의 위조. ***à l'~ de …을 모방하여, 모범삼아 : *À l'~ de* ses amies, elle a changé de coiffure. 자기 친구들을 따라서 그녀도 머리 모양을 바꾸었다.

imité, e [imite] *adj.* ① 《~ de》 …을 모방한 ; 본뜬 : roman ~ *de* Balzac 발작을 모방한 소설. ② 모조의, 가짜의 : signature ~*e* 가짜 서명.

***imiter** [imite] *v.t.* ① 흉내내다, 모방하다 : ~ les gestes 〔l'accent〕 de qn …의 제스처〔어조〕를 흉내내다. ② 모범으로 삼다, 본받다 : ~ la modestie de qn …의 겸손을 본받다. ③ 모조〔위조〕하다 (=contrefaire): ~ une signature 서명을 위조하다. ④ 《주어 : qc》 …와 닮다, 흡사하다 : Le cuivre doré *imite* l'or. 금박을 입힌 구리는 금과 흡사하다. ── **s'~** *v.pr.* 모방되다 ; 서로 모방하다.

immaculé, e [i(m)makyle] *adj.* ① 더럽혀지지 않은 ; 순결무구한. ② 〖신학〗 원죄(原罪)로 더럽혀지지 않은. ***Agneau ~*** 그리스도. ***I~e Conception*** (***de la Vierge***) 성모의 무염시태(無染始胎).

immanence [i(m)manɑ̃:s] *f.* 내재성(內在性).

immanent, e [i(m)manɑ̃, -ɑ̃:t] *adj.* ① 《~ à》 …의 내부에 존재하는, …에 유래하는 : l'absurdité ~*e à* la société actuelle 현사회에 내재하는 부조리. ② 〖철학〗 내재적인.

immangeable [ɛ̃mɑ̃ʒabl] *adj* 먹을 수 없는, 식용에 적합하지 않은.

immanquable [ɛ̃mɑ̃kabl] *adj* ① 필연적인, 불가피한 : conséquence ~ 필연적 결과. ② 틀림없는, 확실한 : moyen ~ 확실한 방법.

immanquablement [ɛ̃mɑ̃kabləmɑ̃] *adv.* 틀림없이, 반드시, 필연적으로.

immatériel, elle [i(m)mateʀjɛl] *adj* ① 〖철학〗 비물질적인 : êtres ~*s* 비물질적 존재. ② 비육체적인 : plaisir ~ 정신적인 쾌락. ── *m.* 비물질적인 것, 무형물 : domaine de l'~ 비물질 세계.

immatériellement [i(m)mateʀjɛlmɑ̃] *adv.* 비물질적으로, 무형으로.

immatriculation [i(m)matʀikylasjɔ̃] *f.* ① 등록, 등기(=inscription): numéro 〔plaque〕 d'~ d'une automobile 자동차 등록 번호〔번호판〕 / carte d'~ à la Sécurité sociale 사회 보장 카드. ② 〖군사〗 병적(兵籍).

immatriculer [i(m)atʀikyle] *v.t.* ① 등록하다 : se faire ~ à la Faculté de droit 법과대학에 등록하다 / voiture *immatriculée* dans (le département de) la Sarthe 사르트도(道) 등록 번호의 차. ② 〖군사〗 병적에 등록하다. ③ (재산을) 등기하다.

immature [i(m)maty:ʀ] *adj.* (정신적으로) 미숙한, 유치한.

immaturité [i(m)matyʀite] *f.* 미숙 ; 미성년 ; 미발달 ; 미완성 : ~ biologique 생물학적 미숙 / ~ d'un projet 계획의 미숙.

immédiat, e** [i(m)medja, -at] *adj.* ① 직접의(=direct ; ≠ médiat) : cause ~*e* 직접적인 원인. ② 《공간적 · 시간적》 근접한 ; 바로 옆〔앞 · 뒤〕의 ; 임박한 : dans le 〔au〕 voisinage ~ de votre maison 당신 집 바로 근처에 / danger ~ 임박한 위험. ③ 즉시의, 당장의, 즉각적인, 조속한 : effet ~ 즉효 / réponse ~*e* 즉각적인 해답. ── *m.* 당장, 시급. ***dans 〔***pour***〕 ***l'~*** 당장(으로서는) : Rien ne presse, du moins *dans l'~*. 적어도 지금 당장은 급할 게 없다.

***immédiatement** [i(m)medjatmɑ̃] *adv.* ① 직접적으로 ; (시 · 공간적으로) 바로 : suivre qn ~ 바로 …의 뒤를 따르다. ② 곧, 즉시, 당장에 : Sortez ~ ! 당장 나가시오 !

immémorial, e, aux [i(m)memɔʀjal, -o] *adj.* 아득한 옛날의, 태고의 : de temps ~ ; aux temps ~*aux* 까마득한 옛날에 / depuis un temps ~ 태고적부터.

***immense** [i(m)mɑ̃:s] *adj.* ① 무한한(=illimité, infini), 광대한, 드넓은, 거대한(=vaste) : cathédrale ~ 거대한 성당 : avenir ~ 무한한 미래 / océan ~ 드넓은 대양. ② 거대한, 막대한, 엄청난(=énorme, gigantesque) : ~ succès 대성공 / ~ fortune 막대한 재산 / ~*s* effotrs 엄청난 노력.

immensément [i(m)mɑ̃semɑ̃] *adv.* 한없이, 무한히 ; 엄청나게, 매우.

immensité [i(m)mɑ̃site] *f.* ① 무한 ; 광대 ; 무한한 공간 : ~ du désert 사막의 광막함 / Les étoiles scintillent dans l'~. 무한한 공간 속에서 별들이 반짝인다. ② 막대함, 엄청남 : ~ de ses richesses 그의 엄청난 재산.

immerger [i(m)mɛʀʒe] [3] *v.t.* ① (물에) 잠그다, 가라앉게 하다 ; (시체를) 수장하다 : un câble 해저 전선을 부설하다. ② 〖천문〗 (다른 전체를) 가리다《식(蝕) 현상》. ── **s'~** *v.pr.* 잠기다, 가라앉다.

immérité, e [i(m)meʀite] *adj.* 과분한, 분에

넘치는(≠ mérité), 부당한(= injuste) : dégradation ~*e* 부당한 자격 박탈 / honneurs ~*s* 과분한 영광.

immersion [i(m)mɛʀsjɔ̃] *f.* ① 수몰 ; 수장(水葬); (잠수함의) 잠수 : vitesse en ~ (잠수함의) 잠항(潛航) 속도. ② (전선 따위의) 수중 부설 : ~ d'un câble 해저 케이블 부설.

immettable [ɛ̃mɛtabl] *adj.* (옷이) 입을 수 없는.

***immeuble** [i(m)mœbl] *adj.* 부동(不動)의 ; 부동산의 : biens ~*s* 부동산. ── *m.* ① 부동산(= biens ~*s*) ; 가옥 ; 토지. ② 《구어》 건물 ; 빌딩 ; 아파트 : ~ à usage locatif 임대 아파트 / ~ de grande hauteur 고층 빌딩(《약자》 I.G.H.) / ~*s* résidentiels (고급) 맨션.

immigrant, e [i(m)migʀɑ̃, -ɑ̃:t] *n.* (타국으로부터의) 이주민, 이민자.

immigration [i(m)migʀɑsjɔ̃] *f.* (타국으로부터의) 이주, 이민(≠ émigration) : lois sur l'~ 이민법 / ~ permanente 영구 이민.

***immigré, e** [i(m)migʀe] *adj.* (타국으로부터) 이주한, 이민온 : travailleurs ~*s* 이주 노동자 / population ~*e* 이주민. ── *n.* (타국으로부터의) 이주자, 식민자.

immigrer [i(m)migʀe] *v.i.* (타국으로부터) 이주하다, 이민오다.

imminence [i(m)minɑ̃:s] *f.* 절박 ; 임박 : ~ de la crise 임박한 위기.

imminent, e [i(m)minɑ̃, -ɑ̃:t] *adj.* 절박〔촉박〕한, 초미(焦眉)의 : danger ~ 절박한 위험 / orage ~ 금방이라도 쏟아질 것 같은 소나기.

immiscer (s') [si(m)mise] [2] *v.pr.* 《s'~ dans》 …에 관계하다, 개입〔간섭·참견〕하다 : *s'~ dans* la vie privée d'autrui 남의 사생활에 간섭하다 / *s'~ dans* une succession 〖법률〗 상속 재산을 점유하다.

immixtion [i(m)miksjɔ̃] *f.* 《~ dans》 …에의 간섭, 개입, 참견 : ~ *dans* une succession 〖법률〗 상속 재산 점유.

***immobile** [i(m)mɔbil] *adj.* ① 움직이지 않는, 부동의 ; 조용한 : mer ~ 잔잔한 바다 / ~ comme une souche 〔une statue〕 미동도 하지 않는. ② 변하지 않는, 굳어버린 : dogmes ~*s* 불변의 교리.

immobilier, ère [i(m)mɔbilje, -ɛ:ʀ] *adj.* 부동산으로 된, 부동산의 : agent 〔promoteur〕 ~ 부동산 중개업자 / saisie 〔vente〕 ~*ère* 부동산 압류〔매각〕 / société ~*ère* 부동산 회사 / biens ~*s* 〖법률〗 부동산. ── *m.* 〖법률〗 《집합적》 부동산 ; 부동산업.

immobilisation [i(m)mɔbilizɑsjɔ̃] *f.* ① 움직이지 않게 하기 ; 고정 ; 정치, 정체 : ~ d'un membre blessé 다친 팔을 고정시키기. ② 〖회계〗 (자본의) 고정화 ; (*pl.*) (기업의) 고정 자산. ③ 〖법률〗 동산의 부동산화.

immobiliser [i(m)mɔbilize] *v.t.* ① 움직이지 않게 하다, 정지시키다(= arrêter) ; 고정시키다 : voiture *immobilisée* par une panne 고장으로 서 버린 차 / La grippe l'*a immobilisé* une semaine. 그는 감기로 일주일을 꼼짝하지 못했다. ② 《비유》 정체시키다, 마비시키다 : ~ l'histoire 역사를 정체시키다. ③ 〖의학〗 (팔·다리를) 고정시키다 : ~ un membre fracturé 골절된 다리를 (깁스로) 고정시키다. ④ (동산을) 부동산화하다. ⑤ 〖재정〗 (자본을) 고정시키다, 동결하다. ── **s'~** *v.pr.* 움직이지 않게 되다 ; 정지하다 ; 고정되다.

immobilisme [i(m)mɔbilism] *m.* 극단적 보수주의, 퇴영주의 ; 수구 ; 반혁신주의.

immobiliste [i(m)mɔbilist] *adj.* 보수적인, 수구적인. ── *n.* 보수〔수구〕주의자.

immobilité [i(m)mɔbilite] *f.* ① 부동〔고정〕 상태 ; 굳어 있음 : ~ de l'eau 고여 있는 물 / ordonner l'~ complète à un malade 환자에게 절대 안정을 지시하다 / ~ du visage 굳은 얼굴 / garder l'~ 〖군사〗 부동자세를 취하다. ② 《비유》 정체 ; 불변 : ~ d'une situation 상황의 정체.

immodéré, e [i(m)mɔdeʀe] *adj.* 무절제한, 과도한(= abusif) ; 터무니없는 : dépenses ~*es* 무절제한 지출 / usage ~ de l'alcool 과도한 음주 / prix ~ 터무니없는 가격.

immodérément [i(m)mɔdeʀemɑ̃] *adv.* 지나치게, 과도하게, 무절제하게.

immodeste [i(m)mɔdɛst] *adj.* 불손한, 버릇없는, 건방진 ; 추잡한.

immolation [i(m)mɔlɑsjɔ̃] *f.* ① 제물(祭物) 바치기 ; 제물 공양 : ~ des victimes 희생자들을 제물로 바치기. ② (자기)희생 ; (항의를 위한) 분신 자살 : ~*s* sociales 사회적인 자기희생.

immoler [i(m)mɔle] *v.t.* ① (신에게) 제물로 바치다. ② 살육하다, 죽이다 : ~ qn à sa rage 격분한 나머지 …을 죽이다. ③ 《~ qc 〔qn〕 à 〔pour〕》 …을 위해 희생시키다 ; …에〔에게〕바치다 : ~ son amour à son devoir 의무를 위해 사랑을 희생시키다 / Il *a* tout *immolé* pour sa patrie. 그는 조국을 위해 모든 것을 바쳤다. ── **s'~** *v.pr.* 《s'~ à 〔pour〕》 …을 위해 목숨을 바치다 ; …을 위해 자기를 희생하다.

immonde [i(m)mɔ̃:d] *adj.* ① 더러운(= sale); 음탕한 ; 비열한(= ignoble) : taudis ~ 더러운 집 / péché ~ 음란〔색욕〕의 죄. ② 〖종교〗 불결한(= impur) : esprit ~ 악마.

immondice [i(m)mɔ̃dis] *f.* (*pl.*) 오물, 쓰레기(= ordure) : enlèvement des ~*s* 쓰레기 수거 / dépôt d'~*s* 쓰레기 버리는 곳 / Défense de déposer des ~*s*. 쓰레기 버리지 말 것.

***immoral, e, aux** [i(m)mɔʀal, -o] *adj.* ① 부도덕한, 패덕(悖德)한 : homme ~ 패덕자 / livre ~ 부도덕한 책. ② 음탕한, 외설스러운.

immoralisme [i(m)mɔʀalism] *m.* 비도덕주의, 배덕주의.

immoraliste [i(m)mɔʀalist] *a.* 배덕(背德) 주의의. ── *n.* 배덕자.

immoralité [i(m)mɔʀalite] *f.* ① 배덕, 부도덕 ; 외설. ② 부도덕한 행위.

immortaliser [i(m)mɔʀtalize] *v.t.* (영원) 불멸〔불후〕하게 하다, 영원히 전하다 : Ce roman *a immortalisé* son nom. 이 소설은 그녀의 이름을 영구히 남기게 했다. ── **s'~** *v.pr.* (자기의) 명성을 영원히 전하다.

immortalité [i(m)mɔʀtalite] *f.* ① 불사(不死), 불멸 : ~ de l'âme 영혼의 불멸. ② 불후(不朽)(의 명성): entrer dans l'~ 불후의 명성을 얻다.

***immortel, elle** [i(m)mɔʀtɛl] *adj.* ① 불사의, 불멸의; 영원한: amour ~ 불멸의 사랑. ② 불후의: chef-d'œuvre ~ 불후의 명작. — *n.* ① 불사자; 신. ② (*pl.*) les *I~s* 아카데미 프랑세즈 회원. — *f.* 〖식물〗 ① 부조초(不凋草)《보릿대 국화 따위》. ② 에델바이스(= ~ des neiges).

immotivé, e [i(m)mɔtive] *adj.* ① 이유〔동기〕 없는, 근거 없는: réclamation ~*e* 근거 없는 이의 신청 / peur ~*e* 이유 없는 두려움. ② 〖언어〗 (언어 기호가) 무동기의.

immuabilité [i(m)mɥabilite] *f.* 요지부동, 불변성(= immutabilité).

immuable [i(m)mɥabl] *adj.* 변함없는, 불변의; 확고 부동한: passion ~ 변함없는 열정 / vérité ~ 불변의 진리 / Il est ~ dans ses convictions. 그는 신념이 확고부동하다.

immuablement [i(m)mɥabləmɑ̃] *adv.* 끊임없이, 변함없이.

immunisation [i(m)mynizɑsjɔ̃] *f.* 〖의학〗 면역화; 면역 효과. ~ active 〔passive〕 능동 〔수동〕 면역.

immuniser [i(m)mynize] *v.t.* 《~ contre》 ① (…에 대해) 면역시키다(= vacciner) : *être immunisé contre* la rougeole 홍역에 면역이 되게 하다. ② (유혹 따위에) 무감각하게 만들다: Personne n'*est immunisé contre* certaines tentations. 어떤 유혹(誘惑)에도 빠지지 않는 사람은 없다.

immunitaire [i(m)mynitɛːʀ] *adj.* 〖의학〗 면역(성)의: réaction ~ 면역 반응.

immunité [i(m)mynite] *f.* ① (세금·노역 따위의) 면제; 〖법률〗 (외교관·국회의원 따위의) 면책 특권: ~ parlementaire 〖법률〗 (국회의원의) 면책 특권. ② 〖의학〗 면역(성).

immun(o)- *préf.* 「면역」의 뜻. 「역학.

immunologie [i(m)mynɔlɔʒi] *f.* 〖의학〗 면

immutabilité [i(m)mytabilite] *f.* 불변성, 불역성(不易性); 〖법률〗 (계약 내용의) 불변성.

impact [ɛ̃pakt] *m.* ① 충돌: ~ des électrons 전자의 충돌. ② 〖군사〗 착탄(着彈): (point d')~ 착탄점; 탄흔(彈痕). ③ 《비유》 충격, 영향, 효과: force d'~ 충격력 / ~ d'un événement 사건의 충격 / force d'~ des médias 대중 매체의 영향력.

impair, e** [ɛ̃pɛːʀ] *adj.* 홀수의, 기수의(≠ pair); 좌우 비대칭(非對稱)의: nombre ~ 홀수 / côté ~ (가로의) 홀수 번지측(側). ***jours ~s 홀수의 날; 월·수·금요일. ***voie ~e*** 〖철도〗 하행선. — *m.* ① 홀수, 기수; 반(쪽). ② 《구어》 실수(= maladresse), 서투른 짓: commettre 〔faire〕 un ~ 실수하다.

impalpable [ɛ̃palpabl] *adj.* ① 만져서 느껴지지 않는; 〖의학〗 촉진(觸診)할 수 없는. ② 극히 미세한.

imparable [ɛ̃pɑʀabl] *adj.* (특히 스포츠에서) 피할 수 없는, 불시의: un coup ~ 피할 수 없는 일격.

impardonnable [ɛ̃paʀdɔnabl] *adj.* 용서할 수 없는(= inexcusable): faute ~ 용서할 수 없는 과오 / 《être~ de+*inf.*》 Elle *est* ~ *d'*avoir fait cela. 그녀가 그런 짓을 한 것은 용서할 수 없다.

***imparfait, e** [ɛ̃paʀfɛ, -ɛt] *adj.* 불완전한, 불충분한(= insuffisant), 미(未)완성의: connaissance ~*e* 불완전한 지식 / ouvrage ~ 미완성 작품. — *m.* ① 불완전, 미완성. ② 〖언어〗 반과거.

imparfaitement [ɛ̃paʀfɛtmɑ̃] *adv.* 불완전하게; 미완성으로.

imparisyllabe [ɛ̃paʀisi(l)lab], **imparisyllabique** [ɛ̃paʀisi(l)labik] *adj.* 〖언어〗 부등철음(不等綴音)의《주격형보다 소유격형이 음절수가 많은》. — *m.* 부등철음어(語).

impartial, e, aux [ɛ̃paʀsjal, -o] *adj.* 공평(무사)한, 공정한, 편파성 없는: judge ~ 공정한 심판 / critique ~ 편파성 없는 비판.

impartialement [ɛ̃paʀsjalmɑ̃] *adv.* 공평하게, 공정하게.

impartialité [ɛ̃paʀsjalite] *f.* 공평, 공정: juger avec ~ 공정하게 판단하다. ***en toute ~*** 공명정대하게.

impartir [ɛ̃paʀtiːʀ] *v.t.* 《부정법·직설법 현재·과거분사로만 쓰임》 〖법률〗 (권리·은혜·유예 따위를) 주다: dons que la nature nous *a impartis* 자연이 우리에게 준 선물 / ~ un délai 〖법률〗 유예 기간을 주다.

impasse** [ɛ̃pɑːs] *f.* ① 막다른 골목(= cul-de-sac): habiter dans une ~ 막다른 골목에서 살다. ② 《비유》 진퇴양난〔유곡〕(의 처지), 궁지, 곤경: Les négociations sont dans une ~. 교섭은 궁지에 빠져 있다 / ~ budgétaire 〖경제〗 예산 적자(= déficit budgétaire). ***faire l'~ sur qc …에 관하여 일부러〔각오하고〕 모험을 무릅쓰다. ***faire une ~*** 〖카드놀이〗 끝수가 높은 패를 남겨두고 낮은 패로 패를 따다.

impassibilité [ɛ̃pasibilite] *f.* 태연자약; 냉정, 평정; 무감동: ~ du visage 태연한 얼굴 / garder son ~ 평정을 유지하다.

***impassible** [ɛ̃pasibl] *adj.* ① 태연한; 냉정한; 무감각〔무감동〕한: air ~ 냉정한 태도. ② (재판이) 공정한.

impassiblement [ɛ̃pasibləmɑ̃] *adv.* 태연하게; 냉정하게.

impatiemment [ɛ̃pasjamɑ̃] *adv.* 참다 못하여, 초조하여, 안달이 나서: attendre ~ 애태우며 기다리다.

impatience [ɛ̃pasjɑ̃ːs] *f.* ① 참을성 없음, 성급함; 참지 못함: l'~ de la jeunesse 젊은이의 성급함. ② 초조(감), 애타는 심정: attendre avec ~ 애타게 기다리다 / brûler 〔griller〕 d'~ 초조해서 못견디다. ***avoir des ~s dans les jambes*** 안절부절못하다. ***avoir une grande ~ de***+*inf.* …하고 싶어 못견디다. ***être dans l'~ de***+*inf.* …하고 싶어 못견디다.

***impatient, e** [ɛ̃pasjɑ̃, -ɑ̃ːt] *adj.* ① 참을성 없는, 성급한; 《~ de》 …을 참지 못하는: avoir l'humeur ~*e* 성격이 급하다 / être *d'*un caractère ~ 참을성 없는 성질이다. ② 《~ de》 …을 열망하는; 《être ~ de+*inf.*》 …하고 싶어 안절부절못하다; 《être ~ que +qc》 …을 초조하게 기다리다: *d'*un air ~ 초조한 듯이 / être ~ *de* la victoire 승리를 열망하다 / être ~ *de* partir 몹시 떠나고 싶어하다 / Il est ~ *de* vous revoir. 그는 당신을 다시 만나기를 몹시 바라고 있다.

impatienter [ɛ̃pasjɑ̃te] *v.t.* 참을 수 없게 하다, 성가시게〔화나게〕 하다; 초조하게 하다,

I

애타게 하다 : Il m'*impatiente*. 저자는 보기만 해도 신경질이 난다. ── **s'~** *v.pr.* ① 참지 못하다, 화를 내다. ② 초조해하다, 안절부절못하다. ***s'~ de*** qc 〔***contre*** qn〕 (화가 나서) …을 참지 못하다, …에〔에게〕 화를 내다 : Je *m'impatiente des* longueurs de ce voyage. 이 긴 여행이 짜증스럽다. ***s'~ de***+*inf.* …하고 싶어서 못견디다 : Il *s'impatient de* la voir. 그는 그녀를 애타게 보고 싶어한다. ***s'~ de***+***ne pas*** *inf.* …하지 못해 초조해 하다.

impatroniser [ɛ̃patʀɔnize] *v.t.* (규칙 · 관습 따위를) 강요하다. ── **s'~** *v.pr.* 주인 행세하다.

impavide [ɛ̃pɑvid] *adj.* 두려움 없는(= intrépide), 담대한 : rester ~ devant le danger 위험 앞에서 의연하다.

impayable [ɛ̃pɛjabl] *adj.* 《구어》 괴상한, 별난, 우스꽝스러운(= bizarre, ridicule) : aventure ~ 별난 사건.

impayé, e [ɛ̃pɛ(e)je] *adj.* 아직 지불하지 않은, 미불의. ── *m. pl.* 부도 수표〔어음〕.

impec [ɛ̃pɛk] *a.* 《구어》 아주 좋은, 기막힌.

***impeccable** [ɛ̃pe(ɛk)kabl] *adj.* ① 결점 없는, 나무랄 데 없는, 완전무결한 : tenue ~ 나무랄 데 없는 복장 / parler un français ~ 완벽한 프랑스어를 말하다. ② 〖종교〗 죄〔과오〕를 지은 일이 없는(= infaillible).

impeccablement [ɛ̃pe(ɛk)kabləmɑ̃] *adv.* 나무랄 데 없이, 완전무결하게.

impécunieux, euse [ɛ̃pekynjø, -ø:z] *adj.* 돈이 없는, 빈곤한(= pauvre).

impédance [ɛ̃pedɑ̃:s] *f.* 〖전기〗 임피던스 : bobine d'~ 임피던스 코일.

impédimenta [ɛ̃pedimɛ̃ta] 〔라틴〕 *m. pl.* ① (행군을 방해하는) 짐, 보급품. ② 거추장스러운 것 ; 장애물.

impénétrabilité [ɛ̃penetʀabilite] *f.* ① 뚫고 들어갈 수 없음 ; 〖물리〗 불가입성. ② (신비 · 마음이) 헤아릴〔이해할〕 수 없음.

impénétrable [ɛ̃penetʀabl] *adj.* ① 뚫고 들어갈 수 없는, 침투할 수 없는 : ~ à l'eau 물이 들어가지 못하는 / ~ à l'influence étrangère 외국의 영향을 받지 않는 / forêt ~ aux rayons du soleil 햇빛이 뚫고 들어갈 수 없는 숲. ② 불가해한 ; (사람 · 얼굴 따위가) 속을 알 수 없는, 무표정한 : visage ~ 속을 짐작할 수 없는 표정 / mystère ~ 불가해한 수수께끼. ③ 〖물리〗 불가입성의.

impénitence [ɛ̃penitɑ̃:s] *f.* 죄를 뉘우침이 없음(≠ repentir); 미망(迷妄)에서 깨어나지 않음 : ~ finale 죽을 때까지 회개하지 않음.

impénitent, e [ɛ̃penitɑ̃, -ɑ̃:t] *adj.* ① 죄를 뉘우치지 않는 , 개전(改悛)의 정이 없는 : pécheur ~ 회개하지 않는 죄인. ② 《구어》 잘못을 고치지 않는, 상습의 : fumeur ~ 상습 흡연자. ── *n.* 회개하지 않는 사람 ; 상습자.

***impensable** [ɛ̃pɑ̃sabl] *adj.* 상상할 수 없는 ; 있음 직하지 않은(= invraisemblable).

***imper** [ɛ̃pɛ:ʀ] *m.* 《구어》 비옷, 레인코트.

impératif, ive** [ɛ̃peʀɑtif, -i:v] *adj.* ① 명령적인, 강압적〔강제적〕인 : d'une voix *~ive* 명령조로. ② 절대적인, 반드시 필요한, 긴급한 : besoins *~s* de l'économie française 프랑스 경제에 필요 긴급한 것들. ③ 〖문법〗 명령법의. ***loi ~ive 〖법률〗 강행법. ***mandat ~*** 〖법률〗 강제 위임. ── *m.* ① 〖문법〗 명령법(= mode ~). ② ⓐ 〖철학〗 명령 : ~ catégorique 〔hypothétique〕 정언적(定言的)〔가언적(假言的)〕 명령《칸트 철학 용어》. ⓑ 절대적 필요성, (정치 · 경제 따위의) 지상 명령, 요청 ; (유행 따위의) 강요 : *~s* de la défense nationale 국방의 절대 필요성.

impérativement [ɛ̃peʀɑtivmɑ̃] *adv.* 명령조로, 강제〔강압〕적으로.

impératrice [ɛ̃peʀatʀis] *f.* 《empereur의 여성형》 황후 ; 여제(女帝).

***imperceptible** [ɛ̃pɛʀsɛptibl] *adj.* ① 지각〔감지〕되지 않는 ; 눈에 보이지 않는 : ~ à l'œil nu 육안으로 보이지 않는. ② 극히 작은 ; 대수롭지 않은, 미미한 : changement *~s* 미미한 변화.

imperceptiblement [ɛ̃pɛʀsɛptibləmɑ̃] *adv.* 지각〔감지〕할 수 없을 만큼 ; 눈에 띄지 않게 ; 미미하게, 조금씩 : changer ~ 조금씩 변하다.

imperdable [ɛ̃pɛʀdabl] *adj.* (재판 · 시합 따위가) 질 리가 없는, 필승의 : procès ~ 반드시 이기는 재판.

imperfectible [ɛ̃pɛʀfɛktibl] *adj.* 완전하게 할 수 없는, 완성할 수 없는.

imperfectif [ɛ̃pɛʀfɛktif] *adj.* 〖언어〗 미완료의 : aspect ~ 미완료상(未完了相). ── *n.* 미완료상.

imperfection [ɛ̃pɛʀfɛksjɔ̃] *f.* ① 불완전 ; 미완성. ② 결함, 결점(= défaut) : *~s* morales 정신적 결함 / *~s* d'un ouvrage 작품의 결점.

impérial, e, aux [ɛ̃peʀjal, -o] *adj.* ① 황제의 ; 황실의 ; 제국의 : ordonnance *~e* 칙령 / Sa Majesté *I~e* 황제 폐하. ② 황제 같은, 위풍당당한 ; 오만한. ── *f.* ① (승합 마차 따위의) 지붕 윗자리. ② (나폴레옹 3세식의) 황제 수염(= barbe à l'*~e*)《아랫입술 밑의 수염》. ③ 〖카드놀이〗 같은 무늬의 에이스 · 킹 · 퀸 · 잭의 한 벌(= série *~e*).

impérialement [ɛ̃peʀjalmɑ̃] *adv.* 황제답게 ; 위풍당당하게.

impérialisme [ɛ̃peʀjɑlism] *m.* 제국주의(정책).

***impérialiste** [ɛ̃peʀjalist] *adj.* 제정(帝政)을 주장하는 ; 제국주의의. ── *n.* 제정론자 ; 제국주의자.

impérieusement [ɛ̃peʀjøzmɑ̃] *adv.* ① 명령조로 ; 오만하게 : parler ~ 강압적으로〔명령조로〕 말하다. ② 긴급하게 ; 마지못해.

***impérieux, euse** [ɛ̃peʀjø, -ø:z] *adj.* ① 명령적인 ; 오만한, 거만한 : air ~ 강압적인 태도. ② 절대적인, 거역할 수 없는, 어쩔 수 없는, 긴급한 : obligation *~euse* 절대적인 의무 / désir ~ 억제할 수 없는 욕망.

impérissable [ɛ̃peʀisabl] *adj.* 불멸의, 불후의 : souvenir ~ 영원히 남을 기억.

impérissablement [ɛ̃peʀisabləmɑ̃] *adv.* 불멸로, 영구히.

impéritie [ɛ̃peʀisi] *f.* ① (특히 직업상의) 무지, 무능 : ~ du gouvernement 정부의 무능. ② 무경험, 졸렬.

imperméabilisation [ɛ̃pɛʀmeabilizɑsjɔ̃] *f.* 방수 ; (옷감 따위의) 방수 가공.

imperméabiliser [ɛ̃pɛʀmeabilize] *v.t.* 불

침투성으로 만들다, (피륙을) 방수 가공하다 : tissu *imperméabilisé* 방수포.

imperméabilité [ɛ̃pɛʀmeabilite] *f.* ① 불침투성, 방수성(防水性). ② 둔감.

***imperméable** [ɛ̃pɛʀmeabl] *adj.* ① 방수된 : manteau ~ 레인코트 겸용 코트. ② 《~ à》 ⓐ …이 침투하지 못하는 : ~ *à* la poussière 〔lumière〕 먼지를〔광선을〕 막는 / ~ *au* gaz 가스 방지의. ⓑ (사람이) …에 둔감한 ; 이해하지 못하는 : ~ *à* l'art 예술을 이해하지 못하는 / ~ *aux* sentiments d'autrui 타인의 감정에 무감각한. — *m.* 〚복장〛 비옷, 레인코트.

impersonnalité [ɛ̃pɛʀsɔnalite] *f.* ① 비인격성 ; 몰개성(沒個性) ; 보편성 : ~ d'un jugement 판단의 객관성. ② 〚문법〛 비인칭.

***impersonnel, elle** [ɛ̃pɛʀsɔnɛl] *adj.* ① 비인격적인 ; 개성 없는, 평범한 : decor ~ 개성 없는〔평범한〕 인테리어. ② 보편적인 ; 공평한, 객관적인 : jugement ~ 공평한 판단 / compte-rendu ~ 객관적 비평. ③ 〚문법〛 비인칭의. — *m.* 비인칭 동사.

impersonnellement [ɛ̃pɛʀsɔnɛlmɑ̃] *adv.* ① 비인격적으로 ; 비개성적으로. ② 〚문법〛 비인칭으로.

impertinence [ɛ̃pɛʀtinɑ̃:s] *f.* 무례, 불손, 버릇없음 ; 무례한 언동 : avec ~ 무례하게 / faire 〔dire〕 des ~*s* 무례한 짓〔말〕을 하다.

impertinent, e [ɛ̃pɛʀtinɑ̃, -ɑ̃:t] *adj.* 무례한, 불손한 ; 버릇없는, 건방진(= insolent) : manières ~*es* 무례한 태도. — *n.* 무례한 자 ; 버릇없는 사람.

imperturbabilité [ɛ̃pɛʀtyʀbabilite] *f.* 침착, 태연자약, 냉정.

***imperturbable** [ɛ̃pɛʀtyʀbabl] *adj.* 침착한, 차분한, 냉정한(= calme ; ≠ ému) : confiance ~ 흔들림 없는 확신 / rester ~ sous les reproches 비난 속에서도 냉정을 유지하다.

imperturbablement [ɛ̃pɛʀtyʀbabləmɑ̃] *adv.* 침착〔태연 · 냉정〕하게.

impétigo [ɛ̃petigo] *m.* 〚의학〛 소농포진(小膿疱疹).

impétrant, e [ɛ̃petʀɑ̃, -ɑ̃:t] *n.* 〚법률〛 (면허증 · 자격증 따위의) 취득자.

impétueux, euse [ɛ̃petɥø, -ø:z] *adj.* ① 격렬한, 맹렬한 : vent 〔torrent〕 ~ 맹렬한 바람〔격류〕. ② (사람 · 성격이) 성급한, 열렬한(= fougueux) : tempérament ~ 욱하는 기질 / sentiment ~ 격렬한 감정 / orateur ~ 열정적인 연설가. — *n.* 열정가, 혈기왕성한 사람.

impétuosité [ɛ̃petɥozite] *f.* ① (폭풍 따위의) 맹렬함, 세참. ② (기질이) 극성스러움, 과격, 성급(= violence) : ~ de la jeunesse 젊은이의 혈기 / ~ d'une passion 정념(情念)의 격렬함.

impie [ɛ̃pi] *adj.* ① 경건하지 못한 ; 반종교적인, 신앙심이 없는 : paroles ~*s* 신을 모독하는 언사. ② 불충한, 불효한, 부도덕한. — *m.* 신앙이 없는 사람, 부도덕한 자.

impiété [ɛ̃pjete] *f.* ① 불경건 ; 배교(背敎) ; 불경한 언동. ② 불충, 불효, 부도덕.

impitoyable [ɛ̃pitwajabl] *adj.* ① 무정한, 무자비한, 냉혹한 : cœur ~ 무정한〔냉혹한〕 마음 / destin ~ 가혹한 운명. ② 용서하지 않는, 가차없는, 준엄한(= sévère) : adversaire ~ 용서 없는 적대자 / critique ~ 준엄한 비평가 / 《~ envers 〔pour〕》 Il est ~ *envers* ses ennemis. 그는 적에 대해 가차없다.

impitoyablement [ɛ̃pitwajabləmɑ̃] *adv.* 무정하게, 사정없이, 무자비하게, 가차없이.

implacabilité [ɛ̃plakabilite] *f.* 달랠 길 없음, 무정함, 엄혹함, 집요함.

implacable [ɛ̃plakabl] *adj.* ① 누그러뜨릴 수 없는 ; 집요한(= acharné) : colère ~ 억제할 수 없는 분노. ② 무정한, 냉혹한, 무자비한(= impitoyable) : ennemi ~ 인정사정없는 적 / destin ~ 가혹한 운명. ③ 가차없는, 준엄한 (= sévère, 강렬한 : soleil ~ 강렬하게 내리쬐는 햇빛.

implacablement [ɛ̃plakabləmɑ̃] *adv.* 집요하게, 앙심 깊게 ; 가차없이.

implant [ɛ̃plɑ̃] *m.* 〚의학〛 임플란트, 조직 이식.

implantation [ɛ̃plɑ̃tɑsjɔ̃] *f.* ① 뿌리박음, 뿌리내림. ② (이민 따위의) 이주, 정착 ; (정부 따위의) 수립, (산업 · 공장의) 진출, 설치(= installation). ③ 〚외과〛 이식피(移植皮).

***implanter** [ɛ̃plɑ̃te] *v.t.* ① (산업 · 공장 · 노동력을) 도입하다, 유치하다 ; 심다 : ~ une usine dans la région 지방에 공장을 유치하다 / habitude solidement *implantée* 튼튼히 뿌리내린 습관. ② (건물 · 설비 따위를) 배치하다, 설정하다. ③ 〚의학〛 이식하다. — **s'~** *v.pr.* 정착〔정주〕하다, 뿌리내리다, 진출하다 : *s'~* à l'étranger 외국에 정착하다 / entreprise qui *s'implant* dans la ville 마을에 진출한 기업.

implication [ɛ̃plikɑsjɔ̃] *f.* ① 〚법률〛 (범죄에의) 연루(連累), 연좌(連坐). ② 〚논리〛 내포, 함축. ③ (*pl.*) (필연적인) 결과, 논리적인 귀결(= conséquences).

implicite [ɛ̃plisit] *adj.* ① 암암리의, 무언중의, 함축적인 : condition ~ 암묵의 조건. ② 〚종교〛 절대적인 : foi ~ 절대적인 신앙. ③ 〚언어〛 proposition ~ 생략절《한 낱말로 성립되는 절 ; 예 : Soit ! 따위》.

implicitement [ɛ̃plisitmɑ̃] *adv.* 암암리에, 은연중에(≠ explicitement) : accepter ~ 암묵적으로 수락하다.

impliquer** [ɛ̃plike] *v.t.* ① (사건 따위에) 끌어넣다, 관련시키다, 연루〔연좌〕시키다(= compromettre) : *être impliqué* dans une affaire criminelle 범죄사건에 연루되다. ② (암암리에) 내포하다 ; 전제하다 ; 의미하다 : Ces propos semblent ~ de votre part un refus. 이 말은 당신의 거절을 의미하는 것 같소 / ~ contradiction 모순을 내포하다. ***Il implique (***contradiction***) ***de*** + *inf.* 《비인칭》 …함은 모순된 일이다. **~ *que*** + *ind.* …을 전제로 하다 ; …임을 의미하다 : Cela *implique que* vous avez menti. 그것은 당신이 거짓말을 했음을 의미한다.

implorant, e [ɛ̃plɔʀɑ̃, -ɑ̃:t] *adj.* 탄원하는(= suppliant).

imploration [ɛ̃plɔʀɑsjɔ̃] *f.* 애원, 탄원, 간청(= supplication).

implorer [ɛ̃plɔʀe] *v.t.* ① 《~ qn》 …에게 애원하다, 탄원하다 : ~ Dieu 〔le ciel〕 신에게 애원하다. ② 《~ qc》 …을 간청하다(= solliciter) : ~ le pardon de qn …의 용서를 간청하다.

imploser [ɛ̃ploze] *v.i.* 〚기술〛 (폭탄이) 내향

성 폭발을 일으키다 ; (브라운관이) 내측으로 파열하다.

implosion [ɛ̃plozjɔ̃] *f.* 〖기술〗 (폭탄의) 내향성 폭발 ; (브라운관의) 내측 파열.

impoli, e [ɛ̃pɔli] *adj.* 《~ envers, avec》 버릇없는, 무례한, 불손한 : enfant ~ 버릇없는 아이 / langage ~ 무례한 말. ― *n.* 버릇없는 사람.

impoliment [ɛ̃pɔlimɑ̃] *adv.* 버릇없이, 무례하게, 불손하게.

impolitesse [ɛ̃pɔlitɛs] *f.* ① 버릇없음, 실례, 무례 : traiter qn avec ~ …에게 무례하게 대하다. ② 무례한 언동 : commettre une ~ envers qn …에게 실례를 범하다.

impondérable [ɛ̃pɔ̃deʀabl] *adj.* ① 무게를 잴 수 없는, 거의 무게가 없는 : particules ~*s* 무게를 잴 수 없는 미분자. ② 감지할 수 없는, 예측 불능의 : facteurs ~*s* 규명 불능의 요인들. ― *m. pl.* 예측할 수 없는 요인, 불확정 요소(= facteur ~).

impopulaire [ɛ̃pɔpylɛːʀ] *adj.* 민심을 얻지 못한 ; 평판 나쁜, 인망이〔인기가〕 없는 : gouvernement ~ 인기 없는 정부.

impopularité [ɛ̃pɔpylaʀite] *f.* 민심을 얻지 못함 ; 평판이 나쁨, 인기 없음.

importable [ɛ̃pɔʀtabl] *adj.* 수입할 수 있는.

importance** [ɛ̃pɔʀtɑ̃ːs] *f.* ① 중대함 ; 중요성 : avoir de l'~ 중요〔중대〕하다 / Ça n'*a* pas *d'~*. 그까짓 것 아무래도 좋다 / prendre de l'~ 중요해지다, 중요성을 띠다 / problème de grande 〔haute, première〕 ~ 지극히 중요한 문제 / attacher de l'~ à qc …을 중시하다. ② (규모의) 크기, 다량, 다수 : ~ d'une perte 손해의 크기 / ~ d'une somme 총액의 막대함. ③ (사회적 지위에 따르는) 위세, 권위, 신망 : reposer sur l'~ du roi 국왕의 권위에 의지하다. ④ 젠체하기, 거드름 : se donner de l'~ ; prendre des airs d'~ 잘난 체하다. ***de la dernière* 〔*première, plus grande*〕 *~ 가장 중대한. ***d'~*** ⓐ 중대한, 중요한 : affaire *d'~* 중요한 일. ⓑ 몹시, 호되게 : sermonner qn *d'~* …을 호되게 꾸짖다. ⓒ 뽐내는, 젠체하는 : faire l'homme *d'~* 뽐내다.

‡important, e [ɛ̃pɔʀtɑ̃, -ɑ̃ːt] *adj.* ① 중대한, 중요한, 긴요한 : question ~*e* 중대한 문제 / découverte ~*e* pour la médecine 의학상의 중요한 발견 / ~ à+*inf.* 긴하게 …해야 할 / C'est ~ à savoir. 이것은 긴요하게 알아 두어야 할 일이다. ② (수량 · 금액 · 규모가) 큰, 막대한 : somme ~*e* 막대한 금액 / pertes ~*es* 막대한 손해. ③ 세력 있는(= influent), 유력한, 인망(人望) 있는 : personnage ~ 유력자. ④ 뽐내는, 거드름 피우는, 거만한 : se donner des airs ~*s* 거드름 피우다. ***Il est ~ de***+*inf.* 〔***que***+*sub.*〕 …함이 중요하다. ― *n.* 《경멸》 거드름 피우는 사람. ***faire l' ~*** 잘난 체하다, 뻐기다. ― *m.* 중요한 일 ; 중요점, 요점 : parer au plus ~ 가장 중요한 일에 대처하다. ***L'~ est de***+*inf.* ***; L'~ est que*** 〔***L'~, c'est que***〕 + *sub.* 〔*ind.*〕 중요한 일은 …하는 것이다 : *L'~ est* de participer. 참여하는 것이 중요하다.

importateur, trice [ɛ̃pɔʀtatœːʀ, -tʀis] *n.* 수입업자(≠exportateur). ― *adj.* 수입하는 : pays ~ de pétrole 석유 수입 국가.

***importation** [ɛ̃pɔʀtɑsjɔ̃] *f.* ① ⓐ 수입(≠exportation) : ~ de voiture 자동차 수입 / licence d'~ 수입 허가. ⓑ (*pl.*) 수입품 : ~*s* en provenance d'Italie 이탈리아로부터의 수입품. ② (타국의 습관 · 사상 · 질병 따위의) 전래(傳來), 도입.

***importer¹** [ɛ̃pɔʀte] *v.t.* ① 수입하다(≠exporter) : ~ du pétrole 석유를 수입하다. ② 도입하다(= introduire), 들여오다 : ~ une technologie 기술을 도입하다 / Cette mode *a* été *importée* des États-Unis. 이 유행은 미국에서 들어왔다. ― **s'~** *v.pr.* 수입되다 ; 도입되다.

importer²** *v.i.* 《3인칭 단수와 복수 · 분사 · 부정법으로만 쓰임》 ① 중대하다, 중요하다 : Le passé m'*importe* moins que le futur. 내게는 과거는 미래보다 더 중요하지 않다 / la seule chose qui *importe* 중요한 단 하나의 사항 / 《~ à qn 〔qc〕》 Ton avis m'*importe* au plus haut point. 내게는 네 의견이 극히 중요하다 / Le repos *importe à* la guérison. 치유에는 안정이 중요하다. ② 《비인칭》 《Il importe de+*inf.* 〔que+*sub.*〕》 …하는 것이 중요하다 : *Il* nous *importe d'*agir vite. 우리는 빨리 행동하는 것이 필요하다 / *Il importe* beaucoup *qu'*il vienne. 그가 오는 것이 매우 중요하다. ③ 《que 나 peu 와 함께》 《Il importe peu que... ; Peu importe que...》 …하는 일은 중요치 않다 : *Qu'importe* son avis? 그의 의견이 뭐란 말인가? / *Peu importent* les difficultés! 곤란 따위는 개의치도 않는다 / Il m'*importe peu* par qui je suis critiqué. 누구에 의해 비판을 받는가 하는 것은 내게 별로 중요하지 않다. ***Il n'importe ; 《주어생략》 ***N'importe ; Peu importe ; Qu'importe !*** 아무래도 좋다. ***n'importe comment*** 〔***où, quand***〕 어떻게든지〔어디서든지 · 언제든지〕 : Partons *n'importe où* 〔*quand*〕. 어디로든지〔언제든지〕 떠납시다 / Il travaille *n'importe comment.* 그는 아무렇게나 일한다. ***n'importe lequel*** 어느 것이라도 : Donnez-moi *n'importe lequel.* 어느 것이라도 (상관없으니) 하나 주시오. ***n'importe quel*** 〔***quelle***〕 어떠한 …이든지 : à *n'importe quel* prix 아무리 비싸더라도 / Venez à *n'importe quelle* heure. 어느 시간에라도 오시오. ***n'importe qui*** 〔***quoi***〕 누구든지〔무엇이든지〕 : *N'importe qui* pourra le faire. 아무라도 그것은 할 수 있다 / Ce n'est pas *n'importe qui.* 그는 중요한 인물이다. ***n'importe quoi*** 아무 것이라도 ; 신통찮은 일. ***Peu m'importe.*** 내게는 상관없다. ***Qu'importe !*** 상관없다.

import-export [ɛ̃pɔʀɛkspɔːʀ] *m.* 〔*f.*〕 〖상업〗 수출입.

importun, e [ɛ̃pɔʀtœ̃, -yn] *adj.* 귀찮은, 성가신 (= embêtant, gênant): visiteur ~ 귀찮은 방문객 / mouche ~*e* 성가시게 구는 파리 / coup de téléphone ~ 귀찮게 구는 전화 / Je ne voudrais pas (vous) être ~. 폐가 되고 싶지 않습니다. ― *n.* 귀찮은 사람, 방해자(= gêneur).

importunément [ɛ̃pɔʀtynemɑ̃] *adv.* 귀찮게, 진력나게(≠discrètement).

***importuner** [ɛ̃pɔʀtyne] *v.t.* 귀찮게 굴다, 괴롭히다(=embêter): ~ une femme 여자를 귀찮게 쫓아다니다 / ~ qn de ses questions 질문 공세로 …을 괴롭히다 / Je ne veux pas vous ~ plus longtemps. 더 이상 폐를 끼치고 싶지 않습니다.

importunité [ɛ̃pɔʀtynite] *f.* ① 귀찮게 굴기 ; 끈질김 : à force d'~ 끈질기게 부탁해서. ② (*pl.*) 귀찮은 부탁 ; 지겨운 재촉〔독촉〕; 끈질긴 설득 : poursuivre une femme de ses ~*s* 여자를 치근치근하게 쫓아다니다.

imposable [ɛ̃pozabl] *adj.* 과세할 수 있는 : personne ~ 과세 대상자, 납세자.

imposant, e [ɛ̃pozɑ̃, -ɑ̃:t] *adj.* ① 위엄 있는, 위압적인, 당당한(=majesteux) : homme 〔air〕 ~ 위엄 있는 사람〔태도〕. ② 웅대한, 웅장한(=grandiose) : monument ~ 웅대한 기념물. ③ (수량 따위가) 막대한, 엄청난(=considérable) : forces militaires ~*es* 엄청나게 많은 병력.

imposé, e [ɛ̃poze] *adj.* ① 과세된 : marchandises ~*es* 과세 상품. ② 규정의 : prix ~ 공정 가격 / figures ~*es* (스케이트 등의) 규정 종목. —— *n.* 납세자.

imposer** [ɛ̃poze] *v.t.* ① ⓐ …에게 (의견·규칙 등을) 강요하다 ; (벌·조건·의무 따위를) 과하다 ; (일 등을) 강제하다, 억지로 시키다 : ~ ses idées à son entourage 주위 사람들에게 자기 생각을 강요하다 / ~ le secret à qn …에게 비밀을 지키도록 명하다 / 《~ qn de+*inf.*》 Il m'*impose de* terminer ce travail avant midi. 그는 정오 이전에 이 일을 끝내도록 강요한다. ⓑ 《~ le respect》 존경심을 갖게 하다. ② 《~ une taxe sur qc》 …에게〔에〕 과세하다 : ~ une marchandise 〔un immeuble〕 상품〔부동산〕에 과세하다 / ~ les contribuables sur leurs revenus 납세자의 소득에 대해 과세하다. ~ ***les mains 〖종교〗 (사제(司祭)가 축복하거나 성사(聖事)를 수여하기 위해 신자의 머리에) 손을 얹다, 안수(按手)하다.
—— *v.t. ind.* 《~ à qn》 …을 속이다 ; 《옛》 …에게 존경심〔경외심〕을 갖게 하다, …을 위압하다. ***en ~ à*** qn ⓐ …에게 존경심〔경외심〕을 갖게 하다, …을 위압하다 ; 《옛》 …을 속이다 : Son éloquence nous *en impose*. 그의 웅변은 우리를 압도한다. ⓑ 《간접보어 없이》 경외심을 갖게 하다 ; 《옛》 속이다. ***s'en laisser ~*** 《옛》 속다.
—— **s'~** *v.pr.* ① 자기에게 …을 과하다; …을 의무로 삼다 : *s'*~ une promenade à pied chaque jour 매일 산책하는 것을 일과로 삼다. ② 자기를 인정하지 않을 수 없게 하다, 실력을〔권위를〕 인정받다; 최적임자이다; 《경멸》 자기를〔자기 의견을〕 강요하다 : À ce poste il *s'impose*. 그 부서(部署)에는 그가 최적임자다. ③ 《주어: qc》 ⓐ 강요되다, 불가피하다 : La discrétion *s'impose*. 일을 신중히 해야 한다 / passé qui *s'impose* au souvenir 잊을래야 잊을 수 없는 과거 / la solution qui *s'impose* 하지 않을 수 없는 해결/ Le recours à la force ne *s'impose* pas. 힘에 의지하는 것은 필요치 않다. ⓑ (관습 따위가) 일반적으로 통용되다 : Une mauvaise habitude *s'impose* peu à peu. 나쁜 습관은 점점 뿌리를 박는다. ④ 《주어 : qc》 과세되다. ***Cela s'impose.*** 그럴 수밖에 별 도리가 없다. ***s'~ de***+*inf.* …함을 의무로 삼다, …을 자진해서 하다.

imposition [ɛ̃pozisjɔ̃] *f.* ① 〖인쇄〗 정판(整版). ② (조건·의무의) 부과, 강제. ③ 과세 ; (*pl.*) 세금(=impôt): taux *d'*~ 과세율. ***~ des mains*** 〖가톨릭〗 안수(按手).

impossibilité [ɛ̃pɔsibilite] *f.* ① 불가능(성) : être 〔se trouver〕 dans l'~ de+*inf.* 도저히 …할 수 없는 처지이다. ② 불가능한 일: accomplir des ~*s* 불가능한 일을 해치우다. ***C'est une ~ totale que***+*sub.* …한다는 것은 전혀 불가능한 일이다. ***Il est de toute ~ de***+*inf.* …은 절대로 있을 수 없다.

impossible** [ɛ̃pɔsibl] *adj.* ① 불가능한 ; 있을〔실현될〕 수 없는 : soultion ~ 불가능한 해결책 / ~ à admettre 용납할 수 없는 / conditon ~ à remplir 이행할 수 없는 조건 / Il m'est ~ d'être de leur avis. 그들의 의견을 좇는다는 것은 내게는 불가능하다 / *I~ !* 그런 일은 있을 수 없어 ! ② 매우 어려운〔괴로운·복잡한〕: problème ~ 해결하기 극히 어려운 / situation ~ 대단히 복잡한〔매우 어려운〕 처지. ③ 《구어》 괴상한, 해괴(駭怪)한 : titre ~ 괴상망측한 (책) 제목. ④ (사람이) 참을 수 없는, 귀찮은 ; 용납될 수 없는 : Ces enfants sont ~*s*. 이 애들은 어찌해 볼 도리가 없다. ***Il est ~ de+*inf.* …하기는 불가능하다 : Il m'*est ~ de* partir plus tôt. 내가 더 일찍 떠난다는 것은 불가능하다. ***~ à***+*inf.* …할 수 없는. ***il est ~ que***+*sub.* …은 있을 수 없는 일이다: *Il est ~ qu'*on fasse mieux. 더 잘하는 것은 불가능하다.
—— *m.* 불가능한 일: demander l'~ 불가능한 일을 요구하다. ***faire l'~ pour***+*inf.* …하기 위해 최선을 다하다〔갖은 애를 다 쓰다〕. ***par ~*** 만일에라도 : Si, *par ~*, cette affaire réussissait. 만일 어쩌다가 이 일이 성공하기라도 한다면.

imposte [ɛ̃pɔst] *f.* 〖건축〗 ① 홍예석 받침대. ② (문 위쪽의) 채광창, 통풍창.

imposteur [ɛ̃pɔstœ:ʀ] *m.* ① 사기꾼, 협잡꾼. ② 사칭하는 사람, 위선자(=hypocrite).

imposture [ɛ̃pɔsty:ʀ] *f.* ① 사기, 기만, 협잡. ② 사칭, 위장, 위선(=hypocrisie).

impôt** [ɛ̃po] *m.* ① 세금, 조세(租稅)(=contribution, taxe): ~ foncier 부동산세/~ sur le revenu 소득세 / ~ sur le chiffre d'affaires 영업세 / ~ sur les sociétés 법인세 / déclaration d'~*s* 납세 신고 / feuïlle d'~*s* 세금 고지서. ② 부과된 의무, 책무: ~ du sang 《구어》 병역 의무. ***mettre un ~ sur qc ***; frapper*** qc ***d'un ~*** …에 과세하다.

impotence [ɛ̃pɔtɑ̃:s] *f.* 신체 불수〔불구〕; 신체 부자유 : ~ fonctionnelle 기능 장애.

impotent, e [ɛ̃pɔtɑ̃, -ɑ̃:t] *adj.* 팔다리를 쓰지 못하는, 신체 불수의 ; 신체가 부자유한 : ~ d'une jambe 한쪽 다리를 못 쓰는 사람. —— *n.* 신체 장애자 ; 불구자.

impraticable [ɛ̃pʀatikabl] *adj.* ① 실현〔실행〕 불가능한 : projet ~ 실행 불가능한 계획. ② (길이) 통행할 수 없는 : piste ~ pour les 〔aux〕 voitures 자동차 통행이 불가능한 길. ③ 《옛》 (집이) 살기에 부적당한.

imprécation [ɛ̃pʀekɑsjɔ̃] *f.* 저주(詛呪); 주술(=malédiction): faire des ~*s* contre qn …을 해치려고 주술을 쓰다.

imprécatoire [ɛ̃pʀekatwaːʀ] *adj.* 저주의.

imprécis, e [ɛ̃pʀesi, -iːz] *adj.* ① 불명확한, 모호한: contour 〔souvenir〕 ~ 희미한 윤곽 〔기억〕/ idée ~*e* 막연한 생각. ② 불확실한, 부정확한: renseignement ~ 불확실한 정보 / estimation ~*e* 부정확한 평가.

imprécision [ɛ̃pʀesizjɔ̃] *f.* 불명료, 부정확, 모호, 막연: ne rien laisser dans l'~ 어떤 것도 불분명한 채로 두지 않다.

imprégnable [ɛ̃pʀeɲabl] *adj.* 스며들게 할 수 있는, 삼투시킬 수 있는.

imprégnation [ɛ̃pʀeɲɑsjɔ̃] *f.* 스며들게 하기; 삼투(滲透)하기; 주입(注入): ~ des bois 목재에 방충제를 삼투하기.

imprégné, e [ɛ̃pʀeɲe] *adj.* 《~ de》 …이 배어 들어간: bois ~ *d'*eau 물을 머금은 나무 / regard ~ *de* tristesse 슬픔에 젖은 시선.

imprégner [ɛ̃pʀeɲe] *v.t.* ① 《~ qc de》 …에 …을 배어들게〔스며들게〕 하다: ~ une éponge *d'*eau 스폰지에 물을 스며들게 하다. ② 《~ qn de》 …에게 (사상·편견 따위를) 주입시키다; 깊은 영향을 주다: ~ qn *d'*idées revolutionnaires …에게 혁명 사상을 주입시키다. — **s'~** *v.pr.* 《s'~ de》 …이 배어들다; (사상·편견 따위에) 젖다: *s'~* d'une idée nouvelle 새 사상에 물들다 / *s'~* d'une langue étrangère 외국어에 동화(同化)되다.

imprenable [ɛ̃pʀənabl] *adj.* ① 점령할 수 없는; 난공불락의: forteresse ~ 난공불락의 요새. ② vue ~ 다른 건물에 의해 가려지지 않는 전망.

impréparation [ɛ̃pʀepaʀɑsjɔ̃] *f.* 준비 부족: ~ militaire 군사적 미비.

imprésario, impresario [ɛ̃pʀez(s)aʀjo] 〔이탈리아〕 *m.* (*pl.* **~s, *impresarii***[-ʀi]) (연극의) 흥행주; (배우·가수의) 매니저; (공연의) 기획자, 프로듀서.

imprescriptible [ɛ̃pʀɛskʀiptibl] *adj.* ① 〖법률〗 시효에 걸리지 않는, 시효에 의하여 소멸되지 않는. ② 절대적인, 불가침의.

impresse [ɛ̃pʀɛs] *adj.* et *f.* 〖철학〗 idées ~*s* 감각에 의해서 인상지어진 후천적 관념.

‡impression [ɛ̃pʀɛsjɔ̃] *f.* ① 흔적, 자국: ~ de pas 발자국. ② (도장 따위를) 찍기; 날인(捺印); 소인(燒印), 각인(刻印): ~ au fer chaud 낙인(烙印) / ~ d'un cachet sur la cire 밀랍(蜜蠟) 위에 찍은 봉인(封印). ③ 날염(捺染); 〖인쇄〗 인쇄, 프린트; (출판물의) 판(版): double ~ 〖사진〗 2중판 / ~ en couleur 채색판; 채색화(畫) / ~ en creux 〔relief〕 요판(凹版)〔철판(凸版)〕 인쇄 / livre à l'~ 인쇄 중인 책 / 3ᵉ ~ d'un livre 한 서적의 제3판 / frais d'~ 인쇄비(費). ④ ⓐ (마음에 받는) 인상, 느낌; 감명, 감동: faire une bonne 〔mauvaise〕 ~ à 〔sur〕 qn …에게 좋은〔나쁜〕 인상을 주다 / Cela m'a laissé une ~ de tristesse. 그것은 내게 슬픈 느낌을 주었다 / produire une vive ~ 감동시키다. ⓑ (*pl.*) 소감, 감상: raconter ses ~*s* de lecture 독서의 감상을 말하다. ⑤ 〖사진〗 감광(感光). ***avoir l'~ de***+*inf.* 〔***que***+*ind.*〕 …하는 것〔인 것〕 같다. ***donner l'~ de*** …라는 인상을 주다: Il *donne l'~ d'*être très occupé. 그는 매우 바빠 보인다. ***faire ~*** (***à*** 〔***sur***〕 qn) (…에게) 깊은 감명을 주다; (…의) 눈을 끌다: Son entrée *a fait ~*. 그가 들어오자 시선이 그에게 집중되었다.

impressionnabilité [ɛ̃pʀɛsjɔnabilite] *f.* ① 감수성, 감동성. ② 〖사진〗 (필름의) 감광도(感光度); 〖화학〗 (작용에 대한) 민감성.

impressionnable [ɛ̃pʀɛsjɔnabl] *adj.* 감수성이 강한(=sensible), 감동을 잘하는.

***impressionnant, e** [ɛ̃pʀɛsjɔnɑ̃, -ɑ̃ːt] *adj.* ① 인상적인, 깊은 감명을 주는, 감동적인. ② 놀라운, 어마어마한: fortune ~*e* 어마어마한 재산.

***impressionner** [ɛ̃pʀɛsjɔne] *v.t.* ① …에게 깊은 인상〔감동〕을 주다, 놀라게 하다: ~ péniblement 쓰라린 인상을 주다 / Ce film m'*a* vivement *impressionné*. 나는 그 영화에 강한 인상을 받았다 / Cette mort l'*a impressionné*. 그 죽음이 그를 몹시 놀라게 했다 / Vos menaces ne m'*impressionnent* pas. 위협해도 소용이 없다 / 《목적보어 없이》 spectacle qui *impressionne* 감동적인 광경. ② 〖화학〗 …에 작용하다; 〖사진〗 감광시키다.

impressionnisme [ɛ̃pʀɛsjɔnism] *m.* 〖미술〗 인상주의, 인상파.

impressionniste [ɛ̃pʀɛsjɔnist] *adj.* 인상주의의, 인상파의. — *n.* 인상파 예술가.

imprévisibilité [ɛ̃pʀevizibilite] *f.* 예측〔예견〕 불능.

imprévisible [ɛ̃pʀevizibl] *adj.* 예측〔예견〕 「불능의.

imprévision [ɛ̃pʀevizjɔ̃] *f.* 《문어》 선견지명이 없음; 예측〔예견〕을 못함.

imprévoyable [ɛ̃pʀevwajabl] *adj.* 미리 알 수 없는, 예측〔예견〕할 수 없는.

imprévoyance [ɛ̃pʀevwajɑ̃ːs] *f.* 선견지명이 없음; 사려 없음; (앞날에 대한) 부주의.

imprévoyant, e [ɛ̃pʀevwajɑ̃, -ɑ̃ːt] *adj.* 선견지명이 없는, 사려 없는, 부주의한. — *n.* 선견지명이 없는 사람.

imprévu, e** [ɛ̃pʀevy] *adj.* 의외의, 뜻밖의, 예상밖의(=inattendu): dépenses ~*es* 예상외의 지출. — *n.* 뜻밖의 일, 돌발사. ***en cas d'~ 만일의 경우에는: *En cas d'~*, écrivez-moi. 무슨 일이 있으면 편지해 주세요. ***sauf ~ ; à moins d'~*** 뜻밖의 일이 일어나지 않는 한, 돌발사고가 없는 한.

imprimante [ɛ̃pʀimɑ̃t] *f.* 〖컴퓨터〗 인자기(印字機), 프린터.

imprimatur [ɛ̃pʀimatyːʀ] 〔라틴〕 *m.* 《복수불변》 인쇄 인가〔허가〕.

***imprimé, e** [ɛ̃pʀime] *adj.* 인쇄된; 각인된; 날염된: livre ~ 인쇄본 / tissu ~ 날염된 천. — *m.* ① 인쇄물, 서적; 인쇄된 서류〔용지〕: service des ~*s* 〖우편〗 인쇄물 취급 / remplir lisiblement les ~*s* 인쇄된 용지에 알아볼 수 있도록 기입하다. ② 〖직물〗 날염직물.

***imprimer** [ɛ̃pʀime] *v.t.* ① (눌러서) …의 자국을 내다: ~ ses pas dans la neige 눈 속에 발자국을 남기다. ② (도장 따위를) 찍다: ~ la marque d'un sceau sur qc …위에 도장을 찍다. ③ 〖직물〗 (천에) 무늬를 넣다, 날

염(捺染) 하다 : ~ un tissu 천에 날염하다 / ~ des fleurs sur une étoffe 옷감에 꽃무늬를 넣다. ④ 〖인쇄〗 인쇄하다, 출판하다 : se faire ~ 인쇄시키다 / ~ un romancier 어떤 소설가의 책을 출판하다 / ~ un livre à dix mille exemplaires 책을 만 부 찍다. ⑤ 《비유》 ⓐ 새겨 놓다 : L'age et les malheurs *ont imprimé* de profondes rides sur son visage. 나이와 그간의 불행이 그의 얼굴에 깊은 주름을 새겨 놓았다. ⓑ (생각 · 감정 따위를) 마음에 새겨지게〔느껴지게〕 하다: souvenirs *imprimés* dans la mémoire 기억에 새겨진 추억. ⑥ (기계에 운동을) 전달하다, 일으키다 : ~ un mouvement à qc …에 운동을 일으키다. ── **s'~** *v.pr.* ① 흔적을 남기다 ; 찍히다. ② 인쇄되다 ; 새겨지다.

imprimerie [ɛ̃pʀimʀi] *f.* ① 인쇄(술(術))(= typographie) : caractère d'~ (인쇄) 활자. ② 인쇄소 ; 인쇄 기계 ; 《집합적》 인쇄공.

imprimeur [ɛ̃pʀimœːʀ] *m.* 인쇄인, 인쇄업자 ; 인쇄공 : ~ lithographe 석판공 / ~-libraire 인쇄인 겸 발행인.

improbabilité [ɛ̃pʀɔbabilite] *f.* ① 있음직하지 않음 : ~ d'une hypothèse 어떤 가설의 비개연성(非蓋然性). ② 일어날 수 없는 일.

improbable [ɛ̃pʀɔbabl] *adj.* 있을〔일어날〕 법하지 않은 : événement ~ 일어날 것 같지 않은 사건 / C'est plus qu'~. 그것은 결코 있을 수 없다 / 《비인칭》 Il est ~ que+*sub.* …라는 것은 있을 수 없는 일이다.

improbation [ɛ̃pʀɔbɑsjɔ̃] *f.* 불찬성, 비난(= désapprobation). 「정한 행위.

improbité [ɛ̃pʀɔbite] *f.* 부정직, 불성실, 부

improductif, ive [ɛ̃pʀɔdyktif, -iːv] *adj.* ① 불모의, 메마른 : terres *~ives* 불모지. ② 〖경제〗 비생산적인. 「생산성.

improductivité [ɛ̃pʀɔdyktivite] *f.* 불모, 비

impromptu, e [ɛ̃pʀɔ̃pty] *adj.* 즉석에서 만든, 즉흥적인(= improvisé) : dîner ~ 즉석의 〔있는 그대로의〕 저녁 식사. ── *adv.* 즉석에서, 준비 없이, 즉흥적으로. ── *m.* (*pl.* ~(**s**)) 즉흥시〔곡 · 극〕; 즉흥 연주〔연설〕: à la ~ 즉석에서 ; 즉흥적으로. 「수 없는.

imprononçable [ɛ̃pʀɔnɔ̃sabl] *adj.* 발음할

impropre [ɛ̃pʀɔpʀ] *adj.* 부적당한, 정확〔적절〕하지 않은, 맞지 않은 : mot ~ 부적절한 말 / 《~ à》 eau ~ *à* la consommation 마시기에 부적당한 물 / 《~ à +*inf.*》 Il est ~ *à* faire ce travail. 그는 이 일을 하기에 적합하지 않다.

improprement [ɛ̃pʀɔpʀəmɑ̃] *adv.* 부적당하게, 맞지 않게, 틀리게.

impropriété [ɛ̃pʀɔpʀijete] *f.* 〖언어〗 (말의) 부적절함 ; 말의 부적절한 용법.

improuvable [ɛ̃pʀuvabl] *adj.* 《드물게》 증명〔입증〕할 수 없는.

improvisateur, trice [ɛ̃pʀɔvizatœːʀ, -tʀis] *n.* 즉흥 시인, 즉석 연설가〔연주가〕.

improvisation [ɛ̃pʀɔvizɑsjɔ̃] *f.* 즉석에서 만들기, 즉흥시, 즉흥 연주, 즉석 연설 : parler au hasard de l'~ 즉흥적으로 말하다.

improvisé, e [ɛ̃pʀɔvize] *adj.* 즉흥적인, 응급의, 임시변통의, 즉석의: réformes *~es* 즉흥적인 개혁.

***improviser** [ɛ̃pʀɔvize] *v.t.* ① 즉석에서〔즉흥적으로〕 만들다〔노래하다 · 연주하다 · 연설하다〕, 즉석에서 생각하여 행하다 : ~ un discours 즉석 연설을 하다 / ~ une sonate 즉흥적으로 소나타를 연주하다. ② 《~ qn+속사》 …을 …으로 급히〔임시로〕 임명하다 : ~ qn infirmière …을 임시 간호사로 일하게 하다. ── *v.i.* 즉흥시를 짓다, 즉흥 연주를〔연설을〕 하다. ── **s'~** *v.pr.* 즉석에서〔즉흥적으로〕 이루어지다; 즉석에서 〔갑자기〕 …이 되다 : Des secours *s'improvisèrent.* 구조대가 즉석에서 조직되었다.

improviste (à l') [alɛ̃pʀɔvist] *loc. adv.* 뜻밖에, 불시에, 돌연, 예고 없이 : attaquer *à l'~* 불시에 공격하다 / partir *à l'~* 돌연히 떠나다.

imprudemment [ɛ̃pʀydamɑ̃] *adv.* 신중치 못하게, 조심성 없이, 무모하게, 경솔하게.

imprudence [ɛ̃pʀydɑ̃ːs] *f.* ① 경솔, 무모, 부주의 : être d'une grande ~ 몹시 경솔하다 / avoir l'~ de+*inf.* 경솔하게도 …하다. ② 경솔한〔무분별한〕 언행(= étourderie) : commettre une ~ 경솔한 짓을 하다. ③ 〖법률〗 과실 : homicide par ~ 과실 치사(致死).

imprudent, e** [ɛ̃pʀydɑ̃, -ɑ̃ːt] *adj.* 신중치 못한, 조심성 없는, 경솔한, 무모한, 무분별한: parole *~e* 경솔한 말 / automobiliste ~ 조심성 없는 운전자. ***Il est ~ que+*sub.* …한다는 것은 경솔한〔무모한〕 일이다. ── *n.* 경솔한〔무모한 · 무분별한〕 사람.

impubère [ɛ̃pybɛːʀ] *adj.* et *n.* 혼인 적령기에 도달하지 않은 (사람), 미성년의 (사람).

impubliable [ɛ̃pyblijabl] *adj.* 출판에 적합하지 않은, 공표할 수 없는.

impudemment [ɛ̃pydamɑ̃] *adv.* 파렴치하게, 철면피하게, 뻔뻔스럽게.

impudence [ɛ̃pydɑ̃ːs] *f.* ① 파렴치, 철면피, 방약무인. ② 파렴치한 언동.

impudent, e [ɛ̃pydɑ̃, -ɑ̃ːt] *adj.* 파렴치한, 철면피한, 뻔뻔스러운 : propos ~ 뻔뻔스러운 말. ── *n.* 파렴치한 사람, 뻔뻔스러운 사람.

impudeur [ɛ̃pydœːʀ] *f.* ① 파렴치, 후안무치(厚顔無恥). ② 추잡〔외설〕스러움.

impudicité [ɛ̃pydisite] *f.* ① 외설, 음란(= dévergondage). ② 음란한 행위〔말〕: ~ d'un comportement 품행이 단정치 못함.

impudique [ɛ̃pydik] *adj.* 추잡한, 외설적인 (= obscène), 음란한 : robe moulante, un peu ~ 몸에 꼭 붙는 야한 드레스. ── *n.* 음탕한 사람, 색골.

impudiquement [ɛ̃pydikmɑ̃] *adv.* 음란하게 ; 외설스럽게, 추잡하게.

impuissance [ɛ̃pɥisɑ̃ːs] *f.* ① 무력, 무능 : ~ de volonté 의지 박약 / être dans l'~ de +*inf.* …할 능력이 없다. ② 무익, 무효과 : ~ de leurs efforts 그들 노력의 헛됨. ③ 〖의학〗 (남성의) 성적 불능, 임포텐츠(= ~ sexuelle). **~ *à***+*inf.* …할 힘이 없음.

***impuissant, e** [ɛ̃pɥisɑ̃, -ɑ̃ːt] *adj.* ① 무력한, 무능한 : Il reste ~ devant ce désastre. 그는 이 재난 앞에서 속수무책이다 / 《à+*inf.*》 gouvernement ~ *à* rétablir l'ordre 질서를 회복할 힘이 없는 정부. ② 효과 없는, 무익한(= inefficace): rage *~e* 쓸데없는 분노. ③ (남성이) 성 불능의. ④ 《문어》 (예술가가) 창조력 결핍의, 범용한 : poète ~ 창조

I

성 없는 시인. ── *n.* 무능력자 ; 성 불능자.

impulser [ɛ̃pylse] *v.t.* ① (어느 방향으로) 밀다, 추진시키다. ② 활기 띠게 하다.

impulsif, ive [ɛ̃pylsif, -iːv] *adj.* 충동적인(= emporté, fougueux), 일시적 감정에 이끌리기 쉬운. ── *n.* 충동적인 사람.

impulsion [ɛ̃pylsjɔ̃] *f.* ① 〖기계〗 추진(력) ; 충격. ② 자극, 촉진. ③ (마음의) 충동 ; 순간적 충동심, 부추김(= élan) : ~ morbide 병적 충동 / agir sous l'~ de la vengeance 복수의 충동을 받고 행동하다. ***donner de l'~ à*** …에 활기를 주다, …을 자극〔촉진〕하다. ***être d'~*** 충동에 쏠리기 쉬운 사람. ***sous l'~ de*** qn …에게 선동되어.

impulsivité [ɛ̃pylsivite] *f.* 충동성, 충동적 경향, 충동적 성격.

impunément [ɛ̃pynemɑ̃] *adv.* ① 벌 받지 않고 : On ne se moque pas de lui ~. 그를 놀렸다가는 벌을 받는다. ② 탈없이, 지장없이, 무사히 : On ne fume pas cinquantes cigarettes par jour ~. 하루에 50 개피의 담배를 피우면 탈이 나지 않을 리가 없다.

impuni, e [ɛ̃pyni] *adj.* 벌 받지 않은 : coupable ~ 법망을 빠져나간 범인.

impunité [ɛ̃pynite] *f.* 형벌의 면제 ; 처벌되지 않음 : L'~ gâte les enfants. 매를 아끼면 아이를 망친다.

impur, e [ɛ̃pyːʀ] *adj.* ① 불순한, 혼탁한, 더러운 : eau ~*e* 혼탁한 물. ② 〖종교〗 부정(不淨)한, 더럽혀진 : animal ~ 부정한 동물《회교도에게는 돼지》. ③ 부도덕한, 추잡한 ; 비루한 : cœur ~ 비루한 마음.

impureté [ɛ̃pyʀte] *f.* ① 불순 ; 더러움 ; 오염 ; 불순물 : ~ de l'air 공기 오염 / filtrer 〔cribler〕 les ~*s* 불순물을 걸러내다. ② 《문어》 부도덕, 부패 : ~ des mœurs politiques 정치 윤리의 타락. ③ 외설 ; 추잡한 언동, 음란한 말〔짓〕 : péché d'~ 음란죄.

imputable [ɛ̃pytabl] *adj.* ① 《~ à》 …에게 책임지울 수 있는, …의 탓으로 돌려야 할(= attribuable) : accident ~ *à* l'alcool 음주 운전 사고 / Cette faute n'est ~ qu'*à* lui seul. 그 잘못은 오직 그의 탓이다. ② 《~ sur》 …에서 충당되어야 할 : somme ~ *sur* tel chapitre 어떤 항목 중에서 지급되어야 할 금액.

imputation [ɛ̃pytasjɔ̃] *f.* ① (책임 따위의) 전가, 혐의 ; 비난 : ~ de vol 절도 혐의 / ~*s* calomnieuses 중상모략. ② 〖상업〗 《~ à 〔sur〕》 …에서의 공제 ; 충당 : ~ budgétaire 예산 산입 / ~ d'un paiement 변제 충당.

imputer [ɛ̃pyte] *v.t.* ① 《~ à》 (책임 · 잘못 따위를) …에게 지우다, 전가하다, …의 탓으로 돌리다 : ~ un accident *au* hasard 사고를 우연으로 돌리다 / ~ une erreur *à* qn 잘못을 …의 탓으로 돌리다 / 《~ à qn de+*inf.*》 On lui *a imputé d'*avoir voulu détourner des fonds. 그는 자금을 횡령하려 했다는 혐의를 받았다. ② 〖상업〗 《~ qc à 〔sur〕 qc》 (비용 · 수익금 등을 어떤 계정에) 충당하다, 넣다(= attribuer) ; …에서 공제하다 : ~ une dette *sur* l'exercice du mois précédent 부채를 전월(前月) 계정으로 달아놓다 / ~ un paiement *à* une dette 지급 금액을 부채의 상환에 충당하다.

imputrescible [ɛ̃pytʀesibl] *adj.* 썩지 않는(= incorruptible) : bois ~ 썩지 않는 목재.

in [in] 〔영〕 *adj.* 《불변》 유행을 좇는, 하이칼라인, 현대적인(≠out).

in- *préf.* 「불(不) · 무(無) · 비(非)」의 뜻《l 앞에서는 *il*로, b, m, p 앞에서는 *im*으로, r 앞에서는 *ir*로 됨》.

inabordable [inabɔʀdabl] *adj.* ① 접근할 수 없는 : En hiver, ce port est ~. 겨울에는 그 항구로 들어갈 수 없다. ② (물품 · 값이) 비싸서 엄두를 낼 수 없는.

inaccentué, e [inaksɑ̃tɥe] *adj.* 〖언어〗 악센트〔강세〕 없는(= atone).

***inacceptable** [inaksɛptabl] *adj.* 승낙〔응낙〕할 수 없는, 받아들일 수 없는 : offre ~ 수락할 수 없는 제안.

inaccessible [inaksɛ〔e〕sibl] *adj.* ① 접근할 수 없는 ; 도달할 수 없는 : sommet ~ 등정하기 힘든 정상. ② 이해할 수 없는: texte ~ au profane 초보자에게는 너무 어려운 텍스트. ③ 《~ à》 …에 무감각한, 무정한 : ~ *à* la pitié 인정을 모르는.

inaccompli, e [inakɔ̃pli] *adj.* ① (의무 따위가) 이행되지 않은 ; (계획 따위가) 실현되지 않은 ; 미완성의. ② 〖문법〗 미완료의.

inaccomplissement [inakɔ̃plismɑ̃] *m.* 《문어》 미완성, 미완결 ; 불이행.

inaccoutumé, e [inakutyme] *adj.* ① 《~ à》 …에 익숙지 않은 : ~ *au* travail 일에 익숙지 않은. ② 이례(異例)적인, 드문 : mot ~ 귀에 익지 않은 말.

inachevé, e [inaʃve] *adj.* 미완성의 : *Symphonie ~e* de Schubert 슈베르트의 「미완성 교향곡」.

inachèvement [inaʃɛvmɑ̃] *m.* 미완성, 미완료.

inactif, ive [inaktif, -iːv] *adj.* ① 아무것도 하지 않는, 활발하지 못한 ; 불경기의, 한산한 : existence vide et ~*ive* 활기 없는 생활. ② (약 · 치료 따위가) 효력 없는 : remède ~ 잘 듣지 않는 약. ③ 일자리가 없는 : population ~*ive* 미취업 인구.

inaction [inaksjɔ̃] *f.* 활동하지 않음; 무위, 나태 : vivre dans l'~ 무위도식하다.

inactivité [inaktivite] *f.* ① 활동하지 않음, 부진 ; (기계의) 정지. ② (공무원의) 휴직(= congé), 대기 명령 : etre en ~ 휴직 중이다.

inactuel, elle [inaktɥɛl] *adj.* 비현실적인, 시대에 맞지 않는 : idée ~*elle* 시대에 뒤떨어진 생각.

inadaptation [inadaptasjɔ̃] *f.* 부적합, 부적응.

inadapté, e [inadapte] *adj.* 적합치 않은 ; (환경에) 순응〔적응〕하기 어려운 : enfant ~ (학교) 적응 불능아. ── *n.* 부적응자.

inadéquat, e [inadekwa, -at] *adj.* ① 불충분한, 부족한. ② 부적당한, 타당치 않은.

inadmissible** [inadmisibl] *adj.* ① 허가〔승인 · 채용 · 수리〕할 수 없는 : opinion ~ 받아들일 수 없는 의견. ② (수험생이) 합격될 수 없는. ***C'est ~ ! 언어도단이다. ***Il serait ~ que***+*sub.* …은 있을 수 없는 일이다, …해서는 안 될 것이다.

inadvertance [inadvɛʀtɑ̃ːs] *f.* ① 부주의 ; 소홀. ② 부주의로 인한 과실. ***par ~*** 부주의로 ; 경솔하게: oublier qc *par* ~ 부주의하여 …을 잊다.

inaliénabilité [inaljenabilite] *f.* 〖법률〗 양

도 불가능성.

inaliénable [inaljenabl] *adj.* ① 〖법률〗 양도〔파기〕할 수 없는(= incessible) : droits ~*s* 양도할 수 없는 권리. ② 빼앗을 수 없는, 침해할 수 없는 : dignité ~ de l'homme 침해할 수 없는 인간의 존엄성.

inaliénation [inaljenɑsjɔ̃] *f.* 양도 불능.

inaltérabilité [inalteʀabilite] *f.* 변질되지 않음, 불변성.

inaltérable [inalteʀabl] *adj.* 변질되지 않는, 변하지 않는 : matière ~ à la chaleur 열로 변질되지 않는 물질.

inaltéré, e [inalteʀe] *adj.* 변하지〔손상〕 않는 : amitié ~*e* 변하지 않는 우정.

inamical, e, aux [inamikal, -o] *adj.* 우정 없는, 매정한 : geste ~ 불친절한 행동.

inamovibilité [inamɔvibilite] *f.* 〖법률〗 파면되지 않음 ; 종신성(終身性).

inamovible [inamɔvibl] *adj.* ① 파면될 수 없는 ; 종신의 : fonctionnaire ~ 종신제 공무원. ② (지위 따위가) 부동의, 바꿀 수 없는 : champion ~ 부동의 챔피언. ③ 고정된, 분리되지 않는.

inanalysable [inanalizabl] *adj.* 분석할 수 없는 ; 설명할 수 없는.

inanimé, e [inanime] *adj.* ① ⓐ (본래부터) 생명이 없는 : être ~ 무생물 / matière ~*e* 무기물(無機物). ⓑ 죽은, 의식〔생명〕을 잃은 : tomber ~ 졸도하다 / corps ~ 시체. ② 생기〔활기〕 없는, (시장이) 불황의 : yeux ~*s* 생기 없는 눈. ③ 〖언어〗 무생물의(= non-animé) : nom ~ 무생물 명사.

inanité [inanite] *f.* 공허, 허무함 ; 부질없음, 덧없음 : ~ des efforts 노력의 부질없음.

inanition [inanisjɔ̃] *f.* 영양실조 ; 쇠약, 피로 : mourir d'~ 영양실조로 죽다 / tomber d'~ 허기져서 쓰러지다.

inapaisable [inapɛzabl] *adj.* 만족시킬 수 없는 ; 진정시킬 수 없는, 달랠 길 없는.

inaperçu, e [inapɛʀsy] *adj.* 눈에 띄지 않는 ; 들키지 않는 : geste ~ 눈에 띄지 않는 행동 / passer ~ 눈에 띄지 않고 넘어가다.

inappétence [inapetɑ̃:s] *f.* 식욕〔성욕〕 감퇴〔결핍〕 : ~ sexuelle 성욕 감퇴.

inapplicable [inaplikabl] *adj.* 적용할 수 없는 : théorie ~ 적용할 수 없는 이론.

inapplication [inaplikɑsjɔ̃] *f.* ① 태만, 열의가 없음, 주의 산만(= étourderie) : ~ d'un élève 학생의 태만. ② 〖법률〗 부적용 : ~ d'une loi 법률 적용 불가능.

inappréciable [inapʀesjabl] *adj.* ① 헤아릴 수 없는, 엄청난, 값진, 귀중한 : ~ bonheur 소중한 행복. ② 측정할 수 없을 만큼 작은, 미미한, 미세한 : différence ~ 미미한 차이.

inapte [inapt] *adj.* ① 《~ à》 …에 부적당한〔부적합한〕(= impropre), 무능한(= incapable) : personne ~ *aux* affaires 사업에 적합하지 않은 사람. ② 〖군사〗 (군복무에) 부적격한 : être déclaré ~ 병역 부적격 판정을 받다. — *n.* 〖군사〗 병역 부적격자.

inaptitude [inaptityd] *f.* ① 《~ à》 …에 부적당〔부적격〕함, …할 수 없음(= incapacité) : ~ *à* vivre en société 사회 생활에의 부적응 / ~ pour (faire) qc …하기에 부적격함 / ~ *aux* études 학습 적성 결여. ② 〖군사〗 병역 부적격, 특정 병과 부적격.

inarticulé, e [inaʀtikyle] *adj.* ① 〖동물〗 관절 없는. ② 발음이 분명치 않은, 불분명한 : émettre des sons ~*s* 불분명한 소리를 내다.

inassimilable [inasimilabl] *adj.* ① (지식·문화 따위가) 동화될 수 없는 : personne ~ 사회에 적응하지 못하는 사람. ② (음식이) 소화〔흡수〕될 수 없는. ③ 《~ à》 …에 비교될 수 없는 : A est ~ *à* B. A는 B에 비교될 수 없다.

inassouvi, e [inasuvi] *adj.* 《문어》 충족되지 않은, (욕망 따위가) 채워지지 않은 ; 욕구불만의 : faim ~*e* 가라앉지 않은 허기증 / désir ~ 충족되지 않는 욕망. — *n.* 욕구불만의 사람.

inassuré, e [insyʀe] *adj.* 불확실한.

inattaquable [inatakabl] *adj.* ① 공격할 수 없는, 난공(難攻)의 : citadelle ~ 난공불락의 요새. ② 트집 잡을 수 없는 : démonstration ~ 완벽한 증명.

***inattendu, e** [inatɑ̃dy] *adj.* 뜻밖의, 의외의, 예기치 못한 : nouvelle 〔rencontre〕 ~*e* 예기치 못한 소식〔만남〕 / résultat ~ 의외의 결과. — *m.* 뜻밖의 일, 의외의 사건.

inattentif, ive [inatɑ̃tif, -i:v] *adj.* 《~ à》 …에 부주의한, 태만한.

inattention [inatɑ̃sjɔ̃] *f.* 부주의, 태만 ; 무관심 : faute *d'*~ 부주의로 인한 과실.

inaudible [inodibl] *adj.* ① 들리지 않는. ② (음악 따위가 형편없어) 차마 들을 수 없는.

inaugural, e, aux [inɔ〔o〕gyʀal, -o] *adj.* 개회식의 ; 취임식의, 즉위식의 ; 낙성식의, 제막식(除幕式)의, 개원식의 : séance ~*e* d'un congrès 회의의 개회식 / leçon ~*e* (교수의) 취임 기념 강의.

inauguration [inɔ〔o〕gyʀɑsjɔ̃] *f.* ① 취임식, 즉위〔대관〕식, 낙성〔제막〕식, 개통〔개회〕식 : ~ d'une usine 공장 낙성식. ② 《비유》 시작, 개시(= commencement).

***inaugurer** [inɔ〔o〕gyʀe] *v.t.* ① 즉위〔취임·낙성(落成)·개관·제막(除幕)·개통·개회〕식을 거행하다 : ~ une autoroute 고속도로 개통식을 하다 / ~ une exposition 전시회 개막식을 하다. ② 시작〔개시〕하다 ; 발단이 되다 : ~ une nouvelle politique 새 정책을 시행하다.

inauthentique [inɔ〔o〕tɑ̃tik] *adj.* 신빙할 수 없는 ; 진짜가 아닌, 허위의 ; 불확실한.

inavouable [inavwabl] *adj.* 고백할 수 없는, (말하기도) 부끄러운(= honteux).

inca [ɛka] *m.* ① (*I*~) 〖역사〗 잉카 황제. ② 잉카말. ③ (*pl.*) (les *I*~(s)) 잉카족. — *adj.* 《불변》 잉카족의 : Empire ~ 잉카 제국.

incalculable [ɛ̃kalkylabl] *adj.* ① 헤아릴 수 없는, 무수한 : nombre ~ des étoiles 무수한 별. ② 한량없는 ; 막대〔중대〕한.

incandescence [ɛ̃kɑ̃desɑ̃:s] *f.* 백열(白熱) ; 작열 : lampe à ~ 백열 전구.

incandescent, e [ɛ̃kɑ̃desɑ̃, -ɑ̃:t] *adj.* 백열〔작열〕하는 : métal ~ 백열한 금속.

incantation [ɛ̃kɑ̃tɑsjɔ̃] *f.* ① 주문(呪文), 주술 : ~*s* des sorciers 마법사의 주술. ② (예술 따위의) 매혹, 마력.

incantatoire [ɛ̃kɑ̃tatwa:ʀ] *adj.* ① 주문의,

마법의. ② 매혹적인 : force ~ d'un poème 시의 매력.

***incapable** [ɛ̃kapabl] *adj.* ① 《~ de qc〔+*inf.*〕》 …할 수 없는, 불능의 : ~ *d'amitié* 우정을 가질 수 없는 / Il est ~ *de* mentir. 그는 거짓말을 못하는 성격이다. ② 무능한 ; 〖법률〗 무능력한 ; 《~ de+*inf.*》 …할 자격〔능력〕이 없는 : fonctionnaire ~ 무능한 공무원. ── *n.* 무능자 ; 〖법률〗 무능력자.

incapacitant, e [ɛ̃kapasitɑ̃, -ɑ̃:t] *adj.* (데모) 진압용의, 박멸하는 : gaz ~ 진압용(최루) 가스.

incapacité [ɛ̃kapasite] *f.* ① 불능 ; 능력이 없음 : ~ de marcher 보행 불능. ② 무능, 무자격 : ~ du gouvernement 정부의 무능력. ③ 〖법률〗 노동 불능 (상태)(= invalidité) : ~ total〔partielle, permanente〕 전체적〔부분적, 영구적〕 노동 능력 상실 / ~ d'exercice (미성년자 · 금치산자 따위의) 행위 무능력.

incarcération [ɛ̃kaʀseʀɑsjɔ̃] *f.* 〖법률〗 투옥, 금고.

incarcérer [ɛ̃kaʀseʀe] 6 *v.t.* 〖법률 · 행정〗 투옥〔감금〕하다, 구치하다 : ~ un inculpé 용의자를 감금하다.

incarnat, e [ɛ̃kaʀna, -at] *m.* 살색, 담홍색. ── *adj.* 살색의, 연분홍〔담홍〕색의.

incarnation [ɛ̃kaʀnɑsjɔ̃] *f.* ① (신의) 화신(化身), 육체화(= personnification). ② (*I*~) 〖신학〗 그리스도의 강생(降生). ③ 구현(具現), 구상화 : Il est l'~ du vice. 그는 악덕의 전형이다.

incarné, e [ɛ̃kaʀne] *adj.* ① (신이) 육체화된, 사람으로 나타난. ② 화신한 ; 구현된 : diable ~ 악마의 화신, 극악한 인간. ③ 〖의학〗 (손톱이) 살에 파고든. ***le Verbe*** **~** 예수 그리스도.

incarner [ɛ̃kaʀne] *v.t.* ① …에게 육신(肉身)을 주다, 화신(化身)시키다. ② 구체화〔구상화〕하다, 구현(具現)하다 : Le magistrat *incarne* la justice. 법관은 정의를 구현한다. ③ (배우가) …의 역을 하다 : ~ Hamlet 햄릿 역을 연기하다. ── **s'~** *v.pr.* ① 화신하다. ② 구체화〔구상화〕되다.

incartade [ɛ̃kaʀtad] *f.* 엉뚱한 짓, 실수 : Pardonnez-lui cette ~. 그의 실수를 용서해 주세요.

incassable [ɛ̃kɑsabl] *adj.* 부서지지 않는, 깨지지 않는 ; 튼튼한.

incendiaire [ɛ̃sɑ̃djɛ:ʀ] *adj.* ① 불지르는 ; 불붙는 : bombe ~ 소이탄 / matières ~*s* 화재 유발 물질. ② 선동하는(= séditieux) : discours ~ 선동적인 연설. ③ 선정적인, 유혹적인(= provocant) : une blonde ~ 뇌쇄적인 금발 여인. ── *n.* ① 방화자(= pyromane) : arrêter un ~ 방화범을 체포하다. ② 《문어》 선동자.

***incendie** [ɛ̃sɑ̃di] *m.* ① 화재(= feu) : échelle à ~ (화재용) 비상 사다리 / pompe à ~ 소방 펌프 / ~ volontaire〔parmalveillance〕 방화(放火) / maîtriser〔circonscrire〕 un ~ 진화(鎭火)하다, 화재의 확산을 막다. ② 붉게 번진 빛 : l'~ du soleil couchant 불타는 저녁놀. ③ 동란, 소요, 반란.

incendier [ɛ̃sɑ̃dje] *v.t.* ① …에 방화하다, 불태우다. ② (강한 술 따위가 목을) 화끈거리게 하다 : eau-de-vie qui *incendie* la gorge 목을 화끈거리게 하는 브랜디. ③ (노을 따위가) 붉게 물들이다. ④ (상상력을) 불태우다. ⑤ 《~ qn》 《구어》 …에게 욕설〔비난〕을 퍼붓다 : se faire ~ par qn 《구어》 …에게서 심한 책망을 듣다.

incertain, e** [ɛ̃sɛʀtɛ̃, -ɛn] *adj.* ① 불확실한 ; 불확정한 ; 불명확한, 애매한, 미덥지 않은 : aide ~*e* 미덥지 않은 원조 / date ~*e* 확실치 못한 날짜 / contours ~*s* 뚜렷하지 않은 윤곽. ② (사람이) 자신 없는, 주저하는 ; 《~ de》 …에 대해 확신을 못 가진 : être ~ *de* son sort 자기의 운명이 어떻게 될지 모르다 / être ~ *de* ce que l'on va faire 무엇을 해야 좋을지 망설이다 / pas ~*s* 확실치 못한〔뒤뚝거리는〕 발걸음. ***Il est ~ que+*sub.* …은 불확실하다. ── *m.* 불확실(한 일).

***incertitude** [ɛ̃sɛʀtityd] *f.* ① 불확실 ; 불확정 ; 불명확 ; 애매모호 ; 변하기 쉬움 ; 불안정 : ~ de la victoire 승리의 불확실성. ② 주저 ; 의혹, 불안, 망설임 : être dans l'~ 주저하고 있다. ③ (*pl.*) 불확정 요소 : principe d'~ 〖물리〗 불확정성 원리.

incessamment [ɛ̃sɛsamɑ̃] *adv.* ① 곧, 당장, 바로. ② 끊임없이, 줄곧.

incessant, e [ɛ̃sɛsɑ̃, -ɑ̃:t] *adj.* 끊임없는, 부단한 : efforts ~*s* 부단한 노력.

incessibilité [ɛ̃sɛ(e)sibilite] *f.* 〖법률〗 (권리의) 양도 불가능.

incessible [ɛ̃sɛ(e)sibl] *adj.* 〖법률〗 양도할 수 없는.

inceste [ɛ̃sɛst] *m.* 근친상간(近親相姦), 상피 : commettre un ~ 근친상간을 범하다. ── *n.* 근친상간자.

incestueux, euse [ɛ̃sɛstɥø, -ø:z] *adj.* 근친상간의, 불륜의 : enfant ~ 근친상간으로 태어난 자식. ── *n.* 근친상간자.

inchangé, e [ɛ̃ʃɑ̃ʒe] *adj.* 변하지〔달라지지〕 않은 : prix ~ 변함없는 가격 / La situation demeure ~*e*. 상황은 전과 다름없다.

inchiffrable [ɛ̃ʃifʀabl] *adj.* 셀 수 없는 ; 숫자로 나타낼 수 없는.

inchoatif, ive [ɛ̃kɔatif, -i:v] *adj.* 동작의 개시를 나타내는, 기동(起動)의. ── *m.* 기동동사(= verbe ~)《s'endormir, vieillir 따위》.

incidemment [ɛ̃sidamɑ̃] *adv.* ① 우연히 ; 우발적으로. ② 부수적으로, 부대(附帶)적으로(= accessoirement).

incidence [ɛ̃sidɑ̃:s] *f.* ① 〖물리〗 투사(投射), 입사(入射) : angle d'~ 입사각. ② 반향, 영향(= répercussion) : ~ de la hausse des salaires sur le prix de revient 임금 인상이 물가에 미치는 영향.

incident**¹ [ɛ̃sidɑ̃] *m.* ① (우발적인) 작은 사건 ; 사고, 말썽 : ~ diplomatique 외교상의 말썽 / ~ de frontière 국경상의 소규모 사건. ② 〖문학〗 에피소드, 삽화(揷話). ***sans ~ 말썽 없이. ***soulever des ~s*** 사건의 원인이 되다, 사건을 일으키다.

incident², e [ɛ̃sidɑ̃, -ɑ̃:t] *adj.* ① 〖법률〗 부대(附帶)의, 부수〔부차〕적인 : événement ~ 부수적인 사건. ② 〖물리〗 입사〔투사〕의 : onde ~*e* 입사파(波). ③ 〖문법〗 삽입(揷入)의 : proposition ~*e* 삽입절. ***rayon ~*** 입사광선, 투사선. ***point d'~*** 입사점. ── *f.* 〖문법〗 삽입절(= proposition ~*e*).

incinérateur [ɛ̃sineʀatœːʀ] *m.* 쓰레기 소각로(燒却爐).

incinération [ɛ̃sineʀɑsjɔ̃] *f.* 소각 ; 화장(火葬)(= crémation).

incinérer [ɛ̃sineʀe] [6] *v.t.* ① 태워 재로 만들다, 소각(燒却)하다. ② 화장하다.

incipit [ɛ̃sipit] *m.* 《복수불변》 (책의) 서두(書頭), 서언 ; (시의) 첫 구절.

incise [ɛ̃siːz] *f.* 〖문법〗 삽입구 ; 삽입절. — *adj.* 삽입의 : proposition ~ 삽입절.

inciser [ɛ̃size] *v.t.* (종기 따위를) 째다, 절개하다 ; (진을 받거나 접붙이기 위해 나뭇가지의 껍질을) 도려내다.

incisif, ive [ɛ̃sizif, -iːv] *adj.* 신랄한, 날카로운 : critique *~ive* 신랄한 비판 / regard ~ 날카로운 눈초리. — *f.* 앞니, 문치.

incision [ɛ̃sizjɔ̃] *f.* ① 째기 ; 새김눈을 넣기 ; 도려낸 자리. ② 〖의학〗 절개.

incitation [ɛ̃sitɑsjɔ̃] *f.* ① 격려(= encouragement), 고무, 선동(= exhortation) : ~ à la révolte 반란〔폭동〕에의 선동. ② 〖법률〗 교사(敎唆) : ~ au meurtre 살인 교사. ③ 〖생리〗 자극, 흥분(= excitation).

***inciter** [ɛ̃site] *v.t.* 선동〔교사〕하다, 자극하다, 부추기다, 고무하다 : ~ qn à la méfiance …의 경계심을 자극하다.

incivil, e [ɛ̃sivil] *adj.* 《문어》 버릇 없는, 무례한 ; 몰상식한 : homme ~ 무례한 사람.

incivilité [ɛ̃sivilite] *f.* 《옛 · 문어》 무례, 버릇 없음 ; 버릇 없는 언동 : commettre une ~ 무례를 범하다.

incivisme [ɛ̃sivism] *m.* 《옛》 애국심의 결핍, 비국민〔비공민〕 정신.

inclassable [ɛ̃klɑsabl] *adj.* 분류할 수 없는 ; 정체를 알 수 없는.

inclémence [ɛ̃klemɑ̃ːs] *f.* ① 관대하지 못함, 무자비, 냉혹. ② (기후 따위의) 혹심함.

inclément, e [ɛ̃klemɑ̃, -ɑ̃ːt] *adj.* ① 《옛》 무자비한, 냉혹한. ② 《문어》 (기후 따위가) 혹심한 : température *~e* 혹독한 날씨.

inclinable [ɛ̃klinabl] *adj.* 기울일 수 있는.

inclinaison [ɛ̃klinɛzɔ̃] *f.* ① 경사(傾斜), 구배(勾配), 기울어짐 : ~ de la tour de Pise 피사의 사탑의 기울어짐. ② 경사각 ; (지침의) 복각(伏角)(= ~ magnétique). ③ 머리〔허리〕를 숙이기〔숙인 자세〕.

inclination [ɛ̃klinɑsjɔ̃] *f.* ① 머리〔허리〕를 숙이기〔굽히기〕, 절 ; 고개를 끄덕이기 : faire une profonde ~ 공손히 절하다. ② 경향, 성향(性向) ; 기질, 성벽(性癖) : montrer une vive ~ pour l'aventure 무척 모험을 즐기는 성향을 보이다. ③ 《문어》 좋아함, 애정 : avoir de l'~ pour qn …에게 애정을〔호의를〕 품고 있다. ***avoir de l'~ à*** + *inf.* 툭하면 …하고 싶어하다, …하기가 일쑤이다.

incliné, e [ɛ̃kline] *adj.* ① 기울어진 : plan ~ 사면(斜面) / la téte *~e* 머리를 숙이고. ② 《~ à 〔vers〕》 …의 경향이 있는. ~ ***à*** + *inf.* …할 마음이 되어 있는.

incliner [ɛ̃kline] *v.t.* ① 기울이다(= pencher); (고개를) 숙이다 ; 돌리다 : ~ la tête 머리를 숙이다 / ~ la route vers le nord 〖해양〗 진로를 북으로 돌리다. ② 《~ qn à》 …의 마음을 …으로 기울어지게 하다 : Il sut ~ son ami *au* pardon. 그는 친구의 마음을 달래어 용서해 주도록 마음을 돌릴 수 있었다. ③ 《~ qn à + *inf.*》 …에게 …할 마음이 생기게 하다 : Son passé m'*incline à* pardonner cette faute. 그의 과거를 보니 나는 이 잘못을 용서해 주고 싶은 마음이 든다. — *v.i.* ① 기울어지다(= pencher) : Le mur *incline* dangereusement. 담이 위험하게 기울어져 있다. ② 《~ à 〔vers, pour〕》 …으로 마음이 기울어지다: Il *incline vers* les solutions extrêmes. 그는 극단적 해결책을 취하기로 마음이 기울어진다. ***~ vers sa fin*** 《옛》 종말에 가까워지다. ~ ***à*** + *inf.* …할 마음이 생기다 : J'*incline à* accepter son offre. 그의 제안을 받아들이고 싶은 마음이 든다. — **s'~** *v.pr.* ① 기울다. ② 몸을〔머리를〕 숙이다〔굽히다〕 ; 절하다 : saluer en *s'inclinant* profondément 허리를 깊이 굽혀 인사하다. ③ 《s'~ devant》 …에게 굴복〔복종〕하다 : Il ne *s'incline devant* aucune autorité. 그는 어떤 권위 앞에서도 굴하지 않는다.

inclure [ɛ̃klyːʀ] [48] *v.t.* ① 포함시키다, 삽입하다 : ~ un nom dans une liste 명단에 이름을 포함시키다. ② 동봉하다 : ~ un chèque dans une lettre 편지에 우표를 동봉하다. ③ 포함〔내포〕하다(= comporter) : Ce contrat *inclut* que... 이 계약에는 …이 포함되어 있다.

inclus, e** [ɛ̃kly, -yːz] *adj.* 포함된(≠ exclus) ; 동봉한 : La TVA est *~e* dans le prix. 부가가치세는 가격에 포함되어 있다. ***ci-~ (이 편지에) 동봉한 : photos *ci-~es* 동봉한 사진. — *f.* (소포 따위에) 동봉한 편지.

inclusif, ive [ɛ̃klyzif, -iːv] *adj.* ① 《~ de》 …을 포함하고 있는. ② (인칭이) 포괄적인《1 인칭 복수(nous)가 이야기 상대(tu, vous)를 포함한 경우》(≠ exclusif).

inclusion [ɛ̃klyzjɔ̃] *f.* ① 포함, 포괄. ② 포함시키기 ; 삽입 ; 봉입, 동봉.

inclusivement [ɛ̃klyzivmɑ̃] *adv.* 포함하여, 계산에 넣어 : jusqu'au 5 mai ~, 5 월 5 일까지《포함해서》.

incoagulable [ɛ̃kɔagylabl] *adj.* 응결〔응고〕하지 않는.

incoercibilité [ɛ̃kɔɛʀsibilite] *f.* ① 〖물리〗 압축할 수 없음. ② 억제할 수 없음.

incoercible [ɛ̃kɔɛʀsibl] *adj.* ① 〖물리〗 압축할 수 없는. ② 억누를 수 없는, 참을 수 없는 : rire ~ 참을 수 없는 웃음.

incognito [ɛ̃kɔɲ(gn)ito] *adv.* 〔이탈리아〕 익명으로 ; 비밀로, 남몰래 : voyager ~ 비밀리에 여행하다. — *m.* 익명, 암행 : garder l'~ 가명을 쓰다, 신분을 숨기다.

incohérence [ɛ̃kɔeʀɑ̃ːs] *f.* ① 불통일(= désaccord), 불일치, 부조화. ② (말 · 행동 따위의) 모순, 지리멸렬, 전후가 어긋남.

incohérent, e [ɛ̃kɔeʀɑ̃, -ɑ̃ːt] *adj.* ① 통일되지 않는 ; 분산된. ② 지리멸렬한, 전후가 어긋나는 : propos *~s* 앞뒤가 맞지 않는 말.

incollable [ɛ̃kɔlabl] *adj.* et *n.* 《구어》 어떤 문제에라도 대답할 수 있는〔낙제시킬 수 없는〕 (학생).

incolore [ɛ̃kɔlɔːʀ] *adj.* ① 무색의, 빛깔 없는 : liquide ~ et indore 무색무취의 액체. ② (문장이) 생기없는.

incomber** [ɛ̃kɔ̃be] *v.t. ind.* 《~ à》《3 인칭으로만 쓰임》 (책임 · 의무가) 걸리다, 과해지다 : Ce devoir nous *incombe.* 이 의무는 우리가 수행해야 한다 / C'est à vous qu'*incombe* ce travail. 이 일은 당신이 해야 할 일이다. ***Il m'incombe de + *inf.* …하는 것은 내 책임〔의무〕이다 : *Il m'incombe de* faire cette tâche. 이 임무를 맡아 하는 것은 내 책임〔역할〕이다.

incombustible [ɛ̃kɔ̃bystibl] *adj.* 불연소성의.

incomestible [ɛ̃kɔmɛstibl] *adj.* 먹을 수 없는, 식용할 수 없는.

incommensurable [ɛ̃kɔm(m)ɑ̃syʀabl] *adj.* ① 〖수학〗《~ avec》 …와 약분되지 않는 : nombre ~ 무리수. ② 헤아릴 수 없는; 무한히 넓은, 광대한 : ambition ~ 끝없는 야망. ── *m.* 무한(한 것).

incommodant, e [ɛ̃kɔmɔdɑ̃, -ɑ̃:t] *adj.* 불쾌한, 귀찮은(= désagréable, gênant).

incommode [ɛ̃kɔmɔd] *adj.* ① 불편한, 거북한 : appartement ~ 살기 불편한 아파트. ② 불쾌한(= désagréable) ; 거북한(= inconfortable) : position ~ 거북스런 입장. ③ établissement ~ 〖법률〗 근처에 폐가 되는 산업 시설.

***incommoder** [ɛ̃kɔmɔde] *v.t.* ① …을 불쾌하게 하다 ; …에게 귀찮게 굴다 : La fumée ne vous *incommode*-t-elle pas ? 담배를 피워도 좋습니까 ? ② …에 괴롭힘을 당하다 : *être incommodé* 소음에 시달리다. ── **s'~** *v.pr.* ① 귀찮아지다. ② 몸이 편찮아지다, 병이 나다.

incommodité [ɛ̃kɔmɔdite] *f.* ① 불쾌 ; 훼방, 번거로움(= inconvénient, ennui) : ~ d'un voisinage bruyant 시끄러운 이웃이 가져다 주는 불쾌함. ② 불편(= inconfort) : ~ d'une installation 시설의 불편함.

incommunicabilité [ɛ̃kɔmynikabilite] *f.* 전달 불능, 의사소통 불능.

incommunicable [ɛ̃kɔmynikabl] *adj.* (사상 · 감정 따위를) 전달할 수 없는 ; (권리 따위가) 양도할 수 없는 ; (의사가) 소통되지 않는, 단절된.

incommutable [ɛ̃kɔ(m)mytabl] *adj.* 〖법률〗 ① (권리 · 재산 따위를) 양도할 수 없는. ② (소유권이) 박탈될 수 없는.

incomparable [ɛ̃kɔ̃paʀabl] *adj.* (서로) 비교할 수 없는 ; 비길 데〔유례〕 없는 ; 탁월한 : œuvre ~ 비길 데 없이 훌륭한 작품 / ~ talent 탁월한 재능 / ~ beauté. 절세의 미인.

incomparablement [ɛ̃kɔ̃paʀabləmɑ̃] *adj.* 더할 나위 없이, 비길 데 없이《보통 plus, mieux 등의 비교급이 따름》: Elle est ~ *plus* belle que sa sœur. 그 여자는 언니〔아우〕와는 비교도 안 될 만큼 예쁘다.

incompatibilité [ɛ̃kɔ̃patibilite] *f.* ① 양립되지 않음 ; 부조화, 상극, 불일치 : ~ des groupes sanguins 여러 혈액형 간의 상극 / divorce pour ~ d'humeur 성격 부조화로 인한 이혼. ② 〖법률〗 겸직 금지 ; 〖생리〗 (혈액형의) 부적합 ; 〖약학〗 약물의 배합 금기(禁忌).

incompatible [ɛ̃kɔ̃patibl] *adj.* ① 양립될 수 없는, 모순되는, 일치〔조화〕되지 않는 : caractères ~*s* 서로 맞지 않는 성격 / La foi est parfois ~ avec la science. 신앙은 때때로 과학과 양립되지 않는다. ② 〖법률〗 겸직이 불가능한.

incompétence [ɛ̃kɔ̃petɑ̃:s] *f.* ① 〖법률〗 (재판관 · 법원의) 권한 부재, 관할 외. ② 무자격, 부적임, 무능력(= incapacité) : ~ à + *inf.* …할 능력〔자격〕이 없음.

incompétent, e [ɛ̃kɔ̃petɑ̃, -ɑ̃:t] *adj.* ① 자격 없는 ; 능력 없는 ; 부적임의 : ~ en politique 정치에 능력이 없는. ② 〖법률〗 관할이 틀리는, 권한 없는.

incomplet, ète [ɛ̃kɔ̃plɛ, -ɛt] *adj.* 불완전한, 불비한(= imparfait) ; 불충분한 : définition ~*ète* 불충분한〔미흡한〕 정의. ── *m.* 파본 ; 결본(缺本)된 전집.

incomplètement [ɛ̃kɔ̃plɛtmɑ̃] *adv.* 불완전하게.

incompréhensibilité [ɛ̃kɔ̃pʀeɑ̃sibilite] *f.* 불가해 ; 불가사의.

***incompréhensible** [ɛ̃kɔ̃pʀeɑ̃sibl] *adj.* ① 알 수 없는, 이해되지 않는, 불가해한 : conduite ~ 이해할 수 없는 행위 / personnage ~ 불가해한 인물. ② 요령부득의 ; 기묘한 : propos ~*s* 뜻을 알 수 없는 말. ── *m.* 알 수 없음, 이해되지 않음.

incompréhensif, ive [ɛ̃kɔ̃pʀeɑ̃sif, -i:v] *adj.* 이해력이 없는 ; 둔한.

incompréhension [ɛ̃kɔ̃pʀeɑ̃sjɔ̃] *f.* 이해력의 결핍 : ~ mutuelle 상호간의 몰이해.

incompressible [ɛ̃kɔ̃pʀɛ(e)sibl] *adj.* ① (지출 따위를) 줄일 수 없는 : dépenses ~*s* 줄일 수 없는 지출. ② 〖물리〗 비(非)압축성의.

incomprimé, e [ɛ̃kɔ̃pʀime] *adj.* 압축되지 않은.

incompris, e [ɛ̃kɔ̃pʀi, -i:z] *adj.* et *n.* 이해되지 않은 (사람), 인정받지 못한 (사람).

inconcevable [ɛ̃kɔ̃svabl] *adj.* 생각도 못할, 상상도 못할 ; 놀라운 : Dieu est ~. 신은 인간의 이해력 밖에 있다 / fuir avec une rapidité ~ 믿을 수 없을 정도로 재빠르게 달아나다.

inconciliable [ɛ̃kɔ̃siljabl] *adj.* 융화할 수 없는, 양립할 수 없는 : intérêts ~*s* 상반되는 이해관계.

inconditionné, e [ɛ̃kɔ̃disjɔne] *adj.* 아무런 조건도 따르지 않는, 무조건의, 절대적인, 무제약(無制約)의. ── *m.* 〖철학〗 무제약자.

inconditionnel, elle [ɛ̃kɔ̃disjɔnɛl] *adj.* 무조건적인, 절대적인 : soumission ~*elle* 절대적 복종. ── *n.* 무조건적 추종자〔지지자〕 ; 열성팬.

inconditionnellement [ɛ̃kɔ̃disjɔnɛlmɑ̃] *adv.* 무조건, 절대적으로.

inconduite [ɛ̃kɔ̃dɥit] *f.* 비행, 나쁜 행실.

inconfort [ɛ̃kɔ̃fɔ:ʀ] *m.* 안락하지 못함, 불편.

inconfortable [ɛ̃kɔ̃fɔʀtabl] *adj.* 안락하지 못한, 불편한 : maison ~ 불편한 집.

inconfortablement [ɛ̃kɔ̃fɔʀtabləmɑ̃] *adv.* 불편하게, 거북하게.

incongelable [ɛ̃kɔ̃ʒlabl] *adj.* 얼지 않는, 얼릴 수 없는.

incongru, e [ɛ̃kɔ̃gʀy] *adj.* 무례한, 버르장머리 없는 ; 몰상식한 : ton ~ 무례한 말투.

incongruité [ɛ̃kɔ̃gʀɥite] *f.* 무례 ; 몰상식 ; 무례한 언동.

inconnaissable [ɛ̃kɔnɛsabl] *adj.* 알 수 없

는, 불가지(不可知)의. ── *m.* 알 수 없는 것.

inconnaissance [ɛ̃kɔnɛsɑ̃:s] *f.* 무지.

***inconnu, e** [ɛ̃kɔny] *adj.* ① 알려지지 않은, 미지의 : nouveau monde qui lui était ~ 그에게 알려지지 않았던 신세계 / Les causes du décès restent ~*es*. 사인(死因)은 불명인 채이다. ② 경험한 일 없는, 생소한 : être en pays ~ 생소한 나라에 있다. ③ 이름 모를, 무명의 : tombeau du soldat ~ 무명 전사의 묘. ── *n.* 모르는 사람 ; 무명인. ── *m.* 미지(未知). ── *f.* 〖수학〗 미지수.

inconsciemment [ɛ̃kɔ̃sjamɑ̃] *adv.* 무의식적으로, 알지 못하고(= à son insu); 경솔하게(= à la légère).

inconscience [ɛ̃kɔ̃sjɑ̃:s] *f.* ① 무의식 (상태) : glisser 〔sombrer〕 dans l'~ 무의식 상태에 빠지다. ② 무자각, 무분별, 경망 : Partir sous cette pluie, c'est de l'~. 이 빗속에서 출발하다니 무분별한 일이다.

***inconscient, e** [ɛ̃kɔ̃sjɑ̃, -ɑ̃:t] *adj.* ① 의식 못하는, 무의식적인 : rester ~ pendant des heures 몇 시간이나 의식을 잃은 채로이다. ② 자각 없는, 무분별한 : être ~ *du* danger 위험을 깨닫지 못하다. ── *n.* 의식〔자각〕 없는 사람. ── *m.* 〖심리〗 무의식.

inconséquemment [ɛ̃kɔ̃sekamɑ̃] *adv.* ① 모순되게. ② 무분별하게, 경솔하게.

inconséquence [ɛ̃kɔ̃sekɑ̃:s] *f.* ① 자가당착, 모순. ② 무분별, 부주의, 경솔.

inconséquent, e [ɛ̃kɔ̃sekɑ̃, -ɑ̃:t] *adj.* ① 자가당착의, 모순된 : raisonnement ~ 모순된 이론. ② 무분별한, 부주의한, 지각 없는, 경솔한. ── *n.* 무부별〔경솔〕한 사람.

inconsidération [ɛ̃kɔ̃sideʀasjɔ̃] *f.* ① 지각 없음, 경솔, 무분별, 부주의. ② 명예의 상실 : tomber dans l'~ 명예를 실추하다 ; 평판이 나빠지다.

inconsidéré, e [ɛ̃kɔ̃sideʀe] *adj.* 경솔한, 무분별한 : geste ~ 경솔한 처사.

inconsidérément [ɛ̃kɔ̃sideʀemɑ̃] *adv.* 경솔하게, 무분별하게.

inconsistance [ɛ̃kɔ̃sistɑ̃:s] *f.* ① 무정견, 견실성이 없음 ; (이론 따위가) 체계가 서 있지 않음. ② (크림 따위가) 단단하지 않음.

inconsistant, e [ɛ̃kɔ̃sistɑ̃, -ɑ̃:t] *adj.* ① 단단하지 않은, (농도가) 무른. ② 무정견한, 줏대 없는, 변덕스러운, 일관성 없는 : caractère ~ 변덕스러운 성격.

inconsolable [ɛ̃kɔ̃sɔlabl] *adj.* 위로할 길이 없는 ; 《~ de》 …으로 비탄에 잠긴 : veuve ~ 비탄으로 지새우는 미망인.

inconsolé, e [ɛ̃kɔ̃sɔle] *adj.* 위로할 길 없는, 비탄에 잠긴 : douleur ~*e* 달랠 길 없는 괴로움. ── *n.* 비탄에 잠긴 사람, 위로되지 않는 사람.

inconstance [ɛ̃kɔ̃stɑ̃:s] *f.* ① 변덕, 변심 ; 절개 없음 : ~ d'un amant 애인의 배신. ② 《문어》 (날씨 · 운명 따위의) 변하기 쉬움, 불안정(= instabilité) : ~ de la fortune 운명의 변화무쌍함.

inconstant, e [ɛ̃kɔ̃stɑ̃, -ɑ̃:t] *adj.* ① 이랬다 저랬다 하는, 무절조한, 변덕스러운 : femme ~*e* 변덕스런 여자. ② 《문어》 (날씨 · 운명 따위가) 변하기 쉬운 : temps ~ 변하기 쉬운 날씨. ── *n.* 변덕스러운〔지조 없는〕 사람.

inconstitutionnalité [ɛ̃kɔ̃stitysjɔnalite] *f.* 헌법 위반, 위헌(성).

inconstitutionnel, elle [ɛ̃kɔ̃stitysjɔnɛl] *adj.* 위헌의, 비입헌적인.

inconstitutionnellement [ɛ̃kɔ̃stitysjɔnɛlmɑ̃] *adv.* 헌법에 위반하여.

***incontestable** [ɛ̃kɔ̃tɛstabl] *adj.* 이론(異論)의 여지 없는, 명백한, 확실한 : ~ réussite 확실한 성공 / preuve ~ 명백한 증거.

incontestablement [ɛ̃kɔ̃tɛstabləmɑ̃] *adv.* 명백하게, 확실히(= assurément).

incontesté, e [ɛ̃kɔ̃tɛste] *adj.* 이론이 없는, 명백한, 확실한 : valeurs ~*es* 확실한 가치.

incontinence [ɛ̃kɔ̃tinɑ̃:s] *f.* ① (말 따위에) 자제력 없음, 무절제 : ~ de langue 말이 많음. ② 〖의학〗 (대소변의) 실금(失禁): ~ d'urine 요실금.

incontinent¹, e [ɛ̃kɔ̃tinɑ̃, -ɑ̃:t] *adj.* ① 자제력 없는, 무절제한 ; 음란한. ② 〖의학〗 요실금의 : malade ~ 요실금 환자.

incontinent² [ɛ̃kɔ̃tinɑ̃] *adv.* 《문어》 곧, 즉시.

incontournable [ɛ̃kɔ̃tuʀnabl] *adj.* 고려하지 않을 수 없는, 불가피한(= inévitable): réforme ~ 반드시 해야 할 개혁.

incontrôlable [ɛ̃kɔ̃tʀolabl] *adj.* ① 검증〔입증〕할 수 없는. ② 제어〔통제〕할 수 없는, (행동 · 감정을) 억제할 수 없는.

incontrôlé, e [ɛ̃kɔ̃tʀole] *adj.* ① 검증〔확인〕되지 않은 : nouvelle ~*e* 미확인 정보. ② 제어〔통제〕되지 않는.

inconvenance [ɛ̃kɔ̃vnɑ̃:s] *f.* 무례, 버릇 없음, 건방짐(= insolence) : ~ d'une question 건방진 질문 / se conduire avec ~ 버릇 없이 굴다.

inconvenant, e [ɛ̃kɔ̃vnɑ̃, -ɑ̃:t] *adj.* 버릇 없는, 무례한(= indécent) ; 천박한, 저속한 : discours ~*s* 무례한 언변 / tenue ~*e* 단정치 못한 차림새.

***inconvénient** [ɛ̃kɔ̃venjɑ̃] *m.* ① 불리한 형편, 지장(= empêchement): entraîner des ~*s* graves 심각한 지장을 초래하다. ② 불리한 점, 단점(= désavantage): avantages et ~*s* de qc …의 장점과 단점.

inconversible [ɛ̃kɔ̃vɛʀsibl] *adj.* 〖논리〗 전환〔환치〕할 수 없는.

inconvertible [ɛ̃kɔ̃vɛʀtibl] *adj.* ① 바꿀 수 없는 ; 〖지폐〗 (지폐 따위가) 불환(不換)의 : monnaie ~ 바꿀 수 없는 돈. ② 〖종교〗 《옛》 개종시킬 수 없는.

incoordination [ɛ̃kɔɔʀdinɑsjɔ̃] *f.* ① 부조화, 무질서. ② 〖의학〗 공동(共動) 운동 실조증(失調症).

incorporation [ɛ̃kɔʀpɔʀɑsjɔ̃] *f.* ① 《~ à 〔dans〕》 …으로의 합체, 합병 : ~ de l'Autriche *à* l'Allemagne en 1938, 1938 년 오스트리아의 독일에의 합병. ② 〖군사〗 (신병의) 편입, 입대.

incorporel, elle [ɛ̃kɔʀpɔʀɛl] *adj.* 무형의, 형체를 갖추지 않은.

incorporer [ɛ̃kɔʀpɔʀe] *v.t.* ① 《~ à 〔dans〕》 …에 합체시키다, 합병하다 ; …에 추가하다, 끼워넣다 : territoires *incorporés dans* un empire 제국에 편입된 영토 / un chapitre nouveau *dans* un livre 책에 새로 1 장(章)을 추가하다. ② (장치 따위를)

I

내장하다 : micro *incorporé* 내장 마이크. ③ 혼입하다, 섞다(= mélanger) : ~ des œufs *à* la farine 밀가루에 계란을 섞다. ④ 〖군사〗 (신병을 부대에) 편입하다 : Les recrues *ont été incorporées* dans les regiments. 신병은 각 연대에 편입되었다. ── **s'~** *v.pr.* 합체하다 ; 합병되다 ; (단체에) 편입되다, 끼어들다 : Il *s'est* vite *incorporé* à notre groupe. 그는 곧 우리 그룹에 들어온다.

incorrect, e [ɛ̃kɔʀɛkt] *adj.* ① 부정확한, 틀린 : terme ~ 틀린 용어 / interprétation ~*e* 잘못된 해석. ② 단정치 못한, 무례한 : tenue ~*e* 단정치 못한 복장.

incorrectement [ɛ̃kɔʀɛktəmɑ̃] *adv.* ① 부정확하게, 틀리게. ② 버릇없이 ; 단정치 못하게 : se conduire ~ avec qn …에게 버릇없이 굴다.

incorrection [ɛ̃kɔʀɛksjɔ̃] *f.* ① (문법상의) 부정확, 오류. ② 버릇없음, 실례.

incorrigible [ɛ̃kɔʀiʒibl] *adj.* ① 고칠 수 없는, 교정할 수 없는. ② 다루기 힘든(= incurable) : enfant ~ 선도할 수 없는 아이.

incorrigiblement [ɛ̃kɔʀiʒibləmɑ̃] *adv.* 고칠 수 없게, 교정할 수 없게 : Elle est ~ bavarde. 그 여자의 수다는 못 말릴 정도다.

incorruptibilité [ɛ̃kɔʀyptibilite] *f.* ① 썩지 않음, 부패하지 않음. ② 매수되지 않음 ; 청렴 : ~ d'un fonctionnaire 공직자의 청렴성.

incorruptible [ɛ̃kɔʀyptibl] *adj.* ① 썩지 않는, 부패하지 않는. ② 매수되지 않는, 청렴한 : fonctionnaire ~ 청렴한 공무원. ── *m.* (l'*i*~) 청렴한 사람《*Robespierre* 의 별명》.

incorruptiblement [ɛ̃kɔʀyptibləmɑ̃] *adv.* 부패하지 않고 ; 매수되지 않고 ; 청렴하게.

incrédule [ɛ̃kʀedyl] *adj.* et *n.* ① 의심 많은 (사람), 회의적인 (사람). ② 〖신학〗 신을 믿지 않는 (사람).

incrédulité [ɛ̃kʀedylite] *f.* 회의심 ; 무신앙 (= irréligion) : avec ~ 의심쩍은 듯이.

increvable [ɛ̃kʀəvabl] *adj.* ① (타이어가) 터지지 않는. ② 《구어》 지칠 줄 모르는.

incriminable [ɛ̃kʀiminabl] *adj.* 《문어》 비난〔규탄〕받을 만한(= blâmable).

incrimination [ɛ̃kʀiminɑsjɔ̃] *f.* ① 비난 ; 규탄(= attaque). ② 〖법률〗 고소, 고발.

incriminer [ɛ̃kʀimine] *v.t.* ① 비난〔규탄〕하다 ; …에게 책임을 지우다 ; 수상히 여기다(= suspecter): ~ la conduite de qn …의 행동을 규탄하다. ② 〖법률〗 고소〔고발〕하다(= accuser).

incrochetable [ɛ̃kʀɔʃtabl] *adj.* (자물쇠 · 금고 따위가) 비틀어 열 수 없는.

incroyable** [ɛ̃kʀwajabl] *adj.* ① 믿어지지 않는, 정말로 여겨지지 않는(= impensable) : histoire ~ 믿어지지 않는 이야기 / Il est ~ de + *inf.* 〔que + *sub.*〕 …한다는 것은〔라는 것은〕 믿어지지 않는다. ② 놀라운, 엄청난 : montrer un courage ~ 놀라운 용기를 발휘하다 / Il a fait des progrès ~*s*. 그는 엄청나게 진보했다. ③ 터무니없는, 어처구니없는, 해괴한 : C'est un type ~. 그는 정말 어처구니없는 녀석이야. ***C'est ~ ! 설마. ***en conter d'~s*** 엉터리없는 말을 하다. ── *m.* 믿어지지 않는 일.

incroyablement [ɛ̃kʀwajabləmɑ̃] *adv.* 믿을 수 없을 만큼 ; 놀라울 정도로, 터무니없이.

incroyance [ɛ̃kʀwajɑ̃:s] *f.* 무신앙(≠ foi).

incroyant, e [ɛ̃kʀwajɑ̃, -ɑ̃:t] *adj.* 신앙 없는. ── *n.* 무신앙자(=athée, incredule).

incrustation [ɛ̃kʀystɑsjɔ̃] *f.* ① 금박 (따위를 입히기), 상감 (세공품). ② 버캐, 물때. ③ 〖건축〗 덧입히기.

incruster [ɛ̃kʀyste] *v.t.* ① (금박 따위를) 박다, 상감(象嵌)하다. ② …에 물때〔버캐〕가 끼게 하다. ③ (벽에) 대리석 따위를 덧입히다. ── **s'~** *v.pr.* ① 상감되다. ② 물때가 끼다, 버캐가 앉다. ③ 《구어》 귀찮게 눌어붙다 ; (편견 따위가) 골수에 박히다 ; (지위 등에) 눌러앉다.

incubateur, trice [ɛ̃kybatœ:ʀ, -tʀis] *adj.* (인공적으로) 부화시키는. ── *m.* (인공) 부화기 ; (미숙아용) 인큐베이터.

incubation [ɛ̃kybɑsjɔ̃] *f.* ① (조류의) 알품기, 포란 ; 부화 : ~ artificielle 인공 부화. ② 〖의학〗 (병의) 잠복기. ③ (술의) 양조 기간.

incube [ɛ̃kyb] *m.* 몽마(夢魔)《잠자는 여자를 범한다는 도깨비》.

incuber [ɛ̃kybe] *v.t.* (알을) 품다; 부화하다.

inculpation [ɛ̃kylpɑsjɔ̃] *f.* 죄를 돌리기〔씌우기〕 ; 혐의 ; 용의 : ~ grave 무거운 혐의 / être arrêté sous l'~ d'assassinat 살인 혐의로 체포되다.

inculpé, e [ɛ̃kylpe] *adj.* 〖법률〗 고소당한, 혐의를 받은. ── *n.* 피의자, 용의자.

***inculper** [ɛ̃kylpe] *v.t.* 《~ qn de qc 〔de faire qc〕》 …에게 혐의를 두다, 죄를 씌우다 ; …을 …으로 고발하다 : ~ qn *d'*homicide par imprudence …을 과실치사로 고발하다 / ~ qn *de* vol …에게 도둑 혐의를 씌우다.

inculquer [ɛ̃kylke] *v.t.* 《~ qc à qn》 …에게 …을 가르치다 ; (지식을) 불어넣다, 주입하다 : Il essaye d'~ les valeurs républicaines *à* ses élèves. 그는 생도들에게 공화주의의 가치를 주입시키려 하고 있다.

inculte [ɛ̃kylt] *adj.* ① (토지가) 경작되지 않은, 황폐한, 불모의(≠ cultivé) : terres ~*s* 미개간지, 황무지 / champs ~*s* 황폐한 밭. ② (머리카락 · 수염 따위가) 덥수룩한. ③ 교양〔소양〕이 없는 : Elle est intelligente, mais ~. 그 여자는 똑똑하지만 교양이 없다. ④ 야만적인, 미개한 : mœurs ~*s* 야만적 풍습.

incultivable [ɛ̃kyltivabl] *adj.* 경작할 수 없는 ; 가꿀 수 없는.

inculture [ɛ̃kylty:ʀ] *f.* ① 교양 없음. ② 경작되지 않음, 미개간.

incunable [ɛ̃kynabl] *adj.* et *m.* 활판술 발명 당시《1500 년 이전》에 인쇄된 (서적) : édition ~ 초기 간행본.

***incurable** [ɛ̃kyʀabl] *adj.* ① 불치의, 낫지 못하는, 회복 불가능한(= inguérissable): malade ~ 불치병 환자. ② 《비유》 고칠 수 없는, 구제 불능의: blessures ~*s* de l'amour 아물지 않는 사랑의 상처/Il est ~. 그는 구제 불능이다. ── *n.* 불치병 환자, 폐질자(廢疾者): les *I*~*s* 폐질자 구제원.

incurablement [ɛ̃kyʀabləmɑ̃] *adv.* 낫지 못하게, 고칠 수 없을 만큼.

incurie [ɛ̃kyʀi] *f.* 무관심, 태만(= négligence) : ~ administrative 행정의 태만.

incuriosité [ɛ̃kyʀjozite] *f.* 《문어》 무관심.

incursion [ɛ̃kyʀsjɔ̃] *f.* ① (외적의) 침입(=invasion); 기습, 급습; 난입: faire une ~ chez qn …의 집에 난입하다 / ~ de pillards 약탈자들의 기습. ② 《비유》 전문 분야 외에 손을 댐, 외도: philosophe qui fait une ~ dans de domaine des sciences 과학 분야를 넘보는 철학자.

incurvation [ɛ̃kyʀvɑsjɔ̃] *f.* 만곡(彎曲), 굴곡.

incurver [ɛ̃kyʀve] *v.t.* (안쪽으로) 구부러뜨리다, 만곡시키다. — **s'~** *v.pr.* 안쪽으로 굽다, 오목해지다.

indatable [ɛ̃databl] *adj.* 날짜를 매길 수 없는: document ~ 연대 미상의 자료.

Inde [ɛ̃:d] *n.pr.f.* 【지리】 인도; 동(東)인도: la Compagnie anglaise des ~*s* 【역사】 동인도 회사. ***les ~s occidentales*** 서인도 제도.

indéboulonnable [ɛ̃debulɔnabl] *adj.* 《구어》 신분이 보장되는, 파면되지 않는(=inamovible).

indécemment [ɛ̃desamɑ̃] *adv.* 무례하게; 단정치 못하게, 파렴치하게, 추잡하게.

indécence [ɛ̃desɑ̃:s] *f.* ① 외설, 음란(=impudicité); 외설적인〔추잡한〕 언행. ② 무례(=inconvenance); 불손, 건방짐: Cette réponse est de la dernière ~. 그 대답은 무례의 극치이다.

indécent, e [ɛ̃desɑ̃, -ɑ̃:t] *adj.* ① 단정치 못한; 무례한; 부끄러움을 모르는; 저속한: tenue ~*e* 단정치 못한 옷차림 / propos ~*s* 저속한 화제. ② 《과장》 유별난, 엉뚱한. ③ 옳지 못한, 부적당한: rire ~ 계제에 맞지 않는 웃음.

indéchiffrable [ɛ̃deʃifʀabl] *adj.* ① 판독〔해독〕할 수 없는, 읽을 수 없는(=illisible): écriture ~ 판독하기 힘든 필적. ② 난해한, 불가해한, 수수께끼의: personnage ~ 수수께끼의 인물.

indéchirable [ɛ̃deʃiʀabl] *adj.* 찢어지지 않는, 부서지지 않는.

***indécis, e** [ɛ̃desi, -i:z] *adj.* ① 미결정〔미해결〕의, 불확실한, 의심스러운: La question reste ~*e*. 문제는 아직 해결되지 않고 있다 / victoire ~*e* 불확실한 승리. ② 결단성 없는, 우유부단한: caractère ~ 우유부단한 성격. ③ 모호한, 흐릿한, 분명치 않은: donner une réponse ~*e* 애매한 대답을 하다.
— *m.* 우유부단한 사람; (여론 조사에서) 태도 미결정의 사람.

indécision [ɛ̃desizjɔ̃] *f.* 우유부단, 결단성 없음, 망설임, 주저: demeurer 〔flotter〕 dans l'~ 결단을 못 내리고 우물쭈물하다.

indéclinable [ɛ̃deklinabl] *adj.* ① 회피할 수 없는. ② 【문법】 격변화할 수 없는.

indécomposable [ɛ̃dekɔ̃pozabl] *adj.* 분해할 수 없는, 분석할 수 없는.

indécrochable [ɛ̃dekʀɔʃabl] *adj.* ① (걸린 것을) 벗길 수 없는. ② 《구어》 획득할 수 없는: diplôme ~ 획득하기 어려운 면허장.

indécrottable [ɛ̃dekʀɔtabl] *adj.* ① 《구어》 (나쁜 버릇을) 고칠 수 없는(=incorrigible). ② 《드묾게》 진흙을 털 수 없는.

indéfectible [ɛ̃defɛktibl] *adj.* ① 【신학】 영원한, 변함없는: attachement ~ 한결같은 애착. ② 쇠퇴를 모르는.

indéfectiblement [ɛ̃defɛktibləmɑ̃] *adv.* 영원히, 언제까지나.

indéfendable [ɛ̃defɑ̃dabl], **indéfensible** [ɛ̃defɑ̃sibl] *adj.* 방어할 수 없는; 변호할 수 없는.

***indéfini, e** [ɛ̃defini] *adj.* ① 한계 없는, 무한정한; 무기한의: progrès ~ 무한한 진보. ② 확정되지 않은, 막연한(=vague): sentiment ~ 막연한 감정. ③ 【문법】 부정(不定)의: adjectif 〔pronom〕 ~ 부정 형용사〔대명사〕.

***indéfiniment** [ɛ̃definimɑ̃] *adv.* ① 제한 없이, 무한히, 무기한으로, 언제까지나: ajourner ~ son départ 출발을 무기한 연기하다. ② 【문법】 부정의 의미로.

indéfinissable [ɛ̃definisabl] *adj.* 정의를 내릴 수 없는; 명확히 규정지을 수 없는; 불가해한: notion ~ 정의 내릴 수 없는 관념 / charme ~ 뭐라고 말할 수 없는 매력.

indéformable [ɛ̃defɔʀmabl] *adj.* 변형할 수 없는.

indéfrisable [ɛ̃defʀizabl] *adj.* (머리가) 컬이 풀어지지 않는. — *f.* 퍼머넌트(웨이브).

indélébile [ɛ̃delebil] *adj.* (얼룩 따위가) 지울 수 없는; 사라지지 않는; 잊혀지지 않는.

indélibéré, e [ɛ̃delibeʀe] *adj.* 숙고(熟考)하지 않은, 경솔한.

***indélicat, e** [ɛ̃delika, -at] *adj.* ① 야비한, 무례한, 상스러운. ② 부정직한, 불성실한(=malhonnête): procédés ~*s* 부정직한 방법.

indélicatesse [ɛ̃delikatɛs] *f.* ① 야비함, 무례; 무례한 언동; 상스러움: ~ insupportable 참을 수 없는 무례. ② 부정직한 행위〔수단〕: commettre une ~ 부정을 저지르다.

indémaillable [ɛ̃demɑjabl] *adj.* (천·양말이) 올이 풀리지 않는.

***indemne** [ɛ̃dɛmn] *adj.* ① 손해를〔손상을〕 입지 않은, 무사한: sortir ~ d'une affaire délicate 난처한 사건에서 무사히 빠져나오다. ② (병원균의) 감염을 면한.

indemnisation [ɛ̃dɛmnizɑsjɔ̃] *f.* 배상, 보상; 배상〔보상〕금의 지급.

***indemniser** [ɛ̃dɛmnize] *v.t.* 《~ qn de qc》 …에게 배상하다, 보상〔변상〕하다: ~ qn *de* sa perte …에게 손해를 배상하다.

***indemnité** [ɛ̃dɛmnite] *f.* 보상금, 배상금; 수당(= allocation): ~ de charges de famille 가족 수당 / ~ de déplacement (공무원) 출장비 / ~ de logement 주택 수당 / ~ parlementaire 국회의원의 세비.

indémontable [ɛ̃demɔ̃tabl] *adj.* 분해〔해체〕되지 않는.

indémontrable [ɛ̃demɔ̃tʀabl] *adj.* 증명할 「수 없는.

***indéniable** [ɛ̃denjabl] *adj.* 부정〔부인〕할 수 없는, 명백한: témoignage ~ 부인할 수 없는 증거 / Il est ~ qu'il a tort. 명백히 그가 잘못했다.

indéniablement [ɛ̃denjabləmɑ̃] *adv.* 부정할 수 없이, 두말할 것 없이.

indentation [ɛ̃dɑ̃tɑsjɔ̃] *f.* (해안선 따위의) 들쭉날쭉함; 톱니모양.

***indépendamment** [ɛ̃depɑ̃damɑ̃] *adv.* ① 《~ de》 …와 관계없이: L'avancement se fait de l'ancienneté. 승진은 연공(年功)과는 관계없이 행해진다. ② 《~ de》 …이외에, …와는 별도로: ~ *du* traitement 봉급과는 별도로.

indépendance** [ɛ̃depɑ̃dɑ̃:s] *f.* ① (국가 따위의) 독립(성), (개인의) 자립(심) ; 자주성 : Proclamation d'～ 독립선언/l'～ de la justice 사법의 독립 / assurer à chacun son ～ 각자에게 자주성을 보장하다. ② (사물 사이의) 관련 없음, 무관계성 : ～ de ces deux faits 이 두 가지 사실의 무관계성. ***en toute ～ (d'esprit) 자기 생각대로, 독자적으로.

***indépendant, e** [ɛ̃depɑ̃dɑ̃, -ɑ̃:t] *adj.* ① 예속되어 있지 않은, 독립〔자립〕한 ; (재산이) 독립 생활을 할 수 있을 만큼의 : pays ～ 독립국 / femme ～*e* 자립한 여성 / fortune ～*e* 남의 신세를 지지 않을 만한 재산. ② 남의 속박을〔지배를〕 싫어하는 ; 자주적인 : caractère ～ 자주적인 성격. ③ 《～ de》 …와 관계없는 : pour des raisons ～*es* de notre volonté 우리 의사와는 관계없는 이유로, 본의 아닌 사정에 의하여. ④ 〖문법〗 proposition ～*e* 독립절. ── *m. pl.* (les *I*～*s*) ① 〖종교사〗 (16-17 세기의) 독립파. ② 〖미술〗 앵데팡당파, 재야 미술가 협회. ── *n.* 자립심이 강한 사람 ; 속박을 싫어하는 사람.

indépendantiste [ɛ̃depɑ̃dɑ̃tist] *adj.* et *n.* (캐나다 프랑스어 사용 지역에서의) 분리 독립을 주장하는 (사람).

indéracinable [ɛ̃deʀasinabl] *adj.* 뿌리 뽑을 수 없는 ; (폐해 따위를) 근절할 수 없는.

indéréglable [ɛ̃deʀeglabl] *adj.* 규칙을 벗어나지 않는, (기계가) 고장나지 않는.

indescriptible [ɛ̃dɛskʀiptibl] *adj.* 표현〔묘사〕할 수 없는, 필설로 다 할 수 없는 : joie ～ 말로 다 할 수 없는 기쁨.

indésirable [ɛ̃deziʀabl] *adj.* 달갑지〔바람직하지〕 않은 ; 〖행정〗 (외국인이) 국내에 있지 않았으면 싶은. ── *n.* 달갑지 않은 사람 ; 입국을 허용하고 싶지 않은 사람.

indestructible [ɛ̃dɛstʀyktibl] *adj.* 파괴할 수 없는, 불멸의.

indétectable [ɛ̃detɛktabl] *adj.* (레이더로) 탐지할 수 없는; (세균이) 검출 불가능한.

indéterminable [ɛ̃detɛʀminabl] *adj.* 확정〔결정 · 해결〕할 수 없는.

indétermination [ɛ̃detɛʀminɑsjɔ̃] *f.* ① 불확정 ; 불명확(= imprécision), 애매함 : ～ d'une chronologie 연대 미상 / Le sens de ce mot est ～. 이 말의 뜻은 불분명하다. ② 망설임, 주저(= hésitation); 우유부단 : demeurer dans l'～ 결정을 내리지 못하다. ③ 〖수학〗 부정(不定).

indéterminé, e [ɛ̃detɛʀmine] *adj.* ① 불확정의, 불명확한, 애매한 : à une date ～*e* 미정일에 / pour une cause ～*e* 분명치 않은 이유로. ② 〖철학〗 비결정론적인, 우연의 ; 〖수학〗 부정(不定)의.

indéterminisme [ɛ̃detɛʀminism] *m.* 〖철학〗 비결정론.

index [ɛ̃dɛks] *m.* 《복수불변》 ① 집게손가락, 검지. ② (계량기의) 바늘, 지침(指針). ③ 색인 : faire l'～ d'un livre 서적에 색인을 넣다. ④ 〖가톨릭〗 금서(禁書) 목록(= ～ de la cour de Rome). ***mettre*** qc 〔qn〕 ***à l'～*** …을 배척〔제외〕하다, 블랙리스트에 올리다.

***indexer** [ɛ̃dɛkse] *v.t.* ① (임금을) 생계비 지수에 맞추다 : Les salaires *sont indexés* sur le coût de la vie. 임금은 생계비 지수에 연동되어 있다. ② (책에) 색인을 달다 ; 바코드를 붙이다.

indianisme [ɛ̃djanism] *m.* 인도풍 ; 인도어 관용어법, 인도학.

indianiste [ɛ̃djanist] *n.* 인도학자. ── *adj.* 인도학의.

indic [ɛ̃dik] *m.* 《구어》 경찰의 끄나풀, 밀고자.

indicateur, trice [ɛ̃dikatœːʀ, -tʀis] *adj.* 지시하는, 가리키는 : doigt ～ 검지, 집게손가락 / plaque ～*trice* 도로 표지판. ── *m.* ① 안내서 ; 시간표 : ～ des chemins de fer 열차 시간표. ② 표지(標識). ③ 표시기(標示器) ; 지침(指針) : ～ de direction 〖무전〗 방향 탐지기 ; 〖자동차〗 방향 지시기 / ～ de vitesse 속도계. ④ 〖화학〗 지시약(藥) : ～ radioactif 방사선 지시약. ⑤ 검지, 집게손가락. ── *n.* 밀고자, 정보 제공자.

indicatif, ive [ɛ̃dikatif, -iːv] *adj.* ① 《～ de》 지시하는 : état ～ *des* dépenses 지출 일람표. ② 〖문법〗 직설(直說)의 : mode ～ 직설법. ── *m.* ① 직설법. ② 〖전신〗 호출 부호(= ～ d'appel 〔du poste〕) ; 〖라디오〗 시그널 뮤직.

indication** [ɛ̃dikɑsjɔ̃] *f.* ① 지시(하기), 표시 : ～ d'origine 원산지 표시 / ～ d'un virage (도로의) 커브 표시. ② 표적, 조짐, 단서, 증거 ; 표지, 기호. ③ 정보, 보고 ; 〖법률〗 신고 : donner une fausse ～ 틀린 정보를 가르쳐 주다. ④ (흔히 *pl.*) 지시, 명령 : suivre les ～*s* du médecin 의사의 지시를 따르다. ⑤ 〖약학〗 (약의) 적응증 지시. ***sauf ～ contraire 별도 지시가 없는 한. ***selon les ～s données*** 지시에 따라. ***sur l'～ de*** qn …의 지시를 받아서.

***indice** [ɛ̃dis] *m.* ① ⓐ 징후(徵候), 징조(= sign) ; 지표(指標), 표지 : l'～ d'un changement 변화의 징조 / ～*s* d'une maladie 병의 징후. ⓑ 〖법률〗 (상황) 증거 : condamner qn sur de faibles ～*s* 박약한 증거에 근거하여 …을 유죄로 하다〔비난하다〕. ② (수사의) 실마리, 단서 : La police ne dispose que d'～*s* minimes. 경찰은 약간의 단서밖에 갖고 있지 않다. ③ 〖수학 · 경제〗 지수(指數) ; 율 : ～ des prix de détail 〔de gros〕 소매〔도매〕 물가 지수 / ～ d'écout 청취율, 시청률.

indiciaire [ɛ̃disjɛːʀ] *adj.* 지수의, 지수에 맞춘 : classement ～ d'un fonctionnaire 공무원의 지수별 호봉(号俸).

***indicible** [ɛ̃disibl] *adj.* 무어라 말할〔형언할〕 수 없는, 설명할 수 없는(= inexprimable) : joie ～ 말로 표현할 수 없는 기쁨.

indiciel, elle [ɛ̃disjɛl] *adj.* 지수의, 지수에 의한 : notation ～*elle* 지수 표기법.

indien, enne [ɛ̃djɛ̃, -ɛn] *adj.* ① 인도의, 인도인의 : L'océan *I*～ 인도양. ② 아메리칸 인디언의. ***brasse ～enne ; nage (à l') ～enne*** 〖수영〗 팔을 번갈아 뻗어서 끌어당기는 헤엄, 오버핸드 영법. ── ***I～*** *n.* ① 인도인. ② 아메리칸 인디언 : chef ～ 아메리카 인디언 추장. ── *f.* 〖직물〗 인도 사라사.

indifféremment [ɛ̃difeʀamɑ̃] *adv.* 무차별로, 구별 없이, 일률적으로 : Il mange ～ de tout. 그는 무엇이든 가리지 않고 먹는다.

***indifférence** [ɛ̃difeʀɑ̃:s] *f.* ① 《～ à 〔devant,

pour)》 에 대한 무관심, 무감동, 무감각(= intérêt) : ~ *pour* la politique 정치에 대한 무관심 / ~ *devant* les malheurs d'autrui 타인의 불행에 대한 무감각 / Elle montre de l'~ *à* l'égard de la mode. 그녀는 유행에는 전혀 관심을 두지 않는다. ② 냉담, 무정 ; 초연함 : affronter la mort avec ~ 담담하게 죽음에 맞서다. ③ 종교에 대한 냉담, 무신앙.

indifférenciation [ɛ̃difeʀɑ̃sjasjɔ̃] *f.* 〖심리〗 미분화(未分化) 상태.

indifférent, e** [ɛ̃difeʀɑ̃, -ɑ̃:t] *adj.* ① 《~ à》 관심이 없는, 무관심한 : Elle est restée ~*e à* mes prières. 그녀는 나의 간청에 무관심했다 / Mes problèmes la laissent ~*e*. 내 문제에 그녀는 관심이 없다. ② 《~ à》 …에게는 아무래도 좋다 : Cela *m*'est comlètement ~. 그런 것은 나에게는 아무래도 좋다. ③ 흥미 없는, 중요성이 없는(= sans importance) : causer de choses ~*es* 쓸데없는 이야기를 하다 / air ~ 담담한 태도 / âge 〔sexe〕 ~ 연령〔성별〕 불문. ④ 냉담한, 무정한 : femme ~*e* 무정한 여자. ***Il est ~ de + *inf.* 〔***que*** + *sub.*〕 …은 아무래도 좋은 일이다 : *Il* m'*est* ~ *de* sortir ou *de* rester. 나는 나가든 안 나가든 아무래도 좋다. ***parler de choses ~es*** 잡담〔한담〕하다. ── *n.* ① (종교에) 무관심한 사람(= incroyant). ② 냉담한〔무정한〕 사람.

indifférentisme [ɛ̃difeʀɑ̃tism] *m.* 〖신학〗 무관심설 ; 〖정치〗 중립주의, 무관심주의.

indifférer [ɛ̃difeʀe] [6] *v.t. ind.* 《구어》 《~ qn》 …에게 무관하다 《보어 대명사와 함께 주로 3 인칭 단수에 쓰임》 : Cela m'*indiffère.* 그것은 내게 무관하다.

indigénat [ɛ̃diʒena] *m.* ① 《집합적》 토착민, 원주민. ② (식민지의) 토착민 통치 제도.

indigence [ɛ̃diʒɑ̃:s] *f.* ① 적빈, 가난 ; 《집합적》 빈민. ② (정신적) 빈곤 : ~ d'idées 사상의 빈곤. ***être réduit à l'~*** 곤궁에 빠지다.

indigène [ɛ̃diʒɛn] *adj.* ① 토지 고유의, 토착의 : plantes ~*s* 토착 식물. ② 토착민의, 현지인의. ── *n.* (특히 식민지의) 토착민, 원주민 ; 현지인 : ~*s* d'Australie 오스트레일리아 원주민 / épouser une ~ 현지인 여자와 결혼하다.

indigent, e [ɛ̃diʒɑ̃, -ɑ̃:t] *adj.* ① 매우 가난한, 극빈의, 적빈의. ② 몹시 빈약한 : imagination ~*e* 빈약한 상상력. ── *n.* 극빈자.

indigeste [ɛ̃diʒɛst] *adj.* ① 소화되지 않는 : cuisine ~ 소화하기 힘든 요리. ② (작품 따위가) 이해하기〔읽기〕 어려운.

indigestion [ɛ̃diʒɛstjɔ̃] *f.* ① 소화 불량 : avoir une ~ 소화 불량에 걸리다. ② 《비유》 물림, 식상 ; 포만(飽滿): avoir une ~ de télévision 텔레비전에 싫증나다.

indignation [ɛ̃diɲasjɔ̃] *f.* 분개, 분노(= colère) : éprouver une vive ~ de qc …에 몹시 분개하다 / Cette proposition a soulevé l'~ générale. 이 제안은 많은 사람들의 분개를 샀다.

indigne [ɛ̃diɲ] *adj.* ① 《~ de qc》 …을 받을 만한〔될 만한〕 가치가 없는, 자격이 없는. Il est ~ *d*'être votre ami. 그에게는 너의 친구가 될 자격이 없다. ② 《~ de qn》 …에게 어울리지 않는, 마땅찮은, 가당찮은 : conduite ~ *d*'un élu 국회의원에게 어울리지 않는 행동. ③ (사람이) 경멸할 만한 ; (사물이) 매우 못마땅한, 수치스러운. ── *n.* ① 비열한 사람. ② 〖법률〗 상속 무자격자.

indigné, e [ɛ̃diɲe] *adj.* ① 분개한, 화난 : visage ~ 분개한 얼굴 / ton ~ 화난 어조. ② 《~ que + *sub.* 〔de ce que + *ind.*〕》 …에〔라는 것에〕 분개하는. ③ 《être ~ contre qn 〔qc〕》 …에 대하여 분개하고 있는.

indignement [ɛ̃diɲmɑ̃] *adv.* 수치스럽게, 비열하게.

***indigner** [ɛ̃diɲe] *v.t.* 분개시키다, 화나게 하다 : Sa conduite m'*indigne.* 그의 행위를 보면 화가 치민다. ── **s'~** *v.pr.* ① 《~ de 〔contre〕》 …에 분개하다, 화내다 : *s'~ contre* les injustices sociales 사회의 부정에 분개하다. ② 《s'~ de + *inf.* 〔que + *sub.*〕》 …하여〔라는 것에〕 분개하다 : Il *s'est indigné de* ne pas avoir été invité à la réunion. 그는 집회에 초대받지 못한 일로 분개했다 / Je *m'indigne que* vous n'ayez pas tenu vos promesses. 네가 약속을 깬 것은 당치도 않다.

indignité [ɛ̃diɲite] *f.* ① (사람의) 무자격, 무능 : ~ successorale 〖법률〗 상속 무자격. ② (행동의) 비열함 ; 비열한〔부끄러운〕 행동〔일〕 : commettre des ~*s* 비열한 짓을 하다.

indigo [ɛ̃digo] *m.* ① 인디고, 양람(洋藍) 《염료》. ② 남빛, 남색. ③ 〖식물〗 쪽, 남(藍).

***indiqué, e** [ɛ̃dike] *adj.* ① 지시된, 지정된 : à l'heure ~*e* 지정된 시간에. ② 적당한, 적합한 : Il est tout ~ pour ce travail. 그는 그 일에 최적임자다.

***indiquer** [ɛ̃dike] *v.t.* ① (방향·장소를) 지시하다, 가리키다 : Il m'*indiqua* une place libre. 그는 내게 빈 자리를 가리켜 주었다. ② 가르쳐〔일러〕 주다 : Il nous *indiqua* l'origine du phénomène. 그는 이 현상의 근원을 가르쳐 주었다〔지적했다〕. ③ (시간·날짜를) 지정하다, 정하다 : *Indiquez*-moi l'heure du départ. 출발 시간을 지정해 주십시오. ④ 〖미술·문학〗 소묘(素描)하다. ⑤ 표시하다, 나타내다 : Les traces de pas *indiquent* le passage du fugitif. 발자국은 도망자가 지나갔음을 나타낸다.

***indirect, e** [ɛ̃diʀɛkt] *adj.* ① 간접의 : moyens ~*s* 간접적인 수단 / discours 〔style〕 ~ 〖문법〗 간접 화법 / éclairage ~ 간접 조명. ② 우회적인, 완곡한, 에두른 : critique ~*e* 에둘러서 하는 비판.

indirectement [ɛ̃diʀɛktəmɑ̃] *adv.* 간접적으로 ; 완곡하게, 우회적으로.

indiscernable [ɛ̃disɛʀnabl] *adj.* 《~ de》 …와 구별〔분간〕할 수 없는.

indisciplinable [ɛ̃disiplinabl] *adj.* 다루기 힘든, 고분고분하지 않은 : enfant ~ 말을 듣지 않는 아이.

indiscipline [ɛ̃disiplin] *f.* 규율 무시, 불복종 : Il a été renvoyé du lycée pour ~. 그는 규율을 위반하여 고교를 퇴학당했다.

indiscipliné, e [ɛ̃disipline] *adj.* ① 규율을 지키지 않는, 불복종의 : troupes ~*es* 규율이 문란한 군대. ② (머리털 따위가) 빗으로 잘 빗어지지 않는 : cheveux ~*s* 뻣뻣한 머리털.

***indiscret, ète** [ɛ̃diskʀɛ, -ɛt] *adj.* ① 조심성

없는 ; 주제넘는 : question *~ète* 주제 넘는 질문. ② 비밀을 지키지 못하는 : médecin ~ (진료상의) 비밀을 지키지 못하는 의사. — *n.* 경솔한〔입이 싼〕 사람.

indiscrètement [ɛ̃diskʀɛtmɑ̃] *adv.* 조심성 없이, 주책 없이 ; 《옛》 경솔하게.

indiscrétion [ɛ̃diskʀesjɔ̃] *f.* ① 조심성 없음, 삼가지 않음, 경솔, 무례(= inconvenance) : Excusez mon ~. 저의 실례를 용서하세요. ② 경솔한〔무례한〕 언동, 입이 가벼움 : commettre une ~ 경솔한 짓〔말〕을 하다.

indiscutable [ɛ̃diskytabl] *adj.* 이론의 여지 없는, 확실한, 명백한(= évident). ***preuve*** **~** 명백한 증거.

indiscutablement [ɛ̃diskytabləmɑ̃] *adv.* 이의 없이, 명백히, 확실히.

indiscuté, e [ɛ̃diskyte] *adj.* 이론의 여지가 없는, 누구나 인정하는, 공인된 : droits *~s* 만인이 인정하는 권리.

indispensable** [ɛ̃dispɑ̃sabl] *adj.* 불가결한, 필수적인 : condition ~ pour réussir 성공하기 위한 필수적인 조건. ***Il est ~ de + *inf.* 〔***que*** + *ind.*〕 …하는 것은 절대로 필요하다 : *Il est ~ que* vous soyez à l'heure. 당신은 반드시 정각에 와야 합니다. — *m.* 필요 불가결한 것 : réduire à l'~ 필수품을 최소한도로 제한하다.

indisponibilité [ɛ̃dispɔnibilite] *f.* ① 〖법률〗 양도〔처분〕 불가능성. ② (사물의) 이용 불가능.

indisponible [ɛ̃dispɔnibl] *adj.* ① 〖군사〗 근무를 감당할 수 없는. ② 〖법률〗 양도〔처분〕할 수 없는. ③ 맘대로 이용할 수 없는.

indisposé, e [ɛ̃dispoze] *adj.* ① 몸이 불편한 ; (*f.*) (여자가) 월경 중인. ② 《~ contre》 …에 악감〔불만〕을 품은.

indisposer [ɛ̃dispoze] *v.t.* ① 《~ contre》 …에 악감〔불만〕을 품게 하다 : Il *indispose* tout le monde *contre* lui avec sa prétention. 그는 자만하는 것 때문에 모든 사람의 악감정〔미움〕을 사고 있다 / 《목적보어 없이》 Son attitude hautaine *indispose.* 그의 거만한 태도가 못마땅하다. ② 《~ qn》 …의 몸을 불편하게 하다(= incommoder) ; 기분을 상하게 하다(= déplaire) : Ce qu'il a mangé hier l'*a indisposé.* 그는 어제 먹은 것 때문에 속이 거북했다.

***indisposition** [ɛ̃dispozisjɔ̃] *f.* ① (몸상태가) 나쁨, 편치 못함. ② (여자의) 생리 기간. ③ 《옛》 반감, 불쾌감.

indissociable [ɛ̃disɔsjabl] *adj.* 분리될 수 없는, 불가분의.

indissolubilité [ɛ̃disɔlybilite] *f.* ① (결혼 · 약속 따위의) 파기〔해소〕 불가능. ② 〖화학〗 불용해성.

indissoluble [ɛ̃disɔlybl] *adj.* ① 〖화학〗 용해되지 않는, 녹지 않는. ② 해소되지 않는, 파기할 수 없는.

indistinct, e [ɛ̃distɛ̃〔ɛ̃:kt〕, -ɛ̃:kt] *adj.* ① 분명치 않은, 희미한 ; 구별〔분간〕할 수 없는 : formes *~es* 희미한 형체 / voix *~e* 알아듣기 어려운 목소리. ② 《비유》 (생각 · 계획 따위가) 확실치 않은 : plans *~s* 불확실한 계획.

indistinctement [ɛ̃distɛ̃ktəmɑ̃] *adv.* ① 분명치 않게 ; 희미하게(= confusément) : parler ~ 불분명하게 말하다. ② 구별 없이, 무차별하게(= indifféremment).

individu** [ɛ̃dividy] *m.* ① 〖생물〗 개체 ; 개인 : dignité 〔droits〕 de l'~ 개인존엄〔여러 권리〕. ② 사람, 인간. ③ 《구어》 《흔히 경멸》 자식, 놈 : C'est un drôle d'~. 그 자는 묘한 작자야 / ~ louche 수상한 자. ***son ~ 《구어》 자기 자신〔몸〕 : avoir soin de *son* ~ 자기 몸을 보살피다.

individualisation [ɛ̃dividɥalizɑsjɔ̃] *f.* ① 개성화. ② 개체화, 개별화(≠ généralisation) : ~ de la peine 〖법률〗 형벌의 개별화.

individualiser [ɛ̃dividɥalize] *v.t.* 개성을 부여하다, 개별〔개체〕화하다. — **s'~** *v.pr.* 개별〔개체〕화하다 ; 개성을 발휘하다.

individualisme [ɛ̃dividɥalism] *m.* 개인주의, 개체주의.

individualiste [ɛ̃dividɥɑlist] *n.* 개인주의자. — *adj.* 개인주의의.

individualité [ɛ̃dividɥalite] *f.* ① 개성 ; 개성적 특징 : ~ régionale 지방의 개성적 특징. ② 개인 ; 〖철학〗 개체성.

individuation [ɛ̃dividɥɑsjɔ̃] *f.* 개별성.

***individuel, elle** [ɛ̃dividɥɛl] *adj.* ① 개개의 ; 개인의 : la propriété *~elle* 개인의 재산 / liberté *~elle* 개인의 자유 / cas ~ 개개의 경우. ② 개별적인, 개성적인, 독특한 : dérogation ~ 개별적 특례. — *m.* 개별성, (클럽 · 팀에 속하지 않은) 개인 경기자 ; (침대차의) 개인실.

individuellement [ɛ̃dividɥɛlmɑ̃] *adv.* 개체로서, 개인적으로 ; 각자.

indivis, e [ɛ̃divi, -i:z] *adj.* 〖법률〗 공유의, 공동의 : succession *~e* 공동 상속 / biens ~ 공유 재산. ***par ~*** 공유로, 공동으로.

indivisibilité [ɛ̃divizibilite] *f.* 분할 불가능, 불가분성.

indivisible [ɛ̃divizibl] *adj.* ① 분할할 수 없는, 불가분의. ② 〖법률〗 공유의, 연대의. ③ 〖수학〗 나누어 떨어지지 않는.

indivision [ɛ̃divizjɔ̃] *f.* 〖법률〗 공유(= copropriété): propriété en ~ 공유 재산.

Indo-Chine, Indochine [ɛ̃dɔʃin] *n.pr.f.* 〖지리〗 인도차이나.

indo(-)chinois, e [ɛ̃dɔʃinwa, -a:z] *adj.* 인도차이나(*l'Indochine*)의. — **I~** *n.* 인도차이나 사람 《주로 프랑스식민지 시대의》.

indocile [ɛ̃dɔsil] *adj.* 다루기 어려운, 고분고분하지 않는 : écolier ~ 말을 안 듣는 아이.

indocilité [ɛ̃dɔsilite] *f.* 《문어》 다루기 어려움 ; 불순종, 거역성.

indo-européen, enne [ɛ̃dɔøʀɔpeɛ̃, -ɛn] *adj.* 인도유럽 어족(語族)의 : langues *~ennes* 인도유럽 제어(諸語). — **I~-E~** *n.* 인도유럽 어족의 언어를 사용하는 국민. — *m.* 인도유럽 어족의 조어(祖語).

indolemment [ɛ̃dɔlamɑ̃] *adv.* 무심하게 ; 무료하게 , 나태하게.

indolence [ɛ̃dɔlɑ̃:s] *f.* 《문어》 무료, 무기력 ; 게으름, 나태.

indolent, e [ɛ̃dɔlɑ̃, -ɑ̃:t] *adj.* ① 게으른, 무기력한, 나태한 : écolier ~ 게으른 학생. ② (몸짓 따위가) 느른한, 늘쩍지근한. ③ 〖의학〗 통증이 없는. — *n.* 게으른〔무기력한〕 사람.

indolore [ɛ̃dɔlɔ:ʀ] *adj.* 〖의학〗 무통성의, 아

프지 않은 : opération ~ 무통 수술.

indomptable [ɛ̃dɔ̃tabl] *adj.* ① 제어할 수 없는, 길들일 수 없는(= féroce) : fauve ~ 길들일 수 없는 맹수. ② 복종시킬 수 없는, 불굴의 : volonté ~ 불굴의 의지.

indompté, e [ɛ̃dɔ̃te] *adj.* ① 제어되지 않은 ; 길들지 않은 : cheval ~ 길들지 않은 말. ② 정복되지 않은, 굴하지 않는 : courage ~ 불굴의 용기.

indonésien, enne [ɛ̃dɔnezjɛ̃, -ɛn] *adj.* 인도네시아(*l'Indonésie*)의. — **I~** *n.* 인도네시아 사람. — *m.* 인도네시아어(語).

in-douze [ɛ̃du:z] *adj.* 《불변》 〖인쇄〗 12 절판의. — *m.* 《복수불변》 12 절판(의 책).

indu, e [ɛ̃dy] *adj.* ① 〖법률〗 채무 없는, 부채가 아닌 : réclamation *~e* 부당한 청구. ② 《문어》 부당한, 상식을 벗어난 : rentrer à l'heure *~e* 터무니없이 늦은 시간에 돌아오다. — *m.* 〖법률〗 지불 의무가 없는 돈.

indubitable [ɛ̃dybitabl] *adj.* 의심할 여지 없는, 확실한(= incontestable) : preuve ~ 명백한 증거 / Il est ~ que+*ind.* …하는 것은 의심할 여지가 없다(주절이 의문·부정인 경우에 que 이하는 접속법).

indubitablement [ɛ̃dybitabləmɑ̃] *adv.* 의심할 여지 없이, 확실히, 명백하게.

inducteur, trice [ɛ̃dyktœ:ʀ, -tʀis] *adj.* ① 감응(感應)의 ; 유도의. ② 〖논리〗 귀납하는 : propositions *~trice* 귀납 명제. — *m.* 〖전기〗 유도자(誘導子).

inductif, ive [ɛ̃dyktif, -i:v] *adj.* ① 〖논리〗 귀납적인 : méthode *~ive* 귀납법. ② 〖전기〗 유도성의 : courant ~ 유도 전류.

induction [ɛ̃dyksjɔ̃] *f.* ① 〖논리〗 귀납(歸納) (≠ déduction) : ~ mathématique 수학적 귀납법. ② (귀납적 추리에 의한) 추정, 유추. ③ 〖전기〗 유도(誘導) : bobine 〔courant〕 d'~ 유도 코일〔전류〕.

induire [ɛ̃dɥi:ʀ] [32] *v.t.* ① 《흔히 경멸》 (불미스러운 일에 사람을) 끌어넣다 : ~ en erreur 오류로 이끌다 / ~ qn au mal 〔à mal faire〕 …을 꾀어서 나쁜 일을 시키다. ② 《~ de》 …에서 귀납하다, 결론을 끌어내다 : De-là j'*induis* que+*ind.* 거기서 나는 …라는 결론을 낸다. ③ 유도하다. ~ qn ***en erreur*** …을 속이다, 그르치다. ~ qn ***en tentation*** …을 유혹하여 끌어들이다.

induis ⇒ induire.

induit, e [ɛ̃dɥi, -it] *adj.* ① 〖전기〗 유도된 : courant ~ 유도 전류. ② 〖철학〗 귀납된. ③ (사건이) 유발된, 그로 인해 생긴. — *m.* 〖전기〗 피(被)유도 회로(= circuit ~).

indulgence [ɛ̃dylʒɑ̃:s] *f.* ① 관대, 관용, 너그러움 : aboir 〔montrer〕 de l'~ envers qn 〔pour les fautes de qn〕 …에 대해〔의 잘못에 대해〕 관대한 태도를 취하다. ② 〖가톨릭〗 면죄(부) : ~ plénière 〔partielle〕 전면적인 〔부분적인〕 면죄.

***indulgent, e** [ɛ̃dylʒɑ̃, -ɑ̃:t] *adj.* ① 《~ pour 〔à, envers〕》 …에 관대한, 이해성 있는, 너그러운(≠ sévère) : appréciation *~e* 이해성 있는 평가 / Il est ~ *envers* tout le monde. 그는 모두에게 관대하다. ② 《옛·문어》 《~ à》 …에 빠지기 쉬운. — *m.* (*pl.*) 〖역사〗 (프랑스 혁명 때의) 관용파.

indûment [ɛ̃dymɑ̃] *adv.* 불법으로 ; 부당하게, 함부로.

induration [ɛ̃dyʀasjɔ̃] *f.* 〖의학〗 (세포 조직의) 굳어짐 ; 경화(된 부분) : ~ de l'œil 안구 경화.

industrialisation [ɛ̃dystʀijalizasjɔ̃] *f.* 산업화, 공업화, 기계화 : ~ pays en voie d'~ 개발도상국 / ~ de l'agriculture 농업의 기계화.

industrialisé, e [ɛ̃dystʀijalize] *adj.* 산업〔공업〕화된 : nouveaux pays *~s* 신흥공업국.

industrialiser [ɛ̃dystʀijalize] *v.t.* 공업화〔산업화〕하다 : ~ la fabrication 생산을 공업화하다. — **s'~** *v.pr.* 산업화〔공업화〕하다.

industrialisme [ɛ̃dystʀijalism] *m.* ① 산업〔공업〕주의. ② 산업〔공업〕 우선 ; (사회에서의) 산업 우위 (정책).

***industrie** [ɛ̃dystʀi] *f.* ① 능란한 솜씨, 교묘함, 술책 : plein d'~ 술책에 능한 / chevalier d'~ 사기꾼. ② 산업, 공업, 제조업 : ~(-)clé 기간 산업 / ~ informatique 정보 산업 / ~ de pointe 첨단 산업 / ~ d'exportation 수출산업 / ~ légère 〔lourde〕 경〔중〕공업 / ~ alimentaire 〔automobile, métallurgique, pétrolière, textile〕 식료품〔자동차·금속·석유·섬유〕 공업 / grande 〔petite〕 ~ 기계〔가내〕 공업. ③ (제조업의) 기업, 공장 : petite 〔moyenne, grande〕 ~소〔중·대〕기업 / ~ groupée 기업 그룹. ④ 《문어》 돈벌이, 생업, 일 : ~ des transports 운수업.

industriel, elle** [ɛ̃dystʀijɛl] *adj.* 공업〔산업〕의, 실업의 : chefs *~s* 실업계의 거물들 / ville *~elle* 공업 도시 / production *~elle* 공업 생산 / zone *~elle* 공업 지대. ***en quantité ~elle 《구어》 대량으로. — *m.* 실업가 : *~s* du textile 섬유업자.

industriellement [ɛ̃dystʀijɛlmɑ̃] *adv.* 산업적으로, 공업적으로 : pays ~ avancé 공업 선진국.

industrieusement [ɛ̃dystʀijøzmɑ̃] *adv.* 솜씨 좋게, 능란하게, 교묘하게.

industrieux, euse [ɛ̃dystʀijø, -ø:z] *adj.* 솜씨 좋은 : artisan ~ 솜씨 좋은 장인.

inébranlable [inebʀɑ̃labl] *adj.* 흔들리지 않는, 불굴의 ; 확고한 : caractère 〔courage〕 ~ 불굴의 성격〔용기〕.

inédit, e [inedi, -it] *adj.* ① (작품이) 미간(未刊)의, 미발행의 ; 발표〔공개〕되지 않은 : ouvrage ~ 미발표 작품 / film ~ 미공개 영화. ② 《비유》 전대미문의, 참신한, 기발한(= original). — *m.* ① 미간〔미발표〕 작품. ② 전대미문(의 일).

ineffable [inefabl] *adj.* 이루〔무어라〕 말할 수 없는, 말로 표현할 수 없는 : bonheur ~ 말로 표현할 수 없는 행복.

ineffablement [inefabləmɑ̃] *adv.* 이루 말할 수 없이.

ineffaçable [inefasabl] *adj.* 지울 수 없는, 사라지지 않는, 잊혀지지 않는 : trace ~ 지워지지 않는 흔적 / souvenir ~ 잊을 수 없는 추억.

inefficace [inefikas] *adj.* 효력 없는 ; (사람이) 쓸모없는, 무능한 : remède ~ 효력 없는 약 / secrétaire ~ 무능한 비서.

inefficacement [inefikasmɑ̃] *adv.* 효력

I

〔효과〕 없이.

inefficacité [inefikasite] *f.* 무효, 무능, 효력〔효험〕 없음 : ~ d'un gouvernement 정부의 무능.

inégal, e, aux [inegal, -o] *adj.* ① 같지〔동등하지〕 않은, 불균등〔불공평〕한 : partage ~ des biens 재산의 불균등한 분배. ② 평탄하지 않은, 울퉁불퉁한 : chemin ~ 울퉁불퉁한 길. ③ 한결같지 않은, 불규칙한(=irrégulier) : respiration ~*e* 〖의학〗 불규칙 호흡. ***humeur ~e*** 변덕.

inégalable [inegalabl] *adj.* 피할 데 없는.

inégalement [inegalmɑ̃] *adv.* 불균등하게, 불평등하게, 고르지 않게 ; 불규칙하게. 「의.

inégalitaire [inegalitɛːʀ] *adj.* 불평등주의

inégalité [inegalite] *f.* ① 불균등, 불평등, 불균형 : ~ sociale 사회적 불평등. ② (토지의) 기복, 울퉁불퉁함. ③ 한결같지 않음 ; 불규칙 : ~ d'humeur 변하기 쉬운 기분, 변덕. ④ 〖수학〗 부등식(≠équation) : signe d'~ 부등호《>, <》.

inélégance [inelegɑ̃ːs] *f.* 우아하지 못함, 기품 없음, 멋없음 ; 조잡함.

inélégant, e [inelegɑ̃, -ɑ̃ːt] *adj.* 우아하지 못한, 기품 없는, 멋없는 ; 조잡한, 세련되지 못한 : mise ~*e* 촌스러운 복장.

inéligibilité [ineliʒibilite] *f.* 피선거권이 없음. 「이 없는.

inéligible [ineliʒibl] *adj.* 〖법률〗 피선거권

inéluctable [inelyktabl] *adj.* (운명·죽음 따위가) 피할 수 없는, 필연적인, 불가피한 : mort ~ 피할 수 없는 죽음 / conséquence ~ 필연적인 결과. — *m.* 불가피한 일, 불가항력.

inéluctablement [inelyktabləmɑ̃] *adv.* 피할 도리 없이, 꼼짝없이.

inemployé, e [inɑ̃plwaje] *adj.* (물건·돈·노력 따위가) 이용되지 않은 ; 활용되지 않은 : talent ~ 파묻혀 있는 재능〔인재〕.

inénarrable [inenaʀabl] *adj.* 별난, 우스꽝스러운 : aventures ~*s* 별난 모험 / chapeau ~ 우스운 모자.

inentamé, e [inɑ̃tame] *adj.* 손대지 않은 : bouteille ~*ée* 뚜껑을 따지 않은 병.

inepte [inɛpt] *adj.* ① 어리석은, 바보 같은, 어이없는 : réponse ~ 어리석은 대답 / accident ~ 어이없는 사고. ② 《옛》 부적합한(=inapte) ; 무능한.

ineptie [inɛpsi] *f.* 어리석음 ; 어리석은 언동 : dire des ~*s* 얼빠진 소리를 하다.

inépuisable [inepɥizabl] *adj.* ① 무진장의, 한없는, 고갈되지 않는 : source ~ 마르지 않는 샘 / ressources ~*s* 무진장한 자원 / amour ~ 무한한 사랑. ② (이야기가) 그치지 않는 : bavard ~ 그칠 줄 모르는 수다쟁이.

inépuisablement [inepɥizabləmɑ̃] *adv.* 무궁무진하게, 무진장으로.

inéquation [inekwasjɔ̃] *f.* 〖수학〗 조건부 부등식《미지수·변수를 포함》. 「적인.

inéquitable [inekitabl] *adj.* 불공평한, 편파

inerte [inɛʀt] *adj.* ① 움직임이 없는, 무기력한, 생기〔활기〕 없는 : Je restais ~ sur le lit. 나는 침대에 꼼짝 않고 누워 있었다. ② 〖물리·화학〗 불활성의 : gaz ~ 불활성 기체.

inertie [inɛʀsi] *f.* ① 무기력, 비활동 ; 지둔(遲鈍) ; 소극적 저항 : opposer la force d'~ à la violence 폭력에 소극적으로 대항하다. ② 〖물리〗 관성(慣性), 타성(惰性) : loi d'~ 관성의 법칙. ③ 〖의학〗 무력(증) : ~ musculaire 근육 무력증.

inespéré, e [inɛspeʀe] *adj.* 뜻밖의, 예상밖의, 의외의 : victoire ~*e* 뜻밖의 승리.

inesthétique [inɛstetik] *adj.* 아름답지 않은 : cicatrice ~ 흉한 상처 자국.

***inestimable** [inɛstimabl] *adj.* 평가할 수 없을 만큼 뛰어난, 비길 데 없는.

***inévitable** [inevitabl] *adj.* ① 피할 수 없는, 불가피한 ; 필연적인 : conséquence ~ 필연적인 결과 / Il est ~ que (ne)+*sub.* …하는 것은 불가피하다. ② 여느 때와 같은, 상투적인 : le ministre et son ~ cigare 장관의 입에 늘 물려 있는 여송연. — *m.* 불가피한 일.

inévitablement [inevitabləmɑ̃] *adv.* 불가피하게, 반드시, 필연적으로.

inexact, e [inɛgza(kt), -kt] *adj.* ① 부정확한, 틀린 : calcul ~ 부정확한 계산 /《Il est ~ de+*inf.* 〔que+*sub.*〕》 *Il est ~ de* le prétendre. 그렇게 주장하는 것은 틀린 것이다. ② 꼼꼼하지 않은 ; 시간을 엄수하지 않는 : ~ à remplir ses devoirs 직무를 소홀히 하는.

inexactement [inɛgzaktəmɑ̃] *adv.* 부정확하게, 틀리게 : rapporter ~ les paroles de qn …의 말을 틀리게 전하다.

inexactitude [inɛgzaktityd] *f.* ① 부정확, 오류 : ~ d'un calcul 계산 착오. ② 꼼꼼하지 않음 ; 시간을 엄수하지 않음.

inexcusable [inɛkskyzabl] *adj.* 변명할 수 없는 ; 용서할 수 없는 : faute ~ 변명의 여지가 없는 과오.

inexécutable [inɛgzekytabl] *adj.* (명령·약속이) 실행〔이행〕할 수 없는 ; 〖음악〗 연주할 수 없는. 「행.

inexécution [inɛgzekysjɔ̃] *f.* 불이행 ; 미집

inexercé, e [inɛgzɛʀse] *adj.* 훈련되지 않은, 익숙하지 않은 ; (솜씨가) 미숙한.

inexistant, e [inɛgzistɑ̃, -ɑ̃ːt] *adj.* ① 존재하지 않는, 없는. ② 《구어》 가치 없는(=nul), 하찮은, 대수롭지 않은(=néant).

inexistence [inɛgzistɑ̃ːs] *f.* ① 존재〔실재〕하지 않음, 결여. ② 무가치함, 하찮음.

inexorable [inɛgzɔʀabl] *adj.* 가차없는, 가혹한, 준엄〔냉혹〕한 : cœur ~ 무정한 마음 / juge ~ 준엄한 판사.

inexorablement [inɛgzɔʀabləmɑ̃] *adv.* 가차없이, 가혹하게, 사정없이 : Le temps s'écoule ~. 시간은 사정없이 흘러간다.

inexpérience [inɛkspeʀjɑ̃ːs] *f.* ① 무경험, 미숙함 : ~ d'un débutant 초심자의 미숙함. ② 《옛》 무경험〔미숙함〕으로 인한 실패.

inexpérimenté, e [inɛkspeʀimɑ̃te] *adj.* ① 경험 없는, 미숙한 : conducteur ~ 미숙한 운전사. ② 시험해 보지 않은 : procédé encore ~ 아직 시험해 보지 않은 방법.

inexpert, e [inɛkspɛːʀ, -ɛʀt] *adj.* 《~ dans 〔en〕》 …에 서투른, 졸렬한, 익숙지 못한.

inexpiable [inɛkspjabl] *adj.* ① (죄과 등이) 씻을 수 없는 ; 속죄받을 수 없는. ② (원한·증오심을) 억누를 수 없는, 진정시킬 수 없는.

inexplicable [inɛksplikabl] *adj.* 설명〔해명〕할 수 없는 ; 알 수 없는, 불가해한 : caractère ~ 이해할 수 없는 성격. — *m.* 설명할 수 없는 것, 불가해한 것.

inexplicablement [inɛksplikabləmɑ̃] *adv.* 설명할 수 없을 만큼 ; 불가해하게.

inexpliqué, e [inɛksplike] *adj.* 설명〔해명〕되지 않은, 의문의.

inexploitable [inɛksplwatabl] *adj.* 이용할 수 없는 ; 운용할 수 없는 ; 채굴〔개척 · 채벌 · 개발〕할 수 없는 ; 〖법률〗 압류할 수 없는.

inexploité, e [inɛksplwate] *adj.* 채벌〔개척 · 채굴 · 개발〕되지 않은 : ressources *~es* 미개발 자원.

inexplorable [inɛksplɔʀabl] *adj.* 탐험〔답사〕할 수 없는, 조사되지 않은.

inexploré, e [inɛksplɔʀe] *adj.* 탐험되지 않은, 답사되지 않은.

inexpressif, ive [inɛkspʀɛ(e)sif, -i:v] *adj.* (문장) 표현력이 빈약한 ; (얼굴이) 무표정한.

inexprimable [inɛkspʀimabl] *adj.* 형언할 수 없는, 필설로 다 할 수 없는 : surprise ~ 말할 수 없는 놀라움.

inexprimé, e [inɛkspʀime] *adj.* 표현되지 않은, 겉으로 드러나지 않은.

inexpugnable [inɛkspygnabl] *adj.* 공략할 수 없는 ; 《비유》 견고한 : femme ~ 구슬려도 넘어가지 않는 여자.

in extenso [inɛkstɛ̃so] 〔라틴〕 *loc. adv.* 상세히, 생략하지 않고, 전문(全文) 그대로. — *loc. adj.* 전문의, 빠짐없는.

inextinguible [inɛkstɛ̃g(ɥ)ibl] *adj.* ① (불을) 끌 수 없는. ② 그치지 않는 ; 억누를 수 없는 ; (갈증이) 풀리지 않는 : rire ~ 억제할 수 없는 웃음 / soif ~ 가시지 않는 갈증.

in extremis [inɛkstʀemis] 〔라틴〕 *loc. adv., loc. adj.* ① 임종에 이르러〔이른〕 : baptiser qn ~ …에게 임종시에 세례를 주다. ② 최후의 순간에〔의〕 : éviter une catastrophe ~ 최후의 순간에 재난을 모면하다.

inextricable [inɛkstʀikabl] *adj.* ① (얽혀서) 풀리지 않는, 착잡한 ; 뒤얽힌 : nœud ~ 풀 수 없는 매듭. ② 빠져나올 수 없는 : dédale ~ 빠져나올 수 없는 미로.

inextricablement [inɛkstʀikabləmɑ̃] *adv.* 풀리지 않게, 착잡하게 ; 빠져나오지 못하게.

infaillibilité [ɛ̃fajibilite] *f.* ① 잘못이 없음, 무류(無謬) ; 〖가톨릭〗 (교황 · 교회의) 무류성(性). ② 확실성, 정확성.

***infaillible** [ɛ̃fajibl] *adj.* ① 반드시 오고야 말, 필연적인 : succès ~ 틀림없는 성공. ② (약효 따위가) 어김없는 ; (절대로) 확실한 : remède ~ contre la toux 기침의 특효약 / méthode ~ 확실한 방법.

infailliblement [ɛ̃fajibləmɑ̃] *adv.* 필연코, 틀림없이, 확실히(= sûrement).

infaisable [ɛ̃fəzabl] *adj.* 이룰 수 없는, 실행〔실현〕할 수 없는(= irréalisable) : trajet ~ en voiture 차로는 갈 수 없는 행정.

infamant, e [ɛ̃famɑ̃, -ɑ̃:t] *adj.* 명예를 훼손하는, 불명예스러운 : injure *~e* 명예를 손상시키는 폭언 / peine *~e* 명예형.

infâme [ɛ̃fɑ:m] *adj.* ① 명예롭지 못한, 욕된, 수치스러운 : crime ~ 파렴치죄. ② 비루한, 야비한 : complaisance ~ 야비한 아첨. ③ 더러운, 누추한 : ~ taudis 누추한 집. — *m.* 비열〔야비〕한 놈〔것〕.

infamie [ɛ̃fami] *f.* ① 치욕, 불명예, 수치 : couvrir 〔noter〕 qn d'~ …에게 치욕을 주다. ② 수치스러운 언행 ; (*pl.*) 욕, 비방 : dire des *~s* à 〔de, sur〕 qn …에게 욕을 하다, …에 대하여 험담하다.

infant, e [ɛ̃fɑ̃, -ɑ̃:t] *n.* (옛 에스파냐 · 포르투갈의 차남 · 차녀 이하의) 왕자, 왕녀.

infanterie [ɛ̃fɑ̃tʀi] *f.* 〖군사〗 《집합적》 보병(대) : soldat d'~ 보병 / section 〔compagnie, bataillon, régiment, brigade, division〕 d'~ 보병 소대〔중대 · 대대 · 연대 · 여단 · 사단〕.

infanticide [ɛ̃fɑ̃tisid] *m.* 〖법률〗 영아(嬰兒) 살해 (범행) : — *n.* 영아 살해(자). — *adj.* 영아 살해의.

***infantile** [ɛ̃fɑ̃til] *adj.* ① 〖의학 · 심리〗 소아(小兒)의, 어린이의 : médecine ~ 소아과 의학. ② (지능(知能) · 감정 상태가) 어린아이 같은, 유치한(= enfantin, puéril) : comportement ~ 유치한 행동. — *n.* 소아증 환자.

infantiliser [ɛ̃fɑ̃tilize] *v.t.* 어린애처럼 유치해지다, 어린애의 수준으로 떨어뜨리다.

infantilisme [ɛ̃fɑ̃tilism] *m.* ① 〖의학〗 발육부진, 위축 : ~ thyroïdien 갑상선 위축. ② 어린애 같은〔유치한〕 성격〔짓〕.

infarctus [ɛ̃faʀktys] *m.* ① 〖의학〗 경색(梗塞) : ~ du myocarde 심근 경색. ② (도로의) 교통 체증 ; (정치 · 경제상의) 중대 위기.

infatigable [ɛ̃fatigabl] *adj.* 지칠 줄 모르는, 끈기 있는 : esprit ~ 불굴의 정신.

infatigablement [ɛ̃fatigabləmɑ̃] *adv.* 끈기 있게, 꾸준히.

infatuation [ɛ̃fatɥasjɔ̃] *f.* ① 열중, 심취(心醉). ② 자부(自負), 자만심.

infatué, e [ɛ̃fatɥe] *adj.* 자만하는, 뻐기는 : être ~ de soi-même 자만심이 강하다.

infatuer [ɛ̃fatɥe] *v.t.* 자만심을 품게 하다. — **s'~** *v.pr.* 심취하다 ; 자만하다.

infécond, e [ɛ̃fekɔ̃, -ɔ̃:d] *adj.* 불모의, 메마른 ; 생식력 없는, 불임의 : terre *~e* 불모의 토지 / auteur ~ 재능이 부족한 작가.

infécondité [ɛ̃fekɔ̃dite] *f.* 불모(不毛) ; 불임(不姙) : ~ d'une idée 사상의 빈곤.

***infect, e** [ɛ̃fɛkt] *adj.* ① (맛 · 냄새가) 고약한, 역한, 쾨쾨한 : marais ~ 냄새가 고약한 늪. ② 아주 나쁜, 지독한 : repas ~ 지독하게 맛없는 식사. ③ (사람이) 불쾌한, 추악한 : type ~ 지긋지긋한 녀석.

infecter [ɛ̃fɛkte] *v.t.* ① (공기 따위를) 오염시키다 ; …에 역한〔썩은〕 냄새를 풍기게 하다 : usines qui *infectent* l'atmosphère 대기를 오염시키다. ② 〖의학〗 (병독에) 전염〔감염〕하다 : *être infecté* par le virus de la grippe 인플루엔자 바이러스에 감염하다. ③ (사람을) 타락시키다, 퇴폐에 물들게 하다. — **s'~** *v.pr.* 병독에 감염되다 ; 곪다.

infectieux, euse [ɛ̃fɛksjø, -ø:z] *adj.* 〖의학〗 전염성의 : maladie *~euse* 전염병.

infection [ɛ̃fɛksjɔ̃] *f.* ① 악취(惡臭), 역한 냄새(가 나는 곳) : C'est une ~ ici ! 여긴 냄새가 지독하군. ② 감염, 전염(병) ; 화농 : ~ généralisée 만연된 전염병. ③ 악영향, 해독을 끼치기.

inféodé, e [ɛ̃feɔde] *adj.* 《~ à》 …에 복종한, 종속한 : pays ~ 속국.

inféoder [ɛ̃feɔde] *v.t.* ① 《~ qc à qn》 …을

I

…의 지배하에 두다, …에 예속시키다(= soumettre). ② 〖역사〗 (영지를) 봉토로서 하사하다. — **s'~** *v.pr.* 《~ à》 …에 종속되다 : *s'~ à* un parti 당파에 소속하다.

inférence [ɛ̃ferɑ̃:s] *f.* 〖논리〗 추리, 추론(= raisonnement) ; 결론(= conclusion).

inférer [ɛ̃fere] 6 *v.t.* 추리〔추론〕하다 ; 결론을 내리다 : ~ de ces témoignages que+*ind.* 이 증거에 따라 …라고 결론을 내리다.

***inférieur, e** [ɛ̃ferjœ:r] *adj.* ① 《~ à》 보다 못한〔낮은 · 적은〕 : note *~e à* la moyenne 평균 이하의 점수 / ~ *à* qn en science …보다 학식이 못한 / 6 est ~ *à* 7. 6은 7보다 적다 / température *~e* à la normale 정상 이하의 온도. ② (보다) 아래의 ; 하급의, 열등한 ; 하류의(≠ supérieur) : lèvre *~e* 아랫입술 / membres *~s* 다리, 하지 / marchandise (de qualité) *~e* 품질이 떨어지는 상품 / cours ~ de la Seine 센 강 하류 / situation *~e* 아랫자리 / classes *~es* 하층 계급 / animaux *~s* 하등 동물 / concept ~ 하위 개념 / être ~ à sa tâche 자기가 맡은 일을 감당하지 못하다. — *n.* 손아랫 사람, 부하, 하급자.

inférioriser [ɛ̃ferjɔrize] *v.t.* ① …에게 열등감을 갖게 하다. ② 과소평가하다.

***infériorité** [ɛ̃ferjɔrite] *f.* ① 하위(下位), 하급 ; 불리 ; 열등, 열세 : ~ en nombre 수적 열세 / sentiment 〔complexe〕 d'~ 열등감 / comparatif d'~ 〖문법〗 열등 비교급. ② 열등하게〔불리하게〕 만드는 것 ; 약점.

infermentescible [ɛ̃fɛrmɑ̃tesibl] *adj.* 발효하지 않는 : aliment rendu ~ 살균된 식품.

***infernal, e, aux** [ɛ̃fɛrnal, -o] *adj.* ① 지옥의, 지옥〔악마〕 같은 : puissances *~es* 악마. ② 《구어》 참을 수 없는, 성가신(= insupportable) : méchanceté *~e* 지독한 심술 / vacarme ~ 야단법석. ③ 《구어》 지독한, 굉장한, 심한 : métier ~ 진저리나는 직업.

infertile [ɛ̃fɛrtil] *adj.* ① 메마른, 불모의 : terre ~ 불모지. ② 빈약한 : imagination ~ 빈약한 상상력.

infertilité [ɛ̃fɛrtilite] *f.* ① 메마름, 불모 ; 불임(不姙). ② 빈약.

infester [ɛ̃fɛste] *v.t.* ① (해를 끼치는 동물이나 식물이) …에 만연하다, 들끓다 : Cette maison *est infestée* de rats. 이 집에는 쥐가 들끓고 있다. ② 《문어》 (강도 따위가) …에 판치다, 출몰하다, 횡행하다 : Les voyous *infestent* la banlieue. 교외에는 깡패가 출몰한다. ③ 〖의학〗 (기생충이 체내에) 침입하다.

infidèle [ɛ̃fidɛl] *adj.* ① 충실치 않은, 불성실한 ; 부정(不貞)한 : être ~ à son roi 임금에게 불충하다 / femme ~ 부정한 아내. ② 믿을 수 없는 ; 부정확한 : traduction ~ 부정확한 번역. ③ 신심(信心)이 없는 ; 이교(異敎)를 믿는 : peuple ~ 이교를 믿는 민족. ***les belles ~s*** 아름답기는 하나 원문에 충실하지 못한 번역. — *n.* ① 불충실〔부정〕한 사람. ② 이교도, 비(非)기독교도.

infidélité [ɛ̃fidelite] *f.* ① 《~ à》 …에 대한 불충실, 불성실; (부부간의) 부정: faire des *~s à* qn …에게 성실하지 못한 짓을 하다 / faire des *~s à* son mari 남편에 대하여 부정한 짓을 저지르다. ② 부정확, 불확실(= inexactitude) : ~ d'un souvenir 기억의 부정확함. ③ 무신앙, 불신.

infiltration [ɛ̃filtrɑsjɔ̃] *f.* ① (액체의) 스며들기, 침투, 〖의학〗 침윤 : ~ de l'eau dans le sol 땅속으로의 물의 침투. ② 침입, 잠입 ; 유입 : ~ d'espions 스파이의 잠입.

infiltrer (s') [sɛ̃filtre] *v.pr.* ① 《s'~ dans 〔à travers〕》 침투하다, 스며들다 : L'eau *s'infiltre dans* le bois. 물이 나무에 스며든다. ② 침입〔잠입〕하다 : *s'~ dans* les lignes ennemies 적진에 침입하다. ③ 〖의학〗 침윤하다.

***infime** [ɛ̃fim] *adj.* ① 최하의, 비천한 : rangs *~s* de la société 사회의 최하층. ② 아주 작은, 미세한 : différence ~ 미세한 차이.

infini, e** [ɛ̃fini] *adj.* 끝없는, 무한한 ; 영원한, 무궁한 ; 헤아릴 수 없는, 막대한 : plaine *~e* 끝없는 평야 / foule *~e* 수많은 군중 / béatitude *~e* 무한한 행복. — *m.* ① 무한, 광대무변 : ~ des cieux 하늘의 무한대. ② 〖철학〗 절대자, 하느님(= absolu) ; 〖사진〗 (초점거리) 무한대 : régler sur l'~ 초점을 무한대에 맞추다. ***à l'~ 한없이 : discuter *à l'~* 한없이 의논하다.

infiniment [ɛ̃finimɑ̃] *adv.* ① 무한히, 한없이 : ~ grand 〔petit〕 〖수학〗 무한대〔소(小)〕. ② 몹시, 대단히, 무척(= beaucoup, extrêmement) : Je vous suis ~ reconnaissant. 당신에게는 대단히 감사하게 생각합니다. ***~ de*** 한없이 : se donner ~ *de* peine 한없이 고생하다.

infinité [ɛ̃finite] *f.* ① 무한성, 무한함 : ~ de la puissance divine 하느님의 권능의 무한성. ② 무한한 양〔수〕 : une ~ de (gens) 무수한 (사람들).

infinitésimal, e, aux [ɛ̃finitezimal, -o] *adj.* ① 지극히 작은, 극미(極微)의 : quantité *~e* 극소량. ② 〖수학〗 무한소의 : calcul ~ 미적분(법).

***infinitif, ive** [ɛ̃finitif, -i:v] *adj.* 〖문법〗 부정법(不定法)(의) : mode ~ 부정법 / proposition *~ive* 부정법 절 / verbe à l'~ 부정법 동사. — *m.* 〖문법〗 부정사.

***infirme** [ɛ̃firm] *adj.* 몸이 성하지 못한, 불구의 ; 병약한 : ~ à la suite d'un accident 사고 후에 장애가 남다. — *n.* 신체 장애자 ; 병약자.

infirmer [ɛ̃firme] *v.t.* ① 〖법률〗 (판결을) 파기하다. ② (권력 따위를) 약화시키다 ; (권위 · 신용 따위를) 떨어뜨리다, 손상하다 ; …의 약점을 공격하다 : ~ une preuve 증거의 약점을 공격하다.

infirmerie [ɛ̃firməri] *f.* 군대 · 학교 따위의) 의무실, 보건실.

***infirmier, ère** [ɛ̃firmje, -ɛ:r] *n.* 간호인 ; 〖군사〗 간호병 : *~ère* en chef ; *~ère* major 수간호사. — *adj.* 간호하는.

infirmité [ɛ̃firmite] *f.* ① 신체 장애, 불구. ② 병약, 지병 : *~s* de l'âge 노년의 지병. ③ (정신이나 행정기구의) 허약, 결함. ④ 약점, 결점.

infixe [ɛ̃fiks] *m.* 〖언어〗 삽입사(挿入辭), 접중어(接中語).

inflammabilité [ɛ̃fla〔ɑ〕mabilite] *f.* ① 인화성. ② 격분〔흥분〕하기 쉬움.

inflammable [ɛ̃fla(ɑ)mabl] *adj.* ① 인화성의, 불붙기 쉬운. ② 격분〔흥분〕하기 쉬운.

inflammation [ɛ̃fla(ɑ)mɑsjɔ̃] *f.* ① 인화, 발화. ② 〖의학〗 염증 : ~ des bronches 기관지염.

inflammatoire [ɛ̃fla(ɑ)matwaːʀ] *adj.* 염증성의 : petite tumeur ~ 염증성 종기.

inflation [ɛ̃flɑsjɔ̃] *f.* ① 〖경제〗 인플레이션, 통화 팽창, 물가 폭등(≠ déflation) : ~ fiduciaire 〔monétaire〕 통화 팽창 / ~ des prix 가격 폭등. ② (사물 따위의) 과잉 증가, (인원의) 격증 : une ~ de fonctionnaires 관리의 격증.

inflationniste [ɛ̃flɑsjɔnist] *n.* 통화 팽창론자. ── *adj.* 인플레이션(경향)의, 통화 팽창의 : danger ~ 인플레이션 위기.

infléchir [ɛ̃fleʃiːʀ] *v.t.* ① 굽히다, 구부러뜨리다 ; 〖광학〗 굴절시키다 : ~ les rayons lumineux 광선을 굴절시키다. ② …의 방향을 바꾸다 : essayer d'~ la politique du gouvernement 정부 정책의 방향을 바꾸려고 하다. ── **s'~** *v.pr.* 구부러지다 ; 〖광학〗 굴절하다 : La route *s'infléchit* à droite. 길은 오른쪽으로 구부러진다.

infléchissement [ɛ̃fleʃismɑ̃] *m.* (정책 · 의견 따위의) 변경, 수정 : ~ de la ligne politique du parti socialiste 사회당 정치 노선의 수정.

inflexibilité [ɛ̃flɛksibilite] *f.* ① 굽힐 수 없음. ② 불굴(不屈), 강직(剛直), 완고.

***inflexible** [ɛ̃flɛksibl] *adj.* ① 굽힐 수 없는. ② 불굴의, 준엄〔강직〕한, 엄격한 : juge ~ 준엄한 판사 / volonté ~ 굳은 의지 / règle ~ 엄한 규칙.

inflexiblement [ɛ̃flɛksibləmɑ̃] *adv.* 굽히지 않고, 꿋꿋하게, 단호하게.

inflexion [ɛ̃flɛksjɔ̃] *f.* ① (몸을) 숙임, 굽힘 : saluer d'une légère ~ de la tête 머리를 약간 숙여 인사하다. ② 구부러짐, 굴곡 ; 〖광학〗 굴절. ③ (목소리의) 억양, 변화 : Sa voix eut une tendre ~. 그 여자의 음성이 갑자기 부드러워졌다.

infliger** [ɛ̃fliʒe] [3] *v.t.* (벌 따위를) 과하다, (손해 따위를) 입히다, (모욕을) 주다 : ~ une punition à qn …을 엄하게 벌하다. ~ ***un démenti à... …을 단호히 부인하다, …의 거짓을 폭로하다.

inflorescence [ɛ̃flɔʀesɑ̃ːs] *f.* 〖식물〗 꽃차례 ; 《집합적》 꽃《꽃대에 달린 여러 개의》.

influençable [ɛ̃flyɑ̃sabl] *adj.* 영향받기 쉬운, 감화〔좌우〕되기 쉬운.

influence** [ɛ̃flyɑ̃ːs] *f.* ① 《~ sur》 …에 대한 작용, 영향 ; 감화 : exercer une grande ~ *sur* …에 다대한 영향을 미치다. ② 영향력, 지배력, 세력 : avoir beaucoup d'~ 영향력이 크다 / zone 〔sphère〕 d'~ des États-Unis 미국의 세력권. ③ 〖전기〗 유도 : machine à ~ 유도 기전기(起電機). ***avoir de l'~ à* 〔*auprès de*〕** …에서 세력을 휘두르다. ***sous ~ (술 · 마약 따위에) 취해서. ***subir* 〔*être sous*〕 *l'~ de*** qn …의 감화를 받다.

***influencer** [ɛ̃flyɑ̃se] [2] *v.t.* …에게 영향〔작용〕을 미치다, 좌우하다. ~ l'opinion 여론에 영향을 주다 / se laisser ~ par …으로부터 영향을 받다, …에 좌우되다.

***influent, e** [ɛ̃flyɑ̃, -ɑ̃ːt] *adj.* 세력〔권세〕 있는, 유력한, 영향력 있는 : personnage ~ 유력자 ; 실력자 / critique ~ 권위 있는 평론가 / journal ~ 유력지.

influenza [ɛ̃flyɑ̃(ɛ̃)za] *f.* 〖의학〗 인플루엔자, 유행성 감기.

***influer** [ɛ̃flye] *v.i.* 《~ sur》 …에 영향을 미치다, 작용하다 : ~ *sur* un choix 〔une décision〕 선택 결정에 영향을 미치다 / La demande *influe* l'offre. 수요가 공급을 좌우한다.

influx [ɛ̃fly] *m.*, **influxion** [ɛ̃flyksjɔ̃] *f.* ① 유입(流入) ; 영향. ② 〖생리〗 ~ nerveux (신경섬유를 따라 전도되는) 신경 충동.

info [ɛ̃fo] *f.* 《구어》 소식, 뉴스《infomation 의 약자》 : ~*s* télévisées 텔레비전 뉴스.

infographie [ɛ̃fɔgʀɑfi] *f.* 〖컴퓨터〗 컴퓨터 그래픽, 화상 처리.

in-f(o)., **in-fol** 《약자》 in-folio 〖인쇄〗 2 절판.

in-folio [ɛ̃(in)fɔljo] *adj.* 《불변》 2 절판(二折判)의. ── *m.* 《복수불변》 2 절판(의 책).

infondé, e [ɛ̃fɔ̃de] *adj.* 근거 없는, 사실 무근의(= gratuit) : craintes ~*es* 까닭 모를 공포감.

informateur, trice [ɛ̃fɔʀmatœːʀ, -tʀis] *n.* ① 보도자, 보고자 ; 정보원 : ~ de presse 보도 기자 / journaliste ~ 탐방 기자. ② 〖법률〗 밀고자.

informaticien, enne [ɛ̃fɔʀmatisjɛ̃, -ɛn] *n.* 정보 처리 전문가.

informatif, ive [ɛ̃fɔʀmatif, -iːv] *adj.* 지식을 주는 ; 정보를 제공하는.

information** [ɛ̃fɔʀmɑsjɔ̃] *f.* ① 보도, 통지, 정보, 지식 ; 정보 수집〔전달〕 : journal d'~ (정치적인 논평 없이) 보도만 하는 신문 / recueillir d'utiles ~s 정보를 수집하다 / service d'~s 〖군사〗 정보부 / agence d'~ 보도 기관. ② (*pl.*) 뉴스, 소식 : ~s télévisées 텔레비전 뉴스 / ~s sportives 스포츠 소식 / service des ~s 〖신문〗 보도부. ③ 조회, 문의 ; 〖법률〗 증거 조사, 예심 : ouvrir une ~ 예심을〔증거 조사를〕 시작하다 / bureau d'~*s* 안내소. ④ 〖컴퓨터〗 정보 : théorie de l'~ 정보 이론 / traitement de l'~ 정보 처리. ***agence d'~(s) 통신사. ***aller aux ~s au sujet de*** qn ; ***prendre des ~s sur*** qn …에 관하여 문의〔조사〕하다. ***bureau des ~s*** 정보국.

***informatique** [ɛ̃fɔʀmatik] *f.* 정보 과학, 정보 처리 (기술). ── *adj.* 정보(과학)의〔에 관한〕 : industrie ~ 정보 (과학) 산업 / système ~ 정보 시스템.

informatisation [ɛ̃fɔʀmatizɑsjɔ̃] *f.* 정보화, 컴퓨터 처리 : coût de l'~ 정보화 비용.

informatiser [ɛ̃fɔʀmatize] *v.t.* 정보 처리하다, 컴퓨터로 처리하다 : ~ la gestion d'une entreprise 기업 경영을 정보화하다. ── **s'~** *v.pr.* 컴퓨터에 의해 정보 처리되다.

informe [ɛ̃fɔʀm] *adj.* ① 형태 없는, 형태가 확실치 않은 : ombres ~*s* 형태 모를 그림자 / l'eau ~ 형상 없는 물. ② 틀이 덜 잡힌, 미완성의 : brouillon ~ 초고, 초안. ③ 보기 흉한, 추한 : visage ~ 못생긴 얼굴.

***informé, e** [ɛ̃fɔʀme] *adj.* 알고 있는, 소식통의, 정통한 : dans les milieux bien ~*s* 정통

한 소식통에 의하면. — *m.* 〖법률〗 증인 신문, 증거 조사. ***jusqu'à plus ample*** ~ 더 상세한 조사가 이루어질 때까지.

informel, elle [ɛ̃fɔʀmɛl] *adj.* ① 〖미술〗 반조형(反造形)의, 비정형(非定形)의. ② 비공식의, 관례〔절차〕를 무시한 : rencontre ~*elle* 비공식 회담. — *m.* 비정형 미술《추상화》.

***informer** [ɛ̃fɔʀme] *v.t.* ① 《~ qn de 〔sur〕 qc》 …에게 …을 알리다, 통지하다 : Il m'*a informé* par télégramme *de* son arrivée. 그는 내게 전보로 도착을 알려 주었다 / 《~ que+*ind.*》 Il m'*a informé qu'*il refusait. 그는 거절의 뜻을 내게 알렸다 / *être* bien 〔mal〕 *informé de* 〔*sur*〕 …에 관하여 잘〔잘못〕 알고 있다. ② 〖철학〗 …에 형태를 주다, 구상화하다. — *v.i.* 〖법률〗 《~ de 〔sur〕》 …에 관하여 증인을 신문하다, 증거 조사를 하다 : ~ contre qn …의 죄상을 조사하다. — **s'~** *v.pr.* 《s'~ de》 문의〔조회〕하다, 알아보다(= s'enquérir de): *Informez-vous du* prix. 값을 알아보시오.

informulé, e [ɛ̃fɔʀmyle] *adj.* 말로 나타내지 않은 : souhait ~ 가슴속에 품은 소망.

infortune [ɛ̃fɔʀtyn] *f.* (뜻밖의) 불행 ; 불운, 역경 ; 재난 : compagnon d'~ 고생을 함께 하는 사람. ***tomber dans l'~*** 역경에 빠지다. ***pour comble d'~*** 설상가상으로.

infortuné, e [ɛ̃fɔʀtyne] *adj.* 불운한, 불행한, 박복한 : homme ~ 불행한 남자. — *n.* 불행한 사람.

infra [ɛ̃fʀa] *adv.* 나중 대목에, 아래에.

infra- *préf.* 「하부 · 아래」의 뜻.

***infraction** [ɛ̃fʀaksjɔ̃] *f.* ① (규칙 · 계약 따위의) 위반, 위배, (권리의) 침해 : ~ à une règle 규칙 위반. ② 〖법률〗 범법, 범죄 : commettre une ~ 범죄를 저지르다 / ~ par habitude 상습적인 범행.

infranchissable [ɛ̃fʀɑ̃ʃisabl] *adj.* 넘을〔건널〕 수 없는 ; 극복할 수 없는 : obstacle ~ 넘을 수 없는 장애물.

infrangible [ɛ̃fʀɑ̃ʒibl] *adj.* 부서지지 않는, 견고한.

infra(-)rouge [ɛ̃fʀaʀu:ʒ] *adj.* 적외선의 : rayons ~*s* 적외선 (《약자》 I.R.). — *m.* 적외선 : détecteurs d'~ 적외선 탐지기 / l'~ et l'ultra-violet 적외선과 자외선.

infra(-)son [ɛ̃fʀasɔ̃] *m.* (*pl.* **~-~s**) 불가청음(不可聽音); 초저주파(低周波)음.

infrastructure [ɛ̃fʀastʀykty:ʀ] *f.* ① (건축물의) 기초 ; (철도 · 교량 따위의) 기초 공사 ; 〖공항〗 지상 설비물. ② 〖철학〗 하부 구조 ; 〖경제〗 (특히 마르크스주의에서) 사회 하부 구조로서의 경제 구조.

infroissable [ɛ̃fʀwasabl] *adj.* 〖직물〗 구겨지지 않는, 주름지지 않는.

infructueusement [ɛ̃fʀyktɥøzmɑ̃] *adv.* 무익하게, 헛되이, 보람 없이.

infructueux, euse [ɛ̃fʀyktɥø, -ø:z] *adj.* 무익한, 헛된, 보람 없는(= inefficace, inutile, vain) : tentatives ~*euses* 헛된 시도.

infus, e [ɛ̃fy, -y:z] *adj.* 선천적인, 천부의, 타고난 : don ~ 천부적 재능.

infuser [ɛ̃fyze] *v.t.* ① 담그다, 우리다 ; (약 따위를) 달이다 : ~ du thé 홍차를 끓이다. ② 불어넣다 ; 붓다, 주입(注入)하다 : ~ du sang à qn …에게 수혈하다 / ~ du courage 용기를 불어넣다. — *v.i.* et **s'~** *v.pr.* 달여지다, 우러나다 : laisser ~ le thé 차가 우러나게 두다.

infusible [ɛ̃fyzibl] *adj.* 녹지 않는, 용해되지 않는(= apyre).

infusion [ɛ̃fyzjɔ̃] *f.* (뜨거운 물에) 달이기, 우려내기 ; 달인 것, 탕약 : prendre une ~ de menthe 박하차를 마시다.

infusoires [ɛ̃fyzwa:ʀ] *m. pl.* ① 〖동물〗 적충류(滴蟲類). ② terre d'~ 규조토.

ingambe [ɛ̃gɑ̃:b] *adj.* 건장한, 정정한 : vieillard ~ 정정한 노인.

ingénier (s') [sɛ̃ʒenje] *v.pr.* 《~ à》 (…하려고) 이리저리 궁리하다, 꾀하다, 부심하다 : *s'~ à* trouver une solution 해결책을 찾으려고 애를 쓰다.

ingénierie [ɛ̃ʒeniʀi] *f.* 엔지니어링, 공학(工學) : ~ génétique 유전자 공학.

***ingénieur** [ɛ̃ʒenjœ:ʀ] *m.* 기사(技師), 엔지니어 : ~ de l'aéronautique 항공 기사 / ~ des constructions navales 조선 기사 / ~ mécanicien 기관 기사 / ~ du son 〖영화〗 녹음〔음향 조절〕 기사.

ingénieusement [ɛ̃ʒenjøzmɑ̃] *adv.* 교묘하게, 재간 있게.

ingénieux, euse** [ɛ̃ʒenjø, -ø:z] *adj.* ① 교묘한, 재간 있는, 솜씨 있는 : homme ~ 재간 있는 사람 / explication ~*euse* 재치 있는 설명. ② (기계 따위가) 정교한, 빈틈없는 : invention ~*euse* 독창적인 발명. ***être ~ à +*inf.* …하기에 능란하다 ; …하려고 머리를 짜내다.

ingéniosité [ɛ̃ʒenjozite] *f.* ① 재간, 재치 : faire preuve d'~ 재간을 부리다. ② 정교〔교묘〕함, 기발함 : ~ d'un projet 교묘한 계획.

ingénu, e [ɛ̃ʒeny] *adj.* et *n.* 솔직한 (사람), 순진한 (사람), 순박한 (사람): réponse ~*e* 솔직한 대답.

ingénuité [ɛ̃ʒenɥite] *f.* 솔직, 순진, 순박.

ingénument [ɛ̃ʒenymɑ̃] *adv.* 솔직하게, 순진하게, 꾸밈없이.

ingérable [ɛ̃ʒeʀabl] *adj.* 통제할 수 없는, (위기) 관리가 불가능한.

ingérence [ɛ̃ʒeʀɑ̃:s] *f.* 《~ dans》 …에의 간섭, 참견(= intervention) : ~ *dans* la vie privée 사생활에의 참견.

ingérer [ɛ̃ʒeʀe] [6] *v.t.* (음식물을) 입에 넣다, 먹다, 마시다. — **s'~** *v.pr.* 《~ dans》 …에 간섭하다, 참견하다(= intervenir) : *s'~ dans* les affaires intérieures des États 국가 내정에 간섭하다.

ingestion [ɛ̃ʒɛstjɔ̃] *f.* 〖생리〗 삼킴, 섭취 : ~ de médicaments 약물 섭취.

ingouvernable [ɛ̃guvɛʀnabl] *adj.* 다스릴 수 없는, 통치〔통솔〕할 수 없는 ; (배 따위가) 조종할 수 없는 : peuple 〔pays〕 ~ 통치가 힘든 국민〔국가〕.

***ingrat, e** [ɛ̃gʀa, -at] *adj.* ① 《~ envers》 …에 대하여 은혜를 모르는, 배은망덕의 : se montrer 〔être〕 ~ *envers* un bienfaiteur 은인에 대해 배은망덕하게 굴다. ② (얼굴 따위가) 인상이 좋지 못한, 볼품없는 : visage ~ 볼품없는 얼굴. ③ 메마른, 불모의 ; (노력이) 헛된, 보람 없는 : sol ~ 메마른 땅, 불모

지 / tâche ~*e* 보람 없는 일. ***l'âge*** **~** 성숙되지 않은 시기〔나이〕: être dans 〔à〕 *l'âge* ~ 말썽부리는 나이다, 사춘기에 들어서고 있다. — *n.* 배은망덕한 자.

ingratitude [ɛ̃gʀatityd] *f.* 배은망덕(= méconnaissance): acte d'~ 배은망덕한 행위 / faire preuve d'~ à l'égard de qn …에게 배은망덕하게 굴다.

ingrédient [ɛ̃gʀedjɑ̃] *m.* ① (혼합물의) 요소, 성분, 함유물: ~*s* d'un médicament 약의 성분. ② (요리 따위의) 재료.

inguérissable [ɛ̃geʀisabl] *adj.* ① 불치의, 낫지 않는(= incurable): maladie ~ 불치병. ② 달랠 길 없는(= incorrigible): douleur 〔chagrin〕 ~ 달랠 길 없는 고통〔슬픔〕.

ingurgiter [ɛ̃gyʀʒite] *v.t.* ① (음식물을) 게걸스레 먹다(= avaler, engloutir): ~ son repas en quelques minutes 식사를 몇 분만에 먹어 치우다. ② 《비유》 (지식을) 머리에 주입하다: faire ~ l'algèbre 대수를 억지로 공부시키다.

inhabile [inabil] *adj.* ① 서투른, 미숙한(= maladroit). ② 《~ à》 …에 적합지 않은; …의 능력〔자격〕 없는. ~ *à* voter 〖법률〗 투표자격이 없는.

inhabileté [inabilte] *f.* 서투름, 미숙, 무능.

inhabilité [inabilite] *f.* 〖법률〗 무능력, 무자격, 자격 미달.

inhabitable [inabitabl] *f.* 살〔거주할〕 수 없는: désert ~ 사람이 살 수 없는 사막.

inhabité, e [inabite] *adj.* 아무도 살지 않는: appartement ~ 비어 있는 아파트.

inhabituel, elle [inabitɥɛl] *adj.* 예사롭지 않은, 평소에 없는: Il règne dans la rue une animation ~*elle.* 길에 평소에 없는 활기가 감돈다.

inhalateur, trice [inalatœːʀ, -tʀis] *adj.* 흡입(용)의. — *m.* (산소 따위의) 흡입기(= appareil ~).

inhalation [inalɑsjɔ̃] *f.* 흡입; 〖의학〗 흡입법: ~ d'éther en vue de provoquer l'anesthésie 마취를 위한 에테르 흡입.

inhaler [inale] *v.t.* 흡입하다, 들이마시다.

inharmonieux, euse [inaʀmɔnjø, -øːz] *adj.* 조화되지 않는, 어울리지 않는: sons ~ 잘 어울리지 않는 소리들.

inhérence [ineʀɑ̃ːs] *f.* ① 〖철학〗 내속(內屬). ② 특성, 속성; 고유성.

inhérent, e [ineʀɑ̃, -ɑ̃ːt] *adj.* ① 《~ à》 …에 고유한; 타고난: qualités ~*es à* la personne 사람의 타고난 자질.

inhibé, e [inibe] *adj.* 〖생리〗 (기능이) 억제된; 〖심리〗 억압받은. — *n.* 〖심리〗 내향적인 사람.

inhiber [inibe] *v.t.* 〖심리〗 (감정을) 억제하다; 〖생리〗 (기관의 기능을) 저해하다.

inhibition [inibisjɔ̃] *f.* 〖화학〗 (반응의) 저해; 〖생리〗 (기능의) 억제; 〖심리〗 억압.

inhospitalier, ère [inɔspitalje, -ɛːʀ] *f.* (손님에게) 불친절한, 무뚝뚝한; 거주하기 어려운: pays ~ (외국인에게) 불친절한 나라 / climat ~ 살기 어려운 기후.

inhumain, e [inymɛ, -ɛn] *adj.* 비인간적인; 몰인정한, 잔인〔냉혹〕한: acte ~ 비인간적인 행위 / traitement ~ 몰인정한 대접 / tortionnaire ~ 냉혹한 고문자.

inhumanité [inymanite] *f.* ① 비인간성; 몰인정, 잔인. ② 비인도적 행위.

inhumation [inymɑsjɔ̃] *f.* 매장, 토장(土葬).

inhumer [inyme] *v.t.* 매장〔토장〕하다.

inimaginable [inimaʒinabl] *adj.* 상상할 수 없는, 생각할 수 없는: paresse ~ 상상할 수 없을 정도의 게으름.

inimitable [inimitabl] *adj.* 모방할 수 없는, 독특한, 비길데 없는: talent ~ 독특한 재능.

inimité, e [inimite] *adj.* 유례 없는, 모방된 일 없는.

inimitié [inimitje] *f.* 원한, 적의, 악감, 반목, 반감: avoir 〔concevoir〕 de l'~ pour 〔contre〕 qn …에 대해 적의를 가지다.

ininflammable [inɛ̃flamabl] *adj.* 타지 않는, 불연성의.

inintelligemment [inɛ̃te〔ɛl〕liʒamɑ̃] *adv.* 무지하게, 우둔하게, 미련하게.

inintelligence [inɛ̃te〔ɛl〕liʒɑ̃ːs] *f.* 무지, 우둔; 몰이해, 이해력 결여.

inintelligent, e [inɛ̃te〔ɛl〕liʒɑ̃, -ɑ̃ːt] *adj.* 지혜 없는, 우둔한(= bête).

inintellibilité [inɛ̃te〔ɛl〕liʒibilite] *f.* 난해성, 이해할 수 없음.

inintelligible [inɛ̃te〔ɛl〕liʒibl] *adj.* 난해한, 이해할 수 없는.

inintelligiblement [inɛ̃te〔ɛl〕liʒibləmɑ̃] *adv.* 이해할 수 없게, 알기 어렵게(= confusément): parler ~ 알아듣기 어렵게 말하다.

inintéressant, e [inɛ̃teʀɛsɑ̃, -ɑ̃ːt] *adj.* 흥미〔재미〕없는: film ~ 재미없는 영화.

ininterrompu, e [inɛ̃tɛʀɔ̃py] *adj.* 끊임없는, 연속된(= continu): file ~*e* de voitures 끊이지 않는 자동차 행렬.

inique [inik] *adj.* 부당한, 불공평한(≠ équitable): juge ~ 공정하지 못한 판사.

iniquité [inikite] *f.* ① 타락, 퇴폐; 〖종교〗 죄악(= défaut, péché). ② 부정 (행위), 불공정성: ~ d'un jugement 판결의 불공평성.

initial, e, aux [inisjal, -o] *adj.* ① 첫 번째의, 최초의: versement ~ de 1,000 frs 첫 불입금 1,000 프랑 / Les plans ~*aux* ont été abandonnés. 최초의 계획은 포기되었다. ② 〖음성〗 어두(語頭)의: voyelle ~*e* 어두 모음. — *f.* ① 머릿글자, 이니셜: signer de ses ~*es* 이니셜로 서명하다. ② (단어의) 첫 소리〔음절〕: à l'~*e* d'un mot 단어의 첫 음절에.

initialement [inisjalmɑ̃] *adv.* 처음에, 최초로, 맨먼저(= au début).

initiateur, trice [inisjatœːʀ, -tʀis] *n.* ① 초보〔입문〕 지도자. ② 선구자, 선도자, 창시자: ~*s* de l'insurrection 봉기의 주도자들. — *adj.* ① 초보를 가르치는. ② 선구적인.

initiation [inisjɑsjɔ̃] *f.* ① 입문, 초보 지도〔배우기〕: ~ à la philosophie 철학 입문. ② (종교·비밀 결사 따위에의) 가입, 입회(= admission, affiliation); 통과의례(儀禮), 성인식. ③ 《옛》 비전〔비결〕의 전수.

initiatique [inisjatik] *adj.* ① 비전 전수의. ② 입회〔입단〕식의: rites ~*s* 입단식. ③ 초보의, 입문의.

***initiative** [inisjatiːv] *f.* ① 발의(發議), 발기; 솔선, 앞장서기, 주도권; 솔선하는 행동:

prendre l'~ 주도권을 잡다. ② 〚정치〛 발의권 : avoir l'~ de qc …의 발의권이 있다. ③ 자발성 ; 결단력, 진취의 기상 : avoir l'esprit d'~ 결단력이 있다, 진취적 기상이 있다. ***faire*** qc ***de sa propre ~*** …을 자발적으로 하다. ***prendre l'~ pour***+*inf.* 솔선하여 … 하다. ***sur* (*à*) *l'~ de*** qn …의 발의로.

***initié, e** [inisje] *adj.* ① 비전을 전수받은. ② 초보(기초) 교육을 받은. — *n.* ① 비전을 전수받은 사람. ② 입문자, 초보자. ③ 전문가, 소식통 : ~*s* de la diplomatie 외교통.

***initier** [inisje] *v.t.* ① 《~ qn à qc》 …에게 …의 초보를 가르치다, …에게 …을 깨우쳐 주다. ② (종교·비밀 결사 따위에) 가입(입회)시키다. ③ (종교 따위에서) …에게 비전(秘傳)을 전수하다. — **s'~** *v.pr.* 《*s'~* à (dans)》 …에 입문하다, …에 대한 초보 지식을 얻다 : *s'~ à* ses fonctions 일의 요령을 터득하다.

injectable [ɛ̃ʒɛktabl] *adj.* 주사(주입)할 수 있는, 주사용의 : solution ~ 주사액.

injecté, e [ɛ̃ʒɛkte] *adj.* ① 충혈된 : yeux ~*s* de sang 붉게 충혈된 눈 / face ~*e* 벌겋게 달아오른 얼굴. ② (액을) 주입한, 주사한.

injecter [ɛ̃ʒɛkte] *v.t.* ① 주사(주입)하다 : ~ de la créosote dans du bois 목재에 크레오소트를 주입하다. ② (예산·자본을) 투입하다, 도입하다 : ~ une somme importante dans l'économie d'un pays 국가 경제에 거액의 자본을 투입(도입)하다.

injecteur, trice [ɛ̃ʒɛktœːʀ, -tʀis] *adj.* 주입(주사)하는 : seringue ~*trice* 주사기. — *m.* 〚의학〛 주사(주입)기 ; 〚기계〛 주입 장치, 분사 장치 : ~ d'essence 휘발유 주입기.

injection [ɛ̃ʒɛksjɔ̃] *f.* ① (액체의) 주입, (연료의) 분사 ; 〚의학〛 주사 : aiguille à ~ 주사바늘 / ~ rectale 관장(灌腸). ② 주사액 ; 관장액. ③ 〚경제〛 (자본의 대량·긴급) 투입, 도입. ④ 〚우주〛 (인공위성의) 궤도 진입.

injonctif, ive [ɛ̃ʒɔ̃ktif, -iːv] *adj.* 명령의, 명령적인(=impératif): forme ~*ive* du verbe 〚문법〛 동사의 명령형 / loi ~*ive* 〚법률〛 금령.

injonction [ɛ̃ʒɔ̃ksjɔ̃] *f.* ① 명령 ; 권고, 재촉 : obtempérer aux pressantes ~*s* de ses parents 부모의 성화 같은 재촉에 따르다. ② 〚법률〛 명령 : ~ de payer 지급 명령 / ~ de faire 이행 명령.

injouable [ɛ̃ʒwabl] *adj.* ① 〚음악·연극〛 연주(상연)할 수 없는 : pièce ~ 상연 불가능한 연극. ② 〚스포츠〛 시합할 수 없는.

injure [ɛ̃ʒyːʀ] *f.* ① 《문어》 침해, 손상 : ~ des ans 세월이 지나 생긴 마손. ② 욕설, 험담, 폭언 : dire (adresser, proférer, débiter) des ~*s* à qn …에게 욕지거리하다(욕설을 퍼붓다). ③ 《문어》 모욕 ; 〚법률〛 모욕죄, 명예 훼손죄 : faire (une) ~ à …을 모욕하다 / ~ à agent (magistrat) 경찰관(재판관) 모욕죄.

***injurier** [ɛ̃ʒyʀje] *v.t.* …에게 욕설을 퍼붓다, 욕지거리하다(=invectiver) ; 모욕하다, 해를 끼치다(=offenser) : se faire ~ 모욕당하다 / Arrêtez de m'~ ! 날 그만 모독하시오 ! — **s'~** *v.pr.* 서로 욕하다.

injurieux, euse [ɛ̃ʒyʀjø, -øːz] *adj.* 모욕적인(=offensant) : paroles ~*euses* 모욕적인 언사.

injuste** [ɛ̃ʒyst] *adj.* 《~ envers (avec, pour)》 …에 대해 부정한, 부당한, 불공평한 : punition ~ 불공평한 벌 / soupçons ~*s* 부당한 혐의 / Vous avez été ~ avec vos amis. 당신은 친구들에게 부당하게 했습니다. ***Il est ~ de+*inf.* (***que***+*ind.*) …하는 것은 부당하다. — *m.* 불의, 부정 : distinguer le juste et l'~ 옳고 그름을 구별하다. — *n.* 부정한(불의의) 사람.

injustement [ɛ̃ʒystəmɑ̃] *adv.* 부정하게, 불공평하게, 부당하게 : innocent ~ puni 부당하게 처벌받은 무고한 사람.

***injustice** [ɛ̃ʒystis] *f.* 부정, 부당, 불공평 ; 부당 행위 : ~ sociales 사회적 불공평 / ~ d'une mesure fiscale 과세 기준의 불공정.

injustifiable [ɛ̃ʒystifjabl] *adj.* 용납(용인)될 수 없는(=inexcusable), 변명할 수 없는, 정당화될 수 없는.

injustifié, e [ɛ̃ʒystifje] *adj.* 용납(용인)되지 않는, 부당한, 근거 없는 : réclamation ~*e* 부당한 요구.

inlassable [ɛ̃lɑsabl] *adj.* 지칠 줄 모르는, 꾸준한(=infatigable) : efforts ~*s* 꾸준한 노력.

inlassablement [ɛ̃lasabləmɑ̃] *adv.* 꾸준히, 지치지 않고 : répéter ~ la même chose 같은 일을 끈기 있게 되풀이하다.

***inné, e** [i(n)ne] *adj.* 타고난, 선천적인, 천부의(≠ acquis) : don ~ 천부적 재능.

innervation [i(n)nɛʀvɑsjɔ̃] *f.* 〚해부〛 신경 분포(지배) : ~ de la face 안면 신경 분포.

innerver [i(n)nɛʀve] *v.t.* 〚해부〛 (조직이나 기관에) 신경을 분포시키다(지배하다).

innocemment [inɔsamɑ̃] *adv.* 천진난만하게, 악의 없이 ; 고지식하게 : Il a dit cela fort ~. 그는 전혀 악의 없이 그 말을 했다.

innocence [inɔsɑ̃ːs] *f.* ① 무죄, 무고, 결백 : proclamer son ~ 자기의 무죄를 주장하다 / Son ~ a été reconnue (établie). 그 여자의 결백이 인정(입증)되었다. ② 순진함, 순결 ; 우직스러움, 단순소박함 : âge d'~ 유년기 / perdre son ~ 순결(처녀성)을 잃다. ③ 《집합적》 결백한 사람들. ***en toute ~*** 전혀 악의 없이.

innocent, e** [inɔsɑ̃, -ɑ̃ːt] *adj.* ① 무죄의, 무고한, 결백한 : Il a été jugé ~. 그는 무죄 판결을 받았다. ② 순결한, 순진한 ; 고지식한, 우직한 : sourire ~ 천진한 미소 / ~*e* jeune fille 순진한 소녀. ③ (사물이) 악의 없는, 해없는 : railleries ~*es* 악의 없는 농. ***être ~ de …을 범하지 않는, …에 관계없는. — *n.* ① 결백한 사람 ; 《구어》 어린애. ② 천진한 사람 ; 고지식한(우직한) 사람. ***faire l'~* (*l'~e*)** 고지식한 체하다. ***Les* (*saints*) *I~s*** 〚역사〛 헤롯왕에게 학살당한 아기들.

innocenter [inɔsɑ̃te] *v.t.* ① 무죄를 선언(입증)하다 ; 누명을 벗기다(=blanchir) : ~ un accusé 피고에게 무죄를 선고하다. ② 정당화하다, 용인하다, 변호하다 : chercher à ~ sa conduite 자기 행위를 정당화하려하다.

innocuité [i(n)nɔkɥite] *f.* 무해(≠nocivité).

innombrable [i(n)nɔ̃bʀabl] *adj.* 무수한, 헤아릴 수 없는 : d'~*s* étoiles 무수한 별 / foule ~ 엄청난 군중.

innommable [innɔmabl] *adj.* ① 명명할

수 없는; 형언할 수 없는. ② 천한, 불쾌한, 상스러운(=vil, dégoûtant) : nourriture ~ 형편없는 음식/conduit ~ 천한 행실.

innommé, e [innɔme] *adj.* 이름 없는, 무명의; 명명되지 않은.

innovateur, trice [i(n)nɔvatœːʀ, -tʀis] *adj.* 개혁〔쇄신〕하는, 혁신적인 : politique ~*trice* 혁신적인 정책. — *n.* 혁신자, 개혁자.

innovation [i(n)nɔvɑsjɔ̃] *f.* 혁신, 쇄신, 개혁; 혁신적인 것, 신기술 : ~*s* techniques 기술 혁신.

***innover** [i(n)nɔve] *v.t.* 개혁〔혁신·쇄신〕하다 : ~ une mode 유행을 일신시키다.
— *v.i.* 혁신〔개혁〕하다, 새롭게 하다 : ~ en littérature 문학에 새바람을 불어넣다.

inobservable [inɔpsɛʀvabl] *adj.* ① 관찰〔관측〕할 수 없는 : comète ~ à l'œil nu 육안으로는 관찰할 수 없는 혜성. ② (규칙 따위가) 준수할 수 없는, 지켜질 수 없는 : règlement ~ 지킬 수 없는 규율.

inobservance [inɔpsɛʀvɑ̃ːs] *f.* 지키지 않음, 위반 : ~ de la règle 규칙 위반.

inobservation [inɔpsɛʀvɑsjɔ̃] *f.* 어김, 불이행 : ~ d'un contrat 계약 위반.

inobservé, e [inɔpsɛʀve] *adj.* 관찰〔관측〕되지 않은; (규칙 따위가) 지켜지지 않은.

inoccupation [inɔkypɑsjɔ̃] *f.* ① 《문어》 무위(無爲), 무직(無職). ② (장소·집 따위가) 사용되지 않음, 비어 있음.

inoccupé, e [inɔkype] *adj.* ① 하는 일 없는, 한가한; 무위도식하는(=désœuvré, oisif) : rester ~ 놀고 지내다. ② 비어 있는(=vacant): appartement ~ 사람이 살고 있지 않는 아파트 / terrain inculte et ~ 유휴지.
— *n.* 무위도식하는 사람.

in-octavo [inɔktavo] *adj.* 〚인쇄〛 8 절판(八節判)의 : format ~ 8 절판. — *m.* 《복수불변》 8 절판 책(=livre ~).

inoculable [inɔkylabl] *adj.* 〚의학〛 접종〔감염〕될 수 있는.

inoculation [inɔkylɑsjɔ̃] *f.* ① 〚의학〛 접종, 종두(種痘); (병균의) 체내 침입, 세균 감염 : ~ immunisante 예방 접종. ② (사상 따위의) 감화.

inoculer [inɔkyle] *v.t.* ① 〚의학〛 (세균을) 접종하다, 예방 주사하다; 감염시키다 : ~ qn contre …에게 …의 예방 주사를 놓다 / ~ le vaccin contre la variole 우두를 놓다. ② (버릇 따위에) 물들게 하다; (사상 따위를) 주입하다, 불어넣다 : ~ un vice à qn …을 악덕에 물들게 하다.

inodore [inɔdɔːʀ] *adj.* ① 냄새 없는 : fleur ~ 향기 없는 꽃. ② 특색 없는, 재미없는(=insipide) : personnage ~ 따분한 사람.

***inoffensif, ive** [inɔfɑ̃sif, iːv] *adj.* 무해한, 해를 끼치지 않는, 안전한 : animal ~ 해를 끼치지 않는 동물.

inondable [inɔ̃dabl] *adj.* (홍수로) 범람하기 쉬운; 침수하기 쉬운 : terres ~*s* 범람〔침수〕 위험 지역.

***inondation** [inɔ̃dɑsjɔ̃] *f.* ① 홍수, 범람, 침수 : ~*s* périodiques du Nil 나일 강의 정기적 범람. ② (상품 따위의) 범람 : ~ de prouits étrangers 외국 상품의 범람.

inondé, e [inɔ̃de] *adj.* ① 《~ de》 …으로 잠긴, 넘친; …에 젖은 : ~ *de* larmes 눈물에 젖은 / cœur ~ *de* joie 기쁨에 넘친 마음. ② 침수된 : vallée ~*e* 침수된 계곡. — *n.* 수재민 : quête pour les ~*s* 수재민을 위한 모금.

***inonder** [inɔ̃de] *v.t.* ① 침수시키다, 범람하게 하다, 홍수가 나게 하다 : La Loire *a inondé* les terrains bas. 루아르 강이 저지대를 범람시켰다. ② 흠뻑 적시다, 젖게 하다 : La sueur *inonde* son visage. 얼굴이 땀에 흠뻑 젖어 있다 / *être inondé* par une averse 소낙비에 흠뻑 젖다. ③ …에 몰려들다, 밀려들다; 침입하다, 넘쳐흐르다 : En août, Paris *est inondé* de touristes. 8 월에 파리는 관광객으로 붐빈다 / Une joie immense *inonde* son cœur. 커다란 기쁨이 그의 마음속에 넘쳐흐른다. — **s'~** *v.pr.* ① 홍수가 나다, 침수되다 : Ces terrains *s'inondent* à chaque crue. 이 땅은 강물이 범람할 때마다 침수된다. ② (액체 따위를) 듬뿍 바르다 : Elle *s'est inondée* de parfum. 그녀는 향수를 잔뜩 뿌렸다.

inopérable [inɔpeʀabl] *adj.* 〚외과〛 수술할 수 없는 : blessé ~ 수술 불가능한 부상자.

inopérant, e [inɔpeʀɑ̃, -ɑ̃ːt] *adj.* 효력〔효과〕 없는 : remède ~ 효험 없는 처방 / mesures ~*es* 효과 없는 조치.

***inopiné, e** [inɔpine] *adj.* 뜻밖의; 예상치 못한 : mort ~*e* 갑작스러운 죽음 / nouvelle ~*e* 뜻밖의 소식.

inopinément [inɔpinemɑ̃] *adv.* 뜻밖에, 느닷없이.

inopportun, e [inɔpɔʀtœ̃, -yn] *adj.* 계제가 나쁜, 공교로운, (시기가) 적절치 못한 : demande ~*e* 적절치 못한 요구.

inopportunément [inɔpɔʀtynemɑ̃] *adv.* 계제 나쁘게, 공교롭게.

inopportunité [inɔpɔʀtynite] *f.* 계제 나쁨, 형편이 좋지 않음, 때를 놓침.

inorganique [inɔʀgɑnik] *adj.* ① 〚화학〛 무기(無機)의 : composé ~ 무기 화합물. ② 생활 기능이 없는; 생명이 없는.

inorganisation [inɔʀganizɑsjɔ̃] *f.* 조직 부재, 무조직 상태, 정비되지 않음.

inorganisé, e [inɔʀganize] *adj.* ① 〚화학〛 무기(無機)의. ② 조직에 가입되지 않은.
— *n.* 비조합원, 비당원.

inoubliable [inublijabl] *adj.* 잊혀지지 않는, 잊지 못할 : accueil ~ 잊지 못할 대접.

***inouï, e** [inwi] *adj.* ① 전대미문(前代未聞)의, 전에 없던. ② 《구어》 언어도단의, 엄청난, 놀라운 : nouvelle ~*e* 놀라운 소식 / foule ~*e* 엄청난 군중.

inoxydable [inɔksidabl] *adj.* 산화하지 않는, 녹슬지 않는(《약자》 inox). — *m.* 녹슬지 않는 금속, 스테인리스 금속.

in petto [inpe〔ɛt〕to] 〔이탈리아〕 *loc. adv.* 마음속으로, 은근히.

in-plano [in〔ɛ〕plɑno] *adj.* 〚인쇄〛 전지판의, 접지 않은 : format ~ 전지판. — *m.* 《복수불변》 전지판, 아틀라스판.

input [input] *m.* 〚컴퓨터〛 인풋, 입력(入力).

inqualifiable [ɛ̃kalifjabl] *adj.* 형언할 수 없는, 무어라 말할 수 없는, 언어도단의: conduite ~ 언어도단의 행위.

in-quarto [inkwaʀto] *adj.* 《불변》 4 절판(四折判)의. — *m.* (*pl.* **~-~(s)**) 4 절판(의 책).

***inquiet, ète** [ɛ̃kjɛ, -ɛt] *adj.* ① 불안한, 안절부절못하는 ; 《~ sur 〔de, pour〕 qc, au sujet de qn》 …에 대하여 불안한, …을 걱정하고 있는 : regard 〔air〕 ~ 불안한 눈초리〔모습〕 / Elle est *~ète de* votre silence. 그녀는 당신의 침묵에 대해 불안해 하고 있다 / etre ~ *pour* l'avenir de son fils 그의 아들의 장래에 대해 걱정하다. ② 《문어》 안정되지 않은, (잠이) 편안치 못한 : sommeil ~ 선잠. ③ 《문어》 만족할 줄 모르는 : curiosité *~ète* 물릴 줄 모르는 호기심. ── *n.* 걱정이 많은 사람, 침착하지 못한 사람.

inquiétant, e [ɛ̃kjetɑ̃, -ɑ̃:t] *adj.* 불안하게 하는, 걱정스러운, 염려스러운(= alarmant, effrayant) : affaire 〔situation〕 *~e* 걱정스러운 일〔상황〕. ② 기분 나쁜, 미심쩍은, 수상한 : visage ~ 음산한 얼굴 / personnage ~ 수상한 인물.

***inquiéter** [ɛ̃kjete] [6] *v.t.* ① 불안하게 하다 ; 걱정시키다 ; 조바심하게 하다 : Sa santé m'*inquiète.* 그의 건강이 걱정이다. ② (공격・적의로) 괴롭히다, 성가시게 굴다 : ~ l'ennemi 적을 위협하다. ③ 《문어》 평온을 흩뜨리다 ; (경찰이) 뒤쫓다 : *être inquiété* par la police 경찰에 쫓기는 몸이 되다.
── **s'~** *v.pr.* ① 불안해 하다, 신경 쓰다 : Il n'y a pas de quoi *s'~*. 걱정할 것 없다. ② 《s'~ de》 …을 근심〔걱정〕하다 : Elle *s'inquiète de* n'avoir aucune nouvelle de lui. 그녀는 그에게서 아무 소식도 없어 걱정하고 있다. ③ 《~ de》 …에 대해 알아보다, 물어보다 : *s'~ de* l'heure d'ouverture d'un théâtre 극장의 개장 시간을 알아보다.

inquiétude** [ɛ̃kjetyd] *f.* ① 불안, 근심, 걱정, 염려 : sujet d'~ 걱정거리 / ~ sur 〔au sujet de〕 qn 〔qc〕 …에 대한 불안/Soyez sans ~. 염려 마시오 / J'ai des *~s* au sujet de sa réussite. 그가 성공할지 걱정스럽다. ② 〖철학〗 (형이상학적) 불안 : ~ religieuse 〔existentielle〕 종교적〔실존적〕 불안. ***avoir des ~s dans les jambes 다리가 근질근질하다, 좀이 쑤시다. ***être sans ~*** (***au sujet de*** qc) (무엇에 관해) 안심하고 있다. ***~ que*** + *ind.* …라는 불안.

inquisiteur, trice [ɛ̃kizitœ:ʀ, -tʀis] *m.* ① 심문자, 조사관. ② 〖교회사〗 종교 재판소 판사. ── *adj.* 꼬치꼬치 캐는, 샅샅이 뒤지는, 따지는 : regard ~ 탐색하는 듯한 시선/ question *~trice* 심문.

inquisition [ɛ̃kizisjɔ̃] *f.* ① 심문(審問), 심리(審理), 문초. ② (옛날의) 종교 재판, 이단(異端) 심문 ; 종교 재판소.

inracontable [ɛ̃ʀakɔ̃tabl] *adj.* 이야기할 수 없는 : film ~ 이야기〔설명〕하기 힘든 영화.

insaisissable [ɛ̃sezisabl] *adj.* ① 체포할 수 없는, 붙잡을 수 없는 ; 포착하기 힘든 : fugitif ~ 체포 불가능한 도망자 / nuances *~s* 파악하기 힘든 뉘앙스. ② 〖법률〗 압류할 수 없는 : partie ~ du salaire 봉급의 압류 금지 부분.

insalubre [ɛ̃salybʀ] *adj.* 건강에 해로운, 비위생적인 : climat ~ 건강에 나쁜 기후.

insalubrité [ɛ̃salybʀite] *f.* 건강에 해로움, 비위생적임.

insane [ɛ̃san] *adj.* 미치광이 같은, 당찮은 : des projets *~s* 엉뚱한 계획.

insanité [ɛ̃sanite] *f.* 몰상식, 주착 ; 미치광이〔바보〕 같은 짓〔말〕: dire des *~s* 어리석은 소리를 하다.

insatiable [ɛ̃sɑsjabl] *adj.* 물릴 줄 모르는, 탐욕스러운 : soif ~ 채워지지 않는 갈증 / curiosité ~ 지칠 줄 모르는 호기심.

insatisfaction [ɛ̃satisfaksjɔ̃] *f.* 불만족(= mécontentement) : manifester son ~ 불만을 나타내다.

insatisfait, e [ɛ̃satisfɛ, -ɛt] *adj.* (사람이) 만족하지 못하는, 불만에 찬 : épouse *~e* (성적으로) 불만인 아내 / passion *~e* 채워지지 않는 정열. ── *n.* 불평불만자 : un éternel ~ 끝없이 불평하는 사람.

inscription** [ɛ̃skʀipsjɔ̃] *f.* ① 기입, 기재 ; 등록, 등기 : ~ d'un étudiant à une faculté 학생의 대학 등록 / ~ hypothécaire 저당권 등기 / ~ maritime 〖해양〗 선원 등록. ② ⓐ 비명(碑銘), 비문(碑文) ; 낙서 : ~ funéraire 묘비명 / déchiffrement des *~s* 비문 판독 / ~ injurieuse 낙서. ⓑ (표지 따위의) 글, 게시(揭示) : ~ sur un poteau indicateur 도로 표지의 게시. **~ *de* 〔*en*〕 *faux 〖법률〗 서류가 허위임을 밝히기 위한 소송 절차. ***prendre ses ~s*** (학생이) 등록하다. ***prendre son ~*** 기명〔등기〕하다.

***inscrire** [ɛ̃skʀi:ʀ] [38] *v.t.* ① 적어 넣다〔두다〕, 기입〔기재〕하다 : ~ un rendez-vous sur son carnet 만날 약속을 수첩에 적어 두다. ② 등록시키다 : ~ son enfant à une école 아들을 학교에 등록〔입학〕시키다 / se faire ~ sur les listes électorales 선거인 명부에 등록되다 / se faire ~ à un cours 어느 강의에 수강 신청하다. ③ (비명(碑銘) 따위를) 새기다 : ~ une épitaphe sur une tombe 묘비명을 새기다. ④ 명심하다; 자국을 남기다 : *Inscrivez* bien cette date dans votre mémoire. 이 날짜를 명심하시오 / Les rides *ont inscrit* son âge sur son front. 주름살이 이마에 나이를 새겨 놓았다. ⑤ 〖수학〗 내접(內接)시키다 : ~ un triangle dans un cercle 원에 삼각형을 내접시키다.
── **s'~** *v.pr.* ① 《~ à》 …에 등록〔등기〕하다, 가입하다, 신청〔응모〕하다 : *s'~ à* un à la faculté 대학에 등록하다 / *s'~ à* un parti 입당하다. ② 《~ dans》 …에 포함되다, 들어가다(= s'insérer): projet qui *s'inscrit dans* le cadre d'une réforme générale 전반적 개혁 속에 들어가는 계획안. ③ 새겨지다, 기록되다. ④ 〖수학〗 내접하다.

inscrit, e [ɛ̃skʀi, -it] *adj.* ① (명부에) 기입된, 기재된, 등록된 : orateur ~ (의회의) 발언 신청자 / étudiant ~ à un club sportif 운동부에 등록된 학생. ② 〖수학〗 내접하는: angle ~ 내접각. ── *m.* 등록자.

insécable [ɛ̃sekabl] *adj.* 분할할 수 없는.

***insecte** [ɛ̃sɛkt] *m.* ① 곤충, 벌레 : activité d'~ 바지런함. ② 벌레 같은 녀석.

insecticide [ɛ̃sɛktisid] *adj.* 살충(제)의. ── *m.* 살충제 : répandre de l'~ 살충제를 살포하다.

insectivore [ɛ̃sɛktivɔ:ʀ] *adj.* 〖생물〗 벌레를 먹는 : oiseau ~ 벌레를 먹고 사는 새. ── *m.* (*pl.*) 식충류(食蟲類) ; (*sing.*) 식충동물.

I

insectologie [ɛ̃sɛktɔlɔʒi] *f.* 곤충학.
insécuriser [ɛ̃sekyʀize] *v.t.* 불안감을 주다, 불안하게 하다.
insécurité [ɛ̃sekyʀite] *f.* 불안전, 불안정 : vivre dans l'~ 불안 속에서 살다.
in-seize [in(ɛ̃)sɛːz] *adj.* 《불변》 〖인쇄〗 16절판의. ── *m.* 《복수불변》 16절판 책.
insémination [ɛ̃seminɑsjɔ̃] *f.* 인공 수정 : ~ artificielle (소 따위의) 인공 수정.
inséminer [ɛ̃semine] *v.t.* 인공 수정을 하다.
insensé, e [ɛ̃sɑ̃se] *adj.* ① 지각(주책)없는, 비상식적인, 엉뚱한 : désirs ~*s* 지각없는 욕망 / projet ~ 엉뚱한 계획. ② 《구어》 괴상망측한, 기묘한. ── *n.* 주책없는 사람 ; 《옛》 미치광이.
insensibilisation [ɛ̃sɑ̃sibilizɑsjɔ̃] *f.* 마취 ; 마비.
insensibiliser [ɛ̃sɑ̃siblize] *v.t.* 무감각하게 하다 ; 마취(마비)시키다 : ~ un malade avant de l'opérer 환자를 수술하기 전에 마취시키다.
insensibilité [ɛ̃sɑ̃sibilite] *f.* ① 무감각, 마비 (상태). ② 무관심, 냉담 : ~ aux compliments 찬사에 대한 무관심.
insensible [ɛ̃sɑ̃sibl] *adj.* ① 《~ à》 …에 무감각한, 마비된 : ~ *à* la chaleur 더위에 무감각한. ② 《~ à》 …에 무관심한, 냉담한 : cœur ~ 냉담한 마음씨의 사람. ③ 느낄 수 없을 만큼의, 극히 적은 : différence ~ 있을까 말까한 차이. ── *n.* 무감각한 사람.
insensiblement [ɛ̃sɑ̃sibləmɑ̃] *adv.* 눈에 띄지 않을 만큼, 서서히, 조금씩 : Ce travail avance ~. 이 일은 서서히 진행된다.
inséparable [ɛ̃sepaʀabl] *adj.* ① 《~ de》 …에서 떼어 놓을 수 없는, 불가분의(= indissociable) : faiblesses ~*s de* notre nature 우리의 본성과 떼어놓을 수 없는 약점. ② (사람이) 헤어지지 않는(늘 함께 있는) : deux amis ~*s* 늘 함께 있는 두 친구. ── *n. pl.* 떼려야 뗄 수 없는(늘 함께 있는) 사람.
inséparablement [ɛ̃sepaʀabləmɑ̃] *adv.* 떼어 놓을 수 없도록.
insérer [ɛ̃seʀe] ⑥ *v.t.* ① 삽입하다, 끼워 넣다 : ~ une feuille dans un livre 종이를 책갈피에 끼워 넣다. ② (기사를) 게재하다 ; (항목 따위를) 추가하다 : ~ une annonce dans un journal 신문에 광고를 싣다. ── **s'~** *v.pr.* ① 《~ dans》 …속에 자리하다, 포함되다 ; 삽입되다 : Ce projet *s'insère dans* le cadre de la réforme générale. 이 계획은 전반적인 개혁의 틀 속에 포함되어 있다. ② 《~ dans》 …에 편입되다 : *s'~ dans* un groupe 집단에 편입되다. ③ 《~ sur》 …에 부착하다 : Les muscles *s'insèrent sur* les os. 근육은 뼈에 부착해 있다.
insert [ɛ̃sɛːʀ] (영) *m.* 〖영화〗 삽입 화면 ; 〖방송〗 (방송 도중에 삽입하는) 전화 인터뷰.
insertion [ɛ̃sɛʀsjɔ̃] *f.* ① 삽입(揷入) ; 게재 ; 기입 : ~ léxicale 어휘 삽입 / ~ des notes dans une thèse 논문에 주를 넣기. ② 삽입물 ; 게재 기사. ③ 〖해부〗 부착 ; 〖식물〗 착생(着生). ④ 동화(同化), 편입, 영입(迎入)(= assimilation, intégration) : ~ des immigrés 이민의 편입.
insidieusement [ɛ̃sidjøzmɑ̃] *adv.* 기만적으로, 교활(엉큼)하게.
insidieux, euse [ɛ̃sidjø, -øːz] *adj.* ① (질문 따위가) 함정이 있는, 올가미를 씌우는 : question ~*euse* 함정이 있는 질문. ② 《문어》 교활한(= rusé), 엉큼한. ③ (병이) 잠행(潛行)성의.
insigne¹ [ɛ̃siɲ] *adj.* 주목할 만한, 탁월한, 특별한 : service ~ 특별 서비스 / faveur ~ 각별한 호의.
insigne² *m.* 배지, 마크, 휘장 : ~ de grade 계급장.
insignifiance [ɛ̃siɲifjɑ̃ːs] *f.* 무의미, 무가치 ; 하찮음.
***insignifiant, e** [ɛ̃siɲifjɑ̃, -ɑ̃ːt] *adj.* ① 특징 없는, 보잘것없는 : personne ~*e* 보잘것없는 인간 / visage ~ 특징 없는 얼굴. ② 시시한, 사소한, 하찮은 : somme ~*e* 하찮은 금액.
insinuant, e [ɛ̃sinɥɑ̃, -ɑ̃ːt] *adj.* 교묘하게 환심을 사는, 잘 구스르는 : esprit ~ 남을 잘 구스르는 기질(사람).
insinuation [ɛ̃sinɥɑsjɔ̃] *f.* 암시, 넌지시 비추기 : procéder par ~ 완곡하게(넌지시)표현하다 / ~ calomnieuse publiée dans la presse 신문의 중상 기사.
***insinuer** [ɛ̃sinɥe] *v.t.* 넌지시 비추다, 암시하다 : Qu'est-ce que vous *insinuez* par là ? 도대체 무슨 뜻으로 그런 말씀을 하시는 겁니까 ? ── **s'~** *v.pr.* ① 슬그머니 끼어들다, 비집고 들어가다. ② (물이) 스며들다. ③ (차츰) 침투하다(스며들다) : Le venin *s'insinue dans* les veines. 독은 차츰 혈관에 스며든다.
insipide [ɛ̃sipid] *adj.* ① 맛없는 : boisson ~ 맛없는 음료. ② 무미건조한, 김빠진, 재미없는, 따분한 : film ~ 따분한 영화.
insipidité [ɛ̃sipidite] *f.* ① 무미, 맛없음. ② 무미건조, 재미없음.
insistance [ɛ̃sistɑ̃ːs] *f.* 끈질김, 집요함 ; 역설, 고집. ***accent d'~*** 〖언어〗 강조 액센트. ***avec ~*** 집요하게, 끈질기게 : réclamer une augmentation de salaire *avec* ~ 월급 인상을 끈질기게 요구하다.
insistant, e [ɛ̃sistɑ̃, -ɑ̃ːt] *adj.* 끈질긴, 고집하는, 집요한 : d'un ton ~ 끈질긴 어조로.
insister** [ɛ̃siste] *v.i.* ① 《~ sur》 주장(역설·강조·고집)하다 : ~ *sur* les syllabes finales 끝음절을 강조하다 / On ne saurait trop ~ *sur* cette question. 이 문제는 아무리 강조해도 지나치지 않는다. ② 간청(애걸)하다 : ~ auprès de qn pour qc …에게 …을 간청하다. ③ 《구어》 계속하다 ; 버텨 나가다 : Tirez fort, *insistez.* 세게 당기시오, 계속해서. ***~ à (***pour***) + *inf.* …할 것을 간청하다, …하고 싶다고 고집하다 : Il *insiste pour* vous parler. 그는 당신에게 말할 것을 간청하고 있다. ***~ pour que*** (***à ce que***) + *sub.* …할 것을 역설(강요)하다 : Ils *insistent pour qu*'elle participe à la réunion. 그들은 그녀가 회의에 참석할 것을 고집한다.
insociabilité [ɛ̃sɔsjabilite] *f.* 비사교성.
insociable [ɛ̃sɔsjabl] *adj.* 비사교적인 ; 붙임성이 없는.
insolation [ɛ̃sɔlɑsjɔ̃] *f.* ① 햇볕에 쬐기 ; 일광욕. ② 〖의학〗 일사병(= coup d'~) : attraper une ~ 일사병에 걸리다. ③ 일조(日照) 시간 : ~ faible 짧은 일조 시간.
insolemment [ɛ̃sɔlamɑ̃] *adv.* 무례(오만)하게, 건방지게.

insolence [ɛ̃sɔlɑ̃:s] *f.* 불손, 무례, 건방짐, 거만, 오만 : répondre avec ~ à ses parents. 부모에게 불손하게 대답하다 / ~ d'un vainqueur 승리자의 오만.

***insolent, e** [ɛ̃sɔlɑ̃:, -ɑ̃:t] *f.* ① 불손한, 무례한, 거만한, 건방진 : fils ~ envers sa mère 어머니에게 불손한 아들 / rival ~ 거만한 적수. ② 비상한, 대단한 : étaler une santé ~*e* 대단한 건강을 과시하다. ③ 일부러 드러내보이는, 과시하는 : montrer une joie ~*e* 보라는 듯이 기쁨을 내보이다. ── *n.* 무례한〔건방진〕 사람.

insolite [ɛ̃sɔlit] *adj.* 엉뚱한, 이상(야릇)한, 괴상한, 별난, 색다른 : tenue ~ pour la saison 철에 맞지 않는 별난 옷차림. ── *n.* 이상한〔야릇한〕 것.

insoluble [ɛ̃sɔlybl] *adj.* ① 용해되지 않는 : substance ~ dans l'eau 물에 녹지 않는 물질. ② (문제가) 해결될 수 없는, 풀리지 않는.

insolvabilité [ɛ̃sɔlvabilite] *f.* 〖상업〗 채무변제〔지급〕 불능.

insolvable [ɛ̃sɔlvabl] *adj.* 지불 능력 없는.

insomniaque [ɛ̃sɔmnjak] *adj.* 불면(증)의. ── *n.* 불면증에 걸린 사람.

I

insomnie [ɛ̃sɔmni] *f.* 불면(증) : remède contre l'~ 수면제(= somnifère).

insondable [ɛ̃sɔ̃dabl] *adj.* ① 깊이를 알 수 없는. ② 불가해한 ; (신비 따위가) 불가사의한 ; (불행 따위가) 한없는: mystère 〔secret〕 ~ 불가사의한 신비〔비밀〕.

insonore [ɛ̃sɔnɔ:ʀ] *adj.* (소리가) 울리지 않는 ; 방음(防音)의: cloison ~ 방음벽.

insonorisation [ɛ̃sɔnɔʀizɑsjɔ̃] *f.* 방음 (장치) : techniques d'~ 방음 기술.

***insonoriser** [ɛ̃sɔnɔʀize] *v.t.* 방음하다.

insouciance [ɛ̃susjɑ̃:s] *f.* 대범함, 무사태평, 걱정하지 않음, 무관심 : avec ~ 대범하게 ; 태평스럽게.

insouciant, e [ɛ̃susjɑ̃, -ɑ̃:t] *adj.* 《~ de》 …에 대범한, 무사태평한, 걱정하지 않는, 무관심한 : ~ *du* lendemain 내일을 걱정하지 않는. ── *n.* 무사태평한 사람.

insoucieux, euse [ɛ̃susjø, -ø:z] *adj.* 무사태평한 ; 《~ de》 …을 걱정하지 않는 : vie domestique ~*euse* 걱정 없는 살림살이.

insoumis, e [ɛ̃sumi, -i:z] *adj.* ① 복종〔순종〕하지 않는. ② 〖군사〗 소집에 불응하는, 탈영의 : soldat ~ 소집에 불응하는 병사 ; 탈영병. ── *m.* 〖군사〗 소집 기피자. ── *f.* 사창(私娼)(= fille ~*e*).

insoumission [ɛ̃sumisjɔ̃] *f.* ① 불복종(= désobéissance). ② 〖군사〗 원대 복귀 위반 (= désertion); (창녀의) 등록 불응.

insoupçonnable [ɛ̃supsɔnabl] *adj.* 혐의를 둘〔의심할〕 수 없는 ; 나무랄 데 없는.

insoupçonné, e [ɛ̃supsɔne] *adj.* ① 혐의를 받고 있지 않는. ② 생각지도 않은, 뜻밖의 : domaine ~ 뜻밖의 영역.

insoutenable [ɛ̃sutnabl] *adj.* ① 지지〔옹호〕할 수 없는 : argument ~ 지지할 수 없는 논리. ② 견딜 수 없는(= insupportable) : douleur ~ 참을 수 없는 고통.

***inspecter** [ɛ̃spɛkte] *v.t.* ① 검사하다(= fouiller) : ~ des bagages 짐을 검사하다. ② 자세하게 조사하다, 관찰하다 : ~ qn des pieds à la tête …을 머리끝에서 발끝까지 뜯어보다. ③ 감독하다, 순시〔순찰〕하다(= surveiller).

***inspecteur, trice** [ɛ̃spɛktœ:ʀ, -tʀis] *n.* ① 검사인〔관〕 ; 감독관 ; 감찰관 ; 〖학교〗 장학사. ② 수사관, 사복 형사(= ~ de police).

inspection [ɛ̃spɛksjɔ̃] *f.* ① 시찰 ; 검열, 검사 ; 감독 : ~ de la douane 세관의 검사 / procéder à l'~ d'une école 학교를 시찰하다. ② 〖군사〗 사열, 열병. ③ 시찰관〔검열관 · 감독관〕의 직.

inspirateur, trice [ɛ̃spiʀatœ:ʀ, -tʀis] *adj.* ① 〖해부〗 호흡의, 흡기(吸氣)의. ② 영감을 주는 ; 고취〔고무〕하는. ── *n.* ① 영감을 주는 사람〔것〕 : ~*trice* d'un poète 시인에게 영감을 주는 여성. ② 고취자 ; (사건의) 흑막 : ~ d'un complot 음모의 흑막.

inspiration** [ɛ̃spiʀɑsjɔ̃] *f.* ① 〖생리〗 숨을 들이쉬기, 흡기. ② 영감(靈感); 계시 ; 암시, 시사(示唆), 권고 : ~ des prophètes 선지자〔예언자〕의 영감〔계시〕 / agir par l'~ de qn …의 시사에 따라 행동하다 / suivre l'~ d'un ami 친구의 권고에 따르다. ***d'~ + 형용사 …의 영향을 받은 : musique *d'~* orientale 동양의 영향을 받은 음악.

inspiré, e [ɛ̃spiʀe] *adj.* ① 영감을 받은 ; 계시를 받은 : poète ~ 영감을 받은 시인 / air ~ 《때로 비꼼》 영감을 받은 태도. ② 《~ de》 …에서 착상을 얻은 : films ~*s de* la Résistance 레지스탕스에서 착상을 얻은 영화들. ***bien*** 〔***mal***〕 **~** (***de*** + *inf.*) …한 것은 잘〔잘못〕 생각한 것이다. ── *n.* 영감을 받은 사람.

***inspirer** [ɛ̃spiʀe] *v.t.* ① (공기 따위를) 불어넣다, 취입하다 ; 들이마시다 ; …에게 입김을 불어넣다 : ~ de l'air dans les poumons d'un noyé 물에 빠진 사람의 폐에 공기를 불어넣다. ② …에게 영감을 주다 ; 《구어》 …의 마음에 들다 : Les paysages de Provence *ont inspiré* ce peintre. 프로방스의 풍경이 화가에게 영감을 주었다 / Cette promenade ne m'*inspire* pas. 나는 이 산책이 마음에 들지 않는다. ③ 불러일으키다, 고취〔고무〕하다 ; (사상을) 주입하다 ; (행동을) 할 마음이 생기게 하다 : ~ à qn l'horreur de qc …에게 …에 대한 공포심을 품게 하다 / ~ à qn de + *inf.* …으로 하여금 …할 마음이 생기게 하다 / *inspiré* par 〔de〕 la pitié 〔jalousie〕 동정심〔질투심〕에 끌려 / intentions qui *ont inspiré* un acte 어떤 행동을 하게 된 동기. ── **s'~** *v.pr.* 《s'~ de》 …에서 영감을 받다, 착상을 얻다 ; …을 본받다 : *s'~ d'*un auteur 어떤 저자로부터 착상을 얻다 / *s'~ de* l'exemple de son père 아버지를 본받다.

instabilité [ɛ̃stabilite] *f.* ① 불안정, 동요 : ~ des prix 물가의 불안정. ② (마음의) 변하기 쉬움, 변덕.

instable [ɛ̃stabl] *adj.* ① 불안정한 : meuble ~ 불안정하게 놓인 가구. ② 변하기 일쑤인 ; 변덕스러운 : temps ~ 잘 바뀌는 날씨. ③ 정착하지 않은, 유랑의 : peuple ~ 유랑민. ── *n.* 변덕스런 사람 ; 정서 불안정 아동.

installateur [ɛ̃stalatœ:ʀ] *m.* (보일러 · 목욕설비 등의) 설치자, 가설자.

***installation** [ɛ̃stalɑsjɔ̃] *f.* ① 임명, 서임(敍任), 취임 : ~ d'un magistrat 법관의 임명 /

~ dans une fonction 관직 취임. ② 설치, 설비 ; 가설 : ~ de l'électricité 전기 가설. ③ 설비 시설 : ~*s* sanitaires 위생 설비.

installé, e [ɛ̃stale] *adj.* ① (비품이) 설치된. ② 높은 지위에 있는, 유복한.

‡installer [ɛ̃stale] *v.t.* ① 집에 거처하게 하다, 정착시키다 ; 앉히다, 눕히다 : ~ sa famille à Lyon 가족을 리옹에 정착시키다 / ~ un malade dans son lit 환자를 침대에 눕히다. ② ⓐ 설비〔설치 · 배치 · 비치〕하다 ; (집에) 가구를 갖추다 : faire ~ l'électricité 〔le gaz, le téléphone〕 전기〔가스 · 전화〕를 가설하다 / ~ une usine 공장에 기계를 비치하다. ⓑ 개설〔개통〕하다 : ~ un hypermarché en banlieue 교외에 대형 수퍼를 개설하다. ③ 취임시키다, 임명하다, 임관시키다 : ~ un magistrat 재판관을 임명하다. — **s'~** *v.pr.* ① 자리 잡다, 정착하다, 거처를 정하다 : *s'~* à Paris 파리에 거처를 정하다. ② (특히 의사 · 변호사 등의 자유업을) 개업하다. 「게.

instamment [ɛ̃stamɑ̃] *adv.* 간절히, 간곡하

instance [ɛ̃stɑ̃:s] *f.* ① (주로 *pl.*) 간청, 탄원, 애원(= prière) : faire de vives ~*s* auprès de qn …에게 간청하다. ② 소송(訴訟) ; 소송 절차 : introduire une ~ 소송을 제기하다 / tribunal de première ~, 1 심 법원, 지방 법원. ③ (조직의) 결정 기관, 최고 기관, 상층부 : ~*s* supérieures 최고 결정 기관. ***avec ~*** 간곡하게, 간절히. ***en ~*** 진행〔심의〕 중인 : affaire *en* ~ 해결 중인 사건〔일〕 / pièces *en* ~ 소송 서류. ***en ~ de*** qc 〔+*inf.*〕 막 …하려고 하는(= sur le point de) : être *en* ~ *de* divorce 이혼소송 중이다 / train *en* ~ *de* départ 막 출발하려는 기차. ***en dernière ~*** 요컨대, 결국.

instant¹, e [ɛ̃stɑ̃, -ɑ̃:t] *adj.* ① 간곡한, 간절한 : prière ~*e* 간청. ② 급박한(= immédiat), 초미(焦眉)의 : besoin ~ 절박한 욕구.

‡instant² *m.* 순간, 순식간(= moment) ; 그때(= moment précis) : Attendez un ~. 잠깐만 기다리세요. ***à chaque*** 〔***tout***〕 ***~*** 줄곧, 끊임없이 : faire attention *à chaque* ~ 끊임없이 주의하다. ***à*** 〔***dans***〕 ***l'~*** 방금, 당장, 바로 그때. ***à l'~ même*** 바로 그 순간에, 동시에. ***dans un ~*** 곧, 조금 있으면. ***dès l'~ que*** 〔***où***〕 + *ind.* …하자마자 ; …한 이상 : *dès l'~ qu'*il est parti 그가 떠나자 마자 / *dès l'~ où* il est d'accord 그가 동의한 이상. ***de tous les ~s*** 끊임없이, 부단히. ***d'~ en ~*** 시시각각으로. ***d'un ~ à l'autre*** 금시, 곧, 이제나저제나 하고 : Il va arriver *d'un ~ à l'autre.* 그는 곧 올 것이다. ***en un ~*** 순식간에. ***par ~(s)*** 이따금. ***pour l'~*** 당장에는, 당분간은. ***Un ~ !*** 잠깐 기다려 !

instantané, e [ɛ̃stɑ̃tane] *adj.* ① 순간적인, 즉각적인 : L'explosion fut presque ~*e.* 폭발은 거의 순간적이었다 / mort ~*e* 즉사. ② 인스턴트의 : café ~ 인스턴트 커피. — *m.* 〖사진〗 스냅 사진.

instantanéité [ɛ̃stɑ̃taneite] *f.* 순간적임 ; 갑작스러움, 즉각적임.

instantanément [ɛ̃stɑ̃tanemɑ̃] *adv.* 순식간에 ; 즉시로, 즉석에서 ; 당장에.

instar de (à l') [alɛ̃staʀd(ə)] *loc. prép.* …에 따라, …을 본떠서, …처럼(= à l'exemple de) ; *à l'~* ses frères 그의 형제를 따라서.

instauration [ɛ̃stɔ(o)ʀɑsjɔ̃] *f.* 설립, 창립, 창설, 건설 : ~ d'une mode 유행의 창시.

instaurer [ɛ̃stɔ(o)ʀe] *v.t.* ① 세우다, 설립하다, 창설하다 : ~ la république 공화국을 수립하다. ② 《구어》 (자동차를) 조립하다.

instigateur, trice [ɛ̃stigatœ:ʀ, -tʀis] *n.* 교사자, 선동자 ; 주모자 : ~ d'une révolution 혁명의 주모자.

instigation [ɛ̃stigɑsjɔ̃] *f.* 교사(教唆), 선동, 부추김, 충동. ***à*** 〔***sur***〕 ***l'~ de*** qn …의 사주를 받아, …의 권유에 따라.

instillation [ɛ̃stilɑsjɔ̃] *f.* 한 방울씩 넣기 ; 〖의학〗 적주(滴注), 점안(點眼).

instiller [ɛ̃stile] *v.t.* ① 〖의학〗 (안약 따위를) 점적(點滴)하다. ② (사상 따위를) 주입하다.

instinct** [ɛ̃stɛ̃] *m.* ① 본능 : ~ de conservation 자기 보존의 본능 / ~ maternel 모성 본능. ② 반사 작용 ; 직감, 직관(= intuition) : agir par ~ 직관적으로 행동하다. ③ 《경멸》 본성, 충동 : céder à ses ~*s* 충동에 사로잡히다. ④ 천성, 천분(= sens), 소질(= talent) : avoir l'~ de la musique 음악에 소질이 있다. ***d'~ ; par ~ 본능적으로 : *D'~* , il a pris la bonne direction. 본능적으로 그는 올바른 방향을 선택했다.

instinctif, ive [ɛ̃stɛ̃ktif, -i:v] *adj.* 본능적인, 직감적인 ; 충동적인 : désire ~*s* 본능적인 욕망 / un être ~ 충동적인 존재.

instinctivement [ɛ̃stɛ̃ktivmɑ̃] *adv.* 본능적으로; 무의식적으로; 충동적으로.

instit [ɛ̃stit] *n.* 《복수불변》 《구어》 초등학교〔유치원〕 교사(= instituteur, institutrice).

***instituer** [ɛ̃stitɥe] *v.t.* ① 세우다, 설립〔창립 · 창설〕하다. ② 시행하다 ; (규칙 따위를) 설정〔제정〕하다 : ~ de nouveaux règlements de circulation 새로운 교통 법규를 제정하다. ③ 임명하다 ; (상속인을) 지정하다 : ~ qn (son) héritier …을 (자기의) 상속인으로 지정하다. — **s'~** *v.pr.* ① (관습 따위가) 확립되다, 설립되다 : relations qui *se sont instituées* entre les deux pays 두 나라 사이에 확립된 관계. ② 스스로 …이 되다 ; 자진해서 직책을 맡다, 자임(自任)하다.

institut [ɛ̃stity] *m.* ① 학회, 협회. ② 학원 ; 연구소 ; 학사원 : l'*I~* (de) Pasteur 파스퇴르 연구소. ③ 〖교회〗 교단(教團)의 규칙 ; 교단. ***L'I~*** (***de France***) 프랑스 학사원.

***instituteur, trice** [ɛ̃stitytœ:ʀ, -tʀis] (초등학교) 교원, 선생 ; 가정교사 : école normale d'~*s* 사범학교.

***institution** [ɛ̃stitysjɔ̃] *f.* ① 제도, 기구, 조직 : origine de l'~ du mariage 결혼 제도의 기원 / ~*s* spécialisées 전문 기관. ② (*pl.*) 체제(= régime) : ~*s* démocratiques 민주주의 체제 / renverser les ~*s* 체제를 전복하다. ③ 설립, 제정, 확립, 창시(= éstablissement) : ~ d'une fête 축제의 제정 / ~ des Jeux Oympiques 올림픽 경기의 창설. ④ (사립) 학교, 학원 : ~ de jeunes filles (사립) 여학교. ⑤ 《구어》 관례, 관습, 습관. ⑥ 〖법률〗 ~ d'héritier 상속인의 지정 ; 〖종교〗 서임.

institutionnalisation [ɛ̃stitysjɔnalizɑsjɔ̃] *f.* 법제화, 제도화.

institutionnaliser [ɛ̃stitysjɔnalize] *v.t.* 법

제화하다, 제도화하다 ; (기구 · 조직을) 강화하다. — **s'~** *v.pr.* 제도화되다, 강화되다.

institutionnel, elle [ɛ̃stitysjɔnɛl] *adj.* 제도(상)의.

instructeur [ɛ̃stʀyktœːʀ] *m.* ① 교사 ; 〚군사〛 (신병의) 교련 교관. ② 〚법률〛 예심 판사 (=juge ~). — *adj.* 교사〔교관〕의 ; 예심하는.

instructif, ive [ɛ̃stʀyktif, -iːv] *adj.* ① 교육적인, 교훈이 되는 ; 도움이 되는 : livre ~ 교훈적인 서적. ② 진상을 잘 드러내는.

***instruction** [ɛ̃stʀyksjɔ̃] *f.* ① 교육, 훈육 ; 지도 ; 〚군사〛 훈련(= ~ militaire) : l'~ primarie 〔secondaire, supérieure〕 초등〔중등 · 고등〕 교육 / ministre de l'*I*~ publique 《옛》 문교부 장관. ② 학식, 지식, 교양(=culture) : avoir de l'~ 교양이 있다 / homme sans ~ 교양 없는 남자. ③ (*pl.*) 훈령, 명령, 지시 : donner des ~*s* secrètes à un ambassadeur 대사에게 비밀 훈령을 내리다. ④ 〚법률〛 예심 : juge d'~ 예심 판사 / ouvrir une ~ 예심을 개시하다. ⑤ (*pl.*) (상품의) 사용법, 설명서.

***instruire** [ɛ̃stʀɥiːʀ] 32 *v.t.* ① 가르치다, 교육하다; 〚군사〛 훈련하다 : Ce livre m'*a* beaucoup *instruit* sur les questions économiques. 이 책은 경제 문제에 대해 많은 것을 가르쳐 주었다. ② 《~ qn de qc》 …에게 알리다, 통지하다 : Il n'*a instruit* personne *de* ses projets. 그는 아무에게도 자기 계획을 알리지 않았다. ③ 〚법률〛 심리하다, 예심하다 : ~ un procès 소송의 예심을 하다 / ~ contre qn 《목적보어 없이》 …을 예심에 부치다. — **s'~** *v.pr.* ① 《s'~ dans 〔en〕》 배우다, 공부하다, 교양을 기르다 : On s'*instruit* à tout âge. 사람은 죽을 때까지 배우게 마련이다. ② 서로 가르치다 ; 서로 훈련하다. ③ 〚법률〛 예심을 받다.

instruit, e [ɛ̃stʀɥi, -it] *adj.* ① 교육받은, 학식 있는 : homme très ~ 유식한 사람. ② 《~ de》 …을 알고 있는. ③ 심리를 거친.

***instrument** [ɛ̃stʀymɑ̃] *m.* ① 도구, 기구, 연장 : ~*s* de travail 작업 도구 / ~ de mesure 측정 기구. ② 악기(= ~ de musique). ③ 수단, 방편 ; 앞잡이 : ~*s* de paiement 지불 수단 / ~ d'un complot 음모의 앞잡이. ④ 〚법률〛 증서, 문서 ; (조약의) 원본. **~ *à vent* 〔*cordes*〕** 관악기〔현악기〕.

instrumental, e, aux [ɛ̃stʀymɑ̃tal, -o] *adj.* ① 도구의, 기구의. ② 악기의 : musique ~*e* 기악 / ensemble ~ 합주단. ③ 증서〔문서〕의. — *m.* 〚문법〛 조격(助格)(=cas ~).

instrumentation [ɛ̃stʀymɑ̃tɑsjɔ̃] *f.* ① 〚음악〛 악기법(法), 기악(곡) 편성. ② 〚법률〛 증서 작성. ③ 〚의학〛 의료 기기.

instrumenter [ɛ̃stʀymɑ̃te] *v.i.* 〚법률〛 증서〔문서 · 서류〕를 작성하다. — *v.t.* 〚음악〛 기악곡으로 편곡하다. 「주가.

instrumentiste [ɛ̃stʀymɑ̃tist] *m.* 악기 연

insu** [ɛ̃sy] *m.* 《다음 숙어로만 쓰임》 ***à l'~ de …에게 알리지 않고, …이 모르는 사이에. ***à mon* 〔*son*〕 ~** 나〔그〕에게 알리지 않고.

insubmersible [ɛ̃sybmɛʀsibl] *adj.* (배가) 가라앉지 않는, 침몰하지 않는. 「종 ; 반항.

insubordination [ɛ̃sybɔʀdinɑsjɔ̃] *f.* 불복

insubordonné, e [ɛ̃sybɔʀdɔne] *adj.* 복종〔순종〕하지 않는 ; 반항하는 : élève ~ 고분고분하지 않는 학생 / troupes ~*es* 반란 부대.

insuccès [ɛ̃syksɛ] *m.* 실패.

insuffisamment [ɛ̃syfizamɑ̃] *adv.* 불충분하게, 부족하게 : travailler ~ 공부가〔일이〕 불충분하다.

insuffisance [ɛ̃syfizɑ̃ːs] *f.* ① 부족, 불충분 : ~ de ressources 자원 부족. ② 무지, 무능. ③ (*pl.*) 결함 : ~*s* de son esprit 정신의 결함. ④ 〚의학〛 기능 부전(不全): ~ cardiaque 심장 기능 부전.

insuffisant, e [ɛ̃syfizɑ̃, -ɑ̃ːt] *adj.* ① 부족한, 불충분한 : quantité ~*e* 부족한 양 / connaissances ~*es* 빈약한 지식. ② 무능한.

insufflation [ɛ̃syflɑsjɔ̃] *f.* ① 〚의학〛 통기법(通氣法), 취입(법)《공기 · 분말 따위를 체강에 불어넣기》. ② (풍선 따위를) 부풀게 하기.

insuffler [ɛ̃syfle] *v.t.* ① 불어넣다 ; (감정을) 고취하다, 불러일으키다 : Cette première réussite lui *insuffla* une nouvelle ardeur. 이 첫 성공은 그로 하여금 새로운 정열이 용솟음치게 했다. ② 〚의학〛 (공기를) 불어넣다, (가스, 액체, 분말 등을) 불어보내다 ; 기흉(氣胸)하다 : ~ de l'air dans la poitrine d'un noyé 물에 빠진 사람의 가슴에 공기를 불어넣다.

insulaire [ɛ̃sylɛːʀ] *adj.* 섬에 사는 ; 섬의(≠ continental), 섬나라의. — *n.* 섬사람 : ~*s* d'Hawaii 하와이 사람. 「근성.

insularité [ɛ̃sylaʀite] *f.* 섬나라임 ; 섬나라

insuline [ɛ̃sylin] *f.* 〚생화학〛 인슐린.

insultant, e [ɛ̃syltɑ̃, -ɑ̃ːt] *adj.* 모욕적인, 무례한 : propos ~*s* 모욕적인 말.

insulte [ɛ̃sylt] *f.* ① 모욕, 무례 ; 무시하기. ② 무례한 말〔행위〕(= injure) : dire 〔adresser〕 des ~*s* à qn …을 매도하다〔욕하다〕.

***insulter** [ɛ̃sylte] *v.t.* 모욕하다, 욕설하다(= injurier) : Il m'*insulta* publiquement. 그는 나를 사람들 앞에서 모욕했다. — *v.t. ind.* 《~ à》 …을 비웃다, 멸시하다 : ~ *aux* dieux 신을 모독하다.

insulteur [ɛ̃syltœːʀ] *m.* 모욕하는 사람.

***insupportable** [ɛ̃sypɔʀtabl] *adj.* 견딜〔참을〕수 없는 : bruit ~ 견딜 수 없는 소음 / odeur ~ 참을 수 없는 악취.

insurgé, e [ɛ̃syʀʒe] *adj.* 폭동〔반란〕을 일으킨, 봉기한(=révolté). — *n.* 폭도, 반도.

***insurger (s')** [sɛ̃syʀʒe] 3 *v.pr.* 《s'~ contre》 …에 대하여 반란〔폭동〕을 일으키다 ; 반항〔항거〕하다 : peuple qui *s'insurge contre* un tyran 폭군에 항거하는 국민.

insurmontable [ɛ̃syʀmɔ̃tabl] *adj.* ① 이겨낼〔극복할〕 수 없는 : un obstacle ~ 극복할 수 없는 장애. ② (감정이) 억누를 수 없는 : crainte ~ 억누를 수 없는 불안.

insurrection [ɛ̃syʀɛksjɔ̃] *f.* ① 폭동, 반란, 봉기(=révolte) : ~ populaire 민중 봉기. ② 반발, 저항.

insurrectionnel, elle [ɛ̃syʀɛksjɔnɛl] *adj.* 폭동의, 반란의, 봉기의 : gouvernement ~ 반란으로 태어난 정부.

***intact, e** [ɛ̃takt] *adj.* ① 손대지 않은, 있는 그대로의. ② 다치지 않은, 파손되지 않은 : Le colis est arrivé ~. 짐은 무사히 도착했다 / Sa réputation est restée ~*e*. 그의 명

성은 아무런 손상도 입지 않았다.

intangibilité [ɛ̃tɑ̃ʒibilite] *f.* ① 손으로 만질 수 없음, 촉지(觸知) 불능. ② 불가침성 : ~ d'une loi 법의 불가침성.

intangible [ɛ̃tɑ̃ʒibl] *adj.* ① 손으로 만질 수 없는, 촉지할 수 없는. ② 저촉〔침범〕해서는 안 되는 : principes ~*s* 저촉해서는 안 되는 원칙.

intarissable [ɛ̃taʀisabl] *adj.* ① (물이) 마르지 않는 ; 그치지 않는 : source ~ 마르지 않는 샘 / larmes ~*s* 하염없이 흐르는 눈물. ② 무진장의, 풍부한 : Il a une verve ~. 그의 재담은 무궁무진하다.

intarissablement [ɛ̃taʀisabləmɑ̃] *adv.* 풍부하게, 무궁무진하게 ; 지칠 줄 모르고.

***intégral, e, aux** [ɛ̃tegʀal, -o] *adj.* ① 전체의, 전부의 ; 완전한 : paiement ~ 전액 지불 / remboursement ~ d'une dette 부채의 전액 상환 / édition ~*e* (무삭제) 완전판. ② 〖수학〗 적분의 : calcul ~ 적분학. ── *f.* 〖수학〗 적분. ── *m.* (오토바이용) 헬멧.

intégralement [ɛ̃tegʀalmɑ̃] *adv.* 전부, 모두, 모조리, 전적으로(= complètement).

intégralité [ɛ̃tegʀalite] *f.* 전부, 전체, 전액 : ~ des impôts 세금의 총액.

intégrant, e [ɛ̃tegʀɑ̃, -ɑ̃:t] *adj.* (전체의 일부를) 이루는, (전체를 이루는 데) 없어서는 안 되는, 필요 불가결한. ***faire partie ~e de*** …의 (필요 불가결한) 일부를 이루다.

intégration [ɛ̃tegʀasjɔ̃] *f.* ① 〖수학〗 적분, 적분법. ② 통합, 융합 : ~ économique de l'Europe 유럽의 경제 기구 통합 / ~ mentale 심적(心的) 통합. ③ 〖경제〗 기업의 계열화, 기업 집중. ④ 〖전자〗 ~ à très grande échelle 초대규모 집적 회로, VLSI.

intégrationniste [ɛ̃tegʀasjɔnist] *adj.* 합방〔통합〕을 원하는 ; 인종 차별 철폐론의. ── *n.* 통합주의자 ; 인종 차별 철폐론자.

intègre [ɛ̃tɛgʀ] *adj.* 청렴한, 공정한, 공명정대한 : vie ~ 청렴한 생애.

intégré, e [ɛ̃tegʀe] *adj.* ① 통합된, 집중된 : gestion ~*e* 집중 관리 (방식). ② 동화된, 융합된(= assimilé) : immigrés ~*s* à 〔dans〕 la société française 프랑스 사회에 동화된 이민. ③ 〖컴퓨터〗 traitement ~ (데이터의) 일괄 처리 / circuit ~ 집적 회로, IC.

intégrer [ɛ̃tegʀe] [6] *v.t.* ① (전체 속에) 융합하다, 동화하다 ; 통합〔합병〕하다 : ~ plusieurs théories dans un système 몇 개의 이론을 하나의 체계로 통합하다. ② 〖수학〗 적분하다. ── *v.i.* 《학생은어》 일류 학교에 들어가다 : ~ à l'École normale (프랑스의) 사범 대학에 입학하다. ── **s'~** *v.pr.* (전체에) 동화하다, 합류하다 : *s'~* dans une majorité 〖정치〗 다수파에 합류하다.

intégrisme [ɛ̃tegʀism] *m.* ① (종교상의) 완전〔교조〕주의. ② 〖가톨릭〗 비타협적 가톨리시즘《개혁 반대주의》; 〖회교〗 (이슬람) 원리주의.

intégriste [ɛ̃tegʀist] *n.* et. *adj.* ① 체제 완전 보존주의자(의), (특히 가톨릭의) 개혁 반대주의자(의). ② 교조〔원리〕주의자(의).

intégrité [ɛ̃tegʀite] *f.* ① 온전함, 완전함 ; (파손되지 않은) 본래대로의 상태(= intégralité) : dans son ~ 완전한 형태로, 원래대로. ② 청렴, 결백, 공명정대. ③ 《옛》 성모 마리아의) 순결성, 무염성. **~ des mœurs** 미풍양속.

intellect [ɛ̃te(ɛl)lɛkt] *m.* ① 〖철학〗 지성, 이성(理性). ② 이해력(= entendement).

intellectualisme [ɛ̃te(ɛl)lɛktɥalism] *m.* 주지주의(主知主義), 주지설(說).

***intellectuel, elle** [ɛ̃te(ɛl)lɛktɥɛl] *adj.* 지적인, 이지적인 ; 지능의, 지식의 ; 정신적인 : facultés ~*elles* 지능 / travail ~ 정신 노동. ── *n.* 인텔리겐치아, 지식인, 전문가.

intellectuellement [ɛ̃te(ɛl)lɛktɥɛlmɑ̃] *adv.* 지적으로, 이지적으로 ; 정신적으로.

intelligemment [ɛ̃te(ɛl)liʒamɑ̃] *adv.* 지혜롭게, 영리하게, 총명하게.

intelligence** [ɛ̃te(ɛl)liʒɑ̃:s] *f.* ① 지혜, 지성, 지능 : ~ des animaux 동물의 지능 / test d'~ 지능 테스트. ② 총명, 머리가 좋음 : élève à l'~ éveillée 총명한 학생. ③ 뛰어난 지능의 소유자 ; 지성인, 지식인 : belle ~ 훌륭한 지능의 소유자. ④ 《~ de》 …의 이해(력)(= compréhension) : ~ *du* poème 시(詩)의 이해. ⑤ 재주, 센스 ; (예술 기법상의) 감각. ⑥ 화합(和合) ; 공모 ; (*pl.*) 내통 : entretenir 〔pratiquer, avoir〕 des ~*s* avec l'ennemi 적(敵)과 내통하다. ***être d'~ avec qn …와 공모하고 있다. ***être en bonne*** 〔***mauvaise***〕 ***~ avec*** qn …와 사이가 좋다〔나쁘다〕.

***intelligent, e** [ɛ̃te(ɛl)liʒɑ̃, -ɑ̃:t] *adj.* ① 지성〔지식〕이 있는 : l'homme, être ~ 지적 존재인 인간. ② 영리한, 총명한, 재주 있는 : être très ~ en... …에 재주가 있다 / enfant ~ 똑똑한 어린아이 / réponse ~*e* 현명한 대답 / 《비인칭》 Il est ~ de+*inf.* …하는 것이 현명하다.

intelligentsia, tzia [ɛ̃teligɛn(t)sja] 〖러시아〗 *f.* 지식 계급, 인텔리겐치아.

***intelligible** [ɛ̃te(ɛl)liʒibl] *adj.* ① 이해하기 쉬운, 알기 쉬운(= compréhensible), 명료한 : parler de façon ~ 알기 쉽게 말하다 / texte peu ~ 이해하기 힘든 텍스트. ② 〖철학〗 관념적인(≠ sensible).

intelligiblement [ɛ̃te(ɛl)liʒibləmɑ̃] *adv.* 이해하기 쉽게, 알기 쉽게, 명료하게.

intempérance [ɛ̃tɑ̃peʀɑ̃:s] *f.* ① 무절제, 폭음 폭식(= gloutonnerie, ivrognerie). ② 지나친 언동, 폭언 : ~ de langue 폭언.

intempérant, e [ɛ̃tɑ̃peʀɑ̃, -ɑ̃:t] *adj.* ① 과도한. ② 무절제한, 폭음 폭식하는 : faire un usage ~ de l'alcool 습관적으로 폭음하다.

intempérie [ɛ̃tɑ̃peʀi] *f.* (흔히 *pl.*) 일기 불순, 악천후.

intempestif, ive [ɛ̃tɑ̃pɛstif, -i:v] *adj.* 때 아닌, 계제 나쁜 : visite ~*ive* 타이밍이 안 맞는 방문 / demande ~*ive* 계제 나쁜 요구.

intemporalité [ɛ̃tɑ̃pɔʀalite] *f.* 초〔비〕시간성, 비물질성.

intemporel, elle [ɛ̃tɑ̃pɔʀɛl] *adj.* 시간을 초월한, 영원한 ; 비물질적인 : Le vrai et le faux sont ~*s*. 진실과 거짓은 시간을 초월해서 존재한다.

***intenable** [ɛ̃tnabl] *adj.* ① 지킬 수 없는, 유지할 수 없는. ② 견딜 수 없는, 참을 수 없는 : chaleur ~ 견딜 수 없는 더위.

I

intendance [ɛ̃tɑ̃dɑ̃:s] *f.* ① 관리, 감독. ② (대저택·재산 등의) 집사의 직 ; 〖프랑스〗《옛》 지방 총감의 직. ③ 회계과, 경리과 ; 〖군사〗 경리국. ④ (국가의) 재정·경제 정책

intendant [ɛ̃tɑ̃dɑ̃] *m.* ① (대저택의) 관리인, 집사(執事) ; 감독관, 검사관. ② 〖프랑스사〗《옛》 지방 총감 ; 주(州)지사. ③ (학교 따위의) 회계〔경리〕과 ; 〖군사〗 경리관.

***intense** [ɛ̃tɑ̃:s] *adj.* ① 강렬한, 격심한, 막대한 ; 강도 높은 : froid ~ 심한 추위, 혹한 / circulation ~ 격심한 교통량. ② (생활 따위가) 충실한 : / vie ~ 강렬〔충실〕한 생활.

intensément [ɛ̃tɑ̃semɑ̃] *adv.* 강렬하게, 격심하게.

intensif, ive [ɛ̃tɑ̃sif, -i:v] *adj.* ① 강(렬)한 ; 강화하는, 집중적인 : entraînement ~ 강화 훈련 / propagande ~*ive* 집중적인 선전. ② 〖문법〗 의미를 강조하는. ③ 〖물리〗 grandeur ~*ive* 강도. — *m.* 강조어.

intensification [ɛ̃tɑ̃sifikɑsjɔ̃] *f.* 강화, 증대.

intensifier [ɛ̃tɑ̃sifje] *v.t.* 강(렬)하게 하다 ; 증대시키다(= augmenter) : ~ ses efforts 노력을 강화하다. — **s'~** *v.pr.* 강해지다, 격렬해지다, 격화〔증대〕하다.

intensité [ɛ̃tɑ̃site] *f.* ① 강도(强度); 강함 ; (색 따위의) 농도 : ~ de la lumière 빛의 강도 / ~ d'une force 힘의 강도. ② 강렬〔격렬〕함 :~ d'un sentiment 감정의 격렬함.

intensivement [ɛ̃tɑ̃sivmɑ̃] *adv.* 강하게, 맹렬히, 집중적으로 ; 집약적으로.

intenter [ɛ̃tɑ̃te] *v.t.* 〖법률〗 (소송을) 제기하다 : ~ un procès 〔une action〕 à 〔contre〕 qn …에 대해서 소송을 걸다.

intention** [ɛ̃tɑ̃sjɔ̃] *f.* ① 의향, 의도, 의사 ; 목적 ; 〖법률〗 범의(犯意), 고의(故意) : bonne 〔mauvaise〕 ~ 선의〔악의〕 / cacher 〔révéler〕 ses ~*s* 의도를 감추다〔밝히다〕. ② 〖의학〗 유합(癒合). ***à l'~ de …을 위하여: J'ai acheté ceci *à* votre ~. 나는 당신을 위해서 그것을 샀다. ***avec ~*** 고의로, 일부러. ***avoir l'~ de****+inf.* …할 생각이다. ***dans l'~ de*** *+inf.* …할 생각으로. ***sans ~*** 고의로가 아니고 무심코 : Je l'ai fait *sans* ~. 나는 고의로 그렇게 한 것이 아니다.

intentionné, e [ɛ̃tɑ̃sjɔne] *adj.* 의사가〔의향이〕 있는. ***bien*** 〔***mal***〕 ~ 호의〔악의〕적인.

***intentionnel, elle** [ɛ̃tɑsjɔnɛl] *adj.* 고의적〔의도적〕인, 계획적인(≠ involontaire) : retard ~ 고의적〔의도적〕인 지각 / délit ~ 〖법률〗 고의적인 범죄 행위.

intentionnellement [ɛ̃tɑ̃sjɔnɛlmɑ̃] *adv.* 고의로, 일부러, 계획적으로.

inter [ɛ̃tɛ:ʀ] *m.* 《구어》 ① 장거리〔시외〕 전화 (= interurbain). ② 〖축구〗 ~ droit 〔gauche〕 인사이드 라이트〔레프트〕.

inter- *préf.* 「중간·상호」의 뜻.

interactif, ive [ɛ̃tɛʀaktif, i:v] *adj.* ① 상호 작용의, 서로 영향을 미치는. ② 〖컴퓨터〗 대화형의 : télévision ~*ive* 대화형 텔레비전.

interaction [ɛ̃tɛʀaksjɔ̃] *f.* 상호 작용 ; (문화 따위의) 교류 : ~*s* de gravitation 인력의 상호 작용.

interagir [ɛ̃tɛʀaʒi:ʀ] *v.i.* 상호 작용을 하다.

interarmes [ɛ̃tɛʀaʀm] *adj.* 〖군사〗 (보병·포병 따위) 몇 개 병과에 공통하는.

interbancaire [ɛ̃tɛʀbɑ̃kɛʀ] *adj.* 은행 간의.

intercalaire [ɛ̃tɛʀkalɛ:ʀ] *adj.* ① 〖책력〗 윤(閏)의 : jour ~ 윤일(閏日)《윤년의 2 월 29 일》 / lune 〔mois〕 ~ 윤달. ② 삽입〔첨가〕된 : proposition ~ 〖문법〗 삽입절. — *m.* 색출〔색인〕 카드.

intercalation [ɛ̃tɛʀkalɑsjɔ̃] *f.* ① 삽입, 첨가. ② 〖책력〗 치윤(置閏)《윤년 2 월에 1 일을 덧붙이기》.

intercaler [ɛ̃tɛʀkale] *v.t.* ① 끼워 넣다, 삽입하다, 첨가하다 : ~ une citation dans un texte 텍스트에 인용문을 삽입하다. ② 윤년 2 월에 (날짜를) 추가하다. — **s'~** *v.pr.* 중간에 끼이다, 삽입되다, 추가되다.

intercéder [ɛ̃tɛʀsede] 〔6〕 *v.i.* 주선하다, 중재(仲裁)하다, 개입하다 : ~ pour 〔en faveur de〕 qn …을 위하여 개입하다.

***intercepter** [ɛ̃tɛʀsɛpte] *v.t.* ① 도중에서 가로채다〔빼앗다〕; (통신을) 엿듣다〔도청하다〕 : ~ une communication (téléphonique) 전화도청을 하다 / Le demi *intercepta* le ballon. 하프백이 공을 인터셉트했다. ② 가로막다, 차단하다 ; 요격하다 : ~ un avion 비행기를 요격하다.

intercepteur [ɛ̃tɛʀsɛptœ:ʀ] *m.* 〖공군〗 요격 전투기(= chasseur).

interception [ɛ̃tɛʀsɛpsjɔ̃] *f.* ① 도중에서 가로채기〔빼앗기〕; 도청. ② 〖스포츠〗 (럭비 따위의) 인터셉트. ③ 차단, 방해 ; 요격.

intercesseur [ɛ̃tɛʀsesœ:ʀ] *m.* 중재인, 중개인, 변호사 : être ~ auprès de qn …에 대하여 개입하다.

intercession [ɛ̃tɛʀsesjɔ̃] *f.* 중재, 조정.

interchangeable [ɛ̃tɛʀʃɑ̃ʒabl] *adj.* 서로 교환〔교체〕할 수 있는.

interclasse [ɛ̃tɛʀklɑ:s] *m.* (두 수업 시간 사이의) 휴식 (시간).

interclasser [ɛ̃tɛʀklɑse] *v.t.* 〖컴퓨터〗 카드 분류기로 분류하다.

interclubs [ɛ̃tɛʀklœb] *adj.* 《불변》 〖스포츠〗 클럽 대항의.

intercommunal, e, aux [ɛ̃tɛʀkɔmynal, -o] *adj.* (지방) 자치체 상호간의, 각 자치체에 걸쳐 있는.

interconnecter [ɛ̃tɛʀkɔnɛkte] *v.t.* 〖전기〗 (회로·발전소 간을) 연결하다, 접속하다.

interconnexion [ɛ̃tɛʀkɔnɛksjɔ̃] *f.* 〖전기〗 (회로·발전소 간의) 연결, 접속.

intercontinental, e, aux [ɛ̃tɛʀkɔ̃tinɑ̃tal, -o] *adj.* 대륙 간의 : engin balistique ~ 대륙간 탄도 병기〔탄〕 / ligne aérienne ~*e* 대륙간 항공 노선.

intercostal, e, aux [ɛ̃tɛʀkɔstal, -o] *adj.* 〖해부〗 늑골간(肋骨間)의. — *m.* (*pl.*) 늑골간근(筋).

interdépartemental, e, aux [ɛ̃tɛʀdepaʀtəmɑ̃tal, -o] *adj.* 현(縣) 상호간의, 각 현 공통의.

interdépendance [ɛ̃tɛʀdepɑ̃dɑ̃:s] *f.* 상관성(相關性) ; 상호 의존 : ~ des problèmes politiques et économiques 정치 문제와 경제 문제의 상호 의존.

interdépendant, e [ɛ̃tɛʀdepɑ̃dɑ̃, -ɑ̃:t] *adj.* 상호 의존하는.

interdiction [ɛ̃tɛʀdiksjɔ̃] *f.* ① 금지 : ~ de

stationner 주차 금지 / ~ d'importer des armes 무기의 수입 금지. ② 〖행정〗 직무 정지 : frapper un fonctionnaire d'~ 공무원을 정직 처분하다. ③ 〖법률〗 금치산(= ~ judiciaire) ; 금지, 박탈 : ~ de séjour 거주 제한.

interdire** [ɛ̃tɛʀdi:ʀ] 29 《예외 : 제 2 인칭 복수 직설법 현재와 명령법은 interdisez》 *v.t.* ① 금(지)하다 : ~ un roman 〔un film〕 소설을 발매 금지하다〔영화의 상영을 금하다〕. ② 〖행정〗 (공무원에게) 직무 집행을 정지시키다 ; 〖종교〗 (성직자의) 교권을 정지시키다 ; 〖법률〗 …에게 금치산을 선고하다 : ~ un fonctionnaire pendant six mois 공무원을 반년간 정직 처분하다 / prêtre *interdit* 성무 집행이 금지된 사제(司祭). ③ 당황케 하다. **~ *à qn ***de***+*inf.* …에게 …하는 것을 금지하다 : Je vous *interdis de* sortir. 당신의 외출을 금합니다. ── **s'~** *v.pr.* ① (스스로) 금하다, 중단하다 : *s'*~ de fumer 담배를 끊다. ② 직무의 집행을 정지하다.

interdisciplinaire [ɛ̃tɛʀdisiplinɛ:ʀ] *adj.* 여러 과학〔학문 · 전문〕 분야 간의, 범(汎)분야적인.

interdit, e [ɛ̃tɛʀdi, -it] *adj.* ① 금지된 : film ~ aux moins de seize ans, 16 세 이하〔미성년자〕는 관람 금지된 영화 / passage 〔stationnement〕 ~ 통행〔주차〕 금지. ② 당황한, 어리둥절한 : rester tout ~ 망연자실해 있다. ③ 금치산 선고를 받은 ; 직무의 집행을 정지당한. ≪***Entrée interdite*** (***au public***)≫ 「출입 금지」. ── *n.* 〖법률〗 금치산자. **~ *de séjour*** 거주 제한을 선고받은 전과자. ── *m.* ① 〖종교〗 (성직자에 대한) 성무 집행 정지. ② 금기(禁忌) : ~*s* sociaux 사회적 금기.

‡intéressant, e [ɛ̃teʀɛsɑ̃, -ɑ̃:t] *adj.* ① 재미있는, 흥미 있는 ; 관심〔주목〕을 끄는 : visage ~ 매력 있는 얼굴 / auteur ~ 주목을 끄는 작가 / chercher à se rendre ~ 《경멸》 주의를 끌려고 애쓰다 / 《비인칭》 Il est ~ de+*inf.* …하는 것은 재미있다. ② 유리한, 이로운 : affaire ~*e* 유리한 사업. ③ 《구어》 임신한. ***état ~ ; position*** 〔***situation***〕 ***~e*** 임신 : être dans *une position* 〔*situation*〕 ~*e* 임신하고 있다. ── *m.* 흥미 깊은 점, 주목해야 할 점. ── *n.* faire l'~(*e*) 《구어》 남의 관심을 끌려고 하다.

intéressé, e [ɛ̃teʀɛ〔e〕se] *adj.* ① 이해관계가 있는 ; 《~ à 〔dans〕》 …에 관계있는 : être ~ *dans* une entreprise 어떤 사업에 관계하고 있다 / parties ~*es* (사건 등의) 당사자〔이해관계자〕. ② 이해관계로 움직이는, 이기주의의, 타산적인 : amitié ~*e* 타산적인 우정. ③ 흥미를 돋우는, 관심을 보이는 : Il s'est montré ~ par ma proposition. 그는 나의 제안에 관심을 보였다. ── *n.* 이해 관계자, 당사자 : consulter les ~*s* 관계자들과 의논하다.

intéressement [ɛ̃teʀɛsmɑ̃] *m.* (기업체의 이익과 번영에 대한) 참여 ; (급료 이외의) 상여 지급.

‡intéresser [ɛ̃teʀɛ〔e〕se] *v.t.* ① 이해관계를 갖게 하다 ; 이익을 함께 하게 하다 : *être intéressé* aux bénéfices 이익 분배에 한몫 끼다. ② …의 흥미를 끌다, 관심을 갖게 하다 : ouvrage qui m'*intéresse* 나의 흥미를 끄는 책 / Elle m'*intéresse* peu. 그녀에 대해서 나는 별 관심이 없다. ③ …에 관계하다, 관련을 갖다 : Ces problèms *intéressent* notre avenir. 이들 문제는 우리들 미래에 관련되어 있다. ── **s'~** *v.pr.* ① 《s'~ dans 〔de〕》 …에 이해관계를 갖다, 관여하다. ② 《s'~ à》 …에〔에게〕 흥미를〔관심을〕 가지다 ; 호의를 보이다 : *s'~ au* sport 운동을 좋아하다 / Il *s'intéresse* trop *à* elle. 그는 그녀에게 지나치게 관심이 많다.

‡intérêt [ɛ̃teʀɛ] *m.* ① 호의, 공감, 동정 : marque 〔témoignage〕 d'~ 호의의 표시. ② 관심, 흥미, 호기심 : exciter 〔susciter〕 l'~ 관심을 불러일으키다/histoire pleine d'~ 흥미진진한 이야기. ③ (*pl.*) 이해관계, 이권, 출자금 : avoir des ~*s* dans une compagnie pétrolière 석유 회사에 출자하고 있다 / ~*s* de son client 의뢰인의 이권을 지키는 변호사. ④ 이자, (투자에 대한) 수익 : ~ composé 복리(複利) / placer son argent à 5% d'~ par an 연간 5 부 이자로 예금하다 / prêt à l'~ 이자가 붙는 대여금 / porter ~ 이자가 붙다. ⑤ 이기심, 사리사욕, 타산 : agir par ~ 사리사욕으로 움직이다 / mariage d'~ (돈이 목적인) 타산적인 결혼. ⑥ 이익, 이득 : ~ public 공익 / ~ général 전체〔전원〕의 이익. ***avoir ~ à***+*inf.* …하는 것이 이롭다. ***dans l'~ de*** qn …을 위하여 : agir *dans son* ~ 자신(의 이익)을 위해 행동하다 / être *dans l'~ de* qn …의 이익을 도모하다. ***Il y a ~ à***+*inf.* …하는 것은 바람직한 일이다.

interethnique [ɛ̃tɛʀɛtnik] *adj.* 민족 간의 : affrontements ~*s* 민족 간의 대립.

interface [ɛ̃tɛʀfas] *f.* ① 〖물리 · 화학〗 계면(界面). ② 〖기계〗 (두 기계 따위의) 경계면, 공유 영역. ③ 〖컴퓨터〗 인터페이스.

interférence [ɛ̃tɛʀfeʀɑ̃:s] *f.* ① 저촉, 충돌. ② 간섭, 개입 ; 〖물리〗 (음파 · 광파의) 간섭.

interférent, e [ɛ̃tɛʀfeʀɑ̃, -ɑ̃:t] *adj.* 〖물리〗 간섭하는 : rays ~*s* 간섭 광선.

interférer [ɛ̃tɛʀfeʀe] 6 *v.i.* ① 〖물리〗 간섭하다. ② (나쁜 일이) 겹치다, 중복〔혼합〕되다 : une crise économique qui *interfère* avec d'autres problèmes sociaux 다른 사회 문제와 겹쳐진 경제 위기. ③ 《~ dans》 …에 간섭〔개입〕하다, 작용하다.

interféron [ɛ̃tɛʀfeʀɔ̃] *m.* 〖생화학〗 (체내 세포가 분비하는) 항(抗)바이러스성 단백질.

‡intérieur, e [ɛ̃teʀjœ:ʀ] *adj.* ① 안의, 내부의, 내면의(≠ extérieur): poche ~*e* d'un vêtement 양복 안주머니 / mer ~*e* 내해(內海). ② 국내의(≠étranger) : commerce ~ 국내 상업 / politique ~*e* 국내 정책, 내정(內政). ③ 내심의, 내적(內的)〔정신적〕인 : homme ~ 정신적인 생활을 하는 사람 / voix ~*e* 내심〔마음〕의 소리. ── *m.* ① 내부, 내면(= dedans). ② 내심 ; 내막, 비밀. ③ 실내, 옥내 ; 가정, 집 : vêtement d'~ 실내복. ④ 국내 : ministère de l'*I*~ 내무부 / marché ~ 국내 시장. ⑤ 〖축구〗 이너(= inter). ***à l'~ de*** …의 내부에. ***de*** 〔***par***〕 ***l'~*** 내부로부터 ; 관계자의 입장에서 : juger un parti *de l'~* 정당을 당원의 입장에서 비판하다 / étudier une question *de l'~* 문제를 전문가의 입장에서 검토하다. ***femme d'~*** 가정적인 부인. ***homme d'~*** 집에 틀어박혀 있는 사람. ***~ gauche* 〔*droit*〕** 〖축구〗 레프트〔라이트〕 이너.

intérieurement [ɛ̃teʀjœʀmɑ̃] *adv.* ① 내부적으로. ② 마음속으로 ; 비밀리에.

intérim [ɛ̃teʀim] 〔라틴〕 *m.* ①중간 시기, (시간의) 사이(= entre-temps). ② 대리 ; 대리 기간 ; 대리의 직무. ***dans l'~*** 공석 기간 중, 그 사이에, 그 기간 중. ***faire l'~ de*** qn …의 대리를 하다. ***par ~*** 대리의〔로〕, 임시의〔로〕: ministre *par ~* 대리 공사 / dividende *par ~* 〖상업〗 임시 배당.

intérimaire [ɛ̃teʀimɛːʀ] *adj.* 일시적인, 임시의, 대리의(= remplaçant): fonction ~ 대리 근무〔직무〕. — *n.* 대리인.

intériorisation [ɛ̃teʀjɔʀizasjɔ̃] *f.* 〖심리〗 내재화(內在化), 내면화 ; 은폐.

intérioriser [ɛ̃teʀjɔʀize] *v.t.* 내부에 감추다, 은폐하다.

interjectif, ive [ɛ̃tɛʀjɛktif, -iːv] *adj.* 감탄사의 ; 감탄을 표시하는. 「간투사.

interjection [ɛ̃tɛʀʒɛksjɔ̃] *f.* 〖문법〗 감탄사,

interligne [ɛ̃tɛʀliɲ] *f.* 행간 ; 인테르《활자 사이에 넣는 납》; 행간에 적어 넣은 글.

interligner [ɛ̃tɛʀliɲe] *v.t.* 행간에 적어 넣다 ; 〖인쇄〗 …의 행간에 인테르를 넣다.

interlinéaire [ɛ̃tɛʀlineɛːʀ] *adj.* 행간의 ; 행간에 적어 넣은.

interlocuteur, trice [ɛ̃tɛʀlɔkytœːʀ, -tʀis] *n.* ① 대화자, 이야기 상대자 ; 질문자. ② (협상의) 상대자 : ~ valable 정식 협상 상대자.

interlocution [ɛ̃tɛʀlɔkysjɔ̃] *f.* 대화, 문답 ; 회화 ; 회담.

interlocutoire [ɛ̃tɛʀlɔkytwaːʀ] *adj.* 중간 판결의 : jugement ~ 중간 판결. — *m.* 중간 판결.

interlope [ɛ̃tɛʀlɔp] *adj.* 밀수(密輸)의 ; 밀매(密賣)하는, 면허 없이 영업하는 ; 《구어》 수상한 : navire ~ 밀수선 / bar ~ 비밀 바.

interloqué, e [ɛ̃tɛʀlɔke] *adj.* 당황한, 어리둥절한(= déconcerté).

interloquer [ɛ̃tɛʀlɔke] *v.t.* 당황케 하다, 아연케 하다《수동태, 또는 복합시제로만》: Sa volte-face m'*a interloqué*. 그의 태도 급변에 나는 당황했다. — **s'~** *v.pr.* 당황하다.

interlude [ɛ̃tɛʀlyd] *m.* 〖음악〗 간주곡 ; 〖연극 · 영화〗 막간 프로.

intermède [ɛ̃tɛʀmɛd] *m.* ① 〖연극〗 막간의 희극〔음악 · 무용〕; 중간의 사건〔에피소드〕. ② 중개물, 매개물 ; 매개, 중개. ***par l'~ de*** qc …의 중개로, …을 매개로 삼아.

intermédiaire** [ɛ̃tɛʀmedjɛːʀ] *adj.* 중간의 ; 중개의 : arbre ~ 〖기계〗 중간 축(軸) / date ~ entre A et B, A와 B의 중간의 어느 날 / époque ~ 과도기 / solution ~ 중간의 해결책, 타협안 / terrain ~ 〖지질〗 중생층. ***commerce 중개 무역. — *m.* ① 중개, 알선 : servir d'~ 중개 역할을 하다, 중개인이 되다. ② 중개인, (브로커 · 상인 따위의) 중간업자. ③ 중개물, 매개물; 중간물. ***par l'~ de*** …의 중개로〔알선으로〕. ***sans ~*** 직접.

interminable [ɛ̃tɛʀminabl] *adj.* 끝없는, 한없는(≠bref) : conversations ~ 밑도 끝도 없는 대화. 「끝없이.

interminablement [ɛ̃tɛʀminabləmɑ̃] *adv.*

interministériel, elle [ɛ̃tɛʀministeʀjɛl] *adj.* 각 부(部)〔각료〕 상호간의; 각 부 합동〔공동〕의 : comité ~ 각 부 공동 위원회.

intermittence [ɛ̃tɛʀmitɑ̃ːs] *f.* 간헐, 단속(斷續), 단절, 두절, 중단(= intermission ; ≠ continuité) : ~ du pouls 맥박의 결체(結滯) / pendant les ~*s* de la fièvre 열이 잠시 떨어진 동안. ***par ~(s)*** 단속적〔간헐적〕으로.

intermittent, e [ɛ̃tɛʀmitɑ̃, -ɑ̃ːt] *adj.* 간헐적(間歇的)인, 단속적인(= discontinu ; ≠ continu) : courant ~ 단속 전류 / fièvre 〔fontaine〕 ~*e* 간헐열〔천〕.

internat [ɛ̃tɛʀna] *m.* ① 〖학교〗 기숙 (제도) ; 기숙 학교 ; 《집합적》 기숙생. ② 〖의학〗 수련의, 인턴 ; 인턴 기간〔시험〕: passer l'~ 인턴 시험을 치르다. ***maître d'~*** 사감(舍監).

***international, e, aux** [ɛ̃tɛʀnasjɔnal, -o] *adj.* 국제 간의, 국제적인 : droit ~ 국제법 / conférence ~*e* 국제 회의 / paix ~*e* 국제 평화. — **I~e** *f.* 국제 노동자 연맹, 인터내셔널(= Association ~*e* des travailleurs).

internationalisation [ɛ̃tɛʀnasjɔnalizasjɔ̃] *f.* 국제화 ; 국제 기구 관리하에 두기.

internationaliser [ɛ̃tɛʀnasjɔnalize] *v.t.* 국제화하다, 국제 관리하에 두다 : ~ une zone 한 지역을 국제 관리하에 두다.

internationalisme [ɛ̃tɛʀnasjɔnalism] *m.* 세계〔국제〕주의, 국제 협조주의 : ~ ouvrier 국제 노동자 연맹주의.

internationalité [ɛ̃tɛʀnasjɔnalite] *f.* 국제성, 만국 공통성. 「티즌.

internaute [ɛ̃tɛʀnot] *n.* 인터넷 이용자, 네

interne [ɛ̃tɛʀn] *adj.* ① 안의, 내부의 ; 체내의 ; 내적(內的)인, 내재의 : hémorragie ~ 내출혈. ② 〖의학〗 인턴의 ; 〖학교〗 기숙의. ***angle ~*** 〖기하〗 내각. ***objet ~*** 〖문법〗 동족목적어. ***pathologie ~*** 〖의학〗 내과학. — *n.* 기숙생; 〖의학〗 수련의, 인턴.

interné, e [ɛ̃teʀne] *adj.* 감금된, 억류된, 구금된, 수용된. — *n.* 감금〔구금〕된 사람 : ~*s* politiques 감금된 정치범.

internement [ɛ̃tɛʀnəmɑ̃] *m.* 억류, 감금 ; (포로의) 수용 ; 〖법률〗 (정신병자의) 보호 수용.

interner [ɛ̃tɛʀne] *v.t.* (정치범을) 감금하다, 억류하다 ; (망명자 · 정신병자를) 수용하다 : ~ des réfugiés politiques 정치적 망명자들을 수용하다.

internet [ɛ̃tɛʀnɛt] *m.* 인터넷 : accès à *I~* 〔l'~〕 인터넷 접속 / naviguer sur *I~* 인터넷 서핑하다.

interpellateur, trice [ɛ̃tɛʀpelatœːʀ, -tʀis] *n.* 질문자, 질문 제출자.

interpellation [ɛ̃tɛʀpelasjɔ̃] *f.* ① (의회에서 장관에 대한) 대정부 질문. ② 신문, 힐문. ③ 〖군사〗 수하 (誰何); 불심 검문 : procéder à des ~*s* 불심 검문하다.

***interpeller** [ɛ̃tɛʀpɛ(e)le] *v.t.* ① (…에게 느닷없이) 말을 걸다, 불러세우다. ② 〖정치〗 …에게 질의하다 ; 설명을 요구하다 : ~ un ministre 〔un membre du gouvernement〕 장관〔각료〕에게 질의하다. ③ 〖군사〗 수하(誰何)하다. — **s'~** *v.pr.* ① 서로 말을 걸다. ②

서로 욕지거리하다.

interpénétration [ɛ̃tɛʀpenetʀɑsjɔ̃] *f.* 서로 꿰뚫기, 상호 침투 : ~ de deux civilisations 두 문명의 교류.

interpénétrer (s') [sɛ̃tɛʀpenetʀe] *v.pr.* 서로 꿰뚫다, 서로 침투하다, (두 요인(要因)이) 서로 의존하다 : doctrines qui s'interpénètrent 상호의존하는 학설.

interpersonnel, elle [ɛ̃tɛʀpɛʀsɔnɛl] *adj.* 개인 상호간의 : realtions *~elles* 개인 상호간의 관계.

interphone [ɛ̃tɛʀfɔn] *m.* 인터폰.

interplanétaire [ɛ̃tɛʀplanetɛːʀ] *adj.* 행성(行星) 간의 : voyage ~ 행성 간 (우주) 여행.

Interpol [ɛ̃tɛʀpɔl] 〔영〕 *m.* 인터폴, 국제 형사 경찰 기구(= Organisation internationale de police criminelle ; 《약자》 O.I.P.C., 〔영〕 ICPO).

interpolation [ɛ̃tɛʀpɔlɑsjɔ̃] *f.* 써넣기, 가필 ; 가필 문구 ; 〖수학〗 내삽(內插).

interpoler [ɛ̃tɛʀpɔle] *v.t.* 써넣다, 가필하다 (= insérer); 〖수학〗 내삽(內插)하다.

interposé, e [ɛ̃tɛʀpoze] *adj.* ① 〖법률〗 personne *~e* 조정자, 중개자 ; 〖법률〗 명의(名義) 대여인 ; (위법(違法) 증여의) 중개인. ② 《드물게》 간섭하는, 중재하는. ***par personne ~e*** 중매를 통하여, 조정자에 의해. ***~ par*** qn 〔qc〕 …을 중재로 하여.

interposer [ɛ̃tɛʀpoze] *v.t.* ① 사이에 두다 〔세우다〕. ② (중재하기 위해) 개입시키다. — ***s'~** *v.pr.* 사이에 들다, 개입하다; 중재하다 : *s'~* entre le père et le fils 부자간의 싸움에 (조정하려고) 끼어들다.

interposition [ɛ̃tɛʀpozisjɔ̃] *f.* 개입 ; 간섭, 중재(仲裁). ***~ de personne*** 〖법률〗 제 3 자의 개입.

interprétariat [ɛ̃tɛʀpʀetaʀja] *m.* 통역관의 직 : école d'~ 통역관 양성 학교.

interprétation [ɛ̃tɛʀpʀetɑsjɔ̃] *f.* ① 해석, 해설, 설명 : La phrase est à double ~. 그 구절은 이중의 뜻으로 해석된다 / donner une mauvaise 〔fausse〕 ~ de qc …을 잘못 해석하다 ; …을 왜곡 〔곡해〕 하다. ② ⓐ 《옛》 번역. ⓑ 통역. ③ 〖연극〗 배역 ; 연기 ; 〖음악〗 연주(법): prix de la meilleure ~ masculine (de cinéma) (영화의) 최우수 남우상. ***fausse ~*** 곡해. ***~ confiée entièrement à des vedettes*** 올스타 캐스트.

***interprète** [ɛ̃tɛʀpʀɛt] *n.* ① 통역자 ; 《옛》 번역자. ② 해설자, 해석자 ; (꿈 · 점 따위를) 판단하는 사람 : ~ des rêves 꿈 해몽가. ③ 표시물 ; 대리인, 대변자 : se faire l'~ de qn auprès de qn …을 상대로 …을 대변하다. ④ 〖연극〗 연기자(= acteur); 〖음악〗 연주가 : grand ~ de Bach 바흐의 명연주가.

interpréter** [ɛ̃tɛʀpʀete] [6] *v.t.* ① 해석하다, 해설하다, …에 주석을 달다(= expliquer, commenter) ; (꿈 · 점을) 판단하다 : ~ un passage obscur d'un texte ancien 옛 글의 애매한 구절에 주를 달다. ② 통역하다 ; 《옛》 번역하다. ③ 〖연극〗 …역(役)을 맡아 하다, 〖음악〗 연주하다. ~ qc ***comme 〔《옛》 ***à***〕 + 속사 …을 …라고 해석하다: J'*interprète* son silence *comme* une acceptation. 나는 그의 침묵을 동의로〔승낙으로〕 간주한다. ***mal ~*** 의미를 잘못 이해하다 ; 곡해하다. — ***s'~*** *v.pr.* 해석되다 ; 설명되다 ; 판단되다.

interpréteur [ɛ̃tɛʀpʀetœːʀ] *m.* 〖컴퓨터〗 번역 프로그램.

interprofessionnel, elle [ɛ̃tɛʀpʀɔfesjɔnɛl] *adj.* 여러 직업에 공통되는, 여러 직업 상호간의 : réunion *~elle* 여러 직업 상호간의 모임.

interrègne [ɛ̃tɛʀʀɛɲ] *m.* (국왕의 붕어(崩御) · 폐위(廢位) 따위에 의한) 공위(空位) 기간, 국가 원수의 부재 기간.

interrogateur, trice [ɛ̃tɛʀɔgatœːʀ, -tʀis] *adj.* 의아해 하는 ; 의문을 품은 듯한 : regard ~ 의아하다는 듯한 눈길. — *n.* 질문자 ; (면접 시험의) 시험관.

interrogatif, ive [ɛ̃tɛʀɔgatif, -iːv] *adj.* ① 〖문법〗 의문의 : adjectifs 〔pronoms〕 *~s* 의문 형용사〔대명사〕. ② 묻는 듯한, 의아스러운 듯한. — *m.* 의문사. — *f.* 의문문 〔절〕.

interrogation** [ɛ̃tɛʀɔgɑsjɔ̃] *f.* 의문 ; 질문. ***~ directe 〔***indirecte***〕 〖문법〗 직접〔간접〕 의문. ***point d'~*** 〖문법〗 물음표《 ? 》: Quant à l'avenir, c'est un *point d'~*. 앞으로 어찌될 것인지는 의문이다.

interrogatoire [ɛ̃tɛʀɔgatwaːʀ] *m.* 〖법률〗 신문(訊問) ; 신문 조서(調書) ; 질문. ***~ contradictoire*** 반대 신문.

interroger** [ɛ̃tɛʀɔʒe] [3] *v.t.* ① …에게 묻다〔질문하다〕 ; 신문하다 : ~ qn sur ses intentions …에게 그의 의도에 대해 질문하다 〔알아보다〕 / ~ les témoins 증인을 신문하다 / ~ un personnage célèbre 유명인사를 인터뷰하다. ② 참조하다 ; 조사하다 ; 살피다 ; (기억 따위를) 더듬다 : ~ le ciel pour savoir s'il fera beau aujourd'hui 오늘 날씨가 어떤지 하늘을 살피다 / ~ son cœur 마음의 소리에 귀를 기울이다 / ~ sa mémoire 기억을 더듬다. ③ 상의하다, 의견을 묻다. ***~ contradictoirement 반대 신문을 하다. — ***s'~*** *v.pr.* ① 자문하다, 의아해하다 : Il *s'interroge* sur l'avenir de son projet. 그 계획이 어떻게 될지 의아해하다. ② 서로 묻다.

interrompre** [ɛ̃tɛʀɔ̃ːpʀ] [25] *v.t.* ① 중단〔중지〕하다〔시키다〕 ; …의 이야기를 가로막다 ; (일을) 방해하다 : ~ une conversation 대화를 중단시키다 / notre voyage qui *fut interrompu* par le mauvais temps 나쁜 날씨로 중단된 우리 여행. ② (길을) 차단하다 ; (물의 흐름을) 막다 ; 전류를 끊다. — ***s'~ *v.pr.* ① 도중에 그치다 ; 중단하다 : Toute conversation *s'interrompait* à mon approche. 내가 가까이 갈 때마다 모든 대화가 중단되었다 / *s'~* de + *inf.* …하는 것을 중단하다. ② 말을 끊다 : Il *s'interrompit* pour aller saluer un ami. 그는 말을 멈추고 친구에게 인사하러 갔다. ***sans s'~*** 쉴 새 없이, 끊임없이.

interrompu, e [ɛ̃tɛʀɔ̃py] *adj.* 중단〔중지〕된 : musique *~e* 중단된 음악.

interrupteur, trice [ɛ̃tɛʀyptœːʀ, -tʀis] *adj.* et *n.* 이야기를 방해하는〔가로막는〕 (사람). — *m.* 〖전기〗 스위치(= commutateur), 차단기, 개폐기(開閉器).

interruptif, ive [ɛ̃tɛʀyptif, -iːv] *adj.* 〖법률〗 (시효를) 중단〔중지〕하는.

I

interruption [ɛ̃teʀypsjɔ̃] *f.* ① 중단, 중지(= arrêt); 〖법률〗 (시효의) 중단 : ~ des études 학업의 중단. ② (교통·전류의) 차단 ; (강물을) 막기 : ~ des communications 전화의 불통. ***avec des ~s*** 시간적인 간격을 두고. ***sans ~*** 끊임없이, 줄곧.

intersaison [ɛ̃tɛʀsɛzɔ̃] *f.* 〖스포츠〗 시즌오프.

intersection [ɛ̃tɛʀsɛksjɔ̃] *f.* 가로지름, 교차(交叉) ; 교차점(點)(= point d'~ croisement) : ~ de voies ferrées 철로의 교차(점).

intersession [ɛ̃tɛʀsesjɔ̃] *f.* (의회의) 휴회기간.

intersidéral, e, aux [ɛ̃tɛʀsideʀal, -o] *adj.* 〖천문〗 천체간(天體間)의, 항성간의, 별 사이의 : espaces *~aux* 우주 공간.

interstellaire [ɛ̃tɛʀstɛ(l)lɛːʀ] *adj.* 〖천문〗 별 사이의, 항성간(恒星間)의 : voyage ~ 우주 여행. ***espace ~*** 〖천문〗 항성간의 공간. ***matière ~*** 〖천문〗 우주진(塵).

interstice [ɛ̃tɛʀstis] *m.* ① 간격, 틈 ; 〖의학〗 조직간(組織間). ② 틈, 짬, 빈 시간.

intersyndical, e, aux [ɛ̃tɛʀsɛ̃dikal, -o] *adj.* 조합 상호간의, 조합 연합의. ── *f.* 조합 연합 집회.

intertextualité [ɛ̃tɛʀtɛkstɥalite] *f.* 〖문학〗 텍스트 상호성.

intertitre [ɛ̃tɛʀtitʀ] *m.* ① (신문 따위의) 소(小)표제(어). ② 〖영화〗 자막.

intertropical, e, aux [ɛ̃tɛʀtʀɔpikal, -o] *adj.* 남북회귀선 내의, 열대 내의 : plantes *~es* 열대 식물.

interurbain, e [ɛ̃teʀyʀbɛ̃, -ɛn] *adj.* 도시간(연락)의 : téléphone ~ 도시간의 전화. ── *m.* (도시간의) 장거리 전화, 시외 전화.

intervalle** [ɛ̃tɛʀval] *m.* ① 《공간적》 사이 ; 간격, 거리 : à des *~s* de dix métres 10 미터 간격으로. ② 《시간적》 간격, 사이, 동안 : À deux mois d'~, quel changement! 두 달 사이에 그렇게도 변할 수가 있을까! ③ 〖음악〗 음정(音程). ***dans l'~ 그 동안에, 그 사이에. ***par ~(s)*** 이따금.

intervenant, e [ɛ̃tɛʀvənɑ̃, -ɑ̃ːt] *adj.* 〖법률〗 (소송에) 가담하는. ── *n.* (토론의) 발언자 ; 〖법률〗 소송 참가인.

***intervenir** [ɛ̃tɛʀvəniːʀ] [16] *v.i.* 《조동사는 être》 ① 《~ dans》 …에 간섭하다, 개입하다, 참견하다 : ~ *dans* les affaires d'autrui 남의 일에 참견하다 / ~ *dans* les affaires intérieures d'un État 국가 내정에 간섭하다. ② (군대·경찰 따위가) 출동하다 : Les pompiers *interviennent* pour éteindre l'incendie. 소방수가 불을 끄기 위해 출동한다. ③ 중재〔조정〕하다, 나서서 손을 쓰다 : ~ auprès de qn pour …을 위해 …에게 손을 쓰다〔영향력을 발휘하다〕. ④ (사건 따위가) 일어나다, 발생하다 ; 작용하다 : Un accident *est intervenu* pour nous empêcher de partir. 사고가 발생했기 때문에 우리는 출발할 수 없었다 / Des facteurs inattendus *sont intervenus* pour provoquer ce désastre. 예상외의 요인이 작용하여 이번 화재가 일어났다. ⑤ (명령·판결이) 내려지다 ; (합의·협정이) 성립하다 : Un accord *est intervenu* entre la direction et les grévistes. 경영자측과 파업자 사이에 합의가 이루어졌다 / 《비인칭》 Il *intervint* un jugement. 판결의 선고가 있었다. ⑥ 〖의학〗 처치하다 ; 수술하다.

***intervention** [ɛ̃tɛʀvɑ̃sjɔ̃] *f.* ① 간섭 ; 개입, 중재, 관여, 조정 : ~ de la force militaire 무력 간섭 / ~ du gouvernement pour maintenir les prix 물가의 안정을 도모하기 위한 정부의 개입. ② (토론 따위의) 참가, 발언. ③ 작용. ④ 〖의학〗 수술(= ~ chirurgicale). ⑤ 〖법률〗 (소송에의) 참가.

interventionniste [ɛ̃tɛʀvɑ̃sjɔnist] *n.* 간섭주의자. ── *adj.* 간섭주의의.

interversion [ɛ̃tɛʀvɛʀsjɔ̃] *f.* ① (순서의) 전도(顚倒). ② 〖화학〗 전화(轉化). ③ 〖언어〗 인접 음위 전환(隣接音位轉換).

intervertir [ɛ̃tɛʀvɛʀtiːʀ] *v.t.* ① (순서 따위를) 뒤바꾸어 놓다, 전도하다 : ~ les rôles 타인의 역(할)을 바꿔치기하다. ② 〖화학〗 전화(轉化)하다. ── **s'~** *v.pr.* 전도되다, 역(逆)이 되다, 위치가 서로 바뀌다.

***interview** [ɛ̃tɛʀvju] 〔영〕 *f.* ① 회견, 회담 ; 방문, 인터뷰 : demander 〔accorder〕 une ~ 인터뷰를 요청하다〔인터뷰에 응하다〕. ② 〖신문〗 방문 기사, 회견담.

interviewé,e [ɛ̃tɛʀvjuve] *adj.* et *n.* 인터뷰를 받은 (사람).

interviewer [ɛ̃tɛʀvjuve] *v.t.* …와 회견〔회담〕하다 ; (기자가 명사를) 방문하다 : se faire ~ (기자 따위와) 회견〔회담〕을 갖다.

intervieweur [ɛ̃tɛʀvju(v)œːʀ] *m.* 회견자, 면담자 ; 취재 방문 기자.

intestat [ɛ̃tɛsta] *adj.* 《불변》 유언하지 않은 : mourir 〔décéder〕 ~ 유언하지 않고 죽다. ***hériter ab ~*** 유언 없이 죽은 사람의 유산을 상속하다. ── *n.* 유언 없이 사망한 사람.

intestin[1], e** [ɛ̃tɛstɛ̃, -in] *m.* 〖해부〗 장(腸), 창자(= boyau)《주로 사람의 것을 말하나, 동물의 경우에도 쓰임. 일상어에서는 보통 *pl.*》 : avoir les *~s* faibles 장이 허약하다. ***gros ~ 대장(大腸). ***~ grêle*** 소장(小腸).

intestin[2], e *adj.* ① 조직내의 ; 사회내의 ; 국내의 : guerre ~ 내란 ② 《문어》 내면의, 내심의, 마음속의.

intestinal, e, aux [ɛ̃tɛstinal, -o] *adj.* 장(腸)의 ; 장내의: des embarras *~aux* 장 장애 / vers *~aux* 장내 기생충, 회충.

intimation [ɛ̃timɑsjɔ̃] *f.* ① 통지, 통고, 고지(告知). ② 〖법률〗 (공소에 따른) 소환〔호출〕, 출두 명령. ***faire des ~s à*** qn 〖법률〗 …에게 출두(出頭)를 명하다.

***intime** [ɛ̃tim] *adj.* ① 마음속에 간직한, 내심의 ; 본질(本質)의 : avoir la conviction 〔le sentiment〕 ~ de qc …에 대한 깊은 신념〔느낌〕을 갖다 / nature ~ 본성. ② 친밀한 ; 긴밀한 ; 밀접한 : être ~ avec qn …와 친밀하다 / avoir des relations *~s* avec qn …와 육체적 관계를 맺고 있다 ; …와 극친한 사이이다. ③ 사적(私的)인, 개인적인 : Sa vie ~ ne nous regarde pas. 그의 사생활은 우리가 관여할 바 아니다. ④ (사람 사이가) 허물없는, 단란한 : réunion ~ 허물없는 사람들끼리의 모임. ── *n.* 친구, 측근 : *~s* du président 대통령의 측근. ── *m.* 친밀함.

intimement [ɛ̃timmɑ̃] *adv.* 마음속으로 ; 친밀하게 ; 밀접〔긴밀〕하게.

intimer [ɛ̃time] *v.t.* ① (공식) 통고〔통지〕하

다 : ~ à qn l'ordre de sortir …에게 퇴거 명령을 내리다. ② 〖법률〗 소환〔호출〕하다, 출두를 명하다.

intimidant, e [ɛ̃timidɑ̃, -ɑ̃:t] *adj.* 협박하는, 위협적인 : regard ~ 협박하는 눈초리.

intimidation [ɛ̃timidɑsjɔ̃] *f.* 위협, 협박, 공갈. ***des manœuvres*** 〔***des mesures***〕 ***d'~*** 위협 정책〔수단〕. ***par ~*** 협박하여.

intimidé, e [ɛ̃timide] *adj.* 겁먹은, 벌벌떠는 : jeune fille ~*e* 겁먹은 처녀.

***intimider** [ɛ̃timide] *v.t.* ① 위협하다, 협박하다 : chercher à ~ qn …을 위압하려고 하다 / se laisser ~ 위협에 넘어가다. ② 겁먹게〔두려워하게〕 하다, 주눅들게 하다(= troubler) : Il *est intimidé* par les femmes. 그는 항상 여자 앞에서는 주눅이 든다. — **s'~** *v.pr.* 겁내다, 두려워하다, 벌벌 떨다.

intimiste [ɛ̃timist] *n.* 〖문학〗 내면파 시인〔작가〕; 〖미술〗 앵티미즘 화가. — *adj.* 내면파의 ; 앵티미즘화파의.

intimité** [ɛ̃timite] *f.* ① 본성 ; 내심, 마음속 : dans l'~ de sa conscience 그의 마음속 깊이(에서). ② 친밀, 친교 : lier ~ avec qn …와 친해지다, 친교를 맺다. ③ 사생활 ; (장소의) 안락, 쾌적함 : pénétrer dans l'~ de qn …의 사생활에 참견하다 / avoir des goûts d'~ 단란한 가정 생활을 즐기다. ***dans l'~ 친한 사람끼리 : *dans la* plus stricte ~ 극히 친한 사람끼리.

intitulé, e [ɛ̃tityle] *adj.* …라는 제목이 붙은 : film ~ Léon 「레옹」이라는 제목의 영화. — *m.* (책 따위의) 표제, (장(章)의) 제목 ; 〖법률〗 두서(頭書).

intituler [ɛ̃tityle] *v.t.* …에 제목을 붙이다 ; …에 이름을 붙이다. — **s'~** *v.pr.* 자칭하다 ; …라는 이름이 붙여지다, 제목이 …이다 : *s'~* marquis 후작이라고 자칭하다 / Comment *s'intitule* ce roman? 이 소설 제목은 뭐지요?

intolérable [ɛ̃tɔleʀabl] *adj.* 허용〔용서〕할 수 없는 ; 참을〔견딜〕수 없는 : chaleur ~ 견딜 수 없는 더위.

intolérance [ɛ̃tɔleʀɑ̃:s] *f.* ① 너그럽지 못함, 불관용(不寬容) (≠ tolérance), 편협 : ~ religieuse 종교적 불관용. ② 〖의학〗 (약물 · 음식에 대한) 비내성(非耐性)(= allergie) : ~ d'un malade aux antibiotiques 항생제에 대한 환자의 알레르기.

intolérant, e [ɛ̃tɔleʀɑ̃, -ɑ̃:t] *adj.* 너그럽지 못한, 아량 없는, 도량이 좁은, 편협한. — *n.* 도량이 좁은〔너그럽지 못한〕 사람.

intonation [ɛ̃tɔnɑsjɔ̃] *f.* ① 억양, 음조(音調), 음정(音程); 어조: ~ monotone 단조로운 어조 / voix aux ~*s* tendres 어조가 부드러운 목소리. ② 〖음악〗 발성법 : ~ fausse 〔juste〕 음정이 틀린〔옳은〕 발성.

intonème [ɛ̃tɔnɛm] *m.* 〖언어〗 억양소(素).

intouchable [ɛ̃tuʃabl] *adj.* ① 손댈 수 없는, 신성한. ② 《비유》 나무랄 데 없는, 비난할 수 없는. ③ (돈을) 받을 수 없는, (어음이) 현금과 바꿀 수 없는. — *n.* (인도의) 최하층민(= paria).

intoxication [ɛ̃tɔksikɑsjɔ̃] *f.* ① 〖의학〗 중독 : ~ alimentaire 식중독 / ~ par les stupéfiants 마약 중독. ② ⓐ 정신적인 중독, 마비 : ~ par la computer 컴퓨터 중독. ⓑ 〖정치〗 (대중에게 겁을 주기 위한) 기만(欺滿) 선전, 세뇌 : ~ par la propagande politique 정치 선전을 통한 세뇌.

intoxiqué, e [ɛ̃tɔksike] *adj.* 중독된 ; 심리 작전에 말려든 : être ~ de politique 정치에 중독된. — *n.* 중독 환자.

intoxiquer [ɛ̃tɔksike] *v.t.* ① 〖의학〗 중독되게 하다 : Il *est intoxiqué* par le tabac. 그는 담배 중독이다. ② (선전 따위로) 믿게 만들다. — **s'~** *v.pr.* 중독되다.

intra- *préf.* 「내부의 · 안의 · 속의」의 뜻.

intradermique [ɛ̃tʀadɛʀmik] *adj.* 〖의학〗 피내(皮內)의 : interjection ~ 피내 주사.

intraduisible [ɛ̃tʀadɥizibl] *adj.* ① 번역할 수 없는. ② 《비유》 말로 표현할 수 없는 : sentiment ~ 말로 표현할 수 없는 감정.

intraitable [ɛ̃tʀɛtabl] *adj.* 뒤로 물러서지 않는, 타협하지 않는, 고집센 : adversaire ~ 고집불통의 상대.

intra-muros [ɛ̃tʀamyʀo:s] 〔라틴〕 *adj.* 성곽 내(城郭內)에, 시내에 : habiter ~ 시내에서 살다. — *adj.* 《불변》 성곽 내의.

intramusculaire [ɛ̃tʀamyskylɛ:ʀ] *adj.* 근육 내의. — *f.* 근육 주사(= injection ~).

intransigeance [ɛ̃tʀɑ̃ziʒɑ̃:s] *f.* 양보하지 않음, 비타협성, 강경 일변도 : garder une ~ absolue 주장을 한치도 양보하지 않다.

***intransigeant, e** [ɛ̃tʀɑ̃ziʒɑ̃, -ɑ̃:t] *adj.* 비타협적인, 강경한, 완고한 : se montrer ~ 강경한 태도를 보이다. — *n.* 비타협적인〔완고한〕 사람.

intransitif, ive [ɛ̃tʀɑ̃zitif, -i:v] *adj.* 〖문법〗 자동사의(≠ transitif) : verbe ~ 자동사.

intransitivement [ɛ̃tʀɑ̃zitivmɑ̃] *adv.* 〖문법〗 자동사로서 : verbe transitif employé ~ 자동사적으로 쓰인 타동사.

intransitivité [ɛ̃tʀɑ̃zitivite] *f.* 〖문법〗 자동사적인 기능〔성질〕.

intransmissible [ɛ̃tʀɑ̃smisibl] *adj.* ① 전할 수 없는, 전달할 수 없는. ② 〖유전〗 (형질이) 유전되지 않는 ; 〖법률〗 양도할 수 없는.

intransportable [ɛ̃tʀɑ̃spɔʀtabl] *adj.* 운반할 수 없는, 옮길 수 없는.

intraveineux, euse [ɛ̃tʀavɛnø, -ø:z] *adj.* 정맥(靜脈) 내의 : piqûre ~*euse* 정맥 주사. — *f.* 《구어》 정맥 주사.

intrépide [ɛ̃tʀepid] *adj.* ① 대담한, 용감한. ② 불굴(不屈)의, 끈질긴 ; 뻔뻔스러운 : résistance ~ 불굴의 항거.

intrépidement [ɛ̃tʀepidmɑ̃] *adv.* 대담하게, 용감하게 ; 끈질기게, 완강하게.

intrépidité [ɛ̃tʀepidite] *f.* ① 용감, 대담, 용맹. ② 완고, 완강, 집요(執拗), 끈덕짐. ***avec ~*** 대담하게.

intrication [ɛ̃tʀikɑsjɔ̃] *f.* 뒤얽힘, 복잡함.

intrigant, e [ɛ̃tʀigɑ̃, -ɑ̃:t] *adj.* et *n.* 간책을 부리는 (사람), 음모를 꾸미는 (사람).

***intrigue** [ɛ̃tʀig] *f.* ① 음모, 책략, 간계 : homme d'~ 모사꾼 / nouer une ~ contre qn …에 대해서 음모를 꾸미다. ② 〖문학 · 연기〗 (희곡 · 소설 따위의) 줄거리. ③ 정사(情事), 밀통(密通): avoir une ~ avec une femme mariée 유부녀와 정을 통하다.

***intriguer** [ɛ̃tʀige] *v.i.* 음모를 꾸미다, 책동하

다(= manœuvrer) : obtenir un poste en *intriguant* 술책을 부려 어떤 자리를 얻다.
— *v.t.* ① 마음에 걸리게 하다, 궁금한 생각이 들게 하다, 이상히 여기게 하다 : Je *suis intrigué* par son silence. 그가 왜 말을 안 하고 있는지 궁금하다. ② 〖문학〗 (소설의 줄거리를) 복잡하게 만들다. — **s'~** *v.pr.* 《옛》 애쓰다, 동분서주하다.

intrinsèque [ɛ̃tʀɛ̃sɛk] *adj.* 내재(內在)하는 ; 본질적인 ; 고유의 : qualité ~ 내재적 특성 / valeur ~ de l'œuvre 작품의 진가.

intriquer [ɛ̃tʀike] *v.t.* 복잡하게 하다, 뒤얽히게 하다.

intro- *préf.* 「안에, 내부에」의 뜻.

introducteur, trice [ɛ̃tʀɔdyktœːʀ, -tʀis] *n.* ① 안내자, 소개자. ② (새로운 것의) 도입자 : ~ d'une mode nouvelle 새로운 유행의 도입자. ③ 입문서의 저자.

introductif, ive [ɛ̃tʀɔdyktif, -iːv] *adj.* 서론의, 예비의 ; 〖법률〗 개시의.

***introduction** [ɛ̃tʀɔdyksjɔ̃] *f.* ① 넣기, 삽입. ② 안내 ; 소개 : lettre d'~ 소개장, 추천장. ③ (산물・사상 등의) 도입, 수입 :~ de produits étrangers 외제품의 수입. ④ 입문서 ; 서론, 서문 : ~ à la chimie 화학 입문. ⑤ 〖법률〗 (소송의) 제기 : ~ d'instance 소송 제기. ⑥ (강연・음악 따위의) 도입부.

***introduire** [ɛ̃tʀɔdɥiːʀ] 32 *v.t.* ① 넣다, 들이밀다, 삽입하다 : ~ la clef dans la serrure 열쇠를 열쇠 구멍에 넣다. ② 안내하다 ; 소개하다 : ~ un visiteur au salon 방문객을 객실로 안내하다 / ~ un ami dans sa famille 친구를 집안 사람에게 소개하다. ③ 도입하다, 수입하다 ; 채용하다, 받아들이다 : marchandises *introduites* en fraude 밀수된 상품 / Des danses d'Amérique *ont été introduites.* 미국 춤이 도입되었다. ④ 〖법률〗 (소송을) 개시하다 : ~ une instance 소송 절차를 밟다. — **s'~** *v.pr.* ① 들어가다 〔오다〕, 침입하다(= se glisser) : *s'~* en cachette dans une pièce 방안에 몰래 들어가다. ② (단체 따위에) 가입하다 : *s'~* dans une association 협회에 가입하다. ③ 도입되다, 수입되다 : La télévision *s'est introduite* dans tous les pays à partir des années 60. 텔레비전은 60 년대부터 모든 나라에 도입되었다.

introït [ɛ̃tʀɔit] *m.* 〖가톨릭〗 초입경(初入經) 《미사의 맨 처음의 기도》.

introjection [ɛ̃tʀɔʒɛksjɔ̃] *f.* 〖정신분석〗 투입(投入) 작용, (내부로의) 투사(投射).

intronisation [ɛ̃tʀɔnizɑsjɔ̃] *f.* ① (교황・주교의) 취임, (왕의) 즉위. ② (학설 따위의) 창시, 확립.

introniser [ɛ̃tʀɔnize] *v.t.* ① (왕을) 즉위시키다, (교황・주교의) 취임식을 거행하다. ② (유행 따위를) 보급하다, 일반화시키다 ; (종교・학설 따위를) 창시〔확립〕하다. — **s'~** *v.pr.* ① 즉위〔취임〕하다. ② (습관・유행이) 확립되다, 일반화되다.

introspectif, ive [ɛ̃tʀɔspɛktif, -iːv] *adj.* 내성적인, 내관(內觀)의 ; 주관적인.

introspection [ɛ̃tʀɔspɛksjɔ̃] *f.* 〖심리〗 내성(內省), 반성, 성찰(省察).

introuvable [ɛ̃tʀuvabl] *adj.* ① 발견할〔찾을〕 수 없는 : édition ~ 희본(稀本). ② 비길 데 없는, 유례 없는 ; 귀중한, 희한한.

introversion [ɛ̃tʀɔvɛʀsjɔ̃] *f.* 〖심리〗 내향성.

introverti, e [ɛ̃tʀɔvɛʀti] *adj.* 〖심리〗 내향적인, 내성적인. — *n.* 내성적인 사람.

intrure [ɛ̃tʀyːʀ] *v.t.* 《옛》《현재는 과거분사 intrus 로서 복합시제에만 쓰임》 (사람을) 억지로 밀어넣다. — **s'~***v.pr.* 억지로 밀고 들어가다.

intrus, e [ɛ̃tʀy, -yːz] *adj.* 틈입(闖入)한, 침입한 ; 부당하게 직위를 얻은. — *n.* 침입자, 틈입자 ; 불청객 ; 〖법률〗 주거 침입자 ; 〖종교〗 무자격 취임자.

intrusion [ɛ̃tʀyzjɔ̃] *f.* ① 침입, 틈입(闖入); 간섭, 개입 ; 〖법률〗 주거 침입, 불법 침입 : ~ de l'étranger dans nos affaires 이 문제에 대한 외국의 간섭. ② 무자격 취임. ③ 〖지질〗 관입(貫入) : roches d'~ 관입 암상(岩床).

intuitif, ive [ɛ̃tɥitif, -iːv] *adj.* 직관적인, 직감적인.

intuition** [ɛ̃tɥisjɔ̃] *f.* ① 〖철학〗 직관(直觀), 직감. ② 예감 : avoir de l'~ 예감이 빠르다. ***par ~ 직관적〔직감적〕으로.

intuitivement [ɛ̃tɥitivmɑ̃] *adv.* 직관적〔직감적〕으로.

inusable [inyzabl] *adj.* (옷감 따위가) 해어지지 않는, 질긴 : tissu ~ 질긴 천.

inusité, e [inyzite] *adj.* ① 사용되지 않는, 낡은(≠ courant) : mot ~ 폐어(廢語). ② 《드물게》 이례적인 ; 보통이 아닌.

in utero [inyteʀo] *loc. adj.* 자궁 내에(≠ in vitro): fécondation ~ 자궁 내 임신.

***inutile** [inytil] *adj.* ① 《~ à》 …에 무용한, 무익한 : individu ~ *à* la société 사회에 무용한 인간 / bouche ~ 군식구. ② 쓸데없는 ; 헛된(= vain) : démarche ~ 헛수고 / 《Il est 〔c'est〕 ~ de+*inf.* 〔que+*sub.*〕》 *Il est 〔c'est〕 ~ d'essayer.* 해봤자 소용없어요 / *I~* à vous d'attendre. 당신은 기다릴 필요가 없다 / *I~* de dire que... …은 말할 나위도 없다.

inutilement [inytilmɑ̃] *adv.* 쓸데없이, 불필요하게, 보람 없이 : sang répandu ~ 보람 없이 흘린 피.

inutilisable [inytilizabl] *adj.* 사용〔이용〕할 수 없는, 가치 없는, 쓸모없는 : machine 〔voiture〕 ~ 쓸모없는 기계〔차〕.

inutilisé, e [inytilize] *adj.* 이용〔사용〕되지 않은.

inutilité [inytilite] *f.* ① 무익, 무용 ; 불필요. ② (보통 *pl.*) 쓸모없는 것〔일〕.

invaincu, e [ɛ̃vɛ̃ky] *adj.* 진 일 없는, 패배한 적이 없는, 무패의.

invalidation [ɛ̃validɑsjɔ̃] *f.* 〖법률〗 무효화, 효력 취소 : ~ d'une élection 당선 무효.

invalide [ɛ̃valid] *adj.* ① (노령・병・부상 따위로) 몸이 부자유스런, 일할 수 없는. ② 〖법률〗 무효의 : contrat ~ 무효 계약.
— *n.* (질환・상해・노령 따위로) 일할 수 없게 된 사람 : ~s du travail 업무상 재해자.
— *m.* 폐병(廢兵), 상이군인.

invalider [ɛ̃valide] *v.t.* 〖법률〗 무효로 하다 (= annuler), 효력을 취소하다 : ~ un député 〔une élection〕 의원의 당선을〔선거를〕 무효화하다.

invalidité [ɛ̃validite] *f.* ① 불구(不具), 폐질(廢疾). ② 〖법률〗 무효. ***pension d'~*** 장해

〔상이군인〕 연금(年金); 양로금.

invariabilité [ɛ̃vaʀjabilite] *f.* ① 불변성, 불역(不易), 일관성. ② 〖문법〗 불변화.

invariable [ɛ̃vaʀjabl] *adj.* ① 변함없는, 불변의; 〖문법〗 불변화의 : lois ~ 불변의 법칙. ② 《문어》 확고한, 단호한 : Il est ~ dans ses opinions 그의 의견은 확고부동하다.

invariablement [ɛ̃vaʀjabləmɑ̃] *adv.* 변함없이, 언제나, 항상, 꾸준히.

invariant, e [ɛ̃vaʀjɑ̃, -ɑ:t] *adj.* 불변(不變)의. ── *m.* 변함없는 것; 〖수학·물리〗 상수(常數), 불변식(式); 불변량(量).

invasion [ɛ̃va〔ɑ〕zjɔ̃] *f.* ① 침입, 침략 : troupes d'~ 침략군 / ~ des produits étrangers sur le marché coréen 외국 상품의 한국 시장 침입. ② 유행, 만연, 범람. ③ 〖의학〗 발병기, 초기.

invective [ɛ̃vɛkti:v] *f.* (주로 *pl.*) 욕설, 매도(罵倒)(= insulte) : accabler qn d'~*s* …에게 욕설을 퍼붓다.

invectiver [ɛ̃vɛktive] *v.i.* 《~ contre》 …에게 욕설〔독설〕을 퍼붓다, …을 매도(罵倒)하다, 비난하다. ── *v.t.* …을 욕설〔욕지거리〕하다 : l'ivrogne qui *invective* les passants 행인에게 욕설을 퍼붓는 주정꾼. ── **s'~** *vpr.* 서로 욕설하다.

invendable [ɛ̃vɑ̃dabl] *adj.* 팔 수 없는.

invendu, e [ɛ̃vɑ̃dy] *adj.* 팔리지 않은 : journaux ~*s* 팔다 남은 신문. ── *m.* 팔다 남은 상품(《특히 신문·책 따위》).

inventaire [ɛ̃vɑ̃tɛ:ʀ] *m.* ① (재산·상품 따위의) 목록 (작성) ; 〖상업〗 재고품 조사(표) (= établissement 〔levée〕 d'~). ② 명세 목록, 일람표 (작성). ③ 면밀한 점검, 상세한 조사 : faire l'~ des dégâts causés par l'incendie 그 화재로 인한 피해를 조사 집계하다. ***faire*** 〔***dresser***〕 ***un ~*** 재산 목록을 작성하다. ***livre d'~*** 대차 대조표. ***sous bénéfice d'~*** 〖법률〗 보류부(附)로 ; 《구어》 이익이 있는 경우에 한하여, 조건부로.

***inventer** [ɛ̃vɑ̃te] *v.t.* ① ⓐ 발명하다, 창조하다 : ~ un instrument 〔un médicament〕 도구를〔약을〕 발명하다 / N'imitez pas, *inventez !* 《목적보어 없이》 모방하지 말고 창조하라! ⓑ 고안〔창안〕하다 ; 생각해 내다 : ~ un moyen de s'enfuir 빠져나갈 길을 생각해 내다. ② 꾸며 내다, 지어 내다 : histoire *inventée* 허위 날조된 이야기. ── **s'~** *v.pr.* ① 발명되다 ; 고안〔창안·안출〕되다. ② 꾸며지다, 날조되다 : Ce sont des choses qui ne *s'inventent* pas. 그것은 분명히 진짜다.

inventeur, trice [ɛ̃vɑ̃tœ:ʀ, -tʀis] *n.* 발명자 ; 고안〔창안·안출〕자. ── *adj.* 발명의 재주가 있는, 창의성이 풍부한.

***inventif, ive** [ɛ̃vɑ̃tif, -i:v] *adj.* ① 발명의 재주가 있는, 창의력이 있는 : esprit ~ 창의적 정신. ② 술수에 능한.

invention** [ɛ̃vɑ̃sjɔ̃] *f.* ① 발명 ; esprit d'~ 발명의 재능 / Nécessité est mère d'~. 《격언》 필요는 발명의 어머니. ② 창의력, 독창 ; 고안, 안출 : Ce romancier a beaucoup d'~. 이 소설가는 창의력이 뛰어나다 / cerveau fertile en ~*s* 뛰어난 고안을 차차로 생각해 내는 두뇌. ③ 술책(術策), 속임수 ; 꾸며낸 이야기 : Pure ~ tout cela ! 그건 모두 엉터리 수작이다. ***vivre d'~ 권모술수로 세상을 살아가다. 「성.

inventivité [ɛ̃vɑ̃tivite] *f.* 발명의 능력, 창의

inventorier [ɛ̃vɑ̃tɔʀje] *v.t.* 재산〔상품〕 목록을 만들다 ; 정리 분류하다 : ~ des marchandises 상품 재고 조사를 하다. ── *v.i.* 재고 조사를 하다.

invérifiable [ɛ̃veʀifjabl] *adj.* (진위를) 확인〔확증〕할 수 없는, 검증 불가능의.

inverse** [ɛ̃vɛʀs] *adj.* 반대의; 순서가 뒤바뀐, 전도(顚倒)된 : proposition ~ 〖논리〗 역(逆)명제. ***en 〔***dans l'***〕 ***ordre ~*** 반대 순서로. ***en raison ~ de*** qc 〖수학〗 …와 반비례해서. ***en sens ~*** (***de*** qc) (…와) 반대의 방향으로. ── *m.* 반대, 역(逆) (= contraire) : Il fait toujours l'~ de ce qn'on lui demande. 그는 항상 시킨 것과 반대로 한다. ***à l'~ de*** …에 반해서, …의 반대로. ***faire l'~ de*** … 와 반대되는 일을 하다.

inversement [ɛ̃vɛʀsəmɑ̃] *adv.* 반대로, 거꾸로, 역으로(= vice versa).

***inverser** [ɛ̃vɛʀse] *v.t.* 전도시키다, 거꾸로 하다, 역전시키다 ; 역류시키다. ── *v.i.* (전류가) 역류하다.

inversion [ɛ̃vɛʀsjɔ̃] *f.* ① 전환, 전위(轉位), 도치, 역전 ; 〖의학〗 역위(逆位) ; 〖물리〗 역류 : ~ de marche 〖기계〗 역진(逆進). ② 〖언어〗 도치(倒置) : ~ du sujet 주어의 도치. ③ 〖수학〗 반전(反轉) ; 〖사진〗 반전 현상 ; 〖화학〗 전화(轉化). ~ ***sexuelle*** 성욕 도착(倒錯).

invertébré, e [ɛ̃vɛʀtebʀe] *adj.* 무척추(無脊椎)의. ── *m. pl.* 무척추 동물.

inverti, e [ɛ̃vɛʀti] *adj.* 전도된, 역(逆)의. ***sucre ~*** 〖화학〗 전화당(轉化糖). ── *n.* 성욕 도착자(= homosexuel), 동성애자.

investigateur, trice [ɛ̃vɛstigatœ:ʀ, -tʀis] *adj.* 탐구의 ; (눈길이) 탐색하는 듯한, 날카로운. ── *n.* 탐구자.

investigation [ɛ̃vɛstigɑsjɔ̃] *f.* ① 조사, 탐구(= recherche) ; 연구 : procéder à une ~ minutieuse 정밀한 조사에 착수하다. ② 수사 : ~ de la police 경찰의 수사.

***investir** [ɛ̃vɛsti:ʀ] *v.t.* ① 둘러싸다 ; 〖군사〗 포위하다 : La police *investit* le village. 경찰이 마을을 포위했다. ② 투자하다 : capitaux *investis* 투자된 자본 / ~ son argent dans l'industrie chimique 화학 공업에 투자하다. ③ 《~ qn de qc》 …에게 …을 부여하다, …을 …에 임명하다 : ~ qn *d'*une fonction …을 어떤 직무에 임명하다. ── **s'~** *v.pr.* 《~ dans》 …에 정력을 쏟다, 정열을 기울이다: *s'~ dans* la relation amoureuse 애정 관계에 매달리다.

investissement [ɛ̃vɛstismɑ̃] *m.* ① 〖군사〗 공략, 포위. ② 투자 : ~*s* de longue durée 장기 투자. ③ 서임(敍任), 임명. ④ 《~ dans》 …에 전력을 기울이기 : son total ~ *dans* ce poste 그 직책에의 전력 투구.

investisseur, euse [ɛ̃vɛstisœ:ʀ, -ø:z] *m.* 〖경제〗 투자가 : les ~*s* privés et les ~*s* insitutionnels 개인 투자가와 기관 투자가. ── *adj.* 투자의 ; 투자가의.

investiture [ɛ̃vɛstity:ʀ] *f.* ① 권한 부여 ; 임명. ② (고위 공직자에 대한 의회의) 승인.

invétéré, e [ɛ̃veteʀe] *adj.* (악습 따위가) 뿌

I

리 깊은, 해묵은, 만성의 : alcoolique ~ 알코올 중독자 / habitude ~*e* 뿌리 깊은 습관.

invincibilité [ɛ̃vɛ̃sibilite] *f.* 무적(無敵), 상승(常勝) ; 극복하기 어려운 것.

invincible [ɛ̃vɛ̃sibl] *adj.* ① 무적의, 불패의 ; 불굴의 : armée ~ 무적의 군대. ② 극복〔타파〕할 수 없는(=insurmontable) : obstacle ~ 극복할 수 없는 난관.

invinciblement [ɛ̃vɛ̃sibləmɑ̃] *adv.* 패배시킬 수 없을 만큼 ; 저항할 수 없을 만큼.

inviolabilité [ɛ̃vjɔlabilite] *f.* 침범할 수 없음, 불가침(권), 신성함 ; (국회의원의) 면책특권.

inviolable [ɛ̃vjɔlabl] *adj.* 침범할 수 없는, 불가침의 ; 신성한 ; (국회의원이) 면책특권을 가진.

invisibilité [ɛ̃vizibilite] *f.* 눈에 보이지 않음, 불가시성(不可視性).

***invisible** [ɛ̃vizibl] *adj.* ① 보이지 않는, 눈에 띄지 않는(=imperceptible): danger ~ 보이지 않는 위험 / ~ à l'œil nu 육안에 보이지 않는. ② 모습을 감춘, 사람 눈을 피한, 만나볼 수 없는 : Après sa faillite, le patron est devenu ~. 파산 후 사장은 모습을 감추었다. ── *m.* 눈에 보이지 않는 것 ; 보이지 않는 세계.

I

invitation** [ɛ̃vitɑsjɔ̃] *f.* ① 초대, 안내 ; 초대장, 안내장 : carte 〔lettre〕 d'~ 초대장, 초청장 / ~ à un bal 무도회에의 초청 / accepter 〔refuser〕 une ~ 초대를 승낙하다〔거절하다〕. ② 권유, 권고 ; 독촉(=exhortation) : ~ à partir 출발의 권고 / ~ au voyage 여행에의 권유. ***à 〔***sur***〕 ***l'~ de*** qn …의 초대로, 권유에 따라 : Plusieurs personnalités étaient présentes *à l'~ de* la mairie. 몇 명의 훌륭한 분들이 시에 초청되어 참석해 있다.

invite [ɛ̃vit] *f.* ① 간접적인 유혹, 유인 ; 권유, 권고 : ne pas répondre aux ~*s* d'un adversaire 적의 유인에 응하지〔넘어가지〕 않다. ② 〖카드놀이〗 (상대를 함정에 빠뜨리기 위한) 유인 패.

***invité, e** [ɛ̃vite] *n.* 초대받은 사람, 손님 : ~*s* de marque 귀빈.

***inviter** [ɛ̃vite] *v.t.* ① 《~ à》 …에 초대〔초청〕하다 : ~ qn *à* diner …을 만찬에 초대하다 / *J'ai été invité à* leur mariage. 나는 두 사람의 결혼식에 초대되었다. ② 《~ qn à qc 〔+*inf.*〕》 …에게 …을〔하도록〕 이끌다, 권유하다, …할 생각을 일으키게 하다 : Ce beau temps *invite à* la promenade. 산책하고 싶어지는 좋은 날씨이다 / Je vous *invite à* vous retirer. 제발 돌아가 주셨으면 합니다 / Voilà qui *invite à* croire que... 그러기 때문에 …라는 생각이 든다. ── **s'~** *v.pr.* ① 《구어》 불청객이지만 가다〔오다〕. ② 서로 초대하다.

in vitro [invitʀo] 〔라틴〕 *loc. adv.* 시험관 내에서, 생체 밖에서 : fécondation ~ 체외 수정(受精)(《약자》 FIV).

invivable [ɛ̃vivabl] *adj.* ① 처지가 살기 어려운, 죽을 지경의. ② 《구어》 (사람이) 귀찮은, 참을〔견딜〕 수 없는(=insupportable), 사귀기 힘든(=insociable).

in vivo [invivo] 〔라틴〕 *loc. adv.* 생체 내(生體內)에서 : expériences ~ 생체 내의 실험.

invocateur, trice [ɛ̃vɔkatœːʀ, -tʀis] *adj.* 비는, 기원하는. ── *n.* 기원〔기도〕자.

invocation [ɛ̃vɔkɑsjɔ̃] *f.* 기도, 기원(祈願) : ~ aux Muses 시신(詩神)에의 기원. ***sous l'~ de...*** …의 가호 아래 ; …을 위하여 : église *sous l'~ de* la Vierge 성모에게 바쳐진 성당 / mettre son œuvre *sous l'~ de* la lutte contre l'injustice 불의에 대한 싸움을 위해 작품을 바치다.

involontaire** [ɛ̃vɔlɔ̃tɛːʀ] *adj.* 무의식의, 의도하지 않은 ; 본의 아닌: laisser échapper un cri ~ 무의식적으로 고함을 지르다 / homicide ~ 과실치사. ***muscles ~s 불수의근(不隨意筋).

involontairement [ɛ̃vɔlɔ̃tɛʀmɑ̃] *adv.* 본의 아니게, 의외로 ; 무의식적으로.

***invoquer** [ɛ̃vɔke] *v.t.* ① 《~ qn》 …에게 구원을〔가호를〕 빌다 ; …에게 기원하다 : ~ Dieu 하느님께 구원을 빌다 / ~ l'aide de qn …의 도움을 구하다. ② 《~ qc》 …을 간청하다 : ~ le secours 원조를 간청하다. ③ (방편으로) 내세우다, 원용(援用)하다 : arguments *invoqués* à l'appui d'une thèse 논문을〔명제를〕 뒷받침하기 위해 내세운 논거.

***invraisemblable** [ɛ̃vʀɛsɑ̃blabl] *adj.* ① 사실〔정말〕 같지 않은, 있음직하지 않은 : histoire ~ 거짓말 같은 이야기 / Il est ~ que + *sub.* …하다는 것은 있음직한 일이 아니다. ② 엉뚱한, 우스꽝스러운 : type ~ 엉뚱한 녀석.

invraisemblablement [ɛ̃vʀɛsɑ̃blabləmɑ̃] *adv.* 사실 같지 않게, 있음직하지 않게.

invraisemblance [ɛ̃vʀɛsɑ̃blɑ̃ːs] *f.* 사실 같지 않음, 있음직하지 않음〔않은 일〕 : drame plein d'~*s* 거짓말 같은 이야기로 가득 찬 극.

invulnérabilité [ɛ̃vylneʀabilite] *f.* 상처 입힐 수 없음, 손상되지 않음 ; 불사신(不死身).

invulnérable [ɛ̃vylneʀabl] *adj.* 상처 입힐 수 없는, 손상되지 않는, 불사신의.

invulnérablement [ɛ̃vylneʀabləmɑ̃] *adv.* 상처 입힐 수 없게, 손상되지 않게.

iode [jɔd] *m.* 요오드, 옥소(沃素). ***teinture d'~*** 〖약학〗 옥도정기.

iodé, e [jɔde] *adj.* 요오드를 함유하는.

iodoforme [jɔdɔfɔʀm] *m.* 〖약학〗 요오드포름.

iodure [jɔdyːʀ] *m.* 〖화학〗 요오드화물.

-iole *suff.* 「소(小)」의 뜻.

ion [jɔ̃] *m.* 〖물리·화학〗 이온.

ionique [jɔnik] *adj.* ① 이오니아의, 이오니아식(式)의. ② 〖물리·화학〗 이온의. ***l'ordre ~*** 〖건축〗 이오니아식.

ionisation [jɔnizɑsjɔ̃] *f.* 이온화(化), 전리.

ioniser [jɔnize] *v.t.* 이온화시키다 : couche *ionisée* de l'atmosphère 대기권의 전리층. ── **s'~** *v.pr.* 이온화하다.

ionosphère [jɔnɔsfɛːʀ] *f.* 〖물리〗 전리층(電離層).

iota [jɔta] *m.* ① 그리스 자모의 제 9 자(*Ι*, *ι*). ② 《비유》 극히 작은 것, 점 하나. ***pas un ~*** 《구어》 조금도 : Il n'y manque *pas un* ~. 부족한 점이 하나도 없다.

iouler [jule] *v.i.* 《옛》 〖음악〗 요들식으로 노래하다.

ipso facto [ipsɔfakto] 〔라틴〕 *adv.* 사실 자체에 의하여, 필연적인 결과로서.

ir- *préf.* ⇒ in-[1], in-[2]

irakien, enne, iraquien, enne [iʀɑkjɛ̃,

-ɛn] *adj.* 이라크(*l'Irak*)의. — **I~** *n.* 이라크 사람. — *m.* (아랍어의) 이라크 방언.

iranien, enne [iʀanjɛ̃, -ɛn] *adj.* 이란(*l'Iran*)의. — **I~** *n.* 이란 사람. — *m.* 이란어.

irascibilité [iʀasibilite] *f.* 성마름, 조급증; 「성미가 급함.

irascible [iʀɑsibl] *adj.* 성〔골〕을 잘내는, 성마른, 조급한(= irritable).

ire [iːʀ] *f.* 《옛》 노여움, 분노.

iridium [iʀidjɔm] *m.* 〖화학〗 이리듐.

iris [iʀis] *m.* ① 무지개; 무지갯빛. ② 〖해부〗 홍채; 〖사진〗 조리개(= diaphragme ~). ③ 〖식물〗 붓꽃. — **I~** *n.pr.f.* 〖그리스신화〗 이리스《무지개의 여신》.

irisable [iʀizabl] *adj.* 무지갯빛으로 빛나는.

irisation [iʀizɑsjɔ̃] *f.* 무지갯빛, 아롱진 광채.

irisé, e [iʀize] *adj.* 무지갯빛의.

iriser [iʀize] *v.t.* 무지갯빛으로 빛나게 하다. — **s'~** *v.pr.* 무지갯빛으로 빛나다.

***irlandais, e** [iʀlɑ̃dɛ, -ɛːz] *adj.* 아일랜드(*l'Irlande*)의. — **I~** *n.* 아일랜드 사람. — *m.* 아일랜드어.

IRM [iɛʀɛm] 《약자》 *f.* Imagerie par résonance magnétique 〖의학〗 자기 공명법(磁氣共鳴法)(〖영〗 MRI).

***ironie** [iʀɔni] *f.* ① 빈정거림, 야유, 아이러니; 우롱, 장난: ~ du sort 운명의 장난 / ne pas comprendre l'~ 아이러니를 이해 못하다. ② 〖수사학〗 반어법.

***ironique** [iʀɔnik] *adj.* 빈정거리는, 비꼬는, 풍자적인: sourire ~ 빈정대는 웃음.

ironiquement [iʀɔnikmɑ̃] *adv.* 빈정거려, 야유하여, 비꼬아서, 반어적(反語的)으로.

ironiser [iʀɔnize] *v.t.* 놀리다, 빈정거리다, 야유하다. — *v.i.* 《~ sur qc 〔qn〕》 …을 야유하다, 비꼬다(= se moquer).

ironiste [iʀɔnist] *n.* 빈정거리기 잘하는 사람, 야유가, 풍자가.

irradiation [i(ʀ)ʀadjɑsjɔ̃] *f.* ① 발광(發光), 방산(放散); 〖물리〗 광삼(光滲); 〖의학〗 (방사선의) 조사(照射). ② 〖사진〗 헐레이션.

irradier [i(ʀ)ʀadje] *v.i.* (빛이) 발산〔분산〕하다; (통증 따위가) 퍼지다: La douleur du genou *irradie* dans toute la jambe. 무릎의 통증이 다리 전체로 퍼진다. — *v.t.* ① 방사선을 쬐다. ② (빛 따위를) 발하다(= émettre); 《문어》 빛나게 하다(= illuminer). — **s'~** *v.pr.* ① 사방으로 퍼지다. ② (빛으로) 찬연히 빛나다, 가득 차다, 넘치다.

irraisonné, e [i(ʀ)ʀɛzɔne] *adj.* 이치〔사리〕에 어긋나는, 불합리한.

irrationnel, elle [i(ʀ)ʀasjɔnɛl] *adj.* ① 비합리적인, 비이성적인: conduite *~elle* 무분별한 행동. ② 〖수학〗 무리(無理)의: nombre ~ 무리수.

irrationnellement [i(ʀ)ʀasjɔnɛlmɑ̃] *adv.* 비이성적으로, 불합리하게, 지각 없이.

irrattrapable [i(ʀ)ʀatʀapabl] *adj.* 돌이킬〔되찾을〕 수 없는.

irréalisable [i(ʀ)ʀealizabl] *adj.* 실현〔성취〕할 수 없는: projet ~ 실현 불가능한 계획.

irréalisé, e [i(ʀ)ʀealize] *adj.* 실현되지 않은: espoir ~ 실현되지 않은 희망.

irréalisme [i(ʀ)ʀealism] *m.* 현실성〔현실감〕 결여.

irréalité [i(ʀ)ʀealite] *f.* 비현실성.

irrecevabilité [i(ʀ)ʀəsvabilite] *f.* 받아들일 수 없음, 승인〔승낙〕할 수 없음.

irrecevable [i(ʀ)ʀəsvabl] *adj.* ① 받아들일 수 없는, 승인되지 않는, 허용되지 않는: demande 〔proposition〕 ~ 받아들일 수 없는 요구〔제안〕. ② 〖법률〗 증거 없는.

irrécompensable [irekɔ̃pɑ̃sabl] *adj.* 보상〔보답〕받을 수 없는.

irréconciliable [i(ʀ)ʀekɔ̃siljabl] *adj.* 화해할 수 없는, 융화할 수 없는: ennemis ~*s* 불구대천의 원수.

irréconciliablement [i(ʀ)ʀekɔ̃siljabləmɑ̃] *adv.* 화해할 수 없을 만큼, 융화할 수 없게.

irrécouvrable [i(ʀ)ʀekuvʀabl] *adj.* (손실 등이) 만회가 불가능한; (부채 등이) 회수가 어려운.

irrécupérable [i(ʀ)ʀekypeʀabl] *adj.* ① (손실 따위가) 돌이킬 수 없는, 회복〔수리〕 불능의. ② (사람이) 복귀할 수 없는. — *n.* (사회·단체에) 복귀할 수 없는 사람.

irrécusable [i(ʀ)ʀekyzabl] *adj.* 거부〔부인〕할 수 없는; 〖법률〗 기피할 수 없는.

irrécusablement [i(ʀ)ʀekyzabləmɑ̃] *adv.* 거부〔부인〕할 수 없게; 기피하기 어려운.

irrédentisme [i(ʀ)ʀedɑ̃tism] *m.* 〖정치〗 (이탈리아) 민족 통일주의.

irréductibilité [iʀedyktibilite] *f.* ① 감소될 수 없음; 비환원성. ② 〖수학〗 약분할 수 없음. ③ 〖의학〗 원상 회복 불능.

irréductible [i(ʀ)ʀedyktibl] *adj.* ① 줄일 수 없는; 간략하게 할 수 없는. ② 〖수학〗 약분되지 않는; 〖화학〗 환원(還元)되지 않는. ③ 〖의학〗 (좌골이) 원상회복이 불가능한. ④ 불굴의, 완강한: ennemi ~ 완강한 적.

irréel, elle [iʀeɛl] *adj.* 사실이 아닌, 비현실적인; 환상적인: univers ~ 환상적인 세계. — *m.* 비현실(적인 것).

irréfléchi, e [i(ʀ)ʀefleʃi] *adj.* 지각없는, 경망한, 경솔한: acte ~ 경솔한 행위.

irréflexion [i(ʀ)ʀeflɛksjɔ̃] *f.* 몰지각, 경망(= inattention), 경솔: sottise commise par ~ 경솔로 인한 실수.

irréformable [i(ʀ)ʀefɔʀmabl] *adj.* 개혁할 수 없는, 개정할 수 없는; 결정적인; 〖법률〗 (판결이) 취소할 수 없는.

irréfragable [i(ʀ)ʀefʀagabl] *adj.* 거부〔반박〕할 수 없는, 항의할 수 없는.

irréfrénable [i(ʀ)ʀefʀenabl] *adj.* 억제할 수 없는: passion ~ 억누를 수 없는 열정.

***irréfutable** [i(ʀ)ʀefytabl] *adj.* 부인할 수 없는, 논박〔반박〕할 수 없는: preuve ~ 부인할 수 없는 증거.

irréfutablement [i(ʀ)ʀefytabləmɑ̃] *adv.* 《문어》 반론의 여지가 없이.

irréfuté, e [i(ʀ)ʀefyte] *adj.* 부정〔부인〕되지 않은, 논박된 일이 없는.

irrégularité [i(ʀ)ʀegylaʀite] *f.* ① 불규칙, 고르지 않음; 불순(不順): ~ du pouls 맥박의 불규칙. ② 반칙; 부정(不正); 규율 없는 〔난잡한〕 행실: ~*s* dans une élection 선거에 있어서의 부정 행위.

***irrégulier, ère** [i(ʀ)ʀegylje, -ɛːʀ] *adj.* ① 불규칙한; 고르지 않은, 불순한: pouls ~ 부정맥(不整脈) / verbes ~*s* 〖문법〗 불규칙 동

사. ② 비정규의 ; 비합법의, 불법의 : troupes ~*ères* 〖군사〗 비정규군. ③ 변덕스런, (행동·성적이) 일정치 않은, 고르지 못한 : élève ~ 성적이 고르지 않은 학생. ── *m.* 비정규군, 유격대.

irrégulièrement [i(ʀ)ʀegyljɛʀmɑ̃] *adv.* ① 불규칙하게, 불순하게, 고르지 않게. ② 변칙적으로 ; 비합법적으로 ; 난잡하게 : bâtiments disposés ~ 난잡하게 늘어선 건물들.

irréligieux, euse [i(ʀ)ʀeliʒjø, -ø:z] *adj.* 무종교의, 비종교적인, 신앙 없는(= athée, incroyant); 경건하지 못한.

irréligion [i(ʀ)ʀeliʒjɔ̃] *f.* 무종교(= athéisme).

irrémédiable [i(ʀ)ʀemedjabl] *adj.* 고칠 수 없는 ; 복구할 수 없는 ; 돌이킬 수 없는 : défauts ~*s* 돌이킬 수 없는 결점〔결함〕/ désastres ~*s* 복구할 수 없는 재난.

irrémédiablement [i(ʀ)ʀemedjabləmɑ̃] *adv.* 치료할 수 없을 만큼, 회복할 수 없을 만큼 ; 돌이킬 수 없게, 복구할 수 없을 만큼.

irrémissible [i(ʀ)ʀemisibl] *adj.* ① 용서할 수 없는 : faute ~ 용서할 수 없는 과오. ② 피하기 힘든.

irrémissiblement [i(ʀ)ʀemisibləmɑ̃] *adv.* 용서할 수 없을 만큼, 엄하게.

irremplaçable [i(ʀ)ʀɑ̃plasabl] *adj.* 다른 것과 바꿀 수 없는, 대치될 수 없는 : collaborateur ~ 누구와도 바꿀 수 없는 (귀중한) 협력자.

irréparable [i(ʀ)ʀepaʀabl] *adj.* 회복할 수 없는 ; 수리할 수 없는 ; 돌이킬 수 없는(= irrémédiable).

irrépréhensible [i(ʀ)ʀepʀeɑ̃sibl] *adj.* 비난할 수 없는, 나무랄 데 없는 ; 결점 없는.

irrépressible [i(ʀ)ʀepʀɛ〔e〕sibl] *adj.* 억누를〔억제할〕 수 없는.

irréprochable [i(ʀ)ʀepʀɔʃabl] *adj.* 나무랄 데 없는, 더할 나위 없는, 결점 없는 : épouse ~ 나무랄 데 없는 아내 / être ~ dans sa conduite 행동에 있어 나무랄 데 없다.

irréprochablement [i(ʀ)ʀepʀɔʃabləmɑ̃] *adv.* 나무랄 데 없이, 더할 나위 없을 만큼.

irrésistible [i(ʀ)ʀezistibl] *adj.* ① 저항할 수 없는 ; 억제할 수 없는(= impérieux) : tentation ~ d'un plaisir 억제할 수 없는 향락의 유혹. ② 매혹하는, 매력적인 : femme ~ 매혹적인 여자. ③ 못견디게 웃기는.

irrésistiblement [i(ʀ)ʀezistibləmɑ̃] *adv.* 저항할 수 없게 ; 억제할 수 없게.

irrésolu, e [i(ʀ)ʀezɔly] *adj.* ① 해결되지 않은(= indécis). ② 결단성 없는, 주저하는, 우유부단한 : caractère ~ 우유부단한 성격.

irrésolution [i(ʀ)ʀezɔlysjɔ̃] *f.* 결단성 없음, 우유부단(= indécision).

irrespect [i(ʀ)ʀɛspɛ] *m.* 불손, 불경, 무례 : montrer de l'~ envers qn …에게 불손한 태도를 취하다.

irrespectueusement [i(ʀ)ʀɛspɛktɥøzmɑ̃] *adv.* 불손〔무례〕하게, 불경하게.

irrespectueux, euse [i(ʀ)ʀɛspɛktɥø, -ø:z] *adj.* 불손한, 무례한, 실례되는 : manières ~*euses* 불손한 태도.

irrespirable [i(ʀ)ʀɛspiʀabl] *adj.* ① 호흡할 수 없는, 호흡에 적합지 않은 : gas ~ 질식성 가스. ② (분위기 따위가) 숨막히는 : atmosphère ~ 숨막히는 분위기.

irresponsabilité [i(ʀ)ʀɛspɔ̃sabilite] *f.* 책임을 지지 않음 ; 면책 : ~ parlementaire 〖법률〗 국회의원의 면책 특권.

irresponsable [i(ʀ)ʀɛspɔ̃sabl] *adj.* ① 책임이 없는 ; 《~ de》 …에 대해 책임을 지지 않는 : Les enfants, les aliénés sont ~*s*. 어린이와 정신병자에게는 행위의 책임을 물을 수 없다. ② 책임감이 없는 ; 무책임한 : attitude ~ 무책임한 태도. ── *n.* 책임감이 없는〔무책임한〕 사람.

irrétrécissable [i(ʀ)ʀetʀesisabl] *adj.* (천이) 줄지 않는 : tissu ~ au lavage 빨아도 줄지 않는 천.

irrévérence [i(ʀ)ʀeveʀɑ:s] *f.* 불경(不敬), 불손, 무례 ; 불손〔무례〕한 언동.

irrévérencieux, euse [i(ʀ)ʀeveʀɑ̃sjø, -ø:t] *adj.* 불경한, 불손〔무례〕한 : paroles ~*euses* 무례한 말.

irrévérent, e [i(ʀ)ʀeveʀɑ̃, -ɑ̃:t] *adj.* (주로 종교적으로) 불손한, 불경한 : ~ envers Dieu 신에 대해 불경한.

irréversibilité [i(ʀ)ʀevɛʀsibilite] *f.* 불가역성(不可逆性).

irréversible [i(ʀ)ʀevɛʀsibl] *adj.* ① 〖기계〗 역진(逆進)할 수 없는 ; 〖화학〗 불가역(不可逆)의 : réaction chimique ~ 〖화학〗 불가역 반응. ② 돌이킬 수 없는, 취소할 수 없는, 결정적인(= irrévocable) : décision ~ 번복할 수 없는 결정.

irrévocable [i(ʀ)ʀevɔkabl] *adj.* (판결 따위가) 철회〔취소〕할 수 없는 ; 돌이킬 수 없는 ; 변경할 수 없는, 결정적인(= définitif) : décision ~ 번복할 수 없는 결정 / arrêt ~ 확정 판결. ── *m.* 돌이킬 수 없는 것 ; 숙명.

irrévocablement [i(ʀ)ʀevɔkabləmɑ̃] *adv.* 철회할 수 없게, 취소할 수 없게, 변경할 수 없게, 결정적으로(= définitivement) : projet ~ arrêté 확정적인 계획.

irrigateur [i(ʀ)ʀigatœ:ʀ] *m.* ① 관수기(灌水器) ; 살수용 펌프〔호스〕 ; 살수차. ② 〖의학〗 세척기, 세정기. ── *adj. m.* 관개용의.

irrigation [i(ʀ)ʀigɑsjɔ̃] *f.* 〖농업〗 관개(灌漑) : eau d'~ 관개용수.

irriguer [i(ʀ)ʀige] *v.t.* 관개하다, 물을 대다 ; 〖의학〗 세척(洗滌)하다, 세정(洗淨)하다 : ~ un désert 사막을 관개하다.

irritabilité [i(ʀ)ʀitabilite] *f.* 성마름 ; 민감 ; 자극 감응성 ; 흥분성.

irritable [i(ʀ)ʀitabl] *adj.* 성 잘 내는, 성마른(= emporté) ; 신경질적인(= nerveux), 자극에 민감한, 흥분하기 쉬운.

irritant, e [i(ʀ)ʀitɑ̃, -ɑ̃:t] *adj.* ① 성나게 하는 ; 안절부절못하게 하는(= agaçant). ② 자극하는. ── *m.* 〖의학〗 자극제, 자극물.

irritation [i(ʀ)ʀitɑsjɔ̃] *f.* ① 노여움, 신경질 ; 초조함. ② 〖생리〗 자극 ; 흥분(= excitation). ③ 〖의학〗 (가벼운) 염증 : ~ des bronches 기관지염.

irrité, e [i(ʀ)ʀite] *adj.* ① 성난, 화난, 골난 : ~ que + *sub.* ; ~ de ce que + *ind.* …한 데 대해 화내고 있는. ② 〖의학〗 가벼운 염증을 일으킨 : peau ~*e* 피부염.

***irriter** [i(ʀ)ʀite] *v.t.* ① 성〔화·골·신경질〕 나게 하다, 약 올리다, 성가시게 하다 : ~ qn

avec ses plaintes continuelles 끊임없는 불평으로 …을 성가시게 굴다〔…의 역정을 돋우다〕. ② 자극하다 ; 격화시키다 : ~ la passion 열정을 격화시키다. ③ (부스럼 따위를) 더치게 하다, 가벼운 염증을 일으키다 : La fumée des cigarettes *irrite* la gorge. 담배 연기가 목에 가벼운 염증을 일으킨다.
— **s'~** *v.pr.* ① 《~ de》 …때문에 화를 내다, 초조해 하다 : Il *s'irrite* du retard de ses invités. 그는 초대객이 늦어져서 초조해 했다. ② 더치다, 가벼운 염증이 생기다 : L'œil *s'est irrité,* il est tout rouge. 눈이 충혈이 되어 새빨갛다.

irroration [i(ʀ)ʀɔʀɑsjɔ̃] *f.* ① 물뿌리개로 물을 주기. ② 밤이슬에 맞히기.

irruption [i(ʀ)ʀypsjɔ̃] *f.* ① 침입, 돌입, 난입 (= invasion) : ~ des manifestants dans l'Hôtel de Ville 데모 군중들의 시청 난입. ② (하천의) 범람, 홍수 ; 침수 : ~ des eaux dans la basse ville 도시 저지대의 침수.

isabelle [izabɛl] *adj.* 《불변》 크림 빛깔의. — *m.* 크림 빛깔(의 말).

-isant(e) *suff.* 「…에 가까운, …의 경향이 있는, …을 연구하는」의 뜻.

isard [izaːʀ] *m.* 〖동물〗 (피레네(*les Pyrénées*) 산(産)의) 영양(羚羊).

-isation *suff.* 「…화(化)」의 뜻을 나타내는 여성 명사 어미《예 : civil*isation* 문명화》.

isba [isba] *f.* (북유럽의) 통나무집.

ISBN 〔영〕《약자》 International Standard Book Number 국제 표준 도서 번호.

-ise *suff.* ① 《형용사와 함께》 품질을 표시함 《예 : bêt*ise* 어리석음》. ② 《명사와 함께》 기능을 표시함《예 : maîtr*ise* 숙달》. ③ 《동사와 함께》 동작을 표시함《예 : convoit*ise* 갈망》.

-iser *suff.* 「…화하다, …으로 처리하다」의 뜻을 나타내는 동사 어미.

***islam** [islam] *m.* 〖종교〗 ① 이슬람교(敎), 회교. ② (*I~*) 《집합적》 이슬람 세계〔문화〕; 이슬람교도.

islamique [islamik] *adj.* 이슬람교의, 이슬람의.

islamisation [islamizɑsjɔ̃] *f.* 이슬람화.

islamiser [islamize] *v.t.* 회교〔이슬람교〕로 개종시키다 ; 회교국으로 만들다.

islamisme [islamism] *m.* 이슬람교.

islandais, e [islɑ̃dɛ, -ɛːz] *adj.* 〖지리〗 아이슬란드의. — **I~** *n.* 아이슬란드 사람 ; (*Bretagne*에서) 아이슬란드 어장에 고용된 어부《이 뜻으로는 *m.*》. — *m.* 아이슬란드어.

-isme *suff.* 「주의 · 제도 · 특성」 등의 뜻.

ISO 〔영〕《약자》 International Standardization Organization 국제 표준화 기구 : degré ~ 〖사진〗 필름의 감광 단위.

iso- *préf.* 「동(同) · 등(等)」의 뜻.

isobare [izɔbaːʀ] *adj.* 〖기상〗 등압의 : ligne 〔courbe〕 ~ 등압선. — *f.* 등압선.

isocèle [izɔsɛl] *adj.* 〖기하〗 2등변(二等邊)의. ***triangle ~*** 이등변삼각형.

isochrone [izɔkʀɔn], **isochronique** [izɔkʀɔnik] *adj.* 〖물리〗 등시성(等時性)의.

isochronisme [izɔkʀɔnism] *m.* 〖물리〗 등시성(等時性)

isolant, e [izɔlɑ̃, -ɑ̃ːt] *adj.* ① 고립시키는, 격리하는. ② 〖전기〗 절연(絕緣)하는 ; 〖물리〗 단열의 ; 방습의. ***langues ~es*** 〖언어〗 고립어. — *m.* 절연체 ; 단열재 ; 방습제.

isolateur, trice [izɔlatœːʀ, -tʀis] 〖전기〗 *adj.* 절연의. — *m.* 절연체, 애자(碍子).

isolation [izɔlɑsjɔ̃] *f.* 격리 ; 〖전기〗 절연 : ~ sonore 방음 / ~ thermique 단열.

isolationnisme [izɔlɑsjɔnism] *m.* 쇄국 정책〔주의〕.

***isolé, e** [izɔle] *adj.* ① 고립한, 외딴, 단독의 ; 고독한, 외로운 : endroit ~ 외딴 장소 / se sentir ~ 외로움을 느끼다 / vivre ~ 혼자〔외떨어져〕 살다. ② 〖전기〗 절연된 ; 〖화학〗 단리(單離)한. — *n.* 혼자인〔고독한〕 사람.

isolement [izɔlmɑ̃] *m.* ① 격리 ; 고립, 고독 (= solitude) : ~ économique 〔diplomatique〕 경제적〔외교적〕 고립. ② 〖전기〗 절연(絕緣). ***hôpital d'~*** (전염병 환자의) 격리 병원.

isolément [izɔlemɑ̃] *adv.* 고립되어 ; 고독하게 ; 따로따로, 개별적으로, 단독으로(= individuellement ; ≠ ensemble) : agir ~ 개별적으로 행동하다 / vivre ~ 고독하게 살다 ; (부부가) 별거하다.

***isoler** [izɔle] *v.t.* ① 외따로 떼어 놓다(= séparer), 고립〔격리〕시키다 ; 〖화학〗 유리시키다 : La ville *est isolée* du monde extérieur. 이 도시는 외부 세계로부터 고립되어 있다 / ~ un malade contagieux 전염병 환자를 격리시키다. ② 〖전기〗 절연하다. — **s'~** *v.pr.* ① 외따로 떨어지다, 고립하다, 고독하게 살다 : *s'~* dans sa chambre 방에 혼자 남다. ② 절연〔유리〕되다.

isoloir [izɔlwaːʀ] *m.* 투표 용지 기입소.

isomère [izɔmɛːʀ] *adj.* 〖화학〗 이성(異性)의 ; 〖물리〗 이성핵(異性核)의 ; 〖식물〗 (꽃이) 등수(等數)의. — *m.* 〖화학〗 이성체(異性體) ; 〖물리〗 이성핵.

isomérie [izɔmeʀi] *f.* 〖화학〗 이성 ; 〖물리〗 이성핵.

isomérique [izɔmeʀik] *adj.* = isomère.

isomorphe [izɔmɔʀf] *adj.* ① 동형의, 동구조의. ② 〖수학〗 동형의. ③ 〖결정〗 유질동상(類質同像)의. — *m.* 동형, 이종(異種) 동형.

isosyllabique [izɔsi(l)labik] *adj.* 〖문법〗 등음절(等音節)의.

isotope [izɔtɔp] *m.* 〖화학〗 동위 원소(同位元素), 동위체. — *adj.* 동위의.

isotopie [izɔtɔpi] *f.* ① 〖물리〗 동위체의 특성. ② 〖언어〗 (텍스트 이론에서) 동위성 《*Greimas*가 제창한 개념 ; 메시지 또는 텍스트에 연결되는 의미 연결의 일관성》.

isotrope [izɔtʀɔp] *adj.* 〖화학 · 물리〗 등방성(等方性)의.

israé〔ë〕lien, enne [isʀaeljɛ̃, -ɛn] *adj.* (현대의) 이스라엘국(*l'Istraël*)의. — **I~** *n.* 이스라엘 사람, 유대교도.

israélite [isʀaelit] 〖종교사〗 *adj.* (옛날의) 이스라엘의, 히브리의, 유대교의(= juif). — **I~** *n.* 이스라엘 사람, 유대교도.

issu, e¹ [isy] *adj.* 《~ de》 ① …에서 나온, 생겨난, 일어난, 유래하는 : révolution *~e du* mécontentement général 민중 전체의 불만에서 야기된 혁명. ② …에서 태어난, …이 태생인 : ~ de sang royal 왕가의 핏줄을 타고난.

issue²** [isy] *f.* ① 출구(出口) ; 배출〔배기, 배수〕구 : ~ de secours (비상) 탈출구 / ~ secréte 비밀 출구. ② 결과, 결말 : heureuse ~ 좋은 결과 / ~ fatale 숙명적인〔치명적인〕 결과 ; 죽음. ③ 해결책〔방법〕 : La seule ~ est le mariage. 유일한 해결 방법은 결혼이다. ④ (*pl.*) (도살 후의) 폐물《뿔 · 가죽 · 발굽 따위》; (제분 후의) 밀기울(= ~*s* de blé). ***à l'~ de …이 끝났을 때, 끝나자 : *À l'issue du* discours, les questions ont fusé. 연설이 끝나자, 질문이 쇄도했다. ***sans ~*** ⓐ 출구가 없는, (길이) 막다른 : chemin 〔voie〕 *sans* ~ 막다른 길. ⓑ 어찌할 수 없는, 막힌 : La situation est *sans* ~. 상황은 절망적이다〔해결 방도가 없다〕.

-iste *suff.* 「주의(主義)의 (사람), …의 특성을 지니는, …직업에 종사하는 (사람)」의 뜻《예 : journal*iste* 신문 기자》.

isthme [ism] *m.* 〚지리〛 지협(地峽), 〚해부〛 협부(峽部) : ~ de Panama 파나마 지협.

isthmique [ismik], **isthmien, enne** [ismjɛ̃, -ɛn] *adj.* 지협의.

italianisant, e [italjanizɑ̃, -ɑ̃:t] *n.* 이탈리아어〔문화〕 연구가.

italianiser [italjanize] *v.t.* 이탈리아화하다, 이탈리아풍으로 하다. ── *v.i.* 이탈리아 어법을 쓰다. ── **s'~** *v.pr.* 이탈리아화하다.

italianisme [italjanism] *m.* 이탈리아식, 이탈리아 취미 ; 이탈리아 어법.

***italien, enne** [italjɛ̃, -ɛn] *adj.* 이탈리아 (*Italie*)의. ── **I~** *n.* 이탈리아인(人). ── *m.* 이탈리아어.

italique [italik] *adj.* 〚인쇄〛 이탤릭체의. ── *m.* 이탤릭체 ; 이탈리아 말.

-ite[1] *suff.* 「염증(炎症)성 질환」의 뜻《예 : bronch*ite* 기관지염》.

-ite[2] *suff.* 「광물 · 염류(鹽類)」의 뜻.

-ite[3] *suff.* 「…출신의 (사람), …파(派)의 (사람)」의 뜻.

-ité *suff.* 「상태 · 성격」을 나타내는 여성 명사 어미.

item [itɛm] *adv.* 역시, 마찬가지로. ── *m.* 《복수불변》 (특정) 사항, 항목.

itératif, ive [iteʀatif, -i:v] *adj.* ① 〚법률〛 반복된〔되는〕, 재삼(再三)의. ② 〚문법〛 반복의 : verbe ~ 반복 동사(= fréquentatif).

itération [iteʀɑsjɔ̃] *f.* 반복, 되풀이 ; 〚수학〛 반복법 ; 〚컴퓨터〛 조작의 반복.

itérativement [iteʀativmɑ̃] *adv.* 반복하여, 되풀이하여.

***itinéraire** [itineʀɛ:ʀ] *m.* ① 여정(旅程), 도정, 루트 : établir un ~ 도정을〔코스를〕 정하다 / ~ touristique 관광 루트. ② 여행기 ; 여행 안내. ── *adj.* 길의, 도로의 ; 노정(路程)의, 여정의 : colonne ~ 이정표(里程標) / carte ~ 노정표.

itinérant, e [itineʀɑ̃, -ɑ̃:t] *adj.* 순회〔순찰〕하는 : ambassadeur ~ 순회 대사.

itou [itu] *adv.* 《구어》 …도 역시, 또한(= aussi): Et moi ~ ! 나도 그렇다.

-itude *suff.* 「상태 · 성질」을 나타내는 여성 명사 어미.

I.U.F.M 《약자》 Institut universitaire de formation des maîtres 교원 양성 대학원.

I.V.G., IVG 《약자》 Interruption volontaire de grossesse 임신 중절.

ivoire [ivwa:ʀ] *m.* ① 상아(象牙); 상아 세공품. ② 상아빛, 아이보리색. ③ (치아의) 상아질. ***tour d'~*** 상아탑, 상아색.

ivoirien, enne [ivwaʀjɛ̃, -ɛn] 〚지리〛 *adj.* 코트디부아르〔상아 해안〕(*la Côte d'Ivoir*)의 ── **I~** *n.* 코트디부아르의 사람.

ivraie [ivʀɛ] *f.* ① 〚식물〛 가라지, 독보리. ② 《비유》 유해물. ***l'~ et le bon grain*** 〚성서〛 악과 선. ***séparer l'~ d'avec le bon grain*** 좋은 것 가운데서 나쁜 것을 골라내다.

***ivre** [i:vʀ] *adj.* ① (술 따위에) 취한. ② 《~ de》 …에 도취한 ; 열광한 ; ~ *de* joie 〔colère〕 기뻐서〔화가 나서〕 어쩔 줄 모르는.

ivresse [ivʀɛs] *f.* ① 취기, 명정(酩酊) : L'air frais dissipera l'~. 신선한 바람이 취기를 깨워 줄 것이다. ② 도취 ; 열광 : ~ de la victoire 승리의 열광 / ~ poétique 시적 도취.

ivrogne [ivʀɔɲ] *m.* 술꾼, 주정뱅이. ── *adj.* 술을 많이 마시는, 술꾼〔술망나니〕의.

ivrognerie [ivʀɔɲʀi] *f.* 음주벽(= alcoolisme); (*pl.*) 명정(酩酊).

ixième, 《드물게》 **xième** [iksjɛm] *adj. num.* X번째의《상당히 높은 미정의 수를 가리킴》: Je te le répète pour la ~ fois. 너에게 골백번은 말했겠다.

J

J, j [ʒi, 《드물게》 ʒə] *m.* 프랑스 자모의 제 10 자. ***le jour J*** 〖군사〗 전투 개시일 ; (입학 시험 따위를 가리켜) 결전의 날.

jabot [ʒabo] *m.* ① (새의) 모이주머니; 《구어》 위(胃). ② (셔츠 · 블라우스 앞에 붙이는) 가슴 장식.

jacasse [ʒakas] *f.* 〖조류〗 까치; 수다스러운 여자.

jacassement [ʒakasmɑ̃] *m.* 재잘거림 ; 수다(= jacasserie).

jacasser [ʒakase] *v.i.* ① (까치 · 앵무새 따위가) 울다. ② 《구어》 종알거리다, 수다스럽게 지껄이다(= bavarder).

jacasserie [ʒakasʀi] *f.* 《구어》 재잘거림, 수다, 요설(饒舌).

jachère [ʒaʃɛːʀ] *f.* 〖농업〗 휴경(休耕), 휴한(休閑) ; 미개척지 ; 휴한지(= champ en ∼) : en ∼ 휴한 중의. ***mettre*** (la terre) ***en*** ∼ (토지)를 놀리다. ***rester*** 〔***être***〕 ***en*** ∼ (땅 · 연구 등이) 미개척 상태이다.

jacinthe [ʒasɛ̃ːt] *f.* ① 〖식물〗 히아신스 : ∼ des bois ; ∼ sauvage 야생 히아신스. ② 〖광물〗 풍신자석(風信子石).

jackpot [(d)ʒakpɔt] *m.* 〔영〕 ① (슬롯머신에서) 무늬가 일치하여 당첨되기 ; 슬롯머신. ② 《비유》 일확천금(= pactole). ***gagner*** 〔***ramasser, toucher***〕 ***le*** ∼ 일확천금하다.

Jacob [ʒakɔb] *n.pr.m.* 〖성서〗 야곱. ***bâton de*** ∼ 〖천문〗 (오리온자리의) 세 별.

jacobin, e [ʒakɔbɛ̃, -in] *n.* 〖종교〗 도미니크파의 수도사〔수녀〕(= dominicain). ── *m.* 〖프랑스사〗 자코뱅당원 ; 급진 공화주의자 ; 급진파〔과격파〕. ── *adj.* 자코뱅당의 ; 급진적인, 혁명적인, 과격한.

jacobinisme [ʒakɔbinism] *m.* 자코뱅주의 ; 급진 공화주의, 혁명주의.

jacquard [ʒakaːʀ] *m.* 〔*f.*〕 〖직물〗 자카드 방직기〔직물〕.

jacquerie [ʒakʀi] *f.* ① 〖프랑스사〗 (1358년의) 농민 폭동. ② (농민 · 빈민의) 폭동.

jacquet [ʒakɛ] *m.* 서양 주사위 놀이(판).

jacquier [ʒakje] *m.* = jaquier.

jactance[1] [ʒaktɑ̃ːs] *f.* 자랑, 허풍. ***parler avec*** ∼ 허풍을 떨다.

jactance[2] *f.* 《구어》 수다(= bavardage).

jacter [ʒakte] *vi.* 《구어》 지껄이다, 수다 떨다.

jade [ʒad] *m.* 〖광물〗 옥(玉); 《특히》 경옥(硬玉); 비취 ; 옥세공품〔장식품〕.

jadis** [ʒa〔ɑ〕dis] *adv.* 《문어》 옛날, 옛적에(= autrefois). ***de ∼ 옛적의, 옛날의 : coutumes *de* ∼ 예전의 풍속. ── *adj.* 《불변》 옛날의 : au temps ∼ 옛날에. ── *m.* 《불변》 옛날.

jaguar [ʒagwaːʀ] *m.* 〖동물〗 재규어《남미산의 표범》.

***jaillir** [ʒajiːʀ] *v.i.* ① (물 · 액체 따위가) 솟다, 솟아오르다, 용솟음치다(= gicler) ; (소리가) 터져 나오다 ; (빛 따위가) 뻗어 오르다, 분출하다 : fontaine où l'eau *jaillit* 물이 솟아오르는 분수 / 《비인칭》 Il *jaillit* des flots de spectateurs par toutes les portes. 사방의 출입문에서 관객들이 쏟아져 나온다. ② (갑자기) 나타나다, 떠오르다(= se manifester, surgir): Une idée *jaillit* en lui. 어떤 생각이 불현듯 그의 머리에 떠올랐다. ③ 솟아 있다, 돌출하다, 튀어나오다 ; (눈에) 두드러지다 : Quelque gratte-ciel *jaillissent* au-dessus de la cité. 몇몇 마천루가 도심의 하늘을 찌르고 있다.

jaillissant, e [ʒajisɑ̃, -ɑ̃ːt] *adj.* 솟아나오는, 솟아오르는, 분출하는 : source ∼*e* 솟아나오는 샘. ***émotion*** ∼***e*** 《비유》 솟아오르는 감동.

jaillissement [ʒajismɑ̃] *m.*, **jaillissure** [ʒajisyːʀ] *f.* 용솟음, 분출 : ∼*s* d'eau 〔de sang〕 물〔피〕의 분출 / ∼ de l'inspiration 《비유》 영감의 솟구침.

jaïnisme [ʒainism] *m.* 〖종교〗 자이나교(敎).

jais [ʒɛ] *m.* ① 《문어》 새까만. ② 〖광물〗 흑옥(黑玉): cheveux de ∼ 새까만 머리카락. ***noir de*** ∼ ***; noir comme du*** ∼ 칠흑의.

jalon [ʒalɔ̃] *m.* ① 〖군사〗 푯말, 표주(標柱); 〖포병〗 표지(標識); 표적. ② 《비유》 제일보; 지표(= repère), 방침. ***jeter des*** ∼***s*** …에 제일보를 내딛다. ***poser*** 〔***planter***〕 ***des*** ∼***s*** 지표를〔방침을〕 정하다, 준비 작업을 하다 : *poser des* ∼*s* pour un rapprochement franco-allemand 프랑스와 독일의 화해를 위한 정지 작업을 하다.

jalonnage [ʒalɔnaːʒ], **jalonnement** [ʒalɔnmɑ̃] *m.* ① 〖측량〗 푯말을〔표지를〕 세우기. ② 〖군사〗 표병(標兵)을 배치하기.

jalonner [ʒalɔne] *v.t.* ① …의 푯말을〔표지를〕 세우다 : ∼ les limites d'un champ ; ∼ un champ 밭의 경계를 표시하기 위해 푯말을 세우다 / ∼ une ligne téléphonique 전화선을 배치하기 위한 푯말을 세우다 / ∼ la route à ceux qui suivront 《비유》 후진에게 길을 열어 주다〔가르치다〕. ② 〖군사〗 …에 표병(標兵)을 배치하다. ③ 《주어 : qc》 ⓐ …의 푯말 구실을 하다, 구획〔획정〕하다(= déterminer, délimiter): buissons *jalonnant* les limites d'un champ 밭의 경계를 이루고 있는 총림들. ⓑ …에 뚜렷한 흔적을 남기다 (= marquer): événements saillants qui *jalonnent* sa vie 그의 생애의 두드러진〔중요한〕 사건들.

jalousement [ʒaluzmɑ̃] *adv.* ① 질투하여, 시기하여, 샘내어. ② 조심스럽게 : secret gardé ∼ 조심스럽게 지켜진 비밀.

jalouser [ʒaluze] *v.t.* 질투하다, 시기하다, 샘내다(= envier) : ∼ la réussite 〔situation〕

de qn …의 성공을〔지위를〕 시샘하다. — **se** ~ *v.pr.* 서로 질투〔시기〕하다, 서로 샘내다.

jalousie**[1] [ʒaluzi] *f.* ① 질투, 시기, 샘(= envie) : ~ de son mari 남편의 질투심〔의처증〕/ ~ de métier 동업자 간의 경쟁 의식. exciter la ~ 질투심을 불러일으키다. ②〖식물〗 아메리카 패랭이꽃(= fleur de ~). ***avoir 〔***concevoir***〕 ***de la ~ contre*** 〔***pour***〕 qn …을 시기하다, …에게 질투심을 품다.

jalousie[2] *f.* 발, 블라인드 ; (발처럼 생긴) 덧문, 미늘덧문.

jaloux, ouse** [ʒalu, -u:z] *adj.* ① 샘 많은 ; 《~ de》 …을 시샘〔질투·시기〕하는(= envieux) : amour ~ 자기만이 독점하고자 하는 사랑 / ~ *du* succès de ses camarades 동료들의 성공을 시기하는 / jeter un regard ~ sur qn 〔qc〕 … 에게 질투 어린 시선을 던지다. ② 선망(羨望)하는 ; 《~ de》 …을 소중히 여기는, …에 집착하는 ; 《~ de+*inf.*》 … 하고자 열망하는(= désireux) : âme ~*ouse d'*être parfaite 완전하기를 열망하는 심혼 / *J~ de* son indépendance, il préféra ne pas se marier. 자신의 독립 생활에 집착한 나머지 그는 차라리 결혼하지 않기로 했다. ***~ que+(ne) *sub.* …하지나 않을까 걱정하는. — *n.* 샘〔질투심〕 많은 사람; 부러워하는 〔시샘하는〕 사람.

J

jamaïquain, e [ʒamaikɛ̃, -ɛn] *adj.* (서인도의) 자마이카 섬(사람)의. — **J~** *n.* 자마이카 섬 사람.

****jamais** [ʒamɛ] *adv.* ①《부정》 한 번도〔결코, 조금도〕 …않다, 언제나 …않다 : ⓐ《ne와 함께》 Je *ne* l'ai ~ vu. 나는 그를 본 일이 없다/ *N'*avouez ~. 절대 털어놓지 마세요 / *J~* je *n'*accepterai. 결코 수락하지 않겠다. ⓑ《단독으로》 poursuivre un idéal sans ~ l'atteindre 이상을 추구하되 결코 이에 도달함이 없다 / Je travaille toute la semaine mais ~ le dimanche. 주중 내내 일하지만 일요일에는 언제나 일하지 않는다 / Avez-vous été à Paris ? — *J~*. 파리에 간적이 있습니까? — 아니오, 한 번도 없어요. ②《긍정》 언젠가, 한 번 어느 때고 ; 언제 한 번, 일찍이 : si ~ je le retrouve. 어느 때고 그를 다시 만나게 된다면 / la plus belle chose que j'aie ~ vue 내가 이제껏 본 것 중에서 가장 아름다운 것 / A-t-on ~ vu cela ? 일찍이 이런 일을 본 적이 있는가? ***à*** 〔***pour***〕 ***~*** 영원히, 언제까지나. ***à tout ~*** 영원히 길이 길이, 언제까지나, 영원히 : C'est *à* (*tout*) ~ fini entre nous. 우리들 사이는 영원히 끝났다. ***J~ de la*** 〔***sa***〕 ***vie !*** 결단코, 결코. ***ne... encore ~*** 여태껏 …않다. ***ne... ~ plus*** 〔***plus ~***〕 두 번 다시〔더 이상〕 … 않다: Je *ne* le ferai ~ *plus*. 두 번 다시 그런 일은 하지 않을 것이다 / *Plus* ~ nous *n'*entendrons sa voix. 이제 다시는 그의 목소리를 듣지 못할 것이다. ***ne... ~ que*** …밖에 결코 … 않다 : Il *n'*a ~ fait *que* s'amuser. 그는 그저 놀기만 했다 / Ce *n'*est ~ *qu'*un enfant. 그 애는 결국 어린아이일 뿐이다. ***ne... presque ~*** 좀처럼 … 않다 : On *ne* le voit *presque* ~. 좀처럼 그를 만날 수 없다. ***ou ~*** (기회 따위에 대해) 다시는 없다 : C'est le moment *ou* ~ de la faire. 지금이야말로 바로 그렇게 할 때이다.

— *m.* ***au grand ~.*** 《구어》 결코, 결단코 《부정의 강조》 : *J~, au grand* ~ je n'ai renversé l'encrier. 나는 맹세코 잉크병을 엎지르지 않았다.

****jambe** [ʒɑ̃:b] *f.* ① 다리, 정강이 : gras de la ~ 장딴지 / ~ de bois 나무 의족(義足) / plier les ~*s* 다리를 오그리다. ② ⓐ (컵·컴퍼스 따위의) 다리 ; 〖건축〗 지주(支柱), 버팀목 ; (들보를 떠받치는 벽 밑의) 돌받침(= jambage) : ~ d'encoignure 귓돌. ⓑ〖해양〗 (nœud de) ~ de chien 밧줄 매듭의 일종 / ~ de maille 어망을 엮는 실. ***à toutes ~s*** 부리나케. ***avoir de bonnes ~s*** 〔***des ~s de cerf***〕 다리가 튼튼하다, 잘 걷다. ***Cela vous fera une belle ~.*** 그건 아무 짝에도 소용없을 거요. ***courir à toutes ~s*** 부리나케 달리다. ***être*** 〔***se mettre***〕 ***dans les ~s de*** qn …에게 달라붙어 방해하다 : Cet enfant *est* tout le temps *dans mes* ~*s*. 이 아이는 늘 내게 거치적거린다. ***faire la belle ~*** 점잔빼다. ***~ de force*** 지주, 버팀목. ***Je le ferai par-dessous la ~.*** 그런 것은 나에게는 누워서 떡먹기다. ***n'avoir plus de ~***(***s***) 기진맥진하다. (traiter qn, faire qc) ***par-dessous*** 〔***pardessus***〕 ***la ~*** 아무렇게나 (…을 다루다, …을 하다). ***tenir la ~ à*** qn …을 붙들고 수다를 떨다〔귀찮게 굴다〕.

jambier, ère [ʒɑ̃bje, -ɛ:ʀ] *adj.* 〖해부〗 다리〔정강이〕의. — *m.* 다리 근육(= muscle ~). — *f.* 〖고고학〗 정강이받이 ; (*pl.*) 각반.

***jambon** [ʒɑ̃bɔ̃] *m.* ① 〖요리〗 햄 : œufs au ~ 햄에그 / sandwich au ~ 햄샌드위치. ② 《속어》 허벅지.

jambonneau [ʒɑ̃bɔno] *m.* (*pl.* **~x**) 〖요리〗 돼지 다리로 만든 햄 ; 돼지 다리 고기.

jamboree [ʒɑ̃bɔʀe, ʒambɔʀi] 〔영〕 *m.* (국제) 보이〔걸〕스카우트 대회, 잼버리.

jam-session [dʒamsɛsjɔ̃] 〔미〕 *f.* 즉흥 재즈 연주회.

jansénisme [ʒɑ̃senism] *m.* ① 〖종교·역사〗 얀센파의 교의(教義). ② 《비유》 도덕적 엄격 ; 엄격주의.

janséniste [ʒɑ̃senist] *adj.* 〖종교사〗 ① 얀센파의 : esprit ~ 얀센파 정신. ② 엄격한(= austère, sévère) : morale 〔éducation〕 ~ 엄격주의 도덕〔교육〕. — *m.* ① 얀센파의 교도. ② 엄격한 도덕가, 도학자. ***à la ~*** 엄격하게.

jante [ʒɑ̃:t] *f.* 수레바퀴의 테.

Janus [ʒanys] 〔라틴〕 *n.pr.m.* 〖로마신화〗 야누스《일의 처음과 마지막을 다스리는 이면신(二面神)》.

****janvier** [ʒɑ̃vje] *m.* 1 월, 정월: le 1er ~ 정월 초하루 / du 1er ~ à la Saint-Sylvestre 일년 내내 / en 〔au mois de〕 ~ 1 월에.

japon [ʒapɔ̃] *m.* ① 일본 종이(= papier du *J~*) : ~ impérial 극상지. ② 일본 도기(陶器) : collection de ~*s* anciens 일본 옛 도자기 수집. — **J~** *n.pr.m.* 〖지리〗 일본. ***au J~*** 일본에(서).

***japonais, e** [ʒapɔnɛ, -ɛ:z] *adj.* 일본의. — **J~** *n.* 일본 사람. — *m.* 일본어.

jappement [ʒapmɑ̃] *m.* 강아지가 짖는 소리 ; 강아지처럼 울기.

japper [ʒape] *v.i.* ① (강아지가) 짖다. ② (재칼이) 울부짖다. ③ 《비유》 떠들어대다.

jaquette [ʒakɛt] *f.* ① 모닝코트. ② 《옛》 재킷《여자·어린애의 웃옷》. ③ (책의) 커버; (음반·카세트의) 표지, 재킷. ④ (미용을 목적으로 치아에 씌우는 도기 또는 합성수지제의) 외피관(外被冠).

‡jardin [ʒaʀdɛ̃] *m.* ① 뜰, 정원; 화원; 동산: ~ d'agrément 정원; 유원지 / ~ potager 채소밭 / ~ anglais 영국식 정원 / ~ fruitier 과수원. ② 풍요로운 땅, 옥토, 낙원: ~ de l'Éden; le premier ~ 에덴 동산. ③ 〖연극〗 côté ~ (관중석에서 보아) 왼쪽(≠côté cour). ④ ~ d'enfants 유치원(= maternelle). ***C'est une pierre dans son ~.*** 이것은 그에 대한 간접적인 공격이다. ***~ des plantes; ~ botanique*** 식물원. ***~ d'hiver*** 온실. ***~ public*** 공원, 유원지. ***~ sec*** 식물 표본실〔관〕. ***~ zoologique*** 동물원.

jardinage [ʒaʀdinaːʒ] *m.* ① 원예, 뜰 가꾸기: faire du ~ 정원을 가꾸다 / amateur de ~ 원예 애호가. ② (뜰에서 가꾼) 야채.

jardiner [ʒaʀdine] *v.i.* ① 정원〔뜰〕을 가꾸다. ② 〖임업〗 수목을 간벌하다. — *v.t.* (숲을) 간벌하다.

jardinet [ʒaʀdinɛ] *m.* 작은 뜰〔정원〕.

***jardinier, ère** [ʒaʀdinje, -ɛːʀ] *n.* 정원사, 원정(園丁); 원예가: ~ fleuriste 〔maraîcher〕 꽃〔야채〕 재배자. — *f.* ① 야채 요리: *~ère* à la mayonnaise 마요네즈를 곁들인 야채 요리 / bœuf à la *~ère* 야채를 곁들인 쇠고기. ② 화분〔화초 상자〕 받침틀; 화분, 화초〔꽃나무〕 상자. ③ 유치원 보모〔원장〕(= *~ère* d'enfants). — *adj.* 뜰〔정원〕의: plantes *~ères* 정원수 / exploitation *~ère* d'une forêt 〖임업〗 숲의 간벌.

jardiniste [ʒaʀdinist] *m.* 정원 설계가, 조경사.

jargon [ʒaʀgɔ̃] *m.* ① 온전치 않은 말; 알아들을 수 없는 말, 횡설수설. ② 은어(隱語); 전문〔특수〕 용어; 직업어: ~ des médecins 의사들이 사용하는 전문어 / ~ du sport 스포츠 전문 용어. ③ (수커위의) 울음소리.

jargonner [ʒaʀgɔne] *v.i.* ① 알아들을 수 없는 말을 하다, 횡설수설하다. ② 은어를 쓰다. ③ (수커위가) 울다.

jargonneux, euse [ʒaʀgɔnø, -øːz] *adj.* (텍스트가) 어려운 전문 용어로 쓰인.

jarre [ʒaːʀ] *f.* 황토 항아리, 단지, 병.

jarret [ʒaʀɛ] *m.* ① (사람의) 오금: plier le ~ 무릎을 꿇다. ② (짐승 뒷다리의) 과관절(踝關節). ③ 〖요리〗 (소·돼지의) 관절 부위 살. ④ 〖건축〗 (홍예 따위의) 돌출부.

jarretelle [ʒaʀtɛl] *f.* 양말대님.

jarretière [ʒaʀtjɛːʀ] *f.* ① 양말대님《밴드식》. ② (포병·함선용의) 밧줄. ***ordre de la J~*** (영국의) 가터 훈장〔기사단〕.

jars[1] [ʒaːʀ] *m.* 〖조류〗 수커위.

jars[2] *m.* 《구어》 은어(隱語).

jaser [ʒaze] *v.i.* ① 수다를 떨다; 지껄이다: faire ~ les gens 사람들의 화제에 오르다. ② (까치·앵무새 따위가) 울다. ③ 비방하다; 비밀을 누설하다. Un complice *a jasé*. 공범이 (다) 털어놓았다 / faire ~ qn …에게 비밀을 말하게 하다. ④ 기도하다.

jasmin [ʒasmɛ̃] *m.* ① 〖식물〗 말리(茉莉); 재스민(꽃). ② 재스민 향수. ***essence de ~*** 재스민 농축액. ***thé au ~*** 재스민 차.

jaspe [ʒasp] *m.* ① 〖광물〗 벽옥(碧玉). ② 〖제본〗 대리석 무늬.

jaspiner [ʒaspine]**, jaspiller** [ʒaspije] *v.t.* et *v.i.* 지껄이다.

jatte [ʒat] *f.* ① 공기, 사발; 한 공기〔사발〕의 양(= bol). ② 잔: une ~ de lait 우유 한 잔.

jauge [ʒoːʒ] *f.* ① (일정한 용기의) 용량; 정량(定量). ② 〖해양〗 배의 용적, 톤수: ~ brute 총톤수 / ~ nette 순톤수. ③ 〖기계〗 게이지, 계기(計器): ~ d'essence 휘발유 게이지 / ~ de vapeur 기압계.

jaugeage [ʒoʒaːʒ] *m.* ① 계량(計量); 유량(流量) 측정: ~ d'un réservoir 저장 탱크의 계량. ② 〖해양〗 (배의) 톤수 측정. ③ 계량〔측정〕세(稅).

jauger [ʒoʒe] [3] *v.t.* ① (용적·부피 따위를) 계량(計量)하다; (유량(流量)을) 측정하다: ~ un réservoir 저장량을 측정하다. ② 《비유》 평가하다(= juger): ~ qn à sa juste valeur …을 그의 진가대로 평가하다.
— *v.i.* 〖해양〗 (배수량·흘수(吃水)가) …이다, 용적이 …이다: navire qui *jauge* 10,000 tonneaux 배수량 1 만 톤의 배 / ~ 2 mètres d'eau 흘수선 2 미터이다.

jaunâtre [ʒonɑːtʀ] *adj.* 누르스름한, 노란빛이 도는: visage ~ 누르스름한 얼굴. — *m.* 누르스름한 색.

‡jaune [ʒoːn] *adj.* 노란, 황색의: teint ~ et maladif 병색이 도는 노란 얼굴빛 / métal ~ 황금 / colère ~ (얼굴의 핏기가 사라질 정도의) 격노 / bec ~ 《비유》 풋내기, 미숙한 자. ***corps ~*** 황체《척추동물의 난소에 배란(排卵) 후 생기는 덩어리》. ***fièvre ~*** 〖의학〗 황열(黃熱). ***la mer ~*** 〖지리〗 황해. ***livre ~*** 〖행정〗 (의회·정부의) 보고서, 황서.
— *m.* ① 황색. ② 황색 물감. ③ 황색인. ④ 《구어》 조합에 들지 않은 노동자; 파업에 협력하지 않는 노동자(= briseur de grève). ***~ d'œuf*** 달걀 노른자. ***peindre en ~*** 《구어》 (아내가 남편을) 속이다. — *adv.* rire ~ 고소(苦笑)하다 / voir ~ 의심하는 눈으로 보다.

jaunir [ʒoniːʀ] *v.t.* 노랗게 만들다〔물들이다〕: L'automne *a jauni* les feuilles. 가을은 나뭇잎을 노랗게 물들였다. — *v.i.* 노래지다: papier qui *a jauni* 색이 바래서 누렇게 된 종이 / Le blé *jaunit* à maturité 밀은 익으면 누래진다.

jaunissant, e [ʒonisɑ̃, -ɑ̃ːt] *adj.* 노랗게 되는, 황금빛으로 물드는: feuillages *~s* 노랗게 물들어 가는 잎새.

jaunisse [ʒonis] *f.* ① 〖의학〗 황달(= ictère): avoir la ~ 황달이다. ② 〖식물〗 황엽병(黃葉病). ***en faire une ~*** 《구어》 (어떤 일을) 몹시 분해 하다, 애석해 하다.

jaunissement [ʒonismɑ̃] *m.* 노랗게 만들기〔되기〕; 누렇게 익기.

Java [ʒava] *n.pr.f.* 〖지리〗 자바(섬). — **j~** *f.* 자바 무용 (음악).

javanais, e [ʒavanɛ, -ɛːz] *adj.* 자바섬 (사람)의. — *m.* ① 자바어. ② (1070년경 유행한) 음절마다 av 또는 va를 붙이던 은어 《예: bonjour > b*av*onj*av*our》. — **J~** *n.* 자바 사람. — *f.* 자바 무용.

javel [ʒavɛl] *m.* eau de J～ 양잿물, 자벨수(水)《표백용 하이포 염소산 용액》, 표백소.

javeler [ʒavle] [5] *v.t.* 【농업】 베어 넘어뜨리다 ; (벤 곡식을) 널어 말리다. ── *v.i.* (건조중인 곡식이) 누렇게 되다.

javelle [ʒavɛl] *f.* ① 【농업】 (베어서 고랑에 널어 놓은) 곡식 짚단. ② 포도 덩굴의 한 묶음.

javellisation [ʒavelizasjɔ̃] *f.* 자벨수에 의한 살균〔정수법(淨水法)〕: trousse ～ 살균 장치.

javelliser [ʒavelize] *v.t.* (물을) 살균하다 ; 정수하다 : ～ une eau de boisson 음료수를 정수하다.

javelot [ʒavlo] *m.* 투창(投槍).

***jazz** [dʒɑ:z] 〔영〕 *m.* ① 재즈 (음악); 재즈 댄스. ② 재즈밴드(= jazz-band).

jazzman [dʒazman] 〔영〕 *m.* (*pl.* **～s**, **-men** [-mɛn]) 재즈 연주가〔음악가〕.

J.-C. 《약자》 Jésus-Christ 예수 그리스도: avant *J.-C.* 서기 기원전.

‡je [ʒ(ə)] *pron. pers.* 《1 인칭 단수 · 비강세형 주어 ; 모음 또는 무성 h 앞에서는 j'》 ① 나는, 내가 : *Je* pense, donc *je* suis. 나는 생각한다. 따라서 나는 존재한다 / *Je* suis Coréen. 나는 한국인이다. ② 《예외적으로 강세형일 때 : 발음 [ʒø]》 *Je*, soussigné... 서명인인 나는 …. ③ 《명사적으로》 ⓐ employer le ～ dans un récit 1인칭으로 서술하다. ⓑ 【철학】 자아(= égo, le moi).

Jean [ʒɑ̃] *n.pr.m.* 장《남자 이름》. ***la Saint-～*** 성요한제《6 월 24 일》. ***l'Évangile selon saint ～*** 요한복음 (***Saint***) ***～-Baptiste*** 세례요한. ***un ～ fait tout*** 《구어》 만사에 능한 사람 ; 팔방미인.

jean(s) [dʒin] 〔영〕 *m.* 블루진(= bluejean).

jean-foutre [ʒɑ̃futʀ] *m.* 《복수불변》 ① 《속어》 쓸모없는 자, 건달. ② 《옛》 악당.

Jeannette [ʒanɛt] *n.pr.f.* Jeanne 의 애칭. ── **j～** *f.* ① 작은 금십자가《여자들의 목에 거는 것》(= croix à la ～). ② 소형 다리미판. ③ 【식물】 수선화(= narcisse des poètes).

jeep [(d)ʒip] *f.* (*pl.* **～s**) 지프《차 이름》.

Jéhovah, Jehovah [ʒeɔva] *n.pr.m.* 【성서】 여호와《이스라엘 민족의 신》.

je-ne-sais-quoi, je ne sais quoi [ʒənsɛkwa] *m.* 《복수불변》 뭐라 말할 수 없는 그 무엇, 알 수 없는〔표현할 수 없는〕 것(= quelque chose) : Il y a chez lui un ～ qui inquiète. 그에게는 남을 불안하게 하는 그 무엇인가가 있다.

jérémiade [ʒeʀemjad] *f.* 한탄, 비탄, 탄식, 하소연, 푸념(= doléance, lamentation).

jerez [ʒeʀɛ:z] *m.* = xérès.

jerk [(d)ʒɛʀk] 〔영〕 *m.* 저크 춤《몸을 격렬하고 율동적으로 흔드는 춤》.

jéroboam [ʒeʀɔbɔam] *m.* (3 리터들이) 큰 술병《보통 술병 넷의 분량》.

jersey [ʒɛʀzɛ] *m.* ① 《옛》 (몸에 달라붙는) 저지로 짠 코르사주〔블라우스〕. ② 【직물】 성기게 짠 모직, 저지.

jésuite [ʒezɥit] *m.* ① 【가톨릭】 예수회(la Compagnie de Jésus)의 수도사〔교도〕. ② 《경멸》 술수를 쓰는 사람. ── *adj.* ① 예수회의 : art〔style〕 ～ 예수회식 예술〔양식〕 / morale ～ (진실을 말하지 않아도 좋은) 예수회 수도사의 도의. ② 위선적인(= hypocrite).

jésuitique [ʒezɥitik] *adj.* 《경멸》 ① 예수회 수사의, 예수회 특유의. ② 위선적인, 음험한.

jésuitisme [ʒezɥitism] *m.* 《비꼼》 ① 예수회의 교의〔도덕률〕. ② 위선(= hypocrisie).

Jésus [ʒezy] *n.pr.m.* 예수 : la compagnie de ～ 예수회. ***～-Christ*** 《가톨릭 [ʒezykʀi], 신교 [ʒezykʀist]》 예수 그리스도. ── **j～** *m.* ① 아기 예수상(像). ② 귀여운 아이 : Mon ～! 내 귀염둥아《애칭》. ③ 큰 소시지.

jet¹ [ʒɛ] *m.* ① 던지기, 투척(= lancement); 투사 ; 투척 거리 : ～ à la mer 【해양】 (위급시) 선하(船荷)의 해중 투하 / ～ de grenade 수류탄 투척. ② (액체 · 증기 따위의) 분출, 분사 ; (빛 따위의) 방사(放射), 투사, 조사(照射): ～ de flamme 화염 / ～ de lumière 빛의 조사(照射) / ～ de sang 분출하는 피. ③ 【야금】 주형(鑄型)에 부어 넣기 : couler〔fondre〕 une statue d'un seul ～ 동상을 주물로 한번에 떠내다. ④ 【식물】 (나무의) 새순. ⑤ 【기술】 분출구, 노즐 : ～ d'eau 물의 분출 ; 분수 ; (호스 따위의) 분사 노즐. ***à ～ continu*** 《속어》 끊임없이, 계속해서(= sans discontinuer). ***bois de ～*** 【상업】 강에 띄워서 운반하는 나무〔장작〕. ***du premier ～ ; d'un*** (***seul***) ***～*** 단번에, 단숨에, 한꺼번에, 일사천리로(= d'un coup): poème écrit *d'un seul ～* 단숨에 쓴 시 / arbre *d'un seul ～* 쭉 뻗어오른 나무. ***être tout d'un ～*** 몸이 날씬하다. ***force de ～*** 추진력. ***～ d'abeilles*** 꿀벌의 분봉(分蜂). ***～ de pierre*** 돌을 던져서 이르는 거리 : à un ～ *de pierre* 돌을 던져서 닿는 거리에(= à la distance〔portée〕 d'un ～ de pierre). ***premier ～*** 【미술 · 문학】 초잡은 그림〔글〕, 초고, 소묘.

jet² 《약자》 juillet 7 월.

jet³ [dʒɛt] 〔영〕 *m.* 제트기(= avion à réaction). ***prendre le ～ pour Paris*** 파리행 제트기를 타다.

jetable [ʒ(ə)tabl] *adj.* 쓰고 버리는 : briquet〔rasoir〕 ～ 일회용 라이터〔면도기〕.

jeté [ʒ(ə)te] *m.* ① 【무용】 즈테《한 발로 뛰어 올라 다른 발로 내려서는 동작》: ～ simple 단순 비약. ② 【스포츠】 (역도의) 용상.

jetée [ʒ(ə)te] *f.* 선창, 부두, 방파제(= digue) : ～ flottante 물에 떠 있는 방파제, 부교.

‡jeter [ʒ(ə)te] [5] *v.t.* ① 던지다 ; 내던지다, 팽개치다 : ～ son vêtement sur une chaise 의자 위에 옷을 내팽개치다 / ～ son sac par terre 보따리를 땅바닥에 내던지다 / ～ un regard sur qn …에게 시선을 던지다. ② ⓐ (신체의 일부분을) 향하게 하다, 내뻗다: ～ sa tête en avant〔en arrière〕 머리를 앞으로 숙이다〔뒤로 젖히다〕 / ～ les bras autour du cou de qn 팔을 뻗쳐 …의 목을 끌어안다. ⓑ (나무가 싹을) 밖으로 내뻗다 : ～ des bourgeons (나무가) 싹트다, 발아하다. ③ (빛을) 발하다 ; (소리를) 지르다 ; (한숨을) 내쉬다(= pousser) : ～ un soupir 한숨짓다 / ～ des insultes à la tête de qn … 에게 욕설을 퍼붓다 / Le soleil *jette* ses dernières clartés. 태양이 마지막 빛을 쏟고 있다. ④ (어떤 상태에) 빠뜨리다 : Cette proposition me *jeta* dans l'embarras. 이 제안은 나를 난처하게 만들었다. ⑤ 넘어뜨리다 ; (강압적으로) 밀다, 밀어내다 : ～ à terre 넘어

J

뜨리다 / ~ qn dehors …을 밖으로 내쫓다. ⑥ (눈물을) 흘리다 : ~ des larmes 눈물을 흘리다. ⑦ (공포·혼란 따위를) 퍼뜨리다 : le crime qui *jeta* l'effroi dans la ville 도시를 공포의 도가니로 몰아넣은 범죄. ⑧ (글을 황급히) 적다 ; (옷을) 걸치다 : ~ quelques mots sur une carte 명함에 몇 자 적어 넣다 /~ sur le papier 《목적보어 없이》 황급히 적다 /~ un manteau sur ses épaules 어깨에 망토를 걸치다. ⑨ 구축하다 ; (건물의 주춧돌·다리를) 놓다 : ~ une passerelle sur un fossé 도랑에 다리를 놓다 /~ les bases d'une nouvelle étude 새로운 연구의 기초를 다지다. ⑩ (주형(鑄型)에) 부어 넣다. **en ~** 《속어》 몸매가 멋이 있어 눈길을 끌다 : Ça *en jette !* 아주 근사한데 ! **~ (à) bas** 쓰러뜨리다, 부수다 ; 파괴하다, 없애다 : ~ *bas* une institution 제도를 폐지하다. **~** qc **à la tête 〔au visage, au nez〕 de** qn 《구어》 …에게 …을 힐난하다. **~ en moule 〔en fonte〕** 주조하다. **~ les yeux sur** qn …을 점쳐 두다, …을 눈여겨보다. **~ son argent par les fenêtres** 돈을 낭비하다. **~ un coup d'œil sur** qn 〔qc〕 …을 흘낏 보다 ; 대강 훑어보다. **Le dé en est jeté.** 주사위는 던져졌다 ; 일은 이미 벌어졌다. **N'en jetez plus !** 《구어》 이젠 지긋지긋하다.

── **se ~** *v.pr.* ① ⓐ 몸을 던지다 ; 뛰어내리다 : *se* ~ du troisième étage 4 층에서 뛰어내리다. ⓑ 뛰어들다 : *se* ~ à l'eau 물에 뛰어들다 / *se* ~ dans la dévotion 신앙에 몸을 바치다. ⓒ 빠져들다 ; 빠지다 : *se* ~ dans la débauche 주색에 빠지다. ② 달려들다 ; 덤벼들다 : *se* ~ sur qn pour l'attaquer 공격하기 위해 … 에게 덤벼들다. ③ 피신하다. ④ (강이) 흘러들다 : La Durance *se jette* dans la Rhône. 듀랑스강은 론강으로 흘러들어간다. ⑤ (배가 암초 따위에) 걸리다. ⑥ 서로 던지다 ; (비난 따위를) 서로 퍼붓다 : *se* ~ des regards de haine 증오의 시선을 던지다. **se ~ à la tête de** qn …을 전적으로 믿다. **se ~ au coude** qn …에게로 달려가 목을 얼싸안다. **se ~ dans les bras de** qn …에게 원조를 청하다. **se ~ en travers des projets de** qn …의 계획을 방해하다.

jeteur, euse [ʒ(ə)tœːʀ, -øːz] *n.* 던지는 사람 ; (주사위) 도박꾼 : ~ de sort 주술(呪術)을 거는 사람〔마법사〕.

jeton [ʒ(ə)tɔ̃] *m.* ① (식권 따위의) 표, 권(券). ② (공중전화에서 동전 대신 사용되는) 코인(= ~ de téléphone). ③ 《구어》 화폐(= pièce de monnaie). ④ (회합의 출석권과 바꿔 받는) 출석 수당 ; 출석권(= ~ de présence). ⑤ 《속어》 구타, 주먹다짐(= coup de poing): recevoir un ~ 한 대 얻어맞다. **avoir les ~s** 《속어》 무서워하다, 겁내다. **être faux comme un ~** 《구어》 위선자이다. **faux ~** 《속어》 위선자(= hypocrite). **vieux ~** 《구어》 늙어빠진 영감, 시대에 뒤떨어진 구식 노인.

‡jeu [ʒø] *m.* (*pl.* **~x**) ① 놀이, 유희 ; 장난 ; ~*x* d'adresse 기교를 요하는 놀이 / ~*x* de société 실내 유희 / ~*x* du destin 운명의 장난 / ~*x* de main(s) 장난으로 서로 치고받기 / ~ de mots 말장난 / s'adonner à son ~ favori 좋아하는 놀이에 탐닉하다 / Ce n'est qu'un ~. 그건 장난일 따름이다. ② 노름, 도박 ; 도박에 거는 돈 : gagner 〔perdre〕 au ~ 도박에서 따다〔잃다〕/ ~ de hasard 도박 / maison de ~*x* 도박장 / dettes de ~ 놀음빚 / se ruiner au ~ 도박으로 재산을 탕진하다 / Les ~*x* sont faits. 모든 것은 끝장이 났다, 일은 이미 결판났다. ③ 놀이〔게임〕 기구, 장비 ; 놀이장 : ~ d'échecs 장기 기구 / prêt de ~*x* 놀이 기구 대여. ④ 경기, 게임 ; 경기장 ; 경기 기술〔태도〕; 솜씨 : ~*x* olympiques 올림픽 경기 / ~*x* sportif 운동 경기 / ~*x* de ballon 구기(球技) / terrain de ~*x* 운동장, 경기장 / règle du ~ 경기의 규칙 / suivre le ~ 시합을 구경하다 / C'est de bon ~. 공정한 승부이다. ⑤ 연기(演技); 연주 솜씨 : ~ bien 〔mal〕 훌륭한〔서투른〕 연기 / ~ joué (남을 속이려고 꾸민) 연기 / ~ brillant d'un pianiste 피아니스트의 화려한 연주 / ~ de scène (배우의) 무대 위에서의 움직임 / jouer le grand ~ 열연하다. ⑥ 활동, 일 ; (기계 따위의) 돌아가는〔움직이는〕 형편, 작용, 영향(= action) : ~ d'un ressort 용수철의 작용 / ~ des muscles 근육 운동 / le ~ de l'offre et de la demande 수요와 공급간의 상호 작용. ⑦ (카드·도구 따위의) 한 벌 : un ~ de cartes 트럼프 한 벌 / ~ de cléfs 열쇠 꾸러미 / ~ d'épreuves 〖인쇄〗 교정쇄 뭉치. **À beau ~, beau retour.** 《격언》 은혜는 은혜로 갚는다. **avoir beau ~** 〖카드놀이〗 좋은 패를 쥐다 ; 좋은 조건에 있다 ; 《구어》 절호의 기회를 맞이하다. **avoir le ~ serré** 신중히 행동하다. **cacher son ~** 목적〔수단〕을 숨기다. **Cela passe le ~.** 그것은 너무하다. **Ce n'est pas de ~.** 그것은 공정하지 못하다. **d'entrée de ~** 처음부터. **donner beau ~ à** qn …에게 좋은 기회를 주다. **donner du ~ à** (문 따위)를 잘 움직이게 하다. **entrer dans le ~** 어떤 일에 참여하다. **entrer dans le ~ de** qn …와 이해(利害)를 같이하다. **entrer en ~** 움직이기〔활동·작용하기〕 시작하다. **être en ~** 문제되다 : Votre vie *est en* ~. 당신의 목숨이 걸려 있다. **faire le ~ de** qn …을 지지하다 ; …의 수단에 넘어가다. **J~ de main, ~ de vilain.** 《격언》 장난이 심하면 싸움을 하게 된다. **~ d'esprit** 〖놀이〗 지혜 경쟁 놀이 ; 수수께끼. **jouer bon ~ bon argent** 현금으로 승부를 다투다 ; 《속어》 정말로 덤비다. **jouer double ~** 《구어》 양다리를 걸치다. **jouer un ~ serré** 신중하게 승부하다. **Le ~ ne〔n'en〕 vaut pas la chandelle.** 그것은 쓸데없는 짓이다. **mettre** qc **au ~** (돈 따위를) 걸다. **mettre** qc **en ~** …을 움직이게 하다 ; …을 이용〔사용〕하다 ; …을 위태롭게 하다 : *mettre en* ~ toutes ses ressources 온갖 수단을 다 쓰다 / *mettre en* ~ la vie d'un homme 한 사람의 목숨을 위태롭게 하다. **par un ~ de la Fortune** 운명의 장난으로. **se faire (un) ~ de** qc 〔**de faire** qc〕 …을 낙으로 삼다 ; …을 쉽게 해 넘기다 : *se faire un* ~ *des* chagrins d'autrui 남의 슬픔을 재미있어 하다. **se prendre 〔se piquer〕 au ~** (돈을 잃고도) 고집

부려 노름을 계속하다 ; (불리한 상황인데도) 단념하지 않고 일에 집착하다. ***vieux ~*** 《불변》 구식의, 시대에 뒤떨어진 : J'ai trouvé sa façon de penser un peu *vieux ~*. 나는 그의 사고방식이 낡았다고 생각했다.

‡jeudi [ʒødi] *m.* 목요일. ***~ absolu*** 《옛》 성(聖)목요일(= ~ saint) 《부활제 전주(前週)의 목요일》. ***~ gras*** 사순절 전의 마지막 목요일. ***la semaine des quatre*** 〔***trois***〕 ***~s*** 《구어》 결코 오지 않을 때〔날〕, 전혀, 결코.

jeun (à) [aʒœ̃] *loc. adv.* 아무것도 먹지 않고 ; 단식하여 ; 공복시에 ; 식사 전에 : boire *à ~* 공복에 술을 마시다 / Je suis encore *à ~*. 나는 아직 아무것도 먹지 않았다 / remède qu'il faut prendre *à ~* 식전에 복용하는 약.

‡jeune [ʒœn] *adj.* ① 젊은, 어린(≠ vieux) ; 청년의 : dans son ~ temps 그의 젊은 시절에 / ~ âge 청춘 / ~ courage 젊은 혈기 / être ~ de cœur 〔de corps, d'esprit〕 마음〔몸〕이 젊다 / se marier ~ 어려서 결혼하다. ② 손아래의 ; 아들인 : ~ frère 아우 / Dupont ~ 뒤퐁 2세. ③ 유치한 ; 미숙한 : être ~ dans le métier 직업에 아직 익숙해 있지 않다 / être ~ et facile à tromper 아직 경험이 없어 속기 쉽다. ④ 새로운, 최근의 ; 얼마 되지 않은 : pays ~ 신생국(新生國) / industrie ~ 신흥 산업 / Cette eau de vie est ~. 이 브랜디는 만든 지 얼마 안 된다 / ~s mariés 신혼 부부. ⑤ 젊은이 다운, 원기 왕성한 : coiffure ~ 젊은 스타일의 머리 모양 / Soyez ~ ! 좀 활기 있게 행동하시오 ! ⑥ 《구어》 부족한, 모자라는(= court): Cent francs ! C'est un peu ~. 백 프랑이라, 돈이 좀 모자라는군 ! ***faire ~ ; faire plus ~ que son âge*** 나이보다 젊어 보이다. ***~ fille*** (젊은) 처녀. ***~ homme*** (*pl.* ***~s gens,*** 《드물게》 ***~s hommes***) 젊은이, 청년. ***s'habiller ~*** 젊은이처럼 옷을 입다. ── *n.* ① 청년, 젊은이 ; 아들 : film pour les ~s 젊은 층을 위한 영화 / maison des ~s 청소년 문화 회관. ② (짐승의) 새끼. ***faire le ~*** 〔***la ~***〕 젊은이 티를 내다.

jeûne [ʒø:n] *m.* ① 〖교회〗 (종교적) 금식, 단식 ; 〖의학〗 절식. ② 《~ de》 단절(斷絕), 끊기. ***observer*** 〔***rompre***〕 ***le ~*** 단식을 지키다〔중지하다〕.

jeûner [ʒøne] *v.i.* ① 단식하다 ; 〖종교〗 단식일을 지키다 : ~ au pain (sec) et à l'eau 빵과 물 이외는 아무것도 먹지 않다 / faire ~ un malade 환자에게 단식하게 하다. ② 《~ de》 …을 끊다.

***jeunesse** [ʒœnɛs] *f.* ① 젊음, 청춘 (시절) (= vieillesse): première ~ 소년기(期) / seconde ~ 제 2 의 청춘. ② 《집합적》 젊은이, 청소년, 청년층 : auberge de (la) ~ 유스호스텔 / ~ d'un pays 한 나라의 젊은이. ③ 젊음의 소행, 젊음으로 인해 저지른 잘못 : péché 〔folie〕 de ~ 청춘기의 과오. ④ 경솔 ; 무경험, 미숙 : ~ d'une œuvre 작품의 미숙함. ⑤ 젊은 기운, 혈기 ; 싱싱함 ; 청순함 ; 새로움 ; (나무의) 초년생 : ~ de corps 〔de cœur〕 싱싱한〔젊은〕 육체〔마음〕 / ~ de son sourire 그의 미소의 청순함. ⑥ 《구어》 젊은 여자〔남자〕: vieillard qui épouse une ~ 젊은 여자와 결혼하는 노인. ⑦ (*pl.*) 청년 동맹 : ~s hitlériennes 히틀러 청년단. ⑧ (동 · 식물의) 성장〔발육〕기 ; (술의) 숙성 기간 ; 《문어》 (사물의) 초기 : ~ du monde 지구의 생성기 / ~ d'un vin 포도주의 숙성기.

jeunet, ette [ʒœnɛ, -ɛt] 《구어》 *adj.* 매우 젊은, 어린. ── *n.* 매우 젊은 사람, 어린이.

jeûneur, euse [ʒønœ:ʀ, -ø:z] *n.* 단식하는 사람.

jeunot, otte [ʒœno, -ɔt] *m.* 《구어》 젊은이, 풋내기. ── *adj.* 젊은이〔풋내기〕의.

jingle [dʒingœl] 〔영〕 *m.* (방송 프로의) 개시 시그널 ; 짤막한 광고 노래.

joaillerie [ʒɔajʀi] *f.* ① 보석 세공(술); 보석 세공품 : ~-orfèvrerie 금은 보석 세공술〔상〕. ② 보석 세공 공장 ; 보석 장사〔상점〕.

joaillier, ère [ʒɔaje, -ɛ:ʀ] *n.* 보석 세공인(= ouvrier-~); 보석 상인.

job [dʒɔb] 〔영〕 *m.* 일거리, 일자리, 아르바이트, 부업 : étudiant qui cherche un ~ 아르바이트를 구하는 학생.

jobard, e [ʒɔba:ʀ, -aʀd] *adj.* 고지식한, 잘 속는, 순진한(= naïf, niais). ── *n.* 《구어》 고지식한 사람, 잘 속는 사람, 순진한 사람.

jobarderie [ʒɔbaʀd(ə)ʀi], **jobardise** [ʒɔbaʀdi:z] *f.* 《구어》 잘 속음, 고지식함, 바보스러움 ; 어리석은 짓(= bêtise, niaiserie).

jockey [ʒɔkɛ] *m.* ① 경마 기수 ; 마차꾼, 마부 : casquette de ~ 기수 모자 / régime ~ 《구어》 식이요법, 다이어트. ② 조마(調馬)용 안장.

jodler [ʒɔdle] *v.i.* 〖음악〗 요들식으로 노래하다〔부르다〕.

jogger [dʒɔge] 〔영〕 *v.i.* 조깅을 하다 : Il *jogge* tous les matins. 그는 아침마다 조깅을 한다.

joggeur, euse [dʒɔgœ:ʀ, -ø:z] 〔영〕 *n.* 조깅하는 사람. ── *m.* 조깅화(靴).

jogging [dʒɔgiŋ] 《영》 *m.* ① 조깅 : faire du ~ 조깅을 하다. ② (운동선수용) 겉옷, 추리닝.

‡joie [ʒwa] *f.* ① 《추상적인 뜻》 기쁨, 환희, 희열(= allégresse): avec ~ 기쁘게, 기꺼이 / ~ de vivre 삶의 기쁨 / pousser un cri de ~ 환성을 지르다 / mettre qn en ~ …을 기쁘게 하다 / sauter 〔bondir〕 de ~ 기뻐 날뛰다. ② 《구체적인 뜻》 즐거움, 낙(樂); 향락 ; 《옛 · 문어》 쾌락 ; 관능 : feu de ~ 축화(祝火) / fille de ~ 창녀 / Les enfants sont sa seule ~. 아이들이 그의 유일한 낙(樂)이다 / vivre dans les ~s du monde 현세의 즐거움을 누리며 살다. ③ (*pl.*)《반어적》 고통, 지겨움 ; 불유쾌, 귀찮음 : ~s du mariage 결혼생활의 권태로움. ***à ma grande ~*** 기쁘게도 : Mon père m'a promis ce voyage *à ma grande ~*. 아버지가 그 여행을 약속해 주어서 나는 매우 기뻤다. ***avoir la ~ de*** …을 즐기다, 향락하다. ***C'est pas la ~ !*** 《구어》 그렇게 좋아할 상황이 아니군 ! ***C'est une grande ~ que***+*sub.* …은 큰 기쁨이다. ***être à*** 〔***dans***〕 ***la ~ de son cœur*** 기뻐서 마음이 설레다. ***être en ~*** 기뻐하고 있다. ***faire*** 〔***être***〕 ***la ~ de*** qn …을 기쁘게 하다. ***ne plus se sentir de ~*** 더할 나위 없이 기쁘다 : Il *ne se sent plus de ~* à la pensée des vacances prochaines. 방학이 다가온

J

것을 생각하면 몹시 기쁘다. ***se faire une ~ de***+*inf.* …하는 것을 기쁘게 여기다. ***s'en donner à cœur ~*** 마음껏 즐기다〔누리다〕.

joign-ant, -ons, -is, etc. ⇒ joindre.

joignant, e [ʒwaɲɑ̃, -ɑ̃:t] *adj.* 《~ à》 인접하여 있는. ── *prép.* 바로 곁의.

joindre** [ʒwɛ̃:dʀ] 27 *v.t.* ① ⓐ (둘 또는 그 이상의 것을) 합치다; 잇다; (맞)붙이다; 연결〔접합〕시키다: ~ les mains 합장(合掌)하다 / *Joignons* nos efforts. 우리의 힘을 모읍시다. ⓑ (사람〔사람의 마음〕을) 결합시키다: l'amitié qui les *joint* 그들을 결합시키는 우정. ② 《~ qc à qc》 …을 …에 합치다〔병합하다〕; …을 …에 첨가〔첨부〕하다; …와 …을 겸비하다: ~ *à* une lettre un chèque de cent francs 편지에 100 프랑의 수표를 동봉하다 / ~ la sagesse *à* 〔avec〕 la beauté 슬기와 미를 겸비하고 있다. ③ 《~ qn》 …의 곁으로 가다, …와 합류하다; (앞선 사람에게) 따라붙다; 만나다; …와 접촉하다: Je pourrai vous ~ chez vous et nous partirons ensemble. 내가 당신 집으로 갈 터이니 함께 출발합시다 / J'ai essayé en vain de le ~ par téléphone. 그에게 전화를 걸려고 했지만 허사였다 / régiment qui *joint* la division 사단에 합류하는 연대. ── *v.i.* 맞다, 들어맞다: porte qui *joint* mal 잘 맞지 않는 문짝. ── **se ~** *v.pr.* ① 합쳐지다; 이어지다; 맞붙다; 연결〔접합〕되다; 결합되다. ② (서로) 만나다. ③ 《se ~ à》 …에 합쳐지다; …와 합류하다; …에 가담〔참가〕하다: *se ~ à* la foule 군중과 합류하다 / *se ~ au* débat 토론에 참가하다. ***se ~ à 〔***avec***〕 qn …와 힘을 합치다.

join-s, -t ⇒ joindre.

joint¹, e [ʒwɛ̃, -ɛ̃:t] *adj.* ① 합쳐진, 모아진; 결합된: fenêtres mal *~es* 잘 닫혀지지 않는 창문. ② 《~ à》 …에 첨부〔첨가〕된: lettre *~e à* un paquet 소포에 첨부된 편지. ***à mains ~es*** 두 손을 모아, 합장(合掌)하고. ***à pieds ~s*** 두 발을 모으고. ***ci-~*** 별지(別紙)에; 동봉하여. ***~ que***+*ind.*; ***~ à ce*** 〔***cela***〕 ***que***+*ind.* …에다가, …에 더하여. ***pièces ~es*** (편지의) 동봉물. ***sauter à pieds ~s*** 발을 모으고 뛰다. ***sauter à pieds ~s sur*** qn 《구어》 …에게 이래라 저래라 호령하다; …에게 느닷없이 덤벼들다.

joint² [ʒwɛ̃] *m.* ① (뼈의) 마디, 관절. ② 접합부, 솔기, 이은 자리, 이음매; 〖건축〗 메지. ③ 틈, 틈바구니. ***trouver*** 〔***chercher***〕 ***le ~*** (해결의) 비법을 알아내다〔찾다〕.

jointif, ive [ʒwɛ̃tif, -i:v] 〖건축〗 *adj.* 마주 이은, 접합된. ── *f.* (판자를 마주 이어 만든) 칸막이.

jointure [ʒwɛ̃ty:ʀ] *f.* ① 〖해부〗 관절, 마디: ~ des doigts 손가락 뼈마디. ② 이음매, 솔기, 접합부: ~ étanche 방수 접합.

joint(-)venture [ʒwɛ̃vɑ̃ty:ʀ] 〔영〕 *f.* (*pl.* *~(-)~s*) 〖경제〗 합작 투자 (업체).

jojo¹ [ʒɔʒɔ] *m.* 《구어》 affreux ~ 망나니 아이, 악동(《프랑스의 만화가 *Ami*가 만들어낸 주인공 *Jojo*의 이름에서 유래》).

joker [ʒɔkɛʀ] 〔영〕 *m.* 〖카드놀이〗 조커.

joli, e** [ʒɔli] *adj.* ① 예쁜, 귀여운(=mignon), 아담한, 말쑥한, 산뜻한: *~e* fille 예쁜〔귀여운〕 소녀 / ~ comme un cœur; ~ à croquer 매우 귀여운. ② 호감이 가는; 멋진, 재미있는: ~ mot 경구(警句) / *~e* maison 멋진 집 / C'est un ~ sujet. 《옛》 그는 기대할 만한 젊은이다 / ~ tour 재미있는 장난. ③ 《구어》 상당한(=considérable): *~e* somme 상당한 금액 / avoir une *~e* situation 상당한 지위를 가지다. ④ 《반어적》 훌륭한, 대단한, 희한한: Un ~ monsieur! 한심한 양반이다. ── *m.* ① 깨끗함, 산뜻함. ② 재미있는 점, 유쾌한 일: Le ~ de l'histoire est que .... 이야기의 재미있는 점은 …이다. ***Voilà 〔***C'est***〕 ***du ~.*** 《반어적》 희한한 일이군, 무슨 꼴이람.

joliment [ʒɔlimɑ̃] *adv.* ① 예쁘게, 멋있게; 묘하게: être ~ habillé 옷을 멋있게 차려입다 / maison ~ décorée 아름답게 치장한 집. ② 《반어적》 혼이 나게, 단단히: arranger ~ 혼을 내 주다 / Vous voilà ~ arrangé! 단단히 혼나셨군요. ③ 《구어》 무척, 썩(=très): Le temps s'est ~ rafraîchi. 무척 서늘해졌다. ***C'est ~ dit!*** 명언이다.

jonc [ʒɔ̃] *m.* ① 〖식물〗 골풀, 등심초(燈心草); 등(藤), 등나무(=~ d'Inde). ② 등으로 만든 단장(=canne de ~). ③ 《옛》 (보석 없는) 반지, 팔찌. ④ 《속어》 돈. ***avoir du ~*** 유복하다.

jonchée [ʒɔ̃ʃe] *f.* ① (축제 때에 길에) 뿌리는 꽃〔나뭇잎〕. ② 바닥에 널려 있는 것.

joncher [ʒɔ̃ʃe] *v.t.* ① (길에) 꽃·나뭇잎을 뿌리다; …을 덮다: ~ la terre de fleurs 땅에 꽃을 뿌리다, 땅을 꽃으로 덮다. ② 바닥에 잔뜩 널어놓다: Après la tempête, les rues *étaient jonchées* de débris de toutes sortes. 폭풍이 지난 후 길에는 온갖 부스러기가 깔려 있었다 / champ de bataille *jonché* de cadavres 시체로 뒤덮인 전쟁터.

jonction [ʒɔ̃ksjɔ̃] *f.* ① (길 따위의) 합체(合體), 합류; 교차; 접합: ~ de deux circuits électriques 두 전기 회로의 접속. ② 합류점, 교차점, 접합점(=point de ~): à la ~ des deux routes 두 도로의 교차점에서. ***gare de ~*** 〖철도〗 접속역. ***opérer une ~*** 〖군사〗 (군대가) 합류하다.

jonglage [ʒɔ̃gla:ʒ] *m.* (공·접시·막대기 따위로) 곡예하기.

jongler [ʒɔ̃gle] *v.i.* ① 곡예를 하다; 재주를 부리다, 요술을 하다; 《비유》 《~ avec qc》 재치 있게〔솜씨 좋게〕 다루다: ~ *avec* des boules 공으로 곡예를 하다 / ~ *avec* les rimes 교묘하게 시를 써 내다. ② 협잡하다: ~ *avec* les faits 사실을 속이다. ***~ avec les difficultés*** 난관을 교묘하게 타개하다.

jonglerie [ʒɔ̃gləʀi] *f.* ① 곡예, 재주, 요술. ② 속임수, 협잡.

jongleur, euse [ʒɔ̃glœ:ʀ, -ø:z] *m.* 음유 시인; 요술쟁이; 곡예사, 광대, 재인. ── *n.* 사기꾼, 협잡꾼.

jonque [ʒɔ̃:k] *f.* 〖해양〗 정크, 중국 배.

jonquille [ʒɔ̃kij] *f.* 〖식물〗 황수선(=narcisse des bois). ── *adj.* 《불변》 담황색의. ── *m.* 담황색, 연노랑.

jordanien, enne [ʒɔʀdanjɛ̃, -ɛn] *adj.* 요르단(*Jordanie*)의. ── **J~** *n.* 요르단 사람.

jota [xɔta] *f.* ① 3 박자의 에스파냐 민속 무

J

용. ② 에스파냐어 자모의 하나인 j 《독일어의 ch 에 해당하는 연구개 협착음을 나타냄》.

jouable [ʒwabl] *adj.* 〖연극 · 음악〗 연주할 수 있는, 상연할 수 있는〔할 만한〕.

joual, ale [ʒwal] *adj.* 《때로 불변》 (캐나다 퀘벡의) 퀘벡 속어의. ── *m.* (*pl.* **~s**) 퀘벡 속어 : parler ~ 퀘벡 속어로 말하다.

‡joue [ʒu] *f.* ① 볼, 뺨 : embrasser qn sur la ~ 〔les ~s〕 …의 볼에 입 맞추다. ② (안락의자 · 긴 의자의) 측면 ; 〖선박〗 선수(船首)의 측면. ***donner sur*** 〔***couvrir***〕 ***la ~ à*** qn … 의 따귀를 치다. ***En ~ ! ; J~ !*** 〖군사〗 거총! ***mettre*** 〔***coucher***〕 ***en ~*** (총으로) 겨누다. ***présenter*** 〔***tendre***〕 ***l'autre ~*** 다른 쪽 뺨도 내밀다《한 번 더 모욕을 받아들이다》.

‡jouer [ʒwe] *v.i.* ① 놀다, 유희하다, 장난하다 : ~ sur les mots 〔un mot〕 재담을 하다 / petite fille qui *joue* avec sa poupée 인형을 가지고 노는 여자 아이 / Les écoliers *jouent* pendant la récréation. 초등학생들이 쉬는 시간에 뛰어놀고 있다. ② 노름〔도박〕을 하다 ; 투기(投機)를 하다 : ~ à la hausse 〔à la baisse〕 값이 오를〔내릴〕 것을 예상하고 투기를 하다 / ~ sur les grains 곡물 투기를 하다 / Il *joue* tous les soirs au casino. 그는 매일 밤 카지노에서 도박을 한다. ③ ⓐ 《~ à》 (일정한 유희 · 경기 · 놀이)를 하다 ; 시합을 하다 : ~ *aux* cartes 카드놀이를 하다 / ~ *à* cache-cache 숨바꼭질하다 / ~ *aux* échecs 장기를 두다 / ~ *au* tennis 정구를 치다 / Notre équipe *jouera* ce soir. 우리 팀은 오늘 저녁에 경기가 있다. ⓑ 《간접 보어 없이》 경기〔놀이〕를 하다 : C'est à qui de ~ ? 누가 할 차례냐《놀이에서》 / ~ avec qn …와 한판하다. ④ 노닐다 : La lune *jouait* sur les flots. 달이 물결 위에 노닐고 있었다. ⑤ 《~ de》 ⓐ …을 사용하다 : ~ *de* l'éventail 부채질하다 / ~ *du* bâton 막대기로 때리다 / ~ *d'*adresse 교활하게 굴다. ⓑ (악기를) 연주하다 : ~ *du* piano 피아노를 치다. ⑥ (배우가) 연기하다, 출연하다 : Qui *joue* dans ce film ? 이 영화에는 누가 출연하나요 ? ⑦ (문 · 열쇠 · 기구 따위가) 거침없이〔부드럽게〕 움직이다 ; (기계 · 기구 따위가) 움직이다; (분수 따위가) 내뿜다 : faire ~ qc 작동하게 하다 / clef qui *joue* bien dans la serrure 열쇠 구멍에 잘 맞는 열쇠 / Ce ressort *joue* bien. 이 스프링은 제대로 구실을 한다. ⑧ 흔들거리다 ; (헐거워서) 돌다, 헛돌다 : meuble de bois qui *joue* 헐거워진 목재 가구. ⑨ 활동〔활약〕하다(= agir), 작용하다, 영향〔효력〕을 미치다 : L'intérêt ne *joue* pas entre eux. 그들 사이에는 이해관계는 문제가 안 된다 / L'instinct de conservation *avait joué* en elle. 생존 본능이 그녀의 마음속에서 움직였던 것이다. ⑩ (판자 따위가) 뒤틀리다.

── *v.t. ind.* ① 《~ à qc 〔+*inf.*〕》 (놀이 · 게임 · 경기 따위를) 하다 : ~ *à* cache-cache 숨바꼭질을 하다 / ~ *aux* cartes 〔échecs〕 카드〔장기〕 놀이를 하다 / ~ *au* football 〔tennis〕 축구〔테니스〕를 하다 / ~ *à* faire des pâtes 모래성을 쌓으며 놀다 / ~ *à* se poursuivre 쫓고 쫓기는 놀이를 하며 놀다 / ~ *à*+*inf.* 《문어》 …하는 모험을 하다. ② 《~ à qn》 …인 양 처신하다, …인 체 뽐내다 : ~ *au* grand savant 대학자연하다 / ~ *au* (plus) fin 속임수를 쓰다 / ~ *au* généreux 관대한 사람인 척하다. ③ 《~ à qc》 (돈을) 걸다, (도박 따위를) 하다 : ~ *aux* courses 경마를 하다 / ~ *au* loto 복권을 사다 / ~ *à* la Bourse 주식 투자를 하다 / ~ *à* la baisse 〔hausse〕 주식 시세의 폭락시〔급등시〕에 투기하다. ④ 《~ de》 ⓐ …을 사용〔이용〕하다, 휘두르다 : ~ *du* couteau 단도를 휘두르다 / ~ *de* sa force 완력을 사용하다 / ~ *du* bâton 막대기를 휘두르다 / ~ *de* la prunelle 〔l'œil〕 눈짓을 하다. ⓑ (악기를) 연주하다 : ~ *du* piano 〔violon〕 피아노를〔바이올린을〕 연주하다. **~ *de bonheur*** 〔***de malchance, de malheur***〕 억세게 재수가 좋다〔나쁘다〕.

── *v.t.* ① (돈 따위를) 걸다 : ~ sa vie 목숨을 걸다 / ~ une forte somme 큰돈을 걸다 / ~ sa réputation 명성을 걸다. ② (악곡을) 연주하다 : ~ une sonata 소나타를 연주하다 / ~ (du) Mozart 모차르트 곡을 연주하다. ③ (작품을) 상연하다, (영화를) 상영하다 : ~ (du) Shakespeare 세익스피어 극을 하다. ④ …의 역할을 맡아 하다, …의 역(役)으로 출연하다 : ~ dans un film 영화에서 배역을 맡다 / Il *a* beaucoup *joué* Marivaux. 그는 마리보 극을 많이 했다. ⑤ 농락하다 ; 속이다(= tromper, duper) : Il vous *a joué*. 당신은 그 사람에게 속았다. ⑥ (놀이 · 경기 · 노름을) 하다. ⑦ (트럼프 패를) 내다. ⑧ ⓐ 가장하다, 꾸미다 : ~ la surprise 놀란 체하다 / ~ les innocents 순진한 체하다. ⓑ …와 비슷하다 : Ce papier *joue* le velours. 이 종이는 비로드처럼 보인다. ***faire ~ la corde sensible*** 심금을 울리다. **~ *bien son jeu*** 솜씨가 능숙하다 ; 떳떳하게〔훌륭하게〕 행동하다. **~ *un tour*** (***de cochon***) ***à*** qn …에게 장난을 하다 ; …을 농락하다, 속이다.

── **se ~** *v.pr.* ① 장난하다, 놀다. ② 《se ~ de》 …을 놀리다, 우롱하다. ③ 《se ~ de》 경시하다 ; (어려운 일을) 수월하게 해 넘기다 : *se* ~ *des* difficultés 어려움에 아랑곳도 없다. ④ ⓐ 《se ~ à qn》 …을 공격하다 ; …에게 덤벼들다. ⓑ 《se ~ à qc》 …에 관여하다, 손을 대다 : Ne *vous jouez* pas *à* cela. 그런 일에 손을 대선 안 됩니다. ⑤ (놀이 · 경기 · 노름 따위가) 행해지다 ; 연주〔상연〕되다 ; (문제 따위가) 다루어지다 : Ce match *se jouera* la semaine prochaine. 그 시합은 내주에 있을 것이다. ⑥ 자기 자신을 속이다, 환상을 품다.

***jouet** [ʒwɛ] *m.* ① 장난감, 완구 : ~ éducatif 〔scientifique〕 교육〔과학〕 완구 / rayon des ~s 완구 판매장. ② 놀림감 : servir de ~ à tous 모든 사람의 놀림감이 되다. ③ (운명 따위의) 희생자, 노리개 : être le ~ du destin 운명의 노리개가 되다.

joueur, euse [ʒwœːʀ, -øːz] *n.* ① 놀이 · 승부를 하는 사람 ; 경기자. ② 노름꾼, 도박꾼 ; 〖주식〗 투기자. ③ 연출자 ; (악기의) 연주자 : ~ de flûte 〔harpe〕 플루트〔하프〕 연주자. ***être beau ~*** 이겨도 져도〔승부의 결과에〕 태연하다. ***mauvais ~*** 지면 화를 내는 사람.

J

rude ~ 불유쾌한 노름 상대자. — *adj.* 놀이를〔노름을〕 좋아하는.

joufflu, e [ʒufly] *adj.* et *n.* 《구어》 볼이 통통한 (사람).

joug [ʒu(g)] 《비유적인 뜻으로 쓰일 때만 [ʒug]》 *m.* ① 멍에. ② 속박, 질곡(桎梏) ; 지배 : tomber sous le ~ des ennemis 적의 지배하에 들다. ***faire passer*** qn ***sous le*** ~ …을 굴복시키다. ***mettre*** (***les bœufs***) ***au*** ~ (소)에 멍에를 메우다. ***secouer*** 〔***briser, rompre***〕 ***le*** ~ 속박을 벗어나다.

***jouir** [ʒwiːʀ] *v.t. ind.* 《~ de》 ① …을 즐기다, 향락하다 : ~ *de* la vie 삶을 즐기다 / ~ *d'*une femme 여자와 관계하다 / ~ *de* l'embarras de qn …의 당황하는 것을 재미있어 하다. ② …을 향유하다, 누리다, (호평 따위를) 받다 : ~ de la faveur 〔l'estime〕 de qn …의 총애를〔존경을〕 받다 / ~ d'une santé solide 건강을 누리다 / ~ du privilège de + *inf.* …할 특권을 가지다. — *v.i.* 성적 쾌락을 느끼다, 오르가즘에 달하다.

jouissance [ʒwisɑ̃ːs] *f.* ① 향락, 쾌락, 즐거움(= plaisir) : épuiser toutes les ~*s* de la vie 삶의 모든 향락을 만끽하다. ② 향유(享有), 소유 ; 사용 : avoir la ~ d'une femme 《구어》 여자와 관계하다. ③ 〖상업〗 배당(을 받기). ***action de*** ~ 〖상업〗 배당주(配當株). ***avoir la*** ~ ***de*** (권리를) 갖다 ; (배·토지의) 사용권〔수익권〕을 갖다.

jouisseur, euse [ʒwisœːʀ, -øːz] *adj.* et *n.* 향락적인 (사람).

joujou [ʒuʒu] *m.* (*pl.* **~x**, 《드물게》 **~s**) 《구어》 장난감(= jouet). ***faire*** ~ ***avec*** …와 놀다 : *faire* ~ *avec* une poupée 《구어》 인형을 가지고 놀다.

joule [ʒul] *m.* 〖물리〗 줄《전기 에너지의 단위 ; 《약자》 J》.

****jour** [ʒuːʀ] *m.* Ⓐ ① 날, 하루 : en un (seul) ~ 하루에 / dans deux ~*s* 이틀 후에 / Il y a sept ~*s* dans une semaine. 1 주일은 7 일이다 / Il y est resté cinq ~*s*. 그는 거기서 닷새 머물렀다 / il y a huit ~*s* 일주일 전에 / Il est absent deux ~*s* au trois. 그는 3 일 중 이틀은 결근한다 / C'est à un ~ de train. 그곳은 기차로 하루 걸리는 거리이다. ② 낮(= journée), 낮 동안 : tout ~ 하루 종일 / tout le ~ 진종일 / le début 〔la fin〕 du ~ 아침〔저녁〕 / Les ~*s* sont plus courts en hiver. 겨울에는 낮이 짧다 / (Pendant) le ~, il travaille dans les assurances. 그는 낮에는 보험 회사에 근무한다. ③ (시점으로 본) 날, 하루 : au ~ dit 〔nommé〕 지정된 날에 / chaque ~ 매일 / ce ~-là 그날 / l'autre ~ 요전 어느 날 / le ~ d'avant 〔d'après〕 그 전날〔다음날〕/ un ~ au l'autre 어느 날엔가 / un (beau, certain) ~ 어느 날. ④ (특정한) 날, 하루. ⓐ 《보어와 함께》 : ~ de deuil 상중의 날 / ~ de l'an 설날 / ~ de joie 〔bonheur〕 기쁜〔행복한〕 날 / ~ de scrutin 투표일 / ~ de travail 〔de repos〕 일하는〔쉬는〕 날 / ~*s* critiques 위기의 나날 ; 월경일 / ~ de pluie 비오는 날 / ~ de grande chaleur 몹시 더운 날 / par un beau ~ de printemps 어느 화창한 봄날에 / le ~ où 〔que〕 vous m'avez rencontré 당신이 나를 만났던 그날. ⓑ 《보어 없이》 avoir droit à dix ~*s* (de congé) 열흘간의 휴가를 받을 권리가 있다 / On lui doit huit ~*s* (de salaire). 그에게 1 주일분의 급료를 주어야 한다 / Quel est votre ~ (de réception) ? 당신의 면회일은 언제입니까 ? ⑤ 날짜 ; 요일 : Quel ~ du mois est-ce aujourd'hui ? 오늘이 며칠입니까 ? / Quel ~ (de la semaine) sommes nous ? 오늘이 무슨 요일입니까 ? / Quel ~ tombera le 10 mai ? 5 월 10 일이 무슨 요일입니까 ? ⑥ (*pl.*) 인생, 생애 ; 시기, 시대 ; 《시어》 시간, 세월 : dans les anciens ~*s* 옛날에 / course des ~*s* 세월의 흐름 / derniers 〔vieux〕 ~*s* 노년, 만년, 여생 / les beaux ~*s* 아름다운 시절, 봄, 청춘 / vivre 〔couler〕 des ~*s* heureux 행복한 생활을 하다 / finir ses ~*s* 생애를 마치다, 죽다.

Ⓑ ① 해, 햇빛, 햇살 ; 날 : au lever 〔au point, à la pointe〕 du ~ ; au petit ~ 새벽에, 동틀 무렵에 / au déclin 〔à la fin, à la chute〕 du ~ 해질 무렵에 / Le ~ tombe 〔baisse, se lève〕. 해가 진다〔기운다, 돋는다〕 / Il fait grand ~. 대낮이다 / laisser entrer le ~ dans une pièce 방에 햇빛이 들어오게 하다. ② (햇빛 이외의) 빛, 조명 ; 채광용 창 ; 구멍, 틈 : ~ d'aplomb 천창(天窓) / ~*s* entre des planches mal jointes 잘 맞추어지지 않은 판자 사이의 틈 / ~ d'une lampe 램프의 빛. ③ 생명 : recevoir le 〔venir au〕 ~ 세상에 나오다, 태어나다.

à ~ ⓐ 빛이 들어오게 된. ⓑ 일정에 따라 : être *à* ~ dans son travail 일이 일정대로 진행되다. ⓒ 현황에 맞는 : mise *à* ~ d'un dictionnaire 사전의 개정. ***astre du*** ~ 《시어》 해, 태양. ***au grand*** 〔***en plein***〕 ~ 백주에, 대낮에. ***au*** ~ ***le*** ~ 그날그날, 이럭저럭. ***à un de ces*** ~***s*** 가까운 장래에, 어느 날. ***au premier*** ~ 쉬이, 곧. avoir son ~ (진실 따위가) 승리를 얻다. ***beau*** 〔***clair***〕 ***comme le*** ~ 매우 아름다운〔명백한〕. ***ces*** ~***s-ci*** 요즘(= ces ~*s* derniers). ***de*** ~ 낮의 ; 하루 중의 ; 대낮의 : service *de* ~ 주간 근무 / travailler *de* ~ 낮에 일하다. ***de*** ~ ***à autre*** 때때로, 이따금. ***de*** ~ ***en*** ~ 나날이, 날로. ***de nos*** ~***s*** 현대에는; 현대의. ***de tous les*** ~***s*** 보통의, 평상시의. ***donner le*** ~ ***à*** (***un enfant***) (어린애를) 낳다. ***du*** ~ 당일의, 오늘의, 오늘날의 : œufs *du* ~ 오늘 낳은 계란 / homme *du* ~ 오늘의 인물 / plat *du* ~ (음식점의) 오늘의 특별 요리. ***du*** ~ ***au lendemain*** 대번에, 곧 ; 하루 동안에. ***d'un*** ~ ***à l'autre*** 나날이 ; 곧. ***être dans ses bons*** ~***s*** 〔***son bon jour***〕 기분〔일진〕이 좋다 ; 일이 잘 되다. ***être dans un mauvais*** ~ ***; n'être pas dans ses bons*** ~***s*** 〔***son bon*** ~〕 기분이 나쁘다; 일진이 나쁘다 ; 일이 잘 안 되다. ***être de*** ~ 당번이다. ***être le*** ~ ***et la nuit*** 《속담》 하늘과 땅의 차이다, 정반대다. ***faire de la nuit le*** ~ ***et du*** ~ ***la nuit*** 낮을 밤으로 삼다, 낮에 자고 밤에 일하다. ***jeter du*** 〔***le***〕 ~ ***sur*** qc …을 명백히 하다. ~ ***après*** ~ 날마다, 매일. ~ ***et nuit ; nuit et*** ~ 밤낮을 가리지 않고. ~ ***pour*** ~ ***; à pareil*** ~ (다른 해·달과) 똑같

은 날에 : il y a 6 ans ~ *pour* ~, 6 년 전의 똑같은 날에. ***mettre à*** ~ 〔***en plein*** ~〕 (비밀 따위를) 밝혀 내다. ***mettre au*** ~ 낳다 ; 햇볕을 보게 하다 ; 밝히다 ; 공표하다. ***n'être que d'un*** ~ 하루밖에 계속되지 않다, 무상(無常)하다. ***par*** ~ 하루(동안)에. ***percer à*** ~ 꿰뚫다 ; (비밀 따위를) 알아채다, 탐지하다. ***prendre*** ~ ***pour*** (…을 위한) 날짜를 정하다. ***prendre le*** ~ ***de*** qn …의 형편이 좋은 날로 정하다. ***se faire*** ~ 통로〔혈로〕를 뚫다 ; 나타나다, 드러나다 ; 밝혀지다. ***vivre au*** ~ ***le*** ~ 그날그날 살아가다. ***voir*** qc ***sous son vrai*** ~ 〔***sous un*** ~ ***nouveau***〕 …을 올바른〔새로운〕 견지에서 보다. ***voir le*** ~ ***; venir au*** ~ 햇볕을 보다, 세상에 태어나다.

journal, e, aux** [ʒuʀnal, -o] *m.* ① 일기 ; 〖상업〗 일기장, 분개장(= livre ~): écrire son 〔tenir un〕 ~ 일기를 쓰다 / ~ de voyage 여행 일기 / roman en forme de ~ 일기 형식의 소설. ② 신문 ; 정기 간행물, 잡지, 기관지 : ~*aux* du matin 〔du soir〕 조간〔석간〕 신문 / ~ officiel 관보 / ~ féminin 〔littéraire〕 여성지〔문예지〕/ ~ à gros tirage 발행 부수가 많은 신문. ③ 신문사 : écrire au ~ 신문(사)에 투고하다. ④ 뉴스 : ~ parlé 〔télévisé〕 라디오〔텔레비전〕 뉴스. ~ ***filmé 뉴스 영화.

J

journalier, ère [ʒuʀnalje, -ɛːʀ] *adj.* 매일의, 나날의, 일상의 : travail ~ 하루하루의 일, 날품. ── *m.* 날품팔이꾼.

journalisme [ʒuʀnalism] *m.* ① 저널리즘 《신문 · 잡지업, 보도업》. ② 《집합적》 신문 · 잡지계 ; 기자직(職): faire du ~ 신문〔잡지〕 기사를 쓰다 ; 기자 생활을 하다.

***journaliste** [ʒuʀnalist] *m.* 저널리스트, 신문 · 잡지 · 방송 기자〔집필자 · 편집자〕: ~ politique 〔sportif〕 정치〔스포츠〕 기자 / ~ à la radio 〔télévision〕 방송 기자.

journée** [ʒuʀne] *f.* ① 하루 《아침에서 저녁까지》 ; 낮 동안(= pendant la ~) : dans la ~ 그날 중으로 / Il ne fait rien de la ~. 그는 온종일 아무것도 하지 않는다 / demi-~ 반나절 / par une froide ~ d'hiver 추운 겨울날에 / en fin de ~ 저녁때. ② 하루분의 일(= ~ de travail), 일과 : ~ de huit heures 8 시간의 노동. ③ 일급, 일당(= salaire de la ~): être payé à la ~ 일당을 받다. ④ 하룻길, 하루의 여정 : Il y a deux ~*s* de marche jusqu'à cette ville. 그 도시에 가려면 걸어서 이틀 걸린다. ⑤ 어떤 사건이 있었던 특정한 날 ; (전쟁 · 혁명 · 폭동 등이 발생했던 역사적인) 날 : les trois ~*s* 〖역사〗 7월 혁명의 3 일간《7 월 27 · 28 · 29 일》/ ~ internationale des femmes 국제 여성의 날. ***à grandes 〔***petites***〕 ~***s*** 강행군을 해서〔하룻길을 조금씩〕. ***aller en*** ~ 품팔이 나가다. ~ ***continue*** (점심 시간도 계속 영업〔근무〕하는) 연속 근무제. ***travailler à la*** ~ 날품팔이로 일하다.

journalistique [ʒuʀnalistik] *adj.* 신문 잡지의.

「상, 늘.

journellement [ʒuʀnɛlmɑ̃] *adv.* 매일 ; 일

joute [ʒut] *f.* ① 경쟁 ; 싸움 ; 《비유》 논쟁 : ~ oratoire 토론회 / ~ de coqs 닭싸움. ② 《옛》 기마창(槍) 시합. ~ ***sur l'eau*** 〖스포츠〗 수상(水上) 창(槍) 시합 《배 위에서 장대를 가지고 상대를 물 속에 빠지게 하는 놀이》. ~***s politiques*** 정쟁(政爭).

jouter [ʒute] *v.i.* ① 《옛》 기마 창(槍) 시합을 하다 ; 수상(水上) 창(槍) 시합을 하다. ② 《비유 · 문어》 다투다, 겨루다, 경쟁하다(= disputer): ~ avec 〔contre〕 qn …와 겨루다 / faire ~ des coqs 닭싸움을 시키다.

jouteur [ʒutœːʀ] *m.* ① 경쟁 상대, 논적(論敵) : rude ~ 《구어》 만만찮은 상대. ② 마상창(槍) 시합자 ; 수상(水上) 창 시합 선수.

jouvence [ʒuvɑ̃ːs] *f.* 《옛》 젊음, 청춘(= jeunesse) : la Fontaine de *J*~ 〖신화〗 청춘의 샘 / eau〔bain〕 de ~ 《비유》 젊음의 원천.

jouvenceau [ʒuvɑ̃so] *m.* (*pl.* ~***x***) 《옛》 《익살》 젊은이, 청년(= adolescent), 아가씨.

jovial, e, aux〔**als**〕 [ʒɔvjal, -o〔-al〕] *adj.* 쾌활〔유쾌〕한, 즐거운 : caractère 〔propos, visage〕 ~ 유쾌한 성격〔이야기 · 얼굴〕.

jovialité [ʒɔvjalite] *f.* 명랑, 쾌활.

joyau [ʒwajo] *m.* (*pl.* ~***x***) ① (금은 보석의) 패물, 보석 : bagues et ~*x* 〖법률〗 (남편의 유산과는 별도의 취급을 받는) 처(妻)의 패물류. ② 보배, 지보(至寶), 귀중한 것〔사람〕.

joyeusement [ʒwajøzmɑ̃] *adv.* 즐겁게, 명랑하게, 유쾌하게.

joyeux, euse** [ʒwajø, -øːz] *adj.* 즐거운, 명랑한, 유쾌한, 기쁜 : être de ~*euse* humeur 명랑한 기분이다 / *J*~ Noël! 메리 크리스마스 / bande ~*euse* 재미나게 노는 사람〔어린이〕들의 무리. ***être ~ ***de ce que*** + *ind.* 〔*sub.*〕***; être*** ~ ***que*** + *sub.* …을 기뻐하다. ***J~ anniversaire!*** 생일 축하합니다! ***mener*** ~***euse vie*** 방탕한 생활을 하다. ── *m.* 《군대속어》 아프리카 연대(聯隊)의 군인.

jubilation [ʒybilɑsjɔ̃] *f.* 큰 기쁨, 환희.

jubilé [ʒybile] *m.* ① 50 년 기념식 ; 금혼식(= ~ de mariage). ② 〖종교〗 (유대교의) 50 년절 ; (가톨릭교의) 대사(大赦).

jubiler [ʒybile] *v.i.* 《구어》 몹시 기뻐하다 : ~ de qc 〔+ *inf.*〕 …에 대해 몹시 기뻐하다.

juché, e [ʒyʃe] *adj.* ① (새가 높은 곳에) 앉아 있는. ② (높은 곳에) 놓인〔걸친〕: maison ~*e* sur une falaise 절벽 위의 집. ── *f.* 〖사냥〗 꿩이 앉는 곳.

jucher [ʒyʃe] *v.i.* ① (새가 높은 곳에) 앉다 : faisan qui *juche* sur une branche 나뭇가지에 앉아 있는 꿩. ② 《구어》 높은 곳에 살다. ── *v.t.* 높은 곳에 놓다〔걸다 · 살게 하다〕 : ~ les pots de confitures sur l'armoire 잼 단지를 찬장 위에 놓다. ── **se** ~ *v.pr.* (새가) 홰 · 가지 따위에 올라앉다 ; (높은 곳에) 올라앉다 : Le petit enfant *se jucha* sur l'âne. 아기가 나귀에 올라탔다.

juchoir [ʒyʃwaːʀ] *m.* 〖농업〗 (가금의) 홰.

judaïque [ʒydaik] *adj.* 유대(인 · 교)의 : religion ~ 유대교 / loi ~ 유대교의 율법.

judaïsme [ʒydaism] *m.* 유대교 ; 유대주의.

judas [ʒyda] *n.pr.m.* 〖성서〗 유다《예수를 배반한 제자》. ***baiser de*** ~ 호의를 가장한 배반. ── **j**~ **; J**~ *m.* ① 반역자, 배반자(= traître). ② (문 따위의) 내다〔들여다〕보는 구멍.

judéo- *préf.* 「유대」의 뜻.

judiciaire [ʒydisjɛːʀ] *adj.* ① 사법의 ; 재판의, 소송상의 ; 법정의 : pouvoir ~ 사법권 / poursuites ~s 소추(訴追) / acte ~ 영장 / témoin ~ 법정 증인 / enquête ~ 심문(審問). ② 《옛》 판단의〔에 관한〕 : astrologie ~ 점성술 / faculté ~ 판단력.

judiciariser [ʒydisjaʀize] *v.t.* 사법(司法)의 재정(裁定)에 위임하다〔맡기다〕.

judicieusement [ʒydisjøzmɑ̃] *adv.* ① 정확히 판단하여, 현명하게 : Il agit toujours ~. 그는 늘 현명하게 행동한다. ② 적절하게, 타당하게(= bien à propos): faire remarquer qc …을 적절하게 지적하다.

judicieux, euse [ʒydisjø, -øːz] *adj.* ① 판단이 정확한, 분별 있는(= raisonnable) ; 현명한(= intelligent) : esprit ~ 판단이 정확한 사람 / critique ~*euse* 적절한 비평. ② 적절한, 타당한, 정당한 : emploi ~ d'un mot 단어의 적절한 사용 / Il est ~ de+*inf.* … 하는 것이 온당하다.

judo [ʒydo] 〔일본〕 *m.* 〖운동〗 유도.

judoka [ʒydɔka] 〔일본〕 *n.* 유도 선수.

jugal, e, aux [ʒygal, -o] *adj.* 〖해부〗 뺨의, 볼의(= malaire): os ~ 광대뼈.

juge** [ʒyːʒ] *m.* ① 〖법률〗 재판관, 판사 : ~ d'instruction 예심 판사 / ~ au tribunal de commerce 상사(商事) 재판소 판사. ② 심사원, (스포츠의) 심판 : ~ d'un concours 경연〔콩쿠르〕의 심사원 / ~s d'un match de boxe 권투 시합의 심판관 / ~-arbitre (테니스의) 주심. ③ 심판자 : La conscience est le ~ de notre conduite. 양심은 우리 행동의 심판자이다. ④ (때로 *pl.*) 감식가 : ~ en matière de peinture 그림 감정가. ***être bon ~ (***en matière***) ***de*** qc … 의 감식력이 있다. ***Je vous en fais ~.*** 시비의 판단은 당신에게 맡깁니다. ***J~ ; J~ suprême ; souverain J~*** 신(神).

jugé [ʒyʒe] *m.* 판단(= juger). ***au ~*** 판단한 바에 의하면 ; 어림잡고 : faire qc *au ~* …을 어림잡고 하다 / estimer une distance *au ~* 거리를 어림잡아 추정하다.

‡jugement [ʒyʒmɑ̃] *m.* ① 〖법률〗 재판 ; 판결 ; 선고(= sentence); 판결문 : ~ déclaratif de faillite 파산 선고 / passer en ~ 재판을 받다 / prononcer 〔rendre〕 un ~ 판결을 내리다. ② 심판 : *J~* 〖종교〗 최후의 심판, 공심판(= *J~* dernier). ③ 판단 ; 의견 : porter un ~ sur qc …에 관하여 판단을 내리다〔의견을 말하다〕 / Je livre 〔soumets〕 cela à votre ~. 그것은 당신의 판단에 맡기겠습니다 / ~ préconçu 선입관, 편견 / ~ hâtif 속단. ④ 판단력 ; 감식력 : homme de ~ 분별 있는 사람 / avoir du ~ 판단력이 있다. ***au ~ de*** …의 의견에 의하면. ***mettre*** 〔***faire passer***〕 qn ***en ~*** … 을 재판에 부치다. ***mise en ~*** 공판에 회부함.

jugeot(t)e [ʒyʒɔt] *f.* 《구어》 판단(력), 상식, 양식, 분별(= bon sens) : avoir de la ~ 분별 있다 / Cet homme n'a pas (pour deux sous) de ~. 이 사람은 (전혀) 분별이 없다.

‡juger [ʒyʒe] ③ *v.t.* ① 재판하다, 판결하다 : ~ une affaire criminelle 형사 사건을 재판하다. ② …에 대한 판단을 내리다 ; 심판〔심사〕하다 ; 평가하다 ; 비판〔비평〕하다 : ~ mal qn …에 대해 잘못 판단하다 / *être jugé* à sa juste valeur 진가 그대로 판단〔평가〕되다 / Il ne faut pas ~ les gens sur l'apparence. 외모에 의해 사람을 평가하는 게 아니다 / ~ les candidats au concours 콩쿠르의 응모자들을 심사하다. ③ 생각하다, 여기다(= estimer): ~ qn fou … 을 미치광이라고 생각하다 / 《~ que+*ind.*》 Il *a jugé qu'*on l'a trompé. 그는 사람들이 그를 속였다고 생각했다 / 《~+*inf.*》 Il *a jugé* devoir le faire. 그는 그것을 해야 한다고 생각했다. ***~ nécessaire de***+*inf.* 〔***que***+*sub.*〕 …이 필요하다고 생각하다 : Il *a jugé nécessaire de* protester. 항의해야 할 것이라고 그는 생각했다.

— *v.i.* 판단〔판결〕을 내리다 : Le tribunal *a jugé.* 법정에서 판결을 내렸다.

— *v.t. ind.* 《~ de》 ① …에 대한 판단을 내리다 ; 평가〔감정〕하다 : L'œil *juge des* couleurs. 눈은 빛깔을 식별한다. ② 상상하다, 생각하다 : *Jugez de* me surprise. 저의 놀라움을 상상해 보세요. ***à en ~ par...*** … 에 의하여 판단하건대. ***autant que j'en puis ~*** 내가 판단하는 한에서는.

— ***se ~*** *v.pr.* ① 자기를 심판하다 ; 자기를 …라고 생각하다 : *se ~* perdu 자기 자신은 가망이 없다고 생각하다 / Il *se juge* très sévèrement. 그는 자신에 대해 매우 엄격하다 / *se ~* offensé 모욕당했다고 생각하다. ② 심판받다, 비평받다, 평가받다 : Le procès *se jugera* demain. 내일 그 소송에 대한 재판이 있을 것이다. ③ 서로 비판하다, 서로 상대를 …라고 생각하다 : Ils ne *se jugent* pas très favorablement. 그들은 서로 상대를 호의적으로 생각하지 않는다.

— *m.* 판단. ***au ~*** 판단한 바에 의하면〔의하여〕 ; 어림잡고.

jugulaire [ʒygylɛːʀ] 〖해부〗 *adj.* 목구멍의, 목의. — *f.* 경정맥(頸靜脈)(= veine ~).

juguler [ʒygyle] *v.t.* ① …의 목을 조르다(= étrangler); 목 졸라 죽이다, 교살하다. ② 억제〔저지〕하다(= étouffer); 억누르다(= dompter): ~ une révolte 폭동을 저지하다 / ~ l'inflation menaçante 위협적인 인플레이션을 억제하다.

***juif, ive** [ʒɥif, -iːv] *adj.* 유대인의 ; 유대교의 : religion ~*ive* 유대교. — **J~** *n.* 유대인 ; 유대교도.

‡juillet [ʒɥijɛ] *m.* 7 월. ***le Quatorze J~.*** 7 월 14 일(프랑스 대혁명 기념일). ***monarchie de J~,*** 7 월 왕정(1830-48 년).

juillettiste [ʒɥijɛ(e)tist] *n.* 《구어》 7 월에 휴가를 떠나는 사람.

‡juin [ʒɥɛ̃] *m.* 6 월 : en 〔au mois de〕 ~, 6 월에 / journées de *J~*, 6 월 혁명의 날 《1848 년 6 월, 작업장 폐쇄에 노동자들이 항의하며 일으킨 폭동 사건》.

jujube [ʒyʒyb] *m.* 〖식물〗 대추 ; 대추즙.

juke-box [(d)ʒykbɔks] 〔영〕 *m.* 주크박스 《요금을 넣으면 희망하는 곡을 들을 수 있는 자동 전축》.

jules [ʒyl] *m.* ① 《속어》 요강, 실내 변기. ② (*J~*) 《속어》 (창녀의) 애인, 기둥서방, 포주. ③ 《구어》 애인, 연인 ; 정부(情夫)(= amant) ; 남편(= mari).

julienne² [ʒyljɛn] *f.* ① 〖식물〗 노랑장대, 헤스페리초 무리. ② 〖요리〗 (여러 가지 채소가 든) 수프의 일종(= potage à la ~).

***jumeau, elle** [ʒymo, -ɛl] (*pl.* **~x**) *adj.* ① 쌍둥이의 : frères ~*x* 쌍둥이 형제 / sœurs ~*elles* 쌍둥이 자매. ② 한 쌍을 이루는 ; 〖식물〗 2개 합생의 : navire ~ 자매선(船). — *n.* 쌍둥이 : vrais 〔faux〕 ~*x* 일란성〔이란성〕 쌍둥이 / trois ~*x* 세 쌍둥이.

jumelage [ʒymlaːʒ] *m.* ① 접합(接合); 결합; (덧나무에 의한) 보강. ② 자매 결연; 연계 : ~ de Paris et de Rome 파리와 로마의 자매 결연 / ~*s* écoles-entreprises 산학(産學) 협동.

jumelé, e [ʒymle] *adj.* 짝지어진; 접합된; 자매 결연을 맺은 : maison ~*e* 두 채 한 건물의 집 / roues ~*es* (트럭 뒷바퀴의) 2중 타이어 / universités 〔villes〕 ~*es* 자매 결연을 맺은 대학〔도시〕.

jumeler [ʒymle] [5] *v.t.* ① 접합〔결합〕하다, 짝짓다 : ~ deux roues 두 바퀴를 결합하다. ② (도시·대학 등이) 자매 결연을 맺다 : ~ deux villes ; ~ une ville à 〔avec〕 une autre 두 도시를 자매 결연하다.

jument [ʒymɑ̃] *f.* 암말(≠ cheval).

jumping [dʒœmpiŋ] 〔영〕 *m.* 〖경마〗 장애물 경기.

J

jungle [ʒɔ̃(œ̃):gl] 〔영〕 *f.* ① 밀림, 정글. ② 《비유》 약육강식의 세계〔사회〕: loi de la ~ 약육강식의 법칙.

junior [ʒynjɔːʀ] 〔라틴〕 *adj.* ① 손아래의, 연소자의, 후배의. ② 〖스포츠〗 주니어급의. ③ 연소자〔청소년〕 상대〔용〕의. — *m.* ① 연소자, 청소년. ② 〖스포츠〗 주니어급.

junte [ʒɔ̃(œ̃):t] *f.* (에스파냐·포르투갈·남아메리카의) 입법 의회, 평의회; (남미의) 혁명 정권, 임시 정부 : ~ militaire 군사 정부.

jupe** [ʒyp] *f.* ① 스커트, 치마 : ~ de dessous 《옛》 페티코트; 슬리프 / ~ droite 타이트 스커트 / ~ plissée 주름치마. ② (프록코트 따위의) 아랫자락. ③ 〖기계〗 (피스톤의) 측면. ④ 〖해양〗 (호버크러프트·선박 등의) 아래 부분 덮개. ***être pendu aux ~s de qn 《구어》 (어린애가 어머니의) 치맛자락에 매달려 다니다; (남자가 여자의) 뒤를 쫓아다니다.

jupe-culotte [ʒypkylɔt] *f.* (*pl.* **~s-~s**) 〖의복〗 짧은 바지 모양의 스커트, 치마바지.

jupette [ʒypɛt] *f.* (아주 짧은) 미니스커트; (여자 수영복의) 허벅지 위를 덮는 부분 : ~ plissée de tennis 테니스용 짧은 주름치마.

Jupiter [ʒypitɛːʀ] *n.pr.m.* ① 〖로마신화〗 주피터. ② 〖천문〗 목성(木星).

jupon [ʒypɔ̃] *m.* ① 페티코트, 속치마. ② 《집합적》 《구어》 여자, 아가씨. ③ (스코틀랜드 사람의) 짧은 스커트, 킬트. ***courir*** 〔***trousser***〕 ***le ~*** 여자의 뒤를 쫓아다니다. ***être toujours dans les ~s de sa mère*** 《구어》 늘 어머니의 치맛자락에 매달리고 있다.

juré, e [ʒyʀe] *adj.* 선서한, 맹세한; 지독한 : ennemi ~ 불구대천의 원수. — *n.* 〖법률〗 배심원; 심사원.

jurer** [ʒyʀe] *v.t.* ① ⓐ 《~ qc》 맹세하다; 선서하다, 서약하다, 확약하다 : ~ (la) fidélité 〔obéissance〕 à qn …에게 대한 충성〔복종〕을 맹세〔서약〕하다. ⓑ 《~ (à qn) de + *inf.* 〔que + *ind.*〕》 …할 것을 맹세하다 : ~ *de* dire 〔*qu'*il dira〕 toute la vérité 모든 진실을 이야기하겠다고 맹세하다 / Il *jura de* ne plus boire d'alcool. 앞으로는 술을 마시지 않겠다고 그는 맹세했다. ② 굳게 결심하다 : ~ la mort de qn …을 죽이기로 굳게 결심하다 / 《~de + *inf.* 〔que + *ind.*〕》 ~ *de* se venger 〔*qu'*il se vengerait〕 복수하겠다고 결심하다. ③ 단언하다(= affirmer) : 《~ (à qn) que + *ind.*》 Je vous *jure que* c'est vrai. 그것은 사실이라고 나는 단언합니다 / ~ *que* non 아니라고 단언하다 / 《~ + *inf.*》 Il *a juré* avoir dit la vérité. 그는 진실을 말했다고 단언했다. — *v.i.* ① 《~ sur 〔par〕》 맹세하다; 선언하다 : ~ *sur* la Bible 성서에 손을 얹고 선서하다. ② 욕설〔악담〕을 하다; 매도하다 : 《~ contre 〔après〕》 Il *jure contre* les retards de ses employés. 그는 종업원들의 지각에 대해 매도한다 / ~ *contre* le gouvernement 정부를 비난하다. ③ ⓐ 어울리지 않다 : choses qui *jurent* (entre elles) 서로 어울리지 않는 것들. ⓑ 귀에 거슬리는 소리를 내다 : violon qui *jure* sous l'archet 활 밑에서 귀에 거슬리는 소리를 내는 바이올린. ***ne ~ (***plus***) ***que par*** qn …에게 아주 신복하다 : Il *ne jure que par* vous. 그는 당신만 떠받든다.
— *v.t. ind.* 《~ de》 …을 단언〔장담〕하다. ***je vous*** 〔***te***〕 ***jure*** ⓐ 단언〔장담〕합니다. ⓑ 《구어》 《놀라움·분개》 아, 이런, 이럴 수가 : Elle s'est retournée. — Ah, *je vous jure !* 그녀가 돌아갔습니다 — 아, 이럴 수가! ***Il ne faut ~ de rien.*** 장래의 일은 장담해선 안 된다. ***J'en jurerais.*** 그것은 틀림없다.
— **se ~** *v.pr.* ① 서로 맹세하다 : *se* ~ un amour éternel 서로에게 영원한 사랑을 맹세하다. ② 《se ~ de + *inf.*》 …할 것을 (자신에게) 맹세하다〔다짐하다〕: *se* ~ *de* ne pas répéter les mêmes fautes 같은 실수를 되풀이하지 않겠다고 다짐하다.

juridiction [ʒyʀidiksjɔ̃] *f.* ① 〖법률〗 사법권, 재판권 : ~ arbitrale 중재 재판권. ② (법원의) 관할; 권한 : degré de ~ 심급(審級). ③ 《집합적》 (같은 계열의) 법원, 재판소 : ~*s* civiles 민사 재판소.

juridictionnel, elle [ʒyʀidiksjɔnɛl] *adj.* 〖법률〗 재판권의; 재판 관할의 : pouvoir ~ 재판권.

juridique [ʒyʀidik] *adj.* ① 법률상의; 사법의 : assassinat ~ 법에 의한 살인《부당한 사형》 / fait ~ 법적 사실 / acte ~ 법률 행위 / personne ~ 법인. ② 재판(상)의 : action ~ 소송 / preuve ~ 재판상의 증거.

juridiquement [ʒyʀidikmɑ̃] *adv.* 법적으로, 법률적으로; 재판상으로, 재판에 의해.

jurisconsulte [ʒyʀiskɔ̃sylt] *m.* 법률가, 법학자; 법률 고문.

jurisprudence [ʒyʀispʀydɑ̃ːs] *f.* ① 법학. ② 법규, 법률. ③ 《집합적》 판례(判例), 법해석; (판례로부터 나오는) 법 원리 : recueil de ~ 판례집 / Cet arrêt fait ~. 이 체포는 법적 구속력을 지닌다.

juriste [ʒyʀist] *m.* 법학자; 법률가; 법리학자; 법률서의 저술가.

juron [ʒyʀɔ̃] *m.* (신에 대한) 모독적 언사, 불

경스런 말, 욕설 : pousser 〔lâcher〕 un ~ 신을 모독하는 말〔욕설〕을 내뱉다.

***jury** [ʒyʀi] 《영》 *m.* ① 〖법률〗 배심 ; 배심단 : ~ de jugement 판결 배심 / verdict du ~ 배심원단의 평결(評決). ② 《집합적》 심사원단, 심사 위원회 : ~ du prix Goncourt 공쿠르상 심사 위원회 / membres du ~ 심사 위원 / délibération du ~ 심사 위원회의 심의.

jus** [ʒy] *m.* ① 즙(汁), 액(液), 주스 ; 〖요리〗 고기 국물(= ~ de viande): ~ de légumes 야채즙. ② 〖미술〗 광을 내는 물감 : passer un tableau au ~ 그림에 광 내는 물감을 칠하다. ③ 《구어》 커피 ; (풀 · 강 · 바다의) 물 ; 가솔린 ; 전류(= courant électrique): Il est tombé dans le ~. 그는 물에 빠졌다. ④ 《구어》 〖학교〗 리포트 ; 논문(= dissertation scolaire, exposé). ***Ça vaut le ~. 《구어》 그럴〔해 볼〕 만한 가치가 있다. ***~ de la treille*** 〔***vigne***〕 《문어》 포도주. ***laisser*** qn ***cuire*** 〔***mijoter***〕 ***dans son ~*** 《구어》 난처한 지경에서 헤매게 하다, 불쾌감을 맛보게 하다.

jusant [ʒyzɑ̃] *m.* 썰물, 간조(= marée descendante).

jusqu'au-boutisme [ʒyskobutism] *m.* 〖정치〗 《구어》 극한〔단〕주의 ; 과격주의(= extrémisme); (제 1 차 대전 당시의) 철저한 항전주의(抗戰主義).

jusqu'au-boutiste [ʒyskobutist] *n.* 《구어》 〖정치〗 극한〔항전〕주의자.

‡jusque [ʒysk] 《모음 앞에서는 일반적으로 jusqu' ; 시에서는 jusques [ʒyskəz] 를 쓰는 일이 있음》 *prép.* ① 《장소 · 수(數) · 순서 · 정도의 한계》 …까지 : de Paris *jusqu'*à Rome 파리에서 로마까지 / compter *jusqu'*à dix, 10 까지 세다 / rougir *jusqu'*aux oreilles 귀까지 빨개지다 / Il l'accompagne ~ chez lui. 그는 그의 집까지 그를 따라간다 / *jusqu'*à certain point 어느 정도까지는 / *Jusqu'*à combien ? 얼마나요 ? ② 《시간》 …까지 : *jusqu'*à présent 현재까지 / *jusqu'*à aujourd'hui 오늘까지 / *jusqu'*à plus ample informé 새로운 증인 심문의 날까지 / *Jusqu'*à quand ? 언제까지 / courir *jusqu'*à tomber épuisé 지쳐서 쓰러질 때까지 뛰다 / remonter *jusqu'*en 1900, 1900년까지 거슬러 올라가다. ③ 《정도, 결과》 …할 정도로 : poli *jusqu'*à l'obséquiosité 비굴하게 느껴질 정도로 정중한 / 《jusqu'à + *inf.*》 s'approcher de qn *jusqu'*a le toucher …에게 닿을 정도로 가까이 가다. ④ 《강조적》 …까지도, …조차, …일지라도(= même): aimer *jusqu'*à ses ennemis 적까지도 사랑하다 / compromettre *jusqu'*à son bonheur 자기 행복까지도 위태롭게 하다 / Il n'est pas *jusqu'*aux enfants qui ne comprennent cela. 어린애까지도 그것을 모르는 사람은 없다. ***aller jusqu'à*** + *inf.* 마침내 … 하기에 이르다. ***J'en ai ~-là.*** 《구어》 이젠 지긋지긋하다. ***jusqu'à ce que*** + *sub.*; 《지방어》 ***jusqu'à tent*** 〔***temps***〕 ***que*** + *sub.* …하기까지. ***jusqu'au bout*** 끝까지. ***jusqu'ici*** 지금까지. ***~-là*** 거기까지; 그때까지. ***Jusqu'où ?*** 어디까지 ? ***Il n'est*** 〔***Il n'y a***〕 ***pas jusqu'a... qui ne*** + *sub.* …마저도 …하다《이중부정으로 강한 긍정을 나타냄》.

jusquiame [ʒyskjam] *f.* 〖식물〗 사리풀.

justaucorps [ʒystokɔːʀ] *m.* 〖의복〗 《옛》 (특히 17 세기경에 유행한) 몸에 꼭 붙게 만든 남자의 웃옷 ; 여자의 웃옷.

‡juste [ʒyst] *adj.* ① 올바른, 정의로운(≠ injuste): ~ mesure 절도(節度) / ~ cause 정의 / homme ~ et bon 올바르고 착한 사람. ② (사물이) 정당한 ; 당연한 : guerre ~ 정당한 전쟁 / ~ récompense 정당한 보수 / ~ colère 〔punition〕 당연한 분노〔벌〕. ③ 공정한, 공평한(≠ équitable): être ~ pour 〔envers〕 qn …을 공평히 다루다 / jugement ~ 공정한 판결 / partage ~ 공평한 분배. ④ (시계 · 악기 따위가) 정확한(= exact ; ≠ faux, inexact): avoir l'oreille ~ 정확한 귀를 갖고 있다《음악 따위에 대하여》 / à l'heure ~ 꼭 그 시간에 / à 10 heures ~*s* 정각 10시에 / estimer les choses à leur ~ prix 물건을 제값으로 평가하다. ⑤ 빠듯한, 겨우 족한 : repas trop ~ pour dix personnes 겨우 10 인분이 빠듯한 식사. ⑥ (옷 · 구두 따위가) 꼭 맞는〔끼는〕: Ce pantalon est trop ~. 이 바지는 너무 꼭 낀다. ***à ~ titre*** 정당하게, 당연히. ***au plus ~ prix*** 〖상업〗 최저 가격으로. ***C'est ~.*** 그대로다 ; 바로 그것이다. ***C'est tout ~ si...*** 겨우 …할 뿐이다 / *C'est tout ~ s'il* me répond quand je lui parle. 그는 내가 말을 걸면 겨우 대답한다 / *C'est tout ~ s'il* ne me frappa pas. 그는 당장 나를 때릴 것 같았다. ***rien de plus ~*** 바로 그대로, 그보다 더 정확할 수 없이.

— *m.* 올바름, 정의, 공정 ; 옳은 일, 정확 : le vrai, le beau et le ~ 진선미(眞善美) / le ~ et l'injustice 옳은 일과 그른 일.

— *n.* 옳은 사람, 정당한 사람, 의인, 의사(義士); 신앙이 독실한 사람 : les ~*s* et les impies 신자와 무신앙자 / les ~*s* et les pécheurs 의인과 죄인. ***au ~*** 정확하게 : Qu'est-ce que c'est, *au ~* ? 저것은 정확히 무엇입니까 ? ***comme de ~*** 당연히, 늘 그렇듯이. ***dormir du sommeil du ~*** 안면(安眠)하다.

— *adv.* ① 올바르게, 정확하게 : chanter ~ 정확하게 부르다 / acteur qui dit ~ 대사를 정확하게 발음하는 배우. ② 바로, 꼭(= justement): ~ à côté 바로 옆에 / Il est midi ~. 꼭 정오이다 / C'est ~ ce qu'il faut. 그것이 바로 필요한 것이다. ③ 겨우, 간신히 : échapper tout ~ 간신히 피하다 / Il nous reste ~ une heure. 겨우 한 시간이 남았다. ***frapper ~*** 때릴 데를 때리다, 급소를 치다. ***Il est 3 heures ~.*** 정각 3 시이다.

— *f.*〔*m.*〕 = justaucorps.

‡justement [ʒystəmɑ̃] *adv.* ① 정의에 따라 ; 옳게, 정확하게 ; 적절하게 : être ~ puni 당연히 처벌되다, 처벌되어 마땅하다. ② 바로, 마침(= précisément) : Voilà ~ ce qu'il me fallait. 바로 내게 필요했던 것이다.

justesse [ʒystɛs] *f.* 올바름, 정확함, 적확함, 적절함 : ~ d'une balance 〔d'un tir〕 저울〔사격〕이 정확함. ***avec ~*** 정확하게, 옳게. ***de ~*** 가까스로, 겨우 시간에 맞춰 : arriver *de ~* 겨우 시간 내에 도착하다 / gagner de ~ 근소한 차이로 이기다.

justice** [ʒystis] *f.* ① 올바름, 정당함 ; 정의 ; 공평 ; 정당한 행위 : agir selon 〔contre〕 la ~ 정의에 따라〔반하여〕 행동하다 / en toute 〔en bonne〕 ~ 정당하게, 당연하게 / ~ fiscale 과세(課稅)의 공정. ② 재판 ; 사법 : cour de ~ 재판소, 법원 / gens de ~ 사법관 / action en ~ 소송 / appeler 〔citer, traduire, poursuivre〕 qn en ~ …을 고소하다. ***C'est ~ que + *sub.* …은 당연한 일이다. ***être appelé*** 〔***assigné, cité***〕 ***en ~*** 법원에 소환당하다. ***faire ~ à*** qn …을 정당하게 평가해 주다 ; 받은 손해를 배상시켜 주다. ***faire ~ de*** qc …의 잘못을 가리다, …을 반박하다: Il *a fait ~ des* accusations portées contre lui. 그는 자신에 대한 비난을 반박하였다. ***Il est de toute ~ de*** + *inf.* 〔***que*** + *sub.*〕 …하는 것은 아주 당연하다. ***~ de paix*** 치안 재판소. ***ministère de la J~*** 사법성, 법무부. ***Palais de J~*** (파리의) 법원. ***rendre*** 〔***faire***〕 ***~ à*** qn …의 권리를 인정하다 ; …의 공적〔잘한 일·좋은 점〕을 인정하다. ***se faire ~*** 자결하다 ; 자기 자신을 책하다. ***se faire ~*** (***soi-même***) (법률에 의하지 않고) 복수를 하다.

justiciable [ʒystisjabl] *adj.* ① 《~ de》 …의 관할에 속하는, …의 재판에 회부해야 할 : criminel *~d'un* tribunal 재판소의 관할에 속하는 형사범. ② 《~ de》 (규칙 따위에) 따라야 할, …을 받아야 할 : malade ~ *d'une* cure thermale 온천 요법을 받아야 할 환자 / n'être pas ~ des règles ordinaires 통칙은 적용되지 않다. ── *n.* 관할에 속하는 사람.

justicier [ʒystisje] *v.t.* …에게 형(刑)을 집행하다 ; 체벌(體罰)에 처하다.

justifiable [ʒystifjabl] *adj.* 정당함을 증명할 수 있는, 변명〔석명〕할 수 있는.

justificatif, ive [ʒystifikatif, -iːv] *adj.* 정당함을 증명하는, 석명하는 증거가 되는: document ~ ; pièce *~ive* 증거 서류.
── *m.* 증거 서류.

justification [ʒystifikɑsjɔ̃] *f.* ① 무죄의 증명, 변명, 변호, 석명(釋明) ; 정당화: demander des *~s* 해명을 요구하다. ② 증거 ; 증명서 : ~ d'une identité 〔d'un paiement〕 신분〔지불〕 증명(서) / ~ d'origine 원산지 증명서. ③ 〖인쇄〗 행간 정리 ; 행의 길이.

justifié, e [ʒystifje] *adj.* (행위가) 정당화된 (= légitime) : être ~ à + *inf.* …함은 정당하다, …할 만한 이유가 있다 / réclamation *~e* 당연한 요구.

***justifier** [ʒystifje] *v.t.* ① 《~ qn 〔qc〕》 …의 무죄를 증명하다 ; 변명〔해명〕하다 ; 변호하다 : ~ qn de son crime …의 무죄를 증명하다 / J'ai tenté de ~ mon ami. 나는 친구의 결백을 증명하려고 했다 / avocat qui cherche à ~ son client 의뢰인의 결백을 증명하려고 하는 변호사. ② (…의) 근거〔이유〕를 대다, (…의 진실성을) 증명하다(= vérifier, confirmer): Il *a justifié* ma confiance. 그는 나의 신뢰를 저버리지 않았다 / Cet événement *a justifié* mon opinion. 이 사건이 내가 옳았다는 것을 증명해 주었다. ③ 정당화하다, 정당성〔타당성〕을 증명하다 : *Justifiez* vos critiques. 비판의 근거를 설명하시오.
── *v.t. ind.* 《~ de》 〖법률〗 …의 충분한 증거를 제시하다, …을 증명하다 : ~ *de* son identité 신분을 증명하다.
── **se** ~ *v.pr.* ① 자기의 무죄를 증명하다 : *se* ~ de sa conduite 자신의 행동의 정당함을 내세우다. ② 무죄가 증명되다; 변명이 되다, 정당화되다 : craintes qui ne *se justifient* pas 근거가 없는 염려.

jute [ʒyt] *m.* ① 〖식물〗 황마(黃麻). ② 황마 섬유, 주트.

juter [ʒyte] *v.i.* ① 즙이 나오다 : fleurs qui *jutent* blanc 흰 액이 나오는 꽃. ② 《구어》 (침·점액 따위를) 흘리다(= baver).

juteux, euse [ʒytø, -øːz] *adj.* ① (고기·과일 따위가) 즙이 많은, 물기가 많은 : viande *~euse* 즙이 많이 나오는 고기 / fruit ~ 수분이 많은 과일. ② 《구어》 수입이 좋은(= lucratif), 이윤이 많은 ; 풍부한.

juvénile [ʒyvenil] *adj.* 젊은, 청춘의 ; 청소년의 ; 젊은이다운 : ardeur ~ 청춘의 혈기〔열정〕 / délinquance ~ 청소년 범죄.

juvénilité [ʒyvenilite] *f.* 젊음(= jeunesse ; ≠ sénilité).

juxta- *préf.* 「가까운·곁에」의 뜻.

juxtaposé, e [ʒykstapoze] *adj.* 나란히 놓인, 병치〔병렬〕된 : mots *~s* 〖언어〗 (접속 요소가 없는) 병치어(竝置語)《chou-fleur 따위》 / propositions *~es* 병치절.

juxtaposer [ʒykstapoze] *v.t.* 나란히 놓다, 병치〔병렬〕하다 : ~ deux mots pour former un composé 복합어를 만들기 위해 두 낱말을 붙여 놓다 / ~ A à B, A를 B와 병치하다 / ~ A et B, A와 B를 병치하다. ── **se** ~ *v.pr.* 나란히 서다〔놓이다〕, 병치되다.

juxtaposition [ʒykstapozisjɔ̃] *f.* 나란히 놓기 ; 병렬(竝列) (상태) ; 〖언어〗 병치(竝置).

J

K

K¹, k [kɑ] *m.* 프랑스 자모의 제 11 자.

K² 《약자》 ① kilo 킬로. ② kalium 〖화학〗 칼륨(= potassium). ③ (échelle de) Kelvin 〖물리〗 절대 온도.

kabbale [kabal] *f.* 유대교 신비 철학《유대인들의 구약 성서에 대한 신비적 해석》.

kabyle [kabil] *adj.* 카빌리아(*la Kabylie*, 알제리의 지방)의. — *m.* 카빌리아어(語). — **K~** *n.* 카빌리아 사람.

kafkaïen, enne [kafkajɛ̃, -ɛn] *adj.* 카프카(*Kafka*) 소설풍의, 카프카 철학의.

kaiser [kajzɛːʀ, kɛzɛːʀ] *m.* 독일 황제

kakémono [kakemɔno] 〔일본〕 *m.* 족자.

kaki¹ [kaki] *adj.* 《불변》 카키색의 : chemise ~ 카키색의 셔츠. — *m.* 카키색.

kaki² [kaki] *m.* 〖식물〗 감나무 ; 감.

kaléidoscope [kaleidɔskɔp] *m.* 만화경(萬華鏡).

kaléidoscopique [kaleidɔskɔpik] *adj.* 만화경적인 ; 끊임없이 변화하는.

kali [kali] *m.* 〖화학〗 칼리(加里).

kamikaze [kamikaz] 〔일본〕 *m.* ① 가미카제(神風)《제 2 차 대전 당시 일본의 자살 공격기〔자〕》. ② 《비유》 무모한 사람.

kandjar [kɑ̃dʒaːʀ], **kangiar** [kɑ̃ʒjaːʀ] *m.* 장검(長劍)의 일종.

kangourou, kanguroo [kɑ̃guʀu] *m.* 〖동물〗 캥거루.

kaolin [kaɔlɛ̃] *m.* 고령토(高嶺土), 자토(磁土), 도토(陶土).

kapok [kapɔk] *m.* 케이폭, 판야.

kapokier [kapɔkje] *m.* 〖식물〗 판야나무.

karaté [kaʀate] 〔일본〕 *m.* 당수 ; 가라데.

karbau [kaʀbo], **karabau** [kaʀabo] *m.* (*pl.* **~x**) 〖동물〗 인도산(産) 물소의 일종.

karma(n) [kaʀma(n)] *m.* 〖힌두교〗 업(業) ; 인과응보.

kart [kaʀt] 〔영〕 *m.* 고카트(= go-kart)《1 인승 소형 자동차》.

karting [kaʀtiŋ] 〔영〕 *m.* (유원지 따위의) 소형 자동차(karts) 놀이〔경주〕.

kascher, casher [kaʃɛːʀ] *adj.* 《불변》 〖유대교〗 (유대 의식에 따라 도살된 육류에 대해) 법도에 맞는, 정결한.

kayac, kayak [kajak] *m.* ① (바다표범 가죽으로 만든 그린란드의) 어선. ② (헝겊 · 고무로 만든) 소형 보트 ; 카약 경기.

kelvin [kɛlvɛ̃] *m.* 〖물리〗 켈빈《절대온도의 단위》. — *adj.* 《불변》 degré ~ 절대온도.

***képi** [kepi] *m.* 프랑스 육군 장교의 정모 ; (군모 모양의) 학생모, 경관모, 세관원의 모자.

kératine [keʀatin] *f.* 〖생화학〗 케라틴, 각질(角質).

kératose [keʀatoːz] *f.* 〖식물〗 표피(表皮)의 각화 ; 〖의학〗 피부 각화증.

kermès [kɛʀmɛs] *m.* 〖곤충〗 연지벌레 ; (연지벌레를 말린) 염료《홍색 염료》.

kermesse [kɛʀmɛs] *f.* (네덜란드 지방의) 정기(定期) 시장 ; (야외의) 자선 바자 ; 축제.

kérosène [keʀɔzɛn] *m.* 등유(燈油), 석유.

ketchup [kɛtʃœp] 〔영〕 *m.* 〖요리〗 케첩.

keuf [kœf] *f.* 《구어》 경찰관.

keynésien, enne [kɛ(e)nezjɛ̃, -ɛn] *adj.* 〖경제〗 케인즈(*Keynes*) (이론)의.

kg(r.) 《약자》 〖도량형〗 kilogramme 킬로그램《1,000 그램》.

khâgne, cagne [kaɲ] *f.* 《구어》 고등사범학교 입시 준비반.

khâgneux, euse, cagneux, euse [kaɲø, -øːz] *n.* 《구어》 고등사범학교 준비생.

khaki [kaki] *m.* et *adj.* 《불변》 카키색(의).

khan [kɑ̃] *m.* 칸, (몽고 · 터키 종족의) 원수(元首) : Gengis ~ 징기스칸.

khmer, ère [kmɛːʀ] *adj.* 크메르족(族)의. — **K~s** *m. pl.* 크메르족.

khôl [koːl] *m.* 동양에서 눈썹 · 눈시울을 검게 칠하는 화장품, 미묵(眉墨).

kHz 《약자》 kilohertz 〖전기〗 킬로헤르츠.

kibboutz [kibuts] *m.* 키부츠《이스라엘의 집단 농장》.

kick [kik] 〔영〕 *m.* (오토바이의) 킥스타터.

kid [kid] 〔영〕 *m.* ① 〖의복 · 피혁〗 키드《새끼 염소 가죽》. ② 《구어》 어린아이(= gosse).

kidnap(p)age [kidnapaːʒ] *m.* 유괴.

kidnap(p)er [kidnape] 〔영〕 *v.t.* ① (특히 어린이를) 납치〔유괴〕하다 : ~ un enfant 아이를 유괴하다. ② 《구어》 훔치다.

kidnap(p)eur, euse [kidnapœːʀ, -øːz] *n.* 유괴자, 유괴범(= ravisseur).

kif(f) [kif] *m.* (모로코에서 담배에 섞어 피우는) 인도 대마잎의 가루.

kif-kif [kifkif] 《구어》 *adj.* 같은(= pareil). ***C'est ~.*** 마찬가지다. — *adv.* 마찬가지로.

kiki [kiki] *m.* 《구어》 목, 목구멍. ***serrer le ~ à*** qn …의 목을 조르다.

kil [kil] *m.* 《속어》 리터 : un ~ de vin rouge 적포도주 1 리터.

***kilo** [kilo] *m.* 킬로그램(= kilogramme) : Elle pèse 50 ~*s.* 그녀의 몸무게는 50 킬로그램이다.

kilo- *préf.* 「천(千)」의 뜻.

kilofranc [kilofʀɑ̃] *m.* 천 프랑 : salaire annuel de 600 ~ 연봉 60 만 프랑.

kilohertz [kilɔɛʀts] *m.* 〖물리〗 킬로헤르츠 (《약자》 kHz).

kilométrage [kilɔmetʀaːʒ] *m.* 킬로미터 단위로 계기, 킬로미터 측정 : ~ d'une voiture (미터기에 표시된) 자동차의 주행 거리.

***kilogramme** [kilɔgʀam] *m.* 킬로그램.

‡**kilomètre** [kilɔmɛtʀ] *m.* 킬로미터.

kilométrer [kilɔmetʀe] 6 *v.t.* ① 킬로미터 단위로 재다. ② (길에) 1 킬로미터마다 도표(道標)를 세우다.

kilométrique [kilɔmetʀik] *adj.* 킬로미터의, 1 킬로미터마다의 : borne ~ 1 킬로미터마다 세운 도표.

kilowatt [kilɔwat] *m.* 〖전기〗 킬로와트.

kilowatt(-)heure [kilɔwatœ:ʀ] *m.* (*pl.* **~s-~s**) 〖전기〗 킬로와트시(時).

kilt [kilt] 〔영〕 *m.* 킬트《스코틀랜드 산악민의 치마 모양의 짧은 옷》(= philibeg).

kimono [kimɔno] 〔일본〕 *m.* 일본 옷, 기모노.

kinescope [kinεskɔp] *m.* ① (텔레비전의) 브라운관《RCA 사 제품명》. ② (텔레비전의) 녹화; 영상 녹화 장치.

kin(ési)- *préf.* 「운동」의 뜻.

kinésithérapeute [kineziteʀapø:t] *n.* (뼈·관절의) 운동 요법사.

kinésithérapie [kineziteʀapi] *f.* 운동 요법.

kinesthésie [kinεstezi] *f.* 〖심리〗 근육 운동의 내부적 감각.

kinesthésique [kinεstezik] *adj.* (근육) 운동 감각의 : sens ~ 근육 운동 감각.

kinétoscope [kinetɔskɔp] *m.* 〖영화〗 (에디슨이 발명한) 영사기.

kiosque [kjɔsk] *m.* ① (정원의) 정자 : ~ à musique (공원 따위의) 야외 음악당. ② (신문 따위의) 가두 판매점. ③ 〖해양〗 방, 실(室); (잠수함의) 사령탑(司令塔) : ~ de la barre 〖해양〗 조타실(操舵室). ④ 통신 판매 : ~ téléphonique 전화 통신 판매.

kiosquier, ère [kjɔskje, -ε:ʀ] *n.* 신문 가판점 주인.

kir [kiʀ] *m.* 키르《백포도주에 리퀴르를 가미한 식전주(酒)》: ~ au vin rouge 적포도주로 만든 키르.

kirsch [kiʀʃ] *m.* 버찌술.

kit [kit] 〔영〕 *m.* 키트《조립을 위한 부분품의 한 벌》.

kitchenette [kitʃənεt] 〔영〕 *f.* 작은〔간이〕 부엌.

kit(s)ch [kitʃ] *adj.* 《불변》 키치 스타일의; 저급한〔저속한〕 취향의 : robe ~ 키치 스타일의 옷 / objets ~ 저속한 물건. ── *m.* 《복수불변》 키치 스타일 (문화).

kiwi¹ [kiwi] 〔영〕 *m.* 〖조류〗 키위(= aptéryx).

kiwi² *m.* 〖식물〗 키위 열매〔과일〕 : tarte aux ~*s* 키위 파이.

klakson, klaxon [klaksɔn] *m.* (자동차의) 경적, 클랙슨.

***klaxonner** [klaksɔne] *v.i.* 경적을 울리다 : interdiction de ~ 경적 금지.

kleenex [klinεks] *m* 〖상표명〗 크리넥스, 휴지.

kleptomane [klεptɔman] *m.* et *adj.* 절도광(竊盜狂)(의).

kleptomanie [klεptɔmani] *f.* 절도증; 도벽.

km¹ 《약자》 kilomètre 킬로미터.

km² 《약자》 kilomètre carré 평방 킬로미터.

km³ 《약자》 kilomètre cube 입방 킬로미터.

km/h 《약자》 kilomètre par heure 1 시간마다 …킬로미터.

knémide [knemid] *f.* = cnémide.

knock-down [(k)nɔkdawn] 〔영〕 *m.* 《복수불변》 녹다운 : subir des ~ 몇 차례 녹다운 당하다.

knock-out [nɔkawt, knɔkut] 〔영〕 *m.* 《복수불변》 〖권투〗 녹아웃. ── *adj.* 《불변》 ***être*** ~ 녹아웃되다. ***mettre*** qn ~ …을 녹아웃시키다.

knout [knut] *m.* 옛 러시아의 태형(笞刑); 태형용의 채찍.

K·-O·, k·-o· [kao] 《약자》 knock-out 녹아웃.

koala [kɔala] *m.* 〖동물〗 코알라《호주산의 주머니곰》.

kodak [kɔdak] *m.* 〖상표명〗 코닥 사진기; 소형 휴대용 사진기.

kohol [kɔɔl] *m.* = khôl.

kola [kɔla] *m.* 〖식물〗 콜라나무《아프리카산의 벽오동과의 식물》(= cola). ── *f.* 콜라 열매《강장제》(= noix de ~); 콜라(음료) : vin de ~ 콜라주(酒).

kolkhoze [kɔlko:z] 〔러시아〕 *m.* (러시아의) 콜호즈, 집단 농장.

kolkhozien, enne [kɔlkozjε̃, -εn] *adj.* 콜호즈의. ── *n.* 콜호즈의 일원(一員).

Kominform [kɔminfɔʀm] *m.* 코민포름, 공산당 정보국.

Komintern [kɔmintεʀn] *m.* 코민테른, 국제 공산당, 제 3 인터내셔널.

kopeck [kɔpεk] *m.* 코펙《러시아의 화폐 단위로 1 루블의 100 분의 1》. ***ne pas avoir un*** ~ 《구어》 한 푼도 없다, 빈털터리다.

korrigan, e [kɔʀigɑ̃, -an] *n.* (브르타뉴 지방 전설의) 악마〔요정〕.

kouglof [kuglɔf] *m.* (알사스 지방의) 과자, 건포도빵.

koulak [kulak] *m.* (러시아의) 부농(富農).

Kowati [kɔwεt], **Koweït** [kɔwejt] *n.pr.m.* 〖지리〗 쿠웨이트《아랍 반도의 산유국》.

krach [kʀak] *m.* ① 재정상의 공황〔파탄〕. ② 은행의 파산.

kraft [kʀaft] 〔독일〕 *m.* 크라프트지(紙)《튼튼한 포장지》.

krypton [kʀiptɔ̃] *m.* 〖화학〗 크립톤.

kugelhof [kugεlɔf] *m.* = kouglof.

kummel [kymεl] 〔독일〕 *m.* 퀴멜《독일·러시아의 술 이름》.

kumquat [kɔmkwat] *m.* 금귤(의 열매).

kung-fu [kungfu, kuŋ-] 〔중국〕 *m.* 《복수불변》 쿵후《중국 무술》: films de ~ 중국 무술 영화.

kW 《약자》 kilowatt 〖전기〗 킬로와트.

kyrie (eleison) [kiʀje(eleisɔn)] 〔그리스〕 *m.* 《복수불변》 ① 〖종교〗 기리에 《미사 서두의 기도로 「주여 긍휼이 여기소서」의 뜻》. ② 기리에를 가사로 한 노래.

kyrielle [kiʀjεl] *f.* 《옛》 연도(年度); 연속 : ~ d'enfants 《구어》 줄줄이 낳은 자식들 / ~ d'injures 연달아 퍼붓는 욕설.

kyste [kist] *m.* 〖의학〗 낭종(囊腫), 낭포(囊胞) : ~ du poumon 폐낭종 / ~ de l'ovaire 난소 낭종.

kysteux, euse [kistø, -ø:z], **kystique** [kistik] *adj.* 〖의학〗 낭종〔낭포〕(성)의.

L

L, l [ɛl, 《드물게》 lə] *m.* 〔*f.*〕 《[lə]로 발음하는 경우에는 *m.*》 ① 프랑스 자모의 제 12 자. ② (*L*) 로마 숫자의 50.

l. 《약자》 ① litre 〖도량형〗 리터. ② livre 파운드. ③ longueur 〖물리〗 파장.

***l'** *art. déf.* et *pron. pers.* le, la 의 생략형.

‡**la¹** [la] *art. déf.* et *pron. f.* le 의 여성형.

la² *m.* 《복수불변》 ① 〖음악〗 가음, 가조(調); (바이올린 등의) A 선. ② 라《다장조 음계의 제 6 음》. ***morceau en la*** 가조의 곡.

‡**là** [la] *adv.* ① 거기에(서), 거기를 : de *là* au village 거기에서 마을까지. ② 여기에(서), 여기를 : Je reste *là* à regarder la télévision. 나는 여기서 그대로 텔레비전을 보고 있습니다. ③ 그때에 : à quelques années de *là* 그때부터 몇 해가 지나서/*Là,* tu me dégoûterais. 만약 그때는〔그렇게 되면〕 나는 자네가 싫어질걸세. ④ 그 정도로. ⑤ 그것 : De *là* dépend votre destin. 그것에 당신의 운명이 걸려 있다/Il suit de *là* que... 그것으로부터 …의 결과가 되다/Qu'entendez-vous par *là ?* 그것은 무슨 뜻입니까? ⑥ 《강조적 용법》 바로 : C'est *là* la question. 바로 그것이 문제다. ⑦ 《 là où 》 Je suis allé *là où* vous avez été. 나도 당신이 갔던 곳에 갔습니다. ⑧ 《là... là...》 *Là* on travaille, *là* on s'amuse. 한 곳에서는 일을 하고 있고, 다른 곳에서는 놀고 있다. ***ça et là*** 여기저기. ***cet homme-là*** 저 사람, 그 사람. ***de là*** 그 때문에; 거기에서 : *De là* le retard. 그 때문에 늦은 겁니다/*De là* tous nos malheurs. 그 때문에 우리들의 모든 불행은 일어났다. ***dès là*** 그때부터; 곧, 즉시; 《옛》 따라서, 그렇기 때문에. ***d'ici là*** 여기서 거기까지; 지금부터 그때까지. ***en arriver*** 〔***venir***〕 ***là*** 그 지경에 이르다, 그런 결과가 되다. ***en être là*** 그 지경에 이르러 있다 : Sa maladie *en est*-elle *là ?* 그의 병이 그 정도까지 되었습니까? / Les choses *en sont là* que... 사실은 …라는 정도로 되고 있다. ***être*** (***un peu***) ***là*** 《구어》 수완이 좋다; 괄시할 수 없는 사람이다. ***jusque-là*** 그때까지. 저 높은 곳에〔에서〕. ***Passez par là.*** 저리로 가세요. ***Que dites-vous par là ?*** 그건 무슨 말씀입니까? ***Qui va là ?*** 누구냐?

— *interj.* 자 : *Là !* voilà qui est fait. 자, 됐다. ***Eh là,*** le militaire. 여보시오, 군인. ***Là, là !*** 자, 자, 이제 그만《위로하거나 안심시킬 때 하는 말》: *Là, là,* ne pleure plus. 자, 자, 이제 그만 울어. ***Oh là là !*** 아이 참, 아이구 맙소사 !

là-bas** [labɑ] *adv.* ① 저기에(서), 그곳에(서) : revenir de ~ 거기서 돌아오다. ② 《옛》 지옥에(서). ***par ~ en France 프랑스 어디선가.
— *m.* 그곳.

label [labɛl] 〔영〕 *m.* ① 상표, 레테르. ② 〖컴퓨터〗 라벨《자료 식별에 쓰이는 문자열(列)》. ③ 노동조합원 명부.

labelliser [labelize] *v.t.* (생산품을) 인증하다 : poulet *labellisé* 품질 인증을 받은 닭.

labeur [labœ:ʀ] *m.* ① 수고, 노고; 노역(= travail pénible) : dur 〔pénible〕 ~ 고된 일. ② 〖인쇄〗 큰 인쇄물. ③ 경작; 경작지. ***cheval de ~*** 농마(農馬). ***terre en ~*** 경작지.

labial, e, aux [labjal, -o] *adj.* ① 입술의. ② 〖언어〗 순음(脣音)의. — *f.* 〖언어〗 순음.

labié, e [labje] 〖식물〗 *adj* (꽃부리가) 순형(脣形)의; 입술 모양의. — *f. pl.* 《옛》 꿀풀과(科)(= labiacées).

labo [labo] *m.* 《구어》 실험실(= laboratoire).

laborantin, e [labɔʀɑ̃tɛ̃, -in] *n.* (실험실·병원의) 조수, 조교.

***laboratoire** [labɔʀatwa:ʀ] *m.* 실험실; 연구소; 제작소 : ~ de langues 어학 실습실.

laborieusement [labɔʀjøzmɑ̃] *adv.* 애써서, 근면하게, 힘들여, 노고하여.

laborieux, euse [labɔʀjø, -ø:z] *adj.* ① 힘드는, 벅찬, 곤란한(= pénible, difficile): accouchement ~ 난산(難産) / mets d'une digestion ~*euse* 소화가 잘 안 되는 요리 / C'est ~ ! 《구어》 그건 쉬운 일이 아니야! ② 근면한, 부지런한(= diligent ; paresseux). ***classe ~euse*** 근로 계급. — *n.* 근면가.

labour [labu:ʀ] *m.* ① 경작. ② 경작지 : terre de ~ 경작지.

labourable [labuʀabl] *adj.* 경작에 적합한, 개간할 수 있는.

labourage [labuʀa:ʒ] *m.* 경작; 경작법; 경작지.

labourer [labuʀe] *v.t.* ① (땅을) 갈다, 경작하다 : ~ un champ 밭을 갈다. ② (밭고랑처럼) 파(헤치)다 : Les obus *ont labouré* le sol. 포탄이 땅을 파 놓았다. ③ (몸을) 상처투성이로 만들다; (얼굴을) 주름지게 하다 : visage *labouré* de rides 주름진 얼굴 / corps *labouré* de cicatrices 상처투성이의 몸.

laboureur [labuʀœ:ʀ] *m.* 경작인, 농부.

labrador [labʀadɔ:ʀ] *m.* ① 〖광물〗 조회장석(曹灰長石). ② 〖동물〗 라브라도르 사냥개〔오리〕.

labyrinthe [labiʀɛ̃:t] *m.* ① 미궁(迷宮); 미로(迷路)(= dédale). ② 착잡〔복잡·번잡〕한 것 : le ~ des lois 〔de la procédure〕 복잡한 법률〔번잡한 소송 절차〕. ③ 〖해부〗 (내이(內耳)의) 미로, 이강(耳腔).

lac** [lak] *m.* ① 호수 : ~ artificiel 인공 호수. ② 《문어》 (흐른 액체의) 많은 분량 : ~ de sang 피바다. ***être 〔***tomber***〕 ***dans le ~*** 곤경에 빠져 있다; 지다; 실패하다 : Son projet *est dans le ~*. 그의 계획은 곤경에 빠져 있다. ~ ***salé*** 함수호(鹹水湖).

laçage [lasa:ʒ] *m.* (구두 따위를) 끈으로 졸라매기.

lacer [lɑse] [2] *v.t.* ① (끈으로) 매다, 졸라매다 : ~ ses souliers 구두끈을 매다. ② (그물을) 만들다.

lacérer [laseʀe] [6] *v.t.* (천·종이 따위를) 찢다(= déchirer) : ~ ses vêtements 옷을 찢다 / ~ affiche *lacérée* 찢어진 벽보.

lacet [lɑ(a)sɛ] *m.* ① (코르셋·구두 따위의) 끈 : nouer ses ~*s* 구두끈을 매다. ② (길 따위의) 구불구불한 모양, 우곡(迂曲)(= zigzag) : ③ (산토끼·새 따위를 잡는) 올가미, 덫, 올무 : tendre 〔poser〕 des ~*s* 올가미를〔덫을〕 놓다. ④ 〖철도·항공〗 (차체·기체의) 옆으로 흔들림. ***dresser des ~s à*** qn 《구어》 …에게 함정을 만들어 놓다.

lâchage [lɑʃa:ʒ] *m.* ① 느슨하게 하기, 풀어놓기 ; (폭탄의) 투하(投下) : ~ des chiens 개를 풀어 놓기. ② 《구어》 사람을 내버려 둔 채 돌보지 않음.

***lâche** [lɑ:ʃ] *adj.* ① (끈·띠 따위가) 느슨한(= détendu) ; (옷이) 헐렁한(= flottant) : vêtement ~ 헐렁한 옷. ② (문장이) 짜임새 없는, 장황한 : style ~ 짜임새 없는 문체. ③ (사람이) 무기력한 ; 약한(= faible) : être ~ devant la tentation 유혹에 약하다. ④ 겁많은(= couard) ; 비겁한, 비열한(= abject). — *n.* 겁쟁이 ; 비겁한 사람.

lâchement [lɑʃmɑ̃] *adv.* ① 느슨하게. ② 무기력하게. ③ 소심하게 ; 비겁〔비열〕하게.

lâcher** [lɑʃe] *v.t.* ① (끈·띠 따위를) 느슨하게 하다, 늦추다, 풀다(= desserrer) : ~ la bride à un cheval 말의 고삐를 늦추어 주다. ② (쥐고 있던 것을) 놓아 버리다 ; (사냥개 따위를) 풀어놓다 ; (탄환 따위를) 투하〔발사〕하다 : ~ les chiens après 〔contre, sur〕 un lièvre 개를 놓아주어 토끼를 쫓게 하다 / *Lâchez*-moi. 놓아주세요 / ~ une bombe 폭탄을 투하하다. ③ (어떤 말을) 내뱉다 ; (비밀 따위를) 누설하다 : ~ un mot grossier 무례한 말을 하다 / ~ un secret 비밀을 누설하다. ④ (직업·일 따위를) 그만두다 ; 떠나다(= quitter) ; (사람을) 저버리다(= abandonner) ; (정당 따위를) 탈퇴하다 : ~ ses études 학업을 중단하다 / ~ la scène 무대를 떠나다. ⑤ (돈을) (마지못해) 내놓다 ; (물 따위를) 내보내다 ; 방출하다 ; (증기 따위를) 내뿜다. ~ (le***) ***pied*** 도망치다 ; 약점을 보이다. ~ ***prise*** (잡았던 것을) 놓아 버리다, 놓치다. — *v.i.* (태엽·끈 따위가) 느슨해지다 ; 끊어지다 ; (꺾쇠가) 벗겨지다 ; (총이) 발사되다 : Ne tire plus, la corde va ~. 더 이상 잡아당기지 마, 끈이 끊어지겠다. — *m.* (비둘기·풍선 따위를) 놓아주기.

lâcheté [lɑʃte] *f.* ① 겁 ; 비겁(≠ bravoure, courage); 비열(= bassesse) : fuir avec ~ 겁이 나서 도주하다. ② 비겁〔비열〕한 짓.

lâcheur, euse [lɑʃœ:ʀ, -ø:z] *n.* 《구어》 (어려운 처지의) 친구를 버리고 돌보지 않는 사람, 믿을 수 없는 사람 ; 배신자 ; 약속을 어기는 사람.

lacis [la(ɑ)si] *m.* ① 그물. ② (신경·섬유 등이) 그물처럼 얽혀 있음.

laconique [lakɔnik] *adj.* 간결〔간략〕한(= bref, concis) : langage 〔réponse〕 ~ 간결한 말〔대답〕 / style ~ 간결한 문체.

laconiquement [lakɔnikmɑ̃] *adv.* 간결하게, 간단명료하게.

laconisme [lakɔnism] *m.* ① 간결한 표현 : ~ d'une réponse 대답의 간결함. ② 〖고대 그리스〗 스파르타주의.

là-contre [lakɔ̃:tʀ] *adv.* 그것에 대하여 : Je n'ai rien à dire ~. 그것에는 이의가 없다.

lacrymal, e, aux [lakʀimal, -o] *adj.* 〖해부〗 눈물의. ***canal*** ~ 누로(淚路). ***conduit*** ~ 누관(淚管). ***glande*** ~***e*** 누선(淚腺).

lacrymogène [lakʀimɔʒɛn] *adj.* 눈물 나게 하는, 최루(催淚)의 : gaz ~ 〖군사〗 최루가스 / grenades ~*s* 최루탄.

lacs [lɑ] *m.* 올가미(= lacet, piège).

lactaire [laktɛ:ʀ] *adj.* 젖의, 포유의 ; 즙이 있는. — *m.* 〖식물〗 (송이과) 버섯의 일종.

lactation [laktɑsjɔ̃] *f.* ① 〖생리〗 젖의 분비. ② 포유(哺乳) ; 수유(授乳) : hormone de la ~ 젖 분비 호르몬.

lacté, e [lakte] *adj.* 젖의, 젖 같은 : sécrétion ~*e* 젖의 분비. ***régime ~ ; diète ~e*** 우유 요법. ***Voie ~e*** 〖천문〗 은하(수).

lactique [laktik] *adj.* 유즙의 : acide ~ 〖화학〗 젖산, 유산 / ferments ~*s* 유산균.

lactose [lakto:z] *m.* 〖화학〗 락토오스, 유당.

lacunaire [lakynɛ:ʀ] *adj.* ① 〖식물〗 (세포 사이에) 소와(小窩)가 있는. ② 결함〔공백〕이 있는 : index ~ 탈락 부분이 있는 색인.

lacune [lakyn] *f.* ① ⓐ 빈틈, 간극 ; 빈 곳. ⓑ 〖식물〗 (세포 사이의) 소와(小窩), 세포 간극(= méat). ② 공백 ; 결함 ; (원문의) 누락 ; (기억의) 결여 : remplir 〔combler〕 une ~ 공백을 채우다, 결함을 보충하다 / Mes souvenirs ont une ~. 생각이 안 나는 게 있다.

lacustre [lakystʀ] *adj.* 호수에서 사는〔나는〕. ***cité*** ~ 〖고고학〗 호상(湖上) 도시.

lad [lad] 〔영〕 *m.* (경마용 말의) 소년 마부.

***là-dedans** [laddɑ̃] *adv.* 그 속에 : Qu'est-ce qu'il y a ~ ? 그 안에 무엇이 있소 ?

là-dehors [ladəɔ:ʀ] *adv.* 그밖에.

***là-dessous** [ladsu] *adv.* 그 밑〔아래〕에 : Mon cahier est ~. 나의 노트가 그 아래에 있다.

***là-dessus** [ladsy] *adv.* ① 그 위에. ② 그 점에 관해서(는) : Nous avons déjà décidé ~. 우리는 그 점에 대해서는 벌써 결정을 내렸다. ③ 그리고, 그렇게 말하고 : Et, ~, il s'en alla. 그렇게 말하고 그는 가 버렸다.

ladite [ladit] *adj. f.* ledit 의 여성형.

ladre [la:dʀ] *adj.* 인색한, 욕심많은(= avare, chiche) ; 무정한(= insensible). — *n.* (*f.* 《옛》 ***ladresse*** [lɑdʀɛs]) ① 《옛》 나병 환자 ; 거지 ; 가난뱅이. ② 수전노, 구두쇠.

ladrerie [lɑ(a)dʀəʀi] *f.* 인색함(= avarice, sordide, lésine).

lady [lɛdi] *f.* (*pl.* ***-ies***) ① 귀부인 ; 우아한 여자. ② 영국 귀족의 부인에 대한 존칭.

lagon [lagɔ̃] *m.* 〖지리〗 ① (바닷가의) 함수호(鹹水湖). ② (산호초 안의) 초호(礁湖).

lagunaire [lagynɛ:ʀ] *adj.* 간석지의, 함수호의.

lagune [lagyn] *f.* 간석지(干潟地).

***là-haut** [lao] *adv.* 위(층)에 ; 저 높은 곳에.

lai[1]**, e** [lɛ] *n.* et. *adj.* 속인(俗人)(의), 평신도(의)《성직자에 대하여 쓰이는 말》. ***frère*** ~

〔**sœur ~e**〕 조수사(助修士)〔조수녀〕.

lai² *m.* 〖문학〗 (중세의 8 음절의) 단시(短時).

laïc [laik] *adj.* et *m.* = laïque.

laïcisation [laisizɑsjɔ̃] *f.* 속화(俗化) ; (학교·교육 따위를) 종교에서 분리시키기.

laïciser [laisize] *v.t.* 속화하다, (학교·교육 따위를) 종교에서 분리시키다 : La Révolution *a laïcisé* l'état civil. 대혁명으로 종교상의 신분 구별이 없어졌다.

laïcisme [laisism] *m.* 비종교성 ; 속화주의 ; 극단적인 정교(政教) 분리주의.

laïcité [laisite] *f.* 종교와 관계없음, 비종교성, 세속성.

***laid, e** [lɛ, -ɛd] *adj.* ① (용모가) 못생긴, 추한, 보기 흉한(= moche, hideux) : ~ comme un pou ; ~ à faire peur 아주 추한. ② 추악한, 비열한 ; (날씨가) 불쾌한 : *~e* action 비열한 행동 / Il est ~ *de* mentir. 거짓말을 하는 것은 수치스러운 일이다. ── *n.* 추남, 추녀 : Hou ! le ~ ! 이런 고약한 사람 봤나 ! ── *m.* 추한 것, 보기 흉한 것.

laidement [lɛdmɑ̃] *adv.* 밉게, 못생기게, 보기 흉하게 ; 추악하게, 비열하게.

laideron, onne [lɛdʀɔ̃, -ɔn] *n.* 《구어》 못생긴 여자. ── *adj.* 못생긴.

laideur [lɛdœːʀ] *f.* ① 추함, 보기 흉함(= hideur) : être d'une ~ affreuse 끔찍이도 보기 흉하다. ② 비열함 ; (*pl.*) 비열한〔추악한〕 언행.

laie¹ [lɛ] *f.* 〖동물〗 멧돼지의 암컷《수컷은 sanglier, 새끼는 marcassin》.

laie² *f.* 숲속의 오솔길.

lainage¹ [lɛnaːʒ] *m.* 양털 ; 모직물 (의복) ; 양모 제품.

lainage² *m.* 〖직물〗 (모직물의) 보풀 세우기.

:laine [lɛn] *f.* ① 양털, 양모 ; 모직물(의 의복) : vêtements en 〔de〕 ~ 모직옷 / complet pure ~ 순모직 양복. ② 양털 비슷한 것 ; 〖식물·곤충〗 솜털, 잔털 ; (흑인의) 고수머리. ***aller chercher de la ~ et revenir tondu*** 혹 떼러 갔다 혹 붙이고 오다.

laineur, euse¹ [lɛnœːʀ, -øːz] 〖직물〗 *n.* 보풀 세우는 직공. ── *f.* ① 보풀 세우는 기계. ② 양모〔모직물〕 상점.

laineux, euse² [lɛnø, -øːz] *adj.* ① (모직물이) 털이 선, 양털 같은 ; 보풀이 인 ; 고수머리의 : étoffe très *~euse* 보풀이 아주 많은 천 / cheveux ~ (흑인 따위의) 양털 같은 고수머리. ② 〖식물〗 솜털이 많은.

lainier, ère [lɛ〔e〕nje, lɛnjɛːʀ] *adj.* 양모의, 모직물의 : industrie *~ère* 모직 산업. ── *n.* 양모 상인 ; 모직 공장 주인 ; 양모〔모직〕 직공.

laïque [laik] *adj.* 속세의, 속인(俗人)의 ; (교인으로서) 성직자가 아닌 ; 종교와 관계없는 〔무관한〕 : habit ~ 평복/saint ~ (성직자가 아닌) 세속의 성자. ***école ~*** 비종교 학교. ── *n.* 평신도 ; 속인《성직자에 상대되는 말》.

laisse [lɛs] *f.* (개·말을 매는) 줄 ; 모자의 끈 : ~ de métal 쇠줄. ***mener*** 〔***tenir***〕 qn ***en ~*** …의 자유를 속박하다 ; …을 뜻대로 부리다. ***tenir un chien en ~*** 개를 매어 두다.

laissé(-)pour(-)compte, ~e-~-~, ~s-~-~ [lɛsepuʀkɔ̃ːt] *m.* ① 〖상업〗 인수 거절품, 반품, 팔다 남은 상품. ② 아무도 원하지 않는 사람〔물건〕. ── *adj.* (상품이) 수취〔인수〕를 거절당한 : marchandise *~e-~-~* 인수 거절 상품, 반품.

:laisser [lɛ〔e〕se] *v.t.* ① 남겨 두다 ; 그대로 두다 ; 내버려두다 : *Laisse* des fruits pour ce soir. 저녁에 먹을 과일을 남겨 둬라 / ~ un bon souvenir 좋은 추억을 남기다 / ~ la porte fermée 문을 닫힌 대로 두다, 닫아두다. ② 남겨 주다 ; 맡기다 ; 양도하다 : l'héritage que nous *ont laissé* nos parents 부모가 남겨준 유산 / ~ la clef au gardien 문지기에게 열쇠를 맡기다 / Je vous *laisse* ceci pour mille francs. 이걸 1,000 프랑에 드리겠소. ③ (잊고) 남겨 두다 ; 버리다 ; 그만두다, 포기하다 : J'*ai laissé* mon parapluie dans l'autobus. 버스에 우산을 놓고 내렸다 / Elle *a laissé* son mari. 그녀는 남편을 버렸다 / *Laissons* cela. 그런 이야기는 이제 그만둡시다. ④ (목숨 따위를) 잃다 ; 버리다 : ~ sa vie 〔sa peau〕 au combat 싸움에서 목숨을 잃다, 전사하다 / *Laissez* là ces vaines chimères. 그런 쓸데없는 몽상은 버리세요. ⑤ 《~ + *inf.*》 …하게 하다, …하게 내버려두다 : Je ne les *ai* pas *laissés* partir. 나는 그들을 떠나게 하지 않았다. **~ *à*** + *inf.* …할 여지를 남겨 두다 : Je vous *laisse à* penser si... …인지 아닌지는 당신이 생각해 보시지요/~ *à* désirer 좀 부족한 데가 있다. ***~ aller*** 되는 대로 내버려두다 : ~ tout *aller* 만사 되는 대로 내버려두다. ***~ faire*** 맡기다 ; 방임하다 : *Laissez*-le *faire*. 그에게 하도록 맡겨 두시오. ***ne pas ~*** (***que***) ***de*** + *inf.* 그래도〔어쨌든〕 …이다 : Cela *ne laisse pas de* m'inquiéter. 그래도 그건 걱정이다. ── **se ~** *v.pr.* ① 《se ~ + *inf.* (*v.i.*)》 자기를 …하는 대로 맡기다〔내버려두다〕 : *se ~* tomber 넘어지다 / *se ~* mourir 죽어 가다 / *se ~* aller dans un fauteuil 힘없이 의자에 몸을 묻다 / *se ~* aller à rire 무심코 웃어버리다 / *se ~* aller à la tentation 유혹에 빠져 버리다. ② 《se ~ + *inf.* (*v.t.*)》 (남이 …하는 대로) 자기를〔몸을〕 내맡기다 : *se ~* frapper 가만히 얻어맞고 있다 / *se ~* dire 이야기를 가만히 듣고만 있다 / Ce fruit *se laisse* manger. 《구어》 이 과일은 먹을 수 있다 / Ce film *se laisse* voir. 이 영화는 재미있게 볼 수 있다.

laisser-aller [lɛseale] *m.* 《복수불변》 ① 되는 대로 내버려두기(= abandon). ② 태만 ; 소홀함(= négligence) ; 무관심 : ~ dans le travail 아무렇게 일을 해치우기, 직무 태만.

laisser-faire [lɛsefɛːʀ] *m.* 《복수불변》 불간섭, 자유방임 : politique de ~ 자유방임 정책.

laissez-passer [lɛsepɑse] *m.* 《복수불변》 통과증, 통행권 ; 〖철도〗 입장권.

:lait [lɛ] *m.* ① 젖 ; 우유 : dents de ~ 젖니 / ~ de chèvre 양젖 / frère 〔sœur〕 de ~ 젖형제〔자매〕/ vache à ~ 젖소 / ~ en poudre 분유/café au ~ 밀크 커피. ② 우유 모양의 즙(汁) : ~ de coco 야자유 / ~ de chaux (묽은) 회반죽. ③ (우유와 같은) 흰색, 유백색 : teint de ~ 유백색의 안색 / voie de ~ 은하(수). ***cochon*** 〔***veau***〕 ***de ~*** 젖먹이 돼지 새끼. ***fièvre de ~*** 〖의학〗 (산부의) 초유열(初乳熱). ***~ caillé*** 응유(凝乳). ***~ concentré*** 〔***condensé***〕 연유.

L

laitage [lɛta:ʒ] *m.* 유류(乳類), 유제품.

laitance [lɛtɑ̃:s], **laite** [lɛt] *f.* ① 〖어류〗 이리, 어백(魚白). ② 〖건축〗 묽은 모르타르(= ~ de ciment).

laiterie [lɛtʀi] *f.* ① 낙농업; 낙농장. ② 우유(제품) 판매점, 밀크홀(= crémerie).

laiteron [lɛtʀɔ̃] *m.* ① 〖식물〗 방가지똥. ② 한 살된 망아지.

laiteux, euse [lɛtø, -ø:z] *adj.* ① (액체가) 젖 모양의; 유질의. ② 〖식물〗 젖 같은 즙을 분비하는. ③ 젖빛의, 유백색의. ***liquide ~*** 유액. ***blanc ~*** 유백색.

laitier, ère [lɛ(e)tje, -ɛ:ʀ] *adj.* ① 우유의〔에 관한〕: industrie *~ère* 낙농업 / produits *~s* 낙농 산물. ② 젖이 나는; 우유를 파는: vache *~ère* 젖소. — *n.* ① 우유 장수, 우유 배달인. ② 낙농업자. — *f.* 젖소; 우유차.

laiton [lɛtɔ̃] *m.* 놋쇠, 황동(= cuivre jaune); 놋쇠줄.

laitonner [lɛtɔne] *v.t.* …에 놋쇠줄을 장식으로 달다; 놋쇠 도금하다: métal *laitonné* 황동 도금한 금속.

*__laitue__ [lɛ(e)ty] *f.* ① 〖식물〗 상추. ② 상추 샐러드: ~ de chien 민들레.

laïus [lajys] *m.* 《구어》 ① 연설(= discours, allocution). ② 과장된 말, 장광설: C'est du ~. 그건 장광설에 불과하다. ***piquer*** 〔***faire***〕 ***un ~*** 연설을 하다.

laïusser [lajyse] *v.t.* 지껄이다. — *v.i.* 《구어》 연설하다, 장광설을 늘어놓다.

laïusseur, euse [lajysœ:ʀ, -ø:z] *adj.* et *n.* 《학생은어》 연설하는 (사람); 연설하기 좋아하는 (사람); 장광설을 늘어 놓는 (사람).

-lalie *suff.* 「말하다」의 뜻.

lama¹ *m.* 〖동물〗 라마, 아메리카 낙타.

lama² 〔티벳〕 *m.* 라마승(僧)《티베트·몽골의 라마교의 중》. ***Grand*** 〔***Dalaï-***〕 ***L~*** 달라이 라마《라마교의 교주》.

lamaïsme [lamaism] *m.* 〖종교〗 라마교.

lamaïste [lamaist] *m.* et *adj.* 라마교도(의).

lamantin [lamɑ̃tɛ̃] *m.* 〖동물〗 해우(海牛).

lambada [lɑ̃bada] *f.* 람바다 춤《브라질에서 유래한 4박자 춤》.

lambeau [lɑ̃bo] *m.* (*pl.* ***~x***) ① (헝겊·종이·고기 따위의) 떨어진 조각. ② 단편(斷片)(= morceau): *~x* de musique 〔de conversation〕 음악〔대화〕의 단편. ③ 〖의학〗 피부판(瓣), 피판(被瓣). ***en ~x*** 너덜너덜한, 갈가리 찢어진: un habit *en ~x* 누더기 옷. ***mettre en ~x*** 갈가리 찢다.

lambin, e [lɑ̃bɛ̃, -in] *adj.* 동작이 느린(≠ rapide): Elle est plus *~e* que paresseuse. 그녀는 게으르다기보다 느리다. — *n.* 느림보, 굼벵이(= traînard).

lambiner [lɑ̃bine] *v.i.* 《구어》 늑장부리다, 꾸물거리다(= traînasser); 시간을 낭비하다: Ne *lambinez* pas en chemin. 도중에서 꾸물거리지 마라.

lambourde [lɑ̃buʀd] *f.* 〖건축〗 마루 밑의 횡재(橫材), 마루귀틀; 대들보 받침대.

lambrequin [lɑ̃bʀəkɛ̃] *m.* (창·선반·침대 따위의) 드림 장식; (중세 기사의) 투구 장식 덮개.

lambris [lɑ̃bʀi] *m.* 〖건축〗 (벽·천장의 장식을 위한) 미장널; 벽에 둘러친 대리석〔스터코(stuc)·미장널〕: ~ d'appui 벽의 아랫부분에 둘러댄 판자, 요판(腰板) / ~ en 〔de〕 hauteur 벽 꼭대기까지 둘러댄 판자, 경판(鏡板).

lambrisser [lɑ̃bʀise] *v.t.* (벽·천장에) 미장널을 붙이다; (벽을) 대리석으로〔스터코·미장널로〕 치장하다: mansarde *lambrissée* 나무 장식을 댄 지붕밑 방.

‡**lame** [lam] *f.* ① (금속·나무·유리 따위의) 얇은 판〔조각〕: *~s* de parquet 마루널. ② (칼·면도칼·톱 따위의) 날; 《문어》 칼, 검, 검객: ~ de cutter 커터 날 / ~ de scie 톱니 / bonne ~ 노련한 검객. ③ 물결, 파도(= flot, vague). ④ 〖의복〗 (얇게 늘인) 금실, 은실; 〖식물〗 잎몸. ***~ de fond*** 넘실거리는 큰 파도. ***~ de houle*** 큰 파도. ***visage en ~ de couteau*** 가늘고 뾰족한 얼굴.

lamé, e [lame] *adj.* 금속판을 씌운; 금박〔은박〕으로 장식한, 금실〔은실〕을 섞어 짠. — *m.* 금·은실을 섞어 짠 직물.

lamellaire [lameɛ(l)lɛ:ʀ] *adj.* ① 〖화학〗 (생체막이) 박층 구조의. ② 〖해부〗 박층상(狀)의.

lamelle [lamɛl] *f.* (석판·운모 따위의) 엽층(葉層), 얇은 조각: ~ de verre (현미경의) 슬라이드.

lamellibranches [lameɛ(l)libʀɑ̃:ʃ] *m. pl.* 〖동물〗 판새류(瓣鰓類).

lamellicornes [lameɛ(l)likɔʀn] *m. pl.* 〖곤충〗 편각충류(偏角蟲類).

*__lamentable__ [lamɑ̃tabl] *adj.* ① 비통한, 비참한; 애처로운: voix ~ 애처로운 목소리. ② 《구어》 초라한, 형편없는, 한심한(= très mauvais): ouvrage ~ 초라한 작품 / orateur ~ 형편없는 연설가.

lamentablement [lamɑ̃tabləmɑ̃] *adv.* 애처롭게; 비통하게, 비참하게: échouer ~ 비참하게 실패하다.

lamentation [lamɑ̃tɑsjɔ̃] *f.* 비탄, 통탄, 한탄, 탄식: se répandre en ~ 비탄에 잠기다. ***L~s de Jérémie*** 예레미아 애가(哀歌). ***Mur des L~s*** 통곡의 벽.

lamenter [lamɑ̃te] *v.t.* 《옛》 슬퍼하다, 한탄〔탄식(歎息)〕하다. — *v.i.* ① 한탄〔탄식〕하다; 《~ sur 〔de〕》 …을 한탄〔탄식〕하다. ② (악어·새가) 울다. — **se ~** *v.pr.* 《se ~ de 〔sur〕》 …을 탄식〔한탄〕하다, 슬퍼하다: Elle *se lamente sur* son malheur. 그녀는 자신의 불행을 한탄한다.

lamento [lamɛnto] 〔이탈리아〕 *m.* 〖음악〗 애가(哀歌).

laminage [lamina:ʒ] *m.* ① (금속의) 압연(壓延), 얇게 늘여펴기. ② 〖지질〗 (지층의) 압축.

laminer [lamine] *v.t.* ① (금속을) 압연(壓延)하다. ② 눌러서 부피를 줄이다; (종이를) 광내는 기계로 누르다. ③ 《비유》 감소시키다(= réduire): Les revenus *sont laminés* par l'impôt. 수입이 세금 때문에 줄어든다.

lamineur [laminœ:ʀ] *m.* (금속의) 압연공(壓延工). — *adj. m.* 압연하는; 광내는: cylindre ~ 압연 롤러.

laminoir [laminwa:ʀ] *m.* ① 〖금속〗 압연기; 롤러. ② 〖제지〗 윤내는 롤러. ***faire passer qn au ~*** …에게 쓰라린 시련을 겪게 하다.

lampadaire [lɑ̃padɛ:ʀ] *m.* 큰 촛대; 전기스

탠드 ; 가로등.

lampant, e [lɑ̃pɑ̃, -ɑ̃ːt] *adj.* 밝히는, 조명용의. ***huile ~e*** 등유. ***pétrole ~*** 조명용 정제(精製) 석유.

lamparo [lɑ̃paʀo] *m.* 집어등(集魚燈) : pêche au ~ 등불 고기잡이.

‡lampe [lɑ̃ːp] *f.* ① 남포, 램프 : ~ à huile 〔pétrole〕 석유 램프 / ~ à gaz 가스 램프 / ~ à alcool 알코올 램프. ② 전등 ; 전구 : ~ à arc 아크등/~ ampoule 전구 / ~ fluorescente 형광등 / ~ de soixante watts, 60 촉 전구. ③ 진공관 ; 전자관 : ~ amplificatrice 증폭관. ④ 《속어》 위(胃) ; 배 : s'en mettre 〔s'en foutre〕 plein la ~ 게걸스레 먹고 마셔대다.

lampée [lɑ̃pe] *f.* 《구어》 한 모금 : absorber 〔vider〕 son verre d'une seule ~ 단숨에 마셔 버리다.

lamper [lɑ̃pe] *v.t.* 《구어》 (술을) 꿀꺽꿀꺽 마시다.

lampion [lɑ̃pjɔ̃] *m.* ① 조명용 램프, 칸델라. ② 초롱(= lanterne vénitienne).

lampiste [lɑ̃pist] *m.* ① 램프〔전등 · 전구〕 제조인〔판매인〕. ② 점등원(點燈員). ③ 《비유》 (상사의 책임을 뒤집어쓰는) 하급 직원.

lampisterie [lɑ̃pistəʀi] *f.* ① 램프〔전등 · 전구〕 제조소〔제조업 · 판매업〕. ② 〖철도〗 안전등 보관〔수리〕 창고.

lamproie [lɑ̃pʀwa(ɑ)] *f.* 〖어류〗 칠성장어.

lampyre [lɑ̃piːʀ] *m.* 〖곤충〗 반딧벌레속.

lance [lɑ̃ːs] *f.* ① 창(槍). ② 창병(槍兵). ③ 창 모양의 것 ; 깃대 ; (펌프 · 호스 따위의) 주둥이(= ~ à eau). ***en fer de ~*** 창끝 모양의 ; 〖식물〗 피침형(披針形)의(= lancéolé). ***fer de ~*** 창의 끝〔날〕 : *fer de ~* d'une grille 철책 끝의 창끝 모양의 장식. ***rompre une ~ avec*** qn 《구어》 …와 한판 싸우다 ; 논쟁을 벌이다.

lance-bombes [lɑ̃sbɔ̃ːb] *m.* 《복수불변》 〖군사〗 박격포 ; 〖공군〗 폭탄 투하기.

lancé, e¹ [lɑ̃se] *adj.* ① (활동 따위에) 깊숙이 뛰어든 ; 질주하고 있는. ② 이야기를 늘어놓기 시작한. ③ 유명한, 출세한 ; 인기 있는 : critique ~ 유명한 비평가.

lancée² [lɑ̃se] *f.* 던지기 ; 나아가기, 질주 ; 내친 기세〔속력 · 힘〕 ; 여세. ***continuer sur sa ~*** 여세를 몰아 밀고 나아가다.

lance-flammes [lɑ̃sflɑ(ɑː)m] *m.* 《복수불변》 〖군사〗 화염 방사기.

lance-fusées [lɑ̃sfyze] *m.* 《복수불변》 〖군사〗 로켓 발사기.

lance-grenades [lɑ̃sgʀənad] *m.* 《복수불변》 〖군사〗 척탄통(擲彈筒).

lancement [lɑ̃smɑ̃] *m.* ① 던지기 ; (폭탄 · 낙하산 따위의) 투하 ; (로켓 따위의) 발사 : rampe de ~ (로켓) 발사대. ② (배의) 진수(進水). ③ (사업의) 발기(發起) ; (사람 · 책 따위를) 세상에 내놓기 ; (서책의) 발표.

lance-missiles [lɑ̃smisil] *m.* 《복수불변》 미사일 발사 장치〔대〕.

lance-pierre(s) [lɑ̃spjɛːʀ] *m.* 《복수불변》 (Y자형의) 장난감 새총(= fronde).

‡lancer¹ [lɑ̃se] [2] *v.t.* ① 던지다 ; (화살 · 로켓 따위를) 쏘다, 발사하다 ; (배를) 진수시키다 ; (폭탄을) 투하(投下)하다 : ~ une pierre contre …에 돌을 던지다 / ~ des flèches avec un arc 활로 화살을 쏘다. ② 내뿜다, 분출하다. ③ (팔 · 다리 따위를) 내뻗다 ; (타격을) 가하다, (시선을) 던지다 : ~ un coup de pied à qn …을 차다. ④ (고함 따위를) 내지르다 ; (비난 따위를) 가하다. ⑤ (초대장 따위를) 보내다 ; (구인장(拘引狀) 따위를) 발부(發付)하다. ⑥ (사업 따위를) 일으키다 ; (공격 따위를) 개시〔전개〕하다 ; (작품 따위를) 발표하다 ; (상품 따위를) 세상에 내놓다 : ~ un adolescent dans le commerce 청년을 상업계에 진출시키다 / ~ la mode 유행을 창조하다. ⑦ (말 · 개 따위를) 내달리게 하다 ; (적을 향해 군대를) 진격시키다 ; (기계 따위를) 시동시키다 : ~ les troupes à l'assaut 군대를 돌격시키다.

— **se ~** *v.pr.* ① ⓐ 몸을 내던지다(= se jeter) ; 돌진하다 : *se ~* à la poursuite de qn …을 추적하다. ⓑ 《se ~ sur 〔contre〕》 …을 향해 돌진하다. ② 《se ~ dans》 뛰어들다, 투신(投身)하다 ; 들어가다 : *se ~ dans* des détails 세부적인 설명으로 들어가다 / *se ~ dans* la politique 정계에 투신하다. ③ (세상 · 사교계에) 진출하다 : *se ~* dans le monde 사교계에 진출하다.

lancer² *m.* ① 던지기 ; 던질 낚시(= pêche au ~). ② 〖스포츠〗 (포환 · 원반 · 창) 던지기. ③ 〖사냥〗 개가 짐승을 몰아내는 곳〔때 · 신호의 나팔 소리〕(= lancé).

lanceron [lɑ̃sʀɔ̃] *m.* 〖어류〗 양미리.

lance-roquettes [lɑ̃sʀɔkɛt] *m.* 《복수불변》 〖군사〗 (보병의) 로켓 발사기.

lance-torpilles [lɑ̃stɔʀpij] *m.* 《복수불변》 〖해군〗 수뢰 발사 장치. — *adj.* 《불변》 tube ~ 수뢰 발사관.

lancette [lɑ̃sɛt] *f.* 〖의학〗 란세트, 바소 ; 종두 칼. (***arc à***) ~ 〖건축〗 예첨(銳尖) 아치.

lanceur, euse [lɑ̃sœːʀ, -øːz] *n.* ① 던지는 사람 ; 〖야구〗 투수 ; 〖스포츠〗 (포환 · 원반 · 창) 던지기 선수. ② 발기인 ; 발안자 : *~euse* de modes 패션 모델. — *m.* (액체 · 가스의) 발사기 ; (로켓 · 미사일 등의) 발사 장치 ; (인공위성의) 발사 로켓.

lancier [lɑ̃sje] *m.* 〖군사〗 창기병(槍騎兵).

lancinant, e [lɑ̃sinɑ̃, -ɑ̃ːt] *adj.* (아픔이) 찌르는 듯한, 몹시 쑤시는 ; 《비유》 끈질기게 괴롭히는(= obsédant) : douleur *~e* 찌르는 듯한 고통/regrets *~s* 뼈아픈 후회.

lancination [lɑ̃sinɑsjɔ̃] *f.*, **lancinement** [lɑ̃sinmɑ̃] *m.* 찌르는 듯한 아픔, 동통(疼痛).

lanciner [lɑ̃sine] *v.i.* (상처 · 병세가) 찌르듯 아프다, 쑤시다. — *v.t.* 못살게 괴롭히다 : Cette pensée le *lancinait.* 이 생각이 그를 끈질기게 괴롭혔다.

land [lɑ̃d] 〔독일〕 *m.* (*pl.* ***länder***) (흔히 *L~*) (독일 연방의) 주(州).

landau [lɑ̃do] *m.* (*pl.* ***~s***) ① 랑도 마차《4륜 포장마차》. ② 유모차.

lande [lɑ̃ːd] *f.* 광야, 황야.

landier [lɑ̃dje] *m.* (고기 굽는 쇠꼬챙이를 올려놓는) 갈고리 달린 받침쇠.

‡langage [lɑ̃gaːʒ] *m.* ① 언어, 말(= langue) ; 말씨 ; 어법 ; 용어 : ~ des halles 시장 용어, 상스러운 말투 / ~ écrit 〔parlé〕 문어〔구어〕 / ~ populaire 속어, 비어. ② 언어 능력, 언어

활동. ③ 사상 · 감정의 표현 형식 : ~ chiffré 암호문 / ~ des fleurs 꽃말. ***changer de ~*** 어조〔말투〕를 바꾸다. ***~ courant*** 일상어.

langagier, ère [lɑ̃gaʒje, -ɛːʀ] *adj.* 언어의, 언어에 관한(= linguistique) : habitudes *~ères* 언어 습관 / activité *~ère* 언어 활동.

lange [lɑ̃ːʒ] *m.* ① (흔히 *pl.*) 배내옷(= maillot) ; 기저귀. ② 《les *~s*》 속박, 구속. ③ 요람기. ***dans les ~s*** 유아기의 ; 초기의 : science qui est encore *dans les ~s* 아직 초창기에 있는 학문.

langer [lɑ̃ʒe] 3 *v.t.* (아기를) 배내옷으로 싸다 ; (아기에게) 기저귀를 채우다.

langoureusement [lɑ̃guʀøzmɑ̃] *adv.* ① 《옛》 초췌하여. ② 힘없이, 나른하게. ③ (사랑에) 번민하며, 심란하게 ; 사랑을 호소하듯.

langoureux, euse [lɑ̃guʀø, -øːz] *adj.* ① (문장 따위가) 힘〔기운〕 없는, 생기 없는. ② (사랑에) 번민하는 ; (노래 따위가) 사랑을 호소하는 (듯한) : romance *~euse* 사랑을 호소하는 로망스.

***langouste** [lɑ̃gust] *f.* 〖동물〗 대하(大蝦).

langoustier [lɑ̃gustje] *m.*, **langoustière** [lɑ̃gustjɛːʀ] *f.* 대하잡이 그물.

langoustine [lɑ̃gustin] *f.* 〖동물〗 작은 새우의 일종.

****langue** [lɑ̃ːg] *f.* ① 혀 ; 혀 모양의 것 : claquer la ~ 혀를 차다 / se brûler la ~ 혀를 데다. ② 말, 언어(= langage) ; 어법, 표현법 ; 문체 ; 어학 : ~ nationale 국어, 민족어 / ~ standard 표준어 / ~ écrite 〔parlée〕 문어〔구어〕. ③ (개인의) 용어 ; (어느 사회의 특유한) 말 : ~ française 프랑스어 / ~ maternelle 모국어 / ~ mère 모어(母語) / ~ morte 〔vivante〕 사어(死語)〔현대어〕. ***avaler sa ~*** 말없이 있다 ; 입을 다물다. ***avoir la ~ bien pendue*** 지껄여대다. ***avoir la ~ trop longue*** 입이 너무 헤프다. ***bonne ~*** 수다쟁이. ***coups de ~*** 욕, 험담(險談), 독설(毒舌). ***jeter*** 〔***donner***〕 ***sa ~ aux chiens*** 〔***au chat***〕 단념하다. ***~ de terre*** 좁다란 반도(半島). ***~ verte*** 은어(隱語) : Il faut tourner sa ~ sept fois avant de parler. 《격언》 말하기 전에 심사숙고해야 한다. ***mauvaise ~ ; ~ de vipère*** 독설가, 악담가. ***prendre ~ avec*** qn …와 담판하다 ; 문의하다. ***Quelle ~ !*** 잘도 지껄이는군. ***se mordre la ~*** 하려던 말을 그만두다 ; 후회하다. ***tirer la ~*** 목마르다 ; (개가) 헐떡거리며 혀를 내밀다 ; (사람이) 헛되이 갈망하다. ***tirer la ~ à*** qn 혀를 내밀어 …을 놀리다.

langue-de-chat [lɑ̃gdəʃa] *f.* (*pl.* ***~s-~-~***) ① 납작하고 긴 비스킷. ② 조각용 끌.

languette [lɑ̃gɛt] *f.* 작은 혀 모양의 것 ; (구두의) 혀 모양의 가죽(= ~ d'une chaussure).

langueur [lɑ̃gœːʀ] *f.* ① 쇠약, 초췌, 나른함. ② 무기력 ; (경기의) 부진, 불경기, 침체(= dépression ; ≠ animation). ③ ⓐ (사랑의) 심란함 : regard plein de ~ 심란한 눈길. ⓑ 우수, 우울감 : ~ mystique 신비적 우울감.

languide [lɑ̃gid] *adj.* 《옛》 무기력한 ; 초췌한, 쇠약한.

languir [lɑ̃giːʀ] *v.i.* ① 쇠약해지다 ; 여위다 ; (식물이) 시들다 ; (사업 따위가) 활기를 잃다 ; 부진〔침체〕해지다 : Les affaires *languissent.* 사업이 부진하다. ② 번민하다, 괴로워하다 : ~ loin de qn …와의 이별로 괴로워하다 / ~ d'amour 사랑에 번민하다. ③ 애타게 기다리다 : Il *languit* de la voir. 그는 그녀를 만나기를 애타게 기다리고 있다. ***faire ~*** qn …을 애태우다, 몸 달게 하다 : Ne nous *faites* pas ~. 우리를 애태우게 하지 마시오. ***~ après*** qc …을 애타게 갈망하다〔기다리다〕.

languissant, e [lɑ̃gisɑ̃, -ɑ̃ːt] *adj.* ① 쇠약한, 초췌한, 힘〔기운〕없는. ② 활기 없는 ; 부진〔침체〕한(≠ actif) : récit ~ 따분한 이야기. ③ 《문어》 (사랑에) 번민하는, 심란한.

lanière [lanjɛːʀ] *f.* 가는 가죽 끈 : drapeau réduit en ~ 술만 남은 군기(軍旗) / découper en *~s* 가는 끈 모양으로 자르다.

lanoline [lanɔlin] *f.* 〖화학〗 라놀린, 양모지(羊毛脂).

lanterne [lɑ̃tɛʀn] *f.* ① ⓐ 제등(提燈), 각등(角燈), 초롱, 칸델라 ; 《옛》 가로등 : ~ de papier 종이 초롱 / ~ arrière 〔à feu rouge〕 미등(尾燈), 꼬리등 / ~ rouge (자동차 대열에서 마지막 차의) 라이트 ; 《구어》 (학급 · 경쟁 따위의) 꼴찌. ⓑ (보통 *pl.*) 전조등, 헤드라이트 : *~s* d'automobiles 자동차 헤드라이트의 약한 라이트 / ~(*s*) de locomotive 기관차의 헤드라이트. ② 〖건축〗 꼭대기 채광탑(塔)(= tour ~) ; 둥근 유리 천창 ; 채광창(採光窓). ***éclairer la ~ de*** qn …에게 사태를 알려 주다. ***~ magique*** 환등(幻燈), 환등기《현재의 ~ à projection》. ***~ vénitienne*** 〔***chinoise***〕 초롱. ***prendre des vessies pour des ~s*** 엉뚱한 착오를 범하다.

lanterneau [lɑ̃tɛʀno] *m.* (*pl.* ***~x***) 〖건축〗 ① (계단 위의) 천창(天窓). ② 옥상의 작은 탑.

lanterner [lɑ̃tɛʀne] *v.i.* 실없이 시간 보내다 ; 꾸물거리다. ***faire ~*** 기다리게 하다. ── *v.t.* ① (이야기를) 질질 끌다 ; (약속 따위를) 미루다. ② 귀찮게 하다.

lanternon [lɑ̃tɛʀnɔ̃] *m.* (*pl.* ***~x***) 〖건축〗 (계단 위의) 채광창(= lanterneau).

laotien, enne [laɔsjɛ̃, -ɛn] *adj.* 라오스(*le Laos*)의. ── **L~** *n.* 라오스 사람.

lapalissade [lapalisad] *f.* 자명한 이치(= vérité de La Palice).

laparotomie [lapaʀɔtɔmi] *f.* 〖외과〗 개복(開腹) (수술).

lapement [lapmɑ̃] *m.* (개 · 고양이가 물을 마실 때) 핥기, 핥는 소리.

laper [lape] *v.t.* et *v.i.* 핥아먹다, 개가 (물을) 먹다 ; (술을) 마시다.

lapereau [lapʀo] *m.* (*pl.* ***~x***) 어린 토끼.

lapidaire [lapidɛːʀ] *m.* 보석 세공인 ; 보석 상인 ; 보석 연마기. ── *adj.* 돌에 새긴, 비명(碑銘)의, 비문의 ; 간결한 : inscription ~ 비명 / formules *~s* 간결한 문장.

lapidation [lapidɑsjɔ̃] *f.* 투석(投石) ; 돌로 때려죽이기《고대 형벌》.

lapider [lapide] *v.t.* ① 돌로 쳐죽이다 ; …에게 돌을 던지다. ② 맹렬히 공박하다.

lapilli [lapi(l)li] 〔라틴〕 *m. pl.* 〖지질〗 화산(火山) 자갈.

lapin, e** [lapɛ̃, -in] *n.* 집토끼 ; 토끼 고기 ; 토끼의 털가죽 : ~ de garenne 〔sauvage〕 산토끼 / ~ de gouttière 고양이 / ~ domestique 〔de choux〕 집토끼. ***chaud* ~** 정력이 강한 남자. ***mon* (*petit*) ~** (어린아이에게) 얘야. ***poser un* ~ *à qn …을 공연히 기다리게 하다, 바람맞히다.

lapis(-lazuli) [lapis(lazyli)] *m.* 《복수불변》 〖광물〗 청금석(青金石), 유리.

laps [laps] *m.* ~ de temps (지나간) 기간, 시간의 경과.

lapsus [lapsys] *m.* 오류, 실수, 잘못. ***~ calami*** 잘못 쓰기; 오자(誤字). ***~ linguae*** 말의 실수. ***faire un* ~** 실언(失言)하다.

laquage [laka:ʒ] *m.* ① 옻칠. ② 〖의학〗 ~ du sang 용혈 현상.

laquais [lakɛ] *m.* ① (제복을 입은) 하인, 종복: les ~ du régime 체제를 맹목적으로 따르는 사람들. ② 《구어》 비굴한〔천한〕 사내.

laque [lak] *f.* 라크(= gomme ~); 〖페인트〗 래커. ── *m.* ① 칠(漆), 옻. ② 칠기(漆器).

laqué, e [lake] *adj.* 옻칠을 한: meubles *laqués* de blanc 흰 에나멜을 칠한 가구.

laquelle [lakɛl] ⇒ lequel.

laquer [lake] *v.t.* ① …에 옻〔래커〕칠을 하다; 매니큐어를 칠하다. ② 광택을 내다.

laqueux, euse [lakø, -ø:z] *adj.* ① 옻질(質)의. ② 옻 빛깔의.

laquier [lakje] *m.* 옻나무(= arbre à laque).

larbin [laʀbɛ̃] *m.* ① 《구어》 《경멸》 하인, 종복. ② 비루한 사람.

larcin [laʀsɛ̃] *m.* ① 《문어》 좀도둑; 훔친 물건: doux ~ 도둑 키스. ② 표절.

lard [la:ʀ] *m.* ① 비계, (주로 돼지의) 기름살: gros ~¹; ~ gras 돼지기름 / ~ maigre (고기가 섞인) 돼지비계〔기름살〕. ② 〖요리〗 ⓐ 베이컨(= ~ salé 〔fumé〕): omelette au ~ 베이컨을 곁들인 오믈렛. ⓑ 비계 조각(= lardon). ③ 《구어》 (사람의) 지방(= graisse humaine). ***être gras à* ~** 돼지처럼 살찌다. ***gros* ~²** 《구어》 뚱보. ***tête de* ~** 얼간이.

larder [laʀde] *v.t.* ① (고기에) 기름살을〔비계를〕 넣다〔끼우다〕. ② 《구어》 찌르다(= piquer); 신랄하게 비평하다: ~ qn de coups d'épée …을 칼로 푹 찌르다 / ~ qn d'épigrammes …에게 욕설을 퍼붓다. ③ 섞어넣다, 삽입하다: ~ un discours de citations 연설에 인용구를 많이 삽입하다.

lardoire [laʀdwa:ʀ] *f.* ① 〖요리〗 비계 넣는〔끼우는〕 꼬챙이. ② 《구어》 뾰족한 무기《총검 따위》. ③ (말뚝에 박는) 뾰족한 쇠붙이.

lardon [laʀdɔ̃] *m.* ① (고기에 끼워 넣는) 비계〔기름살〕 조각. ② 《구어》 풍자, 빈정거림, 야유. ③ 《구어》 꼬마; 어린아이.

lare [la:ʀ] *m.* ① 〖고대로마〗 터주, 집의 수호신. ② (*pl.*) 〖문학〗 가정, 우리 집.

largable [laʀgabl] *adj.* 〖항공〗 (비행기 따위에서) 투하할 수 있는.

largage [laʀga:ʒ] *m.* (비행기 따위로부터의) 투하: ~ des bombes 폭탄 투하.

‡large [laʀʒ] *adj.* ① ⓐ 폭이 넓은; 넓은(≠ étroit); (옷이) 헐렁한: le fleuve ~ de cent mètres 폭 100 미터의 강 / ~s d'épaules 딱 벌어진 어깨 / faire un ~ tour d'horizon 폭넓게 검토하다. ⓑ 《부사적으로》 fenêtres ~s ouvertes 활짝 열린 창문. ② 너그러운; 아량 있는, 관대한; (생각 따위가) 옹졸하지 않은, 대범한: avoir la conscience ~ 마음이 관대하다; 《경멸》 죄의식이 적다 / être ~ d'idées 생각이 너그럽다. ③ 넉넉한, 인심이 후한(= généreux; ≠ mesquin): Il est très ~ avec ses domestiques. 그는 하인들에게 매우 후한 대우를 하고 있다. ④ (문장·필세 따위가) 활달한, 대담한. ⑤ 다량의, 많은(= abondant, copieux); 큰(= grand, considérable): entreprise de ~ envergure 대규모의 기업 / faire de ~s concessions 크게〔대폭〕 양보하다.

── *m.* ① 폭; 넓이: rivière de 30 mètres de ~ 폭이 30 m인 강. ② 넓은 공간〔장소·방〕; 난바다, 먼바다(= haute mer), 외양(外洋): vent du ~ 바닷바람. ***Au* ~ !** 〖해양·군사〗 물러나라! ***au long et au* ~; *de long en* ~** 가로세로, 이리저리. ***être au* ~** 넓은 곳에 있다; 유복하게 살다: *être* logé *au* ~ 넓은 집에 살고 있다 / Vous *êtes au* ~ ici. 이곳〔이 방〕은 넓군요. ***gagner* 〔*prendre*〕 *le* ~** 난바다로 나가다; 《구어》 도망치다.

── *adv.* ① 넓게; 크게: s'habiller ~ 옷을 크게 입다. ② 대강; 대담하게; 활달하게: calculer 〔mesurer〕 ~ 대강 계산하다〔재다〕. ***ne pas en mener* ~** 전전긍긍하다; 난처한 처지에 있다.

***largement** [laʀʒəmɑ̃] *adv.* ① 넓게; 폭넓게; 널리: opinion ~ répandue 널리 퍼진 의견. ② 대강, 대충. ③ 아낌없이, 후하게: récompenser ~ 후하게 보상을 하다. ④ ⓐ 넉넉히, 충분히, 여유 있게(= abondamment): vivre ~ 유복하게 살다 / avoir ~ le temps 시간이 충분하다 / Il a été ~ reçu à l'examen. 그는 시험에 여유 있게 합격했다. ⓑ 넉넉하게 잡고, 적어도(= au moins): Il a ~ deux mille livres de rente. 그의 연금은 적어도 2,000 프랑은 된다.

largesse [laʀʒɛs] *f.* ① 후한 인심(= générosité). ② (보통 *pl.*) 하사품〔금〕; 팁, 행하(行下): faire ses ~s 행하를〔팁을〕 주다.

***largeur** [laʀʒœ:ʀ] *f.* ① 폭; 넓이: ~ de la route 도로의 폭 / avoir 3 pieds de ~ 폭이 3 피트이다. ② 폭넓음; 너그러움; 활달함: ~ d'esprit 넓은 도량. ③ 넉넉함, (옷 따위의) 헐렁함. ***dans les grandes* ~s** 《구어》 크게, 매우, 무척, 완전히, 극도로.

larghetto [laʀgɛtto] 〔이탈리아〕 〖음악〗 *adv.* 조금 느리게. ── *m.* 조금 느린 악곡.

largo [laʀgo] 〔이탈리아〕 〖음악〗 *adv.* 느리게. ── *m.* 《복수불변》 완서곡(緩徐曲).

largue [laʀg] *adj.* 〖해양〗 ① (밧줄 등이) 느슨한(≠ tendu). ② (바람이) 비스듬히 뒤에서 불어오는: vent ~ 비스듬한 순풍. ── *m.* et *adv.* 비스듬한 순풍(을 받고). ***aller* 〔*courir*〕 ~** 비스듬히 순풍을 받으면서 나아가다.

larguer [laʀge] *v.t.* ① 〖해양〗 (밧줄을) 늦추다, 끄르다: ~ les amarres 닻줄을 풀다. ② 〖항공〗 (폭탄·가솔린 탱크를) 투하하다: ~ des bombes 폭탄을 투하하다. ③ 《~ qc 〔qn〕》 《구어》 …을 버리다(= abandonner); …와 인연을 끊다.

***larme** [laʀm] *f.* ① 눈물: vivre dans les ~s 눈물로 지새우다 / verser des ~s de joie 기쁨의 눈물을 흘리다. ② 슬픔, 비탄, 상심: mêler ses ~s à celles de qn 《문어》 …와

L

슬픔을 같이하다. ③ 수액(樹液)(= sève). ④ (술 따위의) 극소량(= goutte). ***avoir une crise de ~s; fondre en ~s*** 울음을 터뜨리다. ***cette vallée de ~s*** 이승, 속세(俗世). ***~s de crocodile*** 악어의 눈물, 거짓 눈물. ***pleurer à chaudes ~s*** 비통하게〔철철〕 울다. ***une ~ de*** 한 방울의, 소량의 : prendre *une ~ de* rhum dans son café 커피에 럼주를 한 방울 타다.

larmoiement, larmoîment [laʀmwamɑ̃] *m.* 〖의학〗 눈물 흘리기 ; 훌쩍거리기.

larmoyant, e [laʀmwajɑ̃, -ɑ̃:t] *adj.* ① 눈물 흘리는 ; 울먹〔훌쩍〕거리는 : voix *~e* 울먹거리는 목소리. ② 눈물을 자아내는, 애절한. ***comédie ~e*** 〖문학〗 최루(催淚) 희극.

larmoyer [laʀmwaje] 7 *v.i.* 눈물을 흘리다 ; 《경멸》 훌쩍거리다(= pleurer).

larron [la(ɑ)ʀɔ̃] *m.* 《옛》 도둑, 좀도둑. ***le troisième ~*** 어부지리(漁父之利)를 차지하는 사람. ***L'occasion fait le ~.*** 《속담》 견물생심(見物生心). ***s'entendre comme ~s en foire*** (나쁜 짓을 하려고) 작당하다.

larvaire [laʀvɛ:ʀ] *adj.* ① 유충(幼蟲)〔애벌레〕의. ② 《비유》 초기의, 발생기의.

larve [laʀv] *f.* ① 〖생물〗 애벌레, 유충(幼蟲). ② 초기, 초보 단계(= embryon). ③ 《구어》 박력 없는〔나약한〕 사람.

larvé, e [laʀve] *adj.* ① 〖의학〗 (열이) 잠복성의. ② 《구어》 잠재적인 : révolte *~e* (폭발하지 않은) 잠재적인 반란.

laryngal, e, aux [laʀɛ̃gal, -o] 〖언어〗 *adj.* 후두(喉頭)의. ── *f.* 후두음.

laryngé, e [laʀɛ̃ʒe] *adj.* 〖해부〗 후두부(喉頭部)의 : phtisie *~e* 후두 결핵.

laryngite [laʀɛ̃ʒit] *f.* 〖의학〗 후두염(炎).

laryng(o)- *préf.* 「후두(喉頭)」의 뜻.

laryngologie [laʀɛ̃gɔlɔʒi] *f.* 〖의학〗 후두학.

laryngologiste [laʀɛ̃gɔlɔʒist], **laryngologue** [laʀɛ̃gɔlɔg] *m.* 후두 전문가〔학자〕.

larynx [laʀɛ̃:ks] *m.* 〖해부〗 후두(喉頭).

las[1] [lɑ:s] *interj.* 아아 ! (= hélas).

***las**[2], **lasse** [lɑ, lɑ:s] *adj.* ① 피곤〔피로〕한, 지친(= fatigué) : triste et ~ 슬프고 피곤한. ② 《~ de》 …에 지친 ; …에 싫증난, 진력난 (= dégoûté) : ~ *d'*attendre 기다리다 지친 / ~ *de* tout 모든 것에 싫증난 / Je suis ~ *de* la vie. 나는 사는 데 싫증이 났다.

lasagne [lazaɲ] 〔이탈리아〕 *f.* 《복수불변》 〖요리〗 이탈리아식 파이.

lascar [laska:ʀ] *m.* 《구어》 ① 빈틈없는 사람 ; 대담한 사람 ; 꾀바른 사람, 수완가 : C'est un ~. 대단한 놈이다 / Quel est ce ~ ? 저 놈은 누구지 ? ② 놈, 녀석, 작자(= individu).

lascif, ive [lasif, -i:v] *adj.* ① 호색의, 음탕한(= voluptueux) : regards *~s* 음탕한 눈길. ② 선정적인, 관능적인(= lubrique) : danse 〔pose〕 *~ive* 선정적인 춤〔폼〕.

lascivement [lasivmɑ̃] *adv.* 음탕하게, 외설스럽게, 선정적으로.

lasciveté [lasivte] *f.* 음란, 음탕, 외설.

laser [lazɛ:ʀ] 〔영〕 *m.* 〖물리〗 레이저.

lassant, e [lɑsɑ̃, -ɑ̃:t] *adj.* ① 피곤〔피로〕하게 하는. ② 싫증나게 하는, 진력나는.

***lasser** [lɑse] *v.t.* ① 피곤하게 하다, 지치게 하다(= fatiguer). ② 싫증〔진력〕나게 하다(= dégoûter, ennuyer) : ~ la patience de qn …을 못 참게 하다 / Il *lasse* tout le monde de 〔par〕 ses importunités. 그는 모든 사람을 귀찮게 하여 진저리가 나게 한다.
── **se ~** *v.pr.* 《se ~ de》 …에 지치다 ; …에 싫증나다, 진력나다 : sans *se* ~ 악착같이, 굴하지 않고 / On *se lasse de* tout. 사람은 만사에 싫증을 내게 마련이다.

lassitude [lɑ(a)sityd] *f.* ① 지침, 피로(= fatigue) : ~ chronique 만성피로. ② 권태, 싫증, 무기력 : ~ des combattants 전투원의 사기 저하.

lasso [laso] 〔에스파냐〕 *m.* 던지는 올가미 《던져서 짐승을 잡는 것》, 던질 밧줄.

lastex [lastɛks] *m.* 라스텍스《고무에 무명실 따위의 직물 섬유를 입힌 방직사》.

lasting [lastɛ̃:ŋ(tin)] 〔영〕 *m.* 〖직물〗 라스팅 《튼튼한 모직물의 일종》.

lasure [lazy:ʀ] *f.* (나뭇결을 살리는) 투명 도료(塗料).

latanier [latanje] *m.* 〖식물〗 라타니아《인도양 섬들에서 자라는 종려과(科)의 식물》.

latence [latɑ̃:s] *f.* 잠재, 잠복 : période 〔temps〕 de ~ 잠복기〔시간〕.

latent, e [latɑ̃, -ɑ̃:t] *adj.* 잠재하(고 있)는, 숨은 ; (병이) 잠복하는 : chaleur *~e*; calorique ~ 〖물리〗 잠열(潛熱) / maladie *~e* 잠복기에 있는 병 / image *~e* 〖사진〗 잠상(潛像).

latéral, e, aux [lateʀal, -o] *adj.* 측면의, 옆의 : porte *~e* 옆문 / bourgeon ~ 〖식물〗 곁눈. ***consonne ~e*** 〖언어〗 (설)측음.

latéralement [lateʀalmɑ̃] *adv.* 측면으로, 옆쪽으로. 「라이트.

latérite [lateʀit] *f.* 〖광물〗 홍토(紅土), 라테

latéritique [lateʀitik] *adj.* 〖광물〗 홍토의.

latér(o)- *préf.* 「옆·측면」의 뜻.

latex [latɛks] *m.* 〖식물〗 유액(乳液), 라텍스. ***~ artificiels*** 인조 라텍스.

laticifère [latisifɛ:ʀ] *adj.* 〖식물〗 유액을 함유한. ── *m.* 유관(乳管).

latin, e** [latɛ̃, -in] *adj.* ① 라틴 사람의 ; 라틴어의 : littérature 〔langue〕 *~e* 라틴문학〔어〕. ② 라틴계의. ***Amérique ~e 라틴아메리카. ***Église ~e*** 로마 교회. ***nations ~es*** 라틴계 국가. ***Quartier ~*** 〔***L~***〕 라틴구(區)《파리의 학생가》. ***voile ~e*** 〖해양〗 큰 삼각돛.
── *m.* 라틴어 : C'est du ~ pour moi. 나로서는 통 알아들을 수가 없다 / être au bout de son ~ 꼼짝 못하게 되다, 밑천이 떨어지다 ; 어찌할 바를 모르다 / ~ vulgaire 통속 라틴어. ***~ de cuisine*** 저속한 라틴어. ***(y) perdre son ~*** 무슨 소리인지 알 수 없다.
── **L~** *n.* 라틴 사람 ; (*pl.*) 라틴 민족.

latiniser [latinize] *v.t.* (민족 따위를) 라틴화하다, (낱말의 형태를) 라틴화하다.

latinisme [latinism] *m.* 라틴어법〔어풍〕.

latiniste [latinist] *m.* 라틴어 학자 ; 라틴어 전공 학생.

latinité [latinite] *f.* ① 라틴어 사용 ; 라틴어법. ② 라틴 문화권 ; 라틴계의 나라들.

latino-américain, e [latinɔameʀikɛ̃, -ɛn] *adj.* 라틴 아메리카의. ── **L~ A~** *n.* 라틴 아메리카 사람.

latitude [latityd] *f.* ① 〖지리〗 ⓐ 위도(緯度) ; 위선(緯線) : Paris est à 48° de ~ Nord. 파

리는 북위 48°에 위치하고 있다. ⓑ (*pl.*) 기후, 풍토(=climat), 지방(=région) : hautes ~*s* 고위도 지방. ② ⓐ 《옛》 넓이(=largeur) ; 넓은 뜻, 광의. ⓑ (행동의) 자유(=liberté). ***avoir toute ~ de*** + *inf.* 자유롭게 …할 수 있다. ***donner*** 〔***laisser***〕 ***toute ~ à*** qn (***pour*** + *inf.*) …에게 (…할) 자유를 주다. ***sous toutes les ~s*** 어떤 기후의 땅에도.

lato sensu [latɔsɛ̃sy] *loc. adv.* 넓은 의미로.

-lâtre *suff.* 「숭배하는·숭배자」의 뜻.

latrie [latʀi] *f.* 예배, 숭배. ***accorder un culte de ~ à*** …을 숭배하다. ***culte de ~*** 일신(一神) 숭배.

latrines [latʀin] *f. pl.* (군대·학교의) 간이 변소.

lattage [lata:ʒ] *m.* ① 각재(角材)〔오리목〕 붙이기〔깔기〕. ② 각재를〔널판장을〕 붙인〔깐〕 벽〔바닥·천장〕.

latte [lat] *f.* 가느다란 각재, 오리목; 외(椳) : ~ volige (지붕의) 산자(橵子).

latter [late] *v.t.* …에 가는 각재를〔오리목을〕 붙이다.

lattis [lati] *m.* 오리목을〔외를〕 박아 만든 세공(細工).

laudanum [lodanɔm] *m.* 로다눔《아편제》.

laudateur, trice [lodatœ:ʀ, -tʀis] *n.* 《문어》 찬양〔칭찬〕하는 사람 : ~ peu sincère 아첨꾼.

laudatif, ive [lodatif, -i:v] *adj.* 찬양하는, 칭찬하는 : poème ~ 송가(頌歌).

laudes [lo:d] *f. pl.* 〖종교〗 찬과(讚課), 성무일과의 새벽 기도.

lauré, e [lɔ〔o〕ʀe] *adj.* 《문어》 월계관을 쓴.

lauréat, e [lɔ〔o〕ʀea, -at] *adj.* ① 월계관을 쓴 : poète ~ 계관 시인. ② 상을 받은, 입상한. — *n.* ① 수상자 : ~ du prix Nobel 노벨상 수장자. ② 《구어》 시험 합격자.

laurier [lɔ〔o〕ʀje] *m.* ① 〖식물〗 월계수 : couronne de ~(*s*) 월계관/~ commun 〔d'Apollon, des poètes〕 월계수. ② (*pl.*) 영광, 명예 : ~*s* du guerrier 전사의 영광, 무훈. ***être chargé*** 〔***se couvrir***〕 ***de ~s*** 영광에 싸이다. ***flétrir ses ~s*** 명예를 더럽히다. ***se reposer sur*** 〔***à l'ombre de***〕 ***ses ~s*** 첫 성공에 만족해 버리다.

LAV [ɛlave] *m.* 《복수불변》 후천성 면역 결핍증〔에이즈〕 바이러스(=V.I.H.).

lavable [lavabl] *adj.* 씻을 수 있는, 세탁할 수 있는.

*__lavabo__ [lavabo] *m.* ① 〖종교〗 (미사에서) 손을 씻는 예식, 세수례(洗手禮) ; 세수례 때의 기도. ② 세면. ③ 세면소 ; (*pl.*) 변소.

lavage [lava:ʒ] *m.* ① 씻기, 세탁 ; 〖의학〗 세척 : ~ d'une voiture 세차. ② 묽은 수프〔소스〕(=lavasse). ***~ de cerveau*** 세뇌. ***~ de tête*** 호된 꾸지람.

La Vallière, lavallière [lavaljɛ:ʀ] *f.* 큰 나비 넥타이(=cravate ~).

lavande [lavɑ̃:d] *f.* 〖식물〗 라벤더《꿀풀과(科)의 식물》: eau de ~ 라벤더 향수.

lavanderie [lavɑ̃:dʀi] *f.* 세탁장, 빨래터.

lavandière [lavɑ̃djɛ:ʀ] *f.* ① 빨래하는 여자. ② 〖조류〗 할미새.

lavasse [lavas] *f.* ① 《구어》 묽은 수프〔커피·소스〕; 물탄 술. ② 《옛》 소나기.

lavatory [lavatɔʀi] 〔영〕 *m.* 공동변소 ; 손 씻는 곳 ; 이발소.

lave [la:v] *f.* 〖지질〗 용암(熔岩).

lave-glace [lavglas] *m.* 《복수불변》 (자동차 와이퍼의) 살수(撒水) 장치.

lave-linge [lavlɛ̃:ʒ] *m.* 《복수불변》 속옷 전용 세탁기.

lave-mains [lavmɛ̃] *m.* 《복수불변》 〖종교〗 (성기(聖器) 안치소 따위의) 손 씻는 대야.

lavement [lavmɑ̃] *m.* ① 〖성서〗 성자(聖者)의 손발을 씻기 : ~ des pieds (성목요일에 행해지는) 세족례(洗足禮). ② 〖의학〗 관장(灌腸); 세척.

*__laver__ [lave] *v.t.* ① 씻다, 세탁하다 ; 세척하다 : ~ du linge 속옷을 세탁하다 /~ le minerai 세광(洗鑛)하다 / ~ une plaie à l'alcool 상처를 알코올로 씻다. ② (얼룩을) 씻어〔빨아〕 없애다 ; 깨끗이 없애다(=enlever) ; (죄·오명 따위를) 씻다 : ~ qn d'un soupçon …의 혐의를 벗겨 주다 / ~ un affront 모욕을 갚다〔복수하다〕. ③ (비·강물 따위가) 적시다, …의 곁을 흐르다(=arroser, baigner) : Des pluies *lavèrent* le pavé. 비가 도로를 말끔히 씻었다 / les murs que la mer vient ~ 바닷물이 와 닿고 있는 벽들. ④ 〖미술〗 (데생에) 엷게 색칠하다. ***~ la tête à*** qn 《구어》 …을 호되게 꾸짖다. ***machine à ~*** 세탁기. ***pierre à ~*** (설거지 하는) 개수통. — **se ~** *v.pr.* ① 몸을 씻다 ; 자기 …을 씻다 : *se* ~ la figure 〔les mains〕 얼굴〔손〕을 씻다. ② ⓐ 자기의 무죄를 증명하다. ⓑ 《se ~ de》 …에서 벗어나다 : *se ~ d'un soupçon* 혐의를 벗다 / *se ~ d'une faute* 과오를 보상하다. ③ ⓐ 세탁되다. ⓑ (죄 따위가) 씻어지다 : Cela ne peut *se* ~. 그것은 씻을 수 없는 죄과이다. ***se ~ les mains de*** …에서 손을 떼다.

laverie [lavʀi] *f.* 빨래터, 세탁장. ***~ automatique*** (자동 세탁기를 갖춘) 세탁소.

lave-tête [lavtɛt] *m.* 《복수불변》 (이발소·미장원의) 세발(洗髮)대.

lavette [lavɛt] *f.* ① 식기 닦는 솔 ; 행주. ② 《속어》 혀. ③ 《구어》 무기력한 사람.

laveur, euse [lavœ:ʀ, -ø:z] *n.* 씻는 사람, 세탁인 : flacon ~ 〖화학〗 스크러버. — *f.* 세탁기 ; 세탁부(婦) ; 병 세척기.

lave-vaisselle [lavvɛsɛl] *m.* 《복수불변》 접시〔식기〕 씻는 기계.

lavis [lavi] *m.* 수채(水彩) ; 수채화.

lavoir [lavwa:ʀ] *m.* 공동 세탁장, 빨래터.

lavure [lavy:ʀ] *f.* ① 개숫물. ② (*pl.*) (보석 세공상의 가게에서 나온) 금은 부스러기. ***~ de vaisselle*** 개숫물 ; 《비유》 싱거운 수프.

laxatif, ive [laksatif, -i:v] *adj.* 〖의학〗 변을 잘 통하게 하는, 완화하는(=relâchant). — *m.* 완하제.

laxisme [laksism] *m.* 〖철학·신학〗 관용〔온건〕주의(≠purisme, rigorisme).

laxiste [laksist] *f.* 관용〔온건〕주의자.

laxité [laksite] *f.* 〖의학〗 (조직의) 이완(弛緩) ; 느슨함.

layette [lɛjɛt] *f.* ① 작은 나무 상자 ; (장 따위의) 서랍 (=tiroir). ② 배내옷 ; 기저귀.

layon [lɛjɔ̃] *m.* (사냥꾼을 위한 숲속의) 오솔길 ; (삼림의) 구획선.

lazaret [lazaʀɛ] *m.* 〖해양〗 검역소 ; 항내 격리소.

lazariste [lazaʀist] *m.* 〖종교〗 성(聖)라자르

L

회의 선교사.

lazzi [la(d)zi] 〔이탈리아〕 *m.* (*pl.* (**~s**)) 《문어》 농담 ; 익살 ; 조롱, 희롱, 야유.

LCD 〔영〕 《약자》 liquid crystal display 액정 표시 장치.

l/cr. 《약자》 lettre de crédit 〖상업〗 신용장.

*__le__[1] [lə] (*f.* ***la*** [la] ; *pl.* ***les*** [le]) *art. déf.* (《le, la는 모음자 또는 무성 h 앞에서는 ***l'***; le, les는 전치사 à de와 축약되어 ***au, aux; du, des***로 됨. les, aux, des는 다음 말과 [z]로 연음》 그, 이, 저, 그러한, 이러한. Ⓐ 《보통명사 앞에 쓰이는 경우》. ① 《총괄적 용법》 *L'*homme est mortel ; *Les* hommes sont mortels. 사람은 죽게 마련이다 / Il aime *la* musique. 그는 음악을 좋아한다. ② 《한정적 용법》 ⓐ 《명사가 주지(周知) · 기지(旣知)의 사람 · 사물임을 나타냄》 Fermez *la* fenêtre. 창문을 닫으세요 / Il part dans *la* semaine. 그는 금주 중에 출발합니다. ⓑ 《유일물》 *le* soleil 태양. ⓒ 《명사가 한정사 · 한정구를 수반하는 경우》 *la* boulangerie du coin 모퉁이의 빵 가게 / Voilà *l'*homme dont je vous ai parlé 이 사람이 말씀드린 바로 그 사람입니다. ⓓ 《날짜를 가리키는 수사와 함께》 *le* 15 août 1945, 1945년 8월 15일. ③ 《신체 · 의복의 일부, 정신 작용을 나타내는 명사 앞에서》 Il s'est cassé *la* jambe. 그는 다리를 삐었다 / saisir qn *au* collet …의 옷깃을 잡다. ④ 《지시의 뜻을 나타내는 경우》 à *l'*instant 금방 ; 당장 / pour *le* moment 지금으로서는. ⑤ 《감정적 용법》 ⓐ 《감탄 · 놀라움 · 분노 등을 나타내는 경우》 Oh ! *le* beau chien. 참말로 아름다운 개로군. ⓑ 《호격 앞에서 친밀감을 나타내는 경우》 Adieu, *les* amis ! 잘 있거라 벗들이여 ! ⑥ 《관용》 prendre *la* fuite 도망치다 / avoir *la* fièvre 열이 있다.

Ⓑ 《고유 명사 앞에 쓰이는 경우》 ① 《나라 · 지방 · 산 · 강의 이름 앞에》 *la* Corée 한국 / *la* Normandie 노르망디 지방 / *la* Seine 센강. ② 《대륙 · 큰 섬의 이름 앞》 *l'*Asie 아시아 대륙 / *l'*Irlande 아일랜드. ③ 《고유 명사(도시명 · 인명 따위)가 한정사를 수반하는 경우》 *le* Paris de ma jeunesse 나의 청춘 시절의 파리 / *le* vieux Durand 뒤랑 영감. ④ 《가족 · 민족을 나타내는 경우》 *les* Vincent 뱅상씨네 가족들. ⑤ 《「…와 같은 사람」의 뜻으로》 *les* Corneille 코르네이유 같은 사람들. ⑥ 《「…의 작품」의 뜻으로》 *Les* Raphaël, *les* Titien, *les* Rubens abondent dans ce musée. 라파엘, 티티앵, 루벤스의 작품들이 이 미술관에는 많이 있다. ⑦ 《관습상 과거의 이탈리아 예술가의 성 앞에》 *le* Tasso 타소(= il Tasso) / *le* Corrège 코레지오(= il Correggio). ⑧ 《보통 명사에서 전화한 인명 · 지명 앞에》 *La* Fontaine 라퐁텐 / *Le* Havre 르아브르. ⑨ 《고유 명사를 보통 명사화하여》 *la* Simca de mon frère 내 형의 심카 (자전거).

Ⓒ 《특수한 용법》 ① 《배분의 뜻으로》 deux fois *la* semaine 매주 2회 / quatre francs *le* kilo, 1킬로당 4프랑. ② 《chaque의 뜻으로》 Nous avons congé *le* samedi et *le* dimanche. 토요일, 일요일은 휴일이다.

Ⓓ 《최상급의 표적으로 쓰이는 경우 : plus, moins ; meileur, mieux, pire, pis, moindre 앞에》 *l'*homme le plus heureux 가장 행복한 사나이 / *le* meilleur moyen 최선의 방법 / les auteurs *les* mieux doués 가장 재능이 풍부한 작가들. ***dans les*** 약 : Cela coûte *dans les* cent francs. 그 값은 약 100 프랑입니다. ***vers* 〔*sur*〕 *les…*** …경(頃) : *vers* 〔*sur*〕 *les* deux heures 2시경에.

*__le__[2] (*f.* ***la*** [la] ; *pl.* ***les*** [le]) *pron. pers.* 《모음자 또는 무성 h 앞에서 le, la는 ***l'***로 되고, les는 다음 말과 [z]로 연음됨. 단(但), 긍정 명령문에서는 모음자 생략도 연음도 하지 않으며, le는 강세를 취하면 [lø]로 발음됨》 그를, 그것을《중성 대명사로 사용되는 일도 있음》. ① 《직접 타동사 및 voici, voilà의 직접 보어》 Je *les* connais bien, ces étudiants. 나는 잘 알고 있다, 저 대학생들을 / Faites-*le* 〔*la*〕 entrer. 그〔그녀〕를 들어오게 하시오 / Ce roman, je ne *l'*ai pas encore lu. 이 소설은 아직 읽지 않았다 / *Les* voilà ! 그 사람들 저기 있군〔오는군〕/ Donne-*le*-*lui*. 그것을 그〔그녀〕에게 주시오. ② 《속사》 Êtes-vous sa mère ? — Oui, je *la* suis. 그의 어머님 되십니까 ? — 예, 그렇습니다. ③ 《동사 구문의 관용 표현에서 허사적으로》 *l'*emporter sur qn …보다 우세하다〔낫다〕 / *le* céder 양보하다 / *l'*échapper belle 간신히 위기를 모면하다.

— *pron. neut.* 《형용사 · 부정법의 동사 · 어구 · 절 · 문장의 내용 등을 대리함》 ① 《직접 보어》 Venez quand vous (*le*) voudrez. 오고 싶은 때에 오세요 / Il est mort comme vous (*le*) savez. 당신도 아다시피 그는 죽었습니다 / 《비교절에서》 Il est plus riche qn'on (ne) (*le*) croit. 그는 사람들이 생각하는 것보다 더 큰 부자다. ② 《속사》 Charmante, elle *l'*est. 그녀는 매력적이다 / Son père est médecin, il voudrait *l'*être aussi. 그의 아버지는 의사이며 그도 그렇게 되기를 바란다.

lé [le] *m.* (피륙의) 나비, 폭.

leader [ledœːʀ] 〔영〕 *adj.* 선도적(先導的)인. — *m.* ① 지도자 ; (정당의) 당수. ② 신문 사설. ③ 〖스포츠〗 선두에 나선 사람〔팀〕.

leasing [liziŋ] 〔영〕 *m.* 〖경제〗 (장기간의) 특수 임대 계약(= crédit-bail).

lebel [ləbɛl] *m.* 〖군사〗 르벨식 연발총.

léchage [leʃaːʒ] *m.* 핥기 : ~ de bottes (장화를 핥는다는 데서) 아첨(= lèchement).

lèche[1] [lɛʃ] *f.* (빵 · 고기의) 얇은 조각.

lèche[2] *f.* ① 《구어》 아첨, 빌붙기. ② 〖미술〗 (화필의) 세밀한 터치. ***faire de la ~ auprès de*** qn …에게 아첨하다.

léché, e [leʃe] *adj.* 핥은 ; (문장 · 일 따위가) 지나치게 꼼꼼한〔공들인〕.

lèche-bottes [lɛʃbɔt] *m.* 《복수불변》 《구어》 아첨꾼.

lèche-cul [lɛʃky] 《구어》 *m.* 《복수불변》 아첨꾼. — *adj.* 《불변》 아첨하는, 빌붙는.

lèchefrite [lɛʃfʀit] *f.* 〖요리〗 (불고기의) 기름 받는 그릇.

lécher [leʃe] [6] *v.t.* ① 핥다 ; (불길이) …에 널름거리다 ; (물결이) 스치다 (= effleurer). ② (문장 · 일 따위에) 지나치게 공을 들이다, …을 너무 다듬다 : Ce tableau *est* trop *léché*. 이 그림은 너무 지나치게 다듬어졌다. ***~ les bottes*** [***les pieds, les genoux, le cul***] ***à*** [***de***] qn …에게 비굴한 아첨을 하다. ***~ les vitrines*** 《구어》 윈도 쇼핑을 하다. ── **se ~** *v.pr.* (고양이 따위가) 자기 몸을 핥다; 자기의 …을 핥다. ***s'en ~ les doigts*** [***pouces, babines, babouines***] 《구어》 입맛을 다시다, 맛있어 하다; 입맛을 다셔 가며 먹다.

léchette [leʃɛt] *f.* 《구어》 (빵·고기 따위의) 얇은 조각(= petite lèche).

lécheur, euse [leʃœːʀ, -øːz] *n.* ① 《구어》 대식가, 미식가. ② 비굴한 아첨꾼.

lèche-vitrine(s) [lɛʃvitʀin] *m.* 진열장의 상품을 구경하고 다니기, 윈도쇼핑. ***faire du ~*** 윈도쇼핑을 하다.

leçon [ləsɔ̃] *f.* ① 수업, 강의(= cours); 레슨; 학과: assister aux *~s* 강의를 듣다 / donner des *~s* 학과를 가르치다, 강의를 맡다 / prendre des *~s* (d'un professeur) (어느 교수로부터) 가르침을 받다. ② (교과서 중의) 과(課): *L~* un 제 1과. ③ 교훈; 징계; 충고: faire ~ 교훈이 되다 / Cela lui donnera une bonne ~. 《구어》 그렇게 해야 자기 잘못을 뼈저리게 느낄 것이다 / donner une ~ à qn …을 징계하다. ④ 〖가톨릭〗 일과(日課); 독송(讀誦)(= lecture). ⑤ (사본(寫本) 따위의) 읽기; (고문서 따위의) 이본(異本). ***faire la ~ à*** qn …을 가르치다, 교육하다; …을 훈계하다. ***recevoir une bonne ~*** 훌륭한 교육을 받다; 《반어적》 되게 당하다. ***recevoir une ~ méritée*** 당연한 벌을 받다.

***lecteur, trice** [lɛktœːʀ, -tʀis] *n.* ① 독자; (도서관) 열람자: ~ de journaux 신문 구독자 / avis au ~ 서문, 권두언 / courrier des *~s* (신문·잡지의) 독자 투고란. ② 〖연극〗 신작극의 선택인; (출판사의) 원고 심사 위원. ③ (독일 대학의) 강사; (프랑스 대학의 어학 담당) 외국인 강사. ── *m.* (전축·녹음기의) 헤드, 녹음 재생 장치: ~ optique; ~ de sons (영화 필름의) 광학적 녹음 장치.

***lectorat** [lɛktɔʀa] *m.* ① 《집합적》 (신문, 잡지 따위의) 독자·구독자. ② (대학의 어학 담당) 외국인 강사직.

***lecture** [lɛktyːʀ] *f.* ① 읽기, 독서; 독본; 읽을거리: faire la ~ à qn …에게 읽어 주다 / Je vous ai apporté de la ~. 읽을 책을 좀 갖고 왔어요 / ~ d'une carte 지도의 독해. ② 낭독; (의회의) 독회(讀會); 〖연극〗 낭독에 의한 각본 심사: donner ~ d'une proclamation 포고문을 낭독하다 / en deuxième ~ 제 2 독회에서. ③ 독서로 얻은 학식 [지식]: avoir de la [beaucoup de] ~ 박학하다. ④ (녹음의) 재생; 〖컴퓨터〗 해독: ~ par pick-up 픽업에 의한 재생.

ledit, ladite [lədi, ladit] (*m. pl.* ***lesdits*** [ledi]; *f. pl.* ***lesdites*** [ledit]) *adj.* 《*m. sing.*, *pl.* 및 *f. pl.*은 à, de와 축약되어 audit, aux-dit(e)s; dudit, desdit(e)s로 됨》 전기(前記)[전술(前述)]의, 상기(上記)의, 그: *audit* lieu 전기[전술]의 장소에(서).

légal, e, aux** [legal, -o] *adj.* ① 법률(상)의, 법적인; 법정(法定)의; 적법의, 합법적(인): âge ~ 법정 연령 / dispositions *~ales* 법적 조치. ② 〖신학〗 모세의 계율의. ***médecine ~e 법의학. ***moyens ~aux*** 재판 절차.

légalement [legalmɑ̃] *adv.* 법률상, 합법적으로; 정당하게.

légalisation [legalizɑsjɔ̃] *f.* (문서 따위의) 공적 증명, 공인, 인가, 합법화.

légaliser [legalize] *v.t.* (문서 따위의 틀림없음을) 증명하다(= attester); 공인하다, 합법화하다: signature *légalisée* 공적으로 인증된 서명 / ~ l'avortement 임신 중절을 합법화하다.

légalité [legalite] *f.* 합법(성), 적법성(≠ illégalité): rester dans (les limites de) la ~ 법에 저촉되지 않는 범위 내에 있다 / sortir de la ~ 합법성을 벗어나다.

légat [lega] *m.* 〖가톨릭〗 교황의 특사(特使).

légataire [legatɛːʀ] *n.* 〖법률〗 유산 상속인, 수유자(受遺者): ~ universel 전재산 수유자.

légation [legɑsjɔ̃] *f.* ① 〖가톨릭〗 교황 특사의 직. ② 공사관; 《집합적》 공사의 직.

legato [legato] [이탈리아] *adv.* 〖음악〗 부드럽게. ── *m.* 레가토의 곡[악장].

lège [lɛːʒ] *adj.* 〖해양〗 (배가) 짐이 가벼운 [없는]: navire ~ 짐을 (조금밖에) 신지 않은 배.

légendaire [leʒɑ̃dɛːʀ] *adj.* 전설의, 전설적인: personnage ~ 전설 속의 인물.

légende [leʒɑ̃ːd] *f.* ① 전설; 성인전(聖人傳): la ~ de Napoléon 나폴레옹전. ② (화폐·메달 따위의) 명기(銘記); 그림의 제어(題語) [해설·설명]; (도면·지도의) 범례(凡例).

légender [leʒɑ̃de] *v.t.* ① (메달 따위에) 명문(銘文)을 새기다. ② (그림 따위에) 설명문 [제목]을 붙이다; (지도 따위에) 범례를 달다: schéma *légendé* 범례가 달린 도표.

léger, ère [leʒe, -ɛːʀ] *adj.* ① 가벼운(≠ lourd): ~ bagage 가벼운 짐 / métal ~ 경금속 / poids ~ 〖권투〗 라이트급. ② 경쾌한; 민첩한: personne *~ère* comme un papillon 매우 경쾌한 사람 / démarche *~ère* 경쾌한 발걸음. ③ 엷은(≠ épais): *~ère* couche de neige 얄팍하게 쌓인 눈 / étoffe *~ère* 엷은 천. ④ (술 따위가) 약한(= faible); (홍차 따위가) 묽은, 연한: vin ~ 약한 포도주 / café [thé] ~ 연한 커피[홍차]. ⑤ (식사가) 간편한, 가벼운; (음식물이) 소화가 잘 되는: repas ~ 가벼운 식사 / aliment ~ 소화가 잘 되는 음식. ⑥ (부상 따위가) 경미한; 미미한: blessure *~ère* 경미한[가벼운] 상처 / différence *~ère* 미미한 차이. ⑦ (잠이) 옅은: sommeil ~ 옅은 잠. ⑧ 경솔한; 경박한: être [se montrer] ~ dans sa conduite 행동이 경솔하다. ***à la ~ère*** 경솔하게; 경쾌하게. ***avoir la langue ~ère*** 입이 가볍다, 경솔한 말을 하다. ***avoir la main ~ère*** 손이 빠르다; 솜씨가 좋다. ***avoir la tête ~ère*** 경솔하다. ***avoir le cœur ~*** 마음이 가볍다, 걱정이 없다. ***avoir l'estomac ~*** 속이 비어 있다, 배가 고프다. ***avoir le pied ~*** 발이 가볍다; 언제나 쏘다니고 있다. ***~ d'argent*** [***d'esprit***] 돈이[재치가] 별로 없는.

***légèrement** [leʒɛʀmɑ̃] *adv.* ① 가볍게; 경쾌하게: marcher ~ 경쾌하게 걷다 / être vêtu ~ 옷차림이 가볍다 / remuer ~ la tête 머리를 살래살래 흔들다. ② 약간, 조금;

《구어》 꽤, 상당히 : ~ plus grand 약간 더 큰. ③ 경솔하게 : agir ~ 경솔하게 행동하다.

légèreté [leʒɛʀte] *f.* ① 가벼움 ; (복장·발걸음의) 경쾌 ; (필치의) 경묘(輕妙) ; (솜씨 따위의) 민첩. ② 경솔 ; 경박. ③ (상처 따위의) 경미(輕微). ***avoir la ~ de***+*inf.* 경솔하게도 …하다. ***~ de main*** (솜씨·필치의) 경쾌, 경묘, 능란한〔뛰어난〕 손재주.

légiférer [leʒifeʀe] 6 *v.i.* 법률을 제정하다 : pouvoir de ~ 입법권. ② 《비유》 (문법 따위의) 규칙을 정하다.

légion [leʒjɔ̃] *f.* ① (고대 로마 제국의) 군단 ; (*pl.*) 군대. ② (프랑스의) 헌병대 ; 외인 부대 (=*L*~ étrangère). ③ 다수, 무리(=multitude) : une ~ de moustiques 수많은 모기들. ④ ~ d'honneur 레지옹도뇌르 훈장.

légionnaire [leʒjɔnɛːʀ] *m.* ① 〖고대로마〗 로마 제국의 군인. ② 외인 부대의 병사. ③ 레지옹도뇌르 훈장을 가진 사람.

leg(is)- *préf.* 「법」의 뜻.

législateur, trice [leʒislatœːʀ, -tʀis] *adj.* 입법을 행하는, 입법권을 가진. — *n.* 입법자 ; 규칙 제정자. — *m.* 입법부, 입법 기관.

législatif, ive [leʒislatif, -iːv] *adj.* ① 입법권이 있는 ; 입법의 : les dispositions *~ives* 입법 취지. ② 법률의, 법적인 : acte ~ 법령. ***élection ~ive*** 국회의원 선거. ***pouvoir ~*** 입법권. — *m.* 입법권, 입법부 : le ~ et l'exécutif 입법부와 행정부.

législation [leʒislɑsjɔ̃] *f.* ① 입법(권). ② 법제, 법률 : la ~ électorale 선거법. ③ 법률학 : ~ criminelle 형법.

législature [leʒislatyːʀ] *f.* ① 입법 기관, 입법부 ; 입법 의회. ② 입법 의회의 회기〔임기〕.

légiste [leʒist] *m.* 법학자 ; 법의학자. — *adj.* 〖법률〗 médecin ~ 법의학자.

légitimation [leʒitimɑsjɔ̃] *f.* ① 인정, 공인. ② 〖법률〗 (서자를) 적자(嫡子)로 인정하기. ③ 《문어》 (행동 따위의) 정당화.

légitime** [leʒitim] *adj.* ① 합법적인, 적법의 ; 정통의, 정식의 ; 적출의(=légal) : enfant 〔femme〕 ~ 적자〔본처〕/ union ~ 합법적인 결혼. ② (요구 따위가) 정당한, 당연한 : des revendications *~s* 정당한 권리 요구. ***~ défense 〖법률〗 정당방위.

légitimé, e [leʒitime] *adj.* 적출로 인정된. — *n.* 준적자(準嫡子).

légitimement [leʒitimmɑ̃] *adv.* 합법적으로 ; 정당하게, 당연하게.

légitimer [leʒitime] *v.t.* ① 합법적인 것으로 인정하다 ; 공인하다. ② 〖법률〗 (서자를) 적자로 인정하다 : ~ un enfant naturel 사생아를 적자로 인정하다. ③ 변호하다 ; (행위·요구를) 정당화하다(=justifier).

légitimisme [leʒitimism] *m.* 〖프랑스사〗 정통 왕조주의.

légitimiste [leʒitimist] *n.* (프랑스·에스파냐의) 정통 왕조파. — *adj.* 정통 왕조파의 : le parti ~ 정통 왕당파.

légitimité [leʒitimite] *f.* ① 합법성, 정당성, 공정(성) : ~ d'une prétention 권리 주장의 합법성. ② (자식의) 적출(嫡出), 정통. ③ 〖정치〗 정통 왕위 계승권.

legs [lɛ, lɛg] *m.* 〖법률〗 유증(遺贈) ; 유산 : ~ universel 〖법률〗 전재산 유증 / ~ du passé 전시대의 유산 / coureur de ~ 《구어》 유산을 노리는 자.

***léguer** [lege] 6 *v.t.* 유증하다, 물려주다 : Il *légua* toute sa collection de tableaux au Louvre. 그는 수집한 모든 회화를 루부르 박물관에 유증했다 / ~ un exemple à la postérité 후세에 모범을 남기다.

‡**légume** [legym] *m.* ① 야채 : *~s* verts 녹색 채소/soupe aux *~s* 야채 수프. ② 〖식물〗 꼬투리 : *~s* secs 콩류. — *f.* 거물, 세도가 : grosse ~ 큰 인물, 명사.

légumier, ère [legymje, -ɛːʀ] *adj.* 야채의 : jardin ~ 채소밭. — *m.* 야채 담는 접시. — *n.* 채소 장수.

légumineux, euse [legyminø, -øːz] *adj.* 꼬투리가 있는. — *f. pl.* 콩과(科) 식물.

leitmotif (*pl.* **~s**), **leitmotiv** (*pl.* **~e**) [laj〔ɛ〕tmɔtif〔v〕] *m.* ① 〖음악〗 라이트모티프, 시도 동기(示導動機). ② 중심 사상, (작품의) 반복되는 주제. 「숭이류(類).

lémuriens [lemyʀjɛ̃] *m. pl.* 〖동물〗 여우원

L. en D. 《약자》 licencié en droit 법학사.

‡**lendemain** [lɑ̃dmɛ̃] *m.* ① 그 다음날, 이튿날 : le ~ matin 그 다음날 아침 / au ~ de son arrivée 그가 도착한 다음날 / au ~ de la gurre 전쟁 직후에. ② 미래, 장래 : penser 〔songer〕 au ~ 장래 일을 생각하다 / tristesse des *~s* de fêtes 잔치 소동 후의 허전함. ***du jour au ~*** 순식간에, 어느덧. ***sans ~(s)*** 일시적인.

lénifiant, e [lenifjɑ̃, -ɑ̃ːt] *adj.* 〖의학〗 (고통을) 진정시키는 ; (마음을) 가라앉히는(=calmant) : propos *~s* 안심시키는 말.

lénifier [lenifje] *v.t.* ① 〖의학〗 진통제〔완화제〕로 진정시키다. ② (고뇌 따위를) 가라앉히다(=calmer).

léninisme [leninism] *m.* 레닌주의.

lénitif, ive [lenitif, -iːv] *adj.* 완화하는 ; 진정시키는. — *m.* 〖의학〗 ① 완화제(緩和劑), 진통제 : remède ~ 진통제. ② 위안.

‡**lent, e**[1] [lɑ̃, -ɑ̃ːt] *adj.* 느린, 완만한 ; 효력이 느린 ; 우둔한 : marche *~e* 느린 걸음 / être ~ dans le choix 선택에 느리다. ***avoir l'esprit ~*** 머리가 둔하다. ***fièvre ~e*** 소모열. ***~ à***+*inf.* …하는 데 느린 : être ~ *à* comprendre 이해가 느리다. ***~ à la colère*** 좀처럼 성내지 않는.

lente[2] [lɑ̃ːt] 〖곤충〗 *f.* 서캐(=œuf de pou).

lentement** [lɑ̃tmɑ̃] *adv.* 느리게, 천천히, 느릿느릿(=doucement ; ≠vite) : rivière qui coule ~ 유유히 흐르는 강물. ***Hâte-toi ~. 《속담》 급할수록 돌아가라.

lenteur [lɑ̃tœːʀ] *f.* ① 느림, 완만(緩慢) ; 진척되지 않음, 지체 ; 우둔 : ~ de la construction 건설의 지체. ② (*pl.*) 완만하게 하기. ***avec ~*** 천천히, 꾸물꾸물.

lentigo [lɑ̃tigo] *m.* 〖의학〗 주근깨.

lentille [lɑ̃tij] *f.* ① 〖식물〗 렌즈콩. ② 〖광학〗 렌즈 ; 〖해부〗 《구어》 (눈의) 수정체 : *~s* cornéennes 콘택트렌즈. ③ (시계추 밑에 다는) 공(= ~ de pendule). ④ 〖식물〗 ~ d'eau 좀개구리밥.

lentisque [lɑ̃tisk] *m.* 〖식물〗 유향(乳香) 나무.

lento [lɛnto] 〔이탈리아〕 〖음악〗 *adv.* 느리게, 천천히. — *m.* 완서곡(緩徐曲).

léonin, e[1] [leɔnɛ̃, -in] *adj.* ① 사자의. ② (계약·조건 따위가) 편파적인, 불공정한(=injuste; ≠juste) : partage ~ 부당한 분배.

léonin, e[2] *adj.* 《옛》 〖운율〗 rime ~*e* 중간운(中間韻) / vers ~ 중간운 시구.

léontine [leɔ̃tin] *f.* (여자용) 시계줄.

léont(o)- *préf.* 「사자」의 뜻.

léopard [leɔpaːʀ] *m.* 〖동물〗 표범 : manteau de ~ 표범 털가죽의 외투 / tenue ~ (낙하산병의) 얼룩무늬 군복.

L.E.P. 《약자》 lycée d'enseignement professionnel 실업 고등학교.

lépido- *préf.* 「비늘·인(鱗)」의 뜻.

lépidoptères [lepidɔptɛːʀ] *m. pl.* 〖곤충〗 인시류(鱗翅類).

lépiote [lepjɔt] *f.* 〖식물〗 송이버섯의 일종.

lèpre [lɛpʀ] *f.* ① 〖의학〗 나병, 문둥병, 레프라 : vaccin contre la ~ 나병 백신. ② (레프라 같은) 반점, 얼룩. ③ (나병처럼 퍼지는) 병독 : ~ de l'ennui 권태의 병독.

lépreux, euse [lepʀø, -øːz] *adj.* ① 나병에 걸린. ② (나병에 걸린 것처럼) 얼룩진 : murs ~ 얼룩진 벽. — *n.* 나병〔레프라〕 환자.

léproserie [lepʀozʀi] *f.* 나병원, 나병 환자 수용소.

lepto- *préf.* 「얇은·미세한」의 뜻.

lepture [lɛptyːʀ] *f.* 〖곤충〗 하늘소.

L.Eq. 《약자》 Ligne Equatoriale (지도의) 적도선(赤道線).

⁑**lequel** [ləkɛl] (*f.* ***laquelle*** [lakɛl]; *m. pl.* ***lesquels*** [lekɛl]; *f. pl.* ***lesquelles*** [lekɛl]) 《le, la, les+quel》 *pron. relat.* 《남성 단수형과 복수형은 à, de와 축약되어 auquel, auxquel(le)s; duquel, desquel(le)s로 됨》 ① 《전치사와 함께 보어로서》 le bateau sur *lequel* nous naviguons 우리가 타고 있는 배 / les lettres *auxquelles* je dois répondre 답장을 내야 할 편지 / le milieu dans *lequel* il vit 그가 살고 있는 환경. ② 《주어로서; 문장 속에서의 모호함이나 qui의 반복을 피하는 경우》 Ont comparu 3 témoins, *lesquels* ont déclaré... 세 사람의 증인이 출두하여 그들은 …라고 진술하였다 / le père de Mlle Kim, *lequel* est en France 프랑스에 계시는 김양의 아버지. — *adj. relat.* 《문어》 *auquel* cas 그 경우에(=en ce cas) / Vous serez peut-être absent, *auquel* cas vous me préviendrez. 당신은 결석하게 될지도 모르겠는데, 그럴 경우에는 제게 알려 주세요. — *pron. interr.* 어느 사람; 어느 것 : *Lequel* de ces garçons est votre fils? 이 아이들 중에 어느 아이가 당신의 자제입니까? / Avec *lequel* des deux êtes-vous venu? 두 사람 중 어느 분과 같이 오셨습니까? / Voici deux étoffes, *laquelle* choisissez-vous? 여기에 천이 둘 있는데, 어느 것을 택하시겠습니까?

lerch(e) [lɛʀʃ] *adv.* 《구어》 많이, 듬뿍. ***pas ~e*** 약간, 조금.

lérot [leʀo] *m.* 〖동물〗 다람쥐 비슷한 설치류의 일종.

⁑**les**[1] [le] *art. déf.* le, la의 복수.

lès [lɛ], **les**[2] [le] *prép.* …곁의《Plessy-*lès*-Tours처럼 지명에만 쓰임》(=lez).

lesbien, enne [lɛsbjɛ̃, -ɛn] *adj.* 레스보스(*Lesbos*)섬의. — **L~** *n.* 레스보스섬 사람. — *m.* 레스보스어《그리스 지방어》. — *f.* 동성 연애하는 여자.

lesdit(e)s [ledi(t)] *adj.* ledit의 복수형.

lèse- [lɛz] *adj. f.* 《연결 부호로 명사와 결합되어 「침범한」의 뜻을 나타냄》 ***crime de ~-humanité*** 파렴치죄(罪).

lèse-majesté [lɛzmaʒɛste] *f.* 〖법률〗 불경죄, 대역죄(大逆罪)(=crime de ~).

***léser** [leze] 6 *v.t.* ① 《~ qn》 ⓐ 해치다(=faire tort à) : *être lésé* dans un partage 분배에서 손해를 보다. ⓑ 〖법률〗 (권리 따위를) 해치다, 침해하다 : *être lésé* dans ses intérêts 이익을 침해당하다. ② 〖의학〗 《~ qc》 침범하다, …에 상처를 입히다.

lésine [lezin] *f.* 《문어》 인색(=avarice).

lésiner [lezine] *v.i.* 인색하게 굴다 : ne pas ~ sur l'éducation de ses enfants 자식들의 교육에는 돈을 아끼지 않다. ***~ sur tout*** 아주 깍쟁이다. ***~ sur une dépense*** 돈쓰기를 아까워하다.

lésineur, euse [lezinœːʀ, -øːz] *adj.* 인색한. — *n.* 인색한 사람, 수전노.

lésion [lezjɔ̃] *f.* ① (이익의) 침해. ② 〖의학〗 상해(傷害), 병해 : ~ cérébrale 뇌 손상. ③ 〖법률〗 손해.

lésionnel, elle [lezjɔnɛl] *adj.* 〖의학〗 상해의; 병해의〔에 관한〕.

L. ès L. 《약자》 licencié ès lettres 문학사.

lesque(le)s [lekɛl] ⇒ lequel.

L. ès Sc. 《약자》 licencié ès sciences 이학사.

lessivage [lesivaːʒ] *m.* ① 잿물로 표백하기; 세탁. ② 《구어》 (노름 따위에서의) 큰 손해. ③ 〖광물〗 침출(浸出).

lessive** [lesiːv] *f.* ① 잿물, (표백용의) 알칼리성 용액. ② 분말 세제, 가루비누. ③ 빨래, 세탁. ④ 빨랫감, 세탁물. ⑤ 정화(淨化). ⑥ 《구어》 (도박판에서) 몽땅 잃기 : faire une ~ 몽땅 잃다. ***blanc de ~ 깨끗이 세탁한. ***faire la ~*** 세탁하다.

lessiver [lesive] *v.t.* ① 잿물로 세탁하다; 세탁하다; (마루를) 닦다. ② 《~ qn》 《구어》 (노름에서 상대방의) 돈을 몽땅 따 버리다; (경기에서 상대방을) 제쳐 버리다; (상대방을 지위에서) 제거하다. ***être lessivé*** 《구어》 지치다, 피곤하다. ***~ la tête à*** qn 《구어》 …을 나무라다.

lessiveur, euse [lesivœːʀ, -øːz] *n.* 표백〔빨래〕하는 사람. — *f.* 세탁기.

lest [lɛst] *m.* ① 〖해양〗 바닥짐《배의 균형을 잡기 위해 뱃바닥에 싣는 모래·돌·쇠 따위》. ② (기구(氣球)의) 모래주머니. ③ 〖어류〗 그물의 추(錘). ***jeter* 〔*lâcher*〕 *du ~*** 《구어》 위험을 벗어나기 위해 희생을 치르다.

lestage [lɛstaːʒ] *m.* 밸러스트를〔바닥짐을〕 싣기.

leste [lɛst] *adj.* ① 재빠른, 민첩한, 기민한 : marcher d'un pas ~ 경쾌하게 걷다. ② 경솔한; 추잡한, 상스러운. ***avoir la main ~*** 《구어》 걸핏하면 손이 올라가다〔때리다〕.

lestement [lɛstəmɑ̃] *adv.* ① 재빠르게, 민첩하게. ② 경솔하게; 추잡하게, 상스럽게.

lester [lɛste] *v.t.* ① (배에) 바닥짐을 싣다; (기구에) 모래주머니를 싣다. ② 《구어》 가득 채우다 : ~ son estomac 배불리 먹다 / ~ ses poches 호주머니에 물건을 넣다 / ~ son portefeuille 지갑에 돈을 넣다. ── **se ~** *v.pr.* 《구어》 ① 자기의 …을 가득 채우다 ; 든든하게 먹다(= *se* ~ l'estomac). ② 착실〔견실〕해지다, 안정되다.

lét(h)al, e, aux [letal, -o] *adj.* 죽게 하는, 치사(致死)의, 치명적인 : dose *~ale* d'un produit toxique 독극물의 치사량.

lét(h)alité [letalite] *f.* 사망률 : tables de ~ 사망률표.

léthargie [letaʀʒi] *f.* ① 〖의학〗 혼수〔가사(假死)〕 상태(= hypnose) : tomber en ~ 혼수 상태에 빠지다. ② (지능의) 마비 상태 ; 나태.

léthargique [letaʀʒik] *adj.* 〖의학〗 혼수 상태의, 마비 상태의.

Léthé [lete] *n.pr.m.* 〖그리스신화〗 레테강, 망각의 강 : eaux du ~ 망각의 물.

*****lettre** [lɛtʀ] *f.* ① 글자, 문자 ; 활자 : ~ minuscule 〔majuscule〕 소〔대〕문자 / ~ initiale 머리글자 / double ~ 이중문자 / corps d'une ~ 활자의 포인트. ② 자의(字意), 문면(文面) : la ~ et l'esprit (글의) 겉 표현과 속에 담긴 정신 / s'attacher à la ~ de la loi 법률의 자의에 구애되다. ③ 편지 ; 증서 : ~ exprès 속달 편지 / ~ recommandée 등기 편지 / boîte aux ~*s* 우편함 / papier à ~*s* 편지지 / ~ de faire-part 청첩장 / ~ d'amour 연애편지 / ~ anonyme 익명의 편지 / décacheter une ~ 편지를 개봉하다. ④ 공식 문서, 공문 : ~ patente 면허장 / ~ de crédit 신용장(《약자》 cr.) / ~ de cachet 체포 영장. ⑤ (*pl.*) ⓐ 문학, 문예 ; 문과 : les ~*s* 문학(= les belles-~*s*) / ~*s* classiques 〔modernes〕 고전〔현대〕 문학(과) / decteur ès ~*s* 문학 박사. ⓑ 독서에 의한 지식, 학식, 교양 : avoir des ~*s* 학식〔교양〕이 있다. ***à la ~ ; au pied de la ~*** 문자 그대로, 글자 뜻대로 : traduire *à la* ~ 직역하다. ***avant la ~*** 〖인쇄〗 (판화의) 제목을 찍기 전에〔의〕 ; 《비유》 발육 중의 : Rousseau fut un romantique *avant la* ~. 루소는 낭만주의자라는 말이 생기기 전의 낭만주의자였다. ***belles ~s*** 문학. ***en toutes ~s*** 생략하지 않고 ; 숨김없이 분명히 : Ma disgrâce était écrite *en toutes* ~*s* sur mon visage. 나의 치욕감은 얼굴에 역력히 나타나 있었다. ***femme de ~s*** 여류 문인. ***homme de ~s*** 문사, 문학자. ***les cinq ~s*** 상스러운 욕 《merde 라는 다섯 글자》. ***~ morte*** 공문(空文) ; 소용없는 말 ; 사문서(死文書) : Ce qu'on lui dit est resté ~ *morte*. 그에게 한 말은 아무 소용없었다. ***passer comme une ~ à la poste*** 《구어》 척척 진척되다 ; (음식이) 쉽게 소화되다.

lettré, e [lɛ(e)tʀe] *adj.* et *n.* 학식〔교양〕 있는 (사람) ; 문학에 소양 있는 (사람).

lettrine [lɛ(e)tʀin] *f.* 〖인쇄〗 (장(章) · 절(節)의 처음에 사용하는) 대형 장식 대문자.

leucémie [løsemi] *f.* 〖의학〗 백혈병.

leucémique [løsemik] 〖의학〗 *adj.* 백혈병성의 ; 백혈병에 걸린. ── *n.* 백혈병 환자.

leuc(o)- *préf.* 「백(白)」의 뜻.

leucocyte [løkɔsit] *m.* 〖생리〗 백혈구.

*****leur¹** [lœ(:)ʀ] *adj. poss.* 《발음 : [lœʀ]》 그들〔그녀들〕의, 그것들의 : ~ père et ~ mère 그들〔그녀들〕의 아버지와 어머니 / ~*s* enfants 그들〔그녀들〕의 자녀들. ── *pron. poss.* 《발음 : [lœ:ʀ]》 ① 《소유 형용사 leur(s) + 명사의 대리 le ~, la ~, les ~*s*》 그들〔그녀들〕의 그것(들), 그것들의 것(들) : Ma fille et la ~ vont à l'école enssemble. 내 딸과 그들의 딸은 함께 학교에 다닌다. ② 《관사 없이 속사로서》 fortune qui était ~ 그들의 것이었던 재산(= qui était leur fortune). ── *m.* ① ⓐ 그들〔그녀들〕의 것〔소유물〕 : si vous trouvez quelque chose du ~ 만일 무엇이건 그〔그녀〕들의 것을 보신다면. ⓑ du leur 그들〔그녀들〕 나름의 것《성의 · 노력 · 양보 따위》. ② (*pl.*) 그〔그녀〕들의 가족〔친구들 · 한패 · 한동아리〕.

*****leur²** *pron. pers.* 그들에게(서), 그것들에게(서) ⇒ lui.

leurre [lœ:ʀ] *m.* ① (낚시의) 미끼 ; 〖사냥〗 미끼새 ; 올가미. ② 술책, 속임수. ***Cet espoir n'est qn'un ~.*** 이 희망은 헛된 것이다. ***se laisser prendre à un ~*** 속다, 술책에 넘어가다.

leurrer [lœʀe] *v.t.* ① (매를) 미끼새로 불러들일 수 있게끔 가르치다. ② 미끼로 유인하다. ③ 속이다(= duper, abuser) : se laisser ~ 속아 넘어가다 / ~ qn par des promesses extraordinaires …을 엉터리 같은 약속으로 기만하다. ── **se ~** *v.pr.* 《se ~ de》 (헛된 희망 따위를) 품다 : *se* ~ *d'*un espoir 가냘픈 희망을 품다.

levage [ləva:ʒ] *m.* ① 올리기 ; 들어올리기 : appareil de ~ 기중기. ② 발효, (반죽이) 부풀기. ③ (세금의) 징수.

levain [ləvɛ̃] *m.* ① 효모(酵母), 누룩 : poudre ~ 베이킹파우더. ② 《문어》 (불화 따위의) 원인(= ferment, germe).

levant, e [ləvɑ̃, -ɑ̃:t] *m.* ① 동쪽(= orient). ② (*L~*) 〖지리〗 근동 제국(諸國). ***du ~ au couchant*** 동쪽에서 서쪽으로. ── *adj. m.* (해가) 뜨는, 오르는. ***au soleil ~*** 새벽에. ***soleil ~*** 아침 해 ; 신흥 세력.

levantin, e [ləvɑ̃tɛ̃, -in] *adj.* 근동 제국(*le Levant*)의. ── **L~** *n.* 근동 제국의 국민.

levé [ləve] *m.* ① 기립. ② 〖지리〗 측량 ; 측량도.

levée [ləve] *f.* ① 치우기, 제거 ; 폐회 ; 취소, 철회 ; (억류의) 해제 : ~ du corps 출관(出棺) / ~ d'une punition 처벌의 철회. ② (농작물 · 과실 따위의) 수확, 채집 ; 〖군사〗 징집 ; 소집 ; (세금의) 징수. ③ 〖우편〗 (우편물의) 수집. ④ (카드놀이에서) 패 따오기. ⑤ 성토(盛土), 제방. ***faire une ~*** 〔***deux ~s***〕 (카드놀이에서) 1〔2〕 장을 집어 오다. ***puissance de ~*** 〖기계〗 (기중기의) 양력(揚力).

lève-glace(s) [lɛvglas] *m.* 《복수불변》 〖자동차〗 창문 유리를 올리고 내리는 손잡이.

*****lever¹** [ləve] [4] *v.t.* ① 들다, 올리다, 쳐들다 (= soulever, hausser ; ≠ baisser) ; 일으키다(= élever) : ~ la main 손을 쳐들다 / ~ la glace d'une voiture 자동차의 유리창을 닫다 / ~ son verre 잔을 들어 건배하다. ② 없애다 ; 일소하다 ; 치우다 ; 철거하다 ; 제거하다 ; (회의를) 끝내다, 폐회〔산회〕하다 : ~ un mètre sur une pièce d'étoffe 피륙 한 필에서 1 미터를 잘라내다 / ~ les obstacles 장애물을 철거하다. ③ (군대 · 의회를) 소집

하다 ; (세금을) 징수하다 ; 수금하다 ; 〖우편〗 (우편물을) 수집하다 : ~ des troupes 군대를 동원하다 / ~ des impôts 세금을 거두다 / ~ les lettres 〔le courrier〕 (우체부가) 우체통의 편지를 걷다. ④ ⓐ 거두어들이다(= prendre) : ~ les cartes 〖카드놀이〗 딴 패를 거두어들이다. ⓑ 〖인쇄〗 (활자를) 뽑다 : ~ la lettre 채자(採字)하다. ⑤ (지도 · 설계도 따위를) 작성하다, 그리다(= dresser). ⑥ 《구어》 ⓐ ~ une femme 여자를 유혹하다. ⓑ (창녀 따위가) 손님을 끌다.
— *v.i.* ① (싹이) 나다. ② (반죽 따위가) 부풀다 : La pâte *lève.* 반죽이 부풀어 오른다.
— **se ~** *v.pr.* ① 오르다, 들려지다 : Le rideau *se lève.* 막이 오르다. ② 일어서다 ; 일어나다 : *se* ~ tôt 일찍 일어나다 / *se* ~ de table 식탁을 떠나다. ③ (해 · 달이) 뜨다 ; (날씨가) 개다 ; (바람이) 일다 ; (안개가) 끼다 : Le temps *se lève.* 날씨가 갠다.

lever² *m.* ① (태양이) 떠오름 : au ~ du soleil 해가 뜨자, 해뜰 무렵에. ② 일어남, 기상 ; (왕의) 아침 인견(引見)(= ~ du roi). ③ (막이) 올라감 : ~ du rideau 개막(開幕). ④ 측량도(= ~ du plan).

lève-tard [lɛvtaːʀ] *n.* 《복수불변》 늦잠꾸러기.

lève-tôt [lɛvto] *n.* 《복수불변》 일찍 기침하는 〔일어나는〕 사람.

levier [ləvje] *m.* ① 〖기계〗 지레 ; (펌프 따위의) 손잡이 : ~ de commande 〖항공〗 조종간 / ~ du changement de vitesse 〖자동차〗 변속 기어 레버. ② 수단, 방편 ; (사물을 움직이는) 힘 : L'intérêt est le grand ~ de l'activité humaine. 이익은 인간 활동의 큰 힘이다. ***être aux ~s de commande*** 감독〔지휘자〕의 자리에 있다. ***faire ~ sur*** qc …을 지레로 움직이다.

lévitation [levitɑsjɔ̃] *f.* 〖심령술〗 (영매(靈媒)의 힘으로 물건〔사람〕이) 공중으로 떠오르기.

levraut [ləvʀo] *m.* 어린 들토끼.

‡lèvre [lɛːvʀ] *f.* ① 입술 : ~ supérieure 〔inférieure〕 윗〔아래〕입술 / avoir le sourire aux ~s 입가에 미소를 띠다 / serrer les ~s 입술을 꼭 다물다. ② 입술 모양의 것 ; 〖식물〗 순형 화판(脣形花瓣) ; (*pl.*) 〖해부〗 음순 ; (*pl.*) 상처의 양쪽 가장자리 : grandes 〔petites〕 ~s 대〔소〕음순. ***du bout des ~s*** 마지못해, 억지로 : rire *du bout des ~s* 억지웃음을 웃다. ***être suspendu aux ~s de*** qn …의 이야기를 열심히 듣다. ***ne pas desserrer les ~s*** 비밀을 지키다.

levrette [ləvʀɛt] *f.* 토끼 사냥개〔그레이하운드〕의 암컷 : ~ de salon 이탈리아종 그레이하운드. ***en ~*** 뒤에서.

levretté, e [ləvʀɛ(e)te] *adj.* 몸매가 날씬한 : jument ~*e* 날씬한 암말.

lévrier [levʀije] *n.* 토끼 사냥개, 그레이하운드 : courir comme un ~ 굉장히 빨리 달리다/~ d'Afrique 슬루기(sloughi) 사냥개.

levure [ləvyːʀ] *f.* 효모(酵母), 효모균(≠ ferment) : ~ artificielle 베이킹파우더 / ~ de bière 맥주의 효모.

lexème [lɛksɛm] *m.* 〖언어〗 어휘소(語彙素).

lexical, e, aux [lɛksikal, -o] *adj.* ① 어휘의 : éléments ~*aux* 어휘의 요소《단어와 성구》/ statisque ~*e* 어휘 통계(학). ② 소사전〔용어 사전〕의.

lexicographe [lɛksikɔgʀaf] *m.* 〖언어〗 어휘 기술자(記述者), 사전 편집자〔연구가〕.

lexicographie [lɛksikɔgʀafi] *f.* 〖언어〗 어휘 기술학〔연구〕, 사전 편집(법).

lexicographique [lɛksikɔgʀafik] *adj.* 〖언어〗 어휘 기술학〔연구〕의, 사전 편집의.

lexicologie [lɛksikɔlɔʒi] *f.* ① 사학(辭學), 어휘론. ② 어휘 기술학〔연구〕, 사전 편집(법)(= lexicographie).

lexicologique [lɛksikɔlɔʒik] *adj.* 사학의, 어휘론의.

lexicologue [lɛksikɔlɔg] *m.* 사학자(辭學者) ; 어휘 연구가.

lexie [lɛksi] *f.* 〖언어〗 어휘의 단위《단어 · 표현》; 독해 단위《*Barthes* 의 용어》.

***lexique** [lɛksik] *m.* ① 어휘(語彙). ② 소사전 ; (특히 그리스어의) 사전 ; (한 작가의) 용어 사전 ; 용어 해설 : un ~ français-latin 프랑스-라틴어 사전. — *adj.* 소사전의 ; 어휘의 ; 용어의 : manuel ~ 소사전 ; 용어집.

lez [le] *prép.* …곁의《Plessis-*lez*-Tours처럼 지명에만 쓰임》(= lès).

lézard** [lezaːʀ] *m.* ① 도마뱀 ; 도마뱀 가죽. ② 《구어》 게으름뱅이. ***faire le ~ ; faire son ~ au soleil ; prendre un bain de ~ (양지에서) 햇볕을 쬐다 ; 빈둥거리다.

lézarde [lezaʀd] *f.* 벽의 균열(= fente), 갈라진 틈.

lézardé, e [lezaʀde] *adj.* 금이 간, 균열이 생긴(= crevassé).

lézarder¹ [lezaʀde] *v.i.* 햇볕을 쬐다 ; 빈둥거리다.

lézarder² *v.t.* 금가게〔터지게〕 하다.
— **se ~** *v.pr.* (벽이) 금이 가다, 터지다.

li [li] *m.* (중국의) 리(里)《약 576 m》.

liais [ljɛ] *m.* 〖광물〗 석회석.

liaison** [ljɛzɔ̃] *f.* ① 결합, 연결, 연속 ; 연락 : section de ~ 섭외과 / ~s postales 〔téléphoniques〕 우편〔전화〕 연락 / ~ aérienne entre Séoul et Pusan 서울과 부산을 잇는 항로 / officier de ~ 연락 장교. ② 〖요리〗 소스를 진하게 하기 위해 넣는 재료《노른자위 · 밀가루 따위》. ③ 〖음악〗 연결 ; 연결 기호《‿, ⁀》: ~ de durée 타이《같은 음을 연결하는 경우》/ ~ d'accentuation 슬러《다른 음을 연결하는 경우》. ④ 〖언어〗 연음 ; 리에종. ⑤ 맥락 ; 관계 ; 교제, 교우 ; 남녀 관계, 정사 ; 사통(私通), 밀통(密通) : ~ d'amitié 우정 관계/~ d'intérêt 이해관계. ***avoir une ~ 남녀 관계를 맺다. ***se mettre en ~ avec*** …와 연락을 취하다.

liane [ljan] *f.* 〖식물〗 (열대 아메리카산의) 칡의 일종.

liant, e [ljɑ̃, -ɑ̃ːt] *adj.* ① 상냥한, 사근사근한, 사교적인 : peu ~ 서먹서먹한〔비사교적인〕. ② 부드러운, 탄력성 있는. — *m.* ① 상냥함, 애교. ② 탄력성. ***avoir du ~*** 상냥하다, 애교가 있다.

liard [ljaːʀ] *m.* 옛날 동전《1/4 sou》. ***n'avoir pas un ~*** 《구어》 무일푼이다.

lias [ljɑːs] 〔영〕 *m.* 〖지질〗 흑(黑)쥐라통(統).

liasse [ljas] *f.* (편지 · 지폐 따위의) 묶음, 뭉치 : mettre qc en ~ …을 뭉치다 ; 철하다 /

L

une ~ de billets de banque 지폐 뭉치〔묶음〕/ ~ de journaux 〔lettres〕 신문 뭉치〔편지 묶음〕.

libanais, e [libanɛ, -ɛːz] *adj.* 레바논의. — **L~** *n.* 레바논 사람.

libation [libɑsjɔ̃] *f.* ① 〖종교〗 신주(神酒)〔기름·우유〕를 붓기 ; 제주(祭酒). ② 《구어》 통음, 실컷 마시기. ***faire des ~s ; faire de copieuses ~s*** 술을 많이 마시다.

libelle [libɛl] *m.* 풍자문, 비방하는 글, 중상문 : faire 〔répandre〕 des ~*s* contre qn …에 대한 비방문을 쓰다.

libellé [libe〔ɛl〕le] *m.* ① (문서 따위의) 작성(법). ② (문서의) 용어, 조사(措辭).

libeller [libe〔ɛl〕le] *v.t.* (문서를) 꾸미다, 작성하다(= formuler) : ~ un contrat 계약서를 작성하다.

libellule [libe〔ɛl〕lyl] *f.* 〖곤충〗 잠자리.

liber [libɛːʀ] *m.* 〖식물〗 (고등 식물의) 속껍질, 인피(靭皮).

libera [libeʀa] *m.* 《복수불변》 〖가톨릭〗 죽은 사람을 위한 기도.

libérable [libeʀabl] *adj.* et *m.* 제대할 수 있는 (군인).

libéral, e, aux** [libeʀal, -o] *adj.* ① 아끼지 않는, 인심 후한, 관대한 ; 대범한, 너그러운 : ~ envers qn …에게 관대한, 후한 / être ~ de qc …에 후하다, …을 아낌없이 주다. ② 자유주의의, 자유인에 어울리는 ; 자유로운, 얽매이지 않는 : idées ~*es* 자유주의 사상. ***arts ~aux 자유 과목, 교양 과목. ***démocratie ~e*** 자유민주주의. ***profession ~e*** 자유 직업《의사·변호사 따위》. — *m.* 자유주의자 ; (*pl.*) 자유당원.

libéralement [libeʀalmɑ̃] *adv.* 후하게 ; 관대하게.

libéralisation [libeʀalizɑsjɔ̃] *f.* 자유화.

libéraliser [libeʀalize] *v.t.* 자유주의화하다.

libéralisme [libeʀalism] *m.* 자유주의.

libéralité [libeʀalite] *f.* ① 후한 인심. ② 시여(施輿)(물), 증여 ; 은혜 : faire des ~*s* à qn …에게 은혜를 베풀다. ③ 〖법률〗 무상 급부(給付). ④ ~ d'esprit 〔de jugement〕 활달한 정신〔관용〕.

libérateur, trice [libeʀatœːʀ, -tʀis] *adj.* 해방하는. — *n.* 해방자, 구원자.

libération** [libeʀɑsjɔ̃] *f.* ① 해방 ; 석방 ; 만기 제대 ; 만기 출감 : ~ d'un captif 포로의 석방 / ~ conditionnelle 가출옥, 보석. ② 변제 ; (채무의) 이행 ; 면책 ; 면제. ***la L~ (제 2 차 대전 중의) 피점령군의 해방. ***mouvement de ~ de la femme*** 여성해방 운동.

libéré, e [libeʀe] *adj.* ① 해방된 ; 석방된 ; 출감한 ; 제대된. ② 납입이 끝난, 완제된 ; 면책된 : ~ de mille francs 천 프랑을 납입한. — *m.* ① 제대병. ② 출감한 죄수.

***libérer** [libeʀe] 6 *v.t.* ① 《~ qn de qc》 …을 (구속〔의무〕 따위)에서 벗어나게〔자유롭게〕 해 주다, (의무를) 면제하다(= dispenser) : ~ qn d'une dette …의 부채를 면해 주다 / ~ sa conscience (고백함으로써) 마음의 짐을 덜다. ② ⓐ 《~ qn》 석방〔방면〕하다 ; 제대시키다 : ~ un otage 〔detenu〕 인질을〔억류자를〕 석방하다 / ~ les femmes 여성을 해방하다 / ~ les soldats 군인을 (만기) 제대시키다. ⓑ 《~ un pays 〔un peuple〕》 나라를 〔국민을〕 해방하다(= délivrer). ③ 《~ qc》 〖기계〗 (기계 장치를) 벗기다(= dégager) : ~ un cran de sûreté (총의) 안전 장치를 벗겨 놓다. ④ 드러내다, 발산하다 : ~ ses instincts 본능대로 행동하다. ⑤ 〖물리〗 (가스 따위를) 배출〔방출〕하다 : L'atome *libère* son énergie. 원자는 그 에너지를 방출한다. — **se ~** *v.pr.* ① 해방되다 ; 빚을 갚다 ; 《se ~ de》 …에서 해방되다 ; …을 면하다 ; (채무를) 변제하다 : *se* ~ par un paiement 돈을 치르고 빚을 갚다. ② 《구어》 자유〔한가〕롭게 되다 : Je n'ai pas pu *me* ~ plus tôt. 더 빨리 시간을 낼 수가 없었다.

libérien, enne[1] [libeʀjɛ̃, -ɛn] *adj.* 리베리아의. — **L~** *m.* 리베리아 사람.

libérien, enne[2] *adj.* 〖식물〗 속껍질의, 인피(靭皮)의.

libéro [libeʀo] *m.* 〖운동〗 (축구의) 리베로 《공격과 수비에 자유롭게 참가하는 위치》.

libertaire [libɛʀtɛːʀ] *adj.* 〖정치〗 절대 자유주의의, 무정부주의의. — *n.* 절대 자유주의자, 무정부주의자(= anarchiste).

⁑**liberté** [libɛʀte] *f.* ① ⓐ 자유 ; 자주 ; 독립 : ~ de conscience 양심의 자유, 신앙의 자유 / ~ d'opinion 언론의 자유, 사상의 자유 / ~ politique 정치적 자유, 참정권. ⓑ heures 〔moments〕 de ~ 한가한 시간, 여가. ② ⓐ (거동이) 어색함이 없음, 자유스러움, 경쾌함, 활달함 ; 버릇없음 : ~ d'allures 거동의 유연함 / être blâmé pour la ~ de sa conduite 버릇없는 행동 때문에 비난을 받다. ⓑ (*pl.*) 방종, 제멋대로임 ; 무람없는 짓〔말〕 : prendre trop des ~*s* avec qn …에게 너무 무람없이 굴다. ③ (*pl.*) (사회 단체·지방 단체 따위의) 자주〔자치〕권(= autonomie) : ~*s* des villes 도시의 자치 / ~*s* des communes 지방 자치. ***donner*** 〔***rendre***〕 ***la ~ à*** qn …을 해방〔석방〕하다. ***mise en ~*** 석방, 방면 ; (가스의) 배출. (***mise en***) ***~ provisoire*** 〔***sous caution***〕 〖법률〗 보석. ***prendre la ~ de***+*inf.* 멋대로〔실례를 무릅쓰고〕 …을 하다.

libertin, e [libɛʀtɛ̃, -in] *adj.* ① 방종〔방탕〕한(= débauché) ; 음란〔음탕〕한 : vie ~*e* 방탕한 생활 / livres ~*s* 음란 서적 / propos ~*s* 음담패설. ② 《옛》 무신앙의(= irréligieux), 자유 사상의. — *n.* ① 방종〔방탕〕한 사람. ② 《옛》 무신앙가, 자유 사상가.

libertinage [libɛʀtinaːʒ] *m.* ① 방종, 방탕(= dévergondage) : vivre dans le ~ 방탕한 생활을 하다. ② 《옛》 무종교 ; 무신앙, 자유 사상.

libertiner [libɛʀtine] *v.i.* 방탕〔방종〕한 생활을 하다.

libidineux, euse [libidinø, -øːz] *adj.* 음란한, 음탕한, 호색의(= licencieux ; ≠ chaste).

libido [libido] *f.* 〖정신분석〗 리비도 ; 성욕, 성적 충동.

***libraire** [libʀɛːʀ] *n.* 서적 상인, 책장수.

***librairie** [libʀɛ〔e〕ʀi] *f.* 서적상 ; 서점 ; 출판사 : ~ d'occasion 헌책방 / ~-papeterie 문방구 겸업 서점 / ouvrage en ~ 간행 도서.

⁑**libre** [libʀ] *adj.* ① ⓐ 자유로운, 속박〔구속〕받지 않는 ; 독립된 : monde ~ 자유 진영 /

accès ~ 출입 자유 / rendre qn ~ 자유롭게 하다, …을 석방〔해방〕시키다. ⓑ《~ de》…을 면한, …이 면제된 ; …이 없는 : ~ *de* soucis 걱정이 없는. ② 자발적인 ; 자치의 : pays ~ 독립국. ③ 시간이 있는, 한가한 : Êtes-vous ~ ce soir? 오늘밤 시간 있어요? / temps ~ 한가한 시간, 여가. ④ (장소·길이) 장애물이 없는 ; 통행이 자유로운 ; (좌석·방 따위가) 비어 있는 : entrée ~ 무료 입장 / La route est ~. 그 길은 통행할 수 있다 / place 〔taxi〕 ~ 빈자리〔택시〕 / chambre ~ 빈방 / La ligne téléphonique n'est pas ~. 전화가 통화 중이다. ⑤ 편견(偏見) 없는 : esprit ~ de préjugés 〔préoccupations〕 편견〔선입관〕 없는 정신. ⑥ ⓐ 무람없는 : être (très) ~ avec qn …와 무람없이 지내는 사이이다. ⓑ 자유분방한 ; 조심성 없는 ; 외설스러운(= licencieux) : chansons 〔propos〕 ~s 외설한 노래〔음담패설〕. ⑦ (몸매가) 늘씬한 ; (옷이) 꽉 죄이지 않은 ; (필치가) 활달한, 대담한 : cheveux ~ 묶지 않은 머리카락 / vêtement qui laisse la taille ~ 몸매를 꽉 죄지 않는 옷 / vers ~ 자유시. ***écoles* 〔*institutions*〕 *~s*** 사립학교. ***L'homme naît ~.*** 인간은 태어나면서부터 자유롭다. ***L~ à vous de*** + *inf.* …하든 안 하든 당신 마음대로입니다 : *L~ à vous de* sortir ou *de* rester. 나가시든지 그대로 계시든지 당신 마음대로 하시오. ***~ de*** + *inf.* …임의로 …할 수 있는 : Vous êtes ~ 〔*L~* à vous〕 *d'*accepter ou *de* refuser. 승낙하든 거절하든 당신 마음이오.

libre arbitre [libʀaʀbitʀ] *m.* 〖철학〗 자유 의지(= volonté d'indifférence).

libre-échange [libʀeʃɑ̃:ʒ] *m.* 〖경제〗 자유 무역(≠ protectionnisme).

libre-échangiste [libʀeʃɑ̃ʒist] *m.* 자유 무역론자. — *adj.* 자유 무역의 : théorie 〔politique〕 ~ 자유 무역론〔정책〕.

librement [libʀəmɑ̃] *adv.* ① 자유로이 ; 마음대로. ② 솔직하게 ; 무람없이. ③ 제멋대로. ④ 추잡하게, 외설스럽게.

***libre-service** [libʀəsɛʀvis] *m.* (*pl.* **~s-~s**) 〖상업〗 셀프서비스 ; 셀프서비스 식당〔상점·백화점〕.

librettiste [libʀɛ(t)tist] *m.* 가극 각본 작가.

libretto [libʀe〔ɛt〕to] 〔이탈리아〕 *m.* (*pl.* **~s, libretti** [-i]) 가극 각본.

libyen, enne [libjɛ̃, -ɛn] *adj.* 리비아(*Libye*)의 : République Arbe *L~enne* 리비아 아랍 공화국. — **L~** *n.* 리비아 사람.

lice [lis] *f.* 투기장, 야외 경기장. ***entrer en ~*** 경기에 참가하다 ; 논쟁하다.

licence** [lisɑ̃:s] *f.* ① 〖학교〗 학사(의 칭호), 학사 자격〔학위〕 : ~ en droit 법학사(증) / ~ ès lettres 문학사(증) / ~ d'enseignement 교사 자격 / passer 〔obtenir〕 sa ~ 학사 학위를 받다〔얻다〕. ② 허가, 인가 ; 면허 ; 특허 ; 라이센스 ; 허용 : d'importation 〔d'exportation〕 수입〔수출〕 허가 / contrat de ~ 라이센스 계약. ③ 방종〔방탕〕 ; 제멋대로의 행동 ; (시·문법 따위의) 파격(破格) ; 외설 : ~ grammaticale 〔poétique〕 문법적〔시적〕 파격 / ~ de langage 외설적 언어. ***~ des mœurs 풍기문란. ***vivre* 〔*tomber*〕 *dans la ~*** 방탕한 생활을 하다〔에 빠지다〕.

licencié¹, e¹ [lisɑ̃sje] *n.* 학사(學士) : ~ *ès* 〔de〕 sciences 이학사. ***être reçu ~*** 학사 학위를 받다. — *adj.* 학사 학위를 받은.

licencié², e² *adj.* et. *n.* 해고당한 (사람).

licenciement [lisɑ̃simɑ̃] *m.* 해고 ; (군대·직공 따위의) 해산(解散) ; 면직 ; 파면.

***licencier** [lisɑ̃sje] *v.t.* 해산하다 ; 해고하다, 파면〔면직〕하다 : se faire ~ 해고당하다 / *J'étais licencié* par une mesure de réduction du personnel. 나는 인원 감축 조치로 해고되었다.

licencieusement [lisɑ̃sjøzmɑ̃] *adv.* 방종하게 ; 외설스럽게, 추잡하게.

licencieux, euse [lisɑ̃sjø, -ø:z] *adj.* 방종한 ; 추잡스러운, 외설스러운 : écrits ~ 외설 작품 / propos ~ 음담.

lichen [likɛn] *m.* ① 〖식물〗 지의(地衣). ② 〖의학〗 태선(苔癬).

licher [liʃe] *v.t.* 《구어》 ① 마시다(= boire) ; 먹다 ; 《목적보어 없이》 진탕 마시다. ② 핥다.

lichette [liʃɛt] *f.* 《속어》 (빵·고기 따위의) 얇은 조각(= léchette).

licitation [lisitɑsjɔ̃] *f.* 〖법률〗 (공유 재산의) 경매 : ~ amiable 임의 경매.

licitatoire [lisitatwa:ʀ] *adj.* 공유 재산 경매에 관한 : contrat ~ 〖법률〗 (공유자 간의) 공유 재산 경매 계약.

licite [lisit] *adj.* 적법의, 합법적인 ; 정당한 : profits ~s 정당한 이익 / 《비인칭》 Il est ~ de + *inf.* …하는 것은 적법하다〔허용되다〕.

licitement [lisitmɑ̃] *adv.* 합법적으로, 정당하게.

liciter [lisite] *v.t.* (공유 재산을) 경매하다 : héritiers qui *licitent* un domaine 소유지를 경매에 부친 상속인들.

licol [likɔl] *m.* 굴레 ; 고삐.

licorne [likɔʀn] *f.* ① 〖그리스신화〗 일각수(一角獸). ② (*L~*) 〖천문〗 일각수자리.

licou [liku] *m.* 굴레, 고삐(= licol).

lidar [lida:ʀ] 〔〔영〕 < *L*ight *D*etecting *A*nd *R*anging〕 *m.* 〖물리〗 레이더《레이저 광선의 반사·흡수를 이용한 대기 현상 관측 장치》.

lie [li] *f.* (포도주 따위의) 재강, 지게미, 찌끼. ***boire le calice* 〔*la coupe*〕 *jusqu'à la ~*** 심한 고통〔굴욕〕을 당하다. ***~ du peuple* 〔*du genre humain*〕** 하층 사회의 사람들. — *adj.* 《불변》 ~ de vin (포도주) 재강 빛깔〔연보랏빛〕의.

lié, e [lje] *adj.* ① 묶인 ; 얽매인, 구속된 : pieds et poings ~s 손발이 묶여, 꼼짝달싹 못하게 되어. ② 친교가 있는. ***être* (*très*) *~ avec*** qn …와 친교가 있다.

lied [lid] 〔독일〕 *m.* (*pl.* **~er** [-œ:ʀ], **~s**) 〖음악〗 리트, 가곡 ; 리트〔가곡〕 형식의 곡.

lie-de-vin [lidvɛ̃] *adj.* 《불변》 연보랏빛의.

liège [ljɛ:ʒ] *m.* ① 〖식물〗 코르크나무. ② 코르크 ; 〖어업〗 부표(浮漂), 낚시찌.

liégeois, e [ljeʒwa, -a:z] *adj.* 리에주(*Liège*, 벨기에의 도시)의 : café ~ 커피가 든 아이스케이크. — **L~** *n.* 리에주 사람. — *m.* 리에주 말.

liéger [ljeʒe] *v.t.* 3·6 코르크 부표〔낚시찌〕를 달다.

***lien** [ljɛ̃] *m.* ① 맬 것, 끈, 끄나풀, 사슬, 포승 :

L

~ de cuir 가죽끈. ② 속박, 기반(羈絆); 관계, 인연, 유대 : ~ d'amitié 우정 관계 / ~s du sang 혈연 / ~ de parenté 친척 관계 / ~ conjugal 내외간/nouer des ~s étroits avec qn …와 깊은 관계를〔인연을〕 맺다. ③ 〖토목〗 보강재(補强才). ***~ de cause à effet*** 인과 관계.

***lier** [lje] *v.t.* ① 매다, 묶다 : ~ ses cheveux avec un ruban 리본으로 머리를 묶다 / ~ des fleurs en bouquet 꽃을 다발로 묶다. ② (회반죽·시멘트 따위로) 붙이다(= fixer) ; 접합〔연결〕하다 : ~ des briques avec du ciment 시멘트로 벽돌을 붙이다. ③ (몇 개의 것을) 한데 이어 합치다(= joindre) ; 연결하다 ; 〖언어〗 연음하다 ; 〖음악〗 연결 기호로 잇다 ; (생각 따위의) 맥락을 짓다 : ~ les notes 음을 연결하다 / ~ ses pensées 사고의 맥락을 짓다 / ~ les mots 단어를 연음하다. ④ (애정·취미 따위가 사람·생활 따위를) 결합시키다 : Leur communauté de goûts les *liera* vite. 그들의 취미가 같다는 점이 곧 그들을 결합시킬 것이다 / ~ son destin à celui d'une entreprise 어떤 사업과 운명을 같이하다. ⑤ 구속〔속박〕하다, …에게 의무를 지우다 : *être lié* par un serment 맹세로 인해 구속을 받다 / la promesse qui me *lie* 나를 꼼짝 못하게 하는 약속. ⑥ (교제·우정 따위를) 맺다 ; (관계를) 맺다 : ~ amitié avec qn …와 친교를 맺다 / ~ connaissance avec qn …와 알게 되다 / Je *suis* peu *lié* avec elle. 나는 그녀와 친하지 않다. ⑦ 〖요리〗 (소스 따위를) 진하게 하다 : ~ une sauce 소스를 진하게 하다.

— **se ~** *v.pr.* ① 자기를 구속하다. ② 인연을〔관계를〕 맺다 : *se* ~ d'amitié avec un camarade 친구와 우정을 맺다. ③ (돌 따위가) 고착하다. ④ 결합되다 ; 연결되다 ; 밀접한 관계에 있다.

***lierre** [ljɛːʀ] *m.* 〖식물〗 담쟁이덩굴, 송악.

liesse [ljɛs] *f.* 《옛》 환희(= joie). ***foule en ~*** 환희에 찬 군중.

‡lieu¹ [ljø] *m.* (*pl.* **~x**) ① 곳, 장소(= endroit) ; 고장(= localité, région) : ~ de travail 직장 / ~ de passage 통로 / la date et le ~ 날짜와 장소 / ~ de plaisir 유흥장, 환락가 / ~ public 공공 장소. ② (*pl.*) les ~*x* ⓐ 《옛·문어》《단수와 마찬가지로 어떤 한 장소를 지칭함》 en ces ~*x* 이곳에(서) / le maître de ces ~*x* 이곳의 주인. ⓑ 현장, 현지 : l'usage des ~*x* 현지의 관습 / La police s'est rendue sur les ~*x*. 경찰은 현장에 갔다. ⓒ 집, 거처(= appartement, maison) : quitter〔évacuer, vider〕 les ~*x* 집을 비우다. ③ (*pl.*) 변소(= ~*x* d'aisances). ④ (공간적·시간적) 위치 ; 순번 : en premier〔second, deuxième〕 ~ 첫째로〔둘째로〕. ⑤ 사회적 지위 ; 가문 ; 사회(의 계층) : être de bas ~ 출신이 비천하다 / Je tiens ce renseignement de bon ~. 이 정보는 확실한 출처로부터 나왔다. ***au ~ de*** + *inf.* …하는 대신에, …하지 않고 ; …하기는커녕. ***au ~ et place de*** qn …을 대신하여. ***au ~ de*** qc〔qn〕 …대신에, …이 아니고. ***au ~ que*** ⓐ 《+ *ind.*》 그런데, 그 반면에(= tandis que) : On croit qu'elle est une bergère, *au ~ qu'*elle est fille de roi. 사람들은 그녀를 양치는 여자라고 생각하고 있지만 그녀는 왕녀인 것이다. ⓑ 《+ *sub.*》 …대신에, …이기는커녕 : *Au ~ qu'*il reconnaisse ses erreurs... 그는 자신의 과오를 인정하기는커녕.... ***avoir ~*** 일어나다 ; 거행되다. ***avoir ~ de*** + *inf.* ***; il y a ~ de*** + *inf.* …할 이유〔필요〕가 있다, 응당 …해야 할 것이다 : Il *a ~ de* se féliciter. 그가 기뻐하는 것은 당연하다 / Elle n'*a* pas ~ *de* se plaindre. 그는 불평할 이유가 없다. ***descente sur les ~x*** 현장 검증. ***donner ~ à*** …을 일으키다, …의 원인이 되다. ***donner ~ de*** + *inf.* …할 기회를〔구실을〕 주다 ; …하게 하다. ***en dernier***〔***premier***〕 ***~*** 최후로〔첫째로, 우선〕. ***en haut ~*** 고위층〔상부〕에서 ; 고위 당국자들에게. ***en son ~*** …의 차례에, 이번에는. ***en temps et ~*** 적시적소에서 ; 적당한 때 적당한 장소에서. ***être sur les ~x*** 현장에 있다. ***haut ~*** 기념할 만한 일이 벌어진 곳. ***~ commun*** 흔해 빠진 이야기〔생각〕, 일상사, 평범한 일, ***s'il y a ~*** 필요에 따라. ***tenir ~ de*** …을 대신하다, …의 구실을 하다.

lieu² *m.* (*pl.* **~s**) 〖어류〗 검정대구(= colin¹).

lieu(-)dit [ljødi] *m.* (*pl.* **~x**(-)**~s**) 특별한 명칭을 가진 곳, …라고 불리는 곳 : L'autocar s'arrête au ~ des ≪Trois Chênes≫. 관광 버스는 「세 참나무」라는 곳에서 멈춘다.

lieue [ljø] *f.* 거리의 단위《약 4 km》 : ~ marine 해리(海里)《약 5,556 m》. ***à cent***〔***vingt***〕 ***~s à la ronde*** 아주 넓은 범위에 걸쳐. ***être à cent***〔***mille***〕 ***~s de*** + *inf.* …한다는 것은 어림도 없다, 조금도 …하지 않다.

lieur, euse [ljœːʀ, -øːz] *n.* (곡식단을) 묶는 사람. — *f.* 〖농업〗 곡식단을 묶는 기계.

Lieut 《약자》 lieutenant 〖군사〗 육군 중위.

Lieut-Col 《약자》 lieutenant-colonel 〖군사〗 육군 중령.

lieutenant [ljøtnɑ̃] *m.* ① 육군 중위. ② 부관, 보좌관, 대리관, 대리인 : ~ de police (대도시의) 경찰 대리관. ③ (상선의) 2등 운전사(= premier ~). ***~ de vaisseau*** 해군 대위. ***~ général*** 육군 중장.

lieutenant-colonel [ljøtnɑ̃kɔlɔnɛl] *m.* (*pl.* **~s-~s**) 육군 중령.

lièvre** [ljɛːvʀ] *m.* 산토끼 ; 토끼 고기. ***Il ne faut pas courir〔***chasser***〕 ***deux ~s à la fois.*** 《속담》 한꺼번에 두 마리의 토끼를 쫓지 말아라. ***lever***〔***soulever***〕 ***un***〔***le***〕 ***~*** 난문제를 제기하다.

lift [lift] 〔영〕 *m.* ① 승강기, 엘리베이터. ② 〖테니스〗 드라이브.

lifter [lifte] 〔영〕 *v.t.* ① 〖테니스〗 드라이브샷을 하다. ② (성형 수술로) …의 얼굴의 (주름)살을 펴다. ③ 《비유》 개혁〔쇄신〕하다.

liftier, ère [liftje, -ɛːʀ] *n.* 승강기 운전자, 엘리베이터보이〔걸〕.

lifting [liftiŋ] 〔영〕 *m.* ① 얼굴 성형 수술의 일종《늘어진 피부를 팽팽하게 함》. ② 《비유》 개혁 쇄신(= rénovation).

ligament [ligamɑ̃] *m.* 〖해부〗 인대(靭帶).

ligamenteux, euse [ligamɑ̃tø, -øːz] *adj.* 인대 모양의, 인대성의.

ligature [ligatyːʀ] *f.* ① 동여매기 : faire une ~ à la jambe d'un blessé 부상자의 발을

L

동여매다. ② 〖의학〗 동여매는 끈, 붕대.

ligaturer [ligatyʀe] *v.t.* 동여매다 ; 〖의학〗 박결하다, 결찰하다.

lige [liːʒ] *adj.* 신하로서 충성을 맹세한, 헌신적인. ***hommage*** ~ 가신(家臣)의 선서. ***homme*** ~ 가신(家臣), 충복.

lignage [liɲaːʒ] *m.* ① 가계(家系), 혈통 : de haut ~ 명문 출신의. ② (인쇄된) 행수(行數).

lignager [liɲaʒe] *m.* 〖법률〗 동일 가계〔혈통〕의 사람, 본관이 같은 사람.

‡ligne [liɲ] *f.* ① 선, 줄, 금 : ~ aérienne[1] 〖전기〗 공중선(空中線) ; 안테나(선) / ~ de visée 〔mire〕 〖군사〗 조준선 / ~ des X 〖수학〗 (좌표의) X 축 / lire les ~*s* de la main 손금을 보다 / être sur la même ~ 동일 수준에 있다. ② ⓐ 낚싯줄(= ~ de pêche) : ~ de fond 낚시찌 없이 물 밑바닥까지 넣는 낚싯줄. ⓑ 먹줄(= cordeau) : ~ de charpentier 목수의 먹줄. ③ 전선(電線)(= ~ électrique) ; 전화선(= ~ téléphonique) : ~ à haute tension 고압선 / La ~ est occupée. 통화중입니다. ④ 경계선 ; 적도(= ~ équatorial) : passage de la ~ 적도 통과. ⑤ (책·글 따위의) 행, 줄 ; 열(列) : aller 〔revenir〕 à la ~ 줄을 바꾸다. ⑥ 선로 ; 항로, 노선 : ~ de chemin de fer 철도 선로 / ~ aérienne[2] 〖항공〗 항공로. ⑦ 전열(戰列), 전선 ; 참호선, 방어선 : forcer les ~*s* 방어선을 돌파하다 / ~ de bataille 전선 / ~ Maginot 마지노선. ⑧ 윤곽(= contour) : ~ du visage 얼굴의 윤곽. ⑨ 방향, 방침, 노선 : ~ de conduite 행동 노선. ⑩ 혈통, 가계(= lignée) : ~ directe 〔collatérale〕 직계〔방계〕 / ~ paternelle 부계(父系). ⑪ 〖TV〗 주사선(走査線) : nombre de ~*s* 주사선수(數). ⑫ 〖스포츠〗 선, 라인 : ~ de départ 〔d'arrivée〕 출발선〔도착선〕 / ~ de touche 터치라인. ***avoir de la*** ~ 선이 곱다, 윤곽이 아름답다. ***écrire*** 〔***aller***〕 ***à la*** ~ 행을 바꾸어 쓰다. ***en première*** ~ 〖군사〗 최전선에 ; 우선, 첫째로. ***entrer en ~ de compte*** 고려의 대상이 되다. ***être en*** ~ ⓐ 경기에 참가하고 있다. ⓑ 전화가 연결되어 있다. ***grandes ~s*** (이야기 따위의) 줄거리, 대략(大略) : expliquer qc dans ses *grandes* ~*s* …의 요점을〔개요를〕 설명하다. ***hors*** ~ 비범한, 뛰어난. ***Nous sommes plusieurs*** 〔***Il y a du monde***〕 ***sur la*** ~. 〖전화〗 혼선이다. ***sur toute la*** ~ 완전하게, 철두철미하게 : mentir *sur toute la* ~ 처음부터 끝까지 거짓말하다.

ligné, e[1] [liɲe] *adj.* 〖식물〗 평행선이 있는 : feuilles ~*es* 평행선이 있는 잎.

lignée[2] [liɲe] *f.* ① 가계(家系) ; 혈통(= race) ; 《옛》《집합적》 자손(= descendance). ② (정신적인) 계통. ***de bonne*** ~ 혈통이 좋은.

ligner [liɲe] *v.t.* ① (종이 따위에) 선을 긋다. ② (목재·석재를) 늘어놓다.

ligneux, euse [liɲø, -øːz] *adj.* ① 〖식물〗 목질(木質)의 : tissu ~ 목질 조직. ② 〖의학〗 나무와 같이 단단한. — *m.* 목질.

lignifier [liɲifje] *v.t.* 목화(木化)시키다 : tissu *lignifié* 목화한 조직. — **se** ~ *v.pr.* 목화되다.

lignite [liɲit] *m.* 〖광물〗 아탄(亞炭), 갈탄(褐炭).

ligotage [ligɔtaːʒ] *m.* 묶기 ; 묶인 상태.

ligoter [ligɔte] *v.t.* ① 묶다(= lier) : ~ un prisonnier 죄수를 묶다〔결박하다〕. ② 구속하다, 속박하다(= enchaîner) : se laisser ~ par les préjugés 편견에 사로잡히다.

ligue [lig] *f.* ① 동맹, 연맹 : ~ de consommateurs 소비자 연맹 / ~ des droits de l'homme 인권 보호 연맹. ② 결사 ; 도당, 단체. ③ 음모(= cabale, complot). ***la L~ des Nations*** 국제 연맹. ***la sainte L~*** 〖역사〗 신성 동맹.

liguer [lige] *v.t.* 동맹〔연맹〕시키다, 단결〔결속〕시키다 : ~ les mécontents contre qn 〔qc〕 …에 대항〔반대〕하기 위해 불평 분자들을 결합시키다. — **se** ~ *v.pr.* 동맹〔연맹〕을 맺다 ; 단결〔결탁〕하다, 연합하다 : *se* ~ contre …에 대항하여 연합하다.

ligueur, euse [ligœːʀ, -øːz] *n.* 동맹원, 회원 ; 〖역사〗 신성 동맹원.

lilas [lilɑ] *m.* ① 〖식물〗 라일락, 릴라. ② 엷은 자색. — *adj.* 《불변》 엷은 자색의.

liliacé, e [liljase] *adj.* 〖식물〗 백합 모양의. — *f.pl.* 백합과(科).

lilial, e, aux [liljal, -o] *adj.* ① 백합의. ② 《문어》 백합 같은 ; 하얀 ; 순결〔순백〕한. — *f.pl.* 백합목(目).

lilliputien, enne [lilipysjɛ̃, -ɛn] *adj.* (「걸리버 여행기」의) 소인국(*Lilliput*)의 ; 매우 작은. — *n.* 난쟁이.

limace [limas] *f.* ① 〖동물〗 괄태충(括胎蟲). ② 《구어》 느림보. ~ ***de mer*** 〖어류〗 활유어.

limaçon [limasɔ̃] *m.* ① 〖동물〗 달팽이(= escargot, colimaçon). ② 〖해부〗 (속귀의) 달팽이관. ***escalier en*** ~ 〖건축〗 나선 계단. ~ ***de mer*** 〖패류〗 경단고둥.

limaille [limɑːj] *f.* 줄질할 때 나는 쇳가루, 줄밥.

limande [limɑ̃ːd] *f.* 〖어류〗 작은 가자미.

limbe [lɛ̃ːb] *m.* ① (천체, 특히 해·달의) 가장자리, 둘레. ② (신·성인 따위의) 후광(= nimbe, auréole). ③ 〖식물〗 엽변(葉邊) ; (꽃잎의) 확대부. — *m.pl.* ① 〖가톨릭〗 림보, 고성소(古聖所) ; 해소(孩所)《구약 시대에 선인(善人)의 영혼이 그리스도 강림까지 머물러 있던 곳, 또 세례받지 않은 어린애의 영혼이 가는 곳》. ② (사상 따위의) 혼돈 상태(= incertain) ; 미결 상태 : Le projet reste encore dans les ~s. 그 계획은 아직도 미결 상태이다.

lime[1] [lim] *f.* 줄. ***donner un coup de ~ à*** qc …에 줄질을 하다. ~ ***douce*** 이가 고운 줄. ~ ***sourde*** 이가 가장 좋은 줄 ; 교활한 사람.

lime[2] *f.* 〖식물〗 라임 (열매)《스위트레몬의 일종》.

limer [lime] *v.t.* ① 줄질하다. ② 《옛》 (작품 따위를) 다듬다, 마무리하다.

limeur, euse [limœːʀ, -øːz] *adj.* et *n.* 줄질하는 (직공). — *f.* 줄질하는 기계.

limier [limje] *m.* ① 사냥개의 일종. ② 《구어》 경찰의 정보원 ; 탐정 ; 간첩, 스파이 ; 추적자, 수색자.

liminaire [liminɛːʀ] *adj.* 권두(卷頭)의, 모두(冒頭)의, (연설의) 첫머리의. ***épître*** 〔***note***〕 ~ 권두언.

limitable [limitabl] *adj.* 제한할 수 있는.

limitatif, ive [limitatif, -iːv] *adj.* 제한하는 :

L

disposition ~*ive* 한정 조치.
limitation [limitɑsjɔ̃] *f.* 제한 ; 구획, 한계. **~ *de vitesse*** 속도 제한. **~ *des naissances*** 산아 제한. ***sans ~ de temps*** 무기한으로. 「〔한정〕적으로.
limitativement [limitativmɑ̃] *adv.* 제한
limite** [limit] *f.* ① 경계 : zone ~ 경계지역 / fixer 〔marquer〕 des ~*s* 경계선을 정하다 〔긋다〕 / ~ entre deux pays 두 국가의 경계 (= frontière). ② 한계 ; 한도 : ~ d'âge 연령 제한 ; 정년 / dernière ~ pour payer les impôts 세금의 납부 기한. ***arriver à la ~ d'âge 정년(停年)에 이르다. ***sans ~*** 무제한으로. ── *adj.* 극한의 : angle ~ 〖군사〗 한계각 / cas ~ 극단적인 경우 / valeur ~ 〖수학〗 극한값 / vitesse ~ 최대 속력.
limité, e** [limite] *adj.* ① 제한〔한정〕된(≠ illimité, infini), 제한 있는 : édition à tirage ~ 한정판 / guerre ~*e* 제한 전쟁. ② 《구어》 여유가 없는 : Maintenant je suis assez ~. 나는 지금 궁핍하다. ***société à responsabilité ~e 유한 책임 회사.
***limiter** [limite] *v.t.* ① …의 경계를 정하다, 경계선을 이루다. ② …의 한계를 정하다, 제한〔국한〕하다 : ~ les importations 〔dépenses〕 수입을〔출자를〕 억제하다 / 《~ qc à》 ~ la vitesse *à* 100 km à l'heure 속도를 시속 100 km로 제한하다. ── **se ~** *v.pr.* ① 한계를 지키다 ; 분수를 지키다 : savoir *se* ~ 분수를 지킬 줄 알다. ② 제한〔국한 · 한정〕되다 ; …만하다 ; 《se ~ à》 …하는 것으로 그치다 : *se* ~ dans sa dépense 자기의 소비를 제한하다 / *se* ~ *à* exposer l'essentiel 요점만 진술하는 데 국한되다 / 《se ~ à qc 〔+*inf.*〕》 L'entrée *se limite aux* invités. 입장은 초대자만 한한다.
limitrophe [limitʀɔf] *adj.* ① 경계에 있는, 국경의, 변경의 : populations ~*s* 변경의 주민. ② 인접한(= voisin, proche) ; 《~ de》 …와 접경하고 있는 : région ~ *d*'une autre 다른 지역에 접해 있는 지역.
limogeage [limɔʒaːʒ] *m.* 《구어》 〖군사〗 (장교 · 고관의) 좌천, 숙청 ; 예비역 편입.
limoger [limɔʒe] [3] *v.t.* 《구어》 〖군사〗 (장교를) 좌천〔숙청〕하다(= destituer) ; …에게 휴직〔퇴직〕을 명하다.
limon[1] [limɔ̃] *m.* ① (강물에 의해 기슭에 운반된) 진흙. ② 《문어》 (신이 인간을 만들었다는) 진흙 ; 육체. **~ *fin*** 황토.
limon[2] *m.* 《옛》 〖식물〗 레몬(= citron).
limonade [limɔnad] *f.* ① 레몬수(水) ; (*pl.*) 청량음료수 : ~ gazeuse 레몬사이다. ② 음료 판매업 ; 다방 영업.
limonadier, ère [limɔnadje, -ɛːʀ] *n.* 카페〔다방〕 주인 ; 청량음료 제조업자〔상인〕.
limoneux, euse [limɔnø, -øːz] *adj.* (물이) 진흙이 많은 ; (식물이) 진흙 속에 자라는.
limousine [limuzin] *f.* ① (목동들의) 외투, 망토의 일종. ② 리무진《고급 세단형의 자동차》.
limousiner [limuzine] *v.t.* (벽 따위를) 자갈 섞은 회반죽으로 쌓다.
***limpide** [lɛ̃pid] *adj.* ① (수정 · 물 따위가) 맑은, 투명한(= transparent) ; (눈동자가) 맑은 : source ~ 맑은 샘 / yeux ~*s* 맑은 눈. ② 명쾌한, 명백한 : explication ~ 명쾌한 설명 / C'est ~. 그것은 명백하다.
limpidité [lɛ̃pidite] *f.* ① 맑음, 투명함, 청징(淸澄) ; 순수함(= clarté, pureté) : ~ de l'âme 영혼의 순수함. ② 명쾌〔명료〕함 : ~ du style 문체의 명료함.
lin [lɛ̃] *m.* ① 〖식물〗 아마(亞麻). ② 아마사(絲)(= fil de ~) ; 아마포(布), 리넨(= tissu de ~) : huile de ~ 아마인유(油).
linaire [linɛːʀ] *f.* 〖식물〗 가는잎꽁지꽃.
linceul [lɛ̃sœl] *m.* 수의(壽衣), 염포(殮布).
linéaire [lineɛːʀ] *adj.* ① 선(線)의 ; 직선의 ; 〖식물〗 선 모양의. ② (이야기가) 단조로운, 깊이가 없는 : récit ~ 단조로운 이야기. ***dessin ~*** 선화(線畫). ***perspective ~*** 직선 원근법.
linéament [lineamɑ̃] *m.* (흔히 *pl.*) ① (얼굴 따위의) 선 ; 윤곽. ② 밑그림, 초안 ; 구도 ; 개요 : ~*s* d'un discours 연설의 개요.
linéarité [lineaʀite] *f.* 〖언어〗 선조성(線條性) ; 〖전자〗 직선성 ; 선상성(線狀性).
‡linge [lɛ̃ːʒ] *m.* ① 《le ~, du ~》 ⓐ 리넨 제품 : ~ de cuisine 〔ménage〕 행주 · 에이프런 종류 / ~ de lit 홑이불 · 시트 종류 / ~ de table 냅킨 · 테이블보 종류. ⓑ 《특히》 내의류, 란제리(= ~ de corps)《팬츠 · 양말 · 손수건 등속》 : changer de ~ 내의를 갈아입다 / ~ d'une layette 갓난애의 내의류. ② 《un ~, des ~s》 리넨 천〔헝겊〕 : frotter avec un ~ 걸레로 닦다 / essuyer le front avec un ~ 이마를 수건으로 닦다 / ~ de pansement 붕대. ***avoir du ~*** 《속어》 유복하다. ***blanc 〔pâle〕 comme un ~*** 대단히 창백한. ***laver 〔sécher, étendre〕 le ~*** 빨래를 하다〔말리다, 널다〕.
lingère [lɛ̃ʒɛːʀ] *f.* (병원 · 호텔 · 기숙사의) 내의를〔리넨을〕 책임 맡은 종업원.
lingerie [lɛ̃ʒʀi] *f.* ① 리넨 제품 제조〔판매〕업. ② (병원 · 호텔 따위의) 리넨 제품 두는 곳〔방〕. ③ 리넨 제품 ; 내의류(= linge de corps) ; 《특히》 여자용 내의류, 란제리 : rayon de ~ (백화점의) 여자용 내의류 판매장.
lingot [lɛ̃go] *m.* 〖야금〗 주괴(鑄塊), 지금(地金) ; (귀금속 따위의) 덩어리. **~ *d'or ; or en ~*** 금괴.
lingual, e, aux [lɛ̃gwal, -o] *adj.* ① 〖생물〗 혀의. ② 〖언어〗 설음(舌音)의. ③ 〖문학〗 언어의. ── *f.* 〖언어〗 설음 ; 설음자《d, t, l, n, r》.
linguiste [lɛ̃gɥist] *n.* 언어학자.
linguistique [lɛ̃gɥistik] *adj.* ① 언어(학)의 : étude ~ 언어학 연구 / géographie ~ 언어지리학. ② 외국어 훈련을 위한 : vacances ~*s* 방학을 이용한 외국어 공부. ── *f.* 언어학 : ~ générale 〔historique〕 일반〔사적〕 언어학 / ~ comparative 비교 언어학.
linguistiquement [lɛ̃gɥistikmɑ̃] *adv.* 언어학적으로, 언어학상.
linier, ère [linje, -ɛːʀ] *adj.* 아마(亞麻)의. ── *f.* 아마밭.
liniment [linimɑ̃] *m.* 〖약학〗 바르는 약, 고약, 유성 도찰제(油性塗擦劑), 도포제.
lino [lino] *m.* 리놀륨(= linoléum). ── *f.* 〖인쇄〗 자동 식자기(= linotype). ── *n.* 라이노타이프 식자공(= linotypiste).
linoléum, linoleum [linɔleɔm] *m.* 리놀륨.

linon [linɔ̃] *m.* 〖직물〗 한랭사(寒冷紗).

linotte [linɔt] *f.* 〖조류〗 홍방울새. ***tête de ~*** 《구어》 경솔한 사람.

linotype [linɔtip] 〔영〕 *f.* 〖인쇄〗 라이노타이프, 자동 식자기.

linotypie [linɔtipi] *f.* 라이노타이프에 의한 식자.

linotypiste [linɔtipist] *n.* 라이노타이프 식자공.

linteau [lɛ̃to] *m.* (*pl.* **~x**) 〖건축〗 (문·창위의) 횡목(横木), 상인방(上引枋).

lion, onne** [ljɔ̃, -ɔn] *n.* ① 사자 : ~ du Pérou 〔d'Amérique〕 〖동물〗 퓨마. ② 용사. ③ (*L~*) 〖천문〗 사자자리. ***avoir mangé 〔***bouffé***〕 ***du ~*** 살기등등하다. ***C'est un ~ !*** 용맹한 사나이다. ***homme au cœur de ~*** 용감무쌍한 사람. ***la part du ~*** 가장 좋은 〔큰〕 몫 ; 실속, 단물.

lionceau [ljɔ̃so] *m.* (*pl.* **~x**) 새끼 사자.

lipide [lipid] *m.* 〖생화학〗 지질(脂質).

lip(o)- *préf.* 「지방」의 뜻.

lippe [lip] *f.* 앞으로 내민 두꺼운 아랫입술 : faire la 〔sa〕 ~ 뾰로통해지다.

lippu, e [lipy] *adj.* 아랫입술이 두꺼운.

liq. 《약자》 ① liqueur 〖약학〗 용해한 용액. ② liquidation 〖주식〗 청산.

liquéfaction [likefaksjɔ̃] *f.* 액화 ; 용해(鎔解) : tomber en ~ 용해하다 / point de ~ 액화점〔온도〕.

liquéfiable [likefjabl] *adj.* 액화〔용해〕할 수 있는.

liquéfiant, e [likefjɑ̃, -ɑ̃:t] *adj.* ① 액화시키는. ② 《비유》 활력〔기력〕을 상실하게 하는.

liquéfier [likefje] *v.t.* (기체를) 액화〔용해〕하다 : ~ un gaz 가스를 액화시키다/~ de l'air 공기를 액화시키다. — **se ~** *v.pr.* ① 액화되다, 용해되다. ② 무기력해지다.

liquette [likɛt] *f.* 《구어》 셔츠.

liqueur [likœ:ʀ] *f.* ① 〖화학〗 액(液), 용액. ② 마실 것 ; 리큐르 술(= ~ de dessert). ***~s fraîches*** 청량음료수. ***vin de ~*** 달콤한 포도주.

liquidateur, trice [likidatœ:ʀ, -tʀis] *n.* 〖상업〗 결산자 ; 〖법률〗 청산인 : ~ judiciaire 법원이 정한 청산인 / ~ de société 회사의 청산인. — *adj. m.* 청산을 담당하는.

liquidation [likidɑsjɔ̃] *f.* ① 〖법률〗 청산 ; 결제 : ~ de fin de mois 월말 청산 / ~ d'une dette 부채의 확정〔결제〕 / ~ des biens 재산의 처분. ② 〖상업〗 투매 ; 바겐세일, 재고품 정리 염가 판매 : ~ des stock 재고품 정리 판매. ③ 《구어》 (방해자 따위의) 제거, 처치, 숙청 : ~ d'un témoin gênant 방해가 되는 증인의 처치. ***chambre de ~*** 어음 교환소. ***entrer en ~*** 청산하다.

liquide** [likid] *adj.* ① 액체의, 유동성의, 수분이 많은 : plaine ~ ; ~ empire 《시어》 대양(大洋) / corp ~ 액체 / sauce trop ~ 물기가 많은 소스. ② (돈이) 당장 쓸 수 있는, 현금의 : dix mille francs ~s 현금으로 1만 프랑. ③ 〖언어〗 유음(流音)의. ***argent ~ 현금. ***créance*** 〔***dette***〕 ***~*** 청산이 가능한 채권 〔채무〕. — *m.* ① 액체, 유동체. ② 체액(= ~ organique). ③ 음료 ; 주류 ; 유동식. ④ 현금 : avoir du ~ 현금을 가지고 있다. ***payer en ~*** 현금으로 지불하다. — *f.* 〖언어〗 유음.

liquidé [likide] *m.* 파산자, 지불 불능자.

***liquider** [likide] *v.t.* ① 청산하다 ; 결산하다 ; 정리하다 : ~ un compte 결산〔청산〕하다 / ~ des biens 재산을 처분하다 / ~ une société 회사를 청산하다 / ~ ses dettes 부채를 청산하다. ② 투매(投賣)하다, 염가로 판매하다, 바겐세일하다 : ~ le stock 재고를 염가로 처분하다. ③ 《구어》 (귀찮은 놈을) 처치하다, 죽이다, 숙청하다 ; 《~ qc》 끝장내다 : La question *est liquidée*. 문제는 해결되었다 / C'*est liquidé*, on n'en parle plus. 이젠 끝났어, 이러쿵저러쿵 할 것 없어.

liquidité [likidite] *f.* ① 유동성 : ~ du mercure 수은의 유동성. ② 〖재정〗 (*pl.*) 유동 자산, 유동 자금 : ~s d'une banque 은행이 보유하고 있는 유동 자산.

liquoreux, euse [likɔʀø, -ø:z] *adj.* (술이) 리쾨르성(性)의, 달콤한.

liquoriste [likɔʀist] *m.* 리쾨르 술 제조인 〔판매인〕, 술장수.

lire[1] [li:ʀ] *f.* 리라(《이탈리아 화폐》).

⁑lire[2] [30] *v.t.* ① ⓐ 읽다 : *J'ai lu* dans le journal qu'il était mort. 나는 신문에서 그가 죽었다는 기사를 읽었다 / ~ le français 프랑스어를 읽다 / 《~ qn》 ~ tout Stendhal 스탕달을 독파하다 / apprendre à ~ et à écrire 읽고 쓰기를 배우다. ⓑ 《목적보어 없이》 독서하다 : aimer ~ 독서하기를 좋아하다. ⓒ 소리 내어 읽다, 낭독하다 : ~ un discours 〔un arrêt〕 연설문〔판결문〕을 읽다 / 《~ qc à qn》 ~ un livre *à* ses enfants 아이들에게 책을 읽어 주다. ② (암호·기호 따위를) 해독〔판독〕하다(= déchiffrer) : ~ une carte 지도를 판독하다 / ~ un message chiffré 암호문을 해독하다. ③ 알아차리다 ; 알아보다 : Il *a lu* dans ton jeu. 그는 자네 속셈을 알아챘다 / ~ (dans) les lignes de la main 손금을 보다. ④ 강독(講讀)하다. ***ouvrage qui se laisse ~*** 읽어 볼 만한 책, 잘 읽히는 책. — **se ~** *v.pr.* ① 읽히다, 읽어지다 : Ce livre *se lit* en une heure. 이 책은 한 시간이면 읽을 수 있다. ② 서로 읽어 주다. ③ 이해되다 ; 규지(窺知)되다.

lis, lys [lis] *m.* 〖식물〗 백합 ; 흰나리꽃 : blanc comme un ~ 흰 백합처럼 하얀. ***fleur de ~*** (프랑스 왕가의) 흰나리〔붓꽃〕 문장(紋章). ***~ des vallées*** 〔***de mai***〕 은방울꽃. ***royaume des ~*** 프랑스 왕국. ***teint de ~*** 하얀 피부.

lisant, e [lizɑ̃, -ɑ̃:t] *adj.* 독서하는. ***le public ~*** 독자.

liseré, e [lizʀe], **liséré, e** [lizeʀe] *adj.* 가두리를 댄 ; 가장자리를 두른 : allée ~*e* de fleurs 길가에 꽃이 심어져 있는 산책로. — *m.* 피륙의 가두리, 가장자리 선.

liserer [lizʀe] [4], **lisérer** [lizeʀe] [6] *v.t.* …의 가두리를 붙이다 ; 가장자리 장식을 하다(= border).

liseron [lizʀɔ̃], **liset** [lizɛ] *m.* 〖식물〗 메꽃속(屬).

Lisette [lizɛt] *n.pr.f.* ① 〖연극〗 (희극의) 꾀바른 시녀역. ② 쾌활한 성격의 여직공.

liseur, euse [lizœ:ʀ, -ø:z] *adj.* 독서를 좋아하는. — *n.* 독서가. ***~ d'âmes*** 독심술사(讀心術師). — *f.* ① 서표(書標) 겸용의 페이퍼

나이프. ② 책 커버. ③ 여자의 평상복.

lisibilité [lizibilite] *f.* ① 읽기 쉬움, 가독성(可讀性). ② 해석〔이해〕 가능성.

***lisible** [lizibl] *adj.* 읽기〔해독하기〕 쉬운 ; 읽을 만한 (가치가 있는) ; (읽어서) 이해할 수 있는 : signature 〔écriture〕 ~ 읽기 쉬운 서명〔필적〕 / Cet article est à peine ~. 이 기사는 읽을 만한 가치가 거의 없다.

lisiblement [liziblәmɑ̃] *adv.* 읽기〔해독하기〕 쉽게.

lisière [lizjɛːʀ] *f.* ① (피륙의) 가장자리 ; (숲 따위의) 기슭 ; 경계(境界). ② 걷기 시작하는 어린애를 부축하는 끈 ; 도움(= aide, secours). ***tenir*** qn ***en ~s*** …을 지배하다.

lisp [lisp] 〔영〕 *m.* 〖정보〗 리스프《리스트 처리용 프로그래밍 언어》.

lissage [lisaːʒ] *m.* 매끈하게〔반드럽게〕 하기 ; 윤내기.

***lisse**[1] [lis] *adj.* 매끈한, 반들반들한 : peau ~ 매끈한 피부 / cheveux *~s* 매끈하고 윤기 있는 머리 / eau ~ de l'étang 잔잔한 연못의 수면. ── *m.* 매끈함, 반들반들함.

lisse[2] *f.* ① 〖선박〗 (배의 늑재를 지탱하는) 띳장, 대판(帶板). ② (뱃전의) 난간.

lissé, e [lise] *adj.* ① 매끈하게〔반들반들하게〕 된 : cheveux *~s* 매끈하고 윤기 있는 머리. ② 설탕을 입힌 : amandes *~es* 설탕을 입힌 아몬드. ── *m.* ① 매끈함, 반들반들함. ② 〖요리〗 설탕의 끓여진 상태.

lisser [lise] *v.t.* 매끈하게〔반드럽게〕 하다 ; 윤기를 내다 : ~ sa moustache 턱수염을 매끈하게 가다듬다 / ~ les cuirs 가죽에 윤을 내다 / ~ sa jupe avec ses paumes 손바닥으로 치마의 주름을 펴다.

listage [listaʒ], **listing** [listiŋ] 〔영〕 *m.* 〖컴퓨터〗 lister 하기, 작표(作表).

liste** [list] *f.* 일람표, 명부, 목록, 명단 : ~ alphabétique 알파벳순의 리스트 / ~ noire 요시찰인 명부, 블랙 리스트. ***dresser 〔***faire***〕 ***une ~*** 일람표를 작성하다. ***~ des mets*** 메뉴. ***~ électorale*** 선거인 명부. ***grossir la ~ de*** …속에 끼이다.

lister [liste] *v.t.* ① 명부〔리스트〕에 올리다. ② 〖컴퓨터〗 표를 만들다, 리스트하다.

****lit** [li] *m.* ① 침대, 잠자리 ; 결혼, 부부 관계 : bois de ~ 침대틀 / ~ à une place 〔deux places〕 1 인용〔2 인용〕 침대 / enfant du premier 〔du second〕 ~ 전처〔후처〕의 아이. ② (흐르는 물의) 밑바닥 ; (암석 따위의) 층(層)(= couche), 지층 : ~ du fleuve 하상(河床) / ~ de la mer 해저(海底) / ~ de pierre 암상(巖床), 암석층 / ~ d'argile 점토층. ③ 〖해양〗 (조수 · 바람의) 방향 : ~ du vent 바람의 방향, 풍위. ④ 〖건축〗 토대, (포개 쌓은 돌의) 접촉면(面). ***aller*** 〔***se mettre***〕 ***au ~*** 잠자리에 들다. ***au*** 〔***sur son***〕 ***~ de mort*** 임종에. ***faire ~ à part*** (부부가) 잠자리를 따로 하다. ***garder le ~ ; être au ~*** 병석에 누워 있다. ***~ conjugal*** 부부의 동침. ***~ nuptial*** 결혼. ***mourir dans son ~*** 편안하게 죽다, 자연사하다. ***prendre le ~*** 병석에 눕다.

lit. 《약자》 litre 〖도량형〗 리터.

litanie [litani] *f.* ① 《구어》 (불평 · 비난 따위를) 지루하게 길게 늘어놓기. ② (*pl.*) 연도(連禱). ***C'est toujours la même ~.*** 언제나 같은 푸념이다.

lit-cage [likaːʒ] *m.* (*pl.* ***~s-~s***) (철제의) 접게 된 침대.

litchi [litʃi], **letchi** [lɛtʃi] *m.* 〖식물〗 여주《아시아 남부의 과실수》; 여주 열매.

literie [litʀi] *f.* 침구(= couchage).

litham [litam], **litsam** [litsam] *m.* (회교도 여인의) 베일.

-lithe, -lithique *suff.* 「돌」의 뜻.

lithiase [litjɑːz], **lithiasie** [litjɑzi] *f.* 〖의학〗 결석병(結石病).

lithium [litjɔm] *m.* 〖화학〗 리튬 : batterie au ~ 리튬 전지.

litho [lito] *f.* 석판술 ; 석판화 ; 석판 인쇄소(= lithographie).

lith(o)- *préf.* 「돌」의 뜻.

lithographe [litɔgʀaf] *m.* 〖인쇄〗 석판(인쇄)공.

lithographie [litɔgʀafi] *f.* 석판 인쇄술 ; 석판화 ; 석판 인쇄 공장.

lithographier [litɔgʀafje] *v.t.* 석판술로 인쇄하다 : portrait *lithographié* 석판으로 새긴 초상화.

lithographique [litɔgʀafik] *adj.* 석판술의, 석판 인쇄의 : encre ~ 석판 인쇄용 잉크.

litière [litjɛːʀ] *f.* ① (짐승의) 잠자리 짚〔깃〕 ; 짚으로 된 잠자리 ; 누에섶(= ~ des vers à soie). ② 가마 : ~ orientale 동양식 가마(= palanquin) / être porté en ~ 가마를 타고 가다. ***faire ~ de*** qc …을 조금도 중요시하지 않다, 멸시〔경멸〕하다 : *faire ~ de* l'honneur de qn …의 명예를 짓밟다.

litige [litiːʒ] *m.* ① 〖법률〗 소송, 계쟁(係爭) : arbitrer 〔régler, trancher〕 un ~ 소송을 중재하다〔해결하다 · 종결짓다〕 / cas en ~ 소송〔계정〕 중인 사건. ② 논쟁 ; 분쟁 : être en ~ avec qn …와 계쟁 중이다. ***objet du*** 〔***en***〕 ***~*** 계쟁물. ***point en ~*** 쟁점, 분쟁.

litigieux, euse [litiʒjø, -øːz] *adj.* 논쟁될 수 있는 ; 계쟁(係爭)의. ***objet*** 〔***point***〕 ***~*** 계쟁물〔논쟁점〕.

litote [litɔt] *f.* 〖수사학〗 완서법(緩敍法), 곡언법(曲言法)《예 : C'est très bon. (대단히 좋다) 대신에 Ce n'est pas mauvais. (나쁘지 않다)라고 하는 따위》.

***litre** [litʀ] *m.* ① 〖도량형〗 리터. ② 1 리터들이 병〔용기〕.

litron [litʀɔ̃] *m.* ① 《구어》 리터, 포도주 1 리터. ② 〖도량형〗 옛 용량의 단위《boisseau 의 1/16》.

littéraire** [liteʀɛːʀ] *adj.* ① 문학의, 문학적인 ; 문학상의, 문예에 관한 : œuvres *~s* 문학 작품 / prix *~s* 문학상 / critique ~ 문학 비평(가). ② 문예에 적합한 : Il est plus ~ que scientifique. 그는 이과 계열보다 문과 계열에 적합하다. ***monde ~ 〔***milieux ~s***〕 문인 사회, 문단. ***propriété ~*** 저작권. ***revue ~*** 문학 잡지, 문예지. ── *n.* 문학적 재능이 있는 사람 ; 문학 교수 ; 문학부 학생.

littérairement [liteʀɛʀmɑ̃] *adv.* 문학적으로, 문학상, 문학의 견지에서.

littéral, e, aux [liteʀal, -o] *adj.* ① 문자에 의한 : notation *~e* 문자에 의한 표기. ② 글자대로의, 자의상(字義上)의 : grec ~ 고전 그리스어/homme trop ~ 《구어》 사물을 꼭

글자대로만 해석하려는 사람. ③ 문어의 : arabe ~ 아라비아 문어. ***preuve ~e*** 〖법률〗 증거 서류. ***traduction ~e*** 직역.

***littéralement** [literalmɑ̃] *adv.* 문자 그대로 ; 자의대로 ; 《구어》 완전히 : traduire ~ 직역하다 / Il est ~ fou. 그는 진짜 미친 사람이다.

littéralité [literalite] *f.* (해석 · 번역 따위의) 글자 그대로의 해석, 직역.

littérarité [literarite] *f.* 문학성.

littérateur [literatœ:r] *m.* 문학자, 문인.

littérature** [literaty:r] *f.* ① 문학, 문예. ② 《경멸》 문학〔문자〕 놀이 : C'est de la ~. 그것은 문학 놀이에 지나지 않는다 ; 실용 가치가 없다. ③ 문헌. ***avoir une vaste ~ 《옛》 문학에 조예가 깊다. ***faire de la ~*** 문학을 연구하다.

littoral, e, aux [litɔral, -o] *adj.* 연안(沿岸)의 : zone ~*e* 연안 지대 / pêche ~*e* 연안 어업. — *m.* 연안〔연해〕 지방.

lituanien, enne [litɥanjɛ̃, -ɛn] *adj.* 리투아니아(*Lituanie*)의. — **L~** *n.* 리투아니아 사람. — *m.* 리투아니아어(語).

liturgie [lityrʒi] *f.* 〖종교〗 의식, 예전(禮典), 예배식, 전례 : ~ catholique 가톨릭 전례.

liturgique [lityrʒik] *adj.* 〖종교〗 의식〔예전 · 예배식〕에 관한, 의식상의 : chants ~*s* 성가/prières ~*s* 기도문.

livarot [livaro] *m.* (프랑스의) 리바로(*Livarot*) 산의 치즈.

live [lajv] 〔영〕 *adj.* 《불변》 라이브의, 실황(공연)의 : disque ~ 라이브 디스크, 실황 공연 음반 / reportage ~ 현장 탐방 기사. — *m.* 《복수불변》 라이브 녹음〔녹화〕.

livèche [livɛʃ] *f.* 〖식물〗 미나릿과의 약초.

livide [livid] *adj.* ① 《문어》 납빛의, 푸르스름한. ② 희끄무레한, 창백한(= blafard, blême) : être ~ de peur 공포로 얼굴이 창백하다. — *m.* 창백함.

lividité [lividite] *f.* ① 납빛, 희끄무레한 빛, 창백함. ② 〖의학〗 보랏빛이 도는 피부색.

***living(-room)** [liviŋ(rum)] 〔영〕 *m.* 객실겸 식당.

livrable [livrabl] *adj.* 인도할 수 있는, 넘겨줄 수 있는 : marchandise ~ à domicile 집으로 배달할 수 있는 상품.

livraison [livrɛzɔ̃] *f.* ① 〖상업〗 (상품 · 증권 따위의) 인도(引渡) ; 배달(물) : ~ à domicile 집으로의 배달〔택배〕 / voiture de ~ 배달차. ② (정기 간행물의) 각 권〔호(號)〕, 분책(分冊) : par ~*s* 분책으로. ***faire ~ de*** qc …을 배달하다. ***~ à terme*** 선도(先導). ***payable à ~*** 현품 인도 때 대금을 지급하는. ***payer sur ~*** 물품을 받고 돈을 지급하다.

‡livre[1] [li:vr] *m.* ① 책, 서적 : ~ de classe 교과서. ② 장부, 일지 : ~ de comptabilité 회계 장부 / ~ journal 일기장. ③ (책의) 권(卷), 부(部), 편(編), 서(書) : roman en plusieurs ~*s* 여러 권으로 된 소설. ④ (*pl.*) 《비유》 독서, 연구 ; 지식 ; 이론 : les ~*s* et la vie 책에서 얻은 지식과 실제의 삶. ***à ~ ouvert*** 유창하게, 거침없이 : traduire un auteur *à ~ ouvert* 외국 작가의 책을 유창하게〔술술〕 번역하다. ***~ de bord*** 〖해양〗 항해일지. ***~ de chevet*** 애독서. ***~ d'or*** 방명록, 기념 서명록. ***parler comme un ~*** 정확〔상세〕하게 말하다. ***semaine du ~*** 독서 주간. ***tenir les ~s*** 장부를 적다.

‡livre[2] *f.* ① 파운드《무게 단위 ; 500 그램》. ② 리브르《옛 화폐의 단위》. ③ 영국 · 이집트 · 오스트레일리아의 화폐 단위. ***~ sterling*** 영국 화폐 단위(《약자》 £).

livrée [livre] *f.* ① (호텔의 보이 등이 입는) 제복, 정복. ② 《집합적》 하인, 종복. ③ 〖사냥〗 (사슴 따위의) 모피, 털가죽 ; 깃털.

livrer** [livre] *v.t.* ① 내어 주다 ; 넘겨주다, 인도하다 : ~ un criminel à la police 범죄자를 경찰에 인도하다. ② (내)맡기다 : ~ une ville au pillage 도시를 약탈에 내맡기다. ③ (상품 따위를) 배달하다 : ~ une commande 〔marchandise〕 주문품〔상품〕을 배달하다 / ~ à domicile 〔en gare〕 집〔역〕으로 배달하다. ④ (비밀을) 누설하다 ; (속마음 따위를) 털어놓다 : ~ un secret 비밀을 누설하다 / ~ un peu de soi-même par des confidences 속내 이야기로 자신의 심정을 조금 내비치다. ⑤ (전투를) 개시하다 : ~ (une) bataille 〔un combat〕 교전하다. ***~ à l'impression 〔***l'imprimerie***〕 (원고를) 인쇄에 부치다. ***~ passage*** 지나가게 하다, 동행을 허가하다. ~ qn ***à la mort*** …을 사형에 처하다. — **se ~** *v.pr.* ① ⓐ 《se ~ à qc》 …에 자신을 내맡기다 : *se ~ au* destin 운명에 몸을 맡기다. ⓑ 《se ~ à qn 〔qc〕》 …에게〔에〕 자수하다 ; 굴복〔항복〕하다 : *se ~* après une longue résistance 오랜 저항 끝에 항복하다. ⓒ 《se ~ (à qn)》 (…에게) 마음을 털어놓다 : *se ~ à* ses amis 친구에게 속마음을 털어놓다. ② ⓐ 몸을 바치다, 헌신하다(= se dévouer). ⓑ (여자가) 몸을 내맡기다〔허락하다〕(= se donner). ③ 《se ~ à》 …에 전념〔몰두〕하다 ; 종사하다 : *se ~* à la lecture 독서에 몰두하다.

livresque [livrɛsk] *adj.* ① (지식을) 책에서 얻은, 순전히 이론적인(≠ pratique, réel) : connaissances ~*s* 〔science ~〕 책에서 얻은 지식. ② 독서를 좋아하는.

livret [livrɛ] *m.* ① 작은 책, (안내) 책자, 수첩 : ~ d'une exposition 전시회 안내 책자〔팜플렛〕. ② 오페라의 각본〔대본〕. ***~ de banque*** 예금 통장. ***~ de famille*** 가족 수첩. ***~ de santé*** 건강 기록부. ***~ scolaire*** 학적부.

livreur, euse [livrœ:r, -ø:z] *n.* 상품 배달인 : garçon 〔employé〕 ~ 배달 소년〔직원〕. — *f.* 상품 배달차.

lixivier [liksivje] *v.t.* 〖화학〗 …의 용해성 물질을 녹여서 제거하다.

lob [lɔb] 〔영〕 *m.* 〖테니스〗 로브《포물선을 그리듯 슬며시 넘기는 타법》.

lobby [lɔbi] 〔영〕 *m.* (*pl.* ***lobbies*** [lɔbi:z]) 〖정치〗 (공동 이해관계로 모인) 압력 단체.

lobe [lɔb] *m.* ① 〖해부〗 엽(葉)《뇌엽 · 폐엽 · 간엽 따위》; 〖식물〗 (잎의) 열편(裂片) : ~ du poumon 폐엽 / ~ de l'oreille 귓불. ② 〖건축〗 꽃잎 모양의 장식.

lobé, e [lɔbe] *adj.* 〖식물〗 (잎이) 얕게 갈라진 ; 〖해부〗 엽(葉)으로 나뉜.

lobectomie [lɔbɛktɔmi] *f.* 〖외과〗 폐엽〔뇌엽〕 절제술.

lobélie [lɔbeli] *f.*, **lobelia** [lɔbelja] *m.* 〖식

L

물』 로벨리아, 숫잔대.

lober [lɔbe] *v.t.* 〖테니스〗 (공을) 로브로 치다, 느리고 높게 치다. ~ ***le gardien de but*** 〖축구〗 골키퍼의 키를 넘겨 슈팅하다.

lobotomie [lɔbɔtɔmi] *f.* 〖외과〗 (뇌의) 백질(白質) 절제술, 전두엽(前頭葉) 절제술.

local, e, aux** [lɔkal, -o] *adj.* ① 지방의 : autorités ~*es* 지방 행정 당국 / journal ~ 지방 신문 / produit ~ 지방 산물〔특산물〕/ impôts ~*aux* 〔taxes ~*es*〕 지방세 / radio 〔télévision〕 ~*e* 지역 라디오〔텔레비전〕 방송 / loi ~*e* 지방 자치 단체의 조령. ② 국부의 : anesthésie ~*e* 국소 마취 / agitation purement ~*e* 단순히 국지적인 사회 불안. ***couleur ~e 지방색, 향토색. ***mémoire ~e*** 장소에 관한 기억력. ── *m.* 장소 ; 집, 방 ; 회관, 회장 : ~*aux* disciplinaires 감방 / ~*aux* commerciaux 여러 상점.

localement [lɔkalmɑ̃] *adv.* 지방〔국지 · 국부〕적으로 : temps ~ brumeux 곳에 따라 안개가 끼는 날씨 / éprouver ~ une douleur 국부적으로 통증을 느끼다.

localisable [lɔkalizabl] *adj.* 국한〔한정〕될 수 있는 ; 위치를 결정할 수 있는.

localisation [lɔkalizɑsjɔ̃] *f.* ① 국한 ; 국지화 : ~ d'un conflit 분쟁의 국지화. ② 위치의 발견〔탐지〕; 〖의학〗 (병소(病巢)의) 위치 측정 : ~ de l'avion ennemi 적기의 위치 측정.

localisé, e [lɔkalize] *adj.* 국한된 ; 국부의 ; 국지적인 : conflit ~ 국지적 충돌.

***localiser** [lɔkalize] *v.t.* ① 한정하다, 국한하다 : ~ une épidémie 전염병의 만연을 방지하다. ② …의 위치를 알아내다〔탐지하다〕, 위치를 정하다 : ~ un bruit 소문의 출처를 알아내다 / ~ la cause d'une maladie 병의 원인을 찾아내다. ── **se ~** *v.pr.* ① 국한되다 : Le conflit *s'est localisé.* 분쟁은 국지적으로 그쳤다. ② 거처를 정하다.

localité [lɔkalite] *f.* ① 고장, 지방, 지역, 구역(區域) ; 장소. ② 〖식물〗 산지(産地).

***locataire** [lɔkatɛːʀ] *n.* (토지 · 가옥의) 차용자(借用者), 하숙인.

locateur, trice [lɔkatœːʀ, -tʀis] *n.* 임대인(賃貸人), 세 놓는 사람, 집주인, 지주.

locatif, ive¹ [lɔkatif, -iːv] *adj.* ① (토지 · 가옥) 임대차의〔에 관한〕. ② 세든 사람의. ***maison ~ive*** 공동 주택. ***réparations ~ives*** 세든 사람이 하는 수리(비). ***valeur ~ive*** (건물의) 임대 수입.

locatif, ive² *adj.* 장소에 관한 ; 〖문법〗 처격(處格)의, 위격(位格)의 : cas ~ 처격, 위격. ── *m.* 처격, 위격.

location** [lɔkɑsjɔ̃] *f.* ① 임대차 : ≪~ de livres≫ "대본함" / ~ d'une maison 주택 임대차. ② 임대료, 사용료, 집세, 땅세(= prix de ~). ③ 〖연극〗 (좌석의) 예약 ; (기차의) 좌석 지정. ④ 입장권 예매처〔판매처〕(= bureau de ~). ***agent de ~ 복덕방. ***faire une ~*** 셋집을 얻다. ***voiture en ~*** 렌트카.

location-vente [lɔkɑsjɔ̃vɑ̃ːt] *f.* (*pl.* **~s-~s**) (일정한 기간 후에 소유권이 자동적으로 이전되는) 특수 임대 계약(= crédit-bail, leasing).

loch¹ [lɔk] *m.* (선박의) 속력 측정기 : livre de ~ 항해 일지. ***jeter*** 〔***filer***〕 ***le ~*** (측정기를 던져서) 배의 속력을 재다.

loch² *m.* (스코틀랜드의) 호수 : le ~ Ness 네스호.

loche [lɔʃ] *f.* ① 〖어류〗 미꾸라지. ② 괄태충(括胎蟲)의 일종.

locher [lɔʃe] *v.i.* 《구어》 (편자가) 헐렁거리다. ── *v.t.* (과일을 따기 위해 나무를) 흔들다 ; (과일을) 흔들어 떨어뜨리다.

lock(-)out [lɔkawt] 〔영〕 *m.* 《복수불변》 (파업에 대한 고용주측의) 공장 폐쇄.

lock(-)outer [lɔkawte] *v.t.* 공장 폐쇄를 하다 : ouvriers *lock-outés* 공장 폐쇄를 당한 노동자들.

loco- *préf.* 「장소」의 뜻.

locomoteur, trice [lɔkɔmɔtœːʀ, -tʀis] *adj.* 이동의, 운동의 : muscles ~*s* 운동 근육 / ataxie ~*trice* 이동성 운동 실조증. ── *m.* 중형(中型) 기관차.

locomotif, ive¹ [lɔkɔmɔtif, -iːv] *adj.* 운동의, 이동의, 운동에 관한 ; 이동하는, 자동적인 : troubles ~*s* 운동 장애.

locomotion [lɔkɔmɔsjɔ̃] *f.* ① 운동 (기능), 이동 : muscles de la ~ 운동 근육. ② 운송 ; 여행 : moyens de ~ 운송 수단 / ~ aérienne 공수(空輸).

locomotive²** [lɔkɔmɔtiːv] *f.* ① 〖철도〗 (증기) 기관차 : ~ à vapeur 증기 기관차 / ~ électrique 전기 기관차 / ~ à moteur diesel 디젤 기관차 / ~ routière 노면(路面) 기관차. ② (자전거 · 육상 경기의) 페이스메이커 ; 피로를 모르는 러너〔경주말〕; 《비유》 견인차, 모든 사람을 끌고 가는 사람〔존재〕, 리더 : ~*s* de l'histoire 역사의 원동력 / ~ littéraire 문학계의 리더. ***C'est une vraie ~. (경주자 · 경주말이) 기관차처럼 빠르다. ***fumer comme une ~*** 담배를 많이 피우다.

locuste [lɔkyst] *f.* ① 〖곤충〗 메뚜기. ② 〖동물〗 참새우.

locuteur, trice [lɔkytœːʀ, -tʀis] *n.* ① 말을 효과적으로 구사하는 사람, 능변가. ② 〖언어〗 화자(話者)(≠ interlocuteur, auditeur).

locution** [lɔkysjɔ̃] *f.* ① 어법, 표현(법)(= élocution). ② 구(句), 숙어. ~ ***adverbiale 〔***prépositive***〕 〖문법〗 부사구〔전치사구〕. ~ ***vicieuse*** 틀린 어법.

loden [lɔdɛn] *m.* (Alsace, Tyrol 산의) 두꺼운 모직물, 로덴직(織) ; (그 천으로 만든) 로덴 망토〔외투〕.

lœss [løːs] *m.* 〖지질〗 황토(黃土).

lof(f)er [lɔfe] *v.i.* 〖해양〗 바람이 불어오는 쪽으로 뱃머리를 돌리다.

loft [lɔft] 〔영〕 *m.* 상업용 건물을 개조하여 만든 주거 시설.

logarithme [lɔgaʀitm] *m.* 〖수학〗 로그, 대수(對數) : tables de ~*s* 대수표.

logarithmique [lɔgaʀitmik] *adj.* 〖수학〗 대수의 : échelle 〔règle〕 ~ 대수자.

loge [lɔːʒ] *f.* ① ⓐ 오두막집 ; 관리인실 ; 수위실 ; (극장의) 칸막이 좌석, 복스 좌석 ; (무대 뒤의) 의상실, 휴게실 : ~*s* de balcon 2층 복스 좌석. ⓑ (동물원 따위의) 우리. ② (*pl.*) 《집합적》 프리메이슨단원, 프리메이슨단 지부〔집회소〕. ③ 〖건축〗 외랑(外廊), 회랑(回廊)(= loggia). ***être aux premières ~s*** 《구

어》 잘 보이는 곳에 자리 잡다.

logé, e [lɔʒe] *adj.* ① 살고 있는 ; 머물고 있는 ; 방을 빌린 : Il est ~ en banlieue. 그는 교외에 살고 있다. ② 더부살이의.

logeable [lɔʒabl] *adj.* ① (집이) 살〔거주할〕 수 있는, 살 만한. ② (물건들을) 넣을〔정리할〕 수 있는 : placard plus ou moins ~ 수납량이 다소 많은 벽장.

*__logement__ [lɔʒmɑ̃] *m.* ① 숙박 ; 거주 ; 숙박료. ② 숙사(宿舍) ; 거처, 방. ③ 설치 ; 부설. ***assurer* 〔*donner*〕 *le ~ à*** qn …에게 숙소를 제공하다. ***crise du ~*** 주택난. ***le ~ et la nourriture*** 숙식, 식사 제공의 하숙. ***~ de deux pièces*** 방 두 칸짜리 집. ***~ garni* 〔*meublé*〕** 가구 딸린 셋방.

*__loger__ [lɔʒe] [3] *v.i.* 살다 ; 숙박하다, 머무르다(= demeurer) : Où *logez*-vous? 어디 묵고 계십니까? / ~ à l'hôtel 호텔에 묵다. ── *v.t.* ① 기숙시키다, 머무르게 하다 ; 넣다 : Où *logerez*-vous tout ce monde-là? 이 많은 사람들을 어디에 묵게 할 생각입니까? / Où allez-vous ~ votre piano? 피아노는 어디에 놓을까요? ② (탄환을) 들어박히게 하다, 쏘다 : Il lui *a logé* une balle dans la tête. 그는 그 사람의 머리에 총을 쏘았다. ***vin logé*** 통에 담은 포도주. ***être bien logé*** 좋은 집〔방〕에 살고 있다. ── **se ~** *v.pr.* ① 숙박하다, 머물다 ; 거주하다 ; 거처를 정하다 : *se* ~ avec goût 아담하게 꾸미고 살다 / ne pas trouver à *se* ~ 기거할〔살〕 곳을 못 찾다. ② 들어박히다 : *se* ~ une balle dans le cœur 심장에 총을 쏘아 자살하다.

logeur, euse [lɔʒœːʀ, -øːz] *n.* 가구 딸린 셋방 주인 ; 여관〔하숙〕 주인.

loggia [lɔdʒja] 〔이탈리아〕 *f.* 〖건축〗 로지아《건물 정면의 회랑〔복도〕》(= loge).

logiciel [lɔʒisjɛl] *m.* 〖컴퓨터〗 소프트웨어(= software ; ≠ matériel).

logicien, enne [lɔʒisjɛ̃, -ɛn] *n.* 논리학자 ; 논리적인 두뇌를 가진 사람.

-logie *suff.* 「학(學)의」 뜻.

-logique *suff.* 「…학적」의 뜻.

*__logique__ [lɔʒik] *f.* ① 논리(학), 논리학서書) : ~ formelle 〔pure〕 형식〔순수〕 논리학. ② 논리, 도리 ; 논법 : ~ symbolique 〔mathématique〕 기호 〔수학적〕 논리학. ── *adj.* ① 논리학의, 논리적인 : raisonnement ~ 논리적 추론. ② 《구어》 당연한 ; 필연적인 : conséquences ~*s* 필연적인 결과 / 《비인칭》 Il est ~ de l'inviter à cette réunion. 이 모임에 그를 초청하는 것은 당연하다.

logiquement [lɔʒikmɑ̃] *adv.* 논리적으로 ; 이론적으로는 : *L*~, les choses devraient s'arranger. 이론적으로 말한다면, 일은 잘 되어야만 한다.

logis [lɔʒi] *m.* 숙소(= logement), 집 ; 여관, 주막 : maître du ~ 가장, 집주인 / ~ familial 가정. ***corps de ~*** 본관(本館), 안채. ***garder le ~*** 집에 있다. ***la folle du ~*** 공상, 상상력(= imagination).

logisticien, enne [lɔʒistisjɛ̃, -ɛn] *n.* 기호 논리학자.

logistique [lɔʒistik] *f.* ① 《옛》 〖수학〗 연산법(演算法). ② 병참술〔업무〕. ③ 기호 논리학. ── *adj.* ① 〖수학〗 연산의. ② 병참의.

logo [lɔgo] *m.* 로고, (상품 · 회사의) 상징물.

logo- *préf.* 「말 · 연설 · 사상」의 뜻.

logogramme [lɔgɔgʀam] *m.* 〖언어〗 표어문자(表語文字).

logorrhée [lɔgɔʀe] *f.* 병적인 수다.

logos [lɔgoːs] *m.* ① 〖철학〗 로고스, 오성(悟性), 이성. ② (플라톤 철학의) 신(神) ; (기독교의) 하느님 말씀.

-logue *suff.* 「학자」의 뜻.

⁑**loi** [lwa] *f.* ① 법 ; 법률 : ~ écrite 〔coutumière〕 성문법〔관습법〕 / ~*s* fondamentales 기본법 / ~*s* constitutionnelles 헌법 / ~ des nations 국제법 / ~*s* civiles 〔criminelles, pénales〕 민법〔형법〕 / projet de ~ 법안. ② 계율, 율법 : la ~ de Moïse 〔de l'Ancien Testament〕 ; l'ancienne ~ 십계명 / docteurs de la *L*~ (유태교의) 율법학자 / ~ islamique 이슬람의 계율. ③ 법칙, 규칙 : ~*s* physiques 물리의 법칙/~*s* de la pesanteur 중력의 법칙 / ~*s* de l'honneur 명예 규범 / ~*s* de la grammaire 문법 규칙. ***avoir force de ~ ; faire ~*** 법률로서의 힘을 가지다. ***donner* 〔*faire, imposer*〕 *la* 〔*sa*〕 *~ à*** qn …을 지배하다. ***homme de ~*** 법률가《공증인 · 소송 대리인 · 변호사 따위》. ***passer en ~*** 법률이 되다. ***se faire une ~ de*** + *inf.* …을 율법으로 삼다. ***tomber sous le coup de la ~*** 법률을 위반하다, 법에 저촉되다.

loi-cadre [lwakadʀ] *f.* (*pl.* **~s-~s**) 주법(主法), 모법(母法).

⁑**loin** [lwɛ̃] *adv.* ① 《장소》 멀리 : aller se promener ~ 멀리까지 산책하러 가다 / un kilomètre plus ~ d'ici 여기에서 1 킬로 앞에. ② 《시간》 먼 과거〔미래〕로 : L'été n'est plus ~. 여름은 이제 멀지 않다 / remonter bien ~ 먼 옛날로 거슬러 올라가다. ③ 《비유》 멀리까지, 어느 정도 이상으로 : voir ~ 앞을 예견하다 / rejeter bien ~ une proposition 어떤 제안을 깨끗이 거절하다. ***aller ~*** ⓐ 출세하다, 성공하다 : Ce jeune homme *ira* ~. 이 젊은이는 성공할 사람이다. ⓑ (사건 따위가) 중대한 결과를 초래하다 : une affaire qui peut *aller* ~ 중대한 결과가 될지도 모를 사건. ***aller trop* 〔*un peu*〕 *~*** 과장하다(= exagérer) ; 도를 넘다, 지나치다 : Cette plaisanterie *va un peu* ~. 그 농담은 다소 지나치다. ***être* (*bien*) *~ de*** + *inf.* 조금도 …하지 않다 : Il *était bien* ~ *de* s'y attendre. 그는 그런 일이 있으리라고는 조금도 예기치 못했었다. ***~ de*** …에서 멀리 떨어져 : vivre ~ *de* la ville 도시에서 멀리 떨어져 살다 / être ~ *de* la vérité 사실과 거리가 멀다 / Nous sommes encore ~ *de* la date prévue. 우리에겐 아직도 예정된 날까지 시간이 많이 남아 있다. ***~ de*** + *inf.* ***; ~ que*** + *sub.* …하기는커녕, 조금도 …않다. ***L~ de là.*** 조금도 그렇지 않다, 어림도 없다. ***L~ des yeux, ~ du cœur.*** 《속담》 멀리떨어져 있으면 마음도 멀어진다. ***non ~ de*** …에서 멀지 않게, 꽤 가까이(= assez près de). ***pas ~ de*** 거의(= presque) : *pas* ~ *de* mille francs 거의 1,000 프랑.

── *m.* ① 먼 곳 ; 먼 거리 : Il y a ~ de l'hôtel à la gare. 호텔에서 역까지는 멀다. ② 먼

L

옛날〔장래〕. ***au ~*** 멀리, 먼 곳에 : être *au ~* 멀리 떨어져 있다 / aller *au ~* 멀리 가다. ***de ~*** 멀리서부터 ; 훨씬 전부터 ; 훨씬 : C'est *de ~* son meilleur roman. 이것은 단연 그의 가장 좋은 소설이다 / l'emporter *de ~* sur qn …보다 훨씬 낫다. ***de ~ en ~ ;*** (***de***) ***~ à ~*** 긴 간격을 두고 ; 드문드문 ; 간혹 : Ils ne se voient plus que *de ~ en ~*. 그들은 겨우 이따금씩 만난다. ***de près ou de ~*** 많든 적든, 다소라도, 어떤 행태로든지. ***du plus*** 〔***d'aussi***〕 ***~ que***+*ind.* …을 하자마자. ***il y a ~*** ⓐ 먼 거리가 있다 : *Il y a ~* d'ici (à) Paris. 여기서 파리는 멀다. ⓑ 큰 차이가 있다 : *Il y a ~* de ce qu'on dit à ce qu'on pense. 말과 생각은 크게 차이가 있다. ***ni de près ni de ~*** 전혀, 아주.

— *adj.* 《불변》 un pays très ~ 먼 나라 / les jours déjà ~ 아득한 옛날이 된 나날.

lointain, e** [lwɛ̃tɛ̃, -ɛn] *adj.* ① 《장소·시간》 멀리 떨어진, 먼, 아득한 : avenir 〔passé〕 ~ 먼 앞날〔과거〕 / bruit ~ 멀리서 들려오는 소음 / pays ~ 먼 나라. ② 관계가 먼 ; 《비유》 간접적인(=indirect) ; 막연한(=vague) : causes *~es* 원인(遠因) / Ça n'a qu'un ~ rapport. 그건 그저 막연한 관계일 뿐이다. — *m.* ① 먼 곳, 원방(遠方). ② (*pl.*) 〖미술〗 원경(遠景) : des *~s* bleuâtres 푸르스름한 원경. ***dans le ~ ; au ~ 멀리(에)(=loin, au loin).

loir [lwaːʀ] *m.* 〖동물〗 (유럽산) 들쥐의 일종. ***dormir comme un ~*** 깊이 잠자다. ***être paresseux comme un ~*** 《구어》 지독한 게으름뱅이다.

loisible [lwazibl] *adj.* 허용되는. ***Il vous est ~ de***+*inf.* …하고 싶거든 하시오, …하는 것은 당신의 자유이다.

‡loisir [lwaziːʀ] *m.* ① 틈, 여가, 여유 ; (흔히 *pl.*) 자유로운〔한가한〕 시간. ② (*pl.*) 여가를 즐기며 하는 일〔오락〕 : *~s* dirigés (초등학교·중학교의) 여가 지도 / *~s* culturels 문화적 여가 선용. ***à*** (***son***) ***~ ; tout à ~*** 천천히 ; 한가〔편리〕한 때에 ; 느긋이. ***avoir du ~*** 〔***des ~s***〕 틈이 있다, 한가하다.

lolo [lolo] *m.* ① 《소아어》 젖. ② 《구어》 맛이 있는 것. ③ 《구어》 젖통. ***C'est du ~.*** 맛이 있다.

lombago [lɔ̃bago] *m.* 〖의학〗 요통(腰痛).

lombaire [lɔ̃bɛːʀ] *adj.* 〖해부〗 요부(腰部)의, 허리의.

lombalgie [lɔ̃balʒi] *f.* 〖의학〗 요통(腰痛).

lombes [lɔ̃ːb] *m. pl.* 〖해부〗 허리, 요부(腰部).

lombric [lɔ̃bʀik] *m.* ①〖동물〗 지렁이. ② 회「충(蛔蟲).

londonien, enne [lɔ̃dɔnjɛ̃, -ɛn] *adj.* 런던(*Londres*)의. — **L~** *n.* 런던 시민.

‡long, longue [lɔ̃, -lɔ̃ːg] *adj.* ① 길이가 있는, 긴(≠court) : cou ~ et mince 가늘고 긴 목 / objet ~ de cinq mètres 길이 5 미터의 물건. ② 오랜 ; 시간 걸리는, 지체하는 : ~ habitude 오랜 습관 / ~ hiver [lɔ̃kivɛːʀ, lɔ̃givɛːʀ] 긴 겨울. ***~ à*** [lɔ̃a] +*inf.* 좀처럼 … 하지 않다. (un travail) ***~ à faire*** 시간이 오래 걸리는 (일). — *m.* 길이, 세로 : avoir dix mètres de ~ 길이가 10 미터이다. ***au ~ de ;*** (***tout***) ***le ~ de ; tout du ~ de*** … 옆을〔가를〕 따라서〔좇아서〕 ; …동안 : *tout le ~ du* jour 온종일 / *tout le ~ du* rivage 물가를 따라서. ***de ~ en large ; en ~ et en large*** 종횡으로, 이리저리 : expliquer *en ~ et en large* 상세히 설명하다. ***de ~ ; en ~*** 세로로, 길게. (***tout***) ***au ~ ; tout du ~*** 전부, 죄다, 상세히 : Racontez-moi cela *tout au ~*. 그것을 자세히 이야기해 주시오.

— *f.* ① 〖운율〗 장음절. ② 장모음. ***à la longue*** 마침내, 나중에는, 결국.

— *adv.* ① 많이, 몹시. ② 옷을 길게 입고. ***en dire ~*** 길게〔상세히〕 이야기하다 ; (시선이) 깊은 뜻을 엿보이다. ***en savoir ~*** 자세히 알고 있다.

longanimité [lɔ̃ganimite] *f.* ① 참을성, 인내심. ② 너그러움, 인자함.

long-courrier [lɔ̃kuʀje] *adj.* 원양 항해를 하는 ; 장거리 항공의. — *m.* (*pl.* ***~-~s***) ① 원양 항해선 ; 원거리 여객기. ② 원양 항해선 장교〔선원·연수생〕.

longe[1] [lɔ̃ːʒ] *f.* 〖경마〗 (말을 매는) 끈.

longe[2] *f.* 〖요리〗 (송아지 따위의) 등심.

***longer** [lɔ̃ʒe] [3] *v.t.* …의 옆을〔가를〕 따라 가다 ; …의 옆을〔가를〕 따라 뻗어 있다 : Un sentier *longeait* la rivière. 좁은 길이 강을 따라 뻗어 있었다.

longeron [lɔ̃ʒʀɔ̃] *m.* ① 〖토목〗 세로 들보, 종형(縱桁). ② (자동차·비행기 따위의) 종재(縱材).

longévité [lɔ̃ʒevite] *f.* 장수(長壽), 수명 : ~ humaine 장수.

longi- *préf.* 「긴」의 뜻.

longiligne [lɔ̃ʒiliɲ] *adj.* et *n.* 몸통은 작고 팔다리가 긴 (사람).

longitude [lɔ̃ʒityd] *f.* 〖지리〗 경도(經度) ; 〖천문〗 황경(黃經). ***~ est*** 동경. ***~ ouest*** 서경.

longitudinal, e, aux [lɔ̃ʒitydinal, -o] *adj.* ① 종단(縱斷)의, 세로의 ; 경도의 : vallée *~e* 산맥을 따라 난 계곡.

longitudinalement [lɔ̃ʒitydinalmɑ̃] *adv.* 세로로, 종단하여.

‡longtemps [lɔ̃tɑ̃] *adv.* 오래, 오랫동안 : Il a été ~ sans rien faire. 오랫동안 그는 아무 일도 하지 않았다. ***~ après*** 오래 후에. ***~ après*** qc …후 오랫동안 : *~ après* sa mort 그가 죽은 후 오랫동안. — *m.* 긴 시간〔세월〕 : Je ne suis pas ici pour ~. 나는 이곳에 오래 있을 수 없습니다. ***avant*** (***qu'il soit***) ***~*** 머지않아. ***de ~*** 오랫동안. ***depuis ~*** 오래 전부터. ***être ~ à***+*inf.* …하는 데 시간이 꽤 걸리다 ; 오랫동안 …을 착수하지 않다. ***Il y a*** 〔***Voilà, Voici***〕 ***~ que*** …한 지 이미 오래다, 오래 전부터 …하고 있다 : *Il y a* 〔*Voilà, Voici*〕 *~ que* je ne l'ai pas vu. 나는 그를 본 지 이미 오래다. ***mettre ~ à***+*inf.* …하는 데 긴 시간이 걸리다.

longue [lɔ̃ːg] *adj* et *f.* ⇒ long.

longuement [lɔ̃gmɑ̃] *adv.* ① 길게(≠brièvement) ; 오랫동안 : parler ~ 길게 얘기하다 / projet ~ mûri 장기간 숙고한 계획. ② 천천히. ③ 상세히 : s'étendre ~ sur un sujet 어떤 문제를 소상히 논하다.

longuet, ette [lɔ̃gɛ, -ɛt] *adj.* 《구어》 갸름한, 기다란 ; 지루한 ; 장황한 : discours ~ 지

루한 연설. — *m.* ① (소형의) 갸름한 빵. ② (피아노 조율사의) 가느다란 망치.

longueur** [lɔ̃gœːʀ] *f.* ① 길이; 세로(≠largeur) : en ~ ; dans le sens de ~ 세로로 / mesures de ~ 척도(尺度) / ~ de 1,000 km 천 킬로미터의 거리. ② 느림, 완만; 지연; 장황함 : ~s d'un procès 소송의 지연. ③ 마신(馬身), 정신(艇身) : cheval qui prend deux ~s d'avance 2 마신 앞서고 있는 말. ***à ~ de journées 〔***de semaines***〕 매일매일〔매주매주〕. ***faire*** ~ 템포가 느리다. ***tirer*** 〔***traîner***〕 ***en*** ~ 질질 끌다.

longue-vue [lɔ̃gvy] *f.* (*pl.* **~s-~s**) 망원경.

look [luk] 〔영〕 *m.* 모습, 외양 : Il a un drôle de ~. 그는 희한한 행색을 하고 있다.

looping [lupiŋ] 〔영〕 *m.* 〖항공〗 공중 회전 : faire des ~s 공중 회전을 하다.

lopin [lɔpɛ̃] *m.* ① 《옛》 조각, 한덩이. ② 〖야금〗 쇳덩이, 강철덩이. ③ 얼마 안 되는 토지. ~ ***de terre*** 땅뙈기.

loquace [lɔk(w)as] *adj.* 수다스러운, 다변(多變)의, 말이 많은(=bavard).

loquacité [lɔk(w)asite] *f.* 《문어》 수다, 다변(=bavardage).

loque [lɔk] *f.* ① (흔히 *pl.*) 누더기, 넝마 : clochard vêtu de ~s 누더기를 걸친 거지. ② 기력이 없는 사람, 나약한 사람 : n'être qu'une ~ ; être une ~ humaine 기진맥진하다, 축 늘어져 있다. ***tomber*** 〔***être***〕 ***en ~s*** (옷이) 누더기가 되다〔되어 있다〕.

-loque *suff.* 「이야기하는 사람」의 뜻.

loquet [lɔkɛ] *m.* (문의) 걸쇠, 빗장 : fermé au ~ 걸쇠로 잠긴. ***abaisser*** 〔***soulever***〕 ***le*** ~ 걸쇠를 잠그다〔벗기다〕.

loqueteau [lɔkto] *m.* (*pl.* **~x**) 작은 걸쇠.

loqueteux, euse [lɔktø, -øːz] *adj.* 누더기를 걸친(=déguenillé); 해진, 낡은 : habit ~ 누더기 옷. — *n.* 누더기를 입은 사람.

lord [lɔːʀ] 〔영〕 *m.* 경(卿); 각하《귀족·상원의원의 존칭》. ***Chambre des L~s*** (영국의) 상원(上院). ~ ***Chancelier*** 대법관.

lord-maire [lɔʀmɛːʀ] *m.* (*pl.* **~s-~s**) (런던 등 대도시의) 시장(市長) : ~ de Londres 런던 시장.

lorgner [lɔʀɲe] *v.t.* ① 곁눈질하다; …에게 추파를 던지다 : ~ une femme 여자에게 추파를 던지다. ② 탐내다(=guigner) : ~ une place 〔un héritage〕 자리를〔유산을〕 탐내다. ③ 오페라글라스로 보다. — *v.i.* 《옛》 사팔눈이다(=loucher); 곁눈질하다.

lorgnette [lɔʀɲɛt] *f.* 망원경, 오페라글라스. ***regarder par le petit bout de la*** ~ (일의 작은 부분을) 과대시하다; 시야가 좁다; (생각이) 편협하다.

lorgnon [lɔʀɲɔ̃] *m.* (때로 *pl.*) 코안경 : mettre son ~ 코안경을 쓰다.

lori [lɔʀi] *m.* 〖조류〗 잉꼬의 일종.

loriot [lɔʀjo] *m.* 〖조류〗 꾀꼬리.

loris [lɔʀi] *m.* 〖동물〗 늘보원숭이.

lorrain, e [lɔʀɛ̃, -ɛn] *adj.* 로렌 지방(*la Lorraine*)의. — **L~** *n.* 로렌 사람. — *m.* 로렌 지방의 방언.

lors [lɔːʀ] *adv.* 《옛》 그때, 그 당시(=alors). 《현재는 다음 성구로만 쓰임》. ***depuis*** ~ 그때부터, 그 이후로. ***dès*** ~ 그때부터; 그러므로; 따라서. ***dès ~ que*** …이니까, …인 이상. ~ ***de*** …한 때에 : ~ *de* sa naissance 그의 탄생시. ~ ***donc que*** 그리하여 …할 때. ~ ***même que*** + *cond.* (비록) …일지라도 : Ce qui est juste est juste, ~ *même que* le monde devrait crouler. 하늘이 무너져도 옳은 것은 옳다. ~ ***même que*** + *ind.* …한 때조차. ***pour*** ~ ⓐ 따라서, 우선 : La situation est embrouillée *pour* ~, on doit attendre. 사정이 복잡하니 잠시 지켜보아야 한다. ⓑ 그런 경우에, 그 당시.

***lorsque** [lɔʀsk(ə)] *conj.* 《il(s), elle(s), on, un(e) 앞에서는 반드시, 때로는 모음으로 시작하는 다른 말 앞에서도 lorsqu'로 됨》 ① 《동시성》 …때에, 그때에 : ~ je le verrai, … 그를 만나면〔만날 때〕…. ② 《대립》 …인데도, …했는데도 : Pour quoi l'as-tu acheté, ~ je te l'avais défendu? 사지 말라고 했는데 왜 그걸 샀어? / J'allais sortir ~ j'ai reçu une dépêche. 나는 나가려는 참이었는데 그때 전보를 받았다.

***losange** [lɔzɑ̃ːʒ] *m.* 마름모꼴, 능형(菱形).

losanger [lɔzɑ̃ʒe] *v.t.* [3] 마름모꼴로 자르다〔나누다〕.

loser [luzœːʀ] 〔영〕 *m.* 《구어》 자주 실패하는 사람.

lot [lo] *m.* ① (재산 따위의) 몫, 배당 : ~s égaux 〔équitables〕 균등〔공평〕한 몫 / diviser une terre en ~s (팔기 위하여) 토지를 분할하다. ② (복권 따위의) 상금 : gagner 〔tirer〕 le gros ~ 1 등을 뽑다. ③ 운수, 운명, 팔자(=destin, sort). ④ (상품 따위의) 한 묶음, 한 벌 : un ~ de livres anciens 한 묶음의 고서.

loterie** [lɔtʀi] *f.* ① 복권 : billet de ~ 복권(표) / tirage d'une ~ 복권 추첨. ② 운, 운수, 운명(=destin) : C'est une ~ 운수 소관이다. ***gagner à la ~ 복권에 당첨되다. ***mettre*** qc ***en*** ~ …을 상품으로 내놓다.

loti, e [lɔti] *adj.* 몫〔배당〕을 받은. ***être bien*** 〔***mal***〕 ~ 충분한 몫을 받다〔못 받다〕; 《구어》 운이 좋다〔나쁘다〕.

lotion [losjɔ̃] *f.* ① 〖의학·화학〗 세정(洗淨); (상처 따위의) 세척; 세척제, 물약 : ~ calmante 소염 세척제. ② (피부·모발용의) 화장수, 로션 : ~ anti-pelliculaire 비듬약《로션》 / ~ capillaire 헤어로션 / ~ après rasage 애프터셰이브 로션.

lotionner [losjɔne] *v.t.* 세척〔세정(洗淨)〕하다; 물약을 뿌리다; …에 로션〔치료액〕을 바르다 : ~ une plaie 상처를 세척하다.

lotir [lɔtiːʀ] *v.t.* ① (재산 따위를) 몫으로 나누다〔가르다, 분할하다〕 : ~ les immeubles d'une succession 유산의 부동산을 분할하다 / 《~ qn de》 ~ qn *d'*une maison …에게 집을 배당하다. ② (토지를) 분양하다 : ~ un terrain 토지를 분양하다 / terrains à ~ 분양지.

lotissement [lɔtismɑ̃] *m.* ① 분배, 분할, 분양, 구분. ② 분할된 토지.

lotisseur, euse [lɔtisœːʀ, -øːz] *n.* 토지를 분양하는 사람.

loto [lɔto] *m.* 〖놀이〗 복권놀이; 그 놀이에 쓰이는 도구. ***boule de*** ~ 번호가 적혀있는 원기둥 모양의 나무토막《복권놀이 도구》. ***yeux en boules de*** ~ 《구어》 통방울눈, 희번덕거

L

리는 눈.

lotte [lɔt] *f.* 〖어류〗 ① 모캐. ② ~ de mer 아귀(= baudroie).

lotus [lɔtys] *m.* ① 〖식물〗 연(蓮)(= nélombo) : ~ des Égyptiens 백수련. ② 〖그리스신화〗 로터스(('망각'의 식물)). ③ 연꽃 ; 〖건축 · 미술〗 연꽃 장식〔무늬〕.

louable[1] [lwabl] *adj.* 칭찬〔찬양〕할 만한 : ~*s* efforts 가상한 노력 / intentions ~*s* 선의(善意).

louable[2] *adj.* 세들 수 있는, (방을) 빌릴 수 있는 : garage ~ à l'année 1 년 단위의 임대 차고.

louablement [lwabləmɑ̃] *adv.* 훌륭하게, 칭찬받을 만하게.

louage [lwaːʒ] *m.* 세주기〔세들기〕, 임대차(료), 고용(雇傭) : contrat de ~ 임대차 계약 / ~ des maisons 가옥 임대차. ***donner*** 〔***prendre***〕 qc ***à ~*** …을 세주다〔세내다〕. ***se donner à ~*** (일정한 기간 농가에) 고용되다. ***voiture de ~*** 렌트카.

louange [lwɑ̃ːʒ] *f.* 찬양, 칭송 ; 찬사 ; 칭찬 ; 찬가(讚歌). ***chanter*** 〔***célébrer, entonner***〕 ***les ~s de*** qn …을 극찬하다. ***dire*** qc ***à la ~ de*** qn …을 찬양하여 …라고 말하다.

louanger [lwɑ̃ʒe] 3 *v.t.* 찬양하다 ; 격찬하다, 극찬하다(= louer, glorifier).

louangeur, euse [lwɑ̃ʒœːʀ, -øːz] *adj.* et *n.* 칭찬〔찬양〕을 잘하는 (사람) ; 칭찬〔찬양〕하는 (사람) : discours ~ 칭찬하는 말, 찬사.

loubar(d) [lubaːʀ] *m.* 《구어》 (도시나 교외에 집단으로 살고 있는) 건달, 불량배.

L

***louche**[1] [luʃ] *adj.* ① 사팔눈〔사시(斜視)〕인 : yeux ~*s* 사팔뜨기 눈. ② 수상스러운 ; 석연치 않은, 모호한 : C'est ~ ; Voilà qui me paraît ~. 뭔가 석연치 않다. ③ (술 · 보석이) 흐린 : vin ~ 탁한 포도주. ── *n.* 사팔뜨기. ── *m.* 수상한 점, 애매함 : Il y a du ~ dans cette histoire. 그 이야기에는 석연치 않은 점이 있다.

louche[2] *f.* 국자.

loucher [luʃe] *v.i.* ① 사팔눈이다 ; 곁눈질하다 : ~ légèrement 약간 사팔뜨기이다. ② 《~ sur 〔vers〕》 …을 부러운 눈으로 보다, 탐내다 : ~ *sur* la voiture d'une amie 친구의 자동차를 부러운 눈으로 바라보다. ***faire ~*** qn …에게 부러움을 불러일으키다.

loucheur, euse [luʃœːʀ, -øːz] *n.* 사팔뜨기.

louchir [luʃiːʀ] *v.i.* (액체가) 탁해지다, 흐려지다.

louer[1] [lwe] *v.t.* ① 칭찬하다(= complimenter, vanter), 치하하다(= féliciter) : ~ qn sans mesure …을 극구 칭송하다 / 《~ qn de+*inf.*》 On ne peut que le ~ *d'*avoir agi ainsi. 그가 그렇게 처신한 것에 대해 칭찬할 따름이다. ② 찬양〔찬미〕하다(= glorifier) : ~ Dieu 〔le Seigneur〕 신〔주님〕을 찬양하다. ***Dieu soit loué !*** 천만다행이군 ! 잘됐군 ! ~ qn ***de*** 〔***pour***〕 qc …의 …을 칭찬하다 : Je vous *loue* infiniment *de* votre choix. 당신의 선택을 치하하는 바입니다. ── ***se ~*** *v.pr.* ① 자찬하다. ② 《se ~ de》 기뻐하다 ; …에 만족하다 : 《se ~ de+*inf.*》 Je *me loue* avoir accepté son offre. 그의 제안을 수락하길 참 잘했다. ③ 서로 찬양하다.

:louer[2] *v.t.* ① 세주다, 세놓다 : ~ des chambres aux estivants 피서객들에게 방을 세주다 / maison à ~ 셋집. ② 세내다 : ~ un appartement 아파트를 세내다. ③ (자리를) 예약하다 : ~ sa place dans le train 기차의 좌석을 예약하다. ④ (사람을) 고용하다 : ~ un guide 안내원을 고용하다. ── ***se ~*** *v.pr.* ① 빌려지다. ② 고용되다.

loueur, euse [lwœːʀ, -øːz] *n.* 임대인, 세놓는 사람 : ~ de voitures 마차 임대업자.

loufoque [lufɔk] *adj.* ① 우스꽝스러운, 터무니없는. ② 머리가 돈, 미친. ***Tu n'es pas ~ ?*** 너 미쳤니 ? ***histoire ~*** 가당찮은 이야기. ── *n.* 머리가 돈 사람, 미친 사람.

loufoquerie [lufɔkʀi] *f.* 《구어》 ① (사람 · 사물의) 기괴함. ② (*pl.*) 기괴한 짓〔이야기〕.

lougre [lugʀ] *m.* 노르망디 지방의 일종의 연해(沿海) 항해용 범선.

louis [lwi] *m.* 루이((루이 13 세 때의 프랑스의 금화)) ; (1928 년까지의) 20 프랑 금화.

loukoum [lukum] *m.* 루쿰 사탕((향료가 든 아랍의 사탕 과자))(= rahat-lo(u)koum).

loulou, loulout(t)e [lulu, -t] *m.* 북슬개의 일종. ── *n.* ① 《구어》 귀여운 아기((여자 · 아이의 호칭)). ② 불량배(= loubar, voyou).

loup** [lu] *m.* ① 이리, 늑대 : le ~, la louve et les louveteaux 숫늑대, 암늑대, 그리고 늑대 새끼들 / ~ peint 하이에나의 일종. ② (가장 무도회의) 검은 가면. ③ 《구어》 mon (gros, petit) ~ 내 새끼 ; 여보(게)((어린아이나 사랑스러운 사람을 부를 때의 애칭)). ④ 〖어류〗 농어(= bar²). ⑤ 《구어》 실수, 실책. ⑥ 《구어》 노련한 사람 ; 야심가 : jeune ~ (정 · 재계의) 젊은 야심가. ***à pas de ~ 살금살금, 몰래. ***avoir une faim de ~*** 매우 허기가 지다. ***être connu comme le ~ blanc*** 〔***gris***〕 두루 알려져 있다. ***Il fait un froid de ~.*** 몹시 춥다. ***~ de mer*** 〖동물〗 바다표범 ; 나이든〔노련한〕 뱃사공. ***Quand on parle du ~ on en voit la queue.*** 《속담》 호랑이도 제말하면 온다.

loup-cervier [lusɛʀvje] *m.* (*pl.* **~s-~s**) 〖동물〗 ① 살쾡이. ② 탐욕스러운 사람.

loupe [lup] *f.* ① 확대경 ; 돋보기 : lire à la ~ 돋보기를 대고 읽다. ② 〖의학〗 혹 ; 종창(腫脹). ③ (나무의) 옹두리.

loupé, e [lupe] *adj.* 《구어》 잡친, 실수한(= manqué, raté). ── *m.* (제작을) 잡치기, 실패.

louper [lupe] *v.t.* 《구어》 ① 잡치다, 망치다, 실수하다(= rater) : élève qui *loupe* un examen 시험을 망친 학생. ② (기회 따위를) 놓치다(= manquer), (사람을) 만나지 못하다 : Tu vas ~ ton train. 너는 기차를 놓치겠다 / ~ l'occasion 기회를 놓치다 / Je l'*ai loupé* à la gare. 나는 역에서 그를 만나지 못했다. ── *v.i.* 이루어지지 않다, 어긋나다. ***Ça n'a pas loupé.*** (올 것이) 오고야 말았다.

loup-garou [lugaʀu] *m.* (*pl.* **~s-~s**) ① 〖전설〗 밤에 늑대로 둔갑해서 돌아다닌다는 요술쟁이. ② 무뚝뚝한〔비사교적인〕 사람.

loupiot, (t)e[1] [lupjo, -ɔt] *n.* 《구어》 개구쟁이, 어린애(= môme).

loupiote[2] [lupjɔt] *f.* 《구어》 작은 램프〔전등 · 양초〕.

:lourd, e[1] [luːʀ, luʀd] *adj.* ① 무거운(=

pesant ; ≠ léger) : ~ fardeau 무거운 짐. ② 중량의, 중장비의 : poids ~ 대형 트럭 ; 〖스포츠〗 헤비급, 무제한급 / artillerie ~*e* 중포(병) / industrie ~*e* 중공업. ③ (머리가) 띵한 ; (위가) 무직한 ; (잠이) 깊은(= pesant) ; (건물이) 육중한(= massif) ; (음식물이) 소화가 잘 안 되는(= indigeste) ; (날씨가) 무더운, 숨 막히는 ; (향수가) 강한 ; (술이) 텁텁한 : aliments ~*s* 소화가 잘 안 되는 음식 / avoir la tête ~*e* 머리가 아프다, 머리가 띵하다 / avoir les yeux ~*s* 졸리다 / parfum ~ (냄새가) 강한 향수 / vin ~ et râpeux (맛이) 텁텁하고 떫은 포도주. ④ 막중한, 중대한 ; 힘겨운, 힘드는, 벅찬 ; (비용 따위가) 막대한 : frais très ~*s* 막대한 비용 / ~*e* tâche à accomplir 벅찬 임무 / ~*e* responsabilité 막중한 책임 / ~*s* impôts 무거운 세금. ⑤ 《~ de》 …으로 무거운〔가득 찬〕 : mot ~ *de* sens 의미심장한 말 / incident ~ *de* conséquences 중대한 결과를 초래하는 사건. ⑥ (사람이) 우둔한(= balourd) ; (동작이) 둔한 ; (문장 따위가) 서투른(= maladroit) : plaisanterie ~*e* 서투른 농 / phrase ~*e* 어색한 문장 / avoir le pas ~ 굼뜨다 / oiseau ~ 날갯짓이 느린 새. ***avoir la main ~e*** 호되게 때리다〔벌하다〕 ; (음식물에 소금 따위를) 너무 많이 치다. ***avoir le sommeil ~*** 깊이 잠들다. ***avoir l'esprit ~* 〔*l'intelligence ~e*〕** 우둔하다. ***avoir l'estomac ~*** 배가 무직하다, 소화가 잘 안 되다. ***Il fait ~.*** 무더운 날씨다. ── *adv.* 무겁게 ; 많이. ***être payé ~*** 《구어》 돈을 많이 받다. ***Il n'en sait* 〔*fait*〕 *pas ~.*** 별로 모른다〔안 한다〕. ***peser ~*** 중량이 크다 ; 중대하다.

lourdaud, e [luʀdo, -o:d] *adj.* 둔한, 우둔한 ; 서투른(= maladroit). ── *n.* 둔재, 서투른〔둔한〕 사람.

lourde[2] [luʀd] *f.* 《구어》 문(= porte). ***boucler la ~e*** 문을 잠그다.

lourdement [luʀdəmɑ̃] *adv.* ① 무겁게(≠ légèrement). ② 둔하게, 답답하게, 서투르게. ***marcher ~*** 뒤뚱거리며 걷다. ***se tromper ~*** 큰 실수를 저지르다.

lourder [luʀde] *v.t.* 《구어》 ① 내쫓다, 해고하다. ② 치워 버리다 ; 저버리다.

lourdeur [luʀdœ:ʀ] *f.* ① 무거움 ; 육중함 ; 과중함 : ~ des impôts 중세(重稅). ② 우둔함 ; 서투름, 어색함 : ~ d'esprit 우둔함 / ~ de la démarche 거동의 서투름. ③ 답답함 ; 무더위 : ~ du temps 무더위 / ~ de tête 두통.

lourdingue [luʀdɛ̃:g] *adj.* et *n.* 《구어》 서투른〔어색한〕 사람.

loustic [lustik] *m.* ① 어릿광대 ; 익살꾼. ② 녀석, 놈. ***faire le ~*** 광대짓을 하여 웃기다.

loutre [lutʀ] *f.* 〖동물〗 수달 ; 수달 모피 : ~ marine ; ~ de mer 해달(海獺).

louve [lu:v] *f.* 늑대의 암컷.

louver [luve] *v.t.* = lover.

louveteau [luvto] *m.* (*pl.* **~x**) ① 새끼 늑대. ② 12세 이하의 보이스카우트.

louveter [luvte] [5] *v.i.* (이리 · 늑대가) 새끼를 낳다.

louveterie [luvt(ə)ʀi, luvɛtʀi] *f.* 늑대 사냥 ; 늑대 사냥꾼의 떼 ; 늑대 사냥의 근거지.

louvoyer [luvwaje] [7] *v.i.* ① 〖해양〗 (배가) 바람을 엇거슬러 지그재그로 나아가다 : ~ au plus près 바람을 엇거슬러 항해하다. ② 《구어》 우회적인 수단을 쓰다(= biaiser) ; 우물쭈물하다(= tergiverser) : ~ pour éviter de répondre 답변을 피하려고 얼버무리다.

Louvre [lu:vʀ] *m.* ① 루브르 궁전(= Palais du ~). ② 루브르 박물관(= Musée du ~). ③ (*l*~) 《옛》 왕궁.

lover [lɔve] *v.t.* 〖해양〗 (밧줄을) 감다, 사리다. ── **se ~** *v.pr.* (뱀이) 똬리를 틀다 ; 감기다.

***loyal, e, aux** [lwajal, -o] *adj.* ① 성실한 ; 충실한, 충성스런(= fidèle, honnête) ; 정직한, 신의 있는 : sujet ~ 충신 / chevalier ~ 충성스런 기사 / C'est l'ami le plus ~. 그는 가장 신의 있는 벗이다. ② 올바른, 공정한 : procédés ~*aux* 공정한 수단. ③ 〖법률〗 합법적인, 정당한(= légal) : qualité ~*e* (상품의) 적법성 / bon et ~ inventaire 〖법률〗 정확하고 상세한 재산 목록.

loyalement [lwajalmɑ̃] *adv.* 성실하게, 올바르게 ; 충실하게 ; 정직하게 ; 공정하게 : se battre ~ 정정당당하게 싸우다.

loyalisme [lwajalism] *m.* 충성, 충절.

loyaliste [lwajalist] *adj.* et *n.* 충성스러운〔지조 있는〕 (사람).

loyauté [lwajote] *f.* 성실, 정직 ; 충성, 충절 : avec ~ 성실〔공정〕하게 / ~ envers qn …에 대한 신의〔충성〕.

loyer** [lwaje] *m.* ① 집세, 방세, 땅세 : habitation à ~ modéré (집세가 싼) 공영〔서민〕주택(《약자》 H.L.M.). ② 이자. ***donner* 〔*prendre*〕 *une maison à ~ 집을 세주다〔내다〕. ***~ de l'argent*** 금리, 대출 이율.

LSD, L.S.D. [ɛlɛsde] *m.* 《약자》 환각제 (《*L*yserg *S*aüre *D*iethylamid, 리제르긴산(酸) 디에틸아미드》).

lu, e [ly] ⇒ lire.

lubie [lybi] *f.* 불시에 일어난 생각, 변덕맞은 생각, 엉뚱한 생각, 기상(奇想)(= caprice, fantaisie) : Il lui prend 〔Il a〕 des ~*s*. 그는 가끔 변덕스런 생각을 한다.

lubricité [lybʀisite] *f.* 음란, 음탕(= impudicité ; ≠ chasteté) : se livrer à la ~ 방탕한 생활을 하다.

lubrifiant, e [lybʀifjɑ̃, -ɑ̃:t] *adj.* 미끄럽게 하는 : liquide ~ 윤활유〔액〕. ── *m.* 윤활제.

lubrification [lybʀifikɑsjɔ̃] *f.* 미끄럽게 하기, 기름치기, 윤활(潤滑).

lubrifier [lybʀifje] *v.t.* (기계 따위를) 기름쳐서 미끄럽게 하다, …에 기름을 치다(= graisser, huiler).

lubrique [lybʀik] *adj.* 음란〔음탕〕한(= luxurieux) : amours ~*s* 동물적 사랑.

lubriquement [lybʀikmɑ̃] *adv.* 음란〔음탕〕하게.

Luc [lyk] *n.pr.m.* 〖성서〗 누가. ***Évangile selon saint ~*** 누가복음.

lucarne [lykaʀn] *f.* 〖건축〗 천창(天窓), 빛들이창(= œil-de-bœuf).

lucide [lysid] *adj.* 명석〔명철〕한, 통찰력 있는(= clairvoyant, perspicace) ; 정신이 맑은, 의식 있는(= conscient) : Le mourant était encore ~. 빈사자(瀕死者)는 아직 의식

이 있었다 / un témoin ~ des événements 사건에 정통한 증인.

lucidement [lysidmɑ̃] *adv.* 명석하게, 명철하게, 명쾌하게.

lucidité [lysidite] *f.* ① 명철, 명민 ; (정신 이상자의 일시적인) 각성, 제정신이 듦. ② 〖심령술〗 투시력.

luciférien, enne [lysiferjɛ̃, -ɛn] *adj.* 마왕의, 악마적인(= démoniaque). ── *n.* 악마신봉주의자.

luciole [lysjɔl] *f.* 〖곤충〗 개똥벌레, 반딧벌레.

lucratif, ive [lykʀatif, -iːv] *adj.* 이득 있는, 돈(벌)이 되는 : travail ~ 벌이가 잘되는 일 / association à but (non)~ (비)영리 단체.

lucre [lykʀ] *m.* 《경멸》 이득, 이익. ***par amour du ~*** 영리〔이익〕에 급급하여.

ludion [lydjɔ̃] *m.* (실험용의) 잠수 인형.

ludique [lydik] *adj.* 〖학술〗 유희의, 놀이의 : activité ~ des enfants 아이들의 놀이 활동. ── *m.* 유희, 놀이.

ludothèque [lydɔtɛk] *f.* 장난감〔오락 기구〕 대여소.

luette [lɥɛt] *f.* 〖해부〗 목젖, 현옹수(懸壅垂).

lueur [lɥœːʀ] *f.* ① 미광(微光), 어렴풋한 빛 : à la ~ d'une bougie 촛불의 빛으로 / premières ~*s* du jour 여명(黎明). ② (시선의) 섬광(= éclair, éclat) : jeter une ~ 섬광을 발하다. ③ (이성의) 번득임, (희망의) 서광(曙光) : ~ de raison 이성의 번득임 / Il reste une ~ d'espoir de la sauver. 그녀를 살릴 희망이 아주 없는 것은 아니다.

luge [lyːʒ] *f.* 썰매 : faire de la ~ 썰매를 타다.

luger [lyʒe] 3 *v.i.* 썰매 타고 가다.

***lugubre** [lygybʀ] *adj.* ① 초상의(= funèbre) ; 불길한 : glas ~ 조종(弔鐘). ② 비통〔침통〕한(= triste), 서글픈, 침울〔우울〕한(= chagrin), 구슬픈(= funèbre) : air 〔ton〕 ~ 우울한 모습〔어조〕 / paysage ~ 침울한 풍경.

lugubrement [lygybʀəmɑ̃] *adv.* 서글프게, 우울〔침울〕하게 ; 음산하게 ; 불길하게.

‡**lui**[1] [lɥi] *pron. pers. m.* (*pl.* ***eux*** [ø]) 그이, 그것. ①《전치사 뒤에서》 Je vais avec ~. 나는 그와 같이 간다 / Elle parle de ~ . 그녀는 그에 대해서 이야기한다 / J'ai confiance en ~. 나는 그를 신임한다. ②《전치사 à 와 함께》 ⓐ《소유》 Ce livre est *à eux.* 이 책은 그들의 것이다. ⓑ《간접목적보어》 Vous pensez encore *à* ~? 당신은 아직도 그를 생각하십니까? ⓒ《간접목적보어의 동격》 Je lui en ai parlé, *à* ~ . 나는 바로 그에게 그 이야기를 했다. ⓓ《c'est 뒤에서》 C'est *à* ~ de chanter. 그가 노래할 차례이다 / 《c'est 가 생략될 수 있음》 *À* ~ de décider. 그가 결정할 것이다. ③《비교어 중의 접속사 que 의 뒤》 Elle est moins grande *que* ~. 그 여자는 그보다 크지 않다. ④《형용사 même 와 함께》 de ~ *même* 그 자신 스스로 / en ~ *même* 그 자신에게, 마음속으로 / *L~-même* l'avoue. 그 자신이 그것을 인정하고 있다. ⑤《주어 · 속사 · 보어의 뜻을 강조하는 형식》 C'est ~ que nous avons appelé. 우리들이 부른 것은 저 사람이다 / *Lui,* il a raison. 그이야말로 옳다 / *L~* (il) l'aimait ; Il l'aimait, ~. 그는 그녀를 사랑하고 있었다 / Son père et ~ sont venus. 그와 그의 아버지가 왔다 / C'est ~ qui sera content de vous voir. 당신을 만나서 만족할 사람은 그이다 / Je ne l'aime pas, ~. 나는 그를 좋아하지 않는다 / Je n'ai vu que ~. 나는 그밖에 만나지 않았다 / Vous pensez encore à ~? 아직도 그를 생각하십니까?》.

‡**lui**[2] *pron. pers.* (*pl.* ***leur*** [lœ(;)ʀ]) 《à+「명사」의 대리 ; 보통 사람을 지칭》 그〔그녀〕에게. ① ⓐ《동사 · 형용사의 간접 보어》 Je le ~ donne. 나는 그것을 그〔그녀〕에게 준다 / Sa morte ~ fut un nouveau coup. 그의 죽음은 그에게는 새로운 타격이었다 / Je *leur* ai acheté une voiture. 그들을 위해서 차를 한 대 사 줬다 / On ~ a volé sa montre. 그〔그녀〕에게서 시계를 훔쳐갔다 / Je ~ connaissais un esprit inventif. 그〔그녀〕에게는 발명의 재주가 있다는 것을 알고 있었다. ⓑ《à 를 취하는 탈취 · 제거 동사와 함께》 On *lui* a volé son portefeuille. 누군가가 그의 지갑을 훔쳐갔다. ②《신체의 일부를 나타내는 말과 함께 son, sa, ses 의 대리》 Une pierre ~ tomba sur la tête. 돌이 그〔그녀〕의 머리 위에 떨어졌다 / Je ~ ai sauvé la vie. 나는 그의 생명을 구해 줬다. ③《사역동사(faire, laisser)+*inf.*, 지각 동사(voir, entendre, sentir)+*inf.* 에서 *inf.* 의 주어》 Je le ~ ai laissé faire. 나는 그〔그녀〕에게 그것을 하게 했다〔내버려두었다〕《Je l'ai laissé(e) le faire.라고 할 수도 있음》.

lui[3] luire 의 과거분사.

‡**lui-même** [lɥimɛm] *pron. pers.* 그 자신, 그 자체. ⇒ lui[1], même.

luire [lɥiːʀ] 32 *v.i.* 《직설법 단순 과거 · 명령법 · 접속법 반과거는 드묾. 과거분사의 여성 없음》 ① 빛나다, 번쩍이다(= briller, éclairer) ; (시선 따위가) 번득이다 : Le soleil commence à ~. 해가 뜨기 시작한다 / Son front *luisait* de sueur. 그의 이마는 땀으로 번질거렸다 / regard 〔yeux〕 qui *luisent* de colère 분노로 번득이는 눈. ②《비유》 (희망 따위가) 비치다. 서광(曙光)이 비치다 : Un espoir *luit* encore. 아직 희망은 있다.

luis, luis-ait, -ent, etc. ⇒ luire.

luisance [lɥizɑ̃ːs] *f.* 《문어》 광택, 윤 ; 반짝임, 번득임.

luisant, e [lɥizɑ̃, -ɑ̃ːt] *adj.* 빛나는, 번쩍이는, 반드러운 : métal ~ 반짝거리는 금속 / peau ~*e* de sueur 땀으로 번질거리는 피부. ***ver ~*** 반딧불. ── *m.* ① 광택, 윤(潤). ② (*pl.*) 《속어》 에나멜 구두.

luit [lɥi] luire 의 직설 · 현재 · 3 · 단수.

lumbago [lɔ̃bago] *m.* (*pl.* ***~s***) 〖의학〗 요통.

lumen [lymɛn] *m.* 〖물리〗 루멘《광속(光速)의 단위 : 1 m》.

‡**lumière** [lymjɛːʀ] *f.* ① 빛, 광선(= clarté) ; 《문어》 일광 ; 불빛 ; 등불 : rai 〔filet, rayon〕 de ~ 빛줄기 / ~ du jour 〔soleil〕 햇빛 / Ville *L~* 빛의 도시 파리 / mettre de la ~ 빛을 발하다 / la ~ cendrée de la lune 〖천문〗 지구에서 달 표면으로 반사하는 빛 / ~ noire 〔de Wood〕 〖물리〗 우드 광선. ②《옛》 화구(火口) ; 〖기계〗 주유구(注油口) : ~ d'un tuyau 관(管) 구멍. ③《비유》 (이성 · 신앙 등의) 빛, 광명 : ~*s* de la foi 〔de la raison〕 신앙〔이성〕의 빛. ④ 지식 ; 문명, 문화. ⑤ 해

명, 설명(= éclaircissement) ; 이해 : ne pouvoir donner aucune ~ sur …에 대해서는 설명이 불가능하다. ⑥ 거성(巨星), 명성(明星) ; 특출한 인물 : Ce n'est pas une ~. 《구어》 그는 별로 똑똑하지 않다. ***à la ~ de*** …에 비춰서 ; …의 빛 속에 : *à la ~ des* récentes expériences spatiales 최근의 우주에 관한 경험에 비추어. ***donner de la*** [***allumer la***] ***~*** 불을 켜다. ***éteindre la ~*** 불을 끄다. ***faire la ~ sur une affaire*** 어떤 사건을 밝히다. ***mettre*** qc ***en*** (***pleine***) ***~*** …을 밝은 곳에 내놓다 ; …을 명백하게 설명하다. ***progrès des ~s*** 지식의 진보. ***siècle des ~s*** 계몽 시대《프랑스에서는 18 세기》. ***source de ~*** 광원(光源).

lumignon [lymiɲɔ̃] *m.* ① (등불 · 양초 따위의) 심지 ; 타다 남은 양초. ② 희미한 불빛.

luminaire [lyminɛːʀ] *m.* ① 《집합적》 조명 기구 ; 조명 ; 등화(燈火). ② 천체, 태양, 별.

luminescence [lyminesɑ̃ːs] *f.* 〖물리〗 방광(放光), 발광.

luminescent, e [lyminesɑ̃, -ɑ̃ːt] *adj.* 빛을 발하는, 발광체의 : tube *~e* 형광판[등].

lumineusement [lyminøzmɑ̃] *adv.* ① 찬란하게, 밝게, 환하게. ② 《비유》 매우 분명하게, 명료하게 : expliquer ~ une affaire 사건을 명료하게 설명하다.

lumineux, euse** [lyminø, -øːz] *adj.* ① 빛을 발하는, 빛나는(= brillant, éclatant, radieux), 반짝거리는, 환한, 밝은 : enseigne *~euse* 네온사인. ② 《비유》 명석[명민]한(= lucide) ; 명쾌한 ; 자명[분명]한 ; 《구어》 뛰어난(= excellent) : intelligence *~euse* 명민한 지성. ***corps ~ 발광체. ***idée ~euse*** 명안, 묘안. ***onde ~euse*** 〖물리〗 광파(光波). ***pouvoir ~*** 〖전기〗 촉광.

luminosité [lyminozite] *f.* 빛남, 찬란함 ; 밝음 ; 광도(光度), 조명도 : ~ du ciel 하늘의 찬란함 / masse et ~ des étoiles 별들의 질량과 광도.

lunaire [lynɛːʀ] *adj.* ① 달의, 음력의 : calendrier ~ 음력. ② (달처럼) 동그란 ; 황량한 ; 어슴푸레한(= blafard) ; (얼굴이) 창백한 : face ~ 둥글고 창백한 얼굴 / paysage ~ 황량한 풍경. ── *f.* 〖식물〗 고사리삼의 일종.

lunaison [lynɛzɔ̃] *f.* 〖천문〗 삭망월(朔望月), 태음월(太陰月).

lunatique [lynatik] *adj.* 야릇한, 괴상한, 변덕스러운(= fantasque, capricieux) : conduite ~ 별난 행동. ── *n.* 괴짜, (머리가) 돈 사람, 변덕쟁이.

lunch [lœntʃ, lœːʃ] [영] *m.* ① (영국의) 점심, 런치. ② (프랑스의) 간단한 식사.

luncher [lœʃe] *v.i.* 간단한 식사를 하다.

‡**lundi** [lœ̃di] *m.* 월요일. ***~ gras*** 사육제의 최종 월요일. ***~ de Pâques*** 부활제 이튿날의 월요일. ***~ saint*** 부활제 전주(前週)의 월요일.

‡**lune** [lyn] *f.* ① 달 ; 태음월(太陰月) : clair de ~ 달빛 / ~ d'eau 〖식물〗 백수련. ② 변덕(= caprice, fantaisie) ; 기분 : être dans sa bonne [mauvaise] ~ 기분이 좋다(나쁘다). ③ 《구어》 커다란 얼굴(= gros visage) ; 엉덩이(= derrière). ***aller décrocher la ~ pour*** qn …을 위해 무슨 일이라도 하다. ***demander la ~*** 무리한 요구를 하다. ***être dans la ~*** 멍하니 생각에 잠겨 있다. ***~ de miel*** 밀월(蜜月), 신혼 시대. ***nouvelle ~*** 초승달, 신월. ***pleine ~*** 만월, 보름달. ***tomber de la ~*** (뜻밖의 일에) 깜짝 놀라다.

luné, e [lyne] *adj.* 초승달 모양의. ***être bien*** [***mal***] ***~*** 《구어》 기분이 좋다[나쁘다].

lunetier, ère [lyntje, -ɛːʀ] *n.* 안경 제조[판매]인. ── *adj.* 안경 제조의 : industrie *~ère* 안경 제조업.

‡**lunette** [lynɛt] *f.* ① 망원경(= ~ d'approche) : ~ astronomique 천체 망원경. ② (*pl.*) 안경(= une paire de ~*s*) : ~*s* de soleil 선글라스 / ~*s* de vue 시력 교정용 안경. ③ (변기의) 앉는 자리(= ~ des cabinets) ; (단두대의) 목 넣는 구멍. ***coup de ~s*** 〖측량〗 관측. ***Mettez vos ~s !*** 《구어》 (안경을 쓰고) 더 잘 보시오. ***porter*** [***mettre***] ***des ~s*** 안경을 쓰고 있다. ***serpent à ~s*** 안경뱀, 코브라.

lunetterie [lynɛtʀi] *f.* 안경 제조[판매]업 ; 안경상 : magasin de ~ 안경점(= optique).

lunule [lynyl] *f.* ① 초승달 모양, 궁형(弓形). ② 초승달 모양의 것 ; (손톱뿌리에 난 반달모양의) 속손톱.

lupanar [lypanaːʀ] *m.* 《문어》 창가(娼家).

lupin [lypɛ̃] *m.* 〖식물〗 층층이 부채꽃.

lupus [lypys] *m.* 〖의학〗 낭창(狼瘡).

lurette [lyʀɛt] *f.* depuis belle ~ 《구어》 벌써 오래 전부터 / Il y a belle ~ que+*ind.* …한 지 오래되다.

luron, onne [lyʀɔ̃, -ɔn] *m.* 《구어》 쾌활한[명랑한] 사람(= gaillard) ; 《구어》 대담한[호탕한] 사람 : joyeux [gai] ~ 쾌활한 사람.

lu-s, -t ⇒ lire.

lusitanien, enne [lyzitanjɛ̃, -ɛn] *adj.* et *n.* 포르투갈의 (사람)《포르투갈의 옛 이름에서》.

lustrage [lystʀaːʒ] *m.* 윤내기, 닦음질.

lustral, e, aux [lystʀal, -o] *adj.* 《문어》 깨끗이 하는 : jour ~ 재계일(齋戒日) / eau *~e* du baptême 영세[세례]에 쓰는 물.

lustre[1] [lystʀ] *m.* ① 《문어》 5 년 : mes douze ~s 내 나이 60 세. ② (*pl.*) 오랜 동안, 장기간 : depuis de nombreux ~s 오래전부터.

lustre[2] *m.* ① 윤, 광택 ; 빛(= éclat). ② (천정에서 드리운) 촛대, 샹들리에 : allumer les ~s d'un salon 객실의 천정 등을 밝히다. ***donner du ~ à*** …에 빛을 더하다, …을 빛내다. ***mettre*** qc ***dans tout son ~*** …을 아주 아름답게 보이게 하다. ***servir de ~ à*** …을 돋보이게 하다.

lustré, e [lystʀe] *adj.* 윤기가 있는, 윤나는, 반짝이는 ; (옷이 오래 입어) 번들번들하는.

lustrer [lystʀe] *v.t.* 윤내다, …을 닦다 : ~ une glace 유리를 닦다. ── **se ~** *v.pr.* ① 윤이 나다, 닦이다. ② 제 몸을 윤내다[닦다].

lustrine [lystʀin] *f.* 〖직물〗 (안감용의) 무명 ; 비단의 일종.

lut [lyt] *m.* 〖요업〗 봉니(封泥)《진흙 기타 끈끈한 물질로 만들어 공기가 새지 않게 하는 것》.

lutor [lyte] *v.t.* (밀봉용 진흙으로) 봉[illegible], 밀[illegible]하다.

luth [lyt] *m.* 〖음악〗 류트《16–18 세기에 유럽에서 유행한 현악기의 일종》.

L

luthéranisme [lyteʀanism] *m.* 〖종교〗 루터파(派)의 교리.

lutherie [lytʀi] *f.* 현악기 제조〔판매〕업 ; 현악기 판매점〔공장〕.

luthérien, enne [lyteʀjɛ̃, -ɛn] *adj.* 〖종교사〗 루터(교파)의. ── *n.* 루터 교도.

luthier [lytje] *m.* 현악기 제조인〔판매인〕.

lutin, e [lytɛ̃, -in] *adj.* 쾌활한, 장난 심한, 깜찍한. ── *m.* 요정(妖精) ; 꼬마 도깨비 ; 장난꾸러기, 개구쟁이.

lutiner [lytine] *v.t.* (여자를 장난삼아) 귀찮게 굴다(= peloter), 괴롭히다, 희롱하다.

lutrin [lytʀɛ̃] *m.* 〖교회〗 보면대(譜面臺) ; 《집합적》 성가대(聖歌隊). ***chanter au* ~** 성가대에서 노래하다.

lutte** [lyt] *f.* ① 씨름 ; 레슬링(= catch) : ~ gréco-romaine 그레코로만형 레슬링. ② 싸움, 투쟁, 항쟁(= conflit) ; 전쟁(= guerre) ; 경쟁(= rivalité) ; 논쟁 : ~ à la corde de traction 〖스포츠〗 줄다리기 / ~ des classes 계급 투쟁 / ~ armée 무력 투쟁 / ~*s* d'intérêts 이해 상충(相衝). ***de haute* ~** 무력으로, 강압적으로. **~ *pour la vie 〔***pour l'existence***〕 생존 경쟁.

***lutter** [lyte] *v.i.* ① 씨름하다, 레슬링하다 ; 《~ avec, contre》 …와 씨름〔레슬링〕하다. ② 《~ contre qn 〔qc〕》 …와 싸우다 ; …에게 항거〔대항〕하다 : ~ *contre* l'ignorance 문맹을 퇴치하다 / ~ *contre* la maladie 질병과 싸우다. ③ 《~ de》 …을 다투다, 겨루다, 경쟁하다(= disputer de, rivaliser de) : ~ *de* vitesse avec qn …와 경주하다, 속력을 겨루다. ④ 《~ pour》 …을 위해 싸우다, 투쟁〔항쟁〕하다 : ~ *pour* l'indépendance 독립을 위해 항쟁하다.

lutteur, euse [lytœːʀ, -øːz] *m.* ① 씨름꾼, 역사(力士), 레슬러. ② (주의 · 주장을 위한) 투사(鬪士), 싸움꾼 : tempérament de ~ 투사적 기질.

lux [lyks] *m.* 〖전기〗 럭스, 촉광 《조명도(照明度)의 단위》.

luxation [lyksɑsjɔ̃] *f.* 뼈를 삐기, 탈구(脫臼)(= entorse) : ~ de l'épaule 어깨 삐기.

luxe** [luks] *m.* ①사치, 호사 ; 호화로움(= somptuosité) ; 최고급 : taxe de ~ 사치세 / train de ~ 호화 열차 / hôtel de ~ 최고급 호텔. ② 많음, 과잉, 풍부(= abondance). ***articles de* ~** 사치품. ***Ce n'est pas du* ~.** 《구어》 그것은 사치가 아니다, 꼭 필요한 것이다. ***édition de* ~** 호화판. ***gros* ~** 부자임을 뽐내기. ***se payer 〔***se donner***〕 ***le* ~ *de*** + *inf.* (평소와는 달리) 분발해서〔특별히〕 …하다 : Je ne peux pas *me payer le* ~ *d'*être malade. 나는 감히 병석에 누워 있을 만한 여유가 나지 않는다. ***un* ~ *de*** 많은 : avec *un* grand ~ *de* détails 자세하게 / *un* ~ *de* précautions 지나친 조심.

Luxembourg (le) [ləlyksɑ̃buʀ] *n.pr.m.* 룩셈부르크《국명 · 수도명》.

luxembourgeois, e [lyksɑ̃buʀʒwa, -aːz] *adj.* 룩셈부르크(*Luxembourg*, 대공국(大公國) 및 그 수도)의 ; (벨기에의) 룩셈부르크의. ── **L~** *n.* 룩셈부르크 사람.

luxer [lykse] *v.t.* …의 뼈를 삐다 : épaule *luxée* 탈구된 어깨. ── **se ~** *v.pr.* 탈구하다, 뼈를 삐다.

luxueusement [lyksɥøzmɑ̃] *adv.* 사치스럽게, 호사스럽게.

***luxueux, euse** [lyksɥø, -øːz] *adj.* 사치스러운, 호화로운, 호사한(= fastueux, magnifique, somptueux) : mener un train de vie ~ 호화로운 생활을 하다.

luxure [lyksyːʀ] *f.* 음탕, 음란(= lasciveté, lubricité) : vivre dans la ~ 음란한 생활을 하다.

luxuriance [lyksyʀjɑ̃ːs] *f.* 무성함, 울창 ; 《비유》 풍요함 ; (문체 따위의) 화려함 : ~ d'une forêt 숲의 울창함.

luxuriant, e [lyksyʀjɑ̃, -ɑ̃ːt] *adj.* ① 무성한 ; 풍부한(= abondant) : imagination ~*e* 풍부한 상상력. ② (문체 따위가) 화려한, 현란한 : style baroque ~*e* 화려한 바로크 양식.

luxurieux, euse [lyksyʀjø, -øːz] *adj.* 《문어》 음란한 ; 외설스러운(= débauché, lascif).

luzerne [lyzɛʀn] *f.* 〖식물〗 개자리속(屬).

***lycée** [lise] *m.* ① (프랑스의) 국립 고등학교 ; 고등학교 재학 기간, 재학 시절 : ~ classique 〔moderne, technique〕 고전(古典)〔근대 · 기술〕 고등학교. ② (*L*~) 〖고대그리스〗 아리스토텔레스가 아테네에 창설한 철학 학교.

lycéen, enne [liseɛ̃, -ɛn] *n.* 국립 고등학생(=《속어》 potache) : écoliers, collégiens et ~*s* 초등, 중등, 고등학생. ── *adj.* 고등학생들의.

lymphatique [lɛ̃fatik] 〖생리〗 *adj.* ① 림프(성)의, 임파(성)의 : glande ~ 림프〔임파〕선 / tempérament ~ 림프성 체질. ② 《구어》 생기 없는, 둔한 ; 무심한(= indolent, mou). ── *n.* 림프〔임파〕성 체질의 사람.

lymphatisme [lɛ̃fatism] *m.* 〖의학〗 림프〔임파〕성 체질 ; 《비유》 생기 없음, 무기력함, 비활동적임.

lymphe [lɛ̃ːf] *f.* 〖생리〗 림프액 ; 〖식물〗 수액(樹液).

lymphocyte [lɛ̃fɔsit] *f.* 〖생리〗 림프구.

lynchage [lɛ̃ʃaːʒ] *m.* 사형(私刑)을〔린치를〕 가하기.

lyncher [lɛ̃ʃe] *v.t.* …에게 사형(私刑)을〔린치를〕 가하다.

lynx [lɛ̃ːks] *m.* 〖동물〗 스라소니, 살쾡이. ***yeux de* ~** 날카로운 눈.

lyonnais, e [ljɔnɛ, -ɛːz] *adj.* 리용(*Lyon*)의. ── **L~** *n.* 리용 사람.

lyophiliser [ljɔfilize] *v.t.* (식료품 저장을 위해 저온(低溫)으로 탈수(脫水)〔건조〕하다.

lypémanie [lipemani] *f.* 〖의학〗 우울병.

lyre [liːʀ] *f.* ① 옛 그리스의 칠현금(七絃琴), 리라. ② 시(詩) ; 시흥(詩興) ; 시재(詩才). ③ 〖조류〗 금조(琴鳥)(= ménure).

lyrique [liʀik] *adj.* ① 〖고대음악〗 칠현금에 맞추어 노래된. ② 서정적인 ; 열정〔정열〕적인(= passionné) : poésie ~ 서정시. ③ 오페라의 : drame ~ 가극, 오페라 / théâtre ~ 오페라 극장. ***artiste* ~** 오페라 가수. ***faire une carrière* ~** 가수가 되다. ── *m.* ① 서정(미). ② 서정 시인.

lyrisme [liʀism] *m.* ① 서정 ; 서정성, 서정적 영감 ; 서정적 어조〔문체〕. ② 시적 감흥 ; 정열 : vie dénuée de ~ 무미건조한 생활.

lys [lis] *m.* 백합(= lis).

lys-, lysi-, lyso- *préf.* 「분해 · 용해」의 뜻.

M

M, m [ɛm, 《드물게》 mə] *m.* 〔*f.*〕 《[mə]로 발음할 때는 *m.*》 ① 프랑스어 자모의 제 13 자. ② (*M*) 로마 숫자의 1,000. ③ métal 금속.
M. 《약자》 ① Monsieur …님, …씨, 귀하, 군 《복수는 MM》. ② Majesté 폐하(陛下). ③ mars, 3 월. ④ mardi 화요일 / mercredi 수요일. ⑤ midi 정오. ⑥ mille 1,000. ⑦ Maxwell 〖물리〗 맥스웰《자속(磁束)의 전자(電磁) 단위》. ⑧ méga 〖물리〗 메가.
m. 《약자》 ① mètre 〖도량형〗 미터 : m^2 제곱미터(= mètre carré) / m^3 세제곱미터(= mètre cube). ② minute 분(分). ③ milli- 1,000 분의 1. ④ masculin 남성. ⑤ mort 죽음. ⑥ méta 〖화학〗 메타. ⑦ mois 달.
m' [m] *pron. pers.* me 의 단축형《모음 또는 무성의 h 앞에서》.
***ma** [ma] *adj. poss. f.* 나의《mon 의 여성형》.
maboul, e [mabul] *adj.* et *n.* 《구어》 머리가 돈 (사람), 미친 (사람)(= fou, toqué).
macabre [makɑː〔a〕bʀ] *adj.* ① 죽음의 ; 죽음을 연상시키는(= funèbre) : danse ~ 죽음의 무도(舞蹈). ② 무시무시한, 소름끼치는.
macabrement [makɑ〔a〕bʀəmɑ̃] *adv.* 무시무시하게.
macadam [makadam] *m.* ① (밤자갈을 아스팔트로 굳히는) 마카담식 도로 포장법《영국인 *Mac-Adam* 이 고안》. ② 마카담식 도로.
macadamisage [makadamizaːʒ] *m.*, **macadamisation** [makadamizɑsjɔ̃] *f.* 마카담식 도로 포장.
macadamiser [makadamize] *v.t.* (도로에) 밤자갈을 깔다, 마카담식으로 포장하다.
macaque [makak] *m.* ① 〖동물〗 (열대 아시아산) 원숭이의 일종. ② 《구어》 매우 못생긴 사람, 추남, 추녀.
macareux [makaʀø] *m.* 〖조류〗 펭귄의 일종.
macaron [makaʀɔ̃] *m.* 마카롱《편도·달걀·설탕으로 만든 과자》.
macaroni [makaʀɔni] *m.* 〖요리〗 마카로니.
macaronique [makaʀɔnik] *adj.* (라틴어가 섞인) 혼효체 광시(混淆體狂詩)의 : poésie ~ 혼효체 광시(狂詩).
macchabée [makabe] *m.* 《구어》 시체(= cadavre). — **M~** *n.pr.m.* 〖성서〗 마카베 : les *M~s* 마카베족(族).
macédoine [masedwan] *f.* 〖요리〗 (야채 또는 과일의) 샐러드(= salade).
macération [maseʀɑsjɔ̃] *f.* ① (고기를 양념한 소스에) 담그기. ② 〖종교〗 (단식 따위의) 고행(苦行)(= mortification).
macérer [maseʀe] 6 *v.t.* ① (액체 속에) 담그다(= infuser) : cornichons *macérés* dans du vinaigre 식초에 담근 오이. ② 〖종교〗 (고행 따위로 육체를) 괴롭히다(= mortifier). — **se ~** *v.pr.* ① (액체에) 재워 주다. ② 〖종교〗 고행하다.
Mach, mach [mak] *m.* 〖물리〗 마하《초음속의 단위》 : voler à ~ 3, 마하 3 의 속도로 비행하다. ***nombre de ~*** 마하수(數).
machaon [makaɔ̃] *m.* 〖곤충〗 제비나비《호랑나빗과의 곤충》.
mâche [mɑːʃ] *f.* 〖식물〗 들상추《마타릿과》(= doucette).
mâchefer [mɑʃfɛːʀ] *m.* 광재(鑛滓), 쇠똥.
mâcher** [mɑʃe] *v.t.* ① 깨물다, 씹다, 저작하다(= mastiquer) : ~ de la viande 고기를 씹다. ② (무딘 칼날이) 잡아뜯듯이 베다 : lame mal aiguisée qui *mâche* le bois 나무를 쥐 뜯어먹은 듯 베는 무딘 톱날. ③ 한마디 한마디 (상세히) 설명하다. ④ 《비유》 (괴로운 추억을) 반추하다. ***~ la besogne 〔***les morceaux***〕 ***à*** qn …에게 일을 하기 쉽게 만들어 주다. ***ne pas ~*** qc …을 노골적으로 〔기탄없이〕 말하다. — **se ~** *v.pr.* 씹히다. ***se ~ le cœur*** 남몰래 고민하다 ; 고생하다.
machiavélique [makjavelik] *adj.* 마키아벨리주의의, 권모술수를 쓰는.
machiavélisme [makjavelism] *m.* 마키아벨리주의 ; 권모술수(權謀術數).
:machin [maʃɛ̃] *m.* 《구어》 거시기, 그 아무개 《이름이 생각나지 않는 것〔사람〕을 가리킴》 : Monsieur 〔Madame〕 ~ 아무개 씨〔부인〕 / J'ai rencontré ~ . 나 그 뭐라더라 그 사람 만났지 / Passez-moi le ~ . 그것 좀 이리 주시오.
***machinal, e, aux** [maʃinal, -o] *adj.* 기계적인 ; 무의식적인 : travail ~ 기계적인 일 / réactions *~es* 무의식적인 반응.
machinalement [maʃinalmɑ̃] *adv.* 기계적으로 ; 무의식적으로.
machination [maʃinɑsjɔ̃] *f.* 음모, 흉계(= complot, conspiration) : déjouer 〔ourdir〕 une ~ 음모를 꾸미다〔좌절시키다〕.
:machine [maʃin] *f.* ① 기계 (장치) ; 기관 ; 기구, 기기(= machine-outil, appareil) : ~ de bureau 사무기기 / ~ à laver 세탁기 / ~ à café 커피 자판기 / ~ à calculer 계산기. ② 타이프라이터(= ~ à écrire) : taper à la ~ 타자기로 치다. ③ 연장, 도구. ④ (국가 따위의) 기관, 기구 ; (사회 따위의) 구조, 조직 : ~ de l'État 국가 기관 / ~ administrative 〔économique〕 행정〔경제〕 기구. ⑤ 술책, 음모(= intrigue, ruse). ⑥ 《구어》 물건(= machin), 것.
machine-outil [maʃinuti] *f.* (*pl.* ***~s-~s***) 공작 기계.
machiner [maʃine] *v.t.* ① (음모 따위를) 꾸미다, 획책하다(= conspirer, intriguer). ②〖연극〗 무대 장치를 하다.
machinerie [maʃinʀi] *f.* ① 기계 설비, 기

계류. ② (선박의) 기관실. ③ 〖연극〗 (무대의) 장치류.

machine-transfert [maʃintʀɑ̃sfɛ:ʀ] *f.* (*pl.* **~s-~s**) 〖기계〗 반송기(搬送機).

machinisme [maʃinism] *m.* ① 기계의 사용〔보급〕. ② 〖철학〗 동물 기계설《데카르트의 학설》.

machiniste [maʃinist] *m.* ① (버스·전차 따위의) 운전사. ② 〖연극·영화〗 무대 장치가; 촬영 기사.

machisme [ma(t)ʃism] *m.* 남성 우위론〔제도〕(= phallocratie).

machmètre [makmɛtʀ] *m.* 〖물리〗 마하(Mach) 측정기.

macho [matʃo] 〔에스파냐〕 *m.* 《구어》 (남미의) 남성 우위를 과시하는 남자.

***mâchoire** [mɑʃwa:ʀ] *f.* ① 턱; 턱뼈: ~ supérieure 〔inférieure〕 위〔아래〕 턱. ② (기계의) 톱니 장치; (도르래의) 홈.

mâchonnement [mɑʃɔnmɑ̃] *m.* ① 우물우물 씹기〔씹는 소리〕. ② 중얼거림.

mâchonner [mɑʃɔne] *v.t.* ① 우물우물 씹다: ~ du chewing-gum 껌을 씹다. ② (말을) 중얼거리다(= marmonner).

mâchouiller [mɑʃuje] *v.t.* 《구어》 우물우물 씹다(= mâchonner).

mâchurer [mɑʃyʀe] *v.t.* ① 더럽히다. ② 〖인쇄〗 선명하지 않게 인쇄하다.

***maçon, onne** [masɔ̃] *m.* 석공(石工), 벽돌공, 미장이.

maçonnage [masɔna:ʒ] *m.* 석공〔미장이·벽돌공〕의 일.

maçonner [masɔne] *v.t.* (벽 따위를) 돌〔벽돌〕로 쌓다; (벽 따위를) 수리하다.

maçonnerie [masɔnʀi] *f.* ① 석공일, 돌〔벽돌〕 공사(工事). ② = franc-~.

maçonnique [masɔnik] *adj.* 프리메이슨단(franc-maçonnerie)의.

macreuse [makʀø:z] *f.* ① 〖조류〗 검둥오리. ② (소의) 견골(肩骨) 위의 지방분 없는 살코기.

macro- *préf.* 「큰, 긴」의 뜻.

macrobe [makʀɔb] *adj.* 오래 사는, 장수하는.

macrobie [makʀɔbi] *f.* 장수, 오래 살기.

macrobiotique [makʀɔbjɔtik] *adj.* et *f.* 장수〔채식주의〕 식이 요법(의).

macrocéphale [makʀosefal] *adj.* 머리가 큰, 대두(大頭)의(≠ microcéphale).

macrocosme [makʀɔkɔsm] *m.* 대우주(大宇宙)(≠ microcosme).

macrocosmique [makʀɔkɔsmik] *adj.* ① 〖철학〗 대우주의. ② 총괄적인, 거시적인, 전체적인(= synthétique, global).

macro-instruction [makʀoɛ̃stʀyksjɔ̃] *f.* 〖정보〗 매크로 명령(《약자》 macro).

macrophotographie [makʀɔfɔtɔgʀafi] *f.* (접사에 의한) 확대 사진.

macroscopique [makʀɔskɔpik] *adj.* 육안으로 보이는, 거시적인(≠ microscopique): économie ~ 거시 경제.

macule [makyl] 〔라틴〕 *f.* ① 〖천문〗 (태양의) 흑점. ② 〖의학〗 (피부의) 모반. ③ 〖인쇄〗 잉크의 얼룩(= bavure).

maculer [makyle] *v.t.* 더럽히다, 얼룩지게 하다(= souiller): ~ d'encre une feuille de papier 잉크로 종이를 얼룩지게 하다.

‡**madame** [madam] *f.* (*pl.* ***mesdames*** [medam]) ① 부인《성(姓) 앞에 붙여 기혼 여성에 대한 경칭》; 마님《하인들의 여주인에 대한 존칭》, 아주머니: ~ la Générale 장군 부인 / *M*~ Dupré 듀프레 부인 / *Mesdames* et Messieurs! 신사숙녀 여러분! ② 《성(姓)은 붙이지 않고 기혼여성에 대한 경칭》 Merci, ~. 감사합니다, 부인 / Bonjour, ~. 안녕하십니까, 부인. ③ 《어떤 직위에 있는 여성에 대한 경칭》 *M*~ la Présidente 회장님 / *M*~ la Directrice 소장〔과장·국장〕님. ④ 《구어》 (*pl.* ***madames***) 귀부인: de belles ~*s* 아리따운 귀부인들.

madeleine [madlɛn] *f.* ① (부드럽게 구워서 만든 둥근 모양의) 카스텔라. ② (*M*~) 〖성서〗 막달라 마리아.

‡**mademoiselle** [madmwazɛl] *f.* (*pl.* ***mesdemoiselles*** [me〔ɛ〕dmwazɛl]) 아가씨, …양(孃)《미혼 여성에 대한 경칭》: *M*~ Rolland 롤랑양 / ~ une Telle 아무개 아가씨. **~ *votre sœur*** 댁의 누님, 매씨(妹氏).

madone [madɔn] 〔이탈리아〕 *f.* (회화·조각의) 성모 마리아상(像), 마돈나.

madras [madʀɑ:s] *m.* ① 마드라스산(産) 직물《명주·무명의 교직》. ② 큰 손수건, 스카프(= mouchoir, foulard).

madré, e [ma〔ɑ〕dʀe] *adj.* ① 《옛》 얼룩덜룩한 결〔점〕이 있는. ② 간사한, 교활한. — *n.* 교활한 사람.

madrépore [madʀepɔ:ʀ] *m.* 〖동물〗 녹석(綠石)《석산호의 일종》.

madrier [madʀije] *m.* (떡갈나무·전마두 따위의) 두꺼운 널빤지.

madrigal [madʀigal] *m.* (*pl.* **-*aux***[-o]) 〖문학〗 목가(牧歌), 연가; 〖음악〗 마드리갈.

Maelström [malstʀø:m], **Ma(e)lstrom** [ma(ɛ)lstʀɔm] 〔네덜란드〕 *n.pr.m.* (노르웨이 서북방 북빙양(北氷洋)의) 큰 소용돌이. — **m**~ *m.* 《비유》 소용돌이(= tourbillon).

maestoso [maɛstozo] 〔이탈리아〕 *adv.* 〖음악〗 장엄하게.

maestria [maɛstʀija] 〔이탈리아〕 *f.* 《구어》 훌륭한 솜씨, 능숙함(= habileté). ***avec*** ~ 《구어》 훌륭하게.

maestro [maɛstʀo] 〔이탈리아〕 *m.* (*pl.* **~s**) 대작곡가; 명지휘자.

Maf(f)ia [mafja] *f.* (*pl.* **~s**) ① 마피아당《시칠리아 섬의 비밀 결사》. ② (*m*~) (흉악한 범죄를 자행하는) 비밀 범죄 조직.

‡**magasin** [magazɛ̃] *m.* ① 상점, 가게(= boutique): ~ d'alimentation 식료품점 / ~ spécialisé 전문점 / grand ~ 백화점 / ~ à succursales multiples 연쇄점, 체인스토어. ② ⓐ 창고(= dépôt, entrepôt); 식료품 저장고: ~ de céréales 곡물 창고 / mettre qc en ~ …을 창고에 넣어 두다 / avoir qc en ~ …의 재고가 있다. ⓑ 〖군사〗 병기고, 탄약고: ~ d'armes 〔d'explosifs〕 탄약〔화약〕고. ③ (연발총의) 탄창(彈倉); (카메라의) 매거진.

magasinage [magazina:ʒ] *m.* 〖상업〗 ① 창고에 넣기, (창고) 보관. ② (상품의) 재고(在庫) 기간.

magasinier [magazinje] *m.* 창고업자; 창고계; 창고 담당자.

***magazine** [magazin] *m.* ① 잡지《보통 그림·사진을 넣은 것》: ~ hebdomadaire 주간지 / ~ féminin 여성 잡지. ② (시사 문제에 대한) 라디오〔텔레비전〕 정기 방송.

mage [maːʒ] *m.* ① (고대 페르시아의) 승려; (조로아스터교의) 사제. ② 마법사, 점성가(= magicien, astrologue). ***les trois M~s ; les Rois ~s*** 〖성서〗 동방박사 세 사람《예수 탄생 때에 베들레헴에 왔다고 함》.

maghrebin, e [magʀəbɛ̃, -in] *adj.* 마그렙(*Maghreb*, 북아프리카 지방)의. —— **M~** *n.* 마그렙 사람.

magicien, enne [maʒisjɛ̃, -ɛn] *n.* ① 마법사, 마술사. ② 《비유》 마법사 같은 재주를 발휘하는 사람: ~ du couleur 색채의 마술사.

magie [maʒi] *f.* ① 마법, 마술; 마력: C'est de la ~. 그것 신기하군 / comme par ~ 기묘하게, 신기하게. ② (문장·음악 따위의) 매력(= charme): ~ de l'art 예술의 마력. ***~ blanche*** (악마의 도움을 빌지 않는) 요술. ***~ noire*** (악마의 힘을 빌어서 하는) 마술, 마법.

magique** [maʒik] *adj.* ① 마법〔마술〕의: baguette ~ 요술방망이. ② 신기한; (필치 따위가) 영묘한, 경이로운, 경탄할 만한(= merveilleux). ***lanterne ~ 환등기(幻燈器). ***pouvoir ~*** 마력, 신통력.

magiquement [maʒikmɑ̃] *adv.* 마법으로, 마술을 사용하여; 신기하게.

magistère [maʒistɛːʀ] *m.* ① 〖가톨릭〗 교권(敎權); (종교적) 권위: ~ de l'Église 〔du Pape〕 교회〔교황〕의 권위. ② 신약(神藥), 묘약(妙藥).

***magistral, e, aux** [maʒistʀal, -o] *adj.* ① 훌륭한, 탁월한: réussir un coup ~ 훌륭한 솜씨를 발휘하다. ② 교사의, 교사연하는: ton ~ 교사연하는 어조. ③ 《구어》 혹심한, 단호한. ④ 〖측량〗 ligne ~*e* 주선. ⑤ 〖약학〗 의사의 처방에 의한: médicament ~ 처방약.

magistralement [maʒistʀalmɑ̃] *adv.* 위엄 있게, 당당하게; 훌륭하게.

***magistrat** [maʒistʀa] *m.* ① 사법관, 법관. ② 행정관, 관리; (시·읍(邑)·면의) 장(長): premier ~ 최고〔수석〕 행정관.

magistrature [maʒistʀatyːʀ] *f.* ① 사법관〔행정관〕의 직〔임기〕. ② 《집합적》 사법관《판사·검사 따위》. ***~ assise*** 〔***debout***〕 판사〔검사〕. ***entrer dans la ~*** 사법관이 되다. ***~ suprême*** 최고관직《대통령직》.

magma [magma] 〔라틴〕 *m.* ① 〖화학〗 점착성(粘着性) 물질(의 덩어리); 〖지질〗 마그마, 암장(岩漿). ② 《비유》 뒤범벅, 잡동사니.

magnanerie [maɲanʀi] *f.* 누에치기; 양잠소(養蠶所).

magnanime [maɲanim] *adj.* ① 도량이 큰, 관대한: cœur ~ 관대한 마음씨. ② 《문어》 고귀한(= noble): pensée ~ 고귀한 사상.

magnanimité [maɲanimite] *f.* 관대함, 아량(= clémence, générosité); 고결함.

magnat [magna] *m.* (재계 따위의) 거물, 왕; ~ de pétrole 석유왕.

magner (se) [s(ə)maɲe] *v.pr.* 《구어》 서두르다(= se dépêcher).

magnésie [maɲezi] *f.* 〖화학〗 산화(酸化)마그네슘, 마그네시아.

magnésite [maɲezit] *f.* 〖광물〗 마그네사이트.

magnésium [maɲezjɔm] *m.* 〖화학〗 마그네슘: lampe au ~ 〖사진〗 플래시 램프.

magnétique [maɲetik] *adj.* ① 자기(磁氣)의, 자성(磁性)의: bande ~ 자기 녹음 테이프 / barreaux ~*s* 막대자석. ② 마음을 끌어당기는, 매혹하는(= attractif, fascinateur): regard ~ 매혹적인 시선.

magnétisation [maɲetizɑsjɔ̃] *f.* ① 자화(磁化). ② 최면술을 걸기〔에 걸리기〕; 최면상태. ③ 매혹.

magnétiser [maɲetize] *v.t.* ① 자화(磁化)시키다, 자력을 띠게 하다. ② 최면술을 걸다. ③ 《비유》 마음을 끌다, 매혹하다.

magnétiseur, euse [maɲetizœːʀ, -øːz] *n.* 최면술사(= hypnotiseur).

magnétisme [maɲetism] *m.* ① 〖물리〗 자기(磁氣)(학), 자력. ② 최면술.

magnéto [maɲeto] *f.* (내연기관의) 마그네토〔자석〕 발전기(=machine ~-électrique).

magnéto- *préf.* 「자력·자석」의 뜻.

magnétocassette [maɲetɔkasɛt] *m.* 카세트테이프 (녹음기).

magnétoélectrique [maɲetɔelɛktʀik] *adj.* 〖물리〗 전자기(電磁氣)의.

***magnétophone** [maɲetɔfɔn] *m.* 녹음기: enregistrer une conférence au ~ 강연을 테이프에 녹음하다.

magnétoscope [maɲetɔskɔp] *m.* 비디오테이프 녹화기; 녹화 장치.

magnétoscoper [maɲetɔskɔpe] *v.t.* (비디오테이프에) 녹화하다.

magnificence [maɲifisɑ̃ːs] *f.* ① 화려함, 장려함(= splendeur, somptuosité); (*pl.*) 화려한 물건: ~ d'un château 성의 웅대함. ② 너그러움, 관대함, 후한 인심(= générosité, libéralité).

magnifier [maɲ(gn)ifje] *v.t.* ① 찬양하다, 찬미하다(= glorifier, louer): ~ les victoires 승리를 찬양하다. ② 미화하다(= idéaliser).

***magnifique** [maɲifik] *adj.* ① 찬란한, 웅장한, 으리으리한, 현란한, 화려한(= brillant, somptueux, splendide): palais ~; ~ palais 화려한 궁전. ② 매우 아름다운, 멋진(= épatant); 훌륭한, 굉장한: femme ~ 절세의 미인. ③ (사람이) 너그러운, 인심이 후한(= généreux, libéral).

magnifiquement [maɲifikmɑ̃] *adv.* ① 화려하게; 멋지게. ② 너그럽게, 후하게.

magnitude [maɲityd] *f.* 〖천문〗 (별의) 등급, 광도(光度).

magnolia [maɲ(gn)ɔlja] *m.* 〖식물〗 목련.

magnum [magnɔm] *m.* (2 리터들이) 큰 병.

magot¹ [mago] *m.* ① 〖동물〗 꼬리 없는 붉은 털 원숭이. ② 도자기 인형. ③ (*f.* ***magote*** [magɔt]) 《비유》 추남, 추녀.

magot² *m.* 《구어》 몰래 숨겨 둔 돈; 막대한 액수의 돈〔재산〕. ***croquer son ~*** 돈을 낭비하다; 파산하다.

magouille [magui] *f.* 《구어》 (정치·사업상의) 이면 공작, 뒷거래(= manœuvre).

magouiller [maguje] *v.i.* 《구어》 이면 공작을〔뒷거래를〕 하다.

magret [magʀɛ] *m.* 〖요리〗 (스테이크처럼 구운) 오리〔거위〕의 가슴살 요리.
mahatma [maatma] *m.* 마하트마, (인도의) 성자(聖者) : le ~ Gandhi 간디옹(翁).
mah-jong [majɔ̃:g] *m.* 〔중국〕 *m.* 마작(麻雀), 마장.
mahogani [maɔgani] 〔영〕 *m.* 〖식물〗 마호가니《고급 가구용 목재》.
mahométan, e [maɔmetɑ̃, -an] *adj.* 회교의〔를 믿는〕. ── *n.* 회교도.
mahométisme [maɔmetism] *m.* 마호메트교(教), 회교(= islam).
****mai** [mɛ] *m.* ① 5 월. ② 메이폴 ; 5 월제 기념수(= arbre de ~)《5 월 1 일에 경의를 표하고자 하는 사람의 문전에 세우는 나무》. ***en* 〔*au mois de*〕*~***, 5 월에. ***le premier ~***, 5 월 1 일 ; 메이데이. ***la mi-~*** 5 월 중순.
****maigre** [mɛgʀ] *adj.* ① (사람 · 동물이) 야윈, 마른, 수척한(≠ gros) : grand ~ 호리호리한 사람 / ~ comme un clou 《구어》 아주 마른, 피골이 상접한. ② 기름기〔지방분〕 없는, (음식이) 고기를 뺀 : aliments ~s 고기 없는 음식 / fromage ~ 탈지(脫脂) 치즈 / viande ~ 기름기 없는 고기. ③ 《명사 앞》 변변치 않은, 빈약한, 보잘것없는 : ~ repas 검소한 식사 / ~ salaire 박봉 / ~ résultat 빈약한 결과. ④ (땅이) 메마른, 불모의(= aride, stérile) : ~s moissons 흉작(凶作). ***C'est* (*un peu*) *~.*** 《구어》 그걸로는 충분치 않다〔부족하다〕. ***faire ~ chère* 〔*réception,* (*un*) *visage*〕 *à* qn** …을 푸대접하다 ; 변변치 못한 음식으로 대접하다. ── *m.* 기름기 없는 고기 ; 고기 없는 식사. ***faire* 〔*manger*〕 *~*** 〖종교〗 (정진일(精進日)에) 육식을 피하다. ── *n.* 마른 사람.

M

maigrement [mɛgʀəmɑ̃] *adv.* 빈약하게, 변변치 못하게 ; 불충분하게 : ~ payé 박봉을 받는 / traiter ~ (손님을) 푸대접하다.
maigreur [mɛgʀœ:ʀ] *f.* ① 야윈 모습, 수척함 : être d'une excessive ~ 지나치게 야위다. ② 빈약함, 보잘것없음.
maigrichon, onne [mɛgʀiʃɔ̃, -ɔn], **maigriot, otte** [mɛgʀijo, -ɔt] *adj.* et *n.* 《구어》 몹시 여윈〔수척한〕 (사람).
***maigrir** [mɛ〔e〕gʀi:ʀ] *v.t.* ① (병 따위로) 야위게〔수척하게〕 하다. ② (옷 따위가) 야위어 보이게 하다 : Cette robe la *maigrit.* 그녀는 그 드레스를 입으면 야위어 보인다. ── *v.i.* 야위다, 수척해지다(≠ grossir) : régime pour ~ 살을 빼기 위한 식이 요법 / ~ de trois kilos 체중이 3 킬로그램 빠지다.
mail [maj] ① 《옛》 큰 망치(= mailloche). ② 《옛》 펠멜놀이(= jeu de ~)《망치로 구슬을 쳐서 넣는 놀이》 ; 펠멜놀이에 쓰는 망치 ; 펠멜놀이터. ③ 산책로(= allée).
maille¹ [mɑ:j] *f.* ① (그물 따위의) 코, 눈 : filet à larges ~s 눈이 뜬 〔성긴〕 그물. ② (쇠사슬의) 고리. ③ (자고새 · 매의) 얼룩 무늬.
maille² *f.* 《옛》 동전. ***avoir ~ à partir*** 사소한 일로 다투다. ***sans sou ni ~*** 동전 한 푼 없이.
maillechort [mɑjʃɔ:ʀ] *m.* 양은(洋銀)《아연 · 구리 · 니켈의 합금》.
mailler [mɑje] *v.t.* (편물 · 그물을) 뜨다, 짜다. ── *v.i.* ① (나무 따위가) 싹트다. ② (물고기가) 그물에 걸리다. ③ (자고새 따위가) 얼룩무늬가 생기다.
maillet [majɛ] *m.* ① 나무 망치. ② 〖스포츠〗 (폴로 · 크리켓용의) 타구봉.
mailloche [majɔʃ] *f.* ① 큰 나무 망치. ② (큰 북의) 북채.
maillon [mɑjɔ̃] *m.* ① (그물의) 작은 코〔눈〕. ② 쇠사슬의 고리 ; 밧줄 고리매듭.
maillot** [majo] *m.* ① 배내옷(= lange) : enfant au ~ 갓난아이, 젖먹이. ② (몸에 꼭 끼는) 운동복 ; 수영복(= ~ de bain) : ~ de danseuse 무용수의 타이츠. ***~ jaune (프랑스 일주 자전거 경주의 선두 주자가 입는) 노란 셔츠 ; 선두 주자.
****main** [mɛ̃] *f.* ① (사람의) 손 : ~ droit 〔gauche〕 오른〔왼〕손 / lignes de la ~ 손금 / se laver les ~s 손을 씻다 / arréter le ballon de la ~ 손으로 공을 잡다 / dos 〔paume〕 de la ~ 손등〔손바닥〕 / serrer la ~ à qn …와 악수하다 / joindre les ~s (기도 따위를 위해) 합장하다 / travailler de ses ~s 손으로 일하다 / prendre qc d'une (seule) ~ …을 한 손으로 들다 / saluer de la ~ 손을 흔들어 인사하다. ② (소유하는) 손, 수중, 지배력 ; 소유자, 주인, 임자 : tomber dans 〔entre〕 les ~s de qn …의 손〔수중〕에 들어가다, …의 소유가 되다 / changer de ~(s) 소유주가 바뀌다 / remettre qc 〔qn〕 aux ~s de qn …을 …에게 맡기다. ③ 솜씨, 기술, 수완 ; 《옛》 필적, 필치 : tour de ~ 손재주 / avoir de la ~ 수완이 있다, 솜씨가 좋다 / perdre la ~ 솜씨가 떨어지다 / avoir une belle ~ 글씨를 잘 쓰다. ④ (도움의) 손길, 일손 ; 도움, 협조, 원조 ; 조수, 일꾼 : tendre à qn une ~ secourable …에게 구원의 손길을 뻗다 / donner 〔prêter〕 la ~ à qn …을 도와 주다 / de ~ d'homme 사람의 손으로, 인력으로 / ~ de Dieu 〔du destin〕 신〔운명〕의 손길. ⑤ (여성의) 결혼 승낙 : accorder 〔refuser〕 sa ~ (여성이) 결혼을 승낙〔거절〕하다 / demander 〔obtenir〕 la ~ de qn …의 결혼 승낙을 얻다. ⑥ (원숭이 따위의) 손 ; (매 따위의) 발(톱) ; 〖식물〗 덩굴손(= vrille). ⑦ (지팡이 · 서랍 따위의) 손잡이 : ~ fixe 〔pendante〕 고정된〔늘어뜨린〕 손잡이 / ~ de justice 법의 지팡이《사법권을 상징하는 손을 본뜬 장식이 달린 지팡이》. ⑧ (천 · 종이 따위의) 촉감, 감촉 : donner la ~ à une étoffe 피륙을 두툼한 느낌이 들도록 가공하다. ⑨ 종이 한 권(卷)《25 매》 ; 〖인쇄〗 인덱스, 손표(☞) : ~ de papier 종이 한 권《25 매》. ⑩ 장갑(= ~ de toilette, gant). ⑪ 〖축구〗 핸들링 : Il y a ~ ! 핸들링이다 ! ⑫ 〖카드놀이〗 (손에 든) 패 ; 선.
à belles ~s 두 손으로 듬뿍, 수북이, 많이. ***à la ~*** 손에 ; 손으로. ***à ~*** 손에 드는〔잡는〕 : sac *à ~* 핸드백 / frein *à ~* 핸드브레이크. ***à ~ droit* 〔*gauche*〕** 오른〔왼〕쪽에〔으로〕(= à droit 〔gauche〕). ***à ~ forte*** 힘으로, 우격다짐으로. ***à ~ levée*** ⓐ 손을 들고, 거수로 : voter *à ~ levée* 거수로 가결하다. ⓑ 단숨에, 단번에 : dessin *à ~ levée* 단숨에 그린 그림. ***à plein*(*s*) *~*(*s*)** 가득히, 잔뜩, 후하게. ***à portée de la ~*** 손이 미치는 곳에. ***argent en ~*** 가진 돈. ***à toutes ~s***

온갖 일을 다 하는, 만물박사인, 무엇이든지 손대는. ***avoir de la ~*** 수완이 있다, 솜씨가 좋다. ***avoir la haute ~ sur*** qn〔qc〕 …을 지배〔지휘〕하다. ***avoir la ~*** 〖카드놀이〗 주도권을 갖다, 패를 도르는 사람이 되다. ***avoir la ~ rompue à*** qc …에 능숙하다. ***avoir les ~s longues*** 세력이 있다. ***avoir une belle ~*** 달필이다; 패가 좋다. ***battre des ~s*** 박수치다. ***coup de ~*** 습격; 능숙한 솜씨; 도움, 조력. ***de la ~ à la ~*** (중개인을 거치지 않고) 직접; 격식을 차리지 않고. ***de la ~ de*** qn ⓐ …의 손에서, …으로부터: recevoir qc *de la ~ de* qn …을 …으로부터 직접 받다. ⓑ …의 손으로 만든, …작의: lettre *de sa ~* 그의 자필 편지. ***de longue ~*** 오래 전부터: preparer qc *de longue ~* …을 오래 전부터 준비하다. ***de ~ de maître*** 매우 능란하게. ***de ~ en ~*** 손에서 손으로, 이 사람에서 저 사람으로. ***de première ~*** 본인으로부터 직접, 남의 손을 거치지 않고: voiture d'occasion *de première ~* (첫번째 소유자가 파는) 1 차 중고차. ***des deux ~s*** 양손으로; 열심히; 쌍수를 들고: souscrire à un projet *des deux ~s* 어떤 계획에 쌍수를 들고 찬성하다. ***de seconde ~*** 간접적으로 들어서; 중개인을 통하여; 중고(中古)로. ***donner la ~*** 동의하다; 항복하다. ***en ~(s) propre(s)*** 본인에게. ***en un tour de ~*** 순식간에. ***en venir aux ~s*** 완력〔폭력〕에 호소하다, 주먹질을 시작하다. ***être en ~*** (책 따위가) 사용〔열람〕되고 있다. ***(la) ~ dans la ~*** 손에 손을 잡고. ***les ~s vides*** 아무것도 갖지 않고, 빈손으로: rentrer *les ~s vides* 빈손으로 돌아가다. ***mettre la ~ à*** …에 착수하다(= travailler à): *mettre la ~ à* la plume 쓰기 시작하다. ***mettre la ~ sur*** …을 손에 넣다, 찾아내다, 잡다, …에 손을 대다, …을 때리다. ***ne pas y aller de ~ morte*** 호되게〔사정없이〕 때리다〔몰아치다〕; 단호하게 해치우다; 딱 잘라 말하다. ***passer la ~*** 주도권〔특권〕을 포기하다. ***passer la ~ dans le dos*** 〔***dans le cheveux***〕 ***à*** qn …에게 아첨하다. ***passer par les ~s de*** qn ⓐ …의 손을 거치다. ⓑ …의 책임〔권한〕이다. ***porter la ~ sur*** qn …을 때리다. ***prendre en ~*** 떠맡다. ***se donner la ~*** 악수하다. ***s'en laver les ~s*** (그 일에 대해) 책임을 피하고 관계하지 않다, (…에서) 손을 떼다. ***sous la ~ de*** qn …의 손이 미치는〔닿는〕 곳에; …지배하에: tomber *sous la ~ de* qn …의 수중에 들어가다. ***sous ~; en sous ~*** 은밀〔비밀〕히, 몰래, 살며시. ***tendre la ~*** 구걸하다; 애원하다. ***tendre la ~ à*** qn …을 잡으려고 손을 뻗치다; …에게 구원의 손길을 뻗치다.

mainate [mɛnat] *m.* 〖조류〗 구관조(九官鳥).

***main-d'œuvre** [mɛ̃dœːvʀ] *f.* (*pl.* **~s-~**) ① 인력(人力), 일손: rareté 〔manque〕 de ~ 일손의 부족. ② (노동자의) 임금, 일삯, 공임(工賃)(= frais de ~): coût de la ~ 인건비. ③《집합적》 노동자, 노동력: ~ agricole 〔étrangère, féminine〕 농업〔외국인·여성〕 노동자.

main-forte [mɛ̃fɔʀt] *f.* (특히 관헌에 대한) 협조, 협력: donner 〔prêter〕 ~ à qn …에게 협력하다.

mainlevée [mɛ̃lve] *f.* 〖법률〗 (압류·저당권·이의 신청 따위의) 취소, 해제, 철회.

mainmise [mɛ̃miːz] *f.* 《~ sur》 …의〔에 대한〕 장악, 점유, 지배(= emprise); 《경멸》 독점 지배: ~ d'une entre prise *sur* le marché 한 기업에 의한 시장 점유.

maint, e [mɛ̃, -ɛ̃ːt] *adj.* 《문어》 ①《복수로 쓰임》 여러, 많은, 다수의: à ~*es* reprises 여러 번 (되풀이하여) / (~*es* et) ~*es* fois 종종, 자주. ②《단수로 쓰임》 몇 개의: en ~ endroit 몇 군데에서.

maintenance [mɛ̃tnɑ̃ːs] *f.* ① (기계·장치 등의) 정비, 유지, 보존. ②〖군사〗 (인원·장비의) 보급, 보충; 보충 병력〔군수품〕.

****maintenant** [mɛ̃tnɑ̃] *adv.* ① 지금, 이제, 현재; 요즈음: *M~* il est sorti. 그는 지금 외출 중입니다 / *M~* c'est votre tour. 이제 당신 차례입니다. ②《과거형과 함께 과거에 있어서의 현재》 이제(는), 지금으로서는: Il savait ~ que faire. 그는 이제 무엇을 해야 할지 알고 있었다. ③《미래형과 함께》 이제부터는, 앞으로는: *M~*, tout ira bien. 이제부터는 모든 일이 잘 될 거요. ④《문두에서 화제의 전환》 자 이제는, 그런데, 하지만: *M~* revenons à notre sujet. 자 이제 본론으로 돌아갑시다. ⑤《전치사와 함께》《des ~》 지금부터, 당장에: pour ~ 지금으로서는 / à partir de ~ 지금부터는, 앞으로는 / jusqu'à ~ 지금까지. ***C'est ~ ou jamais.*** 지금이 다시 없는 기회이다. ***~ que*** …한 지금; …한 이상, 지금 …하기 때문에: *M~ que* le temps s'est mis au beau, nous allons pouvoir sortir. 지금 날씨가 좋아졌으니 외출할 수 있겠다.

maintenir** [mɛ̃tniːʀ] 16 *v.t.* ① (움직이지 않게) 꽉 붙들다, 고정시키다, 지탱하다: ~ une jambe cassée 부러진 다리를 고정시키다 / La digue *maintient* l'eau en crue. 둑이 불어나는 물을 지탱하고 있다. ② 유지하다, 보존하다(= entretenir, conserver); 존속〔지속〕시키다: ~ l'ordre 질서를 유지하다 / Les traditions *sont maintenues.* 전통이 유지되고 있다. ③ 단언〔주장〕하다(= affirmer, soutenir): ~ une opinion 어떤 의견을 고집〔주장〕하다. ***~ les membres immobiles 수족을 움직이지 못하게 하다. ***~ que*** + *ind.* …라고 주장하다. —— **se ~** *v.pr.* ① (같은 상태로) 유지되다, 지속되다: *se* ~ contre les attaques de l'ennemi 적의 공격에 대항하여 진지(陣地)를 고수(固守)하다 / *se* ~ en bonne sante 여전히 건강하다. ②《구어》 변함없다: Ça va? — Ça *se maintient.* 별일 없으십니까? — 변함없습니다.

maintien [mɛ̃tjɛ̃] *m.* ① (질서 따위의) 유지, 존속: forecs du ~ de l'ordre 경찰력 / ~ des traditions 전통의 보존 / ~ des prix 물가 억제. ② 태도, 몸가짐; 예절: ne pas avoir de ~ 예의를 모르다; 어색하다.

maintien-s, -t ⇒ maintenir.

maire** [mɛːʀ] *m.* 시〔읍·면〕장; (파리시의) 구청장: ~ de Paris 파리 시장 / Monsieur le ~ 시장님《시장이 여자일 때는 Madame le ~》. ***être passé devant le ~; être passé

M

chez Monsieur le ~ 《구어》 합법적으로 결혼하다, 정식으로 결혼하다.

mairesse [mɛʀɛs] *f.* 시〔읍 · 면 · 구청〕장 부인 ; 여성 시〔읍 · 면〕장.

***mairie** [mɛ(e)ʀi] *f.* ① 시청, 구청, 읍〔면〕 사무소. ② 시〔읍 · 면 · 구청〕장의 직위.

‡mais [mɛ] *conj.* ① 《대립 · 제한》 그러나, 하지만 ; 그런데 ; (그렇다 치더라도) 아무튼, 어쨌든 : Il est riche, ~ avare. 그는 부자지만 구두쇠다 / Elle n'est pas belle, ~ elle a du charme. 그녀는 아름답지는 않지만 매력이 있다. ② 《부정 뒤에 쓰여서 대립을 강조》 … 이 아니고〔아니라〕 : Ce n'est pas son père, ~ (bien) son oncle. 그의 아버지가 아니라 그의 아저씨다. ③ 《이의》 하지만, 그래도 : Je ne viens pas avec vous. — *M~* tu avais dit que tu viendrais. 같이 가지 않겠어요. — 하지만 (너는) 같이 가겠다고 말하지 않았었니. ④ 《문두에서 화제 전환》 *M~*, à propos, êtes-vous libre cet après-midi? 그건 그렇고, 오늘 오후에는 시간이 납니까?
— *adv.* ① 《강조》 정말, 참 : *M~* c'est très bien! 정말 훌륭하군 / Il ne craint rien, ~ rien! 그는 아무것도, 전혀 아무것도 겁내지 않는다 / Ça ne te dérange pas? — *M~* non! 너에게 방해되지는 않니? — 천만에. ② 《놀라움 · 분개 · 초조 따위》 아니, 도대체 : Ah! ça, ~, je ne me trompe pas, c'est bien lui! 아니, 이럴 수가, 틀림없어, 바로 그 사람이야! / Non ~ (des fois)! Pour qui tu te prends! 《구어》 아니, 도대체 네가 뭘 생각하는 거니! ***n'en pouvoir ~*** ⓐ 더 견딜 수 없다 ; 기진맥진하다 : Je *n'en puis ~*, j'ai tant couru. 어찌나 달렸던지 이젠 지쳤다. ⓑ …의 탓은 아니다 : Si le père a fait une faute, le fils *n'en peut ~*. 아버지가 잘못했다지만 그건 아들의 탓이 아니다.
— *m.* 《복수불변》 이의(異議), 반대 ; 조건 : Il y a un ~. 이의가〔조건이〕 있다.

***maïs** [mais] *m.* 〖식물〗 옥수수(대) ; 옥수수알, 강냉이(= grains de ~) : farine de ~ 옥수수 가루.

‡maison [mɛzɔ̃] *f.* ① ⓐ (한 채의) 집, 주택, 가옥 : ~ de campagne (시골의) 별장 / ~ meublée 〔garnie〕 가구 딸린 집 / ~ individuelle 단독 주택. ⓑ 공공 건물《회관 · 병원 따위》 : ~ d'arrêt 교도소 / ~ de retraite 양로원 / ~ d'éducation 학교 ; 기숙사 / ~ de santé 정신병원 / ~ des jeunes et de la culture 청년 문화 회관. ⓒ 회사 ; 상사, 상점(= ~ de commerce) : ~ de détail 〔de gros〕 소매〔도매〕 상점. ⓓ (사람들이 이용하는) 시설 : ~ de jeu 도박장 / ~ de rendez-vous 러브 호텔 / ~ close 〔de tolérance〕 갈보집, 창자(娼家) ② ⓐ 가정, 가족, 집안 ; 가사(= ménage) : maîtresse de ~ 가정 주부 / vie à la ~ 가정 생활 / dépenses de la ~ 가계비. ⓑ 하인, 고용살이 : Ce domestique a fait de nombreuses ~*s*. 이 하인은 여러 집에서 고용살이를 했다. ③ 혈통, 가문 ; 왕가, 명가 : la *M~* des Bourbons 부르봉 왕가. ***à la ~*** 집〔자택〕에. ***dans la ~*** 옥내에. ***être de bonne ~*** 양가집 출신이다. ***être de la ~*** 집안 식구이다 ; 가족처럼 친밀한 사이다. ***~ mère*** (상사의) 본점 ; (수도원의) 본원. ***tenir ~*** 손님을 접대하다.
— *adj.* 《불변》 ① 집에서 만든, 특제의 : pâté ~ 집에서 만든 파이. ② 《구어》 근사한, 멋진 : bagarre ~ 멋진 싸움. ③ 명령에 순응하는, 어용의(= conformiste) : syndicat(-)~ 어용 노동조합.

maisonnée [mɛzɔne] *f.* 《구어》 (동거하는) 한 가족 전원 : Toute la ~ était reunie. 온 가족이 모였다.

maisonnette [mɛzɔnɛt] *f.* 작은 집.

maître, esse** [mɛtʀ, mɛtʀɛs] *m.* ① ⓐ 주인, 소유주 : ~ et ses domestiques 주인과 하인 / ~*esse* de maison 주부 / maison 〔voiture〕 de ~ 자택〔자가용차〕. ⓑ 지배자, 지도자(= dirigeant, dominateur) : les ~*s* et les gouvernés 지배자와 피지배자 / ~ d'un pays 〔peuple〕 나라〔국민〕의 지배자 〔지도자〕. ⓒ 우두머리, 장(長) ; 〖해양〗 갑판장(= ~ d'équipage) : ~ charpentier 도편수 / ~ de forges 제철업자 / ~ de poste 《옛》 우체국장. ⓓ (중세 동업 조합의) 장색 (= apprenti). ② 교사, 선생, 스승 : ~ de piano 피아노 선생님 / ~ de conférences (대학의) 강사, 조교수 / livre du ~ 교사용 지침서 / ~ d'école 초등학교 선생님. ③ 명인, 명수, 대가, 거장(巨匠)(= grand ~) : ~ de la peinture modern 근대 회화의 거장 / ~ à penser 지도적 사상가 / être ~ dans le métier 〔dans l'art〕 de …방면의 대가다. ④ 변호사 · 공증인에 대한 존칭(《약자》 Me). ⑤ 《구어》 《호칭》 …영감, …아저씨 : *M~* Jacques 자크 영감 / *M~* Corbeau 까마귀 아저씨. ***coup de ~ 능란한 솜씨, 민완 ; 일품, 걸작. ***de main de ~*** 훌륭한 솜씨로. ***devenir*** 〔***se rendre***〕 ***~ de*** …을 수중에 넣다, 점령하다 ; …을 지배〔억제〕하다. ***en ~*** 주인처럼 ; 건방지게 ; 대가답게, 훌륭한 솜씨로. ***être ~*** 〔***le ~***〕 ***de*** qc …을 마음대로 할 수 있다, 지배〔억제〕할 수 있다 : *être ~ de* son destin 운명을 지배하다 / *être ~ de* son emploi du temps 시간을 마음대로 쓰다. ***être ~ de*** + *inf.* 마음대로 …할 수 있다 : vous *êtes ~ de* choisir. 당신은 자유로이 선택할 수 있습니다. ***être ~ de soi*** 자기를 억제하다. ***être passé ~ en*** qc 〔***dans l'art de*** + *inf.*〕 …에 정통하다, …의 명수다. ***être son ~*** 남의 간섭을 받지 않다. ***faire le ~*** 《옛》 주인 행세를 하다. ***Les bons ~s font les bons valets.*** 《속담》 주인이 선량하면 하인도 선량해진다. ***Nul ne peut servir deux ~s.*** 《속담》 아무도 두 임금을 섬길 수 없다 ; 양다리를 걸쳐서는 안 된다. ***~ d'étude*** 자습 감독 (선생). ***~ du navire*** (상선의) 선장. ***premier*** 〔***second***〕 ***~*** 〖해군〗 중사〔하사〕. ***trouver son ~*** 대가를〔자기보다 훨씬 나은 사람을〕 만나다.
— *adj.* ① 뛰어난 ; 으뜸가는, 주요한 : idée *maîtresse* 중심 사상. ② 장(長)의, 우두머리의 ; …의 명인 : ~ cuisinier 주방장 / ~ filou 소매치기의 명수.

maître-assistant [mɛtʀasistɑ̃] *m.* (*pl.* ~*s*-~) 〖학교〗 전임강사, 조교수.

maître-autel [mɛtʀotɛl] *m.* (*pl.* ~*s*(-)~*s*) 〖종교〗 주제단(主祭壇), 대제대(大祭臺).

maître(-)chanteur [mɛtʀəʃɑ̃tœːʀ] *m.* (*pl.*

M

~s(-)**~s**) 《구어》 (상습적인) 협박 · 공갈범 (= racketteur).

maître-chien [mɛtʀəʃjɛ̃] *m.* (*pl.* **~s-~s**) 개 담당자〔조련사〕.

***maîtresse** [mɛtʀɛs] *f.* 《maître 의 여성형》 ① 여주인 ; 안주인 ; 주부. ② 여교사 ; 여선생님. ③ 정부(情婦), 첩 ; 《옛》 애인.

maîtrisable [mɛtʀizabl] *adj.* 《보통 부정형으로》 제어〔억제〕할 수 있는 : colère difficilement ~ 쉽게 억누를 수 없는 분노.

maîtrise [me〔ɛ〕tʀi:z] *f.* ① 지배(권), 억제(력), 자제(력) : ~ de l'air 〔de la mer〕 제공권〔제해권〕/ perdre sa ~ 냉정을 잃다. ② 대가의〔능란한〕 솜씨, 숙련된 기술 : exécuter un morceau avec ~ 곡을 훌륭하게 연주하다. ③ 성가대장(maître de chapelle)의 직책 ; (교회의) 성가대원 양성소 ; 《집합적》 성가대의 소년들. ④ 《집합적》 직공장 ; 현장 감독, 반장. ⑤ 교직(敎職) : ~ de conférence 조교수(maître de conférence)의 직. ⑥ (대학의) 석사 학위 (과정) : ~ *ès* lettres 〔sciences〕 문학〔이학〕 석사.

***maîtriser** [mɛtʀize] *v.t.* 제어하다 ; 제압〔진압〕하다 ; 극복하다 : ~ l'émeute 폭동을 진압하다 / ~ l'incendie 진화(鎭火)하다 / ~ la crise de l'énergie 에너지 위기를 극복하다. ── **se** ~ *v.pr.* 자제하다 : ne pas savoir *se* ~ 자제할 줄 모르다.

majesté [maʒɛste] *f.* ① 위엄 ; 장엄 ; 장중함 ; 당당함 : ~ de la nature 자연의 장엄함 / air de ~ 위풍당당함. ② 폐하《국왕의 존칭》. ***Leurs M~s l'Empereur et l'Impératrice*** 황제 황후 양 폐하. ***Sa M~*** 폐하(《약자》 S.M.). ***Votre M~*** 폐하《국왕의 호칭》.

majestueusement [maʒɛstɥøzmɑ̃] *adv.* 위엄 있게 ; 장엄하게, 위풍당당하게.

majestueux, euse [maʒɛstɥø, -ø:z] *adj.* 위엄 있는 ; 장엄한, 위풍당당한 : allure *~euse* 위엄 있는 태도 / paysage ~ 장엄한 경치 / musique *~euse* 장중한 음악.

majeur, e** [maʒœ:ʀ] *adj.* ① (더) 큰〔많은〕 ; 주요한, 중대한 ; 불가항력의 ; 어쩔 수 없는 : force *~e* 불가항력 / préoccupation *~e* 주된 관심사. ② 〖법률〗 성년의(≠ mineur) ; 《구어》 자립할 수 있는 : héritier ~ 성년이 된 상속자 / fille *~e* 성년의 처녀. ③ 〖음악〗 장조의(≠mineur). ***en ~e partie 대부분은. ***pour raison ~e*** 어쩔 수 없이. ── *f.* 〖논리〗 대전제(大前提)(= prémisse *~e*). ── *m.* 가운뎃손가락(= doigt ~, médius). ── *n.* 성년자, 성인(成人).

major [maʒɔ:ʀ] *m.* ① 〖군사〗 연대 부관《행정 담당 소령》; (몇몇 외국의) 대대장. ② 군의관(= médecin ~). ③ 《학생은어》 수석 입학〔졸업〕생 : sortir ~ 수석으로 졸업하다. ***~ de la flotte*** 〖해군〗 기지 사령관. ***~ général*** 총군 참모장.

majoration [maʒɔʀɑsjɔ̃] *f.* ① 과대평가 ; (계산서 따위를) 실가 이상으로 매기기. ② (가격 · 세금 · 급여 따위의) 인상 ; (금액의) 가산, 증액 : ~ du prix de l'essence 휘발유 가격의 인상 / ~ de retard 연체 가산세.

majordome [maʒɔʀdɔm] *m.* ① (귀족 따위의) 우두머리 하인, 집사(執事). ② (호텔 · 식당 따위의) 급사장, 주방장.

***majorer** [maʒɔʀe] *v.t.* ① (재산 따위를) 과대평가하다 ; (계산서 따위를) 실가 이상으로 매기다 : ~ une facture 계산서를 실제 가격 이상으로 매기다. ② (가격 · 세금 · 봉급 따위를) 인상하다(= augmenter) ; …의 정가를 올리다 : ~ les salaires de 10% 봉급을 10% 인상하다.

majorette [maʒɔʀɛt] *f.* (행진 악대의) 밴드 걸, 바톤 걸.

majoritaire [maʒɔʀitɛ:ʀ] *adj.* ① 다수결의 (≠ proportionnel) : vote ~ 다수결 투표. ② 다수파의 ; 여당의 : député ~ 여당 의원. ③ 〖상법〗 전체 주식의 과반을 소유하는. ── *n.* ① 다수파 ; 여당 의원. ② (주식의 과반을 소유한) 대주주.

majorité** [maʒɔʀite] *f.* ① (투표에 의한) 다수(≠ minorité) : ~ absolue 〔relative〕 절대〔상대〕다수 / avoir 〔obtenir〕 la ~ des voix 다수표를 얻다. ② 다수파, 여당 : la ~ et l'opposition (국회의) 여당과 야당. ③ 대다수 ; 대부분 : la ~ des (hommes) 대부분의 (사람들). ④ 〖법률〗 성년《프랑스에서는 현재 18 세》 : atteindre la ~ 성년에 달하다. ***à la ~ 다수결로 : projet adopté *à la* ~ 다수결로 채택된 법안. ***en ~*** 대부분은, 대다수는 : En ~ ils sont démocrates. 그들 대부분은 민주당원이다. ***~ silencieuse*** 사일런트 마조리티, 무언(無言)의 다수, 일반 대중.

majuscule [maʒyskyl] *adj.* ① 대문자의 : lettre ~ 대문자. ② 《구어》 큰(= grand) ; 대단한, 중요한(= important) : personnage ~ 중요한 인물, VIP. ── *f.* 대문자.

⁑**mal**[1] [mal] *m.* (*pl.* ***maux*** [mo]) ① 악(惡) ; 나쁜 짓 ; 죄악(= crime) : faire le ~ 나쁜 짓을 하다, 죄를 짓다(= pécher) / le bien et le ~ 선악(善惡). ② 화(禍), 재난, 재화, 참화 ; 불행(= malheur) : les *maux* qui frappent l'humanité 인류에게 내려지는 재난 / réparer le ~ causé par un incendie 화재로 인한 손해를 보상하다 / vouloir du ~ à qn …의 불행을 바라다. ③ 고통, 아픔(= douleur) : ~ insupportable 참을 수 없는 고통 / ~ de ventre 복통 / J'ai ~ à la tête 두통이 나다. ④ 어려움, 곤란, 장애(= difficulté) ; 수고, 노력(= peine) : On n'a rien sans ~. 노력 없이는 아무것도 얻을 수 없다 / Le ~, c'est qu'il n'est pas là. 곤란한 점은 그가 거기에 없다는 점이다. ⑤ 병, 질병 ; 멀미 : ~ de gorge 후두염 / ~ des montagnes 고산병 / ~ de mer 뱃멀미 / ~ de la route 차멀미. ⑥ 나쁜〔잘못된〕 점 : En lui, le bien l'emporte sur le ~. 그에게는 단점보다 장점이 많다. ⑦ 나쁜 의도, 악의 : sans penser 〔songer〕 à ~ 악의 없이, 해칠 마음 없이 / Je n'y entends aucun ~. 나쁜 뜻은 없다. ***avoir du ~ à*** + *inf.* …하는 데 애쓰다〔고생하다〕 ; …하기가 힘들다 : J'*ai du* ~ *à* comprendre ce que vous dites. 당신이 하는 말을 이해하기가 어렵군요. ***avoir ~ à la tête*** 〔***aux dents***〕 머리〔이〕가 아프다. ***dire du ~ de*** qn …을 나쁘게 말하다〔비방하다〕, …의 험담을 하다. ***en ~*** 나쁘게, 나쁜 뜻으로 : prendre 〔tourner〕 *en* ~ qc …을 나쁜 뜻으로 해석하다 / parler *en* ~ de qn 〔qc〕 …에 대해 좋지 않게 말하다. ***être en ~ de*** qc

M

〔+*inf.*〕 …이 없어서〔…을 산출해 내려고〕 고심하다 ; …을 하고 싶어서 못견디다 : écrivain *en* ~ *de* sujet 〔d'imagination〕 마땅한 주제를 찾아내려고〔상상력을 발동하려고〕 애를 쓰는 작가. ***faire du ~*** (***à***) …에 해를 입히다 ; 나쁜 짓을 하다. ***faire*** (***du***) ~ ***à*** qn …에게 아픔을 주다, …을 아프게 하다 : Vous *me faites* ~. 아파요 / La tête *me fait* ~. 머리가 아프다. ***Il n'y a pas de ~ à cela.*** 그렇게 해도 지장 없다. ***~ de cœur*** 구토. ***~ du pays*** 향수병, 홈 식. ***mettre*** qn ***à ~*** …에게 나쁜 짓을 시키다 ; (여자를) 유혹하다. ***prendre du ~*** 병들다, 《특히》 감기 들다. ***prendre*** qc ***en*** 〔***à***〕 ~ …을 나쁘게 해석하다〔곡해하다〕. ***se donner du ~ pour*** +*inf.* …하려고〔하느라고〕 애쓰다, 고심참담하다 : Il *sést donné du* ~ *pour* y parvenir. 그는 그 일을 성사시키는 데 갖은 애를 썼다. ***se faire du ~*** 다치다, 상처입다 : Il *s'est fait du* ~ en tombant. 그는 넘어져서 다쳤다. ***un ~ de chien*** 〔***de tous les diables***〕 대단한 고생.

— *adv.* ① 나쁘게, 불완전하게 ; 서투르게, 졸렬하게, 잘못, 부당하게 : affaire qui va ~ 잘 안 되는 일〔사업〕 / Je parle ~ le français. 나는 프랑스어를 잘 못한다 / traiter ~ qn …을 학대하다. ② 《다분히 부정적 의미로》 충분히 …하지 않은 : salle ~ chauffée 난방이 잘 되지 않은 방 / enfants ~ nourris 영양실조의 아이들 / J'ai ~ dormi. 나는 잠을 잘 못 잤다. ③ (도덕적으로) 나쁘게, 부정하게 : Cet homme se conduit ~. 이 남자는 품행이 올바르지 못하다 / fortune ~ acquise 부정하게 얻은 재산. ④ 악의를 가지고, 좋지 않게, 불친절하게 : Il parle ~ des autres. 그는 남들을 험담한다. ⑤ 《속사》 나쁜, 옳지 못한, 부당한, 시원치 않은 ; 몸이 불편한, 기분이 나쁜 : C'est très ~ à lui. 그 놈이 그런 짓을 하다니 아주 고약하군 / être ~ dans ses affaires 사업이 시원치 않다〔잘 안 되다〕 / Le malade va ~. 환자의 상태가 좋지 않다. ***aller de ~ en pis*** 점점 나빠지다. ***aller ~*** (사업 따위가) 잘 안 되다 ; 건강이 나쁘다. ***bien ou ~*** 좋든 나쁘든. ***être au plus ~*** 매우 위독하다. ***être ~ avec*** qn …와 사이가 나쁘다. ***être ~ ensemble*** 사이가 나쁘다. ***~ fait*** (옷 · 사람 따위가) 어울리지 않는 ; (성질이) 나쁜. ***parler ~ de*** …을 나쁘게 말하다. ***pas ~*** 꽤 많이 ; 잘 ; 《속사로 쓰여서》 상당히 좋은 : Cette jeune fille n'est *pas* ~. 저 처녀 괜찮은데〔멋진데〕 / J'ai déjà *pas* ~ bu. 나는 벌써 많이 마셨다. ***pas ~ de...*** 많은… : Vous avez déjà appris *pas* ~ *de* choses. 너는 이제 많은 일을 배웠다. ***prendre ~*** qc …을 곡해하다, …에 화내다 : Il *a* ~ *pris* mes remarques. 그는 내 충고를 곡해했다. ***se porter ~*** 건강이 좋지 않다 ; 몸이 불편하다. ***se sentir ~*** 기분이 좋지 않다. ***tant bien que ~*** 그럭저럭.

*__mal[2], e__ [mal] *adj.* 《옛》 나쁜(= mauvais) 《현재는 남성단수형으로 다음 표현에만 쓰임》. ***bon an, ~ an*** (좋은 해와 나쁜 해를) 평균하여, 연평균. ***bon gré, ~ gré*** 좋든 싫든.

mal- *préf.* ① 「나쁜」의 뜻. ② 「불충분한 · 불완전한」의 뜻.

Malabar [malabaːʀ] *n.pr.f.* (Côte de ~) 말라바르《인도 서남단 지방》.

malabar [malabaːʀ] *adj.* et *n.* 《구어》 건장한 (사람), 튼튼한 (사람)(= costaud).

malachite [malak〔ʃ〕it] *f.* 〖광물〗 공작석(孔雀石).

⁑__malade__ [malad] *adj.* ① ⓐ 병든, 탈난 : être gravement ~ 중병이다 / être ~ du cœur 〔de l'estomac〕 심장〔위장〕병에 걸리다 / partie ~ 환부(患部). ⓑ (동식물이) 병든 : chien ~ de la rage 광견병에 걸린 개 / plante ~ 병든 식물. ② (기분 따위가) 나쁜 ; (정신적으로) 상처 입은 ; 머리가 돈 : se sentir ~ 기분이 좋지 않다 / avoir le cœur ~ 마음의 상처를 입고 있다 / 《~ de》 être ~ *de* jalousie 질투심으로 끙끙 앓고 있다. ③ 《비유》 (사회가) 병든, (사업 따위가) 부진한 : société ~ 병든 사회 / entreprise ~ 부진한 기업. ***~ à mourir*** 병이 아주 심한, 중병인. ***se faire porter ~*** 꾀병을 부리다 ; 결석계를 내다. — *n.* 병자, 환자 : ~ mental 정신병자 / guérir 〔opérer〕 un ~ 환자를 치료〔수술〕하다.

⁑__maladie__ [maladi] *f.* ① ⓐ 병, 질병, 질환 : ~ grave 중병 / ~ épidémique 전염병 / ~ incurable 불치병 / ~ mentable 정신병 / ~ professionnelle 직업병 / attraper 〔contracter〕 une ~ 병에 걸리다. ⓑ (동 · 식물의) 병 : ~ de la vigne 포도나무의 병 / ~ des chiens 〖수의학〗 디스템퍼. ② 심한 버릇, 괴벽(= manie) ; 광(狂) : avoir la ~ de se mêler des affaires d'autrui 다른 사람의 일에 참견하는 나쁜 버릇이 있다 / ~ du jeu 도박광. ***en faire une ~*** (그것을) 몹시 괴로워하다〔걱정하다〕. ***faire une ~*** 앓다 ; 괴로움을 겪다. ***M~ !*** 《속어》 제기랄, 빌어먹을.

maladif, ive [maladif, -iːv] *adj.* 병약한 ; 병적인 : enfant ~ 병약한 아이 / sensibilité ~*ive* 병적인 감수성.

maladivement [maladivmɑ̃] *adv.* 병적으로.

maladresse [maladʀɛs] *f.* ① 서투른〔졸렬한〕 솜씨, 미숙함 : avec ~ 서투르게. ② 실수, 과실(= faute, bêtise) : commettre 〔faire〕 une ~ 실수를 범하다.

*__maladroit, e__ [maladʀwa, -at] *adj.* ① 서투른, 졸렬한, 어설픈 : conducteur ~ 서투른 운전사 / être ~ de ses mains 손재주가 없다. ② 경솔한, 부주의한(= adroit) : mot ~ 경솔한 말. — *n.* 서투른 사람, 솜씨 나쁜 사람.

maladroitement [maladʀwatmɑ̃] *adv.* 서투르게, 졸렬하게, 어설프게.

malaga [malaga] *m.* 스페인의 말라가 (*Malaga*) 산 포도〔포도주〕.

mal(-)aimé, e [malɛ〔e〕me] *adj.* 사랑받지 못하는 ; 인기가 없는(≠ bien-aimé) : gouvernement ~ de la foule 민심을 얻지 못한 정부. — *n.* 사랑받지 못하는 사람.

malais, e[1] [malɛ, -ɛːz] *adj.* 말레이시아의. — **M~** *n.* 말레이시아 사람. — *m.* 말레이시아어.

*__malaise[2]__ [malɛːz] *m.* ① 거북스러움, 불편함, 불쾌감(= indisposition) : avoir un ~ 몸이 불편하다. ② 불안, 걱정(= inquiétude, angoisse). ③ (사회적) 불만(= mécontentement) : ~ paysan 농민의 불만.

malaisé, e [malɛ(e)ze] *adj.* 어려운, 곤란한, 힘드는(= ardu, difficile) : tâche ~*e* 어려운 일〔임무〕/《~ à+*inf.*》 théorie ~*e à* comprendre 이해하기 어려운 이론. ***Il est ~ de****+inf.* …하기는 어렵다.

malaisément [malɛzemɑ̃] *adv.* 간신히, 가까스로, 겨우, 힘들여.

Malaisie [malɛ(e)zi] *n.pr.f.* ① 〖지리〗 말레이 군도(= les îles de la ~) ; 말레이 반도(= péninsule malaise). ② 말레이시아 연방(= la fédération de *M*~).

malandrin [malɑ̃drɛ̃] *m.* 《문어》 강도, 도둑(= bandit, voleur) ; 불량배(= rôdeur).

malappris, e [malapri, -i:z] *adj.* 버릇없는, 상스러운. ── *n.* 버릇없는〔상스러운〕 사람 : Espèce de ~! 이 버릇없는 놈!

malaria, mal'aria [malarja] *f.* 〖의학〗 말라리아.

malaxage [malaksa:ʒ] *m.*, **malaxation** [malaksɑsjɔ̃] *f.* ① 이기기, 반죽. ② (팔·다리를) 주무르기, 마사지.

malaxer [malakse] *v.t.* ① (찰흙 따위를) 반죽하다(= pétrir). ② (팔·다리 따위를) 주무르다, 마사지하다(= masser).

malaxeur [malaksœ:r] *m.* 반죽하는〔이기는〕 기구, 혼합기.

***malchance** [malʃɑ̃:s] *f.* 불운, 불행(≠ chance) : avoir de la ~ 운이 나쁘다.

malchanceux, euse [malʃɑ̃sø, -ø:z] *adj.* et *n.* 불운한 (사람) : joueur ~ 불운한 도박꾼.

malcommode [malkɔmɔd] *adj.* 《옛》 불편한.

maldonne [maldɔn] *f.* ① (트럼프 따위를) 잘못 돌리기 ; 〖상업〗 (분배·계산의) 잘못 : faire (une) ~ 패를 잘못 돌리다. ② 착오, 오해(= erreur, malentendu).

mâle** [ma:l] *adj.* ① 남자〔남성〕의 ; 수컷의 : enfant ~ 남자아이. ② 남자다운 ; 늠름한 ; 용감한, 씩씩한(= courageux, viril) ; (문장 따위가) 힘찬, 박력 있는(= vigoureux) : ~ beauté 남성미 / style ~ 박력있는 문체. ***fleur ~ 수꽃. ***vis ~*** 수나사. ── *m.* 수컷 ; 남자, 남성. ***de ~ en ~*** 〖법률〗 남계(男系)에 의하여. ***un beau ~*** 《구어》 대장부, 쾌남아.

malédiction [malediksjɔ̃] *f.* ① 저주, 저주하는 말 ; jeter une ~ à …을 저주하다. ② (*pl.*) 《비유》 (숙명적인) 불행, 불운(= malheur, infortune). ── *interj.* (*M*~ *!*) 빌어먹을, 제기랄, 아뿔싸.

maléfice [malefis] *m.* ① 주문(呪文), 주술(呪術) : jeter des ~*s* sur qn …에게 주문을 외어 재앙이 닥치게 하다. ② 마법, 마술.

maléfique [malefik] *adj.* 불길한 : signes ~*s* 불길한 징조 / être né sous une étoile ~ 불길한 별 아래〔저주받고〕 태어나다.

malencontreusement [malɑ̃kɔ̃trøzmɑ̃] *adv.* 운수 나쁘게 ; 공교롭게.

***malencontreux, euse** [malɑ̃kɔ̃trø, -ø:z] *adj.* 공교로운(= inopportun) ; 불행한, 불운한(= fâcheux) ; 재수없는, 불쾌한 : accident ~ 불운한 사고 / remarque ~*euse* 공교로운 지적 / panne ~*euse* 재수 없는 고장.

mal(-)en(-)point [malɑ̃pwɛ̃] *adj.* 《불변》 《구어》 (몸이) 좋지 않은〔불편한〕 ; 곤경〔궁지〕에 빠진, 난처한, 곤란한 : malade qui est bien ~ 상태가 매우 좋지 않은 환자.

malentendant, e [malɑ̃tɑ̃dɑ̃, -ɑ̃t] *adj.* 귀가 부자유스런. ── *n.* 난청자.

***malentendu** [malɑ̃tɑ̃dy] *m.* 오해 ; (감정의) 불일치, 불화, 알력(= désaccord) : provoquer des ~*s* 오해를 불러일으키다 / dissiper 〔faire cesser〕 un ~ 오해를 풀다.

mal(-)être [malɛtr] *m.* 《복수불변》 (사회에 대한) 불만.

malfaçon [malfasɔ̃] *f.* 서투른 솜씨 ; 서투르게〔볼품없이〕 된 것 ; 결함.

malfaisance [malfəzɑ̃:s] *f.* 악의 ; 악영향, 해악.

malfaisant, e [malfəzɑ̃, -ɑ̃:t] *adj.* 악의 있는 ; 유해(有害)한(= nuisible) : idées ~*es* 유해한 사상 / influence ~*e* 악영향 / insecte ~ 해충.

***malfaiteur, trice** [malfɛtœ:r, -tris] *n.* 악당 ; 범죄자, 강도 : dangereux ~ 흉악범 / bande de ~*s* 강도단.

malfamé, e, mal famé, e [malfame] *adj.* 평판이 나쁜.

malformation [malfɔrmɑsjɔ̃] *f.* 〖의학〗 (선천성) 기형(畸形).

malfrat [malfra] *m.* 《속어》 악당, 불한당.

malgache [malgaʃ] *adj.* 마다가스카르(*le Madagascar*)의. ── **M~** *n.* 마다가스카르 사람. ── *m.* 마다가스카르어(語).

⁑**malgré** [malgre] *prép.* ① 《~ qn》 …의 뜻을 어기고, …의 의사를 무시하고 : se marier ~ ses parents 부모의 반대에도 불구하고 결혼하다. ② 《~ qc》 …을 무릅쓰고, …에도 불구하고(= en dépit de) : ~ cela 그럼에도 불구하고 / ~ tout son talent 뛰어난 재능이 있으면서도. ***~ que****+sub.* 〔《드물게》+*ind.*〕 …임에도 불구하고 ; …이지만(= quoi que) : ~ *qu*'il soit 〔est〕 bête 그는 바보이지만 / ~ *qu*'il ait beaucoup de travail 그는 일이 많음에도 불구하고. ***~ qu'il en ait*** 〔***~ que j'en aie***〕 《옛》 아무리 싫더라도, 어쩔〔하는〕 수 없이, 부득이 : Il doit obéir, ~ *qu'il en ait.* 그는 좋든 싫든 간에 복종해야만 한다. ***~ soi*** ⓐ 자기 뜻에 반하여, 마지못해(= bien à contrecœur) : accepter une proposition ~ *soi* 마지못해 제의를 수락하다. ⓑ 본의 아니게(=involontairement) : J'ai entendu votre conversation ~ *moi.* 본의 아니게 당신의 대화를 들었습니다. ***~ tout*** ⓐ 무슨 일이 있어도, 기어코 : *M*~ *tout*, nous réussirons. 무슨 일이 있더라도 우리는 성공할 거다. ⓑ 그렇기는 해도(= et pourtant) : Il a des défauts, mais ~ *tout* il est gentil. 그는 결점이 있기는 하지만 그래도 상냥하다. ⓒ 뭐니뭐니해도 : C'était un grand homme, ~ *tout.* 그는 누가 뭐라고 해도 위대한 인물이었다.

malhabile [malabil] *adj.* 서투른, 미숙한 : mains ~*s* 서투른 솜씨 / ~ en affaires 사업에 수완이 없다.

malhabilement [malabilmɑ̃] *adv.* 서투르게, 어설프게.

⁑**malheur** [malœ:r] *m.* ① 불행, 불운 ; 불행한 일 ; 재난, 재앙, 화(禍)(≠ bonheur) : tomber dans le ~ ; avoir du ~ 불행에 빠지다 / tirer une leçon de chaque ~ 재난에서 교훈을 얻다 / Il a eu bien des ~*s.* 그는 많은 불행한 일을 겪었다. ② 곤란한 일, 형편

이 나쁨 : Le ~, c'est qu'il était marié. 곤란하게도 그는 기혼자였다. ③ 역경, 불운 : ~s de la vie 인생의 역경 / La femme montre du courage dans le ~. 여성은 역경에 처하여 용기를 발휘한다. ④ 《간투사적》《절망, 놀라움을 표시》 *M~ !* il m'a trahi ! 이럴 수가! 그 자가 나를 배신하다니! ***A quelque chose ~ est bon.*** 《격언》 전화위복이 될 수도 있다. ***avoir le ~ de***+*inf.* 불행히도…하다 : Il *a eu le ~ d'*échouer à examen. 그는 불운하게도 시험에 떨어졌다. ***de ~*** 불행을 초래하는, 불길한 : oiseau *de ~* 불길한 새. ***être en ~*** 운수가 나쁘다. ***faire le ~ de*** qn …을 불행하게 만들다; 고생시키다. ***faire un ~*** 불상사를 일으키다, 《구어》 터무니없는 짓을 저지르다; 남에게 폐를 끼치다. ***jouer de ~*** (승부에) 운이 없다. ***le beau ~*** 불행중 다행. ***Le grand ~ !*** 《반어적》 무어 그까짓 일을 가지고. ***M~ à (sur)... !*** …에게 재앙이 있으라. ***par ~*** 불행히(도). ***porter ~*** 불행을 가져오다〔초래하다〕. ***pour son ~*** 불행하게도. ***Quel ~ que***+*sub.* …하다니 얼마나 불행한 일인가. ***Un ~ ne vient jamais seul.*** 《속담》 화불단행(禍不單行), 재앙은 늘 겹쳐 온다.

‡malheureusement [malœʀøzmɑ̃] *adv.* 불행하게도, 공교롭게, 운수 나쁘게.

‡malheureux, euse [malœʀø, -ø:z] *adj.* ① 《명사 앞 · 뒤에서》 불행한; 불쌍한, 가련한, 비참한(= misérable, pitoyable) : existence *~euse* 불행한 삶 / prendre un air ~ 가련한 모습을 하고 있다. ② 운 나쁜, 불운한(= malchanceux); 결과가 나쁜, 실패한 : candidat ~ 낙방한 후보자〔수험생〕/ être ~ en affaires 사업에 운이 없다 / expérience *~euse* 실패한 실험. ③ 마음 아픈, 유감스러운, 딱한(= regrettable) : accident ~ 유감스러운 사고 / dans de *~euses* circonstances 딱한 상황에 처하여. ④ (말 · 행동 따위가) 격에 맞지 않는, 일을 그르치는, 엉뚱한 : avoir un mot ~ (상대의 감정을 해치는) 엉뚱한 말을 하다, 실언하다. ⑤ 《명사 앞에서》 보잘것없는, 하찮은(= insignifiant, pauvre) : ~ écrivain 3류 작가 / En voilà des histoires pour un ~ billet de dix francs ! 하찮은 10 프랑 지폐 때문에 이 무슨 말썽인지. ***avoir la main ~euse*** 《구어》 서투르다, 운수가 나쁘다; 실패하다; 실수하다. ***C'est bien ~*** 매우 유감이다.

── *n.* ① 불행한 사람; 불쌍한〔가련한, 가엾은〕 사람; 가난한 사람 : aider 〔secourir〕 les ~ 가난한 사람을 돕다 / Le ~ 〔La *~euse*〕! 가엾은 사람이다. ② 《간투사적으로 분노 · 비난 · 경고 따위를 나타냄》 *M~ !* Qu'as-tu fait ? 이 딱한 친구야! 무슨 짓을 한 거야?

malhonnête [malɔnɛt] *adj.* et *n.* ① 부정직한 (사람), 불성실한 (사람) : ~ homme 불성실한 사람 / recourir à des procédés *~s* 부정한 방법을 쓰다. ② 《옛》 무례한〔버릇없는, 뻔뻔스러운〕 (사람); 상스러운 (사람)(= impoli, grossier).

malhonnêtement [malɔnɛtmɑ̃] *adv.* ① 부정직하게, 불성실하게 : s'enrichir ~ 부정하게 돈을 벌다. ② 《옛》 무례하게, 버릇없이.

***malhonnêteté** [malɔnɛtte] *f.* ① 불성실, 부정직; 불성실한〔부정직한〕 언행 : ~ d'un comptable 회계원의 부정직. ② 《옛》 무례함, 버릇없는〔뻔뻔스러운〕 언행 : dire une ~ 무례한 말을 하다.

Mali [mali] *n.pr.m.* 〖지리〗 말리 《서아프리카의 공화국》.

malice [malis] *f.* ① 악의, 앙심, 심술궂음 : agir par pure ~ 순전히 악의적으로 행동하다 / Il est sans ~. 그는 악의 없는〔순진한〕 사람이다. ② 장난기, 놀림(= plaisanterie, farce); 비꼼, 우롱(= moquerie) : ~ bien innocente 악의 없는 장난 / réponse pleine de ~ 몹시 비꼬는 대답. ***dire des ~s à*** qn …을 놀리다. ***faire une ~ à*** qn …에게 장난을 치다.

malicieusement [malisjøzmɑ̃] *adv.* ① 《옛》 악의를 가지고. ② 짓궂게, 장난으로.

malicieux, euse [malisjø, -ø:z] *adj.* ① 《옛》 악의에 찬. ② 짓궂은, 장난기 있는, 비꼬는 : regard ~ 장난기 있는 눈초리.

── *n.* 장난꾸러기, 심술쟁이.

maligne [maliɲ] *adj. f.* ⇒ malin.

malignement [maliɲmɑ̃] *adv.* ① 《옛》 심술궂게. ② 짓궂게, 장난으로; 꾀바르게.

malignité [maliɲite] *f.* ① 악의, 심술궂음 : ~ du destin 운명의 장난 / calomnie faite par ~ 악의에 의한 중상. ② 유해성(= nocivité); (종양 따위의) 악성.

malin, gne** [malɛ̃, -iɲ] *adj.* ① 심술궂은, 간악한, 악의에 찬(= mauvais, méchant) : *~s* propos 짓궂은 말 / ~ plaisir 악랄한 기쁨. ② 유해한, 해로운(= nocif, pernicieux); (병이) 악성의 : influence *~gne* 악영향 / tumeur *~gne* 악성 종양. ③ 꾀바른, 약삭빠른, 교활한(= astucieux, futé); 빈틈없는, 영리한(= intelligent) : commerçant ~ 빈틈없는 장사꾼 / ~ comme un singe 몹시 꾀바른. ④ 장난 좋아하는, 장난기 많은 : regard ~ 장난기 섞인 눈매. ⑤ 《구어》 어려운, 힘드는, 곤란한, 복잡한(= compliqué, difficile). ***Ce n'est pas ~ de+*inf.* …하는 것은 바보짓이다 : *Ce n'est pas ~ d'*avoir fait cela ! 그런 짓을 하다니 정말 어처구니 없군! ***C'est ~ !*** 《반어적》 그런 바보짓을 하다니(= C'est stupid) ! ***C'est*** 〔***Cela n'est***〕 ***pas ~ !*** 《구어》 그건 힘들 것 없다. ***enfant ~*** 〖문학〗 큐피드. ***l'esprit ~; le ~ esprit*** [malɛ̃nɛspʀi] 악마. ***~ vouloir*** 악의(惡意).

── *n.* ① (le *M~*) 악마. ② 꾀바른〔교활한〕 사람; 빈틈없는〔영리한〕 사람; 장난꾸러기. ***À ~, ~ et demi.*** 《속담》 뛰는 놈 위에 나는 놈 있다. ***C'est un ~.*** 아주 영리한 놈이다. ***faire le*** 〔***son***〕 ***~*** 《구어》 똑똑한 체하다, 허세를 부리다. ***vieux ~*** 약빠리, 여우 같은 놈.

malingre [malɛ̃:gʀ] *adj.* 허약한(= chétif).

malintentionné, e [malɛ̃tɑ̃sjɔne] *adj.* et *n.* 악의에 찬 (사람).

malle** [mal] *f.* ① 여행용 가방, 트렁크(= coffre) : défaire ses *~s* 짐을 풀다. ② (자동차의) 트렁크; 《옛》 우편마차(= ~-poste). ***boucler sa ~ 떠날 준비를 하다; 죽다. ***faire sa ~*** 〔***ses ~s***〕 짐을 꾸리다; 출발 준비를 하다.

malléabilité [maleabilite] *f.* ① (금속의) 전

M

연성(展延性), 가단성(可鍛性). ② 온순함, 유순함 ; 유연성 : ~ d'un caractère 융통성이 있는 성격.

malléable [maleabl] *adj.* ① (금속이) 전연성〔가단성〕이 있는. ② 온순한, 유순한, 유연성 있는(= flexible).

mallette [malɛt] *f.* 작은 트렁크.

malmener [malməne] [4] *v.t.* ① (사람을) 호되게 다루다, 학대하다 ; 마구 윽박지르다, 혹평하다 : ~ son chien 개를 학대하다. ② (싸움·운동 경기 따위에서) 호되게 몰아붙이다〔공격하다〕.

malnutrition [malnytʀisjɔ̃] 〔영〕 *f.* 영양 부족, 영양 실조.

malodorant, e [malɔdɔʀɑ̃, -ɑ̃:t] *adj.* 고약한 냄새가 나는, 악취를 풍기는.

malotru, e [malɔtʀy] *adj.* et *n.* 무례한 (사람) ; 버릇없는 (사람), 교양 없는 (사람).

malpoli, e [malpɔli] *adj.* et. *n.* 《구어》 무례한〔불손한〕 (사람)(= impoli).

malpropre [malpʀɔpʀ] *adj.* ① 더러운, 불결한(= sale) : habits ~*s* 더러운 옷 / enfant ~ 불결한 아이. ② 불성실한, 부정직한(= malhonnête) ; (도덕적으로) 비열한 : individu ~ 부정직한 사람 / conduite ~ 비열한 행위. ③ (일솜씨가) 거친, 조잡한 : travail ~ 조잡한 일. ④ 외설적인, 음탕한(= obscène) : propos ~*s* 음담패설. — *n.* 비열한〔뻔뻔스런〕 사람.

malproprement [malpʀɔpʀəmɑ̃] *adv.* ① 더럽게, 불결하게. ② 불성실하게, 부정직하게, 비열하게. ③ 외설스럽게, 추잡하게.

malpropreté [malpʀɔpʀəte] *f.* ① 더러움, 불결(함). ② (*pl.*) 더러운 것, 오물(汚物). ③ 불성실, 부정직 ; 부정 행위. ④ 외설스러운〔추잡한〕 언행.

malsain, e [malsɛ̃, -ɛn] *adj.* ① 건강에 해로운, 몸에 나쁜(≠ sain) : climat ~ 건강에 해로운 기후 / logement ~ 비위생적인 주거. ② 불건전한 ; 부도덕한(= immoral) : esprit ~ 건전하지 못한 정신. ③ 정신을 해치는, 퇴폐적인, 병적인 : littérature ~*e* 퇴폐적인 문학. ④ 《구어》 위험한 : Filons d'ici, le coin est ~. 달아나자, 여기는 위험하다.

malséance [malseɑ̃:s] *f.* 《문어》 부적합, 부적당 ; 무례함, 결례.

malséant, e [malseɑ̃, -ɑ̃:t] *adj.* 《문어》 부적당한, 어울리지 않는(= inconvenant) ; 무례한(= grossier) : 《비인칭》 Il est ~ de+*inf.* …하는 것은 부적당하다, 실례이다.

malsonnant, e [malsɔnɑ̃, -ɑ̃:t] *adj.* (말·이야기가) 귀에 거슬리는 ; 상스러운, 무례한.

malt [malt] 〔영〕 *m.* 엿기름, 맥아《양조용》.

maltais, e [maltɛ, -ɛ:z] *adj.* 몰타 섬(*la Malte*)의. — **M~** *n.* 몰타 사람.

malteur [maltœ:ʀ] *m.* 맥아 제조인.

malthusianisme [maltyzjanism] *m.* ① 맬서스《*Malthus*, 1766–1834, 영국의 경제학자》주의, 맬서스 인구론 ; 산아제한론. ② (1955 년경의) 축소〔반팽창〕주의. ~ ***économique*** 〖경제〗 생산의 억제〔축소〕 (정책).

malthusien, enne [maltyzjɛ̃, -ɛn] *adj.* 맬서스주의의 ; 산아 제한론의 ; 〖경제〗 생산 제한〔축소〕론의. — *n.* 맬서스주의자 ; 산아 제한론자 ; 생산 제한론자.

***maltraiter** [maltʀɛ〔e〕te] *v.t.* ① 학대〔구박〕하다 ; (여자가 남자를) 매정하게 대하다 : ~ un chien 〔un enfant〕 개〔아이〕를 학대하다. ② 혹평하다 : ~ un auteur 작가를 혹평하다. ③ 불리하게 하다 ; …에게 손해를 입히다 : L'orage *a maltraité* les vignes. 포도밭이 심한 비바람으로 피해를 입었다.

malus [malys] *m.* (사고 운전자에 대한) 보험료의 할증 ; 할증료 : Il a eu un ~ de 25 %. 그는 25 %의 할증료를 냈다.

malveillance [malvɛjɑ̃:s] *f.* ① 악의, 적의 : regarder avec ~ 악의에 찬 눈으로 보다. ② 범의(犯意) : incendie dû à la ~ 방화(放火).

malveillant, e [malvɛjɑ̃, -ɑ̃:t] *adj.* 적의를 품은, 악의에 찬 : paroles ~*es* 악의에 찬 말 / remarques ~*es* 악의에 찬 지적. — *n.* 악의〔적의〕를 품은 사람, 심술궂은 사람.

malvenu, e [malvəny] *adj.* 《être ~ à 〔de〕 + *inf.*》 …할 이유〔자격, 권리〕가 없는 : Il *est ~ à* 〔*de*〕 se plaindre. 그는 불평할 이유가 없다.

malversation [malvɛʀsɑsjɔ̃] *f.* 공금 횡령, 착복(= détournement) ; 독직(= forfaiture) : ~ d'un fonctionnaire 공무원의 착복.

malvoyant, e [malvwajɑ̃, -ɑ̃:t] *adj.* 눈이 잘 보이지 않는. — *n.* 시력 장애자.

‡**maman** [mamɑ̃] *f.* ① 《소아어》 엄마(≠ papa) : *M~* est sortie. 엄마는 외출했어요. ② 어머니 ; 주부, 아줌마 ; 《구어》 여자 : grosse ~ 《구어》 뚱뚱한 여자 / jeune ~ 젊은 주부 / Je suis la ~ de Paul. 나는 폴의 어머니입니다. ***bonne ~*** 할머니(= grand-~).

mamelle [mamɛl] *f.* ① (포유동물의) 유방, 젖통 : ~*s* de la vache 암소의 유방. ② 《옛》 (여자의) 젖가슴, 가슴(= sein) : enfant à la ~ 젖먹이. ③ 《비유》 (정신·물질적) 양식.

mamelon [mamlɔ̃] *m.* ① 〖해부〗 젖꼭지, 유두. ② 원구(圓丘) ; 원형 돌기(突起).

mamelonné, e [mamlɔne] *adj.* 젖꼭지 모양의 돌기가 있는 ; 기복이 많은 : plaine ~*e* de collines 언덕들이 산재해 있는 평야.

mamel(o)uk [mamluk] *m.* 〖역사〗 ① (노예 출신의) 마믈루크 민병대의 병사《13–19 세기에 수차례 터키·이집트를 지배함》. ② (나폴레옹 1 세가 창설한) 마믈루크 친위대(= ~ de la garde impériale).

m'amie, mamie¹ [mami] 《mon amie 의 옛 형태》 *m.* 《구어》 내 귀여운 여자〔애인〕.

mamie², mammy [mami] *f.* ① 《소아어》 할머니. ② 《일반적》 나이 많은 부인.

mammaire [ma(m)mɛ:ʀ] *adj.* 〖해부〗 유방의 : glande ~ 유선(乳腺).

mammifère [ma(m)mifɛ:ʀ] *adj.* 《드물게》 유방이 있는. — *m.* 포유동물 ; (*pl.*) 포유류.

mammouth [mamut] 〔러시아〕 *m.* ① 〖고생물〗 매머드《고대의 화석 거상(巨象)》. ② 《형용사적》 매머드급의, 거대한 ; 장시간에 걸친.

m'amour, mamour [mamu:ʀ] 《mon amour 의 옛 형태》 *f.* ① 귀여운 사람《여자에 대한 애칭》. ② (*pl.*) 《구어》 애무(= caresse). ***faire des ~s à*** qn, …을 애무하다.

mam'selle, mam'zelle [mamzɛl] *f.* 《구어》 ⇒ mademoiselle.

management [mana(d)ʒmɑ̃, manadʒmɛnt] 〔영〕 *m.* 관리 ; 운영 ; 《집합적》 경영진.

M

manager¹ [mana(d)ʒœ(ɛ):ʀ] 〔영〕 *m.* ① (기업의) 경영자, 관리자, 지배인. ② (극장 · 운동 단체의) 흥행주, 매니저.

manager² [mana(d)ʒe] 3 〔영〕 *v.t.* ① (기업을) 관리하다, 경영하다 ; (예능인의) 흥행을 관리하다. ② 〖스포츠〗 감독하다.

manant [manɑ̃] *m.* ① 《구어》 농민, 시골뜨기. ② 《문어》 예절없는〔버릇없는〕 사람, 상놈. ③ (중세의) 평민.

manche¹** [mɑ̃:ʃ] *f.* ① 소매 : chemise à ~*s* courtes 〔longues〕 반소매〔긴소매〕 셔츠 / retrousser les ~*s* 소매를 걷어 올리다 ; 열심히 일하기 시작하다. ② 도관(導管) ; 호스 : ~ à eau (물대는) 호스 / ~ à air² 〖항공〗 풍향 지시 깃발. ③ 〖스포츠〗 3 판 중의 한 판, 5 세트 중의 한 세트 : jouer en deux 〔trois〕 ~*s* 3〔5〕판 2〔3〕승제로 승부를 겨루다 / être ~ à ~ 세트 스코어가 동점이다. ④ 〖지리〗 해협(= bras de mer, détroit) : la *M*~ 영불 해협. ***avoir qn ***dans sa ~*** 《구어》 …을 제 마음대로 할 수 있다. ***C'est une autre paire de ~s.*** 《구어》 그것은 전연 다르다〔더 어려운 일이다〕. ***donner la*** (***bonne***) ***~ à*** qn 《옛 · 구어》 …에게 팁을 주다. ***être dans la ~ de*** qn …의 뜻대로 되다. ***être en ~s de chemise*** 저고리를 벗고 있다. ***tirer*** qn ***par la ~ ; tirer la ~ à*** qn …의 소매를 잡아당기다 ; …에게 애원하다.

manche²** *m.* ① 자루, 손잡이 : ~ de couteau 칼자루 / prendre qc par le ~ …의 자루를 잡다. ② (현악기의) 목 : ~ de guitare 기타의 목〔손잡이〕. ③ 〖요리〗 (양의 넓적다리 고기의 뼈를 집는) 집게(= ~ à gigot) ; (양의 넓적다리 고기에 붙어 있는) 뼈. ④ 《구어》 남근(男根). ⑤ 《구어》 멍청이, 바보(= idiot, maladroit). ***branler au〔***dans le***〕 ~ 결심이 흔들리다 ; 지위가 위태롭다. ***être***〔***se mettre***〕 ***du côté du ~*** 《구어》 우세〔유리〕한 편에 붙어 있다〔붙다〕. ***~ à balai*** 빗자루 ; 〖항공〗 (비행기의) 조종간(桿).

manche³ *f.* 《구어》 구걸, 걸식 : faire la ~ (노상에서) 구걸하다.

mancheron¹ [mɑ̃ʃʀɔ̃] *m.* 쟁기의 손잡이.

mancheron² *m.* ① 짧은 소매. ② 소맷부리 ; 커프스(= manchette).

manchette [mɑ̃ʃɛt] *f.* ① 소맷부리 ; (와이셔츠의) 커프스 ; 소매가리개〔커버〕(= garde-manche). ② (신문 제 1 면의) 큰 표제. ***coup de ~*** (펜싱의) 손목 찌르기 ; (레슬링에서) 아래팔에 의한 강타 ; (배구에서) 아래팔과 손목에 의한 리시브.

manchon [mɑ̃ʃɔ̃] *m.* ① (여자용) 모피 토시. ② 가스맨틀(= ~ à incandescence). ③ 〖기계〗 원통형 부품 ; (축받이의) 똬리쇠.

manchot, e [mɑ̃ʃo, -ɔt] *adj.* ① (한 쪽) 팔〔손〕이 없는〔불구인〕 : ~ du bras gauche 왼팔이 없는. ② 《구어》 손재주가 없는, 서투른 : n'être pas ~ 손재주가 있다 ; 빈틈이 없다. — *n.* 팔〔손〕이 없는〔불구인〕 사람. — *m.* 〖조류〗 펭귄 비슷한 새.

mandant [mɑ̃dɑ̃] *n.* 〖법률〗 위임자, 위탁자. — *m. pl.* 〖정치〗 선거민, 투표자.

mandarin, e¹ [mɑ̃daʀɛ̃, -in] *m.* ① (중국 청나라의) 고관. ② (문단 따위의) 중진 ; 지식인, 엘리트 ; 명사, 거물급 인사.

mandarinat [mɑ̃daʀina] *m.* ① 〖역사〗 (중국의) 고급 관리의 직 ; 과거 제도. ② 《집합적》 특권적 지식 계급

***mandarine²** [mɑ̃daʀin] *f.* 〖식물〗 밀감. — *adj.* 《불변》 밀감색의.

mandarinier [mɑ̃daʀinje] *m.* 〖식물〗 밀감나무.

***mandat** [mɑ̃da] *m.* ① 〖법률〗 위임, 위탁 ; 위임된 임무 : ~ politique 정치적 위임 / ~ représentatif 대표 위임 / remplir son ~ 맡겨진 임무를 다하다 / territoires sous ~ 위임 통치령. ② (의원의) 권한, 직무 ; 임기 : demander le renouvellement de son ~ 재임(再任)을 요청하다. ③ 〖상업〗 환(換), 환어음 : ~ postal 우편환(= ~-poste) / ~ télégraphique 전신환 / ~ international 〔sur l'étranger〕 외국환. ④ 〖법률〗 영장(令狀) : ~ d'arrêt 〔d'arrestation〕 체포 영장 / ~ de comparution 〔de comparaître〕 소환장 / ~ d'amener 구인장(拘引狀).

mandataire [mɑ̃datɛ:ʀ] *n.* 수임자(受任者), 수탁자(≠ mandant) ; 대리인 ; 위임 통치국 : ~ aux Halles 〖상업〗 (파리 중앙 청과물 시장의) 거간상(居間商), 브로커 / ~ du peuple 국민의 대표자, (의회의) 의원.

mandat-carte [mɑ̃dakaʀt] *m.* (*pl.* **~s-~s**) 〖우편〗 (엽서 모양으로 된) 우편환.

mandat-contributions [mɑ̃dakɔ̃tʀibysjɔ̃] *m.* (*pl.* **~s-~**) 납세용 우편환.

mandater [mɑ̃date] *v.t.* ① 《~ qn》 …에게 위임하다 : ~ qn pour la gestion d'une affaire …에게 일을 위임하다. ② 〖재정〗 어음으로 지불하다 ; 우편환으로 지불〔송금〕하다.

mandat-lettre [mɑ̃dalɛtʀ] *m.* (*pl.* **~s-~s**) 봉함 우편환.

mandat-poste [mɑ̃dapɔst] (*pl.* **~s-~**) *m.* 우편환.

mandchou, e [mɑ̃(t)ʃu] *adj.* 만주(*la Mandchourie*)의. — **M~** *n.* 만주인. — *m.* 만주어(語).

Mandchourie [mɑ̃(t)ʃuʀi] *n.pr.f.* 〖지리〗 만주.

mandement [mɑ̃dmɑ̃] *m.* ① 《옛》 명령서 : ~ du Roi 왕의 칙령. ② 〖가톨릭〗 (주교가 교구 신자에게 보내는) 교서(敎書).

mander [mɑ̃de] *v.t.* ① 《옛》 (문서로) 통지하다. ② 《문어》 (사람을) 불러들이다, 소환하다 : ~ qn d'urgence …을 급히 불러들이다. ③ 《옛》 지시〔명령〕하다(= ordonner). ***On mande de... que...*** 〖신문〗 …으로부터 …라는 보도가 있었다, …으로부터의 보도에 의하면.

mandibule [mɑ̃dibyl] *f.* ① 〖동물〗 아래턱 ; 〖곤충〗 큰 턱 ; 〖조류〗 윗〔아랫〕부리. ② 《구어》 (*pl.*) 턱(= mâchoires). ***jouer des ~s*** 《구어》 먹다(= manger).

mandoline [mɑ̃dɔlin] *f.* 만돌린.

mandoliniste [mɑ̃dɔlinist] *n.* 만돌린 연주자.

mandragore [mɑ̃dʀagɔ:ʀ] *f.* 〖식물〗 만드라고라《식물로 마법용으로 사용됨》.

mandrill [mɑ̃dʀil] *m.* 〖동물〗 만드릴《서아프리카산 비비》.

mandrin [mɑ̃dʀɛ̃] *m.* 〖기계〗 ① (선반(旋盤)의) 물림쇠〔장치〕《일감을 고착시키는 장치》. ② (철판을 뚫는) 천공기, 원통형 공구.

manécanterie [manekɑ̃tʀi] *f.* (교회에 부속된) 성가대 양성소.

manège [manɛ:ʒ] *m.* ① 말타기, 조마(調馬)

M

(= équitation) : maître de ~ 조마〔승마〕 교사 / apprendre le ~ 말타기를 배우다, 마술(馬術)을 익히다. ② 마필 조교장, 승마 연습장 ; 마술 학교(= salle de ~) : ~ couvert 옥내 승마 연습장. ③ 메리고라운드 ; 회전목마(= ~ de chevaux de bois). ④ 《구어》 술책, 잔꾀 ; 《옛》 처세술 : observer le ~ de qn …가 술책 부리는 것을 지켜보다.

mânes [mɑ:n] *m. pl.* ① 〖고대로마〗 사자(死者)의 영혼, 망혼. ② 《문어》 영(靈).

manette [manɛt] *f.* 핸들, 손잡이 ; 〖해양〗 (키의) 손잡이 ; 〖전신〗 (모스 발신기의) 키.

manganèse [mɑ̃ganɛ:z] *m.* 〖화학〗 망간 : acier au ~ 망간강(鋼).

mangeable [mɑ̃ʒabl] *adj.* 먹을 수 있는, 식용이 되는 : à peine ~ 식용할 수 없는.

mangeaille [mɑ̃ʒɑ:j] *f.* ① (가축의) 먹이〔사료〕. ② 《구어》 (양만 많은) 맛없는 음식.

mangeoire [mɑ̃ʒwa:ʀ] *f.* 구유, 사료통 ; (가금의) 모이통.

‡manger [mɑ̃ʒe] ③ *v.t.* ① 먹다 ; 《목적보어 없이》 음식을 먹다 ; 식사를 하다 : J'*ai* bien *mangé.* 잘 먹었다 / On *mange* bien dans ce restaurant. 이 음식점의 요리는 맛이 있다 / salle à ~ 식당. ② (쥐 · 곤충이) 갉아먹다, 쏠다, (녹이 쇠를) 부식하다, 삭이다 ; (햇빛이 색을) 바래게 하다 ; (바다 · 파도가 배를) 삼켜 버리다 : vêtement *mangé* aux 〔par les〕 mites 좀먹은 옷 / carrosserie *mangée* par la rouille 녹슨 차체. ③ 《비유》 (걸신들린 듯이) …에 열중하다, 열심히 …하다(= dévorer) : ~ qn des yeux …을 뚫어지게 바라보다 / ~ qn de caresses 〔baisers〕 …에게 애무〔키스〕를 퍼붓다. ④ 《구어》 소비하다, 낭비하다(= consommer, dilapider) : Cette auto *mange* beaucoup d'essence. 이 자동차는 기름을 많이 소비한다 / Il *a mangé* sa fortune au jeu. 그는 도박으로 재산을 탕진했다. ⑤ (말을) 우물거리다, 분명치 않게 발음하다(= avaler) : ~ la moitié de ses mots 분명치 않게 발음하다〔말하다〕. ⑥ (장소를) 차지하다, 덮어 가리다 : Ses cheveux lui *mangent* la figure. 그녀의 얼굴이 머리에 가려 보이지 않는다. ⑦ (거리를) 주파하다, 질주하다 : ~ des kilomètres 몇 킬로미터를 질주하다. ***Ça ne mange pas de pain.*** 유지비가 들지 않는다, 값이 싸게 먹히다. **~ *la consigne*** 〔***la commission***〕 지시〔부탁〕받은 일을 잊어 먹다.

— *v.i.* 먹다 ; 식사하다 : inviter qn à ~ …을 식사에 초대하다 / salle à ~ 식당 / ~ chez soi 〔au restaurant〕 집〔식당〕에서 식사하다. **~ *à son appétit*** 〔***à sa faim***〕 배불리 먹다. **~ *comme quatre*** 《구어》 대식가다. **~ *comme un ogre*** 많이 먹다, 게걸스레 먹다. **~ *comme un oiseau*** 소식(小食)하다. **~ *un morceau*** 간단히 요기하다.

— **se ~** *v.pr.* ① 먹히다. ② 서로 잡아먹다.

— *m.* 《복수없음》 먹기, 식사 ; 음식 : À prendre après ~. 「식후 복용」. ***Il en perd le boire et le ~.*** 그는 그 일에 침식을 잃고 열중해 있다.

mange-tout [mɑ̃ʒtu] *m.* 《복수불변》 꼬투리째 먹는 강낭콩.

mangeur, euse [mɑ̃ʒœ:ʀ, -ø:z] *n.* 먹는 사람 : grand 〔gros, beau〕 ~ 대식가 / petit 〔piètre〕 ~ 소식가 / ~ de légumes 채식가 / ~ de livres 책벌레, 독서가. ~ d'hommes 식인종 / ~*s* de grenouilles 개구리를 먹는 사람《영국인이 프랑스인들을 가리켜 부르는 별명》.

mangouste [mɑ̃gust] *f.* 〖동물〗 몽구스《뱀을 잡기 위하여 기르는 인도산의 족제비》.

mangrove [mɑ̃gʀo:v] 〘영〙 *f.* 홍수림(紅樹林)《열대 해안의 망그로브 나무숲》.

mangue [mɑ̃:g] *f.* 〖식물〗 망고 열매.

maniabilité [manjabilite] *f.* ① (도구 따위가) 다루기〔조종하기〕 쉬움. ② (성격의) 온순함.

maniable [manjabl] *adj.* ① (도구가) 다루기 쉬운, 조종하기 쉬운 : instrument ~ 다루기 쉬운 도구 / voiture ~ 조종하기 쉬운 자동차. ② 온순한(= docile, doux). ③ (날씨가) 항해하기에 적합한. ***vent ~*** 순풍.

***maniaque** [manjak] *adj.* ① 〖정신의학〗 조광증(躁狂症)에 걸린 ; 조광증의 : excitation 〔état〕 ~ 조광증적 발광〔상태〕 / psychose ~ dépressive 조울증(躁鬱症). ② 편집광(偏執狂)인 ; 고정관념에 사로잡힌 ; 괴벽이 있는 : besoin ~ 편집광적 욕구. — *n.* ① ⓐ 미치광이. ⓑ 조광증〔편집증〕 환자 : ~ de la vitesse 속도광. ② 괴벽가, 기인.

maniaquerie [manjakʀi] *f.* 《구어》 편집(偏執), 괴벽.

manichéen, enne [manikeɛ̃, -ɛn] *adj.* 〖종교〗 마니(*Manès*)교를 신봉하는, 마니교(敎)의. — *n.* 마니교도.

manichéisme [manik(ʃ)eism] *m.* ① 〖종교〗 마니교. ② (선 · 악의) 이원론(二元論).

***manie** [mani] *f.* ① 〖정신의학〗 편집증(偏執症), 조광증(躁狂症). ② 강박관념 ; 괴벽, 기벽(奇癖) ; 망상 : avoir la ~ des tableaux 그림에 미쳐 있다 / ~ de la persécution 피해망상증.

maniement [manimɑ̃] *m.* ① 다루기 ; 조종 ; (무기의) 조작 : ~ d'un outil 도구 다루기 / ~ d'arme 무기 조작. ② 관리, 운용 ; 처리 : ~ de fonds 자본의 운용 / ~ des affaires 문제의 처리.

***manier** [manje] *v.t.* ① 다루다 ; 조종〔운전, 조작〕하다 ; 가공하다 ; 사용하다(= se servier) : camion difficile à ~ 운전하기 어려운 트럭 / savoir ~ les machines 기계를 다룰 줄 알다. ② (돈을) 취급하다, 관리하다(= gérer) : ~ de l'argent 〔des fonds〕 돈을 다루다. ③ (사람을) 다루다〔조종하다〕 : savoir ~ la foule 〔le peuple〕 대중을 조종할 줄 알다. ④ (말을) 구사하다 : bien ~ une langue étrangère 외국어를 잘 구사하다. — **se ~** *v.pr.* ① 다루어지다 ; 조종되다. ② 《구어》 서두르다 : *Manie-toi !* 서둘러라 !

‡manière [manjɛ:ʀ] *f.* ① 방법, 방식(= façon, mode) ; 양식 : ~ d'écrire 쓰는 방식, 문체 / ~ de parler 말하는 방식, 표현 / ~ d'agir 행동 (양식) / ~ de vivre 사는 방식, 처세술. ② 《정관사와 함께》 (합당한) 방법, 수단 : employer la ~ forte 강경 수단을 쓰다. ③ 〖미술 · 문학〗 수법, 투, 식(= style) : changer sa ~ 수법을 바꾸다 / sonate dans 〔à〕 la ~ classique 고전풍의 소나타.

M

④ 《문어》 《une ~ de...》 …의 일종, …와 같은 것 : C'est *une ~ de* roman policier. 그것은 일종의 추리소설이다. ⑤ ⓐ 외모, 풍채(= air, tournure). ⓑ (*pl.*) 태도(= attitude) ; 예의, 예절(= civilité, usages) : avoir 〔prendre〕 de mauvaises *~s* 태도가 나쁘다 / apprendre les bonnes 〔belles〕 *~s* 예의범절을 배우다. ⑥ 〖문법〗 양태(樣態) : adverbes de ~ 양태의 부사. ***à la ~ de*** …식의, …의 수법에 따른. ***à sa ~*** 자기 방식〔수법〕으로, 자기 나름으로, 제멋대로 : faire *à sa ~* 제멋대로 하다 / Il est heureux *à sa ~*. 그는 자기 나름으로 행복하다. ***avoir de bonnes 〔belles〕 ~s*** 예의바르다, 거동이 점잖다. ***C'est une ~ de parler.*** 그건 그저 해보는 말이다, 말뿐이다《액면 그대로 받아들여서는 안 된다》. ***Chacun a sa ~.*** 각인각색. ***de cette ~*** 이렇게. ***de la ~ que*** …하도록, …같이. ***de la même ~*** 마찬가지로, 같은 방식으로. ***de ~ à***+*inf.* …하도록. ***de ~ à ce que***+*sub.* …하도록. ***de ~ ou d'autre ; d'une ~ ou d'une autre*** 어떻게 해서든지. ***de (telle) ~ que*** ⓐ +*sub.* 《실현되어야 할 결과를 나타냄》 …하도록 : Agissez *de ~ que* chacun soit content. 각자가 만족하도록 행동하시오. ⓑ +*ind.* 《실현된 결과를 나타냄》 그래서 : Il a crié *de ~ qu'*il m'a réveillé. 그가 소리를 질러 나는 잠이 깨었다. ***d'une ~***+'형용사' 《양태의 부사구》 …하게 : *d'une ~* adroite 교묘히. ***En voilà des ~s !*** 꽤 버릇없이 구는군. ***faire des ~s*** 아니꼽게 굴다. ***ne pas faire de ~s pour***+*inf.* 어려워하는 기색 없이〔거리낌없이〕 …하다. ***par 〔en〕 ~ de*** (plaisanterie) (농담) 삼아. ***sans ~s*** 격식을 차리지 않고. ***y mettre la ~*** 합당한 방법을 쓰다.

maniéré, e [manjeʀe] *adj.* (태도 · 목소리 · 문체 따위가) 일부러 꾸민 듯한, 부자연스러운(= affecté, guindé).

maniérisme [manjeʀism] *m.* ① 〖미술 · 문학〗 (16 세기 이탈리아의) 기교주의 ; 매너리즘. ② 부자연스러움, 짐짓 꾸미는 태도.

maniériste [manjeʀist] *n.* 기교파, 허식가. ── *adj.* 기교파의, 허식주의의.

manieur, euse [manjœːʀ, -øːz] *n.* 취급자, 관리자. ***~ d'argent*** 재계 인사, 실업가.

manif [manif] *f.* 《구어》 시위, 데모(= manifestation).

manifestant, e [manifɛstɑ̃, -ɑ̃ːt] *n.* 시위 운동자, 데모 참가자.

***manifestation** [manifɛstɑsjɔ̃] *f.* ① (감정 · 의사 따위의) 표시, 표명 : ~ de mécontentement 불만의 표시 / ~ de joie 기쁨의 표현. ② 나타내기, 발현(發顯). ③ 시위 운동, 데모 : ~ interdite 불법 시위 / ~ contre la guerre 반전 데모.

manifeste¹ [manifɛst] *m.* ① (정부 · 정당 따위의) 선언(문), 성명(서) : *M~* communiste 공산당 선언. ② (선박의) 적하 명세서(積荷明細書) ; (비행) 일지(日誌).

***manifeste²** *adj.* 명백한, 분명한(= évident) : vérité ~ 명백한 진실 / Sa culpabilité est ~. 그의 유죄는 명백하다.

manifestement [manifɛstəmɑ̃] *adv.* 명백하게, 분명히.

***manifester** [manifɛste] *v.t.* (생각 · 감정 따위를) 표시하다(= exprimer) ; 나타내다(= trahir), 표명〔선포〕하다(= exprimer) : ~ son amitié 우정을 표시하다. ── *v.i.* 시위운동을〔데모를〕 하다. ── **se ~** *v.pr.* ① 나타나다, 표명〔선포〕되다 : Sa satisfaction *se manifeste* nettement. 그가 만족해하는 표정이 역력하다. ② 자기(의 존재)를 나타내다 : Il ne *s'est* pas *manifesté* depuis longtemps. 그가 모습을 드러내지 않은 지 오래 되었다.

manigance [manigɑ̃ːs] *f.* 《구어》 잔꾀, 술책(= combinaison).

manigancer [manigɑ̃se] [2] *v.t.* 《구어》 모의하다, (음모를) 획책하다, (수상한 일을) 꾸미다(= combiner).

manille¹ *f.* 카드놀이의 일종《10 을 가장 센 패로 삼는 카드놀이》 ; 그 놀이에서 10 의 패.

manille² *f.* ① 《옛》 (죄수들의 발에 차는) 쇠고랑. ② (사슬의 양끝을 잇는) 고리.

manillon [manijɔ̃] *m.* (manille² 놀이에서) 에이스의 패《10 다음으로 강함》.

manioc, manioque [manjɔk] *m.* 〖식물〗 카사바《열대 지방의 관목 ; 뿌리에서 타피오카를 채취》.

manipulateur, trice [manipylatœːʀ, -tʀis] *n.* ① (약품 따위의) 취급인 ; (기계) 조작인 : ~ de laboratoire 실험 조수 / ~ de radio(graphe) 방사선과 기사. ② 대중 선동자. ── *m.* 〖전신〗 송신기(의 키). ── *adj.* (대중 따위를) 조작하는 ; 배후 공작을 하는.

manipulation [manipylɑsjɔ̃] *f.* ① (약품 따위의) 취급 ; (기계의) 조작 : appareil d'une ~ délicate 조심스럽게 다루어야 하는 장비 / *~s* génétiques 유전자 조작. ② (*pl.*) (학교의 물리 · 화학) 실험, 실습 : ~ de physique 물리 실험. ③ 음모, 책략(= tripotage) ; (여론) 조작 : *~s* électorales 선거의 이면 공작. ④ (손을 사용하는) 요술, 마술 ; 마사지 : ~ vertébrale 〖의학〗 척추마사지.

***manipuler** [manipyle] *v.t.* ① (손으로) 다루다 ; 취급하다 ; (기계 따위를) 조작하다 : ~ des colis 소포를 취급하다 / 《목적보어 없이》 ~ avec précaution 조심해서 다룰 것. ② (사람을) 조종하다, 마음대로 부리다 ; (여론 따위를) 조작하다 : ~ des statistiques 통계를 조작하다 / ~ l'opinion 여론을 조작하다.

manitou [manitu] *m.* ① (북아메리카 인디언의) 신(神). ② 《구어》 높은 사람, 거물.

manivelle [manivɛl] *f.* 〖기계〗 크랭크, 크랭크 핸들 : ***donner le premier tour de ~*** 〖영화〗 크랭크인하다, 촬영을 시작하다. ~ (***de mise en marche***) (자동차의) 기동(起動) 핸들. ***retour de ~*** 《비유》 형세의 역전.

manne [man] *f.* ① 〖성서〗 만나《이스라엘 백성을 위하여 하느님이 내린 음식》. ② 풍족한 음식 ; 뜻밖의 행운.

mannequin [mankɛ̃] *m.* ① 〖미술〗 인체 모형. ② 〖의복〗 ⓐ 동체 모형 ; (드레스) 스탠드, 마네킹. ⓑ 패션 모델, 마네킹 걸 : ~ de cabine 전속 모델. ③ 《비유》 허수아비 ; 꼭두각시, 괴뢰(= pantin).

manœuvrabilité [manœvʀabilite] *f.* (배 · 차량 따위가) 조종하기 쉬움.

M

manœuvrable [manœvʀabl] *adj.* (배 · 차량 따위가) 조종하기 쉬운(= maniable) : véhicule facilement ~ 운전하기 쉬운 차.

***manœuvre** [manœːvʀ] *f.* ① ⓐ 조종, 조작, 다루기(= maniement) ; 운전 : ~ d'un fusil 총의 조작 / faire une ~ pour se garer 차를 운전하여 주차하다. ⓑ 〖철도〗 (열차의) 조차(操車) 작업. ② 〖군사〗 교련, 연습, 기동 : champs 〔terrain〕 de ~*s* 연병장. ③ 《구어》 책동, 술책, 음모(= combine, machination, intrigue) : ~ électorale 부정한 선거 운동. ④ (주로 *pl.*) 〖해양〗 밧줄, 동아줄 : ~*s* courantes 〔dormantes〕 〖해양〗 동삭(動索)〔정삭(靜索)〕. — *m.* (일용) 인부, 잡역부, 단순 노무자 : travail de ~ 단순 노동. ***fausse* ~** 조작 미스 ; 서툰 솜씨. ***masse de* ~** 예비의 것《돈 · 인원 따위》, 예비군.

***manœuvrer** [manœvʀe] *v.t.* ① (기계 · 기구를) 다루다, 조작하다 ; (배 · 차를) 조종〔운전〕하다(= conduire) : ~ le gouvernail 방향타를 조종하다 / ~ un véhicule 차를 조종〔운전〕하다. ② 《비유》 (사람 · 생각을) 조종하다, 움직이다(= manier) : ~ une foule 군중을 조종하다 / se laisser ~ 조종〔농락〕당하다. ③ 〖철도〗 (차량을) 조차(操車)하다.
— *v.i.* ① 배〔차〕를 움직이다 : ~ pour se garer 주차하기 위해 (차를) 조작하다. ② 〖군사〗 연습하다 ; 기동(起動)하다 : faire ~ une armée 〔flotte〕 군대〔함대〕를 움직이다. ③ 《비유》 책동하다, 술책을 쓰다 : Il *a* bien *manœuvré*. 그는 약삭빠르게 행동했다.

manœuvrier, ère [manœvʀije, -ɛːʀ] *adj.* ① 〖군사〗 (군대가) 기동에 능숙한 ; (장군이) 군대 운용(運用)에 숙달한 ; 〖해양〗 (선원이) 숙련된 : général ~ 용병〔전략〕에 능한 장군. ② (배 따위가) 조종하기 쉬운 : habileté ~*ère* 조종의 능란함. — *n.* ① (배 · 차의) 숙련된 조종〔운전〕자. ② 병법가, 전술가. ③ 술책이 능란한 사업가〔정치가〕.

manoir [manwaːʀ] *m.* ① (봉건 시대의) 영주의 저택 ; 《구어》 (터가 넓은) 저택. ② 거처(= demeure, habitation).

manomètre [manɔmɛtʀ] *m.* 〖물리〗 압력계, 기압계.

manouche [manuʃ] *n.* 《속어》 집시.

manquant, e [mɑ̃kɑ̃, -ɑ̃ːt] *adj.* 없는, 빠진 ; 모자란, 부족한 : somme ~*e* 부족액 / élèves ~*s* 결석생. — *n.* 결원(缺員), 결석자.
— *m.* 부족액, 부족수, 부족분.

manque [mɑ̃ːk] *m.* ① 《~ de》 …의 결핍, 부족(= défaut ; ≠ abondance) : ~ de sommeil 수면 부족 / ~ d'imagination 상상력의 결핍. ② 결함(= lacune), 과실, 실책 : On voit quelques ~*s* dans sa culture. 그의 교양에는 몇 가지 결함이 눈에 띈다 / ~ de parole 약속 위반, 위약. ③ 〖의학〗 (마약 중독자의) 금단(禁斷) 상태 ; (필요한 것의) 결핍 상태 : drogué en (état de) ~ 금단 증상의 마약중독자. ***à la* ~** 실패한 ; 엉터리의, 서투른. ***de* ~** 부족한, 모자라는 : trouver 20 francs *de* ~, 20 프랑이 모자람을 알다. ***être de* ~** (사람이) 없다. **~ *à gagner*** 〖상업〗 놓쳐 버린 돈벌이 ; (벌 수 있었던 것을) 놓쳐 버린 돈 ; 불경기. **~ *de touche*** 〔***à toucher***〕 〖당구〗 미스, 못 맞히기. ***par* ~ *de*** …이 없어서, …의 부족으로.

manqué, e [mɑ̃ke] *adj.* ① (기회 따위를) 놓친 ; (계획 · 인생 따위가) 실패한 ; (일이) 잘못된, 실패작인 : photos ~*es* 망친 사진 / ouvrage ~ 실패작 / occasion ~*e* 놓친 기회. ② (사람이) 되다가 만, 될 뻔한 : garçon 〔fille〕 ~(*e*) 남자 같은 소녀〔여자 같은 소년〕/ docteur ~ 《구어》 의사가 될 뻔하다 만 사람. ***coup* ~** 못 맞히기 ; 실패, 놓치기.

manquement [mɑ̃kmɑ̃] *m.* 《~ à》 …에 대한 위반 : ~ *à* une règle 규칙 위반 / ~ *au* code de la route 도로 교통법 위반.

⁑**manquer** [mɑ̃ke] *v.i.* ① 없다, 결핍〔부족〕하다 ; 모자라다 : Le temps nous *manque*. 시간이 없다 / Les jeunes *maquent* d'expérience, les vieillards, de force. 젊은이에겐 경험이, 노인에게는 체력이 모자란다 / Les vivres *manquaient*. 식량이 부족했었다〔없었다〕. ② 결석하다 ; 없어지다 : Cet élève *manque* trop souvent. 이 학생은 결석이 너무 잦다 / S'il venait à ~, sa famille serait ruinée. 그가 죽게 된다면 그의 가족은 파산할 것이다. ③ 《~ à qn》 …이 없어서 몹시 그립다〔보고 싶다〕 : Paris 〔Ses enfants〕 lui *manque* 〔*manquent*〕. 그는 파리가〔애들이〕 그립다〔보고 싶다〕. ④ 잘못을 저지르다, 실수하다, 잊다 ; 《주어 : qc》 (계획 따위가) 실패하다 ; 좌절되다 : ~ à sa parole 약속을 어기다 / L'essai *a manqué*. 이 시도는 실패했다. ⑤ (집이) 무너지다 ; (다리가) 떨리다 ; (발이) 미끄러지다 ; (총이) 불발하다 ; (목소리가) 안 나오다 : La voix m'*a manqué* d'émotion. 나는 감동으로 목소리가 나오지 않았다! / La maison commençait à ~ par les fondations. 집은 토대부터 무너지기 시작했다 / Le pied lui *a manqué*. 그는 발이 미끄러졌다. ⑥ 죽다, 사망하다. ***Son cœur lui manqua.*** 그는 용기를 잃었다 ; 그는 맥이 풀렸다.
— *v.t. ind.* ① 《~ à》 ⓐ …을 저버리다, 배반하다 : ~ *à* son devoir 의무를 저버리다 / ~ *à* sa parole 약속을 어기다. ⓑ …에 오지 않다, 참석하지 않다 : ~ *à* une séance 회의에 참석하지 않다. ⓒ 《~ à qn》 …을 돕지 않다 ; …에게 무례한 짓〔말〕을 하다 ; 모욕을 주다 : ~ *à* un supérieur 윗사람에게 결례하다 / Il m'*a* gravement *manqué*. 그는 내게 심한 모욕을 주었다. ② 《~ de》 가지지 못하다, 없다 ; 부족하다 : ~ *d'*argent 돈이 없다〔부족하다〕 / ~ *de* respect 무례한 언동을 하다. ***Je n'y manquerai pas.*** 틀림없이 그렇게 하겠습니다. **~ *à*** + *inf.* …을 하지 않다, …할 것을 잊다. **~ (*de*)** + *inf.* …할 뻔하다(= faillir) : Il *a manqué* (*de*) tomber. 넘어질 뻔했다. ***ne pas* ~ *de*** + *inf.* 틀림없이 …하다 : *Ne manquez pas de* venir chez moi. 제집으로 꼭 와 주십시오. ***sans* ~** 틀림없이.
— *v.t.* ① 놓치다 ; (사람을) 만나지 못하다 ; (기회 따위를) 잃다 ; (강의 · 강연 따위에) 참석하지 못하다 ; (공연 따위를) 못 보다 ; (학교에) 못 나가다 : ~ une occasion 기회를 잃다 / ~ un cours 강의를 못 듣다 / spectacle à ne pas ~ 놓치지 말고 꼭 보아야 할 연극. ② 못 맞히다 : Le chasseur a *manqué*

M

le lièvre. 사냥꾼은 토끼를 놓쳤다. ③ 실패하다, 망치다, 그르치다 : ~ un travail 일을 망치다 / ~ une photo 사진을 잘못 찍다 / Il a *manqué* sa vie. 일생을 망쳤다. ***ne pas ~*** qn …에게 앙갚음을 하다.
— *v. imper.* 없다, 부족하다 : Il *manque* 5 francs. 5 프랑이 부족하다. ***Il ne manquait plus que cela !*** 《구어》 결국 그런 일이 생기고야 말았군, 꼴좋게 됐군.
— **se ~** *v.pr.* ① 자살에 실패하다. ② 《비인칭》 부족하다. ③ 서로 못 만나다 ; (총격 결투에서) 서로 못 맞히다.

mansarde [mɑ̃saʀd] *f.* 〖건축〗 ① 망사르드식〔이중물매식〕 지붕(= comble à la ~ 〔*M~*〕). ② 지붕 밑방, 고미, 다락방.

mansardé, e [mɑ̃saʀde] *adj.* 〖건축〗 망사르드식(式)의 : chambre ~*e* 고미다락방, 지붕 밑방 / étage ~ 지붕층.

mansuétude [mɑ̃sɥetyd] *f.* 온후, 온정, 관용(= indulgence).

mante¹ [mɑ̃:t] *f.* 《옛》 (소매 없는) 부인용 망토.

mante² *f.* ① 〖곤충〗 사마귀(= ~ religieuse). ② 〖동물〗 갯가재.

‡manteau [mɑ̃to] *m.* (*pl.* **~x**) ① 외투, 망토 ; 덮개 : ~ d'hiver 겨울 외투 / ~ de fourrure 〔de lainage〕 모피〔겨울〕 코트. ② 맨틀피스(= ~ de cheminée). ③ 덮개, 커버. ***sous le ~ (de la cheminée)*** 남몰래, 은밀히 : livre publié *sous le* ~ 은밀히 출판된 책. ***sous le ~ de*** qc …을 틈타서 ; …의 구실 밑에.

mantelet [mɑ̃tlɛ] *m.* ① 〖가톨릭〗 (고위 성직자의) 소매 없는 반외투. ② (부인용의) 짧은 케이프.

mantille [mɑ̃tij] *f.* 만틸라 《에스파냐, 멕시코 등지에서 여성들이 머리에 쓰는 긴 스카프》.

M

manucure [manyky:ʀ] *n.* 매니큐어〔손톱〕 화장사 : trousse de ~ 매니큐어 도구.

manucurer [manykyʀe] *v.t.* 《구어》 …에 매니큐어를 칠하다 : ongles *manucurés* 매니큐어를 칠한 손톱.

***manuel, elle** [manɥɛl] *adj.* ① 손의, 손으로 하는, 수공(手工)의 ; 육체노동의 : ouvrage ~ 수예품 / travail ~ 수공업 / métier 〔travail〕 ~ 육체노동. ② 손재주가 있는 : habileté ~*elle* 손재간 / Il est ~, il peut tout faire de ses mains. 그는 손재주가 있다, 손으로 무엇이든 할 수 있다. — *n.* 육체노동자(= travailleur ~). — *m.* 개요, 개론 ; 교과서 : ~ d'histoire 역사 교과서.

manuellement [manɥɛlmɑ̃] *adv.* 손으로, 손을 써서.

manufacture [manyfakty:ʀ] *f.* (주로 수공업의) 공장, 제조소.

manufacturé, e [manyfaktyʀe] *adj.* 공장에서 제조〔가공〕된 : produits ~*s* 가공품.

manufacturer [manyfaktyʀe] *v.t.* ① 《옛》 (공장에서) 제조〔제작〕하다. ② 가공하다.

manu militari [manymilitaʀi] *loc. adv.* 무력으로 ; 경찰력으로 : expulser les perturbateurs ~ 난동자들을 무력으로 쫓아내다.

manuscrit, e [manyskʀi, -it] *adj.* 손으로 쓴, 육필의 : lettres ~*es* 육필 편지. — *m.* 원고 ; 수사본(手寫本) : ~ autographe 자필 원고.

manutention [manytɑ̃sjɔ̃] *f.* ① (상품·제품·화물의) 취급, 하역, 포장. ② 상품〔제품〕 취급장, 하역장, 창고 : ~ d'un grand magasin 백화점의 상품 취급소.

manutentionnaire [manytɑ̃sjɔnɛ:ʀ] *n.* ① (화물의) 관리〔취급〕자. ② 상품〔제품〕 취급장 직원.

manutentionner [manytɑ̃sjɔne] *v.t.* (상품 따위를) 취급하다 ; 포장·발송하다.

maoïsme [maɔism] *m.* 마오쩌둥(Mao Tsê-Toung) 사상〔주의〕.

maoïste [maɔist] *adj.* 마오쩌둥주의를 신봉(信奉)하는. — *n.* 마오쩌둥주의자.

maori, e [maɔʀi] *adj.* (뉴질랜드의) 마오리족(族)의. — **M~** *n.* 마오리족 사람. — *m.* 마오리족 언어.

maous, ousse [maus] *adj.* 《구어》 거대한(= énorme) ; 대단한(= important), 굉장한.

mappemonde [mapmɔ̃:d] *f.* 지구 전도(全圖), 양반 구도(兩半球圖) : ~ céleste 천체도.

***maquereau¹** [makʀo] *m.* (*pl.* **~x**) 〖어류〗 고등어 : ~ bâtard 전갱이.

maquereau², elle [makʀo, -ɛl] *n.* (*pl.* **~x**) 《구어》 뚜쟁이(= entremetteur) ; 갈보집 주인. — *m.* 갈보의 정부 ; 기둥서방.

maquette [makɛt] *f.* ① (도안 따위의) 초벌그림 ; (조각·건축의) 모형. ② (건축물·비행기 따위의) 축소 모형 : ~ d'avion 비행기 모형. ③ (포스터 따위의) 밑그림. ④ 〖인쇄〗 (책의) 가제본, 견본.

maquettiste [make〔ɛ〕tist] *n.* (건축·기계 따위의) 모형 제작인 ; 〖미술〗 초벌그림을 그리는 사람 ; 〖인쇄〗 원본을 만드는 사람.

maquignon, onne [makiɲɔ̃, -ɔn] *n.* ① 마필(馬匹) 상인 ; 교활한 말장수. ② 《경멸》 (부정 이득을 취하는) 중개인, 브로커.

maquignonnage [makiɲɔna:ʒ] *m.* ① 말의 결점을 숨겨 비싸게 팔아먹는 행위. ② 《경멸》 (매매·교섭 따위의) 부정 수단, 농간.

maquillage [makija:ʒ] *m.* ① 화장 ; 화장품 ; 〖연극〗 분장(扮裝), 메이크업. ② 위장, 변조 : ~ d'une voiture volée 훔친 자동차의 모양을 바꾸기. ③ 〖사진〗 (원판의) 수정.

maquiller [makije] *v.t.* ① 《~ qn》 …의 얼굴을 화장시키다, 〖연극〗 분장하다. ② 위장하다(= déguiser) ; 위조하다(= falsifier) : ~ un passeport 여권을 위조하다. ③ (사진을) 수정하다. ***~ la vérité*** 진실을 왜곡하다.

maquilleur, euse [makijœ:ʀ, -ø:z] *n.* ① 〖연극〗 메이크업 담당자, 분장사. ② 《구어》 사기꾼(= tricheur).

maquis [maki] *m.* ① (코르시카 섬의) 밀림, 관목(灌木) 지대. ② 《비유》 (소송 절차 따위의) 복잡함. ③ (제 2 차 대전 중) 항독 지하 운동 조직원.

maquisard [makiza:ʀ] *m.* (제 2 차 대전 중의) 항독(抗獨) 지하 운동가.

marabout [maʀabu] *m.* ① (회교(回敎)의) 도사(道士), 성자 ; 은사의 묘소. ② 〖조류〗 황새의 일종 ; 그 새의 깃털《장식용》. ③ (직조(織造)용의) 가느다란 견사.

maraîcher, ère [maʀɛ〔e〕ʃe, -ɛ:ʀ] *adj.* 야채〔채소〕 재배의 : culture ~*ère* 채소 재배 / jardin ~ 야채밭. — *n.* 야채 재배자.

marais [maʀɛ] *m.* ① 늪, 습지(濕地). ② 채소 재배에 적합한 저습지 ; 채소밭. ***fièvre***

des ~ 《옛》〖의학〗 말라리아열. ***gaz des ~*** 메탄가스. ***~ salant*** 염전.

marasme [maʀasm] *m.* ① (육체적 · 정신적) 쇠약, 소모증 ; 의기소침(= accablement) : être pris de ~ 의기소침하다. ② (사업 따위의) 부진(不振), 침체, 불경기 : Les affaires sont dans le ~ 사업이 침체해 있다 / ~ économique 경제적 불황.

marathon [maʀatɔ̃] *m.* ① 마라톤 경주 : vainqueur du ~ aux Jeux olympiques 올림픽 마라톤 종목 우승자. ② 《비유》 장시간을 요하는 힘든 일 : discussion-~ 마라톤 회의 / ~ budgétaire 장시간의 예산 심의.

marâtre [maʀɑːtʀ] *f.* 계모 ; 못된〔학대하는〕 어머니. ***être une ~ pour*** qn …에게 심하게 굴다, 학대하다.

maraud, e[1] [maʀo, -oːd] *n.* 《옛》 못된 놈, 불량배(= coquin) : petit ~ 말썽꾸러기.

maraudage [maʀodaːʒ] *m.* 〖법률〗 밭도둑질(= maraude[2]) ; 〖군사〗 약탈.

maraude[2] [maʀoːd] *f.* ① 밭도둑질 : aller à la ~ 〔en ~〕 밭도둑질하러 가다. ② taxi en ~ 《구어》 손님을 찾아 돌아다니는 택시.

marauder [maʀode] *v.i.* ① 약탈하다 ; 밭도둑질하다. ② 《구어》 택시가 손님을 찾아 돌아다니다.

maraudeur, euse [maʀodœːʀ, -øːz] *n.* ① 약탈자 ; 밭도둑. ② 《구어》 손님을 찾아 돌아다니는 택시 운전사. — *adj.* ① 밭〔작물〕도둑의 ; 약탈하는. ② taxi ~ = taxi en maraude[2].

marbre** [maʀbʀ] *m.* ① 대리석 : ~ artificiel 인조 대리석. ② 대리석 제품 ; 대리석상(像) ; (벽난로 따위의) 대리석판. ③ 〖제본〗 대리석 무늬. ④ 〖인쇄〗 조판대(組版臺), 인쇄대(臺). ***de ~ 차가운, 냉담한 : cœur *de* ~ 냉혹한 사람 / être 〔rester〕 *de* ~ 냉담하다〔여전히 냉담하다〕. ***froid comme le*** 〔***un***〕 ***~*** 아주 냉담한. ***livre en*** 〔***sur le***〕 ***~*** 조판〔인쇄〕 중에 있는 책.

marbrer [maʀbʀe] *v.t.* ① (책 가장자리 따위에) 대리석 무늬를 넣다. ② (피부에) 대리석 무늬 같은 반점이 생기게 하다 : Le froid lui *marbrait* le visage. 추위 때문에 그의 얼굴에 반점이 생겼다.

marbrerie [maʀbʀəʀi] *f.* 대리석 가공술 ; 대리석 가공 공장〔세공소(細工所)〕.

marbrier, ère [maʀbʀije, -ɛːʀ] *adj.* 대리석의 ; 대리석을 가공하는 : industrie *~ère* 대리석 가공업. — *m.* 대리석 채석공(採石工) ; 대리석 상인. — *f.* 대리석갱, 채석장.

marbrure [maʀbʀyːʀ] *f.* 대리석 무늬 ; (추워서 생기는 피부의) 대리석 무늬 같은 자국.

Marc [maʀk] *n.pr.m.* 〖성서〗 l'Évangile selon Saint ~ 마가복음.

marc[1] [maːʀ] *m.* (금 · 은의) 옛 중량 단위《8 온스》; 옛 화폐《나라별로 가격이 다름》.

marc[2] *m.* ① (과일 따위를 짜고 난) 찌꺼기, (커피 따위를 거르고 난) 찌끼. ② (포도 찌꺼기로 만든) 브랜디(= eau-de-vie de ~).

marcassin [maʀkasɛ̃] *m.* 〖동물〗 (1 세 미만의) 새끼 멧돼지.

****marchand, e** [maʀʃɑ̃, -ɑ̃ːd] *n.* ① 《~ de》 …의 상인 ; 판매업자《현재는 한정보어가 없는 경우 일반적으로 commerçant 을 씀》: ~ au détail 〔en gros〕 소〔도〕매업자 / ~ ambulant 행상인 / ~ *de* meubles 가구상 / ~ *de* biens 부동산업자 / ~ *de* canons 무기 제조업자. ② 엉터리 요식업자(= ~ de soup) ; 영리적인 사설 학원 경영자. ***être*** (***le***) ***mauvais ~ de*** qc …으로 손해를 보다. ***~ à la sauvette*** 떠돌이 상인. ***trouver ~*** 작자를 만나다.

— *adj.* ① 상업의, 매매의 : prix ~ (상인이 사들인) 원가 / valeur *~e* 상품 가치 / navire ~ 상선 / marine *~e* 해운업 / galerie *~e* (아케이드가 있는) 상점가. ② 시장의 : économie *~e* 시장 경제.

marchandage [maʀʃɑ̃daːʒ] *m.* 흥정, 값을 깎기, 에누리 : faire du ~ 흥정하다 / ~ diplomatique 외교적 흥정.

marchander [maʀʃɑ̃de] *v.t.* ① …의 값을 깎다, 흥정하다 : ~ un meuble ancien 고가구를 값을 깎아 사다. ② 매수하려고 하다 : ~ la conscience de qn …의 양심을 매수(買收)하려고 하다. ③ 《주로 부정형》 주기를 꺼리다, 마지못해 주다, 아끼다 : ne pas ~ les éloges 찬사를 아끼지 않다 / Il ne nous *a* pas *marchandé* son appui.. 그는 쾌히 우리를 후원할 것을 약속했다. ***Il n'y a pas à ~.*** 망설일 것 없다 ; 에누리 없다. ***ne pas ~*** qn …을 용서하지 않다. ***ne pas ~ sa vie*** 〔***sa peine***〕 목숨을〔노고(勞苦)를〕 아끼지 않다. ***sans ~*** 값을 깎지 않고 ; 서슴없이.

marchandisage [maʀʃɑ̃dizaːʒ] *m.* 〖상업〗 상술 ; 상품화 계획(= marketing).

marchandise** [maʀʃɑ̃diːz] *f.* ① 상품 : *~s* exposées en vitrine 쇼윈도에 진열된 상품 / ~ en magasin 재고품. ② 〖철도〗 화물 : gare de *~s* 화물역 / train de *~s* 화물 열차. ③ 《옛》 장사, 거래. ***vanter 〔***faire valoir***〕 ***sa ~*** (상인이) 상품 선전을 늘어놓다 ; 《구어》 자가 선전을 하다.

marche**[1] [maʀʃ] *f.* ① 걷기, 보행 ; 전진 ; 걸음, 걸음걸이 : C'est à deux heures de ~. 걸어서 두 시간의 거리다 / accélérer sa ~ 걸음걸이를 빨리하다. ② 행진, 행군 ; 행렬 : En avant, ~ ! 앞으로 가 !《구령》/ ~ de protestation 항의 행진 / ouvrir 〔conduire〕 la ~ 행렬의 선두에 서다 / ~ forcée 강행군. ③ (탈것의) 진행 ; 운행 ; (때의) 경과, 전개 : navire en ~ 항행 중인 배 / La ~ du train est irrégulière en hiver. 겨울에는 열차의 운행(시간)이 불규칙하다 / ~ d'un aster 천체의 운행 / ~ du temps 때의 흐름 / ~ des saisons 계절의 추이. ④ (계단의 하나하나의) 단(= degré), 스텝 ; (오르간의) 페달 : monter 〔descendre〕 les *~s* 계단을 오르다〔내리다〕 / Attention à la ~ ! 계단 주의 ! ⑤ 〖음악〗 행진곡 : ~ militaire 군대 행진곡 / ~ nuptiale 〔funèbre〕 결혼〔장례〕 행진곡. ⑥ 〖스포츠〗 경보(= ~ athlétique). ***en ~ ⓐ (기계 등이) 움직이고 있다 : mettre *en* ~ (기계 따위를) 시동시키다 / se mettrre *en* ~ (기계가) 움직이기 시작하다 ; 걷기 시작하다. ⓑ 진행 중인 : train *en* ~ 진행 중인 열차. ***être*** (***né***) ***sur les ~s du trône*** 왕위의 계승자다 ; 왕족이다. ***faire ~ arrière*** (자동차가) 후진하다. ***fermer*** 〔***ouvrir***〕 ***la ~*** 행렬 후미〔선두〕에 서다〔에서 걸어가다〕. ***gagn-***

er une ~ sur l'ennemi 적의 기선(機先)을 제압하다. ***la ~ à suivre*** 절차, 수속: Indiquez-moi *la ~ à suivre* pour obtenir ces papiers. 그 서류들을 받는데 필요한 절차를 제게 알려 주세요.

marche² *f.* (보통 *pl.*) 〖역사〗 국경 병비 지대(兵備地帶), 변경 지방.

‡marché [maʀʃe] *m.* ① 매매, 거래: ~ à terme 정기 거래 / ~ au comptant 현금 거래 / ~ noir 암거래. ② ⓐ 장터, 장; 시장; 거래처; 집산지(集散地): ~ aux fleurs 꽃시장 / jour de ~ 장날 / ~ aux puces 고물시장, 벼룩시장 / ~ aux poissons 어(魚)시장 / aller au ~ 시장에 가다. ⓑ 〖상업〗 (넓은 의미의) 시장: études de ~ 시장 조사 / ~ du travail 노동 시장 / économie de ~ 시장 경제 / analyse des ~*s* 시장 분석 / ~ financier 금융 시장. ③ 〖상업〗 시황(市況), 경기(景氣); 시세(= cours du ~): ~ actif 〔faible〕 활발한〔저조한〕 시황. ④ (매매) 계약; 협약(= contrat, accord): conclure 〔passer〕 un ~ (매매) 계약을 체결하다. ⑤ 판로(販路)(= débouché). ***à bon ~*** ⓐ 헐값으로; 싸게: Elle a acheté sa robe (*à*) bon ~. 그녀는 드레스를 싸게 샀다. ⓑ 쉽게, 문제없이: en être quitte 〔s'en tirer〕 *à bon ~* 일이 쉽게 처리되다. ***faire bon ~ de*** 싸게 팔다; 중시(重視)〔문제시〕하지 않다: Il *fait bon ~ de* l'avis des autres. 그는 남들의 의견을 경시한다. ***faire son ~*** (시장에서) 물건을 사다. ***Le bon ~ coûte toujours cher.*** 《속담》 싼 게 비지떡. ***M~ Commun*** (***Européen***) 유럽 공동시장. ***mettre à*** qn ***le ~ à la*** 〔***en***〕 ***main*** …에게 계약대로 하든지 해약하든지 하라고 독촉하다. ***par-dessus le ~*** 게다가, 그 위에.

marchepied [maʀʃəpje] *m.* ① (탈것의 승강용) 발판, 디딤판〔대〕; 사닥다리 발판(= escabeau). ② 《비유》 발판, 목적 달성을 위한 수단. ***servir de ~ à*** qn (성공을 위한) 발판이 되다.

‡marcher [maʀʃe] *v.i.* ① 걷다; 가다; 전진하다; 〖군사〗 행진〔행군〕하다: ~ à l'ennemi 적을 향해 전진하다 / ~ d'un pas lent 천천히 걷다. ② (열차·자동차 따위가) 달리다; (배가) 항행하다: Ce navire *marche* bien. 이 배는 빠르다 / Le train *marche* à 200 km à l'heure. 열차는 시속 200 킬로미터로 달리고 있다. ③ (기계 따위가) 움직이다, 작동하다; 가동하다: Ma montre ne *marche* plus. 내 시계는 더 이상 움직이지 않는다〔멈추어 있다〕 / appareil qui *marche* à l'électricité 〔sur piles〕 전기〔전지〕로 가동하는 기구, 전동 기구. ④ (일이) 잘 되어 가다, 진행되다: Est-ce que ça *marche* ? 일은 잘 되어 가니? ⑤ ⓐ 《~ dans 〔sur〕》 …에 발을 들여 놓다, 들어가다: ≪Défense de ~ sur les pelouses≫ 「잔디밭에 들어가지 말 것」《게시문》 / Il *a marché dans* une flaque d'eau. 그는 물웅덩이를 밟고 들어갔다. ⓑ 《~ à 〔sur, vers〕》 …으로 향하다; 행진하다: ~ *vers* la ville 마을로 향하다 / ~ *vers* l'indépendance 독립으로 나아가다 / ~ *à* la ruine 파멸로 향하다. ⑥ 《구어》 응하다, 동의하다, 승낙하다(= consentir): Je lui ai proposé mais il n'*a* pas *marché*. 그에게 제안을 했는데 동의하지 않았다. ⑦ (남의 이야기를) 고지식하게 믿다, 속다(= croire naïvement): Il n'*a* pas *marché* dans cette histoire de retard de train. 그는 기차가 연착했다는 변명을 믿으려 들지 않았다. ***~ sur le pied de*** 〔***à***〕 qn …의 발을 밟다; …을 무시하다. ***~ sur les pas*** 〔***traces***〕 ***de*** qc …을 추종〔모방〕하다.

marcheur, euse [maʀʃœːʀ, -øːz] *n.* ① 걷는 사람, 도보자; 경보(競步) 선수. ② (데모) 참가자, 행진자: ~*s* de la paix 평화 행진 참가자. ── *adj.* 보행하는, 걷는: oiseaux ~*s* (날지 못하는) 보행성 새《타조 따위》.

marcottage [maʀkɔtaːʒ] *m.* 〖원예〗 취목(取木), 휘묻이; 취목법.

marcotter [maʀkɔte] *v.t.* 취목〔휘묻이〕하다, 휘묻이로 번식시키다.

‡mardi [maʀdi] *m.* 화요일. ***M~ gras*** 참회의 화요일《사육제의 마지막 날》. ***~ saint*** 성화요일《부활절 전의 화요일》.

mare [maːʀ] *f.* ① 늪, 못: ~ dans un bois 숲 속의 늪. ② 흥건히 쏟아진 액체: ~ de sang 피바다. ***~ aux harengs*** 청어의 못 《북대서양(= l'Atlantique du Nord)》.

marécage [maʀekaːʒ] *m.* 늪, 습지(濕地).

marécageux, euse [maʀekaʒø, -øːz] *adj.* ① (땅이) 질퍽한, 늪이 많은: contrée ~*euse* 늪이 많은 지방. ② 늪에 사는, 늪에 서식하는: plantes ~*euses* 늪지 식물.

maréchal, aux** [maʀeʃal, -o] *m.* 〖군사〗 육군 원수(元帥); 총사령관: Monsieur le *M~* 총사령관 각하 / bâton de ~ 원수의 지휘봉 《직권을 상징》. ***~ des logis (기마대의) 중사(中士).

maréchalerie [maʀeʃalʀi] *f.* 제철 공장; 장제업(裝蹄業).

maréchal-ferrant [maʀeʃalfɛʀɑ̃] *m.* (*pl.* ***~aux-~s***) 제철공.

maréchaussée [maʀeʃose] *f.* ① 《옛》 원수 재판정. ② 〖역사〗 기마 경찰대; 헌병대(= gendarmerie).

marée** [maʀe] *f.* ① 조수(潮水): ~ montante 〔descendante〕 밀물〔썰물〕 / La ~ monte 〔descent〕. 조수가 차오른다〔빠진다〕 / fleuve à ~ 바닷물이 들어오는 강〔내〕 / mer sans ~ 조수의 간만(干滿)이 없는 바다. ② (바다) 생선: train de ~ 생선 수송 열차. ③ 《비유》 물결, 파도(= flot): ~ humaine 사람의 물결, 인파(人波). ***aller contre vent et ~ 바람과 조류를 거슬러 가다; 만난(萬難)을 무릅쓰고 나아가다. ***arriver comme ~ après*** 〔***en***〕 ***carême*** 《구어》 뒤늦게〔마침 알맞은 때에〕 도착하다. ***La ~ n'attend personne.*** 《격언》 세월은 사람을 기다리지 않는다.

marégraphe [maʀegʀaf] *m.* 〖기상〗 자기 검조기(自記檢潮器)(= maréomètre).

marelle [maʀɛl] *f.* 돌차기 놀이.

marémoteur, trice [maʀemɔtœːʀ, -tʀis] *adj.* 조력(潮力)의; 조수로 움직이는; 조수를 이용하는: centrale ~*trice* 조력 발전소.

mareyeur, euse [maʀɛjœːʀ, -øːz] *n.* 생선 도매상(= ~ expéditeur).

margarine [maʀgaʀin] *f.* 마가린, 인조 버「터.

marge [maʀʒ] *f.* ① (길 따위의) 가장자리, 가, (숲의) 기슭(= bord). ② (책의) 난외(欄外) ; (원고 · 숙제 따위를 쓴 종이의 좌측의) 여백(餘白) : laisser une ~ 여백을 남기다. ③ (시간 · 힘 따위의) 여유 ; (행동 · 선택 따위의) 여지 : ~ de réflexion 반성의 여지 / ~ de liberté 자유 재량의 여지 / ~ de sécurité (예산 따위에 주는) 안정성의 폭. ④ 〖경제〗 마진, 이윤(= ~ bénéficiaire) : ~ de garantie (주식 거래에 있어서의) 안전 보증. ⑤ 차이, 간격. ***en ~ de*** …의 테두리 밖에서 ; …이외에. ***laisser assez de ~ à*** qn …에게 충분한 여유를 주다. ***note en ~*** 난외의 주(註), 방주(傍註). ***se sentir en ~*** 소외감을 맛보다. ***vivre*** 〔***homme***〕 ***en ~*** 사회 주변에서〔사회에서 소외되어〕 살다〔사는 사람〕.

margelle [maʀʒɛl] *f.* 우물가에 두른 돌.

marger [maʀʒe] ③ *v.i., v.t.* 〖인쇄〗 (종이틀에 종이를) 넣다 ; (타이프라이터의) 여백의 위치를 조절하다.

marginal, e, aux** [maʀʒinal, -o] *adj.* ① 난외의, 여백의 : note ~*e* 난외의 주(註), 방주(傍註)(= note en marge). ② 가장자리의, 연변(緣邊)〔연안〕의 : récifs ~*aux* 연안(沿岸) 암초. ③ 본질적이 아닌, 제 2 차적인, 부수적(附隨的)인, 지엽적인 : phénomènes ~*aux* 부수적 현상 / travail ~ 부업. ④ 사회와 동떨어진 ; 사회에서 소외된. — *n.* 사회에서 소외된 사람, 아웃사이더. ***conscience ~e 〖심리〗 의식의 주변. ***utilité ~e*** 〖경제〗 한계(限界) 효용.

marginalement [maʀʒinalmɑ̃] *adv.* 부수적으로(= incidemment) ; 소외되어.

marginaliser [maʀʒinalize] *v.t.* (사회에서) 소외시키다 ; 부수적〔부차적〕 존재화하다.

marginalisme [maʀʒinalism] *m.* 〖경제〗 한계 효용설.

marginer [maʀʒine] *v.t.* 난외〔여백〕에 써넣다, 방주를 달다.

marginalité [maʀʒinalite] *f.* 〖사회〗 (사회 하층민 · 소외 계층의) 한계 상황 ; 2 차적 성격, 부차성(副次性).

margoulette [maʀgulɛt] *f.* 《구어》 입 ; 턱.

margoulin, e [maʀgulɛ̃, -in] *m.* 《구어》 암거래 상인 ; 투기꾼.

marguerite** [maʀgəʀit] *f.* ① 〖식물〗 데이지(= petite ~). ② 《옛》 〖성서〗 진주(眞珠)(= perle). ***grande ~ ; ~ des champs 〖식물〗 마거리트. ***jeter des ~s aux pourceaux*** 돼지에게 진주를 주다《마태복음 Ⅶ : 6》.

‡**mari** [maʀi] *m.* 남편(≠ femme) : ~ trompé 오쟁이진 남편 / ancien ~ ; ex-~ 전남편 / choisir 〔prendre〕 un ~ (여자가) 결혼하다.

mariable [maʀjabl] *adj.* 결혼 적령기의, 혼기의 : fille ~ 혼기에 든 처녀.

mariage** [maʀjaːʒ] *m.* ① ⓐ 혼인, 결혼(≠ divorce) : faire un riche ~ 부자와 결혼하다 / faire un ~ d'amour 연애 결혼을 하다 / demande en ~ 결혼 신청 / acte de ~ 결혼 증명서 / ~ religieux 교회에서 하는 결혼식 / ~ de raison 〔de convenance〕 정략 결혼. ⓑ 결혼식(= noce) : repas de ~ 결혼 피로연 / être invité au ~ de qn …의 결혼식에 초대되다. ⓒ 결혼 생활 : fêter ses vingt-cinq ans de ~ 결혼 생활 25 주년〔은혼식〕을 축하하다. ② 《비유》 ⓐ (조화로운) 결합 ; (색의) 배합(配合) : heureux ~ de mots 말의 교묘한 결합 / ~ de l'esprit et de la beauté 재색(才色)겸비. ⓑ (기업 · 정당의) 합체(合體), 결합. ***donner sa fille 〔***son fils***〕 ***en ~*** 딸〔아들〕을 결혼시키다. ***faire un ~*** ⓐ 결혼식을 올리다. ⓑ (남녀를) 결합시키다, 중매인 노릇을 하다.

marial, e, aux [maʀjal, -o] *adj.* 〖종교〗 성모 마리아의.

Marianne [maʀjan] *n.pr.f.* ① 프랑스 공화국(의 애칭). ② les îles ~*s* 마리아나 제도.

Marie [maʀi] *n.pr.f.* 〖성서〗 성모 마리아(= Notre-Dame).

marié, e** [maʀje] *adj.* 결혼한 : Ils sont ~*s* depuis vingt ans. 그들은 결혼한 지 20 년이 되었다. — *n.* ① 기혼자(旣婚者)(= homme ~ ; femme ~*e*) ; (*pl.*) 부부. ② 신랑 ; 신부 : jeune ~(*e*) (신혼의, 갓 결혼한) 신랑〔신부〕 / nouveau ~ 신랑 / nouvelle ~*e* 신부. ***se plaindre que la mariée est trop belle 기뻐해야 할 일을 한탄하다《결혼식장에서 신부가 우는 데서》. ***rimes ~es*** 평운(平韻)《남성운과 여성운이 교대로 나오는 시》(= rimes plates).

marie-jeanne [maʀiʒan] *f.* 마리화나(marihuana)의 별칭.

‡**marier** [maʀje] *v.t.* ① 《~ à 〔avec〕》 …와 결혼시키다 ; 장가들이다, 시집보내다 : Ils *ont marié* leur fille *à* un avocat. 그들은 딸을 변호사와 결혼시켰다 / une fille *à* ~ 시집보내야 할 딸. ② 《문어》 《~ à》 …에 결합시키다(= joindre), (색을) 배합하다 ; 조화시키다 : ~ qc avec 〔*à*〕 …을 …와 결합하다, 어울리게 하다 / deux rivières qui *marient* leurs eaux 합류하는 두 강 / ~ des couleurs qui s'harmonisent 어울리는 색깔들을 배합하다.

— **se ~** *v.pr.* ① ⓐ (두 사람이) 결혼하다 : Ils vont *se* ~. 그들은 곧 결혼한다. ⓑ (한 사람이) 결혼하다 : Paul *s'est marié* avec une amie d'enfance. 폴은 어릴적 친구와 결혼했다. ② 합치하다, 일치하다, 조화하다 : spectacle où *se marient* musique et jeux de lumière 음악과 조명 효과가 조화를 이룬 무대.

marieur, euse [maʀjœːʀ, -øːz] *adj.* 중매하기 좋아하는. — *n.* 중매쟁이.

marigot [maʀigo] *m.* ① 〖지학〗 끝없는 강《서아프리카 적도 지방의 강줄기 끝이 땅속으로 스며든 강》. ② (홍수가 많은) 저지대.

marihuana [maʀiɥ〔w〕ana], **marijuana** [maʀiʒɥana] 〔에스파냐〕 *f.* 마리화나《마약(痲藥)》 : cigarette de ~ 마리화나 담배.

marin, e**[1] [maʀɛ̃, -in] *adj.* ① 바다의 ; 바다에서 사는〔나는〕 : mille ~*e* 해리(海里) / courant ~ 해류 / plantes ~*es* 해초, 해조(海藻). ② 선원의, 항해용의 ; 바다를 좋아하는 : carte ~*e* 해도(海圖). ③ costume ~ 세일러복. ***avoir le pied ~ 배멀미를 하지 않다 ; 곤란한 상황에서도 침착성을 잃지 않다. — *m.* 선원 ; 수부(水夫) ; 수병(水兵) : ~ du commerce 〔de la marine marchande〕 상선의 선원.

marina [maʀina] 〔이탈리아〕 *f.* 마리나《해변

M

의 종합 관광 시설》.
marinade [marinad] *f.* ① 〖요리〗 (고기·생선을 절이는) 일종의 소스; 자반. ② (고기·생선 저장용) 소금물, 염수(塩水).
***marine²** [marin] *f.* ① 《옛》 바다; 바닷물; 바닷가; 해안. ② 항해술: terme de ~ 항해용어. ③ 해군(력·행정); 해상 근무; 선박, 함선; 《집합적》 선박 근무원: officier de la ~ 해군 장교 / ~ française 프랑스 군함〔상선〕 / gars de la ~ 수병. — *m.* (미·영의) 해병대 사병. — *adj.* 《불변》 감색의(= bleu ~): des chaussettes (bleu) ~ 감색 양말.
mariné, e¹ [marine] *adj.* 소금에 절인; (상품 따위가) 바닷물로 훼손된.
mariné, e² *adj.* 〖문장〗 물고기 모양의.
mariner [marine] *v.i.* ① 소금물〔소스〕에 담가지다. ② 《비유》 (불쾌한 장소·상황에서) 오래 머물다, 시간을 끌다: ~ en prison 오랫동안 복역하다 / Elle m'a laissé ~ trois heures. 그 여자는 나를 세 시간씩이나 기다리게 내버려두었다.
marinier, ère¹ [marinje, -ɛːr] *adj.* ① 바다〔항해〕의; 해군의, 해사(海事)의: officier ~ (해군) 하사관. ② arche *~ère* 〖토목〗 아치형 교각(橋脚). — *m.* (거룻배의) 사공; (강·운하 따위를 다니는) 선원.
marinière² [marinjɛːr] *f.* ① (하천·운하 등에서) 수상 생활하는 여자. ② 〖수영〗 횡영(横泳): nager (à) la ~ 횡영으로 수영하다. ③ (여자의) 세일러복. ***à la ~*** 선원〔어부〕처럼. ***moules (à la) ~*** 〖요리〗 백포도주와 양파 소스로 조리한 홍합.
marionnette [marjɔnɛt] *f.* ① 꼭두각시; (*pl.*) 인형극(= théâtre de ~s): ~ à fils 실로 조종하는 인형 / joueur〔montreur〕 de ~s 꼭두각시 부리는 사람. ② 《비유》 조종인형, 괴뢰. ***faire jouer les grandes ~s*** 《구어》 뒤에서 조정하다.
marionnettiste [marjɔnɛ(e)tist] *n.* 꼭두각시 조종사〔흥행사〕.
marital, e, aux [marital, -o] *adj.* ① 남편의: droits *~aux* 남편의 권리. ② 내연 관계의, 동거의: vie *~e* 동거 생활 / union *~e* 내연 관계.
maritalement [maritalmɑ̃] *adv.* ① 부부처럼, 부부로서. ② 《옛》 남편처럼.
***maritime** [maritim] *adj.* ① 바다에 면한, 해안의; (식물이) 해안에서 잘 자라는: ville ~ 임해 도시 / climat ~ 해양성 기후 / port ~ 연안항. ② 바다의, 해양〔해상〕의; 항해의: transport ~ 해상 운송, 해운 / expédition ~ 원양 항해 / assurance ~ 해상 보험. ③ 해군의: forces ~s 해군력 / arsenal ~ 해군 공창.
maritorne [maritɔrn] *f.* 《문어》 못생긴 여자(「돈키호테」의 작중 인물).
marivaudage [marivodaːʒ] *m.* 〖문학〗 마리보(*Marivaux*, 18세기의 프랑스 극작가) 풍(風)의 부자연스럽게 꾸민 말투; 부자연스럽게 멋 부리는 언동(특히 여자의 환심을 살 때).
marivauder [marivode] *v.i.* ① 〖문학〗 마리보의 문체를 모방하다. ② 부자연스럽게 멋을 부린 말투로 이야기를 주고받다(특히 여자의 환심을 사려고). 「마요라나.
marjolaine [marʒɔlɛn] *f.* 〖식물〗 꽃박하,
***mark** [mark] *m.* 마르크(독일 화폐의 단위).
marketing [markətiŋ] 〔영〕 *m.* 〖경제〗 마케팅. 「둥서방.
marlou [marlu] *m.* 《속어》 창녀의 정부, 기
marmaille [marmɑːj] *f.* 《구어》 《집합적》 (시끄럽게 떠드는) 조무래기들, 어린이들.
marmelade [marməlad] *f.* 〖요리〗 마말레이드(설탕에 졸인 과일). ***en ~*** ⓐ (너무 졸여) 흐물흐물해진, 곤죽이 된. ⓑ 《구어》 짜부러진; 혼란한: avoir le cerveau *en ~* 머리가 혼란해 있다.
marmite** [marmit] *f.* ① 냄비(에 들어 있는 음식): ~ de bouillon 수프 냄비 / ~ norvégienne 보온 냄비. ② 〖요리〗 냄비 요리. ***faire aller 〔***bouillir***〕 ***la ~*** 가계를 꾸려 나가다, 생계에 도움이 되다. ***nez en pied de ~*** 《구어》 넓적코, 들창코.
marmitée [marmite] *f.* 한 냄비의 분량: une ~ de soupe 수프 한 냄비.
marmiton [marmitɔ̃] *m.* (요리사의) 조수, (접시닦이 같은) 설거지꾼.
marmonnement [marmɔnmɑ̃] *m.* 중얼거리기; 중얼거리는 말〔소리〕.
marmonner [marmɔne] *v.t.* 중얼거리다: ~ des injures 욕설을 중얼거리다.
marmoréen, enne [marmɔreɛ̃, -ɛn] *adj.* ① 대리석(질)의; 대리석같이 흰. ② 냉정한, 쌀쌀한(= froid, glacial).
marmot [marmo] *m.* ① 《구어》 어린애(= enfant). ② (노커의) 괴상한 얼굴을 한 인형. ***croquer le ~*** 《구어》 오래 기다리다.
marmotte [marmɔt] *f.* ① 〖동물〗 마르모트; 마르모트 모피: manteau de ~ 마르모트 가죽 외투. ② (여성용) 스카프. ***dormir comme une ~*** 깊이 잠자다.
marmottement [marmɔtmɑ̃] *m.* 중얼거림; 중얼거리는 말〔소리〕.
marmotter [marmɔte] *v.t.* 《구어》 중얼거리다: ~ des prières 기도문을 중얼거리다.
marne [marn] *f.* 〖지질〗 이회암(泥灰岩); 이회토(泥灰土)(비료용).
marner [marne] *v.t.* ① 〖농업〗 …에 이회토 거름을 주다. ② 《속어》 무턱대고 일하다.
marneux, euse [marnø, -øːz] *adj.* 이회암질(質)의, 이회암이 많은.
marnière [marnjɛːr] *f.* 이회암 채석장. 「코.
Maroc (le) [ləmarɔk] *n.pr. m.* 〖지리〗 모로
marocain, e [marɔkɛ̃, -ɛn] *adj.* 모로코(*le Maroc*)의. — **M~** *n.* 모로코 사람.
maronner [marɔne] *v.t.* et *v.i.* 《구어》 투덜거리다: faire ~ qn …을 화나게 하다.
maroquin [marɔkɛ̃] *m.* ① 모로코 가죽, 모로코 가죽제 손가방. ② 장관의 직(職)(= ~ ministériel): obtenir un ~ 장관직을 얻다.
maroquinerie [marɔkinri] *f.* 모로코 가죽 제조 (공장); 모로코 가죽 제품; 모로코 가죽 장사〔제조업〕.
maroquinier [marɔkinje] *m.* 모로코 가죽 (제품) 제조공〔상인〕.
marotte [marɔt] *f.* ① 어릿광대 지팡이(손잡이 부분에 종과 인형 머리가 달려 있음). ② (미장원·여성 모자점의) 머리만 있는 마네킹. ③ 《구어》 괴벽, 마니아; 고정관념: Il

M

a la ~ de voyager. 그는 여행에 미쳐 있다.

marouflage [maʀuflaːʒ] *m.* (벽 · 천장에 붙이는) 표구〔표장〕한 그림〔화포〕.

marquage [maʀkaːʒ] *m.* ① (나무 · 천 · 가축 따위에) 표〔표시〕를 하기. ② 〖스포츠〗 (축구 따위에서) 마크, 대인 방어 ; 행동〔활동〕 감시〔방해〕.

marquant, e [maʀkɑ̃, -ɑ̃ːt] *adj.* (사건 · 인물 따위가) 눈에 띄는, 중요한 ; 저명한 : trait ~ 특징 / personne ~*e* 저명 인사.

marque** [maʀk] *f.* ① 표, 표시 ; 마크, 인장(印章) ; 검인 : faire une ~ en marge 여백에 표를 하다 / faire une ~ au stylo rouge une liste 빨간 펜으로 리스트에 표시를 하다 / ~ de la douane 세관의 검인. ② 브랜드, 상표, 마크 ; 메이커 (제품) : ~ déposée 등록 상표 / grandes ~*s* d'automobile 자동차의 대메이커. ③ (차바퀴 따위의) 자국 ; 상처 자국 ; 흉터 : ~*s* de pas dans la neige 눈 속의 발자국 / ~*s* de doigts 손가락 자국 / ~*s* de pneus 타이어 자국 / avoir une ~ au bras 팔에 흉터가 있다. ④ (애정 · 신뢰 등의) 증거 ; 특징(= preuve) : ~ d'amour 사랑의 표시. ⑤ 〖스포츠〗 출발점〔선〕, 라인 표시 : ≪À vos ~*s* ! Prêts ? Partez !≫ 「제자리에, 준비, 시작!」 ⑥ 〖스포츠〗 스코어, 득점(표) : La ~ est de deux à six. 스코어는 2 대 6이다. ⑦ (위계 등을 나타내는) 휘장, 표장(標章). ⑧ 〖언어〗 표지(標識). ***de ~ ⓐ 일류의, 고급의 : de première ~ 최상급의 / produits *de* ~ 고급〔일류〕 생산품. ⓑ 저명한, 뛰어난 : hôtes *de* ~ 귀빈. ***faire porter ses ~s à*** qn 자국이 나도록 …을 때리다. ***~ de bonheur*** 〔***de malheur***〕 길〔흉〕조(吉〔凶〕兆). ***tenir la ~*** 점수를 세다, 득점을 기록하다.

marqué, e [maʀke] *adj.* ① ⓐ 표〔표시〕가 있는 ; 낙인 찍힌 ; 지목된 : drap 〔linge〕 ~ 표시가〔표적이〕 있는 시트 / homme politique ~ à droite 〔à gauche〕 우익〔좌익〕으로 지목받고 있는 정치인. ⓑ 《~ de》 …의 표시가〔자국이〕 있는 : drap ~ *d'*une L, L자 표시가 있는 시트 / ~ *de* la petite vérole 마마 자국이 있는. ② 지정된, 정해진 ; 기입된 : prix ~ 정가 / arriver à l'heure ~*e* 지정된 시간에 도착하다. ③ 뚜렷한 ; 현저한 : traits ~*s* 뚜렷한 얼굴 모습 / différence ~*e* 현저한 차이.

***marquer** [maʀke] *v.t.* ① 《~ de 〔à, par〕》 …으로 표시를 하다 : ~ les fautes *d'*une croix 틀린 곳에 X표를 하다 / ~ le passage important d'un trait rouge 중요한 대목을 붉은 선으로 표시하다 / ~ sa place avec ses gants (차 안에서) 장갑 따위를 놓아 두어 자기 자리를 잡아 두다. ② 자국〔흔적〕을 남기다 ; 《비유》 영향을 미치다 : ~ ses pas dans la neige 눈 위에 발자국을 남기다 / Une brûlure l'*a marqué* à la main droite. 그의 오른손에는 화상의 흔적이 남아 있다 / Cette expérience l'*a marqué*. 이 경험은 그에게 깊은 영향을 주었다. ③ 지적하다, 가리키다, 나타내다, 표시하다 : Ma montre mar*que* midi. 내 시계는 정오를 가리키고 있다 / ~ son refus 거부를 표명하다 / ~ à qn son respect …에게 존경을 표하다. ④ 기입〔기록〕하다(= noter) : ~ un numéro de téléphone sur son carnet 수첩에 전화번호를 기입하다 / Le prix *est marqué* sur l'étiquette. 가격은 가격표에 기록되어 있다. ⑤ 눈에 띄게 하다, 강조하다 ; 표명하다 : ~ la mesure (노래 부를 때) 박자를 맞추다 / Il nous *a marqué* sa reconnaissance. 그는 우리에게 감사의 뜻을 표명했다. ⑥ 〖스포츠〗 상대편 선수를 마크하다 ; 득점하다 : ~ un joueur 어떤 선수를 마크하다 / ~ des points (권투에서) 포인트〔점수〕를 올리다.
── *v.t.* ① 표시가 있다 ; 자국〔흔적〕을 남기다 : Ce fait *marquera* dans l'histoire. 이 사건은 역사에 기록될 것이다. ② 눈에 띄다, 강한 인상을 남기다 : événement qui *marque* 두드러진 (중대한) 사건. ── **se ~** *v.pr.* 표시되다, 나타나다.

marqueter [maʀkəte] [5] *v.t.* …에 쪽매붙임을 하다, 상감 세공하다.

marqueterie [maʀkə(ɛ)tʀi] *f.* ① 《구어》 긁어모은 것 ; 잡동사니 ; (문학 작품 따위의) 잡문집. ② 상감 세공 ; 쪽매붙임.

marqueur, euse [maʀkœːʀ, -øːz] *n.* ① 표〔표시〕를 하는 사람 ; 검인〔낙인〕을 찍는 사람 : ~ de bétail 가축에 낙인 찍는 사람. ② 〖스포츠〗 (득점) 기록자 ; 득점하는 선수 ; 골게터. ── *f.* (상품에) 상표를 찍는 기계 ; 검인기. ── *m.* ① 득점 기록자 : ~ automatique 자동 득점 기록계. ② 〖스포츠〗 득점을 올린 선수. ③ 펠트펜, 수성 볼펜(= crayon-feutre).

marquis [maʀki] *m.* 멋쟁이(= petit ~). ***faire le ~*** 거드름 부리다.

marquisat [maʀkiza] *m.* 후작의 칭호〔영지〕.

marquise [maʀkiːz] *f.* ① 후작 부인 ; 교만스러운 여자. ② (건물 · 텐트 입구의) 차양 ; (플랫폼의) 유리로 된 지붕. ③ (갸름한 보석을 박은) 마르키스형 반지.

marquoir [maʀkwaːʀ] *m.* ① (재단사용의) 본뜨는 기구. ② (속옷에 붙이는) 마크.

marraine [ma(ɑ)ʀɛn] *f.* ① 〖가톨릭〗 대모(代母). ② (종 · 배 따위의) 명명자. ③ (사교계에 처음 나가는 아가씨의) 후견인 역 여인.

***marrant, e** [maʀɑ̃, -ɑ̃ːt] *adj.* ① 《구어》 우스운, 익살맞은, 재미있는(= drôle). ② 이상한, 괴상한(= bizarre) : Tu es ~, toi ! 넌 괴상한 녀석이야!

marre *adv.* 《다음 표현으로만 쓰임》 《속어》 ***C'est ~ !*** 이제 그만하자! ***en avoir ~*** 지긋지긋하다, 신물이 난다 : Une histoire comme ça, j'*en ai* ~. 그런 이야기는 이제 지긋지긋하다. (***Il***) ***y en a ~*** 이젠 지긋지긋하다.

marrer (se) [s(ə)maʀe] *v.pr.* 《구어》 허리가 끊어지게 웃다.

marri, e [maʀi] *adj.* 《옛》 슬퍼하는 ; 유감으로 여기고 있는(= fâché) : être ~ de qc 〔+ *inf.*〕 …을〔하는 것을〕 유감스럽게 생각하다.

marron¹** [ma(ɑ)ʀɔ̃] *m.* ① 밤(= châtaigne) ; 밤색 : ~*s* grillés 군밤. ② 《구어》 주먹다짐(= coup de poing) : recevoir un ~ 한 대 얻어맞다. ③ 폭죽(爆竹). ④ (수위 · 인부 따위의) 출근표. **~** (d'Inde***) 상수리. ***~s glacés*** 설탕에 절인 밤. ***tirer les ~s du feu*** 남에게 이용당하다. ── *adj.* 《불변》 밤색의 :

M

yeux ~ 밤색 눈 / tissu ~ clair 엷은 밤색 천. ② être ~ 《속어》 속다, 당하다.

marron², onne [marɔ̃, -ɔn] *adj.* ① (가축이) 야생(野生)으로 돌아간 ; (노예가) 산속으로 탈주한. ② 면허 없는, 무허가의 : médecin ~ 돌팔이 의사.

***marronnier** [marɔnje] *m.* 〖식물〗 밤나무 ; 마로니에(= ~ d'Inde).

Mars [mars] *n.pr.m.* 〖로마신화〗 군신(軍神) 마르스 ; 〖천문〗 화성. ***champ de ~*** 《옛》 〖군사〗 연병장. ***jeux*** 〔***travaux***〕 ***de ~*** 전쟁.

mars [mars] *m.* 3 월 ; (*pl.*) 3 월에 씨를 뿌리는 곡식. ***arriver comme ~ en carême*** 《옛》 틀림없이 제때에 오다 ; 《marée 와 혼용되어》 마침 때맞게 오다.

marseillais, e [marsɛjɛ, -ɛ:z] *adj.* 마르세유(*Marseille*)의. ── **M~** *n.* 마르세유 사람. ── **la M~e** *f.* 라마르세예즈《프랑스의 국가》.

Marseille [marsɛj] *n.pr.f.* 〖지리〗 마르세유 《지중해에 면한 프랑스 제일의 무역항》.

marsouin [marswɛ̃] *m.* 〖동물〗 돌고래의 일종(= cochon de mer).

marsupial, e, aux [marsypjal, -o] *adj.* 〖동물〗 주머니 모양의 ; 육아낭(育兒囊)이 있는. ── *m. pl.* 〖동물〗 유대류(有袋類).

marte [mart] *f.* = martre.

marteau** [marto] *m.* (*pl.* ***~x) ① 망치, 메, 해머. ② (현관문에 달린) 문 두드리는 쇠, 노커 ; (피아노의) 해머. ③ 〖해부〗 (귀의) 추골(槌骨). ④ 〖어류〗 귀상어(= requin ~). ***avoir*** (***reçu***) ***un coup de ~*** (***sur la tête***) 《속어》 머리가 좀 돌았다. ── *adj.* 《불변》 《구어》 ***être ~*** 머리가 좀 돌았다.

marteau-pilon [martopilɔ̃] *m.* (*pl.* ***~x-~s***) 〖야금〗 증기 망치, 동력 해머.

martel [martɛl] *m.* 《옛》 망치, 쇠망치, 메. 《다음 표현으로만 쓰임》 ***avoir*** 〔***se mettre***〕 ***~ en tête*** 《구어》 근심걱정하다.

martelage [martəla:ʒ] *m.* ① 망치로 두들기기 ; 〖야금〗 망치질, 단련. ② (내연 기관의) 노킹. ③ (벌채할〔벌채 않을〕) 나무에 망치로 표시를 하기.

martèlement [martɛlmɑ̃] *m.* = martellement.

marteler [martəle] [4] *v.t.* ① 망치로 때리다. (쇠를) 망치로 불리다. ② ⓐ 계속해 강하게 치다 ; 두들겨 패다. ⓑ 강타하다 ; 강습하다 : ~ d'obus une position 진지를 포격하다. ⓒ (망치로 치듯) 학대하다, 괴롭히다 : Cette idée lui *martèle* la cervelle. 이 생각이 그를 몹시 괴롭힌다. ③ 음절마다 끊어서 발음하다(= ~ ses mots).

martellement [martɛlmɑ̃] *m.* 망치로 치는 소리 ; 망치질하듯 연달아 나는 큰 소리.

martial, e, aux [marsjal, -o] *adj.* ① ⓐ 전쟁의 ; 전투의 ; 군인의 : chant ~ 군가 / cour ~*e* 군법회의. ⓑ 씩씩한, 군인다운, 용사 같은 : voix ~*e* 씩씩한 목소리. ② 호전적인, 군대식의 : nation ~*e* 호전적인 국민. ③ 〖약학〗 철분을 함유한 : carence ~*e* 철분 부족. ***arts ~aux*** 무예, 무술. ***code ~*** 교전 법규(交戰法規). ***loi ~e*** 계엄령.

martien, enne [marsjɛ̃, -ɛn] *adj.* 〖천문〗 화성의 ; 〖점성술〗 화성의 영향을 받는 : observation ~*enne* 화성 관측. ── *n.* 화성인.

martinet [martinɛ] *m.* ① 〖야금〗 증기 해머, 동력 해머. ② (가죽·삼끈의 여러 가닥으로 된) 채찍, 총채. ③ (손잡이 달린) 촛대.

martingale [martɛ̃gal] *f.* ① (말의) 가슴걸이《말이 머리를 숙이지 못하도록 안장에 맨 가죽끈》. ② 〖의복〗 (코트 따위의 등 쪽에 붙이는) 벨트. ③ (룰렛 따위의 도박에서) 잃은 돈을 곱태우기〔갑절로 걸기〕.

martiniquais, e [martinikɛ, -ɛ:z] *adj.* 마르티니크 섬(*la Martinique*)의. ── **M~** *n.* 마르티니크 섬 사람.

martin-pêcheur [martɛ̃pɛʃœ:r] *m.* (*pl.* ***~s-~s***) 〖조류〗 물총새.

martre [martr] *f.* 〖동물〗 담비 ; 담비 모피 : ~ zibeline 검은 담비.

martyr, e¹ [marti:r] *n.* ① (기독교) 순교자. ② (정치적) 순사자(殉死者) ; 박해받는 사람, 고통받는 사람 : ~ de la liberté 자유를 위하여 순사한 사람. ***ère des ~s*** 순교 시대《로마 황제 *Dioclétien* 의 그리스도교도 박해 시대》. ── *adj.* ① 순교의. ② 수난의 ; 학대받는 : enfant ~ (부모에게) 학대받는 아이들.

martyre² *m.* ① 순교. ② 순사 ; 수난, 박해 ; 고통, 고뇌, 오뇌 : prendre 〔se donner〕 les airs de ~ ; jouer les ~s 희생자인 척하다, 대단한 박해를 받은 척하다 / Toute sa vie fut un ~. 그의 전생애는 고난의 연속이었다. ***souffrir le ~*** 신앙을 위해 박해를 참고 견디다 ; 극심한 고통을 겪다, 몹시 괴로워하다〔고민하다〕.

martyriser [martirize] *v.t.* (신앙 때문에) 박해하다, 순교시키다 ; 학대하다 : ~ un enfant 〔un animal〕 아이를〔동물을〕 학대하다.

martyrologe [martirɔlɔ:ʒ] *m.* 순교자 명부 ; 순교자 축일표(祝日票) ; 희생자 명단.

marxien, enne [marksjɛ̃, -ɛn] *adj.* 마르크스의 : analyse ~*enne* du capitalisme 마르크스의 자본주의 분석.

marxisme [marksism] *m.* 마르크스 사회주의.

marxisme-léninisme [marksism(ə)leninism] *m.* 마르크스레닌주의.

***marxiste** [marksist] *adj.* 마르크스 사회주의의. ── *n.* 마르크스 사회주의자.

marxiste-léniniste [marksistəleninist] *adj.* 마르크스·레닌주의.

mas [mɑ:s] *m.* (프랑스 남부의) 농가.

mascara [maskara] 〔영〕 *m.* 마스카라, 가면.

mascarade [maskarad] *f.* ① 가면 무도회 ; 가장행렬 ; 가장한 사람들 : ~*s* du carnaval 카니발의 가장행렬. ② 《옛》 가면극. ③ 허위, 위선(= hypocrisie) : Ce procès est une véritable ~. 이 재판은 순전히 사기이다.

mascaret [maskarɛ] *m.* ① 해소(海嘯)《만조 때 강 어귀에 생기는 높은 파도》. ② 《비유》 파고(波高) : ~ de contestation 드높은 항의의 물결.

mascotte [maskɔt] *f.* 마스코트(= fétiche).

masculin, e** [maskylɛ̃, -in] *adj.* ① 남자의, 남성의 : sexe ~ 남성 / métier ~ 남성의 직업 / population ~*e* 남성 인구 / femme assez ~*e* d'aspect 용모가 남자 같은 여자. ② 〖문법〗 남성의 : nom ~ 남성 명사. ***rime ~e (시의) 남성운(韻)《어미가 무성(無聲)이 아닌 운》. ── *m.* 〖문법〗 남성 ; 남성형(= genre ~).

masculiniser [maskylinize] *v.t.* ① (여자를) 남성적으로 만들다. ② 〖문법〗 (단어를) 남성으로 만들다.

masculinité [maskylinite] *f.* ① 남성적 성질, 남자다움. ② 〖생물〗 수컷.

masochisme [mazɔʃism] *m.* 마조히즘, 피학대 음란증(≠ sadisme).

masochiste [mazɔʃist] *n.* 피학대 음란증 환자, 마조히스트. — *adj.* 마조히즘의.

masquage [maska:ʒ] *m.* ① 가면을 쓰기. ② 은폐 : ~ de la vérité 진실의 은폐.

masque** [mask] *m.* ① ⓐ 가면, 탈, 복면 : homme au ~ de fer 〖역사〗 철가면의 남자 / mettre un ~ 가면을 쓰다. ⓑ (여러가지) 마스크 : ~ à gaz 방독 마스크 / ~ d'escrime 펜싱 마스크 / ~ de plongée 잠수 마스크 / ~ protecteur 방호(防護) 마스크. ② 면형(面型), 데드 마스크(= ~ mortuaire). ③ 용모, 얼굴 (생김새) : avoir le ~ noble 고상한 용모를 하고 있다. ④ 《문어》 겉보기, (거짓) 외관, 가면 : prendre le ~ de la vertu (고결한 채) 위선의 가면을 쓰다. ⑤ 〖미용〗 팩(= ~ de beauté). ⑥ 〖군사〗 차폐물(物). ***arracher* 〔*ôter*〕 *le ~ à qn …의 가면을 벗기다, 정체를 폭로하다. ***lever* 〔*jeter*〕 *le ~ ; ôter son ~*** 가면을 벗다, 본성을 드러내다. ***sous le ~*** 가면을 쓰고, 위선적으로.

masqué, e [maske] *adj.* ① 가면〔복면〕을 쓴 : bandits ~*s* 복면강도. ② 숨겨진 ; 〖군사〗 차폐〔엄폐〕된. ***bal ~*** 가면〔가장〕 무도회. ***tir ~*** 엄폐 진지에서의 사격.

***masquer** [maske] *v.t.* ① …에게 가면을 씌우다. ② 숨기다, 가리다 ; 〖군사〗 (포대 따위를) 차폐〔엄폐〕하다 ; (본성 따위를) 속이다 : arbres qui *masquent* une maison 집을 가리는 나무 / ~ la vérité par des lâchetés 비열한 수단으로 진실을 은폐하다. ③ (냄새·맛을) 없애다 : sucer un bonbon pour ~ l'odeur du tabac 담배 냄새를 없애려고 사탕을 빨다. — **se ~** *v.pr.* ① 가면을 쓰다 ; 복면을 하다. ② 본성〔본심〕을 숨기다.

massacrant, e [masakʀɑ̃, -ɑ̃:t] *adj.* 기분이 좋지 못한, 심술부리는 : humeur ~*e* 몹시 언짢은 기분.

massacre [masakʀ] *m.* ① 살육 ; (대량) 학살(= carnage) ; 도살(= tuerie) : ~ d'une minorité ethnique 소수 민족의 학살. ② 《구어》 일을 망쳐 놓기, 잡치기 : Les acteurs ont fait un ~ de la pièce. 그 배우들은 서투른 연기로 그 작품을 망쳐 놓았다 / ~ d'une forêt 숲의 마구잡이 훼손. ***jeu de ~*** 공을 맞혀 인형을 쓰러뜨리는 놀이.

***massacrer** [masakʀe] *v.t.* ① 살육하다, 학살하다, 도살하다 : ~ des civils 민간인들을 학살하다. ② 《구어》 때려눕히다, 묵사발로 만들다 : Le boxeur *massacra* son adversaire. 그 권투 선수는 상대방을 묵사발로 만들었다. ③ (일 따위를) 망쳐 놓다, 잡치다 ; 파손하다 : ~ une forêt 숲을 엉망으로 훼손하다 / ~ un texte en le traduisant 엉터리 번역으로 텍스트를 망쳐 놓다.

massacreur, euse [masakʀœ:ʀ, -ø:z] *n.* ① 살육자, 학살자. ② (일이) 서투른 사람 ; 훼손하는 사람, (일을) 망쳐 놓는 사람.

massage [masa:ʒ] *m.* 마사지, 안마 : ~ facial 얼굴 마사지.

masse**[1] [mas] *f.* ① ⓐ 덩어리(= bloc) ; 더미 : ~ de rocher 바위 덩어리 / une ~ de pierres 돌더미. ⓑ (공기·물 따위의) 큰 집합체 : une grande ~ d'eau 커다란 물줄기 ; 널따란 수역《호수·바다 따위》 / ~ d'air froid 〖기상〗 한랭기단(氣團). ② 총체, 전체, 총액, 총량(= totalité) : ~ du sang (체내의) 혈액 총량 / ~ de l'air (지구상의) 공기의 총량 / ~ salariale (기업의) 보수·급료의 총액. ③ (사람의) 집단, 군중(= foule), 대중(= grande ~) ; 〖군사〗 밀집 부대 ; (*pl.*) 민중, 서민, 대중(= peuple) : Ce spectacle plaît à la ~. 이 연극은〔영화는〕 일반 대중에게 인기가 높다 / psychologie des ~*s* 군중 심리 / ~*s* laborieuses 근로 대중. ④ ⓐ 대다수(= la grande majorité, le gros) : la ~ des électeurs 대다수의 유권자들. ⓑ 대량(= grande quantité) : une ~ de lettres à écrire 써야 할 많은 편지들. ⑤ (*pl.*) (미술 작품〔건축물〕의) 주요 구성 요소. ⑥ 자산, 기금, 적립금, 분담금 : ~ active 〔passive〕 자산〔부채〕. ⑦ 〖물리〗 질량(質量) : nombre de ~ 질량수. ⑧ 〖전기〗 어스 : mettre à la ~ 〔faire ~〕 (전류를) 아스하다. ***communication de ~ 매스커뮤니케이션. ***coup de ~*** 심한 충격, 바가지요금. ***de ~*** 대중의 : la culture 〔littérature〕 *de ~* 대중 문화〔문학〕. ***en ~*** 집단으로 떼를 지어 ; 일제히 ; 대량으로. ***Il n'y en a pas des ~s.*** 《구어》 많지 않다. ***levée en ~*** 국민 총동원. ***tomber* 〔*s'affaisser, s'écrouler*〕 *comme une ~*** 털썩 떨어지다〔쓰러지다〕.

masse[2] *f.* ① 큰 망치, 메. ② 〖역사〗 권표(權標). ③ 〖당구〗 큐의 뒤끝.

massepain [maspɛ̃] *m.* 아몬드 과자.

masser[1] [mase] *v.t.* 집결〔밀집〕시키다 ; 한 덩어리로 만들다 ; 집중시키다 : ~ des hommes sur une place 사람들을 광장에 모이게 하다. — **se ~** *v.pr.* 밀집하다, 집결하다.

masser[2] *v.t.* 마사지하다, 안마하다.

massette [masɛt] *f.* ① (석수·토목 인부의) 큰 망치. ② 〖식물〗 부들.

masseur, euse [masœ:ʀ, -ø:z] *n.* 안마사 ; 마사지하는 사람. — *m.* 안마기 : ~ à rouleau 전기 안마기(= vibromasseur).

massicot [masiko] *m.* 〖제본〗 재단기.

massicoter [masikɔte] *v.t.* (재단기로 종이의) 가장자리를 자르다, 재단하다.

massif, ive** [masif, -i:v] *adj.* ① 육중한, 묵직한 ; 덩치가 큰 : portes ~*ives* du château 성의 육중한 문. ② 집단적〔집중적〕인, 대대적인, 다량의 : attaque ~*ive* 집중 공격. ③ 순전한, 도금이 아닌, 속까지 동질인 : or ~ 순금, 금덩어리 / meubles en acajou ~ 순 마호가니 가구. — *m.* ① 〖건축〗 초석, 토대(= soubassement). ② (초목의) 우거짐, (관목) 덤불 ; 화단 : ~ de rosiers 장미 화단. ③ 〖지리〗 대산괴(大山塊). ***le M~ central (프랑스의) 중앙 산악 지대.

massivement [masivmɑ̃] *adv.* ① 육중하게, 묵직하게, 튼튼하게 : édifice ~ construit 육중하게 세워진 건물. ② 다량〔대량〕으로 ; 대거 : médicament administré ~ 다량으로 처방된 약제.

mass(-)media [masmedja] 〘영〙 *m.pl.* 매스미디어, 대중 매체.
massue [masy] *f.* ① 곤봉(棍棒). ② (끝이 몽툭한) 몽둥이 ; 둔기. ③ 〖식물〗 (어떤 버섯들의) 볼룩한 윗부분. ④ 〖동물〗 (더듬이 따위의) 도톰한 끄트머리. ***argument* ~** 이론(異論)의 여지 없는 논증. ***coup de* ~** 몽둥이로 갈기기 ; 《구어》 뜻하지 않은 재난〔사건〕.
mastic [mastik] *m.* ① 유향수지(乳香樹脂) 《예로부터 아랍에서 귀중히 여기는 향료》. ② (창유리용의) 퍼티, (접합 · 충전용의) 시멘트 ; 〖치과〗 충전물(充塡物). ③ 〖인쇄〗 오식(誤植) ; 인쇄상의 잘못. — *adj.* 《불변》 담황색의.
masticage [mastika:ʒ] *m.* 퍼티나 시멘트로 틈을 메우기〔접합하기〕 ; 〖치과〗 충전(充塡).
masticateur, trice [mastikatœ:ʀ, -tʀis] *adj.* 저작(咀嚼)의 : muscle ~ 저작근(筋). — *m.* (식품) 분쇄기.
mastication [mastikɑsjɔ̃] *f.* 씹기, 저작(咀嚼).
masticatoire [mastikatwa:ʀ] *adj.* 저작(咀嚼)의. — *m.* 〖약학〗 저작제(劑) ; 추잉검.
mastiquer¹ [mastike] *v.t.* ① (퍼티 또는 시멘트로) 틈을 메우다〔접합하다〕. ② 〖치과〗 (충치를) 충전(充塡)하다, 때우다.
mastiquer² *v.t.* 씹다, 저작하다 ; 《구어》 먹다(= manger).
mastoc [mastɔk] *adj.* 《불변》 땅딸막한 ; 둔중한, 육중한.
mastodonte [mastɔdɔ̃t] *m.* ① 〖고대생물〗 마스토돈《제 3 기산의 거상(巨象)》. ② 《구어》 거인 ; 거대한 것〔기계 · 차량〕.
mastroquet [mastʀɔkɛ] *m.* 《옛 · 구어》 선술집〔술집〕 (주인).
masturbation [mastyʀbɑsjɔ̃] *f.* 수음(手淫), 자위(自慰), 마스터베이션(= onanisme).
masturber [mastyʀbe] *v.t.* 수음을 해주다, 손으로 성적 쾌감을 느끼게 해주다. — **se ~** *v.pr.* 수음〔자위〕하다.
m'as-tu-vu [matyvy] *adj.* et *m.* 《복수불변》 《구어》 우쭐대는〔허세를 부리는〕 (사람).
masure [mɑ(a)zy:ʀ] *f.* 폐가, 누추한 집.
mat¹ [mat] *m.* 〖체스〗 궁이 꼼짝 못하게 된 처지, 외통 장군. ***Échec et ~!*** 장군! — *adj.* 《불변》 꼼짝 못하게 된, 진.
mat², e [mat] *adj.* ① (빛깔이) 흐릿한(= terne) ; (금속이) 광택〔윤기〕 없는 ; (유리 따위가) 불투명한, 부연 : verre ~ 불투명〔젖빛〕 유리 / étoffe *~e* 광택이 없는 천. ② (소리가) 잘 울리지 않는, 무딘(= sourd) : son 〔bruit〕 ~ 둔한 소리.
***mât** [mɑ] *m.* ① 〖해양〗 돛대, 마스트 : grand ~ 메인마스트 ; 《구어》 선장. ② 깃대 ; (텐트의) 버팀대 ; 지주(支柱) ; 〖철도〗 신호주(= ~ de signal).
matador [matadɔ:ʀ] 〔에스파냐〕 *m.* ① 투우사(= espada, toréador). ② 《구어》 유력자, 거물 : ~*s* de la finance 재계 인사.
matamore [matamɔ:ʀ] *m.* 허풍선이, 허세 부리는 사람. ***faire le ~ ; prendre des airs de ~*** 허세를 부리다, 마구 뻐기다.
match** [matʃ] *m.* 〔영〕 (*pl.* ~(e***)***s***) 〖스포츠〗 시합, 대항 경기(= compétition) ; (경제 · 정치 분야의) 경쟁 : disputer un ~ 시합을 하다 / ~ aller 〔retour〕 두 팀간의 1 차〔2 차〕전. ***~ de championnat*** 리그전(戰). ***~-exhibition*** 시범 경기. ***~ nul*** 무승부 : faire ~ *nul* 비기다. ***~-revanche*** 리턴 매치, 설욕전.
maté [mate] *m.* 〖식물〗 마테 ; 마테차(茶).
matelas** [matla] *m.* ① (침대의) 요, 매트 : toile à ~ 요잇감 / ~ à ressorts 용수철 매트리스. ② 《비유》 두툼한 지폐 뭉치〔돈지갑〕 : Il a le ~. 《구어》 그의 지갑에는 돈이 두둑히 들어 있다. ***~ d'air 〖건축〗 (소음을 방지하기 위한) 이중벽 사이의 공기층. ***~ pneumatique*** 〔***de camping***〕 에어매트.
matelasser [matlase] *v.t.* ① (의자 따위에) 속을 넣다. ② (옷 · 천 따위에) 솜을 넣어 안을 대다.
matelassier, ère [matlasje, -ɛ:ʀ] *n.* 매트리스 제조인〔장수〕 ; 의자 속 넣는 직공.
matelot [matlo] *m.* 수부, 선원 ; 수병 : apprenti ~ 견습 선원 / ~ de première classe 1 등 수병.
matelote [matlɔt] *f.* ① 〖요리〗 (포도주와 마늘로 양념한) 생선 스튜. ② (옛날에 유행한) 선원 춤.
mater [mate] *v.t.* ① 〖체스〗 (궁을) 외통수로 몰다 ; (상대방을) 지우다. ② 굴복시키다 ; (폭동 따위를) 진압하다 : ~ une révolte 폭동을 진압하다. ③ (사람을) 얌전하게 만들다, 길들이다 : ~ un enfant turbulent 소란 피우는 어린애를 조용하게 만들다. ④ 《구어》 바라보다(= regarder).
mâter [mɑte] *v.t.* (배에) 돛대를 세우다.
matérialisation [mateʀjalizɑsjɔ̃] *f.* ① 물질화, 유형화, 구체화. ② 〖심령술〗 (영혼의) 구현(具現).
matérialiser [mateʀjalize] *v.t.* 구체〔물질 · 유형〕화하다 ; 구현하다, 실현하다(= réaliser) : ~ un rêve 꿈을 실현하다. — **se ~** *v.pr.* 구체화되다, 실현되다 : Son projet *s'est matérialisé.* 그의 계획은 실현되었다.
matérialisme [mateʀjalism] *m.* ① 〖철학〗 유물론 : ~ historique 〔dialectique〕 사적〔변증법적〕 유물론. ② 물질주의, 실리(實利)주의 : ~ des sociétés de consommation 소비 사회의 물질주의.
matérialiste [mateʀjalist] *adj.* ① 유물론의 : philosophie ~ 유물론 철학. ② 물질주의(자)의 : civilisation ~ 물질(주의) 문명. — *n.* ① 〖철학〗 유물론자. ② 물질주의자 : vivre en ~ 물질적인 안락을 추구하며 살다.
matérialité [mateʀjalite] *f.* 유형(有形), 물질성, 구체성(≠ spiritualité) : ~ de l'âme 영혼의 물질성 / ~ de notre civilisation 현대 문명의 물질 편향성 / ~ d'un fait 〔d'un acte〕 〖법률〗 사실〔행위〕의 구체성(≠ motifs).
matériau [mateʀjo] *m.* 〖토목 · 건축〗 재료, 자재 : ~ artificiel 인공 자재.
***matériaux** [mateʀjo] *m.* (*pl.*) ① 〖토목 · 건축〗 재료, 자재 : résistance des ~ 재료의 강도(强度) / ~ de construction 건축 자재. ② (연구나 작품의) 자료, 소재 ; 구성 요소 : rassembler des ~ 자료를 수집하다.
***matériel, elle** [mateʀjɛl] *adj.* ① 물질적인 ; 형이하(形而下)의(≠ spirituel) ; 금전적인 : substance ~ 물질 / monde 〔univers〕 ~ 물질 세계. ② 구체적인(= concret) ; 실제적인, 실질적인 : preuve *~elle* 구체적 증거, 물

증 / fait ~ 구체적으로 드러난 사실. ③ 육체적인, 관능적인(= physique, charnel) : besoins ~*s* 육체적 욕구〔쾌락〕. ④ 속된, 지나치게 실리적인, 야비한, 천박한(= grossier, positif) : personne trop ~*elle* (물질적 욕구에만 집착하는) 저속한 사람 / esprit ~ 천박한 사람. ***temps* ~** (어떤 일을 하기에) 실제로 필요한 시간 : Je n'ai pas le *temps* ~ d'y aller. 나는 실제 거기에 갈 만한 시간이 없다. ── *m.* ① (공장 따위의) 설비, 시설 ; 기재(= équipement ; ≠ personnel) : ~ d'une usine 공장의 설비 / ~ agricole 농업 기재, 농장 시설. ② 장비, 용품, 용구(= outillage) : ~ de camping 캠핑 장비 / ~ de bureau 사무용품 / ~ de propagande 선전 용품《팸플릿·광고물 따위》. ③ 〖컴퓨터〗 하드웨어(= hardware ; ≠ logiciel). ── *f.* 《구어》 생활 필수품.

matériellement [mateʀjɛlmɑ̃] *adv.* ① 물질〔육체·관능〕적으로. ② 실제〔실질〕적으로, 사실상 : ~ impossible 사실상 불가능한.

maternage [matɛʀnaːʒ] *m.* ① 〖정신분석〗 모성(母性) 요법《아이를 대하는 어머니와 같은 태도로 환자에게 접근하는 치료법》. ② 《드물게》 모성애적인 보살핌, 과보호.

maternalisme [matɛʀnalism] *m.* 여성 우선, 여성주의(≠ paternalisme).

maternel, elle** [matɛʀnɛl] *adj.* ① 어머니의, 모친의 ; 어머니다운 : lait ~ 모유(母乳) / amour ~ 모성애 / instinct ~ 모성 본능. ② 모계의(≠ paternel), 외가의 : aïeul ~ 외조부. ③ 모성에 관한 : maison ~*elle* 미혼모의 집. ***école* ~*elle 유치원(= jardin d'enfants). ***langue* ~*elle*** 모국어. ── *f.* 《구어》 유치원, 육아원.

maternellement [matɛʀnɛlmɑ̃] *adv.* 어머니로서, 어머니답게.

materner [matɛʀne] *v.t.* (아이들을) 모성애를 갖고 대하다〔기르다〕.

maternité [matɛʀnite] *f.* ① 모성, 어머니다움 : les joies et les peines de la ~ 어머니로서의 기쁨과 고통. ② 출산 (기능) ; 임신 : congé 〔allocation〕 (de) ~ 출산 휴가〔수당〕. ③ 산과 병원, 조산원 : accoucher à la ~ 산과 병원에서 분만하다. ④ 〖법률〗 모자 관계.

mathématicien, enne [matematisjɛ̃, -ɛn] *n.* 수학자.

***mathématique** [matematik] *adj.* ① 수학의, 숫자적인 : raisonnement ~ 수학적 추론 / économie ~ 수리 경제학. ② 엄밀한, 정확한, 수학적인 : précision 〔rigueur〕 ~ 수학적인 정확함〔엄밀함〕. ③ 《구어》 절대적으로 확실한〔필연적인〕 : Il doit réussir, c'est ~. 그는 성공할 것이다, 그건 틀림없는 일이다. ── *f.* (흔히 *pl.*) ① 수학 : ~*s* appliquées 응용 수학 / principes des ~*s* 수학의 원리. ② 수학반(班), 수학 학급 : ~*s* élémentaires 초급 수학반《고등학교 최고 학년의 이과반》 / ~*s* générales 일반수학《의과대학 1 학년》.

mathématiquement [matematikmɑ̃] *adv.* 수학적으로 ; 정밀하게, 엄밀하게.

mathématiser [matematize] *v.t.* (문제를) 수식화하다 ; …에 수학적 방법을 적용하다.

matheux, euse [matø, -øːz] *n.* 《구어》 수학 전공자 ; 수학을 잘하는 학생.

math(s) [mat] *f. pl.* 《구어》 수학(= mathématiques) ; 수학 수업.

‡**matière** [matjɛːʀ] *f.* ① 물질, 물체 ; 물품 : ~ solide 〔liquide, gazeuse〕 고체〔액체·기체〕 / ~ vivante 생명체 / ~ organique 〔inorganique〕 유기물〔무기물〕 / ~ imposable 과세품. ② 소재, 재료, 원료 : ~*s* d'or et d'argent 금은괴(塊) 《화폐의 지금(地金)》 / En quelle ~ est cet imperméable? 이 레인코트의 원료는 무엇입니까? ③ (책·연설의) 제재(題材), 주제, 내용(= sujet, contenu) ; 〖학교〗 학과, 교과, 과목(= discipline) : fournir la ~ d'un livre 책의 소재를 제공하다 / ~*s* d'examen 시험 과목 / ~ à option 선택 과목. ④ 이유, 동기(= motif, raison). ⑤ (이야기 따위의 대상이 되고 있는) 사항, 점, 문제(= question) : Je suis incompétent en la ~ 〔sur cette ~〕. 이 문제에 관해서는 저는 문외한입니다. ⑥ 〖철학〗 질료(質料)(≠ forme). ⑦ (*pl.*) 똥, 대변(= ~*s* fécales). ⑧ 〖법률〗 사항, 사건. ***en la* ~** 이 분야〔일, 문제〕에 있어서(= sur cette ~) : être expert *en la* ~ 이 분야의 전문가이다. ***en* ~** + 형용사〔***de*** + 무관사명사〕 …에 관해서(는), …의 분야에서(는) : *en* ~ littéraire 문학에 관해서(는) / Il est indifférent *en* ~ *de* religion. 그는 종교에 무관심하다. ***entrer en* ~** 본제〔본론〕에 들어가다. **~ *grise*** 〖컴퓨터〗 소프트웨어《전자계산기에 주어지는 프로그램·자료·기술의 총칭》 ; 지능, 지력, 상상력.

Matignon [matiɲɔ̃] *n.pr.m.* 프랑스 수상 관저(= hôtel ~).

‡**matin** [matɛ̃] *m.* ① ⓐ 아침(≠ soir) : ce ~ 오늘 아침 / demain ~ 내일 아침 / hier (au) ~ 어제 아침 / le lendemain ~ 다음날 아침 / la veille au ~ rm 전날 아침 / huit heures du ~ 아침 8시 / tous les dimanches ~(s) 일요일 아침마다. ⓑ 오전(≠ après midi) : trois heures du ~ 오전 3시 / travailler le ~ 오전 중에 일하다. ② 《비유》 시작, 시초, 초창기, 여명기(= aurore) : ~ de la vie 인생의 여명기 ; 청춘 (시대). ***au* ~** 아침에. ***au* (*petit*) ~** 새벽에. ***de grand* 〔*bon*〕 ~ ; *le* ~ *de bonne heure*** 아침 일찍. ***du* ~ *au soir*** 아침부터 저녁까지. ***étoile du* ~** 금성(= Vénus). ***être du* ~** 아침에 일찍 일어나다(= être matinal). ***un beau* ~ ; *un de ces* (*quatre*) ~*s*** 근일 중에 : Je passerai chez vous *un de ces quatre* ~*s*. 근일 중에 댁으로 찾아뵙겠습니다. ── *adv.* 아침 일찍이 : se lever ~ 아침 일찍 일어나다.

mâtin, e [mɑtɛ̃, -in] *m.* ① 마스티프종(種)의 개《사냥용 큰 맹견》. ② 《구어》 불쾌한〔무례한〕 녀석. ── *n.* 《구어》 장난꾸러기 ; 말괄량이(= coquin).

matinal, e, aux [matinal, -o] *adj.* ① 아침의 : brouillards ~*aux* 아침 안개 / gymnastique ~*e* 아침 체조. ② 아침 일찍 일어나는 : Vous êtes bien ~ aujourd'hui! 오늘은 일찍 일어나셨군요!

matinalement [matinalmɑ̃] *adv.* 아침 일찍이.

mâtiné, e [matine] *adj.* ① (개·고양이 따위가) 잡종인. ② 《비유》 《~ de qc》 …이 섞인(= mêlé) ; …와 혼혈의 : français ~ *d'anglais* 영어가 섞인 프랑스어.
matinée** [matine] *f.* ① 오전 중, 아침 (나절), 오전(≠ soirée) : dans la ~ 오전 중에 / en 〔au〕 début de la ~ 오전 일찍 / toute la ~ 오전 내내 / perdre une ~ entière 오전을 전부 허비하다. ② 낮 공연, 마티네, 낮 모임 : concert en ~ 낮 음악회 / cinéma qui affiche deux ~*s* et une soirée 2회의 낮 상연과 1회의 저녁 상연을 하는 극장. ③ (여자용) 아침 옷, 평상복, 실내복. ***dormir 〔***faire***〕 ***la grasse ~*** 아침에 늦잠을 자다.
mâtiner [matine] *v.t.* (잡종인 수캐가 순종인 암캐와) 교미하다(= couvrir).
matines [matin] *f. pl.* 〖종교〗 새벽 기도 ; 성무 일도의 새벽 기도.
matois, e [matwa, -a:z] *adj.* et *n.* 《문어》 교활한 (사람), 엉큼한 (사람)(= rusé, madré).
maton [matɔ̃] *m.* 《은어》 간수, 옥리.
matou [matu] *m.* 《구어》 (거세하지 않은) 수코양이(= chat).
matraquage [matʀaka:ʒ] *m.* ① 곤봉으로 때리기 : ~ des manifestants 시위 군중을 곤봉으로 두들겨 제압함. ② (라디오·텔레비전에서) 같은 것을 싫증이 나도록 되풀이하기《특히 선전·광고 따위》: ~ publicitaire 집중 선전 공세.
matraque [matʀak] *f.* (고무·나무제의) 곤봉. ***C'est le coup de ~.*** 터무니없이 비싼 값이다.
***matraquer** [matʀake] *v.t.* ① 곤봉으로 때리다 ; 공격하다 : Les manifestants se sont fait ~ par la police. 데모대는 경관에게 경찰봉으로 두들겨 맞았다. ② …에게 격심한 타격을 주다, 엄청난 값을 요구하다 : se faire ~ 바가지를 쓰다. ③ (라디오·TV에서) 같은 선전을 싫증이 나도록 되풀이하다.
matraqueur, euse [matʀakœ:ʀ, -ø:z] *adj.* ① 곤봉으로 때리는. ② 선전을 되풀이하는. — *m.* 곤봉으로 때리는 사람 ; 《구어》 〖스포츠〗 난폭한〔거친〕 선수.
matriarcal, e, aux [matʀijaʀkal, -o] *adj.* 모권(母權)의, 모권제〔모계제〕에 관한. 「制).
matriarcat [matʀijaʀka] *m.* 모권제(母權
matrice [matʀis] *f.* ① 〖해부〗 자궁(子宮)(= utérus) ; 《비유》 모태, 모체 : ~ de l'œuvre 작품의 모태. ② 〖야금〗 주형(鑄型) ; 원형(原型) ; (활자의) 모형(母型). ③ 〖행정〗 (징세·토지 따위의) 대장, 원부(原簿).
matricide [matʀisid] *m.* 모친 살해(≠parricide). — *n.* 모친 살해자. — *adj.* 모친 살해의. 「〔원부〕의.
matriciel, elle [matʀisjɛl] *adj.* 징세 대장
matricule [matʀikyl] *f.* 명부, 등록, 등기 ; 등록 대장 : ~ d'un hôpital 병원 입원자 명부 / droits de ~ 등록료〔수수료〕. — *m.* 등록 번호(= numéro ~) ; 〖군사〗 군번.
— *adj.* 명부 기입의, 명부의 : registre 등록원부 / livret ~ d'un soldat 군인의 병역 카드.
matriculer [matʀikyle] *v.t.* 명부에 기입하다, …에 등록 번호를 기입하다.
matrimonial, e, aux [matʀimɔnjal, -o] *adj.* 혼인의, 결혼의 : agent ~ 결혼 중매업자 / lien ~ 부부〔혼인〕 관계.
matrone [matʀɔn] *f.* ① 〖고대로마〗 기혼 부인. ② 나이가 지긋한 품위 있는 부인 ; 《경멸》 뚱뚱하고 저속한 중년 여인.
Matthieu [matjø] *n.pr.m.* 〖성서〗 마태 : l'Évangile selon saint ~ 마태복음.
maturation [matyʀasjɔ̃] *f.* ① (과실 따위의) 익기, 성숙(= mûrissage) ; 《비유》 (사고·재능 따위의) 성숙 : ~ du talent 〔de l'esprit〕 재능〔정신〕의 성숙. ② 〖생물〗 (기관·생식 세포 따위의) 발육 : ~ du fœtus 태아의 발육. ③ 〖의학〗 화농(化膿).
mâture [maty:ʀ] *f.* 〖해양〗 《집합적》 (한 배의) 돛대 ; (*pl.*) 돛대 재목.
maturité [matyʀite] *f.* ① (과실·곡물의) 성숙(≠ précocité) : cueillir des fruits avant leur ~ complète 과일을 완전히 익기 전에 따다. ② (기회 따위의) 무르익기 ; (정신·판단력의) 원숙, 성숙 ; 분별 ; 장년기(= âge mûr) : 《venir à ~》 projet qui *vient à* ~ 무르익은 계획. ③ 〖의학〗 (종기의) 화농.
matutinal, e, aux [matytinal, -o] *adj.* 《옛·시어》 아침의(= matinal).
maudire [modi:ʀ] 《부정사 maudire, 과거분사 maudit(e) 이외는 활용 [5]》 *v.t.* 저주하다, 증오하다(= détester, haïr) : ~ la destinée 〔le sort〕 운명을 저주하다.
maudit, e [modi, -it] *adj.* ① 저주받은 ; 금지된(= interdit) : amour ~ 금지된〔불륜의〕 사랑 / poètes ~*s* 저주받은 시인들. ② 《보통 명사 앞》 고약한, 혐오할(= détestable) : *M*~ garnement ! 악마같이 고약한 놈 ! / Ce ~ travail me tuera. 이 빌어먹을 놈의 일 때문에 죽을 지경이다. — *n.* ① 저주받은 사람. ② le *M*~ 악마, 마귀(= démon).
maugréer [mogʀee] *v.i.* 투덜거리다, 욕지거리하다(= râler, rouspéter) : ~ contre 〔après〕 tout le monde 모든 사람들에 대해 투덜거리다. — *v.t.* 《~ qn 〔qc〕》 …을 저주하다 ; (불평 따위를) 투덜거리다 : ~ une injure 욕하다.
maure [mɔ:ʀ] (*f.* ***mauresque***) *adj. m.* (북아프리카의) 무어인의 ; 모리타니(*Mauretania*)의. — **M~** *m.* 무어인. ***tête de ~*** 〖문장〗 흑인의 머리 ; 고동색(의). — *m.* 무어 말.
Maurice [mɔʀis] *n.pr.m.* l'île ~ 모리셔스 섬《마다가스카르 섬 동쪽의 화산섬》.
mauricien, enne [mɔisjɛ̃, -ɛn] *adj.* 모리셔스 섬의. — **M~** *n.* 모리셔스 섬 사람.
Mauritanie [mɔʀitani] *n.pr.f.* 〖지리〗 모리타니《서아프리카의 공화국》.
mausolée [mozɔle] *m.* 영묘(靈廟), 능(陵).
***maussade** [mosad] *adj.* ① (사람·성질·모습이) 침울한(= grimaud) ; 시무룩한(= rechigné) : enfant ~ 침울한 아이 / mine ~ 시무룩한 얼굴. ② (날씨 따위가) 음산한 : temps ~ 음산한 날씨.
maussadement [mosadmɑ̃] *adv.* 침울하게 ; 시무룩하게 ; 무뚝뚝하게, 퉁명스럽게.
maussaderie [mosadʀi] *f.* 침울, 퉁명스러움 ; (*pl.*) 무뚝뚝한 태도.
‡mauvais, e [mo(ɔ)vɛ, -ɛ:z] *adj.* ① (도덕적으로) 나쁜, 옳지 못한 ; 괘씸한 : ~*e* conduite 비행(非行) / ~ garçon 불량 소년 / ~

M

lieu 나쁜 점 / ~ conseils 나쁜 충고 / ~*e* vie 타락한 생활 / femme de ~*e* vie 창녀 / avoir une ~*e* conduite 행실이 나쁘다.
② 악의 있는, 간사한 ; 심술궂은(= méchant) ; 악독한, 신랄한(= cruel, dur) : avoir ~ caractère 성격이 나쁘다 / avoir un rire ~ 심술궂은 미소를 짓다 / ~*e* langue 독설가, 악담가 / ~*e* volonté 악의.
③ 불완전한, 결점〔흠〕이 있는 ; 서투른, 졸렬한 ; (건강상으로) 나쁜 ; 심한, 위험한 : parler un français 정확하지 않은 불어를 쓰다 / ~*e* affaire 돈벌이가 잘 안 되는 사업 / L'humidité est ~*e* pour la santé. 습기는 건강에 나쁘다 / avoir de ~ yeux 시력이 나쁘다 / ~*e* digestion 소화불량 / ~ élève 공부 못하는 학생 / ~ film 시시한 영화 / ~*e* marchandise 질이 나쁜 상품 / avoir (une) ~*e* mémoire 기억력이 나쁘다 / Il est ~ en maths. 그는 수학을 잘 못한다 / ~*e* grippe 심한 독감.
④ (생각·방법 따위가) 잘못된, 틀린 ; 부적당한 : ~ calcul 오산 / ~ raisonnement 그릇된 추리 / prendre la ~*e* direction 방향을 잘못 잡다 / choisir la ~*e* méthode 잘못된 방법을 택하다.
⑤ 불길한 ; 불쾌한 : 불행한 ; (날씨가) 거친 ; (상태가) 안 좋은 : ~ signe불길한 징조 / ~ sort 불운 / être né sous une ~*e* étoile 팔자를 사납게 타고나다 / ~*e* odeur 악취 / ~*e* nouvelle 나쁜 소식 / ~ restaurant 음식이 맛없는 레스토랑 / faire un ~ repas 맛없는 식사를 하다 / être dans un ~ jour 불행한 나날을 보내다 / La mer est ~*e* 바다가 거칠다 / ~*e* route de campagne 울퉁불퉁한 시골길.
⑥ 기분이 안 좋은 ; 까다로운, 다루기 힘든 : être de ~*e* humeur 기분이 안 좋다 / ~*e* tête ; ~ esprit 반항적인 사람 / être de ~ caractère 성격이 까다롭다.
avoir l'air ~ 엉큼한 생각을 품고 있는 것 같다. ***être ~ comme une teigne*** 〔***la gale***〕 몹시 심술궂다. ***Il est ~ de***+*inf.* 〔***que***+*sub.*〕 …하는 것은 나쁘다 : *Il* ne *serait* pas ~ *de* le prévenir 〔*qu'*on le prévienne〕. 그에게 미리 알려 주는 것도 나쁘지 않겠지. ***la trouver*** 〔***l'avoir***〕 ***~e*** 《구어》 (그것이) 마음에 들지 않다, 불만이다.
— *adv.* 나쁘게 : sentir ~ 악취가 나다 ; 수상쩍다 / N'entreprenez pas cette affaire, cela sent ~. 이 일은 손대지 마라, 뭔가 수상쩍다. ***Il fait ~.*** 날씨가 나쁘다. ***Il fait ~*** (***de***)+*inf.* 《문어》 …은 괴로운 일이다 ; 위험하다 : *Il fait* ~ traîner dans ce quartier la nuit. 밤에 변두리를 어슬렁거리는 것은 위험하다.
— *n.* ① 악인 : le bon et le ~ 선인과 악인. ② le *M*~ 악마(= Diable).
— *m.* 악(惡), 나쁜 일, 결점 : Il n'y a pas que du ~ dans cette proposition. 이 제안은 나쁜 것만은 아니다.

***mauve** [moːv] *f.* 〖식물〗 접시꽃. — *adj.* et. *m.* 접시꽃 빛깔〔엷은 보라색〕(의).

mauviette [movjɛt] *f.* ① 〖조류〗 (식용으로 쓰이는) 종달새(= alouette). ② 《구어》 신체가 허약한 사람.

maxi [maksi] *adj.* 《불변》 《구어》 최대의(= maximum) ; (스커트 따위가) 매우 긴, 맥시의 : mode ~ 맥시 모드. — *adv.* 최고로, 최대한. — *m.* 《복수불변》 최대, 최고.

maxi- *préf.* 「매우 큰, 매우 긴」의 뜻.

maxibouteille [maksibutɛj] *f.* (생수 등의) 큰 플라스틱병《1.5 리터들이》.

maxillaire [maksi(l)lɛːʀ] *adj.* 〖해부〗 턱의. — *m.* 악골(顎骨) : ~ supérieur 〔inférieur〕 위〔아래〕 턱뼈.

maximal, e, aux [maksimal, -o] *adj.* 최대의, 최고의(= maximum ; ≠ minimum) : températures ~*e* 최고 기온 / vitesse ~*e* 최고 속도.

maximaliste [maksimalist] *adj.* 과격파의. — *n.* 과격파의 사람.

maxime [maksim] *f.* ① 격언, 잠언(箴言), 금언(= proverbe) : ~ populaire 〔traditionnelle〕 속담, 격언. ② 행동 방침, 준칙 : suivre une ~ 방침〔기준〕에 따라 행동하다.

maximiser [maksimize] *v.t.* ① 극대화〔최대화〕하다(= maximaliser ; ≠ minimiser) : ~ le profit 이윤을 극대화하다. ② 최고 가치를 부여하다.

maximum** [maksimɔm] (*pl.* **~s**, ***maxima [maksima]) *m.* ① 최대한, 최고, 극한(極限) (≠ minimum) : ~ de température 최고 기온 / ~ de vitesse 최고 속도 / ~ de capacité 최대 용량 / faire rendre son ~ à un cheval 〔un navire〕 말을〔배를〕 전속력으로 달리다. ② 〖법률〗 최고형(= ~ de la peine) : être condamné au ~ 최고형에 처해지다. ***au ~*** 최대한으로, 극도로. — *adj.* 《불변, 때로는 *f.* ***maxima***, *pl.* **~s**, ***maxima***》 최대의, 최고의, 극한의 : prix ~*s* 〔maxima〕 최고 가격 / pression ~ 최대 압력 / tarif ~ 최고 요금.

maya [maja] *adj.* 마야인〔어, 제국〕의 : l'Ancien Empire ~ 고대 마야 제국.
— **M~** *n.* 마야인《중앙아메리카의》.
— *m.* 마야어(語).

***mayonnaise** [majɔnɛːz] *f.* 〖요리〗 마요네즈 소스 ; 마요네즈로 요리한 음식. — *adj.* sauce ~ 마요네즈 소스.

mazagran [mazagʀɑ̃] *m.* (커피용) 도기제 유리컵.

mazdéisme [mazdeism] *m.* 〖종교〗 조로아스터교(敎), 마즈다교, 배화교.

mazette [mazɛt] *interj.* 《놀라움·경탄》 저런, 야, 이것 참 : *M~ !* quelle voiture ! 야, 굉장한 자동차군.

***mazout** [mazut] *m.* (선박·기관차 따위에 쓰는) 중유(重油)(= fuel-oil) : chaudière à ~ 중유 보일러 / plages polluées par le ~ 유출 중유로 오염된 해안.

mazurka [mazyʀka] *f.* 〖무용〗 마주르카《폴란드의 3박자 춤》 ; 마주르카 곡(曲).

MC 《약자》 Monaco 모나코《국제 자동차 식별 기호》.

Mc 《약자》 mégacycle 〖전기〗 메가사이클.

M.D. 《약자》 ① 〖음악〗 main droite 오른손. ② 〖금속〗 métaux divers 잡금속

M.D.N. 《약자》 Ministère de la défense nationale 국방부.

Mᵉ 《약자》 Maître 〖법률〗 변호사·공증인 따

위에 대한 존칭.

‡me [m(ə)] *pron. pers.* 《모음 · 무성 h 앞에서는 m'》 ① 《직접목적보어》 나를 : Il *me* voit. 그는 나를 본다 / Il *m'*aime. 그는 나를 사랑한다. ② 《간접목적보어》 나에게, 나에게서, 나를 위하여 ; 나의 : Il *me* prend la main. 그는 나의 손을 잡는다 / Il *m'*a acheté un livre. 그는 나에게 책을 사 주었다 / Il *me* l'a fait. 그는 나를 위하여 그것을 했다 / Votre aide *m'*est nécessaire. 내겐 당신의 도움이 필요하다. ③ 《재귀 대명사》 Je *me* lave. 나는 몸을 씻는다 / Je *me* lève à sept heures. 나는 7시에 일어난다. ④ 《긍정 명령문에서 뒤에 en, y가 올 때》 Donnez-*m'*en. 그것을 나에게 주시오. ⑤ 《사태를 강조하거나 상대편의 관심을 환기시키기 위해 허사적으로》 Va *me* mettre cet homme à la porte ! 이 사람을 좀 쫓아내 주게.

me. 《약자》 mercredi 수요일.

mea-culpa [meakylpa] 〔라틴〕 *m.* 《복수불변》 나의 죄〔잘못〕 ; 회오(悔悟), 회개. ***faire* 〔*dire*〕 *son* ~** 자기의 죄를 고백〔회개〕하다.

méandre [meɑ̃dʀ] *m.* ① (강줄기 · 길의) 굴곡, 구불구불함, 굽이(= sinuosité) : ~*s* de la Seine 센 강의 굽이. ② 우여곡절 ; 우왕좌왕 : ~*s* de la politique 〔de la diplomatie〕 정치〔외교〕의 우여곡절.

méat [mea] *m.* 〖해부〗 도(道), 관(管) : ~ urinaire 요도(尿道).

mec [mɛk] *m.* 《구어》 ① 놈, 녀석(= type) : Pauvre ~ ! 불쌍한 녀석 ! ② 정부, 연인.

Méc 《약자》 mécanique 역학(力學).

***mécanicien, enne** [mekanisjɛ̃, ɛn] *m.* ① 기계 기사(= ingénieur ~), 기계 정비사〔수리공〕 : ~ d'un garage 자동차 수리공 / 《동격》 ouvrier ~ 조립공. ② (전차 따위의) 운전사(= machiniste) ; 〖철도〗 기관사. ③ 역학 전공의 물리학자. — *adj.* 기계 중심의 : civilisation ~*enne* 기계 문명. — *f.* (공장의) 재봉 여직공.

mécanicien-dentiste [mekanisjɛ̃dɑ̃tist] *n.* (*pl.* **~s-~s**) 치과 기공사.

mécanique** [mekanik] *adj.* ① 기계의, 기계에 의한, 기계로 움직이는 : industrie ~ 기계 산업 / train ~ 모형 기차. ② 역학(力學)의 ; 기계론의 : lois ~*s* 역학의 법칙 / explication ~ du corps humain 인체의 기계론적 설명. ③ 수공(手工)의 ; 기교적인 : arts ~*s* 공예(工藝). ④ 기계적인(= machinal) ; 무의식적인(= irréfléchi) : mouvement ~ 기계적인 동작. ***avoir des ennuis ~s 모터〔기계〕가 고장나다. ***escalier ~*** 에스컬레이터. ***partie ~ d'un art*** 예술의 기교적 면. — *f.* ① 역학, 기계학 : ~ quantique 양자역학 / ~ automobile 자동차 공학. ② 기계, 기계 장치 ; 기구, 구조 : ~ d'une montre 시계의 구조 / ~ digestive 소화 기구 / ~ politique 정치판의 움직임. ③ 간책, 술책(= intrigue). ④ 《속어》 물건(= chose) : Passez-moi cette ~-là. 그것 좀 집어 주시오. ⑤ (인체의) 움직임 ; 《구어》 신체 : avoir une ~ en bon état 몸의 상태가 좋다. ***rouler les ~s*** 《구어》 어깨를 으쓱대며 근육을 과시하다.

mécaniquement [mekanikmɑ̃] *adv.* ① 기계적으로, 자동적으로. ② 무의식적으로(= automatiquement). ③ 역학적으로.

***mécanisation** [mekanizɑsjɔ̃] *f.* (공업 · 군대 따위의) 기계화.

mécaniser [mekanize] *v.t.* ① 기계화하다 : ~ la production 생산을 기계화하다. ② 《속어》 (사람을) 기계처럼 다루다〔취급하다〕. ***unités mécanisées*** 〖군사〗 기계화 부대.

***mécanisme** [mekanism] *m.* ① 장치, 기계장치(= mécanique) : ~ de sécurité 안전 장치 / ~ d'une horloge 괘종시계의 기계장치. ② 기구(機構), 구조, 메커니즘 ; 조작, 조종 : ~*s* administratifs 행정〔관리〕 기구 / ~ biologique 생물학적 구조. ③ 〖철학〗 기계론 ; 〖심리〗 기제(機制) : ~ matérialiste 유물론적 기계론 / ~ de défense 방어기제.

mécaniste [mekanist] 〖철학〗 *m.* 기계론자. — *adj.* 기계론적인 : théorie ~ 기계론적인 이론.

mécano [mekano] *m.* 《구어》 기관사 ; (기계 · 자동차의) 수리공(= mécanicien).

mécanographe [mekanɔgʀaf] *n.* ① 사무기기〔복사기 · 컴퓨터 · 계산기〕 담당자, 오퍼레이터. ② 프로그래머.

mécanographie [mekanɔgʀafi] *f.* 사무기기 사용(법), 사무기기에 의한 정보 처리 ; 전산실.

mécanographique [mekanɔgʀafik] *adj.* 사무기기의〔에 의한〕, 정보 처리의 : machine ~ 사무용 기기.

mécanothérapie [mekanɔteʀapi] *f.* 〖의학〗 기계 치료법.

meccano [mekano] 〔영〕 *m.* 〖상표명〗 메카노《조립식 금속제 장난감》.

mécénat [mesena] *m.* 문예 · 학술의 옹호.

mécène [mesɛn] *m.* 문예 보호자 ; 예술〔학술〕 후원자.

méchamment [meʃamɑ̃] *adv.* ① 심술궂게, 악의적으로. ② 《구어》 몹시, 대단히 : Il est ~ bourré. 그는 몹시 취해 있다.

méchanceté [meʃɑ̃ste] *f.* ① 악의, 심술궂음, 짓궂음 : agir sans 〔par〕 ~ 악의없이〔악의를 품고〕 행동하다 / ~ d'une repartie 심술궂은 대꾸. ② 심술궂은 짓〔말〕 : dire des ~*s* 가시 돋친 말을 하다.

‡méchant, e [meʃɑ̃, -ɑ̃:t] *adj.* ① ⓐ 《보통 명사 뒤》 악의 있는, 심술궂은, 짓궂은, 고약한(= malveillant) ; 냉혹한, 인정머리 없는(= cruel, dur) : être ~ envers 〔《옛》 à〕 qn … 에 대해 모질게 굴다 / regard ~ 악의에 찬〔사나운〕 눈길 / homme ~ ; ~ homme 악인 / ~*e* langue 독설가. ⓑ (어린애가) 장난이 심한, 말 안 듣는. ⓒ (개가) 무는(= qui mord) : ≪Chien ~≫ 「맹견 주의」《게시문》. ② 《명사 앞》 ⓐ 보잘것없는, 시시한(= mauvais, médiocre) ; 서투른 : ~ livre 졸작 / ~ médecin 서투른〔졸렬한〕 의사. ⓑ 나쁜, 귀찮은, 해로운 : ~*e* habitude 나쁜〔해로운〕 습관 / ~*e* affaire 귀찮은 일. ***Ce n'est pas* (*bien*) ~.** 《구어》 그건 별로〔그렇게〕 대단치〔대수롭지〕 않다. — *n.* 악인(惡人), 심술궂은 사람 : le bon et le ~ 선인과 악인. ***faire le ~*** 적의를 드러내다 ; 《구어》 격렬하게 항의하다.

mèche[1] [mɛʃ] *f.* ① (램프 · 초 따위의) 심지 ; 도화선(導火線) : ~ de briquet 라이터의 심.

② 머리털 타래 ; (털실의) 다발 ; (모자의) 술 ; 거칠게 자아낸 실. ③ 〖외과〗 (상처 구멍 따위에 넣는) 가제, 탐폰. ④ 채찍 끝의 끈, 챗열 ; 송곳 끝, (병마개 뽑기 따위의) 끝. ***découvrir*** 〔***éventer***〕 ***la ~*** 《구어》 음모를 간파하다. ***vendre la ~*** 《구어》 비밀을 누설하다.

mèche² 〔이탈리아〕 *n.* 《복수불변》 《다음 표현에만 쓰임》 ***être de ~ avec*** qn 《구어》 …와 한통속이다. ***Il n'y a pas ~ ; Y'a pas ~.*** 《구어》 어찌 할 방도가 없다.

méchoui [meʃwi] *m.* 양고기 구이.

mécompte [mekɔ̃:t] *f.* 계산 착오, 오산 ; 환멸, 실망(= déception) : essuyer de graves *~s* 심한 환멸을 느끼다.

méconnaissable [mekɔnɛsabl] *adj.* 알아볼 수 없을 만큼 변한 ; 알아보기 힘든 : La maladie l'a rendu ~. 병이 그를 알아볼 수 없을 만큼 변하게 해 놓았다.

méconnaissance [mekɔnɛsɑ̃:s] *f.* 《문어》 ① 인식하지 못함, 몰이해 ; 무지 : être dans la ~ totale d'une situation 상황을 전혀 이해하지 못하다. ② (재능이나 일의) 무시.

méconnaissant, e [mekɔnɛsɑ̃, -ɑ̃:t] *adj.* 《옛》 은혜를 모르는, 망은의.

méconnaître [mekɔnɛtʀ] [41] *v.t.* ① ⓐ 바르게 인식〔평가〕하지 않다, 알아보지 못하다 (≠ reconnaître) : ~ le talent de qn …의 재능을 바르게 평가하지 않다 / C'est le que de penser qu'il acceptera. 그가 받아들일 거라고 생각한다면 그를 잘못 본 거야. ⓑ 〖법률〗 인지(認知)하지 않다. ② 무시〔등한시〕하다(= négliger) : ~ ses parents 친척을 친척이 아닌 것처럼 대하다 / Je ne méconnais pas l'aide qu'il apporte. 나는 그의 도움을 모르는 바 아니다. ③ (규칙 따위를) 지키지 않다, 무시하다 : ~ les lois 〔les règles〕 법〔규칙〕을 지키지 않다.

***méconnu, e** [mekɔny] *adj.* (진가를) 인정받지 못한, 무시당하고 있는 : génie ~ 인정받지 못하고 있는 천재. —— *n.* (세상에서) 인정받지 못하고 있는 사람, 불우한 천재.

***mécontent, e** [mekɔ̃tɑ̃, -ɑ̃:t] *adj.* 《~ de》 …에 불평을 품은, …이 불만스러운(≠ content) : Ma mère était très *~e de* notre mariage. 어머니는 우리의 결혼에 크게 불만이었다 / Il semble ~ *de* ne pas avoir été invité. 그는 초대받지 못한 것이 불만인 것 같다 / 《~ que+*sub.*》 Il est ~ *que* vous ne soyez pas venu. 그는 당신이 오지 않은 것에 대해 불만이 많다. —— *n.* 불평〔불만〕가 ; 〖정치〗 불평분자.

mécontentement [mekɔ̃tɑ̃tmɑ̃] *m.* 《~ de》 …에 대한 불평, 불만 : exprinmer 〔manifester〕 son ~ 불만을 표시하다.

mécontenter [mekɔ̃tɑ̃te] *v.t.* 불평〔불만〕을 품게 하다(≠ contenter) : ~ tout le monde 모든 사람의 불만을 사다.

Mecque (la) [lamɛk] 〔아랍〕 *n.pr.f.* 메카 《마호메트가 탄생한 회교의 성지》.

mécréant, e [mekʀeɑ̃, -ɑ̃:t] *adj.* et *n.* 무신앙의 (사람), 무종교의 (사람) ; 기독교를 믿지 않는 (사람)(= athée ; ≠ croyant).

médaille** [medaj] *f.* ① 메달, 기장(記章) ; 배지 ; 휘장 ; 훈장 : Elle est ~ d'or de judo. 그녀는 유도의 금메달리스트다 / Il a remporté la ~ d'argent de natation. 그는 수영에서 은메달을 땄다 / ~ de bronze 동메달 / ~ militaire 전공 훈장. ② (직업 · 신분을 표시하는) 표지, 휘장, 감찰 : ~ d'un porteur de la S.N.C.F. 철도역 포터의 가슴패 / ~ d'un chien 개패. ③ (고대의) 화폐. ***Chaque 〔***Toute***〕 ***~ a son revers.*** 《격언》 만사에 선악의 양면이 있다. ***revers de la ~*** 메달의 뒷면 ; 《비유》 일의 이면, 암흑면.

médaillé, e [medaje] *adj.* ① 상패를〔훈장을〕 받은(= décoré) : soldat ~ 훈장을 받은 병사. ② (행상인 따위를) 표지를〔감찰을〕 단. —— *n.* 상패를〔훈장을〕 받은 사람, 메달리스트 : *~s* militaires 무공 훈장을 받은 사람들.

médailler [medaje] *v.t.* …에게 상패를〔메달을, 훈장을〕 수여하다.

médaillon [medajɔ̃] *m.* ① 큰 메달, 큰 상패. ② 로켓《사진 따위를 넣어 목걸이처럼 매다는 것》. ③ 〖요리〗 메다용《둥글게 썬 고기 조각》.

⁑**médecin** [mɛdsɛ̃] *m.* ① 의사(= docteur) : appeler le ~ 의사를 부르다 / consulter le ~ 의사의 진찰을 받다 / aller chez le ~ 병원에 가다 / ~ légiste 검시 의사 / ~ traitant 주치의(主治醫) / ~ inspecteur général 의무감 / ~ militaire 군의관 / femme ~ 여의사 / ~ chirurgien 내과 외과 겸무 의사 / ~ consultant 진찰 · 왕진 전문의 / ~ généraliste 일반의 / ~ spécialiste 전문의. ② ~ des âmes 영혼의 의사《사제 · 참회 청문 신부》. ***Après la mort, le ~.*** 《속담》 사후약방문.

médecine** [mɛdsin] *f.* ① 의학, 의술(醫術) ; 의사업 : faculté de ~ 의과 대학 / étudiant en ~ 의대생 / ~ mentale 정신 의학(= psychiatrie) / ~ générale 일반 의학 / ~ infantile 소아과학(= pédiatrie) / ~ de la vieillesse 노인병학(= gériatrice) / ~ du sport 스포츠 의학 / ~ légale 법의학 / ~ vétérinaire 수의학. ② 《옛》 의약, 약제(= médicament, remède) ; 《특히》 하제(= remède purgatif). ③ 요법 : ~ agissante 〔expectante〕 적극〔자연〕요법 / ~ homéophatique 유사 요법. ***pratiquer 〔***exercer***〕 ***la ~*** 의료를 업으로 삼다.

media, média [medja] 〔영〕 *m. pl.* 매스미디어, 대중 매체(= mass-media).

médian, e [medjɑ̃, -an] *adj.* 가운데의, 중간의, 중앙의 : ligne *~e* 〖수학〗 중선 ; 〖해부〗 정중선 ; 〖스포츠〗 센터 라인 / voyelle *~e* 〖언어〗 중간 모음 / nervure *~e* d'une feuille 〖식물〗 나뭇잎의 중앙 엽맥. —— *f.* ① 〖수학〗 (삼각형 · 사면체의) 중선(中線). ② 〖통계〗 평균치.

médiat, e [medja, -at] *adj.* 간접의 : héritier ~ 간접 상속인.

médiateur, trice¹ [medjatœːʀ, -tʀis] *n.* ① 조정자, 중재인 : ~ de la paix (평화) 조정자 / se faire ~ entre les deux partis 쌍방간의 중재자가 되다. ② 매개(물) ; 옴부즈맨. ③ 〖기독교〗 le *M~* 중개자《그리스도》. *adj.* 조정(중개)의.

médiathèque [medjatɛk] *f.* 매스미디어 자료집〔관〕.

médiation [medjɑsjɔ̃] *f.* ① 조정, 중재(=

M

arbitrage) ; 매개 : offrir 〔proposer〕 sa ~ 중재를 제의하다. ② 매개(물) ; 〖철학〗 매개. ③ 〖심리〗 théorie de la ~ 매개 이론.

médiatique [medjatik] *adj.* ① 미디어〔정보 매체〕의, 미디어를 통한 : campagne ~ 미디어를 통한 캠페인. ② 미디어〔텔레비전〕에 강한 : politicien ~ 미디어에 강한 정치가.

médiator [medjatɔːʀ] *m.* (만돌린 · 벤조 따위의 연주용) 픽.

médiatrice² [medjatʀis] *f.* 〖기하〗 수직 2 등분선.

médical, e, aux** [medikal, -o] *adj.* ① 의학의, 의술의 ; 위생상의, 의료에 관한 : examen ~ 신체 검사, 건강 진단 / soins *~aux* 의료, 진료 / prescription *~e* 처방 / visite *~e* 왕진. ② 의사의 : corps ~ 의사《총칭》. ③ 약의 : propriétés *~es* 약효. ***certificat ~ 진단서. ***matière ~e*** 약물(학).

médicalisation [medikalizɑsjɔ̃] *f.* 의료(시설)의 보급.

médicaliser [medikalize] *v.t.* (어떤 지역에) 의료 혜택을 받게 하다 ; 의료 시설을 보급하다 : ~ la population rurale 농촌 사람들이 의료 혜택을 받을 수 있게 하다.

***médicament** [medikamɑ̃] *m.* 의약, 약제, 약(= remède) : ~ interne 〔externe〕 내복〔외용〕약 / prendre un ~ 약을 복용하다 / ordonner un ~ à un malade 환자에게 약 처방을 해 주다.

médicamenter [medikamɑ̃te] *v.t.* …에게 (함부로) 약을 먹이다.

médicamenteux, euse [medikamɑ̃tø, -øːz] *adj.* 약효(藥效) 있는 ; 약이 함유되어 있는 : traitement ~ 약물 요법.

médicastre [medikastʀ] *m.* 돌팔이 의사.

médication [medikɑsjɔ̃] *f.* 투약(投藥) ; 약물 치료〔요법〕.

médicinal, e, aux [medisinal, -o] *adj.* 약용의 : plante *~e* 약용 식물 ; 약초.

médico-légal, e, aux [medikɔlegal, -o] *adj.* 법의학의 : expertise *~e* 법의학 감정.

médico-pédagogique [medikɔpedagoʒik] *adj.* 소아 정신장애자를 돌보는《기관》.

médico-social, e, aux [medikɔsɔsjal, -o] *adj.* 사회 의료의, 의료 보험의.

médiéval, e, aux [medjeval, -o] *adj.* 중세의 : histoire *~e* 중세사. 「지.

Médina [medina] 〔아라비아〕 *f.* 구(舊) 시가

***médiocre** [medjɔkʀ] *adj.* ① 빈약한, 초라한 ; 보잘것없는, 하찮은(= insignifiant) : salaire ~ 하찮은 월급 / roman ~ 보잘것없는 소설 / mener une vie ~ 초라한 생활을 보내다. ② (사람이) 무능한 ; 열등한 : élève ~ en mathématiques 수학을 잘 못하는 학생. ── *m.* 중간 정도, 중위(中位), 평범. ── *n.* 범용〔평범〕한 사람.

médiocrement [medjɔkʀəmɑ̃] *adv.* 평균 이하로, 평범하게 ; 서투르게 : ~ intelligent 별로 영리하지 못한 / être ~ riche 별로 부자가 아니다.

médiocrité [medjɔkʀite] *f.* ① 평범, 범용(凡庸), 무능 ; 보잘것없음, 하찮음 : ~ des résultats 별 볼일 없는 성과 / ~ d'une œuvre 보잘것없는 작품 / vivre dans la ~ 초라하게 살다. ②《집합적》 범인(凡人), 평범한 사람.

médire [mediːʀ] 29《직설법 현재 및 명령법의 2인칭 복수는 médisez》 *v.t. ind.* 《~ de》 …을 욕하다, …을 헐뜯다(≠ louer) : ~ *de* ses voisins 이웃 사람들을 비방하다.

médisance [medizɑ̃ːs] *f.* 험담, 비방, 욕설, 중상 : être victime de la ~ 중상모략을 당하다.

médisant, e [medizɑ̃, -ɑ̃ːt] *adj.* 험담하는, 비방하는 : propos *~s* 남을 헐뜯는 이야기 / femmes *~es* 입이 험한 여자. ── *n.* 비방가, 험담가.

méditatif, ive [meditatif, -iːv] *adj.* 명상적인 ; 생각에 잠긴(= pensif) : avoir un air ~ 깊은 생각에 잠긴 모습을 하다. ── *n.* 명상가.

méditation [meditɑsjɔ̃] *f.* ① 명상, 묵상, 심사숙고 : s'absorber 〔se plonger〕 dans la ~ 명상에 잠기다. ② (*pl.*) (*M~s*) 명상록.

***méditer** [medite] *v.t.* ① 곰곰 생각하다, 심사숙고하다(= approfondir) : *Méditez* ce que je vous ai dit. 내 말을 깊이 잘 생각해 보시오. ② 계획하다, 꾀하다(= projeter) : ~ un projet 계획을 세우다 / ~ un mauvais coup 나쁜 짓을 꾀하다 / 《de + *inf.*》 Il *méditait de* se venger. 그는 복수할 궁리를 하고 있었다. ── *v.i.* 《~ sur》 …에 관해서 심사숙고하다 ; 《보어 없이》 생각에 잠기다 : ~ *sur* l'inconstance de la vie 인생의 무상함에 대해 깊이 생각하다.

méditerrané, e [mediteʀane] *adj.* 육지로 둘러싸인, 육지 한가운데 있는. ── *f.* 내해(內海) : la (mer) *M~e* 지중해.

méditerranéen, enne [mediteʀaneɛ̃, -ɛn] *adj.* 지중해(연안)의 : climat ~ 지중해성 기후.

médium [medjɔm] *m.* (*pl.* ~***s***) ① 〖음악〗 중음(中音). ② 〖심령술〗 영매(靈媒). ③ 매체《보통 복수형으로는 media》. 「majeur).

médius [medjys] *m.* 가운뎃손가락, 중지(=

médullaire [medy(l)lɛːʀ] *adj.* 〖생물〗 골수(骨髓)의 ; 수질(髓質)의 ; 〖식물〗 목수(木髓)의 : canal ~ 수관 / substance ~ 수질.

méduse [medyːz] *f.* 〖동물〗 해파리. ── **M~** *n.pr.f.* 〖그리스신화〗 메두사《머리털이 뱀으로, 보는 사람을 돌로 변하게 함》.

méduser [medyze] *v.t.* 깜짝 놀라게 하다, 놀라 자빠지게 하다(= stupéfier) : en rester *médusé* 망연자실하다.

meeting [mitiŋ] 〔영〕 *m.* ① 〖정치〗 집회, 토론회 : ~ électoral 선거 집회. ② 〖스포츠〗 시합, 경기 : ~ d'athlétisme 운동회.

méfait [mefɛ] *m.* ① 나쁜 짓, 비행(= faute) ; 범죄 : commettre les pires *~s* 가장 지독한 악행을 저지르다. ② 피해, 폐해 : *~s* de l'alcoolisme 알코올 중독의 폐해.

méfiance [mefjɑ̃ːs] *f.* 불신, 경계심, 의혹 : avoir 〔éprouver〕 de la ~ à l'égard de qn …에 대해 불신을 갖다 / éveiller la ~ de qn …의 불신을 사다 / avec ~ 경계하여.

méfiant, e [mefjɑ̃, -ɑ̃ːt] *adj.* 신용하지 않는 ; 의심하는, 의혹을 품은 ; 경계하는(≠ confiant) : regard ~ 경계하는 시선. ── *n.* 의심 많은 사람.

***méfier (se)** [s(ə)mefje] *v.pr.* 《se ~ de qn

(qc)》 …을 의심하다, 믿지 않다 ; 《목적보어 없이》 경계〔조심〕하다 : Il *se méfie de* ses voisins. 그는 이웃 사람을 믿지 않는다 / *Méfiez-vous* des voleurs. 「소매치기 조심」.

méforme [mefɔʀm] *f.* 〖스포츠〗 나쁜 컨디션, 악조건 : période de ~ 슬럼프, 침체기.

mégahertz [megaɛʀts] *m.* 〖무선〗 메가헤르츠(= mégacycle).

mégalithe [megalit] *m.* 〖고고학〗 거석(巨石)《유사 이전의 기념비 따위》.

mégalithique [megalitik] *adj.* 거석의 : civilisation ~ 거석 문화.

mégalo- *préf.* 「큰」의 뜻.

mégalomane [megalɔman] *adj.* 〖정신의학〗 과대망상증의 ; 오만한. ── *n.* 과대망상증 환자 ; 오만한 사람.

mégalomanie [megalɔmani] *f.* 〖정신의학〗 과대망상증.

mégaphone [megafɔn] *m.* 메가폰 ; 확성「기.

mégarde [megaʀd] *f.* 부주의. ***par ~*** 부주의로, 깜빡 잊고, 무심코.

mégatonne [megatɔn] *f.* 메가톤《100만 톤 ; 《약자》 Mt》.

mégawatt [megawat] *m.* 메가와트《100만「와트》.

mégir [meʒiːʀ] *v.t.* 희게 무두질하다.

mégisserie [meʒisʀi] *f.* ① 백무두질. ② 백무두질 피혁업(皮革業)〔피혁상〕.

mégot [mego] *m.* 《구어》 담배꽁초.

mégoter [megɔte] *v.i.*, *v.t.* 《구어》 인색하게 굴다(= lésiner) : 《~ sur》 Il *mégote sur* les pourboires. 그 사람은 팁이 싸다.

méhari [meaʀi] *m.* (*pl.* **~is, ~a**) 〖동물〗 메하리《북아프리카의 단봉(單峰) 낙타》.

‡meilleur, e [mɛjœːʀ] *adj.* ① 《bon의 비교급》 보다 좋은, 더 나은(≠ pire) : Le son d'un CD est ~ que celui d'un disque. CD의 음(音)은 레코드보다 좋다 / Il est en ~*e* santé. 그는 전보다 건강해졌다 / souhaiter un monde ~ 보다 나은 세계를 원하다. ② 《정관사 · 소유형용사를 첨부하여 ; bon의 최상급》 가장 좋은〔나은〕 ; (둘 중에서) 더 좋은〔나은〕 : le ~ vin 가장 좋은 포도주 / C'est mon ~ ami. 그는 나의 가장 좋은 친구이다 / Jean est le ~ élève de sa classe. 장은 반에서 가장 공부를 잘하는 학생이다. ***de ~e heure*** 더 일찍. ***Il est ~ de***+*inf.* …하는 것이 더 좋다 : *Il est* ~ pour la santé *de* ne pas fumer. 건강을 위해서는 담배를 피우지 않는 것이 더 좋다. ── *adv.* 더 좋게 : Ces oranges sentent ~. 이 오렌지는 다른 오렌지보다 향기가 더 좋다 / Il fait ~ aujourd'hui qu'hier. 오늘은 어제보다 날씨가 더 좋다. ***Il fait ~***+*inf.* …하는 것이 더 좋다 : *Il fait* ~ vivre à la campagne qu'à la ville. 도시보다 시골 쪽이 살기가 더 좋다.
── *n.* 《정관사와 함께》 가장 좋은 사람〔것〕 : C'est le ~ des vins. 이것이 가장 좋은 포도주다. ***J'en passe et des ~(e)s.*** 더 기막힌 것들이 있으나 이 정도로 하지요《열거하는 것을 피하면서》.
── *m.* 《le ~》 가장 좋은 부분〔것〕 ; 최선 : *le* ~ de son talent 그의 재능의 최고 수준 / Je vous laisse *le* ~ du rôti. 불고기의 가장 좋은 부분을 너에게 남겨 두겠다 / donner *le* ~ de soi-même 최선을 다하다. ***être unis pour le ~ et pour le pire*** 고락(苦樂)을 같이 하다. ***Le ~ est de***+*inf.* 〔***que***+*sub.*〕 가장 좋은 것은 …하는 것이다 : *Le ~ est de* laisser faire le temps. 가장 좋은 것은 시간이 해결하도록 내버려두는 것이다. ***prendre le ~*** (***sur*** qn) 우위에 서다, 능가하다 ; 《구어》 〖스포츠〗 (…에게) 이기다.
── *f.* 가장 놀라운 이야기 : Ça alors, c'est la ~*e* ! 거참! 놀랄 일이군!

meiose [mejoːz] *f.* 〖생물〗 감수분열.

méjuger [meʒyʒe] [3] *v.t.* 《문어》 …에 대하여 잘못〔그릇〕 판단하다. ── *v.i.* 《~ de》 《문어》 …을 낮게 평가하다 : ~ *de* son talent 그의 재능을 과소평가하다. ── **se ~** *v.pr.* (겸손하여) 자기를 과소평가하다.

***mélancolie** [melɑ̃kɔli] *f.* ① 우울, 침울 : tomber 〔sombrer〕 dans la ~ 우울해지다. ② 서글픔, 애수(哀愁) : ~ du soir 〔de l'automne〕 저녁〔가을〕의 우수. ③ 〖의학〗 우울증(= dépression).

***mélancolique** [melɑ̃kɔlik] *adj.* ① 우울한, 침울한(= sombre) : caractère ~ 우울한 성격. ② 서글픈, 우수 어린, 쓸쓸한 : regard ~ 우수에 잠긴 눈길 / musique ~ 애조를 띤 음악 / paysage ~ 쓸쓸한 풍경. ③ 〖의학〗 우울증에 걸린.

mélancoliquement [melɑ̃kɔlikmɑ̃] *adv.* 서글프게, 우울하게.

mélanésien, enne [melaneʒjɛ̃, -ɛn] *adj.* 멜라네시아(*la Mélanésie*)의. ── **M~** *n.* 멜라네시아 사람.

mélange** [melɑ̃ːʒ] *m.* ① 섞기, 혼합, 배합 ; (다른 종족 간의) 잡혼(雜婚) : effectuer 〔opérer〕 le ~ de divers éléments 여러 요소를 혼합하다 / faire le ~ de A et de 〔avec〕 B, A와 B를 섞다. ② 혼합물(= amalgame) ; 잡종(= métis) ; (잡다한 사람들의) 집단 : ~ de bière et de limonade 맥주와 레모네이드의 혼합주. ③ (*pl.*) 〖문학〗 문집(文集), 논총(論叢) ; 잡록, 수필집 : auteur de ~s 잡문가. ***sans ~ 순수한(= pur) : bonheur *sans* ~ 더할 나위 없는 행복.

***mélanger** [melɑ̃ʒe] [3] *v.t.* ① 혼합〔배합〕하다, 섞다(= mêler) : ~ de l'eau à 〔avec〕 du vin 포도주에 물을 타다 / ~ l'huile avec le vinaigre 기름과 식초를 혼합하다 / ~ des liquides en les agitant 액체를 흔들어 혼합하다. ② 뒤섞다, 뒤죽박죽으로 만들다(= brouiller) : Il *a mélangé* tous les papiers. 그는 모든 서류를 뒤죽박죽으로 만들어 놓았다. ── **se ~** *v.pr.* (서로) 섞이다, 혼합되다 ; 뒤섞이다 : tapis où *se mélangent* mille couleurs 많은 색이 섞인 융단.

mélangeur, euse [melɑ̃ʒœːʀ, -øːz] *m.* ① (각종) 혼합기 ; 믹서 : ~ de cocktail 칵테일 셰이커 / ~ (par gravitation) 콘크리트 믹서기. ② (냉 · 온수) 혼합용 수도꼭지(= robinet ~). ── *f.* 원료 혼합기 : ~*euse* de farine 밀가루 혼합기.

mélanine [melanin] *f.* 〖화학〗 멜라닌, 흑색소(黑色素).

mélasse [melas] *f.* ① 당밀(糖蜜). ② 《구어》 짙은 안개, 농무 ; 진창(= boue). ③ 《구어》 불운, 곤궁 : être dans la ~ 어려운 처지에 빠져 있다.

M

Melba [mɛlba] *adj.* 《불변》 pêches ~ 피치 멜바《아이스크림 위에 복숭아를 얹고 chantilly 크림을 덮은 것》.

mêlé, e[1] [mɛ(e)le] *adj.* ① 섞인, 혼합된, 혼성의 ; 잡종의 : couleurs ~*es* 혼합색 / sang ~ 튀기, 혼혈아 / monde ~ ; assemblée (société) ~*e* 풍속 · 계급 · 교양이 다른 사람들의 집단 / 《~ de》 plaisir ~ *de* peine 고통이 섞인 기쁨. ② 《~ dans》 …에 연루(관계)된. ③ 얽힌, 엉클어진 : cheveux ~s 헝클어진 머리카락.

mêlée[2] [mɛ(e)le] *f.* ① 접전, 혼전(= bataille) ; 난투(= rixe) ; 논쟁 ; (이해관계의) 충돌 : ~ sanglante 유혈 난투극 / ~ idéologique 이데올로기 논쟁 / entrer (se jeter) dans la ~*e* 싸움(논쟁)에 뛰어들다. ② 〚스포츠〛 (럭비의) 스크럼.

⁑mêler [mɛ(e)le] *v.t.* ① ⓐ 섞다, 혼합하다 : ~ le vrai et le faux 진위(眞僞)를 혼동하다 / ~ des odeurs 여러 종류의 향을 배합하다. ⓑ 《~ qc à》 …에 …을 섞다, 배합하다 ; 《~ qc avec》 …을 …와 섞다 : ~ du jaune *avec* du rouge 노랑을 빨강과 섞다 / ~ la fiction *à* la réalité 허구와 현실을 혼동하다 / ~ la danse avec la musique 음악에 춤을 곁들이다. ⓒ 《~ A de B》 A 에 B 를 섞다 : ~ *du* vin 포도주에 물(다른 것)을 타다. ② 얽히게 하다, 엉클어지게 하다(= emmêler, embrouiller) : Il *a mêlé* tous mes dossiers. 그는 내 서류를 모두 뒤섞어 놓았다 / ~ les cartes 카드를 (나누기 전에) 섞다 ; 《비유》 문제를 혼란시키다. ③ 《~ qn à (dans)》 끌어넣다, 가담(연루)시키다(= impliquer) : ~ qn *à* une affaire …을 사건에 말려들게 하다. — **se ~** *v.pr.* ① 섞이다, 혼합되다 : sons qui *se mêlent à* des chants 노래와 함께 들리는 잡다한 소리. ② 《se ~ à (avec)》 …에 가담하다 ; 합세하다 : *se ~ à* la conversation 대화에 끼어들다 / *se ~ à* la foule 군중 속에 합류하다. ③ ⓐ 《se ~ de qc》 …에 관계하다, 참견하다 : *se ~ des* affaires d'autrui 남의 일에 참견하다. ⓑ 《se ~ de+*inf.*》 …하려고 들다 ; …할 생각을 하다(= s'aviser de) : Lorsqu'il *se mêle de* travailler, il réussit mieux qu'un autre. 그는 일을 하려고 들기만 하면 누구보다도 잘한다. ***Ce n'est pas à moi de m'en ~.*** 내가 나설 계제가 아니다. ***De quoi vous mêlez-vous ?*** 쓸데없이 무슨 참견이오?

mélèze [melɛ:z] *m.* 〚식물〛 낙엽송.

méli-mélo [melimelo] *m.* (*pl.* **~s-~s**) 《구어》 뒤범벅, 뒤죽박죽 ; 혼란 ; 난잡.

mélioratif, ive [meljɔʀatif, -i:v] 〚언어〛 *adj.* 호의적인, 어감(語感)이 좋은(≠ péjoratif) : adjectif ~ 호의형용사. — *m.* 호의어.

mélisse [melis] *f.* 〚식물〛 멜리사, 향수박하《꿀풀과의 풀》. ***eau de ~*** 〚약학〛 멜리사수(水)《강심제》.

mélo [melo] *m.* = mélodrame.

mélodie [melɔdi] *f.* ① 멜로디, 선율, 곡조(= air). ② 가곡, 노래(= chant). ③ (문장 · 시구의) 음조.

mélodieusement [melɔdjøzmɑ̃] *adv.* 음악적으로 ; 듣기 좋게.

mélodieux, euse [melɔdjø, -ø:z] *adj.* 선율(음향)이 아름다운 ; 음악적인 ; 듣기 좋은 : voix ~*euse* 아름다운 목소리 / chant ~ 선율이 아름다운 노래.

mélodique [melɔdik] *adj.* 〚음악〛 멜로디에 관한, 선율적인 ; 음악적인, 듣기 좋은 : thème ~ 선율 주제 / accent ~ 〚언어〛 선율(고저) 액센트.

mélodramatique [melɔdʀamatik] *adj.* 멜로드라마 풍의, 통속극의.

mélodrame [melɔdʀam] *m.* 멜로드라마, 통속극, 신파극, 《옛》 악극 : Ce film est un véritable ~. 그 영화는 진짜 멜로드라마다.

mélomane [melɔman] *m.* 음악광. — *adj.* 음악을 좋아하는, 음악광의.

melon** [məlɔ̃] *m.* ① 〚식물〛 멜론(의 열매). ② 중산모자(= chapeau ~). ***~ d'eau 수박. ***~ de mer*** 성게.

mélopée [melɔpe] *f.* ① 〚고대그리스〛 서창(敍唱). ② 단조로운 가락.

melting-pot [mɛltiŋpɔt] 〔영〕 *m.* ① (미국의) 잡다한 인종과 문화의 혼합, 인종의 도가니. ② (잡다한 사람들이) 모이는 장소.

membrane [mɑ̃bʀan] *f.* ① (동식물의) 막(膜) : ~ muqueuse (fibreuse) 점막(섬유막) / ~s fœtales (태아를 둘러싸고 있는) 양막(羊膜) / ~ du tympan 고막 / ~s cellulaires 세포막. ② (전화기 · 확성기 따위의) 진동판(= ~ vibrante).

membraneux, euse [mɑ̃bʀanø, -ø:z] *adj.* 〚해부〛 막질(膜質)의 : tissus ~ 막질 조직 / ailes ~*euses* (곤충의) 막시(膜翅).

membre** [mɑ̃:bʀ] *m.* ① 사지, 팔다리, 수족 ; 신체의 일부 : ~s supérieurs (inférieurs) 두 팔(다리) / ~s antérieurs (postérieurs) 앞(뒷)다리 / ~ viril 음경(陰莖). ② (단체의) 구성원, 일원, 회원, 당원 ; 회원국 : ~s de la société 사회의 구성원 / tous les ~s de la famille 가족 전원 / ~ du parti socialiste 사회당 당원 / ~ honoraire (perpétuel) 명예(종신) 회원 / ~ de l'O.N.U., UN 회원국. ③ 일부분 ; 구성 요소 ; 〚수학〛 (방정식의) 변(邊) : premier (second) ~ d'une équation 방정식의 좌변(左邊)(우변). ④ (문장의) 요소, 구절(句節). ⑤ 〚선박〛 늑재(肋材). ***~ du Parlement 국회의원.

membrure [mɑ̃bʀy:ʀ] *f.* ① 《집합적》 (사람의) 사지. ② (건물의) 골조, 뼈대. ③ 〚선박〛 《집합적》 늑재(肋材).

⁑même [mɛm] *adj.* ① 《명사 앞》 같은(= pareil), 동일한, 동종의 : Nous sommes nés le ~ jour. 우리는 같은 날에 태어났다 / être du ~ avis 의견이 같다 / 《~ ...que》 Il lit le ~ journal *que* nous. 그는 우리와 같은 신문을 본다. ② 《명사 · 대명사의 뒤》 …자신(= propre) ; …조차 ; 바로, 마침 ; 《추상명사 뒤》 …그것 자체 : Ce sont les paroles ~s du roi. 그것은 바로 왕의 말이다 / Ses ennemis ~s ne pouvaient lui refuser du talent. 적들조차 그녀의 재능을 부정할 수 없었다 / C'est cela ~. 바로 그것이다 / Elle est la bonté ~. 그녀는 선량함 그 자체이다. ③ 《인칭대명사 강세형과 함께》 …자신 ; …자체 : moi-~ 나 자신 / soi-~ 제 자신 / Elle-~ n'avait pas confiance en sa parole. 그녀 자신도 자기 말에 자신이 없었다. ***en ~***

temps 동시에. ***par cela ~*** 바로 그것에 의하여. ***par soi-~*** 자기 혼자서, 자기 힘으로. Vous finirez *par vous-~*. 혼자서〔혼자 힘으로〕 끝내시오.

── *pron. ind.* 《le, la, les 와 함께》 같은 것〔사람〕: La nature humaine est toujours *la ~*. 인간성은 언제나 변하지 않는다 / Il est toujours *le ~*, il n'a pas changé. 그는 여전히 그대로이다. 변하지 않았다. ***Cela revient au ~.*** 그것은 결국 마찬가지 이야기가 된다. ***C'est du pareil au ~.*** 《구어》 그것은 완전히 꼭 같은 것이다.

── *adv.* ① …조차; …까지도, …마저도: Il ne s'en souvient ~ plus. 그는 이제 그것을 기억조차 하지 않는다 / Ça ne coûte ~ pas 〔pas ~〕 10 francs. 그것은 10 프랑도 안 된다 / N'en parle à personne, ~ à ta femme. 그 일은 누구에게도, 부인한테까지도 발설하지 말도록 / 《et 〔ou〕 ~》 Il a congé le dimanche *et* ~ le samedi. 그는 일요일은 물론 토요일마저도 쉰다. ② 바로(= précisément): C'est ici ~ que le crime a été commis. 범죄가 일어난 것은 바로 여기다. ③ 게다가; 아니 오히려: Il est déjà parti? ― Oui, et ~ il doit être arrivé. 그는 벌써 출발했니? ― 응, 그게 아니라 지금쯤 도착했을걸. ***à ~*** +'명사' …에서 직접 …: boire *à* ~ la bouteille 병째 마시다 / s'asseoir *à* ~ le sol 땅바닥에 주저앉다. ***à ~ de*** + *inf.* …할 수 있게, …의 상태에(= en mesure de): Je ne suis pas *à ~ d'*en juger. 나는 그것에 대해 뭐라고 판단할 수 없다. ***de ~*** 마찬가지로: Jean a ri et Pierre a fait *de ~*. 장이 웃자 피에르도 웃었다. ***de ~ que*** …와 같이, …와 마찬가지로(= ainsi que): *De ~ que* vous, j'ai refusé. 당신과 마찬가지로 나도 거절했습니다 / *de ~ que* mon père l'avait fait il y a vingt ans 아버지가 20 년 전에 그렇게 하신 것처럼. ***Il en est de ~ de*** 〔***pour***〕 qc …에 관해서도 마찬가지이다. ***~ que*** + *ind.* 《구어》 게다가, 더구나, 그 증거로서(= à preuve que): C'est lui qui a fait ça, ~ *qu'*il s'en est vanté devant moi. 그가 그것을 했단 말이야, 게다가 내 앞에서 자랑까지 했는걸. ***~ si*** 비록 …라 해도: *M~* s'il le savait, il ne le dirait pas. 설사 그가 안다해도 말하지 않을 것이다. ***quand*** (***bien***) ***~*** + *cond.* 설사 …라 할지라도: *quand bien ~* ce métier serait lucratif 설사 이 직업이 돈벌이가 잘 된다 해도. ***quand ~; tout de ~*** 그렇지만, 그래도, 역시(= néanmoins): Il pleut, mais je partirai *quand ~*. 비가 오지만 그래도 떠나겠다 / Il n'est *tout de ~* pas si bête. 그래도 그는 (그 정도로) 바보는 아니야.

mémé [meme] *f.* 《소아어》 할머니; 《경멸》 중년 부인.

mêmement [mɛmmɑ̃] *adv.* 《옛》 그와 마찬가지로(= de même).

mémento [memɛ̃to] *m.* ① 메모장(= agenda), 비망록. ② 요람(要覽), 편람.

mémère [memɛːʀ] *f.* ① 《소아어》 할미, 할머니. ② 아주머니.

mémo [memo] *m.* 《구어》 메모(장) (= mémorandum).

****mémoire**[1] [memwaːʀ] *f.* ① 기억, 기억력: avoir une bonne 〔mauvaise〕 ~ 기억력이 좋다〔나쁘다〕 / Je n'ai pas la ~ des visages. 나는 사람 얼굴을 잘 기억하지 못한다 / garder qc en ~ 기억해 두다 / consulter sa ~ 기억을 더듬다 / conserver la ~ d'un événement 어떤 사건을 기억하고 있다. ② 사후(死後)의 명성〔평판〕; (고인에 대한) 회상, 추억: laisser une ~ honorée 죽은 후에 사람들의 존경을 받다 / être vivant 〔rester〕 dans les ~*s* 사람들의 기억 속에 살아 있다〔남아 있다〕 / honorer la ~ d'un mort 고인의 유덕(遺德)을 기리다 / venger la ~ de qn 고인이 된 …의 오명을 씻다. ③ 〖전자〗 메모리, (컴퓨터의) 기억 장치: capacité de ~ 기억 용량 / ~ morte 해독 전용 메모리, ROM / ~ vive 기입 전용 메모리, RAM. ***à la ~ de*** …의 기념으로(서). ***avoir la ~ courte;*** 《구어》 ***avoir une ~ de lièvre*** 기억력이 나쁘다. ***de ~*** 기억만으로, 외어서: réciter qc *de ~* …을 암송하다. ***de ~ d'homme*** 사람의 기억 속에 남아 있는 한《부정과 함께 씀》: *De ~ d'homme*, il n'avait jamais tant neigé. 기억하는 한, 그만큼 눈이 온 적이 없었다. ***en ~ de*** …의 기념으로. ***les filles de M~*** 뮤즈 여신(= les Muses). ***pour ~*** 기억을 빌려서, 참고로: Signalons pour ~. 참고로 다음 사항을 지적해 둡시다.

***mémoire**[2] *m.* ① 계산서, 견적서. ② 각서; 진정서; 의견서; 청원서; 〖법률〗 (소송의) 취의서(趣意書). ③ 학술 논문, 연구 보고: ~ de maîtrise 석사 논문. ④ (*pl.*) (*M~s*) 수기, 회상록.

***mémorable** [memɔʀabl] *adj.* 기념〔기억〕해야 할〔할 만한〕, 잊을 수 없는(= inoubliable): jour ~ 기념해야 할 날.

mémorandum [memɔʀɑ̃dɔm] 〘영〙 *m.* ① (외교) 각서. ② 비망록; 수첩, 메모(= agenda, mémento).

mémorial [memɔʀjal] *m.* (*pl.* ***-aux*** [-o]) ① 기념관〔비·물(物)〕. ② (*M~*) 일기; 회상록, 수기(= mémoires): le *M~* de Sainte-Hélène (나폴레옹의) 세인트 헬레나 일기.

mémorialiste [memɔʀjalist] *n.* 기록 작가; 회상록 작가.

mémorisation [memɔʀizasjɔ̃] *f.* ① 〖심리〗 기억 작용, 기억화. ② 〖컴퓨터〗 (컴퓨터의) 정보〔데이터〕 기억.

mémoriser [memɔʀize] *v.t.* ① 〖심리〗 기억에 남게 하다. ② 〖컴퓨터〗 (데이터를) 기억시키다.

menaçant, e [mənasɑ̃, -ɑ̃ːt] *adj.* ① 협박하는, 위협적인: ton 〔air〕 ~ 위협적인 어조〔태도〕 / lettre ~*e* 협박장. ② (위험이) 절박한, 불길한: avenir ~ 불안한 미래 / temps ~ 소나기가 올 듯한 날씨.

menace** [mənas] *f.* ① 위협, 협박: proférer des ~*s* de mort 죽이겠다고 위협하다 / obéir sous la ~ 협박에 굴복하다. ② 흉조(凶兆), 나쁜 징조(= présage); 위협(= danger): ~ de pluie 비가 올 징조 / ~ de guerre 전쟁의 위협. ***~ en l'air 공갈.

menacé, e [mənase] *adj.* 위협〔협박〕받고 있는; 위험에 처한: L'emploi est ~. 고용이 위협받고 있다.

***menacer** [mənase] [2] *v.t.* ① 위협〔협박〕하다 : Il me *menaça* de sa canne. 그는 지팡이로 나를 위협했다 / 《~ qn de+*inf.*》 On l'*a menacé de* l'expulser 〔*d'*expulsion〕. 추방된다고 그는 협박당했다 / 《목적보어 없이》 Il *menaça de* démissionner. 그는 사표를 내겠다고 위협했다. ② (위험 따위가) …에게 닥쳐올 것 같다 ; 금방이라도 …할 것 같다 : Une guerre nous *menace.* 전쟁이 터질 것 같다 / Le temps nous *menace* d'un orage. 소나비가 금방이라도 쏟아질 것 같은 날씨다. ③ …할 위험성이 있다 : 《~ de+*inf.*》 Ce mur *menace de* tomber. 이 벽은 무너질 것 같다 / 《목적보어 없이》 L'orage *menace.* 금방이라도 폭풍우가 닥쳐올 것 같다.

‡ménage [menaːʒ] *m.* ① ⓐ 가사, 집안일, 살림, 《특히》 청소 : faire le 〔son〕 ~ 집안일을 〔청소를〕 하다 / femme de ~ 가정부 / s'occuper du ~ 가사에 종사하다 / ustensiles de ~ 청소 도구. ⓑ (살림)집 : Son ~ est petit, mais très bien tenue. 그의 집은 작기는 해도 매우 알뜰하게 정돈되어〔꾸며져〕 있다. ② 세간, 살림 도구 : être dans son ~ 자기가 세간을 장만한 집에서 살다 / ~ complet 살림 도구 일체. ③ ⓐ 부부 (생활) : faux ~ 정식 결혼하지 않고 동거하는 남녀 / jeune 〔vieux〕 ~ 젊은〔늙은〕 부부 / scènes de ~ 부부 싸움 / être en ~ avec qn …와 부부 생활을 하다. ⓑ 세대, 가정(家庭) : un hameau de trente ~s, 30세대의 작은 마을. ***de ~*** 집에서 만든 : pain *de* ~ 집에서 만든 빵. ***faire bon*** 〔***mauvais***〕 ***~ avec*** qn …와 의가 좋다〔나쁘다〕, …와 뜻이 잘〔안〕 맞다. ***faire des ~s*** 가정부〔파출부〕 노릇을 하다. ***hospice des ~s*** (가난한 노부모를 수용하는) 양로원.

ménagement [menaʒmɑ̃] *m.* ① 절도(節度), 배려 : traiter qn sans ~ …을 함부로 대하다. ② (흔히 *pl.*) 신중, 조심 : avoir des ~*s* pour qn …에게 조심해서 대하다 / sans ~ 가차없이, 사정없이.

ménager**[1] [menaʒe] *v.t.* ① 절약하다, 아끼다(= économiser ; ≠ gaspiller) : ~ son argent 돈을 절약하다 / ~ une étoffe 천을 아껴 쓰다 / ~ le 〔son〕 temps 시간을 아끼다 / ~ ses vêtements 옷을 아껴 입다. ② 유의하다, 조심하다, 신중히 하다 : ~ ses expressions 말씨를 신중히 하다 / ~ sa santé 건강에 유의하다. ③ 《~ qn》 …의 비위를 맞추다, …에게 배려를 하다 ; …을 돌보다〔보살피다〕 : Le malade n'est pas encore rétabli, il faut le ~. 환자는 아직 충분히 회복되지 않았으므로 잘 보살펴야 한다 / *Ménagez-le*, c'est encore un enfant. 배려해 주세요, 그는 아직 어린애니까. ④ 준비하다, 마련해 주다, 주선하다 : ~ un entretien 회견을 주선하다 / ~ une occasion 기회를 마련하다 / Il me *ménageait* une surprise. 그는 나를 위해 뜻밖의 선물을 준비하고 있다. ⑤ (적당한 곳에) 설치하다(= installer) ; (장소를) 마련하다 : ~ une fenêtre dans le mur 벽에 창문을 하나 내다. ⑥ (자리·장소를) 잡아두다 ; (시간을) 비워 두다 : ~ une place pour... …을 위해서 자리를 잡아 두다 / ~ du temps pour faire qc …을 위해서 시간을 비워 두다. ***Qui veut aller loin ménage sa monture. 《속담》 멀리 여행하려는 자는 자기 말을 아낀다, 오래 쓸 물건은 소중히 해야 한다. — **se ~** *v.pr.* ① 몸을 아끼다〔소중히 하다〕 : Il *se ménage* un peu trop. 그는 건강에 너무 신경을 쓴다. ② 《se 는 간접 목적보어》 …을 만들다, …을 남겨두다, 준비하다 : Il *s'est ménagé* quelques jours de voyage. 여행을 하기 위해 며칠을 남겨 놓았다.

***ménager**[2]**, ère** [menaʒe, -ɛːʀ] *adj.* 가사의, 가사에 관한 ; 살림 잘하는, 주부다운 : appareils ~*s* 가정용 기구 / eaux ~*ères* (부엌의) 허드렛물 / travaux ~*s* 가사(家事) / enseignement ~ 가정과(家庭科). — *f.* ① 주부 ; 《속어》 집사람, 내자 : bonne ~*ère* 살림 잘하는 주부. ② 양념 그릇 ; (케이스에 넣은) 나이프·포크 세트.

ménagerie [menaʒʀi] *f.* (연구·전시·구경거리용의) 소규모 동물원, 동물 우리.

mendiant, e** [mɑ̃djɑ̃, -ɑ̃ːt] *n.* 거지, 걸인, 비렁뱅이(= gueux). — *m.* les quatre ~*s* 일종의 디저트《포도·무화과·편도·개암을 섞어서 만든 것》. — *adj.* 구걸하는, 빌어먹는. ***ordres ~s 탁발(托鉢) 수도회.

mendicité [mɑ̃disite] *f.* 거지 신세 ; 《집합적》 거지 : être réduit à la ~ 거지 신세로 전락하다 / dépôt de ~ 빈민 수용소.

mendier [mɑ̃dje] *v.t.* ① 동냥하다, 구걸하다 : ~ son pain 빵을 구걸하다 / ~ sa vie 구걸해 살아가다. ② 《비유》 간청하다, 애원하다(= solliciter) : ~ son pardon 용서를 빌다. — *v.i.* 구걸하다, 빌어먹다.

mendigot, e [mɑ̃digo, -ɔːt] *n.* 《구어》 거지.

mendigoter [mɑ̃digɔte] *v.t.* 《구어》 구걸하다(= mendier).

meneau [məno] *m.* (*pl.* ~***x***) 〖건축〗 창문의 「창살대.

menée [məne] *f.* (*pl.*) 음모, 술책 : ~*s* subversives (정부에 대한) 전복 음모.

***mener** [məne] [4] *v.t.* ① ⓐ 인도하다, 데려가다(= conduire) ; (차에) 실어가다, (차로 물건을) 나르다, 운반하다(= transporter) : ~ qn à la gare …을 역으로 데리고 가다 / Il m'*a mené* en voiture chez moi. 그는 차에 태워서 집까지 보내 주었다 / ~ sa voiture au garage 차를 차고에 넣다. ⓑ 《~ qn +*inf.*》 …을 하게 하려고〔시키려고〕 데려가다 : Le vieux *mène* son chien promener. 노인은 개를 산책시키려고 데리고 간다《se promener 의 se 의 생략》. ② 《목적보어 없이》 《~ à》 (길이) …으로 통하다 : Ce chemin *mène à* la gare. 이 길은 정거장으로 통합니다. ③ (짐승을) 끌고〔몰고〕 가다 ; (사람을) 다루다(= traiter) ; 마음대로 조종하다 : ~ qn rudement …을 심하게 다루다 / mari *mené* par sa femme 처시하에 사는 남편. ④ ⓐ 《~ qn à》 …을 …으로 이끌다〔…에 이르게 하다(= conduire)〕 : 《주어 : qn》 capitaine qui *mène* ses troupes *à* la victoire 부대를 승리로 이끄는 장수 / 《주어 : qc》 Cette politique nous *mènera à* la catastrophe. 이 정책은 우리를 파멸로 이끌게 될 것이다. ⓑ 《~ qn à+*inf.*》 …을 하기에 이르게〔결국 …하게〕 하다 : Cela ne vous *mènera à* rien. 그것은 당신에게는 결

국 아무 소용도 없을 것이다. ⑤ (차를) 조종하다, (배를) 젓다, (말·자전거 따위를) 타고 가다 : ~ un véhicule [un navire] 차[배]를 몰다 / ~ un cheval 말을 몰다. ⑥ (일을) 해 나가다, 처리하다 ; (생활을) 하다 ; (캠페인·공격 따위를) 벌이다 : ~ rondement une affaire 일을 신속하게 처리하다 / ~ une vie déréglée 방탕한 생활을 하다. ⑦ 〖스포츠〗 리드하다 : ~ le peloton 그룹의 선두를 달리다 / 《목적보어 없이》 La France *mène* par deux (buts) à zéro. 프랑스가 2 대 0으로 리드하고 있다. ⑧ 〖기하〗 (선을) 긋다, (원을) 그리다 : ~ une parallèle à une droite 일직선에 대한 평행선을 긋다. **~ *grand bruit*** 야단법석을 떨다. **~ *loin*** ⓐ 멀리 데리고 가다. ⓑ 《흔히 부정적 표현으로》 (가진 돈·식량 따위가) 오래 가다 : C'est une somme qui ne vous *mènera* pas *loin*. 이 돈으로는 오래 견디지 못할 거요. ⓒ …에게 뜻하지 않은[중대한] 결과를 초래하다 : Cette affaire peut vous ~ *loin*. 이 일은 당신에게 달갑지 않은 결과를 가져올 지 몰라요. **~** qn ***par le*** (***bout du***) ***nez*** [***à la baguette***] …을 마음대로 부리다.

ménestrel [menɛstrɛl] *m.* (중세의) 음유시인(吟遊詩人) ; 편력 악사.

ménétrier [menetrije] *m.* 시골을 돌아다니며 바이올린을 켜는 사람, 떠돌이 악사.

meneur, euse [mənœːr, -øːz] *n.* 지도자 ; 주모자, 선동자(= agitateur) : arrêter les ~*s* 주동자를 체포하다. **~ *de jeu*** (방송·쇼 따위의) 사회자 ; 게임 리더. **~ *d'hommes*** 통솔력[지도력]이 있는 사람.

menhir [meniːr] *m.* 〖고고학〗 고인돌, 선돌 (= pierre levée).

méninge [menɛ̃ːʒ] *f.* ① 〖해부〗 뇌막(腦膜). ② (*pl.*) 《구어》 두뇌, 머리(= cerveau) : se torturer les ~*s* 머리를 쥐어짜다.

méningé, e [menɛ̃ʒe] *adj.* 〖해부〗 뇌막의, 뇌막에 관한.

méningite [menɛ̃ʒit] *f.* 〖의학〗 뇌막염. ***ne pas attraper une*** **~** 《구어》 머리 쓰는 일은 조금도 안 하다.

ménisque [menisk] *m.* ① 〖광학〗 요철(凹凸)[오목볼록]렌즈. ② 〖해부〗 관절사이의 연골. ③ (*pl.*) 초승달 모양의 패물[장신구].

ménopause [menɔpoːz] *f.* 〖의학〗 폐경, 갱년기(= retour d'âge).

menotte [mənɔt] *f.* ① 《구어》 (어린애의) 귀여운 손, 고사리손. ② (*pl.*) 수갑. ***mettre les ~s à*** qn …에게 수갑을 채우다 ; …의 자유를 빼앗다.

‡**mensonge** [mɑ̃sɔ̃ːʒ] *m.* ① 거짓말 : faire [dire] un ~ 거짓말을 하다 / ~ blanc 악의 없는 거짓(말). ② 허위, 거짓, 기만(= tromperie) : vivre dans le ~ 기만에 찬 생활을 하다. ③ 환상, 망상, 착각(= illusion) : Tout n'est que ~. 만사가 허무할 뿐이다.

mensonger, ère [mɑ̃sɔ̃ʒe, -ɛːr] *adj.* ① 거짓의, 허위의(= trompeur) : déclaration ~*ère* 거짓 신고. ② 헛된, 허망한.

menstruation [mɑ̃stryɑsjɔ̃] *f.* 〖생리〗 월경 (기능) (= règles) : troubles de la ~ 생리 불순.

menstruel, elle [mɑ̃stryɛl] *adj.* 월경의 : cycle ~ 월경 주기.

menstrues [mɑ̃stry] *f. pl.* 《옛》 〖생리〗 월경(月經).

mensualisation [mɑ̃sɥalizɑsjɔ̃] *f.* (시간급의) 월급화, (비정규직 근로자를) 정규직으로 돌리기.

mensualiser [mɑ̃sɥalize] *v.t.* (시간급·일급을) 월급제로 하다 ; 월 지불로 하다 : ~ ses employées 직원의 봉급을 월급제로 하다.

mensualité [mɑ̃sɥalite] *f.* ① 월급(= salaire mensuel) : toucher sa ~ 월급을 받다. ② 월부금 : achat payable par ~*s* [en dix ~*s*] 월부로[10개월 할부로] 구매.

***mensuel, elle** [mɑ̃sɥɛl] *adj.* 매달의, 월 1회의 : salaire ~ 월급 / revue ~*elle* 월간 잡지. — *n.* 월급제 고용인, 월급쟁이. — *m.* 월간지.

mensuellement [mɑ̃sɥɛlmɑ̃] *adv.* 매달(한 번).

mensuration [mɑ̃syrɑsjɔ̃] *f.* (신장·체중·흉위 따위의) 측정(법) : ~*s* judiciaires (피의자의) 신체 측정.

mental, e, aux** [mɑ̃tal, -o] *adj.* ① 마음의, 정신의 : âge ~ 정신 연령 / état ~ 정신 상태. ② 마음[머리] 속으로 하는 : calcul ~ 암산 / oraison ~*e* 묵도. ***troubles ~aux 정신 착란. — *n.* 정신병 환자.

mentalement [mɑ̃talmɑ̃] *adv.* 마음으로, 정신적으로.

***mentalité** [mɑ̃talite] *f.* ① 정신 상태, 심리성, 기질 : ~ de la jeunesse actuelle 현대 젊은이의 기질 / ~ infantile 아이 같은 심성. ② 《구어》 심정 ; 《나쁜 의미로》 품성 : Quelle ~ ! ; Jolie ~ ! 맘보 더러운 녀석.

menterie [mɑ̃tri] *f.* 《옛·지방어》 거짓말.

***menteur, euse** [mɑ̃tœːr, -øːz] *adj.* 거짓말하는, 거짓의, 허위의 : récit ~ 꾸민 이야기. — *n.* 거짓말쟁이 ; 위선자(= hypocrite).

menthe [mɑ̃ːt] *f.* 〖식물〗 박하(薄荷) : bonbons à la ~ 박하가 든 봉봉.

menthol [mɛ̃(ɑ̃)tɔl] *f.* 〖화학·약학〗 박하뇌(腦).

mentholé, e [mɛ̃(ɑ̃)tɔle] *adj.* 〖약학〗 박하뇌를 넣은.

mention [mɑ̃sjɔ̃] *f.* ① 언급 ; 기술, 기재 : Ce roman a fait l'objet d'une ~ dans les revues littéraires. 이 소설은 문학 잡지에서 언급되고 있다. ② 기재 사항 ; 주기(注記) : Biffer [Rayer] les ~*s* inutiles. 해당되지 않는 난은 X표를 하시오《질문서에 쓰는 문구》. ③ 성적, 평가 : obtenir la ~ ≪bien≫ 우(優)의 평가를 받다《Trés bien 수(20점 만점에서 16점 이상), Bien 우(14점 이상), Assez bien 양(12점 이상), Passable 가(10점 이상), Ajourné 불가(10점 이하)》. ④ ~ hororable 등외 가작 ; (박사 논문에서) 우.

***mentionner** [mɑ̃sjɔne] *v.t.* 언급하다 ; 기재하다 : *mentionné* ci-dessus 상기(上記)의.

‡**mentir** [mɑ̃tiːr] [18] *v.i.* ① 거짓말하다, 속이다 : Il *a menti* à ses parents. 그는 부모에게 거짓말을 했다 / Il *a menti* sur ses diplômes. 그는 졸업 자격증을 속였다. ② 《주어 : qc》 사실과 어긋나다 : Les apparences peuvent ~. 외관만으로는 참모습을 알 수가 없다. ***faire ~*** qn [***le proverbe***] …의 예언[일반 관례]에 맞지 않게 행동하다. **~ *comme respirer*** 태연하게 계속 거짓말을 하다. ***sans ~*** 사실을 말해서(= à vrai

M

dire). — *v.t. ind.* 《~ à qc》 …에 반대(위배)되는 일을 하다, …을 어기다(= démentir). — **se** ~ *v.pr.* ① 자기 자신을 속이다(기만하다) : *se* ~ à soi-même 자기 자신을 속이다. ② 서로 거짓말하다.

***menton** [mɑ̃tɔ̃] *m.* 턱 : double ~ ; 《구어》 ~ à double étage 2중턱 / ~ de (en) galoche 주걱턱.

mentonnier, ère [mɑ̃tɔnje, -ɛːʀ] *f.* (투구의) 턱가리개 ; (모자의) 턱밑 끈 ; (바이올린의) 턱받이.

mentor [mɛ̃tɔːʀ] *m.* 《문어》 사부(師傅), 스승, 지도자.

menu¹, e [məny] *adj.* ① 작은, 자그마한, 가느다란 : doigts ~*s* 가느다란 손가락 / voix ~*e* 가느다란 목소리 / tige ~*e* 호리호리한 줄기. ② 하찮은, 사소한(= petit) : ~*e* monnaie 잔돈 / ~ fretin 잡어(雜魚) / ~*s* propos 잡담 / ~*es* dépenses ; ~*s* frais 잡비 ; 용돈. — *m.* 자세한 상황 : raconter une aventure *par le* ~ 모험을 상세히 이야기하다. — *adv.* 잘게 : couper ~ 잘게 자르다.

***menu²** [məny] *m.* ① 메뉴, 식단표 : Quel est le ~ aujourd'hui ? 오늘의 메뉴는 무엇입니까 ? / composer un ~ 식단을 짜다. ② 정식(= ~ à prix fixe) : ~ à 70 francs, 70 프랑짜리 정식.

menuet [mənɥɛ] *m.* 『음악』 미뉴에트.

menuiserie [mənɥizʀi] *f.* 소목일 ; 목공술 ; 목공 세공품 ; 목공소.

***menuisier, ère** [mənɥizje, -ɛːʀ] *n.* 소목장이, 가구장이 ; 목수, 목공 : ~ en bâtiments 대목 / ~ en meubles 소목.

ménure [menyːʀ] *m.* 『조류』 금조(琴鳥).

menu-vair [mənyvɛːʀ] *m.* 다람쥐 모피.

méphistophélique [mefistɔfelik] *adj.* ① 메피스토펠레스적인. ② 악마의, 악마적인 : rire ~ 악마 같은 미소.

méphitique [mefitik] *adj.* (가스가) 유독한, 해로운, 악취를 풍기는.

méplat, e [mepla, -at] *m.* ① (물체 표면의) 편평한 부분. ② 『미술』 (물체의 형태를 구성하는) 면, 평면 부분.

méprendre (se)** [s(ə)mepʀɑ̃ːdʀ] 26 *v.pr.* 《문어》 《se ~ sur》 …에 대해 잘못 생각하다, 착각(혼동)하다 : Vous *vous méprenez sur* mes intentions. 당신은 내 의도를 오해하고 계십니다. ***à s'y ~ 혼동하리만큼, 꼭 : C'est son père *à s'y* ~. 그는 아버지를 꼭 닮았다.

mépren-ez, -ions, méprenn-e(nt), mépri-s, -t ⇒ méprendre (se).

mépris** [mepʀi] *m.* ① 경멸, 멸시(= dédain) : regarder avec ~ 경멸의 눈으로 바라보다 / terme de ~ 경멸적인 언사 / tomber dans le ~ 경멸받게 되다. ② 《~ de qc》 (…에 대한) 무관심, 무시, 경시 : ~ *de* la gloire 명예에 대한 무관심 / ~ *de* la vie 생명의 경시 / ~ *de* l'opinion publique 여론의 무시. ③ (*pl.*) 모욕적 언사(행동). ***au (***en***) ~ ***de*** qc …을 무시하고. ***avoir*** (***tenir***) qc (qn) ***en*** ~ ; ***faire*** ~ ***de*** qc (qn) …을 경멸하다.

méprisable [mepʀizabl] *adj.* 경멸할 만한, 비열한 : procédés ~s 비열한 방법.

méprisant, e [mepʀizɑ̃, -ɑ̃ːt] *adj.* 경멸(멸시) 하는 ; 오만한 : sourire ~ 비웃음.

méprise [mepʀiːz] *f.* 오해, 잘못 생각하기, 착각. ***par*** ~ 잘못하여.

***mépriser** [mepʀize] *v.t.* ① 경멸(멸시)하다 (= dédaigner), 깔보다, 업신여기다 : ~ les subordonnés 부하를 깔보다 / ~ les menteurs 거짓말쟁이를 경멸하다. ② 무시하다 ; 경시하다 ; 등한시하다 : ~ les règles 규칙을 등한시하다 / ~ le danger 위험을 무시하다 / ~ la mort 죽음을 아무렇지 않게 여기다.

‡mer [mɛːʀ] *f.* ① 바다 : bord de la ~ 해안, 바닷가 / brise de ~ 바닷바람 / eau de ~ 바닷물 / voyage par ~ 배여행, 항해 / haute (pleine) ~ 외양(外樣), 난바다 / combat sur ~ 해전 / bras de ~ 해협 / ~ territoriale 영해(領海) / commerce par ~ 해상 무역 / prendre un bain de ~ 해수욕을 하다 / La ~ est agitée (calme). 바다는 거칠다(잔잔하다) / passer les vacances à la ~ (au bord de la ~) 바캉스를 해안에서 보내다. ② (특정 지역의) 바다 : ~ du Nord 북해 / ~ Rouge 홍해 / ~ Noire 흑해. ③ 조수(= marée) : La ~ monte (descend) ; La ~ est hausse (basse). 밀물(썰물)이다. ④ 《비유》 (바다처럼) 넓은(광대한) 것 : ~ de sable 사막 / ~ de sang 피바다 / ~ de feu 불바다. ***Ce n'est pas la ~ à boire.*** 그건 그리 힘든 일은 아니다. ***C'est une goutte d'eau dans la ~.*** 그것은 바다에 물 한 방울이다, 소용없는 노력이다. ***homme à la ~*** (배에서) 바다에 빠진 사람 ; 사람이 바다에 빠졌다 ! 《고함소리》.

mer-air [mɛʀɛːʀ] *adj.* 《불변》 missile ~ 함대공(艦對空) 미사일.

mercanti [mɛʀkɑ̃ti] *m.* 악질 상인, 모리배 ; (중근동 · 북아프리카의) 시장 상인.

mercantile [mɛʀkɑ̃til] *adj.* 돈벌이에만 눈이 먼 ; 탐욕스러운: esprit ~ 돈벌이 근성 / système ~ 중상주의(重商主義).

mercantilisme [mɛʀkɑ̃tilism] *m.* 중상주의 ; 상인(장사치) 기질.

mercenaire [mɛʀsənɛːʀ] *adj.* 《문어》 돈으로 고용된 : ~ travail 돈벌이 위주의 일 / écrivain ~ 돈을 위해서 쓰는 작가. — *m.* ① 돈에 팔리는 사람 : travailler comme un(e) ~ (보잘것없는 보수로) 고된 일을 하다. ② 『군사』 외국인 용병.

mercerie [mɛʀsəʀi] *f.* 잡화(상) ; 잡화(점).

‡merci [mɛʀsi] *f.* 《옛 · 문어》 자비, 연민. 《현재는 다음 표현에만 쓰임》 ***à la ~*** (***de...***) …의 뜻대로, …의 처분대로 : La croissance est *à la* ~ des fluctuations de la Bourse. 경제 성장은 주식의 변동 나름이다. ***Dieu ~ !*** 하느님의 은덕으로, 천만다행으로. ***sans ~*** 인정사정없이, 가차없이. — *m.* 감사, 사례 : dire un grand ~ à qn …에게 대단히 감사하다고 말하다 / Dis ~ à ta mère. 어머님께 감사하다고 전해 주세요. — *interj.* 감사합니다, 고맙습니다. ***Grand ~ ! ; M~ bien ! ; M~ beaucoup !*** 대단히 감사합니다. ***M~ de*** + *inf.* …하는 데 대해 감사합니다 : *M~ d'*être venu. 와 주셔서 감사합니다. ***M~ de*** (***pour***) ***votre lettre.*** 당신의 편지에 대해 감사합니다. (***Non,***) ***~ !*** 괜찮습니다《친절을 사양할 때》.

M

mercier, ère [mɛʀsje, -ɛːʀ] *n.* 수예〔봉재〕 재료상.

‡**mercredi** [mɛʀkʀədi] *m.* 수요일. ***M~ des Cendres*** 재의 수요일《사순절의 첫날, 신자의 머리에 재를 뿌리는 예식을 거행함》.

mercure [mɛʀkyːʀ] *m.* ① 〖화학〗 수은(水銀) : thermomètre à ~ 수은 온도계. ② (*M~*) 〖천문〗 수성(水星).

mercuriale [mɛʀkyʀjal] *f.* ① (식료품) 시장 가격표《매주 발표됨》. ② 《문어》 질책.

mercurochrome [mɛʀkyʀɔkʀoːm] *m.* 〖화학〗 머큐로크롬《소독제》.

merde** [mɛʀd] *f.* 《속어》 ① 《une 〔de la〕 ~, la ~》 (사람, 짐승의) 똥(= excrément). ② ⓐ 《une ~, de la ~》 너절한 것〔사람〕, 시시한 것〔사람〕 : Ce film est *une* vraie ~. 이 영화는 정말로 형편없다. ⓑ 《la ~》 난처한 지경 : être dans *la* ~ 난처한 지경에 빠져 있다. ***avoir de la ~ dans les yeux 앞이 보이지 않다 ; 도무지 알 수 없다. ***de ~*** 나쁜, 지독한 : temps *de* ~ 망할 놈의 날씨. — *interj.* 《구어》 《분노 · 초조 · 경멸》 빌어먹을 ; 《경탄》 거참 : *M~* alors ! Ce qu'elle est belle ! 거참, 예쁜 여자로군 !

merder [mɛʀde] *v.i.* 《구어》 실패하다 : Il *a merdé* à l'examen. 그는 시험에 떨어졌다.

merdeux, euse [mɛʀdø, -øːz] *adj.* 《구어》 똥 묻은. ***bâton ~*** 《구어》 불쾌한 놈. — *n.* 《구어》 너절한 놈, 시시한 놈.

merdier [mɛʀdje] *m.* 《속어》 대혼란 ; 성가신 상황〔사태〕.

merdique [mɛʀdik] *adj.* 《구어》 하찮은, 쓸모없는 : boulot ~ 하찮은 일.

merdoyer [mɛʀdwaje] *v.i.* 《구어》 (대답 · 설명 따위에서) 쩔쩔매다, 횡설수설하다.

‡**mère** [mɛːʀ] *f.* ① 어머니, 모친 : ~ célibataire 미혼모 / ~ de famille 주부 / Elle va bientôt être 〔devenir〕 ~. 그녀는 곧 엄마가 된다. ② (동물의) 어미 : ~ poule 어미닭. ③ 어머니처럼 돌보아 주는 여인 : ~ adoptive 양모 / ~ nourrice 유모 / ~ porteuse 대리모. ④ 《구어》 아주머니《친밀한 호칭》 : la ~ Michel 미셸 아주머니. ⑤ 수녀원장(= ~ abbesse) ; 수녀의 존칭. ⑥ 발생지, 요람(= lieu d'origine) ; 근원, 원천(= source) : Méfiance est ~ de sûreté. 《격언》 경계는 안전의 근원 / la France, ~ des arts 예술의 어머니 프랑스. — *adj.* 주된, 근원이 되는 : ~ patrie 모국, 본국 / idée ~ 근본 사상 / maison ~ 본점 ; (수도원의) 본원 / langue ~ 모국어.

mère-grand [mɛʀgʀɑ̃] *f.* (*pl.* **~s-~**) 《옛 · 구어》 할머니(= grand-mère).

merguez [mɛʀgɛz] *f.* 메르게즈《강한 향신료를 넣은 가느다란 소시지》.

méridien, enne [meʀidjɛ̃, -ɛn] *adj.* ① 정오의 : ombre *~enne* (물체의) 정오의 그림자. ② 〖천문〗 자오선의 : hauteur *~enne* d'un astre 천체의 자오선 고도, 남중(南中) 고도. — *m.* ① 〖천문〗 자오선 : ~ origine 〔~ d'origine〕 ; premier ~ 본초 자오선. ② 〖지리〗 경선(經線).

***méridional, e, aux** [meʀidjɔnal, o] *adj.* ① 남쪽의, 남방의 : l'Amérique *~e* 남아메리카. ② 프랑스 남부 지방〔남프랑스〕의 : accent ~ 남부 지방의 악센트. — **M~** *n.* 프랑스 남부 지방 (태생) 사람.

meringue [məʀɛ̃ːg] *f.* 메랭《설탕과 달걀 흰자위를 살짝 구워 만든 과자》.

mérinos [meʀinoːs] 〔에스파냐〕 *m.* ① 메리노 양(羊)《스페인 종》. ② 메리노 양털, 메리노 모직. ***laisser pisser le ~*** 《속어》 되어가는 대로 내버려두다 ; 시기를 기다리다.

merise [məʀiːz] *f.* 〖식물〗 야생 버찌.

merisier [məʀizje] *m.* 〖식물〗 야생 벚나무.

méritant, e [meʀitɑ̃, -ɑ̃ːt] *adj.* 칭송〔칭찬〕할 만한, 가치 있는.

mérite** [meʀit] *m.* ① 공적, 공로 : avancement au ~ 공적에 따른 승진 / C'est tout à son ~. 그것은 모두 그녀의 공로이다. ② 재능, 재질 : avoir du ~ 재능이 있다 / peintre de grand ~ 뛰어난 재능을 가진 화가. ③ 장점, 쓸모 ; (정신적) 가치 : Il a le ~ de la patience. 그에게는 참을성이 강하다는 장점이 있다 / sans ~ 가치가 없다, 쓸모없다. ④ 훈장 : ordre national du *M~* 국가 공로훈장. ***avoir du* 〔*un grand*〕 *~ à + *inf.* (…이) …하는 것은 훌륭하다, 찬양받을 만하다 : Il *a du ~ à* étudier tout en travaillant. 그가 일하면서 공부한다는 것은 훌륭한 일이다. ***faire un ~ de*** qc 공로〔잘한 일〕로 여기다. ***se faire un ~ de*** qc 〔de + *inf.*〕 …하는 것을 자랑으로 삼다.

***mériter** [meʀite] *v.t.* ① ⓐ …을 받을 만하다 : ~ des éloges 칭찬할 만하다 / ~ une punition 벌 받아 마땅하다. ⓑ 《~ qn》 …을 가질 만하다, 가질 자격이 있다. ② 《~ qc à qn》 …에게 …을 받게 하다〔가져다 주다〕 : le chatiment que lui *ont mérité* ses crimes 죄값으로 그가 받은 벌 / Sa justice lui *méritait* la vénération. 공정하기 때문에 그는 사람들에게 존경받았었다. ③ …을 필요로 하다, 요하다(= réclamer) : Cette nouvelle *mérite* confirmation. 이 소식은 확인해 볼 필요가 있다. — *v.t. ind.* ① 《~ de》 …에 공로가 있다 : Il *a* bien *mérité* de la patrie. 그는 국가에 현저한 공로가 있다《공식적인 표현》. ② 《목적보어 없이》 공적이 있다, 공헌하다.

méritoire [meʀitwaːʀ] *adj.* 칭찬〔칭송, 존경〕받을 만한 : effort ~ 칭찬받을 만한 노력.

merlan [mɛʀlɑ̃] *m.* 〖어류〗 대구의 일종.

merle [mɛʀl] *m.* 〖조류〗 티티새. ***~ blanc*** 보기 드문 사람〔것〕. ***fin ~*** 교활한 사람.

merlin [mɛʀlɛ̃] *m.* (소 잡는) 도끼.

merluche [mɛʀlyʃ] *f.* 〖어류〗 마른 대구.

merlu(s) [mɛʀly] *m.* 〖어류〗 검정대구(= colin).

mérovingien, enne [meʀɔvɛ̃ʒjɛ̃, -ɛn] *adj.* 〖프랑스사〗 메로빙 왕조의. — *m. pl.* (les *M~s*) 메로빙 왕가.

merveille** [mɛʀvɛj] *f.* ① ⓐ 경탄할 만한 일, 경이(驚異) ; 경탄할 만한〔비범한〕 것〔사람〕 : une ~ d'esprit 재능이 뛰어난 사람. ⓑ 훌륭한〔아주 좋은〕 것, 걸작 : Cette liqueur est une ~ de goût. 이 술맛은 천하일품이다. ② 《옛 · 문어》 신비적 현상, 기적, 불가사의 : sept *~s* du monde 세계 7 대 불가사의. ***à ~ 썩(매우 · 아주) 잘, 훌륭하게, 놀랍도록 : s'entendre *à* ~ 놀랍도록 뜻이 맞다. ***C'est ~ de*** + *inf.* 〔***que*** + *sub.*〕 …하는 것은 놀라운 일이다. ***dire des ~s de*** qn 〔qc〕 …을

M

극구 칭찬하다. ***faire* (*des*) *~s*** 놀랄 만한 일을 하다 ; 묘기를 보여 주다.

merveilleusement [mɛʀvɛjøzmɑ̃] *adv.* 놀라우리 만큼, 감탄할 만큼 ; 훌륭하게.

***merveilleux, euse** [mɛʀvɛjø, -ø:z] *adj.* 놀라운, 신기한 ; 훌륭한, 희한한(= magnifique) : *~euse* réussite 놀라운 성공 / paysage ~ 절경(絶景). — *m.* 경이 ; 불가사의 ; (문학 작품의) 초자연적 경이〔세계〕: ~ chrétien 기도교적 경이.

***mes** [me] *adj. poss.* mon, ma 의 복수.

mésalliance [mezaljɑ̃:s] *f.* 신분 낮은 사람과의 결혼.

mésallier [mezalje] *v.t.* 신분 낮은 사람과 결혼시키다. — **se ~** *v.pr.* 신분 낮은 사람과 결혼하다 ; 《구어》 체면이 손상당하다〔깎이다〕.

mésange [mezɑ̃:ʒ] *f.* 〖조류〗 깨새.

***mésaventure** [mezavɑ̃ty:ʀ] *f.* 재난, 사고(= accident) ; 불운(= malchance).

mescaline [mɛskalin] *f.* 메스칼린《환각제》.

mesclun [mɛsklœ̃] *m.* 메스클랭《남프랑스산의 각종 잎채소로 만든 샐러드》.

***mesdames** [medam] *f. pl.* madame 의 복수.

***mesdemoiselles** [medmwazɛl] *f. pl.* mademoiselle 의 복수.

mésentente [mezɑ̃tɑ̃:t] *f.* 오해 ; 불화, 알력.

mésestimation [mezɛstimɑsjɔ̃] *f.* 《문어》 과소평가, 그릇된 평가.

mésestime [mezɛstim] *f.* 《문어》 경멸(= dédain) : tenir qn en ~ …을 경멸하다.

mésestimer [mezɛstime] *v.t.* 얕보다, 경시하다 ; 과소평가하다 : ~ les difficultés 곤란한 일을 가볍게 보다 / ~ son propre talent 자기 재능을 과소평가하다.

M

mésintelligence [mezɛ̃te(ɛl)liʒɑ̃:s] *f.* 불화, 알력, 갈등. ***être en ~ avec*** qn …와 알력이 있다.

mésolithique [mezɔlitik] 〖지질〗 *adj.* 중석기 시대의. — *m.* 중석기 시대.

***mesquin, e** [mɛskɛ̃, -in] *adj.* ① 빈약한, 초라한, 보잘것없는(= piètre). ② 인색한, 쩨쩨한 ; 치사스러운 : personne envieuse et *~e* 시기심이 많고 쩨쩨한 사람 / de petites histoires *~es* 저속한 이야기.

mesquinement [mɛskinmɑ̃] *adv.* ① 인색하게. ② 치사스럽게, 비열하게 : agir ~ envers qn …에 대해 치사한 행동을 하다.

mesquinerie [mɛskinʀi] *f.* ① 인색함, 치사스러움. ② 비열함, 저속함.

mess [mɛs] 〔영〕 *m.* 〖군사〗 (장교 · 하사관의) 식당.

***message** [mesa:ʒ] *m.* ① 전갈, 전언(傳言) : ~ téléphonique 전화 통지 / ~ publicitaire (스포츠) 광고 / être porteur d'un ~ 전할 말을 부탁받다 / laisser un ~ à〔pour〕qn …에게 전언을 남기다. ② 통첩, 교서(敎書) ; 메시지 : ~ annuel (대통령의) 연두 교서. ③ (예언자 따위의) 계시 ; (예술 작품의) 의도, 주장 : roman à ~ 경향 소설. ④ 〖컴퓨터〗 정보 전달, 메시지 : ~ d'erreur 에러 메시지 / code d'un ~ 정보 신호.

messager, ère [mesaʒe, -ɛ:ʀ] *n.* ① 사자(使者) ; 배달인 ; 심부름꾼 : ~ spécial 특사(特使). ② 《문어》 예고자, 예고하는 것 : *~ère* du jour 새벽의 여명 / hirondelle, *~ère* du printemps 봄의 전령 제비.

messagerie [mesaʒʀi] *f.* ① (보통 *pl.*) (철도 · 선박에 의한) 수송, 운수 ; 운수〔해운〕회사 : ~*s* maritimes 해운 ; 해운 회사. ② (객차편에 부치는) 급행 화물 수송 ; 《옛》 역마차 : bureau des ~*s* 〖철도〗 화물 취급소. ③ 〖컴퓨터〗 ~ électronique 전자 메일(= e-mail). ***expédier*** qc ***comme ~***〔***aux ~s***〕…을 소하물로 부치다.

***messe** [mɛs] *f.* 〖가톨릭〗 미사 ; 미사곡(曲) : livre de ~ 미사 경본(經本) : célébrer〔dire〕la ~ 미사를 올리다 / dire〔faire〕des ~*s* basses 《구어》 중얼중얼 말하다 / grand-~ 대미사 / ~ basse (노래가 따르지 않는) 독송(讀誦)미사 / ~ chantée ; 《옛》 ~ de minuit 성탄 미사 / ~ des morts 연(煉)미사, 위령 미사 / ~ solennelle 장엄 미사.

messianique [mesjanik] *adj.* 〖종교〗 구세주의, 메시아의, 메시아에 관한.

messianisme [mesjanism] *m.* 〖종교〗 메시아〔구세주〕 신앙 : ~ révolutionnaire 《비유 · 문어》 (피압박 계급의 구원자를 기다리는) 혁명적 메시아 사상.

messidor [mesidɔ:ʀ] *m.* 수확의 달《프랑스 공화력의 10 월 ; 태양력 6 월 20 일부터 7 월 19 일까지》.

Messie [mesi] *n.pr.m.* ① 구세주, 메시아 : attendre qn comme le ~ …을 초조하게 기다리다. ② le *M*~ 예수 그리스도(= Jésus-Christ).

***messieurs** [mesjø] *m. pl.* monsieur 의 복수.

messire [mesiʀ] *m.* 《옛》 각하, 나리, …님, 귀하《귀족의 존칭, 후에 사제 · 변호사 · 의사 등의 경칭으로 쓰임》.

mesurable [məzyʀabl] *adj.* 측정〔측량 · 계량〕할 수 있는.

mesurage [məzyʀa:ʒ] *m.* 측정, 측량, 계량.

:mesure [məzy:ʀ] *f.* ① 계량 ; 측량, 측정 : méthode de ~ 계량〔측정〕법 / unité de ~ 계량〔측정〕 단위. ② ⓐ 크기, (길이 · 넓이 · 높이 · 깊이의) 치수(= dimension), 《특히》 인체의 치수 : prendre les ~*s* d'une pièce 방의 넓이를 재다 / prendre les ~*s* d'un costume 옷의 치수를 재다. ⓑ (사람의) 역량(= capacité), 능력 ; 실력 : Cet homme n'est pas de ~. 그 사람은 역부족이다 / prendre la (juste) ~ de qn …의 역량을 측정하다. ③ 비율, 정도, 범위(= proportion). ④ ⓐ 도량형의 단위, 《특히》 도량〔길이 · 분량〕의 단위 : poids et ~ 도량형. ⓑ (사물을 평가하는) 척도, 기준. ⓒ 도량 측정기, 《특히》 되 ; 한 되의 분량 : ~ en ruban 권척(卷尺) / une ~ de vin 포도주 한 되. ⑤ ⓐ 알맞은 치수〔분량〕; 한도(= limite, borne) : excéder〔passer, dépasser〕la ~ 한도를 넘다. ⓑ 절도(= modération, retenue) : manquer de ~ 절도가 없다. ⑥ (적당한) 조처, 대책, 수단 ; 〖법률〗 처분 : prendre des ~*s* contre qc …에 대비하다. ⑦ 〖운율〗 운율(韻律) ; 〖음악〗 소절 ; 박자 : ~ à quatre temps 4 박자 / battre la ~ (손 · 발 따위로) 박자를 세다〔맞추다〕. ***à la ~ de*** …에 따라, …에 균형을 맞춰. ***à ~ ; au fur et à ~*** (그에 따라〔비례하여〕) 점차적으로, 점점. ***à ~***

que+*ind.* …함에 따라서. ***commune*** ~ 공통점《부정문에서》. ***dans la*** ~ ***du possible*** 〔***de mes forces***〕 가능한〔힘이 미치는〕 한. ***dans la*** ~ ***où*** …의 범위〔한도〕 내에서. ***dans une certaine*** ~ 어느 정도. ***donner sa*** ~ 역량을 보여 주다. ***être en*** ~ ***de***+*inf.* …할 수 있다. ***par*** ~ ***de*** qc …을 목적으로. ***sans*** ~ 절도〔제한〕 없이. ***sur*** ~ 치수에 맞게 지은 ; 필요에 맞게 만든 : costume *sur* ~ 주문복.

mesuré, e [məzyʀe] *adj.* ① (언행이) 절도 있는 ; 조심성 있는 ; 신중한(= modéré) : être ~ dans ses jugements 판단이 신중하다. ② 규칙적인 ; (보조가) 정연한 : pas ~*s* 일정한 걸음걸이. ③ (시간 · 분량이) 한정된 : Le temps nous est ~ ; dépêchons-nous. 시간이 없다, 서두르자.

⁑mesurer [məzyʀe] *v.t.* ① ⓐ (길이 · 넓이 · 높이를) 재다, (용량을) 달다 ; (옷 · 사람의) 치수를 재다 ; 측정〔측량〕하다 : ~ qc au mètre …을 미터로 재다 / ~ un terrain 토지를 측량하다 / Il *a mesuré* son fils. 그는 아들의 키를 쟀다. ⓑ (추상적인 것을) 헤아려〔따져〕 보다(= evaluer), 추정하다 : ~ la portée d'un acte 어떤 행동의 결과를 따져 보다. ② (말 따위를) 신중히 하다, 조심하다 : *Mesurez* vos paroles. 말을 조심하시오. ③ 인색하게 주다〔쓰다〕, 조금밖에 안 주다〔쓰다〕 ; 절약하다 : ~ la nourriture à qn …에게 먹을 것을 인색하게 주다〔조금밖에 안 주다〕. ④ 《~ qc à 〔sur, d'après〕》 …을 …에 따라〔맞추어〕 가감〔조절〕하다, …에 어울리게 하다(= régler, proportionner) : ~ ses dépenses *sur* son gain 수입에 따라 지출을 조절하다. ~ qc ***des yeux*** …을 눈어림하다. ~ qn ***des yeux*** …을 아래위로 훑어보다.
— *v.i.* (길이 · 높이 · 너비 · 용량 따위가) …이다 : ~ deux mètres de long 〔de haut〕 길이〔높이〕가 2 미터이다 / Il *mesure* un mètre quatre-vingts. 그의 키는 1 미터 80이다.
— **se** ~ *v.pr.* ① 측정되다. ② ⓐ 자기 자신을 정확하게 평가하다 ; 신중하게 행동하다. ⓑ 《se ~ à 〔avec〕 qn》 …와 힘을 겨루다. ③ ⓐ 서로 싸우다〔경쟁하다〕(= se battre) : *se* ~ en champ clos 결투하다. ⓑ *se* ~ des yeux 서로 아래위로 훑어보다.

mesureur, euse [məzyʀœːʀ, -øːz] *m.* 계량 검사관 ; 양복 치수 재는 사람 ; 계량기.

mésuser [mezyze] *v.t. ind.* 《~ de》 …을 악용〔남용〕하다(= abuser).

métabolique [metabɔlik] *m.* 〖생리〗 신진대사(新陳代謝).

métabolisme [metabɔlism] *m.* 〖생물〗 물질대사 ; 신진대사. 「骨).

métacarpe [metakaʀp] *m.* 〖해부〗 장골(掌

métairie [metɛ〔e〕ʀi] *f.* ① (반타작 소작법에 의한) 소작지 ; 농지, 전답(= ferme). ② 《집합적》 소작 농가.

métal** [metal] *m.* (*pl.* ***-aux [-o]) ① 금속 : ~*aux* précieux 귀금속 / industrie des ~*aux* 금속 가공업 ② 《비유》 소재, 실질, 내용(= matière) : ~ de la pensée 사고의 내용. ③ (사람의) 기질, 체질(= tempérament).

métalangage [metalɑ̃gaːʒ] *m.*, **métalangue** [metalɑ̃ːg] *f.* 〖언어 · 논리〗 메타 언어《어떤 언어를 기술(記述)하기 위해 사용되는 언어》. 「하는.

métallifère [metalifɛːʀ] *adj.* 금속을 함유

métallique [metalik] *adj.* ① 금속의, 금속제의 : pont ~ 철교 / meubles ~*s* 금속제 가구. ② 금속성의 ; 금속 같은 : éclat 〔reflet〕 ~ 금속성 광택 / voix ~ 금속성 목소리. ③ 정화(正貨)의, 본위 화폐의 : monnaie ~ (금화 · 은화 따위의) 경화.

métallisé, e [metalize] *adj.* 금속 광택이 나는 : peinture ~*e* 메탈릭 도료(塗料).

métalliser [metalize] *v.t.* ① …에 금속 광택이 나게 하다 : ~ une peinture 도료에 금속 광택이 나게 하다. ② 금속으로 씌우다, 도금(鍍金)하다.

métallo [metalo] *m.* 《구어》 야금공(冶金工), 정련공(精鍊工)(= métallurgiste).

métallographie [metalɔgʀafi] *f.* ① 금속 조직학. ② 금속판 인쇄술.

métalloïde [metalɔid] *m.* 〖화학〗 반(半)금속 ; 《옛》 비(非)금속.

***métallurgie** [metalyʀʒi] *f.* ① 야금학, 야금술. ② 금속〔야금〕 공업.

métallurgique [metalyʀʒik] *adj.* 야금학의, 야금술의 ; 금속 공업의 : industrie 〔usine〕 ~ 제련업〔소〕.

métallurgiste [metalyʀʒist] *m.* 야금가, 야금학자 ; 제련업자 ; 제련공 ; 금속 가공업자.
— *adj.* 야금술의, 금속 공업의.

métamorphique [metamɔʀfik] *adj.* 〖지질〗 (바위가) 변성(變成)의 : roche ~ 변성암.

métamorphisme [metamɔʀfism] *m.* 〖지질〗 변성(變成) 작용.

métamorphose [metamɔʀfoːz] *f.* ① 변형, 변성(變性), 변태 : ~ d'une chenille en papillon 애벌레의 나비로의 탈바꿈. ② 변신, 화신(化身) : ~ des dieux 신들의 변신. ③ (성격 · 처지 따위의) 돌변, 격변, 일변.

métamorphoser [metamɔʀfoze] *v.t.* ① 《~ en》 …으로 변형시키다 ; 변신〔화신〕시키다. ② (모습 · 성격 따위를) 일변시키다 : Son succès l'a *métamorphosé*. 그는 성공하자 사람이 완전히 달라졌다. — **se** ~ *v.pr.* 《se ~ en》 …으로 변신하다, 변모하다 ; 〖생물〗 탈바꿈하다, 변태하다.

métaphore [metafɔːʀ] *f.* 〖수사학〗 은유(隱喩)(법) ; 비유.

métaphorique [metafɔʀik] *adj.* (표현 · 뜻이) 은유적인 ; (문체(文體)가) 은유가 많은.

métaphysicien, enne [metafizisjɛ̃, -ɛn] *m.* 형이상학자(形而上學者).

métaphysique [metafizik] *f.* ① 〖철학〗 형이상학, 형이상학적 고찰, 사변(思辨) 철학. ② 추상적 사고, 추상론, 관념론 : se perdre dans la ~ 추상론에 빠지다. — *adj.* ① 형이상학적인 : problèmes ~*s* 형이상학적 여러 문제. ② 지나치게 추상적인, 관념적인(= abstrait) : discussion ~ 추상적인 토론.

métapsychique [metapsiʃik] *adj.* 심령 현상의, 초심리 현상의 ; 심령 연구의. — *f.* 《옛》 초심리학, 심령학(= parapsychologie).

métastase [metastɑːz] *f.* 〖의학〗 (종양 · 암 따위의) 전이(轉移).

métayage [metɛjaːʒ] *m.* 〖농업〗 반타작 소

M

작 제도.
métayer, ère [metɛje, -ɛːʀ] *m.* 〖농업〗 반타작 소작인, 《구어》 소작 농부. 「(재배).
méteil [metɛj] *m.* 〖농업〗 밀과 호밀의 혼합
métempsyc(h)ose [metɑ̃psikoːz] *f.* 윤회(輪廻), 전생(轉生).
*__météo__ [meteo] *f.* 《구어》 일기 예보《météorologie 의 약자》: bulletin de la ~ 일기 예보. — *adj.* 《불변》 기상(氣象)의, 날씨의《météorologique 의 약자》.
météore [meteɔːʀ] *m.* ① 《옛》 대기(大氣) 현상. ② 유성, 별똥별(= étoile filante). ***passer*** 〔***briller***〕 ***comme un*** ~ 《비유》 (유성처럼) 잠시 각광을 받고 사라지다.
météorique [meteɔʀik] *adj.* ① 《옛》 대기의, 기상에 관한. ② 유성(流星)의 : pierre ~ 운석(隕石) / nuage ~ 유성군(流星群) / cratère ~ 운석공(隕石孔).
météorisation [meteɔʀizɑsjɔ̃] *f.* 〖지질〗 풍화(風化) (작용).
météorite [meteɔʀit] *f.* 〔*m.*〕 〖천문〗 운석(隕石)(= aérolithe).
météorologie [meteɔʀɔlɔʒi] *f.* 기상학 ; 기상대 ; 일기예보 : la *M*~ nationale 국립 기상대.
météorologique [meteɔʀɔlɔʒik] *adj.* 기상의. ***bulletin*** ~ 기상 통보, 일기 예보. ***Office national*** ~ 국립 중앙 기상 사무국.
météorologiste [meteɔʀɔlɔʒist], **météorologue** [meteɔʀɔlɔg] *m.* 기상학자, 일기 예보관, 기상대원.
métèque [metɛk] *m.* 《경멸》 (특히 프랑스 거주 아랍계) 외국인.
méthane [metan] *m.* 〖화학〗 메탄.

M

*__méthode__ [metɔd] *f.* ① 방법, 방식(= moyen) : ~ expérimentale 〔analytique〕 실험적 〔분석적〕 방법 / Chacun a sa ~. 사람마다 자기 나름의 방식이 있다. ② 질서, 체계(體系), 계통 ; 〖생물〗 분류법 : ~ audio-visuelle 시청각 방식 / ~ de lecture 독서법 / ~ de travail 작업 순서. ③ (예술·기술 따위의) 기초 지식 : ~*s* de l'architecture 건축의 기초 지식. ④ 입문서, 강의록 : ~ de piano 피아노 교본. ***avec*** ~ 체계적으로, 질서 있게, 계통을 세워서. ***avoir de la*** 〔***manquer de***〕 ~ 체계가 서〔안 서〕 있다. ***sans*** ~ 무질서하게〔한〕.
*__méthodique__ [metɔdik] *adj.* 방법적, 체계적, 질서정연한 : classement ~ des livres 도서의 계통적 분류 / démonstration ~ 논리 정연한 증명 / esprit ~ 조리 있게 생각하는 사람.
méthodiquement [metɔdikmɑ̃] *adv.* 체계적으로, 정연하게, 조직적으로. 「교.
méthodisme [metɔdism] *m.* 〖종교〗 감리
méthodiste [metɔdist] *adj.* 감리교(도)의. — *n.* 감리교도. 「론.
méthodologie [metɔdɔlɔʒi] *f.* 〖철학〗 방법
méthodologique [metɔdɔlɔʒik] *adj.* 방법론에 관한.
méthyle [metil] *m.* 〖화학〗 메틸.
méthylène [metilɛn] *m.* 〖화학〗 메틸렌 ; 〖상업〗 메틸알코올(= alcool méthylique).
méticuleusement [metikyløzmɑ̃] *adv.* 세심하게, 꼼꼼히.
méticuleux, euse [metikylø, -øːz] *adj.* 용의주도한, 세심한, 꼼꼼한(= scrupuleux, minutieux) : être très ~ dans son travil 자기 일에 매우 꼼꼼하다.
méticulosité [metikylozite] *f.* 꼼꼼함, 세심함, 주도면밀함.
:__métier__ [metje] *m.* ① ⓐ 직업, 생업(= profession) ; 일 : ~ intellectuel 지적 직업 / ~ de femme 부인의 생업 / ~ manuel 수작업 / connaître son ~ 일에 능숙하다. ⓑ 직무, 역할 : ~ de roi 왕의 직무 / Elle a bien fait son ~ de mère. 그녀는 어머니의 역할을 훌륭히 해냈다. ② 솜씨(= habilité) ; 기교(= technique) : avoir du ~ 숙련되어 있다, 솜씨가 좋다 / manquer de ~ 미숙하다, 세련되지 못하다. ③ 베틀, 방적기(= ~ à tisser). ***apprendre son*** ~ ***à*** qn …을 나무라다. ***Cela n'est pas de mon*** ~. 그런 일엔 나는 익숙하지 못하다. ***être du*** ~ 그 방면의 전문가이다. ***faire*** ~ ***de*** …을 본업으로 삼다 ; …을 상습적으로 하다. ***Il n'est point de sot*** ~. 《격언》 직업에는 귀천이 없다. ***mettre*** qc ***sur le*** ~ 《구어》 …을 계획하다, 제작에 들어가다.
métis, isse [metis] *adj.* ① 혼혈의 : enfant ~ 혼혈아. ② 잡종의 : roses ~*isses* 교배종 장미 / chien ~ 잡종개. — *n.* 혼혈아 ; (동식물의) 잡종, 튀기.
métissage [metisaːʒ] *m.* 혼혈 ; 〖생물〗 이종(異種) 교배.
métissé, e [metise] *adj.* 혼혈의, 잡종의 : chien ~ 잡종개.
métisser [metise] *v.t.* 이종을 교배하다, 잡종을 교배시키다.
M. -et-L. 《약자》 Maine-et-Loire [mɛnelwaːʀ] 멘에루아르《프랑스의 도(道)》.
M. -et-M. 《약자》 Meurthe-et-Moselle [mœʀtemozɛl] 뫼르트에모젤《프랑스의 도(道)》.
métonymie [metɔnimi] *f.* 〖수사학〗 환유(換喩).
métonymique [metɔnimik] *adj.* 〖수사학〗 환유의〔적인〕, 환유법을 사용한.
métrage [metʀaːʒ] *m.* ① 미터 측량. ② (물체의) 미터로 잰 길이 ; (미터로 파는) 옷감의 길이. ③ (영화 필름의) 길이 : film de court 〔moyen, long〕 ~ 단편〔중편·장편〕 영화.
:__mètre__[1] [mɛtʀ] *m.* ① 〖도량형〗 미터 : ~ carré 제곱미터 / ~ cubé 세제곱미터. ② 미터자 : ~ pliant 접자 / ~ à ruban ; ~(-)ruban 줄자. ③ 〖스포츠〗 …미터 경주 : participer à un cent ~*s*, 100 미터 경주에 나가다.
mètre[2] *m.* ① (시의) 운율(韻律) ; 운율 구성. ② (그리스시의) 보격(補格).
métré [metʀe] *m.* ① (건물·토지 따위의) 미터 측량. ② (공사) 견적서.
métrer [metʀe] [6] *v.t.* ① 미터로 재다. ② 〖토목·건축〗 …의 견적서를 작성하다.
métreur, euse [metʀœːʀ, -øːz] *m.* (공사의) 견적 기사 ; 측량 기사, 건축물 측량사.
métrique[1] [metʀik] *adj.* 미터의, 미터법의. ***système*** ~ 미터법.
métrique[2] *adj.* 운율의. — *f.* 운율학 ; 작시법(= versification).
métrite [metʀit] *f.* 〖의학〗 자궁염.

***métro** [metʀo] *m.* ① 지하철, 메트로《chemin de fer métropolitain 의 약자》: station de ~ 지하철역 / bouche de ~ 지하철 입구 / prendre le ~ 지하철에 타다 / aller en ~ 지하철로 가다. ② (해외 영토에서 본) 본국인, 내지인.

métronome [metʀɔnɔm] *m.* 〚음악〛 메트로놈, 박절기(拍節器).

métropole [metʀɔpɔl] *f.* ① (식민지에 대해) 모국, 본국. ② 대주교가 있는 도시. ③ (지방의) 주요 도시; 수도(= capitale) : grandes ~*s* économiques 대상업 도시. ~ ***d'équilibre*** 평형(平衡) 도시《마르세유·보르도 등의 지방 대도시》, (지방의) 도시권.

métropolitain, e [metʀɔpɔlitɛ̃, -ɛn] *adj.* ① 본국〔모국〕의 : armée ~*e* 본국 군대 / territoire ~ 본토 / la France ~*e* 프랑스 본국. ② 수도의 : chemin de fer ~ 지하철. ── *m.* 지하철(= métro).

métropolite [metʀɔpɔlit] *m.* (그리스 정교의) 대주교.

mets[1] [mɛ] *m.* (접시에 담은) 요리, 음식.

mets[2] mettre 의 직설·현재·3·단수·명령·2·단수.

mettable [mɛtabl] *adj.* (옷이) 입을 수 있는 : Ce manteau est encore ~. 이 외투는 아직 입을 수 있다.

metteur, euse** [mɛtœːʀ, -øːz] *n.* 전문가. 《다음 표현에서만 사용》 **~ *en œuvre (기계 따위의) 조립공〔기사〕; 보석 세공인; (기획의) 실행자, 제작 담당자. **~ *en ondes*** (라디오·TV의) 연출자, 프로듀서. **~ *en pages*** 〚인쇄〛 조판공. **~ *en scène*** 〚연극〛 연출가; 〚영화〛 감독.

mett-(i)ez, -(i)ons ⇒ mettre.

⁂mettre [mɛtʀ] [46] *v.t.* 🄰 ① ⓐ (어떤 곳에) 놓다, 넣다 (= placer, poser) : *Mettez* le livre sur la table. 책을 책상 위에 놓으시오 / ~ du vin en bouteille 포도주를 병에 넣다 / ~ la clé dans la serrure 열쇠를 자물쇠(구멍)에 들이밀다. ⓑ《목적보어 : 인체의 부분》 ~ la tête à la portière 머리를 기차 승강구에 내밀다 / ~ ses mains derrière le dos 뒷짐을 지다. ⓒ《목적보어 : qn》 ~ un enfant au lit 〔dans son lit〕 어린애를 침대에 뉘다. ② 붙이다, 달다, 첨가하다; 씌우다 : ~ un timbre sur une enveloppe 봉투에 우표를 붙이다 / ~ des roues à une bicyclette 자전거에 타이어를 달다. ③ 차려놓다; 설치〔가설〕하다 : ~ la table 〔le couvert〕 식탁을 차리다 / Il a fait ~ l'électricité chez lui. 그는 자기 집에 전기를 가설시켰다. ④ ⓐ (옷을) 몸에 걸치다, 입다, (구두를) 신다, (모자를) 쓰다, (장갑을) 끼다, (안경을) 쓰다. ⓑ ~ un vêtement 〔des bas〕 à qn …에게 옷을 입혀 주다〔양말을 신겨 주다〕. ⑤ (혼란 따위를) 일으키다(= provoquer) : ~ le désordre 〔le feu〕 혼란을 일으키다〔불을 지르다〕. ⑥ 기입〔기재〕하다, 적다, 쓰다, 적어〔써〕 넣다 (= écrire) : ~ son nom sur une pétition 진정서에 서명하다.

🄱 ① ⓐ (사물·사람을 어떤 상태에) 놓다, 두다, 들어가게〔빠지게〕 하다 : ~ qn en liberté …을 석방하다 / ~ qn en colère …을 격분하게 하다 / ~ qn dans l'embarras 〔la misère〕 …을 곤경〔빈곤〕에 빠뜨리다 / ~ qn sous la protection de qn 〔qc〕 …을 보호 아래 두다. ⓑ《형용사·부사와 함께》 ~ qn mal à l'aise …을 거북하게 하다 / ~ les bouchées doubles 급히 먹다〔일하다〕. ② ⓐ《~ qn à qc 〔+*inf.*〕》 …을 …에 배치하다 〔하게 하다〕 : ~ qn au service exportation …을 수출 업무과에 배치하다 / ~ qn à travailler 〔à causer〕 …에게 일을〔이야기를〕 시키다. ⓑ《~ qc à+*inf.* 〔~+*inf.*+qc〕》 …을 …하도록 조처하다 : ~ du linge à sécher 〔~ sécher du linge〕 빨래를 (말리기 위해) 널다 / ~ de l'eau à chauffer 〔~ chauffer de l'eau〕 물을 데우다〔끓이다〕. ③ ⓐ《~ ...à》 (행동에 심정·감정 따위를) 기울이다(= apporter) : ~ du soin 〔du zèle〕 à qc 〔+*inf.*〕 …에〔하는 데〕 정성〔열성〕을 기울이다 / ~ de l'énergie à+*inf.* 끈기 있게 …하다. ⓑ《~ ... dans 〔en〕, à》 (…에 희망 따위를) 걸다, 두다; (…에서 행복 따위를) 찾다(= faire consister) : ~ de grands espoirs en qn …에게 큰 희망을 걸다 / ~ son bonheur à lire 독서를 낙으로 삼다. ④ (시간·돈·노력 따위를) 사용하다, 쓰다, 투입하다 : ~ plusieurs jours à 〔pour〕 faire qc …을 하는 데 여러 날 걸리다 / ~ des capitaux dans une affaire 어떤 사업에 자금을 대다. ⑤《~ qc en》 …을 …으로 바꾸어 놓다〔만들다〕(= transformer) : ~ un texte en français 텍스트를 프랑스 말로 번역하다 / ~ des fleurs en gerbe 꽃을 다발로 묶다. ⑥ ~ le loquet 〔le verrou〕 걸쇠를 잠그다〔빗장을 지르다〕. ⑦ (기계 따위를) 작동시키다; 맞추다 : ~ le chauffage 난방장치를 가동시키다 / ~ le réveil à sept heures 자명종을 7시에 맞추다 / Il *met* la radio au matin. 그는 아침부터 라디오를 켠다.

🄲《명령법》 ①《Mettons 〔mettez〕+수사(數詞)+명사》 Combien cela va coûter? — *Mettons* 〔*Mettez*〕 vingt francs en tout. 비용이 얼마나 들까요? — 전부 20 프랑이면 될 겁니다 / Il nous reste encore, *mettons,* huit kilomètres. 아직도, 글쎄, 한 8 킬로는 더 가야겠는데. ②《Mettons 〔mettez〕 que+*ind.*》《구어》 …라고 해 둡시다〔해 두시오〕(= admettons 〔disons〕 que+*ind.*); 《Mettons 〔mettez〕 que+*sub.*》《구어》 …라고 가정합시다 : *Mettons* que vous ayez raison. 네가 옳다고 가정하자 / *Mettez* que cela vous coûtera cinq cents francs. 한 500 프랑 들겠군요. ***être bien*** 〔***mal***〕 ***mis*** 옷차림이 좋다〔나쁘다〕. ***les ~ ; ~ les bouts*** 《속어》 도망치다, 빽소니치다. ***Qu'est-ce qu'il lui met!*** 《속어》 굉장한 난타로군.

── ***se ~** *v.pr.* ①《se ~ à》 …에 착수하다, …하기 시작하다 : Il *se met au* travail. 그는 일에 착수한다 / Il *se met à* pleuvoir. 비가 오기 시작한다. ② 놓여지다; 기재되다; 착용되다. ③ 몸을 두다; 자리를 잡다; 서다; 앉다; 눕다; 들어가다; 투신하다; 빠지다 : *se* ~ à la fenêtre 창가에 다가서다 / *se* ~ au lit 자리에 눕다 / *se* ~ dans la politique 〔les affaires〕 정치에 투신하다〔사업에 손을 대다〕 / *se* ~ dans une situation délicate 난처한 처지에 빠지다. ④ 옷을 입다, 옷차림

M

을 하다. ⑤《se가 간접목적보어이고 직접목적보어를 수반하는 경우》 *se* ~ un châle sur les épaules 어깨에 숄을 걸치다 / *se* ~ un sac sur le dos 등에 자루를 짊어지다. ⑥《구어》 서로 때리다〔치고받다〕: Qu'est-ce qu'ils *se mettent!* 굉장한 난타전이군. ⑦ *se* ~ à deux 〔quatre〕 pour faire qc 둘〔넷〕이서 …을 하다. ⑧《비인칭》: Il *se met* à pleuvoir ; Le temps *se met* à la pluie. 비가 오기 시작한다. ***se ~ bien*** 옷을 잘〔멋있게〕 입다 ; 《구어》 돈을 잘쓰다, 사치〔호강〕하다. ***se ~ bien*** 〔***mal***〕 ***avec*** qn …와 사이가 좋다〔나쁘다〕. ***s'y ~*** 일을 시작하다 ; 한몫 끼다.

‡meuble [mœbl] *adj.* 이동할 수 있는 ; 〖농업〗 (땅이 쉽게) 경작될 수 있는. ***biens ~s*** 〖법률〗 동산. ── *m.* ① 가구(家具), 비품 : ~*s* en bois 목제 가구 / ~*s* de bureau 사무용 비품. ② (*pl.*) 〖법률〗 동산. ***être dans ses ~s*** 자비로 가구를 장만한 집〔아파트〕에 살다.

meublé, e [mœble] *adj.* ① (셋집·셋방이) 가구가 딸린 : location ~*e* 가구를 포함한 임대. ② 풍부하게 갖추어진 : avoir la tête bien ~*e* 지식이 풍부하다 / cave bien ~*e* 와인이 풍부히 저장된 지하실. ── *m.* 가구 딸린 아파트 : tenir un ~ 집〔방〕을 세놓다.

***meubler** [mœble] *v.t.* ① 가구를 갖추다 : ~ une maison 집에 가구를 갖추다. ② (빈 것을) 채우다, 풍부하게 하다 : ~ sa mémoire 지식을 풍부히 하다 / savoir ~ ses loisirs 여가를 선용할 줄 알다 / ~ son imagination de rêves insensés 터무니없는 꿈으로 상상을 채우다. ③ 장식이 되다 : 《목적보어 없이》 Ces rideaux *meublent* bien. 이 커튼들은 훌륭한 장식이 되고 있다. ── **se ~** *v.pr.* ① 가구를 사들이다〔갖추다〕. ② (정신을) 풍요롭게 하다, (지식을) 갖추다.

meuf [mœf] *f.* 《구어》 여자(= femme).

meuglement [møgləmɑ̃] *m.* ① 소의 울음소리. ② (기적·경적 따위의) 울리는 소리.

meugler [møgle] *v.i.* ① (소가) 울다(= beugler). ② (사람이) 울부짖다.

meule[1] [mø:l] *f.* (건초·짚 따위의) 낟가리.

meule[2] *f.* ① 돌절구 ; 맷돌. ② 회전 숫돌 : ~ de fromage 맷돌형 치즈.

meulier, ère [mølje, -ɛ:ʀ] *f.* 맷돌용 규석(硅石)(= pierre 〔silex〕 ~*ère* 〔~〕).

meunerie [mønʀi] *f.* 제분업 ; 《집합적》 제분업자.

meunier, ère [mønje, -ɛ:ʀ] *m.* ① 제분업자, 방앗간 주인. ② 〖곤충〗 바퀴. ③ 〖어류〗 황어. ── *f.* ① 제분업자의 아내. ② 〖요리〗 뫼니에르 《밀가루를 묻힌 생선의 버터구이》: poisson ~ 생선 뫼니에르. ── *adj.* 제분업의 : industrie ~*ère* 제분업.

meurt-de-faim [mœʀdəfɛ̃] *n.* 《복수불변》 굶어 죽을 지경에 이른 사람, 거지.

meurtre** [mœʀtʀ] *m.* 살인, 살해(= homicide) ; 살인죄 : être inculpé 〔accusé〕 de ~ 살인죄로 기소당하다 / tentative de ~ 살인미수 / être jugé pour le ~ de qn …을 살인한 죄목으로 재판을 받다. ***Au ~ ! 사람 살려! 사람 죽인다!

meurtri, e [mœʀtʀi] *adj.* ① 상처 입은, 타박상을 입은. ② (과일이) 상처가 난, 멍든.

***meurtrier, ère** [mœʀtʀije, -ɛ:ʀ] *adj.* ① 많은 인명을 빼앗는, 사람을 죽이는 : combats ~*s* 살육전 / épidémie ~*ère* 다수의 사망자를 내는 전염병 / arme ~*ère* 대량 살상 무기. ② 큰 손해를 입히는 ; 파괴적인, 위험한 : carrefour ~ (사고다발의) 위험한 십자로. ③ 《비유》 살의를 품은 ; 위협적인 : fureur ~*ère* 살의가 섞인 극도의 분노. ── *n.* 살인자. ── *f.* 〖축성〗 (성벽의) 총안(銃眼).

meurtrir [mœʀtʀi:ʀ] *v.t.* ① …에 타박상을 〔상처를〕 입히다(= contusionner) ; (과실을) 멍들게 하다 ; …에 흠을 내다(= cotir) : La chute l'*a* durement *meurtri.* 그는 떨어져서 심한 타박상을 입었다 / pêches que le choc *a meurtries* 충격으로 멍든 복숭아. ② (마음에) 상처를 입히다, 상심케 하다(= blesser) : Ce refus lui *a meurtri* le cœur. 이 거절은 그녀의 마음을 몹시 상하게 했다. ── **se ~** *v.pr.* 타박상을 입다 : *se* ~ le front 이마에 상처를 입다.

meurtrissure [mœʀtʀisy:ʀ] *f.* ① 타박상, 멍(= contusion) ; (과일의) 멍, 흠. ② (마음의) 상처 ; (피로·노쇠·병의) 흔적, 징후.

meute [mø:t] *f.* ① 사냥개의 떼. ② (사람을 뒤쫓는) 한패, 일당 : une ~ de journalistes (뉴스를 쫓는) 신문 기자의 떼.

mévente [mevɑ̃:t] *f.* 손해 보고 팔기, 투매(投賣) ; (장사의) 불경기, 매상 부진.

mexicain, e [mɛksikɛ̃, -ɛn] *adj.* 멕시코(*le Mexique*)의. ── **M~** *n.* 멕시코 사람. ── *m.* 멕시코어.

Mexique (le) [ləmɛksik] *n.pr.m.* 〖지리〗 멕시코.

mézigue [mezig] *pron.* 《속어》 나 자신(= moi).

mezzanine [mɛdzanin] 〔이탈리아〕 *f.* ① 중이층(= entresol) ; 중이층의 작은 창. ② (극장의) 중이층 (좌석).

mezza-voce [mɛdzavɔtʃe] 〔이탈리아〕 *loc. adv.* 〖음악〗 작은 목소리로.

mezzo-soprano [mɛdzosɔpʀano] 〔이탈리아〕 (*pl.* ***~-~s, ~-soprani***) 〖음악〗 *m.* 메조소프라노. ── *f.* 메조소프라노 가수.

MF 《약자》 〖전자〗 modulation de fréquence 주파수 변조(〔영〕 FM).

mg. 《약자》 miligramme 밀리그램《천분의 1그램》.

Mgr 《약자》 Monseigneur 〖종교〗 각하《대주교·주교 등에 대한 존칭》.

mi [mi] *m.* 《복수불변》 〖음악〗 미, E 음《장음계의 제 3 음》; 현악기의 E선.

mi- *préf.* ① 「반(半)·중간」의 뜻. ⓐ 《mi-+(시간) 명사》《성은 여성》 *mi*-avril 사월 중순 / la *mi*-temps (경기의) 하프 타임. ⓑ 《à mi-+명사》《부사구를 이룸》 *à mi*-chemin 도중에 / *à mi*-voix 작은 소리로. ② 「반쯤·중간에서」의 뜻 : 《mi-+형용사》 *mi*-souriant 살며시 웃는 / paupières *mi*-closes 반쯤 감은 눈꺼풀.

miam-miam [mjammjam] *interj.* 《구어》 (맛있는 음식을 먹으면서 내는 소리) 냠냠. ── *m.* 《소아어》 맘마.

miaou [mjau] *m.* 야옹《고양이의 울음소리》.

miasme [mjasm] *m.* ① 장기(瘴氣), 장독(瘴毒)《이전에는 전염병의 원인으로 간주했음》. ② (흔히 *pl.*) 역한 냄새, 독기, 독취.

M

miaulement [mjolmɑ̃] *m.* ① (고양이의) 울음소리, 야옹 소리. ② 듣기 거북한 노랫소리, 삐걱거리는 소리.

***miauler** [mjole] *v.i.* ① (고양이가) 울다 ; (고양이 울음소리 같은) 소리를 내다. ② (문이) 삐걱거리다.

mi-bas [mibɑ] *m.* 《복수불변》 반양말.「품.

mica [mika] *m.* 〖광물〗 운모(雲母) ; 운모제

mi-carême [mikarɛm] *f.* 사순절(四旬節) 제 3 주의 목요일 : dimanche de la ～ 사순절 제 4 주일. 「암(片岩).

micaschiste [mikaʃist] *m.* 〖광물〗 운모 편

micelle [misɛl] *f.* 〖생물〗 미셀, 극미(極微) 유기체.

miche [miʃ] *f.* 둥그스름한 덩어리 빵(= ～ de pain). — *m.* 《구어》 (*pl.*) 궁둥이.

mi-chemin (à) [amiʃmɛ̃] *loc. adv.* 도중에, 중도에서 : *à* ～ de Paris 파리로 가는 도중에 / s'arrêter *à* ～ 중단하다.

micmac [mikmak] *m.* ① 음모, 흉계(= intrigue). ② 혼란(= désordre). 「무.

micocoulier [mikɔkulje] *m.* 〖식물〗 팽나

mi-corps (à) [amikɔːʀ] *loc. adv.* 몸통(반신)까지 : portrait à ～ 반신상.

mi-côte (à) [amikoːt] *loc. adv.* 산 중턱에서 ; 중도에서.

mi-course (à) [amikuʀs] *loc. adv.* 코스 중간에서 ; 중도에서(= à mi-chemin).

***micro** [mikʀo] *m.* 마이크(= microphone) : prendre le ～ 마이크 앞에서 말하다.

***microbe** [mikʀɔb] *m.* ① 미생물 ; 세균 : ～ de la tuberculose 결핵균. ② 난쟁이(= avorton) ; 《구어》 덜된 놈, 쑥맥.

microbien, enne [mikʀɔbjɛ̃, -ɛn] *adj.* ① 미생물의 ; 세균의 : culture ～*enne* 세균의 배양. ② (병 따위가) 세균 때문에 생기는 : maladies ～*ennes* 세균성 질환. 「세균학.

microbiologie [mikʀɔbjɔlɔʒi] *f.* 미생물학,

microbiologique [mikʀɔbjɔʒik] *adj.* 미생물〔세균〕학의.

microchirurgie [mikʀɔʃiʀyʀʒi] *f.* 〖의학〗 현미(경) 수술. 「후(微氣候).

microclimat [mikʀɔklima] *m.* 〖기상〗 미기

microcosme [mikʀɔkɔsm] *m.* ① 소우주(小宇宙), 소세계 ; 소사회. ② (우주의 축도로서의) 인간.

micro-cravate [mikʀɔkʀavat] *m.* (*pl.* ～***s***-～***s***) 〖방송〗 (옷깃에 다는) 소형 마이크.

micro-économie [mikʀɔekɔnɔmi] *f.* 미시(微視) 경제학.

microédition [mikʀɔedisjɔ̃] *f.* 전자 출판.

microfiche [mikʀɔfiʃ] *f.* 마이크로카드.

microfilm [mikʀɔfilm] *m.* 마이크로필름.

microfilmer [mikʀɔfilme] *v.t.* (문헌 따위를) 마이크로필름에 복사하다.

micro-informatique [mikʀɔɛ̃fɔʀmatik] *f.* 마이크로컴퓨터 정보 처리 (기술).

micromètre [mikʀɔmɛtʀ] *m.* ① 측미기(測微器). ② 마이크로미터《100 만분의 1 미터》.

micrométrie [mikʀɔmetʀi] *f.* 측미법.

microminiaturisation [mikʀɔminjatyʀizɑsjɔ̃] *f.* 초(超)소형화

micron [mikʀɔ̃] *m.* 미크론, 백만분의 1 미터(= micromètre).

micro-onde [mikʀɔɔ̃ːd] *f.* (*pl.* ～-～***s***) 〖라디오〗 극초단파, 마이크로파(波).

micro(-)ordinateur [mikʀɔɔʀdinatœːʀ] *m.* (*pl.* ～-～***s***) 마이크로컴퓨터, 개인용 컴퓨터(《약자》 micro).

micro-organisme [mikʀɔɔʀganism] *m.* 미생물(= microbe).

microphone [mikʀɔfɔn] *m.* 마이크로폰(《약자》 micro), 확성기.

microphotographie [mikʀɔfɔtɔgʀafi] *f.* 현미경 사진(술).

microphysique [mikʀɔfizik] *f.* 미시(微視) 물리학《원자·소립자 등을 대상으로 함》.

microprocesseur [mikʀɔpʀɔsɛsœːʀ] *m.* 〖컴퓨터〗 마이크로 프로세서.

microscope [mikʀɔskɔp] *m.* 현미경 : ～ électronique 전자 현미경 / examiner 〔étudier〕 qc au ～ …을 현미경으로 조사하다 ; 《비유》 …을 세밀히 검토하다.

microscopie [mikʀɔskɔpi] *f.* 현미경 검사 ; 경검(鏡檢)(법).

microscopique [mikʀɔskɔpik] *adj.* ① 현미경에 의한 : examen ～ 현미경 검사. ② 극히 작은, 극미의(= minuscule) : organisation ～ 미생물 / particules ～*s* 미립자.

microseconde [mikʀɔsgɔ̃ːd] *f.* 백만분의 1 초.

microsillon [mikʀɔsijɔ̃] *m.* ① (LP 레코드의) 매우 가는 홈. ② LP 레코드(= disque ～).

miction [miksjɔ̃] *f.* 〖의학〗 배뇨(排尿) : ～ inconsciente 야뇨증(症).

⁑midi [midi] *m.* ① 《보통 무관사》 ⓐ 정오, 한낮 : Le train part à ～. 기차는 정오에 떠난다 / à ～ et demi, 12 시 반에 / ～ dix, 12 시 10 분 / Elle arrivera vers ～. 그녀는 정오 무렵 도착할 것이다. ⓑ 점심 때 : repas de ～ 점심(식사) / À ～, il mange un sandwich. 그는 점심에 샌드위치를 먹는다. ② 남쪽 ; 남쪽 지방 : appartement exposé au ～ 남향의 아파트 / le *M*～ 프랑스 남부 지방. ***après*** 〔***avant***〕-～ 오후〔오전〕에. ***C'est*** ～ (***sonné***) ***!*** 《속어》 이젠 끝장이다. ***chercher*** ～ ***à quatorze heures*** 공연히 일을 복잡하게 만들다, 사서 고생하다. ***en plein*** ～ 한낮에 ; 공공연히.

midinette [midinɛt] *f.* ① (파리의) 여점원, 재봉사. ② 《구어》 경박한〔들뜬〕 처녀.

mie[1] [mi] *f.* ① 《옛》 빵 부스러기(= miette). ② (껍질에 대해) 빵 속의 무른 부분(≠ croûte) : pain de ～ 식빵. ***à la*** ～ ***de pain*** 《구어》 하찮은, 쓸데없는.

mie[2] *f.* 《옛·문어》 여자 친구들, 사랑하는 여자(= amie) : ma ～ 사랑하는〔귀여운〕 사람.

miel** [mjɛl] *m.* 꿀, 벌꿀 ; 달콤한 것 : doux comme le ～ 꿀처럼 달콤한 / paroles de ～ 감언. ***être tout surce tout ～ 갖은 애교를 떨다. ***lune de*** ～ 밀월. ***mouche à*** ～ 꿀벌.

mielleusement [mjɛløzmɑ̃] *adv.* 달콤하게, 감언으로써.

mielleux, euse [mjɛlø, -øːz] *adj.* 꿀 같은, 달콤한 : paroles ～*euses* 달콤한 말 ; 감언(이설).

⁑mien, enne [mjɛ̃, -ɛn] *adj. poss.* 《옛·문어》 나의 ; 내것의 : un ～ ami 나의 친구 중의 하나 《보통은 un ami à moi, un de mes ami》 / Ce livre est ～. 이 책은 내 것이다.

M

── *pron. poss.* 《정관사 le, la, les 와 함께》 나의 것 ; 《선행하는 명사를 받아서》 나의 그 것 : son livre et *le* ~ 그의 책과 나의 책 / leurs enfants et *les* deux ~*s* 그들의 아이들과 나의 두 아이 / C'est votre opinion, ce n'est pas *la* ~*enne*. 그것은 당신의 의견이지 나의 의견은 아닙니다. ── *m.* ① 《le ~》 나의 것《소유 · 재산 · 생각 따위》 : *le* vôtre et *le* ~ 당신의 것과 나의 것. ② 《du ~》 내가 할 수 있는 것《노력 · 부담 · 양보 따위》 : J'y ai mis *du* ~. 내 나름대로 노력했다. ③ (*pl.*) 나의 집안사람들 ; 내편 사람들 : Je reponds des ~*s*. 내편 사람들은 내가 책임진다.

miette** [mjɛt] *f.* ① 빵〔과자〕 부스러기 : ramasser les ~*s* sur la table 식탁의 빵 부스러기를 긁어모으다. ② 조각, 파편 ; 극히 소량의 것 : mettre 〔réduire〕 qc en ~*s* …을 산산조각을 내다. ③ (*pl.*) (재산 따위의) 약간 남은 것 : Elle n'a reçu que des ~*s* de l'héritage. 그녀는 유산의 아주 적은 몫을 받았을 뿐이다. ***pas une ~ 《구어》 조금도 : Il ne s'en fait *pas une* ~. 그는 조금도 걱정을 하지 않는다.

‡mieux [mjø] *adv.* ① 《bien 의 우등 비교급》 더 잘 ; 더 많이 : Il aime ~ le cinéma que la théâtre. 연극보다 영화를 더 좋아한다 / reculer pour ~ sauter 전진을 위해 후퇴하다 / Je l'estime davantage depuis que je le connais ~. 더 잘 알게 되면서 나는 그를 좀 더 높이 평가한다 / Elle travaille beaucoup ~ que je ne crois. 그녀는 내가 생각하는 것보다 더 열심히 일한다《ne 는 허사》 / ~ que jamais 〔personne〕 지금까지〔누구〕 보다도 더 잘 / Elle est ~ que jolie, elle est ravissante. 그 여자는 예쁜 정도를 넘어 매혹적이다. ② 《정관사 le와 함께 bien의 최상급》 가장 잘 ; 가장 많이 : ce que je sais le ~ 내가 가장 잘 아는 것 / C'est moi qui dessine le ~ de nous tous. 내가 우리들 중에서 그림을 가장 잘 그린다 / Le plus tôt sera le ~. 빠를수록 더 좋다 / Des deux, elle est la ~ habillée. 둘 중에서 그 여자가 옷을 더 잘 입었다. ③ 《절의 앞에서》 뿐만 아니라, 게다가 : Je l'ai aroué, ~ , en public. 나는 그것을 시인했을 뿐만 아니라, 그것을 공개적으로 시인했다. ***aller*** ~ (병자가) 회복되어 가다, 건강이 좋아진다 : Ça *va* ~. 잘 되어 나간다, 건강이 좋아졌다. ***à qui*** ~ ~ 서로 앞을 다투어. ***de*** ~ [mjøz] ***en*** ~ 더욱〔점점〕 더 잘〔많이〕 《때로 비꼼》 : aller *de* ~ *en* ~ 점점 더 좋아지다. ***faire*** ~ 좀 더 잘하다 ; 진보하다. ***faire ~ de***+*inf.* …하는 것이 더 낫다《faire 는 주로 조건법》 : Vous *feriez* ~ *de* bien réfléchir. 좀 더 잘 생각해야겠습니다. ***Il vaut*** ~+*inf.* ***; M~ vaut***+*inf.* ⇒ valoir. ***le ~ du monde*** 그지없이 잘〔훌륭히〕. ***le ~ qu'on peut*** 가능한 한 잘. ***~..., plus*** 〔***moins***〕***...*** …하면 할수록 더〔덜〕… : *M~* je saisis ces détails, *plus* je m'intéresse à l'œuvre. 그 세부적인 면을 파악하면 할수록 나는 그 작품에 흥미를 갖는다. ***M~ vaut*** (rester) ***que de*** (partir). (떠나느니)보다 (남아 있는) 편이 더 좋다. ***M~ vaut tard que jamais.*** 《격언》 늦더라도 하지 않는 것보다는 낫다. ***on ne peut*** ~ 더할 나위 없이, 완벽하게 : Il travaille *on ne peut* ~. 그는 더없이 일을 잘 한다. ***pour ~ dire ; disons*** ~ 더 정확히 말하자면.

── *m.* ① 《le ~》 최량, 최선 ; 가장 좋은 일〔방법〕 : *Le* ~ est de lui écrire tout de suite. 가장 좋은 건 그에게 즉시 편지하는 것이다 / *Le* ~ qu'il puisse faire, c'est de se taire. 그가 할 수 있는 최선은 입을 다무는 것이다 / *Le* ~ est l'ennemi du bien. 《속담》 지나치게 완벽을 기하려다가는 오히려 일을 그르친다. ② 《관사 없이》 더 좋은 것, 더 나은〔좋은〕 상태 : Ce n'est pas mal, mais il y a ~. 그것도 나쁘진 않지만 더 좋은 게 있다 / La situation est moins mauvaise, il y a du ~. 상황은 나아졌다, 호전되고 있다. ③ (병세 따위의) 호전, 회복 ; 진보 (= progrès) : Le médecin a constaté du ~ 〔un léger ~〕. 의사는 병세의 호전을 확인하였다. ***au*** ~ ⓐ 가장 좋게, 최고로 : Les affaires vont *au* ~. 일은 아주 순조롭다. ⓑ 최선의 경우에, 잘 되면. ***au ~ de*** …이 가장 나은 상태의〔로〕 : Je vais régler cela *au* ~ *de* vos intérêts. 당신에게 가장 유리하게 그것을 처리하겠소. ***des*** ~ 《형용사 · 과거분사와 함께》 가장 잘 …된 것 중의 (하나) ; 무척 잘, 훌륭하게 : Cette maison est *des* ~ soignées. 이 집은 손질이 무척 잘 되어 있다. ***de son*** ~ 〔***de mon ~, de ton ~,*** etc.〕 최선을 다하여 : aider qn *de son* ~ …을 최선을 다해 돕다. ***en attendant*** ~ 당장에는, 지금으로서는 : *En attendant* ~, je prends cela. 우선은 이것을 갖겠소. ***en*** ~ 더 좋은 상태로 : changer *en* ~ 더 좋게 변하다. ***être au ~ avec*** qn …와 아주 사이가 좋다〔친하다〕. ***faute de*** ~ 하는 수 없이, 부득이. ***pour le*** ~ 최선의 상태로〔상태를 위해〕 : faire *pour le* ~ 최선을 다하다.

── *adj.* 《불변》 ① 더 좋은, 보다 나은 ; 더 기분〔건강〕이 좋은 : Je vous trouve ~ ces temps-ci. 당신은 요즘 건강이 더 좋아졌소 / Parler est bien, se taire est ~. 말하는 것은 좋다, 그러나 침묵이 한결 좋다 / se sentir ~ 기분〔건강〕이 좋아지다. ② 가장 좋은 ; 가장 기분〔건강〕이 좋은 : Il n'y a rien de ~. 그보다 더 좋은 일〔것〕은 없다 / ce qu'il y a de ~ 가장 좋은 일, 최선의 방법. ③ (용모 · 능력 따위가) 뛰어난 : C'est la ~ des trois sœurs. 세 자매 가운데 가장 미인이다. ***de*** ~ 더 좋은〔나은〕, 가장 좋은《부정대명사, ce que, qu'est-ce que 따위와 함께》 : On pourra trouver quelqu'un *de* ~. 더 나은 사람을 찾을 수 있을거요 / ce qu'il y a *de* ~ 가장 좋은 것. ***être le ~ du monde avec*** qn …와 아주 사이가 좋다. ***qui ~ est ; ce qui est*** ~ 더 좋은 일은 ; 게다가 : Elle est jolie et, *qui* ~ *est,* intel- ligente. 그 여자는 예쁜데다 똑똑하기까지 하다.

mieux-être [mjøzɛtʀ] *m.* 《복수불변》 ① (생활 조건의) 개선, 복지(의 향상). ② (환자 · 병의) 회복.

mièvre [mjɛːvʀ] *adj.* 부자연스럽게 꾸민, (짐짓) 태를 부린(= affecté) ; 아양 부리는(= doucereux) : des paroles ~*s* 아양 떠는 말.

mièvrerie [mjɛvʀəʀi], **mièvreté** [mjɛvʀəte] *f.* 부자연스럽게 꾸민 태도, 아양.

mignard, e [miɲaːʀ, -aʀd] *adj.* ① 《구어》 귀여운, 예쁜(= mignon). ② (짐짓) 태를 부린 ; 아양 떠는(= doucereux).

mignardise [miɲaʀdiːz] *f.* ① 귀여움. ② 짐짓 꾸민 애교 ; (*pl.*) 애교 부리는 태도〔말〕.

***mignon, onne** [miɲɔ̃, -ɔn] *adj.* ① 귀여운, 예쁜 : Ses enfants sont très ~*s.* 그녀의 아이들은 아주 귀엽다. ② 상냥한, 친절한(= gentil). ③ 〖요리〗 filet ~ (쇠고기) 안심 비프스테이크. — *n.* 귀여운 아이 ; 귀여운〔사랑스러운〕 사람《주로 여자》.

mignoter [miɲɔte] *v.t.* 귀여워하다, 애지중지하다(= cajoler, dorloter).

***migraine** [migʀɛn] *f.* 〖의학〗 편두통(偏頭痛) ; 두통 : avoir la ~ (편)두통을 앓다.

migraineux, euse [migʀɛnø, -øːz] *adj.* 편두통을 일으키는 ; 편두통에 걸린. — *n.* 편두통을 앓는 사람.

migrant, e [migʀɑ̃, -ɑ̃ːt] *adj.* ① 원거리 통근의. ② 이동하는 ; 멀리 떠나 돈벌이하는. — 이주 노동자 ; 원거리 통근자.

migrateur, trice [migʀatœːʀ, -tʀis] *adj.* 이주〔이동〕하는 ; 이주〔회유〕성의 : oiseaux ~*s* 철새 / poissons ~*s* 회유어. — *n.* 철새 ; 회유 동물 ; 이주자.

migration [migʀasjɔ̃] *f.* ① 이주, 이동 : ~*s* estivales 〔des vacances〕 휴가철의 대이동 / ~*s* saisonnières (인구 · 동물의) 계절에 따른 이동. ② (동물의) 이동, 회유 : ~ des hirondelles 제비의 이동 / ~*s* des saumons 연어의 회유.

migratoire [migʀatwaːʀ] *adj.* 이주〔이동〕의.

migrer [migʀe] *v.i.* 〖학술〗 이주〔이민〕하다 ; (동물이) 이동하다.

mi-jambe (à) [amiʒɑ̃ːb] *loc. ad.* 무릎까지 : avoir de l'eau jusqu'à ~ 무릎까지 물에 잠기다.

mijaurée [miʒɔ〔o〕ʀe] *f.* (짐짓) 태를 부리는 여자 : faire la ~ (여자가) 태부리다.

mijoter [miʒɔte] *v.t.* ① 약한〔뭉근한〕 불에 끓이다〔삶다〕 ; 정성들여 요리하다 : ~ de bons petits plats 꽤 맛있는 요리를 만들다. ② (은밀히) 준비〔계획〕하다 : ~ un mauvais coup 나쁜 짓을 꾸미다. — *v.i.* ① 약한 불에 오래 끓이다 : faire ~ un ragoût 스튜를 뭉근한 불에 끓이다. ② 은밀히 준비되다 : complot qui *mijote* 오래 전부터 계획해 온 음모. — **se** ~ *v.pr.* (음모 따위가) 준비되다, 꾸며지다.

mikado [mikado] 〔일본〕 *m.* ① 일본의 천황. ② 〖놀이〗 미카도 《쌓아 놓은 막대기를 움직이지 않게 하나씩 빼내는 놀이》.

mil[1] [mij] *adj.* 천(千)의(= mille)《연대에만 사용됨》.

mil[2] *m.* 〖식물〗 조(= millet).

milan [milɑ̃] *m.* 〖조류〗 솔개.

milanais, e [milanɛ, -ɛːz] *adj.* 밀라노(*Milan*, 이탈리아 도시)의. — **M~** *n.* 밀라노 사람.

mildew, mildiou [mildju] *m.* 〖식물〗 (포도나무의) 노균병(露菌病).

milo [majl] 〔영〕 *m.* 마일《길이의 단위로 약 1,609 m》(= mille).

miliaire [miljɛːʀ] *adj.* 〖의학〗 좁쌀 모양의. — *f.* 〖의학〗 속립진(粟粒疹).

milice [milis] *f.* ① (보통 *pl.*) ⓐ 〖프랑스사〗 (1879 년 이전의) 민병대. ⓑ 국민군, 민병(= ~s populaires). ② (la *M*~) (비시(*Vichy*) 정권하의) 친독일 의용군.

milicien, enne [milisjɛ̃, -ɛn] *n.* 민병(民兵), 국민병, 의용병.

‡milieu [miljø] (*pl.* **~x**) *m.* ① (시간 · 공간의) (한)가운데, 중간, 중앙 : doigt du ~ 가운뎃손가락 / ~ d'un cercle 원의 중심 / ~ du jour 정오 / ~ d'une rue 길 한복판 / depuis le ~ du XIXe siècle 19 세기 중반부터. ② ⓐ 중간책, 절충〔타협〕책 ; 〖정치〗 온건한 (중간) 정책. ⓑ le juste ~ 중용. ③ ⓐ 주위, 환경 : ~ naturel 자연 환경 / ~ familial 가정 환경 / s'adapter à un nouveau ~ 새로운 환경에 적응하다. ⓑ …사회, …계(界) : ~*x* littéraires 문학계, 문단 / ~*x* politiques 정계 / ~*x* de la banque 금융계. ⓒ 뒷골목 사회《사창가 · 불량배들의 사회》 : argot du ~ 뒷골목 은어. ④ 〖물리〗 매질(媒質). ***au beau ~ de ; en plein ~ de*** 한가운데에, 한창일 때 : Il est arrivé *en plein ~ de* séance. 그는 회의가 한창 진행되고 있을 때 도착했다. ***au ~ de*** …의 (한)가운데에서, …사이에서, …중에 : *au ~ de* l'été 여름이 한창일 때 / Il était heureux *au ~ de* sa famille. 가족에 둘러싸여 그는 행복했다. ***tenir*** 〔***garder***〕 ***le juste ~*** 중용을 지키다.

militaire** [militɛːʀ] *adj.* ① 군대의, 군인의 ; 군사상의 : service ~ 병역 / tenue ~ 군복 / budget ~ 군사 예산. ② 군대〔군사력〕에 의한 : gouvernement ~ 군사 정권 / coup d'État ~ 군사 쿠데타. ③ 호전적인 ; 군대식의 : parti ~ 호전파, 무단파 / salut ~ 군대식 경례. ***à l'heure ~ 정확한 시간에 : *à* quatre *heures* juste ~*s* 《구어》 정확히 4 시에. ***discipline ~*** 군기(軍紀). ***justice ~*** 군사 재판. ***marine ~*** 해군. — *m.* 군인(≠ civil) ; 군직(軍職) : ~ de carrière 〔de métier〕 직업 군인.

militairement [militɛʀmɑ̃] *adv.* ① 군대식으로, 신속 과감하게 : exécuter ~ 총살하다. ② 무력으로, 병력을 사용하여 : occuper une ville ~ 도시를 무력으로 점령하다.

militant, e [militɑ̃, -ɑ̃ːt] *adj.* 전투적인, 공격적인 ; 행동적인 : esprit ~ 공격 정신. — *m.* 투사, 전사(戰士) ; 활동가 : ~ féministe 여권 운동가.

militantisme [militɑ̃tism] *m.* 전투적 태도, 투사(militant) 정신 ; 적극성.

militarisation [militaʀizasjɔ̃] *f.* 군대적 조직〔편제〕 ; 군대화, 군국화.

militariser [militaʀize] *v.t.* 군사화〔군대화〕하다 : zone *militarisée* 무장 지대.

militarisme [militaʀism] *m.* 군국주의, 무단 정치 ; 군인 기질.

militariste [militaʀist] *adj.* 군국주의의. — *n.* 군국주의자.

***militer** [milite] *v.i.* ① (주의 · 사상 따위를 위해) 싸우다, 투쟁하다 ; 전열에 가담하다 : ~ dans un parti révolutionnaire 혁명당에 가담하여 열렬히 투쟁하다. ② (사실 · 증거 따위가) 작용하다, 힘을 갖다 : Cela *milite* en sa faveur. 그건 그에게 유리한 증거가 된다 / faits qui *militent* contre l'accusé 피고

M

에게 불리하게 되는 사실.

‡mille¹ [mil] *adj. num.* 《불변》 ① 천의 : dix ~, 1 만(의) / cent ~, 10 만(의) / Ce village compte environ ~ habitants. 마을에는 대략 천 명의 주민이 있다 / le monde de l'an 2,000, 기원 2,000 년의 세계. ② 《서수로서 ; 보통 명사 뒤에서》 천 번째의 : à la page ~ 천 페이지에. ③ 수많은, 다수의 : affronter ~ dangers 수많은 위험에 직면하다 / Merci ~ fois 〔*M*~ mercis〕. 거듭 감사드립니다 / ~ regrets 수많은 후회. ***être à ~ lieues de supposer que***+*sub.* …라고는 꿈에도 생각지 않다. ***Les M~ et une Nuits*** 천일 야화, 아라비안나이트. ── *m.* 《복수불변》 ① 천(千) ; 천의 숫자 ; 천 개. ② pour ~ 퍼밀《비율의 단위로 천분의 일》. ③ (1,000의 숫자로 표시된) 과녁의 중심〔복판〕. ④ 〖인쇄〗 천 부(部), (천 부 단위의) 쇄(刷). ***avoir*** 〔***gagner***〕 ***des ~ et des cents*** 큰 부자이다〔많은 돈을 벌다〕. ***Je vous le donne en ~.*** 《구어》 (천에 하나도) 알아맞힐 턱이 없소. ***mettre dans le ~*** 적중하다 ; 성공하다.

mille² *m.* 마일《영국·독일·이탈리아에서 각각 그 길이가 다름》 : ~ anglais 영국 마일 《1,609 미터》 / ~ marin 〔nautique〕 해리(海里)《1,852 미터》.

mille(-)feuille [milfœj] *m.* (*pl.* **~-~s**) 〖요리〗 파이에 크림을 넣은 케이크.

millénaire [mi(l)lenɛːʀ] *adj.* 천(가량)의, 천 년(이상)의 ; 매우 오래된 : arbres ~*s* 수령 천년의 나무. ── *m.* 천 년 ; 천년제(祭). ── *n.* 〖종교〗 천년 지복설(至福說) 신봉자.

millénium [mi(l)lenjɔm] *m.* 〖종교〗 ① 천년 지복(至福), 천년 왕국《그리스도가 재림하여 지상을 다스린다는 신성한 천년》. ② 황금 시대.

mille-pattes [milpat] *m.* 《복수불변》 다족류(多足類)(= millepieds).

millésime [mi(l)lezim] *m.* ① (화폐·우표·와인 따위의) 주조〔제조〕 연호. ② (연대를 나타내는) 천(千)의 숫자.

millésimé, e [mi(l)lezime] *adj.* 제조〔주조〕 연도가 붙어 있는.

millet [mijɛ] *m.* ① 〖식물〗 조(= mil³) ; 좁쌀(= grain de ~). ② 잡곡류《조·옥수수·수수·메밀 따위의 총칭》.

***milliard** [miljaːʀ] *m.* ① 10 억(億)《mille millision 의 관용어》; 10 억 프랑 : deux ~*s* de dollars, 20 억 달러. ② 무수, 다수.

milliardaire [miljaʀdɛːʀ] *n.* 대부호, 억만장자. ── *adj.* 거액의 재산을 가진.

milliardième [miljaʀdjɛm] *m.* 10 억분의 1. ── *adj.* 《서수》 10 억분의 1의, 10 억째의.

millibar [mi(l)libaːʀ] *m.* 〖기상〗 밀리바(= hectopascal)《mbar 로 생략》.

millième [miljɛm] *adj.* 천 번째의, 천분의 1의. ── *n.* 천 번째 (사람, 물건). ── *m.* 천분의 1 ; 극소.

millier** [milje] *m.* ① (약) 천 ; 천 (개) 가량 : ~ de francs 약 천 프랑. ② (보통 *pl.*) 다수. ***des ~s de... 수천〔다수〕의 … : *des ~s de ~s* d'hommes 무수한 인간 / *des ~s d'an*nées 수천 년. ***par ~*** 무수히.

milligramme [mi(l)ligʀam] *m.* 밀리그램 《《약자》 mg》.

millilitre [mi(l)lilitʀ] *m.* 밀리리터《《약자》 ml》.

***millimètre** [mi(l)limɛtʀ] *m.* 밀리미터《《약자》 mm》 : film en huit ~*s*, 8 밀리 필름.

millimétré, e [mi(l)limetʀe], **millimétrique** [mi(l)limetʀik] *adj.* 밀리미터 단위의 ; 밀리미터 눈금이 있는.

‡million [miljɔ̃] *m.* ① 백만 : dix 〔cent〕 ~*s* 천만〔1 억〕 / deux ~*s* d'électeurs, 200 만 유권자. ② 백만 프랑 ; 거액의 돈〔재산〕 : riche à ~*s* 백만장자 / un ~ et demi de francs, 150 만 프랑. ③ 다수, 무수 : des ~*s* d'étoiles dans le ciel 하늘의 무수한 별들.

millionième [miljɔnjɛm] *adj.* 백만 번째의 ; 백만분의 1의. ── *n.* 백만 번째. ── *m.* 백만분의 1

millionnaire [miljɔnɛːʀ] *adj.* 백만〔수백만〕의 재산을 가진. ── *n.* 백만장자, 대부호.

mi-lourd [miluːʀ] *adj.* et *m.* 〖권투〗 라이트 헤비급의 (선수).

mime [mim] *n.* 무언극 배우 ; 흉내 잘내는 사람. ── *m.* 무언극(= pantomime).

mimer [mime] *v.t.* 흉내 내다 ; 몸짓으로 연기하다, 표정으로 나타내다 : théâtre *mimé* 판토마임.

mimétique [mimetik] *adj.* ① 〖생물〗 의태(擬態)의 : réactions ~*s* 의태 반응. ② 모방적인, 흉내내는.

mimétisme [mimetism] *m.* ① 〖생물〗 의태. ② 무의식적 모방(= imitation). ***~ des couleurs*** 〖동물〗 보호색(= homochromie).

mimi [mimi] *m.* ① 《소아어》 고양이. ② 《구어》 너, 당신《사람에 대한 애칭》 : mon petit ~ 귀여운 아가. ③ 뽀뽀(= baiser).

mimique [mimik] *adj.* 몸짓〔손짓〕의, 몸짓〔손짓〕으로 나타내는 ; 무언극의. ── *f.* (무언의) 몸짓〔손짓〕, 제스추어, 흉내내기 ; 수화(手話)(= langage ~).

mimodrame [mimɔdʀam] *m.* 〖연극〗 무언극, 판토마임.

mimosa [mimoza] *m.* 〖식물〗 미모자, 함수초.

mi-moyen [mimwajɛ̃] *adj.* et *m.* 〖권투〗 웰터급의 (선수).

***minable** [minabl] *adj.* 《구어》 비참한, 초라한, 형편없는 : toucher un salaire ~ 형편없는 월급을 받다 / un être ~, sans volonté, sans ambition 의지도 야망도 없는 비참한 인간. ── *n.* 비참한〔초라한〕 사람.

minaret [minaʀɛ] *m.* 회교 사원의 첨탑(尖塔).

minauder [minode] *v.i.* 애교 부리다, 아양 떨다, 선웃음치다.

minauderie [minodʀi] *f.* 교태〔아양〕 부리기 ; (*pl.*) 짐짓 꾸민 애교, 교태, 아양.

minaudier ère [minodje, -ɛːʀ] *adj.* 애교 부리는, 아양 떠는. ── *n.* 아양 떠는 사람.

‡mince [mɛ̃ːs] *adj.* ① 얇은, 얄팍한(≠ épais) ; 가느다란(≠ gros) ; (사람이) 날씬한, 호리호리한(= svelte, élancé) : avoir la taille ~ 몸이 호리호리하다. ② 보잘것없는, 빈약한, 초라한, 하찮은(= insignifiant, médiocre) : Ses connaissances sont bien ~*s*. 그의 지식은 깊이가 없다 / rôle ~ 시시한 역할. ── *interj.* 《속어》 ① 《놀라움·실망 따위를 나타내어》 저런 ; 에이그, 제기랄 : *M~ !* je n'ai plus d'essence. 제기랄, 휘발유가 떨어

졌군. ② 《보어 명사와 함께》 ⓐ 《감탄》 *M~* de bagnole! 굉장한 자동차군. ⓑ 《실망》 *M~* de partie de plaisir! 야유회가 시시하군.

minceur [mɛ̃sœːʀ] *f.* ① 얇음, 가느다람 ; 날씬함, 호리호리함 : être d'une ~ remarquable 아주 날씬하다. ② 보잘것없음, 빈약함.

mincir [mɛ̃siːʀ] *v.i.* 얇아지다 ; 가느다랗게 되다 ; 날씬해지다.

mine**[1] [min] *f.* ① 얼굴 모습, 용모, 생김새 : Il a la ~ d'un fripon. 그는 생김새가 건달패 같다. ② (건강 · 기분을 나타내는) 안색 : Tu en as une (sale) ~! 안색이 형편없군! ③ 얼굴 표정 : faire une ~ d'enterrement 음울한 표정을 짓다 / ~ boudeuse 뾰로통한 낯짝. ④ 외모, 풍채, 겉모습 : Ne jugez pas les gens sur la ~. 사람을 외모로 판단하지 마시오. ***avoir bonne 〔***mauvaise***〕 ~ 안색이 좋다〔나쁘다〕. ***faire bonne ~ à mauvais jeu*** (싫은 일에도) 웃는 얼굴을 하다. ***faire grise ~*** (***à***) …에 떨떠름한 얼굴을 하다, 냉랭한 태도를 보이다. ***faire ~ de***+*inf.* …할 듯이 보이다 : Il *a fait ~ de* partir, mais il est resté. 그는 떠나는 척 했지만 그대로 머물렀다. ***faire triste ~*** 실망의 빛을 나타내다, 불만스러운 표정을 짓다. ***~ de rien*** 《구어》 아무렇지도 않은 듯이, 표나지 않게 : Cuisinez-le un peu, ~ *de rien,* en douce. 살짝 표나지 않게 요리하시오. ***ne pas payer de ~*** (겉모습이) 신통치 않다, 볼품없다 : Le restaurant *ne paye pas de* ~, mais on y mange bien. 그 식당은 겉보기엔 신통치 않지만 음식은 좋다.

mine**[2] *f.* ① 광산 ; 탄광 ; 탄갱 : descendre dans la ~ 갱내에 들어가다 / ~ de houille 탄광. ② (지식 따위의) 보고(寶庫) : ~ inépuisable de renseignements 정보의 무궁무진한 보고. ③ 〖군사〗 지뢰, 기뢰 : poser une ~ 지뢰를 부설하다 / champ de ~*s* 지뢰밭 / ~ antipersonnel 대인 지뢰. ④ ⓐ 흑연(= ~ de plomb). ⓑ (연필의) 심 : crayon à ~ dure 〔tendre〕 심이 딱딱한〔연한〕 연필. ***coup de ~ 폭파, 폭발. ***éventer la ~*** 음모를 폭로하다.

miner [mine] *v.t.* ① 침식하다, 서서히 파들어 가다 : mur *miné* par le temps 세월에 침식된 벽. ② 약화시키다, 서서히 좀먹다 ; 소모시키다, 초췌하게 하다 : ~ la santé de qn …의 건강을 해치다 / maladie qui le *mine* 그를 좀먹어 가는 병. ③ 폭약을 설치하다, 지뢰를 부설하다 : terrain *miné* 지뢰밭.

minerai [minʀɛ] *m.* 〖광물〗 광석 : ~ d'uranium 우라늄광 / ~ de fer 철광.

***minéral, e, aux** [mineʀal, -o] *adj.* ① 광물의, 광물을 함유한 : eau ~*e* 미네랄워터 / le règne ~ et le règne végétal 광물계와 식물계. ② 〖화학〗 무기의(≠ organique). — *m.* 광물.

minéralier [mineʀalje] *m.* 광석 운반선(= cargo ~).

minéralisation [mineʀalizɑsjɔ̃] *f.* 광화(鑛化) 작용 ; (물의) 광화.

minéralogie [mineʀalɔʒi] *f.* 광물학.

minéralogique [mineʀalɔʒik] *adj.* 광물학의 : collection ~ 광물 표본.

minéralogiste [mineʀalɔʒist] *m.* 광물학자.

minerve [minɛʀv] *f.* ① (*M~*) 〖로마신화〗 미네르바《지식 · 예술 · 기술의 여신》. ② 〖인쇄〗 발틀식 소형 인쇄기. ③ 〖의학〗 (목뼈를 고정시키는) 경부(頸部) 코르셋.

minet, ette [minɛ, -ɛt] *n.* ① 《구어》 새끼 고양이(= mimi). ② 《호칭》 귀여운 아이〔사람〕. ③ 멋 부리는 젊은이.

***mineur**[1]**, euse** [minœːʀ, -øːz] *m.* 광부, (특히) 석탄 광부 ; 〖군사〗 지뢰 부설병 ; 갱도병.

mineur[2]**, e** [minœːʀ] *adj.* ① (보다) 작은 ; 덜 중요한, 부차적인 : l'Asie *M~e* 소아시아 / problème ~ 부차적〔대수롭지 않은〕 문제 / écrivains ~*s* 군소 작가들. ② 〖법률〗 미성년의(≠ majeur) : ouvriers ~*s* 미성년 노동자. ③ 〖음악〗 단조(短調)의(≠ majeur) ; 단(短)음계의 : mode ~ 단조 / gamme ~*e* 단음계. — *n.* 〖법률〗 (18 세 미만의) 미성년자(= minorité) : tuteur d'un ~ 미성년자의 후견인. — *m.* 〖음악〗 단조(= mode ~).

mini [mini] (*pl.* **~s** 또는 불변) *adj.* 미니〔소형〕의, 아주 작은 ; 아주 짧은 : robe ~ 미니드레스 / des ~ vacances 짧은 휴가. — *m.* 《복수불변》 소형 ; 미니스커트(= ~ jupe).

miniature [minjatyːʀ] *f.* ① (중세 서적의) 붉은 장식 문자. ② (수사본의 삽화로 그려진) 세밀화(細密畫), 미세화(微細畫) : portrait en ~ 세밀화 초상. ③ 축소물, 모형 ; 자그맣고 귀여운 사람〔물건〕 : ~ d'épousée 자그마한 신부〔아내〕. ***en ~*** 소규모의, 축소된 : un Paris *en* ~ 축소판 파리. — *adj.* 축소형의, 모형의 : automobile ~ 모형 자동차.

miniaturé, e [minjatyʀe] *adj.* 세밀화로 장식된〔그려진〕 : portrait ~ 세밀화 초상.

miniaturisation [minjatyʀizɑsjɔ̃] *f.* 축소화, 소형화.

miniaturiser [minjatyʀize] *v.t.* 소형화하다, 축소시키다 : ~ les postes de radio par les transistors 트랜지스터에 의해 라디오를 소형화하다.

miniaturiste [minjatyʀist] *n.* 세밀화가.

minibus [minibys] *m.* 소형 버스.

mini-cassette [minikasɛt] *f.* 〖상표명〗 미니 카세트테이프.

minichaîne [miniʃɛn] *f.* 미니 컴포넌트, 소형 하이파이스테레오.

minier, ère [minje, -ɛːʀ] *adj.* 광산의 : industrie ~*ère* 광산업. — *f.* 광산 지대 ; 노천 광구.

mini(-)jupe [miniʒyp] *f.* 미니스커트.

minima[1] [minima] *m. pl.* minimum 의 복수.

minima[2]**, a, minimâ, à** [aminima] *adv.* 최소로. ***appel à ~*** 〖법률〗 최경(最輕) 형벌에 대한 검사의 상소.

minimal, e, aux [minimal, -o] *adj.* 최소(한도)의, 최저의(≠ maximal) : température ~*e* 최저 기온.

minimalisme [minimalism] *m.* ① 소수파. ② 〖미술〗 미니멀 아트.

***minime** [minim] *adj.* 극히 적은〔작은〕(= infime) 사소한, 하찮은(= dérisoire) : dégâts extrêmement ~*s* 지극히 미미한 피해 / salaires ~*s* 박봉. — *n.* 〖스포츠〗 13-15 세의 소년 선수 ; match de ~*s* 소년팀의 시합.

minimisation [minimizɑsjɔ̃] *f.* 최소화.

***minimiser** [minimize] *v.t.* 과소평가하다, 최소한으로 하다, 극도로 줄이다 : ~ les coûts de production 생산비를 최소로 줄이다 / ~ la gravité d'une situation 사태의 심각성을 과소평가하다.

minimum** [minimɔm] (*pl.* **~s, *minima [minima]) *m.* ① 최소(한), 최저, 최단(≠ maximum) : faire le ~ de dépenses 비용을 최소한으로 줄이다 / thermomètre à *minima* 최저 온도계. ② 〖법률〗 가장 가벼운 형벌. ***au*** **~** 최소한(으로) ; 적어도. **~ *vital*** 최저 생활(비) : avoir le ~ *vital* 최저 생활비를 (월급으로) 받다. — *adj.* 《불변》 최소〔최저〕의 : le salaire ~ interprofessionnel garanti 법정 최저 임금(《약자》 S.M.I.G. [smig]).

mini-ordinateur [miniɔRdinatœ:R] *m.* 소형 컴퓨터.

minirobe [miniRɔb] *f.* 미니드레스(《스커트가 짧은 원피스》).

ministère** [ministɛ:R] *m.* ① 내각(= cabinet) : former un ~ 조각(組閣)하다 / entrer dans un ~ 입각(入閣)하다 / ~ de coalition 연립 내각 / réunion du ~ 국무 회의. ② 각료〔장관〕의 직〔재직 기간〕. ③ (행정부의) 성(省), 부(部) : ~ de la Guerre 〔de l'Air〕 육군성〔공군성〕 / ~ de l'Éducation nationale 교육부, 문교부 / ~ de l'Intérieur 내무부 / ~ des Affaires étrangères 외무부 / ~ du Commerce et de l'Industrie 상공부. ④ ~ public 검찰관(《총칭》). ⑤ 성직(聖職), 사제직(= sacerdoce). ***par le ~ de... 〖법률〗 …을 개입시켜, …의 알선으로.

ministériel, elle [ministeRjɛl] *adj.* ① 내각의 ; 각료〔대신 · 장관〕의 : remaniement ~ 내각 개편. ② 성(省)의, 부(部)의 : arrêté ~ 부령(部令). ③ 정부 지지의, 여당의 : journal ~ 어용(御用) 신문 / parit ~ 여당.

ministrable [ministRabl] *adj.* 《구어》 장관 후보의. — *n.* 장관 후보자.

‡**ministre** [ministR] *m.* ① ⓐ 대신, 장관(= ~ d'État) : le Premier ~ 국무총리, 수상 / ~ sans portefeuille 무임소 장관 / ~ des Affaires étrangères 외무부 장관 / ~ des Finances 재무부 장관. ⓑ 공사(公使) : ~ par intérim 대리 공사 / ~ plénipotentiaire 특명 전권 공사. ② 사제(= ecclésiastique) ; (신교의) 목사.

minitel [minitɛl] *m.* 미니텔(《프랑스 체신부가 개발하여 각 가정에 보급한 정보 통신 단말기》).

minium [minjɔm] *m.* 〖화학〗 산화연(鉛) (Pb_3O_4), 연단(鉛丹)(《녹 방지용 산화연 도료》).

minois [minwa] *m.* (어린이 · 젊은 여자의) 발랄한 얼굴.

minoration [minɔRɑsjɔ̃] *f.* ① 〖의학〗 완하, 완통. ② 〖상업〗 제값 이하로 견적하기.

minorer [minɔRe] *v.t.* 낮게 값을 매기다, 과소평가하다.

minoritaire [minɔRitɛ:R] *adj.* 소수당〔소수파〕의(≠ majoritaire) : parti ~ 소수당 / opinion ~ 소수의견. — *n.* 소수당〔파〕.

minorité** [minɔRite] *f.* ① 미성년. ② 소수 ; 소수당(파)(≠ majorité) ; (한 나라 안의) 소수 민족. ***être en ~ 과반수가 못 되다. ***une*** 〔***la***〕 ***~ de*** 극소수의 : Cette thèse n'intéresse qu'*une* ~ *de* lecteurs. 이 논문에는 극소수의 독자만이 관심을 가질 뿐이다.

minoterie [minɔtRi] *f.* 제분 공장 ; 제분업.

minotier [minɔtje] *m.* 제분업자(= meunier).

minou [minu] *m.* 《소아어》 새끼 고양이(= minet).

‡**minuit** [minɥi] *m.* 자정, 밤 12 시, 한밤중 : messe de ~ (크리스마스의) 자정 미사.

minus [minys] *m.* 《구어》 무능한 사람, 바보, 멍청이.

***minuscule** [minyskyl] *adj.* 미소(微小)한, 작은(≠ majuscule) : lettre ~ 소문자. — *f.* 소문자 : écrire en ~ 소문자로 쓰다.

minutage [minyta:ʒ] *m.* (작업 · 행사의 분 단위의) 세밀한 시간 배정 ; 상세한 스케줄.

‡**minute**[1] [minyt] *f.* ① 분(《시간의 단위 ; 《약자》 mn 또는 m》) : Il y a soixante ~*s* dans une heure. 한 시간은 60 분이다 / Il est trois heures dix (~*s*). 지금은 3 시 10 분이다. ② 극히 짧은 시간, 잠시, 순간(= instant, moment) : Dans cinq ~*s*, je sortirai. 잠시 후에 나가겠다 / Je serai de retour dans une ~. 곧 돌아오겠다. ③ (각도의) 분(分) : cinq degrés, dix ~*s*, 5 도 10 분(5° 10′). ***à la ~*** 당장에, 즉석에서 ; 정확한 시간에. ***à la ~ où*** …하는 순간에. ***dans une ~*** 곧 (《미래의 뜻으로》). ***de ~ en ~*** (짧은 간격으로) 끊임없이, 시시각각 : On nous tenait au courant *de* ~ *en* ~. 시시각각 정보가 들어왔다. ***d'une ~ à l'autre*** 곧, 금방(《미래의 뜻으로》) ; 이제나저제나 하고. ***être à la ~*** 시간을 엄수하다. — *interj.* 《구어》 ***M~ !*** 잠깐만 !

minute[2] *f.* 〖법률〗 원본(原本), 정본(正本)(= original) ; (판결 따위의) 기록.

minuter [minyte] *v.t.* ① (스케줄을) 상세하게 정하다 : ~ une cérémonie 식전(式典)의 스케줄을 상세하게 정하다 / discours *minuté* 시간을 엄밀히 정한 강연. ② 〖법률〗 원본을 제작하다.

minuterie [minytRi] *f.* 〖전기〗 자동 타임스위치(《잠시 동안 불이 켜지게 하는 장치》).

minuteur [minytœ:R] *m.* 타이머.

minutie [minysi] *f.* ① 세심한 배려, 꼼꼼함, 치밀(= méticulosité) ; décrire avec ~ 세밀하게 묘사하다. ② 《옛》 사소한 일들.

minutier [minytje] *m.* (공증인의) 기록부 ; 증서 보존실〔소〕.

minutieusement [minysjøzmɑ̃] *adv.* 세심히 ; 면밀하게, 꼼꼼하게.

***minutieux, euse** [minysiø, -ø:z] *adj.* ① 세심한, 치밀〔면밀〕한, 상세한(= détaillé) : observation ~*euse* 치밀한 관찰. ② 사소한 일에 얽매인, 곰상스럽게 구는. — *n.* 세심한〔꼼꼼한〕 사람.

mioche [mjɔʃ] *n.* 《구어》 어린애.

mi-parti, e [mipaRti] *adj.* 2 등분된.

mirabelle [miRabɛl] *f.* 〖식물〗 서양 자두의 일종 ; 그 열매로 담근 브랜디.

miracle** [miRɑkl] *n.* ① 기적 ; 놀라운〔희한한〕 일 ; 경이로운 성과 : ~ de la médecine contemporaine 현대 의학의 기적 / ~ de talent 경이적인 재능 / faire 〔accom- plir〕 des ~*s* 기적을 낳다 ; 놀라운 성과를 가져오다 / 《동격》 remède ~ 특효약. ② (중세의) 기적극. ***à ~ 아주 훌륭하게. ***C'est un ~ de*** + *inf.* 〔***que*** + *sub.*〕 …하다니〔이라니〕 참으

M

로 놀라운 일이다 : *C'est un* ~ *de* vous voir. 당신을 여기서 만나다니 정말 놀랍군요. ***crier*** (***au***) ~ 《구어》 경탄하다. ***par*** ~ 기적적으로 ; 이상하게도.

miraculé, e [miʀakyle] *adj.* et. *n.* 기적이 낳은, 기적적으로 목숨을 구한 (사람) : malade ~ 기적적으로 중병에서 회복한 사람.

miraculeusement [miʀakyløzmɑ̃] *adv.* 기적적으로 ; 놀라울 만큼.

***miraculeux, euse** [miʀakylø, -ø:z] *adj.* 기적적인, 신기한 ; 《속어》 놀라운, 희한한 : remède ~ 영약.

mirador [miʀadɔ:ʀ] 〔에스파냐〕 *m.* ① (옥상의) 전망대, 노대. ② 망루(望樓) ; (특히 교도소의) 감시탑.

mirage¹ [miʀa:ʒ] *m.* ① 신기루 ; 환영, 망상. ② (*M*~) 미라주 전폭기.

mirage² *m.* 〖상업〗 불빛에 비춰 달걀의 품질을 검사하기.

miraud, e [miʀo, -od] *adj.* 《구어》 눈이 나쁜, 근시의(= myope).

mire [mi:ʀ] *f.* ① 겨냥, 조준(= visée) : ligne de ~ 조준선(線) / ajuster la ~ ; prendre sa ~ 조준하다, 겨누다. ② (측량기의) 수준 조척(水準照尺). ③ 〖TV〗 (시험 방송용) 테스트 패턴. ***point de*** ~ ⓐ 조준점, 표적 : avoir qc en *point de* ~ …을 사정 거리 속에 넣다, …을 발견하다. ⓑ 《비유》 (주목 · 관심의) 대상 : *point de* ~ de la classe 모든 급우들의 주목의 대상.

mirer [miʀe] *v.t.* ① (검사를 위해 광선에) 비춰 보다 : ~ des œufs 계란을 광선에 비춰 보다. ② 《문어》 (거울 따위에) 비춰 보다. ── **se** ~ *v.pr.* ① 《se ~ dans》 …에 자기 모습을 비춰 보다 : *se* ~ *dans* une glace 거울에 자기 모습을 비춰 보다. ② 비치다 : arbre qui *se mire* dans l'eau 수면에 비친 나무.

mirifique [miʀifik] *adj.* 《익살》 놀라운, 굉장한, 희한한(= mirobolant).

mirliton [miʀlitɔ̃] *m.* 갈대 피리 ; 장난감 피리. ***air de*** ~ 민요. ***vers de*** ~ 저속한 시구.

mirobolant, e [miʀɔbɔlɑ̃, -ɑ̃:t] *adj.* 《구어》 희한한, 놀라운 ; 굉장한, 근사한.

***miroir** [miʀwa:ʀ] *m.* ① 거울, 반사경(= glace) : ~ de poche 손거울 / ~ concave 〔convexe〕 오목〔볼록〕거울 / se regarder dans un ~ 자기 모습을 거울에 비춰 보다. ② (거울 같은) 반사면, 반영 : Les yeux sont le ~ de l'âme. 눈은 마음의 거울이다. ③ ~ (à 〔aux〕 alouettes) (새를 유인해 잡는) 거울 함정 ; 속임수.

miroitant, e [miʀwatɑ̃, -ɑ̃:t] *adj.* 번쩍거리는, 눈부신(= brillant) : surface ~*e* de la mer 거울처럼 번쩍이는 해면.

miroitement [miʀwatmɑ̃] *m.* 번쩍거림 ; 빛남.

miroiter [miʀwate] *v.i.* 번쩍거리다, 눈부시게 빛나다(= briller, chatoyer). ***faire*** ~ qc ***à*** 〔***aux yeux de***〕 qn …을 보여 주어〔약속하여〕 …의 마음을 끌다.

miroiterie [miʀwatʀi] *f.* 거울 장사 ; 거울 제조업.

miroitier, ère [miʀwatje, -ɛ:ʀ] *n.* 거울 제조〔판매〕업자.

miroton [miʀɔtɔ̃], **mironton** [miʀɔ̃tɔ̃] *m.* 쇠고기에 양파를 넣고 와인을 가미한 스튜.

mis, e¹ [mi, -i:z] *adj.* ① (장소에) 설치한 ; 차린 : Le couvert est ~ ; La table est ~*e.* 식탁을 다 차렸다. ② (옷을) 입은 : homme bien ~ 옷을 잘 차려 입은 남자.

misaine [mizɛn] *f.* 〖해양〗 앞 돛대.

misanthrope [mizɑ̃tʀɔp] *adj.* 비사교적인, 염세적인. ── *n.* 염세가, 비사교적 인물.

misanthropie [mizɑ̃tʀɔpi] *f.* 인간 혐오, 염세적인 성격.

misanthropique [mizɑ̃tʀɔpik] *adj.* 염세적인 ; 비사교적인.

miscible [misibl] *adj.* (액체 따위가) 혼합될 수 있는.

mise²** [mi:z] *f.* ① ⓐ 《~ en 〔à〕》 (어떤 장소에) 놓기, 두기, 넣기, 설치하기 : ~ *à* l'eau 〖해양〗 진수(進水) / ~ *en* place 자리에 놓기, 설치하기 / ~ *en* bouteille 병에 넣기. ⓑ 《~ en 〔à〕》 (어떤 상태에) 두기 ; 실시하기, 적용하기 : ~ *en* liberté 석방 / ~ *en* marche (엔진의) 발동, 시동(始動) / ~ *en* scène (연극의) 상연(上演) ; 연출. ② 출자, 투자 ; 출자〔투자〕금 ; (도박 따위에) 돈을 걸기 ; 내기돈(= enjeu) : ~ sociale (회사에의) 출자금 / Il a fait une ~ de cent francs. 그는 100 프랑을 걸었다. ③ 옷차림, 복장(= tenue) : ~ modeste 검소한 복장 / juger qn d'après 〔à〕 sa ~ 복장에 의해 …을 판단하다. ***être de ~ 《종종 부정문에서》 통용되다 ; 적합하다 ; (화폐가) 유통되다 ; (옷이) 유행하다 : Cette musique *n'est* plus *de* ~. 그 음악은 이제 유행하지 않는다 / Ces manières ne *sont* plus *de* ~. 그런 방식은 이제 통하지 않는다. ***sauver la*** ~ ***à*** qn 《구어》 …의 기분을 상하지 않게 하다, 궁지에서 벗어나게 하다.

miser [mize] *v.t.* (노름에서 돈을) 걸다 : ~ mille francs sur un numéro (룰렛에서) 1,000 프랑을 걸다. ── *v.i.* 《~ à 〔sur〕》 …에 걸다 : ~ *aux* courses 경마에 돈을 걸다. ② 《구어》 《~ sur》 …을 믿고 의지하다, …에 기대를 걸다 : Ne *misez* pas trop *sur* son appui. 그의 지원을 기대하지 마십시오.

***misérable** [mizeʀabl] *adj.* ① 불쌍한, 비참한 ; 가난한, 빈곤한(= pauvre) : mener une existence ~ 비참한 생활을 하다. ② 《흔히 명사 앞》 (사물이) 하찮은, 사소한, 보잘것없는, 초라한 : ~ querelle 하찮은 싸움 / ~ salaire 보잘것없는 보수. ③ 《명사 앞》 (사람 · 행위가) 야비한, 비열한, 파렴치한 : un ~ acte de vengeance 치사스러운 복수 (행위). ── *n.* ① 불쌍한 사람 ; 가난한 사람 : *Les M*~*s* de Victor Hugo 빅토르 위고의 「레 미제라블」. ② 야비〔비열〕한 인간.

misérablement [mizeʀabləmɑ̃] *adv.* 불쌍하게, 비참하게 ; 비열하게.

***misère** [mizɛ:ʀ] *f.* ① ⓐ 비참 ; 불행, 불운, 역경 : collier de ~ 끊임없이 괴롭고 성가신 일 / ~ du temps 불경기. ⓑ (*pl.*) 근심〔걱정 · 고생〕거리 ; 재난 : ~*s* de la guerre 전쟁의 재난 / ~*s* domestiques 살림 걱정 / petites ~*s* 사소한 걱정거리. ② 곤궁, 빈곤, 가난(= pauvreté) : tomber dans la ~ (처지가) 영락하다 / être dans une ~ noire 빈곤의 밑바닥에 있다. ③ 하찮은〔사소한〕 일 ; 보잘것없는 수량〔액수〕 : salaire de ~ 박봉 / Ça ne coûte que 100 francs. Une ~ ! 그

M

값은 고작 100 프랑이다. 아무것도 아니지. ④ …이 결핍된 상태 : ~ sexuelle 빈약한 성생활 / ~ physiologique 〖의학〗 영양실조. ***crier ~*** 곤궁을 호소하다 ; 보기에 딱할 정도로 초라하다. ***faire des ~s à*** qn 《구어》 …을 못살게 굴다.
— *interj.* 아 이럴 수가! 《절망을 나타냄》.

miséreux, euse [mizeʀø, -ø:z] *adj.* et *n.* 빈한〔빈궁〕한 (사람).

miséricorde [mizeʀikɔʀd] *f.* ① 연민 ; 관용, 용서 : demander 〔obtenir〕 ~ 용서를 빌다〔받다〕. ② ~ divine ; ~ de Dieu 〔du ciel〕 하느님의 긍휼(矜恤)〔자비 · 용서〕.
— *interj.* 하느님 맙소사! 《놀라움, 두려움을 나타냄》.

miséricordieux, euse [mizeʀikɔʀdjø, -ø:z] *adj.* 자비심〔인정〕 많은, 인자로운 : cœur ~ 자비로운 마음.

misogyne [mizɔʒin] *adj.* et *n.* 여자를 싫어하는〔경시하는〕 (사람).

misogynie [mizɔʒini] *f.* 여성 혐오〔멸시〕.

miss [mis] 〔영〕 *f.* (*pl.* ~(***es***)) ① 아가씨, 양(孃)《영국 · 미국 여자에 대해 씀》. ② 미인 대회에서 뽑힌 여자에게 주는 칭호 : *M~* Corée 미스 코리아.

missel [misɛl] *m.* 〖가톨릭〗 미사 경본(經本), 미사 전서(典書).

missile [misil] 〔영〕 *n.* 〖군사〗 미사일 : ~ antichar 대전차 미사일 / ~ intercontinental 대륙간 미사일 / ~ air-sol 지대공 미사일.

mission** [misjɔ̃] *f.* ① 사명, 임무, 역할(= charge) ; 출장 : confier 〔donner〕 une ~ à qn …에게 임무를 부여하다 / remplir sa ~ 힘든 사명을 다하다 / être envoyé en ~ (공용으로) 출장을 명받다. ② 사절단 ; 파견단 : ~ diplomatique 외교 사절단 / ~ culturelle française 프랑스 문화 사절단. ③ 〖교회〗 전도(傳道), 포교(布敎) ; 포교단, 표교관 : pays de ~ 포교국 / prêtre de la *M~* 해외 선교사. ***avoir ~ de+*inf.* …할 임무가 있다. ***se donner pour ~ de***+*inf.* …하는 것을 사명으로 삼다.

missionnaire [misjɔnɛ:ʀ] *m.* (해외) 선교사, 전도사. — *adj.* 포교의, 선교 목적의 ; 선교사〔전도사〕의 : œuvre ~ 전도 사업 / esprit ~ 포교 정신.

missive [misi:v] *adj.* 〖법률〗 《다음 경우에만 쓰임》 ***lettre ~*** 통신문 — *f.* 《구어》 편지, 통신문.

mistelle [mistɛl] *f.* 일종의 포도주《발효하지 않은 포도즙과 알코올을 섞어서 만든 것》.

mistoufle [mistufl] *f.* ① 《속어》 빈궁, 곤궁. ② 《구어》 못살게 굴기, 심술부리기.

mistral [mistʀal] *m.* (프랑스 남부 지방에서 겨울에서 봄에 걸쳐 부는) 북서풍, 북풍.

mitaine [mitɛn] *f.* 벙어리장갑(= moufle) ; (손가락만 노출시키는) 여자용 장갑.

mitan [mitɑ̃] *m.* 《옛 · 속어》 중앙, 중심.

mite [mit] *f.* 진드기류(類) ; 좀 : habits troués aux ~s 좀먹은 옷.

mité, e [mite] *adj.* 벌레가 먹은, 좀먹은.

mi-temps [mitɑ̃] *f.* 〖스포츠〗 ① (축구 따위의) 하프 타임, 중간 휴식 시간. ② 경기 시간의 절반《전반전과 후반전》 : avoir l'avantage en seconde ~ 후반전에서 우세하다. ***à ~*** 파트타임으로 : être employé *à* ~ 파트타임으로 고용되다.

miter (se) [s(ə)mite] *v.pr.* (옷감이) 좀먹히다, 좀이 슬다.

miteux, euse [mitø, -ø:z] *adj.* 초라한, 비참한(= misérable), 보잘것없는. — *n.* 초라한 사람, 불쌍한 사람.

mitigation [mitigɑsjɔ̃] *f.* 완화, 경감, 진정(= adoucissement ; ≠ aggravation).

mitigé, e [mitiʒe] *adj.* ① 완화된 ; 경감된 ; 해이한 : zèle ~ 식어 버린 열성. ② 《구어》 《~ de》 …이 섞인, 이도저도 아닌 : éloges ~*s de* critiques 비판이 섞인 칭찬.

mitiger [mitiʒe] [3] *v.t.* 완화하다, 경감하다.

mitigeur [mitiʒœʀ] *m.* (샤워 따위의) 냉온수 혼합 조절 밸브.

mitonner [mitɔne] *v.i.* (음식이) 약한 불에 끓다〔익다〕. — *v.t.* ① 약한 불에 끓이다〔익히다〕 ; (일을) 정성들여 준비하다 : ~ une affaire 일을 차분히 꾸미다. ② 귀여워하다, 애지중지하다. — **se ~** *v.pr.* ① (계획 따위가) 서서히 준비되다〔무르익어 가다〕. ② 제 몸을 애지중지하다.

mitose [mito:z] *f.* 〖생물〗 (세포의) 유사(有絲) 분열, 간접 핵분열.

mitoyen, enne [mitwajɛ̃, -ɛn] *adj.* ① 양쪽에 속하는, 경계의 ; 중간의. ② 〖법률〗 공유(共有)의 : mur ~ 경계벽.

mitoyenneté [mitwajɛnte] *f.* (벽 · 도로 따위가) 경계를 이룸, 인접 ; 〖법률〗 공유(권).

mitraillade [mitʀɑjad] *f.* 기총 소사, 일제 사격 ; 《옛》 산탄(散彈) 사격.

mitraillage [mitʀɑja:ʒ] *m.* ① 기총 소사, 일제 사격. ② (질문 따위를) 퍼붓기 ; (카메라) 플래시 공세.

mitraille [mitʀɑ:j] *f.* ① 〖군사〗 일제 사격, 산탄(散彈). ② 《구어》 동전, 잔돈. ***tirer à ~*** 산탄을 발사하다.

mitrailler [mitʀɑje] *v.i.* ① 기총 소사를 하다, 일제 사격을 하다. ② 《구어》 《~ qn de》 …에게 …을 마구 퍼붓다 : ~ qn *de* questions …에게 질문을 퍼붓다. ③ 카메라 플래시를 터뜨리다, 사진을 연거푸 찍어대다 : ministre *mitraillé* par les reportersphotographes 사진 기자들 플래시 공세를 받는 장관.

***mitraillette** [mitʀɑjɛt] *f.* (소형) 경기관총.

mitrailleur [mitʀɑjœ:ʀ] *m.* 기관총 사수. — *adj.* 기관총의 : fusil ~ 경기관총 / pistolet ~ 기관단총.

mitrailleuse [mitʀɑjø:z] *f.* (총좌가 있는) 기관총 : ~ légère 〔lourde〕 경〔중〕기관총.

mitre [mitʀ] *f.* ① (뾰족하고 높은 삼각형의) 승모(僧帽), 주교관(主敎冠) : recevoir la ~ 주교로 임명되다. ② 굴뚝의 갓.

mitron [mitʀɔ̃] *m.* 빵집 일꾼〔사환〕.

mi-voix (à) [amivwa(ɑ)] *loc. adv.* 작은〔낮은〕 목소리로(= à voix basse).

mixage [miksa:ʒ] *m.* 〖영화〗 (여러 가지 음향의) 동시 녹음.

mixer[1] [mikse] *v.t.* 〖영화〗 동시 녹음하다.

mixer[2]**, mixeur** [miksœ:ʀ] 〔영〕 *m.* (요리용) 믹서(= mélangeur, broyeur).

mixité [miksite] *f.* ① 〖교육〗 남녀 공학(제). ② (이문화 · 국적 따위의) 혼합, 혼성(적 특성).

mixiter [miksite] *v.t.* 남녀 공학으로 하다.

***mixte** [mikst] *adj.* ① 혼합된, 혼성의 ; (문화·국적 따위가) 혼재한 : cargo 〔train〕 ~ 화물과 여객을 함께 나르는 선박〔기차〕 / mariage ~ 종교가 다른 사람들끼리의 결혼 ; 국제 결혼. ② 남녀 혼성(混成)의 : école 〔classe〕 ~ 남녀 공학 학교〔학급〕 / ~ double (테니스·탁구 따위의) 혼합 복식.

mixtion [mikstjɔ̃] *f.* ① 혼합. ② 〖약학〗 (약의) 조합(調合) ; 조합약.

mixture [mikstyːʀ] *f.* ① (약 따위의) 혼합물, 혼합제《주로 물약》. ② (성분을 알 수 없는) 혼합 음료.

M.L.F. 《약자》 Mouvement de la Libération des femmes 여성 해방 운동.

Mlle, Mlle 《약자》 Mademoiselle (미혼 여성의 성 앞에 붙여) …양.

MM. 《약자》 Messieurs, Monsieur의 복수 ; 귀중(貴中).

Mme, Mme 《약자》 Madame (기혼 여성의 성 앞에 붙여) …부인.

mnémonique [mnemɔnik] *adj.* 기억의 ; 기억을 돕는 : procédé ~ 기억법.

mnémotechnique [mnemɔtɛknik] *adj.* 기억술의 ; 기억을 돕는 : méthode ~ 기억술. — *f.* 기억술〔법〕.

mob [mɔb] *f.* 《구어》 미니바이크《mobylette의 약자》.

***mobile** [mɔbil] *adj.* ① 움직이는, 이동하는, 유동성의 : population ~ 이동 인구 ; 유목민 / escalier ~ 에스컬레이터 / pont ~ 가동교(可動橋). ② (날짜·가격 따위가) 변동하는 : fête ~ 해에 따라 날짜가 달라지는 축제일. ③ 움직임이 많은 ; 변하기 쉬운 ; 변덕스러운(= inconstant) : boxeur très ~ 움직임이 좋은 권투 선수 / visage ~ 표정이 풍부한 얼굴 / esprit 〔homme〕 ~ 변덕스러운 사람. ④ 기동성(機動性)이 있는 : gendarmerie ~ 기동 헌병대. — *m.* ① 〖물리〗 동체(動體) ; 원동력 : vitesse 〔direction〕 d'un ~ 동체의 속도〔방향〕. ② (행동의) 동기(= motif) : chercher le ~ d'un crime 범행의 동기를 찾다. ③ 〖조각〗 모빌《움직이는 조각》.

***mobilier, ère** [mɔbilje, -ɛːʀ] *adj.* 〖법률〗 동산(動産)의〔에 관한, 으로 된〕 : richesse 〔fortune〕 *~ère* 동산 / valeurs *~ères* 유가증권. — *m.* ①《집합적》 가구, 집기 : ~ de cuisine 〔de bureau〕 부엌〔사무실〕 집기.

mobilisable [mɔbilizabl] *adj.* 〖군사〗 동원할 수 있는. — *n.* 동원 가능한 인원〔병력〕.

mobilisateur, trice [mɔbilizatœːʀ, -tʀis] *adj.* ① (사람·여론 따위에) 호소하는 : slogan ~ des masses 대중에게 호소하는 구호. ② 〖군사〗 동원하는 임무를 맡은.

mobilisation [mɔbilizasjɔ̃] *f.* ① 〖군사〗 동원, 소집 : décréter la ~ 동원령을 내리다 / ~ générale 〔partielle〕 총동원〔부분 동원〕. ② 〖법률〗 (부동산의) 동산화.

***mobiliser** [mɔbilize] *v.t.* ① ⓐ (군대·대중을) 동원〔소집〕하다 : ~ les réservistes 예비군을 소집하다. ⓑ 《비유》 불러모으다, 떨쳐 일으키다 : Il *mobilisa* tout son courage pour faire cette démarche. 그는 이 일을 해내기 위해 있는 용기를 다 냈다. ② 〖법률〗 (부동산을) 동산화하다. — **se** ~ *v.pr.* ① 동원되다, 결집하다. ② 분기(奮起)하다.

mobilité [mɔbilite] *f.* ① 이동성, 유동성 ; 〖군사〗 기동성〔력〕 : ~ d'une armée 군대의 기동성 / ~ d'une population 인구의 이동(성). ② 변하기 쉬움, 변덕스러움 : ~ des sentiments 감정의 변덕스러움 / ~ des choses humaines 인간 세계의 무상함.

mobylette [mɔbilɛt] *f.* 오토바이《상표명》.

mocassin [mɔkasɛ̃] *m.* ① (아메리카 인디언의) 가죽신. ② (끈 없는) 간편한 신발.

***moche** [mɔʃ] *adj.* ① (사람·사물이) 보기 흉한, 못생긴(= laid, affreux). ② (행동 따위가) 비열한, 치사한(= méprisable) : C'est ~ ce qu'il a fait là ! 그가 한 짓은 정말 나쁘다.

mocheté [mɔʃte] *f.* 《구어》 못생긴 사람 ; 보기 흉한 것 : Quelle ~, cette femme ! 이 여잔 정말 못생겼군.

modal, e, aux [mɔdal, -o] *adj.* ① 〖철학〗 양태(樣態)의 ; 〖논리〗 양식(樣式)의 ; 〖문법〗 동사의 법에 관한. ② 〖음악〗 선법(旋法)〔음계의 장단〕에 관한 : notes *~es* 음계의 장단을 결정하는 3도 및 6도의 음.

modalité [mɔdalite] *f.* ① 〖철학·논리〗 양식, 양상(樣相) ; 〖음악〗 선법. ② ⓐ 방법, 방식 : ~ de paiement 지불 방식. ⓑ 특수 양태 : La glace, la vapeur sont des *~s* de l'eau. 얼음·증기는 물의 특수한 양태이다. ③ (*pl.*) 〖법률〗 (계약 따위의) 한정 조항.

mode**[1] [mɔd] *f.* ① 유행(= vogue), 패션《특히 의상의 유행》 : C'est la dernière ~. 그것은 최신 유행이다 / ~ féminine 〔masculine〕 여성〔남성〕 패션 / suivre la ~ 유행을 따르다 / lancer la ~ de qc ; mettre qc à la ~ …을 유행시키다 / passer de ~ 유행이 지나다. ② ⓐ 여성의 의상·장신구 판매업〔제조업〕 : travailler dans la ~ 의상계〔복식계(服飾界)〕에서 일하다 ⓑ (*pl.*) (여성용) 의상, 장신구, 모자. ③ 풍(風), 식(式) ; 기호(嗜好) : vivre à sa ~ 자기 식대로 살다. ***à la ~ 유행하는(≠ démodé) : être *à la* ~ 유행하고 있다 / mettre qc *à la* ~ …을 유행시키다. ***à la ~ de*** …식〔풍〕의《주로 요리용어》 : tripes *à la* ~ *de* Caen 칸 식의 내장요리.

***mode**[2] *m.* ① 《~ de》 …의 방법, 방식 ; 형식 : ~ *de* pensée 사고방식 / ~ *d'*emploi 사용법 / ~ *de* vie 생활 방식. ② 〖문법〗 동사의 법 : ~ indicatif 〔subjonctif〕 직설〔접속〕법. ③ 〖음악〗 선법(旋法) ; 조(調) : ~ majeur 〔mineur〕 장조〔단조〕. ④ 〖컴퓨터〗 모드.

modelage [mɔdlaːʒ] *m.* (점토 따위로 하는) 모형 제작 ; 소상술(塑像術).

***modèle** [mɔdɛl] *m.* ① ⓐ 본 ; 원형, 표본 ; 〖야금〗 주형(鑄型) : ~ d'écriture 습자본 / suivre un ~ 본에 따르다. ⓑ 모형 : ~ de navire 선박 모형 / avion ~ réduit 모형 비행기. ② ⓐ 모범, 귀감(龜鑑), 본보기(= exemple) : Ne le prenez pas pour ~. 그를 본보기로 삼지 마시오 / Sa conduite est un ~ pour tous. 그의 행동은 모든 사람의 귀감이다. ⓑ 《~ de》 …의 전형(= type) : ~ *de* l'enfant gâté 응석받이의 전형. ③ ⓐ (상품의) 유형(類型), 형, 식(式) : nouveau ~ de voiture 자동차의 신형 / fusil ~ 1936 m, 1936 년식 소총. ⓑ 견본(= prototype). ④ (미술·문학의) 모델 : peindre d'après (le)

~ 모델을 그리다. — *adj.* 모범적인, 전형적인 : fonctionnaire ~ 모범적 공무원.

modelé [mɔdle] *m.* ① 〖미술〗 모사(模寫) ; 〖조각〗 돋을새김, (살집의) 불룩함. ② 〖지리〗 (토지의) 기복.

modeler [mɔdle] [4] *v.t.* ① (진흙 따위로) 빚어서 만들다, 형(型)을 만들다 : ~ une poterie 질그릇을 빚다 / ~ une statuette en terre 흙으로 작은 상(像)을 만들다. ② …에 어떤 형태를 주다 : Elle portait une robe qui *modelait* son corps. 그녀는 몸의 선을 또렷이 드러낸 드레스를 입고 있다 / épaule bien *modelée* 선이 아름다운 어깨. ③ 《~ sur》 …에 맞추다, 본뜨다 : Il *modèle* sa conduite *sur* celle de son frère. 그는 형을 본따서 행동한다. — **se** ~ *v.pr.* 《se ~ sur qn 〔qc〕》 …을 본받다, 모범으로 삼다.

modélisme [mɔdelism] *m.* (자동차 · 비행기 따위의) 모형 제작.

modéliste, modelliste [mɔdelist] *n.* 의상 고안자, 패션 디자이너 ; (비행기 · 자동차 따위의) 모형 제작자.

modem [mɔdɛm] *m.* 〖컴퓨터〗 모뎀, 변복조 「장치.

modérateur, trice [mɔdeʀatœːʀ, -tʀis] *adj.* (알맞게) 조절하는, 억제하는. — *n.* 조정자, 완화자 : ~ de l'univers 신. — *m.* ① 조절기(器). ② 〖물리〗 모더레이터《원자로의 중성자 감속재(減速材)》.

modération [mɔdeʀɑsjɔ̃] *f.* ① 절제, 조절 ; 억제 : ~ dans le boire et le manger 음식의 절제. ② 온건, 온당, 중용. ③ 경감, 완화(= réduction) : ~ de la vitesse 속도의 완화. ***avec*** ~ 알맞게, 온건하게.

moderato [mɔdeʀato] 〔이탈리아〕 *adv.* 〖음악〗 알맞은 속도로, 모데라토.

***modéré, e** [mɔdeʀe] *adj.* ① 절제 있는 ; 중용의 : être ~ dans ses désirs 욕망을 절제하다. ② 온건한 ; 〖정치〗 온건파의(≠ extrémiste) : député ~ 온건파〔중도〕 의원. ③ 싼, 적당한, 보통의 : prix ~ 싼 가격 / habitation à loyer ~ 저가 임대 주택(《약자》 H.L.M.). — *n.* 절제 있는〔온건한〕 사람 ; 〖정치〗 온건파, 보수파.

modérément [mɔdeʀemɑ̃] *adv.* 절제하여 ; 온건하게, 적당히.

***modérer** [mɔdeʀe] [6] *v.t.* ① 절제〔억제〕하다 ; 조절〔조정〕하다 : ~ sa colère 분노를 참다 / ~ les dépenses 지출을 억제하다. ② 경감〔완화〕하다(= diminuer, adoucir) : ~ la vitesse de la voiture 차의 속력을 늦추다. — **se** ~ *v.pr.* ① 자제하다, 진정하다 : *Modère-toi,* la faute n'est pas si grave. 진정하시오, 잘못은 그리 대단치 않으니까. ② (비바람 따위가) 가라앉다.

‡moderne [mɔdɛʀn] *adj.* ① 현대의, 근대의 : science ~ 현대 과학 / histoire ~ 근대사(史). ② 현대적〔근대적〕인 ; 신식의 ; 당대풍의 : vie ~ 현대 생활 / techniques ~*s* 최신 기술. ***à la*** ~ 근대식〔현대식〕으로. — *m.* ① 근대〔현대〕식〔풍〕 : être meublé en ~ 현대식 가구가 비치되어 있다. ② 근대〔현대〕인 ; 현대적인 사람.

modernisation [mɔdɛʀnizɑsjɔ̃] *f.* 현대화, 「근대화.

***moderniser** [mɔdɛʀnize] *v.t.* 현대화〔근대화〕하다 ; 현대식으로 고치다 : ~ l'orthographe d'un texte ancien 고문의 철자를 현대식으로 고치다. — **se** ~ *v.pr.* 현대화〔근대화〕되다 ; 현대식을 만들어지다.

modernisme [mɔdɛʀnism] *m.* ① 근대〔현대〕 취미, 당세풍(當世風) ; 모더니즘. ② 현대〔근대〕주의〔사상〕.

moderniste [mɔdɛʀnist] *m.* 모더니즘 작가〔화가〕 ; 현대〔근대〕주의자〔찬양자〕. — *adj.* 현대〔근대〕파의, 현대〔근대〕주의의.

modernité [mɔdɛʀnite] *f.* 현대적〔근대적〕임, 당세풍 ; 현대〔근대〕.

modern style [mɔdɛʀnstil] 〔영〕 *m.* et *adj.* (20세기 초엽의) 근대양식(의).

***modeste** [mɔdɛst] *adj.* ① 겸손한, 겸허한(= humble) : savant ~ 겸허한 학자. ② ⓐ 검소한, 수수한 ; 조촐한 : mener train de vie ~ 검소한 생활을 하다. ⓑ 보잘것없는 ; 자그마한 ; (값이) 저렴한 : ~ présent 자그마한 선물 / loyer 〔salaire〕 ~ 저렴한 집세 〔적은 봉급〕 / prix ~ 염가. — *n.* 겸손한 사람 : Ne faites pas le 〔la〕 ~. 겸손해〔어려워〕하지 마세요.

modestement [mɔdɛstəmɑ̃] *adv.* ① 겸손하게 ; 신중하게. ② 검소하게 ; 조촐하게.

modestie [mɔdɛsti] *f.* ① 겸손, 겸양(= humilité ; ≠ orgueil). ② 검소, 조촐함, 수수함.

modicité [mɔdisite] *f.* 근소(僅少), 빈약(= petitesse) ; (값의) 저렴 : ~ d'un salaire 박봉.

modifiable [mɔdifjabl] *adj.* 변경〔수정〕될 수 있는.

modificateur, trice [mɔdifikatœːʀ, -tʀis] *adj.* 변경〔수정〕하는. — *m.* 변동〔변속〕 장치.

modificatif, ive [mɔdifikatif, -iːv] *adj.* ① 변경〔수정〕하는 : texte ~ 수정문. ② 〖문법〗 수식하는 : termes ~*s* 수식어.

modification [mɔdifikɑsjɔ̃] *f.* ① 변경, 수정 ; 변화 : ~*s* physiques d'une substance 물질의 물리적 변화. ② 〖문법〗 수식(修飾).

***modifier** [mɔdifje] *v.t.* ① 바꾸다, 변경〔수정〕하다 : ~ la route 〖해양〗 항로를 바꾸다 / ~ une loi 법률을 수정하다 / ~ son attitude 그의 태도를 바꾸다. ② 〖문법〗 (부사가) 수식하다, (의미를) 한정하다. — **se** ~ *v.pr.* ① 바뀌다, 변경〔수정〕되다 ; 변모〔변화〕하다. ② 〖문법〗 수식되다.

***modique** [mɔdik] *adj.* (수입 따위가) 보잘것없는 ; (값이) 싼 ; 저렴한(= modeste).

modiste [mɔdist] *n.* 여성용 의상〔모자〕 제조인〔상인〕.

modulable [mɔdylabl] *adj.* 변경 가능한 : horaire ~ 근무 시간 자유 선택제.

modulaire [mɔdylɛːʀ] *adj.* ① 모듈(module)의. ② 〖건축〗 모듈식의《조립 · 변경이 쉽게 규격 단위로 되어 있음》.

modulateur, trice [mɔdylatœːʀ, -tʀis] *n.* 〖음악〗 전조(轉調)에 능란한 사람. — *m.* 〖전기〗 변조기(變調器).

modulation [mɔdylɑsjɔ̃] *f.* ① 억양, (소리의) 고저, 높낮이. ② 〖음악〗 변조, 조(調)바꿈. ③ 〖건축〗 모듈(module)에 의한 조정. ~ ***de fréquence*** 〖라디오〗 주파수 변조, FM 방송(《약자》 M.F.).

module [mɔdyl] *m.* ① 〖건축〗 표준척(標準尺), 기준 치수. ② (척도의) 표준, 단위 ; (화폐 · 메달 따위의) 표준 직경. ③ 〖수학 · 공

학』 절대값; 율(率), 계수. ④ 〖우주〗 우주선의 구성 단위: ~ lunaire 달 착륙선.

moduler [mɔdyle] *v.t.* ① …에 억양을 붙이다: ~ un air 곡에 변화를 주어 부르다. ② 〖음악〗 변조〔조바꿈〕하다. ③ (전류·주파수를) 바꾸다, 변조하다. ④ 조정(調整)하다: ~ les horaires de travail 작업 시간을 조정하다. ── *v.i.* 〖음악〗 변조〔조바꿈〕하다.

modus vivendi [mɔdysvivɛ̃di] 〔라틴〕 *m.* 《복수불변》 (재판에서의) 타협안, 화해.

moelle [mwal] *f.* ① 〖해부〗 골수, 골; 〖식물〗 목수(木髓)(= médulle) : os à ~ 수골(髓骨)《골수가 있는 뼈》. ② 《비유》 정수(精髓), 진수: la ~ d'une œuvre 〔d'une théorie〕 작품〔학설〕의 정수. ***être vidé jusqu'à la ~*** 《구어》 기진맥진하다. ***jusqu'à la ~ (des os) ; jusqu'aux ~s*** 골수까지: Le froid m'a pénétré *jusqu'à la ~ des os.* 추위가 골수까지 파고들었다.

moelleusement [mwaløzmɑ̃] *adv.* 부드럽게, 폭신하게.

moelleux, euse [mwalø, -ø:z] *adj.* ① (감촉이) 보드라운, 폭신한: fauteuil ~ 폭신한 의자. ② (음성·맛 따위가) 달콤한, 부드러운: vin ~ 달콤한 술 / voix *~euse* 부드러운 음성. ── *m.* 음성 부드러움, 감미로움.

moellon [mwalɔ̃] *m.* (건축용의) 석재.

mœurs** [mœ:ʀ, mœʀs] *f. pl.* ① 품성, 품행; 행실, 소행: femme de ~ faciles 품행이 나쁜 여자 / avoir des ~ simples 검소하게 살다. ② ⓐ 풍습, 관습, 풍속: ~ françaises 〔coréennes〕 프랑스〔한국〕 풍습 / peinture de ~ 풍속화. ⓑ 풍기: attentat aux ~ 풍기 문란(죄). ③ (동물의) 습성, 생태: ~ des abeilles 꿀벌의 습성. ***bonnes ~ 품행 방정, 선행. ***la police des ~ ; les ~*** (특히 윤락여성에 대한) 풍기 단속 경찰; 경찰의 풍기 단속원. ***Les mauvaises compagnies corrompent les bonnes ~.*** 《격언》 나쁜 벗과 사귀면 좋은 사람도 나빠진다. ***sans ~*** 품행이 나쁜.

mofette [mɔfɛt] *f.* (탄광·우물 따위에 고여 있는) 탄산가스.

mohair [mɔɛ:ʀ] 〔영〕 *m.* 〖직물〗 모헤어《앙고라 양모》, 모헤어 모직(毛織).

‡moi [mwa] *pron. pers.* 《강조형》 나. ① 《부정법·분사법·생략문의 주어》 *M~*, fuir? 내가 달아난다구요? / *M~* parti, que ferez-vous? 내가 떠난 다음엔 어떻게 하시겠소? / Qui est là? — *M~.* 누구요? — 나요. ② 《동격》 *M~*, je n'irai pas. 나는 가지 않겠소. ③ 《속사》 C'est ~. 그건 나다. ④ 《명사·대명사에 등위 접속》 Mon avocat et ~ sommes de cet avis. 내 변호사와 나는 그런 의견이다 / Il a invité ma femme et ~. 그는 내 아내와 나를 초대했다. ⑤ 《전치사, comme, ne... que, 비교의 que 뒤에》 À ~! 사람 살려! / Faites comme ~. 나처럼 하세요 / Il n'aime que ~. 그는 나밖에 사랑하지 않는다. ⑥ 《명령법 뒤에》 나를; 나에게: Regardez-~. 나를 보세요 / Donnez-le-~. 그것을 나에게 주세요. ***C'est à ~ de***+*inf.* …하는 것은 나이다〔내 차례이다〕: *C'est à ~ de* décider. 결정하는 것은 나이다. ***de ~*** 나의: L'idée n'est pas *de ~*. 그것은 내 생각이 아니다. ***de vous à ~*** 당신과 나 사이에서, 은밀히. ***Laissez-~ tranquille.*** 나를 내버려둬 주게. ***pour ~*** 나에게는; 나로서는; 내 의견으로서는: Elle est tout *pour ~*. 그녀는 나에게는 전부다.
── *m.* 《복수불변》 나, 자아; 이기심, 사욕: culte du ~ 자아 예찬.

moignon [mwaɲɔ̃] *m.* ① (사지·날개 따위의) 절단되고 남긴 부분; (사지의) 발육 불완전한 부분. ② (나무의) 그루터기.

‡moi-même [mwamɛm] *pron. pers.* 나 자신 《moi 의 강조형》: autre ~ 나의 분신 / J'irai ~. 내가 직접 가겠어.

‡moindre [mwɛ̃:dʀ] *adj.* ① 《petit의 비교급》 보다 적은〔작은〕; 보다 낮은; 열등한; (사람이) 보다 하급의: de ~ prix 더 싼 / ~ distance 더 가까운 거리 / vin de ~ qualité 질이 떨어지는 포도주 / 《~ que》 Son mal est ~ *que* le vôtre. 그의 괴로움은 당신의 괴로움보다 덜하다. ② 《le, la, les 또는 소유 형용사와 함께 써서 최상급을 나타냄》 가장〔극히〕 적은〔작은〕; 가장 열등한: le ~ effort 최소한의 노력 / au ~ bruit 아무리 작은 소리에도, 바스락 소리만 나도 / C'est là son ~ défaut. 그것은 그녀의 결점 중 가장 작은 것이다. ③ 《부정의 뒤에서》 아무런 …도 아니다: Il n'y a pas le ~ doute. 아무런 의심할 점도 없다. ***n'en avoir pas le ~ souvenir*** 조금도 기억이 없다.
── *m.* ① 보다 적은〔작은〕 것: choisir le ~ de 〔entre〕 deux maux 두 가지 악(惡) 중에서 보다 덜한 것을 택하다. ② 가장 적은〔작은〕 것; 《옛》 최하급자: C'est le ~ de mes soucis. 나는 그런 일에는 조금도 개의치 않는다.

moindrement [mwɛ̃dʀəmɑ̃] *adv.* 《흔히 부정이 따름》 더 작게. ***le ~*** 가장 적게. ***pas le ~ du monde*** 조금도, 추호도.

moine** [mwan] *m.* 수도사〔승〕(= religieux) : ~ bouddhiste 승려. ***L'habit ne fait pas le ~. 《속담》 옷차림으로 사람을 판단해서는 안 된다.

moineau** [mwano] *m.* (*pl.* ***~x) ① 〖조류〗 참새. ② 《구어》 녀석, 놈(= type) : vilain 〔sale〕 ~ 《구어》 불쾌한 녀석 / drôle de ~ 괴상한 녀석 / épouvantail à ~ 추남.

moinillon [mwanijɔ̃] *m.* 젊은 수도사〔승려〕.

‡moins [mwɛ̃] *adv.* ① 《peu 의 비교급》 보다 적게, 덜. ⓐ 《단독으로》 Il travaille ~. 그는 일을 덜 한다 / Parlez ~ vite. 더 빨리〔더 천천히〕 말하시오. ⓑ 《형용사·부사와 함께》 Elle est ~ grande que vous. 그녀는 당신보다 덜 크다〔당신보다 작다〕 / arriver ~ tard 덜 늦게〔더 빨리〕 도착하다 / Elle est ~ intelligente que vous ne pensez. 그녀는 당신이 생각하는 것보다 덜 영리하다 / 《ne pas ~》 Il n'est pas ~ fort que vous. 《동등》 그는 당신 못지 않게 강하다. ⓒ 《~ de+명사》 Il a ~ *de* livres que moi. 그는 나보다 책이 적다 / Cela coûtera ~ *d'*argent. 그것은 돈이 덜 들 것이다. ⓓ 《~ de+수량 표현》 …이하〔미만〕: avoir ~ *de* quarante ans, 40 세 미만이다 / Il était ~ *d'*une heure. 한 시가 못 되었다 / 《명사적》 film interdit aux ~ *de* 18 ans, 18 세 미만 입장 금지 영화. ②

M

ⓐ《le ~》《peu 의 최상급》 가장 적게 : 《단독으로》 Il travaille *le* ~. 그는 일을 가장 적게 한다〔가장 안 한다〕/ manger *le* ~ de nous tous 우리들 중에서 가장 적게 먹다. ⓑ《le〔la, les〕(또는 소유 형용사) ~+형용사》 Il est *le* ~ grand. 그는 가장 작다 / outils *les* ~ utiles 가장 필요하지 않은 도구. ⓒ《le ~ +부사》 *le* ~ souvent possible 가능한 한 덜 자주 / Il court *le* ~ vite. 그는 가장 느리게 달린다. ⓓ《le ~ de+명사》 가장 적은 … : le pays où il y a *le* ~ *de* miséreux 가난한 사람들이 가장 적은 나라. ***M~..., ~*** **〔*plus*〕*...*** …하지 않으면 않을수록 점점 덜〔더〕…하다 : *M~* on travaille, ~ on gagne. 일을 안 하면 안 할수록 벌이가 적어진다. ***~ que jamais*** 그 어느 때보다도 적게. ***n'en... pas ~*** 역시, 그래도 : Je suis malade, je *n'en* sortirai *pas* ~. 나는 몸이 아프지만 그래도 외출하겠다. ***ne rien de ~ que*** 참으로, 그야말로. ***ne... rien ~ que*** 조금도〔전연〕…않다〔아니다〕; 참으로, 그야말로. ***non ~ que*** …에 못지 않게, 마찬가지로 : Il mérite des éloges, *non ~ que* son frère. 그는 형에 못지않게 칭찬할 만하다. ***pas le ~ du monde*** 조금도〔추호도〕…않다〔아니다〕: Il ne s'inquiète *pas le ~ du monde.* 그는 조금도 걱정하지 않는다. ***plus ou ~*** 다소간.
— *m.* ①《정관사 없이》 보다 적은 수〔양〕: J'espérais ~ de lui. 그에게 그렇게까지는 기대하지 않았었다. ②《정관사와 함께》 가장 적은 수〔양〕, 최소한 : C'est bien le ~. 최소한 그만한 것은 해야지요, 당연합니다 /《le ~ que+*sub.*》 *Le ~ que* l'on (en) puisse dire, c'est que... 적어도 말할 수 있는 것은 …라는 것이다. ③ 마이너스 기호 ;〖인쇄〗대시 기호《—》: mettre un ~ 마이너스 기호를 넣다. ④《문어》 낮은 지위, 하위, 하급, 하층. ***à ~*** ⓐ 더 싸게 : Vous n'aurez pas cet objet *à* ~. 이 물건을 더 싸게 살 수는 없습니다. ⓑ 더 작은 일로 : On serait fâché *à* ~. 더 작은 일로도 화를 냈을 것이다. ***à ~ de***+명사 ⓐ …이하로 : *à ~ de* cent francs, 100 프랑 이하로는. ⓑ …이 없는 한 : Il viendra *à ~ d'*imprévu. 그는 뜻밖의 일이 없는 한 올 것이다. ***à ~ de***+*inf.* …하지 않는 한 : *À ~ d'*être fou, on ne saurait agir ainsi. 미치지 않는 한 그렇게 행동하지는 못하리라. ***à ~ que*** (+***ne***)+*sub.* …하지 않는다면 : Il ne fera rien *à ~ que* vous (*ne*) l'ordonniez. 당신이 명령을 내리지 않는 한 그는 아무것도 하지 않을 것이다. ***au ~*** 적어도, 최소한 : avoir 10,000 francs de rentes *au* ~ 적어도 1 만 프랑의 연금이 있다. ***C'est bien le ~.*** 사소한 일입니다. ***de ~ en ~*** 더욱 더〔점점〕…않다 : Je l'aime *de ~ en* ~. 그에 대한 사랑이 점점 식어 간다. ***des ~***+'형용사·부사' 가장〔거의〕…하지 않은〔않게〕: C'est un roman *des* ~ connus. 가장〔거의〕 알려지지 않은 소설이다. ***du ~*** 적어도, 그래도, (그러나) 어쨌든 : S'il a reçu des menaces *du* ~ n'est-il pas en danger. 그는 위협을 받고 있으나, 위험하지는 않다. ***en ~*** 부족하게 ; 빼놓고. ***en ~ de*** …이내에. ***en ~ de rien*** 순식간에. ***tout au ~ ; à tout le ~ ; pour le ~*** 적어도, 최소한. ***tout le ~*** 적어도.
— *prép.* ① 마이너스의 : 8 - 5 = 3(= Huit ~ cinq égale trois.) 8 빼기 5 는 3. ② 전(前) : six heures ~ 10, 6 시 10 분 전. ③ (온도가) 영하의 : Il fait ~ six (degrés). 영하 6 도이다.
— *adj.*《속사》(보다) 덜한, 못한 : Il est〔C'est〕~ qu'on ne dit. 그는〔그것은〕 듣던 것보다 못하다. ***Il est*** 〔***C'est***〕 ***~ que rien.*** 《구어》 전혀 쓸데없는 물건〔일〕이다 ; (감사하는 사람에게) 변변치 못해서 죄송합니다 ; 그는 쓸모없는 녀석이다.

moire [mwaːʀ] *f.* (천 따위의) 물결 무늬 ; 물결 무늬가 있는 천(의 광택).

moiré, e [mwaʀe] *adj.*〖직물〗물결 무늬가 든 ; (광택으로) 어른거리는 : eau ~*e* 어른거리는 물결.

‡mois [mwa(ɑ)] *m.* ① 달, 월(月) ; 한 달, 1 개월 : être dans son sixième ~ ; être grosse de six ~ 임신 6 개월이다 / prendre un ~ de congé, 1 개월의 휴가를 얻다. ② 월급(= mensualité) ; 월납금 ; 1 개월의 용돈 ; 월세 : toucher son ~ 월급을 받다 / Il doit deux ~ à son propriétaire. 그는 집세가 두 달 밀렸다. ③ (*pl.*)《속어》 월경(= menstrues). ***au ~ de mai,*** 5 월에. ***ce ~*** 이달, 금월. ***par ~*** 달마다, 한 달에.

Moïse [mɔiz] *n.pr.m*〖성서〗모세. — *m.* 요람, 어린아이의 침대.

moisi, e** [mwazi] *adj.* 곰팡이가 슨, 곰팡내 나는. — *m.* 곰팡이가 슨 부분〔것〕; 곰팡내. ***sentir le ~ 곰팡내가 나다.

***moisir** [mwaziːʀ] *v.i.* ① 곰팡이가 피다. ②《구어》(한 직장, 자리에) 오래 머무르다 ; (돈 따위가) 쓰이지 않고 놀고 있다 ; 우물쭈물 기다리다. — **se ~** *v.pr.* 곰팡이 피다.

moisissure [mwazisyːʀ] *f.* 곰팡이 ; 곰팡이가 슨 부분.

moisson** [mwasɔ̃] *f.* ① 수확(= récolte) ; 수확기(期) : La ~ s'achève. 수확이 끝났다. ② 수확물, 거둬들인 곡물. ③ 대량 획득〔수집〕: une ~ d'images 그림의 (대량) 수집. ***faire une ~ de lauriers 갖가지 명예를 얻다.

***moissonner** [mwasɔne] *v.t.* ① ⓐ (곡식을) 거둬들이다, 수확하다(= récolter). ⓑ ~ un champ 밭의 곡식을 거두어들이다. ② 대량으로 획득〔수집〕하다 : ~ des informations 많은 정보를 입수하다.

moissonneur, euse [mwasɔnœːʀ, -øːz] *n.* 수확하는 사람. — *f.* 수확기(機).

moissonneuse-batteuse [mwasɔnøzbatøːz] *f.* (*pl.* **~s-~s**) 탈곡기, 콤바인.

moite [mwat] *adj.* 축축한, (날씨 따위가) 습한(= humide ; ≠ sec) : peau ~ de sueur 땀에 젖은 살갗.

moiteur [mwatœːʀ] *f.* 축축함, 습기 ; 가벼운 땀.

‡moitié [mwatje] *f.* ① 절반 ; 반 ; 중간, 가운데(= milieu) : partager le pain en deux ~*s* 빵을 반으로 나누다 / la première〔seconde〕~ du XIXe siècle, 19세기 전반〔후반〕/ mettre (la) ~ d'eau dans son vin 포도주에 물을 절반 타다 / parvenir à la ~ de son existence 인생의 중반에 다다르다. ② 대부분, 태반 : Ils sont dehors la ~ du temps. 그들은 대부분의 시간을 밖에서 지낸

다 / La ~ des habitants a été sauvée. 주민의 태반이 구출되었다. ③ 《구어》 《소유 형용사와 함께》 아내, 처 : ma (chère) ~ 처 / Il ne vient jamais sans sa ~. 그는 항상 아내와 함께 온다. ④ 아주 키가 작은 사람(= une ~ d'homme). **à ~** ⓐ 반쯤, 한 절반 ; 거의 : remplir son verre *à* ~ 잔을 반쯤 채우다. ⓑ 《à ~ + 명사》 *à* ~ chemin 중도에서 / *à* ~ prix 반 값으로. ***À ~ fait qui commence bien.*** 《격언》 시작이 좋으면 일은 반이 된 셈, 시작이 반. ***de ~*** 반으로 : impôts réduits *de* ~ 반으로 줄어든 세금. ***être de ~ avec*** qn ***dans*** qc 몫을 반씩 나누어 …와 함께 …을 하다 : Les deux amis *sont de ~ dans* cette affaire. 그 두 친구는 몫을 반씩 나누어 그 일을 하고 있다. ***être pour ~ dans*** qc …에 적지 않은 책임이 있다 : Je *suis pour ~ dans* cette affaire. 나는 이 일에 상당한 책임이 있다. ***~ ..., ~ ... ; à ~ ..., à ~ ...*** 반은 …, 반은 … : vivre ~ assis, ~ couché 반쯤 앉아서, 반쯤 누워서 생활하다.

— *adv.* 절반, 반은 : ~ riant, ~ pleurant 웃고 울며 / ~ farine et ~ son 반은 밀가루 반은 밀기울. ***être ~ chair ~ poisson*** 애매한 언행을 하다. **~-~** 반반 ; 그럭저럭 ; 그저 그런 : faire ~-~ 반반으로 나누다 / Es-tu content de ton voyage? — *M~-~.* 여행은 재미있었나? — 그저 그랬어.

moka [mɔka] *m.* 모카(*Moka*) 산 커피 ; 모카 과자.

mol [mɔl] *adj. m.* ⇒ mou

molaire [mɔlɛːʀ] *f.* 어금니.

molasse [mɔlas] *f.* 〖지질〗 석회질 청사암 (靑砂岩).

mole [mɔl] *f.* 〖물리 · 화학〗 몰, 그램 분자.

môle [moːl] *m.* 부두 ; 방파제(= digue).

moléculaire [mɔlekylɛːʀ] *adj.* 〖물리 · 화학〗 분자의, 분자로 된 : formule ~ 분자식.

molécule [mɔlekyl] *f.* 〖물리 · 화학〗 분자.

moleskine, molesquine [mɔlɛskin] *f.* 몰레스킨《능직 무명의 일종》 ; 모조 가죽.

molester [mɔlɛste] *v.t.* …에게 폭행하다 : se faire ~ par la foule 군중에게 폭행당하다.

molette [mɔlɛt] *f.* ① 막자《약 · 고체 물감 따위를 찧는 도구》. ② (박차 · 가동(可動) 스패너 · 라이터 따위의) 톱니바퀴. ③ (유리 · 대리석 따위를 자르고 다듬는) 삭마기(削磨機). ***clef à ~*** (나사를 돌려 벌렸다 오무렸다 하는) 자재(自在) 스캐너.

mollah [mɔ(l)la] *m.* 회교국의 정치가〔종교가 · 대상인〕에 대한 칭호.

mollard [mɔlaːʀ] *m.* 《속어》 침 ; 담, 가래.

mollasse [mɔlas] *adj.* ① 물렁물렁한. ② 연약한, 나약한 ; 무기력한(= apathique).

mollasson, onne [mɔlasɔ̃, -ɔn] *adj.* et *n.* 나약한 (사람), 무기력한 (사람).

mollement [mɔlmɑ̃] *adv.* ① 부드럽게, 폭신하게. ② 슬며시, 조용히(= doucement) : Le fleuve coule ~. 강물이 조용히 흐르고 있다. ③ 무기력하게, 나약하게.

mollesse [mɔlɛs] *f.* ① 부드러움 ; 물렁물렁함 ; 폭신함 : ~ d'un coussin 쿠션의 폭신함. ② (기후의) 온난함 : ~ du climat 온난한 기후. ③ 유약, 나약, 무기력 : avec ~ 나약〔무기력〕하게. ④ 나태, 방종 : vivre dans la ~ 나태하게 생활하다.

***mollet¹** [mɔlɛ] *m.* 〖해부〗 장딴지 : gras du ~ 살이 찐 장딴지.

mollet², ette [mɔlɛ, -ɛt] *adj.* 부드러운, 포근한,(침대가) 푹신한(= douillet). ***œuf ~*** 반숙한 달걀. ***pain ~*** 부드러운 흰빵.

molletière [mɔltjɛːʀ] *f.* 각반. — *adj.* bandes ~*s* (감아서 차는) 각반.

molleton [mɔltɔ̃] *m.* 몰톤《두터운 플란넬 비슷한 모직물》.

molletonné, e [mɔltɔne] *adj.* ① 몰톤으로 안을 댄. ② (천이) 몰톤처럼 보풀을 세운.

mollir [mɔliːʀ] *v.i.* ① 《드물게》 부드러워지다, 무르게 되다. ② (바람 따위가) 가라앉다, 누그러지다 : Le vent *mollit.* 바람이 잦아든다. ③ (다리 따위가) 기운〔힘〕이 빠지다, 약해지다, 감퇴하다 ; 용기〔사기〕가 저하하다 : Sa résolution *a molli.* 그의 결심은 약화되었다 / sentir ses jambes ~ de fatigue 피로로 다리의 힘이 빠지는 것을 느끼다. ④ 《구어》 주춤하다, 주저하다(= hésiter).

mollo [mɔlo] *adv.* 《속어》 살그머니, 가만히 (= doucement).

mollusque [mɔlysk] *m.* ① (*pl.*) 〖동물〗 연체동물. ② 무기력한〔나약한〕 사람.

molosse [mɔlɔs] *m.* 몰로스 개《집 지키는 큰 개의 일종》.

molybdène [mɔlibdɛn] *m.* 〖화학〗 몰리브덴, 수연(水鉛).

môme [moːm] *n.* 《구어》 어린애, 조무래기(= gosse). ***taper un ~*** 《속어》 도둑질하다, 훔치다 — *f.* 《속어》 계집애 ; 젊은 계집 ; 정부(情婦)(= maîtresse) : belle ~ 예쁜 계집애. — *adj.* 《속어》 아주 어린 : Il est encore tout ~. 그는 아직도 아주 어리다.

‡moment [mɔmɑ̃] *m.* ① 순간, 일각, 일순(= instant) ; 잠시 : Attendez un ~. 잠깐 기다리시오 / n'avoir pas un ~ à soi 조금도 틈이 없다. ② ⓐ 때, 시기, 기간 : un grand ~ de sa vie 생애 최고의 시기 / Nous avons eu de bons ~*s*. 우리는 즐거운 한때를 보냈다. ⓑ (…해야 할) 때, 호기(好期), 기회 : Voilà le ~ de partir. 자 떠날 시간이다 / attendre le ~ convenable 적절한 기회를 기다리다. ③ 현재, 지금 : mode du ~ 지금의 유행. ④ 〖철학〗 계기. ⑤ 〖물리〗 능률, 역률(力率), 모멘트 : ~ d'inertie 관성(慣性) 모멘트. ***à ce ~(-là)*** 그때, 그 무렵, 당시 : Elle était encore petite *à ce ~-là*. 그 무렵 그녀는 아직 어렸다. ***à tout ~ ; à touts ~s*** 끊임없이. ***au bon*** 〔***dans un mauvais***〕 ~ 마침 좋은〔나쁜〕 때에 : arriver *dans un mauvais* ~ 마침 공교로운 때에 오다. ***au ~ de*** qc 〔+ *inf.*〕 …의〔할〕 순간에 : *au ~ de* l'accident 사고가 났을 때 / *au ~ de* partir 떠나려 할 순간. ***au ~ où*** + *ind.* …할 때에 : *au ~ où* il faut partir 떠나야만 할 그 순간에. ***à un ~ donné*** 어느 때〔순간〕에, 한때. ***dans le ~*** 《옛》 즉각 ; 곧. ***dans un ~*** 곧. ***de ~(s) en ~(s)*** 간간이. ***du ~ que*** 〔***où***〕 + *ind.* …한 바에는, …인 이상, 《옛》 …하자마자. ***d'un ~ à l'autre*** [dœ̃mɔmɑ̃taloːtʀ] 곧, 이제나저제나 하고 ; 시시각각으로. ***en ce ~*** 지금, 현재 ; 《때때로》 그때. ***en un ~*** 순식간에. ***par ~(s)*** 때때로, 이따금. ***pour le ~*** 지금으로서는, 당장은. ***sur le ~*** 당장에, 즉각.

M

Un ~ ! 잠깐만 (기다리세요, 말씀 들으세요).

***momentané, e** [mɔmɑ̃tane] *adj.* 일시적인 ; 순식간의(= bref) : interruption 〔crise〕 ~*s* 일시적인 중단〔위기〕.

momentanément [mɔmɑ̃tanemɑ̃] *adv.* 일시적으로 : Le trafic est ~ interrompu. 교통 소통이 일시적으로 정지되었다.

mômerie [momʀi] *f.* 어린애 같은 언동.

momie [mɔmi] *f.* 미라 : maigre comme une ~ 몹시 마른.

momification [mɔmifikɑsjɔ̃] *f.* 미라로 만들기 ; 말라빠진 모양.

momifier [momifje] *v.t.* ① 미라로 만들다. ② 말라빠지게 하다. ③ 무기력하게 하다. — **se ~** *v.pr.* ① 미라가 되다. ② 말라빠지다. ③ 무기력해지다.

⁑**mon** [mɔ̃] *adj. poss.* (*f.* ***ma*** [ma], *pl.* ***mes*** [me]) 《모음 또는 무음 h로 시작되는 여성 단수 앞에서는 mon을 사용함 : *mon* âme [mɔ̃(ɔ)nɑːm]》 나의, 내. ① 《소유·소속·관계》 ~ chapeau et *mes* gants 내 모자와 장갑 / *ma* nationalité 나의 국적 / ~ père et *ma* mère ; *mes* père et mère 나의 부모 / à ~ avis 내 생각으로는. ② 《작자·동작·행위의 주체》 ~ œuvre 〔succès〕 나의 작품〔성공〕 / à ~ retour 내가 돌아왔을 때 / de ~ vivant 내가 살아 있을 때. ③ 《동작·행위의 대상》 ~ juge 나를 심판하는 재판관 / à *ma* vue 나를 보자마자 / à ~ égard 나에 대해 / Venez à ~ secours. 와서 날 도와 다오 / ~ pareil 나와 겨룰 사람, 나의 호적수. ④ 《애정·존경·경멸 등의 표현》 ~ chéri ; *ma* chérie 여보 / ~ père 신부님 / ~ général 장군님 / Voilà ~ étourdi. 그 얼빠진 친구가 나타났네. ⑤ 《습관적 관계》 mes classiques 내가 좋아하는 클래식 음악 / Ce n'est pas ~ type. 그것은 내가 좋아하는 형이 아니다. ⑥ 《앞서 언급된 것을 가리킴》 Alors, ~ bonhomme s'est mis à hurler. 그러자 그 사나이는 울부짖기 시작했다.

monacal, e, aux [mɔnakal, -o] *adj.* 수도사의, 승려의 ; 수도사 같은 : mener une vie ~*e* 수도사 같은〔금욕적인〕 생활을 하다.

monachisme [mɔnaʃ(k)ism] *m.* 수도 생활 ; 수도사의 신분.

monade [mɔnad] *f.* ① 『철학』 단자(單子) 《라이프니쯔(*Leibniz*)의 학설 중의 만물의 소인(素因)》. ② 『생물』 단세포 동물.

monarchie [mɔnaʀʃi] *f.* ① 군주 정치, 군주제(= royauté) : ~ constitutionnelle 입헌 군주제 / ~ absolue 절대 군주제. ② 군주국 (= royaume).

monarchique [mɔnaʀʃik] *adj.* 군주 정치의, 군주제의, 왕정의 : État ~ 군주국, 왕국.

monarchisme [mɔnaʀʃism] *m.* 군주제 옹호론, 왕정(王政)주의.

monarchiste [mɔnaʀʃist] *adj.* 군주제 옹호의, 왕정주의의(= royaliste). — *n.* 군주제 옹호자, 왕정주의자.

monarque [mɔnaʀk] *m.* 군주, 국왕 : ~ absolu 절대 군주 / ~ héréditaire 세습 군주.

monastère [mɔnastɛːʀ] *m.* 수도원, 승원(= cloître).

monastique [mɔnastik] *adj.* 수도사의, 수도사 같은 : discipline ~ 수도사의 계율.

monceau** [mɔ̃so] *m.* (*pl.* **~*x) 무더기, 더미, 퇴적(堆積) ; 다량, 다수 : des ~*x* de livres 산더미 같은 책 / avoir des ~*x* de... …을 많이 가지고 있다.

mondain, e [mɔ̃dɛ̃, -ɛn] *adj.* ① 사교계의, 사교 생활을 좋아하는 : réunion ~*e* 사교계의 모임. ② 상류 사회의 : écrivain ~ 상류 사회를 묘사하는 작가. ③ 속세의, 세속적인 ; 현세의(= profane) : vie ~*e* et vie monastique 세속 생활과 수도 생활. — *n.* 사교계의 사람, 사교가.

mondanité [mɔ̃danite] *f.* ① 세속성, 현세적임. ② (*pl.*) ⓐ 세속적인〔사교 생활의〕 쾌락 : aimer les ~*s* 사교 생활을 즐기다. ⓑ 『신문』 사교계란(= chronique mondaine).

⁑**monde** [mɔ̃ːd] *m.* ① 세계 ; 세상 ; 천지 ; 우주(= univers, cosmos) ; 만물 : faire le tour du ~ 세계 일주하다 / partout dans le ~ 세계 도처에(서) / aux quatre coins du ~ 세계 각처에 / l'Ancien *M*~ 구세계《유럽·아시아·아프리카》 / le Nouveau *M*~ 신세계《아메리카》. ② 지구, 지상(= globe terrestre, terre) ; 대륙(= continent). ③ 『천문』 천체(天體), 우주 : création du ~ 천지 창조 / système du ~ 우주계. ④ 계(界) ; 계층, 사회 ; 상류 사회 ; 사교계 : ~ capitaliste 자본주의 사회 / petit ~ 하류 사회 / grand ~ 상류 사회 / ~ des affaires 실업계 / ~ des lettres 문단 / ~ du spectacle 연예계, 연예인 / homme 〔femme〕 du ~ 사교계의 인사〔부인〕 / Il n'est pas de notre ~. 그는 우리와 같은 계층의 사람이 아니다. ⑤ 이 세상, 현세, 속세 ; 세간 : ce bas ~ ; ce ~ d'ici 이승, 현세 / autre ~ 저승, 내세 / Le ~ est petit. 세상은 좁다. ⑥ (독자적인) 세계, 영역, 계통 : ~ matériel 〔spirituel〕 물질〔정신〕계 / ~ des abeilles 꿀벌의 세계 / ~ animal 〔végétal〕 동물〔식물〕계. ⑦ (세상) 사람들 ; 가족 ; 친구 ; 부하 ; 하인 : beaucoup de ~ 많은 사람 / avoir du ~ chez soi 집에 손님들이 있다 / Le match a attiré un ~ fou. 경기는 엄청난 관객을 끌었다. ⑧ 다수, 막대한 것 : 《un ~ de》 *un ~ d*'ennemis 수많은 적 / Il y a un ~ entre A et B. A와 B 사이엔 많은 차이가 있다. ***Ainsi va le ~.*** 세상이란 그런 것이다. ***au ~*** 《tout, rien, aucun 따위의 뜻을 강조》 faire *tout au* ~ pour+*inf.* …하기 위해서 무슨 일이건 하다. ***bout du ~*** ⓐ 세상 끝 ; 《비유》 아주 먼 곳 : (habiter) au *bout du* ~ 머나먼 곳에 (살다). ⓑ 최대한 : Ce n'est pas le *bout du* ~. 그것은 어렵지 않다. ***C'est un ~ !*** 《구어》 천만에! 《과장된 일에 대한 노여움의 표시》. ***depuis que le ~ est ~*** 천지개벽 이래. ***du ~*** 《최상급의 강조》 : C'est le meilleur homme *du* ~. 그는 비길 데 없는 호인이다 / Ils sont le mieux *du* ~ (ensemble). 그들은 지극히 사이가 좋다. ***être au ~*** 살고〔생존하고〕 있다. ***être (encore) de ce ~*** (아직) 살고 있다. ***Il faut de tout pour faire un ~.*** 세상사에는 좋은 일 나쁜 일이 있게 마련이다. ***se faire un ~ de*** qc …을 지나치게 중요시하다. ***se moquer 〔se ficher, se foutre〕 du ~*** 무례〔파렴치〕하게 굴다. ***tout le ~*** 모든 사람들, 누구나 : raconter qc à *tout le*

~ …을 모든 사람들에게 이야기하다 / La rue est à *tout le* ~. 도로는 모든 사람의 것이다.

monder [mɔ̃de] *v.t.* (겨 · 껍질 따위를) 떼어 내다 ; 정선(精選)하다.

***mondial, e, aux** [mɔ̃djal, -o] *adj.* 세계적인 : population ~*e* 세계 인구 / record ~ 세계 기록 / à l'échelle ~*e* 세계적 규모의.

mondialement [mɔ̃djalmɑ̃] *adv.* 세계적으로 : être ~ connu 세계적으로 알려져 있다.

mondialisation [mɔ̃djalizɑsjɔ̃] *f.* 전세계에 퍼지기, 세계화.

mondialiser [mɔ̃djalize] *v.t.* 세계적인 규모로 만들다〔확대하다〕, 세계화하다.

mond(i)ovision [mɔ̃d(j)ɔvizjɔ̃] *f.* (텔레비전의) 우주 중계.

monégasque [mɔnegask] *adj.* 모나코(*le Monaco*)의. ── **M**~ *n.* 모나코 사람.

monétaire [mɔnetɛːʀ] *adj.* 화폐의, 통화의 : presse ~ 화폐 주조기 / système ~ 화폐 제도 / unité ~ 통화 단위.

monétarisme [mɔnetaʀism] *m.* 〖경제〗 통화주의.

mongol, e [mɔ̃gɔl] *adj.* 몽고(*la Mongolie*)의. ── **M**~ *n.* 몽고 사람. ── *m.* 몽고어.

Mongolie [mɔ̃gɔli] *n.pr.f.* 〖지리〗 몽고 ; 몽고 인민 공화국.

mongolien, enne [mɔ̃gɔljɛ̃, -ɛn] *adj.* ① 몽고의. ② 〖의학〗 몽고증〔다운증〕의〔에 걸린〕. ── *n.* 〖의학〗 몽고증〔다운증〕 환자.

mongolisme [mɔ̃gɔlism] *m.* 〖의학〗 몽고증〔다운증〕《백치의 일종》.

moniteur¹, trice [mɔnitœːʀ, -tʀis] *n.* 〖스포츠〗 코치(= entraîneur) ; 〖군사〗 지도 교관 ; (체육 따위의) 지도 교사 : ~ d'éducation physique 체육 보조 교사.

moniteur² *m.* 모니터《기계에 의한 감시 장치》 : ~ séquentiel 〖컴퓨터〗 프로그램 모니터 / ~ cardiaque 〖의학〗 심장 모니터.

monition [mɔnisjɔ̃] *f.* 〖종교〗 계고(戒告).

monitorat [mɔnitɔʀa] *m.* 지도원〔코치〕에 의한 지도, 지도 활동.

monitoring [mɔnitɔʀiŋ] 〔영〕 *m.* ① 모니터링《모니터를 이용하여 음성 · 영상의 전송 · 녹음 상태를 감시하는 것》. ② 〖의학〗 (환자의 상태 변화의) 모니터에 의한 감시.

⁑monnaie [mɔnɛ] *f.* ① 화폐, 통화 ; 금전, 돈 : ~ d'or 〔d'argent〕 금〔은〕화 / ~ de papier 지폐. ② 거스름돈, 잔돈 : petite 〔menue〕 ~ 잔돈 / Donnez moi la ~ de dix francs. 10 프랑을 거슬러 주시오 / Je n'ai pas un sou de ~. 나는 잔돈이 한 푼도 없다. ③ la *M*~ 조폐국(造幣局). ***battre*** ~ 《옛》 화폐를 주조하다 ; 《속어》 돈을 마련하다. ***C'est ~ courante.*** 흔한 일이다, 다반사다. ***faire de la ~*** 잔돈으로 바꾸다. ***fausse ~*** 위조 화폐. ***La mauvaise ~ chasse la bonne.*** 《격언》 악화가 양화를 구축한다. ***~ légale*** 통화. ***pièce de ~*** 화폐. ***rendre à*** qn ***la ~ de sa pièce*** …에게 앙갚음하다, 보복하다. ***servir de ~ d'échange*** (교섭 · 흥정에서) 교환 조건으로 사용되다.

monnaie-du-pape [mɔnɛdypap] *f.* (*pl.* ~***s***-~-~) 〖식물〗 루나리아《겨잣과》.

monnayable [mɔnɛjabl] *adj.* ① 화폐로 주조할 수 있는. ② 돈으로 바꿀 수 있는, 돈이 되는 : idée ~ 돈이 되는 아이디어.

monnayage [mɔnɛjaːʒ] *m.* 화폐 주조.

monnayer [mɔnɛ(e)je] [8] *v.t.* ① 화폐로 주조하다. ② 돈으로 바꾸다 : ~ un effet de commerce 어음을 현금화하다 / ~ son influence 지위를 이용하여 돈을 벌다.

monnayeur, euse [mɔnɛjœːʀ, -øːz] *adj.* 조폐의. ── *m.* 조폐공. ***faux*** ~ 위폐(僞幣) 제조자.

monocellulaire [mɔnɔsɛlylɛːʀ] *adj.* 〖생물〗 단세포의.

monochrome [mɔnɔkʀoːm] *adj.* 단색(單色)의. ── *m.* 단색 그림.

monocle [mɔnɔkl] *m.* 외알박이안경.

monocoque [mɔnɔkɔk] *f.* (비행기 · 배 따위의) 모노코크 구조, 단체(單體) 구조선〔차체〕. ── *adj.* 모노코크의.

monocorde [mɔnɔkɔʀd] *adj.* 〖음악〗 ① 일현(一絃)의. ② 단조로운(= monotone).

monocotylédone [mɔnɔkɔtiledɔn] *adj.* et *f.* 단자엽(單子葉)의 (식물).

monoculaire [mɔnɔkylɛːʀ] *adj.* 단안(單眼)의 : cécité ~ 한 눈의 실명, 애꾸눈 / microscope ~ 단안 현미경.

monoculture [mɔnɔkyltyːʀ] *f.* 단작(單作), 일모작(一毛作).

monogame [mɔnɔgam] *adj.* 일부일처제의 ; 〖동물〗 일웅일자(一雄一雌)의. ── *n.* 일부일처주의자.

monogamie [mɔnɔgami] *f.* 일부일처제, 단혼제(≠ polygamie) ; 일웅일자(一雄一雌).

monogramme [mɔnɔgʀam] *m.* 모노그램, 합자(合字)《성명의 첫글자를 합쳐서 만듦》.

monographie [mɔnɔgʀafi] *f.* (특수) 전공 논문 ; (역사상의) 개인 연구 ; 〖지리〗 한 지방지(地方誌).

monographique [mɔnɔgʀafik] *adj.* 전공 논문〔개별 연구〕의 ; 지방지의.

monokini [mɔnɔkini] *m.* (브래지어가 없는) 모노키니 (수영복), 톱리스 수영복.

monolingue [mɔnɔlɛ̃ːg] *adj.* 단일 언어의, 일개 국어를 말하는(≠ bilingue). ── *n.* 일개 국어를 하는 사람.

monolithe [mɔnɔlit] *m.* 한 개의 돌로 된 기념비 ; 거석(巨石). ── *adj.* 한 개의 돌로 된.

monolithique [mɔnɔlitik] *adj.* ① 한 개의 돌로 된(= monolithe). ② (조직체 · 주의 따위가) 일체를 이룬 : parti ~ 일사불란한 정당.

monolithisme [mɔnɔlitism] *m.* ① 〖건축〗 하나의 큰 돌로 된 건조물. ② 《비유》 일체〔단일〕성.

monologue [mɔnɔlɔg] *m.* ① 독백 ; 혼잣말(≠ dialogue) : ~ intérieur 〖문학〗 내적 독백. ② 〖연극〗 독백극, 일인 연극.

monologuer [mɔnɔlɔge] *v.i.* 〖연극〗 ① 독백하다 ; 혼잣말하다. ② 이야기를 독점하다.

monomane [mɔnɔman], **monomaniaque** [mɔnɔmanjak] *n.* 〖의학〗 편집광(偏執狂)《사람》. ── *adj.* 편집광의.

monôme [mɔnoːm] *m.* ① 〖수학〗 단항식(單項式). ② 《학생은어》 (시험 후 어깨동무를 한) 학생들의 일렬 행진.

monométallisme [mɔnɔmeta(l)lism] *m.*

M

〖경제〗 (화폐의) 단본위제(單本位制).

monomoteur, trice [mɔnɔmɔtœːʀ, -tʀis] *m.* 〖항공〗 단발형(單發型) 비행기(= avion ~). ── *adj.* 단발의.

monoparental, e, aux [mɔnɔpaʀɑ̃tal, -o] *adj.* 양친 중 한 분이 없는 : famille ~*e* 외부모밖에 없는 가족.

mononucléaire [mɔnɔnykleɛːʀ] 〖생물〗 *adj.* 단핵의. ── *m.* 단핵구(球).

monophonie [mɔnɔfɔni] *f.* 단일 음향(≠ stéréophonie).

monophonique [mɔnɔfɔnik] *adj.* ① 〖음악〗 단성부(單聲部) 음악의(≠ polyphonique). ② (입체 음향이 아닌) 단일 음향의.

monoplace [mɔnɔplas] *adj.* (차 · 비행기 따위가) 한 사람이 타는, 단좌(單座)의. ── *m.* 1 인승 비행기. ── *f.* 1 인승 경주용차.

monoplan [mɔnɔplɑ̃] *m.* 〖항공〗 단엽 비행기.

monopole [mɔnɔpɔl] *m.* ① 전매(권), 총판 ; 독점(권) : avoir le ~ de qc …을 독점 판매하다 / L'État a le ~ des tabacs. 국가가 담배 전매권을 가진다. ② 《비유》 전매특허, 전유물 : L'erreur n'est pas le ~ des imbéciles. 과오는 바보들만의 전유물이 아니다.

monopolisateur, trice [mɔnɔpɔlizatœːʀ, -tʀis] *n.* 전매자, 총판자, 독점업자.

monopolisation [mɔnɔpɔlizɑsjɔ̃] *f.* 전매, 총판(總販) ; 독점.

***monopoliser** [mɔnɔpɔlize] *v.t.* ① 전매하다, 독점하다 : ~ la vente des tabacs 담배를 전매하다. ② 《비유》 전매특허, 전유물 : ~ les honneurs 영광을 독차지하다.

monopoliste [mɔnɔpɔlist] 〖경제〗 *adj.* 전매특권을 가진, 독점권을 가진. ── *m.* 전매권 소유자, 독점권자.

M

monopolistique [mɔnɔpɔlistik] *adj.* 독점주의적인, 독점적 성격의 : capitalisme ~ 독점 자본주의.

monoprix [mɔnɔpʀi] *m.* 단일 정찰제의 상점〔백화점〕.

monorail [mɔnɔʀɑːj] *adj.* 단궤(單軌)의, 모노레일의. ── *m.* 단궤 철도, 모노레일.

monoski [mɔnɔski] *m.* 수상 스키 : faire du ~ 수상 스키를 타다.

monosyllabe [mɔnɔsi(l)lab] *m.* 〖문법〗 단음절어 : répondre par ~*s* 단음절로 대답하다《oui, non, tiens 따위》; 짧게 답하다. ── *adj.* 단음절의.

monosyllabique [mɔnɔsi(l)labik] *adj.* 단음절의 : langue ~ 단음절어《중국어 따위》.

monothéisme [mɔnɔteism] *m.* 〖종교〗 일신교, 일신설.

monothéiste [mɔnɔteist] 〖종교〗 *adj.* 일신교의, 일신론의. ── *n.* 일신론자.

***monotone** [mɔnɔtɔn] *adj.* 단조로운, 변화 없는, 천편일률의 ; 지루한 : paysage ~ 단조로운 풍경 / vie ~ 따분한 인생.

monotonie [mɔnɔtɔni] *f.* 단조로운, 천편일률, 무변화 ; 지루함 : rompre la ~ de l'existence 삶의 무료함을 깨뜨리다.

monotype [mɔnɔtip] *adj.* 단일형의. ── *m.* 〖요트〗 모노타이프. ── *f.* 〖인쇄〗 자동 식자 주조기, 모노타이프.

monseigneur [mɔ̃sɛɲœːʀ] *m.* (*pl.* ***messeigneurs*** [mesɛɲœːʀ]) (《약자》 Mgr.) 각하《높은 사람에게》; 예하(猊下)《대주교 · 추기경 등에게》; 전하(殿下)《왕 · 왕족에게》: *M~* le duc d'Orléans 오를레앙공 전하 / *M~* de Paris 파리 대주교 예하.

‡**monsieur** [məsjø] *m.* (*pl.* ***messieurs*** [mesjø]) ① ⓐ (《약자》 M., *pl.* MM.) 귀하, 씨, 군 ; 님 : *M~* 〔*M.*〕 X, X 씨 / ~ votre père 춘부장님 / *M~* L'Ambassadeur 대사님〔귀하 · 각하〕 / *M~* le duc 공작 각하 : Bonjour, ~. 안녕하십니까. ⓑ (하인이) 주인님, 나리 : *M~* est sorti. 주인은 나가셨습니다. ② ⓐ 신사, 양반, 어른, 분 ; 《반어적》 녀석, 자식 : un ~ 어떤 분 / ~ le sot 바보 같은 놈 / joli ~ 수상한〔믿을 수 없는〕 작자 / vilain ~ 나쁜 자식. ⓑ 《속어》 남편. ③ (*M~*) 프랑스왕의 아우에, 특히 큰 아우에게 붙이던 칭호. ④《인물을 나타내지 않는 고유명사 또는 보통명사 · 추상명사를 뒤에 붙여서》 …씨, …선생, …나리 : *M~* cent mille volts, 10 만 볼트 씨〔선생〕 / *M~* TV couleur 미스터 컬러 텔레비전. ***faire le*** (***gros***) ~ 점잔빼다, 젠체하다.

monstre [mɔ̃stʀ] *m.* ① 〖의학〗 기형. ② 〖신화〗 괴물 ; 유령, 도깨비 : ~ à moitié cheval à moitié homme 반마반인(半馬半人)의 괴물. ③ 거대한 것, 괴상한 것 ; 거대한 짐승. ④ 인정 없는 사람, 잔인한 사람. ***C'est un ~ de cruauté.*** 잔인무도한 놈이다. ***les ~s des forêts*** 《문어》 맹수. ***les ~s marins*** 고래류(類). ***les ~s sacrés*** 위대한 배우들, 명배우들. ***Petit ~ !*** 요 녀석《부산한 어린애에 대한 애칭》. ── *adj.* 《구어》 굉장한, 엄청난, 거대한(= prodigieux, colossal) : dîners ~*s* 호화찬란한 만찬 / avoir un succès ~ 굉장한 성공을 거두다.

monstrusement [mɔ̃stʀyøzmɑ̃] *adv.* 기괴하게 ; 굉장하게, 엄청나게 : Il est ~ égoïste. 그는 굉장히 이기적이다.

***monstrueux, euse** [mɔ̃stʀyø, -øːz] *adj.* ① 괴물 같은, 기형의 ; 기괴한 : enfant ~ 기형아. ② 잔인한, 흉악한, 극악무도한. ③ (생각 따위가) 흉측한, 무시무시한 : idée ~*euse* 흉측한 생각. ④ 거대한, 굉장한, 엄청난(= colossal, énorme, gigantesque) : prodigalité ~*euse* 엄청난 낭비.

monstruosité [mɔ̃stʀyozite] *f.* ① 기형(畸形) ; 기괴(奇怪), 괴상망측, 흉측. ② 잔인, 잔학, 극악무도 : ~ de la guerre 전쟁의 잔학함. ③ (*pl.*) 끔찍한〔잔학한〕 것 : ~*s* d'un tyran 폭군의 잔학한 행위.

mont [mɔ̃] *m.* ① 《문어》 산(= montagne). ② (*pl.*) 산맥 ; 알프스 산맥 : *M~s* rocheux 로키 산맥 / passer les ~*s* 알프스 산맥을 넘다. ③ ⓐ (손등의 5개의) 봉우리, 융기(隆起)《손가락이 시작되는 마디의 윗부분 ; 수상술(手相術) 용어》. ⓑ 〖해부〗 치구(恥丘)(= mont de Vénus, pénil). (***aller***) ***par ~s et par vaux*** 산을 넘고 골짜기를 건너(가다), 방방곡곡을 (가다, 헤매다). ***promettre ~s et merveilles*** 터무니없는 약속을 하다.

montage [mɔ̃taːʒ] *m.* ① (부분품) 맞추기, 조립(組立) ; (텐트 따위의) 가설 : ~ d'un moteur 엔진 조립 / ~ en bijouterie 보석의 세팅〔끼우기〕. ② 〖영화 · 사진〗 몽타주 ; 〖음향〗 (테이프의) 편집 : film de ~ 몽타주 영

화 / ~ photographique 사진 합성 / ~ sonore 음향 합성.

montagnard, e [mɔ̃taɲaːʀ, -aʀd] *adj.* 산악 지방〔산골〕에 사는 ; 산의, 산골의 : vie ~*e* 산골 생활. ── *n.* 산악 지방의 주민.

‡montagne [mɔ̃taɲ] *f.* ① ⓐ 산, 산악. ⓑ《les ~*s*, la ~》산악 지대 : pays de ~ 산악국 / chaîne de ~*s* 산맥 / mal des ~*s* 고산병 / station de ~ 산간의 체재지(滯在地). ② 무더기, 더미(= amas) : une ~ de livres 산더미같이 쌓인 책들. ③ 난관(= difficulté). ④ (*M*~) 〖프랑스사〗 산악당(= montagnard). ***~ de glace*** 빙산. ***~s russes*** (유원지 따위에서 비탈진 레일 위로 차를 타고 질주하는) 소형 철도 ; 유람 꼬마 철도(= scenic railway). ***se faire une ~ 〔des ~s〕 de*** qc …을 어렵게 생각하다, 과장해서 생각하다. ***soulever 〔déplacer〕 les ~s*** 어려운 일을 쉽게 해내다.

montagneux, euse [mɔ̃taɲø, -øːz] *adj.* 산이 많은 : région ~ 산악 지방.

montant[1] [mɔ̃tɑ̃] *m.* ① (사닥다리 따위의) 기둥 ; (발판 · 침대 따위의) 다리 ; (창 · 문의) 설주 : ~*s* d'une échelle 사닥다리의 기둥 / ~*s* d'un lit 침대의 다리. ② 총액, 합계 : ~ des frais 경비의 총액. ③ (포도주 따위의) 향미, 향긋한 맛 ; (소스 따위의) 짜릿한 맛 ; (여자의) 매력 : Ce vin a du ~. 이 포도주는 향긋하다 / donner du ~ à une sauce 소스를 제맛 나게 하다.

***montant**[2]**, e** [mɔ̃tɑ̃, -ɑ̃ːt] *adj.* ① 오르는, 상승하는 : chemin ~ 오르막 / marée ~*e* 밀물 / mouvement ~ 상승 운동. ② (옷의) 깃이 높은 : robe ~*e* 〖복장〗 깃을 세운 여성복. ③ (기차가) 상행의 : train ~ 상행 열차.

Mont-Blanc (le) [ləmɔ̃blɑ̃] *n.pr.m.* 〖지리〗 몽블랑산.

mont-de-piété [mɔ̃dpjete] *m.* (*pl.* ***~s-~-~***) 공영 전당포 : mettre qc au ~ 전당포에 물건을 잡히다.

monte [mɔ̃ːt] *f.* 〖경마〗 승마, 기마술.

monté, e[1] [mɔ̃te] *adj.* ① 말탄, 승마의 : ~ sur un cheval blanc 흰 말을 탄 / police ~*e* 기마 경찰. ② ⓐ (필요한 것이) 갖추어진, 구비된 : boutique bien ~*e* 구색이 잘 갖추어진 가게. ⓑ《~ en》…을 많이 가진 : être bien ~ *en* qc …을 많이 가지고 있다. ③ 조립된 ; 꾸며진 ; 정비된 ; (보석 따위가) 박혀진(= enchâssé). ④ (악기가) 음조를 맞춘 : instrument ~ sur le ton d'ut, c 음〔표준음〕에 맞추어 조율된 악기. ⑤ ~ en couleur 빛깔이 짙은. ⑥ 화가 난, 격분한 : être ~ (contre qn) (…에 대해) 화가 나 있다. ***avoir la tête ~e*** 격분해〔화가 나〕 있다(= être ~). ***coup ~*** 《구어》 음모, 비밀리에 조작하기. ***être bien 〔mal〕 ~*** 좋은〔나쁜〕 말을 타고 있다.

monte-charge [mɔ̃tʃaʀʒ] *m.* 《복수불변》 기중기, 화물 승강기.

montée[2] [mɔ̃te] *f.* ① 오르기 ; 등반 ; 상승 ; 올리기 : essai de ~ 〖자동차 · 항공〗 등반력〔상승력〕 테스트 / ~ des prix 물가 앙등. ② (수위(水位) · 목소리 따위가) 높아지기 ; (젖이) 붇기. ③ 오르막, 비탈, 치받이, 언덕 길 ; 《옛》 계단.

monte-plats [mɔ̃tpla] *m.* 《복수불변》 (요리를 위층으로 나르는) 승강 장치.

‡monter [mɔ̃te] *v.i.* 《조동사는 être (상태), avoir(동작)를 병용》. Ⓐ 《주어: qn》 ① (높은 곳에) 오르다, 올라가다 : ~ au haut d'une tour 탑 위로 올라가다 / ~ sur un arbre 나무에 올라가다. ② 《~ à 〔dans, en, sur〕》 (탈것에) 타다, 탑승하다 : ~ *à* cheval 〔bicyclette〕 말〔자전거〕에 올라타다 / ~ *dans* un train 기차에 오르다 / ~ *en* voiture 자동차에 오르다 / ~ *sur* un bateau 배에 오르다〔탑승하다〕 / ~ par l'ascenseur 엘리베이터를 타고 올라가다. ③ (남에서 북으로) 올라가다 ; (도시로) 올라가다 : ~ (de Marseille) à Paris (마르세유에서) 파리로 올라가다. ④ 승진〔승격〕하다, 진출하다 : ~ sur le trône 왕위에 오르다 / ~ haut 출세하다 / ~ en grade 승진하다 / les générations qui *montent* 자라나는 세대 / écrivain qui *monte* 인기 상승 중인 작가. ⑤ 흥분하다, 화를 내다 : ~ comme une soupe au lait 버럭 화를 내다.

Ⓑ 《주어: qc》 ① 떠오르다, 올라가다, 상승하다 : Le soleil *monte.* 해가 떠오른다 / L'avion *monte* à cinq mille mètres. 비행기가 (고도) 500 미터로 올라간다 / Les brouillards *montent* de la vallée. 골짜기에서 안개가 피어오른다. ② (높이 · 키가) 커지다, 길어지다, …에 닿다 : Les blés *montent.* 보리가 자란다 / Cette tour *monte* à 100 mètres. 이 탑의 높이는 100 미터에 달한다 / L'eau *monte* jusqu'aux genoux. 물이 무릎까지 닿는다. ③ (눈물 · 피 따위가) 솟다, 솟아오르다 : La colère fait ~ le sang au visage. 화가 나서 얼굴이 빨개진다 / Les larmes lui *sont montées* aux yeux. 그는 눈물이 글썽거렸다. ④ (길 따위가) 오르막이 되다 : là où la route *monte* 길이 오르막이 되는 곳. ⑤ (수위 · 온도 따위가) 오르다 : La rivière *monte.* 강물이 불고 있다 / La température *a monté* de trois degrés. 기온이 3 도 올랐다. ⑥ (값이) 오르다 ; (명성 따위가) 높아지다 ; (음이) 높아지다 : Les prix *ont monté.* 물가가 올랐다 / Sa popularité *monte.* 그의 인기가 올라간다 / Le ton *monte.* 《비유》 언성이 높아진다, 말이 험악해진다. ***faire ~*** qn …을 흥분시키다, 화나게 하다. ***~ à bord*** 배에 오르다. ***~ à la tête*** (술 따위가) 머리에 오르다 ; 취하게 하다, 이성을 잃게 하다.

── *v.t.* ① (계단 · 언덕 따위를) 오르다, 올라가다 ; (강을) 거슬러 오르다 : ~ une côte 언덕을 올라가다 / ~ un fleuve 강을 거슬러 올라가다. ② (말을) 타다 ; (수컷이 암컷에) 붙다 : ~ un cheval 말을 타다. ③ 올리다 ; (위로) 운반하다, (위로) 가져오다〔가다〕 : ~ une malle au grenier 트렁크를 다락방에 들어올리다 / La concierge *monte* le courrier. 관리인 여자가 우편물을 갖고 올라온다. ④ (정도 따위를) 높이다 ; (빛깔 따위를) 진하게〔강하게〕 하다 ; (시계의 태엽을) 감다(= remonter) ; 흥분〔격분〕시키다 : ~ un peu le tableau 그림을 약간 위로 올리다 / ~ la mèche d'une lampe 램프의 심지를 돋우다. ⑤ (부분품을) 맞추다, 조립하다 ; 꾸미다 ;

M

(보석을) 박다 ; (그림 등을) 표장(表裝)하다 ; 〖영화〗 편집하다 ; 〖연극〗 (각본을) 연출하다 : ~ un meuble en kit 조립 기구를 맞추다 / ~ un film 영화를 편집하다 / ~ une tente 텐트를 치다 / ~ une pièce de théâtre 연극을 공연하다 / ~ un diamant sur une bague 반지에 다이아몬드를 박다. ⑥ …에 필요품을 갖추다 ; …에게 갖추어 주다 : ~ un ménage 집안에 살림을 갖추다 / ~ un magasin 가게를 차리다 / ~ un cavalier 기수에게 말을 갖추어 주다. ***~ la tête à*** qn …을 격분시키다, 화나게 하다 : C'est elle qui *monte la tête à* Paul contre moi. 폴이 나한테 화를 내게끔 만드는 것은 바로 그녀이다. ***~ le coup à*** qn 《구어》 …에게 한방 먹이다 ; …을 속이다. ***~ un coup*** 음모를〔장난을〕 꾸미다.

— **se ~** *v.pr.* Ⓐ 《수동적》 ① 올라가다, 타다 : escalier 〔cheval〕 qui *se monte* facilement 오르기〔타기〕 쉬운 계단〔말〕. ② 조립되다 : Ce meuble *se monte* facilement. 이 가구는 쉽게 조립된다. ③ 준비되다, 설립되다. ④ 흥분되다, 격해지다 : La tête *se monte.* 화가 치밀어오른다.

Ⓑ 《재귀적》 ① 《se ~ en》 …을 갖추다, 장만하다 : *se ~ en* linge 내의를 장만하다. ② 《se ~ à》 …에 달하다, 합계 …이 되다 : Les frais *se montent à* mille francs. 비용이 1,000 프랑에 달한다. ③ 《구어》 …에게 화가 나다, 화를 내다 : Il *se montait* contre elle. 그는 그녀에게 화가 나 있었다. ***se ~ la tête*** 〔***le bourrichon***〕 (제멋대로 상상하여) 흥분하다.

monteur, euse [mɔ̃tœːʀ, -øːz] *n.* ① (부분품) 조립공 : ~ électricien 전기 배선공. ② 금은 세공인, (보석 따위의) 상감 세공인. ③ (영화의) 필름 편집인.

montgolfière [mɔ̃gɔlfjɛːʀ] *f.* 열기구(熱氣球)《발명자 *Montgolfier* 형제 이름에서》.

monticule [mɔ̃tikyl] *m.* 언덕, 둔덕, 구릉.

Montmartre [mɔ̃maʀtʀ] *n.pr.f.* 몽마르트르 《파리 북방 몽마르트르 언덕의 거리》.

montrable [mɔ̃tʀabl] *adj.* 보일 수 있는.

montre[1] [mɔ̃ːtʀ] *f.* ① 자랑삼아〔드러내〕 보이기, 과시(= parade) ; 겉모양, 겉치레 : La ~ trompe souvent. 겉을 보고 판단하면 틀리기 쉽다. ② 진열 ; 진열품 ; 진열장(= vitrine) ; 견본. ***en ~*** 진열장에 있는, 진열 중인. ***faire ~ de*** …을 자랑삼아〔드러내〕 보이다 ; …을 과시하다, 보여 주다.

⁑**montre**[2] *f.* 회중시계 : ~-bracelet ; bracelet-~ 팔목시계 / mettre sa ~ à l'heure 시간을 맞추다 / remonter sa ~ 시계의 태엽을 감다. ***course contre la ~*** 〖스포츠〗 (한 선수씩 달려) 시간을 재는 경주 ; 단시간에 수행해야 할 일. ***~ en main*** 정확히 시간을 재면서.

montre-bracelet [mɔ̃tʀəbʀaslɛ] *f.* (*pl.* ***~s-~s***) 팔목시계(= bracelet-~).

⁑**montrer** [mɔ̃tʀe] *v.t.* ① 보이다(= faire voir) ; 제시하다(= présenter) ; 《주어 : qc》 드러내다(= découvrir) : *Montrez* sa chambre à Monsieur. 이분에게 그의 방을 보여 주시오 / ~ sa carte d'identité 신분증을 보이다. ② 가리키다, 지시하다(= indiquer) : ~ le chemin à un étranger 낯선 사람에게 길을 가리키다 / ~ la porte à qn …을 방에서 나가도록 지시하다. ③ ⓐ 보여 주다, 발휘하다(= faire paraître) : ~ du courage 용기를 보여 주다 / Il *a montré* son amitié. 그는 우정을 보여 주었다. ⓑ 나타내다, 묘사하다 (= représenter, décrire) : L'auteur *montre* dans ses livres une société. 작가는 그의 책에서 한 사회를 나타내고〔묘사하고〕 있다. ⓒ 보여 주다, 증명하다(= démontrer, prouver) : ~ l'erreur de qn …의 잘못을 증명하다〔보여 주다〕 / ~ qu'on a raison 옳다는 것을 보여 주다〔증명하다〕. ④ 나타내다, 표시하다 (= manifester) : ~ son étonnement 놀라움을 나타내다. ⑤ 《옛》 가르쳐 주다(= apprendre par l'exemple) : ~ le piano à une petite fille 소녀에게 피아노를 가르치다.

— **se ~** *v.pr.* ① 나타나다, 모습을 보이다 (= paraître) : Le soleil *se montre* à l'horizon. 해가 수평선에 떠오르고 있다. ② 서로 가리키다. ③ 《se ~+속사〔보어〕》 …한 태도를 〔모습을〕 보이다 ; …임이 판명되다 : *se ~* prudent 신중한 태도를 보이다 / *se ~* sous son vrai jour 정체를 드러내다 / *se ~* incapable 무능함이 판명되다.

montreur, euse [mɔ̃tʀœːʀ, -øːz] *n.* 흥행사(興行師) : ~ de bêtes féroces 맹수를 부리는 사람 / ~ d'ours 곰 놀리는 사람.

monture [mɔ̃tyːʀ] *f.* ① (말 · 낙타 따위) 타는 짐승 ; 승용마. ② (화가(畫架) 따위의) 틀 ; (안경 따위의) 테 ; (칼 · 톱 · 우산 따위의) 손잡이 : (보석 상감용의) 대금(代金), 좌금(座金). ***lunettes sans ~*** 무테 안경.

***monument** [mɔnymɑ̃] *m.* ① 기념 건조물 〔비(碑) · 상(像)〕. ② (역사적 · 공공의) 대건축물, 기념물 ; 유물 : Cette médaille est un ~ précieux pour l'histoire. 이 메달은 귀중한 역사적 유물이다. ③ 불후의 저작〔작품〕 ; 불멸의 사적(事蹟). ④ 《구어》 굉장히 큰 물건〔사람〕.

monumental, e, aux [mɔnymɑ̃tal, -o] *adj.* ① 기념의, 기념 건물〔상 · 비〕의 : statue ~*e* 기념상(像). ② 불멸의 ; 불후의 ; 기념비적인 : œuvre ~*e* de Hugo 위고의 기념비적인 작품. ③ 《구어》 굉장한, 엄청난 ; 터무니없는 : bêtise ~*e* 터무니없는 허튼소리 / erreur ~*e* 엄청난 과오.

moquer [mɔke] *v.t.* 《문어》 조롱하다(= ridiculiser ; ≠ admirer). — **se ~** *v.pr.* ① 《~ de》 …을 놀리다, 비웃다, 우롱하다, 빈정대다 : Ne *vous moquez* pas *de* moi. 나를 바보 취급하지 마 / *se* faire ~ 조소당하다 / *se ~ de* sa maladresse 그의 실수를 비웃다. ② …을 아랑곳하지 않다, 무시하다(= mépriser) : Je *me moque de* ma santé. 나는 건강 따위는 아랑곳하지 않는다 / 《se ~ de+*inf.*》 Il *se moque de* tromper ses employés. 그는 자기 직원들을 아무렇지 않게 속여 먹는다. ③ 농담하다, 희롱하다(= plaisanter) : Vous *vous moquez.* 농담이겠지요.

moquerie [mɔkʀi] *f.* ① 우롱, 냉소, 조소(= raillerie) : être en butte aux ~*s* 놀림감이 되다 / faire des compliments à qn par ~ …에게 조롱조로 인사말을 하다. ② 농담,

희롱.

***moquette** [mɔkɛt] *f.* 【직물】 (마루 전체에 까는) 양탄자, 카펫.

moquetter [mɔkɛte] *v.t.* …에 양탄자를 깔다 : ~ une chambre 침실에 양탄자를 깔다.

moqueur, euse [mɔkœːʀ, -øːz] *adj.* 비웃는, 빈정거리는, 조롱하는 : regard ~ 빈정거리는 시선 / rire ~ 냉소, 조소. — *n.* 남을 비웃는 버릇이 있는 사람 : C'est un ~. 그는 남을 잘 놀린다.

moraine [mɔʀɛn] *f.* 【지질】 (빙하에 의한) 퇴석(堆石) : ~ frontale 표면 퇴석 / ~ latérale 측퇴석.

⁑**moral, e[1], aux** [mɔʀal, -o] *adj.* ① 풍습〔풍속〕에 관한. ② 도의〔도덕·윤리〕에 관한(= éthique) ; 도의〔도덕·윤리〕적인(≠ amoral, immoral) ; 교훈적인(= édifiant). ③ 정신상의, 심적인, 무형(無形)의(≠ matériel, physique). ***les facultés ~es*** 정신력. ***homme ~*** 도덕가. ***personne ~*** 【법률】 법인. ***philosophie ~e*** 도덕 철학, 윤리학. ***science ~e*** 윤리학. ***sciences ~es*** 정신 과학《심리학·미학·윤리학 따위의 총칭》. ***sens ~*** 도의심, 도덕감. — *m.* ① 정신, 마음(≠ le physique) ; 성격, 기질 : Au ~, ces deux sœurs se ressemblent beaucoup. 정신적으로 이 두 자매는 많이 닮았다. ② 사기(士氣), 기력(氣力), 정신력 : exalter le ~ d'une armée 사기를 앙양시키다.

morale[2]** [mɔʀal] *f.* ① 도덕, 도의, 윤리(= éthique) : ~ sévère 〔rigoureuse〕 엄격한 윤리 / traité de ~ 도덕론. ② 윤리학 ; 도덕론, 윤리서. ③ 훈계(= réprimande) ; 교훈, 우의(寓意)(= leçon, moralité) : ~ d'une fable 우화의 교훈. ***faire* (*de*) *la ~ à qn 《구어》 …을 훈계하다.

moralement [mɔʀalmɑ̃] *adv.* 도덕상, 도의상 ; 정신적으로 : physiquement et ~ 신체적으로나 정신적으로 / action ~ condamnable 도덕적으로 비난받을 행동.

moralisant, e [mɔʀalizɑ̃, -ɑ̃ːt] *adj.* 도덕〔도의〕적으로 만드는 ; 교훈을 주는.

moralisateur, trice [mɔʀalizatœːʀ, -tʀis] *adj.* 교훈적인, 교화하는(= édifiant) : récit ~ 교훈적인 이야기. — *n.* 도학자, 도덕가.

moralisation [mɔʀalizɑsjɔ̃] *f.* ① 교화, 선도. ② 정신 수양, 도덕적 반성.

moraliser [mɔʀalize] *v.t.* 교화하다 ; 훈계하다 ; …에게 설교하다. — *v.i.* 도덕적 반성〔고찰〕을 하다.

moralisme [mɔʀalism] *m.* 도덕지상주의.

moraliste [mɔʀalist] ① 도덕〔윤리〕학자 ; 인간성 탐구자, 모럴리스트. ② 《구어》 도학자 : ~ austère 엄격한 도덕가. — *adj.* 도학적인, 윤리적인, 교훈적인.

moralité [mɔʀalite] *f.* ① 도덕성, 윤리성 ; 도덕관념, 도의심 : avoir une haute ~ 높은 도덕성을 갖추고 있다. ② 품행, 행실, 소행 : homme sans ~ 품행이 나쁜 사람. ③ 교훈, 우의(寓意)(= morale) : ~ d'une faible 우화에 들어 있는 교훈.

morasse [mɔʀas] *f.* 【인쇄】 (신문의) 최종 교정쇄, 시험쇄(刷).

moratoire [mɔʀatwaːʀ] *m.* 【법률】 모라토리엄, 지불 유예〔정지〕령.

morbide [mɔʀbid] *adj.* ① 병적인, 불건전한 : curiosité ~ 병적인 호기심 / littérature ~ 불건전한 문학. ② 질병의 : agent ~ 병인(病因) / symptômes ~ 질병의 증상.

morbidesse [mɔʀbidɛs] *f.* 【미술】 (살집의) 풍염(豊艶), 근육미(筋肉美).

morbidité [mɔʀbidite] *f.* ① 병적 성질, 불건전. ② 병의 원인 ; 이병률(罹病率).

⁑**morceau** [mɔʀso] *m.* (*pl.* **~x**) ① 한 조각, 부분 ; 단편(斷片) : un ~ de pain 빵 한 조각 / sucre en ~*x* 각설탕 / un ~ d'etoffe 천 한 조각. ② 음식물 한 조각 ; 가벼운 식사. ③ (고기의) 부분 : bons 〔bas〕 ~*x* de bœuf 쇠고기의 상등〔하등〕 부분 / ~ de choix 〔de roi〕 (고기의) 극상 부분, 특선품. ④ (문학 작품의) 발췌(拔萃)(= extrait) : recueil de ~*x* choisis 발췌집. ⑤ (음악·작품의) 한 곡〔작품〕 : exécuter un ~ de piano de Mozart 모차르트의 피아노곡을 연주하다. ⑥ un beau ~ (de femme) 《구어》 미녀. ***manger* 〔*lâcher*〕 *le ~*** 《속어》 모조리 자백하다〔털어놓다〕. ***manger un ~*** 《구어》 간단히 식사하다. ***mettre réduire*** qc ***en ~x*** 산산조각내다, 부수다, 깨뜨리다, 찢다. ***pour un ~ de pain*** 하찮은 금액으로, 아주 싸게. ***s'ôter les ~x de la bouche*** 남을 위해 헌신하다.

morceler [mɔʀsəle] [5] *v.t.* 분할〔세분〕하다 : ~ un cachet pour le faire avaler à un enfant 아이가 삼킬 수 있도록 알약을 조각내다. — **se ~** *v.pr.* 분할〔세분〕되다.

morcellement [mɔʀsɛlmɑ̃] *m.* 분할, 세분 : ~ des forces 군사력의 분산.

mordacité [mɔʀdasite] *f.* (비평가 등의) 독설, 신랄함.

mordancer [mɔʀdɑ̃se] [2] *v.t.* 【염색】 매염제로 처리하다.

mordant, e [mɔʀdɑ̃, -ɑ̃ːt] *adj.* ① 물어뜯는 ; (줄 따위가) 잘 쓸리는 : bêtes ~*es* 물어뜯는 짐승 / lime ~*e* 날이 굵은 줄. ② (목소리가) 날카로운(= perçant) ; 신랄한, 빈정대는, 쏘아붙이는 : critique ~*e* 신랄한 비평 / réplique ~*e* 쏘아붙이는 말대꾸. — *m.* 신랄함, 빈정거림 ; 왕성한 사기.

mordicus [mɔʀdikys] 〔라틴〕 *adv.* 《구어》 완강히, 끈덕지게(= obstinément) : soutenir qc ~ …을 완강하게 주장하다.

mordillage [mɔʀdijaːʒ], **mordillement** [mɔʀdijmɑ̃] *m.* 가볍게〔조금씩〕 깨물기〔씹기〕.

mordiller [mɔʀdije] *v.t.* 가볍게〔조금씩〕 깨물다〔씹다〕 : ~ son crayon 연필을 물어뜯다.

mordoré, e [mɔʀdɔʀe] *adj.* 금빛을 띤 적갈색의. — *m.* 금빛을 띤 적갈색.

⁑**mordre** [mɔʀdʀ] [25] *v.t.* ① 물다, 깨물다, 물어뜯다 : Le chat m'*a mordu* la main. 고양이가 내 손을 물었다. ② (모기 따위가) 쏘다(= piquer) ; (벌레가) 쏠다 ; (줄 따위가) 쓸다(= ronger) : La lime *mord* le métal. 줄은 쇠를 쓴다 / *J'ai été mordu* toute la nuit par les moustiques. 나는 밤새도록 모기에 물렸다. ③ 부식〔침식〕하다 : La rouille *mord* le fer. 녹이 쇠를 부식시킨다. ④ 마음을 괴롭히다, 아프게 하다(= tourmenter) ; 악평하다, 신랄하게 비평하다(= attaquer, médire de) : La jalousie le *mord.* 질투가 그

M

를 괴롭힌다 / L'inquiétude lui *mordait* le cœur. 근심 걱정으로 그는 마음이 편치 않았다. ⑤ (경계선을) 넘다, 침범하다 : La voiture *a mordu* la ligne jaune. 차가 추월 금지선을 넘었다.
— *v.t. ind.* 《~ à》 ① …을 물다, 물어뜯다 ; (유혹 따위에) 걸려들다, 말려들다 : poisson qui *mord à* l'appât 미끼를 무는 물고기. ② 《구어》 …에 흥미를 갖다 ; 이해하다 ; 착수하다 : Il commence à ~ *aux* mathématiques. 수학에 재미를 붙이기 시작한다 / Je ne peux pas y ~. 그건 내 힘으로는〔재주로는〕 도저히 할 수 없다.
— *v.i.* ① (미끼 · 유혹 따위를) 물다, 걸려들다 : Ça *mord.* 《구어》 물었다 ; (이쪽 책략에) 걸려들었다. ② (톱니바퀴 따위가) 맞물리다 : Cet engrenage est usé ; il ne *mord* plus. 이 톱니바퀴는 닳아서 이제는 물리지 않는다. ③ 《~ dans》 …을 깨물다 : Il *mord dans* une pomme. 그는 사과를 깨문다 / La vis *mord dans* le bois. 나사못이 나무에 파고 들어간다. ④ 《~ sur》 …을 침식하다 ; 침범하다 ; (경계를) 넘다 : L'acide *mord sur* les métaux. 산은 금속을 부식한다 / concurrent qui *mord sur* la ligne 출발선을 밟은〔넘어선〕 선수. ***Ça ne mord pas.*** 《간접목적보어 없이》 일이 잘 되지 않는다 ; (농담 따위가) 통하지 않는다. ***~ à l'hameçon*** ⓐ (물고기가) 낚시를 물다, 낚시에 걸리다 ; 《속어》 걸려들다, 속아 넘어가다. ⓑ 《간접목적보어 없이》 ***Le poisson mord.*** 물고기가 (낚시를) 물다. ***y ~*** 걸려들다.
— **se ~** *v.pr.* ① 자기의 …을 물어뜯다〔깨물다〕 : Je *me suis mordu* la langue en mangeant. 나는 밥 먹다가 혀를 깨물었다. ② 서로 물어뜯다. ③ 서로 욕하다. ***se ~ la langue*** (잘못 지껄인 것을 알아차리고) 입을 다물다 ; 후회하다. ***se ~ les doigts*** 〔***pouces***〕 몹시 후회하다. ***se ~ les lèvres*** 웃지〔지껄이지〕 않으려고 입술을 깨물다 ; 웃음을 참다 ; 후회하다.

mordu, e [mɔʀdy] *adj.* ① 물린, 물어뜯긴. ② ⓐ 《~ de》 …에 사로잡힌 : ~ *de* haine 〔*de* désir〕 원한〔욕망〕에 사로잡힌 / Il est ~ *du* jazz. 그는 재즈에 열중해 있다. ⓑ (여자에게) 반한. — *n.* 열광자 : un ~ du jazz 재즈광.

more [mɔːʀ] *adj.* et *n.* = maure.

moresque [mɔʀɛsk] *adj.* et *n.* = mauresque.

morfal, e [mɔʀfal] *n.* (*pl.* **~s**) 《구어》 먹보, 대식가(= goinfre). — *adj.* 게걸스럽게 먹는, 식탐하는.

morfler [mɔʀfle] *v.t.* 《구어》 (타격 · 벌 따위를) 받다.

morfondre (se) [səmɔʀfɔ̃ːdʀ] 25 *v.pr.* 기다리다 못해 지치다, 목 빠지게 기다리다 : Elle est là toute seule à *se* ~. 그녀는 혼자서 목이 빠지게 기다리고 있다.

morfondu, e [mɔʀfɔ̃dy] *adj.* 실망한, 낙심한(= dégu) ; 무기력한.

morganatique [mɔʀganatik] *adj.* (왕족 · 귀족이 신분 낮은 여인과의 결혼으로) 신분에 어울리지 않는 : mariage ~ 강혼(降婚) / épouse ~ 신분이 낮은 아내.

morgue[1] [mɔʀg] *f.* 젠체함, 교만한 태도.

morgue[2] *f.* (신원 불명의) 시체 공시장(= Institut médico-légal) ; (병원의) 영안실.

moribond, e [mɔʀibɔ̃, -ɔ̃ːd] *adj.* 위독한, 빈사 상태의(= mourant) : blessé ~ 다 죽어가는 부상자 / civilisation ~*e* 멸망 직전의 문명. — *n.* 위독한 병자, 빈사 상태의 사람.

moricaud, e [mɔʀiko, -oːd] *adj.* et *n.* 《구어》 살빛이 검은 (사람).

morigéner [mɔʀiʒene] 6 *v.t.* 훈계하다, 야단치다.

morille [mɔʀij] *f.* 〖식물〗 삿갓버섯.

morion [mɔʀjɔ̃] *m.* 투구의 일종《16-17세기경 보병이 쓰던 것》.

morne [mɔʀn] *adj.* ① (사람이) 침울한, 음울한, 서글픈 : conversation ~ 활기 없는 대화 / Nous avons passé une ~ journée. 우리는 우울한 하루를 보냈다. ② (사물이) 음침한, 우중충한 : Il fait un temps ~. 잔뜩 찌푸린 날씨이다 / travail ~ 지루한 일.

***morose** [mɔʀoːz] *adj.* ① 실쭉한, 무뚝뚝한 ; 우울한, 침울한 : avoir un air ~ 침울한 얼굴을 하고 있다. ② (사물이) 음침한, 우중충한 : ciel ~ 우중충한 하늘.

morosité [mɔʀozite] *f.* 실쭉한 성질〔태도〕, 우울증, 침울함, 음울함.

morphème [mɔʀfɛm] *m.* 〖언어〗 형태소.

morphine [mɔʀfin] *f.* 〖화학〗 모르핀.

morphinisme [mɔʀfinism] *m.* 〖의학〗 모르핀 중독.

morphinomane [mɔʀfinɔman] *adj.* 모르핀 상용〔중독〕의. — *n.* 모르핀 중독자.

morphologie [mɔʀfɔlɔʒi] *f.* 〖생물〗 형태학 ; 〖언어〗 형태론, 어형론.

morphologique [mɔʀfɔlɔʒik] *adj.* 〖생물〗 형태학의 ; 〖언어〗 형태론의.

morpion [mɔʀpjɔ̃] *m.* ① 《구어》 〖동물〗 (인체에 기생하는) 사면발이. ② 조무래기, 꼬마.

mors [mɔːʀ] *m.* ① (말의) 재갈 : passer le ~ à un cheval 말에 재갈을 물리다. ② (집게 따위의) 집는 부분, 물리개. ***prendre le ~ aux dents*** (말이) 날뛰다 ; (사람이) 노발대발하다.

morse[1] [mɔʀs] *m.* 〖동물〗 해마(海馬).「~).

morse[2] *m.* 〖무전〗 모르스 부호(= alphabet

morsure [mɔʀsyːʀ] *f.* 물어뜯기, 물어뜯은 상처 ; 찌르기, 찔린 상처 : ~ d'insecte 벌레에 쏘이기 / ~ profonde 깊이 물린 상처.

‡mort[1] [mɔːʀ] *f.* ① 죽음(= trépas ; ≠ naissance) : ~ accidentelle 변사 / ~ naturelle 자연사 / ~ cérébrale 뇌사 / ~ subite 〔violente〕 급사〔횡사〕 / ~ volontaire 자살 / La ~ n'épargne personne. 아무도 죽음을 면할 수 없다. ② 사형 : sentence 〔arrêt〕 de ~ 사형 선고 / condamné à ~ 사형수 ; 가망 없는 환자. ③ 죽을 지경의 고통〔슬픔〕 ; 죽음 같은 정적 : souffrir mille ~s 죽을 지경의 고통을 겪다 / silence de ~ 죽음 같은 고요. ④ 종말(= fin) ; 파멸, 멸망(= ruine) : ~ de l'âme 〖종교〗 큰 죄로 인한 성총의 상실 / ~ de l'industrie 산업의 파멸. ⑤ (*M*~) 죽음의 신, 사신(死神). ***à*** (***la***) ***~*** ⓐ 죽도록 : être blessé *à* ~ 치명상을 입다 / combat *à* ~ 죽음을 건 싸움, 사투 / boire *à* ~ 술을 과음하여 죽다. ⓑ 극도로 : haïr qn *à* ~ …을

극도로〔몹시〕 싫어하다. ***à la vie, à la ~ ; à la vie et à la ~*** 언제까지나, 영원히. ***À ~ ! ; M~ à*** qn ***!*** (저놈) 죽여라 ! ***C'est ma ~ ; C'est la ~ du petit cheval.*** 《구어》 만사 끝장이다 ; 이제 볼장 다 보았다. ***être à*** (***l'article de***) ***la ~*** 죽음에 처해 있다. ***mourir de sa belle ~*** 천명을〔천수를〕 다하다. ***ni à la vie ni à la ~*** 결코. ***se donner la ~*** 자살하다. ***voir la ~ de près*** 죽을 뻔하다, 구사일생으로 살아나다.

⁑**mort², e** [mɔːʀ, mɔʀt] *adj.* ① 죽은(≠ vivant) ; (초목이) 시든, 마른 : oiseau ~ 죽은 새 / feuilles ~*es* 낙엽 / arbre ~ 고목(枯木). ② 죽은 듯한, 활기〔생기〕 없는 : Cest un homme ~. 저 남자는 죽은 거나 마찬가지다 / yeux ~*s* 생기 없는〔흐릿한〕 눈. ③ 《구어》 (도구 · 기계 따위가) 수명이 다한. ④ 《다음 표현으로 쓰임》 eau ~*e* 괸 물 / la mer *M~e* 〖지리〗 사해 / langue ~*e* 사어《고대 그리스어 · 라틴어 따위》 / angle ~ 사각(死角). ***C'est ~.*** 《속어》 만사 끝장났다 ; 볼장 다 보았다. ***être au point ~*** 정체 상태에 빠져 있다. ***être plus ~ que vif*** 겁에 질려 사색이 되어 있다. ***~ et bien ~*** 완전히 죽은, 완전히 쇠퇴〔소멸〕한. ***~ et enterré*** 《구어》 죽어 버린. ***~ ou vif*** 죽거나 말거나, 어떻게 되든 ***nature ~e*** 〖미술〗 정물(靜物). ***rester lettre ~e*** 실효가 없다, 사문서화했다. ***temps ~*** 침체기 ; 〖스포츠〗 루스 타임.
— *n.* ① 죽은 사람 ; 고인(= défunt) ; 사망자, 희생자(= victime) : rivage 〔séjour〕 des ~*s* 저승. ② 유해(遺骸) ; 시체(= cadavre). ***faire le ~*** 죽은 체하다, 꼼짝 않다. ***le jour*** 〔***la Fête***〕 ***des M~s*** 〖가톨릭〗 위령의 날《11월 2일》. ***Les ~s ont toujours tort.*** 《속담》 죽은 사람은 말이 없다《욕을 해도 대답을 못 한다》. — *m.* (노름판에서 노름을 포기하고) 죽는 사람.

mortadelle [mɔʀtadɛl] *f.* 〖요리〗 이탈리아 볼로냐산(産)의 대형 소시지.

mortaise [mɔʀtɛːz] *f.* 〖목공〗 장붓구멍.

mortalité [mɔʀtalite] *f.* ① 죽어야 할 운명〔성질〕. ② 사망률, 사망자 수 : ~ des nouveau-nés 유아 사망률.

mort-aux-rats [mɔʀ(t)oʀɑ] *f.* 《복수불변》 쥐약.

morte-eau [mɔʀto] *f.* (*pl.* **~s~x**[mɔʀt(ə)zo]) 조금(때), 소조(小潮).

mortel, elle [mɔʀtɛl] *adj.* ① 죽음의, 죽음을 면할 수 없는, 죽게 될(≠ immortel) : Tous les hommes sont ~*s*. 인간은 누구나 죽게 마련이다 / dépouilles ~*elles* ; restes ~*s* 유해 / quitter sa dépouille ~*elle* 죽다. ② 치명적인, 죽음을 초래하는(=fatal) : blessure ~*elle* 치명상 / dose ~*elle* 치사량. ③ 죽을 지경의, 지독한, 극도의 : douleur ~*elle* 극심한 고통 / froid ~ 지독한 추위. ④ 비통〔침통〕한(= pénible, lugubre) : silence ~ 비통한 침묵. ⑤ 《명사 앞에서》 몹시 지루한〔따분한〕 (= très ennuyeux) : trois ~*elles* heures 길고 지루한 세 시간. ***ennemi ~*** 숙적. ***péché ~*** 대죄(大罪)(≠ péché véniel). ***race ~elle*** 인류. — *n.* 사람, 인간 : le commun des ~*s* 대다수의 사람 / heureux ~ 행운아.

mortellement [mɔʀtɛlmɑ̃] *adv.* 치명적으로 ; 죽을 지경으로 ; 극도로 : Il a été ~ blessé. 그는 치명상을 입었다 / haïr qn ~ 몹시 …을 미워하다.

morte-saison [mɔʀtəsɛzɔ̃] *f.* (*pl.* **~s-~s**) 〖상업〗 비성수기, 불황기, 불경기.

mortier [mɔʀtje] *m.* ① 모르타르, 회반죽. ② (약 · 물감 따위를 찧는) 주발, 절구, 유발(乳鉢). ③ 〖군사〗 박격포(= ~ de tranchée).

mortifiant, e [mɔʀtifjɑ̃, -ɑ̃ːt] *adj.* ① 육체를 괴롭히는, 고행의 ; 금욕적 : partiques ~*es* 고행. ② 굴욕적인, 모욕적인 : refus ~ 모욕적인 거절 / parole ~*e* 모욕적인 말.

mortification [mɔʀtifikɑsjɔ̃] *f.* ① 고행 ; 금욕 : ~ de sa chair 〔volonté〕 육체〔정신〕의 고행. ② 굴욕, 모욕 : infliger une ~ à qn … 에게 모욕을 주다. ③ 〖의학〗 괴저(壞疽).

mortifier [mɔʀtifje] *v.t.* ① (고행을 목적으로 육체를) 괴롭히다. ② …의 자존심을 상하게 하다, …에게 모욕〔굴욕〕을 주다(= humilier, froisser) : Ce reproche injuste le *mortifie.* 이 부당한 비난에 그는 화가 난다. ③ 〖병리〗 (조직을) 괴사(壞死)시키다. ④ 〖요리〗 (들새 고기를) 숙성시키다. — **se ~** *v.pr.* (참회를 위하여) 고행하다, 금욕하다.

mort-né, e [mɔʀne] *adj.* ① 사산(死産)의 : accoucher d'un enfant ~ 아이를 사산하다. ② 《비유》 처음부터 실패한 : projet ~ 유산된 계획. — *n.* 사산아(死産兒).

mortuaire [mɔʀtɥɛːʀ] *adj.* 죽음의 ; 매장의, 장례식의 : acte 〔extrait〕 ~ 사망 증명서 / cérémonie ~ 장례식 / avis ~ (신문의) 부고. ***domicile*** 〔***maison***〕 ~ 상가. ***drap ~*** 관에 덮는 검은 천. ***registre ~*** 사망자 명부.

morue [mɔʀy] *f.* ① 〖어류〗 대구 : l'huile de foie de ~ 간유. ② habit queue de ~ 연미복. ③ 《속어》 매춘부(= prostituée).

morutier [mɔʀytje], **moruyer** [mɔʀɥije] *m.* et *adj.* 대구잡이 어선〔어부〕(의).

morve [mɔʀv] *f.* ① 콧물 : avoir la ~ au nez 콧물을 흘리다. ② 〖수의학〗 (말의) 비저병(鼻疽病) : ~ cutanée 피저병(皮疽病).

morveux, euse [mɔʀvø, -øːz] *adj.* ① 《구어》 코흘리는 : enfant ~ 코흘리개 아이. ② 〖수의학〗 비저병에 걸린. ***Qui se sent ~*** (***qu'il***) ***se mouche.*** 《격언》 남의 비판이 옳은 것을 알면 자기의 행실을 고쳐라. ***se sentir ~*** 주눅이 들다, 자신감이 없다.
— *n.* 《구어》 개구쟁이, 조무래기(= gamin(e)) ; (잘난 체하는) 풋내기.

mosaïque [mɔzaik] *f.* ① 〖미술〗 모자이크(기법) : ~ murale 모자이크 벽화. ② 이것저것 그러모은 것 ; 잡문집 : Sa philosophie n'est qu'une ~ de pensées diverses. 그의 철학은 여러 사상을 그러모은 것에 불과하다.

moscovite [mɔskɔvit] *adj.* 모스크바(*Moscou*)의. — **M~** *n.* 모스크바 사람.

mosquée [mɔske] *f.* 회교 사원(寺院).

⁑**mot** [mo] *m.* ① 낱말, 단어(= terme, vocable) : ~ composé 합성어 / ~ courant 〔usuel〕 일상어 / ~ familier 구어 / ~ dérivé 파생어 / Il cherche ses ~*s*. 적절한 표현을 찾는다. ② 한마디(의 말), 일언(一言) ; 일필(一筆) ; 짧은 편지 ; 표현 : petit ~ 한마디 말 ; 상냥한 말 / grand ~ 중대한 말 ; 호

언장담 / ~ obscène 외설적인 말 / chercher ses ~*s* 적절한 표현을 찾다 / envoyer un ~ à un ami 친구에게 간단히〔한마디〕 적어 보내다 / Il n'a pas dit un (seul) ~. 그는 한마디도 하지 않았다. ③ ⓐ 말 ; 문구 ; 명문구, 금언(金言) ; 재치 있는 말(= ~ d'esprit) : beau ~ de Socrate 소크라테스의 금언 / ~ historique〔mémorable〕 영원히 전해지는 말 / ~ pour rire 익살맞은 말, 농담 / le ~ qu'il faut 명언, 멋들어진 말. ⓑ 빈말, 실속 없는 말 : Ce ne sont que des ~*s*. 그건 빈말에 지나지 않는다. ④ 암호 ; 약정된 말 : ~ de passe 암호 ; 〖컴퓨터〗 패스워드 / ~ (télégraphique) convenu 〖전신〗 신호, 부호 / ~ de ralliement 〖군사〗 (군호의) 답호 / ~ d'ordre 〖군사〗 (군호의) 문호 ; 《속어》 구호. ⑤ (수수께끼 따위의) 해답 ; 비결(= secret) : ~ de l'énigme 수수께끼의 해답. ***à ces ~s*** 이렇게 말하고 ; 그 말을 듣자마자. ***au bas ~*** 아무리 싸게〔적게〕 평가하더라도, 적어도. ***au moindre ~*** 한마디 하자마자. ***avoir*** 〔***échanger***〕 ***des ~s avec*** qn …와 말다툼하다. ***avoir le dernier ~*** 논쟁에 이기다. ***avoir le ~ de la fin*** (논의를) 멋있게 결론짓다. ***avoir son ~ à dire*** 의견을 말할 허가를 받다. ***bon ~*** 재담. ***compter*** 〔***peser***〕 ***ses ~s*** 신중히 말하다. ***en deux ~s ; en peu de ~s ; en quelques ~s*** 간단히 말하면, 한마디로 (요약해서). ***en un ~ comme en cent*** 한마디로 말하자면 ; 결국, 요컨대. ***faire des ~s*** 재치 있는 말을 하다. ***jouer sur le ~*** 모호하게 말하다. ***le dernier ~*** (***de la bêtise***) (어리석음의) 극치. ***le fin ~*** 진상(眞相) : Tu ne connaisses pas *le fin* ~ de l'affaire. 너는 그 사건의 진상을 모른다. ***le premier ~*** 초보 : ignorer *le premier* ~ de qc …의 초보도 모르다. ***manger ses ~s*** 분명히 발음하지 않다. ***mettre son ~*** 참견하다, 의견을 말하다. ***~ à ~*** [mɔtamo] 한마디 한마디 충실하게, 축어적(逐語的)으로. ***~ de l'énigme*** 수수께끼의 해답. ***~ pour ~*** 말한 그대로, 곧이곧대로. ***ne dire*** 〔***ne pas souffler***〕 ***~*** 일언반구도 없다. ***ne pas avoir dit son dernier ~*** 자기의 능력을 다 보여 주지 않다. ***prendre*** qn ***au ~*** …의 말을 곧이듣다〔액면 그대로 받아들이다〕. ***sans ~ dire ; sans dire*** (***un***) ***~*** 말 한마디 하지 않고, 잠자코. ***se donner le ~*** (***de passe***) 합의하다 ; 서로 이해하다. ***trancher le ~*** 분명히〔솔직히〕 말하다.

M

mot-à-mot [motamo] *m.* 《복수불변》 축자역, 직역(直譯).

motard [mɔtaːʀ] *m.* 《구어》 오토바이 타는 사람(= motocyclist) ; (군대, 경찰의) 오토바이 대원.

mot-clé [mokle] *m.* (*pl.* **~s-~s**) (암호를 해독하는) 풀이말, 키워드.

motel [mɔtɛl] 〔영〕 *m.* 모텔, 자동차 여행자 숙소.

motet [mɔtɛ] *m.* 〖음악〗 모테트, 성가.

***moteur, trice** [mɔtœːʀ, -tʀis] *adj.* ① 움직이는, 발동의 ; 원동력이 되는 : force ~*trice* 원동력 / roues ~*trices* 동륜(動輪) / appareil ~ 〖공업〗 발동기 장치 ; 〖해양〗 추진 장치. ② 〖해부〗 (신경 · 근육 따위가) 운동을 전하는 : muscles ~*s* 운동근 / nerfs ~*s* 운동 신경. — *m.* ① 동력 ; 〖기계〗 발동기, 엔진, 모터 : ~ à vapeur 증기 기관 / ~ à gaz 〔diesel, réaction〕 가스〔디젤, 제트〕 엔진. ② 주동〔주모(主謀)〕자(= instigateur) ; (만물의) 지배자 ; 원동력 : ~ du progrès scientifique 과학 발전의 원동력.
— *f.* 전기 자동차.

moteur-fusée [mɔtœʀfyze] *f.* 로켓 엔진.

motif** [mɔtif] *m.* ① 동기, 이유(= mobile, raison) : ~*s* de son opposition 그가 반대하는 이유 / ~ de mécontentement 불만의 동기 / Quel est le ~ de votre visite? 무슨 일로 오셨습니까? ② 〖음악 · 미술〗 주제, 모티브 : ~ de sculpture 조각의 모티브 / ~ harmonique 화성적 모티브. ***avoir un ~ pour+*inf.* …을 하는 이유〔동기〕가 있다. ***pour le bon ~*** 정당한 이유로 ; 《구어》 결혼할 목적으로.

motilité [mɔtilite] *f.* 〖생리〗 운동성(= mobilité) ; (신체 기관 따위의) 운동 (기능) : ~ des membres 사지의 운동 기능.

motion [mosjɔ̃] *f.* (의회에서의) 발의, 동의 : faire une ~ 동의를 제출하다 / ~ de censure (내각) 불신임안.

motivant, e [mɔtivɑ̃, -ɑ̃ːt] *adj.* 동기〔이유〕가 되는 ; 의욕을 불어넣는 : salaire 〔prix〕 ~ 고무적인 임금〔가격〕.

motivation [mɔtivɑsjɔ̃] *f.* ① ⓐ 〖철학〗 (행동의) 인과 관계. ⓑ 〖심리〗 (행동에 대한) 동기 부여. ② 《집합적》 동기, 이유. ***études du ~*** 〖경제〗 동기 조사, 모티베이션 리서치.

motivé, e [mɔtive] *adj.* ① (명확한) 동기가 있는, 의욕적인, …할 마음이 있는 : jeune cadre dynamique et ~ 박력 있고 의욕적인 젊은 간부. ② 정당한 이유가 있는, 근거 있는 (≠ immotivé) : refus 〔absence〕 non ~ 정당한 이유 없는 거절〔결석〕.

***motiver** [mɔtive] *v.t.* ① 《주어 : qn》 정당화하다, …의 근거를 대다 : ~ une action 〔un choix〕 행동〔선택〕을 정당화하다. ② 《주어 : qc》 …의 원인이 되다, …의 동기를 이루다, 야기하다, 초래하다(= causer) : La méfiance *a motivé* son attitude. 그의 태도는 경계심 때문이었다. ③ 의욕을 갖게 하다, 동기 부여를 하다(= stimuler) : C'est l'ambition qui le *motive*. 야망이 그를 부추긴다.

***moto** [mɔto] *f.* 오토바이《motocyclette 의 생략》 : monter sur une ~ 오토바이를 타다 / aller à 〔en〕 ~ 오토바이로 가다 / pilote 〔passager〕 d'une ~ 오토바이 타는 사람.

moto-cross [mɔtokʀɔs] *m.* 오토바이 크로스 컨트리 경주.

motoculteur [mɔtɔkyltœːʀ] *m.* 소형 트랙터, 경운기.

motoculture [mɔtɔkyltyːʀ] *f.* 〖농업〗 동력 경작 ; 기계화 영농.

motocycle [mɔtɔsikl] *m.* 모터사이클《자동 2륜차의 총칭》.

motocyclette [mɔtɔsiklɛt] *f.* = moto.

motocyclisme [mɔtɔsiklism] *m.* 오토바이 레이스〔경주〕.

motocycliste [mɔtɔsiklist] *f.* 오토바이 타는 사람.

motonautisme [mɔtɔnotism] *m.* 모터보트 경주.

motoneige [mɔtɔnɛːʒ] *f.* 스키 스쿠터.

motopompe [mɔtɔpɔ̃:p] *f.* 모터〔자동〕 펌프.

motorisation [mɔtɔʀizɑsjɔ̃] *f.* ① 기계화; 동력화 : ~ des transports 운송 기계화. ② 자동차 보급 : taux de ~ 자동차 보급률.

motorisé, e [mɔtɔʀize] *adj.* ① 자동차를 가진〔타는〕: Vous êtes ~? 자동차를 타고 오셨어요? ② 〖군사〗 기계화된 : troupes ~*es* 기계화〔기동〕 부대.

motoriser [mɔtɔʀize] *v.t.* ① 기계화〔동력화〕하다 : ~ l'agriculture 농업을 기계화하다. ② (군대의 수송 따위를) 자동차화하다 : ~ une division d'infanterie 보병 부대를 기계화하다.

motrice [mɔtʀis] *f.* 기관차; 다른 차량을 끄는 동력차.

motricité [mɔtʀisite] *f.* 〖생물〗 신경 세포의 수축성; 운동성, 운동 기능.

mots(-)croisés [mokʀwaze] *m. pl.* 크로스워드 퍼즐, 글자 맞추기.

motte [mɔt] *f.* ① 흙덩이, 덩어리 : ~ à brûler 토탄 덩이; 연탄 / ~ de beurre 버터 덩어리. ② 《속어》 불두덩.

motus [mɔtys] *interj.* 《구어》 조용히! 쉿!

mot-valise [movali:z] *m.* 혼성어《한 단어의 첫 부분과 다른 단어의 뒷부분을 합쳐서 만든 말 : franglais < *fran*çais+an*glais*》.

⁑**mou**[1] [mu] *adj.* 《모음 또는 무성 h 로 시작하는 남성어와 et, ou 앞에서는 mol; 여성은 molle》 ① 무른, 물렁물렁〔말랑말랑〕한(≠ dur) : L'humidité rend le pain ~. 습기는 빵을 무르게 한다. ② 부드러운, 포근포근〔폭신폭신〕한(= moelleux) : fauteuil ~ 폭신폭신한 안락의자. ③ 녹신녹신한(≠ raide, rigide); 유연한(= souple) : tige *molle* 녹신녹신한 나무줄기 / taille *molle* 유연한 몸매. ④ (날씨가) 습하고 눅지근한 : temps ~ 습하고 눅지근한 날씨. ⑤ 느른한, 무기력한, 나약한(= mollasse); 생기 없는, 맥없는 : *molle* protestation 힘없는 항의 / homme ~ au travail 게을리 일하는 사람.
— *n.* 《비유》 (성격이) 무른〔나약한〕 사람.
— *m.* (줄 따위의) 느슨함, 늘어짐, 처짐. ***prendre du*** ~ (줄이) 늘어지다, 처지다.
— *adv.* ① 《속어》 살며시, 부드럽게(= mollo). ② 《구어》 무기력하게, 힘없이.

mou[2] *m.* 허파《푸줏간의 용어》(= poumon). ***bourrer*** 〔***gonfler***〕 ***le*** ~ ***de*** qn 《구어》 …에게 거짓말하다, …을 속이다.

mouchard, e [muʃa:ʀ, -aʀd] *n.* 《구어》 ① 정보원, 밀정, 스파이. ② 밀고자, 고자질하는 사람 : faire le ~ 고자질하다.

mouchardage [muʃaʀda:ʒ] *m.*, **mouchardise** [muʃaʀd:z] *f.* 스파이 행위; 밀고, 고자질.

moucharder [muʃaʀde] *v.t.* 《구어》 탐지하다, 감시하다; 밀고하다, 고자질하다 : écolier qui *moucharde* 고자질하는 초등학생.

mouche** [muʃ] *f.* ① 〖곤충〗 파리 : ~ bleue 청파리 / ~ domestique 보통 파리. ② (날아다니는) 벌레《등에 · 나방 따위》: ~ à miel 꿀벌. ③ 플라이 낚시, 제물낚시(= ~ artificielle). ④ ⓐ (애교로 얼굴에 붙이는) 애교점. ⓑ (입술 밑의) 작은 수염. ⑤ ⓐ 〖검술〗 (연습용 칼끝에 붙이는) 가죽 뭉치. ⓑ 〖궁술〗 과녁의 흑점(黑點). ⓒ 〖권투〗 poids ~ 플라이급. ⑥ (센강의) 작은 증기선, 통통배(= bateau ~). ***C'est la ~ du coche. (일의 방해만 되는) 성가신 놈이다. ***faire*** 〔***être***〕 ***la ~ du coche*** 일을 돕지는 못하면서 공연히 법석대다. ***fine ~*** 교활한〔꾀바른〕 사람. ***gober les ~s*** 쓸데없는 일에 시간을 보내다; 무엇이든 곧이듣다. ***Il ne ferait pas de mal à une ~.*** 《구어》 파리 한 마리도 죽일 수 없는 착한 녀석이다. ***mourir*** 〔***tomber***〕 ***comme des ~s*** 떼죽음하다. ***On entendrait voler une mouche.*** (파리가 날아다니는 소리가 들릴 정도로) 매우 조용하다. ***pattes de ~s*** 조그맣게 괴발개발 쓴 글씨. ***prendre la ~*** 화를 내다. ***Quelle ~ te pique?*** 왜 갑자기 화를 내느냐?

moucher** [muʃe] *v.t.* ① (아이의) 코를 풀어주다; (코를) 풀다 : *Mouche* ton nez. 코를 풀어라 / ~ un enfant 어린애의 코를 풀어주다 / ~ du sang 코를 풀 때 코피가 나다. ② (양초 따위의) 심지를 자르다; (밧줄 따위의) 헝클어진 끝을 끊다 : ~ une lampe 〔une chandelle〕 호롱불〔양초〕의 심지를 자르다. ③ 《구어》 호되게 책망하다〔꾸짖다〕 (= réprimander) : se faire ~ 호되게 책망당하다. — **se** ~ *v.pr.* 코를 풀다. ***Il ne se mouche pas du pied 〔***coude***〕. 그는 자신만만하다.

moucheron[1] [muʃʀɔ̃] *m.* ① 작은 파리; 작은 날벌레. ② 《구어》 개구쟁이, 꼬마.

moucheron[2] *m.* (양초의) 타다 남은 심지.

moucheté, e [muʃte] *adj.* ① 얼룩이 있는, 반점이 있는 : cheval ~ 얼룩말. ② 〖펜싱〗 (연습용 칼의) 끝에 가죽 뭉치를 씌운.

moucheter [muʃte] [5] *v.t.* ① …에 반점을 넣다, 얼룩지게 하다. ② 〖펜싱〗 (연습용 칼끝에) 가죽 뭉치를 씌우다.

mouchetis [muʃti] *m.* 〖건축〗 (벽 외면에 칠하는) 회반죽; 초벽칠.

moucheture [muʃty:ʀ] *f.* 얼룩, 반점; (동물의 털에 있는) 무늬 얼룩.

mouchoir** [muʃwa:ʀ] *m.* 손수건; (여자용의) 머리 수건(= ~ de tête); (여자용) 스카프, 네커치프(= ~ de cou) : agiter son ~ en signe d'adieu 작별의 표시로 손수건을 흔들다. ***arriver dans un ~ 한꺼번에 들어오다《경주 따위에서 순번을 판정하기 곤란한 경우에 씀》. ***grand comme un ~*** (***de poche***) 아주 작은, 손바닥만한. ***jeter le ~ à une femme*** 《옛 · 구어》 (하렘 따위에서) 어떤 여자를 고르다.

***moudre** [mudʀ] [50] *v.t.* (곡식 따위를) 찧다, 빻다, 가루를 만들다 : ~ du poivre 후추를 갈다 / ~ du blé 밀을 빻다.

moue [mu] *f.* 뾰로통한 얼굴; 입을 삐죽거리기 : faire la ~ 뾰로통해지다.

mouette [mwɛt] *f.* ① 〖조류〗 (작은) 갈매기 《goéland 보다 작음》. ② 구명용 고무 보트.

moufeter [mufte] *v.i.* = moufter.

mouf(f)ette [mufɛt] *f.* 〖동물〗 스컹크(= mofette).

moufle[1] [mufl] *f.* 벙어리장갑 : ~*s* de skieur 스키용 장갑.

moufle[2] *m.* 〔*f.*〕 〖기계〗 겹도르래; 권양기.

mouflet, ette [muflɛ, -ɛt] *n.* 《구어》 어린애, 조무래기(= mioche, moutard).

mouflon [muflɔ̃] *m.* 〖동물〗 뿔이 둥글게 굽은 야생 양(羊).

mouf(e)ter [mufte] *v.i.* 《구어》 불평하다, 항의하다 : Il a accepté sans ~. 그는 군소리 없이 받아들였다.

mouillage [mujaːʒ] *m.* ① 〖해양〗 닻을 내리기(= ancrage) ; 정박(碇泊)(= embossage) ; 정박소 : être au ~ 정박하고 있다 / prendre son ~ 닻을 내리다. ② (기뢰(機雷) 따위의) 부설(敷設).

***mouillé, e** [muje] *adj.* ① 젖은, 축축한(= humide, ≠ sec) : linge ~ 젖은 속옷 / yeux ~s 눈물이 글썽거리는 눈. ② 〖해양〗 닻을 내린, 정박 중인. ③ 〖언어〗 습음(濕音)의 : n ~ 습음의 n《ɲ 의 음》.

***mouiller** [muje] *v.t.* ① 적시다(≠ sécher) ; 축이다(= humecter) : se faire ~ par la pluie 비에 젖다 / ~ légèrement un chiffon pour essuyer qc …을 닦기 위해서 걸레를 약간 축이다. ② (술 따위에) 물을 타다(= couper), 액체를 타다 : ~ le lait 〔le vin〕 우유〔포도주〕에 물을 타다. ③ 〖언어〗 (자음을) 습음화(濕音化)하다. ④ 물에 던져 넣다 : ~ l'ancre 닻을 내리다 / ~ des mines 기뢰를 부설하다. ⑤ 《구어》 (나쁜 일에) …을 끌어들이다, 위험에 처하게 하다 : politicien *mouillé* dans un scandale financier 돈이 얽힌 스캔들에 말려든 정치가.
— *v.i.* ① 〖해양〗 닻을 내리다. ② 《속어》 (여자가 성적으로) 흥분하다.
— **se ~** *v.pr.* ① 젖다 ; 축축해지다 ; 자기의 …을 적시다. ② 《구어》 법을 어기다, 위험한 짓을 하다(= se compromettre).

mouillette [mujɛt] *f.* 〖요리〗 (계란 반숙이나 커피 따위에 적셔 먹는) 길고 가느다란 빵.

mouilleur, euse [mujœːʀ, -øːz] *m.* ① (우표 따위를) 적시는 기구. ② 〖해양〗 투묘(投錨) 장치. ③ 〖군사〗 ~ de mines 기뢰 부설함(敷設艦).

mouillure [mujyːʀ] *f.* 적시기 ; 축이기(= mouillage), 젖어 있음, 축축함.

mouise [mwiːz] *f.* 《구어》 빈궁, 가난, 궁색(= misère) : être dans la ~ 몹시 가난하다.

moujik [muʒik] *m.* 《옛》 러시아 농민.

moukère [mukɛːʀ] *f.* 《은어》 여자.

moulage [mulaːʒ] *m.* ① 주조(鑄造) ; 주형 : atelier de ~ 주조 공장. ② 주조물 ; (주조에 의한) 복제.

moulant, e [mulɑ̃, -ɑ̃ːt] *adj.* (바지 따위가) 몸에 꼭 끼는.

moule[1]** [mul] *m.* ① 거푸집, 틀, 주형(鑄型): pots faits au ~ 거푸집으로 만든 단지 / ~ à gelée 〔à biscuit〕 젤리〔비스킷〕의 틀 / verser du métal en fusion dans un ~ 녹은 쇳물을 틀에 붓다. ② 《비유》 (인간이나 작품의) 일정한 틀 ; 틀에 박힌 형식. ***être fait au ~ 모양이 잘 되어 있다, 균형이 잡혀 있다 : des jambes *faites au* ~ 균형 잡힌〔날씬한〕 다리. ***jeter*** qc ***en ~*** …을 주조하다. ***Le ~ en est cassé*** 〔***brisé***〕. (그 분야에서) 둘도 없는 독특한 물건〔사람〕이다.

moule[2] *f.* ① 〖패류〗 홍합. ② 《구어》 바보.

moulé, e [mule] *adj.* ① 주조된 : statue de bronze ~ 주조된 청동상. ② 모양을 잘 갖춘: écriture ~*e* 반듯한 필적. ***lettres ~es*** (인쇄된 것처럼) 또렷하게 쓴 글자, 인쇄체의 글자.

mouler [mule] *v.t.* ① 주조하다, 거푸집〔주형〕에 붓다〔부어서 만들어 내다〕 : ~ une statue 상(像)을 주조하다. ② 본을 떠서 형상을 만들어 내다 : ~ le visage d'un mort 데스마스크를 뜨다. ③ …에 맞추다〔맞게 하다〕 : ~ son action dans les lois 행동을 법률에 꼭 맞게 하다. ④ (옷이 몸에) 꼭 맞다 : vêtement qui *moule* le corps 몸에 꼭 맞는 옷. ⑤ 반듯한 글씨〔활자체〕로 쓰다 : ~ une lettre 〔un mot〕 글자를〔낱말을〕 또렷하게 정성들여 쓰다.

mouleur [mulœːʀ] *m.* 주물공 ; 주형공(鑄型工).

moulin** [mulɛ̃] *m.* ① ⓐ 제분기(機), (바람·물 따위를 이용한) 방아 : ~ à vent 풍차 / ~ à eau 물레방아 / ~ à bras 맷돌. ⓑ 압착기 ; 분쇄기. ② 제분소, 방앗간, 풍차간, 물방앗간. ③ 《구어》 자동차의 엔진. ***apporter 〔***faire venir***〕 ***de l'eau au ~ de*** qn ⓐ …에게 자금을 대다. ⓑ (토론에서) …에게 가세하다 ***~ à café*** 커피 빻는 기구 ; 〖군사〗 《속어》 기관총. ***~ à légumes*** 야채 믹서. ***~ à paroles*** 수다쟁이. ***~ à prières*** (티벳 불교의) 기도문통(筒)《기도문을 넣은 회전 원통》. ***On entre ici comme dans un ~.*** 이 곳은 아무나 자유롭게 출입할 수 있다. ***se battre contre des ~s à vent*** 《구어》 가상의 적과 싸우다《돈키호테(*Don Quichotte*) 처럼》.

moulinage [mulinaːʒ] *m.* ① 명주실을 꼬기 ; 꼰 실. ② (믹서기로) 야채를 갈기.

mouliner [muline] *v.t.* ① 〖직물〗 (명주실을) 잣다, 꼬다. ② (야채를 믹서로) 갈다.

moulinet [mulinɛ] *m.* ① 《옛》 작은 풍차. ② 권양기(捲揚機), (낚싯대의) 릴 ; 회전식 나무틀 문. ③ 재빠른 회전 동작 : faire des ~s avec un bâton 〔avec les bras〕 봉〔팔〕을 빙글빙글 휘두르다.

moulinette [mulinɛt] *f.* 〖상표명〗 (가정용) 야채 믹서기(= moulin à légumes).

moulu, e [muly] *adj.* ① 가루로 된, 간, 빻은 : poivre ~ 간 후추. ② 기진맥진한, 녹초가 된 : être ~ de fatigue 지쳐서 기진맥진한.

moulure [mulyːʀ] *f.* 〖건축〗 쇠시리.

moumoute [mumut] *f.* ① 《구어》 가발(= perruque). ② 양가죽 반코트.

mourant, e [muʀɑ̃, -ɑ̃ːt] *adj.* ① 죽어 가는, 죽음이 임박한 : ~*e* vie 죽어 가는 목숨. ② 사라져 가는 ; 꺼져 가는 ; (색깔 따위가) 연한 : feu ~ 꺼져 가는 불 / regards ~s 맥없는 시선 / bleu ~ 아주 엷은 청색. ③ 《구어》 지독히 익살맞은(= crevant) ; 권태로운, 지긋지긋한(= ennuyeux). — *n.* 죽어 가는 사람, 빈사 상태의 사람.

‡mourir [muʀiːʀ] 17 *v.i.* ① ⓐ (생명체가) 죽다 : ~ d'un cancer 암으로 죽다. ⓑ (식물이) 마르다, 시들다 : Les fleurs *sont mortes.* 꽃이 시들었다. ② 《과장법》 죽을 지경이다 : Je *suis mort* de peur. 무서워 죽겠다 / ~ d'amour pour qn …을 죽도록 사랑하다. ③ 《주어 : qc》 (나라 따위가) 멸망하다 ; 사라지다 ; 쇠진하다 ; 꺼지다 ; 약해지다 : bruit 〔son, voix〕 qui *meurt* 사라져 가는 소리 / Le feu *meurt.* 불이 꺼진다 / Son amour est maintenant *mort*. 그의 사랑은 이제 식어 버렸다. ***à ~*** 죽을 지경으로 ; 극도로 : s'ennuyer *à* ~ 몹시 지루하다〔따분하다〕. ~ ***d'envie de***+*inf*. …을 하고 싶어서 견딜 수가 없다. ***Je veux bien ~ si... ; Que je meure si...*** …한다면 죽어도 괜찮다 : *Que je meure si* je mens ! 나는 절대로〔죽어도〕 거짓말을 하지 않는다. ***~ dans sa peau*** 죽을 때까지〔평생〕 버릇이 달라지지 않다. ***On n'en meurt pas.*** 그것은 대수롭지 않은 일이다.

— **se ~** *v.pr.* 《직설법 현재 및 반과거에만 쓰임》 ① 죽어 가다 ; 사라져 가다 ; 꺼져 가다 ; (해가) 저물어 가다 : Il *se meurt* d'amour. 그는 애인을 죽도록 사모하고 있다 / La lampe *se mourait.* 램프가 꺼져 가고 있었다 / Le soleil *se meurt*. 해가 저물어 간다. ② 죽을 지경이다 : *se* ~ d'ennui 권태로워 죽을 지경이다.

mouroir [muʀwaːʀ] *m*. 《경멸》 양로원 ; (죽음만을 기다리는) 노인 병원.

mouron [muʀɔ̃] *m*. 〖식물〗 별봄맞이꽃. ***se faire du ~*** 근심〔걱정〕하다.

mouscaille [muskɑj] *f*. 《구어》 적빈, 궁핍 ; 《은어》 똥(= merde) : être dans la ~ 곤경에 처하다〔빠지다〕 ; 무일푼이 되다.

mousquet [muskɛ] *m*. (16-17세기의) 구식 보병총《화승총의 일종》.

mousquetaire [muskətɛːʀ] *m*. 《옛》 총사(銃士) ; 근위기병(近衛騎兵) : ≪*Les Trois M~s*≫ de Dumas 뒤마의 「3총사」.

mousqueton [muskətɔ̃] *m*. ① 《옛》 단총(短銃). ② (낙하산 따위의) 스냅 후크, 자동식 고리.

moussaillon [musajɔ̃] *m*. 《구어》 (16세 이하의) 소년 선원.

moussant, e [musɑ̃, -ɑ̃ːt] *adj*. 거품이 이는: savon ~ 거품이 이는 비누. — *f*. 《구어》 맥주.

mousse[1] [mus] *f*. ① 이끼. ② 거품(= écume) : ~ de bière 맥주의 거품. ③ 〖요리〗 크림과 달걀 흰자를 휘저어 약한 불로 굳힌 것, 무스《디저트 또는 앙트르메로 쓰임》: ~ au café 〔au chocolat〕 커피〔초콜릿〕를 넣은 무스. ③ 《동격》 balle en caoutchouc ~ 고무 스펀지 공 / matelas en ~ 스펀지 매트리스. ***Pierre qui roule n'amasse pas ~.*** 《격언》 굴러다니는 돌에는 이끼도 안 낀다《직업을 자주 바꾸면 부자가 못 된다》.

mousse[2] *m*. (16세 이하의) 소년 선원.

mousseline [muslin] *f*. 〖직물〗 모슬린. — *adj*. 《다음 표현으로 쓰임》 ① 〖요리〗 gâteau ~ 카스텔라 / pommes (de terre) ~ 으깬 감자, 매시드 포테이토 / sauce ~ 생크림을 넣은 네덜란드식 소스. ② verre ~ 상질(上質)의 얇은 유리.

mousser [muse] *v.i.* 거품이 일다 ; (거품을 내며) ; 부글부글 끓다 : faire ~ de la crème 크림을 거품이 일게 하다 / Ce savon *mousse* beaucoup. 이 비누는 거품이 많이 인다. ***faire ~*** qc 〔qn〕 …을 자랑하다〔뽐내다〕, 찬양하다.

mousseron [musʀɔ̃] *m*. 〖식물〗 느타리(버섯).

mousseux, euse [musø, -øːz] *adj*. ① 거품이 이는(= écumeux) : vins ~ 거품이 이는 포도주. ② 《옛》 이끼가 낀. — *m*. (샴페인 이외의) 발포성 포도주.

mousson [musɔ̃] *f*. 〔*m*.〕 계절풍, 몬순.

moussu, e [musy] *adj*. 이끼가 낀, 이끼로 뒤덮인.

***moustache** [mustaʃ] *f*. 콧수염(= bacchantes) ; (고양이 · 사자 따위의) 수염 : ~ en croc 카이제르 수염 / retrousser la ~ 콧수염을 쓸어 올리다 / porter la ~ 〔des ~*s*〕 콧수염을 기르고 있다.

moustachu, e [mustaʃy] *adj*. 콧수염을 기른. — *n*. 콧수염을 기른 사람.

moustiquaire [mustikɛːʀ] *f*. ① 모기장 : dormir sous une ~ 모기장을 치고 자다. ② 방충망.

***moustique** [mustik] *m*. ① 〖곤충〗 모기 : insecticide qui tue les ~*s* 모기약. ② 《구어》 꼬마, 작은 사람(= moucheron).

moût [mu] *m*. (발효하기 전의) 포도즙 ; (맥주의) 맥아즙 ; (술 만드는) 식물액.

moutard [mutaːʀ] *m*. 《구어》 아이, 꼬마.

moutarde** [mutaʀd] *f*. ① 〖식물〗 겨자. ② 겨자씨로 만든 양념, 겨자 : mettre de la ~ 겨자를 치다 / 《동격》 sauce ~ 겨자 소스. ***La ~ lui monte au nez. 《구어》 그는 화가 치밀었다. — *adj*. 《불변》 겨자빛깔의, 녹황색의.

moutardier [mutaʀdje] *m*. ① (식탁용) 겨자 그릇. ② 겨자 상인〔제조인〕

****mouton** [mutɔ̃] *m*. ① 〖동물〗 양 ; 양고기 ; 양가죽 : ~ mâle 수양(= bélier) / ~ femelle 암양(= brebis) / acheter du ~ 양고기를 사다 / peau du ~ 양털 가죽 / couper la laine des ~*s* 양털을 깎다. ② 유순한 사람 ; 부화뇌동하는 사람. ③ (말뚝 박는) 쇠망치, 드롭 해머(= sonnette). ④ (*pl*.) 거품 이는 잔물결 ; 흰 파도 ; 양떼구름. ⑤ 《은어》 같은 감방에서 죄수의 비밀을 캐내는 경찰의 스파이. ***chercher un ~ à cinq pattes*** 매우 진기한 것을 찾다. ***doux come un ~*** 매우 온순한. ***~s de Panurge*** 부화뇌동하는 사람들 《Rabelais 의 *Pantagruel* 에서》. ***Revenons à nos ~s.*** 《구어》 본론으로 들어갑시다, 하던 이야기로 돌아갑시다. ***suivre comme des ~s*** 양처럼 남을 따라가다, 남의 흉내를 내다.

moutonné, e [mutɔne] *adj*. ① (하늘이) 양떼구름으로 뒤덮인 ; (바다가) 흰 물결이 이는 : ciel ~ 양떼구름으로 덮인 하늘. ② (머리털이) 곱슬곱슬한(= frisé) : tête ~*e* 고수머리.

moutonnement [mutɔnmɑ̃] *m*. ① 머리털을 곱슬곱슬하게 하기. ② 거품일기, 부글거리기 : ~ des vagues 거품이는 흰 파도.

moutonner [mutɔne] *v.i.* ① 거품이 일다, 흰 물결이 일다. ② (하늘에) 양털 같은 구름이 일다. ③ 곱슬곱슬해지다 ; 파도치다, 일렁이다. ④ (숲이) 무성해지다.

moutonneux, euse [mutɔnø, -øːz] *adj*. 거품〔흰 물결〕이 이는, (양털같이) 곱슬한.

moutonnier, ère [mutɔnje, -ɛːʀ] *adj*. 부화뇌동하는 : foules ~*ères* 맹목적으로 추종하는 군중.

mouture [mutyːʀ] *f*. ① (곡식물) 빻기, 찧기; 제분 ; 빻은〔찧은〕 가루. ② 〖농업〗 (밀 ·

M

보리·쌀보리의) 혼합맥(混合麥)(= blé ~). ③ 《경멸》 (이미 다루어진 주제의) 재탕.

mouvance [muvɑ̃:s] *f.* ① (영향을 미치는) 영역, 세력 범위. ② 유동성.

mouvant, e [muvɑ̃, -ɑ̃:t] *adj.* ① (장소·형태가) 변화〔변모〕하는 ; 유동적인 : situation ~*e* 유동적인 정세. ② 불안정한, 흔들리는(= instable ; ≠ stable) : pensée ~*e* et confuse 불안정하고 혼란된 생각. ***sables ~s*** 유사(流砂).

‡mouvement [muvmɑ̃] *m.* ① ⓐ 움직임, 운동 ; (천체 따위의) 운행 ; 이동 ; 활동 ; 동작, 몸짓, (기차·비행기 따위의) 왕래 : ~ d'un pendule 시계추의 흔들림 / ~ des astres 천체의 운행 / ~*s* de la jeunesse 청년 단체 운동 / ~ des avions 비행기의 이착륙 / Il y a du ~ dans cette ville. 이 도시는〔도시 사람들은〕 퍽 활동적이다. ⓑ (*pl.*) (군대의) 동정, 이동, 기동, 활동. ② ⓐ (감정의) 움직임, 동요 ; 감정 : en proie à des ~*s* divers 갖가지 감정에 사로잡혀 / ~ de colère 〔d'humeur〕 분노〔노여움·화〕 / premier ~ 최초의 충동 / bon ~ 친절심, 동정심. ⓑ (청중 따위의) 반응. ③ (가격·인구 따위의) 변동 ; (역사·사조 따위의) 동향 ; (정치적·사회적) 운동 : ~ littéraire 문학 동향〔사조〕 / ~ des idées 사조 / ~ des réformes 개혁 운동 / ~ de hausse sur les fruits et légumes 청과물의 오름세 / ~*s* de la population 인구의 증감. ④ ⓐ (연극·소설 따위의) 파란, 사건의 변화, (작품 따위의) 생기 ; 활기 : phrase pleine de ~ 활기 넘친 문장. ⓑ 〖음악〗 속도, 템포 ; 악장 : premier ~ de cette symphonie 이 교향곡의 1 악장. ⑤ (땅의) 기복, 높낮이 : ~ du sol 토지의 기복. ⑥ 기계 장치 : ~ d'horlogerie 시계의 기계〔태엽〕 장치. ***en deux temps trois ~s*** 《구어》 매우 빨리. ***être dans le ~*** 시대에 뒤떨어지지 않다.

mouvementé, e** [muvmɑ̃te] *adj.* ① (땅이) 기복이 있는 : terrain ~ 울퉁불퉁한 땅. ② 활기찬 ; (소설·연극·사건·생애 따위가) 파란 많은, 우여곡절이 많은 : vie ~*e* 파란만장한 생애. ***une partie ~e 손에 땀을 쥐게 하는 승부〔게임〕.

mouvoir [muvwa:ʀ] 56 *v.t.* 《주로 원형 직설법 현재 분사로만 사용》 ① 움직이다(= remuer) : ~ ses membres 손발을 움직이다 / machine *mue* par la force hydraulique 수력(水力)으로 움직이는 기계. ② 《보통 수동태》 (마음을) 움직이게 하다 ; 행동하게 하다 : *être mû* par un intérêt sordide 더러운 이기심에 이끌려 행동하다. ── **se ~** *v.pr.* ① 움직이다 : *se* ~ avec lenteur 천천히 움직이다. ② 《~ dans》 …속에서 살다, 지내다 : *se* ~ *dans* le mensonge 거짓 속에서 살다. ***faire ~*** qc …을 움직이게 하다(《se의 생략》) : La volonté *fait* ~ toutes nos facultés. 의지가 우리의 모든 기능을 발동시킨다.

moxa [mɔksa] *m.* 〖한의학〗 뜸, 뜸쑥.

‡moyen¹, enne¹ [mwajɛ̃, -ɛn] *adj.* ① 중간의 ; 중간치의, 중위(中位)의 ; 중세(中世)의 : cours ~ du Rhône 론 강의 중류 / *M*~-Orient 중동(中東) / homme de taille ~*enne* 중키의 남자 / voyelle ~*enne* 중간〔설(舌)〕 모음. ② 보통의, 평범한, 어중간한 : temps ~ 보통 날씨. ③ 평균의 : température ~*enne* de cet hiver 금년 겨울의 평균 온도. ***classe ~enne*** 중류 계급. ***d'un âge ~*** 중년의. ***~ terme*** 중간책, 절충책(= milieu) ; 〖논리〗 (삼단논법의) 매개념. ***prendre un ~ terme*** 《속어》 온건한 방법을 취하다. ── *adv.* 《구어》 보통으로, 그럭저럭. ── *m.* ① 중위의 사람 ; (학업 성적이) 중간 정도인 학생. ② 〖논리〗 (삼단논법의) 매개념 (= ~ terme).

‡moyen² [mwajɛ̃] *m.* ① 방법, 방도, 수단 : Tous les ~*s* lui sont bons. 그는 수단 방법을 가리지 않는다 / ~*s* de transport 교통 수단 / ~ de fortune 임시변통의 수단 / Il n'y a pas d'autre ~. 다른 방법이 없다 / 《~ de+무관사명사》 ~ *d'*action 행동 수단 / ~*s de* production 생산 수단 / C'est le meilleur ~ *d'*échouer. 《비꼼》 그것은 실패의 지름길이다. ② 중개, 알선(= entremise, intermédiaire) : Il a obtenu cet emploi par le ~ de qn. 그는 …의 알선으로 이 직업을 얻었다. ③ (*pl.*) (지적·육체적) 힘, 능력 ; 재능 ; 재질, 자질(= don) : ~*s* physique d'un sportif 운동 선수의 체력 / C'est au-dessus de mes ~*s*. 그것은 내 힘에 겨운 일이다 / Cet élève manque de ~*s*. 이 학생은 재주가 없다. ④ (*pl.*) 자력(資力), 재산 : avoir les ~*s* 《구어》 돈〔재산〕이 있다 / vivre au-dessus de ses ~*s* 분에 넘치게 살다. ⑤ 〖법률〗 (법정에서의) 공격 방어 방법 ; (신청의) 이유. ⑥ 〖문법〗 complément de ~ 수단의 (상황)보어. ***au*** 〔***par le***〕 ***~ de*** …에 의하여 ; …을 사용〔이용〕해서 : monter sur le toit *au* ~ *d'*une échelle 사다리로 지붕에 올라가다. ***avoir ~ de***+*inf.* …할 수 있다. ***employer les*** 〔***ses***〕 ***grands ~s*** 비상 수단을 쓰다. ***Il n'y a pas ~ de***+*inf.* 〔***que***+*sub.*〕 …할 수가 없다 : *Il n'y a pas* ~ *de* faire autrement. 달리 할 방도가 없다. ***par le ~ de*** …에 의해서, …을 통해서. ***trouver*** (***le***) ***~ de***+*inf.* …하게 되다 : Il *a trouvé* ~ *de* se brouiller avec le directeur. 그는 결국 사장과 다투게 되었다.

***moyen(-)âge** [mwajɛnɑ:ʒ] *m.* 중세. ── *adj.* 중세의, 중세풍의 ; 낡아빠진 : costume ~ 중세 의상 / château ~ 중세의 성.

moyenâgeux, euse [mwajɛnɑ(a)ʒø, -ø:z] *adj.* ① 중세의, 중세 취미의, 중세풍의. ② 《경멸》 시대에 뒤진(= suranné) : idées ~*euses* 케케묵은 생각.

moyen-courrier [mwajɛ̃kuʀje] (*pl.* **~-~s**) 〖항공〗 *adj.* 중거리 수송의. ── *m.* 중거리 수송기〔여객기〕.

moyennant [mwajɛnɑ̃] *prép.* ① …에 의하여, …의 덕분으로 : Il a réussi ~ de grands efforts. 그는 크게 노력한 덕분으로 성공했다. ② …의 조건으로(= à la condition de) : ~ un effort soutenu 꾸준히 노력함으로써 / Il veut bien nous aider ~ finances. 그는 자금을 대어 우리를 원조해 줄 작정이다.

moyenne² [mwajɛn] *f.* ① 평균 : ~ d'âge 평균 연령 / rouler à une ~ de 80 km/h 평균 시속 80 킬로미터로 차를 몰다. ② 중간 ; 중용 : Cela fait ~. 꼭 중간이 된다〔상쇄된다〕.

③ 〖학교〗 중간점, 급제점 : avoir la ~ 급제점을 받다 / être dans la (bonne) ~ 중간쯤은 된다. ④ 〖수학〗 평균(치) : ~ arithmétique 〔géométrique〕 산술〔기하〕 평균. ***en ~*** 평균해서, 평균적으로 : Il travaille *en* ~ huit heures par jour. 그는 하루 평균 8시간 일한다.

***moyennement** [mwajɛnmɑ̃] *adv.* 보통으로, 웬만큼.

Moyen-Orient [mwajɛnɔʀjɑ̃] *n.pr.m.* 〖지리〗 중동(中東).

moyeu [mwajø] *m.* (*pl.* **~x**) (수레바퀴의) 바퀴통 ; (핸들 · 바퀴 따위의) 축.

mozambicain, e [mɔzɑ̃bikɛ̃, -ɛn] *adj.* et *n.* 모잠비크(*la Mozambique*)의 (사람).

M.P. 〔영〕 《약자》 military police 미국의 헌병.

M.-P. 《약자》 mandat-poste 우편환.

Mr. 〔영〕 《약자》 mister 씨, 군(= monsieur).

M.R.P. 《약자》 Mouvement Républicain Populaire 프랑스 인민 공화파.

Mrs. 〔영〕 《약자》 mistress …부인.

M.S.T. 《약자》 maladie sexuellement transmissible 성병.

M.T.S. 《약자》 mètre-tonne-seconde 도량형 기본 3단위.

mû, mue[1] [my] mouvoir의 과거분사.

mucilage [mysilaːʒ] *m.* ① 식물 점액질(質). ② (제약용의) 고무풀.

mucilagineux, euse [mysilaʒinø, -øːz] *adj.* 끈적끈적한, 점액질의.

mucosité [mykozite] *f.* 〖생리〗 점액.

mucus [mykys] *m.* = mucosité.

mue[2] [my] *f.* ① ⓐ (새 · 동물의) 털갈이 ; 탈피, 허물벗기 ; 탈각, 뿔갈이 ; 털갈이한 털, 탈피하여 벗겨진 허물〔가죽〕 : ~ des reptiles 파충류의 허물벗기. ⓑ 《비유》 변화, 변모. ② (사춘기의) 변성(變聲)(= muance).

muer [mɥe] *v.i.* ① 털갈이〔허물벗기 · 뿔갈이〕하다 : Le cerf *mue* sa tête. 사슴은 뿔갈이를 한다. ② (사춘기에) 변성하다.
— **se ~** *v.pr.* 《se ~ en》 …으로 바뀌다, 변모하다 : La sympathie *s'est muée en* amour. 동정이 사랑으로 바뀌었다.

muet, ette** [mɥɛ, -ɛt] *adj.* ① 벙어리의, 말을 못 하는 : ~ de naissance 날 때부터 벙어리인. ② 무언의, 말없는, 잠자코 있는 : ~ d'admiration 〔de peur〕 감격해서〔겁에 질려〕 말이 막힌 / de ~*s* reproches 무언의 비난. ③ (사물이) 소리 나지 않는, 무성(無聲)의 : cinéma 〔film〕 ~ 무성 영화. ④ 〖문법〗 발음하지 않는 : "e" ~ 무음의 "e" / h ~ 무음 h. ⑤ 무기입(無記入)의 : carte ~*ette* 백지도. ***à la ~ette 말없이, 몸짓으로. ***~ comme une carpe*** (잉어처럼) 말없는.
— *n.* 벙어리. — *m.* 무성 영화.

muézin, muezzin [mɥezɛ̃] *m.* 〖회교〗 기도 시간을 사원 첨탑에서 알리는 승려.

mufle [myfl] *m.* ① (소 · 개 따위의) 콧방울 《털나지 않은 부분》. ② 《구어》 상스러운 놈 : se conduire comme un ~ 상놈처럼 처신하다. — *adj.* 상스러운 : Ce qu'il peut être ~ ! 정말 상스러운 놈이로군 !

muflerie [myfləʀi] *f.* 상스러움 ; 상스러운〔비열한〕 짓.

muflier [myflije] *m.* 〖식물〗 금어초.

mufti, muphti [myfti] *m.* 〖회교〗 (회교의) 교전(敎典) 이론가〔해석자〕.

mugir [myʒiːʀ] *v.i.* ① (소가) 울다(= beugler). ② (사람 · 파도 소리 따위가) 노호(怒號)하다 ; (바람이) 윙윙거리다 : Le vent *mugissait.* 바람이 요란하게 불고 있었다 / ~ de colère 노발대발하다.

mugissant, e [myʒisɑ̃, -ɑ̃ːt] *adj.* (소가) 우는 ; (사람 · 파도 따위가) 노호하는 : flots ~*s* 사나운 파도 소리.

mugissement [myʒismɑ̃] *m.* (소의) 울음소리 ; 으르렁거리는 소리 ; 노호하는 소리.

***muguet** [mygɛ] *m.* ① 〖식물〗 은방울꽃. ② 〖의학〗 아구창(鵞口瘡).

mulâtre [mylɑːtʀ] *adj.* 흑백 혼혈의. — *n.* 《여성형은 mulâtresse》 흑백 혼혈아.

mule[1] [myl] *f.* (굽이 높은) 여자용 슬리퍼, (십자가를 수놓은) 교황의 흰 슬리퍼(= ~ du pape).

mule[2] *f.* 〖동물〗 암노새. ***être chargé comme une ~*** 《구어》 짐을 잔뜩 싣고 있다. ***être têtu comme une ~ ; avoir une tête de ~*** 《구어》 고집불통이다.

mulet[1] [mylɛ] *m.* 〖동물〗 수노새 : grand ~ (수나귀와 암말 사이에 태어난) 노새 / petit ~ (암나귀와 수말 사이에 태어난) 버새(= bardot). ***être chargé comme un ~*** 《구어》 짐을 잔뜩 싣고 있다. ***tête de ~*** 지독한 고집쟁이, 옹고집쟁이.

mulet[2] *m.* 〖어류〗 숭어(= muge).

muleta [mulɛta] 〔에스파냐〕 *f.* (투우사가 소를 흥분시키는 데 쓰는) 붉은 천.

muletier, ère [myltje, -ɛːʀ] *adj.* 노새가 다니기에 알맞은 : sentier ~ 노새만이 다닐 수 있는 좁고 가파른 길. — *m.* 노새 몰이꾼.

mulot [mylo] *m.* 〖동물〗 들쥐.

multicolore [myltikɔlɔːʀ] *adj.* 다색(多色)의 : oiseau ~ 다색조(鳥).

multicoque [myltikɔk] *m.* 〖해양〗 다선체의 배〔범선〕(≠ monocoque).

multiculturalisme [myltikyltyʀalism] *m.* (한 나라 안의) 다문화 공존 ; 다문화주의.

multiculturel, elle [myltikyltyʀɛl] *adj.* 다문화(공존)의.

multidimentionnel, elle [myltidimɑ̃sjɔnɛl] *adj.* ① 다원적인, 다각적인 : analyse ~*elle* d'un phénomène complexe 복잡한 현상의 다각적인 분석. ② 〖수학〗 (공간이) 4차원 이상의 ③ 〖통계〗 다차원의.

multidisciplinaire [myltidisiplinɛːʀ] *adj.* 다수 전공 분야의(= pluridisciplinaire) : organisation scientifique ~ 다부문 연구 조직.

multiforme [myltifɔʀm] *adj.* 다형(多形)의 ; 다방면의, 다양한.

multilatéral, e, aux [myltilateʀal, -o] *adj.* 다국가 간의 : accord ~ 다국 간 협정 / paiement ~ 〖경제〗 다각 결제.

multimédia [myltimedja] *m.* et *adj.* 멀티미디어〔혼합 매체〕(의).

multimilliardaire [myltimiljaʀdɛːʀ] *adj.* et *n.* 거부(巨富)(의), 억만장자(의).

multimillionnaire [myltimiljɔnɛːʀ] *adj.* 억만〔거만〕의 재산을 가진. — *n.* 억만장자.

multinational, e, aux [myltinasjɔnal, -o]

adj. 여러 나라(사이)의, 다국적의 : État ~ 다민족 국가 / entreprise ~*e* 다국적 기업.

multipare [myltipaːʀ] *adj.* ① (동물 암컷이) 한 번에 새끼를 많이 낳는(≠ unipare). ② 〖생리〗 (여자가) 아이를 낳은 경험이 있는. ― *f.* 경산부(經産婦).

multipartisme [myltipaʀtism] *m.* 〖정치〗 다당제(多黨制), 소당 분립(小黨分立).

multiple** [myltipl] *adj.* ① 《복수명사와 함께》 여러 가지의, 다양한(= varié, divers) ; 다수의(= nombreux) : ~*s* activités 다방면의 활동 / avertir à de ~*s* reprises 여러 차례 되풀이하여 알리다. ② 《단수명사와 함께》 복잡한(= compliqué) ; 복합의, 다중의 : écho ~ 다중의 메아리 / prise ~ (여러 개를 연결할 수 있는) 복식 플러그. ③ 〖수학〗 배수의. ― *m.* 〖수학〗 배수 : 9 est un ~ de 3, 9는 3의 배수다. ***le plus petit commun ~ 최소 공배수(《약자》 P.P.C.M.).

multiplex [myltiplɛks] *adj.* 《불변》 다중 통신 ; 다원 동시 방송의.

multiplicande [myltiplikɑ̃ːd] *m.* 〖수학〗 피승수(被乘數).

multiplicateur, trice [myltiplikatœːʀ, -tʀis] *m.* ① 〖수학〗 승수(乘數). ② 〖전기〗 증폭기. ― *adj.* 곱하는 ; 증가시키는 : effect ~ d'une action 어떤 행위〔작용〕의 상승 효과.

multiplicatif, ive [myltiplikatif, -iːv] *adj.* 배가하는, 증가하는 ; 곱하기 〔곱셈〕의 : signe ~ 곱하기 기호(《×》).

***multiplication** [myltiplikɑsjɔ̃] *f.* ① 증가(≠ diminution) ; 번식, 증식 : ~ des bactéries 박테리아의 번식. ② 〖수학〗 곱하기, 곱셈(≠ division) : ~ de trois par quatre 3의 4배 / table de ~ 구구표(九九表).

multiplicité [myltiplisite] *f.* 다수, 다양(성) : ~ des difficultés 많은 난점.

multiplié, é [myltiplije] *adj.* ① 〖수학〗 곱해진 : sept ~ par neul, 7×9. ② 되풀이된 ; 수많은, 갖가지의 : accidents ~*s* par la négligence 부주의로 인하여 되풀이 일어난 사고 / difficultés ~*es* 갖가지의 곤란.

***multiplier** [myltiplije] *v.t.* ① 곱하다(≠ diviser) : sept *multiplié* par neuf, 7×9(= sept fois neuf). ② (수·양을) 늘리다, 증가시키다 ; 되풀이하다(= répéter) : ~ des expériences diverses 갖가지 경험을 되풀이하다. ― **se** ~ *v.pr.* 증가〔증대〕하다 ; 번식하다 : Les moyens de communication *se multiplient.* 통신 방법이 발달해 간다.

multipolaire [myltipɔlɛːʀ] *adj.* 〖물리〗 다극(多極)의.

multiracial, e, aux [myltiʀasjal, -o] *adj.* 다민족〔다인종〕의 : nation ~*e* 다민족 국가.

multirisque [myltiʀisk] *adj.* (보험이) 여러 위험을 책임지는 : assurances ~*s* 종합 보험.

multisalle, multisalles [myltisal] *adj.* 《불변》 〖영화〗 여러 상영실을 갖춘 : complexe ~ 종합 상영 시설.

multistandard [myltistɑ̃daːʀ] *adj.* et *m.* 《불변》 다방식의 (수상기).

multitraitement [myltitʀɛtmɑ̃] *m.* 〖컴퓨터〗 (컴퓨터) 다중 처리, 멀티프로세싱.

multitube [myltityb] *adj.* 〖군사〗 (로켓포의) 발사관이 많은.

multitubulaire [myltitybylɛːʀ] *adj.* 〖기계〗 다관(多管)의.

multitude [myltityd] *f.* ① 다수 : une ~ d'événements 수많은 사건. ② 대중, 군중(= foule, masse).

multivibrateur [myltivibʀatœːʀ] *m.* 〖전기〗 멀티바이브레이터, 다조파발진기(多調波發振機).

muni, e [myni] *adj.* 《~ de qc》 …을 갖춘 : laboratoire ~ *du* matériel le plus moderne 최신 설비를 갖춘 실험실.

***municipal, e, aux** [mynisipal, -o] *adj.* ① 도시의, 시〔읍·면〕의 : conseil 〔conseiller〕 시〔읍·면〕의회 (의원). ② 〖고대로마〗 자치시의. ― *m.* 《구어》 파리의 경찰대원(= garde ~).

municipalisme [mynisipalism] *m.* 자치 도시〔읍, 면〕제 ; 지방 자치주의.

municipalité [mynisipalite] *f.* ① (자치의) 시, 읍, 면(= commune). ② 시청, 읍〔면〕 사무소(= mairie).

municipe [mynisip] *m.* 〖고대로마〗 자치 도시 ; 자치 시민.

munificence [mynifisɑ̃ːs] *f.* 《문어》 너그러움, 관대함(= générosité). ***avec*** ~ 너그럽게 ; 후하게, 푸짐하게.

munificent, e [mynifisɑ̃, -ɑ̃ːt] *adj.* 《문어》 너그러운, 관대한, 호쾌한(= généreux).

munir [myniːʀ] *v.t.* ① 《~ qn de qc》 …에게 …을 갖춰 주다, 마련해 주다(= pourvoir) : ~ son fils d'argent *de* poche 아들에게 용돈을 주다. ② (성 따위에) 식량·무기 따위를 갖추다〔공급하다〕 : ~ une place 요새에 양식·군수품을 공급하다. ― **se** ~ *v.pr.* 《se ~ de》 …을 갖추다, 마련하다.

munition [mynisjɔ̃] *f.* ① 군수품〔식량〕 공급. ② (*pl.*) 군수품, 탄약 ; 식량 : ~*s* de bouche 식량 / pain de ~ 군용 빵 / ~*s* de guerre 군수품.

munitionnaire [mynisjɔnɛːʀ] *m.* 〖군사〗 식량 수송 담당자 ; 군수품 납품업자.

munitionner [mynisjɔne] *v.t.* …에 군수품〔식량〕을 공급하다.

munster [mœ̃stɛːʀ] *m.* (프랑스의) 스테르산 「치즈.

muphti [myfti] *m.* = mufti.

muqueux, euse [mykø, -øːz] *adj.* 점액(성)의 ; 점액을 분비하는. ― *f.* 점막(粘膜)(= membrane ~*euse*).

‡mur [myːʀ] *m.* ① (건물의) 벽 ; 담 : ~ mitoyen 공유 벽 / ~ de pierres sèches 돌담 / ~ de soutènement (흙이 허물어지는 것을 막는) 축대. ② (*pl.*) 성벽 ; (성벽으로 둘러싸인) 도시, 마을 : gros ~*s* 본성 벽. ③ 장벽, 장애(= obstacle) : ~ d'airain 극복할 수 없는 장애. ***donner de*** 〔***se battre***〕 ***la tête contre un*** ~ 불가능한 일을 꾀하다, 헛수고하다. ***être*** 〔***se mettre***〕 ***le dos au*** ~ 배수진을 치다 ; 궁지에 몰리다. ***mettre*** qn ***au pied du*** ~ …을 꼼짝 못하게 하다. ***sauter*** 〔***faire***〕 ***le*** ~ (군인·기숙생 따위가) 허가 없이 외출하다.

‡mûr, e[1] [myːʀ] *adj.* ① (과실·술 따위가) 익은, 여문 ; (종기가) 곪은 : Cette poire est trop *mûre.* 이 배는 너무 익었다 / abcès ~ 곪아 터지게 된 종기. ② 《구어》 (옷 따위가)

M

낡아 빠진. ③ (사람이) 성숙한, 원숙한 ; 중년의 : couple ~ 중년 부부 / esprit ~ 생각이 깊은 사람. ④ 《구어》 술 취한(= ivre, soûl) : Il est complètement ~. 그는 만취했다.
murage [myʀaːʒ] *m.* 벽〔담〕을 둘러치기, 벽〔담〕으로 막기 ; 둘러친 벽〔담〕.
mûraie [myʀɛ] *f.* 뽕나무 밭.
***muraille** [myʀɑːj] *f.* ① 두꺼운〔높은〕 벽 ; 성벽(= rempart) ; 장벽 : Grande *M*~ de Chine 만리장성. ② 〖해양〗 선벽(船壁).
muraillment [myʀɑjmɑ̃] *m.* 벽으로 버티기〔막기〕, 버팀벽.
murailler [myʀɑje] *v.t.* (우물 · 갱도 따위의 안쪽을) 벽으로 버티다〔막다〕.
mural, e, aux [myʀal, -o] *adj.* 벽의, 담장의 ; 벽에 거는 : pendule ~*e* 벽시계 / carte ~*e* 괘도(掛圖). ***peinture ~e*** 벽화.
mûre² [myːʀ] *f.* 뽕나무 열매, 오디.
mûrement [myʀmɑ̃] *adj.* 숙고하여, 곰곰이 생각하여.
murène [myʀɛn] *f.* 〖어류〗 곰치.
murer [myʀe] *v.t.* ① …에 벽〔담〕을 둘러치다, 벽〔담〕으로 막다. ② ⓐ 《~ qn》 가두다, 격리하다(= enfermer). ⓑ 《~ qc》 감추다, 비밀에 부치다 : ~ sa vie privée 사생활을 감추다. ── **se ~** *v.pr.* 갇히다, 격리되다.
muret [myʀɛ], **muretin** [myʀtɛ̃] *m.*, **murette** [myʀɛt] *f.* 낮은 벽〔담〕 ; (화단 따위의) 연석, 가두리.
murex [myʀɛks] *m.* 〖패류〗 뿔고둥.
muriate [myʀjat] *m.* 《옛》 〖화학〗 염화물.
muriatique [myʀjatik] *adj.* 〖화학〗 염산의 : acide ~ 염산.
muridés [myʀide] *m. pl.* 〖동물〗 쥣과(科).
mûrier [myʀje] *m.* 〖식물〗 뽕나무 ; 나무딸기(= ronce).
***mûrir** [myʀiːʀ] *v.t.* ① (과일을) 익히다 ; (종기를) 곪게 하다. ② (사람을) 성숙〔원숙〕게 하다 : La vie l'*a mûri*. 삶(의 경험)이 그를 성숙시켰다. ③ (문제 따위를) 숙고하다, 곰곰이 생각하다(= méditer). ── *v.i.* ① (과일이) 익다 ; 무르익다 ; (종기가) 곪다. ② (사람이) 성숙하다, 원숙해지다.
mûrissage [myʀisaːʒ], **mûrissement** [myʀismɑ̃] *m.* (과일 따위가) 익기 ; (계획 따위가) 무르익기, 성숙.
mûrissant, e [myʀisɑ̃, -ɑ̃ːt] *adj.* 익어 가는 ; 성숙한.
mûrisserie [myʀisʀi] *f.* 훈증(燻蒸) 창고 《수입업자가 바나나 따위를 익히는 곳》.
murmurant, e [myʀmyʀɑ̃, -ɑ̃ːt] *adj.* ① 속삭이는 ; 중얼거리는 ; 투덜거리는. ② 살랑살랑 소리 나는.
murmurateur, trice [myʀmyʀatœːʀ, -tʀis] *adj.* et *n.* 중얼〔투덜〕거리는 (사람).
murmure [myʀmyːʀ] *m.* ① 속삭임 ; 중얼거림. ② (보통 *pl.*) 투덜거림, 불평 : Ce projet excita les ~*s* de la presse. 이 계획은 언론계의 불평을 자아냈다.
***murmurer** [myʀmyʀe] *v.i.* ① 속삭이다(= chuchoter) ; 중얼거리다 : ~ des mots inintelligibles 알아들을 수 없는 말을 중얼거리다. ② 투덜거리다, 불평하다. ③ (나뭇잎 · 바람 따위가) 살랑〔술렁〕거리다. ── *v.t.* 속삭이다 ; 중얼거리다.
mûron [myʀɔ̃] *m.* 〖식물〗 검은 딸기 ; 들딸기.
murrhin, e [myʀɛ̃, -in] *adj.* 무지갯빛 돌의〔로 만든〕. ── *m.* 무지갯빛 돌로 만든 단지.
mus [my] mouvoir의 직설 · 단순과거 · 1〔2〕 · 단수 ; 과거분사 남성복수.
musacées [myzase] *f. pl.* 〖식물〗 파초과.
musagète [myzaʒɛt] *adj. m.* 〖그리스신화〗 Apollon *M*~ 뮤즈(*Muse*)를 인도하는 아폴로.
musaraigne [myzaʀɛɲ] *f.* ① 〖동물〗 뾰족뒤쥐. ② 《구어》 첩, 정부.
musard, e [myzaːʀ, -aʀd] *adj.* et *n.* 빈둥거리는 (사람), 무위도식하는 (사람), 허송세월하는 (게으름뱅이).
musarder [myzaʀde] *v.i.* 빈둥거리다, 허송세월하다, 무위도식하다.
musarderie [myzaʀd(ə)ʀi], **musardise** [myzaʀdiːz] *f.* 허송세월, 무위도식.
musc [mysk] *m.* ① 〖동물〗 궁노루, 사향노루. ② 사향 : ~ artificiel 인조 사향 / herbe au ~ 〖식물〗 = ambrette.
muscade [myskad] *f.* 〖식물〗 ① 육두구(肉豆蔻)(= noix ~). ② 요술쟁이의 작은 공. ── *adj.* 육두구의.
muscadet [myskadɛ] *m.* ① (낭트 지방의) 사향 포도주의 일종. ② (능금주(cidre)를 만드는) 능금의 일종.
muscadier [myskadje] *m.* 〖식물〗 육두구나무.
muscadin [myskadɛ̃] *m.* ① 《옛》 사향이 든 알약. ② (사향 냄새를 풍기는) 선멋쟁이 ; 프랑스 혁명 당시의 멋쟁이 왕당파.
muscardin [myskaʀdɛ̃] *m.* 〖동물〗 들쥐의 일종.
muscardine [myskaʀdin] *f.* (누에의) 백강병(白殭病).
muscari [myskaʀi] *m.* 〖식물〗 히아신스의 일종.
muscarine [myskaʀin] *f.* 무스카린《광대버섯 따위의 유독성 알칼로이드》.
muscat [myska] *m.* 사향 포도(= raisin ~) ; 사향 포도주(= vin ~) ; 사향배.
── *adj. m.* 사향 냄새를 풍기는.
muscidés [myside] *m. pl.* 〖곤충〗 집파릿과(科).
muscinées [mysine] *f. pl.* 〖식물〗 선태류(蘚苔類).
muscle** [myskl] *m.* 근육, 근력 : développer ses ~*s* par l'exercice 운동으로 근육을 발달시키다. ***avoir des ~s 〔***du ~***〕 힘이 세다. ***être tout nerfs et ~s*** 체격이 늠름하다.
musclé, e [myskle] *adj.* ① 근육이 튼튼한. ② 《구어》 정력적인, 강력한 ; 강경한 : politique ~*e* 강력한 정책, 강권 정치.
muscler [myskle] *v.t.* …의 근육을 발달시키다.
musculaire [myskylɛːʀ] *adj.* 근육의.
musculation [myskylɑsjɔ̃] *f.* 〖스포츠〗 근육 발달 운동.
musculature [myskylatyːʀ] *f.* 근육 조직 ; 〖미술〗 살집, 근육미.
musculeux, euse [myskylø, -øːz] *adj.* 근육이 발달된〔실팍진〕.
Muse [myːz] *f.* ① 〖그리스신화〗 뮤즈의 여신들《문예 · 미술 따위를 주관하는 아홉 여신》. ② 〖그리스신화〗 (때로 *m*~) 《특히》 시의 여신, 뮤즈. ③ (*m*~) 시 ; 시재(詩才) ; 시상(詩想), 시의 영감(靈感).
***museau** [myzo] *m.* (*pl.* **~x**) ① (개 · 돼지의) 내민 주둥이 부분. ② 《구어》 (사람의) 얼굴, 낯짝(= visage).
***musée** [myze] *m.* ① 《옛》 여신 뮤즈의 전당

(殿堂). ② 박물관 ; 미술관 : ~ du Louvre 루브르 박물관. ③ (*M*~) 알렉산드리아 궁전 안의 뮤즈관(館)(= la ~ d'Alexandrie). ④ 진귀〔희귀〕한 것들로 가득 찬 곳.

museler [myzle] 5 *v.t.* ① …에 주둥이 망을 씌우다. ② 《구어》 …의 입을 틀어막다, 침묵시키다 : ~ la presse par la censure 검열로써 언론의 자유를 속박하다.

muselet [myzlɛ] *m.* (포도주병의) 쇠마개.

muselière [myzəljɛːʀ] *f.* 짐승의 주둥이망.

musellement [myzɛlmɑ̃] *m.* 주둥이망을 씌우기(= muscarder). 「(誌).

muséographie [myzeɔgʀafi] *f.* 박물관지

muséologie [myzeɔlɔʒi] *f.* 박물관학.

muser [myze] *v.i.* ① 《문어》 빈둥빈둥 놀다, 허송세월하다(= musarder). ② 『사냥』 (사슴이) 암내내다. 「띠.

muserolle [myzʀɔl] *f.* 『마구』 (말의) 굴레

musette [myzɛt] *f.* ① 뮈제트(파이프)《공기주머니가 달린 백파이프와 비슷한 민속 악기》; 퉁소의 일종(= ~ pastorale). ② 뮈제트 음에 맞추어 추는 춤 ; 뮈제트곡(曲). ③ 어깨에 메는 바랑 ; (말의) 꼴망태기 ; (병사의) 잡낭 ; (학생용의) 어깨에 메는 가방. — *m.* 아코디언 악단이 연주하는 댄스 음악 ; 댄스홀.

muséum [myzeɔm] *m.* 박물관(= musée), 진열관.

musical, e, aux [myzikal, -o] *adj.* 음악의〔에 관한〕; 음악적인 : soirée ~*e* 음악의 밤. ***avoir l'oreille ~e*** 음악에 소질이 있다. — *m.* 뮤지컬, 음악 희극.

musicalement [myzikalmɑ̃] *adv.* 음악적으로 ; 유창하게.

musicalité [myzikalite] *f.* 음악성.

musicassette [myzikasɛt] *f.* (미리 음악을 녹음해 놓고 파는) 뮤직 카세트테이프.

music-hall [myzikoːl] 〔영〕 *m.* 음악당, 뮤직홀(의 레퍼토리) ; 연예장.

***musicien, enne** [myzisjɛ̃, -ɛn] *n.* ① 음악가 ; 악사(樂士). ② 음악 애호가 : Elle est très ~*enne.* 그녀는 매우 음악을 좋아한다. — *adj.* 음악가의 ; 음악을 아는.

musico- *préf.* 「음악」의 뜻.

musicographe [myzikɔgʀaf] *n.* 음악 평론가〔이론가〕.

musicographie [myzikɔgʀafi] *f.* 음악 평론 ; 악곡 해설. 「악학.

musicologie [myzikɔlɔʒi] *f.* 음악 이론, 음

musicologue [myzikɔlɔg] *n.* 음악 이론가, 음악학자.

musicomane [myzikɔman] *n.* 음악광.

musicomanie [myzikɔmani] *f.* 광적 음악 애호.

‡musique [myzik] *f.* ① 음악 ; (악)곡 : ~ vocale 성악 / ~ instrumentale 기악 / ~ de chambre 실내악 / composer de la ~ 작곡하다. ② 악대, 악단 : chef de ~ 악장 / ~ militaire 군악대. ③ 악보(= partition) : copier de la ~ 악보를 베끼다 / papier à ~ 오선지. ④ 음악적인 소리 ; 하모니. ***changer de ~*** 《구어》 화제〔태도〕를 바꾸다. ***faire de la ~*** 음악을 하다 ; 음악의 밤을 열다.

musiquer [myzike] *v.i.* 연주하다. — *v.t.* 작곡하다. 「음악.

musiquette [myzikɛt] *f.* 서투른〔가치없는〕

musoir [myzwaːʀ] *m.* 방파제〔부두〕의 끝.

musqué, e [myske] *adj.* ① 사향 냄새 나는 : raisin ~ 사향 포도. ② (문체 따위가) 부자연스럽게 꾸민, 태를 부린(= affecté).

musquer [myske] *v.t.* 사향으로 향기롭게 하다. 「몰래, 비밀리에.

musse-pot (à) [amyspo] *adv.* 숨어서, 남

musser (se) [s(ə)myse] *v.pr.* 《옛》 숨다.

mussif, ive [mysif, -iːv] *adj.* 『화학』 or ~ 황화 제 2 주석.

mussitation [mysitɑsjɔ̃] *f.* 『의학』 말을 못하고 입술만 움직이는 증세.

must [mœst] 〔영〕 *m.* ① 《구어》 (유행에 뒤떨어지지 않기 위해) 필수적으로 알아야 할 사항. ② 최상의 것, 최고급품.

mustang [mystɑ̃] *m.* 『동물』 (아메리카 초원의) 야생마. 「빗과(科).

mustélidés [mystelide] *m. pl.* 『동물』 족제

***musulman, e** [myzylmɑ̃, -an] *adj.* 회교(回教)(도)(= islamique)의. — *n.* 회교도.

mutabilité [mytabilite] *f.* ① 변하기 쉬움, 무상(無常), 불안정. ② 『법률』 양도 가능성.

mutable [mytabl] *adj.* ① 변하기 쉬운, 무상한, 불안정한. ② 『법률』 양도할 수 있는.

mutage [mytaːʒ] *m.* 알코올 또는 아황산가스로 포도액의 발효를 막기.

mutant, e [mytɑ̃, -ɑ̃ːt] 〔영〕 『생물』 *adj.* 돌연변이의 : gène ~*e* 돌연변이 유전자. — *n.* 돌연변이체(體), 뮤턴트.

mutation [mytɑsjɔ̃] *f.* ① 변경, 바꿈 ; 변화. ② 인원〔인사〕 이동, 경질, 교체, 전임(轉任) ; 『스포츠』 교대. ③ 『법률』 소유권 이전〔양도〕. ④ 『생물』 돌연변이.

mutationnisme [mytasjɔnism] *m.* 『생물』 돌연변이설(≠ darwinisme).

mutationniste [mytasjɔnist] 『생물』 *adj.* 돌연변이설의. — *n.* 돌연변이설을 주장하는 사람.

muter [myte] *v.t.* ① (포도액의 발효를 막기 위하여) 알코올 또는 아황산가스를 넣다. ② 『군사』 전속〔전임〕시키다.

mutilateur, trice [mytilatœːʀ, -tʀis] *n.* (예술품 등의) 훼손자. — *adj.* 훼손하는.

mutilation [mytilɑsjɔ̃] *f.* ① (손발 따위의) 절단. ② (예술품 따위의) 훼손, 파손. ③ (텍스트의) 삭제.

***mutilé, e** [mytile] *adj.* ① 팔다리를 잘린(= amputé). ② (예술품 따위가) 파손된, 훼손된 : comédie ~*e* par la censure 검열로 삭제된 극. — *n.* 팔다리를 잃은 사람 : ~ de guerre 상이군인 / ~ du travail 노동 재해로 인한 신체 상해자.

***mutiler** [mytile] *v.t.* ① 팔다리를 절단하다(= amputer). ② (예술품을) 훼손하다(= détériorer) ; (작품의) 주요부를 삭제하다 : Les coupures faites par la censure *ont* complètement *mutilé* le film. 검열로 여러 군데 삭제되어 영화가 완전히 망쳐졌다.

mutin, e [mytɛ̃, -in] *adj.* ① 반항하는 ; (어린애가) 순종하지 않는 ; 고집이 센. ② 장난기 있는, 깜찍한(= espiègle, badin) ; 쾌활한, 명랑한(= gai). — *m.* 반항〔반란〕자 ; 고집쟁이. ***faire le ~*** 반항하다.

mutiné, e [mytine] *adj.* et *m.* 반란〔폭동〕을 일으키는 (사람).

M

mutiner [mytine] *v.t.* 반항〔반란〕으로 이끌다. — **se** ~ *v.pr.* 반란〔폭동〕을 일으키다(= se révolter) ; (어린애가) 말을 듣지 않다.

mutinerie [mytinʀi] *f.* 반항, 불순종 ; 반란, 폭동(= insurrection, révolte, sédition).

mutisme [mytism] *m.* ① 벙어리 (상태). ② 침묵, 무언.

mutité [mytite] *f.* = mutisme.

mutualiser [mytɥalize] *v.t.* (위험 · 부담 따위를) 공평하게 분배하다, 상부상조하다.

mutualisme [mytɥalism] *m.* ① 〖경제〗 상호 부조론〔주의〕. ② 〖생물〗 공서(共棲).

mutualiste [mytɥaliste] *n.* 상호 부조론자 ; 공제 조합원. — *adj.* 상호 부조(론 · 론자)의.

mutualité [mytɥalite] *f.* ① 상호 관계. ② 상호 (부조) 조직, 연대 조직 ; 상조회, 공제 조합(= société de ~).

***mutuel, elle** [mytɥɛl] *adj.* 상호간의, 쌍방의, 상호 관계의(= réciproque) : assurance ~*elle* 상호 보험. — *m.* 《구어》 경마 도박(= pari ~).

mutuellement [mytɥɛlmɑ̃] *adv.* 서로(= réciproquement), 상호간에.

mutuellisme [mytɥɛ(e)lism] *m.* = mutualisme.

mutule [mytyl] *f.* 〖건축〗 도리아식의 처마장식.

mycélion [miseljɔ̃], **mycélium** [miseljɔm] *m.* 〖식물〗 균사(체)(菌絲(體)).

mycénien, enne [misenjɛ̃, -ɛn] *adj.* 미케네(*Mycènes*, 그리스의 옛 도시)의. — **M**~ *n.* 미케네 사람.

mycét(o)- *préf.* 「균」의 뜻.

myc(o)- *préf.*, **-myce** *suff.* 「균」의 뜻.

mycoderme [mikɔdɛʀm] *m.* 점액균.

mycologie [mikɔlɔʒi] *f.* 균류학(菌類學).

mycologue [mikɔlɔg] *m.* 균류학자.

mycorhizes [mikɔʀi:z] *m. pl.* 〖식물〗 균근(菌根).

mycose [miko:z] *f.* 〖의학〗 사상균병(絲狀菌病).

mydriase [midʀijɑ:z] *f.* 〖의학〗 동공(瞳孔) 확대.

myélite [mjelit] *f.* 〖의학〗 척수염(脊髓炎), 골수염(骨髓炎).

-myélite *suff.*, **myél(o)-** *préf.* 「골수」의 뜻.

mygale [migal] *f.* 〖동물〗 땅거미.

my(o)- *préf.* 「근육」의 뜻.

myocarde [mjɔkaʀd] *m.* 〖해부〗 심근(心筋).

myocardite [mjɔkaʀdit] *f.* 〖의학〗 심근염.

myologie [mjɔlɔʒi] *f.* 근육(해부)학.

myopathie [mjɔpati] *f.* 근육병 ; 근육 쇠약(증).

***myope** [mjɔp] *adj.* 근시의 ; 근시안적인 : politiques ~*s* 근시안적인 정책. — *n.* 근시인 사람 : lunettes de ~ 근시 안경.

myopie [mjɔpi] *f.* 근시 ; 근시안적임.

myopotame [mjɔpɔtam] *m.* 〖동물〗 남아메리카산 해리의 일종.

myosis [mjozis] *m.* 〖의학〗 동공 수축.

myosotis [mjozɔtis] *m.* 〖식물〗 물망초.

myotomie [mjɔtɔmi] *f.* 〖의학〗 근육 해부(술).

myotonie [mjɔtɔni] *f.* 〖의학〗 근육경직(증).

myria-, myrio- *préf.* 「1 만 배」의 뜻.

myriade [miʀjad] *f.* ① 《옛》 1 만. ② 무수(無數), 대단히 많은 수〔양〕 : ~*s* d'étoiles 무수한 별.

myriagramme [miʀjagʀam] *m.* 1 만 그램.

myriamètre [miʀjamɛtʀ] *m.* 1 만 미터.

myriapodes [miʀjapɔd], **myriopodes** [miʀiɔpɔd] *m. pl.* 〖동물〗 다족류(多足類)(= mille-pattes).

myriophylle [miʀjɔfil] *m.* 〖식물〗 물가새풀.

myrmé(co)- *préf.* 「개미」의 뜻.

myrmidon [miʀmidɔ̃] *m.* 난쟁이(= nain, pygmée) ; 보잘것없는〔변변치 못한〕 사람.

myrobalan [miʀɔbalɑ̃], **myrobolan** [miʀɔbɔlɑ̃] *m.* 미로볼랑《예전에 약용으로 쓰이던 가리륵(訶梨勒) 무리의 말린 열매》.

myrosine [miʀozin] *f.* 〖생화학〗 미로진《겨자에 있는 효소》.

myroxyle [miʀɔksil], **myroxylon** [miʀɔksilɔ̃] *m.* 〖식물〗 (남미산의) 향나무의 일종.

myrrhe [mi:ʀ] *f.* 미르라, 몰약(沒藥)《향료 · 약제로 쓰이는 아라비아산의 수지》.

myrtacées [miʀtase] *f. pl.* 〖식물〗 도금양과(桃金孃科) ; 정향과.

myrtaie [miʀtɛ] *f.* 도금양의 재배지.

myrte [miʀt] *m.* 〖식물〗 도금양.

myrtiforme [miʀtifɔʀm] *adj.* 도금양 잎 모양의.

myrtil [miʀtil] *m.*, **myrtille** [miʀtil] *f.* 〖식물〗 월귤나무(airelle)의 일종 ; 그 열매.

mystagogie [mistagɔʒi] *f.* 〖종교〗 (종교 · 마술 따위의) 신비 해명, 비의(祕儀)의 전수.

mystagogue [mistagɔg] *m.* 신비 해명가, 비의(祕儀)의 전수자.

***mystére** [mistɛ:ʀ] *m.* ① 신비, 불가사의. ② 〖종교〗 비의(祕儀), 비전(祕傳), 비법, 오의(奧義), 현의(玄義). ③ 수수께끼 ; 비밀 ; 기밀 : débrouiller 〔éclaircir〕 un ~ 비밀을〔수수께끼를〕 밝히다 / mettre du ~ dans sa conduite 은밀히 행동하다. ④ (중세기의) 종교극, 성극(聖劇) : le *M*~ de la Passion 예수의 수난극.

mystérieusement [misteʀjøzmɑ̃] *adv.* 신비스럽게, 이상스럽게 ; 비밀리에, 은밀히, 의미심장하게.

***mystérieux, euse** [misteʀjø, -ø:z] *adj.* ① 신비로운, 불가사의한. ② 이상한, 수수께끼 같은(= secret). ③ 비밀의 : en un lieu ~ 비밀 장소에서.

mysticisme [mistisism] *m.* 신비설, 신비주의 ; 신비.

mysticité [mistisite] *f.* 신비성, 신비적 경향.

mystifiable [mistifjabl] *adj.* 남에게 속아 넘어가는.

mystifiant, e [mistifjɑ̃, -ɑ̃:t] *adj.* (남을) 속여 넘기는, 기만적인(≠ démystifiant) : propagande ~*e* 기만적인 선전.

mystificateur, trice [mistifikatœ:ʀ, -tʀis] *adj.* (사람을) 속여 넘기는, 기만하는 ; 속이기 좋아하는. — *n.* 속여 넘기는 사람.

mystification [mistifikɑsjɔ̃] *f.* 기만, 속임수(= tromperie) ; (여론 따위의) 조작 : être le jouet d'une ~ (어떤) 속임수의 놀림감이 되다.

***mystifier** [mistifje] *v.t.* ① (장난으로) 속여 넘기다, 기만하다(= duper ; ≠ démystifier). ② (여론 따위를) 날조〔조작〕하다

mystique [mistik] *adj.* ① 〖종교〗 비의(祕儀)〔비전(祕傳)〕의〔에 관한〕 ; 비유적〔상징적〕인. ② 신비적인, 불가사의한 ; 신비주의적

M

인 : expérience ~ 신비적인 영감〔계시〕의 경험. ── *n.* 신비주의(론자) ; 신비가.
mystiquement [mistikmɑ̃] *adv.* 신비주의적으로 ; 비유적〔상징적〕으로 : interpréter l'Écriture ~ 복음서를 비유하여 해석하다.
mythe [mit] *m.* ① 신화(= mythologie) ; 전설(= légende) : ~ solaire 태양 신화. ② 가공적인 것, 허구(≠réalité) : Sa fortune est un ~. 그가 부자라는 건 근거 없는 낭설이다. ③ (철학적인) 우화(= fable).
-mythie *suff.*, **mytho-** *préf.* 「신화·전설」의 뜻.
mythifier [mitifje] *v.t.* 신화화(神話化)하다.
mythique [mitik] *adj.* 신화〔전설〕의 ; 가공적〔허구적〕인 : héros ~ 전설상의 영웅.
mytho [mitɔ] 《약자》 mythomane.
mythographe [mitɔgʀaf] *m.* 신화학자, 신화 연구가.
mythographie [mitɔgʀafi] *f.* 신화학(學) ; 신화 수집〔편찬〕.
mythologie [mitɔlɔʒi] *f.* ① 《집합적》 신화(= mythe). ② 신화학, 신화지(神話誌).
mythologique [mitɔlɔʒik] *adj.* (특히 고대 그리스·로마의) 신화의, 전설의.
mythologiste [mitɔlɔʒist], **mythologue** [mitɔlɔg] *n.* 신화학자.
mythomane [mitɔman] *adj.* 허황한 말을 하는, 거짓말하기 좋아하는. ── *n.* 허황한 말을 하는 사람(= fabulateur).
mythomanie [mitɔmani] *f.* 허황한 말을 하는 버릇, 과장증, 허구증(虛構症).
mytil(i)-, mytil(o)- *préf.* 「홍합」의 뜻.
mytilicole [mitilikɔl] *adj.* 섭조개를〔홍합을〕 기르는 : parc ~ 섭조개〔홍합〕 양식장.
mytiliculteur [mitilikyltœːʀ, -øːʀ] *m.* 섭조개〔홍합〕 양식업자.
mytiliculture [mitilikyltyːʀ] *f.* 섭조개〔홍합〕 양식.
mytilidés [mitilide] *m. pl.* 〖패류〗 섭조개〔홍합〕과(科).
myxœdème [miksedɛm] *m.* 〖의학〗 점액수종.
myxomatose [miksɔmatoːz] *f.* 〖수의학〗 (토끼의) 점액종증(粘液腫症).
myxomycètes [miksɔmisɛt] *m. pl.* 〖식물〗 점균류(粘菌類).

M

N

N[1], n[1] [ɛn, 《드물게》 nə] *m.*〔*f.*〕《[nə] 로 발음할 때는 *m.*》 프랑스 자모의 제 14 자.

N[2] 《약자》 ① Nord 북쪽 ; 자석의 N 극. ② nombre naturel 〚수학〛 자연수(의 집합). ③ nitrogène 〚화학〛 질소(= azote).

N· 《약자》 ① nom 이름, 성명 ; 〚문법〛 명사. ② (route) nationale 국토.

n[2] 《약자》 ① nano- 〚도량〛 100 억분의 1 의. ② notre 우리의. ③ neutre 중성(中性). ④ 〚전자〛 n 형 반도체.

N°, n° 《약자》 numéro 번호.

n' [n] ⇒ ne.

na [na] *interj.* 《구어》 ① 자(= là !). ② 《긍정 또는 부정을 강조함》: J'irai pas, *na !* 안 가겠대도 그래 !

nabab [nabab] *m.* ① 〚역사〛 (인도 회교국의) 태수(太守), 고관. ② 인도에서 부자가 된 유럽 사람 ; 큰 부자 ; 대부호.

nabi [nabi] 〔헤브라이〕 *m.* 〚미술〛 (les *N~s* 〔*n~s*〕) 나비파(의 화가들)《19 세기말 고갱의 영향을 받은 젊은 화가들의 그룹》.

nabot, e [nabo, -ɔt] *adj.* 《경멸》 키가 무척 작은, 난쟁이의. ── *n.* 난쟁이, 땅딸보(= nain ; ≠ géant).

nacelle [nasɛl] *f.* 〚항공〛 (기구의) 조롱(吊籠) ; (비행선 · 경비행기의) 곤돌라.

nacre [nakʀ] *f.* 진주모(眞珠母)(빛), 자개 ; 나전(螺鈿) : étui de ~ 나전 그릇.

nacré, e [nakʀe] *adj.* 진주모빛의, 진주 광택이 나는 : peau ~*e* 진주모빛 살갗. ***nuage* ~** 진주모운(雲). 「nith).

nadir [nadiːʀ] *m.* 〚천문〛 천저(天底)(≠ zé-

nævus [nevys] *m.* (*pl.* ***naevi*** [nevi]) 〚의학〛 모반(母班). 「채찍.

nagaïka [nagaika] *f.* 러시아 기병의 가죽

nage [naːʒ] *f.* ① 헤엄, 수영(법)(= natation). ② 노젓기 ; 《집합적》 노젓는 사람. ***à la* ~** 헤엄쳐서 : traverser *à la* ~ 헤엄쳐서 건너가다. ***chef de* ~** 정조수(整調手). ***être* (*tout*) *en* ~** 《구어》 땀에 흠빽 젖다, 땀이 비 오듯하다. **~ *en grenouille*** 평영(平泳). **~ *libre*** 자유영. **~ *sur le dos*** 배영(背泳).

nageoire [naʒwaːʀ] *f.* 지느러미 ; 《구어》 팔.

nager** [naʒe] [3] *v.i.* ① 헤엄치다 : ~ comme un poisson 물고기처럼 잘 헤엄치다 / ~ sous l'eau 잠수하다. ② 물에 떠 있다(= flotter) ; 액체 속에 잠겨 있다(= baigner) : corps qui *nage* à la surface d'un liquide 액체 표면에 떠 있는 물체. ③ 노를 젓다(= ramer) ; 《옛》 항해하다 : *Nagez* ensemble ! 일제히 저어라. ④ 《~ dans》 ⓐ (어떤 상태 · 감정의 충만 속에) 잠겨 있다, 만끽하다 : ~ *dans* le bonheur 말할 수 없이 행복하다 / ~ *dans* la prospérité 번영을 누리다. ⓑ Il *nage dans* sa costume. 그는 헐렁헐렁한 옷을 입고 있다. ⓒ ~ *dans* le 〔son〕 sang 피투성이가 되어 있다. ⑤ 당황하다, 곤경에 처하다, 쩔쩔매다 : Il *nage* complètement devant ce problème. 그는 이 문제를 앞에 놓고 쩔쩔매고 있다 / ~ en pleine obscurité 오리무중이다. **~ *contre le courant 흐름을 거슬러 헤엄치다 ; 《구어》 여론에 항거하다 ; 《구어》 역경과 싸우다. **~ *dans les eaux de*** qn …의 편을 들다, 추종〔맹종〕하다. **~ *entre deux eaux*** 머리를 물 속에 잠그고 헤엄치다 ; 양편의 비위를 다 맞추다. ***savoir* ~** 헤엄칠 줄 알다 ; 요령 있게 행동하다. ── *v.t.* ① (어떤 식의) 수영을 하다 : ~ la brasse 평영을 하다. ② (어떤 거리를) 헤엄쳐 가다 : ~ un cent mètres dos, 100 미터 배영 경기에 출전하다.

nageur, euse [naʒœːʀ, -øːz] *adj.* et *n.* ① 수영하는 (사람) ; 수영 선수 : maître-~ 수영 교사. ② 노 젓는 (사람).

naguère [nagɛːʀ] *adv.* 《문어》 좀 전에, 최근에(= récemment).

naïade [najad] *f.* 〚그리스신화〛 나이아스, (강 · 샘 따위의) 물의 요정(= nymphe).

***naïf, ïve** [naif, -iːv] *adj.* ① 천진(난만)한, 순진한(= ingénu, candide ; ≠ malicieux, retors) : garçon ~ 순진한 소년 / fille ~*ïve* 순진한 처녀. ② 자연스러운, 소박〔순박〕한, 꾸밈없는, 솔직한(= naturel, spontané) : beauté ~*ïve* 꾸밈없는 아름다움 / description ~*ïve* 있는 그대로의 묘사 / art ~ (민간의) 소박한 미술. ③ 고지식한, 우직한, 속기 잘하는, 어리석은(= crédule, niais) : Je ne suis pas assez ~ pour y croire. 그걸 믿을 만큼 어리석지는 않다.

nain, e [nɛ̃, -ɛn] *adj.* 키가 작은, 왜소한, 난쟁이의 : arbres ~*s* 분재(盆栽). ***œuf* ~** 흰자만의 달걀. ── *n.* 난쟁이(= nabot, pygmée) ; 전설 속의 난쟁이 : Blanche-Neige et les sept ~*s* 백설 공주와 7 명의 난쟁이.

naiss-ais, -ait, -e, etc. ⇒ naître.

‡naissance [nɛsɑ̃ːs] *f.* ① 탄생, 출생(≠ mort) ; 출산, 분만(= accouchement) : nombre de ~*s* 출생률 / contrôle 〔limitation〕 des ~*s* 산아 제한. ② 가문 ; 태생 ; 《옛》 귀족 신분 ; 높은 지체. ③ ⓐ 〚생물〛 생명체의 출현. ⓑ 〚식물〛 뿌리. ⓒ (기둥 따위의) 밑부분 ; (사물의) 시발점 : la ~ du cou 〔de la gorge〕 목과 잔등〔젖가슴〕 사이. ④ 근원, 발단, 시초(= origine, début ; commencement) ; 출현(= apparition) : ~ du jour 새벽 / point de ~ 발단, 기점(起點) / ~ d'un nouveau pays 〔d'une œuvre〕 신생 국가〔작품〕의 탄생 / ~ d'un fleuve 강의 근원. ***acte* 〔*extrait*〕 *de* ~** 출생증명서, 호적 등본〔초본〕. ***anniversaire* 〔*jour*〕 *de* ~** 생일.

déclaration de ~ 출생 신고. ***de haute*** 〔***basse***〕 ~ 고귀한〔천한〕 태생의. ***de*** ~ 태어날 때부터, 선천적으로 : aveugle *de* ~ 선천적 맹인 / Français *de* ~ 순수한 프랑스 사람. ***donner*** ~ ***à un enfant*** 애를 낳다. ***donner*** ~ ***à*** qc …을 생기게 하다, 일으키다 : *donner* ~ *à* une rumeur 소문을 내다. ***lieu de*** ~ 출생지. ***prendre*** ~ 발생하다, 시작되다, (소문 따위가) 나다.

naissant, e [nεsɑ̃, -ɑ̃:t] *adj.* 갓 태어난, 갓 낳은 ; (털 · 수염이) 돋기 시작한, 나타나기〔싹트기 · 발생하기〕 시작한 : ville ~*e* 신생 도시 / barbe ~*e* 나기 시작하는 수염. ***à l'aube*** ~***e*** 새벽에. ***le jour*** ~ 새벽.

‡**naître** [nεtʀ] 42 *v.i.* 《조동사는 être》 ① 태어나다, 출생하다(≠ mourir) ; (식물이) 싹트다, 돋아나다 : Il *est né* poète. 그는 타고난 시인이다 / 《비인칭》 Il *naît* dans cette ville cent enfants par mois. 이 도시에서는 한 달에 100명의 어린이가 태어난다 / Les fleurs *naissent* au printemps. 꽃은 봄에 핀다. ② ⓐ 발생하다, 생겨나다, 일어나다 ; 시작되다 ; (강이) 발원하다 : Un sourire *naît* sur ses lèvres. 미소가 그의 입가에 떠오른다. ⓑ 《~ de》 …에서 생겨나다 : La guerre *est née d'*un conflit d'intérêts économiques. 이 전쟁은 경제적 이해관계의 충돌로 일어났다. ③ 《문어》 《~à》 …에 눈을 뜨다 : ~ *à* l'amour 사랑에 눈뜨다. ***être bien*** 〔***mal***〕 ***né*** 좋은〔천한〕 집안에 태어나다. ***être né de*** …의 출신이다, …의 아들〔딸〕이다 : *né d'*une famille d'ouvriers 노동자 집안에서 태어난. ***être né pour*** qc 《구어》 선천적으로 …에 적합하다.

naïvement [naivmɑ̃] *adj.* ① 순진하게, 천진난만하게 ; 순박하게 ; 고지식하게, 우직하게. ② 자연스럽게, 꾸밈없이, 솔직히.

naïveté [naivte] *f.* ① 순진, 천진난만(= candeur, ingénuité ; ≠ astuce) ; 소박, 자연스러움 ; 고지식함, 우직(= crédulité, bêtise) : enfant plein de ~ 천진난만한 어린애. ② 자연스러움 ; 꾸밈없는 표현.

naja [naʒa] *m.* 〖동물〗 코브라(= cobra).

nana [nana] *f.* 《속어》 여자, 계집(= fille, femme) ; 정부(情婦)(= maîtresse).

nanan [nanɑ̃] *m.* 《소아어》 까까, 사탕, 맛있는 것. ***C'est du*** ~. 참 맛있다 ; 재미있다.

nandou [nɑ̃du] *m.* 〖조류〗 아메리카 타조.

nanisme [nanism] *m.* 소인증 ; (동식물의) 왜소증(矮小症)(≠ gigantisme).

Nankin [nɑ̃kε̃] *n.pr.m.* 〖지리〗 난징(南京). ― **n**~ *m.* 〖직물〗 담황색 난징 직물.

nano- *préf.* 「나노 · 10억분의 1」의 뜻.

nanoélectronique [nanɔelεktʀɔnik] *f.* 나노일렉트로닉《나노(10^{-9})를 단위로 하는 집적 회로 공학》.

nanomètre [nanɔmεtʀ] *m.* 〖도량형〗 나노미터, 100만분의 1밀리미터.

nanoréseau [nanɔʀezo] *m.* 〖컴퓨터〗 마이크로컴퓨터를 연결하는 지역 네트워크.

nano(-)seconde [nanɔs(ə)gɔ̃:d] *f.* 10억분의 1초.

nantir [nɑ̃ti:ʀ] *v.t.* ① 《옛》 〖법률〗 《~ qn》 …에게 담보물〔저당〕을 잡히다 : *être nanti* de gages 저당을 잡고 있다 ; 보증을 받고 있다. ② 《~ qn de qc》 《구어》 …에게 …을 공급하다, 마련〔준비〕해 주다(= pourvoir, munir) : ~ qn *de* provisions …에게 식료품을 공급해 주다 / *nanti de* titres universitaires 학위를 가지고 있는. ― **se** ~ *v.pr.* ① 《옛》 담보를〔저당을〕 잡다. ② 《se ~ de》 …을 마련하다, 갖추다 : *se* ~ *d'*un parapluie 우산을 준비하다.

nantissement [nɑ̃tismɑ̃] *m.* 〖법률 · 상업〗 ① 담보〔저당〕 설정 ; 담보 (계약), 저당. ② 담보물, 저당품(= gage). ***droit de*** ~ 저당권.

nap [nap] *adj.* 《불변》 멋진, 우아한, 고상한 (= élégant, distingué).

napalm [napalm] *m.* 〖화학〗 네이팜《소이탄 제조용》 : bombe au ~ 네이팜탄.

naphtaline [naftalin] *f.* 〖화학〗 나프탈린 《방충제》 : ~ blanche en boules (동그란) 나프탈린 좀약.

naphte [naft] *m.* ① 원유(原油)(= pétrole brut, huile de ~). ② 〖화학〗 나프타, 석뇌유(石腦油)《석유를 증류하여 얻는 기름》.

naphtol [naftɔl] *m.* 〖화학〗 나프톨.

Naples [napl(ə)] *n.pr.f.* 〖지리〗 나폴리《이탈리아 남부의 항구 도시》.

napoléon [napɔleɔ̃] *m.* ① 나폴레옹 금화 《나폴레옹의 초상을 새긴 옛날의 20프랑짜리 금화》 : double ~ 40프랑짜리 금화. ② 나폴레옹《프랑스의 고급 브랜디》.

napoléonien, enne [napɔleɔnjε̃, -εn] *adj.* 나폴레옹(당)의, 제정당(帝政黨)의. ― *n.* 〖정치〗 나폴레옹 당원, 제정 당원.

napolitain, e [napɔlitε̃, -εn] *adj.* 나폴리 (*Naples*)의 : romance ~*e* 나폴리 연가. ― **N**~ *n.* 나폴리 사람. ― *f.* 나폴리 직물. ― *m.* 나폴리 사투리 ; 편상화의 일종.

nappage [napa:ʒ] *m.* (식탁에 사용하는) 린네르《상보와 냅킨》.

nappe** [nap] *f.* ① 식탁보, 상보. ② (물 · 눈 · 얼음 따위의) 널따란 평면 : une ~ d'eau souterraine 지하수층 / Ce ne fut plus qu'une ~ d'eau. 온통 물바다가 되어 버렸다. ***mettre la ~ 식탁을 준비하다.

napper [nape] *v.t.* ① …에 상보를 덮다. ② (음식물에) 젤리〔소스〕를 얹다〔바르다〕 : ~ un gâteau de confiture 과자에 잼을 바르다.

napperon [napʀɔ̃] *m.* 냅킨 ; 작은 상보 ; (꽃병 · 식기 따위의) 깔개 ; (탁자 따위의) 커버(= dessus).

naqui-s, -t ⇒ naître.

narcisse [naʀsis] *m.* ① 〖식물〗 수선화 : ~ des bois 황수선. ② 미남자 ; 자기 도취자. ― **N**~ *n.pr.m.* 〖그리스신화〗 나르시스.

narcissique [naʀsisik] *adj.* 〖심리〗 자기 도취의 ; (극도로) 자기중심적인 : névrose ~ 자기애 신경증. ― *n.* 자기도취자.

narcissisme [naʀsisism] *m.* 〖심리〗 나르시시즘, 자기도취(증).

narco- *préf.* 「마비 · 무감각 · 마취」의 뜻.

narcodollars [naʀkodɔlaʀ] 〔영〕 *m. pl.* 마약 거래에 의한 이익금〔달러〕.

narcose [naʀko:z] *f.* 〖의학〗 마취 (상태).

narcothérapie [naʀkɔteʀapi] *f.* 〖의학〗 (정신병 환자의) 마취 요법.

narcotine [naʀkɔtin] *f.* 〖화학〗 나르코틴 《수면제로 사용됨》.

narcotique [naʀkɔtik] *adj.* ① 〖의학〗 마취시키는. ② 잠이 오게 하는, 최면의 : drogue ~ 최면제. ── *m.* 마취제.

narcotiser [naʀkɔtize] *v.t.* ① …에 마취제를 섞다. ② 마취시키다. 「중독.

narcotisme [naʀkɔtism] *m.* 〖의학〗 마약

narcotrafic [naʀkotʀafik] *m.* 마약 밀매.

narcotrafiquant [naʀkotʀafikɑ̃] *m.* 마약 밀매인(《구어》 narco).

nargue [naʀg] *f.* 업신여김, 조소, 경멸《다음 숙어에만 쓰임》 ***faire ~ à*** 〔***de***〕 …을 경멸하다, 업신여기다.

narguer [naʀge] *v.t.* 《구어》 경멸하다, 업신여기다, 비웃다(= se moquer, mépriser).

narguilé [naʀgile], **narghileh** [naʀgilɛ] *m.* 수연통(水煙筒).

narine [naʀin] *f.* 〖해부〗 콧구멍 : avoir les ~*s* bouchées 코가 막혀 있다.

narquois, e [naʀkwa, -a:z] *adj.* ① 빈정대는, 조소적인, 비웃는(= railleur) : sourire ~ 비웃는 듯한 미소. ② 교활한(= rusé).

narquoisement [naʀkwazmɑ̃] *adv.* 교활하게 ; 빈정대며, 조소적으로.

narquoiserie [naʀkwazʀi] *f.* 남을 무시하는 듯한 태도〔행위 · 말투〕; 빈정거림, 비웃음(= raillerie).

narrateur, trice [naʀatœ:ʀ, -tʀis] *n.* ① 이야기〔서술〕하는 사람 ; 이야기 작가(= conteur). ② 화자(話者).

narratif, ive [naʀatif, -i:v] *adj.* 이야기체의, 설화풍의, 서술적인 : style ~ 서술체.

narration [naʀɑsjɔ̃] *f.* ① 이야기, 설화, 서술(敍述) : faire la ~ d'un voyage France 프랑스 여행에 대하여 이야기하다. ② 설화문, 서술문 ; (학교의) 과제 작문(= rédaction).

narré [naʀe] *m.* 이야기, 서술.

narrer [naʀe] *v.t.* 《문어》 이야기하다, 서술하다(= raconter) : ~ avoir fait qc …의 자초지종을 이야기하다.

narthex [naʀtɛks] *m.* 〖건축〗 성당 정문 안의 현관, 배랑(拜廊)《영세 희망자의 예배소》.

narval [naʀval] *m.* (*pl.* **~s**) 〖동물〗 일각(一角) 돌고래(= licorne de mer).

nasal, e, aux [nazal, -o] *adj.* 〖해부〗 코의 ; 〖언어〗 비음〔콧소리〕의 : fosses ~*es* 비강(鼻腔) / hémorragie ~*e* 비출혈 / consonne 〔voyelle〕 ~*e* 비자음〔비모음〕. ── *f.* 〖언어〗 비음(鼻音).

nasalement [nazalmɑ̃] *adv.* 콧소리로.

nasalisation [nazalizɑsjɔ̃] *f.* 코로 발음하기 ; 〖언어〗 비음화(鼻音化).

nasaliser [nazalize] *v.t.* 코로 발음하다 ; 〖언어〗 비음화하다. 「性).

nasalité [nazalite] *f.* 〖언어〗 비음성(鼻音

nasarder [nazaʀde] *v.t.* ① 비웃다, 조소하다, 모욕하다(= bafouer, railler). ② 《옛》 …의 콧등을 손가락으로 튀기다.

nase [nɑ:z] *m.* 《구어》 코(= nez).

naseau [nazo] *m.* (*pl.* **~x**) (짐승 특히 말의) 콧구멍(= narine) ; 《구어》 코(= nez).

nasillard, e [nazija:ʀ, -aʀd] *adj.* 콧소리의, 코에서 나오는 : voix ~e 콧소리. ── *n.* 콧소리로 말하는 사람.

nasiller [nazije] *v.i.* ① 콧소리를 내다, 콧소리로 이야기하다. ② (오리가) 울다. ── *v.t.* 콧소리로 말하다〔읽다, 노래하다〕.

nasse [nas] *f.* ① 통발 ; (새 잡는) 그물(= filet) ; 쥐덫(= ~ à rats). ② 난처한 처지, 곤경. ***être*** 〔***tomber***〕 ***dans la ~*** 진퇴유곡이다.

natal, e [natal] *adj.* (*pl.* **~s**) 태어난 ; 출생의 : maison ~*e* 생가 / jour ~ 생일 / langue ~*e* 모국어 / pays ~ 고국.

nataliste [natalist] *adj.* 출생률을 높이려고 애쓰는 : politique ~ 출산 장려 정책.

natalité [natalite] *f.* 출생률, 출산율(≠ mortalité) : pays à forte 〔faible〕 ~ 출생률이 높은〔낮은〕 나라. ***centre de ~*** 임산부 상담소. ***restriction de la ~*** 산아 제한.

natation** [natɑsjɔ̃] *f.* 헤엄, 수영 ; 수영술 : bassin de ~ 수영장, 풀 / école de ~ (흔히 실내의) 수영 연습소 / épreuve de ~ (sportive) 수영 경기. ***faire de la ~ 〔***pratiquer la ~***〕 수영을 하다.

natif, ive [natif, -i:v] *adj.* ① 《~ de》 …에서 태어난, 태생의, 출신의 : ~ *de* Paris 파리 태생의. ② 타고난, 천부의(= inné) : vertu ~*ive* 천부의 미덕. ③ (금속이) 자연의, 천연의(= brut). ── *n.* 《~ de》 …태생의 사람, 출신자 ; 토박이, 원주민(= indigène).

***nation** [na〔ɑ〕sjɔ̃] *f.* ① 국민(= peuple) ; 민족, 종족(= race) : ~ française 〔coréenne〕 프랑스〔한국〕 국민 / ~ basque 바스크 민족. ② 나라, 국가(= État, pays) : ~*s* alliées 동맹국 / ~*s* commerçantes 〔industrielles, militaires〕 상업〔공업 · 군사〕 국가 / l'Organisation des *N*~*s* Unies 국제 연합(《약자》 O.N.U.) / pavillon de ~ 〖해양〗 국기.

national, e, aux** [nasjɔnal, -o] *adj.* ① 나라의, 국가의 ; 국립〔국유〕의 ; 국내의 : territoire ~ 국토 / armée ~*e* 국군 / défense ~*e* 국방 / intérêt ~ 국익 / production ~*e* des automobiles 자동차의 국내 생산 / faire des obsèques ~*es* à un grand savant 위대한 학자에게 국장(國葬)을 베풀다. ② 국민의, 국민적인, 민족의 : caractère ~ 국민성 / opinion ~*e* 국민의 의사. ③ 전국적인, 거국적인 : congrès ~ d'un parti 전당 대회 / équipe ~*e* de football 국가 대표 축구팀. ***Assemblée ~e 국민 의회. ***chant*** 〔***hymne***〕 ~ 국가(國歌). ***pavillon ~*** 국기. ***propriété ~e*** 〖법률〗 국유 재산. ── *m.* (한 나라의) 국민 ; (*pl.*) 전 국민 ; 교포. ── *f.* ① 국도(= route ~*e*). ② la *N*~*e* (파리의) 국립 도서관 (= Bibliothèque *N*~*e*).

nationalisation [nasjɔnalizɑsjɔ̃] *f.* 국유화, 국영화(= étatisation) ; 전 국민에게 보급시킴 ; 국민화 : ~ des banques 은행의 국유화.

***nationaliser** [nasjɔnalize] *v.t.* 국영화〔국유화〕하다(= étatiser) ; 전 국민에게 보급하다 ; 자국민화하다(≠ dénationaliser) : ~ les chemins de fer 철도를 국영화하다 / entreprise *nationalisée* 국영화된 기업.

nationalisme [nasjɔnalism] *m.* 국가주의, 민족주의, 국민주의.

nationaliste [nasjɔnalist] *adj.* 국가〔국민 · 민족〕주의의. ── *n.* 국가〔국민 · 민족〕주의자

***nationalité** [nasjɔnalite] *f.* ① 국적 : ~ acquise 취득 국적 / ~ d'origine 본래의 국적 / double ~ 이중 국적 / perte de ~ 〖법률〗

N

국적 상실. ② 민족 ; 민족성 ; 국민성 : principe des ~*s* 민족 자결주의.
national-socialisme [nasjɔnalsɔsjalism] *m.* 〖정치〗 (독일의) 국가 사회주의.
national-socialiste, ~e-~, nationaux-~s [nasjɔnalsɔsjalist, nasjɔno-] *adj.* (독일의) 국가 사회주의의. ── *n.* 국가 사회주의자.
nativement [nativmɑ̃] *adv.* 선천적으로, 본래, 원래.
nativité [nativite] *f.* 〖종교〗 (예수·마리아·성인 특히 세례 요한의) 탄생 (축일). ***N~*** 성탄절, 크리스마스(= Noël).
natron [natʀɔ̃], **natrum** [natʀɔm] *m.* 〖광물〗 천연 탄산소다.
nattage [nataːʒ] *m.* (머리 따위를) 땋기, (짚 따위를) 엮기.
natte [nat] *f.* ① 거적, 돗자리 : ~ à dessins 꽃자리. ② 땋은〔엮은〕 끈(= tresse) : 땋아 늘인 머리, 변발(= ~ de cheveux) : porter une ~ 머리를 땋아 늘이고 있다.
natter [nate] *v.t.* (머리를) 땋다, (자리를) 엮다, 짜다(= tresser) : cheveux *nattés* 땋아 늘인 머리 / ~ de la paille 짚을 엮다.
naturalisation [natyʀalizɑsjɔ̃] *f.* ① 귀화(歸化) : déclaration 〔lettre〕 de ~ 귀화 허가장. ② (동식물을) 풍토에 길들이기, 순화(馴化). ③ (외국어의) 이입, 정착 ; 국어화.
naturalisé, e [natyʀalize] *adj.* ① 귀화한. ② 순화된. ── *n.* 귀화인.
***naturaliser** [natyʀalize] *v.t.* ① 귀화시키다 : se faire ~ 귀화하다. ② (동식물을) 풍토에 순화(馴化)시키다〔길들이다〕. ③ (외국어를) 이입하다, 정착하다 ; 국어화하다.
naturalisme [natyʀalism] *m.* ① 자연스러움. ② 자연주의, 자연 숭배.
naturaliste [natyʀalist] *adj.* 자연주의의, 자연주의적인 : théorie ~ 자연주의 이론 / peintre ~ 〖미술〗 자연파. ── *m.* ① 자연과학자, 박물학자. ② 〖철학·종교〗 자연주의자〔숭배자〕 ; 〖문학·미술〗 자연주의자.
:nature [natyːʀ] *f.* ① 자연(계) ; 천연 ; 자연력(力) ; 천리(天理) ; 당연한 이치 : lois de la ~ 자연의 법칙 / état de ~ 자연의 상태 / ~ des choses 사물 본연의 이치. ② 본성, 본질(= essence), 천성, 성질, 성격(= caractère, naturel) ; 기질 : ~ de l'homme 인간의 본성 / ~ divine 신성(神性) / ~ du sol 지질 / objets de même 〔différente〕 ~ 같은〔다른〕 종류의 물건. ③ 천연물 ; 실물 ; 현물 ; 〖미술〗 모델 : figure de demi-~ 실물의 2분의 1의 크기의 상(像). ④ 종류(= sorte, espèce) : obstacles de toute ~ 온갖 장애. ***auteur de la ~*** 조물주. ***contre ~*** 부자연한, 천리〔인정〕에 어긋나는 : crime *contre* ~ 〖법률〗 계간죄(鷄姦罪). ***de ~ à*** + *inf.* …할 수 있는, …하기에 알맞은 : faits *de* ~ *à* nous étonner 우리를 놀라게 하는 사실. ***de* 〔*par*〕 (*sa*) ~** 천성적〔자연적〕으로, 본래, 본디 : Il est timide *de* (*sa*) ~. 그는 천성이 겁쟁이다. ***en ~*** 현물로 : payer *en* ~ 현물로 지불하다. ***forcer sa ~*** 자연에 어긋나다, 무리를 하다. ── *adj.* 《불변》 ① 자연 그대로의. ② 《구어》 (그림 따위가) 실물 그대로의 ; 순박한, 꾸밈없는(= naturel) : Il est ~. 그는 순박한 사람이다. ***bœuf* 〔*pommes*〕 ~** (양념하지 않고) 그냥 삶은 쇠고기〔감자〕. ***café ~*** 블랙커피. ── *adv.* 사실대로, 자연 그대로 ; 《속어》 물론(= naturellement).
:naturel, elle [natyʀɛl] *adj.* ① 자연(계)의 ; 천연의, 자연 그대로의 ; 실물의 : phénomènes ~*s* 자연현상 / gaz ~ 천연가스 / ressources ~*elles* 천연자원 / alimentation ~*elle* 자연식품 / droit ~ 자연법 / peuples ~*s* 자연인, 원시인 / pierre ~*elle* (가공하지 않은) 자연석 / soie ~*elle* 본견(本絹). ② 천부(天賦)의, 타고난 : esprit ~ 타고난 재능 / gaieté ~*elle* 천성적 쾌활함. ③ 자연법칙에 따른 ; 당연한(= normal) : C'est très ~. 매우 당연한 일이다. ④ 자연스러운, 꾸밈없는 : avoir une attitude ~*elle* 태도가 자연스럽다 / style ~ 꾸밈없는 문체. ***dons ~s*** 천품(天稟). ***enfant ~*** 사생아, 서자. ***histoire ~elle*** 박물학(博物學). ***Il est ~ que*** + *sub.* …하는 것은 당연한 일이다. ***Je trouve ~ que*** + *sub.* 〔***de*** + *inf.*〕 나는 …을 당연한 일이라고 생각한다. ***loi ~elle*** 자연법칙, 천리(天理). ***mort ~elle*** 자연사(死). ***parties ~elles*** 생식기. ***sciences ~elles*** 자연 과학. ***vin ~*** 순수한 포도주, 생포도주.
── *m.* ① 성격, 성질, 기질, 본성, 천성. ② 자연(미) ; 인정. ③ 실물. ④ 토박이, 원주민(= aborigène, indigène) : parler l'anglais comme un ~ 《구어》 영어를 모국어처럼 말하다. ***au ~*** 자연 그대로 ; 〖요리〗 조리〔양념〕하지 않은 : bœuf *au* ~ = bœuf nature / lion *au* ~ 〖문장〗 자연색의 사자. ***Chassez le ~, il revient au galop.*** 《격언》 타고난 성질은 어쩔 수 없다.
:naturellement [natyʀɛlmɑ̃] *adv.* ① 자연히, 자연적으로, 저절로 ; 쉽게 : sol ~ fertile 자연적으로 비옥한 땅 / idée qui remonte ~ 저절로 떠오르는 생각 / explicable ~ 쉽게 설명될 수 있는. ② 본래, 타고나기를, 천성적으로 : enfant ~ fragile 본래 허약한 아이 / cheveux ~ bouclés 타고난 고수머리 / L'homme est bon ~. 인간은 천성적으로 선량하다. ③ 자연스럽게, 꾸밈없이, 있는 그대로 : exprimer ses idées ~ 자기 생각을 자연스럽게 표현하다. ④ 물론, 당연히(= évidemment) : On a été ~ porté à penser que... 당연히 …라고 생각하게 되었다 / Tu la connais ? — *N~ !* 그녀를 아니? — 물론. ***Mais ~ !*** 물론.
naturisme [natyʀism] *m.* ① 〖문학〗 본연(本然)주의. ② 〖철학〗 자연 숭배주의. ③ 순자연주의 ; 나체주의(= nudisme). ④ 〖의학〗 자연 요법.
naturiste [natyʀist] *adj.* 〖문학〗 본연주의의 ; 〖철학〗 자연 숭배주의의 ; 순 자연주의의. ── *n.* 본연〔자연 숭배·순 자연〕주의자.
naufrage [nɔ(o)fʀaːʒ] *m.* ① 파선(破船), 난파 : faire ~ 파선하다. ② 실패 ; 파산 ; 파멸, 괴멸 ; (명성 따위의) 실추 : ~ d'un pays 국가의 붕괴. ***faire ~ au port*** 다 된 (듯한) 일이 하루아침에 무너지다.
naufragé, e [nɔ(o)fʀaʒe] *adj.* 파선〔난파〕 당한 : vaisseau ~ 난파선. ── *n.* 파선당한 사람.
naufrager [nɔ(o)fʀaʒe] [3] *v.i.* ① 파선하다, 난파하다. ② 《비유》 파멸〔파산·실패〕하

다. — *v.t.* 난파시키다 ; 파멸〔파산 · 좌절〕 시키다.

naufrageur, euse [nɔ(o)fʀaʒœːʀ, -øːz] *adj.* (가짜 신호를 하여) 배를 파선시켜서 약탈하는. — *m.* ① 난파선 약탈자. ② 파괴자 : ~*s* de l'État 국가 파괴자〔전복자〕.

nauséabond, e [nozeabɔ̃, -ɔ̃ːd] *adj.* ① 구역질나게 하는(= écœurant) ; 메스꺼운, 역겨운 : odeur ~*e* 역겨운 냄새. ② 혐오감을 주는, 불쾌한(= répugnant). ***remède*** ~ 구토제.

nausée** [noze] *f.* ① 구역, 구토, 욕지기, 뱃멀미(= haut-le-cœur). ② 혐오감, 불쾌감. ***avoir la ~ 〔***des*** ~***s***〕 구역질나다. ***donner des*** ~***s à*** qn 구역질나게 하다, …에게 역겨운 느낌을 갖게 하다.

nauséeux, euse [nozeø, -øːz] *adj.* 구역질나게 하는 ; 구역질 나는 ; 메스꺼운 ; 역겨운 : odeur ~*euse* 메스꺼운 냄새.

-naute *suff.* 「항해자 · 비행자」의 뜻.

nautile [notil] *m.* ① 구명대(救命帶). ② 〖패류〗 앵무조개.

nautique** [notik] *adj.* ① 항해(술)의, 항해에 관한. ② 〖스포츠〗 수상 (경기)의. ***art 〔***science***〕 ~ 항해술. ***carte*** ~ 해도(海圖). ***ski*** ~ 수상 스키. ***sports*** ~***s*** 수상 스포츠.

-nautique *suff.* 「항해의 · 비행의」의 뜻.

nautisme [notism] *m.* 수상 스포츠 ; (특히) 요트.

navaja [navax(ʒ)a] 〔에스파냐〕 *f.* (만곡(彎曲)한) 큰 칼.

naval, e [naval] (*pl.* ~***s***) *adj.* ① 해전의 ; 해군의 : l'attaché ~ de l'ambassade 대사관부 해군 무관. ② 선박의, 군함의, 항해의 : chantier ~ 조선소. ***architecture*** 〔***construction***〕 ~***e*** 조선(造船). ***armée*** ~***e; forces*** ~***es*** 해군. ***base*** ~***e*** 해군 기지. ***combat*** ~ 해전. — **N~e** *f.* 해군 사관학교 (= école ~*e*).

navarin [navaʀɛ̃] *m.* 〖요리〗 양고기 스튜.

navel [navɛl] *f.* 네이블《오렌지의 일종》.

***navet** [navɛ] *m.* ① 〖식물〗 순무. ② 《구어》 바보(= niais). ③ 《구어》 (그림 · 영화 따위의) 졸작, 실패작 : Ce film est un ~. 이 영화는 실패작이다.

navette [navɛt] *f.* (두 지점을 규칙적으로 왕복하는) 연락 열차〔자동차 · 전차 · 배〕. ***faire la*** ~ 규칙적〔정기적〕으로 왕복하다 : *faire la* ~ entre Paris et Londres 파리와 런던 사이를 정기적으로 왕래하다.

navigabilité [navigabilite] *f.* ① (하천의) 항행 가능성. ② (배 · 비행기의) 내항성(耐航性) : en état de ~ 내항성이 있는.

navigable [navigabl] *adj.* ① (하천이) 항행할 수 있는 : rivière ~ 항행할 수 있는 강. ② (배 · 비행기가) 내항성이 있는.

navigant, e [navigɑ̃, -ɑ̃ːt] *adj.* 항해〔항공〕하는 : personnel ~ 〖항공〗 항공 근무자. — *n.* 항해자, 항공자.

navigateur [navigatœːʀ] *m.* ① 항해자 ; 뱃사람 : Il est grand ~. 그는 바다 여행을 매우 좋아한다. ② 항공사. — *adj.* 항해에 종사하는. — *m.* 〖해양 · 항공〗 자동 위치 측정기.

navigation [navigɑsjɔ̃] *f.* ① 항행, 항해 ; 항공, 비행 : permis de ~ 선박 항해 허가증 / ~ spatiale 우주 비행 / compagnie de ~ 해운 회사 / ligne de ~ aérienne 항공로. ② 항해〔항공〕술.

naviguer** [navige] *v.i.* ① 항행〔항해 · 항공〕하다. ② 〖해양 · 항공〗 배〔비행기〕를 조종하다 : ~ à deux mille mètres d'altitude 고도 2천 미터로 비행하다. ③ 《구어》 자주〔많이〕 여행하다 ; 항해를 많이 하다(= bourlinguer). ~ ***entre les écueils 위험을〔장애를〕 교묘히 피하다.

naviplane [naviplan] *m.* 호버크래프트《수상에서 공기의 압력으로 떠올라 비행기처럼 나는 배의 일종》(= aéroglisseur).

***navire** [naviːʀ] *m.* 배, 선박(= bateau, bâtiment) : ~ marchand 상선 / ~ au long cours 원양 항해선 / ~ de charges ; ~ de commerce 화물선 / ~ de guerre 군함.

navire-citerne [naviʀsitɛʀn] *m.* (*pl.* ~***s***-~***s***) 탱커, 유조선.

navire-école [naviʀekɔl] *m.* (*pl.* ~***s***-~***s***) 연습선.

navrant, e** [navʀɑ̃, -ɑ̃ːt] *adj.* ① 비통한, 가슴을 에는 : nouvelle ~*e* 비통한 소식, 비보. ② 한심스러운, 딱한(= déplorable, fâcheux). ***Il n'écoute personne, c'est ~. 그는 누구의 말도 듣지 않으니 한심스럽다.

navré, e [navʀe] *adj.* ① 몹시 상심한〔슬퍼하는〕. ② 《~ de》 …으로 몹시 상심한 ; …을 매우 섭섭해 하는 : Je suis ~ *de* vous avoir dérangé. 폐를 끼쳐서 미안합니다.

navrer [navʀe] *v.t.* (…의) 마음을 몹시 아프게〔슬프게〕 하다(attrister, désoler) ; 난처하게 하다(= contrarier) : Cette nouvelle l'*a navré*. 그는 그 소식을 듣고 몹시 가슴 아파했다 / 《être navré de + *inf.*》 Je *suis navré de* n'avoir pas pu venir. 올 수 없었던 것을 몹시 유감스럽게 생각합니다.

nazaréen, enne [nazaʀeɛ̃, -ɛn] *adj.* 나사렛(*Nazareth*)의. — **N~** *n.* 나사렛 사람.

nazi, e [nazi] *n.* 〖정치〗 나치, 나치 당원《독일의 국가 사회당원》. — *adj.* 나치당의.

nazisme [nazism] *m.* (독일의) 국가 사회주의, 나치즘.

naziste [nazist] *adj.* 독일 국가 사회당의, 나치당의. — *n.* 독일 국가 사회당원, 나치스트.

N.(B.) 〔라틴〕 《약자》 Nota Bene 주의(注意), 주(註).

N.B.C. 《약자》 nucléaire, biologique, chimique 〖군사〗 핵 · 생물 · 화학의.

N.-D. 《약자》 Notre-Dame 성모 마리아.

N. du T. 《약자》 note du traducteur 역자 주.

‡**ne** [n(ə)] *adv.* 《모음, 무음 h 앞에서는 n' ; ne 는 동사 바로 앞에 놓이며, 다만 보어 인칭대명사는 ne와 동사 사이에 들어올 수 있음》 ① ⓐ 《ne... pas, ne... point, ne... plus, ne... jamais, ne... guère 〔goutte, mais, mie〕 등과 같이 쓰여 동사를 부정함》 Il *n'*ira pas. 그는 가지 않을 것이다 / Il *n'*est plus malade. 그는 병이 나았다 / Il *n'*est jamais là. 그는 결코 거기에 없다. ⓑ 《pas 나 point 앞에서 ne 가 생략되기도 함》 C'est pas vrai. 사실이 아니다 / J'irai pas. 나는 가지 않을 것이다.
② 《ne 의 단독 용법》 ⓐ 《옛》 Un seul *n'*en

échappa. 단 한 명도 도망치지 않았다. ⓑ 《동사적 숙어 n'avoir crainte, n'avoir cure, n'avoir garde, n'empêche, n'importe 와 함께》 *N'*ayez crainte. 염려 마시오. ⓒ《주절이 부정문이나 의문문일 때 접속법의 종속절에서 pas, point 등을 생략하고 ne만 씀》 Il *n'*est pas de jour qu'il *ne* se lamente sur son sort. 그가 신세 한탄을 하지 않는 날이 없다 / Y a-t-il un homme dont elle *ne* médise? 그녀가 욕하지 않는 남자가 있을까. ⓓ《cesser, oser, pouvoir, savoir 의 부정형에서, si...의 조건법에서, 그리고 어떤 특수한 구분들(Ce n'est pas que, non (pas) que ; depuis que, voici (voilà)... que, il y a... que ; autre... que, autre... sinon)에서 ne 단독으로 쓰이는 일이 있음》 Je *ne* peux, je *n'*ose le dire. 나는 할 수 없어, 차마 그 말을 하지 못하겠어 / Je *ne* sais que lui répondre. 나는 그에게 뭐라고 대답해야 할지 모르겠다 / Si je *ne* me trompe... 만약 내 생각이 잘못이 아니라면 / non que je *ne* le plaigne 내가 그를 가엾게 여기지 않아서가 아니라 / Voilà bien trois mois que je *n'*ai été au théâtre. 내가 극장에 가지 않은 지가 족히 석 달은 된다. ⓔ《pas 나 point 없이 ne 가 부정의 뜻을 가진 다른 부정형 personne, rien, aucun, ni 등과 함께 쓰임》 La destinée *n'*est à personne. 운명은 누구의 편도 아니다 / Aucun *n'*est prophète chez soi. 누구도 제 고향에서는 존경받기 어렵다 / Ni l'or ni la grandeur *ne* nous rendent heureux. 황금도 영예도 우리를 행복하게 하지 못한다.

③《허사의 ne》 ⓐ《불안이나 불가능을 나타내는 동사나 동사적 표현(craindre, avoir peur, redouter, trembler, appréhender, de crainte que, de peur que 따위)과 방해·경계를 나타내는 동사(empêcher, éviter, prendre garde, garder 따위)의 긍정형 뒤에서》 Je crains qu'elle *ne* prenne froid. 그녀가 감기에 걸리지 않을까 걱정이다 / J'ai peur que mon héros *ne* vous paraisse étrange. 내 주인공이 당신에게 이상하게 보이지나 않을까 염려스럽다 / Prenez garde qu'on *ne* vous voie. 들키지 않게 조심하십시오. ⓑ《의혹이나 부정을 나타내는 동사나 동사적 표현 douter, mettre en doute, nier, il est douteux, disconvenir, désespérer, contester, méconnaître, dissimuler 따위의 부정형·의문형 뒤에서》 Je *ne* doute pas qu'il *ne* vienne. 나는 그가 올 것을 의심하지 않는다 / On *ne* peut pas nier que ce *ne* soit là une grande question. 그것이 큰 문제임은 부정할 수 없다 / Doutez-vous qu'il *ne* vienne? 그가 오는 것을 의심하십니까. ⓒ《불평등 비교를 나타내는 말 autre, autrement, meilleur, mieux, moindre, moins, pire, pis, plus, plutôt que 따위의 뒤에서》 Il agit autrement qu'il *ne* parle. 그는 말과 행동이 다르다 / Il est plus vigoureux qu'il *ne* paraît. 그는 보기보다 강하다. ⓓ《숙어적으로 사용되는 접속사 à moins que, avant que 뒤에서》 Il se peut que l'on pleure, à moins que l'on *ne* rie. 웃지 않는다면 울릴 수도 있다 / Il se hâte d'y aller avant qu'il *ne* pleuve. 그는 비가 오기 전에 거기에 가려고 서두른다. ***ne ... que ...*** …만 (= seulement) : Vous *ne* m'avez donné *que* du souci. 당신은 내게 걱정거리만 가져다 주었다. ***ne ··· pas (point) que ...*** …(인 것) 만은 아니다《ne ... que 의 반대되는 뜻》.

‡né, e [ne] *adj.* ① 태어난, 출생한. ② 타고난 : être *né* poète 타고난 시인이다. ③《명사+-né》 un artiste-*né* 타고난 예술가 / un aveugle-*né* 선천적 소경. ***bien né*** 가문〔근성〕이 좋은. ***mal né*** 가문이 나쁜.

***néanmoins** [neɑ̃mwɛ̃] *adv.* 그러나, 그렇지만, 그럼에도 불구하고(= cependant, pourtant) : Il était malade, il est ~ venu. 그는 몸이 불편했음에도 불구하고 왔다 / *N~*, je m'en accommode. 그러나 나는 만족한다.

néant [neɑ̃] *m.* ① 무(無), 허무(= non-être) ; 공허 ; 죽음, 소멸 : l'être et le ~ 존재와 무 / rentrer dans le 〔retourner au〕 ~ 무로 돌아가다. ② 무가치, 무의미 ; 하찮은 것〔사람〕 : ~ de la vie humaine 인생의 허무함 / homme 〔chose〕 de ~ 보잘것없는 사람〔것〕. ③ 〖행정〗 없음 ; 이하 공백《서류에 적음》(= aucun(e)) : signes particuliers : ~ 특징이 없음. ***pour ~*** 아무런 이유 없이 ; 헛되이. ***tirer*** qc ***du ~*** …을 보잘것없는 처지에서 높은 지위에 끌어올리다, 출세시키다.

nébuleuse[1] [nebyløːz] *f.* ① 〖천문〗 성운(星雲) : ~ galactique 은하계 내 성운. ②《비유》 흐리멍덩한 것 ; 모호한 상태.

nébuleux, euse[2] [nebylø, -øːz] *adj.* ① (날씨·하늘·표정이) 흐린 ; (액체 따위가) 탁한. ② 이해하기 어려운, 모호한, 난해한(= confus, obscur).

nébulisation [nebylizɑsjɔ̃] *f.* (액체의) 분무(噴霧).

nébuliseur [nebylizœːʀ] *m.* 분무기.

nébulosité [nebylozite] *f.* ① 흐림. ② 모호, 이해하기 어려움. ③ 엷은 구름〔안개〕. ④ 〖기상〗 운량(雲量).

‡nécessaire [nesesɛːʀ] *adj.* ① 필요한, 불가결의(= indispensable) ; 유용〔소중〕한(= utile) : mal ~ 필요악 / condition ~ et suffisante 필요충분조건 / 《~ à qn 〔qc〕》 éléments ~*s à* une recherche 연구에 필요한 요소들 / 《~ à 〔pour〕+*inf.*》 Cette mesure est ~ *pour* maintenir l'ordre. 이 조치는 질서 유지를 위해 필요하다. ② 필연적인, 불가피한(= inéluctable, inévitable) : résultat ~ 필연적인 결과 / rapports ~*s* 필연적인 관계. ***Il est ~ de*** + *inf.* 〔***que*** + *sub.*〕 …할 필요가 있다〔하는 것이 필요하다〕. —— *m.* 필요한 것〔일〕 ; 필수품 ; 용품(用品) 케이스〔상자·그릇〕 ; (한 상자·한 벌의) 용품, 용구. ***faire le ~***[1] 필요한 일을 하다 ; 소정의 절차를 밟다 ; 발 벗고 나서다. ***manquer du ~*** 필요품이 모자라다 ; 궁핍하다. ***~ à ouvrage*** 연장 그릇 ; 반짇고리. ***~ de toilette*** 화장 (도구) 그릇. —— *n.* 필요한 사람. ***faire le ~***[2] 돌보아 주다, 참견하다.

nécessairement** [nesesɛʀmɑ̃] *adv.* 반드시, 꼭(= absolument) ; 필연적으로 ; 당연히. ***pas ~ 반드시 …은 아니다 : Cela ne veut *pas* ~ dire que... 그것은 반드시 …라는 뜻은 아니다.

N

nécessité** [nesesite] *f.* ① 필요(성) ; 필요한 것〔일〕; (*pl.*) (생활) 필수품, 필요품(= ~ de la vie) ; (자연적인) 욕구《음식 · 수면 · 휴식 따위》(= ~ de la nature) ; 대소변(= besoins naturels). ② 긴급(성), 긴요(성) ; 급선무. ③ 필연(성). ④ 부득이함, 불가피함 ; 불가피한 일〔것〕. ⑤ 궁핍, 빈궁. ***de (***toute***) **~** 꼭 필요한 ; 반드시 : Il est *de toute* ~ de +*inf.* 〔que+*sub.*〕 꼭 …하지 않으면 안 된다. ***en cas de*** **~** 필요한 경우에는. ***état de*** **~** 〖법률〗 긴급 피난. ***être dans la*** **~** 가난하다. ***être dans*** 〔***réduit à***〕 ***la*** **~** ***de*** +*inf.* …할 필요에 처해〔빠져〕 있다. ***mettre*** qn ***dans la*** **~** ***de*** +*inf.* …을 …하지 않을 수 없게 만들다. ***N~ est mère d'industrie*** 〔***d'invention***〕. 《격언》 필요는 발명의 어머니. ***N~ n'a point*** 〔***pas***〕 ***de loi ; N~ fait loi.*** 《격언》 필요 앞에서는 법률도 없다. ***objets de première*** 〔***de toute***〕 **~** 필수품. ***par*** **~** 필요해서, 부득이 어쩔 수 없이. ***selon les*** **~*s*** 사정〔경우〕에 따라서.

***nécessiter** [nesesite] *v.t.* ① 필요로 하다, 요하다, 불가피하게 하다(= exiger) : Cela *nécessite* une grande dépense. 그것은 많은 돈을 필요로 한다. ② 《~ qn à 〔de〕+*inf.*》 《옛》 …에게 …할 것을 강요하다, …하지 않을 수 없게 하다(= contraindre, forcer).

nécessiteux, euse [nesesitø, -ø:z] *adj.* 가난한(= indigent). ── *m. pl.* 빈민, 영세민.

nécr(o)- *préf.* 「죽음 · 시체」의 뜻.

nécrologe [nekʀɔlɔ:ʒ] *m.* (재해 때의) 사망자 명부 ; 〖가톨릭〗 (교구 내의) 사망자 명부.

nécrologie [nekʀɔlɔʒi] *f.* ① 고인(故人)의 약력 ; 추도문. ② 사망자 명부 ; (신문 · 잡지의) 사망 광고, 부고.

nécrologique [nekʀɔlɔʒik] *adj.* 고인 약력의 ; 사망자 명부의, 사망자란의.

nécrologue [nekʀɔlɔg] *m.* 고인 약력 작성자 ; 사망자 명부 작성자.

nécromancie [nekʀɔmɑ̃si] *f.* 강신술(降神術), 무술(巫術) ; 마술(= magie), 요술.

nécromancien, enne [nekʀɔmɑ̃sjɛ̃, -ɛn] *n.* 강신술사, 무당 ; 마술사(= magicien).

nécrophilie [nekʀɔfili] *f.* 〖의학〗 (시체에 성적 매력을 느끼는) 시간증(屍姦症).

nécropole [nekʀɔpɔl] *f.* (고대의) 지하 묘지 ; (근대 도시의) (공동)묘지.

nécropsie [nekʀɔpsi], **nécroscopie** [nekʀɔskɔpi] *f.* 《옛》 〖의학〗 시체 해부, 검시(= autopsie).

nécrose [nekʀo:z] *f.* ① 〖의학〗 회저(壞疽)(= mortification) : ~ osseuse 골저, 카리에스. ② 〖식물〗 암종병(癌腫病).

nécroser [nekʀoze] *v.t.* 〖의학〗 (뼈 따위에) 회저를 일으키다 ; 〖식물〗 암종을 일으키다. ── **se ~** *v.pr.* 회저〔암종병〕에 걸리다.

nectar [nɛkta:ʀ] *m.* ① 〖그리스신화〗 신주(神酒). ② 《옛 · 문어》 감로(甘露), 감미로운 음료. ③ 〖식물〗 꽃꿀, 화밀(花蜜).

nectarine [nɛktaʀin] *f.* 넥타린, 승도(僧桃) 복숭아.

***néerlandais, e** [neɛʀlɑ̃dɛ, -ɛ:z] *adj.* 네덜란드의(= hollandais). ── **N~** *n.* 네덜란드 사람. ── *m.* 네덜란드어.

nef [nɛf] *f.* ① 《옛 · 시어》 배(舟)(= navire). ② (교회의) 중앙 회중석《중심부》: ~ latérale (교회당의) 측랑(側廊).

néfaste** [nefast] *adj.* ① 상서롭지 못한(= sinistre), 불행한, 불길한(= funeste) : régime ~ 위험한 제도. ② 불리한, 해로운. ***jour 〔***année***〕 **~** 액일〔액년〕.

nèfle [nɛfl] *f.* 〖식물〗 모과 : ~ du Japon 비파《열매》. ***Des ~s !*** 《구어》 그럴 순 없어 ; 어림없는 소리.

néflier [neflije] *m.* 〖식물〗 서양모과나무 : ~ du Japon 비파나무.

négateur, trice [negatœ:ʀ, -tʀis] *adj.* et *n.* 부정〔부인〕하는 버릇이 있는 (사람), 부정적인 (사람) : esprit ~ 부정적인 정신.

négatif, ive** [negatif, -i:v] *adj.* ① 부정의, 부인하는, 부정적인(≠ affirmatif) : avoir voix *~ive* 거부권을 갖다 / proposition *~ive* 〖논리〗 부정 명제 ; 〖문법〗 부정절(節). ② 소극적인(≠ positif) : preuve *~ive* 소극적인 증거, 반증 / critique *~ive* 비생산적인 비평. ③ 〖물리 · 전기〗 음성의, 음극의, 음전기의 ; 〖수학〗 음〔마이너스〕의 : électricité *~ive* 음전기 / nombre ~ 음수 / plaque *~ive* 음극판(板). ④ 효과〔결과〕가 없는, 무효의(= nul) : Leur discussion eut un résultat ~. 그들의 토론은 아무 결론도 얻지 못했다 / effets *~s* d'un régime alimentaire 식이 요법의 좋지 않은 결과. ⑤ 〖의학〗 음성(陰性)의 : cuti 〔cuti-réaction〕 *~ive* 피부의 음성 반응 / rhésus ~, RH 마이너스. ⑥ 〖정치〗 거부권의 : avoir voix *~ive* dans une assemblée 총회에서 거부권을 갖다. ⑦ 〖사진〗 음화의, 네거의 : épreuve 〔image〕 *~ive* 음화, 네거. ── *m.* 〖사진〗 음화, 네거(티브). ── *f.* ① 부정 ; 부정론. ② 〖문법〗 부정사(不定辭) : répondre par la *~ive* 부정적인 대답을 하다. ***Dans la ~ive 그것이 아니라면(≠ dans l'affirmative). ***se tenir sur la ~ive*** 부정적 태도를 취하다〔고집하다〕.

N

négation [negɑsjɔ̃] *f.* ① 부정, 부인 ; 거절 ; 반대 : répondre par une ~ 부정하다 ; 거절하다. ② 〖문법〗 부정 ; 부정사《ne, pas, non 따위》.

négativement [negativmɑ̃] *adv.* 부정적으로 ; 소극적으로 : répondre ~ 부정적으로 대답하다.

négaton [negatɔ̃] *m.* 〖물리〗 음전자(陰電子)(≠ positon).

négligé, e [negliʒe] *adj.* 소홀히〔등한히〕 한 ; (옷차림 따위가) 아무렇게나 된, 허술한 : travail ~ 아무렇게나 한 일 / épouse *~e* 소박맞은 아내 / être ~ de sa personne 옷차림을 아무렇게나 하고 있다, 옷차림에 무관심하다. ── *m.* 실내복, 네글리제(= déshabillé) ; 아무렇게나 한 차림(= débraillé) : être en ~ 실내복 차림이다.

négligeable [negliʒabl] *adj.* 대수롭지 않은, 사소한, 하찮은(= dérisoire, insignifiant) : considérer 〔traiter〕 qn comme quantité ~ …의 존재를 전혀 무시하다.

négligemment [negliʒamɑ̃] *adv.* 아무렇게나, 되는대로, 소홀하게, 무심히

négligence [negliʒɑ̃:s] *f.* ① 등한, 소홀, 태만 ; 부주의, 무관심 ; (옷차림 따위의) 허술함. ② (부주의로 인한) 과실, 실수, 결함. ③

〖법률〗 과실. ***par*** **~** 잘못하여 ; 무심코.

négligent, e [negliʒɑ̃, -ɑ̃:t] *adj.* ① 태만한, 소홀〔부주의〕한 ; 무관심한 : être ~ à+*inf.* …하는 데에 소홀하다. ② 아무렇게나〔되는 대로〕 하는 : salut ~ 되는대로 하는 인사. **~ *en affaires*** 일에 태만한. — *n.* 태만한〔소홀한〕 사람 ; 무관심한 사람.

négliger [negliʒe] ③ *v.t.* ① 소홀히〔등한히〕 하다 ; 돌보지 않다 ; 무시하다 ; 빠뜨리다 : Il *néglige* sa femme. 그는 아내를 돌보지 않는다 / ~ ses amis 친구를 버리다. ② (기회를) 놓치다, 잃다(= laisser échapper). ③ 〖수학〗 (끝수를) 떼어 버리다. **~ *de*** +*inf.* …하기를 소홀히 하다. ***ne rien*** **~** ***pour*** +*inf.* 백방으로 손을 써서 …하다. — ***se*** **~** *v.pr.* 제 몸을 돌보지 않다 ; 옷차림에 개의치 않다 ; (일 · 공부 따위를) 게을리 하다.

négoce [negɔs] *m.* 거래, 장사, 사업(= commerce) ; 도매업.

négociable [negɔsjabl] *adj.* ① 〖상업〗 (증권 · 어음 따위가) 거래될〔유통할〕 수 있는 : valeur ~ 시가, 시세. ② 협상의 대상이 될 수 있는.

négociant, e [negɔsjɑ̃, -ɑ̃:t] *n.* 도매 상인 (≠ détaillant) ; 무역업자 ; 상인 ; 큰 부자.

négociateur, trice [negɔsjatœ:ʀ, -tʀis] *n.* ① 협상자, 교섭 위원 : ~*s* du traité de paix 평화 조약 의정자(議定者). ② 중개인 : ~ d'un mariage 중매인.

négociation [negɔsjɑsjɔ̃] *f.* ① 교섭 ; 협상, 담판, 절충. ② ⓐ 《옛》 장사, 상업. ⓑ 〖상업〗 (증권 · 어음의) 거래, 매매 : ~ des effets publics 공채증서의 매매. ***en*** **~** 교섭 중의. ***engager*** 〔***entamer***〕 ***des*** **~*s*** 교섭을 시작하다. **~ *d'un mariage*** 결혼 중매. ***par voie de*** **~*s*** 협상〔교섭〕에 의하여.

négocier [negɔsje] *v.i.* 협상〔교섭〕을 하다 : ~ avec une puissance étrangère 외국과 협상하다. — *v.t.* ① (거래 · 장사를) 교섭하다 ; (조약 따위를) 협상〔교섭〕하다, 담판하다 ; (결혼 · 계약 따위를) 중개하다, 알선하다 : ~ les conditions d'un contrat 계약 조건을 협상하다 / ~ la libération des prisonniers 포로 석방을 협상하다. ② 〖상업〗 (증권 · 어음 따위를) 양도〔매매〕하다 : ~ des valeurs mobilières 유가 증권을 양도하다.

nègre [nɛgʀ] *adj.* 《불변》 ① 흑인의 : race ~ 흑인종. ② 짙은 갈색의. — *n.* (*f.* ***négresse*** [negʀɛs]) 《경멸》 흑인, 검둥이《현재는 보통 noir 라고 함》 ; 흑인 노예. — *m.* 《구어》 (화가의 아틀리에의) 조수 ; (작가의) 조수 ; (유명 작가의) 대필자, 대작자(代作者) ; 하청인(下請人). ***petit*** **~** 식민지의 흑인이 쓰는 엉터리 프랑스말 ; 서투른 프랑스어. ***travailler comme un*** **~** 열심히 일하다 ; 고된 일을 하다.

négrier, ère [negʀije, -ɛ:ʀ] *m.* ① (흑인) 노예 상인 ; 노예선. ② 피고용자들을 노예처럼 부리는 고용주. — *adj.* 노예 매매의 : capitaine ~ 노예선의 선장.

négrillon, onne [negʀijɔ̃, -ɔn] *n.* 흑인 아동.

négritude [negʀityd] *f.* 《문어》 흑인 특유의 성격〔사고방식〕 ; 흑인(종)임.

négroïde [negʀɔid] *adj.* 〖인종〗 흑인 계통의, 흑인종을 닮은. — *n.* 흑인 계통의〔흑인종을 닮은〕 사람.

négro-spiritual [negʀospiʀitɥal] 〔영〕 *m.* (*pl.* **~-~*s***) (미국의) 흑인 영가(靈歌).

négus [negys] *m.* 아비시니아〔에티오피아〕 국왕의 존칭.

neige [nɛ:ʒ] *f.* ① 눈 : amas de ~ 눈더미 / boule de ~ 눈뭉치 / Il tombe de la ~. 눈이 온다 / limite des ~*s* éternelles 〔persistantes〕 설선(雪線)《만년설에 덮인 산의 최저선》 / sports de la ~ 겨울 스포츠 / pneu ~ 스노타이어 / classe de ~ (산에서 실시하는 대도시 초등학교의) 동계 훈련 과정. ② 눈 같은 것 ; 눈같이 흼, 새하얌, 순백 ; 백발 ; 얼음과자, 셔벗 ; 《구어》 코카인. ***de*** **~** 눈처럼 흰 ; 《구어》 순식간의 ; 덧없는. ***faire un bonhomme de*** **~** 눈사람을 만들다. **~ *fondue*** 진눈깨비 ; 녹은 눈. ***œuf à la*** **~** 〖요리〗 (달걀흰자로 만든) 눈과자. ***rafale de*** **~** 눈보라.

neigé, e [nɛ〔e〕ʒe] *adj.* 눈으로 덮인.

neiger [nɛ〔e〕ʒe] ③ *v. impers.* 눈이 오다 : Il commence à ~. 눈이 오기 시작한다.

neigeux, euse [nɛʒø, -ø:z] *adj.* ① 눈같이 흰〔부드러운〕, 새하얀. ② 눈이 많은 ; 눈에 덮인〔쌓인〕 ; (날씨가) 눈이 오는〔올 듯한〕.

nélombo, né〔e〕lumbo [nelɔ̃bo] *m.* 《복수불변》 〖식물〗 연(蓮)(= lotus).

N.É.M.I. 《약자》 nouvelle échelle métrique de l'intelligence 〖심리〗 신지능 측정 척도.

némoral, e, aux [nemɔʀal, -o] *adj.* 〖식물〗 숲속에 사는〔생장하는〕 : plantes ~*es* 산림 식물.

ne-m'oubliez-pas [nəmubli(j)epɑ] *m.* 《복수불변》 《구어》 〖식물〗 물망초(= myosotis).

néné [nene] *m.* 《구어》 유방(= lolo, nichon).

nénette [nenɛt] *f.* 《구어》 ① 머리 : se casser la ~ 어려운 문제로 고생하다, 골머리를 앓다. ② 아가씨(= fille), 여자(= femme).

nenni [nani, ne〔ɛn〕ni] *adv.* 《옛 · 지방어》 아니오, 그렇지 않소. — *m.* 거부, 거절.

nénufar, nénuphar [nenyfa:ʀ] *m.* 〖식물〗 수련(睡蓮). **~ *blanc*** 백수련(= lune d'eau).

néo- *préf.* 「새로운 · 신(新)」의 뜻.

néo-calédonien, enne [neɔkaledɔnjɛ̃, -ɛn] *adj.* 뉴칼레도니아(*la Nouvelle- Calédonie*)의. — **N~-C~** *n.* 뉴칼레도니아 사람.

néo-capitalisme [neɔkapitalism] *m.* 신자본주의.

néo-catholicisme [neɔkatɔlisism] *m.* 신가톨릭교〔주의〕.

néo-classicisme [neɔklasisism] *m.* 〖문학 · 예술〗 신고전주의.

néo-classique [neɔklasik] *adj.* 신고전주의의. — *m.* (*pl.* **~-~*s***) 신고전주의자.

néo-colonialisme [neɔkɔlɔnjalism] *m.* 신식민주의.

néo-colonialiste [neɔkɔlɔnjalist] *n.* et *adj.* 신식민주의(의).

néo-criticisme [neɔkʀitisism] *m.* 신비판주의, 신칸트주의.

néo-gothique [neɔgɔtik] 〖건축〗 *adj.* (19세기 말에 유행한) 신고딕식의. — *m.* 신고딕식.

néo-grec, néo-grecque [neɔgʀɛk] *adj.* 근대 그리스의 : littérature ~*que* 근대 그리스 문학 / style ~ 〖건축〗 신그리스 양식.

néo-impressionnisme [neɔɛ̃pʀesjɔnism] *m.* 〖미술〗 후기 인상주의.

néo-kantien, enne [neɔkɑ̃tjɛ̃, -ɛn] *adj.* 신칸트파의. ── *n.* 신칸트파.

néo-kantisme [neɔkɑ̃tism] *m.* 〖철학〗 신칸트주의.

néo-latin, e [neɔlatɛ̃, -in] *adj.* 라틴어에서 전래한 : langues ~*es* 로망어(語).

néo-libéralisme [neɔlibeʀalism] *m.* 〖경제 · 정치〗 신자유주의.

néolithique [neɔlitik] *adj.* et *m.* 〖역사〗 신석기 시대(의).

néologisme [neɔlɔʒism] *m.* ① 신어. ② 신어 사용〔창조〕; 이미 있는 말을 새로운 뜻으로 사용하기(≠ archaïsme). ③ 《옛 · 경멸》 새로운 말투, 신(新)어법.

néon [neɔ̃] *m.* 〖화학〗 네온 ; 네온사인 : tube 〔lampe〕 au ~ 네온관〔등〕.

néo-natal, e, aux [neɔnatal, -o] *adj.* 〖의학〗 신생아〔갓난아이〕의 : mortalité ~*e* 신생아 사망률.

néophyte [neɔfit] *n.* ① 《일반적》 새 신도, 개종자. ② (정당 따위에) 새로 들어온 사람 ; (학설 따위의) 새 신봉자(= nouvel adepte) ; 신참(新參), 초심자.

néoplasique [neɔplazik] *adj.* 〖의학〗 (병적) 신생물의, 종양의 : affection ~ 종양.

néoplasme [neɔplasm] *m.* 〖생리 · 의학〗 (정상적이 아닌) 신(新)발생물, 신(新)생물, 《특히》 종양(腫瘍).

néo-positivisme [neɔpɔzitivism] *m.* 〖철학〗 신실증주의.

néo-réalisme [neɔʀealism] *m.* 〖문학 · 미술 · 영화〗 신사실주의.

néo-romantisme [neɔʀɔmɑ̃tism] *m.* 〖문학 · 미술〗 신낭만주의.

néo-thomisme [neɔtɔmism] *m.* 신(新)토마스 학파.

néo-zélandais, e [neɔzelɑ̃dɛ, -ɛːz] *adj.* 뉴질랜드(*la Nouvelle-Zélande*)의. ── **N~-Z~** *n.* 뉴질랜드 사람.

népalais, e [nepalɛ, -ɛːz] *adj.* 네팔(*Népal*)의. ── **N~** *n.* 네팔 사람.

néphél- *pref.* 「구름」의 뜻.

néphralgie [nefʀalʒi] *f.* 〖의학〗 신장통.

néphrétique [nefʀetik] *adj.* 〖의학〗 신장의 ; 신장통을 앓는. ── *n.* 신장병 환자. ── *n.* 신장통 치료제. ── *f.* 〖광물〗 연옥.

néphrite [nefʀit] *f.* ① 〖의학〗 신장염. ② 〖광물〗 연옥(軟玉)(= néphrétique).

néphr(o)- *préf.* 「신장(腎臟)」의 뜻.

néphrologie [nefʀɔlɔʒi] *f.* 〖의학〗 신장병학.

néphrologue [nefʀɔlɔg] *n.* 〖의학〗 신장병학자.

népotisme [nepɔtism] *m.* 친족 등용, 족벌주의.

Neptune [nɛptyn] *n.pr.m.* ① 〖로마신화〗 해신(海神) 넵투누스《그리스 신화의 *Poséidon* 에 해당》. ② 〖천문〗 해왕성.

néréide [neʀeid] *n.pr.f.* ① (*N~*) 〖그리스신화〗 네레이데스《바다의 요정》. ② 〖동물〗 갯지렁이《환형동물》.

nerf** [nɛːʀ] *m.* 《비유적인 뜻으로는 보통 [nɛʀf], *pl.*은 항상 [nɛːʀ]》 ① 〖해부〗 신경 : ~*s* moteurs 〔centrifuges〕 운동 신경 / ~*s* sensitifs 〔centripètes〕 지각 신경 / ~ optique [nɛʀfɔptik] 시(視)신경 / attaque de ~*s* 신경의 발작, 히스테리. ② 힘줄, 건(腱)(= tendon). ③ 《구어》 원동력, 근원 ; 자본 ; 돈 : ~ des affaires (사업의) 자본금. ④ 체력, 기력, 원기, 기운, 힘(= vigueur, force). ***avoir du ~ [nɛʀf] 기력이 있다 : style qui *a du* ~ 힘찬 문장. ***avoir les ~s à toute épreuve*** 태연자약하다. ***avoir les ~s tendus*** 〔***agacés, à vif, en boule, en pelote***〕 신경이 날카로워져 있다. ***avoir ses ~s*** 신경이 날카로워져 있다, 흥분하고〔안절부절못하고〕 있다. ***donner*** 〔***porter, taper***〕 ***sur les ~s*** 《구어》 신경을 자극하다〔건드리다〕, 성가시게 굴다 : Son rire me *porte sur les ~s.* 그의 웃음은 내 신경에 거슬린다. ***être à bout de ~s*** 흥분이 극도에 달하다, 화가 머리끝까지 치밀다. ***être*** 〔***vivre***〕 ***sur les ~s*** (지쳐 빠진 나머지) 악만 남아 있다 〔살아 있다〕. ***guerre des ~s*** 신경전. ***passer ses ~s sur*** qn 〔qc〕 《구어》 …에게〔에〕 화풀이하다. ***un paquet de ~s*** 몹시 신경질적인 사람.

nerveusement [nɛʀvøzmɑ̃] *adv.* ① 신경질적으로, 안절부절못하여 : marcher ~ de long en large 안절부절못하여 (방안을) 왔다 갔다하다. ② 정력적으로, 힘차게.

***nerveux, euse** [nɛʀvø, -øːz] *adj.* ① 신경의 : centre ~ 신경 중추 / cellule ~*euse* 신경 세포 / tissu ~ 신경 조직 / dépression ~*euse* 신경 쇠약 / maladie ~*euse* 신경성 질환 / système ~ 신경 계통. ② 신경질의, 신경질적인, 안절부절못하는 : tempérament ~ 신경질적인 성격〔기질〕/ gens ~ 신경질적인 사람. ③ (손 · 팔 따위가) 근골(筋骨)이 억센 ; 힘 있는, 원기 있는, (문장 따위가) 힘찬 ; (자동차 따위가) 날쌘 ; (고기가) 힘줄이 많은〔질긴〕: style ~ 힘찬 문체 / viande ~*euse* 힘줄 많은 질긴 고기 / voiture ~*euse* 날쌔게 잘 달리는 차.

nervi [nɛʀvi] 〔이탈리아〕 *m.* 하수인(= homme de main) ; (직업적 · 청부) 살인자(= tueur) ; 불한당, 깡패(= vaurien).

nervosité [nɛʀvozite] *f.* 신경의 흥분, 신경과민 : être dans un état de grande ~ 극도의 흥분 상태에 있다.

nervure [nɛʀvyːʀ] *f.* ① (책등의) 철끈, 테이프. ② 〖식물〗 잎맥, (곤충의) 시맥(翅脈). ③ 〖건축〗 (궁륭의) 갈빗대 모양의 뼈대, 리브 ; (배 · 비행기 따위의) 늑재(肋材).

***n'est-ce pas** [nɛspa] *loc. adv.* ① 《상대방의 동의를 구하여》 안 그렇습니까, 그렇지요 : Ce café est bon, ~? 이 커피 맛있지 않아요? / Il n'est pas trop tard, ~? 그렇게 늦지는 않았지요? ② 《~ que》 《que 이하의 의문문을 강조하여》 : *N'~ que* cette voiture est belle? 이 차가 멋있지 않아요? ③ 《특별한 뜻 없이》 La vérité, ~, c'est qu'il y a encore échoué. 사실을 말하자면 그는 또 실패하고 말았지.

***net, nette** [nɛt] *adj.* ① 깨끗한, 정결한(= propre ; ≠ sale) ; 맑은 : nappe *nette* 정결한 상보 / vin ~ 맑은 포도주. ② ⓐ (양심 따

위가) 결백한(= innocent) : cœur ~ 순결한 마음. ⓑ《~ de》…이 면제된, 없는(= exempté de) : article ~ *d'impôt* 면세품 / rente *nette de* tout impôt 세금이 붙지 않은 수입. ③ 선명한, 또렷한, 분명한 ; 명확〔명료·명석〕한(= clair, distinct) : écriture *nette* 또박또박 쓴 글씨 / Les photographies étaient très *nettes.* 사진은 매우 선명했다 / parler d'une voix *nette.* 또렷한 목소리로 말하다 / Son refus est ~. 그의 거부는 단호하다 / différence très *nette* 아주 명백한 차이. ④ 순수한(= pur) : poids ~ 실중량 / prix ~ 정가. ***avoir les mains nettes*** 손이 깨끗하다 ; 양심에 가책을 받을 만한 것이 없다, 결백하다. ***bénéfice*** ~ 순이익. ***en avoir le cœur*** ~ 그 점에 대해 아무런 의심도 없다, 완전히 마음을 놓다. ***faire place nette*** 장소를 깨끗이 치우다 ; 필요 없는 하인·직원을 해고하다. ***revenu*** ~ 순수입.
— *m.* 청서(淸書), 정서(淨書) : mettre qc au ~ (편지·숙제 따위를) 정서하다.
— *adv.* ① 갑자기, 뚝, 그 자리에서, 당장에 : s'arrêter ~ 급정거하다, 뚝 멎다. ② 분명히 ; 솔직히 ; 단호하게, 딱 잘라서. ***refuser*** ~ 딱 잘라 거절하다.

***nettement** [nɛtmɑ̃] *adv.* ① 명확하게, 선명하게 ; 분명히, 뚜렷이 : expliquer ~ 명쾌하게 설명하다 / livre imprimé ~ 선명하게 인쇄된 책 / Il a déclaré ~ son intention. 그는 자기의 의향을 분명하게 밝혔다. ②《구어》아주, 훨씬, 단연 : coureur ~ plus rapide 훨씬 빠른 선수 / Il va ~ mieux. 그는 훨씬 나아지고 있다. ③《옛》청결하게(= proprement), 깨끗이.

netteté [nɛtte] *f.* ① 깨끗함, 정결, 맑음 ; 결백 : ~ d'une glace 거울의 깨끗함. ② 선명, 명확, 명료, 분명함(= clarté ; ≠ ambiguïté) : ~ des images 영상의 선명함 / parler avec ~ 명확하게 말하다 / ~ des idées 생각의 명료함 / expression qui manque de ~ 애매한 표현.

nettoiement [nɛtwamɑ̃] *m.* 청소 : service du ~ 청소과 / ~ des rues 도로 청소.

***nettoyage** [nɛtwajaːʒ] *m.* ① 깨끗하게 하기 ; 청소 ; 세탁(= blanchissage) : faire le ~ 청소하다 / ~ à sec 〔à la vapeur〕 드라이클리닝 / ~ par le vide 진공 청소(법). ②〖군사〗소탕 ;《구어》해고 : ~ des tranchées 참호 속의 잔적(殘敵) 소탕 / faire un ~ complet《구어》탐탁지 않은 직원을 모조리 내보내다.

nettoyant, e [nɛtwajɑ̃, -ɑ̃ːt] *adj.* 세정(洗淨)하는 : pouvoir ~ 세정력. — *m.* 세제.

***nettoyer** [nɛtwaje] [7] *v.t.* ① 깨끗이 하다, 청소하다 ; 세탁하다 ; 준설하다 ;〖농업〗(농토의) 잡초를 제거하다 : ~ une chambre 방을 청소하다 / ~ les allées du jardin 정원 길의 잡초를 뽑아 말끔히 하다 / ~ un bassin 못을 준설하다. ② (깨끗이) 비우다 ; 소탕하다 : ~ une maison 집안 것을 몽땅 가져가다 / ~ une tranchée〖군사〗참호 속의 적을 소탕하다. ③《~ qn》《구어》빈털터리로 만들다 : Il est rentré du club *nettoyé* (à sec).《구어》그는 빈털터리가 돼 가지고 클럽에서 돌아왔다 / se faire ~ au jeu 노름에서 돈을 몽땅 털리다. — **se** ~ *v.pr.* 자기 몸을 깨끗이 하다 : *se* ~ la figure 세수하다.

nettoyeur, euse [nɛtwajœːʀ, -øːz] *adj.* 깨끗하게 하는, 청소하는. — *n.* 청소하는 사람 : ~ de tranchées〖군사〗참호 속의 적을 소탕하는 군인. — *f.* 청소기.

⁑**neuf**[1] [nœf]《ans, heures, hommes, autres 앞에서는 [nœv]로 발음됨》*adj. num.* ① 아홉의 : ~ ans [nœvɑ̃] 9 년. ② 아홉째의(= neuvième) : le roi Louis ~ 루이 9 세 왕(Louis IX). — *m.*《복수불변》아홉 ; 9 일 ; 카드의 9 ; 9 번지 : Il habite au ~. 그는 9 번지에 산다.

⁑**neuf**[2]**, neuve** [nœf, -œːv] *adj.* ① 새로운, 새로 만든, 아직 사용되지 않은(≠ vieux, usé) ; 새로 생긴 ; 현대의(= moderne ; ≠ ancien) : la vieille ville et la ville *neuve* 구도시와 신도시 / maison ~*ive* 신축한 집 / costume ~ 새옷. ② 신기한 ; 기발한, 독창적인(= original) : expression 〔idée〕 *neuve* 기발한 표현〔사상〕 / roman très ~ 매우 독창적인 소설. ③ ⓐ 경험이 없는, 숙련되지 않은, 풋내기의 ; 숫된, 순진한 : fille *neuve*《속어》숫처녀. ⓑ《~ à 〔dans, en〕》…에 미숙한 : être ~ *aux* affaires 사무에 미숙하다. ***à l'état*** (***de***) ~〖상업〗신품의 ; 신간(新刊)의, 신발행의. ***Qu'est-ce qu'il y a de ~ ? ; Quoi de ~?***《구어》무슨 새로운 일이 있나? — *m.* 새로운 일〔것〕; 새것 ; 신기한 것〔일〕. ***à*** ~ 새롭게, 새로 : remettre 〔refaire〕 son appartement *à* ~ 그의 아파트를 새롭게 고치다. ***de*** ~ 새것으로 : habillé *de* ~ 새옷을 입은〔입고〕 / meublé *de* ~ 새 가구가 딸린.

neurasthénie [nøʀasteni] *f.*〖의학〗신경쇠약.

neurasthénique [nøʀastenik]〖의학〗*adj.* 신경 쇠약에 걸린. — *n.* 신경 쇠약 환자, 우울증 환자.

neur(o)- *préf.*「신경」의 뜻(= névr(o)-).

neurochirurgie [nøʀoʃiʀyʀʒi] *f.*〖의학〗신경외과(학).

neuroleptique [nøʀolɛptik]〖약학〗*adj.* 신경을 진정시키는. — *m.*〖약학〗신경 안정제.

neurologie [nøʀolɔʒi] *f.*〖의학〗신경(과)「학.

neurologiste [nøʀolɔʒist]**, neurologue** [nøʀolɔg] *m.*〖의학〗신경학자, 신경과 의사.

neuronal, e, aux [nøʀonal, -o] *adj.* ①〖해부〗뉴런의, 신경 단위의. ②〖컴퓨터〗신경 회로망의 : réseau ~ 신경 회로망.

neurone [nøʀɔn] *m.*〖해부〗뉴런, 신경 단위 ; 신경 세포.

neuropathie [nøʀɔpati] *f.* 신경병.

neuropathologie [nøʀɔpatɔlɔʒi] *f.*〖의학〗신경병리학.

neuropsychiatre [nøʀɔpsikjatʀ] *n.* 신경정신병학자.

neuropsychiatrie [nøʀɔpsikjatʀi] *f.*〖의학〗신경 정신병학.

neurosciences [nøʀɔsjɑ̃ːs] *f.pl.* 신경 과「학.

neuro-végétatif, -ive [nøʀɔveʒetatif, -iːv] *adj.*〖생물〗자율 신경의, 식물성 신경의 : troubles ~*s* 자율 신경장애.

neutralisation [nøtʀalizasjɔ̃] *f.* ①〖법률〗국외 중립 선언 ; 중립화. ②〖화학·언어〗중

화, 중성화.

neutraliser [nøtʀalize] *v.t.* ① 〖법률〗 …의 국외 중립을 선언하다 ; 중립화시키다. ② 〖화학〗 중화(中和)시키다. ③ 무력화시키다 (= annihiler) ; (작용 · 영향력을) 약화시키다 ; 억제하다 ; 〖군사〗 제압하다 ; (계획 따위를) 무산〔좌절〕시키다 : ~ les projets de qn …의 계획을 망가뜨리다 / ~ l'influence de qn …의 영향력을 제거하다 / ~ l'adversaire 적수를 무력하게 만들다. — **se ~** *v.pr.* ① 중립하다. ② 〖화학〗 중화하다, 상쇄되다. ③ 서로 약화시키다.

neutralisme [nøtʀalism] *m.* 〖정치〗 중립주의.

neutraliste [nøtʀalist] *adj.* 중립을 제창하는. — *n.* 중립론자.

neutralité [nøtʀalite] *f.* ① (국외) 중립. ② 〖화학〗 중화 (상태). ***garder*** 〔***rester dans***〕 ***la ~*** 중립을 지키다. ***~ armée*** 무장 중립.

*__neutre__ [nø:tʀ] *adj.* ① 중립 (상태)의 ; 국외 중립국의 ; 불편부당의(= impartial) ; 객관적인(= objectif) : État perpétuellement ~ 영세 중립국 / école ~ 종교 교육을 하지 않는 학교. ② 〖문법〗 중성의 : adjectif ~ 중성 형용사. ③ 〖식물〗 중성의, 무성(無性)의 ; 〖곤충〗 생식력이 없는 : fleur ~ 무성화(無性花). ***zone ~*** 〖군사〗 중립 지대. — *m.* ① 중립국. ② 〖문법〗 중성. ③ 〖식물〗 무성〔중성〕 식물 ; 〖곤충〗 생식력 없는 암컷.

neutron [nøtʀɔ̃] *m.* 〖물리〗 뉴트론, 중성자(中性子) : bombe à ~s 중성자탄.

neuvaine [nœvɛn] *f.* 〖가톨릭〗 9 일간의 기도.

*__neuvième__ [nœvjɛm] *adj. num.* 아홉째의. — *n.* 아홉째 : arriver le ~ dans une course 경주에서 9 번째로 들어오다. — *m.* 9 분의 1. — *f.* ① 〖음악〗 제 9 음정. ② 〖학교〗 제 9 학급(의 학생 · 교실)(《초등학교 3 학년에 해당》).

neuvièmement [nœvjɛmmɑ̃] *adv.* 아홉째로.

névé [neve] *m.* 〖지질〗 (빙하를 덮고 있는) 굳어진 눈, 빙설(氷雪) ; 만년설(萬年雪).

*__neveu__ [nəvø] *m.* (*pl.* ***~x***) 조카, 생질, 이질 : ~ à la mode de Bretagne 4 촌의 아들, 당질, 종질.

névralgie [nevʀalʒi] *f.* 〖의학〗 신경통 ; 두통(= mal de tête) : ~ faciale 안면 신경통.

névralgique [nevʀalʒik] *adj.* 신경통의. ***point ~*** 〖의학〗 (신경통의) 압통점(壓通點) ; 상대방의 아픈 곳, 급소, 약점.

névrite [nevʀit] *f.* 〖의학〗 신경염.

névr(o)- *préf.* 「신경」의 뜻(= neur(o)-).

névropathe [nevʀɔpat] 〖의학〗 *adj.* 신경병의. — *n.* 신경병 환자.

névropathie [nevʀɔpati] *f.* 〖의학〗 신경병, 신경 질환.

névroptère [nevʀɔptɛ:ʀ] 〖곤충〗 *adj.* 맥시류(脈翅類)의. — *m.pl.* 맥시류.

névrose [nevʀo:z] *f.* 〖의학〗 신경병, 신경증.

névrosé, e [nevʀoze] 〖의학〗 *adj.* 신경증의, 노이로제의, 신경 쇠약의. — *n.* 신경 쇠약〔노이로제〕 환자.

névrotique [nevʀɔtik] *adj.* 〖의학〗 신경증의 ; troubles ~s 신경 장애 / symptôme ~ 신경증 증상.

new-look [njuluk] 〔영〕 *m.* 《복수불변》 (유행 · 정치 따위에서의) 신식, 새 체제. — *adj.* 《불변》 신식의, 새 체제의.

newton [njutɔn, nœtɔ̃] *m.* 〖물리〗 뉴턴(《힘의 측정 단위 ; 《약자》 N.》).

newtonien, enne [njutɔnjɛ̃, -ɛn] *adj.* 뉴턴의 ; 뉴턴 학설의 : physique *~enne* 뉴턴 물리학. — *n.* 뉴턴 학설의 지지자〔신봉자〕.

‡**nez** [ne] *m.* ① 코 ; 얼굴 ; (짐승의) 코(《냄새를 맡는 짐승, 특히 개에만 사용 ; 일반적으로 짐승의 코는 museau》) : Il tourna le ~ vers moi. 그는 얼굴을 내게로 돌렸다 / Il baissa le ~ de honte. 그는 부끄러워서 고개를 수그렸다. ② 후각(= odorat) ; 직감, 통찰력, 선견지명(= flair, perspicacité, clairvoyance) : avoir bon 〔du〕 ~ ; avoir le ~ creux 〔fin〕 코가 예민하다 ; 눈치가 빠르다. ③ 〖지리〗 갑(岬)(= cap) ; 〖해양〗 뱃머리, 이물(= proue) ; 〖항공〗 기수(機首) ; 돌출부 : avion qui pique du ~ 급강하하는 비행기. ***allonger*** 〔***faire***〕 ***le ~ ; avoir le ~ long*** 실망한 표정을 짓다, 뾰로통해지다. ***à plein ~*** (냄새가) 독하게, 진하게 : Ça sent le gaz *à plein ~*. 가스 냄새가 지독하게 난다. ***au ~ de*** qn …의 면전에서, …을 맞대 놓고 : fermer la porte *au ~ de* qn …을 들여놓지 않다, 돌려보내다 ; 해고하다 / rire *au ~ de* qn …을 비웃다. ***avoir le ~ sur*** qc …바로 곁에 있다. …을 바로 코앞에 두고 있다. ***avoir le ~ sur son travail*** 일에 몰두하고 있다. ***avoir*** qn ***dans le ~*** 《속어》 …을 몹시 미워〔싫어〕하다. ***avoir un verre dans le ~*** 《속어》 얼근히 취하다, 거나하다. ***à vue de ~*** 첫눈에, 직감적으로, 재빨리 ; 대략. ***Cela se voit comme le ~ au milieu de la figure*** 〔***du visage***〕. 그것은 뻔하다, 명약관화하다. ***faire un pied de ~ à*** qn …을 비웃다. ***gagner les doigts dans le ~*** 쉽사리, 수월하게. ***mettre*** 〔***fourrer***〕 ***son ~ partout*** 무엇에나 참견하다. ***montrer le bout du*** 〔***de son***〕 ***~*** 삐쭉 나타내다 ; 속셈을 드러내 보이다. ***ne pas voir plus loin que le bout de son ~*** 대단한 근시안이다, 선견지명이 조금도 없다. ***~ à ~*** [neane] 서로 얼굴을 맞대고, 마주 대하여 : se trouver *~ à ~* avec qn …와 마주치다. ***passer sous le ~ de*** qn 《구어》 (잡힐 듯 하던 것이) 그만 …의 손에서 벗어나다 : Le taxi m'*est passé sous le ~*. 택시가 내 눈앞을 지나가 버렸다. ***piquer du ~*** (비행기가) 급강하하다 ; (졸면서) 고개를 꾸뻑 앞으로 떨어뜨리다 ; 《비유》 내려가다, 떨어지다(= baisser) : La Bourse *pique du ~*. 주식 시세가 떨어진다. ***se bouffer*** 〔***manger***〕 ***le ~*** 《속어》 되게 싸우다. ***se casser le ~*** 허탕치다 ; 실패하다.

N.F. 《약자》 ① norme française 프랑스 규격. ② nouveau franc 신(新)프랑(《구프랑의 10 배》).

‡**ni** [ni] *conj.* …도 아니다. Ⓐ 《ne 와 함께》 ① 《ne... ni... ni...》 Il *n*'est *ni* bon *ni* juste. 그는 착하지도 공정하지도 않다 / Je *n*'ai vu *ni* lui *ni* sa sœur depuis longtemps. 나는 그도 그의 누이도 오래전부터 만나지 못했다 / Il *ne* viendra *ni* aujourd'hui *ni* demain. 그는 오늘도 내일도 오지 않을 것이다. ② 《ni... ni... ne...》 *Ni* l'argent *ni* la gloire *ne* nous rendent 〔rend〕 heureux. 돈도 명예도 우리

를 행복하게 해주지 않는다. ③《ne... pas..., ni...》 Je *n'ai pas* de cigarettes *ni* de feu. 나는 담배도 불도 없다 / Il *n'a pas* d'amis, *ni* même de frères. 그는 친구도 형제마저도 없다. ④《ne... pas 이외의 부정을 나타내는 부사+(ni)... ni...》 Il *ne* parle *jamais* de ses parents *ni* de ses amis. 그는 부모에 관해서도 친구에 관해서도 전혀 이야기하지 않는다.
B《ne 없이》①《생략문에서》*Ni* 〔Pas〕 si bien *ni* si mal. 그렇게 좋지도 나쁘지도 않다, 그저 그렇다. ②《명사+ni+형용사+ni+형용사》 C'est un homme économe, *ni* prodigue, *ni* avare. 그는 절약가이지 낭비가도 인색한 자도 아니다. ③《sans (que) 및 부정의 뜻을 가진 표현 뒤에서》 *sans* rien boire *ni* rien manger 전혀 마시지도 먹지도 않고 / Je vous défends d'aller dehors *ni* de quitter le lit. 밖에 나가는 것도 침상에서 떠나는 것도 안 됩니다.

niable [njabl] *adj.* 부정〔부인〕할 수 있는 : Cela n'est pas ~. 그것은 부정할 수 없다.

niais, e [njɛ, -ɛːz] *adj.* 어리석은, 미련한(= bête) : réponse ~*e* 멍청한 대답 / livre ~ 하찮은 책. ── *n.* 어리석은 자, 멍청이, 바보.

niaiserie [njɛzʀi] *f.* ① 어리석음, 어리석은 〔미련한〕 짓〔말〕(= sottise, bêtise). ② 하찮은 일(= futilité, bagatelle).

nicaraguayen, enne [nikaʀagwajɛ̃, -ɛn] *adj.* 니카라과(*Nicaragua*, 중미의 공화국)의. ── **N~** *n.* 니카라과 사람.

niche[1] [niʃ] *f.* ①〖건축〗 벽감(壁龕). ② 알코브. ③ 개집(= ~ à chien).

niche[2] *f.*《구어》 장난, 희롱(= tour, farce). ***faire une ~*** 〔***des ~s***〕 ***à*** qn …을 희롱하다, …에게 장난치다.

niché, e[1] [niʃe] *adj.* 둥지에 틀어박힌 ; 숨어 있는 : village ~ dans la forêt 숲속에 고립된 마을.

nichée[2] [niʃe] *f.* ① (새·쥐 따위의) 한배의 새끼(= couvée). ②《구어》《집합적》 한집의 어린이들 ; 식구 많은 가족.

nicher [niʃe] *v.i.* ① (새가) 둥지를 짓다(= nidifier) ; 깃들이다 ; 집에 들어앉아 있다 ; (집에서) 알을 품다(= couver). ②《구어》 살다(= demeurer) ; 자리를 잡다(= s'établir) : Où *niche*-t-il ? 그는 어디 사느냐? ── *v.t.* (방 따위에) 놓다, 앉히다(= placer, caser). ── **se ~** *v.pr.* ① (새가) 둥지를 짓다 ; 깃들이다. ② 살다, 자리잡다 ; 들어박히다 : *se* ~ dans qc (안락의자 따위)에 깊숙이 앉다 / Je ne sais où *me* ~. 몸 둘 곳을 모르겠다.

nichon [niʃɔ̃] *m.*《구어》 여자의 젖가슴, 유방(= sein, mamelle).

nichrome [nikʀɔm] *m.*〖화학〗 니크롬.

nickel [nikɛl] *m.*〖화학〗 니켈, ── *adj.*《불변》《구어》 깨끗한, 매끈한 ; 최고급의 : Son vélo est ~. 그의 자전거는 매끈하다.

nickelage [niklaːʒ] *m.* 니켈 도금.

nickeler [nikle] [5] *v.t.* …에 니켈 도금을 하다.

nicotine [nikɔtin] *f.*〖화학〗 니코틴.

nicotinisme [nikɔtinism] *m.*〖의학〗 니코틴 중독(= tabagisme).

nid** [ni] *m.* ① (새·동물의) 둥지, 집, 보금자리 ; 집 속의 새끼들 : ~ d'hirondelle 제비 둥지 ; (중국 요리의) 제비집 / ~ d'aigle 독수리 둥지. ② (사람의) 집, 처소 : ~ d'amoureux 애인들의 보금자리. ③ 소굴(= repaire) ; 온상 : ~ de bandits 악당의 소굴 / ~ d'injustices 부정(不正)의 온상. ***~ d'aigle 험준한 산꼭대기에 세워진 성. ***~ de poule*** (길바닥의) 구멍.

nidation [nidɑsjɔ̃] *f.*〖생물〗(포유류의 수정란의) 착상(着床).

nid-d'abeilles, nid d'abeilles [nidabɛj] (*pl.* **~s**(-)~) *m.* ①〖기술〗 벌집 모양. ②〖의복〗 벌집 모양 장식.

nid-de-poule, nid de poule [nidpul] (*pl.* **~s**(-)~(-)~) *m.* 도로의 작게 패인 부분.

nidification [nidifikɑsjɔ̃] *f.* 집을〔보금자리를〕 짓기 ; 집 짓는 기술.

nidifier [nidifje] *v.i.* 집을〔보금자리를〕 짓다〔꾸미다〕(= nicher) : Les oiseaux *nidifient* au printemps. 새들은 봄에 집을 짓는다.

nièce** [njɛs] *f.* 조카딸, 질녀. ***belle ~ 조카며느리. ***~ à la mode de Bretagne*** 사촌의 딸, 당질녀, 종질녀.

niellage [njɛlaːʒ] *m.* 니엘로 상감(象嵌) ; 니엘로 상감 세공품.

nielle[1] [njɛl] *m.*〖기술〗 흑금(黑金), 니엘로 상감(象嵌)《은·동 따위를 용해해서 얻는 흑색의 물질 ; 금은 세공품의 상감에 쓰임》.

nielle[2] *f.*〖농업〗(보리 따위의) 깜부깃병, 흑수병(黑穗病).

nieller [njɛ(e)le] *v.t.*〖기술〗 니엘로 상감(象嵌)을 하다 : horloge au cadran *niellé* 문자반에 니엘로 상감을 한 시계.

nième [njɛm] *adj.* ①〖수학〗 n 차(次)〔n 승〕의 : à la ~ puissance n 승으로 ; 무한정으로. ② 수없이 여러 차례의 : Je vous le répète pour la ~ fois. 내가 이 말을 당신에게 몇 번이나 해야 알아듣겠소.

nier** [nje] *v.t.* 부정하다, 부인하다(= contester ; ≠ affirmer, reconnaître) : ~ l'évidence 명백한 사실을 부정하다 / ~ l'existence de Dieu 신의 존재를 부인하다 / ~ une dette 돈을 빌린 일이 없다고 말하다 /《~+*inf.*》 Il *nie* avoir frappé la bête. 그는 동물을 때린 사실을 부인한다 /《~ que+*ind.* 〔*sub.*〕》 Il *nie qu'*il est venu à quatre heures. 그는 4 시에 왔던 사실을 부인한다《사실은 그가 왔다》/ Il *nie qu'*il soit venu. 그는 오지 않았다고 한다《그가 왔는지 안 왔는지 모른다》/ On ne peut quand même ~ *que* Hugo ne soit un grand poète. 그렇지만 위고가 위대한 시인이라는 사실은 부인할 수 없다《주절이 부정형 또는 의문형일 때 허사 ne 를 쓰기도 함》. ***Il n'y a pas à le ~. 그것은 부정할 수가 없다.

nigaud, e [nigo, -oːd] *adj.* 멍청한, 어리석은(= niais). ── *n.* 바보, 멍청이《어린애에게 애정으로》(= bêta) : Allons, gros ~, ne pleure pas ! 얘, 이 바보야, 울지 마!

nigauder [nigode] *v.i.* 어리석은 짓을 하다, 쓸데없는 짓을 하며 좋아하다 .

nigérian, e [niʒeʀjɑ̃, -an] *adj.* 나이지리아(*Nigeria*)의. ── **N~** *n.* 나이지리아 사람.

nigérien, enne [niʒeʀjɛ̃, -ɛn] *adj.* 니제르(*le Niger*) 공화국의. ── **N~** *n.* 니제르 사람.

night-club [najtklœb] 〔영〕 *m.* (*pl.* **~-~s**) 나이트클럽(= boîte de nuit).

nihilisme [niilism] *m.* 〖철학〗 허무설 ; 허무주의 ; 〖정치〗 무정부주의.

nihiliste [niilist] *adj.* 허무설의 ; 허무주의의. — *n.* 허무주의자.

nimbe [nɛ̃:b] *m.* 후광(後光), 배광(背光)(= auréole).

nimbé, e [nɛ̃be] *adj.* 후광〔배광〕으로 둘러싸인 : souvenirs *~s* de tristesse 슬픔으로 얼룩진 추억.

nimber [nɛ̃be] *v.t.* 후광〔배광〕으로 장식하다〔둘러싸다〕 : apparition *nimbée* de lumière 빛으로 둘러싸인 환영(幻影). — **se ~** *v.pr.* 후광으로 둘러싸이다.

nimbus [nɛ̃bys] *m.* 〖기상〗 난운(亂雲), 비구름.

n'importe (**qui, quel...**) [nɛ̃pɔʀt (ki, kɛl...)] ⇒ importer.

nipper [nipe] *v.t.* …에게 의상을〔장신구를〕 주다 ; 옷을 입히다(= habiller, fringuer) : femme bien *nippée* 잘 차려 입은 여자. — **se ~** *v.pr.* 옷을 갖추다 ; 옷을 입다.

nippes [nip] *f. pl.* 《구어》 허름한 옷, 누더기(= hardes) ; 옷(= fringues, vêtement).

nippon, on(n)e [nipɔ̃, -ɔn] *adj.* 일본의(= japonais). — **N~** *m.* 일본. — **N~** *n.* 일본 사람.

nique [nik] *f.* 《구어》 멸시, 모멸, 비웃음. ***faire la ~ à*** qn …을 비웃다.

niquer [nike] *v.t.* ① 《은어》 성교하다, …와 육체관계를 맺다. ② 소유하다(= posséder).

nirvana, nirvâna [niʀvana] 〔산스크리트〕 *m.* 〖불교〗 열반(涅槃) ; 해탈.

nitouche [nituʃ] *f.* 《구어》 ***sainte ~*** 위선자 : faire la *sainte ~* 거짓 탈을 쓰다.

nitrate [nitʀat] *m.* 〖화학〗 질산염.

nitrique [nitʀik] *adj.* 〖화학〗 acide ~ 질산.

nitrobenzène [nitʀɔbɛ̃zɛn], **nitrobenzine** [nitʀɔbɛ̃zin] *f.* 〖화학〗 니트로벤젠.

nitroglycérine [nitʀɔgliseʀin] *f.* 〖화학〗 니트로글리세린.

‡**niveau** [nivo] *m.* (*pl.* **~x**) ① 수평 ; 수평면 ; 고도(= altitude) ; (바다・강의) 수위 : le ~ du fleuve 강의 수위 / navire de ~ 수평 상태의 배 / voie de ~ 〖광산〗 수평 갱도 / passage à ~ 〖철도〗 건널목, 평면 교차. ② 수준, 정도 : être au ~ des grands écrivains 대작가의 수준에 달해 있다 / un très haut ~ intellectuel 매우 높은 지적 수준 / ~ des études 학력 / ~ de vie 생활 수준. ③ 지위, 계급, 계층, 층 ; (건물의) 층(= étage) : ~ social 사회 계층 / immeuble à quatre *~x* 5층 건물. ***au ~ de*** …와 같은 높이에 ; …와 같은 수준〔정도〕에 ; …의 차원에 ; …의 점에서, …에 관해서 : L'eau lui arrivait *au ~ de* la taille. 물이 그의 허리까지 찼다 / problèmes *au ~ des* finances 재정에 관한〔재정 차원의〕 문제들. ***au ~*** + '형용사' …의 수준〔차원〕에 : *au ~* national 국가 차원에서 / considérer un problème *au ~* universitaire 대학의 차원에서 문제를 고찰하다. ***de ~ avec*** …와 같은 높이에, …와 같은 수준〔정도〕에. ***mettre*** qc ***de*** 〔***à***〕 ***~*** …을 수평으로 하다.

nivelage [nivla:ʒ] *m.* 표면을 (평평하게) 고르기 ; 평준화.

niveler [nivle] [5] *v.t.* ① 수준기로 측량하다. ② 수평이 되게 하다, 높낮이를 고르게 하다 ; 평등하게 하다, 평준화하다(= égaliser) : ~ un terrain avant de construire une maison 집을 짓기 전에 땅을 평평하게 하다 / ~ par le haut 〔bas〕 상향〔하향〕 평준화하다 / ~ les fortunes 재산을 균등화하다.

niveleur, euse [nivlœ:ʀ, -ø:z] *adj.* ① 균등화를 꾀하는, 평등주의의. ② 평탄하게 하는, 수평으로 하는. — *f.* 〖기술〗 땅 고르는 기계, 그레이더.

nivellement [nivɛlmɑ̃] *m.* ① 수준〔고저〕 측량. ② 수평으로 하기 ; 땅고르기(= ~ d'un terrain). ③ 평등〔균등〕화, 평준화.

nivéo-, nivo- *préf.* 「눈(雪)의」 뜻.

nivôse [nivo:z] *m.* 〖프랑스사〗 설월(雪月) 《공화력(共和曆)의 제 4 월, 12월 21〔22〕일부터 1 월 20〔21〕일까지》.

N°, n° 《약자》 numéro 번호.

N.-O. 《약자》 nord-ouest 북서(北西).

nô [no] 〔일본〕 *m.* 노오(能) 《일본 고유의 가면극》.

nobélisable [nɔbelizabl] *adj.* 노벨상을 받을 수 있는. — *n.* 노벨상 후보.

nobiliaire [nɔbiljɛ:ʀ] *adj.* 귀족의 : particule ~ 귀족의 성명 앞에 붙이는 낱말《de 를 말함》.

noble** [nɔbl] *adj.* ① 귀족의(= aristocrate ; ≠ roturier) : être de sang ~ 귀족 집안에 태어나다, 귀족이다. ② 고귀한 ; 고상한 ; 고결한 ; 점잖은 ; 의젓한(= majestueux), 위엄 있는 : ~ caractère 고결한 성격 / allure ~ 점잖은 태도. ③ 〖기술〗 정교한, 높은 수준의, 완벽한. ***le ~ art 권투, 복싱. ***métaux ~s*** 귀금속. ***père ~*** 〖연극〗 나이가 지긋하고 점잖은 남자의 역. — *n.* 귀족(= aristocrate) ; 고귀한 사람, 귀인.

N

noblement [nɔbləmɑ̃] *adv.* 의젓하게, 점잖게, 고상〔고결〕하게, 너그럽게 ; 훌륭하게.

noblesse [nɔblɛs] *f.* ① 귀족의 신분 ; 귀족 계급, 귀족 사회 ; 《집합적》 귀족(= aristocratie) : privilèges de la ~ 귀족 계급의 특권 / ~ d'épée 〔de robe〕 《옛》 무관〔법관〕 귀족. ② 위엄 ; 숭고함, 고귀〔고상・고결〕함 ; 점잖음, 의젓함. ***N~ oblige.*** 《격언》 양반은 양반답게 처신해야 한다. ***N~ vient de vertu.*** 《격언》 사람의 훌륭함은 덕행에서 나오는 것이다.

nobliau [nɔblijo] *m.* (*pl.* **~x**) 《경멸》 소(小)귀족 ; 사이비 귀족.

noce [nɔs] *f.* ① 《~(s)》 결혼식, 혼례 ; 《집합적》 결혼식에 참석한 사람들 : repas de ~(s) 결혼 피로연 / robe de ~(s) 웨딩드레스. (*pl.*) 결혼, 혼인(= mariage) ; 결혼 기념일 : ~(s) d'argent 〔d'or〕 은〔금〕혼식 / premières ~s 초혼 / voyage de ~s 신혼여행. ② 《구어》 방탕한 생활. ***épouser*** qn ***en justes ~s*** …와 정식 결혼을 하다. ***faire la ~*** 《구어》 방탕한 생활을 하다. ***n'être pas à la ~*** 난처한 처지에 있다.

nocer [nɔse] [2] *v.i.* 《구어》 먹고 마시며 흥청대다 ; 방탕한 생활을 하다.

noceur, euse [nɔsœ:ʀ, -ø:z] *n.* 《구어》 흥청망청 놀기 좋아하는 사람, 방탕아(= débauché, fêtard). — *adj.* 방탕한.

nocif, ive [nɔsif, -iːv] *adj.* 유해한, 해로운(= nuisible) : gaz ~ 유독 가스 / influences ~*ives* 악영향.

nocivité [nɔsivite] *f.* 해로움, 유해성.

noctambule [nɔktɑ̃byl] *adj.* 몽유병의 ; 《구어》 밤에 나다니는, 야행성의. — *n.* 몽유병자(= somnambule) ; 《구어》 밤에 나다니는 사람, 야행성의 사람.

noctambulisme [nɔktɑ̃bylism] *m.* 몽유병 ; 밤에 나다니는 버릇, 야행성.

noctiluque [nɔktilyk] *adj.* 〖동물〗 야광성이 있는. — *f.* 〖동물〗 야광충(夜光蟲).

nocturne** [nɔktyʀn] *adj.* ① 밤의, 밤중의, 야간의, ② 〖생물〗 야행성의, 밤에 활동하는. ***attaque ~ 〖군사〗 야습. ***bruit et tapage ~*** 〖법률〗 안면 방해. ***oiseau ~*** 야금(夜禽). — *m.* ① 〖음악〗 야상곡 ; 〖미술〗 야경화. ② 〖스포츠〗 야간 경기(= match en ~) ; 〖상업〗 야간 공연〔영업〕. ③ (*pl.*) 〖동물〗 야간 활동성의 동물.

nocuité [nɔkɥite] *f.* 유해성(= nocivité).

nodosité [nɔdozite] *f.* 〖식물〗 (식물 · 관절의) 마디.

nodule [nɔdyl] *m.* 〖의학〗 소결절(小結節) : ~ tuberculeux 결핵 결절.

Noé [nɔe] *n.pr.m.* 〖성서〗 노아 : Arche de ~ 노아의 방주(方舟).

Noël** [nɔɛl] *m.* ① 크리스마스, 성탄절 : bûche de ~ 크리스마스이브에 때는 굵은 장작 ; (그) 모양의 성탄절 과자. ② (*n*~) ⓐ 크리스마스 축가(祝歌), 크리스마스 캐럴. ⓑ 《구어》 크리스마스 선물(= le petit *n*~). ***arbre de ~ 크리스마스트리. ***Joyeux ~ !*** 메리 크리스마스! ***nuit*** 〔***veille***〕 ***de ~*** 크리스마스이브〔전야〕. ***Père*** 〔***Bonhomme***〕 ***~*** 산타클로스. — *f.* la ~ ; la fête de ~ 크리스마스, 성탄절. ***à la*** (***fête de***) ***~ ; à ~*** 크리스마스 날에.

N

nœud** [nø] *m.* ① 매듭, 고 ; 〖의복〗 나비매듭 ; 〖직물〗 (실 · 피륙의) 티 ; (나무 · 풀줄기 따위의) 마디, 혹 ; 〖해부〗 손가락의 관절〔마디〕 : faire 〔défaire〕 un ~ 매듭을 맺다〔풀다〕 / ~ de cravate 넥타이의 매듭 / ~ du doigt 손가락의 관절. ② 인연, 관계, 유대(= lien) : ~*s* de l'hymen 《문어》 부부의 연분. ③ 요점, 핵심 : ~ du débat 논쟁의 초점. ④ 〖연극 · 문학〗 (이야기 · 극 따위의) 절정. ⑤ (철도 · 도로 등의) 교차점, 연결점 : ~ de voies ferrées 〔de tranchées〕 〖철도〗 철도 선로의 연결점 / ~ routier 도로 교통의 요충지. ⑥ 〖해양〗 노트, 해리(海里). ***avoir un ~ à 〔***dans***〕 ***la gorge*** (감동 · 공포 따위로) 목이 메다. ***~ coulant*** 풀매듭. ***~ papillon*** 나비넥타이. ***Voilà le ~ de l'affaire.*** 이상이 사건의 핵심이다.

‡**noir, e** [nwaːʀ] *adj.* ① 검은, 거무스름한 ; 흑인(종)의 : veux ~*s* 검은 눈 / film ~ et blanc 흑백 영화 / café ~ 블랙커피 / race ~*e* 흑인종. ② 시커먼, 새까만 ; 더러워진(= sale) : avoir les mains ~*es* 손이 더러워지다. ③ 컴컴한, 어두운(= obscur, sombre) : nuit ~*e* (칠흑같이) 어두운 밤 / chambre ~*e* 암실 / Il fait ~ comme dans un four. 몹시 캄캄하다. ④ 우울〔침울〕한, 암담한(= triste ; ≠ gai) : ~*s* pressentiments 불길한 예감 / avoir 〔se faire〕 des idées ~*es* 음울하다, 비관적이다. ⑤ 악독〔악랄〕한(= méchant) ; 사악한 ; 부정(不正)의, 암거래의 : liste ~*e* 블랙리스트 / caisse ~*e* (장부에 기입하지 않은) 뒷돈, 기밀비 / travail ~ 불법 노동 / marché ~ 암시장. ⑥ 《속어》 술에 취한(= ivre). ***boîte ~e*** 블랙박스《항공 비행 상태의 자동 기록기》. ***froid ~*** 음산한 추위. ***humeur*** 〔***bile***〕 ***~e*** 우울증. ***humour ~*** 비관적인 해학, 쓰디 쓴〔가시 돋친〕 익살. ***le ~ esprit*** 악마.

— *m.* ① 검은 빛〔색〕, 흑색, 검정 ; 검은 것 : film en ~ et blanc 흑백 영화. ② 어둠, 암흑 : avoir peur du ~ 어둠을 무서워하다. ③ 우울, 비애, 슬픔. ④ 검은 천 ; 검은 옷, 상복(喪服) : être habillé 〔être vêtu〕 de ~ ; se mettre en ~ 검은 옷〔상복〕을 입고 있다. ⑤ (과녁 중앙의) 흑점. ⑥ 멍, 타박상(= meurtrissure) : avoir des bleus et des ~*s* sur le corps. 온몸이 멍투성이이다. ⑥ 암시장(= marché ~) ; 불법 노동. ***au ~*** 〖상업〗 암거래로, 암시장에서 ; 불법적〔위법적〕 수단으로, 은밀히 : travail au ~ 불법 노동 / acheter 〔vendre〕 au ~ (암시장에서 물건을) 불법으로 사다〔팔다〕. ***voir tout en ~*** 무엇이나 비관적으로 해석하다〔보다 · 생각하다〕.

— **N~** *n.* 흑인(= nègre).

— *f.* 〖음악〗 4 분음표.

noirâtre [nwaʀɑːtʀ] *adj.* 거무스름한.

noiraud, e [nwaʀo, -oːd] *adj.* et *n.* 머리털이 검고 피부가 갈색인 (사람).

noirceur [nwaʀsœːʀ] *f.* ① 검기 ; 검은 얼룩〔반점〕. ② 흉악함, 악랄함 ; 비열(한 행위) : méditer 〔tramer〕 quelque ~ 무엇인가 음흉한 짓을 꾀하다. ***dire des ~s de*** qn …을 중상하다.

noircir [nwaʀsiːʀ] *v.t.* ① 검게 하다 ; 더럽게 만들다(= salir) ; 어둡게 하다(= assombrir, obscurcir). ② 비관적으로 보다 : ~ la situation 상황을 비관적으로 보다. ③ (명성 따위를) 더럽히다. ④ 《~ qn》 중상하다, 헐뜯다 비방하다(= calomnier). ***~ du papier*** 《구어》 종이에 글을 쓰다. ***~ la réputation*** 명성을 더럽히다. — *v.i.* 검게 되다, 검어지다 ; 그을다. — **se ~** *v.pr.* 검게 되다 ; 어두워지다.

noircissement [nwaʀsismɑ̃] *m.* ① 검게〔어둡게〕 하기〔되기〕 ; (남의 명예 따위를) 더럽히기. ② 〖사진〗 밀착 : tirage par ~ direct 일광 밀착.

noise [nwaːz] *f.* 《옛》 싸움《다음 표현에만 쓰임》 ***chercher ~ à*** qn …에게 싸움을 걸다.

noisetier [nwaztje] *m.* 〖식물〗 개암나무.

***noisette** [nwazɛt] *f.* 〖식물〗 개암 열매. — *adj.* 《불변》 연갈색의.

noix** [nwa(ɑ)] *f.* 《복수불변》 ① 호두 ; 호두 모양의 열매, 견과(堅果) : coquille de ~ 호두 껍질. ② ⓐ (송아지 · 양의) 넓적다리 고기. ⓑ ~ d'une côtelette (양 · 송아지 · 돼지) 갈비의 가운데 부분〔토막〕. ③ 《구어》 바보(= imbécile). ***à la ~ (***de coco***) 《구어》 쓸데없는, 하찮은, 시시한. ***~ de beurre*** 호두 알만한 버터. ***~ de coco*** 코코넛, 야자 열매. ***~ de veau*** 송아지 허벅다리살의 윗부분.

noliser [nɔlize] *v.t.* 〖상업〗 (배 · 비행기를) 빌리다, 세내다(= affréter, fréter).

‡**nom** [nɔ̃] *m.* ① ⓐ (개인의) 이름, 성명, 명의 : ~ de plume (작가의) 필명, 펜네임. ⓑ 성, 성씨(= nom de famille) : ~, prénom et domicile 성, 이름 및 주소. ⓒ (성에 대한) 이름(= prénom, petit ~, ~ de garçon 〔fille〕) : chercher un ~ pour un bébé 갓난애를 위해 이름을 궁리하다. ② (동물 · 장소 · 사물의) 이름, 명칭 : ~*s* de produits 상품명 / société en ~ collectif 〖상업〗 합명 회사. ③ 명성, 평판 ; 문벌, 명문(名門) : homme sans ~ 무명 인사 / homme de ~ 명문 출신 / se faire un ~ 유명해지다. ④ 〖문법〗 명사(= substantif). ***appeler*** 〔***nommer***〕 ***les choses par leur*** ~ 노골적으로〔거리낌없이〕 말하다. ***au*** ~ ***de*** …의 이름으로 ; …을 대신〔대표〕하여 ; …에 의하여 ; …을 위하여 : *au* ~ *de* la loi 법에 의하여, 법으로써. ***de*** ~ 이름으로만, 명목뿐인 : connaître qn *de* ~ …을 이름으로만 알다. ***deux personnes qui portent le même*** ~ 동명이인. ***laisser un*** ~ (후세에) 이름을 남기다. ~ ***commun*** 〔***propre***〕 보통〔고유〕명사. ~ ***de baptême*** 세례명. ~ ***de guerre*** 예명(藝名). ***N~ de ~ !; N~ de Dieu !; N~ d'un chien !; N~ d'une pipe !*** 《구어》 제기랄! 빌어먹을! ~ ***déposé*** 등록 상표명. ***Quel est votre ~ ?*** 이름이 뭐죠? ***sans*** ~ 무어라 형용할 수 없는, 말할 수 없는 : impolitesse *sans* ~ 말할 수 없는 무례.

nomade [nɔmad] *adj.* 유목의 ; 유랑〔방랑〕하는, 떠돌아다니는(= errant, vagabond ; ≠ sédentaire) ; (새 · 짐승 따위가) 철따라 이주하는 : peuple ~ 유목민 / mener une vie ~ 방랑 생활을 하다 / instinct ~ 방랑벽.
— *n.* 유랑자, 방랑자 ; (*pl.*) 유목민.

nomadiser [nɔmadize] *v.i.* 방랑 생활을 하다, 유랑하다.

nomadisme [nɔmadism] *m.* 유목〔유랑 · 방랑〕 생활.

no man's land [nomanslɑ̃:d] 〔영〕 *m.* (서로 대치한 양군 사이의) 무인 지대 ; 《비유》 중립 지대, 완충 지대.

nombrable [nɔ̃bʀabl] *adj.* 셀 수 있는(≠ innombrable).

‡**nombre** [nɔ̃:bʀ] *m.* ① 수(數), 수효, 수량(= quantité) ; 〖문법〗 수 : Quel est le ~ d'habitants? 인구가 얼마인가? / ~ pair 〔impair〕 짝수〔홀수〕 / ~ premier 소수(素數) / ~ rond 〔arrondi〕 어림수 / ~ cardinal 〔ordinal〕 기수(基數)〔서수(序數)〕 / ~ pluriel 〔singulier〕 복수〔단수〕 / s'accorder en genre et en ~ 성수(性數)가 일치되다. ② 다수(= majorité) : l'emporter par le ~ 다수의 힘으로 이기다. ③ 〖문학〗 (산문 · 운문에서의) 조화, 해조(諧調)(= cadence, harmonie) ; 운율 : Cette phrase a du ~. 이 문장은 조화가 잘 돼 있다. ***au*** ~ ***de*** 모두 (합해), 전체로 ; …의 수에 포함해서 : Les assistants sont *au* ~ *de* 1,000. 참석자는 모두 1,000 명이다. ***dans le*** ~ 그 가운데. ***du*** ~ ***de*** … 중의 : Je suis *de* ~ *des* participants. 나도 참가자 중의 한사람이다. ***en*** ~ 많이, 다수. ***faire*** ~ 수를 채우다 ; 수에 들다. ***le grand*** ~ ; ***le plus grand*** ~ 대다수. ~ ***de*** ; (***un***) ***bon*** ~ ***de*** 다수의 : *N~ d'entre eux sont* mécontents. 그들 중 많은 사람들이 불평한다. ~ ***d'or*** 〖종교〗 황금수(《서력기원 연수에 1을 더하여 19로 나눈 나머지 수 ; 부활절 날을 산출하는 데 쓰임》). ***sans*** ~ 무수히, 무수한. ***un certain*** ~ ***de*** 여러 개의 ….

nombrer [nɔ̃bʀe] *v.t.* 《옛 · 문어》 세다(= compter).

*__nombreux, euse__ [nɔ̃bʀø, -ø:z] *adj.* 수많은, 다수의 ; 가지가지의, 다양한, 다방면의. ***famille ~euse*** 대가족. ***peu*** ~ 소수의.

nombril [nɔ̃bʀi] *m.* 〖해부〗 배꼽(= ombilic) ; 중심(= centre). ***se prendre pour*** 〔***se croire***〕 ***le ~ du monde*** 〔***de la terre***〕 《구어》 자기를 아주 중요한 인물이라고 과대망상하다.

nombrilisme [nɔ̃bʀilism] *m.* 《구어》 자기 중심적 태도.

nomenclature [nɔmɑ̃klaty:ʀ] *f.* ① 《집합적》 (과학 · 기술 · 예술 따위의) 술어, 용어(= terminologie) : ~ grammaticale 문법 용어. ② (사전의) 수집어, 어휘. ③ 목록, 카탈로그 : ~ des douanes 관세품 목록.

nomenclaturer [nɔmɑ̃klatyʀe] *v.t.* 명명(命名)하다 ; 분류하다 ; 수집하다.

nominal, e, aux [nɔminal, -o] *adj.* ① 이름〔명칭〕의〔에 관한〕 : liste ~ 명부. ② 지명하는, 기명의 : action ~*e* 〖상업〗 기명주(株). ③ 이름뿐인, 명의(名義)〔명목〕상의 : chef ~ d'un parti 명목상의 당수. ④ 〖문법〗 명사의 : emploi ~ d'un adjectif 형용사의 명사적 용법. ***appel*** ~ 지명 점호. ***valeur ~e*** 〖재정〗 명목 가격, 액면(額面) 가격.

nominalement [nɔminalmɑ̃] *adv.* ① 지명하여, 이름으로. ② 명목상으로, 표면상 : désigner qn ~ …을 지명하다.

nominalisme [nɔminalism] *m.* 〖철학〗 명목설(名目說), 유명론(唯名論).

nominaliste [nɔminalist] *adj.* 명목설의, 유명론의. — *m.* 명목론자, 유명론자.

nominatif, ive [nɔminatif, -i:v] *adj.* ① 이름을 기재한 ; 〖상업〗 기명(記名)의 : action ~*ive* 기명주(株) / créance ~*ive* 기명 채권 / état ~ ; liste ~*ive* 인명록, 명부(名簿) / titres ~*s* 기명 증권. ② 〖문법〗 주격의, 명격(名格)의.

nomination [nɔminɑsjɔ̃] *f.* ① 임명, 임관 ; 임명장. ② 사령(장) ; 임명권. ③ (콩쿠르 따위에서의) 입상, 수상. ④ 호칭(하기). ***feuille de*** ~ 사령장(辭令狀). ~ ***à un grade supérieur*** 승급. ***recevoir sa*** ~ ***à*** qc …에 임명되다.

nominé, e [nɔmine] 〔영〕 *adj.* (수상식에서) 지명된(= sélectionné) : trois films ~*s* aux Oscars 오스카상 후보로 지명된 세 편의 영화. — *n.* 지명된 사람.

nommé, e [nɔme] *adj.* ① …라 불리는, …라는 이름의, …라고 일컫는〔하는〕 : homme ~ Vincent 벵상이라는 이름의 남자. ② 지정〔지명〕된, 상기〔전기〕의 ; 임명된 : personnes ~*es* plus haut 상기의 사람들 / magistrats ~*s* 임명된 행정관. ***à*** 〔***au***〕 ***jour*** ~ 지정된 날에. ***à point*** ~ 때마침, 마침 알맞게. — *n.* …라는 사람 : un ~ Jean 장이라는

N

사나이.

nommément [nɔmemɑ̃] *adv.* 지명하여 ; 특히(= spécialement) : accuser ~ qn …의 이름을 들어 비난하다.

‡nommer [nɔme] *v.t.* ① …에 이름을 붙이다, 명명하다, …라 부르다 : On l'*a nommé* ≪le Sauveur de la patrie≫. 사람들은 그를 「조국의 구원자」라고 불렀다. ② …의 이름을 말하다, 임명하다 ; 지명〔지정 · 선정〕하다(= dénommer, désigner) : ~ ses complices 공범자의 이름을 말하다 / ~ qn son héritier …을 상속인으로 지정하다 / On l'*a nommé* à une ambassade. 그는 대사관 근무로 발령되었다. ── **se ~** *v.pr.* ① 제 이름을 말하다〔알리다〕. ② …라고 불리다, 이름이 …이다 (= s'appeler) : Je *me nomme* Paul. 내 이름은 폴이다.

nomographe [nɔmɔgʀaf] *m.* 법률서 편집자, 법(률)학자.

nomographie [nɔmɔgʀafi] *f.* ① 법률론, 법(률)학. ② 〖수학〗 계산 도표학.

‡non [nɔ̃] *adv.* 《다음에 오는 말과 연음하지 않음》 ① 아니오 : Fumes-tu ? ─ *N*~. 담배 피우나 ? ─ 아니 / Vous ne venez pas ? ─ *N*~. 안 오시나요 ? ─ 예. ② 비(非), 불(不), …않는〔않은〕 : ~ solvable 지급 능력이 없는. ③ 《부정절의 대용》 : Je crois que ~. 나는 그렇지 않다고 생각한다 / Irez-vous ou ~ ? 가겠소 안 가겠소 ? / faire signe que ~ (부정의 뜻으로) 머리를 흔들다. ④ 《생략문에서》 Il fume, moi, ~. 그는 담배를 피우지만 나는 안 피운다. ⑤ 《문장 첫머리나 끝에서 부정의 뜻을 강조》 *N*~, tu n'a pas de pitié. 그렇다, 너는 인정이 없다. ***et ~ (pas) ; mais ~ (pas)*** 그러나 …은 아니다 : Il est fatigué, *et* ~ *(pas)* malade. 그는 피곤하지만 병은 아니다. ***~ moins*** 역시 마찬가지로. ***~ moins que*** …와 마찬가지로 : ~ *moins* rusé *que* puissant 세력도 있고 교활하기도 한. ***N~ pas !*** 아니, 결코 그렇지 않소. ***~ (pas) que*** + *sub.* …라는 것이 아니다 ; …이기 때문은 아니다 : *N*~ *(pas) que* je veuille vous le reprocher, mais je regrette que vous l'ayez fait. 그것을 탓할 요량은 아니지만 그런 짓을 한 것은 섭섭하다. ***~ plus*** 《부정의 뜻으로》 또한, 역시. ***~ plus que*** …와 마찬가지로 …않다 : Il ne bouge ~ *plus qu*'une statue. 그는 동상처럼 까딱도 않는다. ***~ sans*** …않는 것이 아니라 : ~ *sans* efforts 노력 않는 것이 아니라 꽤 노력을 하여. ***~ seulement … mais (encore)*** …할 뿐만 아니라 또한 …이다. ***que ~*** 아닙니다. ── *m.* 《복수불변》 부정, 거부, 거절, 반대 : répondre par un ~ 거절하다 / Il est ennuyé de mes ~. 그는 나의 거듭되는 거절에 난처해 하고 있다.

non- *préf.* 「무(無) · 비(非) · 불(不)」의 뜻.

non-accompli [nɔnakɔ̃pli] *adj.* 〖언어〗 미완료(상)의 : aspect ~ 미완료상.

non-activité [nɔnaktivite] *f.* 휴직, 퇴직 : officier en ~ 정직(停職) 장교. ***être mis en ~*** 휴직되다. ***mettre un officier en ~*** 장교를 정직시키다.

nonagénaire [nɔnaʒenɛːʀ] *adj.* et *n.* 90세(대)의 (사람) : vieillard ~ 90 대 노인.

non-agression [nɔ̃〔nɔn〕agʀɛsjɔ̃] *f.* 불침략 : pacte de ~ 불가침 조약.

non-aligné, e [nɔnaliɲe] *adj.* 〖정치〗 비동맹(국)의. ── *m.* 비동맹(국)(= pays ~*s*).

non-alignement [nɔnaliɲmɑ̃, nɔ̃-] *m.* 비동맹(주의 · 정책).

nonante [nɔnɑ̃ːt] *adj. num.* 《불변》 90 의 《스위스 · 벨기에 · 남부 프랑스 방언》.

non-assistance [nɔ̃〔nɔn〕asistɑ̃s] *f.* 〖법률〗 구조 의무 위반죄《프랑스에서는 1945 년 이후 경범죄로 됨》 : délit de ~ à personne en danger 인명 구조 태만죄.

non-belligérance [nɔ̃be〔ɛl〕liʒeʀɑ̃ːs] *f.* 비교전 상태, 전쟁 불개입(≠ belligérance).

non-belligérant, e [nɔ̃be〔ɛl〕liʒeʀɑ̃, -ɑ̃ːt] *adj.* 비교전국의, 전쟁에 개입하지 않는. ── *m.* 비교전국.

nonce [nɔ̃ːs] *m.* 교황 대사《로마 교황 특파 사절》(= ~ apostolique).

nonchalamment [nɔ̃ʃalamɑ̃] *adv.* 무기력하게, 안일하게, 활기 없이 ; 무관심하게, 무사태평하게(= mollement ; ≠ activement).

nonchalance [nɔ̃ʃalɑ̃ːs] *f.* 무기력, 활기〔열의〕 없음 ; 무관심, 무사태평. ***avec ~*** 께느른하게 ; 무관심하게

nonchalant, e [nɔ̃ʃalɑ̃, -ɑ̃ːt] *adj.* 무기력한, 활기 없는, 열의 없는, 나른한(= languissant) ; 무관심한, 무사태평한(= indolent).

nonciature [nɔ̃sjatyːʀ] *f.* ① 교황 대사〔특사〕의 직〔임기 · 임무〕. ② 교황 대사 관저.

non-combattant, e [nɔ̃kɔ̃batɑ̃, -ɑ̃ːt] (*pl.* **~-~s**) *adj.* 전투에 참가하지 않는 : unité ~*e* 비전투 부대. ── *n.* 비전투원.

non-conformisme [nɔ̃kɔ̃fɔʀmism] *m.* 풍속 · 관습 · 여론을 따르지 않기, 비순응주의, 비동조성.

non-conformiste [nɔ̃kɔ̃fɔʀmist] *n.* 풍속 · 관습 · 여론을 따르지 않는 사람, 비순응주의자(= original). ── *adj.* (일반 사회 규범 따위에) 비순응주의적인, 동조하지 않는.

non-conformité [nɔ̃kɔ̃fɔʀmite] *f.* 불일치, 어긋남 ; 부적합.

non-croyant, e [nɔ̃kʀwajɑ̃, -ɑ̃ːt] *adj.* 무신론의(= athée, incroyant). ── *n.* 무신론자.

non-directif, ive [nɔ̃diʀɛktif, -iːv] *adj.* 비지향적인, 비목적적인, 비의도적인.

non-dit [nɔ̃di] *m.* (명시적 언어 표현으로 발화되지 않은) 암묵적 발화 내용.

non-engagé, e [nɔnɑ̃gaʒe, nɔ̃ɑ̃-] *adj.* ① 비동맹의(= non-aligné). ② (정치 활동에) 비참여적인. ── *n.* ① 비동맹국. ② 비참여 작가〔지식인〕.

non-engagement [nɔnɑ̃gaʒmɑ̃] *m.* ① 비동맹(= non-alignement). ② 〖정치〗 중립적 태도, 비참여주의.

non-être [nɔ̃〔nɔn〕ɛtʀ] *m.* 《복수없음》 〖철학〗 무(無)(= néant), 비존재, 비유(非有).

non(-)euclidien, enne [nɔ̃〔nɔn〕øklidjɛ̃, -ɛn] *adj.* 〖수학〗 비(非)유클리드 학파의.

non-exécution [nɔnɛgzekysjɔ̃] *f.* 불이행 : ~ d'un contrat 〔d'une obligation〕 계약〔의무〕 불이행.

non-existence [nɔn〔ɔ̃〕ɛgzistɑ̃ːs] *f.* 〖철학〗 비존재, 비실재.

non(-)figuratif, ive [nɔ̃figyʀatif, -iːv] *adj.*

N

〚미술〛 비구상(非具象)의. ── *n.* 비구상 예술가〔화가〕.

non-fumeur, euse [nɔ̃fymœːʀ, -øːz] *n.* 담배 피우지 않는 사람, 금연가 : 《동격》 voiture ~s (기차의) 금연칸.

non-ingérence [nɔnɛ̃ʒeʀɑ̃ːs, nɔ̃ɛ̃-] *f.* (내정) 불간섭주의(= non-intervention).

non-initié(e) [nɔninisje, nɔ̃i-] *n.* 문외한(= profane).

non-inscrit, e [nɔnɛ̃skʀi, -it] *adj.* 〚정치〛 당적이 없는, 무소속인. ── *n.* 무당적자, 무소속자.

non-intervention [nɔnɛ̃tɛʀvɑ̃sjɔ̃] *f.* 〚정치〛 불간섭, 불개입, 방임.

non-interventionnisme [nɔnɛ̃tɛʀvɑ̃sjɔnism] *m.* 〚정치〛 불간섭주의.

non-lieu [nɔ̃ljø] *m.* 〚법률〛 면소(免訴) ; 면소 판결, 공소 기각 결정(= arrêt 〔ordonnance〕 de ~).

nonne [nɔn] *f.* 《구어》 수녀(님)(= nonnain).

nonobstant [nɔnɔpstɑ̃] 《옛》 *prép.* …에도 불구하고(= malgré, en dépit de). ***ce ~*** 《옛》 그럼에도 불구하고. ── *adv.* 그럼에도 불구하고(= cependant, néanmoins).

non-paiement, non-payement [nɔ̃pɛmɑ̃] *m.* 〚법률〛 미지불, 미불, 체납.

non-prolifération [nɔ̃pʀɔlifeʀɑsjɔ̃] *f.* (핵무기의) 비확산.

non-résident, e [nɔ̃ʀezidɑ̃, -ɑ̃ːt] *adj.* 살아야 할 곳에 살고 있지 않는.

non-retour [nɔ̃ʀ(ə)tuːʀ] *m.* point de ~ 〚항공〛 귀환 불능 한계점 ; 복귀 불능 한계점.

non-sens [nɔ̃sɑ̃ːs] *m.* ① 어처구니〔터무니〕 없음, 난센스(= absurdité). ② 무의미 ; 의미가 통하지 않는 문장〔어구〕 : faire des ~ dans une version latine 라틴어 번역에서 오역을 범하다.

non-stop [nɔnstɔp] 〔미영〕 *adj.* 《복수불변》 쉬지 않는, 중단 없는, 논스톱의 : vol ~ entre Séoul-Paris 서울 파리 간 직행편.

non-valeur [nɔ̃valœːʀ] *f.* ① 쓸모없는 것 ; 비생산적인 땅. ② 무능한 사람. ③ 비생산성 : terres en ~ 비생산적인 땅.

non-violence [nɔ̃vjɔlɑ̃ːs] *f.* 비폭력주의.

*__non-violent, e__ [nɔ̃vjɔlɑ̃, -ɑ̃ːt] *adj.* 비폭력의 : manifestation ~*e* 비폭력 데모. ── *n.* 비폭력주의자.

non-voyant, e [nɔ̃vwajɑ̃, -ɑ̃ːt] *n.* 맹인, 장님(= aveugle).

nopal [nɔpal] *m.* (*pl.* **~s**) 〚식물〛 (연지벌레를 번식시키기 위한) 선인장(= cochenillier).

⁑**nord** [nɔːʀ] *m.* ① 북, 북쪽(≠ sud) : la mer du *N*~ 북해. ② (*N*~) 북부 지방 ; 북국(北國) : Afrique 〔Amérique〕 du *N*~ 북아프리카〔아메리카〕 / l'étoile du *N*~ 북극성 / les gens du *N*~ 북국의 사람들 / le ~ de l'Europe 유럽의 북부 지방. ③ 〚해양〛 북풍. ***au ~ de*** …의 북부에 : *au ~ de* la Loire 르와르 북부에. ***perdre le ~*** (바다에서) 방향을 잃다 ; 《구어》 어찌할 바를 모르게 되다. ── *adj.* 《불변》 북쪽의 : latitude ~ 북위 / le pôle 〔*N* 〕 북극 / hémisphère *N*~ 북반구.

nord-africain, e [nɔʀafʀikɛ̃, -ɛn] *adj.* (*pl.* **~-~s**) 북아프리카의. ── **N~-A~** *n.* 북아프리카 (태생의) 사람.

nord-américain, e [nɔʀameʀikɛ̃, -ɛn] *adj.* (*pl.* **~-~s**) 북아메리카의, 북미의. ── **N~-A~** *n.* 북아메리카 사람.

nord-coréen, enne [nɔʀkɔʀeɛ̃, -ɛn] *adj.* (*pl.* **~-~s**) 북한의. ── **N~-C~** *n.* 북한 사람.

nord-est [nɔʀɛst] *m.* 북동 ; 북동 지방 : le *N~-E~* de la Corée 한국의 북동 지방. ── *adj.* 《불변》 북동의.

nordique [nɔʀdik] *adj.* 북유럽의 ; 《특히》 스칸디나비아의. ── **N~** *n.* 북유럽〔스칸디나비아〕 사람. ── *m.* 북유럽 말.

nordir [nɔʀdiːʀ] *v.i.* 〚해양〛 (바람이) 북풍으로 변하다.

nordiste [nɔʀdist] *n.* et *adj.* 〚역사〛 (미국 남북 전쟁 때의) 북군 지지자(의), 북군파(의)(≠ sudiste) : armée ~ 북군.

nord-nord-est [nɔʀnɔʀɛst] *m.* 북북동. ── *adj.* 《불변》 북북동의.

nord-nord-ouest [nɔʀnɔʀwɛst] *m.* 북북서. ── *adj.* 《불변》 북북서의.

nord-ouest [nɔʀwɛst] 《뱃사람들은 [nɔʀwɛ, nɔʀwa]로 발음》 *m.* ① 북서 ; 북서 지방. ② 북서풍(= vent du ~). ── *adj.* 《불변》 북서의.

noria [nɔʀja] *f.* 체인식 양수기 ; 자동 권양기 「(捲揚機).

⁑**normal, e, aux** [nɔʀmal, -o] *adj.* ① 정규의, 정상적인(≠ anormal) ; 보통의, 평상의 (= ordinaire, habituel) ; 표준적인 : en temps ~ 평상시에 / Il n'est pas dans son état ~. 그는 정상적인 상태가 아니다〔아프다, 취해 있다〕. ② 당연한(= légitime) : C'est bien ~. 그건 당연하다. ***École ~e*** 사범학교. ***École ~e supérieure*** 고등 사범학교. ***Il est ~ de***+*inf.* …하는 것은 당연하다 : *Il est ~ d'*aller chez le médecin, quant on est malade. 아플 때 의사에게 가는 것은 당연하다. ── *f.* 표준 ; 정상적인 것〔상태〕 : conforme à la ~*e* 규격에 맞는 / revenir à la ~*e* 정상으로 되돌아가다. ***N~e*** (***sup***) 고등 사범학교《관사 없이 씀》 : enter à *N*~s 고등 사범학교에 입학하다.

*__normalement__ [nɔʀmalmɑ̃] *adv.* 정상적으로 ; 보통으로.

normalien, enne [nɔʀmaljɛ̃, -ɛn] *n.* 사범학교 학생 ; 《특히》 고등 사범학교 학생.

normalisation [nɔʀmalizɑsjɔ̃] *f.* ① 표준화, 규격화(= standardisation). ② 정상화.

normaliser [nɔʀmalize] *v.t.* ① 표준화〔규격화〕하다(= standardiser). ② 정상화하다 : ~ les relations diplomatiques avec un pays étranger 외국과의 외교 관계를 정상화하다.

normalité [nɔʀmalite] *f.* 정상 상태.

normand, e [nɔʀmɑ̃, -ɑ̃ːd] *adj.* ① 노르망디(*la Normandie*), 프랑스의 지방의. ② 노르만족(族)의. ── **N~** *n.* ① 노르망디 사람. ② 노르만 사람. ***C'est un*** (***fin***) ***~.*** 교활하여 다루기 힘든 놈이다. ***faire une réponse de N~*** 어정쩡한〔애매한〕 대답을 하다.

normatif, ive [nɔʀmatif, -iːv] adj. 규범적인 : sciences ~*ives* 규범학 / grammaire ~*ive* 규범 문법.

norme [nɔʀm] *f.* ① 규범 ; 기준(= modèle,

N

règle, canon) ; 원칙(= principe) : ~ sociale〔juridique〕 사회〔법〕규범 / ~ de la conduite 행동의 규범. ② 〖공업〗 (보통 *pl.*) 규격(= standard) : objet conforme aux ~*s* 규격에 맞는 물품. ***s'écarter de la ~*** 정상을 벗어나다.

norois, noroît [nɔʀwa] *m.* 〖해양〗 북서풍.

nor(r)ois, e [nɔʀwa, -aːz] *adj.* 《옛》 ① 북서 지방의. ② 노르망디 사람의. ── *n.* 북서 지방 사람. ── *m.* ① 고대 스칸디나비아어(語). ② 〖해양〗 북서풍(= nord-ouest).

***norvégien, enne** [nɔʀveʒjɛ̃, -ɛn] *adj.* 노르웨이(*Norvège*)의. ── **N~** *n.* 노르웨이 사람. ── *m.* 노르웨이어(語).

***nos** [no] *adj. poss.* ⇒ notre.

nos(o)- 〔그리스〕 *préf.* 「질병」의 뜻.

nostalgie [nɔstalʒi] *f.* ① 향수, 그리움(= regret) : avoir la ~ de sa jeunesse 젊음에 대한 향수를 느끼다. ② 회상 ; 애석, 동경 : ~ de l'aventure 모험에의 동경. ③ 서글픈 생각(= mélancolie), 우수. ***avoir la ~ du foyer*** 향수를 느끼다.

nostalgique [nɔstalʒik] *adj.* ① 향수의. ② 서글픈(= mélancolique, triste) : chanson ~ 애조를 띤 노래.

nota [nɔta]**, nota bene** [nɔtabene] 〔라틴〕 *m.* 《복수불변》 주(註), 주의(《약자》 N.B.).

notabilité [nɔtabilite] *f.* 저명 인사, 명사, 유력가(= notable, personnalité).

notable [nɔtabl] *adj.* ① 주목할 만한, 뚜렷한, 현저한(= remarquable) : de ~*s* progrés 현저한 진보. ② 저명한, 유력한(= considérable) : gens ~*s* 유력자. ── *n.* 명사(名士), 저명 인사, 유력가, 거물(= notabilité).

notablement [nɔtabləmɑ̃] *adv.* 뚜렷이, 현저하게, 많이(= beaucoup).

notaire [nɔtɛːʀ] *m.* 〖법률〗 공증인. ***cabinet*** 〔***étude***〕 ***de ~*** 공증인 사무소. ***contrat*** 〔***acte***〕 ***passé devant ~*** 공증 계약(증)서.

***notamment** [nɔtamɑ̃] *adv.* 특히(= particulièrement, spécialement) : les sports, ~ le tennis et le ski 스포츠, 특히 테니스와 스키.

notarial, e, aux [nɔtaʀjal, -o] *adj.* 공증인의 : fonctions ~*es* 공증인의 직무.

notariat [nɔtaʀja] *m.* 〖법률〗 공증인의 직무 ; 공증인회 : école de ~ 공증인 학교.

notarié, e [nɔtaʀje] *adj.* 〖법률〗 공증인에 의해 작성된, 공증된 : acte ~ 공증 증서.

notation [nɔtɑsjɔ̃] *f.* ① 표시, 표기 ; 표시〔표기〕법 ; 기호 : ~ phonétique 발성 표기법. ② (문학 · 미술 따위에서) 묘사 : ~*s* psychologiques 심리적 묘사. ③ 성적〔점수〕매기기〔평가〕. ***~ chimique*** 화학 기호법. ***~ musicale*** 기보법(記譜法).

⁑note [nɔt] *f.* ① 주(註) ; 주석 : ~ en bas de page 각주(脚註) / ~ marginale 방주(傍註). ② 노트, 메모 : prendre des ~*s* pendant un cours 강의를 들으며 필기를 하다. ③ 통첩(= communiqué) ; 각서(= mémorandum) ; 의견서(= avis) ; 문서 : ~ diplomatique 외교 문서 / ~ officielle 공문서. ④ 단평(短評) ; 짧은 기사. ⑤ 〖상업〗 계산서 ; 전표 : ~ de téléphone 〔de gaz, d'électricité〕 전화〔가스 · 전기〕 요금 고지서. ⑥ ⓐ 《옛》 평판. ⓑ 〖학교〗 평점, 점수, 성적 : ~ favorable (sur un livre) (신간서에 관한) 호평. ⑦ ⓐ 〖음악〗 음표 ; 음조(音調), 음정, 음. ⓑ 색조(色調) : sept ~*s* de la gamme 음계의 7 음 / ~ piquée 스타카토 음표 / ~ gaie 밝은 색조〔느낌〕. ***bonne*** 〔***mauvaise***〕 ***~*** 좋은〔나쁜〕 점수. ***carnet de ~s*** 수첩 ; (학생의) 성적부. ***changer de ~*** 말투를 바꾸다. ***donner la ~*** 음조를 맞추기 위하여 주음(主音)을 내보이다 ; 모범을 보이다, 중심이 되다. ***être dans la ~*** 적절하다. ***fausse ~*** 틀린 음조〔음〕; 엉뚱한 소리〔짓〕: faire une *fausse* ~ 음조가 틀리다 ; 엉뚱한 소리를〔짓을〕 하다. ***forcer la ~*** 과장하다. ***mettre des ~s à*** …에 주석을 달다. ***~ d'auteur*** 저자의 서문. ***~ juste*** 맞는 음조〔음〕; 적절한 요소. ***prendre bonne ~ de*** qc 마음속에 잘 간직하여 잊지 않도록 하다, 명심하다. ***prendre ~ de*** qc …을 적어 두다. ***prendre*** qc ***en ~*** …을 필기하다 ; …을 적어 두다.

noté, e [nɔte] *adj.* 평판의. ***être bien*** 〔***mal***〕 ***~*** 평판이 좋다〔나쁘다〕. ***personne ~e*** 요주의 인물, 블랙리스트에 오른 사람.

***noter** [nɔte] *v.t.* ① …에 표를 하다, 밑줄을 치다 : ~ d'une croix un passage intéressant 재미있는 대목에 십자표를 하다. ② 적어 두다〔넣다〕: ~ un rendez-vous sur son agenda 비망록에 시간 약속을 적어 넣다. ③ 유의〔주의〕하다(= remarquer). ④ 《~ qn》 평가하다, …에게 점수를 매기다 : ~ un élève 학생을 평가하다 / ~ un devoir sur 20, 20 점 만점으로 숙제를 채점하다.

notice [nɔtis] *f.* 개요, 약술(略述), 소지(小誌) : ~ d'un livre 머리말(= préface) ; 서적 소개 / ~ biographique 약전(略傳). ***une courte ~ sur*** qc 〔qn〕 …에 관한 약술(略述).

notificatif, ive [nɔtifikatif, -iːv] *adj.* 통지하는, 고지(告知)의 : lettre ~*ive* 통지서.

notification [nɔtifikɑsjɔ̃] *f.* 〖법률〗 통지, 고지, 통보 ; 통고서 : recevoir ~ de qc …에 관한 통고를 받다. ***~ publique*** 공고(公告).

notifier [nɔtifje] *v.t.* 〖법률〗 통지〔고지 · 통보〕하다. ***~ à*** qn ***que***＋*sub.* …에게 …하라고 통고하다. ~ qc ***à*** qn …을 …에게 통고하다 : ~ l'ordre d'expulsion *à* des locataires 세입자들에게 강제 퇴거 명령을 통고하다.

***notion** [nosjɔ̃] *f.* ① 관념(= idée) ; 개념(= concept) : ~*s* du bien et du mal 선악 관념 / ~*s* morales 도덕관념 / ~ générale 일반 개념. ② (*pl.*) (기초 · 기본) 지식, 입문 : *N~s* de géographie 지리학 입문.

notionnel, elle [no〔ɔ〕sjɔnɛl] *adj.* 관념〔개념〕의(= conceptuel) : champ ~ 〖언어〗 개념의 장(場).

notoire [nɔtwaːʀ] *adj.* ① 주지(周知)의, 명백한, 분명한(= évident) : fait ~ 주지의 사실. ② (사람이) 유명한(= bien connu, célèbre) : criminel ~ 악명 높은 범죄자. ***Il est ~ que...*** …은 누구나 다 아는 일이다.

notoirement [nɔtwaʀmɑ̃] *adv.* 분명히, 현저하게, 명백히(= manifestement) : nouvelle ~ fausse 명백한 오보〔헛소문〕.

notoriété [nɔtɔʀjete] *f.* ① 유명, 명성, 평판 : acquérir de la ~ 명성을 얻다. ② 주지(의 사실). ***de ~ générale*** 주지의 ; 누구나

N

다 아는 대로. ***Il est de* ~ (*publique*) *que...*** …은 주지의 사실이다.

‡**notre** [nɔtʀ] *adj. poss.* (*pl.* ***nos*** [no]) ① 우리(들)의 : ~ bonne ville 우리들의 살기 좋은 도시 / ~ patrie 우리 조국 / *nos* parents 우리 부모 / à ~ époque 우리 시대에, 현대에. ② 《mon 대신으로 : 겸손·위엄의 표현》 본인의, 짐(朕)의, 본관의 ; 필자의 : Tel est ~ bon plaisir. 이것이 짐의 뜻이노라 / ~ livre 필자의 저서, 졸저(拙著). ③ 《이해관계·관심》 예(例)의, 문제의 : Voici ~ homme. 우리가 말한 그 사람이야.

‡**nôtre** [no:tʀ] *pron. poss.* 《정관사가 앞에 놓임 : le [la] ~, les ~s》 ① 우리들의 것 : Il préfère vos tableaux aux ~*s*. 그는 우리들 그림보다도 당신의 그림을 더 좋아한다. ② 나〔짐·본관·필자〕의 것. — *m.* ① 우리들의 것《재산·재능·능력》: Nous défendons le ~. 우리는 우리의 것을 지킨다. ② (*pl.*) (우리들의) 친척 ; 우리편 사람들, 동포들, 동지들 : Nous devons aimer les ~*s*. 우리는 가족을 사랑하지 않으면 안 된다 / Soyez des ~*s*. 우리와 함께 일합시다〔갑시다〕. ***y mettre du* ~** 양보하다 ; 힘을 쏟다, 공헌하다 : Si nous *y mettons du* ~, l'affaire réussira. 우리가 각자 힘을 쏟으면 일은 성사될 것이다.

Notre-Dame [nɔtʀədam] *f.* 〖가톨릭〗 성모 마리아 ; 성모당(聖母堂) ; 성모상 : ~ de Paris 파리의 노트르담 대성당.

notule [nɔtyl] *f.* 약주(略註), 촌평(寸評).

nouba [nuba] 〔아라비아〕 *f.* 《구어》 주연(酒宴), 대향연(= bombance). ***faire la* ~** 흥청망청 마시고 떠들다.

nouer [nwe] *v.t.* ① (끈 따위를) 매다 ; 맺다 ; 묶다 : ~ sa cravate 넥타이를 매다 / ~ un bouquet avec un lien 끈으로 꽃다발을 묶다. ② 《비유》 꽉 죄다, 조르다(= serrer) : Un sanglot lui *noua* la gorge. 흐느낌으로 그의 목이 메었다. ③ (관계를) 맺다, (교제·대화 따위를) 시작하다 : ~ des relations avec qn …와 교제를 맺다. ④ (음모 따위를) 꾸미다. ⑤ (관절 따위를) 굳어지게 하다, 경직시키다 : L'âge lui *a noué* les membres. 그는 나이 탓으로 팔다리의 관절이 굳어졌다. — *v.i.* (열매가) 맺히다, 결실하다.
— **se** ~ *v.pr.* ① 매어지다 ; 맺어지다 ; 묶이다 ; 얽히다 : 《se ~ à》 Les lianes *se nouent aux* grilles. 덩굴이 철책에 달라붙어 있다. ② 《비유》 (교제·관계가) 맺어지다 ; (대화 따위가) 시작되다 : amitié qui *se noue* 맺어지는 우정.

noueux, euse [nwø, -ø:z] *adj.* 매듭이〔마디가〕 많은 ; 뼈마디가 굵은 ; (관절이) 굳어진, 경직한. ***doigts* ~** 뼈마디가 굵은 손가락. ***rhumatisme* ~** 〖의학〗 관절 류머티즘.

nougat [nuga] *m.* ① 누가《과자》. ② 맛있는 것(= nanan). ③ (*pl.*) 《속어》 발(= pieds). ***C'est du* ~ *!*** 《속어》 참 맛있다 ! ; 그것은 쉬운 일이다 !(= C'est du nanan).

nougatine [nugatin] *f.* 누가엿《과자 원료》.

***nouille** [nuj] *f. pl.* ① 〖요리〗 달걀 넣은 국수의 일종. ② 《구어》 바보, 못난이(= niais) : C'est une ~ ; C'est un vrai plat de ~*s*. 이 자는 정말 얼간이이다. — *adj.* ① 바보의, 못난 : Il est vraiment trop ~. 그는 정말 너무나 미련하다. ② 〖미술〗 style ~ 누이 양식 《1900 년경에 유행한 곡선의 장식 양식》.

nounou [nunu] *f.* 《소아어》 유모(= nourrice).

nounours [nunuʀs] *m.* 《소아어》 곰인형.

nourrain [nuʀɛ̃] *m.* (양어장의) 새끼 물고기 ; (사육용) 새끼 돼지.

nourrice [nuʀis] *f.* ① 유모, 젖어멈 : confier un enfant à une ~ 어린이를 유모에게 맡기다. ② 《비유》 양육하는〔길러 내는〕 것. ③ 〖기계〗 (여러 가닥의 급수〔송수〕관이 달린) 공급 탱크 ; 〖자동차〗 (가솔린) 보조 탱크. ④ éping le ~ 안전핀.

nourricier, ère [nuʀisje, -ɛ:ʀ] *adj.* ① 길러 주는, 길러 준. ② 영양을 주는 ; 영양이 되는. ***mère* ~*ère*** 유모 ; 양모. ***père* ~** 유모의 남편 ; 양부. ***suc* ~** 양액(養液).

***nourrir** [nuʀi:ʀ] *v.t.* ① 기르다, 양육〔부양〕하다(= entretenir) : ~ sa famille 가족을 부양하다. ② 젖먹이다(= allaiter) ; …에게 식사를〔식량을〕 제공하다 : ~ un bébé au sein 〔biberon〕 아기를 모유〔우유〕로 키우다 / 《~ qn (de qc)》 ~ un malade *de* bouillon et *de* légume 환자에게 국물과 야채를 먹이다. ③ …에(게) 양분을 주다, …의 양식이 되다 : terrain qui *nourrit* les vignobles 포도의 생산지. ④ 함양하다, 계발하다 : ~ l'esprit 정신을 함양하다 / La lecture *nourrit* l'esprit. 독서는 정신을 살찌운다. ⑤ (마음에) 품다, (감정을) 키우다(= caresser) : ~ une haute ambition 큰 야심을 품다 / ~ de la haine contre qn …에 대해 증오심을 품다. ⑥ ⓐ 더욱 강하게 지속〔유지〕시키다 : ~ le feu 〔la lampe〕 불기운〔램프의 불빛〕을 돋우다. ⓑ …의 내용을 풍부하게 하다 : ~ son style 문체를 생기 있게 하다. — **se** ~ *v.pr.* ① 영양을 취하다 ; 먹다 : *se* bien ~ 충분히 영양을 취하다 ; 잘 먹다. ② …으로 정신을 함양하다 ; …을 마음에 품다 : *se* ~ de la lecture 독서로 정신을 함양하다 / *se* ~ d'illusions 〔de rêves〕 환상을 품다.

nourrissant, e [nuʀisɑ̃, -ɑ̃:t] *adj.* 자양〔영양〕이 되는〔풍부한〕 ; (마음의) 양식이 되는.

nourrisseur [nuʀisœ:ʀ] *m.* 〖농업〗 젖소 사육자 ; (고기를 팔기 위한) 가축 사육자.

nourrisson, onne [nuʀisɔ̃, -ɔn] *n.* ① 젖먹이 ; 유아(= bébé) : ~ du Pinde 〔des Muses〕 시인. ② 《비유》 제자.

***nourriture** [nuʀity:ʀ] *f.* 영양(물) ; 식량 ; 음식물 ; 식사 ; (가축의) 먹이 ; 《비유》 (정신적인) 양식 : ~ de l'esprit 마음의 양식 / la ~ et le logement 식사 제공의 하숙.

‡**nous** [nu] *pron. pers.* 우리들. Ⓐ 《비강세형》 ① ⓐ 《주어》 우리들이 : *N*~ l'avons vu. 우리는 그와 만났다. ⓑ 《직접·간접보어》 Il ne ~ regarde pas. 그는 우리를 바라보지 않는다 / Il ~ en a parlé. 그는 우리에게 그 이야기를 했다 / *N*~ ~ chauffons. 우리는 몸을 녹이고 있다 / *N*~ ~ connaissons. 우리는 서로 알고 지낸다. ② ⓐ 《막연히 사람을 나타냄》 *N*~ sommes lundi. 월요일이다. ⓑ 《on 에 해당하는 보어》 Peut-on faire bonne mine à ces gens qui ~ insultent ? 자기를 모욕하는 그런 사람들에게 좋은 낯을 할 수

N

있는가? ③《je 대신으로 : 겸손·위엄의 표현, 이 경우 관계되는 명사·형용사·분사는 단수형》 본인, 짐(朕), 본관, 필자 : *N*~ avons décrété que... 짐은 …라고 명령했다. ④《구어》 너《애정의 표시》(= tu, vous) : Eh bien, petit, ~ avons bien travaillé? 얘야, 그래 공부 잘 했느냐? / Dépêchons-~. 서둘러 주게나. ⑤《변호사·공증인들이 사용하는 용어 ; 3 인칭 대신으로》 의뢰인 : *N*~ croyons que... 의뢰인은 …을 믿습니다.
Ⓑ《강세형》 ①《동격·속사·생략형의 비교절》 *N*~, ~ n'irons pas. 우리들은 안 갈 것이다 / C'est ~ qui sommes à blâmer. 비난받아야 할 건 우리들이다 / Ils sont plus riches que ~. 그들은 우리들보다 돈이 많다. ②《전치사와 함께》 Il restera chez ~. 그는 우리 집에 머무를 것이다 / un ami à ~ 우리들의 친구. ***entre ~ soit dit*** 우리끼리만의 이야기인데. ~ ***autres*** (당신들이 아니고) 우리들은. ~***-même(s)*** 우리들 자신.

***nous-même(s)** [numɛm] *pron. pers.* ⇒ même.

‡**nouveau** [nuvo], **nouvel** [nuvɛl] 《모음 또는 무성 h 로 시작하는 말 앞에서》, **nouvelle**[1] [nuvɛl] (*m. pl.* ***nouveaux*** ; *f. pl.* ***nouvelles***) *adj.* ① 새로운, 신규〔신식·신형〕의 ; 최근의(= récent) : esprit ~ 새로운 사상(의 사람) / habit ~ 신유행의 의복 / homme ~ 벼락부자〔출세자〕/ saison *nouvelle* 봄. ② 다른, 또 하나의 ; 종전과는 다른, 쇄신된 : jusqu'à *nouvelle* ordre 새로 명령이 있을 때까지 / la *nouvelle* lune 신월, 초승달 / *nouveaux* époux 신혼 부부 / *nouvel* époux 두 번째 남편 / *nouvel* habit (평소와는 다른) 새 옷 / *nouvel* homme 아주 성격이 달라진 사람 / Qu'y a-t-il de ~ depuis que je suis parti? 내가 떠난 이후 별다른 일은 없는가? ③ 새로 들어온, 경험 없는, 미숙한 : *nouvel* élève 신입생 / être tout ~ dans les affaires 사무에 전혀 익숙지 않다 / Je suis encore fort ~ dans mes affaires. 나는 아직 사무에 미숙하다. ④ 참신한, 색다른, 신기한, 기발한(= original). ***de nouvelle date*** 최근의. ***le nouvel an*** 신년. ***Tout ~ tout beau.*** 《속담》 뭐든지 새것은 좋아 보인다.
── *m.* 새로운 것〔일〕; 신기한 일. ***à ~*** 새로이, 신규로 ; (또)다시. ***C'est du ~!*** 금시초문이다! ***de ~*** (또) 다시 : commettre *de* ~ la même erreur 같은 실수를 다시 저지르다.
── *n.* 신입생, 신회원, 신참자.

***nouveau-né, e** [nuvone] (*pl.* ~-~*s*) *adj.* 갓난 : enfants ~*s* 갓난아이. ── *n.* 갓난아이 ; (동물의) 새끼.

nouveauté** [nuvote] *f.* ① 새로움 ; 현대성 ; 독창성(= originalité) : ~ du livre 책의 독창성 / costume de haute ~ 최신 유행의 옷. ② 새로운 것〔일〕; 색다른 것, 신기한 것 ; 혁신(= innovation) : C'est une ~ pour moi. 그것은 초문이다. ③ 신간서 ; 〖문학〗 새 작품. ④ 최신 유행품 (제조·판매업). ***magasin 〔***marchand***〕 ***de ~s*** 양품점.

‡**nouvelle**[2] [nuvɛl] *f.* ① (*pl.*) 소식 ; 근황(近況) : avoir 〔recevoir〕 des ~*s* de qn …으로부터 소식을 듣다 / envoyer savoir des ~*s* de qn …의 근황을 알아보러 사람을 보내다 / donner de ses ~*s* à qn …에게 소식을 보내다. ② 정보(= information) ; 소문(= bruit, rumeur) ; (*pl.*) 뉴스 : aller aux ~*s* 정보를 얻으러 가다. ③ 중편〔단편〕 소설 : recueil de ~*s* 중편 소설집. ***dernières ~s*** 최근의 정보, 최신 뉴스. ***~s à la main*** 〖신문〗 가십(난). ***Pas*** 〔***Point***〕 ***de ~s, bonnes ~s.*** 《격언》 무소식이 희소식. ***Première ~!*** 금시초문이다! ***Vous aurez de mes ~s.*** 《구어》 어디 두고 보자. ***Vous m'en direz des ~s.*** 《구어》 틀림없이 마음에 들 겁니다 ; 정말 놀라실 겁니다.

nouvellement [nuvɛlmɑ̃] *adv.* 《보통 과거분사 앞에 쓰임》 최근에(= récemment) : film ~ sorti 최근에 개봉된 영화 / Il est ~ arrivé 그는 최근에 도착했다.

nouvelliste [nuvɛ(e)list] *n.* ① 〖신문〗 탐방 기자 ; 가십 기자. ② 중편〔단편〕 작가. ~ ***à la main*** 가십난의 기자〔기고가〕.

nova [nɔva] *f.* (*pl.* ***novœ*** [nɔve]) 〖천문〗 (갑작스러운 폭발로 밝아지는) 신성(新星).

novateur, trice [nɔvatœːʀ, -tʀis] *n.* 개혁자, 혁신자(= innovateur ; ≠ conservateur).
── *adj.* 개혁〔혁신〕하는, 혁신적인.

novation [nɔvɑsjɔ̃] *f.* ① 혁신, 새로운 것. ② 〖법률〗 (채권·계약 따위의) 갱신 ; 변경 : ~ de créance 채권의 경개(更改).

‡**novembre** [nɔvɑ̃ːbʀ] *m.* 11 월. ***au mois de ~ ; en ~*** 11 월에.

nover [nɔve] *v.t.* 〖법률〗 (채무·계약 따위를) 갱신하다 ; 변경하다.

novice [nɔvis] *n.* ① 〖가톨릭〗 수련 수도사〔수녀〕. ② 〖해양〗《남성뿐》 수습 선원. ③ 초심자(初心者), 무경험자, 풋내기(= apprenti, débutant). ── *adj.* 초심의, 경험 없는, 미숙한(= inexpérimenté, maladroit) : Il n'est pas ~. 그는 경험이 많다, 노련하다.

noviciat [nɔvisja] *m.* ① 〖가톨릭〗 수련 (기간) ; 수련소. ② 수습〔견습〕 (기간)(= apprentissage).

novotique [nɔvɔtik] *f.* 〖경제〗 정보화 경제 ; 정보 처리 기술.

noyade [nwajad] *f.* 익사(溺死) ; 익사시키기 : sauver qn de la ~ (물에 빠진) …을 물에서 구해 내다.

noyau** [nwajo] *m.* (*pl.* ~x***) ① 〖식물〗 핵(核), 씨 ; 〖물리〗 원자핵 ; 〖생물〗 세포의 핵 : fruit à ~ 핵과(核果) / ~ de l'atome 원자핵. ② 〖건축〗 (궁륭 따위의) 지주 ; (나선 계단의) 중심 기둥. ③ 중심, 핵심, 핵심체 : ~*x* de resistance 〖군사〗 (아직 항복하지 않은) 소수의 고립 부대 / Le verbe est le ~ de la phrase. 동사는 문장의 핵이다. ***escalier à ~ plein*** 나선 계단.

noyautage [nwajotaːʒ] *m.* 〖정치〗 (반대당에 대한) 잠입〔침투〕 공작, 세포 조직 활동.

noyauter [nwajote] *v.t.* 〖정치〗 (공산당 등이 반대당에 대해) 잠입〔침투〕 공작을 하다, 세포를 조직하다.

noyé, e [nwaje] *adj.* ① 물에 빠진 ; 익사한 : marins ~*s* en mer 바다에서 익사한 수부 / boule ~*e* 〖놀이〗 (볼링에서) 라인 밖으로 나간 공. ② 물에 잠긴, 침수된 : roche ~*e* 암초 / chemins ~*s* 침수 도로. ③ ⓐ (눈이) 젖

은 : yeux ~*s* de larmes 눈물 어린 두 눈. ⓑ 갈피를 잃은(= perdu) : regard ~ 흐리멍덩한 시선. ⓒ《~ dans》…에 잠긴 ; 탐닉한 : Il est tout ~ de dettes. 그는 빚으로 꼼짝달싹 못한다 / jeune homme ~ *dans* les plaisirs 쾌락에 빠진 젊은이. ***être ~*** 쩔쩔매다, 어찌할 바를 모르다. — *n.* 물에 빠진 사람 ; 익사자. ***Un ~ s'accroche à un brin de paille.*** 《속담》 물에 빠진 사람은 지푸라기라도 잡는다.

noyer¹** [nwaje] [7] *v.t.* ① 물에 빠뜨려 죽이다 ; (물에) 빠뜨리다 : La tempête *noya* nombre de matelots. 폭풍우로 많은 선원이 익사했다. ② (물에) 잠기게 하다, 범람하다, 침수시키다 : Les pluies *ont noyé* la campagne. 비로 인해 전답에 홍수가 났다 / La rupture des digues *a noyé* toutes les basses terres. 둑이 터져 저지대가 온통 물에 잠겼다. ③ (안개 따위에) 잠기게〔묻히게〕 하다 ; 희미하게 만들다 : *être noyé* dans la foule 군중 속에 파묻히다 / La pièce *est noyée* dans l'ombre. 방이 캄캄하다 / Ses cris *étaient noyés* dans le tumulte. 그의 외침은 소음 속에 묻혀 버렸다. ④ (근심·슬픔·고생 따위를) 사라지게 하다, 잊다 : ~ son chagrin dans le vin 술로 슬픔을 잊다〔달래다〕. ***~ le poisson 《구어》 (사태를 질질 끌어) 문제를 걷잡을 수 없게 만들다. — **se ~** *v.pr.* ① (물에) 빠지다 ; 익사하다 ; 투신자살하다. ② 《비유》《se ~ dans》…에 빠지다, 열중하다 : *se ~ dans* la débauche 방탕에 빠지다 / *se ~ dans* le vin 술에 빠지다. ***se ~ dans un verre*** 〔***une goutte***〕 ***d'eau*** 사소한 일에도 실패하다.

noyer² *m.* 〖식물〗 호두나무 (목재).

N.P.I. 《약자》 nouveaux pays industrialisés 신흥 공업국.

N.R.F. 《약자》 Nouvelle Revue Française 신프랑스 평론《1909 년에 창간된 프랑스의 월간 문예지》.

n/sr 《약자》 notre sieur... 〖상업〗 …씨, 귀하.

nu, e¹** [ny] *adj.* ① 벌거숭이의, 벌거벗은, 나체의, 장식이 없는 ; 적나라한, 꾸밈없는, 허식이 없는 : femme *nue* 나체의 여자 / aller *nu*-pieds 〔les pied *nus*〕 맨발로 가다 / cellule pauvre et *nue* (가구 없는) 빈 감방. ② 빈털터리의, 무일푼의. ③ 의지가지없는, 무력한(= désarmé) : l'homme, abandonné *nu* et sans force aux forces de la nature 의지가지없이 무력하게 자연의 힘에 내맡겨진 인간. ***à l'œil nu 육안으로 : visible *à l'œil nu* 육안으로 보이는. ***être nu-tête*** 모자를 쓰지 않고 있다. — *m.* ① 나체, 누드, 나체화〔상〕. ② 노출된 부분, 장식 없는 부분. ***à nu*** 나체로 ; 드러내 놓고 : découvrir son cœur *à nu* 흉금을 털어놓다.

‡nuage [nɥaːʒ] *m.* ① 구름 ; 구름 같은 것 : ~ à grain 〔orageux〕 비〔천둥〕 구름 / ~ de fumée 자욱한 연기, 구름 같은 연기 / ~ en couches 〔en bandes〕 층운(層雲). ② 암영(暗影) ; 불안 ; 불화 ; (얼굴의) 걱정〔근심〕스러운 빛 : Il y a des ~*s* noirs à l'horizon. 커다란 위험이 우리를 위협하고 있다. ***se perdre*** 〔***être***〕 ***dans les ~s*** 공상〔망상〕에 잠기다 ; 횡설수설하다. ***un ~ de*** 소량의 : *un ~ de* lait (커피에 타는) 약간의 우유.

nuageux, euse [nɥaʒø, -øːz] *adj.* ① 구름이 낀, 흐린 : ciel ~ 흐린 하늘. ② 분명치 않은, 흐릿한, 흐리멍덩한(= obscur, vague).

nuance** [nɥɑ̃ːs] *f.* ① 색조(色調)의 명암〔농담〕의 정도 : ~*s* innombrables du vert 초록 계통의 무수한 색조. ② 미묘한 차이 ; 뉘앙스 : Il y a plus qu'une ~ entre ces deux points de vue. 이 두 견해 사이에는 크나큰 차이가 있다 / ne différer que par des ~*s* 대동소이하다 / homme sans ~ 비타협적인〔강경한〕 사람. ③ 〖음악〗 음조(音調), 강약 : notations des ~*s* en musique 음악에서 강약의 기호. ***une ~ de mépris 〔***de regret***〕 경멸〔후회〕의 기미.

***nuancé, e** [nɥɑ̃se] *adj.* 명암〔농담〕이 있는 ; 여러 가지 차이를 고려한 ; 뉘앙스를 풍기는 (≠ tranché), (문체가) 음영을 띤, 미묘한 : opinion *nuancée* 뉘앙스를 띤 의견.

nuancer [nɥɑ̃se] [2] *v.t.* ① …에 명암〔농담〕이 어울리게 하다 ; …에 뉘앙스를 띠게 하다. ② (문체를) 미묘하게 하다, 음영을 띠게 하다 : ~ sa pensée 자기의 생각을 미묘하게 표현하다.

nubile [nybil] *adj.* 나이 찬, 결혼 적령의. ***âge ~*** 〖법률〗 혼인 적령.

nubilité [nybilite] *f.* 결혼 적령(기).

nuclé- *préf.* 「핵」의 뜻.

***nucléaire** [nykleɛːʀ] *adj.* ① 〖생물〗 (세포의) 핵(核)의. ② 〖물리〗 원자핵의 : arme ~ 핵무기 / essais ~*s* 핵실험 / chimie ~ 핵화학(核化學) / puissance ~ 핵(무기) 보유국.

nucléal, e, aux [nykleal, -o] *adj.* ① 핵의, 원자력의 ; 〖물리〗 원자핵의. ② 〖식물〗 세포핵의(= nucléaire). — *m.* 핵에너지 (부문), 원자력 (부문) ; 핵무기.

nucléarisé, e [nykleaʀize] *adj.* (국가가) 핵에너지〔핵무기〕를 보유하고 있는.

nucléé, e [nyklee] *adj.* 〖생물〗 세포가 핵이 있는 : cellule ~*e* 유핵(有核) 세포.

nucléique [nykleik] *adj.* 〖생화학〗 핵의. ***acides ~s*** 핵산(核酸), 뉴클레인산.

nucléole [nykleɔl] *m.* 〖생물〗 인(仁), 핵소체(核小體).

nudisme [nydism] *m.* 나체주의 ; 육체 노출 : faire du ~ sur la plage 해변에서 나체로 돌아다니다.

nudiste [nydist] *n.* 나체주의자. — *adj.* 나체주의(자)의 : camp ~ 나체촌.

nudité [nydite] *f.* ① 나체, 벌거숭이. ② 노출(된 상태) ; (산·땅이) 나무가 없음 ; (벽 따위가) 장식이 없음(= ~ d'un mur) ; 꾸밈〔허식·가식〕이 없음. ***dans toute sa*** 〔***leur***〕 ***~*** 적나라하게, 숨김없이.

nue² [ny] *f.* 《옛·문어》 구름(= nuage) ; (*pl.*) 하늘. ***élever*** 〔***mettre, porter***〕 (***jusqu'-***) ***aux ~s*** 격찬하다. ***se perdre dans les ~s*** 종잡을 수 없는 소리를 하다. ***tomber des ~s*** 깜짝 놀라다, 어리둥절하다.

nuée [nɥe] *f.* ① 《문어》 큰 구름 ; 먹구름. ② 운집(雲集) ; (구름 같은) 떼, 대집단(= essaim) ; 나수(= multitude) : des ~s de sauterelles 구름 같은 메뚜기 떼 / 《une ~ de》 *une ~ d'oiseaux* 새 떼.

nue-propriété [nypʀɔpʀijete] *f.* (*pl.* **~s-**

~s) 〖법률〗 허유권(虛有權).

*nuire [nɥi:ʀ] 32 v.t. ind. 《~ à》 ① ⓐ 《~ à qn》 …을 해치다 ; …에게 해를 끼치다(= faire du tort à). ⓑ 《~ à qc (de qn)》 (…의) 명성·건강 따위를 해치다 ; 훼손하다, …을 방해하다 ; …에 지장을 주다(= contrarier, gêner) : ~ *à* sa santé 건강을 해치다 / ~ *à* la réputation 명성을 훼손치다 / Cela risque de ~ *à* nos projets. 그것은 우리의 계획에 지장을 줄 위험이 있다. ② 《목적보어 없이》 Cela ne *nuira* en rien. 그것은 전혀 해롭지 않을 것이다 / ne pas ~ 《구어》 도움이 되다. — **se** ~ v.pr. ① 자신을 해치다. ② 서로 해〔손해〕를 끼치다(= s'entre-nuire).

nuisance [nɥizɑ̃:s] f. ① 《옛》 해로움. ② (흔히 pl.) 공해, 폐해 : ~s industrielles 산업 공해 / ~s d'environnement 환경 오염.

nuisant, e [nɥizɑ̃, -ɑ̃:t] adj. 공해를 끼치는.

nuisible [nɥizibl] adj. 유해한, 해로운 ; 《~ à》 …에〔에게〕 해로운 : ~ *à* la santé 건강에 해로운 / gaz ~s 유독 가스.

⁑**nuit** [nɥi] f. 밤 ; (밤의) 어둠 : boîte de ~ 나이트클럽, 카바레 / effet de ~ 〖미술〗 야경화(夜景畫) / en pleine ~ ; au milieu de la ~ 한밤중에 / La ~ porte conseil. 《격언》 하룻밤 자면서 다시 생각해 보라 / l'astre 〔la reine〕 des ~s ; le flambeau de la ~ 《시어》 달 / les feux de la ~ 《시어》 별 / oiseau de ~ 밤새. ***à la ~ tombante* 〔*close*〕 *; à la tombée de la ~*** 해질 무렵에〔해진 뒤에, 일몰 후에〕. ***Bonne ~ !*** 안녕히 주무세요. ***de la ~*** 《부정문에서》 밤새도록 (…않다). ***de ~*** 밤에, 밤중에 ; 밤의, 야간의. ***Il fait ~.*** 해가 저문다, 밤이다, 어둡다. ***les Mille et une N~s*** 천일야화, 아라비안 나이트. ***~ et jour*** [nɥiteʒu:ʀ] ***; jour et ~*** 밤낮으로, 끊임없이. ***passer une ~ blanche*** 〔***sans sommeil***〕 뜬눈으로 밤을 지새우다.

nuitamment [nɥitamɑ̃] adv. 《문어》 밤중에, 야간에.

nuitée [nɥite] f. (여관에서의) 하룻밤의 숙박 ; 《옛》 하룻밤. ***à ~*** 《지방어》 밤새도록.

*__nul, nulle__ [nyl] adj. indéf. 《명사 앞》 아무런 〔어떤〕 …도(= aucun) : *N~* homme n'est parfait. 어떠한 사람도 완전하지는 못하다 / Nous n'avons ~ besoin de votre aide. 우리는 당신의 원조가 조금도 필요하지 않다 / *N~* bien sans mal. 악이 따르지 않는 선이란 하나도 없다 / sans ~ doute 의심할 나위 없이 / agir sans *nulle* crainte 조금도 두려워하지 않고 행동하다 / sans *nulle* exception 아무런 예외도 없이 / sans *nulle* vanité 아무런 허식도 없이 / livre qui ne peut se comparer à ~ autre 다른 어떤 것에도 비교할 수 없는 책. — adj. qualif. 《명사 뒤》 ① 무능한 ; 무가치한 : Ce devoir est ~. 이 숙제는 아무짝에도 못 쓰겠다 / homme ~ 무능한 사나이. ② 존재하지 않는 ; 무효의 : rendre ~ 무효화하다. ③ 〖스포츠〗 무승부의. ***match ~ ; partie nulle*** 무승부 : Ils ont fait *match* ~. 시합은 무승부로 끝났다. ***~ et de*** 〔***sans***〕 ***~ effet ; ~ et non avenu*** 〖법률〗 무효의. — pron. indéf. 어떤 사람도, 아무도(= aucun, personne) : *N~* ne le sait. 아무도 그것을 모른다.

nullard, e [nylaːʀ, -aʀd] adj. et n. 무능한 (사람) ; 《경멸》 아무 쓸모없는 (사람) ; 《~ en》 …에 무식한 (사람).

nullement [nylmɑ̃] adv. 전혀, 조금도(= pas du tout, aucunement) 《ne와 함께 쓰임》 : Il *n*'en est ~ question. 그것은 조금도 문제가 안 된다.

nullifier [ny(l)lifje] v.t. 무효로 하다 ; 폐기하다.

nullité [ny(l)lite] f. ① 〖법률〗 무효(≠ validité) : action en ~ 계약 무효 소송 / testament frappé de ~ 무효화〔폐기〕된 유서. ② 공허(空虛) ; 무가치 ; 무능, 무식 : Cet élève est d'une parfaite ~. 이 학생은 아무것도 모른다. ③ 무능한 사람 : Cet élève est une ~. 이 학생은 아주 지능이 낮다.

nullivalent, e [ny(l)livalɑ̃, -ɑ̃:t] adj. 〖화학〗 원자가 0 의, 0 가의.

nûment, nuement [nymɑ̃] adv. 적나라하게, 솔직하게 ; 꾸밈없이.

numéraire [nymeʀɛ:ʀ] adj. ① 셈에 쓰이는. ② (화폐가) 법정 (가격)의 : valeur ~ 법정 화폐 가치. — m. 정금(正金) ; 정화(正貨) ; 통화. ***~ fictif*** 유통 지폐. ***payer en ~*** 현금으로 지불하다.

numéral, e, aux [nymeʀal, -o] adj. 수를 나타내는, 수의 : adjectifs ~*aux* 수형용사 / lettres ~*es* 숫자. — m. pl. 〖문법〗 수사 : les ~*aux* cardinaux 기수사(基數詞).

numérateur [nymeʀatœ:ʀ] m. 〖수학〗 (분수의) 분자(≠ dénominateur).

numération [nymeʀɑsjɔ̃] f. ① 명수법(命數法), 계산법 ; 기수법(記數法). ② 계산 : ~ décimale 십진법 / ~ globulaire 〖의학〗 혈구 계산〔검사〕.

numérique [nymeʀik] adj. 수의, 수에 관한 ; 숫자상의, 수적으로 본 : calcul ~ 수치 계산법 / accroissement ~ 수치상의 증가.

numériquement [nymeʀikmɑ̃] adv. 숫자상으로, 수적으로 보아 : L'ennemi était ~ supérieur. 적군은 수적으로 우세하였다.

numérisation [nymeʀizɑsjɔ̃] f. 〖컴퓨터〗 (아날로그 신호의) 디지털화, 계수화.

numériser [nymeʀize] v.t. 〖컴퓨터〗 (아날로그 신호를) 디지털화하다, 계수화하다.

numériseur [nymeʀizœ:ʀ] m. 〖컴퓨터〗 (아날로그 신호의) 디지털화 장치.

⁑**numéro** [nymeʀo] m. ① 번호 ; (정기 간행물의) 호 ; 번지 ; …호실(號室)(의 숙박인) : ancien ~ (잡지·신문 따위의) 백넘버, 구호(舊號) / demeurer au ~ dix, 10 번지에 살다 / ~ d'appel 전화번호 / ~ d'immatriculation d'une voiture 자동차의 등록번호. ② 번호표 ; 추첨표 ; 번호패. ③ (연예 따위의) 프로그램의 하나하나. ④ 괴상한 사람, 괴짜(= phénomène). ***C'est un*** (***drôle de***) ***~.*** 놈은 괴짜다. ***~ un*** 〔***deux***〕 《구어》 최고의〔둘째로 좋은〕. ***tirer le bon ~*** (징병에서) 행운의 제비를 뽑다《병역 면제가 되다》; 재수가 좋다.

numérotage [nymeʀɔta:ʒ] m., **numérotation** [nymeʀɔtɑsjɔ̃] f. 번호〔번지·호수〕를 붙이기.

numéroter [nymeʀɔte] v.t. …에 번호〔번지〕를 매기다 : ~ les pages d'un manuscrit 원고에 쪽번호를 매기다. ***machine à** ~* 넘버링.

numéroteur [nymeʀɔtœːʀ] *adj. m.* 번호를 매기는. — *m.* 번호 인자기(印字機), 넘버링 기계; 다이얼; 번호판.

numismate [nymismat] *m.* 고전학자(古錢學者); 메달〔화폐〕 전문가.

numismatique [nymismatik] *adj.* 화폐〔메달〕의; 고전학의. — *f.* 화폐〔메달〕 연구; 고전학.

nuncupatif [nɔ̃kypatif] *adj. m.* 〖법률〗 (유언 따위가) 구두(口頭)의, 구술에 의한《로마법에서》: testament ~ 구두 유언.

nuncupation [nɔ̃kypɑsjɔ̃] *f.* 〖법률〗 구두 유언(= testament nuncupatif).

nunnation [nynnɑsjɔ̃] *f.* 〖언어〗 콧소리, 비음(鼻音); 콧소리 내기.

nu-pied [nypje] *m.* (*pl.* ~-~***s***) (흔히 *pl.*) 샌들: porter des ~*s* 샌들을 신다.

nu-propriétaire [nypʀɔpʀijetɛːʀ] *m.* (*pl.* ~***s***-~***s***) 허유권(虛有權) 소유자.

nuptial, e, aux [nypsjal, -o] *adj.* 혼인〔혼례〕의. ***anneau** ~* 결혼반지. ***bénédiction** ~**e*** (종교 예식에 따른) 결혼식, 혼배 강복(미사). ***chambre** ~**e*** 신방.

nuptialité [nypsjalite] *f.* 혼인율, 결혼〔이혼〕 통계.

nuque [nyk] *f.* 목덜미: prendre qn par la ~ …의 목덜미를 잡다.

nursage [nœʀsaːʒ] *m.* 〖의학〗 간호.

nurse [nœʀs] 〔영〕 *f.* ① 유모(= nourrice sèche), 보모, 애 보는 여자. ② 간호사.

nursery [nœʀsəʀi] 〔영〕 *f.* (*pl.* ~***s***, ***-ies***) 육아실, 보육실.

nu-tête [nytɛt] *loc. adv.* ⇒ nu.

nutricier, ère [nytʀisje, -ɛːʀ] *adj.* 자양의, 영양이 되는(= nutritif): sève ~*ère* 수액.

nutriment [nytʀimɑ̃] *m.* 〖생리〗 (직접 체내로 흡수되는) 완전 영양물.

nutritif, ive [nytʀitif, -iːv] *adj.* 자양〔영양〕 있는(= nourrissant); 영양에 관한: valeur ~*ive* 영양가 / mets ~*s* 영양요리.

nutrition [nytʀisjɔ̃] *f.* 〖생물〗 영양의 소화〔흡수〕 (작용), 영양 섭취: mauvaise ~ 영양 불량.

nutritionnel, elle [nytʀisjɔnɛl] *adj.* 영양에 관한, 영양의: composition ~*elle* du lait 우유의 영양(학적) 구성〔성분〕.

nutritionniste [nytʀisjɔnist] *n.* 영양학자: ~ sportif 운동 영양학자.

nyaka [njaka] *m.* 《구어》 적당주의; 낙천주의.

nyctalope [niktalɔp] *adj.* 주맹증(晝盲症)의. — *n.* 주맹증 환자.

nyctalopie [niktalɔpi] *f.* 〖의학〗 주맹증(晝盲症).

nyctalopique [niktalɔpik] *adj.* ① 〖의학〗 주맹증(晝盲症)의. ② 〖동물〗 야간 시각의.

***nylon** [nilɔ̃] *m.* 〖직물〗 나일론: bas en ~; bas (de) ~ 나일론 스타킹.

nymphe [nɛ̃ːf] *f.* ① 〖그리스신화〗 님프; 물의 요정. ② 《비유》 예쁜 처녀, 아리따운 여인. ③ 〖해부〗 소음순(小陰脣).

nymphéa [nɛ̃fea] *m.* 〖식물〗 백수련.

nymphée [nɛ̃fe] *f.* ① 〖식물〗 수련(= nymphéa). ② 님프가 사는 굴.

nymphette [nɛ̃fɛt] *f.* (순진한 척 애교를 떠는) 고혹적인 자태의 앳된 소녀.

nymphomane [nɛ̃fɔman] *n.* 색정 과다(증)의 여자, 색광녀(色狂女); 이상 발정의 암컷. — *adj.* 색정 과다〔이상 발정〕의: jument ~ 이상 발정의 암말.

nymphomanie [nɛ̃fɔmani] *f.* (여자의) 색(정)광증; (암컷의) 이상 발정.

N

O

O¹, o [o] *m.* ① 프랑스 자모의 제15자. ② 영〔제로〕의 기호.
O² 《약자》 〖화학〗 ① oxygène 산소. ② ohm 〖전기〗 옴. ③ (혈액형의) O형.
O. 《약자》 ouest 서쪽.
ô [o] *interj.* ① 《호격명사를 유도》 오〔아〕 …이여 : *Ô* ciel! 오 하늘이시여! ② 《감정을 나타내는 추상명사나 형용사와 함께》 오, 아, 저런 : *Ô* rage, *ô* désespoir, *ô* vieillesse ennemie! 오 분하도다, 절망이로다, 한탄스러운 늙음이여! ③ 《감탄 또는 부정의 부사를 강조》 정말로, 얼마나, 천만에 : *Ô* non! 천만에!
O.A. 《약자》 officier d'Académie, 3등 교육공로 훈장 소지자. 「시.
oaristys [ɔaʀistis] 〔그리스〕 *f.* 〖문학〗 연애
O.A.S. 《약자》 Organisation de l'Armée secrète 비밀 군사 조직《1961-63년에 알제리 독립을 반대한 비밀 단체》.
oasien, enne [ɔazjɛ̃, -ɛn] *adj.* 오아시스의〔에 관한〕. — *n.* 오아시스의 주민.
oasis [ɔazis] *f.* ① 오아시스. ② 《비유》 휴식〔안식〕처 ; 위안이 되는 것〔시간 · 곳〕.
ob- *préf.* 「대립 · 반대 · 역(逆)」의 뜻.
obédience [ɔbedjɑ̃:s] *f.* 《문어》 복종, 순종 : ~ absolue 절대적 복종. ***d'~*** 〔***dans l'~***〕... (정치적 · 신조적으로) …을 신봉하는 : parti *d'~* marxiste 마르크스주의 정당.
obéir** [ɔbeiːʀ] *v.i. ind.* ① 《~ à qn〔qc〕》 …에 순종〔복종〕하다, 따르다 ; (법을) 지키다, 준수하다(= se soumettre à) : ~ *aux* lois 법을 준수하다 / ~ *à* sa conscience 양심에 따르다 / Elle *obéit à* ses parents. 그녀는 부모님의 말을 잘 듣는다. ② (기계 따위가) …대로 잘 작동되다, …의 말을 잘 듣다, …에 정확히 잘 반응하다 : bateau qui *obéit* à la barre 키가 잘 듣는 배 / Les freins n'*obéissent* plus. 브레이크가 듣지 않게 되었다. ***obéir (***à*** qn) ***au doigt et à l'œil*** …의 말대로 무엇이든 하다. ***se faire obéir*** (***de*** qn) (…을) 복종시키다. — *v.t.* ***être obéi*** 복종되다, (지시 따위를) 따르다 : Ces parents *sont obéis.* 이분들의 자식은 부모의 말씀대로 한다.
obéissance [ɔbeisɑ̃:s] *f.* 《~ à》 복종, 순종 : prêter〔jurer〕 ~ *à* qn …에게 복종을 맹세하다 / devoir ~ *à* qn …에게 복종할 의무가 있다 / refus d'~ 〖군대〗 복종 거부.
obéissant, e [ɔbeisɑ̃, -ɑ̃:t] *adj.* 순종하는, 온순한(= docile, soumis), 말을 잘 듣는 : enfant ~ 말 잘 듣는 아이.
obélisque [ɔbelisk] *m.* 〖고고학〗 오벨리스크, 방첨탑(方尖塔).
obéré, e [ɔbeʀe] *adj.* 빚을 잔뜩 걸머진.
obérer [ɔbeʀe] 6 *v.t.* 빚지게 하다, 빚에 시달리게 하다 : guerre qui *obère* les finances d'un pays 국가 재정의 적자를 초래하게 하는 전쟁. — **s'~** *v.pr.* 빚을 지다.
obèse [ɔbɛ:z] *adj.* 지나치게 살찐〔비만한〕. — *n.* 비정상적인 비만자.
obésité [ɔbezite] *f.* 과도한 비만, 비만증.
***objecter** [ɔbʒɛkte] *v.t.* ① ⓐ 《~ qc à〔contre〕》 …을 내세워〔이유로〕 …에 반론〔반증 · 반박〕하다 : ~ de bonnes raison *aux* arguments de qn 올바른 논거를 들어 …의 의론에 반론하다. ⓑ 《~ que+*ind.*》 …라고 반박〔반론〕하다 : On vous *objectera que* votre projet est utopique. 당신의 계획은 공상적이라고 반대를 받을 것이다. ② ⓐ …을 구실〔핑계〕로 대다 : ~ son état de santé pour ne pas venir 건강 상태를 구실로 하여 오지 않다. ⓑ 《~ qc à qn〔~ à qn que+*ind.*〕》 …임을 구실〔이유〕로 (아무)에게 반대하다 : On lui *objecta* son âge. 그(녀)는 나이를 이유로 거절당했다.
objecteur [ɔbʒɛktœːʀ] *m.* ~ de conscience (신앙상 또는 사상적인 이유에 의한) 양심적 병역 기피자.
***objectif, ive** [ɔbʒɛktif, -iːv] *adj.* ① 객관적인(≠ subjectif) : estimation *~ive* 객관적인 평가 / description *~ive* 객관적 묘사. ② 공평한, 편견 없는 : information *~ive* 공정한 보도 / historien ~ 공평한 역사가. ③ 〖문법〗 목적어〔격〕의. — *m.* ① 목적, 목표 (지점) : atteindre son ~ 목적을 달성하다. ② 〖광학〗 대물(對物)렌즈 ; 〖사진〗 (사진기의) 렌즈 ; 사진기 : ~ à grand angle 광각 렌즈.
***objection** [ɔbʒɛksjɔ̃] *f.* 이의(異義), 이론(異論)(= opposition) ; 반론, 반대 ; 〖법률〗 항변 : faire〔soulever〕 une ~ à …에 이의를 제기하다 / réfuter une ~ 반론을 논파하다.
objectivement [ɔbʒɛktivmɑ̃] *adv.* 객관적으로, 공평하게 : examiner ~ 객관적으로 검토하다.
objectiver [ɔbʒɛktive] *v.t.* 객관화하다, 객관적으로 보다.
objectivisme [ɔbʒɛktivism] *m.* 객관주의.
objectivité [ɔbʒɛktivite] *f.* 객관성(≠ subjectivité) : Son jugement est dénué de toute ~. 그의 판단에는 전혀 객관성이 없다.
‡objet [ɔbʒɛ] *m.* ① 물체, 사물, 유체물(有體物) : l'image d'un ~ réfléchie par le miroir 거울에 비친 물체의 상 / perception des ~*s* 사물에 대한 지각(知覺). ② 물건, 물품, 도구 : ~ d'art 예술품 / ~*s* de première nécessité 필수품 / ~*s* de toilette 세면도구, 화장도구 / ~*s* perdus〔trouvés〕 유실물. ③ 대상, 표적(= motif) ; (토론 · 저술 따위의) 주제, 테마(= sujet) ; 〖철학〗 객체(客體), 대상(對象) : ~ de mépris 경멸의 표적 / ~ de la connaissance 인식의 대상. ④ 목적, 의

도, 목표 : remplir son ~ 목표를 달성하다 / Quel est l'~ de sa visite ? 그(녀)의 방문 목적은 무엇일까 ? ⑤ 〖문법〗 목적어 : complément d'~ direct 〔indirect〕 직접〔간접〕 목적보어. ***avoir pour ~*** qc 〔***de***+*inf.*〕 …을 〔하는 것을〕 대상으로〔목표로〕 삼다. ***dans cet ~*** 이러한 목적으로. ***être*** 〔***faire***〕 ***l'~ de*** qc …의 대상이 되다. ***flâner sans ~*** 정처 없이 걷다. ***sans ~*** 목표〔대상·근거〕 없이〔없는〕.

objurgation [ɔbʒyʀgɑsjɔ̃] *f.* ① 힐책, 비난(= reproche), 규탄 : céder aux ~*s* de qn …에게 힐책당해 생각을 바꾸다. ② 간곡한 권고(= exhortation).

oblat, e [ɔbla, -at] *n.* 〖종교〗 봉헌〔헌신〕 수도회 수도사.

oblation [ɔblɑsjɔ̃] *f.* ① 〖종교〗 봉헌(奉獻) ; 봉납. ② 〖가톨릭〗 (미사 때의) 빵과 포도주의 봉헌. ③ 《문어》 헌신(獻身).

obligataire [ɔbligatɛːʀ] *n.* 〖법률〗 채권〔공사채〕 소유자 ; 채권자.

obligation** [ɔbligɑsjɔ̃] *f.* ① (도덕·법률·종교상의) 의무, 책임 : ~ alimentaire 〔scolaire〕 부양〔취학〕 의무 / remplir 〔s'acquitter de〕 ses ~*s* 의무를 다하다. ② 〖법률〗 채권 채무 관계 ; 〖상업〗 채권, 사채(社債) : ~ nationale 국채 / ~ convertible 전환 사채 / contracte une ~ envers qn …에 대해 채무를 지다. ③ 은혜, 의리 : Je lui ai bien des ~*s*. 그(녀)에게 여러가지 은혜를 입고 있다. ***avoir de l'~ à qn ***de***+*inf.* …이 해 준 것을 은혜로 알다. ***être dans l'~ de*** +*inf.* …하지 않으면 안되다 : Nous *somme dans l'~ d'*engage de poursuites judiciaires. 우리로서는 소송에 말려들지 않을 수 없다.

***obligatoire** [ɔbligatwaːʀ] *adj.* ① 의무적인, 강제적인 : instruction ~ 의무 교육 / service militaire ~ 의무적인 병역. ② 《구어》 당연한, 필연적인, 불가피한(= inévitable) : Il a raté son examen, c'etait ~ ! 그는 시험에 떨어졌는데 그건 당연한 일이었다.

obligatoirement [ɔbligatwaʀmɑ̃] *adv.* 의무적으로, 강제적으로 ; 《구어》 필연적으로, 반드시 : Vous devez ~ être muni de votre permis de conduire. 운전 면허증은 반드시 휴대해야 한다.

obligé, e [ɔbliʒe] *adj.* ① 의무〔채무〕를 지고 있는 : personne ~*e* envers un créancier 채권자에게 채무가 있는 사람. ② 《être ~ de +*inf.*》 …하지 않을 수 없는 : *J'ai été ~ de* rentrer en taxi. 나는 택시로 가지 않을 수 없었다. ③ 부득이한, 당연한 : consequence ~*e* 당연한 결과 / depense ~*e* 부득이한 비용. ④ 《être ~ à qn de qc 〔de+*inf.*〕》 《문어》 은혜를 입은, …에 대해 …에게 감사하고 있는 : Nous vous serions ~*s de* bien vouloir répondre par retour du courrier. 받으시는대로 회답해 주시면 매우 고맙겠습니다. ── *n.* 은혜를 입은 사람 : Je suis son ~. 나는 그(녀)에게 은혜를 입고 있다.

obligeamment [ɔbliʒamɑ̃] *adv.* 친절하게, 예의 바르게.

obligeance [ɔbliʒɑ̃ːs] *f.* 친절, 호의(= amabilité) : Ayez l'~ de+*inf.* (부디) …해 주시기 바랍니다.

obligeant, e [ɔbliʒɑ̃, -ɑ̃ːt] *adj.* 친절한, 호의를 가진 ; 붙임성이 있는, 공손한.

:obliger [ɔbliʒe] [3] *v.t.* ① ⓐ 《~ qn》 …에게 의무를 지우다 : Le contrat *oblige* les deux parties. 계약은 두 당사자에게 의무를 지운다. ⓑ 《~ qn à qc ; ~ qn à 〔수동형에서 de〕+*inf.*》 …에게 …을 강요〔강제〕하다, …하지 않을 수 없게 하다(= contraindre) : Rien ne vous *oblige à* venir. 당신이 꼭 와야 할 필요〔이유〕는 없습니다. ② 《~ qn》 …에게 은혜를 베풀다 ; 도와주다, 돌보아 주다 : Vous m'*obligez* beaucoup en faisant cela. 그렇게 해 주신다면 매우 고맙겠습니다. ── **s'~** *v.pr.* ① 《s'~ à faire qc》 …할 의무를 지다 ; …할 것을 약속하다. ② 《s'~ pour qn》 …의 보증인이 되다.

oblique [ɔblik] *adj.* ① 비스듬한, 경사진 : regard ~ 곁눈, 사시(斜視) / tracer une ligne ~ 사선을 긋다. ② (말이) 에두른, 간접적인. ── *f.* 사선(사선)(= ligne ~). ***en*** 〔***à l'***〕***~*** 비스듬히.

obliquement [ɔblikmɑ̃] *adv.* 비스듬히(= de biais) ; 에둘러, 간접적으로.

obliquer [ɔblike] *v.i.* 사행(斜行)하다, 옆길로 새다.

obliquité [ɔblikɥite] *f.* ① (선·면의) 경사(도), 경사각, 기울기. ② 《문어》 음험함.

oblitération [ɔbliteʀɑsjɔ̃] *f.* ① 지우기, 말소 ; 소인(消印) 찍기 : cachet d'~ 소인. ② 〖의학〗 (혈관 등의) 폐색(閉塞) ; 퇴화(退化).

oblitérer [ɔbliteʀe] [6] *v.t.* ① …에 소인을 찍다 : timbre *oblitéré* 소인 찍힌 우표. ② 〖의학〗 (도관(導管)을) 막다, 폐색하다.

oblong, ongue [ɔblɔ̃, -ɔ̃ːg] *adj.* 길쭉한, 기름한 ; 장방형의 : visage ~ 길쭉한 얼굴.

obnubilation [ɔbnybilɑsjɔ̃] *f.* 〖의학〗 의식 몽롱 ; 혼미(昏迷).

obnubiler [ɔbnybile] *v.t.* (정신·마음을) 흐리게〔몽롱하게〕 하다(= obscurcir) ; 《~ qn》 …의 정신을 빼앗다(= obséder) : Il *est* complètement *obnubilé* par cette idée. 그는 이 생각으로 머리가 꽉 차 있다.

obole [ɔbɔl] *f.* 소액의 기부금 : Je vous apporter mon ~. 하찮은 돈이지만 기부금으로 내겠습니다.

obscène [ɔpsɛn] *adj.* 외설스러운, 추잡한, 음란한(= immoral) : auteur ~ 외설 작가 / gestes ~*s* 음란한 몸짓.

obscénité [ɔpsenite] *f.* 외설, 음란 ; 외설스러운〔추잡한〕 언행〔짓〕(= cochonnerie).

obscur, e** [ɔpskyːʀ] *adj.* ① 어두운, 컴컴한 ; (날씨가) 우중충한 ; (색이) 칙칙한 : Chambre ~*e* 어두컴컴한 방 / teinte ~*e* 거무칙칙한 색조. ② 세상에 알려지지 않은 ; 이름 없는 ; (신분이) 미천한 : poste ~ 보잘것없는 자리 / Son origine est très ~*e*. 그는 태생이 미천하다 / poète ~ 무명 시인. ③ 난삽한, 이해하기 어려운 ; 모호〔막연〕한 : refuser pour raisons ~*es* 이해하기 어려운 이유로 거절하다 / ~ sentiment de jalousie 막연한 질투심. ***Il fait ~. 날씨가 흐리다.

obscurantisme [ɔpskyʀɑ̃tism] *m.* ① 반(反)계몽주의, 몽매주의. ② 혼돈 상태.

obscurcir [ɔpskyʀsiːʀ] *v.t.* ① 어둡게 하다 ;

흐리게 하다 ; (구름이 달 따위를) 가리다 : ~ une salle 방을 어둡게 하다. ② (판단력 따위를) 흐리게〔둔하게〕 하다 ; 어렵게〔난삽하게 · 모호하게〕 하다 : Cela ne fait qu'~ le problème. 그것은 문제를 더 어렵게 만들 뿐이다. ── **s'~** *v.pr.* ① 어두워지다, (하늘이) 흐려지다 : Le temps *s'obscurcit.* 날씨가 흐려진다. ② (눈이) 뿌예지다, (정신이) 흐려〔둔해〕지다, (명성이) 기울다.

obscurcissement [ɔpskyʀsismɑ̃] *m.* ① 어둡게〔흐리게〕 하기, 어둠 ; 흐림 : ~ du ciel 하늘의 흐림. ② (판단력 · 시력 따위의) 둔화, 쇠약 ; (문장의) 난해, 난삽.

obscurément [ɔpskyʀemɑ̃] *adv.* ① 어렴풋이, 아련히. ② 난해하게, 모호하게 : parler ~ 이해하기 어렵게 말하다. ③ 세상에 알려지지 않고, 은둔하여.

***obscurité** [ɔpskyʀite] *f.* ① 어둠, 암흑 : ~ complète 〔profonde, totale〕 칠흙같은 어둠. ② 애매, 모호, 난해, 수수께끼 : ~ des origines 기원의 수수께끼. ③ 세상에 알려져 있지 않음, 무명 ; (태생 · 신분의) 미천함 : vivre dans l'~ 초야에 파묻혀 살다.

obsédant, e [ɔpsedɑ̃, -ɑ̃:t] *adj.* 마음을 괴롭히는, 줄곧 머리를 떠나지 않는 : rythme ~ 귀에서 떠나지 않는 리듬.

obsédé, e [ɔpsede] *n.* 강박 관념〔집념〕에 사로잡힌 사람 ; 편집자(偏執者).

***obséder** [ɔpsede] 6 *v.t.* ① 줄곧 머리에서 떠나지 않다, (끊임없이) …의 마음을 괴롭히다 : Le souvenir de ce spectacle m'*obsède.* 기억에 새겨진 그 광경은 내 머리에서 떠나지 않고 있다 / *être obsédé* par la peur d'échouer 실패할 지도 모른다는 공포감에 사로잡히다. ② 《문어》 (질문 따위로) 괴롭히다, 귀찮게 굴다.

***obsèques** [ɔpsɛk] *f.pl.* 장례(식) : ~ nationales 국장(國葬).

obséquieusement [ɔpsekjøzmɑ̃] *adv.* 아첨하여, 비굴하게 : s'incliner ~ 굽실거리다.

obséquieux, euse [ɔpsekjø, -ø:z] *adj.* 아첨하는, 추종적인 : politesse ~*euse* 비굴할 정도의 공손함.

obséquiosité [ɔpsekjozite] *f.* 아첨, 추종(= servilité) ; (*pl.*) 추종적인 태도〔말〕.

observable [ɔpsɛʀvabl] *adj.* 관찰〔관측〕할 수 있는 : étoile ~ à l'œil 육안으로 관찰이 가능한 별.

observance [ɔpsɛʀvɑ̃:s] *f.* ① (법 · 규칙 따위를) 지키기, 준수 : ~ de la régle 규칙의 준수. ② 수도회(의 계율), 교단.

observateur, trice [ɔpsɛʀvatœ:ʀ, -tʀis] *adj.* 관찰〔관측〕하는, 관찰력이 날카로운 : esprit ~ 관찰력이 뛰어난 사람. ── *n.* ① 관찰자, 관측자 ; 정찰자 ; 방청자, 옵서버. ② 《옛》 (규칙 따위의) 준수자.

observation** [ɔpsɛʀvasjɔ̃] *f.* ① ⓐ 관찰, 관측 ; 감시 : faire 〔prendre〕 une ~ 관찰〔관측〕하다 / mettre 〔tenir〕 qn 〔qc〕 en ~ …을 관찰〔감시〕하다, 지켜보다. ⓑ 〖군사〗 정찰 : ~ aérienne 공중 정찰 / armée d'~ 정찰〔척후〕대. ② 관찰 기록 ; 소견 ; 강평, 고찰 : ~ médicale 의사의 소견. ③ 비판, 지적 ; 주의 ; 반대 의견 : Je lui en ai fait l'~. 나는 그(녀)에게 그것에 관해 주의를 줬다. ④ (규칙 · 규율 따위의) 준수, (약속의) 엄수. ***être 〔***se tenir***〕 ***en ~*** 계속 경계〔관찰〕하고 있다, ***mettre un malade en ~*** 환자의 상태를 관찰하다.

observatoire [ɔpsɛʀvatwa:ʀ] *m.* ① 〖천문〗 천문대, 기상대(= ~ météorologique). ② 〖군사〗 관측소, 감시소.

***observer** [ɔpsɛʀve] *v.t.* ① 관찰하다, (천체를) 관측하다 ; 감시하다 ; 살피다(= épier) ; 〖군사〗 정찰하다 : ~ l'adversaire 상대를 잘 관찰하다 / ~ les astres 천체를 관측하다. ② (관찰에 의해) 알다, 눈치채다, 주목〔주의〕하다 ; 지적하다 : J'*ai observé* qu'il avait mauvaise mine. 그의 안색이 좋지 않은 것을 나는 알게 되었다. ③ (규칙 · 약속 따위를) 지키다, 준수하다 ; (거리 · 간격 따위를) 일정하게 유지하다 : ~ les règles de la grammaire 문법 규칙을 지키다 / ~ les distances 일정 거리를 지키다, 친밀히 대하지 않다. ── **s'~** *v.pr.* ① 서로 감시〔관찰〕하다. ② 말〔행동〕을 조심하다.

obsession [ɔpsesjɔ̃] *f.* ① 귀찮게 따라다니기 ; 생각에 사로잡힘. ② 편집 상태, 망상, 고정〔강박〕관념 : ~ de grossir 살찐다는 강박관념.

obsessionnel, elle [ɔpsesjɔnɛl] *adj.* 〖심리〗 강박〔고정〕 관념의 ; 강박〔편집〕적인 : névrose ~*elle* 강박 신경증.

obsidiane [ɔpsidjan]**, obsidienne** [ɔpsidjɛn] *f.* 〖광물〗 흑요석(黑曜石)

obsolète [ɔpsɔlɛt] *adj.* (말이) 사용되지 않는, 폐지된 : mot ~ 사어, 폐어.

obstacle** [ɔpstakl] *m.* ① 장애물 : course d'~*s* 장애물 경주 / ~ antichar 〖군사〗 대전차 장애물. ② 장애, 방해, 훼방(= empêchement) ; 난관 : dresser 〔susciter〕 des ~*s* à qn …을 방해하다 / projet qui se heurte à des ~*s* 난관에 부딪친 계획 / surmonter un ~ 장애를 극복하다. ③ 〖법률〗 반대, 이의(異義). ***faire ~ à qc 〔qn〕 … 을 방해하다. ***mettre ~ à*** qc …의 장애가 되다.

obstétricien, enne [ɔpstetʀisjɛ̃, -ɛn] *n.* 산부인과 의사.

obstétrique [ɔpstetʀik] *f.* 산과학(産科學), 조산술. ── *adj.* 산부인과의.

obstination [ɔpstinasjɔ̃] *f.* 고집, 완고 ; 완강 ; 집요함, 끈덕짐 : défendre son idée avec ~ 자기 생각을 완강히 고집하다 / arriver à ses fins à force d'~ 끈덕지게 버텨 목적을 이루다.

***obstiné, e** [ɔpstine] *adj.* 고집 센, 완고한 ; 완강한 ; 끈질긴, 집요한 : effort ~ 끈덕진 노력 / toux ~*e* 좀처럼 그치지 않는 기침 / être ~ dans ses erreurs 잘못을 고집스럽게 인정하려 하지 않다.

obstinément [ɔpstinemɑ̃] *adv.* 고집 세게 ; 완강하게 ; 끈질기게(= opiniâtrement).

***obstiner (s')** [sɔpstine] *v.pr.* 고집 부리다, 끈덕지게〔완강히〕 버티다 ; 《s'~ à qc 〔+ *inf.*〕》 끝끝내 …을 고집하다〔하려고 하다〕 : *s'~* au silence 완강하게 입을 열려고 하지 않다 / *s'~* dans son opinion 자기 의견을 고집하다.

obstructif, ive [ɔpstʀyktif, -i:v] *adj.* ① 〖정치〗 의사(議事)를 방해하는. ② 〖의학〗 폐

색(閉塞)하는.

***obstruction** [ɔpstʀyksjɔ̃] *f.* 〖의학〗 폐색 ; 〖정치〗 의사(議事) 방해.

obstructionnisme [ɔpstʀyksjɔnism] *m.* 〖정치〗 의사 방해책(策)

obstructionniste [ɔpstʀyksjɔnist] *n.* 의사 방해자. ── *adj.* 의사를 방해하는.

obstruer [ɔpstʀye] *v.t.* 막히게 하다, (가로)막다(= barrer) ; 방해하다(= embarrasser) ; 〖의학〗 폐색하다(= oblitérer) : Un camion *obstrue* la rue. 트럭이 길을 가로막고 있다.

obtempérer [ɔptɑ̃peʀe] [6] *v.t. ind.* 《~ à》 …에 복종하다, 따르다 : ~ *à* un ordre 명령에 복종하다 / refus d'~ 복종 거부.

***obtenir** [ɔptəni:ʀ] [16] *v.t.* ① 얻다, 손에 넣다, 입수하다, 획득하다 : ~ un laisser-passer 〔visa〕 통행증을〔비자를〕 얻다 / ~ son permis de conduire 운전면허를 취득하다. ② 《~ de+*inf.*》 …하는 허가를 받다 ; …하려는 목적을 달성하다 : Il *a obtenu de* pouvoir sortir. 그는 외출해도 좋다는 허가를 받았다. ③ 《~ de qn que+*sub.* 〔*cond.*〕》 …에게서 …하겠다는 허가를〔약속을〕 받다 : J'*ai obtenu de* ma petite sœur *qu*'elle vienne. 나는 여동생에게서 오겠다는 언질을 얻어 냈다. ④ 만들어 내다 : On *obtient* des produits divers à partir du pétrole. 석유에서 여러 가지 제품을 만들어 낸다.
── **s'~** *v.pr.* 얻어지다, 입수되다.

obtention [ɔptɑ̃sjɔ̃] *f.* ① 취득, 획득, 입수 : ~ d'un diplôme 〔d'un visa〕 면허장〔비자〕의 취득. ② (새로운 것의) 생산, 실현.

obtenu [ɔptəny] *adj.* ⇒ obtenir.

obturateur, trice [ɔptyʀatœ:ʀ, -tʀis] *adj.* (구멍 따위를) 막는, 폐쇄〔폐색〕하는. ── *m.* 폐쇄물 ; 〖사진〗 셔터.

obturation [ɔptyʀɑsjɔ̃] *f.* (구멍 따위의) 폐쇄, 폐색 : ~ d'une dent 치아 (구멍)의 충전.

obturer [ɔptyʀe] *v.t.* (구멍 따위를) 막다, 폐색하다 ; 충전(充塡)하다 : ~ une dent cariée 충치의 구멍을 충전하다.

obtus, e [ɔpty, -y:z] *adj.* ① (끝이) 무딘, 뭉툭한. ② (감각 · 기능이) 둔한, 예리하지 못한. ***angle ~*** 둔각(鈍角). ***esprit ~*** 둔재.

obus [ɔby] *m.* 포탄 : ~ éclairants 조명탄 / ~ incendiaire 소이탄 / ~ à charge nucléaire 핵탄두 / éclat d'~ 포탄 파편.

obusier [ɔbyzje] *m.* 〖군사〗 곡사포.

obvier [ɔbvje] *v.t. ind.* 《~ à》 …을 예방〔방지〕하다(= prévenir) : ~ aux accidents 사고를 방지하다.

oc [ɔk] *adv.* 그렇다. ***langue d'~*** 〖언어〗 오크어(語), 남방 프랑스말《중세기에 *Loire* 강 이남에서 쓰이던 말》.

ocarina [ɔkaʀina] *m.* 〖음악〗 오카리나《도기 또는 금속으로 만든 달걀 모양의 피리》.

occasion** [ɔka(ɑ)zjɔ̃] *f.* ① 기회 ; 호기, 찬스 : saisir 〔prendre〕 une ~ 기회를 잡다 / prendre 〔manquer〕 une ~ 기회를 놓치다. ② 경우 ; 계제, (특정한) 때 : en plusieurs ~*s* 여러 경우에 / Il y a des ~*s* ou'il faut agir vite. 신속히 행동해야 할 경우들이 있다. ③ 동기 ; 원인, 계기 : ~ de jalousie 〔de se deputer〕 질투를 유발하는〔말다툼하는〕 계기. ④ 중고품 ; 특매품, 싼 물건 : marché de l'~ 중고 시장 / ~*s* du jour 오늘의 특선(할인) 상품. ***à la première ~ 기회가 닿는 대로. ***à l'~*** 그럴 기회가 있으면, 필요할 경우에는 : *À l'~*, venez dîner. 기회가 있으면 저녁 식사나 같이 하게 오세요. ***avoir (l')~ de****+inf.* …할 기회를 갖다 : Venez si vous *en avez l'~*. 기회가 있으면 오십시오. ***dans les grandes ~s*** 특별한〔경사가 있는〕 경우에. ***d'~*** 낡은, 중고의 : livre 〔meuble〕 *d'~* 헌 책〔가구〕. ***donner ~ à*** …을 일으키다, 야기하다 ; …의 계기가 되다. ***en pareille ~*** 이런〔그런〕 기회에. ***en toute ~*** 어떤 경우에도.

occasionnel, elle [ɔka(ɑ)zjɔnɛl] *adj.* 우연한 ; 임시의 : rencontre ~*elle* 우연한 만남 / travail ~ 임시로 하는 일.

occasionnellement [ɔka(ɑ)zjɔnɛlmɑ̃] *adv.* 때때로, 이따금 ; 임시로, 우연히 : Je la vois ~. 난 그녀와 어쩌다 한 번씩 만난다.

***occasionner** [ɔka(ɑ)zjɔne] *v.t.* (곤란한 일을) 일으키다, 야기하다, 초래하다, 유발하다 : ~ des dépenses 지출을 야기하다 / Le brouillard *a occasionné* un carambolage. 안개로 인해 차량의 연쇄 충돌이 일어났다.

***occident** [ɔksidɑ̃] *m.* ① 《문어》 서쪽 ; 서방. ② (*O~*) 서양, 서구 (여러 나라) : l'Empire romain d'*O~* 〖역사〗 서로마 제국.

occidental, e, aux** [ɔksidɑ̃tal, -o] *adj.* 서쪽의 ; 서방의 ; 서양〔서구〕의 : Europe ~*e* 서유럽 / pays ~*aux* 서구 여러 나라 / culture ~*e* 서양 문화. ── ***O~ *n.* 서양 사람.

occidentalisation [ɔksidɑ̃talizɑsjɔ̃] *f.* 서양화, 유럽화.

occidentaliser [ɔksidɑ̃talize] *v.t.* 서양화하다, 서구풍으로 하다 : vie *occidentalisée* 서양풍의 생활. ── **s'~** *v.pr.* 서양풍이 되다.

occiput [ɔksipyt] *m.* 〖해부〗 후두부(後頭部), 뒤통수.

occire [ɔksi:ʀ] *v.t.* 《옛》 《부정법 · 과거분사 (occis, e) 및 복합시제에만 쓰임》 죽이다.

occitan, e [ɔksitɑ̃, -an] *adj.* 오크(oc)어(語)〔문학〕의. ── *m.* 오크어(= langue d'oc).

occlusif, ive [ɔklyzif, -i:v] *adj.* 〖언어〗 폐쇄음의 : consonne ~*ive* 폐쇄 자음. ── *f.* 폐쇄음(p, t, k, b, d, g).

occlusion [ɔklyzjɔ̃] *f.* 〖의학〗 (장 따위의) 폐색(閉塞) ; 〖언어〗 (음성의) 폐쇄.

occultation [ɔkyltɑsjɔ̃] *f.* ① 〖천문〗 엄폐(掩蔽), 식(蝕)(= éclipse). ② 숨기기, 은폐.

occulte [ɔkylt] *adj.* ① 불가해〔불가사의〕한, 신비로운 : sciences ~s 신비술, 비학(秘學). ② 비밀의, 내밀의, 은밀한(= clandestin) : influence ~ 은밀한 영향력 / comptabilité ~ 비밀 계정.

occulter [ɔkylte] *v.t.* ① (광원(光源)을) 가리다, 어둡게 하다. ② 《문어》 숨기다, 은폐하다 : ~ la vérité 진실을 은폐하다.

occultisme [ɔkyltism] *m.* 신비술〔학〕《점성술 · 마술 · 연금술 등》

occultiste [ɔkyltist] *m.* 신비학자. ── *adj.* 신비학의.

occupant, e [ɔkypɑ̃, -ɑ̃:t] *adj.* 차지하는, 점유〔점령〕하는 : armée ~*e* 점령군. ── *n.* ① 거주자, 점유자 : premier ~ 〖법률〗 선점자. ② 점령군(의 일원) : lutter contre l'~

점령군과 싸우다.

***occupation** [ɔkypasjɔ̃] *f.* ① 일, 업무 ; 활동 ; 직업 : être sans ~ ; n'avoir pas d'~ 할 일이 없다, 무직이다. ② 점거 ; 〖군사〗 점령 ; 점유 : armée 〔zone〕 d'~ 점령군〔지대〕.

***occupé, e** [ɔkype] *adj.* ① 바쁜, 일에 매인 : Je suis très ~. 나는 대단히 바쁘다 / 《être ~ à qc 〔+*inf.*〕》 Je suis ~ *aux* préparatifs du départ 〔à préparer le départ〕. 나는 출발 준비를 하느라 바쁘다. ② (장소가) 점유된, 사용 중인 ; (자리가) 차지된 : appartement ~ 사람이 (현재) 살고 있는 아파트 / C'est ~. 그 자리는 사람이 있습니다 / Le téléphone sonne ~. 전화는 통화 중이다. ③ 점령된 : zone ~*e* (제 2 차 대전 중의) 피점령 지역.

:occuper [ɔkype] *v.t.* ① (장소·지위 등을) 차지하다 ; …에 살다 ; 〖법률〗 점유〔선점〕하다 ; 〖군사〗 점령하다 : Ce meuble *occupe* trop de place. 이 가구는 자리를 너무 차지한다 / le cas qui nous *occupe* 당면한 사건 / J'*occupe* cet appartement depuis dix ans. 10년 전부터 이 아파트에 살고 있다. ② (시간을) 소비하다, 보내다, 메우다 : ~ ses loisirs à lire 여가를 독서로 보내다 / pour ~ le temps 시간 보내기 위해, 심심풀이로. ③ ⓐ …에게 일을 시키다, …에 종사하게 하다 : ~ ses troupes à de nouvelles opérations 부대에게 새로운 작전을 벌이게 하다. ⓑ 《~ qn de》 …에 마음을 쓰게〔쏟게〕 하다, 전념〔몰두〕하게 하다 : Son travail l'*occupe* beaucoup. 일로 그녀는 분주하다 / Il a l'esprit *occupé* par des projets de voyage. 그는 여행 계획에 몰두하고 있다.
— **s'~** *v.pr.* ① 《s'~ à qc 〔+*inf.*〕》 (열심히) …을 하다 : *s'* ~ *à* écrire 부지런히 편지를 쓰다. ② ⓐ 《s'~ de qc》 …에 종사하다, …의 일을 하다 ; …에 몰두〔전념〕하다 ; 상관〔참견·개입〕하다. ⓑ 《s'~ de qn》 …을 돌보다, 보살피다 : Pauvre vieux, personne ne *s'occupe de* lui. 가련하게 아무도 그 노인을 보살펴 주지 않는다. ***(Ne) t'occupe pas !*** 《구어》 상관 마라 ; 걱정 마라.

occurrence [ɔkyʀɑ̃:s] *f.* (우연한) 기회, 경우(= cas, circonstance) : en l'~ 이 경우.

O.C.D.E. 《약자》 Organisation de Coopération et de Développement Economiques 경제 개발 협력 기구(〔영〕 OECD).

***océan** [ɔseɑ̃] *m.* ① 대양(大洋), 대해(大海) ; (*O*~) 대서양(= *O*~ Atlantique). ② 광막한 곳, 망망대해 (같은 곳〔것〕) : ~ de sable 광대한 모래의 벌판.

Océanie [ɔseani] *n.pr.f.* 〖지리〗 대양주, 오세아니아.

océanien, enne [ɔseanjɛ̃, -ɛn] *adj.* 대양주(*Océanie*)(사람)의. — **O~** *n.* 대양주 사람.

océanique [ɔseanik] *adj.* 대양의, 해양(성)의 : climat ~ 해양성 기후.

océanographe [ɔseanɔgʀaf] *m.* 해양학자.

océanographie [ɔseanɔgʀafi] *f.* 해양학 ; physique ~ 해양 물리학.

océanographique [ɔseanɔgʀafik] *adj.* 해양학의, 해양학상의. 「양학.

océanologie [ɔseanɔlɔʒi] *f.* 해양 연구 ; 해

ocelle [ɔsɛl] *m.* 〖동물〗 (곤충의) 단안(單眼) ; 안상(眼狀) 반점. 「이 있는.

ocellé, e [ɔse〔ɛl〕le] *adj.* 〖동물〗 안상 반점

ocelot [ɔslo] *m.* 〖동물〗 (표범 비슷한 반점이 있는 중·남미산의) 큰 살쾡이.

ocre [ɔkʀ] *f.* ① 황토(黃土). ② 오커색, 황토색(의 안료). — *adj.* 《불변》 황토색의, 황갈〔황적〕색의

ocré, e [ɔkʀe] *adj.* 오커로 염색한 ; 오커색의.

oct-, octa- *préf.* 「8」의 뜻.

octaèdre [ɔktaɛdʀ] 〖기하〗 *adj.* 8 면체의. — *m.* 8면체.

octal, e, aux [ɔktal, -o] *adj.* 〖수학〗 8 진법(進法)의.

octane [ɔktan] 〖화학〗 *adj.* 옥탄의. — *m.* 옥탄 : indice d'~ 옥탄가(價).

octante [ɔktɑ̃:t] *adj.* 《옛·지방어》 80 의.

octave [ɔkta:v] *f.* 〖음악〗 옥타브, 8 도 음정 ; 《시어》 8 행절.

octavo [ɔktavo] 〔라틴〕 *adv.* 여덟째로.

octet [ɔktɛ] *m.* ① 〖컴퓨터〗 (8 비트) 바이트 : mémoire de 4 millons d'~*s*, 4 메가(바이트)의 메모리. ② 〖화학〗 8 전자군.

octi-, octo- *préf.* 「8」의 뜻.

:octobre [ɔktɔbʀ] *m.* 10 월 : en ~ ; au mios d'~ 10 월에 / le 2 ~ [lədøɔktɔbʀ] 10 월 2 일. 「의 (사람).

octogénaire [ɔktɔʒenɛ:ʀ] *adj.* et *n.* 80 세

octogonal, e, aux [ɔktɔgɔnal, -o] *adj.* 8 각형의, 8 변형의.

octogone [ɔktɔgɔn] *adj.* 8 각형의, 8 변형의. — *m.* 8 각형, 8 변형 ; 〖축성〗 팔면보(堡).

octosyllabe [ɔktɔsi(l)lab] *adj.* 8 음절의. — *m.* 〖운율〗 8 음절의 시구(詩句).

octosyllabique [ɔktɔsi(l)labik] *adj.* = octosyllabe.

octroi [ɔktʀwa] *m.* ① (특전 따위의) 수여(授與). ② (옛날의) 물품 입시세(入市稅) ; 입시세관 ; 입시세 납부처.

octroyer [ɔktʀwaje] [7] *v.t.* (특전 따위를) 주다, 수여〔제공〕하다 : ~ un délai 유예 기간을 주다 / ~ un prêt à un pays 어떤 나라에 차관을 제공하다. — **s'~** *v.pr.* (허가 없이) 스스로 가지다〔취하다〕 : *s'*~ un délai de dix jours 멋대로 기일을 10 일 연장하다.

oculaire [ɔkylɛ:ʀ] *adj.* 〖해부〗 눈의, 안구(眼球)의 : globe ~ 안구 / nerf ~ 시(視)신경. ***témoin*** **~** (현장) 목격자 ; 〖법률〗 실지 증인. — *m.* 〖광학〗 접안(接眼)렌즈(= lentille ~).

***oculiste** [ɔkylist] *adj.* 안과(眼科)의. — *m.* 안과 의사.

odalisque [ɔdalisk] *f.* ① (터키 궁중의 궁녀들을 섬기던) 여자 노예. ② 터키 황제의 처첩, 하렘의 여자 ; 《문어》 고급 창녀.

ode [ɔd] *f.* ① 〖고대그리스〗 (노래하거나 음악 반주로 낭송하기 위한) 시가(詩歌). ② 〖문학〗 서정 단시(短詩), 오드.

:odeur [ɔdœ:ʀ] *f.* ① 냄새 ; 향기 : avoir une bonne 〔mauvaise〕 ~ 냄새가 좋다〔나쁘다〕 / dégager une ~ désagréable 좋지 않은 냄새를 발산하다 / Quelle ~ ! 이거 무슨 (고약한) 냄새지 ! ② (흔히 *pl.*) 향수(= parfum) : flacon d'~*s* 향수병. ***L'argent n'a pas d'~.*** 돈에는 귀천이 없다. ***ne pas être en ~ de sainteté auprès de*** qn 《구어》 …의 신임을 받지 못하다.

O

odieusement [ɔdjøzmɑ̃] *adv.* 밉살스럽게, 역겹게 ; 극단으로, 몹시.

***odieux, euse** [ɔdjø, -ø:z] *adj.* ① 밉살스러운 ; 가증스러운(= détestable) ; 추악한 : crime ~ 가증스러운 범죄 / conduite ~*euse* 밉살스런 행위. ② 불유쾌한, 지긋지긋한, 역겨운 (= désagréable) : Il m'est ~. 그 녀석은 보기도 싫다〔지긋지긋하다〕.

odontalgie [ɔdɔ̃talʒi] *f.* 치통.

odont(o)- *préf.*, **-odonte, -odontie** *suff.* 「치아」의 뜻

odontoïde [ɔdɔ̃tɔid] *adj.* 〖해부〗 이 모양의, 치상(齒狀)의.

odontologie [ɔdɔ̃tɔlɔʒi] *f.* 치과학.

odontologique [ɔdɔ̃tɔlɔʒik] *adj.* 치과학「의.

odorant, e [ɔdɔʀɑ̃, -ɑ̃:t] *adj.* 냄새나는 ; 향기 있는 : mal ~ 냄새가 고약한.

***odorat** [ɔdɔʀa] *m.* 후각(嗅覺) : avoir l'~ fin 후각이 예민하다.

odoriférant, e [ɔdɔʀifeʀɑ̃, -ɑ̃:t] *adj.* 향기로운, 방향성(芳香性)의.

Odyssée [ɔdise] *f.* ① 〖그리스문학〗 오디세이《호머(*Homère*)가 지은 대서사시》. ② (*O*~) 모험담 ; 기구한 운명.

O.E.C.E. 《약자》 Organisation européenne de coopération économique 유럽 경제 협력 기구.

œcologie [ekɔlɔʒi] *f.* 〖생물〗 생태학.

œcuménique [ekymenik] *adj.* 전 세계의 (= universel) ; 전 기독교 통합의 : concile ~ 〖가톨릭〗 만국 공의회(公議會).

œcuménisme [ekymenism] *m.* 〖종교〗 세계 교회 운동, 기독교 통합 운동.

œdème [edɛm] *m.* 〖의학〗 수종(水腫), 부종(浮腫).

Œdipe [edip] *m.* ① 〖정신분석〗 에디푸스 콤플렉스(= complexe d'~). ② (*Œ*~) (그리스 신화의) 오이디푸스《스핑크스의 수수께끼를 푼 테베왕》.

‡**œil** [œj] *m.* (*pl.* ***yeux*** [jø]) ① 눈, 안구 ; (*pl.*) 시력 : Elle a les *yeux* noirs. 그녀의 눈은 검다 / ouvrir de grands *yeux* (놀라서) 눈이 휘둥그래지다 / avoir de bons 〔mauvais〕 *yeux* 시력이 좋다〔나쁘다〕. ② 시선, 눈길 ; 눈초리, 눈매 : lever 〔baisser〕 les *yeux* 시선을 치켜 올리다〔아래로 내리다〕 / suivre 〔chercher〕... des *yeux* 눈으로 …을 쫓다〔찾다〕 / jeter les *yeux* sur qc …을 힐끔 보다, …에 눈독들이다 / voir qc d'un bon 〔mauvais〕 ~ …을 호의적으로〔악의를 가지고〕 보다. ③ 주목, 주시(注視), 감시 : Rien n'échappe à l'~ du maître. 어느 무엇도 선생님의 눈을 피할 수는 없다 / Où aviez-vous les *yeux*? 대체 어디를 보고 있었느냐? ④ (삽입하기 위한 기구의) 구멍 ; (빵·치즈의) 작은 기포 ; (수포에 뜨는) 기름기 ; (공작 깃의) 눈알 무늬 : les *yeux* du fromage 치즈에 생긴 구멍 / ~ d'une aiguille 바늘구멍. ⑤ (태풍의) 눈, 중심부 ; (바람의) 방향. ⑥ 〖인쇄〗 (활자의) 볼록면(面). ⑦ 〖식물〗 눈, 싹, 봉오리 : ~ latent 〖식물〗 숨은 눈. ***à l'~*** 누으로 육안(肉眼)으로 ; 《속어》 공짜로, 거저, 무료로 : mesurer *à l'~* 목측(目測)하다 / entrer au cinéma *à l'~* 공짜로 영화관에 들어가다. ***à l'~ nu*** 육안으로. ***aux yeux de*** …의 면전에서 ; …의 견해로는 : *aux yeux de* la loi 법률상의 견지에서는. ***avoir l'~*** 눈이 날카롭다. ***avoir l'~ sur*** 주목하다, 감시하다. ***à vue d'~*** 한번 보아, 한 눈에 ; 눈에 띄게 ; 빠른 속도로, 순식간에. ***clin d'~*** 윙크 ; 일별(一瞥) : en 〔dans〕 un *clin d'~* 눈 깜짝할 사이에. ***coup d'~*** ⓐ 힐끗 보기, 일별 : jeter un *coup d'~* 힐끗 보다 ; 대충 훑어보다 / d'un *coup d'~* 언뜻 보고. ⓑ 통찰력, 관찰력 : avoir le *coup d'~* 판단이 빠르다 / avoir du *coup d'~* 눈치가 빠르다. ⓒ 조망, 경치 : Le *coup d'~* sur la ville est merveilleux. 도시의 전망이 훌륭하다. ***crever les yeux*** 명백〔자명〕하다. ***entre quatre yeux;*** 《구어》 ***entre quat'z yeux*** [ɑ̃tʀəkatzjø] 마주 보고 ; 직접. ***être tout yeux*** (온 신경을 눈에 집중시켜) 주시(注視)하다. ***faire de l'~ à*** qn 《구어》 …에게 추파를 던지다 ; …에게 눈짓하다. ***faire les gros yeux à*** qn …을 무서운 눈으로 바라보다. ***fermer les yeux*** 눈을 감다 ; 죽다, 영면하다. ***ouvrir l'~ ;*** 《구어》 ***ouvrir l'~ et le bon*** 눈을 똑바로 뜨고 조심〔감시〕하다. ***regarder*** qn ***dans les yeux*** 〔***dans le blanc des yeux***〕 …을 똑바로 쏘아보다. ***s'en battre l'~*** 《구어》 …을 깔보다, 문제시하지 않다. ***sortir par les yeux*** 《구어》 진력이 나다, 지긋지긋하다. ***sous les yeux de*** qn …의 면전〔눈앞〕에서.

œil-de-bœuf [œjdəbœf] *m.* (*pl.* **~s-~-~**) 〖건축〗 둥근〔타원형의〕 창문.

œil-de-perdrix [œjdəpɛʀdʀi] (*pl.* **~s-~-~**) *m.* (발가락의) 티눈.

œillade [œjad] *f.* 눈짓, 추파, 윙크 : faire des ~*s* à qn …에게 추파를 던지다.

œillère [œjɛ:ʀ] *f.* ① (말의) 눈가리개. ② 〖의학〗 세안(洗眼) 접시. ***avoir des ~s*** 《구어》 소견이 좁다, 편협한 견해를 가지고 있다.

œillet[1] [œjɛ] *m.* (구두·혁대 따위의) 끈 구멍 ; 끈 구멍 둘레의 고리.

***œillet**[2] *m.* 〖식물〗 술패랭이꽃속(屬), 카네이션 : ~ d'Inde 〖식물〗 전륜화.

œilleton [œjtɔ̃] *m.* ① 〖원예〗 (뿌리에서 돋는) 새 순. ② (조준기 따위의) 가늠구멍 ; (망원경 따위의 접안렌즈의) 구멍.

œillette [œjɛt] *f.* 〖식물〗 양귀비 ; 양귀비 기름(= huile d'~).

œnilisme [enilism] *m.* 포도주에 의한 알코올 중독.

œn(o)- *préf.* 「포도주」의 뜻.

œnologie [enɔlɔʒi] *f.* 포도주 양조학.

œnologique [enɔlɔʒik] *adj.* 포도주 양조학의.

œnologiste [enɔlɔʒist] *m.* 포도주 (양조)「연구가.

œsophage [ezɔfa:ʒ] *m.* 〖해부〗 식도(食道).

œsophagien, enne [ezɔfaʒjɛ̃, -ɛn] *adj.* 〖해부〗 식도의.

œstrogène [ɛstʀɔʒɛn] *adj.* 〖생리〗 발정(發情) 작용이 있는. — *m.* 〖생리〗 발정 물질, 에스트로겐.

œstrus [ɛstʀys] 〔라틴〕 *m.* 〖생물〗 발정(기「〔현상〕).

‡**œuf** [œf] *m.* (*pl.* **~s** [ø]) ① (조류의) 알 ; 달걀, 계란(= ~ de poule) : jaune 〔blanc〕 d'~ 달걀의 노른자〔흰자〕 / coquille d'~ 계란 껍질 / ~ à la coque 반숙한 계란 / ~

dur 삶은 계란 / ~ sur le plat(au plat) 〖요리〗 에그 프라이. ② (난생 동물의) 알, 어란 : ~*s* de poisson(de grenouille, d'insectes) 물고기(개구리 · 곤충)의 알. ③ 〖생물〗 수정란(= ~ féconde) ; 난자. ④ ~ de pâques ; ~ rouge 부활절의 계란. ***C'est comme l'~ de Colomb.*** 그것은 콜럼버스의 달걀이다 《최초로 생각해 내는 것은 어려운 일이다》. ***dans l'~*** 일이 터지기 전에, 사전에, 미연에 : étouffer un complot dans l'~ 음모를 미연에 방지하다. ***marcher sur des ~*** 신중히 행동하다. ***mettre tous ses ~s dans le même panier*** 한 사업에 전 재산을 털어 넣다. ***plein comme un ~*** 꽉 찬, 초만원의 ; 배부른. ***Quel ~ !*** 참 바보로군 !

œuvre** [œ:vʀ] *f.* ① 작업, 활동, 일(= travail) : se mettre à l'~ 일에 착수하다 / être à l'~ 작업 중이다 / faire ~ utile 유익한 일을 하다. ② 사업(= entreprise) ; 업적, 성과 ; 소행 : ~ d'un savant (d'un homme d'État) 학자(정치가)의 업적 / Regardez ces graffiti, c'est l'~ des élèves. 이 낙서를 좀 보시오, 학생들의 소행이오. ③ (예술) 작품 ; (철학 · 문학 등의) 저서 : ~ d'art 예술 작품 / ~*s* complètes de Stendhal 스탕달 전집. ④ 자선 단체, 자선 사업(= bonne ~), 후생 사업 : ~*s* sociales 복지 사업 / dame d'~*s* 자선 활동을 하는 (상류) 부인. ⑤ (*pl.*) 〖해양〗 ~*s* mortes 건현(乾舷)《배의 물 위에 나온 부분》/ ~*s* vives 흘수부(吃水部)《배의 물 밑 부분》. ***être à l'~ 일하고 있다. ***faire ~ d'ami*** 친구답게 굴다. ***faire son ~*** 작용하다 ; 능력을 발휘하다. ***mettre en ~*** 활용(이용)하다 ; (조약을) 발효시키다 ; (협정을) 이행하다. ***mise en ~*** 활용 ; 발효, 이행, 실행. ***~ de bienfaisance*** 자선 사업 단체.
— *m.* 《단수뿐》 ① (한 예술가의) 전 작품, 전집 : ~ complet de Chopin 쇼팽의 전 작품. ② 〖건축〗 구조물 : gros ~ 기초(본) 공사 《토대 · 벽 · 지붕》. ***être à pied d'~*** 일할 준비가 되어 있다, 일의 현장에 있다.

œuvrer [œvʀe] *v.t.* 《문어》 일하다, 행동하다 (= travailler).

off [ɔf] (영) *adv.* et *adj.* 《불변》 〖영화〗 (목소리 · 소리가) 화면에 나타나지 않는.

offensant, e [ɔfɑ̃sɑ̃, -ɑ̃:t] *adj.* 무례한, 모욕적인, 불쾌한 : paroles ~*es* 모욕적인 말.

offense [ɔfɑ̃:s] *f.* ① 모욕, 무례 : faire une ~ à qn …을 모욕하다. ② 〖신학〗 (신에 대한) 죄(= péché). ③ (국가 원수에 대한) 불경죄. ***~ à la Cour*** 〖법률〗 법정 모독죄. 「람).

offensé, e [ɔfɑ̃se] *adj.* et *n.* 모욕당한 (사

offenser [ɔfɑ̃se] *v.t.* ① 모욕하다 ; …에게 무례한 짓을 하다. ② (명예 · 자존심 따위를) 손상시키다 ; (감정 따위를) 상하게 하다 : ~ l'amitié 우정을 해치다. ③ (규칙을) 어기다, (진리 · 양식 따위를) 위배하다. ***~ Dieu*** 〖신학〗 죄를 짓다. ***soit dit sans vouloir vous ~*** 실례가 될지 모릅니다만. — ***s'~*** *v.pr.* 《s'~ de》 …에 화를 내다, …을 불쾌하게 여기다 : Il *s'offens d'*un rien. 그는 아무것도 아닌 일에 곧잘 화를 낸다.

offenseur [ɔfɑ̃sœ:ʀ] *m.* 모욕자 ; 반칙자.

offensif, ive [ɔfɑ̃sif, -i:v] *adj.* 공격적인(≠ défensif) : alliance ~*ive* et défensive 공수(攻守) 동맹. — *f.* 〖군사〗 공격, 공세 : mener une ~*ive* 공격하다.

offertoire [ɔfɛʀtwa:ʀ] *m.* 〖가톨릭〗 (미사 때의 빵과 포도주의) 봉헌(奉獻) ; 봉헌가(歌) ; 봉헌 기도문.

office** [ɔfis] *m.* ① 직무(= fonction), 직책(= charge), 직분 ; 구실, 역할 : faire ~ de chauffeur 운전수 노릇을 하다 / papier qui fait ~ de passeport 여권 구실을 하는 서류. ② 공직 : ~ ministériel 법원에 부속된 공직 《공증인 · 소송 대리인 · 집달관 따위》. ③ 사무소, 영업소 ; (관청의) 청(廳), 원(院), 국(局) ; 취급소, 소개소 : ~ national de la propriété industrielle 특허국 / ~ de main-d'œuvre 직업 소개소 / ~ commercial 상사(商社). ④ 〖가톨릭〗 성무일과(聖務日課)(= ~ divin) ; 미사 ; 제식(祭式) : aller à l'~ 미사에 가다 / ~ des morts 추도식. ⑤ (주방에 딸린) 찬방, 조리장, 부엌. ***bons ~s (국가 간 분쟁 따위의) 조정 : offrir (proposer) ses bons ~*s* 조정을 제의하다(에 나서다). ***d'~*** 의무적으로, 직무로서 ; 자동적으로 : avocat (nommé) *d'~* 국선(관선) 변호인 / promu *d'~* 자동적으로 승진된. ***faire ~ de*** …의 역할을 하다, …을 대신하다 : *faire ~ d'*interprète 통역의 역할을 하다. — *f.* (주방에 달린) 찬방, 식탁 준비실 《일상어에서는 흔히 남성명사》.

officialisation [ɔfisjalizɑsjɔ̃] *f.* 공인 ; 공고 : ~ de la révocation d'un fonctionnaire 공무원 파면의 공고.

officialiser [ɔfisjalize] *v.t.* 공식화하다, 공표(공인)하다. ~ une nomination (관보 따위로) 임명 사실을 공표하다.

officiant, e[1] [ɔfisjɑ̃, -ɑ̃:t] *m.* 제식 집행자, 집전 성직자(= célébrant).

officiante[2] [ɔfisjɑ̃:t] *f.* 주무(週務) 수녀.

officiel, elle** [ɔfisjɛl] *adj.* ① 당국의, 관공서의 ; 공인된 : prix ~ 공정 가격 / Ce sont les faits ~*s*. 그것은 공인된 사실이다. ② 공식의, 정식의 : visite ~*elle* 공식 방문. ③ 관용(공용)의. ④ (사람이) 공무를 띤, 관직(공직)을 가진 : personnage ~ 공무원, 정부(관계)의 인사(人士). ***acte ~ 공문서. ***à titre ~*** 공식으로. ***journal ~*** 관보. ***voiture ~elle*** 관용(공용)차. — *m.* ① 당국자, 공무원 ; 〖스포츠〗 심판. ② (*O~*) 관보(= journal ~).

officiellement [ɔfisjɛlmɑ̃] *adv.* 정식으로, 공적으로 ; 공식으로는.

officier[1] [ɔfisje] *v.i.* 〖가톨릭〗 제식(祭式)을 (미사를) 집행하다.

***officier**[2] *m.* ① 사관, 장교 : ~ d'active (de réserve) 현역(예비역) 장교 / ~ général (supérieur, subalterne) 장성(영관 · 위관). ② 공무원, 관공리 : ~ de l'état civil 호적계원 / ~ ministériel(public) 법원 부속 공직자《서기 · 공증인 · 소송 대리인 · 집달관 따위》. ③ 수훈자(受勳者), 수상자. ~ d'académie 교육공로훈장 수훈자.

officieusement [ɔfisjøzmɑ̃] *adv.* 비공식적으로 ; 친절히, 호의적으로.

***officieux, euse** [ɔfisjø, -ø:z] *adj.* 비공식의 (≠ officiel) : nouvelle ~*euse* 비공식 정보 / à titre ~ 비공식적으로.

officinal, e, aux [ɔfisinal, -o] *adj.* 약용의 ;

O

약국의. ***plante*〔*herbe*〕 *~e*** 약용 식물.

officine [ɔfisin] *f.* ① 약국, 조제실(= pharmacie). ② 음모를 획책하는 곳.

offrande [ɔfʀɑ̃:d] *f.* ① (신 · 사원에의) 봉헌(奉獻), 봉헌물, 헌납(물). ② (교회에의) 헌금. ③ (자선 사업 따위에의) 기부금(= don). ④ (개인에게의) 선물. ***L'~ est à dévotion.*** 얼마간이라도 기부를 청합니다.

offrant, e [ɔfʀɑ̃, -ɑ̃:t] *n.* (경매의) 입찰자. ── *adj.* 값을 매기는 : le plus ~ (et dernier enchérisseur) 최고 입찰자.

offre [ɔfʀ] *f.* ① 제의 ; 제안 ; 신청 : ~ de paix 평화의 제의 / accepter 〔refuser〕 une ~ 신청을 받아들이다〔물리치다〕. ② 제공 ; 〖경제〗 공급 : ~ réelle 〖법률〗 현물 제공 / l'~ et la demande 수요와 공급. ③ 입찰 ; (사는 쪽이) 값을 매기기. ***doubler son ~*** (경매에서) 값을 2 배로 올리다.

***offrir** [ɔfʀi:ʀ] 12 *v.t.* ① 주다, 제공하다 ; (식사를) 대접하다 : savoir ~ 적당히 내놓을 줄 알다 / ~ à boire 마실 것을 내놓다〔권하다〕. ② (신에게) 바치다, 봉헌하다 : ~ des victimes aux dieux 신에게 제물을 바치다. ③ 제의〔제안〕하다 ; 신청하다 : 《~ de+*inf.*》 Il m'*a offert de* me ramener chez moi. 그는 집까지 바래다 주겠다고 제안했다 / ~ son aide 원조를 신청하다. ④ (값을) 놓다, 금액을 제시하다 ; (싸움을) 걸다 ; (선택 따위를) 맡기다 : ~ mille francs d'un objet 한 물건을 1,000 프랑에 사겠다고 나서다 / ~ à qn le choix de qc …에게 선택을 맡기다. ⑤ 《주어 : qc》 제시하다, 보여 주다, 보이다(= montrer) : La campagne *offrait* un bel aspect. 들판은 아름다운 모습을 보이고 있었다. ── **s'~** *v.pr.* ① 몸을 바치다〔내맡기다〕 : *s'~* au danger 위험에 몸을 내맡기다 / femme qui *s'offre* 선선히 몸을 내맡기는 여자. ② 증여되다, 제공되다. ③ 나서다, 지원하다 : *s'~* comme interprète 나서서 통역하다. ④ (기회 · 사건 따위가) 일어나다, 벌어지다, 나타나다 : L'occasion *s'offre* trop belle pour ne pas la saisir. 놓칠 수 없는 절호의 기회다 / 《비인칭》 Il *s'offre* une grande difficulté. 커다란 곤란이 있다.

offset [ɔfsɛt] *m.* 〖인쇄〗 오프셋 인쇄.

offshore [ɔfʃɔ:ʀ] 〔영〕 *adj.* et *m.* ① 지역 조달(의)《미국 이외에서의 미군의 물자 구입》. ② 석유 시추(試錐)의 (시설), 해양 유전〔해저 채굴〕의 (장치〔플랫폼〕).

offusquer [ɔfyske] *v.t.* ① (시선을) 가리다, 가로막다 ; (이성 · 판단을) 흐리게 〔무디게〕 하다. ② (사람을) 불쾌하게 하다, 화나게 하다 : Sa conduite m'*offusque*. 그의 행위는 괘씸하다. ── **s'~** *v.pr.* 《~ de》 …에 기분을 상하다, …을 불쾌하게 느끼다.

ogival, e, aux [ɔʒival, -o] *adj.* 〖건축〗 첨두(尖頭)형의, 고딕식의.

ogive [ɔʒi:v] *f.* ① 〖건축〗 첨두(尖頭) 홍예, 뾰족 아치. ② (포탄의) 탄두(彈頭) : ~ nucléaire 〖군사〗 핵탄두(核彈頭). ***voûte d'~*** 〔***en ~***〕 첨두형 궁륭(穹窿).

ogre, ogresse [ɔgʀ, ɔgʀɛs] *n.* ① 식인귀(食人鬼) ; 대식가 : manger comme un ~ 게걸스럽게 먹다. ② 잔학한 사람.

***oh** [o] *interj.* ① 《놀라움 · 감탄을 나타내어》 오오, 저런, 어머나, 설마. ② 《표현의 강조》 기어이, 꼭 : *Oh !* je me vengerai. 꼭 복수하고 말 테다. ③ = ohé.

ohé [oe] *interj.* 《부르는 말》 어이 !

ohm [o:m] *m.* 〖전기〗 옴《전기저항의 단위》.

O.I.C. 《약자》 Organisation Internationale du Commerce 국제 무역 기구.

oie** [wa] *f.* ① 〖조류〗 기러기 ; 거위《수거위는 jars》. ② 바보《특히 여성을 가리킴》 : bête comme une ~ 아주 얼빠진 / ~ blanche 순진한 여자 ; 세상 물정 모르는 아가씨. ***couleur caca d'~ 황록색. ***marcher au pas de l'~*** (나치군같이) 무릎을 굽히지 않고 쭉 편 채 행진하다.

oignon** [ɔɲɔ̃] *m.* ① 양파, 둥근파 : hacher 〔émincer〕 des ~s 양파를 다지다 / soupe à l'~ 양파 수프. ② (발의) 못, 티눈. ③ 구근(球根) : ~ de tulipe 튤립의 구근. ***aux petits ~s 《구어》 아주 훌륭하게, 완벽하게, 정성껏 ; 《반어적》 지독하게, 엉터리로. ***C'est mes ~s.*** 《속어》 남의 일에 참견 마라. ***en rang d'~s*** 일렬로, 한 줄로. ***être vêtu comme un ~*** 옷을 몇 겹으로 입고 있다. ***Occupe-toi de tes ~s.*** 남의 일에 참견하지 마라.

oïl [ɔil, ɔj] *adv.* 긍정어《oui의 중세 지방어》. ***Langue d'~*** 오일어(語)《중세에 *Loire*강 이북에서 사용되던 말》.

oindre [wɛ̃:dʀ] 27 *v.t.* 〖종교〗 (성별(聖別) · 축성(祝聖)하기 위해 이마 · 손에) 성유(聖油)를 바르다.

oint, e [wɛ̃, -ɛ̃:t] *adj.* 기름을 바른 ; 성유를 부은. ── *n.* 성유로 축복받은 사람. ***l'~ du Seigneur*** 신의 축복을 받은 사람 ; 그리스도.

O.I.P.C. 《약자》 Organisation internationale de police criminelle 국제 경찰 기구, 인터폴.

O.I.R. 《약자》 Organisation internationale pour les réfugiés 국제 난민 기구.

oiseau** [wazo] *m.* (*pl.* ***~x) ① 새 : ~ de Saint-Pierre 〔des tempêtes〕 바다제비 / *~x* domestiques 〔de basse-cour〕 가금(家禽) / *~x* protégés 보호조. ② 《경멸》 녀석, 놈 : Qui est cet ~-la ? 저자는 누구지 ? ③ (미장이의) 회반죽 담개 ; (기와장이의) 발판. ***à vol d'~*** 직선 거리로 ; 공중에서 내려다 보아. ***perspective à vue d'~*** 〔***à vol d'~***〕 조감도(鳥瞰圖). ***Petit à petit l'~ fait son nid.*** 《속담》 티끌 모아 태산.

oiseau-lyre [wazoli:ʀ] *m.* (*pl.* ***~x-~s***) 〖조류〗 금조(琴鳥)(= lyre).

oiseau-mouche [wazomuʃ] *m.* (*pl.* ***~x-~s***) 〖조류〗 (아메리카산) 벌새.

oiselet [wazlɛ] *m.* 《옛 · 문어》 작은 새.

oiseleur [wazlœ:ʀ] *m.* 새 사냥꾼, 새잡이.

oiselier, ère [wazəlje, -ɛ:ʀ] *m.* 새 장수.

oiselle [wazɛl] *f.* ① 새의 암컷. ② 어리석은 처녀.

oisellerie [wazɛlʀi] *f.* 새 장사 ; 새 가게 ; 새 사육장.

oiseusement [wazøzmɑ̃] *adv.* 하는 일 없이, 빈둥빈둥 : vivre ~ 무위도식하다.

oiseux, euse [wazø, -ø:z] *adj.* 무익한, 쓸데없는 : dispute *~euse* 무익한 논쟁 / tenir des propos ~ 쓸데없는 이야기를 하다.

oisif, ive [wazif, -i:v] *adj.* 한가한, 하는 일

O

없는(= désœvré) : mener une vie ~*ive* 하는 일 없이 한가로이 지내다 / personne ~*ive* 무위도식자. — *n.* 하는 일이 없는 사람, 빈둥거리는 사람, 유한계급의 사람.
oisillon [wazijɔ̃] *m.* 새끼 새, 어린 새.
oisivement [wazivmɑ̃] *adv.* 하는 일 없이, 한가하게.
oisiveté [wazivte] *f.* 무위(無爲), 나태, 한가(= désœuvrement). ***dans mes heures d'~*** 한가한 때에. ***L'~ est la mère de tous les vices.*** 《격언》 나태는 모든 악덕의 근원이다. ***vivre dans l'~*** 빈둥빈둥 지내다.
oison [wazɔ̃] *m.* ① 새끼 거위. ② 《구어》 미련한 사람, 얼간이.
O.I.T. 《약자》 Organisation internationale du travail 국제 노동 기구(〔영〕 ILO).
O.K. [okɛ] 〔영〕 *interj.* 《구어》 좋아, 맞다, 잘 됐다(= d'accord).
okapi [ɔkapi] *m.* 〖동물〗 오카피《기린 비슷한 「동물》.
okoumé [ɔkume] *m.* 〖식물〗 아프리카산 감람과의 나무 ; (그) 목재《가구 및 합판용》.
olé [ɔle], **ollé** [ɔ(l)le] 〔에스파냐〕 *interj.* 정신 차려. — *adj.* 《불변》 ~ ~ 《구어》 까부는, 무람없는 : Elle est un peu ~ ~. 그녀는 좀 까분다.
ole- *préf.* 「기름」의 뜻.
oléagineux, euse [ɔleaʒinø, -ø:z] *adj.* ① (식물 · 종자가) 기름을 함유한, 기름을 짤 수 있는. ② 유성(油性)의, 유질(油質)의. — *m.* 기름 짤 수 있는 식물.
oléiculteur [ɔleikyltœ:ʀ] *m.* 올리브 재배자.
oléiculture [ɔleikylty:ʀ] *f.* 올리브 재배.
oléine [ɔlein] *f.* 〖화학〗 올레인.
olé(o)- *préf.* 「기름」의 뜻.
oléoduc [ɔleɔdyk] *m.* 송유관(送油管).
olfactif, ive [ɔlfaktif, -i:v] *adj.* 후각(嗅覺)의 : sens ~ 후각 / organe ~ 후각 기관.
olfaction [ɔlfaksjɔ̃] *f.* 〖생리〗 후각 (작용).
olibrius [ɔlibʀijys] *m.* 《옛》 허풍꾼, 호언장담하는 사람 ; 《구어》 괴짜.
olifant [ɔlifɑ̃] *m.* (중세 기사의) 상아 각적(角笛).
oligarchie [ɔligaʀʃi] *f.* 과두(寡頭) 정치, 소수 독재 정치.
oligarchique [ɔligaʀʃik] *adj.* 과두 정치의, 소수 독재 정치의.
olig(o)- *préf.* 「소수」란 뜻.
oligo-élément [ɔligɔelemɑ̃] *m.* 〖생물〗 희유 원소《생체 중에 극히 미량으로 존재하는, 생장에 필수한 원소 : 망간 · 아연 · 불소 따위》.
oligopole [ɔligɔpɔl] *m.* 〖경제〗 소수 독점, 과점(寡占).
oliphant [ɔlifɑ̃] *m.* = olifant.
olivaie [ɔlivɛ] *f.* 올리브밭(= oliveraie).
olivâtre [ɔlivɑ:tʀ] *adj.* 올리브색이 도는.
*__olive__ [ɔli:v] *f.* ① 올리브 (열매) : huile d'~ 올리브유(油). ② 《옛》 올리브 나무 ; 올리브처럼 생긴 것 ; 올리브색(色) ; 〖건축〗 달걀꼴의 문 손잡이 ; 달걀꼴 쇠시리 ; 〖전기〗 타원형의 전기 차단기, 스위치. — *adj.* 《불변》 올리브색의, 황록색의.
oliveraie [ɔlivʀɛ] *f.* = olivaie.
olivette [ɔlivɛt] *f.* ① 올리브〔감람〕나무 밭. ② 올리브 모양의 포도〔토마토〕 ; 인조 진주.
*__olivier__ [ɔlivje] *m.* 올리브나무 : rameau d'~ 올리브 가지《평화 · 화해의 상징》.

olographe [ɔlɔgʀaf] *adj.* 〖법률〗 자필의. ***testament ~*** 자필 유언서.
O.L.P. 《약자》 Organisation de libération de la Palestine 팔레스티나 해방 기구, PLO.
Olympe [ɔlɛ̃:p] *m.* ① (고대 그리스의) 올림푸스산(山) ; 올림푸스의 신들. ② (*O~*) 《시어》 하늘 ; 천국 ; (정계 등의) 높은 사람들.
olympiade [ɔlɛ̃pjad] 〔라틴〕 *f.* ① 〖고대그리스〗 올림피아드, 올림피아기(紀)《한 올림픽 경기에서 다음 경기까지의 4년간》. ② (*pl.*) 올림픽 경기(= jeux Olympiques).
Olympie [ɔlɛ̃pi] *n.pr. f.* 〖고대지리〗 올림피아《올림픽 경기가 거행되던 도시》.
olympien, enne [ɔlɛ̃pjɛ̃, -ɛn] *adj.* ① 위엄 있는, 늠름한. ② 올림푸스산(*Olympe*)의 ; 올림푸스의 신들의. — **O~** *m.* (*pl.*) 올림푸스산의 신들.
*__olympique__ [ɔlɛ̃pik] *adj.* ① 〖고대그리스〗 올림피아(*Olympie*)의. ② 국제 올림픽(경기의) : champion ~ 올림픽 선수(권). ***Jeux ~s*** ⓐ (고대 그리스의) 올림피아 경기회. ⓑ (근대) 올림픽 (경기). — *m.* 올림픽 경기 출전 선수.
olympisme [ɔlɛ̃pism] *m.* 올림픽의 조직〔운「영〕.
ombelle [ɔ̃bɛl] *f.* 〖식물〗 산형화(繖形花).
ombellifère [ɔ̃be(ɛl)lifɛ:ʀ] *f.* (*pl.*) 〖식물〗 미나릿과 식물, 산형과.
ombilic [ɔ̃bilik] *m.* ① 〖해부〗 배꼽(= nombril). ② 《문어》 중심부〔점〕(= centre).
ombilical, e, aux [ɔ̃bilikal, -o] *adj.* 배꼽의 : cordon ~ 탯줄.
omble(-chevalier) [ɔ̃:bl, ɔ̃bləʃvalje] *m.* 〖어류〗 곤들메기.
ombrage [ɔ̃bʀa:ʒ] *m.* ① 그늘을 이루는 나뭇가지와 잎사귀(= feuillage) ; 나무 그늘, 녹음 : sous l'~ ; sous les ~*s* des arbres 나무 그늘에서. ② 《옛》 불쾌감 ; 의혹, 의심 ; 시기심, 질투심. ***porter* 〔*faire*〕 *~ à*** qn …에게 불안감〔의혹〕을 품게 하다 ; …에게 시기심〔질투심〕을 일으키다. ***prendre ~ de*** qc …을 시기〔질투〕하다, …으로 기분을 나쁘게 하다 : Il *a pris ~ de* ces propos. 이 말에 그는 불끈 화를 냈다.
*__ombragé, e__ [ɔ̃bʀaʒe] *adj.* 녹음이 드리워진, 녹음에 덮인.
ombrager [ɔ̃bʀaʒe] [3] *v.t.* ① (나무가) …에 그늘지게 하다 : Deux rangées de platanes *ombragent* la route. 양쪽의 플라타너스 가로수로 거리는 나무 그늘이 드리워져 있다. ② 《문어》 덮다, 가리다 : mèche qui ~ le front 이마를 덮는〔가리는〕 머리 다발.
ombrageux, euse [ɔ̃bʀaʒø, -ø:z] *adj.* 의심〔질투심〕 많은 ; 성마른 : mari ~ 질투심 많은 남편.
‡__ombre¹__ [ɔ̃:bʀ] *f.* ① 그늘, 응달 ; 그림자, 투영(投影) ; 반영(反影) : jeter 〔faire, produire〕 de l'~ 그늘을 드리우다 / projeter une ~ 그림자를 비추다〔투사하다〕. ② ⓐ 〖미술〗 음영 ; 어두운 색깔. ⓑ 어둠 ; 암영 ; 야음(= l'~ 〔les ~*s*〕 de la nuit). ③ (시기 · 의심 따위의) 자취〔그림자〕, 어렴풋한 기미〔낌새〕 ; (극)소량 : Il n'y a pas l'~ d'un doute. 한 점의 의혹도 없다 / sans une ~ de malice 악의라고는 조금도 없이. ④ 헛것, 덧없는〔허무한〕 것, 환영 : lâcher la proie

O

pour l'~ 헛것을 잡으려다 알짜를 놓치다 / passer〔se dissiper〕comme une ~ 허무하게 사라져 버리다. ⑤ 망령, 유령(= mânes) : empire〔royaume〕des ~*s* 저승, 황천. ***à l'~ de*** …의 곁에서〔보호 아래〕: Il grandit *à l'~ de* sa mère. 그는 어머니 슬하에서 자랐다. ***avoir peur de son ~*** 조그만 일에도 놀라다. ***être l'~ de*** qn …의 뒤에 붙어 다니다. ***Il y a une ~ au tableau.*** 걱정되는 일이 한 가지 있다. ***mettre*** qn ***à l'~*** 《구어》 …을 투옥하다 ; 죽이다. ***n'être plus que l'~ de soi-même*** 몹시 여위다, 쇠약해 있다.

ombre² *m.* 〖어류〗 민물송어의 일종 : ~ chevalier 곤들메기.

ombré, e [ɔ̃bʀe] *adj.* 〖회화〗 명암〔농담〕이 뚜렷이 나타난.

ombrelle [ɔ̃bʀɛl] *f.* 양산, 파라솔.

ombrer [ɔ̃bʀe] *v.t.* (그림에) 명암〔농담〕을 나타내다 : ~ les paupières 아이섀도를 하다.

ombreux, euse [ɔ̃bʀø, -øːz] *adj.* 그늘진, 그늘이 많은 : vallée ~*euse* 그늘진 계곡.

oméga [ɔmega] *m.* ① 오메가《그리스어 자모의 마지막 글자 : Ω, ω》. ② 종말, 끝.

omelette** [ɔmlɛt] *f.* 〖요리〗 오믈렛. ***On ne fait pas d'~ sans casser des œufs. 《격언》 희생을 치르지 않고서는 목적을 이룰 수 없다.

omettre [ɔmɛtʀ] 46 *v.t.* (말하기·쓰기를) 빠뜨리다, 누락하다 ; 잊다(= oublier) : ~ une virgule 쉼표를 빠뜨리다 / 《~ de+*inf.*》 N'*omettez* pas *de* les prévenir. 그들에게 미리 알리는 것을 잊지 마시오.

omis, e [ɔmi, -iːz] *adj.* 빠진 ; 생략된.

omission [ɔmisjɔ̃] *f.* ① (말하기·쓰기를) 빠뜨리기, 누락 ; 생략 ; 탈자 : ~ d'une virgule 쉼표를 빠뜨리고 쓰기. ② 태만, 부주의 ; 〖법률〗 부작위(不作爲). ③ (세금의) 신고 누락 ; 기사 누락 : relever〔signaler〕une ~ 누락을 지적하다.

omni- *préf.* 「전(全)·총(總)」의 뜻.

***omnibus** [ɔmnibys] *m.* 완행열차(= train ~) ; (옛날의) 합승 마차〔자동차〕. — *adj.* 《불변》 정거장마다 정차하는, 완행의.

omnidirectionnel, elle [ɔmnidiʀɛksjɔnɛl] *adj.* 무지향성(無指向性)의, 전방향의.

omnipotence [ɔmnipɔtɑ̃ːs] *f.* 전능(全能) ; 절대적 권력, 전제권(= absolutisme).

omnipotent, e [ɔmnipɔtɑ̃, -ɑ̃ːt] *adj.* 전능한 ; 절대적 권력을 가진, 전제적인.

omnipraticien, enne [ɔmnipʀatisjɛ̃, -ɛn] *n.* 일반 의사(= généraliste ; ≠ spécialiste).

omniprésence [ɔmnipʀezɑ̃ːs] *f.* 편재(遍在)(성) : ~ de Dieu 신의 편재.

omniprésent, e [ɔmnipʀezɑ̃, -ɑ̃ːt] *adj.* ① 어디에나 존재하는, 편재하는. ② 《문어》 어디에나〔계속〕 따라다니는 : préoccupation ~*e* 뇌리를 떠나지 않는 걱정.

omniscience [ɔmnisjɑ̃ːs] *f.* 전지(全知) ; 박식. 「知)의 ; 박식한.

omniscient, e [omnisjɑ̃, -ɑ̃ːt] *adj.* 전지(全

omnisports [ɔmnispɔːʀ] *adj.* 《불변》 종합 체육의, 갖가지 운동의〔을 행하는〕: terrain ~ 종합 운동장.

omnium [ɔmnjɔm] *m.* ① 〖상업〗 종합 기업〔금융회사〕: ~ des pétroles 석유 트러스트〔종합 금융 회사〕. ② 자전거 다종(多種) 경기.

omnivore [ɔmnivɔːʀ] *adj.* 잡식성(雜食性)의. — *m.pl.* 잡식동물.

omoplate [ɔmɔplat] *f.* 〖해부〗 견갑골.

O.M.S. 《약자》 Organisation mondiale de la santé 세계 보건 기구(〖영〗 WHO).

‡on [ɔ̃] *pron. indéf.* 《항상 주어임. si, où, que, et 다음에서 때로 l'on이 됨. 동사는 단수 3인칭》 ① 《불특정의 사람》 ⓐ (일반적으로) 사람은, 사람이 ; (세상) 사람들은〔이〕: *On* est égaux devant la loi. 인간은 법률 앞에서 평등하다 / *On* ne saurait penser à tout. 모든 일을 다 생각할 수는 없다 / *On* était fatigué de la guerre. 그 사람들은 전쟁에 지쳤었다. ⓑ 누군가가, 어떤 사람이 : *On* frappe à la porte. 누군가가 문을 노크하고 있다. ⓒ 《동작주를 명시하지 않을 때》 *On* apporta le déssert. 디저트가 나왔다. ② 《특정의 사람》 ⓐ 우리들《nous 의 대용》: Danse-t-*on* ? 춤을 출까요 ? / Nous, *on* veut bien. 《속어》 우리는 찬성입니다 / Oui oui, *on* y va. 예예, 지금 갑니다. ⓑ 《구어》 나는《moi, je 의 대용》: *On* peut téléphoner ? 전화를 걸어도 좋습니까 ? / 《문장어에서》 *On* montrera dans cet ouvrage que... 나는 본저서에서 …라는 것을 밝히고 싶다. ⓒ 너, 자네 ; 당신들《toi, tu, vous 의 대용》: *On* a été sage ? (어린이에게) 얌전히 있었니 ? / Est-*on* prêts ? 준비 다 되었소 ? ⓓ 그, 그녀 : 그들, 그녀들 : *On* m'a écrit enfin. 겨우 편지를 보내왔군 / *On* suit quelquefois mes conseils. 그〔그녀〕는 어떤 때는 내 충고를 들어주기도 한다 / *On* a barré la toute. 그들이 길을 가로막았다. ***on ne sait qui***〔***quoi, où, comment, quel...***〕 누구〔무엇·어디·어떻게·어떤…〕인지 모르지만.

onagre [ɔnagʀ] *m.* 〖동물〗 야생 당나귀.

onanisme [ɔnanism] *m.* 자위 행위, 수음(手淫)(= masturbation).

once¹ [ɔ̃ːs] *f.* ① 온스. ② 《구어》 극소량 : Il n'a pas une ~ de bon sens. 그는 상식이 조금도 없다. ***ne pas peser une ~*** 굉장히 가볍다.

oncle** [ɔ̃ːkl] *m.* 백부, 숙부, 삼촌. ***~ par alliance 고모〔이모〕부. ***~ paternel***〔***maternel***〕 삼촌〔외삼촌〕.

onction [ɔ̃ksjɔ̃] *f.* ① 〖가톨릭〗 도유(塗油)(식). ② 감동시키는〔경건한〕 말투〔몸짓〕. ***l'extrême***〔***la sainte***〕 ~ 〖가톨릭〗 종부성사.

onctueusement [ɔ̃ktɥøzmɑ̃] *adv.* 감동적어조로, 간절히 ; 공손히.

onctueux, euse [ɔ̃ktɥø, -øːz] *adj.* ① (기름처럼) 미끈거리는, 번드르르한. ② 사람을 감동시키는 ; 경건한 마음을 일으키는 ; (언행이) 온화한.

onctuosité [ɔ̃ktɥozite] *f.* ① 기름기, 유질. ② 온후 ; 사람을 감동시키는 힘.

onde [ɔ̃ːd] *f.* ① 《문어》 물결, 파도 ; 《시어》 (강·호수 등의) 물 : voguer sur l'~ 물결 타고 노를 젓다. ② 〖물리〗 파동, 파(波) : longueur d'~ 파장 / ~(s) sismique(s) 지진파. ③ (*pl.*) 전파(= ~*s* électriques), 방송 : mettre en ~*s* 전파에 싣다, 방송하다 / concert diffusé sur les ~*s* 라디오로 방송되는

O

음악회 / Il passe sur les ~*s* mardi à 14 h. 그는 화요일 오후 2시에 라디오 방송을 한다. ③ 파문(波紋)(= ~ liquide) ; 물결 무늬〔모양〕. ***avoir***〔***être sur, trouver***〕 ***la même longueur d'~*** qn …와 의기투합하다, 통하다 ; 같은 생각이다. ***~ électro-magnétique*** 전자파.

ondé, e[1] [ɔ̃de] *adj.* (옷감에) 물결 무늬가 있는 ; (머리털이) 웨이브된.

ondée[2] [ɔ̃de] *f.* 소나기(= averse). 「정.

ondin, e [ɔ̃dɛ̃, -in] *n.* 〖북유럽신화〗 물의 요

on-dit [ɔ̃di] *m.* 《복수불변》 소문 : Ce ne sont que des ~. 그건 소문에 지나지 않는다.

ondoiement [ɔ̃dwamɑ̃] *m.* ① 파동, 굽이침, 일렁임. ② 〖가톨릭〗 약식(略式) 세례.

ondoyant, e [ɔ̃dwajɑ̃, -ɑ̃:t] *adj.* ① (파도처럼) 물결치는 ; 일렁〔출렁〕거리는 : drapeaux ~*s* 펄럭이는 깃발. ② (파도처럼) 변하기 쉬운, 변덕스러운.

ondoyer [ɔ̃dwaje] [7] *v.i.* 파동하다, 물결치다. — *v.t.* 〖가톨릭〗 약식 세례를 주다.

ondulant, e [ɔ̃dylɑ̃, -ɑ̃:t] *adj.* 파동하는, 물결치는, 너울거리는 : plaine ~*e* 완만한 기복을 이룬 평야.

ondulation [ɔ̃dylɑsjɔ̃] *f.* ① 파동, 물결침 ; (토지의) 기복(起伏) : ~ de la houle 넘실대는 파도. ② (머리털의) 웨이브.

ondulatoire [ɔ̃dylatwa:ʀ] *adj.* 〖물리〗 물결치는, 파동하는 : mouvement ~ du son 소리의 파동 / mécanique ~ 파동 역학.

ondulé, e [ɔ̃dyle] *adj.* 물결 모양의, 물결치는 ; 기복(起伏)이 있는 ; (길이) 구불구불한 ; (머리털이) 웨이브진 : route ~*e* 기복이 있는 길 / cheveux ~ 웨이브진 머리.

onduler [ɔ̃dyle] *v.i.* 물결치다, 너울거리다 ; 펄럭이다 ; 구불거리다. — *v.t.* 물결 모양으로 만들다 ; (머리털을) 웨이브하다 : ~ ses cheveux 머리털을 웨이브하다.

onduleux, euse [ɔ̃dylø, -ø:z] *adj.* 물결 모양의, 구불구불한(= courbe, sinueux) : plaine ~*euse* 기복을 이룬 평야.

O.N.E.R.A. 《약자》 Office nationale d'études et de recherches aéronautiques 국립 항공 연구소.

onéreux, euse [ɔneʀø, -ø:z] *adj.* 비용이 드는(= coûteux, cher), 비싼 ; 〖법률〗 유상(有償)의(≠ gratuit) : loyer ~ 비싼 집세.

O.N.G. 《약자》 Organisation Non Gouvernementale 비정부 기구《적십자 · 국경 없는 의사회 따위 ; NGO》.

ongle** [ɔ̃:gl] *m.* 손톱, 발톱 ; 발굽 : vernis à ~*s* 매니큐어 / se couper les ~*s* 손톱을 깎다. ***avoir bec et ~s 공격과 방어의 수단을 갖고 있다. ***jusqu'au bout des ~s*** 철저하게, 완전히 : être français *jusqu'au bout des ~s* 골수까지〔철두철미〕 프랑스인이다. ***payer rubis sur l'~*** 즉석에서 깨끗이 지불하다. ***savoir***〔***connaître***〕 qc ***sur les ~s***〔***sur le bout des ~s***〕 …을 환히 알다, 정통하다.

onglée [ɔ̃gle] *f.* (추위로) 손끝이 알알함, 동통(凍痛).

onglet [ɔ̃glɛ] *m.* ① (나이프 따위의) 손톱걸이 홈. ② (사전 따위의 가장자리를 도려낸) 반달 색인. ③ 비프스테이크용 살코기.

onglier [ɔ̃glije] *m.* 매니큐어 세트 ; (*pl.*) 손톱깎이.

onguent [ɔ̃gɑ̃] *m.* 고약, 연고 ; 《옛》 향유(香油) : appliquer un ~ sur une brûlure 덴 곳에 연고를 바르다.

ongulé, e [ɔ̃gyle] *adj.* 〖동물〗 발굽이 있는. — *m. pl.* 〖동물〗 유제류(有蹄類).

onguligrade [ɔ̃gyligʀad] *adj.* 〖동물〗 발굽으로 보행하는.

onirique [ɔniʀik] *adj.* 〖의학〗 꿈의 ; 꿈같은, 몽환〔몽상〕의 : état ~ 몽환 상태.

onirisme [ɔniʀism] *m.* 〖심리〗 몽환 (상태).

oniro- *préf.* 「꿈」의 뜻.

oniromancie [ɔniʀɔmɑ̃si] *f.* 해몽(解夢).

O.N.M. 《약자》 Office national météorologique 국립 기상 사무국.

O.-N.-O. 《약자》 ouest-nord-ouest 서북서(西北西).

onoma- *préf.* 「명칭 · 말」의 뜻.

onomastique [ɔnɔmastik] *adj.* 〖언어〗 고유명사의. — *f.* 고유명사 연구.

onomatologie [ɔnɔmatɔlɔʒi] *f.* 낱말의 기원 · 의미 · 분류의 연구.

onomatopée [ɔnɔmatɔpe] *f.* 〖언어〗 의성어, 의태어.

onques [ɔ̃:k] *adv.* = onc.

ont [ɔ̃] avoir 의 직설 · 현재 · 3 · 복수.

ont(o)- *préf.* 「존재 · 실재」의 뜻.

ontogénèse [ɔ̃tɔʒ(ə)nɛ:z], **ontogénie** [ɔ̃tɔʒeni] *f.* 〖생물〗 개체 발생.

ontologie [ɔ̃tɔlɔʒi] *f.* 〖철학〗 존재론, 본체론(本體論).

ontologique [ɔ̃tɔlɔʒik] *adj.* 〖철학〗 존재론의, 본체론의.

O.N.U., Onu [ɔny] 《약자》 Organisation des Nations Unies 국제 연합(〔영〕 U.N.).

onusien, enne [ɔnyzjɛ̃, -ɛn] *adj.* 국제 연합(O.N.U.)의 : troupes ~*ennes* 유엔군.

onychophagie [ɔnikɔfaʒi] *f.* 〖의학〗 교조증(咬爪症).

-onyme, -onymie, -onymique *suff.* 「이름」의 뜻.

onyx [ɔniks] 〖광물〗 *m.* 무늬마노(瑪瑙). — *adj.* 《불변》 무늬마노빛의.

⁑**onze** [ɔ̃:z] *adj. num.* 《불변》 11 의 ; 11 번째의 : Louis *O~* 루이 11세(世) / page ~ [pa:ʒɔ̃:z] 11 페이지 / leçon ~ 제 11 과(課). ***bouillon d'~ heures*** 독이 든 음료〔음식〕. — *m.* ① 11(의 숫자). ② 11 일, 11 시(時), 11 분(分), 11 번지. ③ 〖축구〗 (열한 명의) 팀 : le ~ de France 프랑스 대표 축구팀.

***onzième** [ɔ̃zjɛm] 《앞의 말과의 사이에서의 모음생략, 연음에 관한 주의는 onze와 같음》 *adj. num.* 11 의, 11 번째의 ; 11 분의 1의 : ~ ans 11 살 / ~ mètres de long 길이 11 미터 / le ~ étage 12 층. — *n.* 열한 번째의 것〔사람〕. — *m.* 11 분의 1 ; 12 층 ; 11 구. — *f.* 〖음악〗 11 도 (음정).

onzièmement [ɔ̃ziɛmmɑ̃] *adv.* 11 번째로.

oospore [ɔɔspɔ:ʀ] *f.* 〖식물〗 난포자(卵胞子).

op. 《약자》 opus 〖음악〗 작품. 「자.

O.P. 《약자》 ouvrier professionel 기능 노무

O.P.A. ① 《약자》 offre publique d'achat (주식의) 공개 매입《TOB》. ② 《비유》 (기업의) 매수 지배.

opacifier [ɔpasifje] *v.t.* 불투명하게 하다 : ~ une vitre 유리창을 불투명하게 하다.

opacité [ɔpasite] *f.* ① 불투명(도)(≠ transparence) : ~ de comptes 회계의 불투명도. ② (숲 따위의) 어두운 그늘.

opale [ɔpal] *f.* ① 〖광물〗 단백석(蛋白石), 오팔. ② 오팔 빛깔, 유백색(乳白色). — *adj.* 《불변》 오팔빛의.

opalescence [ɔpalesɑ̃:s] *f.* 단백광(光), 유색 산광(乳色散光).

opalescent, e [ɔpalesɑ̃, -ɑ̃:t] *adj.* 단백광의, 유색 산광의.

opalin, e [ɔpalɛ̃, -in] *adj.* 오팔빛의, 단백광의, 유백색의(= laiteux). — *f.* 젖빛 유리 : vase en 〔d'〕 ~ 유백색의 유리 화병.

***opaque** [ɔpak] *adj.* ① 불투명한(≠ transparent), 빛을 통과시키지 않는 : brouillard ~ 짙은 안개 / corps ~ aux rayons X, X선을 투과시키지 않은 물체. ② 《비유》 캄캄한, 어두운 : nuit ~ 캄캄한〔칠흑 같은〕 밤 / mot ~ 뜻을 알 수 없는 말.

op. cit. 〔라틴〕 《약자》 opere citato 상기 인용 서적(에).

O.P.E. 《약자》 Offre Publique d'Echange 〖재정〗 교환 입찰.

ope [ɔp] *m.* 〖건축〗 들보 구멍.

-ope, -opie *suff.* 「눈(目)」의 뜻.

open [ɔpɛn, ɔpən] *adj.* ① 〖스포츠〗 (프로·아마 구별 없이 참가할 수 있는) 오픈의. ② billet ~ (비행기의) 오픈 티켓.

O.P.E.P. 《약자》 Organisation des pays exporateurs de pétrole 석유 수출국 기구 (〔영〕 OPEC).

opéra** [ɔpeʀa] *m.* ① 오페라, 가극 : livret d'~ 오페라 각본. ② 오페라 극장 ; 가극단 : Théâtre de l'*O*~ 파리 오페라 극장. ***grand ~ ; ~ sérieux 그랜드 오페라, 정(正)가극.

opérable [ɔpeʀabl] *adj.* 〖외과〗 수술할 수 있는 : malade ~ 수술 가능한 환자.

opéra-comique [ɔpeʀakɔmik] *m.* (*pl.* *~s-~s*) 오페라 코미크, 희가극《대사가 낀 오페라》 : (Théâtre de) l'*O~-C~* (파리의) 오페라 코미크 극장.

opérateur, trice [ɔpeʀatœ:ʀ, -tʀis] *n.* ① (기계의) 조작자 ; 기사 : ~ radio 무선 통신사. ② (영화·TV 의) 촬영 기사, 카메라맨(= ~ de prise de vues). ③ 증권업자, 주식 중개인. — *m.* 〖수학〗 연산(演算) 기호《+, − 따위》.

‡opération [ɔpeʀɑsjɔ̃] *f.* ① 수술(= ~ chirurgicale) : subir une ~ 수술을 받다 / faire 〔pratiquer〕 une ~ délicate 어려운 수술을 하다 / salle 〔table〕 d'~ 수술실. ② 작업, 조작, 처리 : ~ de sauvetage 조난자 구출 작업 / ~*s* chimiques 화학적 처리〔조작〕. ③ 활동, 작용, 기능 : ~*s* de la digestion 소화 작용 / ~*s* la raison 이성의 기능〔활동〕. ④ 〖군사〗 작전, 군사 행동(= ~ militaire) : théâtre d'~*s* 작전의 무대, 전쟁터 / ~*s* de débarquement 상륙 작전. ⑤ (정부·시민 등의) 작전 (행동), 운동, 캠페인 : lancer une ~ sanitaire 방역 작전〔캠페인〕을 전개하다 / ~ 'baisse des prix' '물가 인하' 운동. ⑥ 거래, 매매 : ~ commerciale 상거래 / ~ au comptant 현금 거래 / ~ de boures 주식 거래 거래소에서의 매매. ⑦ 〖수학〗 연산 : les quatre ~*s* (산술의) 가감승제 / faire 〔effectuer〕 une ~ 연산하다. ***par l'~ du Saint-Esprit*** 《구어》 그 무슨 알 수 없는 방법〔수단〕으로.

opérationnel, elle [ɔpeʀasjɔnɛl] *adj.* ① 작전의, 군사 행동의 ; 실전에 투입 가능한 : base ~*elle* 작전 기지. ② 실용〔실제〕적인 ; 실행력 있는 : mise en orbite d'un satellite ~ 실용 위성의 발사. ③ 조작(상)의 ; 연산(演算)의. ***recherche ~elle*** 오퍼레이션 리서치《과학적 또는 수학적 조사 연구에 의한 기업 계획》.

opératoire [ɔpeʀatwa:ʀ] *adj.* ① 〖외과〗 수술의, 수술에 관한 : choc ~ 수술로 인한 충격 / bloc ~ (병원 내의) 수술 설비. ② 조작〔작업〕의 ; 〖수학〗 연산(演算)의.

opercule [ɔpɛʀkyl] *m.* 뚜껑 모양의 것 ; (고둥의) 덮개 딱지 ; (물고기의) 아가미 뚜껑 ; 〖조류〗 비구개막(鼻口蓋膜).

opéré, e [ɔpeʀe] *adj.* et *n.* 수술을 받은 (사람) : grand ~ 큰 수술을 받는 사람.

***opérer** [ɔpeʀe] [6] *v.t.* ① 〖외과〗 수술하다 : ~ un cancer 〔qn d'un cancer〕 (의사가) …암 수술을 하다 / Il *a été opéré* de l'estomac. 그는 위 수술을 받았다 / se faire ~ 수술을 받다 / ~ qn de la jambe droite …오른쪽 다리 수술을 하다. ② (조작·작업을) (행)하다, 이루다, 시행하다, 성취하다 : ~ un calcul 〔un choix〕 계산〔선택〕을 하다 / ~ une grande réforme 일대 개혁을 실시〔단행〕하다. ③ (변화를) 가져오다, 초래하다 : Le malheur *a opéré* un énorme changement dans son caractère. 그 불행이 그(녀)의 성격을 크게 변하게 했다.
— *v.i.* ① 작용하다 ; (약 따위가) 효과를 내다 : Ce médicament *a opéré* très vite. 그 약은 효과가 매우 빨랐다. ② (사람이) 행동하다, 일하다, 움직이다 : Ne bougez pas, je vais ~. 움직이지 마세요, (사진을) 찍습니다. ③ 수술하다 : se faire ~ du nez 코 수술을 받다 / Il faut ~ tout de suite. 곧 수술해야 한다. — **s'~** *v.pr.* 이루어지다 ; 일어나다, 생기다(= se produire) : Il *s'est opéré* une transformation dans le système bancaire. 금융 시스템에 변화가 일어났다.

opérette [ɔpeʀɛt] *f.* 소(小)가극, 오페레타.

ophicléide [ɔfikleid] *m.* 〖음악〗 저음 금관악기의 일종.

ophidien, enne [ɔfidjɛ̃, -ɛn] 〖동물〗 *adj.* 뱀류(類)의 ; 뱀 비슷한. — *m.pl.* 뱀류.

ophtalmie [ɔftalmi] *f.* 〖의학〗 안질, 안염(眼炎), 결막염.

ophtalmique [ɔftalmik] *adj.* 눈의 ; 안질의, 안염의 : nerf ~ 시신경. — *m.* 안약.

ophtalm(o)- *préf.*, **-ophtalmie** *suff.* 「눈」의 뜻.

ophtalmologie [ɔftalmɔlɔʒi] *f.* 안과학.

ophtalmologique [ɔftalmɔlɔʒik] *adj.* 안과의 : clinique ~ 안과 병원.

ophtalmologiste [ɔftalmɔlɔʒist], **ophtalmologue** [ɔftalmɔlɔg] *m.* 안과 의사(= oculiste).

ophtalmoscope [ɔftalmɔskɔp] *m.* 검안경(檢眼鏡).

O

ophtalmoscopie [ɔftalmɔskɔpi] *f.* 『의학』 검안(술).

opiacer [ɔpjase] [2] *v.t.* (담배 따위에) 아편을 섞다〔넣다〕.

opiner [ɔpine] *v.i.* ① (회의 따위에서) 의견을 말하다, 발언하다. ② 《~ à》 …에 동의〔찬동〕하다. ~ ***de la tête*** 〔***du bonnet***〕 (입을 다문 채) 고개를 끄덕여 동의하다.

opiniâtre [ɔpinjɑ:tʀ] *adj.* ① 고집 센, 고집불통의, 완고한(= obstiné, têtu, entêté). ② 끈질긴, 집요한, 완강한(= tenace) ; (병 따위가) 좀처럼 떨어지지 않는 : toux ~ 좀처럼 안 떨어지는 기침 / opposition ~ 집요한〔완강한〕 반대.

opiniâtrement [ɔpinjɑ〔a〕tʀəmɑ̃] *adv.* 고집 세게, 완고하게 ; 완강히, 집요하게.

opiniâtrer (**s'**) [sɔpinjatʀe] *v.pr.* 고집 부리다. …하기를 고집하다 ; 끈덕지게 버티다.

opiniâtretè [ɔpinjɑ〔a〕tʀəte] *f.* ① 고집불통, 완고. ② 완강, 집요함, 끈질김 : résister avec ~ 집요하게 저항하다.

opinion** [ɔpinjɔ̃] *f.* ① 의견, 견해, 소견, 생각 : J'ai la même ~ que vous. 나는 당신과 같은 의견입니다 / affaire 〔chose〕 d'~ 각자의 견해를 가질 수 있는 문제 / ~s politiques 정치적 견해 / ~ constante 지론(持論) / Mon ~ est qu'il a tort. 내 생각으로는 그가 잘못한 거다 / se faire une ~ sur qc …에 대해 어떤 생각을 품다. ② 여론, 세론(= ~ publique) : agir sur l'~ 여론을 조작하다 / braver l'~ 여론에 도전하다 / ~ ouvrière 근로 계급의 여론 / sondage d'~ 여론 조사. ③ (*pl.*) 소신, 신조, 사상 : ~s politiques 정론(政論) / ~s avancées 진보 사상. ***avoir bonne 〔***mauvaise***〕 ***~ de*** …을 좋게〔나쁘게〕 생각하다 : *avoir bonne ~ de* soi 스스로 만족하다. ***avoir une haute ~ de*** …을 높이 평가하다. ***C'est*** (***une***) ***affaire d'~.*** 그것은 각자 생각할 나름이다, 각자의 사고방식의 문제이다. ***donner bonne ~ de soi*** 남에게 자기를 좋게 생각하게 하다.

opiomane [ɔpjɔman] *n.* 아편 중독자.

opiomanie [ɔpjɔmani] *f.* 아편 중독.

opium [ɔpjɔm] 〔라틴〕 *m.* ① 아편 : fumeur d'~ 아편 흡용자(吸用者). ② 《비유》 (이성을 마비시키는) 아편 같은 것.

opopanax [ɔpɔpanaks], **opoponax** [ɔpɔpɔnaks] *m.* 『식물』 오포파낙스《미나릿과(科) 식물의 일종》.

opossum [ɔpɔsɔm] *m.* 『동물』 주머니쥐(의 「모피).

***opportun, e** [ɔpɔʀtœ̃, -tyn] *adj.* 시기에 알맞은, 계제가 좋은, 때맞은 ; 형편에 적합한, 적절한 : démarche ~*e* 시기 적절한 조치〔시책〕 / au moment ~ 적당한 때에 / en temps ~ 적절한 시기에.

opportunément [ɔpɔʀtynemɑ̃] *adv.* 계제 좋게, 때마침 ; 적절하게 : arriver ~ 때맞춰 도착하다.

opportunisme [ɔpɔʀtynism] *m.* 편의주「의, 기회주의.

opportuniste [ɔpɔʀtynist] *adj.* 기회주의의. — *n.* 기회주의자 : politique 〔politicien〕 ~ 기회주의적 정치인.

opportunité [ɔpɔʀtynite] *f.* 형편〔시기〕에 알맞음, 적시성(適時性) ; 호기. ***principe d'~ égale*** 기회 균등주의.

opposable [ɔpozabl] *adj.* 《~ à》 ① …에 대항할 수 있는, 반론할 수 있는 : droit ~ aux tiers 『법률』 제 3 자에 대해 주장할 수 있는 권리. ② 마주 대하게 할 수 있는.

opposant, e [ɔpozɑ̃, -ɑ̃:t] *adj.* ① 『법률』 이의(異議)를 제기하는 : partie ~*e* 이의 제기인. ② 반대〔대립〕하는 : minorité ~*e* 소수 반대파. — *n.* 반대자, 불복자 ; 이의 제기인 : ~s au régime 체제 반대파.

***opposé, e** [ɔpoze] *adj.* ① 《~ à》 …와 반대(편)의, 서로 마주 대하는〔보는〕 : du côté ~ 반대편에 / dans la direction ~*e* 반대 방향으로. ② 《~ à》 …와 정반대의, 대립하는, 상반하는 ; 대조적인 : Il est d'un avis ~ *au* vôtre. 그는 너와 반대되는 의견을 갖고 있다 / avoir des goûts ~*s* 아주 대조적인 취미를 갖다. ③ 《~ à》 …에 반대의, 적대하는 : Il est ~ *à* tout changement. 그는 어떤 변화에도 반대한다 / faction ~*e* 반대파. ④ feuilles ~*es* 『식물』 대생엽(對生葉).
— *m.* 반대측〔편〕, 반대 방향 ; 반대, 역(逆). ***à l'~*** 이에 반하여, 이와는 반대로. ***à l'~ de*** …와 반대(편)에, …와 정반대 위치에.

***opposer** [ɔpoze] *v.t.* ① 마주 대하게 하다 ; 대조〔비교〕하다 : ~ deux meubles dans une pièce 방안에 두 가구를 마주 놓다 / ~ les avantages de la mer et ceux de la montagne 바다와 산의 이점을 서로 비교하다. ② 《~ qc 〔qn〕 à》 …을 …에〔에게〕 대립〔대응 · 대항〕시키다 : Il est vain d'~ l'âme au corps 영혼을 육신에 대립되는 것으로 보는 것은 헛된 일이다 / ~ les Anciens aux Modernes 구파를 신파와 대립하게 하다. ③ 《~ à》 …에 반대하다 ; (이론 따위를) 제기하다 : Je n'ai rien à ~ à ce projet. 나는 그 계획에 반대할 만한 아무런 이유가 없다 / Je n'ai rien à ~ *à* votre proposition. 이 제안에는 아무런 이의도 없습니다. — **s'~** *v.pr.* ① 《s'~ à》 …에 반대하다, 대항하다 : Les parents *s'opposent à* ce mariage. 양친은 이 결혼에 반대한다. ② …에 장애가 되다 : Qu'est-ce qui *s'oppose à* votre départ ? 무엇이 당신의 출발에 장애가 됩니까. ③ 서로 맞서다, 서로 대립하다 ; 서로 대조를 이루다 : Ces deux partis *s'opposent.* 이 두 당은 대립하고 있다 / Leurs caractères *s'opposent.* 그들의 성격은 대조적이다.

opposite [ɔpozit] *m.* 《옛》 반대, 역(逆). ***à l'~*** (***de...***) (…와) 마주 보고, (…의) 정면에.

opposition** [ɔpozisjɔ̃] *f.* ① 대립, 적대 : ~ de vues entre le patronat et les syndicats 경영측과 조합측과의 견해의 대립. ② 반대, 대항, 방해 : faire de l'~ 반대하다 / Pas d'~ ? 반대〔이의〕 없으십니까. ③ l'~ 반대파, 반정부〔반체제〕파, 야당(= partis de l'~) : être dans l'~ 반대파〔야당〕에 속하다. ④ 대조, 대비 : ~ des ombres et des lumières 그림자와 빛의 대조 / ~ de caractère entre deux personnes 두 사람의 성격상의 대조〔대립〕. ⑤ 『법률』 이의 제기의 중지 : ~ au paiement 지불 중지. ***en ~ avec qc …와 반대로, …을 무시〔침해〕하여. ***par ~ à*** …와 대조적으로.

oppositionnel, elle [ɔpozisjɔnɛl] *adj.* 대립적인, 반대파의, 야당의. — *n.* 반대파.

oppressant, e [ɔpʀesɑ̃, -ɑ̃t] *adj.* 답답한, 숨막히는, 마음을 죄는 : chaleur ~*e* 숨막히는 더위.

oppresser [ɔpʀese] *v.t.* 숨막히게 하다, …의 가슴을 짓누르다(= étouffer) ; 압박하다 ; 괴롭히다.

oppresseur [ɔpʀesœːʀ] *m.* 압제자. — *adj.* 압제하는(≠ opprimé).

oppressif, ive [ɔpʀesif, -iːv] *adj.* 압제〔억압〕적인, 포학한(= tyrannique).

oppression [ɔpʀesjɔ̃] *f.* 숨막힘 ; 압박, 압제, 학대(= tyrannie) : Le peuple vit dans l'~. 인민은 압제하에 살고 있다.

opprimé, e [ɔpʀime] *adj.* 억압받는, 압제에 신음하는. — *n.* 피압제자.

***opprimer** [ɔpʀime] *v.t.* 억압〔압제〕하다(= tyranniser) ; 학대하다 : ~ un peuple 민중을 억압하다 / ~ la liberté 자유를 속박하다.

opprobre [ɔpʀɔbʀ] *m.* 치욕, 오명(= déshonneur) ; 불명예(의 원인) : être l'~ de sa famille 가명(家名)을 더럽히다.

optatif, ive [ɔptatif, -iːv] *adj.* 기원을 나타내는. — *m.* 〖언어〗 기원법.

opter** [ɔpte] *v.i.* 택하다, 선택하다(= choisir). ~ ***pour …으로 결정하다, …을 택하다.

***opticien, enne** [ɔptisjɛ̃, -ɛn] *n.* 광학자 ; 광학 기기 제조·판매업자 ; 안경사.

optimal, e, aux [ɔptimal, -o] *adj.* 최적의, 최상의, 가장 적합한.

optimiser [ɔptimize] *v.t.* 효율〔능률〕화하다 : ~ l'investissement 투자를 효율화하다.

optimisme [ɔptimism] *m.* 낙천〔낙관〕주의(≠ pessimisme) ; 낙관(론) : envisager la situation avec ~ 상황을 낙관적으로 보다.

***optimiste** [ɔptimist] *adj.* 낙관〔낙천〕적인 : Le pronostic du médecin est ~. 의사의 진단은 낙관적이다. — *n.* 낙관〔낙천〕주의자.

optimum [ɔptimɔm] *m.* (*pl.* ***~s, optima*** [-ma]) 최선의 상태, 최적(最適) 조건(= le meilleur) : ~ de production 생산의 최적 조건. — *adj.* 《불변》 최선의, 최적의(= optimal) : température ~ 최적 온도.

option [ɔpsjɔ̃] *f.* ① 선택, 선택의 자유 ; 선택물 ; 선택 과목 : ~ politique 정치적 선택 / matières à ~ (시험에서의) 선택 과목. ② 특별 (제조) 규정, 옵션(의 부품) : modèle de voiture avec plusieurs ~*s* 몇 개의 옵션 부품이 있는 차종(車種). ③ 선택 매매, 옵션 : levée d'~ 옵션 계약의 체결 / prendre une ~ sur une place d'avion 비행기의 좌석을 옵션으로 예약해 두다. ④ 〖법률〗 선택권 : droit d'~ de l'héritier 상속인의 선택권. ***en ~*** (상품의 부품 따위가) 옵션의, 할증 요금이 있는 : voiture avec autoradio *en* ~ 카라디오가 옵션인 자동차. ***prendre une ~ sur*** qc …을 특권부(附)로 사다.

optionnel, elle [ɔpsjɔnɛl] *adj.* 선택할 수 있는, 선택권 있는, 옵션의 : crédits ~*s* 예비비 / équipement ~ 옵션인 비품.

optique [ɔptik] *adj.* 눈의, 시각의 ; 광학의 : angle ~ 시각(視角) / nerf ~ 시신경. — *f.* ① 광학 ; 《집합적》 (광학 기기의) 렌즈, 광학 부품 : ~ électronique 전자 광학 / instruments d'~ 광학 기기. ② (어떤 각도에서 본) 사물의 양상〔모습〕 ; 시점(視點), 관점, 사물을 보는 견해 : changer d'~ 시점을 바꾸다 / Vu dans cette ~ 이 각도에서 보면.

optiquement [ɔptikmɑ̃] *adv.* 시각상 ; 시각적으로.

optoélectronique [ɔptɔelɛktʀɔnik] *f.* et *adj.* 〖전자공학〗 광(光)전자 공학(의).

opulence [ɔpylɑ̃ːs] *f.* ① 부유(富裕), 호사. ② 《구어》 (육체의) ; 풍만. ***nager dans l'~*** 호사스러운 생활을 하다.

opulent, e [ɔpylɑ̃, -ɑ̃ːt] *adj.* ① 부유한 ; 호사스러운 : ~ d'un État 국가의 번영. ② 풍만한 : poitrine ~*e* 풍만한 가슴.

opus [ɔpys] 〔라틴〕 *m.* 작품 : numéro d'~ 〖음악〗 작품 번호(《약자》 op) / Beethoven, ~ 106 베토벤 작품 제106번.

opuscule [ɔpyskyl] *m.* 소논문, 소품(小品), 소책자, 팸플릿.

O.P.V. 《약자》 Offre Publique de Vente 〖경제〗 (주식) 공개 매도.

****or**[1] [ɔːʀ] *m.* ① 황금, 금 : *or* pur 〔fin〕 순금 / mine d'~ 금광 / montre plaquée *or* 금시계. ② 금화, (화폐 가치 기준으로의) 금 : cours de l'~ 금 시세 / étalon-~ 금 본위. ③ 금전, 부(富), 재보 : adorer le veau d'*or* 부(富)를 숭배하다 / soif de l'~ 《문어》 돈에 대한 욕심 ④ (금처럼) 귀중한 것, 값진 것 : âge d'*or* 황금시대 / Le silence est d'*or*. 《격언》 침묵은 금이다. ⑤ 황금빛(의 것) : cheveux d'*or* 금발. ***à prix d'or*** 대단히 비싼 값으로. ***en ~*** ⓐ 금으로 된, 금제의. ⓑ 매우 훌륭한, 이상적인 : mari *en or* 이상적인 남편. ***être tout cousu d'or*** 매우 부유하다. ***pour tout l'or du monde*** 세상에 아무리 귀중한 것을 주어도. ***valoir son pesant d'or*** 대단히 값지다〔귀중하다〕.

or**[2] *conj.* 그런데. ~ ***ça 그래서, 자 어서《대답의 재촉》. ~ ***donc*** 그런데. ***or…, donc…*** 그리하여 …한 까닭에 ….

O.R. 《약자》 officer de réserve 예비역 장교.

oracle [ɔʀɑːkl] *m.* ① 〖고대그리스〗 신탁(信託), 탁선(託宣) ; 신탁을 내리는 신〔신전〕. ② 예언(= prophétie). ③ (권위자가 내리는) 결정, 판정. ***parler comme un ~*** 적절〔교묘〕하게 말하다.

***orage** [ɔʀaːʒ] *m.* ① (천둥 번개 치는) 폭풍우 ; 뇌우(雷雨) : Il fait de l'~. 심한 비바람이 분다. ② (인생의) 파란 ; (감정 따위의) 폭발, 격동 ; 소동, 혼란 : ~ des passions 〔de la vie〕 애욕의 격정〔인생의 파란〕. ③ 질책, 책망, 호통 : essuyer un grand ~ 《구어》 호되게 책망 받다.

orageusement [ɔʀaʒøzmɑ̃] *adv.* 폭풍처럼, 거칠게 격렬하게, 소란스럽게.

orageux, euse [ɔʀaʒø, -øːz] *adj.* ① 비바람이 몰아치는 ; 폭풍이〔뇌우가〕 올 듯한. ② 파란 많은, (토론 따위가) 격렬한 ; 소란〔혼란〕스러운 : discussion ~*euse* 격렬한 토론.

oraison [ɔʀɛzɔ̃] *f.* 《옛》 연설 ; 기도(= prière) : l'~ dominicale 주기도문 / ~ funèbre 추도 연설, 추도사.

oral, e, aux [ɔʀal, -o] *adj.* ① 구두의(≠ écrit) ; 구전(口傳)의 ② ⓐ 입의(= buccal) : cavité ~*e* 구강(口腔). ⓑ 〖언어〗 구강의. ***examen ~*** 면접시험. ***tradition ~e*** 구전(口傳), 구비(口碑). — *m.* 구술〔구두〕시험.

oralement [ɔʀalmɑ̃] *adv.* 구두로, 말로.
Orange [ɔʀɑ̃:ʒ] *n.pr.* 〖지리〗 오렌지 공국(公國)《옛 남프랑스에 있던 소공국》; 오랑주(《프랑스의 도시, 옛 오렌지 공국의 수도》).
:orange [ɔʀɑ̃:ʒ] *f.* 오렌지, 귤 : jus d'~ 오렌지 주스 / écorce d'~ 오렌지 껍질. — *m.* 오렌지색. — *adj.* 《불변》 오렌지색의.
orangé, e [ɔʀɑ̃ʒe] *adj.* 오렌지색의. — *m.* 오렌지색 ; 오렌지색 물감.
orangeade [ɔʀɑ̃ʒad] *f.* 오렌지 음료〔즙〕.
***oranger** [ɔʀɑ̃ʒe] *m.* 〖식물〗 오렌지 나무.
orangeraie [ɔʀɑ̃ʒʀɛ] *f.* 오렌지 밭, 밀감 밭.
orangerie [ɔʀɑ̃ʒʀi] *f.* 오렌지〔밀감〕 밭(= orangeraie) ; 오렌지 저장용 온실.
orang-outan(g) [ɔʀɑ̃utɑ̃] *m.* (*pl.* **~s-~s**) 〖동물〗 성성이, 오랑우탄.
***orateur** [ɔʀatœ:ʀ] *m.* 《여성형이 있으나, 여자에게도 남성형을 쓰는 것이 일반적임》 연설자, 연사, 발언자 ; 웅변가 : femme ~ 여성 연설가 / ~ sacré 설교자, 추도 연설자.
oratoire[1] [ɔʀatwa:ʀ] *adj.* 연설의, 변론의, 웅변의 : morceau ~ 연설문, 식사 / art ~ 웅변술 / joute ~ 설전(舌戰).
oratoire[2] *m.* (개인집의) 기도실 ; 작은 예배당 ; 〖가톨릭〗 오라토리오회.
oratorien [ɔʀatɔʀjɛ̃] *m.* 〖가톨릭〗 오라토리오회 수도사.
oratorio [ɔʀatɔʀjo] 〔이탈리아〕 *m.* 〖음악〗 성악(聖樂), 성극(聖劇), 오라토리오.
orbe [ɔʀb] *m.* ① 〖천문〗 궤도면, 궤도. ② 《문어》 구(球), 구체(球體) ; 천체(天體).
orbiculaire [ɔʀbikylɛ:ʀ] *adj.* 둥근, 환상(環狀)의 ; (운동 따위가) 원형을 그리는. — *m.* 〖해부〗 괄약근(括約筋)(= muscle ~).
orbitaire [ɔʀbitɛ:ʀ] *adj.* 〖해부〗 안와(眼窩)〔눈구멍〕의.
orbital, e, aux [ɔʀbital, -o] *adj.* 〖천문〗 궤도의 : rendez-vous ~ (우주선의) 궤도 랑데부 / station ~*e* 우주 정거장.
orbite [ɔʀbit] *f.* ① 〖천문〗 궤도 : placer 〔mettre〕 un satellite artificiel sur 〔en〕 인공위성을 궤도에 진입시키다. ② 〖해부〗 눈구멍, 안와(眼窩). ③ 세력권, 활동 범위 : dans l'~ de qn …의 세력권 안에서〔으로〕. ④ 《비유》 (일의) 궤도 : mettre un projet sur ~ 계획을 궤도에 올려놓다.
orbiteur [ɔʀbitœ:ʀ] *m.* 〖항공〗 (궤도를 도는) 우주 비행체.
orchestral, e, aux [ɔʀkɛstʀal, -o] *adj.* 오케스트라의, 합주(合奏)의.
orchestration [ɔʀkɛstʀɑsjɔ̃] *f.* ① 〖음악〗 관현악 편곡, 관현악 (편성)법(= instrumentation). ② (캠페인 따위의) 조직화 ; 대대적인 캠페인.
orchestre** [ɔʀkɛstʀ] *m.* ① 관현악단, 오케스트라 : diriger 〔conduire〕 un ~ 오케스트라를 지휘하다. ② 〖연극〗 (무대와 객석 사이의) 관현악 연주석, 주악석 ; 〖연극〗 아래층 앞쪽의 상등 관람석. ***chef d'~ 오케스트라의 지휘자. **~ *symphonique*** 심포니 오케스트라.
orchestrer [ɔʀkɛstʀe] *v.t.* ① 〖음악〗 관현악으로 작곡〔편곡〕하다(= ~ une œuvre). ② (행사 따위를) 솜씨 좋게 조직〔준비〕하다 : ~ une campagne 캠페인을 조직하다.
orchidée [ɔʀkide] *f.* 〖식물〗 난초과의 식물.
ordalie [ɔʀdali] *f.* (중세의) 시죄법 (試罪法), 신명심판(神明審判)《열탕에 손을 넣어도 화상을 안 입으면 무죄라는 따위》.
ordinaire** [ɔʀdinɛ:ʀ] *adj.* ① 흔히 있는, 보통의, 통상적인, 일상〔평상〕의(≠ extraordinaire) : menu ~ 보통의 식사 / homme de taille ~ 보통 키의 사내 / C'est mon travail ~. 그것은 나의 통상적인 일이다. ② 평범한, 범용(凡庸)한, 흔해 빠진 : des gens très ~*s* 아주 평범한 사람들 / vêtements ~*s* 평상복. ③ (공무원 등이) 연중(年中) 근무하는, 상근의 : ambassadeur ~ 주차(駐箚) 대사. ***homme ~ 범인(凡人). ***peu ~*** 비범한. ***vêtements ~s*** 평상복. ***vin ~*** 식사하면서 마시는 보통 포도주. — *m.* ① ⓐ 통상, 항례(恒例), 습관 : Il s'est levé tôt contre son ~. 그는 평소와 달리 일찍 일어났다. ⓑ 보통 수준, 보통의 정도 : intelligence au-dessus de l'~ 보통 이상의 지능. ② 보통의 식사〔식단〕 ; 〖군사〗 통상식(通常食) : vivre à l'~ 공동 식사 생활을 하다. ③ 〖가톨릭〗 미사 기도문의 변하지 않는 부분(= ~ de la messe). ***à l'~ ; d'~*** 보통, 평소. ***à son ~*** 평소의 습관에 따라, 언제나처럼.
***ordinairement** [ɔʀdinɛʀmɑ̃] *adv.* 보통, 대개 ; 일반적으로, 평소(= habituellement).
ordinal, e, aux [ɔʀdinal, -o] *adj.* 순서의, 서차(序次)의 : nombre ~ et nombre cardinal 서수와 기수 / adjectif (numéral) ~ 〖언어〗 서수(序數) 형용사.
ordinand [ɔʀdinɑ̃] *m.* 〖종교〗 (가톨릭의) 사제 서품을 받는 자 ; (개신교의) 목사 안수를 받는 사람.
ordinateur [ɔʀdinatœ:ʀ] *m.* 컴퓨터, 전자계산기 : traiter 〔mettre〕 des données sur ~ 데이터를 컴퓨터로 처리하다 / calculer sur l'~ 전자계산기로 계산하다.
ordination [ɔʀdinɑsjɔ̃] *f.* ① 〖가톨릭〗 서품식(敍品式) ; (목사의) 취임식, 안수례(按手禮). ② (컴퓨터에 의한) 정리, 계산.
ordinatique [ɔʀdinatik] *f.* 컴퓨터 처리.
***ordonnance** [ɔʀdɔnɑ̃:s] *f.* ① 배치, 배열 ; 질서, 순서 : ~ d'un appartement 아파트의 방 배치 / ~ d'un repas 요리가 나오는 순서. ② 〖역사〗 (왕조 시대의) 칙령(勅令) ; 〖법률 · 행정〗 법령, 법규 ; (재판관의) 결정, 재결 ; 지급 명령 : contraire à l'~ 규칙〔명령 · 관습〕에 위반되는 / ~ de police 경찰범 처벌령. ③ 〖의학〗 처방(전) : se conformer à l'~ du médecin 의사의 처방을 따르다. ④ 〖군사〗 (때로 *m.*) (장교의) 당번병 : officier d'~ 전속 부관.
ordonnancement [ɔʀdɔnɑ̃smɑ̃] *m.* ① 〖재정〗 (공적 비용의) 지불 명령. ② 〖상업〗 (제작에서 발송까지의) 전 과정 통제 ; 생산〔건설〕 계획.
ordonnancer [ɔʀdɔnɑ̃se] [3] *v.t.* 〖재정〗 (공적 비용의) 지불 명령을 발부하다.
ordonnateur, trice [ɔʀdɔnatœ:ʀ, -tʀis] *n.* (모임 따위의) 조직자, 간사, 사회자 : ~ d'un festin 연회의 간사 / ~ des pompes funèbres 장의(葬儀) 담당자《공직의 하나》.
***ordonné, e** [ɔʀdɔne] *adj.* 질서정연한, 정돈된 ; 꼼꼼한 : maison bien ~*e* 정돈이 잘 된

O

집 / discours ~ 이로(理路) 정연한 연설.

***ordonner** [ɔʀdɔne] *v.t.* ① ⓐ 정돈〔정리〕하다 : ~ ses idées 생각을 정리하다 / ~ sa maison 집안을 정돈하다. ⓑ …에 질서를 세우다 ; 행사를 조직하다 : ~ une cérémonie 식을 순서대로 잘 진행하다. ② 명령하다, 지시〔지령〕하다 ; 〖행정〗 포고하다 : ~ le silence aux élèves 학생들에게 조용히 하라고 지시하다 / Faites ce qu'on vous *ordonne.* 명령하는 대로 하시오. ③ 〖의학〗 처방하다. ④ 《~ qn》 〖종교〗 …에게 신품을 부여하다, 서품하다 : ~ qn en prêtre …을 사제로 임명하다. ── **s'~** *v.pr.* 정돈〔정리〕되다, 배치〔배열〕되다.

⁑**ordre** [ɔʀdʀ] *m.* ① 순서, 차례 : ~ chronologique 연대순 / numéro d'~ 일련 번호 / ~ alphabétique 알파벳순. ② 질서 ; 정돈〔정리〕(된) 상태 : manque d'~ 무질서 / mettre de l'~ dans ses affaires 사업〔사무〕을 정리하다 / C'est 〔Tout est〕 dans l'~. 질서정연하다, 정상적이다 / C'est dans l'~ des chose. ③ 규율 : homme d'~ 규율 바른 사람. ④ 사회 질서, 치안 : ~ social 〔public〕 사회 질서〔공안〕 / forces de l'~ 치안〔보안〕 경찰 / troubler l'~ social 사회 질서를 문란케 하다. ⑤ 〖군사〗 대형(隊形) : ~ de marche 행군 대형. ⑥ 범주(範疇), 종류, 부류 : une inquiétude de cet ~ 이런 종류의 불안 / affaire de premier ~ 대단히 중요한 부류의 일. ⑦ 〖생물〗 목(目), 과(科). ⑧ 계급, 계층 : ~ de la noblesse 귀족 계급. ⑨ ⓐ 직업별 협회 : ~ des avocats 변호사 협회. ⓑ 〖종교〗 교단, 수도회(= ~ religieux). ⑩ 훈장 : ~ de la Légion d'honneur 레지옹도뇌르 훈장. ⑪ 〖종교〗 품급(品級) ; 서품(敍品) : ~s majeurs 〔mineurs〕 대품(大品) 〔소품〕. ⑫ 〖건축〗 양식 : ~ dorique 도리아식. ⑬ 명령, 지시 : À vos ~*s*. 네, 분부대로 하겠습니다 ; 명령만 하십시오. ⑭ 〖상업〗 ⓐ (어음 따위의) 배서(背書)에 의한 지시 : billet à ~ 약속 어음 / payer à l'~ de qn (어음을) …의 지시에 따라 지급하다. ⓑ (상품의) 주문 : feuille d'~s 주문장. ***de l'~ de*** 대략 …의 : une somme *de l'~ de* dix millions 대략 1천만 원의 금액. ***entrer dans les ~s*** 성직자가 되다. ***être* 〔*se mettre*〕 *aux ~s de*** qn …의 지시에 따르고 있다〔따르다〕. ***Il est dans l'~ (des choses) que...*** …은 사리에 맞다〔당연하다〕《주절이 부정인 경우에는 접속법》. ***jusqu'à nouvel ~*** 별도 명령〔결정〕이 내려질 때까지. ***l'~ du jour*** ⓐ (국회 따위의) 의사일정(日程) : voter *l'~ du jour* 의사일정을 의결하다. ⓑ 《비유》 당면 문제 ; 오늘의 화제. ***rappeler*** qn ***à l'~*** …에게 질서를 유지〔정숙〕하도록 촉구하다.

***ordure** [ɔʀdy:ʀ] *f.* ① (*pl.*) 쓰레기, 오물 : boîte à ~*s* 쓰레기통 / enlever les ~*s* ménagères 가정의 쓰레기를 회수하다. ② (동물의) 배설물, 똥(= excrément). ③ 외설스러운〔추잡한〕 말〔행위〕 : dire des ~*s* 추잡한 〔외설스러운〕 말을 하다. ④ 《속어》 더러운 놈 : C'est une ~. ce type. 더러운 작자야.

ordurier, ère [ɔʀdyʀje, -ɛ:ʀ] *adj.* 외설스러운, 상스러운(= grossier) : plaisanteries ~*ères* 상스러운 농담.

orée [ɔʀe] *f.* (숲 따위의) 기슭, 변두리, 가장자리, 끝 : à l'~ d'un bois 숲 가에서.

⁑**oreille** [ɔʀɛj] *f.* ① 귀 : avoir mal à l'~ 〔aux ~s〕 ; avoir des douleurs d'~ 귀가 아프다 / avoir des bourdonnemets d'~ 귓속이 윙윙거리다 / l'~ interne 〔moyenne, externe〕 내이〔중이 · 외이〕. ② 청각, 청취력 ; 음감(音感) : avoir l'~ dure 귀가 멀다 / avoir de l'~ 음감이 정확하다 / prêter l'~ 주의해서 듣다, 경청하다. ③ (손잡이 따위) 귀 (모양의 것) ; (모자의 방한용) 귀덮개(= oreillette) : bergère à ~s (머리를 기대기 위한) 귀 달린 의자 / écrou à ~s 〖기계〗 나비꼴 너트. ***avoir l'~ de*** qn …의 신임을 받고 있다. ***Cela lui entre par une ~ et lui sort par l'autre.*** 그는 한 귀로 듣고 한 귀로 흘려 버린다. ***dresser l'~* 〔*les ~s*〕 *; ouvrir de grandes ~s*** 귀를 기울여 엿듣다. ***être tout ~s*** 온 신경을 귀에 집중시켜 듣다. ***Les ~s ont dû vous tinter.*** 당신은 귀가 아팠을〔가려웠을〕 것이오《우리는 당신의 이야기를 많이 했소》. ***montrer* 〔*laisser passer*〕 *le bout de l' ~*** 마각을〔정체를〕 드러내다. ***se faire tirer l'~*** 좀처럼 말을 듣지 않다. 「잇.

***oreiller** [ɔʀɛ(e)je] *m.* 베개 : taie d'~ 베갯

oreillette [ɔʀɛjɛt] *f.* ① 〖해부〗 (심장의) 심방(心房). ② (모자의 방한용) 귀덮개.

oreillon [ɔʀɛjɔ̃] *m. pl.* 〖의학〗 유행성 이하선염(耳下腺炎), 항아리손님(= ourlien).

orémus [ɔʀemys] *m.* 「기도하십시다」《미사 때 사제가 하는 말》.

ores [ɔ:ʀ] *adv.* 지금, 현재. ***d'~ et déjà*** 지금부터.

orfèvre [ɔʀfɛ:vʀ] *m.* 금은 세공사〔세공품 상인〕 : ~-joaillier 금은 · 보석 세공사. ***être ~ en la matière*** 그 분야의 권위자이다.

orfèvrerie [ɔʀfɛvʀəʀi] *f.* 금은 세공술〔업〕 ; 금은 세공점 ; 《집합적》 금은 세공품.

orfraie [ɔʀfʀɛ] *f.* 〖조류〗 흰꼬리수리.

organdi [ɔʀgɑ̃di] *m.* 〖직물〗 오건디《극히 얇은 모슬린의 일종》.

***organe** [ɔʀgan] *m.* ① 기관(器官) : ~ de la vue 시각 기관 / ~ de l'ouïe 청각 기관 / ~s des sens 감각 기관 / ~s génitaux 생식기. ② (정부 따위의) 기구(= organisme), 중추(中樞) (기관) : ~ legislatif 입법 기관 / ~s essentiels de la ville 읍의 중추 기관 / La parole est l'~ de la pensée. 언어는 사고 표현의 수단이다. ③ 기계 장치, 기관(機關) : ~s de transmission 전동 장치. ④ 도구, 수단. ⑤ (가수 · 연설가의) 목소리 : ~ timbré 잘 울리는 목소리. ⑥ 대변자 ; (의사 발표의) 기관(지) : Ce journal est l'~ des modérés. 이 신문은 중도파의 기관지다.

organigramme [ɔʀganigʀam] *m.* (기업체 따위의) 기구 편성표 ; (컴퓨터의) 플로차트.

organique [ɔʀganik] *adj.* ① 기관(器官)의 : trouble ~ 〖의학〗 기관 장애. ② 유기적인 ; 〖화학〗 유기의 : corps ~ 유기체 / engrais ~s 유기 비료. ③ 국가 구성에 관한 : loi ~ 구성법, 헌법 부속법. ⑤ 체질적인, 본질적인 : vice ~ 체질적 악습.

organiquement [ɔʀganikmɑ̃] *adv.* ① 유

기적으로 ; 근본적으로. ② 기관적(器官的)으로.

organisateur, trice [ɔʀganizatœːʀ, -tʀis] *n.* 주최자, 조직자 : *~s* d'une manifestation 데모의 주최〔조직〕자. — *adj.* 조직〔구성〕하는.

***organisation** [ɔʀganizɑsjɔ̃] *f.* ① 조직(화) ; 편성, 설립, 기획, 계획(성), 개발 : ~ du travail 노동의 조직화 / ~ d'un voyage 여행의 기획 · 준비 / manque d'~ 계획성의 결여. ② 조직(체), 단체, 협회, 기구, 기관 : ~ politique 정치 단체 / l'O~ des Nations Unies 국제 연합(《약자》 l'ONU) / ~ non gouvernementale 비정부 조직(《약자》 ONG), NGO / l'O~ mondiale de la santé 세계 보건 기구(《약자》 WHO). ③ (인체 따위의) 조직, 구조, 체질, 소질, 성격.

organisationnel, elle [ɔʀganizɑsjɔnɛl] *adj.* 조직〔기구〕의, 조직상의, 조직에 관한.

organisé, e [ɔʀganize] *adj.* ① 기획 준비된, 계획적인, 조직〔구성〕된 : travail ~ 계획된〔조직화된〕 노동 / travail bien ~ 기획이 잘 된 작업 / foule *~e* 조직된 군중. ② (사람이) 계획성이 있는, 짜임새 있는, 꼼꼼한, 수순이〔절차나 순서가〕 정확한 : personne bien *~e* 짜임새 있게 일하는 사람. ③ 조직〔단체〕에 속하는 : crtisans *~s* en syndicate 조합에 속해 있는 직인. ④ 유기적 조직을 가진 : êtres *~s* 유기적 존재, 생물.

***organiser** [ɔʀganize] *v.t.* ① 조직〔편성〕하다 ; 창설〔설립〕하다 : ~ la résistance 저항 운동을 조직하다 / ~ une armée 군대를 편성하다. ② (회합 · 행사 따위를) 마련하다, 준비하다, 주최하다 ; 계획하다 : ~ le travail 작업 계획을 짜다 / ~ une fête 축제를 주최하다 / ~ un buffet pour les invités 손님을 위해 입식용 식탁을 준비하다. ③ …에 유기적 구조를 주다 ; 〖생리〗 …에 기관(器官)을 형성시키다. — **se ~** *v.pr.* ① 조직〔체계화〕되다 ; 편성〔설립〕되다. ② 자기 일을 짜임새 있게 하다.

***organisme** [ɔʀganism] *m.* ① 조직체 ; 기구, 기관 : ~ de credit 금융 기관 / ~ international 국제기구. ② (공인된) 단체 : ~ syndical 동업 조합. ③ 유기체, 생물 ; 인체 : ~ unicellulaire 단세포 생물.

organiste [ɔʀganist] *n.* 오르간 연주자.

organo- *préf.* 「기관 · 유기」의 뜻.

orgasme [ɔʀgasm] *m.* 〖생리〗 오르가슴(《성적 쾌감의 절정》).

orge [ɔʀʒ] *f.* 보리 : crème 〔bouillie〕 d'~ 보리죽 / tisane 〔eau〕 d'~ 보리차. — *m.* ~ mondé 탈곡한 보리 / ~ perlé (정백(精白)한) 보리쌀, 정맥.

orgeat [ɔʀʒa] *m.* 편도(扁桃) 시럽(《옛날에는 「보리로 만듦》).

orgelet [ɔʀʒəlɛ], **orgeolet** [ɔʀʒɔlɛ] *m.* 〖의학〗 맥립종(麥粒腫), 다래끼.

orgiaque [ɔʀʒjak] *adj.* (고대의) 주신제(酒神祭)의 ; 대주연의 ; 통음 난무(痛飮亂舞)의.

orgie [ɔʀʒi] *f.* ① 대주연(大酒宴) ; 통음 난무. ② 《~ de》 …이 넘쳐흐르는 : une ~ *de* couleurs 갖가지 빛깔의 난무.

orgue [ɔʀg] *m.* ① 파이프오르간 ; (교회의) 오르간이 놓인 곳〔단〕 : concerto pour ~ et orchestre 오르간과 관현악을 위한 협주곡. ② 〖음악〗 point d'~ 늘임표(《⌒》).

***orgueil** [ɔʀgœj] *m.* ① 거만, 오만, 교만(≠ humilité, modestie) : être gonflé 〔bouffi〕 d'~ 지나치게 우쭐해 있다. ② 자존심, 자부심, 긍지(= fierté) ; 자랑거리, 자만 : Il est l'~ de sa famille. 그는 집안의 자랑거리이다 / refuser par ~ 자존심이 허락지 않아 거절하다.

orgueilleusement [ɔʀgœjøzmɑ̃] *adv.* 거만하게, 오만하게 ; 자랑스럽게.

***orgueilleux, euse** [ɔʀgœjø, -øːz] *adj.* ① 거만〔오만 · 교만〕한(≠ modeste) ; 자존심〔자만심〕이 강한, 긍지를 가진. ② 《~ de》 …을 자랑스럽게 여기는〔뽐내는〕. ③ 《문어》 (사물이) 당당한, 위엄으로 가득 찬. — *n.* 거만한 사람.

***orient** [ɔʀjɑ̃] *m.* ① 동쪽, 동방(= levant, est). ② (*O~*) 동양 ; 《특히》 근동 제국(諸國) (= Proche-*O~*) : Empire d'*O~* 〖역사〗 동로마 제국 / questions d'*O~* 〖역사〗 (터키를 둘러싼) 동방 문제. ③ (*O~*) 프리메이슨 (franc-maçon)의 지방 지부. ④ 진주의 광택(《아침 햇빛과 비슷하므로》).

orientable [ɔʀjɑ̃tabl] *adj.* 방향을 돌릴 수 있는, 선회하는 : raccord ~ 회전 연결기.

***oriental, e, aux** [ɔʀjɑ̃tal, -o] *adj.* ① 동쪽의 : l'afrique *~e* 동아프리카. ② 동양의 ; 근동의, 근동 제국의 ; 동양풍의 : musique *~e* 동양(풍)의 음악 / à l'~ 동양풍으로 ; 오리엔트식의. — **O~** *n.* 동양 사람, 《특히》 근동 제국 사람들.

orientalisme [ɔʀjɑ̃talism] *m.* 동양학 ; 동양 취미 ; 동양풍.

orientaliste [ɔʀjɑ̃talist] *n.* 동양(어)학자, 동양 전문가 ; 동양화가. — *adj.* 동양풍의, 동양학(자)의.

orientation [ɔʀjɑ̃tɑsjɔ̃] ① 방위를〔방향을〕 정하기 : avoir le sens de l'~ 방향 감각이 있다. ② 방위, 방향(= direction) ; 《비유》 경향, 동향(= tendance) : l'~ d'une enquête 심사 경향 / table d'~ 방향 지시판 / ~ à droite d'un parti 어떤 정당의 우경화. ③ 방향을 잡아 주기, 진로 지도, 오리엔테이션 : ~ des études 학습〔연구〕 지도 / ~ professionnelle 직업 지도.

***orienté, e** [ɔʀjɑ̃te] *adj.* ① 방향이 정해진, (어떤 쪽으로) 향한 : chambre *~e au* sud 남향의 방. ② (일정한) 경향을 띤 : ouvrage très ~ 경향이 매우 뚜렷한 책 / journal ~ à droite 우익적 경향의 신문.

orientement [ɔʀjɑ̃tmɑ̃] *m.* = orientation.

***orienter** [ɔʀjɑ̃te] *v.t.* ① (건물 따위의) 방향을〔방위를〕 정하다 ; (대포 · 망원경 따위를 일정한 방향으로) 돌리다 ; (돛을) 바람 잘 받는 방향으로 돌리다 ; (노력을 어떤 쪽으로) 돌리다 : ~ un projecteur vers la droite 영사기를 오른쪽으로 돌리다 / ~ une maison au sud 집을 남향으로 앉히다. ② (진로를) 가르쳐 주다, 지도하다, 조언하다 : L'opinion publique *est orientée* par les médias. 여론의 동향은 미디어의 영향으로 좌우된다. ③ (지도에) 방위를 기입하다. — **s'~** *v.pr.* ① (어떤 쪽으로) 향하다, 진로를 찾아내다 : L'économie *s'oriente vers* une récession. 경기는 후퇴 쪽으로 향하고 있다. ② (자기가

있는 곳의) 위치를 알다, 방향을 분간하다 : Comment *s'*~ dans le noir? 어둠 속에서 어떻게 방향을 알랴.

orienteur, euse 〔**trice**〕 [ɔʀjɑ̃tœːʀ, -øːz 〔-tʀis〕] *n.* 학습〔직업〕 지도자. ***officier ~*** 〖군사〗 이동을 지휘하는 장교.

orifice [ɔʀifis] *m.* (관 따위의) 구멍 ; 도관(導管) : ~ d'échappement 배기구(排氣口).

oriflamme [ɔʀifla(ɑː)m] *f.* ① 《옛》 프랑스 국왕기(國王旗). ② (장식용) 기, 깃발.

origan [ɔʀigɑ̃] *m.* 〖식물〗 꽃박하 ; 마욜라나.

originaire [ɔʀiʒinɛːʀ] *adj.* ① 《~ de》 …에서 태어난, …태생의, 원산(産)의 : vice ~ 〖종교〗 원죄(原罪) / plante ~ d'Afrique 아프리카 원산 식물. ② 타고난, 선천적인 ; 최초로부터의 : infirmite ~ 선천적 장애.

originairement [ɔʀiʒinɛʀmɑ̃] *adv.* 원래, 본디, 처음에는(= à l'origine).

***original, e, aux** [ɔʀiʒinal, -o] *adj.* ① 원래〔본디〕의, 근본의, 최초의 : tableau 〔texte〕 ~ 원화〔원문〕 / édition ~*e* 초판. ② 독창적인, 참신한, 특성 있는 : idée ~*e* 독창적인 생각 / femme ~*e* 참신한 여성. ③ 기묘한, 괴상한(= bizarre, singulier) : habitudes ~*es* 괴팍한 습관.
— *m.* ① 원형 ; 원본(原本) ; 원작 ; 원문 ; 원화(原畫) : en ~ 원본대로. ② (초상화 따위의) 본인(本人), 실물, 모델. — *f.* 초판본(= édition ~*e*). — *n.* 괴상한 사람, 괴짜(= phénomène) : ~ sans copie 유례없는 기인(奇人).

originalement [ɔʀiʒinalmɑ̃] *adv.* ① 근본적으로 ; 독창적으로. ② 괴상하게, 기발하게.

originalité [ɔʀiʒinalite] *f.* ① 독창성, 새로움. ② 기발함, 기행(奇行).

origine** [ɔʀiʒin] *f.* ① 시초, 시작, 발단, 기원 : ~ des religions 종교의 기원 / De l'~ des espèces (다윈의) '종(種)의 기원'. ② ⓐ 태생, 출신 ; 혈통, 가문 ; 국적 : Il est d'~ bretagne. 그는 브르타뉴 출신이다 / être d'~ noble 〔paysanne〕 귀족〔농민〕 출신이다 / pays d'~ 출신국, 원산국. ⓑ 어원(語源) ; 원산지 : mot d'~ grecque 그리스 어원의 낱말 / marchandises d'~ 〖상업〗 원산지 증명이 붙은 상품. ③ 〖수학〗 (좌표의) 원점(原點). ④ (정보의) 출처 ; 〖통신〗 (전보 따위의) 발신국〔지〕(= bureau d'~). ⑤ 원인 : *l'*~ d'une révolution 혁명의 원인 / malade d'~ inconnue 원인 불명의 병. ***à l'~ ; dans l'~ 처음에는, 당초에는. ***certificat d'~*** 〖세관〗 원산지 증명서. ***être à l'~ de*** qc …의 발단〔원인〕이다, …을 낳는 근본이 되다.

originel, elle [ɔʀiʒinɛl] *adj.* 처음부터의, 최초의, 타고난, 선천적인(= natif, inné) : péché ~ 원죄 / tache ~*elle* ; vice ~ 선천적〔유전적〕 결함〔악습〕 / valeur ~*elle* (말의) 본디의 뜻.

originellement [ɔʀiʒinɛlmɑ̃] *adv.* 처음부터, 본디, 원래.

orignac [ɔʀiɲak], **orignal** [ɔʀiɲal] *m.* 〖동물〗 (캐나다산) 큰 사슴.

orin [ɔʀɛ̃] *m.* 〖해양〗 (닻의) 부표(浮標)가 널린 줄, 부이로프.

Orion [ɔʀjɔ̃] *n.pr.m.* ① 〖그리스신화〗 오리온. ② 〖천문〗 오리온자리.

oripeau [ɔʀipo] *m.* (*pl.* ~***x***) 번쩍이는 값싼 물건 ; (저속한 취미의) 번쩍이는 옷.

O.R.L. 《약자》 oto-rhino-laryngologie 〖의학〗 이비인후과.

orléanais, e [ɔʀleanɛ, -ɛːz] *adj.* 오를레앙(*Orléans*)의. — **O~** *n.* 오를레앙의 사람.

orléaniste [ɔʀleanist] *adj.* 오를레앙당(黨)의. — *n.* 오를레앙당원.

Orléans [ɔʀleɑ̃ːs] *m.* 오를레앙《프랑스 중부의 도시, Loiret 현의 현청 소재지》.

orlon [ɔʀlɔ̃] *m.* 오를론《합성섬유의 일종》.

ormaie [ɔʀmɛ] *f.* 느릅나무 숲.

orme [ɔʀm] *m.* 〖식물〗 느릅나무.

ormeau[1] [ɔʀmo] *m.* (*pl.* ~***x***) 〖식물〗 어린 느릅나무.

ormeau[2]**, ormier** [ɔʀmje] *m.* 〖패류〗 전복(= haliotide).

ormoie [ɔʀmwa] *f.* = ormaie.

orne [ɔʀn] *m.* 〖식물〗 만나나무.

orné, e [ɔʀne] *adj.* 장식된, 꾸민 : robe ~*e* de dentelle 레이스로 장식된 드레스.

ornemaniste [ɔʀnəmanist] *m.* 장식 화공〔조각사 · 직공〕.

ornement [ɔʀnəmɑ̃] *m.* ① 장식 : dessin d'~ 장식 도안 / ~ de cheminée 벽난로 장식. ② 장식품〔물〕. ③ 〖음악〗 장식음.

ornemental, e, aux [ɔʀnəmɑ̃tal, -o] *adj.* 장식의, 장식용의 ; 장식이 많은, 장식적인 : plante ~*e* 관상식물 / style ~ 장식 양식.

ornementation [ɔʀnəmɑ̃tɑsjɔ̃] *f.* 장식 ; 장식법〔술〕 ; 《집합적》 장식물.

ornementer [ɔʀnəmɑ̃te] *v.t.* 꾸미다, 장식하다(= decorer) : couronne *ornementée* de pierreries 보석으로 장식된 왕관.

***orner** [ɔʀne] *v.t.* 장식하다 ; 미화하다 ; 윤색하다 : ~ une fenêtre *de* fleurs 창문을 꽃으로 장식하다 / ~ un discours *de* citations 연설문을 인용구로 장식하다.

ornière [ɔʀnjɛːʀ] *f.* ① 수레바퀴 자국 ; (레일 따위의) 홈 : chemin creusé d'~*s* 수레바퀴 자국이 나 있는 길. ③ 상습(常習), 인습 : sortir de l'~ 인습에서 벗어나다.

ornitho- *préf.* 「새」의 뜻.

ornithologie [ɔʀnitɔlɔʒi] *f.* 조류학. 「의.

ornithologique [ɔʀnitɔlɔʒik] *adj.* 조류학

ornithologiste [ɔʀnitɔlɔʒist], **ornithologue** [ɔʀnitɔlɔg] *m.* 조류학자.

ornithor(h)ynque [ɔʀnitɔʀɛ̃ːk] *m.* 〖동물〗 오리너구리.

oro- *préf.* 「산」의 뜻. 「容).

orobanche [ɔʀɔbɑ̃ːʃ] *f.* 〖식물〗 초종용(草從

orogénèse [ɔʀɔʒenɛːz] *f.* 〖지질〗 조산 운동(작용), 산악 형성.

orogénique [ɔʀɔʒenik] *a* 〖지질〗 조산 운동의, 산악 형성의.

orographe [ɔʀɔgʀaf] *m.* 산악 학자.

orographie [ɔʀɔgʀafi] *f.* 산악학(山岳學) ; 산악지(誌).

oronge [ɔʀɔ̃ːʒ] *f.* 〖식물〗 알버섯.

orpaillage [ɔʀpajaːʒ] *m.* 사금 채집. 「자.

orpailleur [ɔʀpajœːʀ] *m.* 사금(砂金) 채집

Orphée [ɔʀfe] *n.pr.m.* 〖그리스신화〗 오르페우스《하프의 명수》.

***orphelin, e** [ɔʀfəlɛ̃, -in] *n.* 고아 : ~ de guerre 전쟁 고아. — *adj.* 고아의 : enfant

~ 고아. — *m. pl.* (*O*~*s*) 고아원.

orphelinat [ɔʀfəlina] *m.* 고아원, 양호 시설.

orphéon [ɔʀfeɔ̃] *m.* ① (남성) 합창단〔회〕. ② 브라스밴드(= fanfare) ; 아마추어 음악단.

orphéoniste [ɔʀfeɔnist] *m.* (남성) 합창단원, 악단원.

orphique [ɔʀfik] *adj.* 〖고대그리스〗 오르페우스(*Orphée*)의 ; 오르페우스파(派)의.

orphisme [ɔʀfism] *m.* 〖고대그리스〗 오르페우스파의 신비주의.

orque [ɔʀk] *f.* 〖동물〗 범고래(= épaulard).

Orsay [ɔʀsɛ] *n.pr.* quai d'~ 프랑스 외무성이 있는 센 강가 부두 ; 프랑스 외무성.

ORSEC 《약자》 Organisation des secours (경찰의) 화재 구조 조직.

*__orteil__ [ɔʀtɛj] *m.* 발가락 ; 《특히》 엄지발가락 (= gros ~). ***se dresser sur ses ~s*** 발끝으로 서다.

O.R.T.F. 《약자》 Office de la Radio-diffusion-Télévision Française 프랑스 국영 라디오 텔레비전 방송국《1974 년에 해체됨》.

ortho- *préf.* 「진(眞)·정(正)」의 뜻.

orthodontiste [ɔʀtɔdɔ̃tist] *m.* 치과 교정 전문의(醫).

orthodoxe [ɔʀtɔdɔks] *adj.* ① 정통(파)의, 정통적인 : théologien ~ 정통 신학자. ② 전통적인, 관습에 합치하는, 관례주의적인(= traditionnel, conformiste) : morale ~ 전통적인 도덕. ③ 동방 정교회의 : Église ~ grecque 〔russe〕 그리스〔러시아〕 정교회. — *n.* 가톨릭 정통파 ; 그리스 정교도.

orthodoxie [ɔʀtɔdɔksi] *f.* ① 정통(성), 정통 신앙 : ~ catholique 가톨릭 정통 교리. ② 그리스 정교회파(의 신앙, 신도).

orthodromie [ɔʀtɔdʀɔmi] *f.* (배나 비행기의) 대권항법(大圈航法).

orthogénie [ɔʀtɔʒeni] *f.* 〖의학〗 계획 출산, 가족계획, 출산〔수태〕 조절.

orthogonal, e, aux [ɔʀtɔgɔnal, -o] *adj.* 〖수학〗 직각의, 직교(直交)의〔하는〕.

orthogonalement [ɔʀtɔgɔnalmɑ̃] *adv.* 〖수학〗 직각으로.

*__orthographe__ [ɔʀtɔgʀaf] *f.* 정자법(正字法), 철자 : faute d'~ 철자의 오류.

orthographier [ɔʀtɔgʀafje] *v.t.* (말을 철자법에 따라) 쓰다 : mal ~ 철자를 틀리다.

orthographique [ɔʀtɔgʀafik] *adj.* 철자(법)의 : réforme ~ 철자법 개정.

orthopédie [ɔʀtɔpedi] *f.* 〖의학〗 정형술(整形術) ; 정형외과(학).

orthopédique [ɔʀtɔpedik] *adj.* 정형술의 ; 정형외과(학)의.

orthopédiste [ɔʀtɔpedist] *n.* et *adj.* 정형외과 의사(의) ; 정형외과 기구 제조 판매업자(의).

orthophonie [ɔʀtɔfɔni] *f.* ① 발음 교정 ; 정음법(正音法). ② 〖의학〗 언어 (장애) 치료.

orthophoniste [ɔʀtɔfɔnist] *n.* ① 발음 교정사. ② 〖의학〗 언어 (장애) 치료사.

orthoptère [ɔʀtɔptɛːʀ] *adj.* 〖곤충〗 직시류(直翅類)의. *pl.* 직시류.

ortie [ɔʀti] *f.* 〖식물〗 쐐기풀속(屬).

ortolan [ɔʀtɔlɑ̃] *m.* 〖조류〗 멧새《맛이 좋다고 함》. ***manger des ~s*** (공들인 값비싼) 요리를 먹다.

orvet [ɔʀvɛ] *m.* 〖동물〗 발 없는 도마뱀.

‡**os** [ɔs] (*pl.* [o]) *m.* ① (척추 동물의) 뼈《물고기의 뼈는 arête》 : viande avec *os* 뼈가 붙어있는 살코기 / ronger un *os* (개 따위가) 뼈를 갉아먹다. ② (*pl.*) 유골, 유해(= restes) ; 해골(= ossements). ③ (물건의 재료로서의) 뼈 : bouton en *os* 뼈 단추. ***C'est un sac*** 〔***paquet***〕 ***d'os*** [ɔs]. 몹시 야윈 사람이다. ***Il y a un os.*** 곤란한 문제가 있다. ***jusqu'à l'os*** 〔***jusqu'aux os***〕 뼛속까지, 완전히 : être trempé 〔mouillé〕 *jusqu'aux os* 흠뻑 젖다. ***l'avoir dans l'os*** 《속어》 속다 ; 털리다 ; 실수를 저지르다. ***ne pas faire de vieux os*** 젊어서 죽다, 요절하다. ***tomber sur un os*** 난관〔곤란한 문제〕에 부닥치다.

O.S. 《약자》 ouvrier spécialisé 일반 공원(工員), 단순 기능공.

oscillant, e [ɔsilɑ̃, -ɑ̃ːt] *adj.* ① 진동하는, 흔들리는. ② (마음이) 불안정한, 동요하는.

oscillateur, trice [ɔsilatœːʀ, -tʀis] *m.* 발진기(發振器) ; 진동자(振動子).

oscillation [ɔsilɑsjɔ̃] *f.* 흔들림, 진동 ; 변동, 동요 : ~*s* amorties 〔entretenues〕 〖물리〗 감쇠 진동(減衰振動) / ~*s* de l'opinion 여론의 동요.

oscillatoire [ɔsilatwaːʀ] *adj.* 진동〔동요〕의 ; 변동의.

osciller [ɔsile] *v.i.* ① (물체가) 흔들리다(= se balancer) ; 진동하다. ② (물가 따위가) 변동하다. ③ 주저하다, 망설이다(= hésiter, balancer) : ~ entre deux opinions 어느 쪽 의견으로 할까 망설이다.

oscilloscope [ɔsilɔskɔp] *m.* 〖물리〗 오실로스코프 : ~ cathodique 음극선 오실로스코프.

osculateur, trice [ɔskylatœːʀ, -tʀis] *adj.* 〖수학〗 접촉하는 : plan ~ 접촉 평면.

osé, e [oze] *adj.* 대담한, 과감한 ; 노골적인 : tentative ~*e* 과감한 시도 / C'est bien ~ de votre part. 당신은 아주 대담하시군요 / plaisanteries ~*es* 노골적인 농담.

oseille [ozɛj] *f.* ① 〖식물〗 참소리쟁이 : soupe à l'~ 참소리쟁이 수프. ② 《속어》 돈 (= argent, fric) : avoir de l'~. 부자이다.

‡**oser** [oze] *v.t.* ① 《~ qc》 감행하다, 단행하다 : Il peut tout ~. 그는 무엇이건 할 수 있다. ② 《~+*inf.*》 과감히〔눈 딱 감고〕 …하다, 감히〔용감하게도〕 …하다 : Il *a osé* demander une augmentation. 그는 과감하게도 임금 인상을 요구했다 / 《부정문에서는 pas 를 생략하는 경우도 있음》 Je n'*ose* (pas) essayer. 나에게는 그렇게 할 용기가 없다 / Il *a osé* me faire des reproches. 당치도 않게 그가 날더러 잘못했다는 거야. **~ *espérer*** 〔***penser, croire***〕 ⓐ 외람되지만 …을 기대하겠습니다 : J'*ose* espérer que vous accepterez notre invitation. 우리들의 초대에 응해 주실 것이라고 감히 기대하겠습니다. ⓑ 《위협》 J'*ose* espérer que vous ne recommencerez plus ! 두 번 다시는 이런 일이 없도록 하라 !

oseraie [ozʀɛ] *f.* 버드나무 숲〔밭〕.

osier [ozje] *m.* 〖식물〗 버들 ; 버들가지 《세공용》 : panier d'~ 버들 광주리.

osmose [ɔsmoːz] *f.* ① 〖물리〗 삼투(滲透).

O

② 상호 침투, 상호 영향 : ~ de deux civilisations 두 문명의 상호 침투〔영향〕.

osmotique [ɔsmɔtik] *adj.* 〖물리〗 삼투(성)의 : pression ~ 삼투압.

O.-S.-O. 《약자》 ouest-sud-ouest 서남서(西南西).

ossature [ɔsaty:ʀ] *f.* ① 《집합적》 뼈 ; 골격. ② (집·배의) 뼈대, 골조 ; (극·소설 따위의) 구성, 구조 ; ~ sociale 사회 구조.

osselet [ɔslɛ] *m.* ① 〖해부〗 잔 뼈 ; 척골(蹠骨) : ~ de l'oreille 이소골(耳小骨). ② (*pl.*) (공기놀이에 사용하는) 양의 잔뼈로 만든 공기 : jouer aux ~s 공기놀이를 하다.

ossements [ɔsmɑ̃] *m. pl.* (사람·짐승의) 해골.

osseux, euse [ɔsø, -ø:z] *adj.* ① 골질(骨質)의 : tissu~ 골조직. ② 뼈가 드러난, 몹시 마른〔여윈〕 : visage ~ 여윈 얼굴.

ossification [ɔsifikɑsjɔ̃] *f.* 뼈로 만들기, 골화(骨化), 골〔골조직〕 형성.

ossifier [ɔsifje] *v.t.* 〖의학〗 뼈가 되게 하다, 골화시키다. — **s'~** *v.pr.* 뼈가 되다, 골화하다.

osso buco [ɔsɔbuko] 〔이탈리아〕 *m.* 〖요리〗 오소부코《뼈가 붙은 송아지 정강이 고기를 토마토·백포도주와 함께 찐 것》.

ossu, e [ɔsy] *adj.* 뼈가 굵은.

ossuaire [ɔsɥɛ:ʀ] *m.* ① 뼈〔해골〕의 더미. ② 납골당(納骨堂), 유골 안치소.

ostéite [ɔsteit] *f.* 〖의학〗 골염(骨炎).

ostensible [ɔstɑ̃sibl] *adj.* 여봐란 듯이, 노골적인 ; 남이 보아주기를 바라는 : attitude ~ 여봐란듯한〔과시하는〕 태도.

ostensiblement [ɔstɑ̃sibləmɑ̃] *adv.* 공공연하게 ; 여봐란듯이 ; 무람없이 : regarder ~ qn …을 빤히 쳐다보다.

ostensoir [ɔstɑ̃swa:ʀ] *m.* 〖가톨릭〗 성체 현시대(聖體顯示臺).

ostentateur, trice [ɔstɑ̃tatœ:ʀ, -tʀis] *adj.* et *n.* 과시하는 (사람), 젠체하는 (사람).

ostentation [ɔstɑ̃tɑsjɔ̃] *f.* 드러내 보이기, 자랑삼아 보이기, 과시, 뽐냄(= affectation) : agir avec ~ 여봐란듯이 행동하다.

ostentatoire [ɔstɑ̃tatwa:ʀ] *adj.* 과시하는, 뽐내는, 드러내 보이는(= d'apparat, affecté) : charité ~ 과시하기 위한 자선.

ostéogenèse [ɔsteɔʒenɛ:z], **ostéogénie** [ɔsteɔʒeni] *f.* 뼈의 생성(生成)론, 성골(成骨)론 ; 골화(骨化).

ostéologie [ɔsteɔlɔʒi] *f.* 골(격)학.

ostéoplastie [ɔsteɔplasti] *f.* 〖의학〗 조골술(造骨術), 골 형성술.

ostracisme [ɔstʀasism] *m.* 〖고대그리스〗 도편(陶片) 추방《옛날 그리스에서 위험한 인물의 이름을 도편에 써서 투표하여》; 추방.

ostréi- *préf.* 「굴」의 뜻.

ostréicole [ɔstʀeikɔl] *adj.* 굴 양식에 관한.

ostréiculteur [ɔstʀeikyltœ:ʀ] *m.* 굴 양식업자.

ostréiculture [ɔstʀeikylty:ʀ] *f.* 굴 양식(법).

ostrogot(h), e [ɔstʀɔgo, -ɔt] *adj.* ① 〖역사〗 동(東)고트의. ② 《옛·구어》 야만스러운. — *n.* ① (*O*~) 동고트인. ② 《옛·구어》 야만인.

***otage** [ɔta:ʒ] *m.* 볼모, 인질(人質) : retenir qn comme ~ …을 인질로 잡아 두다.

otalgie [ɔtalʒi] *f.* 〖의학〗 이통(耳痛).

O.T.A.N. 《약자》 Organisation du Traité de l'Atlantique Nord 북대서양 조약 기구 (= N.A.T.O.).

otarie [ɔtaʀi] *f.* 〖동물〗 물개 ; 강치 ; 물개의 「가죽〔모피〕.

O.T.A.S.E. 《약자》 Organisation du Traité de l'Asie du Sud-Est 동남아시아 조약 기구(= S.E.A.T.O.).

***ôter** [ote] *v.t.* ① 치우다, 제거하다, 없애다(= enlever) ; (옷 따위를) 벗다 : ~ les assiettes 접시를 치우다 / ~ le manteau 외투를 벗다 / ~ une tache 얼룩을 빼다 / ~ le doute de qn …의 의심을 없애다. ② 《~ qc de qc》 …에서 …을 빼다 : 6 *ôté* de 10 égale 2. 10 에서 6 을 빼면 4 다〔10 - 6 = 4〕. ③ 《~ qc à qn》 …에게서 …을 빼앗다 : *Otez*-lui ce couteau des mains. 그의 손에서 칼을 빼앗으시오 / ~ la vie *à* qn (아무)의 생명을 빼앗다. — **s'~** *v.pr.* ① 《s'~ de》 …에서 물러가다〔나다〕, 떠나다 : *Ote-toi* de là. 거기서 비켜. ② 제거되다.

ot(i)-, ot(o)- *préf.* 「귀」의 뜻.

otite [ɔtit] *f.* 〖의학〗 이염(耳炎) : ~ moyenne 중이염.

oto-rhino-laryngologie [ɔtɔʀinɔlaʀɛ̃gɔlɔʒi] *f.* 〖의학〗 이비인후과(학) (《약자》 O.R.L.).

oto-rhino-laryngologiste [ɔtɔʀinɔlaʀɛ̃gɔlɔʒist] *n.* 이비인후과 전문의(醫) (《약자》 otorhino).

ottoman, e [ɔtɔmɑ̃, -an] *adj.* 오스만 왕조의 ; 오스만터키족의 ; 터키의. — **O~** 오스만터키족, 터키인. — *m.* 오토만《가로로 이랑무늬를 넣은 견직물》.

‡ou [u] *conj.* ① 또는, 혹은, 그렇지 않으면, 아니면 : Voulez-vous du café *ou* du thé ? 커피를 원하십니까 또는 홍차를 원하십니까 ? / Son père *ou* sa mère l'accompagnera. 그의 아버지나 어머니가 같이 갈 것이다. ② 《비슷한 수》 …내지는… : deux *ou* trois fois 두서너 번 / Il vient trois *ou* quatre fois par jour. 그는 하루에 서너번 옵니다. ③ 즉, 다시 말해서(= autrement dit, en d'autres termes) : Lutéce *ou* l'ancien Paris 류테스, 즉 옛 파리 / sa belle-sœur, *ou* la femme de son frère 그의 형수, 즉 그의 형의 부인. ④ …이건 …이건 : Donne-lui à boire *ou* à manger. 그에게 마실 것이건 먹을 것이건 아무거나 주어라. ⑤ 《양자택일》 …이거나〔이든지〕 아니면 : Entrez *ou* sortez. 들어오든지 나가든지 하시오. ⑥ 《명령문의 뒤에서》 그렇지 않으면 : Dépêche-toi, *ou* tu sera en retard à l'école. 서둘러라, 그렇지 않으면 학교에 늦는다. ***ou* (*bien*)** 《ou 의 강조》 또는, 그렇지 않으면 : Il payera, *ou bien* il ira en prison. 그는 돈을 갚아야지 그렇지 않으면 감옥에 갈 것이다. ***ou* (*bien*)… *ou* (*bien*)…** 《ou 의 반복 강조》 : Il a exigé *ou* (*bien*) du blé *ou* (*bien*) de l'argent. 그는 밀을 내놓든지 돈을 내놓든지 하라고 요구했다.

‡où [u] *adv. interr.* 어디, 어디에, 어디서, 어디로 ⓐ 《직접의문》 *Où* trouver cet argent ? 그 돈은 어디서 찾아야 하나 ? / *Où* vas-tu ? ; *Où* est-ce que tu vas ? ; 《속어》 *Où* (c'est) que tu vas ? 어디로 가나 ? / *Où* avez-vous

O

acheté ce livre? 이 책을 어디서 샀습니까? / *Où* en êtes-vous? (일 따위가) 어디까지 되었습니까? / *Où* habitez-vous? 어디에 사십니까? ⓑ《간접의문》 Dis-moi *où* tu vas. 네가 어디로 가는지 말해 다오 / Je ne sais *où* saller. 어디로 가야 할지 모른다. ***d'où*** 어디로부터; 위에서 말한 바로부터(= de là). ***D'où je conclus que*** 그러한 사실로부터 나는 …라고 결론을 내린다. ***D'où vient*** (***-il***) ***que ...?*** 어찌하여 …입니까? ***je ne sais où; Dieu sait où*** 어디엔가. 어디론가. ***jusqu'où?*** 어디까지. ***n'importe où*** 어디든지, 아무 데나.

── *pron.* et *adv. relat.* ① 《장소》 le pays *où* il est né 그가 태어난 고장〔지방·나라〕/ le chemin par *où* je dois passer 내가 거쳐 가야 할 길. ② 《시간》 au moment *où* il arriva 그가 도착했을 때. ③ 《상태·상황》 dans l'état *où* il est 그가 처해 있는 상태에서(는) / du〔au〕train *où* vont les choses 일이 이런 추세로 진전되어 가면. ④ 《선행사 없이》 ⓐ J'irai *où* vous voudrez. 나는 당신이 원하는 곳으로 가겠습니다 / Tu ferais mieux de retourner d'*où* (= à l'endroit d'*où*) tu viens. 자네가 온 곳으로 돌아가는 것이 좋겠네 / Voilà *où* t'a conduit la passion des belles rimes! 아름다운 운(韻)에만 열중하니까 그런 결과가 되는 것일세 / *Où* il excelle c'est dans la poèsie. 그가 뛰어나는 것은 시에서이다 / C'est *où* il se trompe. 그가 잘못 생각하는 것은 그 점이다. ⓑ 《d'où》《앞의 절을 대리》 위에서 말한 바로부터, 그러므로, 그래서: D'*où* je conclus que... 그러므로 나는 …라고 결론을 내린다.

O.U.A. 《약자》 Organisation de l'Unité Africaine 아프리카 통일 기구.

ouaille [wɑːj] *f.* 《옛》 양(羊); (흔히 *pl.*) 〚종교〛 신도; (기독교의) 신자.

ouais [wɛ] *interj.* 《놀라움을 나타내어》 허어, 저런, 어머나.

ouate [wat] *f.* 《대개 la ~, 때로 l'~》 솜; 탈지면(= ~ hydrophile): ~ minérale 〚야금〛 광물면(綿)《광석 찌끼를 녹여 만든 양털 모양의 섬유질, 절연체로 씀》.

ouaté, e [wate] *adj.* ① 솜이 든. ② (사람이) 포근하게 감싸인; (발걸음이) 살금살금 걷는: pas ~ 살금살금 걷는 발소리 / atomosphère ~*e* 포근하게 감싸인 듯한 환경.

ouater [wate] *v.t.* ① …에 솜을 넣다: ~ une couverture 이불에 솜을 넣다. ② (발소리를) 죽이다; (안개 따위가) 흐릿하게〔희미하게〕 하다: ~ ses pas 발소리를 죽이다.

── **s'~** *v.pr.* 《구어》 제 몸을 아끼다. 「천.

ouatine [watin] *f.* (안감으로 쓰이는) 퀼팅

ouatiner [watine] *v.t.* (옷 따위에) 퀼팅 천으로 안을 대다.

oubli [ubli] *m.* ① 잊기, 망각(≠ mémoire): ~ d'un événement 사건의 망각 / ~ pathologique 건망증. ② (의무 따위의) 망각, (깜빡) 잊어버림, 태만, 불이행: commettre un ~ 깜박 잊다. ③ 무관심, 무시. ***tomber dans l'~*** (세상에서) 잊혀지다.

oubliable [ublijabl] *adj.* 《드물게》 잊을 수 있는.

oublie [ubli] *f.* (아이스크림 용기 따위로 쓰이는) 원추형〔둥근〕 웨이퍼스.

:oublier [ublije] *v.t.* ① ⓐ (기억 못하고) 잊다, 잊어버리다, 망각하다(≠ se rappeler, se souvenir de): J'*ai oublié* son nom. 나는 그의 이름을 잊었다 / 《목적보어 없이》 Ah! j'*oublais*, j'ai à vous dire. 잊을 뻔했습니다, 드릴 말씀이 있습니다. ⓑ (생각하지 않고) 잊어버리다: *Oubliez* vos soucis. 근심을 잊어버리시오. ⓒ (부주의로) 잊어버리다: ~ le vinaigre dans la salade 샐러드에 식초를 치는 것을 잊어버리다 / ~ son parapluie au cinéma 영화관에서 우산을 잊어버리다 / ~ son parapluie dans le métro 지하철 속에 우산을 놓고 잊어버리다. ② 게을리 하다, 등한히 하다, 소홀히 하다(= négliger): ~ ses devoirs 의무를 게을리 하다 / ~ les offenses 무례를 용서하다 / 《~ de+*inf.*》 N'*oubliez* pas *d'*être à ma porte à trois heures. 3시에 내 집에 오는 것을 잊지 마시오. ③ 용서하다, 눈감아 주다: ~ une faute 잘못을 용서해 주다 / N'en parlons plus, c'*est oublié*. 더 이상 거론하지 맙시다. 다 지난 일이니까.

── **s'~** *v.pr.* ① 잊혀지다, 사라지다: Tout *s'oublie*. 모든 것은 잊혀진다. ② 자기 자신을〔처지를〕 망각하다; 자기의 의무를 게을리 하다; 자기 이익을 생각하지 않다, 자기를 희생하다: Il ne *s'est* pas *oublié*. 《비꼼》 그는 자신의 몫을 잊지 않았다. ③ ⓐ 주책없는 짓을 하다. ⓑ 잠들다; (고양이 따위가 아무 데서나) 똥오줌을 누다.

oubliettes [ublijɛt] *f.* (보통 *pl.*) 지하 감옥. ***jeter*** 〔***mettre***〕 qc ***aux ~s*** …을 내버려 두다. ***tomber dans les ~*** 완전히 잊혀지다.

oublieux, euse [ublijø, -øːz] *adj.* 잊어버리기 잘하는, 건망증이 있는: ~ de ses devoirs 의무를 태만히 하는.

oued [wɛd] *m.* (*pl.* ***ouadi***) 와디《북아프리카 사막의 장마철에만 물이 흐르는 강》.

:ouest [wɛst] (*pl.* 없음) *m.* ① 서쪽: vent d'~ 서풍 / vers l'~ 서쪽을 향하여 / Le vent est (à l')~ 서풍이 불고 있다. ② (*O~*) 프랑스 서부 지방; (서유럽과 북아메리카의) 서방국, 서방 진영: accent de l'*O~* 프랑스 서부 지방의 사투리 / les rapports entre l'Est et l'*O~* 동서간의 국제 관계.

── *adj.* 《불변》 서쪽의(= occidental): régions ~ 서부 지방 / côte ~ 해안.

ouest-nord-ouest [wɛstnɔʀwɛst] *adj.* 《불변》 서북서의. 「변》 서남서의.

ouest-sud-ouest [wɛstsydwɛst] *adj.* 《불

***ouf** [uf] *interj.* ① 에이그, 아아《안도의 표현》: O~! les voilà partis! 에이그, 이제야 겨우 가 버렸군! ② 아이고, 윽, 악《고통·압박·질식》: *O~!*, on étouffe ici. 아이고, 숨이 막힐 것 같아.

Ouganda (**l'**) [ugɑ̃da] *n.pr.* 〚지리〛 우간다 《동아프리카의 공화국》.

ougandais, e [ugɑ̃dɛ, -ɛːz] *adj.* 우간다 (*l'Ouganda*)의. ── **O~** *n.* 우간다 사람.

:oui [wi] *adv.* 《모음 생략이나 연음을 하지 않음》 ① 그렇소, 예(≠ non): Êtes-vous satisfait? — *O~* et non. 만족하십니까? — 그저 그렇습니다 / Avez-vous vu ce film? — *O~*, (Je l'ai vu). 이 영화를 보았습니까? —

예, (보았습니다) / assurément ~; sûrement ~ 그렇고 말고요《강조》/ dire ~ "예"라고 말하다; 승낙하다 /《단정의 강조》Tu aurais peur, ~! 겁날거야, 틀림없이 그래 / penser que ~ 그렇다고 생각하다 / As-tu fini? — *O*~ (, j'ai fini). 끝났습니까? — 예(, 끝났습니다). ②《종속절 또는 등위절의 대리》Il semblerait que ~. 그런 것 같다 / Il a dit que ~ 〔qu'~〕 그는 그렇다고 말했다 / En voulez-vous? Si ~, prenez-le. 이것 좀 드시겠어요? 원한다면 드세요. ***Mais ~!*** 그렇고 말고요. ***~-da*** 〔***-dà***〕 그렇지요, 그렇지 뭐야요, 그럽시다. — *m.*《복수불변》긍정〔승낙〕하는 말. ***dire*** 〔***prononcer***〕 ***le grand ~*** 결혼하다. ***pour un ~, pour un non*** 까닭 없이, 공연히.

ouï, e [wi] *adj.* 들은: J'ai ~ dire. 나는 말하는 것을 들었다.

ouï-dire [widiːʀ] *m.*《복수불변》소문, 풍문. ***par ~*** 소문〔풍문〕으로: Je ne le sais que *par* ~. 소문으로 알고 있을 뿐입니다.

ouïe [wi] *f.* ① 청각: L'oreille est l'organe de l'~. 귀는 청각 기관이다. ②〖어류〗아가미. ③〖음악〗향공(響孔); (바이올린류의 동체에 뚫린 구멍). ***Je suis tout ~.*** 나는 귀담아듣고 있다.

ouillage [ujaːʒ] *m.* (술통에) 같은 술을 채우기.

ouille [uj] *interj.* 아야, 어마, 피, 홍《고통·놀람·불만을 나타냄》.

ouïr [wiːʀ] 24 *v.t.*《옛》《부정법, 과거분사의 형태로만 사용됨》듣다(= entendre): *J'ai ouï* dire à qn que... …에게서 …라는 이야기를 들었다.

ouistiti [wistiti] *m.* ①〖동물〗(중남미산) 명주원숭이. ②《구어》괴짜.

oukase [ukɑːz] *m.* = ukase.

ounce [awns] 〔영〕 *f.*〖도량형〗온스《28.35그램》.

ouragan [uʀagɑ̃] *m.* 폭풍(우); (서인도 제도·미국 등의) 허리케인, 선풍(旋風).

ouralien, enne [uʀaljɛ̃, -ɛn] *adj.* 우랄(*Oural*) 지방〔산맥〕의: langues ~*ennes* 우랄 어족. — *m.* 우랄 어족.

ouralo-altaïque [uʀalɔaltaik] *m.* et *adj.* (*pl.* ***~-~s***) 우랄·알타이 어족〔민족〕(의).

ourdir [uʀdiːʀ] *v.t.* ①〖직물〗(베틀에) 날실을 걸다, 짜다, 엮다. ② (음모 따위를) 획책하다, 꾸미다.

ourdissoir [uʀdiswaːʀ] *m.*〖직물〗날틀, 도투마리.

ourlé, e [uʀle] *adj.* 가장자리를 접어 감친: mouchoir ~ 가두리를 접어 감친 손수건.

ourler [uʀle] *v.t.*〖재봉〗(천·옷 따위의) 가장자리를 접어 감치다: ~ à jour 가장자리 장식으로 장식하다.

ourlet [uʀlɛ] *m.*〖재봉〗(천·옷의) 접어 감친 가장자리, 옷단.

ours** [uʀs] *m.* ①〖동물〗곰: ~ blanc 〔polaire〕 백곰, 북극곰 / ~ à collier 반달곰 / ~ en peluche (장난감) 봉제 곰. ② (곰처럼) 비사교적인 〔무뚝뚝한〕 사람. ***~ mal léché 버릇없는 사람. ***vendre la peau de l'~*** (***avant qu'on l'ait tué***)《속담》떡 줄 사람은 생각도 않는데 김칫국부터 마신다.

ourse [uʀs] *f.*〖동물〗암곰; 어미곰. ***la Grande*** 〔***Petite***〕 ***O~***〖천문〗큰〔작은〕곰자리.

oursin [uʀsɛ̃] *m.*〖동물〗성게(류).

ourson [uʀsɔ̃] *m.*〖동물〗새끼 곰.

oust, e [ust] *interj.* 자! 어서《내쫓을 때, 서두르게 할 때 하는 말》: Allons, ~! dépêche-toi. 자 빨리 서둘러서.

out [awt] 〔영〕 *adv.*〖테니스〗아웃. — *adj.*《불변》① 아웃의: balle *out* 아웃 볼. ② 시대에 뒤진, 낡은.

outarde [utaʀd] *f.*〖조류〗① 능에, 너새. ② (캐나다의) 흑기러기(= bernache).

outil** [uti] *m.* ① 연장, 도구, 공구, 기구(= instrument): machine-~ 공작 기계 / boîte à ~ 도구 상자. ②《비유》수단, 앞잡이, 도구: Dans ce pays, la police est un ~ du pouvoir 이 나라의 경찰은 권력의 앞잡이이다 / La presse est l'~ de bien des réformes. 신문은 많은 개혁을 실현하는 도구이다. ③《속담》남자 성기. ***Les mauvais ouvriers ont toujours de mauvais outils. 서툰 일꾼이 연장 탓한다.

***outillage** [utijaːʒ] *m.*《집합적》한 벌의 연장; 기계; (공장 따위의) 설비, 시설, 장비: ~ moderne d'un usine 공장의 최신 설비.

outillé, e [utije] *adj.* 일꾼이 도구를 갖춘; (공장 따위가) 시설을〔기계를〕 갖춘. ***bien*** 〔***mal***〕 ***~*** 설비가 잘된〔잘못된〕.

outiller [utije] *v.t.* …에게 연장을〔도구·기구를〕 갖추어 주다; (공장 따위에) 시설을 갖추다. — **s'~** *v.pr.* (일꾼이) 연장을〔도구를〕 갖추다; 시설〔필요한 것〕을 갖추다.

outrage [utʀaːʒ] *m.* ① 능욕, (심한) 모욕(= offense, affront): venger 〔laver〕 un ~ 치욕의 복수를 하다 / faire subir les derniers ~*s* à une femme 여자를 능욕하다. ② 침범, 위반; 훼손; 파손, 파괴;〖법률〗범죄. ③ (공무 집행 중인 공인에 대한) 모독, 명예 훼손: ~ à magistrat〖법률〗법정 모독죄. ***~ à la pudeur***〖법률〗외설죄.

outrageant, e [utʀaʒɑ̃, -ɑ̃ːt] *adj.* 모욕적인, 무례한: propos ~ 모욕적인 언사.

outrager [utʀaʒe] 3 *v.t.* ① 모욕하다(= insulter); (여자를) 능욕하다; …에게 폭행하다. ② 훼손하다, 모독하다: ~ qn dans 〔en〕 son honneur …의 명예를 훼손하다. ③ 침범〔침해〕하다, 위반하다, …에 어긋나다(= contrevenir à): ~ les bonnes mœurs 미풍양속을 해치다.

outrageusement [utʀaʒøzmɑ̃] *adv.* 지나치게, 심하게; 야하게: femme ~ fardée 지나치게 화장한 여자.

outrageux, euse [utʀaʒø, -øːz] *adj.* 모욕적인, 심한, 극단적인: se venger d'une manière ~*euse* 지독하게 복수하다.

outrance [utʀɑ̃ːs] *f.* 과장; 과도, 지나침; 터무니없음: ~ de langage 지나친 말. ***à ~*** 지나치게, 극단적으로: Il est économe *à* ~. 그는 지나치게 검소하다.

outrancier, ère [utʀɑ̃sje, -ɛːʀ] *adj.* 과격한, 극단적인: propos ~*s* 과격한 말.

outre¹ [utʀ] *f.* (액체를 넣는) 가죽 부대.

outre²** *prép.* ① …을 넘어서, …저쪽에(= au-delà de): ~ Somme 솜강 저쪽에. ② …이외에(= en plus de); …이상으로: ~ cette somme 이 금액 이외에. ***~ cela 게다가, 그 위에. ***~ que*** + *ind.* …할 뿐만 아니라, 그밖에 또: *O*~ *qu*'il aime la lecture, il

O

écrit des romans. 그는 독서를 즐길 뿐만 아니라 소설도 쓰고 있다. — *adv.* 지나쳐서, 더 멀리. ***d'~ en ~*** 꿰뚫고, 관통하여. ***en ~*** 게다가, 그리고 또. ***~ mesure*** 과도하게, 엄청나게. ***passer ~*** 더 멀리 가다, 지나쳐 버리다 ; 못 보고 지나가다. ***passer ~ à*** qc (법률 따위를) 무시하다 ; (반대를) 무릅쓰고 강행〔속행〕하다.

outré, e [utʀe] ① 과장된 ; 과도한, 극도의 지나친(= exagéré) : éloges ~*s* 지나친 찬사. ② 분개〔분격 · 격분〕한 ; 《~ de 〔par〕》 …에〔으로 인해〕 격분한, 몹시 화가 난 : être ~ de colère 몹시 화가 나 있다.

outre-Atlantique [utʀatlɑ̃tik] *loc. adv.* 대서양 저편에 《특히 미국을 가리킴》: vivre ~ 미국에서 살다.

outrecuidance [utʀəkɥidɑ̃:s] *f.* 자만심(= orgueil) ; 교만, 불손(= effronterie).

outrecuidant, e [utʀəkɥidɑ̃, -ɑ̃:t] *adj.* 자만심이 강한, 건방진, 교만〔거만〕한(= fat, présomptueux) : attitude ~*e* 교만〔거만〕한 태도. — *n.* 교만한 사람.

outre-Manche [utʀəmɑ̃:ʃ] *ad.* 영불해협 저편에《영국을 말함》.

outremer [utʀəmɛ:ʀ] *m.* 군청(群靑) ; 군청색. — *adj.* 《불변》《문어》 군청색의 : ciel (d')~ 군청색 하늘.

outre-mer [utʀəmɛ:ʀ] *loc. adv.* (프랑스쪽에서) 해외로, 바다 저쪽으로. ***commerce d'~*** 해외 무역. ***territoires d'~*** (프랑스의) 해외 영토(《약자》 T.O.M.).

outrepasser [utʀəpɑse] *v.t.* (표준 · 한계 등을) 넘다, 넘어서다〔가다〕, 초월하다 : ~ ses pouvoirs 월권 행위를 하다.

outrer [utʀe] *v.t.* ① 과시하다, 과장하다(= exagérer) : ~ la vérité 사실을 과장하다 / comédien qui *outre* son jeu 과장된 연기를 하는 배우. ② 격분시키다(= indigner) : *être outré* de 〔par〕... …에 분개하다.

O

outre-Rhin [utʀəʀɛ̃] *adv.* 라인강 저편에(서)《독일을 지칭》: passer ~ 독일에 가다.

outre-tombe [utʀətɔ̃:b] *adv.* 무덤 저편에, 사후(死後)에 : mémoires d'~ 저자 사후에 간행하는 회상록〔수기〕.

⁑**ouvert, e** [uvɛ:ʀ, -ɛʀt] *adj.* ① 열린 ; 벌린 ; (상점 · 박물관 따위가) 열려 있는 : grand ~ 활짝 열린 / porte ~*e* 열린 문. ② 개방된 ; 공개된 : bibliothèque ~*e* aux étudiants seulement 학생 전용 도서관 / ~ au public 일반에게 공개되어 있는. ③ 무방비의 : ville ~*e* 비무장 도시. ④ 공공연한, 노골적인 : éviter les conflits ~*s* 노골적인 분쟁을 피하다. ⑤ 개설된, 시작된 : La chasse est ~*e*. (금지가 풀려) 사냥(철)이 시작되었다. ⑥ 〖외과〗 절개된 : opération à cœur ~ 개심(開心) 수술. ⑦ (성격 따위가) 개방적인 ; 솔직한 ; 총명한, 명랑한. ⑧ 〖언어〗 syllabe ~*e* 개음절. ***à bras ~s*** 진심으로, 반가이. ***à ciel ~*** 야외에서 ; (자동차 따위가) 덮개가 없는. ***à livre ~*** (책을 펼치고 즉시로) 줄줄, 술술. ***à main ~e*** 아낌없이, 후하게.

ouvertement [uvɛʀtəmɑ̃] *adv.* 공공연하게, 솔직하게, 숨김없이.

***ouverture** [uvɛʀty:ʀ] *f.* ① 열기 ; 개시 ; 개회 ; 개막 ; 개장 : heures 〔jours〕 d'~ (미술관 · 상점 따위의) 개관〔영업〕 시간〔일자〕 / ~ d'une autoroute 고속도로의 개통 / ~ d'une compte bancaire 은행 계좌의 개설. ② (*pl.*) 교섭의 개시, 협의〔협상〕의 제의 : faire des ~*s* de négociation 협상을 제의하다 / fair des ~*s* de paix 화평 교섭을 시작하다. ③ 이해력, 유연성, 솔직함 : ~ d'esprit 넓은 이해력 / ~ de cœur 솔직함, 마음의 너그러움〔활달함〕. ④ 〖음악〗 서곡(序曲). ⑤ 각도(의 벌어짐) ; 〖광학〗 (대물경의) 구경.

ouvrable [uvʀabl] *adj.* 취업하는, 일하는 : heures ~*s* 취업시간 / jours ~*s* 일하는 날, 평일.

***ouvrage** [uvʀa:ʒ] *m.* ① 일, 작업 ; 바느질, 뜨개질 ; 자수 : ~ de dames 여자의 수예 / boîte 〔corbeille〕 à ~ 바느질 상자〔바구니〕 / avoir de l'~ 할 일이 많다 / se mettre à l'~ 작업을 시작하다. ② 건설, 공사, 가설(架設) : gros ~ 〖토목〗 두꺼운 벽체 공사 / ~*s* légers 간막이 벽 · 천정 따위의 공사. ③ 《문어》 소산(所産), (일의) 산물 : ~ du hasard 우연의 산물. ④ 공작품, 세공품 ; 저서, 작품 : ~ d'orfèvrerie 금은 세공 / publier un ~ 저작을 간행하다. — *f.* 《구어》 완성된 상태, 마무리 : C'est de la belle ~. 썩 잘 됐는걸.

ouvragé, e [uvʀaʒe] *adj.* 가공〔세공〕된 ; 공들여 다듬은.

ouvrant, e [uvʀɑ̃, -ɑ̃:t] *adj.* 열리는 : toit ~ (자동차의) 열리는 지붕.

ouvré, e [uvʀe] *adj.* ① (목재 · 금속 따위가) 가공〔세공〕된 : produits ~*s* 세공품, 가공품. ② jour ~ 일하는 날, 평일.

***ouvre-boîte(s)** [uvʀəbwat] *m.* (*pl.* **~-~s**) 깡통 따개.

ouvre-bouteille(s) [uvʀəbutɛj] *m.* (*pl.* **~-~s**) 병마개 따개.

ouvrer [uvʀe] *v.i.* 《옛》 일하다. — *v.t.* 가공하다, 세공하다.

ouvreur, euse [uvʀœ:ʀ, -ø:z] *n.* ① 여는 사람 : ~ de porte 〔d'huis〕 문지기. ② 〖카드놀이〗 (도박에서) 판돈을 먼저 거는 사람. — *f.* (극장 따위의) 여자 안내원.

⁑**ouvrier, ère** [uvʀije, -ɛ:ʀ] *n.* ① 노동자, 직공, 일꾼 : ~*s* d'usine 공장 노동자 / ~ agricole 농업 노동자 / ~ qualifié 숙련공(《약자》 O.Q.) / ~ à la journée 날품팔이꾼(= journalier). ② 《문어》 장인(匠人) : ~ maçon 석공(石工), 제작자 ; 작자. ③ 《~ de》 …의 성취자, 쟁취자 : ~ *de* sa fortune 〔*de* la victoire〕 자수성가한 사람〔승리의 쟁취자〕. — *f.* ① 바느질 여공 ; 침모 ; 여직공. ② 일벌, 일개미. — *adj.* ① 노동자〔직공〕의 ; 노동〔일〕의 : association ~*ère* 노동조합 / classe 〔question〕 ~*ère* 노동 계급〔문제〕 / jour ~ 작업일. ② cheville ~*ère* 킹볼트《차량 연결용》; 중심 인물, 주동력.

ouvriérisme [uvʀijeʀism] *m.* 노동자〔노동운동〕 지상주의, 노동자 중심 사회주의.

⁑**ouvrir** [uvʀiʀ] 12 *v.t.* ① 열다, 열어젖히다 ; 벌리다 ; (눈을) 뜨다 ; (수도꼭지를) 틀다 ; (걸쇠 따위를) 벗기다 ; (병마개 따위를) 따다 : ~ la fenêtre toute grande 창문을 활짝 열다 / ~ son col 옷깃을 열어젖히다 / *Ouvrez* bien vos oreilles. 잘 들으시오 / 《목적보어 없이》 N'*ouvrez* à personne. 아무에게도 문

을 열어 주지 마세요. ② (방 · 상점 등의) 문을 열다 : À quelle heure *ouvrez*-vous tous les jours? 매일 몇 시에 가게를 엽니까? ③ (벽에) 문〔창문〕을 내다 ; (길을) 트다 ; (우물 · 운하 따위를) 파다 : ~ la route〔piste〕 길을 뚫다〔내다〕. ④ (봉투 · 편지를) 뜯다 ; (상자 따위를) 열다 ; (깡통을) 따다 ; (책 · 우산 따위를) 펼치다 ; (보따리 따위를) 풀다 ; (호두 · 조개 · 굴 따위를) 까다 : ~ une noix de coco 코코넛을 까다. ⑤ 〖외과〗 절개(切開)하다. ⑥ 개시하다 ; 개회하다 ; 개점하다 ; 개설하다 ; 설립하다 : ~ un crédit (은행이) 신용장을 개설하다 / ~ une école 학교를 설립하다 / ~ boutique 개점하다. ⑦ …의 선두에 서다〔있다 · 나서다〕. ⑧ (사냥 · 낚시질 따위를) 해금(解禁)하다. **~ *l'appétit*** 식욕을 돋우다. **~ *les lèvers*〔*la bouche*〕 ;** 《구어》 ***l'~*** 이야기하다, 수다를 떨다. **~ *l'esprit à*** qn …의 지능을 계발하다. **~ *sa maison à*** qn …을 집에 초대하다 ; …을 위하여 집을 개방하다. ── *v.i.* ① 열(리)다 ; 개점〔개관〕하다 ; 시작되다 : La scène *ouvre* par un chœur. 그 장면은 합창으로 시작된다. ② 《~ sur》 통해〔면해〕 있다 : La porte *ouvre* sur le jardin. 문은 뜰로 통하고 있다. ── **s'~** *v.pr.* ① 열리다 ; 개시〔시작〕되다 ; 트이다 ; (꽃 따위가) 피다 ; 마음속〔흉금〕을 털어놓다 : Le procès *s'ouvre.* 재판이 시작된다 / *s'~* d'un secret 비밀을 털어놓다 / La fleur *s'ouvre.* 꽃이 핀다. ② 자기를 위하여 …을 열다.

ouvroir [uvʀwaːʀ] *m.* (여직공 · 수녀 등의) 공동 작업장 ; (실직 부녀자를 위한) 재봉〔바느질〕 작업장 ; 수예 작업장.

ouzbek [uzbɛk], **ouzbeg** [uzbɛg] *adj.* 우즈베크의. ── **O~** *n.* 우즈베크 사람《중앙아시아의 터키 종족》. ── *m.* 우즈베크의 말.

Ouzbékistan [uzbekistɑ̃] *m.pr.* 우즈베키스탄 : la République d'~ 우즈베키스탄 공화국.

ov-, ovi- *préf.* 「알(卵)」의 뜻.

ovaire [ɔvɛːʀ] *m.* 〖해부〗 난소(卵巢) ; 〖식물〗 씨방.

***ovale** [ɔval] *adj.* 달걀 모양의, 타원형의 : ballon ~ 타원형 공《럭비공》. ── *m.* 달걀꼴, 난형, 타원형.

ovalisé, e [ɔvalize] *adj.* 달걀꼴〔타원형〕의.

ovarien, enne [ɔvaʀjɛ̃, -ɛn] *adj.* 〖해부〗 난소의 ; 〖식물〗 씨방의.

ovation [ɔvɑsjɔ̃] *f.* 열렬한 갈채〔환영〕 : faire une ~ à qn …에게 갈채를 보내다.

ovationner [ɔvɑsjɔne] *v.t.* 열렬하게 박수〔갈채〕하다.

ove [ɔːv] *m.* 〖건축〗 달걀 모양의 장식.

overdose [ɔvœʀdoːz] 〔영〕 *f.* ① (마약의) 과다 복용(= surdose) : être en ~ 마약을 과다 복용하다. ② 《구어》 과다, 지나침 : ~ de travail 과도한 작업.

ovidés [ɔvide] *m. pl.* 〖동물〗 양과(羊科).

oviforme [ɔvifɔʀm] *adj.* 달걀 모양〔난형〕의.

ovin, e [ɔvɛ̃, -in] *adj.* 〖동물〗 양(羊)의. ── *m. pl.* 양.

ovinés [ɔvine] *m. pl.* 〖동물〗 양류(羊類).

ovipare [ɔvipaːʀ] *adj.* 〖동물〗 난생(卵生)의. ── *m.* 난생 동물.

ovni, O.V.N.I. [ɔvni] 《약자》 objet volant non identifié 미확인 비행 물체《비행접시 ; 〔영〕 U.F.O.》.

ovo- *préf.* 「알(卵)」의 뜻.

ovoïde [ɔvɔid] *adj.* 난형의.

ovovivipare [ɔvɔvivipaːʀ] *adj.* 〖동물〗 난태생(卵胎生)의. ── *m.* 난태생 동물.

ovulaire [ɔvylɛːʀ] *adj.* 〖생물〗 난자의 ; 〖식물〗 배주(胚珠)의.

ovulation [ɔvylɑsjɔ̃] *f.* 〖생리〗 배란(排卵).

ovule [ɔvyl] *m.* ① 〖생물〗 난자, 난세포. ② 〖식물〗 밑씨, 배주.

ox- *préf.* 「산(酸)」의 뜻.

oxford [ɔksfɔːʀ] 〔영〕 *m.* 옥스퍼드직《줄무늬 또는 격자무늬의 고급 면직물》.

oxfordien(ne) [ɔksfɔʀdjɛ̃, -ɛn] *adj.* 옥스퍼드(Oxford)의. ── **O~** *n.* 옥스퍼드 사람.

oxhydrique [ɔksidʀik] *adj.* 〖화학〗 수소와 산소를 섞은, 산수소의.

oxy- *préf.* 「산소」의 뜻.

oxycarbonisme [ɔksikaʀbɔnism] *m.* 〖의학〗 일산화탄소 중독.

oxyd- *préf.* 「산화」의 뜻.

oxydable [ɔksidabl] *adj.* 산화할 수 있는 ; 녹슬기 쉬운.

oxydation [ɔksidɑsjɔ̃] *f.* 〖화학〗 산화.

oxyde [ɔksid] *m.* 〖화학〗 산화물 : ~ de carbonne 일산화탄소 / ~ de fer 산화철, 녹.

oxyder [ɔkside] *v.t.* 〖화학〗 산화시키다 ; 녹슬게 하다. ── **s'~** *v.pr.* 산화하다 ; 녹슬다.

oxygénateur [ɔksiʒenatœːʀ] *m.* (외과용) 산소공급기.

oxygénation [ɔksiʒenɑsjɔ̃] *f.* ① 〖화학〗 산소 처리 ; 산화(= oxydation). ② 〖생리〗 산소 첨가 반응 ; (헤모글로빈의) 산소화. ③ 옥시풀에 의한 (두발의) 탈색.

***oxygène** [ɔksiʒɛn] *m.* ① 〖화학〗 산소 ; 《비유》 활력 ; 활력체, 활성제(= bouffée d'~) : bouteille〔ballon〕 d'~ 산소 봄베〔흡입기〕. ② 《구어》 맑은 공기 : aller faire une cure d'~ 맑은 공기를 마시러 가다.

oxygéné, e [ɔksiʒene] *adj.* ① 〖화학〗 산소를 함유하는. ② 옥시풀로 탈색한.

oxygéner [ɔksiʒene] 6 *v.t.* ① 산화시키다. ② (머리털을 옥시풀로) 탈색하다. ── **s'~** *v.pr.* ① *s'~* les cheveux 옥시풀로 두발을 탈색하다. ② *s'~* (les poumons) 《구어》 (시골 같은 데 가서) 맑은 공기를 마시다.

oxymoron [ɔksimɔʀɔ̃] *m.* 〖수사학〗 모순어법《양립할 수 없는 말을 서로 짝 맞추어 수사적 효과를 올리려고 하는 어법 : un silence éloquent 웅변적인 침묵 따위》.

oxyure [ɔksjyːʀ] *f.* 〖기생충〗 요충.

oyat [ɔja] *m.* (해안의 사방(砂防)에 쓰이는) 볏과(科)의 식물.

ozène [ɔzɛn] *m.* 〖의학〗 축농증.

ozonateur [ɔzɔnatœːʀ] *m.* 〖기술〗 (공기 정화용의) 오존 발생기(器).

ozone [ɔzɔn] *m.* 〖화학〗 오존《강한 산화제》.

ozonisation [ɔzɔnizɑsjɔ̃] *f.* 〖화학〗 ① 산소의 오존화. ② (물의) 오존 살균〔처리〕.

ozoniser [ɔzɔnize] *v.t.* 〖화학〗 ① (산소를) 오존화하다(= ozoner). ② 오존 살균〔처리〕하다 : ~ de l'eau 물을 오존 살균하다.

ozonosphère [ɔzɔnɔsfɛːʀ] *f.* 〖기상〗 (대기권의) 오존층.

O

P

P¹, p [pe, 《드물게》 pə] *m.* 프랑스 자모의 제 16 자.

P² 《약자》 ① phosphore 〖화학〗 인(燐). ② couch *P*, p 각 《전자각의 하나》. ③ 〖도량형〗 peta- 페타. ④ région (du type) *P* 〖전자〗 (반도체) P 형 영역. ⑤ poise 〖물리〗 힘의 단위.

P. 《약자》 ① Père 〖가톨릭〗 신부《인명 앞에 붙일 경우》. ② 〖상업〗 protesté 인수〔지급〕 거부의 / protêt 인수〔지급〕 거부 증서.

p. 《약자》 ① page 페이지, 면(面) 《복수는 pp. = pages》. ② par …으로, …에 의해 ; …씩, …마다. ③ pour …에 대하여 : 3 *p.*100 = 3 %. ④ piano 〖음악〗 약하게. ⑤ pied 피트《영국의 척도 ; 약 1.0058 자》 ; pouce 인치《피트의 12 분의 1》.

Pa 《약자》 ① protactinium 〖화학〗 프로탁티늄. ② pascal 〖물리〗 파스칼《압력의 단위》.

pacage [paka:ʒ] *m.* ① 방목, 목축, 목양(牧養). ② 목장, 목초지.

pacemaker [pɛsmɛkœ:ʀ] 〔영〕 *m.* ① 〖스포츠〗 (선두에서 속도를 조정해 주는) 조정자(調停者). ② 〖의학〗 심장 고동 조정기, 페이스메이커.

pacha [paʃa] 〔터키〕 *m.* ① 파샤《터키 문무 고관의 존칭》. ② 〖해군〗 《구어》 함장. ***mener une vie de ~ ; faire le ~*** 한가롭고 호화로운 생활을 하다.

pachy- *préf.* 「두꺼운 · 굵은」의 뜻.

pachyderme [pak(ʃ)idɛʀm] *adj.* 〖동물〗 가죽이 두꺼운, 후피(厚皮)의. — *m.* 후피동물《코끼리 따위》.

pacificateur, trice [pasifikatœ:ʀ, -tʀis] *adj.* 평화를 회복시키는 ; 중재〔조정〕하는 ; 화해적인 : mesures *~trices* 화해〔강화〕 조치. — *n.* 평정자 ; 중재인, 조정자.

pacification [pasifikɑsjɔ̃] *f.* ① 평화 회복, 평정(= apaisement). ② 진정시키기. ③ 중재, 조정 ; 화해, 강화.

pacifier [pasifje] *v.t.* ① …에 평화를 회복시키다, 평화롭게〔평온하게〕 하다, 평정(平定)하다 : ~ une région troublée 소요 상태의 지방을 평온케 하다. ② (사람 · 마음 따위를) 진정시키다, 가라앉히다(= calmer). — **se ~** *v.pr.* 진정되다, 가라앉다.

***pacifique** [pasifik] *adj.* ① 평화를 사랑하는 (≠ belliqueux) ; 평화적인 : peuple ~ 평화를 애호하는 국민 / utilisation ~ de l'atome 원자력의 평화적 이용. ② 평화로운, 평온한(= paisible) : coexistence ~ 평화 공존. — *m.* le *P~* 태평양(= l'océan *P~*).

pacifiquement [pasifikmɑ̃] *adv.* 평화롭게, 평화적으로 ; 평온하게 : vivre ~ 평화롭게 살다.

pacifisme [pasifism] *m.* 〖정치〗 평화주의, 평화론〔정책〕.

pacifiste [pasifist] 〖정치〗 *n.* 평화주의자, 평화론자. — *adj.* 평화주의의, 평화론의 : campagne ~ 평화 운동.

pack [pak] *m.* ① (극지의) 부빙군(浮氷群). ② 《집합적》 〖럭비〗 전위. ③ (판매용으로 일정량을 채워 넣은) 한 갑, 한 상자.

package [paka(d)ʒ, pakɛdʒ] 〔영〕 *m.* ① 〖컴퓨터〗 패키지 소프트. ② 〖광고〗 (총액을 정하고 광고주 · 방송망에 팔리는) 패키지 프로. ③ 패키지 여행.

pacotille [pakɔtij] *f.* ① 《옛》 (선원 · 선객 개인용) 상품〔물품〕 (꾸러미) ; 무임 수송(상)품. ② 조악품, 싸구려 상품〔물품〕 (꾸러미)(= camelote). ***de ~*** 값싼, 시시한 : bijou *de ~* 싸구려 보석.

***pacte** [pakt] 〔라틴〕 *m.* 조약, 협정(= traité) ; 협약, 규약, 계약(= accord, marché) ; 조약문서, 협정서 : signer un ~ 조약에 서명하다 / ~ d'alliance 동맹 조약〔협정〕 / ~ de la Société des Nations 국제 연맹 규약.

pactiser [paktize] *v.i.* 《~ avec qn》 …와 계약〔조약 · 협약 · 협정〕을 맺다 ; 《~ avec qn〔qc〕》 …와 타협〔공모〕하다(= composer). ***~ avec l'ennemi*** 적과 내통하다. ***~ avec sa conscience*** 양심을 굽히다.

pactole [paktɔl] *m.* 《문어》 부(富)의 원천, 노다지 : Cette usine est pour lui un 〔le〕 ~. 이 공장은 그의 달러 박스이다.

paddock [padɔk] 〔영〕 *m.* ① (울 막은) 경마장 부속 잔디밭. ② 《구어》 침대.

paella [paeja, paela] 〔에스파냐〕 *f.* 〖요리〗 (에스파냐식의 조개 · 새우 · 고기 따위를 넣은) 볶음밥.

paf [paf] *interj.* 《구어》 찰싹, 철썩《치는 소리》(= vlan) ; 탁, 털썩, 쿵, 쾅 : *P~ !* Il est tombé terre. 쿵 ! 그는 땅에 넘어졌다.
— *adj.* 《불변》 《구어》 취한(= ivre, soûl).

pagaie [pagɛ] *f.* (카누용의) 짧고 넓적한 노.

pagaïe, pagaille** [pagaj] *f.* 《구어》 무질서, 난잡, 혼잡, 혼란 : faire de la ~ 난잡한 짓을 하다. ***en ~ 난잡하게, 뒤죽박죽 ; 대량으로 : La chambre est *en* ~. 방안은 뒤죽박죽이다 / Il y en a *en* ~. 엄청나게 많다.

paganisme [paganism] *m.* ① (그리스도교도가 본) 이교(異敎). ② 《집합적》 이교도.

pagaye [pagaj] *f.* = pagaïe.

pagayer [pagɛ(e)je] [8] *v.i.* (카누 따위의) 노를 젓다, 노를 저어 나아가다.

***page¹** [pa:ʒ] *f.* ① ⓐ 페이지, 면(面) : belle ~ 오른쪽 페이지, 기수(奇數) 페이지 / fausse ~ 왼쪽 페이지, 우수(偶數) 페이지 / en troisième ~ 〖신문〗 제 3 면에 / Ouvrez votre manuel à la ~ douze. 교과서의 12 페이지를 펼치시오. ⓑ 한 장《2 페이지분》 : feuilleter les ~s d'un livre 책장을 넘기다〔뒤적

이다, 대강 훑어보다]. ② (문학 · 음악 작품 따위의) 한 대목[부분](= passage) : les plus belles ~s d'un roman 소설의 가장 좋은[아름다운] 부분. ③ (인생 · 역사의) 사건(= fait) ; 시기 : la plus belle ~ de notre vie 우리 생애 최고의 시기 / une ~ glorieuse de l'histoire de France 프랑스 역사상 영광스러운 한 시기[사건]. ***être à la ~*** 《구어》 시대에 뒤지지 않다 ; 사정에 정통하다 : Il n'*est* plus *à la* ~. 그는 이미 시대에 뒤진 사람이다. ***tourner la ~*** 다른 일[화제]로 넘어가다 ; 미련 없이 과거를 잊어버리다.

page² *m.* 《옛》 방자, 시동(侍童), 근시(近侍).

page³ *m.* 《구어》 = pageot.

pageot [paʒo] *m.* 《구어》 침대(= lit).

pageoter (se) [s(ə)paʒɔte] *v.pr.* 《구어》 자리[침대]에 눕다.

pager, pageur [paʒœːʀ] *m.* 삐삐, 무선 호출기.

pagination [paʒinɑsjɔ̃] *f.* 페이지 매기기 ; 매긴 페이지 번호.

paginer [paʒine] *v.t.* (책 따위에) 페이지를 매기다.

pagne [paɲ] *m.* (토인들의) 허리에 두르는 간단한 옷.

pagode [pagɔd] *f.* ① 파고다, (동양 사원의 탑 모양의) 사당. ② 《옛》 (파고다의) 우상. ── *adj.* manche ~ 넓은 소매.

pagoscope [pagɔskɔp] *m.* 〖물리〗 서리 예보 장치《일종의 건습계(乾濕計)》.

***paie** [pɛ] *f.* = paye.

***paiement** [pɛmɑ̃] *m.* 지불, 지불금(= payement) : ~ d'avance 기한 전 지불 ; 예납(豫納) / suspendre les ~s 지불 정지하다.

païen, enne [pajɛ̃, -ɛn] *adj.* ① 이교(도)의 ; 우상 숭배의(= idolâtre) : dieux ~s 이교의 신들 / peuples ~s 이교 민족. ② 무신앙의, 무종교의. ── *n.* 이교도, 우상 숭배자.

paierie [pɛ(e)ʀi] *f.* (회계과의) 지불 창구.

paillard, e [pajaːʀ, -aʀd] *adj.* 방탕[음탕]한, 색을 좋아하는, 호색(好色)의 : propos ~s 상소리 / regards ~s 음탕한 눈초리. ── *n.* 호색가, 방탕[음탕]한 사람.

paillardise [pajaʀdiːz] *f.* 호색, 음탕 ; 음탕스러운[외설스러운] 말[짓] : débiter des ~s 음탕스러운 말을 입에 담다 / s'abandonner à la ~ 음란한 생활에 빠지다.

paillasse [pɑ(a)jas] *f.* ① 짚을 넣은 매트. ② 《속어》 배, 몸통. ③ 창녀. ***crever la ~ à*** qn …의 배를 찔러 죽이다. ── *m.* 어릿광대 ; 《속어》 줏대 없는 사람, 변절자, 기회주의자.

paillasson [pɑ(a)jasɔ̃] *m.* ① (짚으로 만든) 거적, 발《농작물 보호용》 ; 돗자리. ② (현관 · 계단 밑 따위에 깔아 놓는) 신바닥 흙털개(= tapis). ③ (모자 제작용) 밀짚 ; 밀짚모자. ④ 비굴한 사람, 아첨꾼.

paille** [pɑːj] *f.* ① 《집합적》 짚, 지푸라기, 밀짚 : une botte de ~ 짚 한 단 / ~ répandue sur le champ 밭에 흩어져 있는 지푸라기. ② (유리 · 보석 따위의) 흠, 티, 결점(= défaut) : Ce diamant a une ~. 이 다이아몬드는 흠이 한 군데 있다. ③ 빨대, 스트로 : boire du jus d'orange avec une ~ 오렌지 주스를 빨대[스트로]로 마시다. ④ 《구어》 사소한[하찮은] 것(= peu de chose) : Il en demande dix millions, un ~ ! 《비꼼》 그가 자그만치 천만 프랑이나 요구하고 있어, 터무니없는 소리야 ! ⑤ ~ de fer (마루 따위에 광을 내는) 쇠수세미. ***être [coucher] sur la ~ 몹시 가난하다. ***feu de ~*** 짚불 ; 일시적인 정열. ***homme de ~*** 무능한 사내 ; (이름만 빌려 준) 로봇. ***mettre*** qn ***sur la ~*** …을 파산시키다. ***tirer à la courte ~*** 제비뽑다. ── *adj.* 《불변》 짚빛깔의, 연노랑의 : robe ~ 짚빛깔의 옷.

paillé, e [pɑje] *adj.* ① 짚빛깔의. ② 짚을 넣은 : chaise ~*e* 짚을 넣은 의자. ③ (유리 · 보석 따위에) 티가[흠이] 있는.

pailler [pɑje] *v.t.* ① 〖원예〗 (묘목 따위를) 거적으로 덮다[싸다]《서리 피해용으로》. ② (의자 따위에) 짚을 넣다.

pailleté, e [pajte] *adj.* (옷 따위가) 금속 조각[금박]으로 장식된[반짝거리는].

pailleter [pajte] *v.t.* [5] ① (옷을) 번쩍거리게 하다, 금박으로 장식하다. ② …에 (금은 보석 등이) 총총 박혀 있다.

paillette [pajɛt] *f.* ① 사금(砂金). ② (무대 의상에 쓰이는 번쩍거리는) 금속 조각, 금박 : robe à ~s d'or 황금 장식으로 번쩍이는 옷. ③ (운모 · 금속 따위의) 얇은 조각. ④ (보석의) 흠, 티.

paillon [pɑ(a)jɔ̃] *m.* ① (옷 장식 등의) 번쩍거리는 금속 조각 ; 보석 밑에 까는 은박. ② 짚으로 만든 병 포장[싸개].

paillote [pɑ(a)jɔt] *f.* (열대 지방의) 초가집.

paîment [pɛmɑ̃] *m.* = payement.

‡pain [pɛ̃] *m.* ① 빵 : croûte de ~ 빵껍질 / ~ anglais ; ~ de mie 영국식의 4각형의 빵, 식빵 / ~ céleste 〖종교〗 성찬의 빵 / étaler du beurre sur son ~ 빵에 버터를 바르다. ② 양식, 식량 ; 생계 : ~ quotidien 매일 매일의 양식 ; 《비유》 일상적인 것 / gagner son ~ 밥벌이하다 ; 생계를 유지하다 / ~ de vie 생명의 떡, 그리스도의 가르침《요한복음 6:35》. ③ 빵과자 ; 빵을 사용한 요리 : ~ au chocolat 초콜릿 빵과자 / ~ perdu (우유에 담근 후 계란, 설탕을 넣어 구운) 프렌치 토스트. ④ 덩어리 : ~ de savon 고체 비누 / ~ de sucre (원뿔 모양의) 설탕 덩어리. ⑤ 《속어》 구타, 주먹다짐 : Je lui ai collé un ~. 그놈을 한대 때려 주었지. ***avoir du ~ sur la planche*** 《구어》 해야 할 일이 많다. ***Je ne mange pas de ce ~-là.*** 그런[이런] 건 싫다. ***long comme un jour sans ~*** 대단히 긴, 지루하게 끄는. ***manger son ~ blanc le premier*** 좋은 기회를 먼저 이용하다. ***ne pas manger de ce ~-là*** 그런 일에는 가담하지 않다. ***pour une bouchée de ~*** 싼값으로. ***se vendre comme des petits ~s*** 무척 잘 팔리다.

pair¹, e¹** [pɛːʀ] *adj.* 〖수학〗 짝수[우수]의(≠ impair) : jours ~s 우수 일 / numéro ~ 짝수, 우수. ── *m.* ① ⓐ 동류, 동배(同輩), 동료《숙어 이외에는 보통 *pl.*》 : vivre avec ses ~s 동료와 함께 살다. ⓑ (새의) 한쌍 중의 한쪽 : Cette tourterelle a perdu son ~. 이 멧비둘기는 짝을 잃었다. ② 〖재정〗 평가(平價) : 액면(額面) 가격 ; valeur au [du] ~ (증권 따위의) 액면 가격. ***aller [marcher] de ~ avec qn …와 어깨를 나란히 하다. ***être au ~ dans une maison*** 월급 없이 침

식만 제공받고 일하다. ***hors* (*de*) *~ ; sans ~*** 비할 바 없는.

pair² [pɛːʀ] *m.* 중신(重臣) ; 귀족, (1815-48 년의) 프랑스 귀족원 의원 ; 영국 상원 의원 : Chambre des *~s* (프랑스의) 귀족원 ; (영국의) 상원.

paire²** [pɛːʀ] *f.* ① (구두 따위의) 켤레 ; 쌍 ; 짝, (두 개로 된 한) 벌 : une ~ de gants 장갑 한 켤레 / une ~ de souliers 구두 한 켤레 / une ~ de ciseaux 가위 한 개. ② (동물 · 사람의) 쌍, 조 : une ~ de boufs 한 쌍의 소 / une ~ d'amis 막역한 친구. ***Ces tableaux font la ~. 이 2장의 그림은 잘 어울린다. ***Les deux font la ~.*** 《구어》 둘 다 같은 결점이 있다, 피장파장이다. ***se faire la ~*** 《구어》 도망치다.

pairie [pɛ(e)ʀi] *f.* 귀족원 의원의 지위 ; (영국의) 상원 의원의 신분.

***paisible** [pɛ(e)zibl] *adj.* 평화스러운, 평온한, 조용한(= pacifique, tranquille) : quartier ~ 조용한 동네 / vie ~ 평온한 생활.

***paisiblement** [pɛzibləmɑ̃] *adv.* 평화스럽게, 평온하게, 조용하게(= calmement, tranquillement).

paître [pɛtʀ] [41] 《단순과거, 접속법 반과거, 과거분사 없음 ; 복합시제는 다음의 경우에만 쓰임 : Il *a pu* et repu. 그는 배불리 먹었다 / faucon qui *a pu* 먹이를 먹은 매》 *v.t.* ① (가축이 풀을) 뜯어먹다. ② (가축을) 목양하다, 풀을 먹이다. — *v.i.* (목장의) 풀을 먹다. ***Allez ~ !*** 어디로든 썩 꺼져라 ! ***envoyer ~*** qn …을 해고하다, 내쫓다.

‡paix [pɛ] *f.* ① ⓐ 평화(≠ conflit, guerre) ; 강화 (조약) : ~ à tout prix 절대 평화주의 / ~ boiteuse 불안정한 평화 / signer la ~ 강화 조약에 서명하다. ⓑ 화해, 화합(= accord) : baiser de ~ 화해의 키스 / vivre en ~ avec qn …와 의좋게 지내다 / faire la ~ avec qn …와 화해하다. ② 평온, 평안, 안심, 안도(= quiétude ; ≠ inquiétude) : laisser la ~ à qn …을 가만히 내버려두다. ③ 치안, 안녕(≠ trouble) : gardiens de ~ 경관 / ~ sociale 사회의 치안〔안녕〕. ④ (장소의) 조용함, 정적 : J'aime la ~ de la campagne. 나는 시골의 조용함을 좋아한다. ***Allez en ~ !*** 고요히 잠드소서 ! 《죽은 사람에게》. ***avoir la conscience en ~*** 마음이 편하다, 양심에 아무런 거리낌이 없다. ***Foutez-moi*** (《속어》 ***Fichez-moi***) ***la ~ !*** 귀찮게 굴지 마 ! 시끄러워 ! ***La ~ ! ; P~ !*** 조용히 ! 시끄러워 ! 「탄.

Pakistan [pakistɑ̃] *n.pr.m.* 〖지리〗 파키스

pakistanais, e [pakistanɛ, -ɛz] *adj.* 파키스탄의. — **P~** *n.* 파키스탄 사람.

pal [pal] *m.* (*pl* **~s**, 《드물게》 ***paux*** [po]) 꼬챙이 ; 말뚝(= pieu¹) ; 쇠꼬챙이 : supplice de ~ 《옛》 사람을 꼬챙이에 꿰는 형벌.

PAL 〔영〕 《약자》 Phase Alternating Line 〖방송〗 PAL 방식《독일에서 개발된 컬러텔레비전 방영 방식》.

palabre [palabʀ] *f.* 〔*m.*〕 (흔히 *pl.*) 《구어》 장황한 이야기〔논의〕.

palabrer [palabʀe] *v.i.* 장황하게 이야기〔연설 · 토론〕하다.

palace [palas] 〔영〕 *m.* (호텔 · 영화관 따위의) 호화로운 건물 : descendre dans un ~ 호화 호텔에 투숙하다 / mener la vie de ~ 《구어》 호화로운 생활을 하다.

paladin [paladɛ̃] *m.* (중세의) 편력기사(遍歷騎士).

palais¹** [palɛ] *m.* ① 궁궐, 궁전 ; 저택 ; 관저 ; (*P~*) 호화로운〔웅장한〕 공공 건물 : ~ du roi 왕궁 / le *P~* de l'Élysée 엘리제궁 《프랑스 대통령 관저》 / le *P~* de Chaillot (파리의) 팔레 드 샤이요 / *P~*-Bourbon 프랑스 하원 / *P~* du Luxembourg 프랑스 상원 / le *P~* des Sports (파리의) 체육관. ② (또는 *P~*) 재판소(= ~ de justice) ; 법조계. ***gens du ~ 법률가, 변호사 : *gens du* 〔de〕 ~ 법조계 인사들. ***termes de ~*** 법률 용어.

palais² *m.* ① 〖해부〗 입천장, 구개(口蓋) : voile de ~ ; ~ mou 연(軟)구개 / voûte du ~ ; ~ dur 경(硬)구개. ② 미각(味覺) : avoir le ~ fin 미각이 예민하다.

palan [palɑ̃] *m.* 〖기계 · 해양〗 권양기(捲揚機) ; 도르래 ; 윈치.

palanquin [palɑ̃kɛ̃] *m.* (동양에서 쓰이는) 가마, 승교.

palatal, e, aux [palatal, -o] *adj.* 〖해부〗 입천장의, 구개의 : voyelles *~es* 〖언어〗 경구개 모음. — *f.* 〖언어〗 구개〔경구개〕음.

palatalisation [palatalizɑsjɔ̃] *f.* 〖언어〗 구개음화(口蓋音化). 「화하다.

palataliser [palatalize] *v.t.* 〖언어〗 구개음

pale [pal] *f.* 노깃《노의 평평한 앞부분》, (선풍기 · 프로펠러 따위의) 날개, 회전판.

pâle** [pɑːl] *adj.* ① 창백한, 핏기 없는, 핼쑥한 (= blafard, blême) : être ~ de peur 공포로 파랗게 질리다 / ~ de colère 노여움으로 하얗게 질린. ② 빛깔이 연한(≠ foncé) ; 희미한 ; 희끄무레〔희읍스름〕한 : lueurs *~s* 희미한 미광 / lune ~ 희미한 달빛. ③ 생기 없는 (= fade, terne) ; 멋없는, 싱거운 : ~ imitation 싱거운 모방 / ~ crétin 《구어》 숙맥. ***~ comme un linge 〔***un mort, la mort***〕 흰 천〔죽은 사람〕처럼 창백한.

palefrenier [palfʀənje] *m.* 마부. 「仗馬).

palefroi [palfʀwa(ɑ)] *m.* 〖중세〗 의장마(儀

paléo- [paleɔ] *préf.* 「옛 · 고대」의 뜻.

paléographe [paleɔgʀaf] *adj.* 고문서학의. — *m.* 고문자〔고문서〕학자.

paléographie [paleɔgʀafi] *f.* 고문서학.

paléographique [paleɔgʀafik] *adj.* 고문서학의.

paléolithique [paleɔlitik] *m.* et *adj.* 구석기 시대(의).

paléontologie [paleɔ̃tɔlɔʒi] *f.* 고생물학, 화석학(化石學).

paléontologique [paleɔ̃tɔlɔʒik] *adj.* 고생물학의, 화석학의.

paléontologiste [paleɔ̃tɔlɔʒist], **paléontologue** [paleɔ̃tɔlɔg] *m.* 고생물학자, 화석학자. 「나.

Palestine (**la**) [lapalɛstin] *n.pr.f.* 팔레스티

palestin, e [palɛstɛ̃, -in], **palestinien, enne** [palɛstinjɛ̃, -ɛn] *adj.* 팔레스티나(*la Palestine*)의. — **P~** *n.* 팔레스티나 사람.

palet [palɛ] *m.* 〖놀이〗 (돌차기 따위의) 돌 〔금속 · 고무〕 원반 ; (아이스하키의) 퍽.

paletot [palto] *m.* ① 짤막한 외투. ② (모직

P

으로 된) 웃옷, 저고리.

palette [palɛt] *f.* ① (화가의) 팔레트 ; 색채, 색조 : faire 〔charger〕 sa ~ 팔레트 위에 여러 가지 물감을 늘어놓다. ② 탁구 채〔라켓〕. ③ (물레바퀴 등의) 물받이판 ; 노깃 ; (외륜선(外輪船)의) 물갈퀴판. ④ (지게차의) 짐받이판. ⑤ (양·돼지 따위의) 어깨 부분의 고기.

palétuvier [paletyvje] *m.* 〖식물〗 맹그로브, (열대 지방의) 홍수(紅樹).

pâleur [pɑlœːʀ] *f.* (안색의) 창백함, (빛깔의) 연함, 희미한 빛〔빛깔〕.

pali, e [pali] 〖언어〗 *adj.* (인도의) 팔리의 : la langue ~*e* (범어(梵語)의 속어인) 팔리어. — *m.* 팔리어(語).

pâlichon, onne [pɑ〔a〕liʃɔ̃, -ɔn] *adj.* 《구어》 약간 창백한, 해쓱한(= pâlot).

palier** [palje] *m.* ① 〖건축〗 층계참 : demi-~ 계단 중간의 층계참. ② 단계, 계층(= échelon) : différents ~*s* de la société 사회의 각 계층. ③ (철도·도로의) 수평부 ; 〖항공〗 수평 비행. ④ 〖기계〗 축받이 ; 축대(軸臺) : ~ à billes 볼 베어링. ***par ~s 단계적으로, 점차 : progresser *par ~s* 점진적으로 나아가다. ***taxes imposées par ~s*** 누진세.

palière [paljɛːʀ] *adj. f.* 층계 위와 수평의. ***porte ~*** 층계참으로 통하는 문.

palimpseste [palɛ̃psɛst] *m.* 쓰여 있던 글자를 지우고 다시 글자를 적어 넣은 양피지.

palingénésie [palɛ̃ʒenezi] *f.* 재생, 소생, 부활 ; 윤회(輪廻).

palinodie [palinɔdi] *f.* ① 《문어》 변절, 표변 : ~ d'un homme politique 정치가의 변절. ② 개언(改言), 변설. ***chanter la ~*** 앞서 한 말을 취소하다.

pâlir** [pɑliːʀ] *v.i.* ① 창백해지다, 해쓱해지다, 파랗게 질리다 : ~ de colère 분노로 얼굴이 창백해지다. ② (빛깔이) 연해지다, 바래다 ; (빛이) 약해지다 : Son étoile *pâlit.* 《구어》 그의 운수〔명성〕도 시들하다. ***faire ~ qn ***d'envie*** …에게 부러움을 사게 하다. ***~ sur les livres*** 〔***un travail***〕 공부〔일〕에 오랜 시간 열중하다. — *v.t.* 창백하게 만들다 ; (빛깔을) 연하게〔바래게〕 하다 ; (빛을) 잃게 하다.

palissade [palisad] *f.* ① 말뚝〔판자〕 울타리, 울짱 ; 생울타리. ② 〖군사〗 방책(防柵).

palissandre [palisɑ̃ːdʀ] *m.* 〖식물〗 자단(紫檀).

pâlissant, e [pɑ〔a〕lisɑ̃, -ɑ̃ːt] *adj.* (얼굴이) 창백해지는 ; (빛이) 약해지는 : ciel ~ 어두워지는 하늘.

palladium[1] [pa(l)adjɔm] 〔라틴〕 *m.* ① 〖신화〗 여신 팔라스(*Pallas*)의 나무 조상(彫像). ② 《문어》 수호신, 보호자.

palladium[2] *m.* 〖화학〗 팔라듐.

palliatif, ive [paljatif, -iːv] *adj.* 일시적인, 임시방편의 ; 고식적(姑息的)인, 미봉적인 : traitement ~ 일시적인 치료법. — *m.* 일시적인 완화제(= remède ~) ; 미봉책.

pallier [palje] *v.t.* 《pallier à 의 구문은 오용》 ① (잘못 따위를) 호도하다, 얼버무리다 : Il cherche à ~ les conséquences de son erreur. 그는 자기 잘못의 결과를 얼버무리려고 한다. ② (고통 따위를) 한때 완화하다 ; (사태에) 일시적으로 대처하다 : ~ la crise 위기에 잠정적으로 대처하다.

palmarès [palmaʀɛs] *m.* ① 수상자〔입상자〕 명부〔명단〕 : figurer au ~ 수상자 명단에 오르다. ② (유행가 따위의) 인기도 순위표(= hit-parade).

palme [palm] *f.* ① 종려나무 가지〔잎〕. ② 종려나무 ; 대추야자 : huile de ~ 종려유 / vin de ~ 야자술. ③ 종려 잎 모양의 장식〔훈장〕 : ~*s* académiques 교육 공로 훈장. ④ 승리〔영예〕의 상징 ; 영예, 상(賞) : ~ du martyre 순교의 영예 / ~ d'or 금상. ⑤ (잠수용의) 물갈퀴 달린 고무신.

palmé, e [palme] *adj.* ① 〖식물〗 손바닥 모양의, 장상(掌狀)의. ② 〖조류〗 (발에) 물갈퀴가 있는 : pattes ~*es* 물갈퀴발 《오리 따위》.

palmer[1] [palmɛːʀ] *m.* 측미계(測微計), 마이크로미터.

palmer[2] [palme] *v.i.* 고무오리발을 달고 헤엄치다.

palmeraie [palməʀɛ] *f.* 종려나무 숲.

***palmier** [palmje] *m.* ① 〖식물〗 종려나무, 종려과(科)의 식물 : cœur de ~ 캐비지 야자의 새싹《식용》. ② 종려나무 잎 모양의 쿠키.

palmipède [palmipɛd] *adj.* 물갈퀴가 있는. — *m. pl.* 〖조류〗 유금류(遊禽類) ; 물새.

palmiste [palmist] *m.* 〖식물〗 캐비지야자 《빈랑나무속》. — *adj.* chou ~ 캐비지야자의 꼭대기에 생기는 새싹《식용》.

palombe [palɔ̃ːb] *f.* ① 〖조류〗 염주비둘기(= pigeon ramier). ② 《속어》 여자.

palonnier [palɔnje] *m.* 〖항공〗 방향타, 조종간(桿).

pâlot, otte [pɑlo, -ɔt] *adj.* (얼굴이) 약간 창백한, 파리한(= pâlichon).

palourde [paluʀd] *f.* 〖패류〗 대합류의 속칭.

palpable [palpabl] *adj.* ① 손으로 만질 수 있는 ; 구체적인(= concret). ② 명백한, 확실한, 분명한 : preuves ~*s* 확실한 증거.

palpation [palpɑsjɔ̃] *f.* 손으로 만져 보기, 촉지 ; 〖의학〗 촉진(觸診).

palper [palpe] *v.t.* ① (손으로) 만져 보다(= tâter), 더듬다 ; 〖의학〗 촉진(觸診)하다 : ~ une étoffe 옷감을 만져 보다. ② 《구어》 (돈을) 받다〔벌다〕(= toucher, recevoir) : ~ la grosse somme 큰돈을 벌다. — **se ~** *v.pr.* 자기 몸을 만져 보다. — *m.* 촉진.

palpeur [palpœːʀ] *m.* 〖기계〗 접촉자(接觸子).

***palpitant, e** [palpitɑ̃, -ɑ̃ːt] *adj.* ① (심장 따위가) 고동치는, 두근거리는 ; 약동하는 : cité ~*e* d'activité commerciale 약동하는 상업 도시. ② 가슴을 설레게〔두근거리게〕 하는(= émouvant) : roman ~ 흥미진진한 소설 / film ~ 손에 땀을 쥐게 하는 영화.

palpitation [palpitɑsjɔ̃] *f.* ① (심장의) 고동 ; 가슴〔마음〕의 설렘. ② 꿈틀거림 ; 경련 : ~*s* des paupières 눈꺼풀의 경련.

palpiter [palpite] *v.i.* ① (심장이) 뛰다, 고동치다 : cœur qui *palpite* de peur 두려움에 떨리는 가슴. ② 꿈틀거리다, 파닥거리다 : voiles qui *palpitent* au vent 바람에 펄럭이는 돛. ③ 《~ de》 …으로 가슴이 설레다〔두근거리다〕 : ~ *de* joie 좋아서 어쩔 줄 모르다.

palsambleu [palsɑ̃blø], **palsangué** [palsɑ̃ge], **palsanguienne** [palsɑ̃gjɛn] *interj.* 《옛》 제기랄, 젠장, 경을 칠, 빌어먹을.

paltoquet [paltɔkɛ] *m.* 무례한〔버릇없는〕 녀석 ; 하찮은〔보잘것없는〕 놈.

paluche [palyʃ] *f.* 《구어》 손(= main).
paludéen, enne [palydeɛ̃, -ɛn] *adj.* ① 늪의, 소택지의. ② 말라리아의 : fièvre ~*enne* 학질. ── *n.* 말라리아 환자.
paludisme [palydism] *m.* 〖의학〗 말라리아열 ; 학질.
pâmé, e [pɑme] *adj.* 기절한, 정신을 잃은. ***admiration ~e*** 《구어》 절찬, 넋 잃고 바라보기. ***tomber ~*** 기절〔졸도〕하다.
pâmer (se) [s(ə)pɑme] *v.pr.* ① 《se ~ de》 …으로 멍해지다, 황홀해지다 : *se ~ de* joie 기뻐서 어쩔 줄 모르다. ② 《옛》 기절하다 : *se ~ de* rire ; rire à *se ~* 포복절도하다.
pâmoison [pɑ(a)mwazɔ̃] *f.* 기절, 실신, 인사불성 : tomber en ~ 기절하다 ; 《비꼼》 황홀해지다.
pampa [pɑ̃pa] *f.* (*pl.* **~s** [pɑ̃pa, pɑ̃pɑ:s]) (흔히 *pl.*) 남미의 대초원, 팜파스.
pamphlet [pɑ̃flɛ] *m.* 팸플릿(= brochure) ; 시사 문제를 비평하는 소책자 ; 풍자서.
pamphlétaire [pɑ̃fletɛ:ʀ] *m.* pamphlet 의 저자〔작가〕. 「장식.
pampille [pɑ̃pij] *f.* (여성복에 다는) 작은 술
***pamplemousse** [pɑ̃pləmus] *m.* (*f.*) 〖식물〗 왕귤나무 ; 왕귤(= grape-fruit, pomélo).
pamplemoussier [pɑ̃pləmusje] *m.* 〖식물〗 왕귤나무.
pampre [pɑ̃:pʀ] *m.* ① (잎 달린) 포도나무 가지. ② 〖건축 · 미술〗 포도나무 가지 무늬.
Pan [pɑ̃] *n.pr.m.* 〖그리스신화〗 목신(牧神) 《머리에 뿔이 있고 발은 염소와 같으며 피리를 부는 신》, 숲 · 들의 신.
***pan**[1] *m.* ① 늘어진 옷자락, 휘장 따위의 늘어진 부분 : ~ de manteau 코트 자락. ② 〖건축 · 축성〗 (벽면의) 일부 ; (다면체 · 물체의) 면 : ~ de comble 지붕의 사면 / tour à huit ~*s* 팔면체의 탑.
pan[2] *interj.* 빵, 펑, 탕, 쾅《총성 · 파열음》 : *P~ ! ~ !* on entendit deux coups de feu. 탕탕, 두 방의 총소리가 들렸다.
pan- *préf.* 「전 (全) · 범 (汎)」 등의 뜻.
panacée [panase] *f.* 만병 통치약.
panachage [panaʃa:ʒ] *m.* ① (색깔의) 혼합, 섞기 : ~ de couleurs 색채의 혼합. ② 〖정치〗 투표 용지에 복수 정당 입후보자 이름을 기입하기.
panache [panaʃ] *m.* (군모 · 투구 따위 앞에 다는) 깃털 장식 ; (동물의) 탐스러운 꼬리털 ; (새의) 깃털 : casque surmonté d'un ~ 깃털 장식이 달린 투구 / queue en ~ (다람쥐 따위의) 몽실몽실한 꼬리털. ***avec ~*** 화려하게, 당당하게. ***avoir du ~*** 위풍이 당당하다 ; 허세를 부리다. ***avoir son ~*** 《구어》 거나하게 취해 있다.
panaché, e [panaʃe] *adj.* ① (여러 가지 색깔이) 뒤섞인, 얼룩무늬의 : glace ~*e* 오색의 아이스크림. ② (여러 종류의 것〔사람〕으로) 혼합된 : société ~*e* 혼합 사회. ── *m.* 맥주와 레모네이드의 혼합주(= bière ~*e*).
panacher [panaʃe] *v.t.* ① 여러 가지 빛깔로 장식하다〔뒤섞다〕. ② 이질적인 요소로 구성하다 : ~ un bulletin de vote 〖정치〗 투표 용지에 여러 당파의 입후보자명을 혼합하여 기입하다.
panade [panad] *f.* 〖요리〗 (빵과 버터를 넣어서 끓인) 버터 수프. ***être*** 〔***tomber***〕 ***dans la ~*** 《구어》 곤경에 처하다〔빠지다〕 ; 몹시 가난하다〔가난해지다〕.
panafricain, e [panafʀikɛ̃, -ɛn] *adj.* 범(汎)아프리카의.
panafricanisme [panafʀikanism] *m.* 범아프리카주의.
Panama [panama] *n.pr.m.* 〖지리〗 파나마. ── **p~** *m.* 파나마 모자.
panaméricain, e [panameʀikɛ̃, -ɛn] *adj.* 범(汎)아메리카의, 전미(全美)의.
panaméricanisme [panameʀikanism] *m.* 범아메리카주의.
panarabe [panaʀab] *adj.* 범아랍의. 「의.
***panarabisme** [panaʀabism] *m.* 범아랍주
panard, e [pana:ʀ, -aʀd] *m.* 《구어》 발(= pied).
panaris [panaʀi] *m.* 〖의학〗 표저(瘭疽)(= mal blanc).
pancartage [pɑ̃kaʀta:ʒ] *m.* 게시, 공시(公示), 공고를 붙이기.
***pancarte** [pɑ̃kaʀt] *f.* 벽보, 포스터 ; 플래카드(= placard).
pancrace [pɑ̃kʀas] *m.* 〖고대그리스〗 (권투와 씨름을 합친) 투기(鬪技).
pancréas [pɑ̃kʀeɑ:s] *m.* 〖해부〗 지라, 췌장.
pancréatique [pɑ̃kʀeatik] *adj.* 〖해부〗 지라〔췌장〕의.
panda [pɑ̃da] *m.* 〖동물〗 (히말라야 산중에 사는) 작은 곰, 팬더.
pandémonium [pɑ̃demɔnjɔm] *m.* ① 지옥의 수도. ② 악덕의 소굴, 타락한 장소.
pandit [pɑ̃di(t)] *m.* 바라문교의 학승(學僧)의 칭호.
Pandore [pɑ̃dɔ:ʀ] *n.pr.f.* 〖그리스신화〗 판도라《인류 최초의 여자》. ***coffret*** 〔***boîte***〕 ***de ~*** 판도라의 상자 ; 모든 악의 근원.
pandore *m.* 《옛》 헌병, 순경.
pané, e [pane] *adj.* 〖요리〗 빵가루를 입혀 볶은〔튀긴〕 : escalope ~*e* 빵가루를 입힌 고기 튀김.
panégyrique [paneʒiʀik] *m.* 송사(頌詞), 찬사《사람 · 도시를 찬양하는 연설(문)》 : faire le ~ de qn 〔qc〕 …을 칭송하다.
panégyriste [paneʒiʀist] *m.* 송사〔찬사〕를 작성하는 사람 ; 《경멸》 칭찬하는 사람.
panel [panɛl] 〔영〕 *m.* ① 〖통계〗 패널 (조사) 《장기 추적 조사를 위하여 무작위로 추출된 대상 집단》. ② 공개 토론회.
panenthéisme [panɑ̃teism] *m.* 〖철학〗 범신론, 만유재신론(萬有在神論). 「다.
paner [pane] *v.t.* 〖요리〗 …에 빵가루를 입히
pangermanisme [pɑ̃ʒɛʀmanism] *m.* 범(汎)게르만주의.
pangermaniste [pɑ̃ʒɛʀmanist] *adj.* 범게르만주의의. ── *n.* 범게르만주의자. 「甲).
pangolin [pɑ̃gɔlɛ̃] *m.* 〖동물〗 천산갑(穿山
***panier** [panje] *m.* ① 바구니, 광주리(= corbeille) : ~ à ouvrage 반짇고리, 뜨개질 바구니 / ~ à provisions 〔à linge〕 시장〔세탁〕 바구니 / mettre des fruits dans un ~ 과일을 광주리에 담다. ② 바구니에 든 것 ; 한 바구니(의 양) : un ~ de fruits 한 바구니의 과일. ③ 쓰레기 바구니, 쓰레기통 : mettre 〔jeter〕 au ~ 쓰레기통에 버리다. ④ (소풍용

의) 광주리에 담은 도시락(= ~ repas). **mettre... dans le même ~** …을 똑같이〔아무렇게나〕 취급하다, 한데 뒤섞다. **mettre la main au ~** 《속어》 엉덩이를 만지다. **~ percé** 낭비하는 사람.

panière [panjɛːʀ] *f.* 손잡이 달린 큰 바구니 ; 그 속에 든 것.

panier-repas [panjeʀəpɑ] *m.* (*pl.* **~s-~**) (여행이나 소풍 때의) 바구니에 넣은 도시락.

panifiable [panifjabl] *adj.* 빵이 될 수 있는.

panification [panifikɑsjɔ̃] *f.* 빵으로 만들기, 빵 제조.

panifier [panifje] *v.t.* 빵으로 만들다.

***panique** [panik] *adj.* 이유 없는, 까닭 모를, 갑작스러운 : terreur ~ 까닭 모를 갑작스러운 공포. — *f.* 공포, 공황(= effroi, épouvante) : Pris de ~, ils s'enfuirent. 공포에 사로잡혀 그들은 도망쳤다 / sujet à la ~ 《속어》 겁을 집어먹은.

paniquer [panike] *v.t.* 공포에 사로잡히게 하다(= affoler) : Elle *est* complètement *paniquée*. 그녀는 완전히 겁에 질려 있다. — *v.i.* et **se ~** *v.pr.* 공포에 사로잡히다 ; 혼비백산하다.

panislamique [panislamik] *adj.* 범(汎)회교주의의.

panislamisme [panislamism] *m.* 범회교주의.

***panne¹** [pan] *f.* ① 〖직물〗 털이 긴 벨벳의 일종. ② (돼지 따위의) 비계.

panne² *f.* 고장, (사고에 의한) 정지 ; 《구어》 중단 : ~ d'électricité〔d'éclairage〕 정전 / ~ sèche〔d'essence〕 연료 부족에 의한 기관의 정지 / Ma voiture a eu une ~. 내 차가 고장났다. **être〔*rester, se tenir*〕 en ~** (배가) 정지하고 있다 ; (자동차 따위가) 고장이 나다 ; (일 따위가) 중지되어 있다 ; (사람이) 오도 가도 못하다. **être en ~ de** qc …이 결핍되어 있다〔부족하다〕 : Je *suis en ~ d'*idées. 좋은 생각이 떠오르지 않는다.

panne³ *f.* 〖건축〗 ① 들보 ; S 자 꼴의 기와. ② (항구의) 부유책(浮遊柵), 방재(防材) : ~s de barrage〔de port〕 항구의 방재.

***panneau** [pano] *m.* (*pl.* **~x**) ① (벽·천장에 대는) 널빤지, 패널 ; (건축용) 보드 : ~ d'un closion 칸막이판 / ~ mobile〔glissant〕 이동식〔미닫이〕 패널. ② 표지(標識) ; 간판 : ~ électoral 선거 포스터 게시판 / ~ indicateur〔de signalisation〕 도로 표지 / ~*x* publicitaires 광고 간판. ③ 그물 ; 덫, 올가미, 함정(= piège): tomber〔donner〕 dans le ~ 함정에 빠지다, 속아넘어가다. ④ 〖의복〗 패널《서로 이어 옷을 만드는 천 조각》.

panneau-réclame [panoʀekla(ɑː)m] *m.* (*pl.* **~x-~**) 광고판, 게시판, 간판.

panneton [pantɔ̃] *m.* (열쇠 구멍에 끼어 자물쇠청에 작용하는) 열쇠의 돌출부.

panonceau [panɔ̃so] *m.* (*pl.* **~x**) ① (흔히 *pl.*)(공증인·집달관 따위의 사무실 문에 붙인) 방패 꼴의 표지. ② (호텔·식당 등의 등급을 표시한) 간판, 표지판.

panoplie [panɔpli] *f.* ① 갑옷 투구 한 벌, 한 벌의 갑수(甲冑). ② 무구(武具)를 모아 놓은 장식, 무구 장식. ③ (판지에 붙인) 장난감 한 세트《소방수 놀이 장난감 따위》 : ~ de pompier 소방 놀이 세트.

panoptique [panɔptik] *adj.* et *m.* 집안이 한눈에 건너다보이는 구조의 (건물).

panorama [panɔʀama] *m.* ① 파노라마 ; 전경(全景), 전망(= vue) : ~ d'une ville 도시의 전경. ② (문제 따위의) 개관, 개론 : ~ de l'art contemporain 현대 예술의 개관.

panoramique [panɔʀamik] *adj.* ① 파노라마 같은 ; 전경이 보이는 : vue ~ 전경 / wagon ~ 전망차. ② 개관의, 전모를 보여 주는 : vue ~ d'une période historique 역사적 한 시기의 전체적 개관. — *m.* 〖영화〗 (회전하면서 전경을 찍는) 파노라마 촬영.

panoramiquer [panɔʀamike] *v.i.* 〖영화·TV〗 파노라마 같이 촬영하다.

pansage [pɑ̃saːʒ] *m.* (말 따위를) 브러시로 긁어 주기.

panse [pɑ̃ːs] *f.* ① 반추(反芻) 동물의 제 1 위(胃). ② 《구어》 뚱뚱한 배(= ventre) : se garnir〔se remplir〕 la ~ 배를 채우다. ③ (항아리 따위의) 불룩한 부분, 중배.

***pansement** [pɑ̃smɑ̃] *m.* ① 〖의학〗 붕대 감기, 상처의 치료〔가료〕 : faire un ~ 붕대를 감다. ② 치료 용품, 붕대 : ~ adhésif 접착 붕대, 반창고.

***panser** [pɑ̃se] *v.t.* ① …에 붕대를 감다(= bander) ; (상처를) 치료하다 : ~ un bras blessé 다친 팔에 붕대를 감다 / ~ les blessés 부상자들을 치료하다. ② (말 따위를) 글경이질하다(= étriller).

panslavisme [pɑ̃slavism] *m.* 범(汎)슬라브주의.

pansu, e [pɑ̃sy] *adj.* 배불뚝이의 ; (항아리 따위가) 중배가 불룩한. — *n.* 배불뚝이.

pantagruélesque [pɑ̃tagʀyelɛsk], **pantagruélique** [pɑ̃tagʀyelik] *adj.* 팡타그뤼엘《*Rabelais* 의 작품에 나오는 인물》 같은 ; 쾌락주의의 ; (밥통·식욕이) 거창한 : estomac ~ 거대한 위 / appétit ~ 왕성한 식욕.

***pantalon** [pɑ̃talɔ̃] *m.* 긴 바지(= falzar, froc) : ~ de ski 스키용 바지 / mettre〔enfiler〕 son ~ ; porter un ~ 바지를 입다.

pantalonnade [pɑ̃talɔnad] *f.* ① 익살맞은 소극(笑劇), 익살주, 희극. ② 위선적〔기만적〕인 언동, 광대짓.

pantalonné, e [pɑ̃talɔne] *adj.* 《옛》 바지를 입은.

pantelant, e [pɑ̃tlɑ̃, -ɑ̃ːt] *adj.* ① 헐떡거리는, 숨가쁜(= haletant) ; (충격으로) 숨이 막힐 듯한 : être ~ de terreur 공포에 질리다. ② (동물의 시체가 아직) 꿈틀거리는.

panteler [pɑ̃tle] [5] *v.i.* ① 헐떡거리다(= haleter). ② (경련을 일으키며) 꿈틀거리다. ③ (감동으로) 숨이 막힐 듯하다 : ~ d'émotion 감동으로 가슴이 벅차다.

panthéisme [pɑ̃teism] *m.* ① 〖철학〗 범신론(汎神論). ② 자연 숭배.

panthéiste [pɑ̃teist] *n.* 범신론자. — *adj.* 범신론의.

panthéon [pɑ̃teɔ̃] *m.* ① (*P*~) 〖고대그리스·로마〗 판테온, 만신전(萬神殿) ; 《집합적》(한 국민이 섬기는, 한 신화에 속하는) 모든 신, 제신(諸神). ② 《집합적》 (한 나라의) 위인들의 합사묘(合祀廟). ***le P~*** 팡테옹《프랑스의 위인들의 무덤이 있는 파리의 사원》.

***panthère** [pɑ̃tɛːʀ] *f.* ① 〖동물〗 표범 ; 표범의 모피. ② 《비유》 사나운 여자 : ma ~ 《속어》 아내, 마누라 / ~ d'Amérique 재규어.

pantin [pɑ̃tɛ̃] *m.* ① 꼭두각시 : marcher comme un ~ 꼭두각시처럼 뒤뚱거리며 걷다. ② 줏대가 없는 사람(= girouette).

pantois, e [pɑ̃twa, -aːz] *adj.* 어리둥절한, 얼빠진, 아연실색한(= penaud) : demeurer ~ 얼이 빠져 있다.

pantomime [pɑ̃tɔmim] *f.* ① 무언극, 판토마임. ② 몸짓, 제스추어(= mimique). ③ 과장된 태도.

pantouflage [pɑ̃tuflaːʒ] *m.* (고급 관료가) 공직을 떠나 사기업으로 옮기기.

pantouflard, e [pɑ̃tuflaːʀ, -aʀd] *adj.* et *n.* 집안에서 한가히 지내기를 즐기는 (사람); 바깥 출입을 싫어하는 (사람).

pantoufle** [pɑ̃tufl] *f.* 슬리퍼, 실내화 : chasser [mettre] ses ~*s* 슬리퍼를 신다. ***passer sa vie dans ses ~s 집안에서 한가로운 생활을 하다.

panure [panyːʀ] *f.* 빵가루(= chapelure), 빵부스러기.

panzer [pɑ̃zɛːʀ] 〔독일〕 *m.* 독일군의 전차.

paon [pɑ̃] *m.* ① 〖조류〗 공작 : Le ~ fait la roue. 공작이 날개를 펼치다. ② 거만한〔허세부리는〕 사람. ***se parer des plumes du ~*** 남의 것으로 거드름 부리다〔피우다〕.

:papa [papa] *m.* ① 《소아어》 아빠(≠ maman) : grand-~ ; bon-~ 할아버지 / fils à ~ 《경멸》 (부자·권세가의) 아버지를 등에 업은 아들 . ② 《구어》 사람 좋은 중년 남자. ***à la ~*** 《구어》 한가로이, 천천히, 유유히 : aller *à la* ~ (자동차가) 천천히 달리다. ***de ~*** 《구어》 구식의, 시대에 뒤진 : chansons *de* ~ 흘러간 옛 노래.

papable [papabl] *adj.* 〖가톨릭〗 교황(pape)에 선출될 자격이 있는.

papal, e, aux [papal, -o] *adj.* 로마 교황의 : autorité ~*e* 교황권.

papauté [papote] *f.* 교황의 지위〔권위〕, 교황권; 교황 재위 기간.

papaye [papaj] *f.* 〖식물〗 파파이아 열매.

papayer [papaje] *m.* 〖식물〗 파파이아 나무.

pape** [pap] *m.* ① 로마 교황(= souverain Pontife). ② (한 집단의) 절대 권위자, 우두머리. ***comme un ~ 크게, 대단하게.

papelard¹, e [paplaːʀ, -aʀd] *adj.* 신앙심을 가장하는, 위선적인(= faux, doucereux), 거짓의. — *n.* 가짜 신앙가, 위선자.

papelard² [paplaːʀ] *m.* 《구어》 ① 종이 (조각), 광고 (쪽지). ② 서류.

papelardise [paplaʀdiːz] *f.* 거짓〔가장〕된 신앙, 위선(= hypocrisie).

paperasse [papʀas] *f.* (흔히 *pl.* 또는 《집합적》) 쓸데없는 서류, 휴지; 관청의 서류.

paperasserie [papʀasʀi] *f.* ① 쓸데없는 서류 더미. ② 관청식 번거로운 서류 절차.

paperassier, ère [papʀasje, -ɛːʀ] *adj.* et *n.* 《구어》 서류를 쓰기〔보관하기〕 좋아하는 (사람); 번거로운 절차를 좋아하는 (사람).

***papeterie** [papt(ə)ʀi, papɛtʀi] *f.* ① 제지(업); 제지 공장. ② 문방구점; 문방구, 필기도구, 사무 용품.

***papetier, ère** [paptje, -ɛːʀ] *n.* ① 제지업자; 종이 장수. ② 문방구상.

papi, papy [papi] *m.* 《소아어》 할아버지.

:papier [papje] *m.* ① 종이 : ~ à lettre 편지지 / ~ à musique 오선지 / ~ calque 〔végétal〕 투사(透寫)지, 트레이싱 페이퍼 / ~ carbone 묵지, 카본 페이퍼 / ~ écolier (초등학교 학생들의) 공책 용지로 쓰이는 중질의 양지 / ~ kraft 크라프트지《질긴 포장지》/ ~ pelure 셀로판지, 얇고 부드러운 종이. ② (흔히 *pl.*) 서류, 문서, 기록; 〖행정〗 여권; 신분〔호적·선적(船籍)〕 증명서 : ~*s* d'affaires 〖우편〗 (우편 요금이 싼) 영업용의 문서《광고·교정쇄 따위》/ signer un ~ 서류에 서명하다. ③ 〖상업〗 어음, 증권, 채권 : ~ commercial 〔de commerce〕 상업 어음 / bon 〔mauvais〕 ~ 유효〔무효〕 수표. ④ 《옛》 신문(= ~ public); (신문·잡지의) 기사 원고. ***être dans les petits ~s de*** qn …의 호감을 사고 있다. ***~ mâché*** (풀을 섞어 만든) 매우 딱딱하고 두꺼운 종이. ***Rayez cela de vos ~s!*** 그것은 기대하지 마시오. ***sur le ~*** 이론상으로는.

papier-monnaie [papjemɔnɛ] *m.* (*pl.* ~*s*-~) 지폐《전문어로, 보통은 billet 을 씀》.

papille [papil(j)] *f.* ① 〖해부〗 유두(乳頭) 모양의 돌기 : ~ optique 시신경 유두. ② 〖식물〗 유두 돌기.

papillon** [papijɔ̃] *m.* ① 〖곤충〗 나비; 나방. ② 《비유》 경박한 사람, 변덕쟁이. ③ 나비넥타이(= nœud ~); (나비꼴) 암나사. ④ (신문·잡지 따위의) 삽입 인쇄물; 광고 쪽지; 포스터; 주차 위반 통지서〔딱지〕. ⑤ 《brasse ~》 〖수영〗 접영(蝶泳), 버터플라이. ***Minute ~! 잠깐만 기다려요!

papillon(n)age [papijɔnaːʒ], **papillonnement** [papijɔnmɑ̃] *m.* 팔락팔락〔훨훨, 이리저리〕 날아다니기.

papillonner [papijɔne] *v.i.* ① 팔락팔락〔훨훨〕 날아다니다; 이리저리 뛰어다니다(= folâtrer). ② 변덕을 부리다; 이리저리 옮겨다니다 : ~ d'un sujet à l'autre 이 문제 저 문제로 변덕스럽게 옮겨다니다 / ~ autour d'une femme 여자 주위를 맴돌다.

papillotant, e [papijɔtɑ̃, -ɑ̃ːt] *adj.* (눈이) 깜박거리는, 아물거리는; (물체가) 반짝거리는, 어른거리는, 눈부신.

papillote [papijɔt] *f.* ① 컬페이퍼《머리를 지질 때 머리카락을 마는 종이》. ② 과자 싸는 종이. ③ 〖요리〗 고기를 싸서 굽는 기름종이. ***Tu peux en faire des ~s.*** 《구어》 (서류·문서 따위가) 한푼의 가치도 없다.

papillotement [papijɔtmɑ̃] *m.* 눈부신〔반짝거리는〕 빛; 눈부심.

papilloter [papijɔte] *v.i.* ① (눈이) 깜빡거리다, 아물거리다 : Sous le soleil vif, les yeux *papillotent.* 강한 햇빛에 눈이 깜박거린다. ② (빛이) 반짝이다. — *v.t.* (머리를) 컬하다.

papisme [papism] *m.* 《경멸》 교황지상주의 《신교도의 비아냥거림》.

papiste [papist] *n.* 《경멸》 로마 가톨릭교도; 교황제 예찬자. — *adj.* 로마 가톨릭교도의.

papotage [papɔtaːʒ] *m.* 수다, 요설(饒舌), 객설(= bavardage).

papoter [papɔte] *v.i.* 수다를 떨다, 잡담하다, 재잘거리다(= bavarder).

papouille [papuj] *f.* 《구어》 애무, 포옹(= chatouillement) : faire des ~*s* 애무하다.

paprika [papʀika] *m.* 〖식물〗 파프리카《헝

가리산 고추》.

papyrologie [papiʀɔlɔʒi] *f.* (파피루스지(紙)에 쓴) 고문서 연구.

papyrologue [papiʀɔlɔg] *m.* (파피루스) 고문서 연구가.

papyrus [papiʀys] *m.* ① 〖식물〗 파피루스, 지초(紙草). ② (파피루스지에 쓴) 고문서.

pâque [pɑːk] *f.* (때로 *P*~) 〖유대교〗 유월절(踰越節)《이스라엘 사람의 이집트 탈출 기념제》. ***manger la*** ~ 유월절에 신에게 바친 어린양을 먹다. — **P~(s)** *m. sing.* 《무관사》 〖기독교〗 부활절 : à *P*~(s) prochain 이번 부활절에. ***à P~s ou à la Trinité*** (기약할 수 없는) 먼 훗날에 ; 영영 (않다). — **P~s** *f. pl.* 부활절《다음의 표현에서는 여성 복수》 ***faire ses P~s*** (때로 *p*~*s*) 부활절쯤〔부활절 전후 각 1주일 사이〕에 영성체하다. ***Je vous souhaite de bonnes*** 〔***d'heureuses***〕 ***P~s.*** 즐거운 부활절이 되시기 바랍니다.

*__paquebot__ [pakbo] *m.* ① 대형 여객선, 정기선 : ~ mixte 화물 여객선. ② 《옛》 우편선.

pâquerette [pɑkʀɛt] *f.* 〖식물〗 데이지.

‡**paquet** [pakɛ] *m.* ① 꾸러미, 봇짐, 소하물, 소포(=colis). ② 《un ~ de》 덩어리, 더미 ; 다량(의…) ; 돈 뭉치 : *un* ~ *d'*actions 대량의 주식 / *un* ~ *de* neige 눈더미 / toucher *un* ~ *de* billets 〔un gros ~〕 두툼한 지폐 다발〔대금〕을 받다. ③ (상품의) 상자, 갑, 자루 : Il fume deux ~*s* (*de* cigarettes) par jour. 그는 하루에 담배 두 갑을 핀다. ④ 《집합적》 우편물 ; 편지. ⑤ 거북한〔난처한〕 일 : avoir un ~ sur la conscience 마음에 거리끼는 일이 있다. ⑥ 바보, 얼간이 ; (일에) 서투른 사람. ***faire son*** ~ 〔***ses*** ~***s***〕 짐을 꾸리다, 길 떠날 차비를 하다 ; 길을 떠나다. ***hasarder*** 〔***risquer***〕 ***le*** ~ 《구어》 (사업에서) 모험을 하다. ***lâcher son*** ~ 하고 싶은 말을 다 털어놓다. ***mettre le*** ~ 있는 힘을 다하다 ; 큰돈을 쏟아 넣다. ***par*** ~***s*** 무더기로 ; 떼를 지어 : Entrez *par* petits ~*s*. 작은 무리로 나누어 들어오시오. ***porter son*** ~ 꼽추이다.

paquetage [paktaːʒ] *m.* ① 짐 꾸리기, 포장. ② 〖군사〗 (병사의) 장비 일습 : faire son ~ 장비를 정비하다.

‡**par** [paʀ] *prép.* ① 《장소 · 공간》 …을 거쳐, …을 통하여, …을 뚫고 : entrer 〔jeter〕 ~ la fenêtre 창문으로 들어오다〔내던지다〕 / *P*~ où est-il passé? 어느 쪽으로 (해서) 갔어요? / Le navire était ~ 10° de latitude Nord. 배는 북위 10도에 위치하고 있었다 / J'ai appris la nouvelle ~ mes voisins. 이 소식은 이웃 사람들에게서 들었다.
② 《날씨 · 시간》 …때에, …한 가운데를 : se promener ~ la pluie 우중에 산책하다 / ~ temps de brume 짙은 안개가 낀 때에 / ~ un jour d'hiver 어떤 겨울날에 / ~ trois fois 세 번(에 걸쳐).
③ 《동작 주체》 ⓐ 《능동》 faire qc ~ soi-même …을 혼자서〔독력으로 · 자발적으로〕 하다. ⓑ 《수동》 Il a été puni ~ son père. 그는 아버지에게 벌을 받았다 / 《Phèdre》 (écrit) ~ Racine 라신작 「페드르」. ⓒ 《사역동사와 함께》 faire écrire une lettre ~ son frère 동생을 시켜서 편지를 쓰게 하다. ⓓ 《지각동사와 함께》 Je l'ai entendu chanter ~ mon ami. 나는 내 친구가 그 노래를 부르는 것을 들었다.
④ 《도구 · 수단》 …에 의하여, …으로써, …에 의한 : ~ avion 비행기편으로 / ~ la poste 우편으로 / ~ (le) bateau 배편으로 / réussir ~ l'intrigue 술책을 써서 성공하다 / être salué ~ des acclamations 박수갈채로 환영받다 / juger les gens ~ leurs bons côtés 사람들을 그들의 좋은 면을 보고 판단하다.
⑤ 《동기 · 원인》 …으로 말미암아, …때문에 : ~ amitié pour qn …에 대한 우애심에서 / dame remarquable ~ sa beauté 아름다움이 사람의 눈을 끄는 부인.
⑥ 《출발점 · 종착점》 *P*~ où allez-vous commencer? 어디서부터 시작하시겠습니까? / finir ~ la prison 마침내 감옥에 갇히는 신세가 되다.
⑦ 《배분》 …마다, …에 대해서 ; …단위로, …별로 : deux fois ~jour 하루에 두 번 / mille francs ~ tête, 1인당 1,000프랑 / classer les animaux ~ espèces 동물을 종류별로 분류하다.
⑧ 이리저리 : Il a voyagé ~ la France. 그는 프랑스 각지를 여행하였다 / courir ~ les rues 거리를 쏘다니다.
⑨ 《맹세 · 선서》 …의 이름을 걸고, …을 보증으로 : *P*~ la mort de Dieu! 《구어》 제기랄, 빌어먹을! 《저주 · 욕설》 / *P*~ tous les dieux! 맹세코!
de ~ …에 의해, …때문에 ; …으로 보아. ***de*** ~ ***la loi*** 법의 이름으로, 법에 따라. ***de*** ~ ***le monde*** 세계 전역에. ~ ***après*** 《옛》 그 후. ~***-ci*** ~***-là*** 여기저기 ; 때때로 ; 수시로. ~ ***en bas*** 밑으로, 밑에서. ~ ***ici*** 이쪽에서 ; 이쪽으로 : Venez ~ *ici*. 이리로 오시오. ~ ***là*** 저리로 ; 그래서 : Qu'entendez-vouz ~ *là?* 그건 무슨 뜻입니까?
— *adv.* 《부사의 강조》 너무나도 ~ ***trop*** 너무나, 참으로 : Vous êtes ~ *trop* aimable. 참말로 친절하십니다.

par-, para-[1] *préf.* 「옆에 · 위에 · 저편에」의 뜻.

para-[2] *préf.* 「…에 대한 보호」의 뜻.

parabellum [paʀabelɔm] *m.* 《복수불변》 (군용) 대구경 자동 권총.

parabole [paʀabɔl] *f.* ① 비유, 우화 ; 〖성서〗 잠언 : parler par 〔en〕 ~*s* 수수께끼 같은〔아리송한〕 말을 하다. ② 〖기하〗 포물선.

parabolique [paʀabɔlik] *adj.* ① 비유의, 우화적인. ② 〖기하〗 포물선의, 포물선을 이루는.

paraboliquement [paʀabɔlikmɑ̃] *adv.* ① 우화적으로. ② 〖기하〗 포물선을 그려서.

parachèvement [paʀaʃɛvmɑ̃] *m.* 《문어》 완성, 완수, 성취.

parachever [paʀaʃ(ə)ve] [4] *v.t.* 완수〔성취〕하다, …의 마무리를 하다(= achever, parfaire) : ~ sa tâche 임무를 완수하다.

parachutage [paʀaʃytaːʒ] *m.* ① 낙하산 투하〔강하〕. ② (뜻밖의 사람의) 낙하산 임명.

*__parachute__ [paʀaʃyt] *m.* 〖항공〗 낙하산, 파라슈트 : descendre 〔sauter〕 en ~ 파라슈트로 강하하다.

parachuter [paʀaʃyte] *v.t.* ① 〖항공〗 낙하

산으로 투하하다〔강하시키다〕. ② 《구어》 (뜻밖의 사람을) 전격적으로 임명하다.

parachutisme [paʀaʃytism] *m.* 낙하산 강하 기술 ; 스카이다이빙.

parachutiste [paʀaʃytist] *n.* ① 낙하산 강하자〔부대원〕. ② 스카이다이버. — *m. pl.* 낙하산 부대. — *adj.* 낙하산으로 강하하는.

parade[1] [paʀad] *f.* ① 〖군사〗 퍼레이드, 열병(식), 사열(식) : ~ militaire 군사 퍼레이드. ② 과시 ; 겉치레. ③ (극장 따위 앞에서) 관객을 끌기 위한 어릿광대짓. ***de ~*** 겉치레뿐인, 표면만의. ***faire ~ de*** qc …을 과시하다.

parade[2] *f.* ① 〖펜싱〗 파라드, (칼을) 받아젖힘 ; 〖권투〗 펀치를 받아넘김. ② 방어, 대응책, 타개책 : chercher la ~ à une attaque 공격에 대하여 대응책을 강구하다.

parader [paʀade] *v.i.* ① 〖군사〗 분열 행진하다. ② 으스대다, 뽐내다 ; 점잔 빼며 걷다.

paradigme [paʀadigm] *m.* ① 〖문법〗 굴절〔어형 변화〕(표). ② 〖언어〗 계열(체), 파라디금《구조 언어학 용어》(≠syntagme). ③ 모범, 모델.

paradis** [paʀadi] *m.* ① 천국, 낙원(≠enfer) : ~ fiscal (자본 도피에 유리한) 세제상의 천국. ② (극장의) 맨 꼭대기 관람석(= poulailler). ③ le ~ 〔*P*~〕 terrestre 에덴 동산 ; 지상 천국. ④ 〖조류〗 oiseau de ~ 풍조(風鳥), 극락조. ***aller 〔***partir***〕 ***en ~*** 승천하다, 죽다.

paradisiaque [paʀadizjak] *adj.* 천국의, 낙원의, 극락의 ; 천국〔낙원〕 같은.

paradisier [paʀadizje] *m.* 〖조류〗 풍조(風鳥)(류), 극락조.

paradoxal, e, aux [paʀadɔksal, -o] *adj.* ① 역설적인, 역설을 즐기는 : raisonnement ~ 역설적인 사람. ② 모순되는, 기묘한.

paradoxalement [paʀadɔksalmɑ̃] *adv.* 역설적으로.

paradoxe [paʀadɔks] *m.* ① 역설 ; 모순, 패러독스. ② 부조리, 상식 밖의 일.

parafe [paʀaf] *m.* 서명 끝의 장식 글자 ; (대개 머릿글자만의) 간략한 서명, 수결(手決).

parafer [paʀafe] *v.t.* …에 간략한 서명을 하다, 수결을 하다.

paraffine [paʀafin] *f.* 〖화학〗 파라핀.

paraffiné, e [paʀafine] *adj.* 파라핀을 칠한 : papier ~ 파라핀 종이. 「〔입히다〕.

paraffiner [paʀafine] *v.t.* 파라핀을 바르다

***parages** [paʀaːʒ] *m. pl.* ① 〖해양〗 (육지에 가까운) 해역. ② 《구어》 지역, 지점, 근처(= environs) : Vous habitez donc dans nos ~? 우리 이웃에 사신다구요? / dans 〔en〕 ces ~ 이 근처에.

***paragraphe** [paʀagʀaf] *m.* ① (문장의) 단락, 문단, 패러그래프. ② 〖법률〗 항(項). ③ 〖인쇄〗 단표《기호 : §》.

paragrêle [paʀagʀɛl] *adj.* 《불변》 우박을 막는 : fusée ~ 우박 제거탄.

paraguayen, enne [paʀagɛjɛ̃, -ɛn], **paraguéen, enne** [paʀageɛ̃, -ɛn] *adj.* 파라과이의. — **P~** *n.* 파라과이 사람.

****paraître** [paʀɛtʀ] [41] *v.i.* ① 나타나다, 출현하다, 자태를 보이다(= apparaître) : Un avion *parut* dans le ciel. 비행기가 하늘에 나타났다 / L'aurore *paraît* à quatre heures. 4 시에 날이 샌다. ② (책이) 나오다, 출판되다《결과를 나타낼 때는 조동사는 être》: ≪Sur le point de ~≫ 「근간」 / Le livre *est paru* en librairie. 그 책은 서점에 나와 있다. ③ faire 〔laisser〕 ~ 보이다, 나타내다, 드러내다 / ne pas laisser ~ ses sentiments 감정을 드러내지 않다. ④ 눈에 띄다, 보이다 : Cette tache *paraît* à peine. 이 얼룩은 거의 보이지 않는다. ⑤ 사람들의 시선을 끌다, 남에게 잘 보이다(= briller) : chercher à ~ 잘 보이려고〔남의 이목을 끌려고〕 애쓰다. ⑥ 《~ +속사》 ⓐ …인 듯하다, …인 것 같다(= sembler) : Il *paraît* satisfait. 그는 만족한 것 같다 / Elle a trente ans, mais elle ne les *paraît* pas. 그녀는 30 살이지만 그렇게 보이지 않는다 / 《~+ *inf.*》 Vous ne *paraissez* pas y croire. 당신은 그것을 믿는 것 같지 않다. ⓑ …인 듯이〔처럼〕 보이다 : Ils veulent ~ ce qu'ils ne sont pas. 그들은 정체를 가장하려고 한다. — *v. impers.* ① 나타나다 : Il *a paru* des hommes. 여러 남자가 나타났다. ② 《Il paraît que + *ind.* 〔*cond.*〕》《주절이 부정일 때는 *sub.*》 …인 것 같다, …으로 생각되다 : *Il paraît que* vous avez tort. 당신이 잘못한 것 같다 / *Il* me *paraît qu'*on devrait admirer l'inconstance des hommes. 내가 보기에는 인간의 변덕도 존중해야 할 것 같다. ③ ⓐ 《Il paraît + 형용사 + de + *inf.*》 …인 것 같다, …으로 생각되다 : *Il paraît* necessaire *d'*agir ainsi. 이처럼 행동하는 것이 필요한 것 같다. ⓑ 《Il paraît + 형용사 + que + *ind.*》 *Il* me *paraît* nécessaire *que* vous partiez. 당신이 떠나야만 할 것 같다. ④ 《삽입절로 주어 도치》 La version, *paraît-il,* était difficile. 그 번역은 어려울 것 같다. ***à ce qu'il paraît*** 아마도, 아무래도, 보아하니. ***Il y paraît.*** 그렇게 보인다, 명백하다.
— *m.* 외양, 외관(= apparence). ***Être et ~ sont deux.*** 사실과 외관과는 다르다.

***parallèle** [paʀa(l)lɛl] *adj.* ① 〖기하〗 《~ à》 …에 평행하는, 평행의 : deux droites ~*s,* 2 개의 평행 직선. ② 대응하는, 유사한(= semblable ; ≠divergent) : expériences ~*s* 유사한 경험. ③ 동시에 이루어진 : édition ~ 동시에 출간된 판. ④ 비합법의, 이면의 : marché 〔cours〕 ~ 암시장〔암시세〕 / police ~ 비밀 경찰. — *f.* 〖기하〗 평행선.
— *m.* ① 〖지리〗 위선(緯線)(≠ méridien) : le 48e ~ de latitude nord 북위 48 도선. ② 비교, 대조 : faire un ~ entre deux chose 두 사물을 대조하다.

parallèlement [paʀa(l)lɛlmɑ̃] *adv.* ① 《~ à》 …와 평행으로, 나란히 : rue qui court ~ *à* la Seine 센강에 나란히 난 길. ② 동시에, 함께 : Deux expositions seront organisées ~. 두 전시회가 동시에 개최될 것이다.

parallélépipède [paʀa(l)lelepipɛd], **parallélipipède** [paʀa(l)lelipipɛd] *m.* 〖기하〗 평행 6 면체.

parallélisme [paʀa(l)lelism] *m.* ① 평행 관계, 수평 상태 : vérifier le ~ des roues d'une voiture 차바퀴의 평행 상태를 검사하다. ② 대응, 상관성 ; 유사(성) : ~ entre A et B 〔de A à B〕, A와 B와의 대응〔유사〕.

parallélogramme [paʀa(l)lelɔgʀam] *m.*

P

〖기하〗 평행 4 변형.

paralysant, e [paʀalizɑ̃, -ɑ̃:t] *adj.* 마비시키는, 무력하게 만드는 : action ~*e* 마비 작용 / émotion ~*e* 짜릿한 감동.

paralysé, e [paʀalize] *adj.* 마비된, 중풍에 걸린 : ~ des deux jambes 두 다리가 마비된 / tomber ~ 마비되다, 중풍에 걸리다. — *n.* 마비〔중풍〕 환자.

***paralyser** [paʀalize] *v.t.* ① 〖의학〗 마비시키다, 불수(不隨)가 되게 하다(= immobiliser) : Le froid *paralyse* les membres. 추위는 손발을 마비시킨다. ② 무력하게 만들다 ; 정체시키다 : examinateur qui *paralyse* les candidats 수험생을 얼어붙게 하는 시험관.

paralysie [paʀalizi] *f.* 〖의학〗 마비 ; 불수(不隨) ; 중풍 ; 무력(無力) : ~ d'une moitié du corps 반신불수 / ~ de l'administration 행정의 마비 상태.

paralytique [paʀalitik] *adj.* 중풍에 걸린 ; 마비성의, 마비된. — *n.* 중풍〔마비〕 환자

paramédical, e, aux [paʀamedikal, -o] *adj.* 진료 보조 부문의《간호 · 각종 검사 · 의료 사무 따위》. — *n.* 진료 보조원.

paramètre [paʀamɛtʀ] *m.* ① 〖수학〗 파라미터, 매개 변수, 조변수. ② (문제의 이해에 중요한) 요소, 요인(= facteur) : ~ dont il faut tenir compte 고려해야 할 요소.

paramilitaire [paʀamilitɛ:ʀ] *adj.* 준(準) 군대식의, 군대를 흉내 낸 : formations ~*s* 군대식 편성.

parangon [paʀɑ̃gɔ̃] *m.* 《문어》 모범, 본보기, 귀감(= modèle).

paranoïa [paʀanɔja] *f.* 〖의학〗 편집병(偏執病), 망상증.

paranoïaque [paʀanɔjak] *adj.* 편집병의 ; 망상증의 : psychose ~ 편집〔망상〕성 정신병. — *n.* 편집병 환자, 편집광.

parapente [paʀapɑ̃t] *m.* ① 패러글라이딩용 낙하산. ② 〖스포츠〗 패러글라이딩.

parapet [paʀapɛ] *m.* ① 〖축성〗 흉벽(胸壁). ② 난간(= garde-fou) : s'accouder au ~ du pont 다리 난간에 팔을 짚고 기대다.

paraphe [paʀaf] *m.* = parafe.

parapher [paʀafe] *v.t.* = parafer.

paraphrase [paʀafʀɑ:z] *f.* ① (환언 또는 부연에 의한) 텍스트의 주석(註釋)〔풀이〕 ; 번안. ② 에두르는 설명 : sans tant de ~*s* 《구어》 그렇게 돌려서 말할 것 없이.

paraphraser [paʀafʀɑze] *v.t.* ① 주석하다 ; 부연하다. ② 《경멸》 장황하게 설명〔풀이〕하다.

paraplégie [paʀapleʒi] *f.* 〖의학〗 사지(四肢)〔(특히) 하반신〕의 마비.

paraplégique [paʀapleʒik] *adj.* 사지〔하반신〕 마비의. — *n.* 하반신 불수자.

***parapluie** [paʀaplɥi] *m.* 우산(= pépin²) : ouvrir 〔fermer〕 son ~ 우산을 펴다〔접다〕.

parascolaire [paʀaskɔlɛ:ʀ] *adj.* (학교 교육과 연계된) 학교외 교육의 : activités ~*s* 과외 활동, 방과 후 활동.

parasitaire [paʀazitɛ:ʀ] *adj.* 기생(寄生)의〔하는〕 ; 기생생물에 의한 : maladie ~ 기생충(에 의한) 병

parasite [paʀazit] *m.* ① 〖생물〗 기생충, 기생 동물〔식물〕 ; 기생. ② 식객(食客), 기식자 : Il vivait en ~ chez son oncle. 그는 아저씨 집에 얹혀 산다. ③ (*pl.*) (전파의) 잡음(= brouillage), 소음. — *adj.* ① 기생하는 : animaux 〔plantes〕 ~*s* 기생 동물〔식물〕 / ver ~ 기생충. ② 쓸데없는, 불필요한 ; 방해되는 : bruits ~*s* 잡음, 노이즈.

parasiter [paʀazite] *v.t.* ① …에 기생하다 : individus qui *parasitent* une société 사회의 기생충 같은 인간들. ② 〖통신〗 잡음으로 방해하다 : émission *parasitée* 잡음이 들어간 방송.

parasitisme [paʀazitism] *m.* ① 〖생물〗 기생, 기생 상태. ② 기식(寄食).

parasol [paʀasɔl] *m.* ① 파라솔, 양산(= ombrelle) : ~ de plage 비치 파라솔. ② 〖식물〗 pins ~*s* 왜금송, 파라솔 소나무.

paratonnerre [paʀatɔnɛ:ʀ] *m.* 피뢰침.

paravent [paʀavɑ̃] *m.* 병풍, 칸막이.

parbleu [paʀblø] *interj.* 정말, 그렇고말고, 아무렴(= bien sûr !, dame !, pardi !).

***parc** [paʀk] *m.* ① (성 · 궁전 따위의) 큰 정원 ; 공원(= ~ public) : ~ zoologique 동물원 / ~ national 국립공원 / ~ de Versailles 베르사이유 궁전의 정원. ② (소 · 양 따위의) 울 막은 목장, 사육장 ; (바닷속의 울 막은) 조개〔굴〕 양식장 : ~ à huîtres 굴 양식장. ③ 주차장 : ~ de stationnement payant 유료 주차장 / garer sa voiture dans un ~ 주차장에 차를 세워 놓다. ④ (걸음마를 배우는 유아용의) 베이비 서클. ⑤ 《집합적》 (국가 · 기업 따위의) 보유 차량(의 총수). ⑥ 〖군사〗 군용품 집적소 ; 보급 기지 : ~ d'artillerie 포창(砲廠) ; 포병 기지.

parcellaire [paʀsɛ(l)lɛ:ʀ] *adj.* 세분된, 구분된.

parcelle [paʀsɛl] *f.* ① 작은 조각〔부분〕, 단편 : ~*s* d'or 금조각. ② 작은 농토, 농지의 한 구획. ③ 소량, 조금(= grain, miette) : ~ de bonheur 약간의 행복.

parcelliser [paʀse(ɛl)lize] *v.t.* (조직 따위를) 세분하다 ; 분산〔이산〕시키다.

‡**parce que** [paʀskə] *loc. conj.* 《à, il(s), elle(s), on, un, une 앞에서는 parce qu'로 모음 축약》 ① 왜냐하면, …이기 때문에, …이므로, …하므로(= attendu que, étant donné que) : Il ne répondit rien ~ très embarrassé. 그는 너무 당황해서 대답을 못했다 / Il n'a pas pu venir, *parce qu*'il était malade. 그는 병중이어서 오지 못했다. ② 《단독으로》 그렇지 않고 뭐《이유를 말하지 않으려고 할 때》 : Pourquoi dis-tu ça ? — *P*~ . répondit-elle. 왜 그런 말을 하니 ? — 그렇지 않고 뭐야, 하고 그녀는 대답했다.

***parchemin** [paʀʃəmɛ̃] *m.* ① 양피지(羊皮紙) ; (양피지에 쓰인) 문헌, 문서. ② 《구어》 증서 ; (대학) 졸업 증서(= diplôme).

parcheminé, e [paʀʃəmine] *adj.* 양피지 같은 ; 주름투성이의.

parcimonie [paʀsimɔni] *f.* 아낌, 인색 : avec ~ 인색하게, 아주 조금.

parcimonieusement [paʀsimɔnjøzmɑ̃] *adv.* 인색하게, 아까운 듯이.

parcimonieux, euse [paʀsimɔnjø, -ø:z] *adj.* 인색한.

par-ci par-là [paʀsipaʀla] *loc. adv.* 여기저기 ; 때때로.

parcmètre [paʀkmɛtʀ], **parcomètre**

P

[paʀkɔmɛtʀ] *m.* 주차 요금 미터.

***parcourir** [paʀkuʀiːʀ] [20] *v.t.* ① 주파〔답파〕하다(= traverser) ; 돌아다니다, 편력하다(= voyager) : ~ le village à la recherche d'une épicerie 반찬 가게를 찾느라 온 마을을 헤매다 / ~ une distance 어떤 거리를 주파하다. ② 《주어 : qc》 관통하다, 뚫고 지나가다 : Un frisson me *parcourut.* 전율이 전신을 스쳤다. ③ (책 · 서류 따위를) 대강〔대충〕 훑어보다 : ~ un journal 신문을 대강 읽다.

parcours** [paʀkuːʀ] *m.* ① 통행, 주행(走行) : libre ~ 〖철도〗 (다른 회사의 노선에) 열차를 운행시키는 권한. ② 주행〔운행〕 거리 ; 도정(道程), 여정(旅程)(= itinéraire, trajet) : ~ d'un autobus 시내버스 노선 / payer le ~ 주행 거리만큼의 요금을 내다. ③ (강 따위의) 진로 ; 물줄기 ; 행로, 코스 : un ~ sinueux 꼬불꼬불한 길. ***incident 〔***accident***〕 ***de ~*** (계획의 실행 중에 일어난) 우발적 사고, 생각지 못한 곤란.

par-delà [paʀdəla] *loc. prép.* …의 저쪽에(서). — *loc. adv.* 반대쪽에(서).

***par-derrière** [paʀdɛʀjɛʀ] *loc. prép.* …의 뒤에서, 뒤로. — *loc. adv.* 뒤에서, 뒤로 ; 몰래, 슬며시 : attaquer qn ~ …을 배후에서 습격하다.

***par-dessous** [paʀdəsu] *loc. prép.* …의 아래에서, 아래로. — *loc. adv.* 아래에(서), 아래로 : passer ~ la clôture 울타리 아래로 빠져나가다.

***pardessus** [paʀdəsy] *m.* 〖의복〗 (남성용) 외투(= manteau).

par-dessus** [paʀdəsy] *loc. prép.* …의 위에서, …을 넘어서 : sauter ~ la haie 울타리를 뛰어넘다. — *loc. adv.* 위에서 ; 위로 : Enfilez un manteau ~. 위에 외투를 걸치세요. ***~ le marché 《구어》 게다가, 더구나. ***~ tout*** 특히, 무엇보다도(= surtout).

***par-devant** [paʀdəvɑ̃] *loc. prép.* …의 앞에 ; …의 입회하에 : passer ~ une maison 집 앞을 지나가다. — *loc. adv.* 앞에서, 앞으로, 정면에 : heurter une automobile ~ 차를 정면으로 부딪다.

par-devers [paʀdəvɛːʀ] *loc. prép.* …의 수중에 ; …의 마음속에 : garder ses réflexions ~ soi 제 생각을 마음속에 간직해 두다.

pardi [paʀdi], **pardienne** [paʀdjɛn] *interj.* 《지방어》 틀림없이, 당연히 : Tu l'aimes? — *P~ !* 그 사람 사랑해? — 물론이지.

pardieu [paʀdjø] *interj.* 《옛》 = pardi.

‡pardon [paʀdɔ̃] *m.* ① 용서(= grâce) ; 〖법률〗 사면(赦免) : demander ~ à qn …에게 용서를 구하다 / accorder son ~ à qc …을 용서하다. ② 〖종교〗 파르동제(祭) 《*Bretagne* 지방의 종교적 민속 제전》 ; (*pl.*) 면죄(免罪). ***Je vous demande ~.; P~ !***[1] 용서하십시오, 죄송〔미안〕합니다 ; (남의 말을 가로챌 때) 실례입니다만. ***Mille ~s ! ; Mille fois ~s !*** 대단히 미안합니다. ***Oh ~ ! ; P~ !***[2] 《구어》 굉장하지, 더 말할 것 없지《일종의 최상급적인 감탄사》 : Tu as vu sa nouvelle voiture? *Oh ! ~ !* 그의 새 차를 봤니, 정말 멋지더군. ***P~ !***[3] 《구어》 천만에, 그렇지 않아요. ***P~ ?***[4] 뭐라고 하셨죠? 《상대편 말을 알아듣지 못했을 때》.

pardonnable [paʀdɔnabl] *adj.* (죄 또는 사람이) 용서받을 수 있는〔받을 만한〕(= rémissible, excusable) : Cet enfant est ~. 이 아이는 용서받을 만하다.

***pardonner** [paʀdɔne] *v.t.* 《~ qc》 …을 용서하다 ; 너그럽게 봐주다 : ~ qc à qn …에게 …을 용서하다 / Je te *pardonne* tout. 나는 네 모든 것을 용서한다 / Je prie le lecteur de me ~ cette petite préface. 이 짧은 서문을 쓴 데 대해 독자들께서 너그럽게 봐주시기 바랍니다. — *v.t. ind.* 《~ à qn》 …을 용서하다(≠ accuser) : Il *a pardonné à* son fils. 그는 자기 아들을 용서했다.
— **se ~** *v.pr.* 자신을 용서하다 ; 서로 용서하다.

pare- *préf.* 「막다 · 피하다」의 뜻.

-pare *suff.* 「낳다 · 분비하다」의 뜻.

paré, e[1] [paʀe] *adj.* ① 장식된 ; (사람이) 성장(盛裝)한 : robe ~*e* 장식이 달린 원피스. ② 〖해양〗 준비된 : On est ~ ! 준비 완료! ③ (고기 따위가) 요리할 준비가 된, 다듬어진.

paré, e[2] *adj.* 방비를 갖춘, 준비가 된 : Nous sommes ~*s* contre le froid. 우리는 월동 준비가 다 되었다.

pare-balles [paʀbal] *m.* 《복수불변》 〖군사〗 탄환막이, 방패 ; 방탄복. — *adj.* 《불변》 방탄의 : gilet ~ 방탄조끼.

pare-boue [paʀbu] *m.* 《복수불변》 〖자동차〗 (차바퀴의) 진흙받이, 흙받이.

***pare-brise** [paʀbʀiːz] *m.* 《복수불변》 (자동차의) 바람막이 앞창.

pare-choc(s) [paʀʃɔk] *m.* 《복수불변》 (자동차의) 완충기, 범퍼.

pare-feu [paʀfø] *m.* 《복수불변》 소화기, 소방 장치.

parégorique [paʀegɔʀik] 〖약학〗 *adj.* 진통〔진정〕의. — *m.* 진통제.

‡pareil, eille [paʀɛj] *adj.* ① ⓐ 《~ à 〔《구어》 que〕》 …와 같은, 동일한(= identique) : L'un est ~ *à* l'autre. 그 둘은 똑같다 / hier *à* ~*elle* heure 어제와 같은 시각에. ⓑ 비슷한, 유사한(= semblable) : Elles ont des robes ~*elles.* 그녀들은 아주 비슷한 옷을 갖고 있다 / Ces jumeaux ne sont pas ~*s.* 이 쌍둥이는 닮지 않았다. ② 이〔그〕와 같은, 이〔그〕러한 : à une heure ~*eille* 이런 시각에, 이렇게 늦게 / Comment pouvez-vous me dire chose ~*eille !* 감히 당신이 그런 말을 나에게 하다니! ***à nul***(***le***) ***autre ~***(***le***) 비길 데 없는. — *n.* ① 같은 것〔사람〕, 견줄 만한 것〔사람〕 : n'avoir pas son ~ 〔sa ~*eille*〕 견줄 만한 사람〔것〕이 없다. ② 같은 신분〔지위〕의 사람, 동료. ***sans ~***(***eille***) 견줄〔비길〕 데 없는. — *f.* 같은 일〔처사〕. ***rendre la ~eille à*** qn …에게 같은 방법으로 복수하다. — *adv.* 《구어》 비슷하게, 마찬가지로 : deux jeunes filles habillées ~ 꼭 같은 옷차림을 한 두 처녀.

***pareillement** [paʀɛjmɑ̃] *adv.* 《~ à》 …와 마찬가지로, …도 또한〔역시(= aussi)〕 : À vous ~ ! (건강을 비는 인사에 대해) 당신에게도《마찬가지로 건강을 빕니다》 / gamins vêtus ~ *à* leurs papas 아빠들과 같은 옷차림을 한 애들.

P

parement [parmɑ̃] *m.* ① (벽 따위의) 돌을 씌운〔미장된〕 표면. ②〖의복〗(의복의) 장식; (소매·깃 따위의) 섶; (군복 따위의) 소매〔깃〕 휘장.

parenchyme [parɑ̃ʃim] *m.* ①〖해부〗선(腺)세포 조직. ②〖식물〗유(柔)조직.

‡parent, e [parɑ̃, -ɑ̃:t] *m. pl.* ① 양친, 부모: ~s du conjoint 시부모 / ~s spirituels 이름 붙여 준 부모, 대부모 / les ~s; mes 〔nos〕 ~s《구어》부모. ② 친척(인 사람), 혈족: proche ~ 가까운 친척 / ~ éloigné 먼 친척 / C'est un ~ de mon mari. 그는 내 남편의 친척되는 사람이다. ③ 조상, 선조: nos premiers ~s 우리의 최초의 조상《아담과 이브》. ***traiter*** qn ***en ~ pauvre*** …을 박대〔푸대접〕하다. — *adj.* 유사한, 비슷한(= analogue, semblable): Le chat est ~ du tigre. 고양이는 호랑이와 흡사하다. ***langues ~es***〖언어〗친족어.

parental, e, aux [parɑ̃tal, -o] *adj.* 양친의, 부모의(= des parents): autorité ~*e* 친권 / congé ~ 육아 휴가.

parenté [parɑ̃te] *f.* ① 친척 관계, 혈연관계: ~ par alliance 인척 관계. ②《집합적》일가친척, 일족: toute sa ~ 그의 친척 일가. ③ 유사성(=analogie); 연계성: ~ de caractères 성격의 유사 / ~ entre deux langues 두 가지 언어의 연계성.

parenthèse [parɑ̃tɛ:z] *f.* ① 삽입구. ② 둥근 괄호《( )》: mettre qc entre ~s …을 괄호 안에 넣다. ③《구어》여담(餘談)(= digression). ***entre ~s; par ~*** 여담이지만. ***ouvrir*** 〔***fermer***〕 ***la ~*** 괄호를 열다〔닫다〕.

paréo [pareo]〔타이티〕 *m.* ① 타이티섬 여자의 스커트. ② 허리에 두르는 비치 웨어.

***parer[1]** [pare] *v.t.* ①《~ de》꾸미다, 장식하다;《~ qn》…을 몸치장시키다, 차려 입히다; 미화하다(= embellir, orner): ~ qn *de* toutes les vertus …을 온갖 미덕으로 미화하다 / ~ sa maison pour une fête 잔치를 위해 집을 장식하다 / ~ qn *de* ses plus beaux atours …을 성장(盛裝)시키다. ② (사용에 알맞게) 준비하다, 정비하다(= préparer): ~ la vigne (겨울이 되기 전에) 포도밭을 갈아 놓다 / ~ une ancre〖해양〗닻을 내릴 준비를 하다. — **se ~** *v.pr.* ①《~ de》…으로 몸치장하다. ② …을 과시하다, 자랑하다: *se ~ du* nom de philosophe 철학자로 자처하다.

parer[2] *v.t.* ① (타격 따위를) 피하다; (재빨리 몸을) 피하다: ~ un 〔le〕 coup (공격을) 피하다. ②《~ qn contre 〔de〕 qc》《옛》…을 …으로부터 지켜 주다, 보호하다. — *v.t. ind.*《~ à》…에 미리 대비하다, …을 막다: ~ *à* un inconvénient 사고에 미리 대비하다 / ~ *à* un grain〖해양〗스콜에 대비하다.

pare-soleil [parsɔlɛj] *m.*《복수불변》① = parasoleil. ②〖자동차〗햇빛 막이, 차양.

***paresse** [parɛs] *f.* ① 게으름, 태만, 나태(= fainéantise, flemme); 느림; 무기력, 무감각: une rivière qui coule avec ~ 느리게 흐르는 강 / ~ intellectuelle 무감각, 무관심. ②〖의학〗(생리 기관 따위의) 기능 저하: ~ intestinale 장의 기능 저하.

paresser [parɛ(e)se] *v.i.* 게으름 피우다, 빈둥거리다.

paresseusement [parɛsøzmɑ̃] *adv.* 게으르게, 태만하게, 느긋하게.

***paresseux, euse** [parɛsø, -ø:z] *adj.* ① 게으른, 나태〔태만〕한(≠ travailleur): élève ~ 나태한 학생. ② 느린; 우둔한, 무기력한: intelligence ~*euse* 둔한 지능 / estomac ~ 소화 기능이 약한 위 / rivière ~*euse* 느리게 흐르는 강. — *n.* 게으름뱅이; 무위도식자.

parfaire [parfɛ:r] [28] *v.t.*《부정법과 복합시제에만 쓰임》① 끝마치다, 완성〔완결〕하다(= parachever): ~ son ouvrage 〔travail〕 작품〔일〕을 완성하다. ② (부족분을) 채우다, 보완하다: ~ une somme (필요) 액수를 채우다.

‡parfait, e [parfɛ, -ɛt] *adj.* ① 완전한, 완벽한, 나무랄 데 없는; 전적인: crime ~ 완전범죄 / Dieu seul est ~. 신만이 완전무결하다 / homme ~ 더할 나위 없는 사람. ②《주로 명사 앞》근본적인, 지독한, 철저한(= accompli): ~ gentleman 그야말로 신사 / ~ imbécile 지독한 바보. ③《간투사적으로》좋아, 괜찮아. ***P~ !***《구어》훌륭해, 잘 됐어. — *m.* ① 완전, 완벽. ② 파르페《생크림과 향료로 만든 아이스크림》: ~ au café 커피 파르페. ③〖문법〗완료형.

***parfaitement** [parfɛtmɑ̃] *adv.* ① 완전히, 훌륭히; 전적으로, 참으로(= absolument): Il est ~ idiot. 그는 아주 바보이다. ② 아무렴(요), 그렇구말구요《oui 의 강조》: Viendrez-vous ? — *P~*. 오시겠어요? — 물론이지요(= bien sur).

***parfois** [parfwa] *adv.* 이따금, 간혹: *P~*, il rentre tard. 그는 이따금 늦게 귀가한다.

parfum** [parfœ̃] *m.* ① 향기, 방향(芳香)(= arôme, senteur): doux ~ de la rose 장미의 감미로운 향기. ② 향료; 향수: vaporisateur 〔atomiseur〕 à ~ 향수 분무기 / se mettre du ~ (몸에) 향수를 뿌리다. ***être au ~ (***de*** qc) (…을) 잘 알고 있다, (…에) 정통하다.

parfumer [parfyme] *v.t.* ① 향기롭게 하다, 향기를 풍기게 하다(= embaumer): un bouquet qui *parfume* la pièce 방안을 향기롭게 하는 꽃다발. ② …에 향수를 뿌리다: ~ son mouchoir 손수건에 향수를 뿌리다. — **se ~** *v.pr.* 몸〔의복〕에 향수를 뿌리다: une femme qui *se parfume* trop 향수를 지나치게 쓰는 여자.

parfumerie [parfymri] *f.* ① 향료, 향수. ② 향료〔향수〕 판매점〔제조소·공장〕.

parfumeur, euse [parfymœ:r, -ø:z] *n.* 향료〔향수〕 제조〔판매〕 업자.

pari [pari] *m.* ① 내기, 도박; 내깃돈, 내기에 거는 물건: gagner 〔perdre〕 son ~ 내기에 이기다〔지다〕. ②〖경마〗*P~* Mutuel Urbain 장외 마권 제도(《약자》P.M.U.) / *P~* Mutuel Hippodrome 장내 마권 제도(《약자》P.M.H.). ***faire*** 〔***engager***〕 ***un ~*** 내기를 하다. ***Les ~s sont ouverts.*** 결과는 두고 볼 일이다, 귀추가 주목된다.

paria [parja] *m.* ① 파리아족(族)《인도의 최하 계급》, 천민. ② 따돌림〔배척〕받는 사람.

***parier** [parje] *v.t.* ① ⓐ (돈 따위를) 내기에 걸다: mille francs que j'*ai pariés* 내가 건

P

1,000 프랑 / ~ avec〔contre〕qn …와 내기를 하다. ⓑ《~ qc que》…라는 것에 …을 걸다 : Je vous *parie* cent francs *qu*'elle sera en retard. 그녀가 지각하는 쪽에 100 프랑 걸겠다. ② 《~ que》…라고 단언하다, 확신하다(= affirmer) : Je te *parie* (tout ce *que* tu voudras) *qu*'il ne viendra pas. 그는 절대로 안 올거야. ***Il y a gros à ~ que*** + *ind.* …한 것은 거의 틀림없다.

pariétal, e, aux [paʀjetal, -o] *adj.* 〖미술·고고학〗(그림이) 동굴 벽에 그려진(= rupestre) : peintures ~*es* 동굴 벽화.

parieur, euse [paʀjœːʀ, -øːz] *n.* 내기 좋아하는 사람 ; 도박꾼, 경마팬.

parigot, e [paʀigo, -ɔt] 《구어》 *adj.* 파리의 : accent ~ 파리 말투. ― *n.* 파리 토박이.

Paris [paʀi] *n.pr.m.* 〖지리〗 파리. ***articles de ~*** 파리 특산물의 장신구류. ***école de P~*** 파리파《제 1 차 대전 후 파리를 무대로 활약한 외국 화가들의 명칭》.

***parisien, enne** [paʀizjɛ̃, -ɛn] *adj.* 파리의, 파리식의 : banlieue ~*enne* 파리 교외. ― **P~** *n.* 파리 사람(= parigot).

paritaire [paʀitɛːʀ] *adj.* (조정 위원회가) 노사(勞使) 동수의 대표로 구성된.

parité [paʀite] *f.* ① 동등, 동질, 균등 : réclamer la ~ des salaires〔entre les salaires〕 임금의 평등을 요구하다. ② 〖경제〗 (환율의) 등가(等價).

parjure [paʀʒyːʀ] *m.* 서약 위반 ; 위증(僞證). ― *n.* 서약을 위반한 사람, 위증자 ; 배신자. ― *adj.* 위증한, 배신한.

parjurer (se) [səpaʀʒyʀe] *v.pr.* 맹세를 어기다 ; 위증하다.

parka [paʀka]〔미영〕*f.* 〖의복〗 파카《방수천으로 만든 후드가 달린 짧은 재킷》.

***parking** [paʀkiŋ]〔영〕*m.* 주차 ; 주차장.

parlant, e [paʀlɑ̃, -ɑ̃ːt] *adj.* ① 표정〔표현력〕이 풍부한(= expressif) : geste ~ 표정이 풍부한 몸짓 / portrait ~ 생생한〔실제 인물을 아주 닮은〕 초상화. ② 명백한, 웅변으로 말하는 : Les chiffres sont ~*s.* 숫자가 그것을 명백히 말해 주고 있다. ***cinéma*** 〔***film***〕 ***~*** 토키, 발성(發聲) 영화. ***horloge ~e*** 라디오 시보(時報). ― *m.* 발성 영화, 토키.

P

parlé, e [paʀle] *adj.* 말해지는, 말로 이루어지는 : langue ~*e* 구어 / journal ~ 라디오 뉴스. ― *m.* (오페라 따위의) 대사 부분.

parlement [paʀləmɑ̃] *m.* ① (때로 *P~*) 의회, 국회(= Assemblée nationale, Chambre des députés). ② 〖프랑스사〗 (옛날의) 제후 회의. ③ 〖프랑스사〗 (구체제하의) 고등법원.

parlementaire¹ [paʀləmɑ̃tɛːʀ] *adj.* ① ⓐ 의회〔국회〕의 ; 의회 제도의 : régime ~ 의회 제도 / débats ~*s* 의회에서의 토의. ⓑ 국회의원의 : mandat ~ 의원 임기. ② 〖프랑스사〗 제후 회의〔고등법원〕의. ― *n.* ① 국회의원. ② 〖프랑스사〗 제후 회의 출석자 ; 고등법원 직원.

parlementaire² *n.* 군사(軍使)(= délégué), 휴전 교섭 사절.

parlementarisme [paʀləmɑ̃taʀism] *m.* 의회 정치, 의회 제도.

parlementer [paʀləmɑ̃te] *v.i.* ① 《~ avec qn》 …와 협상하다, 담판하다 : ~ *avec* le gouvernement 정부와 교섭하다. ② 길게〔장황하게〕 이야기하다.

‡parler¹ [paʀle] *v.i.* ① ⓐ 말하다(≠ se taire) ; 이야기를 하다 ; 발언하다 ; 연설하다 : Cet enfant commence à ~. 이 어린애는 말을 하기 시작한다 / ~ en français 프랑스어로 말하다 / Ils sont en train de ~. 그들은 이야기를 하고 있다 / ~ entre ses dents 입속말로 중얼중얼하다 / ~ haut〔bas, vite〕 크게〔낮게, 빨리〕 말하다. ⓑ 《~ à qn》 …에게 말하다 ; 《~ avec qn》 …와 이야기를 하다 : Il lui *parle* comme *à* un chien. 그에게 말하는 태도가 경멸적이다. ② 발음하다 : ~ dú nez 콧소리를 내며 말하다. ③ (비밀 따위를) 털어놓다, 자백하다 : Son complice *a parlé.* 그의 공모자가 입을 열었다. ④ 의사를 표시하다 : Les muets *parlent* par gestes. 벙어리들은 몸짓으로 말한다. ⑤ 《주어 : qc》 말해 주다, 표현하다, 나타내다 : Les faits *parlent* d'eux-même. 사실이 증명하고 있다 / L'honneur *parle.* 명예가 명령을 내린다 / Son visage *parle.* 그의 얼굴이 그의 심중을 드러내고 있다. ⑥ 《부사 + parlant》 《-ment 의 형태인 부사에 한함》 généralement *parlant* 일반적으로 말할 것 같으면 / franchement *parlant* 솔직하게 말하자면. ***C'est une façon*** 〔***manière***〕 ***de ~.*** 그것은 하나의 표현 방법에 지나지 않는다 ; 그렇게 말할 수도 있다. ***~ pour ne rien dire ; ~ pour ~*** 두서없는〔쓸데없는〕 말을 하다. ***trouver à qui ~*** 호적수〔만만치 않은 상대〕를 만나다. ***Tu parles ! ; Vous parlez !*** 《구어》 그걸 말이라고 ; 글쎄 어떨지《강한 불신》 ; 귀가 솔깃해지는 얘긴데.

― *v.t. ind.* ① 《~ de qc〔qn〕》 …에 관한 말을〔이야기를〕 하다 : On ne *parle* que *de* cela. 모두 그 이야기들뿐이다, 그 소문이 자자하다 / N'en *parlons* plus ! 이제 그 이야기는 그만하자 ! / *De* quoi ça *parle,* ce livre ? 《구어》 이 책은 무슨 책이오 ? ② 《~ de + *inf.*》 …하겠노라고 말하다 : Il *parlait de* partir pour la France. 그는 프랑스로 출발할 작정이라고 말했었다 / Il *parlait d'*émigrer aux Antilles. 그는 서인도 제도로 이주할 작정이라고 말했다. ③ 《비인칭 · 수동태》 Il *est parlé de* qc …이 논의되고 있다 / Il en *sera parlé.* 그것은 이야깃거리가 될 것이다. ***faire ~ de soi*** 소문나다, 유명해지다, 악평을 받다. ***sans ~ de...*** …은 말할 것도 없고〔없이〕. ***Tu parles d'une occasion !*** 《구어》 거 참 운수 좋았군. ***Tu parles d'un idiot*** 〔***imbécile***〕 ***!*** 《속어》 정말 바보야.

― *v.t.* ① (언어를) 말하다 : ~ bien le français 프랑스어를 능숙하게 말하다 / ~ couramment plusieurs langues 여러 나라 말을 유창하게 하다. ② 《무관사명사와 함께》 이야기하다 ; 논하다 : ~ politique 정치 이야기를 하다 / ~ affaires 사업 이야기를 하다.

― **se ~** *v.pr.* ① 《비인칭》 이야기되다 : Il *se parle* de qc …이 화제가 되어 있다. ② 이야기를 주고받다, 서로 이야기하다. ③ 말해지다 : Le français *se parle* partout dans le monde. 프랑스어는 세계 어느 곳에서나 쓰이고 있다.

***parler²** *m.* ① 화법, 말투 : ~ doux 부드러운

말투. ② 방언, 사투리(= dialecte).

parleur, euse [paʀlœːʀ, -øːz] *n.* ① 수다쟁이; 구변 좋은 사람: beau ~ 구변 좋은 사람. ② 〖전신〗 음향기(音響器). ***haut ~*** 확성기.

parloir [paʀlwaːʀ] *m.* (학교·수도원 따위의) 응접실; 면회실, 담화실.

parlot(t)e [paʀlɔt] *f.* 《구어》 한담, 잡담.

parmesan, e [paʀməzɑ̃, -an] *adj.* 파르마(*Parme,* 이탈리아의 도시)의. ── **P~** *n.* 파르마 사람. ── *m.* 파르마산(産)의 치즈.

⁑**parmi** [paʀmi] *prép.* 《흔히 다수의 것을 나타내는 말이 따름》 …가운데(서), …중에(서), …사이에(서)(= entre): dormir ~ les fleurs 꽃에 둘러싸여 자다 / vivre ~ les livres 책 속에서 살다.

Parnasse (le) [ləpaʀnɑː(a)s] *m.* ① 〖고대 그리스〗 파르나스산(山)《*Apollon* 과 *Muses* 가 살았다는 산》. ② 《비유》 시, 시인. ③ 〖문학〗 고답파(高踏派).

parnassien, enne [paʀnasjɛ̃, -ɛn] *adj.* 〖문학〗 고답파의. ── *m.* 고답파 시인.

parodie [paʀɔdi] *f.* ① (문학·예술 작품의) 풍자적 개작(改作), 패러디. ② 우스꽝스러운 〔익살맞은〕 모방〔흉내〕(= caricature).

parodier [paʀɔdje] *v.t.* (명작을) 우습게 풍자적으로 개작하다; 모방하다, (남의 몸짓·말씨 따위를) 우스꽝스럽게 흉내 내다.

parodique [paʀɔdik] *adj.* 패러디의; 흉내의: geste ~ 흉내 내는 몸짓.

parodiste [paʀɔdist] *m.* 패러디 작자.

paroi [paʀwa(ɑ)] *f.* ① 칸막이(벽); 내벽: ~ d'une baignoire 욕조의 내벽. ② 암벽, 절벽: gravir la haute ~ rocheuse 높은 암벽을 기어오르다. ③ 〖생물·해부〗 벽, 막: ~ de l'estomac 위벽 / ~ cellulaire 세포벽.

paroisse [paʀwas] *f.* ① 소교구(小教區). ② 소교구의 성당〔신자〕.

paroissial, e, aux [paʀwasjal, -o] *adj.* 〖종교〗 소교구의; 소교구 성당의.

paroissien, enne [paʀwasjɛ̃, -ɛn] *n.* 〖종교〗 소교구의 신자. ── *m.* 기도서, 미사책.

parole** [paʀɔl] *f.* ① 말, 언사, 언설, 발설 (= propos): ~ en l'air 경솔히 한 말 / ~*s* de bien venue 환영사 / adresser la ~ à qn …에게 말을 걸다 / citer une ~ de Napoléon 나폴레옹의 말을 인용하다. ② 언질, 언약, 약속(= engagement): (Je vous en donne) ma ~ 〔~ d'honneur〕! 명예를 걸고 맹세하다 / Il n'a aucune ~. 그의 말을 믿을 수 없다 / manquer à sa ~ 약속을 어기다. ③ 금언, 명언(= sentence). ④ 말하는〔언어〕 능력: L'homme seul a la ~. 인간만이 말을 할 수 있다. ⑤ 말투; 어조. ⑥ 발언; 발언권: passer la ~ à qn …에게 발언권을 넘기다. ⑦ 능변, 웅변(= éloquence). ⑧ (*pl.*) ⓐ 가사(歌詞). ⓑ 말다툼: avoir des ~*s* avec qn …와 말다툼하다. ***être (***homme***) ***de ~; n'avoir qu'une ~*** 약속을 지키는 사람이다. ***prendre la ~*** 발언하다, 이야기를 하다. ***sur ~*** 말만 듣고; 언약(만)으로. ***tenir*** (***sa***) ***~*** 약속을 지키다.

parolier, ère [paʀɔlje, -ɛːʀ] *m.* 가사 작가, 작사가.

paronyme [paʀɔnim] *m.* 〖언어〗 유음어(類音語).

paronymie [paʀɔnimi] *f.* 〖언어〗 어음유사(語音類似).

paronymique [paʀɔnimik] *adj.* 〖언어〗 유음어의.

parotide [paʀɔtid] *f.* et *adj.* 〖생물〗 이하선(耳下腺)(의).

paroxysme [paʀɔksism] *m.* ① (질병·발작의) 절정. ② (감각·감정 따위의) 극도, 절정: être au ~ de la colère 격노하고 있다.

parpaillot, e [paʀpajo, -ɔt] *n.* ① 《옛·경멸》 칼뱅교도. ② 종교심이 없는 자, 비신자.

parpaing [paʀpɛ̃] *m.* 〖건축〗 이음돌《벽의 두께를 이루고 가로지르는 돌》.

Parque [paʀk] *n.pr.f.* ① 〖로마신화〗 파르카《생사를 맡아보는 운명의 3 여신》. ② 《시어》 운명; 죽음.

parquer [paʀke] *v.t.* ① (가축 따위를) 목장(parc) 안에 넣다, 우리 안에 넣다. ② (자동차를) 주차장에 넣다; 〖군사〗 (포차 따위를) 한곳에 집결시키다. ③ (사람을) 좁은 장소에 처넣다(= entasser).

***parquet** [paʀkɛ] *m.* ① 마루판(= plancher[1]). ② 〖법률〗 (법원의) 검사실; 검찰청; 《집합적》 검사(= membres du ~). ③ 증권 거래소의 입회소.

parquetage [paʀkətaːʒ] *m.* ① 마루판을 깔기; 마루. ② 쪽모이 세공(細工).

parqueter [paʀkəte] [5] *v.t.* …에 마루판을 깔다.

parrain [pa(ɑ)ʀɛ̃] *m.* ① 〖가톨릭〗 대부(代父); (배 따위의) 명명인. ② (새 회원 따위의) 추천자, 보증인. ③ (폭력단 따위의) 두목.

parrainage [pa(ɑ)ʀɛnaːʒ] *m.* ① 대부〔대모〕의 신분〔자격〕. ② 추천, 소개; 후원(= patronage): comité de ~ 후원회.

parrainer [pa(ɑ)ʀɛ(e)ne] *v.t.* ① (회원 따위를) 소개〔추천〕하다. ② (사업 따위를) 후원하다.

parricide [paʀisid] *m.* 부모〔존속〕 살해(죄); 시역죄(弑逆罪). ── *adj.* 부모〔존속〕 살해의, 시역죄를 범한.

pars [paːʀ] partir 의 직설·현재·1〔2〕·단수.

parsemer [paʀsəme] [4] *v.t.* ① 《~ qc de》 …에 …을 뿌리다, 흩뿌리다: ~ un chemin *de* fleurs 길에 꽃을 뿌리다. ② …에 점재(點在)하다: Les étoiles *parsèment* le ciel. 별이 하늘을 수놓고 있다.

⁑**part**[1] [paːʀ] *f.* ① 부분(= partie): perdre une grande ~ de la fortune 재산의 많은 부분을 잃다 / pour une ~ 어느 정도, 어떤 점에서는. ② 몫, 할당분, 분담(금): réclamer 〔recevoir, avandonner〕 sa ~ 자기 몫을 요구하다〔받다, 포기하다〕 / avoir une bonne ~ dans les bénéfices 이익 분배에서 상당한 몫을 차지하다 / diviser qc en six ~*s* …을 6 등분하다 / Il faut que chacun paye sa ~. 제각기 얼마씩 (참가비를) 내야 한다. ③ 역할(= rôle); 기여, 공헌, 협력: n'avoir pas de ~ à qc …에 관계가 없다. ④ (주주의) 출자금, 소유주(株), 지분(持分): ~ bénéficiaire 〔de fondateur〕 발기인 주. ***à ~*** …을 제외하고; 별도로, 따로; 〖연극〗 방백(傍白)으로: mettre qc *à* ~ …을 별도로 떼어 두다 / prendre qn *à* ~ …만을 따로 부르다 / mots prononcés *à* ~ 〖연극〗 방백(傍白) / *à* ~ quelques exceptions 몇몇 예외를 제외하고는. ***à ~ moi*** 〔***toi***〕 홀로; 마음속으로. ***autre ~*** 딴 곳에. ***avoir ~ à*** qc …에 관계하

다〔관련되다〕. ***de la ~ de*** qn …의 이름으로 ; …의 대리〔의뢰〕로 ; …의 쪽에서, …으로서는 : venir *de la ~ de* son mari 남편의 대리로 오다 / Dites bonjour *de ma ~*. 내 안부 전해 주시오 / C'est *de la ~ de* qui? (전화로) 누구시죠? ***de ~ et d'autre*** 여기 저기서 ; 양쪽에서 ; 쌍방이 모두 : *de ~ et d'autre* du fleure 강의 양쪽 기슭에. ***de toute*(*s*) *~*(*s*)** 도처에서, 사방에서. ***d'une ~...*** (***et***) ***d'autre ~...*** 한편으로는… 또 다른 한편으로는…. ***faire la ~ de*** qc …을 고려하다, 참작하다 : *faire la ~ des* choses 〔circonstances〕 모든 것〔상황〕을 고려하다. ***faire la ~ de*** qn …에게 분배 몫을 주다. ***faire la ~ du feu*** 전부를 잃지 않기 위해 일부를 희생하다. ***faire ~ á deux*** 둘이서 나누어 가지다. ***faire ~ de*** qc ***à*** qn …에게 …을 나누어 주다 ; …에게 …을 알리다. ***pour ma ~*** 나로서는. ***prendre*** qc ***en bonne*** 〔***mauvaise***〕 ***~*** …을 좋게〔나쁘게〕 해석하다. ***prendre ~ à*** qc …에 참여하다 ; …에 관심을 가지다 : *prendre ~ à* l'élaboration d'un projet 계획의 수립에 참여하다.

part² *m.* ① 《옛》 출산 ; (동물의) 분만(= parturition). ② 〖법률〗 신생아, 영아.

part³ partir의 직설 · 현재 · 3 · 단수.

partage** [paʀtaːʒ] *m.* ① 나누기, 분할(= division) ; 분배, 배분(= répartition) : ~ d'un domaine 소유지의 분할 / faire le ~ de qc …을 분배하다. ② (의견의) 갈라짐, 분열(= désaccord) : Il y a ~ des voix. 찬부의 의견이 같은 수이다. ③ (나누어 받는) 몫, 배당 ; (신으로부터 주어진) 운명(= sort, lot) : Ce que je fus demeure à jamais mon ~. 내 과거가 내 운명을 평생 좌우할 것이다. ***avoir 〔***donner, recevoir***〕 qc ***en ~*** 제 몫으로 …을 가지다〔주다, 받다〕. ***ligne de ~ des eaux*** 〖지리〗 분수령, 분수계(界). ***sans ~*** 전적인, 철저한(= total, sans réserve) : fidélité *sans ~* 전적인 충성.

partagé, e [paʀtaʒe] *adj.* ① 분할된 : ~ en deux 둘로 분할된. ② (의견 따위가) 분열된, 갈라진. ③ (감정 따위가) 공유된.

partageable [paʀtaʒabl] *adj.* ① 분할할 수 있는. ② 공유〔찬동〕할 수 있는 : opinion ~ 찬동할 수 있는 의견.

partageant, e [paʀtaʒɑ̃, -ɑ̃:t] *m.* 분배〔배당〕에 참여하는 사람.

⁑partager [paʀtaʒe] 3 *v.t.* ① 나누다, 가르다, 분할하다(= morceler) ; 분배하다 : ~ qc en deux par la moitié …을 반분하다. ② 함께〔같이〕하다, 공유하다 : ~ sa joie avec qn …와 기쁨을 나누다 / ~ la chambre avec qn …와 방을 함께 쓰다 / ~ l'opinion de qn …와 의견을 같이하다 / amour *partagé* (짝사랑이 아닌) 상애(相愛), 서로 사랑함. ③ 갈라지게 하다, 분열시키다 : Cette question *partage* l'opinion. 그 문제로 인해 여론이 둘로 갈라졌다. ④ 《옛 · 문어》 천분(天分)을〔은혜를〕 주다 : Dieu l'*a* bien *partagé*. 신은 그에게 특별한 재능을 주었다.

— **se ~** *v.pr.* ① 나누어지다, 분배되다. ② 갈라지다 ; 분열되다. ③ 서로 분배하다 ; 함께 가지다, 공유하다.

partageur, euse¹ [paʀtaʒœːʀ, -øːz] *adj.* et. *n.* ① 나눠 갖기를 좋아하는 (사람). ② 분배를 요구하는 (사람).

partance [paʀtɑ̃ːs] *f.* 출발〔출범(出帆)〕 직전 : train *en ~* 출발 직전의 열차 / avion *en ~* pour Peking 베이징행 비행기.

partant¹ [paʀtɑ̃] *conj.* 《문어》 따라서, (그렇기) 때문에(= ainsi, donc).

partant², e [paʀtɑ̃, -ɑːt] *m.* 출발자 ; 〖스포츠〗 (레이스에 선) 경주자 ; 〖경마〗 출주마(出走馬). — *adj.* ① 출발하는. ② 《구어》 《~ pour》 …할 뜻이 있는(= disposé à).

***partenaire** [paʀtənɛːʀ] *n.* ① (일 · 경기 따위의) 짝, 파트너, 편. ② (교섭의) 상대방, 참가자 ; 상대국.

partenariat [paʀtənaʀja] *m.* 업무 제휴 ; 노사 협조.

parterre [paʀtɛːʀ] *m.* ① 꽃밭, 화단. ② 〖연극〗 1층 뒷 좌석(의 관객).

parthénogénèse [paʀtenɔʒenɛːz] *f.* 〖생물〗 단성(單性) 생식《유성 생식 중에서 수정하지 않고 태어나는〔열매를 맺는〕 것》.

parthénogénétique [paʀtenɔʒenetik] *adj.* 〖생물〗 단성 생식의〔에 의한〕.

⁑parti¹ [paʀti] *m.* ① 당(黨), 당파(= camp) ; 집단, 도당 : ~ de droite 〔gauche〕 우익〔좌익〕 정당 / ~ du centre 중도파 / esprit de ~ 당파심. ② 편(= camp) ; 편들어 주기, 역성 : être 〔se ranger〕 du ~ de qn …의 편이 되다, …을 지지하다. ③ 이익, 이득(= profit, bénéfice) ; 《옛》 급료, 수당(= salaire). ④ 대우(= traitement). ⑤ 결혼 상대, 혼처 : beau ~ 좋은 혼처〔혼담〕. ⑥ (결정해야 할) 방침, 방책, 결심(= décision, résolution) : Mon ~ est pris. 결심은 됐다. ⑦ 《옛》 〖군사〗 별동대, 지대(支隊). ***faire un mauvais ~ à*** qn …을 못살게 굴다, 학대하다. ***~-pris*** 단호한 결심, 결의 ; 선입관, 편견 : de ~ *pris* 일부러, 고의로 ; 단호하게 ; 선입관을 가지고. ***prendre le ~ de*** + *inf.* …할 결심을 하다. ***prendre le ~ de*** qc …의 편을 들다(= prendre ~ pour) : Il *prend le ~ des* opprimés. 그는 피압박자의 편을 든다. ***prendre ~ pour*** 〔***contre***〕 qn …의 편〔적〕이 되다, …에게 찬성〔반대〕하다. ***prendre son ~ de*** qc …을 운명이라 여기고 감수〔체념〕하다. ***tirer ~ de*** qc …을 이용하다 : *tirer* le meilleur ~ *de* son expérience 경험을 최대한 활용하다.

parti², e¹ [paʀti] *adj.* ① 출발한, 떠난 ; 없는(= absent), 사라진(= disparu). ② 《구어》 거나한, 얼근히 취한(= ivre).

***partial, e, aux** [paʀsjal, -o] *adj.* 편파적인, 불공평한(≠ impartial).

partialement [paʀsjalmɑ̃] *adv.* 불공평하게.

partialité [paʀsjalite] *f.* 편파성, 불공평 : avec ~ 편파적으로.

participant, e [paʀtisipɑ̃, -ɑ̃:t] *adj.* 가입하는, 참가하는 ; 협력하는. — *n.* 가입자, 참가자 ; 가담자 : nations *~es* 참가국.

participatif, ive [paʀtisipatif, -iːv] *adj.* ① 참가〔참여〕할 수 있는. ② 〖경제〗 (근로자의) 경영 참가 방식의.

participation [paʀtisipɑsjɔ̃] *f.* ① 가담, 참가, 참여 ; 협력(= concours) ; 출자 분담(= contribution) : ~ à une compétition 경기 참가 / compte en ~ (손익 분담의) 공동 계

산. ② 〖정치〗 투표율(= ~ électorale). ③ 〖경제〗 경영 참여 ; 자본 참가 : ~ aux bénéfices 이익 분배제. ***société à ~ ouvrière*** 피고용인이 이익 분배에 참여하는 회사.

participe [paʀtisip] *m.* 〖문법〗 분사 : ~ présent 현재분사 / ~ passé 과거분사.

***participer** [paʀtisipe] *v.t. ind.* ① ⟪~ à⟫ …에 참가하다, 관여하다 ; 협력하다 : ~ *à* la grève 파업에 참가하다. ② ⟪~ à⟫ (이익 등의) 분배에 한몫 끼다(= avoir 〔recevoir〕 part à) ; (기쁨 따위를) 함께 나누다, 같이하다(= partager): ~ *aux* frais 비용을 분담하다 / ~ *à* la joie 〔*au* chagrin〕 de qn …의 기쁨〔슬픔〕을 함께하다. ③ ⟪~ de⟫ …의 성질을 닮다〔띠다〕 : Le mulet *participe de* l'âne et du cheval. 노새는 나귀와 말을 닮았다.

participial, e, aux [paʀtisipjal, -o] *adj.* 〖문법〗 분사의 ; 분사에서 파생한 : proposition ~*e* 분사절. ── *f.* 분사절.

particularisation [paʀtikylaʀizɑsjɔ̃] *f.* 특수화.

particulariser [paʀtikylaʀize] *v.t.* ① 특수화하다. ② 상술하다. ── **se ~** *v.pr.* 눈에 띄는〔색다른〕 일을 하다.

particularisme [paʀtikylaʀism] *m.* 〖정치〗 (지방) 자치주의, (연방국의) 각주(各州) 독립〔자치〕주의.

particulariste [paʀtikylaʀist] *n.* 자치주의자. ── *adj.* 자치주의의.

particularité [paʀtikylaʀite] *f.* ① 특수성 ; 독자성 ; 특색, 특징(= caractéristique). ② (사건의) 전말(顚末), 자초지종.

particule [paʀtikyl] *f.* ① 작은 조각, 분자, 미분자, 미립자 ; 〖화학〗 입자 : ~ fondamentale 소립자, 기초 입자. ② 소사(小辭), 첨사(添辭)⟪다른 말과 같이 붙여 쓰이는 말⟫ : nom à ~, de 가 붙은 이름⟪프랑스어에서 귀족의 성 앞에 de 를 씀⟫.

‡particulier, ère [paʀtikylje, -ɛːʀ] *adj.* ① 특수〔특이〕한, 특징적인(≠commun) ; ⟪~ à⟫ …에〔에게〕 고유〔특유 · 독특〕한(= propre à) : Cela lui est ~. 그것은 그의 특성이다 / symptôme ~ *à* une maladie 어떤 병에 특유한 증상. ② 개인의, 사사로운, 개별적인(= individuel, personnel) : voiture ~*ère* 자가용 자동차 / secrétaire ~ 개인 비서. ③ 분리된, 별개의, 단독의(= séparé) : chambre ~*ère* 사실, 독방 / leçon ~*ère* 개인 교수. ④ 유다른, 색다른 ; 이상〔야릇〕한, 기묘한(= singulier) : un être doué de qualités ~*ères* 비범한 재주를 가진 사람 / mœurs ~*ères* 색다른 풍습. ── *n.* ① 개인, 사인 (私人). ② ⟪구어 · 경멸⟫ 사람, 녀석(= individu) : Quel drôle de ~ ! ⟪구어⟫ 정말 묘한 녀석이군. ── *m.* 특수(한 일 · 경우)(≠le général). ***en ~*** 특히 ; 개인적으로, 따로 : recevoir qn *en* ~ …와 은밀히 만나다, 격식을 떠나 사사로이 만나다.

***particulièrement** [paʀtikyljɛʀmɑ̃] *adv.* ① 특히, 특별히 : enfant ~ doué pour la musique 특히 음악에 재능을 가진 아이. ② 개인적으로, 친히 ; 상세히 : Je ne le connais pas ~. 나는 그를 잘은 모른다.

‡partie[2] [pɑʀti] *f.* ① 부분(= portion), 일부(≠ ensemble, tout) ; (*pl.*) 음부, 국부(= ~*s* honteuses) : un exposé en trois ~*s*, 3 부로 된 보고서 / les cinq ~*s* du monde 세계의 5 대주 / millième ~ d'un tout 전체의 1,000 분의 1 / ~*s* du corps 신체의 각 부분. ② 〖음악〗 음부(音部), 성부(聲部) : chant à quatre ~*s* 사부 합창. ③ (책의) 부(部), 편(篇). ④ (여럿이 함께 즐기는) 놀이 ; 놀이 한 판, 시합, 게임 ; 승부, 싸움(= lutte, combat) : ~ de pêche 〔de canotage〕 고기잡이〔보트 놀이〕 / ~ de plaisir 피크닉 ; 오락 파티 / faire une ~ de cartes 카드 놀이를 하다 / gagner 〔perdre〕 la ~ 승부에 이기다〔지다〕. ⑤ 〖법률〗 (소송 · 계약 따위의) 당사자, 상대방 : ~*s* contractantes 계약 당사자 / ma ~ 나의 의뢰인⟪변호사 용어⟫ / ~ plaignante 원고, 고소인 / ~ adverse 상대방, 대립하는 쪽. ⑥ 〖문법〗 품사. ⑦ (부기의) 식 : ~ double 〔simple〕 복식〔단식〕 부기. ⑧ 부문, 전문 분야(= branche, spécialité) ; 직업(= métier) : Dans sa ~, il est imbattable. 그의 전문 분야에서는 그를 따를 이가 없다 / Je ne suis pas dans 〔de〕 la ~. 내 전문이 아니다. ***Ce n'est que ~ remise.*** 그것은 연기되었을 뿐이다, 가까운 시일에 다시 하자. ***en ~*** 부분적으로, 얼마큼 : *en* grande 〔majeure〕 ~ 대부분. ***être juge et ~*** 자신의 이해가 얽힌 문제를 자신이 결정짓다. ***faire ~ de*** qc …의 일부를 이루다, …에 소속되다. ***prendre*** qn ***à ~*** …을 공격〔비난〕하다.

***partiel, elle** [paʀsjɛl] *adj.* 일부분의, 부분적인 ; 불완전한 : paiement ~ 일부 지불.

partiellement [paʀsjɛlmɑ̃] *adv.* 일부분, 부분적으로 : payer ~ 분할 지불하다.

‡partir[1] [paʀtiːʀ] 18 *v.i.* ⟪조동사는 être⟫ ① 떠나다, 출발하다(≠ arriver) : ~ pour Paris 〔en France〕 파리〔프랑스〕를 향해 출발하다 ⟪~ à 는 오용⟫ / ~ en 〔pour un〕 voyage 여행을 떠나다 / ⟪~+*inf.*⟫ Il *est parti* faire un tour. 그는 산책하러 나갔다 / ~ de ce monde 죽다, 이승을 하직하다. ② 내닫다, 스타트하다(≠rester) : À vos marques ! Prêts ? *Partez !* 〖스포츠〗 제자리에, 준비, 출발 ! ③ ⟪*inf.* 와 함께⟫ 시작하다 : ~ pour parler 이야기를 시작하다 / Ne me regardez pas, je sens que je *partirais* à rire. 나를 보지 마라, 웃음이 나올 것 같으니. ④ ⟪~ de⟫ ⓐ …에서 출발하다. ⓑ …출신이다 : *De* quel jour *part* l'abonnement ? 구독 예약은 며칠부터 유효합니까 ? / Il *est parti* de rien. 그는 비천한 처지에서 입신(立身)했다. ⓒ ⟪~ de⟫ …에서 시작되다〔나오다〕 : en *partant de* ce principe 이 원칙 위에서. ⑤ (엔진이) 시동하다 ; (일 따위가) 시작되다(= commencer) : La voiture ne veut pas ~. 자동차 엔진이 걸리지 않는다. ⑥ 튀어 나오다〔나가다〕 ; (말이) 나오다 ; (돈이) 나가다 ; (때 · 더러움이) 빠지다 : La tache ne *part* pas. 때가 빠지지 않는다 / mot *parti* du cœur 마음속에서 우러나오는 말. ⑦ (총포가) 발사되다 ; (성냥이) 켜지다 ; (용수철이) 튀다 : faire ~ (총포를) 쏘다 ; (불꽃을) 쏘아 올리다. ***à ~ de*** …부터; …이후 ; …에 입각하여. à ~ d'ici 여기서〔지금〕부터 ~ ***d'un éclat de rire ; ~ à 〔de〕 rire*** 웃음을 터뜨리다.

partir[2] *v.t.* ⟪옛⟫ 나누다, 분할하다⟪현재는 다

P

음 표현에만 쓰임》: avoir maille à ~ avec qn …와 다투다.

*__partisan, e__ [paʀtizɑ̃, -an] *adj.* ① 《~ de》 …의 편을 드는, …에 가담〔지지·찬성〕하는; 신봉하는: ~ *de* négociations 협상을 지지하는 / être ~ *d'*accepter une proposition 제의를 수락하는 데 찬성하다. ② 당파적인, 편향적인: querelles ~*es* 당파 싸움. — *n.* 한편, 한패; 당원; 찬성자, 지지자(= défenseur): ~ de la réforme orthographique 철자법 개정론 지지자. — *m.* 유격대원, 빨치산: guerre de ~*s* 게릴라전(= guérilla).

__partitif, ive__ [paʀtitif, -iːv] *adj.* 〖문법〗 부분을 나타내는: article ~ 부분관사. — *m.* 부분(관)사(詞).

__partition__ [paʀtisjɔ̃] *f.* ① 〖음악〗 총보(總譜), 악보: ~ de piano 피아노 악보 / lire une ~ 악보를 읽다. ② (영토의) 분할; 〖수학〗 분할.

⁑__partout__ [paʀtu] *adv.* ① 어디에(서)나, 어디든지, 도처에(≠nulle part): ~ dans la maison 온 집안에 / un peu ~ en Angleterre 영국의 거의 도처에서. ② 전부, 전원; 〖스포츠〗 양쪽 다: trois jeux ~ 〖테니스〗 스리 올.

__parturiente__ [paʀtyʀjɑ̃ːt] *adj.* et. *f.* 〖의학〗 산부(産婦)(의).

__parturition__ [paʀtyʀisjɔ̃] *f.* 〖의학〗 출산, 분만: en ~ 분만 중의; 해산이 임박한.

__paru, e__ [paʀy] *adj.* (제품·책 따위가) 나온, 출판된.

__parure__ [paʀyːʀ] *f.* ① 몸치장; 꾸미는〔치장하는〕 것, 장식물: Elle passe un temps fou à sa ~. 그녀는 몸치장에 몹시 시간을 끈다. ② 패물〔장신구〕 한 세트; (한 벌로 갖추어진) 여자의 내의.

__parution__ [paʀysjɔ̃] *f.* (책 따위의) 발행, 간행, 출판(= publication); 발행일.

*__parvenir__ [paʀvəniːʀ] 16 *vi.* 《조동사는 être》 ① 《주어: qn, qc》 《~ à》 …에 이르다, 다다르다, 도달하다(= arriver, atteindre): ~ *au* sommet 정상에 도달하다 / ~ *à* ses fins 목적을 달성하다. ② 《~ à+*inf.*》 (고생하여 …에) 성공하다, 마침내 …하게 되다: Il *est parvenu à* obtenir sa mutation. 그는 마침내 바라던 전근을 성취하게 되었다. ③ …에게 전달하다, 도착하다: Votre lettre ne *m'est* pas *parvenue.* 네 편지는 나에게 전해지지 않았다. ④ (자연적으로) 이르다, 되다: ~ au terme de sa vie 인생의 종말에 이르다. ⑤ 《문어》 《목적보어 없이》 출세하다. 재산을 쌓다: ambition de ~ 입신출세의 야심 / moyen de ~ 출세의 방법.

__parvenu, e__ [paʀvəny] *adj.* 벼락출세한, 갑자기 부자가 된. — *n.* 벼락출세자, 벼락부자.

__parvis__ [paʀvi] *m.* 성당의 앞뜰; (교회 앞의) 광장. ***les célestes ~*** 천국.

⁑__pas__[1] [pɑ] *m.* ① 걸음: faire un ~ en avant 〔en arrière〕 한 걸음 앞으로 나서다〔뒤로 물러서다〕. ② 한 걸음의 폭: à deux 〔trois〕 ~ de …에서 바로 가까이. ③ 보조, 걸음걸이(= allure, démarche); (댄스의) 스텝; 〖승마〗 평보(平步): allonger 〔presser, ralentir〕 le ~ 큰 걸음으로 걷다〔걸음을 재촉하다, 늦추다〕 / esquisser un ~ de tango 탱고 스텝을 밟다. ④ 전진, 진보(= progrès); 과정(= étape): faire un grand ~ vers ... …으로 향해 크게 전진하다 / C'est un grand ~ du fait. 그것은 커다란 진전이다. ⑤ 행동, 동분서주, 애씀, 수고(= démarche): faire des ~ pour qn …을 위해 동분서주하다 / ~ inutile 헛수고. ⑥ 발자국, 발자취, 흔적: Dehors des petits ~ s'effaçaient dans la neige. 밖에서는 눈 위의 발자국이 사라지고 있었다. ⑦ 통로; (산의) 험로(險路); 해협(= détroit). ⑧ 난관, 장애(= difficulté). ⑨ 문지방(= seuil), (문 앞의) 디딤판〔돌〕; (계단의) 단(= marche): sur le ~ de la porte 대문〔출입문〕 앞에. ⑩ (나사 따위의) 홈, 피치: ~ de vis 나사못의 홈. ***à chaque ~*** 언제나, 끊임없이. ***à ~ comptés*** 느린 걸음으로. ***à ~ de loup*** 살금살금. ***à ~ mesurés*** 조심성 있는 걸음으로; 신중하게. ***au ~*** 걷는 속도로; (말이) 보통 걸음으로; 〖자동차〗 아주 느리게. ***de ce ~*** 이 길로, 즉시로, 곧: Je vais au marché *de ce ~*. 나는 이 길로 시장에 가겠다. ***faire les cent ~*** 왔다갔다 하다, 서성거리다: *faire les cent ~* devant la porte 문 앞에서 서성거리며 기다리다. ***faire les premièrs ~*** (대인 관계에서) 먼저 나서다. ***faux ~*** 헛디딤; 실수: faire un *faux ~* 헛디디다; 실수하다. ***marcher sur les ~ de*** qn …을 뒤따라가다; …을 본받다. ***marquer le ~*** 〖군사〗 제자리걸음하다; 조금도 진보하지 않다. ***mauvais ~*** 난관, 난국, 궁지: tirer qn d'un *mauvais ~* …을 궁지에서 구해 내다. ***~ à ~*** 한걸음 한걸음, 차근차근. ***~ de clerc*** 큰 실수, 대실책. ***prendre le ~ sur*** qn …의 앞에 나서다. ***salle des ~ perdus*** (역·법원 따위의) 홀.

⁑__pas__[2] *adv.* ① 《보통 ne와 함께 쓰여 부정의 뜻을 나타냄》 ⓐ 《동사·조동사 뒤》 Je ne veux ~. 나는 원치 않는다 / Je n'en dis ~ plus. 그건 그 이상 말하지 않겠다. ⓑ 《부정법 앞》 J'espère ne ~ le rencontrer. 나는 그를 만나지 않기를 바란다 / Il sait ne ~ parler. 그는 입을 다물 줄 안다. ② 《단독으로》 ⓐ 《생략문》 *P~* de chance! 운이 없군! / Il's viennent ou ~? 그 사람들 오는 거야 안 오는 거야? / Pourquoi ~? 그래서 안 될 건 없지. ⓑ 《형용사 앞》 ville ~ belle 아름답지 못한 도시 / C'est une femme ~ sérieuse. 점잖지 못한 여자다. ③ 《속어에서 ne를 생략》 Moi, je fais ~ de politique. 나는 정치에 참여하지 않아 / Faut ~ t'en faire 걱정 마. ④ 《non을 강조》 affaibli mais non ~ découragé 몸은 쇠약하지만 용기를 잃은 것은 아니다 / Non ~! 아니 그렇지 않습니다. ***Ce n'est ~ que***+*sub.* …라는 것은 아니다. ***comme ~ un(e)*** 누구보다도, 가장 잘: Il me connaît *comme ~ un.* 그는 누구보다도 나를 잘 안다. ***ne... ~ que*** …뿐만이 아니다: Il *n'*y a ~ *que* lui qui le cache. 그것을 알고 있는 것은 그뿐만이 아니다. ***~ un(e)*** 아무〔아무것〕도 (…하지 않다): *P~ un* d'entre nous le sait. 우리들 중 아무도 그것을 모른다. ***un ~-grand-chose*** 하찮은 놈, 쓸모없는 놈.

__PASCAL__ [paskal] *m.* 〖컴퓨터〗 파스칼《프로그램 언어의 일종》.

__pascal__[1] [paskal] *m.* (*pl.* **~s**) 〖물리〗 파스칼

《압력의 단위》.

pascal², e [paskal] *adj.* (*pl.* **~s**, **-aux** [-o]) ① 부활절의 : vacances *~es* 부활절 휴가. ② 유월절(踰越節)의 : agneau ~ 유대인이 모세의 율법에 따라 유월절 때 먹은 어린 양.

pas-d'âne [pɑdɑ:n] *m.* 《복수불변》 『식물』 머위(= tussilage)의 속칭.

pas-de-porte [pɑdpɔʀt] *m.* 《복수불변》 『상업』 (영업권에 대한) 권리금.

paso doble [pasodɔbl] 〔에스파냐〕 *m.* 《복수불변》 파소도블《템포가 빠른 댄스곡》.

***passable** [pɑsabl] *adj.* ① 웬만한, 그만하면 괜찮은(= acceptable) : vin ~ 그저 먹을 만한 와인. ② 『학교』 (성적이) 급제의 : mention ~ 급제 성적.

passablement [pɑsabləmɑ̃] *adv.* ① 웬만큼, 곧잘 : travailler ~ 일을 곧잘 한다. ② 꽤, 상당히 : être ~ ambitieux 상당히 야심적인.

passade [pɑsad] *f.* 한때의 잘못 ; 변덕, 일시적 바람기(= caprice).

passage** [pɑsa:ʒ] *m.* ① 통과, 통행 ; 횡단 ; 항해 ; (새 따위의) 이동, 이주 : ~ interdit 통행금지 / ~ des Alpes 〔de la Manche〕 알프스를 넘어가기〔도버〔영불〕 해협 횡단〕. ② 뱃삯 ; 통행료 : payer le ~ 뱃삯을 내다. ③ 통행시〔시간〕. ④ 『천문』 경과 : ~ de méridien 자오선 경과. ⑤ 이행(移行), 추이, 변천 : ~ de l'état liquide à l'état gazeux 액체에서 기체로 변하기 / ~ du jour à la nuit 낮에서 밤으로의 바뀜. ⑥ 통로 ; 수로 항로 ; 복도에 깐 긴 융단 : garder un ~ 통로를 수비하다 / se frayer 〔se faire〕 un ~ 길을 헤쳐 나가다. ⑦ (글의) 대목, 구절 ; 『음악』 악절 : un ~ du ≪Scherzo≫ de Chopin 쇼팽 작 「스케르초」의 한 악절 / note de ~ 『음악』 장식음. ***au ~ (***de***) 지나는 길에, 지나치면서. ***de ~*** ⓐ 지나가는, 일시 체재하는 : être *de* ~ dans 〔à〕 une ville 여행 도중에 어떤 도시에 잠시 머물고 있다. ⓑ 잠시 동안의, 덧없는 : bonheur *de* ~ 덧없는 행복. ***~ à vide*** (운전 따위에서의 일시적인) 의식의 공백. ***sur le ~ de*** qn …이 지나가는 길가〔길목〕에.

***passager, ère** [pɑ(a)saʒe, -ɛ:ʀ] *adj.* ① 지나가는 : hôte ~ 잠시 머무는 손님 / oiseau ~ 철새. ② 일시적인, 덧없는(= momentané) : bonheur ~ 덧없는 행복. ③ (길이) 통행이〔왕래가〕 잦은《passant 의 오용》: rue *~ère* 번잡한 거리. ── *n.* (배 · 비행기의) 승객.

passagèrement [pɑ(a)saʒɛʀmɑ̃] *adv.* 일시적으로, 잠시.

***passant, e** [pɑsɑ̃, -ɑ̃:t] *adj.* (길이) 왕래가 많은 : rue *~e* 번잡한 길. ── *n.* 통행인. ── *m.* (혁대 따위의) 버클에 채운 가죽끈 끝을 끼우는 가죽〔쇠〕고리.

passation [pɑ(a)sasjɔ̃] *f.* ① (계약 따위의) 체결, 조인 : ~ d'un contrat 계약의 조인. ② (권한의) 이양(= transmission).

passe¹ [pɑ:s] *f.* ① 통과 ; 통행 허가증. ② (창녀의) 단시간의 접객. ③ (최면술사의) 손놀림(= ~ magnétique). ④ 『펜싱』 찌르기. ⑤ 통로 ; 『해양』 좁은 항로〔수로〕(= chenal, canal) : Le bateau chercha la ~ entre les récifs. 배는 암초 사이로 항로를 찾아 헤맸다. ⑥ 『스포츠』 (공의) 패스 : ~ en arrière au gardien 『축구』 자기편 골키퍼에게 백패스하기. ***être dans une ~ difficile*** 곤경에 빠져 있다. ***être en ~ de*** + *inf.* …할 만한 상태이다, 이제 …하려고 하고 있다.

passe² *m.* = passe-partout.

***passé, e** [pɑse] *adj.* ① 지나간, 과거의 : le temps ~ 옛날, 과거 / Il est midi ~ . 정오가 지났다. ② (빛깔이) 바랜, 퇴색한 ; (꽃이) 시든(= fané) ; (젊음 · 아름다움 따위가) 쇠퇴한 : couleur *~e* 바랜 빛깔. ── *m.* ① 과거(≠ futur), 옛날 ; 과거지사 : Le ~ de cet homme m'est inconnu. 그 사람의 과거를 나는 모른다 / Tout ça, c'est du ~ . 다 지나간 일이야 / par le ~ 과거에. ② 『문법』 과거(시제). ── *prép.* 《때로는 성과 수의 변화가 있음》 지나서(≠ avant) : Je serai là, ~(*es*) dix heures. 열 시 지나서 오겠습니다.

passe-droit [pɑsdʀwa] *m.* (*pl.* **~-~s**) ① 특권, 특혜. ② 불공평한 처사(= injustice) : faire un ~ à qn …보다 자격이 모자란 자를 먼저 승진시키다.

passe-fleur [pɑsflœ:ʀ] *f.* (*pl.* **~-~s**) 『식물』 서양 할미꽃.

passéiste [pɑseist] *adj.* 회고〔복고〕주의의. ── *n.* 회고〔복고〕주의자.

passe-lacet [pɑslasɛ] *m.* (*pl.* **~-~s**) 송곳바늘. ***être raide comme un ~*** 《구어》 무일푼이다.

passementerie [pɑ(a)smɑ̃tʀi] *f.* 장식끈 제품 ; 장식끈 제조〔판매〕업.

passe-montagne [pɑsmɔ̃taɲ] *m.* (*pl.* **~-~s**) 일종의 방한모.

passe-partout [pɑspaʀtu] *m.* 《복수불변》 (모든 종류의 자물쇠에 맞는) 만능 열쇠, 결쇠. ── *adj.* 《불변》 어떤 경우에도 맞는 : tenue ~ 어떤 경우에도 입을 수 있는 옷.

passe-passe [pɑspɑ:s] *m.* 《복수불변》 ① tour de ~ 요술. ② 속임수, 사기, 협잡.

passe-plat [pɑspla] *m.* (*pl.* **~-~s**) (주방에서) 요리를 내보내는 창구.

passe-poil [pɑspwal] *m.* (옷) 선, 선두름.

***passeport** [pɑspɔ:ʀ] *m.* ① 여권, 패스포트. ② 『해양』 선박 통행 허가증.

‡**passer** [pɑse] *v.i.* 《조동사는 avoir 또는 être. être 는 행위의 결과를 나타낼 때 쓰임》 ① 지나가다, 통과하다 : Le voilà qui *passe.* 저기 그 사람이 지나간다 / Le facteur *est* déjà *passé.* 우편 집배원은 벌써 다녀갔다 / La Seine *passe* à Paris. 센 강은 파리를 통과한다 / On ne *passe* pas ! 통행금지 !
② ⓐ 《여러 전치사와 함께 「통과」의 뜻을 나타냄》 personne qui *passe dans* la rue 길을 지나가는 사람 / L'auto lui *a passé sur* les jambes. 그는 자동차에 다리를 치었다 / ~ *sous* une voiture 차에 깔리다 / ~ *sur* les difficultés 난관을 극복하다 / ~ *entre* deux personnes 두 사람 사이를 빠져나가다. ⓑ 《~ à travers 〔au travers de〕》 …을 가로질러〔뚫고〕 지나가다, 통과하다, 관통하다; …을 면제받다, 모면하다 : ~ *à travers* (le) bois 숲을 가로질러 가다 / ~ *au travers d'*une punition 벌을 모면하다. ⓒ 《~ avant 〔après〕》 (시간 및 순서로 보아) …보다 먼저〔다음에〕 가다, 앞서다〔뒤지다〕 ; 《~

P

avant》 …보다 더 중요하다 : *Passez* donc ! *Après* vois ! 먼저 가세요 / Sa mère *passe avant* sa femme. 그에겐 모친이 아내보다 더 소중하다. ⓓ《~ devant 〔derrière〕》 …의 앞을〔뒤를〕 지나가다 ; 《~ devant 〔après〕 qn》 …을 앞서서〔뒤따라〕 가다 : ~ *devant* qn pour lui montrer le chemin 앞장서서 …에게 길을 안내하다. ⓔ《~ par》 …을 통과하다, …을 거치다 ; …을 스쳐 가다 ; …을 겪다 : ~ *par* Calais pour se rendre en Angleterre 칼레를 거쳐서 영국에 가다 / Il *est passé par* tant d'épreuves. 그는 많은 시련을 겪었다.
③ ⓐ《~ à 〔dans, en〕》 …으로 가다 ; …으로 넘어가다, …으로 가 버리다 ; 《~ à》 …으로 옮아가다 : bien 〔héritage〕 qui *passe à* qn …에게로 넘어가는 재산〔유산〕/ *Passons à* table 〔*dans* la salle à manger〕. 식탁〔식당〕으로 갑시다 / *Passons à* autre chose. 다른 문제로 넘어가자. ⓑ《~ à》 …을 받으러 가다 : ~ *à* la radio 엑스레이 검진을 받으러 가다. ⓒ《~ dans 〔en〕》 …으로 들어가다〔오다〕(= s'introduire) : Ce mot *est passé dans* l'usage. 이 말은 상용어가 됐다. ⓓ …의 상태로 이행하다 ; …이 되다 : ~ en seconde 〖자동차〗 (운전자가) 기어를 2 단으로 바꾸다. ⓔ《~ de... à》 (사람이 상태 · 태도가) …에서 …으로 바뀌다, 변하다 ; (어조 따위가) …에서 …으로 변하다 : ~ *de* vie *à* trépas 죽다 / ton qui *passe de* la gaieté *à* la surprise 즐겁던 어조가 놀란 어조로 변하다.
④《속사와 함께》 …이 되다(= devenir) ; 임명되다, 승진하다 : ~ capitaine 〔chef de service〕 대위가〔과장이〕 되다.
⑤《~ de》 …에서 빠져나가다(= sortir de) : Cela m'*est passé de* la tête 〔*de* l'esprit〕. 나는 그것을 잊어버렸다.
⑥ ⓐ《~ chez》 …의 집에 들르다 : Il *est passé chez* elle. 그는 그 여자네를 들렀다. ⓑ《~ + *inf.*》 …하러 들르다〔가다 · 오다〕 : ~ prendre 〔chercher〕 qn …을 데리러 가다〔오다〕.
⑦ (시험에) 합격하다 : Il *a passé* à l'examen. 그는 시험에 패스했다.
⑧ 받아들여지다, 승인〔인정〕되다, 용납되다(= être accepté); 통과되다, 가결되다 ; 통용되다 : Cela peut ~. 그만하면 돼 / La loi *a passé.* 법안이 가결됐다 / monnaie qui ne *passe* plus 통용되지 않게 된 돈.
⑨ (액체가) 여과되다, 걸러지다 : Le café ne veut pas ~. 커피가 잘 걸러지지 않는다.
⑩ (먹은 것이) 내려가다, 소화되다 : Mon déjeuner ne *passe* pas. 점심 먹은 것이 안 내려간다.
⑪ 전달되다 : Cette réplique ne *passe* pas. 이 대사는 전달되지〔들리지〕 않는다.
⑫ 〖영화 · 연극〗 상연되다 : Ce film *passe* dans une salle de quartier. 그 영화는 동네 영화관에서 상영되고 있다.
⑬ (시간이) 지나가다, 지나다, 흐르다 : Les heures *passent* vite. 시간이 빠르다.
⑭ ⓐ 끝장나다 ; 사라지다, 없어지다, 가시다(= disparaître) : La douleur va ~. 고통은 곧 가실 것이다 / ~ de mode 퇴폐해 버리다. ⓑ 죽다 : Le type *a passé* hier soir. 그 사람은 어제 저녁에 죽었다. ⓒ (빛깔이) 날다, 바래다, 퇴색하다 : Le bleu *passe* au soleil. 청색은 햇볕을 받으면 변색한다.
⑮《비인칭》 Il *passe* beaucoup de monde dans cette rue. 이 길엔 통행인이 많다.
en passant 지나는 길에; 부대(附帶)하여, 하던 말 끝에: (Ceci 〔Cela〕) soit dit *en passant* 그런데 말이요《말〔생각〕이 났으니 말인데》. ***en ~ par*** qc …을 감수하다: Il a dû *en ~ par* là. 그는 그렇게 할 수밖에 없었다 / Il faut *en ~ par* là. 그것은 불가피한 일이다. ***laisser ~*** ⓐ 지나가게 하다 : Écartez-vous, *laissez ~* ! 비켜서 지나가게 해 주세요 ! ⓑ 용인〔묵인〕하다 : *laisser ~* une faute 과오를 묵인하다. ≪***Laissez ~***≫ 「통행 허가증」. ***le* 〔*la*〕 *sentir ~*** 《구어》 몹시 괴로워하다, 혼나다 : On lui a ouvert son abcès, il *l'a senti ~ !* 종기를 짰을 때 그는 몹시 괴로웠다. (Qu'il revienne demain), ***passe encore.*** (그가 내일 돌아오기만 해도) 괜찮겠는데. ***Passe pour cette fois.*** 이번만은 괜찮겠지만. ***~ par-dessus*** …을 뛰어넘다, 극복하다 ; (법규 따위를) 무시하다. ***~ pour*** …으로 인정〔간주〕되다, …의 행세를 하다 : Il *passe pour* un esprit fort. 그는 자유 사상가로 여겨지고 있다. ***Tout le monde y passe.*** 그것은 누구나 다 겪는 일이다.
── *v.t.* ① 지나가다, 통과하다, 횡단하다, 넘어가다 : ~ une rivière 내를 건너가다.
② (장소를) 지나치다(= dépasser) ; (능력 · 한계를) 넘다, 지나치다, 초과하다 ; (어떤 시기를) 지나다 : Quand vous *aurez passé* la gare... 역을 지나거든… / Cela *passe* ma capacité. 내 능력으로는 안 되는 일이다.
③ 앞지르다(= devancer) ; 능가하다 (= surpasser) : ~ l'imagination 상상을 초월하다.
④ (시간을) 보내다 : ~ ses vacances à la mer 휴가를 바다에서 보내다 / ~ le temps à + *inf.* …하는 데 시간을 보내다 / C'est pour ~ le temps. 심심풀이로 하는 일이다.
⑤ ⓐ (시험을) 치르다 : ~ un examen 시험을 치르다. ⓑ 〖의학〗 (검진을) 받다 : ~ la radio 엑스레이 검진을 받다.
⑥ (잊고) 빠뜨리다, 빼먹다, 넘어뛰다, 언급하지 않다, 생략하다(= omettre) : ~ son tour 제 차례를 지나쳐 버리다 / *Passons* les détails. 자세한 이야기는 그만둡시다.
⑦《~ qc à qn》 …의 …을 눈감아 주다, 묵인하다, 허락하다, 용서하다(= pardonner) : C'est un homme qui ne vous *passe* rien. 그는 조금도 용서가 없는 사람이다.
⑧ ⓐ 넘겨〔건네〕주다(= remettre) ; (질병 따위를) 옮겨 주다 ; 전달하다(= transmettre) ; (공을) 패스하다 : *Passez*-moi le sel. 소금을 이리 넘겨 주세요. ⓑ《~ qn》 〖전화〗 …을 전화에 연결시켜 주다 : *Passez*-moi Monsieur X. X 씨를 바꿔 주세요.
⑨ 옮기다, 넘기다 : ~ des marchandises en fraude 상품을 밀수입하다.
⑩ ⓐ (손 따위를) 움직이다, 갖다 대다 : ~ la main dans les cheveux 손으로 머리를 쓸어 넘기다. ⓑ《~ qc sur qc》 ~ le fer *sur* une chemise 셔츠를 다리미질하다. ⓒ《~ qc à qc》 ~ une plaie *à* l'alcool 상처를 알

P

코올로 소독하다.
⑪ 통과시키다 ; 들이밀다, 내밀다 : ~ sa tête par la fenêtre 창문으로 머리를 내밀다.
⑫ (옷을) 걸치다, 바삐 입다 : ~ une robe de chambre à la hâte 잠옷을 아무렇게나 걸쳐 입다.
⑬ 거르다, 밭다 : ~ le café 커피를 거르다.
⑭ (영화를) 상영하다(=projeter): Je vais vous ~ le film de nos vacances. 우리의 휴가 영화를 돌려줄게.
⑮ (문서를) 작성하다 ; (계약을) 체결하다, 맺다 : ~ un accord 협정을 맺다.
— **se ~** *v.pr.* ① (시간이) 경과하다, 지나다: 《비인칭》 Il ne *se passe* pas de jour qu'il ne vienne. 하루도 그가 오지 않는 날이 없다.
② (고통스러운 일 · 유행 따위가) 끝나다, 사라지다, 가시다(=disparaître) ; 퇴색하다, 바래다 : L'action *se passe* en un seul jour. 이 행동은 하루 만에 끝난다 / Son mal de gorge *se passera* bientôt. 그의 인후병은 곧 나을 것이다.
③ ⓐ (일 따위가) 이루어지다 ; (사건 따위가) 일어나다, 벌어지다(=se produire) : La chose *s'est passée* chez moi. 그 일은 내 집에서 일어났다. ⓑ 《비인칭》 Que *se passe*-t-il? ; Qu'est-ce qu'il *se passe?* 무슨 일인가?
④ 《se ~ de》 …없이 때우다, …을 절제하다, …을 필요로 하지 않다 : *se ~ d'*argent 돈 없이 꾸려가다 / Voilà qui *se passe de* commentaire. 이거야말로 설명할 필요조차 없이 뻔하군 / 《se ~ de+*inf.*》 Nous *nous passerons d'*aller au théâtre cette semaine. 이번 주에는 극장에 가지 않고 지내 보자.

passereau [pa(ɑ)sʀo] *m.* (*pl.* **~x**) 〖조류〗 (*pl.*) 연작류(燕雀類)《종달새 · 참새 · 제비 따위》.

passerelle [pɑsʀɛl] *f.* ① 인도교, 구름다리, 육교. ② 〖해양〗 선교(船橋) ; 함교(艦橋)(= ~ de commandement). ③ 〖해양 · 항공〗 트랩.

passeriformes [pɑsʀifɔʀm] *m. pl.* = passereau.

***passe-temps** [pɑstɑ̃] *m.* 《복수불변》 심심파적, 오락, 놀이.

passeur, euse [pɑsœːʀ, -øːz] *n.* ① 뱃사공. ② 국외 탈출〔월경〕 안내인. ③ 밀수인.

passe-vues [pɑsvy] *m.* 《복수불변》 (환등기의) 슬라이드 넘기는 장치.

passible [pasibl] *adj.* 《~ de》 (처벌을) 받아야 할, (벌금을) 과해야 할 : être ~ *d'*une amende 벌금을 내야만 하다 / ~ *d'*une peine 처벌되어야 할.

***passif, ive** [pasif, -iːv] *adj.* ① 수동의 ; 소극적인 ; 무기력한 : obéissance *~ive* 맹목적 복종 / résistance *~ive* 소극적 저항. ② 채무의 : dettes *~ives* 부채. — *m.* ① 빚, 채무, 부채. ② 〖문법〗 수동태(=voix *~ive*).

passiflore [pasiflɔːʀ] *f.* 〖식물〗 꽃시계덩굴.

passim [pasim] 〔라틴〕 *adv.* (참고 문헌의) 여기저기에, 여러 곳에.

passion** [pa(ɑ)sjɔ̃] *f.* ① 정념 ; 정열 : discuter avec ~ 정열적으로 토론하다 / œuvre pleine de ~ 정열에 찬 작품. ② 열렬한 연정〔사랑〕, 열애 ; 열정 ; 애욕, 정욕: contenir 〔maîtriser〕 ses *~s* 욕정을 억누르다 / ~ malheureuse 짝사랑 / ~ qu'il ressent pour cette femme 그녀에 대해서 느끼는 사랑. ③ 열애〔정열〕의 대상 ; 아주 좋아하는 일〔것〕 : La musique, c'est sa ~. 음악은 그가 가장 사랑하는 것이다. ④ 격정, 흥분 : se laisser emporter par la ~ 격노하다 / ~ subite 격분, 흥분 / au paroxysme de la ~ 흥분한 나머지. ⑤ 열광 ; 열중, 강한 집착 ; 편견 : ~ de la gloire 명예욕 / ~ des fleurs 꽃에 대한 애착 / ~ du jeu 도박열 / ~ de l'argent 돈에 대한 집착. ⑥ 감동. ⑦ (la *P~*) 〖종교〗 그리스도의 수난 ; 수난을 주제로 한 설교 ; (중세의) 그리스도 수난극. ***aimer qn ***à la ~*** …을 열정적으로 사랑하다. ***avoir la ~ de*** qc 〔***de***+*inf.*〕 …을〔하기를〕 몹시 좋아하다. ***juger de*** qn 〔qc〕 ***avec ~*** …을 편견을 가지고 판단하다.

***passionnant, e** [pa(ɑ)sjɔnɑ̃, -ɑ̃ːt] *adj.* 열중〔열광〕시키는(= émouvant, excitant) ; 흥미진진한(= intéressant) : film 〔match〕 ~ 아주 재미있는 영화〔경기〕.

***passionné, e** [pa(ɑ)sjɔne] *adj.* ① 정열적인 ; 열렬한 : amour ~ 정열적인 사랑. ② 《~ de 〔pour, par〕》 …에 열중〔열광〕한 : ~ *par* son travail 일에 열중한. — *n.* 열광자 ; 열광적인 팬 : ~ de musique 음악광.

passionnel, elle [pa(ɑ)sjɔnɛl] *adj.* ① 정욕의. ② 치정(癡情)의 : crime 〔drame〕 ~ 치정 사건〔극〕 / abandon ~ 정욕의 노예.

passionnément [pa(ɑ)sjɔnemɑ̃] *adv.* 열중하여, 열렬히, 열정적으로.

***passionner** [pa(ɑ)sjɔne] *v.t.* 열중케 하다, 열광시키다 : Ce roman m'*a passionné*. 이 소설은 아주 재미있었다 / ~ un débat 토론을 열띠게 하다. — **se ~** *v.pr.* 《~ de 〔pour〕》 …에 열중〔몰두〕 하다 : *se ~ pour* l'étude 공부에 열중하다.

passivement [pasivmɑ̃] *adv.* 수동적으로, 소극적으로(≠ activement).

passivité [pasivite] *f.* 수동성, 소극성(≠ activité) : ~ des masses 대중의 수동성.

passoire [pɑswaːʀ] *f.* 〖요리〗 거르는〔밭치는〕 기구〔체 · 그물〕, 여과기.

pastel [pastɛl] *m.* 파스텔(화). — *adj.* 파스텔의 : crayon ~ 크레용, 파스텔 연필.

pastelliste [pastɛ(e)list] *n.* 파스텔 화가.

pastèque [pastɛk] *f.* 수박(=melon d'eau).

***pasteur** [pastœːʀ] *m.* ① 목동, 목자(=berger, pâtre). ② 〖가톨릭〗 사제 ; 〖기독교〗 목사. ③ 안내자 ; 수령(首領), 장(長).

pasteurisation [pastœʀizɑsjɔ̃] *f.* 〖생화학〗 파스퇴르 살균법, 저온 살균법.

pasteuriser [pastœʀize] *v.t.* (파스퇴르 살균법으로) 살균하다 : lait *pasteurisé* 저온 살균 우유.

pastiche [pastiʃ] *m.* ① 모사화(模寫畫). ② 모방문, 모작. ③ (오페라의) 혼성곡.

pasticher [pastiʃe] *v.t.* (예술가의 스타일을) 모작하다, 모방하다.

pasticheur, euse [pastiʃœːʀ, -øːz] *n.* 모작자, 모방자.

pastille [pastij] *f.* ① (향료를 넣은) 원형 드롭스, 동그란 사탕 ; 〖약학〗 정제(錠劑). ②

P

(피륙의) 동그라미 무늬(= pois).
pastis [pastis] *m.* ① 아니스 향료를 넣은 술. ② 《구어》 성가심, 골칫거리(= ennui).
pastoral, e, aux [pastɔʀal, -o] *adj.* ① 목동의 ; 전원의 : vie ~*e* 전원 생활. ② 목사의 ; 《특히》 주교의. ── *f.* 전원극; 전원시(詩).
pastorat [pastɔʀa] *m.* 목사의 직〔임기〕.
pastoureau [pastuʀo] *m.* (*pl.* ~***x***) 《문어》 목동, 양치기 소년(= petit berger).
pastourelle [pastuʀɛl] *f.* ① 양 치는 소녀 《pastoureau 의 여성형》. ② 〖문학〗 (중세의) 전원시〔서정시〕의 일종.
patache [pataʃ] *f.* (편안치 않은) 역마차 ; 《구어》 중고 자동차.
patachon [pataʃɔ̃] *m.* 역마차의 마부. ***mener une vie de ~*** 방탕한 생활을 하다.
patapouf [patapuf] *interj.* 털썩, 쿵《떨어지는 소리》. ── *m.* 뚱보.
pataquès [patakɛs] *m.* 연음(liaison)을 잘못하기 : faire un ~ 틀리게 연독하다.
patate [patat] *f.* ① 고구마 ; 《구어》 감자(= pomme de terre). ② 《구어》 바보, 멍청이. ***en avoir gros sur la ~*** 서글퍼하다.
patati [patati], **patata** [patata] *interj.* 재잘재잘, 중얼중얼. ***~ patata ; et ~ et patata*** 이러쿵저러쿵, 야단법석.
patatras [patatʀa] *interj.* 털썩, 탕, 쿵《떨어지는〔넘어지는〕 소리》(= patapouf).
pataud, e [pato, -o:d] *adj.* 다리가 굵은 ; 뚱뚱하고 굼뜬. ── *n.* ① 다리가 굵은 강아지. ② 굼뜬 사람, 굼벵이.
pataugeoire [patoʒwa:ʀ] *f.* (어린이용의) 얕은 풀〔수영〕장.
patauger [patoʒe] 3 *v.i.* ① 진창 속을 걸어가다(= barboter). ② (어려운 일로) 쩔쩔매다 ; 횡설수설하다 : ~ dans la traduction d'un texte 원문 번역에 막히다.
patch [patʃ] 〔영〕 *m.* 〖의학〗 (혈관 수술용) 패치 ; 반창고.
patchouli [patʃuli] *m.* ① 〖식물〗 인도산 꿀풀과의 일종. ② 그 나무에서 채취한 향료《구충용》.
patchwork [patʃwœʀk] 〔영〕 *m.* ① 패치워크(식 프린트 천). ② 《비유》 이것저것 뒤섞은 것, 뒤범벅.
pâte** [pɑ:t] *f.* ① (밀가루) 반죽 ; 반죽하여 만든 것 : pétrir 〔travailler〕 une ~ 반죽을 이기다 / ~ à pain 빵 반죽. ② (*pl.*) 파스타, 면류(麵類) : ~*s* à la sauce tomate 토마토소스 스파게티. ③ 반죽〔크림〕 같은 것 : ~ dentifrice 연(練)치약 / ~ de porcelaine 도자기용 점토 반죽. ④ (제지용) 펄프(= ~ à papier) : ~ de bois 목재 펄프. ⑤ 체질; 기질 : bonne ~ 호인 / ~ molle 주체성이 없는 사람. ⑥ 〖미술〗 (팔레트에) 섞은 물감 ; (캔버스에) 칠해진 물감. ***être 〔***vivre***〕 ***comme un coq en ~*** 안락한 생활을 하다. ***mettre la main à la ~*** 요리를 거들다 ; 일을 손수 하다.
***pâté** [pɑte] *m.* ① 〖요리〗 (고기 · 생선의) 파이 ; 파테 : ~ à la viande 쇠고기 파이. ② (종이 위에 번진) 잉크 얼룩. ③ 파테《어린아이들의 모래놀이》(= ~ de sable). ④ ~ de maisons 가옥의 집단, 블럭.
pâtée [pɑte] *f.* ① (가금의) 사료 ; (개 · 고양이의) 먹이. ② 너무 진한 수프 ; 맛없는 음식.
patelin[1] [patlɛ̃] *m.* 《구어》 마을, 시골(= village, pays) ; 고장.
patelin[2]**, e** [patlɛ̃, -in] *adj.* 말솜씨가 좋은〔번지르르한〕 ; 아양을 떠는, 알랑거리는 : dire qc d'un ton ~ 아양 떨며 말하다.
patelle [patɛl] *f.* ① 〖패류〗 삿갓조개(= bernicle). ② 〖고대로마〗 제사용 그릇.
patène [patɛn] *f.* 〖가톨릭〗 파테나《성체 접시》, 성반(聖盤).
patenôtre [patno:tʀ] *f.* ① 《옛》 주기도문 : dire ses ~s 기도하다. ② 중얼중얼 외는 기도 ; 횡설수설.
patent, e[1] [patɑ̃, -ɑ̃:t] *adj.* 《문어》 명백한, 빤한(= évident). ***lettres ~es*** 국왕의 칙서.
patente[2] [patɑ̃:t] *f.* ① 영업 허가〔감찰〕 ; 영업세. ② 〖역사〗 (국왕의) 개봉칙서(= lettre ~).
patenté, e [patɑ̃te] *adj.* ① 면허장을 받은 ; 영업세를 납부한 : commerçant ~ 영업 허가를 받은 상인. ② 정평 있는, 소문난 : imbécile ~ 《구어》 소문난 바보.
Pater [patɛ:ʀ] 〔라틴〕 *m.* 《복수불변》 〖가톨릭〗 ① 주기도문 : dire son ~ 주기도문을 외다. ② *p*~ 《구어》 아버지.
patère [patɛ:ʀ] *f.* ① 〖고대로마〗 신주(神酒)를 담던 큰 잔. ② 양복〔모자〕걸이.
paternalisme [patɛʀnalism] *m.* 〖경영〗 (고용 관계 따위의) 가족주의, 온정주의 ; 가부장적 지배〔통제〕.
paternaliste [patɛʀnalist] *adj.* 가부장주의적인, 온정주의의.
paterne [patɛʀn] *adj.* 《문어》 아버지 같은, 인자한, 자애로운, 온정이 넘치는.
paternel, elle** [patɛʀnɛl] *adj.* ① 아버지(쪽)의 : amour 〔sentiment〕 ~ 부정(父情) / grand-mère ~*elle* 친할머니 / oncle ~ 백〔숙〕부. ② 아버지 같은, 자애로운 : se montrer ~ pour qn …을 제 자식처럼 대하다. ***puissance 〔***autorité***〕 ***~elle*** 부권(父權). ── *m.* 《구어》 아버지(= père).
paternellement [patɛʀnɛlmɑ̃] *adv.* 아버지처럼 ; 인자하게, 자애롭게.
paternité [patɛʀnite] *f.* ① 아버지임, 아버지의 자격 ; 〖법률〗 부자 관계 : attribuer la ~ d'un enfant à qn …을 아이의 아버지로 인정하다 / ~ civile 양부《호적상의 아버지》. ② 작자(作者)〔발명자〕임 : revendiquer la ~ d'un livre 어떤 책의 작자라고 주장하다.
pâteux, euse [pɑtø, -ø:z] *adj.* ① 반죽 같은 ; 끈적거리는 ; 걸쭉한, 진한. ② 《비유》 (문장 따위가) 간결하지 못한, 무거운 : style ~ 무거운 문체. ③ (보석이) 흐릿한. ***avoir la bouche*** 〔***la langue***〕 ***~euse*** 입안이 말라 혀가 잘 안 돌다.
pathétique [patetik] *adj.* 감동적〔감격적〕인, 비장한(= émouvant) : discours ~ 비장한 연설. ── *m.* 비장함.
pathétiquement [patetikmɑ̃] *adv.* 감격적으로, 비장하게.
patho- *préf.* 「병 · 질환」의 뜻.
pathogène [patɔʒɛn] *adj.* 〖의학〗 병을 일으키는, 병원(病源)성의 : microbe ~ 병원균.
pathologie [patɔlɔʒi] *f.* 병리학.
pathologique [patɔlɔʒik] *adj.* ① 병리학의 : anatomie ~ 병리 해부학. ② 《구어》 병적인,

비정상적인(= maladif).

pathologiste [patɔlɔʒist] *m.* 병리학자. — *adj.* 병리학자의.

pathos [patoːs] *m.* ① 《문어》 비장감, 페이소스. ② 《구어》 과장, 허튼소리(= emphase).

patibulaire [patibylɛːʀ] *adj.* 교수대에 올라야 할 ; 흉악한(= sinistre) : avoir une mine ~ 악당 같은 얼굴을 하고 있다.

patiemment [pasjamɑ̃] *adv.* 끈기 있게, 인내하여, 참을성 있게.

patience** [pasjɑ̃ːs] *f.* ① 참을성, 인내, 끈기(= persévérance) : s'armer de ~ 참을성을 가지다 / travail de ~ 끈기를 요하는 일 / La ~ a des limites. 참는 데도 한이 있다. ② 지그소 퍼즐《조각을 맞추어서 그림 따위를 완성하는 놀이》; 〖카드놀이〗 패떼기(= réussite). ***avec ~ 끈기〔참을성〕 있게, 꾸준히, 꾹 참고. ***Patience !*** 조금만 참으세요 ! ***prendre*** qc ***en*** ~ …을 꾹 참다. — *interj.* 참으시오.

***patient, e** [pasjɑ̃, -ɑ̃ːt] *adj.* 참을성 있는〔많은〕, 인내심이 강한, 끈기 있는 : caractère ~ 참을성이 많은 성격 / ~ travail 끈기가 필요한 일. — *n.* ① 인내심이 강한 사람, 참을성〔끈기〕 있는 사람. ② 수형자(受刑者) ; 환자, 수술받는 사람.

***patienter** [pasjɑ̃te] *v.i.* 참다, 참고 기다리다 : *Patientez* encore un moment. 잠시만 더 참고 기다리십시오.

patin [patɛ̃] *m.* ① 스케이트 (신발)(= ~ à glace) ; 스케이팅(= patinage) : faire du ~ 스케이트를 타다. ② (마루를 상하지 않게 하기 위한) 발디딤깔개. ③ (썰매 따위의) 활주부 ; 브레이크 패드(= ~ d'un frein).

patinage [patinaːʒ] *m.* ① (바퀴의) 공전, 헛돌기. ② 스케이트(타기) : piste de ~ artificielle 스케이트 링크.

patine [patin] *f.* 녹, 녹청(= vert-de-gris) ; (고미술품의) 고색(古色).

patiner[1] [patine] *v.i.* ① 스케이트를 타다. ② (차바퀴가) 헛돌다 ; 《비유》 (일이) 진전되지 않다.

patiner[2] *v.t.* …에 녹슬게 하다, 고색을 띠게 하다. — **se** ~ *v.pr.* 고색을 띠다, 녹청이 생기다.

patinette [patinɛt] *f.* 《구어》 외발 스케이트 〔(= trottinette).

patineur, euse [patinœːʀ, -øːz] *n.* 스케이트 타는 사람.

patinoire [patinwaːʀ] *f.* 스케이트장.

patio [patjo] 〔에스파냐〕 *m.* (집의) 포석(鋪石)을 깐 안뜰〔안마당〕.

pâtir [pɑtiːʀ] *v.i.* ① 《~ de》 …으로 괴로움을 겪다, 괴로워하다(= souffrir de) ; …으로 인해 손해를 입다(= endurer). ② 《주어 : qc》 (건강 따위가) …으로 인해 나빠지다 : Il a fait des excès, sa santé en *a pâti.* 그는 무리를 해서 건강을 해쳤다.

***pâtisserie** [pɑ(a)tisʀi] *f.* ① (밀가루 반죽으로 만든) 과자, 케이크. ② 과자 제조〔판매〕업 ; 과자점.

***pâtissier, ère** [pɑ(a)tisje, -ɛːʀ] *n.* 과자 제조〔판매〕인. — *adj.* crème ~*ère* 커스터드 크림.

patois, e [patwa, -aːz] *m.* 사투리, 방언 ; 은어, 변말(= argot, jargon) : ~ des médecins 의사끼리의 은어. — *adj.* 사투리의, 방언의.

patoisant, e [patwazɑ̃, -ɑ̃ːt] *adj.* et *n.* 사투리를 쓰는 (사람).

patraque [patʀak] *adj.* 《구어》 (몸의 상태가) 좋지 않은 : se sentir ~ 기분이 언짢은.

pâtre [pɑːtʀ] *m.* 《문어》 양치기, 목자, 목동(= berger, pasteur).

patri- *préf.* 「아버지 · 부」의 뜻.

patriarcal, e, aux [patʀijaʀkal, -o] *adj.* ① (생활 따위가) 검소한 : vie ~*e* 검소한 생활. ② 〖사회〗 족장의, 가장(家長)의 ; 가부장의, 부권의 : régime ~ 가부장제.

patriarcat [patʀijaʀka] *m.* ① 총대주교의 지위〔임기 · 관할 지구〕. ② 〖사회〗 가부장제, 부권제(父權制)(≠ matriarcat).

patriarche [patʀijaʀʃ] *m.* ① (구약 성서의) 족장, 가장. ② 《문어》 대가족의 장로〔고로(古老)〕. ③ 〖가톨릭〗 총대주교 ; 〖그리스정교〗 대주교.

***patrie** [patʀi] *f.* ① 조국, 모국, 고국 : amour de la ~ 조국애 / La science n'a pas de ~. 과학에는 국경이 없다. ② 고향, 출생지 : C'est ma seconde ~. 그곳은 나의 제 2 의 고향이다.

patrimoine [patʀimwan] *m.* ① 세습 재산, 유산 : dilapider le ~ paternel 아버지의 유산을 탕진하다. ② (정신적 · 문화적) 유산, 자산 : ~ culturel 문화 유산.

patrimonial, e, aux [patʀimɔnjal, -o] *adj.* 세습 재산의, 유산의 : terre ~*e* 선조에게서 물려받은 토지.

patriotard, e [patʀijɔtaːʀ, -aʀd] *n.* 《경멸》 극단적 애국자. — *adj.* 애국자연하는 ; 극단적 애국자인.

patriote [patʀijɔt] *n.* 애국자. — *adj.* 애국적인 : les soldats ~*s* 애국적인 병사.

patriotique [patʀijɔtik] *adj.* 애국적인, 애국의 : ardeur ~ 애국의 열정 / chant ~ 애국가 / sentiments ~*s* 애국심.

patriotiquement [patʀijɔtikmɑ̃] *adv.* 애국적으로, 애국자로서〔답게〕.

patriotisme [patʀijɔtism] *m.* 애국심, 조국애 : ~ chauvin 맹목적 애국심.

patro- *préf.* 「아버지 · 보호자」의 뜻.

‡**patron**[1], **onne** [patʀɔ̃, -ɔn] *n.* ① (교구 · 도시 따위의) 수호성인, (세례명을 물려받은) 성인 : Sainte Geneviève, ~*onne* de Paris 파리의 수호성인 생트 쥬느비에브. ② ⓐ (집의) 주인, 주부. ⓑ (업체의) 고용주, 사업주, 공장주 ; (가게) 주인, 경영자, 사장 : ~ d'un café 카페의 주인 / ~ d'une usine 공장 주인 / rapports entre ~*s* et employés 기업주와 직공 간의 관계. ③ ⓐ 〖의학〗 (의과 대학의) 교수, (개인 병원의) 원장. ⓑ (학생의 지도를 맡은) 지도 교수. ⓒ (미술 학교의) 선생. ④ 〖고대로마〗 해방된 노예의 옛 주인. ⑤ (작은 배의) 선장.

patron[2] [patʀɔ̃] *m.* (의상의) 본, 형지(型紙) : tailler une robe sur 〔d'après〕 un ~ 형지로 드레스를 재단하다.

patronage [patʀɔnaːʒ] *m.* ① 보호, 후원(= protection) ; apporter son ~ à une œuvre 어떤 사업을 후원하다 / sous le ~ de qn …의 후원(後援)으로. ② 후원회 ; (청소년) 선도회 : ~ paroissial 교회 후원회 / ~ mu-

P

nicipal 시립 청소년 선도회. ③ film 〔roman〕 de ~ (어린이 교육용 같은 너무 건전해서) 재미 없는 영화〔소설〕.

patronal, e, aux [patʀɔnal, -o] *adj.* ① 〖종교〗 수호성인의. ② 기업주의, 고용주의 : cotisation ~*e* 사용자측의 출자금.

patronat [patʀɔna] *m.* 《집합적》 (노동자에 대한) 경영자, 고용주 : Conseil national du ~ français 프랑스 경영자 전국 평의회 (《약자》 C.N.P.F.) / rencontre ~-syndicats 노사 협의.

patronner [patʀɔne] *v.t.* 수호하다, 후원하다 ; 지지하다 : *être patronné* par un personnage influent 영향력 있는 인물의 후원을 받다.

patronnesse [patʀɔnɛs] *f.* (자선 사업 행사 따위를) 주재하는 부인(= dame ~).

patronyme [patʀɔnim] *m.* (이름에 대하여) 성(姓)(= nom de famille).

patrouille [patʀuj] *f.* ① 척후, 정찰, 초계, 순찰 : ~ de reconnaissance 정찰 / aller en ~ 순찰(척후)하러 가다. ② 〖군사〗 척후〔정찰〕대 ; 〖경찰〗 순찰대 ; 〖해군〗 초계함대 : ~ motorisée 기동(경찰) 순찰대.

patrouiller [patʀuje] *v.i.* 순찰하다 ; 〖군사〗 척후〔정찰〕하다 ; 초계하다.

patrouilleur [patʀujœːʀ] *m.* 〖군사〗 ① 척후〔정찰 · 초계〕대원. ② 〖공군〗 정찰기 ; 〖해군〗 초계정.

patte** [pat] *f.* ① (동물의) 발, 다리 ; 《구어》 (사람의) 발 ; 손 : animaux à quatre ~*s* 네 발짐승 / ~*s* de devant 〔de derrière〕 앞〔뒷〕다리 / debout sur une ~ 한쪽 다리로 서서〔서 있는〕 / se casser la ~ 발을 삐다. ② (컵 · 잔 따위의) 굽 ; (옷에 달린) 끈, 띠 ; (구두 앞쪽 안에 달린) 혓바닥 ; (지갑 · 포켓 따위의) 덮개 ; 꺾쇠 모양의 큰 못 ; 갈고리 ; (닻의) 가지(= ~ d'une ancre) : ~*s* d'épaule 옷의 견장 붙이는 부분 ; 견장. ③ 《구어》 솜씨 : ~ d'un peintre 화가의 솜씨. ***avoir de la ~ ; avoir le coup de ~ 솜씨가 좋다. ***coup de ~*** 《구어》 독설, 야유, 비판. ***être sous* 〔*entre*〕 *la ~ de*** qn …의 손아귀에 들어 있다, …에게 눌려 지내다. ***faire ~ de velours*** (고양이가) 발톱을 감추다 ; 《구어》 아첨하다, 아양 떨다. ***mettre la ~ sur*** qn …을 붙잡다. …와 마주치다 ; …을 다시 발견하다 ; …을 학대하다. ***montrer ~ blanche*** (들어가거나 통과하기 위하여) 자기 편이라는 증거를 대다, 암호를 말하다 ***retomber sur ses ~s*** 《구어》 별 피해 없이 어려운 고비를 넘기다. ***se tirer des ~s de*** qn 《구어》 …의 손아귀에서 빠져나가다. ***tirer dans les ~s de* 〔*à*〕** qn 《구어》 …을 골탕먹이다.

patte-d'oie [patdwa] *f.* (*pl.* **~s-~**) ① 도로의 교차점〔분기점〕. ② 눈가의 잔주름.

pattemouille [patmuj] *f.* (다리미질할 때 쓰는) 물에 적신 헝겊.

pattern [patɛʀn] 〔영〕 *m.* 모형, 패턴.

pâturage [pɑtyʀaːʒ] *m.* 방목(放牧)(권) ; 목초지, 목장(= prairie) : mener les vaches au ~ 소를 목장으로 끌고 가다.

pâture [pɑtyːʀ] *f.* ① (가축의) 먹이, 사료 ; 꼴. ② (일의) 재료 ; (정신의) 양식 : livre qui donne de la ~ à l'esprit 정신의 양식이 되는 책. ③ 목장(= pâturage) : mettre les vaches en ~ 소를 방목하다.

pâturer [pɑtyʀe] *v.i.* 풀을 뜯어 먹다. — *v.t.* …의 풀을 먹다.

paturon, pâturon [pɑtyʀɔ̃] *m.* (말의) 발목 ; 《구어》 (사람의) 다리(= jambe).

paulownia [polɔnja] *m.* 〖식물〗 오동나무.

***paume** [poːm] *f.* ① 손바닥 : le dessus et la ~ de la main 손등과 손바닥. ② 〖놀이〗 폼 《옛날의 테니스 비슷한 구기》.

paumé, e [pome] *adj.* 《구어》 ① 비참한 ; 가난한(= pauvre). ② 갈피를 못잡는 ; 당황한 : Il est complètement ~. 무엇이 무언지〔어쩔 바를〕 모르고 있다. — *n.* 《경멸》 (사회의) 낙오자, 무능력자.

paumelle [pomɛl] *f.* ① (돛 · 밧줄 따위의 제조 직공용) 가죽 장갑. ② 경첩.

paumer [pome] *v.t.* 《속어》 ① 붙잡다, 체포하다(= arrêter) : ~ un voleur 도둑을 붙잡다. ② 잃다(= perdre) : *J'ai paumé* mon portefeuille. 지갑을 잃어버렸다. — **se ~** *v.pr.* 《속어》 길을 잃다.

paupérisation [popeʀizɑsjɔ̃] *f.* 〖경제〗 궁핍화, 빈곤화, 생활 수준의 저하.

paupériser [popeʀize] *v.t.* (어떤 사회 계층을) 빈곤화시키다.

paupérisme [popeʀism] *m.* 빈곤 ; 빈곤 상태 ; 빈민이 많음 ; 《집합적》 빈민.

***paupière** [popjɛːʀ] *f.* 〖해부〗 눈꺼풀 : ~ supérieure 〔inférieure〕 윗〔아랫〕눈꺼풀 / battre 〔cligner〕 des ~*s* 눈을 깜박거리다.

paupiette [popjɛt] *f.* 〖요리〗 야채 따위의 속을 편육으로 둘러싼 요리 ; 고기말이.

pause [poːz] *f.* ① 휴지(休止), 정지(= arrêt, halte) ; 휴식 : ~ de midi 정오의 휴식 시간 / cinq minutes de ~, 5 분간의 휴식. ② 〖음악〗 온쉼표, 전(全)휴지표. ③ 〖스포츠〗 (축구의) 하프타임, (권투의) 라운드 사이의 휴식 시간.

pause-café [pozkafe] *f.* (*pl.* **~s-~**) 커피 마시기 위한 휴식 시간, 커피 브레이크.

‡pauvre [poːvʀ] *adj.* ① 《속사 또는 명사 뒤에서》 ⓐ 가난한, 빈곤한, 궁핍한(≠ riche) ; 메마른(= maigre) : homme ~ 가난한 사람 / ménage ~ 가난한 살림 / langue ~ 표현력이 부족한 언어 / terre ~ 메마른 땅. ⓑ 《~ de 〔en〕》 …이 부족한, 없는(= dénué, dépourvu) : mineral ~ (en métal) 금속 함유량이 적은 광석 / ~ d'argent 돈이 없는. ② 《명사 앞에서》 ⓐ 가련한, 불쌍한, 가엾은(= malheureux, pitoyable) : Le ~ homme ! 불쌍한 사람 ! / Ayez pitié d'un ~ aveugle ! 불쌍한 장님을 동정하소서 ! ⓑ 초라한, 빈약한, 보잘것없는 ; 서투른 : de ~*s* vers 보잘것없는 시구 / ~ excuse 서투른 변명 / ~ diner 초라한 음식. — *n.* (《옛》 *f.* ***pauvresse***) 가난뱅이, 거지 ; (*pl.*) 빈민.

pauvrement [povʀəmɑ̃] *adv.* 가난하게 ; 초라하게 ; 빈약하게, 서투르게. 「거지.

pauvresse [povʀɛs] *f.* 가난한 여자 ; 여자

pauvret, ette [povʀɛ, -ɛt] *adj.* et *n.* 불쌍한〔가련한〕 (사람).

***pauvreté** [povʀəte] *f.* 가난, 빈곤, 궁핍 ; 메마름 ; 초라함, 빈약함 : ~ du sol 〔de la terre〕 토지가 비옥하지 못함 / ~ intellectuelle 지

적 빈곤. ***P~ n'est pas vice.*** 《격언》 가난은 죄악이 아니다.

pavage [pava:ʒ] *m.* (도로) 포장(鋪裝) 공사.

pavane [pavan] *f.* 파바느《16-17세기의 궁중 무용》; 그 곡(曲).

pavaner (se) [s(ə)pavane] *v.pr.* 뽐내며 걷다, 으스대다(= parader), 젠체하다.

pavé¹ [pave] *m.* ① 포장도로, 포도; 가로, 길거리 : ~ de marbre d'une église 성당의 대리석 포장길 / ~ en béton 콘크리트 포도. ② (도로의) 포장된 부분. ③ 포석; (목침 모양의) 나무 벽돌. ④ (포석처럼 생긴) 덩어리(= bloc); 《구어》 (신문의) 길고 빽빽한 기사. ***avoir un ~ sur l'estomac*** 배가 묵직하다, 소화가 안 되다. ***battre le ~*** 거리를 쏘다니다. ***brûler le ~*** 빨리〔빠른 걸음으로〕 지나가다. ***C'est un ~ dans la mare.*** 《속담》 마른 하늘에 날벼락이다. ***être*** 〔***se trouver***〕 ***sur le ~*** 집이 없다; 일자리가 없다, 실직자이다. ***Les ~s le disent.*** 모두들 그렇게 말한다, 소문이 그렇다. ***mettre*** 〔***jeter***〕 qn ***sur le ~*** …을 퇴직〔파면〕시키다. ***tenir le haut du ~*** 높은 지위를 차지하다; 남들을 지배하는〔남들의 존경을 받는〕 지위에 있다.

pavé², e¹ [pave] *adj.* 포장된 : route ~*e* 포장도로.

pavée² [pave] *f.* 〖식물〗 붉은 디기탈리스.

pavement [pavmɑ̃] *m.* 포장 (공사); 포장재료 : ~ en grès d'un chemin 길에 자갈을 깔기 / ~ de marbre 대리석 포장.

paver [pave] *v.t.* 포석을 깔다, 포장하다.

paveur [pavœ:ʀ] *m.* 포장 공사 인부.

pavillon** [pavijɔ̃] *m.* ① 〖건축〗 정자; 별채, 딴채; 별관; 별장(= villa) : ~ de chasse 사냥집 / ~ des gardiens 수위〔감시원〕실. ② 〖해양·해군〗 (함선의) 기, 깃발(= drapeau) : hisser un ~ 기를 올리다. ③ 〖해부〗 외이(外耳); (금관 악기의) 나팔꽃 모양의 부분; (확성기 따위의) 나팔. ***amener le 〔***son***〕 ***~*** 항복하다. ***baisser ~*** 〔***mettre ~ bas***〕 ***devant*** qn 《구어》 …에게 굴복〔양보〕하다.

pavois [pavwa] *m.* (중세의) 큰 방패; (장식으로 다는) 배의 깃발. ***élever*** 〔***hisser***〕 qn ***sur le ~*** …을 왕위〔높은 지위〕에 오르게 하다; 크게 칭찬하다.

pavoiser [pavwaze] *v.t.* 〖해양〗 (배에) 만함식을 실시하다; (건물·도로 따위를) 깃발로 장식하다. ── *v.i.* 《구어》 아주 좋아하다, 축제 분위기로 들뜨다 : Il n'y a pas de quoi ~! 그렇게 좋아할〔우쭐해 할〕 일이 아니에요!

pavot [pavo] *m.* 〖식물〗 양귀비.

payable [pɛjabl] *adj.* 지불해야 할 : ~ en espèces 〔par chèque〕 현금으로〔수표로〕 지불해야 하는 / traite ~ à 90 jours, 90 일 만기 어음.

payant, e [pɛjɑ̃, -ɑ̃:t] *adj.* ① 지불하는; 유료(有料)의(≠ gratuit). ② 수지맞는, 채산성이 있는 : L'affaire ne fut guère ~*e*. 그 일은 별 이익이 없었다. ── *n.* 지불인; 유료 관람객 : les invités et les ~*s* 초대객과 일반〔유료〕 관람객.

***paye** [pɛj] *f.* ① (노동자의) 임금(= salaire); (군대의) 급료(= solde) : jour de ~ 지급일, 봉급일 / feuille de ~ 급여 명세서. ② 지불, (특히 급료의) 지급. ③ 《구어》 오랜 시일《급료를 받는 날짜 사이가 길게 느껴진 데서》: Il y a une ~ qu'on ne l'a pas vu. 오랫동안 그를 만나지 못했다.

payé, e [peje] *adj.* (급여가) 지급되는, 유급의; 지불이 끝난 : congé ~ 유급 휴가.

***payement** [pɛjmɑ̃] *m.* = paiement.

⁑payer [pɛ(e)je] 8 *v.t.* ① ⓐ 《~ qn》 …에게 급료를 지급하다, …에게 빚을 갚다(= rémunérer); 돈으로 사다, 매수하다 : ~ un employé 〔un créancier〕 종업원에게 임금을 주다〔채권자에게 빚을 갚다〕 / ~ des assassins 암살자를 매수하다. ⓑ 《~ qn en (de¹)》 …에게 …으로 지불〔보답〕하다 : Il *a été payé en* nature. 그는 현물로 지불받았다 / ~ qn *de* la même monnaie …에게 그가 한 것과 꼭 같은 식으로 앙갚음하다. ⓒ 《~ qn de²》 …에게 …에 대한 사례금을 지불하다〔보답을 하다〕 : ~ qn *de* ses services …의 수고에 대한 사례금을 치르다. ② (세금·집세·벌금 따위를) 치르다, 물다, 내다, 납부하다(= acquitter); 〖상업〗 (어음 따위를) 지불〔결제〕하다; (빚을) 갚다(= rembourser) : ~ sa dette à la société (죄인이) 사형에 처해지다. ③ …의 값〔대금〕을 치르다 : ~ un livre 300 francs 책을 300 프랑 주고 사다 / ~ un travail 일에 대한 보수를 주다 / réponse *payée* 〖전신〗 반신료(返信料) 예납필(畢). ④ 《~ qc à qn》 …에게 …을 사 주다; …을 위하여 …의 비용을 부담하다 : ~ un diner *à* qn …에게 저녁을 대접하다. ⑤ 《비유》 …의 대가(代價)를 치르다; …에 대한 벌을 받다(= expier); …에 보답하다, …을 갚다, 보상하다; 희생을 치르고 얻다; …에 보복하다 : ~ cher une victoire 많은 희생을 치르고 승리하다 / ~ son crime de sa vie 범죄를 죽음으로 갚다.

── *v.i.* ① 지불하다 : ~ mal 셈이 흐리다 / refuser de ~ 지불을 거부하다. ② 《주어 : qc》 수익〔이익·이득〕이 있다 : un métier qui *paie* 돈이 잘 벌리는 직업 / Le crime ne *paie* pas. 범죄는 수지가 안 맞는다. ③ 《~ de》 …을 보이다, 나타내다 : ~ *d'*audace 〔*d'*effronterie〕 의연하게 맞서다; 뻔뻔스럽게 굴다.

── **se ~** *v.pr.* ① 《옛》 빚을 받아 내다. ② 지불되다; 갚음을 받다, 보상을 받다; 벌받다. ③ 자기에게 제공하다; …에 돈을 쓰다 : *se* ~ un voyage (자비로) 여행을 하다 / *se* ~ un bon dîner 저녁 한끼를 잘 (사) 먹다. ***Cela ne se paie pas.*** 그것은 돈으로 살 수 없다. ***s'en ~ une tranche*** 《구어》 즐거운 한때를 보내다. ***se ~ la tête*** 〔***la figure***〕 ***de*** qn 《구어》 …을 놀리다, 조롱하다.

payeur, euse [pɛjœ:ʀ, -ø:z] *n.* 지불인; 회계관; 〖군사〗 경리 장교(= officier ~).

⁑pays¹ [pei] *m.* ① 지방, 고장, 지역(= région) : ~ chauds 열대 지방 / ~ montagneux 〔de montagne(s)〕 산악 지대 / ~ plat 평원 지역. ② 조국, 고향(= ~ natal) : mourir pour son ~ 조국을 위해 죽다 / avoir le mal du ~ 고향을 그리워하다. ③ 국가, 나라(= État); 국민(= nation); 주민 : le beau ~ de France [illegible] 프랑스 / [illegible] étrangers 외국. ***~ de cocagne*** 도원경, 낙원. ***voir du ~*** (많은) 여행을 하다.

pays², e [pei, -i:z] *n.* 《구어》 동국인(同國人);

P

동향 사람 : C'est ma ~*e.* 그녀는 나와 동향 인이다.

paysage** [pe(j)izaːʒ] *m.* ① 경치, 풍경(= site, vue). ② 〖미술〗 풍경화 : faire du ~ 풍경을〔풍경화를〕 그리다. ③ 상황, 생활. ~ politique 〔social, économique〕 정치적〔사회적 · 경제적〕 상황. ***Cela fait bien dans le ~. 《구어》 그것은 좋은 결과를 낳는다.

paysager, ère [pe(j)izaʒe, -ɛːʀ] *adj.* 풍경화 같은 : jardin ~ 산수화 같은 정원.

paysagiste [pe(j)izaʒist] *m.* 풍경화가. — *adj.* 풍경화의 ; 풍경화 같은 : jardinier ~ 조경사, 정원사.

paysan, anne** [peizɑ̃, -an] *n.* 농부, 시골〔촌〕사람 ; 무례한 사람. ***Quel ~ ! 이 버릇없는 놈아! — *adj.* 농부의 ; 촌스러운.

paysannat [pe(j)izana] *m.* 《집합적》 농민 계급 ; 농부.

paysannerie [pe(j)izanʀi] *f.* ① 농민 (계급). ② 농민을 다룬 작품 : vie de la ~ française 프랑스의 농민 생활.

payse [peiːz] *f.* = pays 의 여성형.

P.C. [pese] 《약자》 *m.* ① Poste de Commandement 〖군사〗 사령부. ② Parti communiste 공산당. ③ Petite Ceinture 파리 주변 순환 버스.

p.c. 《약자》 pour cent 퍼센트.

P.C.C. 《약자》 Pour copie conforme 원본과 상위(相違) 없음을 증명함.

P.C.F. 《약자》 Parti communiste français 프랑스 공산당.

P.C.V [peseve] *m.* 《약자》 paiement contre vérification 〖통신〗 수신자 지불. 「사장.

P.D.G 《약자》 président directeur général

péage [peaːʒ] *m.* ① (다리 · 운하 · 자동차 도로 따위의) 통행료 : autoroute à ~ 유료 고속도로. ② (고속도로의) 통행료 징수소, 톨게이트.

peau** [po] *f.* (*pl.* **~x**) ① (동물의) 가죽, 수피(獸皮) ; 피혁 : ~ de lapin 토끼 가죽/ livre relié pleine ~ (책의) 가죽 장정 / gants de ~ de chevreau 키드 가죽 장갑 / ~ d'âne 양피지 ; 《구어》 면허장. ② (사람의) 피부, 살갗 : ~ bronzée 볕에 그을린 살갗 / soins de la ~ 피부 손질 / maladie de (la) ~ 피부병. ③ ⓐ (과일 · 야채 따위의) 껍질(= pelure) ; 나무껍질 : enlever 〔ôter〕 la ~ d'une pomme 사과 껍질을 벗기다. ⓑ (끓인 우유 따위에 생기는) 꺼풀, 막(膜). ④ 목숨, 생명 : sauver sa ~ 목숨을 구하다 / y laisser sa ~ 목숨을 잃다. ⑤ 《속어》 화냥년, 매춘부. ⑥ (손톱 둘레의) 살 거스러미(= envies). ***attraper qn ***par la ~ du cou*** 〔***du dos***〕 《구어》 마지막 순간에 …을 붙잡다. ***avoir*** qn ***dans la ~*** 《구어》 …에게 열렬한〔관능적〕 사랑을 품다. ***être bien dans sa ~*** 느긋하게〔편하게〕 하고 있다. ***être*** 〔***se mettre, entrer***〕 ***dans la ~ de...*** …의 대신이 되다 ; …의 입장에서 생각하다〔느끼다〕. ***faire ~ neuve*** (뱀이) 허물을 벗다 ; 아주 딴사람이 되다.

peaufiner [pofine] *v.t.* ① 새미가죽으로 닦다. ② 공들여 (끝)손질하다.

Peau-Rouge [poʀuːʒ] (*pl.* **~x-~s**) *m.* 아메리카 인디언.

peausserie [posʀi] *f.* ① (가죽의) 무두질 ; 피혁상. ② 《집합적》 피혁류.

peaussier [posje] *m.* 무두장이 ; 피혁상인.

pécari [pekaʀi] *m.* 〖동물〗 (남미산의) 멧돼지의 일종 ; (그) 가죽.

peccadille [pekadij] *f.* 《문어》 가벼운 죄, 작은 과실. 「靑) 우라늄광.

pechblende [pɛʃblɛ̃ːd] *f.* 〖광물〗 역청(歷

pêche**[1] [pɛʃ] *f.* ① 복숭아 : ~ blanche 〔jaune〕 백도〔황도〕. ② 《속어》 때리기, 따귀치기(= coup, gifle) : flanquer une ~ 따귀를 치다. ***avoir une peau de ~ (복숭아처럼) 분홍빛 살결을 하고 있다.

⁑pêche[2] *f.* ① 낚시질 ; 고기잡이, 어업 : ~ côtière 연안 어업 / ~ à 〔de〕 la morue 대구잡이. ② (진주 · 산호 · 해초 따위의) 채취, 어획물 : ~ des perles 진주 채취. ③ 어장, 낚시터 ; 어획기. ***aller à la ~*** 낚시질 가다 ; 일거리를 찾으러 다니다.

péché** [peʃe] *m.* ① (종교상의) 죄 ; (도덕상의) 죄악 : ~ originel 원죄(原罪) / commettre 〔faire〕 un ~ 죄를 짓다 / avouer 〔confesser〕 ses ~*s* 죄를 고백하다 / tomber dans le ~ 죄악에 떨어지다. ② 과오, 잘못, 실수(= faute) : ~ de jeunesse 젊은 날의 과오 / ~ mignon 가벼운 결점, 작은 흠. ***À tout ~ miséricorde. 《격언》 용서받지 못할 죄는 없다.

***pécher** [peʃe] *v.i.* [6] ① (종교 · 도덕상의) 죄를 짓다 : ~ par orgueil 오만에 의한 죄를 범하다. ② 잘못을 저지르다, 과오를 범하다 ; 《~ contre》 …을 어기다, 위반하다 : ~ *contre* la politesse 예절에 어긋나다. ③ 《주어 : qc》 결함이 있다 : construction qui *pèche contre* la grammaire 문법에 맞지 않은 (문장) 구조.

***pêcher**[1] *v.t.* ① (물고기를) 낚다〔잡다〕 ; (진주 따위를) 채취하다 : ~ la truite 송어를 낚다〔잡다〕. ② 《구어》 (뜻하지 않은 것을) 찾아내다, 얻다(= trouver, prendre) : Où *avez*-vous *pêché* cela? 그것을 어디서 찾아냈습니까? — **se** ~ *v.pr.* (물고기 따위가) 낚이다, 잡히다.

***pêcher**[2] *m.* 〖식물〗 복숭아나무.

pêcherie [pɛʃʀi] *f.* 어장(漁場).

pécheur, eresse [peʃœːʀ, peʃʀɛs] *n.* (종교상 · 도덕상의) 죄인 : ~ repenti 회개한 죄인. — *adj.* 죄인의 ; 죄〔과오〕를 범하는.

***pêcheur, euse** [pɛʃœːʀ, -øːz] *n.* 어부, 낚시꾼, (진주 따위의) 채집자 ; 해녀(海女). — *adj.* 낚시꾼의 ; 어업용의 : bateau ~ 어선.

pécore [pekɔːʀ] *n.f.* 《구어》 잘난 체하는 여자 ; 《특히 젊은 여자에 대한》 바보, 맹추.

pectine [pɛktin] *f.* 〖화학〗 펙틴, 교소(膠素).

pectoral, e, aux [pɛktɔʀal, -o] *adj.* ① 가슴의, 가슴에 다는 : muscles ~*aux* 〖해부〗 흉근(胸筋) / croix ~*e* 〖가톨릭〗 (주교 따위가) 패용하는 십자가. ② 호흡기 질환에 효과 있는 : fleurs ~*es* 호흡기 질환용 탕약에 쓰이는 약초 / pâte ~*e* 〔sirop ~〕 호흡기 질환 연고〔시럽〕. — *m.* ① 〖약학〗 호흡기 질환약. ② (*pl.*) 〖해부〗 흉근.

pécule [pekyl] *m.* 저축한 약간의 돈 ; (죄수가 석방될 때) 임금으로 받는 돈.

P

pécuniaire [pekynjɛːʀ] *adj.* 금전상의, 재정상의(= financier) : aide ~ 재정 원조 / embarras ~*s* 재정난 / peine ~ 벌금.

pécuniairement [pekynjɛʀmɑ̃] *adv.* 재정상, 금전으로.

pécunieux, euse [pekynjø, -øːz] *adj.* 현금을 많이 가진.

péd- *préf.* 「어린이 · 소년」의 뜻. 「육학.

***pédagogie** [pedagɔʒi] *f.* (아동) 교육법 ; 교

pédagogique [pedagɔʒik] *adj.* (아동) 교육의 ; 교육학의 ; 교육적인 : certificat d'aptitude ~ 교사 자격증.

pédagogiquement [pedagɔʒikmɑ̃] *adv.* (아동) 교육상 ; 교육적으로.

pédagogue [pedagɔg] *m.* 교육자, 교사 ; 교육학자. — *adj.* 교육자 소질이 있는.

pédale** [pedal] *f.* ① (각종 기계 · 피아노 따위의) 발판, 페달 : ~ d'une machine à coudre 재봉틀의 페달 / ~*s* d'un piano 피아노의 페달. ② 자전거로 달리기, 사이클링. ③ 《구어》 남색가, 호모(= pédé). ***perdre les ~s 《구어》 이야기 도중에 말이 막히다.

pédaler [pedale] *v.i.* 페달을 밟다 ; 자전거로 달리다〔가다〕; 《구어》 빠른 걸음으로 가다.

pédalier [pedalje] *m.* ① (자전거 따위의) 크랭크 장치. ② 〖음악〗 (파이프 오르간의) 페달

pédalo [pedalo] *m.* 페달보트. ⌊건반.

pédant, e [pedɑ̃, -ɑ̃ːt] *n.* 《경멸》 현학자(衒學者). — *adj.* 유식한 체하는, 현학적인 : discours ~ 현학적인 연설.

pédanterie [pedɑ̃tʀi] *f.* 유식한 체하기, 현학적인 태도.

pédantesque [pedɑ̃tɛsk] *adj.* 학자연하는, 유식한 체하는, 현학적인(= pédant).

pédantiser [pedɑ̃tize] *v.i.* 학자연하다, 유식한 체하다. 「학자연하기.

pédantisme [pedɑ̃tism] *m.* 현학적인 태도,

pédé [pede] *m.* = pédéraste.

pédéraste [pedeʀast] *m.* 남색가, 호모(= homosexuel, sodomite).

pédérastie [pedeʀasti] *f.* 남색(男色), 계간(鷄姦), 비역(= homosexualité, sodomie).

pédérastique [pedeʀastik] *adj.* 남색의〔에 관한〕, 계간의, 비역의.

pédestre [pedɛstʀ] *adj.* 도보(徒步)의 : voyage ~ 도보 여행.

pedi- *préf.* 「발」의 뜻.

pédiatre [pedjatʀ] *m.* 소아과 의사.

pédiatrie [pedjatʀi] *f.* 〖의학〗 소아과(학).

pedibus [pedibys] 〔라틴〕 *adv.* 《구어》 걸어서, 도보로 : aller ~ 걸어서 가다.

pédicule [pedikyl] *m.* ① 〖식물〗 (양치류의) 잎자루 ; 균병(菌柄). ② 〖동물〗 육경(肉莖).

pédicure [pedikyːʀ] *n.* (발의 굳은 살 · 티눈 따위를) 치료하는 사람.

pedigree [pedigʀe(i)] 〔영〕 *m.* (순종 동물의) 혈통서〔표〕.

pédiment [pedimɑ̃] 〔영〕 *m.* 얇은 충적층(沖積層)으로 덮인 암석 지질.

pédo-[1] *pref.* 「아이 · 소년 ; 교육」의 뜻.

pédo-[2] *préf.* 「지면 · 토양」의 뜻.

pédologie[1] [pedɔlɔʒi] *f.* 아동학.

pédologie[2] *f.* 토양학.

pédologue [pedɔlɔg] *m.* 토양학자

pédoncule [pedɔ̃kyl] *m.* ① 〖식물〗 화경(花梗), 꽃자루. ② 〖동물〗 육경(肉莖). ③ 〖해부〗 (뇌의) 육각(肉脚).

pédonculé, e [pedɔ̃kyle] *adj.* ① 〖식물〗 꽃자루가 있는. ② 〖동물〗 육경(肉莖)이 있는.

pédum, pedum [pedɔm] *m.* 〖고대로마〗 목자(牧者)의 지팡이.

pègre [pɛgʀ] *f.* 도둑의 집단.

peigne**[1] [pɛɲ] *m.* ① 빗 : ~ de coiffure (머리에 꽂는) 빗 / ~ fin 참빗 / se passer le ~ dans les cheveux 머리를 빗다. ② 〖직물〗 (섬유를 빗어 고르게 하는) 얼레빗. ③ 〖패류〗 국자가리비속(屬). ***passer au ~ fin 샅샅이 조사하다〔뒤지다〕.

peigne[2] peindre, peigner 의 접속 · 현재 · 1〔3〕. 단수.

peigne-cul [pɛɲky] *m.* (*pl.* **~-~(s)**) 《속어 · 경멸》 ① 따분한〔째째한〕 사내. ② 상스러운〔교양 없는〕 사람.

***peigner** [pɛ(e)ɲe] *v.t.* ① 빗다, 빗질하다 : ~ un chien〔la crinière d'un cheval〕 개〔말갈기〕를 빗어 주다. ② (양털 따위를) 소모(梳毛)하다. — **se** ~ *v.pr.* 자기 머리를 빗다.

peign-is, -it, etc. ⇒ peindre. 「내복.

peignoir [pɛɲwaːʀ] *m.* (여자의) 화장복, 실

peinard, e [pɛnaːʀ, -aʀd] *adj.* 《속어》 평온한, 조용한 ; 힘들지〔고되지〕 않은 : emploi bien ~ 힘들지 않은 직책 / vie ~*e* 편안한 생활. — *n.* 태평한 사람.

peinardement [pɛnaʀdəmɑ̃] *adv.* 《구어》 조용히, 마음 편하게.

***peindre** [pɛ̃ːdʀ] 27 *v.t.* ① 칠하다, 색칠하다, 채색〔착색〕하다 : Je le *peindrai* en gris. 나는 그걸 회색으로 칠할 것이다. ② (물감으로) 그리다 : ~ des paysages 풍경화를 그리다. ③ 묘사하다, 표현하다(= décrire) : ~ la société 사회를 묘사하다. — **se** ~ *v.pr.* ① 자화상을 그리다. ② 묘사되다, 표현되다 ; 나타나다 : La douleur *se peignait* sur son visage. 그녀의 표정에 고뇌가 나타났다.

‡peine [pɛn] *f.* ① 벌, 징벌(= punition, châtiment) ; 형벌(= pénalité) : ~ sévère 중벌 / ~ pécuniaire 벌금형 / ~ correctionnelle 경범형 / ~ capitale 극형, 사형. ② 괴로움, 고통, 고뇌(= douleur, tourment) ; 슬픔, 비애 (= chagrin) : alléger la ~ d'un ami 마음이 아픈 친구를 위로해 주다 / ~ de cœur 사랑의 슬픔. ③ 근심, 걱정, 불안(= souci, inquiétude) : Ne vous mettez pas en ~ pour moi. 내 걱정은 마십시오. ④ 수고, 노고, 노력(= effort) : n'être pas au bout de ses ~*s* 극복해야 할 어려움이 아직도 많이 남아 있다. ⑤ 어려움, 곤란(= difficulté, embarras). ⑥ 비참한 상태, 곤궁, 빈궁(= misère, gêne). ***à grand-~*** 간신히, 무척 힘들여. ***à ~*** 조금 전에, 막 ; 겨우 ; 거의 …않다 : *À* ~ endormi, il se mit à ronfler. 잠들자마자 그는 코를 골기 시작했다 / C'est *à* ~ si je le connais. 나는 그를 거의 모릅니다 / Il y a *à* ~ huit jours. 기껏해야 1주일 전이다 / J'ai *à* ~ commencé. 나는 이제 막 시작했다. ***À ~ … que*** 하자마자 : *À* ~ étions-nous sortis *qu*'il se mit à pleuvoir. 우리가 밖으로 나가자마자 비가 오기 시작했다 / *À* ~ étiez-vous parti *qu*'il arrivait. 당

P

신이 떠나자마자 그가 도착했다《문장의 첫 머리에 놓이면 흔히 주어가 도치됨》. ***avoir* (*de la*) ~ *de* 〔*à*〕**+*inf.* …하기가 어렵다, 쉽게 …할 수는 없다 : J'*ai* ~ *à* croire qu'il n'y ait pas d'autre solution. 나는 다른 해결 방도가 없다고는 믿을 수 없다. ***C'est la* ~ *de***+*inf.* 〔***que***+*sub.*〕 …할 필요가 있다《부정문 또는 의문문에 쓰임》: *Ce n'est* pas *la* ~ *de* me le répéter. 그것을 나에게 거듭 말할 필요는 없다 / *Ce n'est* pas *la* ~. 그럴 필요 없습니다 ***en être pour sa* ~** 쓸데없이 고생만 하다. ***être en* ~ *de*** qn …의 일을 근심〔걱정〕하다. ***être* 〔*se mettre*〕 *en* ~ *pour*** qn …을 위해 근심하다. ***faire de la* ~ *à*** qn …을 마음 아프게 하다〔괴롭히다〕, …에게 걱정을 끼치다. ***mourir à la* ~** 과로로 죽다. ***prendre* 〔*se donner*〕 *la* ~ *de***+*inf.* …하는 수고를 하다 : *Prenez* 〔*Donnez-vous*〕 *la* ~ *de* vous asseoir. 앉으십시오. ***sous* ~ *de mort* 〔*de la vie*〕** 어기면 죽인다는 조건으로〔사형에 처하기로 하고〕. ***valoir la* ~ *de***+*inf.* 〔***que***+*sub.*〕 …할 만한 가치가 있다 : Cela ne *vaut* pas *la* ~ *d'*en parler. 그것은 애써 말할 필요가 없는 것이다, 그것은 아무 의미도 없는 것이다.

peiner [pɛ(e)ne] *v.t.* 괴롭히다, 불안하게 하다 ; 슬프게 하다 ; 언짢게 하다 : Cette nouvelle m'*a* beaucoup *peiné*. 이 소식은 나를 대단히 슬프게 했다 / Ça me *peine* qu'il parte déjà. 그가 벌써 떠나다니 애석하다. ── *v.i.* 애쓰다, 고생하다 : Les coureurs *peinent* dans les montées. 오르막길에서 주자(走者)는 고생한다.

pein-s, -t ⇒ peindre.

peint, e [pɛ̃, -ɛ̃:t] *adj.* ① 색칠한. ② 립스틱을〔매니큐어를〕 바른, 짙은 화장을 한. ***papier* ~** 벽지.

***peintre** [pɛ̃:tʀ] *m.* ① 화가 : ~ de portrait(s) 초상 화가. ② 페인트〔칠〕장이, 도장공(塗裝工) : ~ en bâtiment(s) 가옥 도장공. ③ (묘사에 능숙한) 작가.

P

‡peinture [pɛ̃ty:ʀ] *f.* ① 그림 그리기 ; 화법 ; 그림, 회화 (작품) : ~ à l'huile 〔l'aquarelle〕 유화〔수채화〕. ② 《비유》 (언어에 의한) 묘사 : ~ fidèle de la société contemporaine 동시대 사회의 충실한 묘사. ③ (집 · 벽 따위의) 도장(塗裝), 채색 : refaire les ~*s* de l'appartement 아파트 벽의 도장을 다시하다. ④ 도료, 페인트 ; 그림물감 : ~ émaillée 〔mate〕 광택〔무광택〕 도료. ***ne pas pouvoir voir*** qn ***en* ~** …은 꼴도 보기 싫다.

peinturlurer [pɛ̃tyʀlyʀe] *v.t.* (눈에 거슬리는 빛깔로) 더덕더덕 칠하다〔그리다〕. ***se* ~ *le visage*** 더덕더덕 화장을 야하게 하다.

péjoratif, ive [peʒɔʀatif, -i:v] *adj.* 〖언어〗 경멸의 뜻을 나타내는. ── *m.* 경멸어.

péjorativement [peʒɔʀɑtivmɑ̃] *ad.* 경멸적으로.

pékin, péquin [pekɛ̃] *m.* 《군대속어》 (군인에 대한) 민간인(= civil), 문관(≠ militaire) : s'habiller en ~ (군인이) 사복을 입다.

pékinois, e [pekinwa, -a:z] *adj.* 북경(식)의. ── **P~** *n.* 북경 사람. ── *m.* 〖동물〗 발바리의 일종.

pelade [pəlad] *f.* 〖의학〗 탈모증.

pelage¹ [pəla:ʒ] *m.* 《집합적》 (색으로 본) 짐승의 털, 털빛.

pelage² *m.* (짐승 가죽의) 털을 뽑기 ; (과일 · 야채 따위의) 껍질을 벗기기.

pélagianisme [pelaʒjanism] *m.* 〖종교〗 펠라기우스(*Pelagius*) 파의 교리《5세기 원죄를 부정하고 인간의 자유의지를 강조》.

pélagien, enne [pelaʒjɛ̃, -ɛn] 〖종교〗 *adj.* 펠라기우스의〔에 관한〕. ── *n.* 펠라기우스파 사람. 「심해의.

pélagique [pelaʒik] *adj.* 원양의, 해양의,

pelé, e [pəle] *adj.* 털이 없는, 탈모한 ; (밭 · 산 따위에) 농작물〔초목〕이 없는 : crâne ~ 대머리 / campagne ~*e* 헐벗은 들판. ── *n.* 《구어》 대머리. ***quatre* 〔*trois*〕 ~*s et un tondu*** 《구어》 극히 적은 사람들〔시시한 사람들〕의 모임.

pêle-mêle [pɛlmɛl] *m.* 《복수불변》 ① 혼잡, 혼란. ② (여러 장의 사진을 넣는) 액자. ── *adv.* 뒤죽박죽, 무질서하게, 혼잡하게(= en vrac) : jeter des objets ~ 물건들을 이곳저곳에 함부로 내던지다.

peler [pəle] *v.t.* (과일 · 채소 따위의) 껍질을 벗기다 : ~ une pomme 사과 껍질을 벗기다. ── *v.i.* (동물 · 사람이) 가죽이〔피부가〕 벗겨지다. ── **se** ~ *v.pr.* 껍질이 벗겨지다.

pèlerin, e¹ [pɛlʀɛ̃, -in] *n.* 《여성형은 드묾》 순례자 ; 여행자, 길손.

pèlerinage [pɛlʀina:ʒ] *m.* ① 성지 순례, 순례 행각(行脚) ; 순례지, 성지 : aller en ~ ; faire un ~ 순례의 길을 떠나다. ② (명승 · 고적의) 탐방 : ~ historique 역사적인 유적지의 탐방.

pèlerine² [pɛlʀin] *f.* (소매 없는) 짧은 외투, (여자용) 케이프 ; (소아용) 망토.

pélican [pelikɑ̃] *m.* 〖조류〗 펠리컨.

pelisse [pəlis] *f.* 모피로 안을 댄 코트.

pellagre [pɛ(l)lagʀ] *f.* 〖의학〗 펠라그라, 옥수수 홍반(紅斑)《피부병의 일종》.

pelle** [pɛl] *f.* ① 삽, 부삽 : ~ à charbon 〔à feu〕 석탄 푸는 삽 / ~ à vapeur (토목 공사 따위에 사용되는) 증기삽. ② 노(櫓)의 깃. ***à la* ~** 풍부하게, 다량으로, 많이 : remuer 〔ramasser〕 l'argent *à la* ~ 비로 쓸어 담을 만큼 돈이 많다〔돈을 많이 벌다〕 / On en ramasse *à la* ~. 얼마든지 있다. ***ramasser qc ***à la* ~** …을 삽으로 푸다.

pelletée [pɛlte] *f.* 삽 하나 가득한 분량 ; 《구어》 대량, 많은 양. ~ de terre 한 삽의 흙.

pelleter [pɛlte] [5] *v.t.* 삽으로 뒤섞다〔뒤집다〕, 삽질하다.

pelleteuse [pɛltø:z] *f.* (화물차의) 적재기(積載機).

pellicule [pe(ɛl)likyl] *f.* ① 얇은 껍질〔막(膜)〕 : ~ du grain de raisin 포도 껍질. ② 〖사진〗 필름 : ~ en bobine 두루마리 필름. ③ (*pl.*) 비듬 : lotion contre les ~*s* 비듬약.

pelotage [pəlɔta:ʒ] *m.* 《속어》 (대담한) 애무, 페팅. 「자.

pelotari [pəlɔtaʀi] *m.* 바스크식 테니스 경기

pelote [pəlɔt] *f.* ① 실뭉치, 실꾸리 ; 바늘겨레, 바늘꽂이(= ~ à épingles 〔à aiguilles〕) : ~ de neige 눈덩어리. ② 바스크식 테니스(= ~ basque) ; 거기에 쓰이는 공(= balle). ***avoir les nerfs en* ~** 신경이 곤두서 있다, 짜증이

나다. ***faire sa*** (***petite***) ~ 《구어》 적은 돈을 꾸준히 저축해서 한밑천 만들다.

peloter [pəlɔte] *v.t.* ① 《구어》 애무하다, 쓰다듬다(= caresser). ② 아첨하다.

peloteur, euse [pəlɔtœːʀ, -øːz] *n.* 《구어》 애무하는 사람 ; 아첨꾼.

peloton [pəlɔtɔ̃] *m.* ① 작은 실꾸리 : dévider un ~ de laine 털실 꾸리를 풀다. ② (경쟁하는) 떼〔무리〕 ; 〖스포츠〗 경주자의 그룹. ③ 〖군사〗 (기병의) 소대, (보병의) 분대, 반(班) : ~ d'exécution 총살 집행반 / ~ d'instruction (장교 · 하사관) 교육반 / suivre le ~ 교육반에서 교육을 받다. ***~ de tête*** (기업체 · 국가의) 선진 그룹, 선진국.

pelotonner [pəlɔtɔne] *v.t.* (실 따위를) 둥글게 감다. ── **se** ~ *v.pr.* (몸을 동그랗게) 움츠리다(= se blottir) : *se* ~ au fond du fauteuil 안락의자에 몸을 깊숙이 파묻다.

pelousard, e [pəluzaːʀ, -aʀd] *n.* 경마팬.

***pelouse** [p(ə)luːz] *f.* ① 잔디밭(= gazon) : tondre une ~ 잔디를 깎다. ② 경마장 한가운데의 녹지 ; (축구 · 럭비 따위의) 잔디를 깐 경기장 : ~ d'arrivée 〖골프〗 (홀 주변의) 그린 구역.

peluche [pəlyʃ] *f.* ① 〖직물〗 교직 우단. ② 먼지 뭉치〔덩어리〕 ; (직물에서 빠진) 보풀. ③ 《구어》 (채소 따위를 벗긴) 껍질. ***ours en ~*** 우단을 입힌 곰《장난감》.

pelucher [p(ə)lyʃe] *v.i.* (천이) 보풀이 일다.

pelucheux, euse [p(ə)lyʃø, -øːz] *adj.* 부드러운 털로 덮인, 보풀이 일어나는.

pelure [pəlyːʀ] *f.* ① (과일 · 채소 따위의) 껍질. ② 《구어》 겉옷, 외투(= manteau).

pelvien, enne [pɛlvjɛ̃, -ɛn] *adj.* 〖해부〗 골반(骨盤)의.

pelvis [pɛlvis] 〔라틴〕 *m.* 〖해부〗 골반(= bassin).

pénal, e, aux〔**als**〕 [penal, -o〔-al〕] *adj.* 형벌의 ; 형법의, 형사법의 : code ~ 형법.

pénalement [penalmɑ̃] *adv.* 형벌상 ; 형법상, 형사상.

pénalisante [penalizɑ̃, -ɑ̃ːt] *adj.* 핸디캡이 붙은, 불리한.

pénalisation [penalizɑsjɔ̃] *f.* 벌을 주기 ; 〖스포츠〗 (반칙자에게 과하는) 벌 ; 페널티 ; (일반적으로) 불이익.

pénaliser [penalize] *v.t.* ① …에게 벌칙을 과하다 : *être pénalisé* pour excès de vitesse 과속으로 벌금을 물다. ② 〖스포츠〗 (반칙자에게) 벌칙을 주다.

pénalité [penalite] *f.* ① 형벌(= peine) ; 벌금, 추징금. ② 〖축구 · 럭비〗 페널티킥 : coup de pied de ~ 페널티킥.

penalty [penalti] 〔영〕 *m.* = pénalité.

penard, e [penaːʀ, -aʀd] *n.* et. *adj.* = peinard.

pénates [penat] *m. pl.* 〖고대로마〗 (가정의) 수호신, 터주 ; 《익살》 집(= maison) : porter ses ~ dans …으로 거처를 정하다.

penaud, e [pəno, -oːd] *adj.* 당황해 하는, 어쩔 줄 모르는(= confus).

***penchant** [pɑ̃ʃɑ̃] *m.* ① 《~ à〔pour, vers〕》 …에의 경향, 성향(= inclination, tendance) ; 버릇 : avoir un ~ *à* l'optimisme 낙관주의적인 경향이 있다 / avoir un ~ *à* gaspiller 낭비벽이 있다. ② 《~ pour〔à〕》 …에의 취향, 취미(= goût) : son ~ *pour* la musique classique 고전 음악에 대한 그의 취향. ③ 《문어》 《~ pour》 …에의 호의, 공감.

penché, e [pɑ̃ʃe] *adj.* ① 기울어진, 경사진 : la tour ~*e* de Pise 피사의 사탑. ② 몸을 구부린〔굽힌〕. ***avoir*** 〔***prendre***〕 ***des airs ~s*** 《비꼼》 생각에 잠긴 듯한 태도를 취하다.

pencher** [pɑ̃ʃe] *v.t.* 기울이다 : ~ une bouteille 병을 기울이다. ── *v.i.* ① 기울어지다, 기울다 : Le tableau *penche* un peu *à* gauche. 그림이 약간 왼편으로 기울어졌다. ② 《~ à〔vers, pour〕》 …으로 쏠리다〔끌리다〕, …의 경향이 있다, …인 편이다 : ~ *à* 〔*vers*〕 l'indulgence 성질이 너그러운 편이다. ~ ***à + *inf.* 자칫 …하기 쉽다. ── **se** ~ *v.pr.* ① 몸을 구부리다. ② 《se ~ à〔par〕》 (기차 · 버스 창 따위로) 머리를 내밀다 : *se* ~ *à* 〔*par*〕 la fenêtre 창문으로 몸을 내밀다. ③ 《se ~ sur》 …에 각별한 관심을 기울이다, (문제 따위를) 검토하다 : *se* ~ *sur* un problème 어떤 문제를 연구하다.

pendable [pɑ̃dabl] *adj.* ① 《옛》 교수형에 처해야 할. ② (범죄 따위가) 악질적인, 용서할 수 없는. ***tour ~*** 악랄한〔고약한〕 짓.

pendaison [pɑ̃dɛzɔ̃] *f.* ① 목매달아 죽이기, 교수형 ; 목매달아 죽기. ② 매달기. ***~ de crémaillère*** (새 집의) 집들이.

pendant[1]**, e** [pɑ̃dɑ̃, -ɑ̃ːt] *adj.* ① 늘어져 있는, 걸려〔매달려〕 있는 : joues ~*es* 처진 뺨. ② (소송 사건 따위가) 미(해)결의, 계류 중인 : affaire 〔question〕 ~*e* 미해결 사건〔문제〕.

pendant[2] [pɑ̃dɑ̃] *m.* ① 늘어져 있는 것 : ~*s* d'oreilles 귀고리〔귀걸이〕에 늘어뜨리는 보석 ; 귀고리(= boucle d'oreille). ② 서로 짝을 이루는 물건, (한 쌍의) 한 쪽 : faire ~ à qc …와 짝을 이루다 / Ces deux tableaux (se) font ~(s). 이 두 폭의 그림은 한 쌍을 이룬다.

‡**pendant**[3] [pɑ̃dɑ̃] *prép.* ① …동안에《동시성》(= durant) : ~ quelques mois 몇 달 동안 / ~ le repas 〔voyage〕 식사〔여행〕 중에. ② 《~ que + *ind.*》 ⓐ 《동시성》 …할 때, …하는 동안 : ~ *que* nous sommes à Paris 우리가 파리에 있는 동안에 / Amusons-nous ~ *que* nous sommes jeunes. 젊을 때 즐깁시다. ⓑ 《대립》 …인데 : Tout le monde s'amusait, ~ *qu*'il restait pensif. 모두 재미있게 놀고 있는데 그는 우두커니 생각에 잠겨 있었다. ⓒ 《이유 · 원인》 …이므로, …이니까 : *P~ que* j'y pense, n'oubliez pas notre réunion de vendredi. 참 잊기 전에 말인데 금요일 회합을 잊지 마시오. ③ 《부사적》 그 사이〔동안〕에(= durant) : avant la guerre et ~ 전쟁 전과 전시 중에.

pendard, e [pɑ̃daːʀ, -aʀd] *n.* 《옛 · 구어》 악한, 악당, 불량배.

pendeloque [pɑ̃dlɔk] *f.* ① (귀고리 따위에) 늘어뜨리는 보석. ② 샹들리에에 늘어뜨리는 유리 장식.

pendentif [pɑ̃dɑ̃tif] *m.* ① 목걸이 끝에 늘어뜨린 보석, 목걸이. ② 〖건축〗 삼각 홍예.

***penderie** [pɑ̃dʀi] *f.* 옷을 걸어 두는 방, 의상실 ; 옷걸이장(= garde-robe).

pendiller [pɑ̃dije] *v.i.* 늘어지다, 대롱대롱 매달리다.

pendouiller [pɑ̃duje] *v.i.* 늘어지다(= pendiller).

***pendre** [pɑ̃ːdʀ] 25 *v.t.* ① 걸다, 매달다, 늘

어뜨리다(= suspendre) : ~ un pardessus au portemanteau 외투를 옷걸이에 걸다 / ~ un lustre 샹들리에를 매달다. ② 목매어 죽이다, 교수형에 처하다 : ~ qn en effigie …의 허수아비를 교수형에 처하다. ***être pendu à*** qc …에 매달려 떠나지 않다 : *être pendu au* téléphone de qn 《구어》 …에게 줄곧 전화를 걸다. ***Je veux être pendu*** 〔***Je veux qu'on me pende***〕 ***si...*** 만일 …라면 내 목을 베어도 좋다. ***Qu'il aille se faire ~ ailleurs.*** 《구어》 다른 데 가서 실컷 혼나 보라구. — *v.i.* 걸리다, 매달리다, 늘어지다 : des fruits qui *pendent* aux branches 가지에 달린 과일 / Son manteau *pend* jusqu'à terre. 그의 망토는 땅에까지 쳐져 있다. ***Cela lui pend au nez.*** 《구어》 불행〔귀찮은 일〕이 코앞에 닥치다. — **se ~** *v.pr.* ① 《se ~ à》 …에 매달리다 : *se ~ au* cou de qn …의 목에 매달리다. ② 목매달아 죽다, 목매어 자살하다. ③ 늘어지다.

pendu, e [pɑ̃dy] *adj.* ① 매달린, 걸린. ② (옷자락 따위가) 늘어진 : Sa jupe *pend* par derrière. 그녀의 스커트는 뒤쪽이 조금 늘어져 있다. — *n.* 교수형을 받은 사람 ; 목매어 죽은 사람. ***Il ne faut pas parler de corde dans la maison d'un ~.*** 《속담》 상대에게 거북스러운 이야기를 해서는 안 된다. 「의〕.

pendulaire [pɑ̃dylɛːʀ] *adj.* 시계추의〔모양

***pendule** [pɑ̃dyl] *m.* (시계 따위의) 추 ; 진자(振子). — *f.* 추시계 : ~ murale 괘종(掛鐘) / ~ à répétition 자명종.

pendulette [pɑ̃dylɛt] *f.* 소형 추시계.

pêne [pɛn] *m.* 자물쇠의 빗장.

Pénélope [penelɔp] *n.pr.f.* 〖그리스신화〗 페넬로페《*Ulysse*의 아내》. ***la toile*** 〔***le travail***〕 ***de ~*** 영원히 끝나지 않을 일. 「원.

pénéplaine [peneplɛn] *f.* 〖지질〗 준(準) 평

pénétrable [penetʀabl] *adj.* ① 관통성(貫通性)의, 침투성의(= perméable) : ~ à l'eau 물이 스며들 수 있는. ② 알아챌〔이해할〕 수 있는.

pénétrant, e [penetʀɑ̃, -ɑ̃:t] *adj.* ① 침투하는 ; 스며드는 : air vif ~ 살을 에는 듯한 찬 공기. ② 날카로운 ; 통찰력이 있는 : voix ~*e* 날카로운 목소리 / esprit ~ 통찰력이 예민한 정신. ③ 강렬한, 아주 인상적인 : parfum ~ 강한 향기.

pénétration [penetʀɑsjɔ̃] *f.* ① 침입, 침투, 관통 : ~ dans le corps d'un germe infectieux 병균의 체내 침투. ② 통찰(력), 혜안(慧眼), 두뇌의 예민함 : être doué d'une grande ~ 대단한 통찰력을 갖고 있다. ③ (페니스의) 삽입, 성교 : ~ anale 항문 성교.

pénétré, e [penetʀe] *adj.* ① 《~ de》 …이 침투된, 스며든. ② 《~ de》 …으로 가득 찬, …을 확신하고 있는 : ~ *de* repentir 마음이 사무치도록 후회하는 / *d'*un air ~ 확신〔자신〕에 찬 얼굴로.

***pénétrer** [penetʀe] 6 *v.t.* ① 꿰뚫다, 관통하다 : flèche qui *a pénétré* la planche 판자를 뚫고 들어간 화살. ② 스며들다, 침투하다 ; 침입하다 : La pluie *a pénétré* ses vêtements. 비가 그의 옷에 스며들었다. ③ 알아채다, 간파하다, 통찰하다(= découvrir, comprendre) : Je crois *avoir pénétré* son secret. 나는 그의 비밀을 간파했다고 생각한다. ④ ⓐ (감정·생각 따위가) 침투하다, 스며들다 : Sa douleur me *pénètre* le cœur. 그의 괴로움은 내 마음을 몹시 아프게 했다. ⓑ 《~ qn》 깊이 감동시키다. — *v.i.* ① 《~ dans 〔jusqu'à〕》 침투하다, 스며들다, 깊숙이 들어가다 (= s'enfoncer) ; (사람이) 들어가다, 침입하다(= entrer) ; (배·기차가 항구로〔정거장으로〕) 들어가다 : Il *a pénétré dans* la forêt. 그는 숲속을 헤쳐 들어갔다 / La balle *a pénétré jusqu'à* l'os. 탄환이 뼈까지 뚫고 들어갔다. ② (감정, 생각 따위가) 침투하다, 스며들다 : sentiment de haine qui *pénètre dans* l'âme 마음속에 스며드는 증오심. — **se ~** *v.pr.* ① 서로 뒤섞이다. ② 서로 상대편의 마음속을 알아채다. ③ 《se ~ de》 …을 흡수하다 : La terre *se pénètre d'*eau. 땅에 물이 스민다. ④ 《se ~ de 〔que〕》 …을 마음속 깊이 새기다, 명심하다, 확신하다 : Il *s'est pénétré de* cette vérité. 그는 이 사실을 확신했다.

‡pénible [penibl] *adj.* ① (일 따위가) 힘드는, 고된(= difficile) : travail ~ 힘드는 일 / chemin ~ 고된 길. ② 괴로운, 고통스러운 ; 쓰라린, 비통한 : séparation ~ 괴로운 이별 / J'ai appris une ~ nouvelle. 나는 슬픈 소식을 들었다. ③ 《구어》 (사람·성격이) 참기 어려운, 고약한 : Il a un caractère ~. 그는 어찌나 성미가 고약한지 정말 참을 수 없다.

péniblement [peniblәmɑ̃] *adv.* ① 애써서, 힘들게(= difficilement) : gagner sa vie ~ 힘들게 생계를 이어가다. ② 간신히, 겨우(= à peine) : journal qui tire ~ à trente mille 겨우 3만부를 찍는 신문.

péniche [peniʃ] *f.* (바닥이 평평한 하천용) 큰 거룻배 ; 상륙정(= ~ de débarquement).

pénicilline [penisillin] *f.* 〖약학〗 페니실린.

péninsulaire [penɛ̃sylɛːʀ] *adj.* 반도의 ; 반도에 사는, 반도 주민의.

péninsule [penɛ̃syl] *f.* 반도 : la ~ coréene 한반도 / la ~ Ibérique ; la *P*~ 이베리아 반

pénis [penis] *m.* 〖해부〗 음경, 남근. ⌊도.

pénitence [penitɑ̃:s] *f.* ① 〖기독교〗 회개(= contrition) ; 〖가톨릭〗 고백성사(= sacrement de ~) : faire ~ 회개하다. ② (속죄의) 고행(= expiation) ; 벌(= punition, châtiment) : comme ~ ; pour (ta) ~ ; en ~ 죄갚음으로, 벌로 / vivre dans les ~*s* 속죄의 고행을 하다. ***mettre*** qn ***en ~*** …을 벌주다. ***tribunal de la ~*** 〖가톨릭〗 고백실.

pénitencier [penitɑ̃sje] *m.* 감옥, 형무소(= prison) ; 감화원.

pénitent, e [penitɑ̃, -ɑ̃:t] *n.* ① 회개자, 고백자 ; 속죄자. ② 고행 수도회원.

pénitentiaire [penitɑ̃sjɛːʀ] *adj.* (죄인을) 징계하는, 징벌하는 : régime ~ 교도소 제도 / maison ~ 교도소 ; 감화원.

penne [pɛn] *f.* ① 〖동물〗 새의 날개와 꽁지의 기다란 깃. ② 〖고고학〗 화살깃.

pennon [pe〔ɛn〕nɔ̃] *m.* (창에 다는) 삼각기.

penny [peni] *m.* (*pl.* ***pence*** [pɛns]) 페니《영국의 화폐 ; 1/12 실링》.

pénombre [penɔ̃:bʀ] *f.* 희미한〔어슴푸레한〕 빛, 미광(微光)(= demi-jour).

pensable [pɑ̃sabl] *adj.* 생각할 수 있는 ⟪주로 부정형으로⟫ : C'est à peine ~. 그것은 거의 생각할 수 없다.

pensant, e [pɑ̃sɑ̃, -ɑ̃:t] *adj.* 생각하는 ; 사고력 있는 : roseau ~ 생각하는 갈대, 인간 ⟪파스칼의 말⟫. ***bien ~*** 정통파적〔보수적〕인 생각을 가진 (사람). ***mal ~*** 이단적인 (사람).

pense-bête [pɑ̃sbɛt] *m.* (*pl.* **~-~s**) 메모, 비망록(= mémento).

*****pensée**[1] [pɑ̃se] *f.* ① 사고(력), 사유 (작용) : ~ logique 〔rationnelle〕 논리적〔합리적〕 사고 / object de la ~ 사고의 대상. ② 생각, 마음 ; 의향, 견해 : être perdu dans ses ~*s* 생각에 잠겨 있다 / sombres ~*s* 어두운 생각 / Quelle est votre ~ sur ce point? 이 점에 대한 당신의 견해는 어떤 건가요? ③ 상상 ; 관념(= idée) : La ~ de la mort ne le quittait pas. 죽음에 대한 관념이 그의 머리를 떠나지 않았다 / se perdre dans ses ~*s* 하염없이 상상에 잠기다. ④ 써서 남긴 문장 ; 잠언, 격언 : les *P~s* de Pascal 파스칼의 「팡세」. ***avoir la ~ de*** + *inf.* …을 할 의향이다. ***dans la ~ de*** + *inf.* …할 생각으로. ***entrer dans la ~ de*** qn …의 생각을 이해하다. ***la ~ que*** …라는 생각, …라 생각하는 것. ***venir à*** 〔***dans***〕 ***la ~*** 생각〔머리〕에 떠오르다.

pensée[2] *f.* 〖식물〗 삼색제비꽃, 팬지.

*****penser** [pɑ̃se] *v.i.* 생각하다, 사고하다(= réflechir, raisonner) : façon de ~ 사고방식 / Je *pense* comme vous. 나는 당신과 동감입니다 / Je *pense*, donc je suis. 나는 생각한다, 그러므로 나는 존재한다. ***donner*** 〔***laisser***〕 ***à ~*** 깊이 생각하게 하다, 생각할 여지가 있다 : Sa réponse *donne à* ~. 그의 대답은 뭔가 생각하게 한다. ***Penses-tu!; Pensez-vous!*** ⟪구어⟫ 그럴 리가! 설마! 천만의 말씀! ⟪강한 부정·불신의 표시⟫.
— *v.t. ind.* ⟪~ à qc 〔qn〕⟫ ⟪보어 대명사로는 y를 제외하고는 언제나 전치사와 따로 떨어진 형태(à toi, à lui 등)가 사용됨⟫ ① …에 대해〔을〕 생각하다(= songer à) : *À* quoi *pensez*-vous? 무엇을 생각하고 있습니까? ; 왜 그런 어리석은 생각을 하십니까? / N'y *pensez* plus. 이제 그 일은 잊어버리십시오 / ~ *à* soi 자기 자신을 돌이켜보다 / ~ *à* 〔*au*〕 mal 나쁜 일을 꾸미다 / *Pensez* bien *à* ma demande. 내 청을 잊지 마십시오. ② ⟪~ *à*+*inf.*⟫ …할 것을〔하려고〕 생각하다 : ne ~ qu'*à* s'amuser 놀 생각만 하다 / As-tu *pensé à* fermer le gaz avant de sortir? 외출하기 전에 가스를 잠그는 것을 잊지 않았겠지? ***Ah, j'y pense.*** 아아, 참 (생각이 나는군). ***faire ~ à*** …을 생각나게 하다 ; …와 닮다 : Il me *fait* ~ *à* mon frère. 그를 보면 동생 생각이 난다. ***rien que d'y ~*** 그것을 생각만 해도. ***sans ~ à mal*** 악의 없이.
— *v.t.* ① ⓐ ⟪~ qc⟫ 생각하다 : Il ne dit pas tout ce qu'il *pense*. 그는 자기 의견을 다 말하지 않는다. ⓑ …하게 생각하다 : Jamais je n'aurais pu ~ cela! 그러리라고는 꿈에도 생각 못했을 것이다〔생각 못했어〕. ⓒ ⟪~ qc de 〔sur〕 qc 〔qn〕⟫ …에 대해 …하게 생각하다 : Qu'en *pensez*-vous? — Je n'en *pense* rien. 그것을 어떻게 생각하오? — 아무 의견이 없소. ⓓ ⟪~ qc+속사⟫ ⟪옛⟫ …을 …하다고 생각하다 : Je *pense* mes raisons meilleures que les vôtres. 나는 내 이유가 너의 이유보다 낫다고 생각한다. ⓔ ⟪삽입절에⟫ Il aurait, *pensait*-il, l'appui de son père. 아버지가 도와 주시겠지, 그는 그렇게〔하고 그는〕 생각했다. ② ⟪~ que+*ind.* ; ne pas ~ que+*sub.*⟫ …라고 생각하다 : J'*ai pensé que* tu avais besoin de compagnie. 너에게 동행이 필요하다고 생각했지 / *Pensez*-vous *qu'*il puisse le faire? 그가 그걸 할 수 있다고 생각합니까? ③ ⟪~+*inf.*⟫ ⓐ …한다고〔하리라고〕 생각하다, …하는 줄로 알다 : Nous *pensons* avoir résolu ces problèmes. 이 문제는 해결되었다고 생각하오. ⓑ …할 생각〔작정〕이다(= compter) : Il *pense* partir demain. 그는 내일 떠날 생각이다. ④ (문제 따위를) 깊이〔곰곰이〕 생각하다, 숙고하다(= examiner, approfondir) ; (계획 따위를) 구상하다(= concevoir) : ~ une question 〔un problème〕 문제를 심사숙고하다 / plan 〔roman〕 bien *pensé* 잘 구상된 계획〔소설〕. ***Je le pensais bien.*** 그럴 줄 알았지. ***Tu penses!; Vous pensez!*** ⟪목적보어 없이⟫ ⓐ 암 그렇고 말고, 물론. ⓑ 천만에⟪코웃음 섞인 부정, 거부⟫. — *m.* ⟪옛·문어⟫ 생각, 사상(= pensée[1]).

penseur, euse [pɑ̃sœːʀ, -øːz] *n.* 사상가, 사색가 : Le ~ de Rodin 로댕의 「생각하는 사람」 / libre ~ 자유사상가.

*****pensif, ive** [pɑ̃sif, -iːv] *adj.* (사람이) 생각에 잠긴(= songeur) ; (표정·얼굴 따위가) 생각에 잠긴 듯한(= rêveur).

*****pension** [pɑ̃sjɔ̃] *f.* ① 연금, 은급(= retraite) ; 수당(= allocation) : ~ de retraite 퇴직금 / ~ de vieillesse 노령연금. ② 숙박료, 숙박비 ; 숙박 : prendre ~ dans un hôtel (식사가 나오는) 호텔에 숙박하다. ③ 기숙사, 기숙 학교 ; ⟪집합적⟫ 기숙사 학생⟪전체⟫ : ~ de jeunes filles 여자 기숙사 / Toute la ~ était en promenade. 모든 기숙생이 산책 중이었다. ④ 하숙집(= ~ de famille) ; 하숙비 : payer sa ~ 하숙비를 내다 / prendre une chambre sans ~ 식사 없는 하숙을 하다.

pensionnaire [pɑ̃sjɔnɛːʀ] *n.* ① 기숙생 : ~*s* d'un lycée 고교의 기숙생. ② 하숙인, (호텔의) 식사를 겸한 장기 투숙객. ③ (양노원 따위의) 거류자.

pensionnat [pɑ̃sjɔna] *m.* 기숙 학교 ; ⟪집합적⟫ 기숙생.

pensionné, e [pɑ̃sjɔne] *adj.* et *n.* 연금〔보조금〕을 받는 (사람).

pensionner [pɑ̃sjɔne] *v.t.* …에게 연금〔수당〕을 주다.

pensivement [pɑ̃sivmɑ̃] *adv.* 생각에 잠긴 듯이.

pensum [pɛ̃sɔm] *m.* ① 〖학교〗 벌로서 받은 숙제. ② 지루한〔지겨운〕 일 : Quel ~! 얼마나 지루한 일이람!

pent, penta *préf.* 「다섯」의 뜻.

pentagonal, e, aux [pɛ̃tagɔnal, -o] *adj.* 〖수학〗 5 각형의.

pentagone [pɛ̃tagɔn] *adj.* 〖수학〗 5 각〔변〕형의. — *m.* ① 〖수학〗 5 각〔변〕형. ② le *P~* 펜타곤⟪미국 국방성 ; 건물이 5 각형임⟫.

Pentateuque (le) [ləpɛ̃tatøːk] *m.* 〖성서〗

모세(Moïse)의 5경(經)《구약의 처음 5서》.
pentathle [pɛ̃tatl], **pentathlon** [pɛ̃tatlɔ̃] *m.* 〖스포츠〗 근대 5종경기《마술·펜싱·사격·수영·4 km 크로스컨트리》.
pentathlonien [pɛ̃tatlɔnjɛ̃] *m.* 〖스포츠〗 5종경기 선수.
pente** [pɑ̃:t] *f.* ① 경사; 경도(傾度), 물매(= déclivité) : ~ douce 완만한 경사. ② 경사면, 비탈; 비탈〔언덕〕길; 내리막길 : monter 〔descendre〕 une ~ 비탈을 올라가다〔내려가다〕/ ~ de comble 지붕의 경사진 면. ③ 《~ à 〔pour, vers〕》…에의 경향, 기질(= tendance, inclination) : suivre sa ~ 자기 좋을 대로 하다. ***aller en ~ (땅이) 기울다, 비탈지다. ***remonter la ~*** 궁지에서 빠져나오다; 갱생하다.
Pentecôte [pɑ̃tko:t] *f.* ① (기독교의) 성신강림 축일《부활절로부터 7번째 일요일》. ② (유대교의) 오순절(五旬節)《유월절로부터 50일째》.
pentu, e [pɑ̃ty] *adj.* 경사진, 기울어진.
penture [pɑ̃ty:ʀ] *f.* 〖건축〗 (문 따위의) 경첩 달린 쇳조각.
pénultième [penyltjɛm] 〖언어〗 *adj.* 끝에서 두 번째(음절)의. — *f.* 끝에서 두 번째의 음절(= syllabe ~).
pénurie [penyʀi] *f.* ① (물자, 자금 따위의) 부족, 결핍 : ~ de main-d'œuvre 인력 부족. ② 궁핍, 가난, 곤궁.
péon [peɔ̃] 〔에스파냐〕 *m.* (남미의) 가난한 농사꾼; 날품팔이꾼.
pépé [pepe] *m.* 《소아어》 할아버지(= pépère) : le ~ et la mémé 《지방어》 할아버지와 할머니.
pépée [pepe] *f.* ① 《소아어》 인형(= poupée). ② 《구어》 여자, 처녀.
pépère [pepɛ:ʀ] *m.* ① 《소아어》 아빠; 할아버지(= pépé). ② 《구어》 아저씨; 뚱뚱한 사람〔아이〕. — *adj.* 《구어》 기분 좋은, 편안한; 조용한 : travail ~ 힘들지 않은 일.
pépettes [pepɛt] *f.pl.* 《구어》 돈(= argent) : avoir les 〔des〕 ~ 부자이다.
pépie [pepi] *f.* (혀가 경화되는) 새의 병; 갈증 : avoir la ~ 목이 몹시 마르다.
pépiement [pepimɑ̃] *m.* 새의 지저귐.
pépier [pepje] *v.i.* (새가) 지저귀다.
***pépin**[1] [pepɛ̃] *m.* ① (사과·포도 따위의) 씨(= graine) : ~ de pomme 사과씨. ② 난처한 일, 곤란, 지장(= ennui, difficulté) : avoir un ~ 곤란한 일을 당하다.
pépin[2] *m.* 《구어》 우산(= parapluie).
pépinière [pepinjɛ:ʀ] *f.* ① 〖원예〗 묘상(苗床); 묘목. ② 《비유》 양성〔육성〕소 : Le Conservatoire est une ~ de musiciens. 국립 음악원은 음악가를 양성하는 기관이다.
pépiniériste [pepinjeʀist] *n.* 종묘(種苗)업자(= arboriculteur), 묘목 가꾸는 사람. — *adj.* 종묘의, 묘목을 가꾸는.
pépite [pepit] *f.* 천연 귀금속 덩어리.
péplos [peplo:s], **péplum** [peplɔm] 〔라틴〕 *m.* ① 소매가 없는 여자용 웃옷. ② (고대를 무대로 한) 스펙터클 영화.
pepsine [pɛpsin] *f.* 〖화학〗 펩신.
peptone [pɛptɔn] *f.* 〖생화학〗 펩톤.
péquenaud, e [pɛkno, -o:d] *n.*, **péquenot** [pɛkno] *m.* 《구어》《경멸》 시골뜨기, 농사꾼(= pecnot).
péquin [pekɛ̃] *m.* 〖군사〗 민간인.
perborate [pɛʀbɔʀat] *m.* 과붕산염《소독제·표백제로 쓰임》.
percale [pɛʀkal] *f.* 올이 곱고 섬세한 면직물의 일종.
percaline [pɛʀkalin] *f.* 〖섬유〗 (흔히 안감으로 쓰이는) 윤기 있는 면직물의 일종.
perçant, e [pɛʀsɑ̃, -ɑ̃:t] *adj.* ① 꿰뚫는 듯한, (눈길 따위가) 예리한(= aigu) : yeux ~*s* 예리한 눈. ② (추위 따위가) 살을 에는 듯한(= vif); (소리가) 날카로운(= strident) : voix ~*e* 날카로운 목소리. — *m.* ① 신랄함, 예리함. ② 〖스포츠〗 (상대방 방어선을 돌파하는) 공격 능력.
perce [pɛʀs] *f.* ① 구멍 뚫는 공구, 송곳. ② (플루트의) 구멍. ***en ~*** 구멍을 뚫은; mettre un tonneau *en* ~ 술통에 구멍을 뚫다.
percé, e[1] [pɛʀse] *adj.* 구멍 뚫린 : habit ~ au coude 팔꿈치가 해진 의복 / poche ~*e* 구멍 뚫린 호주머니.
percée[2] [pɛʀse] *f.* ① (숲 따위에 트인) 통로, 길; 빈터 : ouvrir 〔faire〕 une ~ dans une forêt 숲속에 통로를 내다. ② 〖군사·스포츠〗 돌파(구); 눈부신 진보, 경이적 성공 : faire une ~ 돌파구를 열다 / ~ technologique 과학 기술상의 경이적 진보.
percement [pɛʀsəmɑ̃] *m.* 구멍 뚫기, 관통, 개착(開鑿) : ~ d'un tunnel 터널을 뚫기 / ~ d'une fenêtre 창구(窓口) 내기.
perce-neige [pɛʀsənɛ:ʒ] *m.* 〔*f.*〕 《복수불변》 〖식물〗 눈꽃, 스노드롭.
perce-oreille [pɛʀsɔʀɛj] *m.* (*pl.* **~-~s**) 〖곤충〗 집게벌레(= forficule).
percept [pɛʀsɛpt] *m.* 〖철학〗 지각(知覺)의 대상(≠ concept).
percepteur, trice [pɛʀsɛptœ:ʀ, -tʀis] *adj.* 지각〔인지〕하는. — *n.* 세무관; (벌금 따위의) 징수관.
perceptible [pɛʀsɛptibl] *adj.* ① (세금을) 징수할 수 있는. ② 지각할 수 있는, 알아차릴 수 있는(= sensible) : 《~ à》 ~ *à* l'œil 눈으로 볼 수 있는 / différences peu ~*s* 거의 식별할 수 없는 차이.
perceptif, ive [pɛʀsɛptif, -i:v] *adj.* 지각(知覺)의 : facultés ~*ives* 지각력.
perception [pɛʀsɛpsjɔ̃] *f.* ① 지각 (능력); 지각; 이해(= intelligence); 인식(력) : ~ des couleurs 빛깔의 식별 / verbe de ~ 〖문법〗 지각 동사. ② (세금 따위의) 징수(= recouvrement); 세금(= impôt) 세무 공무원의 직; 세무서(= bureau de ~).
***percer** [pɛʀse] [2] *v.t.* ① 꿰뚫다, 관통하다, 뚫다, …에 구멍을 뚫다(= trouer); (터널 따위를) 파다, 개착하다 : ~ un tonneau 통에 구멍을 뚫다 / ~ un pneu 타이어를 펑크 내다. ② 찌르다; (종기 따위를) 째다; 터뜨리다; (후회 따위가 가슴을) 에다, 찌르다 : ~ un abcès 고름 주머니를 째다 / Cela vous *perce* le cœur. 그 일은 당신을 몹시 괴롭힌다. ③ 뚫고 빠져나가다, 돌파하다 : ~ le front ennemi 적의 방어선을 돌파하다 / ~ la foule 군중을 헤치며 나아가다. ④ (빛·물 따위가) 새어 나가다〔돌다〕(= transperser) : Le soleil *perce* les nuages. 햇빛이 구름 사

이로 새어 나온다 / ~ le pardessus (비가) 외투 안으로 새다. ⑤ (길 따위를) 트다, 개통하다 : ~ une rue 길을 내다. ⑥ (비밀 따위를) 알아내다, 간파하다(= pénétrer, déceler) : ~ un secret 비밀을 알아내다, 간파하다 / ~ un complot 음모를 알아채다. ***~ à jour*** (숨겨졌던 것을) 알게 되다.

— *v.i.* ① 구멍이 뚫리다 ; (종기가) 터지다 : abcès qui *perce* 터져 버린 고름 주머니. ② ⓐ (이빨 따위가) 뚫고 나오다, 나다. ⓑ 돌파하다 : L'avant-centre *perce.* 〚축구〛 센터포워드가 뚫고 들어간다. ③ 나타나다 ; 드러나다 ; L'aube allait ~ à l'horizon. 동이 트려고 하고 있었다 / L'ironie *perce* dans ses paroles. 그의 말 속에 빈정거림이 드러나 보인다. ④ 두각을 나타내다 ; 유명해지다 : artiste qui a mis longtemps à ~ 늦게 두각을 나타낸 예술가.

perceur, euse [pɛʀsœːʀ, -øːz] *n.* 구멍 뚫는 사람 : ~ de murailles 가택 침입 강도. — *f.* 천공기, 드릴.

***percevoir** [pɛʀsəvwaːʀ] [53] *v.t.* ① (세금을) 징수하다(= lever) ; (월급 · 돈 따위를) 받다(≠ payer) : ~ un loyer 집세를 받다. ② ⓐ 지각하다, 감지하다 ; 알아차리다, 느끼다 : ~ une nuance 〔une différence〕 미묘한 뉘앙스를 감지하다〔알아차리다〕. ⓑ 〚철학〛 인식하다, 인지(認知)하다 : ~ l'étendue 〚논리〛 외연(外延)을 인지하다.

perche**[1] [pɛʀʃ] *f.* ① 장대 ; 막대기 : conduire un bateau à la ~ 삿대로 배질해 가다 / saut à la ~ 〚스포츠〛 장대높이뛰기. ② grande ~ 《구어》 키다리. ***tendre la ~ à qn …에게 구원의 손길을 뻗치다.

perche[2] *f.* 〚어류〛 농어류(類)(= ~ de mer).

percher [pɛʀʃe] *v.i.* (새가 나뭇가지 따위에) 앉다 ; 《구어》 (사람이 높은 곳에) 살다(= loger, habiter) : Il *perche* au sixième. 그는 7층에 산다. — *v.t.* (높은 곳에) 놓다, 두다 : ~ un verre sur l'armoire 잔을 찬장 위에 올려놓다. — **se ~** *v.pr.* (새가 나뭇가지 따위에) 앉다 ; (사람이 높은 곳에) 오르다, 살다 : Il s'etait levé pour *se* ~ sur le parapet de la terrasse. 그는 일어나서 테라스의 난간 위에 올라앉았다.

percheron, onne [pɛʀʃəʀɔ̃, -ɔn] *adj.* 페르슈(*le Perche*) 지방의. — **P~** *n.* 페르슈 사람. — *m.* 페르슈산(産)의 말.

percheur, euse [pɛʀʃœːʀ, -øːz] *adj.* (새가) 나무에 앉는 습성이 있는.

perchiste [pɛʀʃist] *n.* ① 〚스포츠〛 장대높이뛰기 선수(= sauteur à la perche). ② 〚영화 · TV〛 음성 녹음 담당원.

perchoir [pɛʀʃwaːʀ] *m.* ① (새가) 앉는 나뭇가지, 횃대(= juchoir). ② 《비유》 높은 곳(에 있는 주택) ; (국회) 의장석.

perclus, e [pɛʀkly, -yːz] *adj.* ① (팔 · 다리 따위가) 불수(不隨)의, 움직이지 않는 : vieillard à demi ~ 반신불수의 노인 / être ~ de rhumatismes 류머티즘으로 몸이 움직이지 않다. ② (공포 따위로) 어찌할 바를 모르는 (= paralysé) : être ~ de crainte 공포에 질려서 꼼짝 못하다.

perçoir [pɛʀswaːʀ] *m.* 끌, 송곳, 드릴.

perçoi-s, -t, -ve(nt) ⇒ percevoir.

percolateur [pɛʀkɔlatœːʀ] *m.* (여과기가 달린) 커피 끓이개(= 《구어》 perco).

perçu-e, -s, -t ⇒ percevoir.

percussion [pɛʀkysjɔ̃] *f.* ① 충돌, 충격 ; (총 따위의) 격발 : arme à ~ 격발총. ② 《집합적》 타악기(= instruments à ~). ③ 〚의학〛 타진(打診).

percussionniste [pɛʀkysjɔnist] *n.* 〚음악〛 타악기 연주자.

percutant, e [pɛʀkytɑ̃, -ɑ̃ːt] *adj.* ① 충격을 일으키는 ; 〚군사〛 착발(着發)하는, 격발하는 : obus ~ 착발탄. ② 《비유》 충격적인, 경이적인(= frappant) : article ~ 충격적인 기사.

***percuter** [pɛʀkyte] *v.t.* ① …에 충격을 주다 ; …에 충돌하다 : voiture qui *a percuté* un arbre 나무를 들이받은 자동차. ② 〚의학〛 타진하다. — *v.i.* 충돌하다, 격돌하다(= heurter) : L'avion *percuta* contre le sol. 비행기가 땅에 추락했다.

percuteur [pɛʀkytœːʀ] *m.* (총포의) 격철(擊鐵) ; 수뢰(水雷) 발사 장치.

perdant, e [pɛʀdɑ̃, -ɑ̃ːt] *adj.* (노름 · 승부 따위에서) 잃은, 진 : billet ~ (복권 따위의) 낙첨권. — *n.* 패자(敗者) ; 실패자 : grand 〔gros〕 ~ 크게 손해본 사람.

perdition [pɛʀdisjɔ̃] *f.* 〚종교〛 (영혼의) 파멸(= perte) ; 영벌(永罰)(= damnation) ; 타락. ***lieu de ~*** 퇴폐적인 장소, 우범 지대. ***navire en ~*** 〚해양〛 조난선.

‡perdre [pɛʀdʀ] [25] *v.t.* ① 잃다, 상실하다(≠ acquérir, gagner) : ~ ses biens 자기 재산을 잃다〔없애다〕 / ~ sa place 면직당하다, 실직하다 / ~ son crédit 신용을 잃다 / ~ du poids 야위다 / ~ la parole 벙어리가 되다 / Ma tête *est perdue ;* Je *perds* la tête. 머리가 혼란해서 정신을 차릴 수 없다. ② 분실하다, 잃어버리다(= égarer). ③ 《~ qn》 여의다. ④ (싸움 · 경쟁 따위에서) 지다(≠gagner) : ~ un match 시합에 지다 / ~ la partie 경기에 지다. ⑤ (기회 따위를) 놓치다 : ~ le nord 방향을 잃다 ; 《구어》 어찌할 바를 모르다 / ~ la trace 〚사냥〛 (개가) 짐승의 발자취〔냄새〕를 놓치다. ⑥ (시간 따위를) 낭비하다 : J'*ai perdu* beaucoup d'argent dans ce procès. 나는 이 소송에 많은 돈을 낭비했다. ⑦ (습관 따위를) 버리다. ⑧ 망가뜨리다(= endommager). ⑨ 《~ qn》 타락시키다(= corrompre) ; 파멸시키다(= ruiner) ; …에게 해〔손해〕를 입히다, …의 신용 · 덕망 따위를 잃게 하다 ; 길을 잃게 하다(= égarer) : ~ la jeunesse 청년을 타락시키다.

— *v.i.* ① 손해 보다 : ~ sur une marchandise 〔un article〕 상품에서 손해 보다. ② (노름 따위에서) 잃다 ; (경기 따위에서) 지다. ③ ⓐ 《주어 : qc》 가치가 떨어지다, 질이 낮아지다〔나빠지다〕 ; 양이 줄다, 힘이 약해지다 ; 지위 따위가 떨어지다 : La plupart des actions *ont* encore *perdu.* 대부분의 주가(株價)가 더욱 떨어졌다 / La marée *perd.* 썰물이 된다. ⓑ 《주어 : qn》 《~ dans qc》 …이 떨어지다〔나빠지다〕 : ~ *dans* l'opinion populaire 평판이 떨어지다. ④ (그릇이) 새다(= fuir) : tonneau qui *perd* 새는 통.

— **se ~** *v.pr.* ① 길을 잃다 ; (정신이) 혼란해지다 ; 《se ~ dans 〔en〕》 …에 골몰하다 :

P

enfant qui *s'est perdu* 길 잃은 아이 / *se ~ dans* ses pensées 곰곰이 생각에 잠기다. ② 사라지다, 없어지다 ; (소리가) 들리지 않게 되다 ; 아무 소용 없게 되다 ; (시력이) 떨어지다 ; (유행 따위가) 한물가다 : Rien ne *se perd*, rein ne se crée. 없어지는 것도 생겨나는 것도 없다 / Le sens original de cette expression *s'est perdu*. 이 말은 본디의 뜻으로는 쓰이지 않는다. ③ (배가) 파선〔난파〕하다 ; (기계 따위가) 못쓰게 되다 : bateau qui se *perd* en mer 바다에서 난파한 배. ④ ⓐ 타락하다, 몸을 망치다. ⓑ se ~ d'honneur 스스로 자기 명예를 손상하다.

perdreau [pɛʀdʀo] *m.* (*pl.* **~x**) 〖조류〗 자고새 새끼.

perdrix [pɛʀdʀi] *f.* 〖조류〗 자고새.

perdu, e** [pɛʀdy] *adj.* ① 잃어버린, 분실〔유실〕된 ; 없어진 ; 사라진 : objets *~s* 유실물 / le Paradis ~ 실락원 / argent ~ au jeu 노름에서 잃은 돈. ② 빗나간 : balle *~e* 유탄 / flèche *~e* 빗나간 화살. ③ 외딴, 궁벽한, 한적한(= isolé) : village ~ 한촌(寒村) / région *~e* 외진 지방. ④ 회복의 가망이 없는 ; 파멸〔몰락〕한(= ruiné) ; 타락한(= corrompu) : Ce malade est ~. 이 환자는 회복할 가망이 없다. ⑤ (싸움 따위가) 패배당한 ; (사람이) 패배한(= battu) : bataille *~e* 패전 / Avant que de combattre, ils s'estiment *~s*. 싸우기도 전에 그들은 졌다고 생각한다. ⑥ 길을 잃은 : chien ~ 주인 없이 돌아다니는 개. ⑦ 《~ dans》 …에 몰두한, 골몰한(= absorbé). ⑧ ⓐ (돈 · 시간 따위가) 낭비된 ; 소용없는, 헛된 ; 무익한 : peine *~e* 헛수고, 도로(徒勞) / temps ~ 쓸데없이 보낸 시간. ⓑ (시간이) 한가한 : moments 〔heures〕 *~(e)s* 한가한 시간. ***~ pour qn …에게 무익한 : Ce n'est pas ~ *pour* tout le monde. 이것은 아주 못 쓰게 된 건 아니다. ***Pour un ~, deux (de) retrouvés.*** 한 사람〔한 개〕 없어져도 대시할 사람〔것〕은 얼마든지 있다. ── *n.* 미친 사람. ***courir*** 〔***crier***〕 ***comme un ~*** 미친 사람처럼 달리다〔외치다〕.

perdurer [pɛʀdyʀe] *v.i.* 《문어》 오래 계속하다, 영속(永續)하다.

:père [pɛːʀ] *m.* ① 아버지, 부친 ; 아버지 같은 사람, 보호자 : devenir 〔être〕 ~ 아버지가 되다 / autorité du ~ 부권(父權) / ~ des pauvres 가난한 사람들의 인자한 아버지 / ~ adoptif 양부(養父). ② 하느님 아버지 ; 〖종교〗 성부(聖父) ; 신부 ; (초기 기독교회의) 교부 : Notre *P~* qui êtes aux cieux 하늘에 계신 하느님 아버지 / le Saint-*P~* ; le *P~* des fidèles 로마 교황 / Oui, mon ~. 예, 신부님. ③ 창시자 ; 시조. ④ (*pl.*) 조상, 선조 : nos *~s* 우리 조상. ⑤ 《구어》 영감, 할아버지, 아저씨 : Le ~ Goriot, de Balzac 발자크가 지은, 「고리오 영감」 / le ~ Noël 산타클로스 할아버지. ***de ~ en fils*** 조상 대대로. ***du temps de nos ~s*** 옛날 옛날에. ***~ de famille*** 가장(家長). ***Tel ~, tel fils.*** 《격언》 그 아버지에 그 아들.

pérégrination [peʀegʀinɑsjɔ̃] *f.* (주로 *pl.*) 편력, 긴 여행 ; 연속적인 왕래.

péremption [peʀɑ̃psjɔ̃] *f.* ① 〖법률〗 소권(訴權)의 소멸 시효. ② date de ~ (음식물 · 상품의) 품질 보증 기한.

péremptoire [peʀɑ̃ptwaːʀ] *adj.* ① 〖법률〗 소권 소멸 시효의. ② 단호한 ; 결정적인 : ton ~ 단호한 어조.

péremptoirement [peʀɑ̃ptwaːʀmɑ̃] *adv.* 《문어》 단호하게 ; 결정적으로, 두말없이.

pérenniser [peʀe〔ɛ(n)〕nize] *v.t.* 영속시키다, 존속시키다.

pérennité [peʀe〔ɛ(n)〕nite] *f.* 영속(성), 지속성(= perpétuité).

péréquation [peʀekwɑsjɔ̃] *f.* ① 〖행정〗 적정화. ② (봉급 · 세금 등의) 균등화, 조정.

perfectible [pɛʀfɛktibl] *adj.* 완전히 할〔될〕 수 있는, 완성〔개선〕될 수 있는 : projet toujours ~ 아직도 개선될 수 있는 계획.

perfection [pɛʀfɛksjɔ̃] *f.* ① 완성 ; 완전성, 완벽성 : atteindre (le sommet de) la ~ 완벽한 경지에 달하다. ② (미의) 극치, 완성미 ; 장점 ; 걸작, 일품. ③ 나무랄 데 없는 사람 ; 나무랄 데 없는 물건 : Cette femme est une ~. 이 여자는 나무랄 데가 없다. ***à la*** 〔***dans la, en***〕 ***~*** 완전하게, 훌륭하게.

perfectionné, e [pɛʀfɛksjɔne] *adj.* 완벽한, 나무랄 데 없는, 개선〔개량〕된 : machine *~e* (기술적으로 개량된) 최신 기계.

perfectionnement [pɛʀfɛksjɔnmɑ̃] *m.* ① 완전하게 하기, 완성 ; 개선, 개량 ; 진보, 향상. ② 개선〔개량〕된 점〔부분〕 : voiture dotée de derniers *~s* 최신 장치가 부착된 자동차. ***apporter des ~ à*** qc …을 완전하게 하다 ; …을 개량하다.

***perfectionner** [pɛʀfɛksjɔne] *v.t.* ① 완전하게 하다, 완성하다 ; 개선〔개량〕하다(= améliorer) : ~ une machine 기계를 개량하다. ② (취미 따위를) 세련되게 하다, (풍습 따위를) 순화하다, (문장 따위를) 다듬다 ; 퇴고하다(= châtier) : ~ son goût 취미를 세련되게 하다 / ~ son style 문체를 다듬다 / La société *perfectionne* l'homme. 사회는 인간을 개선〔순화〕한다. ── **se ~** *v.pr.* ① 개선〔개량〕되다. ② 《se ~ dans 〔en〕》 …에 숙달하게 되다, …을 연마하다 : *se ~ en* anglais 영어에 숙달하다.

perfectionnisme [pɛʀfɛksjɔnism] *m.* 《종종 경멸》 완전〔완벽〕주의.

perfectionniste [pɛʀfɛksjɔnist] *adj.* 완벽주의의. ── *n.* 완벽주의자.

perfide [pɛʀfid] *adj.* ① (사람이) 신의가 없는, 배신하는, 불성실한(= déloyal) : femme ~ 부정(不貞)한 여자. ② (사물이) 허위의, 믿을 수 없는(= fallacieux) ; 위험한(= dangereux) : arme ~ 위험한 무기.

perfidement [pɛʀfidmɑ̃] *adv.* 신의 없이, 배신하여, 불충하게.

perfidie [pɛʀfidi] *f.* ① 신의가 없음, 배신, 불성실 : faire une ~ à qn …을 배신하다. ② 신의 없는 말, 배신적인 행위.

perforateur, trice [pɛʀfɔʀatœːʀ, -tʀis] *adj.* 구멍 뚫는. ── *m.* 구멍 뚫는 기계, 천공기, 드릴. ── *f.* (카드 · 테이프에) 구멍 뚫는 기계, 키펀치 ; 〖토목〗 굴착기, 착암기.

perforation [pɛʀfɔʀɑsjɔ̃] *f.* ① 구멍 뚫기. ② 〖의학〗 천공(穿孔) ; 〖컴퓨터〗 펀칭.

perforé, e [pɛʀfɔʀe] *adj.* 구멍 뚫린 : cartes 〔bandes〕 *~es* (컴퓨터 따위의) 구멍 뚫린

P

카드〔테이프〕, 펀치 카드〔테이프〕.

perforer [pɛʀfɔʀe] *v.t.* ① …에 구멍을 뚫다, 관통하다 : Le contrôleur *a perforé* le billet de chemin de fer. 개찰원이 기차표에 구멍을 뚫었다. ② 〖컴퓨터〗 (펀치 카드 따위에) 구멍을 뚫다.

perforeur, euse [pɛʀfɔʀœːʀ, -øːz] *f.* ① 〖토목〗 굴착기, 착암기. ② 〖컴퓨터〗 천공기, 카드펀치, 키펀치.

***performance** [pɛʀfɔʀmɑ̃ːs] 〔영〕 *f.* ① (경기 · 경마 따위의) 기록, 성적 ; (테스트 따위의) 결과, 성과 : ~ homologuée 〖스포츠〗 공인 기록. ② 좋은〔훌륭한〕 성과〔성적〕 : fournir une bonne 〔mauvaise〕 ~ 좋은〔나쁜〕 기록〔성과 · 성적〕을 올리다. ③ (*pl.*) (기계 따위의) 성능 : ~*s* d'un véhicule 〔d'un avion〕 자동차〔비행기〕의 성능.

performant, e [pɛʀfɔʀmɑ̃, -ɑ̃ːt] *adj.* 〖기계〗 고성능의, 고능률의 ; (기업 따위가) 경쟁력이 강한.

perfuser [pɛʀfyze] *v.t.* 〖의학〗 (혈청 따위를) 관류(灌流)시키다 : ~ un malade 환자에게 혈청을 관류시키다.

perfusion [pɛʀfyzjɔ̃] *f.* 〖의학〗 ① (혈관 내로의) 지속 주입, 관류 : ~ sanguine 수혈. ② 점적(点滴)(= goutte-à-goutte).

pergola [pɛʀgɔla], **pergole** [pɛʀgɔl] *f.* (담쟁이 · 등나무잎 따위로 지붕을 만든) 정자.

péri- *préf.* 「주변 · 둘레」의 뜻.

péricarde [peʀikaʀd] *m.* 〖해부〗 심낭(心囊), 심(외)막(心(外)膜).

péricarpe [peʀikaʀp] *m.* 〖식물〗 (종자 따위의) 껍질 ; 과일의 껍질.

***péricliter** [peʀiklite] *v.i.* (사업 따위가) 위험한 지경에 빠지다(≠ prospérer) ; (건강 따위가) 악화되어 가다 : faire ~ une entreprise 사업을 위태롭게 하다.

péri-informatique [peʀiɛ̃fɔʀmatik] *f.* 〖컴퓨터〗 주변 정보처리 ; 주변기기 (산업).

péril** [peʀil] *m.* 《문어》 위험, 위기(= danger ; ≠ sûreté) : courir un ~ 〔des ~*s*〕 위험을 무릅쓰다 / ~ de mer 〖보험〗 해난(海難). ***à **(*ses*)** ***risques et ~s*** 모든 책임을 (자기가) 지고. ***au ~ de sa vie*** 〔***de ses jours***〕 목숨을 내걸고. ***en ~*** 위험에 빠진 : navire *en ~* 침몰할 위험에 빠진 배. ***Il y a ~ en la demeure.*** 조금이라도 지체하면 위험하다.

périlleusement [peʀijøzmɑ̃] *adv.* 위험할 정도로, 위험을 무릅쓰고.

périlleux, euse [peʀijø, -øːz] *adj.* ① 위험한 : route ~*euse* 험한 길. ② 미묘한(= délicat) : aborder un sujet ~ 미묘한 문제를 다루기 시작하다.

***périmé, e** [peʀime] *adj.* ① 기한이 지난, 무효인 : Le billet est ~. 그 표는 무효이다 / passeport ~ 기한이 지난 여권. ② 시대에 뒤진, 구식의 ; 옛날의(= ancien) : conceptions ~*es* 케케묵은 생각.

périmer [peʀime] *v.i.* et **se ~** *v.pr.* 〖법률〗 기한이 지나다, 무효가 되다 : laisser ~ un billet de chemin de fer 열차표 사용 기한을 넘기다.

périmètre [peʀimɛtʀ] *m.* ① 〖수학〗 주위, 둘레(= contour) : ~ du cercle 원주(圓周) / ~ thoracique 가슴둘레, 흉위. ② 지역, 구역.

périnée [peʀine] *m.* 〖해부〗 회음(부) : incision du ~ 회음부 절개.

***période** [peʀjɔd] *f.* ① 〖천문 · 물리〗 주기(週期), 사이클(= cycle) : ~ d'une planète 〖천문〗 행성의 공전(公轉) 주기. ② 기간(= durée) ; 시기, 시대(= époque) : la dernière ~ de sa vie 만년(晩年), 노경(老境) / la première ~ de l'existence 인생의 초기 / une longue ~ de pluie 장마(철), 우기 / ~ électorale 선거 기간《투표일 전의》. ③ 〖의학〗 …기(期)(= phase, stade) : ~ fébrile 발열기 / ~ d'incubation 잠복기. ④ 〖지질〗 …기(紀) : la ~ jurassique 쥐라기. ⑤ 〖수사학〗 종합문《여러 절로 구성된 긴 문장》; 〖음악〗 악단(樂段)(= ~ musicale)《여러 소절(mesure)로 구성됨》.

périodicité [peʀjɔdisite] *f.* 주기성(性), 정기성 : ~ des marées 조수의 주기성 / ~ d'une publication 출판물의 정기 간행.

***périodique** [peʀjɔdik] *adj.* 정기적인, 주기적인 : crises ~*s* de l'économie 주기적인 경제 위기 / publication ~ 정기 간행(물).
— *m.* 정기 간행물 : ~ littéraire 문예지.

périodiquement [peʀjɔdikmɑ̃] *adv.* 주기적으로, 정기적으로.

périoste [peʀjɔst] *m.* 〖해부〗 골막(骨膜)

péripatéticien, enne [peʀipatetisjɛ̃, ɛn] *adj.* et *n.* 아리스토텔레스〔소요〕학파의 (사람). — *f.* 《구어》 거리의 여자, 창녀.

péripétie [peʀipesi] *f.* ① (소설 · 연극 따위의) 사태의 격변 ; (대단원으로 이끄는) 대파란 : ~*s* de la politique 정국의 급변. ② 돌발 사건, 우여곡절.

périphérie [peʀifeʀi] *f.* ① (원 · 타원 따위의) 주위, 둘레(= contour) : ~ d'un cercle 〖수학〗 원주. ② (도시의) 주변, 변두리 ; 근교 : à la ~ de Séoul 서울 근교에서

périphérique [peʀifeʀik] *adj.* ① 〖기하〗 주위의, 둘레의. ② (도시의) 주변의 : quartiers ~*s* (도시의) 주변〔변두리〕 지역 / banlieue ~ 인접해 있는 교외. ③ 〖해부〗 말초(末梢)의 : système nerveux ~ 말초 신경계.
— *m.* ① (파리 주변의) 외곽 순환 도로(= boulevard ~). ② 〖컴퓨터〗 (중앙 처리 장치의) 주변 장치.

périphrase [peʀifʀɑːz] *f.* ① 완곡한 표현, 에둘러 하는 말(= euphémisme). ② 〖수사학〗 우언법(迂言法)《Je partirai 대신에 Je vais partir 라고 하는 따위》.

périphrastique [peʀifʀastik] *adj.* 〖수사학〗 우언법의 ; 완곡한 표현의, 에둘러 말하는 : tournure ~ 완곡한 표현.

périple [peʀipl] *m.* (대양 · 대륙을 탐험하는) 주항(周航), 대항해 ; (주유) 여행(= tour, voyage) : le ~ de Magellan autour du monde 마젤란의 세계 일주.

***périr** [peʀiːʀ] *v.i.* 《문어》 ① 죽다, 횡사하다(= mourir) : ~ de faim 굶어 죽다 / ~ dans un incendie 불에 타 죽다 / ~ noyé 익사하다. ② 멸망하다 ; 사라지다, 없어지다 : La liberté ne peut ~. 자유는 사라지지 않는다. ③ 죽을 지경이다 : ~ de froid 《구어》 추워 죽을 지경이다. 「성, 잠망경.

périscope [peʀiskɔp] *m.* (잠수함의) 잠망

périssable [peʀisabl] *adj.* ① 《문어》 소멸

P

〔괴멸〕하기 쉬운〔하게 마련인〕, 덧없는 : amour fragile et ~ 여리고 덧없는 사랑. ② (음식 따위가) 상하기 쉬운 : denrées ~*s* 부패하기 쉬운 식품.

périssoire [peʀiswaːʀ] *f.* (1 인승(乘)) 카누(= canot). ***faire de la ~*** 카누를 젓다.

péristaltique [peʀistaltik] *adj.* 〖생리〗 연동(蠕動)의 : mouvements ~*s* 연동 운동.

péristyle [peʀistil] *m.* 〖건축〗 회랑(回廊), 주랑(柱廊) ; 열주(列柱).

péritel [peʀitɛl] *adj.* 《불변》 텔레비전을 다른 장치와 연결시키는 : prise ~ 비디오 단자.

péritéléphonie [peʀitelefɔni] *f.* (무선 전화 · 팩스 따위의) 통화 부대 장치〔기술〕.

péritoine [peʀitwan] *m.* 〖해부〗 복막(腹膜).

péritonite [peʀitɔnit] *f.* 〖의학〗 복막염.

perle [pɛʀl] *f.* ① 진주 : collier de ~*s* 진주 목걸이 / ~ fine 천연 진주 / ~ de culture 양식 진주 / jeter des ~*s* aux 〔devant les〕 pourceaux 〔cochons〕 돼지에게 진주를 주다. ② (묵주 · 장신구용) 구슬 : ~*s* d'ambre d'un chapelet 묵주의 호박 구슬. ③ 이상적인〔완벽한〕 인물〔것〕, 지보(至寶), 정화(精華) : ~ des maris 더할 나위 없는 남편 / cette île, ~ de la Méditerranée 지중해의 보배인 이 섬. ④ 《반어적》 엉뚱한〔어처구니없는〕 잘못 : relever des ~*s* dans des copies d'élèves 학생들의 숙제에서 잘못을 지적하다.
— *adj.* 《불변》 연회색의(= gris ~), 진주 빛깔의.

perlé, e [pɛʀle] *adj.* ① 진주처럼 흰〔빛나는〕 ; 진주로 장식된 : riz ~ 정백미(精白米) / dents ~*es* 진주 같은 이. ② 《구어》 공들여 만든, 완벽한, 완전한 : travail ~ 완벽한 일. ③ grève ~*e* 부분 파업. ***C'est ~.*** 훌륭하다.

perler [pɛʀle] *v.t.* ① 진주〔구슬〕로 장식하다. ② (일 따위를) 완벽하게 하다, 닦고 다듬다 ; 〖음악〗 구슬을 굴리듯이 연주하다 : ~ ses phrases 문장을 다듬다 / ~ un ouvrage 정성껏〔완벽하게〕 일하다. — *v.i.* (액체가) 방울지다, 구슬처럼 맺히다 : La sueur lui *perlait* au front. 땀이 그의 이마에 구슬처럼 맺혀 있었다.

perlier, ere [pɛʀlje, -ɛːʀ] *adj.* 진주의, 진주를 함유한〔산출하는〕 : industrie ~*ère* 진주 산업 / huître ~*ère* 진주조개. — *m.* 진주 상인.

permanence [pɛʀmanɑ̃ːs] *f.* ① 영속성, 영구성, 영구불변 ; 확고부동 : ~ de ses goûts 취미의 영속성 / ~ d'une situation 지위〔상태〕의 확고부동. ② 상설(常設) ; 상설 창구. ③ (공공 기관의) 무휴 근무, 숙직, 일직 : assurer la ~ 당직을 서다 / ~ électorale 입후보자가 유권자를 만나는 장소. ④ (항시 사용 가능한 중 · 고교의) 자습실. ***en ~*** 영구적으로, 언제든지.

permanencier, ère [pɛʀmanɑ̃sje, -ɛːʀ] *n.* 당직〔일직 · 숙직〕 근무자.

***permanent, e** [pɛʀmanɑ̃, -ɑ̃ːt] *adj.* ① 영속적인, 항구적인 ; 확고부동한 : paix ~*e* 항구적인 평화. ② 무휴의, 계속적인(≠ provisoire) : cinéma ~ 〖영화〗 연속 상영관. ③ 상설의, 상임의, 상비의 : commission ~*e* 상임 위원회 / cour ~*e* 상설 재판소 / armée ~*e* 상비군. — *n.* (노동조합 따위의) 전임 직원, 상임위원. — *f.* 퍼머넌트 웨이브(= ondulation ~*e*), 파마.

permanganate [pɛʀmɑ̃ganat] *m.* 〖화학〗 과망간산염 : ~ de potasse 과망간산칼륨.

perme, perm [pɛʀm] *f.* ① (군대 · 병원의) 외출 허가, 휴가(= permission). ② 《학생은어》 자습실 (= permanence).

perméabilité [pɛʀmeabilite] *f.* 〖물리〗 투과〔침투〕성.

perméable [pɛʀmeabl] *adj.* ① (특히 물을) 투과〔침투〕시키는(= pénétrable ; ≠ imperméable) : terrains ~*s* 물이 스며드는 땅. ② (영향 따위를) 받기 쉬운, …을 잘 받아들이는 : ~ aux conseils 〔suggestions〕 충고〔암시〕를 잘 받아들이는.

:permettre [pɛʀmɛtʀ] 46 *v.t.* ① 허락〔허가 · 허용〕하다(= autoriser, tolérer ; ≠ défendre, interdire) ; 가능하게 하다. ⓐ 《~ qc》 le droit de faire tout ce que les lois *permettent* 법률이 허락하는 모든 것을 할 수 있는 권리. ⓑ 《~ qc à qn》 Mon médecin m'*a permis* le café. 의사는 내게 커피를 마셔도 좋다고 했다. ⓒ 《~ que+*sub.*》 *permettez que* je m'absente. 제가 결석하는 것을 허락해 주십시오. ⓓ 《~ de+*inf.*》 Mon père m'*a permis de* sortir. 아버지께서 내게 외출을 허락하셨다. ⓔ 《수동형》 Il se croit tout *permis*. 그는 무엇이든지 마음대로 해도 된다고 생각한다. ⓕ 《예절 · 인사의 양식》 *Permettez* moi de vous présenter M. Kim. 김씨를 소개하겠습니다. ② 《비인칭》 《Il est permis (à qn) de +*inf.*》 *Est-il permis d'*entrer ? 들어가도 됩니까 ? / *Il est permis à* tout le monde *de* se tromper. 잘못 생각한다는 것은 누구에게나 있을 수 있다. ***Permettez !*** 죄송합니다 ; 그렇게 말씀하시지만, 그렇지만《남의 말을 부인할 때》. ***permis à vous de***+*inf.* …하는 것은 당신의 자유입니다 : *Permis à vous de* ne pas me croire. 나를 믿건 말건 그건 당신의 자유입니다. ***Vous permettez ?*** 괜찮겠습니까 ? 《미리 양해를 구할 때》 : Je passe devant vous, *vous permettez ?* 앞을 지나가도 괜찮겠습니까 ? — **se ~** *v.pr.* ① 허락되다. ② 자신에게 허락하다 ; 《se ~ de+*inf.*》 감히 …하다 ; 실례지만 …하다 ; 서슴지 않고 …하다 : Je *me permets de* vous faire observer que... 실례지만 …입니다 / Puis-je *me ~ de* vous offrir une cigarette ? 담배 한 대 안 피우시렵니까 ?《매우 정중히 권하는 말》.

permi-s, -t ⇒ permettre.

***permis, e** [pɛʀmi, -iːz] *adj.* 허락〔허가〕된. — *m.* ① 면허장〔증〕, 허가증 ; 〖철도〗 무임 승차권, 정기권 : ~ de bâtir 건축 허가증 / ~ de séjour pour les étrangers 외국인 체류 허가증 / ~ de chasse 수렵 허가증. ② 운전면허증(= ~ de conduire) ; 운전면허 시험 : ~ poids lourds 대형 화물차 면허 / passer son ~ (de conduire) 운전면허 시험을 치다.

permissif, ive [pɛʀmisif, -iːv] *adj.* (규제 따위에) 관대한, 관용적인 ; 자유방임의 : attitude ~*ive* 관용적인〔너그러운〕 태도 / société ~*ive* 자유방임 사회.

***permission** [pɛʀmisjɔ̃] *f.* ① 허락, 허가 ;

동의, 찬동 ; 승인 : avec votre ~ 허락해 주신다면 ; 실례지만 / ~ de stationnement 주차 허가. ② 〖군사〗 휴가(증) (= 《구어》 perme) : partir en ~ 휴가를 떠나다. ***demander*** 〔***donner***〕 ***la ~ de*** + *inf.* …하는 허가를 신청하다〔주다〕. ***en ~*** 휴가로 ; 휴가 중의.

permissionnaire [pɛʀmisjɔnɛːʀ] *m.* ① 허가증〔면허장〕 소지자. ② 〖군사〗 휴가병.

permutable [pɛʀmytabl] *adj.* 바꿀 수 있는 ; 교대〔교환〕할 수 있는 ; 치환할 수 있는.

permutation [pɛʀmytɑsjɔ̃] *f.* ① 배치 전환 ; 교체 ; 교대 ; 교환 : ~ de deux officiers 두 장교 교체. ② 〖수학〗 치환 ; 순열. ③ 〖언어〗 치환(置換).

permuter [pɛʀmyte] *v.t.* (서로) 바꾸다(= remplacer) ; 교환하다(= échanger) : ~ deux mots dans la phrase 문장 속의 두 말을 바꾸다. — *v.i.* 《~ avec》 …와 교대하다 : Ces deux officiers veulent ~. 이 두 장교는 교대를 원한다.

pernicieux, euse [pɛʀnisjø. -øːz] *adj.* ① (건강에) 해로운, 유해한 ; 악성의 : fièvres ~*euses* 악성 말라리아 / L'abus de l'alcool est ~ pour la santé. 알코올의 남용은 건강에 해롭다. ② 《문어》 (정신에) 좋지 않은, 위험한 : doctrine ~*euse* 위험한 교리〔학설〕.

péroné [peʀɔne] *m.* 〖해부〗 종아리뼈, 비골(腓骨).

péronnelle [peʀɔnɛl] *f.* 《옛 · 구어》 어리석고 수다스러운 여자〔처녀〕.

péroraison [peʀɔʀɛzɔ̃] *f.* 〖수사학〗 (연설의) 결론 ; (이야기 · 노래의) 맺음말.

pérorer [peʀɔʀe] *v.i.* 장광설을 늘어놓다, 연설투로 말하다.

Pérou (**le**) [ləpeʀu] *n.pr.m.* 〖지리〗 페루《남아메리카의 공화국》.

péroxyde [pɛʀɔksid] *m.* 〖화학〗 과산화물 : ~ d'hydrogène 과산화수소.

perpendiculaire [pɛʀpɑ̃dikylɛːʀ] *adj.* 《~ à》 …와 직각을 이루는 ; 수직의(= vertical) : rues ~*s* 직각으로 교차하는 2개의 도로 / ligne ~ 수직선. — *f.* 수직선, 수선(垂線)(= droite ~).

perpendiculairement [pɛʀpɑ̃dikylɛʀmɑ̃] *adv.* 수직으로, 직각으로.

perpète (**à**), **perpette** (**à**) [apɛʀpɛt] *loc. adv.* 《구어》 영원히, 언제까지나 : attendre jusqu'*à* ~ 언제까지나 기다리다.

perpétration [pɛʀpetʀɑsjɔ̃] *f.* 《문어》 〖법률〗 (범죄를) 저지름, 범행.

perpétrer [pɛʀpetʀe] [6] *v.t.* 《문어》 〖법률〗 (범죄를) 저지르다, 범하다.

perpétuation [pɛʀpetɥɑsjɔ̃] *f.* 《문어》 영속화, 항구화 ; 지속, 보존 : ~ de l'espèce 〖생물〗 종(種)의 보존.

perpétuel, elle [pɛʀpetɥɛl] *adj.* ① 영속적〔항구적〕인(= permanent). ② 무기한의 ; 종신의 : rente ~*elle* 무기한〔영구〕 국채(國債). ③ 끊임없는(= continuel) ; 빈번한(= fréquent) : inquiétude ~*elle* 끊임없는 불안.

perpétuellement [pɛʀpetɥɛlmɑ̃] *adv.* ① 영구히, 영원히. ② 끊임없이, 빈번히 : Il arrive ~ en retard. 그는 늘 지각한다.

perpétuer [pɛʀpetɥe] *v.t.* 영속시키다, 보존하다, 영원히 전하다 : ~ une tradition 전통을 보존하다. — **se ~** *v.pr.* 영구히 존속하다 : Les abus *se sont perpétués* jusqu'à nos jours. 나쁜 습관이 오늘날까지 계속되어 왔다.

perpétuité [pɛʀpetɥite] *f.* 영존, 영속 ; 무한(無限). ***à ~*** 영구히 ; (징역 따위가) 무기의 : travaux forcés *à* ~ 무기 징역.

***perplexe** [pɛʀplɛks] *adj.* 난처한, 당황한(= embarrassé) : Cette demande me rend ~. 이 요청은 나를 난처하게 만든다.

perplexité [pɛʀplɛksite] *f.* 난처함, 당황, 어쩔 줄 모름. ***saisi de ~*** 어쩔 줄 모르는.

perquisition [pɛʀkizisjɔ̃] *f.* 〖법률〗 가택 수색 : fair une ~ chez qn …의 집을 수색하다 / mandat de ~ (가택) 수색 영장.

***perquisitionner** [pɛʀkizisjɔne] *v.i.* 〖법률〗 가택 수색하다. — *v.t.* 《드물게》 수색하다, 뒤지다(= fouiller) : ~ des bureaux 사무실을 수색하다〔뒤지다〕.

perron [pɛʀɔ̃] *m.* 〖건축〗 (현관 · 기념비 앞의) 층계, 계단.

perroquet [pɛʀɔkɛ] *m.* ① 〖조류〗 앵무새 《암컷은 perruche》. ② (뜻도 모르고) 남이 한 말을 옮기는 사람. ③ 〖해양〗 아래에서 3번째 돛대〔돛〕.

perruche [pɛʀyʃ] *f.* ① 〖조류〗 앵무새 암컷 ; 잉꼬《작은 앵무새》. ② 수다스런 여자 : Faites taire ces deux ~*s !* 저 수다스러운 두 여자의 입을 막으시오.

perruque [pɛʀyk] *f.* 가발(假髮), (여자 머리의) 다리(= moumoute) : porter (une) ~ 가발을 쓰고 있다.

perruquier [pɛʀykje] *n.* 가발 제조업자.

pers, e [pɛːʀ, -ɛʀs] *adj.* (눈이) 파란 ; 청록색의. ***la déesse aux yeux ~*** 〖그리스신화〗 아테네.

persan, e [pɛʀsɑ̃, -an] *adj.* 페르시아 (*la Perse*)의. — **P~** *n.* 페르시아 사람. — *m.* 현대 페르시아어.

Perse [pɛʀs] *f.* 페르시아《이란의 구칭》.

persécuté, e [pɛʀsekyte] *adj.* 박해당한 ; 《구어》 괴롭힘을 당한. — *n.* 박해받은 사람 ; 〖정신의학〗 피해 망상증 환자.

***persécuter** [pɛʀsekyte] *v.t.* ① 박해하다, 학대하다(= martyriser, opprimer) : ~ les chrétiens 기독교 신자를 박해하다. ② 《구어》 귀찮게 굴다(= harceler) : journalistes qui *persécutent* une vedette 인기 스타를 귀찮게 좇아다니는 신문기자들 / *être persécuté* par ses créanciers 빚쟁이들에게 시달리다.

persécuteur, trice [pɛʀsekytœːʀ, -tʀis] *n.* 학대〔박해〕자 ; 《구어》 귀찮게 구는 사람 : ~ cruel 잔인한 박해자. — *adj.* 학대〔박해〕하는 ; 《구어》 귀찮게 구는.

persécution [pɛʀsekysjɔ̃] *f.* ① 박해, 학대 ; 귀찮게 굴기 : chrétiens victimes des ~*s* (기독교의) 순교자 / essuyer de cruelles ~*s* 잔인한 박해를 당하다. ② 〖정신의학〗 délire 〔folie, manie〕 de la ~ 피해망상.

persévérance [pɛʀseveʀɑ̃ːs] *f.* 끈기, 인내(력), 참을성. ***avec ~*** 끈기 있게, 끈덕지게 : travailler *avec* ~ 끈기 있게 일하다.

***persévérant, e** [pɛʀseveʀɑ̃, -ɑ̃ːt] *adj.* 끈기 있는, 참을성 있는, 불굴의 : élève ~ 끈기

있는 학생 / effort ~ 끈기 있는 노력.

***persévérer** [pɛʀseveʀe] 6 *v.i.* ① 끈기 있게(끈덕지게) …을 하다, 집요하게 …하다; …을 고집하다(= s'obstiner) : *Persévérez dans* vos efforts. 꾸준히 계속하시오 / ~ dans un dessein 계획을 끝까지 밀고 나가다. ② 집요하게 계속되다 : Le chômage *persévère.* 언제까지고 실업이 계속되다.

persienne [pɛʀsjɛn] *f.* 〖건축〗 차양 덧문, 블라인드(= volet, jalousie), 겉창.

persiflage [pɛʀsiflaːʒ] *m.* 빈정거림, 야유.

persifler [pɛʀsifle] *v.t.* 《문어》 빈정거리다, 야유하다(= railler).

persifleur, euse [pɛʀsiflœːʀ, -øːz] *n.* 빈정거리는 사람, 야유꾼. ── *adj.* 빈정거리는, 야유하는 : prendre un ton ~ 빈정거리는 말투를 쓰다.

persil [pɛʀsi] *m.* 〖식물〗 파슬리《요리에 곁들임》.

persillade [pɛʀsijad] *f.* 〖요리〗 (파슬리와 기름과 초를 바탕으로 한) 페르시야드 소스; (그 소스로 양념한) 냉육.

persillé, e [pɛʀsije] *adj.* ① 잘게 썬 파슬리를 곁들인. ② (고기가) 군데군데 기름이 섞인(= viande ~*e*).

persistance [pɛʀsistɑ̃ːs] *f.* ① 끈질김, 집요함; 완강함 : avec ~ 완강하게, 집요하게, 끈질기게. ② 지속, 계속(성)(= continuité) : ~ du mauvais temps 궂은 날씨의 계속.

persistant, e [pɛʀsistɑ̃, -ɑ̃ːt] *adj.* ① 집요한, 끈질긴, 완강한. ② 오래 계속(지속)되는 : fièvre ~*e* 오래 지속되는 열. ***arbre à feuillages ~es*** 상록수. ***neige ~e*** 만년설.

***persister** [pɛʀsiste] *v.i.* ① ⓐ 《~ dans qc》 …을 고집하다, 집요하게 (끈질기게) …하다(= persévérer) : Il *persiste dans* sa résolution. 그는 결심을 끝내 굽히지 않는다. ⓑ 《~ à+*inf.*》 언제까지고 계속 …하다 : Il *a persisté à* refuser. 그는 계속 거부했다. ② 《주어 : qc》 오래 계속(지속)되다 : Les froids *ont persisté* jusqu'au début d'avril. 추위가 사월 초까지 계속되었다.

P

persona grata [pɛʀsɔnagʀata] 〔라틴〕 *loc. nomin., loc. adj.* ① 〖외교〗 페르소나 그라타《주재국의 승인을 얻은(환영받는) 인물》. ② 호평받는(인기 있는) 사람, 총아.

persona non grata [pɛʀsɔnanɔ̃gʀata] 〔라틴〕 *loc. nomin., loc. adj.* ① 〖외교〗 (상대국에서 보아 외교상) 기피하는 인물. ② 달갑지 않은 사람.

personnage** [pɛʀsɔnaːʒ] *m.* ① 인물, 인사, 명사(= personnalité) : ~ connu 저명 인사 / ~ historique 역사적 인물. ② (행동거지로 본) 사람; 《경멸》 녀석, 놈 : un sot (triste, vil, vilain) ~ 어리석은(천한) 놈 / un drôle de ~ 이상한 사람. ③ (소설·연극의) 작중 인물, 등장인물; (그림의) 인물 : ~ principal 주역 / se mettre (entrer) dans la peau de son ~ (배우가) 자기 역과 일심동체가 되다. ④ (남들 앞에서 취하는) 태도; 역할(= rôle) : composer son ~ 태도를 꾸미다. ***jouer un ~ 자연스럽지 않다, 남의 의견에 따라 행동하다.

personnalisation [pɛʀsɔnalizasjɔ̃] *f.* ① 개별화, (규격품 등을) 개인 취향에 맞추기 : ~ d'une voiture 매입자의 취향에 맞춘 차의 손질. ② (세금 따위에) 개인차를 두기. ③ 〖상업〗 법인화; (권력의) 개인 집중화.

personnaliser [pɛʀsɔnalize] *v.t.* ① 개인의 기호에 맞추다 : ~ un appartement 아파트를 개인의 기호에 맞추어 개조하다. ② …에 개인차를 두다 : ~ le crédit 신용 대출에 개인차를 두다. ③ 〖법률〗 법인화하다 : ~ une association 협회를 법인화하다.

personnalisme [pɛʀsɔnalism] *m.* 〖철학〗 인격주의.

***personnalité** [pɛʀsɔnalite] *f.* ① ⓐ 인격; 개성, 성격 : ~ de base 기본 인격 / double ~ 이중인격 / avoir une forte ~ 강한 개성을 갖다. ⓑ 〖법률〗 법인격 : ~ civile (juridique, morale) 법인격(法人格). ② 저명 인사, 명사 : haute ~ politique 정계의 중요 인사. ③ 《옛》 인신공격. ④ ~ de l'impôt 세제상(稅制上)의 개인차 배려.

:personne [pɛʀsɔn] *f.* ① 사람, 인물, 인간 : jeune ~ 젊은 사람《때로 남성》 / ~ de connaissance 아는 사람 / tierce ~ 제 3 자 / la ~ et l'œuvre (d'un écrivain) (작가의) 인간과 작품. ② 개인; 자신 : Je parle à ma ~. 나는 내 자신에게 말하고 있는 것이다. ③ 인격 : respect de la ~ humaine 개개 인격의 존중. ④ 신체, 몸, 신병(身柄) : aimer sa ~ 몸을 소중히 돌보다 / exposer sa ~ 자기 한 몸을 내던지다. ⑤ 풍채, 용모 : être bien (fait) de sa ~ 풍채가 좋다. ⑥ 〖문법〗 인칭 : roman écrit à la première (troisième) ~, 1 (3)인칭으로 쓴 소설. ⑦ 〖종교〗 페르소나, 위격(位格) : trois ~*s* divines 삼위(三位)《성부·성자·성신》. ***en*** (***propre***) ~ 《복수불변》 스스로, 친히, 몸소; …의 화신 : Ils sont venus *en* ~. 그들 자신이 왔다 / Il est l'avarice *en* ~. 인색의 화신이다. ***payer de sa ~*** ⓐ (일을) 분담하다; 자기 몫을 다하다. ⓑ 위험을 무릅쓰다.

── *pron. indéf. m.* 《복수불변》 ① 《부정으로 ne와 함께 씀》 아무도(= aucun, nul) : *P*~ ne le sait. 아무도 그것을 모른다 / Il n'y a ~ de blessé. 부상자는 한 명도 없다 / Qui vient? *P*~. 누가 옵니까? 아무도 오지 않습니다《ne vient 의 생략》. ② 《부정의 뜻이 글 속의 다른 부분 또는 단어에 포함되어 있을 때》 아무도 : sans nommer ~ 아무의 이름도 말하지 않고. ③ 어떤 사람, 누구(= quelqu'un, quiconque) : Il travaille plus fort que ~. 그는 누구보다도 일을 많이 한다 / Il n'est pas question que ~ meure. 《구어》 누가 죽는다는 것이 문제가 아니다 / Connaissez-vous ~ qui puisse m'aider? 누군가 나를 도와줄 사람을 아십니까? ***comme ~*** 누구 못지 않게, 누구보다도 잘 : Il s'y connaît *comme* ~. 그는 누구보다도 그것에 정통하다(환하다). ~ (***d'***)***autre*** 그 외의 누구도, 다른 사람은 아무도 : ~ (*d'*)*autre* que moi-même 나 자신 이외의 어느 누구도.

***personnel, elle** [pɛʀsɔnɛl] *adj.* ① 개인적인, 일신상의(= individuel); 사적(私的)인(= privé) : intérêt ~ 사리(私利) / sûreté ~*elle* 일신의 안전 / strictement ~ 전적으로 사적인. ② 개성적인, 독창적인(= original) : un appartement décoré de façon ~*elle* 개성적으로 장식한 아파트 / idées ~*elle* 독창적

인 사고(思考). ③ 이기적인, 이기주의적인(= égoïste) : homme ~ 이기주의자 / joueur trop ~ 〖스포츠〗 (단체 경기에서) 지나치게 개인 플레이를 하는 선수. ④ 〖문법〗 인칭의 (≠ impersonnel) : pronom ~ 인칭 대명사. ***critique ~elle*** 인신공격. — *m.* 《집합적》 인원, 스태프, 직원, 사원, 종업원 : ~ d'un hôtel 호텔 종업원 / dépenses relatives au ~ 인건비.

***personnellement** [pɛʀsɔnɛlmɑ̃] *adv.* ① 자기가〔본인이〕 직접 ; 몸소 ; 친히 : Je vais m'en occuper ~. 그 일을 제가 직접 맡겠습니다. ② 개인적으로(는), 사적으로(는) : Je le connais ~. 나는 그를 개인적으로 알고 있다. ③ 개인적인 생각〔의견〕으로 : *P~*, je ne suis pas de cet avis. 나로서는 그 의견에 반대다.

personnification [pɛʀsɔnifikasjɔ̃] *f.* ① 인격화, 의인화 ; 의인법(法) : ~ civile 〖법률〗 법인화 ; 법인의 자격. ② 화신(化身), 전형 : Il fut la ~ de la cruauté. 그는 잔인의 화신이었다.

personnifié, e [pɛʀsɔnifje] *adj.* 의인화된, 인격화된, 전형화된 : Cet élève, c'est la paresse *~e.* 이 학생은 게으름뱅이의 전형이다.

personnifier [pɛʀsɔnifje] *v.t.* ① …에 인격을 부여하다, 의인화하다. ② …의 화신이다, …을 구현하다(= incarner) : ~ le patriotisme 애국심의 화신이다.

perspective** [pɛʀspɛktiːv] *f.* ① 원근〔투시〕 화법 ; 〖기하〗 투영도(投影圖) : les lois de la ~ 원근〔투시〕 화법 / dessin en ~ 원근화, 투시도 / ~ à vol d'oiseau 조감도. ② 원경 ; 전망, 경치 : D'ici on a une belle ~. 이곳에서는 전망이 좋다. ③ 예측, 예상, (장래의) 전망 : ~ inquiétante 불안을 안겨 주는 예측〔예상〕. ④ 관점(= optique, point de vue) : ~ historique 역사적인 관점. ***à la ~ de qc +〔*inf.*〕 …을〔할 것을〕 예상〔생각〕하고 : Il était rempli de joie à la ~ de quitter la ville. 그는 이 도시를 떠날 것을 생각하고서 기쁨에 넘쳐 있었다. ***en ~*** 장래에 ; 예측으로서 ; 멀리 : Il a une belle situation *en ~*. 그는 좋은 직위를 가지게 되리라고 예측하고 있다.

perspicace [pɛʀspikas] *adj.* (사람이) 통찰력 있는 ; 총명한 : homme lucide et ~ 명석하고도 통찰력이 있는 사람.

perspicacité [pɛʀspikasite] *f.* 통찰력, 명석(= lucidité) ; 총명 : faire preuve de ~ 총명함을 보여 주다.

perspiration [pɛʀspiʀasjɔ̃] *f.* 발한(發汗), 「땀.

***persuader** [pɛʀsɥade] *v.t.* ① 설득하다, 확신시키다 : art de ~ 설득술 / Les syndicats n'*ont* pas été *persuadés* par les concessions du patronat. 조합측은 경영자측의 양보에는 납득하지 않았다. ② 《~ qn de qc》 …에게 …을 믿게 하다〔납득시키다〕 : Il m'*a persuadé de* sa compétence. 그는 그의 실력을 나에게 믿게 했다. ③ 《~ qn de+*inf.*》 …을 설득하여 …하게 하다, …에게 …하도록 결심시키다〔설득하다〕 : Je l'*ai persuadé d'*accepter cette offre. 나는 그를 설득하여 그 제안을 받아들이게 했다. ④ 《~ qn de qc ; ~ qn que+*ind.*》 …에게 …하다는 것을 믿게 하다〔납득시키다〕 : Il *a persuadé* les juges *de* sa bonne foi. 그는 재판관들에게 자기의 정직함을 납득시켰다 / Il tâche de ~ à ses collègues *qu'*il a raison. 그는 동료들에게 자신이 옳다는 것을 납득시키려 한다. — **se ~** *v.pr.* ① 《se ~ de qc ; se ~ que+*ind.*》 …을 믿다, 납득〔확신〕하다 : Je ne saurais me le ~. 난 도무지 그것을 납득할〔믿을〕 수가 없다 / Il *se sont persuadé(s) qu'*ils ne risquaient rien. 그들은 아무런 위험도 없음을 확신했다. ② 서로 설득〔설복〕하다.

persuasif, ive [pɛʀsɥazif, -iːv] *adj.* 납득시키는, 설득력이 있는 : orateur ~ 설득력 있는 웅변가.

persuasion [pɛʀsɥa(ɑ)zjɔ̃] *f.* ① 설득(력) : Il vaut mieux agir par la ~ que par la force. 힘에 의하는 것보다 설득에 호소하는 게 낫다. ② 확신, 신념.

perte** [pɛʀt] *f.* ① 상실 ; 분실 ; 여읨 : pleurer la ~ d'une mère 어머니의 죽음을 서러워하며 울다 / ~ d'un parapluie 우산의 분실. ② 파멸, 멸망, 괴멸 : décider〔jurer〕 la ~ de qn …을 파멸시킬 것을 결심〔맹세〕하다 / ~ de l'âme 〖종교〗 영혼의 멸망 / ~ d'un navire 배의 난파, 조난. ③ 손해, 손실 ; 결손, 적자(= déficit) ; (*pl.*) (전투에 의한 병력의) 인적 손실 : ~ d'un bien 재산의 상실 / faire subir une ~ à qn …에게 손해를 입히다 / profits et *~s* 손익(損益) / infliger des *~s* sévères à l'ennemi 적에게 막대한 인적 손실을 입히다. ④ 실패 ; 패배 : ~ d'un procès 소송의 패배. ⑤ (명예 · 신용 따위의) 실추 ; 실권 : ~ d'un droit 권리의 상실, 실권. ⑥ 허비, 낭비 ; 감손(減損) : ~ de forces et de temps 힘〔노력〕과 시간의 낭비 / ~ de chaleur 열의 감소. ***à ~ 손해를 보고. ***à ~ de vue*** 까마득히, 끝없이 : des allées qui s'allongent *à ~ de vue* 까마득히 뻗어 있는 가로수 길. ***avec ~ et fracas*** 난폭하게, 거칠게. ***en pure ~*** 무익하게. ***passer*** qc ***aux profits et ~s*** …을 잃은 것으로 여기다, 단념하다. ***~ de vitesse*** ⓐ (비행기의) 실속(失速). ⓑ 《비유》 (생산 따위의) 저하, 침체, 부진 : industrie en ~ *de vitesse* 침체 상태에 빠진 산업.

pertinemment [pɛʀtinamɑ̃] *adv.* 적절하게, 타당하게 ; 올바르게. ***savoir ~*** qc …을 정확하게 알다.

pertinence [pɛʀtinɑ̃ːs] *f.* ① 적절〔적합〕성, 타당성(= bien-fondé), 올바름 : parler avec ~ 적절하게 이야기하다. ② 〖언어〗 관여성.

pertinent, e [pɛʀtinɑ̃, -ɑ̃ːt] *adj.* ① 적절한, 적합한, 타당〔정당〕한(= approprié) ; 올바른 (= judicieux) : réflexion〔remarque〕 *~e* 적절한 고찰. ② 〖법률〗 (사건에) 직접 관계〔관련〕되는. ③ 〖언어〗 관여적(關與的)인《어떤 특성을 트러내는 데 관여하는》.

pertuis [pɛʀtɥi] *m.* 수문(水門) ; 〖지리〗 강폭이 좁아진 곳 ; 해협 ; 통로.

pertuisane [pɛʀtɥizan] *f.* 〖고고학〗 (15-17 세기에 사용된) 일종의 미늘창.

perturbateur, trice [pɛʀtyʀbatœːʀ, -tʀis] *adj.* et *n.* 어지럽히는 (사람), 교란하는 (사람) : éléments *~s* 질서 교란 분자〔요소〕 /

~ de la paix 평화의 교란자.

perturbation [pɛʀtyʀbɑ̃sjɔ̃] *f.* ① 교란(= agitation, trouble), 혼란 ; 동요 ; 착란 ; 장애 : ~ du cœur 심장 장애 / ~ de la raison 정신 착란 / ~*s* sociales 사회적 혼란. ② 〖기상〗 ~ atmosphérique (비 · 바람을 수반하는) 기상 변동.

***perturber** [pɛʀtyʀbe] *v.t.* 어지럽히다, 교란하다, 혼란케 하다(= troubler) ; (방송 · 송신 전파 따위를) 방해하다(= brouiller) : Cet incendie *a perturbé* la séance. 화재가 회의를 혼란에 빠뜨렸다.

pervenche [pɛʀvɑ̃:ʃ] *f.* ① 〖식물〗 협죽도과의 식물. ② 보랏빛을 띤 푸른색. — *adj.* 《불변》 des yeux ~ 연보랏빛 눈 / robe blue ~ 보랏빛이 도는 푸른색의 옷.

pervers, e [pɛʀvɛ:ʀ, -ɛʀs] *adj.* ① 사악한, 악랄한, 못된(= méchant) : Il est un peu ~. 그는 조금 짓궂다. ② 타락한, 패륜의, 퇴폐적인(= vicieux, dépravé) : âme ~*e* 타락한 영혼. ③ 변태적인(= dénaturé ; ≠ normal) : gouts ~*s* 변태적 취향. — *n.* 악인 ; 배덕자.

perversion [pɛʀvɛʀsjɔ̃] *f.* ① 퇴폐 ; 부패(= dépravation, corruption) : ~ des mœurs 풍속의 퇴폐. ② 〖의학〗 비정상 (체질) ; 성적 도착 : ~ sexuelle 성욕 도착.

perversité [pɛʀvɛʀsite] *f.* ① 사악 ; 사악한 행위. ② 퇴폐 ; 패덕(悖德).

perverti, e [pɛʀvɛʀti] *adj.* 타락한, 부패된 ; (성적으로) 도착된. — *n.* (위의) 사람.

pervertir [pɛʀvɛʀti:ʀ] *v.t.* ① 타락시키다, 퇴폐시키다, 문란케 하다 : livre 〔théorie〕 qui *pervertit* la jeunesse 젊은이를 타락시키는 책 〔이론〕. ② 왜곡하다(= dénaturer, altérer) : ~ le sens d'un passage 한 구절의 의미를 왜곡하여 해석하다. — **se ~** *v.pr.* 타락하다, 퇴폐하다, 나빠지다.

pervertissement [pɛʀvɛʀtismɑ̃] *m.* 《문어》 퇴폐, 타락 ; 패덕(= corruption).

pesage [pəza:ʒ] *m.* 무게를 달아보기, 저울질, 계량 : appareil 〔bascule〕 de ~ 계량기, 도량형기.

pesamment [pəzamɑ̃] *adv.* 무겁게, 둔중하게 ; 서투르게 : être ~ chargé 무겁게 짐이 실리다 / danser ~ 서투른 솜씨로 춤추다.

pesant, e [pəzɑ̃, -ɑ̃:t] *adj.* ① 무게가 나가는, 무거운, 육중한(= lourd) : fardeau ~ 무거운 짐. ② 무거운 느낌의, 둔중한 : architecture grandiose, mais un peu ~*e* 웅장하지만 약간 둔중한 건축물. ③ 짐스러운, 귀찮은 ; 지겨운, 거북한 : Sa présence était devenue ~*e* aux autres. 그는 다른 사람들에게 귀찮은 존재가 되었었다. ④ 굼뜬, 둔한 : esprit ~ 머리가 둔한 사람. — *m.* 무게, 중량. ***valoir son ~ d'or*** 더할 나위 없이 귀중하다〔훌륭하다〕.

pesanteur [pəzɑ̃tœ:ʀ] *f.* ① 무게, 중량(≠ légèreté) : ~ d'une charge 짐의 무게. ② 〖물리〗 중력(重力) : accélération 〔intensité〕 de la ~ 중력 가속도. ③ 무거움, 묵직함 ; 답답함 ; 둔함, 우둔함(= lourdeur) : ~*s* d'estomac 위의 무지근함〔부담감〕 / ~ de tête 머리가 띵한 느낌.

pesé, e [pəze] *adj.* tout bien ~ ⇒ peser.

pèse [pɛ:z] *m.* 《구어》 돈(= pèze), 현금(= argent) : être au ~ 돈이 많다 / fusiller son ~ 돈을 쓰다.

pèse- *préf.* 「…계(計)」의 뜻.

pèse-alcool [pɛzalkɔl] *m.* (*pl.* **~-~(s)**) 주정계(酒精計)(= alcoo(lo)mètre).

pèse-bébé [pɛzbebe] *m.* (*pl.* **~-~(s)**) 유아 체중계.

pesée [pəze] *f.* ① 무게달기, 계량 : effectuer une ~ à l'aide d'une balance 저울로 무게를 달다. ② 한 번에 달아보는 분량, 한 저울에 오른〔오르는〕 분량. ③ (지레를 가지고) 한 번 쓰는 힘. ④ (손님이 요구한 분량의 부족분을 보충하는) 빵 덩어리.

pèse-lettre [pɛzlɛtʀ] *m.* (*pl.* **~-~(s)**) 우편물 저울.

pèsement [pɛzmɑ̃] *m.* = pesée

pèse-personne [pɛzpɛʀsɔn] *m.* (*pl.* **~-~(s)**) 체중계.

peser** [pəze] 4 *v.t.* ① …의 무게를 달다, 계량하다 : ~ dans sa main 손짐작으로 무게를 헤아리다 / se faire ~ 자기 체중을 달아보게 하다. ② (신중하게) 검토하다 ; 숙고하다(= considérer) : ~ chaque chose à la balance de la raison 매번 심사숙고하다 / ~ ses paroles 말을 신중히 하다. ***~ le pour et le contre 유리한 점과 불리한 점을 〔가부 · 찬반을〕 심사숙고하다. ***tout* (*bien*) *pesé*** 심사숙고 한 후에〔결과〕, 결국, 요컨대. — *v.i.* ① 무게가 나가다 : Je *pèse* 60 kilos. 내 체중은 60 킬로이다. ② 《~ sur 〔contre〕 qc》《주어 : qn》 …을 짓누르다 ; …에 힘을 주다(= appuyer) : ~ *sur* le levier 지레를 힘주어 누르다. ③ 《~ sur qn 〔qc〕》《주어 : 주로 qc》 …을 괴롭히다(= accabler) ; …에 영향을 미치다〔주다〕, 압력을 가하다(= influencer) ; (책임 따위가) …에게 지워지다 : les impôts qui *pèsent sur* les contribuables 납세 의무자들을 압박하는 (무거운) 세금. ④ 《~ à qn》《주어 : qc》 …에게 짐스럽게〔귀찮게〕 느껴지다 : Son oisiveté commençait *à* lui ~. 한가로움이 그에게 부담되기 시작하였다. — **se ~** *v.pr.* 제 몸무게를 달아 보다.

peseta [pez(s)eta] *f.* (*pl.* **~s**[-tas]) 페세타 《에스파냐의 화폐단위 ; 기호 PTA》.

peso [pez(s)o] 〔에스파냐〕 *m.* 페소《에스파냐 · 중남 아메리카의 화폐 단위》.

peson [pəzɔ̃] *m.* (간편한) 저울.

pessimisme [pesimism] *m.* 비관론〔주의〕 ; 〖철학〗 염세주의〔론 · 관〕(≠ optimisme).

***pessimiste** [pesimist] *adj.* 비관론〔주의〕의, 염세주의〔론 · 관〕의 ; 비관적〔염세적〕인. — *n.* 비관론자 ; 염세가〔주의자〕.

peste [pɛst] *f.* ① 페스트, 흑사병 : ~ bovine 〖수의학〗 우역(牛疫). ② (페스트처럼) 지겨운〔무서운〕 사람〔것〕 ; 재난 : une petite ~ 지긋지긋한 계집애 / La guerre est une ~. 전쟁이란 지겨운 재액이다. — *interj.* 염병할, 빌어먹을.

pester [pɛste] *v.i.* 욕설을 퍼붓다, 저주하다 : ~ contre le mauvais temps 날씨가 궂다고 몹시 투덜대다.

pesticide [pɛstisid] 〔영〕 *adj.* (동식물의 기생충 구제용) 살충의. — *m.* 살충제《농약》.

pestiféré, e [pɛstifeʀe] *adj.* 페스트에 걸린 ; 페스트가 유행하는. — *n.* 페스트 환자.

P

pestilence [pɛstilɑ̃:s] *f.* 악취(= puanteur) ; 오염된 공기.

pestilentiel, elle [pɛstilɑ̃sjɛl] *adj.* 악취를 풍기는(= infect) ; 구역질나게 하는.

pet [pɛ] *m.* ① 방귀 : faire 〔lâcher〕 un ~ 방귀를 뀌다. ② 소란, 소동(= tapage) : Il va y avoir du ~. 한바탕 시끄러워지겠군. ***Ça ne vaut pas un ~ (de lapin)***. 아무 가치도 없다. ***faire le ~*** 투덜거리다, 불평하다. ***filer comme un ~*** 황급히 떠나다〔사라지다〕.

pétale [petal] *m.* 꽃잎, 화판(花瓣).

pétanque [petɑ̃:k] *f.* 〚놀이〛 페탕크 공 굴리기《남프랑스 지방의 공놀이의 일종》.

pétant, e [petɑ̃, -ɑ̃:t] *adj.* 《구어》 정각(…시)의. ***à neuf heures ~es*** 아홉시 정각에.

pétarade [petaʀad] *f.* 연속적인 폭발음 : ~ d'un motocyclette 오토바이의 연속적인 폭음.

pétarader [petaʀade] *v.i.* (불꽃 · 오토바이 엔진 따위가) 연속적으로 폭음을 내다.

pétard [peta:ʀ] *m.* ① 폭발물, 폭약. ② 〚철도〛 발뢰(發雷) 신호. ③ 폭죽(爆竹). ④ 《구어》 떠들썩한 소문〔소식〕; 《구어》 시끄러운 소리 ; 소란, 소동(= tapage). ⑤ 《구어》 권총(= revolver) ; 《속어》 엉덩이(= derrière, cul). ***être en ~*** 《구어》 화가 나 있다. ***faire du ~*** 《구어》 고래고래 소리 지르다〔불평을 늘어놓다〕.

pétaudière [petodjɛ:ʀ] *f.* 《옛》《익살》 질서가 없는 집단 ; 소란한 집회.

p. et c(h). 《약자》 ponts et chaussées 〚행정〛 토목국〔과〕.

pet-de-nonne [pɛdnɔn] *m.* (*pl.* **~s-~-~**) 〚요리〛 페드논《튀김 과자》.

péter [pete] [6] *v.i.* ① 《구어》 방귀 뀌다(= faire un pet). ② 폭발하다(= exploser) ; 탕탕〔펑펑〕 소리 나다 ; 파열하다, 깨지다, 터지다(= éclater, se briser). ***envoyer ~*** qn 《구어》 …을 쫓아 버리다. ***~ dans la main*** 〔***dans les mains***〕 《속어》 못쓰게 되다 ; 약속을 어기다 ; 실패하다. ***~ plus haut que le cul*** 〔***son derrière***〕 《속어》 힘에 부치는 일을 꾀하다 ; 잘난 체하다. ── *v.t.* 깨뜨리다, 끊어뜨리다(= casser) : Ne tire pas si fort, tu vas ~ la ficelle. 너무 세게 잡아당기지 마라, 끈 끊어질라. ***~ du feu*** 〔***des flammes***〕 《구어》 불을 뿜다, 격렬해지다.

pète(-)sec [pɛtsɛk] *adj.* et *n.* 《구어》 권위적인〔거만한〕 (사람).

péteur, euse [petœ:ʀ, -ø:z] *n.* ① 방귀쟁이. ② 겁쟁이 ; 버릇없는 사람 ; 비열한〔비루한〕 사람.

pétillant, e [petijɑ̃, -ɑ̃:t] *adj.* ① (장작 따위가 타면서) 탁탁거리는 ; (포도주 따위가) 거품이 이는. ② (눈 따위가) 반짝반짝 빛나는, 재기발랄한 : œil ~ de joie 기쁨으로 반짝반짝 빛나는 눈.

pétillement [petijmɑ̃] *m.* ① (장작 따위가) 탁탁 튀기 ; (음료의) 거품일기 : ~ du champagne 샴페인의 거품일기. ② 반짝거림 ; 발랄함 ; (마음의) 약동.

pétiller [petije] *v.i.* ① (장작 따위가) 탁탁 튀나(= crépiter). Le feu pétille. 불이 탁탁 튄다. ② (음료가) 거품이 일다. ③ 반짝반짝 빛나다(= scintiller). ④ 《~ de》 ⓐ …이 발랄하다 : ~ *d'esprit* 재기 발랄하다. ⓑ …으로 인해 흥분하다, 안절부절못하다 : ~ *d'impatience* 초조하여 안절부절못하다.

pétiole [pesjɔl] *m.* 〚식물〛 잎꼭지, 엽병(葉柄).

petiot, e [pətjo, -ɔt] 《구어》 *adj.* 아주 작은. ── *n.* 작은 어린애, 꼬마.

⁑**petit, e** [p(ə)ti, -it] *adj.* ① 작은, (키가) 작은 (≠ grand) : ~*e* femme ; femme ~*e* 작은 여자 / homme ~ 난쟁이. ② (크기 · 규모 따위가) 작은, 낮은, 약한 ; 짧은 ; 세심한 : ~*e* entreprise 소기업 / ~ salaire 싼 급료 / ~*s* soins 세심한 배려 / ~ appartement 작은 아파트 / ~*e* lettre 짤막한 편지. ③ 어린(= jeune) ; 연하의 ; 연약한 ; 귀여운 : ma ~*e* sœur 내 누이동생 / Tu es encore trop ~ pour sortir seul. 너는 혼자 외출하기엔 아직 어리다. ④ 대수롭지 않은, 사소한, 근소한, 적은(= faible, infime, maigre) : ~*e* différence 근소한 차이 / ~ personnage 대수롭지 않은 인물. ⑤ 신분이 낮은 ; 정도가 낮은, 하찮은, 시시한, 빈약한 : ~*es* classes 하급 학년 / ~ fonctionnaire 말단 공무원 / ~*es* gens ; ~ peuple 하층민, 서민 / ~ poète 3 류 시인 / disputer pour une bien ~*e* chose 하찮은 일로 다투다. ⑥ 자상한, 친절한 : ~*es* attentions 자상한 배려 / être aux ~*s* soins pour …을 자상하게 돌보다. ⑦ ⓐ 《친밀한 감정을 나타내어》 귀여운, 정다운, 사랑스러운 : mon ~ mari 〔ma ~*e* femme〕 (남편 · 아내에 대해) 여보, 당신 / son ~ ami 〔sa ~*e* amie〕 《구어》 연인, 애인 / Courage, mon ~ gars ! 얘, 용기를 내 ! ⓑ 《경멸》 못된 ; 나쁜 ; 못난 : *P*~ con ! 바보같은 녀석 ! / Quelle ~*e* garce ! 망할 년 ! ***Ce n'est pas une ~e affaire de*** + *inf.* …하는 것은 예사〔쉬운〕 일이 아니다. ***en ~*** 소규모로. ***~ à ~*** 조금씩(= peu à peu). ***~ endroit*** 〔***coin***〕 화장실. ***~ enfant*** 유아. ***~ nom*** (성에 대한) 이름(= prénom). ***se faire tout ~*** 몸을 움츠리다 ; 자기를 낮추다. ***un ~ peu*** (***de …***) 《구어》 아주 조금의.
── *n.* ① 어린이 ; 귀여운 사람 : une jolie ~*e* 귀여운 계집애 / Bonjour, mon ~. 《구어》 안녕하세요《친한 사이, 남녀 불문》. ② 아이, 자식 : les ~*s* Dupont 뒤퐁씨네 아이들. ③ (*pl.*) 하급생 : les ~*s* 〚학교〛 저학년의 어린이들, 하급생들.
── *m.* ① (동물의) 새끼. ② 작은 것〔일〕. ③ (*pl.*) 빈민, 약자. ***en ~*** 소형의 ; 작게 해서, 축소해서 : modèle *en* ~ 축소된 모형. ***faire des ~s*** 새끼를 낳다〔치다〕; 《구어》 (빚 따위가) 늘다.

petit-beurre [p(ə)tibœ:ʀ] *m.* (*pl.* **~s-~(s)**) (버터로 튀긴) 비스킷 비슷한 과자.

petit-bourgeois, petite-bourgeoise [p(ə)tibuʀʒwa, p(ə)titbuʀʒwa:z] (*pl.* **~s-~, ~s-~s**) *adj.* ① 소시민 계급의. ② (생각이) 케케묵은 ; 편협한. ── *n.* 소시민, 프티부르주아, 중산층의 사람.

⁑**petit-déjeuner** [p(ə)tideʒœne] *m.* 아침식사, 조반. ── *v.i.* 《구어》 조반을 먹다 ; (특히 정치가들이) 조찬회를 갖다.

***petite-fille** [p(ə)titfij] *f.* (*pl.* **~s-~s**) 손녀.

petitement [p(ə)titmɑ̃] *adv.* ① 좁게, 비좁게 ; 빈약하게, 초라하게 : être logé ~ 비좁은 곳에서 살다 / vivre ~ 초라하게 살다. ②

P

옹졸하게 ; 비굴하게, 비열하게.

petite-nièce [p(ə)titnjɛs] *f.* (*pl.* **~s-~s**) 《petit-neveu 의 여성형》 (외)종손녀.

petitesse [p(ə)titɛs] *f.* ① 작음 ; 적음 ; 사소함 ; 빈약함 : ~ d'un appartement 아파트의 비좁음 / ~ de taille 키가 작음. ② 옹졸함, 비열함 ; 비열한 짓 : commettre des ~s 비열한 짓을 하다.

***petit-fils** [p(ə)tifis] *m.* (*pl.* **~s-~**) 손자.

petit-gris [p(ə)tigʀi] *m.* (*pl.* **~s-~**) 〖동물〗 ① (시베리아산의) 회색 다람쥐 ; 회색 다람쥐 모피. ② 작은 식용 달팽이.

pétition [petisjɔ̃] *f.* 탄원(서), 청원(서) : signer une ~ contre la construction de l'autoroute 고속도로 건설 반대 청원서에 서명하다. **~ *de principe*** 〖논리〗 부당 전제(不當前提).

pétitionnaire [petisjɔnɛːʀ] *n.* 〖법률〗 청원인, 탄원인.

petit-lait [p(ə)tilɛ] *m.* (*pl.* **~s-~s**) 유장(乳漿), 탈지유.

petit-nègre [p(ə)tinɛgʀ] *m.* (식민지의 흑인이 쓰는) 정확치 않은 프랑스어.

petit-neveu [p(ə)tinvø] *m.* (*pl.* **~s-~x**) ① (외)종손, 조카(딸)의 아들. ② (*pl.*) 자손(= descendants).

***petits-enfants** [p(ə)tizɑ̃fɑ̃] *m. pl.* 손자들 《단수형에서는 petit-fils, petite-fille 를 사용》.

petits-pois [p(ə)tipwa〔ɑ〕] *m. pl.* 완두콩.

petit-suisse [p(ə)tisɥis] *m.* (*pl.* **~s-~s**) 〖요리〗 프티스위스 《생크림치즈의 일종》.

p. et m. 《약자》 poids et mesures 도량형.

pétochard, e [petɔʃaːʀ, -aʀd] *n.* 《구어》 겁쟁이(= froussard, trouillard).

pétoche [petɔʃ] *f.* 《구어》 겁, 두려움 : avoir la ~ 겁먹다, 무서워하다.

pétoire [petwaːʀ] *f.* (나무) 장난감총 ; 《구어》 구식의 총.

peton [pətɔ̃] *m.* 《구어》 작은 발.

pétoncle [petɔ̃ːkl] *m.* 〖패류〗 국자가리비의 일종.

p. et p. 《약자》 profits et pertes 〖부기〗 손익.

Pétrarque [petʀaʀk] *n.pr.m.* 페트라르카 《이탈리아의 시인 : 1304-1374》.

pétrarquisme [petʀaʀkism] *m.* 〖문학사〗 페트라르카풍(風), 페트라르카의 모방.

pétrel [petʀɛl] *m.* 〖조류〗 바닷제비의 일종.

pétrifiant, e [petʀifjɑ̃, -ɑ̃ːt] *adj.* ① 돌로 만드는 ; 석화시키는 : fontaine *~e* 석화 작용을 하는 샘. ② 아연케 하는 ; 무감각하게 만드는 : Le sommeil est une fontaine *~e.* 잠은 무감각의 원천이다.

pétrification [petʀifikɑsjɔ̃] *f.* ① 석화 작용, 석화 ; 화석물. ② 경화(硬化) ; 무감각.

pétrifier [petʀifje] *v.t.* ① 돌〔화석〕이 되게 하다, 석화시키다. ② 넋을 잃게 하다, 아연실색하게 하다(= stupéfier, méduser) : La nouvelle de sa mort les *avait pétrifiés.* 그가 사망했다는 소식은 그들을 넋을 잃게 했다. ── **se ~** *v.pr.* ① 석화하다, 화석이 되다. ② 아연 실색하다, 망연자실하다.

pétrin [petʀɛ̃] *m.* ① (밀가루) 반죽통. ② 《구어》 난처한 입장, 궁지. ***se mettre*** 〔***être***〕 ***dans le* ~** 난처한〔곤란한〕 지경에 빠지다.

pétrir [petʀiːʀ] *v.t.* ① (밀가루 · 진흙 등을) 반죽하다, 이기다 : ~ le pain 빵 반죽을 하다. ② (이리저리) 주무르다, 매만지다(= palper) : Il *pétrissait* entre ses doigts la main de la jeune fille. 그는 아가씨의 손을 잡고 주무르고 있었다. ③ (성격 · 인격 따위를) 만들다, 형성하다(= former, faconner).

pétrissage [petʀisaːʒ] *m.* 반죽, 주물러 만들기 ; (인격 따위의) 형성.

pétro- *préf.* 「돌의 · 석유의」의 뜻.

pétrochimie [petʀɔʃimi] *f.* 석유화학.

pétrochimique [petʀɔʃimik] *adj.* 석유화학의.

pétrodollar [petʀɔdɔlaːʀ] *m.* 오일달러.

pétrographie [petʀɔgʀafi] *f.* 〖지질〗 암석학.

pétrographique [petʀɔgʀafik] *adj.* 암석학의.

***pétrole** [petʀɔl] *m.* 석유 : ~ brut 원유 / ~ lampant 등유(燈油) / ~ raffiné 〔rectifié〕 정유 / gisement de ~ 유전(油田) / puits de ~ 유정(油井). ── *adj.* 《불변》 암록색의 : bleu ~ 암록색을 띤 푸른색.

pétrolette [petʀɔlɛt] *f.* (석유로 운행하는) 오토바이 ; 모터보트.

pétrolier, ère [petʀɔlje, -ɛːʀ] *adj.* 석유의 : industrie *~ère* 석유 산업 / pays ~s 산유국. ── *m.* ① 유조선, 탱커. ② 탐사 기사 ; 석유 산업 대주주〔대투자가〕.

pétrolifère [petʀɔlifɛːʀ] *adj.* 석유를 함유한, 석유를 산출하는. ***gisement* ~** 유전.

pétrologie [petʀɔlɔʒi] *f.* 암석학.

P. et T. 《약자》 Postes et Télécommunications 우편 전신 전화국《종전의 P.T.T.》.

pétulance [petylɑ̃ːs] *f.* 혈기, 극성스러움, 활발함 ; 격렬함(= fougue) : parler avec ~ 격렬한 어조로 말하다.

pétulant, e [petylɑ̃, -ɑ̃ːt] *adj.* 혈기가 넘치는, 극성스러운, 활발한(= fougueux).

pétunia [petynja] *m.* 〖식물〗 페튜니아, 애기담배풀.

*:**peu** [pø] *adj.* ① ⓐ 《동사 · 형용사 · 부사와 함께》 《부정적》 조금, 적게, 거의〔별로〕 …않다(≠ beaucoup) : coûter ~ 싸다 / manger ~ 거의 먹지 않다 / ~ intelligent 별로 영리하지 못한 / Il agit ~ adroitement. 그는 서투르게 행동한다 / Il travaille ~. 그는 거의 일하지 않는다. ⓑ 《속사》 부족한, 불충분한 : On a deux jours pour se retourner, c'est ~. 돌아갈 날짜가 이틀밖에 없으니 아무래도 부족한걸. ⓒ 《~ de+명사》 : à ~ *de* frais 별로 비용을 들이지 않고 / Cela a ~ *d'*importance. 그것은 별로 중요하지 않다. ② 《un peu ; un peu de》 ⓐ 약간, 조금, 다소 : Attendez-moi *un* ~. 잠깐 기다려 주세요 / Il est *un* 〔quelque〕 ~ jaloux. 그는 약간 질투하고 있다 / Dpnnez-moi *un* ~ *de* pain. 빵을 좀 주세요 / *un* ~ *de* temps 잠시. ⓑ 너무 : C'était *un* ~ hardi. 《구어》 너무 대담했어 / Ça c'est *un* ~ fort. 그건 너무하다. ⓒ 《명령의 완화》 Dites-moi *un* ~. 좀 말씀해 주세요. ⓓ 《긍정의 강조》 Tu feras ça ? — *Un* ~ *!* 그걸 하겠나 ? — 하고 말고 ! ── *pron. indéf.* ① 《사물》 약간의 것 ; 조금, 약소함 ; 보잘것없는 것 : se contenter de ~ 적은 것에 만족하다. ② 《사람》 소수의 사람들 : *P*~ le connaissent. 그를 아는 사람은

별로 없다. ③《전치사와 함께》 잠시, 짧은 시간 : avant 〔sous〕 ~ 잠시 후에, 곧, 얼마 있으면 / d'ici ~ 곧, 얼마 있으면 / depuis ~ ; il y a ~ 최근에 / ~ après 잠시 후. ***homme de ~*** 보잘것없는 사람.

── *m.* 《le 〔지시 · 소유 형용사〕 ~ de+명사》 ①《긍정적》 약간, 조금 : *Le ~ de* précautions qu'il a prises ont eu un heureux succès. 그가 기울인 사소한 주의가 다행스러운 결과를 가져왔다《종속절의 동사의 과거분사는 peu 의 보어에 일치하는 것이 원칙임》. ②《부정적》 (거의) 없음 : *Le ~ de* précautions qu'il a pris a provoqué cet accident. 그의 부주의로 사고가 일어났다《종속절의 동사의 과거분사는 peu 에 일치함이 원칙임》. ***à ~ près; à ~ de chose près*** 거의, 약. ***C'est ~ de*** + *inf.* 〔***que*** + *sub.*〕 …만으로는 대단한 게 아니다. ***C'est trop ~ dire.*** 그 말로는 충분치 않다 : On a chaud ; *c'est trop ~ dire* : on brûle. 더운 정도가 아니야, 태우는 것 같다. ***dans ~*** (***de temps***) ***; sous*** 〔***avant, d'ici***〕 ***~*** 쉬이, 머지 않아, 가까운 장래에. ***de ~*** 약간의 차이로 ; 가까스로 : éviter *de ~* un danger 가까스로 위험을 피하다. ***Il s'en faut de ~*** 〔***P~ s'en faut***〕 ***que*** + *sub.* 거의 …이다 ; 자칫하면 …하다 : *P~ s'en est fallu qu'*il ne soit tué. 그는 자칫하면 목숨을 잃을 뻔했다. ***ni ~ in point*** 전혀 …않다〔없다〕. ***~ à ~*** 조금씩, 점점. ***~ de chose*** 사소한 것〔일〕 ; 별로 중요하지 않은 것〔일 · 사람〕, 대수롭지 않은 것〔일 · 사람〕 : C'est *~ de chose.* 대수롭지 않은 일이다. ***pour ~ que*** + *sub.* 아무리 적게 …하더라도, 조금이라도 …한다면 : *Pour ~ qu'*on le contrarie, il devient agressif. 누가 조금이라도 그의 기분을 거슬리면 그는 공격적이 된다. ***pour un ~*** 조금만 더 하면〔더 했더라면〕 : *Pour un ~* il se serait mis en colère. 조금만 더 했더라면 그는 화를 냈을 것이다. ***quelque ~*** 약간, 좀. ***si*** 〔***aussi***〕 ***~ que*** + *sub.* 아무리 적게 하더라도, 조금이라도 …한다면 : *Si ~ qu'*il soit en retard, elle s'inquiète. 그가 조금만 늦어도 그녀는 걱정을 한다. ***si ~ que rien*** 아주 조금. (***un***) ***tant soit ~*** 조금(만)이라도, 다소라도. ***très ~ pour moi*** 《구어》 거절하겠소, 천만의 말씀.

peuh [pø] *interj.* 《무관심 · 경멸 등을 나타내어》 흥, 피이, 체.

peuplade [pœplad] *f.* 토민(土民), 토민 사회 ; (미개인종의) 소집단〔사회〕.

‡peuple [pœpl] *m.* ① 국민(= nation) ; 인민 ; 민족 ; (한 도시의) 주민 : gouvernement du ~ , par le ~ , pour le ~ 국민의, 국민에 의한, 국민을 위한 정치〔정부〕 / ~ français 프랑스 국민. ② 평민, 서민 : fils du ~ 서민 계급 출신의 남자. ③ 군중, 대중 : La place était encombrée de ~. 광장은 군중으로 꽉 차 있었다. ***gens du ~*** 서민, 일반 대중. ***la voix du ~*** 국민의 소리, 국민 일반이 가진 사상 · 감정. ***le petit*** 〔***menu, bas***〕 ***~ ; les gens du ~*** 하층민, 영세민. ***un ~ de*** 《문어》 수많은 … : *un ~ d'*adorateurs 찬미자들의 무리 ── *adj.* 《불변》《경멸》 천한, 상스러운, 야비한 : des expressions ~ 야비한 표현.

***peuplé, e** [pœple] *adj.* 주민이 있는 ; 사람이 사는 ; 인구가 많은.

peuplement [pœpləmɑ̃] *m.* ① 식민 ; 사람이 살고 있는 상태 : colonie de ~ 이주 식민지. ② (동식물의) 이식(移植).

***peupler** [pœple] *v.t.* ① (어떤 지역에) 사람〔동물〕을 살게 하다 : ~ une île déserte 무인도에 사람을 살게 하다 / ~ un étang de carpes 못에 잉어를 방류하다. ② (집단으로 어떤 장소에) 정착하다(= habiter) : gens qui *peuplent* cet immeuble 이 건물에 살고 있는 사람들. ③《문어》 가득차게 하다, 채우다 ; 달라붙다 : ces jeunes gens qui *peuplent* les facultés 대학에 가득 찬 젊은이들. ── *v.i.* 번식하다, 증가하다. ── **se ~** *v.pr.* ① 주민으로 가득 차다, 주민이〔인구가〕 불어나다. ②《se ~ de》 …으로 가득 차다.

peupleraie [pøpləʀɛ] *f.* 포플라 숲. 「들.

***peuplier** [pøplije] *m.* 포플라, 은백양, 양버

‡peur [pœ:ʀ] *f.* ① 겁, 두려움, 공포(= effroi, frayeur, terreur) : ~ de la mort ; ~ de mourrir 죽음의 공포 / Celui qui n'a pas ~ n'est pas normal. 두려움이 없는 자는 정상이 아니다. ② 걱정, 근심, 불안. ***à faire ~*** 무서우리만큼 ; 극단적으로 : laid *à faire ~* 몸서리칠 정도로 못생긴. ***avoir ~*** 겁내다, 두려워하다 ; 걱정하다 : *N'ayez* pas ~! 겁내지 마시오 ; 《구어》 틀림없소, 믿어 주시오. ***avoir ~ de*** qc〔+ *inf.*〕 ***; avoir ~ que*** (***ne***) + *sub.* …을 겁내다 ; …을 걱정하다 : J'ai ~ d'arriver en retard. 나는 늦게 도착할까 봐 걱정이다. ***avoir plus de ~ que de mal*** 겁내고 있었는데 일이 쉽사리 되다(= en être quitte pour la ~). ***de*** 〔***par***〕 ***~ de*** qc〔+ *inf.*〕 ***; de*** 〔***par***〕 ***~ que*** + (ne) *sub.* …을 겁내어, 두려워하여 ; …할까 봐 겁이 나서 : *de ~ du* ridicule 웃음거리가 될까 두려워하여 / *par ~ d'*être vu 남의 눈에 띌까 봐서. ***faire ~ à*** qn …을 무섭게〔겁나게〕 하다. ***prendre ~*** 무서운 생각이 들다, 가슴이 서늘해지다.

peureusement [pœʀøzmɑ̃] *adv.* 겁이 나서, 소심하게, 조마조마.

peureux, euse [pœʀø, -ø:z] *adj.* 겁 많은, 소심한 : enfant ~ 겁 많은 아이. ── *n.* 겁 많은〔소심한〕 사람.

peut ⇒ pouvoir.

‡peut-être [pœtɛtʀ] *adv.* ①《문두에 놓이면 대체로 주어와 동사가 도치되는 경우가 많음》 아마, 어쩌면(= probablement) : Il viendra ~ demain. 그는 어쩌면 내일 올 것이다 / *P~* a-t-il oublié le rendez-vous. 아마 그는 약속을 잊은 것 같다 / Ira-t-il? ─ *P~*. 그는 갈까? ─ 아마 (갈 테지). ② 틀림없이, 물론(= certes) : J'ai bien le droit d'y aller, ~! 나도 틀림없이 그곳에 갈 권리가 있을걸요 / Il est ~ intelligent, mais il n'est pas consciencieux. 그는 영리하긴 하지만, 성실치 못하다. ③《문장 끝에서 반항 · 도전의 의미로》 Je ne sais pas conduire, ~? 내가 운전할 줄 모르겠니? ***P~*** (***bien***) ***que*** + *interj.* 〔《간혹》 *cond.*〕 아마 … : *P~ bien qu'*il viendra. 아마 틀림없이 그는 올 것이다. ***P~ bien que oui, ~ bien que non.*** 그

P

렇기도 하고 그렇지 않기도 하다《얼버무리는 표현》.
peux ⇒ pouvoir.
p· ex 《약자》 par exemple 예를 들면.
pèze [pɛːz] *m.* = pèse.
pff [pf], **pff(f)t** [pfːt], **pfut(t)** [pfyt] *interj.* 첫, 흥《경멸 · 무관심을 나타냄》.
P.G. 《약자》 prisonnier de guerre 포로.
p.g.c.d. 《약자》 (le) plus grand commun diviseur 〖수학〗 최대공약수.
pH 《약자》 potentiel d'Hydrogène 〖화학〗 페하《수소 이온 지수(指數)》.
ph 《약자》 phot 〖물리〗 조명의 단위.
phacochère [fakɔʃɛːʀ] *m.* 〖동물〗 (아프리카산의) 멧돼지의 일종.
phag(o)- *pref.*, **-phage, -phagie, -phagique** *suf.* 「먹다」의 뜻.
phagocyte [fagɔsit] *m.* 〖생물〗 식세포(食細胞).
phagocyter [fagɔsite] *v.t.* 〖생리〗 식세포에 의하여 파괴하다 ; (식균같이) 흡수하다.
phagocytose [fagɔsitoːz] *m.* ① 〖생물〗 (세균을 섭취하는) 식세포 활동. ② 《비유》 흡수.
phalange[1] [falɑ̃ːʒ] *f.* ① 〖고대그리스〗 (창 · 검으로 무장한) 보병 밀집 부대, 방진. ② 《일반적》 군대. ③ 《문어》 결사 : la *P*∼ 팔랑헤당《에스파냐의 프랑코 체제하의 유일 정당》.
phalange[2] *f.* 〖해부〗 지골(指骨) ; 지절(指節).
phalangiste [falɑ̃ʒist] *n.* (에스파냐의) 팔랑헤 당원. ── *adj.* parti ∼ 팔랑헤당.
phalanstère [falɑ̃stɛːʀ] *m.* (프랑스 사회주의자 *Fourier* (1772–1837)가 주창한) 사회주의적 공동 생활체 ; 그 집단 주택.
phalène [falɛn] *f.* 〔*m.*〕 〖곤충〗 자벌레나방.
phallique [fa(l)lik] *adj.* 음경(陰莖)의, 남근의 ; 남근숭배의 : symbole ∼ 남근상.
phallocrate [fa(l)lɔkʀat] *n.* 남성 우월주의자(= machiste). ── *adj.* 남성 우월주의의 : justice ∼ 남성 우월주의적인 법규.
phallocratie [fa(l)lɔkʀasi] *f.* 남성 우월주의, 남존여비(男尊女卑)사상.
phallus [fa(l)lys] 〔라틴〕 *m.* ① 음경, 남근(= pénis) ; 〖고대〗 양물상(陽物像), 남근상. ② 〖식물〗 버섯의 일종.
phanérogame [faneʀɔgam] *adj.* 〖식물〗 꽃식물의. ── *f.* 꽃식물 ; (*pl.*) 꽃식물류.
phantasme [fɑ̃tasm] *m.* = fantasme.
pharamineux, euse [faʀaminø, -øːz] *adj.* = fantasme.
pharaon [faʀaɔ̃] *m.* ① 고대 이집트의 왕의 칭호. ② 카드 놀이의 일종.
pharaonien, enne [faʀaɔnjɛ̃, -ɛn], **pharaonique** [faʀaɔnik] *adj.* 고대 이집트왕의, 파라오 시대의.
***phare** [faːʀ] *m.* ① 등대 ; 등불 : ∼ à éclipse 명멸 등대 / ∼ à feu tournant 회전 등대 / gardien de ∼ 등대지기. ② (자동차의) 헤드라이트 ; (도로의) 신호등 (= fanal).
pharisaïsme [faʀizaism] *m.* 바리새인 기질 ; 위선(= hypocrisie) ; 형식주의.
pharisien, enne [faʀizjɛ̃, -ɛn] *m.* 바리새인 ; 위선자(= hypocrite) ; 형식주의자. ── *adj.* 바리새인적인.
pharmaceutique [faʀmasøtik] *adj.* 약학의, 제약의 : préparation ∼ (약사가 만든) 조제약.
***pharmacie** [faʀmasi] *f.* ① 약학 ; 조제〔제약〕술 : faire ses études de ∼ 약학을 전공하다. ② 《집합적》 약품 ; 약국, 약방 ; (병원의) 조제실. ③ 약장(= armoire à ∼) ; (상비용) 약품 세트 : ∼ portative 구급 상자.
***pharmacien, enne** [faʀmasjɛ̃, -ɛn] *n.* 약제사 ; 약방 주인.
pharmaco- *préf.* 「약(藥)」의 뜻.
pharmacologie [faʀmakɔlɔʒi] *f.* 약물〔약리〕학.
pharmacologiste [faʀmakɔlɔʒist], **pharmacologue** [faʀmakɔlɔg] *n.* 약리학자.
pharmacopée [faʀmakɔpe] *f.* 약국방(方), 약전(藥典) ; 약제 일람표 ; 《집합적》 약제.
pharyngien, enne [faʀɛ̃ʒjɛ̃, -ɛn] *adj.* 〖해부〗 목구멍의, 인두의
pharyngite [faʀɛ̃ʒit] *f.* 〖의학〗 인두염(炎).
pharyngoscope [faʀɛ̃gɔskɔp] *m.* 인두경(咽頭鏡).
pharynx [faʀɛ̃ks] *m.* 〖해부〗 목구멍, 인두(咽頭).
***phase** [fɑːz] *f.* ① 〖천문〗 위상(位相), 상(相) (= apparence) : ∼*s* de la lune 월상(月相) 《초승달 · 반달 · 만월 따위》. ② 〖물리 · 화학〗 상(相) : angle de ∼ 위상각(位相角) / ∼ gazeuse 기상(氣相). ③ 형세, 판국, 국면, 양상 ; (변화 · 발달의) 단계, 과정(= stade, étape).
phéniqué e [fenike] *adj.* 페놀〔석탄산〕을 함유한 : eau ∼*e* 석탄산수(石炭酸水).
phénix [feniks] *m.* ① 〖신화〗 불사조(不死鳥). ② 희대의 인물 ; 제 1 인자(= as) ; 희귀한 것. ③ 〖식물〗 = phœnix.
phénol [fenɔl] *m.* 〖화학〗 페놀, 석탄산.
phénoménal, e, aux [fenɔmenal, -o] *adj.* ① 현상의 ; 현상에 관한. ② 《구어》 놀라운, 이상한.
***phénomène** [fenɔmɛn] *m.* ① 현상(現象), 사상(事象) (= fait) : ∼ naturel 〔social〕 자연 〔사회〕 현상. ② 희유한〔비범한〕 일〔것 · 사람〕 : enfant ∼ 신동 / Mozart, un ∼ de la musique 모차르트, 음악의 기적. ③ 괴상한 녀석, 괴짜(= original).
phénoménisme [fenɔmenism] *m.* 〖철학〗 현상론, 현상주의.
phénoménologie [fenɔmenɔlɔʒi] *f.* 〖철학〗 현상학(現象學).
phénylacétique [fenilasetik] *adj.* 〖화학〗 acide ∼ 페놀 초산.
phil- *préf.* 「벗, 사랑하는」의 뜻.
philanthrope [filɑ̃tʀɔp] *n.* 박애주의자 ; 자선가(≠ misanthrope, égoïste).
philanthropie [filɑ̃tʀɔpi] *f.* 박애(주의), 자선 ; 무사(無私) (= désintéressement).
philanthropique [filɑ̃tʀɔpik] *adj.* 박애의 ; 자선의 : entreprise ∼ 자선 사업.
philatélie [filateli] *f.*, **philatélisme** [filatelism] *m.* 우표 수집 ; 우표 연구.
philatéliste [filatelist] *n.* 우표 수집가.
-phile, -philie *suff.* 「좋아하는 (사람)」의 뜻으로 명사 · 형용사를 만듦《예 : franco*phile* 프랑스를 좋아하는 (사람)》.
philharmonie [filaʀmɔni] *f.* ① 《옛》 음악 애호. ② 음악 동호회.
philharmonique [filaʀmɔnik] *adj.* 음악을 좋아하는, 음악 애호의 : orchestre ∼ 필

하모닉 오케스트라. — *f.* 음악 동호회.

philhellène [filelɛn, filɛ(l)lɛn] *n.* 〖역사〗 (19 세기 초의) 그리스 독립 지원자. — *adj.* 그리스 독립을 지원하는.

phillippin, e [filipɛ̃, -in] *adj.* 필리핀(*les Philippines*) 군도의; 필리핀(공화국)의. — **P~** *n.* 필리핀 사람.

philistin, e [filistɛ̃, -in] *n.* 《문어》 (예술을 모르는) 속인, 속물(= béotien).

philo [filo] *f.* 《학생은어》 철학(= philosophie) : élève de ~ 철학과 학생.

phil(o)- *préf.* 「친구 · 사랑하는」의 뜻.

philologie [filɔlɔʒi] *f.* 문헌학, 문헌 연구《텍스트의 형태 연구, 사본의 비교 연구, 텍스트의 교정》.

philologique [filɔlɔʒik] *adj.* 문헌학적인, 문헌학의.

philologue [filɔlɔg] *m.* 문헌학자.

philosophal, e [filɔzɔfal] *adj.* 《남성복수 없음》 pierre ~*e* 연금술의 돌, 화금석(火金石); 《비유》 풀기 힘든 난제.

***philosophe** [filɔzɔf] *m.* ① 철학자, 사상가. ② (18 세기 프랑스의) 계몽 사상가. ③ 낙천가, 달관한 사람 : vivre ~ 유유자적하게 살다. — *adj.* (인생을) 달관한, 초연한.

philosopher [filɔzɔfe] *v.i.* ① 철학하다, 철리(哲理)를 탐구하다. ② (복잡하게) 추론하다; 공론(空論)하다.

***philosophie** [filɔzɔfi] *f.* ① 철학; 철학 체계 : ~ de Descartes 데카르트 철학 / ~ orientale 동양 철학. ② 〖학교〗 (lycée 의) 철학반《중등교육 고학년의 한 반》(= philo, classe de ~), (대학의) 철학과 : faire sa ~ 철학반에서 공부하다. ③ 사상(= pensée, idée); 세계관, 인생관(= vision du monde 〔de la vie〕). ④ 초연한 태도; 지혜, 예지; 교훈 : tirer la ~ d'un événement 한 사건에서 교훈을 얻다. ⑤ (정치 · 경제 따위의) 기본 방침〔이념〕 : ~ de management 경영 관리 방침.

philosophique [filɔzɔfik] *adj.* ① 철학적인, 철학자의 : spéculation ~ 철학적 사변. ② 초연한, 달관한 : indifférence ~ 초연한 무관심의 태도.

philosophiquement [filɔzɔfikmɑ̃] *adv.* 철학적으로, 철학자답게; 초연하게, 냉정하게, 달관해서.

philtre [filtʀ] *m.* 미약(媚藥).

phlegmon [flɛgmɔ̃] *m.* 〖의학〗 급성 결체(結締) 조직염, 봉와직염(蜂窩織炎).

-phobe, -phobie *suff.* 「공포 · 두려움」의 뜻.

phobie [fɔbi] *f.* 공포증, 병적인 혐오 : Il a la ~ de l'avion. 그는 비행기라면 질색이다.

phoibique [fɔbik] *adj.* 공포증의〔에 관한〕; 공포증에 걸린. — *n.* 공포증 환자.

phœnix [feniks] *m.* 〖식물〗 대추야자의 일종.

phonateur, trice [fɔnatœːʀ, -tʀis], **phonatoir** [fonatwaːʀ] *adj.* 〖생리〗 발성의 : l'appareil ~ 발성 기관.

phon- *préf.*, **-phone** *suff.* 「소리 · 음」의 뜻.

phonation [fɔnɑsjɔ̃] *f.* 〖생리 · 언어〗 발음, 발성 (작용).

phone [fɔn] *m.* 폰《소리의 강도 측정 단위》.

phonème [fɔnɛm] *m.* 〖언어〗 음소(音素)《소리의 단위》 : ~ segmental 분절 음소.

phonémique [fɔnemik] 〖언어〗 *adj.* 음소의, 음운의. — *f.* 음운론.

phonéticien [fɔnetisjɛ̃] *m.* 음성학자.

phonétique [fɔnetik] *adj.* 발음의, 음성의 : loi ~ 음성 법칙 / transcription ~ 음성 표기법 / écriture ~ 표음 문자. — *f.* 발음학, 음성학 : ~ acoustique 음향 음성학 / ~ normative 규범 음성학.

-phonie *suff.* 「소리 · 음」의 뜻.

phonique [fɔnik] *adj.* 소리의〔에 관한〕, 음성의, 음향의.

phono [fɔno] *m.* 《구어》 (옛날의) 축음기(= phonograhe); 전축.

phono- *préf.* 「소리」의 뜻.

phonographe [fɔnɔgʀaf] *m.* 축음기 : ~ portatif 휴대용 축음기.

phonographique [fɔnɔgʀafik] *adj.* 축음기의; 녹음기의 : œuvres ~*s* 녹음 작품《디스크 · 테이프 따위》.

phonologie [fɔnɔlɔʒi] *f.* 〖언어〗 음운론.

phonologique [fɔnɔlɔʒik] *adj.* 음운론의.

phonologue [fɔnɔlɔg] *n.* 〖언어〗 음운론 학자〔연구가〕.

phonomètre [fɔnɔmɛtʀ] *m.* 〖물리〗 측음기(測音器), 음도 측정기.

phonothèque [fɔnɔtɛk] *f.* (레코드 · 녹음 테이프 따위 각종) 녹음 자료 보관소.

phoque [fɔk] *m.* 〖동물〗 바다표범(의 가죽).

-phore *suff.* 「…을 갖는 (것), …을 버티는 (것)」의 뜻.

phosphate [fɔsfat] *m.* 〖화학 · 농업〗 인산염 : ~ de chaux 인산석회.

phosphène [fɔsfɛn] *m.* 〖생리〗 (눈의) 섬광; 광시증(光視症).

phosphore [fɔsfɔːʀ] *m.* ① 〖화학〗 인(燐) : ~ blanc 〔rouge〕 황린〔적린〕. ② 《문어》 (인광처럼) 반짝이는 것.

phosphorer [fɔsfɔʀe] *v.i.* 《학생은어》 성적만을 올리기 위해 공부하다.

phosphorescence [fɔsfɔʀesɑ̃ːs] *f.* 인광(燐光) : luire par ~; entrer en ~ 인광을 발하다, 인처럼 빛나다.

phosphorescent, e [fɔsfɔʀesɑ̃, -ɑ̃ːt] *adj.* 인광을 발하는; 인처럼 빛나는.

phosphorique [fɔsfɔʀik] *adj.* 〖화학〗 인(燐)을 함유한 : acide ~ 인산.

phosphure [fɔsfyːʀ] *m.* 〖화학〗 인화물(燐化物).

‡photo [fɔto] *f.* 《구어》 사진(= photographie).

photo- *préf.*, **-phote, -photie** *suff.* 「빛 · 사진」의 뜻.

photochimie [fɔtɔʃimi] *f.* 광화학(光化學).

photocomposition [fɔtɔkɔ̃pozisjɔ̃] *f.* 〖인쇄〗 사진 식자, 사식.

photocomposer [fɔtɔkɔ̃poze] *v.t.* 사진 식자하다.

photocopie [fɔtɔkɔpi] *f.* 〖사진〗 (자료 따위의) 사진 복사; 영인판(影印版).

photocopier [fɔtɔkɔpje] *v.t.* 사진 복사를 하다.

photocopieur [fɔtɔkɔpjøːʀ] *m.*, **photocopieuse** [fɔtɔkɔpjøːz] *f.* 〖인쇄〗 사진 복사기.

photo(-)électricité [fɔtɔelɛktʀisite] *f.* 〖물리〗 광전기(光電氣).

photo(-)finish [fɔtɔfiniʃ] 〔영〕 *f.* (주로 경마에서) 선착 사진 기록(기), 사진 판정(기).

photogénie [fɔtɔʒeni] *f.* 촬영 효과, 사진을

잘 받는 특징.

photogénique [fɔtɔʒenik] *adj.* 사진에 잘 나타나는 ; (배우 · 얼굴 따위가) 촬영 효과가 좋은, 영화〔사진〕에 적합한 : acteur ~ 사진을 잘 받는 배우.

***photographe** [fɔtɔgʀaf] *m.* ① 사진사, 사진 기사 ; 영화 촬영가 : ~ de la presse 신문사 카메라맨. ② 카메라점 주인.

photographie [fɔtɔgʀafi] *f.* ① 사진 : ~ de travail 〖영화〗 스틸 사진. ② 사진(촬영)술 : ~ en couleurs 원색 사진술 / aimer la ~ 사진 찍기를 좋아하다 / faire de la ~ 사진을 촬영하다, 취미로 사진 찍기를 하다.

***photographier** [fɔtɔgʀafje] *v.t.* …의 사진을 찍다 : ~ un enfant 아이의 사진을 찍다.

***photographique** [fɔtɔgʀafik] *adj.* ① 사진의, 사진에 의한 : technique ~ 사진술 / appareil ~ 사진기. ② (사진과 같이) 정확한 : description ~ 사실적인 묘사. 「판공.

photograveur [fɔtɔgʀavœːʀ] *m.* 사진 제

photogravure [fɔtɔgʀavyːʀ] *f.* 사진판, 사진 제판법 ; (사진 제판의) 원판.

photolithographie [fɔtɔlitɔgʀafi] *f.* 사진 평판(平版)(술).

photomaton [fɔtɔmatɔ̃] *m.* 즉석 사진 ; 즉석 사진 촬영소 ; 〖상표명〗 포토마톤《인스턴트 자동카메라》 : faire des photos d'identité dans un ~ 포토마톤으로 증명사진을 찍다.

photomètre [fɔtɔmɛtʀ] *m.* 〖물리〗 광도계(光度計) ; 측광계 ; 〖사진〗 노출계.

photométrie [fɔtɔmetʀi] *f.* 광도 측정 ; 측광학.

photomontage [fɔtɔmɔ̃taːʒ] *m.* 합성 사진, 몽타주 사진.

photon [fɔtɔ̃] *m.* 〖물리〗 광자(光子).

photopile [fɔtɔpil] *f.* 〖물리〗 광전지(光電池), 태양 전지.

photo-robot [pɔtɔʀɔbo] *m.* (여러 증언에 따라 작성된 범인 수사용) 몽타주 사진.

photo-roman [fɔtɔʀɔmɑ̃] *m.* (일련의 사진에 설명을 붙여서 엮은) 이야기 사진.

P

photosynthèse [fɔtɔsɛ̃tɛːz] *f.* 〖생물 · 화학〗 광합성(光合成).

phototélégramme [fɔtɔtelegʀam], **phototélégraphe** [fɔtɔtelegʀaf] *m.* 전송사진, 팩스.

phototélégraphie [fɔtɔtelegʀafi] *f.* 사진 전송(술), 팩시밀리.

photothèque [fɔtɔtɛk] *f.* 사진 도서관〔자료실〕 ; 《집합적》 사진 자료.

phototype [fɔtɔtip] *m.* 〖사진〗 원판, 네가 ; 콜로타이프 (인쇄).

phototypie [fɔtɔtipi] *f.* 콜로타이프 인쇄술.

***phrase** [pʀɑːz] *f.* ① 문장, 문(文) : membre de ~ 구(句) / ~ nominale 명사문《Silence! 따위》. ② 말 : échanger quelques ~s 몇 마디 말을 나누다 / ~ toute faite 판에 박은 말, 상투어구. ③ (*pl.*) 젠체하는〔거드름피는〕 말, 미사여구 : faire des ~s ; faire de grandes ~s (공허한 내용을) 미사여구를 써 가며 말하다 / sans ~ 쓸데없는 말을 하지 않고, 간단명료하게. ④ 〖음악〗 악절(樂節) (= ~ musicale) ; 소악절.

phrasé [fʀɑze] *m.* 〖음악〗 분절법(分節法).

phraséologie [fʀazeɔlɔʒi] *adj.* ① (어떤 계층의) 고유 어법, 특수 용어 : ~ administrative 관청 용어. ② 미사여구, 호언장담.

phraser [fʀɑze] *v.t.* 〖음악〗 악구(樂句)로 가르다〔갈라서 연주 · 노래하다〕.

phraseur, euse [fʀɑzœːʀ, -øːz], **phrasier, ère** [fʀɑzje, -ɛːʀ] *adj.* et *n.* 미사여구를 늘어놓는 (사람), 호언장담하는 (사람).

phrastique [fʀastik] *adj.* 〖언어〗 문(장)의, 문(장)에 관한 : structure ~ 문(장)의 구조.

phréatique [fʀeatik] *adj.* 〖지질〗 nappe ~ 지하수층.

phrénologie [fʀenɔlɔʒi] *f.* 골상학.

phrénologiste [fʀenɔlɔʒist], **phrénologue** [fʀenɔlɔg] *m.* 골상학자.

phrygien, enne [fʀiʒjɛ̃, -ɛn] *adj.* 〖고대지리〗 프리지아(*la Phrygie*)의. ***bonnet*** ~ 프리지아 모자《테없는 붉은 모자, 자유의 상징》.

phtisie [ftizi] *f.* 〖의학〗 《옛》 결핵, 폐병.

phtisiologue [ftizjɔlɔg] *m.* (폐)결핵 전문의(醫)〔학자〕.

phtisique [ftizik] *adj.* 폐결핵에 걸린 ; 폐결핵(성)의. ── *n.* 폐결핵 환자.

phyll- *préf.*, **-phylle** *suff.* 「잎」의 뜻.

phyllo- *préf.* 「잎」의 뜻.

phylloxera, phylloxéra [filɔkseʀa] *m.* 〖곤충〗 포도나무뿌리진디.

physicien, enne [fizisjɛ̃, -ɛn] *n.* 물리학자 : ~ de l'atome 원자 물리학자.

physico- *préf.* 「물리」의 뜻.

physico-chimie [fizikoʃimi] *f.* 물리 화학.

physico-chimique [fizikɔʃimik] *adj.* 물리 화학의.

physio- *préf.* 「천연 · 자연」의 뜻.

physiologie [fizjɔlɔʒi] *f.* 생리학 : ~ pathologique 생리 병리학.

physiologique [fizjɔlɔʒik] *adj.* 생리학의 ; 생리적인 : troubles ~s 생리적 장애.

physiologiquement [fizjɔlɔʒikmɑ̃] *adv.* 생리학적으로 ; 생리적으로.

physiologiste [fizjɔlɔʒist], **physiologue** [fizjɔlɔg] *m.* 생리학자 : expérimentateur ~ 실험 생리학자.

***physionomie** [fizjɔnɔmi] *f.* ① 얼굴 (생김새), 용모, 모습 ; 인상 ; 표정 : ~ joyeuse 밝은 얼굴 / mauvaise ~ 심술궂은 얼굴. ② 고유〔특유〕의 외관〔모습〕 ; 특징 : Chaque peuple a sa ~. 국민마다 제각기 특징이 있다.

physionomiste [fizjɔnɔmist] *n.* 관상가 ; 남의 얼굴을 잘 기억하는 사람. ── *adj.* 관상을 잘 보는, 남의 얼굴을 잘 기억하는.

***physique** [fizik] *adj.* ① 물질의, 물질적인, 물리적인(= matériel) : monde ~ 물질계 / chimie ~ 물리 화학. ② 신체의, 육체적인 (≠ moral, mental) ; 생리적인 : culture ~ 체육 / douleur ~ 육체적인 고통 / dégoût ~ 생리적 혐오. ③ 감각적〔관능적〕인, 성적인(= sensuel, sexuel) : amour ~ 육체적인 사랑, 성애. ④ 자연법칙에 의한 ; 자연(계)의(= naturel) : géographie ~ 자연 지리학. ── *f.* ① 물리학 ; 물리학적 연구 : ~ expérimentale 실험 물리학. ② 물리학 책. ── *m.* (정신에 대하여) 육체 ; 체격 ; 용모, 모습 : avoir un beau ~ 멋진 체격〔남성적인 모습〕을 하고 있다 / au ~ 육체적으로, 신체면에서.

physiquement [fizikmɑ̃] *adv.* ① 물질적으로 ; 물리학적으로. ② 육체적으로, 용모상으로 : homme qui est très bien ~ 용모가 뛰어난 사람.

pi [pi] *m.* ① 그리스어 자모의 제 16 자《Π, π》. ② 원주율(圓周率), 파이《π》.

piaf [pjaf] *m.* 《구어》 참새(= moineau) ; 놈, 녀석 : drôle de ~ 묘한 녀석.

piaffant, e [pjafɑ̃, -ɑ̃:t] *adj.* 안절부절못하는.

piaffement [pjafmɑ̃] *m.* (말이) 앞발로 땅을 걷어차기.

piaffer [pjafe] *v.i.* ① (말이) 앞발로 땅을 걷어차다. ② (사람이) 안절부절못하다 : ~ d'impatience 참지 못하여 발을 동동 구르다, 안절부절못하다.

piaillement [pjɑjmɑ̃] *m.*, **piaillerie** [pjɑjʀi] *f.* (작은 새가) 삐악거리기 ; (아기가) 시끄럽게 우는 소리.

piailler [pjɑje] *v.i.* ① (새 따위가) 지저귀다. ② (아이 따위가) 시끄럽게 울다.

piailleur, euse [pjɑjœ:ʀ, -ø:z] *adj.* et *n.* 삐악거리는 (병아리), 짹짹거리는 (새 새끼), 시끄럽게 우는 (아기).

pianissimo [pjanisimo] 〔이탈리아〕 〖음악〗 *adv.* 아주 약하게(≠ fortissimo). ── *m.* 최약음(最弱音) 연주부.

pianiste [pjanist] *n.* 피아니스트.

***piano**[1] [pjano] *m.* 피아노 : ~ mécanique 자동 피아노 ; 손으로 돌리는 오르간. ***jouer* 〔*toucher*〕 *du* ~** 피아노를 치다. **~ *droit* 〔*vertical*〕** 수형(竪形) 피아노.

piano[2] 〔이탈리아〕 *adv.* 〖음악〗 약하게 : jouer ~ 약하게 연주하다. ***Allez-y ~ !*** 《구어》 조용히 하라구.

pianotage [pjanɔta:ʒ] *m.* ① 피아노를 서투르게 치기. ② 피아노를 치듯이 두드리기.

pianoter [pjanɔte] *v.i.* ① 피아노를 서투르게 치다. ② 《~ sur》 피아노를 치듯이 두드리다, (키보드 따위를) 치다.

piastre [pjastʀ] 〔에스파냐〕 *f.* ① 피아스터《터키 · 이집트 따위의 화폐 단위》. ② 〔캐나다〕 《구어》 달러 ; 1 달러짜리 지폐.

piaule [pjol] *f.* 《구어》 방, 침실 ; 숙소.

piaulement [pjolmɑ̃] *m.* (병아리 따위가) 삐악거리는 소리 ; (어린애의) 우는 소리.

piauler [pjole] *v.i.* (병아리 따위가) 삐악삐악 울다(= piailler) ; 《구어》 (어린애가) 울다.

P.I.B. 《약자》 produit intérieur brut 〖경제〗 국내 총생산.

pic[1] [pik] *m.* 〖조류〗 딱다구리.

pic[2] *m.* ① 곡괭이(= pioche) ; 부지깽이(= tisonnier). ② 뾰족한 산(봉우리) : les ~*s* des Alpes 알프스의 봉우리들. ③ (그래프의) 정점(頂點). ***à* ~** ⓐ 수직인〔으로〕, 깎아지른〔질러〕 : couler *à* ~ 배가 수직으로 침몰하다 / côte *à* ~ 깎아지른 해안. ⓑ 《구어》 때마침 : arriver 〔tomber〕 *à* ~ 때마침 오다.

picador [pikadɔ:ʀ] 〔에스파냐〕 *m.* 피카도르《말을 타고 창으로 소를 찔러 성나게 하는 투우사》.

picaillon [pikajɔ̃] *pl.* 《구어》 돈.

picard, e [pikaːʀ, -aʀd] *adj.* 피카르디(*Picardie*, 프랑스의 옛 지방)의. ── **P~** *n.* 피카르디 사람. ── *m.* 피카르디 사투리.

picaresque [pikaʀɛsk] *adj.* 악당의 ; 악한 소설풍의 : roman ~ 〖문학〗 악당 소설《17 세기초 에스파냐에서 유행한 소설의 한 유형》.

piccolo [pikɔlo] 〔이탈리아〕 *m.* 〖음악〗 피콜로《악기》; 《구어》 막포도주.

pichenette [piʃnɛt] *f.* 손톱으로 퉁기기 : donner une ~ 손톱으로 퉁기다.

pichet [piʃɛ] *m.* (손잡이 달린 도기 · 유리제의) 주전자, 작은 술단지 ; (술단지의) 술.

pickles [pikœls] 〔영〕 *m. pl.* 〖요리〗 피클《향료를 넣은 야채 초절임》.

pickpocket [pikpɔkɛt] 〔영〕 *m.* 소매치기.

pick-up [pikœp] 〔영〕 *m.* 《복수불변》(축음기의) 픽업 ; 전축.

picoler [pikɔle] *v.i.* 《구어》 폭음하다, 술을 많이 마시다.

picoleur, euse [pikɔlœ:ʀ, -ø:z] *adj.* et *n.* 폭음하는 (사람) ; 모주(꾼).

picolo [pikɔlo] *m.* 막포도주(= piccolo).

picorer [pikɔʀe] *v.i.* ① (새가) 모이를 쪼아먹다. ② (사람이) 조금밖에 먹지 않다, 마지못해 맛없게 먹다. ── *v.t.* (새가 이리저리 다니며) 쪼아 먹다.

picot [piko] *m.* ① 〖재봉〗 피코《레이스의 가장자리에 실로 도드라지게 만든 동그라미》. ② (석공의) 뾰족한 망치.

picoté, e [pikɔte] *adj.* 잔구멍이 많이 뚫린, 빠끔빠끔한 ; 작은 반점이 있는.

picotement [pikɔtmɑ̃] *m.* 따끔거림, 쓰라림 : avoir 〔éprouver〕 des ~*s* dans la gorge 목이 따끔거리다.

picoter [pikɔte] *v.t.* ① 콕콕 찌르다 ; 따끔따끔하게 하다, 쓰라리게 하다 : La fumée *picotait* les yeux. 연기가 눈을 쓰리게 했다. ② (새가) 쪼다 ; (포도알 따위를) 뜯다 : ~ du raisin (송이를 따지 않고) 포도알을 뜯다. ③ 〖재봉〗 (레이스에) 피코트를 만들다.

picotin [pikɔtɛ̃] *m.* 말에게 주는 1 회분의 메귀리《약 2.5 리터》; 여물.

picrate [pikʀat] *m.* ① 〖화학〗 피크린산염. ② 《구어》 질 낮은 적포도주.

pictogramme [piktɔgʀam] *m.* 그림 기호〔문자〕《식당의 표시로서 포크 그림 따위》.

pictographique [piktɔgʀafik] *adj.* 그림기호〔문자〕로 된.

pictural, e, aux [piktyʀal, -o] *adj.* 그림의, 그림에 관한 : art ~ 회화 예술.

picturalement [piktyʀalmɑ̃] *adv.* 그림같이, 회화적으로.

pidgin(-english) [pidʒin(ingliʃ)] *m.* 〖언어〗 피진영어《동양 사람이 쓰는 2 개 국어가 혼합된 엉터리 상업 영어》.

pie[1] [pi] *f.* ① 〖조류〗 까치. ② fromage à la ~ 얼룩 치즈《샐비어 잎 따위가 든 그린 치즈》. ③ 《구어》 수다쟁이 : parler comme une ~ 수다를 떨다. ***être voleur comme une* ~** 손버릇이 나쁘다, 도벽이 있다.

pie[2] *adj. f.* œuvre ~ 적선, 자선 (사업).

***pièce** [pjɛs] *f.* ① ⓐ 단편, 조각 ; 파편 : se briser en mille ~*s* 산산조각이 나다. ⓑ (옷을 기울 때 대는) 천 조각. ② (전체를 이루는) 한 부분, 부품 : un costume trois ~*s* (저고리 · 바지 · 조끼로 된) 양복 한 벌 / ~*s* de rechange 스페어의 부품. ③ ⓐ 낱개, 한 개 : Ils coûtent mille francs (la) ~. 그것은 하나에 1,000 프랑이다. ⓑ 《une ~ de qc》

… 한 개, 한 마리, 한 권, 한 필(疋), 한 폭, 한 뙈기 : *une* ~ *d'*étoffe 피륙 한 필 / *une* ~ *de* bétail 〔gibier〕 가축〔불치〕 한 마리 / *une* ~ *de* terre 땅 한 뙈기. ④ ⓐ 일정량의 포도주《약 220 리터》. ⓑ 통 : vin en ~ 통에 든 포도주. ⑤ 방(房) ; 화폐(= ~ de monnaie) ; 경화, 동전 : appartement de trois ~*s* 방 세 개 짜리 아파트 / ~ de dix francs, 10 프랑짜리 동전〔화폐〕. ⑥ 〖군사〗 포(砲), 야포, 대포 : une ~ de canon 포 일문(一門) / ~ d'artillerie (일 문의) 대포. ⑦ 희곡, 각본 (= ~ de théâtre) ; (문학 · 음악 따위의) 작품 (한 편) : ~ en trois actes, 3 막짜리 희곡 / une ~ de vers 시 한 편 / ~ instrumental 기악곡. ⑧ 서류, 증명서 ; 증거품 : ~*s* justificatives 증거 서류. ⑨ 장기의 졸 이외의 말. ⑩ 《구어》 사람, 녀석 ; C'est une bonne ~. 좋은 녀석이야. ***C'est la meilleure ~ de son sac.*** 《구어》 이게 그의 장기다. ***de toutes ~s*** 완전히, 순전히 : histoire inventée *de toutes ~s* 완전히 꾸며낸 이야기 / être armé *de toutes ~s* 완전 무장을 하고 있다. ***donner la ~*** 팁을 주다. ***faire ~ à*** qn 《구어》 …에게 대항하다, …을 저지하다. ***fait de ~s et de morceaux*** 주워 모아 만들어진, 통일성 없는. ***tout d'une ~*** ⓐ 하나로 된 ; 딱딱한, 어색한 : marcher *tout d'une* ~ 걸음걸이가 아주 뻣뻣하다. ⓑ être *tout d'une* ~ 고지식하다, 융통성이 없다.

piécette [pjesɛt] *f.* 작은 주화, 잔돈 ; 소(小) 은화.

pied** [pje] *m.* ① (사람 · 동물의) 발 ; (책상 · 의자 · 컵 따위의) 다리, 발 ; (침대의) 발치 : ~ de mouton 〖요리〗 양의 발 / avoir mal aux ~*s* 발이 아프다 / fouler 〔se tordre〕 le ~ 발을 삐다 / boiter du ~ gauche 왼발을 절다. ② 아랫부분, 하부, 하단, 아랫도리, 밑, 밑동 ; 기슭 ; 산록 : ~ d'une montagne 산기슭, 산록. ③ 기물(器物)의 다리 : ~ d'une verre 유리잔의 다리. ④ (나무) 한 그루 : un ~ de vigne 포도나무 한 그루. ⑤ 〖도량형〗 (옛날의) 길이의 단위, 피트. ⑥ 《시어》 운각(韻脚) ⑦ 《구어》 바보(= sot, butor). ***à ~ 걸어서, 도보로 : aller *à* ~ 걸어서 가다 / troupes *à* ~ 보병 / voyage *à* ~ 도보 여행. ***à ~ levè*** 부랴부랴, 급히. ***au petit ~*** 줄여서, 생략하여, 소규모로 ; 소형의 : C'est un Napoléon *au petit* ~. 그는 소(小)나폴레옹이다. ***au ~ de; aux ~s de*** ⓐ …의 발밑에 : se jeter 〔tomber〕 *aux ~s de* qn …의 발밑에 엎드려 애원〔간청〕하다. ⓑ *au* ~ *de* la lettre 문자 그대로. ***au ~ levé*** 준비 없이, 즉석에서 ; 불시에 : faire qc *au* ~ *levé* …을 준비 없이〔즉석에서〕 해치우다. ***avoir bon ~, bon œil*** (나이에 비해) 건강하다. ***avoir ~*** (물속에서) 발이 바닥에 닿다. ***Cela lui fait les ~s.*** 좋은 경험이 되겠지, 따끔한 맛을 봤겠지. ***comme un ~*** 바보같이 행동하다. ***coup de ~*** 발로 차기 ; 〖축구〗 차기, 킥 : *coup de* ~ de pénalité 페널티킥 / donner 〔envoyer〕 un *coup de* ~ à qn …을 발로 차다, 차 버리다 / Il ne se donne pas de *coup de* ~. 그는 항상 의기양양하다. ***de ~ ferme*** 발을 굳게 버티고 ; 태연히. ***en ~*** ⓐ 온 몸의, 서 있는 : portrait *en* ~ 전신 초상화. ⓑ (어떤 임무 · 직위에) 취임한. ***être à ~ d'œuvre*** 일에 착수할 준비가 되어 있다. ***faire des ~s et des mains*** 모든 수단을 다해서 노력하다. ***faire du ~ à*** qn …의 발을 살짝 밟다《비밀 신호 · 유인의 표시》. ***lever le ~*** (돈을 가지고) 달아나다. ***marcher sur la pointe du ~*** 살금살금 걷다. ***marcher sur les ~s de*** qn …을 짓밟고 가다 ; …을 밀쳐내려고 하다, …의 영역을 침범하다. ***mettre à ~*** (경마의 기수에게) 말을 타지 못하는 징계 처분을 하다 ; 휴직 처분하다. ***mettre ~ à terre*** [pjeatɛːʀ] (말 · 차 · 배에서) 내리다. ***perdre ~*** (물속에서) 발이 닿지 않다. ***~ à ~*** [pjeapje] 한발 한발, 한걸음 한걸음. ***prendre ~*** 발을 붙이다, 튼튼한 기초〔기반〕를 얻다. ***souhaiter d'être à cent ~s sous terre*** 몹시 부끄러워하다. ***sur le même ~*** (***que***) 동등한〔하게〕 : considérer 〔mettre〕 *sur le même* ~ 동등하게 간주〔대우〕하다. ***sur le ~ de*** …의 비례〔비율〕로 ; …의 규모로 ; …의 준비〔태세〕를 갖추어〔갖춘〕 : être reçu 〔traité〕 *sur le* ~ *de...* …으로 대우〔대접〕받다 / armée *sur le* ~ *de* guerre 〔paix〕 전시〔평시〕 태세의 군대 / payer *sur le* ~ *de* 《옛》 …의 비율로 지불하다. ***sur les ~s; sur un ~*** 서서(= debout). ***sur ~*** 서서 ; 일어선 ; 건강한 ; 수확 전에 ; (전투) 준비를 갖추고 : Il a été *sur* ~ toute la nuit. 그는 밤새도록 서 있었다 / mettre qc *sur* ~ …을 조직하다 / récolte *sur* ~ 수확 전의 농작물 / bétail *sur* ~ 도살 전의 가축. ***sur un grand ~*** 돈을 굉장히 써서 ; 대대적으로 : vivre 〔être〕 *sur un grand* ~ 호화롭게 살다 ; 생활이 호화롭다. ***sur un ~ d'égalité*** 동등하게.

pied-à-terre [pjetatɛːʀ] *m.* 《복수불변》 우거(寓居), 일시〔잠시〕 머무르는 곳.

pied-bot [pjebo] *m.* (*pl.* **~s-~s**) 안짱다리.

pied-de-biche [pje(ɛ)dbiʃ] *m.* (*pl.* **~s-~-~**) ① 노루발 못뽑이. ② (종 · 초인종의) 손잡이. ③ 〖치과〗 이뽑이 집게. ④ (의자 따위의) 굽은 다리 ; (재봉틀의) 노루발.

pied-droit [pjedʀwa] *m.* (*pl.* **~s-~-~**) 문설주 ; 버팀벽 ; 지주(支柱).

piédestal, [pjedɛstal] *m.* (*pl.* **-aux** [-o]) (흉상 · 원주 따위의) 대 (臺), 밑받침 ; 발판. ***mettre*** qn ***sur un ~*** …을 과대평가하다, 우러러 받들다. ***tomber*** 〔***dégringoler***〕 ***de son ~*** 권위를〔명성을〕 잃다.

pied-noir [pjenwaːʀ] *m.* (*pl.* **~s-~s**) 《구어》 (독립 이전의) 알제리 출신의 프랑스인.

piédouche [pjeduʃ] *m.* (흉상이나 기념패 따위의) 작은 밑받침.

pied-plat [pjepla] *m.* (*pl.* **~s-~s**) 《옛》 무례하고 비열한 사내.

***piège** [pjɛːʒ] *m.* ① 올가미, 덫, 함정 : ~*s* à rats 쥐덫. ② 책략, 함정(= ruse, traquenard) : tomber 〔donner〕 dans le ~ ; se prendre au ~ 올가미〔덫〕에 걸리다 ; 함정에 빠지다 ; 술책〔계략〕에 걸려들다.

piégeage [pjeʒaːʒ] *m.* ① 덫〔올가미 · 함정〕을 사용하는 사냥. ② (지뢰 따위의) 부설.

piéger [pjeʒe] 3·6 *v.t.* ① (짐승을) 올가미로 〔덫 · 함정으로〕 잡다 : ~ des renards 여우를 덫에 걸리게 하다. ② (사람을) 함정에 빠

P

지게 하다 : se faire ~ 함정에 빠져들다. ③ 지뢰를〔폭탄을〕 장치하다 : Le pont *a été piégé.* 다리에는 시한 폭탄이 장치되었다.

pie-grièche [pigʀijɛʃ] *f.* (*pl.* **~*s*-~*s***) ① 〖조류〗 때까치. ② 성미가 까다로운 여자.

pierraille [pjɛʀɑːj] *f.* 잔돌, 자갈 : route chargée de ~ 자갈길.

⁑pierre [pjɛːʀ] *f.* ① 돌, 석재 : ~ à plâtre 석고 / ~ branlante 〖지질〗 흔들바위 / ~ d'autel 제단석《제단에 박은 돌》; 성석《성인 유해가 안치된 돌》/ ~ de lune 〖보석〗 월장석(月長石) / ~ milliaire 〖고대로마〗 이정표석(里程標石) / âge de (la) ~ 〖고고학〗 석기시대 / âge de la ~ taillée 〔polie〕 타제(打製)〔마제(磨製)〕 석기 시대. ② ⓐ 보석 : ~ artificielle 〔fausse〕 인조〔가짜〕 보석. ⓑ 다이아몬드(= diamant). ③ ⓐ 〖의학〗 결석(結石)(= calcul[2]) : avoir la ~ dans les reins 〔dans la vessie〕 신장〔방광〕에 결석이 생기다. ⓑ (배 따위의 과실 속에 생기는) 딱딱한 알맹이. ④ (투자의 대상으로서의) 부동산. ***apporter sa ~ à un ouvrage*** 사업에 공헌하다, 일에 참가하다. ***avoir un cœur de ~*** 마음이 돌같이 차다, 무정한 사람이다. ***de ~*** 돌로 만든 ; 돌 같은 ; 목석 같은 : cœur *de ~* 냉혹한 마음. ***faire d'une ~ deux coups*** 일석이조〔일거양득〕의 득을 보다. ***Il gèle à ~ fendre*** (돌이 깨질 만큼) 꽁꽁 얼어붙다. ***jeter la ~ à*** qn …을 비난하다. ***malheureux comme les ~s*** 몹시 불행하고 외로운. ***marquer un jour d'une ~ blanche*** 〔***noire***〕 획기적인 성공을 거두다〔결정적인 실패를 하다〕. ***ne pas laisser ~ sur ~*** (건축물 · 도시 따위를) 완전히 파괴하다.

pierreries [pjɛʀʀi] *f. pl.* 보석 (세공품).

pierreux, euse [pjɛʀø, -øːz] *adj.* 돌의 ; 돌이 많은 ; 돌 같은 : chemin ~ 자갈길.

pierrot [pjɛʀo] *m.* ① 피에로, 어릿광대 ; 피에로의 탈 ; 가면. ② 《구어》 얼간이, 녀석. ③ 〖조류〗 《구어》 참새(= moineau).

pietà [pjeta] *f.* 《복수불변》 〖미술〗 피에타《성모 마리아가 그리스도의 몸을 무릎에 안은 그림 또는 조각》.

piétaille [pjetɑːj] *f.* 《익살》 보병 ; 부하.

***piété** [pjete] *f.* ① 신앙심, 경건한 마음 ; 경애심 : livres de ~ 신앙서. ② 《문어》 경애심 ; 효성 : ~ filiale 효심.

piéter [pjete] 6 *v.i.* 〖사냥〗 (꿩 따위가) 잔걸음으로 빨리 도망치다. ── **se ~** *v.pr.* 《문어》 반항하다 ; 버티다 : *se ~* contre la douleur 고통을 견디다.

piétinement [pjetinmɑ̃] *m.* ① 짓밟기, 짓밟아 다지기 ; 발을 구르기 ; 발 구르는 소리. ② (사업 · 교섭 따위의) 답보 상태.

***piétiner** [pjetine] *v.i.* ① 발을 구르다(= trépigner) ; 땅을 쿵쿵 밟으며 걷다 : ~ de colère 성이 나서 발을 동동 구르다. ② 《주어 : qc》 진척이 되지 않다 : ~ sur place 답보하다, 제자리걸음하다. ── *v.t.* ① 짓밟다. ② 신랄하게 비난〔공박〕하다(= malmener) : ~ les traditions 전통을 짓밟다.

⁑piéton, onne [pjetɔ̃, -ɔn] *n.* 보행인, 도보자. ── *adj.* 보행자용의 : sentier ~ 보도(步道), 인도(人道).

piétonnier, ère [pjetɔnje, -jɛːʀ] *adj.* 보행자의, 보행자를 위한 : promenade *~ère* 보행자용 산보길.

piètre [pjɛtʀ] *adj.* 보잘것없는, 초라한 : faire ~ figure 초라하게〔가련하게〕 보이다.

piètrement [pjɛtʀəmɑ̃] *adv.* 가련하게, 초라하게 ; 보잘것없이, 빈약하게.

pieu[1] [pjø] *m.* (*pl.* **~*x***[1]) 말뚝 : appareil à enfoncer les *~x* 말뚝 박는 기계. ***raide comme un ~*** 《구어》 말뚝과 같이 딱딱한.

pieu[2] *m.* 《구어》 잠자리, 침대 : se mettre au ~ 잠자리에 들다.

pieusement [pjøzmɑ̃] *adv.* 신심 깊게, 경건하게 ; 공손하게, 지성껏.

pieuvre [pjœːvʀ] *f.* 〖동물〗 문어, 낙지 ; 《구어》 성가시게 구는 사람.

***pieux[2], euse** [pjø, -øːz] *adj.* ① 독실한, 경건한 : homme ~ 신심이 깊은 사람. ② 정성스러운 ; 효성스러운 : fils ~ 효자 / garder le ~ souvenir de son père 부친에 대해 사랑과 존경의 추억을 간직하다.

piézomètre [pjezɔmɛtʀ] *m.* 피에조미터《액체의 압축률을 측정하는 기계》.

pif[1] [pif] *interj.* 탁, 탕《강타 · 총성 따위》. ***~! paf!*** 탁탁, 톡톡. 「코.

pif[2] *m.* 《구어》 너부죽한 코, 사자코 ; 《일반적》

pif(f)er [pife] *v.f.* 《구어》 《부정형으로만 쓰임》 냄새를 맡다 : Je ne peux pas le ~. 저 녀석의 냄새는 참을 수 없다.

pifomètre [pifɔmɛtʀ] *m.* 《구어》 눈치, 육감, 직감 : juger au ~ 눈치로 판단하다.

pige [piːʒ] *f.* ① (기준이 되는) 치수 ; 자. ② 〖인쇄〗 식자공이 한 번에 받는 원고의 양 ; 《은어》 신문 기자가 원고 행수에 따라 받는 보수. ③ 《구어》 해, 년(年), 살《나이》 : À cinquante ~s, il se porte bien. 쉰 살이 되지만 그는 건강이 좋다. ***faire la ~ à*** qn 《속어》 …을 능가하다.

pigeon** [piʒɔ̃] *m.* ① 〖조류〗 비둘기 : ~ ramier 산비둘기. ② 《구어》 잘 속는 사람, 얼간이. **~ *voyageur 전서구(傳書鳩) ; 《구어》 항상 여행하는 사람.

pigeonnant, e [piʒɔnɑ̃, ɑ̃ːt] *adj.* 《구어》 새가슴 모양의, (젖가슴이) 풍만한 : gorge *~e* d'une danseuse. 댄서의 풍만한 가슴.

pigeonne [piʒɔn] *f.* 〖조류〗 암비둘기.

pigeonneau [piʒɔno] *m.* (*pl.* **~*x***) ① 비둘기 새끼. ② 《구어》 잘 속는 청년.

pigeonner [piʒɔne] *v.t.* 《구어》 속이다(= duper) : se faire ~ 사기당하다.

pigeonnier [piʒɔnje] *m.* 비둘기집 ; 높은 곳에 있는 집.

piger [piʒe] *v.t.* 《구어》 ① 알다, 이해하다(= saisir, comprendre) : *Piges*-tu ce qu'il dit? 저 녀석이 하는 말 알아들었나? ② 보다, 바라보다(= voir, regarder) : *Pige-le* un peu! 저 사람〔저것〕 좀 자세히 보게.

pigiste [piʒist] *m.* 원고의 분량에 따라 보수를 받는 식자공 ; 행수 단위의 보수로 일하는 신문 기자.

pigment [pigmɑ̃] *m.* 색소(色素) ; 채료(彩料), 안료(顔料).

pigmentation [pigmɑ̃tasjɔ̃] *f.* ① 색소 형성〔침착(沈着)〕. ② (안료의) 착색, 염색.

pigmenter [pigmɑ̃te] *v.t.* 착색〔염색〕하다.

pigne [piɲ] *f.* 〖식물〗 솔방울 ; 솔씨.

pignocher [piɲɔʃe] *v.i.* 《구어》 (음식물을) 맛없는 듯이 깨지락거리다.

pignon¹ [piɲɔ̃] *m.* ① 〖건축〗 박공, 합각머리. ② 〖기계〗 작은 톱니바퀴 : ~ d'une bicyclette 자전거의 톱니바퀴.

pignon² *m.* 〖식물〗 잣. ***pin*** **~** 잣나무.

pignouf [piɲu:f] *m.* 《속어》 버릇없는〔상스러운〕 놈(= goujat, rustre).

pil. 《약자》 pilule 〖약학〗 환약(丸藥).

pilaf [pilaf] *m.* 〖요리〗 필라프《고기 · 향료를 쌀에 섞어서 찐 터키식 요리》.

pilage [pila:ʒ] *m.* 빻기, 찧기.

pilastre [pilastʀ] *m.* 〖건축〗 벽기둥《벽면에서 불쑥 나오게 만든 장식용 기둥》; 철책 기둥; (계단 하부의) 난간 기둥.

pile¹** [pil] *f.* ① 기둥; 교각(橋脚), 교대(橋臺). ② 무더기, 더미(= amas). ③ 전지(電池); 원자로(= ~ atomique) : ~ sèche 건전지 / ~ photo-électrique 광전지. ***mettre qc ***en*** **~** …을 쌓아 놓다〔올리다〕.

pile² *f.* 동전의 이면《금액이 새겨져 있는 면》. **~ *ou face*;** 《옛》 ***croix ou*** **~** 앞이냐 뒤냐《동전을 던져 나오는 면을 알아맞히는 일종의 놀이》: jouer à ~ *ou face* 동전을 공중에 던져서 나온 면을 보아 일을 결정하다.
— *adv.* ① 《구어》 갑자기, 뚝 : s'arrêter ~ 갑자기 정지하다. ② 《구어》 정각에 : à trois heures ~, 3 시 정각에.

pile³ *f.* ① 《구어》 난타(= rossée), 구타 : donner〔flanquer〕 une ~ à qn …을 난타하다. ② (전쟁 · 경기 따위에서의) 참패(= défaite) : essuyer〔recevoir〕 une ~ 참패당하다.

piler [pile] *v.t.* ① 찧다, 빻다. ② 《구어》 패배시키다; 분쇄하다; 난타하다 : se faire ~ dans un match 시합에서 완패하다.

pileux, euse [pilø, -ø:z] *adj.* (머리) 털의, 털에 관한 : système ~ (동 · 식물의) 털.

pilier [pilje] *m.* ① 기둥, 지주(支柱) : ~s d'un temple 사원의 기둥. ② 《비유》 지주 같은 것〔사람〕; 지지자, 옹호자. ③ (술집 따위의) 단골손님 : ~ de cabaret 술집에서 살다시피 드나드는 사람.

pillage [pija:ʒ] *m.* ① 횡령, 착복; 표절 : ~ des fonds publics 공금 횡령. ② 약탈에 의한 피해 : mettre〔livrer〕 une bille au ~ 마을을 약탈에 내맡기다.

pillard, e [pija:ʀ, -aʀd] *n.* 약탈자; 도둑 : une bande de ~s 도둑떼. — *adj.* 약탈하는; 도둑질하는, 훔치는 : troupe ~*e* 약탈을 일삼는 부대.

***piller** [pije] *v.t.* ① 약탈하다; 황폐케 하다 : ~ une ville 어느 마을을 약탈하다. ② 착복하다, 횡령하다 : ~ les finances publiques 공금을 횡령하다. ③ 도용하다, 표절하다(= plagier) : ~ l'œuvre de qn …의 작품을 표절하다.

pillerie [pijʀi] *f.* 약탈, 강탈.

pilleur, euse [pijœ:ʀ, -ø:z] *n.* 약탈자; 표절자. — *adj.* 약탈하는, 훔치는; 표절하는.

pilon [pilɔ̃] *m.* ① 절굿공이; 막자; 달구. ② 《구어》 (요리한) 닭의 다리; 의족(義足). ***mettre un livre au*** **~** 책을 절판시키다.

pilonnage [pilɔna:ʒ] *m.* ① (공이로) 찧기. ② 〖군사〗 (어느 지점의) 계속적 포격.

pilonner [pilɔne] *v.t.* ① (공이로) 찧다; 빻다; (종이를) 펄프로 만들다; (광석 따위를) 부수다. ② 〖군사〗 계속하여 포격하다.

pilori [pilɔʀi] *m.* (죄인) 공시대(公示臺), 효목(梟木). ***clouer*** 〔***mettre***〕 qn ***au*** **~** …을 죄인 공시대에 매어 놓다; …의 죄를 공분(公憤)에 호소하다.

pilosité [pilozite] *f.* 《집합적》 〖해부〗 모(毛), 체모(體毛), 발모 상태; 다모성.

***pilot** [pilo] *m.* 〖토목〗 말뚝《건축물의 기초를 이룸》.

pilotage¹ [pilɔta:ʒ] 물길 안내(案內), 도선(導船); (비행기 · 자동차 따위의) 조종술 : école de ~ 항공 학교 / ~ sans visibilité 무시계 비행.

pilotage² *m.* 〖토목〗 말뚝 공사.

***pilote** [pilɔt] *m.* ① 〖해양〗 수로 안내인; (배 · 비행기 따위의) 조종사 : ~ côtier 〔lamaneur〕 연안〔특정 항만〕 수로 안내인 / ~ de ligne 정기 항로 조종사. ② 《비유》 안내자; 선도자; 지도자 : Que la raison soit votre ~. 이성이 당신의 길잡이가 되기를. ③ 《동격》 (타의) 모범이 되는, 실험적인 : usine-~ 모델 공장 / classe-~ 시범 학급.

***piloter** [pilɔte] *v.t.* ① (배의) 수로 안내를 하다, (배를) 인도하다 : ~ à l'entrée〔à la sortie〕 입항〔출항〕 물길 안내를 하다. ② (배 · 비행기 따위를) 조종하다. ③ 《구어》 안내하다; 지도하다 : ~ qn dans Paris …을 파리 시내 여러 곳으로 안내하다.

pilotin [pilɔtɛ̃] *m.* 〖해양〗 (상선의) 견습 선원.

pilotis [pilɔti] *m.* 《집합적》 〖토목〗 말뚝 : maison bâtie sur ~ 말뚝 위에 세워진 가옥.

pilou [pilu] *m.* 〖직물〗 면(綿)플란넬.

pilulaire [pilylɛ:ʀ] *adj.* ① 환약 같은. ② 피임약의, 피임약에 관한.

pilule** [pilyl] *f.* ① 환약(丸藥), 당의정 ② 《구어》 경구(經口) 피임약(= ~ contraceptive). ***avaler la **~** 《구어》 모욕을 참다. ***dorer la*** **~ *à*** qn …을 감언으로 구슬리다. ***prendre une*** 〔***à***〕 **~** 혼나다; 실패하다.

pilum [pilɔm] *m.* 〖고대로마〗 (던지기 · 찌르기 겸용의) 창.

pimbêche [pɛ̃bɛʃ] *adj. f.* et *f.* 새침하고 성미 까다로운〔교만한〕 (여자).

piment [pimɑ̃] *m.* ① 〖식물〗 고추, 피망 : ~ gros-carré〔doux〕 피망. ② (담화 · 작품 따위의) 짜릿한 맛, 묘미(= piquant, sel) : mettre du ~ à qc …의 흥을 돋구다.

pimenter [pimɑ̃te] *v.t.* ① …에 고추를 넣다, 고추로 양념하다. ② …의 흥취를 돋우다 : ~ son récit 이야기의 흥을 돋우다.

pimpant, e [pɛ̃pɑ̃, -ɑ̃:t] *adj.* 말쑥한, 맵시 있는(= élégant).

pimprenelle [pɛ̃pʀənɛl] *f.* 〖식물〗 오이풀.

pin** [pɛ̃] *m.* 소나무; 소나무 목재. ***pomme de **~** 솔방울. ***aiguilles de*** **~** 솔잎.

pinacle [pinakl] *m.* ① 〖건축〗 (교회 따위의) 첨탑, 뾰족탑. ② 최고 지위; 절정. ***être au*** **~** 권력〔명성〕의 절정에 있다. ***porter*** qn ***au*** **~ *; mettre*** qn ***sur le*** **~** …을 격찬하다.

pinacothèque [pinakɔtɛk] *f.* (독일 · 이탈리아에서의) 미술관, 화랑, 회화〔진열〕관.

pinailler [pinaje] *v.i.* 《구어》 (자질구레한 일에) 까다롭게 따지다, 트집을 잡다.

pinard [pina:ʀ] *m.* 《구어》 포도주(= vin).

pinardier [pinaʀdje] *m.* 《구어》 포도주 도매 상인 ; 포도주 운송선. 「어선.

pinasse¹ [pinas] *f.* 단정(短艇) ; 고속 대형

pinasse² *f.* 〖식물〗 유럽 적송(赤松).

***pince** [pɛ̃:s] *f.* ① (핀셋으로) 집기 ; 집는〔쥐는〕 능력. ② 집게, 핀셋 ; 펜치 ; 클립 ; 지렛대 ; 못뽑이 : ~ à épiler 족집게 / ~ à linge 빨래 집게. ③ (게 따위의) 집게발 ; 《속어》 (사람의) 손 ; (*pl.*) 다리 : serrer la ~ à qn …와 악수하다 / aller à ~*s* 걸어서 가다. ④ 〖의복〗 다트(〔영〕 dart 옷을 몸에 꼭 맞추어 잡은 주름).

pincé, e¹ [pɛ̃se] *adj.* ① (사람·태도 따위가) 새침한, 쌀쌀한, 불만스러운. ② ⓐ (허리통 따위가) 꼭 죄어진 듯한, 홀쭉한(= serré). ⓑ 뾰족한, 꼭 다문 : son petit nez ~ 그의 뾰족한 코 / lèvres ~*es* 꼭 다문 입술.

pinceau** [pɛ̃so] *m.* (*pl.* **~x**) ① 붓, 화필 ; 《비유》 화법, 필치 : Ce peintre a le ~ hardi 〔délicat〕. 이 화가의 화법은 대담〔섬세〕하다. ② 솔. ③ (사람의) 발, 다리. **~ *à barbe (면도용) 솔. **~ *lumineux*** 〖광학〗 광속(光束).

pincée² [pɛ̃se] *f.* 한 움큼(의 양) : une ~ de sel 소금 한 움큼.

pince-fesse(s) [pɛ̃sfɛs] *m.* 《복수불변》 《구어》 난잡한 무도회〔파티〕.

pincement [pɛ̃smɑ̃] *m.* ① 〖원예〗 뜯기, 따기 : pratiquer le ~ sur la vigne 포도덩굴의 순따기. ② 〖음악〗 (기타 따위의 줄을) 뜯기, 퉁기기. ③ 가슴을 옥죄는 고통 : ~s de la jalousie 질투의 고통.

pince-monseigneur [pɛ̃smɔ̃sɛɲœ:ʀ] *f.* (*pl.* **~s-~**) (특히 도둑이 문을 열 때 쓰는) 작은 쇠지렛대.

pince-nez [pɛ̃sne] *m.* 《복수불변》 코안경.

pince-notes [pɛ̃snɔt] *m.* 《복수불변》 종이 집게, 클립.

pincer** [pɛ̃se] [2] *v.t.* ① (손가락이나 집게 따위로) 집다 ; 꼬집다 : Le maître d'école lui *pinça* la joue amicalement. 학교 선생님은 정답게 그의 볼을 꼬집었다. ② 〖원예〗 (새순 따위를) 뜯다, 따다 ; (현악기의 줄을) 뜯다, 퉁기다. ③ (추위가 살을) 에는 듯하다(= piquer, mordre) : 《목적보어 없이》 un froid qui *pince* 살을 에는 듯한 추위. ④ (옷을) 주름을 잡아 죄다 ; (옷이 허리통을) 꼭〔바싹〕 죄다. ⑤ 《구어》 붙잡다, 체포하다(= prendre, arrêter) ; (범행 따위의) 현장을 덮치다 : La police l'a *pincé*. 경찰은 그를 체포했다. ***en ~ pour qn 《구어》 …을 사랑하다〔좋아하다〕. — *v.i.* (추위가 살을 에는 듯) 심하다 : Le froid *pince*. 추위가 살을 에다.
— *v.t. ind.* 《~ de》 (기타 따위를 손끝으로 퉁기어) 타다 : ~ *de* la guitare 기타를 타다.
— **se ~** *v.pr.* 끼우다 ; 자기의 …을 집다 : *se* ~ les doigts dans la porte 문에 손가락이 끼다 / *se* ~ le nez (손가락으로 집어) 코를 막다.

pince-sans-rire [pɛ̃ssɑ̃ʀi:ʀ] *adj.* et *m.* 《복수불변》 시치미 떼고 조소하는 (사람).

pincette** [pɛ̃sɛt] *f.* 살짝 집기 ; (보통 *pl.*) 핀셋 ; 부젓가락. ***embrasser qn ***à*** (***la***) 〔***en***〕 ~ …의 양 볼을 가볍게 잡고 키스하다. ***n'être pas à prendre avec des ~s*** 매우 불결하다 ; 기분이 몹시 언짢다.

pinçon [pɛ̃sɔ̃] *m.* 손톱자국, 꼬집힌〔물린〕 자국.

pineau [pino] *m.* (*pl.* **~x**) ① 부르고뉴(*Bourgogne*)산의 알이 찬 포도. ② 아페리티프(식사 전에 마시는 술)의 일종.

pinède [pinɛd] *f.* 소나무숲, 솔밭.

pineraie [pinʀɛ] *f.* 《드물게》 = pinède.

pingouin [pɛ̃gwɛ̃] *m.* 〖조류〗 펭귄.

***ping-pong** [piŋpɔ:ŋ] 〔영〕 *m.* 《복수없음》 탁구 : joueur de ~ 탁구 선수 / raquette de ~ 탁구 라켓.

pingre [pɛ̃:gʀ] *adj.* 인색한. — *m.* 인색한 사람, 노랭이(= avare). 「질〕.

pingrerie [pɛ̃gʀəʀi] *f.* 인색, 인색한 행위〔성

pinot [pino] *m.* = pineau. 「소리》.

pin-pon [pɛ̃pɔ̃] *interj.* 삐뽀(소방차의 경적

pinson [pɛ̃sɔ̃] *n.* 〖조류〗 방울새 : gai comme un ~ (방울새처럼) 매우 명랑한.

pintade [pɛ̃tad] *f.* 〖조류〗 뿔닭(식용).

pintadeau [pɛ̃tado] *m.* (*pl.* **~x**) 〖조류〗 새끼 뿔닭.

pinte [pɛ̃:t] *f.* 《옛》 파인트(액체 계량의 단위. 파리에서는 0.93*l*) ; 1 파인트의 액체. ***se faire*** 〔***payer***〕 ***une ~ de bon sang*** 《구어》 무척 즐기다〔기뻐하다〕.

pinter [pɛ̃te] *v.i.* 《구어》 폭음하다(= picoler) : Il *est* complètement *pinté*. 그는 완전히 취했다. — *v.t.* 《~ qn》 …에게 술을 마시게 하다, 취하게 하다. — **se ~** *v.pr.* 취하다.

pin-up, pin up [pinœp] 〔영〕 *f.* 《복수불변》 《속어》 핀업걸(사진을 핀으로 벽에 붙일 만한 미인) ; 성적 매력이 있는 젊은 여자.

piochage [pjɔʃa:ʒ] *m.* ① 곡괭이로 파기, 곡괭이질. ② 《구어》 공부벌레.

pioche** [pjɔʃ] *f.* ① 곡괭이. ② 《학생은어》 맹렬한 공부(= travail assidu). ***tête de ~ 《구어》 고집이 센 사람.

***piocher** [pjɔʃe] *v.t.* ① 곡괭이로 파다 : ~ la terre 땅을 곡괭이로 파다. ② 《학생속어》 (공부를) 열심히 하다, 파다 : ~ la chimie 화학 공부를 열심히 하다. — *v.i.* ① 《~ dans》 …에서 뒤지다, 찾아내다. ② (도미노에서) 판에 남은 패 중에서 골라잡다.

piocheur, euse [pjɔʃœ:ʀ, -ø:z] *n.* 《학생은어》 공부를 파는 사람, 노력가.

piolet [pjɔlɛ] *m.* 〖등산〗 (아이스) 피켈.

pion [pjɔ̃] *m.* ① (장기의) 졸(卒). ② 《학생은어》 자습 감독.

pioncer [pjɔ̃se] *v.i.* 《구어》 자다 : ~ ferme 한잠 푹 자다.

pionne [pjɔn] *f.* 《학생은어》 여자 자습 감독 ; 여자 조교.

pionnier [pjɔnje] *m.* ① (미개간지 따위의) 개척자(= défricheur). ② 《비유》 파이어니어, 개척자 ; (문명·과학의) 창시자, 선구자.

pioupiou [pjupju] *m.* 《옛·구어》 병사(특히 보병).

pipe** [pip] *f.* ① 담뱃대, 파이프 ; (파이프에 담긴) 담배 한 대 : fumer une ~ 담배를 한 대 피우다 / ~ en terre 도제(陶製) 파이프. ② 《속어》 담배, 궐련(= cigarette) : paquet de ~ 궐련갑. ③ ~ d'aération 통기관(通氣管). ***casser sa ~ 《구어》 죽다. ***Nom d'une ~ !*** 《구어》 제기랄. ***par tête de ~*** 1 인당, 두당. ***se fendre la ~*** 《구어》 크게 웃다.

tête de ~ 《속어》 못생긴 사람.

pipeau [pipo] *m.* (*pl.* **~*x***) ① 피리 ; 우레(= appeau). ② (*pl.*) (새잡는) 끈끈이 장대.

pipée [pipe] *f.* ① 피리 소리로 꾀어서 잡는 새 사냥〔사냥터〕. ② 올가미 ; 속임수, 계략.

pipelet, ette [piplɛ, -ɛt] *n.* 《구어》 문지기 ; 아파트 관리인(= concierge).

pipe(-)line [piplin, pajplajn] 〔영〕 *m.* (*pl.* ~(*s*)-~*s*) 송유관, 파이프라인.

piper [pipe] *v.t.* ① (새를) 우레로 꾀어서 잡다, 새를 불러 모으다. ② 《구어》 부정한 수를 쓰다, 속이다 : ~ les dés 〔les cartes〕 주사위〔카드〕에 몰래 표를 하여 속임수를 쓰다. ***Les dés sont pipés.*** 속일 수가 있다, 경계해야 한다. ***ne pas ~ ; ne ~ mot*** 《속어》 한마디도 〔아무 말도〕 하지 않다.

piperade [pipeʀad] *f.* 〖요리〗 바스크 지방의 토마토 · 고추를 곁들인 오믈렛.

pipette [pipɛt] *f.* 〖화학〗 피펫《아주 적은 액체나 가스를 옮기는 작은 관》.

pipi [pipi] *m.* 《소아어》 오줌, 쉬 : faire ~ 쉬하다, 오줌 누다 / faire ~ au lit 〔dans sa culotte〕 요〔옷〕에 오줌을 싸다 ***du ~ de chat*** 김빠진 술 〔음료수〕 ; 쓸모없는 것.

pipi-room [pipiʀum] *m.* (*pl.* ~-~(*s*)) 《익살》 (공중) 화장실(= toilettes) : aller au ~ 공중 화장실에 가다.

pipistrelle [pipistʀɛl] *f.* 〖동물〗 (작은) 박쥐의 일종.

pipo [pipo] *m.* 《학생은어》 이공과대학(École polytechnique)(의 학생).

piquage [pikaːʒ] *m.* (재봉틀로) 박기, 틀바느질.

***piquant, e** [pikɑ̃, -ɑ̃ːt] *adj.* ① (무기 · 가시 따위가) 찌르는, 찌르는 듯한. ② ⓐ (맛 · 냄새 따위가) 짜릿한, 톡쏘는, 매운 : moutarde ~*e* 매운 겨자. ⓑ (추위가) 살을 에는 듯한 : froid ~ 살을 에는 추위. ③ (이야기 따위가) 재치〔재미〕있는 ; (말이) 신랄한 ; (아름다움이) 자극적인, 매력적인. ── *m.* ① 가시 ; (벌 따위의) 살, 침 : ~*s* des oursins 성게의 가시. ② 재미, 묘미 ; 재치(= sel) ; 신랄함.

pique¹ [pik] *f.* 《옛》 ① 창(= lance), 투우사의 창. ② 창의 길이《옛 도량형의 단위, 약 1.6 m》. ── *m.* 카드의 스페이드. ***as de ~*** ⓐ 스페이드의 에이스 ; 독설가, 입이 건 사람. ⓑ à l'*as de ~* 아무렇게나, 되는 대로. ⓒ C'est un bon *as de ~*. 그놈은 바보야.

pique² *f.* 신랄한 말, 비꼼 : envoyer 〔lancer〕 des ~*s* à qn …에게 신랄한 말을 하다. ***par ~*** 화가 나서.

piqué, e [pike] *adj.* ① 좀먹은, (곰팡이 나서) 얼룩진 : mains toutes ~*es* de taches de rousseur 주근깨로 온통 얼룩진 손. ② (미싱으로) 누비질한, 이어 박은. ③ 《구어》 머리가 좀 돈 ; 감정이 상한. ── *m.* ① 〖직물〗 누빈 천, 피케. ② 〖항공〗 급강하 : bombardement en ~ 급강하 폭격.

pique-assiette [pikasjɛt] *m.* 《복수불변》 《구어》 식객 (食客)(= parasite).

pique-bœuf [pikbœf] *m.* (*pl.* ~-~*s*) 〖조류〗 찌르레기의 일종.

pique-feu [pikfø] *m.* 《복수불변》 부지깽이.

pique-nique [piknik] *m.* (*pl.* ~-~*s*) ① 《옛》 제각기 음식을 지참하는 회식. ② 피크닉, 소풍. ***faire un ~*** 피크닉을 가다.

pique-niquer [piknike] *v.i.* 피크닉을 가다.

pique-niqueur, euse [piknikœːʀ, -øːz] *n.* 피크닉 가는 사람.

piquepouille [pikpuj] *m.* (남프랑스의) 포도 묘목 ; (그 포도의) 포도주(= picpouille).

⁑piquer [pike] *v.t.* ① ⓐ (핀 · 가시 따위가) 찌르다, (벌레 따위가) 쏘다, (뱀이) 물다 ; (포크로 음식물을) 찍다 : ~ un morceau de viande avec une fourchette 포크로 고기 토막을 찍다 / Une abeille l'*a piqué*. 벌이 그를 쏘았다. ⓑ …에게 주사를 하다〔놓다〕: ~ qn à la morphine …에게 모르핀 주사를 놓다 / On l'*a piqué* contre la variole. 그 애는 우두를 맞았다. ② 꽂다 : ~ une photo au mur 벽에 사진을 핀으로 꽂다. ③ (말에) 박차(拍車)를 가하다 : ~ un cheval 말에 박차를 가하다. ④ ⓐ 《~ qc de》 …에 …을 꽂아 넣다. ⓑ 《~ de la viande》 〖요리〗 고기 사이에 비계를 넣다. ⑤ (벌레가 목재 · 피륙 따위를) 쏠다, 파먹다 ; …에 잔구멍을 숭숭 뚫어 놓다 ; …에 얼룩〔반점〕을 이루다 : visage *piqué* de taches de rousseur 주근깨가 있는 얼굴 / Les vers *ont piqué* ce meuble. 이 가구는 좀이 쏠았다. ⑥ 〖재봉〗 꿰매다 ; (재봉틀로) 박다 ; 누비다. ⑦ 찌르는 듯한 느낌을 주다 ; 따갑게 하다 ; (추위가 살을) 에는 듯하다 ; (음료수가) 짜릿한 느낌을 주다 : La fumée *pique* les yeux. 연기로 눈이 따갑다 / le froid qui *pique* la peau 살을 에는 듯한 추위. ⑧ …의 마음을 언짢게 하다, 감정을 해치다. ⑨ 자극하다, 일으키다 : ~ la curiosité de qn …의 호기심을 일으키다. ⑩ 《구어》 훔치다(= voler, chiper) ; 붙잡다, 체포하다(= arrêter, pincer) : On lui *a piqué* son porte-feuille. 그는 지갑을 도둑맞았다 / La police l'*a piqué* après l'avoir pour-suivi. 경찰은 그를 추적 끝에 체포했다. ⑪ 《구어》 …하다 : ~ un cent mètres, 100 미터 경주를 하다 / ~ un roupillon 졸다. ***Ça me pique.*** 가렵다. ~ qn ***au vif*** …의 폐부〔아픈 데〕를 찌르다, 감정〔자존심〕을 몹시 상하게 하다. ***~ une tête*** 곤두박이치다.

── *v.i.* ① (술이) 시어지다 : Ce vin commence à ~. 이 포도주는 시어지기 시작했다. ② ⓐ 찌르는 듯한 느낌을 주다 ; (추위가) 살을 에는 듯하다 ; 맛이 얼얼하다, 짜릿하다. ⓑ de l'eau qui *pique* 《구어》 거품이 이는 물. ③ ⓐ 일직선으로〔쏜살같이〕 내닫다〔돌진하다〕 : oiseau qui *pique* vers le ciel 쏜살같이 하늘로 날아오르는 새 / ~ au vent (범선(帆船) 따위가) 바람을 향해서 나아가다. ⓑ 갑자기 밑으로 쑥 내려가다 ; (비행기가) 급강하다. ***~ du nez*** 곤두박질하다.

── **se ~** *v.pr.* ① 《se ~ de》 ⓐ …을 자부하다, 자랑하다, 뽐내다 : *se ~ d'*esprit 재치를 (가지고 있노라고) 뽐내다. ⓑ 《se ~ de+*inf.*》 …한다고〔할 수 있다고〕 자부하다〔뽐내다〕. ② 골내다, 화내다(= se vexer) ; 《se ~ de》 …으로 인해〔에〕 화를 내다 : *se ~ d'*un rien 사소한 일에 화를 내다. ③ 자기의 …을 찌르다 ; 제 몸에 주사를 놓다 : *se ~* à la morphine 제 몸에 모르핀 주사를 놓다. ④ 찔리다. ⑤ (목재 · 피륙 · 종이 따위가) 벌레에 먹히다. ⑥ (포도주가) 시어지다.

piquet¹ [pikɛ] *m.* ① 말뚝 ; 푯말 : mettre 〔attacher〕 les chevaux au ~ 말을 말뚝에

매다. ② 〖학교〗 서 있게 하는 벌 : mettre un enfant au ~ 아이를 벌세우다. ③ 〖군사〗 소부대, 반(班) : ~ d'exécution 총살 집행반 / ~ d'incendie 소방반. ④ 피켓 : ~ de grève 파업자의 피켓.

piquet² *m.* 《옛》 〖놀이〗 카드놀이의 일종.

piqueté, e [pikte] *adj.* ① (토지에) 말뚝〔푯말〕이 박힌. ② 《~ de》 …으로 얼룩점 무늬가 된 : ciel ~ *d'étoiles* 별이 아로새겨진 하늘.

piqueter [pikte] [5] *v.t.* ① …에 말뚝〔푯말〕을 박다. ② …에 얼룩점을 넣다〔박다〕.

piquette¹ [pikɛt] *f.* 시큼한 포도주, 막포도주.

piquette² *f.* 《구어》 심한 매질 ; 완패 : On leur a flanqué une ~. 그들은 참패당했다.

piqueur, euse [pikœːʀ, -øːz] *n.* ① 〖사냥〗 사냥개를 돌보는 말 탄 하인. ② 〖토목〗 토목 공사의 현장 감독 ; 〖철도〗 (철도 공사의) 선로 감독. ③ 봉제공. ── *adj.* insectes ~*s* 침이 있는 곤충.

***piqûre** [pikyːʀ] *f.* ① 찔린 자국 ; (벌레) 물린〔쏘인〕 자국. ② 벌레 먹은 자리 ; 얼룩 : ~ de vers (나무 · 종이 따위의) 벌레 먹은 자리 / livre couvert de ~*s* 얼룩투성이의 책. ③ 따끔따끔한 느낌 ; (마음의) 상처 : ~ d'amour-propre 자존심의 손상. ④ 주사 ; 채혈 : faire une ~ à qn …에게 주사를 놓다. ⑤ 〖재봉〗 박음질 ; 바늘〔바느질〕 자리 ; 솔기.

piranha [piʀana]**, piraya** [piʀaja] 〔포르투갈〕 *m.* 〖어류〗 피라냐 《남미산의 작은 물고기 ; 사람 · 짐승에게도 덤벼들어 탐식함》.

pirate [piʀat] *m.* ① 해적 ; 해적선(= bateau ~) : ~ de l'air 하이잭 범인, 항공기 납치범. ② 약탈하여 부자가 된 사람 ; 착취자. ③ 《구어》 표절자. ── *adj.* 불법의 : émetteur ~ 불법〔지하〕 방송국 / édition ~ 해적판.

pirater [piʀate] *v.i.* 해적질하다 ; 표절하다.

piraterie [piʀatʀi] *f.* ① 해적질. ② 사기 행위 ; 착취 행위. ③ 표절. **~ *aérienne*** 하이잭, 비행기 납치.

pire** [piːʀ] *adj.* 《mauvais 의 비교급 ; 주로 비유적으로 쓰임》 ① 더 나쁜 : une catastrophe ~ que la guerre 전쟁보다 더 나쁜 재난 / éviter qc de ~ 더 나쁜 일을 피하다. ② 《최상급》 《정관사〔소유 형용사〕+ ~》 가장 나쁜 : *les* ~*s* inventions de l'humanité 인간의 가장 유해한 발명. ── *n.* 가장 나쁜 사람〔것〕 : le ~ des malheurs 최악의 불행. ── *m.* 《le ~》 가장 나쁜 것〔일〕 최악 ; 가장 위험한 것〔일〕. *Le* ~ de tout, c'est l'enneui. 무엇보다도 가장 나쁜 것은 권태다. ***ce qu'il y a de ~ 최악의 것《정관사 생략》. ***de ~ en ~*** 점점 더 나쁘게. ***Le ~ est que...*** 가장 나쁜 일은 …이다.

pirogue [piʀɔg] *f.* 통나무배, 카누.

piroguier [piʀɔgje] *m.* 카누 조종자.

pirouette [piʀwɛt] *f.* ① (제자리에서 한 발로 하는) 회전, 반회전. ② 〖무용〗 피루에트, 한쪽 발끝으로 돌기. ③ 얼버무림, 핑계. ***répondre par des ~s*** 적당히 얼버무리다.

pirouetter [piʀwɛ(e)te] *v.i.* (발끝으로) 돌다, 선회하다.

pis¹** [pi] *adv.* 더 나쁘게《mal 의 비교급. 단, 보통은 plus mal 을 쓰며, *pis* 는 주로 형용사적 · 명사적으로 쓰임》 : Cela ne vaut ni mieux ni ~ qu'avant. 전보다 더 낫지도 더 못하지도 않다. ***Tant ~. 낭패로군 ; 할 수 없지 ; 딱한 일이다. ── *adj.* 《불변》 더 나쁜 : C'est bien ~. 그건 훨씬 더 나쁘다 / Rien de ~ que cela. 그것 이상으로 나쁜 것은 없다. ***et qui ~ est*** [kipize] 더욱 나쁘게도, 게다가. ── *m.* ① 《관사 없이》 더욱 나쁜 것〔일〕 : Il a fait tout cela et ~. 그는 안 한 일이 없는 데다 더욱 나쁜 짓을 했다. ② 《le ~》 가장 나쁜 것〔일〕 : *le* ~ qui puisse arriver 일어날 수 있는 최악의 사태. ***au ~ aller*** [opizale] 최악의〔부득이한〕 경우에는 ; 아무리 나빠도〔잘못돼도〕. ***de mal en ~ ; de ~ en ~*** 점점 더 나쁘게〔악화되어〕.

pis² *m.* (소 · 양 따위의) 젖통, 유방.

pis-aller [pizale] *m.* 《복수불변》 ① 부득이한 수단〔해결책〕 : C'est un ~. 만부득이한 일이다. ② 부득이 선택한 사람, 대역.

pisci- *préf.* 「물고기」의 뜻.

pisciculteur [pisikyltœːʀ] *m.* 양어장 주인.

pisciculture [pisikyltyːʀ] *f.* 양어, 양어법.

***piscine** [pisin] *f.* ① 수영장, 풀 : ~ en plein air 〔couverte〕 옥외〔실내〕 수영장. ② 〖종교〗 세례반(洗禮盤) ; 성수반(聖水盤).

pisé [pize] *m.* (건축용의) 이긴 흙 : mur en ~ 진흙벽.

pissaladière [pisaladjɛːʀ] *f.* 〖요리〗 니스풍(風)의 파이《멸치에 토마토 · 양파 · 올리브 따위를 곁들임》.

pissat [pisa] *m.* (소 · 말 따위의) 오줌.

pisse [pis] *f.* 《비어》 오줌(= urine), 소변.

pisse-froid [pisfʀwa] *m.* 《복수불변》 《구어》 흥을 깨는 음울한 사람.

pissement [pismɑ̃] *m.* 오줌 누기, 배뇨(排尿) : ~ de sang 혈뇨(血尿).

pissenlit [pisɑ̃li] *m.* ① 〖식물〗 민들레(= dent-de-lion) : salade de ~ 민들레 잎 샐러드. ② 《구어》 오줌싸개. ***manger les ~s par la racine*** 《구어》 죽어서 땅에 묻히다.

pisser [pise] *v.i.* ① 《구어》 오줌 누다(= uriner, faire pipi). ② 《구어》 (통 따위가) 새다. ***C'est comme si on pissait dans un violon*** 〔***dans une clarinette***〕. 아무 소용없는 짓이다. ***~ contre le soleil*** 불가능한 일을 시도하다. ── *v.t.* ① 오줌과 함께 배설하다. ② 흘려 내보내다 : Son nez *pisse* le sang. 코피가 흐른다. ***~ du sang*** 혈뇨(血尿)를 배출하다.

pisseur, euse [pisœːʀ, -øːz] *n.* 《구어》 오줌을 자주 누는 사람. ***~ de copie*** 남작(濫作)하는 작가. ── *f.* 《구어》 계집애, 여자.

pisseux, euse [pisø, -øːz] *adj.* ① 《구어》 오줌 묻은, 오줌 냄새가 나는. ② 오줌 같은 (누런색의) ; 색이 바랜.

pisse-vinaigre [pisvinɛgʀ] *m.* 《복수불변》 《구어》 구두쇠 ; 음울한 사람.

pissoir [piswaːʀ] *m.* 요강 ; 남자용 변소.

pissoter [pisɔte] *v.i.* 오줌을 찔끔찔끔 자주 누다.

pissotière [pisɔtjɛːʀ] *f.* 《구어》 ① (남자용) 공중변소(= vespasienne). ② 요강.

pistache [pistaʃ] *f.* 〖식물〗 피스타치오 열매. ── *adj.* 《불변》 (피스타치오 열매 같은) 연초록색의.

pistachier [pistaʃje] *m.* 피스타치오 나무.

pistard [pistaːʀ] *m.* 〖스포츠〗 (경기장 전용)

P

사이클 선수(= routier).

***piste** [pist] *f.* ① (짐승·범인의) 발자취, 종적(蹤迹), 흔적. ② (경기장의) 트랙, 경주로: courses sur ~ 트랙 경기 / tour de ~ 트랙 일주 / ~ cavalière 승마로(乘馬路). ③ (일반적으로 원형의) 경기장: ~ d'un cirque 서커스의 무대 / ~ de danse 무도장, 댄스플로어 / ~ de patinage 스케이트 링크. ④ (미개발 지역 따위의) 비포장 도로; (비행기의) 활주로: ~ d'envol 〖항공〗 이륙용 활주로. ⑤ (레코드·영화 필름 따위의) 녹음대(帶), 트랙: ~ sonore 〖영화〗 사운드트랙.

pister [piste] *v.t.* 《구어》 뒤를 밟다, 미행하다.

pisteur [pistœːʀ] *m.* ① 밀정, 스파이. ② (스키장의) 활강로 관리〔감시〕원.

pistil [pistil] *m.* 〖식물〗 암술, 자예(雌蕊).

pistole [pistɔl] *f.* ① (옛날의) 금화. ② 《옛》 (감옥 내의 특별 대우) 자비 독방(自費獨房).

pistolet [pistɔlɛ] *m.* ① 권총, 피스톨(= revolver): ~ d'arçon 안장에 꽂아 놓는 피스톨 / ~ automatique 자동 권총. ② (도장용(塗裝用)의) 분사기(噴射器). ③ 《구어》 이상〔괴상〕한 녀석 (= individu bizarre).

pistolet-mitrailleur [pistɔlɛmitʀajœːʀ] *m.* (*pl.* **~s-~s**) (근거리용) 기관단총(《약자》 P.-M. [peɛm]).

piston [pistɔ̃] *m.* ① 〖기계〗 피스톤; 《옛》 누름 단추. ② 〖음악〗 (금관(金管) 악기의) 판(瓣), 밸브; 코넷(= cornet à ~). ③ 《구어》 두둔, 후원(= appui, protection): Il est arrivé à coups de ~. 그는 연줄이 닿아 출세했다.

pistonner [pistɔne] *v.t.* 《구어》 두둔하다; 후원하다: se faire ~ par qn de haut placé 고위직에 있는 사람의 후원을 받다.

pistou [pistu] *m.* soupe au ~ (마늘과 바질(basilic)을 넣은) 야채 수프.

pitance [pitɑ̃ːs] *f.* 《경멸》 음식; 먹이.

pitchoun, e [pitʃun] *adj.* 작은, 귀여운. — *n.* 작은 사람〔것〕, 귀여운 사람〔것〕.

pitchpin [pitʃpɛ̃] *m.* 〖식물〗 (송진이 많은 미국산) 소나무.

piteusement [pitøzmɑ̃] *adv.* 가련하게, 민망하게.

piteux, euse [pitø, -øːz] *adj.* 가련한, 비참한, 초라한: résultats ~ 참담한 결과.

pithéc-, pithèque- *préf.* 「원숭이」의 뜻.

pithécanthrope [pitekɑ̃tʀɔp] *m.* 피테칸트로프스; 원인(猿人).

pithiviers [pitivje] *m.* ① 〖요리〗 종다리 고기 파이. ② 〖제과〗 편도크림 파이.

pitié** [pitje] *f.* ① 측은히 여기는 마음, 동정, 연민(憐憫). ② 딱한〔민망스러운〕 일. ***à faire ~ 불쌍한 생각이 들 정도로, 가엾게도. ***avoir ~ de*** …을 불쌍히 여기다. ***faire ~*** 불쌍한 생각이 들게 하다, 가엾다: Cet enfant *fait* ~. 이 아이는 불쌍하다 / C'est à *faire* ~ ! 정말 가엾은 일이군! / chanter à *faire* ~ 형편없이 노래하다. ***par ~*** 불쌍히 여겨. ***P~ !*** 불쌍히 여기시오! 동정해 주시오! ***prendre*** qn ***en ~; prendre ~ de*** qn …을 불쌍히 여기다. ***Quelle ~ !*** 정말 가엾군.

piton [pitɔ̃] *m.* ① 배목(《대가리가 고리 또는 갈고리형인 못》); (등산용) 하켄. ② (특히, 서인도 제도 등지의) 높은 산봉우리.

pitoyable [pitwajabl] *adj.* ① 불쌍한, 가엾은, 가련한: spectacle ~ 불쌍한 광경. ② 딱한; 보잘것없는, 하찮은: style ~ 저열한 문체.

pitoyablement [pitwajabləmɑ̃] *adv.* ① 가엾게, 가련하게. ② 보잘것없이, 서투르게; 민망스럽게.

pitre [pitʀ] *m.* 어릿광대; 실없는 놈: faire le ~ 《구어》 익살을 부리다; 장난치다.

pitrerie [pitʀəʀi] *f.* 어릿광대짓; 익살, 웃음거리.

***pittoresque** [pitɔʀɛsk] *adj.* ① (그림처럼) 정취 있는, 아름다운: village ~ 정취가 그윽한 마을. ② (문장 따위가) 생생한, 생동감이 있는(= vivant): style ~ 생동감이 있는 문체. ③ (인물·생활 따위가) 개성 있는, 독특한: personnage ~ 특이한 인물. — *m.* 그림의 소재가 될 만한 아름다움.

pittoresquement [pitɔʀɛskəmɑ̃] *adv.* 《문어》 풍취있게; 특이하게; 생생하게.

pituite [pitɥit] *f.* 〖의학〗 점액, 가래.

pivert [pivɛːʀ] *m.* 〖조류〗 유럽 딱따구리.

pivoine [pivwan] *f.* 〖식물〗 작약, 모란. ***rouge comme une ~*** (부끄러움 따위로) 새빨개지다.

pivot [pivo] *m.* ① 굴대, 축(軸), 중축(中軸): ~ de l'aiguille d'une boussole 나침반 바늘의 중축. ② 《비유》 추축(樞軸), 주축, 중추(中樞)(= centre): L'égalité est le ~ d'une démocratie. 평등성은 민주 정치의 주축이다. ③ 〖의학〗 치관(齒冠); 〖스포츠〗 (농구에서) 피봇(플레이); 〖식물〗 주근(主根), 직근(直根); 〖군사〗 향도.

pivotant, e [pivɔtɑ̃, -ɑ̃ːt] *adj.* 굴대로 회전하는: fauteuil ~ 회전의자.

pivoter [pivɔte] *v.i.* ① (축(軸)을 중심으로) 회전하다. ② 〖군사〗 선회하다.

pizza [pidza] 〔이탈리아〕 *f.* 〖요리〗 피자.

pizzeria [pidzeʀja] *f.* 피자 전문 식당.

pizzicato [pidzikato] 〔이탈리아〕 *m.* (*pl.* ***-i*** [-i], **~*s***) 〖음악〗 피치카토(《현을 손끝으로 뜯는 연주법; 《약자》 pizz》).

P.J. 《약자》 police judiciaire 사법 경찰(관).

pl. 《약자》 planche 전(全)페이지로 된 삽화; 〖문법〗 pluriel 복수.

P.L. 《약자》 pleine lune 〖천문〗 만월(滿月), 보름달.

placage [plakaːʒ] *m.* ① (얇은 금속판·나무판 따위를) 씌우기; 도금하기: feuille 〔feuillet〕 de ~ 합판. ② 겉에 씌운 금속판〔나무판·합판〕(= revêtement); 도금.

placard** [plakaːʀ] *m.* ① 벽장, 붙박이장. ② 플래카드, 벽보, 포스터, 게시〔고시〕문. ③ 〖인쇄〗 교정〔게라〕 쇄(刷). **~ *publicitaire (신문·잡지에 끼워넣는) 광고지.

placarder [plakaʀde] *v.t.* ① 벽보〔포스터〕를 붙이다: ~ des affiches électorales 선거 벽보를 붙이다. ② 교정쇄를 찍다.

⁑**place** [plas] *f.* ① 자리, 장소; 위치(= lieu, endroit): Mettez chaque chose à sa ~. 물건을 각각 제자리에 놓으시오 / changer sa chaise de ~ 의자의 위치를 바꾸다. ② 좌석(료); 여지, 공간: petites ~*s* (극장의) 싼 자리 / prix des ~*s* 좌석료 / une (voiture à) deux ~*s*, 2 인승 자동차. ③ 지위; 일자리, 직장: avoir une ~ intéressante 좋은 직장을 얻다. ④ 광장(= ~ publique): ~ de la Concorde (파리의) 콩코르드 광장. ⑤ (대신

하는) 자리, 처지, 입장 : si j'étais à votre ~ ; à votre ~ 내가 당신(의 입장)이라면 / 《se mettre à ma 〔ta, sa〕…~》 *Mettez-vous à ma* ~. 내 처지가 되어 보십시오. ⑥ 석차, 차례, 순위 : Il a eu la première ~ en français. 그는 프랑스어에서 첫째를 했다. ⑦ 알맞은 곳, 적소 : être à sa ~ (적재)적소에 있다, 적임이다. ***à la ~ de...*** …대신에 : Je viens *à la* ~ *de* mon père. 아버지 대신 왔습니다. ***être en ~*** 좋은 지위에 있다 ; 직장을 가지고 있다 ; (하인이) 고용되어 있다. ***faire ~ à*** qc …와 대체되다 : La joie *fit* ~ *à* la crainte. 기쁨은 공포로 변했다. ***faire ~ à*** qn 〔qc〕 …에게 자리를 양보하다 ; …에게 (지나갈 수 있도록) 길을 내주다. ***faire ~ nette*** 장소를 넘겨주다 ; 불필요한 것〔인원〕을 정리하다. ***mettre*** qc ***en ~*** 〔***à sa ~***〕 …을 제자리〔적당한 자리〕에 놓다. ***par ~(s) ; de ~ en ~*** 여기저기, 군데군데. ***prendre ~*** 자리를 차지하다〔잡다〕 ; 착석하다 : Son nom *a pris* ~ dans l'histoire. 그의 이름은 역사에 실렸다. ***sur ~*** 그 자리〔현장〕에서, 당장에.

placé, e [plase] *adj.* ① (어떤 장소에) 위치한 ; (어떤 지위·입장에) 있는 : magasin bien ~ 좋은 장소에 있는 가게 / personnage haut ~ 높은 지위의 관리, 고관. ② 〖경마〗 cheval ~ 등내(等內)에 든 말 / chevaux non ~*s* 등외의 말.

***placement** [plasmɑ̃] *m.* ① 취직 알선 ; (시설에의) 수용 : bureau de ~ 직업소개소. ② 투자(한 돈) : faire un bon ~ 유리한 투자를 하다. ③ 판매 : marchandise de ~ sûr 판로가 확실한 상품.

placenta [plasɛ̃ta] *m.* ① 〖의학〗 태반(胎盤). ② 〖식물〗 태좌(胎座).

***placer**[1] [plase] [2] *v.t.* ① (사람을) 앉히다 ; 안내하다 ; (물건을) 놓다, 배치하다 : ~ ses invités 초대객을 각자의 자리에 (안내하여) 앉히다 / ~ des fleurs dans un vase 꽃병에 꽃을 꽂다. ② 《비유》 두다, 위치시키다 : ~ ses espérances en qn …에게 희망을 걸다. ③ …의 석차〔등수〕를 매기다 : ~ les chevaux 〖경마〗 말의 등수를 매기다. ④ 취직시키다 ; (시설에) 넣다 : Il *a placé* son fils chez un pharmacien. 그는 아들을 약국에 취직시켰다 / ~ un enfant 아이를 시설에 맡기다. ⑤ (이야기·사건 따위를) 설정하다 : ~ le roman dans un village dn Midi 소설의 무대를 남프랑스의 어느 마을로 설정하다. ⑥ (말·이야기 따위를) 삽입하다. ⑦ 투자하다(= investir) ; (은행에) 예금하다 : ~ de l'argent 돈을 예금하다. ⑧ (상품을) 팔다, 판매하다 : ~ un stock 재고 상품을 팔다. ── **se ~** *v.pr.* ① 자리〔지위〕에 앉다 ; 자리를 차지하다 : Dites-moi où *me* ~. 어디 앉으면 좋을지 말해 주시오. ② 취직하다, 고용되다 : *se* ~ comme domestique 하인으로 고용되다.

placer[2] [plasɛːʀ] *m.* 〖광물〗 금광상(金鑛床).

placet [plasɛ] *m.* 《옛》 (군주·대신에게 보내는) 청원서〔진정서〕(= pétition).

placette [plasɛt] *f.* 《드물게》 작은 광장.

placeur, euse [plasœːʀ, -øːz] *n.* ① (취직 자리의) 알선인, 직업 소개업자. ② (극장 따위의) 안내원.

placide [plasid] *adj.* 평온한, 온화한, 태연한 : sourire ~ 온화한 미소.

placidement [plasidmɑ̃] *adv.* 평온하게, 온화하게, 태연하게.

placidité [plasidite] *f.* 평온, 온화, 태연 : avec ~ 침착하게.

placier, ère [plasje, -ɛːʀ] *m.* (단골 상점을 순회하는) 판매원, 상품 브로커.

‡plafond [plafɔ̃] *m.* ① 천장 : chambre haute 〔basse〕 de ~ 천장이 높은〔낮은〕 방 / ~ vitré 유리로 덮은 천장. ② 〖미술〗 천장화(畫). ③ (비행기의) 상승 한도(上昇限度) ; (자동차의) 최대 속력 ; 〖기상〗 구름의 높이 ; 〖금융〗 대출〔여신〕 한도. ***crever le ~*** 한계를 넘어서다.

plafonnement [plafɔnmɑ̃] *m.* 최고 한계 ; 상한점에 달하기.

plafonner [plafɔne] *v.t.* ① …에 천장을 붙이다. ② 《~ qc à》 (부담금 따위)의 상한을 …으로 정하다. ── *v.i.* ① 〖항공〗 (비행기가) 상승 한도에 이르다 ; (자동차가) 최고 속도로 달리다. ② 상한점〔최고치〕에 달하다.

plafonneur [plafɔnœːʀ] *m.* 천장을 붙이는 〔만드는〕 일꾼.

plafonnier [plafɔnje] *m.* 천장등(燈) ; (자동차의) 실내등.

***plage** [plaːʒ] *f.* ① 해변, 바닷가 ; (모래사장이 있는) 호숫가, 강가 ; 해수욕장. ② ~ arrière (자동차) 뒷좌석 후부의 선반 / ~ avant 〔arrière〕 〖해양〗 (배의) 앞뒷갑판. ③ (레코드의) 녹음 부분, 밴드. ④ (스케줄이나 방송 프로그램의) 시간대, 일정 시간 : J'ai quelques ~*s* libres dans mon emploi du temps le lundi. 월요일이라면 스케줄이 비어 있는 시간이 몇 군데 있습니다 / ~*s* musicales d'une demi-heure, 30 분씩의 음악 방송. ⑤ (2 개 사이의) 거리, 폭, 차(差) : ~ des choix 선택 폭 / ~ des prix 가격 차.

plagiaire [plaʒjɛːʀ] *adj.* (남의 작품을) 표절하는. ── *m.* 표절자(= contrefacteur).

plagiat [plaʒja] *m.* 표절(= copie, emprunt).

plagier [plaʒje] *v.t.* 표절하다(= démarquer).

plagiste [plaʒist] *n.* 유료 해수욕장 경영자.

plaid[1] [plɛ] *m.* (중세의) 사법회의 ; 재판.

plaid[2] *m.* 격자무늬 망토 ; (여행용의) 격자무늬 담요.

plaidant, e [plɛdɑ̃, -ɑ̃ːt] *adj.* 〖법률〗 소송을 일으키는 : parties ~*es* 소송 당사자.

plaider** [plɛ(e)de] *v.i.* ① (법정에서) 진술〔변론〕하다 : ~ pour son client (변호사가) 의뢰인을 위하여 변호하다 / ~ contre la partie adverse 상대방에게 반론하여 변호하다. ② 《비유》 …을 변호하다, 옹호하다 : ~ pour 〔contre〕 qn …을 위하여〔반대하여〕 변호하다. ③ 소송을 제기하다 : ~ contre qn …에 대하여 소송을 제기하다. ── *v.t.* 변호하다 ; 옹호하다 ; 지지하다 ; 주장하다 : ~ une cause 어떤 사건을 변호하다 / ~ l'incompétence du tribunal 법원의 관할이 틀린다고 주장하다. ~ ***coupable 기소 사실〔죄한〕을 인정하면서 변호하다 ; ~ *non coupable* 기소 사실을 부인하다, 무죄를 주장하다. ~ ***le faux pour savoir le vrai*** 진실을 실토하게 하기 위해 일부러 거짓말하다.

P

plaideur, euse [plɛdœːʀ, -øːz] *n.* 소송인; 소송광(狂).
plaidoirie [plɛdwaʀi] *f.* 〖법률〗 구두 변론, 변호(= plaidoye; ≠ réquisitoire).
plaidoyer [plɛdwaje] *m.* ① 〖법률〗 (변호사의) 변호; 구두 변론(= plaidoirie): prononcer 〔faire〕 un habile ~ 능숙한 변론을 하다. ② (사상·인물 따위) 변호, 옹호: ~ en faveur de la paix 평화 옹호.
plaie** [plɛ] *f.* ① (외상·화상·종기 따위에 의한) 상처; 흉터, 상흔(傷痕). ② 마음의 상처, 슬픔, 괴로움, 고뇌, 고통(= affliction): ~ du cœur 마음의 상처. ③ 재난, 재해, 재앙(= fléau): ~s de la guerre 전화(戰禍) / les ~s d'Égypte 〖성서〗 이집트의 재난. ④ 《구어》 귀찮은 것 〔사람〕. ***mettre le doigt sur la ~ 고통〔재난〕의 원인이 어디에 있는가를 알아내다; 남의 아픈 데를 건드리다. ***rouvrir une ~*** 상처를 다시 헤집다.
plaignant, e [plɛɲɑ̃, -ɑ̃ːt] *adj.* 〖법률〗 고소하는: partie ~*e* 원고(原告), 고소인. — *n.* 원고(= demandeur), 고소인.
plain, e¹ [plɛ̃, -ɛn] *adj.* 《옛》 평탄한(= plat); 고른(= uni, égal).
plain-chant [plɛ̃ʃɑ̃] *m.* (*pl.* **~s-~s**) 〖음악〗 (가톨릭의) 단선율 성가(= cantus planus).
***plaindre** [plɛ̃ːdʀ] 27 *v.t.* ① 《~ qn 〔qc〕》 불쌍히〔측은히·가엽게〕 여기다, 동정하다; 《~ qn de qc 〔+*inf.*〕》 …에 대해 …을 동정하다: Je vous *plains.* 매우 안됐습니다 / Il est à ~. (저이는) 불쌍한 사람이다 / ~ le sort 〔le malheur, les maux〕 *de* qn …의 운명〔불행〕을 동정하다 / Je vous *plains de* la perte que vous avez faite. 소중한 것을 잃어버리셔서 참 안됐습니다 / Je vous *plains d'*en être réduit à cette extrémité. 이런 궁지에 몰리셔서 참말 안됐습니다. ② 《~ qc》 《옛》 한탄〔개탄〕하다(= déplorer). ③ (돈·수고 따위를) 아끼다: ne pas ~ sa peine 수고를 아끼지 않다.
— **se ~** *v.pr.* ① 한탄〔개탄〕하다(= gémir), 원통히 여기다; 하소연하다, 불평하다; 개탄하다; 《se ~ de qn 〔qc〕》 …에 대해 불평하다; …을 원망하다: *se ~ de* son sort 자기 운명을 개탄하다 / 《se ~ de+*inf.*》 *se ~ de* ne pas avoir d'amis 친구가 없다고 한탄하다 / 《se ~ que+*sub.* 〔*ind.*〕》 Il *se plaint qu'*on l'ait calomnié. 그는 사람들이 자신을 모략했다고 불평한다. ② 《se ~ à qn》 …에게 불만〔불평〕을 호소〔진정〕하다. ③ 서로 동정하다.
***plaine²** [plɛn] *f.* ① 벌판, 평야, 평원: la ~ et la montagne 평지와 산지. ② 〖프랑스사〗 la *P~* (프랑스 혁명기의) 온건파.
plain-pied [plɛ̃pje] *m.* 《다음 숙어로만 쓰임》 ***de ~*** ⓐ 동일 평면에〔으로〕: La maison est *de ~* avec le jardin. 집은 정원과 같은 평면에 있다. ⓑ 단도직입적으로, 즉각; 간단히: entrer *de ~* dans le sujet 즉각 본론을 말하다. ⓒ être *de ~* avec qn …와 동등하다, 흉허물 없다.
plain-s, -t ⇒ plaindre.
***plainte** [plɛ̃ːt] *f.* ① 한탄, 탄식; 신음 소리: faible ~ d'un malade 환자의 낮은 신음 소리. ② 하소연, 불평, 원망: adresser une ~ collective 집단적 불만을 토로하다. ③ 〖법률〗 제소, 고소: déposer 〔porter〕 une ~ contre qn …을 상대로 소송을 제기하다.
plaintif, ive [plɛ̃tif, -iːv] *adj.* 구슬픈, 애처로운: musique ~*ive* 구슬픈 음악.
plaintivement [plɛ̃tivmɑ̃] *adv.* 구슬프게, 애처롭게; 하소연하듯.
⁑**plaire** [plɛːʀ] 33 *v.t. ind.* ① 《~ à qn》 …의 마음에 들다(≠ déplaire): chercher à ~ *à* qn …의 마음에 들려고 애쓰다 / Cet homme me *plaît.* 그 남자는 내 마음에 든다 / Cette vie ne me *plaît* guère. 이런 생활은 내 마음에 들지 않는다. ② 《목적보어 없이》 환심을 사다, 사랑받다: envie de ~ 사랑을 받고 싶은 욕구. ③ 《비인칭》 Il me *plaît* de commander. 나는 지배하기를 좋아한다 / Il ne me *plaît* pas de faire cela. 나는 그런 짓은 하기 싫다 / Faites ce qu'il vous *plaît.* 당신이 바라는 것을 하시오. ***À Dieu ne plaise que...*** …하는 일이 없기를 바란다. ***Plaît-il?*** 뭐라고 말씀하셨지요, 네. ***Plût*** 〔***Plaise***〕 ***à Dieu*** 〔***au ciel***〕 ***que*** + *sub.* …하면 좋겠는데 〔좋으련만〕. ***s'il vous***〔***te***〕 ***plaît*** 《구어》 부디, 제발, 미안하지만《간청·질문·경고·주의 따위의 표현과 함께》: Un café, *s'il vous plaît.* 커피 한 잔 주십시오 / Réponse, *s'il vous plaît.* 회신 있으시길 바랍니다(《약자》 R.S.V.P.) / Puis-je sortir, Monsieur, *s'il vous plaît?* 선생님, 나가도 좋을까요? ***Vous plaît-il de*** …해 주시겠습니까?
— **se ~** *v.pr.* ① 서로 마음에 들다: Ces deux-là *se plaisent.* 저 두 사람은 서로 좋아한다. ② 자기를 만족스럽게 여기다; 흡족〔만족〕해 하다; 《se ~ à soi-même》 스스로 만족하다. ③ 《se à 〔dans, en〕》 좋아하다, 즐기다: *se ~ à* la campagne 시골을 좋아하다 / *se ~ à* tourmenter les autres 남을 괴롭히기를 좋아하다 / plante qui *se plaît dans* les lieux humides 습지에서 잘 사는 나무 / *se ~ à* faire du mal 장난치기를 좋아하다.
plaisamment [plɛzamɑ̃] *adv.* ① 재미있게, 익살스럽게. ② 유쾌하게, 쾌적하게: appartement ~ meublé 쾌적하게 꾸며진 아파트.
plaisance [plɛzɑ̃ːs] *f.* 해상 유람, 뱃놀이(= navigation de ~). ***bateau de ~*** 유람선. ***maison de ~*** 별장.
plaisancier, ère [plɛzɑ̃sje, -ɛːʀ] *m.* 요트를 즐기는 사람. — *adj.* 뱃놀이의.
plaisant, e** [plɛzɑ̃, -ɑ̃ːt] *adj.* ① 쾌적한, 기분 좋은; 매력적인: habiter une maison ~*e* 쾌적한 집에 살다. ② 우스꽝스러운; 익살스러운(= comique): homme ~ 재미있는 〔웃기는〕 사람. ③ 이상한: C'est assez ~! 어지간히 야릇한 일이로군. — *m.* 익살스러운 사람, 해학자; 재미있는 점〔데〕. ***faire le ~ 농담을 하여〔익살을 부려〕 사람을 웃기다. ***mauvais ~*** 빈정거리는 사람.
***plaisanter** [plɛzɑ̃te] *v.i.* 농담하다, 희롱하다: Vous *plaisantez!* 농담이시지요.
— *v.t.* 《~ qn》 (악의 없이) 놀리다; 《~ sur》 …에 관해 …을 놀리다: On la *plaisantait* de ce qu'il venait si souvent. 그가 너무 뻔질나게 찾아오기 때문에 사람들은 그

P

녀를 놀렸다.

plaisanterie** [plɛzɑ̃tʀi] *f.* ① 농담 ; 조롱, 야유 : mauvaise ~ 악의적인 농담. ② 쉬운 일, 식은 죽 먹기(= bagatelle) : Ce sera pour lui une ~ de résoudre ce problème. 이런 문제를 푸는 것은 그에게는 식은 죽 먹기다. ***C'est une ~ ! ⓐ 농담이시겠죠, 설마 그럴 수가. ⓑ 그것은 아주 쉬운 일이다. ***par ~*** 농담으로 : J'ai dit cela *par ~*. 나는 농담삼아 그렇게 말했을 뿐이다.

plaisantin [plɛzɑ̃tɛ̃] *m.* 익살꾼, 농담〔희롱〕하는 사람. ── *adj. m.* 농담〔희롱〕하는.

plais-e, -ez ⇒ plaire.

⁑**plaisir** [plɛ(e)ziːʀ] *m.* ① 기쁨, 즐거움 ; 유쾌함 ; 만족 : ~ d'amour 사랑의 기쁨 / ~ de vivre 산다는 기쁨 / Ce film m'a donné beaucoup de ~. 그 영화는 퍽 재미있었다. ② 육체적 쾌락 ; (*pl.*) 향락, 환락, 오락(= joissance, divertissement) : recherche du ~ 쾌락의 추구 / paroxysme du ~ 오르가슴 / menus ~*s* 오락거리, 유흥. ③ 의향, 뜻, 자의(恣意)(= bon ~) : Car tel est notre (bon) ~. 짐(朕)의 뜻은 그와 같으니라《칙령 따위의 문장》. ***à ~*** 재미로 ; 일부러, 짐짓 ; 까닭 없이 : se tourmenter *à ~* 까닭 없이 고민하다. ***Au ~*** (***de vous revoir***). 안녕히 계십시오〔가십시오〕. ***avec ~*** 기꺼이, 즐겁게 : accepter 〔donner〕 *avec ~* 기꺼이 받아들이다〔주다〕. ***avoir de ~ à*** + *inf.* …하는 데 기쁨을 느끼다. ***avoir*** 〔***éprouver***〕 ***du ~ à*** + *inf.* …에〔하는 데〕 기쁨을 느끼다 : *J'ai du ~ à* entendre ces artistes. 나는 그 연주가들의 음악을 듣는 것이 즐겁다. ***avoir le ~ de*** + *inf.* …하는 것을 기쁘게 생각하다 : Quand *aurais*-je *le ~ de* vous revoir ? 언제 당신을 다시 만나뵐 수 있을까요 ? ***faire à*** qn ***le ~ de*** + *inf.* …에게 …하는 기쁨을 안겨 주다 : *Faites-moi le ~ de*+ *inf.* …해 주셨으면 좋겠습니다, 제발 …해 주세요 / Voulez-vous me *faire le ~ de* dîner avec moi ? 저와 함께 저녁 식사해 주시겠습니까? ***faire ~ à*** qn …을 즐겁게 하다. ***par ~ ; pour le*** 〔***son***〕 ***~*** 심심풀이로, 장난 삼아 ; 시험 삼아 : mentir *par ~* 장난 삼아 거짓말을 하다. ***prendre ~ à*** qc 〔+ *inf.*〕 …에〔하는 데〕 기쁨을 느끼다. ***se faire un ~ de*** + *inf.* 기꺼이 …하다 : Je *me ferai un ~ de* vous raccompagner en voiture. 제가 기꺼이 차로 모셔다 드리겠습니다.

plaît [plɛ] plaire 의 직설 · 현재 · 3 · 단수.

plan[1], **e**[1] [plɑ̃, -an] *adj.* 평평한, 평면의 : angle ~ 평면각 / surface ~*e* 평면. ── *m.* ① 평면, 면 : ~ incliné 빗면, 사면(斜面) / ~ d'un cristal 결정면 / ~ d'eau 수면, 수위(水位) / ~ horizontal 〔vertical〕 수평〔수직〕면. ② ⓐ 〖미술 · 영화 · 사진 · 연극〗 사영(寫影)〔영상〕의 원근 : premier ~ 전경(前景) ; 무대 전면 / second ~ 중경(中景) / ~ éloigné 원경. ⓑ 〖영화〗 한 장면, 컷 : ~(-)séquence 〖영화〗 (시퀀스를 이루는) 긴 컷. ***au premier ~*** 전면에 ; 가장 중요한 위치에. ***au second ~, à l'arrière ~*** 후경에, 뒷자리에 ; 별로 중요하지 않은 위치에. ***de*** (***tout***) ***premier ~*** 전경의 ; 매우 중요한, 으뜸가는. ***en arrière ~*** 뒷전에서, 그늘에서. ***sur le même ~*** 같은 수준〔차원〕의. ***sur le ~*** + 형용사 〔***de*** qc〕 …의 견지〔관점 · 측면〕에서(는) : *sur le ~* logique ; *sur le ~ de* la logique 논리적 관점에서.

⁑**plan**[2] *m.* 《구어》 ① (시가 따위의) 지도 ; (노선의) 안내도 : consulter le ~ du métro 지하철의 노선도에서 조사하다. ② 도면, 설계도 ; 평면도(= dessin) : ~ d'un hôtel 호텔의 도면 / tracer un ~ 도면을 그리다 / ~*s* d'une machine 기계의 설계도. ③ 계획, 플랜, (종합적) 정책 : faire des ~*s* d'avenir 장래의 계획을 세우다 / ~ d'action 행동 계획 / ~ d'urbanisme 도시 계획 / ~ d'occupation des sols (《약자》 POS) (시당국에 의한) 토지 점유 계획, 건축 규제. ***en ~*** 《구어》 중단된 상태로, 버려둔 채로 : Son travail est resté *en ~*. 그의 일은 중단된 상태였다. ***laisser en ~*** 포기하다 : *laisser* qn *en ~* …을 두고 가다, 저버리다. ***rester en ~*** 버림받다.

planant, e [planɑ̃, -ɑ̃ːt] *adj.* 황홀하게 하는 : musique ~*e* 황홀한 음악.

planche** [plɑ̃ːʃ] *f.* ① 판자, 널빤지 ; 금속판 : ~ à dessin (그림 그릴 때) 종이를 고정시키는 나무판 / ~ à pain[1] (자르기 위해) 빵을 올려놓는 나무판 ; 《비유》 유방이 빈약한 여자 / ~ à laver 빨래판 / ~ de bord ; ~ tablier 〖항공 · 자동차〗 계기반(計器盤). ② 〖인쇄〗 원판(原版) ; (판화를 찍는) 목판 ; (책의) 판화, 도판. ③ 《학생은어》 칠판(= tableau noir) ; (흑판 앞에서) 문제를 풀기. ④ 스키(판) ; 윈드서핑(= ~ à voile) ; 스케이트보드(= ~ à roulettes). ⑤ (*pl.*) 〖연극〗 무대 : monter sur les ~*s* 무대에 서다, 배우가 되다 / débuter sur les ~*s* 첫무대에 나서다. ⑥ (정원의 장방형의) 화단 ; 채원 ; 꽃〔채마〕밭. ***~ de salut 구원의 길, 의지할 곳.

planchéier [plɑ̃ʃeje] *v.t.* …에 마루를 깔다 ; 〖해양〗 (배에) 갑판을 깔다 : ~ un navire 갑판을 만들다.

plancher**[1] [plɑ̃ʃe] *m.* ① 마루 ; 바닥 : nettoyer le ~ 마루를 청소하다 / ~ en ciment 시멘트 바닥. ② 최저 기준, 하한(下限) : prix ~〔-~〕 최저 가격. ***débarrasser le ~ 《구어》 나가다 ; 떠나다 ; 쫓겨나다. ***mettre le pied au ~*** 《구어》 〖자동차〗 엑셀〔가속 장치〕 페달을 바닥에 닿도록 밟다.

plancher[2] *v.i.* 《학생은어》 (칠판에 나가서) 문제를 풀다 ; 선생의 질문에 대답하다 ; 시험을 치르다.

planchette [plɑ̃ʃɛt] *f.* ① 작은 판자〔널빤지〕. ② 평판 측량기.

planchiste [plɑ̃ʃist] *n.* 윈드서퍼.

plancton [plɑ̃ktɔ̃] *m.* 〖생물〗 플랑크톤, 부유(浮游) 생물.

plane[2] [plan] *f.* (목공용) 대패.

plané, e [pla(ɑ)ne] *adj.* et *m.* (vol) ~ (새의) 활상(滑翔), 〖항공〗 활공(滑空). ***tomber en vol ~*** 《구어》 (사람이) 높은 데서 거꾸로 추락하다.

planer[1] [pla(ɑ)ne] *v.i.* ① (새가 날개를 펴고) 공중에 떠돌다, (비행기가) 활공하다. ② (연기 · 의혹 따위가) 감돌다, 떠돌다 ; (위험이) 닥치다 : Une brume épaisse *planait* sur le port. 짙은 안개가 항구를 뒤덮고 있

다 / Un grand danger au-dessus de vous. 큰 위험이 당신에게 닥치고 있소. ③ 《~ sur》 내려다〔굽어〕 보다 ; 개관하다 : ~ *sur* les siècles passés 과거 몇 세기를 개관하다. ④ 몽상〔사색〕에 잠기다, 멍하니 있다 : avoir l'air de ~ 멍하니 몽상에 잠겨 있다. ***~ au dessus de*** qc …에 초연하다.

planer[2] *v.t.* (대패로) 밀다 ; (깎아서) 반드럽게 하다 : ~ une peau 가죽의 털을 뽑아 반드럽게 하다.

planétaire [planetɛːʀ] *adj.* ① 〖천문〗 유성의 ; 행성의 : mouvement 〔orbite〕 ~ 행성 운동〔궤도〕. ② 세계적인, 지구 전체의 : réseau ~ d'Internet 인터넷의 세계적 네트워크. 「적으로.

planétairement [planetɛʀmɑ̃] *adv.* 세계

planétarium [planetaʀjɔm] *m.* 플라네타륨, 천상의(天象儀).

planète [planɛt] *f.* ① 〖천문〗 유성, 행성. ② 지구, 세계 : voyager par toute la ~ 온 세계를 여행하다.

planeur *m.* 〖항공〗 글라이더.

planeuse [planøːz] *f.* (금속의) 평마반(平磨盤), 평마기.

plani- *préf.* 「평평한 · 평면의」 뜻.

planificateur, trice [planifikatœːʀ, -tʀis] *adj.* 계획에 따른, 계획 추진상의 : mesures *~trices* (경제) 계획화 정책. ── *n.* 계획 수립자〔추진자〕.

planification [planifikɑsjɔ̃] *f.* 계획화, 계획(경제). ~ économique 경제 계획 / ~ des naissances 가족 계획.

***planifier** [planifje] *v.t.* 계획에 따라 조직〔운영〕하다, 계획화하다 : économie *planifiée* 계획 경제. ── *v.i.* 가족 계획을 하다.

planimètre [planimɛtʀ] *m.* 면적계, 플라니미터. 「평면 측량.

planimétrie [planimetʀi] *f.* 면적 측정법,

planisphère [planisfɛːʀ] *m.* 평면 구형도(球形圖) : ~ céleste 평면 천체도.

planning [planiŋ] *m.* (기업의) 생산 계획, 경영 계획. ***~ familial*** 가족 계획.

planque [plɑ̃ːk] *f.* ① 《속어》 숨는 곳, 피신처. ② 유리한〔수월한〕 일자리 : trouver une ~ 수월한 일자리를 구하다.

planqué, e [plɑ̃ke] *adj.* ① 병역을 기피한. ② 수월한 일을 하는 사람, 편한 지위에 있는 사람. ── *n.* (전시 따위에) 숨어 있는 사람, 병역 기피자.

planquer [plɑ̃ke] 《속어》 *v.t.* (돈 따위를) 은닉하다, 숨기다(= cacher) : ~ de l'argent à l'étranger 돈을 해외로 도피시키다. ── **se ~** *v.pr.* 숨다, (안전한 곳으로) 피신하다.

plant [plɑ̃] *m.* ① 모종 ; 새싹, 묘목 : ~ de vigne 포도나무의 묘목. ② 《집합적》 (같은 장소에 심은 같은 종류의) 모종, 작물 ; (같은 종류의 것을 심은) 밭.

plantain[1] [plɑ̃tɛ̃] *m.* 〖식물〗 질경이.

plantain[2] *m.* (열대 숲의) 바나나의 일종 《구워서 먹음》.

plantaire [plɑ̃tɛːʀ] *adj.* 〖해부〗 발바닥의 : voûte ~ 발바닥의 오목하게 들어간 곳.

plantation [plɑ̃tɑsjɔ̃] *f.* ① 심기 ; 식목. ② (보통 *pl.*) (일정한 장소에 심은) 작물, 식물. ③ 재배지, 농원 : ~ de tabac 담배밭. ④ (식민지의) 대농장 : ~ de café 커피 농장. ***~ de cheveux*** 머리털이 나 있는 모양.

‡**plante[1]** [plɑ̃ːt] *f.* 식물(= végétal) ; 초본, 풀 : jardin des ~*s* 식물원 / ~*s* annuelles 1 년생 초본 / ~ médicinale 약초.

plante[2] *f.* 〖해부〗 발바닥(= ~ du pied).

planté, e [plɑ̃te] *adj.* ① 《~ de》 …을 심은, …이 심어진 : boulevard ~ *de* marronniers 마로니에가 심어진 한길. ② 《구어》 꼼짝 않고 서 있는 : être ~ devant la télé 텔레비전 앞에 꼼짝 않고 서 있다. ③ (머리털 · 수염 · 치아 등이) 난 : barbe ~*e* serrée 빽빽이 난 턱수염. ***bien ~*** 꼿꼿하게 선 ; 건장한 : garçon *bien* ~ 체격이 탄탄한 소년.

‡**planter** [plɑ̃te] *v.t.* ① ⓐ (식물을) 심다 ; (씨를) 뿌리다 : ~ des arbres 나무를 심다. ⓑ (산 · 길 따위에) 나무를 심다 : ~ une avenue (d'arbres) 가로에 가로수를 심다. ② (칼 따위를) 찔러 꽂다, (못 따위를) 박다 : ~ un clou dans le mur 벽에 못을 박다. ③ (깃대 따위를) 세우다, 단단히 붙박다〔설치하다〕 : ~ une échelle 사닥다리를 세우다 / ~ une tente 텐트를 치다 / ~ les décors 무대 장치를 설치하다 / ~ son chapeau sur la tête 《구어》 모자를 푹〔덮어〕 쓰다. ④ ~ un baiser 느닷없이 키스하다. ***~ là*** 버리다, 버리고 가다 : Elle l'*a planté là.* 그녀는 그를 버렸다. ── **se ~** *v.pr.* ① 버티고 서다, 우뚝 서다 : *se* ~ devant une vitrine 진열창 앞에 우뚝 서다. ② 틀리다, 빗나가다 : La météo *s'est* encore *plantée.* 일기 예보가 또 빗나갔다. ③ 심어지다 ; (화살 따위가) 박히다, 꽂히다 : Ces arbres *se plantent* en automne. 이 나무들은 가을에 심은 것이다.

planteur, euse [plɑ̃tœːʀ, -øːz] *n.* (열대 지방의) 대농장(plantation)의 주인.

plantigrade [plɑ̃tigʀad] *adj.* 발바닥으로 걷는, 척행(蹠行)하는. ── *m.* 척행 동물.

plantoir [plɑ̃twaːʀ] *m.* 〖원예〗 (식목 · 모종용의) 호미.

planton [plɑ̃tɔ̃] *m.* 〖군사〗 연락병(의 임무). ***être de ~*** 전령 임무를 맡고 있다. ***faire le ~ ; rester de ~*** 줄곧 서서 기다리다.

plantureusement [plɑ̃tyʀøzmɑ̃] *adv.* 윤택하게, 풍족하게(= abondamment), 많이.

plantureux, euse [plɑ̃tyʀø, -øːz] *adj.* ① 윤택한, 풍족한(= copieux) : repas ~ 푸짐한 식사. ② 《구어》 (여자가) 풍만한 : poitrine ~*euse* 풍만한 젖가슴. ③ 비옥한(= fertile).

plaquage [plakaːʒ] *m.* ① 〖럭비〗 태클(= placage). ② 《속어》 (사람 · 물건 따위를) 버림, 내팽개침.

plaque** [plak] *f.* ① (금속 · 돌 · 나무 따위의) 판 : ~ de marbre 대리석판 / ~ de cuivre 동판 / ~ de verre 판유리. ② 표지판, (명찰 · 번호) 판 ; 배지, 기장, 훈장 : ~ indicatrice 도로 표지 / ~ d'immatriculation (자동차의) 번호판 / ~ d'identité 〖군사〗 인식표. ③ 〖의학〗 ⓐ 반점(斑點) ; (얼굴의) 검버섯(= tache). ⓑ ~ dentaire 치석(齒石). ④ 〖지질〗 대륙판, 플레이트. ***~ tournante 〖철도〗 전차대(轉車臺) ; 네거리, 중심지.

plaqué, e [plake] *adj.* 금 · 은을 씌운, 도금한 : bijoux en ~ 도금한 장신구. ── *m.* 도

금 ; 도금한 금속.

plaquemine [plakmin] *f.* 〖식물〗 감.

plaqueminier [plakminje] *m.* 〖식물〗 감나무

plaquer [plake] *v.t.* ① ⓐ (금속판 따위를) 입히다, 씌우다 ; (합판 따위를) 붙이다 ; (머리털 따위를) 착 붙이다 : ~ une feuille de métal sur du bois 나무 위에 금속판을 씌우다〔붙이다〕/ ~ ses cheveux sur les tempes 머리털을 관자놀이에 착 붙이다. ⓑ《~ qc de》…을 …으로 씌우다〔도금하다〕: ~ *des* bijoux d'or〔d'argent〕패물을 금〔은〕으로 도금하다. ② (따귀를) 붙이다〔치다 · 때리다〕; 밀어붙이다 : ~ qn contre le mur …을 벽에 밀어붙이다. ③ 〖레슬링〗 (넘어뜨린 상대방의) 등을 바닥에 눌러 붙이다 ; 〖럭비〗 태클하다. ④《구어》(사람을) 버리다, (애인을) 차버리다(= abandonner) : Elle *a plaqué* son mari. 그는 남편을 차버렸다. ⑤ 〖음악〗 ~ un accord (피아노로) 화음을 치다.

plaquette [plakɛt] *f.* ① 소책자. ② 작은 판대기 : ~ de chocolat 판초콜릿. ③ 장방형의 작은 금속판《기념 메달 따위》. ④ 〖의학〗 ~ sanguine 혈소판.

plasma [plasma] *m.* 〖생물〗 혈장(血漿)(= ~ sanguin) ; 〖물리〗 플라스마.

plasmolyse [plasmɔliːz] *f.* 〖생리〗 원형질 분리.

plast- *préf.* 「형성」의 뜻.

plastic [plastik] *m.* 플라스틱 폭탄.

plasticage [plastikaːʒ] *m.* = plastiquage.

plasticité [plastisite] *f.* ① 가소성(可塑性), 조형성. ② (성격 따위의) 유연성, 적응성.

plastie [plasti] *f.* 〖의학〗 성형술 : ~ cutanée 피부 성형술.

plastifier [plastifje] *v.t.* …에 플라스틱 가공을 하다, 플라스틱을 씌우다.

plastiquage [plastikaːʒ] *m.* 플라스틱 폭탄에 의한 폭파.

***plastique** [plastik] *adj.* ① 가소성의(= flexible ; ≠ rigide) : L'argile est ~. 찰흙은 가소성이 좋다. ② 조소(彫塑)의, 조형(술)의 : arts ~*s* 조형 미술. ③ (성격 따위가) 유연한 ; (몸매 따위가) 날씬한, 멋진. ④ 플라스틱(제)의 : seau en matière ~ 플라스틱 버킷. ⑤ 〖의학〗 성형의 : chirurgie ~ 성형〔정형〕외과. — *f.* ① 조형술, 조각. ② 몸매, 체격 : avoir une ~ irréprochable 멋진 몸매를 하고 있다. — *m.* ① 플라스틱 (재료, 제품), 비닐, 랩 : bouteille en ~ 페트병 / sac (en) ~ 비닐 봉지. ② 플라스틱 폭탄.

plastiquer [plastike] *v.t.* (건물 따위를) 플라스틱 폭탄으로 폭파시키다.

plastron [plastʀɔ̃] *m.* ① (갑옷의) 흉갑(胸甲) ; (검술용의) 가슴받이. ② 와이셔츠의 앞쪽 ; (여성복의) 가슴받이, 가슴 장식.

plastronner [plastʀɔne] *v.i.* 가슴을 내밀다 ; 뻐기다, 으스대다 ; 점잔빼다.

⁑**plat¹, e** [pla, -at] *adj.* ① 판판한, 평평한, 평탄한 : barque à fond ~ 바닥이 평평한 배 / Ce terrain est ~. 이 토지는 평탄하다 / avoir les pieds ~*s* 편평족(扁平足)이다 / mer ~*e* 잔잔한 바다. ② 납작한 : poisson ~ 납작한 물고기《가자미 따위》/ poitrine ~*e*〔femme ~*e*〕밋밋한 젖가슴(의 여자). ③ 얄팍한 ; 속이 빈 : avoir la bourse ~*e* 지갑이 텅 비어 있다, 빈털터리다. ④ 평범한, 싱거운 ; 맛없는 : ~ personnage 평범한 사람 / faire de ~*es* excuses 싱거운 변명을 하다 / vin ~ 맛없는 포도주. ⑤ 비굴한, 굽실거리는(= obséquieux) : être ~ devant les grands 높은 양반들에게 굽실거리다. ⑥ rimes ~*es* 평운(平韻). ⑦ eau ~*e* (탄산가스가 들어 있지 않은) 맹물, 비발포성(非發泡性) 미네랄 워터. ***à ~ ventre*** 배를 깔고 ; 엎드려서. ***à ~*** 편편하게 ; 납작하게 ; 완전히. ***être à ~*** (타이어가 바람이 빠져) 납작하게 되어 있다 ;《구어》맥이 빠져 있다, 기진맥진해 있다. ***faire du ~ à*** qn …에게 아부〔아첨〕하다.

⁑**plat²** [pla] *m.* ① 접시《assiette 보다 큰 그릇》: ~ à légumes 채소 접시. ② 접시에 담긴 음식 : servir un ~ de poisson 생선 요리를 내다 / ~ garni 고기 또는 생선에 채소를 곁들인 요리 / ~ de résistance 주된 요리, 메인 디쉬시 / ~ du jour (식당에서 권하는) 오늘의 특별 요리. ③ 저울판(= plateau) ;《옛》쟁반. ***faire tout un ~ de*** qc …을 두고 야단법석을 떨다. ***mettre les petits ~s dans les grands*** 진수성찬으로 차리다, 극진히 대접하다. ***mettre les pieds dans le ~*** 덮어놓고 제 생각을 털어놓다, 무례한 언동을 하다.

platane** [platan] *m.* 〖식물〗 플라타너스. ***rentrer dans un ~《구어》(차를 타고) 나무를 들이받다.

plat-bord [plabɔːʀ] *m.* (*pl.* **~s-~s**) 〖해양〗 ① 뱃전. ② (난파선의) 선판.

plateau** [plato] *m.* (*pl.* **~x**) ① 쟁반, 트레이. ② (기구에 달린) 접시, 대, 플레이트 ; 저울판(= ~ d'une balance) : ~ d'un micro-ondes 전자레인지의 턴테이블. ③ 고원(高原) ; 대지(臺地) : les *plateaux* de l'Iran. 이란 고원. ④ ⓐ 〖연극〗 무대 ; 〖영화〗 세트 ; 스튜디오 내의 촬영에 필요한 인원과 장비. ⓑ 댄스홀의 무도장, 플로어. ⑤ 〖스포츠〗 (체조 경기용) 마루. ⑥ ~ technique (병원의) 의료 설비. ***apporter qc ***à*** qn ***sur un ~*** (바라던 것을) 당장에 갖다 주다. ***~ continental*** 〖지질〗 (육지에 가까운 바다의) 편편하고 높은 밑바닥, 대륙붕(≠ fosse).

plateau-repas [platoʀ(ə)pa] *m.* (*pl.* **~x-~**) (기차 · 비행기에서의) 식사 쟁반 ; 기내식.

plate-bande [platbɑ̃ːd] *f.* (*pl.* **~s-~s**) 화단. ***marcher sur les ~s-~s de*** qn《구어》…의 권리를〔영역을〕침해하다.

platée [plate] *f.* 한 접시(의 요리) : une ~ d'épinards 시금치 한 접시.

plate-forme¹ [platfɔʀm] *f.* (*pl.* **~s-~s**) ① ⓐ 편편한 지붕, 옥상(= terrasse). ⓑ 약간 돋아 놓은 평평한 곳《발코니 · 전망대 · 층계참 따위》. ② 〖군사〗 포좌(砲座) ; 〖철도〗 무개 화차. ③ (버스 · 전차 따위의 승강구 곁의) 승객이 서는 자리. ④ ⓐ 〖토목 · 건축〗 토대 : ~ de maçonnerie 돌로 쌓은 토대. ⓑ 〖철도〗 (선로의) 자갈 밑바닥. ⓒ (길의) 포장 밑바닥. ⑤ 〖해양〗 마룻바닥(= plancher) : ~ de cale 화물창(艙)의 마룻바닥. ⑥ 〖지질〗 고원, (산 아래의) 넓은 벌판(= plateau). ~ ***continentale***〔***littorale***〕〖지질〗 대륙붕.

plate-forme² *f.* (*pl.* **~s-~s**) (정당의) 강령, 정견 : ~ électorale 선거 공약.

platement [platmɑ̃] *adv.* 평범하게, 싱겁게, 멋없게.

platine¹ [platin] *f.* ① (시계 따위의) 측판(側板). ② ⓐ (기구·기계의) 밑판, 받침대 : ~ de microscope 현미경의 밑판. ⓑ (인쇄기의) 압판(壓板). ③ (전축의) 턴테이블, (레코드를 얹는) 원반 : ~ (d'un) tourne-disque (레코드 플레이어의) 턴테이블.

platine² *m.* 백금 : bague en ~ 백금 반지. — *adj.* 《불변》 백금색의.

platiné, e [platine] *adj.* (머리털이) 플라티나 블론드의, 옅은 금발의. ***vis ~es*** 〖자동차〗 (엔진 점화 장치의) 접점(接點), 포인트.

platiner [platine] *v.t.* ① 백금으로 도금하다. ② (머리카락을) 백금색으로 염색하다.

platitude [platityd] *f.* ① 평범함, 진부함, 단조로움 ; (술 따위가) 풍미가 없음 : ~ de la vie à la campagne 시골 생활의 단조로움 / débiter des ~*s* 싱거운 말을 늘어놓다. ② 진부한 일〔말〕. ③ 비굴〔비열〕한 짓〔행동〕.

platonicien, enne [platɔnisjɛ̃, -ɛn] *adj.* 플라톤(*Platon*) 학파〔철학·주의〕의. — *n.* 플라톤 학파의 철학자.

platonique [platɔnik] *adj.* ① 플라톤 철학의〔같은〕. ② (순수하게) 정신적인 : amour ~ 정신적인 사랑. ③ 효과 없는, 형식만의.

platoniquement [platɔnikmɑ̃] *adv.* ① (순전히) 정신적으로, 관념적으로. ② 헛되이, 효과 없이.

platonisme [platɔnism] *m.* 플라톤 철학.

plâtre** [plɑ:tʀ] *m.* ① 석고(= gypse) ; 석회 : pierre à ~ 석고 / ~ cuit 소석고(燒石膏) / murs recouverts de ~ 석회를 칠한 벽. ② 석고 세공품, 석고상(像) : buste en ~ 석고 흉상. ③ (*pl.*) 회반죽〔벽토〕 (공사). ④ 〖의학〗 깁스 : avoir la jambe droite dans le ~ 오른쪽 다리에 깁스를 하고 있다. ⑤ 《구어》 숙성하지 않은 치즈《특히 까망베르》. ⑥ 《경멸》 짙게 칠한 분, 짙은 화장. ***battre qn ***comme ~*** …을 몹시 때리다. ***essuyer les ~s*** (벽이 다 마르지 않은) 새집에 살다〔가장 먼저 들어가다〕 ; 《구어》 가장 먼저 불편한 일을 겪다.

plâtre-ciment [plɑtʀəsimɑ̃] *m.* (*pl.* **~*s*-~*s***) *m.* 석고 시멘트.

plâtrer [plɑtʀe] *v.t.* ① …에 회반죽을〔벽토를〕 바르다 ; …에 분을 더덕더덕 바르다. ② …에 석고 비료를 뿌리다 ; (빨리 발효하도록 포도주에) 석고를 섞다. ③ (뼈 부러진 데에) 깁스를 하다. — **se ~** *v.pr.* (자기 얼굴에) 분을 더덕더덕 바르다.

plâtrerie [plɑtʀəʀi] *f.* ① 석회 제조소〔공장〕. ② 벽토〔미장이〕 공사.

plâtreux, euse [plɑtʀø, -ø:z] *adj.* ① 석고를 함유한 ; 석회를 칠한. ② 석고같이 하얀. ③ (치즈가 충분히) 숙성하지 않은.

plâtrier [plɑtʀije] *m.* 석고 채굴인〔판매인〕 ; 미장이 ; 석고 세공인.

plâtrière [plɑtʀijɛ:ʀ] *f.* ① 석고갱(坑). ② (석회 제조소의) 석고 가마, 석고 공장.

***plausible** [plozibl] *adj.* 수긍할 수 있는, 그럴 듯한.

play-back [plɛbak] 〔영〕 *m.* 《복수불변》 〖TV·영화〗 플레이백 (방식)《녹음·녹화의 재생》 ; 립싱크.

play-boy [plɛbɔj] 〔영〕 *m.* (*pl.* **~-~*s***) 플레이보이.

plèbe [plɛb] *f.* 《집합적》 ① 〖고대로마〗 평민. ② 《문어》 하층민, 천민(= populace).

plébéien, enne [plebejɛ̃, -ɛn] *n.* ① 〖고대로마〗 평민 (계급). ② 평민, 서민. — *adj.* 하층민의, 평민의, 서민적인.

plébiscitaire [plebisitɛ:ʀ] *adj.* ① 〖고대로마〗 평민회의의 결의에 의한. ② 국민 투표의 : consulter les électeurs par voie ~ 국민 투표로 유권자의 뜻을 파악하다.

plébiscite [plebisit] *m.* ① 〖고대로마〗 평민회의의 결의. ② 국민 투표.

plébisciter [plebisite] *v.t.* 국민 투표로 표결〔선거〕하다.

pléiade [plejad] *f.* ① (*P~s*) 〖천문〗 묘성(昴星)《아틀라스와 플레이오네의 일곱 딸이 별이 되었다는》. ② 〖문학사〗 la *P~* 옛 알렉산드리아의 일곱 시성(詩聖). ③ 〖불문학〗 (문예부흥 시대의) 칠성(七星) 시파.

plein, e** [plɛ̃, -ɛn] *adj.* ① ⓐ 가득 찬, 충만한 (≠ vide) ; 《~ de》 …으로 가득 찬 : sac ~ à craquer 터질 듯이 가득 찬 주머니 / salle ~*e de* monde 대만원인 홀 / avoir l'estomac ~ 《구어》 배가 부르다 / parler la bouche ~*e* 입안에 음식을 가득히 넣고 말하다 / forêt ~*e de* gibier 사냥거리가 많은 숲 / ~ *de* soi-même 자만심이 강한 / Il est ~ *de* vie. 그는 활기가 넘친다. ⓑ 속이 꽉〔빽빽하게〕 찬 : bois ~ 결이 촘촘한 목재. ② (지식·감정 따위로) 머리가 가득 찬 : être ~ de son sujet 자기가 안고 있는 문제로 머리가 가득 차 있다 / Mon cœur est ~ de vous. 내 마음은 당신 생각으로 가득 차 있습니다. ③ 완전한, 온전한, 전적인(= complet, entier, total) : ~*s* pouvoirs 전권(全權) / un jour ~ 온종일 / ~*e* conviction 확신 / ~ succès 대성공 / arriver à ~*e* maturité 원숙해지다 / donner ~*e* satisfaction 충분히 만족시켜 주다. ④ 둥그런(= rond) ; 살찐, 통통한, 포동포동한(= gras, gros, plantureux) ; (동물이 새끼를) 밴 ; (소리·목소리가) 알찬, 우렁찬 : chatte ~*e* 새끼를 밴 고양이 / visage ~ 둥그런 얼굴 / joues ~*es* 포동포동한 볼. ⑤ (사람이) 취한(= ivre) : Il est ~. 그는 취했다. ⑥ (시간이) 꽉 찬 ; 바쁜 (= occupé) : journée ~*e* 바쁜 하루〔일정〕. ⑦ 가득 메워진, 비지 않은 : porte ~*e* 창이 없는 문 / rire ~ de sa jeunesse 젊음 가득한 웃음. 《**à** ~+qc》 ⓐ ***à ~e gorge 목청을 다하여 : crier *à ~e gorge* 목청을 다하여 소리 지르다. ⓑ ***à ~es mains*** 양손 가득히, 많이, 수북이 : donner *à ~es mains* 수북이 주다. ⓒ ***à ~es voiles*** 돛을 활짝 펴고. ⓓ ***à ~e vitesse*** 전속력으로. ***avoir le cœur ~*** (슬픔이나 기쁨으로) 가슴이 벅차다. 《***en*** ~+qc》 ⓐ ***en ~ air*** 노천에서 ; 야외에서. ⓑ ***en ~ hiver*** 한겨울에. ⓒ ***en ~ jour*** 대낮에 ; 공공연히. ⓓ ***en ~e mer*** 난바다〔외양〕에서, 바다 한복판에서. ⓔ ***être en ~ travail*** 한창 일하고 있다. ***~e lune*** 만월. ***~e mer*** 만조, 한사리 ; 난바다.

— *m.* ① 한복판. ② 가득 차 있음, 충만 : le ~ de la lune 달이 참 / faire le ~ d'essence 휘발유를 가득 채우다. ③ 만조, 한사

리(= le ~ de la mer). ④ 최대한, 최고조(= maximum). ⑤ 서체의 굵은 부분. ***à ~*** 완전히 : train qui roule *à* ~ 만원 열차. ***battre son ~*** 만조이다 ; 한창이다.
— *adv.* 가득히 ; 수북이. ***~ de; tout ~ de...*** 《구어》 많은 : avoir ~ *d'*argent 돈이 많다 / Il y avait ~ *de* monde sur la place. 광장에는 많은 사람들이 있었다. ***tout ~*** 《구어》 아주, 매우 : Elle est mignonne *tout* ~. 그녀는 정말 귀엽다.
— *prép.* 가득히 : Il avait des larmes ~ les yeux. 그의 눈에는 눈물이 가득 괴어 있었다 / ~ les deux mains 양손 가득히.

***pleinement** [plɛnmɑ̃] *adv.* 전연, 완전히, 전적으로 ; 충분히, 아주(= entièrement, parfaitement) : approuver ~ qn …에 전적으로 찬성하다 / être ~ satisfait 〔content〕 de qc …에 완전히 만족해하다.

plein-emploi, plein emploi [plɛnɑ̃plwa] *m.* 《복수불변》 〖경제〗 완전 고용.

plein-temps [plɛ̃tɑ̃] *adj.* 《불변》 상근의 ; 전임의 ; 풀타임의 : médecin ~ 정식 근무 의사. — *m.* 《복수불변》 상근, 풀타임(≠ mitemps) : à ~ 상근으로 ; 풀타임으로.

plénier, ère [plenje, -ɛːʀ] *adj.* 《옛》 완전한, 전적인(= complet) ; 전체의, 전원이 모인 : assemblée ~*ère* (전원이 참석하는) 총회.

plénipotentiaire [plenipɔtɑ̃sjɛːʀ] *adj.* 전권(全權)을 가진 : ministre ~ 전권 공사. — *m.* 전권 사절.

plénitude [plenityd] *f.* 충만함 ; 풍만함(= ampleur) ; 풍부 ; 완전함, 완전무결 : ~ des formes féminines 여체의 풍만함 / ~ d'un droit 권리의 완전 보유.

plénum, plenum [plenɔm] 〔라틴〕 *m.* 〖정치〗 총회, 전국 대회《특히 공산당의》.

pléonasme [pleɔnasm] *m.* 〖수사학〗 중복법, 췌사법(贅辭法).

pléonastique [pleɔnastik] *adj.* 중복된, 췌사적인 : tour ~ 중복된 표현.

plésiosaure [plezjɔzɔːʀ] *m.* 〖고대생물〗 플레시오 사우르스《쥐라기의 목이 긴 공룡》.

pléthore [pletɔːʀ] *f.* ① 〖의학〗 《옛》 다혈증〔질〕. ② 과잉, 과다 : Il y a ~ de candidats. 입후보자가 너무 많다 / ~ de capitaux 자본의 과잉 투자.

pléthorique [pletɔʀik] *adj.* ① 다혈증〔질〕의. ② 너무 많은, 과다한 : classes ~*s* 학생수가 너무 많은 학급.

pleur [plœːʀ] *m.* (흔히 *pl.*) 《옛·문어》 눈물 : Cessez von ~*s*. 울지 마세요 / répandre des ~*s* 눈물을 흘리다.

pleural, e, aux [plœʀal, -o] *adj.* 〖해부〗 늑막의 : épanchement ~ 늑막 삼출액.

pleurard, e [plœʀaːʀ, -aʀd] *adj.* 울기 잘하는 ; 불평하기 좋아하는. — *n.* 울보 ; 불평을 잘하는 사람.

⁑pleurer [plœʀe] *v.i.* ① 울다, 눈물을 흘리다 :~ de dépit 분해서 울다〔슬퍼하다〕 / ~ de joie 기뻐서 울다 / pourquoi *pleures*-tu ? 어째서 울고 있니 ? ② 《문어》 《~ sur》 …에 대해 눈물을 흘리다, …을 한탄하다, 슬퍼하다 : Il *pleure sur* son sort. 그는 자신의 운명을 한탄한다. ③ 《~ auprès de qn》 …에게 울며 매달리다〔부탁하다〕 : Il est allé ~ *auprès de* son chef pour obtenir un congé. 그는 휴가를 얻기 위해 주임에게 울며 매달렸다. ④ 《~ après qc》 《구어》 …을 끈질기게 조르다 : ~ *après* une augmentation de salaire 월급을 올려 달라고 끈질기게 조르다. ⑤ (나무의 수액 따위를) 흘리다. ***à ~ ; à faire ~*** 눈물이 나도록, 눈물겹도록, 몹시 : C'est triste *à* ~. 이를 데 없이 슬프다. — *v.t.* ① 《문어》 (…의 죽음·소멸을) 한탄하다, 슬퍼하다, 애도하다 : Il *pleure* (la mort de) son père. 그는 아버지의 죽음을 슬퍼하고 있다. ② 《문어》 (잘못을) 뉘우치다(= regretter). ③ 《문어》 (눈물을) 흘리다(= verser) : ~ toutes les larmes de son corps. 울고 또 울다, 눈물이 마를 때까지 울다. ④ 《구어》 아까워하다 : ne pas ~ sa peine 〔son argent〕 노고를〔돈을〕 아끼지 않다.

pleurésie [plœʀezi] *f.* 〖의학〗 늑막염.

pleurétique [plœʀetik] *adj.* 〖의학〗 늑막염의 ; 늑막염에 걸린. — *n.* 늑막염 환자.

pleureur, euse [plœʀœːʀ, -øːz] *adj.* 가지가 축 늘어진 : saule ~ 수양버들. — *n.* 울보. — *f.* 곡녀(哭女)《장례식 때 직업으로 곡하는 여자》.

pleurnichement [plœʀniʃmɑ̃] *m.* 공연히 울기 ; 거짓 울음 ; 훌쩍거리기.

pleurnicher [plœʀniʃe] *v.i.* 건성으로 울다 ; 훌쩍거리다, 울먹이다.

pleurnicheur, euse [plœʀniʃœːʀ, -øːz] *n.* 울보, 공연히 잘 우는 사람. — *adj.* 거짓 눈물짓는, 우는 척하는.

pleuropneumonie [plœʀɔpnømɔni] *f.* 〖의학〗 늑막 폐렴.

pleutre [pløːtʀ] *m.* 비겁〔비열〕한 녀석.

pleutrerie [pløtʀəʀi] *f.* 비겁〔비열〕한 짓.

pleuvasser [pløvase] *v. impers.* 《구어》 가랑비가 내리다.

⁑pleuvoir [pløvwaːʀ] [66] *v. impers.* ① 비가 오다 : Il *a plu* ce matin. 오늘 아침 비가 왔다. ② 《의미상의 주어와 함께》 쏟아지다, 비 오듯 하다 : Il *pleut* de grosses gouttes. 굵은 빗방울이 쏟아진다 / Il *pleut* des obus. 폭탄이 비오듯 한다. ***comme s'il en pleuvait*** 듬뿍, 많이 : Il ramasse de l'argent *comme s'il en pleuvait*. 그는 돈을 많이 번다. ***qu'il pleve, qu'il vente*** 비가 오나 바람이 부나 어김없이. — *v.i.* 비오듯 하다 ; 밀어닥치다, 쇄도하다 : Les critiques *pleuvent* sur son nouveau film. 그의 신작 영화는 비판의 집중 포화를 받고 있다. ***faire ~ des baisers sur*** qn …에게 마구 키스를 퍼붓다.

pleuvoter [pløvɔte] *v. impers.* 《구어》 = pleuvasser.

plèvre [plɛːvʀ] *f.* 〖해부〗 늑막 : inflammation de la ~ 늑막염.

pleuxiglas [plɛksiglɑːs] *m.* 안전 유리 ; 유리처럼 투명한 합성수지.

plexus [plɛksys] *m.* 〖해부〗 (신경·혈관 등의) 총(叢) : ~ cervical 뇌신경총.

***pli** [pli] *m.* ① (옷·종이의) 주름 ; 접은 자리〔금〕 : faire des ~*s* à une robe 옷에 주름을 잡다 / faux ~ 잘못된 주름. ② (토지의) 기복(起伏), 〖지질〗 습곡(褶曲) : ~ de terrain

P

지층의 습곡. ③ 봉투 ; 편지(= lettre, message) : sous ce ~ 동봉하여 / sous ~ cacheté 봉투에 넣어. ④ (팔 따위의) 구부러지는 데, 오금(= saignée). ⑤ (카드놀이에서 승자가) 패를 따기(= levée). ⑥ 《구어》 《비유》 습관, 버릇(= habitude) : Il a pris un mauvais ~ ; il joue aux courses. 그는 나쁜 버릇을 들였다, 경마를 하고 있다. ⑦ (피부의) 주름(살), 늘어짐 : ~ du front 이마의 큰 주름살. ***Cela* 〔*Ça*〕 *ne fera* 〔*fait*〕 *pas un* ~.** 《구어》 그 일은 아주 쉽게 될 것이다.

pliable [plijabl] *adj.* ① 접을〔굽힐〕 수 있는(= flexible). ② 유연한, 유순한(= souple).

pliant, e [plijɑ̃, -ɑ̃:t] *adj.* ① 잘 휘어지는, 나긋나긋한 ; 접혀지는 : métre ~ 접자 / pied ~ 〖사진〗 접게 된〔조립식〕 삼각(三脚). ② 고분고분한, 유순한. ── *m.* 접게 된 의자.

plie [pli] *f.* 〖어류〗 가자미.

plier** [plije] *v.t.* ① 접다, 접어서 포개다 ; 치우다, 정리하다 : ~ une feuille de papier en deux 한 장의 종이를 2개로 접다 / ~ sa serviette 냅킨을 접어서 개다 / ~ ses affaires 소지품을 치우다〔정리하다〕. ② 굽히다, 휘게 하다 : ~ une branche 나뭇가지를 휘게 하다 / ~ les genoux 〔le bras〕 무릎〔팔〕을 구부리다. ③ 따르게 하다, 굴복시키다 : ~ qn à une discipline …을 규율에 따르게 하다 / ~ qn à une habitude …에게 습관을 들이다. ***être plié en deux par l'âge 늙어서 허리가 몹시 굽어 있다. ***~ bagage*** 봇짐을 싸다 ; 떠나다 ; 도망치다. ***~ la tête*** 머리를 숙이다 ; 복종하다. ── *v.i.* ① 구부러지다, 휘어지다 : La branche *plie* sous le poids des fruits. 가지는 과일의 무게로 휘어져 있다. ② 복종〔굴복〕하다 : refuser de ~ devant l'autorité. 권위에 굴하지 않다. ── **se ~** *v.pr.* ① 굽다, 포개지다. ② 《se ~ à》 …에 복종하다, 따르다, 순응하다 : *se ~ aux* usages 관습에 따르다 / *se ~ aux* circonstances 환경에 따르다.

plinthe [plɛ̃:t] *f.* 〖건축〗 주추 ; 굽도리널.

plissage [plisa:ʒ] *m.* 주름잡기 ; 〖인쇄〗 (인쇄 중에 생기는) 주름살.

plissement [plismɑ̃] *m.* ① 주름잡기, 주름. ② 〖지질〗 습곡(褶曲) : montagnes formées par ~ 습곡 산맥.

plisser [plise] *v.t.* …에 주름잡다 ; 주름살지게 하다 : ~ une jupe 스커트에 주름을 잡다 / ~ le front 이맛살을 찌푸리다. ── *v.i.* 주름 잡히다 ; 주름살지다 : robe qui *plisse* bien 주름이 잘 잡히는 옷.

pliure [plijy:ʀ] *f.* ① 〖제본〗 접지장(摺紙場). ② 접은 금〔자리〕, 접히는 곳 : à la ~ du bras 〔du genou〕 팔오금〔오금〕에.

ploiement [plwamɑ̃] *m.* ① 구부러지기, 휘어지기 ; 휘어진〔구부러진〕 상태. ② 〖군사〗 전투 대형에서 행군 대형으로 바꾸기.

plomb** [plɔ̃] *m.* ① 납, 연(鉛) : mine de ~ 흑연 ; 연필심 / coliques de ~ 납중독. ② 연추(鉛錘), 추(= ~ de sonde). ③ 조판 활자 ; 조판 : ~ d'un livre 책의 조판. ④ (수렵용) 산탄, 탄환 : menu ~ (새를 쏘는) 소형 탄환. ⑤ 봉인용(封印用)의 납 딱지 ; 유리창의 유리를 고정시키는 납조각〔막대〕. ⑥ 〖전기〗 퓨즈(= ~ fusible). ***à ~ 수직으로 ; 직접적으로. ***avoir du ~ dans l'aile*** (새가) 날개를 다치다 ; (병 · 사업 따위가) 중태에 빠져 있다. ***avoir du ~ dans l'estomac ; avoir un ~ sur l'estomac*** 《구어》 소화가 되지 않아 속이 묵직하다. ***de* 〔*en*〕 *~*** (납처럼) 무거운 ; 납빛의 ; 격렬한. ***n'avoir pas de ~ dans la tête*** 몹시 경솔하다. ***soldat de ~*** 장난감 병정. ***soleil de ~*** 쨍쨍 내리쬐는 햇볕. ***sommeil de ~*** 깊은 잠.

plombage [plɔ̃ba:ʒ] *m.* ① 납을 입히기 ; 납땜. ② (치아를) 금속으로 봉하기.

plombagine [plɔ̃baʒin] *f.* 〖광물〗 흑연.

pliombé, e [plɔ̃be] *adj.* ① 납을 입힌 ; (이 따위를) 봉한, 때운 : canne *~e* 끝에 납을 단 지팡이. ② 납빛의 : ciel ~ 납빛의 하늘. ③ (납으로) 봉인한 : colis ~ 봉인된 소포.

plomber [plɔ̃be] *v.t.* ① …에 납을 씌우다〔달다〕. ② (짐 · 문 따위를) 봉인(封印)하다 : ~ un wagon 화차에 납봉인을 하다. ③ (구멍 뚫린 이를) 봉박다. ④ 다림줄〔측연〕(fil à plomb)으로 벽의 수직 여부를 검사하다. ── **se ~** *v.pr.* 납빛이 되다.

plomberie [plɔ̃bʀi] *f.* ① (가스 · 수도 따위의) 배관(配管) (공사) ; 배관 시설. ② 납제품 제조업〔공장〕.

***plombier, ère** [plɔ̃bje, -ɛ:ʀ] *m.* ① (가스 · 수도 따위의) 배관공, 연관공(鉛管工). ② (경찰의) 도청계(盜聽係)《배관공을 가장하여 침투한 데서》. ── *adj.* 납의 ; 납세공〔공사〕의.

plombières [plɔ̃bjɛ:ʀ] *f.* (과일 잼이 든) 아이스크림.

plonge [plɔ̃:ʒ] *f.* (식당 따위의) 접시 닦는 일 ; (접시 닦는) 개수대. ***faire la ~*** 접시 닦기를 하다.

plongeant, e [plɔ̃ʒɑ̃, -ɑ̃:t] *adj.* 위에서 내려다본 ; 직하(直下)하는 : tir 〔feu〕 ~ 내리쏘는 사격 / vue *~e* 내려다본 전망.

plongée [plɔ̃ʒe] *f.* ① (잠수부 · 잠수함의) 잠수, 잠항(潛航) : sous-marin en ~ 잠항 중인 잠수함. ② 부감(俯瞰) ; 〖영화〗 부감 촬영. ③ 침잠, 몰입 : ~ dans le sommeil 깊은 잠에 빠짐.

plongeoir [plɔ̃ʒwa:ʀ] *m.* 〖수영〗 다이빙대(의 발판) : Il a sauté du deuxième ~. 그는 두 번째 뜀판에서 다이빙했다.

plongeon [plɔ̃ʒɔ̃] *m.* ① 〖수영〗 다이빙. ② 《구어》 공손히 절하기. ③ 〖축구〗 (공을 잡으려고 골키퍼가) 다이빙하기. ***faire le ~*** ⓐ 큰 손해를 보다, 파산하다. ⓑ 자취를 감추다.

***plonger** [plɔ̃ʒe] 3 *v.t.* ① (물속에) 잠그다, 빠뜨리다, 가라앉히다 : Il *plongea* sa tête dans la cuvette. 그는 머리를 대야 속에 담갔다. ② 《~ dans》 (칼 따위로) …을 찌르다, 꽂다 : ~ un poignard *dans* le cœur de qn …의 가슴을 단도로 찌르다 ; …을 몹시 괴롭히다. ③ 《~ qn dans》 …을 …에 빠뜨리다, 빠지게 하다 : être *plongé dans* le sommeil 깊은 잠에 빠져 있다 / ~ qn *dans* la misère …을 비참한 처지에 떨어뜨리다. ── *v.i.* ① 잠기다 ; 잠수하다 ; 다이빙하다. ② ⓐ 《~ sur》 …에 달려들다 : vautour qui *plonge sur* sa proie 먹이에 달려드는 독수리. ⓑ (비행기 따위가 목표물을 향해) 강하하다. ③ 《~ dans》 …속으로 잠기다〔빠져 들어가다 · 내리뻗다〕 ; …속으로 자취를 감추다〔사

라지다〕: ~ *dans* la pensée 생각에 잠기다 / ~ *dans* le sommeil 잠에 빠지다 / racines qui *plongent dans* le sol 땅속으로 뻗은 뿌리들 / ~ *dans* la lame 〖해양〗 (배가) 물에 잠길 듯이 앞뒤로 흔들리다〔키질하다〕. ④ (눈길이) 내려다보다, 굽어보다 : L'œil *plonge dans* l'abîme. 눈이 심연(深淵)을 내려다본다. — **se ~** *v.pr.* 《se ~ dans》 …에 몰두하다 ; …에 빠지다 : *se ~ dans* l'étude 연구에 몰두하다.

plongeur, euse [plɔ̃ʒœːʀ, -øːz] *m.* ① 잠수부 ; (수영의) 다이빙 선수. ② (식당의) 접시 닦기《사람》. ③ (종이 뜨는) 제지공(製紙工)(= puiseur) ; 〖도자기〗 구은 도자기를 유약에 담그는 직공(= trempeur). ④ 〖조류〗 (농병아리 · 아비 따위의) 잠수조(潛水鳥).

plot [plo] *m.* ① 〖전기〗 단자(端子), 접촉자, 플러그(= ~ de contact) : ~ mobile (소켓의) 플러그. ② 〖항공〗 (땅에 박은) 표지등.

plouc, plouk [pluk] *m.* 《경멸》 우둔하고 촌스러운 사람.

plouf [pluf] *interj.* 툭, 퐁당《가벼운 파열음 또는 액체 속에 떨어지는 소리》.

plouto- *préf.* 「부 · 부유」의 뜻.

ploutocrate [plutɔkʀat] *m.* 금권 정치가 ; (정치를 움직이는) 갑부, 재벌.

ploutocratie [plutɔkʀasi] *f.* 금권 정치 (체제).

ployer [plwaje] 7 *v.t.* ① 《문어》 구부리다, 휘게 하다 : ~ les genoux 무릎을 구부리다. ② 《문어》 굴복시키다, 복종하게 하다. — *v.i.* ① (가지가) 휘어지다 ; (무릎이) 구부러지다 : La branche *ployait* sous le poids des fruits. 가지는 열매의 무게로 휘어지고 있었다. ② 《~ sous》 《문어》 …에게 복종하다. ~ ***devant l'ennemi*** 퇴각하다.

plu [ply] plaire, pleuvoir 의 과거분사.

pluches [plyʃ] *f. pl.* 《구어》 채소 껍질 벗기기 ; 야채 부스러기.

‡**pluie** [plɥi] *f.* ① 비 : ~ diluvienne 〔torrentielle〕 억수로 퍼붓는 비 / temps de ~ 비 오는 날씨, 우천 / goutte de ~ 빗방울 / Le temps est à la ~. 비가 올 듯하다 / ~ fine 가랑비 / saison des ~*s* 장마철 / ~ d'orage 소나기. ② 《비유》 《une ~ de...》 …의 비 : *une ~ de* baisers 키스 세례 / *une ~ de* cendres 쏟아져 내리는 재 / *une ~ d'*or 황금의 비, 막대한 돈. ***Après la ~, le beau temps.*** 《격언》 궂은 날 다음에는 좋은 날이 온다. ***ennuyeux comme la ~*** 《구어》 몹시 지루한. ***en ~*** 비처럼 ; 비 같은 : douche *en ~* 샤워 / liquide qui tombe *en ~* 비처럼 떨어지는 액체. ***faire la ~ et le beau temps*** 전능(全能)하다, 제 마음대로 하다 ; 영향력이 매우 크다. ***parler de la ~ et du beau temps*** 평범한〔진부한〕 이야기를 하다. ***sous la ~*** 비 속에(서), 비를 맞고.

plum [plym] *m.* 《구어》 침대(= plumard).

plumage [plymaːʒ] *m.* ① 《집합적》 (새 몸 전체의) 깃, 털. ② 장식용 깃털.

plumard [plymaːʀ] *m.* 《구어》 침대(= lit) : Au ~ ! 자아, 빨리 자렴 !

‡**plume** [plym] *f.* ① 깃털, 깃 ; 깃털 장식 : arracher les ~*s* d'un poulet 닭 털을 뽑다 / chapeau à ~*s* 깃털 장식이 달린 모자. ② 깃털 펜 ; 펜, 철필 : dessin à la ~ 펜화(畵). ③ 필치, 문체 ; 문필 : ~ mordante 신랄한 필치〔문체〕. ④ 《구어》 머리털. ⑤ 〖스포츠〗 (권투의) 페더급(= poids ~). ***arracher à*** qn ***une ~ de l'aile*** …으로부터 소중한 것〔이익〕을 빼앗다. ***ne pas peser plus qu'une ~ ; être léger comme une ~*** 깃털처럼 가볍다. ***perdre des* 〔*ses*〕 *~s*** 《구어》 머리털이 빠지다 ; 대머리가 되다 ; 손해를 보다. ***prendre la ~ ; mettre la main à la ~*** 집필하다, (편지 따위를) 쓰기 시작하다. ***voler dans les ~s à* 〔*de*〕** qn 《속어》 …을 공격하다, 덮치다. ***y laisser des ~s*** 《구어》 손해를 보다.

plumeau [plymo] *m.* (*pl.* **~x**) 깃털비 ; 깃털 총채.

plumer [plyme] *v.t.* ① (새의) 깃털을 뽑다. ② …의 껍질을 벗기다. ③ 《구어》 …의 재물을 우려내다, 등쳐 먹다. — **se ~** *v.pr.* 《구어》 잠자리에 들다, 자다.

plumet [plymɛ] *m.* (모자의) 삭모(槊毛) ; 깃털 장식.

plumier [plymje] *m.* 필통, 필갑.

plumitif [plymitif] *m.* ① 《구어》 법원의 서기(= greffier). ② 엉터리 문인, 삼류 문사(文士).

plum-pudding [plu〔œ〕mpudiŋ] 〔영〕 *m.* (*pl.* **~-~s**) 플럼푸딩.

‡**plupart** (**la**) [laplypaːʀ] *f.* 《단수 명사가 붙을 때를 제외하고, 동사는 항상 복수임》 대부분, 거의 모두 : La ~ de mes amis sont célibataires. 내 친구의 대부분은 독신이다. ***la ~ du temps*** 대개의 경우, 대체로 : Elle passe *la ~ de son temps* chez elle. 그녀는 대체로 시간을 집에서 보낸다. ***pour la ~*** 대부분, 대개는. — *pron. indéf.* 대부분의 사람《대개 동사는 3 인칭 복수》 : La ~ s'en vont 〔《문어》 s'en va〕. 대부분의 사람들은 자리를 뜬다 / La ~ était d'avis que... 대부분의 사람은 …라고 생각하고 있었다.

plural, e, aux [plyʀal, -o] *adj.* 복수의, 다수의 : vote ~ 복수 투표제.

pluralisme [plyʀalism] *m.* ① 〖철학〗 다원론. ② 〖정치〗 복수 정당〔지도〕 체제.

pluraliste [plyʀalist] *adj.* 다원론의 ; 〖정치〗 복수 정당 체제의. — *n.* 〖철학〗 다원론자 ; 〖정치〗 복수 정당 체제론자.

pluralité [plyʀalite] *f.* ① 다수성 ; 다원성, 다양성(= diversité) : ~ des philosophies qui coexistent 공존하는 다양한 철학들. ② 〖문법〗 복수(성)(≠ singularité).

pluri- *préf.* 「복수 · 다수」의 뜻.

pluridisciplinaire [plyʀidisiplinɛːʀ] *adj.* 다전공 분야의〔를 포함하는〕, 여러 영역에 걸치는. — *n.* 여러 전공 분야를 동시에 연구하는 학자. — *m.* = pluridisciplinarité.

pluridisciplinarité [plyʀidisiplinaʀite] *f.* 다전공 분야성, 다영역성.

***pluriel, elle** [plyʀjɛl] 〖문법〗 *adj.* ① 복수(형)의(≠ singulier) : finale ~*elle* 복수 어미. ② 《문어》 다차원(多次元)적인. — *m.* 복수(형)(≠ singulier).

plurilingue [plyʀilɛ̃ːg] *adj.* 여러 개의 언어를 사용하는(= multilingue).

plurinational, e, aux [plyʀinasjɔnal, -o] *adj.* 여러 나라에 걸친, 다국적의 : entreprise ~*e* 다국적 기업.

pluripartisme [plyʀipaʀtism] *m* 〖정치〗

P

다당(多黨) 공존, 복수 정당제.

plurivalent, e [plyʀivalɑ̃, -ɑ̃:t] *adj.* 〖화학〗 다가(多價)의(= polyvalent) ; 〖철학〗 다가의 : logique ~*e* 다치(多値) 논리학.

:plus[1] [ply(s)] *adv.* 《beaucoup 의 비교급》《élément rythmique 의 끝에서 발음은 [plys]》 ① 《부사적 용법》 ⓐ 《동사·형용사·부사와 함께》 더 (많이)(≠ moins) : Maintenant je t'aime ~ [plys]. 이제 나는 너를 더 좋아하게 됐다 / ~ souvent 더 자주 / Ils sont beaucoup ~ nombreux. 그들은 훨씬 인원수가 많다 / Il n'en est pas ~ avancé. 그가 더 나아진 것은 아니다. ⓑ 《~ ... que》 …보다 더 … : Il est ~ grand *que* moi. 그는 나보다 키가 더 크다 / Je suis allé ~ vite *que* lui. 나는 그보다 더 빨리 갔다 / Il est ~ bête *que* méchant. 그는 심술궂다기보다 바보다 / J'ai ~ sommeil *que* faim. 나는 시장하다기보다도 졸린다 / Il gagne ~ *que* vous. 그는 당신보다 벌이가 더 많다 / Il me faut une maison deux fois ~ grande *que* celle-ci. 나는 이것보다 두 배 큰 집이 필요하다.
② 《명사적 용법》 ⓐ demander ~ [plys] 그보다 더 많은 것 〔그 이상〕을 요구하다. ⓑ 《~ de》 …이상 : Il a ~ *de* 20 ans. 그는 20살 이상이다 / ~ *d'*à moitié (= ~ qu'à moitié) 반 이상 / Il était ~ *de* minuit. 자정이 지났었다 / enfants de ~ *de* dix ans, 10살이 넘은 아동들 / Il a ~ *de* patience que moi. 그는 나보다 더 참을성이 있다 / Elle avait ~ *de* charme que *de* beauté. 그녀는 아름답기보다는 매력이 있었다.
③ 《접속사적 용법, 발음은 [plys]》 그리고 또, 그 위에, 그 밖에 : Deux ~ trois font cinq. 2+3=5 / cent francs d'amende, ~ les frais 벌금 100 프랑에다가 소송 비용.
④ 《최상급》 ⓐ 《부사적 용법》 1) 《le ~》《동사를 수식》 가장 (많이) : C'est la femme que j'ai *le* ~ aimée. 그녀는 내가 가장 사랑한 여인이다 / ce que je désire *le* ~ [plys] 내가 가장 바라는 것 / ce qu'on me reproche *le* ~ âprement 사람들이 내게 가장 격렬하게 비난하는 것. 2) 《le plus, la plus, les plus》《정관사·소유 형용사와 함께 형용사·부사의 우등 최상급》 Il est *le* ~ riche 〔fort〕 de nous tous. 그는 우리들 전체 중에서 가장 부유하다〔힘이 세다〕 / C'est mon ~ beau livre 〔mon livre *le* ~ beau〕. 이것은 나의 가장 좋은 책이다 / C'est son ~ grand mérite. 그것이 그의 가장 훌륭한 점이다 / Voilà ce qu'on y voit de ~ divertissant. 이것이 거기서 볼 수 있는 가장 재미있는 것이다《정관사의 생략》 / C'est à 30 ans qu'elle a été *le* ~ belle. 그 여자가 가장 아름다웠던 것은 30살 때이다《동일물〔인물〕의 성질의 최상급이 문제가 될 때 관사 le는 대개 변화하지 않음》. ⓑ 《명사적 용법》《le ~ de》 가장 많은 … : C'est elle qui a reçu *le* ~ *d'*argent. 가장 많이 돈을 받은 것은 그녀이다.
⑤ 《부정의 부사》 ⓐ 《ne... ~ 이 경우 발음은 언제나 [ply] 임》 이제는〔이미·다시는〕 …않다 : On *ne* le voit ~ nulle part. 어디서도 그를 다시는 만날 수 없다 / Elle *n'*est ~. 그녀는 죽었다 / Cela *n'*existe ~. 그것은 이미 존재하지 않는다 / On *n'*en trouve ~. 그것은 이젠 보이지 않는다 / Je *n'*ai ~ d'argent. 이젠 돈이 없다 / Je *ne* l'aime ~. 나는 이미 그〔그 여자〕를 사랑하지 않는다 / Je *ne* veux ~ de cela. 이젠 그런 것은 필요없다 / Je *n'*ai ~ faim, merci. 이젠 많이 먹었으니 그만하겠어요. ⓑ 《ne 없이》 Paris était mort, ~ d'autos, ~ de passants. 파리는 죽은 것 같았다. 자동차도 행인도 없었다 / *P*~ de guerres! 다시는 전쟁이 없기를! ***ce que... de ~***+'형용사' …하는 가장 …한 것 : C'est tout ce *qu'*il y a *de* ~ simple. 이처럼 간단한 것은 없다. ***d'autant ~*** 그만큼 더, 하물며 …임에랴. ***de ~[1] ; bien ~ ; il y a ~ ; qui ~ est*** [plyzɛ] 게다가 ; 그 위에 ; 그뿐만 아니라 (오히려) : Il ne m'aide pas ; *bien* ~ il m'empêche de travailler. 그는 나를 돕지 않을 뿐만 아니라 오히려 일을 방해하고 있다. ***... de ~[2]*** …더 : une fois *de* ~ 한번 더, 또 한 번 / Il a trois ans *de* ~ que moi. 그는 나보다 3살 많다. ***de ~ en ~*** 더욱〔점점〕 더. ***des ~***+'형용사' 매우, 아주 : une situation *des* ~ embarrassants 매우 난처한 상황. ***en ~*** 게다가 ; 여분〔덤〕으로, 특별히 : Le vin est *en* ~. 술은 덤이다. ***en ~***+'형용사' 더 …하면서〔하지만〕. ***en ~ de*** …내(이)외에, …에다가 : *en* ~ *de* ce qu'il me doit 그가 내게 빌리고 있는 것 이상〔이외〕으로. ***et ~*** 이상 : après dix ans *et* ~ 십년이 지난 후에. ***et qui ~ est*** [plyzɛ] 그 위에, 그뿐만 아니라. ***ni ~ ni moins*** 이상도 이하도 아닌, 더하지도 덜하지도 않은, 꼭 (알맞은). C'est ***on ne peut ~*** embêtant. 그것은 더할 수 없이 싫은 일이다. ***pas 〔non〕 ~ que*** …와 마찬가지로 (아니다) : La maladie *pas* 〔*non*〕 ~ *que* les obstacles ne put le vaincre. 병도 장애도 그를 꺾을 수는 없었다. ***P~... (et) ~ 〔moins〕...*** …하면 할수록 더 …하다〔…을 덜하다〕 : *P*~ obscure est la nuit, ~ l'étoile y brille. 밤이 어두우면 어두울수록 별은 더 빛난다 / *P*~ on se dépêche, *moins* on réussit. 《격언》 서둘면 서둘수록 일이 잘 안 된다. ***~ ou moins*** [plyzumwɛ̃] 다소(간) ; 많든 적든, 다소간에 ; 대략 ; 거의, 약 : Tu penses avoir réussi ton examen? — *P~ ou moins.* 시험을 잘 봤다고 생각하니? — 그럭저럭. ***~ que***+'형용사' 무척 …하다 : La situation est ~ *que* grave. 상황은 극히 심각하다. ***~ que***+'명사' …이상의. ***~ que de coutume*** 평상시보다 더. ***~ que jamais*** 그 어느 때보다 더 : Elle est ~ belle *que jamais.* 그녀는 그 어느 때보다 더 예쁘다. ***P~ que*** (dix minutes!) 이제 (10분)밖에 없다. ***~ rien*** 이젠 아무것도 없다. ***pour ne pas dire ~*** 아주 줄잡아 말하더라도. ***Qui ~ qui moins.*** 《구어》 어떤 사람은 많게 어떤 사람은 적게. ***sans ~*** 그저 그뿐이다 : Elle est mignonne, *sans* ~. 그 여자는 귀엽지, 그저 귀여울 뿐이야《정말로 예쁘진 않다》. ***sans ~***+*inf.* 더 이상 …하지 않고〔말고〕 : *sans* ~ attendre 더 이상 기다리지 않고〔말고〕. ***tant et ~*** 많이, 몹시.
— *m.* ① 더 많은 것 : Qui peut le ~ peut le moins. 보다 많은 것을 할 수 있는 사람은

P

적은 것도 할 수 있다. ② 최대한 : Faites le ~ que vous pourrez. 할 수 있는 한 해보세요, 전력을 다하세요. ③ [plys] 〖수학〗 플러스 부호《+》. ***au ~ ; tout au ~*** 기껏해야 : dans une semaine *au* ~ 기껏해야 1 주일 후에는.

plus² plaire 의 직설 · 단과거 · 1〔2〕· 단수.

‡plusieurs [plyzjœːʀ] *adj. indéf. pl.* 몇몇의, 수개의, 여러(= quelque(s), certains, maint) : à ~ reprises 여러 번 되풀이하여 / ~ fois 여러 번 / ~ personnes 여러 명〔사람〕. ── *pron. indéf. pl.* 《다음 낱말과 연음하지 않음》 ① (사람이) 몇몇, 여럿, 몇몇 사람, 여러 사람 : 《~ de》 *P~ de* mes élèves sont malades. 내 학생들 중 여럿이 아프다 / 《de 없이》 *P~* m'ont déjà raconté cette histoire. 몇몇 사람이 벌써 그 이야기를 나에게 해 주었다. ② (사물이) 몇 (개) : ~ de vos ouvrages 당신 작품 중의 몇 권.

plus-que-parfait [plyskəpaʀfɛ] *m.* 〖문법〗 대과거(大過去).

pluss-e, -es ⇒ plaire.

plus-value [plyvaly] *f.* ① 〖경제 · 상업〗 (땅값 따위의) 오름, 상승 ; 잉여가치 ; 《구어》 흑자(≠ moins-value). ② (예측하지 않았던 곤란에 대해 노동자에게) 품삯 더주기.

plut ⇒ plaire, pleuvoir.

plût ⇒ plaire, pleuvoir.

Pluton [plytɔ̃] *n.pr.m.* ① 〖그리스신화〗 플루톤《저승의 신》. ② 〖천문〗 명왕성. 「늄.

plutonium [plytɔnjɔm] *m.* 〖화학〗 플루토

‡plutôt [plyto] *adv.* ① 오히려, 차라리 ; 그보다는 : Ne lis pas ce livre, prends ~ celui-ci. 그 책 말고 차라리 이 책을 읽어라 / 《mais, ou 와 함께 앞에 말한 것을 수정》 Il n'est pas méchant, *mais* (bien) ~ froid. 그는 짓궂다기보다는 오히려 냉정하다. ② 《~ que》 …보다는 오히려 : *P~* la mort *que* l'esclavage. 노예가 될 바에는 차라리 죽는 것이 낫다 / 《~ que (de) + *inf.*》 *P~* souffrir *que* mentir. 거짓말을 하는 것보다는 차라리 고통을 받는 것이 낫다 / 《~ que (ne) + *ind.*》 Il sommeillait ~ *qu'*il *ne* dormait. 그는 자고 있다기보다는 졸고 있었다. ③ 더 정확히 말하자면〔말해서〕. ④ 비교적, 다분히, 꽤 ; 《구어》 매우, 몹시 : Il est ~ bavard. 그는 꽤 수다스럽다 / Les pommes sont ~ petites cette année. 금년의 사과는 상당히 작다.

pluvial, e, aux [plyvjal, -o] *adj.* ① 비의 : eaux ~*es* 빗물. ② 비가 많이 오는 : saison ~*e* 장마철, 우기(雨期).

pluvier [plyvje] *m.* 〖조류〗 물떼새.

pluvieux, euse [plyvjø, -øːz] *adj.* (지역 · 계절 따위가) 비가 많은 ; (바람 따위가) 비를 몰고 오는, 습한 ; (하늘이) 찌푸린 : pays ~ 비가 많은 나라〔지방〕.

pluvio- *préf.* 「비」의 뜻.

pluviomètre [plyvjɔmɛtʀ] *m.* 우량계.

pluviométrie [plyvjɔmetʀi] *f.* 강수량 측정(법) ; 우량학. 「량.

pluviosité [plyvjozite] *f.* 〖기상〗 강우 ; 강우

p.m. 《약자》 ① post meridiem 오후. ② poids mort 사중(死重), 하중(荷重).

P.(-)M. 《약자》 pistolet-mitrailleur (개인 휴대용) 소형 기관총.

P.N. 《약자》 passage à niveau 〖철도〗 건널목 ; personnel navigant 〖항공〗 탑승원.

P.N.B. 《약자》 produit national brut 국민 총생산.

***pneu** [pnø] *m.* (*pl.* **~s**) 《구어》 ① 타이어(= bandage penumatique) : Le ~ a éclaté 타이어가 펑크 났다 / gonfler un ~ 타이어에 공기를 넣다. ② 속달 우편.

pneumatique [pnømatik] *adj.* 공기의 ; 압착 공기의 ; 기체〔가스〕의 ; 배기(排氣)의. ***machine ~*** 공기〔배기〕 펌프. ── *m.* ① 타이어(= bandage ~). ② 속달 우편(= carte ~). ── *f.* 기체학.

pneumat(o)- *préf.* 「숨 · 호흡」의 뜻.

pneum(o)- *préf.* 「폐(肺)」의 뜻. 「렴균.

pneumocoque [pnømɔkɔk] *m.* 〖의학〗 폐

pneumonie [pnømɔni] *f.* 〖의학〗 폐렴.

pochade [pɔʃad] *f.* ① 〖회화〗 채색 스케치, 약화(略畫). ② 〖문학〗 즉흥적으로 쓴 익살스런 작품.

pochard, e [pɔʃaːʀ, -aʀd] 《속어》 *adj.* 술취한 ; 술을 많이 마시는. ── *n.* 술꾼, 술주정뱅이(= ivrogne).

‡poche [pɔʃ] *f.* ① 호주머니, 포켓 : couteau de ~ 주머니칼 / ~ intérieure〔à portefeuille〕 안주머니 / ~-revolver d'un pantalon 바지 뒷주머니 / avoir les mains dans les ~*s* 손을 호주머니에 찔러 넣고 있다. ② 《de ~》 소형의, 포켓 사이즈의 : calculatrice *de* ~ 포켓용 전자계산기 / carnet *de* ~ 수첩 / livre *de* ~ 문고판. ③ 봉지, 종이백, 비닐백 주머니 ; 곡물 자루, 부대 : une ~ de blé 밀 한 자루. ④ 〖의학〗 주머니 ; 낭(囊) ; 〖식물〗 유(溜) : ~ des eaux 난포(卵胞). ⑤ (옷의) 처짐, 주름 ; (눈 밑의) 늘어진 살갗 ; Son veston fait des ~*s*. 그의 옷은 주름져 있다. ⑥ 〖지질〗 광혈, 광맥류 ; (고립된) 광석괴(塊), 광상체(鑛床體) : ~ de pétrole〔de gaz naturel〕 석유〔천연가스〕. ⑦ 〖정치 · 경제〗 (고립된 이질적인) 소집단, 분야. ⑧ ⓐ 〖동물〗 (캥거루 따위의) 육아낭 ; (새의) 모이주머니(= jabot). ⓑ (가방 · 지갑 다위의) 칸, 포켓. ⓒ ~ d'air 〖항공〗 에어 포켓. ***avoir les mains dans les ~s*** 아무것도 하지 않고〔빈둥빈둥 놀고〕 지내다. ***avoir*** qc ***en ~*** …을 갖고 있다 ; 확실히 손에 넣고 있다 : Il *a* sa promotion *en* ~. 그의 승진은 확실하다. ***connaître*** qc ***comme*** (***le fond de***) ***sa ~*** …을 아주 잘 알고 있다. ***en être de sa ~*** 《구어》 수지가 맞지 않다, (이익이 없을 뿐더러) 손해만 보다. ***faire les ~s à*** 〔***de***〕 qn …의 포켓을 뒤지다〔속의 물건을 몽땅 빼앗다 · 털다〕. ***livre de ~*** 포켓판(判). ***Mettez ça dans votre ~*** (***et votre mouchoir dessus***). (지금의 말을) 잘 명심하시오. ***mettre en*** 〔***dans sa***〕 ***~*** (공금 따위를) 횡령하다. ***mettre*** qc ***en ~*** 내 것으로 만들다. ***mettre*** qn ***dans sa ~*** …보다 (힘 · 재주가) 월등히 낫다. ***mettre sa fierté*** 〔***son amour-propre***〕 ***dans sa ~*** 자랑〔자존심〕을 버리다. ***payer de sa ~*** 제 돈으로 지불하다. ***se remplir les ~s ; s'en mettre plein les ~s*** (부정한 방법으로) 돈을 긁어 모으다, 사복을 채우다.

pocher [pɔʃe] *v.t.* ① (때려서) 멍들게 하다 :

~ l'œil à qn …의 눈을 때려 멍들게 하다. ② 〖요리〗 달걀을 (뜨거운 물 · 수프에) 깨 넣다, 수란을 만들다 : ~ des œufs 수란을 만들다. — *v.i.* (옷이) 구겨지다, 주름이 생기다.

pochette [pɔʃɛt] *f.* ① 작은 호주머니 ; (특히) 가슴주머니. ② (종이 · 천 · 비닐 따위로 만든) 작은 주머니 ; (레코드의) 재킷. ③ (서류) 봉투, (납작한) 케이스 ; (초등학생용) 필통. ④ (웃옷의 포켓에 꽂는) 장식 손수건.

pochette-surprise, pochette surprise [pɔʃɛtsyʀpʀiːz] *f.* (*pl.* **~s-~s**) 복주머니《내용물을 모르는 채 사거나 받는 것》.

pochoir [pɔʃwaːʀ] *m.* (염색용 · 벽지용의) 형지(型紙), (도장(塗裝)용 따위의) 형판(型板), 스텐슬 : dessin au ~ 형판으로 찍어 낸 그림 / peindre qc au ~ 형판으로 …을 찍다〔인쇄하다〕.

pochon [pɔʃɔ̃] *m.* ① (수프 뜨는) 커다란 국자. ② 〖기술〗 (증류한 알코올을) 받는 용기. ③ (식품 따위를 포장하는) 종이 봉지.

pochothèque [pɔʃɔtɛk] *f.* (대형 서점의) 문고본 매장 ; 문고본 전문 서점.

podagre [pɔdagʀ] *f.* 〖의학〗 발의 통풍(痛風). — *n.* (발의) 통풍 환자. — *adj.* (손 · 발의) 통풍의.

podium [pɔdjɔm] 〔라틴〕 *m.* (시합 후) 우승자가 올라가는 단 : monter sur le ~ 승자가 되다.

podo- *pref.* 「발 · 다리」의 뜻.

podomètre [pɔdɔmɛtʀ] *m.* 보도계(步度計).

***poêle**[1], **poële** [pwa〔ɑ〕ːl] *m.* ① 난로, 스토브 : ~ à charbon ~ 석탄 난로 / ~ à gaz 가스 스토브. ② 《옛》 난로로 따뜻하게 한 방.

poêle**[2] *f.* 프라이팬 : cuire un bifteck à la ~ 프라이팬에 비프스테이크를 만들다 / ~ à marrons 밤 굽는 냄비. ***tenir la queue de la ~ 《구어》 (일 따위를) 좌지우지하다.

poêle[3] *m.* 관포(棺布) : les cordons du ~ 관포 네 귀에 늘어진 끈.

poêler [pwa〔ɑ〕le] *v.t.* 《드물게》 프라이팬으로 볶다〔굽다 · 튀기다〕.

poêlon [pwa〔ɑ〕lɔ̃] *f.* ① 작은 프라이팬. ② (토기 또는 금속의) 작은 냄비.

poème** [pɔɛm] *m.* ① 시(詩)《작품》 : recueil de ~*s* 시집 / faire 〔composer〕 un ~ 시를 짓다. ② (가극의) 운문으로 된 각본. ③ 《비유》 시(처럼 아름다운 것). ***C'est* (*tout*) *un ~. 《구어》 (사람 · 사물에 관해서) (아주) 대단한데. ***~ en prose*** 산문시 ; 《옛》 시적 산문으로 된 이야기《Fénelon 의 *Télémaque* 따위》. ***~ symphonique*** 〖음악〗 교향시.

poésie** [pɔezi] *f.* ① 작시(법)(作詩(法)). ② 시 ; 시작품 : composer 〔faire〕 une ~ 시를 쓰다, 작시하다 / choix de ~*s* 시선(詩選) / ~ de Verlaine 베를렌의 시 / la ~ française 프랑스 시〔시단〕. ③ 시정(詩情), 시상(詩想) ; 시적 감흥(을 일으키는 것) : être sensible à la ~ 시적 감각에 민감하다. ④ 시적인 것〔아름다움〕. ***~ épique 서사시. ***~ lyrique*** 서정시.

***poète** [pɔɛt] *m.* ① 시인 : ~ lyrique 서정 시인 / ~ romantique 낭만파 시인 / femme ~ 여류 시인. ② 시정(詩情)이 풍부한 사람, 몽상가. — *adj.* 시인의, 몽상가의. 「인.

poétereau [pɔetʀo] (*pl.* **~x**) *m.* 엉터리 시인.

poétesse [pɔetɛs] *f.* 《구어》 여류 시인《보통은 une femme poète 〔une femme-poète 또는 un poète〕라고 함. une poète 는 극히 드물게 쓰임》.

poétique [pɔetik] *adj.* ① 시의, 시에 관한 ; 시정을 자아내는 ; 시적인 : inspiration ~ 시적 영감 / licence ~ 시 특유의 파격(破格). ② 시와 같은, 시흔이 깃든 : paysage ~ 서정 넘치는 경치. — *f.* 시학, 시론(= art~) ; 작시법 : ~ de Boileau 브왈로의 시론 / ~ de Mallarmé 말라르메의 시학 / ~ des beaux-arts 《옛》 미학.

poétiquement [pɔetikmɑ̃] *adv.* 시적으로, 시처럼 ; 시적으로 보아서.

poétisation [pɔetizɑsjɔ̃] *f.* (현실 따위의) 미화, 시화.

poétiser [pɔetize] *v.t.* 시적으로 만들다, 시화하다, 미화하다(= embellir) : ~ son avenir 자신의 장래를 미화하다.

pognon [pɔɲɔ̃] *m.* 《구어》 돈(= argent).

pogrom(e) [pɔgʀɔm] 〔러시아〕 *m.* (슬라브 제국의) 유대인 학살〔박해〕.

poids** [pwa〔ɑ〕] *m.* ① ⓐ 무게, 중량 : déterminer le ~ d'un paquet 소포의 무게를 재다 / branche qui plie sous le ~ des fruits 열매의 무게로 휜 가지. ⓑ 체중 : prendre 〔perdre〕 du ~ 체중이 늘다〔줄다〕 / Quel est votre ~? 체중은 얼마나 됩니까? ⓒ 〖스포츠〗 체급(體級) : ~ lourd[1] 헤비급 ; 《비유》 건장한 사람 / ~ mi-lourd 라이트 헤비급 / ~ moyen 미들급 / ~ mi-moyen 웰터급 / ~ léger 라이트급 / ~ plume 페더급 ; 《비유》 말라빠진 사람 / ~ coq 〖권투〗 밴텀급 / ~ mouche 플라이급 / ~ lourd 〔plume〕 헤비급〔페더급〕 선수. ② (저울의) 분동(分銅), 추(錘), 저울추 ; 시계추 : faux ~ 부정한 저울(질). ③ 〖스포츠〗 포환(砲丸) : lancement du ~ 포환던지기. ④ 중압 ; 무거운 짐〔부담〕 ; 속박 : ~ de l'impôt 세금의 중압 / avoir un ~ sur la conscience 양심의 가책을 느끼다. ⑤ 중요함, 무게 ; 권위 : C'est un homme de ~. 저 사람은 중요한 인물〔권위자〕이다. ***au ~ de l'or 매우 비싸게. ***avec ~ et mesures*** 신중하게. ***avoir deux ~ et deux mesures*** (이해관계에 따라) 불공평한 짓을 하다, 때에 따라 의견이 달라지다. ***faire le ~*** (부족량을 보태서) 균형이 잡히도록 하다 ; (요구된) 중량에 달하다. ***~ et haltères*** 〖스포츠〗 역도. ***~ lourd*** 대형 트럭, 대형 화물 자동차. ***~ mort*** 사중(死重)《차량 자체의 무게》 ; 쓸모없는〔귀찮은〕 것〔사람〕. ***prendre* 〔*perdre*〕 *du ~*** 뚱뚱해지다〔마르다〕.

poignant, e [pwaɲɑ̃, -ɑ̃ːt] *adj.* 가슴을 에는 듯한, 비통한(= déchirant) : faire des adieux ~*s* 가슴을 에는 듯한 작별 인사를 하다.

poignard** [pwaɲaːʀ] *m.* 단도, 단검, 비수 : donner un coup de ~ 단도로 찌르다 / coup de ~ dans le dos 비겁한 공격, 반역. ***coup de ~ 비수의 일격 ; 모진 정신적 고뇌.

poignarder [pwaɲaʀde] *v.t.* 단도로 찌르다〔죽이다〕 ; 《비유》 몹시 괴롭히다 : ~ qn dans le dos 등에 칼을 꽂다, 배신하다.

poigne [pwaɲ] *f.* ① 손아귀 힘, 팔심, 완력 : avoir de la ~ 완력이 세다. ② 힘, 기력, 정

력 : gouvernement à ~ 강력한 정부. ***homme à ~*** 억센 사람, 정력가.

poignée** [pwaɲe] *f.* ① 한줌(의 분량) : une ~ de riz 한줌의 쌀. ② (칼의) 자루 ; 손잡이 : ~ d'une épée 검 자루 / ~ d'une porte 문의 손잡이. ③ 소수, 소량 : une ~ de spectateurs 소수의 관중. ***à* 〔*par*〕 *~(s) 한줌 가득히 ; 많이. ***~ de main*** 악수 : donner une ~ *de main* à qn …와 악수하다.

***poignet** [pwaɲɛ] *m.* ① 손목 : se casser le ~ 손목을 삐다. ② 소맷부리 : ~s d'une chemise 셔츠의 소매 끝. ***à la force du ~* 〔*des ~s*〕** 손으로 잡고 ; 혼자 힘으로.

⁑**poil** [pwal] *m.* ① (인체의) 털 ; 수염 ; 《옛 · 문어》 머리털 : ~s follets 솜털 / ~s du pubis 음모(陰毛) / ~ de Judas 갈색 머리 ; 갈색 수염. ② ⓐ 모피 : bonnet en ~ de lapin 토끼 모피로 만든 챙 없는 모자. ⓑ (동물, 특히 말의) 털빛 : cheval de ~ noir 검은 말. ③ 〖식물〗 (민들레 · 복숭아 따위의) 솜털 : ~*s* d'orties 쐐기풀의 가시털 / ~*s* absorbants 뿌리털. ④ (모직물 따위의) 보풀 : ~*s* d'un tapis 융단의 보풀. ***à ~*** 《속어》 벌거숭이의 ; 발가벗은 : se mettre *à* ~ 발가벗다 / cheval *à* ~ 안장이 없는 말. ***à un ~ près*** 거의. ***au ~ ; au petit ~ ; au quart de ~*** ⓐ 꼭 알맞게, 정확히. ⓑ 더할 나위 없는, 아주 훌륭한 : être *au* ~ 아주 좋다〔훌륭하다〕 / Son nouvel appartement est *au* ~. 그의 새 아파트는 아주 훌륭하다. ***avoir du* 〔*un*〕 *~ dans la main*** 《구어》 아주 게으름쟁이다. ***brave à trois ~s*** 두려움을 모르는, 담대한. ***de tout ~* 〔*tous ~s*〕** 온갖 종류의. ***être de bon* 〔*mauvais*〕 *~*** 《구어》 기분이 좋다〔나쁘다〕. ***homme à ~*** 《구어》 용기〔결단력〕 있는 사나이. ***reprendre du ~ de la bête*** 원기를 회복하다, 세력을 만회하다 ; 화를 복으로 삼다. ***tomber sur le ~* (*à* 〔*de*〕** qn) 《구어》 …에게 달려들다, …을 공격하다. ***un ~*** 《구어》 약간, 조금 : *un* ~ plus tôt 조금만 더 일찍.

poiler (se) [s(ə)pwale] *v.pr.* 《구어》 배꼽이 빠질 정도로 웃다, 포복절도하다.

poil-de-carotte [pwaldəkaʀɔt] *adj.* 《불변》 빨강머리의.

poilu, e [pwaly] *adj.* 털이 난〔많은〕, 털투성이의 ; 〖식물〗 털이 있는. —— *m.* (제 1 차 대전 때의) 프랑스 군인 ; 용사 : les ~s de 14, 1914 년의 용사들.

poinçon [pwɛ̃sɔ̃] *m.* ① 송곳 ; 끌 ; 펀치 ; (컴퓨터의) 펀치 나이프. ② 각인 (刻印)《금은 세공에 찍는 것》 ; 검인(檢印). ③ (화폐 · 메달 · 활자 따위의) 모형(母型). ④ 〖건축〗 지주(支柱), 왕대공.

poinçonner [pwɛ̃sɔne] *v.t.* ① …에 송곳으로 구멍을 뚫다 ; (차표 따위를) 펀치로 검찰하다〔끊다〕. ② (품질을 증명하기 위해 금은 세공에) 검인〔각인〕을 찍다.

poinçonneur, euse [pwɛ̃sɔnœ:ʀ, -ø:z] *n.* ① (철판 따위에) 구멍 뚫는 직공. ② (지하철 · 철도역의) 개찰원.

poinçonneuse [pwɛ̃sɔnø:z] *f.* 구멍 뚫는 기계, 천공기(穿孔機) ; (개찰원의) 펀치.

poindre [pwɛ̃:dʀ] 27 *v.t.* 《현재는 부정법 · 현재분사 · 직설법 현재 · 미래 · 반과거의 3 인칭 이외는 거의 쓰이지 않음》 《문어》 괴롭히다 : Une grande tristesse le *poignait.* 큰 슬픔이 그를 괴롭히고 있었다. —— *v.i.* ① (빛이) 나타나기 시작하다 : Le jour *point.* 날이 샌다, 동이 튼다. ② (싹이) 돋아나다 : plantes qui commencent à ~ 돋아나기 시작한 초목들.

poing** [pwɛ̃] *m.* 주먹 : frapper du ~ 주먹으로 치다. ***coup de ~ ⓐ 주먹으로 때리기, 주먹다짐. ⓑ 주먹에 끼고 때리는 흉기. ***donner un coup de ~ à*** qn 주먹으로 때리다, 주먹다짐하다. ***monter le ~*** 주먹을 휘두르다 ; 위협하다. ***serrer les ~s*** (두 주먹을 불끈 쥐고) 온 힘을 모으다 ; 꾹 참다.

⁑**point**[1] [pwɛ̃] *m.* ① (공간상 · 시간상의) 점. ⓐ 지점(地點) ; 〖해양〗 위치 : ~ de chute (던져 올린 물건의) 낙하 지점 / ~ d'intersection 교차점 ; 〖수학〗 교점 / ~ de ralliement 〖군사〗 집합점 / ~ d'articulation 〖음성〗 조음점(調音點). ⓑ 시점(時點), 순간, 찰나. ② (표시의) 점 ; 구두점 ; 마침표 ; 종지부 (= ~ final) ; 〖음악〗 부점(附點) ; 〖수학〗 (기하학의) 점 : mettre un ~ sur …에 점을 찍다 / noire suivie d'un ~ 〖음악〗 부점 4 분음표 / ~ d'exclamation 느낌표 / ~ d'orgue 〖음악〗 늘임표(𝄐) / ~ de rebroussement 〖수학〗 (2 곡선의) 첨점(尖點). ③ (혁대 따위의) 구멍. ④ 〖재봉 · 자수 · 편물〗 ⓐ (실을 꿴 바늘이) 천에 박힌 자리 ; 한 뜸 ; 한 땀 ; 한 코 ; 땀〔코〕 사이의 간격 : couture à petits ~s 촘촘하게 박은 재봉〔바느질〕. ⓑ 재봉〔자수 · 편물〕법 : ~ de chaînette 사슬 모양으로 뜨기. ⓒ 자수 제품〔세공물〕 ; 레이스. ⑤ (성적 · 스포츠 · 놀이 따위의) 점수, 득점 : victoire aux ~*s* 〖권투〗 판정승(≠ victoire par K.-O. 〔knock-out〕) : enlever un ~ par faute dans une dictée 받아쓰기에서 하나 틀린 데 1점씩을 감하다. ⑥ (활자의) 포인트 : caractère de huit ~*s*, 8 포인트 활자. ⑦ 중요한 점, 요점, 문제(점) ; (이야기 · 글 따위의) 각 부분〔사항 · 조목〕 : Ils sont d'accord en tout ~ 〔sur tous les ~s〕. 그들은 모든 점에서 의견이 일치하고 있다 / ~ capital 요점. ⑧ (진행 도상의) 점, 정도 ; 상태, 상황, 형편 ; 〖물리 · 화학〗 점 : au ~ où nous en sommes 지금의 우리 형편으로는 / ~ d'ébullition 〔de fusion〕 〖물리〗 비등점〔용해점〕 / ~ fixe 정점(定點). ⑨ 찌르는〔쏘는〕 듯한 아픔. ***à ce ~*** 이〔그〕만큼, 이〔그〕렇게 : Il l'avait aimée *à ce* ~. 그는 그녀를 그렇게까지 사랑했었다. ***à ce ~ que… ; à tel ~ que…*** …할 만큼 (…하다), (하도 …하기 때문에) …하다 : Il s'est surmené *à tel ~ qu*'il est tombé malade. 그는 너무도 과로하여 병이 났다. ***à ~*** 계제에 알맞게, 때마침, 적당한 : steak (cuit) *à* ~ 반쯤 익힌 스테이크. ***à ~ nommé*** 마침 좋은 때에. ***à quel ~*** 얼마만큼, 얼마나(= combien) : Tu ne peux pas savoir *à quel* ~ il m'énerve. 그자가 얼마나 내 비위를 거스르는지 모를 거야. ***au dernier ~*** 극도로. ***au*** 좋은 때에. ***au ~ de vue de*** (l'agriculture) ***; au ~ de vue*** (agricole) (농업의) 관점에서 보면. ***au ~ que…* 〔*de* + *inf.*〕** …할 만큼 (…하다) : Ce n'est pas grave *au* ~

de se désespérer. 절망하리 만큼 대단하진 않다. ***de ~ en ~*** [dəpwɛ̃tɑ̃pwɛ̃] 정확히, 조금도 어김없이 : exécuter un ordre *de ~ en ~* 명령을 정확히 수행하다. ***de tout ~ ; en tout ~*** 완전히. ***en bon ~*** 알맞은 상태에, 유리한 상태에. ***être sur le ~ de***+*inf.* 막 …하려고 하다 ; 하마터면 …할 뻔하다. ***faire le ~*** ⓐ 〖해양〗 배의 위치를 측정하다. ⓑ 엄밀한 정세 판단을 하다. ***mettre les ~s sur les i***, i 자 위에 점을 빠뜨리지 않다 ; 상세하고 명확히 설명하다. ***mettre*** qc ***au ~*** ⓐ (사진기 · 망원경 따위의) 초점을〔핀트를〕 맞추다. ⓑ 《비유》 (문제 따위를) 명백히 하다 ; (계획 따위를) 수정하다 ; (일을) 완성하다. ***mise au ~*** ⓐ (사진기 · 망원경 따위의) 초점을 맞추기. ⓑ 《비유》 (문제 따위를) 명백히 하기 ; (계획 따위의) 수정 ; (일의) 완성. ***~ chaud*** 열점(熱點)《분쟁점, (위험의) 화약고, 불화의 씨, (위험의) 고비, 관심이 쏠리는 문제〔곳〕 따위의 뜻》. ***~ culminant*** 최고봉 ; 정점, 절정. ***~ d'appui*** 〖군사〗 거점(據點). ***~ de départ*** 출발점. ***~ de jour*** 여명. ***~ de vue*** ⓐ 조망. ⓑ 관점, 견지 : à tout ~ *de vue* 어느 점으로 보나 / au 〔du〕 ~ *de vue* de+qc 〔~ *de vue*+'형용사'〕 …의 견지〔관점〕에서(는). ***~ faible*** 약점. ***~ par ~*** 빠짐없이, 정확하게. ***Pour un ~, Martin perdit son âne.*** 《격언》 과신〔방심〕은 금물. ***Un ~, c'est tout.*** 이상 끝, 더 이상 할 말이 없다.

*‡***point²** *adv.* ① 《보통 ne 와 함께》《문어》 조금도, 전혀《부정》: Je *n'*ai ~ d'argent 돈이 조금도 없다. ② 《ne를 생략하여》 아니 조금도 : Le connaissez-vous ? — *P~ !* 그를 아십니까? — 아니 전혀! / peu ou ~ 거의 전혀 (…않다).

point³ poindre의 직설 · 현재 · 3 · 단수 ; 과거분사.

pointage [pwɛ̃ta:ʒ] *m.* ① (상품, 인원 따위의) 점검, 체크 ; 검인 : ~ du personnel 인원 점검. ② 초점을 맞추기 ; (총의) 조준, 겨냥.

P

pointe** [pwɛ̃:t] *f.* ① 뾰족한 끝, 첨단, 첨정(尖頂) : la ~ d'une aiguille 바늘 끝 / la ~ d'un clocher 종각의 첨단. ② (속력 따위의) 최고, 절정, 피크 ; 최고〔최대〕치 : Cette voiture fait du 180 en ~. 이 차는 최고 속력이 180 킬로다. ③ 갑, 곶(= cap). ④ 못 ; (조각용의) 송곳, 끌 ; 〖스포츠〗 스파이크 슈즈 : ~ à billes 〖기계〗 라이브센터 / ~ carrée (나사 구멍을 뚫는) 끌. ⑤ 〖군사〗 ⓐ 침공, (적진에의) 돌입. ⓑ 첨병 (부대) ; 첨병 작전. ⑥ 짜릿한 맛 ; 신랄한 말귀 ; 야유 : avoir une ~ de vin 얼근히 취하다 / décocher des ~*s* à qn …에게 신랄한 말을 하다. ⑦ 약간, 미량 : sentir une ~ de jalousie 약간 질투를 느끼다 / une ~ de vinaigre 소량의 초. ⑧ 〖무용〗 토(댄스) : chaussons à ~*s* 토슈즈. ⑨ ~ du jour 《문어》 여명. ⑩ ~*s* de feu 〖의학〗 소작(燒灼), 낙자법(烙刺法). ***pousser 〔suivre, poursuivre〕 sa ~ 시작한 일〔공격〕을 단호하게 계속하다. ***pousser 〔faire〕 une ~*** 〖군사〗 진격하다.

pointeau [pwɛ̃to] *m.* (*pl.* **~x**) 〖기계〗 (구멍 뚫을 자리를 표시하는) 센터 펀치, 작은 송곳, 바늘. ***~ de réglage d'essence*** 〖항공〗 가솔린 조종침.

***pointer¹** [pwɛ̃te] *v.t.* ① ⓐ …에 점을 찍다 ; 체크〔점검〕하다 ; (사무실 · 공장 등에서) 종업원의 출입〔출퇴근〕을 점검하다 ; 《목적보어 없이》 인원을 점검하다 : ~ sur la liste 명부에 체크하다. ⓑ 〖해양〗 ~ la carte 해도에 배의 위치를 표시하다. ⓒ 〖음악〗 (음표에) 부점(附點)을 찍다. ② 《~ qc vers》 …을 …으로 향하게 하다(= diriger) ; 《~ qc sur》 (총을) …으로 향해 겨냥하다, 조준하다, 겨누다 ; (망원경 따위의) 초점을 …으로 향해 …에 맞추다 : ~ un canon *sur* l'objectif 목표물에 포를 겨냥하다. — *v.i.* ① (종업원이) 자기의 출근 시간을 (출근부에) 기록하다. ② 《~ vers》 (총 따위가) …으로 향하다(= se diriger). — **se ~** *v.pr.* 《구어》 와서 얼굴을 보이다 ; 모습을 나타내다(= arriver).

pointer² *v.t.* ① 《옛》 (칼 끝 따위로) 찌르다 : ~ un bœuf 소를 찔러 죽이다. ② (바늘 따위를) 뾰족하게 하다. ③ (말 따위가 귀를) 쫑긋 세우다, 쫑그리다 : cheval qui *pointe* les oreilles 귀를 꼿꼿이 세운 말.
— *v.i.* ① (새 따위가) 날아오르다 ; (말이 몸을 앞으로 내밀며) 뒷발로 일어서다(= se cabrer). ② 우뚝 솟다, 솟아 있다 : Les flèches de la cathédrale *pointent* vers le ciel. 대성당의 뾰족탑이 하늘로 솟아 있다.

pointer³ [pwɛ̃tœ:ʀ] *m.* 〖동물〗 포인터개(= chien ~).

pointeur, euse [pwɛ̃tœ:ʀ, -ø:z] *n.* ① (대포 따위의) 조준수(照準手). ② (인원 따위의) 점검원 ; (당구장의) 득점 계산원. — *f.* 타임 리코더.

pointillé, e [pwɛ̃tije] *m.* 점선 ; 〖미술〗 점묘화(법) : dessin au ~ 점묘화 / ligne en ~ 점선.

***pointilleux, euse** [pwɛ̃tijø, -ø:z] *adj.* 대수롭지 않은 것을 캐기 좋아하는, 잔소리하는, 꼼꼼한, 까다로운 : être ~ sur le protocole 예의범절에 까다롭다 ; 격식을 너무 따지다.

pointillisme [pwɛ̃tijism] *m.* 〖미술〗 점묘화법.

pointilliste [pwɛ̃tijist] *n.* 〖미술〗 점묘파(點描派) 화가. — *adj.* 점묘(화가)의.

*‡***pointu, e** [pwɛ̃ty] *adj.* ① 뾰족한 : menton ~ 뾰족한 턱 / chapeau ~ 뾰족 모자. ② 성잘내는, 잔소리 많은, 까다로운 : esprit 〔caractère〕 ~ 까다로운 사람〔성격〕. ③ (목소리가) 날카로운(= aigu) : voix ~*e* 새된 목소리. ④ 매우 정확한, 고도로 전문적인.

***pointure** [pwɛ̃ty:ʀ] *f.* (신발 · 장갑 따위의) 치수, 사이즈 : Quelle est votre ~ de gants ? 당신 장갑 사이즈가 얼마입니까?

point-virgule [pwɛ̃viʀgyl] *m.* (*pl.* **~s-~s**) 세미콜론《;》.

poire** [pwa:ʀ] *f.* ① (먹는) 배 ; 배 모양의 것 : perle en ~ 배 모양의 진주(목걸이 · 귀걸이). ② 《속어》 머리, 얼굴(= face, figure). ③ 《구어》 바보(= imbécile, sot). ***couper la ~ en deux 타협하다. ***faire sa ~*** 뽐내다, 뻐기다 ; 거만하게 굴다. ***garder une ~ pour la soif*** 《구어》 훗날을 위해 절약하다.
— *adj.* 어리석은 ; 잘 속는.

***poireau** [pwaʀo] *m.* (*pl.* **~x**) 〖식물〗 파 : une botte de ~*x* 파 한 단 / soupe aux ~*x*

파로 만든 수프. ***faire le ~ ; rester planté comme un ~*** 《구어》 미치도록 기다리다.

poireauter [pwaʀote], **poiroter** [pwaʀɔte] *v.i.* 《구어》 오래 기다리다, 고대하다.

poirée [pwaʀe] *f.* 〖식물〗 근대.

***poirier** [pwaʀje] *m.* 배나무 ; 배나무 재목.

***pois** [pwa(ɑ)] *m.* ① 〖식물〗 완두콩 : ~ goulus 청대 완두 / purée de ~ 완두콩 죽 ; 콩가루 푸딩. ② 〖직물〗 물방울 무늬 : cravate à ~ 물방울 무늬 넥타이.

poiscaille [pwaska(ɑː)j] *f.* 물고기, 생선.

***poison** [pwazɔ̃] *m.* ① 독, 독물 ; 유해물, 해독 : ~ végétal 식물성 독 / boire du ~ 독을 마시다. ② 《구어》 고약한〔아주 귀찮은〕 사람〔일〕(= peste) : C'est un〔une〕 ~. 저 사람은〔여자는〕 정말 고약하다. ③ 독설 ; 욕설.

poissard, e [pwasaːʀ, -aʀd] *adj.* (말투가) 천한, 상스러운(= grossier). — *f.* 《구어》 입이 건〔더러운〕 여자.

poisse [pwas] *f.* 《구어》 액운, 불운(= malchance) ; 궁핍, 빈곤, 가난.

poisser [pwase] *v.t.* ① …에 송진·풀 따위를 바르다 ; (끈적끈적한 것으로) 더럽히다. ② 《구어》 훔치다 ; 붙잡다.

poisseux, euse [pwasø, -øːz] *adj.* 송진을 바른 ; (끈적끈적한 것으로) 더러워진 : mains ~*euses* 끈적끈적한 것으로 더러워진 손.

⁑**poisson** [pwasɔ̃] *m.* ① 물고기, 생선(살) : pêcher du ~ 고기잡이하다 / ~*s* de mer 바닷물고기 / ~ d'eau douce 민물고기 / ~ rouge 금붕어 / élevage des ~*s* 물고기 양식 / ~ salé〔séché, fumé〕 간고기〔건어물·훈제 고기〕 / marchand de ~ 생선 가게. ② (*P*~*s*) 〖천문〗 쌍어궁(雙魚宮). ***engueuler*** qn ***comme du ~ pourri*** 《구어》 …에게 욕설을 퍼붓다. ***être comme un ~ dans l'eau*** 물에 들어간 물고기 같다, 제 세상을 만나다. ***être muet comme un ~*** 말없이 가만히 있다. ***finir en queue de ~*** 용두사미로 끝나다. ***Les gros ~s mangent les petits.*** 약육강식.

poisson-chat [pwasɔ̃ʃa] *m.* (*pl.* **~s-~s**) 〖어류〗 메기.

poissonnerie [pwasɔnʀi] *f.* 어시장 ; 생선 가게.

poissonneux, euse [pwasɔnø, øːz] *adj.* (강·못에) 물고기가 많은.

***poissonnier, ère** [pwasɔnje, -ɛːʀ] *n.* 생선 장수. — *f.* 생선 냄비.

poitrail [pwatʀaj] *m.* ① (말의) 가슴팍 ; (말의) 가슴띠. ② 〖건축〗 문간 대들보.

poitrinaire [pwatʀinɛːʀ] *adj.* 《옛》 폐병에 걸린(= tuberculeux). — *n.* 폐병 환자.

⁑**poitrine** [pwatʀin] *f.* ① 가슴, 흉곽, 폐 : respirer à pleine ~ 심호흡을 하다. ② 흉부 ; (특히 여자의) 유방(= seins) : Elle a une belle ~. 그녀는 훌륭한 유방을 갖고 있다. ③ 〖요리〗 (쇠고기 따위의) 양지머리. ④ 《옛》 목소리 : chanteur qui a de la ~ 목소리가 좋은 가수. ***chanter*** 〔***crier***〕 ***à pleine ~*** 목청껏 노래부르다〔고함지르다〕. ***être attaqué de la ~*** 폐병에 걸리다. ***fluxion de ~*** 폐렴(= pneumonie). ***maladie de ~*** 폐결핵. ***se frapper la ~*** 죄를 인정하다. 개전(改悛)의 정을 나타내다.

poivrade [pwavʀad] *f.* 후추 소스 : à la ~ 후추 소스를 친.

poivre** [pwaːvʀ] *m.* ① 후추 열매〔가루〕 : grain de ~ 말린 후추 열매. ② 《구어》 자극성 ; 신랄함(= mordant). ③ 《옛·구어》 화주(= eau-de-vie). ***cher comme ~ 값비싼. — *adj.* 《구어》 술취한. ***cheveux ~ et sel*** (머리가) 희끗희끗한.

poivrer [pwavʀe] *v.t.* 후추를 치다.

poivrier [pwavʀije] *m.* 〖식물〗 ① 후추나무. ② 후추 그릇.

poivrière [pwavʀijɛːʀ] *f.* 〖건축〗 (후추 그릇 모양의) 망루. ***toit en ~*** 원추형의 지붕.

poivron [pwavʀɔ̃] *m.* 〖야채〗 피망.

poix [pwa(ɑ)] *f.* 송진, 피치.

poker [pɔkɛːʀ] 〔미영〕 *m.* ① 〖카드놀이〗 포커. ② 부지깽이(= ringard). ***~ d'as*** ⓐ 포커 다이스(〔영〕 poker dice). ⓑ (포커에서) 같은 점수의 패를 4장 모으기(= carré). ***coup de ~*** 무모한 시도.

polacre [pɔlakʀ] *m.* = polaque.

polaire [pɔlɛːʀ] *adj.* ① 〖지리〗 (북 또는 남) 극(極)의, 극지의 ; 〖천문〗 북극의 : arc ~ 극(極)의 호(弧) / cercle ~ 극권(極圈) / expédition ~ 극지 탐험. ② 〖전기〗 전극(電極)의, 자극(磁極)의. ***coordonnées ~s*** 극좌표. ***étoile ~*** 〖천문〗 북극성. — *f.* ① 〖수학〗 극선(極線). ② 〖천문〗 북극성.

polaque [pɔlak] *m.* 폴란드 기병(= polacre).

polar [pɔlaːʀ] *m.* 《구어》 탐정 소설(= roman policier), 탐정 영화.

polarisation [pɔlaʀizɑsjɔ̃] *f.* ① 〖물리〗 편극(偏極), 편광(偏光) : angle de ~ 편광각. ② 〖전기·자석〗 (전지 따위의) 성극(成極)〔분극(分極)〕 (작용).

polarisé, e [pɔlaʀize] *adj.* ① 〖물리〗 치우친, 편극(偏極)의, 편광의 : lumière ~*e* 편광. ② 〖전기·자석〗 성극(成極)의, 유극(有極)의. ③ 《학생은어》 ⓐ 공부에만 열중한 : ~ par …에만 열중한. ⓑ 머리가 좀 돈.

polariser [pɔlaʀize] *v.t.* ① 〖물리〗 …에 편극〔편광〕 작용을 일으키다. ② 〖전기·자석〗 성극(成極)시키다, 분극(分極)시키다. ③ 집중시키다 : Ces problèmes *polarisent* toutes leurs activités. 이 문제들은 그들의 온갖 활동을 집중시키고 있다.

polaroïd [pɔlaʀɔid] *m.* 〖상표명〗 폴라로이드, 인조 편광판(偏光板).

polder [pɔldɛːʀ] *m.* (네덜란드의) 매립지, 간척지 : drainage d'un ~ 간척.

pôle** [poːl] *m.* ① 〖지리〗 극(極), 극지 ; 《특히》 북극 : ~ nord〔~ boréal〕 북극 / ~ sud〔~ austral〕 남극. ② (자석·전기의) 극 : ~ positif〔négatif〕 양극(陽極)〔음극〕 ③ 〖수학〗 극, 극점. ④ 극단, 정반대. ⑤ (관심·활동의) 중심, 초점 : ~ de développement 발달의 중심지. ***~ d'attraction 인기를 끄는 대상.

-pôle *suff.* 「도시」의 뜻.

polémique [pɔlemik] *f.* ① 논전, 논쟁(= discussion) : engager une ~ avec qn …와 논쟁을 시작하다. ② 〖신학〗 논증법. — *adj.* 논쟁의 : attitude ~ 논쟁의 태도.

polémiquer [pɔlemike] *v.i.* 논전〔논쟁〕하다 : ~ contre qn …와 논쟁하다.

polémiste [pɔlemist] *m.* 논전자.

polémologie [pɔlemɔlɔʒi] *f.* 전술, 전쟁학.

polenta [pɔlɛ̃(ɛn)ta], **polente** [pɔlɛ̃t] 〔이탈리아〕 *f.* 폴렌타《옥수수·조·밤 따위의 가루로 만든 이탈리아 죽의 일종》.

pole position [polpozisjɔ̃] *f.* ① 〖운동〗 (자동차 경주 F1에서) 트랙의 가장 안쪽 1열의 위치. ② 《비유》 유리한 입장.

‡poli, e [pɔli] *adj.* ① 닦은, 반들반들한, 윤이 나는: caillou ~ 반들반들한 조약돌. ② 세련된, 우아한(= distingué, élégant). ③ 예의 바른, 공손한, 정중한(= courtois): enfant ~ 예의 바른 어린이. ④ 《옛》 개화한, 문명의(= civilisé). ── *m.* 윤, 광택: donner le ~ à une surface 표면을 윤나게 하다.

‡police¹ [pɔlis] *f.* ① 치안, 공안(公安); 감독, 단속: ~ de la voirie 교통 단속 / faire la ~ 치안을 유지하다 / peine de simple ~ (경범에 대한 1일 이상 5일 미만의) 구류형. ② 경찰; 경찰력〔대(隊)·관·서〕: agent de ~ 경관 / officier de ~ 경감 / ~ judiciaire 〔administrative〕 사법〔행정〕 경찰(관) / ~ municipale 지방 경찰(관). ~ ***secrète*** 〔***parallèle***〕 비밀 경찰(관). ***remettre*** qn ***entre les mains de la*** ~ …을 경찰에 넘기다. ***salle de*** ~ 〖군사〗 경(輕)영창. ***tribunal de simple*** ~ 경범죄 즉결 재판소.

police² *f.* ① 보험 증권; 〖상업〗 증서(證書): ~ à terme 〔à forfait〕 정기 보험 증권. ② 〖인쇄〗 활자 목록. ~ ***de chargement*** 선적증서, 선하 증권. ***prendre une*** ~ (***d'assurance***) 보험에 들다.

policé, e [pɔlise] *adj.* 문명화된, 개화된(= civilisé, raffiné): société ~*e* 문명 사회.

policer [pɔlise] *v.t.* 개화〔문명화〕시키다, 교화하다.

polichinelle [pɔliʃinɛl] *m.* ① (인형극에서) 어릿광대: théâtre de ~ 《구어》 익살스러운 인형극. ② 《구어》 익살꾼(= bouffon). ***faire le*** ~ 웃기는 짓을 하다. ***secret de*** ~ 《구어》 공공연한 비밀. ── **P**~ *n.pr.m.* 폴리치넬라《이탈리아 소극(笑劇)의 어릿광대》.

P

***policier, ère** [pɔlisje, -ɛːʀ] *adj.* ① 경찰의: état 〔régime〕 ~ 경찰 국가 / enquête ~*ère* 경찰의 수사. ② 추리〔탐정〕의: film ~ 탐정영화 / roman ~ 탐정 소설. ── *m.* 경찰관, 형사; 탐정: ~ en civil 사복 경찰관.

policlinique [pɔliklinik] *f.* 〖의학〗 (공립 병원의) 외래 환자 진료소.

poliment [pɔlimɑ̃] *adv.* 공손하게, 예의 바르게: refuser ~ 정중하게 거절하다.

polio [pɔljo] *f.* 소아마비, 폴리오. ── *n.* 소아마비〔폴리오〕 환자.

poliomyélite [pɔljɔmjelit] *f.* 〖의학〗 척수회백질염(脊髓灰白質炎)《소아마비》.

poliomyélitique [pɔljɔmjelitik] *adj.* 척수회백질염의〔에 관한〕; 척수 회백질염에 걸린. ── *n.* (급성) 척수 회백질염 환자.

polir [pɔliːʀ] *v.t.* ① 닦다, 윤내다: ~ une glace 유리를 닦다. ② (문장·말을) 다듬다, 퇴고(推敲)하다: ~ un ouvrage 작품을 퇴고하다. ── **se** ~ *v.pr.* ① 닦이다, 윤이 나다. ② (정신이) 연마〔도야〕되다.

polissage [pɔlisaːʒ], **polissement** [pɔlismɑ̃] *m.* ① 닦음질, 윤내기, 연마. ② (문장의) 퇴고.

polisson, onne [pɔlisɔ̃, -ɔn] *n.* 부랑아, 장난꾸러기(= espiègle); 방탕아(= débauché). ── *adj.* 추잡한, 외설스러운; 방탕한; 유혹적인: propos ~ 음담(패설) / regards ~*s* 유혹하는 눈초리, 추파.

polissonnerie [pɔlisɔnʀi] *f.* ① (어린애의) 장난. ② 외설스러운 언동: faire 〔dire〕 des ~*s* 음란한 짓〔말〕을 하다.

politesse** [pɔlitɛs] *f.* ① 예절, 예의; 예의 바름, 공손함: ~ orientale 동양적인 예절 / ~ exquise 〔raffinée〕 극진한〔세련된〕 예절 / dire 〔faire〕 qc par ~ 예의상 …라고 말하다. ② 인사: échange de ~*s* 서로 인사를 나누기. ③ 〖언어〗 pluriel de ~ 경어적 복수《tu 대신에 vous 를, je 대신에 nous 를 사용하는 것 따위》: conditionnel 〔imparfait〕 de ~ 경어적 조건법〔반과거〕《Je veux vous voir. 대신에 Je voudrais vous voir.를 사용하는 것 따위》. ***brûler la ~ ***à*** qn 인사도 하지 않고 …와 헤어지다; 바람맞히다. ***faire des*** ~***s à*** qn …에게 정중〔공손〕히 하다.

politicien, enne [pɔlitisjɛ̃, -ɛn] *n.* 《보통 경멸》 정치인, 정객. ── *adj.* 정치인다운.

politico- *préf.* 「정치」의 뜻.

‡politique [pɔlitik] *f.* ① 정치; 정치학; 정치 제도, 정치 분야: ~ extérieure 〔intérieure〕 외교〔내정〕 / ~ prévoyante 선견지명이 있는 정치 / parler ~ 정치를 논하다 / se mêler 〔s'occuper〕 de la ~; faire de la ~ 정치에 관여하다. ② 정략, 정책: ~ de restriction 긴축 정책. ③ 술책, 책략, 계략(= tactique). ── *adj.* ① 정치의, 정치적인; 정치학적인: homme ~ 정치가 / pensée ~ 정치(학적) 사상. ② 정략상의, 정책적인. ③ 술책에 능한, 수완이 있는, 능란한(= habile). ***corps*** ~ 정치 통일체, 국가. ***droits*** ~***s*** 참정권. ── *m.* ① 정치가, 정략가(= homme ~). ② 정치적인 것: le ~ et le social 정치적인 것과 사회적인 것.

politiquement [pɔlitikmɑ̃] *adv.* 정치적〔정략적〕으로; 교묘하게; 교활하게: pays divisé ~ 정치적으로 분열되어 있는 국가.

politisation [pɔlitizɑsjɔ̃] *f.* 정치성을 띠게 하기, 정치화.

***politiser** [pɔlitize] *v.t.* …에 정치성을 부여하다, 정치화하다.

politologie [pɔlitɔlɔʒi] *f.* 정치학.

politologue [pɔlitɔlɔg], **politicologue** [pɔlitikɔlɔg] *n.* 정치학자.

polka [pɔlka] *f.* 〖무용〗 폴카; 〖음악〗 폴카곡(曲).

pollen [pɔ(l)lɛn] 〔라틴〕 *m.* ① 〖식물〗 화분(花粉), 꽃가루. ② 꿀벌의 먹이.

polluant, e [pɔ(l)lɥɑ̃, -ɑ̃ːt] *adj.* (환경을) 더럽히는, 오염시키는: usine ~*e* 환경을 오염시키는 공장.

pollué, e [pɔ(l)lɥe] *adj.* 더럽혀진, 더러운; 오염된, 흐려진: air ~ 오염된 대기.

***polluer** [pɔ(l)lɥe] *v.t.* ① 더럽히다, 모독하다(= profaner). ② 오염시키다(= infecter): pétroliers qui *polluent* la plage 해변을 오염시키는 유조선.

pollueur, euse [pɔ(l)lɥœːʀ, -øːz] *adj.* (환경을) 오염하는. ── *n.* 환경 오염원(源)〔자〕.

***pollution** [pɔ(l)lysjɔ̃] *f.* ① 오염, 공해. ② (신성한 것을) 더럽히기, 모독. ③ 〖의학〗 유

정(遺精). ~ **atmosphérique** 〔**de l'air**〕 대기 오염. ~ **des eaux** 〔**der mers**〕 수질〔해수〕 오염. ~ **nocturne** 몽정(夢情).

polo [pɔlo] 〔영〕 *m.* ① 『스포츠』 폴로《영국의 마상 구기(球技)》. ② 『의복』 폴로셔츠(= chemise ~).

polochon [pɔlɔʃɔ̃] *m.* ① 《구어》 긴 베개(= traversin). ② sac ~ 긴 원통형 백.

polonais, e** [pɔlɔnɛ, -ɛ:z] *adj.* 폴란드(사람·말)의. ── **P~** *n.* 폴란드 사람. ***être soûl comme un P~ 《구어》 만취하다. ── *m.* 폴란드 말. ── *f.* 『무용·음악』 폴란드 무도(곡), 폴로네즈.

poltron, onne [pɔltʀɔ̃, -ɔn] *adj.* 겁 많은, 비겁한. ── *n.* 겁쟁이.

poltronnerie [pɔltʀɔnʀi] *f.* 겁, 비겁함 ; 겁쟁이 짓, 비겁한 짓.

poly- *préf.* 「다수」의 뜻(≠ mono-, uni-).

polyamide [pɔli(j)amid] *f.* 『화학』 폴리아미드.

polyandrie [pɔli(j)ɑ̃dʀi] *f.* ① 『식물』 수술이 많음. ② 『인류』 일처다부, 중혼.

polychrome [pɔlikʀo:m] *adj.* 여러 빛깔의, 다색(色)의; 울긋불긋한.

polychromie [pɔlikʀɔmi] *f.* ① 다색 배합 ; (건축 따위의) 다색 장식. ② 색채 사진.

polyclinique [pɔliklinik] *f.* 종합 병원 《policlinique (공립 진료소)와 혼동 말 것》.

polycopie [pɔlikɔpi] *f.* 등사, 복사.

polycopié, e [pɔlikɔpje] *adj.* 등사〔복사〕된. ── *m.* 프린트 교재, (대학 강의 내용의) 프린트, 강의록(= cours ~).

polycopier [pɔlikɔpje] *v.t.* 등사하다 ; 복사하다 : encre à ~ 등사용 잉크.

polyculture [pɔlikylty:ʀ] *f.* 『농업』 (여러 농작물의) 동시 재배.

polyèdre [pɔli(j)ɛdʀ] *adj.* 『수학』 다면(多面)의. ── *m.* 다면체(體). 「스테르.

polyester [pɔli(j)ɛstɛ:ʀ] *m.* 『화학』 폴리에

polyéthylène [pɔli(j)etilɛn] *m.* 『화학』 폴리에틸렌(= polythène).

polygame [pɔligam] *n.* 다처의 남자, 다부의 여자. ── *adj.* ① 일부다처의, 일처다부의. ② 『식물』 자웅〔암수〕혼주(雌雄混株)의.

polygamie [pɔligami] *f.* ① 일부다처(一夫多妻)(제), 일처다부(제). ② 『식물』 자웅〔암수〕 혼주.

polyglotte [pɔliglɔt] *adj.* 수개 국어에 능통한(= multilingue) : interprète ~ 수개 국어에 능통한 통역. ── *n.* 수개 국어에 능통한 사람.

polygonal, e, aux [pɔligɔnal, -o] *adj.* 『수학』 다각〔다변〕형의 : pyramide ~*e* 다각형 피라미드 / terrain ~ 다각형 토지.

polygonation [pɔligɔnɑsjɔ̃] *f.* 다각 측량.

polygone [pɔligɔn] *m.* ① 『수학』 다각형, 다변형 : ~ régulier 정다각형. ② 『군사』 포병 사격 연습장(= ~ de tir).

polygraphe [pɔligʀaf] *m.* 다작가(多作家) ; 다방면의 작가. ── *m.* 복사기 ; 등사판.

polymère [pɔlimɛ:ʀ] *adj.* 『화학』 이량(異量)의. ── *m.* 이량체 ; 중합체. 「중합.

polymérisation [pɔlimeʀizɑsjɔ̃] *f.* 『화학』

polymorphe [pɔlimɔʀf] *adj.* 『화학·생물』 다형(多形)(태)의 ; (결정(結晶)의) 동질이상(同質異像)의.

polymorphisme [pɔlimɔʀfism] *m.* 다형(현상).

polynésien, enne [pɔlinezjɛ̃, -ɛn] *a.* 폴리네시아의. ── **P~** *n.* 폴리네시아 사람.

polynévrite [pɔlinevʀit] *f.* 『의학』 다발성 신경염. 「項式).

polynôme [pɔlino:m] *m.* 『수학』 다항식(多

polype [pɔlip] *m.* ① 『동물』 폴립. ② 『의학』 점막에 생기는 종기, 용종(茸腫).

polyphone [pɔlifɔn] *adj.* ① 『언어』 다음(多音)의. ② 『물리』 같은 음을 되풀이하는.

polyphonie [pɔlifɔni] *f.* ① 『언어』 다음성(性), 중음(重音). ② 『음악』 다음(多音), 다성악(多聲樂) ; 대위법(= contrepoint).

polyphonique [pɔlifɔnik] *adj.* ① 『언어』 다음의, 중음의. ② 『음악』 다음〔다성〕의 : pièce ~ vocale 다성곡.

polypier [pɔlipje] *m.* ① 『동물』 폴립(polype)의 군생체. ② 《비유》 집단, 군락.

polysémie [pɔlisemi] *f.* 『언어』 다의성(多義性)(≠ monosémie).

polysémique [pɔlisemik] *adj.* 여러 뜻이 있는, 다의의 : mot ~ 다의어.

polystyrène [pɔlistiʀɛn] *m.* 『화학』 폴리스티렌, 스티롤수지《스티롤의 고중합체》.

polysyllabe [pɔlisil(l)ab] *adj.* 『언어』 다음절의, 다철(多綴)의. ── *m.* 다음절어, 다철어.

polysyllabique [pɔlisil(l)abik] *adj.* 다음절의, 다철의.

polytechnicien, enne [pɔlitɛknisjɛ̃ -ɛn] *n.* (파리) 이공과 대학의 학생〔졸업생〕.

polytechnique [pɔlitɛknik] *adj.* ① 여러 가지 기술〔공예〕의. ② 이공과 대학의. ── **P~** *f.* (파리의) 이공과 대학(= École ~).

polythéisme [pɔliteism] *m.* 『종교』 다신교(多神教)(≠ monothéisme).

polythéiste [piliteist] *n.* 다신교도. ── *adj.* 다신교의.

polythène [pɔlitɛn] *m.* = polyéthylène.

polyuréthane [pɔliyʀetan] *m.* 『화학』 폴리우레탄.

polyurie [pɔljyʀi] *f.* 『의학』 다뇨증(多尿症).

polyvalence [pɔlivalɑ̃:s] *f.* ① 다면성, 다기능. ② 『화학』 다가(多價) ; 『논리』 다치(多値) ; 『언어』 다의성.

polyvalent, e [pɔlivalɑ̃, -ɑ̃:t] *adj.* ① 다용도의, 다목적의 : salle ~*e* 다용도실 / ordinateur ~ 다목적 컴퓨터. ② (사람이) 다기능의 : professeur ~ 여러 과목을 가르치는 교사〔교수〕. ③ 『의학』 다가(多價)의《여러 종류의 미생물에 대해 유효한》: 『화학』 다가의 ; 『논리』 다치(多値)의 ; 『언어』 다의(多義)의. ── *n.* 『세무』 탈세 조사원.

pomélo [pɔmelo] *m.* = pamplemousse.

pomi- *préf.* 「과일」의 뜻.

pommade [pɔmad] *f.* ① 포마드. ② 연고(軟膏) : ~ pour les lèvres 립크림 / ~ antibiotique 항생제 연고. ③ 《구어》 아부, 추종. ***passer de la ~ à*** qn …에게 아부하다.

pommader [pɔmade] *v.t.* ① (머리에) 포마드를 바르다. ② …에 연고를 바르다. ── **se ~** *v.pr.* (자기의 머리나 몸에) 포마드〔연고〕를 바르다.

***pomme** [pɔm] *f.* ① 사과 : ~ à couteau 생

으로 먹는 사과, 디저트로 먹는 사과 / ~s à cidre 사과주 담는 사과 / croquer une ~ 사과를 깨물어 먹다. ② 사과처럼 생긴 것; (침대·단장 따위의) 둥근 윗부분〔대가리·꼭지〕: canne à ~ d'or 둥근 금손잡이가 달린 단장. ③ ⓐ《구어》머리, 얼굴(= tête). ⓑ 바보: Pauvre ~! 참 바보로군! ⓒ ma〔sa〕~《구어》나〔그 사람〕. ④ 감자(= ~ de terre): ~s noisettes 감자 크로켓 / ~s chips 감자칩 / steak aux ~s; steak ~s frites 감자튀김을 곁들인 스테이크. ***aux ~s***《구어》특등의, 일류의; 매우 잘된〔정성들인〕. ***être aux ~s***《속어》편히 지내다; 출세하다. ***tomber dans les ~s***《구어》기절하다. ***vert ~***《불변》색이 발랄한: jupe *vert* ~ 색이 발랄한 스카프.

pommé, e [pɔme] *adj.* ① (캐비지 따위가) 속이 찬, 결구(結球)된: chou ~ 속이 찬 양배추. ②《구어》더할 나위 없는, 대단한; 지독한: repas ~ 극상의 만찬.

pommeau [pɔmo] *m.* (*pl.* **~x**) ① (칼·지팡이·우산 따위의) 둥그스름한 손잡이 끝, 두구(頭球). ②〖마구〗안장 (앞)머리.

***pomme de terre** [pɔmdətɛʀ] *f.* (*pl.* **~s ~ ~**) 감자: ~s ~ ~ frites 감자 튀김 / champ de ~s ~ ~ 감자밭.

pommelé, e [pɔmle] *adj.* ① (하늘이) 군데군데 구름으로 덮인(= moutonné): ciel ~ 양떼구름이 낀 하늘. ② gris(-)~ (말이) 회색과 흰색의 둥근 반점이 있는.

pommette [pɔmɛt] *f.* ① 광대뼈. ② 조그만 사과 모양의〔동그란〕장식.

***pommier** [pɔmje] *m.* 사과나무: ~ sauvage 야생의 사과나무.

pomo- *préf.* 「과일」의 뜻.

pompage [pɔ̃paːʒ] *m.* (물을) 펌프로 퍼올리기; 양수, 배수; (진공 장치에 의한) 배기.

pompe¹ [pɔ̃ːp] *f.* ① 화려, 장려(壯麗): en grande ~ 호화찬란하게. ② 성대한 의식(儀式), 화려한 행렬: ~s funèbres 장례식. ③ 허영, 사치. ***renoncer au monde et à ses ~s*** 속세의 허영을 버리다.

pompe²** *f.* ① 펌프: eau de ~ 펌프 물 / La ~ est prise〔chargée〕. 펌프가 물을 품어내기 시작한다 / ~ (à essence) 휘발유 펌프. ② (*pl.*)《속어》구두(= chaussure). ***à toute ~《구어》전속력으로. ***avoir un*〔*le*〕*coup de ~***《속어》갑자기 피곤함을 느끼다〔맥이 빠지다〕. ***bière à la ~*** 생맥주. ***les ~s*** 소방대. ***~ à feu*〔*à incendie, d'incendie*〕** 소방〔소화〕펌프. ***~ de mer***〖기상〗(회오리바람이 바닷물을 솟구쳐 올리는) 물기둥.「한.

pompé, e [pɔ̃pe] *adj.* 지쳐 빠진, 기진맥진

pomper [pɔ̃pe] *v.t.* ① (펌프로) 퍼내다; 빨아내다. ② 증발시키다, 고갈시키다, 말리다. ③ (모기 따위가 피를) 빨아먹다;《비유》(재물·돈 따위를) 옭아내다, 우려먹다: Les moustiques *pompent* le sang. 모기는 피를 빤다. ④《구어》(술을) 벌컥벌컥 마시다. ⑤《속어》기진맥진하게 하다(= épuiser): Ce travail l'a *pompé*. 그 일로 그는 기진맥진해졌다. ── *v.i.*《학생은어》(남의 답안을) 베끼다, 커닝하다: ~ sur son voisin 옆 학생의 것을 베끼다.

pompette [pɔ̃pɛt] *adj.*《구어》얼근히〔거나하게〕취한.

pompeusement [pɔ̃pøzmɑ̃] *adv.* 화려〔장려〕하게, 성대하게; 과장하여.

pompeux, euse [pɔ̃pø, -øːz] *adj.* ① 화려한, 으리으리한, 성대한. ②《구어》(문체·말투 따위가) 과장된(= emphatique): style ~ 과장된 문체.

***pompier¹** [pɔ̃pje] *m.* 소방수; 방화 담당: appeler les ~s en composant le 119, (전화번호) 119를 돌려 소방 담당원을 부르다.

pompier², ère [pɔ̃pje, -ɛːʀ] *adj.* 틀에 박힌, 케케묵은. ── *n.*〖미술·문학〗un ~ 낡은 수법을〔주제를〕고수하는 작가.

***pompiste** [pɔ̃pist] *n.* ① (주유소의) 급유자(給油者). ② (유조선의) 펌프 담당 선원(= ~ jaugeur).

pompon [pɔ̃pɔ̃] *m.* ① (명주·털실 따위의) 술; 술장식. ②〖화장〗분첩, 퍼프(= ~ à poudre; houppette). ***avoir*〔*tenir*〕*le ~***《비꼼》단연 으뜸이다. ***À vous le ~!***《비꼼》네가 이겼다. ***C'est le ~.*** 그것 참 대단하다. ***rose ~*** 작은 꽃이 피는 장미의 일종.

pomponné, e [pɔ̃pɔne] *adj.* 한껏 모양을 낸.

pomponner [pɔ̃pɔne] *v.t.* 술로 장식하다;《구어》야하게 치장하다. ── **se ~** *v.pr.*《구어》야하게 옷치장하다.

ponant [pɔnɑ̃] *m.*《지방어》서쪽; (남프랑스의) 서풍.

ponçage [pɔ̃saːʒ] *m.* ① 속돌로 닦기. ②〖도안〗색가루 주머니로 비벼 색을 내기.

ponce [pɔ̃ːs] *f.* ① 속돌, 경석(輕石)(= pierre ~). ②〖도안〗색분(주머니).

ponceau [pɔ̃so] *m.* (*pl.* **~x**) ①〖식물〗개양귀비. ② 선홍색 염료. ── *adj.*《불변》분홍의; 진홍색의: rubans ~ 분홍색 리본.

poncer [pɔ̃se] [2] *v.t.* 속돌로 닦다; 사포(砂布)로 닦다.

poncho [pɔ̃tʃo]〔에스파냐〕*m.*〖의복〗(남미의) 망토의 일종.

poncif, ive [pɔ̃sif, -iːv] *m.* ① (문학·예술의) 평범한 주제〔표현, 작품〕. ② 상투어(= cliché), 진부한 표현.

ponction [pɔ̃ksjɔ̃] *f.* ①〖의학〗천침술(穿針術), 천자법(穿刺法): ~ lombaire 요추(要椎) 천자. ② (돈 따위의) 징수, 공제(= prélèvement): impôt qui opère une importante ~ sur la fortune des épargnants 예금자의 저축금에 대한 막대한 세금 징수.

ponctionner [pɔ̃ksjɔne] *v.t.*〖의학〗천자(穿刺)하다: ~ une pleurésie 늑막에 괸 물을 빼다.

ponctualité [pɔ̃ktɥalite] *f.* (의무 이행에) 어김없음, 시간 엄수: ~ dans les paiements 지불 기일 엄수.

ponctuation [pɔ̃ktɥɑsjɔ̃] *f.* ① 구두점; 구두법: signes de ~ 구두점《point (.), point-virgule (;), virgule (,), deux pionts (:), point d'interrogation (?), point d'exclamation (!), points de suspension (…) 따위》. ②〖음악〗쉼표, 분할점.

***ponctuel, elle** [pɔ̃ktɥɛl] *adj.* ① ⓐ (의무이행이) 어김없는(= exact); (회답 따위가) 정확한, 시간을 엄수하는, 정확한(= exact): employé ~ 성실한 직원 / être ~ à un rendez-vous 약속시간을 엄수하다. ⓑ 꼼꼼한

P

(≠ négligent) : ~ en tout 모든 일에 꼼꼼한. ② (사물이) 적절한, 정확한.

ponctuellement [pɔ̃ktɥɛlmɑ̃] *adv.* 꼼꼼하게, 어김없이 ; 정확하게 : se lever à sept heures ~ 정확하게 7시에 일어나다.

ponctuer [pɔ̃ktɥe] *v.t.* ① …에 구두점을 찍다. ② 《~ de》 …으로 구분짓다 : ~ ses discours *de* coups de poing sur la table 연설 중간중간에 주먹으로 탁자를 치다. ③ 〖음악〗 …에 쉼표를 하다.

pondaison [pɔ̃dɛzɔ̃] *f.* (새의) 산란(기).

pondération [pɔ̃deʀɑsjɔ̃] *f.* ① 〖물리〗 (무게·힘의) 균형. ② 〖미술·문학〗 균제(均齊). ③ (사회적·정체적) 힘의 균형, 침착(= prudence), 온건 : agir avec ~ 신중하게 행동하다.

pondéré, e [pɔ̃deʀe] *adj.* ① 균형이 잡힌. ② (성격이) 침착한, 차분한 : esprit ~ 침착한 사람.

pondérer [pɔ̃deʀe] *v.t.* ① (무게·힘 따위를) 균형잡히게 하다. ② 〖수학·통계〗 ~ un indice 어떤 지표에 가중(加重)하다.

pondeur, euse [pɔ̃dœːʀ, -øːz] *adj.* 알을 많이 낳는; 다산(多産)〔다작〕의. ***poule ~euse*** 알을 많이 낳는 암탉. ── *f.* 알을 많이 낳는 새〔닭〕; 《구어》 다산하는 여자.

pondre [pɔ̃ːdʀ] 25 *v.t.* ① (알을) 낳다 : œuf frais *pondu* 갓 낳은 신선한 알 / 《목적보어 없이》 époque où les oiseaux *pondent* 새들의 산란기. ② 《구어》 (작품 따위를) 써〔만들어〕 내다 ; 《구어》 (여자가 아이를) 낳다 : Ce journaliste *pond* un article tous les jour. 이 신문 기자는 매일 기사 하나씩을 만들어 낸다.

pondu, e [pɔ̃dy] *adj.* 낳아진 : œuf frais ~ 갓 낳은 달걀.

ponet, ette [pɔnɛ, -ɛt] *n.* = poney.

poney [pɔnɛ] 〔영〕 *m.* 망아지, 조랑말.

pongiste [pɔ̃ʒist] *n.* 탁구 선수.

pont** [pɔ̃] *m.* ① 다리, 교량 : ~ de bateaux 선교(船橋) / ~ de chemin de fer 철교 / ~ suspendu 적교(吊橋). ② 〖해양〗 갑판 : faux ~ (군함 따위의) 맨 아래 갑판 / homme du ~ 상갑판의 선원 / ~ inférieur 하갑판. ③ 다리 모양의 틀, 밑받침 ; 기중기. ④ 〖자동차〗 동력 전달 기관 : ~ arrière 뒷 차축(車軸)과 그 부속 기관. ⑤ 〖전기〗 브리지. ⑥ 《비유》 중개 역할, 매개자(= intermédiaire) : établir un ~ entre ces deux doctrines 두 학설 사이에서 교량 역할을 하다. ⑦ les ~s et chaussées [pɔ̃zeʃose] (관청의) 토목과〔국〕. ⑧ ~ aérien 공중수송〔보급〕. ***couper les ~s 《구어》 배수의 진을 치다. ***faire le ~*** 《구어》 휴일과 휴일 사이의 날도 쉬어 버리다. ***faire le ~ à*** qn 《구어》 …을 도와 주다, 편의를 봐 주다. ***Il passera encore beaucoup d'eau sous les ~s avant que...*** …까지에는 많은 세월이 흐를 것이다. ***jour de ~*** 《구어》 일요일과 휴일 사이에 낀 날. ***~ aux ânes*** 《구어》 누구나 아는 것, 아주 쉬운 일 ; 진부한 것〔일〕 : C'est le ~ *aux ânes*. 그것은 누구나 다 아는 사실이다.

ponte[1] [pɔ̃ːt] *m.* ① roulette 나 baccara 에서 돈을 거는 사람. ② 《구어》 실력자, 거물 : gros ~ des affaires 실업계의 거물.

ponte[2] *f.* 산란(기) ; (1 회의) 산란수(數).

ponté, e [pɔ̃te] *adj.* (배가) 갑판이 있는.

ponter[1] [pɔ̃te] *v.t.* 〖해양〗 배에 갑판을 깔다.

ponter[2] *v.i.* 〖도박〗 (roulette, baccara에서) 물주(物主)에 맞서 돈을 걸다.

pontife [pɔ̃tif] *m.* ① 〖가톨릭〗 고위 성직자 : souverain *P~* ; *P~* romain 로마 교황. ② 우두머리, 거물 : grand ~ de la politique 정계의 거물.

pontifiant, e [pɔ̃tifjɑ̃, -ɑ̃ːt] *adj.* et *n.* 잘난 체하는 (사람), 젠체하는 (사람).

pontifical, e, aux [pɔ̃tifikal, -o] *adj.* 교황의 ; 주교의 : messe ~*e* 교황 집전 미사 / audience ~*e* 교황 알현.

pontificat [pɔ̃tifika] *m.* ① (주교의) 지위 ; 교황의 지위. ② 교황 재위 기간.

pontifier [pɔ̃tifje] *v.i.* 거드름 피우다, 젠체하다, 점잔 빼다.

pont-l'évêque [pɔ̃levɛk] *m.* 《불변》 퐁레베크《프랑스의 도시》산(産)의 치즈.

pont-levis [pɔ̃lvi] *m.* (*pl.* **~s-~**) (성의) 도개교(跳開橋) ; (운하의) 승개교(昇開橋).

ponton [pɔ̃tɔ̃] *m.* ① (임시로 만든) 부교, 주교(舟橋)(= ~ d'accostage). ② (바닥이 평평한) 평저선(平底船), 너벅선.

pontonnier [pɔ̃tɔnje] *m.* 〖군사〗 가교병(架橋兵).

pool [pul] 〔영〕 *m.* 기업 연합(= consortium) : ~ du charbon et de l'acier 석탄·철강 유럽 공동 시장. ② (기업 내의) 작업 그룹, (단위별) 팀.

pop [pɔp] 〔영〕 *adj.* 《불변》 통속적〔대중적〕인 : musique ~ 대중 음악.

pop'art [pɔpaʀt, pɔpaːʀ] *m.* 팝아트.

pop-corn [pɔpkɔʀn] 〔미영〕 *m.* 팝콘, 튀김 옥수수 : manger du ~ 팝콘을 먹다.

pope [pɔp] *m.* (그리스 정교(正教)의) 사제(司祭), 신부.

popeline [pɔplin] *f.* 〖직물〗 포플린.

popote [pɔpɔt] *f.* 《구어》 ① 《소아어》 수프. ② 요리(하기) ; 취사 : faire la ~ 취사를 하다. ③ 부엌, 주방 ; 식당. ④ (학생·군인 따위의) 회식 ; 《집합적》 식사를 같이하는 사람들 : ~ des officiers 〖군사〗 장교 식탁. ── *adj.* 《불변》 ① 가정적인. ② 《구어》 속된, 저속한(= terre à terre).

popotin [pɔpɔtɛ̃] *m.* 《구어》 엉덩이(= derrière). ***se manier le ~*** 서둘다.

populace [pɔpylas] *f.* 하층 계급, 하층민.

populacier, ère [pɔpylasje, -ɛːʀ] *adj.* 하층민의, 상스러운 : allure ~*ère* 상스러운 태도 / langage ~ 하층 계급의〔저속한〕 언어.

populaire** [pɔpylɛːʀ] *adj.* ① 인민의, 민중의, 대중의 ; 서민의 : émeute ~ 민중 봉기 / milieux ~s 서민 사회. ② 민간의 ; 민간에 유포되어 있는 ; 통속적인 : roman ~ 대중〔통속〕 소설 / chanson ~ 민요, 유행가. ③ 인기 있는 : Henri Ⅳ était un roi ~. 앙리 4세는 인기 있는 왕이었다. ***mot ~ 속어, 비어《주로 서민들이 쓰는 말》. ***place ~*** (극장 따위의) 대중석.

populariser [pɔpylaʀize] *v.t.* ① 보급시키다, 통속화〔대중화〕하다(= vulgariser) : un sport 어떤 스포츠를 보급하다. ② …의 인기를 높이다, 유명하게 하다.

popularité [pɔpylaʀite] *f.* 인기, 인망, 지명

도 : Ce chanteur jouit d'une grande ~. 이 가수는 대단히 인기가 있다. ***soigner sa ~*** 인기를 잃지 않도록 대중에게 아첨하다.

population** [pɔpylɑsjɔ̃] *f.* ① 인민, 국민 ; (일정한 지역의) 주민. ② 인구 : ~ du globe 지구상의 전 인구 / région à ~ dense 〔faible〕 인구 밀도가 높은〔낮은〕 지방. ③ 〖생물〗 (일정한 지역의) 동물〔식물〕군(群). ~ ***active (한 나라·사회의) 산업 인구. ~ ***scolaire*** 학생.

populeux, euse [pɔpylø, -øːz] *adj.* 인구가 많은〔밀집한〕(≠ désert) : villes ~*euses* 인구가 많은 도시들.

populisme [pɔpylism] *m.* ① 대중 영합주의. ② 〖문학사〗 포퓰리즘《1930 년대에 서민 생활을 중점적으로 묘사한 문학 운동》.

populiste [pɔpylist] *n.* 〖문학사〗 포퓰리즘 작가. — *adj.* 대중 영합주의의. 「민.

populo [pɔpylo] *m.* 《구어》 민중, 대중 ; 하층

***porc** [pɔːʀ] *m.* ① 돼지(= cochon) ; 돼지고기 ; 돼지 가죽 : gardeur de ~*s* 돼지지기〔기르는 사람〕/ ~ châtré (식용으로) 거세된 수퇘지 / ~ sauvage 멧돼지 / rôti de ~ 돼지고기 구이. ② 《구어》 더러운 사람 ; 상스러운 사람 ; 대식가 ; 음탕한 사람.

porcelaine [pɔʀsəlɛn] *f.* ① 〖패류〗 자패(紫貝). ② 자기(磁器)《céramique 는 도자기 일반, faïence, poterie 는 도기, porcelaine 은 자기》.

porcelainier, ère [pɔʀsəlɛ(e)nje, -ɛːʀ] *adj.* 자기에 관한 : industrie ~*ère* 자기 제조업. — *m.* 자기 제조공〔판매인〕.

porcelet [pɔʀsəlɛ] *m.* 〖동물〗 새끼 돼지.

porc-épic [pɔʀkepik] *m.* (*pl.* **~s-~s**) 〖동물〗 호저(豪豬). ② 《구어》 까다로운 사람.

porche [pɔʀʃ] *m.* 현관, 포치 : attendre sous un ~ 현관에서 기다리다.

porcher, ère [pɔʀʃe, -ɛːʀ] *n.* 돼지 치는 사람〔목동〕, 돼지지기.

porcherie [pɔʀʃəʀi] *f.* ① 돼지우리. ② 《구어》 (돼지우리같이) 더러운 곳.

porcin, e [pɔʀsɛ̃, -in] *adj.* 돼지의 ; 돼지 같은 : race ~*e* 돼지류(類) / yeux ~*s* 돼지같이 작은 눈.

pore [pɔːʀ] *m.* ① 〖생리〗 털구멍, 모공(毛孔). ② 〖식물〗 기공(氣孔). ③ (바위·돌 따위의) 작은 구멍. ***suer par tous les ~s*** 땀을 흠뻑 흘리다.

poreux, euse [pɔʀø, -øːz] *adj.* 작은 구멍〔모공(毛孔)·기공(氣孔)〕이 많은 ; 물이 배어나는. ***vase ~*** 초벌 구운 질그릇.

porion [pɔʀjɔ̃] *m.* (탄광의) 갱내(坑內) 감독.

porno [pɔʀno] *adj.* 《여성불변》 포르노의, 외설적인(= pornographique) : revue ~ 포르노 잡지. — *m.* 포르노 영화, 포르노그라피.

porno- *préf.* 「외설적인」.

pornocratie [pɔʀnɔkʀasi] *f.* 〖그리스사〗 창녀 정치《10 세기경 여성이 강력한 영향을 미친 정치를 비꼰 말》.

pornographe [pɔʀnɔgʀaf] *m.* 호색〔외설〕 문학자 ; 춘화 작가.

pornographie [pɔʀnɔgʀafi] *f.* ① 호색〔외설〕 문학 ; 춘화(春畫). ② 외설스러움.

pornographique [pɔʀnɔgʀafik] *adj.* ① 호색〔외설〕 문학의 ; 춘화의. ② 매춘 연구의.

porosité [pɔʀozite] *f.* ① 작은 구멍이 많음, 다공성(多孔性). ② 〖물리〗 다공도(度).

porphyre [pɔʀfiːʀ] *m.* ① 〖광물〗 반암(斑岩). ② 〖약학〗 (반암으로 만든) 막자.

porridge [pɔʀidʒ] 〔영〕 *m.* 〖요리〗 오트밀.

****port**[1] [pɔːʀ] *m.* ① 항구, 항만 ; 하역장, 선창 : ~ de pêche 어항 / ~ de commerce 무역항 / entrer dans le ~ 입항하다 / quitter le ~ 출항하다 / ~ fluvial 하항(河港) / ~ maritime 해항(海港). ② 항구 도시, 항도 : ~ de mer 해항, 항구 도시 / ~ d'escale 기항지. ③ 피난처 ; 안식처(= refuge) : ~ de salut (태풍 따위로부터의) 피난처. ***amener*** 〔***conduire***〕 qc ***à bon ~*** 《구어》 …을 안전하게 인도하다 ; 사건을 무사히 해결하다. ***arriver à bon ~*** 무사히 귀항하다 ; 무난히 목적을 달성하다. ***échouer en vue du ~ ; faire naufrage*** (***en arrivant***) ***au ~*** 공든 탑을 무너뜨리다, 성공을 눈 앞에 두고 실패하다.

port[2] *m.* ① 휴대 ; 착용, 패용(佩用) : ~ de l'uniforme 제복 착용 / ~ de décoration 훈장 패용. ② 우송료, 우편 요금 : en ~ dû 송료(送料) 후불로 / franc 〔franco〕 de ~ 〔~ payé〕 우송료 지불필(支拂畢)의. ③ (배의) 최대 적재량, 톤수(數) : ~ en lourd (선박의) 최대 적재량. ④ 자세, 풍채, 거동 : ~ de roi 〔reine〕 왕〔여왕〕과 같은 풍모. 「col).

port[3] *m.* (피레네 산중의) 협로(峽路), 고개(=

portable [pɔʀtabl] *adj.* ① 운반〔휴대〕할 수 있는 : téléviseur ~ 포터블〔휴대용〕 텔레비전 / ordinateur ~ 노트북 컴퓨터. ② (옷이) 입을 수 있는, 착용할 수 있는 : Ce manteau est encore ~. 이 외투는 아직 입을 만하다. ③ 〖법률〗 (지정된 장소에) 지참하여야 할(≠ requérable) : dette ~ 지참 채무.

portage [pɔʀtaːʒ] *m.* 휴대 ; 운반. ***frais de ~*** 운반비, 운임.

portail [pɔʀtaj] *m.* (교회 따위 큰 건물의) 정면 현관 ; (성·저택·농장 따위의) 정문.

portant, e [pɔʀtɑ̃, -ɑ̃ːt] *adj.* ① 받치는, 지탱하는 : parties ~*es* d'un édifice 건물의 받침 부분. ② 〖해양〗 vent ~ 순풍. ***être bien*** 〔***mal***〕 ~ 건강이 좋다〔나쁘다〕. ***à bout ~*** 아주 가까운 거리에서, 마주보고. — *m.* ① 〖연극〗 무대 장치의 지주(支柱) ; 무대〔조명〕 장치. ② (트렁크 따위의) 손잡이.

portatif, ive [pɔʀtatif, -iːv] *adj.* 가지고 다니기 간편한, 휴대용의, 운반하기 쉬운 : machine à écrire ~*ive* 휴대용 타자기.

****porte** [pɔʀt] *f.* ① (옛날의) 성문 ; 성문이 있던 곳 : la *P*~ Saint-Denis et la *P*~ Saint-Martin 생드니 문과 생마르탱 문《파리에 남아 있는 두 개의 성문》. ② ⓐ 문, 출입구 ; (공항 따위의) 게이트 : ~ d'entrée 입구 / ~ principale 정문, 현관문 / ~ de secours 비상구 / Embarquement immédiat ~ n°10. 10 번 게이트에서 바로 탑승해 주십시오. ⓑ (자동차·가구 따위의) 도어, 문짝 : ~ d'une voiture 자동차의 도어 / ~ de réfrigérateur 냉장고 문. ⓒ (추상적인) 문, 입구 : La vertu est la ~ du bonheur. 《격언》 덕은 행복의 문. ③ 〖지리〗 협로(峽路) : les *P*~*s* de Fer 철문(鐵門)《루마니아와 유고슬라비아 사이에 있는 협로의 이름》. ④ 혹 단

P

추의 암고리(= ~ d'agrafe). ⑤ 〖스키〗 (활강 경기에서 선수가 지나가야 하는 기문(旗門). ***à la ~*** 밖에 : mettre 〔《속어》 ficher, flanquer, foutre〕 qn *à la* ~ …을 밖으로 내쫓다. ***à la ~ de ; aux ~s de*** …바로 가까이 〔근처에(서)〕. ***â ~ close*** 〔***ouverte***〕 비밀리에 〔공공연히〕. ***de ~ en ~*** 집집마다. ***deux ~s plus loin*** 한 집 건너 이웃의. ***entrer*** 〔***passer***〕 ***par la grande ~*** 《구어》 (남의 도움 없이) 실력으로 출세〔취직〕하다. ***entrer*** 〔***passer***〕 ***par la petite ~*** 《구어》 뒷구멍으로 들어가다, 남의 덕〔부정한 방법〕으로 출세〔취직〕하다. ***faire du ~ à ~*** (행상인 따위가) 이 집 저 집 돌아다니다《~-à-~라고 쓰기도 함》. ***forcer la ~ de*** qn …의 집에 (주인의 승낙 없이) 침입하다. ***frapper à la bonne*** 〔***mauvaise***〕 ***~*** 《구어》 적당한 〔부적당한〕 사람에게 일을 부탁하다. ***frapper*** 〔***heurter***〕 ***à toutes les ~s*** 온갖 수단을 동원하다. ***gagner*** 〔***prendre***〕 ***la ~*** 나가다, 물러가다 ; 떠나다 ; 도망치다. ***ouvrir la ~ à*** qc …을 허락하다. ***~ à ~*** 인접하여. ***~ ouverte*** 문호를 개방한, 일반에 공개한. ***refuser*** 〔***fermer, défendre***〕 ***sa ~ à*** qn …에게 면회를 사절하다. ***trouver ~ close*** (찾아간 사람을) 만나지 못하다 ; 면회를 거절당하다. — *adj. f.* 〖해부〗 문맥(門脈)의 : veine ~ 문맥.

porte- *préf.* 「…을 지나는〔나르는〕 것〔사람〕」의 뜻.

porté, e [pɔʀte] *adj.* ① 《~ à qc 〔+*inf.*〕》 …의〔하는〕 경향이 있는 : être ~ *à* la colère 성을 잘내다 / être ~ *à* boire 술 마시기를 좋아하다. ② 《~ pour》 …에 마음이 끌린 ; 《~ sur》 …을 좋아하는 : être ~ *sur* la bouche 맛있는 것을 좋아하다.

porte-aéronefs [pɔʀtaeʀɔnɛf] *m.* 《복수불변》 〖해군〗 항공모함.

porte-à-faux [pɔʀtafo] *m.* 《복수불변》 〖토목·기계〗 돌출 부분(= porte à faux). ***en ~*** 돌출한, 불쑥 내민.

porte-à-porte [pɔʀtapɔʀt] *m.* 《복수불변》 (세일즈맨의) 가정 방문 (판매)(= porte à porte). ***faire du ~*** ⇒ porte.

porte-avions [pɔʀtavjɔ̃] *m.* 《복수불변》 항공모함.

porte-bagages [pɔʀtəbaga:ʒ] *m.* 《복수불변》 (기차 따위의) 짐 얹는 선반 ; (자동차·자전거의) 짐받이.

porte-bébé [pɔʀtəbebe] *m.* (*pl.* **~-~(s)**) ① 아기 바구니 ; 베이비 시트. ② 아기 업는 띠〔멜빵〕.

porte-billets [pɔʀtəbijɛ] *m.* 《복수불변》 지갑.

porte-bonheur [pɔʀtəbɔnœ:ʀ] *m.* 《복수불변》 부적, 호신부, 마스코트 : Le trèfle à quatre feuilles est un ~. 네잎 클로버는 행운을 가져다 주는 마스코트이다. — *adj.* 《불변》 부적의, 행복을 가져다 주는.

porte-bouteilles [pɔʀtəbutɛj] *m.* 《복수불변》 (와인)병 선반 ; (운반용) 병광주리.

porte-cartes [pɔʀtəkaʀt] *m.* 《복수불변》 (신분증·정기권·명함 따위를 넣는) 지갑의 긴.

porte-cigarettes [pɔʀtəsigaʀɛt] *m.* 《복수불변》 시가레트 케이스.

porte-clefs 〔**-clés**〕 [pɔʀtəkle] *m.* 《복수불변》 ① 열쇠 꿰는 고리 ; (호텔의) 열쇠걸이판. ② (감옥의) 열쇠 보관자.

porte-conteneurs [pɔʀtəkɔ̃tnœ:ʀ] *m.* 《복수불변》 컨테이너 운반선.

porte-couteau [pɔʀtəkuto] *m.* (*pl.* **~-~(x)**) (식탁의) 나이프 받침.

porte-documents [pɔʀtədɔkymɑ̃] *m.* 《복수불변》 서류 가방.

porte-drapeau [pɔʀtədʀapo] *m.* 《복수불변》 ① 〖군사〗 연대 기수(聯隊旗手). ② (사회 운동 따위의) 기수, 영도자, 인정받는 대표자.

portée** [pɔʀte] *f.* ① 한배의 새끼 ; 회태(懷胎) 기간 : lapins d'une même ~ 한배의 토끼들. ② 사정(射程), 착탄 거리 ; (시선·목소리·손 따위의) 미치는 거리 : ~ d'un fusil 소총의 사정 거리 / ~ efficace 유효 사거리 / ~ d'un cri 목소리가 미치는〔들리는〕 범위. ③ (어떤 일을 해낼 수 있는) 힘이 미치는 범위〔정도〕 ; 역량, 능력 ; 이해력, 지력 : Cela dépasse la ~ d'une intelligence ordinaire. 이건 보통 지능〔재능〕으론 안 되는 일이다. ④ (사물의) 가치, 중요성 ; (행동·사건 따위의) 결과 ; 효력, 효과 : décision d'une grande ~ 중요한 (결과를 내포한) 결정. ⑤ 〖해양〗 (배의) 적재량 : ~ en lourd (배의) 최대 적재량. ***à (***la***) ***~ de*** …이 미치는 곳에 ; …의 힘이 미치는 범위 안에. ***à*** (***la***) ***~ de la main*** 손이 닿는 곳에 ; 손 가까이에 ; 할 수 있는 범위에. ***être à*** (***la***) ***~ de***+*inf.* …할 수 있다. ***être à la ~ de*** qn …의 능력〔힘〕이 미치다, 힘〔능력〕으로 가능하다. ***hors de*** (***la***) ***~ de*** …이 미칠 수 있는 거리 밖에 ; …의 힘이 미치는 범위 밖에.

porte(-)faix [pɔʀtəfɛ] *m.* 《복수불변》 짐꾼, 인부 ; 하역 인부.

porte-fenêtre [pɔʀtəf(ə)nɛ:tʀ] *f.* (*pl.* **~s-~s**) 프랑스 창《발코니로 출입하는 문》.

portefeuille** [pɔʀtəfœj] *m.* ① 지갑 : avoir un ~ bien garni 지갑이 두둑하다, 돈이 많다. ② 대신〔장관〕의 직 : ~ des Affaires étrangères 외무장관의 자리. ③ 〖상업〗 《집합적》 (개인 또는 은행 소유의) 유가 증권, 주식 : avoir toute sa fortune en ~ 전 재산을 유가 증권으로 가지고 있다. ***accepter un ~ (장관이) 취임하다.

porte-greffe(s) [pɔʀtəgʀɛf] *m.* 《복수불변》 〖원예〗 접본(接本), (접목의) 대목(臺木).

porte-jarretelles [pɔʀtəʒaʀtɛl] *m.* 《복수불변》 〖의복〗 (스타킹을 고정시키는) 양말대님 달린 팬티〔밴드〕.

porte-malheur [pɔʀtəmalœ:ʀ] *m.* 《복수불변》 액운을 가져오는 것〔사람〕, 재수 없는 것〔사람〕.

portemanteau** [pɔʀtəmɑ̃to] *m.* (*pl.* **~x**) ① 외투걸이, 옷걸이. ② 여행용 가방. ③ 〖해양〗 보트를 매다는 기둥 : accrocher son imperméable au ~ 레인코트를 옷걸이에 걸다. ***épaules en ~ 《구어》 떡 벌어진 어깨.

porte(-)mine [pɔʀtəmin] *m.* (*pl.* **~(-)~s**) 샤프펜슬.

***porte-monnaie** [pɔʀtəmɔnɛ] *m.* 《복수불변》 돈지갑 : ~ de cuir 가죽 지갑.

porte-parapluies [pɔʀtəpaʀaplɥi] *m.* 《복수불변》 우산〔지팡이〕 꽂이.

porte-parole [pɔʀtəpaʀɔl] *m.* 《복수불변》 ① 대변인 : ~ d'un groupe politique à

P

l'Assemblée nationale 국회의 정당 대변인. ② 기관지(機關紙) : Ce journal est devenu le ~ de l'opposition. 이 신문은 야당의 기관지다.

porte-plume [pɔʀtəplym] *m.* 《복수불변》 펜대.

***porter**[1] [pɔʀte] *v.t.* Ⓐ ① (짐 따위를) 들고 있다 ; 가지고 있다 : Le chameau *porte* deux bosses. 낙타는 혹을 2 개 가지고 있다 / ~ une valise à la main 가방을 손에 들고 있다. ② (무거운 것을) 떠받치다, 지탱하다 : Mes jambes ne me *portaient* plus. 더 이상 내 다리는 나를 지탱할 수 없었다 / pont qui peut ~ des camions 트럭들이 지나갈 수 있는 다리. ③ (책임을) 지다 ; 감당하다 ; …의 책임을 지다 : ~ la peine de sa faute 자기의 잘못에 대한 벌을 받다. ④ (옷 · 모자 · 신을) 입고〔쓰고 · 신고〕 있다 ; 착용하다 ; (안경을) 쓰고 있다 ; 휴대〔소지〕하다 ; 몸에 지니다 : ~ un anneau au doigt 손가락에 반지를 끼고 있다 / ~ des lunettes 안경을 끼고 있다. ⑤ (아이 · 새끼를) 배다, 잉태〔회태〕하다 ; (마음속에) 품다. ⑥ (물건이) …의 길이〔크기 · 부피〕를 갖다 : pièce de tissue qui *porte* 30 mètres 길이 30 미터의 천 / fusil qui *porte* à 300 mètres, 300 미터까지 쏠 수 있는 총. ⑦ (문서 따위가) …의 내용을 가지고〔담고〕 있다 : Cette lettre *porte* la date du 24 mai. 이 편지에는 5 월 24 일의 일부인이 찍혀 있다. ⑧ (흔적 · 특징 따위를) 보이다, 나타내다 : Il *porte* sur son visage un air de lassitude. 그는 얼굴에 피로한 빛을 보이고 있다. ⑨ (나무가 열매를) 맺다 ; (토지가 곡식을) 산출〔생산〕하다 ; (땅이 위대한 인물 따위를) 낳다 ; (돈 · 물건이 이자〔이익〕을) 낳다 : un arbre qui *porte* beaucoup de fruits 많은 열매를 맺는 나무.

Ⓑ ① ⓐ 가져가다〔오다〕 ; 나르다 ; 옮기다, 운반하다 ; 전달하다 ; 배달하다 : Va lui ~ ce paquet. 이 꾸러미를 그에게 갖다 주어라 / ~ ses bagages à la consigne 짐을 수하물 보관소에 가져가다. ⓑ 데려가다 ; (배 · 바람 · 파도 따위가) 실어 가다. ② (타격을) 가하다 ; (손해를) 입히다 ; (충격을) 주다 : ~ un coup à qn …에게 일격을 가하다. ③ 《~ les yeux 〔la vue〕 sur》 시선을 …으로 향하다. ④ 《~ qc 〔qn〕 sur》 …을 …에 기입하다, 올리다 : ~ qn *sur* la liste …을 명단에 올리다, …의 이름을 명단에 기입하다 / *Portez*-la *sur* la note. 그걸 계산서에 올리시오. ⑤ 《~ qc à》 ⓐ (수량 · 액수 · 정도 따위를) …으로 높이다 ; …에〔까지〕 이르게 하다 ; …으로 평가하다 : ~ *à* dix mille le nombre des morts 사망자의 수를 만 명으로 보다〔잡다〕 / ~ la somme *à* deux cents francs 총액을 200 프랑으로 견적을 내다. ⓑ 《~ qc plus loin》 …을 더 넓히다, 확장〔확대〕하다 ; 더 심하게 하다 : ~ le crime si *loin* 그렇게도 심한 범행을 하다. ⑥ 《~ qn à》 …에 올려놓다, …으로 뽑다, 선출하다 : ~ un homme *au* pouvoir …으로 하여금 정권을 장악하게 하다 / ~ un candidat *à* la présidence 어떤 후보를 대통령으로 뽑다. ⑦ 《~ qn à 〔vers〕 qc ; ~ qn à+*inf.*》 …을 …으로 이끌다, 인도〔유도〕하다 ; …으로 하여금 …하게 하다 : Cet échec le *portera à* plus de prudence. 이번의 실패로 그는 더 신중해질 것이다. ⑧ (법을) 선포하다 ; (판결을) 내리다 : L'ordonnance *porte* que... 법령은 …라고 선언한다. ***être porté à*** + *inf.* 당연히〔자연히〕 …하게 되다. ***le ~ haut*** 《구어》 잘난 체하다. ***ne savoir où ~ ses pas*** 어디로 가야 할지 모르다. ***~ amitié à*** qn …에게 우정을 품다, 호의를 가지다. ***~ assistance à*** qn …을 돕다. ***~ atteinte à*** qc …을 (함부로) 건드리다, (나쁘게) 변형〔변경〕시키다. ***~ bien le vin*** 술이 세다. ***~ bien son âge*** 나이에 비해 정정하다 ; 《반어적》 나이 들어 보이다. ***~ la tête haute*** 뻐기다, 뽐내다. ***~ plainte contre*** qn …을 고소〔고발〕하다. ***~ plus* 〔*moins*〕 *que son âge*** 나이보다 늙어〔젊어〕 보이다. ~ qc ***à la connaissance de*** qn …을 …에게 알리다. ~ qn ***très haut*** …을 대단히 존경하다. ***~ sur soi*** 휴대하다, 소지하다, 보이다.

— *v.i.* ① ⓐ 《~ sur》 (무게가) …에 걸리다 ; 내리 눌리다 : Tout le poids de l'édifice *porte sur* quatre piliers. 건물의 모든 무게는 네 기둥에 걸려 있다. ⓑ …을 목표로〔대상으로〕 하다 ; …에 관계〔관련〕되다 : *Sur* quoi *porte* votre critique? 당신의 비평은 무엇을 문제삼고 있습니까? ② 《~ sur 〔contre〕》 …에 부딪치다 : Il est tombé et sa tête *a porté contre* 〔*sur*〕 une pierre. 그는 넘어져서 돌에 머리를 부딪쳤다. ③ 《~ à 〔sur〕》 …을 자극하다 : Ce vin *porte à* la tête. 이 술은 머리에 오른다 / Ce bruit me *porte sur* les nerfs. 이 소리는 신경에 거슬린다. ④ (탄환 · 목소리 따위가) 도달하다, 미치다 : canon qui *porte* loin 사정 거리가 먼 대포. ⑤ ⓐ 《~ juste》 들어맞다, 명중하다. ⓑ 《~ (juste)》 급소를 찌르다 ; 효과가 있다 : Vos observations *ont porté*. 당신의 의견은 효과가 있었다. ***~ au sud* 〔*nord*〕** 【해양】 남〔북〕으로 항행하다 ; (조류가) 남〔북〕으로 흐르다.

— **se ~** *v.pr.* ① ⓐ 《주어 : qn》 향하다, 가다 : *se* ~ à rencontre de qn …을 마중 가다. ⓑ 《주어 : qc》 향해지다, 쏠리다 : Le sang *s'est porté* à la tête. 흥분했다, 화가 났다 / Un soupçon terrible *se porte* sur elle 무서운 혐의가 그녀에게 쏠려〔걸려〕 있다. ② (…으로) 나서다 : 《se ~+속사》 *se* ~ candidat 입후보하다, (선거 따위에) 나서다 / *se* ~ caution 〔fort, garant〕 pour qn …의 보증인이 되다. ③ (옷이) 착용되다 : Cela ne *se porte* plus. 이건 이제 유행이 지났다 ; 이젠 모두 입지 않는다. ④ 건강 상태가 …하다 : Comment vous *portez-vous?* 건강이 어떠세요? ***se ~ aux dernières extrémités contre*** qn …에게 못된〔심한〕 짓을 하다. 「주.

porter[2] [pɔʀtɛ(œ):ʀ] 〖영〗 *m.* (영국제) 흑맥

porte-revues [pɔʀtəʀ(ə)vy] *m.* 《복수불변》 잡지〔신문〕 꽂이.

porte-savon [pɔʀtəsavɔ̃] *m.* (*pl.* **~-~(s)**) 비눗갑, 비누 받침.

porte-serviette(s) [pɔʀtəsɛʀvjɛt] *m.* 《복수불변》 타월〔수건〕걸이.

***porteur, euse** [pɔʀtœ:ʀ, -ø:z] *n.* ① 운반

P

인 ; (역 · 등반대의) 짐꾼 ; 배달인〔부〕, 전달인 : appeler un ~ sur le quai d'une gare 역의 플랫폼에서 수하물 운반인을 부르다 / ~ de dépêches 〔télégrammes, journaux〕 속달〔전보 · 신문〕 배달인 / ~ d'ordre 〖군사〗 전령 / ~ de paroles 대변인. ② 휴대〔착용〕하고 있는 사람 : ~ de lunettes 안경을 낀 사람. ③ 소지자 ; 〖상업〗 지참인 : chèque au ~ 지참인불 수표. ④ 〖의학〗 보균자. ***gros ~*** 운반용 대형 자동차〔트럭〕; 대형 여객기. ***~ d'actions*** 주주(株主). — *m.* ① 〖철도〗 전기 케이블. ② (avion) gros ~ 점보기 ; 대형 탱크트럭. — *adj.* 운반하는, 나르는, 싣는 : animal ~ (짐을) 운반하는 짐승 / courant ~ 〖전기〗 반송(搬送) 전류.

porte-voix [pɔʀtəvwa] *m.* 《복수불변》 ① 메가폰 : mettre ses mains en ~ 양손을 메가폰처럼 입에 대다. ② 〖해양〗 통화관.

portier, ère[1] [pɔʀtje, -ɛːʀ] *n.* ① 문지기, 수위 ; (호텔의) 도어맨. ② 〖가톨릭〗 수문품(守門品)《하급 성품》: sœur *~ère* 문지기 수녀. ③ 〖축구〗 골키퍼. — *adj.* 〖가톨릭〗 le frère ~ 문지기 수도사.

portière[2] [pɔʀtjɛːʀ] *f.* ① 칸막이의 휘장〔커튼〕. ② (기차 · 마차 등의) 승강구의 문 : voiture à deux 〔quatre〕 ~s, 2〔4〕 도어의 자동차 / ~ avant 〔arrière〕 앞〔뒷〕문.

portillon [pɔʀtijɔ̃] *m.* ① 쪽문, 곁문. ② (지하철 승강장 입구의) 자동 개폐문(= ~ automatique). ③ (건널목 차단기의) 곁문.

portion** [pɔʀsjɔ̃] *f.* ① (나누어진) 부분 ; 몫 ; 배당. ② (식사 때) 음식물의 1 인분 : une ~ de gâteau, 1 인분의 케이크. ③ 일부, 부분 : ~ de route 도로의 일부. ***par ~s égales 균등하게. ***~ congrue*** 《비꼼》 (식사 · 돈의) 빈약한 양.

portique [pɔʀtik] *m.* ① 주랑(柱廊), 회랑(回廊) : ~ d'église 교회의 주랑 현관. ② (*P~*) 〖그리스철학〗 스토아학파 ; 스토아학파의 철학(= doctrine ~). ③ 〖스포츠〗 (기계 체조용) 횡목(橫木). ***~ du but*** 〖축구〗 골포스트.

porto [pɔʀto] *m.* 포르투갈산(産) 포도주, 포트와인(= vin de *P~*). — **P~** *n.pr.m.* 〖지리〗 포르토《포르투갈의 도시》.

portoricain, e [pɔʀtɔʀikɛ̃, -ɛn] *adj.* 푸에르토리코(*le Porto-Rico*)의. — **P~** *n.* 푸에르토리코 사람.

portrait** [pɔʀtʀɛ] *m.* ① 초상(화) ; (인물) 사진 : faire le ~ de qn …의 초상화를 그리다. ② 〖문학〗 (인물의) 묘사. ③ 꼭 닮은 모습〔사람〕: Il est tout le ~ de sa mère. 그는 어머니를 빼닮았다. ④ 《구어》 얼굴. ⑤ 〖회화〗 (사물의) 묘사. ***~ en buste 반신상(像). ***~ en pied*** 전신상(像).

portraitiste [pɔʀtʀɛ(e)tist] *m.* 초상화가.

portrait-robot [pɔʀtʀɛʀɔbo] *m.* (*pl.* ***~s-~s***) ① (범인 따위의) 몽타주 사진. ② (사람 · 사물의) 전형적〔대표적〕인 모습 : ~ de la jeunesse actuelle 오늘날 젊은이의 전형.

portraiturer [pɔʀtʀɛtyʀe] *v.t.* 초상화를 그리다, (인물을) 묘사하다.

port-salut [pɔʀsaly] *m.* 《복수불변》 〖상표명〗 (프랑스 *Mayenne* 산의) 치즈.

***portuaire** [pɔʀtɥɛːʀ] *adj.* 항구의 : installations 〔équipements〕 ~*s* 항만 시설.

***portugais, e** [pɔʀtygɛ, -ɛːz] *adj.* 포르투갈(*le Portugal*)의. — **P~** *n.* 포르투갈 사람. — *m.* 포르투갈어. — *f.* 〖조개〗 굴의 일종(= huître ~*e*).

posada [poz〔s〕ada] *f.* 《옛》 (에스파냐의) 여관.

pose [poːz] *f.* ① 달기, 설치, 가설, 부설 : ~ des rideaux 커튼을 달기. ② 태도 ; 자세 ; 〖미술〗 포즈 : prendre une ~ 포즈를 취하다. ③ 〖사진〗 노출 (시간) : manque de ~ 노출 부족 / salon de ~ (촬영) 스튜디오. ***la*** 〔***le***〕 ***faire à la ~*** 《구어》 거드름 피우다, 뻐기다. ***sans ~*** 잘난 체하지 않고.

posé, e [poze] *adj.* ① (새가 나무에) 앉은 ; (시선이) 쏠린 ; (커튼이) 달린. ② 침착한(= pondéré) ; 사려 깊은(= réfléchi) : d'un ton ~ 침착한 어조로 / homme bien ~ 착실〔침착〕한 남자.

Poséidon [pozeidɔ̃] *m.* 〖그리스신화〗 포세이돈《바다의 신》.

posément [pozemɑ̃] *adv.* 침착하게, 착실하게, 서두르지 않고(≠ brusquement).

posemètre [pozmɛtʀ] *m.* 〖사진〗 노출계.

****poser** [poze] *v.t.* ① ⓐ 놓다 ; 걸쳐 놓다 ; 기대어 놓다 : Il *posa* sa tête sur l'oreiller. 그는 머리를 베개에 올려놓았다 / Elle *posa* son regard sur lui. 그녀는 그를 물끄러미 바라보았다 / ~ un livre sur une table 책을 테이블 위에 놓다 / ~ un manteau 외투를 걸다 / ~ une échelle contre un mur 사닥다리를 벽에 기대다. ⓑ 설치하다, 가설하다, 부설하다 : ~ une voie de chemin de fer 철도를 부설하다. ⓒ (보초 따위를) 배치하다. ② 내려놓다 ; (옷을) 벗다. ③ (문제를) 제기하다 ; (시험 문제를) 내다 : Votre cas *pose* un problème délicat. 당신 경우는 미묘한 문제를 제기하고 있소. ④ ~ sa candidature 입후보하다. ⑤ (학설 따위를) 세우다 ; 확립하다 ; (원칙 따위를) 설정하다 〔세우다〕: ~ un principe 원칙을 세우다. ⑥ 가정〔상정〕하다 ; 《~ que+*sub.*》 …라고 가정〔상정〕하다. ⑦ 〖미술 · 사진〗 ~ le modèle 모델에게 포즈를 취하게 하다. ⑧ (숫자를) 적다. ⑨ …에게 인망〔명성〕을 얻게 하다. ***~ le masque*** 《문어》 정체를 나타내다. ***~ les armes*** 무기를 버리다, 싸움을 그치다.

— *v.i.* ① 《~ sur》 …위에 놓이다〔걸려 있다〕: crainte qui ne *pose sur* rien de certain 아무 확실한 근거도 없는 근심〔불안〕. ② 《~ sur》 …에 의거하다 ; …에 근거를 두다. ③ 《미술 · 사진》 포즈를 취하다. ④ 태도를 꾸미다 ; 《~ pour 〔au〕》 …인 체하다 : Je ne *pose* pas *pour* un savant. 나는 학자인 체하지는 않는다.

— **se ~** *v.pr.* ① (새가) 앉다 ; (비행기가) 착륙하다 : oiseau qui *se pose* sur une branche 나뭇가지에 앉는 새. ② 놓이다, (손 따위가) 얹어지다 ; 설치〔가설 · 부설〕되다. ③ (문제가) 제기되다 : Le problème *se posera* dans tous les cas. 그 문제는 어떤 경우에나 다 있을 것이다. ④ 《se ~ comme 〔en, pour〕》 …으로 자처하다, 자인하다. ⑤ 입신〔출세〕하다 : *se* ~ dans le monde 사회에서 지위를 얻다.

poseur, euse [pozœːʀ, -øːz] *adj.* 잘난 체

P

하는 : Elle est un peu ~*euse.* 그녀는 잘난 체하는 면이 있다. ── *n.* ① 설치〔가설·부설〕하는 사람 ; 돌 쌓는 인부 : ~ de pavés 포석 까는 인부. ② 잘난 체하는 사람.

positif, ive** [pozitif, -iːv] *adj.* ① 확실한, 명확한 : fait ~ 확실한 사실. ② 적극적인 ; 긍정적인 : action ~*ive* 적극적 행동 / phrase ~*ive* 〖문법〗 긍정문. ③ 실험적인 ; 실증적인 : sciences ~*ives* 실험〔실증〕 과학 / philosophie ~*ive* 실증 철학. ④ 현실적인, 실제의(= réaliste, pratique) : avantages ~*s* 실리, 실익. ⑤ 〖수학·전기〗 플러스의 ; 정(正)의 ; 양(陽)의 ; 〖사진〗 양화의 ; 〖의학〗 양성(陽性)의 ; 〖문법〗 (비교급·최상급에 대해서) 원급(原級)의 : nombres ~*s* 정수 / électricité ~*ive* 양전기 / pôle ~ 양극 / épreuve ~*ive* ; papier ~ 〖사진〗 양화. ***C'est ~. 그것은 확실하다. ── *m.* ① 확실성, 실재성, 실제, 사실. ② 실제적〔실질적〕인 것, 실리. ③ 〖수학〗 정수(正數), 정량(正量) ; 〖전기〗 양극, 양전기, 〖사진〗 양화 ; 〖문법〗 원급.

position** [pozisjɔ̃] *f.* ① 자리, 위치 : ~ d'un avion 비행기의 위치 / ~ des mots dans la phrase 문장 속에서의 단어의 위치. ② 〖군사〗 진지(陣地) : ~ défensive 방어 진지. ③ 자세 ; 태도 : assis dans une mauvaise ~ 나쁜 자세로 앉은 / ~ couchée 엎드린 자세. ④ 지위, 신분 : ~ sociale 사회적 지위 / occuper une haute ~ 높은 지위를 차지하다. ⑤ 입장, 처지 ; 상태 : prendre une ~ claire 명백한 입장을 취하다 / être dans une ~ intéressante 《구어》 임신 중이다. ⑥ (은행 계좌의) 대차(貸借) 상황, 잔고 : demander sa ~ 잔액을 조회하다. ⑦ (문제의) 설정, 제출. ***en ~! 〖스포츠〗 정위치, 준비《구령》. ***changer de ~*** 자세를 바꾸다 ; 직장을 바꾸다. ***être en ~*** (어떤) 태세에 있다 : *être en* ~ de combat 전투 태세에 있다. ***être en ~ de***+*inf.* …을 할 수 있는 입장〔상태〕이다 : Je ne *suis* pas *en* ~ *de* faire des critiques. 나는 비판할 수 있는 입장이 아니다. ***prendre ~ sur*** (문제 따위에 대해) 결정적인 태도를 취하다.

positionnement [pozisjɔnmɑ̃] *m.* ① (선박·비행기 따위의) 위치 측정〔결정〕. ② (은행 계좌의) 잔액 계산. ③ (시장·고객층에 맞춘) 제품 계획.

positionner [pozisjɔne] *v.t.* ① (부품 따위를) 정위치에 설치하다. ② (선박·비행기 따위의) 위치를 측정하다, ③ (은행 계좌의) 잔액을 계산하다. ④ ~ un produit (시장과 고객층에 맞춘) 제품 계획을 하다.

positivement [pozitivmɑ̃] *adv.* ① 확실히, 참말로, 단연(= vraiment). ② 긍정적으로 ; 적극적으로. ③ 〖전기〗 양전기로, 플러스로〔정(正)으로〕.

positivisme [pozitivism] *m.* 〖철학〗 실증주의 ; 실리주의.

positiviste [pozitivist] *adj.* 실증〔실리〕주의의 : école ~ 실증주의 학파. ── *n.* 실증〔실리〕주의자.

posit(r)on [pozit(ʀ)ɔ̃] *m.* 〖물리〗 양전자.

posologie [pozɔlɔʒi] *f.* 〖의학·약학〗 약량학(藥量學), 투약학, 처방학.

possédant, e [pɔsedɑ̃, -ɑːt] *adj.* 재산을 가진 : classes ~*es* 유산 계급 ; 부유층. ── *n.* 자산가(資産家), 부자.

possédé, e [pɔsede] *adj.* 《~ de》 ① …에 사로잡힌, …에 정신을 빼앗긴. ② 마귀에 들린(= ~ du démon 〔diable〕). ── *n.* 마귀 들린 사람 ; 미치광이.

posséder** [pɔsede] [6] *v.t.* ① ⓐ 가지고 있다, 소유〔점유〕하다 : ~ des vertus 도의심을 지니다 / nation qui *possède* une puissante armée 강력한 군대를 가진 나라. ⓑ ~ une femme 여자를 육체적으로 차지하다. ② …에 정통하다, 숙달하다 : bien ~ son sujet 그 문제에 정통하다. ③ (감정 따위를) 지배하다 ; (노여움·고통 따위를) 억제하다 : ~ sa langue 말조심하다. ④ (마귀·악마가) 들다, …에게 붙다. ⑤ 《구어》 속이다. ── ***se ~ *v.pr.* 자제하다, 감정을 억제하다 : ne pas *se* ~ de joie 기뻐서 어쩔 줄 모르다.

possesseur [pɔsesœːʀ] *m.* ① 소유자, 소지자 : ~ d'un immeuble 부동산 소유자. ② 〖법률〗 점유자, 보유자 : ~ à titre précaire 가(假)점유자.

possessif, ive [pɔsɛ(e)sif, -iːv] 〖문법〗 *adj.* 소유의, 소유를 나타내는 : pronoms ~*s* 소유대명사. ── *m.* 소유사(詞).

possession** [pɔsɛsjɔ̃] *f.* ① 소유, 점유 ; 취득 ; (여자를) 육체적으로 차지하기 : ~ de fait 〖법률〗 현실상의 점유. ② 정통하기, 숙달 : ~ d'une langue étrangère 한 외국어의 숙달. ③ (자기) 억제 : ~ de soi 〔soi-même〕 자제. ④ 소유물, 재산 ; 소유지, 영토 ; (국가의) 식민지, 보호령. ⑤ 마귀 들리기 ; 홀리기. ***avoir qc ***en sa ~ ; être en ~ de*** qn …을 소유하고 있다. ***entrer*** 〔***se mettre***〕 ***en ~ de*** qc …을 취득하다. ***être en ~ de***+*inf.* …하는 권리를〔습관을〕 갖고 있다. ***prendre ~ de*** qc …을 차지하다, 점유하다, 물려받다.

***possibilité** [pɔsibilite] *f.* ① 가능성, 실현성 : la ~ d'une guerre 전쟁이 일어날지도 모를 일, 전쟁 가능성. ② 있을〔일어날〕 수 있는 일, 가능한 사항 : envisager toutes les ~*s* 있을〔일어날〕 수 있는 모든 일을 생각해 보다. ③ 할 수 있음, 능력 : Chacun doit payer selon ses ~*s.* 저마다 능력껏 지급해야 한다.

possible** [pɔsibl] *adj.* ① 가능한, 있을 수 있는, 생각할 수 있는 : Venez demain si c'est ~. 가능하다면〔할 수 있으면〕 내일 하시오 / projet qu'il n'est pas ~ d'exécuter 실현 불가능한 계획. ② 《비교급·최상급 따위와 함께》 할 수 있는 한, 가능한 한 : le mieux ~ 가능한 한 잘 / Il a fait tous les efforts ~*s.* 그는 가능한 한의 노력을 했다 / aussitôt que 〔dès que〕 ~ 될 수 있는 한 빨리 / les moyens *les plus* efficaces ~ 되도록 유효한 수단. ③ 《구어》 그저 그런, 웬만한(= passable) : repas tout juste ~ 그저 그런 식사 / endroit ~ pour les vacances 휴가 장소로는 괜찮은 곳. ***Ce n'est pas ~ à+*inf.* …을 하기란 불가능하다. ***Il est*** (***bien***) ***~ que***+*sub.* (참말로) …일지도 모른다, (아무래도) …인 것 같다. ***Il est ~ de***+*inf.* …하는 것은 가능하다. ***Pas ~ ! ; Ce n'est pas ~ ! ; Est-ce ~ ?*** 설마 (그럴 리가). ***P~ que***+*sub.* 《구어》 아마도 …일 것이다.

— *m.* ① 가능(성), 가능한 일[것] : faire (tout) son ~ 힘자라는 데까지 노력하다. ② (*pl.*) 일어날 수 있는 것[일], 가능성 : envisager tous les ~s 일어날 수 있는 모든 사태를 생각해 보다. ***au ~*** 무척, 극도로. ***dans la mesure du ~*** 가능한 한.

post- *préf.* 「후에·뒤에·다음에」의 뜻.

postage [pɔsta:ʒ] *m.* 우송(郵送).

*__postal, e, aux__ [pɔstal, -o] *adj.* 우편의, 우편에 관한 : wagon ~ 우편차 / carte ~*e* 우편엽서 / colis ~ 우편 소포 / numéro de code ~ 우편 번호.

postcure [pɔstky:ʀ] *f.* 〖의학〗 (치료 후 요양소 따위에서의) 보양기(保養期), 관찰 기간.

postdater [pɔstdate] *v.t.* …의 일부(日附)를 (실제보다) 날짜를 늦추다 ; (수표·계약 따위를) 선일부로 하다.

postdiluvien, enne [pɔstdilyvjɛ̃, -ɛn] *a.* 〖역사〗 노아의 홍수 이후의[에 일어난].

⁑**poste**[1] [pɔst] *f.* ① 《옛》 역참(驛站) ; 파발 ; 역마 ; 역마차. ② 우편 ; 우체국 ; 우체통, 우편함 : Directeur des *P~s* 체신부 장관 / Grande *P~* 중앙 우체국 / ~ aux armées 군사 우편 / ~ aux paquets 소포 우편. ***bureau de(s) ~(s)*** 우체국. ***mettre une lettre à la ~*** 편지를 우체통에 넣다 ; 편지를 우송하다.

⁑**poste**[2] *m.* ① ⓐ 〖군사〗 초소 ; 《집합적》 초소병 : ~ avancé 전진 초소 ; 전초대 / ~ d'observation 감시초. ⓑ 부서 ; (경찰 따위의) 파출소 : ~ de garde 위병소 / ~ de gardiens de la paix 파출소 / ~ de pompiers 소방서 / ~ de douaniers 세관 사무소. ⓒ 〖해양〗 숙소, 실(室) : ~ d'équipage 선원실 / ~ de manœuvre 조종실, 조종석. ⓓ (종합병원·관청 따위의) 경비원석, 수위실. ⓔ 유치장 : conduire [emmener] qn au ~ …을 유치장에 끌고 가다. ② (담당) 부서, 자리, 직무 ; 직위 ; 임지(任地) : À vos ~*s !* 각자 자기 부서로! / être nommé à un ~ (어떤 직위에) 임명되다 / occuper un ~ élevé 높은 지위를 차지하다. ③ (기구·장치 따위를) 설치한 곳 ; (전화·전신 따위의) 국(局), 소(所) : ~ téléphonique[1] 전화국 / ~ amplificateur (전신) 중계소 / ~ de départ 송신소. ④ 기구, 장치 ; 전화기(= ~ téléphonique[2]) ; (라디오·텔레비전) 세트 : ~ de télévision 텔레비전 수상기 / ~ d'opératrice 교환수용 수화기, 헤드폰.

posté, e [pɔste] *adj.* 교대 근무의 : travail ~ 교대 근무 작업. — *n.* 교대 근무 노동자 (= travailleur ~).

*__poster__[1] [pɔste] *v.t.* (인원·보초 따위를) 배치하다 ; (사람을) 부서에 앉히다 : ~ des sentinelles 보초를 세우다. — **se ~** *v.pr.* (부서에) 자리잡다 ; 매복하다.

poster[2] *v.t.* 우편으로 보내다, 우송하다 ; 우체통에 넣다.

poster[3] [pɔstɛ:ʀ] 〔영〕 *m.* 포스터(= affiche).

*__postérieur, e__ [pɔsteʀjœ:ʀ] *adj.* ① (시간적으로) 뒤[후·나중]의 ; 《~ à》 …보다 후의, 뒤늦은 : événement ~ de cinq ans *à* sa mort 그가 죽은 지 5년 뒤에 일어난 사건. ② (공간적으로) 뒤쪽의 ; 〖언어〗 후설(後舌)의 : voyelle ~*e* 후설 모음. — *m.* ① 뒤쪽, 후부(後部). ② 《구어》 엉덩이 : tomber sur le ~ 엉덩방아를 찧다.

postérieurement [pɔsteʀjœʀmɑ̃] *adv.* 《~ à》 …보다 뒤에, 후에(= après ; ≠ antérieurement) : Il est arrivé ~ *à* votre départ. 그는 네가 돌아간 후에 왔다.

posteriori a 〔**à**〕 [apɔsteʀjɔʀi] 〔라틴〕 *loc. adj.* 《불변》 귀납적인 ; 경험[실험·후천]적인. — *loc. adv.* 귀납적으로 ; 경험[실험]에 입각하여 ; 후천적으로(≠ a priori). — *m.* 《복수불변》 귀납법.

postériorité [pɔsteʀjɔʀite] *f.* 후[나중]임, 후[나중]에 일어남(≠ antériorité).

postérité [pɔsteʀite] *f.* ① 《집합적》 《문어》 자손, 후손, 후예(≠ ancêtres) : ~ d'Abraham 아브라함의 자손. ② 후세, 후대 : passer à la ~ 후세에 전해지다. ③ 《비유》 후계자, 계승자 : ~ d'un artiste 어느 예술가의 후예자.

postface [pɔstfas] *f.* (책의) 후기(後記), 발문(跋文)(≠ préface).

posthume [pɔstym] *adj.* ① 사후(死後)의 ; 사후에 발표[공표]된 : œuvres ~*s* 유작. ② 유복(遺腹)의 : enfant ~ 유복자.

postiche [pɔstiʃ] *adj.* 인위적인, 인공적인 ; 가짜의, 거짓의, 모조의 : avoir des cheveux ~*s* 가발을 하고 있다 / perle ~ 인조 진주 / barbe ~ 가짜 수염 / dent ~ 의치(義齒). — *m.* 인공 장식품 ; 가발.

posticheur [pɔstiʃœ:ʀ] *m.* 가발 제조공 ; 《옛》 방물장수 ; 떠벌이.

postier, ère [pɔstje, -ɛ:ʀ] *n.* 우체국원.

postillion [pɔstijɔ̃] *m.* ① (역마차의) 마부. ② (*pl.*) 《속어》 (말할 때 입에서 튀는) 침 : envoyer des ~*s* 침을 튀기며 지껄이다.

postillonner [pɔstijɔne] *v.i.* 침을 튀기며 말하다.

post-industriel, elle [pɔstɛ̃dystʀijɛl] *adj.* 산업화[공업화] 이후의, 탈(脫)공업화의 : société ~*elle* 공업화 이후의 사회.

postmodernisme [pɔstmɔdɛʀnism] *m.* 포스트모더니즘.

postnatal, e [pɔstnatal] *adj.* (*pl.* **~s**) 탄생 직후의, 생후에 일어나는.

postnominal, e, -aux [pɔstnɔminal, -o] *adj.* 〖언어〗 명사[형용사]에서 파생된 : verbe ~ 명사[형용사]에서 파생된 동사 《poste → poster, joli → enjoliver 따위》.

postopératoire [pɔstɔpeʀatwa:ʀ] *adj.* 〖의학〗 수술 후의 : transfusion ~ 수술 후 수혈.

postposer [ɔstpoze] *v.t.* 〖문법〗 (다른 단어의) 뒤에 놓다, 후치(後置)하다 : sujet postposé (동사) 뒤에 놓이는 주어.

postposition [pɔstpozisjɔ̃] *f.* 〖문법〗 후치 ; 후치사(後置詞) 《예 : trois ans *après*》 : verbe à ~ 후치사를 가진 동사《courir *après* 따위》.

postscolaire [pɔstskɔlɛ:ʀ] *adj.* 학교 졸업 「후의.

post-scriptum [pɔstskʀiptɔm] 〔라틴〕 *m.* 《복수불변》 추신(追伸)(《약자》 P.-S.).

post(-)sonorisation [pɔstsɔnɔʀizɑsjɔ̃] *f.* = postsynchronisation.

postsynchronisation [pɔstsɛ̃kʀɔnizɑsjɔ̃] *f.* 〖영화·TV〗 촬영 후 녹음.

postsynchroniser [pɔstsɛ̃kʀɔnize] *v.t.* 〖영화·TV〗 …의 촬영 후 녹음을 하다.

P

postulant, e [pɔstylɑ̃, -ɑ̃:t] *n.* 지원자(= candidat) : ~ à un emploi 어떤 일자리의 지원자.

postulat [pɔstyla] *m.* ① 〖철학〗 요청, 가정(假定) ; 〖수학〗 공준(公準), 공리(= axiome) ; 가설, 가정(= hypothèse) : ~ d'Euclide 유클리드의 공리. ② 〖가톨릭〗 (수도 지원자의) 수련 기간.

postuler [pɔstyle] *v.t.* ① 지원하다, 지망하다 ; 〖종교〗 청원하다 : ~ une place 〔un emploi〕 어떤 지위를〔직을〕 지망하다. ② 공리로 내세우다 ; 가정〔전제〕하다. ── *v.i.* 〖법률〗 소송 대리를 하다.

posture [pɔsty:ʀ] *f.* ① 자세, 태도 : rester dans une ~ inconfortable 불편한 자세를 취하고 있다. ② 처지, 입장. ***être en bonne*** 〔***mauvaise***〕 ***~ pour*** …하기 좋은〔불리한〕 입장에 있다. ***être en ~ de***+*inf.* …할 좋은 처지에 있다.

postverbal, e, aux [pɔstvɛʀbal, -o] *adj.* 〖문법〗 동사형에서 파생된.

pot** [po] *m.* ① 단지, 항아리 ; 병 : ~ de faïence 도기(陶器) 항아리 / petit ~ (병에 든) 이유식(離乳食). ② (찌개용) 냄비 ; 냄비 요리. ③ 《구어》 술, 음료, 한잔 ; 파티, 친목회 : offrir un ~ 한잔 내다 / faire un ~ d'adieu 이별 파티를 열다. ④ 요강(= ~ de chambre) ; 화분(= ~ de fleurs) : fleurs en ~*s* 화분에 심은 꽃. ⑤ 《속어》 엉덩이(= cul). ⑥ 《구어》 운, 재수 : avoir du ~ 운이 좋다. ⑦ (도박의) 판돈(= enjeu) : ramasser le ~ 판돈을 싹쓸이하다. ***C'est le ~ de terre contre le ~ de fer. 《구어》 달걀로 바위 치기, 도저히 못 당하겠다. ***découvrir le ~ aux roses*** [pɔtoʀo:z] 비밀을 캐내다. ***en avoir plein le ~*** 잔뜩 먹다. ***être au ~ de*** qn …의 집에 얹혀 살다. ***payer les ~s cassés*** 손해를 배상하다. ***~ au noir*** [pɔtonwa:ʀ] ⓐ 빠져나올 수 없는 곤경 : tomber dans le ~ *au noir* 헤어날 수 없는 곤경에 빠지다. ⓑ 〖해양 · 항공〗 농무(濃霧) 지역 《pot-au-noir 라고 쓰기도 함》. ***sourd comme un ~*** 귀가 아주 먼. ***Un ~ fêlé dure longtemps.*** 《속담》 약골이 오래 산다.

***potable** [pɔtabl] *adj.* ① 음료로 적합한, 마실 수 있는 : eau ~ 음료수. ② 《구어》 그런대로 참을 수 있는, 그만하면 괜찮은(= acceptable) : faire un repas ~ 그럭저럭 식사를 하다.

potache [pɔtaʃ] *m.* 《구어》 중 · 고등학생.

potage** [pɔta:ʒ] *m.* 〖요리〗 수프, 포타주 : prendre du ~ 포타주를 먹다. ***pour tout ~ 통틀어 : Il n'a plus que cent francs *pour tout ~*. 그는 이제 지갑을 털어 봤자 100 프랑밖에 갖고 있지 않다.

potager, ère [pɔtaʒe, -ɛ:ʀ] *adj.* ① (식물이) 식용의 : herbes ~*ères* 나물 / plante ~*ère* 채소. ② 채소의 ; 채소를 심는 : culture ~*ère* 채소 재배 / jardin ~ 채소밭. ── *m.* ① 채소밭. ② 《옛》 요리용 화덕. ③ (노동자의) 도시락.

-potame *suff.*, **potamo-** *préf.* 「강」의 뜻.

potard [pɔta:ʀ] *m.* 《옛 · 구어》 약제사, 약장「수 ; 약학생.

potasse [pɔtas] *f.* 〖화학〗 가성 칼륨 ; 잿물.

potasser [pɔtase] *v.t.* 《구어》 맹렬히 공부하다.

potassium [pɔtasjɔm] *m.* 〖화학〗 칼륨.

pot-au-feu [pɔtofø] *m.* 《복수불변》 ① (고기와 채소를 섞어 끓인) 스튜 ; 스튜 냄비 ; 스튜 고기. ② 가사, 살림살이. ── *adj.* 《불변》 가정적인, 살림꾼의.

pot-de-vin [podvɛ̃] *m.* (*pl.* **~*s*-~-~**) 리베이트, 뇌물 : toucher un ~ 뇌물을 받다.

pote [pɔt] *m.* 《구어》 친구, 단짝(= copain). ***Touche pas à mon ~!*** 내 친구에게 손대지 마라! 《인종 차별 반대 슬로건》.

poteau [pɔto] *m.* (*pl.* **~*x***) ① 기둥, 지주(支柱) ; 말뚝 : ~ télégraphique 전신주 / ~ indicateur 도로 푯말. ② 〖스포츠 · 경마〗 골포스트(= ~ de but) ; 발착점. ③ 《구어》 친구, 단짝(= pote). ④ 처형 말뚝(= ~ d'exécution) : mettre 〔envoyer〕 qn au ~ …을 총살형에 처하다. ***dormir comme un petit ~*** 《구어》 정신없이 자다. ***~ d'arrivée*** 결승점. ***~ de départ*** 출발점.

potée [pɔte] *f.* ① ⓐ 《구어》 《une ~ de》 많음, 많은 양 : manger *une ~ d'*épinards 시금치를 많이 먹다. ⓑ 《드물게》 한 단지의 양 : une ~ de bière 맥주 한 조끼. ② 〖요리〗 포테《돼지고기를 야채와 함께 끓인 스튜》.

potelé, e [pɔtle] *adj.* 토실토실한, 포동포동한 : femme ~*e* 포동포동한 여자.

potence [pɔtɑ̃:s] *f.* ① 교수대(絞首臺) ; 교수형 : échapper à la ~ 교수형을 용케 피하다. ② 〖건축〗 까치발 ; 직각자〔T 자〕형 지주.

potentat [pɔtɑ̃ta] *m.* 전제 군주, 폭군(= tyran) ; 세력가 : ~ de la banque 은행계의 실력자〔거물〕.

potentialité [pɔtɑ̃sjalite] *f.* 가능성(= possibilité) ; 잠재력.

potentiel, elle [pɔtɑ̃sjɛl] *adj.* ① 가능성을 가진, 잠재적인 : qualité ~*elle* 잠재적인 자질. ② 〖물리〗 énenergie ~*elle* 포텐셜 에너지. ── *m.* ① 가능성, 잠재력 : ~ de croissance 성장 가능성 / ~ économique 경제적인 잠재력. ② 〖언어〗 가능법(= mode ~). ③ 〖물리 · 화학〗 포텐셜, 전위(電位) : de ~ 전위차. ④ 〖생물〗 ~ de membrane 〔repos〕 세포막 사이의 전위차. ⑤ 〖기계〗 기간(期間) : ~ (d'utilisation) (기계의) 수명.

potentiellement [pɔtɑ̃sjɛlmɑ̃] *adv.* 가능하게 ; 잠재적으로.

potentiomètre [pɔtɑ̃sjɔmɛtʀ] *m.* 〖전기〗 전위차계(電位差計) ; 분압기(分壓器).

poterie [pɔtʀi] *f.* ① 도기 제조법〔제조소〕. ② 도기(陶器)(= céramique) ; 토관(土管) : façonner une ~ 도기를 만들다.

poterne [pɔtɛʀn] *f.* 〖축성〗 (성벽의) 비밀문, 「뒷문.

potiche [pɔtiʃ] *f.* ① 도자기 꽃병 ; 도자기 항아리. ② 《구어》 (실질적인 권한이 없는) 명예직의 사람 : jouer les ~*s* 간판 역할을 하다.

potier, ère [pɔtje, -ɛ:ʀ] *m.* 도기 제조공 ; 도기 상인.

potin[1] [pɔtɛ̃] *m.* ① 소란, 소동 : faire du ~ 소란을 피우다. ② (주로 *pl.*) 잡담(= bavardage) ; 험구, 험담 : raconter des ~*s* sur qn …의 험담을 하다.

potin[2] *m.* 금색동(金色銅)《구리 · 주석 · 납「의 합금》.

potiner [pɔtine] *v.i.* 험구〔험담〕하다.

potion [posjɔ̃] *f.* ① 〖약학〗 물약 : ～ contre la toux 기침용 물약. ② 맛없는 음료.

potiron [pɔtiʀɔ̃] *m.* 〖식물〗 큰 호박.

pot-pourri [popuʀi] *m.* (*pl.* **～s-～s**) ① 〖요리〗 잡탕. ② 〖음악〗 혼성곡, 접속곡. ③ 〖문학〗 잡문. ④ 꽃향《꽃잎을 향료와 섞어서 단지에 넣은 것》.

potron-jaquet [pɔtʀɔ̃ʒakɛ], **potronminet** [pɔtʀɔ̃minɛ] *m.* 《구어》 첫새벽, 꼭두새벽 : dès (le) ～ 꼭두새벽부터.

pou [pu] *m.* (*pl.* **～x**) ① 이(虱) ; 동식물의 기생충, 해충 : ～ de bois 좀벌레. ② 〖항공〗 ～ du ciel 《구어》 (제 2 차 대전 전에 사용했던) 소형 비행기. ③ 《구어》 보잘것없는 사람, 하찮은 사람. ***chercher des ～x à*** 〔***dan la tête de***〕 qn …에게 사사건건 트집을 잡다. ***laid comme un ～*** 아주 못생긴. ***orgueilleux*** 〔***fier***〕 ***comme un ～*** 매우 거만한.

pouah [pwa] *interj.* 피이, 체《혐오 · 반발 · 경멸을 나타냄》.

poubelle** [pubɛl] *f.* 휴지통, 쓰레기통 : mettre qn à la ～ …을 쓰레기통에 넣다. ***éplucheur de ～s 《구어》 넝마주이.

pouce** [pus] *m.* ① 엄지손가락 ; 엄지발가락 (= ～ du pied) ; (새의) 뒷발가락 ; (게 따위의) 집게발. ② 《옛》 길이의 단위《pied 의 1/12, 약 1 인치》. ③ 극소량. ***donner un coup de ～ à qc (상품의 무게를 더하기 위해 저울 따위를) 슬쩍 건드리다 ; (사건 · 사실을) 왜곡하다. ***donner un coup de ～ à*** qn …을 (손으로) 밀다, 꾹 찌르다 ; …을 후원하다, 밀어 주다 ; 《구어》 …을 목졸라 죽이다. ***et le ～*** 《구어》 그 밖에 약간. ***filer le coup de ～*** 《속어》 (장사꾼이) 저울 눈을 속이다. ***manger*** (***un morceau***) ***sur le ～*** 《구어》 앉지도 않은 채 급히 먹다. ***mettre les ～s*** 《구어》 항복하다. ***sucer son ～*** 엄지손가락을 빨다 ; 어린애 같은 짓을 하다. ***tourner ses ～s ; se tourner les ～s*** 무료하게 시간을 보내다 ; 허송세월하다.
── *interj.* 그만하자, 그만두자《어린애들이 놀이를 끝내거나 중단할 때 하는 말》.

poudre** [pudʀ] *f.* ① 《옛》 먼지. ② 가루, 분말 : lait 〔café〕 en ～ 분유〔분말 커피〕 / sucre en ～ 설탕 / ～ de diamant 금강사. ③ (화장용) 분(= ～ de riz). ④ 화약(= ～ à canon) : ～ noire 옛날 화기의 화약 / ～ de chasse 엽총 화약. ⑤ 가루약 : prendre une ～ après le repas 식사 후에 소화제를 복용하다. ***Cela sent la ～. 싸움이 터질 기미이다. ***être vif comme la ～*** 발끈하는 성질이다. ***jeter de la ～ aux yeux de*** qn …의 눈을 속이다, …을 속여 넘기다. ***réduire*** 〔***mettre***〕 qc ***en ～*** …을 가루로 만들다〔박살내다 · 분쇄하다〕. ***tirer à ～*** 공포를 쏘다.

poudré, e [pudʀe] *adj.* (얼굴에) 분을 바른 ; (머리에) 분을 칠한.

poudrer [pudʀe] *v.t.* …에 가루를 뿌리다, …에 분을 바르다, 분칠하다. ── **se ～** *v.pr.* 얼굴에 분을 바르다.

poudrerie [pudʀəʀi] *f.* 화약 제조소.

poudreuse¹ [pudʀøːz] *f.* ① (구멍 뚫린 뚜껑 달린) 설탕 그릇. ② 〖농업〗 살분기(撒粉機).

poudreux, euse² [pudʀø, -øːz] *adj.* ① 먼지투성이의(= poussiéreux) : route ～*euse* 먼지투성이의 길. ② 가루 같은 : neige ～*euse* 가루 눈《스키 타기에 알맞음》.

poudrier [pudʀije] *m.* ① 분갑, 콤팩트. ② 화약 제조인. ③ 모래시계.

poudrière [pudʀijɛːʀ] *f.* ① 화약고(= magasin à poudre). ② (일촉즉발의) 분쟁 지대 : la ～ des Balkans 일촉즉발의 발칸 반도.

poudroyer [pudʀwaje] [7] *v.i.* ① 먼지가 일다 : Le chemin *poudroie* au vent. 바람이 불어 길에 먼지가 인다. ② (빛을 받은 가루처럼) 점점이 빛나다 : Les étoiles *poudroient* dans le ciel. 하늘에 별들이 반짝인다.

pouf¹ [puf] *interj.* 빵, 펑 ; 쾅, 쿵《터지거나 떨어지는 소리》: *P～ !* le voilà qui s'étale par terre. 쿵 하고 그는 땅바닥에 넘어졌다. ***faire ～*** 《소아어》 넘어지다.

pouf² *m.* ① (팔걸이 없는) 낮은 원형 의자 ; (마루에 직접 까는) 두터운 쿠션. ② 《옛》 (스커트 뒷자락을 부풀게 하는) 허리받이.

pouffer [pufe] *v.i.* 《구어》 킥 웃음을 터뜨리다(= ～ de rire).

pouffiasse, poufiasse [pufjas] *f.* 《비어》 ① 똥갈보. ② 뚱뚱한〔천한〕 여자.

pouh [pu] *interj.* 흥, 피《경멸 · 무시 · 무관심을 나타냄》.

pouilleux, euse [pujø, -øːz] *adj.* ① 이가 들끓는, 이투성이의 : mendiants ～ 이가 들끓는〔지저분한〕 거지떼. ② 가난하기 짝이 없는 ; 비참한. ③ 더러운, 불결한(= sordide) : quartier ～ 누추한 구역. ── *n.* 가난뱅이 ; 비참한 사람.

poulailler [pulɑje] *m.* ① 닭장, 가금 기르는 곳 ; 《집합적》 한 닭장의 닭들 (전체) ; 달걀〔가금〕 운반차〔손수레〕. ② 《구어》 〖연극〗 극장의 천정 밑 맨 꼭대기 좌석.

poulain [pulɛ̃] *m.* ① (30 개월 미만의) 망아지. ② (코치 · 발행인 · 교사 따위가 밀어주는) 신진 선수, 신진 작가, 신입생 : C'est le ～ de qn …이 밀어주는 사람이다.

poulaine [pulɛn] *f.* ① 〖해양〗 뱃머리, 이물. ② 《옛》 윤나는 가죽. ***souliers à la ～*** (중세 말의) 끝이 뾰족하게 쳐들린 구두.

poularde [pulaʀd] *f.* 〖요리〗 살찌운 암평아리, 영계.

poule** [pul] *f.* ① 암탉(≠ coq) ; (어떤 새들의) 암컷 : ～ (bonne) poundeuse 알 잘 낳는 암탉 / ～ au riz 〔au pot〕 〖요리〗 쌀 넣고 찜한 닭찜 / ～ des bois 들꿩, 뇌조. ② 《구어》 여자에 대한 애칭(= poulette) : ma (petite) ～ 여보 / jolie petite ～ 귀여운 아가씨〔애인〕. ③ 《구어》 허튼계집, 논다니, 화냥년 ; 화류계 여인 ; 정부, 첩. ***chair de ～ 소름 : avoir *chair de ～* 소름끼치다. ***faire le cul de ～*** 《구어》 입을 내밀고 뾰로통해지다, 시무룩해지다. ***mère ～*** (자식들에게) 극성맞고 소심한 어머니. ***～ mouillée ; cœur de ～*** 소심한 사람, 겁쟁이. ***quand les ～s auront des dents*** 《구어》 해가 서편에서 뜰 때《결코 있을 수 없다는 말》. ***se lever*** 〔***se coucher***〕 ***comme*** 〔***avec***〕 ***les ～s*** 일찍 일어나다〔자다〕. ***tuer la ～ aux œufs d'or ; tuer la ～ pour avoir l'œuf*** 욕심에 눈이 어두워 큰 돈줄을 놓치다.

***poulet** [pulɛ] *m.* ① 병아리(= poulette, coquelet), 영계 ; 식용 닭 : ～ rôti 통닭, 닭구

이 / élevage de ~*s* 영계 사육, 양계 / manger du ~ 닭고기를 먹다. ② 어린아이에 대한 애칭, 아가 : mon (petit) ~ 애야. ③ 《옛》 연애 편지 ; 《구어》 편지. ④ 《구어》 경관, 탐정.

poulette [pulɛt] *f.* ① 암평아리, 영계. ② 《구어》 젊은 여자·소녀에 대한 애칭. 「아지.

pouliche [puliʃ] *f.* (poulain 보다 큰) 암망

poulie [puli] *f.* 도르래, 활차(滑車) : ~ fixe 고정 도르래 / ~ folle 움직 도르래.

pouliner [puline] *v.i.* (암말이) 새끼를 낳다.

poulinière [pulinjɛːʀ] *adj.* jument ~ 씨암말. — *f.* (번식용) 씨암말. 「vre).

poulpe [pulp] *m.* 【동물】 낙지, 문어(= pieu-

pouls [pu] *m.* 【생리】 맥박 : ~ normal de 72 pulsations (1분에) 72회 뛰는 정상 맥박 / ~ irrégulier 부정맥(不整脈) / Le ~ me bat. 가슴이 두근거린다. ***prendre le ~*** 맥을 짚어 세다. ***tâter le ~ de*** qn …의 맥을 짚어 보다 ; 아무의 의향을 떠보다.

poumon** [pumɔ̃] *m.* 【해부】 폐, 허파 : ~ d'acier 인공호흡기 / avoir de bons ~*s* 폐가 좋다 / maladies du ~ 폐렴, 폐결핵. ***crier* 〔*chanter*〕 *à pleins ~s 목청을 다하여 부르짖다〔노래하다〕. ***respirer à pleins ~s*** 심호흡하다.

poupard, e [pupaːʀ, -aʀd] *m.* 토실토실〔포동포동〕한 아기. — *adj.* 포동포동한.

poupe [pup] *f.* 【해양】 고물, 선미(船尾)(≠ proue). ***avoir le vent en ~*** 순풍에 돛달다 ; 일이 잘 되어 가다. ***feu de ~*** 선미등(燈).

poupée** [pupe] *f.* ① 인형 ; 마네킹 : ~ de bois 〔de chiffon〕 나무로〔천으로〕 만든 인형. ② 붕대로 감은 아픈 손가락 ; (그 손가락에 감은) 붕대. ③ 《구어》 멋쟁이 여자 ; 《속어》 젊은 여자, 소녀. ④ (사격장의) 인형 표적. ***jardin de ~ 손바닥만한 정원.

poupin, e [pupɛ̃, -in] *adj.* ① (인형처럼) 포동포동한, 혈색 좋은 : figure ~*e* 인형 같은 얼굴. ② 멋을 부린.

poupon, onne [pupɔ̃, -ɔn] *n.* 어린아이, 아기(= bébé) ; 아기 인형.

P

pouponner [pupɔne] *v.t.* ① (어린애를) 귀여워하다. ② 아기를 낳다〔임신하다〕.

pouponnière [pupɔnjɛːʀ] *f.* ① (24 시간제 공립) 탁아소(= crèche) ; 영아실(嬰兒室). ② (아기의) 보행기.

‡**pour** [pu(ː)ʀ] *prép.* ① 《목적》 …을 위한, …을 위해 : l'art ~ l'art 예술 지상주의 / lutte ~ le pouvoir 권력 투쟁 / mourir ~ la patrie 조국을 위해 죽다 / 《~+*inf.*》 Il faut manger ~ vivre. 살기 위해서 먹지 않으면 안 된다 / 《~ que+*sub.*》 faire tout ce qu'il peut ~ *que* tout le monde soit content 모든 사람이 만족할 수 있도록 그가 할 수 있는 모든 것을 다하다.

② 《용도》 …을 위한, …에 쓰이는 : remède ~ la fièvre 해열제 / 《~+무관사명사》 films ~ adultes 성인용 영화 / vêtement ~ hommes 신사복 / 《~+*inf.*》 Il n'y a pas de place ~ stationner. 주차할 자리가 없다.

③ 《결과·인과관계》 Je l'ai connu ~ mon malheur. 불행하게도 그를 알게 되었다 / 《~+*inf.*》 Il s'en alla ~ ne jamais revenir. 그는 가 버리고 돌아오지 않았다 / N'ai-je donc tant vécu que ~ cette infamie? 내가 살아온 결과가 이런 수치뿐이란 말인가? / L'histoire est trop belle ~ être vraie. 이야기가 하도 아름다워 사실 같지가 않다.

④ ⓐ 《대리·대가·교환》 …대신으로 ; …을 치르고〔주고〕 ; …와 교환으로 : être puni ~ un autre 다른 사람 대신 벌을 받다 / acheter qc ~ cent francs …을 100 프랑 주고 사다 / échanger sa vieille montre ~ une neuve 헌 시계를 새것과 바꾸다 / rendre le bien ~ le mal 악을 선으로 갚다. ⓑ 《분량》 acheter ~ mille francs de livres, 1,000 프랑어치 책을 사다 / avoir encore ~ une heure de marche 아직 한 시간 걸어야 한다. ⓒ 《qc ~ qc》 《동등 관계》 dix ans après, jour ~ jour, 10 년 후 바로 그 날에 / C'est mot ~ mot la copie de son précédent arcticle. 먼젓번 기사를 한 글자도 빠짐없이 베낀 것이다 / Œil ~ œil, dent ~ dent. 눈은 눈으로 이는 이(로 갚다).

⑤ 《원인》 …때문에 : être puni ~ sa paresse 게으르기 때문에 벌을 받다 / Il s'est rendu malade ~ avoir trop présumé de ses forces. 그는 자기 체력을 과대평가했기 때문에 병이 났다.

⑥ 《방향》 ⓐ 《행선지》 …으로 향하여 : le train ~ Lyon 리용행 열차 / partir ~ la France 프랑스로 떠나다. ⓑ 《이익의 방향》 …의 이익을 위하여, …을 위해, …의 편을 들어서 : ~ son intérêt 자기 이익을 위해서 / ~ le cas où... …일 경우에는 / Il est ~ moi 그는 내 편이다(≠ contre). ⓒ …에 대해(= à l'égard de) : son amitié ~ moi 나에 대한 그의 우정 / Elle éprouve ~ moi un tendre sentiment. 그녀는 나에게 애정을 느끼고 있다.

⑦ 《자격》 …의 자격으로, …으로(= comme, en guise de) : prendre qn ~ femme …을 아내로 삼다 / être choisi ~ directeur 소장으로 임명되다 / 《~+tout 〔seul〕+명사》 P~ tout bagage, je n'ai qu'une petite valise. 짐이라고는 작은 가방뿐이다.

⑧ 《간주》 …으로 : Il passe ~ riche. 그는 부자로 통한다〔생각되고 있다〕 / Il passe ~ un fou. 그는 미치광이로 통한다.

⑨ 《예정 시간·기간》 Le concert est ~ aujourd'hui. 연주회는 오늘 있을 예정이다 / aller à l'étranger ~ huit semaines, 8 주일 예정으로 외국에 가다.

⑩ 《강조》 …으로 말하자면 : *P~* moi, je n'y crois pas. 나는 그런 일은 믿지 않는다 / *P~* stupide, tu l'es. 바보스럽기로 말하자면, 네가 정말 그렇다 / *P~* moi, je le pense. 나로서는 그렇게 생각한다 / *P~* être naïf, il l'est. 순진하기로는 그가 순진하다.

⑪ 《비교·비례》 …에 비해서는, …치고는 ; …에 비례하여 : grand ~ son âge 나이치고는 큰 / *P~* un étranger, il parle bien le français. 그는 외국인치고는 프랑스 말을 잘 한다 / dix ~ cent, 10 % / Il est assez fort ~ son âge. 그는 나이에 비해 힘이 세다.

⑫ 《양보》 《~+*inf.*》 …이지만, …한다 하더라도 : *P~* passer une nuit dehors, nous n'en mourrons pas. 하룻밤 밖에서 지낸다고 해서 죽지는 않을 것이다 / *P~* être plus âgés, ils n'en sont pas toujours plus

sages. 그들이 나이가 많다고 해서 꼭 더 현명한 것은 아니다.
⑬ 《조건 · 제한》 《~+*inf.*》 …하자면 : ~ dire (le) vrai 사실대로 말하자면 / ~ être sincère 솔직히 말해서 / ~ citer un exemple 예를 하나 들자면.
en être ~ 손해보다 : *J'en suis ~* ma peine. 헛수고를 하고 말았다. ***en tout et ~ tout*** 오로지, 단지. ***être ~ beaucoup* 〔*peu*〕 *dans*** qc …에 책임이 많다〔적다〕. ***être ~ beaucoup* 〔*peu*〕 *en*** qc …에 관계가 깊다〔적다〕. ***être ~+inf.*** …할 만한 성질을 갖추고 있다 ; 막 …하려는 참이다 : Il *était ~* partir. 그는 막 출발하려는 참이었다. ***Il y a deux mois jour ~ jour.*** 오늘이 바로 두 달이 된다. ***Je n'y suis ~ rien.*** 나는 그것에 관계가 없다. ***~ cause de*** …때문에. ***~ ce qui est de*** qc 〔+*inf.*〕 …에〔하기에〕 관해서는. ***~ jamais*** 영원히. ***~ le coup*** 지금으로서는 ; 이번에는. ***~ si peu*** 아무리 하찮더라도. ***~ (si)... que***+*ind.* 〔*sub.*〕 아무리 …이더라도 : *P~* pauvre *que* l'on soit, on peut être heureux. 아무리 가난해도 행복할 수는 있다.
— *m.* ① 찬성(≠ contre) : entendre le ~ et le contre 찬반 의견〔쌍방의 주장〕을 듣다. ② 《은어》 거짓말(= mensonge), 농담. ***C'est du ~.*** 《은어》 그것은 정말이 아니다. ***en ~*** 그 대신.
— *adv.* 찬성하여 : parler ~ et contre 찬성하기도 하고 반대하기도 하다 / Je suis ~. 나는 찬성이다.
— *adj.* 《불변》 찬성의 : voix ~ 찬성표.

pour- *préf.* 「철저 · 목적 · 비례」의 뜻.

***pourboire** [puʀbwaːʀ] *m.* 팁, 행하, 수고값 : donner 〔laisser〕 un ~ au garçon 보이에게 팁을 주다 / cinquante francs ~ compris 팁을 포함해서 50 프랑이다.

pourceau [puʀso] *m.* (*pl.* ***~x***) ① 《옛 · 문어》 〖동물〗 돼지(= porc, cochon) : être sale comme un ~ 돼지처럼 더럽다. ② 향락에 빠진 사람. ***jeter des perles aux ~x*** 〖성서〗 돼지에게 진주를 던지다. ***~ de mer*** 〖동물〗 돌고래 ; 참돌고래.

pour-cent [puʀsɑ̃] *m.* 《복수불변》 ① 퍼센트(= pour cent). ② (100 프랑에 대한) 이율(利率), 수수료 비율.

***pourcentage** [puʀsɑ̃taːʒ] *m.* ① 퍼센티지, 백분율 : indiquer l'augmentation du prix en ~ 물가 상승을 백분율로 나타내다. ② (100 프랑에 대한) 이율〔수수료 비율〕을 정하기 : être payé au ~ 매상고의 일정 비율을 보수로 받다.

pourchasser [puʀʃase] *v.t.* 뒤를 쫓다, 추격하다 ; 추구하다(= poursuivre) : ~ un voleur 도둑을 추격하다 / ~ une femme 여자를 쫓아다니다 / ~ les plaisirs 쾌락을 추구하다. ② 《비유》 (생각 · 기억 따위가) 떠나지 않다 : souvenir qui *pourchasse* qn …의 머리에서 떠나지 않는 추억. — **se ~** *v.pr.* 서로 추격하다.

pourfendeur [puʀfɑ̃dœːʀ] *m.* 단칼에 베어 버리는 사람 ; 격렬한 비판자 : ~ (de géants) 《구어》 허풍쟁이.

pourfendre [puʀfɑ̃ːdʀ] 25 *v.t.* ① 《옛》 단칼에 베어 버리다. ② 격렬하게 비판하다.

pourlécher (se) [s(ə)puʀleʃe] *v.pr.* 혓바닥으로 입술을 핥다(= se ~ les babines) : Ça sent bon. On *s'en pourlèche* les babine. 맛있는 냄새다, 침이 나올 것 같다.

pourparler [puʀpaʀle] (흔히 *pl.*) 담판, 협상, 협의, 상담, 흥정. ***entrer en ~s ; entamer des ~s*** 담판〔교섭〕을 시작하다. ***être en ~s avec*** qn …와 협상 중이다.

pourpoint [puʀpwɛ̃] *m.* 몸에 꼭 끼는 중세의 남자 저고리.

pourpre [puʀpʀ] *f.* ① 자줏빛〔주홍빛〕 물감. ② 자줏빛〔주홍빛〕의 옷〔옷감〕. ③ 《문어》 자줏빛, 주홍빛 : ~ de ses lèvres 주홍빛 입술 / ~ de honte 창피해서 빨개진 얼굴. ④ 왕위, 제위(帝位) ; 〖가톨릭〗 추기경의 지위. — *m.* 자줏빛 ; 〖의학〗 자반병(紫斑病).
— *adj.* 자줏빛〔주홍빛〕의.

‡**pourquoi** [puʀkwa] *adv. inter.* et *conj.* ① 왜, 어찌하여, 어째서, 무슨 까닭으로, 무엇 때문에 : *P~* dis-tu cela ? 무슨 생각에서 그런 말을 하는가 ? / *P~* est-ce que... ? ; 《구어》 *P~* que... ? 도대체 왜… ? 《강조》 / *P~* que tu as fait ça ? 《구어》 왜 그런 짓을 했느냐 ? / ~+*inf.* 왜 …해야 하는가 ? / *P~* vivre ? 왜 살아야 한단 말인가 ? / *P~* ce long discours ? 왜, 그렇게 긴 말을《동사의 생략》. ② 《간접의문》 왜 …인지를 : Je ne comprenais pas ~ je devais me taire. 내가 왜 잠자코 있어야 했는지 이해할 수 없었다 / Savez-vous ~ ? 왜 그런지 알겠소 ? / J'ignore ~ qu'il pleure. 그가 왜 우는지 모르겠다. ③ 《옛》 그 때문에(= pour lequel). ***c'est ~*** 그렇기 때문에, 그래서 : Ce n'est pas intéressant, *c'est ~* vous devez refuser. 그것은 재미없다, 그러니 거절해야 한다. ***Demandez-moi ~.*** 《구어》 무슨 까닭인지 나는 모른다. ***dire ~*** 《구어》 절대로. ***P~ cela ?*** 왜 그런가 ? ***P~ pas* 〔*non*〕*?*** 왜 안 됩니까, 왜 그렇지 않습니까, 물론(이죠) : Être-vous heureux ? Moi ? *~ pas ?* 행복하세요 ? 저요 ? 행복하고 말고요. ***Voici ~.*** 그 까닭은 이렇다〔다음과 같다〕. ***Voilà ~.*** 그 때문이다. ***Vous ferez cela ou vous direz ~.*** 《구어》 그렇게 하지 않으면 재미없다.
— *m.* 《복수불변》 ① 원인, 이유(= cause, motif, raison) : Je ne sais pas le ~. 무슨 까닭인지 그 이유를 모른다 / le ~ et le comment 이유와 내력. ② (이유를 묻는) 질문 : répondre aux ~ des enfants 아이들의 질문에 대답하다.

pourri, e** [puʀi] *adj.* ① 썩은, 부패한 ; (음식물이) 상한 : viande *~e* 상한 고기 / cadavre ~ 썩은 시체. ② (낡아서) 너덜너덜한, 풍화(風化)한 : roche *~e* 풍화된 바위 / voiture *~e* 터덜거리는 중고차. ③ (기후가) 습한 ; 장마진 : été ~ 장마진 여름. ④ (정신적으로) 부패한, 타락한 : société *~e* 부패한 사회 / flic ~ 악덕 경관. ⑤ 버릇없는 애. ***être ~ de qc 《구어》 …으로 가득 차 있다, …이 아주 많다 : Il *est ~ de* fric. 그는 돈이 썩어 날 지경으로 많다. — *m.* 썩은 것〔부분〕 : Bande de *~s !* 썩어 빠진 놈들 !《욕설》.

***pourrir** [puʀiːʀ] *v.i.* ① 썩다, 부패하다(= se corrompre, se putréfier) : Le raisin *a pour-*

ri sur pied. (악천후로) 포도 열매가 썩어 버렸다. ② (사태가) 악화되다(= se détériorer) : La situation internationale *pourrit.* 국제 정세는 악화하고 있다. ③ (사람이) 진전 없는 상태에서 썩고 있다(= croupir) ; (작품 따위가 알려지지 않은 채) 매장되다 : ~ en prison (사람이) 교도소에서 썩고 있다.
— *v.t.* ① 썩게 하다, 부패시키다. ② (사람 · 풍습 따위를) 타락시키다, 나쁜 영향〔버릇〕을 주다 : La mère *pourrit* son enfant. 어머니가 자식을 버릇없게 키운다.
— **se** ~ *v.pr.* ① 썩다, 부패하다. ② 타락하다 ; (정세가) 악화되다 : La situation se *pourrit.* 상황이 악화되고 있다.

pourrissement [puʀismɑ̃] *m.* ① 썩기, 부패. ② (사태의 점차적인) 악화 : ~ rapide de la situation 급격한 사태 악화.

pourriture [puʀityːʀ] *f.* ① 썩기, 부패 : ~ d'un fruit 과일의 부패 / odeur de ~ 썩는 냄새. ② 〖식물〗 썩는 병. ③ (정신적) 타락 ; (사회의) 부패 : ~ de l'âme 정신의 타락 / vivre dans la ~ 타락한 생활을 하다. ④ 타락한 인간 ; 더러운〔비열한〕 인간 : Quelle ~, ce type ! 그 녀석은 더러운 인간이야. ⑤ 〖의학〗 탈저(脫疽)(= ~ d'hôpital).

pour-soi [puʀswa] *m.* 〖철학〗 대자(對自) 《의식적 존재자의 상태》(≠ en-soi).

***poursuite** [puʀsɥit] *f.* ① 뒤쫓기, 추적, 추격 : La police est à la ~ du meurtrier. 경찰은 살인범을 추적 중이다. ② 추구, 탐구 ; (여자에 대한) 구애(求愛) : ~ de la vérité 진리의 탐구. ③ (흔히 *pl.*) 〖법률〗 소추(訴追), 기소, 고소(= accusation) : engager des ~*s* contre qn …을 기소하다. ④ 속행, 계속(= continuation) : ~ des négociations 협상의 계속. ⑤ 〖스포츠〗 자전거 추발(抽拔) 경기.

poursuivant, e [puʀsɥivɑ̃, -ɑ̃ːt] *adj.* ① 추격하는 ; 추구〔탐구〕하는. ② 〖법률〗 소추〔기소 · 고소〕하는 : parti ~ 원고. — *n.* ① 〖법률〗 기소인, 원고. ② 추격자 ; (술래잡기의) 술래.

***poursuivre** [puʀsɥiːvʀ] [36] *v.t.* ① 뒤쫓다, 추격〔추적〕하다 : Les chiens *poursuivaient* le cerf. 사냥개가 사슴을 뒤쫓았다 / *être poursuivi* par ses créanciers 빚쟁이에 쫓겨 다니다. ② 추구하다 ; …의 환심을 사려고 애쓰다 ; …에 구애(求愛)하다 : ~ la gloire 명예를 추구하다. ③ 계속하다(= continuer) : ~ ses études 연구를 계속해 나가다 / ~ un récit 이야기를 이어 나가다 / *Poursuivez !* (말을) 계속하시오. ④ 《주어 : qn 〔qc〕》 악착스레 괴롭히다 ; 《~ qn de qc》 …을 …으로 괴롭히다 : Elle le *poursuit de* sa cloère. 그녀는 화를 내어 그를 들볶아 댄다 / L'ennui nous *poursuit.* 권태가 우리를 괴롭힌다. ⑤ 〖법률〗 소추하다, 기소〔고소〕하다(= accuser) : ~ qn au civil 〔criminel〕 …을 민사〔형사〕 소송하다. — **se** ~ *v.pr.* ① 계속되다, 속행되다. ② 서로 뒤쫓다, 서로 잡으려고 하다 : jouer à *se* ~ 술래잡기하다. ③ 자기를 추구〔탐구〕하다 : Par la philosophie l'homme *se poursuit.* 철학으로 인간은 자기를 탐구한다.

‡pourtant [puʀtɑ̃] *adv.* 그러나, 그렇지만, 그런데도 불구하고(= cependant, toutefois) : Il faut ~ avancer. 그러나 나아가야 한다. ***...et ~...*** …하면서도 …한 : une note grave, douce *et* ~ pénétrante 장중하고 부드러우면서도 폐부를 찌르는 가락. ***...mais ~...*** …하지만〔하면서도〕 …한 : caractère efféminé, *mais* ~ indomptable 약하면서도 제어하기 힘든 성격.

pourtour [puʀtuːʀ] *m.* 둘레, 주위 ; 주변 ; 테두리 : calculer le ~ d'un quadrilatère, 4변형의 둘레를 셈하다 / ~ de la place 광장 둘레.

pourvoi [puʀvwa] *m.* 〖법률〗 항고(= appel), 상소 ; 청원 : ~ en grâce 특사 청원.

***pourvoir** [puʀvwaːʀ] [60] *v.t. ind.* 《~ à》 ① …에 대비하다 ; …에 …을 공급하다〔마련해 주다 · 갖추어 주다〕 ; 《~ à qn》 …을 돌보아〔보살펴〕 주다 : ~ *aux* besoins de qn …의 필요한 것을 마련해 주다 / ~ *à* une éventualité 만일에 대비하다. ② …에 임명하다 : ~ *à* un emploi 직을 보하다.
— *v.t.* ① 《~ qn 〔qc〕 de》 …에게〔에〕 …을 공급〔보급〕하다〔마련해 주다 · 갖추어 주다〕 : ~ une maison *du* confort moderne 집에 현대적 시설을 갖추다 / ~ qn *d'*une recommandation …에게 추천장을 써주다. ② 《~ qn d'une charge 〔d'un emploi〕》 …에게 직책을〔직무를〕 주다, …을 어떤 직책〔직무〕에 임명하다 : Il y a un poste *à* ~. 꼭 채워야 할 자리가 한 개 있다. ③ 《간접보어 없이》 시집〔장가〕보내다 ; 취직시키다 : ~ sa fille 딸을 시집보내다 / ~ son fils 아들을 장가보내다, 아들에게 재산을 주다.
— **se** ~ *v.pr.* ① 《se ~ de》 …을 마련하다, 준비하다, 갖추다 ; 《간접보어 없이》 필수품을 마련하다, 갖추다 : *se* ~ *d'*aliments 양식을 마련하다. ② 〖법률〗 상고〔항고〕하다 : *se* ~ en grâce 청원하다.

pourvoyeur, euse [puʀvwajœːʀ, -øːz] *n.* ① 공급〔보급〕자, 제공자 ; 조달 상인 : un déjeuner dont j'étais le ~ 내가 제공한 점심 식사. ② 〖군사〗 (기관총 따위의) 탄약수.

pourvu, e [puʀvy] *adj.* 《~ de》 …을 갖춘, …을 가진 : animal ~ *d'*écailles 비늘 달린 동물. **~ *que*** + *sub.* ⓐ …하기만 한다면, …한다는 조건으로 : Je sortirai pourvu qu'il ne pleuve pas. 비가 오지만 않는다면 나갈 참이다. ⓑ 《주절의 생략》 …하기만 하면 좋겠는데《희망》 : *P~ qu'*il ne lui arrive aucun accident ! 그에게 아무 일도 없었으면.
— *m.* 직책을 가진 사람 ; 〖종교〗 수임자.

poussa(h) [pusa] *m.* ① 오뚝이. ② 땅딸보.

pousse[1] [pus] *f.* ① 새싹, 움 : ~*s* de bambou 죽순(竹筍). ② (털 · 이빨 등이) (돋아) 나기 ; 발아(發芽) : ~ des feuilles 〔dents〕 잎사귀〔이〕의 돋아남 / ~ de printemps 움트는 봄기운. ③ (포도주의) 변질. ④ 〖수의학〗 말의 천식증(喘息症).

pousse[2] *m.* = pousse-pousse.

pousse-au-crime [pusokʀim] *m.* 알코올 성분이 강한 술.

poussé, e[1] [puse] *adj.* ① 도를 넘은, 지나친 : plaisanterie un peu ~*e* 약간 도를 넘은 농담. ② 정밀한, 정교한 ; (연구 따위가) 깊은 : dessin très ~ 정교한 데생. ③ 〖음악〗 (현악기 연주자의 활놀림이) 활을 올리는《활을 앞

끝에서 뒤끝으로 움직이는 것). ④ (자동차 엔진이) 고성능의 : moteur ~ 고성능 엔진.

pousse-café [puskafe] *m.* 《복수불변》 (커피를 든 다음 마시는) 리퀴르(《술》).

poussée[2] [puse] *f.* ① 밀기, 떠밀기 ; 미는 힘. ② 〖기계〗 추력(推力) ; 추진(력) ; 압력 ; 부력(浮力) ; 양력(揚力) ; 풍압 : ~ du vent 풍압 / ~ d'une hélice 프로펠러의 추진력. ③ 발병(發病) ; 발작, 발진(發疹) : ~ de fièvre 발열. ④ (일거리 따위의) 격무 ; (혁명 따위의) 격발 ; (본능의) 충동 ; (물가의) 폭등 ; (적의) 공세, 공격 : résister aux ~*s* de l'ennemi 적의 공격에 버티다 / ~ de l'instinct 본능의 충동. ⑤ 《드물게》 싹틈, 발아(= pousse[1]). ***donner une ~ à*** qn …을 떠밀다, 밀어젖히다 ; …을 귀찮게 쫓아다니다 ; …을 도와주다. **~ *irrégulière*** 〖축구〗 파울.

pousse-pousse [puspus] *m.* 《복수불변》 ① (동양의) 인력거. ② 유모차(= poussette) ; (상품 배달에 쓰는) 소형 삼륜차.

pousser** [puse] *v.t.* ① 밀다, 떠밀다, 밀어내다 ; 밀어 젖히다 : ~ qn dehors …을 밖으로 밀어내다 / ~ qn du coude 〔du genou〕 …을 팔꿈치로〔무릎으로〕 쿡 찌르다 / ~ une voiture devant soi 차를 앞으로 밀다 / ~ son voisin 옆 사람을 떠밀다. ② ⓐ 내밀다, 내뻗다(= porter, diriger) : ~ le coude à qn …을 팔꿈치로 쿡 찌르다 / ~ un coup d'épée 칼로 찌르다. ⓑ (나무가 가지 · 새싹을) 뻗다 : l'enfant qui *pousse* les dents 이가 돋아나는 어린애. ③ (말 따위를) 몰다 ; (손수레 따위를) 밀고 가다 ; (바람이 구름 따위를) 몰아가다 : ~ un cheval 말을 몰고 가다 / ~ une charrue 쟁기를 밀고 가다. ④ 밀어〔도와〕 주다 ; (자극하여) 행동하게 하다 (= faire agir) ; 부추기다, 격려하다 : ~ un élève 학생을 공부하게 만들다(= stimuler) / 《~ qn à qc 〔+*inf.*〕》 Sa famille l'*a poussé à* cette décision. 그의 가족이 그로 하여금 그런 결심을 하게 했다. ⑤ (일을 그대로) 밀고 나가다, (계속해서) 추진하다 ; (어떤 문제를) 더 깊게 파고들다 ; (정도를) 높이다 : ~ le moteur 모터의 속도를 올리다 / ~ des recherches 연구를 파고들다 / ~ son travail 일을 더 활발히 추진하다. ⑥ 《~ qc à 〔jusqu'à〕》 …을 …에〔까지〕 이르게 하다 : ~ l'allure *à* 20 nœuds 속력을 20 노트로 올리다 / ~ une œuvre *jusqu'à* l'achèvement 작품을 완성하다. ⑦ (소리를) 지르다 ; (노래를) 부르다 ; 한숨을 내쉬다 : ~ un cri de joie 소리를 지르며 기뻐하다 / ~ un soupir 한숨을 내쉬다. ***(à la) va comme je te pousse 《구어》 아무렇게나, 되는대로 : Ce travail a été fait *à la va comme je te pousse*. 그 일은 아무렇게나 행해졌다. **~** qn ***à bout*** …을 궁지에 몰아넣다 ; …을 참을 수 없게 만들다〔참지 못하게 하다〕. **~** qn ***sur un sujet*** …에게 온갖 기회를 주다. **~ *sa pointe*** 꾸준히 자기 길을 나아가다.

── *v.i.* ① 밀다 : Ne *pousse* pas. 밀지 마. ② ⓐ 힘을 주다 ; 안간힘을 쓰다. ⓑ 《~ à》 …쪽으로 힘을 쓰다〔노력하다〕 : ~ à la baisse 물가가 내려가도록 힘을 쓰다〔운동하다〕. ③ 《~ à》 …으로 향해 나아가다 : ~ *à* l'ennemi 적을 향해 나아가다 / ~ *au* large 〖해양〗 (보트가) 부두〔큰 배〕를 떠나가다. ④ (식물 · 이가) 돋아나다 ; (어린애가) 자라다 ; (도시 등이) 생기다, 발전하다 : Le blé *pousse* au printemps. 밀은 봄에 자란다 / enfant qui *pousse* bien 《구어》 잘 자라는 아이. ⑤ 과장하다(= exagérer). ⑥ (술 따위가) 익다, 발효하다(= fermenter). ***Faut pas ~ !*** 《구어》 허풍떨지 마라. ***Poussez !*** 계속 하시오 !

── **se ~** *v.pr.* ① 물러나다, 비켜나다 : *Poussez-vous* un peu pour que nous puissions nous asseoir. 우리가 앉을 수 있도록 좀 비켜 주오. ② 서로 밀다〔밀리다〕, 밀고 밀리고 하다. ③ 계속되다, 속행되다. ④ 앞으로 나아가다 ; 전진하다, 진출하다, 출세하다 : savoir *se* ~ dans le monde 처신이 능란하다. ***Pousse-toi !*** 《구어》 기운을 내라 !

poussier [pusje] *m.* 석탄 가루 ; (돌 · 짚 따위의) 부스러기 : ~ de paille 짚 부스러기.

poussière** [pusjɛːʀ] *f.* ① 먼지 ; 가루, 부스러기 : flot 〔nuage, tourbillon〕 de ~ 뿌옇게 낀 먼지 / ~ de charbon 석탄 가루 / ~*s* volcaniques 화산재. ② 《문어》 유해(遺骸), 유골. ③ (먼지처럼) 무수한 것 ; 사소한〔하찮은〕 것 : La voie lactée est une ~ d'étoiles. 은하수는 무수한 별이다. ④ 극히 작은 것. ⑤ 《비유》 비참한 상태 : sortir de la ~ 곤궁에서 벗어나다. ***faire de la ~ 먼지를 일으키다 ; 뻐기다. ***jeter de la ~ aux yeux de*** qn …의 눈을 속이다. ***mettre*** 〔***réduire***〕 ***en ~*** 박살 내다, 분쇄하다. ***s'en aller en ~*** 박살 나다, 산산이 부서지다. ***tomber en ~*** 허물어지다, 무너지다, 붕괴하다.

poussiéreux, euse [pusjeʀø, -øːz] *adj.* ① 먼지투성이의 : route ~*euse* 먼지투성이의 길. ② 생기 없는, 잿빛의 : teint ~ 잿빛 얼굴색. ③ 낡아 빠진.

poussif, ive [pusif, -iːv] *adj.* 천식증이 있는 ; 숨가쁜, 헐떡거리는 ; (자동차가) 털털거리는 : personne grosse et ~*ive* 뚱뚱해서 씨근거리는 사람 / moteur ~ (낡아서) 힘이 없는 엔진. ── *n.* 숨이 가쁜 사람 ; 천식증 환자.

poussin [pusɛ̃] *m.* ① 병아리. ② 《구어》 고마 : mon ~ 꼬마야. ③ 《군대속어》 (공군 사관학교 따위의) 1학년 생도.

poussivement [pusivmɑ̃] *adj.* 숨차서, 숨가쁘게.

poussoir [puswaːʀ] *m.* (초인종 따위의) 누름단추 ; 〖컴퓨터〗 키.

***poutre** [puːtʀ] *f.* 〖건축〗 대들보, 도리 ; 장선(長線) : maîtresse ~ 대들보 / ~ métalique d'un pont 다리의 철근 장선.

poutrelle [putʀɛl] *f.* 〖건축〗 ① 작은 들보. ② 철근 장선.

***pouvoir**[1] [puvwaːʀ] [55] *v.t.* [A] 《부정법과 함께 쓰여》 ① 《능력 · 역량》 …할 수 있다 ; …할 능력이 있다 : ~ deviner des secrets 비밀을 알아낼 수 있다 / Je ne *puis* méditer qu'en marchant. 나는 걸으면서밖에는 명상할 수가 없다 / Qui *peut* le savoir ? 누가 그것을 알 수 있겠는가 ? ② 《허가 · 권리》 …하는 것이 허용되다, …해도 좋다 : convalescent qui *peut* sortir (의사의) 외출 허가를 받은 회복기 환자 / *Puis*-je entrer ? 들어가도 좋습니까 ? / ne pas ~ nager 헤엄칠 수 없다.

P

③《가능성 · 개연성 · 짐작》 가능성이 있다, …일 수도 있다; …일지도 모르다; …일 법한 일이다, (아마도) …일 것 같다: Cet enfant *pouvait* avoir tout au plus cinq ans. 그 아이는 기껏해서 5살이었을 것이다 / malheurs qui *peuvent* nous arriver 우리에게 닥쳐올지도 모르는 불행 / Il *peut* 〔*pourra*〕+*inf.* …일 것이다 / Il *peut* arriver 〔se faire〕 que+*sub.* …하게 될지도 모른다. ④《양보; 흔히 bien과 함께》 …해도 좋다〔상관없다〕 (그러나 …), …하더라도: Il *peut bien* venir me voir, je ne lui parlerai pas. 그가 설사 나를 만나러 오더라도 나는 말하지 않겠다. ⑤《부정문》 …일 리가 없다: Cela *ne peut* être vrai. 정말일 리가 없다. ⑥《의문문》 ⓐ 감히 …하다: Comment *a*-t-il *pu* dire cela? 그가 어찌 그런 말을 감히 할 수 있었을까? ⓑ 도대체 …일까: Où *peut* bien être ce livre? 도대체 그 책이 어디 있을까? ⑦《희망》《접속법 동사의 주어 도치(倒置)》 *Puissiez*-vous réussir! 성공하시기 바랍니다!

B《부정법 동사를 동반하지 않고》 ①《중성대명사 le와 함께》 할 수 있다, 가능하다: Résistez, si vous *le pouvez.* 버틸 수 있으면 버티어 보시오. ②《문맥으로 보아 부정법동사를 생략해도 좋을 때》 Téléphonez-moi dès que vous *pourrez.* 되도록 빨리 전화해 주시오 / J'ai fait tous les efforts que j'*ai pu.* 나는 할 수 있는 모든 노력을 했다. ③《부정대명사 que, quelque chose, rien, tout 따위와 함께; faire의 생략》 On ne *peut rien* au fait accompli. 기정 사실은 어찌할 도리가 없다.

aussitôt qu'on le pourra 되도록 빨리. ***autant qu'on peut*** 될 수 있는 한. ***comme on peut*** 힘껏. ***n'en ~ mais*** 어떻게 할 도리가 없다; 자기 탓은 아니다. ***n'en ~ plus*** 지칠 대로 지치다, 기진맥진하다. ***ne ~ qu'y faire*** 어쩔 도리가 없다. ***n'y ~ rien*** 어쩔 도리가 없다. ***on ne peut mieux***《동사와 함께 쓰이는 부사적 숙어》 더할 나위 없이, 무척: Il travaille *on ne peut mieux.* 그는 더할 나위 없이 공부를 잘한다. ***On ne peut (pas) ne pas***+*inf.* …하지 않을 수 없다. ***On ne peut plus*** 〔***moins***〕+'형용사' 더할 바〔나위〕 없이 …한〔하지 않은〕: Elle était *on ne peut plus* contente. 그녀는 더할 나위 없이 만족해 있었다. ***Puissé-je***+*inf.* 아무쪼록 …하였으면: *Puissé-je* arriver à temps! 제때에 닿으면 좋겠는데! ***Puissiez-vous réussir!*** 성공하시기 바랍니다! ***si l'on peut dire; si je plus dire***《구어》 그렇게 말해도 좋다면. ***Vouloir, c'est ~.***《속담》 의지만 있으면 무엇이라도 할 수 있다.

— **se ~** *v.pr.*《비인칭》 …일 수 있다, …일지도 모른다: Ça *se pourrait* bien. 그럴 수도 있었지. ***Cela se peut (bien)***; 《구어》 ***Ça se peut.*** 그건 있을 수 있는 일이다. ***Il se peut que***+*sub.* …은 있을 수 있는 일이다, …일지도 모른다. ***si cela se peut*** 가능하다면.

‡pouvoir² *m.* ① 힘, 능력, 역량; 재능; (물건의) 성능; 작용력; 효력: avoir le ~ de qc 〔+*inf.*〕 …의〔할〕 능력이 있다 /《비인칭》autant qu'il est en son ~ 그의 능력이 미치는 한 / Cela dépasse son ~. 그의 능력을 넘어서는 일이다 / ~ calorifique 〖화학〗 열량 / ~ radiant 〖물리〗 방사능. ② 영향력, 지배력; 세력; 위력, 권위: avoir qn 〔qc〕 en son ~ …을 손아귀에 쥐고 있다, 뜻대로 움직일 수 있다 / mystérieux ~ des nombres 수의 마력. ③ ⓐ (흔히 *pl.*) 권능, 권한: ~*s* d'un ambassadeur 대사의 권한 / avoir plein(s) ~(s) 전권(全權)을 맡고 있다 / donner 〔conférer〕 à qn un ~; munir qn d'un ~ …에게 권한을 주다 / confusion des ~*s* 독재〔전제〕 정권 / ~*s* publics 당국, 관헌. ⓑ 대리〔위임〕권: donner un ~ par-devant notaire 공증인 입회 아래 위임장을 주다. ④ (정치적) 권력, 정권: arriver 〔parvenir, venir〕 au ~ 권좌에 오르다 / prendre le ~ 권력〔정권〕을 잡다, 실권을 쥐다 / abus de ~ 권력 남용 / trois ~*s* 삼권 / quartrième ~ 제4권력, 언론계. ***de tout mon ~*** 전력을 다해서. ***être au ~ de*** qn …의 지배를 받고 있다. ***être en ~ de***+*inf.* …할 수 있다. ***Il n'est pas en son ~ de***+*inf.* …하는 것은 그의 권한 밖의 일이다. ***parti au ~*** 여당.

pp.《약자》 pages 페이지《복수》.

pragmatique [pʀagmatik] *adj.* ① 실제적인; 실용적인; 실제〔실용〕 위주의. ② 〖철학〗 실용주의의: doctrine ~ de W. James 제임스의 실용주의 학설. — *f.* ① 〖언어〗 활용론. ② 〖역사〗 (국왕과 의회와의 합의에 따른) 칙령(= ~ sanction).

pragmatisme [pʀagmatism] *m.* 〖철학〗 실용주의.

pragmatiste [pʀagmatist] *n.* 실용주의자. — *adj.* 실용주의의.

***prairie** [pʀɛ(e)ʀi] *f.* 〖지질〗 목장, 풀밭, 초원 (= herbage, pâturage): la Grande *P~*; les *P~s* 북미의 대초원 지대.

pralin [pʀalɛ̃] *m.* ① 〖농업〗 (씨앗 · 뿌리에 입히는) 비료 섞인 흙. ② 편도와 설탕을 섞은 것《praline의 재료》.

praline [pʀalin] *f.* 편도를 설탕에 넣어서 졸인 과자.

praliné, e [pʀaline] *adj.* 설탕에 졸인; praline이 들어 있는: amandes ~*es* 편도 설탕졸임. — *m.* praline과 초콜릿을 섞은 과자.

praticable [pʀatikabl] *adj.* ① 실행할 수 있는; 실현성이 있는; 실용성이 있는: projet ~ 실현성 있는 계획. ② (길이) 통행 가능한 (≠ impraticable). ③ 사귐성〔붙임성〕 있는. ④ 〖연극〗 (무대 장식이) 실물로 된: décors ~*s* 실물로 된 무대 장치. — *m.* ① (무대의) 실물 장치〔세트〕. ② 〖영화 · TV〗 카메라 설치대(臺).

praticien, enne [pʀatisjɛ̃, -ɛn] *n.* ① 전문가; (법률 등의) 실무가. ② 개업 의사(= médecin ~). ③ 의료 보조원.

***pratiquant, e** [pʀatikɑ̃, -ɑ̃:t] *adj.* 〖종교〗 신자로서 의무를 다하는, 미사에 빠짐없이 나가는: catholique ~ 교의를 지키는 가톨릭교도. — *n.* (일요일마다 교회에 나가는) 실천적 신자.

***pratique¹** [pʀatik] *f.* ① ⓐ 실제, 실지; (이론이나 원리에 대하여) 실행, 실천: ~ d'une langue étrangère 외국어의 실제 사용 / la

P

théorie et la ~ 이론과 실천. ⓑ 실시, 시행; 응용, 적용: ~ régulière d'un sport 규칙적인 운동의 실시 / ~ d'une technique 기술의 실제 적용. ② 실적; 경험, 숙련: Il a une longue ~ de la chirurgie. 그는 외과의로서 오랜 경험이 있다. ③ 실행법, 방법: ~ ingénieuse et utile 교묘하고 유익한 방법. ④ 습관, 관습, 관행: C'est de courante. 그것은 관행으로 되어 있다. ⑤ ⓐ 규율〔계율〕의 준수: ~ religieuse 종교의 계율을 준수하기. ⓑ (*pl.*) 〖종교〗 종교상의 의례〔실천적 의무〕. ⑥ ⓐ 《la ~》 일정한 상인〔의사·변호사〕와의 거래: donner sa ~ à un marchand 어느 상인을 단골로 삼다. ⓑ 《une ~》 손님, 고객, (의사의) 환자, (변호사의) 의뢰인(= client): ~*s* d'une boutique 가게의 단골손님들. ⑦ 교제(= commerce): ~ des femmes 여자들과의 사귐. ⑧ 〖해양〗 (검역 후의) 입항〔상륙〕 자유(= libre ~). ⑨ 〖법률〗 소송 절차; 실무: termes de ~ 소송〔법원〕 용어. ⑩ 《속어》 건달, 망나니(= vaurien). ***en ~*** 실제에 있어서, 실제로는. ***être de ~ courante*** 관례가 되어 있다.

***pratique**[2] *adj.* ① 실질적인, 실제적인, 실용적인; 현실적인: conseils ~*s* 실질적인 충고 / vie ~ 실제 생활 / connaissance ~ du français 프랑스어의 실용적 지식 / sens ~ 현실적 감각. ② 편리한(= commode): outil ~ 편리한 연장 / Cet horaire est très ~. 이 시간표는 아주 편리하다.

***pratiquement** [pʀatikmɑ̃] *adj.* ① 실제적으로; 실지로; 실용적으로. ② 사실상(= en fait). ③ 《오용》 거의(= presque): Il est ~ incapable de se déplacer. 그는 거의 움직일 수 없을 지경이다.

***pratiquer** [pʀatike] *v.t.* ① 실행〔실시·실천〕하다, 실제로 사용하다: adopter et ~ une méthode 어떤 방법을 채택하여 사용하다 / ~ une opération chirurgicale 외과 수술을 하다. ② 〖건축〗 만들다, (문·길 따위를) 내다, 만들다: ~ une ouverture dans un mur 벽에 문을 내다 / ~ une piste dans la forêt 숲에 길을 내다. ③ 영위하다, (어떤 일을) 하다, …에 종사하다: ~ la médecine (의사가) 개업하다 / ~ le football 축구를 하다. ④ 《~ qn》 …와 교제하다, 자주 만나다(= fréquenter); 《~ qc》 …에 드나들다, …에 자주 가다: ~ un livre 어떤 책을 자주 읽다 / Pour connaître les hommes, il faut les ~. 사람들을 알려면 사귀어 보아야 한다. ⑤ 〖종교〗 (종교의 실천적 의무〔의례〕를) 지키다: ~ un culte 〔une religion〕 종교상의 의례를 지키다. ── **se ~** *v.pr.* ① 실행〔실시〕되다. ② 관행〔관례·관습〕으로 되어 있다.

***pré** [pʀe] *m.* ① 작은 목장(= pâturage); 풀밭, 초원: mener les vaches au ~ 소를 목장으로 몰고 가다. ② 《옛》 결투장.

pré- *préf.* (시간적·공간적으로) 「앞」의 뜻.

pré(-)adolescent, e [pʀeadɔlesɑ̃, -ɑ̃:t] *n.* 사춘기 직전의 아이(《약자》 préado).

préalable** [pʀealabl] *adj.* ① 먼저 해야 할, 선결(先決)해야 할: demander 〔réclamer〕 la question ~ 선결 동의서를 내놓다. ② 예비적인: examen ~ 예비 시험. ③ 《~ à》 … 이전의: argument ~ *à* l'expérience 경험 이전의 논증. ── *m.* (협정 따위의) 전제 조건: ~ du cessez-le-feu 정전(停戰)의 전제 조건. ***au ~ 우선, 먼저, 미리(= d'abord, préalablement).

préalablement [pʀealabləmɑ̃] *adv.* 먼저, 우선, 미리(= auparavant): apprendre qc ~ …을 미리 알다 / 《~ à》 ~ *à* toute décision 모든 결정에 앞서.

préambule [pʀeɑ̃byl] *m.* ① 머리말, 전문(= introduction): ~ d'une loi (법의) 전문(前文). ② 전조(前兆)(= prélude).

préamplificateur [pʀeɑ̃plifikatœ:ʀ] *m.* 〖전기·영화〗 프리 앰프, 전치(前置) 증폭기.

préau [pʀeo] *m.* (*pl.* ~***x***) ① (수도원·병원·교도소 등의) 안마당. ② (학교의) 지붕 씌운 운동장.

préavis [pʀeavi] *m.* 예고; 사직〔해고·해약〕 예고 (기간): sans ~ 예고 없이 / déposer un ~ de grève 파업을 예고하다 / ~ d'un mois 한 달 동안의 예고 기간.

prébende [pʀebɑ̃:d] *f.* 〖종교〗 성직자의 고정 수입, 성직록(祿); 《특히》 성당 참사회원(chanoine)의 고정 수입.

précaire [pʀekɛ:ʀ] *adj.* ① 불안정한; 일시적인, 덧없는: bonheur ~ 덧없는 행복 / situation ~ 불안정한 지위 / réussite ~ 일시적인 성공. ② 〖법률〗 임시의, 가(假)의: détenteur ~ 임시 보유자 / possession ~ 가소유.

précarité [pʀekaʀite] *f.* ① 《문어》 불안정, 덧없음, 불확실: ~ des ressources 수입의 불안정. ② 〖법률〗 가점유(假占有).

précaution** [pʀekosjɔ̃] *f.* ① 조심, 신중(= prudence). ② 예비, 대비: par ~ contre un accident possible 만일의 사고에 대비해서 / prendre ses 〔des〕 ~*s* 미리 대비하다. ***avec 〔***sans***〕 ~ 신중하게〔조심성 없게〕.

précautionner (se) [səpʀekosjɔne] *v.pr.* ① 《se ~ contre》 …에 조심하다, …에 대비하다: *se ~ contre* les voleurs 〔le froid〕 도둑〔추위〕에 대비하다. ② 《se ~ de》 …을 미리 갖추다, 확보하다.

précautionneusement [pʀekosjɔnøzmɑ̃] *adv.* 조심하여, 주의 깊게, 용의주도하게: agir ~ 신중히 행동하다.

précautionneux, euse [pʀekosjɔnø, -ø:z] *adj.* 조심성 있는, 용의주도한.

précédemment [pʀesedamɑ̃] *adv.* ① 앞서, 미리: comme nous l'avons dit ~ 우리가 앞서 말한 바와 같이. ② 이전에, 전에.

précédent, e** [pʀesedɑ̃, -ɑ̃:t] *adj.* 앞의, (이)전의, 먼저의: le jour ~ 그 전날 / l'année ~*e* 전해, 지난해. ── *n.* 《앞의 명사를 받아서》 앞의 사람〔것〕: Cette génération est très différente de la ~*e*. 이 세대는 전의 세대와 상당히 다르다. ── *m.* 선례(先例), 전례: créer un ~ 전례를 만들다, 전례가 되다. ***fait sans ~ 전례 없는 일.

***précéder** [pʀesede] 6 *v.t.* ① …에 앞서다; 앞서 가다〔오다〕: La musique *précédait* le défilé. 악대가 행진의 선두에 섰다. ② (시간·순서에서) …에 선행〔우선〕하다. …전에 일어나다: La cause *précède* l'effet. 원인은 결과에 선행한다. ③ 능가하다: ~ qn en

P

âge et en mérite 나이와 재능에서 …을 능가하다.

précellence [pʀeselɑ̃:s] *f.* 《문어》 우수함, 탁월함, 걸출함(= préexcellence).

précepte [pʀesɛpt] *m.* ① 계명, 율법 : ~*s* du Décalogue, 10 계명. ② 교훈 ; 규범, 규칙 : ~*s* de l'Évangile 복음서의 교훈.

précepteur, trice [pʀesɛptœ:ʀ, -tʀis] *n.* ① 《옛》 스승, 선생. ② (귀족의) 가정교사.

préceptorat [pʀesɛptɔʀa] *m.* 가정교사직, 가정교사 재직 기간.

préchauffer [pʀeʃofe] *v.t.* 예열하다, 미리 가열하다 : ~ un four 오븐을 예열하다.

prêche [pʀɛʃ] *m.* ① 〖종교〗 (목사의) 설교 ; (가톨릭 신부의) 강론(= sermon). ② 설교조의 따분한 이야기.

prêcher [pʀɛ(e)ʃe] *v.t.* ① (복음을) 전하다, 전도하다 : ~ l'Évangile 〔Jésus〕 성서〔예수〕의 복음을 전하다. ② 《구어》 훈계하다, 타이르다(= sermonner). ③ (말이나 글로) 권장하다, 장려하다(= conseiller, recommander) : ~ *á* qn de+*inf.* …에게 …할 것을 권장하다. ④ (강림절·사순절 따위에) 설교하다 : ~ l'avent 〔le carême, une retraite〕 강림절〔사순절·피정(避靜)〕 설교를 하다. ── *v.i.* ① 설교를 하다. ② 훈계를 하다 ; 잔소리하다 : Il est toujours à ~. 그는 늘 잔소리를 한다. ~ ***dans le désert*** 반응 없는 설교를 하다. ~ ***d'exemple*** 〔***par l'exemple***〕 모범을 보여 격려하다. ~ ***un converti*** 잘 아는 사람에게 타이르려고 하다, 부처님에게 설법하다.

prêcheur, euse [pʀɛʃœ:ʀ, -ø:z] *n.* 설교자 ; 교훈적인 말을 하기 좋아하는 사람. ── *adj.* 설교하기 좋아하는, 잔소리 잘하는.

prêchi-prêcha [pʀɛʃipʀɛʃa] *m.* 《복수불변》 《구어》 장황한 훈계〔잔소리〕. ── *n.* 지루하게 훈계〔잔소리〕하는 사람. ── *interj.* 《구어》 잔소리 그만해!, 지겨워 죽겠네!

précieusement [pʀesjøzmɑ̃] *adv.* ① 소중하게, 조심스럽게 : garder 〔conserver〕 ~ qc …을 소중히 간직하다. ② 젠체하며, 뽐내며.

P

***précieux, euse** [pʀesjø, -ø:z] *adj.* ① 값비싼, 값진 : objets ~ (고가의) 귀중품. ② 귀중한, 소중한 : les droits les plus ~ de l'homme 인간의 가장 귀중한 권리 / Elle a apporté une aide ~*euse* à son mari. 그녀는 남편에게 소중한 도움을 주었다. ③ (이야기투가) 뽐내는, (문체가) 재치를 부리는 : style ~ 재치 부린 문체. ── *f.* ① 〖문학사〗 (17 세기의) 재치 있고 세련된 귀부인. ② 부자연스럽게 재치를 부리는 여자, 겉멋 부리는 여자 : faire la ~ (여자가) 말재주를 너무 부리다.

préciosité [pʀesjozite] *f.* ① 〖문학사〗 (17 세기 précieuse 들의 특색인) 세련된 재치. ② 꾸민 태도, 선멋, 태깔. ③ 《특히》 (문장·언어의) 부자연한 꾸밈, 허식.

précipice [pʀesipis] *m.* ① 절벽, 낭떠러지, 벼랑 ; 심연, 깊은 구렁(= gouffre). ② 위험, 궁지 ; 파멸 : tirer qn d'un ~ …을 궁지에서 구해 내다.

précipitamment [pʀesipitamɑ̃] *adv.* 급히, 황급히, 부랴부랴 : s'enfuir ~ 황급히 도망치다.

précipitation [pʀesipitɑsjɔ̃] *f.* ①ⓐ 성급하게 굴기, 졸속, 조급 : Ne confondez pas vitesse et ~. 급하더라도 성급하게 굴지 마라. ⓑ (어떤 일을) 서둘러〔황급히〕 하기 : ~ du départ 황급한 출발. ② 〖화학〗 침전 ; 〖의학〗 침강 (반응) ; (*pl.*) 〖기상〗 강수(降水) 《비·눈·우박 따위》.

***précipité, e** [pʀesipite] *adj.* ① 급한, 성급한, 황급한 : des pas ~*s* 급한 발걸음 / respiration ~*e* 가쁜 숨. ② 〖화학〗 침전한. ── *m.* 〖화학〗 침전물.

***précipiter** [pʀesipite] *v.t.* ① ⓐ 떨어뜨리다, 투하하다, (아래로) 내던지다. ⓑ 《~ qn dans》 …을 …에 빠뜨리다, 몰아넣다 : ~ qn *dans* le désespoir …을 절망에 빠뜨리다. ⓒ 《상황보어 없이》 《~ qc》 파멸시키다, 쓰러뜨리다(= ruiner). ② 《~ qn vers 〔dans〕》 …을 …으로 떠밀다, 이끌어 가다(= pousser, entraîner) : *être precipité vers* …쪽으로 떠밀리다. ③ 〖화학〗 침전시키다, 가라앉히다. ④ 빠르게 하다, 서두르다, 재촉하다 : ~ ses pas 발걸음을 재촉하다. ── **se** ~ *v.pr.* ① 떨어지다, 추락하다 : *se* ~ dans le vide 허공에 떨어지다. ② 뛰어내리다, 뛰어들다. ③ 돌진하다, 달려들다, 달려가다 : *se* ~ sur l'ennemi 적에게로 돌진하다 / *se* ~ au-devant de qn …에게 달려가다. ④ ⓐ 서두르다(= se dépêcher) : *se* ~ de+*inf.* 서둘러서 …하다 / Inutile de tant *se* ~ ! 그렇게 서두를 것 없어! ⓑ 빨라지다. ⑤ 〖화학〗 침전하다.

***précis, e** [pʀesi, -i:z] *adj.* ① 정확〔명확〕한, 어김없는 : à trois heures ~*es*, 3 시 정각에. ② 간명한, 간단명료한 : style ~ 간단명료한 문체. ③ 분명한, 뚜렷한 ; (분명하게) 정해진 : sens ~ 분명한 뜻 / bruit ~ 또렷한 소리 / au moment ~ 바로 그 순간에 / le jour ~ 바로 그날. ── *m.* 개요, 개략, 요약(= abrégé) ; 개설서 : composer un ~ des événements 사건의 개요를 만들다 / ~ de géographie générale 지리학 개설.

***précisément** [pʀesizemɑ̃] *adv.* ① 명확하게, 정확하게 ; 정확하게 말하면 : répondre ~ 명확하게 대답하다. ② 바로, 마침(= justement) : C'est ~ pour cela que je viens vous voir . 내가 당신을 만나러 온 것은 바로 그 때문이오 / Vous êtes ~ l'homme que je cherche. 당신은 마침 내가 찾고 있는 사람이오. ③ ⓐ 《대답에서》 바로 그래, 맞았어 : C'est lui qui vous en a parlé? — *P*~. 그런 말한 것이 그 사람입니까〔이지요〕? — 바로 그렇소. ⓑ 《부정문에서》 별로(= ne... guère) : Ma vie *n*'est pas ~ distrayante. 내 생활은 별로 재미있는 것이 못 된다.

***préciser** [pʀesize] *v.t.* 명확〔정확·분명〕하게 하다 ; 정확하게 말하다 : 《목적보어 없이》 *Précisez!* 더 분명하게 하시오〔말하시오〕 / ~ une expression vague 막연한 표현을 정확하게 하다. ── **se** ~ *v.pr.* 명확〔분명〕해지다 : Le danger *se précise.* 위험이 분명히 드러난다.

***précision** [pʀesizjɔ̃] *f.* ① 정확(성), 정밀(성), 명확(성) : la ~ des réponses 답의 명확성 / instrument de ~ 정밀 계기. ② (행동의) 어김없음 ; 명쾌함. ③ (*pl.*) 상세한 데이터〔설명〕, 상보(詳報).

précité, e [pʀesite] *adj.* 전술(前述)의, 상술(上述)의.

***précoce** [pʀekɔs] *adj.* ① (과실이) 빨리 익은, 철 이른; (동물이) 빨리 자라는; (행동·일·사정 따위가) 시기상조의, 너무 이른: races ～*s* 성장이 빠른 품종 / automne ～ 철 이른 가을 / mariage ～ 조혼. ② (아이가) 조숙한, 올된, 일된: enfant ～ 조숙한 아이 / jeune fille ～ (성적으로) 조숙한 소녀.

précocement [pʀekɔsmɑ̃] *adv.* 《문어》 철 이르게; 조숙하게, 올되게, 일되게: fleur ～ éclose 철 이른 꽃.

précocité [pʀekɔsite] *f.* 철 이름; (동물의) 조숙성: ～ sexelle 성적 조숙.

préconception [pʀekɔ̃sɛpsjɔ̃] *f.* 선입견, 편견.

***préconçu, e** [pʀekɔ̃sy] *adj.* ① 예상한, 미리 생각한〔설정한〕, 지레짐작한: plan ～ 미리 짠 계획. ② 선입관에 의한: opinion ～*e* 선입견 / idée ～*e* 선입관, 편견.

préconisation [pʀekɔnizɑsjɔ̃] *f.* ① 추천, 장려. ② 〖가톨릭〗(교황·추기경 회의에서의) 주교 임명 재가식(裁可式).

***préconiser** [pʀekɔnize] *v.t.* ① 〖가톨릭〗(추기경 회의에서 교황이) 주교(主敎)의 임명을 선포하다. ② 《～ qc》 …을 권하다, 권장하다(= prôner): ～ un remède 어떤 약을 권하다.

précontraint, e [pʀekɔ̃tʀɛ̃, -ɛ̃:t] *f.* (철근을 넣어 압축 내력을 주는) 콘크리트의 강도 증가법. ── *adj.* 강도 증가법을 쓴. ── *m.* 강화 콘크리트.

précurseur [pʀekyʀsœ:ʀ] *adj.* ① 미리 알리는, 징조〔전조〕가 되는: signes ～*s* de l'orage 폭풍우의 전조. ② 〖군사〗 선견(先遣)된: détachement ～ (야영 준비) 선견대, 선발대. ── *m.* ① 예고자; 선구자: Saint Jean-Baptiste, *P*～ du Christ 그리스도의 예고자 세례 요한 / ～*s* du romantisme 낭만주의의 선구자. ② 전조, 조짐, 징후.

prédateur, trice [pʀedatœ:ʀ, -tʀis] *adj.* 〖생물〗 포식(捕食)하는. ── *m.* ① (기업)》 매수자. ② 〖생물〗 포식 동물〔식물〕, 포식자.

prédécesseur [pʀedesɛsœ:ʀ] *m.* ① 선임자, 전임자, 선배. ② (*pl.*) 선조, 조상.

prédélinquante [pʀedelɛ̃kɑ̃, -ɑ̃:t] *n.* (우범자가 되기 쉬운) 비행 소년〔소녀〕.

prédestination [pʀedɛstinɑsjɔ̃] *f.* ① 《문어》 숙명. ② 〖신학〗 구령(救靈) 예정(설).

prédestiné, e [pʀedɛstine] *adj.* ① 〖신학〗 구령받도록 미리 선택된. ② 《～ à》 …으로 예정된, 숙명지워진: enfant qui semble ～ *au* malheur 불행한 팔자를 타고난 아이. ── *n.* 〖신학〗 구령(救靈) 예정자.

prédestiner [pʀedɛstine] *v.t.* ① 《～ à》 …으로 운명짓다, 예정하다: Son génie le *prédestinait à* jouer un grand rôle dans l'histoire. 그는 그 천재성에 의하여 역사상 커다란 역할을 하도록 운명지어졌다. ② 《～ qn》 〖신학〗 (신이) …의 구령(救靈)을 예정하다.

prédétermination [pʀedetɛʀminɑsjɔ̃] *f.* ① 〖신학〗 (인간의 의지에 대한) 신의 예정. ② 예정, 선정.

prédéterminer [pʀedetɛʀmine] *v.t.* ① 〖신학〗 (신이 인간의 의지를) 예정하다. ② 미리 정하다: Sa conduite *était prédéterminée* par l'éducation qu'il avait reçue. 그의 처신은 그가 받은 교육에 의해 이미 정해져 있었다.

prédicable [pʀedikabl] *adj.* 〖논리〗 속성으로 돌릴 수 있는. ── *m.* 속성; 빈사(賓辭).

prédicat [pʀedika] *m.* ① 〖문법〗 속사(屬辭), 술어(= sujet). ② 〖논리〗 빈사(賓辭).

prédicateur, trice [pʀedikatœ:ʀ, -tʀis] *m.* 설교사(= prêcheur).

prédication [pʀedikɑsjɔ̃] *f.* ① 선교, 전도, 포교: ～ des apôtres 사도들의 전도. ② (목사의) 설교, (신부의) 강론(= sermon). ③ 〖문법〗 술어 기능.

prédiction [pʀediksjɔ̃] *f.* ① 예언, 예언된 일: faire des ～*s* 예언하다. ② 예측, 예보: ～*s* météorologiques 일기 예보.

prédilection** [pʀedilɛksjɔ̃] *f.* 편애(偏愛); 특히 좋아하기, 치우친 기호(嗜好): avoir une ～ pour ～ qn …을 편애하다 / par ～ 특히, 유달리 (좋아해서). ***de ～ 특히 좋아하는: auteur *de* ～ 특히 좋아하는 작가.

***prédire** [pʀedi:ʀ] 29 《직설법 현재〔명령법〕의 2인칭 복수는 prédisez》 *v.t.* ① 예언〔예측〕하다, 점치다: On lui *prédit* un brillant avenir. 그의 빛나는 미래를 예언한다. ② 《드물게》 예보하다.

prédisposer [pʀedispoze] *v.t.* ① 《～ qn à qc〔+*inf.*〕》 …에게 …의〔하는〕 경향을 갖게 하다, …으로 하여금 …하게 만들다: Cette façon de vivre *l'avait prédisposé à* l'obésité. 그런 생활을 해서 그는 비만에 걸리고 말았다 / ～ qn *à* une maladie …을 병약하게 만들다. ② 《～ qn contre〔en faveur de〕 qn〔qc〕》 …으로 하여금 …에 대하여 반감〔호감〕을 갖게 하다. ③ 《간접목적보어 없이》 …에게 영향을 주다, 좌우하다(= influencer): Le jugement d'autrui nous *prédispose.* 남의 판단이 우리에게 영향을 준다.

prédisposition [pʀedispozisjɔ̃] *f.* ① 《～ à》 …의 소질, 성향, 경향, 체질(= penchant, tendance): avoir des ～*s* musicales 음악의 소질이 있다 / ～ *à* être malade 병에 걸리기 쉬운 체질. ② 《～ contre〔en faveur de〕 qn〔qc〕》 …에 대한 반감〔호감〕.

prédominance [pʀedɔminɑ̃:s] *f.* 우세, 우월, 탁월(= prééminence, primauté): ～ des tons bleus dans un tableau 그림에서의 푸른 색조의 우세.

prédominant, e [pʀedɔminɑ̃, -ɑ̃:t] *adj.* 우월한, 우세한, 주된; 뛰어난(= principal): tendances ～*es* 주된 경향 / préoccupation ～*e* 주요 관심사.

prédominer [pʀedɔmine] *v.t.* ① 《주어: qc》 으뜸가다, 지배적〔압도적〕이다, 가장 중요하다: Son avis *a prédominé.* 그의 의견이 지배적이었다. ② 《～ sur》 …보다 우세하다, 우위를 차지하다: ～ *sur* ses concurrents 경쟁자들보다 우세하다. ── *v.t.* 능가하다, 압도하다: L'intérêt *prédomine* tout. 이해타산이 모든 것에 앞선다.

préélectoral, e, aux [pʀeelɛktɔʀal, -o] *adj.* 선거 전의: période ～*e* 선거 전의 기간.

prééminence [pʀeeminɑ̃:s] *f.* ① 우위, 우월, 우세: ～ culturelle 문화적 우위 / don-

P

ner la ~ à qn 〔qc〕 …에게 우위를 차지하게 하다.

prééminent, e [pʀeeminɑ̃, -ɑ̃:t] *adj.* 으뜸가는, 우월〔탁월〕한(= supérieur ; ≠ inférieur) : vertu ~*e* 첫째가는 미덕.

préemption [pʀeɑ̃psjɔ̃] *f.* 〖법률〗 선매(先買)(권)(= droit de ~).

préétabli, e [pʀeetabli] *adj.* 미리 설정된 : plan ~ 미리 짜여진 계획.

préexistence [pʀeɛgzistɑ̃:s] *f.* 먼저 있음, 선재(先在) : ~ de la raison 이성의 선재.

préexister [pʀeɛgziste] *v.i.* 《~ à qc》 …보다 먼저 있다, 선재하다.

préfabrication [pʀefabʀikɑsjɔ̃] *f.* (조립식 건축물·선박 따위의) 부분품 제작.

préfabriqué, e [pʀefabʀike] *adj.* ① 조립식 (건축)의 : élément ~ (조립식 건축물의) 부분품. ② 거짓의, 날조된, 미리〔억지로〕 꾸며진 : petit sourire ~ 일부러 꾸민 미소. ── *m.* 조립식 자재 : bâtiment en ~ 조립식 건물.

préface [pʀefas] *f.* ① 머리말, 서문 : écrire 〔faire〕 une ~ 서문을 쓰다. ② 전조, 예고. ③ 〖가톨릭〗 (미사의) 서송(序誦), 감사송.

préfacer [pʀefase] [2] *v.t.* …의 서문을 쓰다〔붙이다〕 : ~ un livre 책의 서문을 쓰다.

préfacier [pʀefasje] *m.* 서문 집필자, 서문 쓰기를 좋아하는 사람.

préfectoral, e, aux [pʀefɛktɔʀal, -o] *adj.* 지사(知事)의, 현(縣)의.

préfecture** [pʀefɛkty:ʀ] *f.* 〖행정〗 현(縣) ; 현청 소재지 ; 현청 ; 현지사의 직〔재직 기간〕 : Versailles est la ~ des Yvelines. 베르사이유는 이블린의 현청 소재지이다. ***P~ de police (파리의) 경찰국.

préférable** [pʀefeʀabl] *adj.* 《~ à》 …보다 나은〔바람직한〕 : Ailleurs semble toujours ~ *à* Ici. 딴 곳이 이곳보다 늘 나아 보인다. ***Il est ~ (que) de+inf. ; Il est ~ que+sub. …하는 편이 낫다〔더 좋다〕 : *Il est ~ de* prendre 〔*que* nous prenions〕 un taxi. 택시를 타는 편이 낫다.

préférablement [pʀefeʀabləmɑ̃] *adv.* 《~ à》 《문어》 …보다 오히려, 차라리, 우선.

préféré, e [pʀefeʀe] *adj.* 좋아하는, 마음에 드는 : son disque ~ 그가 좋아하는 레코드. ── *n.* 마음에 드는 사람, 귀염둥이, 총아.

préférence** [pʀefeʀɑ̃:s] ① 좋아하기, 애호, 기호(嗜好) : ~*s* de chacun 저마다의 기호. ② 편애(偏愛) : avoir une ~ marquée pour qn …을 편애하다 / une ~ aveugle 〔injuste〕 à 〔pour〕 qn …에 대한 맹목적인〔불공정한〕 편애. ③ 우선권, 특권, 특혜 : action de ~ 우선주(株) / tarif de ~ 특혜 세율. ***de ~ 되도록이면, 이왕이면 ; 특히. ***de*** 〔***par***〕 ***~ à*** …보다 차라리. ***par ordre de ~*** 좋아하는 차례로.

préférentiel, elle [pʀefeʀɑ̃sjɛl] *adj.* 우선적인, 특혜의 ; 〖법률〗 선취권 있는. ***tarif ~*** 특혜 세율(税率). ***traitement ~*** 특별 대우.

****préférer** [pʀefeʀe] [6] *v.t.* ① 《~ qc 〔qn〕 à》 …을 …보다 더 좋아하다, …보다 …쪽을 택하다 ; 《비교어 없이》 《~ qc 〔qn〕》 (더) 좋아하다, 택하다 ; 《~+*inf.* 〔de+*inf.*〕》 …하고 싶다〔하는 편이 낫겠다〕 ; 《~+*inf.* 〔à+*inf.*〕》 …하기보다 …하고 싶다 ; 《~ que+*sub.*》 …하는 것을 좋아하다〔바라다〕 : Je *préfère* aller cette année en Espagne. 금년엔 에스파냐에 가고 싶다 / Je *préfère* rester à la maison. 나는 집에 남아 있는 것이 좋다 / Je *préfère* souffrir plutôt *que* (*de*) mourir. 나는 죽기보다는 괴로움을 겪고 싶다. ② 《목적보어 없이》 좋아하다 : si vous *préférez* 좋으시다면 / Faites comme vous *préférez.* 좋도록 하시오 / ~ l'honneur à l'argent 금전보다 명예를 취하다.
── **se ~** *v.pr.* 《se ~ à》 …보다 자기를 좋아하다〔아끼다〕.

préfet** [pʀefɛ] *m.* 〖고대로마〗 장관, 총독 ; 〖행정〗 현(縣)지사 ; (여러 기관의) 장(長). ***~ de police (파리의) 경찰국장. ***~ maritime*** 해군 군관구 사령관.

préfète [pʀefɛt] *f.* 《구어》 현지사 부인.

préfiguration [pʀefigyʀɑsjɔ̃] *f.* 《문어》 예시, 예고, 전조 : ~ de la catastrophe 재앙의 전조.

préfigurer [pʀefigyʀe] *v.t.* 예시〔예고〕하다.

préfixation [pʀefiksɑsjɔ̃] *f.* 〖문법〗 접두사를 사용한 복합어 형성.

préfixe [pʀefiks] *m.* 〖문법〗 접두사(≠ suffixe). ── *adj.* 접두사의 : particule ~ 접두사.

préfixé, e [pʀefikse] *adj.* ① 접두사가 붙은. ② 미리 정해진, 예정된.

préfixer [pʀefikse] *v.t.* ① (기한을) 미리 정하다. ② 〖문법〗 접두사로서 붙이다.

préfixion [pʀefiksjɔ̃] *f.* 〖법률〗 기한의 사전 결정 ; 예정 기한.

prégnant, e [pʀegnɑ̃, -ɑ̃:t] *adj.* ① 〖언어〗 함축성 있는 : valuer 〔construction〕 ~*e* 함축된 의미〔구문〕. ② ⓐ 잉태〔수태〕한 ; 《비유》 풍부한 내용을 지닌. ⓑ (분만 때처럼 고통 따위가) 혹독한(= violent, pressant).

préhensile [pʀeɑ̃sil] *adj.* 〖동물〗 잡을 수 있는 : pince ~ (게 따위의) 물체를 잡을 수 있는 집게.

préhension [pʀeɑ̃sjɔ̃] *f.* ① 잡기, 포착 ; (생물 기관의) 잡는 기능. ② 《옛》 〖법률〗 징발, 차압 : droit de ~ (국가의) 징발권.

préhistoire [pʀeistwa:ʀ] *f.* ① 선사 시대(의 일) ; 선사학. ② (과학 따위의) 초창기.

préhistorien, enne [pʀeistɔʀjɛ̃, -ɛ:n] *n.* 선사학자.

préhistorique [pʀeistɔʀik] *adj.* ① 유사 이전의, 선사 시대의 : période ~ 선사 시대. ② 《구어》 구식의, 낡아 빠진, 케케묵은.

pré(-)industriel, elle [pʀeɛ̃dystʀijɛl] *adj.* 산업 혁명 이전의 ; 공업화 이전의.

préjudice [pʀeʒydis] *m.* (권력·이익의) 침해, 손해, 피해, 폐 : porter 〔causer〕 un ~ à qn …에게 손해〔폐〕를 끼치다 / subir un ~ 해를 입다 / ~ moral 정신적 피해. ***au ~ de*** qn 〔qc〕 …에게〔에〕 해롭게, …의 이익에 반하여 : erreur judiciaire commise *au ~ de* qn …에게 피해를 입힌 사법상의 착오. ***sans ~ de*** qc …에는 상관없이, …은 별도로.

préjudiciable [pʀeʒydisjabl] *adj.* 《~ à qn 〔qc〕》 …에(게) 해를 끼치는, 해로운, 유해한 : être ~ *à* la santé 건강에 해롭다.

préjudiciel, elle [pʀeʒydisjɛl] *adj.* 선결해야 할 : question ~ 선결 문제.

préjugé** [pʀeʒyʒe] *m.* ① 〖법률〗 판례, 전례. ② 선입관〔견〕, 편견 : ~ de race 인종적 편견 / être imbu de ses ~*s* 편견에 빠져 있다 / avoir un ~ sur qc …에 관해서 편견을 갖다. ③ 억측 : un ~ en sa faveur 그에게 유리한 억측. **~ *racial 인종적 편견.

préjuger [pʀeʒyʒe] [3] *v.t.* ① 〖법률〗 심의하지 않고 판단하다. ② 억측하다 : autant qu'on peut le ~ ; à ce qu'on en peut ~ 사람들의 억측하는 바에 의하면. ── *v.i.* 《~ de》 …에 대해 속단〔억측〕하다 : ~ *de* ses propres forces 자기 역량에 대해 속단하다.

prélasser (se) [s(ə)pʀelase] *v.pr.* 편한 자세를 취하다, 편하게 쉬다 : *se* ~ dans un fauteuil 팔걸이의자에 느긋이 앉다.

prélat [pʀela] *m.* (가톨릭의) 고위 성직자.

prélatin, e [pʀelatɛ̃, -in] *adj.* 라틴 문화〔어〕 이전의.

prélavage [pʀelavaːʒ] *m.* 애벌빨래, 예비 세탁.

prèle, prêle [pʀɛl] *f.* 〖식물〗 속새, 쇠뜨기.

prélèvement [pʀelɛvmɑ̃] *m.* ① (돈의 일부를) 미리 뗌, 공제, 선취 ; (세금 따위의) 징수 : ~ d'intérêts 이자의 공제 / ~ obligatoire 원천 징수. ② 채취 : ~ de sang 혈액 채취, 채혈.

***prélever** [pʀe[ɛ]lve] [4] *v.t.* ① 채취하다 : ~ du sang (검사용으로) 피를 뽑다. ② 《~ sur》 …에서 미리 떼다, 공제하다 ; 징수하다 : ~ des contribution 〔un impôt〕 *sur* qn 〔qc〕 세금을 …에서 미리 떼다〔징수하다〕 / ~ un tribut *sur* qn …에게 조세를 징수하다.

préliminaire [pʀeliminɛːʀ] *adj.* 전제(前提)의 ; 예비의 : entretiens ~*s* 예비 회담. ***vue* ~** (영화 따위의) 시사(회). ── *m.* ① (휴전·평화 조약을 위한) 예비 교섭〔절충〕. ② (*pl.*) 예비 행위, 사전 준비 ; (성교 때의) 전희(前戱). ③ (*pl.*) 서두, 서막 : ~*s* d'une tragédie 비극의 서막. **~ *de conciliation*** 〖법률〗 조정을 위한 예비 절충.

prélude [pʀelyd] *m.* ① 〖음악〗 전주곡 ; (오페라의) 서곡 ; (연주 전 악기나 음성의) 사전 조율 : ~*s* de Chopin 쇼팽의 전주곡. ② 전조, 서막 : ~ des hostilités 전쟁의 서막.

préluder [pʀelyde] *v.i.* 〖음악〗 ① (연주 전에) 시험 삼아 소리를 내 보다. ② 서곡〔전주곡〕을 연주하다 ; 《~ par》 …으로 연주를 시작하다 : L'organiste *a préludé par* une fugue de Bach. 오르간 연주자는 바흐의 푸가로 연주를 시작했다. ── *v.t. ind.* 《~ à》 …의 예비 행위〔준비〕를 하다 ; …의 전조가 되다〔서막이 되다〕.

***prématuré, e** [pʀematyʀe] *adj.* ① 조숙한, 올된, 일된. ② 너무 이른, 시기상조의 : accouchement ~ 〖의학〗 조산 / mort ~*e* 요절(夭折) / vieillesse ~*e* 조로(早老). ── *n.* 조산아(早産兒), 미숙아(= enfant ~).

prématurément [pʀematyʀemɑ̃] *adv.* ① 조숙하게, 올되게, 일되게. ② 너무 이르게, 시기상조로 : mourir ~ 요절하다.

préméditation [pʀemeditɑsjɔ̃] *f.* ① 미리 숙고하기. ② 〖법률〗 예모(豫謀).

prémédité, e [pʀemedite] *adj.* ① 미리 숙고된, 계획적인(≠ spontané) : action ~*e* 계획적인 행동. ② 〖법률〗 예모한(= préparé) : crime ~ 미리 계획한 범죄.

***préméditer** [pʀemedite] *v.t.* ① 미리 숙고하다, 면밀히 계획하다 : ~ un crime 계획적으로 범죄를 저지르다 / ~ de s'enfuir 도망칠 계획을 짜다. ② 〖법률〗 예모하다.

prémices [pʀemis] *f. pl.* ① (고대에 신에게 바친) (곡식의) 첫물, 맏물, 신출 ; (동물의) 무녀리 : ~ du riz 햅쌀. ② 발단, 시초(= commencement, début) : ~ de l'hiver 겨울의 시초.

premier, ère** [pʀəmje, -ɛːʀ] *adj.* ① 《시간·장소》 첫째의, 최초의 : la ~*ère* édition d'un livre 책의 초판 / la *P*~*ère* Guerre mondiale 제 1 차 세계 대전 / la ~*ère* rue à droite 첫 번째 오른쪽 길 / le ~ Empire 〖프랑스사〗 제 1 제정(1804-15) / ~ étage, 2 층. ② 《순서·순위》 첫째의, 수위의, 으뜸가는, 최상의 ; 제 1 급의 ; 일류의 ; 일세(一世)의 : Napoléon Ier 나폴레옹 1 세 / C'est la ~*ère* des menteuses. 그녀는 대단한 거짓말쟁이다 / ~ prix 1 등상 / ~*ère* danseuse 프리마 발레리나 / ~ secrétaire 수석〔제 1〕 서기 / voyager en ~*ère* classe, 1 등 칸을 타고 여행하다. ③ 기본의, 근본의 ; 원래〔본래〕의 : cause ~*ère* 근본 원인 ; 〖철학〗 제1 원인(原因)《특히 신을 가리킴》 / principes ~*s* 근원, 원리 원칙 / état ~ 원상(原狀). ④ 중요한, 필요 불가결한. ⑤ 긴급한, 화급한. ***dans les ~s temps 처음에는. ***dès le ~ jour*** 처음부터. ***en ~*** 첫째의. ***en ~ (lieu)*** 첫째의 ; 첫째로. ***le ~ venu*** 선착자 ; 아무나, 누구든지 : *Le ~ venu* vous dira cela. 누구든지 당신에게 그렇게 말할 것이다.

── *m.* ① 초하루, 1 일 : le ~ janvier 정월 초하루. ② (집의) 2 층 : habiter au ~, 2 층에 살다. ③ (신문의) 사설, 논설(= ~ article). ***le P~*** 수상(= le *P*~ ministre).

── *n.* ① 최초의 것〔사람〕 ; 제 1 위의 것 : arriver le ~ 맨 처음 도착하다 / tomber la tête la ~*ère* 거꾸로 떨어지다, 곤두박이치다. ② 전자(≠ le dernier).

── *f.* ① 일등석〔차·실〕(의 표). ② 〖인쇄〗 초교. ③ 〖연극〗 초연일 ; 〖영화〗 공개 시사회 ; 초유(初有)의 일〔쾌사〕 : habitués des ~*ères* 초연일의 단골. ④ 제 1 학급《고등학교 3 학년에 해당》(의 학생·교실). ⑤ (양장점 따위의) 여감독. ⑥ 〖의학〗 처음으로 시도되는 수술.

***premièrement** [pʀəmjɛʀmɑ̃] *adv.* 첫째로, 우선(≠ ensuite).

premier-né, première-née [pʀəmjene, pʀəmjɛʀne] (*pl.* **~s-~s**) *n.* 첫아이, 제 1 자(≠ dernier-né). ── *adj.* 처음으로 태어난.

prémilitaire [pʀemilitɛːʀ] *adj.* 입영〔징병〕 전의.

prémisse [pʀemis] *f.* 〖논리〗 전제.

prémolaire [pʀemɔlɛːʀ] *f.* 〖치과〗 앞 어금니, 소구치(小臼齒).

prémonition [pʀemɔnisjɔ̃] *f.* 예감, 조짐, 전조(= pressentiment).

prémonitoire [pʀemɔnitwaːʀ] *adj.* ① 〖의학〗 (증세가) 전구적(前驅的)인 : symptôme ~ 전구 증상. ② 예감의, 전조의 : signe ~ 전조.

prémunir [pʀemyniːʀ] *v.t.* 미리 보호하다, 대비시키다. **~ qn *contre* qc** …을 …에서 지키다〔보호하다〕. ── **se ~** *v.pr.* 《se ~

contre》 …에 대비〔조심〕하다 : *se ~ contre* le froid 추위에 대비하다.

prenable [pʀənabl] *adj.* ① 탈취〔검거〕할 수 있는. ② 섭취〔복용〕할 수 있는.

prenant, e [pʀənɑ̃, -ɑ̃:t] *adj.* ① 매혹적인, 마음을 사로잡는 : voix *~e* 매혹적인 음성 / C'est un livre ~. 그것은 사람의 마음을 사로잡는 책이다. ② travail ~ 품과 시간이 드는 일. ③ 붙잡는 능력이 있는 : queue *~e* des signes 물체를 거머잡는 원숭이 꼬리. ④ 〖법률〗 partie *~e* 수취인 ; (계약) 당사자.

prénatal, e, aux 〔**als**〕 [pʀenatal, -o〔-al〕] *adj.* 출생 전의 ; 해산 전의 : allocations *~es* 해산 전 수당《임신 중에 받는 수당》.

***prendre** [pʀɑ̃:dʀ] [26] *v.t.* [A] 《주어 : qn》 ① (손으로) 잡다 ; (손에) 쥐다 ; 붙잡다 ; 체포하다 ; 포획하다 ; 포착하다 : ~ qn par la main …의 손을 잡다, 악수하다 / ~ son stylo pour écrire 쓰기 위해 만년필을 쥐다 / ~ un enfant dans ses bras 어린애를 안다 / ~ un voleur 도둑을 체포하다. ② ⓐ (집어) 들다 : Il *prit* la coupe et la porta à ses lèvres. 그는 잔을 꺼내 입술로 가져갔다. ⓑ 끄집어내다, 꺼내다 ; (예금 따위를) 인출하다 : ~ de l'argent à la banque 은행에서 돈을 찾다. ⓒ (예문 등을) 따오다, 인용하다 : ~ une citation dans un ouvrage 어떤 책에서 인용문을 따오다〔차용하다〕. ③ 차지하다 ; 가져가다 ; 데려가다 ; 빼앗다 ; 훔치다 : La mort lui *a pris* son fils. 죽음이 그의 아들을 앗아갔다. ④ ⓐ 점령하다 ; 정복하다 ; 장악하다 : ~ une forteresse 요새를 점령하다 / ~ le pouvoir 정권을 장악하다. ⓑ (여자를 육체적으로) 차지하다(= posséder) : ~ une femme de force 여자를 성폭행하다(= violer). ⓒ 공격하다 : ~ l'ennemi de flanc 적을 측면에서 공격하다. ⓓ (범인 따위를) 갑자기 덮치다. ⑤ ⓐ 택하다 ; 정하다 : Lequel *prenez*-vous ? 어느 것을 택하시겠습니까 ? / ~ un rendez-vous 만날 시간 · 장소를 정하다, 만날 약속을 하다. ⓑ 채택하다 (= adopter) ; 따르다 : ~ les mœurs d'un pays 어떤 나라의 풍습을 따르다. ⑥ (태도 따위를) 취하다 ; (어떤 행위를) 하다 : ~ des manières distinguées 점잖은 태도를 갖다. ⑦ (적극적 의사 없이) 가지게 되다〔얻다〕, …하게 되다 : ~ de l'âge 나이를 먹다 / ~ une habitude 습관이 붙다. ⑧ ⓐ (기차 · 배 · 비행기 따위를) 타다 ; (의자에) 앉다 : ~ un taxi 〔le métro, l'autobus, le train, le bateau, l'avion〕 택시〔지하철 · 버스 · 기차 · 배 · 비행기〕를 타다 / *Prenez* une chaise. 의자에 앉으시지요. ⓑ (길 따위를) 잡아들다, …에 접어들다 : ~ le chemin de 〔pour〕 Paris 파리로 가는 길을 가다. ⓒ 먹다, 마시다 ; (식사를) 하다 ; (목욕을) 하다 : ~ son café 커피를 마시다 / Le malade n'*a* rien *pris* depuis deux jours. 환자는 이틀 전부터 아무것도 먹지 않았다 / ~ une douche 샤워하다. ⑨ (옷을) 입다, (모자를) 쓰다, (신을) 신다 ; (우산 따위를) 휴대하다 : ~ le deuil 상복을 입다 / ~ ses lunettes 안경을 쓰다. ⑩ ⓐ 얻다 ; 입수하다 : ~ des renseignements 정보를 얻다 ; 문의하다 / ~ des nouvelles 소식을〔뉴스를〕 알아보다. ⓑ (방 · 집을) 빌다 ; (표 · 물건을) 사다 ; (사람을) 고용〔채용〕하다 : On ne *prend* plus personne à l'usine. 공장에는 이제 아무도 고용하지 않는다 / ~ des billets 표를 사다. ⑪ (책임을) 지다 : ~ qc à sa 〔en〕 charge …을 떠맡다 / ~ qn 〔qc〕 sous sa protection …을 보호해 주다. ⑫ (예문 따위를) 인용〔차용〕하다 ; (예를) 들다 : ~ un exemple 예를 들다. ⑬ 적다, 쓰다 ; (사진을) 찍다, (복사)하다 : ~ une photographie 사진을 찍다 / ~ des notes (메모 · 필기를) 하다. ⑭ 받다 ; 받아들이다 ; 맞아들이다 ; 맞이하다 : *Prenez* ce qu'on vous donne. 주는 것을 받으시오 / La douane *prend* dix francs de droit sur cet objet. 세관은 이 물건에 대해 10 프랑의 세금을 받는다〔징수한다〕. ⑮ (매를) 얻어맞다 ; (병에) 걸리다 : ~ des coups 매를 얻어맞다 / ~ un rhume 〔une grippe〕 감기 들다. ⑯ 《양태의 상황보어를 동반》 …하게 받아들이다〔생각하다 · 해석하다〕 ; …한 태도를 취하다 : Vous *prenez* mal mes paroles. 당신은 제 말을 오해하고 계십니다 / ~ la vie du bon côté 인생을 낙관적으로 생각하다〔보다〕.

[B] 《주어 : qc》 ① (옷이 몸에) 맞다 : vêtement qui *prend* bien la taille 몸에 꼭 맞는 옷. ② (빛깔 · 형태 따위를) 띠다 : Les feuilles *prennent* une couleur dorée. 나뭇잎들이 노란빛을 띤다. ③ 《~ qn》 ⓐ (감각 · 감정 따위가) 엄습하다, 사로잡다 : La faim me *prend*. 갑자기 허기증이 난다 / La fièvre l'*a pris*. 그는 고열이 났다. ⓑ (어떤 일이 갑자기) 닥쳐오다, 들이닥치다 : L'orage nous *a pris* sur la route. 노상에서 우리는 갑자기 비를 만났다. ④ ⓐ 《~+시간의 표현》 (어떤 일이) …을 요하다, …걸리다 : La traversée *prendra* 3 hours. 항해는 사흘이 걸릴 것이다. ⓑ 《~ qn+시간의 표현》 Ce travail me *prend* tout mon temps. 나는 이 일에 줄곧 매달려 있어야 한다. ⑤ (배 · 구두 따위가 물을) 새어 들게 하다 ; (천이 물감을) 먹다, 흡수하다 : tissu qui *prend* la teinture 물감이 (잘) 배는 천.

à bien ~ les choses ; à le bien ~ 사리를 잘 생각해 보면. ***à tout ~*** 모든 것을 따져보면, 결국. ***C'est à ~ ou à laisser.*** 양단간에 결정을 해야 합니다〔하십시오〕. ***le ~ de haut*** 거만하게 굴다. ***~ à cœur*** 심각하게 생각하다. ***~ cher*** 비싸게 팔다〔받다〕. ***~ congé de*** qn …에게 작별 인사를 하다, 하직하다. ***~ en considération*** 고려하다.

── *v.i.* ① 뿌리박다 : arbres qui n'*ont* pas *pris* 뿌리박지 않은 나무. ② (강 따위가) 얼다 ; 굳어지다 ; (음식이) 눌어붙다 : La crème *a pris*. 크림이 굳어졌다 / La rivière *a pris*. 강이 얼었다. ③ (불이) 붙다 ; (물감이) 들다. ④ 잘되다, 성공하다 ; 인기를 끌다 : Le vaccin *a pris*. 우두가 잘 됐다 / Cette mode *prendra*. 이 유행은 인기를 끌 것이다 / Ça ne *prend* pas avec moi. 나는 못 속인다. ⑤ 《~ à》 …에서 시작되다 : rue qui *prend au* numéro 8, 8 번지에서 시작되는 길. ⑥ 《me 〔te, lui, etc.〕 ~》 나〔너 · 그〕를 사로잡다 : L'envie lui *prend* de partir. 떠나고 싶은 생각이 그를 사로잡는다 / Le vin lui *prit*

P

à la tête. 술기운이 그의 머리로 올라왔다. ***Bien lui en prit de***+*inf.* 그가 …한 것은 다행이었다. ***Qu'est-ce qui lui prend?*** 무슨 영문인가?
— **se ~** *v.pr.* ① ⓐ 잡히다 : Cela *se prend* par le milieu. 그건 중간을 잡아야 한다. ⓑ (약 따위가) 복용되다. ② 굳어지다 ; (강 따위가) 얼어붙다. ③《se ~ à》ⓐ …에 사로잡히다〔매혹되다〕; …에 열중하다. ⓑ …에 걸리다 ; (사람이) …에 매달리다 : Il *se prit à* moi. 그는 내게 매달렸다. ④ ⓐ 서로 잡다 : *se ~* aux cheveux 서로 (머리채를 잡고) 싸우다. ⓑ …을 서로 빼앗다 : Ils cherchent à *se ~* le ballon. 그들은 서로 공을 뺏으려고 애쓴다. ⑤《se ~ à》…을 공격〔비난〕하다, …에게 대들다. ⑥《se ~ à》…을 능란하게 하다. ⑦《se ~ à+*inf.*》하기 시작하다 : *se ~ à* pleurer 울기 시작하다. ***se ~ d'amitié pour*** qn …에게 우정을 품다. ***s'y ~ bien*** 〔***mal***〕 잘〔잘못〕하다, 능란하다〔서투르다〕.

preneur, euse [pʀənœːʀ, -øːz] *n.* ① 사는 사람, 매수인(買受人) ; 빌리는 사람, 임차인(賃借人). ② (어음 따위의) 수취인. ③ ~ de son 녹음 기사. ④ ~ d'otages 인질 유괴범. ***être ~*** ⓐ 매수인〔임차인〕이 되다 : À cette condition-là, je *suis ~*. 그 조건이라면 내가 사겠소. ⓑ 흥미가 있다, 스스로 응하다.

‡prénom [pʀenɔ̃] *m.* (성에 대해) 이름, 세례명(= petit nom ; nom de baptême).

prénommé, e [pʀenɔme] *adj.* ① 앞서 이름을 든 ; 상기(上記)의. ② …이라는 이름의 : petit enfant ~ Pierre 피에르라는 이름의 소년.

prénommer [pʀenɔme] *v.t.* …에게 이름을 붙이다 : Ils *ont prénommé* leur fils Jean. 그들은 아들에게 장이라는 이름을 붙였다. — **se ~** *v.pr.* 이름이 …이다.

prénuptial, e, aux [pʀenypsjal, -o] *adj.* 결혼 전의 : examen ~ 혼전 검진(檢診).

préoccupant, e [pʀeɔkypɑ̃, -ɑ̃ːt] *adj.* ① 몰두〔전념〕하는. ② 걱정되는, 염려스러운, 위급한 : La situation militaire est très *~e.* 군사 정세는 매우 위급하다.

préoccupation [pʀeɔkypɑsjɔ̃] *f.* ① 몰두, 전념, 열중 ; 고정〔강박〕관념 (= idée fixe, obsession) : être dans la ~ 몰두하고 있다. ② 걱정, 염려, 심려 : partager les *~s* de qn …와 걱정을 같이하다. ③ 관심사 : L'argent est son unique ~. 금전이 그녀의 유일한 관심사이다. ④ 편견, 선입관. ⑤〖법률〗선취(先取), 선점(先占).

préoccupé, e [pʀeɔkype] *adj.* ①《~ de》…에 마음을 빼앗긴, 몰두〔전념〕하고 있는 : Il était ~ *de* sa santé. 그는 건강에 무척 신경을 쓰고 있다. ② 멍한. ③ 근심스러운 : Il a l'air ~. 그는 근심스런 모습을 하고 있다.

préoccuper** [pʀeɔkype] *v.t.* 걱정〔근심〕시키다, 불안하게 하다 : Sa santé me *préoccupe.* 그녀의 건강이 내 마음에 걸린다. — **se ~** *v.pr.*《se ~ de》…에 마음을 빼앗기다 ; …을 걱정하다. ***se ~ de+*inf.* …하기에 골몰하다 ; …하는 것을 걱정하다.

préopératoire [pʀeɔpeʀatwaːʀ] *adj.* 〖의학〗수술 전의 : anesthésie ~ 수술 전 마취.

préparateur, trice [pʀepaʀatœːʀ, -tʀis] *n.* ① 준비하는 사람. ② (시험 준비를 위한) 참고서. ③ (실험 따위의) 조수 ; 약제사의 조수(= ~ en pharmacie).

préparatif [pʀepaʀatif] *m.*《보통 *pl.*》준비, 채비(= apprêt, arrangement) : *~s* de guerre 전쟁 준비 / faire les〔ses〕*~s* de voyage 여행 준비를 하다.

***préparation** [pʀepaʀɑsjɔ̃] *f.* ① 준비, 채비 ; (학과 시험의) 준비, 예습 : ~ d'un voyage 여행 준비 / ~ au baccalauréat 대학 입학 자격 고사 준비. ② 각오, 결심. ③ (약의) 조제, 조제한 약 ; (음식의) 조리.

préparatoire [pʀepaʀatwaːʀ] *adj.* 준비의, 예비의 : classes *~s* aux grandes écoles 대학 (입시) 예비반.

‡préparer [pʀepaʀe] *v.t.* ① 준비〔채비〕하다 : ~ un voyage 여행을 준비하다 / ~ un repas〔~ à manger〕식사 준비를 하다. ② 갖추어 놓다, 마련하다 / ~ les chambres avant l'arrivée des hôtes 손님들이 도착하기 전에 방을 갖추어 놓다 / ~ un emplacement 장소를 마련하다. ③ (약을) 조제하다 ; (음식을) 조리하다 : ~ des médicaments 약을 조제하다 / ~ le poisson 생선을 요리하다. ④ (계획을) 세우다, 짜다 ; 계획하다 : ~ une réforme de l'Enseignement 교육제도의 개혁안을 짜다 / ~ un complot 음모를 꾸미다. ⑤《~ qc à qn》…을 …에게 준비시키다 ; 예고하다 : Cette politique nous *prépare* une catastrophe. 이 정책은 우리에게 파국을 예고케 하는 것이다. ⑥《~ qn à qc》…에게 …의 준비를 시키다, 마음의 준비를 시키다 : ~ qn *à* la mort …에게 죽을 각오를 시키다 / ~ qn *à* une mauvaise nouvelle …에게 나쁜 소식에 대한 마음의 준비를 시키다. — **se ~** *v.pr.*《se ~ à qc〔+*inf.*〕》① …에 대하여, …할 준비〔채비〕를 하다, …할 태세를 갖추다 : *Préparez-vous à* sortir. 나갈〔외출할〕준비를 하세요 / *se ~ au* combat 전투 태세를 갖추다. ② (일이) 일어나려 하고 있다 : Un grand événement *se prepare.* 큰 사건이 일어나려 하고 있다.

prépondérance [pʀepɔ̃deʀɑ̃ːs] *f.* 우위, 우월 : avoir la ~ sur les autres 타인에 대한 우위를 유지하다.

prépondérant, e [pʀepɔ̃deʀɑ̃, -ɑ̃ːt] *adj.* ① 우세한, 우월한. ② 결정권을 가진 : voix *~e* 결선 투표, 재결 투표.

préposé, e [pʀepoze] *n.* ① (하급) 계원, 담당자 : *~s* de douanes 세관원 / ~ aux billets 출납계원. ② 우체부, 우편 집배원(= facteur).

préposer [pʀepoze] *v.t.*《~ qn à》…을 …에 임명하다, …에게 …을 담당케 하다 : ~ qn *à* la garde des bureaux …을 회사의 수위로 임명하다 / ~ qn *à* des travaux …에게 공사를 감독시키다.

prépositif, ive [pʀepozitif, -iːv] *adj.* 〖문법〗전치사의 : locution *~ive* 전치사구.

***préposition** [pʀepozisjɔ̃] *f.* 〖문법〗전치사.

prépositionnel, elle [pʀepozisjɔnɛl] *adj.* 전치사의 : syntagme ~ 전치사구.

prépublication [pʀepyblikɑsjɔ̃] *f.* (출판 전에 소개되는) 발췌, 요약.

prépuce [pʀepys] *m.* 〖해부〗(음경의) 포피(包皮).

préraphaélite [pʀeʀafaelit] *adj.* et *n.* 〖미

술》 라파엘(*Raphaël*) 전파(前派)의 (화가).

préréfrigération [pReRefRiʒeRɑsjɔ̃] *f.* 《공업》 (수송·가공·저장에 앞선) 예비 냉각, 사전 냉동.

prérentrée [pReRɑ̃tRe] *f.* 《학교》 (교사의) 신학기 준비 기간.

préretraite [pReR(ə)tRɛt] *f.* 조기〔명예〕퇴직(금); 실업(失業) 수당.

prérogative [pReRɔgatiːv] *f.* ① 특권(= privilège) : ~*s* du président 대통령의 특권. ② 특질, 특성.

préromantisme [pReRɔmɑ̃tism] *m.* 《문학사》 전기(前期) 낭만주의 (시대).

‡près [pRɛ] *adv.* ① 《공간》 가까이(에), 곁에 : Il habite tout ~. 그는 아주 가까이에 산다 / Approchez plus ~ de moi. 좀더 내 곁으로 오세요. ② 《시간》 곧, 금방 : L'été est tout ~. 곧 여름이 다가온다 / Le film était ~ de la fin. 영화는 금방 끝난다. ***à beaucoup*** ~ 차이가 많게, 훨씬 (미치지 못해) : Ce n'est pas, *à beaucoup* ~, la somme qu'il me faut. 그건 내게 필요한 금액과는 차이가 많이 난다. ***à peu*** ⓐ 대략 ; 거의 : Il est guéri ou *à peu* ~. 그는 (병이) 거의 나았다. ⓑ *m.* 《복수불변》 개산(槪算) ; 대략적인 것, 비슷한 것 : calculer une somme par *à peu* ~ 어떤 금액을 개산하다. ***à peu de chose*** ~ 극히 사소한 점을 제외하면, 대략, 거의. ***à...*** ~ ⓐ 불과 …의 차이로, 어긋나서 : J'ai manqué mon train *à* deux minutes ~. 불과 2분의 차이로 열차를 놓쳤다. ⓑ …을 제외하고〔하면〕 : *à* quelques exceptipons ~ 몇몇 예외를 제외하면. ⓒ 《n'en être pas à... ~》 …은 문제도 안 된다 : Il *n'en est pas à* cent francs ~. 그에게는 100 프랑 정도는 문제도 안 된다. ***au plus*** ~ 가장 가까운데(서) ; 《해양》 순풍을 타고 : courir *au plus* ~ 바람을 타고 가다. ***de*** ~ 가까이에서, 자세히, 세밀히 : tirer *de* ~ 가까이에서 쏘다 / voir *de* ~ 자세히 보다. ~ ***de*** ⓐ … 가까이, 곁에 : ~ *d'*ici 이 근방에. ⓑ 대략, 약, 거의 : Il est ~ *de* midi. 거의 12시다 / il y a ~ *de* vingt ans 대략 20년 전에. ⓒ 막 …하려는 : quand le jour est ~ *de* paraître 동이 막 틀 무렵에.

— *prép.* 《법률·행정》 …의 가까이에(= ~ de) : ambassadeur ~ le gouvernement français 주프랑스 대사.

présage [pRezaːʒ] *m.* ① 전조, 징조 : mauvais ~ 불길한 전조. ② (전조에 의한) 예상, 예측(= prévision).

présager [pRezaʒe] [3] *v.t.* ① 전조를 보이다, 예고하다. ② 추측하다, 예상하다.

pré-salé [pResale] *m.* (*pl.* **~s-~s**) 해변에서 염분이 있는 목초로 기른 맛있는 양(고기). 「(사람).

presbyte [pRɛsbit] *adj.* et *n.* 노안(老眼)의

presbytéral, e, aux [pRɛsbiteRal, -o] *adj.* 《가톨릭》 사제(司祭)의 ; 《신교》 장로의.

presbytère [pRɛsbitɛːR] *m.* 《가톨릭》 사제관(館) ; 《신교》 목사관.

presbytér(i)at [pRɛsbiteR(j)a] *m.* (장로교파의) 장로직.

presbytérien, enne [pRɛsbiteRjɛ̃, -ɛn] *adj.* 장로파의, 장로교회의. — *n.* 장로파(교도).

presbytie [pRɛsbisi] *f.*, **presbytisme** [pRɛsbitism] *m.* 노안(老眼), 원시.

prescience [pResjɑ̃ːs] *f.* 예지(豫知), 선견(先見) ; 통찰.

préscolaire [pReskɔlɛːR] *adj.* 의무 교육 학령 이전의, 취학 전의.

prescription [pRɛskRipsjɔ̃] *f.* ① 명령 ; 규정. ② 《의학》 처방. ③ 《법률》 시효 : ~ acquisitive 〔extinctive〕 취득〔소멸〕 시효.

***prescrire** [pRɛskRiːR] [38] *v.t.* ① 명령하다, 지시하다(= ordonner) : Le médecin *a prescrit* un repos absolu. 의사가 절대 안정을 지시했다. ② (법률이) 규정하다(= fixer) : formalités que *prescrit* le règlement 규정으로 정한 절차. ③ 《의학》 처방하다. ④ 《법률》 …에 시효를 적용하다 ; 시효에 의하여 (권리를) 취득하다〔(채무를) 면하다〕. — **se** ~ *v.pr.* ① 처방되다 ; 규정되다. ② 《법률》 시효에 걸리다 ; 시효에 의하여 소멸하다.

prescrit, e [pRɛskRi, -it] *adj.* 규정된, 정해진 : au jour ~ 정해진 날짜에.

préséance [pReseɑ̃ːs] *f.* 우선권, 상위권 : avoir la ~ sur qn …의 상위에 있다.

présélection [pReselɛksjɔ̃] *f.* 사전 선택, 예비 선택 ; (징병 검사 전의) 예비 적성 검사.

présence** [pRezɑ̃ːs] *f.* ① (특정의 장소에) 있음, 존재함 : ~ d'un Dieu qui se cache 숨어 있는 신의 존재. ② 출석, 참석, 입회 ; 참가 : feuille de ~ 출석〔출근〕부 / Vous êtes prié d'honorer de votre ~ l'inauguration du musée. 미술관의 개관식에 참석해 주시면 영광이겠습니다. ③ (배우의) 실감나는 연기(력), 개성, 박력 : acteur qui a de la ~ 박력 있는 배우. ④ 영향력, 세력 ; (과거 작가의) 현대성 : La ~ de la France en Afrique est toujours grande. 아프리카에서의 프랑스의 영향력은 여전히 크다 / ~ de Shakespeare 세익스피어의 현대성. ⑤ 《가톨릭》 ~ réelle 그리스도의 현존(現存) 《성체 Eucharistie에 그리스도의 몸과 피가 실재한다는 것》. ***en ~ 면전에, 대면하여 : mettre *en* ~ 대치〔대면〕시키다. ***en*** ~ ***de*** …와 대면하여, …에 직면하여 : *en* ~ *de* la mort 죽음을 앞에 두고. ***faire acte de*** ~ 잠깐 얼굴을 내밀다〔모습을 보이다〕. ~ ***d'esprit*** 기지, 재치 ; 임기응변 : conserver sa ~ *d'esprit* 임기응변의 재능을 발휘하다.

présent¹ [pRezɑ̃] *m.* 《문어》 선물, 프레젠트 (= cadeau) : ~ de noces 결혼 선물. ***faire*** ~ ***de*** qc ***à*** qn ***; donner*** 〔***offrir***〕 qc ***en*** ~ ***à*** qn …에게 …을 선사하다.

‡présent², e [pRezɑ̃, -ɑ̃ːt] *adj.* ① (사물이) 있는, 존재하는 : Elle était ~*e* quand l'accident s'est produit. 그녀는 그 사건이 일어났을 때 있었다. ② 출석한, 출근한 ; 입회한(≠ absent) : Il était ~ aux cours du matin. 그는 오전 중에 강의에 참석했다 / être ~ à une fête 연회에 참석하다. ③ ⓐ 《명사 뒤》 현재의, 지금의(= actuel ; ≠ passé, futur) : examiner l'état ~ de l'affaire 사건의 현상을 검토하다 / Les temps ~*s* sont durs. 지금은 고통스런 시대다. ⓑ 《명사 앞》 목전에 있는, 지금 문제가 되는, 이… : page 3 du ~ livre 이 책의 3페이지째. ④ 《문법》 현재(형)

P

의 : participe ~ 현재분사. — *n.* 출석자 : Il y avait douze ~*s* à la réunion. 집회의 출석자는 12 명이었다. — *m.* ① 현재, 지금 : Il ne pense qu'au ~. 그는 현재의 일밖에 생각하지 않는다. ② 〖문법〗 현재(형 · 시제) : verbe au ~ 현재 시제의 동사 / ~ de l'indicatif 〔du subjonctif〕 직설법〔접속법〕 현재. ***à ~*** 지금. ***à ~ que...*** 이제는 …이니, …인 지금은. ***d'à ~*** 지금의. ***dès à ~*** 지금부터, 금후. ***jusqu'à ~*** 현재까지. ***pour le ~*** 당장에는, 지금으로는. ***quant à ~*** 지금은 어떤가 하면. — *f.* 이 편지(= la ~*e* lettre).

présentable [pʀezɑ̃tabl] *adj.* (남 앞에) 내놓을 만한, 내보일 수 있는 ; 볼품이 있는.

présentateur, trice [pʀezɑ̃tatœːʀ, -tʀis] *n.* ① (신제품의) 전시 설명자 ; 소개자, 추천인. ② (방송 프로의) 사회자, 해설자.

présentation [pʀezɑ̃tɑsjɔ̃] *f.* ① (서류 따위의) 제출, 제시 : demander la ~ d'une pièce d'identité 신분을 증명하는 서류의 제시를 요구받다. ② (상품의) 전시(展示), 장식, 진열 ; 전시회 : ~ de modèles 견본의 전시. ③ ⓐ (보통 *pl.*) 소개(의 말) : faire les ~*s* (사람 · 손님을) 소개하다. ⓑ (신작 따위의) 발표, 추천 : ~ d'une collection de printemps 봄 컬렉션 발표회. ④ 《구어》 외모, 풍채, 모습 : avoir une bonne ~ 멋진 풍채를 하고 있다. ⑤ (논문 따위의) 전개, 설명(방법) : ~ des arguments d'une thèse 논문의 논지 전개. ⑥ 〖의학〗 태위(胎位). ***la P~ de la Vierge*** 성모 마리아 봉헌(제)《11 월 21 일》.

⁑présenter [pʀezɑ̃te] *v.t.* ① 내놓다, 권하다 : ~ des rafraîchissements aux invités 손님에게 시원한 음료를 내놓다 / ~ un fauteuil à un visiteur 방문자에게 의자를 권하다. ② 제시하다, 제출하다, 내보이다 : ~ son billet au contrôleur 검표원에게 표를 보이다 / ~ une thèse 학위 논문을 제출하다. ③ 전시하다, 진열하다 : ~ de nouveaux romans dans une devanture 진열창에 신간 소설을 전시〔진열〕하다. ④ 진술하다, 피력하다 ; 설명하다 ; (경의 따위를) 표하다 : ~ ses idées 생각을 말하다 / ~ ses hommages à qn …에게 경의를 표하다. ⑤ (작품 따위를) 발표하다 ; 상연〔상영〕하다, 방송〔방영〕하다 : ~ de nouveaux modèles 새 모델을 발표하다 / ~ une émission de radio 〔télévision〕 라디오〔텔레비전〕 방송을 진행하다. ⑥ 묘사하다, 표현하다 : ~ les choses telles qu'elles sont 사물을 있는 그대로 묘사하다. ⑦ 바치다, 봉정〔봉헌〕하다 : ~ le bras à qn …에게 팔을 내밀다. ⑧ 소개하다 ; 추천하다 ; (시험 · 선거 따위에) 등록시키다, 입후보시키다 : ~ un ami à qn …에게 친구를 소개하다 / ~ qn à 〔pour〕 un emploi …을 어떤 직무에 추천하다 / ~ un candidat à un examen 시험에 지망자를 등록시키다. ⑨ 보여주다 ; 《주어 : qc》 (어떤 형상을) 띠고〔보여주고〕 있다, (어떤 특성을) 가지고〔보여 주고〕 있다(= avoir, offrir) : ~ à ses lecteurs une image complète de la condition humaine 독자들에게 인간 조건의 진실한 모습을 보여 주다 / chemin qui *présente* de nombreux détours 매우 구불구불한 길 / affaire qui *présente* des difficultés 여러 가지 난점이 있는 일.
— *v.i.* ~ bien 〔mal〕 (용모 · 옷차림 따위가) 좋은〔나쁜〕 인상을 주다.
— **se ~** *v.pr.* ① 나타나다 ; 일어나다, 생기다 : 《비인칭》 Il *se présente* une diffculté. 곤란한 일이 일어난다 / 《비인칭》 s'il *se présente* des malades 병자들이 생기면 / Une occasion *se présente* de+*inf.* …할 기회가 온다. ② 지원〔응모〕하다 ; (선거에) 출마하다 ; (시험 따위에) 응모하다 : *se* ~ pour un emploi 〔poste〕 일자리에 지원하다 / *se* ~ à l'examen 응시하다. ③ 자기를 소개하다 : Permettez-moi de *me* ~. 제 소개를 하겠습니다. ***se ~ bien*** 풍채가 좋다 ; 좋아 보이다. 「〔대〕.

présentoir [pʀezɑ̃twaːʀ] *m.* 상품 진열장

préservatif, ive [pʀezɛʀvatif, -iːv] *adj.* 예방하는 : moyens ~*s* 예방 수단. — *m.* 피임 용구 ; 콘돔.

préservation [pʀezɛʀvɑsjɔ̃] *f.* 보존, 보호 ; 예방(수단) : ~ des espèces animales menacées 멸종 직전의 동물 보호.

***préserver** [pʀezɛʀve] *v.t.* 《~ qn 〔qc〕 de》 …을 …으로부터 보호하다〔보존하다〕 : ~ qn *d'*un danger …을 위험으로부터 지키다 / ~ un lac *de* la pollution 호수를 오염에서 보존하다. — **se ~** *v.pr.* 《se ~ de》 …으로부터 자기를 보호하다〔지키다〕 ; …을 면〔모면〕하다 : *se* ~ *de* la grippe 독감을 면하다.

présidence [pʀezidɑ̃ːs] *f.* président(대통령 · 의장)의 직〔재임 기간 · 관저〕 : ~ de la République (프랑스) 공화국 대통령직.

président** [pʀezidɑ̃, ɑ̃ːt] *n.* ① 의장, 회장, 총재 ; 위원장, 재판장 ; 총장 ; 사장 : ~ du tribunal 재판장 / ~-directeur général (주식 회사의) 사장(《약자》 P.D.G.). ② 대통령(= *P*~ de la République). ③ 연구소장 ; 심사 위원장. ***être élu ~ 의장으로 선출되다. ***la P~e*** 대통령〔의장 · 회장〕의 부인. ***~ du Conseil*** (***des ministres***) 국무총리, 수상.

présidentialisation [pʀezidɑ̃sjalizɑsjɔ̃] *f.* 대통령 중심제화, 권력의 대통령 집중.

présidentialisme [pʀezidɑ̃sjalism] *m.* 〖정치〗 대통령 중심제.

présidentiel, elle [pʀezidɑ̃sjɛl] *adj.* 대통령의 ; 회장〔의장 · 총장〕의 : régime ~ 대통령 중심제.

***présider** [pʀezide] *v.t.* ① …의 사회를 맡다, 의장이 되다 : ~ une réunion 회의의 의장이 되다. ② 주재하다, 주인 역할을 맡다 : ~ une amicale 친목회를 주재하다 / ~ un dîner 만찬회의 주인 역할을 맡다. — *v.t. ind.* 《~ à》 …을 주관하다 ; 지휘〔감독〕하다 : ~ *à* la construction d'une maison 가옥의 건축을 감독하다.

présomptif, ive [pʀezɔ̃ptif, -iːv] *adj.* 추정의 : héritier ~ 추정 상속인.

présomption [pʀezɔ̃psjɔ̃] *f.* ① 추정, 가정, 추측 : ~ légale 법률상의 추정 / ~ d'innocence 무죄의 추정. ② 자만, 거만, 오만 : jeune homme plein de ~ 사반심이 가득 찬 젊은이.

présomptueusement [pʀezɔ̃ptɥøzmɑ̃]

P

adv. 건방지게, 주제넘게, 거만하게.

présomptueux, euse [pʀezɔ̃ptɥø, -øːz] *adj.* et *n.* 잘난 체하는 (사람), 거드름 부리는 〔거만한〕 (사람).

présonorisation [pʀesɔnɔʀizɑsjɔ̃] *f.* 〖영화〗 녹음·녹화의 재생(= play-back).

‡**presque** [pʀɛsk] *adv.* 《presqu'île 이외에는 어미 e를 생략하지 않음》 ① 거의, 대부분 : ouvrage ~ achevé 거의 완성된 작품 / C'est ~ sûr. 그것은 거의 확실하다 / C'est ~ de la folie. 거의 미친 짓이다 / Il est ~ temps. 거의 시간이 다 되었다. ② 《형용사적》 la ~ totalité des ouvriers 거의 모든 노동자들. ***~ jamais*** 좀처럼 (…않다). ***~ personne*** 〔***rien***〕 거의 아무도〔아무것도〕 …않다 : Il n'y avait ~ *personne.* 거의 아무도 없었다. ***~ toujours*** 거의 언제나.

presqu'île [pʀɛskil] *f.* (작은) 반도(= péninsule) : la ~ de Malacca 말레이 반도.

pressage [pʀɛsaːʒ] *m.* 압착(하기), 프레스(하기).

pressant, e [pʀɛsɑ̃, -ɑ̃ːt] *adj.* ① 절박한, 긴박한(= urgent) : affaire ~*e* 긴급한 일 / cas ~ 급한 경우. ② 끈질긴, 집요한 : demandes ~*es* 끈질긴 요구. ③ 혹독한, 지독한.

press-book [pʀɛsbuk] 〔영〕 *m.* (신문 기사 따위를 모아 두는) 스크랩북.

presse** [pʀɛs] *f.* ① 《옛》 군중 : fendre la ~ 군중 속으로 끼어들다. ② 서두름 ; 서두를 필요, 긴급〔다급〕함 ; 분망, 다망 : ~ des affaires 일이 다망함. ③ 압착기 ; 인쇄기 : ~ à copier (편지의) 압착식 복사기 / ~ rotative 윤전기. ④ 출판 ; 인쇄 ; 정기 간행물, 잡지, 《특히》 신문 : liberté de la ~ 출판〔언론〕의 자유 / livre sous ~ 인쇄 중인 책, 근간 서적 / mettre qc sous ~ …을 인쇄에 부치다. ***avoir (***une***) ***bonne*** 〔***mauvaise***〕 ***~*** 신문에서 호평〔악평〕을 받다 ; 세평이 좋다〔나쁘다〕. ***Il y a*** (***la***) ***~***. 사람들이 굉장히 많다. ***Il y a ~*** 〔***La ~ est grande***〕 ***à*** + *inf.* 서둘러서 …할 필요가 있다. ***moments de ~*** 러시아워, 혼잡 시간. ***~ du cœur*** 애정 잡지. ***~ quotidienne*** 일간 신문 ; 《집합적》 언론, 언론인.

***pressé, e** [pʀɛ(e)se] *adj.* ① 압착된 ; 압축된 : orange ~*e* 오렌지 주스. ② 바쁜, (다)급한, 긴급한(= urgent) : besogne ~*e* 다급한 일거리 / ~ de partir 출발을 서두르고 있는. ③ 《~ par 〔de〕》 …으로 인해 압박〔고통〕당하고 있는 : ~ *par* la faim 굶주림에 시달리고 있는, 배가 고파 (견디다 못해) / ~ *d'*argent 돈에 쪼들리고 있는.
— *m.* aller 〔courir〕 au plus ~ 가장 긴급한 일부터 먼저 하다.

presse-bouton(s) [pʀɛsbutɔ̃] *adj.* 《복수불변》 누름단추식의 ; 완전 자동의 : usine ~ 무인 공장 / guerre ~ 푸시 버튼 전쟁.

presse-citron(s) [pʀɛssitʀɔ̃] *m.* 《복수불변》 레몬 압착기.

presse-fruits [pʀɛsfʀɥi] *m.* 《복수불변》 과실 압착기, (과즙 내는) 주서기.

***pressentiment** [pʀesɑ̃timɑ̃] *m.* 예감, 예지 ; 전조 : avoir le ~ de qc 〔que〕 …의〔이라는〕 예감이 들다.

***pressentir** [pʀesɑ̃tiːʀ] [18] *v.t.* ① 예감하다, 예측하다. ② 《~ qn》 …의 의중을 떠보다〔살피다〕. ③ 꿰뚫어보다.

presse-papiers [pʀɛspapje] *m.* 《복수불변》 서진(書鎭), 문진(文鎭).

presse-purée [pʀɛspyʀe] *m.* 《복수불변》 야채를 짓찧는 기구.

‡**presser** [pʀɛ(e)se] *v.t.* ① 누르다 ; (사람을) 밀다 : ~ un bouton 버튼을 누르다. ② 압착하다, 압축하다, (과실 따위를) 짜다 : ~ un fruit 과실을 짜다. ③ 껴안다 ; 힘주어〔꽉〕 잡다 : ~ la main de qn …의 손을 죄다〔꽉 잡다〕 / ~ qn dans les bras …을 껴안다, 포옹하다. ④ 《옛》 (문장·사상 따위를) 짜임새 있게〔간결하게〕 하다. ⑤ 압박하다, 괴롭히다 ; 공격하다, 육박하다 : ~ l'ennemi 적에 육박하다 / ~ qn de questions …을 질문 공격하다. — *v.i.* et *v.impers.* 바쁘다, 시급〔긴급〕하다(= être urgent) : affaire qui *presse* 시급한 일 / Le temps *presse.* 시간이 절박하다. — **se ~** *v.pr.* ① 밀려들다, 몰려오다, 모이다 : La foule *se pressait* autour de lui. 군중이 그의 주위로 모이고 있었다. ② 서로 바싹 다가서다, 붐비다. ③ 《se ~ de》 …하기를 서두르다, 서둘러 …하다 ; *se ~ de* partir 서둘러 출발하다 / *Pressez-vous !* 서두르시오!, 급히 하시오!

pressing [pʀe(ɛ)siŋ] 〔영〕 *m.* (증기로 옷을) 다리기(= pressage) ; 프레스 전문 세탁소.

pression** [pʀɛsjɔ̃] *f.* ① 누르기 : ~ de la main 손으로 누르는 압력. ② 압력, 기압 : ~ atmosphérique 기압 / hautes 〔basses〕 ~*s* 고기압〔저기압〕 / ~ artérielle 혈압. ③ (정신적인) 압박, 억압, 압력 : ~ fiscale 세금의 중압 / groupe de ~ (의회에 대한) 압력 단체(= lobby). ***faire ~ sur qn 〔qc〕 ⓐ 누르다, 압축하다. ⓑ 압력을 가하다, 압박하다.

pressoir [pʀɛswaːʀ] *m.* ① 압착기 : ~ à huile 기름 짜는 기계 / ~ à olives 올리브 압착기. ② 압착장, 압착실.

pressurage [pʀɛ(e)syʀaːʒ] *m.* ① (포도 따위의) 압착, 즙을 짜기. ② (세금 따위의) 착취.

pressurer [pʀɛ(e)syʀe] *v.t.* ① (압착기로) 짜다, 압착하다. ② 《~ qn》 ~ 에게서 세금을 짜내다 ; 착취하다.

pressuriser [pʀɛ(e)syʀize] 〔영〕 *v.t.* 〖항공〗 (비행기·우주선 따위의) 기압을 정상으로 유지하다, 여압(與壓)하다.

prestance [pʀɛstɑ̃ːs] *f.* 당당한 풍채, 관록.

prestataire [pʀɛstatɛːʀ] *m.* 〖법〗 ① (시·읍·면의) 노역(勞役)을 하는 자. ② (사회 보장 따위의) 수당을 받는 자.

prestation [pʀɛstɑsjɔ̃] *f.* ① (사회 보험 따위의) 급여, 수당 : ~*s* sociales 사회 보장 급여 / ~*s* familiales 가족 수당. ② (예능인·운동선수의) 연기, 기술 : remarquable ~ d'un gymnaste 체조 선수의 멋진 연기. ③ 공여, 제공 ; 부역 : ~ de service 서비스의 제공 / ~ en nature 부역《도로 보수 따위를 위해 지방 자치 단체가 행함》. ④ ~ de serment (변호사·공무원 등의) 선서.

preste [pʀɛst] *adj.* (동작·행위 따위가) 재빠른, 민첩한, 신속한(= prompt, agile) : mouvements ~*s* 재빠른 동작.

prestement [pʀɛstəmɑ̃] *adv.* 민첩〔민활〕하게, 기민하게, 신속하게, 재빠르게.

P

prestesse [pʀɛstɛs] *f.* 민첩, 기민, 신속.
prestidigitateur, trice [pʀɛstidiʒitatœ:ʀ, -tʀis] *n.* 요술쟁이, 마법사. 「마법.
prestidigitation [pʀɛstidiʒitasjɔ̃] *f.* 요술,
prestige** [pʀɛsti:ʒ] *m.* ① 《문어》 마력적 효과 ; 이상한 매력 : ~ de l'éloquence 웅변의 이상한 힘 / ~ de l'uniforme 제복〔군복〕의 매력. ② 위세, 위력 : avoir un grand ~ 위력이 대단하다. ③ 명성, 인기 ; (주위에 미치는) 정신적 영향력 : jouir d'un grand ~ en France 프랑스에서 인기가 대단하다. ***de ~ ⓐ 위신을 과시하기 위한 : politique *de* ~ 국위 선양 정책. ⓑ 명성이 높은 ; 고급의 ; 호화스러운 : école *de* ~ 명문 학교.
prestigieux, euse [pʀɛstiʒjø, -ø:z] *adj.* 위신이 있는 ; 이름 높은 ; 최고급의 : vins ~ 이름 높은〔최고급의〕 와인.
prestissimo [pʀɛstisimo] 〔이탈리아〕 *adv.* 〖음악〗 가장 빠르게, 프레스티시모.
presto [pʀɛsto] 〔이탈리아〕 *adv.* ① 〖음악〗 매우 빠르게. ② 《구어》 빨리, 신속히.
présumé, e [pʀezyme] *adj.* 추측〔추정〕된 : coupable ~ ; ~ coupable 범죄 용의자.
***présumer** [pʀezyme] *v.t.* 추정하다, 추측하다 ; 《~ qn＋형용사》 …을 …라고 생각하다 ; 《~ que》 …라고 생각하다 : ~ qn innocent ; ~ que qn est innocent …을 무죄로 보다〔추정하다〕 / Il n'est pas à ~ qu'il y consente. 그가 승낙하리라고는 생각되지 않는다. — *v.t. ind.* 《~ de》 …을 과대평가하다, 과신하다 : trop ~ *de* soi〔de ses forces〕 자기를〔자기의 힘을〕 과신하다.
présupposé, e [pʀesypoze] *adj.* 미리 가정된. — *m.* 가정 : ~*s* d'une doctrine 한 이론의 가정.
présupposer [pʀesypoze] *v.t.* (미리) 예상하다, (미리) 가정하다.
présupposition [pʀesypozisjɔ̃] *f.* 미리 상정(想定)하기, 예상, 가정 ; 전제.
présure [pʀezy:ʀ] *f.* 응유(凝乳) 효소.
prêt[1] [pʀɛ] *m.* ① 대여(貸與), 대출 ; 대출금 : ~ immobilier 주택 대출 / ~ à court〔à long〕 terme 단기〔장기〕 대출(금) / ~ d'honneur 무이자 신용 대출. ② (임금의) 선불 ; 〖군사〗 (사병의) 급료.
*****prêt**[2]**, e** [pʀɛ, -ɛt] *adj.* ① 준비〔채비〕가 된 : ~ pour la guerre 전쟁 준비가 되어 있는. ② 《~ à＋*inf.*》 ⓐ …할 생각을 가진〔용의가 있는, 각오를 한〕 ; (사물이) …하게끔 준비〔마련〕된 : ~ à mourir 죽을 각오가 되어 있는. ⓑ 막 …하려는(= près de) : ~ à partir 출발 준비가 된, 막 떠나려고 하는. ***être fin ~*** 완전히 준비되어 있다. ***être ~ à tout*** 무슨 일이라도 할 준비〔각오〕가 돼 있다 : Je *suis* ~ *à* tout pour aider mon pays. 조국을 돕기 위해 나는 어떤 일이라도 할 각오가 되어 있다.
prêt-à-porter [pʀɛtapɔʀte] *m.* (*pl.* **~s-~-~**) 기성복(≠ vêtement sur mesure).
prêté, e [pʀɛ〔e〕te] *adj.* 빌려 준〔받은〕, 대여된 ; argent ~ 대출금. — *m.* 빌린 것, 대여받은 것. ***C'est un ~ pour un rendu.*** 《구어》 눈에는 눈, 이에는 이 ; 가는 말이 고와야 오는 말이 곱다.
prétendant, e [pʀetɑ̃dɑ̃, -ɑ̃:t] *n.* 지망자 ; 구직자 ; 권리 주장자. — *m.* ① 구혼자. ② 왕위 계승권을 주장하는 왕자.
***prétendre** [pʀetɑ̃:dʀ] 25 *v.t.* ① 《옛》 요구하다, 청구하다(= demander) ; 바라다(= désirer) : Que *prétendez*-vous faire? 당신은 무엇을 하실 작정입니까? ② 《~＋*inf.*》 …할 것을 주장하다. …하기를 바라다 ; …한다고〔하리라고〕 생각〔자부〕하다 ; 《~＋*inf. passé*》 …했다고 주장하다 ; 《~ que＋*ind.*〔ne pas ~ que＋*sub.*〕》 …라고 주장하다〔하지 않다〕 : Il *prétend* l'avoir. 그는 그것을 가지고 있다고 주장한다 / Il *prétend que* ce *n*'est *pas* vrai. 그것은 사실이 아니라고 그는 주장한다 / On le *prétend* fou. 사람들은 그를 두고 미쳤다고들 한다. — *v.t. ind.* 《~ à》 …을 열망하다(= aspirer à) ; 《~ à＋*inf.*》 …하기를 열망하다 : ~ *aux* honneurs du trône 왕위에 오르기를 열망하다. — **se ~** *v.pr.* 자기를 …라고 주장하다 : *se* ~ parent de qn …의 친척이라고 주장하다.
prétendu, e [pʀetɑ̃dy] *adj.* 자칭의 ; 소위 (…라는 사람 · 것) : un ~ baron 자칭 남작 / C'est un ~ savant. 그는 자칭 학자이다. — *n.* 《지방어》 약혼자 ; 장래의 아내〔남편〕.
prétendument [pʀetɑ̃dymɑ̃] *adv.* 자칭하여, 거짓으로, (…라고 잘못) 생각되어(= faussement).
prête-nom [pʀɛtnɔ̃] *m.* (*pl.* **~-~(s)**) (계약 따위에) 이름 빌려 주는 사람, 명의인(名義人).
prétentieusement [pʀetɑ̃sjøzmɑ̃] *adv.* 건방지게, 우쭐해서.
***prétentieux, euse** [pʀetɑ̃sjø, -ø:z] *adj.* 잘난 체하는, 건방진, 아니꼬운. — *n.* 건방진 사람, 거드름 피우는 사람.
prétention** [pʀetɑ̃sjɔ̃] *f.* ① (권리의) 주장, 요구 : ~*s sur* un héritage 유산에 대한 상속권의 주장. ② (*pl.*) (급여 · 보수 따위의) 요구액 : Quelles sont vos ~*s*? 당신의 요구액은 얼마입니까? ③ 의도, 의사 ; 포부, 야망 : Je n'ai pas la ~ de rivaliser avec vous. 나는 당신과 경쟁할 의도는 전혀 없습니다. ④ 자부, 자만, 건방진〔잘난 체하는〕 생각 : personnage plein de ~ 잘난 체하는 사람. ***avoir de la ~ 건방지다. ***sans ~(s)*** (사람이) 겸허한 ; (사물이) 수수한 , 간소한(= simple).
*****prêter** [pʀɛ〔e〕te] *v.t.* ① (돈 · 물건을) 빌려주다(≠ emprunter) ; 제공〔공급〕하다 : ~ de l'argent à un ami 친구에게 돈을 빌려 주다 / Pouvez-vous me ~ ce livre? 이 책을 빌려 주시겠습니까? / 《목적보어 없이》 ~ sur gages 담보를 잡고 돈을 빌려 주다. ② ⓐ 《~ qc à qn》 (어떤 성격 · 말 · 생각 따위를) …이 가진〔한〕 것으로 여기다, …의 탓으로 돌리다 : ~ ses défauts *aux* autres 자기 잘못을 남의 탓으로 돌리다 / On me *prête* des propos que je n'ai jamais tenus. 사람들은 내가 하지도 않은 말을 내가 했다고들 하고 있다. ⓑ 《~ qc à qc》 …을 부여하다, 주다 : ~ de l'importance *à* qn〔qc〕 …을 중요시하다 / 《무관사명사와 함께》 ~ secours 원조하다. ***la main*** 〔***les mains***〕 ***à...*** ⓐ …에게 손을 빌려 주다, …을 돕다. ⓑ (사건 따위에) 가담하다. ***~ sa voix*** (가수가 자선 콘서트에) 출연하다 ; 대역(代役)을 맡

P

다. — *v.t. ind.* 《~ à》 초래[자초]하다 : ~ *à* la critique 비판을 초래하다, 비난을 사다 / ~ *à* rire 웃음을 자아내다. — *v.i.* 늘어나다 : sujet qui *prête* 내용이 얼마든지 확대될 가능성이 있는 주제. — **se ~** *v.pr.* ① 빌려지다, 대여되다. ② (천·가죽 따위가) 늘어나다. ③ 《se ~ à》 …에 찬동하다, 응하다 : *se* ~ *à* un accommodement 이야기에 응하다. ④ 《se ~ à》 《주어 : qc》 …에 적합하다, 알맞다 : terre qui *se prête à* toutes les cultures 모든 경작에 적합한 토지.

prétérit [pReteRit] *m.* 〖문법〗 과거(형), 《특히》 단순과거(형).

prêteur, euse [pRetœ:R, -ø:z] *n.* 빌려 주는 사람, 대주(貸主) ; 대금업자(貸金業者) : ~ sur gage(s) 전당포 주인. — *adj.* 빌려 주는 ; 빌려 주기 잘하는 ; 대금업을 하는.

prétexte** [pRetɛkst] *m.* ① 핑계, 변명, 구실 : Il n'y a pas de ~ (à cela). (그것에 대해서는) 변명의 여지가 없다 / servir de ~ 구실이 되다. ② 기회, 계기(= occasion). ***prendre [***tirer***] **~ *de*** qc ***pour*** + *inf.* …을 구실로 삼아 …하다 : Le patron *a pris* ~ *de* ses retards *pour* la licencier. 지점장은 지각이 잦다는 구실로 그녀를 해고했다. ***prendre* ~ *que*** …을 구실로 하다, 핑계 삼다. ***sous aucun* ~** 어떠한 사정이 있어도 (결코) : Ne sortez *sous aucun* ~. 어떤 사정이 있더라도 밖에 나가서는 안 된다. ***sous*** (***le***) **~ *de*** + *inf.* [***que*** + *ind.*] …을 구실 삼아[기회로 하여].

prétexter [pRetɛkste] *v.t.* 핑계 삼다, 구실로 하다 : ~ sa maladie 아프다는 핑계를 대다 / ~ une indisposition pour ne pas venir 오기 싫어 몸이 안 좋다는 핑계를 대다.

prétoire [pRetwa:R] *m.* ① 법원의 구내, 법정(= salle d'audience). ② 〖고대로마〗 대장군(大將軍)의 영사(營舍) ; (préteur 가 재판을 하던) 법원.

prétorial, e, aux [pRetɔRjal, -o] *adj.* 법원의 ; 법정의.

prétorien, enne [pRetɔRjɛ̃, -ɛn] *adj.* 〖고대로마〗 법관의 ; (대장군·황제의) 친위병의. — *m.* 친위병.

prêtre** [pRɛ:tR] *m.* ① 〖종교〗 승려, 성직자, 신관, 제관. ② 〖가톨릭〗 사제(司祭), 신부 : se faire ~ 사제가 되다. ***grand* ~** 대사제, 제사장 《히브리인의 종교의 장》. **~ *ouvrier 노동 사제(司祭).

prêtresse [pRɛtRɛs] *f.* (이교의 신을 섬기는) 여승, 여제관, 무녀.

prêtrise [pRɛ(e)tRi:z] *f.* 〖가톨릭〗 사제의 직(품급), 사제단, 성직자 단체.

preuve** [pRœ:v] *f.* ① 증거, 증명 ; 표시(= marque, témoignage) : ~ évident 명백한 증거 / ~ matérielle 물적 증거 / apporter [fournir] des ~s 증거를 보이다 / donner des ~s de son amitié 우정을 표시하다, 우정이 진실임을 나타내다. ② 〖수학〗 검산(檢算)(= ~ d'une opération) ; 알코올 함유량 검사 : faire la ~ d'une multiplication 곱셈 검산을 하다. ***affirmer [***démontrer***] qc **~ *en main*** 명백한 증거를 가지고 단언[증언]하다. ***à* ~ *que*** [《구어》 **~ *que***] + *ind.* ; 《구어》 ***à* ~...** ⓐ 그 증거로 : Tu as menti, *à* ~ *que* tu rougis. 너는 거짓말을 했다, 그 증거로 얼굴이 빨개지지 않았느냐. ⓑ …라는 것의 증거이다. ***croire*** qc ***jusqu'à* ~** (***du***) ***contraire*** 반증이 나타날 때까지 …을 믿다. ***faire la* ~ *de*** qc [***que*** + *ind.*] …을 입증하다, …을 확인하다. ***faire*** [***donner***] **~ *de*** qc …을 나타내다, 표시하다 : *faire* ~ *de* courage 용기가 있음을 나타내다. ***faire ses* ~s** 자기의 역량을[진가를] 발휘하다 : Cette méthode *a* déjà *fait ses* ~*s*. 이 방법의 장점은 이미 증명되었다. ***la* ~ *en est que...*** 그 증거로 …이다, 그것은 …로서 증명된다.

preux [pRø] *m.* 용사 ; (중세의) 기사. — *adj. m.* 용맹스러운(= brave, vaillant).

prévaloir [pRevalwa:R] [64] *v.i.* 《~ sur [contre]》 《주어 : qn, qc》 능가하다, 보다 낫다, 우세하다 : Son opinion *a prévalu sur* la mienne. 그의 의견이 내 의견보다 나았다 / La pratique *prévaut* ici *sur* la théorie. 여기서는 이론보다 실천이 우선한다. ***faire* ~ *son opinion*** [***son point de vue***] 자기의 의견을 관철하다. — **se ~** *v.pr.* 《se ~ de》 ① …을 이용하다 : *se* ~ *d'*un droit 권리를 이용하다. ② …을 자랑하다 : *se* ~ *de* sa fortune 자기 재산을 자랑하다.

prévaricateur, trice [pRevaRikatœ:R, -tRis] *n.* 독직자(瀆職者) ; 부정한 재판관 ; 배임자(背任者) ; 직무 태만의 공무원. — *adj.* 독직의, 부정한 ; 배임(背任)의.

prévarication [pRevaRikɑsjɔ̃] *f.* 독직, 부정 ; 직무 유기, 배임.

prévariquer [pRevaRike] *v.i.* (공무원 따위가) 독직하다, 배임 행위를 하다.

prévenance [pRevnɑ̃:s] *f.* 친절, 상냥스러움 ; (*pl.*) 친절한 행위. ***avoir des* ~*s pour*** qn …에게 친절히 하다.

prévenant, e [pRevnɑ̃, -ɑ̃:t] *adj.* ① 상냥한, 친절한(= attentionné). ② (용모 따위가) 호감을 주는, 귀염성 있는, 애교 있는(= agréable) : visage ~ 호감이 가는 얼굴.

‡**prévenir** [pRevni:R] [16] *v.t.* ① …에 앞서 오다, …을 앞지르다(= devancer). ② 예방하다, 피하다 : ~ un danger 위험을 예방하다. ③ ⓐ …에게 알리다, 기별[통지]하다(= informer, aviser) ; 《~ qn de qc [que + *ind.*]》 …에게 …을 알리다 : ~ la police 경찰에 신고하다 / ~ les pompiers 소방서에 알리다. ⓑ …에게 미리 알리다, 예고하다(= avertir). ⓒ 《목적보어 없이》 (미리) 알리다. ④ 《~ qc》 …의 실현을 앞당기다 : ~ les désirs de qn …의 희망을 알아채고 만족시켜 주다. ⑤ 미리 호감[악감]을 갖게 하다, (좋은·나쁜) 선입관을 갖게 하다 : ~ A en faveur de [contre] B, A로 하여금 B에 대하여 호감[악감]을 품게 하다 / Son visage *prévient* en sa faveur. 《목적보어 없이》 그의 얼굴은 호감을 갖게 한다. — **se ~** *v.pr.* ① 서로 알리다. ② 《se ~ en faveur de [pour]》 …에 대하여 호감을 품다 ; 《se ~ contre》 …에 대하여 악감을 품다.

préventif, ive [pRevɑ̃tif, -i:v] *adj.* ① 예방(방지)하는 : prendre des mesures *préventives* contre le SIDA 에이즈 예방책을 강구하다. ② 〖법률〗 형사 피고인의 ; 미결의 : détention ~*ive* 미결 구류.

prévention [pʀevɑ̃sjɔ̃] *f.* ① 선입관, 편견(= préjugé) ; 반감, 적의 : avoir des ~*s* contre qn …에 대하여 편견〔반감〕을 품다 / sans ~ 편견 없이, 공평히. ② 〖법률〗 미결 구류 상태〔기간〕 : être en état de ~ 미결 구류 중이다. ③ 예방 (조치) ; 방지 (대책) : ~ routière 교통 사고 예방책. ④ 《문어》 고소, 고발.

préventivement [pʀevɑ̃tivmɑ̃] *adv.* ① 예방을 위해. ② 〖법률〗 형사 피고인으로서.

préventorium [pʀevɑ̃tɔʀjɔm] *m.* (결핵 따위의) 예방 의료원.

prévenu, e [pʀevny] *adj.* ① 앞지름을 당한. ② 선입관〔편견〕을 품은 ; 《~ en faveur de 〔contre〕》 …에 대해 호감〔악감〕을 가진. ③ 〖법률〗 피소된 : ~ de vol 절도죄로 피소된〔구류되어 있는〕. ── *n.* 〖법률〗 형사(刑事) 피고인, 피의자.

prévien-s, -t, prévin-s, -t ⇒ prévenir.

prévi-s, -t ⇒ prévoir.

prévisibilité [pʀevizibilite] *f.* 예측〔예상〕 가능성.

prévisible [pʀevizibl] *adj.* 예측〔예견〕할 수 「있는.

prévision** [pʀevizjɔ̃] *f.* ① 예측, 예상, 예견 : ~*s* économiques 경제 전망, 경기 예측 / justifier 〔dépasser〕 les ~*s* 예측대로 되다〔예측을 넘어서다〕. ② (날씨의) 예보 : ~*s* météorologiques 일기 예보. ***contre toute ~ 모든 예상을 뒤엎고. ***en ~ de*** …을 예상하고 ; …에 대비하여. ***selon toute ~*** 아마도, 틀림없이, 십중팔구.

prévisionnel, elle [pʀevizjɔnɛl] *adj.* 예측에 의한, 예상〔예기〕한.

prévoi ⇒ prévoir.

‡prévoir [pʀevwaːʀ] [59] *v.t.* ① 예측〔예상〕하다, 예기하다 ; 예정하다 : l'affaire que l'on *prévoyait* devoir échouer 실패하리라 예측되고 있던 사업 / Le plan d'urbanisme *prévoit* 20 milliards de francs. 도시 계획에 2백억 프랑을 예정하고 있다. ② 미리 …에 대비하다, 준비하다 ; 계획하다 : La CGT *prévoit* une manifestation pour demain. 총동맹은 내일 데모를 계획하고 있다. ***être à ~*** 예측할 수 있다. ***être prévu pour*** …에 예정되다, 정해지다. ── **se ~** *v.pr.* 예상〔예측〕되다.

prévoyance [pʀevwajɑ̃ːs] *f.* (장래에 대한) 배려, 조심 ; 선견지명. ***avec ~*** 장래를 생각하여, 선견지명을 가지고. ***sans ~*** 장래를 생각하지 않고, 무작정.

***prévoyant, e** [pʀevwajɑ̃, -ɑ̃ːt] *adj.* 선견지명이 있는 ; 용의주도한.

prévu, e [pʀevy] *adj.* 예지(豫知)된, 예측된, 예비된 ; 예정된. ── *m.* 예상하고 있던 것.

prié, e [pʀije] *adj.* dîner ~ ; soirée ~*e* 만찬회〔야회〕. ── *n.* 초대된 사람.

prie-Dieu [pʀidjø] *m.* 《복수불변》 기도대 ; 《옛》 기도 시간.

‡prier [pʀije] *v.t.* ① …에게 빌다, 기도하다 : ~ Dieu 신에게 기도하다. ② 《~ qn de+*inf.*》 …에게 …하도록 부탁하다, 간청하다, 바라다 : Je vous *prie de* vouloir bien venir chez moi. 저의 집으로 오시기 바랍니다 / Je l'*ai prié d'*attendre. 기다려 달라고 그에게 부탁했다. ③ 《~ qn à+*inf.*》 …에게 …하도록 권하다, …을 초대하다 : ~ qn *à* dîner …을 저녁 식사에 초대하다. ***Je vous en prie.*** ⓐ 부디, 아무쪼록, 제발(= Je vous prie). ⓑ 그렇게 하세요 : Puis-je fumer ? ― Mais, *je vous en* prie. 담배를 피워도 괜찮습니까? ― 아무렴요. ⓒ 천만의 말씀입니다 : Vous êtes très gentil, merci infiniment. ― Mais, *je vous en prie.* 매우 친절하셔서 대단히 감사합니다 ― 아니, 천만의 말씀입니다. ***se faire ~*** 쉽사리 승낙하지〔응하지〕 않다 : consentir sans *se faire* ~ 곧 승낙하다, 쉽사리 승낙하다 / Ne *vous faites* pas ~. 거북해 하시지 마십시오, 사양 마세요.

prière** [pʀijɛːʀ] *f.* ① 기도, 기원 : une fervente ~ 열심히 드리는 기도. ② 청, 요청, 간청, 부탁. ***à la ~ de qn …의 부탁을 받고〔요청에 의하여〕. ***dire* 〔*faire*〕 *sa ~* 〔*ses ~s*〕** 기도하다 ; 기도문을 외다. ≪***P~ de ne pas fumer.***≫ 「금연」.

prieur, e [pʀijœːʀ] *n.* 〖종교〗 소수도원장.

prieuré [pʀijœʀe] *m.* 〖종교〗 작은 수도원.

prima donna [pʀimadɔ(n)na] 〔이탈리아〕 *f.* (*pl.* ***prime donne*** [pʀimedɔ(n)ne]) (오페라의) 주역 여배우〔여가수〕, 프리마돈나.

***primaire** [pʀimɛːʀ] *adj.* ① 첫 단계의, 초보의 ; 〖학교〗 초등의 : couleurs ~*s* 〖미술〗 원색 / école ~ 초등학교. ② 〖의학〗 초기의 ; 〖산업〗 제 1 차의 : accidents ~*s* 초기 증상 / secteur ~ 제 1 차 산업《농업》. ③ (생각 따위가) 유치한, 지나치게 단순한 : idées un peu ~*s* 좀 유치한 생각.

primat [pʀima] *m.* ① 〖가톨릭〗 수석 주교, 대주교. ② 우위, 탁월(= primauté).

primates [pʀimat] *m. pl.* 〖동물〗 영장류의 동물 ; 영장류.

primauté [pʀimote] *f.* 우월, 우위, 우선, 상위(권). ***avoir la ~ sur*** qn …보다 앞서다, …을 앞지르다.

prime[1] [pʀim] *adj.* ① 첫째의, 제 1 의 : ~ jeunesse 유년 시절. ② 〖수학〗 프라임〔대시〕 부호가 붙어 있는 : b ~, b 대시《 b' 》. ***de ~ abord*** 첫눈에(는), 애초에(는). ── *f.* 〖가톨릭〗 제일 기도, 조과(朝課).

prime[2] *f.* ① 프리미엄 ; 할증금(割增金) : 〖상업〗 보험료 : marché à ~ 옵션 거래 (시장) / payer sa ~ d'assurance 보험료를 내다. ② ⓐ 상여금, 특별 수당, 보너스 : ~ de transport 교통〔통근〕 수당 / ~ de fin d'anée 연말 특별 보너스. ⓑ 장려(금) : ~ à l'exportation 수출 장려금 / donner une ~ à qc 〔qn〕 …을 장려하다, …에게 장려상을 주다. ③ (고객에게 주는) 경품 : donner un calendrier en ~ 〔à titre de ~〕 달력을 경품으로 내놓다. ***faire ~*** 대단한 인기이다 ; (사람이) 주가가 오르다.

primer[1] [pʀime] *v.t.* 능가하다, 월등하다, …보다 낫다 : ~ qn en hypothèque 〖법률〗 …에 대하여 저당(순위)의 우선권을 가지다. ── *v.i.* 으뜸가다, 뛰어나다.

primer[2] *v.t.* ① (축산 공진회 따위에서 가축에) 상을 주다 : taureau *primé* 상을 받은 소. ② …에게 장려금〔상여금〕을 주다.

primesautier, ère [pʀimsotje, ɛːʀ] *adj.* 억제하지 못하는 ; 충동적인, 충동대로〔멋대로〕 움직이는〔행동하는〕.

primeur [pʀimœːʀ] *f.* ① 신선한 맛 ; 새로

P

움. ② (*pl.*) (야채 과일 따위의) 만물 : légumes de ~ 만물 야채. ③《문어》 새로운 것.

primevère [pʀimvɛːʀ] *f.* 〖식물〗 앵초(櫻草)의 일종.

primi- *préf.* 「최초·첫 번째」의 뜻.

*__primitif, ive__ [pʀimitif, -iːv] *adj.* ① 원시의, 원시 시대의, 초기의 ; 미개한 : *P~ive* Église 〖종교〗 초대 교회 / homme ~ 원시인 ; 미개인. ② 근본의 ; 〖문법〗 기본의 : temps ~*s* (동사의) 기본 시제. ③ 최초의 ; 본래의, 본원적인 : sens ~ d'un mot 낱말의 본래의 뜻 (≠ figuré) / valeur ~*ive* 본원적 가치. ④ 원시적인, 소박한 : mœurs ~*ives* 소박한 풍속, 원시적 풍속. ***couleurs ~ives*** 원색.
— *n.* ① 원시인, 미개인. ② 〖미술〗 르네상스 이전의 화가.

primitivement [pʀimitivmɑ̃] *adv.* 최초에, 원래 ; 원시 시대에.

primo [pʀimo] 〔라틴〕 *adv.* 첫째로.

primogéniture [pʀimɔʒenityːʀ] *f.* 장자(長子)임 : droit de~ 장자 상속권.

primo-infection [pʀimɔɛ̃fɛksjɔ̃] *f.* 〖의학〗 (특히 결핵의) 첫 감염.

*__primordial, e, aux__ [pʀimɔʀdjal, -o] *adj.* ① 최초의, 초기의, 원시의 ; 원시 시대의 : cellule ~*e* 〖생물〗 원시 세포 / feuille ~*e* 〖식물〗 원시엽(原始葉). ② 가장 중요한 ; 기본적인(= capital, essentiel) : question d'une importance ~*e* 지극히 중요한 문제 / jouer un rôle ~ 대단히 중요한 역할을 하다 / 《Il est ~ que+*sub.*》 *Il est ~ que* vous gardiez le silence. 당신이 아무말도 하지 않는 것이 무엇보다도 중요합니다.

*__prince__ [pʀɛ̃ːs] *m.* ① 왕자 ; 황태자 ; 대군 ; (작은 나라〔공국〕의) 임금, 군주(= monarque, roi, souverain) ; 제후, 공작 : ~ du sang 왕족, 황족 / Monsieur le *P~* 황태자 콩데공(公)(= ~ de Condé) / ~ de Monaco 모나코 왕. ② 우두머리, 장(長), 제 1 인자 : ~ des prêtres 유대 민족의 제사장. ***être bon ~*** 성품이 너그럽다. ***être habillé 〔vêtu〕 comme un ~*** 화려하게 옷을 입고 있다. ***~ des poètes*** 최고의 시인. ***~ royal 〔impérial〕*** 황태자. ***~s de l'Église*** 추기경 및 주교.

princeps [pʀɛ̃sɛps] *adj.* 《불변》《다음 말에만 쓰임》 édition ~ (고서·희귀 서적의) 초판(본).

*__princesse__ [pʀɛ̃sɛs] *f.* 《prince 의 여성형》 여왕 ; 왕비 ; 왕녀, 황녀, 공주 ; 공작 부인 : la ~ de Clèves 클레브 공작 부인《La Fayette 부인의 소설》. ***aux frais de la ~*** 《구어》 관비(官費)로 ; 공비(公費)로. ***faire sa 〔prendre des airs de〕 ~*** 《구어》 (여자가) 잘난 체하다, 거만떨다.

princier, ère [pʀɛ̃sje, -ɛːʀ] *adj.* ① 임금의, 국왕의 ; 왕족〔황족〕의 ; 제후의 ; 공작의 : famille ~*ère* 왕족, 황족. ② 임금〔제후〕 같은 ; 화려한, 호화로운(= luxueux) : maison ~*ère* 호화로운 저택.

princièrement [pʀɛ̃sjɛʀmɑ̃] *adv.* 임금〔제후〕처럼, 호화롭게 : Il nous a reçus ~. 그는 우리를 제후처럼 맞이했다.

*__principal, e, aux__ [pʀɛ̃sipal, -o] *adj.* ① 주요한, 주된 ; 중요한(= capital, essentiel) : ~*aux* personnages 주요 인물 / ~*e* raison 〔préoccupation〕 최대의 이유〔관심사〕 / jouer le rôle ~ dans le film 영화에서 주역을 맡다. ② 〖상업〗 원금(元金)의. ***proposition ~e*** 〖문법〗 주절. — *m.* ① 우두머리, 장(長), 두목 ; 주요 인물, 요인, 유력자 ; (collège 의) 교장. ② 요점, 중요한 점(= essentiel) : C'est le ~. 그것이 바로 중요한 점이다 / 《Le ~ est de+*inf.* 〔que+*sub.*〕》 *Le ~ est de* réussir. 요는 성공하는 것이다. ③ 〖법률〗 (소송의) 주건(主件) ; 〖상업〗 원금 : intérêts et ~ réunis 원리금 합계.
— *f.* 〖문법〗 주절(= proposition ~*e*).

*__principalement__ [pʀɛ̃sipalmɑ̃] *adv.* 주로, 특히.

principauté [pʀɛ̃sipote] *f.* ① 공국(公國). ② 공작의 지위 ; 공작의 영지. ③ (*pl.*) (*P~s*) 〖신학〗 권천사(權天使)《9 계급 중 7번째》.

‡**principe** [pʀɛ̃sip] *m.* ① 시초, 근원(= origine), 본원 ; 원동력, 원인 : ~ de la vie 생명의 근원 / ~ de toute action 모든 행동의 원동력 / ~ et effet 〔conséquence〕 원인과 결과. ② 〖화학〗 요소, 성분(= élément) : ~*s* constituants 구성 요소, 성분 / ~*s* nécessaires à la nutrition 필수 영양소. ③ 원리, 법칙(= loi, règle), 원칙 : ~ de causalité 인과율 / ~ d'Archimède 아르키메데스의 원리. ④ (*pl.*) (학문 따위의) 기초적 지식, 초보, 입문(= éléments, rudiments) : apprendre les (premiers) ~*s* d'une science 어떤 학문의 기초를 배우다. ⑤ (*pl.*) (도덕적) 규범, 신조, 주의, (행동·사고 따위의) 기본 방침, 지조 : homme fidèle à ses ~*s* 자기 주의에 충실한 사람 / homme sans ~*s* 지조 없는 사람. ***avoir pour ~ de***+*inf.* …을 방침〔원칙〕으로 하다 : *J'ai pour ~ de* ne pas arriver en retard. 지각을 하지 않는 것이 나의 원칙이다. ***de ~*** 원칙적인, 기본적인(= à priori) : donner son accord *de ~* 원칙적으로 동의하다. ***dès le ~*** 처음부터(= dès le commencement) : *Dès le ~*, j'ai vu à quoi cette affaire aboutirait. 처음부터 나는 이 사건의 결말이 어떻게 될지 알았다. ***en ~*** 원칙적으로 ; 이론적으로, 원리상 : *En ~*, il ne travaille pas le samedi. 원칙적으로 그는 토요일에 일하지 않는다 / *En ~*, son projet est viable. 이론적으로 그의 계획은 성공할 가망이 있다. ***être à cheval sur les ~s*** 원칙〔규범적인 습관〕을 고수하다. ***par ~*** (미리 정해진) 원칙에 따라. ***partir du ~ que...*** …을 인정하는 것에서 시작하다. ***~ de nos actions*** 우리 행위의 원동력.

printanier, ère [pʀɛ̃tanje, -ɛːʀ] *adj.* ① 봄의, 봄 같은 ; 봄에 나는 : temps ~ 봄 (같은) 날씨. ② (봄처럼) 화사한, 젊은 : tenue ~*ère* 화사한 옷차림 / Vous êtes bien ~*ère* avec cette robe. 그 드레스를 입으니 참 화사해〔젊게〕 보이시는군요.

‡**printemps** [pʀɛ̃tɑ̃] *m.* ① 봄 ; 봄철 : ~ précoce 〔tardif〕 이른〔늦은〕 봄. ② 《비유》 청춘 시절 : ~ de la vie 인생의 청춘.

priori (a 〔à〕) [apʀijɔʀi] 〔라틴〕 *loc. adv.* 연역적(演繹的)으로, 선험적(先驗的)으로 : *À ~*, c'est une bonne idée. 우선 듣기에 그것은 좋은 생각이다.

prioritaire [pʀijɔʀitɛːʀ] *adj.* 우선권을 가진. ── *n.* 우선권 소유자.

***priorité** [pʀijɔʀite] *f.* ① (시간 · 순번이) 먼저임(= antériorité). ② 우선권, (맹인 · 신체 장애자 · 임산부 따위의) 선행권 : carte de ~ (신체 장애자 따위에게 주는) 우선권 카드. ③ 가장 중요한 것; 당면 과제 : Le chômage sera l'une des ~s du nouveau gouvernement. 실업 문제는 새 정부의 당면 과제 중의 하나가 될 것이다. ***en* 〔*par*〕 ~** 우선적으로, 무엇보다도 먼저 : Nous discuterons ce point *en* ~. 우리는 무엇보다도 먼저 그 점을 논의할 것이다.

***pris, e**[1] [pʀi, -iːz] *adj.* ① (좌석이) 차지되어 있는 : Cette place est-elle ~*e* ? 이 자리는 임자가 있습니까 ? ② 바쁜, 분주한 : Je suis très ~ ces jours-ci. 나는 요즘 대단히 바쁘다. ③ 《~ de》 (병 따위에) 걸린; (감정 따위에) 사로잡힌 : ~ *de* fièvre 열이 오른 / ~ *de* colère 화가 난 / ~ *de* peur 공포에 사로잡힌. ④ 사랑에 빠진, 홀딱 반한(= épris). ⑤ (크림 등이) 굳어진, 응결된; (강물 등이) 언. ***avoir le nez ~* 〔*la gorge ~e*〕** 코〔목〕감기에 걸려 있다. ***être bien ~* (*dans sa taille*)** 몸맵시가 좋다.

prise**[2] [pʀiːz] *f.* ① 쥐기, 잡기, 포획, 포박; 체포 : énergie de sa ~ 악력(握力) / ~ d'un voleur 도둑의 체포 / faire une ~ à la nuque 목덜미를 휘어잡다. ② 취하기; 취득; 탈취; 점령; 〖군사〗 노획 : ~ de la Rochelle 로셸 점령 / ~ d'otages 납치. ③ 노획물; 잡은 것, 포획물, 약탈물 : ~*s* de guerre 전리품. ④ 잡는〔잡을〕 데〔곳〕 : Je n'ai pas de ~ pour tenir cet outil. 이 연장은 잡을 데가 없어 못 들겠다. ⑤ (약의) 복용, 1회 복용량; (코담배 따위의) 한 줌 : médicaments à ingérer en trois ~*s* quotidiennes 하루 3회 복용하는 약. ⑥ 굳기, 응고, 응결(凝結); 결빙 : ~ des ciments 콘크리트의 응결. ⑦ 장악, 지배; 세력, 영향(력). ⑧ (자동차의) 기어를 넣기, 기어를 넣은 상태 : mettre la ~ directe (자동차의) 기어를 넣다. ⑨ 〖전기〗 ⓐ 플러그《prise mâle 과 prise femelle 을 합하여》(= ~ de courant, ~ électrique). ⓑ ~ mâle 수플러그 / ~ femelle 콘센트《암플러그》; 소켓. ⑩ (*pl.*) 드잡이, 싸움, 다툼. ⑪ 《무관사명사와 함께》 ⓐ 《~ de + 구상명사》 ~ *d'*armes 열병식 / ~ *d'*habit 〔*de* voile〕 착의식(着衣式), 착복식 / ~ *de* son 녹음 / ~ *de* sang 채혈. ⓑ 《~ de + 추상명사》 ~ *de* conscience 지각, 의식화 / ~ *de* position 태도의 결정 / ~ *de* possession 취득, 취임. ⓒ 《~ en 〔à〕+명사》 ~ *en* considération 고려, 참작 / ~ *en* chasse 추적 / ~ *en* charge 기본 요금. ***avoir ~ sur qn …에 대하여 세력〔영향력〕을 갖고 있다; 잡을〔지배할〕 수 있다. ***donner ~ à*** qc …거리가 되다, …을 초래하다 : Sa conduite *a donné* ~ *à* la critique. 그의 행동은 비난의 대상이 되었다. ***être* 〔*se trouver*〕 *aux ~s* (*avec* qn)** …와 싸우고 있다 : *être aux ~s avec* la mort 빈사 상태이다. ***être en ~ directe avec* 〔*sur*〕** qc …와 직접 관련성이 있다, …와 직결되는 것이다〔문제다〕 : La ville *est en ~ directe sur* l'autoroute. 이 도시는 고속도로와 직접 통해 있다. ***lâcher ~*** 놓아 주다; 포기〔체념〕하다, 양보하다. ***mettre aux ~s A et B***, A 와 B 를 (서로) 대결시키다〔싸우게 하다〕.

priser[1] [pʀize] *v.t.* ① …에 값을 매기다, 평가하다(= estimer) : une qualité fort *prisée* (남이 알아 주는) 뛰어난 품성〔특질〕. ② 높이 평가하다. ── **se ~** *v.pr.* ① 평가되다; 높이되다. ② 자기를 높이 평가하다, 자부하다.

priser[2] *v.t.* (코담배 · 마약 따위를 코로) 맡다〔들이마시다〕 : ~ de l'héroïne 헤로인을 맡다.

prismatique [pʀismatik] *adj.* ① 각주(角柱)(모양)의. ② 프리즘의; 프리즘으로 분광된 : couleurs ~*s* 프리즘에 비친 빛깔《7 색》.

prisme [pʀism] *m.* ① 〖수학〗 각기둥, 각주(角柱) : ~ triangulaire 삼각주. ② 〖물리〗 프리즘(= ~ optique) : ~ à réflexion totale 전반사(全反射) 프리즘.

prismé, e [pʀisme] *adj.* 프리즘 모양의; 각주 모양의.

prison** [pʀizɔ̃] *f.* ① 감옥, 교도소; 유치장; 〖군사〗 영창 : mettre qn en ~ …을 투옥하다 / s'échapper 〔s'évader〕 de ~ 탈옥하다. ② 금고(禁錮), 감금, 징역. ③ 《비유》 (감옥같이) 음침한 곳 : La caserne était une ~ pour lui. 병영은 그에게는 감옥 같았다. ***faire de la ~ 복역하다.

***prisonnier, ère** [pʀizɔnje, -ɛːʀ] *n.* 죄수; 포로(= ~ de guerre); 자유를 박탈당한 사람 : camp de ~*s* (de guerre) 포로 수용소 / faire qn ~ …을 포로로 잡다. ── *adj.* ① 포로가 된(≠ libre). ② 《~ de》 …에 사로잡힌 : Il est ~ *de* ses préjugés. 그는 편견에 사로잡혀 있다.

privatif, ive [pʀivatif, -iːv] *adj.* ① 〖문법〗 결성(缺性)을 나타내는, 부정(否定)의 : particule ~*ive* 부정 소사(小辭)《a-, dé-, in-, non- 따위》. ② 〖법률〗 배타적인; 《~ de》 …을 박탈하는 : peine ~*ive de* liberté 금고(형)(= prison) / droit ~ 배타적 권리. ── *m.* 〖문법〗 부정 접두사, 결성사(缺性辭)(= préfixe ~*s*).

privation [pʀivasjɔ̃] *f.* ① 상실, 결핍; 박탈 : ~ des droits civiques 〔civils〕 공권 박탈 / ~ de la vue 시력의 상실. ② (보통 *pl.*) 궁핍, 곤궁; 내핍 : vivre dans les ~*s* 넉넉지 못한 생활을 하다 / souffrir de ~*s* 궁핍한 생활에 시달리다. **~ *de sortie*** 금족.

privatisation [pʀivatizasjɔ̃] *f.* (공공사업의) 사기업화(私企業化), 민영화.

privatiser [pʀivatize] *v.t.* 〖경제〗 (공기업체를) 사기업체로 개편하다, 민영화하다.

***privauté** [pʀivote] *f.* (흔히 *pl.*) 지나치게 친밀한 태도 : prendre 〔avoir〕 des ~*s* avec une femme 여자에게 지나치게 친근하게 굴다.

privé**[1], **e**[1] [pʀive] *adj.* ① 개인의, 사사로운, 사적인 : à titre ~ 개인 자격으로 / vie ~*e* 사생활 / respecter la vie ~*e* de qn …의 프라이버시를 존중하다. ② 민간의; 사립〔사유〕의, 비공식의 : entreprise ~*e* 민간 기업 / école ~*e* 사립학교 / séance ~*e* 비공식 회의. ── *m.* ① 《구어》 민간 기업, 민간 부분(= secteur ~). ② 《구어》 사립 탐정. ③ 사생활. ***en ~ 1대 1로, 개인적으로, 은밀히 : Je

P

voudrais vous parler *en* ~. 개인적으로 말씀드리고 싶은데요.

privé², e² *adj.* 《~ de qc》 …이 없는 ; …을 잃은 : ~ *de* droits civiques 공민권을 박탈당한.

***priver** [pʀive] *v.t.* 《~ qn de qc》 …에게서 …을 빼앗다, 박탈하다 ; …에게 …을 금하다〔못하게 하다〕: ~ qn *de* ses droits civils …으로부터 민법상의 권리를 박탈하다 / On l'*a privé de* sa liberté. 그는 자유를 빼앗겼다 / 《수동태》 Tu *sera privé de* télévision. (벌로써) 너는 텔레비전을 못 본다.
— **se ~** *v.pr.* ① 《se ~ de》 …을 포기하다, 스스로 금하다 ; 끊다 : *se ~ de* vin 금주하다 / Il n'arrive pas à *se ~ de* fumer. 그는 끝내 담배를 끊지 못했다. ② 《보어 없이》 궁핍을 참다, 내핍하다 : Elle *s'est privée* pour élever ses enfants. 그녀는 자녀를 기르기 위해 내핍 생활을 했다.

privilège** [pʀivilɛːʒ] *m.* ① 특권, 특전, 이점 : ~*s* dus à son rang 지위〔계급〕에 부여된 특권 / ~*s* de la noblesse 귀족의 특권 / Les ~*s* de la beauté sont immenses. 아름다움의 이점은 헤아릴 수 없다. ② 특성, 특기 : La pensée est le ~ de l'espèce humaine. 사고 능력은 인간이 가진 특성이다. ③ 〖법률〗 (채권자의) 선취 특권(= ~ d'une créance). ***avoir le ~ de+*inf.* …할 특권〔하는 특성〕이 있다.

***privilégié, e** [pʀivileʒje] *adj.* 특권이 있는 ; 특전을 받은 ; 〖법률〗 선취 특권이 있는 : classes ~*es* 특권 계급 / créancier ~ 〖법률〗 선취 특권이 있는 채권자. — *n.* 특권자.

privilégier [pʀivileʒje] *v.t.* 특권〔특전〕을 주다 ; 특수한 혜택을 주다.

:prix [pʀi] *m.* 《복수불변》 ① ⓐ 값, 가격 : ~ courant 시가 / ~ de revient 원가 / ~ d'ami 특가 / ~ fixe 〔fait〕 정가 / ~ limite 공정 가격. ⓑ (*pl.*) 물가 : hausse 〔baisse〕 des ~ 물가의 상승〔하락〕 / stabilité des ~ 물가의 안정 / indice des ~ 물가지수. ② 가치(= valeur) ; 중요성(= importance) : ~ de la gloire 명예의 가치〔중요성〕 / connaître le ~ du temps 시간의 가치를 알다. ③ 대가(代價), 보수 ; 응보 : à aucun ~ 어떤 대가를 치르더라도, 절대로 (…않다) / pour ~ de ses peines 그의 노고의 보상으로. ④ ⓐ 상, 상금, 상품 ; 포상 : distribution de(s) ~ 상품〔상금〕 수여 / ~ Nobel 노벨상 / remporter le ~ 상을 획득하다. ⓑ 수상자 ; 수상작품 : C'est un ~ Nobel. 저 사람은 노벨상 수상자다 / J'ai lu le ~ Goncourt. 나는 이번 공쿠르상 수상 작품을 읽었다. ⓒ 〖스포츠〗 우승 상품이 걸린 경기, 우승 상품〔상금〕 쟁탈전. ***à ~ d'argent*** 돈을 치르고. ***à ~ d'or*** 비싼 값으로. ***attacher du ~ à*** qc …을 중히 여기다. ***à tout ~*** 어떤 대가를〔희생을〕 치르더라도, 기어코. ***au ~ de*** …의 대가로 ; …에 의하여, …을 치르고 ; …에 비하여〔면〕 : achever un travail *au ~ de* grands efforts 무진 애를 써서 일을 마치다. ***de ~*** 비싼 ; 가치가 있는. ***hors de ~*** 턱없이 비싼. ***n'avoir point de ~ ; être sans ~*** 값을 정할 수 없을 만큼 가치가 있다.

prix-unique [pʀizynik] *m.* (*pl.* **~-~s**) (각처에 점포를 가진) 체인 슈퍼마켓, 균일 가격 상점(= prisunic, monoprix).

pro [pʀo] *m.* 《복수불변》 《구어》 〖스포츠〗 프로 (선수) : passer ~ 프로로 전향하다.

pro- *préf.* ① 「…대신으로, …의 대리의」의 뜻 : *pro*nom 대명사. ② 「…을 지지하는」의 뜻 : *pro*communiste 공산주의 지지자. ③ 「…전(前)에」의 뜻 : *pro*drome 서론.

probabilité [pʀɔbabilite] *f.* ① 있을 법함, 그럴듯함(= vraisemblance) ; 가망성, 공산(公算) : La ~ de cet événement est de trois pour-cent. 이 사건의 가능성은 100 분의 3 정도이다. ② 〖철학〗 개연성 ; 〖수학〗 확률 : calcul des ~*s* 확률론. ***selon toute ~*** 대개, 십중팔구.

***probable** [pʀɔbabl] *adj.* 있을 법한, 그럼 직한, 그럴 듯한(= vraisemblable) : C'est plus que ~. 그것은 틀림없는 일이다 / 《Il est ~ que+*ind.*》 《부정문 · 의문문에서는 접속법》 *Il est ~ qu'*elle viendra. 그녀는 십중팔구 올 것이다. — *m.* 있을 법한 것, 그럴 듯한 것. — *adv.* 《구어》 아마, 대개, 십중팔구.

***probablement** [pʀɔbabləmɑ̃] *adv.* 아마, 십중팔구, 대개(= vraisemblablement) : Il est ~ chez lui. 그는 아마 집에 있을 것이다.

probant, e [pʀɔbɑ̃, -ɑ̃:t] *adj.* ① 확실한, 납득할 수 있는 : argument ~ 납득할 만한 논거 / raison ~*e* 확실한 이유. ② 〖법률〗 증거가 되는, 입증하는 : pièce ~*e* 증거물.

probation [pʀɔbasjɔ̃] *f.* ① 〖종교〗 수습 (기간) ; 수련 (기간). ② 〖법률〗 보호 관찰.

probatoire [pʀɔbatwaːʀ] *adj.* 확인하는, 입증하는, 증명의 : acte ~ (대학 학위 칭호 청구자의) 자격 증명서. ***examen ~*** 자격 시험.

probe [pʀɔb] *adj.* 청렴한, 정직한, 성실한.

probité [pʀɔbite] *f.* 청렴, 정직, 성실 : homme de ~ 성실〔정직〕한 사람.

problématique [pʀɔblematik] *adj.* (해결 · 결과가) 의심스러운 ; 불확실한 ; (생활 · 태도 따위가) 애매한. ***jugement ~*** 〖논리〗 개연적(蓋然的) 판단. — *f.* 《총체적》 (어떤 분야에서 제기되는) 일련의 문제들, 여러 문제 ; 문제성, 문제 제기 (방법).

:problème [pʀɔblɛm] *m.* ① 문제 : ~ mathématique 수학 문제 / ~ moral 윤리〔도덕〕에 관한 문제 / résoudre un ~ 문제를 풀다. ② (사회적) …문제 : ~ *du* stationnement 주차 문제 / ~ *du* logement 주택 문제. ③ (실생활의) 문제, 난제, 난점(= difficulté) ; (*pl.*) 걱정거리 : poser des ~*s* 문제가 생기다, 골칫거리가 되다 / régler un ~ 어려운 일을 해결하다 / avoir des ~*s* 걱정거리가 있다. ***faire ~*** 문제거리가 되다, 어려움을 제기하다.

***procédé** [pʀɔsede] *m.* ① (남을 대하는) 태도, 소행(= comportement, conduite) : avoir de mauvais ~*s* avec qn …에게 심한 태도를 취하다 / ~*s* honnêtes 예의 바른 태도. ② (나쁜 의미로) 기교, 책략 : Son style sent le ~. 그녀의 문체는 기교를 부린 티가 난다. ③ (일의) 방식, 방법(= méthode) : ~ mnémotechnique 기억법 / ~ de fabrication 제조 방법.

***procéder** [pʀɔsede] [6] *v.t. ind.* 《~ à》 …을 행하다, 시행〔실시〕하다(= faire, exécuter) : ~ à l'établissement d'un dossier 일건 서류를 작성하다. — *v.i.* ① 일하다, 행동하다, 처리하다 : ~ avec ordre 순서대로 처리하다. ② 《문어》 《~ de》 …에서 생기다, 일어나다 : maladies qui *procèdent de* la vie moderne 현대 생활에서 생기는 여러 가지 병.

procédure [pʀɔsedyːʀ] *f.* ① 〖법률〗 소송 절차 ; 소송 기록〔서류〕 : engager une ~ de divorce 이혼(소송)의 절차를 밟다 / code de ~ civile 〔penale〕 민사〔형사〕 소송법. ② (과학 실험 · 조작 따위의) 순서, 방법.

procès** [pʀɔsɛ] *m.* ① 〖법률〗 소송 : faire 〔intenter〕 un ~ à qn …을 고소하다 / gagner 〔perdre〕 un ~ 승소〔패소〕하다 / être en ~ avec qn …와 소송 중이다. ② 〖언어〗 사행(事行)《동사가 나타내는 동작 · 추이 · 상태를 총괄하는 개념》. ③ 〖해부〗 돌기(突起). ***faire le ~ de qn 〔qc〕 …을 비난하다. ***sans autre forme de ~*** 격식을〔절차를〕 거치지 않고.

processeur [pʀɔsɛ〔e〕sœːʀ] *m.* 〖컴퓨터〗 처리 장치, 프로세서 : ~ graphique 그래픽 처리 장치.

procession [pʀɔsɛ〔e〕sjɔ̃] *f.* ① (사람 · 차의) 행렬. ② 〖종교〗 행렬 기도, 영가(詠歌). ***la ~ du Saint-Esprit*** 〖신학〗성령발출(聖靈發出).

processus [pʀɔsɛ〔e〕sys] 〔라틴〕 *m.* ① 과정, 경과 ; 진전 상황 : étudier les ~ économiques d'un pays 한 나라의 경제 발전 과정을 연구하다 / ~ de fabrication 제조 공정 / ~ de l'évolution 진화의 과정. ② 〖해부〗 돌기, 융기.

procès-verbal, aux [pʀɔsɛvɛʀbal, -o] *m.* ① 조서(調書) ; (특히 경찰관이 작성하는) 교통〔주차〕 위반 조서〔딱지〕(《약자》 P.-V.) : dresser ~ 조서를 작성하다. ② (회의의) 의사록(議事錄) : établir le ~ d'une séance 회의 의사록을 작성하다.

‡prochain, e [pʀɔʃɛ̃, -ɛn] *adj.* ① 《공간상》 이웃의, 가까운, 다음의 : ~ village 이웃 마을 / Je descends à la ~*e* station. 나는 다음 역에서 내립니다. ② 《시간상》 다음의, 이번의, 오는(≠ dernier) : dimanche ~ 다음 일요일 / l'année ~*e* 내년 / la semaine ~*e* 내주 / à la ~*e* fois 다음 번에. ③ 직접의 : cause ~*e* 직접 원인, 근인(近因). — *n.* 이웃 사람, 동포 : ≪Tu aimeras ton ~ comme toi-même.≫ 네 자신 같이 네 이웃을 사랑하라《성서》. — *f.* 《구어》 다음 정거장 : descendre à la ~*e* 다음 정거장에서 내리다.

***prochainement** [pʀɔʃɛnmɑ̃] *adv.* 머지 않아, 곧.

proche** [pʀɔʃ] *adj.* ① 가까운, 이웃의(= voisin ; ≠ lointain) ; 《~ de》 …에서 가까운 : Sa maison est ~ *de* la nôtre. 그의 집은 우리 집에서 가깝다. ② 임박한, 절박한(= imminent ; ≠ éloigné) : La nuit est ~. 미구(未久)에 밤이 되리라 / Sa mort est ~. 그의 죽음이 임박했다. ③ 《~ de》 …와 비슷한〔근사한〕. ④ (인척 관계가) 가까운, 친한 : parent 가까운 친척, 근친(近親). — *adv.* 가까이, 부근에. ***de ~ en ~ 차츰, 점점. ***~ de*** …에서 가까이. ***~ d'ici*** 여기쯤, 이 근처에. — *m. pl.* 근친(= ~*s* parents) ; 측근.

proclamation [pʀɔklamɑsjɔ̃] *f.* 선언, 선포, 공포 ; 선언서, 성명서 ; 포고령 : ~ de la République 공화 정체 선포.

***proclamer** [pʀɔklame] *v.t.* ① 선언〔선포 · 성명 · 공포〕하다 : ~ le résultat du scrutin 투표 결과를 공표하다 / ~ l'état de siège 계엄령을 선포하다 / ~ un édit 법령을 공포하다. ② 주장하다, 단언하다 : L'accusé *a proclamé* son innocence. 피고인은 자기의 무죄를 주장했다. — **se ~** *v.pr.* ① 자칭하다 : *se* ~ réformateur 개혁자라고 자칭하다. ② 선언〔선포 · 공포〕되다.

proclitique [pʀɔklitik] 〖언어〗 *adj.* 후접적(後接的)인. — *m.* 후접어(語)(= mots ~*s*).

procréateur, trice [pʀɔkʀeatœːʀ, -tʀis] *adj.* 생식의, 생산력이 있는. — *n.* 아이를 낳는〔낳을 수 있는〕 사람, 생식자(= géniteur) ; (*pl.*) 양친, 부모.

procréation [pʀɔkʀeɑsjɔ̃] *f.* 《문어》 출산(= génération), 생식.

procréer [pʀɔkʀee] *v.t.* 낳다, 생식하다 ; 자손을 만들다.

proct(o)- *préf.* 「항문 · 직장」의 뜻

procuration [pʀɔkyʀɑsjɔ̃] *f.* 대리 ; 대리권 ; 위임장 : donner une ~ à qn ; revêtir qn d'une ~ …에게 위임하다. ***par ~*** 대리로 : agir *par* ~ 대리인으로 행세하다.

***procurer** [pʀɔkyʀe] *v.t.* ① 《~ qc à qn》 얻어 주다, 얻게 하다, 마련해 주다(= faire obtenir) : ~ une place à qn …을 취직시켜 주다. ② 야기하다(= causer) ; 일으키다(= occasionner) : La lecture me *procure* un grand plaisir. 독서는 나에게 커다란 즐거움을 가져다 준다. ③ 《옛》 얻다(= obtenir). — **se ~** *v.pr.* 《se 는 간접목적보어》 얻다, 손에 넣다, 획득하다 : *se* ~ une clientèle 단골을 만들다〔얻다〕.

procureur, ratrice [pʀɔkyʀœːʀ, -ʀatʀis] *n.* 대리인. — *m.* ① 〖법률〗 대소인(代訴人). ② 〖법률〗 검사《이 뜻으로 여성형은 procureuse》. ***~ général*** 검찰 총장.

prodigalité [pʀɔdigalite] *f.* ① 풍부, 윤택(= profusion) ; 과잉, 지나침(= exagération). ② 낭비(성)(≠ avarice) ; 사치 ; 방탕.

prodige [pʀɔdiːʒ] *m.* ① 신기한〔놀라운〕 일〔것〕 ; 경이, 기적 : ~*s* de la science 과학의 경이 / faire des ~*s* 기적을 낳다. ② 비범한 사람 ; 신동 : C'est un petit ~. 저 애는 신동이다. ③ (신의) 계시, 전조. — *adj.* enfant ~ 신동(神童).

prodigieusement [pʀɔdiʒjøzmɑ̃] *adv.* 굉장하게, 놀랄 만큼, 비범하게, 대단히.

***prodigieux, euse** [pʀɔdiʒjø, -øːz] *adj.* 경이적인, 굉장한, 놀라운, 대단한, 비범한(= extraordinaire, étonant), 뛰어난 : livre ~ 놀랄 만한 책 / taille ~*euse* 대단히 큰 키 / homme ~ de savoir 학식이 뛰어난 사람 / succès ~ 대성공.

prodigue [pʀɔdig] *adj.* ① 낭비하는(= dépensier) ; 방탕한 : un héritier ~ 돈을 헤프게 쓰는 상속인. ② 《~ de》 …을 아끼지 않는 : ~ *de* son argent 돈을 활수하게 잘 쓰는. — *n.* 낭비자 ; 방탕자.

prodiguer [pʀɔdige] *v.t.* ① 낭비하다 : ~

P

ses biens 재산을 낭비하다. ② 아낌없이 주다 : ~ sa vie 〔santé〕 목숨〔몸〕을 아끼지 않다 / ~ des soins à qn …에게 정성을 쏟다. ③ 과시하다 : ~ son talent 재능을 과시하다. ── **se** ~ *v.pr.* ① 낭비되다. ② 몸을 아끼지 않다, 전력을 다하다, 헌신하다. ③ 《se ~ en》 …을 아끼지 않다, 아낌없이 주다. ***se ~ dans le monde*** 세속적인 일에 너무 마음을 쓰다. ***se ~ en éloges*** 극구 찬양하다.

pro domo [pʀɔ〔o〕domo] 〖라틴〗 〖법률〗 *loc. adv.* 자신을 위해서 : plaider ~ 자신을 위해서 변호하다. ── *adj.* 자기 자신을 위한 : plaidoyer ~ 자신의 이익을 위한 변론.

prodrome [pʀɔdʀoː〔ɔ〕m] *m.* ① 전조, 조짐 : ~ de la grande crise 커다란 위기의 전조. ② (흔히 *pl.*) 〖의학〗 전구증(前驅症)(= symptômes) ; 병의 징후.

*__producteur, trice__ [pʀɔdyktœːʀ, -tʀis] *n.* 〖영화·라디오·TV〗 제작자, 프로듀서, 생산자 : vente directe du ~ au consommateur 생산자로부터 소비자에로 직접 판매, 산지 직송 판매. ── *adj.* ① 《~ de》 생산하는 : pays ~ *de* pétrole 산유국(産油國) / capital ~ *d'intérêt* 이자를 낳는 자본 / force ~*trice* 생산력. ② 〖영화〗 (영화) 제작의 : société ~*trice de* films 영화 제작 회사.

productif, ive [pʀɔdyktif, -iːv] *adj.* ① 생산하는 ; 생산적인 ; 비옥한(= fécond) : activité ~*ive* 생산 활동 / sol ~ 기름진 땅. ② 《~ de》 …을 낳는〔생기게 하는〕 : actions ~*ives d'*un dividende de …의 배당금을 낳는 주(株).

*__production__ [pʀɔdyksjɔ̃] *f.* ① 생산, 산출 ; 생산량 : la ~ et la consomation 생산과 소비 / coût de ~ 생산 원가 / ~ en masse 대량 생산 / ~ annuelle de blê 밀의 연간 생산량. ② 생산물〔품〕, 산물 ; 제품 : ~*s* naturelles 자연의 산물 《식물·과일 따위》 / ~*s* de l'industrie 공산품. ③ ⓐ 작품 ; (한 시대·한 장르·한 작가의) 작품 전체 : ~ poétique du XIXe siècle, 19세기의 시 작품. ⓑ (영화) 제작, (TV) 프로그램 제작 ; (영화) 작품 : une ~ franco-italienne 프랑스·이탈리아 합작품. ④ 제시, 제출 : ~ des pièces 관계 서류의 제출.

productique [pʀɔdyktik] *f.* (로봇·컴퓨터를 이용한) 자동화 생산.

productivité [pʀɔdyktibite] *f.* ① 생산력 ; 생산성 : ~ du travail 노동의 생산성. ② ~ de l'impôt 세금의 수익 효율〔액〕.

*__produire__ [pʀɔdɥiːʀ] [32] *v.t.* ① ⓐ 산출하다, 생산하다, 낳다 : La France *produit* beaucoup de vin chaque année. 프랑스는 매년 많은 포도주를 생산한다 / Ces pommiers *produisent* de beaux fruits. 이런 사과나무는 좋은 열매를 맺는다 / La France *a produit* beaucoup de grands artistes. 프랑스는 많은 위대한 예술가를 배출하였다. ⓑ (경제 활동에 의해) 생산하다, 제조하다(= fabriquer) : pays qui *produit* dix millions de tonnes d'acier par an 연간 일천만 톤의 강철을 생산하는 나라. ⓒ (작품 따위를) 창작하다, 쓰다 : ~ une comédie 희극을 쓰다. ⓓ (영화 따위를) 제작하다 : ~ un film 영화를 제작하다. ⓔ (이익을) 가져다 주다 : faire ~ son argent 가진 돈에 이자가 붙다. ② (결과 따위를) 생기게 하다, 초래하다(= causer, provoquer) : La guerre ne *produit* que des maux. 전쟁은 재난만 초래할 따름이다 / ~ d'heureux résultats 좋은 결과를 가져다 주다. ③ 〖법〗 (서류 따위를) 제출〔제시〕하다 : ~ un document 〔des preuves〕 서류〔증거〕를 제출하다. ── **se** ~ *v.pr.* ① 생기다, 일어나다 : le changement qui *s'est produit* en lui 그에게 일어난 변화. ② 출현하다, 나타나다, 모습을 보이다 : *se* ~ dans le monde 사교계에 나오다.

*__produit__ [pʀɔdɥi] *m.* ① 산물, 생산물 ; 제품 : ~ fini (상품으로서의) 소비품 / ~*s* pharmaceutiques 매약 / ~*s* agricoles 농산물 / ~*s* industriels 공산품 / ~ promotionnel 판촉품 / lancement d'un nouveau ~ 신제품의 발매〔출하〕. ② 《비유》 산물, 소산, 성과 : C'est le ~ de ton imagination. 그것은 네 상상력의 산물이다 / Le chômage est le ~ de l'économie de marché. 실업(失業)은 시장 경제의 소산이다. ③ 수익, 수입 ; 수확(량) : vivre du ~ de sa terre 토지에서 얻은 수익으로 생활하다 / ~ des ventes 매상 수익 / ~ net 순이익. ④ 〖수학〗 적(積) : ~ de X par Y, X와 Y의 적〔곱〕. ⑤ 〖화학〗 생성물 : ~*s* de synthèse 합성 물질 / ~ volatil 휘발성 물질. ***~ intérieur brut*** (《약자》 PIB) 국내 총생산, GDP. ***~ national brut*** (《약자》 PNB) 국민 총생산, GNP.

proéminence [pʀɔeminɑ̃ːs] *f.* 《문어》 돌기(突起) ; 돌출(= saillie) ; 돌출물, 융기물.

proéminent, e [pʀɔeminɑ̃, -ɑ̃ːt] *adj.* 돌출〔돌기〕한, 두드러진(= saillant) : ventre ~ 불룩한 배 / front ~ 툭 튀어나온 이마.

prof [pʀɔf] *n.* 《구어》 = professeur.

profanateur, trice [pʀɔfanatœːʀ, -tʀis] *n.* 신을 모독하는 사람, 독신자(瀆神者). ── *adj.* 신성을 모독하는, 불경한.

profanation [pʀɔfanɑsjɔ̃] *f.* ① 신을 모독하기, 독신(瀆神) : ~ d'une église 교회를 모독하기. ② (귀중한 것의) 남용, 오용 : ~ du génie 재능의 남용.

profane [pʀɔfan] *adj.* ① 종교와 관계없는, 세속적인, 비종교적인(≠ religieux, sacré) : monde ~ 속세 / art 〔musique〕 ~ 세속 예술〔음악〕. ② 미숙한, 문외한의(= ignorant) : Je suis ~ en la matière. 나는 그 문제에 문외한입니다. ── *n.* ① 속인 ; 비종교인. ② 문외한 : ~ en musique 음악의 문외한. ── *m.* 속사(俗事).

profaner [pʀɔfane] *v.t.* ① (신성한 것을) 모독하다 : ~ une église 교회를 모독하다. ② 악용하다 ; 더럽히다 ; 남용〔오용〕하다 : ~ un nom 이름을 욕되게 하다 / ~ son talent 재능을 남용하다.

proférer [pʀɔfeʀe] [6] *v.t.* 입밖에 내다, 발언하다(= prononcer) : ~ des injures 욕설을 퍼붓다 / sans ~ un mot 한마디도 없이.

professer [pʀɔfɛ〔e〕se] *v.t.* ① 표명하다, 공언하다, 주장하다(= proclamer) : ~ une opinion 어떤 의견을 표명하다. ② 《옛》 (교사로서) 가르치다(= enseigner) : ~ l'histoire 역사를 가르치다. ── *v.i.* 가르치다, 교편을 잡다.

***professeur** [pʀɔfɛsœːʀ] *m.* ① (중학교 이상의) 교수, 교사, 선생 《여성에도 남성명사를 씀》: ~ de droit 법학 교수 / une femme 〔dame〕 ~ 여자 교수〔교원〕/ ~ adjoint 조교수 / ~ honoraire 명예 교수 / ~ de lycée 고등학교 선생 / ~ cerifié 중등 교육 자격 (《약자》 C.A.P.E.S.)을 지닌 선생 / Elle est ~ de piano. 그 여자는 피아노 선생이다. ② (주의 · 사상 따위의) 주창자 : ~ de socialisme 사회주의 창도자 / ~ de démocratie 민주주의의 창도자.

profession** [pʀɔfɛsjɔ̃] *f.* ① 공언, 공표 ; 선언, 주장 ; 〖종교〗 서원(誓願)(식). ② 직업(= métier), 업무 : exercer la ~ de médecin 의사로 개업하다 / Quelle est votre ~ ? 직업이 무엇입니까 ? / ~*s* libérales 자유직 / ~ d'avocat 〔de professeur〕 변호사 〔교사〕직 / choix d'une ~ 직업 선택. ***de ~ 직업적인 : joueur *de* ~ 직업적 노름꾼 ; 〖스포츠〗 프로 선수. ***faire ~ de*** qc 〔+*inf.*〕 …을 공공연히 주장하다, 공언하다 ; 자랑으로 여기다 : *faire ~ de* libéralisme 자유주의를 표방하다 / *faire ~ de* mépriser l'argent 돈을 경멸한다고 공언하다. ***~ de foi*** 신앙 선언〔고백〕.

professionnalisme [pʀɔfɛsjɔnalism] *m.* 직업 의식, 프로 정신, 직업적〔전문적〕임 ; 프로 선수 신분〔자격〕(≠ amateurisme).

***professionnel, elle** [pʀɔfɛsjɔnɛl] *adj.* ① 직업(상)의 : enseignements ~*s* 직업 교육 / maladies ~*elles* 직업병 / cours ~ (신입 사원의) 연수. ② 직업적인, 전문적인, 프로의 (≠ amateur) : sportif ~ 프로 운동 선수 / équipe ~*elle* de football 프로 축구팀. comptable ~ 전문적인 회계사. — *n.* ① 직업인, 전문가. ② 〖스포츠〗 프로 선수. — *f.* 매춘부, 창녀(= prostituée).

professionnellement [pʀɔfɛsjɔnɛlmɑ̃] *adj.* 직업적으로 ; 직업으로 보아.

professoral, e, aux [pʀɔfɛsɔʀal, -o] *adj.* 교수〔교사〕 같은, 학자적인 ; 학자연하는, 현학적인, 유식한 체하는 : corps ~ 교수진 / ton ~ 교수티 내는 말씨.

professorat [pʀɔfɛsɔʀa] *m.* 교수의 직〔재직 기간〕; 교원 자격증 : choisir le ~ 교직을 선택하다.

profil** [pʀɔfil] *m.* ① 옆모습〔얼굴〕, 프로필 ; 《구어》 얼굴(= figure), 초상(= portrait) : ~ grec 그리스 조각 같은 옆얼굴 / voir 〔dessiner〕 qn de ~ …을 옆모습으로 보다 〔그리다〕. ② (사물의) 윤곽, 외곽(= silhouette) ; 형(形)(= ligne) : ~ d'un dôme 둥근 지붕의 윤곽. ③ 개관, 개요 ; 특징, 특성 : ~ de l'intellectuel conservateur 보수적 지식인의 특징. ④ 〖건축 · 기계 · 지질〗 종단면(縱斷面), 단면(도) : ~ en long 종단면 / ~ en travers 횡단면. ⑤ 〖심리〗 (테스트 결과로서 정신적 윤곽을 나타내는) 심리 분석 도표〔그래프〕(= ~ psychologique). ***de ~ 옆에서, 측면에서 : de face, *de* ~, de dos 정면으로, 측면으로, 뒷면으로 / regarder 〔voir, dessiner, peindre〕 qn *de* ~ …을 옆에서 바라보다〔보다, 소묘하다, 그리다〕. ***~ perdu*** 〔***fuyant***〕 (앞부분만 보이는) 약간 뒤로 향한 프로필〔옆얼굴〕.

profiler [pʀɔfile] *v.t.* ① 옆모습을 그리다 ; 단면도를〔종단면을〕 그리다 : ~ un visage 옆모습을 그리다. ② 《주어 : qc》 (건물 따위가) …의 윤곽을 나타내다, 뚜렷이 드러내다. ③ …에 일정한 단면을 주다, …을 단면도대로 만들다. — **se ~** *v.pr.* ① 윤곽이 뚜렷이 드러나다 : On voyait la flèche *se* ~ au loin. 교회 첨탑이 멀리 선명한 모습을 드러냈다. ② 《비유》 (모양 · 상황 따위가) 떠오르다, 나타나다 : De nouvelles perspectives *se profilent* à l'horizon 새로운 전망이 보이기 시작했다.

profit** [pʀɔfi] *m.* ① 이득, 이익(= bénéfice, ≠ perte) ; 이윤, 수익, 벌이(= avantage ; ≠ dommage) : ~ brut 〔net〕 총이익금 〔순이익금〕 / source de ~*s* illicites 부정 이득의 근원 / faire de gros ~*s* 큰 이익을 올리다 / ~*s* et pertes 손익 / Il ne cherche que son ~. 그는 자신의 이익만 추구한다. ② (정신적인) 이익, 이득 ; 유익, 유리 : ~ intellectuel 지적 이익 / Ce stage lui a été d'un grand ~. 이 연수회는 그에게 아주 유익했다. ***au ~ de qn …의 이익이 되도록, …을 위하여 : collecte faite *au ~ des* sinistrés 이재민을 위하여 벌인 모금. ***avec ~*** 유리하게. ***avoir le ~ de*** qc …을 이용하다. ***C'est tout ~.*** 아주 유리하다. ***faire du*** 〔***beaucoup de***〕 ***~*** 《구어》 (물건이) 오래가다, 경제적이다. ***faire*** (***son***) ***~ de*** qc …을 이용하다, 유익하게 사용하다 : *faire ~ d'*une leçon 어떤 가르침에서 얻는 바가 있다. ***Il n'y a pas de petits ~s.*** 어떤 벌이도 벌이는 벌이 ; 어떤 것도 소홀이 해서는 안 된다. ***Il y a ~*** 〔***du ~***〕 ***à*** qc 〔+*inf.*〕 …이〔하는 것이〕 유익〔유리〕하다. ***mettre*** qc ***à ~*** …을 유리〔유익〕하게 사용〔이용〕하다 : *mettre* son argent 〔son temps〕 *à* ~ 자기 돈〔시간〕을 유효하게 쓰다. ***~s et pertes ; pertes et ~s*** 〖상업〗 손익 : compte de ~*s et pertes* 손익 계산 / mettre 〔passer〕 qc aux ~*s et pertes* …을 손익 계정에 넣다 ; …을 손해본 것으로 간주하다, …을 단념하다. ***tirer ~ de*** qc …을 유용하게 쓰다 ; …을 활용하다. ***trouver son ~ à*** qc …을 이용하다.

profitable [pʀɔfitabl] *adj.* 《~ à》 …에게 이익〔이득〕이 되는, 유익한 : source de revenus très ~ 대단히 유리한 수입원.

***profiter** [pʀɔfite] *v.i.* ① 이익〔이득〕을 보다 〔올리다〕 : ~ sur une vente 팔아서 이득을 보다. ② (어린애 따위가) 성장 〔발육〕 하다, 자라다 ; (과수 따위가) 열매를 맺다〔산출하다〕, 수익을 올리다 : Cet enfant *a* bien *profité.* 이 아이는 발육이 좋다 / Cette année, les arbres n'*ont* pas *profité.* 금년에는 과일 수확이 나빴다. ③ 《주어 : qc》 이익이 되다, 유익하다 : faire ~ son argent 돈을 유리하게 사용하다. — *v.t. ind.* ① ⓐ 《~ de qc》 …을 이용〔활용〕하다 : ~ *d'*un privilège 특권을 이용하다 / ~ *de* qc pour+*inf.* …을 이용하여 …을 하다 / ~ *de* l'occasion pour s'enfuir 기회를 보아서 도망치다. ⓑ 《~ de ce que+*ind.*》 …라는 사실을 이용하다. ② 《~ en 〔dans〕 qc》 …이 발달〔진보, 향상〕하다, 나아지다(= s'améliorer en) : ~ *en* sagesse 〔science〕 지혜가〔지식이〕 발달하다. ③ 《주어 : qc》 《~ à qn 〔qc〕》 …에게〔에〕

P

이익이 되다, 유익하다, 이롭다 : Ce stage *lui a* bien *profité*. 이 연수를 받아 그에게 크게 유익할 것이다.

profiterole [pʀɔfitʀɔl] *f.* 초콜릿 슈크림.

***profond, e** [pʀɔfɔ̃, -ɔ̃:d] *adj.* ① (바닥이) 깊은 ; 깊은 곳의 : 속〔안〕이 깊은 : Le fleuve est très ~ à cet endroit. 강은 여기서 매우 깊어진다 / grotte ~*e* 깊숙한 동굴 / blessure ~*e* 깊은 상처 / placard ~ 안이 깊은 찬장. ② 《추상적》 ⓐ (지식 따위가) 깊은, 심오한 : savoir ~ 깊은 학식 / Il a de ~*es* connaissances en histoire. 그는 역사에 조예가 깊다. ⓑ (정신 따위가) 통찰력이 있는 : C'est un esprit ~. 그는 통찰력이 있는 사람이다. ⓒ 심원한 ; 심층의 ; 난해한 : écrivain ~ (작품 내용이) 심원한 작가 / causes ~*es* et causes immédiates 원인(遠因)과 근인(近因). ⓓ 극도의, 대단한, 심각한 : sommeil 〔silence〕 ~ 깊은 잠〔침묵〕 / ~*e* différence 대단한〔심한〕 차이 / ~ désespoir 심각한 절망. ③ (색깔 따위가) 진한, 짙은 ; 깊은 느낌을 주는 : regard ~ 깊은 눈길 / noir 〔brun〕 ~ 짙은 검정색 〔갈색〕. ④ 〖언어〗 심층의 ; 〖심리〗 심층의 : structure ~*e* 심층 구조 / tendances ~*es* 심층적 성향. ── *m.* 밑바닥, 속 : se cacher au plus ~ de la forêt 숲속 깊이 숨다 / au plus ~ de mon cœur 내 마음속 깊이. ── *f.* 《속어》 주머니, 포켓. ── *adv.* 깊이 : creuser ~ 깊이 파다.

***profondément** [pʀɔfɔ̃demɑ̃] *adv.* ① 깊이, 깊게 : pénétrer ~ dans une forêt 삼림 깊숙이 들어가다 / creuser ~ la terre 땅을 깊이 파다 / dormir ~ 푹 자다. ② 마음속으로 ; 극도로, 몹시 : aimer ~ 마음속으로 사랑하다 / haïr ~ 몹시 미워하다.

profondeur** [pʀɔfɔ̃dœ:ʀ] *f.* ① 깊이 : ~ d'une mer 바다의 깊이 / ~ d'une plaie 상처의 깊이 / puits de dix mètres de ~ 깊이 10 미터의 우물. ② 《흔히 *pl.*》 깊은 곳 : s'enfoncer dans les ~*s* d'une grotte 동굴의 깊은 데까지 들어가다 / explorer les ~*s* de la mer 심해를 탐험하다 / ~*s* de l'être 존재의 깊은 내면. ③ (3 차원 공간의) 높이(= hauteur) ; 두께 : Il y a trois dimensions : longueur, largeur et ~. 길이, 넓이, 높이의 3 차원이 있다. ④ 안〔세로의〕 길이 : ~ d'un placard 〔tiroir〕 옷장〔서랍〕의 세로 폭. ⑤ 《추상적》 깊이, 심오함 ; 통찰력 : ~ de vues 심오한 통찰력 / ~ d'une œuvre 작품의 깊이 / manquer de ~ dans les idées 사상에 깊이가 없다. ⑥ (감정 · 느낌의) 깊이, 격렬함 ; 심각함 : ~ de son amour 그의 사랑의 깊이 / ~ de la colère 격렬한 노여움. ***en ~ ⓐ 깊이. creuser *en* ~ 깊이 파다. ⓑ 근본적으로 : changement *en* ~ 근본적인 변화. ⓒ 표면에 나서지 않고, 남모르게 : agir *en* ~ 남모르게 행동〔작용〕하다.

profus, e [pʀɔfy, -y:z] *adj.* (땀 따위가) 많이 나는, 흘러넘치는(= abondant) : sueurs ~*es* 심한 땀 / lumière ~*e* 흘러넘치는 빛.

profusément [pʀɔfyzemɑ̃] *adv.* 풍부하게, 많이.

profusion [pʀɔfyzjɔ̃] *f.* 많음, 다량, 풍부(= abondance) : une ~ de cadeaux 엄청나게 많은 선물. ***à ~*** 많이 : distribuer des tracts *à* ~ 전단지를 다량으로 뿌리다 / dépenser de l'argent *à* ~ 아낌없이 돈을 쓰다.

progéniture [pʀɔʒenity:ʀ] *f.* 《구어》 《익살》 자손, 후예 ; 자녀 ; (동물의) 새끼.

progestatif, ive [pʀɔʒɛstatif, -i:v] *adj.* 임신을 촉진하는. ── *m.* 〖의학〗 황체 호르몬제 (= ~ de synthèse).

progiciel [pʀɔʒisjɛl] *m.* 〖컴퓨터〗 패키지, 기성 프로그램 : ~ de gestion de base de données 데이터베이스 운영 패키지.

prognathe [pʀɔgnat] *adj.* 〖인류〗 턱이 앞으로 내민.

programmable [pʀɔgʀamabl] *adj.* (기계가) 프로그래밍할 수 있는 ; 타이머로 예약할 수 있는 : magnétoscope ~ 예약 녹화가 가능한 녹화기.

programmateur, trice [pʀɔgʀamatœ:ʀ, -tʀis] *n.* 〖영화 · 라디오 · TV〗 프로그램 편성자. ── *m.* ① 〖컴퓨터〗 프로그램 가동 장치. ② (세탁기 따위의) 자동 실행 시스템, 타이머 시스템.

programmation [pʀɔgʀamɑsjɔ̃] *f.* ① 〖영화 · 라디오 · TV〗 프로그램 편성. ② 〖컴퓨터〗 프로그래밍 : ~ d'une calculatrice 전자계산기의 프로그래밍. ③ 《구어》 계획, 예정 : ~ des naissances 출산 계획.

programme** [pʀɔgʀam] *m.* ① 프로(그램), 차례, 진행 (순서) : ~ radiophonique 〔de télévision〕 라디오〔텔레비전〕 프로그램 / ~ d'une cérémonie officielle 의식의 차례〔식순(式順)〕. ② 예정, 계획, 기획 ; 예정표 : ~ de fabrication 생산 계획 / réaliser un ~ 계획을 실현하다 / arrêter un ~ 예정표를 작성하다 / Ce n'est pas au ~. 그것은 예정에 없는 일이다. ③ (강의 · 시험 따위의) (교과) 과정, 커리큘럼, 수업 계획 : ~*s* scolaires 학습 커리큘럼 / ~ du baccalauréat 대학 입학 자격 시험 과목. ④ (정당의) 강령 ; (경제) 계획, 예정 : ~ à long 〔court〕 terme 장기〔단기〕 계획 / ~ de réformes 개혁 강령 / ~*s* d'action régionale 지역 개발 계획. ⑤ 〖컴퓨터〗 프로그램 : ~ de calculs 연산 프로그램 / ~ d'un ordinateur 컴퓨터용 프로그램. ***~ d'études 교육〔교과〕 과정, 커리큘럼.

programmer [pʀɔgʀame] *v.t.* ① 〖라디오 · TV〗 (방송 예정의) 프로(그램)에 넣다 : On *a programmé* une nouvelle émission. 새로운 방송을 프로그램 속에 짜 넣었다. ② 〖컴퓨터〗 …의 프로그램을 짜다, 프로그램화(化)하다 : ~ un ordinateur 컴퓨터의 프로그램을 짜다. ③ …의 계획을 세우다, …을 계획〔예정〕에 넣다 : ~ ses loisirs 레저 계획을 짜다. ── *v.i.* 〖컴퓨터〗 프로그래밍하다.

programmeur, euse [pʀɔgʀamœ:ʀ, -ø:z] *m.* 〖컴퓨터〗 프로그래머.

progrès** [pʀɔgʀɛ] *m.* ① 진보, 발달, 발전, 향상 ; 개선(= amélioration) : ~ de la science 과학의 진보 / un grand ~ 〔un ~ sensible〕 vers …을 향한 도약 / Il a fait des ~ sensibles en français. 그의 프랑스어는 눈에 띄게 향상했다. ② 진행, 진척 ; 확대, 증대 ; 심화 : ~ de la maladie 병의 진행〔악화〕 / ~ de l'inondation (홍수) 범위의 확대. ③ (군대 따위의) 전진(= avance ; ≠ recul) : ~ d'une troupe 부대의 전진. ***être en

P

~ 진보해 있다 : Cet élève *est en* net ~. 이 학생은 현저히 좋아지고〔향상되고〕 있다.

progresser [pʀɔgʀɛ(e)se] *v.i.* ① 진보하다, 향상하다, 발전하다 ; 증대하다 : ~ à grand pas 장족의 발전을 하다 / Les négociations *ont progressé.* 협상은 진전을 보았다. ② 진행하다 ; 〖군사〗 전진하다, 진격하다 (= avancer) : Le cancer *a progressé.* 암이 진행되었다 / Les troupes *progressent* en direction de la frontière. 군대가 국경을 향해 전진하고 있다.

progressif, ive [pʀɔgʀɛ(e)sif, -iːv] *adj.* ① 전진적인 ; 점진적인 : développement ~ 점진적 발전 / rapprochement ~ des deux pays 두 나라의 점진적 접근. ② 단계적인, 누진적인 : impôt ~ 누진세(累進稅) / problèmes de difficulté ~*ive* 점점 곤란해지는 문제.

progression [pʀɔgʀɛsjɔ̃] *f.* ① 진전, 전진, 진행 ; 점진, 진보, 발전, 증가 : ~ de la science 학문의 발전 / ~ lente des glaciers 빙하의 완만한 전진 / ~ d'une armée 군대의 진군. ② 〖수학〗 급수(級數), 수열. ***~ arithmétique*** 〔***par différence***〕 산술급수, 등차급수. ***~ géométrique*** 〔***par quotient***〕 기하급수, 등비급수.

progressisme [pʀɔgʀɛ(e)sism] *m.* 진보주의, 진보적인 경향.

progressiste [pʀɔgʀɛ(e)sist] 〖정치〗 *n.* 진보론자, 진보주의자. — *adj.* 진보주의의.

***progressivement** [pʀɔgʀɛsivmɑ̃] *adv.* 점진적으로, 점차(로), 차차 : réduire ~ sa vitesse 속도를 점차 줄이다.

progressivité [pʀɔgʀɛsivite] *f.* 전진성, 진보성 ; 점진성, 진행성.

prohibé, e [pʀɔibe] *adj.* 금지된, 불법의 : commerce ~ 불법 거래 / degré ~ 금혼(禁婚) 촌수 / temps ~ 금지 기간, 금렵기(禁獵期).

prohiber [pʀɔibe] *v.t.* 금하다, 금지〔금제〕하다(= défendre ; ≠ autoriser) : ~ à qn de+*inf.* …에게 …하는 것을 금하다 / la loi qui *prohibe* le commerce des stupéfiants 마취제 거래를 금하는 법률.

prohibitif, ive [pʀɔibitif, -iːv] *adj.* (법률로) 금지하는, 제한적인 : loi ~*ive* 금지법 / mesures ~*ives* 금지 조치.

prohibition [pʀɔibisjɔ̃] *f.* ① 금지, 금제(= défense) : ~ du port d'armes 무기 휴대 금지 / ~ de la chasse 수렵 금지. ② 〖상업〗 수입〔제조 · 판매〕 금지.

prohibitionnisme [pʀɔibisjɔnism] *m.* 금제 조치, 보호 무역주의 ; 《옛》 (미국의) 금주법.

proie [pʀwa(ɑ)] *f.* ① (동물의) 먹이, 밥 : Le tigre épiait sa ~. 호랑이가 먹이를 노리고 있었다. ② 《비유》 먹이, 이용물, 희생물 : C'est une ~ facile pour des escrocs. 그는 저 사기꾼들에게는 아주 다루기 쉬운 봉이다. ③ 노획품, 약탈품, 탈취품. ***être en ~ à*** qc …에 시달리다 ; …에 사로잡히다 : Ce pays *est en ~ à* la guerre civile. 이 나라는 내전에 시달리고 있다. ***être*** 〔***devenir***〕 ***la ~ de*** …의 희생이 되다. ***oiseau de ~*** 맹금(猛禽).

projecteur [pʀɔʒɛktœːʀ] *m.* ① 탐조등 ; 투광기, 투사경(投射鏡). ② (자동차) 헤드라이트. ③ 영사기 ; 환등기.

***projectile** [pʀɔʒɛktil] *m.* ① 방사물, 발사체. ② 〖군사〗 총탄, 탄환, 포탄(= obus, balle) : ~ balistique 탄도탄.

projection [pʀɔʒɛksjɔ̃] *f.* ① (총탄 · 포탄 따위의) 발사 ; (액체 · 기체 따위의) 사출(射出), 분출 ; (*pl.*) 분출물 : ~ volcanique 화산의 분출. ② (빛의) 분사 ; (그림자의) 사영(射影), 투영(投影) ; (투사) 광선 : la ~ d'une ombre 투영. ③ (영화 · 환등기의) 영사 : cabine de ~ 〖영화〗 영사실 / lanterne à ~ 환등기. ④ 〖수학〗 사영(射影), 투영(投影) ; 투영도(圖). ⑤ 〖정신〗 (인상 · 감정의) 투사, 투영 : ~ et identification (주관의) 투사와 (객체와의) 동일화.

projectionniste [pʀɔʒɛksjɔnist] *n.* 〖영화〗 영사 기사(技師).

⁑projet [pʀɔʒɛ] *m.* ① 계획, 기획(= dessein) : faire des ~*s* de vacances 방학 계획을 세우다 / ~ de voyage 여행 계획 / homme à ~*s* 계획이 많은 사람, 사업가, 기획가. ② 초안(= ébauche), 초고 ; 〖건축〗 설계도 : bâtiment en ~ 설계 중인 건물 / rédiger un ~ de thèse (학위) 논문의 초안을 쓰다. ***avoir des ~s sur*** ⓐ …의 입수를 꾀하다. ⓑ …을 결혼 상대로 생각하다. ***former*** 〔***renverser***〕 ***un ~*** 계획을 세우다〔뒤엎다〕. ***~s de lui*** 정부 제출 법률안.

***projeter** [pʀɔʒte] [5] *v.t.* ① 내던지다 ; (액체 · 기체 따위를) 사출하다, 내뿜다, 분출하다 : volcan qui *projette* des poussières noires 검은 먼지를 내뿜는 화산. ② (빛을) 투사하다 ; (그림자를) 비추다 ; (영사막에 영화 · 환등을) 비추다 ; 〖수학〗 투영〔투사〕하다 : ~ une ombre 그림자를 던지다, 투영하다 / ~ un film sur l'écran 필름〔영상〕을 영사막에 비추다 / ~ des diapositives 슬라이드를 비추다. ③ 계획〔기획 · 기도〕하다 ; 발안하다 ; 설계하다 ; 《~ de+*inf.*》 …할 생각〔예정〕이다 : ~ un plan 계획을 세우다 ; 설계하다 / ~ une expédition scientifique 학술 탐험을 기획하다. ④ 〖심리〗 (인상 · 감정 따위를) 투영〔투시〕하다 : Il *projette* ses haines sur les autres. 그는 자신의 증오심을 타인에게 투영하고 있다. — **se ~** *v.pr.* ① 튀어나오다, 돌출하다. ② 계획되다. ③ (빛이) 투사되다, (그림자가) 투영되다, 비치다.

projeteur, euse [pʀɔʒtœːʀ, -øːz] *n.* 기획자, 설계자.

prolégomènes [pʀɔlegɔmɛn] *m. pl.* 서론, 총론.

prolepse [pʀɔlɛps] *f.* ① 〖수사학〗 예변법(豫辨法). ② 〖문법〗 종속절의 말을 주절에 옮기는 통사법(예 : Tu sais Jean comme il aime le chocolat. 너는 장이 초콜릿을 얼마나 좋아하는지 알고 있지).

prolétaire [pʀɔletɛːʀ] *m.* 프롤레타리아, 무산자. — *adj.* 프롤레타리아의, 무산자의(≠ bourgeois) : classe ~ 무산 계급.

prolétariat [pʀɔletaʀja] *m.* 노동 계급, 무산 계급 ; 무산자〔노동자〕의 신분.

prolétarien, enne [pʀɔletaʀjɛ̃, -ɛn] *adj.* 프롤레타리아의, 무산자의 ; 무산 계급의 : classe ~*enne* 무산계급 / révolution ~*enne* 프롤레타리아 혁명.

prolétarisation [pʀɔletaʀizɑsjɔ̃] *f.* 프롤레

타리아화(化).

prolétariser [prɔletarize] *v.t.* 프롤레타리아화〔무산 계급화〕하다.

prolifération [prɔliferasjɔ̃] *f.* ① 〖생물〗 증식, 번식 : ~ des cellules d'une tumeur maligne 악성 종양 세포의 번식. ② (수의) 증가. ③ 증대 ; 확산, 만연 : ~ des armes nucléaires 핵무기의 확산.

proliférer [prɔlifere] *v.i.* ① 증식〔번식〕하다 : plantes qui *prolifèrent* dans la grotte 동굴에서 번식하는 식물. ② 《비유》 부풀다, 팽창하다(= foisonner) : Le projet *prolifère.* 계획이 확대되어 간다.

prolifique [prɔlifik] *adj.* ① 번식이 빠른, 다산(多産)의, 생식력〔번식력〕이 강한 : lapins ~*s* 생식력이 강한 토끼. ② (소설가 따위가) 다작(多作)의.

prolixe [prɔliks] *adj.* (말 따위가) 장황한, 말이 많은(= bavard) : écrivain ~ (묘사가) 장황한 작가.

prologue [prɔlɔg] *m.* ① 머리말, 서언, 서론 (≠ épilogue) ; 서곡 ; 서시(序詩) : ~ d'un roman 소설의 서문. ② 《비유》 (사건 따위의) 전조 ; 발단, 도입부 : ~ d'une guerre 전쟁의 서막.

prolongateur [prɔlɔ̃gatœːr] *adj.* et *m.* (전기의) 연장 코드(의)(= cordon 〔fil〕 ~).

prolongation [prɔlɔ̃gasjɔ̃] *f.* ① (시간의) 연장(= allongement) : ~ d'un contrat 계약의 연장 / obtenir une ~ de congé 휴가의 연장을 얻다. ② 〖스포츠〗 연장전 : jouer les ~*s* 연장전을 벌이다.

prolonge [prɔlɔ̃ːʒ] *f.* 《옛》 ① 〖철도〗 (화물용의) 긴 밧줄. ② 〖군사〗 탄약차, 수송차(= ~ d'artillerie).

prolongé, e [prɔlɔ̃ʒe] *adj.* (시간적으로) 연장된, 오래 끄는 : contrat ~ 연장된 계약 / rire ~ de l'auditoire 청중의 그치지 않는 웃음 / jeune fille ~*e* 《구어》 노처녀.

prolongement [prɔlɔ̃ʒmɑ̃] *m.* ① 늘이기, 신장(伸長), 연장 ; 확장 : ~ d'une autoroute 고속도로의 연장. ② 연장 부분, 연장물 : ~ du mur 벽의 연장 부분. ③ 《비유》 (*pl.*) (사건 따위의) 결과, 영향 : ~*s* d'un procès 소송의 결과.

***prolonger** [prɔlɔ̃ʒe] [3] *v.t.* ① (시간을) 연장하다 ; 연기〔유예〕하다 : ~ un délai 기한을 연장하다. ② (공간을) 연장〔신장〕하다 : ~ une rue 길을 연장하다 / le cimetière qui *prolonge* l'eglise 교회에 이어진 묘지. ── **se ~** *v.pr.* ① 길게〔오래〕 끌다, 지체하다 : L'effet du narcotique *se prolonge.* 마취제의 효력이 오래 간다. ② (공간 · 시간이) 연장되다 ; 연기되다 : sentier qui *se prolonge* à travers bois 숲속으로 이어지는 오솔길.

promenade** [prɔmnad] *f.* ① 산책, 산보 : partir en ~ 산책하러 가다 / ~ en voiture 〔à cheval〕 드라이브〔승마 산책〕. ② 산책로, 산보길(= ~ publique) : Le long de la plage, il y a une jolie ~. 바닷가를 따라 아름다운 산책로가 있다. ***Ce n'est qu'une ~. 걸어서 잠깐이지요. **~ *militaire*** 군대 행진.

‡**promener** [prɔmne] [4] *v.t.* ① 산책시키다 ; 끌고〔데리고〕 다니다 : ~ son enfant dans le parc 아이를 공원에서 산보시키다 / ~ un ami étranger à travers Séoul 외국 친구를 데리고 서울 구경을 시켜 주다 / Elle est sortie ~ son chien. 그녀는 개를 끌고 산보하러 나갔다. ② 가지고 다니다, 가지고 가다 ; 《문어》 (감정 따위를) 가는 곳마다 보이다 : ~ une pancarte 플래카드를 들고 걷다 / ~ partout son ennui 어디에 가든 우울한 얼굴을 하고 있다. ③ (손가락 · 시선 따위를) 이동시키다, 움직이다 : ~ ses doigts sur le clavier 건반에서 손가락을 움직이다. ***Ça te*** 〔***vous***〕 ***promènera.*** 《구어》 좋은 운동〔기분 전환〕이 될거야 《심부름 시킬 때 쓰는 말》 : Va acheter du pain, *ça te promènera.* 운동 겸해서, 빵 사러 갔다 오렴. ── **se ~** *v.pr.* ① 산책하다, 소풍하다. *se ~* dans la forêt 숲속을 산책하다 / 《se를 생략하여》 mener ~ un enfant 아이를 데리고 산보하러 가다. ② (손가락 · 시선 따위가) 이동하다, 옮기다 : Ses yeux *se promènent* sur l'assistance. 그녀는 시선을 청중 위로 움직였다. ***Allez vous ~ ! ; Va te ~ !*** 저리 가. ***envoyer*** qn (***se***) **~ *; envoyer ~*** qn …을 쫓아 버리다. ***envoyer ~*** qc …을 집어던지다. ***envoyer tout ~*** 《구어》 모든 것을 포기하다, 모든 것이 다 싫어지다 : *J'ai tout envoyé ~.* 나는 모든 것을 포기했다.

promeneur, euse [prɔmnœːr, -øːz] *n.* ① 산책자, 산책 애호가 : ~ (touriste) 소풍객, 관광객. ② 안내인, 시중드는 사람 : ~ de touristes 여행〔관광〕 안내자.

promenoir [prɔmnwaːr] *m.* (수도원 · 병원 따위의) 산책하는 곳 ; (극장 따위의)넓게 비워 둔 복도 ; (극장 따위의) 입석.

promesse** [prɔmɛs] *f.* ① 약속, 언약(= parole) : faire une ~ 약속을 하다 / manquer à sa ~ ; violer 〔trahir〕 sa ~ 약속을 어기다 / tenir sa ~ 약속을 지키다. ② 가망성, 장래성, 전망 : entreprise pleine de ~*s* 매우 전망이 좋은 기업. ③ 〖상업〗 약속 어음, 계약 : ~ d'achat 〔de vente〕 구입〔매각〕 계약. ***sous la ~ de qc 〔***de*** + *inf.*〕 …라는 약속하에. **~ *sur parole*** 신사(紳士) 협정〔협약〕.

***prometteur, euse** [prɔmɛtœːr, -øːz] *adj.* 유망한, 장래성 있는 : avenir ~ 유망한 장래 / regard ~ 기대에 찬 눈초리.

‡**promettre** [prɔmɛtr] [46] *v.t.* ① ⓐ 약속〔언약〕하다 : ~ son cœur 〔son amour〕 사랑을 언약하다 / On lui *a promis* une belle situation. 그는 좋은 지위를 약속받았다. ⓑ 《~ qc à qn ; à qn de + *inf.*》 …에게 …을〔할 것을〕 약속하다 : Il *a promis à* ses enfants *de* les amener au cinéma. 그는 아이들에게 영화 보러 데리고 가겠다고 약속했다 / Il *promet* qu'il travaillera mieux. 그는 공부를 더 잘하겠다고 약속한다. ② 보증하다, 보장하다, 단언하다(= garantir, assurer, affirmer) : Je vous *promets* qu'il s'en repentira. 그가 후회하리라는 것은 틀림없습니다, 두고 보세요. ③ 《주어 : qn 또는 qc》 예고〔예보〕하다(= prédire, annoncer) : La météo *promet* du beau temps 〔de la pluie〕 pour demain. 일기 예보는 내일 날씨가 좋을 것이라고〔비가 올 것이라고〕 예고하고 있다. ④ 《목적보어 없이》 유망하다, 장래성이 있다 ; 앞

P

날이 걱정〔염려〕되다 : enfant qui *promet* 장래성이 있는 아이 / Ces vignes *promettent.* 포도는 풍작이 예상된다. ***P~ et tenir font*** 〔***sont***〕 ***deux.*** 《격언》 약속과 이행은 별개. ***~ la lune*** 〔***monts et merveilles***〕 《구어》 불가능한〔꿈 같은〕 일을 약속하다. ***C'est promis.*** 그것은 확실하다(= C'est sûr 〔juré〕) : Je te raporte ton disque demain, *c'est promis.* 내일 내 레코드판을 돌려줄게, 틀림없이 약속하마. ***~ sa main*** (여자가 남자에게) 결혼 약속을 하다. ── **se ~** *v.pr.* ① 《se ~ de+*inf.*》 결심〔작정〕하다(= compter) : *se ~ de* ne rien dire 아무 말도 하지 않기로 결심하다. ② 희망〔기대〕하다(= espérer, compter sur) : joies qu'il *s'était promises* 그가 기대했던 기쁨. ③ 서로 약속하다 : Il *se sont promis* de se revoir. 그들은 다시 만날 것을 약속했다.

promis, e [pʀɔmi, -iːz] *adj.* ① 약속된, 약혼한 : jeune fille déjà *~e* 이미 약혼한 아가씨. ② 《~ à》 …이 약속된 ; …에 운명지워진 (= destiné à, voué à) : jeune homme ~ *à* un brillant avenir 빛나는 전도를 약속받은 청년. ***la Terre ~e*** 〖성서〗 약속의 땅, 가나안(Chanaan) 복지. ── *n.* 《옛》 약혼자.

prom-is, -it, -îmes, -îtes, -irent ⇒ promettre.

promiscuité [ʀɔmiskɥite] *f.* 뒤섞임, 혼잡, 난잡 : ~ des taudis 빈민굴의 잡거 생활 / *~s* du métro 지하철의 혼잡.

promo [pʀɔmo] *f.* 《구어》 (전문대학 따위의) 동기 입학생, 동기생《promotion 의 약자》.

promontoire [pʀɔmɔ̃twaːʀ] *m.* ① 〖지리〗 갑(岬), 곶. ② 〖해부〗 선골갑(仙骨岬).

promoteur, trice [pʀɔmɔtœːʀ, -tʀis] *n.* ① 발기인, 주창자, 주동자 : ~ de cette réforme 그 개혁의 주동자. ② 부동산 개발업자 (= ~ immobilier)《개인이 아닌 회사를 지칭》.

promotion [pʀɔmosjɔ̃] *f.* ① 승진, 진급 : fêter la ~ de qn au poste de chef de bureau …의 과장 승진을 축하하다 . ② 《집합적》 (전문대 따위의) 동기생, 동기 입학자《속어로 promo 라고도 함》 : camarade de ~ 동급생, 동기생. ③ (지위의) 향상 : ~ ouvrière 노동자의 지위 향상 / ~ sociale 사회적 지위 향상. ④ 판매 촉진 : ~ des ventes (선전 · 할인 따위에 의한) 판매 촉진(법).

promotionnel, elle [pʀɔmosjɔnɛl] *adj.* 판매 촉진의 : vente *~elle* (판매 촉진을 위한) 선전〔할인〕 판매, 바겐세일.

promouvoir [pʀɔmuvwaːʀ] 56 *v.t.* 《수동태와 복합시제에만 쓰임. 과거 분사 : promu.》 *v.t.* ① 진급〔승진〕시키다 : *être promu* lieutenant 육군 중위로 진급하다. ② 촉진〔추진〕시키다, 장려하다(= encourager) : ~ une réforme 개혁을 추진하다 / ~ un article 상품의 판매를 촉진하다.

prompt, e [pʀɔ̃, -ɔ̃ːt] *adj.* ① 재빠른, 날랜, 신속한 ; 《~ à qc 〔+*inf.*〕》 재빠르게 …하는 ; …하기를 잘 하는 : ~ départ 돌연한 출발 / ~ *à* la colère 성 잘내는 / ~ *à* agir 행동이 재빠른. ② 예민한 : esprit ~ 날카로운 머리. ③ 성급한(= fougueux, impétueux), 성마른. ④ 순식간의 ; 덧없는 : Sa joie fut *~e.* 그의 기쁨은 순간적이었다. ***avoir la main ~e*** 손이 재빠르다. ***~ comme l'éclair*** 〔***la foudre***〕 몹시 빠른.

promptement [pʀɔ̃tmɑ̃] *adv.* 재빨리, 신속하게, 민첩하게(= rapidement) : L'affaire a été ~ réglée. 사건은 신속히 처리되었다.

promptitude [pʀɔ̃tityd] *f.* ① 신속, 민첩 : ~ de l'arrivée des pompiers 소방차의 도착은 신속했다. ② 조급함, 성마름.

promu, e [pʀɔmy] *adj.* 진급한, 승진한 : élèves *~s* 진급한 학생. ── *n.* 진급자, 승진자.

promulgation [pʀɔmylgɑsjɔ̃] *f.* (법률 따위의) 공포, 발포(發布), (법령의) 시행.

promulguer [pʀɔmylge] *v.t.* (법률 따위를) 공포하다, 발포하다.

prône [pʀoːn] *m.* 〖종교〗 일요 설교 〔미사〕 : faire le ~ 일요 설교를 하다.

prôner [pʀone] *v.t.* ① 칭찬하다 : ~ les mérites de qn …의 장점을 칭찬하다. ② 권장하다 : ~ la modération 절제할 것을 권장하다.

***pronom** [pʀɔnɔ̃] *m.* 〖문법〗 대명사 : ~ démonstratif 〔indéfini, interrogatif, personnel, possessif, relatif〕 지시〔부정 · 의문 · 인칭 · 소유 · 관계〕대명사.

pronominal, e, aux [pʀɔnɔminal, -o] *adj.* 〖문법〗 대명사의, 대명사적인. ── *m.* 대명동사(= verbe ~).

pronominalement [pʀɔnɔminalmɑ̃] *adv.* 〖문법〗 대명(동)사적으로.

prononçable [pʀɔnɔ̃sabl] *adj.* 발음할 수 있는.

prononcé, e [pʀɔnɔ̃se] *adj.* ① 발음된 ; (말 · 연설 따위가) 행해진. ② 〖법률〗 선고된, 언도된(= déclaré) : jugement ~ 선고된 판결. ③ 〖미술〗 윤곽이 강조된. ④ 두드러진, 뚜렷한(= accentué) : caractère ~ 두드러진 성격. ⑤ 《비유》 명백한 ; 강렬한 : manifester un talent ~ pour qc …에 대한 명백한 재능을 보이다.

***prononcer** [pʀɔnɔ̃se] 21 *v.t.* ① 발음하다 (= articuler) : nom difficile à ~ 발음하기 힘든 이름. ② (말 · 연설을) 하다 : ~ un discours 연설을 하다 / sans ~ un mot 한마디의 말도 없이. ③ 말을 입 밖에 내다, 발설하다 : Il ne faut jamais ~ son nom. 그의 이름을 절대로 발설해서는 안 된다. ④ 〖법률〗 선고〔언도〕하다 : ~ une condamnation 유죄 판결을 내리다. ── *v.i.* ① 의사를 표명〔표시〕하다 ; 판결을 내리다 : ~ en faveur de qn 〔contre qn〕 …에 대한 찬성을〔반대를〕 표명하다. ② 발음하다 : Il *prononce* très bien 〔mal〕. 그는 발음이 매우 좋다〔나쁘다〕. ── **se ~** *v.pr.* ① 의사를 표시하다, 결정을 내리다 : Le jury *s'est prononcé* pour la culpabilité. 배심(陪審)은 유죄의 결정을 내렸다. ② (경향 등이) 뚜렷이 나타나다, 뚜렷해지다. ③ 발음되다 : Comment cela *se prononce*-t-il? 그것은 어떻게 발음되지요?

***prononciation** [pʀɔnɔ̃sjɑsjɔ̃] *f.* ① 발음 : ~ étrangère 외국인식의 발음 / faute de ~ 발음의 잘못. ② 〖법률〗 선고, 언도 ; 선언.

pronostic [pʀɔnɔstik] *m.* ① (흔히 *pl.*) 예상, 예측 : ~ des courses 경마의 예상 / ~s avant les élections 선거전의 예상. ② 《옛》 전조, 조짐. ③ 〖의학〗 예후(豫後), (진단에 따른) 병세의 예측.

P

pronostiquer [pʀɔnɔstike] *v.t.* ① 예측〔예상·예보〕하다 : ~ le résultat des élections 선거 결과를 예측하다 / ~ l'avenir 미래를 예측하다 / ~ la victoire d'un boxeur 권투 선수의 승리를 예상하다. ② 〖의학〗 (예후를) 진단하다 : Le médecin *a pronostiqué* une longue maladie. 의사는 병이 오래 갈 것이라고 진단했다. ③ 《주어 : qc》 …의 전조를 보이다, …의 표시이다 : Ces nuages noirs *pronostiquent* la pluie. 이 먹구름은 비가 올 징조다.

pronostiqueur, euse [pʀɔnɔstikœːʀ, -øːz] *n.* 예측자, 예보자 ; (경마 따위의) 예상자 : ~*s* de l'économie politique 경제 예측가.

***propagande** [pʀɔpagɑ̃ːd] *f.* ① 선전, 포교, 전도 : ~ électrorale 선거 운동 / film de ~ 선전용 영화 / C'est de la ~ ! 그건 허위 선전이야 ! ② (*P*~) 포교 성성(聖省) ; 포교〔전도〕 기관.

propagandiste [pʀɔpagɑ̃dist] *n.* 선전자 ; 포교자, 전도자. ── *adj.* 선전하는 ; 포교〔전도〕하는 : militant ~ 선전〔포교〕 활동가.

propagateur, trice [pʀɔpagatœːʀ, -tʀis] *n.* 선전자, 전파자 ; 포교자, 전도자 : ~ de fausses nouvelles 헛소문을 유포하는 사람 / ~ de la foi 신앙의 전도자.

propagation [pʀɔpagɑsjɔ̃] *f.* ① 번식, 증식 : ~ d'une espèce 종족 번식 / ~ des cellules 세포의 증식. ② 보급, 전파 ; (병의) 만연 ; 〖물리〗 파급 : ~ d'une maladie 병의 만연 / ~ des idées nouvelles 새로운 사상의 전파 / ~ d'une technique 기술의 보급.

propager [pʀɔpaʒe] [3] *v.t.* ① 번식〔증식〕시키다. ② (소문 따위를) 퍼뜨리다(= répandre) ; 보급시키다, 전파〔선전〕하다(= populariser) : ~ une nouvelle 소문을 퍼뜨리다 / ~ une mode 유행을 보급시키다.
── **se** ~ *v.pr.* ① 번식하다. ② 퍼지다 ; 보급되다, 전파되다 : Les nouvelles *se propagent* vite à la campagne. 시골에서는 소문이 빨리 퍼진다.

propane [ʀɔpan] *m.* 〖화학〗 프로판.

propédeutique [pʀɔpedøtik] *f.* (대학의) 교양 과정, 예비 교육.

propension [pʀɔpɑ̃sjɔ̃] *f.* ① 《~ à》 …에의 경향〔성벽〕 : avoir une ~ *à* critiquer les autres 남을 비평하는 성벽이 있다 / ~ *au* mal 악에 물들기 쉬운 성벽. ② 〖경제〗 성향.

propergol [pʀɔpɛʀgɔl] *m.* 로켓의 추진 연료. ~ ***liquide*** 〔***solide***〕 액체〔고체〕 연료.

prophète [pʀɔfɛt] *n.* ① 예언자, 선지자. ② 점쟁이, 예언자(= devin). ***le P~*** (대예언자) 마호메트. ***les quatre grands P~s*** 〖성서〗 (구약의) 4 대 예언자들《구약성서의 이사야, 예레미야, 에스겔, 다니엘》 ***~ de malheur*** 불길한 일만 예언하는 사람.

prophétesse [pʀɔfetɛs] *f.* 여자 예언자, (신탁을 전하는) 무녀(巫女).

prophétie [pʀɔfesi] *f.* ① 예언 ; 신탁 : ~*s* de Daniel 다니엘의 예언 / ~*s* de la pythie 아폴로의 신탁. ② 예측 : ~*s* sur la guerre prochaine 다음 전쟁에 대한 예측.

prophétique [pʀɔfetik] *adj.* 예언자의 ; 예측적인 : inspiration 〔don〕 ~ 예언의 능력 / vue ~ du désastre 재난에 대한 예견.

prophétiser [pʀɔfetize] *v.t.* 예언하다, 선지하다 ; 예측하다 : ~ la venue du Messie 구세주의 강림을 예언하다 / ~ l'abondance des récoltes 풍작을 예상하다.

prophylactique [pʀɔfilaktik] *adj.* 〖의학〗 예방의.

prophylaxie [pʀɔfilaksi] *f.* 예방, 예방법.

***propice** [pʀɔpis] *adj.* ① (신이) 인자하신 : Que Dieu nous soit ~ ! 신의 자비가 있기를 ! ② 순조로운, 유리한, 좋은(= favorable, opportun) : vent ~ 순풍 / occasion ~ 유리한 기회 / temps ~ à la péche 낚시질하기 좋은 날씨 / choisir le moment ~ pour +*inf.* …하기에 좋은 때를 고르다.

propitiation [pʀɔpisjɑsjɔ̃] *f.* 《문어》 속죄(贖罪) : jour des ~*s* 〖유대교〗 속죄일.

proportion** [pʀɔpɔʀsjɔ̃] *f.* ① 균형, 어울림, 조화(≠ disproportion) : une maison qui a de belles ~*s* 조화가 잘 되어 있는 집 / Il n'a aucun sens des ~*s*. 그는 균형감각이 전혀 없다 / corps de belles ~*s* 균형잡힌 몸매. ② 비율, 비례 : ~ entre la hauteur et la largeur 높이와 폭의 비 / ~ de trois à 〔contre〕 un, 3 대1 의 비율 / dans la même ~ (que) …와 같은 비율로. ③ (*pl.*) 크기, 규모(= dimension) : La grève a pris des ~*s* considérables. 동맹파업은 대규모가 되었다. ④ 〖수학〗 비, 비례(식) : termes d'une ~ 비례식의 항. ***à ~ 같은 비율로. ***à ~ de*** qc ***; en ~ de*** 〔***avec***〕 qc …의 비율로 ; …에 따라, …에 비례하여. ***à ~ que***+*ind.* …에 따라서. ***hors de*** (***toute***) ~ 어울리지 않게 〔않는〕. ***toute***(***s***) ~(***s***) ***gardée***(***s***) 모든 관계〔차이〕를 고려〔감안〕하여 ; 정도의 차이는 있어도.

proportionnalité [pʀɔpɔʀsjɔnalite] *f.* ① 균형 ; 비례 : ~ de la circonférence et du rayon d'un cercle 원주와 반지름의 비례. ② 비례 배분 : ~ de l'mpôt 비례 과세 / ~ dans le suffrage 비례 대표제.

porportionné, e [pʀɔpɔʀsjɔne] *adj.* ① 균형잡힌, 조화된 : Il a les membres bien ~*s*. 그의 몸은 균형이 잘 잡혀 있다. ② 《~ à》 …에 알맞은〔적합한·어울리는〕 : ~ *à* l'âge 나이에 어울리는.

proportionnel, elle** [pʀɔpɔʀsjɔnɛl] *adj.* 《~ à》 …에 비례하는, 따르는 : moyenne ~*elle* 〖수학〗 비례 중항 / impôt ~ 비례 과세. ── *f.* 비례 대표제(= représentation ~*elle*). ***directement 〔***inversement***〕 ~ 정비례〔반비례〕하는.

proportionnellement [pʀɔpɔʀsjɔnɛlmɑ̃] *adv.* 《~ à》 …에 비례〔상응〕하여, …에 비해 : augmenter les salaires ~ *à* la hausse des prix 물가상승에 맞춰 급료를 올리다.

proportionner [pʀɔpɔʀsjɔne] *v.t.* 《~ à》 …에 어울리게〔균형잡히게〕 하다 : ~ sa dépense à son revenue 지출을 수입에 맞도록 하다 / ~ les récompenses *aux* services 서비스에 상응하는 보수를 주다.

***propos** [pʀɔpo] *m.* ① 결심, 의도, 목적(= intention) : être dans le ~ de+*inf.* …할 생각〔의도〕이다 / avoir le ferme ~ de+*inf.* …하기를 굳게 결심하다. ② 주제, 건(件), 일 : Ce n'est pas mon ~ aujourd'hui. 그것은

내가 말할 본제가 아니다. ③ (보통 *pl.*) 말, 이야기, 화제 : ~ de table 식탁에서의 이야기 / ~ d'une banalité exagérée 지나치게 평범한 화제〔말〕. ***à ce ~*** 이〔이것〕에 관하여. ***à ~*** 시의 적절하게, 때마침 ; 그런데. ***à ~ de*** …에 관하여. ***à ~ de rien*** 〔***d'un rien, de tout***〕 ***; à ~ de tout et de rien ; à ~ de bottes*** 대수롭지 않은 일로, 까닭 없이, 괜히. ***à quel ~? ; à ~ de quoi?*** 무슨 까닭으로〔일로〕? ***à tout ~*** 무슨 일에나, 툭하면. ***de ~ délibéré*** 고의로, 일부러. ***hors de ~*** 부적절한, 당찮은. ***il est à ~ de***+*inf.* 〔***que***+*sub.*〕 …하는 것이 적당〔적절〕하다. ***mal à ~*** 까닭 없이 ; 부적당하게.

***proposer** [pʀɔpoze] *v.t.* ① ⓐ《~ qc à qn》 …에게 …을 제안하다, 제시하다 ; 제공하다 : ~ un projet 계획안을 제시하다 / ~ la paix 화평을 제안하다 / ~ sa marchandise *aux* clients 고객에게 상품을 내보이다. ⓑ《~ à qn de+*inf.* 〔que+*sub.*〕》 …에게 …하도록 제안하다, 권하다 : Je vous *propose d'*aller voir ce film. 그 영화를 보러 가시기를 권합니다 / Il *propose qu'*un comité soit établi. 그는 위원회의 설치를 제안하고 있다. ②《~ qn》 …을 추천하다, 지명하다 : ~ un candidat 후보자를 추천하다 / Il *a été proposé* pour ce poste. 그는 이 직책에 지명되었다.
── **se ~** *v.pr.* ① ⓐ《se ~ pour》 …을 지망〔지원〕하다 : *se ~ pour* un emploi 취직을 지원하다. ⓑ《se ~ comme》 …으로 (취직할 것을) 지망〔지원〕하다 : *se ~ comme* chauffeur 운전사를 지망하다. ②《se ~ de+*inf.*》 …할 작정〔생각〕이다 : Je *me propose de* repeindre ma chambre. 나는 침실의 페인트를 바꿔 칠할 작정이다. ③ (문제가) 의제에 오르다, 부쳐지다 : On *se propose de* construire une station spatiale. 우주 스테이션 건설 계획이 올라와 있다.

proposition** [pʀɔpozisjɔ̃] *f.* ① 제의, 제안 : ~ de paix 강화의 제의 / faire des ~s avantageuses 유리한 제안을 하다. ②〖논리 · 수학〗 명제(命題), 정리 : démontrer une ~ 어떤 명제를 증명하다. ③〖문법〗 절(節) : ~ principale 주절 / ~ subordonnée 종속절. ***~ de mariage 구혼. ***~s de loi*** 의원 제출 법안. ***sur la ~ de*** qn …의 제안〔제의〕에 따라.

propositionnel, elle [pʀɔpozisjɔnɛl] *adj.* 〖논리〗 명제의 : logique *~elle* 명제 논리(학).

propre** [pʀɔpʀ] *adj.* Ⓐ《속성 · 소유》 ①《명사 뒤》 ⓐ 고유의, 독특한, 특유한 ; 《~ à》 …에 고유〔특유〕한 : les défauts *~s à* cet enfant 그 아이 특유의 결점 / nom ~ 고유명사 / qualités ~s d'un individu 개인의 특성. ⓑ 본래〔원래〕의(= primitif) : le sens ~ d'un mot 낱말의 본뜻. ②《소유 형용사와 함께 명사 앞》 자기 자신의 : Je l'ai vu de mes ~s yeux. 나는 내 (자신의) 눈으로 그것을 보았다 / par ses ~s moyens 자기 혼자의 힘으로 / dans son ~ intérêt 자기자신을 위해서 / de son ~ chef 독자적인 판단으로 / de son ~ cru 자신이 만들어낸, 독창적인 / Ce sont ses ~s mots. 그 사람이 바로 그렇게 말했다. ③《명사 뒤》 알맞은, 적합한, 적당한(= approprié, convenable ; ≠ impropre) ; 《~ à qc〔+*inf.*〕》 …에〔하기에〕 알맞은, 적절한 : employer le mot ~ 적합한 낱말을 쓰다 / terres ~s *à* l'agriculture 농사에 적합한 땅 / homme ~ *aux* affaires 사업에 적성이 맞는 사람 / être ~ *à* remplir un emploi 어떤 일을 수행하는데 적임이다. Ⓑ《명사의 뒤 또는 속사로》 ① 깨끗한, 청결한 ; 더럽혀지지 않은 : homme politique ~ 청렴한 정치인 / Les draps sont très ~s. 시트는 매우 깨끗하다 / usine ~ 무공해 공장. ② 정돈된, 정확한, 반듯한 : Voilà du travail ~. 그 일은 정확하게 되어 있다 / copie ~ 정서, 반듯한 카피 / avoir un jeu ~ 정확하게 연주하다. ③ 정직한, 청렴한 : homme politique ~ 청렴결백한 정치인 / argent ~ 정직하게 번 돈. ***en main ~ 본인에게. ***être mal ~ à***+*inf.* …에 적합하지〔맞지〕 않다. ***être ~ sur soi*** 몸이 깨끗하다. ***mot ~*** 적절한 말. ***n'être pas ~ à*** …의 특징이 아니다. ***Nous voilà ~s!*** 꼴좋게〔딱하게〕 됐구나. ***~ à rien*** 아무 쓸모없는.
── *m.* ① 고유한 것, 속성, 특성, 특징 : le ~ de cette nation 그 국민의 특성. ② (말의) 본뜻 : employer un mot au ~ 낱말을 본의로 사용하다. ③ 자기 것〔소유〕 ; 고유 재산 : avoir qc en ~ …을 자기〔고유〕의 것으로 갖다. ④ 정서(淨書) : mettre qc au ~ …을 정서하다. ⑤ 청결함 : séparer le ~ du sale 더러운 것과 깨끗한 것을 구별하다. ***C'est du ~!*** 《반어적》 너무하는데, 말도 안돼! ***en ~*** 자기 것으로서 ; 특유〔독특〕하게 : Cette maison lui appartient *en* ~. 이 집은 그만의 소유물이다.

propre-à-rien [pʀɔpʀaʀjɛ̃] *n.* (*pl.* **~s-~-~**) 《복수도 동일한 발음》 쓸모없는 자, 얼간이, 멍청이.

proprement** [pʀɔpʀəmɑ̃] *adv.* ① 청결하게, 깨끗하게(≠ salement) : manger ~ 말끔히 먹다. ② 적절히 ; 정확하게, 올바르게 : travail ~ exécuté 올바르게 실행된 작업. ③ 정성들여, 정성껏 : chambres ~ rangées 세심하게 정돈된 방. ④ 정직하게, 훌륭하게 : se conduire ~ 훌륭하게 행동하다. ⑤ 원래 ; 틀림없이, 엄밀히 말해서 : C'est ~ honteux! 그건 틀림없이 부끄러운 짓이야! ***à ~ parler 정확히 말하자면〔말해서〕. ***~ dit*** 정확히 말하여, 엄밀한 의미로 ; 이른바, 소위 : les habitants de Seoul ~ *dits* 이른바〔예로부터〕 서울의 주민.

propret, ette [pʀɔpʀɛ, -ɛt] *adj.* 깨끗한, 말쑥한, 깔끔한 : vieillard ~ 깔끔한 노인.

***propreté** [pʀɔpʀəte] *f.* ① 깨끗함, 청결(≠ saleté) : être d'une extrême ~ 극도로 청결하다 / mettre qc en état de ~ …을 깨끗이 하다 / manie de la ~ 결벽(증). ② (도덕상의) 청렴, 결백.

****propriétaire** [pʀɔpʀijetɛːʀ] *n.* ① 소유주, 임자 : ~ d'un bienfonds 부동산 소유주 / ~ d'une voiture 자동차의 주인 / ~ indivis 〖법률〗 공유자(共有者). ② 집주인 ; 지주(地主) : payer son terme au ~, 1기분 집세를 집주인에게 치르다. ***se rendre ~ de*** qc …을 취득하다.

***propriété** [pʀɔpʀijete] *f.* ① 소유 ; 소유권 : ~ foncière 부동산 소유권 / ~ mobilière 동

P

산 소유권 / ~ commerciale 상호 사용권 / ~ littéraire 저작권. ② ⓐ 소유물〔지〕; 부동산 (= ~ immobilière) : avoir une ~ à la campagne 시골에 소유지〔토지〕가 있다 / ~ privée 〔publique〕 사유〔공유〕지. ⓑ (토지 딸린) 대저택 ; 농지 : avoir une ~ près de Nice 니스 근처에 대저택을 갖고 있다. ③ 특성, 특질(= le propre) : les ~s des acides 산(酸)의 특성 / ~s de la matière 물질의 특질. ④ (표현의) 적절함, 적확성(= convenance ; ≠ impropriété) : discuter de la ~ des termes d'une phrase 용어의 적절 여부에 관하여 토의하다.

propulser [pʀɔpylse] *v.t.* ① (추진기로) 추진시키다 : Ce navire *est propulsé* par deux hélices. 이 배는 2개의 추진기로 움직인다. ② 멀리 내던지다, 내동댕이치다. ③ 《구어》 (낙하산식으로) 발탁〔임명〕하다.

propulseur [pʀɔpylsœːʀ] *m.* 〖기계〗 추진장치 : ~ à hélice 프로펠러〔스크루〕/ ~ à réaction 제트 추진기. — *adj.* 추진시키는.

propulsion [pʀɔpylsjɔ̃] *f.* 추진 : ~ par réaction 〔par jet de gaz〕 제트식 추진 / ~ à hélice 프로펠러 추진.

prorata [pʀɔʀata] 〔라틴〕 *m.* 《복수불변》 비례 배분. ***au ~ de*** qc …에 비례하여〔따라〕.

prorogation [pʀɔʀɔgasjɔ̃] *f.* ① (기간의) 연장 ; (기한의) 연기 : ~ d'une enquête 조사의 연장 / ~ d'un passeport 여권의 연장. ② (의회의) 휴회, 정회(停會).

proroger [pʀɔʀɔʒe] [3] *v.t.* ① (기간을) 연장하다 ; (기한을) 연기하다 : ~ un traité 협정을 연장하다. ② (의회를) 휴회〔정회(停會)〕하다.

prosaïque [pʀozaik] *adj.* ① 산문(체)의, 산문적인. ② 평범한, 범속한 ; 멋없는(= plat) : vie ~ 평범한 생활 / goût ~ 범속한 취미.

prosaïquement [pʀozaikmɑ̃] *adv.* ① 산문적으로. ② 범속하게 ; 속되게, 멋없게.

prosaïsme [pʀozaism] *m.* ① (시의) 산문투. ② 범속함, 속됨 ; 멋없음 ; (생활 따위의) 단조로움 : ~ de la vie 생활의 단조로움.

prosateur, trice [pʀozatœːʀ, -tʀis] *n.* 산문 작가. 「전면(前面).

proscenium [pʀɔsenjɔm] *m.* 〖연극〗 무대

proscription [pʀɔskʀipsjɔ̃] *f.* ① 추방 ; 배척 : frapper qn de ~ …을 추방하다. ② (언어의) 사용 금지. **~ *de biens*** 〖법률〗 (자취를 감춘 채무자의) 재산의 처분.

proscrire [pʀɔskʀiːʀ] [38] *v.t.* ① 추방하다 (= bannir), 배척하다(= rejeter) : ~ qn d'une société …을 사회에서 추방하다. ② 폐(지)하다(= abolir) ; 금지하다 : ~ l'usage de qc …의 사용을 금지하다.

proscri-s, -vis, -vons ⇒ proscrire.

proscrit, e [pʀɔskʀi, -it] *adj.* ① 추방된 ; 배척당한. ② 폐지된 ; 금지된. — *n.* 피(被)추방자(= exilé) ; 배척당한 사람.

prose [pʀoːz] *f.* ① 산문 ; 산문체(의 글) : écrire en ~ 산문체로 쓰다. ② 〖가톨릭〗 속송(續誦)(= séquence). ③ 《구어》 《흔히 비꼼》 (독특한) 문체, 문장 ; 편지 : ~ administrative 행정 사무의 문체 / Je reconnais bien là sa ~. 이건 확실히 그의 문장이다. ④ 《속어》 (속된) 현실, 시시한 일.

prosélyte [pʀɔzelit] *n.* 개종자(改宗者), 새신자 ; (정당 따위의) 신입자 ; (주의에 대한) 새로운 찬성자 ; 〖역사〗 (유대교도의) 개종자.

prosodie [pʀɔzɔdi] *f.* ① 〖운율〗 (특히 그리스·라틴 시에 있어서의) 운율법(韻律法) ; 음운학. ② 〖언어〗 음조론(音調論). ③ ~ musicale (성악의) 운율소론(韻律素論) 《음소 이외의 음 특징을 연구함》.

prosodique [pʀɔzɔdik] *adj.* 운율법의 ; 운율소(론)의 : vers ~ 음의 장단 억양에 바탕을 둔 시 / unité 〔trait〕 ~ 운율 단위〔특징〕.

prosopopée [pʀɔzɔpɔpe] *f.* ① 〖수사학〗 의인법(擬人法). ② 《드물게》 열변.

prospect [pʀɔspɛ(kt)] *m.* 〖광고〗 잠재적 고객〔소비자층〕.

***prospecter** [pʀɔspɛkte] *v.t.* ① 〖광산〗 (지질 조사를 위해) 답사〔시굴〕하다. ② 〖상업〗 (시장 개척을 위해) 답사하다, 시장 조사하다.

prospecteur, trice [pʀɔspɛktœːʀ, -tʀis] *m.* 답사자 ; (지하자원의) 탐광자(探鑛者) ; (학문 분야의) 탐색자, 탐구자.

prospectif, ive [pʀɔspɛktif, -iːv] 〔라틴〕 *adj.* ① 앞을 내다보는 ; 장래를 생각하는. ② 〖언어〗 전망적(前望的)인. ③ 〖철학〗 미래 조망적인, 전망적인(≠ rétrospectif). ④ 미래학적인. — *m.* 〖언어〗 예견시칭(豫見時稱) 《*Benveniste* 의 용어로, Il va partir 따위의 근접미래》. — *f.* 미래학.

prospection [pʀɔspɛksjɔ̃] *f.* ① 탐광 ; 탐사, 답사. ② 시장 조사, 고객의 개발 : faire de la ~ 시장 조사를 하다.

***prospectus** [pʀɔspɛktys] *m.* ① 취지서 ; (간행물 따위의) 내용 설명서〔견본〕. ② 안내서, 팜플렛, 광고 전단(= réclame) : distribuer des ~ 광고 전단을 배부하다.

***prospère** [pʀɔspɛːʀ] *adj.* ① 순조로운, 순탄한 : mener une vie ~ 순조로운 생활을 하다. ② 번영〔번창〕하는, 융성한(= florissant) ; (건강이) 좋은 ; (생활 따위가) 복된, 유복한 : avoir une mine ~ 신색이 좋다 / être dans une situation ~ 경제적으로 윤택하다.

prospérer [pʀɔspeʀe] [6] *v.i.* ① 번창〔번영〕하다(= fleurir) ; 융성해지다 : Son commerce *prospère.* 그의 장사는 번창한다. ② (행운·건강으로) 혜택받다. ③ (동식물이) 번성하다, 잘 자라다 : animaux qui *prospèrent* sur ce continent 이 대륙에서 번성하는 동물.

prospérité [pʀɔspeʀite] *f.* ① 번성, 번창, 번영, 융성 : souhaiter à qn bonheur et ~ …에게 행운과 번영을 기원하다. ② (사람의) 유복, 행운(= succès, bonheur), 성공. ***vague de ~*** 〖상업〗 호경기, 붐.

prostate [pʀɔstat] *f.* 〖해부〗 전립선.

prostatique [pʀɔstatik] *adj.* 〖해부〗 전립선의. — *n.* 〖의학〗 전립선 비대증 환자.

prosternation [pʀɔstɛʀnasjɔ̃] *f.*, **prosternement** [pʀɔstɛʀnəmɑ̃] *m.* ① 꿇어 엎드림 ; 꿇어 엎드려 절하기. ② 굴종, 비굴, 아부 ; 굽실거리기.

prosterner [pʀɔstɛʀne] *v.t.* 엎드리게 하다. — **se ~** *v.pr.* ① (존경·찬양의 표시로) 엎드리다, 무릎 꿇다. ② 굽실거리다, 아부하다 : *se ~* devant le pouvoir 권력 앞에 굽실거리다.

prostitué [pʀɔstitye] *m.* 남창(男娼).

prostituée [pʀɔstitɥe] *f.* 매춘부, 창녀.

prostituer [pʀɔstitɥe] *v.t.* ① 매음시키다, 정조를 팔게 하다. ② (지조·명예·재능 따위를) 돈에 팔다, 더럽히다 : ~ son talent 〔sa plume〕 자기의 재능〔글〕을 욕되게 하다 〔돈에 팔다〕. — **se** ~ *v.pr.* ① 매음하다, 몸을 팔다. ② (작가·예술가 따위가) 지조〔재능·명예〕를 돈에 팔다, 타락하다.

prostitution [pʀɔstitysjɔ̃] *f.* ① 매음, 매춘 : se livrer à la ~ (여자가) 몸을 팔다. ② (지조·명예·재능 따위를) 돈에 팔기, 타락.

prostration [pʀɔstʀɑsjɔ̃] *f.* ① 엎드림, 부복. ② 〖의학〗 탈력(脫力) ; 극도의 쇠약, 허탈 : être dans un état de ~ physique extrême 극도의 육체적 허탈 상태에 빠져 있다.

prostré, e [pʀɔstʀe] *adj.* ① 〖의학〗 극도로 쇠약한, 허탈한. ② 의기소침한, 낙담한.

protagoniste [pʀɔtagɔnist] *m.* ① (영화·소설의) 주역(主役), 중심 인물. ② 적대자, 경쟁 상대.

protecteur, trice [pʀɔtɛktœːʀ, -tʀis] *adj.* ① 보호〔옹호〕하는 : société ~*trice* des animaux 동물 애호 협회. ② (말씨·태도 따위가) 보호자 같은〔연하는〕 : ton 〔air〕 ~ 보호자인 척하는 어조〔태도〕. ***droits ~s*** 보호 무역 관세. ***système ~*** 〖경제〗 보호 무역주의. — *n.* 보호〔옹호〕자 ; 후원자, 파트롱.

protection** [pʀɔtɛksjɔ̃] *f.* ① 보호, 비호 ; 수호, 옹호 : ~ des jeunes contre l'alcoolisme 음주에서 청소년을 보호하기 / prendre qn sous sa ~ 〔en ~〕 …을 자신의 비호하에 두다. ② 〖경제〗 보호 무역 (정책). ③ 방지〔예방, 방위〕(책) ; 방어물〔장치〕 : ~ routière (경찰의) 교통 사고 방지책 / rideau de ~ 방화 셔터. ④ 보호〔옹호〕자 ; 후원자 : avoir de hautes ~s 유력한 후원자를 갖고 있다. ***par ~ 후원에 의하여, 후원자 덕분으로. ***sous la ~ de*** qn …의 덕택으로.

protectionnisme [pʀɔtɛksjɔnism] *m.* 〖경제〗 보호 무역(주의)(≠ libre-échange).

protectionniste [pʀɔtɛksjɔnist] *n.* 〖경제〗 보호 무역주의자. — *adj.* 보호 무역주의의.

protectorat [pʀɔtɛktɔʀa] *m.* ① 〖영국사〗 호민관 정치. ② 보호령 제도 ; 보호령〔국〕.

Protée [pʀɔte] *n.pr.m.* 〖그리스신화〗 프로메테우스《변화무쌍한 바다의 신》. — **P~** *m.* 자유자재로 둔갑하는 사람 ; 변덕쟁이 ; 변하기 쉬운 것.

protégé, e [pʀɔteʒe] *n.* 피보호자 ; 귀염받는 사람(= 《구어》 chouchou) : ~ du professeur 선생님의 귀염을 받는 학생. — *adj.* 보호된, 보호받고 있는 : passage ~ (자동차의) 우선 통행 교차점.

protège-cahier [pʀɔtɛʒkaje] *m.* (*pl.* ~-~*s*) (초등학생용) 공책 커버.

protège-dents [pʀɔtɛʒdɑ̃] *m.* 《복수불변》 (권투 선수의) 마우스피스.

***protéger** [pʀɔteʒe] 3·6 *v.t.* ① ⓐ 지키다, 보호〔수호·옹호〕하다 : ~ les faibles 약자를 보호하다 / *Protégeons* les animaux. 동물을 보호합시다. ⓑ 《~ qn 〔qc〕 contre》 …을 …으로부터 보호〔수호〕하다 : ~ la population de la pollution atmosphérique 대기 오염으로부터 주민을 지켜 주다 / Les lunettes teintées *protegent* les yeux *contre* le soleil. 색안경은 태양으로부터 눈을 보호한다. ② 후원하다, 두둔하다 ; 옹호하다, 장려하다 : ~ les lettres 〔arts〕 문학〔예술〕을 진흥시키다. ③ 〖경제〗 (국내 산업을) 보호 육성하다. — **se** ~ *v.pr.* ① 《se ~ contre 〔de〕》 …으로부터 몸〔자신〕을 보호하다 ; …을 조심하다 : ~ *du* froid 추위로부터 몸을 보호하다 / *se* ~ *du* soleil 햇볕에 조심하다. ② 보호〔수호〕되다.

protège-tibia [pʀɔtɛʒtibja] *m.* (*pl.* ~-~*s*) (축구·럭비 선수들의) 다리 보호용 기구.

protéiforme [pʀɔteifɔʀm] *adj.* 변화무쌍한, 갖가지 형태로 모습을 바꾸는 : œuvre ~ 변화가 많은 작품.

protéine [pʀɔtein] *f.* 〖화학〗 단백질(= albumine).

protéique [pʀɔteik] *adj.* ① = protéiforme. ② 〖화학〗 (복합) 단백질의.

***protestant, e** [pʀɔtɛstɑ̃, -ɑ̃ːt] *n.* et *adj.* 신교도〔프로테스탄트〕(의) ; 신교(의).

protestantisme [pʀɔtɛstɑ̃tism] *m.* 신교, 신교의 교리.

protestataire [pʀɔtɛstatɛːʀ] *n.* 항의자, 반대자. — *adj.* 항의〔반대〕하는.

***protestation** [pʀɔtɛstɑsjɔ̃] *f.* ① 언명, 확언, 공언, 맹세 : ~ d'amitié 우정의 맹세. ② 《~ contre》 …에 대한 항의, 이의, 반대 : réunion de ~ 항의 집회 / faire une ~ contre qc …에 대해서 항의하다. ③ 항의문(서) : rédiger une ~ 항의문을 작성〔기안〕하다.

***protester** [pʀɔtɛste] *v.t.* 《~ contre》 …에 항의〔반대〕하다 : ~ *contre* l'oppression 압박에 반대하다 / ~ *contre* une injustice 부정에 항의하다. — *v.t. ind.* 《~ de》 …을 주장〔공언〕하다 : ~ *de* son innocence 결백을 〔무죄를〕 주장하다. — *v.t.* 〖상업〗 …의 지불을 거절하다 : ~ un billet 어음 지급을〔인수를〕 거절하다〔거절 증서를 작성하다〕.

protêt [pʀɔtɛ] *m.* (수표의) 지불 거절 ; 거절 증서.

prothèse [pʀɔtɛːz] *f.* ① 〖의학〗 보정술(補整術). ② 인공 보정기《의족·의안 따위》 : ~ dentaire 의치, 틀니.

prothésiste [pʀɔtezist] *n.* ① 의족〔의수〕 제조 기사. ② ~ dentaire 치과 기공사.

protide [pʀɔtid] *m.* 〖화학〗 질소질 유기물.

proto- *préf.* 「최초의·원시의」의 뜻.

protocolaire [pʀɔtɔkɔlɛːʀ] *adj.* ① (외교상) 의전의 ; 의례적인. ② 예의〔예절〕에 맞는.

protocole [pʀɔtɔkɔl] *m.* ① 공문서의 서식(書式). ② (국제 회의의) 의정서, 협정서. ③ (외교상의) 의례(儀禮), 의전(儀典). ④ 예의범절 ; 의례 준칙. ***chef du ~*** 의전실장. ***service du ~*** (외교부의) 의전과(課).

protohistoire [pʀɔtɔistwaːʀ] *f.* 원사(原史)시대《문헌이 없는 선사 시대로부터 역사 시대로의 이행기》.

proton [pʀɔtɔ̃] *m.* 〖물리〗 양자(陽子).

protoplasma [pʀɔtɔplasma], **protoplasme** [pʀɔtɔplasm] *m.* 〖생물〗 원형질.

prototype [pʀɔtɔtip] *m.* ① 원형(原型)(= archétype) ; 전형(典型) : ~ d'une œuvre d'art 예술 작품의 원형〔인자〕. ② (기동차·항공기 따위의) 견본, 모형 : ~ d'avion 비행기의 견본.

protoxyde [pʀɔtɔksid] *m.* 〖화학〗 제 1 산화

P

물 : ~ d'azote 이산화질소.

protozoaires [pʀɔtozɔɛːʀ] *m. pl.* 〖동물〗 원생(原生)〔단세포〕 동물.

protubérance [pʀɔtybeʀɑ̃ːs] *f.* 돌기, 융기, 혹 : ~s du crâne 두개골의 돌기.

protubérant, e [pʀɔtybeʀɑ̃, -ɑ̃ːt] *adj.* 돌출한, 융기한 : pomme d'Adam ~*e* 튀어나온 결후(結喉).

prou [pʀu] *adv.* 《옛》 많이, 듬뿍. ***ni peu ni ~*** 조금도. ***peu ou ~*** 다소, 어느 정도.

proue [pʀu] *f.* 뱃머리, 이물(≠ poupe). ***figure de ~*** (정치 · 예술 운동의) 기수, 중심 인물.

prouesse [pʀuɛs] *f.* ① 수훈, 무훈, 공훈(= exploit) ; 쾌거(快擧) : accomplir une 〔des〕 ~(*s*) 위업을 이룩하다 / ~ technique 〔sportive〕 기술상〔스포츠〕의 쾌거. ② 《비꼼》 자만 ; (남자의) 염복(艶福) : se vanter de ses ~*s* 만용을 자랑하다.

prouvable [pʀuvabl] *adj.* 증명할 수 있는.

***prouver** [pʀuve] *v.t.* ① 증명〔입증〕하다 ; 논증하다, …의 증거가 되다 : Ce qu'il dit ne *prouve* pas son innocence. 그의 말은 그의 무죄를 증명하지 못한다 / Il *a prouvé* qu'il n'était pas sorti ce soir-là. 그는 그날 밤 외출하지 않았다는 것을 입증했다 / Cela ne *prouve* rien. 그것은 아무 증거도 되지 못한다. ② (태도 · 몸짓 · 말로) 드러내 보이다, 나타내다 : Comment vous ~ ma reconnaissance? 감사한 말씀 이루 다 표현할 수 없습니다 / ~ sa capacité 능력을 드러내 보이다. ── **se ~** *v.pr.* 증명되다 ; 상호간에 증명하다.

prov. 《약자》 ① province 주(州), 지방. ② proverbe 속담.

provenance [pʀɔvnɑ̃ːs] *f.* 근원, 출처 ; 원산지 ; 발송지, 출발지 : J'ignore la ~ de cette lettre. 나는 이 편지가 어디서 왔는지 모른다 / objet de ~ étrangère 외국산 물건. ***en ~ de*** …에서 발송된 ; (기차 따위가) …에서 오는 : train *en ~ du* Midi 남프랑스에서 오는 열차 / marchandises *en ~ du* Danemark 덴마크에서 들어온 상품. ***pays de ~*** (상품의) 수입처 ; (화물의) 발송지.

provenant, e [pʀɔvnɑ̃, -ɑ̃ːt] *adj.* 《~ de》 …으로부터 온〔나온〕, …에 유래한 : sommes ~*es d'*un succession 상속에 의해 얻은 돈.

provençal, e, aux [pʀɔvɑ̃sal, -o] *adj.* 프로방스 지방(*la Provence*)의. ── **P~** *n.* 프로방스 사람. ── *m.* 프로방스어.

***provenir** [pʀɔvniːʀ] 16 *v.i.* 《~ de》 …으로부터 오다〔나오다 · 생기다 · 일어나다〕 ; …에서 유래하다 : mot qui *provient du* latin 라틴어에서 온 말 / enfants *provenant* 〔*provenus*〕 *de* ce mariage 그 결혼으로 낳은 아이들.

proverbe** [pʀɔvɛʀb] *m.* ① 속담, 격언, 이언(俚諺)(= adage, diction, aphorisme). ② 〖연극〗 (속담을 주제로 한) 소(小)희극. ***le livre des P~s 〖성서〗 잠언. ***passer en ~*** 누구나 다 아는 일이 되다.

proverbial, e, aux [pʀɔvɛʀbjal, -o] *adj.* 속담의, 속담이 된 ; 널리 알려진 ; 본보기로 인용되는, 모범이 될 만한 : Sa bonté est ~*e.* 그의 친절은 본받을 만하다.

proverbialement [pʀɔvɛʀbjalmɑ̃] *adv.* 속담처럼, 격언식으로 ; 널리, 두루 : parler ~ 격언식으로 말하다.

providence [pʀɔvidɑ̃ːs] *f.* ① 〖신학〗 신의 섭리. ② 가호자, 구세주 : Vous êtes ma ~! 당신은 나의 구세주요. ③ (*P~*) 신, 하나님 : les desseins de la *P~* 하느님의 의도. ***aller contre la ~*** 신의 섭리를〔신의 뜻을〕 거스르다. ***l'État ~*** 복지 국가.

providentiel, elle [pʀɔvidɑ̃sjɛl] *adj.* 신의 섭리에 의한, 하늘이 도운, 천만다행의 : nouvelle ~*elle* 뜻밖의 다행한 소식.

providentiellement [pʀɔvidɑ̃sjɛlmɑ̃] *adv.* 하늘의 도움으로, 천행으로.

provien-drai, -ne, -s, -t, etc. ⇒ provenir.

provigner [pʀɔviɲe] *v.t.* (포도 넝쿨을) 휘묻이하다. ── *v.i.* (휘묻이로) 번식하다.

‡province [pʀɔvɛ̃ːs] *f.* ① (행정 구역상의) 주(州), 도(道) ; 주민, 도민. ② (수도에 대해) 지방, 시골 : voyage en ~ 지방〔시골〕 여행. ③ 〖종교〗 관구(管區). ── *adj.* 《구어》 시골티가 나는 : Cela fait ~. 시골티 난다.

provincial, e, aux [pʀɔvɛ̃sjal, -o] *adj.* 지방의, 시골의 ; 《경멸》 시골티 나는, 시골뜨기 같은 : vie ~*e* 지방〔시골〕 생활 / air ~ 시골뜨기 같은 태도. ── *n.* 지방민, 시골 사람. ── *m.* 〖종교〗 관구장.

provincialat [pʀɔvɛ̃sjala] *m.* 〖종교〗 관구장의 직〔재직 기간〕.

provincialisme [pʀɔvɛ̃sjalism] *m.* 지방 사투리, 시골 말씨 ; 시골 사람 기질〔근성〕.

proviseur [pʀɔvizœːʀ] *m.* (공립 lycée) 고교의 교장(= directeur).

provision** [pʀɔvizjɔ̃] *f.* ① 저장, 비축(= réserve, stock) ; (*pl.*) 식량의 저장 : ~ de vin 와인의 저장 / ~*s* de guerre 탄약 (비축) / Nous avons assez de ~*s* pour une semaine. 우리에게는 1주간분의 식량이 있다. ② (*pl.*)(식료 · 일용품의) 쇼핑, 구매(품) : aller aux ~s 쇼핑하러 가다 / Elle fait ses ~*s* au supermarché. 그녀는 수퍼마켓에서 장을 본다. ③ 〖법률〗 예납금(豫納金), 공탁금 ; 〖경제〗 (은행의) 지불 준비금 ; 예치금 : chèque sans ~ 부도 수표. ***avoir une (bonne) ~ de (courage) (용기를) 충분히 갖추다. ***faire ~ de*** qc …을 충분히 준비〔비축〕하다. ***par ~*** 임시(로), 임시적 : jugement exécutoire *par ~* 가처분. ***~s de bouche*** 양식. ***une ~ de*** qc 많은, 충분한 : avoir *une* bonne ~ *de* courage 용기를 충분히 갖추다.

provisionnel, elle [pʀɔvizjɔnɛl] *adj.* 〖법률〗 (계약 따위가) 잠정적인, 임시의 : budget ~ 잠정 예산. ***tiers ~*** (전년도 세금액의) 3분의 1 불입금.

***provisoire** [pʀɔvizwaːʀ] *adj.* 일시적인, 임시적〔잠정적〕인, 임시의 : bonheur ~ 일시적인 행복 / gouvernement ~ 임시〔과도〕 정부 / sentence ~ 〖법률〗 가(假)판결.
── *m.* 임시적〔잠정적〕인 것 : Ce n'est que du ~. 이것은 잠정적인 것일 뿐이다.

provisoirement [pʀɔvizwaʀmɑ̃] *adv.* 임시로, 일시적으로, 잠정적으로 : loger ~ à l'hotel 호텔에 일시적으로 머물다.

P

provisorat [pʀɔvizɔʀa] *m.* (lycée의) 교장의 직, 교장의 임기.

provocant, e [pʀɔvɔkɑ̃, ɑ̃:t] *adj.* ① 도발적인, 도전적인(= agressif) : attitude ~*e* 도전적인 태도. ② 선정적인, 요염한 : femme ~*e* 선정적인 여자.

provocateur, trice [pʀɔvɔkatœ:ʀ, -tʀis] *adj.* 도발〔도전〕하는, 선동하는 : agent ~ 선동 분자. ── *n.* 도발자, 도전자 ; 선동자.

provocation [pʀɔvɔkɑsjɔ̃] *f.* ① 도발, 도전 ; 도발적 언동 : faire de la ~ 도발하다 / ~ en duel 결투 도전. ② 선동, 사주(使嗾)(= incitation ; ≠ apaisement), 교사(敎唆) : ~ à l'émeute (민중) 봉기에의 선동 / ~ au meurtre 살인 교사.

***provoquer** [pʀɔvɔke] *v.t.* ① (여자가) 유혹하다, (관능을) 자극하다 : femme qui *provoque* les hommes 남자의 욕정을 자극하는 여자. ② 도전〔도발〕하다 : ~ en duel 결투하자고 도전하다. ③ 선동〔교사〕하다(= inciter) : ~ qn au crime …을 부추겨 범행을 하게 하다. ④ 일으키다, 유발하다 : ~ la colère 화나게 하다. ── **se** ~ *v.pr.* 서로 도전하다.

proxénète [pʀɔksenɛt] *m.* 매춘부의 기둥서방. ── *n.* 뚜쟁이 ; 포주.

proxénétisme [pʀɔksenetism] *m.* 매춘 알선업, 뚜쟁이질, 포주업.

proximité [pʀɔksimite] *f.* ① ⓐ《시간》 가까움, 접근(=approche) : la ~ de la tempête 폭풍의 접근 / ~ du départ 출발시간의 임박. ⓑ《장소》 부근, 근처(= voisinage) : commerce de ~ 근린 상가 / fusée de ~ (목표물 근처에서 터지는) 근접 로켓탄. ② (혈연관계 따위의) 가까움 : ~ du sang 근친. ***à ~*** 근방에서. ***à ~ de*** …가까이에, 부근〔근처〕에 : hôtel *à ~ de* la gare 정거장 근처의 호텔.

prude [pʀyd] *adj.* 정숙한, 얌전한 체하는(= bégueule). ── *f.* 얌전한〔정숙한〕 체하는 여자, 새침데기(= sainte-nitouche).

prudemment [pʀydamɑ̃] *adv.* 조심성 있게, 신중하게, 용의주도하게.

prudence** [pʀydɑ̃:s] *f.* 조심성(= précaution, ménagement), 신중함, 용의주도함 : agir avec ~ 신중하게 행동하다. ***avoir la ~ de+*inf.* 현명하게도 …하다. ***par ~ ; par mesure de ~*** 미리 조심해서.

***prudent, e** [pʀydɑ̃, -ɑ̃:t] *adj* 조심성 있는, 신중한, 용의주도한(≠ imprudent) : conduite ~*e* 신중한 행동 / C'est un homme ~. 그는 만사에 신중한 사람이다. ── *n.* 신중한 사람.

pruderie [pʀydʀi] *f.* 《문어》 숙녀인〔얌전한〕 체하는 태도, 근엄한 척함.

prud'homme [pʀydɔm] *m.* 노사 분쟁 조정 위원, 노동쟁의 심판관. ***conseil des ~s*** 노사 분쟁 조정 위원회.

pruine [pʀɥin] *f.* (과실 표면 · 잎 따위의) 흰 가루, 시설(梯雪).

prune** [pʀyn] *f.* ① 서양 오얏, 자두. ② 자두술(= eau-de-vie de ~*s*). ***pour des ~s 《속어》 무익하게, 헛되이 : Il travaille *pour des ~s*. 그는 아무 이익도 없이 헛수고만 하고 있다. ── *adj.* 《불변》 짙은 자주빛의.

pruneau [pʀyno] *m.* (*pl.* ~***x***) ① 말린 자두〔오얏〕. ② 《구어》 까만 눈. ③ 《구어》 총알 ; 살갗이 검붉은 여자(= ~ relavé).

prunelle [pʀynɛl] *f.* ① 눈동자 ; 눈, 눈길. ② 〖직물〗 질긴 모직물의 일종. ③ 〖식물〗 인목(鱗木) 열매 : liqueur de ~ 인목 열매술. (***Il y tient***) ***comme à la ~ de ses yeux.*** 자기 눈동자처럼 (소중히 여기다).

***prunier** [pʀynje] *m.* 〖식물〗 서양 오얏나무, 자두나무.

prurit [pʀyʀit] *m.* ① 〖의학〗 가려움증, 소양증(搔痒症). ② 《문어》 참기 어려운 욕망.

prussiate [pʀysjat] *m.* 〖화학〗 청산염(青酸鹽), 시안화물(化物).

prussique [pʀysik] *adj.* 〖화학〗 시안화수소의. ***acide ~*** 청산(青酸).

PS 《약자》 Parti Socialiste 사회당.

P.S. 〔라틴〕 《약자》 post-scriptum 추신(追伸).

psallette [psalɛt] *f.* (교회에 부속된) 성가대(聖歌隊) 학교.

psalmodie [psalmɔdi] *f.* ① 〖종교〗 시편 송독(誦讀) ; 성시영창(聖詩詠唱). ② (말 · 노래 따위의) 단조로운 낭독.

psalmodier [psalmɔdje] *v.i.* et *v.t.* ① 〖종교〗 성시를 영창하다 ; 시편을 송독하다. ② 단조롭게 노래하다〔말하다〕.

psaume [pso:m] *m.* ① (구약성서의) 시편. ② (시편에 근거해서 만든) 성가(聖歌).

psautier [psotje] *m.* 〖종교〗 성시집 ; 시편서(詩篇書) ; 성가집.

pseud(o)- *préf.* 「거짓 · 가(假)」 등의 뜻.

pseudonyme [psødɔnim] *m.* 가명(假名), 아호(雅號), 필명. ── *adj.* 가명의 : article ~ 가명으로 쓴 기사.

pseudonymie [psødɔnimi] *f.* 가명을 쓰기 ; 가명 저작.

pseudopode [psødɔpɔd] *m.* 〖생물〗 위족(僞足).

psit(t) [psit] *interj.* 여봐, 어이《주의를 환기하는 소리》 : *P~ !* taxi. 어이, 택시.

psittacisme [psitasism] *m.* (뜻도 모르고) 남의 말을 그대로 옮기기, 앵무새 증상 ; (정신 장애자의) 기계적인 반복 행동.

psychanalyse [psikanali:z] *f.* 정신 분석학 ; 정신 분석에 의한 치료, (예술 작품 따위의) 정신 분석학적 연구.

psychanalyser [psikanalize] *v.t.* ① 정신 분석하다 ; 정신 분석으로 치료하다. ② (작품 따위를) 정신 분석학적으로 해석하다.

psychanalyste [psikanalist] *m.* 정신 분석학자 ; 정신 분석학 의사(= analyste).

psychanalytique [psikanalitik] *adj.* 정신 분석의 ; 정신 분석학적인.

Psyché [psiʃe] *n.pr.f.* 〖그리스신화〗 프시케 《사랑의 신 에로스에게 사랑받은 미소녀, 영혼의 상징》.

psyché[1] [psiʃe] *f.* ① (각도가 바뀌는) 대형 체경(體鏡). ② 〖곤충〗 도롱이벌레.

psyché[2] [psiʃe], **psychè** [psiʃɛ] *f.* 〖철학〗 정신 현상, 영혼.

psychédélique [psikedelik] *adj.* ① 〖정신의학〗 (약품이) 환각을 일으키는. ② 〖음악 · 미술〗 사이케델릭조(調)의.

***psychiatre** [psikjatʀ] *m.* 정신과 의사.

psychiatrie [psikjatʀi] *f.* 〖의학〗 정신 의학, 정신병학.

psychiatrique [psikjatʀik] *adj.* 정신병학〔정신 의학〕의 : hôpital ~ 정신 병원.

P

*__psychique__ [psiʃik] *adj.* 심적(心的)인, 영혼의, 정신의 : maladie ~ 정신병.
__psychisme__ [psiʃism] *m.* ① 〖철학〗 심령론. ② 심리〔정신〕 현상《총칭》.
__psycho__ [psiko] *f.* 《구어》 심리학(= psychologie) : de la ~ 심리학을 공부하는.
__psychodrame__ [psikɔdʀam] *m.* 〖정신의학〗 정신 치료 연극, 사이코드라마.
__psycho(-)linguistique__ [psikɔlɛ̃gɥistik] *f.* 심리 언어학. — *adj.* 심리 언어학의.
*__psychologie__ [psikɔlɔʒi] *f.* ① 심리학《구어로는 psycho로 생략》: ~ expérimentale 실험 심리학 / ~ collective 집단 심리(학) / ~ des profondeurs 심층 심리학. ② 심리〔감정〕 분석, 심리 묘사 : ~ des romans modernes 근대 소설의 심리 묘사. ③ 심리, 심성, 성격 : ~ du Français moyen 평균적 프랑스인의 심리. ④ 심리에 대한 통찰력(=intuition) : Il manque de ~. 그는 남의 기분을 헤아릴 줄 모른다.
*__psycologique__ [psikɔlɔʒik] *adj.* 심리학적인, 심리적인 ; 정신 상태의 : roman ~ 심리소설 / guerre ~ 심리전(戰).
__psychologiquement__ [psikɔlɔʒikmɑ̃] *adv.* 심리학상, 심리학적으로 ; 정신적으로.
__psychologue__ [psikɔlɔg] *n.* 심리학자 ; 심리 분석가. — *adj.* 심리 통찰력이 있는, 인간 심리에 밝은.
__psychomoteur, trice__ [psikɔmɔtœːʀ, -tʀis] *adj.* 〖생리〗 (중추 따위가) 정신 운동〔작용〕의 : centres ~s 정신 운동 중추.
__psychomotricité__ [psikɔmɔtʀisite] *f.* (심리 작용으로 일어나는) 정신 운동성.
__psychopathe__ [psikɔpat] *n.* 정신병자 ; 이상 성격자.
__psychopathologie__ [psikɔpatɔlɔʒi] *f.* 정신 병리학.
__psychopédagogie__ [psikɔpedagɔʒi] *f.* 교육 심리학.
__psychopédagogue__ [psikɔpedagɔg] *n.* 교육 심리학자.
__psychophysiologie__ [psikɔfizjɔlɔʒi] *f.* 정신 생리학.
__psychose__ [psikoːz] *f.* ① 〖의학〗 정신병, 정신 장애. ② 고정〔강박〕관념, 망상 : ~ collective 집단 심리 / ~ de guerre 전쟁 강박관념.
__psychosomatique__ [psikɔsɔmatik] *adj.* 〖의학〗 정신적〔심리적〕 원인과 관련된 병을 연구하는 : médecine ~ 정신 신체 의학.
__psychotechnique__ [psikɔtɛknik] *f.* 정신공학《심리학적 이론 · 결과의 실제 응용》.
__psychothérapie__ [psikɔteʀapi] *f.* 정신〔심리〕 요법 : ~ familiale 〔de groupe〕 가족〔집단〕 정신 요법.
__psychotique__ [psikɔtik] *adj.* 정신병의 ; 정신병에 걸린. troubles ~s 정신 장애. — *n.* 정신병 환자.
__psychotrope__ [psikɔtʀɔp] *adj.* 〖심리 · 의학〗 향정신성(向精神性)의. — *m.* 향정신성약.
__ptôse__ [ptoːz] *f.* 〖의학〗 위하수(胃下垂).
__P.T.T.__ 《약자》 Postes, Télégraphes et Téléphones 우편 · 전신 · 전화를 관장하는 곳《현재는 P. et T.로 개칭됨》.
__pu__ ⇒ paître, pouvoir.
__puant, e__ [pɥɑ̃, -ɑ̃ːt] *adj.* ① 악취를 풍기는, 냄새〔구린내〕 나는 : bêtes ~*es* 악취를 풍기는 동물. ② 눈꼴사나운, 꼴불견인 : ~ d'orgueil 꼴사납게 오만을 떠는. 「ôme).
__puanteur__ [pɥɑ̃tœːʀ] *f.* 악취, 구린내(≠ ar-
__pub__[1] [pyb] *f.* 《구어》 광고, 상업 광고, CM ; 선전 : ~s d'un journal 신문 광고 / faire de la ~ pour une marque 어떤 상품의 광고를 하다.
__pub__[2] [pœb] 〔영〕 *m.* 영국의 대중 술집, (특히 프랑스에서는 영국식 장식을 한) 술집.
__pubère__ [pybɛːʀ] *adj.* 《문어》 사춘기의, 묘령의. — *n.* 사춘기의 남녀.
__pubertaire__ [pybɛʀtɛːʀ] *adj.* 사춘기의.
__puberté__ [pybɛʀte] *f.* 사춘기, 묘령 ; 성인.
__pubis__ [pybis] *m.* 〖해부〗 치골 : poils du ~ 치모(恥毛), 음모.
__publi-__ *préf.* 「광고 · 선전」의 뜻.
__publiable__ [pyblijabl] *adj.* 공개〔공표〕할 수 있는.
‡__public, ique__ [pyblik] *adj.* ① 공적(公的)인, 공공의(= commun ; ≠ privé) : intérêt ~ 공익 / bien ~ 공공복지 / droit ~ 공법(公法) / opinion ~*ique* 여론. ② 공무의, 국가의, 관공서의 : pouvoir ~ 공권력 / service ~ 공무 / fonction ~*ique* 공직 / trésor ~ 국가 세입. ③ 공중의, 공설(公設)의 : jardin ~ 공원 / lieux ~s 공공 장소《극장 · 역 따위》/ service ~ 공공 사업《교통 · 우편 따위》. ④ 공개된 ; 공공연한, 주지의 : cours ~ 공개 강좌 / marché ~ 〖법률〗 공개 시장 / séance ~*ique* 공개 회의〔재판〕/ Il est de notoriété ~*ique* que... …은 주지의 사실이다. ***fonctionnaire ~*** 공무원. ***force ~ique*** 경찰력. ***homme ~*** 공인, 공직자.
— *m.* ① 공중, 민중, 일반인 : porte interdite au ~ 일반인의 출입이 금지된 문. ② 관중, 청중 ; 독자 : conquérir un vaste ~ 광범위한 독자를〔관중을〕 얻다. ***en ~*** 공중 앞에서, 공적으로.
__publication__ [pyblikɑsjɔ̃] *f.* ① 공포, 공표, 공고 ; 발표 : ~ d'une loi 법률의 공고 / ~ de vente aux enchères 경매 공고. ② 출판(물), 간행(물) : ouvrage en cours de ~ 발매(發賣) 중인 작품〔저서〕/ ~ périodique 정기 간행물.
__publiciste__ [pyblisist] *m.* ① 공법학자 ; 정치 · 경제 평론가. ② 《옛》 정론(政論) 기자, 신문 기자. ③ 《오용》 광고업자.
__publicitaire__ [publisitɛːʀ] *adj.* 광고〔선전〕의 : film 〔émission〕 ~ 광고 영화〔방송〕/ dépenses ~s 선전비.
*__publicité__ [pyblisite] *f.* ① 주지(周知), 공개, 공시 : ~ des débats 토론의 공개 / donner une regrettable ~ à une affaire privée 유감스럽게도 사적인 일을 공개하다. ② 광고, 선전(= réclame) ; 광고문 ; 선전 삐라 : faire de la ~ 광고〔선전〕하다 / agence 〔service〕 de ~ 광고업. ③ 《비유》 선전, 과시.
*__publier__ [pyblije] *v.t.* 널리 알리다, 공개하다 (= divulguer) ; 공포〔공표〕하다, 발표하다(= proclamer, annoncer) : ~ une loi 법률을 공포하다 / ~ les secrets 비밀을 공표하다. ② 출판하다, 간행〔발행〕하다(= éditer).
— __se ~__ *v.pr.* ① 공개되다 ; 공표〔발표〕되

다. ② 출판〔간행〕되다.

publiphone [pyblifɔn] *m.* 카드 공중전화(= ~ à carte).

publipostage [pyblipɔstaːʒ] *m.* 통신 판매.

publiquement [pyblikmɑ̃] *adv.* 공적으로, 공공연하게, 공개적으로(≠ secrètement).

puce [pys] *f.* ① 〖곤충〗 벼룩. ② 꼬마. ③ 《속어》 매춘부 ; 계집, 여자. ④ le marché aux ~s 고물〔벼룩〕 시장. ***avoir la ~ à l'oreille*** 《구어》 불안해 하다, 의심을 품다, 경계하다. ***chercher les ~s à*** qn …의 결점을 자세히 들추다. ***mettre la ~ à l'oreille à*** 〔***de***〕 qn …에게 의심을 품게 하다.
— *adj.* 《불변》 벼룩 빛깔의, 적갈색의.

puceau, x [pyso] *adj. m.* 동정(童貞)의 《여성형은 pucelle》: Il reste ~. 그는 여전히 숫총각이다. — *n.* 동정, 숫총각.

pucelage [pyslaːʒ] *m.* 《구어》 동정, 처녀성.

pucelle [pysɛl] 《구어》 *adj. f.* 동정녀의, 처녀의(= vierge). ***la ~ d'Orléans*** 오를레앙의 처녀《Jeanne d'Arc》.

puceron [pysʀɔ̃] *m.* ① 〖곤충〗 진디. ② 《구어》 꼬마.

pudding [pudiŋ] 〔영〕 *m.* 〖요리〗 푸딩(= pouding).

puddlage [pydlaːʒ] *m.* 정련(精練)(법).

puddler [pydle] *v.t.* 〖야금〗 (용철(溶鐵)을) 정련하다.

puddleur [pydlœːʀ] *m.* 〖야금〗 정련공.

pudeur [pydœːʀ] *f.* ① 정숙함, 단정함(= chasteté, décence) ; (특히 성문제에 대한) 수치심, 수줍음 : rougir de ~ 창피해서 얼굴을 붉히다. ② (품위를 존중하는) 스스럼 ; 조심성, 삼가함(= discrétion, réserve) : agir sans la moindre ~ 파렴치하게 행동하다. ***attentat*** 〔***outrage***〕 ***à la ~*** 풍기 사범, 성적 폭행. ***être sans ~*** 부끄러움을 모르다.

pudibond, e [pydibɔ̃, -ɔ̃ːd] *adj.* et *n.* 지나치게 수줍어하는 (사람), 몹시 정숙한 (사람).

pudibonderie [pydibɔ̃dʀi] *f.* 몹시 수줍어함〔정숙함〕.

pudicité [pydisite] *f.* 《문어》 얌전함, 정숙함.

pudique [pydik] *adj.* ① 정숙한, 얌전한 : femme ~ 정숙한 여자. ② 조심성 있는, 점잖은 ; (표현 따위가) 은근한(= discret).

pudiquement [pydikmɑ̃] *adv.* 정숙하게, 얌전하게, 점잖게.

***puer** [pɥe] *v.i.* ① 악취를 풍기다 : fromage qui *pue* 고약한 냄새가 나는 치즈. ② 《구어》 냄새가 나다 : Ça *pue* bon ici. 여기는 좋은 냄새가 난다. — *v.t.* …의 악취를 풍기다 : ~ l'ail 〔le vin〕 마늘〔술〕 냄새를 풍기다.

puériculture [pɥeʀikyltyːʀ] *f.* 육아법, 육아학.

***puéril, e** [pɥeʀil] *adj.* 어린애 같은 ; 유치한, 실없는(= frivole) : langage ~ 유치한 말 / amusement ~ 경박하고 실없는 오락 / traits ~ 동안(童顔).

puérilement [pɥeʀilmɑ̃] *adv.* 어린애처럼, 유치하게, 경박하게.

puérilité [pɥeʀilite] *f.* ① 어린애 같음, 유치함, 경박함. ② 《문어》 유치한 언동〔사상〕, 실없는 장난 : dire 〔faire〕 des ~*s* 유치한 말〔짓〕을 하다.

puerpéral, e, aux [pɥɛʀpeʀal, -o] *adj.* 해산의, 산욕(産褥)의 : fièvre ~*e* 산욕열.

pugilat [pyʒila] *m.* ① 격투, 난투(= rixe). ② (고대의) 권투.

pugiliste [pyʒilist] *m.* 〖스포츠〗 권투 선수 (= boxeur).

pugnace [pygnas] *adj.* 싸우기〔논쟁하기〕 좋아하는.

pugnacité [pygnasite] *f.* 싸우기〔논쟁하기〕 좋아하는 기질.

puîné, e [pɥine] *adj.* …의 뒤에 출생한, 손아래의 : frère ~ 동생, 아우 / sœur ~*e* 누이동생. — *n.* 아우, 누이동생.

‡**puis**[1] [pɥi] *adj.* ① 《시간적인 연속》 그리고, 그 후에(= ensuite) : douleur d'abord faible, ~ aiguë 처음에는 가벼웠다가 다음에는 심해진 고통 / *P*~ il se remit à lire. 그리고 그는 다시 읽기 시작했다. ② 《공간적인 연속》 더 멀리로, 그 뒤에(= après, derrière) : On peut apercevoir la cathédrale, ~ les tours du château. 대성당이 보이고 그 뒤로 성의 탑들이 보인다. ③ 《열거할 때 et와 함께》 그리고 또, 게다가(= et, plus) : Il est brave, *et* ~ c'est tout. 그는 그저 용감할 뿐이다. ④ 《et와 함께 이유 따위를 보충》 게다가, 더군다나(= d'ailleurs, en outre) : Je n'ai pas fini ce roman, car j'étais très occupé, *et* ~ il était fort ennuyeux. 나는 이 소설을 다 못 읽었어, 매우 바쁜데다가 몹시 지루한 소설이었기 때문이야. ***Et ~ après*** 〔***quoi***〕 ***?*** 그래서, 그 다음은 ; 그게 어떻다는 거야 ? : Il n'est pas rihe, *et* ~ *après ?* 그는 부자가 아니야, 그래서 어떻다는 거야 ? ***et ~ et ~*** 그리고 뒤에 뒤를 이어서.

puis[2] pouvoir 의 직설 · 현재 · 1 · 단수.

puisage [pɥizaːʒ] *m.* (물을) 푸기, 긷기.

puisard [pɥizaːʀ] *m.* (오수 따위의) 정화조, 하수조.

puisatier [pɥizatje] *m.* 우물 파는 인부.

puiser [pɥize] *v.t.* ① (물 따위를 푸다, 뜨다, 긷다 ; 《~ qc à 〔dans〕》 …을 …에서 퍼내다 : ~ de l'eau *dans* 〔*à*〕 la rivière 시내에서 물을 긷다. ② 끌어〔끄집어, 찾아〕내다 ; 얻어내다 ; 따오다, 인용하다(= emprunter) : ~ des exemples dans les meilleurs auteurs 가장 훌륭한 작가들 가운데서 예문을 끌어오다 / ~ des consolations dans la religion 종교에서 위안을 찾다 / ~ une idée chez un auteur 어느 작가에게서 착상을 얻다.

‡**puisque** [pɥisk(ə)] 《ils(s), elle(s), on, en, un(e) 따위 앞에서는 puisqu'로 됨》 *conj.* ① 《어떤 명백한 이유 · 동기를 제시하여》 …이니까, …이기 때문에, …인 이상 : *P*~ vous le voulez, je partirai. 그렇게 원하시니, 나는 떠나겠습니다 / Les hommes meurent, *puisqu'*ils naissent. 사람들은 죽어 간다, 왜냐하면 그들은 태어나니까. ② 《주문 없이 감탄문에서》 Mais ~ je vous le dis ! 《구어》 그렇다니까요 ! / Mais ~ vous avez refusé ! 당신이 거절했잖아요 ! / Mais ~ c'est trop tard ! 그러나 너무 늦었잖아 !

puissamment [pɥisamɑ̃] *adv.* ① 강력하게, 힘차게(= portement) : pays ~ armé 강력히 군비를 갖춘 국가. ② 《구어》 대단히, 무척, 몹시 : Il est ~ bête. 그는 대단히 바보다.

***puissance** [pɥisɑ̃ːs] *f.* ① 힘, …력(力) : ~ d'une nation 국력 / ~ de l'argent 돈의 힘.

P

② 능력, 권능 : ~ d'achat 구매력 / *sa* ~ de travail est étonnante. 그녀의 작업 능력은 놀랄 만하다 / ~ de Dieu 신의 권능. ③ 권력, 권세, 세력, 위력 : ~ publique 공권력 / ~ paternelle 친권(親權) / soumettre qn à sa ~ …을 자기의 권위에 따르게 하다. ④ 열강, 강국 ; 권력자 : ~*s* européennes 유럽 열강 / grandes ~*s* économiques 경제 대국 / ~*s* d'argent 재력가. ⑤ (기계 등의) 공률(工率), 출력, 동력 : ~ en chevaux(-vapeur) 마력 / ~ d'un éclairage 촉광 / ~ au frein 제동(制動) 마력 / ~ d'un hautparleur 확성기의 출력. ⑥ 〖수학〗 거듭제곱, 멱(冪) : deux ~ trois. 2 의 3 제곱 / dix ~ trois, 10 의 3 제곱. ⑦ 〖철학〗 가능태(態), 잠재성(≠ acte) : la ~ et l'acte 가능태와 현실태. ⑧ (les *P*~*s*) 〖신학〗 능품 천사(能品天使)《천사의 계급 중의 하나》: les ~*s* des ténèvres 어둠의 지배자, 악마. ***à toute* ~** 전력을 다해서. ***en* ~** 잠재해 있는, 잠재적인. ***être en* ~ *de*** qn …의 지배하에 있다.

puissant, e** [pɥisɑ̃, -ɑ̃:t] *adj.* ① 강(력)한, 권력〔권세 · 세력〕 있는, 유력한 ; 강대한, 부강한 : nation ~*e* 강대국, 부강한 나라 / personnage ~ 유력한 인물 / moteur ~ 출력이 강한 모터. ② (약 따위가) 효력 있는(= efficace, énergique) : ~ remède 효력이 강한 약. ③ (감동 따위가) 강렬한, 깊은(= profond) : ~*es* émotions 깊은 감동. ④ (사람 · 동물의 신체가) 힘이 강한, 비만한, 살찐, 통통한(= corpulent) : ~*e* musculature 힘센 근육. ⑤ 〖지질〗 두터운 : couche ~*e* (3 미터 이상의) 두꺼운 탄층(炭層). **~ *en paroles 구변이 좋은, (말하는 만큼) 실제로 영향력이 없는. ── *m.* 유력자, 세력가 : ~*s* du moment 요즈음의 세도가〔유력자〕들.

puiss-e, -ent, -iez, -ions ⇒ pouvoir.

puits** [pɥi] *m.* ① 우물 : creuser un ~ 우물을 파다. ② (광산(鑛山)의) 수갱(竪坑)(= ~ de mine) : ~ de pétrole (유전의) 채유공(採油孔) / ~ d'extraction 채굴공. ***un* ~ *de science 박식한 사람.

P

pullman(-car) [pulman(ka:ʀ)] 〔영〕 *m.* 〖철도〗 (*Pullman*이 고안한) 호화 열차 : train ~ 특등 열차.

***pull-over** [pulɔvœ:ʀ, pylɔvɛ:ʀ] 〔영〕 *f.* 풀오버《머리부터 입는 스웨터 따위》.

pullulation [pylylɑsjɔ̃] *f.*, **pullulement** [pylylmɑ̃] *m.* (동식물 · 세균 따위의) 급속한 번식 ; 군집, 운집, 우글거림.

pulluler [pylyle] *v.i.* ① (급속도로) 번식하다 ; 급격히 많아지다 ; 우글거리다(= grouiller) : Les vers *pullulaient* dans le fromage. 치즈에 벌레가 우글거렸다. ② 불어나다, 범람하다 : Les mauvais livres *pullulent*, 악서(惡書)는 범람한다.

pulmonaire [pylmɔnɛ:ʀ] *adj.* 폐의, 허파의 : tuberculose ~ 폐결핵 / artère ~ 허파 동맥.

pulpe [pylp] *f.* ① 과육(果肉) ; (동물 · 식물의) 연한 살 : ~ des pêches 복숭아의 과육 / ~ des doigts 손가락 끝의 연한 살. ② 과일죽 ; (제지용) 펄프 : ~ à papier 제지용 펄프. ③ 〖해부〗 수(髓) : ~ dentaire 〔des dents〕 치수(齒髓).

pulpeux, euse [pylpø, -ø:z] *adj.* ① 과육〔과일죽〕 같은 ; 펄프 같은 ; 〖식물〗 수상(髓狀)의. ② 통통한, 연한.

pulsation [pylsɑsjɔ̃] *f.* ① (심장 · 동맥의) 박동, 고동 ; 맥박, 동계(動悸) : avoir cent ~*s* à la minute, 1 분에 맥박이 100 이다. ② 〖물리〗 맥동, 파동, 진동.

pulser [pylse] *v.t.* (송풍 장치로 기체를) 공급하다, 보내다 : air *pulsé* 송풍.

pulsion [pylsjɔ̃] *f.* 〖심리〗 (본능적 · 무의식적) 욕구, 충동 : ~*s* sexuelles 성적 충동.

pulvérisateur [pylveʀizatœ:ʀ] *m.* 분무기, 분무 도장기(塗裝器).

pulvérisation [pylveʀizɑsjɔ̃] *f.* ① 가루로 빻기 ; 분쇄. ② 분무, 분무 도장(塗裝) ; 살포 : ~ d'un insecticide 살충제의 살포.

pulvériser [pylveʀize] *v.t.* ① 가루로 빻다 (= broyer, piller). ② (분무기로 액체 · 가루를) 안개처럼 뿌리다〔뿜다〕 ; 살포하다 : ~ du parfum 향수를 뿌리다. ③ 분쇄하다, 박살 내다(= détruire) ; 전멸시키다(= exterminer) : ~ l'ennemi 적을 전멸시키다 / ~ une objection 반대를 분쇄하다.

pulvérulence [pylveʀylɑ̃:s] *f.* 가루로 된 모양, 분말 상태.

pulvérulent, e [pylveʀylɑ̃, -ɑ̃:t] *adj.* ① 가루가 된. ② 가루 모양의, 분말상의 : état ~ 분말 상태.

puma [pyma] *m.* 〖동물〗 아메리카 표범, 퓨마.

pûmes [pym] pouvoir 의 직설 · 단순과거 · 「1 · 복수.

punaise [pynɛ:z] *f.* ① 〖곤충〗 빈대. ② 압정(押釘). ③ 《구어》 성미 고약한 사람.

punch¹ [pɔ̃:ʃ] 〔영〕 *m.* 펀치《럼주에 홍차 · 설탕 · 레몬즙 · 계피 따위를 섞은 음료》.

punch² [pœntʃ, pœnʃ] 〔영〕 *m.* ① (권투의) 펀치 : avoir du ~ 펀치가 세다. ② 활력, 박력(= dynamisme).

puncheur [pœnʃœ:ʀ] *m.* 펀치가 센 권투 선「수.

punching-ball [pœnʃiŋbo:l] 〔영〕 *m.* (권투 연습용의) 매단 공.

‡**punir** [pyni:ʀ] *v.t.* ① ⓐ 벌〔처벌〕하다 : ~ un élève 학생을 벌하다. ⓑ 《~ qn de 〔pour〕 qc 〔+*inf.*〕》 …의〔한〕 이유로 처벌하다 : Le prof m'*a puni pour* avoir oublié de faire mon devoir. 나는 숙제해 가는 것을 잊어서 선생님한테 벌받았다. ⓒ 《~ qn 〔qc〕 de...》 …에 대하여 …의 벌을 과하다 : *être puni de* ses crimes 범죄에 대하여 처벌되다 / ~ un accusé *de* la peine de mort 〔*d'*emprisonnement〕 피고에게 사형〔징역형〕을 내리다. ② (친절 · 노력 따위가) 배반당하다, 보답받지 못하다 : un temps où la bonté *est punie* 친절이 보답받지 못하는 시절. ── **se ~** *v.pr.* ① 자기를 벌하다. ② 서로 벌을 주다. ③ 처벌되다.

punissable [pynisabl] *adj.* 벌해야 할, 처벌〔징벌〕해야 할.

punitif, ive [pynitif, -i:v] *adj.* 처벌〔징벌〕의 : expédition *punitive* 토벌대(의 파견).

punition** [pynisjɔ̃] *f.* ① 처벌, 징벌, 징계, 형벌 : ~ corporelle 체형(體刑) / ~ scolaire 학교의 징계 / donner 〔infliger〕 une ~ à qn …에게 벌을 주다. ② (잘못의) 응보, 죄과 : Sa pénurie est la ~ de sa prodigalité. 그의 가난은 낭비의 응보이다. ***donner une

~ ***à*** qn …을 벌하다. ***en ~ de*** qc …의 벌로서. ***par*** 〔***pour***〕 ~ 벌로.

punk [pœ̃:〔œn〕k] *m.* ① 펑크 (운동)《기성 사회에 대한 반발의 표시》; 펑크 패션, 펑크 음악. ── *n.* et *adj.* 펑크족(의).

pupillaire [pypi(l)ɛ:ʀ] *adj.* 〖해부〗 동공(瞳孔)의.

pupille[1] [pypij〔l〕] *n.* ① 〖법률〗 피후견인, 피후견 고아 : ~ de la Nation 국가에서 보호하는 전쟁 고아. ② (가정교사의) 제자.

pupille[2] *f.* 〖해부〗 동공(瞳孔), 눈동자(= prunelle).

pupitre [pypitʀ] *m.* ① (위판이 앞으로 경사진) 작은 책상. ② 악보대(樂譜臺) ; 서적대(臺). ***chef de ~*** (악단의) 지휘자. ***être au ~*** 오케스트라를 지휘하다.

pupitreur [pypitʀœ:ʀ] *m.* 컴퓨터 조종자, 조종판(tableau de commande) 감시자.

pur, e** [py:ʀ] *adj.* ① 순수한, 잡것이 섞이지 않은 ; 《~ de》 …이 없는 : or ~ 순금 / ciel ~ *de* nuages 구름 없는 하늘 / tissu ~*e* laine 순모직(純毛織) / cheval (*de*) ~ sang 순종의 말. ② 깨끗한 ; 맑은 : eau 〔voix〕 ~*e* 맑은 물〔음성〕. ③ 순결한, 청순한, 순진한 : amour ~ 순결한 사랑 / femme ~*e* 청순한 여자 / une jeune fille ~*e* 숫처녀. ④ (미적으로) 완벽한, 훌륭한, 단정한 : visage aux contours ~*s* (균형잡힌) 단정한 얼굴 / Il parle un français ~. 그는 훌륭한 프랑스어를 구사한다. ⑤ 《être ~ de》 …이 전혀 없는 : *être ~ de* tout crime 아무런 죄도 없다. ⑥ 《명사 앞》 순전한, 전적인, 단순한 : un ~ hasard 순전한 우연 / la ~*e* vérité 어김없는 진실. ***en ~e perte 헛되이 : travailler *en ~e perte* 헛수고하다. **~ *don*** 무상(無償)으로. **~ *et simple*** 순전한, 단순한 ; 무조건의 : acceptation ~*e et simple* 무조건 수락.

purée** [pyʀe] *f.* ① 〖요리〗 (감자 따위로 만든) 죽, 퓌레 : ~ de pomme de terre 감자 퓌레. ② ⓐ 《구어》 곤궁, 빈궁, 곤경(= mouise, panade) : être dans la ~ 돈에 쪼들리다. ⓑ 곤궁한 사람, 가난뱅이. ***P~ ! 《속어》 가엾어라(= Misère !) **~ *de pois*** 《구어》 (시계(視界)제로의) 짙은 안개.

purement [pyʀmɑ̃] *adv.* ① 순전히, 전적으로, 오로지 : faire qc ~ par intérêt 오로지〔전적으로〕 이익을 위해서 …을 하다. ② (언어의 사용 따위를) 올바르게, 정확하게 : écrire 〔parler〕 ~ 정확하게 쓰다〔말하다〕. **~ *et simplement*** 순전히, 무조건 : Vous pouvez refuser ~ *et simplement*. 당신은 무조건 거절해도 괜찮습니다.

purent [py:ʀ] pouvoir의 직설 · 단순과거 · 「3 · 복수.

***pureté** [pyʀte] *f.* ① 순수함, 순수성 ; 순도(純度) : ~ du sang 혈통의 순수함 / ~ d'un métal 금속의 순도. ② 깨끗함, 맑음(= limpidité) : ~ de l'air 공기의 깨끗함. ③ 순결성, 순진함 : conserver sa ~ 순결을 간직하다 / ~ d'une jeune fille 처녀의 순결성. ④ (언어의) 정확성, 순정(純正) : préserver la ~ de la langue 국어의 순수성을 지키다.

purgatif, ive [pyʀgatif, -i:v] *adj.* ① (불순물을) 깨끗이 제거하는 : eau ~*ive* 깨끗이 씻어 내는 물. ② 〖의학〗 하제(下劑) 작용의. ── *m.* 〖의학〗 하제(= laxatif).

purgation [pyʀgɑsjɔ̃] *f.* ① 하제(下劑)를 써서 변통(便通)하기. ② 〖신학〗 죄를 씻기, 정화(淨化).

purgatoire [pyʀgatwa:ʀ] *m.* ① 〖신학〗 연옥(煉獄). ② 시련장〔기〕. ***faire son ~*** 심한 고통을 겪다.

purge [pyʀʒ] *f.* ① 〖의학〗 하제를 써서 씻어 내기 ; 소독 ; 설사약, 하제 : prendre une ~ 하제를 먹다. ② (증기 기관 · 실린더 따위의) 배수, 세척. ③ 〖법률〗 (저당권 따위의) 해제. ④ (정치적인) 숙청(= épuration).

purger [pyʀʒe] [3] *v.t.* ① …에게 하제를 쓰다 : ~ un malade 환자에게 하제를 쓰다. ② (파이프 따위에서) (가스 · 액체를) 빼내다, 배수하다 : ~ un radiateur 라디에이터의 에어를 빼내다. ③ ⓐ 《문어》 숙청하다 ; 제거〔일소〕하다 : ~ un parti politique 정당 내의 불량 분자를 추방하다. ⓑ 《~ A de B》 A 에서 B를 제거하다 : ~ un groupe *de* ses éléments dangereux 어떤 그룹에서 위험 분자를 제거하다. ④ (형기를) 복역하다, (형에) 처하다 : ~ une peine de prison 금고형(禁錮刑)에 처하다. ⑤ 〖법률〗 (저당권 따위를) 해제하다. ── **se ~** *v.pr.* ① (자기에게) 하제를 쓰다, 하제를 복용하다. ② 《~ de》 자기의 …을 제거하다, …의 무죄를 증명〔입증〕하다, …을 깨끗이 하다.

purgeur [pyʀʒœ:ʀ] *m.* 〖기계〗 (물 · 공기 따위의) 배출 장치.

purifiant, e [pyʀifjɑ̃, -ɑ̃:t] *adj.* 깨끗이 하는, 정화하는.

purificateur, trice [pyʀifikatœ:ʀ, -tʀis] *adj.* et *n.* 정화하는 (사람) ; 깨끗이 하는 (기계) : ~ d'air 공기 정화기.

purification [pyʀifikɑsjɔ̃] *f.* ① 깨끗이 하기 ; 정화(淨化) : ~ de l'air 공기의 정화. ② 〖종교〗 정결 의식.

purificatoire [pyʀifikatwa:ʀ] *adj.* 깨끗이 하는, 정화하는 : cérémonie ~ 정결 의식. ── *m.* 〖종교〗 (교회의) 성작(聖爵) 수건.

***purifier** [pyʀifje] *v.t.* 깨끗이 하다, 정화하다, …의 불순물을 제거하다(= épurer) : Un sain repentir *purifia* son cœur. 참된 뉘우침은 그의 마음을 정화해 주었다 / travailler à ~ une langue 언어의 정화에 힘쓰다. ── **se ~** *v.pr.* ① 마음이 깨끗해지다. ② 정화〔정련〕되다 : L'eau *se purifie* par le filtrage. 물은 여과에 의해 정화된다.

purin [pyʀɛ̃] 《지방어》 *m.* (가축의 오줌 따위로 된) 물거름, 액체 거름.

purisme [pyʀism] *m.* (언어의) 순정어법주의 ; (예술 · 사상의) 순수주의〔정통주의〕(≠ laxisme).

puriste [pyʀist] *adj.* et *n.* 언어 · 예술 따위의 순수성을 고집하는 (사람).

puritain, e [pyʀitɛ̃, -ɛn] *n.* ① 〖종교〗 청교도. ② (도덕에 대해) 엄격한 사람. ── *adj.* 청도교의 ; 엄격한(= austère).

puritanisme [pyʀitanism] *m.* ① 청교(주의). ② (도덕상의) 엄격주의(= rigorisme).

purpurin, e [pyʀpyʀɛ̃, -in] *adj.* 자홍색의.

pur-sang [pyʀsɑ̃] *m.* 《복수 불변》 (말 따위의) 순종(純種)의 말.

purulence [pyʀylɑ̃:s] *f.* 〖의학〗 화농.

purulent, e [pyʀylɑ̃, -ɑ̃:t] *adj.* ① 〖의학〗 곪

은, 화농한 : plaie ~*e* 곪은 상처. ② 《문어》 정신을 부패시키는.

pus¹ [py] *m.* 〖의학〗 고름.

pus² pouvoir 의 직설 · 단순과거 · 1〔2〕· 단수.

pusillanime [pyzi(l)lanim] *adj.* 소심한, 심약한 ; 겁많은(= timoré, craintif).

pusillanimité [pyzi(l)lanimite] *f.* 소심함, 겁이 많음 ; 비겁함(= lâcheté).

puss-e, -ent ⇒ pouvoir.

pustule [pystyl] *f.* ① 〖의학〗 작은 농포(膿疱), 부스럼. ② 〖생물〗 (두꺼비의 등이나 식물의 표피의) 오톨도톨한 것, 작은 돌기.

pustuleux, euse [pystylø, -ø:z] *adj.* 〖의학〗 농포성의, 부스럼투성이의.

put [py] pouvoir 의 직설 · 단순과거 · 3 · 단수.

pût [py] pouvoir 의 접속 · 반과거 · 3 · 단수.

putain [pytɛ̃] *f.* 《비어》 매춘부, 창녀(= prostituée) ; 허튼계집, 화냥년. ── *adj.* 남의 비위를 잘 맞추는 : homme très ~ 사람들의 마음에 들고자 몹시 애쓰는 사람.

putatif, ive [pytatif, -i:v] *adj.* 〖법률〗 추정(推定)상의 : père ~ 추정상의 부친. ***mariage*** ~ 원래는 무효이나 당사자의 선의를 이유로 유효하게 취급되는 결혼.

pûtes [pyt] pouvoir 의 직설 · 단순과거 · 2 · 복수.

putois [pytwa] *m.* 〖동물〗 (고약한 냄새를 풍기는) 족제비의 일종 ; 그 모피.

putréfaction [pytʀefaksjɔ̃] *f.* 부패(= pourriture).

putréfier [pytʀefje] *v.t.* 썩히다, 부패시키다, 상하게 하다(= pourrir) : La chaleur *putréfie* la viande. 더위는 고기를 썩힌다. ── **se** ~ *v.pr.* 썩다, 부패하다.

putrescible [pytʀesibl] *adj.* 부패하기〔썩기〕 쉬운(= corruptible).

putride [pytʀid] *adj.* ① 썩고 있는 ; 부패해서 생긴. ② 《문어》 (도덕적으로) 타락한.

putridité [pytʀidite] *f.* 부패, 부란(腐爛).

putsch [putʃ] 〔독일〕 *m.* (정권을 잡기 위한) 쿠데타, 무장 폭동, 무장 봉기(= coup d'État) : ~ militaire 군사 폭동.

putschiste [putʃist] *n.* 쿠데타 가담자〔지지자〕 ; 무장 봉기의 일원.

puzzle [pœzl] 〔영〕 *m.* ① 퍼즐《여러 조각을 맞추어 그림이나 형상을 만드는 놀이》. ② 《비유》 잡다한 생각들 ; 풀기 힘든 문제.

p.-v. 《약자》 procès verbal 《구어》 교통〔주차〕 위반 : attraper un ~ 교통〔주차〕 위반에 걸리다.

pygmée [pigme] *n.* 난쟁이 ; 《비유》 무능한 사람. ── **P~** *m.* (아프리카의) 소인족.

***pyjama** [piʒama] *m.* 파자마, 잠옷 ; 실내복.

pylône [pilo:n] *m.* ① (교량 · 거리 입구 양쪽에 세운) 장식용 탑. ② (공중선 · 안테나의) 철탑〔시멘트 탑〕.

pylore [pilɔ:ʀ] *m.* 〖해부〗 유문(幽門).

pyorrhée [pjɔʀe] *f.* 〖의학〗 농루(膿漏).

pyrale [piʀal] *f.* 〖곤충〗 명충나방.

pyramidal, e, aux [piʀamidal, -o] *adj.* 피라미드〔각뿔〕 모양의, 각추형의.

pyramide [piʀamid] *f.* ① 피라미드 (모양의 것). ② 〖수학〗 각뿔, 각추(角錐). ③ 각뿔 모양으로 쌓아 올린 것〔더미〕 : ~ d'oranges 피라미드 모양으로 쌓은 오렌지 더미 / ~ de livres 책 더미. ④ 〖미학〗 피라미드 형태의 배열, 구성. ⑤ (위로 갈수록 숫자가 줄어드는) 피라미드형 분포 : ~ des âges 연령별 인구 도표.

pyrèthre [piʀɛtʀ] *m.* 〖식물〗 국화과 식물의 일종《꽃을 가루로 만들어 살충제로 사용》.

pyrex [piʀɛks] *m.* 파이렉스《내열(耐熱) 유리의 상표명》.

pyrite [piʀit] *f.* 〖광물〗 황철광 ; 유황분이 섞인 광물 : ~ de cuivre 황동광.

pyr(o)- *préf.* 「불 · 열」의 뜻.

pyrograver [piʀɔgʀave] *v.t.* …에 낙화(烙畫)를 그리다, 불에 달군 쇠꼬치로 그리다.

pyrogravure [piʀɔgʀavy:ʀ] *f.* 낙화, 낙화술.

pyromane [piʀɔman] *m.* 방화광《사람》.

pyromètre [piʀɔmɛtʀ] *m.* 고온계(高溫計), 고열 온도계.

pyrophore [piʀɔfɔ:ʀ] *m.* 〖화학〗 자연성발화 물질《공기에 접촉하면 자동적으로 발화함》.

pyrotechnie [piʀɔtɛkni] *f.* 꽃불〔화약 · 화포〕의 제조술〔사용술〕.

pyrrhonisme [piʀɔnism] *m.* 〖철학〗 그리스 철학자 *Pyrrhon* 의 회의설 ; 극단적 회의주의.

pyrrol(e) [piʀɔl] *m.* 〖화학〗 피롤.

pythagoricien, enne [pitagɔʀisjɛ̃, -ɛn] *adj.* et *n.* 피타고라스학파의 (학자).

pythagorique [pitagɔʀik] *adj.* 피타고라스의 ; 피타고라스학파〔학설〕의.

pythagorisme [pitagɔʀism] *m.* 피타고라스(*Pythagore*) 학설.

python [pitɔ̃] *m.* ① 〖그리스신화〗 (아폴로가 퇴치한) 거대한 뱀, 괴사(怪蛇). ② 〖동물〗 왕뱀속(屬).

pythonisse [pitɔnis] *f.* 〖고대그리스〗 여자 예언자 ; 여자 점쟁이.

P

Q

Q, q [ky, 《드물게》 kə] *m.* 프랑스 자모의 제 17 자.
Q. 《약자》 ① quantité 양(量). ② pavillon Q 검역기(檢疫旗)(= pavillon de quarantaine).
q. 《약자》 ① quai 부두 ; 강둑 ; 플랫폼. ② carré 평방, 제곱. ③ quintal 〖도량형〗 100 kg.
qc. 《약자》 quelque chose 어떤 것.
Q.C.M. 《약자》 question à choix multiple 다지(多肢) 선택형 문제.
Q.E.D. 《약자》 quod erat demonstrandum 〖수학〗 이로써 증명되었음, 증명 끝(《기하학의 정리 · 문제 끝에 붙임》). 「부.
Q.G. 《약자》 quartier général 〖군사〗 사령
Q.I. 《약자》 quotient intellectuel 〔d'intelligence〕 지능지수(〖영〗 I.Q.).
qn 《약자》 quelqu'un 누구, 어떤 사람.
qq. 《약자》 ① quelques 몇몇의. ② quelqu'un 누구, 어떤 사람.
qq.ch. 《약자》 quelque chose 어떤 것.
qqn 《약자》 quelqu'un 어떤 사람.
quadr(a)- *préf.* 「4」의 뜻.
quadragénaire [kwa〔ka〕dʀaʒenɛ:ʀ] *adj.* 40 의 ; 40 세의. — *n.* 40 세〔대〕의 사람.
quadragésime [kwa〔ka〕dʀaʒezim] *f.* 〖종교〗 사순절(四旬節). ***Le dimanche de la*** ~ 사순절의 제 1 일요일.
quadrangle [kwa〔ka〕dʀɑ̃gl] *m.* 〖수학〗 4 각형, 4 변형. 「4 각형의.
quadrangulaire [kwa〔ka〕dʀɑ̃gylɛ:ʀ] *adj.*
quadrant [kwa〔ka〕dʀɑ̃] *m.* 〖수학〗 사분원(四分圓)(《원의 1/4》).
quadratique [kwa〔ka〕dʀatik] *adj.* 정 4 각형의, 정방형의 ; 〖수학〗 2 차(二次)의.
quadrature [kwadʀaty:ʀ] *f.* 〖수학〗 구적법(求積法) ; 〖천문〗 구상(矩象) ; (달의) 현(弦) : ~s de la Lune 달의 상현과 하현. ***la ~ du cercle*** 불가능한 일, 해결할 수 없는 문제.
quadri- *préf.* 「4」의 뜻.
quadriennal, e, aux [kwa〔ka〕dʀi(j)ɛnnal, -o] *adj.* 4 년간의, 4 년 동안 계속되는 ; 4 년마다의 : Les Jeux Olympiques sont ~*aux.* 올림픽은 4 년에 한 번 개최된다.
quadrifide [kwa〔ka〕dʀifid] *adj.* 〖식물〗 4 열(四裂)의.
quadrige [kwa〔ka〕dʀi:ʒ] *m.* 〖고대로마〗 4 두 2 륜 전차.
quadrilatéral, e, aux [kwa〔ka〕dʀilateʀal, -o] *adj.* 4 변형의.
quadrilatère [kwa〔ka〕dʀilatɛ:ʀ] *m.* 〖수학〗 4 변형 ; 〖군사〗 4 변형 성채〔요새지〕.
quadrillage [kadʀija:ʒ] *m.* ① (지도 · 종이 따위에) 바둑판 모양으로 줄을 긋기, 바둑판 모양〔무늬〕. ② (시가지 따위의 지역에 병력 · 경찰력을 분할 주둔시키는) 분할 방식.
quadrille [kadʀij] *m.* 카드릴(《4 사람이 한패가 되어서 추는 옛날 춤》) ; 카드릴 무도곡.
quadrillé, e [kadʀije] *adj.* 바둑판 모양으로 줄이 그어진〔나뉜〕, 바둑판 모양〔무늬〕의 : papier~ 방안지, 모눈종이, 그래프 용지.
quadriller [kadʀije] *v.t.* ① …에 바둑판 무늬를 넣다 ; …에 바둑판 모양의 줄을 긋다. ② (시가지 따위를) 소구역으로 나누어 경비하다 ; 분할 방식에 의해 …의 행정력을 강화하다 : ~ une ville 〔région〕 도시를〔지방을〕 소구역으로 나누어 경비망을 펴다.
quadrimoteur, trice [kwa〔ka〕dʀimɔtœ:ʀ, -tʀis] *adj.* 〖항공〗 발동기가 넷 있는, 4 발의. — *m.* 4 발기(機)(= avion ~).
quadriparti, e 〔때로 **tite**〕 [kwa〔ka〕dʀipaʀti, -tit] *adj.* 4 자의, 4 당(黨)의 ; 〖식물〗 4 열편(裂片)의 : conférence ~*tite* 4 자 회담.
quadriphonie [kwa〔ka〕dʀifɔni] *f.* 4 채널 녹음〔재생〕(방식).
quadriphonique [kwa〔ka〕dʀifɔnik] *adj.* 4 채널 방식의.
quadrique [kwa〔ka〕dʀik] *adj.* 2 차의. — *f.* 〖수학〗 2 차 곡면(曲面).
quadriréacteur [kwa〔ka〕dʀiʀeaktœ:ʀ] *m.* 4 발 제트기.
quadrisyllabe [kwa〔ka〕dʀisi(l)lab] *m.* 〖문법〗 4 음절어 ; 4 음절 시구.
quadrisyllabique [kwa〔ka〕dʀisi(l)labik] *adj.* 4 음절의.
quadrivium [kwa〔ka〕dʀivjɔm] *m.* (중세 대학 교양 과목의) 4 과(四科)(《산술 · 음악 · 기하학 · 천문학》).
quadru- *préf.* 「4」의 뜻.
quadrumane [kwa〔ka〕dʀyman] *adj.* 〖동물〗 (원숭이처럼) 네 손을 가진, 사수류(四手類)의. — *m. pl.* 사수류(《영장류》).
quadrupède [kwa〔ka〕dʀypɛd] 〖동물〗 *adj.* 네발 달린, 4 족의. — *m.* 네발짐승, 사족수(四足獸).
quadruple [kwa〔ka〕dʀypl] *adj.* 4 곱의, 4 배의 ; 넷으로 된 : récolte ~ de la précédente 이전의 4 배의 수확. — *m.* 4 곱, 4 배.
quadruplement [kwadʀypləmɑ̃] *m.* 4 배로 하기, (철도의) 복복선화.
quadrupler [kwadʀyple] *v.t.* 4 배로 하다, 4 곱하다 : ~ son capital 자본을 4 배로 증가하다. — *v.i.* 4 배가 되다, 4 곱이 되다 : La production *a quadruplé* en dix ans. 생산은 10 년 동안에 4 배로 증가했다.
quadruplés, ées [kwadʀyple] *n. pl.* 네쌍둥이.
***quai** [ke] *m.* ① 강둑 ; 부두 ; 방파제 : arriver à ~ 부두에 닿다 / amener à ~ (배를) 부두에 대다. ② 강기슭, 강가, 강변. ③ 〖철도〗 플랫폼, 승강장 : attendre sur le ~ l'arrivée du train 기차의 도착을 플랫폼에서 기

Q

다리다. ④ 둑길, 강변 도로 : ~s de la Seine 센강의 강변 도로. ***à prendre sur le ~*** 〖상업〗 부두 인도(引渡). ***Le Q~ (d'Orsay)*** 《구어》 (파리의 센강가, 케도르세에 있는) 프랑스 외무성.

quaker, esse [kwɛkœːʀ, -kʀɛs] *n.* 퀘이커교도.

quakerisme [kwɛkəʀism] *m.* 퀘이커교(敎), 퀘이커파의 교의(敎義).

qualifiable [kalifjabl] *adj.* 형용〔형언〕할 수 있는 ; 규정지을 수 있는 : Sa conduite n'est pas ~. 그의 행동은 시인할 수 없다. ***peu ~*** 시인할 수 없는, 언어도단의.

qualifiant, e [kalifjɑ̃, -ɑ̃ːt] *adj.* (직업 훈련 · 연수 따위가) 자격〔능력〕을 부여하는.

qualificatif, ive [kalifikatif, -iːv] *adj.* 품질을 나타내는 : adjectif ~ 품질 형용사. — *m.* 형용사〔어〕, 수식어〔어구〕.

qualification [kalifikɑsjɔ̃] *f.* ① 형용 ; 〖문법〗 (명사의) 수식 ; 지칭 ; 명칭, 칭호 : ~ de sage 현자라는 지칭. ② 자격 ; 자격 부여〔획득〕 ; 〖경마 · 스포츠〗 출전 자격 : ~ professionnelle 기능공〔사〕 자격.

qualifié, e [kalifje] *adj.* ① 자격이 있는 ; 유능한 : 《~ pour qc 〔+*inf.*〕》 Il n'est pas ~ *pour* occuper cet emploi. 그는 이 직무를 맡을 자격이 없다. ② 〖경마 · 스포츠〗 (말 · 선수 · 팀이) 출전 자격이 있는. ③ 〖법률〗 (죄가) 가중(加重)된. ***crime ~*** 《옛》 〖법률〗 가중된 죄. ***ouvrier ~*** 숙련공, 기능공. ***personne ~e*** 유자격자 ; 훌륭하신 분 ; 저명인사.

qualifier** [kalifje] *v.t.* ① 형언〔형용〕하다 ; 《~ qc 〔qn〕 (de) + 속사《명사 또는 형용사》》 …을 …라고 하다〔말하다 · 부르다 · 규정하다〕 : une conduite qu'on ne saurait ~ 뭐라 형언할 수 없는〔언어도단의〕 행동 / ce réduit *qualifié* (de) laboratoire 소위 실험실이라는 그 초라한 방 / Il m'*a qualifié* d'imbécile. 그는 나를 바보라 불렀다. ② 《~ qn + 명사》 …에게 …의 칭호를 주다〔부여하다〕. ③ 〖문법〗 수식하다. ④ 《~ qn pour qc 〔+*inf.*〕》 …을 위한〔할 수 있는〕 자격을 주다 : Il *est* parfaitement *qualifié* pour occuper cet emploi. 그는 그 일을 맡을 만한 자격을 완전히 갖추고 있다. ⑤ 〖경마 · 스포츠〗 (말 · 선수 · 팀에게) 출전 자격을 주다. ***~ qn de son titre …을 그 칭호로 부르다. — ***se ~*** *v.pr.* ① 《se ~ de》 자기를 …라고 자칭하다. ② 《se ~ pour》 …을 위한 자격이 있음을 증명하다〔보여 주다〕 ; 〖경마 · 스포츠〗 …에 출전할 자격을 얻다 : Cet athlète *s'est qualifié pour* la finale. 이 선수는 결승전에 출전할 자격을 얻었다.

qualitatif, ive [kalitatif, -iːv] *adj.* 질에 관한 ; 질적인 ; 정성(定性)의 : analyse ~*ive* 〖화학〗 정성(定性) 분석.

qualitativement [kalitativmɑ̃] *adv.* 질적으로, 질적 견지에서.

‡**qualité** [kalite] *f.* ① (사물의) 질, 성질, 품질 : de bonne 〔première〕 ~ 고급〔상등〕의. ② (사물의) 양질(良質) ; 뛰어난 품성 ; 특질 ; 미점(美點) : marchandise de ~ 고급품, 상등품. ③ (사람의) 품성. ④ (사람의) 장점 ; 자질 : Il réunit beaucoup de ~s. 그는 많은 장점〔자질〕을 갖고 있다. ⑤ 자격, 신분, 칭호 : Sa ~ d'ancien ministre lui facilite l'entrée partout. 전 장관이라는 자격〔칭호 · 경력〕 때문에 그는 아무 데나 쉽게 드나들 수 있다. ⑥ 《옛》 명문 · 귀족의 신분 : homme de ~ 지체 높은 사람, 귀족, 상류인사. ***avoir de la ~*** 질이 좋다 : vin qui *a de la* ~ 고급 포도주. ***avoir ~ pour*** + *inf.* …할 자격〔권한〕이 있다. ***en (sa) ~ de*** … 으로서, …의 자격으로.

‡**quand** [kɑ̃] *adv. interr.* 언제, 어느 때(에) : *Q~* pourrez-vous venir ? 언제 오실 수 있겠습니까 ? / J'ignore ~ je serai libre. 나는 언제 틈이 날지 모릅니다. ***À ~… ?*** 《속어》 …은 언제인가 : *À* ~ la noce ? 결혼식은 언제입니까 ? ***depuis ~*** 언제부터. ***jusqu'à ~*** 언제까지. ***n'importe ~*** 언제라도 좋으니. ***~ est-ce que*** 《구어》 언제 : *Q~ est-ce que* vous l'avez vu ? 언제 그를 보았습니까 ? — *conj.* ① 《시간》 …할 때(= lorsque) ; …할 때면, …할 때마다 ; 《주절을 유도》 그때 : *Q~* tu auras lu ce roman, tu me le prêteras. 이 소설을 다 읽고 나면 내게 빌려줘. ② 《가정》 …한다면(= si) : *Q~* la critique est juste, je me corrige. 나에 대한 비판이 옳다면, 나의 잘못을 고치겠다. ③ 《대립》 …하는데, …하는데도 불구하고(= alors que) : Tu t'es subordonné, ~ tu es fait pour ordonner. 너는 명령해야 할 사람인데도 복종을 했다. ④ 《~ 〔~ (bien) même〕 + *cond.*》 《양보》 …한다 할지라도(= même si, alors même que) : *Q~ (bien) même* il le nierait 설사 그가 그것을 부인할지라도 / *Q~* elle l'eût voulu, elle n'eût pas pu. 설사 그녀가 그것을 원했다손 쳐도 하지 못하였을 것이다. ***Q~ je 〔on〕 pense que … !*** 《감탄 · 놀라움》 …하다니. ***Q~ je vous (le) dis !*** 틀림없다니까요. ***Q~ je vous le disais !*** 제가 뭐랬습니까, 제가 그렇게 말하지 않았어요. ***~ même*** ⓐ 그래도, 그렇지만. ⓑ 얼마나, 정말《감탄을 강조》: C'est ~ *même* malheureux ! 정말 불행한 일이야.

quanta [k(w)ɑ̃ta] *m. pl.* 〖물리〗 양자(量子).

***quant à** [kɑ̃ta] *loc. prép.* …에 관해서는, …으로 말하자면 : ~ *à* moi 나에 관해서는, 나는 어떤가 하면, 나로 말하면 / Il ne m'a rien dit ~ *à* ses projets. 그는 자기 계획에 관해서는 나에게 아무 말도 하지 않았다.

quant-à-moi [kɑ̃tamwa], **quant-à-soi** [kɑ̃taswa] *m.* 《복수불변》 《구어》 새침한〔내색을 하지 않는〕 태도 : tenir 〔prendre, garder〕 son ~ ; se tenir 〔se mettre〕 sur son ~ 새침한 태도를 취하다, 점잔빼다 / rester sur son ~ 멀리서 관망만 하다.

quantième [kɑ̃tjɛm] *m.* 《공문서 용어로만》 날짜, 월일(月日) : Indiquez sur la procès-verbal le ~ du mois. 조서에 날짜를 기입하시오 / Quel est le ~ (du mois) ? ; Quel ~ avons-nous ? ; À quel ~ sommes-nous ? 오늘은 며칠입니까 ? ***montre à ~s*** 일력(日曆) 시계. — *adj.* 《옛》 몇 번째의.

quantifiable [kɑ̃tifjabl] *adj.* 수량으로 표시할 수 있는, 수량화할 수 있는.

quantification [kɑ̃tifikɑsjɔ̃] *f.* 수량〔수치〕화 ; 〖물리〗 양자화.

Q

quantifier [kɑ̃tifje] *v.t.* ① 《일반적》 수량화〔수치화〕하다. ② 〖물리〗 양자화하다.

quantique [k(w)ɑ̃tik] *adj.* 〖물리〗 양자의〔에 관한〕: physique ~ 양자 물리학.

quantitatif, ive [kɑ̃titatif, -iːv] *adj.* 양(量)에 관한, 양적인 : adjectif 〔adverbe〕 ~ 〖문법〗 수량형용사〔부사〕/ analyse *~ive* 〖화학〗 정량(定量) 분석.

quantitativement [kɑ̃titativmɑ̃] *adv.* 양적으로 : analyser ~ 〖화학〗 정량 분석하다.

*__quantité__ [kɑ̃tite] *f.* ① 양, 분량, 수량 ; 다량, 다수 : ~ de mouvement 운동량 / ~ de chaleur 열량 / ~ de riz produite en Italie 이탈리아의 쌀 생산량. ② 〖음악〗 음의 길이 ; 〖음성 · 작시〗 음량(音量). ***en*** (***grande***) ***~*** 다량으로, 많이. ***une ~*** 〔***des ~s***〕 ***de***＋'무관사명사' 다수의 …, 다량의 … : J'ai reçu *une ~ de* lettres de vœux au 1er janvier. 정월 초하루에 수많은 연하장을 받았다 / prendre des *~s* de médicaments 다량의 약을 복용하다.

quantum [kwɑ̃tɔm] *m.* (*pl.* ***quanta*** [kwɑ̃ta]) ① 정량(定量). ② (각자의) 몫. ③ 투표 성립에 필요한 인원수, 정족수. ④ 〖물리〗 양자(量子)《이 경우의 발음은 [k(w)ɑ̃tɔm, k(w)ɑ̃ta]》. ***théorie des quanta*** 양자론.

*__quarantaine__ [kaʀɑ̃tɛn] *f.* ① 40, 약 40 ; 약 40 세 : l'approche de la ~ 마흔 살이 가까워짐. ② 〖가톨릭〗 사순절(= la sainte ~). ③ 〖해양〗 검역, 검역 정선(停船) 기간《옛날엔 40 일간》; 격리. ***mettre*** qn ***en ~*** 〔《옛》 ***à la ~***〕 《속어》 …을 따돌리다. ***mettre un vaisseau*** 〔***des passagers***〕 ***en ~*** 배를〔승객을〕 검역〔격리〕하다.

*__quarante__ [kaʀɑ̃ːt] *adj. num.* 《불변》 ① 40 의. ② 마흔째의, 40 번째의 : page ~ 제 40 페이지. — *m.* 《복수불변》 ① 마흔, 40(번) ; 40 번지 : habiter au ~, 40 번지에서 살다. ② (les *Q~*) 아카데미 프랑세즈의 40명의 회원. ③ 〖테니스〗 한 게임에서의 세 번째 득점.

quarantenaire [kaʀɑ̃tnɛːʀ] *adj.* 40 년간 계속되는〔된〕; 40 년의.

quarantième [kaʀɑ̃tjɛm] *adj. num.* ① 마흔째의, 40 번째의. ② 40분의 1의. — *n.* 40 번째(의 것〔사람〕). — *m.* 40분의 1.

⁑**quart**[1] [kaːʀ] *m.* ① 4 분의 1 : Cinq est le ~ de vingt. 5 는 20 의 4 분의 1 이다 / un ~ de siècle, 4 반세기 / le ~ de son revenu 수입의 4 분의 1. ② 15 분(= un ~ d'heure) : trois heures et (un) ~, 3 시 15 분 / trois heures trois *~s*, 3 시 45 분 / trois heures moins le 〔un〕 ~, 3 시 15 분 전. ③ 〖해양〗 (보통 4 시간 교대의) 당직 근무 : grand ~ (오후 6 시에서 밤 12 시까지의) 6 시간 당직 / petit ~, 2 시간 근무의 당직 / prendre 〔rendre〕 le ~ 당직 근무를 시작하다〔끝내다〕. ④ 4 분의 1 리터 ; 4 분의 1 파운드 ; 4 분의 1 리터들이 작은 병〔(휴대용) 양철 컵〕: un ~ Vichy 비시《천연 음료수의 일종》 250 그램들이 한 병. ***au ~ de tour*** 즉석에, 대뜸. ***aux trois ~s*** 대부분, 거의 다〔완전히〕: Les berges sont *aux trois ~s* inondées. 둑은 거의 다〔대부분이〕 침수되었다 / être *aux trois ~s* ivre 거의 완전히 취해 있다. ***dans un petit ~ d'heure*** 《속어》 잠시 후에. ***homme*** 〔***officier***〕 ***de ~*** 당직원〔사관〕. ***passer un mauvais ~ d'heure*** 《속어》 괴로운 한때를 보내다. ***~ de soupir*** 〖음악〗 16 분 쉼표.

quart[2]**, e**[1] [kaːʀ, -aʀt] *adj.* 《옛》 제 4 의 ; 4 일마다의 : fièvre *~e* (4 일마다 하루씩 일어나는) 4 일열(熱).

quarte[2] [kaʀt] *f.* ① 《옛》 카르트《액체의 용량 단위 ; 2 pintes 에 해당》. ② 〖음악〗 4 도(四度) 음정 : intervalle de ~, 4 도 음정.

quarté [kaʀte] *m.* 〖경마〗 (상위 입상의 4 마리에 거는) 4 연승식 경마《tiercé 에 따라 만든 용어》.

quarteron [kaʀt(ə)ʀɔ̃] *m.* 《옛》 ① 100 의 4 분의 1, 25 ; 25 개. ② 사반절(四半折) ; 4 분의 1 파운드. ③ 약간, 소수.

quartette [kwaʀtɛt] *f.*, **quartetto** [kwaʀtɛ(t)to] 〔이탈리아〕 *m.* 〖음악〗 사중주〔사중창〕(곡).

quartidi [kwaʀtidi] *m.* 〖프랑스사〗 공화력 순일(旬日)의 제 4 일.

⁑**quartier** [kaʀtje] *m.* ① 4 분의 1 : bois en ~ (통나무를) 넷으로 쪼갠 장작 / un ~ de pomme 사과 4분의 1쪽 / couper en quatre *~s* 넷으로 자르다〔쪼개다〕. ② 조각, 덩어리, 작은 부분 : ~ de terre 한 구획의 토지 / ~ de pierre 〔pain〕 석재〔빵〕의 큰 덩어리. ③ (도시의) 구(區), 가(街), 동(洞) ; 지대, 일대, 구역, 거리 : beaux *~s* 고급 주택가 / *Q~* latin (파리의) 라틴가《학생 · 대학가》/ les *~s* populaires du nord-est de Paris 파리 동북부의 서민 지대들. ④ 달의 주기의 4 분의 1, 현(弦) : premier 〔dernier〕 ~ 상〔하〕현. ⑤ 〖군사〗 병영 ; (흔히 *pl.*) 숙영(지) : *~s* d'hiver 동계 숙영. ***avoir ~ libre*** (병영에서) 외출 허가증을 가지고 있다〔얻다〕. ***bas ~s*** 빈민가(貧民街). ***bureau de ~*** (은행 따위의) 지점. ***mettre*** qc ***en ~s*** …을 박살〔토막〕내다. ***ne point*** 〔***pas***〕 ***faire*** 〔***donner***〕 ***de ~ à*** qn …을 용서〔가차〕없이 다루다〔해치우다〕. ***~ général*** 사령부《약자》 Q.G.) : Grand *Q~ général* 총사령부(《약자》 G.Q.G.).

quartier-maître [kaʀtjemɛtʀ] *m.* (*pl.* ***~s-~s***) 〖해군〗 상병 ; 〖군사〗 병참부 소속 장교.

quarto [kwaʀto] 〔라틴〕 *adv.* 네 번째로.

quartz [kwaʀts] *m.* 〖지질〗 석영(石英), 수정(= cristal de roche) : ~ enfumé 연(煙)수정.

quasar [k(w)azaːʀ] *m.* 〖천문〗 항성상(恒星狀) 천체, 준성(準星).

quasi[1] [kazi] *m.* 〖요리〗 (송아지의) 허벅지 부분의 고기.

quasi[2] *adv.* 거의, 이를테면(= presque) : Le raisin est ~ mûr. 포도는 거의 익었다 / ~ impossible 거의 불가능한 / ~ jamais 결코.

*__quasiment__ [kazimɑ̃] *adv.* 《구어》 거의, 말하자면(= à peu près) : Il est ~ un père pour moi. 그는 나에게 거의 아버지나 다름없다.

Quasimodo [kazimɔdo] *f.* 〖가톨릭〗 부활제 다음 첫 일요일(= dimanche de (la) ~).

quater [kwatɛːʀ] 〔라틴〕 *adv.* 네 번째로.

quaternaire [kwatɛʀnɛːʀ] *adj.* ① 4(넷)의 ; 넷으로 나눌 수 있는 : nombre ~, 4 변수. ② 네 요소로 된, 4 원(元)의 ; 〖화학〗 4 원기

(元基)의 : composé ~, 4 원(기) 화합물. ③ 〖지질〗 제 4 기(紀)의. ── *m.* 〖지질〗 제 4 기 《최근 약 100만 년》(= ère ~).

quatorze [katɔʀz] *adj. num.* 14〔열넷〕의 : Louis *Q~* 루이 14세. ── *m.* 《복수불변》 ① 14〔열넷〕(째) ; (달의) 14 일 : le ~ juillet, 7월 14일《혁명 기념일》. ② 1914 년(전쟁)《제1차 세계 대전》.

quatorzième** [katɔʀzjɛm] *adj. num.* 열넷째의, 제 14 의 ; 14 분의 1 의. ── *n.* 14 번째(의 것〔사람〕). ***faire le ~ à table (13 명을 피하기 위한) 14 번 말석 초대로 회식에 참가하다. ── *m.* (달의) 14 일 ; 14 분의 1.

quatorzièmement [katɔʀzjɛmmɑ̃] *adv.* 열넷째로, 14 번째로.

quatrain [katʀɛ̃] *m.* 〖운율〗 4 행시(四行詩), 4 행절(節) : le premier 〔second〕 ~ d'un sonnet 소네트〔14 행시〕의 첫〔둘째〕 4 행절.

quatre [katʀ] 《자음 앞에선 [katʀə], 《구어》 [kat]》 *adj. num.* 《불변》 ① 넷의 ; 넷째의 : les ~ saisons 사철 / Henri *Q~* 앙리 4 세. ② 《일정하지 않은 적은 수》 얼마 안 되는, 몇몇(= quelques) : restaurant de ~ sous 너푼짜리〔싸구려〕 식당 / pour les ~ jours que j'ai à vivre 얼마 안 남은 여생을 위해. ***morceau à ~ mains*** (피아노의) 2 인 연탄곡(聯彈曲). ***Q~ Grands*** 4 대 강국.
── *m.* 《복수불변》 넷, 네 개, 4 사람 ; 4 필의 말 ; (달의) 4 일, 나흗날 ; 4 의 숫자. ***comme ~*** 굉장히 : Il a de l'esprit *comme ~*. 그 사람은 굉장히 재치가 있다. ***conduire à ~*** 혼자서 4 필의 말을 부리다. ***monter*** 〔***descendre***〕 ***l'escalier ~ à ~*** (4 단씩) 계단을 황급히 올라가다〔내려가다〕. ***se mettre en ~ pour*** qn 〔***pour*** + *inf.*〕 …을 위해〔하기 위해〕 전력을 기울이다.

quatre-quarts [katʀəka:ʀ] *m.* 《복수불변》 같은 분량의 밀가루 · 설탕 · 버터 · 계란을 섞어서 만든 케이크.

quatre-saisons [kat(ʀə)sɛzɔ̃] *f.* 《복수불변》 〖원예〗 사철 딸기 : marchand de(s) ~ 야채 장수《사철 내내 손수레에 싣고 팔러 다님》. ***voiture de(s) ~*** 야채 장수의 손수레.

Q

quatre-temps [katʀətɑ̃] *m. pl.* 〖가톨릭〗 4 계 대재일(大齋日)《교회력의 4 철 초의 단식과 금욕을 지키는 수 · 금 · 토 3 일》.

***quatre-vingt-dix** [katʀəvɛ̃dis] *adj. num.* 《불변》 아흔의, 90 의 ; 90 번째의. ── *m.* 《복수불변》 아흔, 90.

quatre-vingtième [katʀəvɛ̃tjɛm] *adj. num.* 80 번째의, 제 80 의, 80 분의 1 의. ── *n.* 80번째(의 것〔사람〕). ── *m.* 80 분의 1.

***quatre-vingts** [katʀəvɛ̃] *adj. num.* 《불변》 여든의, 80 의 ; 80 번째의《다른 숫자가 뒤에 올 때와 서수(序數)로 쓰일 때는 vingt에 s를 붙이지 않음 : *~-vingt*-un [katʀəvɛ̃œ̃], 81 의 / page *~-vingt* 제 80 페이지》. ── *m.* 여든, 80 ; 80 번째, 80 번지〔호〕 : habiter au *~-vingt*, 80 번지에 살다.

***quatrième** [katʀijɛm] *adj. num.* 《불변》 제 4 의 ; 4 분의 1 의. ── *n.* 4 번째(의 것〔사람〕). ── *m.* 4 분의 1 ; 5 층(= ~ étage) ; (달의) 4 일. ── *f.* 〖학교〗 (lycée의) 제 4 학급(의 학생〔교실〕)《중등 교육 3 학년에 해당》 (= classe de ~).

quatrièmement [katʀijɛmmɑ̃] *adv.* 넷째로, 네 번째로. 「창」(곡).

quatuor [kwatɥɔ:ʀ] *m.* 〖음악〗 4 중주〔4 중

que[1] [k(ə)] *conj.* 《모음 또는 무성 h 앞에서는 ***qu'***》 ① 《명사절 유도》 ⓐ 《주어 ; 문두(文頭)에 올 때 동사는 원칙적으로 *sub.*》 *Qu*'il se taise(,cela) m'étonne. 그가 잠자코 있다니 이상한 일이다 / Il est vrai ~ votre réussite est complète. 《논리적 주어》 당신이 완전히 성공했다는 것은 사실이다. ⓑ 《직접목적보어》 Je crois *qu*'il viendra. 그가 올 것이라고 생각한다. ⓒ 《간접목적보어》 consentir (à ce) ~... …하는 것에 동의하다. ⓓ 《속사》 La raison en est ~... 그 이유는 …하다는 사실이다. ⓔ 《동격》 l'idée *qu*'il pourrait venir 그가 올지도 모른다는 생각 / Le bruit court ~... …하다는 풍문이 전해지고 있다. ⓕ 《형용사의 보어》 Je suis content *qu*'il soit là. 그가 여기에 있어서 만족스럽다.
② 《주절을 유도 ; *cond.* + que + *cond.*》 설사〔아무리〕 …한다 해도 …하리라 : Il l'affirmerait ~ je ne le croirais pas. 그가 그것을 단언한다고 할지라도 나는 믿지 않을 것이다.
③ 《상황보어절을 유도》 ⓐ 《시간》 Il ne s'était pas écoulé trois secondes ~ j'entendis un coup de feu. 3 초도 채 지나지 않았었는데, 총성이 울렸다. ⓑ 《목적》 Venez là ~ nous causions. 이야기 좀 하게 이리 오시오. ⓒ 《이유 · 원인》 Est-il malade, *qu*'on ne le voit plus depuis dix jours ? 열흘 째 그를 볼 수 없는데, 아픈가요 ? ⓓ 《가정》 *Q~* la machine vienne à s'arrêter et il y aura un accident. 기계가 멎기라도 하면 큰일 날 것이다.
④ 《plus, moins, mieux, aussi, si, autant, autre, même, tel 따위의 비교어와 함께 비교 종속절 구성》 Il semble plus préoccupé ~ d'habitude. 그는 보통 때보다 더 골몰해 있는 듯하다 / J'ai un autre chapeau ~ celui-là. 저것과 다른 모자를 가지고 있습니다.
⑤ 《si, tant, tellement 따위의 부사와 함께 결과를 나타내는 종속절》 Cela est tellement invraisemblable ~ l'on ne peut y croire. 그것은 너무도 있을 법하지 않은 일이기 때문에 아무도 그것을 믿을 수 없다.
⑥ 《각종 접속사구를 형성》 sans ~ nous le sachions 우리들이 그것을 모르는 사이에.
⑦ 《que + *sub.* ; 독립절》 ⓐ 《희망 · 명령》 *Q~* Dieu vous bénisse ! 하느님이 그대를 축복하시기를 ! / *Qu*'il réussisse ! 그가 성공하기를 ! ⓑ 《놀람 · 분개》 Moi, ~ je me taise ! 날더러 잠자코 있으라고. ⓒ 《협박》 *Q~* je vous y reprenne ! 두 번 다시 그런 짓을 해보시오.
⑧ 《comme, quand, si, afin, que, alors que, après que, avant que, bien que, depuis que, pour que, lorsque, puisque, quoique, sans que, soit que, tant que 따위 대신에 쓰이는 일도 있음》 *qu*'il pleuve ou *qu*'il fasse du vent 비가 오건 바람이 불건 / comme il avait soif et ~ le vin était bon 목이 마르고 또 포도주가 맛있었기 때

문에 / s'il vient et que je sois absent... 그가 찾아오고 내가 자리에 없으면…《si의 대용일 경우, 동사는 반드시 접속법》.
⑨《강조》《C'est... ~》*C'est* un trésor ~ la santé. 건강은 보배이다 / *C'est* à vous ~ je parle. 내가 말하고 있는 것은 바로 당신이에요.
⑩《연결어로서》Peut-être *qu'*il viendra. 아마 그가 올 것이오 / Où ~ vous allez? 어디 가시죠?(= Où allez-vous?) / Pourquoi ~ vous n'êtes pas venu? 어째서 오지 않았습니까?(= Pourquoi n'êtes-vous pas venu?).
Ah! ~ non 〔**~ *si***〕***!***《속어》아! 천만에! ***ne ... pas plus tôt... ~; à peine... ~*** …하자마자: Il *n'*eut *pas plus tôt* paru *qu'*on l'assaillit de questions. 그가 나타나자마자 질문 공세를 퍼부었다. ***ne... pas ~*** 뿐만이 아니다;《옛》…밖에 …않다: L'homme *ne* vit *pas* ~ de pain. 사람은 빵만으로 사는 것은 아니다. ***ne... plus*** 〔***jamais, guère***〕 ~ …이외에는 이미〔결코 · 거의〕…않다: Il *ne* me reste *plus* ~ 100 francs. 이미 나에게는 100 프랑밖에 남지 않았다. ***ne... ~*** 다만〔오직〕…뿐《seulement 와 같은 뜻》: Je *n'*ai ~ deux livres. 나는 책이 두 권밖에 없다. ***ne... ~ trop*** 〔***mieux***〕 너무나〔더욱〕: Je *n'*en ai ~ *trop*. 너무 많이 갖고 있다 / Le travail *n'*en va ~ *mieux*. 일은 오히려 더욱 진척된다. ***Q~ non pas!***《속어》결코 그렇지 않아. ***~ si...*** 만약에 …라면(= si donc). ***sans ... ~*** …뿐: Il a *sans* ami ~ son chien. 그는 친구라곤 개밖에 없다.

‡que² *pron. interr.*《모음 또는 무성 h 앞에서는 ***qu'***》①《직접목적보어》무엇(을); 어느 쪽을: *Q~* faites-vous? 무엇을 하십니까? / *Q~* voyez-vous? 무엇을 봅니까? / *Qu'*avez-vous vu? 무엇을 보았습니까? / *Q~* faire? 무엇을 할까?; 어떻게 하면 좋을까? / Il ne savait (pas) ~ dire 〔faire, penser〕. 그는 어떻게 말해야〔해야 · 생각해야〕할지를 몰랐다 / n'avoir ~ faire de... …에 대해 관심이 없다, …이 필요없다 / *Q~* voulez-vous, du café ou du thé? 커피와 홍차 중 어느 쪽을 드릴까요? ②《속사》무엇, 어떻게: *Qu'*est-ce? 이것은 무엇이냐? / *Qu'*est-il devenu? 그는 어떻게 됐는가? /《~+*inf.*》*Q~* devenir? 어떻게 될까. ③《논리적 주어》무엇이: *Q~* reste-t-il? 무엇이 남아 있는가? / *Qu'*est-il arrivé? 무슨 일이 일어났는가? /《il 의 생략문》*Q~* vous en semble? (그것에 대해) 어떻게 생각하시오? ④《간접목적보어 · 상황보어》*Q~* (= à quoi) sert de s'irriter? 화를 내서 무슨 소용이 있나 / *Q~* vaut ce médicament? 이 약은 어떤 효능이 있습니까? / *Q~* gagnez-vous par an? 1 년 수입이 얼마나 됩니까?

‡que³ *pron. rel.*《남녀성 단복수 동형; 모음 또는 무성 h 앞에서는 ***qu'***》①《직접목적보어》그것을, …바의: une femme ~ j'aime, et qui m'aime 내가 사랑하는, 그리고 나를 사랑하는 여인 / le livre *qu'*il dit être si intéressant 그가 아주 재미있다고 하는 책 / C'est cela ~ je demande 내가 바라는 것은 그것이다. ②《속사》Je ne suis plus le naïf ~ j'étais. 나는 이제 옛날처럼 고지식하지는 않다 / l'être ~ je serai après la mort 내가 사후에 될 존재 / (C'est un) drôle de garçon ~ Pierre. 피에르는 이상한 애다. ③《상황보어》les trois ans ~ j'ai habité à Paris 내가 파리에서 살았던 3 년간 / l'été *qu'*il a fait si chaud 그렇게도 더웠던 여름 / les cent francs ~ m'a coûté ce livre 내가 이 책에 지불한 100 프랑. ④《다음 성구 따위에》advienne ~ pourra 무슨 일이 일어나더라도 / coûte ~ coûte 아무리 돈이 들어도; 어떤 희생을〔대가를〕치르더라도 / vaille ~ vaille 어떻든지; 그럭저럭, 이럭저럭. ***Ce ~...!***《감탄의 표현》*Ce qu'*elle a changé! 그 여자 정말 많이도 변했군!

‡que⁴ *adv. exclam.* et *interr.*《모음 또는 무성 h 앞에서는 ***qu'***》①《감탄》얼마나, 참말로: *Q~* vous êtes bon! 정말 당신은 친절하십니다! / *Qu'*il est beau! 어쩜 그이는 그렇게 미남일까! ② 얼마나 많은: ~ de fois 얼마나 여러 번 / *Q~* de fois elle a pleuré! 그녀는 얼마나 여러 번 울었던가! ③ 어째서, 왜 (= pourquoi, en quoi): *Q~* ne le disiez-vous? 왜 그것을 말씀 안 하셨어요?(말했으면 좋았을걸) / *Q~* m'importe son opinion? 그의 의견이 내게 무슨 상관이 있단 말인가? / *Qu'*avez-vous besoin de tant de livres? 그렇게 많은 책이 어째서 필요합니까? ***Ce qu'il est bête!*** 그 놈 참 바보군!

Québec [kebɛk] *n.pr.m.* 〖지리〗 퀘벡《캐나다의 도시명》; 퀘벡 주(州).

québécois, e [kebekwa, -kwaːz] *adj.* 퀘벡의. ── ***Q~*** *n.* 퀘벡 사람.

‡quel, elle [kɛl] *adj. interr.* 어떤, 무슨, 어느, 어느 만큼의. ①《직접의문문》*Q~* est son nom? 저이의 이름은 무엇이냐? / *Q~elle* est la longueur? 길이는 어느 만큼인가? / *Q~* est le jour du 〔de〕 départ? 출발은 어느 날입니까? / *Q~s* amis inviterez-vous? 어떤 친구들을 초대하시렵니까? / *Q~* âge avez-vous? 몇 살이십니까? / *Q~* jour sommes-nous? 오늘이 무슨 요일입니까? / *Q~elle* heure est-il? 몇 시입니까? ②《간접의문문》J'ignore *~elle* est la situation. 정세가 어떤지 나는 모른다 / Il ne savait pas *~elle* route prendre. 그는 어느 길로 가야 할지 몰랐다 / Mettez-moi à n'importe *~elle* table. 어느 테이블이든 좋으니 앉게 해 줘. ***n'importe ~***+qc 어떤 …라도 (좋으니). ***~ que***+*sub.* 어떠하건, 무엇〔누구〕이건: ~ *que* soit le résultat 결과가 어떻든 간에. ***~***+qc+***que***+*sub.*《옛》어떤 …이건: en ~ lieu *que* ce soit 어떤 장소이건 간에.
── *adj. exclam.* 그 무슨, 얼마나 큰, 놀라운, 굉장한: *Q~* homme! 놀라운〔굉장한〕사람이군! / *Q~* malheur! 얼마나 큰 불행인가! ***Q~ ne fut pas*** mon étonnement! 나의 놀라움은 얼마나 컸던가!
── *pron. interr.* 어느 것〔쪽〕(= lequel, laquelle): De nous deux, ~ est le plus grand? 우리 둘 중에서 어느 쪽이 더 큰가? / De ces deux projets, ~ est le plus sûr? 이 두 계획 중에 어느 쪽이 가장 확실합니까?

***quelconque** [kɛlkɔ̃ːk] *adj. indéf.* (선택의

필요 없이 그저) 어떤 : Apportez-moi un livre ~. 아무 책이나 한 권 가져오너라 / (l')un ~ de …중의 어느 하나 / une ~ des îles 섬들 중의 어느 하나 / 《경멸》 un ~ monsieur 어떤 신사. — *adj.* 《구어》 특징 없는, 평범한, 보잘것없는, 하찮은 : Cet individu est ~. 그는 하찮은 녀석이다 / C'est très 〔tout à fait〕 ~. 그것은 아주 하찮은 것이다.

:quelque [kɛlk(ə), 《속어》 kɛk] *adj. indéf.* 어떤, 어느 ; 얼마만큼의, 다소의 ; (*pl.*) 몇몇, 약간의 : ~ jour 어느 날 / Envoyez-moi ~ livre. 어떤 책을 한 권 보내 주시오 / J'ai besoin de ~ argent. 돈이 좀 필요하다 / ~*s* mille livres 수천 권의 책 / Dites ~*s* mots à qn …에게 몇 마디 하십시오 / ~*s* jours après 며칠 후에 / trois cents et ~*s* 《구어》 3백여 (개·명). **~ *part*** 《구어》 어느 곳에〔곳엔가〕. ~ qc ***que*** 〔《드물게》 ***qui, dont***〕 + *sub.* 《양보절》 어떤 …라도 : ~*s* grandes peines *qu*'il ait eues. 그가 아무리 큰 괴로움을 겪었다 치더라도 / Nous partirons par ~ temps que ce soit. 우리는 어떤 날씨라도 떠나야겠습니다.
— *adv.* ① 약(約), 대략 : ~ dix ans 약 10년 / Il a ~ quarante ans. 그는 약 40세이다. ② 어느 정도, 얼마만큼. **~ *peu*** 약간. ~ + 형용사 〔부사〕 + ***que*** + *sub.* 《양보절》 아무리 …하더라도 : ~ riches *qu*'ils soient 그들이 아무리 돈이 많아도 / ~ regrettables *que* soient ces incidents 그 사건들이 아무리 유감스럽다 하더라도.

:quelque chose [kɛlkəʃo:z, 《구어》 kɛlkʃo:z, 《속어》 kɛkʃo:z] *pron. indéf. m.* 《복수 불변》 ① ⓐ 어떤 것, 무엇인가 : Il lui est arrivé ~. 그에게 무슨 일인가 생겼다 / Dites-moi ~. 뭔가 좀 말해 보구려. ⓑ 《~ de + 형용사》 ~ *de* beau 무엇인가 아름다운 것. ② 중요한 인물 ; 그만하면 괜찮은 것, 상당한 것 ; 《구어》 놀라운〔해괴한〕 일 : être ~ 상당한 인물이다 / Il se croit ~. 그는 자기를 대단한 인물로 생각하고 있다 / C'est déjà ~. 그만하면 괜찮다 / Il n'est jamais là quand on a besoin de lui. C'est ~, quand même! 《구어》 그가 필요할 때면 언제나 없거든. 어쨌든 해괴한 일이야. ***Cela me fait ~.*** 그것은 나에게 적잖은 충격〔감동〕을 준다. **~ *comme*** …같은 것 ; 약(= environ) : ~ *comme* cinquante ans 약 50 년. ***y être pour ~*** 그것에 뭔가 관계가〔책임이〕 있다.

:quelquefois [kɛlkəfwa, 《구어》 kɛlkfwa, 《속어》 kɛkfwa] *adv.* 때때로, 이따금(= parfois) : Les cerisiers du jardin ne donnent que ~ des fruits. 정원의 벚나무에는 어쩌다가〔아주 드물게〕 버찌가 열릴 뿐이다.

quelque part [kɛlkəpa:ʀ, 《구어》 kɛlkpa:ʀ, 《속어》 kɛkpa:ʀ] *loc. adv.* 어디엔가, 어디론가. ***aller ~*** 《구어》 자취를 감추다 ; 변소에 가다. ***donner à*** qn ***un coup de pied ~*** 《구어》 …의 엉덩이를 걷어차다. ~ ***que*** + *sub.* 어디에 …하더라도.

:quelqu'un, e [kɛlkœ̃, 《속어》 kekœ̃, -kyn] *pron. indéf.* (*pl.* ***quelques-uns, -unes*** [kɛlkəzœ̃, -zyn]) ① 《*sing.* ; 여성불변》 ⓐ 어떤 사람, 누군가 : Est-il venu? 누군가 왔습니까? ⓑ 《~ de + 형용사》 ~ *de* sûr 누군가 확실한 사람 / ~ *d'*assez âgé 상당한 연배의 사람 / ~ (*d'*)autre 누군가 다른 사람. ② 《*sing.* ; 여성불변》 대단한〔상당한〕 인물 ; 《구어》 괴상한〔해괴한〕 놈〔사람〕 : Elle se croit ~. 그 여자는 자기를 과대평가하고 있다 / Il ne s'est même pas excusé, c'est ~, tout de même. 《구어》 그 사람은 미안하다는 말조차 하지 않았어, 참 해괴한 놈이야. ③ 《보어와 함께 쓰이며 성·수의 변화를 함》 어떤 사람, 어떤 것 : ~*e* de ses œuvres 그의 작품 중의 어느 하나 / *quelques-uns* d'entre eux 그들 중의 몇몇〔상당수·소수〕. ④ 《quelques- uns *pl.* ; 남녀성 공용》 몇몇 사람들, 소수〔일부〕의 사람들 : C'est l'avis de *quelques-uns.* 그게 몇몇 사람들의 의견이다. ***Il y a ~.*** 누가 있다 ; 《속어》 사람들이 많다. ***Q~ !*** (주인을 찾으며) 계십니까!

quémander [kemɑ̃de] *v.i.* 《옛》 구걸하다. — *v.t.* 《옛》 구걸하다, 간원〔간청·애걸〕하다 : 《~ qc à qn》 ~ de l'argent *à* ses collègues 동료들에게 돈을 구걸하다.

quémandeur, euse [kemɑ̃dœ:ʀ, -ø:z] *n.* 성가시게〔귀찮게〕 구걸〔애걸〕하는 사람, 애걸복걸하는 사람, 탄원자.

qu'en-dira-t-on [kɑ̃diʀatɔ̃] *m.* 《복수불변》 사람들의 소문, 남들의 쑥덕공론, 세평(= cancan, commérage) : se moquer des 〔d'être sensible aux〕 ~ 남의 평판 따위를 개의치 않다〔에 민감하다〕.

quenelle [kənɛl] *f.* 【요리】 고기 단자. 「빨.

quenotte [kənɔt] *f.* 《구어·소아어》 이, 이

quenouille [kənuj] *f.* 실톳대 ; (물레의) 토릿대 ; 실톳대〔토릿대〕에 감은 실 원료. ***tomber en ~*** 여자 손에 맡겨지다〔손아귀에 들다〕.

***querelle** [kəʀɛl] *f.* ① 언쟁, 말다툼(= dispute). ② 논쟁, 토론 : ~ d'idées 사상 논쟁. ③ 싸움, 분쟁, 불화, 반목(= dissension, defférend) : ~ entre époux 부부 싸움 / ~ de famille 가정불화 / chercher ~ à qn ; faire (une) ~ à qn …에게 싸움을 걸다.

quereller [kəʀɛ(e)le] *v.t.* ① …에게 싸움을 걸다 ; …와 다투다. ② 책망하다, 꾸짖다(= gronder). — **se ~** *v.pr.* ① 《se ~ avec》 …와 싸우다, 다투다 : *se ~ avec* tout le monde 모든 사람과〔아무하고나〕 다투다. ② 서로 싸우다〔다투다〕.

querelleur, euse [kəʀɛlœ:ʀ, -ø:z] *adj.* et *n.* 싸우기 좋아하는 (사람).

quérir [keʀi:ʀ], **querir** [kəʀi:ʀ] *v.t.* 《aller, envoyer, venir 와 함께 부정법으로만 쓰임》 *aller ~* qn …을 부르러 가다 / *J'ai envoyé ~* le médecin. 나는 의사를 데리러〔부르러〕 보냈다 / *Va ~* de l'eau. 물을 가져오너라.

:qu'est-ce que [kɛsk(ə)] *pron. interr.* 《모음 또는 무성 h 앞에서는 que 는 ***qu'*** 가 됨》 ① 《직접목적보어》 무엇을 : *Q~* vous voulez? 무엇을 원하시오? ② 《속사》 무엇 : *Q~* c'est que ça? 이것은 무엇입니까? / *Q~* (c'est que) la littérature? 문학이란 무엇인가? / *Qu'est-ce qu*'il est devenu? 그는 어떻게 되었는가? ③ 《논리적 주어》 무엇이 : *Qu'est-ce qu*'il vous faut? 무엇이 당신

에게 필요합니까? ④ 《구어》 얼마나(= combien) ; 어째서(= pourquoi) : *Q~* vous êtes de personnes? 당신들 몇 명이나 됩니까? / *Q~* tu avais besoin d'aller lui dire ça? 왜 그런 말을 그에게 가서 할 필요가 있었어? ⑤ 《감탄사》 *Qu'est-ce qu*'il fait beau! 얼마나 좋은 날씨냐!

‡qu'est-ce qui [kɛski] *pron. interr.* ① 《주어》 무엇이 : *Q~* vous fait rire? 무엇이 우스우냐? / Je sais ~ t'a rendu malade. 어째서 네가 앓는가〔무엇이 너를 앓게 만들었는가〕를 나는 안다. ② 《속어》 누가 : *Q~* est là? 저기 있는 것은 누구냐?

questeur [k(ɥ)ɛstœːʀ] *m.* 〚프랑스행정〛 (의회의) 재무관.

‡question [kɛstjɔ̃] *f.* ① 물음, 질문(= interrogation) ; 질의 ; 심문. ② 문제(= problème) : la ~ d'argent 돈 문제 / C'est là la ~ ; Là est toute la ~. 문제는 바로 그 점에 있다 / Il n'y a pas de ~. 문제는 그런 데 있는 것이 아니다, 그 이야기가 아니다. ③ 〚법률〛 계쟁점(係爭點). ④ 〚역사〛 고문(= torture). ***adresser* 〔*faire, poser*〕 *une ~ à*** qn …에게 질문하다. ***Cette* 〔*Belle, Quelle*〕 *~.*** 바보스런 질문. ***en ~*** 논의 중인, 문제의 : l'homme *en ~* 문제의 사람, 화제의 주인공. ***faire ~*** 문제가 되다 : ne pas *faire ~* 문제가 되지 않다, 이론의 여지가 없다. ***Il est ~ de...*** qc 〔qn〕〔+*inf.* ; ***que***+*sub.*〕 …에 관한 일이다, …이 문제이다 : *De* quoi *est-il ~* dans ce livre? 이 책에서는 무엇이 문제되어 있습니까? ***Il est ~ de savoir si...*** …인지 어떤지가 문제이다. ***Il n'est pas ~ que***+*sub.* …한다는 것은 있을〔생각할〕 수 없는 일이다. ***mettre*** qc ***en ~*** …을 문제 삼다 ; …을 토의에 부치다. ***ne pas faire ~*** 문제가 안 된다 ; 의심할 여지가 없다. ***~ (de)***+'명사' …에 관해서는 : *Q~ d'*argent, tout est réglé. 돈 문제는 모두 해결되었다. ***soumettre* 〔*appliquer*〕** qn ***à la ~ ; appliquer la ~ à*** qn …을 고문하다.

questionnaire [kɛstjɔnɛːʀ] *m.* 질문서 ; 문제집.

***questionner** [kɛstjɔne] *v.t.* 《~ qn》 …에게 질문하다, 묻다(= interroger) ; 심문하다 : On le *questionne*, on le cuisine. 그에게 질문하고 유도 심문을 하곤 한다.

questionneur, euse [kɛstjɔnœːʀ, -øːz] *adj.* et *n.* 묻기 잘하는 (사람), 캐어묻기 좋아하는 (사람).

quête [kɛt] *f.* ① 수색, 탐색 ; 추구 ; 〚사냥〛 (사냥개의) 짐승 찾기. ② 의연금〔기부금〕 모집, 모금 ; 〚교회〛 연보 수집 ; 모인 의연금〔연보〕. ***aller à la* 〔*se mettre en*〕 *~ de*** qc …을 찾으러 가다〔찾기 시작하다〕.

quêter [kɛ(e)te] *v.t.* ① (동정 따위를) 구하다, 바라다, 간청하다(= demander, quémander) : ~ la pitié des passants 행인의 동정을 구하다. ② 《옛》 찾다 ; 〚사냥〛 (짐승을) 찾아다니다. ③ (연보를) 모으다. — *v.i.* ① 의연금을 모으다, 모금하다, 연보를 모으다. ② (사냥개가) 짐승을 찾아다니다.

quêteur, euse [kɛtœːʀ, -øːz] *n.* ① 연보〔의연금〕 모집자. ② 구하는〔간청하는〕 사람.

quetsche [kwɛtʃ] *f.* 〚식물〛 오얏의 일종 ; (그것으로 만든) 퀘치술.

‡queue [kø] *f.* ① 꼬리 : la ~ entre les jambes 《속어》 꼬리를 감고, 기가 죽어서. ② 꼬리 모양의 것 ; 잎〔꽃〕꼭지, 과일 꼭지 ; 땋은 머리, 변발(= ~ de cheval) ; (연미복의) 꼬리, (여성복의) 땅에 끌리는 자락 ; (냄비의) 자루 : la ~ de la robe de la mariée 신부 드레스의 뒷자락 / habit en ~ de morue 연미복. ③ (순서·행렬의) 끝, 후미 ; 꼴찌 ; (사람들의) 늘어선 줄 : ~ de classe 학급에서의 꼴찌 (학생). ④ (당구의) 큐. ⑤ (차례를 기다리는) 줄, 열(列). ***à la ~ ; en ~*** 맨 끝에 뒤좇아 : *en ~* du cortège 행렬 맨 끝에. ***à la ~ leu leu*** 한 줄로 늘어서서 ; 순서대로. ***faire la ~*** (사람이) 줄지어 서다. ***fausse ~*** (당구에서) 헛치기, 미스. ***finir en ~ de rat* 〔*de poisson*〕** 《속어》 용두사미로 끝나다. ***piano à ~*** 그랜드 피아노. ***~ à ~*** 한 사람씩 차례차례. ***sans ~ ni tête*** 밑도 끝도 없는. ***se mettre à la ~*** 행렬에 끼다.

queue-de-cheval [kødʃəval] *f.* (*pl.* **~s-~-~**) ① 포니테일(= queue de cheval). ② 〚식물〛 쇠뜨기.

queue-de-morue [kødmɔʀy] *f.* (*pl.* **~s-~-~**) ① 《구어》 연미복(= habit en ~). ② (화가의) 브러시.

queuter [køte] *v.i.* ① 〚당구·크로케〛 밀어치다. ② 《구어》 실패하다(= louper).

queux [kø] *m.* 《옛》 maître ~ 숙수(熟手), 솜씨 좋은 요리사.

‡qui¹ [ki] *pron. rel.* 《남녀성·단복수 동형》 ① 《주어 : qn 〔qc〕》 …하는 바의 : la montre ~ est arrêtée 멎은 시계 / toi ~ es étudiant 학생인 너 / Je le vis ~ ramassit un bout de ficelle. 나는 그가 끄나풀을 줍고 있는 것을 보았다 / un spectacle nouveau et ~ vous amusera 새롭고 또 당신에게 재미있을 광경 / Il y a peu de gens ~ sachent cela. 그걸 아는 사람은 거의 없다 / Il est le seul ~ sache cela. 그는 그것을 아는 유일한 사람이다 / Il s'est rendu à son bureau, ~ n'était pas loin. 그는 자기 사무실에 들렀는데, 사무실은 그리 멀지 않았었다 / C'est l'aînée ~ sera contente. 언니가 좋아할 거요 / C'est vous ~ m'avez dit cela. 그것을 나에게 말한 것은 당신입니다 / le livre 〔monsieur〕 ~ est là 거기 있는 책〔분〕 / Notre Père ~ êtes aux cieux. 〚가톨릭〛 하늘에 계신 우리 아버지. ② 《전치사+~》 《보통은 사람》 l'homme à ~ je m'adressais 내가 이야기를 건 사람 / l'homme à ~ je pensais 내가 생각하던 사람 / Il cherche quelqu'un avec ~ jouer. 그는 함께 놀 사람을 찾고 있다. ③ 《선행사 없이》 ⓐ 《주어》 …하는 사람(= celui qui, quiconque) : *Q~* va lentement va sûrement. 천천히 가는 사람이 착실하게 간다 / *Q~* vivra verra. 《격언》 두고 보면 알게 될 것이다 / Le fasse ~ voudra. 《격언》 하고 싶은 자에게 시켜라 / *Q~* veut la fin veut les moyens. 《격언》 목적을 이루려는 자는 수단을 구한다. ⓑ 《직접목적보어》 (= celui que) : Envoie-moi ~ tu sais. 자네가 아는 사람을 보내 주게 / Je choisis ~ je veux. 나는 내가 택하고 싶은 사람을 택한다. ⓒ《속사》J'ai cherché de vous dire comment je devins ~ je suis. 나는 어떻게 해서 지금의 내가 되었는지를 당신에게 말하려고 했다. ⓓ《간접목적보어》Je le dirai à ~ je voudrai (= à celui à qui je voudrais). 말하고 싶은 사람에게 말하겠어요 / Adressez-vous à ~ vous voudrez. 아무에게나 당신이 원하는 사람에게 말해 보시오. ④ …하는 것(= ce qui) : Voilà ~ est certain. 그건 확실합니다. ⑤ …하면(= si on) : *Q*~ de 5 ôte 3, reste 2. 5에서 3을 빼면 2가 남는다 / Tout vient à point ~ on sait attendre. 《격언》 기다리면 기회가 생긴다. ⑥《qui..., qui...》 어떤 자는… 또 다른 자는… (= l'un 〔les uns〕 ... l'autre 〔les autres〕) : On se dispersa, ~ d'un côté, ~ de l'autre. 어떤 사람들은 이쪽으로 또 어떤 사람들은 저쪽으로 모두 산산이 흩어졌다.

C'est 〔***C'était***〕 ***à*** ~+직설법미래〔조건법〕 제각기 앞을 다투어서 …하려 하다 : *C'est* 〔*C'était*〕 *à* ~ entrera 〔entrerait〕 le premier. 저마다 앞을 다투어서 먼저 들어가려고 한다〔했었다〕 / *C'est à* ~ des deux trompera l'autre. 둘이 서로 상대방을 속이려 한다. ***comme*** ~ ***dirait*** 말하자면, 이를테면. ~ ***mieux est*** 더 좋은 일은. ~ ***plus est*** 게다가.

‡qui² *pron. interr.* ① 누구. ⓐ《주어》 *Q*~ est venu? 누가 왔는가? / Je ne sais pas ~ est venu. 누가 왔는지 모릅니다 / *Q*~ des deux a raison? 두 사람 중의 누가 옳습니까? ⓑ《속사》 *Q*~ êtes-vous? 누구십니까? / Dites-moi ~ vous êtes. 당신이 누구인지 말해 주시오. ⓒ《직접목적보어》 *Q*~ cherchez-vous? 누구를 찾으십니까? / Dites-moi ~ vous regardez. 누구를 보고 있는지 말해 주시오. ⓓ《전치사+~》 De ~ parlez-vous? 누구 이야기를 하십니까? / À ~ est ce livre? 이 책은 누구 것이오? / Avec ~ êtes-vous venu? 누구와 함께 오셨습니까? ⓔ《생략문》 *Q*~ ça? 누구라구요? / Devinez ~? 누군지 알아 맞히세요? / Monsieur ~? 《구어》 누구시죠? ②《양보절》《~ que+*sub.*》 ~ *que* vous soyez 당신이 누구이건 / ~ *que* vous ayez vu 당신이 누구를 보았건. ③《옛》 무엇이(= qu'est-ce qui) : *Q*~ vous presse? 서둘 필요가 뭐 있어요? ***n'importe*** ~ 그 누구든. ***Q~ c'est qui.*** 《속어》 누가 : *Q*~ *c'est qui* a fait cela? 누가 그랬는가?

quiche [kiʃ] *f.* (크림·계란·햄·지방 따위로 만든) 파이의 일종.

***quiconque** [kikɔ̃:k] *pron. rel. indéf. m. sing.* ① …하는 사람은 누구나 : *Q*~ n'a pas de tempérament personnel n'a pas de talent. 누구건 개성 없는 자는 재능이 없는 자다. ② 어느 누구(= n'importe qui) ; 아무도(= personne) : Ne parle pas à ~. 아무에게도 말하지 마라 / Il est aussi sensible que ~. 그는 어느 누구 못지않게 민감하다.

quidam [kɥidam], **quidane** [kɥidan] *n.* 모인(某人) ; 어떤 사람 ; 《특히》 어떤 남자(= un certain) : Qui est ce ~? 저 사람은 누구요? / un ~ 《구어》 어떤〔한〕 남자.

quiet, ète [kɥi(j)ɛ, -ɛt] *adj.* 《옛》 평온한(= paisible) ; 조용한(= tranquille, calme).

quiétisme [kɥi(j)etism, kje-] *m.* 〖종교〗 정적주의《17 세기의 신비적 기독교의 교리》.

quiétude [kɥi(j)etyd, kje-] *f.* ① 〖종교〗 마음의 절대적 정적(靜寂) ; 〖철학〗 무념무상. ② 고요, 평온 : en toute ~ 아주 조용히.

quignon [kiɲɔ̃] *m.* 커다란 빵 덩어리.

quille¹ [kij] *f.* ① 구주희(九柱戲)의 기둥 : jeu de ~*s*, 9주희(의 경기장). ② (*pl.*) 《구어》 다리(= jambe). ③ 《구어》 소녀(= fille). ***être sur ses ~s*** 튼튼하다. ***recevoir*** qn ***comme un chien dans un jeu de ~s*** …을 성가신 사람으로 대하다, 냉대하다.

quille² *f.* 〖선박〗 용골(龍骨).

quille³ *f.* 《군대속어》 병역의 만기, 제대.

quillon [kijɔ̃] *m.* (검·총검의) 십자형 날밑.

quincaillerie [kɛ̃kɑjʀi] *f.* ① 철물, 쇠붙이. ② 철물업 ; 철물전. ③ 《구어》 〖컴퓨터〗 하드웨어(〔영〕 hardware).

quincaillier, ère [kɛ̃kɑje, -ɛ:ʀ] *m.* 철물 장수〔상점〕.

quinconce [kɛ̃kɔ̃:s] *m.* ① (주사위의) 5점 눈 ; 오점형(五點形). ② 오점형으로 심은 나무. ***en*** ~ 오점형으로 : être planté *en* ~, 5점형으로 심어지다.

quinine [kinin] *f.* 〖화학〗 키니네.

quinquagénaire [kɥɛ̃kwaʒenɛ:ʀ] *adj.* et. *n.* 50대의 (사람).

Quinquagésime [kɥɛ̃kwaʒezim] *f.* 〖종교〗 5순절(五旬節)의 주일《부활절 50일 전》.

quinquennal, e, aux [kɥɛ̃kɥɛnal, -o] *adj.* ① 5년마다의 : élection ~*e*, 5년마다의 선거. ② 5년간의 : plan ~, 5개년 계획. ***assolement*** ~ (농업) 5개년 윤작(輪作).

quinquet [kɛ̃kɛ] *m.* ① 켕케식 양등(洋燈). ② (*pl.*) 《구어》 눈. ***allumer*** 〔***ouvrir***〕 ***les*** (***ses***) ~***s*** 《구어》 잘〔유심히〕 보다.

quinquina [kɛ̃kina] *m.* ① 〖식물〗 기나나무. ② 〖의학〗 기나피(皮)《키니네의 원료》. ③ 기나피가 든 포도주.

quint- *préf.* 「제 5의」의 뜻.

quint, e¹ [kɛ̃, -ɛ̃:t] *adj.* 《옛》 ① 제 5의 ; 5세(五世)의 : Charles-*Q*~ 샤를 5세. ② 〖의학〗 5일마다의 : fièvre ~*e* 오일열(五日熱).

quintal [kɛ̃tal] *m.* (*pl.* ***-aux*** [-o]) 〖도량형〗 무게의 단위《100 킬로그램》. ~ ***métrique,*** 100 kg.

quinte² [kɛ̃:t] *f.* ① 〖음악〗 5도(五度) 음정 : ~ diminuée ; fausse ~ 〖음악〗 감(減)5도. ② 〖카드놀이〗 같은 종류의 패의 연속된 5장. ③ 기침의 발작, 북받치는 기침(= ~ de toux ; accès de toux).

quintessence [kɛ̃tesɑ̃:s] *f.* ① 〖고대철학〗 제 5원소(元素). ② 진수(眞髓), 정수 ; 정화(精華) ; 극치. ③ 이익(= profit).

quintette [k(ɥ)ɛ̃tɛt] *m.* 〖음악〗 ① 5중주(五重奏)(곡). ② 5인조 재즈 악단.

quinto [kɥɛ̃to] *adv.* 〔라틴〕 다섯 번째로.

quintuple [k(ɥ)ɛ̃typl] *adj.* ① 5배의. ② 5개의 비슷한 요소로 이루어진 ; 다섯 쌍둥이의 : naissance ~ 다섯 쌍둥이로 태어나기, 5쌍둥이 출생. —— *m.* 5배.

quintupler [k(ɥ)ɛ̃typle] *v.t.* 5배하다, 다섯

Q

곱하다. ― *v.i.* 5배로 되다 : ~ de valeur 가치가 5배로 늘다.

quintuplés, ées [k(ɥ)ɛ̃typle] *n. pl.* 다섯 쌍둥이.

***quinzaine** [kɛ̃zɛn] *f.* ① 15 ; 약 15, 열 다섯 쯤. ② 2주일, 2주 : dans une ~, 2주일 후에 / pendant la première ~ de mai, 5월의 첫 보름 동안. ③ 2주일 분의 봉급 : toucher une ~, 2주일분의 임금을 타다.

⁑**quinze** [kɛ̃:z] *adj. num.* 《불변》 15의 ; 열 다섯 번째의 ; 제 15세의 : Louis *Q*~ 루이 15세 / ~ jours, 2주일. ― *m.* ① 15. ② (달의) 15일. ③ 2주일. ④ 〚스포츠〛 (테니스에서의) 첫 득점 ; 럭비 한 팀의 15명. ***d'aujourd'hui* 〔*de demain*〕 *en* ~,** 2주일 후의 오늘. ~ ***à*** 〚테니스〛 피프틴 올. ~ ***du mois*** 〚상업〛 15일 지불.

***quinzième** [kɛ̃zjɛm] *adj. num.* 15번째의, 제 15의. ― *n.* 15번째의 사람〔것〕, 15번. ― *m.* 15분의 1 ; 15층《우리나라의 16층》.

quinzièmement [kɛ̃zjɛmmɑ̃] *adv.* 15번째로.

quiproquo [kipʀɔko] *m.* (*pl.* ~(***s***)) 오해, 오인(誤認), 착각(= méprise).

quittance [kitɑ̃:s] *f.* 영수증, 수령증, 지불증서. ***donner* ~ *à*** qn …에게 영수증을 주다 ; 《구어》 …을 용서해 주다.

quittancer [kitɑ̃se] [2] *v.t.* …의 영수증을 떼다, 영수증에 서명하다.

quitte [kit] *adj.* 빚을 갚은, 채무를 면한 ; (채무·의무·병역 따위에서) 면제된 ; (근심 따위를) 벗어난 ; 《~ de》 …이 면제된 ; …을 벗어난 : être ~ *d'*une dette 〔*d'*un souci〕 빚을 갚았다〔시름을 덜었다〕 / être ~ *du* service militaire 병역이 면제되다. ***en être* ~ *à bon marché* 〔*à bas prix, à bon compte*〕** 별다른 일 없이 끝나다. ***en être* ~ *pour la peur*** 겁만 났을 뿐 무사하다. ***jouer* (*à*) ~ *ou double*** 되든 안 되든 요절을 내다. ~ ***à*** + *inf.* …해도 좋으니까, …할 것을 무릅쓰고 〔각오하고〕 : Je le ferai ~ *à* être grondé. 꾸지람을 듣더라도 그것을 하겠다.

⁑**quitter** [kite] *v.t.* ① 떠나다, …와 헤어지다, …의 곁을 떠나다 ; (사업·직업 등을) 그만두다 ; (나쁜 습관 따위를) 버리다 ; (무기를) 버리다 ; (근심 따위를) 떨쳐 버리다 ; (옷 따위를) 벗다 : Je vous *quitte* quelques instants. 잠깐 당신 곁을 떠납니다 / Sa femme l'*a quitté*, il y a dix ans. 그의 아내는 10년 전에 그와 헤어졌다 / ~ ses gants avant de serrer la main 악수하기 전에 장갑을 벗다. ② 《주어 : qc》 ⓐ 《~ qn》 (생명·어떤 상태·생각 따위가) …을 떠나다 : La vie l'*a quitté*. 그는 죽었다 / La maladie ne le *quitte* pas. 그는 줄곧 병고에 시달리고 있다 / la pensée qui ne nous *quitte* jamais 항상 우리의 머리를 떠나지 않는 생각 / La toux ne le *quitte* pas. 그는 줄곧 기침을 하고 있다. ⓑ 《~ qc》 …을 떠나다 : Un sourire de bienveillance ne *quittait* pas ses lèvres. 그의 입가에는 항상 친절한 미소가 어려 있었다. ③ 놓아 주다(= lâcher). ***Ne quittez pas* (*l'écoute*) *!*** 〚전화〛 (끊지 말고) 기다려 주시오. ~ ***le monde*** 세상을 버리다. ― **se** ~ *v.pr.* (서로) 헤어지다.

quitus [kɥitys] *m.* 〚법률〛 (회계 검사관의) 결산 확인(증).

qui-vive, que vive [kivi:v] *loc. interj.* 누구얏《보초의 묻는 말》. ― *m.* 《복수불변》 〚군대〛 수하(誰何). ***être* 〔*se tenir*〕 *sur le* ~** 경계하다, 감시하다 ; 항상 겁먹고 있다.

⁑**quoi¹** [kwa] *pron. rel.* 《보통 전치사 뒤에 쓰이며 사물을 가리킴》 ① 《ce, rien 따위의 중성대명사, 또는 중성어 chose, point 따위의 대리》 Ce sur ~ je comptais n'est pas arrivé. 내가 기대하던 일은 일어나지 않았다 / C'est ce à ~ je pensais 〔m'attendais〕. 그것은 내가 생각〔예기〕하던 바다 / ce à ~ je tiens 내가 바라는 바.

② 《사물명사의 대리》 (= lequel, laquelle) : le sacrifice à ~ tu n'as pas consenti 네가 동의하지 않는 희생 / le bonheur après ~ je soupire 내가 동경하는 행복.

③ 《절을 선행사로, 또는 선행절에 포함된 관념의 대리》 Elle devait aller en ville, sans ~ elle mourrait de faim. 그녀는 마을로 가야만 했었다, 그렇지 않고서는 굶어 죽을 것이었다 / Travaille, sans ~ tu ne réussiras pas. 일하라〔공부하라〕, 그렇지 않으면 성공하지 못하리라.

④ 《C'est, voici, voilà 다음에서 선행사 ce의 생략》 C'est en ~ vous vous trompez. 당신이 틀린 것은 바로 그 점이오 / C'est à ~ je pense. 그것이 바로 생각하고 있는 겁니다. ***après* ~** 그리고 나서, 그 다음에. ***comme* ~** 《구어》 어떻게(= comment) ; 얼마나(= combien). ***de* ~ +** *inf.* ⓐ …에 필요한 것〔…할 것〕 : Il a *de* ~ vivre. 그에겐 생계를 유지할 만한 것이 있다, 돈푼이나 있다 / Apportez-moi *de* ~ boire. 마실 것을 갖다 주시오 / Donnez-moi *de* ~ écrire. 필기도구를 주시오. ⓑ 《이유·원인》 Il n'y a pas là *de* ~ se fâcher. 화낼 까닭이 없다. ⓒ 《*inf.* 의 생략》 Ne vous fâchez pas, il n'y a pas *de* ~. 화내지 마시오, 화낼 것 없어요. ***faute de* ~** 그것이 없어서 ; 그렇지 않으면. **(*Il n'y a*) *pas de* ~.** 천만의 말씀입니다. ***Il y a de* ~.** 그럴 만〔법〕하다, 무리도 아니다. ***moyennant* ~** 그렇게 하면, 그 대신에. ***sans* ~** 그렇지 않다면. ***sur* ~** 그리고 나서.

⁑**quoi²** *pron. interr.* ① 《주어》 무엇이 : Il m'est arrivé quelque chose de surprenant. *Q*~ donc ? 놀라운 일이 생겼다, 도대체 무슨 일이냐 ? / Qui ou ~ vous a donné cette idée ? 누가 혹은 무엇이 당신에게 그런 생각을 갖게 했는가 ? / *Q*~ de nouveau ? 뭐 새로운 일이라도 있습니까 ? / *Q*~ de plus beau ? 더 아름다운 것이 무엇이 있겠는가 ?

② 《직접목적보어》 무엇을 : *Q*~ dire ? 뭐라고 말했으면 좋을까 ? / Vous désiresz ~ ? 《구어》 *Q*~ que vous désirez ? 《속어》 무엇을 바랍니까 ? (= Qu'est-ce que vous désirez ?) / Montrez-moi le livre. ― Le ~ ? 책을 보여 주시오. ― 어느 책을 ?

③ 《전치사 + ~》 À ~ pensez-vous ? 무슨 생각을 하십니까 ? / 《간접의문문》 Je ne sais plus à ~ il pense. 이제 그가 무엇을 생각하는지를 알 수 없다.

④ 《생략문》 Louise ? ― *Q*~ mon ami ? 루이즈 ― 왜 그러세요 ? / *Q*~ rien ? 뭐 아무

것도 없다고? ***À ~ bon ?*** 무슨 소용이 있나? ***De ~ ?*** 《속어》 뭐라고? 《반대자에 대해 도전적으로》 ***Eh bien ~ ?*** 뭐라고? ***n'importe ~*** 무엇이건. ~ ***que*** + *sub.* 《양보》 무엇을 …한다 할지라도, 무엇일지라도 : ~ *qu'il* arrive 무엇이 일어나더라도. ***~ que ce soit*** ⓐ 무엇이든 : Donnez-moi ~ *que ce soit* 무엇이든지 내게 주시오. ⓑ 아무것도 : Il ne réussit en ~ *que ce soit.* 그는 아무 일에도 성공하지 못한다. ***~ qu'il en ait*** 부득이. ***~ qu'il en soit*** 하여튼. (***un***) ***je ne sais ~*** 뭔지 모를〔뭐라고 말할 수 없는〕 그 무엇.
— *interj.* ① 《놀라움·분노》 뭐라고 : Eh ~ ! Vous m'insultez ! 뭐요 ! 나를 모욕하는 군요 ! ② 《구어》 요컨대, 결국, …이란 말이야 : Elle vous aime, ~ ! 요컨대, 그녀는 당신을 사랑하고 있단 말이오. ***Q~*** (***donc***) ***!; Mais ~ !*** 아니 뭐라고. ***Q~ ! vous partez ?*** 뭐, 떠나는 거요?

quoique** [kwak(ə)] *conj.* 《il(s), elle(s), on, en, un(e) 앞에서〔때로는 모음으로 시작되는 딴 말 앞에서도〕 ***quoiqu' 로 됨》 ① 《~ + *sub.* 때로는 *cond.* 또는 *ind.*》 …일지라도, …이지만, …임에도 불구하고(= bien que, encore que) : ~ tu sois riche 너는 부자지만 / ~ le film fût bon 영화는 좋았었지만 / Il était honnête, *quoiqu'*il était difficile de caractère. 그는 성격은 몹시 까다로웠지만 마음가짐은 정직했다. ② 《동사의 생략》 Il est heureux, ~ vieux garçon. 그는 노총각이지만 행복하다 / ~ (étant) malade 앓기는 하지만 / ~ ayant peu de temps 시간은 거의 없지만.
— *prép.* ***~ ça*** 《구어》 그럼에도 불구하고, 그렇기는 하나(= malgré ça).

quolibet [kɔlibɛ] *m.* 야유, 우롱, 조롱, 조소, 빈정거림(= plaisanterie, raillerie).

quorum [k(w)ɔʀɔm] 〔라틴〕 *m.* (표결의) 정족수 : Le ~ n'a pas été atteint. 정족수 미달이었다.

quota [k(w)ɔta] 〔영〕 *m.* 쿼터, 할당량 : ~ d'importation 수입 쿼터.

quote-part [kɔtpaːʀ] *f.* (*pl.* ***~s-~s***) ① (부담하거나 받아야 할) 몫, 할당(액). ② 분담, 기여(= contribution), 협력.

***quotidien, enne** [kɔtidjɛ̃, -ɛn] *adj.* 매일의, 나날의, 일상의(= habituel, journalier) ; 일용의 ; 일간(日刊) : pain ~ 그날그날의 양식 / vie *~enne* 일상생활. — *m.* 일간 신문 (= journal ~).

quotidiennement [kɔtidjɛnmɑ̃] *adv.* 매일, 날마다.

quotient [kɔsjɑ̃] *m.* 〖수학〗 (나눈) 몫 : Le ~ de 12 devisé par 4 est 3. 12를 4로 나눈 몫은 3이다. ***~ intellectuel*** 〔***mental***〕 지능 지수(《약자》 I.Q.).

quotité [kɔtite] *f.* 분담액 ; 할당액 : impôt de ~ 정률세(定率稅) / ~ disponible 〖법률〗 (재산의) 자유 처분 가능분.

qwerty [kwɛʀti] *adj.* 《불변》 〖컴퓨터〗 clavier ~ 영어식 키보드(≠ azerty).

R

R, r [ɛːʀ] *m.* 프랑스 자모의 제 18 자. ***les mois en R***, r 자가 든 달《6, 7, 8 월을 뺀 9 개월, 굴을 안심하고 먹을 수 있는 시기》.
R. 《약자》 röntgen 〖물리〗 뢴트겐.
rab [ʀab] *m.* 《rabiot 의 약자》《구어》 ① (음식 따위의) 추가분, 여분. ② (병역의) 초과 복무 ; 초과 근무.
rabâchage [ʀabɑʃaːʒ] *m.* 같은 말을 되풀이하기, 장광설(= radotage) ; 횡설수설.
rabâcher [ʀabɑʃe] *v.i.* 중언부언(重言復言)하다, 같은 말을 되뇌다(= radoter). — *v.t.* ① (같은 말을) 되풀이하다(= ressasser) : ~ ses leçons 학과를 되풀이하여 익히다〔읽다〕. ② 반복에 의하여 기억하다.
rabâcheur, euse [ʀabɑʃœːʀ, -øːz] *adj.* et. *n.* 중언부언하는 (사람) ; 같은 말을 자꾸 되풀이하는 (사람).
rabais** [ʀabɛ] *m.* 〖상업〗 할인, 에누리, 가격 인하(= réduction). ***au ~ ⓐ 할인하여, 싼 값으로 : vente *au* ~ 대바겐세일 / travailler *au* ~ 싼 임금으로 일하다. ⓑ 질이 나쁜, 저급한 : médecine *au* ~ 질이 나쁜 의료.
rabaisser [ʀabɛ(e)se] *v.t.* ① 내려뜨리다, 낮추다 : ~ le prix 값을 내리다. ② 낮게 평가하다, 깎아내리다, 헐뜯다(= déprécier) : ~ les talents d'autrui 남의 재능을 깎아내리다 / ~ qn (devant les autres) (남 앞에서) …을 헐뜯다. ③ (자존심 따위를) 꺾다(= rabattre) ; (요구 따위를) 퇴짜놓다 : ~ les exigences de qn …의 요구를 퇴짜놓다. ④ (힘 따위를) 약화시키다, 억누르다 : ~ son influence 그의 영향력을 약화시키다. — **se ~** *v.pr.* 스스로 인품을 떨어뜨리다, 비하하다.
rabane [ʀaban] *f.* (라피아(raphia) 야자 잎에서 뽑은 섬유로 만든) 돗자리 · 멍석.
rabat [ʀaba] *m.* (성직자 · 법관 따위 정장의) 가슴 장식, (옷의) 접혀진 부분 : poche à ~ 덮개가 달린 호주머니.
rabat-joie [ʀabaʒwa] *n.* 《복수불변》 흥을 깨는 사람(= trouble-fête). — *adj.* 《불변》 흥을 깨뜨리는, 찬물을 끼얹는.
rabattage [ʀabataːʒ] *m.* (사냥감의) 몰이.
rabatteur, euse [ʀabatœːʀ, -øːz] *m.* 〖사냥〗 몰이꾼. — *n.* 《경멸》 손님 끄는 사람 ; 선전꾼, 권유자.
rabattre [ʀabatʀ] 45 *v.t.* ① 내려뜨리다, 끌어내리다 : ~ sa jupe (말려 올라간) 스커트를 끌어내리다 / ~ les bords de son chapeau sur ses yeux 모자챙을 눈 있는 데까지 내리다. ② (값 · 청구액을) 에누리하다, 할인하다(= réduire) : Combien en voulez-vous ? 얼마나 깎아 드릴까요 ? / ~ dix francs du 〔sur le〕 prix marqué 정찰 표시에서 10 프랑 깎다. ③ (옷깃을) 접다 ; (뚜껑 따위를) 닫다 ; (테니스 · 탁구에서) 공을 내리치다 : ~ le couvercle d'une boîte (경첩식) 상자의 뚜껑을 덮다 / ~ le capot d'une voiture 자동차의 덮개를 닫다 / ~ une balle (테니스나 탁구에서) 공을 깎아서 내리치다〔스매시하다〕. ④ (자만심 따위를) 꺾다 : ~ l'orgueil de qn …의 콧대를 꺾다. ⑤ (사냥감을) 몰다 ; 〖원예〗 (나무의) 가지를 치다. ***en ~*** ⓐ 자기 주장을 철회하다 ; 환상〔희망〕을 버리다. ⓑ 깎다, 할인하다 ; 전만큼 평가하지 않다.
— **se ~** *v.pr.* ① 내리다 ; 늘어지다 ; (액수가) 깎이다, 할인되다 ; 내리 꺾이다, (옷깃 따위가) 접혀지다 : cheveux qui *se rabattent* sur le front 이마에 내려뜨린 머리칼 / Cette table *se rabat.* 이 탁자는 접혀진다. ② (추월하여) 원래의 차선으로 돌아가다 ; 급히 방향을 바꾸다 : Le camion *s'est rabattu* trop vite. 트럭은 추월하여 급히 새치기한다. ③ 《se ~ sur》 …으로 참다, 하는 수 없이 …으로 만족하다 : Faute de vin il faut *se ~ sur* la bière. 와인이 없으니 맥주로 참지 않으면 안 된다.
rabattu, e [ʀabaty] *adj.* (밑으로) 처진 ; 접혀진 : col ~ 접힌 깃.
rabbi [ʀabi] *m.* 〖유대교〗 스승, 사(師)《유대교 율법 박사에 대한 존칭》.
rabbin [ʀabɛ̃] *m.* 〖유대교〗 율법학자, 랍비 ; (유대교의) 목사. ***grand ~*** (유대교) 교회장.
rabbinique [ʀabinik] *adj.* 랍비의, 유대교 스승의, (유대) 율법 박사의. ***hébreu ~*** 〖언어〗 신약 성서 이후의 히브리말.
rabbinisme [ʀabinism] *m.* 유대의 율법주의, 랍비의 교의.
rabbiniste [ʀabinist] *n.* 랍비 교리의 연구자〔신봉자〕.
rabelaisien, enne [ʀablɛzjɛ̃, -ɛn] *adj.* 라블레(*Rabelais*)(풍〔투〕)의.
rabibochage [ʀabibɔʃaːʒ] *m.* 《구어》 ① 임시로 대충 고치기. ② 화해, 중재, 조정(= réconciliation).
rabibocher [ʀabibɔʃe] *v.t.* ① (임시로) 대충 고치다(= rafistoler). ② 중재하다, 화해시키다(= réconcilier). — **se ~** *v.pr.* 화해하다.
rabiot [ʀabjo] *m.* 《구어》 ① 〖군사〗 (분배하고) 남은 음식〔술 · 담배〕 ; (배급품 따위의) 여분. ② (징계 처분에 의한) 초과 복무 ; 《구어》 (일반의) 초과 근무 (시간).
rabioter [ʀabjɔte] *v.t.* 《구어》 〖군사〗 (분배해야 할〔분배하고 남은〕 음식〔담배 · 술〕)을 가로채다. — *v.i.* 부정 소득을 얻다.
râble [ʀɑbl] *m.* (특히 토끼 고기의) 등〔등심〕 ; 《구어》 (사람의) 등의 아랫부분, 허리. ***tomber sur le ~ de*** qn 《구어》 …의 배후에서 공격하다.
râblé, e [ʀɑble] *adj.* ① (동물이) 등허리가 살찐〔튼튼한〕. ② 《구어》 (사람이) 딱 바라진,

건장한(= trapu, costaud).
rabot [ʀabo] *m.* ① 대패 : fer de ~ 대팻날. ② (다이아몬드를 박은) 유리칼. ***passer le ~ sur*** qc …을 대패질하다 ; (작품 따위를) 다듬다.
rabotage [ʀabɔtaːʒ] *m.* 대패질.
raboter [ʀabɔte] *v.t.* 대패로 밀다 : ~ une planche 판자를 대패질하다.
raboteux, euse [ʀabɔtø, -øːz] *adj.* ① 울퉁불퉁〔우툴두툴〕한(= inégal) : chemin ~ 울퉁불퉁한 길. ② (문장 따위가) 거친.
rabougri, e [ʀabugʀi] *adj.* (식물 · 사람이) 발육이 나쁜, 왜소한 ; 《비유》 위축된.
rabougrir [ʀabugʀiːʀ] *v.t.* (식물의) 발육을 방해하다. — **se** ~ *v.pr.* 오그라들다, 위축하다.
rabougrissement [ʀabugʀismɑ̃] *m.* (사람 · 식물의) 발육 부전 ; 위축.
rabouter [ʀabute] *v.t.* …의 끝과 끝을 잇다 ; 꿰매어 잇다.
rabrouement [ʀabʀumɑ̃] *m.* 푸대접.
rabrouer [ʀabʀue] *v.t.* 《~ qn》 …에게 거칠게 굴다, 푸대접하다. ***se faire ~*** 냉대받다.
racaille [ʀakɑːj] *f.* ① 천민(賤民), 상민. ② (사회의) 허섭스레기 ; 불량배, 건달.
raccommodable [ʀakɔmɔdabl] *adj.* 수선〔수리〕할 수 있는.
raccommodage [ʀakɔmɔdaːʒ] *m.* (가구의) 수선, 수리 ; (옷을) 깁기 : faire le ~ des chaussettes 양말을 깁다.
raccommodement [ʀakɔmɔdmɑ̃] *m.* 화해(= réconciliation).
***raccommoder** [ʀakɔmɔde] *v.t.* ① ⓐ (작은 것을) 고치다, 수리〔수선〕하다 : ~ des jouets 장난감을 고치다. ⓑ 깁다, 꿰매다 : ~ un habit déchiré 찢어진 옷을 깁다. ② 화해시키다(= réconcilier) : ~ deux amis 두 친구를 화해시키다. — **se** ~ *v.pr.* ① 수선〔수리〕되다. ② 서로 화해하다.
***raccompagner** [ʀakɔ̃paɲe] *v.t.* (손님을) 전송하다, 배웅하다 : ~ un visiteur à la porte 방문객을 대문까지 배웅하다.
raccord [ʀakɔːʀ] *m.* ① ⓐ (두 개의 것을) 잇기, 연결, 이어 맞추기. ⓑ (파이프 따위의) 접합, 이음매 : ~ boulonné 볼트 연결. ② 〖영화〗 컷의 연결 : faire un ~ entre deux scènes 두 장면을 잇다. ③ faire un ~ 《구어》 (여자가) 화장을 다시 고치다.
raccordement [ʀakɔʀdəmɑ̃] *m.* 접속, 연결. ***voie de ~*** 〖철도〗 중계선 ; (공장 따위로 통하는) 측선(測線).
raccorder [ʀakɔʀde] *v.t.* 잇다, 접합〔접속〕하다, 연결하다(=joindre ; ≠ séparer) : escalier 〔passerelle〕 qui *raccorde* deux batiments 두 건물을 잇는 계단〔구름다리〕. — **se** ~ *v.pr.* 《se~ à》 …에〔와〕 이어지다, 접합〔접속〕되다 : Cette route *se raccorde à* l'autoroute. 이 길은 고속도로와 접속한다.
raccourci, e [ʀakuʀsi] *adj.* 짧게 한, 줄인. — *m.* ① 지름길, 샛길 : prendre un ~ 지름길로 가다. ② 요약 ; 축도(縮圖) ; 〖미술〗 (원근법에 의한) 단축법. ***en ~*** 요약하여 ; 요약된 : raconter l'événement *en raccourci* 사건을 요약하여 이야기하다.
***raccourcir** [ʀakuʀsiːʀ] *v.t.* ① 짧게 하다, 줄이다 ; 축소하다, 요약하다 : ~ une robe 원피스를 짧게 하다 / ~ le tir 사정 거리를 좁히다. ② 《구어》 …의 목을 자르다. — *v.i.* 짧아지다 ; 줄다 : vêtement qui *raccourcit* au lavage 빨면 줄어드는 옷. — **se** ~ *v.pr.* ① 짧아지다, 줄다. ② 지름길로 가다.
raccourcissement [ʀakuʀsismɑ̃] *m.* ① 짧게 하기 ; 줄이기 : ~ d'une robe 드레스를 짧게 하기. ② 단축, 요약.
raccroc [ʀakʀo] *m.* ① 행운, 요행수(= coup heureux). ② 〖당구〗 플루크《우연히 맞히기》(= coup de ~). ***par ~*** 요행수로.
raccrochage [ʀakʀɔʃaːʒ] *m.* ① 제자리에 놓기〔걸기〕. ② (매춘부의) 손님 끌기, 호객 행위. ③ (위기에 처한 일의) 회복, 수습, 호전.
***raccrocher** [ʀakʀɔʃe] *v.t.* ① (원래의 자리에) 다시 걸어 놓다 : ~ le récepteur 수화기를 내려놓다. ② 《~ qc à》 …을 …에 연결〔연관〕시키다(= rattacher) : ~ des wagons *à* une locomotive 기관차에 객차를 연결하다. ③ (원상태로) 회복시키다, (잘못되어 가던 일을) 수습하다(= rétablir) : ~ une négociation (결렬된) 교섭을 재개하다. ④ (지나가는 사람을) 붙들다, (매춘부가) 손님을 끌다. — *v.i.* ① (수화기를 내려놓고) 전화를 끊다. ② (운동 선수가) 은퇴하다. — **se** ~ *v.pr.* ① 《se ~ à》 …에 들러붙다, 매달리다 : *se ~ à* la religion 종교에 매달리다. ② 《se ~ à 〔avec〕》 …에 연결〔연관〕되다 : chapitre qui *se raccroche* mal *au* précédent 앞 장(章)과 잘 연결되지 않는 장.
race** [ʀas] *f.* ① 혈통, 가문. 가계(家系) : ~ royale 왕족 / être de ~ noble 명문 출신이다. ② 종, 품종 : de ~ croisée 잡종의 / cheval de (pure) ~ 순종의 말. ③ 종족 ; 인종 ; 민족 : ~ blanche 〔jaune, noire〕 백〔황 · 흑〕 인종 / ~ humaine 인류. ④ 《경멸》 족속, 패거리, 동아리 : Il est de la ~ des usuriers. 그는 고리대금을 하는 족속이다. ⑤ 세대(世代) : ~s futures 후대의 사람들. ***avoir de la ~ 기품이 있다 ; 순종이다. ***Bon chien chasse de ~.*** 《격언》 혈통은 속일 수 없다.
racé, e [ʀase] *adj.* ① (말 따위가) 순종의. ② (사람이) 순수한, 기품 있는.
rachat [ʀaʃa] *m.* ① 〖상업〗 되사기, 매수. ② 보상, 상환, 상각 : valeur de ~ 해약 상환금. ③ (몸값을 치른) 석방, 구출. ④ 속죄, 대속(代贖)(= expiation, rédemption) : ~ des péchés 죄에 대한 속죄.
***rachetable** [ʀaʃtabl] *adj.* 되살 수 있는 ; 상환할 수 있는 ; 속죄할 수 있는.
***racheter** [ʀaʃte] [4] *v.t.* ① 도로 사다, 되사다 : J'ai perdu mon briquet ; il faut que j'en *rachète* un autre. 라이터를 잃어버렸으니 나는 그것을 다시 사야 한다. ② (몸값을 치르고 포로를) 구출하다, 석방시키다 : ~ un prisonnier 보석금을 내고 죄수의 신병을 인수하다. ③ (죄 · 과실 따위를) 속죄하다 ; 벌충〔보충〕하다 ; 탕감하다 : ~ ses péchés par la pénitence 회개에 의해 죄를 속죄하다 / Sa bonté *rachète* bien ses défauts. 그녀의 선량함은 결점을 벌충한다. ④ 〖신학〗 (그리스도가 인류의 죄를) 대속(代贖)하다, 구제하다 : Jésus-Christ *a racheté* les hommes par sa mort. 예수 그리스도는 스스로 죽음

R

으로써 인류를 구제했다. ~ ***une rente*** 공채를 상환하다. — **se** ~ *v.pr.* ① 환매(還買)되다; 보상되다. ② 몸값을 치르고 석방되다. ③ 자신의 죄를 갚다; 자신의 명예를 회복하다: donner à qn l'occassion de *se* ~ …에게 명예 회복의 기회를 주다.

rachidien, enne [ʀaʃidjɛ̃, -ɛn] *adj.* 〖해부〗 척추의: nerfs ~*s* 척추 신경.

rachis [ʀaʃis] *m.* ① 〖해부〗 척추, 척주. ② 〖식물〗 화축(花軸), 엽축(葉軸).

rachitique [ʀaʃitik] *adj.* ① 〖의학〗 구루병(佝僂病)의. ② 〖식물〗 위축병의. — *n.* 구루병 환자.

rachitisme [ʀaʃitism] *m.* ① 〖의학〗 구루병; 발육 부전. ② 〖식물〗 위축병(萎縮病).

racial, e, aux [ʀasjal, -o] *adj.* 종족〔인종〕의: discrimination ~*e* 인종 차별.

*__racine__ [ʀasin] *f.* ① ⓐ 뿌리: faire 〔jeter, pousser〕 des ~*s* 뿌리를 내리다. ⓑ 밑(부분), 밑동: ~ des dents 이뿌리. ② 근본, 근원, 기원: parti qui a de profondes ~*s* dans un pays 한 나라에 깊이 뿌리박고 있는 정당. ③ 〖언어〗 어근; 〖수학〗 근(根): ~ imaginaire 〔réelle〕 허〔실〕근(虛〔實〕根). ***prendre*** ~ 뿌리박다; 한 곳에 오래 머물다.

racinien, enne [ʀasinjɛ̃, -ɛn] *adj.* 〖불문학〗 라신(*Racine*, 17세기의 비극 작가)의.

racisme [ʀasism] *m.* 민족〔인종〕주의, 인종적 편견, 인종 차별(주의).

*__raciste__ [ʀasist] *n.* 인종적 편견을 가진 사람, 인종 차별주의자. — *adj.* 인종 차별(주의)의: politique ~ 인종 차별 정책.

racket [ʀakɛt] 〔미영〕 *m.* 공갈(단); 갈취.

racketter [ʀakɛte] *v.t.* 공갈하다; 갈취하다.

racketteur [ʀakɛtœːʀ] *m.* 강탈〔갈취〕자(= maître chanteur).

raclage [ʀɑklaːʒ] *m.* (껍질 따위의) 벗기기; 긁어내기.

raclée [ʀɑkle] *f.* ① 《구어》 연타(連打), 난타(亂打): donner 〔flanquer, administrer〕 une ~ à qn …을 마구 때리다. ② 완패: prendre une belle ~ aux élections 선거에서 완패하다.

raclement [ʀɑ(a)kləmɑ̃] *m.* 깎기; 긁기; 긁힌 자국; 긁는〔깎는〕 소리: ~ de gorge (목소리를 가다듬기 위한) 마른기침.

racler [ʀɑkle] *v.t.* ① (표면을) 긁어내다, 문질러 벗기다(= gratter): ~ le fond d'une casserole 냄비 바닥을 긁다. ② 《구어》 (현악기를) 서투르게 켜다: ~ un 〔du〕 violon 바이올린을 엉터리로 켜다. ③ (음료가) 톡 쏘다, 자극하다: Ce vin *racle* le gosier 〔la gorge〕. 이 포도주는 목을 톡 쏜다. ~ ***les fonds de tiroirs*** 《구어》 돈을 몽땅 끄집어내다〔털어 가다〕. — **se** ~ *v.pr. se* ~ la gorge (목소리를 가다듬기 위해) 마른기침을 하다.

raclette *f.* 〖요리〗 라클레트《치즈 요리의 일종》.

raclure [ʀɑklyːʀ] *f.* ① 깎아〔긁어〕낸 부스러기. ② 《구어》 인간 쓰레기(= déchet).

racolage [ʀakɔlaːʒ] *m.* ① 《구어》 (당원·지지자·고객 따위의) 모집; 권유. ② (창녀의) 손님 끌기.

racoler [ʀakɔle] *v.t.* ① 《구어》 (당원·고객·선거인 따위를) 모으다. ② (창녀가 손님을) 끌다, 유인하다(= raccrocher).

racoleur, euse [ʀakɔlœːʀ, -øːz] *m.* ① (악착 같은) 선전인, 권유자. ② 손님 끄는 사람. — *f.* (노상에서) 손님을 끄는 창녀(= raccrocheuse). — *adj.* 권유하는, 손님 끄는.

racontable [ʀakɔ̃tabl] *adj.* 이야기할 수 있는: Cela n'est pas ~ devant des enfants. 이 이야기는 아이들 앞에서는 말할 수 없다.

racontar [ʀakɔ̃taːʀ] *m.* 《구어》 잡담; 객설 험담(= racontage).

⁑**raconter** [ʀakɔ̃te] *v.t.* ① 이야기하다, 말하다(= conter, rapporter): ~ en détail ses voyages 여행담을 자세히 하다. ② 허튼소리를 하다: Qu'est-ce que tu me *racontes* là? 무슨 터무니없는 말을 하는 거야? ~ ***bien*** 《목적보어 없이》 이야기를 잘하다. ***en*** ~ 허풍을 떨며 이야기를 길게 늘어놓다. ***en*** ~ ***de belles*** 허풍을 떨다. ***en*** ~ ***une à*** qn 《구어》 …을 속이다. — **se** ~ *v.pr.* ① 자기 자신의 이야기를 하다. ② 이야기되다.

racorni, e [ʀakɔʀni] *adj.* 굳어진, 딱딱해진; (마음·생각 따위가) 메말라 버린: esprit ~ 굳어 버린 정신.

racornir [ʀakɔʀniːʀ] *v.t.* ① 굳어지게〔딱딱하게〕 하다; 각질화(角質化)하다: La feu *a racorni* ce cuir. 불기운 때문에 가죽이 딱딱해졌다. ② (마음·정신을) 경화시키다, 둔해지게 하다. — **se** ~ *v.pr.* ① 굳어지다, 딱딱해지다. ② 감수성이 둔해지다; (마음·정신이) 메말라 버리다.

racornissement [ʀakɔʀnismɑ̃] *m.* 굳어지기; 각질화; 경화(硬化).

radar [ʀadaːʀ] 〔영〕 *m.* 전파 탐지기, 레이더.

radariste [ʀadaʀist] *n.* 레이더 기사.

rade[1] [ʀad] *f.* 〖해양〗 정박소, (항구 밖의) 닻을 내리는 곳: ~ fermée 풍랑이 미치지 않는 정박소. ***être*** 〔***rester***〕 ***en*** ~ 《구어》 오도가도 못하다, 고장나다: Notre voiture *est restée en rade* sur l'autoroute. 우리 차는 고속도로에서 오도가도 못했다.

rade[2] *m.* 《은어》 바, 술집(= bar, bistrot).

radeau [ʀado] *m.* (*pl.* ~***x***) 뗏목: ~ de sauvetage 〖해양〗 구명 뗏목.

radial, e, aux [ʀadjal, -o] *adj.* ① 방사상(放射狀)의. ② 방사선의. ③ 〖해부〗 요골(橈骨)의.

radiant, e [ʀadjɑ̃, -ɑ̃ːt] *adj.* 방사하는; 복사(輻射)의: chaleur ~*e* 복사열.

*__radiateur, trice__ [ʀadjatœːʀ, -tʀis] *m.* ① 방열기(器), 난방기, 라디에이터. ② 〖자동차〗 방열기, 냉각기. ~ ***électrique*** 〔***à gaz***〕 전기〔가스〕난로. — *adj.* 빛·열을 방사하는.

radiation[1] [ʀadjɑsjɔ̃] *f.* 방사(放射)(선); 〖물리〗 복사(輻射).

radiation[2] *f.* (명부·장부에서) 삭제하기, 말소; 〖법률〗 (저당권의) 소멸: ~ d'un condamné sur la liste électorale 선거인 명부로부터의 수형자의 삭제.

radical, e, aux [ʀadikal, -o] *adj.* ① 근본적인(= fondamental); 철저한, 완전한(= total, complet): réforme ~*e* 근본적인 개혁. ② 〖정치〗 급진적인, 과격한: parti ~ 급진(사회)당《프랑스에서 온건 좌도파에 속함》. — *m.* 〖문법〗 어간, 어근; 〖화학〗 기(基); 〖수학〗 근호(= signe ~). — *n.* 〖정치〗 급진당원, 과격파.

radicalement [ʀadikalmɑ̃] *adv.* 근본적으로, 철저하게, 완전히 : changer ~ d'attitude 태도를 완전히 바꾸다.

radicalisation [ʀadikalizɑsjɔ̃] *f.* 【정치】 과격화, 급진화.

radicaliser [ʀadikalize] *v.t.* (행동 노선 따위를) 강경화(과격화)하다, 급진화하다.
— **se** ~ *v.pr.* 강경한 태도로 나가다, 급진적이 되다.

radicalisme [ʀadikalism] *m.* 【정치】 급진주의, 과격론.

radical-socialisme [ʀadikalsɔsjalism] *m.* 급진 사회주의.

radical-socialiste [ʀadikalsɔsjalist] (*pl.* **~aux-~s**) *adj.* et *n.* 급진 사회주의의 (사회주의자) ; 급진 사회당의 (당원). 「리.

radicelle [ʀadisɛl] *f.* 【식물】 어린뿌리, 곁뿌

radier[1] [ʀadje] *m.* 【토목】 (물의 침식을 막는) 보강〔호안(護岸)〕 옹벽 ; (수문의) 토대.

radier[2] *v.t.* (명부에서) 삭제〔제명〕하다, 말소하다 : Il *a été radié* des cadres. 그는 중역들 명부에서 제명되었다.

radiesthésie [ʀadjɛstezi] *f.* 방사선(放射線) 감응 능력《점지팡이로 수맥이나 광맥을 찾아내는 능력》.

radiesthésiste [ʀadjɛstezist] *n.* 방사선 감응 능력을 가진 사람. 「찬란히.

radieusement [ʀadjøzmɑ̃] *adv.* 눈부시게,

radieux, euse [ʀadjø, -øːz] *adj.* ① 빛을 내는(= éclatant ; ≠ pâle), 빛나는 ; 찬란한 ; (햇살이) 눈부신(≠ couvert, sombre) : une journée *~euse* 쾌청한 날 / *~euse* beauté de la jeune femme 그 젊은 여자의 눈부신 아름다움. ② (사람 · 얼굴이) 희색만면한, 행복해〔만족해〕 하는 : sourire ~ 만면의 미소.

radin, e [ʀadɛ̃, -in] *n.* 《여성형은 드묾》《구어》 깍쟁이, 구두쇠. — *adj.* 《여성형은 주로 불변》《구어》 인색한(= avare).

radiner (se) [səʀadine] *v.pr.* 《구어》 오다 (= venir) ; 도착하다(= arriver). 「erie).

radinerie [ʀadinʀi] *f.* 《구어》 인색(= pingr-

⁑radio [ʀadjo] *f.* ① 무선 전신(= radiotélégraphie) ; 무선 전화 : envoyer un message ~ 무선 통신을 보내다. ② 라디오 ; 라디오 방송 ; 라디오 방송국 : ouvrir 〔fermer〕 la ~ 라디오를 켜다〔끄다〕 / ~ portative 휴대용 라디오. ③ 엑스선 사진(술) ; 엑스선 진단〔검사〕 : passer à la ~ 엑스선 진찰을〔검사를〕 받다. — *m.* ① 무선 기사 : ~ amateur 햄, 아마추어 무선가. ② 무선 전보(= radiogramme).

radio- *préf.* ① 【물리 · 의학】「복사 · 방사 · 무선」의 뜻. ② 「요골(橈骨)」의 뜻.

radio(-)actif, ive [ʀadjɔaktif, -iːv] *adj.* 【물리】 방사성의, 방사능이 있는 : éléments ~s 방사성 원소.

radio(-)activité [ʀadjɔaktivite] *f.* 【물리】 방사능.

radioamateur [ʀadjɔamatœːʀ] *m.* 아마추어 무선가. 「오.

radiocassette [ʀadjɔkasɛt] *f.* 카세트 라디

radiodiagnostic [ʀadjɔdjagnɔstik] *m.* 【의학】 엑스선 진단.

radiodiffuser [ʀadjɔdifyze] *v.t.* 【라디오】 방송하다 : ~ une conférence 강연을 방송하다.

radiodiffusion [ʀadjɔdifyzjɔ̃] *f.* 【라디오】 방송 : station de ~ 방송국 / chaînes de ~ (방송국별) 주파수대, 라디오 채널.

radio-électricité [ʀadjɔelɛktʀisite] *f.* 【물리】 전파 공학 ; 무선 공학. 「〔무선〕의.

radioélectrique [ʀadjɔelɛktʀik] *adj.* 전파

radio(-)élément [ʀadjɔelemɑ̃] *m.* 【물리】 방사성 원소.

radiogramme [ʀadjɔgʀam] *m.* ① X선 사진. ② 무선 전보.

radiographie [ʀadjɔgʀafi] *f.* 뢴트겐〔엑스선〕 사진술 ; 뢴트겐 사진〔영상〕 : lire une ~ 엑스선 사진을 판독하다.

radiographier [ʀadjɔgʀafje] *v.t.* …의 엑스선 촬영을 하다 : se faire ~ 엑스선 검사를 받다.

radioguidage [ʀadjɔgidaːʒ] *m.* (항공기 · 선박 따위의) 무선 유도(誘導).

radioguider [ʀadiɔgide] *v.t.* ① (항공기 · 선박을) 무선으로 유도하다. ② (라디오로) …에게 도로 교통 정보를 주다.

radio(-)journal [ʀadjɔʒuʀnal, -o] *m.* (*pl.* **-aux** [-o]) 라디오 뉴스(= journal parlé).

radiologie [ʀadjɔlɔʒi] *f.* 방사선학 ; 【의학】 방사선과.

radiologue [ʀadjɔlɔg], **radiologiste** [ʀadjɔlɔʒist] *n.* 방사선학자 ; 【의학】 X선 전문 의사〔기사〕.

radiomessagerie [ʀadjɔmesaʒʀi] *f.* 【기술】 (전자 호출기를 통한) 통신 호출.

radionavigant [ʀadjɔnavigɑ̃] *m.* (항공기 · 선박 따위의) 무선 (통신) 기사.

radio(-)navigation [ʀadjɔnavigɑsjɔ̃] *f.* (항공기 · 선박 따위의) 무선 항법 : ~ par satellite 위성 항법.

radiophare [ʀadjɔfaːʀ] *m.* (항공기 · 선박 따위를 유도하는) 무선 등대, 무선 표지.

radiophonie [ʀadjɔfɔni] *f.* 무선 전화 ; 라디오 방송(= radio).

radiophonique [ʀadjɔfɔnik] *adj.* 무선 전화의〔에 의한〕 ; 라디오 방송의 : émission ~ 라디오 방송.

radio(-)reportage [ʀadjɔʀəpɔʀtaːʒ] *m.* 【라디오】 현지 보도 프로그램 ; 실황 방송〔중계〕 ; 라디오 르포.

radio(-)reporter [ʀadjɔʀəpɔʀtɛːʀ] *m.* 【라디오】 시사 해설자 ; 실황 방송 담당자 ; (라디오) 리포터.

radio-réveil [ʀadjɔʀevɛj] *m.* (*pl.* **~s- ~s**) 알람 라디오, 자명종 라디오.

radioscopie [ʀadjɔskɔpi] *f.* X선 검사 ; X선 투시법.

radio-taxi [ʀadjɔtaksi] *m.* 무선 (호출) 택시, 콜택시 : appeler un ~ par téléphone 전화로 택시를 호출하다.

radiotélégramme [ʀadjɔtelegʀam] *m.* 무선 전보(= radio, radiogramme). 「전신.

radiotélégraphie [ʀadjɔtelegʀafi] *f.* 무선

radiotélégraphier [ʀadjɔtelegʀafje] *v.t.* 무선 전신으로 알리다.

radiotéléphone [ʀadjɔtelefɔn] *m.* 무선 전화기.

radiotéléphoner [ʀadjɔtelefɔne] *v.i.* 무선 전화를 걸다. — *v.t.* 무선 전화로 알리다.

radiotéléphonie [ʀadjɔtelefɔni] *f.* 무선전화 (방식).

radiotélescope [ʀadjɔtelɛskɔp] *m.* 전파「망원경.

radiotélévisé, e [ʀadjɔtelevize] *adj.* 라디오와 텔레비전 동시 방송의.

radiothérapie [ʀadjɔteʀapi] *f.* 〖의학〗 방사선〔X 선〕 치료〔요법〕.

radis [ʀadi] *m.* ① 〖식물〗 무의 일종. ② 《구어》 한 푼 : n'avoir pas un ~ 무일푼이다.

radium [ʀadjɔm] *m.* 〖화학〗 라듐《Ra》, ***montre* (*au*)** ~ 《구어》 야광 회중시계.

radiumthérapie [ʀadjɔmteʀapi] *f.* 라듐〔방사선〕 요법, 라듐 치료.

radius [ʀadjys] *m.* 〖해부〗 요골(橈骨).

radjah [ʀadʒa] *m.* = rajah.

radon [ʀadɔ̃] *m.* 〖화학〗 라돈《방사성 원소의「일종》.

radotage [ʀadɔta:ʒ] *m.* ① (늙은이의) 횡설수설 ; 노망, 치매 : tomber dans le ~ 노망들다. ② 지루한 허튼소리, 장광설(= rabâchage).

radoter [ʀadɔte] *v.i.* (노인이) 횡설수설하다 ; 노망하다, 망령 부리다. — *v.t.* (말을) 횡설수설 지껄이다 ; (같은 말을 지루하게) 되풀이하다(= rabâcher).

radoteur, euse [ʀadɔtœ:ʀ, -ø:z] *adj.* et *n.* 횡설수설하는 (사람) ; 노망한 (사람) ; 같은 소리를 뇌까리는 (사람).

radoub [ʀadu] *m.* 〖해양〗 (선체·돛의) 수리, 수선. ***bassin* 〔*forme*〕 *de* ~** 수리 독, 건선거(乾船渠). ***en* ~** 수리 중의.

radouber [ʀadube] *v.t.* 〖해양〗 (독에서 선체를) 수리하다 ; 〖어업〗 (그물을) 깁다.

radoucir [ʀadusi:ʀ] *v.t.* 온화하게 하다, 부드럽게 하다 ; 누그러지게 하다 ; 완화하다, 진정시키다 : La pluie *a radouci* le temps. 비가 와서 날씨가 누그러졌다. — **se ~** *v.pr.* 온화해지다, 누그러지다 : Il *s'est* vite *radouci.* 그는 이내 누그러졌다.

radoucissement [ʀadusismɑ̃] *m.* (날씨·성미 따위의) 누그러짐 ; 온화하게 하기, 부드럽게 하기 ; 완화, (병의) 소강(小康).

***rafale** [ʀafal] *f.* ① 돌풍, 질풍, 스콜(= bourrasque) : ~ de pluie 〔de neige〕 폭우〔폭설〕. ② 〖군사〗 (기관총 따위의) 일제 사격 : tirer par ~*s* 연속적으로 사격하다.

raffermir [ʀafɛʀmi:ʀ] *v.t.* ① 단단하게 하다, 튼튼히 하다, 굳세게 하다 : Les massages *raffermissent* les muscles. 마사지는 근육을 튼튼하게 한다. ② 확고하게 하다 ; (용기를) 북돋우다 : ~ qn dans son projet …의 계획에 대한 결심을 굳게 만들다. ③ (신용을) 회복시키다 ; (가격을) 안정시키다. — **se ~** *v.pr.* 견고하게 되다, 튼튼해지다 ; 확고해지다 ; 확립되다.

raffermissement [ʀafɛʀmismɑ̃] *m.* ① 굳세게 하기〔되기〕, 튼튼하게 하기〔되기〕. ② 강화(強化) ; 회복 ; (가격의) 안정.

raffinage [ʀafina:ʒ] *m.* 〖공업〗 (설탕·석유 따위의) 정제, 정련(精鍊).

***raffiné, e** [ʀafine] *adj.* ① 정제〔정련〕된 : pétrole ~ 정유(精油). ② 세련된 ; 정교한, 우아한 : peu ~ 세련되지 못한, 누박한. — *n.* 세련된 사람, 우아한 사람.

raffinement [ʀafinmɑ̃] *m.* ① 세련, 정교함 : ~ de sa tenue 그녀 복장의 세련미. ② 지나친 꾸밈새 : ~*s* d'expression 지나친 표현상의 기교. ③ 정제(精製). ***un* ~ *de*** 극도의, 극단적인 : *un* ~ *de* cruauté 극도의 잔인성.

raffiner [ʀafine] *v.t.* ① (설탕·석유 따위를) 정제하다 ; (금속을) 정련하다. ② (태도를) 세련되게 하다, (문장을) 다듬다 : ~ son langage 〔ses manières〕 말투를〔몸가짐을〕 세련되게 하다. — *v.i.* 《~ sur》 …에 지나치게 신경을 쓰다 : ~ *sur* le point d'honneur 명예를 지나치게 중시하다. — **se ~** *v.pr.* ① 정제〔정련〕되다. ② 세련되다.

raffinerie [ʀafinʀi] *f.* 정제소, 제당소, 정유소 ; 제련소.

***raffoler** [ʀafɔle] *v.t. ind.* 《~ de》 《구어》 …에 열중하다, …을 몹시 좋아하다(= adorer) : ~ *de* la danse 춤을 좋아하다 / Elle *raffole de* cet acteur. 그녀는 그 배우에 대해 열광적이다.

raffut [ʀafy] *m.* 《구어》 소란, 소동(= tapage, vacarme) : faire du ~ 야단법석을 떨다.

rafiau (*pl.* **~*x***), **rafiot** [ʀafjo] *m.* 《구어》 (오래 써서) 낡아빠진 거룻배.

rafistolage [ʀafistɔla:ʒ] *m.* 《구어》 대강 수리〔수선〕하기 ; 응급 조치.

rafistoler [ʀafistɔle] *v.t.* 《구어》 대강 깁다, 대강 수선〔수리〕하다.

rafle [ʀɑ:fl] *f.* ① (적지에서의) 약탈, 노략질 : faire une ~ 송두리째 훔치다. ② 일제 검거〔단속〕 : effectuer une ~ dans un bar (경찰이) 술집을 단속하다.

rafler [ʀɑfle] *v.t.* ① 모조리 빼앗아 가다, 싹쓸다, 노략질하다. ② 일제 검거〔단속〕하다.

rafraîchi, e [ʀafʀɛ〔e〕ʃi] *adj.* 시원하게 한 ; 새롭게 한 : fruits ~*s* (여러 가지 과일을 섞어 만든) 냉(冷)프루츠.

***rafraîchir** [ʀafʀɛ〔e〕ʃi:ʀ] [10] *v.t.* ① 서늘하게 하다, 시원하게 하다 : ~ une boisson avec des glaçons 얼음을 넣어 음료를 시원하게 하다 / L'averse *a rafraîchi* l'atmosphère 소나기로 주위가 서늘해졌다. ② 《~ qn》 …을 상쾌하게 하다, 원기를 북돋우다 ; …의 갈증을 풀어 주다 : Cette limonade m'*a rafraîchi.* 이 레몬주스를 마셨더니 기분이 상쾌해졌다. ③ 신선하게 하다, 산뜻하게 하다, (새롭게) 손질하다 : La pluie *a rafraîchi* les prés. 비가 와서 목장은 생기를 되찾았다 / ~ un tableau (그림을 손질하여) 신선한 색을 되살아나게 하다. ④ …의 끝을 자르다, 깎다 : ~ les cheveux 머리를 깎다. — *v.i.* 서늘해지다, 차가워지다 : mettre le vin à ~ 포도주를 차게 하다. — **se ~** *v.pr.* ① 시원해지다, 서늘해지다 : Le vent *se rafraîchit.* 바람이 불어 서늘해졌다. ② 갈증을 풀다, (시원한 것을) 한 잔 마시다. ③ (식사·휴식을 취해) 원기를 회복하다.

rafraîchissant, e [ʀafʀɛʃisɑ̃, -ɑ̃:t] *adj.* 시원하게 하는, 상쾌하게 하는 ; 원기를 회복케 하는 : boisson ~*e* 청량음료.

rafraîchissement [ʀafʀɛʃismɑ̃] *m.* ① 시원〔상쾌〕하게 하기 ; (음료) 냉각 : brusque ~ de la température 갑작스러운 기온의 저하. ② 원기 회복, 심신 상쾌. ③ (기억의) 환기(喚起) ; 갱신, 복구. ④ (페인트를 다시 칠해) 산뜻하게 하기 ; (유화의) 손질. ⑤ 청량음료 ; (*pl.*) 다과(茶菓)《청량음료·아이스크

림 · 냉프루츠 등》.

ragaillardir [ragajardi:r] *v.t.* 《구어》 …의 원기를 회복시키다, 쾌활〔명랑〕하게 하다(= réconforter) : Ce vin m'*a ragaillardi.* 이 포도주 덕택으로 원기가 회복되었다.

rage** [ra:ʒ] *f.* ① 공수병(恐水病), 광견병. ② 격통 : ~ de dents 심한 치통. ③ 분노, 격노, 격분 : exciter la ~ de qn …의 격분을 사다 / entrer dans une ~ folle 분노를 터뜨리다, 노발대발하다. ④《~ de》 …에 대한 강한 욕망〔집념〕: ~ *d'*aventures 모험에의 끝없는 욕구. ***à la ~ 맹렬하게, 몹시. ***avec ~*** 맹렬하게, 열심히. ***avoir la ~ de*** qc 〔+*inf.*〕 …에 열중하고 있다. ***faire ~*** (폭풍우 따위가) 맹위를 떨치다 ; 온 힘을 다해 노력하다.

rageant, e [raʒɑ̃, -ɑ̃:t] *adj.* 《구어》 분개시키는, 약을 올리는, 남의 부아를 돋우는.

rager [raʒe] 3 *v.i.* 《구어》 노발대발하다, 격노하다(= enrager) : Ça me fait ~ de voir ça ! 저걸 보면 화가 나 죽겠단 말야.

rageur, euse [raʒœ:r, -ø:z] *adj.* ① 성 잘 내는, 성급한. ② 격분한, 화가 난 : geste ~ 화가 난 몸짓.

rageusement [raʒøzmɑ̃] *adv.* 골이〔화가〕 나서, 분격〔분노 · 격노〕하여.

raglan [raglɑ̃] *m.* 〖복장〗 래글런식(式) 외투. — *adj.* 《불변》 래글런식의.

ragondin [ragɔ̃dɛ̃] *m.* 〖동물〗 (남아메리카 산의) 수달 ; 수달 모피.

ragougnasse [raguɲas] *f.* 《구어》 맛없는 스튜 ; 형편없는 요리.

ragot [rago] *m.* 《구어》 험구, 험담(= cancan) : faire des ~*s* 험담하다.

ragoût [ragu] *m.* 〖요리〗 스튜의 일종.

ragoûtant, e [ragutɑ̃, -ɑ̃:t] *adj.* 《부정 · 감탄 · 반어적으로만 쓰임》 ① 먹음직한, 구미가 당기는 : plat qui n'est guère ~ 별로 구미가 당기지 않는 음식. ② 마음에 드는, 느낌이 좋은 : travail qui est peu ~ 마음이 내키지 않는 일.

rai [rɛ] *m.* ① 《옛 · 문어》 광선(= rayon). ② (목제 수레바퀴 따위의) 살.

raid [rɛd] 〔영〕 *n.* ① 〖군사〗 급습, 기습(= incursion) : opérer un ~ 기습 작전을 감행하다. ② (자동차 · 비행기 따위의) 장거리 내구력〔지속력〕 시험 ; 장거리 질주〔비행〕.

***raide** [rɛd] *adj.* ① (털 따위가) 뻣뻣한, 억센 ; (밧줄 따위가) 팽팽한 : cheveux ~*s* 뻣뻣한 털 / corde ~ 팽팽하게 친 밧줄. ② (경사가) 가파른, 험한 : sentier 〔escalier〕 ~ 가파른 오솔길〔계단〕. ③ (사람 · 성질 따위가) 완고한 ; 까다로운 ; (태도 따위가) 어색한, 무뚝뚝한 : avoir une attitude ~ 태도가 어색하다 / répondre d'un ton ~ 무뚝뚝하게 대답하다. ④ 굳어진, 딱딱한, 경직된 : avoir les jambes ~*s* 피곤하여 다리가 딱딱하게 굳어 있다 / cadavre ~ 경직된 시체. ⑤ 《구어》 (이야기 따위가) 믿을 수 없는 ; 당찮은 : Ça, c'est un peu ~. 그녀석은 좀 수상쩍다. ⑥ (술 따위가) 독한 ; (글 · 말 따위가) 지나친 : eau-de-vie très ~ 아주 독한 브랜디 / propos ~*s* 노골적인 이야기. ⑦ 《구어》 빈털터리가 된 ; 《구어》 (술 · 마약에) 취한.
— *adv.* ① 갑자기, 뜻밖에. ② 호되게, 난폭하게 : frapper ~ 호되게 때리다. ③ 급각도로, 가파르게. ***tomber ~ mort*** 즉사하다.

raideur [rɛdœ:r] *f.* ① 뻣뻣함, 경직 ; (줄이) 팽팽함 : ~ des mouvement 동작의 뻣뻣함. ② 가파름, 험함 : ~ d'une pente 비탈의 가파름. ③ (성격 · 태도 따위의) 무뚝뚝함, 완고함, 엄격함 : ~ de l'attitude 태도의 무뚝뚝함 / ~ des principes 원칙의 엄격함.

raidillon [rɛdijɔ̃] *m.* 가파른 언덕길, 가풀막 (= côte).

raidir [rɛ〔e〕di:r] ① (근육 따위를) 뻣뻣하게 하다 ; (줄 따위를) 팽팽하게 하다. ② (결심 · 태도 따위를) 완강하게 하다, 경직시키다 : La réponse du patronat *a raidi* les syndicats. 자본가측의 회답이 조합측을 경직시켰다.
— **se ~** *v.pr.* ① 뻣뻣해지다 ; 팽팽해지다 ; (태도가) 경직되다 : Ses bras *se raidissent* sur les rames. 그는 팔에 힘을 주어 노를 젓는다. ② 《se ~ (contre qc)》 (…에 대하여) 단호하게 맞서다, 한치도 양보하지 않다 : *se ~ contre* l'aversité 재난에 맞서 싸우다.

raidissement [rɛdismɑ̃] *m.* 경화(硬化), 경직 : ~ d'attitude 태도의 경화.

***raie**[1] [rɛ] *f.* ① 선(線), 줄(= rayure, trait) ; 줄무늬 : tissue à ~*s* 줄무늬가 있는 피륙 / faire une ~ 줄〔선〕을 긋다. ② (머리의) 가르마(= sillon) : faire la ~ 가리마를 타다.

raie[2] *f.* 〖어류〗 가오리(류(類)).

raifort [rɛfɔ:r] *m.* 〖식물〗 서양고추냉이.

rail** [rɑ:j] 〔영〕 *m.* ① 궤도, 레일 : sortir 〔s'ecarter, se dévier〕 des ~*s* (기차가) 탈선하다. ② 철도 운송. ***remettre sur les ~s (사업 따위를) 다시 본궤도에 올려놓다. ***se mettre sur les ~s*** 준비 태세를 갖추다.

***railler** [rɑje] *v.t.* 비웃다, 야유하다, 빈정거리다 : ~ qn de qc …의 …을 놀리다.
— **se ~** *v.pr.* 《se ~ de》 …을 웃음거리로 여기다.

raillerie [rɑjri] *f.* 빈정거림, 야유, 조롱 : ~ méchante 심술궂은 조롱. ***Cela passe la ~.*** 농담이 지나치다. ***tourner*** qc ***en ~*** …을 웃음거리로 만들다.

railleur, euse [rɑjœ:r, -ø:z] *adj.* 비웃는, 빈정거리는 ; 야유〔우롱〕하기 좋아하는.
— *n.* 농담하기 좋아하는 사람.

rail(-)route [rɑjrut] *m.* (*pl.* ~***s*** ; ~***s-~s***) 철도와 자동차 도로의 병행 수송.

rainette [rɛnɛt] *f.* 〖동물〗 청개구리.

rainurage [rɛnyra:ʒ] *m.* (고속도로 따위의) 미끄럼 방지용 홈.

rainure [rɛ〔e〕ny:r] *f.* (목재 · 금속 따위에 새긴) 가느다란 홈 ; (도로의) 미끄럼 방지용 홈.

rais [rɛ] *m.* = rai.

***raisin** [rɛzɛ̃] *m.* ① 포도 : grain de ~ 포도알 / grappe de ~ 포도송이 ; 《옛》 〖군사〗 포도탄 / ~*s* secs 건포도. ② 〖제지〗 상질(上質)의 양지(洋紙) ; 로열판(版) 양지 《65 cm × 50 cm》 (= grand ~ ; 〔영〕 royal paper).

raisiné [rɛzine] *m.* ① 포도즙과 배 또는 다른 과일을 섞어서 만든 잼. ② 《구어》 피.

:raison [rɛzɔ̃] *f.* ① 이성, 이지(理智), 지각, 분별, 양식 ; 판단력, 오성(悟性)(= sagesse) : âge de ~ 철들 나이 / perdre la ~ 이성을 잃다 / suivre les conseils 〔la voix〕 de la ~ 이성의 소리를 따르다 / en appeler à sa ~ 그의 양식에 호소하다. ② 까닭, 이유, 동기(=

motif), 근거(= cause) : ~ d'être 존재 이유 / ~ d'État 국익 우선주의 / pour des ~*s* politiques 정치적 이유로 / Pour quelle ~? 무슨 까닭으로? / J'ai mes ~*s*. 난 나대로의 그럴 만한 이유가 있다. ③ 이치, 도리, 조리 : entendre ~ 도리에 따르다 / La ~ s'y oppose. 그것은 이치에 어긋나는 일이다 / Il ne veut pas entendre ~. 그는 아무리 타일러도 듣지 않는다《옳지 않은 제 의견을 고집한다》. ④ 해명, 구실(= excuse) : Ce n'est pas une ~. 그것은 변명이 될 수 없다. ⑤ 비율(= proportion) ; 〖수학〗 비례(= rapport) : ~ arithmétique 공차(公差). ⑥ 출자액. ⑦ 〖상업〗 ⓐ 사명(社名)(= ~ sociale ; ~ d'une Société). ⓑ livre de ~ 《옛》 출납부. ⑧ (모욕 따위의) 대갚음, 앙갚음, 보복, 보상. ***à plus forte ~*** 하물며《이 다음에서는 주어가 도치됨》. ***à ~ de*** …의 비율로. ***avoir ~ de*** + *inf.* …하는 것은 옳은 일이다〔당연하다〕. ***avoir ~ de*** qn 〔qc〕 …을 이기다〔압도하다〕. ***comme de ~*** 당연히, 마땅히. ***donner ~ à*** qn …이 옳다고 인정하다. ***en ~ de*** …을 고려하여, …을 이유로 하여, …의 탓으로 ; …에 따라서〔비례하여〕. ***mariage de ~*** 정략 결혼. ***mettre*** qn ***à la ~*** …을 사리에 따르게 하다, 잘 알아듣게 하다. ***plus que de ~*** 필요 이상으로, 지나치게 : Il boit *plus que de* ~. 그는 지나치게 음주한다. ***pour ~ de*** …의 이유로, …때문에. ***pour une ~ ou une auter*** 어떤 이유로 해서. ***se faire une ~*** 체념하고 받아들이다. ***se rendre à la ~*** 이치에 굴복하다.

raisonnable** [rɛzɔnabl] *adj.* ① 이성 있는, 지각 있는, 분별 있는 : homme ~ 분별 있는 사람. ② 이치에 맞는, 합리적인 ; 온당한, 타당한(= convenable, acceptable), 알맞은 : prix ~ 알맞은 값 / opinion ~ 타당한 의견. ③ 《구어》 상당한(= assez important). ***Il est ~ que + *sub.* …은 당연하다.

raisonnablement [rɛzɔnabləmɑ̃] *adv.* ① 합리적으로 ; 분별 있게 : agir ~ 사리에 맞게 행동하다. ② 온당하게, 적당히, 알맞게 : boire ~ 적당히 마시다.

raisonnant, e [rɛzɔnɑ̃, -ɑ̃:t] *adj.* 이치를 따지는. ***folie ~e*** 〖의학〗 편집증(偏執症).

raisonné, e [rɛzɔne] *adj.* ① 충분히 연구된 : projet ~ 충분히 연구된 계획. ② 합리적〔논리적〕인, 체계적인 : méthode ~*e* de français 합리적 프랑스어 학습법.

***raisonnement** [rɛzɔnmɑ̃] *m.* ① 추리, 추론 ; 논리 ; 이론 ; 논법. ② 말대꾸, 불평 : faire des ~*s* à perte de vue 지지리 불평을 늘어놓다 / Pas de ~*s* ! 잔말 말아라!

raisonner** [rɛzɔne] *v.i.* ① 추리〔추론〕하다, 이치를 따지다 ; 논의하다 : ~ juste 〔faux〕 옳게〔그르게〕 추론하다 / ~ politique 정치를 논하다. ② 불평을 늘어놓다 ; 말대꾸하다. ***~ comme une pantoufle 《구어》 궤변을 부리다. — *v.t.* ① 이치를 따져 생각하다, 이론적으로 검토〔고찰〕하다 : ~ son art 자기의 예술을 이론적으로 검토하다. ② 《~ qn》 …에게 사리를 깨닫게 하다, 납득하도록 타이르다. — **se** ~ *v.pr.* ① (자기의 행동에 대해) 곰곰 생각하다. ② 사리를 따르다 ; 이론으로 따져지다.

raisonneur, euse [rɛzɔnœ:r, -ø:z] *n.* ① 추론가(推論家) ; 이론가. ② 억설가 ; 말대꾸하는 사람. ***Ne faites pas le ~.*** 군소리 마시오. — *adj.* ① 이치를 따지기 좋아하는 ② 불평하는 ; 말대꾸하는.

raja(h) [raʒa] *m.* 《복수불변》 (인도의) 왕, 군주.

rajeunir** [raʒœni:r] [10] *v.t.* ① 젊어지게 하다(≠ vieillir) ; 젊어 보이게 하다 ; (…의 나이를) 젊게 보다 : Cette coiffure vous *rajeunit*. 그 머리 모양은 당신을 젊게 보이게 한다 / Vous la *rajeunissez* de dix ans. 당신은 그녀를 실제보다 10 살이나 젊게 보는군요. ② 새롭게 하다 ; 신품으로 보이게 하다 ; 일신하다 : ~ une institution 제도를 쇄신하다 / ~ les cadres d'une entreprise 회사의 간부진을 젊은 사람으로 대치하다. ***Cela ne me 〔***nous***〕 ***rajeunit pas.*** 《구어》 그게 내〔우리〕가 이젠 늙었다는 표적일세.

— *v.i.* 젊어지다 ; 원기를 회복하다 : Il *a rajeuni* de cinq ans depuis qu'il s'est mis au sport. 스포츠를 시작하고부터 그는 5 살은 젊어졌다. — **se ~** *v.pr.* 젊은 체하다 ; 실제보다 자기의 나이를 젊게 말하다.

rajeunissant, e [raʒœnisɑ̃, -ɑ̃:t] *adj.* 젊어지게 하는 ; 젊어 보이게 하는.

rajeunissement [raʒœnismɑ̃] *m.* ① 젊어지게 하기 ; 젊어 보이기. ② 새롭게 하기 ; 새로워지기 : ~ d'un vieux thème littéraire 오래 된 문학적 주제에 대한 새로운 접근.

rajout [raʒu] *m.* 부가물 ; 가필 ; 〖건축〗 증축 부분 ; 추가 장착 부품.

rajouter [raʒute] *v.t.* 첨가하다, 부가하다(= remettre) : ~ du sel 소금을 좀 더 넣다 / ~ des touches à un tableau 그림에 덧칠을 하다. ***en ~*** 《구어》 과장하다 ; 부언하다.

rajustement [raʒystəmɑ̃] *m.* (급여 · 가격 따위의) 조정(調整) : ~ des salaires 봉급의 (인상) 조정.

rajuster [raʒyste] *v.t.* ① (옷차림 따위를) 바로잡다 : ~ sa robe et ses cheveux (헝클어진) 옷과 머리를 매만지다. ② 조정(調停)하다(= réajuster) : ~ les prix 가격을 원가에 맞추어 올리다. — **se ~** *v.pr.* 옷매무새를 고치다.

râlant, e [rɑlɑ̃, -ɑ̃:t] *adj.* 《구어》 화나게 하는 ; 약오르는(= rageant) : Ça, c'est ~. 이거 분통 터지는 일이군.

râle[1] [rɑ:l] *m.* 〖조류〗 뜸부기속(屬).

râle[2], **râlement** [rɑlmɑ̃] *m.* ① 헐떡임, 헐떡이는 소리. ② 〖의학〗 수포음(水泡音). ***~ de la mort*** 임종 전의 헐떡거림.

ralenti, e [ralɑ̃ti] *adj.* 느린, 속도가 떨어진 : enfant ~ 지능 발달이 늦은 어린이. — *m.* 감속(減速) ; 느린 움직임 ; 〖기계〗 (기관의) 가장 느린 회전 (속도). ***au ~*** 느릿느릿, 슬로 모션으로 : film tourné *au* ~ (고속도 촬영에 의한) 슬로 모션 영화.

***ralentir** [ralɑ̃ti:r] [2] *v.t.* ① 늦추다, 지연시키다(≠ accélérer) ; ~ le pas 발걸음을 늦추다 / ~ l'avance des ennemis par une contre-offensive 역습으로 적의 전진을 지연시키다. ② 약화시키다(= diminuer) ; 억제하다(= freiner) : ~ l'expansion économique 경제 팽창을 억제하다. — *v.i.* 느려지다 ; 서행(徐行)하다, 천천히 가다, 속도를 늦추다.

R

≪**R~**≫「서행」. — **se ~** *v.pr.* 느려지다 ; 서행하다, 천천히 가다 : Sa voiture *se ralentit.* 그의 차는 서행한다.

ralentissement [ʀalɑ̃tismɑ̃] *m.* 지연 ; 속도의 감소 ; 약화, 감퇴 ; (사업의) 부진(不振).

ralentisseur [ʀalɑ̃tisœːʀ] *m.* ① (스피드 억제를 위한 도로의) 감속 턱 ; (자동차의) 감속 장치. ② 〖물리〗 (원자로의) 감속재.

***râler** [ʀɑle] *v.i.* ① 헐떡이다 ; (죽어 가는 사람이) 숨을 그르렁거리다. ② 《구어》 불평하다, 투덜거리다(= grogner).

râleur, euse [ʀɑlœːʀ, -øːz], **râleux, euse** [ʀɑlø, -øːz] *adj.* et *n.* 《속어》 걸핏하면 불평하는 (사람), 투덜거리기 잘하는 (사람).

raillié, e [ʀalje] *n.* 가담자, 가맹자. — *adj.* 《~ à》 …에(게) 가담한, 가맹한.

ralliement [ʀalimɑ̃] *m.* ① 〖군사〗 부대·함대 등의) 집합, 집결(= rassemblement). ② 가맹, 참가, 가담(= adhesion). ***mot de ~*** (묻는 암호말에 대한) 답호(答呼). ***point de ~*** (부대의) 집합〔집결〕지. ***signe de ~*** 집합 신호〔표지〕.

rallier [ʀalje] *v.t.* ① 집합〔집결〕시키다(= rassembler) : Le chef, *a rallié* ses soldats dispersés. 대장은 흩어져 있던 자기 병사들을 다시 모았다. ② (부대 따위로) 돌아가다〔오다〕 ; …에 복귀하다(= rajoindre) : Les cavaliers *ont rallié* leur escadron. 기병들이 기병대로 돌아왔다. ③ 〖해양〗 (배가 항구·육지에) 접근하다 : navire qui *rallie* la côte 해안으로 다가오는 배. ④ 《~ à》 …에 찬동시키다, 가담시키다 : L'orateur *a rallié* une partie de l'auditoire *à* sa proposition. 연사는 일부 청중을 자기 제안에 가담케 했다. — **se ~** *v.pr.* ① 집합〔집결〕하다 : troupes qui *se rallient* 재집결한 각 부대. ② 《se ~ à》 …에 가담〔참여〕하다, 찬동〔동조〕하다 : *se ~ à* une solution proposée 제안된 해결안에 동조하다.

rallonge [ʀalɔ̃ːʒ] *f.* ① (용구 따위의) 달아낸 부분 ; (탁자 따위의) 보조판. ② 연장 코드. ③ 《구어》 추가 예산, 할증료, 임시 수당 : ~ budgétaire 추가 예산 / payer 〔recevoir〕 une ~ 할증금을 내다〔받다〕. ④ 휴가의 연장 : obtenir une ~ 휴가를 연장받다.

rallongement [ʀalɔ̃ʒmɑ̃] *m.* 늘이기, 덧붙이기(≠ raccourcissement) : ~ d'une autoroute 고속도로 연장 공사.

***rallonger** [ʀalɔ̃ʒe] [3] *v.t.* (덧대어) 길게 늘이다 : ~ une jupe 스커트 길이를 늘이다. — *v.i.* 《구어》 길어지다(= s'allonger) : Les jours *rallongent.* 해가 길어진다.

rallumer [ʀalyme] *v.t.* ① 다시 불붙이다 : ~ une cigarette éteinte 꺼진 궐련에 다시 불을 붙이다. ② 재발시키다 : 재연시키다 : ~ une guerre 전쟁을 다시 일으키다.

rallye [ʀali] 〔영〕 *m.* 〖스포츠〗 (서로 다른 코스를 따라 같은 지점으로 골인하는, 자동차·자전거 따위의) 경주, 랠리.

RAM [ʀam] 〔〔영〕 < *r*andom *a*ccess *m*emory〕 *f.* 〖컴퓨터〗 램, 컴퓨터의 메모리.

ramad(h)an [ʀamadɑ̃] 〔아라비아〕 *m.* 라마단《회교력(回敎曆)의 9월 ; 이 기간, 회교도는 해가 떠서 질 때까지 단식함》.

ramage [ʀamaːʒ] *m.* ① (흔히 *pl.*) (피륙의) 꽃〔가지〕 무늬 ; 당초문양(唐草紋樣). ② (나무·숲 속에서의) 새의 지저귐.

ramas [ʀamɑ] *m.* 《옛》 (하찮은 것들의) 무더기, 더미(= ramassis) ; (건달 따위의) 패거리 : un ~ de voleurs 한패거리의 도둑들.

ramassage [ʀamɑsaːʒ] *m.* 그러모으기, 주워 모으기 : ~ des foins 건초 모으기. ~ ***scolaire*** 〔***d'écoliers***〕 (원거리 통학생) 스쿨버스 (운행).

ramassé, e [ʀamɑse] *adj.* ① 땅딸막한(= trapu) : avoir la taille ~*e* 키가 땅딸막하다. ② (문체가) 간결한 : expression ~*e* 간결한 표현. ③ 웅크린(= blotti).

ramasse-miettes [ʀamɑsmjɛt] *m.* 《복수불변》 빵부스러기 청소용 브러시.

‡ramasser [ʀamɑse] [1] *v.t.* ① 그러모으다, 한데 모으다 : ~ du foin avec un râteau 꼴을 갈퀴로 그러모으다 / Je *ramasse* les copies dans une demi heure. 반시간 후에 답안지를 (거두어) 모으겠습니다. ② 주워 모으다, 수집〔채집〕하다(= cueillir) : ~ des épis après la moisson 추수한 뒤에 이삭을 줍다 / ~ des champignons 버섯을 채집하다. ③ 줍다, 주워 들다 ; (쓰러진 사람을) 안아 일으키다 : ~ son chapeau (땅에 떨어진) 모자를 줍다 / On l'*a ramassé* ivre-mort. 그가 정신 없이 취해 쓰러져 있는 것을 안아 일으켰다. ④ 《구어》 (경찰관이) 연행하다, 체포하다(= arrêter) : Les agents *ont ramassé* tous les clochards du quartier. 경찰관이 그 거리의 건달들을 모조리 잡아갔다. ⑤ 《구어》 (병에 걸리다) : ~ une bonne grippe 심한 독감에 걸리다. ⑥ (매를) 맞다 ; (야단)맞다 : ~une volée 호되게 두들겨 맞다. ⑦ 한 덩어리로 만들다, (몸을) 웅크리다. ***On en ramasse à la pelle.*** 얼마든지 있다. ~ ***ses forces*** 전력을 다하다.
— **se ~** *v.pr.* ① 모이다 ; 수집되다. ② 몸을 웅크리다 : chat qui *se ramasse* avant de bondir 뛰어오르기 전에 몸을 웅크리는 고양이. ③ 《구어》 (넘어졌다가) 일어나다. ④ 《구어》 쓰러지다 ; 실패하다 : *se ~ à* un examen 시험에 떨어지다.

ramasseur, euse [ʀamɑsœːʀ, -øːz] *n.* 그러〔주워〕모으는 사람, 수집자.

ramasseuse-presse [ʀamɑsøzpʀɛs] *f.* (*pl.* **~s-~s**) 〖농협〗 콤바인.

ramassis [ʀamɑsi] *m.* 《구어》 = ramas.

rambarde [ʀɑ̃baʀd] *f.* 〖해양〗 (갑판·선교(船橋)의) 난간 ; 《구어》 난간.

ramdam [ʀamdam] *m.* 《구어》 법석, 소란.

rame¹** [ʀam] *f.* (배의) 노(櫓)(= aviron) : faire force de ~*s* 힘껏 노를 젓다. ***ne pas en fiche une ~ 빈둥빈둥 게으름 피우다.

rame² *f.* 〖원예〗 (콩 따위 덩굴식물에 세워주는) 시렁.

rame³ *f.* ① (종이의) 1연(連)(500매). ② 〖철도〗 (특히 지하철의) 열차, 차량 편성.

rameau [ʀamo] *m.* (*pl.* **~x**) ① (나무의) 잔가지. ② 〖해부〗 (동맥·신경 따위의) 분맥(分脈) ; 〖철도〗 (지선(支線)에서 갈라진) 분선(分線) ; (산맥의) 지맥(支脈). ***le dimanche des R~x ; les R~x*** 성지(聖枝) 주일 《부활절 직전의 일요일》.

ramée² [ʀame] *f.* ① (연료용·사료용 따위

의) 잎 달린 가지. ② 우거진 나뭇가지.

***ramener** [Ramne] [4] *v.t.* ① ⓐ 도로 데려오다 ; 다시 한번 데려가다 : Il *ramène* le malade chez le médecin. 그는 환자를 다시 의사에게 데려간다. ⓑ (사람·가축을) 데려가다, (자동차 따위로) 보내 주다 : Elle *ramène* ses enfants de l'école. 그녀는 아이들을 학교에서 데리고 돌아온다 / ~ un cheval à l'écurie 말을 우리로 데려가다 / Je vous *ramènerai* chez vous. (차로) 댁까지 모셔다 드리겠습니다. ② 데리고 (돌아)오다, 가지고 (돌아)오다 : ~ un ami à la maison 친구를 집으로 데리고 오다 / Ils ont *ramené* d'Espagne une belle guitare. 그들은 스페인에서 훌륭한 기타를 하나 가져왔다. ③《구어》(원래의 장소로) 되돌리다, 돌려주다 : Tu me *ramèneras* les livres que je t'ai prêtés. 너에게 빌려 준 책을 돌려줘. ④ (위치를) 옮겨〔고쳐〕놓다, 끌어당기다 : ~ son chapeau sur ses yeux 모자를 눈 위까지 깊숙이 눌러 쓰다 / ~ sur ses genoux le bord de son manteau 외투 자락을 무릎 위로 끌어당기다. ⑤《~ à》…으로 되돌아오게 하다, 되찾게 하다 : ~ un noyé *à* la vie 물에 빠져 죽어 가는 사람을 되살리다 / ~ qn *à* la raison …에게 제정신을 되찾게 하다. ⑥ 되살아나게 하다, 회복하다 : ~ l'ordre 질서를 회복하다. ⑦《~ à》…으로 환원하다, 귀착시키다(= réduire). ⑧《~ à〔sur〕》…에 (감정·사고를) 집중하다. ── **se** ~ *v.pr.* ① 귀착하다, 환원〔귀결〕되다(= se réduire) : Ces deux questions *se ramènent* à une seule. 이 두 문제는 단 하나의 문제로 귀결된다. ②《속어》돌아오다(= revenir).

ramequin [Ramkɛ̃] *m.* 〖요리〗 람켕《치즈를 넣은 과자의 일종》; 람켕 따위를 굽는 접시.

ramer[1] [Rame] *v.i.* ① 노를 젓다. ②《구어》애쓰다, 몹시 고생하다.

ramer[2] *v.t.* (덩굴에) 버팀대를 받쳐 주다.

ramette [Ramɛt] *f.* (편지지의) 1 연(連)《125장》.

rameur, euse [Ramœ:R, -ø:z] *n.* 노 젓는 사람. ── *m.* (훈련용) 노 젓는 기구.

rameuter [Ramøte] *v.t.* ① (데모대를) 다시 모으다〔선동하다〕. ② 〖사냥〗 (흩어진 사냥개를) 다시 불러 모으다.

rami [Rami] *m.* 일종의 카드놀이.

ramier [Ramje] *m.* et *adj.* 〖조류〗 (pigeon) ~ 산비둘기(= palombe).

ramification [Ramifikɑsjɔ̃] *f.* ① 〖식물〗 잔가지, 분지(分枝). ② (신경·동맥 따위의) 분맥, 초(梢) ; (철도의) 지선 : ~*s* d'une voie ferrée 분기한 선로. ③ (과학 따위의) 분과 ; (회사의) 하부 조직, 지점 : Cette société a des ~*s* dans les principales villes de province. 이 회사는 지방의 주요 도시에 지점을 가지고 있다.

ramifier [Ramifje] *v.t.* 가지를 치게 하다. ── **se** ~ *v.pr.* ① 가지를 치다 ; 분기(分岐)〔분파〕하다(= se diviser). ② 하부 조직〔지점〕을 갖다, (과학 따위가) 분과로 나뉘다.

ramoindrir [Ramwɛ̃dri:R] *v.t.* 더욱 작게〔적게〕하다, 감소시키다. ── *v.i.*, **se** ~ *v.pr.* 더욱 작아지다, 더욱 감소하다.

ramolli, e [Ramɔli] *adj.* ① 부드럽게〔무르게〕된, 말랑말랑해진. ②《구어》머리가 둔해진, 노망한 ; 무기력한 ── *n.* 얼간이, 멍청이, 노망한 사람.

ramollir [Ramɔli:R] *v.t.* ① 부드럽게〔무르게〕하다. ② 나약〔유약〕하게 하다. ── **se** ~ *v.pr.* ① 부드러워지다, 말랑말랑해지다. ② 나약해지다 ; 우둔해지다 ; 노망하다.

ramollissement [Ramɔlismɑ̃] *m.* 연화(軟化), 부드러워지기, 물러지기 ;《구어》우둔해지기 : ~ cérébral 〖의학〗 뇌연화증.

ramollo [Ramɔlo] *adj.* et *n.*《구어》= ramolli.

ramonage [Ramɔna:ʒ] *m.* (연통·굴뚝 따위의) 매연 청소.

ramoner [Ramɔne] *v.t.* (연통·굴뚝을) 청소하다 ; (파이프를) 청소하다.

ramoneur [Ramɔnœ:R] *m.* 굴뚝 청소부.

rampant, e [Rɑ̃pɑ̃, -ɑ̃:t] *adj.* ① ⓐ 기는, 포복하는 ; 덩굴을 뻗는 : animal ~ 포복 동물 / plante ~*e* 덩굴 식물. ⓑ 〖항공〗 personnel ~ 지상 근무원(≠ personnel navigant). ② (사람·성격이) 비굴한 ; 저속한. ── *m.* 〖항공〗 (*pl.*) 지상 근무원.

rampe [Rɑ̃:p] *f.* ① 비탈, 사면(斜面), 물매 : ~ d'une colline 언덕 비탈. ② (계단의) 난간(= balustrade) : se pencher sur la ~ 난간에서 몸을 내밀고 내다보다. ③ 〖연극〗 (극장 무대의) 각광(脚光), 푸트라이트 ; (건물 정면의) 조명등 : princesse de la ~ 인기 여배우. ***ne pas passer la ~***《구어》(극·유행가가) 성공을 못하다, 히트를 못 치다. ***~ de lancement*** (로켓의) 발사대 ; (출세·성공의) 발판.

***ramper** [Rɑ̃pe] *v.i.* ① 기다, 포복하다 ; 덩굴이 뻗다 : Le serpent *rampe* sur le sol. 뱀은 지면에서 기어간다 / Le lierre *rampe* le long des murs. 담쟁이가 성벽을 타고 오른다. ② 굽실거리다, 비굴하게 굴다 : Il *rampe* toujours devant ses supérieurs. 그는 늘 상관 앞에서 굽실거리기만 한다.

ramure [Ramy:R] *f.*《집합적》나뭇가지 ; (사슴의 가지 돋친) 뿔(= bois).

rancard, rencard [Rɑ̃ka:R] *m.* ①《구어》비밀 정보(= tuyau). ②《구어》밀회 약속.

rancarder, rencarder [Rɑ̃karde] *v.t.* ① 비밀 정보를 주다. ②《구어》만날 약속을 하다. ── **se** ~ *v.pr.* 은밀히 정보를 얻다.

rancart [Rɑ̃ka:R] *m.* ① 폐기, 폐물 : mettre un meuble au ~ 낡은 가구를 버리다 / mise au ~ d'un projet 계획의 폐기. ②《구어》밀회.

rance [Rɑ̃:s] *adj.* (버터·기름 따위가 오래되어) 썩은 냄새가 나는. ── *m.* 악취, 썩은 냄새. ***sentir le ~*** (기름 썩은 것 같은) 악취를 풍기다.

ranch [Rɑ̃:(t)ʃ] 〔미영〕 *m.* (*pl.* ~(***e***)***s***) (아메리카) 대초원의 목장 ; 대초원에서의 목축.

rancho [Rɑ̃tʃo] 〔에스파냐〕 *m.* = ranch.

rancir [Rɑ̃si:R] *v.i.* ① (기름 썩은 것 같은) 악취를 풍기다, 썩은 냄새가 나다. ② 오래되어 못 쓰게 되다.

rancissement [Rɑ̃sismɑ̃] *m.* (썩은 기름 같은) 악취를 풍기기

rancœur [Rɑ̃kœ:R] *f.*《문어》원한(= ressentiment), 적개심 : avoir de la ~ pour〔contre〕qn …에게 원한을 품다.

R

rançon** [ʀɑ̃sɔ̃] *f.* ① (포로의) 몸값, 석방금 ; (노획물의) 대상금(代償金). ② 대가, 보상(= compensation). ***mettre qn ***à*** **~** …을 납치하여 몸값을 요구하다.

rançonnement [ʀɑ̃sɔnmɑ̃] *m.* ① 몸값을 받기 ; (금품의) 강탈. ② 《구어》 폭리를〔부정 이득을〕 취하기.

rançonner [ʀɑ̃sɔne] *v.t.* ① 《~ qn〔qc〕》 …의 몸값〔대상금〕을 강요하다. ② 《문어》 《~ qn》 …에게 부당한 돈을 요구하다 ; …에게서 폭리를 취하다.

rançonneur, euse [ʀɑ̃sɔnœːʀ, -øːz] *n.* 강탈자, 강도, 도둑 ; 착취자.

rancune** [ʀɑ̃kyn] *f.* 원한, 앙심(= rancœur), 악감. ***avoir de la **~** ***contre*** qn ***; garder*** **~** ***à*** qn …에게 원한〔앙심〕을 품다. ***par*** **~** 원한에서〔으로〕.

rancuneux, euse [ʀɑ̃kynø, -øːz], **rancunier, ère** [ʀɑ̃kynje, -ɛːʀ] *adj.* et *n.* 앙심 깊은 (사람), 원한을 품은 (사람).

randonnée [ʀɑ̃dɔne] *f.* 긴 산책, 짧은 여행 ; 〖자동차 · 자전차〗 긴 드라이브 : faire une ~ en voiture 드라이브하다 / sentier de grande ~ 산책로(《약자》 G.R.).

randonneur, euse [ʀɑ̃dɔnœːʀ, -øːz] *n.* 하이킹하는 사람 ; 스키 산행자.

rang** [ʀɑ̃] *m.* ① 열(列), 줄 ; 〖군사〗 (횡대의) 열 : un ~ de colonnes 한 줄로 늘어선 기둥 / se mettre en ~(*s*) 정렬하다 / Nous étions assis au premier ~. 우리는 맨 앞줄에 앉았다. ② 순서, 석차 ; 등급 : selon le ~ d'ancienneté 선임(先任)순으로 / Il est sorti de l'école dans un bon ~. 그는 우수한 석차로 학교를 졸업했다. ③ 계급 ; 지위, 신분 : Il ne fréquente que les personnes de son ~. 그는 자기와 같은 신분의 사람들 외에는 교제하지 않는다. ***être 〔***se mettre***〕 ***sur les*** **~*s*** 후보자이다〔가 되다〕, 멤버에 끼다, 한몫 끼다. ***rentrer dans le*** **~** 다시 일개 졸병이 되다 ; (고위에 있던 사람이) 하야하다. ***sortir du*** **~** (사병에서) 장교로 승진하다 ; 《구어》 두각을 나타내다.

rangé, e[1] [ʀɑ̃ʒe] *adj.* ① 정돈된, 질서 있는 : bataille ~*e* (전열을 정비한 양군의) 회전(會戰). ② (사람이) 견실한, 얌전한(= sérieux).

***rangée**[2] [ʀɑ̃ʒe] *f.* (나무 · 집 따위의) 늘어선 줄, 열 : ~ de maisons 줄지어 선 집.

rangement [ʀɑ̃ʒmɑ̃] *m.* 정돈, 정리.

‡ranger [ʀɑ̃ʒe] 3 *v.t.* ① 가지런히 놓다, 정돈〔정리〕하다(= classer ; ≠ déranger) : ~ des papiers 〔dossiers〕 서류를 정리하다 / Tout est bien *rangé* chez lui. 그의 집에는 무엇이나 잘 정돈되어 있다. ② (통로를 트기 위해) 옆으로 비켜 놓다 : ~ sa voiture 〔une bicyclette〕 차〔자전거〕를 길가로 비켜 놓다. ③ 《~ qn 〔qc〕 au nombre de 〔au rang de, parmi〕》 …을 …중에 넣다〔…의 하나로 치다〕. ④ 〖해양〗 …의 옆을 (따라) 지나가다 : ~ la côte 〔la terre〕 해안을〔육지를〕 따라 항해하다. — **se ~** *v.pr.* ① 나란히 자리잡다 ; 정렬하다 : *se* ~ autour d'une table 탁자에 삥 둘러앉다. ② 놓이다, 정돈〔정리〕되다 : Où cela *se range*-t-il ? 이것을 어디다 치우면 됩니까 ? ③ 《se ~ au nombre de 〔au rang de, parmi〕》 …중에 끼다〔들다〕. ④ 옆으로 비키다, 길을 터 주다 : *Rangez-vous !* 비키시오 ! 물러나시오 !

ranimation [ʀanimasjɔ̃] *f.* 되살리기, 소생법(= réanimation).

ranimer [ʀanime] *v.t.* ① 소생시키다, 되살아나게 하다 : ~ une personne évanouie 기절한 사람을 깨어나게 하다 / Le printemps *ranime* la nature. 봄은 자연을 소생시킨다. ② 원기를 돋우다, 활기차게 하다 : ~ la conversation 이야기를 다시 활기차게 하다. — **se ~** *v.pr.* ① 소생하다, 되살아나다. ② 기운이 나다 ; 활기〔생기〕를 띠다.

raout [ʀaut] *m.* (사교상의) 모임, 연회.

rap [ʀap] 〔영〕 *m.* 랩 음악 : chanteur de ~ 랩 가수(= rappeur).

rapace [ʀapas] *adj.* 욕심 많은, 탐욕스러운(= avide, avare) : commerçant ~ 돈벌이에 급급한 상인. — *m. pl.* 〖동물〗 육식 조류, 맹금류(猛禽類).

rapacité [ʀapasite] *f.* ① 탐욕(= avidité) : ~ d'un usurier 고리대금업자의 탐욕. ② (맹금류의) 탐식.

rapatrié, e [ʀapatʀije] *adj.* 본국으로 송환된〔귀환한〕. — *n.* 본국 송환자〔귀환자〕.

rapatriement [ʀapatʀimɑ̃] *m.* ① 본국 송환〔귀환〕. ② 〖경제〗 (해외 투자 자본 · 이득 따위의) 본국 회수 ; (해외 노무자의 봉급 따위의) 본국 송금.

***rapatrier** [ʀapatʀije] *v.t.* ① 본국으로 송환하다〔돌려보내다〕 : ~ les prisonniers 포로들을 본국으로 송환하다. ② 〖경제〗 (외국에서 번 이익을) 본국으로 회수〔송금〕하다. — **se ~** *v.pr.* 본국으로 송환되다.

râpe [ʀɑːp] *f.* ① (주방용) 강판. ② (굵은) 줄.

râpé[1] [ʀɑpe] *m.* ① 오래된 포도주 통에 넣는 새 포도주. ② 《구어》 가루 치즈(= gruyère ~).

râpé[2]**, e** [ʀɑpe] *adj.* ① (음식물을) 강판으로 간. ② (옷 · 천이) 닳아 해진. ③ (옷차림이) 꾀죄죄한. ***C'est ~ !*** 《구어》 실패했다 ! 기대에 어긋났다 ! — *m.* 가루 치즈.

***râper** [ʀɑpe] *v.t.* ① 강판으로 갈다 : ~ des carottes 당근을 갈다. ② 줄로 쓸다(= frotter). ③ 떫은 맛이 나게 하다 ; (눈 · 목구멍을) 자극하다 : vin qui *râpe* le gosier 목이 칼칼해지는 (떫은) 포도주.

rapetassage [ʀaptasaːʒ] *m.* 《구어》 (옷 · 가구를) 대충 수선하기(= raccommodage).

rapetasser [ʀaptase] *v.t.* 《구어》 ① (옷 따위를) 깁다 ; 수선하다. ② (문예 작품을) 서투르게 개작하다.

rapetissement [ʀaptismɑ̃] *m.* 단축, 축소 ; 낮게 평가하기.

rapetisser [ʀaptise] *v.t.* ① 작게 하다, 줄이다(= diminuer, réduire) ~ un vêtement 옷을 줄이다. ② (사람을) 깎아내리다 ; (가치를) 떨어뜨리다 : Les vices *rapetissent* l'homme. 악덕은 사람의 품위를 떨어뜨린다. — *v.i.* 작아지다, 짧아지다, (천이) 줄다. — **se ~** *v.pr.* 작아〔짧아〕지다 ; 줄어들다.

râpeux, euse [ʀɑpø, -øːz] *adj.* ① (줄처럼) 까칠까칠한. ② (맛이) 떫은.

raphia [ʀafja] 〔마다가스카르〕 *m.* ① 〖식물〗 라피아 야자수. ② 그 잎에서 뽑은 섬유《밧줄 · 돗자리를 만듦》.

rapiat, e [ʀapja, -at] *adj.* et *n.* 《구어》 탐욕

R

스러운 (사람), 인색한 (사람).

⁑**rapide** [ʀapid] *adj.* ① 빠른 ; 급속한 ; 재빠른, 신속한 ; (문체가) 간결한 : ~ comme une flèche 화살처럼 빠른 / homme ~ dans son travail 일을 재빠르게 하는 사람 / intellignece ~ 이해가 빠른 지력(智力) / guérison ~ 빠른 쾌유 / décision trop ~ 너무 성급한 결정. ② 가파른, 경사가 심한 : pente ~ 가파른 비탈. — *m.* ① 급류, 여울. ② 특급 열차(= train ~) : le ~ Paris-Bordeaux 파리 보르도선의 특급 열차.

*****rapidement** [ʀapidmɑ̃] *adv.* 빨리, 신속히, 급속히 ; 재빨리(≠ lentement).

rapidité [ʀapidite] *f.* 빠름, 급속, 신속 : avec la ~ de l'éclair 번개처럼 빨리.

rapiéçage [ʀapjesa:ʒ], **rapiècement** [ʀapjɛsmɑ̃] *m.* (조각을 대어) 깁기.

rapiécer [ʀapjese] 2·6 *v.t.* (조각을 대어) 깁다 ; 수선〔수리〕하다.

rapière [ʀapjɛ:ʀ] *f.* 《옛》 장검(長劍)《17-18 세기에 사용했던 결투용의 칼》.

rapin [ʀapɛ̃] *m.* ① 《옛》 화가의 제자《아틀리에에서 잡일을 하는》. ② 서투른 화가.

rapine [ʀapin] *f.* ① 약탈, 노략질. ② (직권을 이용한) 횡령, 부정 이득.

rapio [ʀapjo] *adv.* 《구어》 급히, 부랴부랴.

raplapla [ʀaplapla] *adj.* 《불변》《구어》 (사람이) 기운 없는, 지쳐빠진(= à plat).

raplatir [ʀaplati:ʀ] *v.t.* 다시〔더〕 납작하게 만들다, 다시〔더〕 평평하게 만들다.

rappel [ʀapɛl] *m.* ① 다시 불러오기, 소환 ; 소집 ; (*pl.*) (예능인을 무대로 불러내기 위한) 앙코르 ; (결함 제품의) 리콜〔회수〕 : ~ de réservistes 예비역의 소집 / À la fin du récital, il y a eu trois ~s. 리사이틀이 끝나자, 앙코르가 세 번 있었다. ② 소급〔추가〕 지급 ; 반복 : toucher un ~ (승급에 의한) 급료 차액을 받다. ③ 《~ à》 …에의 (주의 등의) 환기, 경고 ; 독촉장 : ~ *à* l'ordre (의장의) 정숙 명령 / recevoir un ~ de paiement 지불 독촉장을 받다. ④ ⓐ 《~ à》 …으로 되돌아가게〔오게〕 하기 : ~ *à* la question 본론으로 돌아오게 하기. ⓑ 《~ de》 …을 상기〔회상〕하기(= évocation) : ~ *des* souvenirs 추억의 회상. ⑤ 〖등산〗 로프를〔자일을〕 푸는 동시에 잡아당기기, 이중자일 : descente en ~ 자일을 이용한 하강.

⁑**rappeler** [ʀaple] 5 *v.t.* ① 다시 부르다 ; 소환하다 ; 소집하다 : ~ un médecin 의사를 도로 부르다 / L'ambassadeur *a été rappelé*. 대사는 소환되었다 / ~ des réservistes 예비군을 소집하다. ② 다시 한 번 전화하다 : Il est occupé maintenant, *rappelez*-le plus tard. 그는 지금 짬이 나지 않으므로, 다음에 다시 한 번 전화해 주세요. ③ 되살아나게 하다 ; (원래 상태로) 되돌아오게 하다 : ~ qn à lui 〔à la vie〕 …을 제정신으로 되돌아오게 하다. ④ (주의를) 환기시키다 : 《~ qn à qc》 Le président *a rappelé* l'assistance *à* l'ordre. 사회자는 참가자들에게 정숙을 명령했다. ⑤ 생각나게 하다, 회상시키다 : 《~ qn 〔qc〕 à qn》 Cela me *rappelle* la guerre. 그것은 나에게 전쟁을 생각나게 한다 / Ce paysage me *rappelle* mon pays. 이 경치는 내 고향을 연상시킨다. — **se** ~ *v.pr.* 상기하다, 기억하다 : 《se ~ qc 〔+*inf.* 《옛》 de+*inf.* ; que+*inf.*〕》 Je ne *me rappelle* pas son nom. 그의 이름이 생각나지 않는다 / *Rappelle-toi qu*'on t'attend. 너를 기다린다는 것을 잊지 마.

rap(p)er [ʀape] *v.i.* 랩 음악을 하다.

rap(p)eur, euse [ʀapœʀ, -ø:z] *n.* 랩 가수.

rappliquer [ʀaplike] *v.i.* 《속어》 (서둘러) 돌아오다 ; 느닷없이 오다 : Le voilà qui *rapplique*. 저기 그가 온다.

⁑**rapport** [ʀapɔ:ʀ] *m.* ① 수입, 수확, 이윤 : être d'un grand 〔d'un bon〕 ~ 수입〔수확〕이 많다〔좋다〕 / vivre du ~ d'une terre 〔d'actions〕 토지〔주식〕에서 나오는 소득으로. ② 보고 ; 보고서, 리포터 : ~ scientifique 학술 보고 / faire un ~ sur une question 어떤 문제에 관하여 보고하다 / rédiger un ~ 보고서를 작성하다. ③ 관계, 관련 ; 유사점, 공통점 : Il n'y a aucun ~ entre ces deux phénomènes. 이 두 가지 현상 간에는 아무런 관련도 없다 / avoir des ~s de caractères 성질이 유사하다. ④ 인간 관계, 교제 ; 성(性) 관계 : entretenir de bons 〔mauvais〕 ~s avec qn …와 사이가 좋다〔나쁘다〕 / avoir des ~s avec une femme 여자와 정을 통하고 있다. ⑤ 〖수학〗 비(比), 비율 : ~ d'expansion 〖물리〗 팽창비 / dans le ~ d'un à dix, 1 대 10 의 비율로. ***en ~ avec*** …와 관계가 있는 ; …에 맞는 : une place *en* ~ *avec* ses goûts 그의 취미에 잘 맞는 직장. ***par ~ à*** …에 비하여 ; …에 관하여 ; …에 대하여 ; …을 위하여 : Il a fait cela *par* ~ *à* vous. 그는 당신을 위해〔당신의 환심을 사려고〕 그것을 했다. **~*à*** + '명사' …때문에 ; …에 관해서는. ***sous le ~ de*** …의 점에서 보면. ***sous tous les ~s*** 어떤 점으로 보나.

rapportage [ʀapɔʀta:ʒ] *m.* 《구어》 고자질, 밀고(하기).

*****rapporter** [ʀapɔʀte] *v.t.* ① ⓐ (원래의 자리에) 도로 가져오다, 돌려주다(= rendre) : Ne manquez pas de me ~ mes livres. 책을 반드시 돌려주세요. ⓑ 가지고 돌아오다 : *Rapporte* de la viande pour le diner. 저녁 식사용으로 고기를 사다주세요 / ~ une réponse 회답을 가지고 돌아오다. ⓒ 《목적보어 없이》 (사냥개가) 사냥감을 물고 돌아오다. ② (부족한 것을) 덧대다, 덧붙이다(= ajouter) ; 기워 붙이다 : ~ une poche à une veste 웃저고리에 호주머니를 기워 달다. ③ (이익을) 가져다주다 ; 수익〔수확〕을 낳다 : métier qui lui *rapporte* beaucoup d'argent 그에게 많은 수입을 가져다주는 직업 / Ce placement *rapporte* trois pour cent. 이 투자는 3 퍼센트의 이익을 낳는다. ④ 보고하다, 전하다, 알리다 ; 일러바치다 ; 《목적보어 없이》 고자질하다 : ~ un fait comme il s'est passé 사실 그대로 보고하다 / On m'a *rapporté* qu'ils allaient divorcer. 그들은 이혼한다고 전해 들었다. ⑤ (법령을) 폐기하다 ; 취소〔철회〕하다. ⑥ 《~ qc à qc 〔qn〕》 …을 …에〔에게〕 관련짓다, 결부시키다. L'égoïste *rapporte* tout à lui. 이기주의자는 무엇이든 자기에게 유리하도록 결부시킨다. ⑦ 〖측량 · 기하〗 (각도 따위를 재어) 그리다. — **se** ~ *v.pr.* ① 《~ à》 …와 관계

가 있다 : Cela *se rapporte à* cet événement. 그것은 이 사건과 관계가 있다. ② 《s'en ~ à》 …에게 맡기다, 의뢰하다, …을 믿다 : *s'en ~ au* règlement 규칙에 맡기다.

rapporteur, euse [Rapɔʀtœ:ʀ, -ø:z] *n.* ① 고자질하는 사람(= mouchard). ② (국회 · 법원 · 위원회 따위의) 보고자. — *adj.* 고자질〔밀고〕하는 ; 입이 가벼운.

rapprendre [ʀapʀɑ̃:dʀ] [26] *v.t.* 다시 배우다 ; 익히다, 복습하다(= réapprendre).

rapprochement [ʀapʀɔʃmɑ̃] *m.* ① 가깝게 하기, 접근(시키기)(≠ éloignement). ② 화해, 화목. ③ 비교, 대조(= comparaison) : faire un ~ entre deux textes, 2 개의 텍스트를 대조하다.

***rapprocher** [ʀapʀɔʃe] *v.t.* ① 가까이 갖다 놓다, 다가놓다, 접근시키다 : ~ la chaise de la table 의자를 탁자에 다가놓다 / Chaque jour nous *rappoche* du but. 하루하루 목표에 가까워지고 있다. ② (거리를) 단축시키다 : L'avion *rapproche* les distances. 비행기는 거리를 단축시킨다. ③ 결합시키다(≠ séparer) ; 화해시키다 : Ils *ont été rapprochés* par le malheur. 그들은 불행에 의해 결합되었다. ④ 비교하다(= comparer) ; 대조하다 : ~ les deux faits 두 가지 사실을 비교하다. — **se ~** *v.pr.* ① 다가오다 ; 가까워지다 : Le bruit *se rapprochait.* 소리가 가까워지고 있었다. ② 《se ~ de》 …에 가깝다, …와 흡사하다 : Ses opinions *se rappochent des* miennes. 그녀의 의견은 나와 가깝다. ③ 서로 가까워지다〔친해지다〕; 화해하다.

rapsode [ʀapsɔd] *m.* 〖고대그리스〗 (음유 서사시, 특히 호메로스의 서사시를 읊고 다니던 고대 그리스의) 음유(吟遊)시인. 「曲).

rapsodie [ʀapsɔdi] *f.* 〖음악〗 광상곡(狂想

***rapt** [ʀapt] *m.* 〖법률〗 (미성년자의) 유괴(= kidnapping) : ~ d'un enfant 어린이 유괴 / auteurs du ~ 유괴범들(= ravisseurs).

***raquette** [ʀakɛt] *f.* ① 〖스포츠〗 라켓, 채 : ~ de ping-pong 탁구채. ② (테니스 · 탁구 따위의) 선수. ③ (눈 위를 걸을 때 신는 라켓 모양의) 눈신. ④ 〖식물〗 선인장(= nopal, oponce). ⑤ 〖농구〗 프리드로우 레인.

rare** [ʀa(ɑ):ʀ] *adj.* ① 드문, 희귀한, 진귀한 (≠ banal) : Les beaux jours sont ~*s* en hiver. 겨울엔 좋은 날씨가 드물다 / édition ~ 진귀〔희귀〕본. ② 뛰어난, 탁월한, 불세출의 : femme d'une ~ beauté 절세의 미인 / poète d'un ~ talent 비범한 천재 시인. ③ (머리 · 수염 따위가) 성긴, 듬성듬성 난(= clairsemé ; ≠ dru), 드문드문 있는 : barbe ~ 듬성듬성 난 수염 ④ (공기가) 희박한 ; 〖의학〗 (맥이) 느린 : pouls ~ 〖의학〗 느린 맥. ***Il est ~ de + *inf.* ***; Il est ~ que*** + *sub.* …은 드문 일이다 : *Il est ~ qu*'il vienne sans prévenir. 그는 예고 없이 오는 일은 좀처럼 없다. ***se faire ~ ; devenir ~*** 좀처럼 보기 드물다.

raréfaction [ʀaʀefaksjɔ̃] *f.* ① 희박하게 하기〔되기〕. ② 결핍 ; 감소.

raréfier [ʀa(ɑ)ʀefje] *v.t.* 희박하게 하다 ; …의 수효를 줄이다, 감소시키다. — **se ~** *v.pr.* 수효가 줄다, 감소되다 ; 희박해지다 : L'air *se raréfie* avec l'altitude. 공기는 고도가 높아질수록 희박해진다.

***rarement** [ʀa(ɑ)ʀmɑ̃] *adv.* 드물게, 좀처럼 (…않다) : Il vient ~ nous voir. 그는 좀처럼 우리를 찾아오지 않는다.

rareté [ʀa(ɑ)ʀte] *f.* ① 적음 ; 드묾, 희귀함 ; 〖물리〗 희박. ② 진품(珍品). ③ 〖경제〗 품귀.

rarissime [ʀɑ(a)ʀisim] *adj.* 극히 드문.

ras, e [ʀɑ, -ɑ:z] *adj.* ① (머리 · 수염 따위를) 짧게 깎은, (보풀 · 짐승의 다리가) 짧은 (≠ long) : cheveux ~ 짧게 깎은 머리 / chien à poil ~ 털이 짧은 개. ② (식물의) 키가 작은 : herbe ~*e* 짧은 풀. ③ 평탄한 ; (표면이) 평평한 : ~*e* campagne 평야, 평원, 훤히 트인 들. ***à ~*** 바로 가까이, 바짝. ***à*** 〔***au***〕 ***~ de*** ⓐ …와 같은 높이로, …에 스칠 듯이 : hirondelles qui volent *à ~ de* terre 지면에 닿을락말락 나는 제비들. ⓑ 《비유》 …와의 직접 관련하에, …와의 현실적 관계에서. ***en avoir ~ le bol*** 《구어》 넌더리나다, 지긋지긋해지다 : J'*en ai ~s le bol* de ce boulot. 이 일은 이제 지긋지긋하다. ***faire table ~e de*** qc (기성 · 관념 · 사상 따위를) 일소(一掃)하다. — *adv.* 짧게, 바짝 : ongles coupés (à) ~ 바짝 깎은 손톱.

rasade [ʀɑzad] *f.* (가득 찬 음료의) 한 잔 : ~ de vin 가득한 포도주 한 잔.

rasage [ʀɑza:ʒ] *m.* (털)깎기 ; 면도질.

rasant, e [ʀɑzɑ̃, -ɑ̃:t] *adj.* ① 지면에 닿을락말락한, 지면을 스칠 듯한 : tir ~ 〖군사〗 지상 소사(掃射). ② 《구어》 넌더리나는, 따분한(= ennuyeux) : discours ~ 따분한 연설.

rase-mottes [ʀɑzmɔt] *m.* 《복수불변》 초저공 비행. ***faire du*** 〔***voler en***〕 ***~*** 〖항공〗 지면을 스칠 듯이 날다, 저공 비행하다. ***mitrailler en ~*** 저공 비행하며 기총 소사를 하다.

***raser** [ʀɑze] *v.t.* ① (털 · 수염을 면도로) 깎다, 면도하다 : coiffeur qui *rase* un client 손님을 면도해 주는 이발사. ② (건물 · 벽 따위를) 완전히 무너뜨리다, 깡그리 파괴하다 : ~ un immeuble 건물을 무너뜨리다 / La ville *a été rasée* par les bombardements. 마을은 폭격으로 깡그리 파괴되었다. ③ 바짝 가까이 지나가다, 스칠 듯이 지나가다〔날다〕 : automobiliste qui *rase* les piétons 보행자를 스칠락말락 차를 모는 운전수. ④ 《구어》 넌더리〔진절머리〕나게 하다(= ennuyer) : Il nous *rase* avec ses histoires. 우리는 그의 이야기라면 진절머리난다. — **se ~** *v.pr.* ① (제 손으로) 면도하다. Il *se rase* tous les matins. 그는 매일 아침 수염을 면도질한다. ② 《구어》 넌더리〔진절머리〕나다.

raseur, euse [ʀɑzœ:ʀ, -ø:z] *n.* 《구어》 귀찮게 구는 사람, 지겨운 사람. — *adj.* 귀찮게 구는, 지겨운(= rasant).

rasibus [ʀɑ(a)zibys] *adv.* 《구어》 바로 가까이, 바짝 : Une balle lui est passé ~. 총알이 그를 살짝 스쳐갔다.

ras-le-bol [ʀa(ɑ)lbɔl] *interj.* 이젠 지겹다(= On en a assez !). — *m.* 《복수불변》 《구어》 따분함, 지겨움, 싫증(= dégoût).

***rasoir** [ʀɑzwa:ʀ] *m.* ① 면도칼. ② 《구어》 귀찮게 구는〔지겨운〕 사람. — *adj.* 《불변》 《구어》 싫증나게 하는, 따분한.

rassasiement [Rasazimɑ̃] *m.* ① 포식(飽食), 포만(飽滿). ② 《비유》 만족 ; 싫증.

rassasier [Rasazje] *v.t.* ① 포식〔포만〕하게 하다 : plat qui *rassasie* 포식하기에 충분한 요리. ② 만족〔충족〕시키다(= contenter) ; 《~ qn de》 …을 …에 싫증나게〔물리게〕 하다(= blaser, assouvir) : ~ sa vue *d'*un beau spectacle 아름다운 광경을 실컷 보다 / Je *suis rassasié de* vos mensonges. 당신의 거짓말에는 이제 신물이 납니다. — **se** ~ *v.pr.* ① 포식하다. ② 《se ~ de》 …에 만족하다 ; 싫증나다 : Je ne *m'en rassasie* pas. 아무리 해도 물리지 않는다.

rassemblement [Rasɑ̃bləmɑ̃] *m.* ① (흐트러진 것을) 모으기 ; 수집 : ~ des documents nécessaires 필요한 문헌의 수집. ② 집합, 집결 ; 〖군사〗 집합 신호〔나팔〕. ③ 집회, 모임 ; 군중 : La police dispersa les ~s d'étudiants. 경찰은 학생들의 모임을 해산시켰다. ④ 결집, 단결, 연합 : ~ de l'opposition 반대파의 결집. ***R~ !*** 집합! 《구령》. ***R~ du peuple français*** 〖정치〗 (드골 장군의) 프랑스 인민 연합(《약자》 R.P.F.).

***rassembler** [Rasɑ̃ble] *v.t.* ① 모으다, 수집하다 ; 집합〔집결〕시키다 : ~ des matériaux pour une œuvre 작품을 위해 자료를 수집하다 / ~ tous les étudiants 전학생을 결집하다 / ~ des papiers épars 흩어진 서류를 모으다. ② (생각 따위를) 한데 모으다, 집중하다 : ~ toutes ses forces 있는 힘을 다 모으다 / ~ son courage 용기를 불러일으키다 / ~ses esprits 냉정을 되찾다, 정신을 가라앉히다. — **se** ~ *v.pr.* 모이다, 집합〔집결〕하다 : Tout le monde *s'est rassemblé* pour la photo. 사진 촬영을 위해 모두 모였다.

rassembleur [Rasɑ̃blœːR] *m.* 모으는 사람 ; 통솔자, 통합자.

rasseoir [RaswaːR] 62 *v.t.* ① 다시 앉히다. ② 다시 놓다, 고쳐 놓다 : ~ une statue sur son socle 조각을 받침대 위에 고쳐 놓다. — **se** ~ *v.pr.* 다시 앉다 : Rasseyez-*vous.* 다시 앉아 주십시오.

rasséréné, e [RaseRene] *adj.* 다시 밝아진, 명랑해진 ; (마음이) 가라앉은 : mon front ~ 다시 명랑해진 내 얼굴.

rasséréner [RaseRene] 6 *v.t.* (얼굴을) 다시 명랑하게〔밝게〕 하다, (마음을) 가라앉히다. — **se** ~ *v.pr.* (사람이) 진정되다, 침착해지다.

rassir [RasiːR] 《구어》 *v.i.* (빵이) 굳어지다.

***rassis, e** [Rasi, -iːz] *adj.* ① 침착한(= posé), 사려 깊은(= réfléchi) : homme de sens ~ 침착한 사람. ② (빵이) 굳어진 : pain ~ 굳은 빵.

rassortiment [RasɔRtimɑ̃] *m.* (한 벌로 된 것의) (다시) 갖추기.

rassortir [RasɔRtiːR] 10 *v.t.* 부족분을 보충하여) 구색을 갖추다 : ~ un service de thé 홍차용 세트의 부족분을 사서 채우다.

rassurant, e [RasyRɑ̃, -ɑ̃ːt] *adj.* 안심시키는 : nouvelles ~*es* 마음 놓이게 하는 소식.

***rassurer** [RasyRe] *v.t.* 안심시키다(= tranquilliser ; ≠ inquiéter) : ~ la population au sujet de la guerre 주민들에게 전쟁의 불안을 달래주다 / Ses propos me *rassurent.* 의 말은 나를 안심시킨다. — **se** ~ *v.pr.* 안심하다, 한숨 놓다 : *Rassurez-vous.* 안심하십시오.

rat** [Ra] *m.* ① 쥐 : ~ d'égout 시궁쥐 / ~ des champs 들쥐. ② 《속어》 노랑이, 구두쇠(= avare, radin). ③ mon (petit) ~ 아가야, 여보(《아이 · 아내에 대한 애칭》). ***être comme ~s en paille 안락하게 살다. ***être fait comme un ~*** 《구어》 함정에 빠지다, 속아 넘어가다. ***petit ~*** (***de l'Opéra***) (오페라 극장의) 발레 연습생(《엑스트라로 채용》). — *adj.* 《불변》 《속어》 인색한(= radin).

rata [Rata] *m.* 《구어》 맛없는 음식 ; (옛 군대의) 배급 식량.

ratafia [Ratafja] *m.* 과실주(酒).

ratage [Rataːʒ] *m.* 《구어》 실패(= échec).

rataplan [Rataplɑ̃] *interj.* 둥둥(《북소리》).

ratatiné, e [Ratatine] *adj.* ① (쪼글쪼글) 오그라진, 쪼글쪼글한 : pomme ~*e* 시든 사과. ② 《구어》 폭파된, 파괴된(= démoli).

ratatiner (se) [səRatatine] *v.pr.* (쪼글쪼글) 오그라지다, 시들다(= se rapetisser) : vieillard qui *se ratatine* 쪼그라든 노인.

ratatouille [Ratatuj] *f.* 《구어》 ① 맛없는 스튜 ; (군대의) 맛없는 식사. ② 〖요리〗 라타투유(《니스풍의 야채찜》).

rate[1] [Rat] *f.* 〖해부〗 비장(脾臟), 지라. ***se dilater la ~*** 웃다, 흥겨워하다.

rate[2] *f.* 암컷 쥐(《rat 의 여성형》).

raté, e [Rate] *adj.* 실패한 : photo ~*e* 잘못 찍은 사진. — *m.* ① (총의) 불발 ; (엔진의) 고장 : Le moteur a des ~*s.* 엔진 상태가 나쁘다. ② 실패, 지장, 곤란, 위기. — *n.* 실패자, 낙오자.

***râteau** [Rɑto] *m.* (*pl.* **~x**) 쇠스랑, 갈퀴, 써레 : ~ de charbonnier 소금 갈퀴.

râtelier [Rɑtəlje] *m.* ① (외양간의) 꼴시렁. ② (총을 걸어놓는) 받침대, 총가(銃架)(= ~ d'armes) ; 연장걸이. ③ 《구어》 의치(義齒), 틀니(= dentier). ***manger à deux*** 〔***plusieurs, tous les***〕 ***~s*** 《구어》 양다리를 걸치다.

rater** [Rate] *v.t.* ① (겨눈 것을) 맞히지 못하다 : ~ un lièvre 〔le cible〕 토끼를〔과녁을〕 맞히지 못하다. ② 《구어》 (열차 · 기회 따위를) 놓치다 ; (약속한 사람을) 못 만나다 : ~ son train 열차를 놓치다 / ~ une bonne place 좋은 자리를 놓치다. ③ 잡치다, 망치다(= louper) ; …에 실패하다 : ~ un plat 요리를 잡치다 / ~ sa vie 인생에 실패하다. ***Il n'en rate pas une. 그는 연달아 실수만 하고 있다. ***ne pas ~*** qn 《구어》 …을 혼내주다. — *v.i.* ① (총이) 불발하다 ; (엔진이) 고장나다 : Son fusil *a raté.* 그의 총은 불발이었다. ② 실패하다 : L'affaire *a raté.* 사업이 실패했다. ***Ça n'a pas raté !*** 예측했던 대로다, 그것은 불가피했다.

ratiboiser [Ratibwaze] *v.t.* 《구어》 ① 《~ qc à qn》 …에게서 …을 빼앗다. ② 《대개 수동태》 (특히 도박에서) 완전히 털리다, 빈털터리로 만들다 : Il *est* complètement *ratiboisé.* 그는 빈털터리가 되었다. ③ 파멸시키다, 건강을 해치게 하다, 죽이다.

ratichon, onne [Ratiʃɔ, -ɔn] *n.* 《속어》 신부 ; 수녀.

raticide [Ratisid] *m.* 쥐약.

ratier, ère [Ratje, -ɛːR] *adj.* 쥐 잡는 : chien

～ 쥐 잡는 개. ── *f.* ① 쥐덫. ② 《비유》 함정 (= piège).

ratification [ʀatifikɑsjɔ̃] *f.* 〖법률〗 비준, 재가(裁可) : ～ d'un traité 조약의 비준.

ratifier [ʀatifje] *v.t.* ① 비준하다, 재가하다 (= entériner). ② 인정하다, 승인하다.

ratine [ʀatin] *f.* 〖직물〗 보풀이 곱슬곱슬한 모직물《외투감》.

ratio [ʀasjo] 〔영〕 *m.* 〖경제〗 비율 : ～ de rentabilité 수익률.

ratiocination [ʀasjɔsinɑsjɔ̃] *f.* 억지 이론, 궤변.

ratiociner [ʀasjɔsine] *v.i.* 억지 이론을 내세우다, 궤변을 부리다(= ergoter).

ration [ʀa(ɑ)sjɔ̃] *f.* ① (한 사람 · 가축 1 마리에 지급되는) 하루분의 식량〔사료〕; 〖군사〗 (병사의) 1일분 식량. ② 〖생리〗 ～ alimentaire (칼로리 따위의) 1일 필요 섭취량. ③ 《비유》 (각자에게) 배당된 몫 : recevoir sa ～ d'épreuves 받아야 할 시련들을 겪다.

rationalisation [ʀasjɔnalizɑsjɔ̃] *f.* 합리화 : ～ de la production 생산의 합리화.

rationaliser [ʀasjɔnalize] *v.t.* ① 이성적으로 다루다〔설명하다〕. ② (산업을) 합리화하다 : ～ la production 생산을 합리화하다.

rationalisme [ʀasjɔnalism] *m.* 〖철학〗 합리주의(≠ mysticisme) ; 이성론(理性論).

rationaliste [ʀasjɔnalist] *adj.* 합리주의의 ; 이성론의. ── *n.* 이성론자 ; 합리주의자.

rationalité [ʀasjɔnalite] *f.* 합리성, 순리성(純理性) : ～ de la politique 정책의 합리성.

rationnel, elle [ʀasjɔnɛl] *adj.* ① 이성적인, 합리적인, 논리적인 : méthode ～*elle* 합리적인 방법. ② 〖수학〗 유리(有理)의 : expression ～*elle* 유리식 / nombre ～ 유리수.

rationnellement [ʀasjɔnɛlmɑ̃] *adv.* 합리적〔순리적〕으로 : agir ～ 합리적으로 행동하다.

rationnement [ʀasjɔnmɑ̃] *m.* 배급제, 할당제 : ～ de l'essence 가솔린의 배급제.

rationner [ʀasjɔne] *v.t.* (식량 따위를) 제한 배급하다, 정량 배급하다 : ～ les habitants d'une ville 도시 주민에게 식량을 배급하다.
── **se** ～ *v.pr.* 자기의 음식물을 제한하다 : Elle *se rationne* pour ne pas engraisser. 그녀는 살찌지 않으려고 음식을 제한하고 있다.

ratissage [ʀatisaːʒ] *m.* ① (쇠스랑 · 갈퀴 따위로) 긁어 고르기〔모으기〕. ② (철저한) 수색 : opération de ～ 수색 작전.

ratisser [ʀatise] *v.t.* ① (쇠스랑 · 갈퀴로) 긁어 고르다〔모으다〕. ② 《～ qc à qn》 《구어》 …에게서 …을 빼앗다 ; 〖도박〗 (판돈을) 싹 쓸다 : se faire ～ au jeu 도박판에서 돈을 털리다. ③ (이삽늦이) 수사〔수색〕하다 : La police *a ratissé* tout le quartier. 경찰은 그 구역을 샅샅이 수색했다. ～ ***large*** 《구어》 (선거에서) 광범위하게 지지표를 얻다.

raton [ʀatɔ̃] *m.* ① 〖동물〗 쥐새끼. ② mon (petit) ～ 아가야《어린애에 대한 애칭》. ③ 《구어》 북아프리카 아랍인《유럽인이 아랍인을 멸시해서 부르는 말》. ～ ***laveur*** 북아메리카 너구리, 완웅(浣熊).

raton(n)ade [ʀatɔnad] *f.* (유럽인이 아랍인에게 가하는) 맹목적인 박해 ; (인종적 · 사회적) 박해〔폭력〕.

ratonner [ʀatɔne] *v.i.* (인종적 · 사회적으로) 박해〔폭행〕하다.

rattachement [ʀataʃmɑ̃] *m.* 연결(= annexion) ; 결합, 병합 : ～ de deux théories 두 이론의 결합.

***rattacher** [ʀataʃe] *v.t.* ① 다시 매다〔잇다〕 (≠ détacher) : ～ les lacets de ses souliers 구두끈을 고쳐 매다. ② 《～ à》 …에 부속〔소속〕시키다 ; (나라 · 지방을) 합병시키다 : ～ une province à un État 한 지방을 국가에 병합시키다. ③ 《～ à》 …에 연계시키다, 관계짓다 ; 미련〔애착〕을 갖게 하다 : ～ un fait à une loi générale 하나의 사실을 일반 법칙에 연계시키다 / Le souvenir de ma mère me *rattache* à ce lieu. 어머니에 대한 추억이 있어서 이곳에 애착을 갖고 있다.
── **se** ～ *v.pr.* ① 얽매이다. ② 《～ à》 …에 연관〔관련 · 결부〕되다 : Ces deux question *se rattachent* l'une à l'autre. 이 두 문제는 서로 관련이 있다.

rattrapage [ʀatʀapaːʒ] *m.* ① 따라잡기 ; 회복, 만회. ② 〖경제〗 (물가 상승에 대한 급여의) 조정금. ***cours*** 〔***classe***〕 ***de*** ～ 〖학교〗 (열등생을 위한) 보강 (학습), 보충 수업.

***rattraper** [ʀatʀape] *v.t.* ① 다시 잡다(= ressaisir) : ～ un prisonnier qui s'est évadé 탈옥한 죄수를 다시 잡다. ② (넘어〔떨어〕지려는 것〔사람〕을) 붙잡다 : *J'ai rattrapé* un enfant qu'il allait tomber. 나는 넘어지는 아이를 붙잡았다. ③ (앞서간 사람 · 차 따위를) 따라잡다(= rejoindre) : courir pour ～ les autres 다른 사람들을 따라잡으려고 달리다. ④ (잃은 것을) 회복하다, 벌충하다 ; (실패 · 잘못을) 바로잡다, 고치다 : ～ le temps perdu 허비한 시간을 벌충하다 / ～ l'argent qu'on a perdu 잃었던 돈을 되찾다 / ～ une erreur 과오를 바로잡다.
── **se** ～ *v.pr.* ① 《～ à》 …에 매달리다 : *se* ～ *à* la rampe 난간을 붙잡다. ② (손실 · 지연을) 만회〔벌충〕하다 : *se* ～ de ses pertes 손실을 만회하다.

raturage [ʀatyʀaːʒ] *m.* 삭제, 말소.

rature [ʀatyːʀ] *f.* 삭제, 말소(한 부분) : manuscrit couvert de ～s 삭제투성이 원고.

raturer [ʀatyʀe] *v.t.* 삭제〔말소〕하다 : ～ une phrase 문장을 삭제하다.

R.A.U. 《약자》 République Arabe Unie 통일 아랍 공화국.

rauque [ʀoːk] *adj.* (목소리가) 쉰(= éraillé) : voix ～ 쉰 목소리.

ravage [ʀavaːʒ] *m.* (흔히 *pl.*) ① 큰 피해, 참화, 손해 ; 황폐 : ～s de la guerre 전쟁의 참화 / grêle qui fait du ～ dans les légumes 채소에 큰 피해를 입히는 우박. ② (노환 · 고뇌 따위로 인한) 초췌 : ～s du temps 노쇠. ***faire des ～s*** 참혹한 피해를 주다, 휩쓸다. ***faire des ～s*** (***dans les cœurs***) 《구어》 사랑의 상처를 주다.

ravagé, e [ʀavaʒe] *adj.* ① 황폐화된(= dévasté) : pays ～ 황폐화된 나라. ② 초췌한, 피폐한 ; 《～ de》 …으로 일그러진 : visage ～ par la maladie 병으로 초췌한 얼굴. ③ 《구어》 머리가 돈(= fou) : Il est complètement ～. 그는 완전히 머리가 돌았다.

***ravager** [ʀavaʒe] [3] *v.t.* ① 큰 피해를 입히다, 황폐화시키다, 파괴하다(= dévaster, détruire) : Les bombardements *ont ravagé* une partie de cette ville. 폭격이 이 도시의 일부를 쑥밭으로 만들어 버렸다. ② 초췌하게 하다 ; (정신적 · 육체적으로) 고통을 주다, 파멸시키다 : Le malheur l'*a ravagé*. 불행이 그를 파멸시켰다.

ravageur, euse [ʀavaʒœːʀ, -øːz] *adj.* ① 큰 피해를 주는, 황폐화시키는 : insectes ~*s* du blé 밀에 피해를 주는 곤충. ② 《비유》 초췌〔피폐〕하게 하는 : passion ~*euse* 파멸로 이끄는 정열. ── *n.* 약탈자, 파괴자.

ravalement [ʀavalmɑ̃] *m.* (석조 건축물을) 물로 씻어내기, 새로 단장하기. ~ ***de façade*** ⓐ 건물 정면을 새로 단장함. ⓑ 《구어》 주름살 제거 성형 수술.

ravaler [ʀavale] *v.t.* ① 되삼키다 : ~ sa salive 침을 삼키다. ② (노여움 따위를) 꾹 참다, 억제하다 : ~ sa colère 노여움을 꾹 참다. ③ (석조물을) 물로 닦다, 새 단장을 하다 : ~ un mur (석조 건물의) 외벽을 닦다. ④ 《문어》 깎아내리다, 헐뜯다, 악평하다 : ~ le mérite de qn …의 공로를 깎아내리다. ── **se** ~ *v.pr.* 격하되다 ; 스스로 품위를 떨어뜨리다 : *se* ~ *au* rang de la bête 짐승의 수준으로 타락하다.

ravaudage [ʀavodaːʒ] *m.* 깁기, 꿰매기, 수선 : faire du ~ 수선하다.

ravauder [ʀavode] *v.t.* 깁다, 꿰매다, 수선하다 : ~ des bas 양말을 깁다.

rave[1] [ʀaːv] *f.* 〖야채〗 순무 : blette ~ 근대.

rave[2] [ʀɛv] 〔영〕 *f.* 레이브《춤과 테크노 음악을 동반한 광란의 파티》.

***ravi, e** [ʀavi] *adj.* ① 기뻐서 어쩔 줄 모르는. ② 《~ de qc 〔+*inf.* ; ~ que+*sub.*〕》 …으로 인해〔하여〕 매우 기쁜 : *R*~ *de* vous connaître. 뵙게 되어 기쁩니다 / Je suis ~ *qu'*il ait gagné. 그가 이겨서 기쁘다.

ravier [ʀavje] *m.* 오르되브르(hors-d'œuvre)를 담는 길쭉한 접시.

ravigotant, e [ʀavigɔtɑ̃, -ɑ̃ːt] *adj.* 《구어》 원기〔생기〕를 회복시켜〔돋우어〕 주는.

ravigote [ʀavigɔt] *f.* 〖요리〗 (삶은 달걀 · 양파 따위를 갈아서 만든) 소스의 일종.

ravigoter [ʀavigɔte] *v.t.* 《구어》 《주어 : qc》 원기를〔식욕을〕 돋우어 주다(= revigorer) : un air frais qui vous *ravigote* 원기를 돋우는 맑은 공기.

***ravin** [ʀavɛ̃] *m.* 움푹 팬 땅, 협곡.

ravine [ʀavin] *f.* ① 《옛》 산간의 급류(= torrent). ② 작은 계곡〔협곡〕(= petit ravin).

ravinement [ʀavinmɑ̃] *m.* (빗물로 인한) 땅의 침식, 표토(表土)의 유실.

raviner [ʀavine] *v.t.* ① (빗물이 땅을) 움푹 패게 하다. ② (얼굴을) 주름지게 하다 : visage *raviné* 깊이 주름진 얼굴.

ravioli [ʀavjɔli] 〔이탈리아〕 *m. pl.* 〖요리〗 라비올리 《다진 고기로 소를 넣은 네모진 만두》.

ravir [ʀaviːʀ] *v.t.* ① 황홀하게 하다, 마음을 사로잡다(= charmer) : Ce spectacle *a ravi* l'assistance. 이 쇼는 관중을 매료시켰다 / Cela m'*a ravi*. 나는 그 일로 기뻐서 어쩔 줄 몰랐다. ② 《문어》 《~ à》 …으로부터 빼앗아 가다, 강탈하다 : La guerre lui *a ravi* son fils unique. 전쟁은 그녀로부터 외아들을 빼앗아갔다. ***à*** ~ 황홀할 만큼, 멋지게 : Vous dansez *à* ~. 당신은 멋지게 춤을 잘 추네요.

***raviser (se)** [s(ə)ʀavize] *v.pr.* 생각을 고치다, 의견을 바꾸다 : Il *s'est ravisé* au dernier moment. 그는 마지막 순간에 생각을 바꾸었다.

***ravissant, e** [ʀavisɑ̃, -ɑ̃ːt] *adj.* 넋을 빼앗는, 황홀한, 매혹적인, 멋진 : Elle est ~*e*. 그녀는 황홀할 만큼 아름답다.

ravissement [ʀavismɑ̃] *m.* 황홀, 넋을 잃음 : Il la regardait avec ~. 그는 그녀에게 홀딱 반해 있다.

***ravisseur, euse** [ʀavisœːʀ, -øːz] *n.* 강탈자 ; 유괴범.

ravitaillement [ʀavitɑjmɑ̃] *m.* ① 〖군사〗 (식량 · 탄약 · 기타 군수품의) 보급 ; (식량 · 기타 필수품의) 공급(품) : ~ en munitions 탄약 보급 / ~ sur le pays 현지 공급. ② (일상적인) 식료품, 식량 : aller au ~ 식료품을 사러 가다. ***gare de*** ~ 병참 기지.

ravitailler [ʀavitɑje] *v.t.* (식량 · 물자를) 보급〔공급〕하다 : ~ une armée 군대에 식량 · 탄약을 보급하다 / ~ une ville en vivres 어느 마을에 식량을 공급하다 / ~ un véhicule 차에 연료를 보급하다. ── **se** ~ *v.pr.* (생필품을) 구입하다, 조달하다, 보급받다 : *se* ~ en essence 가솔린을 보급받다.

ravitailleur, euse [ʀavitɑjœːʀ, -øːz] *adj.* 보급하는. ── *m.* 〖군사〗 보급병 ; 보급선〔기〕 ; 급유차(給油車).

raviver [ʀavive] *v.t.* ① 다시〔더〕 활기차게 하다 ; 되살아나게 하다, 북돋우다 : ~ une flamme 불꽃을 더 활활 일게 하다 / ~ une douleur ancienne 옛날의 고통을 되살아나게 하다. ② (금속면을) 닦다, (색채를) 선명하게 하다. ~ ***une plaie*** 《비유》 옛 상처를 건드리다. ── **se** ~ *v.pr.* 다시 활기 띠다 ; 되살아나다 ; 재연되다.

ravoir [ʀavwaːʀ] 《부정법 이외에는 속어로 je raurai(s)가 쓰임》 *v.t.* ① 다시 가지다 ; 되찾다. ② 《구어》 《부정형으로》 (그전 상태로) 회복하다 : On ne peut ~ pas ces meubles. 이 가구들은 전과 같은 상태로 될 수 없다.

***rayé, e** [ʀɛ(e)je] *adj.* ① 줄〔선〕이 그어진, 줄무늬가 든 : pantalon ~ 줄무늬가 든 바지. ② 긁힌 자국이 나 있는 ; (포신 내에) 강선이 있는 : disque ~ 긁힌 자국이 있는 레코드 / fusil ~ 라이플총.

***rayer** [ʀɛ(e)je] 8 *v.t.* ① …에 줄을 치다〔긋다〕 ; …에 줄무늬를 넣다 ; 긁힌 자국을 내다 ; (총포에) 강선(腔綫)을 넣다. ② 줄을 그어 지우다, 삭제〔말소〕하다(= barrer, raturer) : ~ qn des contrôles …을 병적에서 제외하다.

‡rayon[1] [ʀɛjɔ̃] *m.* ① ⓐ 광선, 빛 : ~*s* de soleil 태양 광선 / ~*s* réfléchis 반사 광선 / ~*s* réfractés 굴절 광선. ⓑ (*pl.*) 복사선(輻射線), 방사선 : ~*s* infrarouges 〔ultraviolets〕 적외선〔자외선〕 / ~*s* cosmiques 우주선 / ~*s* X 엑스선 / traitement par les ~*s* 방사선 요법. ② 반지름, 반경 : ~ d'un cercle 원의 반지름 / ~ d'action 행동 반경. ③ 《비유》 (희망 따위의) 빛, 광명, 계시 : ~ d'espérance 한 줄기 희망의 빛. ④ (수레바퀴 따위의) 살 ; 방사선 모양(의 것). ***dans un*** ~ ***de*** 반경 …의 범위 내에서 : *dans un* ~ *de* trois kilomètres autour d'une ville 도심에

R

서 반경 3킬로 미터 내에.

:**rayon²** *m.* ① (서가(書架) 따위의) 선반, 시렁(= planche, tablette). ② (백화점의) 판매장 : ~ de la parfumerie 향수 판매 코너. ③ (꿀벌의) 밀와(蜜窩) (= gâteau de cire). ***chef de ~*** (백화점의) 판매장 관리인. ***~ de miel*** 봉방(蜂房).

*__rayon³__ *m.* 〖원예〗 (씨 뿌리기 위한) 작은 고랑.

rayonnage [ʀɛjɔnaːʒ] *m.* ① 《집합적》 시렁 (= étagère), 선반. ② (백화점의) 판매장.

rayonnant, e [ʀɛjɔnɑ̃, -ɑ̃ːt] *adj.* ① 〖물리〗 방사〔복사〕하는 : chaleur *~e* 〖물리〗 복사열 / matière *~e* 방사성 물질. ② (얼굴 · 눈 따위가) 빛나는 ; 희색만면한 : 《~ de》 visage ~ *de* joie 〔satisfaction〕 기쁨〔만족감〕으로 환해진 얼굴 / enfant ~ *de* santé 건강미 넘쳐흐르는 아이.

rayonne [ʀɛjɔn] 〔영〕 *f.* 인조 견사, 레이온.

rayonnement [ʀɛjɔnmɑ̃] *m.* ① (빛 · 열 · 소리 따위의) 방사(放射), 복사(輻射). ② 《비유》 반짝임, 빛남 ; 밝은〔즐거운〕 표정 : ~ de joie 기쁨에 찬 환한 표정. ③ (찬란한) 명성, 영향 : le ~ d'un pays par sa culture 문화에 의한 국위 선양.

rayonner [ʀɛjɔne] *v.i.* ① 《~ de》 …으로 빛나다 : ~ *de* joie 〔bonheur〕 기쁨〔행복〕으로 빛나다 〔가득하다〕. ② 〖물리〗 (빛 · 열 따위가) 방사〔복사〕하다. ③ (문화 따위가) 사방으로 퍼지다 〔전파되다〕, (고통 따위가) 번지다 : douleur qui *rayonne* 점점 번져 가는 고통 / La civilisation grecque *a rayonné* sur tout l'Occident. 그리스 문명은 서양 전체에 퍼져 나갔다. ④ (길 따위가) 방사상〔사방팔방〕으로 뻗다 : avenues qui *rayonnent* autour de la place 광장 주변으로 뻗어 나간 가로들. ⑤ (한곳을 거점으로) 여기저기 돌아다니다 : Le candidat *rayonne* dans la circonscription. 후보자는 선거구를 구석구석까지 운동하며 돌아다녔다.

rayure [ʀɛ〔e〕jyːʀ] *f.* ① (천 따위의) 줄무늬. ② (총포의) 강선(腔綫).

raz [ʀɑ] *m.* 《복수불변》 (해협의) 급류 ; (강어귀의) 조류의 소용돌이 ***~ de marée*** 밀물, 해일 ; 《비유》 (정신적 · 사회적) 혼란.

razzia [ʀazja] *f.* 노략질, 약탈. ***faire*** (***une***) ***~ sur*** qc …을 약탈하다, 휩쓸어가다.

razzier [ʀazje] *v.t.* 노략질〔강탈〕 · 약탈하다.

Rd 《약자》 Révérend 〖종교〗 존경하는 《신부에 대한 경칭》.

r.d. 《약자》 rive droite 우안(右岸).

ré [ʀe] *m.* 《복수불변》 〖음악〗 레, 라음, 다장조 음계의 제 2 음 ; (바이올린 따위의) D선.

re-, ré-, r- *préf.* ① 「공간적 후퇴」의 뜻. ② 「시간적 후퇴」의 뜻. ③ 「반복」의 뜻.

réabonnement [ʀeabɔnmɑ̃] *m.* 예약〔구독〕 신청의 갱신.

réabonner [ʀeabɔne] *v.t.* 《~ qn à》 …을 위해 구독〔예약〕을 갱신하다. ── **se ~** *v.pr.* 예약〔구독〕을 갱신하다.

réaccoutumer [ʀeakutyme] *v.t.* 《~ à》 …에 다시 익숙케 하다, 다시 길들이다. ── **se ~** *v.pr.* 《se ~ à》 …에 다시 익숙해지다.

réacteur [ʀeaktœːʀ] *m.* 제트 엔진 ; 〖화학〗 반응 장치 ; 〖물리〗 반응로 ; 원자로 ~ à uranium 우라늄 원자로.

réactif, ive [ʀeaktif, -iːv] *adj.* 〖화학〗 반응성의. ── *m.* 〖화학〗 반응체, 시약(試藥).

*__réaction__ [ʀeaksjɔ̃] *f.* ① 반응 : avoir une ~ de peur 공포의 반응을 나타내다 / ~*s* de l'opinion à un discours présidentiel 대통령 연설에 대한 여론의 반응. ② 《~ contre》 …에 대한 반동, 반발 : ~ *contre* le romantisme 낭만주의에 대한 반동. ③ (정치적) 반동파(= parti de ~) : forces de la ~ 반동 세력. ④ 〖물리〗 반작용, 반동 ; 〖화학〗 반응 : principe de l'action et de la ~ 작용 · 반작용의 원리 / ~ chimique 화학 반응 / ~ nucléaire (원자) 핵반응. ⑤ 〖생리〗 반응 (작용) : ~ au chaud 더위에 대한 반응.

*__réactionnaire__ [ʀeaksjɔnɛːʀ] *adj.* 〖정치〗 반동적인 : écrivain ~ 반동 작가. ── *n.* 반동분자.

réactivation [ʀeaktivɑsjɔ̃] *f.* 재활성화.

réactiver [ʀeaktive] *v.t.* 재생하다, 재활성화하다.

réadaptation [ʀeadaptɑsjɔ̃] *f.* 재(再)적응 : ~ d'un soldat à la vie civile 군인의 시민생활에의 재적응.

réadapter [ʀeadapte] *v.t.* 《~ qn à》 …을 …에 다시 적응시키다, 사회 복귀시키다 : infirme *réadapté à* la vie normale 정상 생활로 돌아온 신체 장애자. ── **se ~** *v.pr.* 《~ à》 …에 다시 적응하다.

réadmettre [ʀeadmɛtʀ] [46] *v.t.* (입학 · 입회 따위를) 다시 허가하다, 복직〔복학〕시키다.

réadmission [ʀeadmisjɔ̃] *f.* 재채용〔재입학 · 재입회〕, 재허가.

réaffirmer [ʀeafiʀme] *v.t.* 다시 단언〔확언〕하다 ; 재확인하다 : ~ un principe 원칙을 재확인하다.

*__réagir__ [ʀeaʒiːʀ] [10] *v.i.* ① 《~ à》 …에 반응하다, 반응을 보이다, 대응〔대처〕하다 : ~ *à* un stimulus 자극에 반응하다 / Le gouvernement *a* violemment *réagi à* cette accusation. 정부는 이 비난에 격한 반응을 보였다. ② 《~ contre》 …에 반항〔저항〕하다, 반발하다 : ~ *contre* la dictature 독재에 항거하여 싸우다 / ~ *contre* l'injustice 부당한 처사에 반발하다. ③ 《~ sur》 …에 역작용〔영향〕을 미치다 : Les changements politiques *réagissent sur* l'économie. 정치 변화는 경제에 영향을 미친다. ***Réagissez !*** (겁내지 말고) 분발하라 !

réajustement [ʀeaʒystəmɑ̃] *m.* 조정.

réajuster [ʀeaʒyste] *v.t.* = rajuster.

réalignement [ʀealiɲ(ə)mɑ̃] *m.* (화시세 · 화폐 가치 따위의) 재조정.

réalisable [ʀealizabl] *adj.* ① 실행〔실현〕할 수 있는(= exécutable) : Ce projet est ~. 이 계획은 실현될 수 있다. ② 현금과 바꿀 수 있는 : héritage ~ 현금으로 바꿀 수 있는 유산.

réalisateur, trice [ʀealizatœːʀ, -tʀis] *n.* ① 실천가, 실행자. ② 〖영화〗 감독 ; 〖TV · 라디오〗 연출가.

*__réalisation__ [ʀealizɑsjɔ̃] *f.* ① 실현, 실행 : ~ d'un plan 계획의 실행. ② 성과, 소산 ; 제품, 작품 : ~*s* économiques 경제적 성과. ③ (영화의) 감독 ; (라디오 · TV의) 연출. ④ 〖경제〗 (주식의) 현금화 ; (부동산) 매각.

*__réaliser__ [ʀealize] *v.t.* ① 실현〔실행 · 성취〕

하다 : ~ ses promesses 약속을 실행하다. ② (영화를) 감독하다 ; (라디오 · 텔레비전의 프로그램을) 연출하다. ③ 〖경제〗 (재산 · 주식 따위를) 현금화하다 ; (부동산을) 매각하다 : ~ sa fortune 자기 재산을 현금화하다. ④ 알아차리다, 이해하다, 실감하다 : ~ le danger 닥쳐오는 위험을 깨닫다. — **se** ~ *v.pr.* ① 실현〔실행 · 성취〕되다 : Ses prévisions *se sont réalisées.* 그의 예언은 현실화되었다. ② 자기 이상을 달성하다.

réalisme [realism] *m.* ① 현실주의, 현실(주의)적 감각(≠ idéalisme). ② 〖철학〗 실재론. ③ 〖문학 · 미술〗 사실주의, 리얼리즘.

***réaliste** [realist] *n.* ① 현실주의자. ② 〖철학〗 실재론자, 〖문학 · 미술〗 사실주의자. — *adj.* ① 현실주의적인. ② 〖철학〗 실재론의. ③ 사실적인 ; 사실주의의.

:réalité [realite] *f.* ① 현실(성) ; 실제, 사실 ; 실제로 있는 것 ; (*pl.*) 실제로 벌어지고 있는 일 : s'en tenir aux ~*s* 어디까지나 현실에 입각하다 / faire de ses rêves une ~ 꿈을 현실화하다 / l'idéal et la ~ 이상과 현실. ② 〖철학 · 신학〗 실재(성) ***en*** ~ 사실, 실제로(= réellement, en fait).

réaménagement [reamenaʒmɑ̃] *m.* (상점 따위의) 개장, 수리 ; (제도의) 재정비.

réaménager [reamenaʒe] [3] *v.t.* (가옥 · 상점 따위를) 개장(改裝)〔수리〕하다 ; (제도 따위를) 재정비〔재편성〕하다.

réanimation [reanimɑsjɔ̃] *f.* 〖의학〗 소생(술) : service de ~ 소생 의료 센터.

réanimer [reanime] *v.t.* ① 되살아나게 하다, 소생시키다. ② 《비유》 다시 활기를 띠게 하다(= ranimer).

réapparaître [reaparɛtr] [41] 《조동사는 être 또는 avoir》 *v.i.* 다시 나타나다 ; (병 따위가) 재발하다(= reparaître).

réapparition [reaparisjɔ̃] *f.* 재출현, 재등장 ; (병의) 재발.

réapprendre [reaprɑ̃:dr] [26] *v.t.* = rapprendre.

réapprovisionner [reaprɔvizjɔne] *v.t.* (생활 필수품을) 재보급하다 ; (상점에) 물품을 다시 사들이다. — **se** ~ *v.pr.* 재보급받다.

réarmement [rearməmɑ̃] *m.* 재무장, 재군비 (강화).

réarmer [rearme] *v.t.* ① (총을) 재장전하다. ② 〖해양〗 (배를) 재의장(再艤裝)〕하다. — *v.i.* 재무장하다, 군비를 재강화하다.

réassortiment [reasɔrtimɑ̃] *m.* = rassortiment.

réassortir [reasɔrti:r] [18] *v.t.* = rassortir.

rébarbatif, ive [rebarbatif, -i:v] *adj.* ① 험상궂은 ; 무뚝뚝한(= revêche) : visage ~ 험상궂은 얼굴. ② 딱딱한, 따분한(= ennuyeux) ; 난해한 : sujet ~ 딱딱한 테마.

rebâtir [r(ə)bɑti:r] *v.t.* (집 따위를) 재건하다 ; (소설 따위를) 재구성하다 : ~ une ville détruite 파괴된 도시를 재건하다.

rebattre [r(ə)batr] [45] *v.t.* 다시〔여러 번〕 때리다〔치다〕, (카드 따위를) 다시 섞다〔치다〕 : ~ les cartes 트럼프패를 다시 섞다. ~ ***les oreilles à*** qn ***de*** qc …의 귀에 못이 박히도록 …을 되풀이하다. ~ ***toujours la même chose aux oreilles de*** qn …의 귀에 늘 같은 이야기를 되풀이하다.

rebattu, e [r(ə)baty] *adj.* (주제 · 이야기 따위가) 여러 번 되풀이된, 진부한(= ressassé) : expression ~*e* 진부한 표현. ***avoir les oreilles ~es*** 〔***être*** ~〕 ***de*** qc …을 싫증나도록 누차 듣다.

rebelle [r(ə)bɛl] *n.* 반역자, 역도(逆徒) ; (*pl.*) 반란군. — *adj.* ① 반역〔모반〕하는 : troups ~s 반란군. ② 《~ à》 …에 거역하는, …을 어기는, …을 받아들이지 않는 : élève ~ *à* toute discipline 규율을 전혀 지키지 않는 학생 / La chair est ~ *à* l'esprit. 육〔관능〕은 영〔이성〕을 거역한다. ③ 《~ à》 …에 소질이 없는 ; (사물이) …에 맞지 않는, 부적당한 : personne ~ *à* la musique 음악에 소질이 없는 사람 / sujet ~ *à* la poésie 시에 알맞지 않는 주제. ④ 다루기 어려운 ; 뜻대로 안 되는.

rebeller (se) [sər(ə)be〔ɛl〕le] *v.pr.* ① 《~ contre》 …에 반역〔모반〕하다 ; …을 거역하다 : *se* ~ *contre* le gouvernement 정부에 반역하다. ② 항의하다, 반항하다(= protester).

rébellion [rebe〔ɛ〕ljɔ̃] *f.* ① 반역, 반란, 모반 ; 반항, 항거(= révolte) : acte de ~ 반역 행위 / étouffer la ~ 반란을 진압하다. ② 《집합적》 폭도, 반도.

rebiffer (se) [sər(ə)bife] *v.pr.* 《구어》 《~ contre》 …에 반항〔반발〕하다 ; …을 거부〔거절〕하다 : *se* ~ *contre* le système 체제를 거부하다.

rebiquer [r(ə)bike] *v.i.* 《구어》 (칼라 모발 따위가) 뾰족하게〔빳빳하게〕 서다.

reboisement [rəbwazmɑ̃] *m.* 재식림(再植林).

reboiser [rəbwaze] *v.t.* …에 나무를 다시 심다, 재식림하다.

rebond [rəbɔ̃] *m.* (공 따위가) 튀기, 튀어오르기, 리바운드.

rebondi, e [rəbɔ̃di] *adj.* 토실토실〔포동포동〕한(= dodu ; ≠ maigre) : joues ~*es* 포동포동한 뺨.

***rebondir** [rəbɔ̃di:r] *v.i.* ① (공이) 튀어오르다, 리바운드하다 : La balle *a rebondi* trois. 공은 3 번 튀어올랐다. ② 《비유》 (사건이) 갑자기 새로운 전개를 보이다 : L'action *rebondit* au troisième act. 이야기는 제 3 막에서 새로운 국면으로 접어든다.

rebondissement [rəbɔ̃dismɑ̃] *m.* ① (공의) 튀어오르기, 리바운드. ② 《비유》 (사건 따위의) 새로운 전개.

rebord [rəbɔ:r] *m.* ① (두드러진) 가장자리, 가두리 ; 테두리, 테. ② 옷의 단.

rebouchement [rəbuʃmɑ̃] *m.* 다시 구멍을 막기〔메우기〕 ; 다시 마개를 하기.

reboucher [rəbuʃe] *v.t.* 마개로 막다 ; (구멍을) 다시 막다, 다시 메우다. — **se** ~ *v.pr.* 다시 막히다 : Le siphon de l'évier *s'est rebouché.* 개수대 트랩이 다시 막혔다.

rebours, e [rəbu:r, -s] *m.* 반대, 역(방향). ***à*** ~ 거꾸로, 반대로 : compte *à* ~ (로켓 발사 때의) 초읽기《숫자를 거꾸로 세기》 / caresser un animal *à* ~ 짐승을 털을 거슬러 쓰다듬다 / comprendre *à* ~ 반대의 뜻으로 이해하다. ***à*** 〔***au***〕 ~ ***de*** …와는 반대로 : opinions *à* ~ *des* nôtres 우리 의견과는 반

R

대의 의견.

rebouteux, euse [ʀəbutø, -ø:z] *n.* 《구어》 접골사.

reboutonner [ʀəbutɔne] *v.t.* …의 단추를 다시 채우다. — **se ~** *v.pr.* 자기 옷매무새를 바로잡다.

rebrousse-poil (à) [aʀ(ə)bʀuspwal] *loc. adv.* ① 털의 결을 거슬러서. ② 《비유》 반대로, 거꾸로. ***prendre*** qc〔qn〕 ***à ~*** …을 역정 나게 하다.

rebrousser** [ʀəbʀuse] *v.t.* ① (털 따위를) 곤두세우다. ② 《비유》 …의 신경을 거슬리다. ~ ***chemin (가던 길을) 되돌아오다〔가다〕. — *v.i.* 되돌아오다〔가다〕; 역행하다. — **se ~** *v.pr.* (수염 따위가) 곤두서다.

rebuffade [ʀəbyfad] *f.* 매정한 거절, 냉대 : essuyer〔recevoir〕 des ~s 딱 잘라 거절당하다.

rébus [ʀebys] *m.* (그림·문자·숫자의) 수수께끼; 《비유》 수수께끼(= énigme); 알아보기 힘든 글씨.

rebut [ʀəby] *m.* ① 폐물, 폐품, 허섭쓰레기. ② 《비유》 (인간·사회의) 찌꺼기, 쓰레기. ***mettre*** 〔***jeter***〕 qc ***au ~*** …을 폐물로 하여 버리다; 불합격품으로 퇴짜 놓다. ***papier de ~*** 파지. ***pièces de ~*** 불량품.

rebutant, e [ʀəbytɑ̃, -ɑ̃:t] *adj.* ① 따분한, 진저리나는, 싫증나는 : travail ~ 싫증나는 일. ② 혐오감〔반감〕을 일으키는, 불쾌한 : mainères ~*es* 불쾌한 태도.

***rebuter** [ʀəbyte] *v.t.* ① 싫어지게 하다, 마음이 내키지 않게 하다(= dégoûter) : Ce travail pénible l'*a rebuté.* 이 힘든 일에 그는 완전히 싫증이 났다. ② 불쾌하게 하다 : Sa figure nous *rebute.* 그의 얼굴을 보면 불쾌해진다. — **se ~** *v.pr.* 하고 싶지 않다, 싫어지다.

recalage [ʀəkala:ʒ] *m.* 《구어》 (시험에서의) 불합격, 낙제.

récalcitrant, e [ʀekalsitʀɑ̃, -ɑ̃:t] *adj.* 완강하게 반항하는, 고집부리는(= indocile) : caractère ~ 고집부리는〔반항적인〕 성격. — *n.* 고집쟁이, 반항자.

recalé, e [ʀəkale] 《구어》 *adj.* 낙방〔낙제〕한. — *n.* 낙방〔낙제〕생.

***recaler** [ʀəkale] *v.t.* 《구어》 (시험에) 낙제시키다(= coller) : Il s'est fait ~ au bac. 그는 바깔로레아 시험에서 떨어졌다.

R

récapitulatif, ive [ʀekapitylatif, -i:v] *adj.* 요점을 나타내는; 요약하는 : tableau ~ 요약 일람표.

récapitulation [ʀekapitylɑsjɔ̃] *f.* 요점정리; 요약, 약술(= sommaire).

***récapituler** [ʀekapityle] *v.t.* ① 요약하여 다시 말하다〔설명하다〕 : ~ un discours 강연의 요점을 되풀이하여 말하다. ② (하나씩) 재검토하다; 회고하다 : ~ les événements de l'année, 1 년 동안의 사건을 회고하다.

recaser [ʀəkaze] *v.t.* 《구어》 재취직〔재혼〕시키다. — **se ~** *v.pr.* 재취직〔재혼〕하다 : Depuis son divorce, il cherche à *se ~*. 이혼 후 그는 재혼 상대를 찾고 있다.

recel [ʀəsɛl] *m.* 〖법률〗 (장물·범인·재산 따위의) 은닉 : ~ de criminel 범죄자 은닉.

receler [ʀəsle] [4], **recéler** [ʀəsele] [6] *v.t.* ① 숨겨 두다; 〖법률〗 은닉하다. ② 《비유》 지니다; 내포(内包)하다 : ~ un mystère 신비를 내포하다.

receleur, euse [ʀəslœ:ʀ, -ø:z] *n.* 〖법률〗 (장물·범인 등의) 은닉자, 장물아비.

***récemment** [ʀesamɑ̃] *adv.* 최근, 요즈음(= dernièrement) : Cela est arrivé (tout) ~. 그 일은 (아주) 최근에 일어났다.

recensement [ʀəsɑ̃smɑ̃] *m.* 〖행정〗 (인구 따위의) 조사, (투표 따위의) 검사; (상품 따위의) 대조, 검사 : faire le ~ des livres d'une bibliothèque 도서관의 장서를 목록과 대조 조사하다.

recenser [ʀəsɑ̃se] *v.t.* ① (인구·투표 따위를) 조사하다(= dénombrer), 집계하다(= compter) : ~ la population d'un pays 한 나라의 인구를 조사하다. ② (상품을 대조〔검사〕하다(= inventorier).

recension [ʀəsɑ̃sjɔ̃] *f.* ① 교정(校訂)(본). ② (문학 작품 따위의) 비평, 평론.

***récent, e** [ʀesɑ̃, -ɑ̃:t] *adj.* 최근의, 요즈음의 (≠ ancien, vieux) : Son arrivée est ~*e.* 그녀가 온 것은 최근이다 / nouvelle toute ~*e* 최신 정보 / événement ~ 최근의 사건.

recentrage [ʀəsɑ̃tʀa:ʒ] *m.* ① (정당 따위의) 재정비; 재중심화; (정책의) 수정. ② 〖스포츠〗 센터링.

recentrer [ʀəsɑ̃tʀe] *v.t.* ① 〖스포츠〗 센터링하다. ② 〖정치〗 (변화에 맞추어) 정책을 수정하다; (새 방침으로 당원을) 재결집시키다.

récépissé [ʀesepise] *m.* 인수증, 영수증(= reçu). ~ ***d'un dépôt*** 보관증.

réceptacle [ʀesɛptakl] *m.* ① 모으는 곳, 집적소(集積所); 수집 장치. ② 《구어》 (도둑 따위의) 소굴. ③ 〖식물〗 꽃턱, 화탁(花托), (버섯 따위의) 생식기상(床).

récepteur, trice [ʀesɛptœ:ʀ, -tʀis] *adj.* (전파·음파를) 수신하는(≠ émetteur) : poste ~ 수신국, 수신기 / antenne *réceptrice* 수신용 안테나. — *m.* ① 수신기; 수화기 : décrocher〔accrocher〕 le ~ 수화기를 들다〔놓다〕 / ~ de télévision 텔레비전 수상기. ② 〖언어〗 수신자(= interlocuteur).

réceptif, ive [ʀesɛptif, -i:v] *adj.* 《~ à》 …에 민감한, …에 영향받는, (전염병)에 걸리기 쉬운 : enfant ~ *à* la suggestion 암시에 걸리기 쉬운 아이.

réception** [ʀesɛpsjɔ̃] *f.* ① 수취, 수령(受領) : accusé〔avis〕 de ~ 수취증〔통지〕 / appareil〔poste〕 de ~ 수신기; 수신국. ② 접대, 접견; 리셉션; (호텔의) 접수계 : jour de ~ 면회〔접대〕일. ③ 일원으로 맞아들이기, 입회; (학설 따위를) 받아들이기, 승인 : discours de ~ à l'Académie Française 아카데미 프랑세즈 입회 연설. ***faire (***une***) ***bonne*** 〔***mauvaise***〕 ***~ à*** …을 환대〔냉대〕하다.

réceptionner [ʀesɛpsjɔne] *v.t.* (제품 따위를) 수령〔접수〕하다.

réceptionniste [ʀesɛpsjɔnist] *n.* (호텔·기업·관청 따위의) 접수계, 안내원.

réceptivité [ʀesɛptivite] *f.* ① 영향받기 쉬움, 감수성 : avoir une grande ~ aux influences du milieu 주위 환경의 영향을 많이 받다. ② 〖의학〗 감염성(≠ immunité).

recessif, ive [ʀəsesif, -i:v] *adj.* 〖생물〗 열성(劣性)의 : hérédité ~*ive* 열성 유전.

récession [ʀesesjɔ̃] *f.* (경기의) 후퇴, 불황.

recette** [ʀəsɛt] *f.* ① 수입(금) ; 매상액 : dépenses et ~s 출납, 지출과 수입 / ~ d'une journée 하루의 매상고. ② 수금 ; 수세(收稅) ; 세리(稅吏)의 직〔직권〕; 납세처 ; (납품 따위의) 수납 : garçon de ~ 수금원. ③ 〖의학〗 처방 ; (요리 따위의) 조리(법) : livre de ~s 요리책. ④ (하는) 방법, 비결 : ~ de bonheur 행복의 비결. ***faire ~ (연극·영화 따위가) 흥행에 성공하다.

recevabilité [ʀəsvabilite] *f.* 〖법률〗 (청원 따위의) 수리(受理) 가능(성).

recevable [ʀəsvabl] *adj.* ① 받아들여지는, 용인되는 : excuse ~ 용인되는 변명. ② 〖법률〗 (소송 따위가) 수리될 만한, …할 자격을 인정할 수 있는.

receveur, euse [ʀəsvœːʀ, -øːz] *n.* ① 받는 사람, 수취인, (전보의) 수신인. ② 세리(稅吏) ; (버스·전차의) 차장. ***~ des postes*** 우체국장. ***~ des contributions*** 세금 징수인. — *m.* 〖의학〗 (장기를) 이식받는 자 ; 수혈자(受血者).

‡recevoir [ʀəsvwaːʀ] [53] *v.t.* ① 받다 : ~ un cadeau 선물을 받다 / ~ des félicitations 축하를 받다 / ~ visite 방문을 받다. ② (매 따위를) 맞다 ; (모욕 등을) 당하다 : ~ des coups 매를 맞다 / ~ un affront 모욕을 당하다. ③ 받아들이다 ; 입학〔입회·입장〕을 …에게 허락하다 : *être reçu* à un examen 시험에 합격하다 / *être reçu* avocat 〔docteur〕 변호사 자격을〔박사 학위를〕 받다 / ~ qn dans une école 입학을 허가하다 / bien 〔mal〕 ~ qc 좋게〔나쁘게〕 받아들이다 〔해석하다〕 / Ce mot *est reçu.* 이 낱말은 (관용 속에) 받아들여졌다. ④ ⓐ 맞이하다, 맞아들이다, 접대하다 ; 접견하다 : ~ bien 〔mal〕 qn …을 후대〔냉대〕하다. ⓑ 《목적보어 없이》 손님을 접대하다〔식사에 초대하다〕; 〖군사〗 (적을) 맞아 싸우다, 요격하다 : Cette famille *reçoit* beaucoup. 이 가정에서는 파티를 자주 연다. — **se ~** *v.pr.* ① 〖스포츠〗 착지하다 : Il *s'est* mal *reçu* et il s'est cassé la jambe. 그는 땅에 잘못 내려 다리가 부러졌다. ② 서로 식사에 초대하다.

rechange [ʀəʃɑ̃ːʒ] *m.* ① 대체(代替). ② (*pl.*) 예비 부분품. ***de ~*** 대체용의, 대신하는 : pièces *de ~* (자동차 따위의) 예비 부분품 / linge *de ~* 갈아입을 내의.

rechapage [ʀəʃapaːʒ] *m.* (헌 타이어에) 고무를 새로 대기 ; 헌 타이어의 재생.

réchapper [ʀeʃape] *v.i.* 《조동사는 avoir 또는 être》 《~ de, à》 …을 모면하다, 벗어나다 : ~ *de* cette guerre 이번 전쟁에서 살아남다 / ~ *d'*un danger 〔*d'*une maladie〕 위험〔병〕으로부터 벗어나다. ***en ~*** 난국을 벗어나다, 위험을 모면하다.

recharge [ʀəʃaʀʒ] *f.* 재장전(再裝塡) ; 재충전 ; 스페어, 여분 : ~ de stylo (만년필의) 카트리지.

rechargeable [ʀəʃaʀʒabl] *adj.* 재충전〔재장전〕할 수 있는 ; 바꾸어 낄 수 있는 : accumulateur ~ 재충전할 수 있는 배터리.

recharger [ʀəʃaʀʒe] *v.t.* ① …에 짐을 다시 싣다 : ~ un camion 트럭에 짐을 다시 싣다. ② ~ son fusil 총을 재장전하다. ③ 갈아 끼우다 : ~ un appareil photographique 사진기에 필름을 바꿔 끼우다. — **se ~** *v.pr.* ① 충전〔장전〕되다. ② (짐이) 다시 지워지다.

***réchaud** [ʀeʃo] *m.* 풍로, 버너 : ~ à pétrole 〔alcool, gaz〕 석유〔알코올·가스〕 버너.

réchauffé, e [ʀeʃofe] *adj.* ① 다시 데운〔찐〕. ② 재탕한 : plaisanterie ~*e* (자주 들어서) 효과 없는 농담. — *m.* ① 다시 데운〔찐〕 요리. ② 《구어》 (문학 작품 따위의) 재탕.

réchauffement [ʀeʃofmɑ̃] *m.* ① 다시 데우기. ② 기온이 풀림.

réchauffer** [ʀeʃofe] *v.t.* ① 다시 데우다 ; 다시 따뜻하게 하다 : ~ le potage 수프를 다시 데우다 / ~ ses mains devant le feu 손을 불에 쬐다. ② (용기·열의 따위를) 다시 북돋아 주다, 부추기다(= ranimer) : ~ le courage 〔le zèle〕 de qn …의 용기〔열의〕를 다시 북돋아 주다. — ***se ~ *v.pr.* ① 몸을 따뜻하게 하다 ; 요리를 데우다 : *se ~* au poêle 난로에 몸을 쬐다. ② (기온이) 올라가다, 따뜻해지다.

rechausser [ʀəʃose] *v.t.* ① …에게 다시 신을 신기다. ② (자동차에) 새 타이어를 갈아 끼우다.

***rêche** [ʀɛʃ] *adj.* ① 까칠까칠한(≠ doux) : tissu ~ 까칠까칠한 천. ② 시큼한, 떫은.

***recherche** [ʀəʃɛʀʃ] *f.* ① 찾기, 탐색 ; 추구, 탐구 ; 〖법률〗 수색 : ~ de la vérité 진리의 탐구 / ~ des plaisirs 쾌락의 추구 / droit de ~ (해상) 수색권 / ~ d'un coupable 범인의 수색. ② (*pl.*) 연구 : ~s sur qc …에 관한 연구 / ~-développement (제품 따위의) 개발 연구 / le Centre national de la ~ scientifique 국립 과학 연구소(《약자》 C.N.R.S.). ③ 멋부리기, 짐짓 꾸미기 : ~ dans ses manières 태도의 꾸밈 / ~ dans le style 문체의 기교.

recherché, e [ʀəʃɛʀʃe] *adj.* ① 사람들이 많이 찾는, 인기 있는 : acteur ~ 인기 배우. ② 희귀한(= rare), 진귀한 : ouvrage (très) ~ 진서(珍書). ③ 《경멸》 짐짓 꾸민 ; 너무 기교에 치우친 : style ~ 너무 꾸민 문체.

***rechercher** [ʀəʃɛʀʃe] *v.t.* ① ⓐ 찾다, 탐색하다, 모색하다 ; 수색〔수사〕하다 : ~ un objet égaré 분실물을 찾다 / ~ un mot dans le dictionnaire. 사전에서 단어를 찾다. ⓑ 조사하다 ; 〖컴퓨터〗 검색하다. ② 추구하다, 열망하다 : ~ le bonheur 행복을 추구하다 / ~ l'amitié de qn …의 우정을 얻으려고 애쓰다. ③ 연구하다, 규명하다 : ~ les causes d'un phénomène 현상의 원인을 규명하다. ④ 《~ qn》 …와의 교제를 열망하다 ; (여자의) 환심을 사려고 극진히 굴다〔좇아다니다〕.

rechigner [ʀəʃiɲe] *v.i.* 《구어》 싫어하다. ***~ à*** qc 〔+*inf.*〕 …하는 것을 싫어하다 : ~ *à* (faire) un travail 일하기를 꺼리다.

rechute [ʀəʃyt] *f.* ① (병의) 재발 : faire 〔avoir〕 une ~ (병이) 재발하다. ② (과오·죄악에) 다시 빠지기.

***rechuter** [ʀəʃyte] *v.i.* ① (병이) 재발하다. ② (과오·죄악에) 다시 빠지다.

récidive [ʀesidiːv] *f.* ① 〖의학〗 (병의) 재발. ② 〖법률〗 재범, 누범(累犯) ; 같은 잘못을 다시 저지르기. ***être en ~*** 전과자이다.

***récidiver** [ʀesidive] *v.i.* ① 〖법률〗 재범하다 ;

(같은 잘못을) 다시 저지르다. ② 〖의학〗 (병이) 재발하다. 「누범자.
récidiviste [ʀesidivist] *n.* 〖법률〗 재범자,
récif [ʀesif] *m.* ① 암초 : s'échouer sur un ~ 좌초하다. ② 《비유》 곤란, 위험, 장애.
récipiendaire [ʀesipjɑ̃dɛːʀ] *n.* ① (학술 단체 따위의) 신회원《입회식 때 특히 이렇게 부름》. ② (학위 · 면허장) 수령자.
***récipient** [ʀesipjɑ̃] *m.* 그릇, 용기(容器) : remplir un ~ d'eau 그릇에 물을 채우다.
réciprocité [ʀesipʀɔsite] *f.* 상호성. traité de ~ (entre pays) 〖국제법〗 호혜 조약.
***réciproque** [ʀesipʀɔk] *adj.* ① 상호의 : confiance ~ 상호 신뢰. ② 〖문법〗 (대명동사 따위가) 상호적인 ; 〖논리〗 (명제가) 환위(換位)의 ; 〖수학〗 상반(相反)의, 역(逆)의. — *f.* 같은 일 〔행동〕(= pareille) : rendre la ~ à qn …에게 같은 짓으로 보복하다.
réciproquement [ʀesipʀɔkmɑ̃] *adj.* ① 서로, 상호간에(= mutuellement) : s'aimer ~ 서로 사랑하다. ② 거꾸로, 역으로.
récit** [ʀesi] *m.* 이야기, 설화(說話) : ~ d'aventures 모험담. ***faire de grands ~s de qn 〔qc〕 …을 몹시 칭찬하여 말하다, 대대적으로 선전하다.
récital [ʀesital] *m.* (*pl.* **~s**) 독창회, 독주회, 리사이틀. **~ *poétique*** 시 낭독회〔발표회〕.
récitant, e [ʀesitɑ̃, -ɑ̃ːt] *n.* ① 독창자, 독주자. ② (연극 · TV 따위의) 내레이터.
récitatif [ʀesitatif] *m.* 〖음악〗 서창조(敍唱調), 서창부(部), 레시타티브.
récitation [ʀesitɑsjɔ̃] *f.* ① (학과 따위의) 암송 ; 암송용 문장. ② (시 따위의) 낭송, 음송.
***réciter** [ʀesite] *v.t.* (학과 · 기도문 따위를) 암송하다 ; (시를) 낭송하다.
***réclamation** [ʀekla(ɑ)mɑsjɔ̃] *f.* ① 불만, 클레임, 이의, 항의(=protestation) : faire une ~ 〔des ~s〕 항의하다, 불평하다. ② 청원 ; 청구(=revendication) : recevoir une ~ de dommages et intérêts 손해 배상 청구를 받다.
réclame[1] [ʀekla(ɑː)m] *f.* 광고, 선전 ; 광고 간판. ***article*** 〔***spécialité***〕 ***de ~*** 특매품. ***faire de la ~*** 선전 광고를 하다. ***mettre un produit en ~*** 생산품을 할인 판매하다.
***réclamer** [ʀekla(ɑ)me] *v.t.* ① (정당한 권리로서) 요구하다, 청구하다(= revendiquer, exiger), 주장하다 : ~ le silence 정숙을 요구하다 / ~ une augmentation à la direction 경영자측에게 임금 인상을 요구하다. ② (사람을) 찾다, …을 만나고 싶어하다 : enfant qui pleure et *réclame* sa mère 울며 어머니를 찾는 어린애. ③ 《주어 : qc》 필요로 하다(= exiger) : Ce travail *réclame* beaucoup de soins. 이 일은 공을 많이 들여야 하는 일이다. ④ 간청하다, 빌다(=implore) : ~ la miséricorde divine 신의 자비를 간청하다. — *v.i.* 《~ contre》 …에 반대〔항의〕하다 : Je *réclame contre* cette mesure. 이 조치에는 반대한다. — **se ~** *v.pr.* 《se ~ de qn 〔qc〕》 (자기에게 유리하도록) …을 내세우다, 원용(援用)하다 : *se ~ de* ses ancêtres 조상(의 훌륭함)을 내세우다.
reclassement [ʀəklɑsmɑ̃] *m.* ① 재분류 ; 재정리. ② 계급〔등급〕을 다시 정하기 ; 복위(復位), 복직. **~ *de la fonction publique*** 공무원 급여 개정.
reclasser [ʀəklɑse] *v.t.* ① 재분류 〔재구분〕하다 ; 다시 정리〔정돈〕하다. ② …의 계급〔등급〕을 다시 정하다 ; 복위〔복직〕시키다.
reclure [ʀəklyːʀ] [48] 《부정사, 과거분사형 reclus 이외에는 사용되지 않음》 *v.t.* 가두다, 유폐(幽閉)하다.
reclus, e [ʀəkly, -yːz] *adj.* 은둔하는, 칩거하는 : mener une existence *~e* 은둔 생활을 하다. — *n.* 은자(隱者).
réclusion [ʀeklyzjɔ̃] *f.* ① (수도원 등에의) 칩거, 은둔. ② 〖법률〗 징역 : ~ criminelle à perpétuité 무기 징역.
recoiffer [ʀəkwafe] *v.t.* 《~ qn》 …에게 모자를 다시 씌우다 ; …의 머리를 다시 매만지다〔빗질하다〕.
recoin [ʀəkwɛ̃] *m.* ① 깊숙한 구석. ② 《비유》 은밀한〔숨겨진〕 부분(= repli) : *~s* du cœur 마음 속 깊은 곳.
reçoi-s, -t, -vent ⇒ recevoir.
recollage [ʀəkɔlaːʒ] *m.* ① 풀〔아교〕로 다시 붙이기. ② (뼈의) 접합. ③ (상처의) 유착.
récollection [ʀekɔlɛksjɔ̃] *f.* 〖종교〗 묵상 ; 피정(避靜)(= retraite) ; 정신 집중.
recoller [ʀəkɔle] *v.t.* (풀 · 접착제로) 다시 붙이다 ; (붙여서) 수리하다. — **se ~** *v.pr.* ① (상처 따위가) 접합〔유착〕하다, 아물다. ② 《구어》 《se ~ avec》 …와 화해하다. ③ 《구어》 다시 건강해지다.
⁑récolte [ʀekɔlt] *f.* ① (농작물의) 수확, 추수, 수확물〔량〕 : faire la ~ des pommes de terre 감자를 수확하다 / La ~ (de pommes) est bonne, cette année. 금년은 (사과의) 수확이 좋다. ② 수집(= collecte) : ~ de renseignements 정보 수집.
***récolter** [ʀekɔlte] *v.t.* ① 수확하다, 추수하다, 거둬들이다 : ~ du blé 〔du raisin〕 밀을 〔포도를〕 거둬들이다. ② 수집하다. ③ 손에 넣다, 얻다(= recueillir) ; 받다(= recevoir) : ~ des renseignements 정보를 입수하다 / ~ une décoration 훈장을 받다 / ~ ce qu'on a semé 뿌린 씨를 거두다, 자업자득하다. — **se ~** *v.pr.* 수확〔수집〕되다.
recommandable [ʀəkəmɑ̃dabl] *adj.* 추천할 만한, 권장할 만한, 높이 평가할 만한(= estimable) : Cet hôtel est peu ~. 그 호텔은 그다지 추천할 만한 곳이 아니다.
recommandation** [ʀəkɔmɑ̃dɑsjɔ̃] *f.* ① 추천, 천거 : à 〔sur〕 la ~ de qn …의 추천으로. ② 권고 ; 충고 : faire des *~s* à qn …에게 충고하다 / suivre les *~s* de qn …의 권고를 따르다. ③ (우편물을) 등기로 부치기 : taxe de ~ 등기료. ***lettre de ~ 추천장.
***recommandé, e** [ʀəkɔmɑ̃de] *adj.* ① 등기로 부친 : lettre *~e* 등기 우편. ② 추천된 ; 권고된. — *m.* 등기 우편.
⁑recommander [ʀəkɔmɑ̃de] *v.t.* ① 《~ qn》 추천〔천거〕하다(= appuyer) ; 소개하다 : On m'*a recommandé* ce médecin. 나는 그 의사를 소개받았다. ② 권고〔권유〕하다 ; 충고하다, 당부〔부탁〕하다 : ~ le secret à un ami 친구에게 비밀을 지킬 것을 당부하다 / Je vous *recommande* de lui faire le meilleur accueil. 나는 당신께 그를 극진히 환대해 주

기를 부탁드립니다. ③ (우편물을) 등기로 부치다. ── **se ~** *v.pr.* ① 《se ~ à》 …에게 자기를 의탁하다, …의 가호〔호의〕를 빌다 : se ~ à Dieu 신의 가호를 빌다. ② 《se ~ de》 …을 (보증인 · 증인으로서) 내세우다. ③ 《se ~ par》 …으로 추천되다, 평판이 나 있다 : Cet hôtel *se* ~ par sa cuisine. 이 호텔은 요리가 좋기로 이름이 나 있다.

recommencement [Rəkɔmɑ̃smɑ̃] *m.* ① 재개, 다시 시작하기 : ~ des combats 전투의 재개. ② 되풀이하기, 다시하기.

‡recommencer [Rəkɔmɑ̃se] [2] *v.t.* ① 다시 시작하다, 재개하다 : ~ la lutte 싸움을 재개하다. ② 다시 하다 : ~ un travail mal fait 잘못된 일을 다시 하다 / Tout est à ~! 전부 처음부터 다시 한다. ③ 되풀이하다 : ~ les mêmes erreurs 똑같은 잘못을 되풀이하다. ***C'est toujours à ~.*** 몇 번이고 다시 시작해야 한다, 아무리 해도 끝이 없다. ── **se ~** *v.pr.* 다시 시작되다 ; 되풀이〔반복〕되다 : La vie ne *se recommence* pas. 인생은 두 번 다시 되풀이되지 않는다.

***récompense** [Rekɔ̃pɑ̃:s] *f.* ① 보수, 대가(代價) ; 보상, 사례(= gratification) ; 상(= prix) : donner 〔accorder〕 une ~ 포상하다 / recevoir une décoration en ~ de ses mérites 공적에 대하여 훈장을 받다. ② 《반어적》 응보, 벌 : Son impudence aura sa ~. 그의 뻔뻔한 짓은 벌을 받을 것이다.

***récompenser** [Rekɔ̃pɑ̃se] *v.t.* 《~ qn de 〔pour〕 qc》 …에 대하여 …에게 보상하다 ; 상을 주다, 사례하다 : Pour me ~, maman m'a acheté un jeu vidéo. 상으로 어머니는 비디오 게임을 사 주었다 / Vous *serez récompensé de* 〔*pour*〕 vos services. 당신은 잘 해주었으므로 반드시 사례하겠습니다 / Tu *seras récompensé de* ta patience. 당신의 인내는 보상받을 것입니다.

recomposer [Rəkɔ̃poze] *v.t.* 재구성하다 ; 다시 조직〔조립〕하다 : ~ une administration 행정 조직을 뜯어고치다.

recompter [Rəkɔ̃te] *v.t.* 다시 세다 ; 검산하다 : *Recomptez,* votre addition est fausse. 다시 계산해 보십시오, 계산서가 틀렸습니다.

réconciliateur, trice [Rekɔ̃siljatœ:R, -tRis] *n.* 조정자, 중재인(= médiateur).

réconciliation [Rekɔ̃siljɑsjɔ̃] *f.* 화해, 중재, 조정 : ~ des peuples 민족간의 화해.

***réconcilier** [Rekɔ̃silje] *v.t.* ① 화해시키다 : essayer de ~ deux ennemis 두 적을 화해시키려고 하다 / ~ un père avec son fils 부자간을 화해시키다. ② 《~ qc et qc 〔avec qc〕》 (대립〔모순〕되는 두 가지 것을) 융화〔조화〕시키다 : ~ la politique et la morale 정치와 도덕을 조화시키다. ③ 〖가톨릭〗 (이단자 따위를) 교회에 복귀시키다 ; (부정한 교회를) 다시 성화(聖化)하다. ── **se ~** *v.pr.* 서로 화해하다 ; 《se ~ avec qn》 …와 화해하다.

reconductible [Rəkɔ̃dyktibl] *adj.* (계약 따위가) 갱신이 가능한(= renouvelable).

reconduction [Rəkɔ̃dyksjɔ̃] *f.* ① 〖법률〗 (계약 따위의) 갱신(= renouvellement). ② 연장, 계속(= prolongation) ; 유지 : ~ d'une politique 정책의 유지.

reconduire [R(ə)kɔ̃dɥi:R] [32] *v.t.* ① (돌아가는 사람을) 바래다〔데려다〕 주다(= ramener) ; 배웅하다(= raccompagner) : ~ un enfant chez ses parents 어린이를 부모 집까지 데려다 주다. ② (계약 따위를) 갱신하다 ; (조치를) 연장하다(= prolonger) : ~ la politique actuelle 현 정책을 연장하다.

réconfort [Rekɔ̃fɔ:R] *m.* 격려, 위로, 위안 : apporter du ~ à qn …을 격려하다.

réconfortant, e [Rekɔ̃fɔRtɑ̃, -ɑ̃:t] *adj.* 원기를 돋우어 주는 ; 격려〔위로〕하는 : médicament ~ 보약 / paroles ~*es* 위로의 말. ── *m.* 강장제.

***réconforter** [Rekɔ̃fɔRte] *v.t.* ① 격려하다, 위안하다 : Sa visite m'*a réconforté.* 그녀가 찾아 주어서 나는 격려가 되었다. ② 원기를 돋우다 : Cette tasse de thé m'*a réconforté.* 그 한 잔의 차가 나에게 원기를 돋아 주었다. ── **se ~** *v.pr.* ① (음식으로) 원기를 돋우다 : *se* ~ en prenant un bon repas 식사를 잘 해서 기운을 회복하다. ② 스스로 격려하다, 기력을 되찾다.

reconnaissable [Rəkɔnɛsabl] *adj.* 알아볼 수 있는, 식별할 수 있는 : maladie ~ à tel signe 어떤 징후로 식별할 수 있는 질병.

reconnaissance** [Rəkɔnɛsɑ̃:s] *f.* ① 알아보기, 식별하기 : signe de ~ (모르는 사람끼리 만났을 때의) 인식 표지. ② 인정, 승인 ; 〖법률〗 인지(認知) : ~ d'un droit 권리의 승인 / ~ d'un gouvernment 정부의 승인 / ~ de ses torts 자기 잘못의 인정. ③ 사은(謝恩), 감사 : témoigner 〔manifester〕 de la ~ 감사의 뜻을 표하다. ④ 〖상업 · 법률〗 차용 증서 : donner une ~ 차용 증서를 써 주다. ⑤ 답사(踏査) ; 〖군사〗 정찰, 척후 ; 정찰대 : aviation de ~ 정찰 비행 / appareil de ~ 정찰기. ***partir 〔***aller***〕 ***en ~*** 정찰〔답사〕하러 떠나다〔가다〕.

reconnaissant, e** [Rəkɔnɛsɑ̃, -ɑ̃:t] *adj.* 감사하게 여기는(≠ ingrat). ***être ~ à qn ***de*** qc 〔***de*** + *inf.* ; ***de ce que*** + *ind.*〕 …에〔함에〕 관해 …에게 고맙게 여기다 : Je *vous suis* très ~ *de* votre aide. 도와 주셔서 참으로 감사합니다.

‡reconnaître [Rəkɔnɛ:tR] [41] *v.t.* ① 알아보다 ; 확인하다(= identifier) ; 《~ qc 〔qn〕 à》 …으로 …을 알아보다〔확인하다〕 ; 《목적보어가 복수일 때》 분간하다(= distinguer) : des jumeaux impossibles à ~ 분간할 수 없는 쌍둥이 / ~ qn malgré son déguisement 변장하고 있음에도 불구하고 …을 알아보다 / ~ une écriture 필적을 알아보다 / ~ un écrivain à son style 문체로 어느 작가라는 것을 알아보다. ② 인정하다 ; 자인하다(= confesser) ; 승인하다 ; 〖법률〗 인지 (認知)하다 ; 《~ que + *ind.* 〔ne pas ~ que + *sub.*〕》 …라는 것을 인정하다〔인정하지 않다〕 : ~ qn pour chef 〔maître〕 …을 우두머리로〔주인으로〕 인정하다 / ~ pour 〔comme〕 vrai 사실이라 인정하다 / ~ ses erreurs 자기 잘못을 인정〔자인〕하다 / ~ un gouvernement (다른 나라의) 정부를 승인하다 / *être reconnu* coupable 범인으로 인정되다. ③ 《~ qc》 감사히 여기다 : ~ une faveur 호의에 감사하다. ④ 답사하다 ; 〖군사〗 정찰하

R

다 : ~ une côte 해안을 돌아보다 / ~ une île 섬을 답사하다. — **se** ~ *v.pr.* ① 자기 모습〔성격〕을 알아보다〔발견하다 · 인정하다〕: *se* ~ dans son fils 아들에게서 자신의 모습〔성격〕을 발견하다. ② 자기가 어디 있는지를 알다 ; 정신이 들다. ③ 자기가 …임을 인정〔자인〕하다 : *se* ~ coupable〔vaincu〕 자기가 죄인임〔패배한 것〕을 인정하다. ④ 확인되다, 알아볼 수 있다 : Le gaz *se reconnaît* à son odeur. 가스는 냄새로 알아볼 수 있다.

reconnu, e [ʀəkɔny] *adj.* (누구에게나) 인정받는.

reconquérir [ʀəkɔ̃keʀiːʀ] 15 *v.t.* 다시 정복하다 ; (잃었던 것을) 회복하다, 되찾다 : ~ sa liberté 자유를 되찾다.

reconquête [ʀəkɔ̃kɛt] *f.* ① 재정복 : ~ du territoire envahi 침략당한 영토의 수복. ② (권리 따위의) 회복 : ~ d'un droit 복권.

reconsidérer [ʀəkɔ̃sideʀe] *v.t.* (문제 따위를) 재고(再考)하다, 재검토하다.

reconstituant, e [ʀəkɔ̃stitɥɑ̃, -ɑ̃:t] 〖의학〗 *adj.* 건강을 회복시키는 : aliment ~ 영양식. — *m.* 강장제(= fortifiant).

***reconstituer** [ʀəkɔ̃stitɥe] *v.t.* ① 다시 구성〔편성 · 조직 · 제정〕하다(= reformer) : ~ une armée 군대를 재편성하다. ② 재건〔복원 · 복구〕하다, 재현하다 : ~ fidèlement un quartier ancien 오래 된 구역을 옛 모습대로 복구하다. ③ (건강 · 기력을) 회복하다. — **se** ~ *v.pr.* 재건〔재구성〕되다.

reconsititution [ʀəkɔ̃stitysjɔ̃] *f.* ① 재구성, 재편성, 재조직, 재제정 : ~ d'une ligue 연맹의 재편성. ② 복구, 재건. ③ 재현 : ~ d'un crime 범죄 과정의 재현.

reconstruction [ʀəkɔ̃stʀyksjɔ̃] *f.* 재건축 ; (도시의) 복원, 부흥 : ~ d'une église 교회의 재건 / ~ d'un pays 나라의 부흥.

reconstruire [ʀəkɔ̃stʀɥiːʀ] 32 *v.t.* (집 따위를) 다시 짓다 ; 부흥하다, 재건하다 : ~ une église 성당을 다시 짓다.

reconversion [ʀəkɔ̃vɛʀsjɔ̃] *f.* ① (생산 체제의) 재전환 ; (산업 · 설비의) 변경. ② (개인의) 직업 전환, 전직(轉職).

reconvertir [ʀəkɔ̃vɛʀtiːʀ] *v.t.* ① (산업 설비 등을) (재)전환하다〔시키다〕 : bâtiments *reconvertis* en école (공장에서) 학교로 바뀐 건물들. ② (직종 따위를) 전환시키다, 전직시키다 ; 재교육하다. — **se** ~ *v.pr.* ① (체제 따위가) 전환되다. ② 전업하다, 전직하다 : *se* ~ *dans* l'electronique 전자 공학 방면으로 전직하다.

recopiage [ʀəkɔpjaːʒ] *m.* 베끼기 ; 정서.

***recopier** [ʀəkɔpje] *v.t.* 베껴쓰다, 정서하다.

record** [ʀəkɔːʀ] *m.* 〖스포츠〗 (최고) 기록 ; 〖공업〗 최고 생산고 ; 〖전기〗 최고 출력(出力). ***battre 〔***améliorer, créer, détenir***〕 ***le*** ~ (***mondial***) (세계) 기록을 깨뜨리다〔갱신하다, 수립하다, 보유하다〕. — *adj.* 《여성불변》 기록적인 : chiffre ~ 기록적 숫자 / vitesses ~*s* 기록적인 속력〔속도〕. ***en un temps*** ~ 극히 짧은 시간에.

recordman [ʀəkɔʀ(d)man] 〔영〕 *m.* (*pl.* ***-men*** [-mɛn]) 〖스포츠〗 기록 보유자.

recordwoman [ʀəkɔʀ(d)wuman] 〔영〕 *f.* (*pl.* ***-women*** [-wimɛn]) 여자 기록 보유자.

recoucher [ʀəkuʃe] *v.t.* 다시 눕히다〔누이다〕(≠ relever). — **se** ~ *v.pr.* 다시 눕다 (≠ (se) relever).

recoudre [ʀəkudʀ] 34 *v.t.* (터진 것을) (다시) 꿰매다. ~ ***une déchirure à gros points*** 찢어진 곳을 대강 꿰매다.

recoupement [ʀəkupmɑ̃] *m.* (출처가 다른) 정보의 검증〔확인〕(= vérification) : faire un ~ 정보를 대조하다.

recouper [ʀəkupe] *v.t.* ① 다시 자르다〔베다〕 ; (옷감을) 다시 재단하다. ② (트럼프의 패를) 다시 떼다. ③ (여러 정보를) 대조하다, 검증하다 ; …와 합치시키다 : ~ des informations (다른 것과 대조하여) 정보를 검증하다 / Ce témoignage *recoupe* les autres. 그 증언은 다른 것과 일치한다. — **se** ~ *v.pr.* (여러 정보가) 합치하다.

recourbé, e [ʀəkuʀbe] *adj.* 구부러진, 휜 (= crochu) : nez ~ 매부리코.

recourber [ʀəkuʀbe] *v.t.* 구부리다, 휘게 하다 : ~ une branche 나뭇가지를 구부리다.

***recourir** [ʀəkuʀiːʀ] 20 *v.i.* 다시 달리다 ; 되달려 오다〔가다〕. — *v.t. ind.* 《~ à》 …에게 의뢰하다, 도움을 청하다 ; …에 호소하다 : ~ *à* une agence pour trouver un appartement 부동산 중개인에게 의뢰하여 아파트를 찾아보다 / ~ *à* la police 경찰의 힘을 빌리다. — *v.t.* 〖스포츠〗 ~ un cent mètre, 100미터 경주에 도전하다.

recours [ʀəkuːʀ] *m.* ① 의뢰, 의지 : Vous êtes mon unique ~. 당신은 내가 의지하는 유일한 사람이다. ② (의지가 되는) 수단, 방책 : La fuite est le ~ du faible. 도주는 약자의 방책이다. ③ 〖법률〗 상소(上訴), 청원 : en grâce 특사(特赦) 청원. ***avoir ~ à*** …에게 도움을 청하다, …에 호소하다 : *avoir* ~ *au* médecin 의사에게 도움을 청하다. ***en dernier*** ~ 최후의 수단으로. ***sans*** ~ 어쩔 도리가 없다.

recouvrement[1] [ʀəkuvʀəmɑ̃] *m.* ① (건강의) 회복. ② (빚의) 회수, 징수(= perception) : ~ d'une créance 채권의 회수.

recouvrement[2] *m.* ① 다시 덮기〔씌우기〕. ② 덮개, 피복(被覆)(물).

recouvrer [ʀəkuvʀe] *v.t.* ① 되찾다, 회복하다 : ~ la liverté 자유를 다시 찾다 / ~ la santé 건강을 회복하다. ② 회수하다 ; 징수하다 : ~ les impôts 세금을 징수하다.

***recouvrir** [ʀəkuvʀiːʀ] 12 *v.t.* ① ⓐ 다시 덮다 ; 뒤덮다, (완전히) 덮어씌우다 : ~ un enfant qui s'est découvert 자는 아이에게 모포를 다시 덮어 주다 / plaine *recouverte* de belles fleurs 아름다운 꽃들로 뒤덮인 들판. ⓑ 《~ qc de》 …을〔에〕 …으로〔을〕 덮어씌우다 : ~ un mur *de* papier peint 벽에 벽지를 다시 바르다. ② (커버 · 지붕 따위를) 갈아 씌우다 : faire ~ le toit 지붕을 갈아 씌우다. ③ 덮어 감추다〔숨기다〕 : Cette proposition *recouvre* des intentions inavouées. 이 제안의 이면에는 숨겨진 의도가 있다. ④ 커버하다, 적용 범위가 미치다 ; 내포〔포함〕하다(= embrasser) : concept qui *recouvre* deux idées différentes 상이한 두 가지 생각을 내포하고 있는 개념. — **se** ~ *v.pr.* ① 《se ~ de》 …으로 뒤덮이다. ② 서로 겹치다

R

〔뒤덮다〕.

recracher [ʀəkʀaʃe] *v.t.* (입에 넣었던 것을) 도로 내뱉다 : ~ un noyau 씨를 뱉다. ── *v.i.* 다시 침을 뱉다.

récré [ʀekʀe] *f.* 《학생은어》 휴식 시간(= récréation).

récréatif, ive [ʀekʀeatif, -i:v] *adj.* 재미있는, 기분 전환이 되는(= amusant, divertissant) : lecture *récréative* 기분 전환을 위한 독서.

recréation [ʀəkʀeɑsjɔ̃] *f.* 재창조.

*__récréation__ [ʀekʀeɑsjɔ̃] *f.* ① 휴식, 휴게 ; 기분 전환, 레크리에이션 : prendre de la ~ 기분 전환하다. ② 〖학교〗 휴게 시간(= heure de ~) : être en 〔à la〕 ~ 휴게 시간에 놀다. ***cour de*** ~ 운동장.

recréer [ʀəkʀee] *v.t.* ① 재창조하다, 다시 만들다. ② 재현하다(= restituer) : ~ un contexte social 사회적 배경을 재현하다.

récréer [ʀekʀee] *v.t.* 즐겁게 하다. ── **se** ~ *v.pr.* 휴식을 취하다, 기분 전환을 하다 : faire une promenade pour *se* ~ 기분 전환 삼아 산책하다.

recrépir [ʀəkʀepi:ʀ] *v.t.* (벽 따위에) 다시 벽토를 바르다, 새로 칠하다.

recreuser [ʀəkʀøze] *v.t.* 다시 파다 ; 더욱 깊이 파내려 가다.

récrier (se) [səʀekʀije] *v.pr.* ① 외치다, 탄성을 올리다(= s'exclamer). ② 《se ~ contre》 …에 대해 반대〔항의〕하여 외치다(= protester) : À ces mots, ils *se sont récriés.* 그 말을 듣고 그들은 항의했다.

récriminateur, trice [ʀekʀiminatœ:ʀ, -tʀis] *adj.* et *n.* 불평〔비난〕을 잘 하는 (사람) : caractère ~ 불평불만이 많은 성격.

récrimination [ʀekʀiminɑsjɔ̃] *f.* (*pl.*) 불평, 비난(= reproche), 항변.

récriminer [ʀekʀimine] *v.i.* 《~ contre》 …을 비난하다, 불평하다(= protester) : ~ *contre* le gouvernement 정부를 비난하다.

récrire [ʀekʀi:ʀ] 38 *v.t.* ① 다시 쓰다 ; 고쳐 쓰다. ② 《~ à qn》 …에게 편지를 다시 쓰다.

recroqueviller (se) [s(ə)ʀəkʀɔkvije] *v.pr.* ① (종이 따위가) 오그라들다, 쪼그라지다. ② 몸을 오그리다〔쪼그리다〕(= se ramasser) : *se* ~ de peur 무서워서 몸이 오그라들다.

recru, e[1] [ʀəkʀy] *adj.* 《문어》 몹시 피곤한, 기진맥진한(= éreinté, fourbu) : ~ de fatigue 피로에 지친.

recrudescence [ʀəkʀydesɑ̃:s] *f.* (병 따위의) 재발, 악화 ; (추위 따위의) 다시 심해지기, 재연(再燃) : ~ du froid 다시 심해진 추위 / ~ de fièvre 열의 재발.

recrudescent, e [ʀəkʀydesɑ̃, -ɑ̃:t] *adj.* 다시 심해지는, 다시 창궐하는, 재발하는 : épidémie ~*e* 다시 창궐하는 전염병.

recrue[2] [ʀəkʀy] *f.* ① 〖군사〗 신병(= bleu). ② 신입 회원〔당원〕 : faire la ~ de qn (단체 · 정당 따위에) …을 새로 가입시키다.

recrutement [ʀəkʀytmɑ̃] *m.* 징병, 징집 ; 채용, 모집 : la loi 〔le système〕 de ~ 징병령〔제도〕 / ~ de personnel intérimaire 임시직원 모집.

*__recruter__ [ʀəkʀyte] *v.t.* ① 징집〔징병〕하다 : soldats *recrutés* 징집병. ② 모집〔채용〕하다 : ~ de nouveaux membres 신입 회원을 모집하다. ── **se** ~ *v.pr.* ① 채용되다. ② 《se ~ parmi 〔dans〕》 …에서 모집되다 : Les membres *se recrutent dans* 〔*parmi*〕 tous les milieux. 회원은 모든 계층에서 모집된다.

recruteur [ʀəkʀytœ:ʀ] *m.* (회원 따위의) 모집자, 권유자. ── *adj.* 징병〔징집〕하는 : officier ~ 징병 사관.

recta [ʀɛkta] 〔라틴〕 *adv.* 어김없이, 정확히(= ponctuellement) : arriver ~ 《구어》 정확하게 도착하다.

*__rectangle__ [ʀɛktɑ̃:gl] *adj.* 〖기하〗 직각(直角)의 : parallélépipède ~ 직육면체 / triangle ~ 직삼각형. ── *m.* 직사각형, 장방형.

rectangulaire [ʀɛktɑ̃gylɛ:ʀ] *adj.* 〖기하〗 직사각형〔장방형〕의 : figure ~ 직사각형.

recteur[1] [ʀɛktœ:ʀ] *m.* ① 대학구장(大學區長) : ~ de l'Académie de Paris 파리 대학구장. ② (사립대학) 학장. ③ 〖종교〗 (예수회 학교의) 교장.

rect(i)- *préf.* 「바른 · 곧은」의 뜻.

rectifiable [ʀɛktifjabl] *adj.* 수정〔정정 · 교정 · 개정〕할 수 있는 : erreur ~ 정정〔수정〕할 수 있는 잘못〔오류〕.

rectificatif, ive [ʀɛktifikatif, -i:v] *adj.* 교정〔정정〕하는, 수정하는 : budget ~ 수정 예산. ── *m.* 〖행정〗 정오〔정정〕 문서.

rectification [ʀɛktifikɑsjɔ̃] *f.* 바로잡기, 교정, 수정, 정정, 개정.

*__rectifier__ [ʀɛktifje] *v.t.* ① 바로잡다, 교정〔수정 · 정정 · 개정〕하다 : ~ une erreur 잘못을 바로잡다 / ~ un compte 계산을 정정하다. ② 똑바르게 하다 : ~ un alignement 열(列)을 똑바르게 하다.

rectiligne [ʀɛktiliɲ] *adj.* 곧은 ; 직선의 ; (도형이) 직선으로 둘러싸인 : allée ~ 곧은 길.

rectitude [ʀɛktityd] *f.* ① 곧음, 바름. ② 올바름, 공정(= justesse) : ~ du jugement 공정한 판정.

recto [ʀɛkto] *m.* (종잇장의) 표면 ; (책 · 원고 따위의) 겉 페이지(≠ verso) : ~ verso ; au ~ et au verso 표리(表裏)의.

rectoral, e, aux [ʀɛktɔʀal, -o] *adj.* 대학구장의 : délégué ~ 대학구장이 임명한 중등교육 임시 직원.

rectorat [ʀɛktɔʀa] *m.* 대학구장의 직〔재직 기간〕 ; 대학구 본부

rectum [ʀɛktɔm] *m.* 〖해부〗 직장(直腸).

reçu, e [ʀəsy] *adj.* ① (시험에) 합격한 : candidats ~*s* 합격자. ② (일반적으로) 인정된, 공인된, 관용(慣用)의 : expression ~*e* 관용어 / opinion ~*e* 공인된 의견. ── *m.* 〖상업〗 영수증(= récépissé).

recueil [ʀəkœj] *m.* (시 · 법률 따위의) 집(集), 집록(集錄) : ~ de morceaux choisis 선집, 문집 / ~ de lois 법령집.

recueillement [ʀəkœjmɑ̃] *m.* ① 명상, 내성(內省) : être dans un profond ~ 깊은 명상에 잠겨 있다. ② 정신의 집중, 심사숙고(= contemplation).

recueilli, e [ʀəkœji] *adj.* 명상에 잠긴, 마음을 가다듬은 ; 내성적(內省的)인 : visage ~ 명상에 잠긴 얼굴.

*__recueillir__ [ʀəkœji:ʀ] 14 *v.t.* ① 모으다, 수집하다(= collecter) : ~ des informations 정보를 모으다 / ~ des fonds 자금〔기금〕을

모으다. ② (고아·동물 등을) 떠맡다, 수용하다 : ~ un chat abandonné 버린 고양이를 거두어들이다. ③ 채집하다, 저장하다 : ~ du sang 채혈(採血)하다 / ~ les eaux de pluie 빗물을 저장하다. ④ (성과 따위를) 얻다, 획득하다(= récolter) : ~ le fruit de ses efforts 노력한 성과를 얻다. ⑤ (표를) 얻다, (상속으로) 받다(= obtenir) : Ce candidat *a recueilli* la majorité des voix. 이 후보는 표의 태반을 얻었다 / ~ un héritage 유산을 받다. ── **se** ~ *v.pr.* 전념하다 ; 명상에 잠기다.

recuire [Rəkɥiːʀ] 32 *v.t.* 다시 익히다, 다시 굽다〔지지다〕: ~ une poterie 도기를 재벌구이하다.

recul [Rəkyl] *m.* ① 후퇴 ; 퇴각 : ~ d'une armée 군대의 퇴각 / ~ de la civilisation 문명의 퇴보. ② 감소, 저하, 쇠퇴 : ~ de la natalité 출생률의 저하 / Le chômage est en ~. 실업자는 감소하고 있다. ③ (올바른 평가를 위해) 필요한 거리〔시간적 간격〕: Avec du ~, cette idée ne me semble plus si bonne. 거리를 두고 생각해 보면, 이 견해가 그다지 좋다고 여겨지지 않는다.

reculade [Rəkylad] *f.* ① 후퇴, 퇴각. ② 《경멸》 양보, 회피 : lâche ~ 비겁한 양보.

reculé, e [Rəkyle] *adj.* ① 멀리 떨어진, 외딴, 궁벽한(= isolé) : village ~ 외딴 마을. ② (시대적으로) 먼, 오래된(= ancien) : les temps les plus ~*s* 머나먼 옛날.

⁑**reculer** [Rəkyle] *v.t.* ① 뒤로 물리다, 후퇴시키다 ; 넓히다, 확장하다 : ~ une chaise 의자를 뒤로 물리다 / ~ les frontières d'un pays 국경을 확장하다. ② (시기를) 미루다(= retarder) : ~ une décision 결정을 미루다. ── *v.i.* ① 뒤로 물러서다, 뒷걸음질치다 ; 후퇴〔퇴각〕하다 : cheval qui *recule* 뒷걸음질하는 말 / faire ~ qn …을 후퇴시키다, 뒤로 물러서게 하다 / Il n'y a plus moyen de ~. 지금 와서 물러설 순 없다. ② 양보하다 ; 주저하다, 망설이다 : ~ devant les dangers 위험을 앞두고 주춤거리다 / Il ne *recule* devant rien. 그는 여하한 일에도 주춤하지 않는다. ~ ***pour mieux sauter*** (2 보 전진을 위한) 1 보 후퇴. ── **se** ~ *v.pr.* 뒤로 물러서다〔나다〕, 후퇴하다 : *Reculez-vous* de là. 거기서 물러나시오.

R

reculons (à) [aʀkylɔ̃] *loc. adv.* 뒷걸음질쳐서, 뒤로 물러서며 ; 거꾸로. ***mouvement à*** ~ (사회 현상 따위의) 퇴보, 역행.

récupérable [ʀekypeʀabl] *adj.* 회복〔만회〕할 수 있는 ; 회수〔재생〕 가능한 : déchets ~*s* 재생 가능한 폐기물.

récupérateur[1] [ʀekypeʀatœːʀ] *m.* ① 〖기계〗 복열실(復熱室), 열회수〔복열〕 장치. ② (고물·고철 따위의) 회수업자.

récupérateur[2]**, trice** [ʀekypeʀatœːʀ, -tʀis] *adj.* ① 〖정치〗 (자기편으로) 회유하는. ② 회복〔회수·재생〕하는.

récupération [ʀekypeʀɑsjɔ̃] *f.* ① (폐기물의) 재활용 ; 회수 : ~ du verre 유리의 재활용. ② 회복 : Capacité de ~ de l'organisme 생체의 회복 능력. ③ 만회, (강의 따위의) 보충. ④ 〖정치〗 (반대파에 대한) 회유.

***récupérer** [ʀekypeʀe] 6 *v.t.* ① 되찾다, 돌려받다 : ~ l'argent placé dans une affaire 사업에 투자한 돈을 되찾다 / Je voudrais ~ le CD que je t'ai prêté. 너에게 빌려준 CD를 돌려받았으면 하는데. ② 회복하다(≠ perdre) : ~ ses forces 체력을 회복하다. ③ 회수하다, 재활용하다 : ~ de la ferraille 고철을 회수하다. ④ 《구어》 (사람을) 다시 쓰다, 재고용하다 : Il *a récupére* son ancienne secrétaire. 그는 이전의 비서를 재고용했다. ⑤ (쉬었던 일, 빠진 강의 등을) 보충〔벌충〕하다, (늦어진 것을) 만회하다 : ~ les heures de travail perdues 빠진 시간을 메우려고 보충 근무를 하다. ⑥ (반대파를) 회유하다, 체제 쪽으로 끌어들이다. ⑦ 마중하러 가다, 데리러 가다 : ~ un enfant à la sortie de l'école 방과 후 학교에 아이를 데리러 가다. ── **se** ~ *v.pr.* ① 손실을 만회하다. ② 《se ~ de》 …을 회복하다.

récurage [ʀekyʀaːʒ] *m.* (광내기 위해) 문질러 닦기.

reçurent ⇒ recevoir.

récurer [ʀekyʀe] *v.t.* (냄비 따위를) 문질러 닦다(= écurer).

récurrence [ʀekyʀɑ̃ːs] *f.* ① 회귀(回歸), 반복. ② 〖수학〗 순환 ; 〖물리〗 재귀성(再歸性).

récusable [ʀekyzabl] *adj.* ① 신용할 수 없는 : témoignage ~ 신빙성이 없는 증언. ② 〖법률〗 (증인·증언 따위를) 기피할 수 있는 ; 이의를 신청할 수 있는.

récusation [ʀekyzɑsjɔ̃] *f.* 〖법률〗 (재판관·배심원·증인 따위의) 기피 ; 이의 신청.

récuser [ʀekyze] *v.t.* ① (권위·의견 따위를) 거부하다, 인정치 않다(= refuser). ② 〖법률〗 (증인·배심원 따위를) 기피하다 ; …에 대해 이의(異議)를 신청하다(= contester). ── **se** ~ *v.pr.* 〖법률〗 (어떤 문제에 대하여) 권한이 없음을 스스로 선언하다.

reçu-t, -tes ⇒ recevoir.

recyclable [Rəsiklabl] *adj.* ① 재교육〔재처리〕할 수 있는. ② 재생〔재활용〕 가능한.

recyclage [Rəsiklaːʒ] *m.* ① (직장인의) 재교육 : stage de ~ 재교육 연수. ② (학생의) 학습 진로 변경. ③ (산업 폐기물의) 재생이용, 재활용.

recycler [Rəsikle] *v.t.* ① (직장인을) 재교육하다, 연수시키다 ; (학생의) 진로를 재조정하다, 재편성하다. ② (자원을) 재생 이용〔재활용〕하다 : papier *recyclé* 재생지(紙). ── **se** ~ *v.pr.* 재교육을 받다 ; 학습 진로를 바꾸다.

rédacteur, trice [ʀedaktœːʀ, -tʀis] *n.* ① (문서의) 기안자, 작성자 ; 편찬자. ② (신문·잡지의) 편집자, 기자 : ~ politique 정치부 기자 / ~ en chef (신문사) 주필.

rédaction [ʀedaksjɔ̃] *f.* ① ⓐ 집필, 편찬 : ~ d'un roman 소설의 집필 / collaborer à la ~ d'un dictionnaire 사전 편찬에 협력하다. ⓑ (문서의) 작성, 기초(起草), 기안 : ~ d'un contrat 계약서의 작성. ② 〖학교〗 작문. ③ (출판사·신문사의) 편집 ; 편집부〔실〕: salle 〔bureau〕 de ~ 편집실.

rédactionnel, elle [ʀedaksjɔnɛl] *adj.* 편집〔편찬〕의 ; 문서 작성의 ; 기안의.

reddition [ʀe〔ɛd〕disjɔ̃] *f.* 항복, 투항 : ~ sans conditions 무조건 항복.

redécouvrir [Rədekuvʀiːʀ] 2 *v.t.* 재발견

하다, 다시 보다 : *J'ai redécouvert* Balzac. 나는 발자크를 재발견〔재인식〕했다.

redemander [ʀədmɑ̃de, ʀdəmɑ̃de] *v.t.* ① 다시 요구하다, 다시 청하다. ② …의 반환을 요구하다 : ~ son parapluie 우산을 돌려 줄 것을 요구하다.

redémarrage [ʀədemaʀaːʒ] *m.* 재출발, 재약진 : ~ de l'économie 경제의 재활성화.

rédempteur, trice [ʀedɑ̃ptœːʀ, -tʀis] *adj.* 속죄〔구원〕하는. ── **R~** *m.* 〖종교〗 구세주(= Sauveur), 예수.

rédemption [ʀedɑ̃psjɔ̃] *f.* ① (그리스도에 의한 인류의) 속죄, 대속(= rachat). ② (종교적 · 정신적) 구원(= salut).

redéploiement [ʀədeplwamɑ̃] *m.* ① 〖군사〗 (방위 체제 따위의) 재편, 재조직. ② (산업 따위의) 재편성.

redescendre [ʀədesɑ̃ːdʀ] 25 *v.t.* 《조동사는 avoir》 ① 다시 내리다〔내리우다〕. ② (계단 따위를) 다시 내려가다 : ~ un escalier 층계를 다시 내려가다. ── *v.i.* 《조동사는 être》 다시 내려가다 ; (올라간 후에) 내려오다〔가다〕.

redevable [ʀədvabl, ʀdəvabl] *adj.* ① 채무가 있는, 빚을 진 : Je vous suis encore ~ de cinq cents francs. 당신에게 아직 500 프랑의 빚이 있다. ② 은혜를 입은, 신세를 진 : Il vous est ~ de la vie. 당신은 그의 생명의 은인이오.

redevance [ʀədvɑ̃ːs, ʀdəvɑ̃ːs] *f.* ① (정기적으로 지불해야 할) 채무〔빚〕(= dette) ~ mensuelle 월부금. ② 사용료 ; 인세 ; 로열티 : ~ téléphonique 전화 사용료 / ~ d'auteur (저자의) 인세, 저작권 사용료 / ~ télé 《구어》 텔레비전 시청료.

***redevenir** [ʀədəvniːʀ] 16 *v.i.* 《조동사는 être》 전과 같이 되다, 다시 …으로 되다 : ~ amoureux de qn …와 다시 사랑에 빠지다.

redevoir [ʀəd(ə)vwaːʀ] 54 *v.t.* 《~ qc à qn》 …에게 아직 …을 빚지고 있다 : Je *redoit* cinq cents francs *à* M. Dupont. 나는 뒤퐁씨에게 아직 500 프랑의 빚이 남아 있다.

rédhibitoire [ʀedibitwaːʀ] *adj.* 〖법률〗 ① 매매 계약 취소의 원인이 되는. ② (결함 따위가) 치명적인, 중대한 : défaut ~ 중대한 결함.

rediffuser [ʀ(ə)difyze] *v.t.* 재방송하다.

rediffusion [ʀədifyzjɔ̃] *f.* 재방송.

***rédiger** [ʀediʒe] *v.t.* ① (문서를) 작성하다 ; (법안 따위를) 기초〔기안〕하다 : ~ un contrat 계약서를 작성하다. ② (편지 · 기사 따위를) 쓰다 ; 《목적보어 없이》 글을 쓰다.

redingote [ʀədɛ̃gɔt] *f.* 프록코트 ; (여자용의) 외투, 긴 웃옷.

***redire** [ʀədiːʀ] 29 *v.t.* ① (같은 말을) 되풀이하다 ; 몇 번이고 말하다(= répéter) : On ne sait trop ~ les vérités utiles. 유익한 진리는 몇 번 되풀이해도 좋다. ② (남의 말을) 되뇌다, 흉내 내어 말하다. ③ (남의 비밀을) 입 밖에 내다, 누설하다 : C'est un secret, ne le *redites* à personne. 그것은 비밀이니까 아무에게도 말해서는 안 돼. ── *v.t. ind.* 《항상 부정법으로》 《~ à》 …에 트집을 잡다, 비난하다 : Il n'y a rien à ~ *à* cet ouvrage. 이 작품에는 트집 잡을 것이 하나도 없다.

rediscuter [ʀədiskyte] *v.t.* 다시 논의하다, 재검토하다 : Nous en *rediscuterons.* 그것에 관해서 다시 논의합시다.

redistribuer [ʀədistʀibɥe] *v.t.* 재분배하다 : ~ les richesses 부를 재분배하다.

redistribution [ʀədistʀibysjɔ̃] *f.* 재분배.

redite [ʀədit] *f.* 불필요한 되풀이, 중언부언.

redondance [ʀədɔ̃dɑ̃ːs] *f.* 군말, 쓸데없는 말, 췌언(贅言)(= verbiage).

redondant, e [ʀədɔ̃dɑ̃, -ɑ̃ːt] *adj.* 군말이 많은, 장황한 : style ~ 장황한 문체.

redonner [ʀədɔne] *v.t.* ① 다시 돌려주다 : ~ la liberté à un otage 인질을 석방하다. ② (체력 따위를) 되찾게 하다, 회복시키다. ③ (영화 · 연극을) 재상영〔재상연〕하다. ── *v.i.* 《~ dans》 …에 다시 빠지다 : ~ *dans* ses erreurs passées 범했던 오류에 다시 빠지다.

redorer [ʀədɔʀe] *v.t.* ① 다시 도금하다. ② (명성 따위를) 다시 빛나게 하다.

redoublant, e [ʀədublɑ̃, -ɑ̃ːt] *n.* 유급생, 낙제생.

redoublé, e [ʀəduble] *adj.* 두 번 되풀이된, 2 중의 ; 중복된 ; 반복된 : rime ~*e* 이중운(二重韻).

redoublement [ʀədubləmɑ̃] *m.* ① (희비(喜悲) · 열의 따위의) 배가, 격화 : ~ d'ennui 〔de douleur, de joie, de tristesse〕 권태〔고통, 기쁨, 슬픔〕의 배가. ② 〖언어〗 (음절 따위의) 중복. ③ 낙제, 유급.

redoubler [ʀəduble] *v.t.* ① (옷 따위의) 안감을 갈다 : ~ un manteau 외투의 안감을 새로 대다. ② 〖학교〗 유급(留級)하다(= ~ une classe). ③ 이중이 되게〔중복되게〕 하다 (= rendre double) ; 배가〔증가〕시키다 : ~ ses efforts 더한층 노력하다. ── *v.t. ind.* 《~ de》 …을 한층 더 증가하다, 더욱더 배가하다 : ~ *de* soins 가일층 주의하다 / ~ *d'*amabilité 더한층 친절을 베풀다. ── *v.i.* 심해지다, 더해지다 : Le froid *redouble.* 추위가 심해진다.

***redoutable** [ʀədutabl] *adj.* 무서운(= effrayant) ; 위험한(= dangereux) : aspect ~ 무서운 모습 / ennemi ~ 위험한 적.

redouter** [ʀədute] *v.t.* 두려워하다, 걱정하다 : adversaire *redouté* 두려워지는 적수 / On *redoute* une recrudescence de l'inflation. 인플레의 재연이 걱정된다. ~ ***de + *inf.* …하는 것을 두려워하다 : ~ *d'*être malade 병이 날까 두려워하다. ~ ***que*** (***ne***) + *sub.* …하지나 않을까 두려워하다 : Je *redoute qu'*il n'apprenne la vérité. 그가 사실을 알게 될까 두렵다.

redoux [ʀədu] *m.* (겨울철의 날씨가) 한동안 풀리기, 일시적 온난 현상.

redresse (**à la**) [alaʀədʀɛs] *loc. adj.* 영악한, 빈틈없는 : mec *à la* ~ 영악한 녀석.

redressement [ʀədʀɛsmɑ̃] *m.* ① 다시 바로잡기 ; 다시 세우기. ② 부흥, 재건 ; 갱생 ; 복원 : ~ de l'économie 경제 재건 / maison de ~ 감화원.

***redresser** [ʀədʀɛ(e)se] *v.t.* ① 똑바르게 하다 ; 다시 세우다〔일으키다〕 : ~ un tableau de travers 비뚤어진 그림을 똑바르게 하다 / ~ la tête 머리를 쳐들다. ② (상황 따위를) 바로잡다 : ~ l'économie 경제를 바로잡다.

R

③ (잘못을) 고치다, 교정(矯正)하다. ~ ***l'avion*** 〖항공〗 (착륙 전에) 기수(機首)를 다시 바로 세우다. ── **se ~** *v.pr.* ① 몸을 일으키다, 자세를 바르게 하다 ; 거만한 태도를 취하다 : Le malade ne peut pas *se ~* dans son lit. 환자는 병상에서 일어나지 못한다 / *Redressez-vous!* 자세를 바르게 하시오! / *se ~* de toute sa hauteur 으스대며 뻐기다. ② 고치다, 바로잡다 : L'economie *s'est* enfin *redressée.* 경제는 간신히 바로잡혔다.

redresseur, euse [ʀədʀɛsœːʀ, -øːz] *n.* 교정자(矯正者) ; 《비꼼》 정의파. ***~ de torts*** (중세 이야기에 나오는) 의협 기사(騎士). ── *m.* 〖전기〗 정류기. ── *adj.* 바로잡는, 조정하는.

réduc [ʀedyk] *f.* 《구어》 가격 인하.

réductible [ʀedyktibl] *adj.* ① 감소〔축소〕할 수 있는. ② 〖수학〗 약분할 수 있는 : fraction ~ 가약(可約) 분수.

réduction** [ʀedyksjɔ̃] *f.* ① 감소, 축소, 삭감 (≠ accroissement) : ~ du personnel 인원 삭감 / ~ des heures de travail 노동 시간의 단축 / ~ de salaires 감봉. ② 가격 인하, 할인 : faire une ~ 값을 깎다 / obtenir une ~ de 10 %, 10 퍼센트 할인받다. ③ 축사(縮寫) ; 축척 : ~ d'un tableau 그림의 축소 복제. ④ 〖수학〗 ~ d'une fraction 약분. ⑤ 〖기계〗 감속 ; 〖화학〗 환원 ; 〖의학〗 (골절의) 정복(整復). ***en ~ 축소된, 축소형의 : camionciterne *en ~* 모형 탱크로리.

réduire** [ʀedɥiːʀ] [32] *v.t.* ① 감(減)하다, 삭감하다 ; 축소하다, 단축하다 ; 축척(縮尺)〔축사(縮寫)〕하다 : ~ ses dépenses 비용〔지출〕을 줄이다 / ~ la vitesse 감속하다 / ~ une photographie 사진을 축소〔축사〕하다. ② 값을 내리다, 할인하다 : ~ le prix de l'essence de trois pour cent 석유 가격을 3 % 내리다 / ~ les salaires 감봉하다. ③ 《~ qn à〔en〕》 …을 …으로 몰아넣다, …에 빠뜨리다 : ~ qn *au* désespoir …을 절망으로 몰아넣다 / ~ qn *en* esclavage …을 예속 상태에 빠뜨리다. ④ 《~ qc en》 …을 잘게 만들다, …으로 바꾸다 : ~ du café *en* poudre 원두커피를 가루로 빻다 / Le feu *a réduit* la maison *en* cendres. 화재로 집은 잿더미로 변했다. ⑤ 《~ qc à》 …을 …으로 돌리다〔단순화하다〕, …으로 환원하다 : ~ un problème *à* sa plus simple expression 문제를 가장 간단한 형태로 나타내다. ⑥ 〖요리〗 (소스를) 졸이다. ⑦ 〖수학〗 약분하다 ; 〖화학〗 환원하다. ⑧ 〖의학〗 (골절 · 탈구를) 정복(整復)하다 : ~ une fracture 골절을 치료하다. ***en être réduit à + *inf.* …할 수밖에 없는 처지에 몰려〔이르러〕 있다 : Il *en est réduit à* mendier. 그는 거지 신세로까지 전락했다. ***~ à rien*** 완전히 망치다, 무산시키다 : Ses espérances *furent réduites à rien.* 그녀의 희망은 무로 돌아갔다. ── *v.i.* (끓이거나 증발하여) 졸아지다, 졸다 : faire 〔laisser〕 ~ une sauce 소스를 졸이다.

── **se ~** *v.pr.* ① 축소〔감소〕되다 ; 생활을 절약하다. ② 《se ~ à》 …에 국한〔제한〕되다 ; …으로 귀착되다 : Tout cela *se réduit à* une question d'argent. 이 모든 것은 돈 문제로 귀착된다. ③ 《se ~ en》 …으로 되다 ; …으로 바뀌다 : *se ~ en* poudre 가루가 되어 버리다 / Le vin *se réduit en* vinaigre. 포도주는 식초로 변한다.

réduit[1] [ʀedɥi] *m.* 초라한 집, 오막살이집 ; (방 따위의) 구석, 구석진 데.

réduit[2]**, e** [ʀedɥi, -iːt] *adj.* ① 소형의, 작은, 축소된(= diminué) ; 감소된 : modèle ~ 축소된 모형. ② 값을 내린, 할인된 : à prix 〔tarif〕 ~ 할인 가격〔요금〕으로.

réécrire [ʀeekʀiːʀ] [38] *v.t.* = récrire.

réécriture [ʀeekʀityːʀ] *f.* ① 다시 쓰기, 개작(= rewriting). ② 〖언어〗 바꿔 쓰기 : règle de ~ 바꿔 쓰기 규칙.

rééditer [ʀeedite] *v.t.* ① (책을) 재판(再版)〔중판〕하다. ② 《구어》 되풀이하다(= répéter).

réédition [ʀeedisjɔ̃] *f.* ① 재판(再版), 중판. ② 《구어》 반복, 중복.

rééducation [ʀeedykasjɔ̃] *f.* ① 재교육, 재훈련. ② 〖의학〗 재활(再活) 요법, 기능 회복 훈련.

***rééduquer** [ʀeedyke] *v.t.* ① 재교육〔재훈련〕하다. ② 〖의학〗 (장애인 등에게) 몸을 움직이는 훈련〔연습〕을 시키다.

⁑**réel, elle** [ʀeɛl] *adj.* ① 《명사 뒤》 현실의, 사실의, 실재의(≠ imaginaire) : fait ~ 사실 / personnage ~ 실재 인물. ② 진정한, 진짜의(≠ faux) ; 실질적인 : courage ~ 진정한 용기 / salaire ~ 실질 임금. ③ 《명사 앞》 사실상의 ; 현저한(= sensible) : faire de ~*s* efforts 대단한 노력을 하다 / éprouver un ~*elle* satisfaction 사실상의 만족감을 맛보다. ④ 〖법률〗 물건(物件)에 관한 : action ~*elle* 〖법률〗 대물(對物) 소송 / droit ~ 물권(物權). ***image ~elle*** 〖광학〗 실상(≠ image virtuelle). ***nombre ~*** 〖수학〗 실수. ── *m.* 현실, 실재 ; 현실적인 것 : l'idéal et le ~ 이상과 현실 / dans le ~ 실제로.

réélection [ʀeelɛksjɔ̃] *f.* 재선 : ~ triomphale 압도적인 재당선.

rééligible [ʀeeliʒibl] *adj.* 재선될 수 있는.

réélire [ʀeeliːʀ] [32] *v.t.* 재선하다 : Il *a été réélu* à la présidence. 그는 대통령에 재선되었다.

***réellement** [ʀeɛlmɑ̃] *adv.* ① 실제로, 현실적으로(= en fait). ② 참으로, 전적으로.

réélu, e [ʀeely] *adj.* 재선된. ── *n.* 재선자.

réembaucher [ʀeɑ̃boʃe]**, rembaucher** [ʀɑ̃boʃe] *v.t.* 다시 고용하다(= reemployer).

réemploi [ʀeɑ̃plwa] *m.* = remploi.

réemployer [ʀeɑ̃plwaje] *v.t.* ① 재사용하다, 재활용하다(= réutiliser). ② (해고했던 사람을) 재고용하다(= rembaucher).

réengager [ʀeɑ̃gaʒe] [3] *v.t.* …와 재계약하다 ; …을 재고용하다.

réentendre [ʀeɑ̃tɑ̃ːdʀ] *v.t.* 다시 듣다 : ~ un témoin 증인의 말을 다시 듣다.

rééquilibrage [ʀeekilibʀaːʒ] *m.* 다시 균형을 잡기, 균형 회복.

rééquilibrer [ʀeekilibʀe] *v.t.* (예산 따위의) 균형을 회복시키다.

réessayer [ʀeesɛ(e)je] [8] *v.t.* 재시도하다, 다시하다.

réévaluation [ʀeevalɥasjɔ̃] *f.* ① 재평가 : ~ des bilans 자산 재평가 / ~ d'un immeuble 부동산의 재평가. ② 〖금융〗 평가 절상.

réévaluer [ʀeevalɥe] *v.t.* ① 재평가하다, 재검토하다. ② 『금융』 평가 절상하다.
réexamen [ʀeɛgzamɛ̃] *m.* 재검토, 재검사.
réexaminer [ʀeɛgzamine] *v.t.* 재검토하다, 다시 조사하다.
réexpédier [ʀeɛkspedje] *v.t.* ① (새 주소지로) 재발송〔재발신〕하다 ; ② 반송〔회송〕하다 (= retourner).
réexpédition [ʀeɛkspedisjɔ̃] *f.* ① 재발송, 재발신 ; 전송(轉送). ② 회송 ; 반송.
réexporter [ʀeɛkspɔʀte] *v.t.* (수입품을) 재수출하다.
Réf. 《약자》 référence 참조.
***refaire** [ʀəfɛːʀ] [28] *v.t.* ① 다시 하다 ; 되풀이하다 : ~ un voyage en Espagne 다시 한 번 스페인을 여행하다 / ~ un travail 일을 다시 하다 / ~ les mêmes erreurs 똑같은 잘못을 되풀이하다. ② 바꾸어〔고쳐〕 만들다. 개조〔개작〕하다 ; 수리〔수선〕하다(= réparer) : appartement *refait* à neuf 깔끔히 새로 단장한 아파트 / ~ son maquillage 화장을 고치다 / ~ un mur 담〔벽〕을 수선하다. ③ (건강·체력을) 회복하다 : ~ sa santé par un changement de climat 기후의 변화로 건강을 회복하다. ④ 《구어》 《~ qn》 속이다(= duper) ; 《~ qc》 훔치다 : Je *suis refait !* 나는 속았다, 내가 당했구나 / ~ une montre 시계를 훔치다. — **se** ~ *v.pr.* ① 기력〔건강〕을 회복하다 : *se* ~ de ses fatigues 피로를 풀고 기운을 회복하다 / *se* ~ la santé 건강을 회복하다. ② (자기에게) 다시 만들다 : *se* ~ des amis 친구들을 새로 사귀다. ③ (성격 따위를) 고치다 : Il ne peut *se* ~. 그는 자기 성격을 고치지 못한다. ④ 다시 만들어지다〔되다〕. ⑤ 《se ~ à》 …에 적응하다, 다시 익숙해지다 : *se* ~ *à* la vie de Paris 파리의 생활에 다시 익숙해지다. ⑥ 《se ~ qc》 (잃어버린) …을 되찾다, 만회하다 : *se* ~ une réputation 〔une santé〕 명성〔건강〕을 되찾다.
refass-e, -es ⇒ refaire.
réfection [ʀefɛksjɔ̃] *f.* 다시 만들기, 개조, 재건 ; 수리, 수선 : ~ d'une route 도로 수리 / travaux de ~ 복구 작업.
réfectionner [ʀefɛksjɔne] *v.t.* 수리하다, 수선하다, 개조하다. — *v.i.* 식사하다.
réfectoire [ʀefɛktwaːʀ] *m.* (학교·수도원 등의) 식당, 구내식당(= cantine).
refer-ai, -ons, etc. ⇒ refaire.
référé [ʀefeʀe] *m.* 『법률』 (긴급 사건의) 급속 심리(에 따른 판결).
***référence** [ʀefeʀɑ̃ːs] *f.* ① 준거(準據) ; 관련(사항) : indemnité établie par ~ au traitement 급여에 준거하여 정해진 수당(금). ② 참고, 참조, 출전(出典), 조회 ; (인용문·참조 사항에 관한) 주(註) : faire ~ à un auteur 어떤 저자를 참조하다 / ouvrage de ~ 참고 문헌 / donner la ~ d'une citation 인용한 출전을 밝히다. ③ (실력의) 근거, (가치의) 보증 : Être passé à la télévision, ce n'est pas une ~ ! 텔레비전에 나왔다고 해서 훌륭하다는 근거는 없어요. ④ (공문서한·상품 따위의) 지시 사항, 번호, 기호 : numéro de ~ 문서〔서류〕 번호. ⑤ 『언어』 지칭 (관계)(= dénotation). ⑥ (흔히 *pl.*) 신원〔인물〕 보증서, 추천서 : fouruir de sérieuses ~s 확실한 신원 보증서〔추천서〕를 제출하다.
referendum, référendum [ʀefeʀɛ̃dɔm] *m.* ① 국민 투표. ② (집단의) 의견 조사. ③ (외교관이 새로운 훈령을 받으려고 본국 정부에 보내는) 청훈(請訓).
référentiel, elle [ʀefeʀɑ̃sjɛl] *adj.* 『언어』 지시하는 : fonction ~*elle* 지시 기능.
référer [ʀefeʀe] [6] *v.t. ind.* ① 《en ~ à qn》 …에게 일임하다, 맡기다 : *en* ~ *à* son chef 주임에게 일임하다. ② 《~ a qc》 …을 지시하다. — **se** ~ *v.pr.* ① 《se ~ à qn》 …의 의견을 듣다, …의 의견에 따르다 : *se* ~ *à* (l'avis d')un ami 친구의 의견에 따르다. ② 《se ~ à qc》 …을 참조하다, …에 의거하다 : *se* ~ *à* la loi 법률에 의거하다.
***refermer** [ʀəfɛʀme] *v.t.* 닫다 : ~ la porte (열린) 문을 닫다. — **se** ~ *v.pr.* 다시 닫히다〔막히다〕.
refiler [ʀəfile] *v.t.* ① 《구어》 (위조품·불량품 따위를) (떠)안기다, (떠)맡기다 : se faire ~ un faux billet 위조지폐를 떠맡기다. ② (병 따위를) 옮기다 : Il m'*a refilé* sa grippe. 그는 나에게 독감을 옮겼다.
refî-s, -t, etc. ⇒ refaire.
réfléchi, e [ʀefleʃi] *adj.* ① (언행이) 신중한 ; (사람이) 생각이 깊은, 사려 깊은 : décision ~*e* 신중한 결정 / parole ~*e* 깊이 생각해서 한 말. ② 『문법』 재귀의 : pronom 〔verbe〕 ~ 재귀대명사〔동사〕. ***tout*** (***bien***) ~ 심사숙고한 끝에.
réfléchir** [ʀefleʃiːʀ] *v.t.* ① 반사하다, 반영하다, 비추다(= refléter) : Le miroir *réfléchit* la lumière. 거울은 빛을 반사한다. ② 《~ que + *ind.*》 …라고 생각하다〔판단하다〕 : *J'ai réfléchi que* je ne pourrai pas venir. 잘 생각해 보았지만 저는 안 갑니다. — *v.i.* 숙고하다, 곰곰이 생각하다 : ~ avant d'agir 행동하기 전에 깊이 생각하다. ***sans ~ 잘 생각하지 않고, 얼떨결에 : acheter *sans* ~ 충동구매를 하다. — *v.t. ind.* 《~ à 〔sur〕》 …에 대해〔관해서〕 숙고하다 : ~ *sur* une question 어떤 문제에 관해 숙고하다. — **se** ~ *v.pr.* 비치다, 반사〔반영〕되다 : Les arbres de la rive *se réfléchissent* dans l'eau. 물가의 나무들이 물속에 비친다.
réfléchissant, e [ʀefleʃisɑ̃, -ɑ̃ːt] *adj.* 반사하는, 반향하는 : pouvoir ~ d'un miroir 거울의 반사력.
réflecteur [ʀeflɛktœːʀ] *m.* 반사 장치, 반사경, (전등의) 갓.
***reflet** [ʀəflɛ] *m.* ① 반사(광), 되비치기, 반영 : ~ du soleil 햇빛의 반사. ② (거울·물 따위에 비친) 모습, 그림자 : ~ des arbres dans l'eau 물속에 비친 나무들의 그림자. ③ 광택, 윤 : ~s dorés 황금빛 광택. ④ 《비유》 반영 ; 재현 : La littérature est le ~ d'une société. 문학은 사회의 반영이다.
***refléter** [ʀəflete] [6] *v.t.* ① (상을) 비추다, (빛을) 반사하다(= réfléchir) : miroir qui *reflète* des objets 물건들을 반영하는 거울. ② 《비유》 반영하다, 나타내다 : Son visage *reflète* la bonté. 그의 얼굴에는 선량함이 나타나 있다. — **se** ~ *v.pr.* 《se ~ sur 〔dans〕》

R

…에 반영되다, 재현되다, 나타나다.

refleurir [rəflœri:r] *v.i.* 다시 꽃피다 ; 《비유》 다시 번영하다, 부흥하다(= se ranimer) : voir ~ les lettres et les arts 문학과 예술이 번영하는 것을 보다. ── *v.t.* 다시 꽃피게 하다 ; 다시 번영하게 하다, 부흥시키다.

***réflexe** [reflɛks] *adj.* (근육 운동 따위가) 반사적인. ── *m.* 반사 운동〔작용〕; 반사 신경, 기민한 반응 : ~ conditionnel〔conditionné〕 조건 반사.

réflexion** [reflɛksjɔ̃] *f.* ① 〖물리〗 반사 ; 반향 : angle de ~ 반사각 / ~ totale 전(全)반사. ② 심사숙고, 반성(= délibération, méditation) : demander mûre ~ 심사숙고할 필요가 있다 / faire cette ~ que… …을 반성해보다. ③ (흔히 *pl.*) 고찰, 의견 : ~*s* sur le caractère des Japonais 일본인의 성격에 관한 고찰. ④ 불평, 비판 : faire des ~s désagréables 기분 나쁜 잔소리를 하다. ***à la ~ 곰곰이 생각해 보건대〔보면〕. (***toute***) ***~ faite*** (모든 것을) 곰곰이 생각한 끝에〔결과〕.

refluer [rəflye] *v.i.* ① 역류하다(≠ affluer) ; (조수가) 써다(= baisser ; ≠ monter). ② (군중 따위가) 물러가다(= reculer) : La police fit ~ les curieux. 경찰은 구경꾼을 물러서게 했다.

reflux [rəfly] *m.* ① 썰물, 간조(干潮)(≠ flux) ; 역류. ② 후퇴 ; 퇴산(退散). ***le flux et le ~*** 밀물과 썰물.

refondre [rəfɔ̃:dr] [25] *v.t.* ① (금속을) 다시 녹이다 ; 다시 주조하다 : ~ des monnaies 화폐를 다시 주조하다. ② (책을) 개작〔개정〕하다, 고치다 : édition *refondue* 개정판.

refonte [fəfɔ̃:t] *f.* ① (화폐의) 재주조. ② 개작, 개정 : ~ d'un dictionnaire 사전의 개정.

réformateur, trice [refɔrmatœ:r, -tris] *n.* 개혁자 ; 종교 개혁자. ── *adj.* 개혁하는, 개혁적인, 개혁을 도모하는.

réformation [refɔrmɑsjɔ̃] *f.* ① 〖법률〗 (상급심에서의 원판결의) 변경, 수정. ② (*R~*) 〖종교사〗 종교 개혁(= la Réforme).

***réforme** [refɔrm] *f.* ① 개혁, 개량, 개선(= amélioration) : ~ de l'enseignement 교육 개혁 / ~ politique 정치 개혁. ② 〖종교〗 la *R~* 종교 개혁. ③ 〖군사〗 퇴역, 제대 ; (부적격 판정에 의한) 병역 면제〔연기〕, (무기 따위의) 폐기.

R

réformé, e [refɔrme] *adj.* ① 〖종교사〗 개혁된, 혁신된, 신교의. ② 〖군사〗 퇴역당한 ; (자재가) 폐기처분된. ***l'église ~e*** (루터파에 대해 특히 칼뱅파의) 개혁 교회. ── *n.* ① 《옛》 신교도. ② 〖군사〗 퇴역〔제대〕 군인.

reformer [rəfɔrme] *v.t.* 다시 만들다 ; 〖군사〗 재편성하다 : ~ une armée en déroute 패주한 군을 재편성하다.

***réformer** [refɔrme] *v.t.* ① 개혁〔개선〕하다, 개정하다 : ~ la société 사회를 개혁하다 / ~ la consitution 헌법을 개정하다. ② 《문어》 (행실을) 바로잡다, 교정(矯正)하다. ③ 〖법률〗 (판결을) 파기〔취소〕하다. ④ 〖군사〗 퇴역〔제대〕시키다. ⑤ 〖공업〗 (자재를) 폐기하다.

réformette [refɔrmɛt] *f.* 《구어》 《비꼼》 부분적 개혁, 지엽적(枝葉的) 개혁.

réformisme [refɔrmism] *m.* 〖정치〗 개혁〔혁신〕주의 ; 사회 개혁론.

réformiste [refɔrmist] *n.* 개혁〔혁신〕파(≠ révolutionnaire) ; 개량주의자. ── *adj.* 개량〔수정〕주의의.

reformuler [rəfɔrmyle] *v.t.* ① (표현을) 명확하게 다시 표명하다. ② (문서 따위를) 올바르게 작성하다.

refoulement [rəfulmɑ̃] *m.* ① 역류 ; 역행. ② 〖정신분석〗 억압, 억제 ; (특히 성적) 억압. ③ 격퇴, 물리치기.

***refouler** [rəfule] *v.t.* ① 역류시키다, 역행시키다. ② (감정을) 억누르다, (욕망을) 억제〔억압〕하다(= retenir) : ~ ses larmes〔sa colère, son désir〕 눈물〔분노·욕망〕을 억제하다. ③ 격퇴하다, 물리치다(= repousser) : ~ un envahisseur 침략자를 격퇴하다.

réfractaire [refraktɛ:r] *adj.* ① 반항〔저항〕하는 ; 《~ à》 …에 복종하지 않는, 거역하는 : ~ *à* la loi 법을 따르지 않는 / employé ~ *aux* ordres de ses chefs 상사의 명령에 복종하지 않는 고용인. ② 《옛》 〖군사〗 징병을 기피하는 : un conscrit ~ 징병 기피자. ③ 내화성(耐火性)의.

réfraction [refraksjɔ̃] *f.* 〖물리〗 (광선 따위의) 굴절 : angle de ~ 굴절각.

***refrain** [rəfrɛ̃] *m.* ① (노래의) 후렴 ; 반복구(反復句). ② 상투적 언사(= rengaine) : C'est son ~ ; Avec lui, c'est toujours le même ~. 그것은 그의 상투적인 말이다.

re〔ré〕frènement [rə〔re〕frɛnmɑ̃] *m.* (본능 따위의) 억제.

re〔ré〕fréner [rə〔re〕frene] [6] *v.t.* (본능을) 억제하다 : ~ une envie 욕망을 억누르다. ── **se ~** *v.pr.* 《구어》 자제하다.

réfrigérant, e [refriʒerɑ̃, -ɑ̃:t] *adj.* ① 냉각하는 ; 시원〔서늘〕하게 하는. ② 《구어》 쌀쌀맞은, 냉담한 : accueil ~ 냉대. ── *m.* ① 냉각기(器). ② 〖의학〗 청량제, 해열제.

réfrigérateur, trice** [refriʒeratœ:r, -tris] *m.* 냉동기, 냉장고(= frigidaire). ***mettre qc ***au ~*** 당분간 보류시키다, 동결시켜 놓다.

réfrigération [refriʒerɑsjɔ̃] *f.* 냉각, 냉동.

réfrigérer [refriʒere] [6] *v.t.* ① 냉각하다, 냉동하다(= congeler). ② 《비유》 (냉대 따위로) 얼어붙게 만들다(= glacer), 낙담시키다 : examinateur qui *réfrigèrent* les candidats 수험생을 얼어붙게 하는 시험관.

***refroidir** [rəfrwadi:r] *v.t.* ① 식히다, 냉각하다, 차게 하다 : ~ légèrement du café 커피를 약간 식히다. ② ⓐ 《~ qc》 …을 시게 하나 : ~ son amitié pour qn …에 대한 우정을 감퇴시키다. ⓑ 《~ qn》 …의 열의를 식게 하다, 실망시키다 : Son arrivée *a refroidi* l'atmosphère. 그녀가 와서 좌흥이 깨졌다. ── *v.i.* ① 식다, 차가워지다 : faire ~ de l'eau bouillante 끓는 물을 식히다. ② (열성·열의 따위가) 식다. ── **se ~** *v.pr.* ① 식다, 서늘해지다 : Le temps *se refroidit.* 날씨가 서늘해진다. ② (열성·열의 따위가) 식다. ③ 감기 들다, 오한이 나다.

refroidissement [rəfrwadismɑ̃] *m.* ① 냉각, 식히기 ; (기온의) 내려감 : ~ du temps 날씨가 추워지기. ② (열성·열의 따위가) 식기, 감퇴. ***attraper un ~*** 〖의학〗 오한이 나

다, 한기 들다.

***refuge** [ʀəfyʒ] *m.* ① 피난처, 은신처, 대피소 : chercher 〔trouver〕 ~ 피난처를 구하다, 난을 피하다 / lieu de ~ (긴급) 대피소. ② (자동차 도로상의) 안전 지대 ; (등산객을 위한) 산장, 대피 오두막 : passer la nuit dans un ~ 산장에서 밤을 지내다. ③ 《옛》 구실, 핑계 : chercher des ~s 구실을〔핑계를〕 찾다. ④ 의지할 만한 사람.

réfugié, e [ʀefyʒje] *n.* 난민 ; 망명자 : camp de ~s 난민 수용소 / ~ politique 정치 망명자. — *adj.* 피난한 ; 망명한.

***réfugier (se)** [s(ə)ʀefyʒje] *v.pr.* ① 망명하다(= émigrer) : *se* ~ à l'étranger 외국에 망명하다. ② 피난하다, 피신하다 : *se* ~ sous un arbre 나무 밑으로 피신하다 / *se* ~ auprès de qn …의 가호를 구하다.

refus** [ʀəfy] *m.* ① 거절, 거부, 사절, 사양(≠ acceptation) : ~ de comparaître 〖법률〗 (법정에의) 출두 거부 / ~ d'obéissance 불복종, 반항. ② 퇴물, 폐물(= rebut). ***Ce n'est pas de ~. 기꺼이 받겠습니다, 그렇게 하겠습니다. ***essuyer un ~*** 거절당하다.

⁑**refuser** [ʀəfyze] *v.t.* ① (제의 따위를) 거절〔거부〕하다, 사절〔사양〕하다 : ~ un cadeau 선물을 거절하다 / ~ une offre 신청을 거부하다 / ~ une invitation 초대를 사양하다. ② (요구 따위를) 들어주지 않다, 주지 않다, 부여하지 않다 ; 인정하지 않다 : ~ une augmentation à un ouvrier 노동자에게 임금 인상을 거부하다 / ~ une permission 허가해 주지 않다 / ~ une grâce 은혜를 베풀어 주지 않다 / ~ toute compétence à qn …의 여하한 권한도 인정하지 않다. ③ (사람을) 받아들이지 않다 ; 들어오지 못하게 하다 ; 낙제시키다 : ~ du monde à l'entrée du stade 사람들을 경기장 안으로 들어오지 못하게 하다 / ~ un candidat 수험생을 불합격시키다. — **se ~** *v.pr.* ① 거절〔거부〕당하다 : Une telle offre ne *se refuse* pas. 그런 제안은 거절〔거부〕당하지 않는다. ② 《se ~ à+*inf.*》 …하기를 거부하다 : *se* ~ *à* nous secourir 우리를 후원하는 것을 거부하다. ③ 스스로에게 거절하다, 스스로 금하다(= se priver de) : Il *se refuse* même le nécessaire. 그는 필수품까지도 절약한다. ④ (여자가) 몸을 허락하지 않다.

réfutable [ʀefytabl] *adj.* 논박〔반박〕할 수 있는 : argument difficilement ~ 반박하기 어려운 논증.

réfutation [ʀefytasjɔ̃] *f.* 논박, 반박, 반론 : ~ d'une erreur 오류에 대한 반박.

réfuter [ʀefyte] *v.t.* 논박하다, 반박하다(≠ approuver, confirmer) : ~ une thèse 주장을 논박하다.

rég. 《약자》 régiment 〖군사〗 연대.

regagner [ʀəgaɲe] *v.t.* ① 만회〔회복〕하다, 되찾다 : ~ de l'argent perdu au jeu 도박에서 잃었던 돈을 다시 찾다 / ~ le temps perdu 허비한 시간을 만회하다. ② …에 (되)돌아가다〔오다〕 : ~ son pays natal 고향에 돌아오다. ~ ***du terrain*** 열세를 만회하다. ~ ***le dessus*** 다시 우세하게 되다.

regain [ʀəgɛ̃] *m.* ① 〖목축〗 그루풀《목장에서 풀을 벤 뒤에 다시 돋은 풀》(= recoupe). ② 《~ de》 …의 회복, 소생(= renouvellement, retour) : ~ *de* jeunesse 회춘 / ~ *de* santé 건강의 회복.

régal [ʀegal] *m.* (*pl.* **~s**) ① 좋아하는〔맛있는〕 음식. ② 큰 기쁨〔즐거움〕(을 주는 것) ; 선물(= présent, cadeau).

régalade [ʀegalad] *f.* 《다음 숙어로 쓰임》 ***boire à la ~*** 잔이나 병을 입술에 대지 않고 입에 부어 마시다.

régale [ʀegal] *adj. f.* 〖화학〗 eau ~ (금·백금 따위를 녹이는) 왕수(王水).

régaler [ʀegale] *v.t* ① 맛있는 음식으로 대접하다, 향응하다 : ~ ses amis 친구들에게 맛있는 음식을 대접하다. ② 《구어》《목적보어 없이》 한턱내다 : C'est moi qui *régale.* 내가 한턱내지. ③ 《속어》 (성적으로) 즐겁게 해 주다. — **se ~** *v.pr.* ① 맛있는〔좋아하는〕 음식을 먹다 : *se* ~ d'un poulet 좋아하는 닭고기를 맛있게 먹다. ② 《se ~ de》 …을 즐기다(= se délecter) : *se* ~ *de* bonne musique 좋은 음악을 즐기다. ③ 《구어》 큰 벌이를 하다.

⁑**regard** [ʀəgaːʀ] *m.* ① 시선, 눈길 ; 주목 : jeter un ~ sur qc …에 시선을 던지다 / suivre qn du ~ …을 눈으로 쫓다 / attirer tous les ~s 많은 사람의 주목을 받다 / se dérober aux ~s 남의 눈〔시선〕을 피하다. ② 눈매, 눈초리 : ~ tendre 상냥한 눈매 / ~ noir 불만〔분노〕에 찬 눈매 / ~ perdu 멍한〔방심한〕 눈초리. ③ (탱크·고로(高爐) 등을 엿보는) 창 ; (하수도의) 맨홀. ***au ~ de*** …에 견주어〔비추어 보아〕 ; …에 관하여 : *au* ~ *de* la loi 법에 비추어 보아. ***droit de ~ sur*** …에 대한 감독권. ***en ~*** 맞은편에, 상대하여 : texte latin avec une traduction *en* ~ 대역(對譯)이 붙은 라틴어 원문.

regardant, e [ʀəgaʀdɑ̃, -ɑ̃ːt] *adj.* 《구어》 ① 인색한. ② 세심한, 꼼꼼한.

⁑**regarder** [ʀəgaʀde] *v.t.* ① 보다, 바라보다, 지켜보다, 들여다보다 : ~ qn attentivement 〔fixement〕 …을 주시〔응시〕하다 / ~ un livre de près 책을 자세히 들여다보다 / ~ qn 〔qc〕+*inf.* …이 …하는 것을 바라보다 / ~ la neige tomber 눈이 내리는 것을 바라보다 / *Regardez* à la pendule quelle heure il est. 몇 시인지 시계를 보시오 / ~ de côté 〔du coin de l'œil〕 곁눈질하다 / ~ dans ses papiers 《목적보어 없이》 자기의 서류를 조사하다 / Si vous m'aidiez, au lieu de me ~ faire ! 내가 하는 것을 보지만 말고 좀 도와주면 (좋으련만). ② 《~ qc 〔qn〕 comme》 …을 …으로 간주하다, 생각하다, 여기다 : On le *regarde comme* un homme de bien. 사람들은 그를 자선가로 여기고 있다. ③ 고려하다 ; 중요시하다 ; 추구하다(= rechercher) : ne ~ que son intérêt 자기 이해밖에 생각하지 않다 / ne rien ~ 아무것도 아랑곳하지 않다 / sans ~ que+*ind.* …임은 생각해보지도 않고. ④ 《~ qc ; (직접목적보어 없이) ~ ver 〔sur〕 qc》 …쪽으로 향해〔면해〕 있다 : Cette maison *regarde* le midi. 이 집은 남향이다 / fenêtre qui *regarde sur* la rivière 강 쪽을 향한 창. ⑤ 관계되다. ***Vous ne m'avez pas regardé !*** 나를 누구〔뭘〕로 아는가 !

R

— *v.t. ind.* 《~ à》 ① …에 세심한 주의〔고려〕를 하다. ② (돈·비용을) 아끼다 : Je ne *regarde* pas à vingt francs ; Je n'y *regarde* pas pour vingt francs. 20 프랑쯤이야 아무래도 좋다 / ~ *à* la dépense 돈을 아주 아껴 쓰다, 인색하게 굴다. ***y bien ~ ; y ~ à deux fois*** 신중히 생각하다. ***y ~ de près*** 자세히 살펴보다. — **se ~** *v.pr.* ① 자기를 보다 ; 《se ~ comme》 자기를 …으로 보다〔여기다〕: *se* ~ dans un miroir 자기 모습을 거울에 비춰보다 / *se* ~ *comme* un héros 자기를 영웅으로 생각하다. ② 서로 바라보다 ; 마주보고〔대하고〕 있다 : deux maisons qui *se regardent* 마주보는 두 집. ***Il ne s'est pas regardé.*** 《구어》 (제 잘못은 생각하지도 않고) 남의 잘못만 따지려 드는군.

regarnir [ʀəgaʀniːʀ] *v.t.* ① (필요한 것을) 다시 갖추다〔보충하다〕. ② (모자·옷 따위에) 장식을 바꾸어 달다.

régate [ʀegat] *f.* (흔히 *pl.*) 레가타, 경조(競漕) : ~ à l'aviron 〔à rames〕 보트 레이스.

régence [ʀeʒɑ̃ːs] *f.* 섭정직(攝政職) ; 섭정제 ; 섭정 기간. ***la R~*** 〚프랑스사〛 오를레앙공(公) 필립(*Philippe d'Orléans*) 섭정 시대 (1715–23).

régénérateur, trice [ʀeʒeneʀatœːʀ, -tʀis] *adj.* 재생시키는 ; 쇄신하는 : eau ~*trice* 세례의 물. — *m.* 〚화학〛 (촉매) 재생 장치.

régénération [ʀeʒeneʀɑsjɔ̃] *f.* ① 〚생리〛 (조직의) 재생(再生) : ~ de l'épiderme 피부의 재생. ② 《문어》 쇄신, 갱생(更生)(= rénovation) : ~ des mœurs 풍속의 쇄신.

régénérer [ʀeʒeneʀe] [6] *v.t.* ① 〚생물〛 (피부 따위를) 재생하다. ② 〚종교〛 (정신적으로) 갱생시키다. ③ 쇄신〔개혁〕하다 : ~ la société 사회를 쇄신하다. — **se ~** *v.pr.* 재생〔갱생〕하다 ; 쇄신되다.

régent, e [ʀeʒɑ̃, -ɑ̃ːt] *adj.* 섭정(攝政)의.

régenter [ʀeʒɑ̃te] *v.i.* (부당하게) 좌지우지하다, 간섭〔지배〕하다 : Il veut tout ~. 그는 모든 것을 자기 뜻대로 하려 한다.

reggae [ʀege] 〔영〕 *m.* 〚음악〛 레게《싱코페이션과 반복이 많은 대중 음악》.

régicide [ʀeʒisid] *m.* ① 시역(弑逆), 시역죄. ② 시역자. — *adj.* 시역의.

régie [ʀeʒi] *f.* 〚법률〛 ① 국영, 공영(公營) ; 공단(公團), 공사(公社) : la ~ Renault 르노 (자동차) 공사 / *R~* autonome des transports parisiens (RATP) 파리 교통 공단 / théâtre en ~ 국영〔국립〕 극장. ② (극장·방송국 따위의) 제작 관리실 ; (라디오·TV의 음성 영상 조정) 서브 스튜디오, 부(副)조정실. ③ ~ publicitaire 광고 대리점.

regimber [ʀəʒɛ̃be] *v.i.* 반항〔반발〕하다(= se rebiffer) : ~ contre l'autorité 권위에 반발하다.

***régime**[1] [ʀeʒim] *m.* ① 정체(正體), 체제(= constitution) : ~ démocratique 〔monarchique, républicain〕 민주〔군주·공화〕 정체 / ~ capitaliste 자본주의 체제. ② (법제상의) 제도, 규정 : ~ dotal 부부 재산제 / ~ fiscal 세제(稅制) / ~ des prisons 교도소 규정. ③ (주류 따위의) 단속 (법규) ; (공공 기관의) 관리(법) : ~ des prisons 〔des hôpitaux〕 형무소〔병원〕 관리(법). ④ 〚기계〛 엔진의 회전수, (기계의) 정상 운전 ; 〚수력공학〛 연간 하천 유수량(流水量) : ~ normal 〔ralenti〕 정상〔감속〕 회전 / ~ de croisière (자동차의) 경제 속도 운전. ⑤ 〚의학〛 식이요법(= diète) : être au ~ ; vivre de ~ 식이요법을 하다.

régime[2] *m.* (바나나 따위의) 송이.

***régiment** [ʀeʒimɑ̃] *m.* ① 연대 : ~ d'infanterie 보병 연대. ② 《구어》 군대 ; 병역〔군복무〕 (기간). ③ 다수.

régimentaire [ʀeʒimɑ̃tɛːʀ] *adj.* 연대의.

reginglard [ʀəʒɛ̃glaːʀ] *m.* 《옛》 포도 찌꺼기로 만든 시큼한 포도주.

région [ʀeʒjɔ̃] *f.* ① 지방, 지역, 지대 : ~ industrielle 〔agricole〕 공업〔농업〕 지대 / ~*s* tempérées 온대 지방. ② 영역, 분야(= domaine) : ~*s* de la philosophie 철학의 영역. ③ 〚해부〛 (신체의) 부분, 국부 : ~ douleurs dans la ~ de l'estomac 위(胃) 부분의 통증. ④ 〚군사〛 군단의 관할 구역, 관구.

***régional, e, aux** [ʀeʒjɔnal, -o] *adj.* ① 지방의 ; 지방 특유의 ; 지역권의 : accent ~ 지방 사투리 / économie ~*e* 지역 경제 / cuisine ~*e* 향토 요리 / conseil ~ d'Alsace 알자스 지역권 의회. ② 〚의학〛 국부의 : anesthésie ~ 국부 마취.

régionalisation [ʀeʒjɔnalizɑsjɔ̃] *f.* (정치·경제의) 지방 분산 ; 지방 분권화.

régionaliser [ʀeʒjɔnalize] *v.t.* 〚정치·경제〛 지방으로 분산시키다, 지방 분권화하다.

régionalisme [ʀeʒjɔnalism] *m.* ① 〚정치·경제〛 지방(분권)주의 ; 〚문학〛 향토주의 ; 향토색. ② 지방 사투리.

régionaliste [ʀeʒjɔnalist] *n.* 지방 분권주의자 ; 향토 문학가. — *adj.* 지방(분권)주의의 ; (문학 작품 따위가) 향토색이 짙은.

régir [ʀeʒiːʀ] *v.t.* ① 규정하다, 지배하다 : lois qui *régissent* les phénomènes 여러 현상을 지배하는 법칙. ② 〚언어〛 (격·법 따위를) 지배하다.

régisseur [ʀeʒisœːʀ] *m.* ① (토지) 관리인. ② 〚연극〛 무대 감독 ; 〚영화〛 조감독.

registre [ʀəʒistʀ] *m.* ① 등록부, 장부, 대장, 명부 : ~ des contributions 납세자 명부 / ~ de population 주민 등록 대장 / ~ d'un hôtel 숙박부. ② 〚음악〛 성역(聲域), 음역 ; (오르간의) 음전(音栓) : ~ grave 〔aigu〕 저〔고〕음역. ③ (예술 작품의) 특색, 특징. ④ 〚컴퓨터〛 데이터 기억 장치, 레지스터.

réglable [ʀeglabl] *adj.* ① 조절할 수 있는. ② 지불할 수 있는(= payable).

réglage [ʀeglaːʒ] *m.* ① (종이의) 괘선 (치기). ② (기계의) 조정(調整), 조절 : ~ à distance 원격 조정.

règle** [ʀɛgl] *f.* ① 자 : ~ à calcul 계산자 / ~ de bois 〔de métal〕 나무〔쇠〕자. ② 규칙, 규범, 규정 ; 규율, 계율 : Il n'y a pas de ~ sans exception. 예외 없는 규칙은 없다 / s'assujettir 〔se plier〕 à une ~ 규율에 따르다 / enfreindre 〔violer〕 la ~ 규정을 어기다. ③ 법칙, 원칙 ; 방식, 격식 : ~*s* de la politesse 예법 / ~*s* grammaticales 문법의 법칙. ④ (*pl.*) 월경 : avoir ses ~*s* 월경을 하다. ***avoir pour ~ de + *inf.* …하는 것을 원칙으로 삼다. ***comme de ~ ; c'est la ~*** 규

R

정대로, 규칙에 따라. ***dans les ~s ; selon les ~s*** 규정대로(의) : agir *dans les ~s* 규정대로 행동하다. ***en ~*** 규정에 맞는, 규정대로(의) : une bataille *en ~* 정식의〔정정당당한〕 싸움. ***en ~ générale*** 일반적으로, 대개의 경우. ***être en*** (***bonne***) ~ 일반 통례에 어긋남이 없다. ***Il est de ~ de***+*inf.* 〔***que***+*sub.*〕 …하는 것〔인 것〕이 규정으로〔관례로〕 되어 있다. ***se mettre*** 〔***être***〕 ***en ~*** 규정에 따르다〔맞다〕 ; 떳떳하게 행동하다 : *se mettre en ~* avec Dieu 죽기 전에 하느님에게 죄를 참회하다.

réglé, e [Regle] *adj.* ① 규칙적인 ; 일정한, 고른 : mener une vie *~e* 규칙적인 생활을 하다. ② (여자가) 월경이 있는 : femme bien 〔mal〕 *~e* 월경이 순조로운〔불순한〕 여자. ③ 결정난, 끝난 : C'est une affaire *~e*. 그것은 이미 끝난 일이다. ④ (종이가) 괘선을 친.

***règlement** [Rɛgləmɑ̃] *m.* ① 해결, 처리, 결말을 냄 : ~ d'un coflit 쟁의의 해결. ② ⓐ 규정, 법규 ; 규약, 정관(定款) : ~ de police 경찰 법규 / *~s* d'une association 회의 규약 / observer le ~ 법규를 지키다. ⓑ (일정 그룹 내의) 규칙 : ~ intérieur d'un lycée 고등학교의 교칙. ③ 〖상업〗 결제, 결산, 지불 : ~ d'une dette 빚의 변제 / effectuer un ~ par chèque 어음으로 지불하다 / jour du ~ 결산일.

réglementaire [Rɛgləmɑ̃tɛ:R] *adj.* 규정〔법규〕에 관한〔의한〕 ; 규정에 맞는 : tenue ~ (병사의 정규) 제복.

réglementairement [Rɛgləmɑ̃tɛRmɑ̃] *adv.* 규정에 맞추어〔따라〕, 규칙대로.

réglementation [Rɛgləmɑ̃tasjɔ̃] *f.* 규제, 통제, 법규〔규칙〕 제정 : ~ de la circulation 교통 규제 / ~ des prix 물가 통제.

réglementer [Rɛgləmɑ̃te] *v.t.* 규제하다, 통제하다 : ~ le droit de grève 파업권을 규제하다 / stationnement *réglementé* 주차 통제.

régler** [Regle] 6 *v.t.* ① 결정짓다 ; 결말짓다, 해결하다 : ~ un différend 분쟁을 해결하다. ② 결제〔결산〕하다 ; 지불하다 : ~ sa note d'hôtel 호텔의 계산을 치르다 / 《목적 보어 없이》 ~ par chèque 〔en espèces〕 어음〔현금〕으로 지불하다. ③ (기계 따위를) 조절〔조정〕하다 : ~ une montre 시계를 맞추다. ④ 《~ sur》 …에 맞추어 규제하다, …에 맞추다, 적합하게 하다, 정하다 : ~ sa conduite *sur* qn …에게 맞추어 행동하다. ⑤ 해결하다, 결말짓다, 처리하다 : ~ un conflit 분쟁을 해결하다 / ~ une affaire 사건을 결말짓다. ***avoir un compte 〔***des comptes***〕 ***à ~ avec*** qn 《구어》 …와 결판 내야겠다, 결판 낼 일이 있다. ── ***se ~*** *v.pr.* ① 해결되다, 결말나다, 낙착되다 ; 조정〔조절〕되다. ② 결정하다. ③ 《se ~ sur qn》 …을 따르다, 본받다.

réglette [Reglɛt] *f.* 작은 자 ; (단면이 정방형인) 각(角)자.

régleur, euse [Reglœ:R, -ø:z] *n.* ① (기계의) 조정공. ② 괘선 치는 사람.

réglisse [Reglis] *f.* 〖식물〗 감초, 감초즙(jus de ~). ── *m.* 〔*f.*〕 감초 뿌리.

régnant, e [Reɲɑ̃, -ɑ̃:t] *adj.* ① 군림〔통치〕하는 : famille *~e* 지배 왕가, 왕조. ② 《문어》 (풍조 따위가) 지배적인 ; 널리 유행되는 : idées *~es* 지배적인 사상.

***règne** [Rɛɲ] *m.* ① (왕의) 군림, 치세 ; 통치 : sous le ~ de Louis XIV 루이 14 세 치하에. ② 지배(력) ; (유행 따위의) 풍미 (기간) : ~ de la paix 평화 시대. ③ 〖생물〗 계(界) : le ~ animal 〔végétal〕 동물〔식물〕계.

***régner** [Reɲe] 6 *v.i.* ① 군림하다, 통치하다 ; 《~ sur》 …을 통치하다. ② 지배하다 : ~ *sur* l'opinion 여론을 지배하다. ③ 세력을 떨치다 ; 유행하다 ; (병 따위가) 창궐하다 : Il *régnait* partout un esprit de réforme. 《비인칭》 도처에 개혁 정신이 팽배해 있었다. ④ 존재하다(= exister) ; 지속되다 : faire ~ l'ordre et la paix 질서와 평화를 존속시키다.

regonfler [Rəgɔ̃fle] *v.t.* ① 다시 팽창시키다〔부풀게 하다〕 : La rivière *regonfle*. 강의 수위가 다시 높아진다. ② 《~ qn》 《구어》 …에게 다시 용기를 주다.

regorgement [RəgɔRʒəmɑ̃] *m.* ① 넘쳐흐름 ; 과잉 : ~ de richess 넘치는 부(富). ② (강물의) 범람(= débordement).

regorger [RəgɔRʒe] 3 *v.i.* ① 《옛》 (물 따위가) 넘쳐흐르다(= déborder). ② 《~ de》 …으로 넘치다, 가득하다, 들끓다 ; 많이 있다 : Il *regorge d'*argent. 그는 돈이 무척 많다 / ~ *de* monde 많은 사람들로 들끓다.

***régresser** [RegRɛ(e)se] *v.t.* ① 후퇴〔퇴보〕하다 ; 감소〔저하〕하다 : La vente est en train de ~. 매상이 떨어지고 있다. ② 〖생물〗 (기관이) 퇴화하다 ; 〖심리〗 퇴행하다.

régressif, ive [RegResif, -i:v] *adj.* ① 후퇴〔역행〕하는. ② 〖생물〗 퇴화〔퇴행〕하는(≠ progressif).

régression [RegResjɔ̃] *f.* ① 후퇴, 퇴보 ; 감소, 감퇴 : ~ du pouvoir d'achat 구매력의 저하. ② 〖생물·심리〗 퇴화.

regret** [RəgRɛ] *m.* ① 그리움, 아쉬움, 미련 ; 애석, 애도 : ~ du pays natal 향수 / sans ~ 아무런 미련도 없이. ② 후회, 회한, 뉘우침(= repentir, remords) : ~ d'une faute 〔d'avoir fait une faute〕 잘못〔잘못을 저지른 것〕에 대한 후회. ③ 유감, 섭섭함 ; 미안함 : exprimer ses *~s* 유감의 뜻을 표하다 / J'en suis au ~. 《구어》 죄송〔미안〕합니다. ***avoir ~ à qn 〔qc〕 《옛》 …이 아쉽다. ***avoir ~ de*** qc 〔***de***+*inf.* ***; que***+*sub.*〕 …을〔하는, 한 것을〕 섭섭해 하다. ***être au ~ de***+*inf.* 〔***que***+*sub.*〕 …을 섭섭하게 여기다. ***Tous mes ~s.*** 대단히 미안합니다 ; 유감천만입니다.

regrettable [RəgRɛtabl] *adj.* 유감스러운(= fâcheux) ; 애석한 : C'est d'autant plus ~ que+*ind.* …인 만큼 더욱더 애석하다.

regretter** [RəgRɛ(e)te] *v.t.* ① 그리워하다 ; (없어진 것·사람을) 아쉽게 생각하다, 애석히 여기다 : ~ sa jeunesse 젊은 시절을 그리워하다 / ~ l'argent mal dépensé 헛되게 쓴 돈을 아쉬워하다. ② 후회하다, 뉘우치다 : ~ son imprudence 경솔함을 뉘우치다. ③ 유감스럽게 여기다, 미안하게 생각하다 : Je *regrette* de vous avoir fait attendre. 기다리게 해서 미안합니다. ~ ***de+*inf.* …하는〔인〕 것을 후회하다 : Jc *rcgrette d'*avoir commis cette sottise. 나는 그런 어리석은 짓을 저지른 것을 후회한다. ***Je regrette.*** ⓐ

R

미안합니다 ; 유감스럽지만. ⓑ《정중한 항변으로》 말씀드리지만.

regrimper [ʀ(ə)gʀɛ̃pe] *v.i.* ① 다시 기어오르다. ② 《구어》 (기온 따위가) 다시 상승하다. ── *v.t.* (비탈 따위를) 다시 오르다.

regrossir [ʀəgʀosiːʀ] *v.i.* 다시 뚱뚱해지다 ; 증대〔확대〕되다.

regroupement [ʀəgʀupmɑ̃] *m.* 재집결 ; 재편성 ; 통합, 결집 : ~ national 국민 통합.

regrouper [ʀəgʀupe] *v.t.* 다시 집결〔규합·통합〕시키다 ; 재편성하다.

régularisation [ʀegylaʀizɑsjɔ̃] *f.* ① 정규화, 규격화 ; 정상화 : ~ d'un acte 증서의 규격화. ② 조정, 조절 : ~ du réseau de vente 판매망의 정비. ③ (동거 관계에 있던 남녀의) 정식 결혼.

régulariser [ʀegylaʀize] *v.t.* ① 정규화〔규격화〕하다, 정식〔정상〕화하다 / ~ la circulation 교통을 정상화하다. ② 조정〔조절〕하다, 정리하다 : ~ la production 생산을 조정하다. ③ (동거관계에 있던 남녀가) 정식 결혼하다.

régularité [ʀegylaʀite] *f.* ① 질서정연함, 일정함, 규칙적임 : ~ des pouls 맥박의 규칙성. ② 적합성, 적법성 : ~ d'une procédure 소송 절차의 적법성. ③ (외모의) 반듯함, 균형잡힘 : ~ des traits 이목구비의 반듯함.

régulateur, trice [ʀegylatœːʀ, -tʀis] *adj.* 조정하는, 조절하는 ; 규제하는 : dispositifs ~*s* 조절 장치. ── *m.* 〖기계〗 조절〔조정〕 장치 ; 제어기.

régulation [ʀegylɑsjɔ̃] *f.* 관제, 제어 ; 조절, 조정 : ~ des naissances 산아 제한 / ~ du trafic 교통 관제.

***régulier, ère** [ʀegylje, -ɛːʀ] *adj.* ① 규칙적인 ; 정확한, 고른, 일정한 ; 정기적인 : pouls ~ 규칙적인 맥박 / rouler à vitesse ~*ère* 일정한 속도로 주행하다 / service (de transport) ~ (배·버스·비행기 따위의) 정기편. ② 바른, 착실한, 품행이 방정한 : mener une vie ~*ère* 착실한 생활을 하다 / commerçant ~ en affaires 장사를 정직하게 하는 상인. ③ (생김새가) 반듯한, 균형 잡힌 : traits ~*s* 반듯한 얼굴. ④ 정규의, 정식의 ; 합법적인 : troupes ~*ères* 정규군 / gouvernement ~ 합법적인 정부. ⑤ 규칙에 맞는 : verbe ~ 규칙동사 / vers ~*s* 규칙을 따르는 시구(≠ vers libres). ── *m.* 〖종교〗 (정식의) 수도사 ; (*pl.*) 〖군사〗 정규군.

***régulièrement** [ʀegyljɛʀmɑ̃] *adv.* ① 규칙적으로, 질서정연하게 ; 착실하게, 꾸준히 ; 정상적으로 ; Il se lève ~ à six heures. 그는 어김없이 6시에 일어난다. ② 《문두에서》 원칙적으로는, 일반적으로, 보통은(= normalement) : *R*~, c'est celui qui perd qui paie. 원칙적으로는 지는 사람이 돈을 낸다.

régurgitation [ʀegyʀʒitɑsjɔ̃] *f.* ① 〖생리〗 (먹은 음식물이) 입으로 되올라오기. ② 〖의학〗 (혈액의) 역류.

régurgiter [ʀegyʀʒite] *v.t.* ① 〖생리〗 (삼킨 음식물을) 토하다 ; (먹은 음식물을) 입 안으로 되올리다. ② 《비유》 (배운 것을) 그대로 되뇌다.

réhabilitation [ʀeabilitɑsjɔ̃] *f.* ① 복권(復權), 복위(復位), 복직 : ~ d'un condamné 유죄인의 복권. ② (지역·건물의) 개축, 재개발 : ~ d'un quartier 구역의 재개발.

réhabiliter [ʀeabilite] *v.t.* ① 복권〔복직·복위〕시키다 ; …의 명예를 회복시키다(≠ condamner) : ~ qn dans ses droits …의 권리를 회복시키다. ② (어떤 지역·건물을) 개조〔개축〕하다 ; 재개발하다. ── **se ~** *v.pr.* 신분을〔권리를〕 회복하다 ; 오명(汚名)〔누명〕을 씻다.

réhabituer [ʀeabitɥe] *v.t.* 《~ qn à qc〔+ *inf.*〕》 …을 …에 다시 익숙하게 하다(= réaccoutumer), 원래의 습관을 붙여 주다. ── **se ~** *v.pr.* 《se ~ à qc〔+*inf.*〕》 …에 다시 길들여지다 ; 원래의 습관으로 돌아가다.

rehaussement [ʀəosmɑ̃] *m.* 더 높이기 ; 더 올리기(≠ abaissement) : ~ d'une toiture 지붕을 더 높이기.

rehausser [ʀəose] *v.t.* ① 더 높이다〔올리다〕 ; (가치를) 올리다 : ~ un mur 담을 높이다 / ~ les monnaies 화폐를 평가 절상하다. ② 두드러지게 하다, 돋보이게 하다 ; 《~ qc de》 …을 …으로 장식하다〔꾸미다〕 : Cette coiffure *rehausse* sa beauté. 그 헤어스타일이 그녀의 아름다움을 돋보이게 한다 / habit *rehaussé de* broideries 자수로 장식된 옷.

rehaut [ʀəo] *m.* 〖미술〗 밝은 색의 터치.

réifier [ʀeifje] *v.t.* 〖철학〗 (인간을) 사물화(事物化)하다(= chosifier).

réimporter [ʀeɛ̃pɔʀte] *v.t.* (수출 물품을) 재수입〔역수입〕하다.

réimpression [ʀeɛ̃pʀɛsjɔ̃] *f.* (책의) 재판(再版) : ouvrage en ~ 재판 중인 저작.

réimprimer [ʀeɛ̃pʀime] *v.t.* (책을) 재판〔중판〕하다.

rein** [ʀɛ̃] *m.* ① 〖해부〗 신장(腎臟), 콩팥 : ~ artificiel 인공 신장 / greffe du ~ 콩팥 이식. ② (*pl.*) 허리(= lombes) : maux de ~*s* 요통(腰痛). ③ 〖건축〗 홍예 허리. ***avoir de la force dans les ~s 실팍지다, 튼튼하다. ***avoir les ~s solides*** 〔***forts***〕 허리 힘이 좋다 ; 돈 많고 세력이 있다. ***se donner un tour de ~s*** 허리를 다치다. ***sonder les ~s et les cœurs*** 마음속을 떠보다.

réincarnation [ʀeɛ̃kaʀnɑsjɔ̃] *f.* 〖신학〗 (죽은 뒤 영혼이) 다른 육체에 깃들기, 환생, 재생, 윤회(輪廻)(= métempsychose).

réincarner (se) [səʀeɛ̃kaʀne] *v.pr.* (죽은 뒤 영혼이) 다른 육체에 깃들다, 재생〔환생〕하다.

réincorporer [ʀeɛ̃kɔʀpɔʀe] *v.t.* 다시 합병시키다 ; 재편성〔재가입〕하다.

reine** [ʀɛn] *f.* ① 왕비, 왕후 ; 여왕. ② (여왕처럼) 인기가〔영향력이〕 있는 여자 : ~ de beauté 미의 여왕 / ~ du bal 무도회의 여왕. ③ (서양장기의) 여왕 ; (트럼프의) 퀸. ④ 여왕벌〔개미〕. ***avoir un port de ~ 여왕처럼 위엄이 있다〔의젓하다〕.

reine-claude [ʀɛnkloːd] *f.* (*pl.* ~(**s**)-~**s**) 〖식물〗 서양 자두의 일종.

reine-marguerite [ʀɛnmaʀgəʀit] *f.* (*pl.* ~**s**-~**s**) 〖식물〗 과꽃.

reinette [ʀɛnɛt] *f.* 〖식물〗 사과의 한 품종.

réinjecter [ʀeɛ̃ʒɛkte] *v.t.* ① 재주입하다. ② 〖재정〗 (돈이나 자본을) 재투입하다.

réinscription [ʀeɛ̃skʀipsjɔ̃] *f.* 재기입 ; 재등록.

réinscrire [ʀeɛ̃skʀiːʀ] *v.t.* 재기입〔재등록〕하다.

réinsérer [ʀeɛ̃seʀe] [6] *v.t.* ① 다시 삽입하다. ② (전과자 · 창녀 따위를 사회에) 복귀시키다, (신체 장애자를) 재활케 하다.

réinsertion [ʀeɛ̃sɛʀsjɔ̃] *f.* (전과자 · 신체 장애자 따위의) 사회 복귀, 재활.

réinstallation [ʀeɛ̃stalɑsjɔ̃] *f.* 다시 거주〔정주〕하기 ; 다시 취임시키기, 재임(再任).

réinstaller [ʀeɛ̃stale] *v.t.* 다시 거주〔정주〕시키다 ; 다시 취임시키다. ── **se ~** *v.pr.* 다시 거처를 정하다, 재취임하다.

réintégration [ʀeɛ̃tegʀɑsjɔ̃] *f.* ① 복귀, 복직. ② 〖법률〗 점유〔권리〕의 회복.

réintégrer [ʀeɛ̃tegʀe] [6] *v.t.* ① 복직시키다 ; (원상으로) 회복시키다 : ~ un fonctionnaire 공무원을 복직시키다 / ~ qn dans ses droits 〖법률〗 …에게 권리를 회복시켜 주다. ② (원래의 장소로) 되돌아오다 : ~ le domicile conjugal (집을 나간 아내 · 남편이) 가정으로 되돌아오다.

réinterpréter [ʀeɛ̃tɛʀpʀete] *v.t.* 재해석하다, 새롭게 해석하다.

réintroduire [ʀeɛ̃tʀɔdɥiːʀ] [32] *v.t.* 다시 도입하다, 다시 끌어들이다.

réinventer [ʀeɛ̃vɑ̃te] *v.t.* 재발명〔재발견〕하다, …에서 새로운 가치를 발견하다.

réinviter [ʀeɛ̃vite] *v.t.* 다시 초대하다.

réitératif, ive [ʀeiteʀatif, -iːv] *adj.* 반복하는, 중복의.

réitération [ʀeiteʀɑsjɔ̃] *f.* 되풀이, 반복.

réitérer [ʀeiteʀe] [6] *v.t.* 반복하다, 되풀이하다(= répéter) : ~ un ordre 〔une question〕 명령〔질문〕을 반복하다. ── **se ~** *v.pr.* 반복되다, 되풀이되다.

rejaillir [ʀəʒajiːʀ] *v.i.* ① (물 · 진창 · 침 따위가) 튀다 ; (분수 따위가) 분출하다. ② 《~ sur qn》 (명예 · 치욕 따위가) …에게 미치다, 파급하다 : Sa honte *a rejailli sur* nous tous. 그의 불명예가 우리 모두에게 미쳤다.

rejaillissement [ʀəʒajismɑ̃] *m.* 《문어》 ① (액체 따위의) 튀기, 솟아오르기. ② (명예 · 치욕 따위의) 파급, 영향.

rejet [ʀəʒɛ] *m.* ① 내던지기 ; 버리기, 폐기 ; 버린 것, 폐기물 ; 배출. ② 거절, 거부 ; 〖법률〗 기각 : ~ d'une proposition 제안의 거부. ③ 〖의학〗 (장기 이식 때의) 거부 반응(= réaction de ~).

***rejeter** [ʀəʒte] [5] *v.t.* ① 다시 던지다 ; 되던지다(= relancer) : ~ la balle 공을 받아 되던지다. ② 내던지다, 내버리다 ; 토하다(= vomir) : Le malade *a rejeté* ses médicaments. 환자가 약을 토했다. ③ 거부하다, 부결하다 ; 〖법률〗 기각하다 ; (사물 · 사람을) 배격하다 : ~ une proposition 제안을 거부하다 / ~ un projet de loi 법안을 부결하다. ④ (사람들을) 몰아내다, 물리치다, 내쫓다(= chasser, repousser), 따돌리다 ; 배척하다 : ~ l'envahisseur 침략자를 몰아내다 / Il *a été rejeté* par tous ses camarades. 그는 동료들 모두에게서 따돌림당했다. ⑤ (바다가) 표류물을 몰아다 놓다 : épave *rejetée* par la mer 바닷물이 몰아다 놓은 표류물. ⑥ 《~ sur》 (책임 따위를) 전가하다, …의 탓으로 돌리다 : ~ la faute *sur* un autre 과실을 남에게 전가하다. ⑦ 옮기다, 위치를 바꾸다 : ~ des notes à la fin d'un volume 주(註)를 권말로 보내다. ⑧ (머리 · 상반신 따위를) 뒤로 젖히다. ── **se ~** *v.pr.* ① 《se ~ sur qn》 …에게 다시 달려들다. ② 급히 물러나다 ; 움츠리다. ③ 《se ~ sur》 …을 핑계로 책임을 회피하다.

rejeton [ʀəʒtɔ̃] *m.* ① 〖식물〗 새싹, 순, 움(= rejet). ② 자손 ; 《구어》 아이, 아들.

***rejoindre** [ʀəʒwɛ̃ːdʀ] [27] *v.t.* ① 다시 합치다, 접합〔결합〕하다(= réunir) : ~ les lèvres d'une plaie 상처를 봉합하다. ② (앞선 사람을) 따라잡다(= rattraper) ; 합류하다 : Je vous *rejoins* dans un instant. 곧 따라갈게요. ③ (어떤 장소로) 돌아가다, 복귀하다 : ~ son domicile 집에 돌아가다 / ~ son poste 부서로 복귀하다. ④ …에 이르다, 다다르다 ; (물건을) 되찾다 ; (길 따위가 다른 길과) 맞닿다 : Nous *avons rejoint* la toute nationale. 우리는 국도로 나왔다. ⑤ 《주어 : qc》 …와 유사점이 많다 : Ton opinion *rejoint* la mienne. 당신의 의견은 내 의견과 일치한다. ── **se ~** *v.pr.* 다시 합쳐지다 ; (상처가) 다시 아물다 ; (두 길이) 맞닿다 : Les rivières *se rejoignent* ici. 두 강이 이곳에서 합류한다.

rejouer [ʀəʒwe] *v.i.* ① (승부를) 다시 겨루다 ; 노름을 다시 하다. ② 〖음악〗 다시 연주하다 ; 〖연극〗 재연(再演)하다.

réjoui, e [ʀeʒwi] *adj.* 즐거운, 쾌활한(= joyeux) : mine *~e* 명랑한 얼굴.

réjouir** [ʀeʒwiːʀ] *v.t.* 기쁘게〔즐겁게〕 하다, 유쾌하게 하다, 흥이 나게〔흥겹게〕 하다 : ~ l'œil de qn …의 눈을 즐겁게 하다, 눈요기를 시켜 주다 / pour ~ la compagnie 좌중〔일동〕을 흥겹게 하기 위해 / ~ à qn le cœur …의 마음을 기쁘게 하다. ── **se ~** *v.pr.* ① 《se ~ de》 …을 즐기다, 기뻐하다. ② 즐겁게 놀다. ***se ~ de + *inf.* 〔***que*** + *sub.* ***; de ce que*** + *ind.*〕 …하여〔이어서〕 기쁘다 : Je *me réjouis que* vous soyez 〔*de ce que* vous êtes〕 en bonne santé. 건강하시니 반갑습니다.

réjouissance [ʀeʒwisɑ̃ːs] *f.* ① (집단적) 기쁨, 즐거움, 환희. ② (*pl.*) 축제, 축연 (= fête) ; 오락 : programme des *~s* 여흥 프로 / *~s* officielles 공식적인 축하 행사.

réjouissant, e [ʀeʒwisɑ̃, -ɑ̃ːt] *adj.* 기쁜, 즐거운(= agréable), 재미있는(= amusant).

relâche [ʀəlɑːʃ] *m.* 쉬기, 휴식(= répit, repos) ; (일의) 중단 ; 〖연극〗 휴연(休演) : faire ~ (극장이) 휴연하다 / travailler *sans* ~ 쉬지 않고 일하다. ── *f.* 〖해양〗 기항(寄港)(지) : faire ~ à un port 기항하다.

relâché, e [ʀəlɑʃe] *adj.* 느슨한, 늘어진(= détendu) ; (행실 따위가) 단정치 못한 ; (문체가) 무기력한 : morale 〔discipline〕 *~e* 해이된 도덕〔규율〕 / style ~ 무기력한 문장.

relâchement [ʀəlɑʃmɑ̃] *m.* ① 느슨함(= relaxation), 느즈러짐. ② 〖의학〗 (근육의) 이완. ③ (행실 따위의) 문란함 ; 해이. ④ 휴식, 휴양 : ***~ de l'attention*** 주의력의 산만.

***relâcher** [ʀəlɑʃe] *v.t.* ① 늦추다, 느슨하게 하다 ; (근육 따위를) 풀다 : ~ les muscles 근육을 풀다. ② 휴식하게 하다 ; (긴장 따위

를) 풀어 주다; (규율 따위를) 완화하다; (열 따위를) 식히다. ③ 놓아주다, 석방하다.
— *v.i.* 〖해양〗 기항하다. — **se** ~ *v.pr.* ① 느슨해지다; 풀어지다. ② 해이해지다, 완화되다: *se* ~ dans ses mœurs 풍기가 문란해지다. ③ (열의·애정 따위가) 식다; 태만〔소홀〕해지다: *se* ~ dans son travail 일에 태만해지다 / *se* ~ de qc …에 열의를 잃다.

relais** [ʀəlɛ] *m.* ① 《옛》 역마(役馬), 파발마; 역참(驛站), 파발. ② 〖스포츠〗 릴레이, 계주(= course de ~); 역전 경주: le ~ 4 fois cent mètres; le quatre cents mètres ~, 400 미터 릴레이. ③ (작업 따위의) 교대(제): travail par ~ 교대제 근무. ④ (라디오·TV의) 중계; 중계국(局); 중계자; 〖전기〗 계전기(繼電器). ⑤ 여관, 모텔: ~ routier (식당을 겸한 도로변의) 여관. ***prendre le ~ de qn …와 교대하다: *prendre le ~ d'*un camarade 동료와 교대하다.

relance [ʀəlɑ̃:s] *f.* ① 추진, 활성화(의 계기), 진흥: ~ de l'économie 경제의 활성화. ② 〖카드놀이〗 (포커에서) 건 돈의 액수를 올리기. ③ (청탁 따위로 사람을) 몰아붙이기, 독촉: lettre de ~ 〖상업〗 독촉장.

relancer [ʀəlɑ̃se] [2] *v.t.* ① 다시 던지다; 되던지다: ~ une balle 공을 되던지다. ② …에 새로운 활기를〔활력을〕 주다; 재가동하다: ~ l'économie d'un pays 나라의 경제에 박차를 가하다. ③ (청탁 따위로) 귀찮게 따라다니다, 성가시게 굴다: ~ le débiteur 채무자를 귀찮게 따라다니다. ④ 〖카드놀이〗 (상대방이 건 돈에) 덧태우다.

***relater** [ʀəlate] *v.t.* 상세히 이야기〔언급〕하다(= rapporter).

***relatif, ive** [ʀəlatif, -i:v] *adj.* ① 《~ à》 …에 관한(= concernant): études *~ives à* l'histoire 역사에 관한 연구. ② 상호간의, 상관적(相關的)인: positions *~ives* 상호 위치 / termes *~s* 〖논리〗 상관 명사(名辭). ③ 〖문법〗 관계의: pronom ~ 관계대명사 / propositiion *~ive* 관계절. ④ 상대적인(≠ absolu): valeur *~ive* 상대적 가치 / majorité *~ive* 상대적 다수. ⑤ 비교적; 그저 웬만한(= approximatif): homme d'une honnêteté *~ive* 비교적 정직한 사나이 / obtenir un résultat ~ 그저 웬만한 성적을 따다.
— *m.* 〖철학〗 상대(자); 〖문법〗 관계사.
— *f.* 〖문법〗 관계절(= propositon *~ive*).

relation** [ʀəlasjɔ̃] *f.* ① (사물의) 관계, 관련: ~ logique 논리적 관계 / ~ de cause à effet 인과 관계. ② (주로 *pl.*) (사람과의) 관계, 교제, 만남: *~s* humaines 인간관계, 교제 / avoir de bonnes 〔mauvaises〕 *~s* avec qn …와 사이가 좋다〔나쁘다〕. ③ (*pl.*) (국가 간의) 관계, 교섭, 교류: *~s* diplomatiques 외교 관계 / *~s* extérieures 대외 관계. ④ 친지 관계, 연고: inviter ses *~s* 친지를 초대하다 / obtenir une situation par *~s* 연줄로 직장을 얻다. ⑤ (남녀 간의) 성적 관계: avoir des *~s* avec une femme 여자와 성관계를 가지다. ⑥ 이야기(= récit); 견문담; 보고, 진술: ~ d'un voyage en Sibérie 시베리아 여행기 / ~ d'un témoin 증인의 진술. ***avoir 〔***entamer, entretenir***〕 ***des ~s avec*** qn 〔qc〕 …와 관계〔교제〕가 있다〔를 맺다·유지하다〕. ***être en ~*** 〔***sans ~***〕 ***avec*** qn …와 관계가 있다〔없다〕.

***relativement** [ʀəlativmɑ̃] *adv.* ① 《~ à》 …에 관하여; …에 비교하여, 견주어: ~ *au* prix du poisson 생선 값에 비해. ② 상대적으로, 비교적; 상당히, 꽤(= passablement): problème ~ facile 비교적 쉬운 문제.

relativiser [ʀəlativize] *v.t.* 상대화하다, …의 상대적 가치밖에 인정하지 않다.

relativisme [ʀəlativism] *m.* 〖철학〗 상대론(相對論); 상대주의.

relativité [ʀəlativite] *f.* 〖철학〗 상대성; 관련성, 상관성: théorie de la ~ 상대성 이론 / ~ de la connaissance 인식의 상대성.

relax, relaxe [ʀəlaks] *m.*〔*f.*〕 ① 〖법률〗 석방; 방면(= relaxation); 면소(免訴). ② 휴식, 긴장 풀기(= detente, repos): cure de ~ 릴랙스 요법. — *adj.* 피로를 풀게 하는, 휴식시키는: fauteuil ~ 안락의자.

relaxation [ʀəlaksasjɔ̃] *f.* ① 휴식, 느긋함(= repos). ② ⓐ 〖의학〗 휴식 치료법. ⓑ 이완: ~ des muscles 근육의 이완.

relaxer [ʀəlakse] *v.t.* 〖법률〗 방면〔석방〕하다(= libérer, relâcher). — **se** ~ *v.pr.* 피로를 풀다, 휴식하다: Le week-end, je *me relaxe.* 주말이면 나는 휴식을 취한다.

***relayer** [ʀəlɛ(e)je] [8] *v.t.* ① …와 교대하다: Reposez-vous un peu, je vais vous ~. 좀 쉬세요, 제가 교대해 드릴 테니까. ② (방송을) 중계하다: radiodiffusion *relayée* 라디오의 중계방송. — *v.i.* 역마(役馬)를 갈다.
— **se** ~ *v.pr.* 서로 교대하다, 교대로 일하다〔달리다〕: coureurs qui *se relaient* 릴레이하는 경주자들.

relayeur, euse [ʀəlɛjœ:ʀ, -ø:z] *n.* 릴레이 「경주자.

relecture [ʀəlɛkty:ʀ] *f.* ① 다시 읽기. ② 교정: premièrè 〔deuxlème〕 ~ 초교〔재교〕.

relégation [ʀəlegɑsjɔ̃] *f.* 〖고대로마〗 유형, 추방.

reléguer [ʀəlege] [6] *v.t.* ① 내쫓다, 멀리하다; 추방하다: ~ un fonctionnaire en province 공무원을 시골로 내쫓다〔좌천하다〕. ② (안 쓰는 물건을) 정리하다, 치우다: ~ des chaises au grenier 의자를 지붕 밑 다락방에 치우다. ③ 유형(流刑)에 처하다, 귀양 보내다.

relent [ʀəlɑ̃] *m.* ① 상한 냄새; 악취: *~s* d'alcool 술 냄새. ② 《비유》 흔적, 기미(= trace), 낌새.

relève [ʀəlɛ:v] *f.* 〖군사〗 (부대·보초 따위의) 교대; 교대병: sentinelle 〔troupes〕 de relève 교대 보초〔군〕. ***prendre la ~*** (***de*** qn) (…와) 교대하다; (…을) 계승하다.

relevé, e [ʀəlve] *adj.* ① 쳐들린; 높아진: marcher la tête *~e* 고개를 쳐들고 걷다 / virage ~ 바깥쪽이 안쪽보다 더 높은 커브. ② (신분 따위가) 높은; 고상한(= noble): style ~ 고상한 문체. ③ (맛이) 진한, 짠, 매운: sauce *~e* 진한 소스. — *m.* 발췌; 일람표; 명세서; 계산서: ~ des dépenses 지출표 / ~ de compte 예금 명세.

relèvement [ʀəlɛvmɑ̃] *m.* ① 일으키기, (다시 일으켜) 세우기: ~ d'un mur (쓰러진) 담을 일으켜 세우기. ② 높이기, 끌어올리기; (세금·봉급의) 인상: ~ du sol 지면을 높이

R

돋우기 / ~ du salaire minimum 최저 임금 인상. ③ 재건, 부흥 : ~ de l'économie 경제의 재건.

‡relever [ʀəlve] [4] *v.t.* ① (넘어진 것〔사람〕을) (다시) 일으키다, (다시 일으켜) 세우다 : ~ une colonne tombée 넘어진 기둥을 다시 세우다. ② 올리다, (쳐)들다, 높이다 : ~ la tête 머리를 들다 / ~ son col par grand froid 모진 추위로 옷깃을 세우다. ③ 집어들다, 줍다 ; 거두다 : professeur qui *relève* les cahiers 공책을 거두어들이는 선생님. ④ 걷어올리다 : ~ ses manches 소매를 걷다. ⑤ (임금 · 가격 따위를) 올리다, 인상하다 ; (생활수준 따위를) 높이다 : ~ le niveau de vie 생활수준을 높이다. ⑥ 재건〔복구〕하다, 부흥〔재흥〕시키다 : ~ une industrie 산업을 재건하다 / ~ un pays vaincu 패전국을 부흥시키다. ⑦ (소스에) 향료를 넣다 ; (향료 · 양념으로 요리의) 맛을 돋우다 ; 짜게 하다 : ~ une sauce 소스를 짜게 하다. ⑧ 《~ qc de〔par, avec〕》 …으로 …의 맛을〔흥미를〕 돋우다 : ~ un récit de détails licencieux 외설스러운 객담을 곁들여 이야기에 흥을 돋우다. ⑨ 《~ qn de qc》 …을 …에서 해직하다, …을 (임무 · 서약) 따위에서) 해제하다〔풀어주다〕 : ~ qn de ses fonctions …을 그 임무에서 해제하다. ⑩ 〖군사〗 …와 교대하다(= relayer) ; (초소 따위의) 교대 근무를 하다 : ~ la garde 위병 근무를 교대하다. ⑪ 지적하다(= fair remarquer) ; …에 응수하다 : ~ des fautes〔des erreurs〕 잘못을〔오류를〕 지적하다 / ~ une parole offensante 모욕적인 언사에 가차없이 응수하다. ⑫ 적어 두다 ; …의 명세서〔계산서〕를 작성하다. ⑬ 〖군사〗 수용하다 : ~ les blessés 부상병을 수용하다. ⑭ 검침하다 : ~ le gaz〔l'électricité〕 가스〔전기〕 계량기를 검침하다.

── *v.t. ind.* 《~ de》 ① …에 종속하다(= appartenir à) ; …의 소관이다(= dependre de) ; …의 영역에 속하다 : étude qui *relève de* la linguistique 언어학에 속하는 연구. ② …에서 회복하다, 다시 일어서다〔일어나다〕 : ~ de maladie 병이 낫다.

── **se** ~ *v.pr.* ① (넘어진 · 기울어진 상태에서) 일어서다 ; (병에서) 회복하다 ; (신용 · 명성 · 세력 따위를) 만회하다 : enfant qui *se relève* tout seul 혼자 일어서는 아이 / *se* ~ de ses cendres 잿더미를 딛고 다시 일어서다. ② (위로) 올라가다.

releveur, euse [ʀəlvœːʀ, -øːz] *n.* (우유) 수집원 ; (수도 · 가스의 계량기) 검침원(= ~ de compteur).

relief** [ʀəljɛf] *m.* ① 〖조각〗 돋을새김, 부조(浮彫) ; 입체감 : ~ d'une médaille 메달 표면의 부조 / ~ acoustique 입체 음향 효과. ② 울툭불툭함, 요철(凹凸) ; 〖지리〗 (토지의) 기복 : ~ accidenté 기복이 심한 지형. ③ (대조적으로) 두드러짐, 뚜렷함. ④ (*pl.*) 먹다 남은 음식 ; 허섭스레기. ***donner du **~** 두드러지게 하다, 드러나게 하다 : *donner du* ~ à son style 문체를 돋보이게 하다. ***en*** **~** 부각된, 두드러진 : carte *en* ~ 입체 지도 / mettre qc *en* ~ …을 두드러지게 하다, 강조하다 / mise *en* ~ 강조. ***mettre en*** **~** 강조하다.

***relier** [ʀəlje] *v.t.* ① 다시 묶다, 고쳐 매다. ② 연결〔결부〕시키다 : une voie ferrée qui *relie* deux villes 두 도시를 연락하는 철도 / ~ A à B, A를 B에 연결시키다〔관계를 맺어 주다〕. ③ 제본하다 : livre *relié* en basane〔veau〕 양〔송아지〕 가죽으로 제본된 책. ④ (통에) 테를 메우다. ── **se** ~ *v.pr.* ① 《se ~ avec》 〖군사〗 (부대가) …와 연락을 취하다. ② 《se ~ à》 …에 연결되다, 결부되다.

relieur, euse [ʀəljœːʀ, -øːz] *n.* 제본공.

religieusement [ʀəliʒjøzmɑ̃] *adv.* ① 종교적으로, 경건하게(= pieusement). ② 성실하게, 엄격하게, 세심하게 ; 주의 깊게 : observer ~ les traités 협정을 성실하게 준수하다 / écouter ~ une conférence 주의 깊게 강연을 듣다.

***religieux, euse** [ʀəliʒjø, -øːz] *adj.* ① 종교의 ; 종교에 관한 ; 신앙의 ; 경건한 : musique ~*euse* 종교 음악 / école ~*euse* 미션스쿨 / vie ~*euse* 신앙 생활. ② 수도회〔수도원〕의 : porter l'habit ~ 법의(法衣)를 입다 ; 수도원에 들어가다. ③ (정성 · 배려 따위가) 세심한, 꼼꼼한, 극진한(= scrupuleux, ponctuel) ; 엄격한 : ~ observateur de sa parole 약속을 엄수하는 사람 / soin ~ 세심한 마음씨. ── *m.* 수(도)사. ── *f.* 수녀.

‡religion [ʀəliʒjɔ̃] *f.* ① 종교 ; 교의(教義) : guerres de *R*~ 종교 전쟁 / ~ d'État 국교 / embrasser〔pratiquer〕 une ~ 종교를 믿다. ② 종교심, 신앙 ; 경건한 마음 : ~ formaliste 형식주의적 신앙. ③ 수도 (생활). ④ 숭배, 예찬 : ~ de la science 과학에 대한 숭배. ***éclairer la*** **~** ***de*** qn (어떤 점에 관해서) …의 생각을〔의도를〕 밝히다. ***se faire une*** **~** ***de*** qc …을 의무로 여기다.

religiosité [ʀəliʒjozite] *f.* 종교심, 종교적 감정.

reliquaire [ʀəlikɛːʀ] *m.* 성(聖)유물함.

reliquat [ʀəlika] *m.* 잔금, 잔액, 차월금(借越金) : payer〔toucher〕 un ~ 잔금을 치르다〔받다〕.

relique [ʀəlik] *f.* ① 〖종교〗 (성인 · 순교자의) 성유골, 성유물. ② 기념물, 유품 : ~s du passé 과거의 기념품.

***relire** [ʀəliːʀ] [30] *v.t.* (교정 · 검토를 위해) 다시 읽다 : ~ sa copie 자기가 쓴 답안을 다시 읽다. ── **se** ~ *v.pr.* 자신이 쓴 것을 다시 읽다.

reliure [ʀəljyːʀ] *f.* 제본(술), 장정(된 표지) : ~ en cuir 가죽 장정.

relogement [ʀəlɔʒmɑ̃] *m.* (집 없는 사람에게) 새 거처를 마련해 주기〔제공하기〕.

reloger [ʀəlɔʒe] [3] *v.t.* …에게 거처를 마련해 주다, 새로 수용하다 : ~ des sinistrés 이재민들에게 거처를 마련해 주다.

reluire [ʀəlɥiːʀ] [32] *v.i.* (반사하여 · 닦이어) 반짝이다(= briller) ; 윤이 나다 : faire ~ des meubles 가구를 닦아 윤을 내다. ***Tout ce qui reluit n'est pas or.*** 《격언》 반짝이는 것이라고 모두 금은 아니다.

reluisant, e [ʀəlɥizɑ̃, -ɑ̃ːt] *adj.* ① 빛나는 ; 반짝이는. ② 《비유》 화려한, 훌륭한 : situation peu〔pas très〕 ~*e* 그다지 훌륭하지 못한 지위.

reluquer [ʀəlyke] *v.t.* 《구어》 곁눈질하다 ;

R

탐나는 듯 보다 : ~ les femmes 여자들을 탐나는 듯이 곁눈질하다.

rem [ʀɛm] *m.* 〖계측〗 렘(방사능의 인체에 미치는 영향을 측정하는 단위).

Rem. 《약자》 remarque 주(註), 비고(備考).

remâcher [ʀəmɑʃe] *v.t.* ① (음식을) 되새기다, 반추하다. ② 《비유》 (생각을) 마음속으로 되새기다, 곰곰이 생각하다.

remaillage [ʀəmɑjaːʒ] *m.* 짜깁기.

remailler [ʀəmɑje] *v.t.* (그물 · 양말 따위를) 짜깁다(= remmailler).

remake [ʀimɛk] 〔영〕 *m.* 〖영화〗 (옛 영화의) 개조판(版), 신판.

rémanent, e [ʀemanɑ̃, -ɑ̃:t] *adj.* 〖전기〗 잔류하는 : courant ~ 잔류 전류 / image ~*e* 잔상(殘像).

remaniement [ʀəmanimɑ̃] *m.* 다시 손질하기 ; 수정, 개정, 개편 : ~ d'un dictionnaire 사전의 개정 / ~ ministériel 내각 개편 / ~ d'une équipe 팀의 재편성.

***remanier** [ʀəmanje] *v.t.* 다시 손질하다 ; 수정〔개정 · 개작〕하다 : ~ un ministère 개각하다 / ~ un roman 소설을 개작하다.

remariage [ʀəmaʀjaːʒ] *m.* 재혼, 개가.

remarier [ʀəmaʀje] *v.t.* 재혼시키다. — **se ~** *v.pr.* 《se ~ avec》 …와 재혼하다 : *se ~ avec* une veuve 과부와 재혼하다.

remarquable** [ʀəmaʀkabl] *adj.* ① 주목할 만한, 괄목할 만한, 현저한, 놀라운(= marquant, notable) ; 《~ par》 …으로 (해서) 주목할 만한 : Ce qu'il y a de ~, c'est que... 주목할 만한 것은 …이다 / Chose ~, elle était à l'heure. 놀랍게도 그녀는 시간에 대어 왔다. ② 저명한, 뛰어난(= distingué, éminent) : médecin ~ 명의 / ouvrage ~ 훌륭한 작품. ***Il est ~ que + *sub.* …라는 것은 주목할 만한 일이다.

remarquablement [ʀəmaʀkabləmɑ̃] *adv.* 괄목할 만큼, 현저하게 : Elle est ~ belle. 그 여자는 눈에 띄게 아름답다.

***remarque** [ʀəmaʀk] *f.* ① 주목 : chose digne de ~ 주목할 만한 것. ② 주의, 지적, 충고(= observation) : faire une ~ à qn …에게 주의를 주다 ; …에게 한 가지 지적을 하다. ③ ⓐ 《~ sur》 …에 관한 고찰. ⓑ 비고, 주(註) : un texte accompagné de ~*s* 주석이 달린 원문.

R

remarqué, e [ʀəmaʀke] *adj.* 눈에 띄는, 현저한 ; 주목을 끄는 : discours très ~ 주목을 끄는 연설.

‡remarquer [ʀəmaʀke] *v.t.* ① …에 다시 표를 하다. ② 주목〔주의〕하다(= observer, constater) ; 알아차리다 : Sa nouvelle robe *a été* très *remarquée.* 그녀의 새옷은 몹시 주목을 끌었다 / Je n'*ai* pas *remarqué* l'accident. 나는 사고를 알아차리지 못했다. ③ 여럿 중에서 눈에 띄다 ; 식별하다, 알아보다(= distinguer) : ~ qn dans la foule 군중 속에 …이 눈에 띄다 / sans *être remarqué* 들키지 않고, 남의 눈에 띄지 않고. ④ 지적하다, 말하다 : Tiens, il pleut, *remarqua*-t-il. 어, 비가 오는군 하고 그는 말했다. ***faire ~*** ⓐ …을 지적하다 : *faire ~* une faute 잘못을 지적하다. ⓑ 주목시키다, 눈에 띄게 하다 : Sa beauté la *fait ~* partout. 그녀는 미모 때문에 어디에 가도 눈에 띈다. ***se faire ~*** 남의 시선을 끌다, 두드러지다 : *se faire ~* par sa conduite 그 행동으로 남의 시선을 끌다.

remballage [ʀɑ̃balaːʒ] *m.* 다시 짐을 꾸리기〔포장하기〕.

remballer [ʀɑ̃bale] *v.t.* ① …의 짐을 다시 싸다〔포장하다〕. ② 《비유》 (하려던 말을) 거둬들이다 : ~ ses compliments 찬사를 거둬들이다.

rembarquement [ʀɑ̃baʀkəmɑ̃] *m.* 재승선 ; 재적하(再積荷) ; 다시 배에 싣기.

rembarquer [ʀɑ̃baʀke] *v.t.* (사람을) 다시 배에 태우다〔승선시키다〕 ; (물건을) 다시 배에 싣다. — *v.i.* 다시 승선하다. — **se ~** *v.pr.* 다시 승선하다.

rembarrer [ʀɑ̃ba(ɑ)ʀe] *v.t.* 《~ qn》 《구어》 …에게 딱 잘라 거절하다, 따끔하게 꾸짖다(= rabrouer), 혼내 주다.

remblai [ʀɑ̃blɛ] *m.* 〖토목〗 흙으로 메우기〔돋우기〕 ; 매립, 성토(盛土).

remblayage [ʀɑ̃blɛjaːʒ] *m.* = remblai.

remblayer [ʀɑ̃blɛ(e)je] [8] *v.t.* 〖토목〗 (도로 따위를) 흙으로 돋우다, 성토하다, 매립하다 : ~ une route 흙으로 길을 돋우다 / ~ un fossé 도랑을 메우다.

rembobiner [ʀɑ̃bɔbine] *v.t.* (테이프 · 필름 따위를) 되감다.

remboîter [ʀɑ̃bwate] *v.t.* ① (빠진 부품을) 다시 끼워 맞추다. ② 〖외과〗 (삔 뼈를) 다시 맞추다. ③ 〖제본〗 책을 다시 장정하다.

rembourrage [ʀɑ̃buʀaːʒ] *m.* (의자나 매트리스 따위에) 속을 넣기.

rembourrer [ʀɑ̃buʀe] *v.t.* (의자 따위에) 속을 넣다 : ~ un siège 의자에 속을 채우다.

remboursable [ʀɑ̃buʀsabl] *adj.* 〖상업 · 재정〗 상환할 수 있는〔해야 할〕 : obtenir un prêt sans intérêts ~ en 10 ans 상환 기간 10 년의 무이자 대부를 얻다.

remboursement [ʀɑ̃buʀsəmɑ̃] *m.* 〖상업 · 재정〗 상환(償還), 환불 : ~ d'une dette 차입금 상환.

***rembourser** [ʀɑ̃buʀse] *v.t.* 상환하다, 환불하다, 갚다, 변제하다 : ~ une somme d'argent à un prêteur 빌려 준 사람에게 돈을 갚다 / Les frais hospitaliers *sont remboursés* par la sécurité sociale. 입원비는 사회 보장에서 환불한다. — **se ~** *v.pr.* (빌려 준 돈을) 돌려받다, 상환〔환불〕해 받다.

rembrunir (se) [s(ə)ʀɑ̃bʀyniːʀ] *v.pr.* 침울해지다 ; (표정이) 어두워지다 : Son visage *se rembrunit.* 그의 얼굴은 침울해졌다.

remède** [ʀəmɛd] *m.* ① 의약, 약(= médicament) ; 치료법 : administrer un ~ à qn …에게 약을 쓰다 / ~ à tous maux ; ~ pour toutes sortes de maux 만병통치약 / ~ efficace 〔spécifique〕 특효약. ② 《비유》 대책, 구제〔교정〕책 ; 《~ à 〔de〕, contre》 …에 대한 약, …을 이겨 내는 수단 : Le travail est le meilleur ~ *contre* l'ennui. 일은 권태를 이기는 최선의 수단이다. ***Aux grands maux, les grands ~s. 《격언》 병이 중하면 약도 되게 써야 한다. ***Le ~ est pire que le mal.*** 《격언》 약이 병보다도 더 고약하다《문제보다도 해결 수단이 더 위험하다》. ***porter***

〔***apporter***〕 **~ à** qc …을 고치다 ; …을 구제하다.

remédiable [Rəmedjabl] *adj.* 치료〔치유 · 구제 · 교정〕할 수 있는(≠ irrémédiable), 고칠 수 있는 ; 막을 수 있는.

***remédier** [Rəmedje] *v.t. ind.* 《~ à》 ① 치료하다, 고치다. ② (결점 따위를) 고치다, 개선하다 ; (폐해 따위를) 막다 : ~ *à* une situation 상황을 개선하다.

remembrement [Rəmɑ̃bRəmɑ̃] *m.* 〖행정〗 (농지 정리에 의한) 농토의 정리 통합.

remembrer [Rəmɑ̃bRe] *v.t.* 〖행정〗 (세분된 농토를) 재통합하다.

remémorer (se) [səRəmemɔRe] *v.pr.* 《se는 간접목적보어》 …을 회상〔기억〕하다 : Je *me remémore* bien cet événement. 나는 그 사건을 분명히 기억한다.

***remerciement** [RəmɛRsimɑ̃] *m.* 감사, 사례, 치사 ; (흔히 *pl.*) 사의, 감사의 말 : faire un ~ 〔des ~*s*〕 사의를 표하다 / Je vous renouvelle mes ~*s*. 거듭 감사의 말씀을 드립니다.

remercier** [RəmɛRsje] *v.t.* ① …에게 감사〔사례〕하다 ; 《~ qn de 〔pour〕 qc》 …에 대해 …에게 감사하다 : ~ un ami qui a rendu service 도움을 준 친구에게 감사의 말을 하다 / Je vous *remercie de* 〔*pour*〕 votre lettre. 편지를 주셔서 감사합니다. ② (정중하게) 사양하다 : Je vous *remercie*. 감사합니다 ; (감사합니다만) 사양하겠습니다《공손히 거절할 때》 / Voulez-vous du café? — Je vous *remercie*. 커피 드시겠습니까? — 괜찮습니다. ③ 해고하다 : ~ un employé 고용인을 내보내다. ~ qn ***de + *inf.* 〔***de ce que*** + *ind.*〕 …해 주는 것〔인 것〕에 대해 …에게 감사하다 : Je l'*ai remercié d'*être venu. 나는 그가 와 준 것에 대해 사의를 표명했다.

remettant [Rəmɛtɑ̃] *m.* 〖상업〗 송금인.

*:**remettre** [RəmɛtR] 46 *v.t.* ① ⓐ 다시 놓다〔넣다〕 : ~ du sel dans un plat 요리에 소금을 다시 치다 / 《목적보어 없이》 ~ à la voile 출범하다. ⓑ 〖연극〗 (각본을) 재상연하다(= ~ à 〔sur〕 la scène, ~ au 〔sur le〕 théâtre). ② ⓐ (먼저 있었던 곳에) 다시〔도로〕 놓다〔넣다 · 꽂다 · 붙이다〕 ; 고쳐 놓다 : ~ le sabre 칼을 칼집에 넣다 / ~ qc à sa place 〔en place〕 …을 제자리에 갖다 놓다. ⓑ 《~ qc 〔qn〕》 (먼저 상태로) 되돌리다, 되돌아가게 하다 : ~ qc en usage …을 다시 통용되게 하다. ⓒ 《~ qn》 화해시키다 : ~ (bien) ensemble des personnes brouillées 싸우던 사람들을 화해시키다. ⓓ 《구어》 (사람들을) 알아보다 : Je vous *remets*. 당신이 누군지 알아보겠소. ③ (옷 · 모자 · 신발을) 다시 입다〔쓰다 · 신다〕. ④ (삔〔부러진〕 뼈를) 다시 이어 맞추다 ; (삔〔부러진〕 팔 · 다리 따위를) 접골하다 ; (질서를) 회복시키다. ⑤ 《~ qn》 …의 건강을 회복시켜 주다 ; …의 마음 · 정신을 가라앉히다 : Sa cure l'*a* tout à fait *remise*. 그녀는 치료로 완전히 건강이 회복되었다. ⑥ (받아야 할 사람에게) 건네주다, 넘겨주다, 수교하다 ; (상금〔상장〕 따위를) 수여하다 ; (범인을) 인도하다 ; (물건을) 전달하다, 배달하다 ; (돈을) 송달하다 ; (사표 따위를) 내다, 제출하다 ; (직무를) 내놓다, 사퇴〔사임〕하다 ; 위탁〔공탁〕하다 ; 맡기다 : ~ une lettre à son destinataire 편지를 수취인에게 배달하다 / ~ un criminel à la justice 범인을 사직 당국에 인도하다. ⑦ (죄 따위를) 용서해 주다, (채무 따위를) 면제해 주다(= faire grâce de) : ~ à un condamné une partie de sa peine 죄수에게 형의 일부를 사면해 주다. ⑧ 미루다, 연기하다 : ~ une affaire au lendemain 일을 다음 날로 미루다. ⑨ 〖상업〗 할인하다. ***en*** **~** 《구어》 과장하다, 한술 더 뜨다. **~ *ça*** 《구어》 다시 시작하다.

— **se ~** *v.pr.* ① (먼저의 자리나 상태로) 다시 돌아가다, 다시 앉다 ; 다시 자리를 잡다 : *se* ~ à table 다시 식탁에 앉다 / *se* ~ debout 다시 일어서다 / *se* ~ en route 〔en voiture〕 다시 길을 떠나다〔차에 오르다〕. ② 《se ~ à》 …에 다시 착수하다, …을 다시 시작하다 : *se* ~ *au* latin 라틴어 공부를 다시 시작하다 / *se* ~ *à* fumer 다시 담배를 피우기 시작하다. ③ 《se ~ de》 …에서 회복하다 ; 《보어 없이》 건강〔기력〕을 되찾다 ; 마음이 가라앉다 ; 다시 정신을 차리다 : *se* ~ *d'*une maladie 〔fatigue〕 병〔피로〕에서 회복하다 / *Remettez-vous !* 정신 차리시오 ; 힘을 내시오! ④ (날씨가) 개다 : Le temps *s'est remis* au beau. 날씨가 다시 좋아졌다. ⑤ 화해하다 : *se* ~ ensemble 서로 화해하다. ⑥ 생각나다, 기억나다 ; 알아보다. ⑦ 연기되다 ; 용서되다 ; 면제되다 ; 맡겨지다. ***Je ne m'en remets pas.*** 어이가 없어서〔놀라워서〕 말이 안 나온다. ***s'en ~ à*** 〔***sur***〕 qn (***de*** qc) (…을) …에게 맡기다〔일임하다〕 : *Remettez-vous-en à* moi. 나에게 맡겨 주시오.

remeubler [Rəmœble] *v.t.* 가구를 새로 갖추다.

rémige [Remiːʒ] *f.* 〖조류〗 (새의) 큰 날개 깃.

remilitarisation [RəmilitaRizɑsjɔ̃] *f.* 재군비, 재무장(= réarmement).

remilitariser [RəmilitaRize] *v.t.* 재군비〔재무장〕하다(≠ démilitariser).

réminiscence [Reminisɑ̃ːs] *f.* 어렴풋한 기억〔추억〕 : ~*s* d'un passé lointain 먼 과거의 어렴풋한 추억.

remise [Rəmiːz] *f.* ① (원래의 장소 · 상태로) 되돌리기 ; 다시〔고쳐〕 놓기 : ~ en place d'un meuble 가구를 원래의 장소에 놓기 / ~ en place d'un tapis 양탄자를 다시 깔기 / ~ en ordre 질서의 회복 / ~ en état 수리. ② 전달, 배달, 송금 ; 수여 : ~ d'un colis 소포의 배달. ③ 할인, 값을 깎기(= réduction) : faire 〔consentir〕 une ~ de dix pour cent 값을 1할 깎다. ④ 감면(減免), 면제 : ~ d'une dette 빚의 탕감 / ~ de peine 감형(減刑). ⑤ 연기, 지연 : sans ~ 지체 없이. ⑥ 〖상업〗 수수료, 커미션. ⑦ 차고, 창고 : ranger des meubles dans une ~ 가구를 창고에다 치우다.

remiser [Rəmize] *v.t.* ① 차고〔창고〕에 넣다 ; (사용하지 않는 것을) 정리하다, 치우다. ② 《비유》 딱 잘라 거절하다, 따끔하게 면박을 주다(= rembarrer).

remisier [Rəmizje] *m.* 〖상업〗 중간 중매인.

rémission [Remisjɔ̃] *f.* ① 용서 ; (죄의) 사

R

면 ; (부채의) 면제. ② 〖의학〗 (병세의) 일시적 차도〔후퇴〕, 소강 상태(= accalmie). ***sans* ~** 가차없이 ; 지체 없이 : Il faudra payer demain, *sans* ~. 지체 없이 내일 당장 지불해야 한다.

rémittent, e [ʀemitɑ̃, -ɑ̃:t] *adj.* 〖의학〗 간헐성의 : fièvre ~*e* 오르내리는 열.

remmaillage [ʀɑ̃mɑja:ʒ] *m.* = remaillage.

remmailler [ʀɑ̃mɑje] *v.t.* = remailler.

remmener [ʀɑ̃mne] [4] *v.t.* 《~ à 〔en〕》 …으로 데리고 돌아가다〔오다〕, 끌고 돌아가다 : ~ un enfant chez lui 아이를 집까지 데리고 가다.

remodelage [ʀəmɔdla:ʒ] *m.* ① 〖조각〗 원형을 고치기, 수정 ; 〖의학〗 미용 성형. ② (지역의) 재개발, 재정비. ③ (조직 따위의) 개편, 개혁.

remodeler [ʀəmɔdle] [4] *v.t.* ① 〖조각〗 다시 원형을 만들다 ; 〖의학〗 (얼굴 따위를) 성형하다. ② (도시를) 재정비하다. ③ (조직 따위를) 개혁하다, 개편하다 : ~ l'ensemble des études universitaires 대학 교육 전체를 개편하다.

remontage [ʀəmɔ̃ta:ʒ] *m.* ① (시계 태엽 따위를) 감기. ② 기계 따위의 재조립. ③ (구두의) 창과 갑피(甲皮)를 갈기.

remontant, e [ʀəmɔ̃tɑ̃, -ɑ̃:t] *adj.* 기운을 돋우는, 강장제가 되는. ── *m.* 〖의학〗 강장제.

remontée [ʀəmɔ̃te] *f.* ① 다시 오르기 ; (강을) 거슬러 오르기. ② 〖항공〗 (급강하 후의) 상승 비행. ③ 〖스키〗 (스키장의) 등반 장치 ; 오르막길.

remonte-pente [ʀəmɔ̃tpɑ̃:t] *m.* (*pl.* ~-~***s***) 〖스키〗 리프트(= télésiège).

‡remonter [ʀəmɔ̃te] *v.i.* 《조동사는 être, 때로 avoir》 ① 다시 올라가다(≠ descendre) ; 다시 떠오르다 : ~ à 〔dans〕 sa chambre 다시 자기 방으로 올라가다 / ~ sur son cheval 〔dans sa voiture〕 자기 말〔차〕에 다시 올라타다 / La route *remonte.* 길이 다시 오르막이다. ② (원천 · 근원 · 과거로) 거슬러 올라가다 : ~ le long d'une rivière jusqu'à sa source 내를 따라 그 근원까지 올라가다 / ~ au déluge 태고적으로 거슬러 올라가다. ③ 다시 높아지다 ; (값 따위가) 오르다(= augmenter ; ≠ baisser) ; 다시 증가하다 : Le niveau de la rivière *remonte.* 강 수위가 다시 높아진다 / La fièvre *remonte.* 열이 다시 오른다. ④ 다시 북쪽으로 가다 ; 〖해양〗 북쪽을 향해 항해하다 ; (바람이) 북쪽으로 불다 : Le vent *remonte.* 〖해양〗 바람이 남쪽에서 북쪽으로 분다.

── *v.t.* ① 다시 올리다 ; 더 높이다(= hausser) : ~ une valise au grenier 가방을 다락방으로 올리다 / ~ un tableau sur un mur 그림을 벽에 더 높이 걸다. ② (언덕 · 층계 따위를) 다시 오르다 ; (흐름을) 거슬러 올라가다 ; (언덕을) 기어오르다 : ~ un escalier 층층대를 오르다 / ~ une côte 해안을 따라 한 방향으로 항해하다 / ~ un fleuve 강을 거슬러 올라가다. ③ (시계 태엽 따위를) 감다. ④ 〖군사〗 (기병에게 · 부대에) 마필을 공급〔보충〕하다 ; …에 필요품을 갖추다 ; (창고에) 물품을 사들이다 : ~ un officier 장교에게 말을 지급하다 / ~ une ferme 농장에 필요품을 다시 갖추어 들이다 / ~ un violon 바이올린에 줄을 갈아 달다. ⑤ 《~ qn》 …의 사기〔원기〕를 다시 북돋우다 : ~ le moral à un soldat 병사의 사기를 고무하다 / Ce médicament va vous ~. 이 약은 당신의 기력을 회복시켜 줄 것이다. ⑥ 〖연극〗 …의 재상연을 준비하다 ; (희곡을) 무대에 다시 올리다, 다시 상연하다. **~ *le courant*** 난관을 극복하다 ; 시류에 역행하다.

── **se ~** *v.pr.* ① 필요한 것을 다시 갖추다 ; 《se ~ de》 …을 다시 사들이다. ② 원기를 〔건강을〕 회복하다. ③ (시계 태엽이) 감기다.

remontoir [ʀəmɔ̃twa:ʀ] *m.* (시계의) 용두(龍頭) ; 용두 달린 시계.

remontrance [ʀəmɔ̃tʀɑ̃:s] *f.* 훈계 ; 권고, 충고(= admonestation, avertissement).

remontrer [ʀəmɔ̃tʀe] *v.t.* ① 다시 보이다. ② 타이르다, 훈계하다.

rémora [ʀemɔʀa] *m.* 〖어류〗 빨판상어.

***remords** [ʀəmɔ:ʀ] *m.* 양심의 가책, 후회, 회한 : avoir des ~ 양심의 가책을 받다.

remorquage [ʀəmɔʀka:ʒ] *m.* (배 · 차 따위를) 끌기 ; (고장난 차의) 견인, 예선(曳船) 작업 ; 예선〔견인〕료(= frais de ~).

remorque [ʀəmɔʀk] *f.* ① (배 · 수레 따위를) 끌기, 견인. ② 끄는 밧줄, 케이블(= câble de ~). ***prendre*** (un bateau) ***à la*** 〔***en***〕 ~ (배)를 끌다. ***se mettre*** 〔***être***〕 ***à la ~ de*** qn 《구어》 …에게 맹종하다.

remorquer [ʀəmɔʀke] *v.t.* (배 · 차 따위를) 견인〔예인〕하다 : ~ une voiture en panne 고장난 차를 끌고 가다.

remorqueur, euse [ʀəmɔʀkœ:ʀ, -ø:z] *adj.* (배 · 차 따위를) 끄는. ── *m.* 예인선(曳引船)(= bateau ~).

rémoulade [ʀemulad] *f.* 〖요리〗 레물라드 소스《매운 마요네즈 소스》.

rémouleur [ʀemulœ:ʀ] *m.* 칼 따위를 가는 사람.

remous [ʀəmu] *m.* ① (물 · 공기의) 소용돌이, 역류. ② 동요(= agitation) ; 파란(= trouble) : grands ~ sociaux 사회의 큰 동요. ③ 불안 : ~ monétaires 통화 불안.

rempaillage [ʀɑ̃pɑja:ʒ] *m.* (의자에) 짚을 갈아 넣기.

rempailler [ʀɑ̃pɑje] *v.t.* (의자의) 짚을 갈아 넣다 ; (의자를) 수선하다.

rempailleur, euse [ʀɑ̃pɑjœ:ʀ, -ø:z] *n.* (의자에) 짚을 갈아 넣는 직공 ; 의자 수선인.

rempart [ʀɑ̃pa:ʀ] *m.* ① 성벽, 성채(城砦). ② (*pl.*) 성벽 지대, 성벽 변두리. ③ 《문어》 방어물.

rempiler [ʀɑ̃pile] *v.i.* 《군대속어》 (병역 종료 후) 재복무하다. ── *v.t.* 다시 쌓다 : ~ des assiettes 접시를 다시 쌓다.

remplaçable [ʀɑ̃plasabl] *adj.* 바꿀 수 있는, 대체할 수 있는.

remplaçant, e [ʀɑ̃plasɑ̃, -ɑ̃:t] *n.* 대리인 ; (운동에서의) 대체 선수 ; 후임자 ; 〖연극〗 대역(= doublure).

remplacement [ʀɑ̃plasmɑ̃] *m.* 바꾸기, 대체 ; 교체 ; 교대 ; 대리 ; 대용 : produit de ~ 대용품. ***en ~ de*** …의 대신으로〔대리로〕, 후임자로서.

‡remplacer [ʀɑ̃plase] [21] *v.t.* ① 《~ qc》 갈다, 바꾸다, 대체하다 : ~ son mobilier ancien par du neuf 헌 가구를 새것으로 갈다. ② 《~ qn》 대리하다, 대신하다 ; 경질하다 ; …의 후임자가 되다 : ~ un professeur absent 결근한 선생을 대신하다 / Son fils *l'a remplacé* comme P.D.G. 아들이 그의 후임으로 사장이 되었다. ③ 《주어 : qc》 …의 대용이 되다 ; 뒤를 잇다 : Le miel *remplace* le sucre. 꿀은 설탕의 대용이 된다 / Le piano *a remplacé* le clavecin. 피아노가 클라브생의 뒤를 이었다. ~ ***A par B,*** A를 B로 대체하다. — **se** ~ *v.pr.* 다른 것〔사람〕으로 대체되다 ; 서로 교대하다.

rempli¹ [Rɑ̃pli] *m.* 〖의복〗 (옷)단 ; 가장자리 장식.

rempli², e [Rɑ̃pli] *adj.* ① 《~ de》 …으로 가득 찬, …이 많은 : parc ~ *d'*oiseaux 새들이 많은 공원 / Il est tout ~ *de* joie. 그는 기쁨으로 가득 차 있다. ② (어느 기간이 일로) 꽉 찬 ; 충실한 : journée bien ~*e* 사뭇 바빴던 하루. ③ (약속 · 의무 따위가) 이행된 : engagement ~ 지켜진 약속 / Ma mission est ~*e.* 내 임무는 완수되었다.

⁑remplir [Rɑ̃pli:R] *v.t.* ① 《~ qc de》 …을 …으로 가득 채우다 : ~ sa cave *de* vin 지하실을 포도주로 가득 채우다 / ~ la salle *de* spectateurs 장내를 관중으로 꽉 채우다. ② (서류의 공란 따위에) 써넣다, 기입하다 ; 메우다 ; (페이지를) 채우다 : ~ un questionnaire 〔une fiche〕 질문서〔카드〕에 필요한 사항을 써넣다. ③ (시간을) 메우다, 보내다 ; (충실하게) 사용하다 : Il ne sait comment ~ son temps libre. 그는 한가한 시간을 어떻게 보내야 할지를 모른다. ④ (의무 따위를) 다하다, 완수하다 ; 수행하다 ; (약속을) 이행하다 ; (조건을) 충족시키다 : ~ son devoir 의무를 다하다 / ~ un rôle 〔une fonction〕 (맡은 바) 역할을 다하다. — **se** ~ *v.pr.* ① 《se ~ de》 …으로 가득 차다 : La salle commensait à *se* ~ (*de* spectateurs). 장내는 관객으로 가득 차기 시작했다. ② 《구어》 …을 배불리 먹다.

remplissage [Rɑ̃plisa:ʒ] *m.* ① (통 따위를) 가득 채우기. ② 불필요한 삽입구(句) : faire du ~ 장황하게 덧붙이다.

remploi [Rɑ̃plwa] *m.* ① 〖법률〗 (재산 매각에 의한 자금의) 재투자, 재운용(= réemploi). ② (건축 자재 따위의) 재사용.

remployer [Rɑ̃plwaje] [7] *v.t.* ① 다시 고용〔사용〕하다 : ~ des matériaux de construction 건축 자재를 재이용하다. ② 〖법률〗 재투자하다 : ~ l'argent de la vent d'un immeuble 부동산 매각 대금을 재투자하다.

remplumer (se) [s(ə)Rɑ̃plyme] *v.pr.* ① (새가) 새 깃털이 나다. ② 《구어》 경제적으로 재기하다. ③ 《구어》 (빠진) 체중〔체력〕이 회복되다.

rempocher [Rɑ̃pɔʃe] *v.t.* 호주머니에 넣다.

rempoissonnement [Rɑ̃pwasɔnmɑ̃] *m.* (못에) 물고기를 다시 놓아주기, 방생(放生).

***remporter** [Rɑ̃pɔRte] *v.t.* ① (가져온 것을) 다시 가져가다. ② 획득〔쟁취〕하다(= obtenir) : ~ une victoire 〔un prix, un succès〕 승리를〔상 · 성공을〕 거두다〔타다〕.

rempoter [Rɑ̃pɔte] *v.t.* 〖원예〗 화분을 갈아 옮겨심다(= transplanter).

remuant, e [Rəmɥɑ̃, -ɑ̃:t] *adj.* ① 수선스런, 차분하지 못한 : enfant ~ 수선스런 아이. ② 적극적인, 활동적인 : esprit ~ 활동가.

remue-ménage [Rəmymena:ʒ] *m.* 《복수불변》 야단법석, 소란 : faire du ~ 소란을 피우다.

remue-méninges [Rəmymenɛ̃:ʒ] *m.* 《복수불변》 브레인스토밍(= brainstorming), 창조적 집단 사고법.

remuement [Rəmymɑ̃] *m.* 움직임, 이동 : ~ des lèvres 입술의 움직임.

⁑remuer [Rəmɥe] *v.t.* ① (물건 · 신체의 일부분을) 움직이다 ; 옮기다, 운반하다 : ~ la tête en signe de désaccord 동의하지 않는다는 표시로 고개를 젓다 / Le chien *remue* joyeusement la queue. 개는 기쁜 듯이 꼬리를 흔들고 있다. ② 휘젓다, 뒤섞다 ; (땅을) 파헤치다, 갈다 : ~ son café 커피를 휘젓다 / ~ la salade 샐러드를 뒤섞다 / ~ la terre 땅을 갈다〔파엎다〕. ③ 뒤흔들다, 동요시키다 ; 혼란〔소란〕케 하다 ; (사람을) 선동하다. ④ 감동시키다 : Il semble très *remué.* 그는 매우 감동된 것 같다. ⑤ (문제를) 검토하다 ; (돈을) 주무르다, 운용(運用)하다. ***ne pas ~ le petit doigt*** (남을 돕기 위해) 손가락 하나 까딱하지 않다. ~ ***ciel et terre*** 백방으로 노력하다, 온갖 수단을 다 쓰다 : Il *remua ciel et terre* pour ne pas être muté. 그는 자리 이동이 되지 않으려고 온갖 애를 썼다. — *v.i.* ① 움직이다 ; 흔들리다 : Ne *remuez* pas ! 움직이지 마시오 ! / avoir une dent qui *remue* 이 하나가 흔들리다. ② 동요하다, 소요를〔반란을〕 일으키다. ***Ton nez remue !*** 거짓말 마라 ! — **se** ~ *v.pr.* ① 움직이다 ; 전력을 다하다, 힘을〔애를〕 쓰다 : Il *s'est* beaucoup *remué* pour cette affaire. 그는 이 일을 위해 매우 힘썼다. ② 움직여지다 : *Remuez-vous* un peu ! 좀 서두르시오 !

remugle [Rəmygl] *m.* 곰팡내 ; 고리타분한 냄새 : sentir le ~ 퀴퀴한 냄새가 나다.

rémunérateur, trice [RemyneRatœ:R, -tRis] *adj.* ① 보수를 주는, 보상하는. ② 돈벌이가 되는, 수지맞는(= lucratif).

rémunération [RemyneRasjɔ̃] *f.* 보수, 급료, 사례금 : ~ du personnel 직원 보수 / en ~ de vos services 수고에 대한 사례로.

rémunératoire [RemyneRatwa:R] *adj.* 〖법률〗 보수〔사례〕로서의.

***rémunérer** [RemyneRe] [6] *v.t.* 보수〔사례금 · 급료〕를 지불하다(= rétribuer), …에〔에게〕 보답하다 : ~ un travail 〔ses employés〕 일에 대해서〔직원들에게〕 보수를 주다.

renâcler [Rənɑkle] *v.i.* ① (말 · 소 따위가) 거칠게 콧숨을 내뿜다 ; (돼지가) 꿀꿀거리다. ② (사람이 불쾌한 듯) 코를 킁킁거리다, 얼굴을 찡그리다.

renaissance [Rənɛsɑ̃:s] *f.* ① 재생 ; 재현 ; 부흥, 부활 : ~ des nationalismes 내셔널리즘의 부활. ② (*R*~) 〖역사〗 문예 부흥, 르네상스. — **R**~ *adj.* 《불변》 르네상스식의, 문예 부흥기의.

renaissant, e [Rənɛsɑ̃, -ɑ̃:t] *adj.* ① 재생하는, 소생하는, 되살아나는. ② 르네상스(기)의.

renaître [RənɛtR] [42] *v.i.* 《복합시제와 과거분사는 드묾》 ① 재생〔소생〕하다, 되살아나

다 : La nature *renaît* au printemps. 자연은 봄에 되살아난다 / ~ en Jésus-Christ 예수의 은총 속에서 재생하다 / faire ~ le passé 과거를 되살리다. ② 《~ à》 …에 회생〔소생〕하다, 다시 살(아나)다, …을 되찾다 : ~ *à* la vie (병후에) 건강을 회복하다 / ~ *à* l'espérance 다시 희망에 살다.

rénal, e, aux [ʀenal, -o] *adj.* 〖해부 · 의학〗 신장(腎臟)의 : calcul ~ 신장 결석(結石).

***renard** [ʀənaːʀ] *m.* ① 〖동물〗 여우(= goupil) ; 여우 모피 : ~ argenté 은빛의 여우 / porter un ~ blanc 흰빛의 여우 모피를 두르고 있다. ② 교활한 사람.

renarde [ʀənaʀd] *f.* 〖동물〗 암여우.

renardeau [ʀənaʀdo] *m.* (*pl.* ~***x***) 새끼 여우.

renardière [ʀənaʀdjɛːʀ] *f.* 여우굴.

rencard [ʀɑ̃kaːʀ] *m.* 《구어》 = rancard.

renchérir [ʀɑ̃ʃeʀiːʀ] *v.i.* ① 값이 오르다 : La vie ne cesse de ~. 생활비가 계속 오른다. ② 《비유》 《~ sur qn〔qc〕》 …보다 한술 더 뜨다 : ~ *sur* le ridicule 다른 사람들보다 더 우스꽝스럽다.

renchérissement [ʀɑ̃ʃeʀismɑ̃] *m.* (가격의) 등귀, 앙등 : ~ de la vie 생활비의 앙등.

rencontre** [ʀɑ̃kɔ̃ːtʀ] *f.* ① (우연한) 만남, 상봉, 해후(邂逅) : ~ inattendue 뜻밖의 상봉 / éviter la ~ de qn …와 만나기를 피하다. ② 회견, 회담 ; 회의(= congrès, réunion) : ~ entre deux chefs d'État 양국 원수의 회견 / ~ internationale d'étudiants 국제 학생 회의. ③ 합류(= jonction) ; 충돌(= collision) : ~ de deux fleuves 두 강의 합류 / ~ de deux véhicules 차 두 대의 충돌. ④ 《문어》 결투 ; 〖군사〗 회전(會戰), 조우전 ; 〖스포츠〗 시합 : ~ amicale 친선 경기 / ~ de deux équipes de football 두 축구팀의 시합. ⑤ (우연한) 기회, 경우, 사정 : en pareille ~ 이러한 경우에. ***a la ~ de qn …을 마중하러, …을 만나러. ***aller à la ~ de*** qn …을 마중가다. ***de ~*** 우연의, 우연히 생긴〔만난〕 : ami *de* ~ 우연히 알게 된 사람.

‡rencontrer [ʀɑ̃kɔ̃tʀe] *v.t.* ① (우연히 사람 · 기회 따위를) 만나다 ; 처음으로 알게 되다 ; …와 회견〔접촉〕하다 : Je l'*ai rencontré* sur mon chemin. 길을 가다 우연히 그와 만나게 되었다. ② (시선 따위와) 마주치다 ; …에 부딪치다 ; (난관에) 봉착〔직면〕하다 ; 우연히 발견하다〔보게 되다〕 : ~ les yeux〔le regard〕 de qn …의 시선과 마주치다 / ~ de l'opposition chez qn …의 반대에 부딪치다 / idée bien *rencontrée* (용케 발견해 낸) 좋은 생각〔착상〕 / mot bien *rencontré* 꼭 들어맞는 말. ③ (버스 따위가) …와 충돌하다 ; (총알 따위가) …에 맞다 ; (물건이 강바닥 따위에) 닿다. ④ 〖스포츠〗 …와 대전하다, 시합하다. — **se ~** *v.pr.* ① 서로 만나다, 알게 되다 ; 회견〔접촉〕하다 : Nous *nous sommes* déjà *rencontrés.* 우리는 이미 만난 적이 있다. ② 마주치다 ; 부딪치다, 충돌하다 ; 합류하다 : Deux trains *se sont rencontrés.* 두 대의 열차가 충돌했다 / rivières qui *se rencontrent* 서로 합류하는 강. ③ 〖스포츠〗 대전〔시합〕하다 : La Corée du sud et le Japon vont *se* ~ dimanche prochain. 한국과 일본은 다음 일요일에 대전한다. ④ (생각이) 일치하다, 의견이 같다 : Nous *nous rencontrons* sur le plan des idées. 우리는 사상의 면에서는 일치한다. ⑤ 발견되다, 나타나다 ; 존재하다 : s'il *se rencontrait* des obstacles imprévus 예기치 않은 장애가 생긴다면 / Ce phénomène *se rencontre* souvent. 이런 현상은 종종 발견된다.

rendement [ʀɑ̃dmɑ̃] *m.* ① 산출액, 생산고 ; 생산율, 생산성 : augmenter le ~ d'une entreprise 기업의 생산성을 높이다. ② 수익 ; 이윤 : action à gros ~ 이윤이 많은 주식. ③ (기계 따위의) 효율(= efficacité) ; (직공의) 능률 : ouvrier qui a un mauvais ~ 능률이 오르지 않는 직공.

rendez-vous** [ʀɑ̃devu] *m.* 《복수불변》 ① 만날 약속 ; 데이트 : annuler un ~ 만날 약속을 취소하다 / ~ spatial (우주에서의) 랑데부 / médecin qui reçoit sur ~ 예약 진찰하는 의사. ② 회합 장소, 집합소, 집합(지) : Ce café est le ~ des étudiants. 이 다방은 학생들의 집합소이다. ***donner (***un***) ~ 〔***fixer un*** ~〕 ***à*** qn …와 만날 약속을 하다. ***prendre un*** ~ 만날 장소와 시간을 정하다.

rendormir [ʀɑ̃dɔʀmiːʀ] [18] *v.t.* 다시 재우다 : ~ un enfant 어린애를 다시 재우다. — **se ~** *v.pr.* 다시 잠들다(= redormir).

rendosser [ʀɑ̃dose] *v.t.* (옷을) 다시 입다. ~ ***l'uniforme*** 군대 생활로 되돌아가다.

‡rendre [ʀɑ̃ːdʀ] [25] *v.t.* ① (빌린 것을) 돌려주다, 반환하다 ; (꾼 돈을) 갚다 : ~ de l'argent emprunté 꾼 돈을 갚다. ② (받은 · 산 것 따위를) 되돌려주다, 도로 갖다 주다 ; (요금 따위를) 환불하다 : ~ sa bague de fiançailles 약혼 반지를 돌려보내다 / ~ à un commerçant une marchandise défectueuse 흠 있는 상품을 상인에게 도로 가져가다. ③ (받지 않고) 되돌려보내다. ④ (잃었던 것을) 되찾게 해 주다, (건강 따위를) 회복시켜 주다 ; (잃었던 아이, 인질 따위를) 돌려주다 : La police a retrouvé l'enfant et l'*a rendu* à ses parents. 경찰이 어린아이를 찾아서 부모에게 돌려주었다 / ~ la liberté à un prisonnier 죄수를 석방하다. ⑤ (거스름돈을) 내주다, (얼마를) 거슬러 주다 ; (인사 따위에) 응답하다 : ~ la monnaie (sur un billet) 지폐를 받고 거스름돈을 내주다 / ~ le〔son〕 salut à qn …에게 답례하다 / ~ vingt francs sur cent francs, 100 프랑짜리를 받고 20 프랑을 거슬러 주다. ⑥ (경의를) 표하다 ; (의무를) 다하다 : ~ un culte à la divinité 신에게 예배를 드리다. ⑦ (방문을) 하다 ; (수고를) 해 주다 : (판결을) 내리다, 선고하다(= prononcer) : ~ un arrêt〔un jugement〕 판결을 내리다 / ~ des services à qn …을 위해 수고하다, …을 도와 주다. ⑧ 토하다(= rejeter, vomir) ; 배출하다 ; (소리를) 내다(= émettre) ; (냄새를) 풍기다, 발산하다(= exhaler) : ~ son déjeuner 점심 먹은 것을 토하다. ⑨ 수익을 가져다 주다(= rapporter) ; 산출〔생산〕하다 : Sa ferme lui *rend* dix mille francs par an. 그의 농장에서는 연간 1 만 프랑의 소출이 난다. ⑩ 번역하다(= traduire) ; 표현하다(= exprimer) ; (그림 · 조각 따위로) 재현하다, 묘사하다(=

R

représenter) : Il est difficile de ~ en français cette tournure. 이 표현을 프랑스어로 번역하기는 어렵다. ⑪《목적보어의 속사와 함께》…되게 하다, …하게 만들다 : ~ une femme heureuse 여자를 행복하게 하다 / ~ qn célèbre …을 유명하게 만들다. ~ ***compte de*** qc …을 보고〔설명〕하다. ~ ***l'âme***〔***l'esprit, le dernier soupir***〕 숨지다, 죽다. ~ ***le bien pour le mal*** 악에 대해 선으로 보답하다. — *v.i.* ① 토하다(= vomir) : avoir envie de ~ 토하고 싶다. ② (토지·기업 따위가) 수확〔수익〕을 가져다 주다 ; (기계가) 능률이 좋다 : Cette terre ne *rend* guère. 이 토지에서는 별로 수확이 나지 않는다. ③ 탄력성이 있다 : billard qui *rend* mal 쿠션이 나쁜 당구대. ***Ça n'a pas rendu.*** 일이 잘 안 되었다.

— **se** ~ *v.pr.* ① 가다 : *se* ~ à l'étranger 외국에 가다 / Les fleuves *se rendent* à la mer. 강물은 바다로 흘러든다. ② 항복하다 ; 양보하다 ;《se ~ à》(의견 따위에) 굴복하다, 응하다, 따르다 : *se* ~ sans conditions 무조건 항복하다 / *Rendez-vous !* 항복하라 ! / *se* ~ *à* l'évidence 증거 앞에서 굴복하다, 명백한 것을 인정하다 / *se* ~ *à* son devoir 자기 의무를 따르다. ③《+ 속사》…하게 되다, …하게 보이다 : *se* ~ malade 병이 나다 / *se* ~ utile 유익하게 되다 / *se* ~ ridicule 웃음거리가 되다. ④ (판결이) 선고되다. ⑤ 표현되다 ; 번역되다 : expression qui ne peut *se* ~ en français 프랑스어로 번역될 수 없는 표현.

rendu, e [ʀɑ̃dy] *adj.* ① 도착한 ; 배달된 : Encore quelques kilomètres et nous serons ~*s* chez nous. 몇 킬로만 더 가면 우리는 집에 도착할 것이다. ② 지쳐빠진, 기진맥진한 (= exténué, harassé). — *m.* 〖상업〗 반품. ***C'est un prêté pour un ~.*** 이건 정당한 보복이다 ; 피장파장이다.

rêne [ʀɛn] *f.* ① (흔히 *pl.*) 고삐(= bride). ② 관리, 지배(= direction). ***lâcher les ~s*** 고삐를 늦추다 ; 다 포기하다. ***tenir***〔***prendre***〕 ***les ~s de l'État*** 나라를 다스리다.

renégat, e [ʀənega, -at] *n.* ① 배교자(背敎者). ② 배반자(= traître), 변절자.

renégociation [ʀənegɔsjɑsjɔ̃] *f.* 〖정치〗 (협정·조약 따위의) 재교섭, 재협상.

***renfermé, e** [ʀɑ̃fɛʀme] *adj.* 감정을 드러내지 않는, 폐쇄적인 : homme ~ (자기 안에 갇혀 있는) 폐쇄적인 사람. — *m.* 곰팡내 ; 고리타분한 냄새.

***renfermer** [ʀɑ̃fɛʀme] *v.t.* ① 다시 가두다 ; 유폐〔감금〕하다. ②《주어 : qc》 포함하다, 함축하다 : maxime qui *renferme* un sens profond 깊은 뜻을 지닌 잠언 / Ce livre *renferme* de grandes vérités. 이 책에는 위대한 진리가 포함돼 있다. ③ (감정을 가슴속에) 숨겨 두다 : ~ sa douleur 고뇌를 숨기다. — **se** ~ *v.pr.*《se ~ dans》…안에 죽치고 틀어박히다 ; (침묵 따위에) 잠기다 : *se* ~ *dans* sa chambre 자기방에 틀어박히다 / *se* ~ *dans* le silence 침묵에 잠기다.

renflé, e [ʀɑ̃fle] *adj.* 가운데가 불룩한 : colonne ~*e* 중간이 불룩한 기둥.

renflement [ʀɑ̃fləmɑ̃] *m.* 부풂 ; 부푼〔불룩한〕 부분.

renfler [ʀɑ̃fle] *v.t.* ① 불룩하게 만들다. ② 부풀게 하다, 팽창시키다. — **se** ~ *v.pr.* 부풀다, 팽창하다.

renflouage [ʀɑ̃fluaːʒ], **renflouement** [ʀɑ̃flumɑ̃] *m.* ① 〖해양〗 (좌초한 배를) 다시 띄우기. ②《비유》(기업의 구제를 위한) 자금 융자, 재정 원조.

renflouer [ʀɑ̃flue] *v.t.* ① 〖해양〗 (좌초한 배를) 다시 띄우다. ② (자금을 대어) 재정난을 구해 주다 : ~ une entreprise au bord de la faillite 도산 일보 직전의 기업에 자금 지원을 하다.

renfoncement [ʀɑ̃fɔ̃smɑ̃] *m.* 움푹〔깊숙이〕 들어가게 하기〔틀어박기〕; (벽·건축물의) 움푹 들어간 곳.

renfoncer [ʀɑ̃fɔ̃se] [2] *v.t.* 움푹〔깊숙이〕 들어가게 하다〔틀어박다〕 : ~ son chapeau 모자를 푹 눌러 쓰다 / ~ le bouchon d'une bouteille 병마개를 틀어박다.

renforcé, e [ʀɑ̃fɔʀse] *adj.* 질긴, 튼튼한 ; 강해진, 보강된, 강화된.

renforcement [ʀɑ̃fɔʀsəmɑ̃] *m.* 보강, 강화, 증강 : ~ d'une troupe 부대의 증강.

renforcer [ʀɑ̃fɔʀse] [2] *v.t.* ① 보강〔강화〕하다 ; 증강〔증원하다〕 : ~ un mur 벽을 튼튼하게 보강하다 / ~ une armée〔une équipe〕 군대를〔팀을〕 증강하다. ② (표현을) 강조하다 ; (음향을) 확대하다 ; (빛깔을) 더 짙게 하다 : ~ une couleur 색깔을 더 짙게 하다. ③ 〖사진〗 보력(補力)하다. — **se** ~ *v.pr.* 더 강해지다, 강화되다.

renfort [ʀɑ̃fɔːʀ] *m.* ① (군대 따위의) 증원 ; 원병, 원군 : envoyer des ~*s* 원군을 보내다. ② 보강재(材) ; (돛의) 보강포(布). ***à grand ~ de*** …을 많이 사용하여. ***de*** ~ 예비의, 보강의 : cheval *de* ~ 예비 말.

renfrogné, e [ʀɑ̃fʀɔɲe] *adj.* (사람이) 얼굴〔눈살〕을 찌푸린 : visage ~ 찌푸린 얼굴.

renfrogner (se) [səʀɑ̃fʀɔɲe] *v.pr.* 얼굴〔눈살〕을 찌푸리다.

rengagement [ʀɑ̃gaʒmɑ̃] *m.* 재고용 ; 〖군사〗 재복무.

rengager [ʀɑ̃gaʒe] [3] *v.t.* ① 다시 고용하다. ② 〖군사〗 다시 복무시키다. — **se** ~ *v.pr.* ① 다시 시작되다. ② 〖군사〗 다시 입대하다, 재복무하다.

rengaine [ʀɑ̃gɛn] *f.* ① 늘 되풀이하는 말, 상투적인 언사(= refrain). ② 누구나 다 아는 노래〔곡조〕.

rengainer [ʀɑ̃gɛ(e)ne] *v.t.* ① (칼·총 따위를 집에) 다시 집어넣다. ②《구어》(하려던 말을) 그만두다 : ~ son compliment (하려고 하던) 칭찬을 그만두다.

rengorger (se) [s(ə)ʀɑ̃gɔʀʒe] [3] *v.pr.* ① 상반신을 뒤로 젖히다. ② 뽐내다, 거드름 피우다, 교만하게 굴다.

reniement [ʀənimɑ̃] *m.* ① 부인 ; 배반, 배신 ; (신앙의) 포기. ② (신에 대한) 모독.

renier [ʀənje] *v.t.* ①《~ qn》(알면서도) 모른다고 말하다 ; …의 자기와의 관계를 부인하다 : ~ son fils (자기의 아들을) 제 아들이 아니라고 하다 / Saint Pierre *renia* Jésus-Christ. 성베드로는 예수를 모른다고 했다. ② (신앙 따위를) 저버리다 : ~ sa foi 신앙을

R

버리다.
reniflement [ʀəniflәmɑ̃] *m.* 코를 훌쩍이기 ; 코를 킁킁거리며 냄새를 맡기 ; 그 소리.
renifler [ʀənifle] *v.i.* 코를 훌쩍이다 ; 킁킁거리며 냄새를 맡다. — *v.t.* ① 코로 냄새를 맡다. ② 《구어》 눈치 채다(= flairer) : ~ une affaire 어떤 사건을 냄새 맡다.
reniflette [ʀəniflɛt] *f.* 《구어》 ① avoir la ~ 코를 훌쩍이다. ② (코로 들여 마시는) 마약.
renne [ʀɛn] *m.* 〖동물〗 순록 ; 순록의 모피.
renom [ʀənɔ̃] *m.* ① 평판(= réputation) : bon 〔mauvais〕 ~ 좋은〔나쁜〕 평판. ② 명망, 명성. ***en*** 〔***de***〕 (***grand***) ~ 명성이 높은, 고명한 : maison *en* ~ 명문 / écrivain *de* grand ~ 고명한 작가.
***renommé, e**[1] [ʀ(ə)nɔme] *adj.* 고명(高名)〔유명〕한, 명성〔명망〕이 높은 : région ~*e* pour ses vins 포도주로 이름난 고장.
renommée[2] [ʀənɔme] *f.* ① 명성, 명망 ; 평판 : bonne 〔mauvaise〕 ~좋은〔나쁜〕 평판 / jouir d'une grande ~ 명성을 떨치다. ② 소문 ; 세평 : apprendre qc par la ~ …을 소문으로 알다.
renommer [ʀənɔme] *v.t.* 재임명하다 ; 재선출하다.
renoncement [ʀənɔ̃smɑ̃] *m.* 단념, 포기 : mener une vie de ~ 속세를 버리고 살다. ~ (***à*** 〔***de***〕 ***soi-même***) 자기 희생.
renoncer** [ʀənɔ̃se] [2] *v.t. ind.* 《~ à》 ① …을 단념하다, 그만두다 : ~ *à* un projet 계획을 단념하다. ② 포기하다, 버리다 : Il *a renoncé à* ses droits. 그는 권리를 포기했다 / ~ *au* pouvoir 권력의 자리에서 물러나다. ③ (습관 따위를) 끊다, 중지하다 : ~ *au* tabac 담배를 끊다 / ~ *à* boire 술을 끊다. ④ ~ *à* qn …와 인연을 끊다. ⑤ 〖카드놀이〗 판에 나온 것과 다른 종류의 카드를 내다 : ~ *à* trèfle (요구된 패가 없어서) 클로버를 내놓다. ~ ***à + *inf.* ; ~ ***à ce que*** + *sub.* …하기를〔하는 것을〕 단념하다〔포기하다 · 그만두다〕 : ~ *à* poursuivre ses études 학업의 계속을 포기하다. — *v.t.* ① 《문어》 포기하다. ② 《지방어》 (임대차 계약을) 해지하다. ③ 《옛》 부인하다.
renonciation [ʀənɔ̃sjɑsjɔ̃] *f.* 《~ à》 …의 포기 : ~ *à* sa foi 신앙의 포기 / ~ *à* une succession 상속의 포기.
renonculacées [ʀənɔ̃kylase] *f.pl.* 〖식물〗 미나리아재비과(科) 「비속(屬).
renoncule [ʀənɔ̃kyl] *f.* 〖식물〗 미나리아재
renouer [ʀənwe] *v.t.* ① (풀어진 끈 · 매듭 따위를) 다시 매다 ; (머리카락 따위를) 비끄러〔잡아〕 매다 : ~ sa cravate 넥타이를 다시 매다. ② (중단됐던 것을) 재개하다 : ~ la conversation 대화를 재개하다. — *v.t. ind.* 《~ avec qn》 …와 다시 관계를 맺다 ; …을 되살리다 : ~ *avec* un ami 친구와 다시 사귀다 / ~ *avec* la tradition 전통을 되살리다.
renouveau [ʀənuvo] *m.* (*pl.* 《드물게》 ~***x***) ① 《옛》 〖문학〗 봄 (소식). ② 재생 ; 부흥, 부활 : ~ de jeunesse 회춘 / ~ religieux 신앙부흥.
renouvelable [ʀənuvlabl] *adj.* 갱신〔계속〕할 수 있는 : passeport ~ tous les trois ans, 3 년마다 갱신해야 하는 여권.
renouvelé, e [ʀənuvle] *adj.* 새롭게 태어난 : edition ~*e* 개정판.
***renouveler** [ʀənuvle] [5] *v.t.* ① 새로 바꾸다〔갈다〕 ; 경질〔교체〕하다 : ~ le personnel d'une entreprise 기업체의 직원을 갈다 / ~ l'air d'une salle 방의 공기를 환기시키다. ② 일신하다, 쇄신하다, 개혁하다 : La Révolution *a renouvelé* la face de l'Europe. 프랑스 대혁명은 유럽의 양식을 일변시켰다 / ~ le mode de fabrication 제조법을 쇄신하다. ③ 다시 하다, 되풀이하다 : ~ une commande 〖상업〗 재주문하다. ④ (계약을) 갱신하다(= proroger) : ~ son passeport 여권을 갱신하다 / ~ un bail 임대 계약을 갱신하다. — **se** ~ *v.pr.* ① 경질〔교체〕되다. ② 일신〔쇄신〕되다 ; (예술가 따위가) 새로운 경지를 보여 주다 : Cet auteur *se renouvelle* sans cesse. 이 작가는 끊임없이 새로운 경지를 보여 준다. ③ 되살아나다 ; 다시 생기를 띠다 : La nature *se renouvelle* au printemps. 자연은 봄에 재생한다. ④ 되풀이되다 : incidents qui *se renouvellent* souvent 종종 재발되는 사고들.
***renouvellement** [ʀənuvɛlmɑ̃] *m.* ① 갈기 ; 경질 : ~ de l'air 환기. ② 일신, 쇄신 : ~ de l'enseignement 교육의 쇄신. ③ (계약의) 갱신 : ~ de passeport 여권의 갱신. ④ 되풀이, 반복.
rénovateur, trice [ʀenɔvatœːʀ, -tʀis] *adj.* 혁신〔개혁〕하는, 새롭게 하는. — *n.* 혁신자, 개혁자(= réformateur).
rénovation [ʀenɔvɑsjɔ̃] *f.* ① 개혁, 혁신, 쇄신 : ~ des études classiques 고전 연구의 쇄신. ② (명의의) 변경(= renouvellement). ③ 개조, 개축(= restauration) : ~ d'un quartier (도시) 구역의 재정비.
rénover [ʀenɔve] *v.t.* ① 새롭게 하다, 쇄신하다(= renouveler), 혁신〔개혁〕하다 : ~ un enseignement 교육을 개혁하다. ② (명의를) 변경하다. ③ 개수〔개축〕하다 ; 개량하다 : ~ un appartement 아파트를 개축하다.
renseigné, e [ʀɑ̃sɛ(e)ɲe] *adj.* 사정에 밝은, 정통한 : être (bien) ~ sur …에 관하여 잘 알고 있다.
renseignement** [ʀɑ̃sɛɲmɑ̃] *m.* ① 정보 ; 조회 ; 문의 ; 안내 : donner des ~s sur … 에 관한 정보를 제공하다 / prendre des ~*s* (sur 〔sur le compte de〕 qn 〔qc〕) (…에 관해) 문의〔조사〕하다. ② (*pl.*) (역 따위의) 안내소 : s'adresser aux ~s 안내소에 문의하다. ③ (보통 *pl.*) (주로 외국에 대한) 첩보 활동 ; (경찰의) 공안 : agent de ~s 첩보부원. ***service de(***s***) ~***s*** 〖군사〗 정보 기관, 수사국 (《약자》 S.R.).
***renseigner** [ʀɑ̃sɛ(e)ɲe] *v.t.* ① 가르쳐 주다 : ~ un passant 행인에게 길을 가르쳐 주다. ② 《~ qn sur》 …에게 알려 주다, 설명하다 ; …에게 정보를 제공하다 : Je vais vous ~ cette affaire. 그 사건에 대해서 알려드리겠습니다. — **se** ~ *v.pr.* 《se ~ sur》 …알아보다, 조사〔조회 · 문의〕하다.
rentabiliser [ʀɑ̃tabilize] *v.t.* 영리화하다 ; 수익성을 띠게 하다 : ~ des captiaux investis 투자 자본이 수익을 올리도록 하다.
rentabilité [ʀɑ̃tabilite] *f.* 수익성 : taux de ~ (자본금 따위의) 수익률.
***rentable** [ʀɑ̃tabl] *adj.* ① 수익성 있는(=

R

payant) : exploitation ～ 이익 많은 경영. ② 《구어》 보람 있는, 유익한.

***rente** [Rɑ̃:t] *f.* ① (보통 *pl.*) 금리 ; 배당금 : vivre de ses ～*s* 금리로 살다 ; 놀며 살다. ② 연금, 정기 수입 : faire une ～ de cent mille francs à qn …에게 연금 10 만 프랑을 주다 / ～ viagère 종신 연금. ③ 국채, 공채(= ～(*s*) sur l'État) : acheter de la ～ 국채를 사다 / titres de ～ 국채 증권.

renter [Rɑ̃te] *v.t.* …에게 연금〔보조금〕을 주다 ; 돈을 대주다.

rentier, ère [Rɑ̃tje, -ɛ:R] *n.* 연금〔보조금〕을 받는 사람 ; 금리 생활자 ; 〖재정〗 국채〔공채〕 소유자. ***mener une vie de ～*** 놀고 지내다.

rentoiler [Rɑ̃twale] *v.t.* ① 헝겊을 갈다 ; (지도 따위에) 안을 대다〔보강하다〕. ② (그림을) 새 캔버스에 옮기다.

rentraire [Rɑ̃tRɛ:R] 44 *v.t.* 짜깁기하다(= rentrayer).

rentraiture [Rɑ̃tRɛ(e)ty:R] *f.* 짜깁기.

rentrant, e [Rɑ̃tRɑ̃, -ɑ̃:t] *adj.* ① 움푹 들어간 : angle ～ 요각(凹角). ② 끌어들일 수 있는 : train d'atterrissage ～ 〖항공〗 (안으로 접어들이게 된) 착륙 장치〔다리〕.

rentré, e[1] [Rɑ̃tRe] *adj.* ① (볼·눈 따위가) 움푹 들어간 : joues ～*es* 홀쭉한 두 뺨. ② (감정 따위가) 억제된 : colère ～*e* 꾹 참고 있는 분노.

***rentrée**[2] [Rɑ̃tRe] *f.* ① (원래의 자리로) 돌아옴〔감〕, 귀환, 복귀 : Ils ont divorcé à leur ～ en France. 그들은 프랑스로 돌아와서 이혼했다 / ～ atmosphérique 대기권 재돌입 / préparer sa ～ politique 정계로 복귀할 채비를 하다. ② (휴정(休廷) 후의) 개정(開廷), (의회의) 재개 ; (여름 방학 후의) 개학, 신학기 : ～ des tribunaux (휴정 후의) 법원의 개정 / ～ des classes 개학 / à la ～ de septembre, 9 월의 신학기에. ③ 거두어들이기 ; 회수 ; (세금의) 징수 : ～ des foins 〔d'une récolte〕 꼴〔수확물〕을 거두어들이기 / ～*s* fiscales 국세 수입.

‡rentrer [Rɑ̃tRe] *v.i.* 《조동사는 être》 ① 다시 들어오다〔가다〕 : ～ dans sa chambre 방으로 다시 들어가다. ② (집에) 돌아오다 : faire ～ les enfants 애들을 집에 불러들이다 / Il vient de ～ de promenade. 그는 방금 산책에서 돌아왔다. ③ 《～ à 〔dans, sous〕》 …으로 되돌아오다, 복귀하다 ; 《～ dans》 …을 회복하다, 되찾다 : ～ *dans* l'ordre 질서를 회복하다 / ～ *dans* ses droits 권리를 되찾다. ④ (휴정했던 법정이) 다시 개정하다 ; (의회가) 재개하다 ; (학교가) 개학하다, 신학기가〔신학년이〕 되다 : ～ en charge 〔en fonctions〕 (공무원이) 복직하다, 다시 집무하다 / Les écoles vont ～ dans quelques jours. 학교는 며칠 후에 개학한다. ⑤ 《entrer 의 강조형》 Les ennemis *sont rentrés* dans la ville. 적군이 시내로 들어왔다. ⑥ 《～ dans》 (사물이) …에 속하다, 포함되다 : Cela ne *rentre* pas *dans* mes attributions. 그것은 내 권한에 속하지 않는다. ⑦ (열쇠가 자물쇠에) 들어맞다, 끼워지다 : tubes qui *rentrent* les uns dans les autres 서로 잘 끼워지는 대롱〔관〕. ⑧ 《구어》 《～ dans》 …에 부딪치다, 충돌하다 : La voiture *est rentrée dans* un arbre. 차는 나무에 충돌했다. ⑨ (돈이) 회수되다 : faire ～ des fonds 자금을 회수하다. ***Les jambes me rentrent dans le corps.*** 기진맥진하다. ***～ en soi-même*** 자기 반성을 하다 ; 생각에 잠기다.

— *v.t.* 《조동사는 avoir》 ① (도로) 들이다, 넣다, 거둬들이다〔넣다〕 : ～ des marchandises dans un magasin 상품을 창고에 넣다 / ～ les foins 〔la moisson〕 꼴〔수확물〕을 광에 들이다 / ～ des bestiaux à l'étable 가축을 축사에 들이다. ② 들이박다, 들이밀다 ; (눈물 따위를) 억제하다, 참다 ; (하려던 말을) 그만두다 : ～ ses larmes 〔sa colère〕 눈물을〔분노를〕 참다〔억누르다〕. ***～ ses griffes*** 호전적인 태도를 누그러뜨리다.

renverr-ai, -as, etc. ⇒ renvoyer.

renversant, e [Rɑ̃vɛRsɑ̃, -ɑ̃:t] *adj.* 《구어》 (소식 따위가) 대경실색게 하는.

renverse [Rɑ̃vɛRs] *f.* 역전(逆轉), 전도(顚倒) ; 〖해양〗 (바람·조류가) 반대 방향으로 바뀌기. ***à la ～*** 등을 땅바닥에 대고 : couché 〔étendu〕 *à la* ～ 반듯이 드러누어.

renversé, e [Rɑ̃vɛRse] *adj.* ① 거꾸로 된 ; 뒤집혀진 ; 넘어진 ; 뒤로 젖힌 : chaise ～*e* (뒤집혀) 쓰러진 의자 / boire à tête ～*e* 머리를 뒤로 젖힌 채 마시다. ② 깜짝 놀란(= stupéfait) ; 어리둥절한 : Je suis ～! 깜짝 놀랐는걸. ***C'est le monde ～.*** 이치에 어긋난다. ***crème ～e*** 틀에 넣어 구운 크림.

renversement [Rɑ̃vɛRsəmɑ̃] *m.* ① 뒤집혀짐, 전도(轉倒), 역전 : ～ des valeurs 가치의 전도 / ～ de la situation 형세의 역전 / ～ de vent 풍향(風向)의 변화. ② 붕괴, 전복 : ～ du gouvernement 정부의 전복. ③ (머리·상반신을) 뒤로 젖히기. ***～ de l'esprit*** 정신 착란.

***renverser** [Rɑ̃vɛRse] *v.t.* ① (방향·순위를) 거꾸로 하다, 뒤집다 : ～ le sablier 모래시계를 거꾸로 놓다 / ～ la main 손바닥을 뒤집다. ② 넘어뜨리다, 쓰러뜨리다 ; 뒤집어 놓다 ; (머리·상반신 등을) 뒤로 젖히다 : ～ qn d'un coup de poing …을 주먹으로 한 대 쳐서 쓰러뜨리다 / ～ un verre 유리잔을 뒤집어 놓다 / ～ la tête 머리를 뒤로 젖히다. ③ (질서 따위를) 무너뜨리다, 뒤집어엎다 ; (내각 따위를) 타도하다 : ～ l'ordre établi 〔une traditon〕 기성 질서를〔전통을〕 무너뜨리다 / ～ une royauté 군주제를 타도하다. ④ 대경실색게 하다 : Cette nouvelle me *renverse.* 이 소식을 들으니 어안이 벙벙해진다.

— *v.i.* ① 뒤집히다, 전복하다 ; 넘어지다, 쓰러지다, 무너지다. ② 방향이 바뀌다.

— **se ～** *v.pr.* ① 몸을 뒤로 젖히다 ; 반듯이 드러눕다 : *se* ～ dans un fauteuil 안락의자에서 몸을 뒤로 잔뜩 젖히다 / *se* ～ sur le dos 〔en arrière〕 반듯이 드러눕다. ② 뒤집히다, 쓰러지다, 전복되다 : La voiture *s'est renversée.* 차가 뒤집혔다. ③ (정세가) 급변하다, 역전되다.

renvoi [Rɑ̃vwa] *m.* ① 반송(返送), (편지의) 회송 : ～ d'une lettre à l'expéditeur 편지의 발송자에의 반송. ② 해고, 퇴직, 파면, 퇴학(처분) ; 제대 ; 방면(放免), 석방 : ～ d'un ouvrier 노동자의 해고 / ～ d'un élève 학생의 퇴학. ③ (위원회로의) 회부, 위탁 ; 〖법률〗

R

(다른 법원으로의) 이송. ④ 연기 : demander le ~ de la discussion au lendemain 토의를 다음 날로 미루도록 요구하다. ⑤ 〖의학〗 트림. ⑥ (빛의) 반사 ; (소리의) 반향. ⑦ 〖편집〗 참조 기호 ; 참조, 주(註).

***renvoyer** [Rɑ̃vwaje] [7] *v.t.* ① (되)돌려보내다, 반송하다 ; 회송(回送)하다 : ~ une lettre à l'expéditeur 편지를 발신인에게 반송하다 / ~ sa bague de fiançailles (거절의 뜻으로) 약혼 반지를 돌려보내다. ② (사람을) 내쫓다, 해고〔면직·파면〕하다 ; 〖학교〗 퇴학시키다 ; 〖군사〗 제대시키다 : ~ une bonne 하녀를 내보내다 / se faire ~ de son travail 직장에서 해고당하다 / *être renvoyé* du lycée 고등학교에서 퇴학당하다. ③ 〖법률〗 (다른 법원에) 이송〔회부〕하다 ; (위원회에) 위탁하다. ④ 미루다, 연기하다 : L'assemblée générale *a été renvoyée* à la fin du mois. 총회는 월말로 연기되었다. ⑤ (공 따위를) 받아 (되)던지다〔받아 치다〕 ; (빛을) 반사하다 ; (소리를) 반향하다 : ~ une balle 공을 되던지다 / Un miroir *renvoie* la lumière. 거울은 빛을 반사한다. ⑥ 《~ les lecteurs à》 (독자에게 주(註) 따위를) 참조하게 하다 : ~ le lecteur *à* une note 독자에게 주(註)를 참조하게 하다. ── **se ~** *v.pr.* 서로 되돌려보내다 : *se* ~ des reproches 〔des injures〕 서로 비난하다〔욕설을 퍼붓다〕.

réoccupation [Reɔkypɑsjɔ̃] *f.* 재점령, 재점유.

réoccuper [Reɔkype] *v.t.* 재점령〔재점유〕하다 : ~ une position stratégique 전략적 요충지를 재점령하다.

réorganisation [ReɔRganizɑsjɔ̃] *f.* 재조직, 재편성 : ~ d'une administration 행정부의 재편성.

réorganiser [ReɔRganize] *v.t.* 다시 조직〔편성〕하다 ; 개조〔개설(改設)〕하다.

réorientation [ReɔRjɑ̃tɑsjɔ̃] *f.* 새 방향으로 이끌기, 재(再)지도.

réorienter [ReɔRjɑ̃te] *v.t.* 새 방향으로 이끌다〔지도하다, 유도하다〕 ; 전향시키다.

réouverture [ReuvɛRty:R] *f.* 재개(再開) : ~ d'un magasin 가게의 영업 재개.

rep. 《약자》 report 〖주식〗 이월 거래〔기간〕 ; 거래 유예금.

Rép. 《약자》 réponse 대답 ; républicain 공화당원.

repaire [Rəpɛ:R] *m.* 숨는 곳, (짐승의) 굴 ; (산적·도둑 따위의) 소굴 : ~ de brigands 도둑의 소굴.

repaître [RəpɛtR] [41] *v.t.* ① 《옛》 (사람에게) 식사하게 하다. ② (짐승에게) 먹이를 주다. ③ 《문어》 ⓐ (눈·정신을) 만족시키다(= rassasier) : ~ ses yeux de qc …을 열심히 바라보다. ⓑ 《~ qn de》 …에게 …을 품게 하다 : ~ qn *d'*espérance …에게 희망을 품게 하다. ── **se ~** *v.pr.* ① 《se ~ de》 (동물이) …을 실컷 먹다. ② 《se ~ de》 …을 즐기다 ; 탐닉하다 : *se* ~ *de* chimères 공상에 잠기다.

***répandre** [Repɑ̃:dR] [25] *v.t.* ① 쏟다, 흘리다 ; 흩뿌리다 ; (자갈 따위를) 깔다 : ~ le sang 피를 흘리다, 학살하다 / ~ des larmes 눈물을 흘리다 / ~ des gravillons sur une route 길에 자갈을 깔다. ② (빛을) 발산하다 ; (냄새를) 풍기다 : Le soleil *répand* sa lumière. 태양이 햇빛을 발산한다 / ~ une odeur délicieuse 감미로운 향기를 풍기다. ③ 퍼뜨리다, 보급시키다, 유포하다 : ~ un bruit 소문을 퍼뜨리다 / ~ une idée nouvelle 새로운 사상을 유포하다. ④ 널리 나누어 주다〔베풀다〕 : Dieu *répand* ses bienfaits. 하느님은 은혜를 널리 베푼다.
── **se ~** *v.pr.* ① 쏟아지다, 흘러넘치다 ; 흩뿌려지다 : Le vin *s'est répandu* sur la nappe. 포도주가 식탁보 위에 쏟아졌다. ② (사람이) 넘치다, 가득 차다 : Les manifestants *se répandent* dans les rues. 시위대가 거리를 메우고 있다. ③ 전파되다, 유포되다 ; 보급되다(= se propager) : L'épidémie *s'est répandue* dans le pays. 유행병이 나라에 퍼졌다. ***se ~ dans le monde*** 사교계에 출입하다. ***se ~ en*** 감정을 많은 말로 나타내다 : *se ~ en* compliments 〔louanges〕 장황하게 찬사를 늘어놓다.

***répandu, e** [Repɑ̃dy] *adj.* ① 흩어져〔쏟아져〕 있는. ② 널리 유행하는 ; 널리 알려진 : méthode très ~*e* 널리 알려져 있는 방법 / mode très ~*e* 널리 퍼지고 있는 유행.

réparable [RepaRabl] *adj.* ① 수리할 수 있는. ② 회복〔만회〕할 수 있는 : perte facilement ~ 간단히 복구할 수 있는 손실.

reparaître [RəpaRɛtR] [41] *v.i.* 《조동사는 보통 avoir》 ① 다시 나타나다, 다시 출현하다. ② (병이) 재발하다 : La fièvre *a reparu.* 열병이 재발했다.

réparateur, trice [RepaRatœ:R, -tRis] *adj.* ① 기운을 회복시키는 : sommeil ~ 기력을 되찾아 주는 수면. ② (과실을) 보상하는. ── *n.* 수리공(= raccommodeur).

:réparation [RepaRɑsjɔ̃] *f.* ① 수선, 수리 ; (*pl.*) (건물의) 수리 (공사) ; 회복 : ~ d'une voiture 자동차의 수리 / ~ d'un vêtement 옷 수선 / ~ des forces 원기의 회복. ② 배상(賠償), 보상 ; 사죄 : ~ d'honneur (명예 훼손에 대한) 사죄 / ~ civile 민사상의 배상 / ~ morale 위자료. ③ 〖축구〗 coup (de pied) de ~ 페널티킥 / surface de ~ 페널티 에어리어. ***demander*** 〔***obtenir***〕 ***~ d'un affront*** 모욕에 대한 보상을〔사죄를〕 요구하다〔얻다〕. ***en ~ de*** …에 대한 보상으로서. ***en ~ d'un tort*** 손해 배상으로서. ***être en ~*** 수리 중이다. ***faire ~ à*** qn …에게 사죄하다.

:réparer [RepaRe] *v.t.* ① 수선〔수리〕하다, 고치다(= raccommoder) ; 복원하다 : ~ des objets d'art 미술품을 복원하다 / ~ une voiture en panne 고장난 차를 수리하다. ② 회복〔만회〕하다 : ~ sa fortune 〔ses affaires〕 가세(家勢)를 만회하다 / ~ ses forces 〔sa santé〕 건강을 회복하다. ③ 배상하다 ; 보상하다 ; 사죄하다, (치욕 따위를) 씻다 : ~ une faute 잘못을 사죄하다 / ~ l'honneur de qn …의 명예를 훼손한 사죄를 하다.

reparler [RəpaRle] *vi.* ① 《~ de》 …에 관해서 다시 이야기하다. ② 《~ à qn》 (사이가 틀어졌던 사람과) 다시 이야기하다.

repartie [RəpaRti] *f.* 재빠른 대답, 즉답(= réplique) : avoir de la ~ 〔avoir la ~ facile] 임기응변의 재치가 있다.

:repartir[1] [ʀəpaʀtiːʀ] [18] *v.i.* 《조동사는 être》 ① 다시 출발하다 : ~ pour Paris 파리를 향해 다시 출발하다. ② 돌아가다〔오다〕: Tu *repars* pour la France cet été? 이번 여름에 프랑스로 돌아갑니까? ③ 다시 시작하다 ; (일 따위가) 재개되다. ***~ à* 〔*de*〕 *zéro*** 출발점으로 되돌아가서 다시 시작하다.

repartir[2] *v.t.* 《옛》 《조동사는 avoir》 대꾸하다, 즉답(卽答)하다.

répartir [ʀepaʀtiːʀ] *v.t.* ① 나누어 주다, 분배하다 ; 배당하다, 할당하다 : ~ les biens d'une succession entre les cohéritiers 유산을 공동 상속인에게 분배하다. ② (공간 속에) 배치하다 ; (시간 속에) 안배하다 : touristes *répartis* en cinq groupes 다섯 패로 나뉜 관광객 / ~ ses troupes dans divers villages 군대를 여러 마을에 분산시키다. ③ 나누다, 분할하다 ; 분류하다 : On *a réparti* les élèves en deux groupes de travail. 학생들을 2개 학습반으로 나누었다. —— **se ~** *v.pr.* ① 《se는 간접목적보어》 서로 나누어 갖다 : Ils *se sont réparti* les bénéfices. 그들은 이익을 서로 나누어 가졌다. ② 분할〔분배〕되다 ; 할당되다.

répartition [ʀepaʀtisjɔ̃] *f.* ① 분배, 배분 : ~ des bénéfices 이익의 분배. ② 나누기, 할당 ; 분담 : ~ de l'impôt 세금의 할당. ③ 분포 : ~ géographique des animaux 동물의 지리상 분포.

reparu, e [ʀəpaʀy] *adj.* 재현한 ; 재발한.

:repas [ʀəpɑ] *m.* 식사 ; 식사 시간 : léger 〔petit〕 ~ 간단한 식사, 경(輕)식사 / plateau-~ 기내〔차내〕식. ***grand ~*** 잔치, 향연. ***~ de noces*** 결혼 피로연.

repassage [ʀəpɑsaːʒ] *m.* ① 다림질 ; (칼붙이를) 갈기(= affûtage).

repasser** [ʀəpɑse] *v.i.* ① 다시 지나가다 ; 다시 들르다 ; 갔다가 다시 오다 : Voulez-vous ~ lundi prochain? 다음 월요일에 다시 들러 주시겠소? / Cela *repassera* par mes mains. 그것은 또 내 손을 거치게 되겠지 / ~ dans son pays 고향에 돌아오다〔가다〕. ② (영화가) 재상영되다. ③ (기억 따위가) 다시 떠오르다 : Une idée me *repassa* dans l'esprit. 한 생각이 나의 머리에 다시 떠올랐다. ***~ derrière qn …의 일을 점검〔수정〕하다. —— *v.t.* ① 다시 지나가다〔건너다, 넘다〕: ~ les Alpes 알프스를 다시 넘다. ② 다시 하다 ; 다시 건네주다〔집어 주다〕: *Repassez*-moi du pain. 빵을 또 집어 주세요 / ~ un plat au four 어떤 요리를 다시 데우다. ③ (영화를) 재상영하다, 재방송〔재방영〕하다 : On *repasse* ≪La Belle et la Bête≫ au Rex. 렉스에서 「미녀와 야수」가 재상영된다. ④ 회상하다, 상기하다 : ~ des événements dans son esprit 사건들을 머릿속에 회상하다. ⑤ 복습하다 ; 다시 조사〔점검〕하다 : ~ une leçon 학과를 복습하다 / ~ une composition 작문을 재검토하다. ⑥ (다리미 · 인두로) 다리다 ; (칼 따위를) 갈다(= aiguiser).

repasseur, euse [ʀəpɑsœːʀ, -øːz] *m.* 갈음질장이. —— *f.* 다림질하는 여자.

repaver [ʀəpave] *v.t.* …에 포석을 다시 깔다 : ~ une rue 길을 재포장하다.

repayer [ʀəpɛ(e)je] [8] *v.t.* 다시 지급하다 ; 《구어》 (돈을) 갚다.

repêchage [ʀəpɛʃaːʒ] *m.* ① (물에서) 건지기 : ~ d'un noyé 물에 빠진 사람을 건져내기. ② 〖학교〗 (낙제생의) 구제(를 위한 추가 시험) ; 〖스포츠〗 패자 부활전.

repêcher [ʀəpɛ(e)ʃe] *v.t.* ① (물속에 떨어진 것을) 건지다 : ~ un enfant tombé dans la rivière 강물에 떨어진 아이를 구해내다. ② 《비유》 구해 주다, 구출하다 ; (낙제생을) 구제하다. ③ 〖스포츠〗 (패자 부활전으로) 출전 자격을 다시 주다.

repeindre [ʀəpɛ̃ːdʀ] [27] *v.t.* (칠, 물감 따위를) 다시 칠하다 ; 다시 그리다 : ~ une voiture 차를 다시 칠하다.

repeint, e [ʀəpɛ̃, -ɛ̃ːt] *adj.* 다시 (색)칠한 : parties *~es* d'un tableau 그림의 다시 칠한 부분. —— *m.* 다시 색칠한 부분.

repenser [ʀəpɑ̃se] *v.t.ind.* 《~ à》 …을 재고〔숙고〕하다 : J'y *repenserai.* 재고하겠다. —— *v.t.* 재고〔재검토〕하다 : ~ un projet d'ouvrage 제작 계획을 재검토하다.

repentant, e [ʀəpɑ̃tɑ̃, -ɑ̃ːt] *adj.* 회개하고 있는, 뉘우치고 있는 : pêcheur ~ 참회하고 있는 죄인.

repenti, e [ʀəpɑ̃ti] *adj.* 뉘우친, 회개한 : pêcheur ~ 회개한 죄인. —— *n.* 회개한〔갱생한〕 사람.

***repentir**[1] **(se)** [səʀ(ə)pɑ̃tiːʀ] *v.pr.* 《~ de》 …을 후회(後悔)하다, 뉘우치다 : *se ~ d'*avoir commis une faute 잘못을 저지른 것을 뉘우치다 / *se ~ d'*avoir été trop bavard 너무 수다스러웠던 것을 후회하다.

repentir[2] [ʀəpɑ̃tiːʀ] *m.* ① 뉘우침, 후회(= regret), 회개(= remords, repentance) : verser des larmes de ~ 회개의 눈물을 쏟다 / en être au ~ 그것을 뉘우치고 있다. ② 〖미술〗 (제작 중의) 수정한 흔적(= repeint).

repérable [ʀəpeʀabl] *adj.* 위치를 정할 수 있는 ; (범인 따위가) 탐지될 수 있는.

repérage [ʀəpeʀaːʒ] *m.* ① (목표 · 위치의) 측정 ; 탐지, 포착 : ~ des avions par le radar 레이더에 의한 비행기의 위치 포착. ② 〖영화〗 영상과 발성을 일치시킴 ; 〖인쇄〗 가늠 맞추기.

***répercussion** [ʀepɛʀkysjɔ̃] *f.* ① (소리의) 반향, (빛의) 반사(= réflexion) : ~ d'un son par l'écho 메아리에 의한 소리의 반향. ② (행위의) 영향, 결과(= conséquence) : *~s* d'une crise économique 경제 위기의 파급 효과. ③ 〖재정〗 ~ de l'impôt (가격 등에 대한) 세금의 상승.

***répercuter** [ʀepɛʀkyte] *v.t.* ① (소리를) 반향시키다 ; (빛을) 반사하다(= réfléchir, renvoyer) : falaise qui *répercute* le son 소리를 반향시키는 절벽. ② 〖재정〗 (세금 · 부담을) 전가하다 : ~ les frais de transport sur le prix 운반비를 가격에 반영시키다. ③ 《구어》 (상부 · 하부에) 전달하다(= transmettre) : ~ un ordre 명령을 전달하다.

—— **se ~** *v.pr.* ① 반향하다 ; 반사하다. ② 《se ~ sur》 …에 영향을 미치다 ; …에 전가되다 : Les effets de la fatigue *se répercutent sur* le moral. 피로의 결과가 정신

R

에 영향을 미친다.

reperdre [ʀəpɛʀdʀ] [25] *v.t.* (얻은 것을) 다시 잃다 : *J'ai reperdu* les kilos qui j'avais pris. 나는 늘어났던 몸무게가 다시 빠졌다.

repère [ʀəpɛːʀ] *m.* ① (위치를 표시하는) 표시, 표적 ; (조립 부품 따위에 찍힌) 부호, 기호, 눈금, 안표(眼標) : tracer des ~s pour marquer le niveau des eaux 수위(水位)를 표시하려고 눈금을 긋다. ② 《비유》 지표, 기준 : Ces faits sont des points de ~ pour l'étude de cette période. 이들 사실은 그 시대 연구의 지표가 된다.

*__repérer__ [ʀəpeʀe] [6] *v.t.* ① …에 부호를 찍다 ; …에 표시를 하다 : ~ un alignement 정렬선을 표시하다. ② …의 정확한 위치〔소재〕를 알아내다〔밝혀내다〕 : ~ un sousmarin 잠수함의 위치를 밝혀내다. ③ 《구어》 찾아내다, 알아보다 : ~ une faute dans le texte 본문에서 오류를 찾아내다 / ~ qn dans la foule …을 군중 속에서 알아내다. ― **se** ~ *v.pr.* (지표에 의해) 방향을 알다, 제 위치를 알다 : Il *se repère* mal dans la ville. 그는 마을 한가운데서 자기가 어디 있는지 알지 못하게 되었다.

répertoire [ʀepɛʀtwaːʀ] *m.* ① 리스트, 목록, 일람표, 카탈로그 : ~ d'adresses 주소록 / ~ de livres 도서 목록. ② 총람 : ~ de droit 〔de jurisprudence〕 법령〔판례〕집. ③ 연주〔상연〕 목록, 레퍼토리 : Mozart est de son ~. 모차르트는 그녀의 레퍼터리다. ④ (지식 따위의) 보고(寶庫), 박식(한 사람). ***Cet homme est un ~ vivant.*** 이 사람은 백과사전이다〔모르는 것이 없다〕.

répertorier [ʀepɛʀtɔʀje] *v.t.* 리스트〔목록 · 색인〕에 기입하다.

‡**répéter** [ʀepete] [6] *v.t.* ① (말을) 다시〔되풀이〕하다(= redire) : ~ la même chose 같은 말을 되풀이하다 / *Répète* un peu voir! 다시 한번 말해 봐! / 《~ que + *ind.*》 Je te *répète que* tu as tort. 다시 말하지만 네가 틀렸다. ② (행위를) 되풀이하다, 반복하다 : Il *répète* toujours les mêmes fautes. 그는 항상 같은 실수를 되풀이한다 / ~ une tentative 다시 한번 시도하다. ③ (남에게) 지껄이다, 입 밖에 내다 ; (남의 말을) 그대로 전하다 : ~ mot pour mot 한 마디 한 마디 그대로 전하다. ④ (과목을) 복습하다 ; (연극의 역을) 연습하다 : ~ les leçons 배운 것을 복습하다 / 《목적보어 없이》 comédiens qui sont en train de ~ 연극 배우들. ― **se** ~ *v.pr.* ① 같은 말〔짓〕을 되풀이하다 : Les vieux *se répètent*. 노인들은 같은 말을 되뇌인다. ② (일 · 일이) 되풀이되다 : L'histoire ne *se répète* pas. 역사는 반복되지 않는다.

répétiteur, trice [ʀepetitœːʀ, -tʀis] *n.* 〖학교〗 (복습 · 학습의) 가정교사 ; 과외 선생.

répétitif, ive [ʀepetitif, -iːv] *adj.* 되풀이되는, 반복성의 : gestes ~s 반복성 몸짓.

répétition [ʀepetisjɔ̃] *f.* ① 되풀이, 반복 : ~ d'une faute 잘못의 되풀이. ② 〖미술〗 (작자 자신이 만든 그림 · 조각의) 복제, 복사. ③ 〖학교〗 복습 ; 지도 ; 〖연극〗 연습, 리허설 : donner des ~s 학과의 복습을 시키다.

repeuplement [ʀəpœpləmɑ̃] *m.* (감소한 인구나 동물 따위의) 재증가.

repeupler [ʀəpœple] *v.t.* …에 다시 식민(植民)하다, …에 다시 동물을〔물고기를〕 번식시키다 : ~ un étang (de poissons) 못에 다시 물고기를 키우다. ― **se** ~ *v.pr.* 다시 인구가〔동물이〕 늘다.

repiquage [ʀəpikaːʒ] *m.* ① 다시 찌르기. ② 〖원예〗 모종하기, 모내기(= ~ du riz). ③ 〖토목〗 (포장도로의) 수리.

repiquer [ʀəpike] *v.t.* ① 모종하다, (모를) 이식하다 : ~ des salades 샐러드 모종을 이식하다 / ~ le riz 모내기하다. ② 〖토목〗 (도로를) 수리하다. ③ 〖사진〗 수정하다 ; (레코드 · 테이프를) 재녹음〔더빙〕하다. ④ 《구어》 (도망간 사람을) 다시 붙잡다. ― *v.t. ind.* 《~ à》 《구어》 …을 다시 시작하다.

*__répit__ [ʀepi] *m.* 유예(猶豫)(= délai) ; 휴식(= repos) : laisser un moment de ~ à qn …에게 한숨 돌리게 하다. ***sans*** **~** 쉬지 않고, 끊임 없이 : travailler *sans* ~ 쉬지 않고 일하다.

replacement [ʀəplasmɑ̃] *m.* ① 제자리에 다시 놓기. ② 복직, 재취직. ③ 재투자.

replacer [ʀəplase] *v.t.* ① 제자리에 다시 놓다. ② …에게 새로운 직책을 주다 ; 복직(復職)시키다.

replanter [ʀəplɑ̃te] *v.t.* ① 옮겨 심다, 이식하다(= transplanter). ② 《~ un bois en》 숲을 …으로 재식림하다 : ~ une forêt *en* chênes 숲을 떡갈나무로 재식림하다.

replâtrage [ʀəplɑtʀaːʒ] *m.* ① 다시 벽토를 바르기. ② 대강 손질하기, 일시적인 조정. ③ 《구어》 눈가림, 임시 미봉책, 일시적 타협 : ~ ministériel 눈가림식의 개각(改閣).

replâtrer [ʀəplɑtʀe] *v.t.* ① …에 다시 벽토를 바르다. ② 《구어》 눈가림하다, (분쟁 따위를) 일시 미봉(彌縫)하다, 얼버무리다

replet, ète [ʀəplɛ, -ɛt] *adj.* 살찐, 포동포동한(= dodu).

repleuvoir [ʀəplœvwaːʀ] [66] *v. impers.* 다시 비가 오다.

repli [ʀəpli] *m.* ① 옷단 ; (*pl.*) 주름, 구김살 : ~ au bas d'un pantalon 바지 아랫단. ② (보통 *pl.*) (마음속의) 은밀한 부분 : les ~s de l'âme 〔du cœur, de la conscience〕 마음속 깊이 간직된 것, 마음의 비밀. ③ (길 · 강의) 굴곡, 굽이. ④ 〖군사〗 퇴각, 후퇴 : ~ stratégique 전략적 후퇴.

repliement [ʀəplimɑ̃] *m.* ① 자폐(自閉) 상태. ② 〖군사〗 퇴각, 후퇴.

*__replier__ [ʀəplije] *v.t.* ① 다시 접다〔포개다〕 ; (소매 따위를) 걷어 올리다 ; (몸 · 팔을) 굽히다, 구부리다 : ~ le bas de son pantalon 비짓가랑이 아래를 걷어 올리다 / ~ une jambe sous l'autre 다리를 포개다 ② 〖군사〗 퇴각〔후퇴〕시키다 : ~ des civils loin du front 민간인들을 전선에서 멀리 후퇴시키다. ― **se** ~ *v.pr.* ① 몸을 굽히다〔구부리다〕 ; (의자 따위가) 접히다. ② 자폐증에 걸리다 ; 자성(自省)하다. ③ 〖군사〗 퇴각〔후퇴〕하다.

réplique [ʀeplik] *f.* ① (즉각적) 응답, 응수, 말대꾸 ; 반론, 항변 : Pas de ~! 말대꾸하지 마라! / argument sans ~ 항변의 여지가 없는 논법. ② 〖연극〗 (상대방의 말을 받는) 대사. ③ (예술품의) 복사, 복제(= reproduction) ; 닮은 것〔사람〕.

***répliquer** [ʀeplike] *v.i.* ① 말대꾸하다(= riposter) : Je te défends de ~ ! 말대꾸 하지 마라 ! ② 반격하다, 응수하다 : ~ par un direct du gauche 〖권투〗 레프트스트레이트로 응수〔반격〕하다. — *v.t.* ① …말로 대꾸하다 : ~ une insolence 불손한 말로 대꾸하다. ② 반론하다, 항변하다 : Je n'ai rien à ~. 반론할 것은 아무것도 없습니다.

replonger [ʀəplɔ̃ʒe] [3] *v.t.* 《~ dans》 ① (액체에) 다시 잠그다. ② (불행 따위에) 다시 빠뜨리다. — *v.i.* 다시 물에 뛰어들다〔잠기다〕. — **se ~** *v.pr.* 《se ~ dans》 (일에) 다시 몰두하다 ; (슬픔 따위에) 다시 잠기다 : *se ~ dans* son chagrin 다시 슬픔에 잠기다.

répondant, e [ʀepɔ̃dɑ̃] *m.* 〖법률〗 보증인 : être le ~ de qn …의 보증인이다. — *m.* 보증이 되는 것, 돈. ***avoir du ~*** 《구어》 돈줄을 가지고 있다.

répondeur, euse [ʀepɔ̃dœːʀ, -øːz] *m.* (녹음 · 재생 장치가 되어 있는) 자동 응답 전화기(= ~ téléphonique).

:répondre [ʀepɔ̃:dʀ] [25] *v.t. ind.* ① 《~ à qn 〔qc〕》 ⓐ …에게〔에〕 답하다, 대답〔답변〕하다 ; (편지에) 회답하다, 답장을 쓰다 : ~ avec calme *à* l'interrogatoire 심문에 침착하게 대답하다 / ~ par écrit 〔oralement〕 서면으로〔구두로〕 답변하다 / ~ *à* une lettre 편지에 답장을 쓰다. ⓑ …에 항변〔응수〕하다, 말대꾸하다 ; …을 반박하다 : enfant qui *répond à* ses parents 부모에게 말대꾸하는 아이 / ~ *à* la violence par la violence 폭력에는 폭력으로 응수하다 / ~ *à* des critiques 비판〔비난〕에 반박하다. ② 《~ à qc》 ⓐ …에 응하다 : ~ *à* une invitation 〔une convocation〕 초대〔소환〕에 응하다. ⓑ 보답하다, 답하다 : ~ *aux* bienfaits de qn …의 은혜에 보답하다 / ~ *à* un salut 인사에 답례하다. ⓒ (요구 · 기대에) 부응〔대응〕하다, 맞추다, 합치〔일치〕하다. ③ 반응하다, (기계가) 잘 작동하다 : ~ *à* une excitation 자극에 반응하다 / freins qui *répondent* mal 잘 듣지 않는 브레이크. ④ …와 잘 어울리다, 대조를 이루다 : Ce bâtiment *répond à* un autre de même style. 이 건물은 같은 양식의 다른 하나와 짝을 이루고 있다 / Ses actes ne *répondent* pas *à* ses paroles. 그는 언행이 일치하지 않는다 / ~ *à* une attente 〔*à* des espérances〕 기대〔희망〕에 부응하다. ⑤ 《~ de 〔pour〕》 …을 보증하다 ; 책임지다, 떠맡다 : ~ *de* l'honnêteté de qn …의 성실성을 보증하다 / Je *réponds de* 〔*pour*〕 lui. 그에 대해서는 제가 책임을 지겠습니다 / Je vous *en réponds*. 그 일은 제가 떠맡겠습니다 / Je *réponds de* lui. 나는 그 사람을 보증한다 / Je vous *réponds de* renverser tout cet obstacle. 이 모든 장애를 제거할 것을 보장합니다. ***~ pour*** qn …의 증인이 되다 : ~ *pour* un débiteur 어떤 채무자의 보증을 서다. ***~ que*** + *ind.* 〔***de*** + *inf.*〕 …라는 것은〔할 것을〕 보장한다 : Je vous *réponds que* je ne m'en mêlerai plus. 단언하지만 다시는 그 일에 관여하지 않겠소.

— *v.t.* 《~ qc》 ① 《옛》 …에 회답하다 : ~ une lettre 편지에 답장을 쓰다 / lettre à ~ 답장을 써 보내야 할 편지 / lettre *répondue* 답장을 낸 편지. ② …으로 대답〔회답〕하다 : ~ une impertinence 무례한 말로 대답하다 / Il m'*a répondu* une longue lettre. 그는 나에게 긴 답장을 보내왔다. ③ …라고 대답하다 : ~ oui 그렇다고 대답하다 / 《~ que》 Elle *a répondu que* j'avais tort. 그녀는 나의 잘못이라고 대답했다 / *Répondz* oui ou non à ma demande. 내 요구〔물음〕에 가부를 답하시오 / 《~ de + *inf.*》 Il m'*a répondu de* rester où j'étais. 그는 내가 있는 곳에 남아 있으라고 대답했다 / 《~ que + *inf.*》 Je vous *réponds qu*'il viendra. 그가 오는 것을 보증한다.

— **se ~** *v.pr.* 서로 답하다, 응수하다 ; 어울리다 : Dans un orchestre, les instruments *se répondent*. 오케스트라에서 악기가 서로 화응한다.

:réponse [ʀepɔ̃:s] *f.* ① 대답, 답변 ; 회답, 답장 : Ma demande est restée sans ~. 내 요구에는 아직껏 답변이 없다 / recevoir 〔obtenir〕 une ~ à une lettre 편지의 답장을 받다. ② 항변, 반박 ; 응수, 응답 : Il ne fit aucune ~ *à* cette observation. 이 잔소리에 그는 아무런 항변도 하지 않았다 / droit de ~ (신문에의) 반론 게재권 / J'ai téléphoné, mais pas de ~. 전화를 했지만 응답이 없었다. ③ (자극에 대한) 반응 : ~ musculaire 근육의 반응. ***avoir*** 〔***trouver***〕 ***~ à tout*** 무엇에나 척척 대답하다. ***en ~*** (***à***) (…에의) 회답으로서 : *En ~ à* votre honoreé 〖상업〗 존한(尊翰)에 대한 회답으로서.

report [ʀəpɔ̃:ʀ] *m.* ① (기일의) 연기, (기한의) 연장 : ~ de la date d'ouverture d'une conférence 회의 개최일의 연기. ② 〖상업 · 부기〗 이월(移越), 전기(轉記) ; 이월금.

***reportage** [ʀəpɔʀtaːʒ] *m.* (언론 매체의) 르포르타주, 보도〔탐방〕 (기사), 현지 보고 : faire un ~ 탐방하다, 탐방 기사를 쓰다 / film de ~ 기록〔르포르타주〕 영화.

***reporter**[1] [ʀəpɔʀte] *v.t.* ① (원래의 자리로) 되돌려주다, 반환하다 : ~ un livre dans la bibliothèque 책을 책장에 되돌려 놓다 / ~ un parapluie à qn …에게 우산을 반환하다. ② 《~ qn à》 …에게 …을 회상시키다 : ~ qn *au* temps de son enfance …에게 소년 시절을 회상케 하다〔상기시키다〕. ③ (다른 곳으로) 옮기다 ; 〖상업 · 부기〗 이월하다, 전기(轉記)하다 ; 〖사진〗 전사(轉寫)하다 : ~ un total en haut de la page suivante 총계를 다음 페이지 상단에 옮겨 쓰다. ④ 연기하다 : Le match *a été reporté* à cause de la pluie. 시합은 비 때문에 연기되었다. ⑤ 《~ qc sur qn 〔qc〕》 …을 …에게 주다 ; …에게 돌리다 ; (내기 따위에서) …에 걸다(= miser sur) : ~ *sur* qn le mérite d'une trouvaille 발견의 공로를 …에게 돌리다.

— **se ~** *v.pr.* ① 《se ~ à》 …을 회상하다 : *se ~ aux* jours de son enfance 소년 시절을 회상하다. ② 《se ~ à》 …을 참조하다 : *se ~ aux notes* 주를 참조하다. ③ 《*se ~ sur*》 …으로 이월되다 ; …에게 옮겨지다 : Leur affection *s'est reporté sur* lui. 그들의 애정은 그에게로 옮겨졌다.

R

reporter² [ʀəpɔʀtɛːʀ] 〔영〕 *m.* 탐방 기자, 기자, 리포터.

repos** [ʀəpo] *m.* ① 휴식, 휴게, 휴가 : Après sa maladie, il a obtenu un mois de ~ . 그는 발병 후 한 달의 휴가를 얻었다 / lit de ~ 휴식용 주간(晝間) 침대. ② 잠, 수면 : perdre le ~ 편히 잘 수 없게 되다 / ~ éternel (천국에서의) 영면(永眠). ③ 휴지, 정지(靜止) : rester 〔demeurer〕 en ~ 움직이지 않고 가만히 있다. ④ 안정, 안심, 평온(= paix, tranquilité) ; (사회의) 안녕 : laisser qn en ~ …을 가만히 두다 / assurer le ~ public 공공의 안녕을 확보하다. ***au ~ 정지하고 있는, 활동하지 않는 : terre *au* ~ 휴한지(休閑地) / machine *au* ~ 작동하지 않고 있는 기계. ***champ de ~*** 묘지. ***de tout ~*** (사업 등이) 안전한, 위험성 없는 ; 힘들지 않은 : valeur *de tout* ~ 안전주(株) / travail *de tout* ~ 힘들지 않은 일.

reposant, e [ʀəpozɑ̃, -ɑ̃ːt] *adj.* 안온한, 아늑한 ; 휴식이 되는.

reposé, e [ʀəpoze] *adj.* 충분히 휴식을 취한 ; 생기 있는 ; 상쾌한 : air ~ 생기 있는 모습. ***à tête ~e*** 신중히, 침착하게 ; 곰곰이.

repose-pide(s) [ʀəpozpje] *m.* 《복수불변》 (오토바이 · 의자 따위의) 발판.

***reposer¹** [ʀəpoze] *v.t.* ① (편한 자세로 몸의 일부를) 올려놓다, 기대다 : ~ la tête sur un oreille 베개에 머리를 편히 올려놓다. ② …의 피로를 풀다, 쉬게 하다 : ~ les yeux 〔la vue〕 눈의 피로를 풀다 / ~ ses jambes fatiguées 피로한 다리를 쉬다. ── *v.i.* ① 쉬다, 눕다 ; 잠들다 : Il n'*a* pas *reposé* de toute la nuit. 그는 밤새도록 한잠도 자지 않았다 / Ici *repose* qn. 여기서 영면(永眠)하도다《묘비명》. ② 《~ sur》 …위에 놓여〔세워져〕 있다 ; …에 근거를 두다 : un bruit qui ne *repose sur* rien 아무 근거 없는 소문. ── **se ~** *v.pr.* ① 쉬다, 휴식하다 : *se* ~ d'un voyage 여행의 피로를 풀다. ② 《se ~ sur》 …에게〔에〕 의지하다 ; …을 믿다 : *Repose-toi sur* moi. 나를 믿게.

reposer² *v.t.* ① (제자리에) 다시 놓다 : *Reposez* arme ! 〖군사〗 세워 총 ! ② (질문을) 다시 하다, (문제를) 다시 제기하다.

reposoir [ʀəpozwaːʀ] *m.* 〖가톨릭〗 (노상에 설치된) 임시 제단.

repoussant, e [ʀəpusɑ̃, -ɑ̃ːt] *adj.* 혐오감을 주는, 불쾌한(= répugnant) : odeur ~*e* 심한 악취.

repoussé, e [ʀəpuse] *adj.* 〖공예〗 (금속판 등이) 돋을무늬 압차 세공을 한. ── *m.* 돋을무늬 압착 세공(품)(= travail de ~).

***repousser** [ʀəpuse] *v.t.* ① 떼밀다, 밀어 젖히다 : ~ un meuble contre le mur 가구를 벽 쪽으로 떼밀다. ② 물리치다, 격퇴하다 ; 거절하다, 배척하다 : ~ un ennemi 〔une invasion〕 적〔침략〕을 물리치다 / ~ une demande en mariage 결혼 신청을 거절하다. ③ 연기하다(= différer) : ~ un rendez-vous au lundi suivant 만날 날을 다음 월요일로 연기하다. ④ …에게 혐오감〔불쾌감〕을 일으키다 : Il y a en lui quelque chose qui me *repousse.* 그에게는 웬지 불쾌한 데가 있다. ⑤ (금속 · 가죽 따위에) 돋을무늬 압착 세공을 하다. ── *v.i.* ① (총이) 반동하다 ; (용수철이) 튀다. ② (식물이) 싹을 틔우다, (머리털이) 다시 자라다.
── **se ~** *v.pr.* ① 거절당하다. ② 서로 배척하다〔반발하다〕.

repoussoir [ʀəpuswaːʀ] *m.* ① (돋을무늬 압착 세공용의) 끌, 송곳, 정. ② 〖미술〗 전경(前景)의 색채가 짙은 부분. ③ 《구어》 다른 것〔사람〕을 돋보이게 하는 것〔사람〕.

répréhensible [ʀepʀeɑ̃sibl] *adj.* 비난할〔나무랄〕 만한(= blâmable).

⁑**reprendre** [ʀəpʀɑ̃ːdʀ] 26 *v.t.* ① 다시 잡다 ; 도로 빼앗다 ; (주었던 것을) 되찾다, 되찾아오다〔가다〕 ; (덜 취(取)한 것을) 더 취하다, 더〔또〕 먹다 : ~ un prisonnier échappé 탈옥수를 다시 체포하다 / ~ une ville à l'ennemi 적으로부터 도시를 탈환하다 / ~ de la viande 고기를 더 (집어)먹다. ② (버렸던 것을) 다시 가지다 ; 다시 입다 ; (사람을) 다시 고용하다 ; (방법을) 다시 쓰다 ; (옛집에, 헤어졌던 여자와) 다시 살다 ; (자리 · 직책에) 다시 앉다 : ~ un ancien employé 전의 고용인을 다시 채용하다 / aller ~ son enfant 아이를 데리러 가다. ③ (병에) 다시 걸리다 ; (병이) 다시 침범하다 ; (공포 따위가) 다시 사로잡다 : Son rhumatisme l'*a repris.* 그는 또 류머티즘에 걸렸다. ④ 다시 가져오다〔가다〕 ; (사람을) 데려오다〔가다〕. ⑤ 〖상업〗 도로 사다 ; 다시 인수〔양수〕하다. ⑥ 다시 계속〔시작〕하다 ; (옛 습관으로) 되돌아가다 ; 〖연극〗 다시 상연하다. ⑦ 다시 손질하다, 수정하다 ; 수선하다. ⑧ (힘 · 용기 · 의식 따위를) 되찾다, 회복하다 : ~ des forces 원기를 회복하다 / ~ confiance 다시 자신을 가지다 ; 다시 신임을 얻다. ⑨ 꾸짖다, 나무라다, 비난하다 : ~ qn de ses fautes …의 잘못을 나무라다. ***On ne m'y reprendra plus.*** 다시 그런 실수는〔짓은〕 하지 않겠다. ***Que je ne vous y reprenne plus !*** 다시는 그런 짓을 해서는 안 돼 ! ~ qc ***de plus haut*** (이야기를) 더 옛 시대로 거슬러 올라가서 다시 시작하다 ; (문제를) 근본적으로 거슬러 올라가서 다시 논하다.
── *v.i.* ① 말을 잇다 ; 대답하다. ② (건강 따위가) 회복하다 ; (병자가) 기운을 되찾다 ; (사업 따위가) 다시 활기를 띠게 되다, 활발해지다 ; (유행이) 다시 성해지다 : Il *a* bien *repris* depuis son opération. 그는 수술 후 건강이 좋아졌다. ③ 다시 시작하다 ; 다시 일어나다 ; 재발하다 : Le froid *a repris.* 다시 추워졌다 / Les cours de la faculté vont ~. 곧 개강이 된다. ④ (냇물이) 결빙하다, 얼다 ; (상처가) 아물다 : Les chairs *reprennent.* 새살이 난다.
── **se ~** *v.pr.* ① 자신을 되찾다, 다시 정신을 차리다, 침착해지다. ② 《se ~ à》 다시 종사하다, 다시 시작〔계속〕하다 : Tout le monde *se reprend à* espérer. 모두들 다시 희망을 갖기 시작한다. ***se ~ à*** + *inf.* 다시 …하기 시작하다. ***s'y ~ à deux fois*** 〔***à plusieurs fois***〕 되풀이하여〔몇 번이고〕 (다시) 해보다.

représailles [ʀəpʀezɑːj] *f. pl.* 복수, 보복, 앙갚음(= vengeance) : par crainte des ~ 보복을 두려워하여.

R

***représentant, e** [ʀəpʀezɑ̃tɑ̃, -ɑ̃:t] *n.* ① 〖상업〗 대리인; 외무 사원: ~ exclusif de …의 총판매인. ② 대표자; 국회의원: ~*s* d'un parti politique 정당의 대표자 / ~ républicain 공화당 하원 의원. ③ (사람·동물 따위의) 전형, 표본: C'est un ~ de la bureaucratie 그는 관료의 표본이다.

représentatif, ive [ʀəpʀezɑ̃tatif, -i:v] *adj.* ① 대표적인, 전형적인(= typique): garçon ~ de la jeune génération 젊은 세대의 전형적인 소년. ② 〖정치〗 대표자에 의한; 대의제의: assemblée ~*ive* 국회. ③ 〖심리〗 표상(表象)의, 표상적인: emblème ~ d'une idée 관념의 표상.

***représentation** [ʀəpʀezɑ̃tɑsjɔ̃] *f.* ① 대표; 대리: ~ proportionnelle 〖정치〗 비례대표제 / ~ du syndicat 노조 대표(자). ② 〖상업〗 대리업, 세일즈맨〔외판원〕의 일: faire de la ~ (보험 따위의) 외무를 하다. ③ 묘사, 표현; 구현; 상징; 〖철학〗 표상(表象); 재현; (재현된) 그림, 상(像): ~ d'une bataille 전쟁화(畫) / ~ réaliste 사실(주의)적인 묘사. ④ 〖연극〗 흥행; 상연: droit de ~ 흥행권 / troupe en ~ 순회 극단. ⑤ 외관, 풍채; 지위·체면의 유지: homme d'une belle ~ 풍채가 좋은 사람.

représentativité [ʀəpʀezɑ̃tativite] *f.* (개인 또는 단체의) 대표〔대리〕 자격〔권한〕.

‡représenter [ʀəpʀezɑ̃te] *v.t.* ① 다시 제출하다; 다시 제시하다. ② 대리하다, 대표하다; 〖상업〗 …의 대리인〔점〕이다, …의 외무원을 하다: L'Assemblée nationale *représente* le peuple. 국회는 국민을 대표한다 / se faire ~ par qn à une réunion 회합에 …을 자기의 대리로 참석시키다 / ~ une compagnie d'assurances 보험 회사의 외무원을 하고 있다. ③ 환기시키다, 연상시키다(= évoquer): Cet enfant me *représente* parfaitement son père. 이 아이는 내게 그의 아버지의 모습을 연상시킨다. ④ 표현하다, 나타내다; 묘사하다; 상징하다; 구현하다, 재현하다; …의 전형이다: Les feux rouges représentent l'interdiction de passer. 적색 신호는 통과금지를 표시한다 / Voltaire *représente* l'esprit de son époque. 볼테르는 그 시대의 정신을 구현〔상징〕하고 있다. ⑤ 〖연극〗 상연하다; …의 역을 맡아 하다: ~ une pièce de Molière 몰리에르의 작품을 상연하다 / acteur qui *représente* Harpagon 아르파공의 역을 맡고 있는 배우. ⑥ …에 상당하다(= correspondre à); …에 해당하다(= équivaloir à); …을 의미하다: Cela *représente* plus d'un million. 그것은 백만 프랑 이상에 상당한다. ⑦ 경고〔충고〕하다, 지적하다: ~ à qn que... …에게 …라고 경고〔지적〕하다 / Je lui *ai représenté qu*'il y aurait avantage à... 나는 그에게 …하는 것이 유리할 것이라고 지적했다. — *v.i.* 풍채가 늠름하다; (신분에 어울릴 만한) 관록을 보이다: Il *représente* bien. 그는 위풍당당하다.
— **se ~** *v.pr.* ① (기회 따위가) 다시 나타나다〔생기다〕: L'occasion ne se *représentera* plus. 기회는 두 번 다시 오지 않는다. ② (선거에) 다시 출마하다, (시험에) 다시 응시하다: *se* ~ à des élections 선거에 다시 출마하다 / *se* ~ à un examen 다시 한번 시험을 치르다 / Si l'occasion *se représente*. 그런 기회가 다시 온다면. ③ 상상하다, 마음속에 그려 보다: *Représentez- vous* mon étonnement. 내가 얼마나 놀랐는지 상상해 보시오. ④ 표시되다, 제시되다.

répressif, ive [ʀepʀesif, -i:v] *adj.* 억압적〔탄압적〕인: mesures ~*ives* 억압 조치.

répression [ʀepʀesjɔ̃] *f.* 억압, 탄압; 진압, 저지: ~ du soulèvement 폭동의 진압.

réprimande [ʀepʀimɑ̃:d] *f.* 질책, 견책(= reproche); 징계 (처분): faire une ~ à qn …을 질책하다.

réprimander [ʀepʀimɑ̃de] *v.t.* 꾸짖다, 질책〔견책〕하다: ~ un enfant sur 〔pour〕 sa conduite 어린이의 행동을 꾸짖다.

***réprimer** [ʀepʀime] *v.t.* ① (감정 따위를) 억제하다, 억누르다: ~ ses désirs 욕망을 억제하다. ② (폭도를) 진압〔억압〕하다(= étouffer); 처벌하다: ~ impitoyablement l'insurrection 반란을 무자비하게 진압하다.

reprint [ʀəpʀint] 〔영〕 *m.* 리프린트, 복각(復刻); 복각판.

repris, e[1] [ʀəpʀi, -i:z] *adj.* 다시 사로잡힌, 다시 걸려든: Vous y voilà ~. 또 곤란한 일에 걸려들었군. — *m.* ~ de justice 전과자, 재범자.

reprise**[2] [ʀəpʀi:z] *f.* ① 다시 잡기; 되찾기, 탈환, 회수: ~ d'une ville 도시의 탈환. ② 되풀이, 반복; 재개, 계속: ~ des travaux 작업의 재개시 / ~ des affaires 경기의 회복. ③ 〖자동차〗 가속: Ma voiture a de bonne ~*s*. 내 차는 가속 성능이 좋다. ④ (아파트 전(前) 입주자에게 지불하는) 가구〔시설〕의 금액. ⑤ 〖건축〗 수리, 복원(復元); (양말 따위를) 깁기, 수선: faire une ~ à une chemise 〔un bas〕 셔츠〔양말〕를 깁다. ***à deux* 〔*plusieurs, maintes*〕 ~*s 두 번〔몇 번·여러 번〕 되풀이하여.

repriser [ʀəpʀize] *v.t.* 깁다, 수선하다: ~ un pantalon 바지를 깁다.

reprit ⇒ reprendre.

réprobateur, trice [ʀepʀɔbatœ:ʀ, -tʀis] *adj.* (표정·어조가) 비난하는 (듯한): ton 〔regard〕 ~ 나무라는 듯한 어조〔시선〕.

réprobation [ʀepʀɔbɑsjɔ̃] *f.* 비난; 탄핵(≠ approbation); 지탄: encourir la ~ générale 모든 사람의 지탄을 받다.

reproche** [ʀəpʀɔʃ] *m.* ① 비난, 질책, 나무람(= blâme): mériter des ~*s* 비난을 살 만하다 / ~ de la conscience 양심의 가책. ② 비난받을 만한 이유〔점·허물〕. ③ 〖법률〗 (증인의) 기피. ***faire des ~s à qn …을 비난하다, 꾸짖다. ***sans ~*(*s*)** 나무랄 데 없는.

***reprocher** [ʀəpʀɔʃe] *v.t.* ① 비난하다, 나무라다: ~ à qn son ingratitude 〔d'être ingrat〕 …에게 그의 망은을 나무라다 / un ton de ~ 나무라는 듯한 어조. ② 못마땅히 여기다; (남의 성공 따위를) 시기하다: ~ à qn naissance …의 문벌을 시기하다. ③ 〖법률〗 (증인을) 기피하다. — **se ~** *v.pr.* ① 《se ~ de》 …에 대하여 자책하다, 뉘우치다: Il *se reprochait de* manquer de patience. 그는 참을성이 없음을 자책했다. ② 서로 비난하다.

reproducteur, trice [ʀəpʀɔdyktœ:ʀ,

R

-tʀis] *adj.* 생식용〔번식용〕의 : organes ~*s* 생식 기관. ── *m.* 종축(種畜) : ~ d'élite 순종의 종축.

reproduction [ʀəpʀɔdyksjɔ̃] *f.* ① 〖생물〗 생식 ; 번식 : ~ par insémination artificielle 인공 수정에 의한 번식. ② 재현, 재생 ; 〖경제〗 재생산 : L'art est la ~ libre de la beauté. 예술은 미의 자유로운 재현이다. ③ 복사(품), 복제(품), 모사(模寫)(품), 복각(復刻) ; 전재(轉載) : ~ interdite 전재〔복사〕 금지.

***reproduire** [ʀəpʀɔdɥiːʀ] 32 *v.t.* ① 번식시키다 ; (다시) 낳다 ; 재생시키다. ② 재현하다 ; 모사(模寫)하다 ; 복사〔복제〕하다 ; 전재(轉載)하다 : ~ la nature par la peinture 그림으로 자연을 재현하다 / ~ un article dans un journal 논설을 신문에 전재하다 / ~ une œuvre d'art 예술 작품을 복제하다. ── **se ~** *v.pr.* ① 번식하다. ② (사건이) 다시 일어나다 ; 다시 나타나다 : Les mêmes faits *se reproduisent* souvent. 같은 사실이 자주 되풀이된다.

reprographie [ʀəpʀɔgʀafi] *f.* (전자) 복사술, 사본 작성.

reprographier [ʀəpʀɔgʀafje] *v.t.* 복사하다.

réprouvé, e [ʀepʀuve] *adj.* ① 세상에서 배척〔버림〕받은. ② 〖신학〗 신에게 버림받은. ── *n.* ① 세상에서 배척받은 사람. ② 〖신학〗 신에게 버림받은 사람.

***réprouver** [ʀepʀuve] *v.t.* ① 비난하다, 배척하다(= blâmer). ② 〖신학〗 (신이) 버리다, …에게 영벌(永罰)을 주다(= damner).

reptation [ʀɛptasjɔ̃] *f.* (동물의) 기어가기, 파행(爬行) ; (사람의) 포복.

***reptile** [ʀɛptil] *m.* 〖동물〗 (*pl.*) 파충류 ; 《특히》 뱀(= serpent).

repu, e [ʀəpy] *adj.* 포식한, 배불리 먹은 ; 《~ de》 …에 싫증이 난.

***républicain, e** [ʀepyblikɛ̃, -ɛn] *adj.* 공화국〔제〕의, 공화 정체의 ; 공화당〔공화주의〕의 : constitution ~*e* 공화제 헌법. ── *n.* 공화주의자 ; (미국의) 공화당원.

républicanisme [ʀepyblikanism] *m.* 공화주의.

république** [ʀepyblik] *f.* ① 공화국 ; 공화제, 공화 정체 : ~ fédérale 〔socialiste〕 연방〔사회주의〕 공화국. ② 《문어》 집단, 단체 ; 사회. ***On est en ~ ! 《구어》 여기는 자유의 나라이다 !《부당한 금지나 구속에 대한 항의》. **~ *des lettres*** 문단.

répudiation [ʀepydjasjɔ̃] *f.* ① 이혼. ② (의견·신앙 따위의) 거부, 포기 : ~ de ses principes 자신의 원칙의 포기.

répudier [ʀepydje] *v.t.* ① (아내를) 버리다, 이혼하다 : ~ son mari 남편과 이혼하다. ② 〖법률〗 (상속·유증을) 포기하다 ; (주의·신앙 따위를) 버리다.

répugnance [ʀepyɲɑ̃ːs] *f.* ① 혐오, 반감, 불쾌감, 비위에 거슬림. ② 마음 내키지 않음. ***avoir* 〔*éprouver*〕 *de la ~ pour*** qn 〔qc〕 …에 대해 혐오를 느끼다, …이 질색이다. ***avec ~*** 마지못해.

répugnant, e [ʀepyɲɑ̃, -ɑ̃ːt] *adj.* 불쾌한, 역겨운, 싫은 : odeur ~*e* 역한 냄새, 악취 / être obligé de faire un travail ~ 하기 싫은 일을 마지못해 하다.

répugner** [ʀepyɲe] *v.t. ind.* ① 《~ à qc》 ⓐ 《주어 : qn》 …을 싫어하다 : Elle *répugne à* ce mariage. 그녀는 이 결혼을 싫어한다. ⓑ 《주어 : qc》 …에 어긋나다, 모순되다 : Cela *répugne à* la raison. 그것은 사리에 어긋난다. ② 《~ à qn》 …에게 혐오감〔불쾌감〕을 일으키다, …에겐 질색이다 : Cette nourriture lui *répugne*. 이 음식을 보면 그는 질색을 한다. ***Il me répugne de + *inf.* 《비인칭》 …하는 것은 싫다〔질색이다〕.

répulsion [ʀepylsjɔ̃] *f.* 혐오, 반감(= antipathie, aversion), 불쾌감 : inspirer de la ~ à qn …에게 혐오감을 주다.

réputation** [ʀepytasjɔ̃] *f.* ① 평판, 성가(聲價) : bonne 〔mauvaise〕 ~ 좋은〔나쁜〕 평판 / avoir 〔se faire〕 une ~ d'escroc 사기꾼이라는 평판을 얻다. ② 호평, 명성, 인기 : jouir d'une bonne ~ 호평을 받다〔누리다〕 / Il a la ~ d'être avare. 그는 구두쇠로 소문나 있다 / acquérir de la ~ 명성이 높아지다, 호평을 얻다 / salir la ~ de qn …의 명성을 더럽히다. ***connaître qn 〔qc〕 ***de ~*** …을 남의 얘기를 들어 알고 있다. ***être en ~*** 평판이 높다.

réputé, e [ʀepyte] *adj.* 저명한, 평판이 높은 : médecin ~ 저명한 의사. ***~ par* 〔*pour*〕** … 으로 유명한.

réputer [ʀepyte] *v.t.* 《~ qn (pour) + 속사》 …을 …라고 생각하다〔여기다〕 : ~ qn riche …을 부자라고 생각하다 / On le *répute pour* un homme de bien. 사람들은 그를 착한 사람이라고 여긴다.

requérir [ʀəkeʀiːʀ] 15 *v.t.* ① ⓐ 《~ qc》 요구〔요청〕하다, 부탁하다 : ~ la troupe 군대의 출동을 요구하다. ⓑ 《~ qn de + *inf.*》 …에게 …하도록 요청하다 : On me *requiert de* répondre sans délai. 나는 즉각 답변하도록 요청받고 있다. ② 《주어 : qc》 필요로 하다(= nécessiter), 요하다 : Cela *requiert* célérité. 그것은 신속을 요한다. ③ 〖법률〗 청원하다 ; (검사가) 구형하다 ; 《목적보어 없이》 논고하다 : ~ la peine de mort 사형을 구형하다. ④ 징발하다(= réquisitionner).

requête [ʀəkɛt] *f.* 요청, 간청 ; 〖법률〗 청원(서) : adresser 〔présenter〕 une ~ à …에 청원서를 제출하다. ***à* 〔*sur*〕 *la ~ de*** qn … 의 청구에 의하여.

requiem [ʀekɥijɛm] 〔라틴〕 *m.* 《복수불변》 〖가톨릭〗 ① 죽은 사람을 위한 기도. ② 진혼곡 : ~ de Mozart 모차르트의 진혼곡.

requin [ʀəkɛ̃] *m.* ① 〖어류〗 상어. ② 탐욕스런 사람, 욕심쟁이.

requinquer [ʀəkɛ̃ke] *v.t.* …의 원기를〔건강을〕 회복시켜 주다. ── **se ~** *v.pr.* 원기를 회복하다.

***requis, e** [ʀəki, -iːz] *adj.* ① 필요한, 요구되는(= nécessaire) : satisfaire aux condition ~*es* 요구 조건을 충족시키다. ② 징용된. ── *m.* (전시) 징용자.

réquisition [ʀekizisjɔ̃] *f.* ① (법에 의한) 요청 ; (군대에 의한) 징용, 징발 : ~ de la force armée 군대 출동 요청. ② 〖법률〗 청구 ; (흔히 *pl.*) 논고, 구형.

réquisitionner [ʀekizisjɔne] *v.t.* ① 징발〔징집·징용〕하다 : ~ des marchandises

물품을 징발하다. ② 《구어》 동원하다 : ~ ses amis pour faire un déménagement 이사를 하기 위해서 친구들을 동원하다.

réquisitoire [ʀekizitwaːʀ] *m.* ① 〖법률〗 (검사의) 구형 ; 논고 : Le procureur prononce le ~ contre l'accusé. 검사는 피고에 대해 논고한다. ② 비난, 고발 : prononcer un ~ 비난을 퍼붓다.

R.E.R. 《약자》 Réseau Express Régional 수도권 고속 전철《파리의 급행 교외선》.

***rescapé, e** [ʀɛskape] *adj.* 구조된, 살아남은. — *n.* 생존자 : ~s d'un naufrage 난파선에서 살아남은 사람들.

rescousse [ʀɛskus] *f.* (나포된 배 따위의) 탈환, (사람의) 구조. ***aller*** 〔***venir***〕 ***à la ~ de*** qn …을 구조하러 가다〔오다〕.

***réseau** [ʀezo] *m.* (*pl.* **~x**) ① 그물, 그물눈, 망(網) : ~ de toiles d'araignées 거미줄. ② (그물처럼) 얽힌 것 : ~ d'intrigues 복잡한 음모. ③ (철도·도로·방송 따위의) 네트워크, 망상(網狀) 조직 : ~ ferroviaire 철도망 / ~ télégraphique 전신망. ④ (인적) 조직망, 연락망 : ~ de terroristes 테러리스트의 조직망 / ~ commercial 판매망.

résection [ʀesɛksjɔ̃] *f.* 〖의학〗 절제(술).

réséda [ʀezeda] *m.* 〖식물〗 목서초(木犀草) (= ~ odorant), 물푸레나무.

réséquer [ʀeseke] [6] *v.t.* 〖의학〗 절제(切除)하다.

réservation [ʀezɛʀvasjɔ̃] *f.* (좌석·방 따위의) 예약 ; 좌석 예약권 : ~ des places 좌석의 예약 / faire 〔annuler〕 une ~ 예약하다 〔예약을 취소하다〕.

réserve** [ʀezɛʀv] *f.* ① (따로) 남겨두기, 저장, 예비, 비축 : disposer d'importantes ~*s* de munitions 다량의 탄약을 비축하고 있다 / Les ~*s* de nourriture touchent à leur fin. 식량의 비축이 바닥났다. ② 〖경제〗 준비금, 적립금 : ~*s* de changes 대외 지불 준비금 / avoir une bonne ~ d'argent 상당한 저금이 있다. ③ 예비역 ; (*pl.*) 예비군〔부대〕 : officier de ~ 예비역 장교. ④ 보류, 유보 ; 제한, 조건 : faire des ~*s* sur qc …에 대해 유보적인 태도를 취하다. ⑤ 조심(성), 신중한 태도 : comportement qui manque de ~ 조심성 없는 행동. ⑥ 보호 지구 : ~ naturelle 자연 보호구 / ~ botanique 〔zoologique〕 식물〔동물〕 보호 지구 / ~ de chasse 〔de pêche〕 금렵〔금어(禁漁)〕구. ⑦ (화물·상품의) 저장고, 창고 ; (미술관·도서관 등의) 수장고, 서고 ; 비공개 도서〔수장품〕. ***de ~ 예비의 : vivres *de ~* 예비〔비상〕 식량. ***sans ~*** 무제한으로, 전적으로 : confiance *sans ~* 전적인 신뢰. ***se tenir*** 〔***être, demeurer***〕 ***sur la ~*** 신중한 태도를 취하다, 경계〔조심〕하다. ***sous*** (***la***) ***~ de*** 〔***que*** + *sub.*〕 …을 조건으로 하여, 보류하고. ***sous toutes ~s*** 진위에 관한 언질을 주지 않고, 미확인의 것으로.

réservé, e** [ʀezɛʀve] *adj.* ① 따로 남겨둔 ; 전용의 ; 보류된 : places ~*es* aux handicapés 장애자 전용석 / cas 〔péché〕 ~ 〖가톨릭〗 보류 사항 《교황·주교만이 사면할 수 있는 경우》. ② 예약된 : table ~*e* (식당의) 예약석 / voiture à places ~*es* 좌석 지정차. ③ (사람·행위·말 따위가) 조심성 있는, 신중한 : manières ~*es* 조심스러운 태도. ≪Tous droits ~s***≫ 「저작권 소유」《판권 표시》.

⁑**réserver** [ʀezɛʀve] *v.t.* ① (따로) 남겨〔떼어〕 두다 ; (…을 위해) 준비해 두다 : ~ le meilleur pour la fin 마지막을 위해 가장 좋은 것을 남겨 두다 / ~ une surprise (*à* sa femme) pour son anniversaire (처의) 생일을 위해 뜻밖의 선물을 준비해 두다. ② 예약하다 : ~ sa place dans le train 기차의 좌석을 예약하다 / ~ une chambre à l'hôtel 호텔에 방을 예약하다. ③ 보류하다 ; 〖법률〗 유보하다 : ~ sa réponse 답변을 보류하다. ④ (운명 따위가) 미리 결정해 놓다, 예정해 두다(= destiner à) : Il lui *était réservé* de réussir. 《비인칭》 그는 성공하도록 정해져 있었다 / Personne ne sait ce que l'avenir lui *réserve*. 미래에 무슨 일이 일어날지 아무도 모른다. — **se ~** *v.pr.* ① (자기를 위하여) 남겨 두다 ; 확보해 두다 : Je *me réserve* de lui donner mon opinion. 후일 그에게 내 생각을 얘기해 줄까봐 / Cet argent doit *se ~* pour les vacances. 이 돈은 휴가를 위해 남겨 두어야 한다. ② 《se ~ pour》 …을 (위해) 기다리다 : *se ~ pour* une autre occasion 다른 기회를 기다리다 / *se ~ pour* le dîner 저녁 식사를 위해 조금만 먹다〔굶다〕.

réserviste [ʀezɛʀvist] *m.* 〖군사〗 예비병.

***réservoir** [ʀezɛʀvwaːʀ] *m.* ① 저수지 ; 물〔기름·가스〕 탱크 : ~ d'essence 가솔린 탱크 / ~-nourrice 급수 탱크. ② 양어장, 어항, 수조(水槽). ③ 《비유》 집합소, 집적소 (= réceptacle) : grand ~ d'hommes 인적 자원이 매우 풍부한 곳.

résid. 《약자》 résident 거주자 ; 주재원.

résidant, e [ʀezidɑ̃, -ɑ̃ːt] *adj.* 거주하는, 주재하는 : membres ~*s* (학회 본부 소재지에 사는) 상임 위원. — *n.* 거주자 ; 주재원.

***résidence** [ʀezidɑ̃ːs] *f.* ① 재류, 거처, 거주(지) ; 주거, 주소 ; 주재(지) : avoir 〔établir, fixer〕 sa ~ à Paris 파리에 거처를 정하다 / certificat de ~ 거주지 증명. ② (고급) 주택 단지. ③ 저택, 관저 : ~ secondaire 별장 / L'Élysée est la ~ du président de la République. 엘리제궁은 프랑스대통령의 관저이다.

résident, e [ʀezidɑ̃, -ɑ̃ːt] *m.* ① 외국 거류자 : ~*s* coréens en France 프랑스에 거류하는 한국인. ② (대학 기숙사의) 입주자, 기숙생 : ~*s* d'une cité universitaire 대학 기숙사촌 기숙생.

R

***résidentiel, elle** [ʀezidɑ̃sjɛl] *adj.* 주택(지)의 : quartiers ~*s* 주택가.

***résider** [ʀezide] *v.i.* ① 거주하다, 살다 : ~ à Paris 〔en France〕 파리〔프랑스〕에 거주하다. ② 《~ dans 〔en〕》 …에 있다, 존재하다 : La difficulté *réside dans* la solution de ce problème. 곤란은 이 문제의 해결에 있다.

résidu [ʀezidy] *m.* ① 〖화학·공업〗 찌꺼기. ② 나머지 ; 잔재 ; 폐물.

résiduaire [ʀezidɥɛːʀ] *adj.* 찌꺼기의, 폐물의 : eaux ~*s* 버린 물, 폐수.

résiduel, elle [ʀezidɥɛl] *adj.* 잔류성의, 남아 있는.

résignation [ʀeziɲasjɔ̃] *f.* 감수, 인종, 체념 : subir la douleur avec ~ 고통을 체념하고 견디다. ***avec ~*** 체념하여, 순순히.

résigné, e [ʀeziɲe] *adj.* 체념한, 단념한 : d'un air ~ 체념한 얼굴로.

résigner (se)** [səʀeziɲe] *v.pr.* 《se ~ à》 …을 감수하다 ; 《목적보어 없이》 인종하다, 체념하다 : *se ~ à* l'inévitable 불가피한 일을 감수하다. ***se ~ à + *inf.* 체념하고 …하다, …에 인종하다 : *se ~ à* accepter 마지못해 승낙하다.

résiliable [ʀeziljabl] *adj.* 〖법률〗 (계약이) 해제〔해약〕할 수 있는.

résiliation [ʀeziljɑsjɔ̃] *f.*, **résiliement** [ʀezilimɑ̃] *m.* 〖법률〗 (계약 따위의) 취소, 해지, 철회(= annulation).

résilier [ʀezilje] *v.t.* (계약 따위를) 취소하다, 해제하다 : ~ un bail 임대 계약을 취소하다.

résille [ʀezij] *f.* 헤어네트 ; 그물과 같은 장식끈 : des bas ~ 망상(網狀) 스타킹.

résine [ʀezin] *f.* 수지(樹脂) ; 송진(= ~ du pin). ***~s synthétiques*** 합성수지.

résiner [ʀezine] *v.t.* (소나무 따위에서) 진을 채취하다 ; …에 진을 바르다.

résineux, euse [ʀezinø, -øːz] *adj.* 진의, 진이 나는 ; 수지의 : bois ~ 진이 나는 나무. ― *m.* 수지류 수목.

résinier, ère [ʀezinje, -ɛːʀ] *n.* 수지 채취인. ― *adj.* 수지(제품)의.

résipiscence [ʀesipisɑ̃ːs] *f.* 〖종교〗 뉘우침, 회오, 회개. ***venir à ~*** 죄를 뉘우치다.

résistance** [ʀezistɑ̃ːs] *f.* ① 저항, 항거, 항쟁 ; 반항 ; 방해 : se heurter à une ~ 저항에 부딪치다 / céder sans ~ 저항 없이 굴복하다. ② (*R~*) (제 2 차 세계대전의) 항독 운동 ; 항독파. ③ 〖물리〗 (외력에 대한) 항력(抗力) ; 〖전기〗 저항(선) ; 내구력(耐久力) ; (천 따위의) 질김 : ~ de l'air 공기 저항 / ~ au froid 내한성. ④ (피로 따위에 대한) 지구력 : manuer de ~ 견딜 힘이 부족하다. ***avoir de la ~ (사람이) 지구력이 있다. ***faire (de la) ~*** 저항하다. ***plat* 〔*pièce*〕 *de ~*** (식사 중의) 주된 요리.

résistant, e [ʀezistɑ̃, -ɑ̃ːt] *adj.* ① (사람〔생물〕이) 잘 견디어내는, 튼튼한, 강건한, 지구력이 있는 : santé ~*e* 강인한 건강. ② (사물이) 내구력(耐久力)이 있는, 질긴, 단단한(≠ fragile) : vêtement très ~ 매우 질긴 의복. ― *f.* 〖프랑스사〗 (제 2 차 대전 중의) 항독 운동가 ; 저항가.

résister** [ʀeziste] *v.i.* 《~ à》 ① …에 저항〔반항 · 항거〕하다 : Il *résiste à* ses parents. 그는 부모에게 반항한다 / ~ *à* l'oppression 탄압에 저항하다. ② …을 거역하다 : Ces enfants lui *résistent.* 그의 아이들은 그의 말을 안 듣는다. ③ (유혹 따위를) 물리치다 ; (고통 따위를) 견디어내다, 참아내다 ; …에 지지 않다 : Le malade ne *résistera* pas *à* cette opération. 환자는 수술을 견뎌내지 못할 것이다 / Il n'a (pas) pu ~ *à* l'envie de dormir. 그는 졸음을 이겨내지 못했다. ④ (물 · 불 따위에) 침해되지 않다 ; 빛깔이 바래지 않다 : tissu qui *résiste à* l'eau 물이 스며들지 않는 피륙 / couleur qui *résiste au* temps 세월이 지나도 변하지 않는 색. ***~ à tous les efforts 아무리 해도 안 되다 : Cette fenêtre *résiste à tous les efforts.* 이 창문은 아무리 해도 열리지 않는다.

***résolu, e** [ʀezɔly] *adj.* ① 과감한, 결연한, 단호한 : homme ~ 과감한 남자 / répondre d'un air ~ 결연한 태도로 대답하다. ② 《être ~ à + *inf.*》 …할 각오인, …하기로 결심한 : Je *suis* bien ~ *à* ce qu'on ne l'admette pas dans notre groupe. 나는 그를 우리 패에 넣지 않기로 작정하고 있다.

résolument [ʀezɔlymɑ̃] *adv.* ① 단호하게, 결연히. ② 용감하게, 과감하게(= courageusement).

résolu-s, -t ⇒ résoudre.

résolution** [ʀezɔlysjɔ̃] *f.* ① 분해, 용해 : ~ de la neige en eau 눈이 물로 용해되기. ② 해결 ; 해법 : ~ d'un problème 문제의 해결. ③ 의결(議決), 결의(안 · 문) : projet de ~ 결의안. ④ 결심, 결의, 각오 : Ma ~ est prise. 나는 각오가 되어 있다. ⑤ 결단력, 과감성 : homme de ~ 과감한 사람 / manquer de ~ 결단력이 부족하다. ⑥ 〖법률〗 취소, 해제 : action en ~ 계약 해제의 소송. ***prendre la ~ de + *inf.* …할 결심을 하다.

résolutoire [ʀezɔlytwaːʀ] *adj.* 〖법률〗 (계약) 해제의 : condition ~ 해제 조건.

résonateur, trice [ʀezɔnatœːʀ, -tʀis] *m.* 〖물리〗 공명기(器) ; 〖전기〗 공진자(共振子).

réson(n)ance [ʀezɔnɑ̃ːs] *f.* ① 울림, 반향(反響), 공명(共鳴) : caisse de ~ (악기의) 공명 상자. ② 《비유》 (정신적) 반향, 효과.

réson(n)ant, e [ʀezɔnɑ̃, -ɑ̃ːt] *adj.* 울리는 ; 반향하는 ; 공명하는 ; 우렁찬 : voix claire et ~*e* 맑고 낭랑한 목소리.

résonner [ʀezɔne] *v.i.* (소리가) 울리다, 반향하다, 메아리치다 : Des pas *résonnaient* dans l'escalier. 계단에 발자국 소리가 울렸다 / ~ de cris d'oiseaux 새들의 울음소리로 메아리치다.

résorber [ʀezɔʀbe] *v.t.* ① 〖의학〗 (고름 따위를) 소산시키다, 흡수하다. ② 《비유》 해소〔소멸〕시키다 : ~ le chômage 실업을 서서히 해소시키다. ― **se ~** *v.pr.* 〖의학〗 (고름이) 흡수〔소산〕되다.

résorption [ʀezɔʀpsjɔ̃] *f.* ① 〖의학〗 (재)흡수 : ~ intestinale d'un médicament 약의 장내 흡수. ② 해소(= suppression), 소멸 : ~ de l'inflation 인플레의 해소.

***résoudre** [ʀezudʀ] [40] 《일상어로서는 주로 부정사형 · 과거분사형으로 쓰임》 *v.t.* ① (문제를) 풀다, 해결하다 : ~ un problème de mathématiques 수학 문제를 풀다 / ~ un conflit par la négociation 교섭에 의해 분쟁을 해결하다. ② 결심시키나, 설득하다 : 《~ qn *à* qc 〔+ *inf.*〕》 ~ un client *à* acheter une auto 손님에게 차를 사도록 설득하다 / Nous l'*avons résolu à* accepter. 우리는 그에게 승낙할 결심을 시켰다. ③ 결심하다, 결정하다(= décider) : Je ferai ce que j'*ai résolu.* 나는 결정한 것은 할 것이다 / 《~ de + *inf.*》 On *a résolu de* partir. 우리는 외출하기로 했다 / 《~ que + *inf.* 〔cond.〕》 Il *a résolu qu*'il irait demain. 그는 내일 가기로 결정했다. ④ 《~ en》 …으로 분해시키다 ; 바꾸다(= transformer) : Le feu *résout* le bois *en* cendre et *en* fumée. 불은 나무를 재와 연기로 바꾼다. ― **se~** *v.pr.* ① 결심하다,

각오하다 : 《se ~ à qc 〔à+*inf.* ; à ce que+*sub.*〕》 Elle *s'est résolue à* le quitter. 그녀는 그와 헤어지기로 결심했다 / *se ~ au* pire 최악의 사태를 각오하다. ② 《se ~ en》 …으로 분해되다, 바뀌다 ; 귀착하다 : La vapeur *se résout en* eau. 수증기는 물로 바뀐다. ③ 해결되다, 풀리다 : Cette équation *se résout* facilement. 이 방정식은 간단히 풀린다.

respect** [ʀɛspɛ] *m.* ① 존경, 경의(= déférence) ; 외경(畏敬)의 마음 : commander 〔imposer, inspirer〕 le ~ 존경심을 일으키다〔자아내다〕 / montrer 〔témoigner〕 du ~ à qn …에게 경의를 표하다. ② 존중, 배려(= égard) : ~ de la vérité 진리〔진실〕의 존중 / avoir le ~ des lois 법을 준수하다. ③ (*pl.*) 경의의 표시, 인사(= hommage) : Veuillez présenter mes ~*s* à votre mère. 어머님께 안부 전해 주세요 / Mes ~*s* madame. (나이 든 여성에게) 뵙게 되어 영광입니다. ***~ humain [ʀɛspɛkymɛ̃] 남의 비평을 꺼리기 ; 체면 존중, 자존심. ***sauf (votre) ~ ; sauf 〔avec〕 le ~ que je vous dois ;*** 《옛》 ***sans votre ~*** 실례가 될지 모릅니다만. ***tenir 〔garder〕*** qn ***en ~*** …을 위압〔제압〕하다.

respectabilité [ʀɛspɛktabilite] *f.* 존경〔존중〕할 만함 ; 존엄성 ; 체면 ; 관록 : ~ de la loi 법의 존엄성 / avoir le souci de sa ~ 체면을 유지하려고 애쓰다.

respectable [ʀɛspɛktabl] *adj.* ① 존경〔존중〕할 만한(= estimable) : homme ~ 존경할 만한 남자. ② 막대한, 상당한 : somme ~ 상당한 금액 / distance ~ 상당한 거리.

respecter** [ʀɛspɛkte] *v.t.* ① 존경〔공경〕하다 : se faire ~ (남에게서) 존경받다 / ~ une femme 여성을 떠받들다 / ~ ses parents 부모를 존경하다. ② 존중하다, 소중히 여기다 ; 지키다, 준수하다 ; (일 · 잠 따위를) 방해하지 않다 : ~ les bienséances 예의범절을 존중하다 / ~ le sommeil de ses voisins 이웃 사람의 수면을 방해하지 않다 / ~ une régle 규칙을 지키다. — **se ~** *v.pr.* ① 자중하다 ; 체면을 지키다. ② 서로 존경하다. ***qui se respecte 《구어》 그 이름이 부끄럽지 않은.

respectif, ive [ʀɛspɛktif, -iːv] *adj.* 각기의, 각자의 : droits ~*s* des époux 부부 각자의 권리.

respectivement [ʀɛspɛktivmɑ̃] *adv.* 각자, 각기, 제각기 : deux fils âgés ~ de dix-sept et de quinze ans 각기 17 세와 15 세의 두 아들.

respectueusement [ʀɛspɛktɥøzmɑ̃] *adv.* 경의를 표하여, 공손〔정중〕히 : parler ~ à qn …에게 정중히 말을 걸다.

respectueux, euse [ʀɛspɛktɥø, -øːz] *adj.* ① 경의를 표하는, 정중〔공손〕한 : salut ~ 공손한 인사 / fils ~ envers ses parents 부모에게 공손한 아들. ② 《~ de》 …을 존중하는, 지키는, 해치지 않는 : se montrer ~ *du* bien d'autrui 남의 재산을 침해하지 않다. ***acte ~ ; sommation ~euse*** 결혼 승낙 요청서.

respirable [ʀɛspiʀabl] *adj.* ① 숨쉴 수 있는, 호흡에 적합한 : air peu ~ 호흡할 수 없는 공기. ② 견딜 만한(= supportable).

respirateur, trice [ʀɛspiʀatœːʀ, -tʀis] *m.* 인공호흡기.

respiration** [ʀɛspiʀɑsjɔ̃] *f.* 숨, 호흡, (피부 · 식물의) 호흡 작용 : perdre la ~ 숨이 끊어지다 / retenir sa ~ 숨을 죽이다. ***~ artificielle 인공호흡.

respiratoire [ʀɛspiʀatwaːʀ] *adj.* 호흡의, 호흡에 관련된 : appareil ~ 호흡기 / troubles ~*s* 호흡 장애.

***respirer** [ʀɛspiʀe] *v.i.* ① 숨쉬다, 호흡하다 : ~ par le nez 〔par la bouche〕 코로〔입으로〕 숨쉬다 / ~ à fond 심호흡하다. ② 숨을 돌리다 ; 안도의 숨을 내쉬다 : Laissez-moi ~ un moment. 잠깐 숨을 돌리게 해 주시오 / Enfin je *respire*. 이제야 안심이 된다. ③ 드러나다, 나타나다 : enfant sur les joues duquel *respire* la santé 볼에 건강이 넘쳐흐르는 어린애. — *v.t.* ① (공기 따위를) 호흡하다, 들이마시다 ; 냄새 맡다 : ~ le grand air 대기를 들이마시다 / ~ une odeur 냄새를 맡다. ② (표면에) 드러나다, 발산하다 : paysage qui *respire* la paix 한가로움이 넘쳐나는 풍경.

resplendir [ʀɛsplɑ̃diːʀ] *v.i.* 빛나다, 반짝이다 ; 《~ de》 …의 빛이 넘치다 : ~ joie 희색이 만면하다.

resplendissant, e [ʀɛsplɑ̃disɑ̃, -ɑ̃ːt] *adj.* ① 빛나는, 반짝이는 : soleil ~ 눈부시게 빛나는 태양. ② 《~ de》 …으로 환한 : visage ~ *de* santé 건강으로 환해 보이는 얼굴.

resplendissement [ʀɛsplɑ̃dismɑ̃] *m.* 《문어》 반짝임, 빛남, 광휘.

responsabiliser [ʀɛspɔ̃sabilize] *v.t.* …에게 책임감을 갖게 하다, 책임을 지우다.

***responsabilité** [ʀɛspɔ̃sabilite] *f.* ① 책임 : avoir la ~ de qc 〔qn〕 …에 대한 책임이 있다, 책임을 지다 / fuir les ~*s* 책임을 회피하다 / ~ civile 〔pénale〕 〖법률〗 민사〔형사〕 책임 / ~ morale 도의적 책임. ② (책임이 따르는) 지위, 직책 : prendre 〔accepter〕 la ~ de qc ; prendre qc sous sa ~ …의 책임을 맡다〔지다〕.

***responsable** [ʀɛspɔ̃sabl] *adj.* 책임이 있는 ; 《~ de qc》 …에 대하여 책임을 져야 하는 : rendre qn ~ *de* qc …에게 …에 대한 책임을 지우다 / Ce n'est pas ~ *de*+*inf.* …하는 것은 무책임한 짓이다 / Vous êtes ~ *de* ces enfants. 당신은 이 아이들에게 책임이 있습니다. — *n.* 책임자, 대표 : ~ syndical 노조의 책임자〔대표〕.

resquille [ʀɛskij] *m.* 《구어》 (극장 따위에) 표 없이 들어감, 무임승차.

resquiller [ʀɛskije] 《구어》 *v.i.* (극장 · 탈것 따위에) 공짜로 슬쩍 들어가다. — *v.t.* 값을 치르지 않고 얻다〔누리다〕.

resquilleur, euse [ʀɛskijœːʀ, -øːz] *n.* 무료 입장자, 공짜 손님 ; 새치기꾼.

ressac [ʀəsak] *m.* (바위 따위에) 부서지는 파도, 격랑.

ressaisir [ʀəseziːʀ] *v.t.* 다시 잡다〔집어들다〕 ; 다시 붙잡다〔체포하다〕 : La peur le *ressaisit*. 그는 다시 공포에 사로잡혔다 — **se ~** *v.pr.* ① 제정신을 차리다, 다시 침착해지다 ; 몸을 다시 가누다 : Il faillit éclater en sanglots, mais il *s'est ressaisi*. 그

는 울음을 터뜨릴 뻔했으나 자제할 수 있었다. ② 《se ~ de》 …을 되찾다〔회복하다〕.

ressasser [ʀəsɑse] *v.t.* ① (추억 따위를) 반추하다, 되씹다 : ~ des regrets 회한을 되씹다. ② 자꾸 되풀이하다 : Cette question a été sassée et *ressassée.* 이 문제는 되풀이하여 논의되었다.

ressaut [ʀəso] *m.* ① 〚건축〛 돌출. ② (평면의) 기복, 요철 ; 경사면의 단층.

*__ressemblance__ [ʀəsɑ̃blɑ̃:s] *f.* 유사(類似), 비슷하기, 닮음 : avoir 〔offrir〕 de la ~ avec qn 〔qc〕 …와 닮다 / être la vraie ~ de son père 《옛》 아버지의 판박이다 / saisir bien la ~ (화가가 실물과) 아주 비슷하게〔꼭 같이〕 그리다.

ressemblant, e [ʀəsɑ̃blɑ̃, -ɑ̃:t] *adj.* 《~ à》 …와 유사한, 닮은, 비슷한 ; 《구어》 모델〔실물〕과 흡사한 : portrait très ~ 실물과 꼭 닮은 초상화 / deux frères très ~*s* 매우 닮은 두 형제.

⁑**ressembler** [ʀəsɑ̃ble] *v.t. ind.* ① 《~ à》 …을 닮다, …와 유사하다, 비슷하다 : ~ *au* modèle 모델〔실물〕을 닮다 / Le crocodile *ressemble au* lézard. 악어는 도마뱀과 비슷하게 생겼다 / poisson qui *ressemble à* la sardine 정어리 비슷한 물고기. ② 《~ à qn》 (언행이) (그 사람)답다 : Cela ne vous *ressemble* pas. 그것은 당신답지 않다 / Le style *ressemble à* l'homme. 글은 사람의 성격을 나타낸다. ***Cela ne ressemble à rien.*** 《구어》 색다르다, 괴상하다 ; 천하일품이다. ***ne ~ à rien*** ⓐ 독창적이다, 유례없다 : film nouvelle vague qui *ne ressemble à rien* 독창적인 누벨바그의 영화. ⓑ 《나쁜 의미로》 괴상하다, 망칙하다. ── **se ~** *v.pr.* ① 서로 닮다〔비슷하다〕, 유사하다 : Ils *se ressemblent* l'un à l'autre. 그 두 사람은 서로 닮았다. ② 언제나 변함없다, 한결같다 : Ce peintre 〔poète〕 *se ressemble.* 이 화가는〔시인은〕 항상 변함이 없다《작품에 변화가 없다》.

ressemelage [ʀəsəmlɑ:ʒ] *m.* 구두창 갈기.

*__ressemeler__ [ʀəsəmle] [5] *v.t.* (구두)창을 갈다 : Il a fait ~ ses souliers. 그는 구두창을 갈았다.

ressentiment [ʀəsɑ̃timɑ̃] *m.* 원한, 원망스러운 생각, 한(恨), 유감(= rancune, rancœur) : éprouver 〔garder〕 du ~ de qc 〔contre qn〕 …에 대해 원한을 품다.

*__ressentir__ [ʀəsɑ̃ti:ʀ] [18] *v.t.* ① (어떤 감정을) 품다, 느끼다 : ~ du bien-être 〔un malaise〕 기분이 좋다〔나쁘다〕 / ~ de l'affection 〔de la sympathie〕 pour qn …에게 애정을〔호의를〕 품다. ② (물리적 현상을) 느끼다. ③ …에 강한 느낌을 받다, …의 영향을 강하게 받다 : Il *a ressenti* vivement la perte de sa mère. 그는 어머니의 죽음을 몹시 슬퍼했다. ── **se ~** *v.pr.* ① 《se ~ de》 …을 계속 느끼다, …의 느낌이 남아 있다 : Je *me ressens de* ma chute. 나는 떨어졌을 때 다친 데가 아직도 아프다. ② 《se ~ de》 …의 영향을 느끼다〔받다〕 ; …의 결과를 느끼다 : *se ~ de* la guerre 전쟁의 상처가 가시지 않다.

resserre [ʀəsɛ:ʀ] *f.* 헛간, 창고, 저장소.

resserré, e [ʀəsɛʀe] *adj.* 좁은 ; 양쪽에서 에워싸인 : vallée ~*e* 좁은 계곡.

resserrement [ʀəsɛʀmɑ̃] *m.* 죄기, 좁히기 ; 수축, 긴축 : ~ de cœur 가슴이 죄어드는 듯한 느낌 / ~ de l'argent 금융 긴축.

resserrer [ʀəsɛʀe] *v.t.* ① (느슨한 것을) 졸라매다, 죄다 : ~ un boulon 볼트를 죄다. ② 수축시키다, 오그라들게 하다 : lotion qui *ressere* les pores de la peau 피부의 모공(毛孔)을 수축시키는 로션. ③ 견고하게 하다, 강화하다 : Les États-Unis *resserrent* leurs relations avec la Chine. 미국은 중국과의 관계를 강화한다. ④ 억압하다 ; 가두다, 감금하다. ── **se ~** *v.pr.* ① 좁아지다 ; 수축하다, 오그라들다 ; 죄어지다 : Le filet *se resserre* autour des terroristes. 테러리스트의 신변에 포위망이 좁혀지고 있다. ② (좁은 장소에) 틀어박히다.

resservir [ʀəsɛʀvi:ʀ] *v.i.* 다시 사용되다. ── *v.t.* (음식을 식탁에) 다시 내놓다〔차리다〕 : ~ le plat de midi 점심 때 나온 요리를 다시 내놓다.

ressort[1] [ʀəsɔ:ʀ] *m.* ① 용수철, 태엽 : ~ à boudin 나선형 용수철. ② 활기, 기력(= énergie) : ~ de la volonté 의지의 힘. ***avoir du ~*** 탄력이 있다 ; (사람이) 정력적이다 ; (시장이) 활기를 띠다. ***donner du ~ à*** …의 움직임을 활발하게 하다.

ressort[2] *m.* ① 〚법률〛 (법원의) 관할(구). ② 권한, 영역. ***en dernier ~*** ⓐ 〚법률〛 종심(終審)에(서). ⓑ 최종적으로, 결국 : *En dernier ~*, il a vendu ses meubles pour payer ses dettes. 결국 그는 빚을 갚기 위해 가구를 팔았다. ***être du ~ de*** …의 권한〔영역〕에 속하다.

ressort[3] ressortir의 직설 · 현재 · 3 · 단수.

*__ressortir__[1] [ʀəsɔʀti:ʀ] [18] *v.i.* 《조동사는 être》 ① 다시 나오다〔나가다〕. ② 드러나다, 뚜렷이 눈에 띄다 : une qualité qui *ressort* par le contraste 대조로써 두드러져 보이는 장점〔특성〕. ③ 《~ de》 …으로부터 나오다〔생기다〕, …의 결과로 나타나다. ***Il ressort de là que...*** 《비인칭》 그 결과 …이 된다. ***~ sur*** (배경으로부터) 뚜렷이 드러나다, 부각되다. ── *v.t.* (물건 · 묵은 얘기 따위를) 다시 꺼내다.

ressortir[2] [10] *v.t. ind.* 《~ à》 《조동사는 avoir》 ① 〚법률〛 …의 관할에 속하다. ② …의 영역에 속하다 : le problème qui *ressortit à* la chimie 화학에 속하는 문제.

ressortissant, e [ʀəsɔʀtisɑ̃, -ɑ̃:t] *adj.* 《~ à qc》 〚법률〛 …의 관할에 속하는. ── *n.* (어떤 나라의) 소속민, 거류민 : ~*s* français Corée 한국의 프랑스인 거류민.

ressouder [ʀəsude] *v.t.* ① 다시 납땜하다 : ~ un tuyau 관을 다시 납땜하다. ② 《비유》 다시 결합하다, 더욱 굳게 하다.

*__ressource__ [ʀəsuʀs] *f.* ① (곤경을 타개하는) 지략, 지모(智謀), 수단, 방책(= recours) : en dernière ~ 마지막 수단으로서 / homme de ~ 책략가, 수완가. ② (*pl.*) 자원 ; 재원, 재력, 자금 : ~*s* en hommes et en matériel d'un pays 한 나라의 인적 · 물적 자원 / ~*s* insuffisantes 자금 부족 / être sans ~*s* 곤궁하다, 가난하다. ③ (*pl.*) (잠재적인 정신적) 힘, 가능성 : les ~*s* d'un art 〔d'une technique〕 어떤 예술〔기술〕의 가능성. ④ 〚항공〛 (급강하 후에) 수평 비행 위치로 돌아가기. ***~s d'une langue*** 한 언어의 표현력〔성〕.

ressouvenir (se) [səʀəsuvniːʀ] ⑯ *v.pr.* 《se ~ de》 …을 회상하다, 다시 생각하다 : Je *me ressouviens de* mes jeunes amours. 나는 젊었을 때의 사랑을 회상한다.

ressusciter [ʀesysite] *v.t.* ① 소생시키다, 되살아나게 하다 : Jésus *ressuscita* Lazare. 예수께서 나사로를 다시 살렸다. ② 부활시키다 ; 재흥〔부흥〕시키다 : ~ une mode 유행을 다시 퍼뜨리다. ③ …의 원기를 회복시키다, 생기를 북돋아 주다 : Cette nouvelle l'*a ressuscité*. 이 소식이 그의 생기를 북돋아 주었다. ── *v.i.* 소생하다, 되살아나다, 부활하다 : La nature *ressuscite* avec le printemps. 자연은 봄과 더불어 소생한다 / le Christ *ressuscité* 부활한 그리스도.

restant, e [ʀɛstɑ̃, -ɑ̃ːt] *adj.* ① 남는, 잔여의 : cent francs *~s* 남는 100 프랑. ② 〚우편〛 국유치(局留置)의. ***poste ~e*** 국유치 우편. ── *m.* 나머지, 잔액. ── *n.* 살아남은 사람, 생존자.

restau [ʀɛsto] *m.* 《구어》 식당, 레스토랑 《restaurant 의 약자》 : ~-U 대학 식당《~ universitaire 의 약자》.

⁑restaurant, e [ʀɛstɔʀɑ̃, -ɑ̃ːt] *m.* 음식점, 식당, 레스토랑 : wagon-~ 식당차 / ~ libre-service 셀프 서비스 식당 / ~ universitaire 대학 학생 식당 / déjeuner au ~ 레스토랑에서 점심을 먹다.

restaurateur, trice [ʀɛstɔʀatœːʀ, -tʀis] *n.* ① 음식점 주인〔경영자〕. ② (미술품 따위의) 복원자. ③ 《문어》 부흥자, 재건자.

restauration [ʀɛstɔʀɑsjɔ̃] *f.* ① (기념 건조물 · 미술품의) 복원, 보수 ; 재건 : ~ d'un tableau 〔d'une statue〕 회화〔조각〕의 복원. ② (종교 · 왕정의) 복고, 부흥 ; (*R~*) (프랑스 부르봉 왕조의) 왕정 복고 (시대). ③ 요식업 : ~ rapide 패스트푸드(= fast-food).

***restaurer** [ʀɛstɔʀe] *v.t.* ① (고건축 · 문화재 따위를) 복원하다, 수리하다 : ~ une fresque 대벽화를 복원하다. ② 회복하다, 부활시키다, 부흥〔재건〕하다 : ~ la religion catholique 가톨릭교를 부흥시키다 / ~ la paix 평화를 회복시키다. ── **se ~** *v.pr.* (음식이나 휴식에 의해서) 원기를 회복하다.

restauroute, restoroute [ʀɛstɔʀut] *m.* 자동차 여행자를 위한 도로변의 음식점.

⁑reste [ʀɛst] *m.* ① 나머지 ; 여분 ; 그 밖의 것〔사람〕 : ~ de ma vie 나의 여생 / faire le ~ 남은 일을 하다 / écrire le ~ 하다 남은 말을 편지로 써 보내다 / le ~ des hommes 〔du monde〕 다른 사람들 / Le ~ des naufragés a 〔ont〕 péri. 그 밖의 조난자들은 죽었다. ② 《un ~ de》 약간 남아 있는 것 ; (*pl.*) (여자의) 미색(美色)의 자취 : *un ~ d'*espoir 한가닥〔일말의〕 희망 / Elle a encore de beaux *~s*. 그녀에게는 옛날의 아름다웠던 흔적이 남아 있다. ③ (*pl.*) 먹다 남은 것, 잔반(殘飯) ; (남이) 남긴 것 : manger 〔**finir**〕 les ~s 남이 남긴 것을 먹다. ④ (*pl.*) 잔해(= ruines), 유적 ; 《문어》 유해(遺骸)(= cendres) : *~s* d'un bâtiment 건물의 잔해 / *~s* de ce grand homme 이 위인의 유해. ⑤ 〚수학〛 (뺄셈 · 나눗셈의) 나머지 : 10 soustrait de 40 laisse pour ~ 30, 40 빼기 10은 30 (40 − 10 = 30). ***au*** 〔***du***〕 ***~*** 게다가, 그런데. ***de ~*** 넉넉히, 여분으로. ***et ainsi du ~ ; et le ~*** 운운, 등등. ***être*** 〔***demeurer***〕 ***en ~*** (***avec*** qn) (…에게) 빚이 있다, 의리를 지키지 않고 있다. ***le ~ du temps*** 다른 때〔경우〕에는. ***partir sans de mander son ~*** 아무 말도 않고 총총히 가 버리다.

⁑rester [ʀɛste] *v.i.* 《조동사는 être》 ① 머물러 있다 ; 남아 있다 : ~ au lit 침대에서 일어나지 않고 남아 있다 / *Restez* là, jusqu'à ce que je revienne. 내가 돌아올 때까지 그곳에 남아 있어 주시오. ② 머무르다, 체재하다 ; 《옛 · 지방어》 거주하다, 살다(= habiter) : Il *reste* en banlieue. 그는 교외에서 살고 있다. ③ 《양태의 상황보어 또는 속사와 함께》 (어떤 상태에) 그대로 있다, 여전히 …이다〔하다〕 : ~ debout 선 채로 있다 / ~ dans l'ignorance 여전히 모른 채로 있다 / La voiture *reste* en panne sur la route. 자동차는 길가에 고장난 채로 서 있다. ④ 오래 남다, 영속하다 : C'est une œuvre qui *restera*. 그것은 길이 남을 작품이다. ***en ~ à*** …에서 중단하다〔그치다〕. ***en ~ là*** 도중에서 멈추다 : *Restons-en là* pour aujourd'hui. 오늘은 이런 정도로 해두자. ***faillir y ~*** 《구어》 죽다. ***Il n'en restera pas là.*** 그는 그것으로 만족하지는 않을 것이다. ***Il reste...*** 《비인칭》 …이 남아 있다 : *Il* nous *reste* encore de quoi vivre. 우리에겐 아직도 살아갈 만한 돈이 남아 있다. ***Il reste à*** + *inf.* ⓐ …해야 할 것으로 남아 있다 : le temps qu'*il* me *reste à* vivre 나의 여생. ⓑ …해야 할 일이 남아 있다 : *Il* ne me *reste* plus qu'*à* vous remercier. 고맙다는 말밖에 더 할 말이 없다, 고맙다는 말로 내 이야기를 끝맺는다. ***Il reste à savoir si...*** …할지 어떨지는 아직 모른다〔미지수다〕. ***Il reste que*** 〔***Reste que***〕 + *ind.* ; ***Il n'en reste pas moins que*** + *ind.* 그래도 (여전히〔역시〕) …하다〔한 것이 사실이다〕. ***rester à*** + *inf.* ⓐ …하기 위해 남다, 남아서 …하다 : Elle *resta* seule *à* attendre. 그녀는 혼자 남아서 기다렸다. ⓑ …해야 할 것으로 남아 있다, 아직도 더 …해야 하다 : Une trentaine de mille francs *reste à* payer. 아직도 한 3만 프랑 더 지급해야 한다. ***rester trop longtemps à*** + *inf.* …하는 데 너무 긴 시간이 걸리다. ***y ~*** 《구어》 죽다(= mourir).

***restituer** [ʀɛstitɥe] *v.t.* ① (부정 취득한 것을) 되돌려주다, 반환하다. ② (명예 따위를) 회복시키다 ; (건축물 · 원본 따위를) 복구하다, 복원(復元)하다 : ~ à qn son honneur …에게 명예를 회복시켜 주다 ; 〚법률〛 (사람을) 복권〔복위〕시키다. ③ (축적되었던 것을) 방출하다(= libérer) : énergie *restituée* 방출된 에너지. ④ (녹음된 음을) 재생하다.

restitution [ʀɛstitysjɔ̃] *f.* ① (부정 취득물의) 반환(된 것) : ~ d'un territoire conquis 점령지의 반환. ② (건축물 · 원본 따위의) 복구, 복원 ; 〚법률〛 원상 회복, 복권.

resto [ʀɛsto] *m.* 레스토랑, 식당(= restau).

***restreindre** [ʀɛstʀɛ̃ːdʀ] *v.t.* 제한〔한정〕하

R

다 ; 억제하다, 구속하다 : ~ la liberté de qn …의 자유를 제한하다. — **se** ~ *v.pr.* ① 비용을 절약하다 : *se* ~ (dans ses dépenses) 지출〔비용〕을 절약하다. ② 제한〔축소〕되다.

restreint, e [ʀɛstʀɛ̃, -ɛ̃:t] *adj.* 제한〔국한 · 한정〕된 : édition à tirage ~ 한정(출)판 / espace ~ 한정된 공간.

restrictif, ive [ʀɛstʀiktif, -i:v] *adj.* 제한〔한정〕하는 ; 구속〔억제〕하는.

restriction [ʀɛstʀiksjɔ̃] *f.* ① 제한, 제약 ; 억제 : ~ des naissances 산아 제한 / apporter des ~*s* au pouvoir de qn …의 권력에 제한을 가하다. ② (의견의) 유보(= réserve) : Il a émis des ~*s* sur cet accord. 그는 이 협정에 몇 가지 유보를 두었다. ③ (*pl.*) 물가 통제, 궁핍 ; (식량 등의) 배급 제도. ***faire des ~s*** 의문을 품다 ; 태도를 유보하다. ***sans*** ~ 전적으로, 전폭적으로, 무조건 : approuver *sans* ~ 전적으로 찬성하다.

restructuration [ʀəstʀyktyʀɑsjɔ̃] *f.* (어떤 지역의) 용도 변경, 계획 수정 ; (단체 · 조직의) 기구 개편.

restructurer [ʀəstʀyktyʀe] *v.t.* 계획을〔용도를〕 변경하다 ; (…의) 기구를 재편성〔개편〕하다 : ~ un parti politique 정당의 조직을 개편하다. — **se** ~ *v.pr.* 재편성되다.

resucée [ʀəsyse] *f.* 《구어》 ① (화제 따위의) 재탕, 되풀이 · 개작. ② (커피 따위의) 두 번째로 마시는 분량.

résultante [ʀezyltɑ̃:t] *f.* ① 결과, 산물(= conséquence). ② 〖물리〗 합력(合力).

‡**résultat** [ʀezylta] *m.* ① 결과, 결말 : ~ d'une négociation 교섭의 결과. ② 성과 : aboutir à un ~ favorable 좋은 성적을〔성과를〕 올리다. ③ (종종 *pl.*) 성적, 업적 ; (시합의) 결과, 스코어 : afficher les ~*s* des examens 시험 성적을 표시하다 / Voici les ~*s* de l'élection. 선거 결과는 다음과 같음. ④ (계산 따위의) 해답 : ~ d'une opération 덧셈의 답.

***résulter** [ʀezylte] *v.i.* 《부정법 · 현재분사 · 3 인칭으로만 사용됨. 조동사는 상태를 나타낼 때는 être, 동작을 나타낼 때는 avoir》 ① 《~ de》 …의 결과이다, …으로부터 생기다 : fatigue qui *résulte du* surmenage 과로로 인한 피로. ② 《비인칭》 ⓐ 《Il résulte A de B》 B 에서 A 가 생기다 : *Il est résulté de* la récession une augmentation du chômage. 불황 탓으로 실업이 증가했다. ⓑ 《Il résulte de cela que + *ind.*》 그 결과 …라는 것이 되다 : *Il résulte de* tout *cela qu*'il est coupable. 이상의 결과 그는 유죄이다.

résumé [ʀezyme] *m.* ① 요약, 개요, 적요 : faire 〔rédiger〕 le ~ d'une conférence 강연의 요약을 작성하다. ② 개설, 개론 : ~ d'histoire 역사 개론. ***en*** 〔***au***〕 ~ 요컨대, 결국.

***résumer** [ʀezyme] *v.t.* 요약〔개괄〕하다 : ~ la pensée d'un auteur 어떤 작가의 사상을 요약하다. — **se** ~ *v.pr.* ① 자기의 말〔생각〕을 요약하다 : *Résume-toi* en quelques mots. 네가 한 말을 몇 마디로 요약해 보렴. ② 《se ~ à 〔en〕》 …으로 요약되다 : Mon travail *se résume à* mettre les dossiers en ordre. 나의 일은 요컨대 서류를 정리하는 것이다.

résurgence [ʀezyʀʒɑ̃:s] *f.* ① (지하수가) 지상으로 다시 솟아남. ② 《비유》 재출현.

resurgir [ʀ(ə)syʀʒi:ʀ] *v.i.* 다시 나타나다.

résurrection [ʀezyʀɛksjɔ̃] *f.* ① 부활, 소생 : ~ des morts 죽은 자의 부활. ② (*R*~) 〖가톨릭 · 미술〗 그리스도의 부활(을 다룬 그림). ③ 재생, 부흥.

retable [ʀətabl] *m.* 〖교회건축 · 미술〗 제단 뒤의 장식 벽〔병풍〕(의 그림).

rétabli, e [ʀetabli] *adj.* ① 복구〔복원〕된. ② (건강이) 회복된(= guéri).

***rétablir** [ʀetabli:ʀ] *v.t.* ① (건강 따위를) 회복시키다 : Un mois de repos le *rétablira.* 1 개월쯤 휴양하면 그는 완전히 원기를 되찾을 것이다. ② 원래 상태로 되돌리다 ; (건물 · 원본 따위를) 복원하다, 보수하다 ; 수리〔복구〕하다 : ~ l'ordre 질서를 회복하다 / ~ un texte (지워진) 글을 원문대로 되살리다 / ~ le courant 정전(停電)을 복구시키다. ③ 복직시키다 ; 복권시키다 : On l'*a* bientôt *rétabli* à 〔dans〕 son poste. 그는 즉시 원직에 복귀되었다 / ~ qn dans ses droits …의 권리를 회복시키다. — **se** ~ *v.pr.* ① 건강을 회복하다. ② (원래 상태로) 회복되다(= revenir) : L'ordre *s'est* vite *rétabli.* 질서는 곧 회복되었다.

rétablissement [ʀetablismɑ̃] *m.* ① 회복, 복원, 수복, 복구 ; 재건 ; 만회 ; 부흥 : ~ des relations diplomatiques 외교 관계의 정상화 / Je vous souhaite un rapide ~. 당신이 빨리 완쾌하시기를 바랍니다. ② 〖스포츠〗 (반듯이 누운 사람 · 철봉에 매달린 사람이) 상반신을 일으키기.

rétamé, e [ʀetame] *adj.* ① 주석 도금을 다시 한. ② 《구어》 술취한(= ivre) ; 녹초가 된(= épuisé). ③ (물건이) 망가진, 못쓰게 된.

rétamer [ʀetame] *v.t.* ① …에 주석 도금을 다시 하다. ② 《구어》 취해서 곯아떨어지게 하다 ; 기진맥진하게 하다. ③ 빈털터리가 되게 하다 ; 망가뜨리다.

rétameur [ʀetamœ:ʀ] *m.* 주석 도금공.

retapage [ʀətapɑ:ʒ] *m.* (간단한) 손질, 수리 ; 청소, 정돈.

retape [ʀətap] *f.* 《구어》 (매춘부의) 손님 끌기 ; (정치 집회에의) 군중 동원.

retaper [ʀətape] *v.t.* ① 《구어》 (손질하여) 모양을 바로잡다, 수선〔수리〕하다 ; (침대 따위를) 정돈하다 : ~ une vieille maison 낡은 집을 손질하다. ② 《~ qn》 …의 원기를 회복시키다. — **se** ~ *v.pr.* 《구어》 건강을 회복하다. ***se ~ le moral*** 기운을 내다.

‡**rotard** [ʀəta:ʀ] *m.* ① 지각, 지침, 연착(≠ avance) : ~ d'un train 기차의 연착 / une heure de ~ ; un ~ d'une heure 한 시간의 지각. ② 지연 ; 연체 ; 느림 : Ma montre prend du ~. 내 시계는 늦게 간다. ③ (경쟁에서의) 뒤떨어진〔뒤진〕 상태, 뒤짐 : rattraper 〔combler〕 son ~ 뒤진 것을 만회하다. ④ (정신 발달 · 발육의) 지체 : enfant en ~ 정신 지체아. ***être en*** ~ 지각하다 ; 뒤떨어져 있다 ; 체불되어 있다 : *être en* ~ pour payer qc …의 지급이 연체되어 있다. ***sans*** ~ 곧, 지체 없이.

retardataire [ʀətaʀdatɛ:ʀ] *adj.* ① 지각한, 늦은 : élève ~ 지각한 학생. ② (발육이) 늦

은, (학습이) 뒤떨어진. ③ 시대에 뒤처진. ── *n.* 지각자, 지참자.

retardateur, trice [Rətardatœ:R, -tRis] *adj.* 느리게 하는, 지연시키는. ── *m.* 〖화학〗 (반응) 억제제; 〖사진〗 현상 억제제.

retardé, e [Rətarde] *adj.* ① 연기된, 지연된: départ ~ 연기된 출발. ② (발육이) 늦은, (학업이) 뒤쳐진: enfant ~ 지진아.

retardement [Rətardəmɑ̃] *m.* 《옛》 지연, 연기. ***à*** **~** 《구어》 뒤늦게: comprendre *à* ~ 뒤늦게 깨닫다. ***bombe à*** **~** 시한폭탄. ***combat de*** **~** 지구전(持久戰).

*__retarder__ [Rətarde] *v.t.* ① (출발·지불 등을) 늦추다, 지연〔지체〕시키다; 뒤로 미루다, 연기하다: Le mauvais temps *a retardé* notre arrivée. 날씨가 나빠서 우리의 도착은 지체되었다 / ~ son départ de quelques jours 출발을 며칠 연기하다. ② 뒤떨어지게〔뒤지게〕 하다: Plusieurs maladies l'*ont retardé* dans ses études. 여러 차례 병을 치렀기 때문에 그는 공부에 뒤떨어졌다.
── *v.i.* ① 늦다, 늦어지다: Ma montre *retarde* de cinq minutes.; Je *retarde* de cinq minutes. 내 시계는 5분이 늦다. ② 뒤떨어지다, 뒤지다: ~ sur son temps〔son siècle〕 시대에 뒤지다. ③ 《구어》 세상일에 어둡다: Sa femme? Vous *retardez,* elle a divorcé l'an dernier. 그의 아내 말인가? 작년에 벌써 이혼했는데 그것도 모르나.
── **se ~** *v.pr.* 지각하다.

‡**retenir** [Rətni:R, Rtəni:R] 16 *v.t.* ① 붙잡다, 붙들다: ~ un enfant〔un objet〕 qui va tomber 넘어지려는 아이를〔물건을〕 붙잡다 / ~ un cheval qui s'emporte 날뛰는 말을 붙잡다 / ~ qn à dîner 저녁식사를 하고 가라고 …을 붙들다 / ~ un malade par les bras 병자의 팔을 잡아 주다. ② (머리카락 따위를) 묶다, 잡아매다, 고정시키다; (흐름을) 막다: ~ ses cheveux avec un ruban 리본으로 머리털을 잡아매어 두다 / ~ un tableau par un clou 그림을 못으로 걸어 놓다 / barrage pour ~ les eaux d'une rivière 냇물을 막기 위한 둑. ③ (시선·주의 따위를) 끌다: ~ l'attention de qn …의 관심을 끌다. ④ 공제하다, 빼다: ~ cent francs sur un salaire 급료에서 100프랑을 공제하다. ⑤ 예약하다; (고용인을) 미리 약속해〔정해〕 두다: Nous *avons retenu* deux chambres à l'hôtel. 우리는 호텔에 방 두 개를 예약했다 / ~ une femme de ménage 가정부를 부탁해 두다. ⑥ 붙잡아 두다, 유치〔억류〕하다, 구류하다: ~ qn en〔comme〕 otage …을 볼모로 잡아 두다 / ~ qn prisonnier …을 포로로 잡아 두다. ⑦ 억제하다, 참다: ~ son haleine〔souffle〕 숨을 죽이다 / ~ ses larmes〔sa colère〕 눈물을〔분노를〕 참다. ⑧ 기억해 두다: ~ les dates 날짜를 기억해 두다. ⑨ 고려하다: ~ une proposition〔un projet〕 제의를〔계획을〕 고려하다. ── *v.i.* (가축이) 새끼를 배다. ── **se ~** *v.pr.* ① 《se ~ à》 붙잡고 늘어지다, 붙잡다. ② 갑자기 멈춰 서다. ③ 자제하다, 억제하다, 참다; 《se ~ de+*inf.*》 …하지 않고 참다: *se* ~ sur la boisson 음주를 삼가다 / Je n'ai pas pu *me* ~ *de* rire. 나는 웃음을 참을 수가 없었다.

④ 예약되다; 공제되다; 기억되다: La poésie *se retient* plus facilement que la prose. 시는 산문보다 더 쉽게 기억된다.

rétenteur, trice [Retɑ̃tœ:R, -tRis] *adj.* 붙잡는; 억제하는.

rétention [Retɑ̃sjɔ̃] *f.* ① 〖의학〗 정체(停滯), 폐색(閉塞): ~ d'urine 요폐(尿閉). ② 〖법률〗 유치(留置).

*__retentir__ [Rətɑ̃ti:R] *v.i.* ① ⓐ (소리가) 울려퍼지다, 반향하다: Sa voix *retentissait* dans le couloir. 그녀의 음성이 복도에 울려퍼졌다. ⓑ 《~ de》 …으로 메아리치다: La salle *retentissait d'*applaudissements. 장내는 박수갈채로 떠나갈 듯했다. ② 《~ sur〔dans〕》 …에 영향을 미치다; 반향을 일으키다: Cette nouvelle *a retenti dans* tout le pays. 이 소식은 전국에 반향을 일으켰다.

retentissant, e [Rətɑ̃tisɑ̃, -ɑ̃:t] *adj.* ① (소리가) 잘 울리는: voix ~*e* 우렁찬 목소리. ② 소문이 자자한; 큰 영향을 주는: scandale ~ 세상이 떠들썩한 추문 / découverte ~*e* 매우 중요한 발견.

retentissement [Rətɑ̃tismɑ̃] *m.* ① 울림, 메아리; 울리는 소리. ② 반향; 평판: avoir un grand ~ 굉장한 반향을 일으키다, 대단한 호평을 받다. ③ 여파, 영향.

retenue [Rətny, Rtəny] *f.* ① 신중, 억제, 자제. ② 금족; 억류, 구금; 〖학교〗 방과 후에 교실에 남아 있게 하는 벌. ③ (세관의) 유치, 압류: ~ de marchandise à la douane 세관에서의 상품의 압류. ④ (봉급에서의) 공제(액): ~ à la source 원천징수.

réticence [Retisɑ̃:s] *f.* ① 일부러 말하지 않기, 의도적 침묵; 〖수사학〗 묵설법(默說法): parler sans ~ 숨김없이〔기탄없이〕 이야기하다. ② 주저, 망설임: montrer une certaine ~ 다소간 망설이다.

*__réticent, e__ [Retisɑ̃, -ɑ̃:t] *adj.* ① 할 말을 일부러 하지 않는; 터놓고 말을 하지 않는, 과묵한(= discret). ② 《구어》 주저하는, 망설이는(= hésitant, indécis): se montrer ~ 주저하는 빛을 보이다.

réticulaire [Retikylε:R] *adj.* 그물 모양의.

réticule [Retikyl] *m.* ① 《옛》 작은 핸드백, 자루. ② (망원 렌즈의 조준용) 십자선(十字線), 측경망(測徑網).

réticulé, e [Retikyle] *adj.* 〖해부〗 망상(網狀)의: tissu ~ 망상 조직.

retien -s, -t, etc. ⇒ retenir.

rétif, ive [Retif, -i:v] *adj.* ① (말이) 나아가려고 하지 않는. ② (사람이) 고집센, 말을 안 듣는, 다루기 힘든(= récalcitrant).

rétine [Retin] *f.* 〖해부〗 망막(網膜).

retin -s, -t, etc. ⇒ retenir.

retiré, e [Rətire] *adj.* ① 궁벽한, 외딴, 호젓한. ② 은둔한, 은퇴한: vivre ~ 은퇴 생활을 하다.

‡**retirer** [R(ə)tiRe] *v.t.* ① (내밀었던 것을) 도로 당기다〔젖히다〕: ~ la tête (내밀었던) 머리를 뒤로 젖히다. ② (어떤 장소에서) 끌어〔끄집어〕내다, 꺼내다, 뽑다: ~ un mouchoir de sa poche 호주머니에서 손수건을 꺼내다 / ~ la clef de la serrure 자물쇠에서 열쇠를 빼내다. ③ (가난·위험 따위에서) 건져내다, 구해 내다; 구출하다: ~ qn du

R

danger …을 위험에서 구해 내다. ④ 철회하다 ; 취소하다 ; (고소를) 취하하다 : ~ ce qu'on a dit 말을 취소하다 / ~ sa candidature 입후보를 사퇴하다. ⑤ 빼앗다, 박탈하다 ; 몰수하다 ; 회수하다 : On lui *a retiré* son emploi. 그는 직업을 박탈당했다 / ~ à qn son amitié 〔sa confiance〕 …에 대한 우정〔신임〕을 거두다. ⑥ 취득하다, 얻다, 이득을 보다 : ~ un profit d'une lecture 독서에서 득을 보다. ⑦ (옷 · 신발 따위를) 벗다 : ~ son chapeau 〔son pardessus〕 모자〔외투〕를 벗다. ⑧ 걷어치우다 ; 철거하다 : ~ l'emballage d'un colis 짐의 포장을 벗기다. ⑨ (맡겼던 짐 따위를) 되찾다, (은행에서 돈을) 찾다 : ~ de l'argent de la banque 은행에서 돈을 찾아내다. — **se** ~ *v.pr.* ① 물러서다〔앉다〕, 물러나다〔가다〕 ; (어떤 일에서) 손을 떼다 : *se* ~ du monde 사교계에서 물러나다 / *se* ~ des affaires 사업에서 손을 떼다. ② 은퇴하다, 은둔〔은거〕하다 : *se* ~ chez soi 자기 집에 틀어박히다. ③ 《se ~ dans 〔en〕》 …으로 피신하다. ④ (조수 따위가) 빠지다 : La mer *se retire.* 바닷물이 썬다.

retombée [Rətɔ̃be] *f.* ① (*pl.*) 낙하물 ; 아래로 드리워져 있는 것. ② (*pl.*) (사건 · 조사 따위의) 결과〔영향〕 : ~s politiques d'un scandale 독직 사건의 정치적 여파. ***~s radioactives*** 방사능 낙진, 죽음의 재.

retomber** [R(ə)tɔ̃be] *v.i.* 《조동사는 흔히 être》 ① 다시 떨어지다 ; 다시 넘어지다 ; (위로 올라갔다가) 떨어지다 : laisser ~ un rideau 커튼을 내리다 / laisser ~ ses bras 팔을 올렸다가 떨어뜨리다. ② 뛰어내리다, 착지하다 : Il *est* bien *retombé.* 그는 잘 뛰어내렸다. ③ (아래로) 늘어지다, 처지다, 드리워지다 : Les cheveux lui *retombaient* sur le front. 그녀의 머리칼이 이마에 드리워졌다. ④ 《~ dans》 (곤란한 상태에) 다시 빠지다 ; (병 따위에) 다시 걸리다 : Elle *est retombée dans* la déprime. 그녀는 다시 우울증에 빠졌다 / 《속사와 함께》 ~ malade 다시 병들다. ⑤ 《~ sur》 (책임 · 죄 따위가) …에게 돌려지다 : faire ~ la faute *sur* qn 죄를 …에게 뒤집어씌우다. ⑥ 《~ sur 〔à〕》 …에게 되돌아오다 : La conversation *retomba sur* le même sujet. 화제는 같은 문제로 되돌아왔다. ***Ça lui retombera sur le nez. 그러다가 그 사람 큰코 다칠걸. ***~ sur soi-même*** 자성(自省)하다.

retordre [RətɔRdR] [27] *v.t.* ① (빨래를) 다시 비틀어 짜다. ② (실을) 꼬다. ***donner du fil à ~*** 당황케 하다, 애먹이다.

rétorquer [Retɔrke] *v.t.* 반박하다, 응수하다(= répliquer, riposter) : ~ qu'il a tort 그가 틀렸다고 반박하다.

retors, e [Rətɔ:R, -ɔRS] *adj.* 음흉한, 교활한 : C'est un esprit ~. 저놈은 엉큼하다.

rétorsion [RetɔRsjɔ̃] *f.* (국가 간의) 보복, 대항 수단 : mesure(s) de ~ 보복 조치.

retouche [Rətuʃ] *f.* ① 수정, 손질 : faire des ~s à une photo 사진에 수정을 가하다. ② (기성복의) 치수 고치기.

retoucher [Rətuʃe] *v.t.* ① 수정하다, 손질하다 : ~ un tableau 그림에 가필하다 / photo *retouchée* 수정 사진. ② (옷의) 치수를 고치다 : ~ un pantalon 바지의 치수를 고치다.

‡retour [Rətu:R] *m.* ① 돌아감, 돌아옴, 귀환, 귀가, 귀향, 귀국 ; 귀로 : être sur le chemin du ~ 귀로에 있다 / Elle attendait le ~ de son mari. 그녀는 남편이 돌아오기를 기다리고 있었다. ② 재래(再來), 재현 ; 재발 ; 반복 : ~ du printemps 봄이 다시 찾아옴 / ~ d'un accès de fièvre 열의 재발. ③ 《~ à》 …에의 복귀, 회귀 : ~ *à* la nature 자연에의 회귀 / ~ *au* pouvoir d'un ancien ministre 전장관의 정계 복귀. ④ 반송(返送), 반환 ; 반품 : ~ d'une lettre à l'envoyeur 편지를 발신자에게 되돌려보냄. ⑤ (우여)곡절, 변전, 변천 ; 급격한 변동 : La fortune a ses ~s. 운명은 기복이 무상하다. ⑥ 대갚음, 보복 ; 보답, 보수 : L'amitié demande du ~. 《옛》 우정은 오고가야만 한다. ⑦ 회고, 반성 : faire un ~ sur soi-même 자성(自省)하다 / ~ (en) arrière 과거의 회고. ⑧ 〚컴퓨터〛 리턴키. ***âge de ~ ; ~ d'âge*** 월경 폐지기(閉止期) ; 갱년기. ***à mon ~*** 내가 돌아와서. ***de ~*** 돌아온 ; 일단 돌아오자 : *De* ~ à Paris, il a contacté ses amis. 파리에서 돌아오자, 그는 친구에게 연락했다. ***de ~ chez moi*** 집에 돌아왔을 때. ***de ~ de*** …에서 돌아오자. en ~ 그 대신에 : Je lui ai offert un livre, *en* ~ il m'a donné un CD. 나는 그에게 책을 주고, 그 대신 그는 아이에게 CD를 주었다. ***en ~ de*** …의 보수〔대가〕로서. ***être de ~*** 돌아와 있다. ***être sur le ~ (de l'âge)*** 늙어가다, 초로에 접어들다. ***être sur le 〔sur son〕 ~*** 돌아가려고 하고 있다. ***faire ~ à*** …에 복귀하다. ***faire un ~ sur soi-même*** 자성(自省)하다. ***par ~ (du courrier)*** 편지 받는 즉시. ***par un juste ~ des choses*** 사필귀정으로. ***~ d'âge*** (주로 여자의) 갱년기 ; 초로기. ***~ de*** …에서 돌아오다(= de ~ de) ; …에서 돌아온 : ces gens, ~ *de* Londres, racontent que... 런던에서 갓 돌아온 이 사람들이 이야기하기를 …. ***~ de flamme.*** ⓐ 〚기술〛 (내연 기관에서 일어나는) 역화(逆火), 백파이어. ⓑ 《비유》 자업자득. ***~ de manivelle*** (엔진의) 크랭크의 역동, 사태의 역전. ***sans ~*** 영구히 : Il est parti *sans* ~. 그는 영원히 가버렸다.

retournement [RətuRnəmɑ̃] *m.* (태도 · 의견의) 급변, 돌변(= revirement) ; (상황의) 역전, 반전(= renversement).

‡retourner [RətuRne] *v.t.* ① 돌려보내다, 반송하다 ; 반품하다 : ~ une lettre à l'expéditeur 편지를 발송인에게 반송하다. ② …의 방향을 돌리다 ; …의 의견을 바꾸게 하다 : ~ la tête 돌아보다 / ~ qn (comme une crêpe) 《구어》 …의 의견을 쉽게 바꾸어 놓다. ③ 뒤집다, 뒤집어〔엎어〕 놓다 ; (땅 따위를) 파 엎다, 파헤치다 : ~ un seau 물통을 엎어 놓다 / ~ un vêtement 옷을 뒤집어 다시 짓다 / ~ la terre 〔un champ〕 땅을 파 엎다, 밭을 갈다. ④ 휘젓다, 뒤적거리다 : ~ la salade 샐러드를 휘젓다 / ~ un appartement 〔une chambre〕 《구어》 집안〔방안〕을 뒤죽박죽 어질러 놓다. ⑤ 검토하다 : ~ un problème dans tous les sens 문제를 백방으로 검토하다. ⑥ …의 마음을 뒤흔들어 놓다, 어리둥절〔얼떨떨〕하게 하다(= boule-

R

verser) : Cette nouvelle l'*a retourné.* 그 소식이 그를 어리둥절하게 했다. — *v.i.* 《조동사는 흔히 être》 ① 《~ à 〔dans, chez〕》 …에〔으로〕 돌아가다 ; 다시 가다 : Je ne *retournerai* jamais *chez* lui. 그의 집에 다시는 가지 않겠다 / ~ *dans* son pays natal 고향에 돌아가다 / ~ déjeuner *chez* soi 점심 먹으러 자기 집으로 돌아가다. ② 《~ à》 (이전의 상태로) 되돌아가다, 복귀하다 : ~ *à* l'état sauvage 야생의 상태로 돌아가다 / *Retournons à* note propos 〔nos moutons〕. 본론으로 돌아가자 / Les ouvriers *sont retournés à* leur travail. 노동자들은 작업에 복귀했다. ③ 《~ sur》 (과실을 범한 사람에게) 그 결과가 되돌아가다〔오다〕. ***De quoi retourne-t-il ?*** 《구어》 무슨 일인가 ? ***N'y retournez plus !*** 《구어》 다시는 그런 짓 하지 마시오 ! ~ ***sur le passé*** 과거를 회고하다. ***savoir de quoi il retourne*** 일이 어떻게 돌아가는지 〔무슨 일이 일어나고 있는지〕 알고 있다.

— **se** ~ *v.pr.* ① 몸의 방향을 바꾸다, 몸을 돌리다 : partir sans *se* ~ 돌아보지도 않고 가 버리다 / Tout le monde *se retourne* sur elle. 모두 그녀 쪽으로 몸을 돌렸다. ② (몸을) 뒤척이다 ; (거꾸로) 뒤집히다 : se tourner et *se* ~ dans son lit 잠자리에서 이리저리 뒤척거리다 / La voiture *s'est retournée*, les roues en l'air. 차는 바퀴를 위쪽으로 뒤집혔다. ③ 《se ~ vers 〔qn〕》 …에게 부탁하다, 호소하다. ④ 잘 대응하다, 임기응변을 발휘하다. ⑤ 《se ~ contre》 …에게 반발하다, …에게 (오히려) 불리해지다 ; …을 배반하다, (자기편에) 적대하다 : Ses mensonges *se sont retournés contre* lui. 자신이 한 거짓말로 그는 불리한 결과를 초래했다 / *se* ~ *contre* ses anciens amis 옛 친구를 적으로 돌리다. ***laisser à*** qn ***le temps de se*** ~ …에게 생각할 여유를 주다, …에게 처지를 깨닫고 조치를 취할 여유를 주다. ***s'en*** ~ 돌아가다 : *s'en* ~ chez soi 집으로 돌아가다.

***retracer** [ʀətʀase] 2 *v.t.* ① 다시 그리다 〔쓰다〕. ② (지난 일을 되새겨) 이야기하다. 서술하다 ; 회상시키다.

rétractation [ʀetʀaktɑsjɔ̃] *f.* 취소, 철회(= désaveu).

rétracter[1] [ʀetʀakte] *v.t.* 취소하다, 철회하다(= désavouer) : Je *rétracte* ce que j'ai dit. 나는 전에 한 말을 취소한다. — **se** ~ *v.pr.* 전에 한 말을 취소하다.

rétracter[2] *v.t.* 움츠리다, 오므리다 ; 수축시키다(= contracter) : ~ un muscle 근육을 수축시키다. — **se** ~ *v.pr.* 움츠러들다, 오므라들다 ; (근육 따위가) 수축하다.

rétractile [ʀetʀaktil] *adj.* 움츠려〔오므려〕지는, 수축성(性)의, 신축자재의.

rétraction [ʀetʀaksjɔ̃] *f.* 〖의학〗 수축 ; 단축, 축소 : ~ musculaire 근육 수축.

retraduire [ʀətʀadɥi:ʀ] 32 *v.t.* 다시 번역하다, 개역하다 ; 중역하다.

retrait [ʀətʀɛ] *m.* ① 수축, 축소 : ~ du mortier 모르타르가 [illegible] 수축하기. ② 후퇴, 철수 : ~ des troupes d'occupation 점령군의 철수. ③ (자본금의) 회수, (예금의) 인출 : faire un ~ à la banque 은행에서 돈을 인출하다. ④ 철회, 취소 ; 탈퇴, 정직(停職) : ~ du permis de conduire 운전 면허의 회수 / ~ d'emploi 직장의 박탈 / ~ d'un projet de loi 법률안의 철회. ⑤ 후퇴, 감소 : ~ des eaux (홍수 후에) 물이 빠지기. ***en*** ~ 쑥 (뒤로) 들어가 있는 : maison *en* ~ 다른 집들의 줄에서 쑥 들어가서 세워진 집.

retraite** [ʀətʀɛt] *f.* ① 철수, 퇴각, 후퇴 : manœuvre en ~ 철수 작전. ② 〖군사〗 귀영 ; 귀영 나팔〔북・신호〕 : sonner 〔battre〕 la ~ 귀영 나팔〔북〕을 울리다. ③ ⓐ 은둔, 은퇴. ⓑ 은거지, 은신처 ; 피신〔피난〕처 ; 소굴 : ~ de voleurs 도둑의 소굴. ④ 퇴직, 퇴역 ; (퇴직) 연금 : être à la ~ ; être en ~ 퇴직〔은퇴〕하고 있다 / fonctionnaire en ~ 퇴직한 공무원 / pension de ~ 퇴직 연금 / ~ de vieillesse 양로 연금. ⑤ 〖가톨릭〗 피정(避靜) 묵상(회) : faire 〔suivre〕 une ~ 피정 묵상회에 참석하다. ***prendre sa ~ 은퇴〔퇴직・퇴역〕하다. ~ ***aux flambeaux*** (축제 때의) 횃불〔제등〕 행렬.

retraité, e [ʀətʀɛ(e)te] *adj.* 퇴직〔퇴역〕한 : offcier ~ 퇴역 장교. — *n.* 퇴직〔퇴역〕 연금 수령자. — *m.* 퇴역 장교.

retraitement [ʀətʀɛtmɑ̃] *m.* (핵연료의) 재처리 : ~ des déchets nucléaires 핵폐기물 재처리.

retranchement [ʀətʀɑ̃ʃmɑ̃] *m.* 참호, 방어진지. ***attaquer*** 〔***forcer, poursuivre***〕 qn ***dans ses*** (***derniers***) ~***s*** 《구어》 …을 꼼짝소리 못하게 만들다.

***retrancher** [ʀətʀɑ̃ʃe] *v.t.* ① 떼어 버리다, 삭제하다, 생략하다 : ~ A de B, B에서 A를 떼〔잘라〕내다 / ~ une partie d'un texte 원문에서 일부를 삭제하다. ② 《~ de》 …에서 (수를) 빼다, 공제하다 : ~ un nombre *d'*un autre 다른 수에서 어떤 수를 빼다 / ~ une somme sur un salaire 급료에서 어떤 금액을 공제하다. ③ 거두어 가다, 빼앗다 : Il m'*a retranché* mes cent francs par mois. 그는 매달 내게서 100 프랑을 거두어 갔다. — **se** ~ *v.pr.* 《se ~ derrière, dans》 …에 몸을 숨기다, 틀어박히다 ; …을 방패로 삼다 : *se* ~ *derrière* un mur 담장 뒤에 숨다 / *se* ~ *derrière* le règlement 규칙을 방패로 삼다.

***retransmettre** [ʀətʀɑ̃smɛtʀ] 46 *v.t.* ① 다시 전달하다 : ~ une nouvelle 소식을 다시 전하다. ② 〖라디오・TV〗 중계방송하다 : ~ un discours à la télévision 강연을 텔레비전으로 중계방송하다.

retransmission [ʀətʀɑ̃smisjɔ̃] *f.* 〖라디오・TV〗 중계방송 : ~ en direct 〔en différé, par satellite〕 직접〔녹화・위성〕 중계 방송.

retravailler [ʀətʀavaje] *v.t.* 다시 손질하다 ; (작품을) 다듬다, 수정(修正)하다 : ~ un discours 연설문을 다듬다. — *v.t. ind.* 《~ à》 …을 다시 손질하다, …에 다시 착수하다. — *v.i.* 다시 일하다.

rétréci, e [ʀetʀesi] *adj.* 좁혀진 ; 좁은 : avoir l'esprit ~ 시야가 좁다.

***rétrécir** [ʀetʀesi:ʀ] *v.t.* ① 좁히다, 줄이다, 수축시키다 : ~ une robe 원피스의 치수를 줄이다. ② 편협〔옹졸〕하게 만들다 : une éducation qui *rétrécit* les esprits 정신을 옹졸하게 만드는 교육. — *v.i.* 좁아지다 ; 줄어들

R

다. — **se ~** *v.pr.* 좁혀지다 ; 줄어들다 : La rue va en *se rétrécissant*. 길이 갈수록 좁아진다.

rétrécissement [ʀetʀesismɑ̃] *m.* ① 좁아짐 ; 줄어듦 : ~ de la chaussée 차도가 좁아짐. ② 《비유》 편협함. ③ 〖의학〗 협착 : ~ du pylore 유문(幽門) 협착.

retremper [ʀətʀɑ̃pe] *v.t.* ① 다시 담그다〔잠그다〕. ② (강철을) 다시 불리다. ③ 단련하다 ; 강하게 하다. — **se ~** *v.pr.* ① 《se ~ dans》 …에 다시 잠기다 : *se ~ dans* le milieu familial 가족적 분위기에 다시 잠기다. ② 단련되다 ; 새로운 힘을 얻다 : *se ~ dans* l'adversité 역경을 통해 강해지다.

rétribuer [ʀetʀibɥe] *v.t.* ① 《~ qc》 …의 대가로 보수를 주다 : ~ un travail au mois 노동에 대해 월급으로 보수를 주다. ② 《~ qn》 …에게 보수를 주다 : ~ largement un employé 고용인을 후하게 대우하다.

rétribution [ʀetʀibysjɔ̃] *f.* 보수, 급료 : fonctions sans ~ 무보수직(職), 명예직.

rétro [ʀetʀo] *m.* ① 회고 취미, 복고조〔풍〕. ② 《구어》 (자동차의) 백미러(= rétroviseur). ③ 〖당구〗 끌어당기기. — *adj.* 《불변》. 복고주의의, 옛날풍의 : mode ~ 복고조의 유행. — *adv.* 복고조로.

rétro- *préf.* 「뒤로 · 거꾸로 · 과거로」의 뜻.

rétroactif, ive [ʀetʀɔaktif, -iːv] *adj.* (법령이) 소급력이 있는 : effet ~ 소급 효과.

rétroaction [ʀetʀɔaksjɔ̃] *f.* ① 〖법률〗 소급 효력. ② 〖전기〗 재생(再生), 피드백(= feed-back).

rétroactivement [ʀetʀɔaktivmɑ̃] *adv.* 소급하여.

rétroactivité [ʀetʀɔaktivite] *f.* 〖법률〗 소급성 《과거로 거슬러 올라가 적용됨》.

rétrocéder [ʀetʀɔsede] [6] *v.t.* ① 도로 팔다, 전매(轉賣)하다(= revendre). ② (권리 · 증여물 따위를) 반환〔환부〕하다(= recéder).

rétrocession [ʀetʀɔsesjɔ̃] *f.* ① 도로 팔기, 전매(轉賣). ② 〖법률〗 환부(還付), 반환.

rétrofusée [ʀetʀɔfyze] *f.* 〖우주공학〗 역추진〔후진〕 로켓.

rétrogradation [ʀetʀɔgʀadɑsjɔ̃] *f.* ① 퇴행, 퇴보(= régression). ② (공무원 · 군인의) 강등(降等) 처분.

rétrograde [ʀetʀɔgʀad] *adj.* 역행의, 후퇴하는 ; 퇴보적인, 반동적인 : politique ~ 반동 정치. ***effet ~*** 〖당구〗 (공을 뒤로) 끌기.

rétrograder [ʀetʀɔgʀade] *v.i.* ① 되돌아오다〔가다〕 ; 역행하다. ② 〖군사〗 후퇴〔퇴각〕하다 ; 퇴보하다 : faire ~ l'économie du pays 국가의 경제를 퇴보시키다. ③ 〖사동차〗 속도를 떨어뜨리다. — *v.t.* (공무원 · 군인을) 강등시키다.

rétrogression [ʀetʀɔgʀesjɔ̃] *f.* 후퇴, 역행.

rétroprojecteur [ʀetʀɔpʀɔʒɛktœːʀ] *m.* 오버헤드 프로젝터《그래픽 따위의 영상이 작동자의 뒤쪽 스크린에 나타나는 교육 기기》.

rétrospectif, ive [ʀetʀɔspɛktif, -iːv] *adj.* 회고적인 ; 과거로 거슬러 올라가는. — *f.* 회고〔유작〕 전람회(= exposition *~ive*) ; (감독 · 배우의) 작품 회고 상연.

rétrospectivement [ʀetʀɔspɛktivmɑ̃] *adv.* 회고〔회상〕하여 ; 사후에(= après coup) : Il a eu peur ~. 그는 후에 돌이켜 생각하고 무서움을 느꼈다.

retroussé, e [ʀətʀuse] *adj.* 걷어 올린 ; 젖혀진, 위로 쳐들린 : nez ~ 들창코.

retrousser [ʀətʀuse] *v.t.* 걷어 올리다 ; (머리카락 따위를) 쓸어 올리다 ; (모자 테 따위를) 위로 젖히다 : ~ ses manches 소맷자락을 걷어 올리다 ; 일할 준비를 하다.
— **se ~** *v.pr.* 옷자락을 걷어 올리다 : *se ~* jusqu'aux genoux 무릎까지 치마〔바지〕를 걷어 올리다.

retroussis [ʀətʀusi] *m.* ① (옷자락의) 접혀진 부분, 커프스. ② (모자 테의) 위로 접혀진 부분 ; (장화 위쪽의) 겉으로 접는 부분.

retrouvaille [ʀətʀuvɑːj] *f.* (*pl.*) ① 재회 : Il faut fêter nos ~s. 우리가 다시 만난 것을 축하해야 한다. ② 관계 회복 ; 재개(再開).

retrouver** [ʀətʀuve] *v.t.* ① (잃어버린 것을) 찾아내다, 되찾다, 회복하다 : *J'ai retrouvé* mes clés. 나는 잃어버린 열쇠를 찾아냈다 / ~ son calme 냉정함을 되찾다 / ~ sa santé 〔ses esprits〕 건강〔의식〕을 회복하다. ② 생각해〔기억해〕 내다 : Je n'arrive pas à ~ son nom. 그의 이름이 도무지 생각나지 않는다. ③ 다시 만나다, 재회하다 : ~ sa famille que l'on avait quittée 헤어져 있던 가족과 재회하다 / Je suis très heureux de vous ~. 다시 만나뵙게 되어 대단히 기쁩니다. ④ (어떤 장소로) 되돌아오다 : Je viens vous ~ dans une demi-heure. 30 분 있다가 다시 돌아오겠습니다 / ~ sa région natale 태어난 고향으로 돌아오다. ⑤ 모습〔특징〕을 찾아보다〔알아내다〕 : ~ qn dans son fils …의 모습을 그의 아들에게서 찾아내다〔알아보다〕. ***Tu me retrouveras ; Je saurai vous ~. 두고 보자, 복수하고 말 테다.
— **se ~** *v.pr.* ① 다시 만나다, 마주치다 : On *se retrouve* à la sortie. 출입구에서 마주치다. ② (어떤 장소로) 돌아오다 ; 어떤 상태에 빠지다, 마침내 …으로 되다 : *se ~* à son poste 부서로 돌아오다 / *se ~* devant les mêmes difficultés 똑같은 난관에 빠지다 / *se ~* au chômage 마침내 실직하다. ③ (혼란에 빠진후) 방법〔길〕을 찾아내다 : Il n'arrive pas à *se ~* dans ses calculs. 그는 계산이 복잡해서 도무지 갈피를 잡지 못한다. ④ 《수동적 용법》 다시 발견되다〔찾아내다〕 : Cette occasion ne *se retrouvera* jamais. 이런 기회는 또다시 발견되지 않을 것이다 / Une voiture volée *se retrouve* difficilement. 도둑맞은 차가 좀처럼 발견되지 않는다. ⑤ 《문어》 자기 자신을 되찾다, 침착해지다 : Après cet incident elle avait de la peine à *se ~*. 이 뜻밖의 사건 후에 그녀는 쉽게 안정을 되찾지 못했다. ***Comme on se retrouve !*** 세상은 참말 좁군요 ! 《뜻밖의 사람을 만났을 때 하는 말》. ***s'y ~*** 《구어》 지출한 돈을 (이익으로) 만회하다.

rétrovirus [ʀetʀɔviʀys] *m.* 〖생물〗 레트로바이러스《에이즈 바이러스 따위》.

rétroviseur [ʀetʀɔvizœːʀ] *m.* (자동차의) 백미러(= miroir ~, 《구어》 rétro).

rets [ʀɛ] *m.* 《옛》 〖어업 · 사냥〗 그물, 올가미.

réunification [ʀeynifikɑsjɔ̃] *f.* (분열된 나라 · 당 따위의) 재통일, 재통합 : ~ de l'Allemagne 독일의 재통일.

réunifier [Reynifje] *v.t.* (재)통일하다, (재)통합하다 : ~ un parti divisé 분열된 정당을 통합하다.

réunion** [Reynjɔ̃] *f.* ① 결합, 집합 ; (영토의) 합병 ; 모으기, 수집 : ~ d'éléments nombreux 많은 요소의 집합 / ~ de documents 자료집. ② 집회, 회합, 회의 ; 집회〔회합〕의 시간 : ~ politique 정치 집회 / tenir une ~ 회의를 열다 / assister〔participer〕 à une ~ 집회에 참가하다. ***~ publique 공개 집회〔토론회〕. ***salle de ~*** 집회소, 회의실.

***réunir** [Reyni:R] *v.t.* ① 모으다 ; 수집하다 ; 집합〔집결〕시키다 ; 소집하다 ; 규합하다 : ~ des fonds 자금을 모으다 / ~ le conseil d'administration 이사회를 소집하다. ② 결합〔접합·연결〕하다 ; 합병〔병합〕하다 : ~ les deux bouts d'un cordage 밧줄의 양쪽 끝을 연결하다 / ~ A à B, A를 B에 연결〔결합·병합〕하다 / Une passerelle *réunit* les deux bords de la rivière. 인도교가 강의 양 기슭을 연결하고 있다. ③ 아울러 가지다, 겸비하다 : ~ la prudence et la hardiesse 신중성과 대담성을 겸비하다. ④ 화합시키다 : travailler à ~ les esprits 인화를 도모하다.
— **se ~** *v.pr.* ① (사람이) 모이다, 집합하다 : Ils *se réunissaient* tous les soirs au café. 그들은 매일밤 카페에 모였다. ② (회의가) 열리다, 개최되다 : L'assemblée va *se* ~. 회의가 곧 열릴 것이다. ③ (은행·회사가) 합동하다 ; 합병되다. ④ 일치〔단결·화합·협력〕하다 : *se* ~ contre qn 단결하여 …에 대항하다.

réussi, e [Reysi] *adj.* 성공한, 잘된 ; 훌륭한, 뛰어난 : œuvre tout à fait ~*e* 썩 잘된 작품 / soirée ~*e* 훌륭한 야회. ***Bravo, c'est ~ !*** 정말 훌륭하군 ! ***des mieux ~s*** 더할 나위 없는.

‡réussir [Reysi:R] *v.i.* ① 성공하다, 출세하다, (일이) 잘되다 : Ce film *a réussi.* 이 영화는 성공을 거두었다 / Son projet *a réussi.* 그녀의 계획은 잘되어 나갔다. ② 《~ à qc〔à+*inf.*〕》 …에〔하는 데〕 성공하다, 잘 …할 수 있다 : Il *a réussi à* son examen. 그는 시험에 합격했다 / Ils *ont réussi à* la convaincre. 그들은 그녀를 잘 설득했다. ③ 《~ à qn》 …에게 좋은 결과를 가져다 주다, 도움이 되다 : projet qui *réussit* 잘 이루어지는 계획 / L'alcool ne lui *réussit* pas. 알코올은 그녀 몸에 맞지 않는다 / L'air de la mer lui *réussit.* 바다 공기는 그에게 좋다. ④ (식물이) 잘 자라다 : La vigne ne *réussit* pas dans toutes les régions. 포도는 어느 지방에서나 다 잘 자라는 건 아니다.
— *v.t.* 잘하다〔만들다, 잘 그리다〕, (목적을) 달성하다, 훌륭히 해내다 : ~ un tableau 그림을 훌륭하게 그려 내다 / ~ un plat 요리를 솜씨좋게 만들어 내다 / ~ un examen 시험에 합격하다.

réussite [Reysit] *f.* ① 성공(= succès), 출세(≠ échec) ; 성공작 : Son film est une ~. 그의 영화는 성공작이다. ② (카드로) 점치기.

réutilisation [Reytilizasjɔ̃] *f.* (폐기물의) 재이용, 재활용.

revaloir [Rəvalwa:R] [64] *v.t.* 《부정법·미래·조건법으로 주로 쓰임》《~ qc à qn》 …에게 …의 은혜를 갚다 ; 앙갚음하다, 보복〔복수〕하다 : Je vous revaudrai cela. 언젠가는 복수하겠다 / Il m'a rendu un grand service, je le lui *revaudrai.* 그가 나를 크게 도와 주었으니, 은혜를 갚을 것이다.

revalorisation [Rəvalɔrizɑsjɔ̃] *f.* ① 〖재정〗 화폐 가치의 회복, 가격〔액수〕의 인상 : ~ des salaires 봉급의 인상. ② 《비유》 재평가 : ~ d'une doctrine 어떤 학설의 재평가.

revaloriser [Rəvalɔrize] *v.t.* ① 〖재정〗 (화폐의) 가치를 회복시키다 : ~ le franc 프랑화의 가치를 회복시키다. ② …의 금액을 인상하다 : ~ les indemnités 수당을 인상하다. ③ 《비유》 (학설·생각 따위에) 새로운 가치를 부여하다, 재평가하다 : ~ le travail manuel 육체노동을 재평가하다.

revanchard, e [Rəvɑ̃ʃa:R, -aRd] *adj.* et. *n.* 《경멸》 복수심이 강한 (사람).

revanche** [Rəvɑ̃:ʃ] *f.* ① 앙갚음, 보복, 복수(= vengeance). ② 〖스포츠〗 설욕전, 리턴매치. ③ (유행 따위의) 부활, 리바이벌. ***à charge de ~ (똑같이 해 준다는) 교환 조건으로 : Je veux bien t'aider, mais *à charge de* ~. 도와 줄 테니까, 이 다음 번에는 나를 도와 줘. ***donner sa ~ à*** qn …의 복수전에 응하다. ***en ~*** 그 대신에, 그 반면에 : Ma maison est loin du centre de la ville, *en* ~ elle est très calme. 나의 집은 도심에서 멀지만, 그 대신 대단히 조용하다.

rêvasser [Rɛvase] *v.t.* 부질없이 공상하다, 몽상에 잠기다.

rêvasserie [Rɛvasri] *f.* 공상, 몽상, 망상(= chimère).

Révd 《약자》 Révérend 신부님(= Rd.).

‡rêve [Rɛ:v] *m.* ① 꿈 : faire des ~s agréables 좋은 꿈을 꾸다 / mauvais ~ 악몽 / en ~ 꿈속에서. ② 공상, 몽상, 망상 ; 동경 : réaliser son ~ 꿈을 실현하다 / la maison de ses ~*s* 꿈에 그리던 집 / rencontrer la femme de ses ~*s* 동경하던 여성을 만나다. ③ 《구어》 꿈 같은 것, 이상 : C'est le ~. 마치 꿈꾸는 것 같다《황홀하다》 / Ce n'est pas le ~. 그건 꿈 같은 건 아니야《그만큼 재미없어》. ***de ~*** 비현실적인, 환영 같은 : beauté *de* ~ 이 세상 것 같지 않은 아름다움. ***Il a fait un beau ~.*** 그는 일순간의 행복을 맛보았다 ; 그의 희망은 백일몽에 불과했다.

rêvé, e [Rɛ〔e〕ve] *adj.* 이상적인, 더할 나위 없는 : l'endroit ~ pour passer des vacances 휴가를 보내기에 이상적인 곳.

revêche [Rəvɛʃ] *adj.* (사람이) 까다로운, 다루기 어려운 : caractère ~ 까다로운 성미.

***réveil** [Revɛj] *m.* ① 잠을 깨기 : à son ~ 잠을 깼을〔깰〕 때. ② 〖군사〗 기상(起床), 기상 나팔 : sonner le ~ 기상 나팔을 불다. ③ 재생, 소생 ; 각성 : le ~ de la nature 자연의 눈뜸《봄》. ④ 자명종 : mettre le ~ sur six heures 자명종을 여섯 시에 맞추어 놓다.

réveille(-matin) [Revɛj(matɛ̃)] *m.* 《복수불변》 자명종(= réveil).

***réveiller** [Revɛ〔e〕je] *v.t.* ① (잠을) 깨우다 : *Réveille*-le, c'est l'heure. 그를 깨우세요, 벌써 시간이 됐으니까. ② (실신한 사람을) 깨어나게 하다, 소생시키다. ③ (감정 등을) 북돋우다 ; (생각 따위를) 불러일으키다 : ~ le courage de qn …의 용기를 북돋우다 / ~

des souvenirs pénibles 고통스러운 추억을 다시 불러일으키다. — **se** ~ *v.pr.* ① 잠을 깨다 : Je *me réveille* tôt le matin. 매일 아침 나는 일찍 일어난다. ② (무기력에서) 깨어나다, 각성하다 : *se* ~ après une anesthésie 마취에서 깨어나다. ③ 되살아나다, 다시 활발해지다 : De vieilles rancunes *se réveillent.* 옛날의 원한이 되살아난다.

réveillon [ʀevɛjɔ̃] *m.* (크리스마스 이브, 섣달 그믐날 밤에 먹는) 밤참 ; 그때의 파티 : le ~ de Noël 크리스마스 이브의 파티.

réveillonner [ʀevɛjɔne] *v.i.* (크리스마스 이브, 섣달 그믐날 밤에) 밤참을 먹다, 크리스마스〔송년〕 축하 파티를 하다.

réveillonneur, euse [ʀevɛjɔnœ:ʀ, -ø:z] *n.* 밤참을 먹는 사람.

révélateur, trice [ʀevelatœ:ʀ, -tʀis] *adj.* ① (비밀을) 폭로〔누설〕하는, 진실을 알려 주는〔계시하는〕. ② (숨긴 것을) 알려 주는, 보여 주는 : indice ~ de qc …의 징조. ③ 〖사진〗 현상하는. — *n.* 폭로자, 누설자 ; 계시자. — *m.* ① 〖사진〗 현상액(現像液). ② (가스·전기의) 검출기(檢出器).

révélation** [ʀevelɑsjɔ̃] *f.* ① 드러내기, 폭로, 누설 : ~ d'un secret 비밀의 누설. ② (흔히 *pl.*) (사태를 해명하는) 새로운 사실, 정보 : faire des ~*s a* la police 경찰에 정보를 제공하다. ③ 갑자기 두각을 나타낸 사람 ; (스포츠·예술 따위의) 신예, 혜성 : dernière ~ du cinéma coréen 한국 영화의 새로운 별. ④ 〖신학〗 천계(天啓), 계시, 묵시(黙示). ***R~s de saint Jean 요한 묵시록.

***révéler** [ʀevele] [6] *v.t.* ① 드러내다, 알리다 ; 누설하다, 폭로하다 : ~ les dessous de l'affaire à la presse 사건의 내막을 신문에 밝히다 / Il *a révelé* les malversations de son patron. 그는 고용주의 배임(背任)을 폭로했다. ② 《주어 : qc》 나타내다, 보여 주다 : fissure qui *révèle* une fuite d'eau 누수를 말해 주는 균열. ③ 〖신학〗 계시하다. ④ 〖사진〗 현상하다. — **se** ~ *v.pr.* ① 자기가 …임을 드러내다〔보여 주다〕 : *se* ~ (comme) excellent chef 뛰어난 지도자적 자질을 발휘하다. ② 《속사와 함께》 …라는 것이 밝혀지다 : Ce travail *s'est révélé* plus facile qu'on ne pensait. 이 일은 생각했던 것보다 수월한 것임을 알았다. ③ 나타나다, 드러나다 : Son génie *se révéla* tout à coup. 그녀의 천재적 재질이 갑자기 드러났다.

revenant [ʀəvnɑ̃] *m.* ① 유령, 귀신. ② 오래간만에 나타난 사람. ***Tiens,* (*voilà*) *un ~ !*** 야, 정말 오랜만이야!

revendeur, euse [ʀəvɑ̃dœ:ʀ, -ø:z] *n.* 소매상인(= détaillant) ; 고물 장수.

revendicatif, ive [ʀəvɑ̃dikatif, -i:v] *adj.* (사회적 권리를) 요구하는.

***revendication** [ʀəvɑ̃dikɑsjɔ̃] *f.* ① 〖법률〗 소유권 반환 청구 소송 ; 〖외교〗 영토 회복의 요구. ② (정치적·사회적 권리의) 요구 ; (*pl.*) 요구 사항 : ~*s* sociales 사회적 제 권리의 요구.

revendiquer [ʀəvɑ̃dike] *v.t.* ① (권리를) 주장하다, (당연한 권리로) 요구〔청구〕하다 : ~ une augmentation de salaire 임금 인상을 요구하다. ② (책임 따위를) 전적으로 지다, 떠맡다 : ~ la responsabilité de ses actes 자신이 한 짓에 대한 책임을 지다.

revendre** [ʀəvɑ̃:dʀ] [25] *v.t.* 다시 팔다 ; 전매(轉賣)하다. ***avoir qc ***à ~*** …을 남아돌 만큼 많이 가지고 있다. ***en ~ à*** …을 능가하다, …보다 한수 위이다 : Il vous *en revendrait.* 당신은 그를 당해내지 못합니다.

revenez-y [ʀəvnezi] *m.* 《복수불변》 《구어》 재현, (감정·감각의) 되살아남. ***avoir un goût de ~*** 다시 먹고 싶을 정도로 맛있다.

⁑**revenir** [ʀəvni:ʀ] [16] *v.i.* 《조동사는 être》 ① 다시 오다 ; 다시 나타나다〔나오다〕, (초목·머리털 따위가) 다시 자라다 ; 다시 생기다, 다시 일어나다, 재발하다 ; (유령이) 나타나다 : *Revenez* nous voir. 또 만나러 와 주시오 / Un tel événement ne *revient* pas tous les ans. 그런 사건은 해마다 일어나지는 않는다. ② (되)돌아오다, 복귀하다 ; (본론으로) 되돌아오다〔가다〕 : ~ chez soi 자기 집에 돌아오다 / ~ de Paris 〔de voyage〕 파리에서 〔여행하고〕 돌아오다. ③ 《~ sur》 …을 재론하다, 재검토하다 ; (약속을) 취소하다, (의견·결심을) 변경하다, 바꾸다 : ~ *sur* une matière 〔une question〕 어떤 문제를 재검토〔재론〕하다 / ~ *sur* ce qu'on a dit 〔promis〕 (전에) 한 말〔약속〕을 취소하다. ④ 《~ contre》 (결정 따위에 대하여) 반대하다 : ~ par opposition *contre* un jugement 〖법률〗 판결에 대해 항고하다. ⑤ 《~ à qn》 생각나다, 머리에 떠오르다 : Son nom me *revient* maintenant. 그의 이름이 이제야 생각난다. ⑥ (소식이) …에게 전해지다 : 《비인칭》 Il m'*est revenu* que... …하다는 말을 들었다. ⑦ 《~ à qc》 …에 다시 착수〔종사〕하다 : ~ *à* ses études 연구를 다시 시작하다 / *Revenons à* notre conversation de l'autre jour. 전날의 이야기를 다시 시작하자. ⑧ 마음에 들다, …에게 호감을 주다 : Il a une tête qui ne me *revient* pas. 그는 내 맘에 안 드는 얼굴을 하고 있다. ⑨ 《~ à qc》 《옛》 …에 어울리다, …와 일치하다 : Cette tapisserie *revient* bien *à* ce meuble. 이 벽지는 가구와 잘 어울린다. ⑩ 《~ à》 …되다, (비용·값이) 들다, 먹히다 : Le dîner m'*est revenu à* quinze francs. 이 저녁 식사에 나는 15 프랑을 썼다. ⑪ 《~ à qc》 …에 귀착하다, 결국 …이 되다 : L'un *revient à* l'autre. 결국 둘 다 마찬가지다 / Cela *revient à* dire que... 결국 …라는 말이 된다. ⑫ 《~ à qn》 (권리로서·이익으로) …에게 귀속되다 ; 《~ à qn》 …의 소관이다 : Cet honneur lui *revient.* 이 영예는 마땅히 그가 받아야 할 게다 / le profit qui m'en *revient* 거기서 내가 얻는〔내게 돌아오는〕 이익. ⑬ 《~ de》 …에서 회복되다, 제정신을 차리다, (병이) 낫다, (편견 따위를) 버리다, (잘못을) 깨닫다, (미몽에서) 깨어나다 : ~ *d'*un évanouissement 의식을 회복하다 / ~ *d'*une illusion 환상에서 깨어나다. ***en ~ à*** …으로 되돌아오다 ; …에 다시 언급하다 : On *en revient aux* jupes longues. 또 다시 긴 스커트가 유행하게 되었다 / pour *en* ~ *à* notre sujet 본론으로 돌아가자면. ***Il est revenu de tout.*** 그는 만사에 무관심하다〔초탈해 있다〕, 만사에 환멸을 느낀다. ***Il n'y a pas à***

y ~. 그건 재론할 것 없다, 다 정해진 일이다. ***Il revient à*** qn ***de***+*inf.* 《비인칭》 …하는 것은 …의 소관〔책임〕이다 : C'est *à* vous qu'*il revient de* diriger cette affaire. 이 사업을 관리하는 것은 당신 책임〔소관〕이오. ***n'en pas ~*** 매우 놀라다. ***N'y revenez pas ; Il ne faut pas y ~.*** 다시는 그런 짓 마시오, 다시는 그런 실수를 저지르지 마시오. **~ *de***+*inf.* …하고 돌아오다 ; 《구어》 막 …하다 : Je *reviens de* le voir. 지금 막 그를 만나보고 오는 길이다. **~ *de loin ; en ~*** 중병〔난국〕에서 살아나다. **~ *là-dessus*** 그 점에 대해 다시 검토하다.
— **se ~** *v.pr.* 돌아오다 : *s'en* ~ du marché 시장에서 돌아오다.

revente [ʀəvɑ̃:t] *f.* 전매 (轉買), 다시 팖 : ~ des fonds de commerce 영업권의 전매. ***de ~*** 《옛》 고물의 : meuble *de* ~ 고가구.

***revenu** [ʀəvny] *m.* (개인의) 소득, 수입 ; (*pl.*) (국가의) 세입(= de l'État) : impôt sur le ~ 소득세 / ~ mensuel 월(月)수입 / ~ national 〖경제〗 국민 소득 / Il a de gros ~*s.* 그에게는 막대한 수입이 있다.

***rêver** [ʀɛ(e)ve] *v.i.* ① 꿈꾸다 ; 《~ de》 …의 꿈을 꾸다 : J'*ai rêvé de* toi cette nuit. 어젯밤 당신의 꿈을 꾸었다. ② 공상〔몽상〕에 잠기다 : Il *rêve* au lieu de réfléchir. 그는 깊은 생각에 잠겨 있는 것이 아니라 공상에 잠겨 있다. ③ 헛소리〔잠꼬대〕하다 : Tu as vu un OVNI ? Tu *rêves !* 비행접시를 보았다고? 잠꼬대하는 거야! ④ ⓐ 《~ de》 …을 갈망하다, 동경하다 : Ça fait longtemps qu'elle *rêve d'*une maison *de* campagne. 오래 전부터 그녀는 별장을 갖고 싶어한다. ⓑ 《~ de+*inf.*》 …하는 것을 갈망하다 : Il *rêve de* devenir pianiste. 그는 피아니스트가 되기를 꿈꾼다. ⑤ 《~ à》 …을 몽상하다, 멍하니 생각하다 : *À* quoi *rêvez*-vous ? 무엇을 멍하니 생각하고 있지? — *v.t.* ① …의 꿈을 꾸다 : Il *a rêvé* qu'il se noyait. 그는 물에 빠진 꿈을 꾸었다. ② 몽상〔공상〕하다. ③ 갈망〔열망〕하다, 꿈꾸다 : ~ la gloire 〔le pouvoir〕 명예를〔권력을〕 꿈꾸다.

réverbération [ʀevɛʀbeʀɑsjɔ̃] *f.* (빛 · 열의) 반사 ; (소리의) 반향 : aveuglante ~ du soleil 눈을 부시게 하는 햇빛의 반사.

réverbère [ʀevɛʀbɛ:ʀ] *m.* 가로등 : ~ à gaz 가스 가로등. ***four à ~*** 반사로(爐).

réverbérer [ʀevɛʀbeʀe] [6] *v.t.* (빛 · 열을) 반사하다(= réfléchir).

reverdir [ʀəvɛʀdi:ʀ] *v.i.* ① 다시 푸르러지다 ; 다시 초록빛으로 되다 : arbres qui *reverdissent* au printemps 봄이 되자 다시 푸르러지는 나무. ② 《비유》 (늙은이가) (다시) 젊어지다, 회춘하다.

révérence [ʀeveʀɑ̃:s] *f.* ① 존경, 숭배 : avoir de la ~ pour 〔envers〕 qn …을 숭배하다. ② (상반신 · 무릎을 굽히고 하는) 경례, 절 : faire la 〔une〕 ~ 절하다. ***porter ~ à*** qn …을 숭배하다. ***tirer sa ~ à*** qn 〔qc〕 …에게 인사하고 떠나다 ; …와 작별하다.

révérenciel, elle [ʀeveʀɑ̃sjɛl] *adj.* 《옛》 공손한, 정중한 : crainte ~*elle* 경외심.

révérencieux, euse [ʀeveʀɑ̃sjø, -ø:z] *adj.* 《구어》 공손한, 정중한(= respectueux).

révérend, e [ʀeveʀɑ̃, -ɑ̃:d] *adj.* 존귀하신 《사제 · 수녀원장에 대한 경칭》 : le ~ père Lebrun 르브룅 신부님 / la ~*e* Mère 수녀원장님. — *n.* mon ~ 신부님 ; ma ~*e* 수녀원장님.

révérer [ʀeveʀe] [6] *v.t.* 존경하다, 공경〔숭배〕하다 : ~ les saints 성인을 숭배하다.

rêverie [ʀɛvʀi] *f.* ① 공상, 몽상 ; 명상 : Il est perdu dans de continuelles ~*s.* 그는 줄곧 명상에 잠겨 있다. ② 황당무계한 생각, 환상, 망상(= idée chimérique).

reverr -ai, -as ⇒ revoir.

revers [ʀəvɛ:ʀ] *m.* ① 안, 뒷면, 이면(裏面)(= envers ; ≠ endroit) : ~ d'une pièce 화폐의 뒷면. ② (옷 · 장화 따위의) 밖으로 꺾어 젖힌 부분, 접힌 옷깃 : pantalon à ~ 아랫자락을 접은 바지 / ~ d'un veston 양복 깃의 꺾어접기. ③ ⓐ 손등(= ~ de la main ; ≠ paume) : frapper qn d'un ~ de main 손등으로 …을 때리다. ⓑ 〖테니스〗 역타(逆打), 백핸드(스트로크) : ~ jouer en ~ 백핸드로 치다. ④ (운명의) 역전, 불운, 역경 ; 실패, 패배 : ~ militaire 패전. ***à*** 〔***de***〕 **~** 뒤에서, 뒤로부터. ***prendre à ~*** 〖군사〗 배면〔측면〕 공격을 가하다 : *prendre* l'ennemi *à* ~ 적의 측면을〔배후를〕 치다. **~ *de la médaille*** 메달의 뒷면 ; 일의 이면, 흑막.

reversement [ʀəvɛʀsəmɑ̃] *m.* ① 〖상업〗 이월. ② (조류 · 계절풍의) 역류, 전환.

reverser [ʀəvɛʀse] *v.t.* ① (다른 잔 · 본래의 병에) 옮겨 붓다, 다시 붓다 : ~ à boire 음료를 다시 한 잔 붓다. ② 〖상업〗 이월하다.

réversibilité [ʀevɛʀsibilite] *f.* ① 역전성(逆轉性) ; 전환성(轉換性) ; 반환성. ② 〖가톨릭〗 (선행으로 죄를 씻는) 공덕(功德).

réversible [ʀevɛʀsibl] *adj.* 역행〔역전〕할 수 있는 ; 뒤집을 수 있는, 양면의 : manteau ~ 뒤집어 입을 수 있는 외투 / L'histoire n'est pas ~. 역사는 역행할 수 없다.

réversion [ʀevɛʀsjɔ̃] *f.* ① 〖법률〗 계승권, 상속권. ② 〖생물〗 격세 유전.

revêtement [ʀəvɛtmɑ̃] *m.* ① 〖건축〗 (벽 등의) 표면 처리, 피복(被覆). ② 〖토목〗 (하천의) 호안(護岸) 공사 ; (도로의) 포장.

revêtir [ʀəvɛ(e)ti:ʀ] [22] *v.t.* ① (제복 · 예복 따위를) 착용하다, 입다 : ~ l'uniforme 제복을 착용하다. ② (성격을) 띠다, (겉모습을) (…으로) 보이게 하다 : affaire qui peut ~ un caractère officiel 공적인 성격을 띨 가능성이 있는 사건. ③ 《~ de》 …을 입히다 : dame *revêtue d'*une robe du soir 이브닝드레스를 입은 부인. ④ 《~ de》 …을 몸에 붙이게〔배게〕 하다 : ~ qn *d'*une dignité …에게 관록을 붙게 하다. ⑤ 《~ de》 …으로 덮어 가리다, 장식하다 ; (건물 따위의 겉면을) 치장하다, 덮다 : ~ un toit *de* tuiles 지붕의 기와를 씌우다 / route *revêtue* 포장도로. ⑥ 《~ de》 …으로 유효성을 주다 : ~ un contrat *des* signatures exigées par la loi 계약서에 법으로 정해진 서명을 하다 / passeport *revêtu d'*un visa 비자가 있는 여권.
— **se ~** *v.pr.* 《~ de》 …을 걸쳐 입다 : *se* ~ *de* son manteau 코트를 걸치다.

revêtu, e [ʀəvɛ(e)ty] *adj.* ① 《~ de》 …을 입은, 걸친. ② 《~ de》 …으로 꾸며진, 덮인,

R

씌워진. ③ (서명이) 되어 있는.

rêveur, euse [ʀɛvœːʀ, -øːz] *adj.* 꿈꾸는 듯한, 몽상하는(= songeur) : enfant ~ 꿈꾸는 아이. — *n.* 몽상가, 공상가.

rêveusement [ʀɛvøzmɑ̃] *adv.* 꿈꾸 듯이, 멍하니, 몽상적으로.

reviendr -ai, -as, etc. ⇒ revenir.

revien -s, -t, etc. ⇒ revenir.

revient [ʀəvjɛ̃] *m.* 〖상업〗 원가 (原價)(= prix de ~).

revigorant, e [ʀ(ə)vigɔʀɑ̃, ɑ̃ːt] *adj.* 생기를 주는, 원기를 회복시키는.

revigorer [ʀəvigɔʀe] *v.t.* 《~ qn》 …에게 생기를 주다, …의 원기를 회복시키다 : Il *est* tout *revigoré.* 그는 완전히 원기를 되찾았다.

revin -s, -t, etc. ⇒ revenir.

revirement [ʀəviʀmɑ̃] *m.* (의견 · 태도의) 급격한 변화, 표변 : ~ de l'opinion (publique) 여론의 급격한 변화.

revi -s, -t ⇒ revivre, revoir.

***réviser** [ʀevize] *v.t.* ① 수정〔개정 · 정정〕하다 : ~ la Constitution 헌법을 개정하다 / édition *révisée* 개정판. ② 재검토하다 : ~ un plan 계획을 재검토하다. ③ 복습하다 : ~ ses leçons 학과를 복습하다. ④ 점검〔검사 · 정비〕하다 ; 〖회계〗 감사하다 : faire ~ un moteur 엔진을 점검하다. ⑤ 〖인쇄〗 교정〔교열〕하다.

réviseur [ʀevizœːʀ] *m.* ① 검사〔검열〕자 ; 개정자. ② 〖인쇄〗 교정자.

revision [ʀ(ə)vizjɔ̃], **révision** [ʀevizjɔ̃] *f.* ① 재검토 ; 정정, 개정, 수정 : ~ d'un procès 〖법률〗 (재판의) 재심(再審). ② 〖회계〗 감사 ; 〖군사〗 징병 검사. ③ (자동차 따위의) 점검, 검사 ; 〖의학〗 검진 : ~ de tous les 10,000 km, 1만 킬로미터 주행할 때마다 받는 검사. ④ (학과의) 복습 : faire une ~ en histoire 역사를 복습하다. ⑤ 〖인쇄〗 교정.

révisionnisme [ʀevizjɔnism] *m.* 〖정치〗 수정주의 ; 헌법 개정론.

révisionniste [ʀevizjɔnist] *adj.* 수정주의의 ; 헌법 개정의. — *n.* 〖정치〗 수정주의자 ; 개헌론자.

revisiter [ʀəvizite] *v.t.* (작품 · 작가 따위를) 재해석하다 ; 재평가하다.

revitaliser [ʀəvitalize] *v.t.* 생기를 북돋우다 ; 부활〔소생〕시키다(= revivifier).

R

revivifier [ʀəvivifje] *v.t.* ① 《문어》 원기를〔기운을〕 되찾게 하다, 소생시키다. ② (정신적으로) 갱생시키다.

***revivre** [ʀəviːvʀ] [37] *v.i.* ① 되살아나다, 소생하다(= ressusciter), 부활하다 : L'espoir *revit.* 희망은 되살아난다. ② 원기를 되찾다〔회복하다〕 : Le malade *revit* après ce séjour à la montagne. 환자는 산으로 전지 요양한 후 원기를 되찾아 가고 있다. ③ (자손 · 추억 속에) 다시 살다, 살아 남다.
— *v.t.* ① (생애를) 다시 살다, ② (마음속에서) 되살리다, 회상하다 : ~ son passé 과거를 마음속에서 되살리다.

révocable [ʀevɔkabl] *adj.* ① 취소할 수 있는 : contrat ~ 취소할 수 있는 계약. ② 면직〔해임〕할 수 있는.

révocation [ʀevɔkɑsjɔ̃] *f.* ① 취소, 철회 ; 폐지 : ~ d'un testament 〖법률〗 유언의 취소. ② 파면, 면직, 해임 : ~ d'un fonctionnaire 공무원의 파면.

revoici [ʀəvwasi] *prép.* 《구어》 다시 왔다, 다시 되었다. ***Me ~ !*** 또 왔네! ***Nous ~ à Noël.*** 또 크리스마스가 됐다.

revoilà [ʀəvwala] *prép.* 《구어》 다시 거기에 왔다(= voilà de nouveau) : Nous ~ en France. 우리는 다시 프랑스에 왔다.

⁑**revoir** [ʀəvwaːʀ] [59] *v.t.* ① 다시 보다〔만나다〕 : On ne l'*a* jamais *revu.* 그를 다시는 만나지 못했다. ② (고향 · 가정 따위에) 돌아오다 : Il n'*a* pas *revu* son pays natal. 그는 고향으로 돌아오지 않았다. ③ 〖법률〗 재심하다 ; 재검토〔재심사〕하다 ; 교정(校訂)〔개정〕하다 : ~ un manuscrit 원고를 교정〔재검토〕하다 / édition *revue* et corrigée 개정판. ④ (학과를) 복습하다 : ~ sa leçon de français 프랑스어를 복습하다. — **se** ~ *v.pr.* ① 서로 다시 만나다 : On *se reverra !* 다시 만나자. ② (어떤 상태에) 다시 있게 되다 ; (기억 속에) 자기 모습을 다시 보다 : Il *se revoit* encore jouant dans la cour de l'école. 그는 교정에서 놀고 있는 자기 모습이 지금도 눈에 어른거린다. — *m.* 《복수불변》 재회(再會). ***Au ~.*** 안녕, 다시 만납시다.

révoltant, e [ʀevɔltɑ̃, -ɑ̃ːt] *adj.* 불쾌하기 짝이 없는, 차마 볼 수 없는(= choquant, odieux) : égoïsme ~ 몰불인견의 이기주의.

révolte [ʀevɔlt] *f.* ① 폭동, 반란, 모반 : exciter〔pousser〕 à la ~ 반란을 일으키다. ② 반항, 항거 ; 〖군사〗 (상관에 대한) 항명. ③ (감정 따위의) 격분, 분개(= indignation) : cri〔sursaut〕 de ~ 분노의 외침〔폭발〕.

révolté, e [ʀevɔlte] *adj.* ① 반란〔폭동〕을 일으킨, 모반한(= dissident, rebelle). ② 《~ de〔par〕》 …에 격분한, 분개한(= outré). — *n.* 반역자, 폭도.

***révolter** [ʀevɔlte] *v.t.* ① 반란〔폭동〕을 일으키게 하다, 선동하다. ② 격분케 하다 ; 반감을 갖게 하다 : Une telle injustice me *révolte.* 그러한 부당함은 나를 격분시킨다. ③ 《~ qc》 …에 반하다, 어긋나다 : Cela *révolte* le bon sens. 그것은 양식에 어긋난다. — **se** ~ *v.pr.* 《se ~ contre》 ① …에 거역하다 ; …에게 반항하다 : *se ~ contre* un gouvernement 정부에 반항하다. ② …에 격분하다, 반감을 품다 : *se ~ contre* une injustice 부정에 격분하다.

révolu, e [ʀevɔly] *adj.* (시기가) 만료된, 경과된 ; (나이가) 만(滿) …이 된. ***avoir vingt ans ~s*** 만 20세가 되다.

révolution** [ʀevɔlysjɔ̃] *f.* ① 혁명 ; 혁명 정권〔세력〕. ② 변혁, 혁신 ; 급변 : ~ dans les arts 예술에 있어서의 혁신 / faire ~ dans …에 일대 혁신을 가져오다. ③ 〖기계〗 회전 ; 〖천문〗 공전(公轉), 주기적(週期的)인 회전, 운행 : axe de ~ 회전축 / ~s de la Terre 지구의 공전. ***la R~ (française) (1789 년의) 프랑스 대혁명. ***~ industrielle*** 산업혁명.

révolutionnaire [ʀevɔlysjɔnɛːʀ] *adj.* 혁명의, 혁명적인 ; 혁신적인 : gouvernement ~ 혁명 정부. — *n.* 혁명가.

révolutionnarisme [ʀevɔlysjɔnaʀism] *m.* 혁명 지상(至上)주의, 혁명 제일주의.

révolutionner [ʀevɔlysjɔne] *v.t.* ① 일신

(一新)하다, 변혁〔혁신〕하다(= bouleverser) : L'informatique *révolutionne* les méthodes de travail. 컴퓨터는 노동의 방법에 변혁을 가져왔다. ② 깜짝 놀라게 하다 : Cette nouvelle m'*a révolutionné*. 그 소식은 나의 마음을 심히 놀라게 했다.

***revolver** [ʀevɔlvɛːʀ] 〔영〕 *m.* 연발 권총 : ~ à six coups 육연발 권총.

révoquer [ʀevɔke] *v.t.* ① 철회〔취소〕하다 ; (법령 따위를) 폐지하다 : ~ une donation 증여를 취소하다. ② 면직〔해임〕하다.

revoter [ʀəvɔte] *v.t.* et *v.i.* 재투표하다 : Les électeurs devront ~. 유권자들은 재투표해야 할 것이다.

revoy -ant, -ons, etc. ⇒ revoir.

revoyure [ʀəvwajyːʀ] *f.* 《지방어》 ***À la ~.*** 안녕히 가시오〔계시오〕(= Au revoir).

revu, e[1] [ʀəvy] *adj.* 개정된 : édition ~*e* et corrigée 개정판.

revue**[2] [ʀəvy] *f.* ① 점검, 검토 : faire la ~ de ses papiers 자기 서류를 검토하다. ② 〚군사〛 열병, 사열(식). ③ 잡지 : ~ littéraire 문예지 / ~ hebdomadaire 주간지. ④ 〚연극〛 시사 희극(時事喜劇) ; 레뷰. ***être de la ~ 《구어》 기대가 어긋나다. ***être de ~*** 《구어》 다시 만나자 : Nous *sommes de ~*. 우리 또 만납시다. ***passer en ~*** ⓐ (군대가) 사열을 받다. ⓑ …을 검토〔점검, 음미〕하다 : J'*ai passé* mes relevés bancaires *en revue*. 나는 내 예금 통장을 점검했다.

revuiste [ʀəvɥist] *m.* 레뷰 작가.

révulsé, e [ʀevylse] *adj.* (공포 · 분노 따위로 눈이) 뒤집힌.

révulser [ʀevylse] *v.t.* ① 〚의학〛 (유도법으로) 혈액을 유도하다. ② 역겹게 하다 : Ça me *révulse* ! 참 고약한 일이군. ── **se ~** *v.pr.* (눈 · 얼굴 따위가) 뒤집히다, 뒤틀리다 : visage qui *se révulse* 뒤틀린 얼굴.

révulsif, ive [ʀevylsif, -iːv] *adj.* 〚의학〛 유도법(誘導法)의 ; 유도하는. ── *m.* 유도제(劑)(= remède ~).

révulsion [ʀevylsjɔ̃] *f.* 〚의학〛 유도법.

***rez-de-chaussée** [ʀedʃose] *m.* 《복수불변》 (건물의) 1층 : habiter au ~, 1층에 살다.

R.F. 《약자》 République Français 프랑스 공화국.

R.F.A. 《약자》 République fédérale allemande 독일 연방 공화국《통일 독일》.

RFP 《약자》 Régie française du publicité 방송 광고 심사 감리국.

Rh 《약자》 〚의학〛 Rh(= rhésus) 인자.

rhabdomancie [ʀabdɔmɑ̃si] *f.* (지하의 수맥 · 광맥 따위를 찾아내는) 막대기점(占).

rhabillage [ʀabijaːʒ] *m.* ① (시계 따위의) 수선, 수리. ② 다시 옷입히기.

rhabiller [ʀabije] *v.t.* ① …에게 옷을 다시 입히다. ② (시계 따위를) 수리〔수선〕하다. ③ (건물을) 개장(改裝)하다. ── **se ~** *v.pr.* 옷을 다시 입다 ; 새옷을 사다〔입다〕. ***Il peut aller se ~.*** 《구어》 (서투른 배우 · 운동 선수에게) 그만두고 가서 옷이나 갈아입으라기. ***Va te*** [illegible] ***!*** [illegible] !

rhapsodie [ʀapsɔdi] *f.* = rapsodie.

rhénan, e [ʀenɑ̃, -an] *adj.* 라인강(*le Rhin*) (연안)의 : pays ~*s* 라인 지방.

rhéo *préf.* 「흐름 · 류(流)」의 뜻.

rhéostat [ʀeɔsta] 〔영〕 *m.* 〚전기〛 가감 저항기(加減抵抗器).

rhésus [ʀezys] *m.* ① 〚동물〛 벵골 원숭이. ② 〚의학〛 Rh 인자(= facteur ~) : ~ positif 〔négatif〕, Rh^+ 〔Rh^-〕.

rhéteur [ʀetœːʀ] *m.* ① (고대의) 웅변술 교사 ; 수사학자. ② 《경멸》 미사여구를 늘어놓는 저술가〔연설가〕.

rhétoricien, ne [ʀetɔʀisjɛ̃, -ɛn] *m.* 수사학자 ; 미사여구를 늘어놓는 사람〔연설가〕.

rhétorique [ʀetɔʀik] *f.* ① ⓐ 수사학(修辭學), 미사법(美辭法), 표현법 ; 수사학 서적. ⓑ 《문어》 표현 · 설득의 수단. ② 《경멸》 미사여구 ; (공허한) 웅변.

Rhin (le) [ʀəʀɛ̃] *n.pr.m.* 라인강.

rhinite [ʀinit] *f.* 〚의학〛 비염(鼻炎).

rhin(o)- *préf.* 「코」의 뜻.

rhinocéros [ʀinɔseʀɔs] *m.* 〚동물〛 코뿔소 (《약자》 rhino).

rhinopharyngite [ʀinɔfaʀɛ̃ʒit] *f.* 〚의학〛 비인두염(鼻咽頭炎).

rhizome [ʀizoːm] *m.* 〚식물〛 뿌리줄기, 근경(根莖), 지하경(地下莖).

rhodanien, enne [ʀɔdanjɛ̃, -ɛn], **rhodanique** [ʀɔdanik] *adj.* 론강(*le Rhône*)의.

rhodésien, enne [ʀɔdezjɛ̃, -ɛn] *adj.* 로디지아(*la Rhodésia*)의. ── **R~** *n.* 로디지아 사람.

rhodium [ʀɔdjɔm] *m.* 〚화학〛 로듐.

rhododendron [ʀɔdɔdɛ̃dʀɔ̃] *m.* 〚식물〛 철쭉과의 식물《만병초 따위》.

rhombe [ʀɔ̃ːb] *m.* 마름모꼴.

rhum [ʀɔm] 〔영〕 *m.* 럼《술 이름》.

rhumatisant, e [ʀymatizɑ̃, -ɑ̃ːt] *adj.* 〚의학〛 류머티즘에 걸린. ── *n.* 류머티즘 환자.

rhumatismal, e, aux [ʀymatismal, -o] *adj.* 류마티즘성(性)의.

***rhumatisme** [ʀymatism] *m.* 〚의학〛 류머티즘 : ~ articulaire 관절 류머티즘 / ~ chronique 만성 류머티즘.

rhumatologie [ʀymatɔlɔʒi] *f.* 류머티즘학.

rhumatologue [ʀymatɔlɔg] *n.* 〚의학〛 류머티즘 학자〔전문의〕.

rhume** [ʀym] *m.* 감기. ***attraper 〔***prendre***〕 ***un ~*** 감기 들다. ***gros ~*** 악성 감기, 독감. ***~ de cerveau*** 코감기, 비염(鼻炎).

rhumerie [ʀɔmʀi] *f.* 럼주(酒) 양조장 ; 럼주 따위를 파는 카페.

ri [ʀi] rire 의 과거분사.

riai -s, -t ⇒ rire.

riant, e [ʀjɑ̃, -ɑ̃ːt] *adj.* ① 《옛》 웃는, 웃음 띤, 잘 웃는(= rieur). ② (경치가) 아름다운, 보기 좋은, 호감을 주는 : ~*es* prairies 아름다운 초원.

R.I.B. 《약자》 relevé d'identité bancaire 〚금융〛 은행 거래 내역서, 계좌 명세서.

ribambelle [ʀibɑ̃bɛl] *f.* 《구어》 (사람 · 동물 따위의) 긴 행렬 : une ~ d'enfants 아이들의 긴 행렬.

ribote [ʀibɔt] *f.* 《구어》 폭음, 진탕 마시고 먹기. ***être en ~*** 곤드레만드레 취해 있다. ***faire ~, se payer une ~*** 진탕 마시고 먹다.

ricanement [ʀikanmɑ̃] *m.* 냉소, 비웃음.

ricaner [ʀikane] *v.i.* ① 조소하다, 비웃다. ② (바보처럼) 히죽히죽 웃다.

R

ricaneur, euse [rikanœːr, -øːz] n. 비웃는 사람. ── adj. 냉소하는, 비웃는.

ric-à-rac [rikarak], **ric-à-ric** [rikarik] adv. 《구어》 정확하게, 꼬박꼬박. **payer ~** 꼬박꼬박 치르다.

richard, e [riʃaːr, -ard] n. 《구어》 벼락부자 ; (특히 시골의) 부자.

⁑riche [riʃ] adj. ① 부유한(= fortuné), 돈 많은(≠ pauvre) : être ~ à millions 백만장자다 / ~ parti 돈 많은 결혼 상대자. ② 《~ en 〔de〕》 …이 풍부한 〔많은〕 ; …을 많이 가진 〔산출하는〕 : pays ~ en blés 밀을 많이 생산하는 나라 / musée ~ en peintures 그림이 많은 미술관 / livre ~ d'enseignements 교훈이 풍부한 책. ③ 비옥한, 풍요한 : un pays ~ 비옥한〔풍요한〕 나라〔지방〕. ④ 내용이 풍부한 〔훌륭한〕 : rime ~ 〖운율〗 완전압운(押韻) / aliment ~ 영양가 많은 음식. ⑤ 호화로운, 화려한, 으리으리한, 현란한 : de ~s étoffes 화려한 옷(감) / de ~s parures de diamant 값진 다이아몬드 목걸이. ⑥ 《구어》 멋진, 희한한 : Ce n'est pas ~. 신통치 않다 / ~ type 희한한 놈〔것〕. **langue ~** 표현력이 풍부한 언어. **~ de mine** 용모가 아름다운. **~ nature** 훌륭한 사람.
── n. 부자, 부호. **mauvais ~** 〖성서〗 부자이면서 남에게 인색한 사람.

richement [riʃmɑ̃] adv. ① 호화롭게, 화려하게 ; 풍부하게. ② 부자가 되게 : marier ~ sa fille 딸을 부자와 결혼시키다.

*richesse [riʃɛs] f. ① 부(富) ; 재산 : arriver à la ~ 부자가 되다 / amasser de grandes ~s 막대한 재산을 모으다. ② 풍부, 풍요 : ~ du sous-sol 지하자원의 풍부함. ③ 훌륭함, 호화로움, 화려함 : ~ d'une décoration 화려한 장식. ④ (한 나라의) 자원, 생산물 : ~s minières 광물 자원. ⑤ (정신적인) 부, 지적 재산. ⑥ (흔히 pl.) 고가품, 귀중품, 보물 : ~s d'un musée 미술관의 귀중품들.

richissime [riʃisim] adj. 아주 부유한 : un financier ~ 아주 부유한 은행가. ── m. 백만장자.

ricin [risɛ̃] m. 〖식물〗 아주까리.

ricocher [rikɔʃe] v.i. (돌이 물 위로) 튀며 날다 ; (총알이) 튀다 : faire ~ un caillou sur l'eau 물수제비뜨다.

ricochet [rikɔʃɛ] m. 물수제비 ; (탄환 따위가) 튀며 날기. **par ~(s)** 간접적으로.

R

ric-rac [rikrak] adv. 《구어》 정확히, 틀림없이 : payer ~ 정확히 지불하다.

rictus [riktys] m. 입을 비죽거리기, 조소.

*ride [rid] f. ① (얼굴의) 주름살 : Il a des ~s sous les yeux. 그의 눈 아래는 주름이 졌다. ② 잔물결. ③ 〖해양〗 죔줄.

ridé, e [ride] adj. 주름잡힌 ; 물결 모양의 : front ~ 주름진 이마 / tôle ~e 골함석.

*rideau [rido] m. (pl. ~x) ① 장막, 커튼 ; (극장의) 막 : fermer les ~x 커튼을 치다 / lever le ~ 막을 올리다. ② (난로의) 여닫이 문. ③ (점포의) 셔터, 방화벽(= ~ de fer). ④ ⓐ 시야를 막는 것 《늘어선 나무, 생울타리 따위》. ⓑ 〖군사〗 ~ de feu 탄막(彈幕). **être 〔tomber〕 en ~** (차가) 고장나다. **grimper aux ~x** 《구어》 기뻐서 어쩔 줄 모르다.

ridelle [ridɛl] f. (트럭의) 짐칸의 가로장.

rider [ride] v.t. ① (피부에) 주름살을 지게 하다. ② (수면에) 잔물결을 일으키다. ③ 〖해양〗 (죔줄로) 죄다. ── **se ~** v.pr. 주름잡히다 ; 잔물결이 일다.

*ridicule [ridikyl] adj. ① 우스운, 우스꽝스러운, 가소로운(= comique) : rendre qn ~ …을 웃음거리로 만들다 / vanité ~ 가소로운 허영. ② 어리석은, 바보 같은(= insensé) : superstition ~ 어리석은 미신 / C'est ~ ! 바보 같애 ! ③ 아주 적은, 형편없는(= insignifiant) : une somme ~ 아주 적은 돈 / pourboire ~ 형편없는 팁. ── m. ① 우스꽝스러움 ; 어리석음 : braver le ~ 웃음거리가 되는 것을 두려워하지 않다. ② (흔히 pl.) 이상한 버릇, 결점. **tomber dans le ~** 웃음거리가 되다. **tourner** qn **en ~**, …을 조롱하다.

ridiculement [ridikylmɑ̃] adv. ① 우스꽝스럽게 ; 어리석게. ② 터무니없이 : salaire ~ bas 터무니없이 낮은 봉급.

ridiculiser [ridikylize] v.t. 웃음거리로 만들다, 야유하다, 조롱하다(= moquer).
── **se ~** v.pr. 웃음거리가 되다.

ridule [ridyl] f. 잔주름살.

⁑rien [rjɛ̃] pron. indéf. ① 《부정의 뜻의 문맥 속에서》 무엇인가(= quelque chose) : Il est trop naïf pour ~ soupçonner. 그는 무엇인가 눈치 채기에는 너무도 순진하다 / Est-il ~ de plus beau ? 그보다 더 아름다운 것이 있겠는가 ? / A-t-on jamais ~ vu de pareil ? 도대체 이런 일을 본 일이 있었던가 ? / Y a-t-il ~ d'aussi stupide ? 이렇게 어처구니없는 일이 있겠는가 ? / Je ne crois pas qu'il puisse ~ prouver contre moi. 그가 내게 불리한 증거를 (무엇이고) 댈 수 있다고는 생각지 않는다. ② 《ne 와 함께》 아무것도(= nulle chose) : Il n'aime ~. 그는 아무것도 좋아하지 않는다 / Il n'a ~ mangé. 그는 아무것도 먹지 않았다 / Je n'ai ~ à faire. 나는 아무 할 일도 없다 / Ce n'est ~. 아무것도 아니다 / R~ ne l'amuse. 아무것도 그를 즐겁게 하지 않는다. ③ 《ne 없이 생략문에서》 À quoi penses-tu ? À ~. 뭘 생각하나 ? 아무것도 / R~ vu sur la route. 길에서 아무것도 본 것이 없다 / (J'en ai) ~ à foutre 〔cirer, branler〕. 상관없어. ④ 《~ de+형용사 · 과거분사》 Il n'y a ~ de cassé dans le coffret. 상자 속에는 아무것도 부서진 것이 없다 / R~ de plus intéressant que cela. 이것보다 더 재미있는 것이라곤 아무것도 없다. ⑤ 사소한〔하찮은 · 보잘것없는〕 것〔일〕, 무(無) : se fâcher de ~ 사소한 일에 성을 내다 / C'est moins que ~. 아주 미소〔경미〕하다 ; 차라리 없느니만 못하다. **Cela 〔Ça〕 ne fait ~.** 아무래도 좋다, 상관없는 일이다. **Cela ne me dit ~.** 나에게는 흥미가 없다, 나에게는 마음이 내키지 않는다. **Ce n'est pas ~.** 상당하다 ; 《속어》 아무것도 아니다(= Ce n'est ~). **comme si de ~ n'était** 아무 일도 없었던 듯이. **De ~.** 천만에 말씀이요. **de ~ (du tout)** 사소한, 보잘것없는 : une affaire 〔maison〕 de ~ (du tout) 사소한 일〔보잘것없는, 조그만 집〕. **en moins de ~** 순식간에, 당장에. **en ~** 《긍정문에서》 어떤 일로도 ; 《부정문에서》 조금도 :

sans gêner *en* ~ son action 어떤 일로도 그의 활동을 방해하지 않고 / Cela ne nous intéresse *en* ~. 그것은 조금도 우리의 관심을 끌지 않는다. ***homme de ~*** 보잘것없는 사람. ***Il n'en est ~.*** 그렇지 않습니다, 그런 건 아닙니다. (***Il n'y a***) ***~ à dire*** 완전무결하다, 나무랄 데 없다. ***Il n'y a ~ à faire.*** 어쩔 도리가 없다, 별수 없다. ***n'avoir ~ contre*** qn …에 대해 아무런 감정〔원한〕도 없다. ***n'avoir ~ de*** qn …와 닮지 않다 ; …다운 데가 없다 : Elle *n'a ~ d'*une ingénue. 그녀는 천진난만한 여자다운 곳은 하나도 없다. ***ne ~ faire à*** qn …에게 해가 될 일을 전혀 하지 않다. ***n'être pour ~ dans une affaire*** 어떤 일에 아무 관련도 없다. ***n'être ~*** (가치 · 지위 따위가) 아무것도 아니다 : Il *n'est* ~ comparativement à son père. 그는 아버지에 비하면 어림도 없다. ***pour ~*** 별 이유 없이, 사소한 일 때문에〔일로〕; 무료로, 거저 ; 아주 헐값으로 ; 헛되이, 공연히 : se chamailler *pour* ~ 사소한 일로 서로 싸우다 / J'ai eu cette voiture *pour* ~. 이 차를 헐값으로 샀다 / se déranger *pour* ~ 헛수고하다. ***~ moins que*** ⓐ 《옛 · 문어》 조금도, 전혀 (…아니다). ⓑ 그야말로(= ne... ~ de moins que) : Ce n'est ~ *moins que* du chantage. 그것은 그야말로 공갈이다. ***~ que*** 오직, 다만, …만(= seulement) : ~ *que* cinq minutes 단 5 분만 / *R~ que* d'y penser j'en suis choquée. 생각만 해도 끔찍하다 / Jurez-vous de dire toute la vérité, ~ *que* la vérité? 모든 진실을, 오로지 진실만을 말하겠다고 맹세합니까? ***R~ que ça!*** 다만〔고작〕 그것뿐인가 ! ; 《반어적》 대단〔굉장〕하군 ! : Tu as gagné un million francs ! *R~ que ça!* 백만 프랑을 벌었다고 ! 대단하군 !
── *m.* ① 아무것도 아닌〔사소한〕 것〔일〕; 하찮은 일〔말〕: perdre son temps à des ~*s* 쓸데없는 일에 시간을 허비하다. ② 약간, 소량 ; 작은 것 : 《un ~ de qc〔qn〕》 *un ~ de* jalousie 일말의 질투심 / ajouter *un ~ d'*ail 마늘을 약간 넣다. ③ 《옛》 《du tout 와 함께》 무가치한 인간 : un〔une〕 ~ *du tout* 보잘것없는 녀석〔계집〕. ***comme un ~*** 쉽사리 : Il soulève *comme un ~* cette grosse pierre. 그는 큰 돌을 쉽사리 들어올린다. ***en un ~ de temps*** 순식간에. ***un ~*** 《부사구》 다소, 약간 : costume *un* ~ trop grand 다소 큰 옷.
── *adv.* 《속어》 아주(= très), 굉장히 : C'est ~ beau. 굉장히 아름답다 / Il fait ~ froid. 지독하게 춥다.

rieur, euse [ʀjœːʀ, -øːz] *adj.* 잘 웃는, 웃기 좋아하는. ── *n.* ① 웃는 사람 ; 웃기 좋아하는 사람. ② 빈정거리는 사람. ***avoir*** 〔***mettre***〕 ***les ~s de son côté*** 〔***avec soi***〕 상대방을 웃음거리로 만들다.

rififi [ʀififi] *m.* 《속어》 싸움, 난투(= bagarre).

riflard[1] [ʀiflaːʀ] *m.* ① 큰 대패, (미장이의) 흙손 ; (금속용) 줄. ② (가장 길고 굵은) 양털.

riflard[2] *m.* 《구어》 큰 박쥐우산(= pépin).

rifle [ʀifl] 〔영〕 *m.* 라이플, 소총.

***rigide** [ʀiʒid] *adj.* ① 빳빳한 ; 경직된, 딱딱한 : papier ~ 빳빳한 종이. ② 강직한, 엄격한, 준엄한(= rigoureux), 완고한 : éducation ~ 엄격한 교육.

rigidifier [ʀiʒidifje] *v.t.* 딱딱하게 하다 ; 엄격〔준엄〕하게 하다 ; 경직되게 하다.

rigidité [ʀiʒidite] *f.* ① 빳빳함 ; (근육 따위의) 경직 : ~ cadavérique 〖의학〗 사체 경직. ② (도덕적) 엄격함, 준엄함, 완고함 : ~ des principes 원칙의 엄격함.

rigolade [ʀigɔlad] *f.* 《구어》 ① 농담, 우스갯소리 ; 장난 ; 실없는 짓〔일〕: C'est de la ~. 그건 농담이지. ② 쉬운 일, 누워서 떡먹기 : C'est une ~ pour lui de le faire. 그 일은 그에겐 누워서 떡먹기다. ***prendre*** qc ***à la ~*** …을 농담으로 여기다.

rigolard, e [ʀigɔlaːʀ, -aʀd] *adj.* et *n.* 《구어》 우스운〔익살스러운〕 (사람), 재미있는 (사람), 쾌활한 (사람).

rigole [ʀigɔl] *f.* ① (관개 · 배수용의) 수로, 도랑(= caniveau). ② 개울, 시냇물.

***rigoler** [ʀigɔle] *v.i.* 《구어》 ① 재미있게 웃다〔놀다〕, 장난치다 : On *a* bien *rigolé.* 정말 재미있게 놀았어. ② 농담하다, 우스갯소리를 하다 : Tu *rigoles!* 농담하는 거지 !

rigolo, ote [ʀigɔlo, -ɔt] *adj.* 《구어》 우스운, 재미있는, 익살스런(= amusant) ; 기묘한, 야릇한 : type ~ 익살스런 녀석 / film ~ 희극영화. ── *n.* 《구어》 익살꾼 ; 허풍쟁이 : C'est un petit ~. 그 사람은 허풍쟁이다.

rigorisme [ʀigɔʀism] *m.* (종교적 · 도덕적) 엄격주의(≠ laxisme).

rigoriste [ʀigɔʀist] *adj.* 지나치게 엄격한(= austère, sévère). ── *n.* 엄격주의자.

rigoureusement [ʀiguʀøzmɑ̃] *adv.* ① 엄격하게 ; 가혹하게 : traiter qn ~ …을 가혹하게 대하다. ② 면밀하게, 정확히(= exactement) : accomplir ~ son devoir 자기 의무를 정확히 수행하다. ③ 전적으로, 완전히 : fait ~ exact 아주 정확한 사실.

rigoureux, euse [ʀiguʀø, -øːz] *adj.* ① 엄격한, 엄중한, 엄혹한, 가혹한 ; (추위 따위가) 혹심〔혹독〕한 : punition ~*euse;* châtiment ~ 엄벌. ② 엄밀한, 정확한, 빈틈없는 : une démonstration ~*euse* 빈틈없는 증명 / neutralité ~*euse* 엄정 중립.

rigueur** [ʀigœːʀ] *f.* ① 엄격, 엄중 ; 가혹 ; 매정함 ; (보통 *pl.*) (기후 · 추위의) 모짊, 혹독함 ; (*pl.*) 가혹한 일〔행위〕: mesures de ~ 엄중〔가혹〕한 조치 / ~ du froid hivernal 〔de l'hiver〕 겨울 추위의 극심함, 혹한 / ~*s* du sort 운명의 가혹함. ② 엄밀, 엄정, 정확 : ~ du jugement 판단의 엄정 / exécuter l'ordre dans (toute) sa ~ 명령을 어김없이 실행하다. ***à la ~ 부득이한 경우에는. ***être de ~*** 꼭 필요하다 : L'habit *est de ~*. 반드시 예복을 착용하여야 함. ***tenir ~ à*** qn (***de*** qc) (…에 대해서) …을 용서하지 않다.

rillettes [ʀijɛt] *f. pl.* (잘게 다져 기름에 볶은) 돼지 또는 거위 고기.

rillons [ʀijɔ̃] *m. pl.* 기름을 뺀 돼지 또는 거위 고기.

rimaille [ʀimaːj] *f.* 《구어》 서투른 시(詩).

rimailler [ʀimɑje] *v.i.* 《구어》 서투른 시를 쓰다.

rimailleur, euse [ʀimɑjœːʀ, -øːz] *n.* 서투른 시인.

rime** [ʀim] *f.* ① 운(韻), 각운(脚韻) : ~*s* croisées 〔embrassées〕 교운(交韻)〔포옹운〕 / ~*s* plates 〔suivies〕 평운(平韻)〔연속운〕 / ~*s* féminines 여성운《무음의 e로 끝나는 운》/ ~*s* masculines 남성운《강음절로 끝나는 운》. ② (*pl.*) 《옛》 시(詩), 시구, 운문 ***n'avoir ni ~ ni raison 《구어》 몰상식하다, 엉터리다, 아무 의미도 없다. ***sans ~ ni raison ; ni ~ ni raison*** 《구어》 몰상식하게, 엉터리로.

rimer [ʀime] *v.i.* ① 운이 맞다. ② 운을 맞추다, 시를 짓다. ***Cela ne rime à rien.*** 그것은 아무 의미도 없다, 난센스다. — *v.t.* (이야기 따위를) 운문(韻文)으로 쓰다, 시로 쓰다 : ~ une chanson 가사를 운을 맞추어 짓다.

rimeur, euse [ʀimœːʀ, -øːz] *n.* 《특히》 서투른 시인(= rimailleur).

rimmel [ʀimɛl] *m.* 마스카라(= mascara) 《상표명》.

rinçage [ʀɛ̃saːʒ] *m.* (그릇 따위를) 씻기 ; 헹구기, 가시기 : produit de ~ 헹굼액.

rinceau [ʀɛ̃so] *m.* (*pl.* ~***x***) 〖건축 · 조각〗 당초문(唐草紋).

rince-bouteilles [ʀɛ̃sbutɛj] *m.* 《복수불변》 병 씻는 기구.

rince-doigts [ʀɛ̃sdwa] *m.* 《복수불변》 (식탁에서 손가락을 씻는) 물그릇.

rincée [ʀɛ̃se] *f.* ① 《구어》 난타(亂打) ; 패배(= revers, défaite). ② 억수 같은 비.

***rincer** [ʀɛ̃se] 2 *v.t.* ① (그릇 · 세탁물 따위를) 헹구다, 가시다 ; 씻다 : ~ du (le) linge 세탁물을 헹구다 / ~ des verres 유리컵을 씻다. ② 《수동태로》 《구어》 흠뻑 젖다 : être rincé (se faire ~) 비에 흠뻑 젖다. — **se ~** *v.pr.* ① 가시다, 헹구다 : *se ~* la bouche 입안을 가시다. ② 《구어》 *se ~* le gosier (la dalle, le tuyau) 《구어》 한잔 마시다 ; 목을 축이다. ③ *se ~* l'œil 《속어》 (미인 등을 보며) 눈요기하다.

rincette [ʀɛ̃sɛt] *f.* 《구어》 (커피를 마신 후에 헹구듯이 약간 따르는) 코냑 따위의 술.

rinçure [ʀɛ̃syːʀ] *f.* ① 헹구는 물, 개숫물(= lavure). ② 《구어》 싸구려 술.

ring [ʀiŋ] 〖영〗 *m.* (권투 · 레슬링의) 링 ; 권투 : monter sur le ~ 링에 오르다.

ringard, e [ʀɛ̃gaːʀ, -aʀd] *n.* 《구어》 시대에 뒤진 예술가(= tocard) ; 무능한 사람(= nullité). — *adj.* 시대(유행)에 뒤진, 케케묵은 ; 서투른 : film ~ 낡아 빠진 영화.

ripaille [ʀipɑːj] *f.* 《구어》 연회 ; 진수성찬. ***faire ~*** 진수성찬을 먹다, 잘 먹다.

ripailler [ʀipɑje] *v.i.* 진수성찬을 먹다, 잘 먹다.

ripailleur, euse [ʀipɑjœːʀ, -øːz] 《구어》 *n.* 미식가. — *adj.* 진수성찬을 좋아하는.

ripe [ʀip] *f.* (미장이의 매끄럽게 고르는) 흙손, (석공의 마무리용) 끌.

riper [ʀipe] *v.t.* ① 미끄러지게 하다, (위치를) 벗어나게 하다. ② (ripe 로) 고르다, 깎다. — *v.i.* ① 미끄러지다, 벗어나다 : faire ~ une pierre 석재를 미끄러뜨리다. ② 《구어》 떠나다.

riposte [ʀipɔst] *f.* 대꾸, 반격 ; 역습, 반론 : être prompt à la ~ 즉각 반론하다.

***riposter** [ʀipɔste] *v.i.* ① 말대꾸하다, 응수하다 ; 반박하다. ② 〖권투 · 검도〗 되받아치다 (찌르다) ; 반격하다, 역습하다 : ~ à une injure par un coup de poing 욕설에 대해 주먹으로 응수하다. — *v.t.* 응수(대꾸)하다.

ripou, e [ʀipu] *adj.* 《구어》 타락한, 부패한 (= corrompu). — *m.* 부패 경찰관.

riquiqui [ʀikiki] 《구어》 《복수불변》 *adj.* 《구어》 초라한, 빈약한, 보잘것없는 : cadeau ~ 보잘것없는 선물.

‡**rire** [ʀiːʀ] 37 *v.i.* ① ⓐ 웃다 : ~ à en pleurer (aux larmes) 눈물이 나도록 웃다. ⓑ 《~ de》 …때문에 웃다 : Elle *a* bien *ri de* ma réponse. 그녀는 나의 대답을 듣고 크게 웃었다. ⓒ 《~ de》 …을 비웃다 : Ne *riez* pas *de* ces choses-là. 이런 일을 비웃어서는 안 된다. ② 농담하다, 장난삼아 해보다 : Je ne *ris* pas, c'est sérieux. 농담이 아니라 진정이오. ③ 즐기다, 흥겨워하다 : garçon qui aime bien ~ 놀기 좋아하는 소년. ***avoir toujours le mot pour ~*** 우스갯소리를 잘하다, 위트가 있다. ***C'est à mourir de ~*** 우습기 짝이 없다. ***histoire de ~*** 농담으로. ***Rira bien qui rira le dernier.*** 《격언》 마지막에 이기는 자가 진정한 승리자다. ***~ comme un bossu*** (***une baleine***) 배꼽이 빠지도록 웃다, 포복절도하다. ***~ dans sa barbe*** (***sous cape***) 내심으로 웃다. ***~ du bout des dents*** (***des lèvres***) 마지못해 웃다. ***Vous voulez ~ !*** 농담이시겠지, 설마 그럴 리가 있소. — *v.t. ind.* 《~ de》 비웃다 ; 일소(一笑)에 부치다.

— **se ~** *v.pr.* 《과거분사는 무변화》 《se ~ de》 …을 비웃다 ; 아랑곳하지 않다, 무시하다 : Il *se rit de* vos menaces. 그는 당신의 위협에 끄떡도 하지 않는다. — *m.* 웃음 : ~ homérique 호탕한 웃음, 홍소(哄笑) / éclat de ~ 폭소 / ~ forcé 억지 웃음 / éclater (pouffer) de ~ 웃음을 터뜨리다.

ris¹ [ʀi] *m.* 《옛》 웃음 ; (*pl.*) 웃음(쾌락)의 신. ***les jeux et les ~*** 오락, 쾌락.

ris² *m.* 〖요리〗 (송아지 · 새끼 양의) 가슴샘 (요리).

ris -s, -t ⇒ rire

risée [ʀize] *f.* (집단적인) 조소(嘲笑), 야유, 웃음거리 : s'exposer à la ~ du public 세상의 웃음거리가 되다.

risette [ʀizɛt] *f.* ① (특히 아기의 순진한) 미소 : Le bébé fait ~ à sa maman. 아기는 엄마를 보고 방긋 웃는다. ② 꾸민(아양 떠는) 미소.

risible [ʀizibl] *adj.* 우스꽝스러운 ; 가소로운 ; attitude ~ 우스꽝스러운 태도.

risotto [ʀizɔto] 〖이탈리아〗 *m.* 〖요리〗 (쌀 · 버터 · 치즈로 만든) 이탈리아 요리.

risque** [ʀisk] *m.* ① 위험(= danger) : une entreprise pleine de ~*s* 위험성 많은 일(사업). ② 〖보험〗 개체 : s'assurer contre le ~ d'incendie 화재 보험에 들다. ***à ses ~s et périls 전(全)책임을 지고. ***à tout ~*** 온갖 위험을 무릅쓰고. ***au ~ de*** qc (+*inf.*) …의 위험을 무릅쓰고, …할 각오로 : Il a sauté du train, *au ~ de* se tuer. 그는 생명의 위험을 무릅쓰고 열차에서 뛰어내렸다. ***courir*** (***le***) ***~ de*** …의 위험을 무릅쓰다. ***prendre un ~*** (***des ~s***) 위험한 짓을 하다.

risqué, e [ʀiske] *adj.* ① 위험한 ; 대담한 : C'est très ~. 그것은 너무 위험하다. ② (농담 따위가) 노골적인, 음탕한, 외설스러운 : plaisanteries ~*es* 외설스러운 농담.

***risquer** [ʀiske] *v.t.* ① …을 위태롭게 하다 ;

…을 걸다 : ~ sa réputation 평판을 위태롭게 할 위험한 일을 하다 / ~ de l'argent au jeu 도박에서 돈을 걸다. ② 《~ qc〔de+*inf.* ; que+*sub.*〕》 …의〔할〕 위험을 무릅쓰다 ; (위험한 일을) 시도하다 ; …의 위험이 있다. …의〔할〕 우려가 있다 : *Il a* souvent *risqué de* se tuer. 그는 종종 죽음의 위험을 무릅썼다 / ~ la prison 교도소에 들어갈 각오로 / Avec cette chaleur le poisson *risque de* se gâter. 이 더위에는 생선이 상할 우려가 있다. ③ 과감히 하다, 감히 말하다 : ~ une question 감히 질문을 하다 / ~ un mot d'argot (말해서는 안 될) 속어를 입에 담다. ***Qui ne risque rien n'a rien.*** 《속담》 호랑이 새끼를 얻으려면 호랑이 굴에 들어가야 한다. **~ *le coup*〔*la partie*〕** 한번 마음먹고 해보다 ; 감행하다. ***Risquons !*** 운을 하늘에 맡기고 해보자. ── **se ~** *v.pr.* ① 자신을 위태롭게 하다, 위험을 무릅쓰다 : N'allez pas *vous* ~ dans cette affaire. 이 사업에 (위태롭게) 손대지 마시오. ② 《se ~ à+*inf.*》 위험을 무릅쓰고 …하다, 과감히 …을 해보다 : Il *s'est risqué à* traverser le fleuve à la nage. 그는 위험을 무릅쓰고 그 강을 헤엄쳐 건너갔다.

risque-tout [ʀiskətu] *n.* 《복수불변》 무모한〔대담한〕 사람, 겁 없는 사람.

rissole [ʀisɔl] *f.* 〖요리〗 고기 만두.

rissoler [ʀisɔle] *v.t.* ① 〖요리〗 (센 불로) 노릇노릇하게 굽다 : ~ une volaille 닭고기를 노릇노릇해지도록 굽다. ② (피부를) 햇볕에 그을리다 : avoir le visage *rissolé* 얼굴이 햇볕에 타다.

ristorne [ʀistɔʀn], **ristourne** [ʀistuʀn] *f.* (초과 지급액의) 환불(還拂) ; (상품 가격의) 할인(= remise) : faire une ~ à qn …에게 환불하다〔할인해 주다〕.

ristourner [ʀistuʀne] *v.t.* (지급 초과액을) 반환〔환불〕하다 ; (상품 가격을) 할인해 주다.

rit, rît ⇒ rire.

rite [ʀit] *m.* (*pl.* **~*s***) ① 의식(儀式), 제식(祭式), 전례(典禮) : ~*s* funèbres 장례 의식. ② 관례, 관습 : le ~ des cartes de Noël 크리스마스 카드를 보내는 관습.

ritournelle [ʀituʀnɛl] *f.* ① 〖음악〗 (노래 전후에 반복 연주하는) 소(小)악장 ; (노래의) 후렴. ② 《구어》 상투적 언사(= refrain) : C'est toujours la même ~. 항상 똑같은 소리다.

ritualiser [ʀitɥalize] *v.t.* 의례〔전례〕화하다.

rituel, elle [ʀitɥɛl] *adj.* ① 의식의, 의식에 관한. ② 《구어》 관례의, 의례적인 : vœux ~*s* du nouvel an 의례적인 신년 인사. ── *m.* ① 관례, 규칙. ② 〖종교〗 제식서(祭式書), 전례서(書).

rituellement [ʀitɥɛlmɑ̃] *adv.* 의례〔관례〕적으로.

***rivage** [ʀivaːʒ] *m.* 바닷가, 강가, 호숫가, 해안, 연안(= côte, plage).

***rival, e, aux** [ʀival, -o] *adj.* 경쟁〔대항〕하는, 겨루는 : entrepriese ~*es* 라이벌 기업. ── *n.* 경쟁자, 라이벌, 적수 : Ils *sont* ~*aux* en amour. 그들은 연적이다. **sans ~** 무적의, 비길 데 없는.

***rivaliser** [ʀivalize] *v.i.* 《~ avec》 …와 경쟁하다, 겨루다 : Il n'est pas capable de ~ *avec* vous. 그는 당신과 상대가 안 된다 / ~ de talent〔d'adresse〕 *avec* qn …와 재능을〔재주를〕 다투다.

***rivalité** [ʀivalite] *f.* 경쟁, 대항, 대립, 적대관계 : ~ amoureuse 연적(戀敵) 관계 / ~*s* d'intérêts 이해의 대립.

***rive** [ʀiːv] *f.* 물가, 강가, 호숫가 ; (내해의) 기슭 : ~ droite〔gauche〕 (특히 센강(江)의) 우안(右岸)〔좌안(左岸)〕.

rivé, e [ʀive] *adj.* 못박힌, 움직이지 않는(= fixé) : avoir les yeux ~*s* sur qc〔qn〕 …에 시선을 고정시키다.

river [ʀive] *v.t.* ① (박은 못·리벳의) 끝을 옆으로 두들겨 붙이다《빠지지 않게》. ② 리벳으로 박다〔죄다·고정시키다〕(= riveter) : ~ des plaques de mètal 철판을 리벳으로 고정시키다. ③ 《비유》 꼼짝 못하게 하다 : Il *est rivé* à son travail. 그는 일에 얽매여 있다 / Ils *sont rivés* l'un à l'autre. 그들은 떨어질 수 없는 사이다 / ses yeux *rivés* sur elle 그녀에게 고정된 그의 눈. **~ *son clou à*** qn 《구어》 …을 찍소리 못하게 하다.

riverain, e [ʀivʀɛ̃, -ɛn] *adj.* 연안〔연도〕의 : les propriétaires ~*s* d'une route 연도(沿道)의 토지 소유자 / boutiques ~*es* des trottoirs 인도에 면한 가게. ── *n.* 연안〔연도〕의 주민.

rivet [ʀivɛ] *m.* 리벳, 정, 대갈못.

riveter [ʀivte] [5] *v.t.* 리벳을 박다〔죄다〕.

‡rivière [ʀivjɛːʀ] *f.* ① 강, 내, 하천 : descendre〔remonter〕 une ~ en bateau 배로 강을 내려가다〔거슬러 올라가다〕 / poissons de ~ 민물고기. ② (물줄기같이) 흐르는 것 : des ~*s* de sang 철철 흐르는 피. ③ 《비유》 ~ de diamants 다이아몬드 목걸이.

rivure [ʀivyːʀ] *f.* ① 징을 박기, 리벳 접합. ② 경첩의 고정용 못.

rixe [ʀiks] *f.* 드잡이, 난투(= bagarre).

‡riz [ʀi] *m.* ① 벼 : culture du ~ 벼농사 / paille de ~ 볏짚. ② 쌀 : ~ long 알갱이가 긴 쌀 / ~ rond 알갱이가 짧은 쌀. ③ 〖요리〗 밥, 라이스 : ~ au carry 카레라이스 / gâteau de ~ 쌀을 우유로 삶아 만든 푸딩. ***poudre de ~*** (화장용) 분.

rizerie [ʀizʀi] *f.* 정미소.

riziculture [ʀizikyltyːʀ] *f.* 벼농사, 도작(稻作).

***rizier, ère** [ʀizje, -ɛːʀ] *f.* 논 : ~ inondée〔sèche〕 수전(水田)〔마른 논〕.

R.M.I. 《약자》 Revenu Minimum d'Insertion 최저 통합 수당, 극빈자 보호금.

RMiste, RMIste [ɛʀɛmist] *n.* 극빈자 보호금(R.M.I.) 수령자.

R.N. 《약자》 ① route nationale 국도(國道). ② revenu national 국민 소득.

R.N.I.S. 《약자》 Réseau Numérique à Intégration de Service 〖컴퓨터〗 종합 디지털 통신망(《영》 I.S.D.N.》).

R°, Ro 《약자》 recto 겉 페이지(≠ verso) ; (책의) 오른쪽 페이지.

‡robe [ʀɔb] *f.* ① 긴 옷 : ~ de chambre 가운, 실내복. ② 원피스, 드레스 : ~ du soir 이브닝드레스 / ~ de mariée 웨딩드레스. ③ 아동복 : ~ de bébé 배내옷. ④ ⓐ (교수 따위의) 가운 ; (법조인의) 법복(法服) ; (성직자의) 법의, 승복. ⓑ 《옛》 사법관의 직〔신분〕.

R

⑤ 짐승의 털빛 ; (과일 · 채소의) 껍질, 외피(外皮). ***les gens*〔*hommes*〕*de ~ ; la ~*** 법률가, 법관. ***pomme de terre en ~ de chambre*〔*en ~ des champs*〕** 껍질째 익힌〔삶은〕 감자.

robin [ʀɔbɛ̃] *m.* 《경멸》 법관, 법률가.

robinet** [ʀɔbinɛ] *m.* ① (술통 따위의) 꼭지 ; 수도〔가스〕 꼭지의 마개 : ouvrir〔fermer〕 un ~ 꼭지를 틀다〔막다〕. ② 《소아어》 le ~ 고추, 자지. **~ *d'eau tiède 《비유》 수다쟁이.

robinetterie [ʀɔbinɛtʀi] *f.* ① 꼭지 제조(소) ; 꼭지 제조〔판매〕업. ② (수도 · 보일러 따위의) 꼭지 일체.

robinier [ʀɔbinje] *m.* 〖식물〗 아카시아의 일종.

robot [ʀɔbo] *m.* ① 로봇, 인조인간 : avion-~ 자동 조종 비행기. ② (타인의) 꼭두각시, 괴뢰. ***portrait*〔*photo*〕*-~*** (범인의) 몽타주 사진.

robotique [ʀɔbɔtik] *f.* 로봇 공학.

***robuste** [ʀɔbyst] *adj.* ① 튼튼한, 건장한 : homme ~ 건장한 남자. ② (물건이) 견고한 : voiture ~ 견고한 자동차. ③ (신앙이) 확고한, 굳건한 : une foi ~ 굳건한 믿음.

robustesse [ʀɔbystɛs] *f.* 튼튼함, 건장함 ; 견고함 ; 확고함, 굳건함.

roc [ʀɔk] *m.* 암석, 바위 ; (바위처럼) 단단한 것 : bâtir sur le ~ 반석 위에 세우다.

rocade [ʀɔkad] *f.* ① 우회 도로. ② 〖군사〗 (전선과 평행한) 군용 도로〔철도〕(= ligne〔voie〕 de ~).

rocaille [ʀɔkɑːj] *f.* ① 조약돌, 자갈 ; 자갈밭. ② 돌 · 조가비 따위로 만든 장식물, 로카유 인조암(人造岩), 인조 암굴(岩窟).

rocailleux, euse [ʀɔkɑjø, -øːz] *adj.* ① 자갈투성이의 : chemin ~ 자갈투성이인 길. ② 거친, 투박한 : voix ~*euse* 투박한 음성 / style ~ 거친 문장.

rocambolesque [ʀɔkɑ̃bɔlɛsk] *adj.* (이야기 따위가) 파란만장한, 기상천외한, 믿어지지 않는 : aventure ~ 파란만장한 모험.

roche [ʀɔʃ] *f.* 바위, 암석, 암반, 석재 : ~ granitique 화강암 / eau de ~ 암반수(水). ***clair comme de l'eau de ~*** 명백한, 분명한. ***cœur de ~*** 무정한 마음〔사람〕.

rocher¹** [ʀɔʃe] *m.* ① (깎아지른) 바위, 암벽 ; 〖해양〗 (물 위에 나타난) 암초 : escalader un ~ 암벽을 기어오르다. ② 〖해부〗 관자놀이뼈 ; 〖패류〗 뼈고둥. ***faire du ~ 암벽을 기어오르다.

rocher² *v.i.* (맥주가) 거품이 일다 ; (용해은(熔解銀)의 표면에) 기포가 생기다.

rochet¹ [ʀɔʃɛ] *m.* 〖가톨릭〗 로셰툼, 소백의(素白衣)《주교 · 추기경 등의》.

rochet² *m.* 〖직물〗 (원통형) 대형(大型) 보빈.

rocheux, euse [ʀɔʃø, -øːz] *adj.* 바위투성이의, 암석이 많은, 암석으로 이루어진.

rock (and roll) [ʀɔk(ɛnʀɔl)] 〔영〕 *m.* 로큰롤, 록 : concert de ~ 록 콘서트. ── *adj.* 《불변》 록의 : chanteur ~ 록 가수.

rocker [ʀɔkœːʀ] 〔영〕 *m.* 록 가수, 록 애호자.

rocking-chair [ʀɔkiŋ(t)ʃɛːʀ] 〔영〕 *m.* 흔들의자.

rococo [ʀɔkɔ(o)ko] *m.* ① 〖미술〗 로코코식《18 세기 공예 양식의 일종》. ② 시대에 뒤진 양식. ── *adj.* 《불변》 ① 로코코식의. ② 시대〔유행〕에 뒤떨어진 : Ce chapeau fait ~. 이 모자는 유행에 뒤져 보인다.

rodage [ʀɔdaːʒ] *m.* ① (자동차 · 모터 따위의) 시운전 (기간) : voiture en ~ (초기의) 길들이기 운행 중인 자동차. ② 《비유》 시험적인 시행 (기간) ; 수습 (기간) : ~ d'une institution politique 정치 제도의 시행 (기간).

rôdailler [ʀodɑje] *v.i.* 《구어》 = rôder.

rodeo, rodéo [ʀodeo] 〔영〕 *m.* (미국에서) 가축의 낙인을 찍을 때의 축제, 로데오《야생의 말 · 소를 타고 다루는 경기》.

***roder** [ʀɔde] *v.t.* ① (잘 맞도록 기계 부분품을) 닳게 하다, 마찰시키다. ② (자동차 · 모터 따위를) 시운전하다. ③ 《구어》 조정하다, 실험적으로 테스트하다. ④ …에게 경험을 쌓게 하다, 훈련시키다. ── **se ~** *v.pr.* 익숙해지다, 경험을 쌓다 : Il *est rodé* à ce travail. 그는 그 일에 익숙해졌다.

***rôder** [ʀode] *v.i.* ① 배회하다, 방황하다, 돌아다니다. ② (수상쩍게) 어슬렁거리다 : voyous qui *rôdent* autour de qn …의 주위를 어슬렁거리는 불량배.

rôdeur, euse [ʀodœːʀ, -øːz] *adj.* 배회하는 ; 어슬렁거리는. ── *n.* 배회하는 사람, 부랑자(= ~ de barrière).

rodomontade [ʀɔdɔmɔ̃tad] *f.* 허풍, 호언장담, 허장성세(= fanfaronnade).

rogation [ʀɔgɑsjɔ̃] *f.* 〖가톨릭〗 (*R~s*) 삼천(三天) 기도《예수 승천(昇天) 전의 3 일간》.

rogatoire [ʀɔgatwaːʀ] *adj.* 〖법률〗 청구의, 의뢰의 : commission ~ 사법 공조 요청.

rogaton [ʀɔgatɔ̃] *m.* (흔히 *pl.*) 먹다 남은 음식, 잔반.

rogne [ʀɔɲ] *f.* 《구어》 ① 짜증, 화, 역정(= colère) : être en ~ 짜증이 나 있다. ② 〖의학〗 개선(疥癬), 옴.

rogner¹ [ʀɔɲe] *v.t.* ① …의 가장자리를 자르다〔깎다〕 : ~ (les pages d')un livre 책의 가장자리를 재단하다. ② (봉급 · 지출 따위를) 삭감하다, 줄이다 : ~ (sur) les appointements d'un employé 고용인(雇傭人)의 봉급을 삭감하다. **~ *les ailes à*** qn 《구어》 …의 활동력을 빼앗다, …을 꼼짝 못하게 하다. ── *v.i.* 《~ sur》 (경비 따위를) 삭감하다 : ~ *sur* le budget 예산을 삭감하다.

rogner² *v.i.* 《구어》 짜증을 내다, 투덜거리다.

rognon [ʀɔɲɔ̃] *m.* 〖요리〗 (동물의) 콩팥, 신장(= rein) : ~*s* de veau〔de porc〕 송아지〔돼지〕 콩팥.

rognure [ʀɔɲyːʀ] *f.* (보통 *pl.*) (자르고 남은) 부스러기 : ~*s* d'ongles 손톱 부스러기.

rogomme [ʀɔgɔm] *m.* 《옛》 독주, 화주(火酒). ***voix de ~*** (주정꾼의) 쉰 목소리.

rogue¹ [ʀɔg] *adj.* 거만한, 건방진 : d'un ton ~ 건방진 말투로.

rogue² *f.* 〖어업〗 (미끼로 사용되는) 대구〔청어〕 알.

:roi [ʀwa〔ɑ〕] *m.* ① 왕, 임금, 국왕《여왕은 reine》 : *R~*-Soleil 태양왕《루이 14 세》 / *R~* Très-Chrétien 프랑스 국왕. ② 《비유》 …왕, (어떤 분야의) 1 인자 ; 최고의 것 : ~*s* du pétrole 석유왕 / ~ des oiseaux 조류의 왕《독수리》 / ~ des égoïstes 지독한〔최고의〕 이기주의자. ③ (트럼프 · 체스의) 킹. ***jouer au ~ ; parler en ~*** 고자세로 나오다. ***heureux comme un ~*** (왕처럼) 매우 행복

한. ***la fête* 〔*le jour*〕 *des R~s*** 〖가톨릭〗 주현절《1월 6일》. ***les R~s mages*** (그리스도의 탄생 때 찾아온) 동방의 3박사. ***morceau de ~*** 진미의 음식물. ***parler en ~*** 거만하게 말하다. ***plaisir de ~*** 그지없는 즐거움. ***travailler pour le ~ de Prusse*** 헛일을 하다, 헛수고하다. ***vivre comme un ~ ; faire une dépense de ~*** 왕처럼 호사스럽게 살다.

roitelet [ʀwatlɛ] *m.* ① 《경멸》 약소국의 왕. ② 〖조류〗 굴뚝새 ; 상모솔새.

‡rôle [ʀoːl] *m.* ① 〖연극〗 역(役) : distribution des ~*s* 배역 / premier ~ 주역. ② (사회적) 역할 ; 기능 : assumer 〔remplir〕 un ~ important 중요한 역할을 수행하다 / Ce n'est pas son ~. 이것은 그가 맡은 일이 아니다. ③ (법원의) 소송 사건 목록 ; 납세자 명부 ; 병적부 : ~ d'un équipage 〖해양〗 승무원 명부. ***à tour de ~*** 차례로, 번갈아. ***avoir le beau ~*** 유리한 입장에 있다.

roller [ʀɔlœːʀ] 〔영〕 *m.* 롤러스케이트 : faire du ~ 롤러스케이트를 타다.

ROM [ʀɔm] 〔〔영〕<*R*ead *O*nly *M*emory〕 *f.* 《복수불변》 〖컴퓨터〗 롬《읽기 전용 메모리》.

romain, e[1] [ʀɔmɛ̃, -ɛn] *adj.* ① 로마(*Rome*)의 ; 고대 로마의 : l'Empire ~ 로마제국 / histoire ~*e* (고대) 로마사(史). ② (가톨릭 총본산으로서의) 로마(교회)의. ***chiffres ~s*** 로마 숫자《Ⅰ, Ⅴ, Ⅹ, etc.》. ***droit ~*** 로마법. ***l'Église ~e*** 로마 교회, 가톨릭 교회. — *m.* 〖인쇄〗 로만체 활자. — **R~** *n.* (고대) 로마 사람 : travail de *R~* 길고 힘든 일.

romaine[2] [ʀɔmɛn] *f.* 〖식물〗 상추의 일종.

romaine[3] *f.* 대저울. ***être bon comme la ~*** 《구어》 희생이 될 처지에 있다.

***roman**[1] [ʀɔmɑ̃] *m.* ① 〖중세문학〗 로망어로 쓴 운문 소설〔이야기〕 : le *R~* le Renart 여우 이야기. ② 소설 : ~ d'amour 연애 소설 / ~ d'anticipation 공상 과학 소설 / ~ de cape et d'épée 무협 소설 / ~ policier 추리 소설 / ~ noir 공포〔엽기〕 소설 / ~ historique 역사 소설. ③ 지어낸 이야기, 허구 : Sa vie est un vrai ~. 그녀의 생애는 참으로 한 편의 소설 같다.

***roman**[2]**, e** [ʀɔmɑ̃, -an] *adj.* ① 〖언어〗 로망스어의. ② 〖건축 · 미술〗 로마네스크 양식의. — *m.* ① 로망스어《라틴어에서 파생한 프랑스어 · 이탈리아어 · 에스파냐어 · 포르투갈어 따위》. ② 〖미술〗 로마네스크 양식.

romance [ʀɔmɑ̃ːs] *f.* ① 〖음악 · 문학〗 로망스, 연가(戀歌) : pousser la ~ 연가를 부르다. ② 〖문학〗 로망스 《18-19 세기의 서정시》.

romancer [ʀɔmɑ̃se] [2] *v.t.* 소설화하다 : ~ l'histoire 역사를 소설로 엮다.

romanche [ʀɔmɑ̃ːʃ] *m.* 〖언어〗 스위스의 레토로망스어(語)(le rhéto-roman) 계통의 방언《스위스의 제 4 공용어》.

romancier, ère [ʀɔmɑ̃sje, -ɛːʀ] *n.* ① 소설가. ② 〖중세문학〗 기사도 이야기 작가.

romand, e [ʀɔmɑ̃, -ɑ̃ːd] *adj.* (스위스에서) 프랑스어를 사용하는 : la Suisse ~*e* 스위스의 프랑스어 사용 지역. — **R~** *n.* 프랑스어 사용 스위스인.

***romanesque** [ʀɔmanɛsk] *adj.* ① 소설적인 ; 몽상적인(= rêveur) ; 기괴한, 기이한(= extraordinaire), 황당무계한 : imagination ~ 소설적인 상상력 / histoire ~ 기이한 이야기. ② 《문어》 (장르로서) 소설의 : expression ~ 소설의 표현. — *m.* 소설적임, 로마네스크.

roman-feuilleton [ʀɔmɑ̃fœjtɔ̃] *m.* (*pl.* **~s-~s**) 신문 · 잡지 연재 소설.

roman-fleuve [ʀɔmɑ̃flœːv] *m.* (*pl.* **~s-~s**) 대하(大河)소설.

romani [ʀɔmani] *n.* 집시. — *m.* 로마니〔집시〕어.

romanichel, elle [ʀɔmaniʃɛl] *n.* 《경멸》 집시(= gitan, bohémien), 방랑자(= vagabond).

romaniser [ʀɔmanize] *v.t.* ① 로마화하다. ② 로마자체(字體)로 쓰다 ; 로만체 활자로 인쇄하다. ③ 〖종교〗 가톨릭화(化)하다. — *v.i.* 〖종교〗 가톨릭의 교리를 따르다.

romaniste[1] [ʀɔmanist] *n.* 로망스어 학자.

romaniste[2] *n.* ① 로마법 학자. ② 〖종교〗 로마 가톨릭 교도. ③ 〖미술〗 16세기 플랑드르(*Flandre*)파 화가.

roman-photo [ʀɔmɑ̃fɔto] *m.* (*pl.* **~s-~s**) 사진 소설(= photo-roman).

***romantique** [ʀɔmɑ̃tik] *adj.* ① 〖문학사〗 로망파의, 낭만주의〔파〕의(≠ classique) : poète ~ 낭만파 시인. ② 소설적인, 공상적인, 로맨틱한 : tempérament ~ 로맨틱한 기질. — *m.* 낭만주의〔파〕 작가, 로맨틱한 사람.

romantisme [ʀɔmɑ̃tism] *m.* ① 〖문학사〗 낭만주의〔파〕. ② 〖예술〗 낭만주의적 경향〔요소 · 특징 · 태도 · 정신〕. ③ 몽상적인 기질.

romarin [ʀɔmaʀɛ̃] *m.* 〖식물〗 로즈마리.

rombière [ʀɔ̃bjɛːʀ] *f.* 《구어》 (아니꼽게 점잔빼는) 나이 든 여자.

Rome [ʀɔm] *n.pr.f.* 〖지리〗 (고대 · 현대의) 로마. ***À ~ il faut vivre comme à ~.*** 《격언》 로마에서는 로마식을 따르라, 입향순속(入鄕循俗). ***Tout chemin mène à ~.*** 《격언》 모든 길은 로마로 통한다.

rompre** [ʀɔ̃ːpʀ] [25] *v.t.* ① (움직임 · 상태를) 중단하다, 깨뜨리다 : ~ le silence 침묵을 깨뜨리다 / ~ l'équilibre 균형을 깨뜨리다 / ~ le travail 작업을 중단하다. ② (관계 · 계약을) 끊다, 파기하다 : ~ ses fiançailles 약혼을 해소하다 / ~ les relations diplomatiques 국교를 단절하다 / ~ un traité 조약을 파기하다. ③ 《문어》 꺾다, 부러뜨리다 ; 무너뜨리다, 부수다 ; 찢다 ; (적을) 분쇄하다 : Le chien *a rompu* sa chaîne. 개는 쇠사슬을 부숴뜨렸다 / L'inondation *a rompu* les digues. 홍수로 제방이 무너졌다 / ~ le pain 빵을 찢어 나누다. ④ (배열 · 질서를) 흐트리다 : ~ les ranges 열(列)을 흐트리다 / ~ le pas 보조를 흐트리다. ⑤ ~ les couleurs (색조를 부드럽게 하기 위해) 색깔을 섞다. ⑥ 《문어》 《~ à》 …에 익숙하게 하다 : La guerre nous *a rompus aux* privations. 전쟁은 우리를 결핍에 익숙하게 한다. ***à tout ~ 미친 듯이, 소란스럽게 : applaudir *à tout ~* 장내가 떠나갈 듯이 박수를 치다. ***Rompez* (*les rangs*) *!*** 〖군사〗 해산 ! — *v.i.* ① 부러지다, 끊어지다. ② 〖펜싱 · 권투〗 뒤로 물러서다. ③ 《~ avec qn》 …와 인연을 끊다, 절교하다 ; 《~ avec qc》 …을 버

리다 : 《보어 없이》 Ils *ont rompu.* 그들은 절교했다 / ~ *avec* une habitude 습관을 버리다. ── **se** ~ *v.pr.* ① 부러지다, 끊어지다, 부서지다 : La branche *s'est rompue.* 가지가 부러졌다. ② 《se ~ à》 …에 익숙해지다 : Je *me suis rompu à* ce travail. 나는 이 일에 익숙해졌다.

romp -s, -t ⇒ rompre.

rompu, e [ʀɔ̃py] *adj.* ① 부러진, 끊어진, 부서진 : corde ~*e* 끊어진 끈 / fiançailles ~*es* 깨진 약혼. ② 몹시 피로한〔지친〕(= ~ de fatigue). ③ 《~ à》 …에 익숙한, 능숙한 : être ~ *aux* affaires 사업에 능숙하다. ***à bâtons ~s*** 단속적으로, 두서없이.

romsteck [ʀɔmstɛk] 〔영〕 *m.* 〖요리〗 소의 볼깃살 비프스테이크(= bifteck dans le ~).

ronce [ʀɔ̃:s] *f.* ① 〖식물〗 나무딸기 ; (식물의) 가시 : s'écorcher aux ~*s* 가시에 긁히다. ② 나뭇결(이 있는 나무).

ronceraie [ʀɔ̃sʀɛ] *f.* 가시덤불이 우거진 곳.

ronceux, euse [ʀɔ̃sø, -ø:z] *adj.* ① 가시덤불이 우거진. ② 나뭇결이 소용돌이 모양인.

ronchon, ne [ʀɔ̃ʃɔ̃, -ɔn] *adj.* 《불변》 불평하는, 투덜거리는. ── *n.* 불평자.

ronchonnement [ʀɔ̃ʃɔnmɑ̃] *m.* 불평, 잔소리.

ronchonner [ʀɔ̃ʃɔne] *v.i.* 《구어》 투덜거리다, 불평하다(= grogner).

ronchonneur, euse [ʀɔ̃ʃɔnœ:ʀ, -ø:z] *adj.* et *n.* 《구어》 불평하는 (사람) : une vieille ~*euse* 불평불만이 그치지 않는 노파.

‡rond, e[1] [ʀɔ̃, -ɔ̃:d] *adj.* ① 둥근, 원형의 ; 구형(球形)의 : table ~*e* 원탁 (회의) / ballon ~ 축구공《럭비공의 ballon ovale에 대한 말》. ② (신체의 부분이) 토실토실〔포동포동〕한, (몸이) 똥똥한, 땅딸막한 : joues ~*es* 포동포동한 볼 / visage ~ 둥그스럼한 얼굴 / bras ~ et potelé 토실토실한 팔. ③ (금액이) 상당한, (지갑 따위가) 불룩한 : fortune ~*e* 상당한 재산 / bourse ~*e* (돈으로) 불룩한 지갑. ④ (사람이) 솔직한 ; 원만한. ⑤ (숫자 · 계산이) 우수리가 없는 : compte ~ 어림셈 / somme ~*e* (우수리 없이) 딱 들어맞는 돈. ⑥ 《구어》 과음한, 취한(= ivre) : Il est complètement ~. 그는 완전히 취했다.
── *m.* ① 원, 동그라미 ; 둥근 고리 : faire 〔tracer〕 un ~ 원을 그리다. ② 고리 모양의 것 : ~ de serviette 내프킨을 끼워 두는 고리. ③ 〖무용〗 ~ de jambe 롱드 장브《한쪽 다리로 반원 또는 원을 그림》. ④ 《옛》 돈, 잔돈 : Il n'a pas un 〔le〕 ~. 그는 빈털터리다. ***en ~*** 원을 이루어, 둥그렇게 : s'asseoir *en* ~ 둥그렇게 둘러앉다. ***faire des ~s de jambe*** 아첨하는 태도를 취하다.
── *adv.* 둥글게 ; 원만하게, 원활하게. ***ne pas tourner ~*** 《구어》 정상이 아니다. ***tourner ~*** (모터 · 차가) 원활하게 회전하다 ; (일이) 순조롭게 진행되다. ***Ça tourne ~.*** (일이) 원만하게 되어간다.

rondache [ʀɔ̃daʃ] *f.* (중세기의) 둥근 방패.

rond-de-cuir [ʀɔ̃dkɥi:ʀ] *m.* (*pl.* **~s-~-~**) ① (의자에 까는) 원형 가죽 쿠션. ② 《경멸》 (앉아서 사무를 보는) 공무원.

ronde[2] [ʀɔ̃:d] *f.* ① 순회 ; 〖군사〗 순찰, 순시 ; 순찰대 ; 야경꾼 : ~ de police 경관의 순찰 / chemin de ~ (요새 · 성의 높은 곳에 만든) 순찰로(路). ② 윤무(輪舞) ; 〖음악〗 윤무곡. ③ 둥글둥글한 자체(字體). ④ 〖음악〗 온음표(音標). ***à la ~*** ⓐ 주위로, 사방으로 : à dix lieues *à la* ~ 사방 10 리에. ⓑ 차례로 : boire *à la* ~ 잔을 돌려 가며 마시다.

rondeau [ʀɔ̃do] *m.* (*pl.* **~x**) ① 〖불문학〗 롱도《16 세기에 유행한 정형 단시》. ② 〖음악〗 회선곡(回旋曲)(= rondo).

ronde-bosse, ronde bosse [ʀɔ̃dbɔs] *f.* (*pl.* **~s-~s**) 〖미술〗 환조(丸彫).

rondelet, ette [ʀɔ̃dlɛ, -ɛt] *adj.* ① 둥그스름한 ; 통통한, 포동포동한 : femme ~*ette* 포동포동한 여자. ② (지갑 따위가) 불룩한 ; (금액이) 상당한.

***rondelle** [ʀɔ̃dɛl] *f.* ① (볼트를 죌 때 너트 밑에 넣는) 둥근 고리, 좌금(座金). ② (소시지 따위의) 둥글게 자른 조각.

rondement [ʀɔ̃dmɑ̃] *adv.* ① 신속하게(= promptement) ; 한결같이, 규칙적으로 : travailler ~ 한결같이 일을 하다. ② 솔직하게, 공명정대하게. ***mener les affaires ~*** 일을 신속하게〔척척〕 처리하다.

rondeur [ʀɔ̃dœ:ʀ] *f.* ① 둥근 모양〔선〕 ; (신체의 부분이) 포동포동함. ② (성격의) 솔직함, 원만함. ***avec ~*** 솔직하게, 꾸밈없이, 자연스럽게.

rondin [ʀɔ̃dɛ̃] *m.* ① 통나무 장작 ; (특히 전나무의) 통나무. ② 몽둥이, 방망이, 곤봉.

rondo [ʀɔ̃do] 〔이탈리아〕 *m.* 〖음악〗 론도, 회선곡(回旋曲)(= rondeau).

rondouillard, e [ʀɔ̃duja:ʀ, -aʀd] *adj.* 《구어》 포동포동한, 통통한(= rond).

rond-point [ʀɔ̃pwɛ̃] *m.* (*pl.* **~s-~s**) ① 〖건축〗 (성당의) 반원형 후진(= abside). ② (여러 도로가 모여드는) 원형 광장, 로터리.

ronéo [ʀɔneo] *f.* 〖상표명〗 로네오(등사용 원지를 사용하는) 등사기.

ronflant, e [ʀɔ̃flɑ̃, -ɑ̃:t] *adj.* ① 코고는 ; (라디오 따위의 잡음이) 윙윙〔붕붕〕거리는. ② (표현이) 과장된, 공허한(= grandiloquent).

ronflement [ʀɔ̃fləmɑ̃] *m.* ① 코고는 소리. ② 윙윙〔붕붕〕 소리 ; (라디오 따위의) 잡음.

***ronfler** [ʀɔfle] *v.i.* ① 코를 골다. ② 윙윙 〔붕붕 · 부르릉〕거리다 (= ronronner, vrombir) : Le moteur commence à ~. 모터가 윙윙 소리를 내기 시작한다.

ronfleur, euse [ʀɔ̃flœ:ʀ, -ø:z] *n.* 코고는 사람. ── *m.* 〖전기〗 버저《전기 신호음》.

rongement [ʀɔ̃ʒmɑ̃] *m.* ① 쏠기, 좀먹기. ② 부식, 침식.

ronger** [ʀɔ̃ʒe] 3 *v.t.* ① (쥐 따위가) 쏠다 ; 갉아먹다 ; (말이 재갈을) 깨물다, 물어뜯다(= mordiller) : Le chien *ronge* un os. 개가 뼈다귀를 갉아먹는다. ② 부식하다, 침식하다 : La mer *ronge* les falaises. 바닷물이 안벽(岸壁)을 침식한다. ③ (슬픔 · 병 따위가 사람을) 좀먹다(= miner) ; 괴롭히다(= torturer) : La jalousie *ronge* cette femme. 질투가 이 여자의 마음을 짓이기고 있다. ***~ son frein 불만을 참다. ── **se** ~ *v.pr.* ① 자기 …을 깨물다〔물어뜯다〕 : *se* ~ les ongles 자기의 손톱을 깨물다. ② 《se ~ de》 …으로〔때문에〕 괴로워하다, 고민하다 : *se* ~ *d'*inquiétude 불안에 시달리다.

R

rongeur, euse [ʀɔ̃ʒœːʀ, -øːz] *adj.* ① 좀먹는, 갉아먹는. ② 부식하는 ; 침식하는. ③ 마음을 괴롭히는. — *m. pl.* 〖동물〗 설치류.

ronron [ʀɔ̃ʀɔ̃] *m.* ① (고양이가 목구멍으로) 가르랑거리는 소리. ② (기계 따위가) 부르릉거리는 소리.

ronronnement [ʀɔ̃ʀɔnmɑ̃] *m.* = ronron.

ronronner [ʀɔ̃ʀɔne] *v.i.* ① (고양이가 목구멍으로) 가그랑거리다. ② (기계 따위가) 부르릉거리다.

röntgen [ʀœ(ø)ntgn] *m.* 〖물리〗 뢴트겐(기호 R)《X선 또는 Y선의 조사선량(照射線量) 단위》.

roquefort [ʀɔkfɔːʀ] *m.* 양젖으로 만든 치즈.

roquer [ʀɔke] *v.i.* (서양장기에서) 성장(城將)(roc)을 왕(roi) 옆에 갖다 놓다.

roquet [ʀɔkɛ] *m.* ① 발바리《개의 일종》. ② 시끄럽게 지껄이는 사람.

roquette [ʀɔkɛt] 〔영〕 *f.* 로켓(포)(= rocket). ***tube lance-~s*** 바주카포.

rorqual [ʀɔʀkwal] *m.* 〖동물〗 큰고래.

rosace [ʀozas] *f.* ① 〖건축〗 장미꽃 모양의 장식. ② (교회의) 장미꽃 모양의 큰 유리창, 원화창(圓華窓).

rosacé, e [ʀozase] 〖식물〗 *adj.* 장미꽃 모양의. — *f.* 장미과(科).

rosaire [ʀozɛːʀ] *m.* ① 〖가톨릭〗 로자리오, 묵주. ② 묵주신공(默珠神功). ***dire*** 〔***réciter***〕 ***le ~*** 묵주신공을 드리다.

rosat [ʀoza] *adj.* 《불변》〖약학〗 장미향이 들어 있는 : huile ~ 장미 기름. 「름한.

rosâtre [ʀozɑːtʀ] *adj.* 장밋빛을 띤, 발그스

rosbif [ʀɔsbif] 〔영〕 *m.* 〖요리〗 로스트 비프.

rose** [ʀoːz] *f.* ① 〖식물〗 장미꽃, 장미 : bouton de ~ 장미꽃 봉오리 / ~ sauvage 들장미 / saison des ~s 장미의 계절, 봄. ② 장미형 장식 ; 원화창(= rosace) ; 장미형 다이아몬드 ; 〖해양〗 (나침반의) 방위반(盤)(= ~ des vents). ③ ~ des sables 장미의 모래《사막에서 발견되는 장미 모양의 석고 결정》. ***à l'eau de ~ 달콤한, 감상적인. ***bois de ~*** 자단(紫丹). ***eau de ~*** 장미 향수. (***Il n'y a*** 〔***Il n'est***〕) ***pas de ~s sans épines.*** 《격언》 가시 없는 장미는 없다, 즐거움에는 괴로움이 따르게 마련이다. ***~ de Notre-Dame*** 〖식물〗 작약. ***un roman*** 〔***film***〕 ***à l'eau de ~*** 감상적이고 통속적인 소설〔영화〕.
— *adj.* ① 장밋빛의 ; 쾌활한, 유쾌한 : avoir des joues ~s 뺨이 발그레하다 / histoire ~ (비현실적인) 장밋빛 이야기. ② 에로틱한, 핑크의 : messageries ~s (인터넷의) 외설 정보. — *m.* 장밋빛 : écharpe d'un ~ vif 〔pâle〕 진한〔엷은〕 장밋빛 스카프. ***voir tout*** 〔***la vie***〕 ***en ~ ; voir tout couleur de ~*** 만사를 낙관하다.

rosé, e¹ [ʀoze] *adj.* 분홍빛의, 발그스름한. — *m.* 로제 와인(= vin ~).

roseau** [ʀozo] *m.* (*pl.* ***~x) 〖식물〗 갈대 : L'homme est un ~ pensant. 인간은 생각하는 갈대다.

rosée² [ʀoze] *f.* ① 이슬 : ~ du matin 아침 이슬. ② (눈물 · 피 따위의) 방울. ~ de sang 핏방울.

roséole [ʀozeɔl] *f.* 〖의학〗 홍진(紅疹), 장미진(薔薇疹).

roser [ʀoze] *v.t.* 《보통 수동형으로》 장밋빛으로 물들이다.

roseraie [ʀozʀɛ] *f.* 장미꽃밭, 장미원.

rosette [ʀozɛt] *f.* ① 《옛》 작은 장미꽃. ② (자수 따위의) 장미꽃 장식, (리본의) 장미 매듭 ; (훈장 · 계급장 따위의) 약장(略章).

rosier [ʀozje] *m.* 〖식물〗 장미나무.

rosière [ʀozjɛːʀ] *f.* 《옛》 (덕망이 높고 순결하여) 장미 관(冠)을 받은 처녀.

rosiériste [ʀozjeʀist] *m.* 장미 재배자.

rosir [ʀoziːʀ] *v.i.* 장밋빛으로 물들다 : Son visage *rosit* de joie. 기쁨으로 그녀의 얼굴이 발그스름해졌다. — *v.t.* 장밋빛으로 물들이다, 붉어지게 하다(= roser).

rossard, e [ʀɔsaːʀ, -aʀd] *adj.* et *n.* 심술궂은 (사람).

rosse [ʀɔs] *f.* ① 기운 없는〔늙다리〕 말. ② 《구어》 심술궂은 사람(= vache). — *adj.* 심술궂은 ; 신랄한 : être ~ avec qn …에 대해서 심술궂다〔가혹하다〕 / chanson ~ 풍자적인 신랄한 노래.

rossée [ʀɔse] *f.* 《구어》 구타 : flanquer 〔recevoir〕 une ~ 구타하다〔당하다〕.

rosser [ʀɔse] *v.t.* ① 《구어》 구타하다 ; 두들겨 패다(= frapper). ② (싸움에서) 이기다, 격파하다.

rosserie [ʀɔsʀi] *f.* 《구어》 심술궂은 언행 ; 신랄한 야유 ; 파렴치한〔추잡한〕 짓〔말〕 : dire des ~s 심술궂은 말을 하다.

***rossignol** [ʀɔsiɲɔl] *m.* ① 〖조류〗 나이팅게일, 밤꾀꼬리. ② 자물쇠를 따는 도구, 곁쇠. ③ 《구어》 팔리지 않는 책〔상품〕 ; 유행이 지난 상품.

rostre [ʀɔstʀ] *m.* ① 〖고대로마〗 뱃부리《적함에 충돌시켜 파괴함》. ② 〖동물〗 부리 ; (곤충의) 주둥이, 구문(口吻).

rot [ʀo] *m.* 트림(= éructation) : faire 〔lâcher〕 un ~ 트림하다.

rôt [ʀo] *m.* 《옛 · 문어》 = rôti. ***fumée du ~*** 공상뿐인 즐거움.

rotatif, ive [ʀɔtatif, -iːv] *adj.* 회전하는, (발동기가) 회전식의. — *f.* 〖인쇄〗 윤전기.

rotation [ʀɔtɑsjɔ̃] *f.* ① 회전 (운동) ; (지구의) 자전(自轉)(= ~ de la terre) : ~ d'une roue 차바퀴의 회전. ② (정기적) 로테이션, 교대 ; 순환 ; (교통 기관의) 왕복 회수, 운전 회수 : ~ des équipes 작업반의 교대 근무 / ~ du personnel (연간) 인원 교체(율). ③ 〖농업〗 윤작(輪作)(= ~ des cultures).

rotatoire [ʀɔtatwaːʀ] *adj.* 회전하는 : mouvement ~ 회전 운동.

roter [ʀote] *v.i.* 《속어》 트림하다(= éructer).

***rôti, e¹** [ʀoti] *m.* 구운 고기, 불고기. — *adj.* (고기를) 불에 구운 : bœuf ~ 로스트 비프.

rôtie [ʀoti] *f.* 《옛 · 지방어》 구운 빵, 토스트.

rotin¹ [ʀɔtɛ̃] *m.* 〖식물〗 등나무 ; 등나무의 줄기〔껍질〕 : chaise en ~ 등의자.

rotin² *m.* 《구어》 (돈) 한푼(= sou)《주로 부정문에 쓰임》. ***n'avoir pas un ~*** 무일푼이다.

rôtir** [ʀo(ɔ)tiːʀ] *v.t.* (고기 · 생선 · 빵을) 굽다 : ~ de la viande au four 오븐으로 고기를 굽다. — *v.i.* ① 구워지다. ② 《구어》 (햇볕에) 그을리다, (햇볕을 받아) 시들다. ***On rôtit ici. 《구어》 여기는 몹시 덥다. — ***se ~*** *v.pr.* ① 구워지다. ② (일광욕으로) 몸을

그을리다 : *se* ~ au soleil 햇볕에 몸을 그을리다.
rôtissage [Rotisa:ʒ] *m.* (고기를) 굽기.
rôtisserie [RotisRi] *f.* 불고기집 ; 새〔통닭〕 구이집.
rôtisseur, euse [Rotisœ:R, -ø:z] *n.* 불고기〔새·통닭구이〕 장수.
rôtissoire [Rotiswa:R] *f.* 고기〔새·닭·생선〕 굽는 기구.
rotonde [Rɔtɔ̃:d] *f.* (지붕과 기둥이 둥근) 원형 건물 ; 둥근 지붕의 정자.
rotondité [Rɔtɔ̃dite] *f.* ① 둥긂, 원형, 구형. ② 《구어》 비만 ; 통통한 부분.
rotor [Rɔtɔ:R] *m.* 〖기계〗 (터빈·컴프레서의) 회전자(回轉子) ; 〖항공〗 (헬리콥터의) 회전 날개(= ~ d'hélicoptère).
rotule [Rɔtyl] *f.* ① 〖해부〗 슬개골(膝蓋骨), 종지뼈. ② 〖기계〗 구형(球形)의 연결 장치, 볼조인트. ***être sur les ~s*** 《구어》 기진맥진하다.
rotulien, enne [Rɔtyljɛ̃, -ɛn] *adj.* 〖해부〗 슬개골의 : réflexe ~ 슬개골 반사.
roture [Rɔty:R] *f.* ① 《집합적》 평민, 서민 ; 평민의 신분, 서민 계급. ② 평민의 소유지.
roturier, ère [RɔtyRje, -ɛ:R] *adj.* 《문어》 평민〔서민〕의. ── *n.* 평민, 서민.
rouage [Rwa:ʒ] *m.* (흔히 *pl.*) ① (시계 따위의) 톱니바퀴 (장치). ② (행정·기업의) 기구(機構), 기관 : ~*s* de l'État 정부의 기구.
rouan, anne [Rwɑ̃, -an] *adj.* et *m.* (갈기·꼬리·사지의 털은 검고) 몸에 흰 털과 붉은 털이 섞인 (말)(= aubère).
roublard, e [Rubla:R -aRd] *adj.* 《구어》 술책이 능한, 교활한. ── *n.* 책사(策士) ; 사기꾼.
roublardise [RublaRdi:z] *f.* 《구어》 교활함 ; 술책(= astuce).
rouble [Rubl] *m.* 루블《제정 러시아·소련의 화폐 단위》.
roucoulade [Rukulad] *f.* = roucoulement.
roucoulement [Rukulmɑ̃] *m.* ① 비둘기 울음 소리. ② 달콤한 사랑의 속삭임 : ~*s* d'amoureux 애인들의 달콤한 밀어.
roucouler [Rukule] *v.i.* ① (비둘기가) 구구하고 울다. ② 달콤하게 속삭이다. ── *v.t.* 정답게 속삭이다 ; 달콤하게 노래하다.
roue** [Ru] *f.* ① 바퀴, 차륜 : (véhicule à) deux〔quatre〕 ~*s* 2 륜〔4 륜〕차 / ~ de secours 예비 타이어. ② 〖해양〗 타륜(舵輪), 키바퀴 ; 바퀴 모양의 것 ; 회전 원반 : ~ de loterie 복권의 추첨 원반. ③ 큰 톱니바퀴 ; 도르래 : ~ d'une horloge 큰 시계의 톱니바퀴 / ~ de transmission 도르래. ④ 차형(車刑)(= supplice de la ~) : condamner à la ~ 차형에 처하다. ***cinquième ~ du carrosse 〔***de la charrette***〕 쓸모없는 사람, 무용지물. ***être en ~ libre*** 자유롭게 행동하다. ***faire la ~*** (공작 따위가) 꽁지를 부채같이 펴다 ; 〖체조〗 (수레바퀴처럼) 땅재주를 넘으며 옆으로 돌다. ***pousser à la ~*** 바퀴를 밀어 주다 ; (성공하도록) 도와〔밀어〕 주다.
roué, e [Rwe] *adj.* et *m.* ① 차형(車刑)을 받은 (사람). ② 교활한 (사람).
rouelle [Rwɛl] *f.* 〖요리〗 ① 둥글게 썬 송아지의 허벅지 고기. ② (채소·과일 따위의) 둥글게 썬 조각.

R

rouer [Rwe] *v.t.* 《옛》 차형(車刑)에 처하다. ~ qn ***de coups*** 《구어》 …을 사정없이 때리다.
rouerie [RuRi] *f.* 교활한 짓, 술책.
rouet [Rwɛ] *m.* 물레 ; 도르래 바퀴.
rouf [Ruf] *m.* 〖해양〗 갑판 위의 선실.
rouflaquette [Ruflakɛt] *f.* (보통 *pl.*) 《구어》 관자놀이의 애교 머리카락 ; 구레나룻.
rouge** [Ru:ʒ] *adj.* ① 붉은, 빨간 색의 : vin ~ 적포도주 / cheveux ~*s* 《구어》 적갈색의 머리칼. ② 홍조를 띤, 낯을 붉힌 : joues ~ 혈색이 좋은 볼 / être ~ de honte〔de colère〕 부끄러움〔분노〕에 얼굴이 붉어지다. ③ (고온으로) 빨갛게 달아오른(= incandescent) : fer ~ 빨갛게 달군 쇠. ④ 〖정치〗 적화(赤化)된, 공산주의의, 좌익의 : l'Armée ~ 적군(赤軍). ── *m.* ① 붉은 빛 : colorer〔teindre〕 qc en ~ …을 붉게 채색하다〔물들이다〕. ② 연지 ; 입술 연지, 루즈(= ~ à lèvres) ; 붉은 염료〔물감〕 : se mettre du ~ 루즈를 칠하다. ③ 적군 ; 공산주의자, 빨갱이. ④ 적포도주(= vin ~) : boire un coup de ~ 적포도주를 한잔 마시다. ⑤ (신호등의) 빨간 신호 : Le feu était au ~. 신호등은 빨간불이었다. ***bâton de ~ 립스틱. ── *adv.* se fâcher tout ~ 얼굴이 벌겋게 되어 화를 내다. ***voir ~*** 화가 벌컥 치밀다.
rougeâtre [Ruʒɑ:tR] *adj.* 불그스름한 : lumière ~ 불그스레한 빛 / brun ~ 적갈색.
rougeaud, e [Ruʒo, -o:d] *adj.* 얼굴빛이 붉은. ── *n.* 얼굴빛이 붉은 사람.
rouge-gorge [RuʒgɔRʒ] *m.* (*pl.* **~s-~s**) 〖조류〗 (유럽산(産)의) 울새.
rougeoiement [Ruʒwamɑ̃] *m.* 붉게 반짝이는 빛 ; 불그스름한 빛깔.
rougeole [Ruʒɔl] *f.* 〖의학〗 홍역, 마진. ***faire une ~*** 홍역을 하다〔치르다〕.
rougeoleux, euse [Ruʒɔlø, -ø:z] *adj.* et *n.* 홍역에 걸린 (사람).
rougeoyer [Ruʒwaje] [7] *v.i.* 붉은 빛을 띠다 ; 불그스름하게 빛나다.
rouget, ette [Ruʒɛ, -ɛt] *m.* ① 〖어류〗 성대의 일종. ② 〖식물〗 며느리밥풀.
rougeur [Ruʒœ:R] *f.* ① 붉은 빛 ; 붉은 기, 홍조(紅潮) : La ~ lui est montée au visage. 그는 낯을 붉혔다. ② (*pl.*) (피부의) 붉은 반점, 적반(赤斑).
rough [Rœf] 〔영〕 *m.* ① 〖스포츠〗 (골프 코스의) 러프. ② (도안 따위의) 초안, 밑그림.
rougi, e [Ruʒi] *adj.* 붉어진 ; 붉게 물든 : yeux ~*s* de pleurs 울어서 빨개진 눈 / feuilles ~*es* 붉게 물든 나뭇잎.
rougir** [Ruʒi:R] *v.t.* ① 붉게 하다〔칠하다·물들이다〕 ; (얼굴을) 붉히다 : L'automne *rougit* les feuilles des arbres. 가을은 나뭇잎을 붉게 물들인다. ② (금속을) 빨갛게 달구다. ***~ ses mains (***de sang*** 〔***dans le sang***〕) 손을 피로 물들이다 ; 살인을 하다. ── *v.i.* ① 붉어지다 ; 빨갛게 물들다 : Les cerises *rougissent* à la fin du mois de mai. 버찌는 5 월말에 붉어진다. ② 낯을 붉히다, 얼굴에 홍조를 띠다(≠ pâlir) ; 부끄러워하다 : ~ (de colère) (화가 나서) 얼굴이 빨개지다 / ~ de honte 부끄러워 낯을 붉히다 : Je n'ai pas à ~ de cela. 나는 그것을 부끄러워할 까닭이 없다.

rougissant, e [ʀuʒisɑ̃, -ɑ̃:t] *adj.* 얼굴을 붉히는 : jeune homme timide et ~ 소심해서 곧잘 얼굴을 붉히는 젊은이.

rouille [ʀuj] *f.* ① (금속에 슨) 녹 : fer attaqué par la ~ 녹슨 쇠. ② 〖농업〗 녹병(病), 적수병(赤銹病). ***acier sans ~*** 스테인레스 스틸. ***~ intellectuelle*** 지능〔지성〕의 둔화.

rouillé, e [ʀuje] *adj.* ① (금속이) 녹이 슨 ; 적갈색의. ② 《구어》 (두뇌 · 솜씨가) 둔해진, 무디어진 : Il était un peu ~ en anglais. 그의 영어 실력이 다소 떨어졌었다.

***rouiller** [ʀuje] *v.t.* ① 녹슬게 하다 ; 《구어》 둔하게〔무디게〕 만들다 : La paresse finit par ~ l'esprit. 게으름은 마침내 정신을 둔화시킨다. ② 녹병〔적수병(赤銹病)〕에 걸리게 하다. ── *v.i.* 녹이 슬다. ── **se** ~ *v.pr.* ① 녹슬다. ② 《구어》 (솜씨가) 둔해지다 ; (능력이) 떨어지다 : sportif qui *se rouille* faute d'exercice 연습을 안해서 무디어진 운동 선수.

rouir [ʀwi:ʀ] *v.t.* (삼 따위를) 물에 담그다. ── *v.i.* 물에 잠기다.

roulade [ʀulad] *f.* ① 〖체조 · 유도〗 몸 구르기 : ~ avant 〔arrière〕 앞으로〔뒤로〕 구르기. ② 〖음악〗 룰라드《두 음 사이의 빠르고 연속적인 장식음》.

roulage [ʀula:ʒ] *m.* (차량에 의한 상품) 운반, 수송 : entreprise de ~ 운송 회사.

roulant, e [ʀulɑ̃, -ɑ̃:t] *adj.* ① (기계 장치로) 회전하는, 순환하는 : escalier ~ 에스컬레이터 / trottoir ~ 움직이는 보도 ; 벨트 컨베이어. ② 바퀴로 움직이는, 굴러가는 : fauteuil ~ 바퀴 달린 의자 / table ~*e* 바퀴 달린 이동식 식탁. ③ (도로가) 평탄한, 잘 닦인. ④ 연속적인, 연발의 : feu ~ 연속 사격 / feu ~ de questions 질문의 연발. ⑤ 《구어》 몹시〔참으로〕 우스꽝스러운 : histoire ~*e* 우스꽝스러운 이야기. ***matériel ~*** 〖철도〗 차량(≠ matériel fixe). ***personnel ~*** 〖철도〗 《집합적》 (열차 · 버스의) 승무원. ── *n.* 《구어》 les ~s (열차 · 버스의) 승무원(= le personnel ~). ── *f.* 《구어》 〖군사〗 주방차(車)(= cuisine ~*e*).

roulé, e [ʀule] *adj.* ① 둥글게 말린 ; 둥그스름한 : épaule ~*e* 둥글게 처진 어깨 / pull à col ~ 터틀넥 스웨터. ② 《구어》 (여자가) (몸매가) 잘 다듬어진, 균형잡힌 : femme bien ~*e* 몸매가 균형잡힌 여자.

rouleau** [ʀulo] *m.* (*pl.* ***~x) ① 두루마리 ; 원통형으로 말린 물건 : ~ de pellicules photographiques 사진 필름통 / ~ hygiénique 두루마리 화장지. ② 롤러 ; (밀가루 반죽을 밀어서 펴는) 밀방망이(= ~ à pâtisserie) ; (무거운 물건을 옮길 때 쓰는) 굴림대 : ~ de peintre en bâtiment 페인트칠할 때 쓰는 롤러 / ~ compresseur 땅고르기용 토목 공사 롤러차. ③ (해변에 밀려왔다 빠져나가는) 말아 올려진 파도. ***être au bout de son ~*** 〔***du ~***〕 밑천이 달리다 ; 죽을 때가 되다.

roulé-boulé [ʀulebule] *m.* (*pl.* ***~s-~s***) (낙하산을 타고 내릴 때 충격을 덜기 위해) 몸을 땅에 굴리는 기술.

roulement [ʀulmɑ̃] *m.* ① 회전, 운전, 굴러가기, 활주(滑走). ② 굴러가는 소리 ; 연속음 : ~ des voitures dans la rue 지나가는 차의 소음 / ~ de tambour 북이 둥둥 울리는 소리. ③ (신체의 일부를) 이리저리 움직이기 : ~ des yeux 눈알을 두리번거림. ④ (자본의) 유통, 회전 : fonds de ~ 운전 자금. ⑤ 교대 : travailler par ~ 교대로 일하다.

‡rouler [ʀule] *v.t.* ① 굴리다, (바퀴 달린 가구 따위를) 끌다〔밀다〕 ; (어린애 · 병자 따위를) 수레에 태우고 밀다 : ~ un tonneau 통을 굴리다 / ~ un bébé dans son landau 어린애를 유모차에 태워서 밀고 가다. ② (굴려서) 말다 : ~ un papier 종이를 말다 / ~ un tapis 융단을 말다. ③ (몸의 일부를) 흔들다, 뒤틀다, 돌리다 : ~ les hanche en marchant 걸어가면서 엉덩이를 뒤흔들다 / ~ les yeux 눈알을 두리번거리다. ④ (땅을) 롤러로 밀다〔고르다〕 : ~ un court de tennis 테니스 코트에 롤러질을 하다. ⑤ 이리저리 궁리하다, (생각을) 되새기다 : ~ de tristes pensées 슬픈 생각을 되새기다. ⑥ (r 발음을) 혀끝을 굴려서 발음하다. ⑦ 《구어》 속이다(= tromper) : Il *a été* bien *roulé* dans cette affaire. 그는 이 일에서 완전히 속았다 / ~ un client 손님을 속이다. ── *v.i.* ① 구르다, 굴러가다 ; 굴러 떨어지다 : La boule *roule* le long de la pente. 공이 비탈을 굴러간다 / Il *a roulé* en bas de l'escalier. 그는 계단 밑으로 굴러 떨어졌다. ② (차가) 달리다, (배가) 좌우로 흔들리다, 롤링하다 : Le train *roulait* à 140 km à l'heure. 기차는 시속 140 km로 달렸다 / ~ à faire cuiller 뱃전이 물에 잠길 정도로 기울다. ③ 차를 타고 가다, 차로 여행하다 : Nous *roulons* vers Paris. 우리는 파리로 차를 타고 간다. ④ 떠돌아다니다 ; 《경멸》 전전하다 : ~ dans tous les pays 각국을 여행하다 / Elle *roule* de patrons en patrons. 그녀는 이 고용주 저 고용주를 찾아 떠돌아다닌다. ⑤ (천둥 따위가) 우르릉거리다 ; (북이) 둥둥 울리다. ⑥ 《~ sur》 …을 이야깃거리로 삼다 : La conversation *roula sur* ce sujet. 그 문제가 이야깃거리가 되었다. ⑦ (두서없는 생각 · 계획이 머리에) 떠오르다. ⑧ (자본이) 회전하다, (돈이) 유통하다. ***Ça roule.*** 《속어》 일이 잘 되어 간다 ; 잘 지낸다. ── **se** ~ *v.pr.* ① 몸을 굴리다, 뒹굴다 ; 돌아눕다, 뒤치락거리다 : *se* ~ sur le gazon 잔디 위에서 뒹굴다. ② 《se ~ dans》 …으로 몸을 감싸다 : *se* ~ *dans* une couverture 담요로 몸을 감싸다. ③ 몸을 웅크리다(= se mettre en boule). ④ 《구어》 포복절도하다(= se ~ de rire) : *se* ~ par terre (우스워서) 포복절도하다.

roulette** [ʀulɛt] *f.* ① (가구 다리에 붙이는) 작은 바퀴, 캐스터 : table à ~*s* 바퀴 달린 테이블. ② (유아용의) 바퀴 달린 보행기. ③ 룰렛놀이《구슬을 굴리는 일종의 도박》. ④ (케이크용 반죽 자르는) 파이커터 ; (재봉사의) 룰렛《점선 찍는 기구》 ; 〖치과〗 치과의(醫)의 천공기(穿孔機)(= fraise dentaire). ***marcher 〔***aller***〕 ***comme sur des ~s*** 일이 매우 순조롭게 진척되다.

rouleur, euse [ʀulœ:ʀ, -ø:z] *n.* 구르는 사람, 굴리는 사람. ── *m.* ① (사이클링의) 장거리 선수. ② 〖자동차〗 [illegible]. ③ 통굴리는 인부 ; 광석 운반부. ④ 좌우로 심하게 흔들리는 배. ⑤ 《옛》 방랑자 ; 뜨내기 일꾼. ── *f.* ① 관광차. ② 《옛》 매춘부.

R

roulier, ère [ʀulje, -ɛːʀ] *m.* ⟪옛⟫ 짐수레꾼.
roulis [ʀuli] *m.* 〖해양〗 (배의) 좌우로 흔들리는 요동, 옆질(≠ tangage).
roulotte [ʀulɔt] *f.* ① (유랑민 · 집시의) 집을 겸한 마차; (캠핑용 · 순회 연예단 따위의) 집을 겸한 자동차〔트레일러〕. ② 캠핑카(= caravane). ***vol à la ~*** ⟪구어⟫ 주차 중인 자동차에서 물건을 훔치기.
roulure [ʀulyːʀ] *f.* ⟪속어⟫ 매춘, 매음.
roumain, e [ʀumɛ̃, -ɛn] *adj.* 루마니아(*Roumanie*)의. ── **R~** *n.* 루마니아 사람. ── *m.* 루마니아어.
roumi [ʀumi] *m.* (회교도가 지칭하는) 기독교도⟪일반적으로 유럽 사람⟫.
round [ʀawnd] 〔영〕 *m.* ① 〖권투〗 라운드, 회전 : match en dix *~s*, 10 회전 시합. ② (협상 · 논쟁 따위의) 단계.
roupie[1] [ʀupi] *f.* 루피⟪인도 · 파키스탄의 화폐 단위⟫.
roupie[2] *f.* ① 콧물(= morve). ② ⟪구어⟫ 하찮은 것〔사람〕. ***Ce n'est pas de la ~ de sansonnet.*** ⟪반어적⟫ 그것은 대단한 것〔사람〕이다.
roupiller [ʀupije] *v.i.* ⟪구어⟫ 졸다 ; 잠자다.
roupillon [ʀupijɔ̃] *m.* ⟪구어⟫ 졸기, 풋잠. ***piquer*** 〔***faire***〕 ***un ~*** ⟪구어⟫ 잠깐 졸다 ; 한숨 자다.
rouquin, e [ʀukɛ̃, -in] *adj.* et *n.* ⟪구어⟫ 적갈색 머리의 (사람)(= roux). ── *m.* ⟪구어⟫ 적(赤)포도주(= rouge).
rouscailler [ʀuskɑje] *v.i.* ⟪구어⟫ 투덜거리다, 불평하다(= rouspéter).
rouspétance [ʀuspetɑ̃ːs] *f.* ⟪구어⟫ 항의, 반항 ; 불평 : Pas de ~. 불평하지 마라.
*__rouspéter__ [ʀuspete] [6] *v.i.* ⟪구어⟫ 항의하다, 투덜거리다, 불평하다(= maugréer).
rouspéteur, euse [ʀuspetœːʀ, -øːz] *adj.* et *n.* ⟪구어⟫ 불평〔항의〕 하는 (사람).
roussâtre [ʀusɑːtʀ] *adj.* 적갈색을 띤.
rousse[1] [ʀus] *f.* roux 의 여성형.
rousse[2] *f.* ⟪은어⟫ 경찰(= police).
rousserolle [ʀusʀɔl] *f.* 〖조류〗 개개비.
roussette [ʀusɛt] *f.* ① 〖어류〗 (식용) 상어. ② 〖동물〗 (열대산) 큰 박쥐 ; (유럽산) 붉은 식용 개구리.
rousseur [ʀusœːʀ] *f.* ① (머리털 따위의) 적갈색. ② (*pl.*) (종이에 생기는) 다갈색의 얼룩. ***taches de ~*** 주근깨.
roussi, e [ʀusi] *adj.* 눋은. ── *m.* 타서 눋은 냄새. ***sentir le ~*** (사상 따위가) 수상쩍다 ; 일〔상황〕이 악화하다.
roussir [ʀusiːʀ] *v.t.* 약간 눋게 하다 : ~ du linge en le repassant 린네르를 다림질하다가 눋게 하다. ── *v.i.* 다갈색〔적갈색〕이 되다 ; 약간 눋다.
roussissement [ʀusismɑ̃] *m.*, **roussissure** [ʀusisyːʀ] *f.* 갈색으로 되기〔만들기〕 ; 약간 눋게 하기〔눋기〕.
routage [ʀutaːʒ] *m.* ① (배달 구역에 따른) 우편물의 구분. ② 〖해양〗 항로 선정.
routard [ʀutaːʀ] *m.* ⟪구어⟫ (걷거나 지나가는 차에 편승해서) 무전 여행하는 젊은이.
⁑**route** [ʀut] *f.* ① 도로, 길, 가로 : grande ~ ; grand-~ 한길 / ~ nationale 국도 / la ~ de Paris 파리로 가는 도로. ② ⓐ 육로(陸路) : Jusque là, il y a deux heures de ~. 거기까지는 육로로〔차로〕 2시간 걸립니다. ⓑ 도로 교통 : code de la ~ 교통 법규 / accident de la ~ 교통 사고. ③ 진로 ; 항로 ; 항공로 ; 〖천문〗 궤도 : changer de ~ 진로를 바꾸다 / ~ aérienne 항공로 / ~ maritime 항해로 / ~ des Indes 인도 항로 / ~ de Mars 화성의 궤도. ④ ⓐ (다달아야 할) 길, 코스 : demander sa ~ 길을 묻다 / montrer la ~ 길을 가르쳐 주다. ⓑ 행정(行程), 노정(路程), 여정 : La ~ est longue. 갈 길이 멀다 / carnet 〔journal〕 de ~ 여행 비망 수첩. ⑤ ⓐ (취해야 할) 수단, 방법 : ~ de la fortune 출세의 수단〔방법〕. ⓑ 인생의 길, 운명 : Il est sur la bonne ~. 그는 순탄한 길을 걷고 있다 / Nos *~s* se sont croisées. 우리의 운명은 서로 엇갈렸다. ***en*** (***cours de***) ***~ ; en ~*** 도중에. ***En ~ !*** 출발 ! ***être en ~ pour ; être sur la ~ de*** …으로 가는 중이다. ***faire de la ~*** 차로 장거리를 달리다. ***faire fausse ~*** 길을 잘못 들다, 당찮은 일을 하다. ***faire ~ vers*** …으로 향해서 가다. ***mettre en ~*** (일을) 시작하다 ; (기계를) 가동시키다. ***s'arrêter en ~*** 중도에서 포기하다.
router [ʀute] *v.t.* (우편물 · 신문 등을 배달 구역별로) 구분하다.
routeur, euse [ʀutœːʀ, -øːz] *n.* ① (우편물을 행선지에 따라) 분류 배송하는 회사. ② 〖해양〗 항해사 ; 〖항공〗 항법사.
*__routier, ère__ [ʀutje, -ɛːʀ] *adj.* 도로의, 육로의 : réseau ~ 도로망 / carte *~ère* 도로 지도 / circulation *~ère* 도로 교통 / transports *~s* 육로 수송 / voie *~ère* 차도.
── *m.* ① ⓐ 장거리 트럭 운전사. ⓑ 트럭 운전사용 레스토랑(= restaurant de *~s*). ② 〖스포츠〗 자전거 로드레이스 선수. ③ 〖해양〗 해도(海圖). ④ 보이〔걸〕 스카우트의 16세 이상 단원. ── *f.* 여행용 자동차, 관광차.
*__routine__ [ʀutin] *f.* ① 관례, 인습, 틀〔판〕에 박힌 일〔행동〕 : Il est esclave de la ~. 그는 인습의 노예다. ② 〖컴퓨터〗 루틴⟪종합적인 기능을 가진 프로그램⟫. ***de ~*** 판에 박은, 일상적인, 의례의, 관례적인. ***par ~*** 관례에 따라 ; 습관적으로, 기계적으로.
routinier, ère [ʀutinje, -ɛːʀ] *adj.* 관습〔인습〕을 따르는 ; (방법이) 틀〔판〕에 박힌 : enseignement ~ 판에 박힌 교육. ── *n.* 관습을 지키는 사람, 틀에 박힌 사람.
rouvre [ʀuːvʀ] *m.* 〖식물〗 (유럽산(產)의) 떡갈나무(= chêne ~).
rouvrir [ʀuvʀiːʀ] [12] *v.t.* 다시 열다 ; 재개하다 : ~ son magasin 가게를 다시 열다 / ~ le débat 토론을 재개하다. ── ***la plaie*** 〔***la blessure***〕 ***de*** qc …의 슬픔을 되살아나게 하다. ── *v.i.* 다시 열리다. ── **se ~** *v.pr.* 다시 열리다 : La plaie *s'est rouverte.* (아물던) 상처가 다시 벌어졌다.
*__roux, rousse__[1] [ʀu, ʀus] *adj.* ① 다갈색의, 적갈색의, 불그레한. ② 머리털이 적갈색인, 빨강 머리의. ***lune rousse***, 4월의 달⟪새싹을 누렇게 시들게 하는 늦서리를 내린다고 믿었던 데서⟫. ── *m.* ① 다갈색. ② 〖요리〗 브라운 소스⟪밀가루를 갈색으로 눋게 해서 만드는 소스⟫. ── *n.* 빨강 머리의 사람.
*__royal, e, aux__ [ʀwajal, -o] *adj.* ① 왕〔국왕 · 제왕〕의 ; 왕에 관한 : la famille *~e* 왕

실, 왕가 / palais ~ 궁전 / prince ~ 황태자. ② 왕자다운, 장엄한, 훌륭한, 늠름한 : festin ~ 성대한 연회 / C'est ~ ! 대단하군! 훌륭한데! ③ 더할 나위 없는 ; 《구어》 완전한(= parfait) : indifférence ~*e* 완전한 무관심. ④ (특히 동·식물이) 큰, 아름다운 : tigre 〔aigle〕 ~ 큰 범〔독수리〕.

royalement [ʀwajalmɑ̃] *adv.* ① 왕자답게 ; 장엄하게, 훌륭하게, 호화롭게 : être traité ~ 성대한 대접을 받다. ② 《구어》 완전히, 철저하게(= complètement) : Il s'en moquait ~. 그는 그것을 완전히 무시했다.

royalisme [ʀwajalism] *m.* 왕정주의 ; 왕당.

royaliste [ʀwajalist] *adj.* 왕정주의의, 왕당의. ── *n.* 왕당파, 왕당원. ***être plus ~ que le roi*** 당사자보다도 더 철저하다.

royalties [ʀwajalti(ti:z)] 〔영〕 *f. pl.* ① 특허권 사용료(= redevance) ; 저작권료. ② 유전 채굴권, 송유관 사용료.

royaume** [ʀwajo:m] *m.* 왕국. ***ne pas faire qc ***pour un ~*** 왕국을 준다고 하더라도 …할 수 없다. ***~ de Dieu*** 〔***céleste, éternel***〕 ***; ~ des cieux*** 천국. ***~ des morts ; sombre ~*** 지옥. ***R~-Uni*** (영국·북아일랜드의) 연합 왕국.

royauté [ʀwajote] *f.* ① 왕위(= trône) ; 왕의 존엄성 ; 《집합적》 왕 : aspirer 〔renoncer〕 à la ~ 왕위를 탐내다〔포기하다〕. ② 왕권 ; 군주 제도(= monarchie) : chute de la ~ 왕권의 몰락. ③ 지배력, 패권(= suprématie).

R.P.R. 《약자》 Rassemblement pour la République 공화국 연합《드골주의의 정치 조직》.

R.S.V.P. 《약자》 Réponse s'il vous plaît. 답장해 주시기 바랍니다.

ru [ʀy] *m.* 《지방어》 개울, 시내, 실개천(= ruisselet) ; 수로, 운하.

ruade [ʀɥad] *f.* (말이) 뒷발로 차기 : lancer 〔décocher〕 une ~ 뒷발질하다.

***ruban** [ʀybɑ̃] *m.* ① 리본 ; 리본 모양의 띠 ; 리본 모양의 것 : retenir ses cheveux avec un ~ 머리를 리본으로 묶다 / ~ magnétique 녹음 테이프. ② (*pl.*) (달리기 결승점의) 테이프. ③ 훈장의 약장(略章), 약수(略綬) ; 훈장 : porter le ~ rouge 레지옹도뇌르 훈장(의 붉은 약장)을 차다.

rubaner [ʀybane] *v.t.* …에 리본을 달다〔두르다〕 ; 띠 모양으로 하다.

rubato [ʀu(y)bato] 〔이탈리아〕 *m.* 〖음악〗 루바토《악절의 연주 속도를 재량에 맡기는 리듬의 표시》. ── *adj.* et *adv.* 루바토의〔로〕 : jouer ~ 루바토로 연주하다.

rubéfaction [ʀybefaksjɔ̃] *f.* 〖의학〗 피부의 발적(發赤), 피부가 빨개지기.

rubéole [ʀybeɔl] *f.* 〖의학〗 홍진(紅疹), 풍진 「(風疹).

rubescent, e [ʀybesɑ̃, -ɑ̃:t] *adj.* 발그스름한 ; 빨개지는 : peau ~*e* 빨개지는 피부.

rubicond, e [ʀybikɔ̃, -ɔ̃:d] *adj.* (얼굴이) 빨간 ; 몹시 붉은 얼굴의.

rubidium [ʀybidjɔm] *m.* 〖화학〗 루비듐《원소의 일종》.

rubis [ʀybi] *m.* ① 루비, 홍옥(紅玉). ② 시계의 보석 : trois ~*s* 보석 3 개짜리 회중시계. ***payer ~ sur l'ongle*** 《구어》 즉석에서 전액 지불하다.

rubrique [ʀybʀik] *f.* ① (신문의) 난(欄), 표제(標題) : ~ sportive 스포츠란 / Il tient la ~ littéraire. 그는 문예란을 담당하고 있다. ② 명목(名目), 항목. ③ 《옛》 법률서의 제목《옛날에는 붉은 글자로 썼음》 ; 붉은 글씨. ***sous*** (***telle***) ***~*** …의 명목〔항목〕으로 : classer des choses différentes *sous* la même ~. 서로 다른 사항을 동일 항목으로 분류하다.

ruche [ʀyʃ] *f.* ① (꿀벌의) 벌통〔벌집〕 ; (한 통에 사는) 꿀벌 떼. ② (사람이 많이 모여) 일하는 장소 : Cette usine est une vraie ~. 이 공장은 정말 벌집과 같다.

ruché [ʀyʃe] *m.* (옷의) 주름 장식.

ruchée [ʀyʃe] *f.* 한 통에 사는 꿀벌 떼 ; 한 통에서 생산되는 꿀의 양.

rucher[1] [ʀyʃe] *m.* 양봉장 ; (한 양봉장의) 벌통 전체.

rucher[2] *v.t.* (옷에) 주름을 잡다 ; …에 주름 장식을 붙이다.

rude** [ʀyd] *adj.* ① 거친 ; 꺼칠꺼칠한 ; 우툴두툴한 ; 뻣뻣한 : barbe ~ 거친 수염 / brosse ~ 뻣뻣한 솔. ② (계절·겨울이) 참기 어려운, 추위가 혹심한 ; (일 따위가) 힘겨운, 고된, 가혹한 : métier ~ 고된 직업 / hiver ~ 몹시 추운 겨울. ③ (언덕 따위가) 가파른, 험한 ; (타격이) 심한, 호된 ; (공격이) 맹렬한. ④ (소리·태도 따위가) 귀〔눈〕에 거슬리는, 불유쾌한 ; 퉁명스러운 : voix ~ 듣기 거북한 음성. ⑤ (술이) 부드러운 맛이 없는, 텁텁한 : vin ~ 텁텁한 술. ⑥ 《명사 앞》 ⓐ 《구어》 (식욕이) 왕성한 ; (기회·운수가) 굉장한, 다시없는 : ~ appétit 왕성한 식욕. ⓑ (사람이) 거친, 무뚝뚝한 ; 야만스러운, 사나운 : paysan ~ 투박한 농부 / manières ~*s* 거친 태도. ***C'est un peu ~. 《구어》 그건 좀 믿기 어렵다. ***en voir de ~s*** 고생을 많이 하다, 산전수전 다 겪다. ***être à ~ épreuve*** 시련을 겪고 있다.

rudement [ʀydmɑ̃] *adv.* ① 거칠게, 난폭하게 ; 호되게, 심하게(= cruellement) : frapper qn ~ …을 호되게 때리다 / traiter qn ~ …을 심하게 다루다. ② 《구어》 매우, 몹시, 대단히 : être ~ content 몹시 기뻐하다 / Vous dansez ~ vien. 정말로 춤을 잘 추십니다.

rudesse [ʀydɛs] *f.* ① (감촉의) 거칢 ; (소리의) 귀에 거슬림 : ~ de la peau 피부의 거칢. ② (태도의) 거칢, 난폭함 ; (날씨의) 혹독함 : ~ des manières 태도의 난폭함 / ~ du climat 기후의 혹독함. ***traiter*** qn ***avec ~*** …을 가혹하게〔심하게〕 다루다.

rudiment [ʀydimɑ̃] *m.* ① 〖생물〗 원기(原基) ; 퇴화 기관의 흔적 : ~ de queue 꼬리의 흔적. ② (*pl.*) ⓐ (학문·예술 따위의) 초보, 기본 : ~*s* de la grammaire 문법의 기초. ⓑ 《문어》 (조직 따위의) 근본.

rudimentaire [ʀydimɑ̃tɛ:ʀ] *adj.* ① 〖생물〗 원기(原基)의 ; 퇴화한, 흔적으로 남아 있는. ② 초보적인(= élémentaire), 기본적인 : connaissances ~*s* 초보적인 지식.

rudoyer [ʀydwaje] [7] *v.t.* 거칠게 다루다, 하대하다, 혹사하다(= brutaliser) : ~ sa servante 하녀를 혹독하게 다루다.

‡**rue[1]** [ʀy] *f.* ① (도시의) 길, 거리, 한길, 가로 ; (가로 명칭에 붙여서) 가(街), 로(路) : ~

R

commerçante 상가 / ~ passante 왕래가 많은 거리 / ~ Saint-Jacques (파리의) 생자크가(街). ② 《집합적》 거리의 주민들〔통행인들〕: Toute la ~ commentait cette nouvelle. 이 거리의 모든 주민들이 이 뉴스를 논평하고 있었다. ③ 통로 ; 〖연극〗 무대 뒤의 통로. ***à tous les coins de ~*** 《경멸》 어디에나, 도처에. ***courir les ~s*** 거리를 쏘다니다 ; (소문이) 퍼지다 ; 흔하다. ***être à la ~*** 거리에서 헤매다 ; 몸담을 집이 없다 ; 몹시 궁색하다. ***fille des ~s*** 거리의 여자《매춘부》. ***jeter*** qn ***à la ~*** …을 밖으로 내쫓다.

rue² *f.* 〖식물〗 운향(芸香).

ruée [ʀɥe] *f.* (군중의) 쇄도, 돌진 : ~ vers l'or 골드러시《황금 산지에의 대거 쇄도》.

ruelle [ʀɥɛl] *f.* ① 골목길(= venelle). ② 침대와 벽 사이의 공간(= ~ du lit). ③ 《옛》 (16 · 17 세기 상류 계급 부인들이 손님을 맞던) 규방 ; 규방에 모이는 문인들(의 회합).

ruer [ʀɥe] *v.i.* (말이) 뒷발로 차다, 뒷발질하다. ***~ dans les brancards*** 《구어》 격렬하게 항의하다, 반항하다. ── **se ~** *v.pr.* 《se ~ sur》 …에〔에게〕 달려들다 ; 《se ~ à 〔vers〕》 …으로 달려가다 ; 《se ~ contre》 …으로 밀어닥치다 : Les élèves *se ruent vers* la sortie. 학생들이 출구로 쇄도한다 / Les jeunes gens *se ruèrent sur* les gâteaux. 젊은이들은 과자를 먹으려고 몰려들었다.

***rugby** [ʀygbi] 〔영〕 *m.* 〖스포츠〗 럭비.

rugbyman [ʀygbiman] 〔영〕 *m.* (*pl.* ***-men*** [-mɛn]) 럭비 선수.

rugir [ʀyʒiːʀ] *v.i.* (맹수가) 포효하다, 으르렁거리다 ; (사람이) 울부짖다, 소리치다 ; (바람 따위가) 노호(怒號)하다 ; (기계가) 윙윙대다. ── *v.t.* (고함 따위를) 외치다. 부르짖다.

rugissant, e [ʀyʒisɑ̃, -ɑ̃ːt] *adj.* (맹수가) 포효하는, 으르렁거리는 ; (사람이) 울부짖는 ; (바람 · 파도가) 노호하는 ; (기계가) 윙윙대는.

rugissement [ʀyʒismɑ̃] *m.* (맹수의) 포효 ; (사람의) 외침, 아우성 ; (바람의) 노호 ; (기계가) 윙윙대는 소리.

rugosité [ʀygozite] *f.* (피부의) 꺼칠꺼칠함.

rugueux, euse [ʀygø, -øːz] *adj.* (피부가) 꺼칠꺼칠한(≠ lisse) ; (표면이) 울퉁불퉁한.

ruine** [ʀɥin] *f.* ① (나라 · 문명 따위의) 파멸, 멸망, 붕괴 ; (명성 · 건강 · 희망 따위의) 실추, 파탄 : ~ de la réputation 명성의 실추 / ~ des espérances 희망의 무너짐. ② 파산, 도산(= faillite) ; 파산의 원인 : Son affaire est au bord la ~. 그의 사업은 파산 직전이다. ③ (건물의) 황폐 ; 유적 ; (*pl.*) 폐허 : maison en ~ 폐가 / peintre de ~s 폐허를 그리는 화가 / ~s romaines 로마의 유적. ④ 영락한 사람, 폐인 : Il n'est plus qu'une ~. 그는 폐인이나 다름없다. ***courir 〔***aller***〕 ***à la ~*** 파멸의 길을 걷다. ***menacer ~*** (건물이) 붕괴하고〔무너지고〕 있다 : Cette maison *menace* ~. 이 집은 당장 무너질 것 같다. ***n'être plus qu'une ~*** (사람이 영락하여서) 옛 모습을 찾아볼 수 없다.

ruiné, e [ʀɥine] *adj.* ① (건물이) 파괴된, 무너진 : château ~ 무너진 성. ② (사람이) 파산〔몰락〕한 : Il est complètement ~. 그는 완전히 망했다. ③ (건강이) 쇠퇴한.

***ruiner** [ʀɥine] *v.t.* ① 파산〔파멸〕시키다 : Le krach *a ruiné* les petits porteurs. 주가 폭락으로 영세 투자가들은 파멸했다 / La dépression *a ruiné* cette maison de commerce. 불황으로 그 회사는 파산했다. ② (신용 · 명성을) 떨어뜨리다, 실추시키다 ; (건강을) 해치다(= endommager, dévaster), (장래를) 망치다 : ~ une réputation 평판을 떨어뜨리다 / ~ sa santé 건강을 해치다. ③ 《문어》 (농작물 따위에) 피해를〔타격을〕 입히다, 황폐화시키다 : La grêle *a ruiné* les moissons. 우박이 농작물을 망쳐 놓았다. ④ 《옛》 (건물 따위를) 붕괴시키다, 폐허로 만들다 ; 파괴하다. ── **se ~** *v.pr.* ① 파산하다 ; 건강을 해치다 : *se* ~ la santé à boire 술로 건강을 해치다. ② 낭비〔남용〕하다 : *se* ~ en remèdes 약을 남용하다.

***ruineux, euse** [ʀɥinø, -øːz] *adj.* 파산〔파멸〕시키는, 막대한 비용이 드는 : réparations *~euses* 막대한 돈이 드는 수리.

ruisseau** [ʀɥiso] *m.* (*pl.* ***~x) ① 시냇물, 개울. ② (시냇물처럼) 졸졸〔철철〕 흐르는 것 : des *~x* de sang 〔larmes〕 줄줄 흐르는 피〔눈물〕. ③ (길가의) 도랑, 배수구, 시궁창. ④ 비천한〔비참한〕 처지〔환경〕 ; (사회의) 밑바닥, 하층 사회(의 사람들). ***Les petits ~x font les grandes rivières.*** 《속담》 티끌 모아 태산. ***rouler*** 〔***tomber***〕 ***dans le ~*** 영락하다.

ruisselant, e [ʀɥislɑ̃, -ɑ̃ːt] *adj.* 《~ de》 …이 흐르는, 방울져 떨어지는, …으로 흠뻑 젖은 : front ~ *de* sueur 땀이 흐르는 얼굴 / parquet ~ 물이 흥건한 마루.

ruisseler [ʀɥisle] [5] *v.i.* ① (물 · 땀 · 피가) 줄줄〔철철〕 흐르다 : Des larmes *ruisselèrent* de mes yeux. 나의 눈에서 눈물이 줄줄 흘러내렸다. ② 《~ de》 …으로 흥건히 젖다 ; 넘쳐흐르다 : Il *ruisselait de* sueur. 그는 땀을 철철 흘리고 있었다.

ruisselet [ʀɥislɛ] *m.* (졸졸 흐르는) 작은 개울〔시냇물〕.

ruissellement [ʀɥisɛlmɑ̃] *m.* ① (땀 · 피가) 철철 흐르기. ② (빛의) 번득임, 번쩍임.

rumba [ʀumba] 〔에스파냐〕 *f.* 룸바《쿠바에서 시작된 댄스》; 룸바곡.

rumeur** [ʀymœːʀ] *f.* ① 왁자지껄 떠드는 소리, 웅성거리는 소리 : une ~ joyeuse montait de la rue. 거리에서 왁자지껄 떠드는 소리가 들려왔다. ② 소문, 풍문 : C'est une ~. 그것은 뜬소문이다. ***~ publique 풍문, 소문 ; 여론.

ruminant, e [ʀyminɑ̃, -ɑ̃ːt] 〖동물〗 *adj.* 반추(反芻)하는. ── *m.* 반추동물.

rumination [ʀyminasjɔ̃] *f.*, **ruminement** [ʀyminmɑ̃] *m.* ① 〖동물〗 되새김질, 반추. ② 되새겨 생각하기 ; 숙고 ; 반추.

ruminer [ʀymine] *v.t.* ① 《흔히 목적보어 없이》 반추〔새김질〕하다. ② 두루 생각하다, 심사숙고하다 : ~ un projet 계획을 숙고하다.

rumsteck [ʀɔmstɛk] *m.* = romsteck.

rune [ʀyn] *f.* 룬 문자《고대 북유럽 문자》.

runique [ʀynik] *adj.* 룬 문자의 ; 룬 문자로 기록된. ***art ~*** 고대 스칸디나비아 예술.

ruolz [ʀɥɔls] *m.* 금 · 은 도금한 금속.

rupestre [ʀypɛstʀ] *adj.* ① 〖식물〗 암석 지대에서 자라는 : plantes *~s* 암석〔바위〕 식

R

물. ② 〖미술〗 암굴 암벽에 그려진.

rupin, e [ʀypɛ̃, -in] *adj.* 《구어》 돈 많은(= riche) ; 호화스러운 : Il est drôlement ~. 그는 굉장한 부자이다. — *n.* 부자.

rupteur [ʀyptœːʀ] *m.* 〖전기〗 단속기(斷續器), 차단기.

rupture [ʀyptyːʀ] *f.* ① 파괴, 파쇄 ; 파열, 절단 : effort de ~ 〖물리〗 파괴 응력 / obus de ~ 〖군사〗 파갑탄(破甲彈) / ~ d'un câble 케이블의 절단. ② (조약의) 파기 ; (교섭의) 결렬, (약혼 · 계약 따위의) 해소 ; (외교의) 단절 : ~ des relations diplomatiques 외교 관계의 단절 / ~ de contrat 계약의 해소. ③ 《보어 없이》 불화, 분열 ; (불화로 인한) 결별, 이별 : lettre de ~ 절교의 편지. ④ 급격한 변화, 급변 : ~ de rythme 리듬의 급변 / ~ de ton 어조의 급변. ***en ~ avec*** qc 〔qn〕 …와 대조적으로, …와는 판이하게 ; …와 단절되어 : être *en ~ avec* la société 사회와 단절되어 있다. ***en ~ de*** qc …이 부족한.

***rural, e, aux** [ʀyʀal, -o] *adj.* 농촌의, 시골의, 전원의(≠ urbain) : vie ~*e* 전원 생활. — *n.* (*pl.*) 시골〔농촌〕 주민(= paysan).

rurbain, e [ʀyʀbɛ̃, -ɛn] *adj.* 〖사회〗 (도시 근교의) 도농(都農) 복합의.

rurbanisation [ʀyʀbanizasjɔ̃] *f.* 〖사회〗 (도시 근교의) 도농(都農) 복합화.

ruse** [ʀyːz] *f.* (교활한) 꾀, 계략, 술책, 농간, 속임수 : user de ~ 술책을 부리다 / ~ grossière 속이 뻔히 들여다보이는 속임수. ***~s ~ de Sioux (수족(族)의 전술처럼) 교묘한 계략《Sioux는 아메리카 인디언의 한 부족》.

***rusé, e** [ʀyze] *adj.* 교활한, 술책〔농간〕을 부리는. — *n.* 교활한 사람 : ~ comme un vieux renard 늙은 여우처럼 교활한 사람.

ruser [ʀyze] *v.i.* 술책〔계략〕을 쓰다, 속임수를 부리다(=manœuvrer).

rush [ʀœʃ] 〔영〕 *m.* (*pl.* **~es**) ① (사람들의) 쇄도 ; 인파(= ruée) : ~ des vacanciers 휴가철의 인파. ② 〖스포츠〗 (육상에서의) 라스트 스퍼트. ③ (*pl.*) 〖영화〗 미편집 필름.

***russe** [ʀys] *adj.* 러시아의. — **R~** *n.* 러시아 사람. — *m.* 러시아어(語).

rustaud, e [ʀysto, -oːd] *adj.* et *m.* 촌스러운〔투박한〕 (사람) ; 상스러운 (사람) : gros ~ 촌놈(= rustre).

rusticité [ʀystisite] *f.* ① 시골〔농촌〕티, 소박, 촌스러움 ; 투박함(≠ urbanité). ② (동식물이) 야생적임, (환경 적응력이) 강함.

rustine [ʀystin] *f.* (자전거 튜브 수선용의) 동글납작한 고무 조각.

rustique [ʀystik] *adj.* ① 농촌의, 시골의(≠ urbain) : vie ~ 시골 생활. ② 시골풍의 ; 소박한 ; 촌스러운 : mobilier ~ 시골풍의 가구. ③ (행동이) 투박한, 거친 : manières ~*s* 거친 태도. ④ (동식물이) 야생적인, 생명력이 강한. — *m.* 시골풍, 야취(野趣).

rustiquer [ʀystike] *v.t.* ① 시골풍으로 만들다. ② (벽 · 돌을) 거칠게 다듬다.

rustre [ʀystʀ] *adj.* 촌스러운 ; 거친, 투박한. — *m.* 시골뜨기 ; 세련되지 못한 사람.

rut [ʀyt] *m.* 암내, 발정(發情) ; (동물의) 발정기 : entrer en ~ 암내 나다 / femelle en ~ 암내 내는 암컷.

rutabaga [ʀytabaga] *m.* 〖식물〗 스웨덴 순무《뿌리가 노란 순무의 일종》.

rutilance [ʀytilɑ̃ːs] *f.* (붉게) 빛나기, 번쩍임.

rutilant, e [ʀytilɑ̃, -ɑ̃ːt] *adj.* (붉게) 빛나는, 번쩍이는 : soleil ~ 붉게 빛나는 태양 / voiture ~*e* 번쩍이는 (새)차.

rutiler [ʀytile] *v.i.* 붉게 빛나다 ; 번쩍이다(= flamboyer).

rythme** [ʀitm] *m.* ① 율동, 리듬, 운율, 박자 : marcher au ~ du tambour 북의 리듬에 맞추어 행진하다 / danser sur un ~ 박자에 맞추어 춤추다. ② 규칙 바른 움직임, 주기적 변동 : ~ cardiaque 심장의 고동 / ~ des saisons 계절의 변화. ③ (일 · 생산 따위의) 속도, 템포 : Il écrit au ~ de cinq à six pages par jour. 그는 하루 대여섯 장의 속도로 원고를 쓴다 / travailler à un ~ accéléré 빠른 템포로 일을 하다. ***au ~ de qc ⓐ …의 리듬〔박자〕에 맞추어. ⓑ …의 비율로 : revue qui paraît *au ~ de* quatre numéros par an, 1 년에 4 호씩 나오는 잡지.

rythmé, e [ʀitme] *adj.* ① 리듬이 분명한, 율동적인 : musique ~*e* 리듬이 명쾌한 노래. ② (문장 따위가) 운율이 있는.

rythmer [ʀitme] *v.t.* …에 리듬을 붙이다 ; …을 리듬에 맞추다 : ~ le pas au son du tambour 북소리에 맞추어서 걷다.

rythmique [ʀitmik] *adj.* ① 리듬의〔을 쓴〕, 리듬에 따른 ; 율동적인 : gymnastique ~ 리듬 체조. ② 운율을 맞춘 : prose ~ 운율을 맞춘 산문 / versification ~ 강약의 운율을 바탕으로 한 작시법(作詩法). — *f.* ① 운율학. ② 리듬 체조(= danse ~).

S

S, s [ɛs, 드물게 sə] *m.*〔*f.*〕 ① 프랑스 자모의 제 19 자. ② S 자형(의 것). ***virage en S*** (도로 표지의) S 자형 커브. ***faire des s*** 《속어》 (취한 사람 따위가) 갈지자걸음을 걷다.

S. 《약자》 ① Sud 남(南). ② Saint 〖가톨릭〗 성자 ; Sainte 성녀.

s. 《약자》 ① son 그〔그 여자〕의. ② signé 서명한. ③ seconde 초.

s' [s] *pron. pers.* ⇒ se. — *conj.* ⇒ si.

***sa** [sa] *adj. f.* 《son의 여성형》 그의, 그녀의, 그것의.

S.A. 《약자》 société anonyme 〖상업〗 유한책임 회사, 주식회사.

sabbat [saba] 〔헤브라이〕 *m.* ① (유대인의) 안식일(= jour du ~). ② (마법사 · 마녀들의) 밤 연회 ; (한밤중의) 야단법석. ***observer* 〔*violer*〕 *le* ~** 안식일을 지키다〔어기다〕.

sabbatique [sabatik] *adj.* 안식(일)의 : année ~ 안식년(安息年)《유대인이 농경을 쉬는 7 년째의 해 ; 대학교수들에게 7 년마다 주어지는 연구 연휴(年休)》.

sabir [sabiːʀ] *m.* ① 사비르어(語)《지중해 연안 지방에서 쓰이는 아랍어 · 프랑스어 · 에스파냐어 · 이탈리아어의 혼합어》. ② 《경멸》 (모국어가 다른 사람들끼리 쓰는) 혼합어.

sablage [sɑblaːʒ] *m.* (정원을) 모래로 덮기 ; 모래로 문질러 윤내기.

sable**[1] [sɑːbl] *m.* ① 모래 : plage de ~ (해변의) 모래밭 / dune de ~ 모래 언덕 / tempête du ~ 모래 폭풍 / vin de ~ (서 프랑스 *Landes* 지방의) 모래 섞인 포도밭 원산의 포도주. ② (*pl.*) 모래땅, 사막 : les ~s de Lybia 리비아 사막. ***avoir du ~ dans les yeux 《구어》 졸리다. ***bâtir* 〔*fonder*〕 *sur le* ~** 모래 위에 집을 짓다, 사상누각을 쌓다. ***être sur le ~*** 《속어》 무일푼이다, 빈털터리다. ***grain de ~*** 모래알 ; 《비유》 큰일을 그르치는 사소한 일. ***le marchand de ~*** 모래장수《어린이의 눈에 모래를 넣어 잠이 오게 하는 동화 속의 잠 귀신》: *Le marchand de* ~ a passé. 졸음이 오는구나. ***semer sur le ~*** 쓸데없는 일을 하다, 헛수고하다. — *adj.* 《불변》 모래 빛의, 밝은 베이지색의.

sable[2] [sɑː〔a〕bl] *m.* ① 〖동물〗 검은 담비 ; 그 모피. ② 〖문장〗 (방패 무늬의) 흑색.

sablé, e[2] [sɑble] *m.* 사블레(= gâteau ~) 《노르망디에서 만드는 바삭바삭한 과자의 일종》. — *adj.* 사블레 같은, 바삭바삭한.

sabler [sɑble] *v.t.* ① 모래로 덮다, …에 모래를 뿌리다〔깔다〕 : ~ une route verglacée 얼어붙은 도로에 모래를 뿌리다. ② (화폐 · 메달 따위를) 모래 주형(鑄型)을 사용하여 만들다. ③ 《구어》 (술을) 단숨에 들이키다. ~ ***le champagne*** 샴페인으로 건배하다.

sableux, euse[2] [sɑblø, -øːz] *adj.* 모래가 섞인, 모래가 많은 : terrain ~ 사토(砂土).

sablier [sɑ〔a〕blije] *m.* 모래시계.

sablière [sɑ〔a〕blijɛːʀ] *f.* 모래 채취장, 사갱(砂坑). 「(細砂).

sablon [sɑblɔ̃] *m.* 닦아 윤내는 모래, 세사

sablonneux, euse [sɑ〔a〕blɔnø, -øːz] *adj.* 모래로 덮인 ; 모래가 많은 : chemin ~ 모래가 깔린 길 / terre ~*euse* 모래밭.

sabord [sabɔːʀ] *m.* 〖해양〗 현문(舷門), 현창(舷窓). ***Mille ~s !*** 《속어》 빌어먹을, 개새끼.

sabordage [sabɔʀdaːʒ], **sabordement** [sabɔʀdəmɑ̃] *m.* ① (침몰시키려고) 배 밑바닥에 구멍을 뚫기. ② (기업의 자발적인) 조업 중단, 폐업.

saborder [sabɔʀde] *v.t.* ① 〖해양〗 (침몰시키려고) 배 밑바닥에 구멍을 뚫다. ② ~ son entreprise (기업이) 활동을 스스로 정지하다, 폐업하다. — **se ~** *v.pr.* ① 자침(自沈)하다. ② 폐업하다 ; (신문) 발간을 정지하다.

sabot [sabo] *m.* ① 나막신 ; (말 · 소의) 발굽, 《구어》 가난한 처지 : en ~s 나막신을 신고 / ferrer le ~ d'un cheval 말발굽에 편자를 박다 / Il est venu à Paris en ~s. 그는 가난뱅이에서 출세했다. ② 《옛》 고물《악기 · 배 · 자동차 따위》. ③ 나막신 모양의 욕조(= baignoire ~). ④ (수레바퀴의) 미끄럼 방지 쐐기(= ~ d'arrêt) ; (기관차 · 자동차 따위의) 제동 장치(= ~ de frein) ; 〖자동차〗 (경관이 불법 주차한 차량의 바퀴를 묶어 놓는) 차륜 고정 장치(= ~ de Denver). ***avoir du foin dans ses ~s*** 《구어》 (농부가) 재산이 있다. ***dormir comme un ~*** 《구어》 세상 모르고 자다. ***être venu à Paris en ~s*** 나막신을 신고 파리에 올라왔다, 한 푼 없이 출세했다. ***Je le vois* 〔*Je l'entends*〕 *venir avec ses gros ~s.*** 그의 의도는 뻔하다. ***mettre du foin dans ses ~s*** 돈을 모으다 《특히 부정 수단으로》. ***regretter ses ~s*** 옛날의 가난한 생활을 그리워하다. ***travailler* 〔*jouer*〕 *comme un ~*** 서투르게 일하다〔연주하다〕.

sabotage [sabɔtaːʒ] *m.* ① 사보타주, 태업(怠業). ② (협상 따위의) 방해〔파괴〕 : ~ d'une voie ferrée 철도의 파괴 / ~ d'une négociation 협상의 방해.

***saboter** [sabɔte] *v.t.* ① (일을) 아무렇게나 빨리 해 버리다, 엉터리로 하다(= gâcher, bâcler) : ~ un devoir 숙제를 대충대충 해 버리다. ② (음악을) 서투르게 연주하다 : L'orchestre *a saboté* ce morceau. 그 오케스트라는 이 곡을 엉터리로 연주했다. ③ (기계나 설비에) 방해 공작을 하다, 파괴하다 ; (협상 따위를) 방해하다 : ~ un projet 계획을 방해하다.

saboterie [sabɔtʀi] *f.* 나막신 제조소.

saboteur, euse [sabɔtœːʀ, -øːz] *m.* (일을) 대충하는 사람, 사보타주〔태업〕하는 사람 ; 방해〔파괴〕하는 사람 : ~ de la paix 평화의 파괴자.

sabre [sɑːbʀ] *m.* ① ⓐ 사브르《épée는 양날, sabre는 한쪽 날의 검》; 검, 군도(軍刀) : ~ de cavalerie 기병 군도. ⓑ 〖펜싱〗 사브르(종목). ② 《비유》 무력 : bruit de ~ 사브르의 소리, 전쟁의 위협 / le ~ et le goupillon 군과 교회. ***S~ de bois !*** 이놈《특히 어린애를 부드럽게 꾸짖는 말》. ***traîneur de ~*** 으스대는 군인.

sabrer [sɑbʀe] *v.t.* ① 사브르〔군도〕로 베다〔치다〕. ② 《비유》 (일을) 되는대로〔날림으로〕 하다 ; (원고 따위를) 과감히 삭제하다 : ~ un long article 긴 기사를 가차없이 삭제하다. ③ (수험자 · 지망자 따위를) 잘라 버리다 ; (인원을) 삭감하다, 해고하다 : ~ les deux tiers des candidats 수험자의 3분의 2를 가차없이 잘라 버리다.

*****sac**[1] [sak] *m.* ① 부대, 자루, 주머니 : ~ à blé 밀 담는 부대《용도》/ un ~ de farine 한 부대의 밀가루《내용물》/ ~ en papier 종이 부대《재료》/ ~ de sable (호를 쌓거나 권투 연습용으로 쓰는) 샌드백 / ~ de couchage (캠핑용) 슬리핑 백 / ~ de sauvetage 구명대 / ~ à malice(s) (마술사의) 마술 보따리 ; 《비유》 비상한 재주꾼. ② 지갑 ; 가방, 백 ; 핸드백(= ~ à main ; ~ de dame) ; 〖군사〗 배낭(= ~ de soldat) ; (캥거루의) 육아낭(育兒囊) : ~ d'alpiniste 등산 배낭 / ~ d'écus 지갑 / ~ de soldat 군인의 배낭. ③ 〖의학〗 낭(囊) : ~ lacrymal 누낭(淚囊). ④ 《속어》 배, 밥통. ⑤ 《구어》 (구화폐의) 1,000 프랑 지폐 : Il a le ~. 그는 부자이다 / Il y a le ~. 《속어》 돈이 많다. ***avoir plus d'un tour dans son ~*** 영리하다, 약삭빠르다. ***avoir son ~*** 《속어》 해고당하다. ***donner à*** qn ***son ~*** 《속어》 …을 내보내다〔해고하다〕. ***en avoir plein son ~*** 《속어》 싫증나다, 지긋지긋하다, 진저리나다. ***épouser un* 〔*le*〕 *~*** 《속어》 돈을 노리고〔돈 많은 여자와〕 결혼하다 : Il *a épousé le* gros ~. 그는 거부의 딸과 결혼했다. ***être au ~*** 《속어》 언제든지 돈을 낼〔빌려줄〕 용의가 있다. ***être dans le ~*** 《구어》 (일이) 잘 되어 가다, 성공이 틀림없다 : L'affaire *est dans le* ~. 이 일의 성공은 확실하다. ***être ficelé* 〔*fagoté*〕 *comme un ~*** 멋없는 옷차림을 하고 있다. ***fond du ~*** 극비 서류. ***gagner son ~*** 《구어》 돈을 벌다. ***homme* 〔*gens*〕 *de ~ et de corde*** 극악무도한 놈〔놈들〕. ***mettre*** qn 〔qc〕 ***dans le même ~*** …을 같은 부류〔종류〕에 포함시키다 : Ils sont bons à *mettre dans le même* ~. 똑같은 놈들이다. ***mettre*** qn ***dans le ~*** …을 낭패시키다. ***mettre ~ à terre*** 선원이 승선을 거부하다. ***prendre*** qn ***la main dans le ~*** 범행 현장에서 …을 잡다. ***~ percé*** 낭비자. ***vider son ~*** 《구어》 마음속을 죄다 털어놓다.

sac[2] *m.* 약탈(= pillage) : le ~ de Rome (1527년의) 로마 약탈. ***mettre à ~ une ville*** 어떤 도시를 약탈하다.

saccade [sakad] *f.* 급격하고 불규칙한 움직임(= à-coup). ***par ~s*** 덜커덩거리며, 부자연스런 움직임으로 : La voiture avançait *par ~s.* 차가 덜커덩거리며 나아갔다.

saccadé, e [sakade] *adj.* 급격하고 불규칙한, 단속적인 : respiration *~e* 헐떡거리는 숨결 / parler d'un ton ~ 다급한 어조로 말하다.

saccage [sakaːʒ] *m.* (도시 등의) 약탈, 훼손 ; (방을) 난잡하게 어지르기 : ~ d'un lieu public 공공장소의 훼손 / le ~ de l'environnement 환경 파괴.

saccager [sakaʒe] *v.t.* [3] ① 약탈〔노략질〕하다(= piller, ravager) : L'ennemi *a saccagé* notre ville. 적은 우리 도시를 약탈했다. ② (정원을) 망가뜨리다, (방을) 어지럽히다 : ~ un parterre 화단을 망가뜨리다.

saccageur, euse [sakaʒœːʀ, -øːz] *n.* (도시 따위의) 약탈자.

saccharification [sakaʀifikɑsjɔ̃] *f.* 〖화학〗 당화(糖化), 당화 작용.

saccharifier [sakaʀifje] *v.t.* 〖화학〗 당화하다.

saccharin, e[1] [sakaʀɛ̃, -in] *adj.* 당질(糖質)의, 당분을 지닌 : industrie *~e* 제당업.

saccharine[2] [sakaʀin] *f.* 〖화학〗 사카린.

sacerdoce [sasɛʀdɔs] *m.* ① 성직자〔사제〕의 직위〔직능〕; 《집합적》 사제단. ② 《비유》 성직, 천직 : L'enseignement est un ~. 교육은 일종의 성직이다.

sacerdotal, e, aux [sasɛʀdɔtal, -o] *adj.* 성직자의 ; 〖가톨릭〗 사제의, 주교의 : fonctions *~e* 성직자의 직무 / onction toute *~e* 성직자다운 아주 경건한 태도.

sachem [saʃɛm] *m.* (북아메리카 인디언의) 추장 : grand ~ 《구어》 거물.

sach-e, -es, etc. ⇒ savoir.

sachet [saʃɛ] *m.* 작은 자루〔주머니〕; 봉지 ; 향(香)주머니(= ~ à 〔de〕 parfums) ; 약봉지.

sacoche [sakɔʃ] *f.* (차장 · 수금원 따위의 어깨에 매는) 가방 ; 안장〔연장〕 가방 : ~ de facteur 우편 집배원의 가방 / ~ d'encaisseur 수금 가방 / ~ à outils 연장 가방.

sacquer [sake] *v.t.* ① 《구어》 (고용인을) 내쫓다, 해고하다(= renvoyer). ② (수험생 · 지망자 따위를) 떨어뜨리다, 낙제시키다(= sabrer) : ~ un élève à l'examen 학생을 시험에서 떨어뜨리다. ③ 호통치다, 야단치다.

sacralisation [sakʀalizɑsjɔ̃] *f.* 신성화, 신성성(神聖性)의 부여.

sacraliser [sakʀalize] *v.t.* …에게 신성성을 부여하다, 신성화하다 : ~ les ancêtres 조상을 신격화하다.

sacrarium [sakʀaʀjɔm] *m.* 〖고대로마〗 기도실 ; 성기실(聖器室).

sacre [sakʀ] *m.* ① (주교 · 국왕의) 축성식(祝聖式), 국왕의 대관식(= couronnement). ② 《비유》 축전, 제전 : *le S~ du Printemps* de Stravinski 스트라빈스키 작곡의 「봄의 제전」.

***sacré, e** [sakʀe] *adj.* ① 신성한, 성스러운 (≠ profane) ; 종교적인 : livres *~s* (신약 · 구약) 성서 / les lieux *~s* 성스러운 장소《교회 · 제단 따위》/ vases *~s* (의식용) 성기(聖器) / musique *~e* 종교 음악 / art ~ 종교 예술. ② 거룩한, (신성) 불가침의(= inviolable) : devoir ~ 신성한 의무 / *S~e majesté* 폐하《오스트리아 황제의 존칭》. ③

S

《구어》《명사 앞》 밉살스러운, 빌어먹을, 지독한《약자로 S- 라고 쓰기도 하고, cré 로 축약되기도 함》 *S*~ imbécile! 바보 같은 자식아 / *S*~ nom de Dieu!; *S*~ nom d'un chien!; *S*~ bon Dieu! 빌어먹을, 제기랄. Votre *S*~ chien! 이 자식아. ④《경탄·비꼬는 투로》 굉장한; 대단한: Il a une ~*e* chance. 그는 굉장히 운이 좋다. ***avoir le feu ~ pour*** qc …에 대해 거룩한 정열을 지니다. ***Ce ~ Dupont!*** 그놈의 뒤퐁 녀석.
— *m.* 성사(聖事); 성스러운 것: le ~ et le profane 성스러운 것과 속된 것.

sacrebleu [sakʀəblø] *interj.* 《욕설》 제기랄《sacré Dieu 의 완곡 어법에서 변형됨》.

Sacré-Cœur [sakʀekœːʀ] *m.* 그리스도의 성심(聖心); 성심회(= Congrégation du ~); 사크레쾨르 대성당(= Basilique 〔Église〕 du ~)《몽마르트르 언덕에 있음》.

sacrement [sakʀəmɑ̃] *m.* ①〖가톨릭〗 성사(聖事);〖신교〗 성례(聖禮): les derniers ~*s* (임종 때 베푸는) 종부 성사, 병자 성사. ②《특히》 고해와 영성체(領聖體): fréquenter les ~*s* 자주 고해하고 영성체를 하다. ***avoir tous les ~s*** 《구어》 모든 게 다 갖추어져 있다. ***porter*** 〔***tenir***〕 qc ***comme le saint ~*** …을 소중히 지니고 다니다.

sacrément [sakʀemɑ̃] *adv.* 《구어》 아주, 무척, 몹시(= diablement, beaucoup): J'ai eu ~ peur. 나는 몹시 무서웠다.

sacrer [sakʀe] *v.t* ① (국왕·주교를) 종교 의식에 의해 신성하게 하다, 축성(祝聖)하다. ②《~ qn+*sub.*》 …이 …라고 (엄숙히) 선언하다, …라고 칭송하다: ~ qn grand écrivain …에게 대작가라고 칭송하다.
— *v.i.* 《구어》 (sacré 따위의) 신을 모독하는 언사를 쓰다; 욕설을 내뱉다(= jurer).

sacrificateur, trice [sakʀifikatœːʀ, tʀis] *n.* 제물을 바치는 사제: grand ~ 유대교의 고위 성직자.

sacrifice** [sakʀifis] *m.* ① (일반적인) 희생; 제물; 희생적 행위: avoir l'esprit de ~ 희생 정신을 갖다 / ~ des prejugés 〔des intérêts nationaux〕 편견〔국가 이익〕의 제물 / faire le ~ de sa vie à 〔pour〕 la patrie 조국을 위해 목숨을 바치다. ② (종교적인) 공여(供與), 제물 (바치기), 공물;〖종교〗 그리스도의 헌신(= le ~ du Christ): ~*s* humains 〔d'animaux〕 인신 공여〔짐승의 희생〕 / ~ de la croix 십자가 위의 희생, 예수 수난. ③ (*pl.*) 경제적 희생, 경비의 지출: Ses parents ont fait de grands ~*s* pour son éducation. 양친은 그녀의 교육을 위해 커다란 희생을 치렀다. ***faire le ~ de son honneur 〔***de sa vie***〕 명예를〔생명을〕 희생시키다. ***le saint ~*** (***de la messe***)〖가톨릭〗 미사 성제(聖祭).

sacrifié, e [sakʀifje] *adj.* 희생된, 자기희생의: marchandise ~*e* 헐값으로〔손해 보고〕 처분한 상품. — *n.* (자기) 희생자.

sacrifier [sakʀifje] *v.t.* ①《~ à 〔pour〕》 ⓐ …에게 제물로 바치다(= immoler): ~ des victimes *à* Dieu 하느님께 제물을 드리다. ⓑ …을 위해 희생하다, 바치다; (시간이나 돈을) 쓰다; (사람을) 버리고 돌보지 않다: Il *a* tout *sacrifié à* son ambition. 그는 야망을 달성하기 위해 모든 것을 희생했다 / ~ sa vie *pour* son pays 나라를 위해 한 목숨을 바치다 / ~ tout son temps *à* l'étude 연구를 위해 자기 시간을 다 쓰다 / ~ ses amis *à* ses intérêts 자기의 이익을 위해 친구들을 버리다. ② (상품을) 손해 보고〔헐값으로〕 팔다(= solder). — *v.i.* 《~ à》《문어》 ① …에 따르다, 몸을 맡기다, 사로잡히다: ~ *à* la mode 유행에 따르다 / ~ *aux* préjugés 편견에 사로잡히다. ② …에게 산 제물을 바치다. — **se ~** *v.p.r.* 《se ~ à 〔pour〕》 …을 위해 자기를 희생하다: *se* ~ *pour* 〔*à*〕 la patrie 조국을 위해 몸을 바치다.

sacrilège [sakʀilɛːʒ] *m.* 신성 모독; 불경〔무례〕한 행위: commettre un ~ 신성〔소중〕한 것을 더럽히다 / C'est un ~ que de+*inf.* …하는 것은 무례한 행위이다. — *adj.* 신성을 모독하는; 불경한, 무례한: action ~ 신성 모독적인 행위 / prêtre ~ 불경한 사제. — *n.* 신성 모독자.

sacripant [sakʀipɑ̃] *m.* 무뢰한; 건달(= vaurien).

sacristain [sakʀistɛ̃] *m.* 성당지기; 성기(聖器) 관리 책임자.

sacristaine [sakʀistɛn] = sacristine.

sacristi [sakʀisti] *interj.* ①《분노·초조를 나타내어》 제기랄, 빌어먹을(= sapristi): Repose-toi un peu, ~! 이봐, 좀 쉬라니까! ②《~ de》《형용사적》 cette ~ *d'*auto 이놈의 자동차.

sacristie [sakʀisti] *f.* ①〖가톨릭〗 성기실(聖器室), 제의(祭衣)실. ②《la ~, les ~s》《집합적》 성직자들(의 당파).

sacristine [sakʀistin] *f.* 제의실의 성기(聖器)를 간수하는 책임을 맡은 수녀.

sacro-saint, e [sakʀɔsɛ̃, -ɛ̃ːt] *adj.* 《비꼼》 지극히 신성한; 신성불가침의: ses ~*es* habitudes 그의 신성불가침한 습관.

sacrum [sakʀɔm] *m.* 〖해부〗 선골(仙骨).

sadique [sadik] *adj.* 학대 음란증의, 변태 성욕의(≠ masochiste). — *n.* 변태 성욕자.

sadisme [sadism] *m.* 가학성 음란증; 학대 음란증, 사디즘.

sado(-)masochisme [sadɔmazɔʃism] *m.* 사도마조히즘《사디즘과 마조히즘이 합쳐진 변태 성욕》.

sado(-)masochiste [sadɔmazɔʃist] *adj.* et *n.* 사도마조히즘의 (사람).

safari [safaʀi] 〔아프리카〕 *m.* 사파리《아프리카에서의》 맹수 사냥; 야수 촬영 여행(= ~-photo).

safran [safʀɑ̃] *m.* 〖식물〗 사프란, 사프란 가루《향료·황색 염료》.

saga [saga] 〔스칸디나비아〕 *f.* ① 사가《중세 스칸디나비아의 전설·영웅담》. ② 대하소설《한 가정의 수세대에 걸친 이야기를 다룸》.

sagace [sagas] *adj.* 명민한, 총명한(= perspicace): esprit ~ 총명한 정신(의 소유자).

sagacité [sagasite] *n.* 명민, 총명(= finesse). ***avec ~*** 총명하게; 예민하게.

sagaie [sagɛ] *f.* (남미 원주민의) 가느다란 투창.

***sage** [saːʒ] *adj.* ① 현명한, 총명한, 슬기로운: agir en homme ~ 슬기로운 사람답게 행동하다. ② 분별 있는, 사려 깊은; 조심성 있는, 절제〔절도〕 있는: esprits ~*s* 사려 깊

은 사람들 / une ~ conduite 절제 있는 행동 / politique peu ~ 분별없는 정책. ③ (여자가) 정숙한(= chaste) ; 얌전한, 착한 : enfant ~ 착한〔얌전한〕 아이 / femme ~ 정숙한 여자. ***Il est ~ de*** + *inf.* 〔***que*** + *sub.*〕 … 하는 것이 현명하다 : *Il serait* plus ~ *d'em*porter un parapluie. 우산을 갖고 가는 편이 현명할거야. — *m.* 현인, 성인. ***les sept S~s*** (de la Grèce) (그리스의) 7 현인. ***Un fou enseigne bien un ~.*** 《속담》 바보에게서도 배울 것이 있다.

sage-femme [saʒfam] *f.* (*pl.* **~s-~s**) 산파, 조산원.

sagement [saʒmɑ̃] *adv.* ① 현명하게, 슬기롭게 ; 분별 있게, 신중하게 : agir ~ 신중하게 행동하다. ② 착하게, 얌전하게 : Il habite ~ chez ses parents. 그는 자기 부모 집에서 얌전하게 살고 있다.

sagesse** [saʒɛs] *f.* ① 현명, 총명 ; 슬기, 지혜, 예지(叡智) : conseils de ~ 현명한 충고 / entendre la voix de la ~ 지혜로운 말에 귀를 기울이다. ② 분별 ; 조심성, 신중 : agir avec ~ 분별 있는 행동을 하다. ③ (여자의) 정숙, 품행 방정 : fille d'une grande ~ 아주 정숙한 처녀. ④ (아이가) 온순함, 얌전함 : enfant d'une ~ exemplaire 모범적인 얌전한 아이. ***dent de ~ 사랑니. ***la ~ des nations*** 민중의 지혜 ; 금언, 속담, 격언. ***~ du monde ; ~ humaine*** 처세술.

sagittaire [saʒitɛːʀ] *m.* ① (고대 로마의) 궁사(弓士), 사수(射手). ② (*S~*) 〖천문〗 사수자리, 인마궁(人馬宮).

sagouin, e [sagwɛ̃, -in] *m.* ① (중남미의) 긴꼬리원숭이. ② 《구어》 불결한 사람〔아이〕.

saharien, enne [saaʀjɛ̃, -ɛn] *adj.* 사하라 사막의. — *f.* (소매가 짧은) 사파리재킷.

saignant, e [sɛɲɑ̃, -ɑ̃ːt] *adj.* ① 피가 흐르는. ② 〖요리〗 (고기가) 설익은(≠ à point) : bifteck ~ 레어 비프스테이크. ③ (정신적으로) 쓰라린, 괴로운 : cœur ~ 쓰라린 마음.

saignée [sɛ(e)ɲe] *f.* ① 〖의학〗 자락(刺絡), 사혈(瀉血) ; 자락하여 빼낸 피 : pratiquer une ~ 자락〔사혈〕하다. ② 《구어》 출혈적인 경비 지출, 벅찬 희생 ; (전쟁으로 인한) 인적 자원의 손실 : faire une ~ fiscale sur le bénéfice d'une entreprise 기업의 수익에서 혈세를 징수하다. ③ 팔의 오금《자락을 행하는 데》. ④ (고무나무의 수액을 받기 위한) 나무껍질의 칼자국. ***faire une ~ à*** qn …의 피를 뽑다, 《비유》 …의 돈을 짜내다.

saignement [sɛɲmɑ̃] *m.* (상처로부터의) 출혈 : ~ de nez 코피.

saigner** [sɛ(e)ɲe] *v.t.* ① …의 피를 뽑다, 피를 흘리게 하다 ; 〖의학〗 (자락(刺絡)〔사혈(瀉血)〕)하다 : Le médecin *saigne* bien. 그 의사는 자락〔사혈〕을 잘한다. ② (돼지·닭 따위를) 목을 따서 죽이다 ; (사람을) 찔러 죽이다 : ~ un pork 돼지의 목을 따서 도살하다. ③ 배수(排水)하다 ; (강의) 물을 빼다. ④ …의 고혈(膏血)을 짜다, 착취하다 : ~ les contribuables 납세자의 고혈을 짜다. ***~ à blanc 〔***jusqu'au blanc***〕 …에게서 돈을 울궈내다 ; (나라 따위를) 피폐시키다 : économie *saignée à blanc* par la crise 공황으로 파멸한 경제. — *v.i.* ① 출혈하다, 피를 흘리다. ② (피나는 듯한) 고통을 느끼다 : Le cœur me *saigne*. 나는 마음이 아프다. ***~ comme un bœuf*** 피를 많이 흘리다. ***~ du nez*** 《구어》 겁을 먹다. — **se ~** *v.pr.* ① (출혈적으로) 돈을 쓰다, 큰 희생을 치르다. ② 제 손으로 자락〔사혈〕을 하다.

saillant, e [sajɑ̃, -ɑ̃ːt] *adj.* ① 불쑥 내민, 돌기한 : parties ~*es* d'un édifice 건물의 돌출 부분 / pommettes ~*es* 튀어나온 광대뼈. ② 《비유》 두드러진, 눈에 띄는(= frappant, remarquable) : caractère 〔trait〕 ~ 두드러진 특징 / les événements les plus ~*s* d'une journée 하루 동안의 가장 눈에 띄는 사건들.

saillie [saji] *f.* ① 돌기, 융기, 돌출 부분 : ~*s* d'un édifice 건물의 돌출부 / balcon faisant 〔formant〕 ~ 쑥 내민 발코니. ② (회화나 문체의) 재기, 기지 : Sa conversation abonde en ~*s*. 그녀의 이야기는 재기에 넘친다. ③ (가축의) 교미, 흘레. ***en ~*** 돌출한, 불쑥 나온 : fenêtre *en* ~ 불쑥 튀어나온 창문. ***faire ~*** 돌출하다, 불쑥 내밀다. ***mettre en ~*** 돋보이게 하다. ***par ~s*** 단속적으로.

saillir [sajiːʀ] 《부정법, 몇몇 시제의 3 인칭, 분사 외에는 별로 쓰이지 않음》 *v.i.* 14 ① 돌출하다 ; 불쑥 나오다 : balcon qui *saille* sur la rue 길 쪽으로 불쑥 나온 발코니. ② 눈에 띄다, 뚜렷이 드러나다 : traits qui le font ~ dans la foule 군중 속에서 두드러지게 눈에 띄는 그의 생김새. — *v.t.* 10 (수컷이 암컷에) 흘레붙다, 교미하다.

sain, e** [sɛ̃, -ɛn] *adj.* ① 건강한(= robuste) : enfant ~ 건강한 어린애 / dents ~*es* 튼튼한 이. ② 건전한, 정상적인 : affaire ~*e* 건전한 사업 / homme ~ d'esprit 정신이 정상적인 사람 / ~*e* critique 〔opinion〕 공정한 비판〔견해〕. ③ 손상〔변질·부패〕되지 않은 : fruit ~ 흠집이 안 난 과일 / cheval ~ 흠 없는 튼튼한 말. ④ 건강에 좋은(= salubre) : air ~ (건강에) 좋은 공기 / nourriture ~*e* 건강식. ***avoir le corps ~ 몸이 건강하다. ***~ et sauf*** 무사히 : revenir ~ *et sauf* 무사히 돌아오다. ***Un esprit ~ dans un corps ~.*** 《격언》 건전한 정신은 건강한 신체에 깃든다.

saindoux [sɛ̃du] *m.* 돼지기름, 라드(= axonge).

sainement [sɛnmɑ̃] *adv.* ① 위생적으로 ; 건강에 좋게 : être logé ~ 건강에 좋은 집에 살고 있다. ② 건전하게, 올바르게 : juger ~ 올바르게 판단하다 / Cela est ~ pensé. 그것은 건전한 사고이다.

sainfoin [sɛ̃fwɛ̃] *m.* 〖식물〗 누에콩, 잠두《사료용》.

‡saint, e [sɛ̃, -ɛ̃ːt] *adj.* ① 성스러운, 신성한, 거룩한《대문자 사용에 관해서는 확연한 규칙이 없으나, ~ + *n.*의 경우는 대문자로 쓰는 일이 많고, *n.* + ~의 경우는 보통 소문자》 : la *S~e* Vierge 성처녀, 성모 마리아 / la Terre *S~e* 성지《팔레스타인》 / villes ~*es* 성도(聖都)《예루살렘·메카·베나레스》. ② 《이름에 붙여》 성(聖)… ; 《성인의 이름을 딴》 축일 ; *S~* Paul 성바울 / place 〔rue〕 *S*-Jacques (파리의) 생자크 광장. ③ 성인 같은, 경건한, 고결한 : homme ~ ; ~ homme 성인 (군자) / mener une vie ~*e* 성인 같은

S

생활을 하다. ***Ce n'est pas un (petit) ~.*** 그는 성인군자가 아니다《완전무결하지는 않다》. ***la semaine ~e*** 성주간《부활절 전주(前週)》. ***l'Écriture ~e*** 성서.
— *n.* ① 성인, 성자, 성녀 : fête de ~ 성인의 축일 / ~ du jour 그날이 축일에 해당하는 성인 ; 오늘의 인물 / vie des ~s 성인전(傳). ② 성인군자, 후덕한 사람 : C'est une ~*e*. 그녀는 마치 성녀와도 같다. ***À chaque ~ sa chandelle.*** 영예는 그 공에 따라서. ***Il vaut mieux s'adresser à Dieu qu'à ses ~s.*** 아랫사람보다 상사를 상대하는 편이 낫다. ***lasser la patience d'un ~*** 분통이 터져 못 견디게 하다. ***ne savoir (pas, plus) à quel ~ se vouer*** 어떻게 해야 좋을지 모르다. ***petit ~ (de bois)*** 《속어》 성인인 체하는 남자, 사이비 군자. ***prêcher pour son ~*** 자신의 이익만 추구하다, 아전인수(我田引水)를 하다. ***toute la ~e journée*** 하루종일.
— *m.* ① 신성불가침의 장소. ② (단체 따위의) 핵심 비밀 기구 ; 극비 부분. ***~ des ~s*** (예루살렘 성전의) 지성소(至聖所) ; 신성불가침의 장소.

saint-bernard [sɛ̃bɛʀnaːʀ] *m.* 《복수불변》 ① 세인트버너드종(種)《성베르나르 수도원에서 길러져 알프스의 눈 속을 헤매는 길손을 구조하던 개에서 나온 말》. ② 《비유》 (남을 위해) 헌신 봉사하는 사람 : C'est un vrai ~. 남을 위해 몸을 아끼지 않는 사람이다.

Saint-Cyr [sɛ̃siːʀ] *n.pr.m.* 생시르 육군 사관학교《보병 및 기병》.

saint-cyrien [sɛ̃siʀjɛ̃] *m.* 생시르(Saint Cyr) 육군 사관학교 생도〔출신자〕.

saintement [sɛ̃tmɑ̃] *adv.* 성인답게〔처럼〕: mourir 〔vivre〕 ~ 성인처럼 죽다〔정결한 신앙에 살다〕.

sainte-nitouche [sɛ̃tnituʃ] *f.* = nitouche.

Saint-Esprit [sɛ̃tɛspʀi] *m.* 〖가톨릭〗 성신(聖神), 성령.

sainteté [sɛ̃tte] *f.* ① 신성함, 성스러움 : mourir en odeur de ~ 신성한 기독교도로 죽다. ② (인물의) 성덕(聖德). ③ (법 · 선서 따위의) 신성 불가침. ***Sa 〔Votre〕 S~*** 교황 성하(聖下).

saint-frusquin [sɛ̃fʀyskɛ̃] *m.* 《복수없음》 《구어》 (개인의) 세간살이 ; 전재산 ; (열거한 후에) 기타 전부(= et tout le reste) : tout le ~ 《속어》 전재산, 소지품 전부.

saint-glinglin [sɛ̃glɛ̃glɛ̃] *n.pr.f.* 《구어》 ***à la ~*** 부지하세월에, 언제까지나〔결코〕 (···아니하다) : Il me remboursera *à la ~*. 그는 언제까지나 내게 돈을 갚아 주지 않을 것이다. ***jusqu'à la ~*** 언제까지나, 영원히.

Saint-Graal (le) [ləsɛ̃gʀaːl], **Saint-Gréal (le)** [ləsɛ̃gʀeal] *m.* 성배(聖杯).

saint-honoré [sɛ̃tɔnɔʀe] *m.* (*pl.* **~-~s**) 〖요리〗 생토노레《케이크의 일종》.

Saint-Jean (la) [lasɛ̃ʒɑ̃] *f.* 세례 요한의 축제일《6 월 24 일》.

Saint-Martin (la) [lasɛ̃maʀtɛ̃] *f.* 성마르탱의 축제일《11 월 11 일》: été de la ~ (겨울철로 접어들기 전) 11 월 초순 · 중순의 마지막 좋은 날씨.

Saint-Office [sɛ̃tɔfis] *m.* 종교 재판소, 성청(聖廳)《이단을 규명하는 교황청의 부서》.

Saint-Père (le) [ləsɛ̃pɛːʀ] *m.* 〖가톨릭〗 성부(聖父)《로마 교황의 존칭》.

saint-siège [sɛ̃sjɛːʒ] *m.* 〖가톨릭〗 성좌(聖座), 교황청.

saint-simonisme [sɛ̃simɔnism] *m.* 생시몽주의.

Saint-Sylvestre (la) [lasɛ̃silvɛstʀ] *f.* 〖종교〗 성(聖)실베스트르의 축일《12 월 31 일》: faire la veillée de la ~ 제야(除夜)를 새우다.

sais [sɛ] savoir 의 직설 · 현재 · 1〔2〕 · 단수.

saisie [sɛ(e)zi] *f.* ① 〖법률〗 압류 : effectuer 〔opérer〕 une ~ 압류를 집행하다 / faire ~ sur l'avoir de qn ···의 재산을 압류하다. ② 압수 ; 발행 금지 : ~ d'une pièce à conviction 증거물 압수 / ~ d'une publication 출판물의 발행 금지〔정지〕. ③ 〖컴퓨터〗 데이터 입력.

saisine [sɛ(e)zin] *f.* 〖법률〗 ① 유산(遺產) 점유. ② 제소(提訴).

‡saisir [seziːʀ] *v.t.* ① 잡다, 붙잡다, 쥐다, 움켜쥐다 : ~ la balle au bond 튀어오르는 공을 잡다 / ~ un cheval par la bride 말의 고삐를 잡아 쥐다 / ~ qn au collet 〔par le bras〕 ···의 멱살〔팔〕을 잡다 / ~ une épée par la poignée 칼자루를 쥐다. ② (권력 따위를) 장악하다, (도시 따위를) 점거하다. ③ 체포하다(= arrêter) : ~ un accusé 피의자를 체포하다. ④ 〖해양〗 (선박을) 잡아매다, 메어 놓다(= amarrer) ; 나포하다. ⑤ (기회 · 구실 따위를) 붙잡다, 포착하다 : ~ l'occasion (de+*inf.*) (···하는) 기회를 포착하다 / ~ une excuse 〔un prétexte〕 pour ne pas travailler 일을 안하려고 구실〔변명〕을 찾아내다. ⑥ (감각 · 오성으로) 이해하다(= comprendre), 파악하다(= embrasser) ; 알아듣다, 알아차리다 : ~ qc par l'intuition ···을 직관적으로 이해하다 / mal ~ qc ···을 곡해하다 / *Avez*-vous bien *saisi* son intention? 그의 뜻을〔의도를〕 잘 이해하셨소 / Il *avait saisi* (qc) d'un seul coup d'œil. 그는 (···을) 언뜻 보고 알았다. ⑦ (감각 · 감정이) 사로잡다 ; 몹시 놀라게 하다 : Le froid le *saisit.* 추위가 그를 엄습한다 / La douleur 〔La peur, Le désespoir〕 l'a *saisi.* 고통〔공포심 · 절망〕이 그를 사로잡았다 / Ce spectacle me *saisit* d'horreur. 이 정경을 보니 내 마음은 공포에 사로잡힌다. ⑧ 〖법률〗 ⓐ 압류하다 : ~ les meubles 동산을 압류하다. ⓑ 《~ qn》 ···의 재산을 압류하다 : On l'*a saisi*; On *a saisi* ses biens. 그는 재산을 압류당했다. ⑨ 《~ qn de qc》 ···에게 ···을 점유시키다, 소유하게 하다 : ~ qn *d'*un héritage ···에 유산을 점유시키다. ⑩ 《~ qc de qc》 ···에 ···을 제기〔제소〕하다, 제출하다 : ~ un tribunal *d'*une affaire 어떤 사건을 법정에 제소하다 / ~ la chambre *d'*un project de loi 법안을 의회에 제출하다. ⑪ 〖컴퓨터〗 (텍스트 · 자료를) 입력하다 : Le texte *est saisi* par un claviste. 텍스트는 오퍼레이터에 의해 입력되었다. ⑫ 〖요리〗 (고기 따위를) 강한 불에 익히다 : ~ une côtelette 갈비를 불에 얹다〔굽다〕. ***être saisi de terreur 〔étonnement, joie〕*** 공포심〔놀라움 · 기쁨〕에 사로잡히다.
— **se ~** *v.pr.* ① 서로 (붙)잡다. ② 《se ~

S

de》 …을 붙잡다, 체포하다 ; 점거〔점령〕하다, 빼앗다 ; …을 포착하다 ; …을 사로잡다 : se ~ *d'*un braconnier 밀렵꾼을 체포하다 / Il *s'est saisi d'*une arme. 그는 무기를 집어들었다. ③ 두려움 · 놀라움 따위에 사로잡히다, 마음이 동요하다. ④《se ~ de》〖법률〗(심의회 따위가 사건 따위를) 떠맡다, 접수하다.

***saisissant, e** [sezisɑ̃, -ɑ̃:t] *adj.* ① (추위가) 살을 에는 듯한, 뼛속에 스미는(= aigre) : froid ~ 살을 에는 듯한 추위. ② 놀랄 만한 ; 충격적인, 소름끼치는 : spectacle ~ 충격적인 광경 / portrait ~ de ressemblance 놀라울 정도로 실물과 닮은 초상.

saisissement [sezismɑ̃] *m.* ① 오싹한 추위. ② 급격한 놀라움, 쇼크 : mourir de ~ 쇼크로 죽다.

⁑**saison** [sɛzɔ̃] *f.* ① 계절, 철 : ~ nouvelle 봄철 / les quatre ~*s* (le printemps, l'été, l'automne et l'hiver) 사철《봄 · 여름 · 가을 · 겨울》/ en toute(s) ~(s) 일년 중 / Il fait froid pour la ~. 계절치고는 춥다. ② (기후상의) 시기, 절기(節期) : la ~ des pluies 우기(雨期) / la ~ sèche 건기(乾期) / la belle ~ (맑은 날씨가 많은) 아름다운 절기《주로 여름철》. ③ (농 · 수산물 따위의) 계절, 철 : fruits de ~ 제철과일 / la ~ des semailles 파종의 계절 / hors ~ 철 지난 / ~ de la moisson 수확의 시기. ④ (행사 · 관광 · 모드 따위의) 시즌 : ~ théâtrale 연극시즌 / ~ des sports 스포츠 시즌 / haute ~ (관광 따위의) 성수기 / ~ des amours (동물의) 발정기 / nouveautés de la ~ 계절의 신형 모드 / ~ de la pêche au hareng 청어잡이 시기. ⑤ (온천 · 해수욕 따위의) 체재(기간) : faire une ~ (thermale) de trois semaines à Vichy 비시에서 3주일간 탕치(湯治)를 위해 체재하다. ⑥《문어》(인생의) 시절 : en sa dernière ~ 그(녀)의 만년에 / la jeune ~ 젊은 시절, 청춘기. ***en temps et ~*** 적절한 시기에, 때에 알맞게. ***être de ~*** 시의적절하다, 적합하다. ***être hors de ~*** 알맞지〔걸맞지〕 않다. ***faire la ~*** (관광철에 관광지에서) 관광객을 상대로 장사를 하다. ***la ~ morte ; la morte ~*** 한산기, 농한기, 불경기철.

saisonnier, ère [sɛzɔnje, -ɛ:ʀ] *adj.* 계절의, 계절 특유의 ; 한 계절만 계속되는 : variations ~*ères* de température 기온의 계절적인 변화 / ouvriers ~*s* 계절 노동자.
— *n.* 계절 노동자 ; (관광지나 피서지의) 계절 손님(= vacancier).

sait [sɛ] savoir 의 직설 · 현재 · 3 · 단수.

sake [sake] *m.* 일본의 청주.

salace [salas] *adj.* (남자가) 호색의, 음탕한, 추잡한 : propos ~ 추잡한 말.

salade** [salad] *f.* ①〖요리〗샐러드 ; 샐러드용 야채《laitue 따위》: ~ de laitue 상추 샐러드 / retourner la ~ 샐러드를 버무리다 / remuer〔fatiguer〕 la ~ 샐러드를 잘 뒤섞다. ②《구어》이것저것 마구 뒤섞은 것, 잡탕, 잡동사니 : Quelle ~ ! 정말 뒤죽박죽이군! ③ (*pl.*)《속어》엉터리 수작 ; 허풍 : Pas de ~*s* ! 엉터리 수작 그만해요 ! ***mettre en ~ 샐러드로 요리하다 ;《구어》…을 뒤죽박죽으로 만들다. ***panier à ~*** 샐러드용 채소의 물기 빼는 바구니 ;《구어》죄수 호송차. ***raconter des ~s*** 허풍을 떨다. ***vendre sa ~*** (행상인 따위가) 물건을 팔다 ; (배우 · 가수 따위가) 출연하다.

saladier [saladje] *m.* ① 샐러드용 큰 주발. ② 샐러드용 야채의 물기 빼는 바구니(= panier à salade).

salage [sala:ʒ] *m.* ① (생선 · 고기를) 소금에 절이기. ② (차도의 눈 · 얼음을 녹이기 위해) 소금을 뿌리기.

salaire** [salɛ:ʀ] *m.* ① 임금, 봉급, 급료 ; 보수 : ~ de base 기본급 / ~ minimum 최저임금 / toucher de forts ~*s* 많은 임금을 받다 / relever le niveau des ~*s* 임금의 기준을 올리다 / ~ proportionné à la production 생산에 따르는 능률급. ② (선행 · 악행 따위에 대한) 대가, 보답 : le ~ de la peur 공포의 대가. ***~ de famine 〔***de misère***〕 (너무나 낮은) 기아 임금.

salaison [salɛzɔ̃] *f.* 소금에 절이기 ; 소금에 절인 식품.

salamalec [salamalɛk] 〔아라비아〕 *m.* (주로 *pl.*)《구어》지나치게 정중한 인사 : faire des ~*s* à qn …에게 지나치게 정중한 인사를 하다.

salamandre [salamɑ̃:dʀ] *f.* ①〖동물〗도롱뇽. ② 불도마뱀《불 속에서 산다고 믿어졌음》.

salami [salami] *m.* 살라미《이탈리아 소시지의 일종》.

salangane [salɑ̃gan] *f.*〖조류〗바다제비 : nid de ~ 바다제비집《중국 요리의 진미》.

salant [salɑ̃] *adj. m.* 소금이 나는 : marais ~ 염전. — *m.*〖지리〗(해안의) 염분 지대.

salarial, e, aux [salaʀjal, -o] *adj.* 임금의, 급여〔보수〕에 관한 : masse ~*e* (기업 · 국가의) 임금 총액.

salariat [salaʀja] *m.* ①〖경제〗임금 제도. ②《집합적》봉급생활자(≠ patronat).

***salarié, e** [salaʀje] *adj.* 봉급〔임금〕을 받는 ; 유급의. — *n.* 봉급생활자, 샐러리맨.

salaud [salo]《욕설》*n.* 더러운〔추잡한〕 놈〔년〕 ; 치사스러운 녀석 : Quel ~ !《제 3 자에 대하여》저 빌어먹을 놈 / Espèce de ~ !《상대방에게》치사스런 놈《여자에게는 salope 를 씀》. — *adj.* 더러운, 치사스런 : Ça, c'est un coup ~ ! 더러운 짓이다.

⁑**sale** [sal] *adj.* ①《명사 뒤》더러운, 불결한 (≠ propre) ; 추잡한 ; 추악한 : figure ~ 더러운 얼굴 / linge ~ 더럽혀진 내의 / mains ~*s* 불결한 손 ; (추악한 짓을 한) 추잡한 손. ②《명사 앞》기분 나쁜 ; 고약한 ; 비열한, 치사한 : ~ histoire 기분 나쁜 이야기 / ~ individu〔type〕 치사한〔비열한〕 녀석 / ~ temps 고약한 날씨. ③ (색깔이) 우중충한, 칙칙한. ④ 음란한, 상스러운 : histoire ~ 음담패설. ***faire une ~ gueule*** 지겨운 듯한 기색을 보이다. ***~ comme un peigne*** 〔***porc***〕 몹시 더러운. — *m.*《구어》세탁물 담는 광주리.

***salé, e** [sale] *adj.* ① 소금을 친, 간을 한 : soup trop ~e 소금을 너무 많이 친 수프. ② 염분을 함유한 : eau ~*e* 염수 / lac ~ 염호(塩湖). ③ (빈정댐 따위가) 신랄한 ; (이야기가) 추잡한, 외설스러운 : histoire ~*e* 음탕

한 이야기. ④ 《비유》 (값이) 터무니없는 ; (처벌이) 가혹한 : note ~*e* 터무니없는 값의 계산서. ***avoir le bec ~*** 《구어》 갈증이 나다. ***plaine*(*s*) *~e*(*s*)** 《시어》 바다. — *m.* 소금으로 간한 돼지고기. ***petit ~*** 소금에 간한 삶은 돼지고기.

salement [salmɑ̃] *adv.* ① 더럽게 ; 추잡〔추악〕하게 : manger ~ 던적스럽게 먹다. ② 비열하게 : se conduire ~ 비열하게 행동하다. ③ 《속어》 몹시, 지독하게 : travailler ~ 《학생은어》 지독하게 공부하다.

saler [sale] *v.t.* ① …에 소금을 치다 ; 소금에 절이다 : ~ la soupe 수프에 소금을 치다 / ~ du porc 돼지고기를 소금에 절이다. ② (눈 · 빙판을 녹이기 위해) 도로에 소금을 뿌리다.

saleron [salʀɔ̃] *m.* (식탁용) 소형 소금 그릇.

***saleté** [salte] *f.* ① 불결, 더러움(= malpropreté) ; 더러운 것, 오물 ; 분뇨 : vivre dans la ~ 불결한 곳에서 살다. ② 추잡한〔외설스러운〕 짓〔말〕 : dire des ~*s* 추잡한 말을 하다. ③ 《구어》 쓸데없는〔하찮은〕 것.

saliére [saljɛːʀ] *f.* ① (식탁 · 주방용) 소금 그릇, 소금 단지. ② (여윈 사람의) 쇄골(鎖骨) 상부의 움푹 들어간 곳.

saligaud, e [saligo, -oːd] *n.* 《욕설》 더러운〔비열한〕 놈(= salaud).

salin, e[1] [salɛ̃, -in] *adj.* (자연이) 소금기를 머금은 : air ~ 염풍, 소금기를 머금은 바람. — *m.* (특히 남프랑스의) 염전(= marais salant) ; 천일염.

saline[2] [salin] *f.* (흔히 *pl.*) 제염 공장 ; 《오용》 염전.

salinité [salinite] *f.* 염분, 염도.

salique [salik] *adj.* 〖역사〗 loi ~ 살리크법 《프랑스의 왕위 계승에서 여자를 제외시킴》.

⁑salir [saliːʀ] *v.t.* ① (옷 따위를) 더럽히다 : Cet enfant *a sali* ses habits. 이 아이는 제 옷을 더럽혔다. ② (평판 따위를) 손상시키다, 더럽히다 : On l'*a sali* par des mensonges. 사람들은 거짓말을 해서 그의 명예를 더럽혔다. ***C'est un vilain oiseau que celui qui salit son nid.*** 《격언》 자기의 집안을〔자기 나라를〕 욕되게 하는 자는 나쁜 놈이다. ***~ du papier*** 시시한 글을 쓰다. — **se ~** *v.pr.* ① 더러워지다 : vêtement qui *se salit* facilement 쉽게 더러워지는 옷. ② 자기의 …을 더럽히다 : *se* ~ en tombant 넘어져서 몸〔옷〕을 더럽히다. ③ 자기 체면〔평판〕을 떨어뜨리다 : Elle *s'est salie* dans ce scandale. 그녀는 그 스캔들 때문에 평판이 떨어졌다. ***se ~ la figure*** 자기 체면을 더럽히다.

salissant, e [salisɑ̃, ɑ̃ːt] *adj.* ① 더러워지기 쉬운, 더럼 잘 타는. ② 더러운 : travail ~ 더러운 일.

salissure [salisyːʀ] *f.* 더럼, 때.

salivaire [salivɛːʀ] *adj.* 〖해부〗 침의, 타액의 : galandes ~*s* 타액선(腺), 침샘.

salivation [salivɑsjɔ̃] *f.* 〖생리〗 타액 분비.

salive [saliːv] *f.* 침, 타액. ***avaler*** 〔***ravaler***〕 ***sa ~*** 《속어》 (말이 막혀서) 도중에 침묵하다. ***dépenser beaucoup de ~*** (***pour rien***) 《구어》 수다를 떨다. ***perdre sa ~*** 《구어》 쓸데없는 소리를 지껄이다.

saliver [salive] *v.i.* 침을 흘리다, (많은) 침이 나오다.

⁑salle [sal] *f.* ① (주택 안의 특정 용도의) 방 : ~ à manger 식당 / ~ d'eau 세탁〔화장〕실 / ~ de bain(s) 욕실 / ~ de réception 응접실 / ~ de séjour ; ~ commune 거실. ② 홀, (공공시설 따위의) 방, 실(室) : ~ d'attente de gare 역의 대합실 / ~ d'audience 법정 / ~ de rédaction 편집실 / ~*s* d'un hôpital 병원의 병실 / ~ de réanimation 응급실 / ~ de cours 〔classe〕 강의실〔교실〕 / ~ de bal 〔de danse〕 댄스홀 / ~ de concert 콘서트홀. ③ 공회당 ; 극장(= ~ de théâtre) ; 영화관(= ~ de cinéma) ; 관객석 : ~ d'exclusivité 개봉관 / ~ de spectacle 극장, 영화관 / sortir en ~ (영화가) 극장에서 개봉되다. ④ 회장에 모인 관중〔청중〕 : Toute la ~ applaudit. 만장의 관중〔청중〕이 박수갈채했다 / ~ pleine 〔comble〕 만원의 회장(會場). ***faire la ~*** (극장이나 연설회장을) 자기편이 점유케 하다. ***faire ~ comble*** (극장 따위가) 만원사례를 이루다 ; (연극 따위가) 대성공을 거두다.

salmigondis [salmigɔ̃di] *m.* ① 〖요리〗 잡탕. ② 《구어》 뒤범벅.

salmis [salmi] *m.* 〖요리〗 구운 새고기 스튜.

saloir [salwaːʀ] *m.* ① (고기 · 생선의) 소금 절이 통〔단지〕. ② 《옛》 (저장용) 소금통〔단지〕.

Salomon [salɔmɔ̃] *n.pr.m.* 〖성서〗 솔로몬.

***salon** [salɔ̃] *m.* ① ⓐ 객실, 응접실 ; 객실용의 가구 한 벌 : ~-salle à manger 응접실 겸 식당. ⓑ (특히 상류 부인의 주재로) 사교인들이 모이는 객실, 살롱 ; (흔히 *pl.*) 사교계 : fréquenter les ~*s* 사교계에 드나들다. ② …실(室), …점(店) : ~ de thé 다실(茶室) 《대개 케이크점 안에 있음》 / ~ de coiffure 미용실, 이용원 / ~ d'attente (병원) 대합실. ③ ⓐ (정기) 미술전 : le *S*~ d'Automne (파리의) 추계 미술전. ⓑ 미술전의 비평 : les *S*~*s* de Baudelaire 보들레르의 미술전 비평. ④ (정기) 상품 전시회, 견본시 : le *S*~ de l'auto 신형 차 전시회 / le *S*~ de l'enfance 어린이용품 전시회.

salon(n)ard, e [salɔnaːʀ, -aʀd] *n.* 《경멸》 살롱 출입객, 사교계 인사.

saloon [salun] 〔미영〕 *m.* (개척 시대 미국 서부의) 술집, 바.

salopard, e [salɔpaːʀ, -aʀd] *n.* 《욕설》 비열한 놈.

salope [salɔp] *f.* 《욕설》 더러운 년, 화냥년 《남자에 대해서는 salaud 를 씀》.

saloper [salɔpe] *v.t.* (일을) 아무렇게나〔엉망으로〕 하다 ; (물건을) 못쓰게 만들다.

saloperie [salɔpʀi] *f.* 《속어》 ① 더러움, 불결(= saleté). ② 추잡한〔음탕한〕 이야기 ; 치사한〔비열한〕 짓 : être capable de toutes les ~*s* 어떤 비열한 짓이라도 할 수 있다. ③ 잡동사니 ; 맛없는 음식 : manger des ~*s* 아주 형편없는 식사를 하다.

salopette [salɔpɛt] *f.* ① (위아래가 연결된) 작업복. ② (어린이) 가슴받이 달린 멜빵바지.

salpêtre [salpɛtʀ] *m.* 초석, 질산 칼륨.

salsa [salsa] *f.* 살사《아프리카 계통의 쿠바 음악》.

S

salsifis [salsifi] *m.* 〚식물〛 선모(仙茅)《뿌리는 식용》: ***manger les ~ par la racine*** 《구어》 죽다.

saltimbanque [saltɛ̃bɑ̃:k] *m.* ① (거리의) 곡예사 ; 떠돌이 서커스 단원. ② 어릿광대.

salubre [salybʀ] *adj.* 위생적인 ; 건강에 좋은 : climat ~ 건강에 좋은 풍토.

salubrité [salybʀite] *f.* 건강에 적합함, 위생적임 ; 보건, 위생 : ~ publique 공중위생.

⁑**saluer** [salɥe] *v.t.* ① ⓐ …에게 인사하다, 절하다 : ~ en ôtant son chapeau 모자를 벗고 인사하다. ⓑ 〚군사〛 경례하다, 경의를 표하다 : ~ le drapeau 국기에 경례하다. ② …에게 인사말을 하다 ; …에게 안부를 전하다 : *Saluez*-le de ma part. 그에게 안부 전해 주세요. ③ 환영하다 ; (호의 또는 악의를 품고) 맞아들이다, 영접하다 : Son arrivée *fut saluée* par un tonnerre d'applaudissements. 그가 도착하자 우레 같은 환호의 갈채가 일어났다 / *être salué* par des sifflets 야유의 휘파람으로 맞아들여지다. ④ 《옛》 …로 모시다, 받들다 : ~ qn empereur …을 황제로 모시다. ***J'ai* (*bien*) *l'honneur de vous ~.*** …상서(上書), 총총《편지의 맺는 말》. **~** qn ***de la main*** 〔***d'un coup de chapeau***〕 …에게 손을 흔들어〔모자를 들어 올리며〕 인사하다. ── **se ~** *v.pr.* 서로 인사하다.

salure [saly:ʀ] *f.* 염분, 소금기.

salut** [saly] *m.* ① ⓐ 구제, 구조 ; 복지 : planche de ~ 구명판 / le ~ public 사회복지. ⓑ 구제자 : Jeanne d'Arc fut le ~ de la France. 잔다르크는 프랑스의 구제자였다. ② 인사, 절, 경례 : adresser (de la tête, de la main) un ~ à qn …에게 인사하다 / rendre le 〔son〕 ~ à qn …에게 답례하다 / un ~ profond 공손한 인사 / ~ militaire 군대식 경례. ③ (종교적) 구원, 구령(救靈) ; 〚가톨릭〛 성체 강복식(聖體降福式) : l'Armée du *S*~ 구세군 / faire son ~ 영원한 구원을 얻다. ***Hors de …, point de ~. …이 없으면〔을 떠나서는〕 아무것도 안 된다.
── *interj.* ① 《구어》 안녕《만나거나 헤어질 때》: *S*~ tout le monde ! ; *S*~ à tous ! 모두들 안녕 ! ② 《구어》 천만에, 사양하겠어요《단호한 거부》: Retourner à mon ancien métier ? ― *S~ !* 내 예전 직업으로 되돌아가라고요 ? ― 사양하겠어요.

salutaire [salytɛ:ʀ] *adj.* ① 건강에 좋은, (약 따위가) 몸에 이로운(= salubre) : air ~ des montagnes 산간 지방의 좋은 공기. ② 유익한(= utile), 이로운 : conseil ~ 유익한 충고 / Cette lecture te sera ~. 이걸 읽으면 너한테 유익할 것이다.

salutation [salytɑsjɔ̃] *f.* ① 인사, 절 ; 경례 : faire une profonde ~ à qn …에게 공손히 인사하다. ② (*pl.*) 인사〔안부〕의 말 : Veuillez agréer mes ~*s* distinguées 경구(敬具)《편지 말미의 인사말》/ *S*~*s* à votre famille. 댁의 여러분께 안부 전해 주십시오. ③ 〚가톨릭〛 ~ angélique 천사 축사, 아베마리아.

salutiste [salytist] *n.* 구세군의 사관(士官).

salvadorien, enne [salvadɔʀjɛ̃, -ɛn] *a.* 엘살바도르 공화국의 ── **S~** *n.* 엘살바도르 사람.

salvateur, trice [salvatœ:ʀ, -tʀis] *adj.* 구제하는. ── *n.* 구제자.

salve [salv] *f.* 축포, 예포 : lancer 〔tirer〕 une ~ 예포〔축포〕를 쏘다. ***~ d'applaudissements*** 《비유》 만장의 박수갈채.

samba [sɑ̃ba] 〔브라질〕 *f.* 〚무용〛 삼바.

⁑**samedi** [samdi] *m.* 토요일. ***être né un ~*** 게으름뱅이다. ***faire le ~*** 1주일분의 급료를 술로 마셔 버리다. ***le S~ saint*** 성토요일 《부활절 전 토요일》.

SAMU [samy] 〔< *S*ervice d'*a*ide *m*édicale d'*u*rgence〕 *m.* 《복수불변》 (응급 환자 · 부상자 따위를 구호하는) 의료 구급대.

sana [sana] *m.* 《구어》 요양원(= sanatorium) : faire une cure dans un ~ 요양원에서 요양하다.

sanatorium [sanatɔʀjɔm] *m.* 전지(轉地) 요양소, 사나토륨.

Sancho Pança [sɑ̃ʃopɑ̃sa] *n.pr.m.* 산초 판사《동키호테의 종자(從者)》.

sanctification [sɑ̃ktifikɑsjɔ̃] *f.* ① 신성화, 성성(成聖), 성화(聖化) ; 영혼의 구제 ; 성일(聖日)로 제정하는 일. ② 축하.

sanctifier [sɑ̃ktifje] *v.t.* ① 〚신학〛 신성하게 하다, 성성(成聖)하다, 성화하다. ② 〚성서〛 성스러운 것〔성인〕으로 숭앙〔흠앙〕하다 : ~ le nom de Dieu 하느님의 이름을 거룩하게 하다. ③ 성일(聖日)로 지키다 : ~ le dimanche 주일을 성일로 지키다.

sanction [sɑ̃ksjɔ̃] *f.* ① 비준, 재가 ; 인가 ; 승인(= approbation) : Cette loi n'a pas encore reçu la ~ de l'exécutif. 이 법률은 아직 행정부의 비준을 받지 않고 있다 / Cette locution a reçu la ~ de l'usage. 이 어법은 관용적으로 인정되고 있다. ② 처벌, 제재 ; (행위에 대한) 응보, 당연한 결과 : ~ sociale 사회적인 제재 / ~*s* économiques 〔militaires〕 경제적〔군사적〕 제재 / prendre une ~ contre qn …을 처벌하다 / Son échec n'est que la ~ de sa paresse. 그의 실패는 게으름의 당연한 결과일 뿐이다.

sanctionner [sɑ̃ksjɔne] *v.t.* ① 비준〔재가 · 인가〕하다 ; 승인〔인정〕하다 : ~ un décret 법령을 비준하다 / mot *sanctionné* par l'usage 관용으로 인정된 말. ② 제재하다, 처벌하다 : ~ une infraction 위반을 처벌하다.

sanctuaire [sɑ̃ktɥɛ:ʀ] *m.* ① (교회 · 신전의) 성역, 지성소(至聖所) ; (교회의) 내진(內陣). ② 교회, 신전, 성지. ③ 《문어》 성역 ; (조수 등의) 보호구.

sanctuarisation [sɑ̃ktɥaʀizɑsjɔ̃] *f.* 성역화.

sanctus [sɑ̃ktys] *m.* 〚가톨릭〛 삼성창(三聖唱), 상투스《「거룩하시다」(Sanctus, sanctus, sanctus Dominus)라는 말로 시작하는, 미사 서송(préface) 끝 부분에 부르는 성가》.

sandale [sɑ̃dal] *f.* 샌들. ***secouer la poussière de ses ~s*** 〚성서〛 그 땅에 두 번 다시 발을 들여놓지 않다.

sandalette [sɑ̃dalɛt] *f.* 가벼운 샌들.

sandwich** [sɑ̃dwi(t)ʃ] 〔영〕 *m.* (*pl.* ~(e***)***s***) ① 샌드위치 : ~ au jambon 햄 샌드위치. ② (금속 따위의) 합판, 샌드위치 모양의 3층 구조.

⁑**sang** [sɑ̃] 《연음할 때는 [sɑ̃k]》 *m.* ① 피, 혈액 : circulation du ~ 혈액 순환 / prise de ~ 채혈(採血) / donneur de ~ 헌혈자 /

animaux à ~ chaud (froid) 온혈(냉혈) 동물 / perte de ~ 출혈 / types de ~ 혈액형 / coup de ~《구어》뇌일혈, 졸도 / Le blessé a perdu beaucoup de ~. 부상자는 심한 출혈을 했다. ② (살인 따위의) 유혈; 살육: bain de ~ 살육 / verser (faire couler) le ~ (아무의) 피를 흘리게 하다, 죽이다 / victoire sans effusion de ~ 유혈 없는 승리. ③ 핏줄, 혈통, 혈족, 가문: liens du ~ 혈연 / droit du ~ 혈통(주의) / être d'un ~ royal 왕실의 핏줄을 잇고 있다 / être du même ~ 핏줄을 같이하다. ④《비유》(기질, 감정 따위의) 혈기, 괄괄함, 격정: avoir du ~ dans les veines《구어》성질이 팔팔하다, 다혈질이다 / avoir le ~ chaud (bouillant) 성질이 욱하다 / faire bouillir le ~ à qn …의 피를 끓게 하다. ***apport de ~ neuf*** (***frais***) 젊은 인재, 새로운 자본의 도입. ***avoir du ~ bleu*** 귀족 출신이다. ***avoir du ~ de navet*** (***poulet***) 용기가 없다, 겁쟁이다, 비겁하다. ***avoir du ~ sur les mains*** 손이 피로 더럽혀져 있다, 사람을 죽이다. ***avoir*** qc ***dans le ~***《구어》…의 핏속에 흐르고 있다, 깊이 뿌리 박혀 있다: J'*ai* la liberté *dans le* ~. 자유가 내 핏속에 흐르고 있다. ***Bon ~ !; Bon ~ de bon ~ !***《속어》빌어먹을! ***Bon ~ ne peut mentir.***《격언》핏줄은 속일 수 없다, 훌륭한 혈통은 훌륭한 자손을 낳는다. ***Le ~ a beaucoup de pouvoir.***《속담》피는 물보다 진하다. ***mettre*** (une ville) ***à feu et à ~*** 방화와 살육으로 (도시)를 파괴하다 (황폐케 하다). ***se faire du mauvais ~*** 조바심(안달, 걱정)하다. ***se payer une pinte de bon ~***《구어》기뻐하다, 즐거워하다. ***se ronger les ~s***《속어》몹시 불안해 하다. ***suer ~ et eau*** 피땀을 흘리다. ***tourner les ~s à*** qn …을 질겁하게 하다.

*__sang-froid__ [sɑ̃fʀwa(ɑ)] *m.*《복수없음》냉정, 침착(= impassibilité, calme), 태연함: perdre (garder, conserver) son ~ 침착성을 잃다(유지하다). ***de ~*** 침착(태연)하게.

sanglant, e [sɑ̃glɑ̃, -ɑ̃:t] *adj.* ① 피로 물든, 피투성이의: mains ~*es* 피투성이의 손. ② 피비린내 나는, 끔찍한, 처참한: bataille ~*e* 처참한 싸움. ③ (비판 따위가) 통렬한, 가차없는: reproches ~*s* 통렬한 비난.

sangle [sɑ̃:gl] *f.* ① (가죽·천으로 된) 띠; (말의) 뱃대끈: livres noués par une ~ 띠로 묶은 책들/~ d'une selle(d'un harnachement) (말의) 뱃대끈, 복대. ②〖의학〗압박붕대.

sangler [sɑ̃gle] *v.t.* ① 띠로 묶다; (말에) 뱃대끈을 매다. ② (세게) 죄다: Ce corset me *sangle.* 이 코르셋은 너무 죈다. ③《옛》가죽띠로 때리다(치다).

sanglier [sɑ̃gli(j)e] *m.*〖동물〗멧돼지; 멧돼지고기(= cuissot de ~).

sanglot [sɑ̃glo] *m.* 흐느낌, 오열: avoir des ~*s* dans la voix 흐느낌으로 목이 메다 / contenir (étouffer) ses ~*s* 오열을 참다 / éclater en ~*s* 오열을 터뜨리다.

sangloter [sɑ̃glɔte] *v.i.* 흐느끼다.

sang-mêlé [sɑ̃mɛ(e)le] *m.*《복수불변》튀기, 혼혈아(= métis).

sangria [sɑ̃gʀija] (에스파냐) *f.* 적포도주와 오렌지주스의 혼합 음료.

sangsue [sɑ̃sy] *f.* ①〖동물〗거머리. ②《비유》남의 고혈(膏血)을 빠는 사람.

sanguin, e[1] [sɑ̃gɛ̃, -in] *adj.* ① 피의, 혈액의: vaisseaux ~*s* 혈관 / groupes ~*s* 혈액형. ② 다혈질의: homme ~ 다혈질의 사람 / tempérament ~ 다혈질.

sanguinaire [sɑ̃ginɛ:ʀ] *adj.* 유혈(살생)을 좋아하는, 잔인한, 피비린내 나는: tyran ~ 잔인한 폭군 / lutte ~ 혈전(血戰).

sanguine[2] [sɑ̃gin] *f.* ①〖미술〗철단(鐵丹); 철단 분필(로 그린 그림). ②〖식물〗블러드 오렌지(과육이 빨간).

sanguinolent, e [sɑ̃ginɔlɑ̃, -ɑ̃:t] *adj.* 핏빛깔의; 피 섞인: crachats ~*s*〖의학〗혈담.

sanie [sani] *f.*〖의학〗피고름, 혈농(血膿).

sanisette [sanizɛt] *f.*〖상표명〗(동전을 넣고 사용하는) 간이 유료 화장실.

sanitaire [sanitɛ:ʀ] *adj.* ① 보건의, 위생의: cordon (mesure) ~ (전염병 예방의) 방역선(線)(조치) / personnel ~ 보건반 / paquebot ~ 병원선. ②〖군사〗야전 병원 근무의. ③ (가정에서의) 급배수(給排水)의: appareils ~*s* (화장실·주방 등에의) 급배수 장치. ── *m.* (흔히 *pl.*) ① 위생 시설, (특히) 욕실. ②〖군사〗위생반(班). ── *f.*〖군사〗앰뷸런스.

⁑**sans** [sɑ̃] *prép.* ① …없이(없는), …을 갖지 않고(않는); …이 없어서; …없이는, …이 없다면; 없더라도. ⓐ《(대)명사와 함께》: Il est sorti ~ chapeau. 그는 모자를 쓰지 않고 외출(外出)했다 / maison ~ habitants 빈집 / enfant ~ frère ni (et ~) sœur 형도 누이도 없는 아이 / parler ~ la moindre gêne 조금도 거리낌 없이 말하다 / ~ aucun doute 의심의 여지없이, 틀림없이 / être ~ argent 돈이 없다, 빈털터리다 / Votre café, avec ou ~ sucre? 커피에 설탕을 타시겠습니까, 안 타시겠습니까? ⓑ《양태》~ appel 결정적으로 / Soyez ~ crainte. 두려워 마시오 / Il pleut ~ cesse. 비가 쉬지 않고 내린다 / C'est ~ espoir. 절망적이다. ⓒ《조건》*S*~ toi, j'étais mort. 네가 없었더라면, 나는 죽었을 것이다 / On peut vivre heureux ~ argent. 돈이 없더라도 행복하게 살 수 있다. ②《~+*inf.*》…함이 없이(도): Il partit ~ dire un mot. 그는 말 한마디 하지 않고 가버렸다 / Il parle ~ agir. 그는 말만 하고 행동하지 않는다 / Vous n'êtes pas ~ savoir que... 당신은 …을 모를 리 없다(잘 알고 있다) / ~ rien faire 아무것도 하지 않고 / Il parle ~ se taire comprendre. 그가 아무리 이야기해도 알아 주는 사람이 없다《결과》/ On peut vivre heureux ~ être riche. 부자가 아니더라도 행복하게 살 수 있다. ③《~ que+*sub.*》Il est sorti ~ *qu*'on s'en soit aperçu. 그는 아무도 모르게(슬그머니) 나가버렸다 / Il ne se passe pas de jour ~ *qu*'il écrive à son amie. 그는 하루도 거르지 않고 애인에게 편지를 쓴다. ④《보어 없이 부사적으로》《구어》…없이는: Il avait son parapluie, il ne sort jamais ~. 그는 우산을 갖고 있었어요, 그가 우산 없이 외출하는 일은 절대로 없습니다. ***n'être pas ~+inf.*** …하지 않는 것은 아니다, …하지 않을 리 없다:

Vous *n'êtes pas* ~ savoir qu'elle s'est mariée. 당신은 그녀가 결혼했다는 사실을 모를 리 없다〔잘 알고 있다〕. ***non ~ peine*** 상당히 고생하여. ***~ cela ; ~ quoi*** 그렇지 않으면 : Depêchez-vous, ~ *cela* vous manquerez le train. 서둘러요, 그렇지 않으면 열차에 늦어요. ~ ***plus*** [plys] 그저 그뿐 : Il a été un bon gradé, ~ *plus.* 그는 훌륭한 부사관, 그저 그뿐이었다. ~ ***pour cela***+*inf.* 〔***que...***〕 그렇다고 해서 …인 것은 아니다 : On peut être savant ~ *pour cela* être intelligent. 사람은 유식하다고 해서 총명한 것은 아니다.

sans-abri [sɑ̃zabʀi] *n.* 《복수불변》 집 없는 사람, 무주택자(= sans-logis).

sans-coeur [sɑ̃kœːʀ] *m.* 〔*f.*〕 《불변》 무정〔박정〕한 사람.

sans-culotte [sɑ̃kylɔt] *m.* (*pl.* **~-~s**) 〖역사〗 (1792 년 프랑스 대혁명 당시의) 과격파 공화당원.

sans-emploi [sɑ̃zɑ̃plwa] *n.* 《복수불변》 실업자, 무직자(= chômeur).

sans-faute [sɑ̃foːt] *m.* 《복수불변》 ① 〖경마〗 무과실, 무감점. ② 〖스포츠〗 완벽한 플레이.

sans-fil [sɑ̃fil] *m.* 〔*f.*〕 무선 전신〔전보〕.

sans-filiste [sɑ̃filist] *m.* 무전(無電) 기사 ; 아마추어 무선 애호자, 햄.

sans-gêne [sɑ̃ʒɛn] *m.* 《복수불변》 거리낌 없음, 무람없음(= désinvolture) ; 버릇없음, 뻔뻔스러움. — *adj.* 거리낌없는, 무람없는 ; 뻔뻔한, 버릇없는. — *n.* 《복수불변》 거리낌 없는〔버릇없는〕 사람.

sans-grade [sɑ̃gʀad] *m.* (*pl.* ~-~(**s**)) ① 졸병. ② (조직의) 말단.

sanskrit, e [sɑ̃skʀi, -it] *m.* 〖언어〗 산스크리트, 범어(梵語)(= sanscrit). — *adj.* 산스크리트(어)의 : grammaire ~*e* 산스크리트(어) 문법.

sans-le-sou [sɑ̃lsu] *n.* 《복수불변》 《구어》 무식쟁이 ; 빈털터리, 가난뱅이.

sans-logis [sɑ̃lɔʒi] *m.* 《복수불변》 집 없는 사람(= sans-abri).

sansonnet [sɑ̃sɔnɛ] *m.* 〖조류〗 찌르레기(= étourneau).

sans-parti [sɑ̃paʀti] *n.* 《복수불변》 어떤 정당에도 가입하지 않는 사람.

sans-souci [sɑ̃susi] *adj.* et *n.* 《불변》 낙천적인 (사람), 무사〔천하〕태평한 (사람).

santal [sɑ̃tal] *m.* (*pl.* **~s, -aux** [-o]) 〖식물〗 백단(白檀)(= ~ blanc) ; 백단향.

santé** [sɑ̃te] *f.* ① 건강 상태 ; 건강 : bilan de ~ 건강 진단 / ~ de fer 대단히 좋은 건강 / être en bonne 〔mauvaise〕 ~ 건강하다〔건강을 해치다〕 / avoir une ~ délicate 〔fragile〕 ; avoir une petite ~ 몸이 약하다 / ménager sa ~ 건강에 유의하다, 몸조심하다 / recouvrer 〔perdre〕 la ~ 건강을 회복하다 / garder la ~ 건강을 유지하다 / C'est mauvais pour la ~. 그것은 건강에 나쁘다 / avoir une ~ de fer 쇳덩이처럼 튼튼하다. ② 정신적 건강 ; 건전한 상태 : ~ mentale 정신 건강 / ~ de l'esprit 정신이 건전함. ③ 보건 위생 : service de ~ publique 보건소 / ministère de la *S*~ publique 보건성 / l'Organisation mondiale de la *S*~ 세계 보건 기구. ④ la *S*~ (항만의) 검역소 ; (파리의) 상테 감옥. ***À votre ~! ; S~ ! 당신의 건강을 위하여 ! 《건배할 때의 말》. ***boire à la ~ de*** qn …의 건강을 위해 건배하다. ***Bonne année, bonne ~ !*** 새해에 복 많이 받으세요 ! ***S~ passe richesse.*** 《격언》 건강은 부(富)보다 낫다.

santon [sɑ̃tɔ̃] *m.* (남프랑스에서 성탄절에 구유에 놓는) 인형 또는 동물상.

sanve [sɑ̃ːv] *f.* 〖식물〗 《지방어》 개구리자리.

saoudien, enne [saudjɛ̃, -ɛn] *adj.* 사우디아라비아(*Arabie Saoudite*)(사람)의. — **S~** *n.* 사우디아라비아 사람.

saoul, e [su, sul] *adj.* = soûl.

saouler [sule] *v.t.* = soûler.

sapajou [sapaʒu] *m.* 〖동물〗 거미원숭이.

sape [sap] *f.* ① 〖군사〗 (적진에 다가가기 위한) 대호(對壕) ; (건축물 따위를 무너뜨리기 위한) 지하호 ; 지하호를 파기. ② (도덕 · 편견 따위를) 서서히 무너뜨리기.

saper [sape] *v.t.* ① (성벽 따위를 공격하기 위하여) …에 대호를 파다 ; 굴〔밑〕을 파서 무너뜨리다 : ~ une muraille 담〔밑〕을 파서 쓰러뜨리다. ② (도덕 · 편견 따위를 밑바닥부터) 서서히 무너뜨리다, 전복시키다 : ~ les fondements de la religion 종교의 뿌리를 좀먹어 들어가다. — **se ~** *v.pr.* 《속어》 옷을 입다(= s'habiller).

sapeur [sapœːʀ] *m.* 〖군사〗 (대호를 파는) 공병(工兵). ***fumer comme un ~*** 담배를 많이 피우다.

sapeur-pompier [sapœʀpɔ̃pje] *m.* (*pl.* **~s-~s**) 소방사(= pompier) ; (*pl.*) 소방대.

saphir [safiːʀ] *m.* 〖보석〗 청옥(靑玉), 사파이어 : ciel de ~ 창공.

Sapho [safo] *n.pr.f.* 〖그리스문학〗 사포《기원전 6-7 세기 레스보스 섬의 여류 시인》.

sapide [sapid] *adj.* 맛있는(≠ insipide).

sapidité [sapidite] *f.* 맛〔풍미〕있음, 맛 : agent de ~ (식품 첨가물) 조미료.

sapin** [sapɛ̃] *m.* ① 〖식물〗 전나무 ; 그 재목 : ~ de Noël 크리스마스 트리. ② 《속어》 관(棺). ***sentir le ~ 《구어》 죽을 날이 가깝다.

sapinière [sapinjɛːʀ] *f.* 〖식물〗 전나무 숲.

saponine [sapɔnin] *f.* 〖화학〗 비누소(素), 사포닌.

sapristi [sapʀisti] *interj.* = sacristi.

saquer [sake] *v.t.* 《구어》 = sacquer.

sarabande [saʀabɑ̃ːd] *f.* ① 〖무용 · 음악〗 사라반드 무용〔무곡〕 ; 떠들썩한 춤. ② 《구어》 소란, (야단)법석.

sarbacane [saʀbakan] *f.* ① 입으로 불어서 화살을 쏘게 만든 통. ② 〖유리〗 취관(吹管).

sarcasme [saʀkasm] *m.* 빈정거림, 조소, 야유, 비꼬기 : ~ amer 신랄한 야유.

sarcastique [saʀkastik] *adj.* 빈정대는, 비꼬는, 조소하는, 야유하는 : écrivain ~ 풍자작가 / plaisanterie ~ 조롱섞인 농담.

sarcastiquement [saʀkastikmɑ̃] *adv.* 빈정거리듯이, 조소하듯이.

sarcelle [saʀsɛl] *f.* 〖조류〗 상오리.

sarclage [saʀklaʒ] *m.* 풀 뽑기, 김매기.

sarcler [saʀkle] *v.t.* …의 잡초를 뽑다, 김매다 : 《목적보어는 장소》 ~ un jardin 정원의 잡초를 뽑다 / 《목적보어는 식물》 ~ des

S

pommes de terre 감자밭의 김을 매다.

sarcloir [saʀklwa:ʀ] *m.* 풀 뽑는 호미.

sarcophage [saʀkɔfa:ʒ] *m.* (고대의) 석관(石棺).

sardane [saʀdan] *f.* 카탈로니아의 무용.

sarde [saʀd] *adj.* 사르디니아(*Sardaigne*)의. ── **S~** *n.* 사르디니아 사람. ── *m.* 사르디니아어(語).

*__sardine__ [saʀdin] *f.* 〖어류〗 정어리. ***être serré comme des ~s*** 《구어》 빽빽하게 서〔차〕 있다, 콩나물 시루 같다.

sardinerie [saʀdinʀi] *f.* 정어리 통조림 제조 공장.

sardoine [saʀdwan] *f.* 〖보석〗 붉은 무늬 마노(瑪瑙).

sardonique [saʀdɔnik] *adj.* 빈정대는, 비웃는, 야유의, 냉소하는, 조소의.

sari [saʀi] *m.* 〖의복〗 사리《인도의 여자옷》.

sarigue [saʀig] *f.* 〖동물〗 주머니쥐의 일종.

S.A.R.L. 《약자》 Société par actions de la responsabilité limitée 유한 책임 회사.

sarment [saʀmɑ̃] *m.* 포도 덩굴; 포도나무 햇가지: jus de ~ 《구어》 포도주.

sarrasin, e [saʀazɛ̃, -in] *adj.* 〖역사〗 사라센 사람의. ── **S~** *n.* 〖역사〗 사라센 사람. ── *m.* 〖식물〗 메밀(= blé ~); 메밀가루.

sarrau [saʀo] *m.* (*pl.* **~s**〔***x***〕) 〖의복〗 작업복.

sarriette [saʀjɛt] *f.* 〖식물〗 차조깃과(科)의 일종《요리용 향료로 사용》.

sas[1] [sɑ, sas] *m.* 체: passer qc au (gros) ~ …을 (굵은) 체로 치다.

sas[2] [sɑ] *m.* ① (운하의) 갑실(閘室); (잠수함의) 탈출 해치. ② 〖기계〗 감압실, 기압 조절실.

sasser [sɑ〔a〕se] *v.t.* ① 체로 치다. ② (배로) 갑실을 통과시키다.

Satan [satɑ̃] *n.pr.m.* 사탄, 악마의 괴수. ***royaume de ~*** 지옥. ***fils*** 〔***sujets***〕 ***de ~*** 신에게 버림받은 자.

satané, e [satane] *adj.* 《구어》《명사 앞》 악마의; 악마 같은, 흉악한: un ~ menteur 흉측한 거짓말쟁이. ***S~ temps!*** 참 고약한 날씨로군.

satanique [satanik] *adj.* 악마의; 악마〔사탄〕 같은: rire ~ 악마 같은 웃음.

satanisme [satanism] *m.* ① 악마 숭배. ② 악마성(性).

satellisation [sate〔ɛl〕lizɑsjɔ̃] *f.* ① 인공위성의 제조〔발사〕. ② 위성국화(化).

satelliser [sate〔ɛl〕lize] *v.t.* ① (로켓을) 위성 궤도에 올리다. ② (어떤 나라를) 위성 국가로 만들다, 종속시키다.

satellite [sate〔ɛl〕lit] *m.* ① 〖천문〗 위성: ~ de la Terre 지구의 위성. ② 인공위성(= ~ artificiel): ~ de télécommunications 〔~-relais〕 통신 위성 / ~ d'observation 관측 위성 / ~ météorologique 기상 위성 / ~-espion 첩보 위성 / lancer un ~ 인공위성을 발사하다. ③ 위성국(= pays ~); 추종자, 측근자. ── *adj.* 위성의: États 〔villes〕 ~s 위성 국가〔도시〕.

satiété [sasjete] *f.* 포만(飽滿), 물림. (***jusqu'***)***à ~*** 물릴 만큼: manger *jusqu'à* ~ 물릴 만큼 먹다.

satin [satɛ̃] *m.* 〖직물〗 새틴, 수자(繻子). ***peau de ~*** 반드러운 피부.

satiné, e [satine] *adj.* 사틴처럼 반드러운: papier ~ 광택지.

satiner [satine] *v.t.* 사틴처럼 반드럽게 하다.

satinette [satinɛt] *f.* 〖직물〗 면(綿)〔혼방〕 수자: tablier en ~ 면수자 에이프런.

satire [sati:ʀ] *f.* ① 풍자시; 풍자문; 풍자 문학. ② 풍자, 야유, 빈정거림: ~ pleine d'humour 유머가 가득 찬 풍자 / ~ contre qn …에 대한 풍자 / faire la ~ de qc …을 풍자하다.

satirique [satiʀik] *adj.* 풍자적인, 야유하는, 비꼬는: chansons ~s 풍자 가요 / propos ~s 비꼬는 말. ── *m.* 풍자 작가〔시인〕.

*__satisfaction__ [satisfaksjɔ̃] *f.* ① 만족; 만족감: éprouver une ~ profonde 아주 대만족을 느끼다 / avoir la ~ de+*inf.* …하는 것에 만족을 느끼다 / donner de la ~ à qn …에게 만족을 주다, …을 만족시키다. ② (의례적인) 기쁨(= plaisir): J'accepte avec ~ votre proposition. 댁의 제의를 기꺼이 수락합니다. ③ (요구·욕망 따위의) 충족: ~ des besoins, matériels 〔moraux〕 물질적〔정신적〕 욕구의 충족. ***à la ~ de*** qn …에게 만족스럽게, …이 만족하게끔〔하도록〕: *à la* ~ générale 모든 사람이 만족하도록. ***donner*** 〔***accorder, faire***〕 ***~…*** qn …에게 보상을 하다; …을 만족시켜 주다, …의 욕구를 들어 주다.

*__satisfaire__ [satisfɛ:ʀ] 28 *v.t.* ① 《~ qn》 만족시키다: On ne peut ~ tout le monde. 모든 사람을 만족시킬 수는 없다 / ~ sa clientèle 고객을 만족시키다. ② 《~ qc》 (욕망·기대·호기심 따위를) 채워 주다, 충족시키다(= contenter): ~ les besoins de qn …의 욕구를 채워 주다《특히 생리적인 욕구를》 / ~ sa faim 〔soif〕 그의 굶주림〔갈증〕을 채워 주다〔풀어 주다〕. ── *v.t. ind.* ① 《~ à》 …에게 만족을 주다; (의무 따위를) 다하다, 이행하다: ~ *à* ses obligations 자기의 의무를 다하다 / ~ *au* goût du public 사람들의 취향을 만족시키다. ② 《~ à》 (조건 따위에) 맞추다, 충족시키다: ~ *aux* conditions requises 요구된 조건을 충족시키다.
── **se ~** *v.pr.* ① 《se ~ de》 …으로 만족하다, …으로 참다: *se* ~ *de* peu 적은 것으로 만족하다. ② 《구어》 (자기의) 욕구를 충족시키다.

*__satisfaisant, e__ [satisfəzɑ̃, -ɑ̃:t] *adj.* 만족〔충족〕시키는, 만족스러운, 더할 나위 없는: un résultat ~ 만족할 만한 결과.

*__satisfait, e__ [satisfɛ, -ɛt] *adj.* ① 《~ de》 …으로〔에〕 만족한(= content): Êtes-vous ~? 만족하십니까? 이것으로 됐습니까? / Tenez-vous pour ~. (그것으로) 참으시오 / Votre professeur est ~ *de* votre travail. 교수님은 당신의 연구에 만족하신다 / 《반어적》 Vous voilà ~, vous êtes bien avancé! 만족하시겠지요, 헛수고만 하셨으니! ② (욕구 따위가) 충족된: curiosité ~*e* 충족된 호기심.

satisfai-t, -tes ⇒ satisfaire.

satisfecit [satisfesit] 〔라틴〕 *m.* 《복수불변》 〖학교〗 상장, 상; 칭찬, 동의.

satisfi-s, -t, etc. ⇒ satisfaire.

saturation [satyʀɑsjɔ̃] *f.* ① 〖화학〗 포화(飽和) : point de ~ 포화점. ② 포화 상태 : ~ des lignes téléphoniques 〔d'une autoroute〕 전화 회선〔고속도로〕의 포화 상태 / arriver à ~ 포화 상태에 이르다.

saturé, e [satyʀe] *adj.* ① 포화된, 포화 상태에 이른 : solution ~*e* 포화 용액 / Le marché est ~. 시장은 포화 상태에 있다. ② 《~ de》 …으로 가득 찬〔넘치는〕; …에 물린, 싫증난 : éponge ~*e d'*eau 물이 가득 밴 해면 / Le public est ~ *de* romans policiers. 대중은 탐정 소설에 신물이 났다.

saturer [satyʀe] *v.t.* ① 포화시키다. ② 《~ de》 …으로 가득 채우다 ; 신물이 나게 하다.

Saturne [satyʀn] *n.pr.m.* ① 〖로마신화〗 사투르누스《농경의 신》. ② 〖천문〗 토성. ③ (s~) 〖연금술〗 납.

saturnin, e [satyʀnɛ̃, -in] *adj.* 〖의학〗 납중독에 의한.

saturnisme [satyʀnism] *m.* 〖의학〗 연독(鉛毒) ; 납중독.

satyre [satiːʀ] *m.* ① (*S*~) 〖그리스신화〗 사티로스《반인반수(半人半獸)의 호색적인 숲의 신》. ② 《구어》 호색한, 색마.

sauce** [soːs] *f.* 소스 : ~ tomate 〔mayonnaise〕 토마토〔마요네즈〕 소스 / ~ blanche 화이트 소스 / viande en ~ 소스로 맛을 낸 고기. ***allonger la ~ 《구어》 장황하게 설명하다. ***À quelle ~ sera-t-il mangé?*** 그를 어떻게 하면 요리할〔다룰〕 수 있을까? ***donner*** 〔***mettre***〕 ***toute la ~*** (자동차의) 악셀을 힘껏 밟다, 전속력을 내다. ***faire*** 〔***mettre***〕 ***une ~ à*** qc …을 적당히 다루다〔꾸며내다〕. ***gâter la ~*** 일을 잡치다. ***La ~ fait passer*** 〔***manger***〕 ***le poisson.*** 소스 덕분에 생선을 먹을 수 있다 ; 주된 것보다 곁들인 것이 더 낫다. ***mettre*** 〔***employer***〕 qn ***à toutes les ~s*** …에게 별의별 일을 다 시키다. ***ne savoir à quelle ~ mettre*** qc …을 어떻게 다루어야 좋을지 모르다.

saucée [sose] *f.* 《구어》 억수, 소나기(= averse) : recevoir une ~ 소나기를 만나다.

saucer [sose] 2 *v.t.* ① 《옛》 (빵을) 소스에 적시다 ; (빵으로 접시의) 소스를 닦듯이 묻히다. ② 소스를 치다. ③ 《구어》 흠뻑 젖게 하다 : se faire ~ ; *être saucé* (소나기에) 흠뻑 젖다.

saucière [sosjɛːʀ] *f.* (식탁용) 소스 그릇.

saucisse** [sosis] *f.* ① 소시지 : ~ de Francfort 〔Strasbourg〕 프랑크푸르트〔스트라스부르〕 소시지. ② (소시지 모양의) 계류기구(繫留氣球). ***ne pas attacher son chiens avec des ~s 몹시 인색하다.

saucisson** [sosisɔ̃] *m.* ① 큰 소시지 : ~ sec 살라미 소시지 / sandwich au ~ 소시지 샌드위치. ② 소시지 모양의 빵. ***être ficelé comme un ~ 《구어》 옹색할 정도로 꼭 끼는 옷차림을 하고 있다.

saucissonnage [sosisɔnaːʒ] *m.* 《구어》 (계획 따위의) 단계화, 세분화.

saucissonné, e [sosisɔne] *adj.* 《구어》 몸에 꽉 끼는 옷을 입은(= boudiné)

saucissonner [sosisɔne] *v.i.* 《구어》 (공원·대합실 같은 데서 선 채로) 소시지〔햄버거〕로 끼니를 때우다 ; (피크닉에 가서) 도시락을 먹다 : ~ sur l'herbe 피크닉하다.

sauf¹, ve [soːf, -oːv] *adj.* ① (사람·목숨이) 무사한, 안전한 : laisser la vie ~*ve à* qn …의 목숨을 구해 주다. ② (명예가) 온전한 : L'honneur est ~. 명예는 유지되었다. ***sain et ~*** 무사히 : Nous en sommes sortis *sains et ~s.* 우리는 무사히 (위험한 곳을) 빠져나왔다.

sauf²** [sof] *prép.* ① …이 없으면 ; …이 있으면 모르되 : Venez demain, ~ avis contraire. 반대의 통지가 있으면 몰라도, 내일 오시오 / Voici les chiffres, ~ erreur de notre part. 우리 편의 착오가 있을지 모르지만, 여기 숫자가 나왔다. ② …을 별도로 하고, …을 제외하고(= à l'exclusion de, excepté) : Tous les invités étaient là, ~ Jean. 장을 제외한 모든 손님이 왔었다. **~ *à*+*inf. …할 수도 있지만 : Il acceptera, ~ *à* s'en repentir plus tard. 후에 후회할지도 모르지만, 그는 일단 동의할 것이다. **~ *que*+*ind.*** …을 제외하고는 : Le voyage s'est bien passé, ~ *que,* à un moment, nous nous sommes égarés. 한때 길을 잘못 들어선 것을 제외하고는 여행은 순조로웠다. **~ *si*** 〔***quand***〕 …라면〔의 때라면〕 다르지만 : Je n'irai pas, ~ *si* tu viens avec moi. 난 가지 않겠어, 네가 함께 간다면 다르지만. **~ *votre respect*** 실례이지만, 미안한 말씀이지만.

sauf-conduit [sɔ〔o〕fkɔ̃dɥi] *m.* (*pl.* **~-~s**) 통행권《특히 전시의》(= laisser-passer).

sauge [soːʒ] *f.* 〖식물〗 샐비어.

saugrenu, e [sogʀəny] *adj.* 기괴한, 엉뚱한(= absurde) : idee ~*e* 기묘한 생각.

saule [soːl] *m.* 〖식물〗 버들, 버드나무 : ~ pleureur 능수버들.

saumâtre [somɑːtʀ] *adj.* ① (바닷물같이) 소금기 있는, 짭짤한. ② 씁쓸한, 불쾌한. ***la trouver ~*** 《구어》 불쾌하게 여기다.

***saumon** [somɔ̃] *m.* 〖어류〗 연어 : ~ fumé 연어 훈제. ── *adj.* 《불변》 연어 살빛의.

saumoné, e [somɔne] *adj.* 연어 살빛〔분홍색〕의 : rose ~ 오렌지빛 도는 분홍. 「물.

saumure [somyːʀ] *f.* (절이용) 소금물, 간

sauna [sona] *m.* (핀란드의) 한증(汗蒸), 사우나탕.

saunier [sonje] *m.* 염전의 일꾼 ; 소금 제조인. ***faux ~*** 〖역사〗 소금 밀매〔밀조인〕.

saupiquet [sopikɛ] *m.* 〖요리〗 (향신료를 넣은) 매운 소스《토끼·들오리 요리에 쓰임》.

saupoudrage [sopudʀaːʒ] *m.* (소금·가루 따위를) 뿌리기, 치기.

saupoudrer [sopudʀe] *v.t.* ① 〖요리〗 《~ de 〔avec〕》 …을 뿌리다〔치다〕 : ~ un gâteau *de* sucre 과자에 설탕을 뿌리다. ② 《~ qc de》 …을 …에 삽입하다〔끼워넣다〕 : ciel *saupoudré d'*étoiles 별이 총총한 밤하늘 / ~ un discours *de* citations latines 연설문에 군데군데 라틴어 인용문을 넣다.

saupoudreur, euse [sopudʀœːʀ, -øːz] *adj.* (가루를) 뿌리는〔치는〕. ── *f.* (소금·후추가루 따위용) 조미료통.

saur [sɔːʀ] *adj. m.* 소금으로 간하여 훈제한 : ***hareng ~*** 훈제 청어.

saur-ai, -as, etc. ⇒ savoir.

saurien [sɔʀjɛ̃] 〖동물〗 *m.* 도마뱀 ; (*pl.*) 도

마뱀 무리. ── *adj.* 도마뱀을 닮은.

saut** [so] *m.* ① 뛰어오르기, 도약, 점프(= bond, bondissement) ; 뛰어내리기, 다이빙 ; 뛰어넘기 : ~ en parachute 낙하산으로 뛰어내리기, 스카이다이빙 / ~ en hauteur 〔en longueur〕 높이〔넓이〕뛰기 / ~ á la perche 장대높이뛰기 / ~ à la corde 줄넘기 / ~ à ski(s) 스키 점프. ② 추락, 전락 : La voiture a fait un ~ de 20 m dans un ravin. 차는 골짜기로 20 미터 굴러 떨어졌다. ③ 급히 움직이기, 단숨에 달려가기 : se lever d'un ~ 튀어 일어나다 / faire un ~ chez qn …에게 단숨에 달려가다. ④ (정신적) 비약 ; 건너뛰기 : Il a fait un grand ~ dans sa carrière. 그는 단번에 승진했다. ⑤ 급변, 급등(急騰) : ~ de vitesse 급가속 / Les prix de gros ont fait un ~ . 도매 물가가 급등했다. ⑥ 〖컴퓨터〗 비약《다음에 실행할 명령을 지정된 어드레스로부터 취하도록 요구하는 명령》. ***aller par ~s et par bonds 두서없이 이야기하다〔쓰다〕. ***au ~ du lit*** 자리에서 일어나자마자. ***faire le (grand) ~*** 《속어》 죽다. ***faire le ~*** 되든 안 되든 한번 해보다 ; 대담하게 단행하다. ***Il n'y a qu'un ~ d'ici là.*** 여기서 거기는 엎드리면 코닿을 데다.

sautage [sota:ʒ] *m.* ① 폭포. ② (타이핑할 때) 자간(字間)을 비우기.

saute [so:t] *f.* (풍향 따위의) 급변 ; (기분 따위의) 갑작스런 변화 ; (물가 따위의) 급등 : ~ de vent 풍향의 급변 / ~ d'humeur 심한 변덕.

sauté, e [sote] *adj.* (기름 · 버터에) 데친, 튀긴 : champignons ~*s* au beurre 버터에 데친 버섯. ── *m.* 튀김(요리).

satte-mouton [sotmutɔ̃] *m.* 《복수없음》 〖놀이〗 개구리뜀《두 손으로 다른 사람의 등을 짚고 뛰어넘는 놀이》.

⁑sauter [sote] *v.t.* ① 뛰어오르다〔내리다〕; 뛰어들다 ; 뛰어넘다 : ~ à pieds joints 〔à cloche-pied〕 두 발을 모아〔한 쪽 발로〕 뛰다 / ~ dans l'eau du haut d'un plongeoir 다이빙대에서 물속으로 뛰어들어가다 / ~ en longueur 달려서 넓이뛰기를 하다 / ~ à bas du lit 침대에서 뛰어내리다. ② (이야기가) 비약하다, (중간을) 건너뛰다 : ~ d'un chapitre à l'autre, 1 장(章)을 건너뛰다 / élève qui *saute* de quatrième en seconde 제 4 학급에서 제 2 학급으로 월반하는 학생. ③ 휙 날아가게 하다, 파열〔폭파〕시키다 ; (퓨즈 따위가) 튀다, (기세 좋게) 벗기다 : faire les ponts 교량을 폭파시키다 / faire ~ un plomb (전기의) 퓨즈를 끊어지게 하다 / faire ~ une serrure 자물쇠를 비틀어 열다. ④ 《~ à 〔sur〕》 …에〔에게〕 달려들다, 뛰어서 타다 : ~ *à* la gorge de qn …의 목을 잡으려고 달려들다 / Le chat *a sauté sur* la table. 고양이는 테이블에 뛰어올랐다. ⑤ 《~ de》 (기쁨으로) 펄쩍 뛰다 : ~ *de* joje 펄쩍 뛰면서 기뻐하다. ⑥ (기업 따위가) 파산하다. ⑦ 〖요리〗 프라이팬으로 볶다, (기름에) 튀기다 : faire ~ des pommes de terre 감자를 기름에 튀기다. ***Allez, et que sa saute !*** 자 가시오, 그것도 빨리 ! ***Cela saute aux yeux.*** 그것은 명백하다. ***Et que ça saute !*** 어서 빨리 ! ***se faire ~*** 자폭하다. ***se faire ~ la cervelle*** 자기 머리를 쏘아 자살하다. ── *v.t.* ① 뛰어넘다 : ~ un fossé 〔une haie〕 도랑을〔울타리를〕 뛰어넘다. ② 건너〔걸러〕 뛰다, 빼먹다 : ~ un repas 한 끼 굶다 / Il *a sauté* une page. 그는 한 페이지를 걸러 뛰었다. ③ 《구어》 (여자를) 제것으로 만들다. ***la ~*** 《속어》 끼니를 거르다, 몹시 배고프다. ***~ le fossé 〔le pas〕*** 위험을 무릅쓰고 결정을 내리다.

sauterelle [sotʀɛl] *f.* ① 〖곤충〗 메뚜기. ② 《비유》 말라빠진 사람.

sauteur, euse [sotœ:ʀ, -ø:z] *adj.* 도약하는. ── *n.* ① 곡예사. ② 〖스포츠〗 (각종의) 도약 선수 : ~ en hauteur 높이뛰기 선수 / ~ á ski 스키의 점프 선수. ── *f.* (튀김용) 프라이팬. ── *m.* 장애물 경기용 말.

sautillant, e [sotijɑ̃, -ɑ̃:t] *adj.* ① 깡충깡충 뛰는. ② 《비유》 (문체 따위가) 일관성이 없는, 토막토막 잘린(= haché) : style ~ 지리멸렬한 문체.

sautillement [sotijmɑ̃] *m.* 깡충깡충 뛰기.

sautiller [sotije] *v.i.* 깡충깡충 뛰다 : ~ sur un pied 한쪽 발로 깡충깡충 뛰다.

sautoir [sotwa:ʀ] *m.* ① 점프 경기. ② (가슴께까지 드리우는) 긴 목걸이 장식. ③ 엇걸림 ; X 형 십자. ④ 튀김용의 얇은 프라이팬. ***en ~*** X 형으로, 엇걸려 : deux pièces de bois mises *en* ~, X 형으로 엇걸어 놓은 장작개비. ***porter une décoration en ~*** 목걸이 모양의 훈장을 차다.

sauvage** [sova:ʒ] *adj.* ① (동식물이) 야생의 (≠ domestique) : animal ~*s* 야생 동물 / rosier ~ 들장미. ② 미개의, 야만의 ; 인적미답(人跡未踏)의, 원시적인(= primitif) : peuplade ~ 미개인 / forêt ~ 원시림 / nature ~ 인적미답의 대자연. ③ 교제를 싫어하는, 비사교적인(= insociable) ; 낯을 가리는, 수줍어하는(= timide) : avoir un caractère ~ 성격이 비사교적이다. ④ 야만적인, 잔인한, 난폭한, 거친 : malfaiteur ~ 잔인한 범죄자 / air ~ et brutal 거칠고 난폭한 모습. ⑤ (장소 · 풍경이) 황량한 : lieu ~ 황무지. ⑥ 자연발생적인, 우발적인, 무질서한 ; 규정을 무시한, 불법적인 : grève ~ 우발적 파업 / immigration ~ 불법 입국 / camping ~ (지정된 곳 이외의) 공중 질서를 무시한 캠핑. ── *n.* ① 미개인, 야만인, 원시인. ② 거칠고 난폭한 사람, 잔인한 사람. ③ 비사교적인 사람, 낯을 가리는 사람, 수줍어하는 사람. ***comme un ~ 《옛》 무례〔불친절〕하게.

sauvagement [sovaʒmɑ̃] *adv.* 난폭하게, 잔인스럽게, 야만스럽게.

sauvageon [sovaʒɔ̃] *m.* 〖원예〗 자연목(自然木), 야생의 어린 나무. ── *m.* 배운데 없이 자란 아이.

sauvagerie [sovaʒʀi] *f.* ① 미개, 야만. ② 난폭함, 잔인성 : frapper avec ~ 난폭하게 때리다. ③ 비사교성, 낯가림 : Ce garçon est d'une ~ peu commune. 이 아이는 유별나게 남과 어울리지 못한다.

sauvagine [sovaʒin] *f.* 《집합적》 ① 야생 물새. ② (여우 따위 작은 야생 동물의) 모피.

sauvegarde [sovgaʀd] *f.* ① 보호(= protection) ; 보증(= garantie) : se mettre 〔se placer〕 sous la ~ de justice 법의 보호를 받다 / ~ du patrimoine culturel 문화 유산의 보호. ② 〖컴퓨터〗 (데이터의) 보존, 백업.

sauvegarder [sovgaʀde] *v.t.* ① 보호하다, 지키다(= défendre, protéger) : ~ son honneur 명예를 지키다. ② 〖컴퓨터〗 (데이터를) 보존하다.

sauve-qui-peut [sovkipø] *m.* 《복수불변》 ① 궤주(潰走), 패주(= déroute) : Ce fut un ~ général. 눈사태를 만나 모두 달아났다. ② 긴급 피난 : cri de ~ 대피하라는 외침.

‡sauver [sove] *v.t.* ① ⓐ 〖종교〗 (…의 영혼을) 구제하다. ⓑ 구출하다, 구해내다, 구제하다 ; …을 면하게 하다 : ~ un enfant qui se noie 물에 빠진 아이를 구해내다 / Deux enfants *ont été sauvés* par les pompiers. 두 명의 아이가 소방관에게 구출되었다 / ~ qn de la misère …을 가난에서 구제하다 / Cela l'*a sauvé* de beaucoup de peines. 이것으로 그는 많은 수고를 면했다. ② 지키다, 보전하다 ; (결함을) 보상〔보충〕하다 : ~ l'honneur 〔la face〕 명예를〔체면을〕 지키다 / Ce qui *sauve* ce film, c'est la couleur. 이 영화를 살리는〔결함을 보충하는〕 것은 곧 색채다. ***~ le premier coup d'œil*** 첫인상을 나쁘게 하지 않다. ***~ les meubles*** (파산 · 재난에서) 간신히 먹고살 것을 건지다.

— **se ~** *v.pr.* ① 달아나다, 도망치다. ② 《se ~ de》 …에서 빠져나가다, …을 모면하다 : *se ~ de* prison 탈옥하다. ③ 《구어》 황급히 물러가다〔떠나다〕 : Il se fait tard, je *me sauve.* 시간이 늦었으니 난 가겠소. ***Sauve qui peut !*** 《재귀대명사 se 의 생략》 각자 알아서 재주껏 도망쳐라.

sauvetage [sovtaːʒ] *m.* (특히 재난 · 화재로부터) 인명 구조, 구조 작업 : canot de ~ 구명정 / ~ d'un alpiniste (조난당한) 등산인의 구조.

sauveteur [sovtœːʀ] *m.* (인명) 구조자.

sauvette (à la) [alasovɛt] *loc. adv.* 재빨리, 부랴부랴 ; 몰래 : décision prise *à la* ~ 감쪽같이 한 결정. ***vente* 〔*marchand*〕 *à la* ~** 길가에서 허가 없이 물건을 파는 장수.

sauveur [sovœːʀ] *m.* 구제자, 구조자 : équipe de ~*s* 구조대. ***le S~*** 구세주.

savamment [savamɑ̃] *adv.* ① 학자답게, 박식하게. ② 자초지종을 잘 알고 : perle ~ de qc 사정을 잘 알고 …에 대하여 이야기하다. ③ 교묘하게(= habilement).

savane [savan] *f.* (열대 지방의) 대초원, 사바나.

savant, e** [savɑ̃, -ɑ̃ːt] *adj.* ① 《~ dans 〔en〕》 …에 정통한, 조예가 깊은 : être ~ *en* histoire 역사에 정통하다. ② 박학한, 박식한, 학문이 깊은 ; 학자의 ; 학술적인 : homme ~ 학문이 깊은 사람 / revue ~*e* 학술 잡지 / mots 〔termes〕 ~*s* 학술 용어 / société ~*e* 학회 ; 유식층. ③ 현학적인, 학자연하는(= pédant). ④ 교묘한 ; 숙련된, 능숙한(= habile) : d'une main ~*e* 능숙한 솜씨로 / ruse ~*e* 교묘한 술책. ⑤ 복잡한, 이해하기 어려운, 난해한 : musique ~e 난해한 음악. ***âne ~ 유식하지만 어리석은 사람. ***femme ~e*** 학식을 뽐내는 여인. — *n.* 학자, 과학자 : Elle fut un grand ~. 그녀는 위대한 과학자였다.

savarin [savaʀɛ̃] *m.* 사바랭《과자의 일종》.

savate [savat] *f.* ① 헌 신발〔슬리퍼〕, 뒤축이 꺾인 구두. ② (프랑스의) 킥복싱. ③ 《구어》 얼간이, 멍청이 : Quelle ~ ! 참, 미련하기도 하군. ***traîner la ~*** 《구어》 비참하게 살다《헌 신발을 끌고 다니는 데서》.

saveur [savœːʀ] *f.* ① 맛(= goût), 풍미 : avoir de la ~ 맛이 있다 / les quatres ~*s* fondamentales ; acid, amer, salé, sucré 네 가지 기본적인 맛 ; 신맛, 쓴맛, 짠〔매운〕맛, 단맛. ② 풍취, 흥취 ; 재치 : ironie pleine de ~ 흥취에 넘친 풍자.

‡savoir[1] [savwaːʀ] [57] *v.t.* ① 알다 ; 기억하고 있다 : ne pas ~ son chemin 자기의 길을 모르다 / Je *sais* ce que je *sais.* 내가 알고 있는 것은 알고 있단 말이오《분명히 알고 있다는 사실의 강조》 / Je *sais* un moyen d'y réussir. 난 그 일에 성공할 방법을 알고 있다 / Il *sait* un chemin qui mène au parc. 그는 공원으로 가는 길을 안다 / On *a su* l'accident tout de suite. 사고는 즉시 알려졌다 / ~ l'anglais 영어를 알다 / ~ le latin 〔la grammaire〕 라틴어를〔문법을〕 알고 있다 / ~ sa leçon 학과를 알고 있다 / ~ son rôle par cœur 자기 대사를 외다 / ~ son métier 자기가 하는 일〔직업〕의 요령을 알고 있다 / Il en *sait*, des choses. 그는 많은 것을 알고 있다〔유식하다〕.

② 《~ + *inf.*》 ⓐ …하는 법을〔할 줄〕 알다, …할 수 있다 : ~ lire et écrire 읽고 쓸 줄 알다 / *Savez*-vous nager ? 수영할 줄 압니까? / Il faut ~ se contenter de peu. 적은 것으로 만족할 줄 알아야 한다. ⓑ 《조건법은 정중한 표현》 Je ne *saurais* dire pourquoi... 《이 때는 pas 를 생략》 왜 …인지 뭐라고 말씀드릴 수 없습니다.

③ 《~ + 목적보어 + 속사〔부정법 · 부사구〕》 …이 …임〔함〕을 알다 : Je la *sais* intelligente. 나는 그 여자가 총명하다는 것을 알고 있다 / Je vous *savais* à Paris. 나는 당신이 파리에 있다는 것을 알고 있었다 / sujets que je *savais* l'interesser 그의 흥미를 끈다는 것을 내가 알고 있던 주제들.

④ 《~ + 간접목적보어》 Je lui *sais* une grande fortune. 그에게 큰 재산이 있는 것을 나는 알고 있다.

⑤ 《~ + 간접의문문》 *Savez*-vous s'il doit venir ? 그가 올 예정인지 (아닌지) 아십니까? / Je *sais* pourquoi il est fâché. 나는 그가 왜 화가 났는지 안다.

⑥ 《je ne *sais* 〔on ne *sait*, Dieu *sait*〕 + 의문사》 Je suis tout je ne *sais* comment. 어쩐지 기분이 나쁘다 / (un) je ne *sais* qui 누군지 알 수 없는 어떤 사람 / (un) je ne *sais* quoi 알 수 없는 그 무엇 / Il reviendra *Dieu sait* quand. 그가 언제 돌아올지 아무도 모른다.

⑦ 《감탄사구》 Des robes, des chapeaux, des gants, que *sais*-je ! 옷이며, 모자며, 장갑이며, 그 밖에 또 뭐 여러 가지 / Ce n'est pas bien, tu *sais !* 그거 좋지 않아 (알겠지).

⑧ 《~ que + *ind.*》 Je *sais qu*'il viendra. 그가 오리라는 것을 나는 알고 있다 / Je ne *sais* pas s'il viendra. 그가 올지 어떨지 모

S

르겠다 / Il ne *sait* pas quand il partira, ni à quel endroit il ira. 그는 언제 떠날지 또 어디로 갈지를 모른다.
⑨《어조의 완화 ; 주절에 1 인칭 단수 접속법 부정문으로》 Je ne *sache* rien de plus beau. 그보다 아름다운 것이라곤 아무것도 모른다 / (autant) que je *sache* 내가 아는 한《부정문의 삽입구로 쓰임》/ Il y avait personne dans la maison, que je *sache.* 내가 아는 한 집안에는 아무도 없었다.
⑩《목적보어 없이》 L'appétit de ~ naît du doute. 지식욕은 회의(懷疑)에서 태어난다 / Je ne *sais* pas. 모르겠다 / On ne *sait* jamais. 알 재간이 없다, 누군들 알랴.
(**à**) ~ 즉, 말하자면(= C'est = à-dire). ***à ~ que*** 즉 …이다. (***c'est à***) ***~ si*** …인지 아닌지 알 수가 없다 ; 그것이 문제이다 : *C'est à ~ s'il* réussira à son examen. 그가 시험에 합격할지 못할지가 문제이다. ***Dieu sait...*** …은 신만이 알고 있다, 아무도 모른다. ***en ~*** (***bien***) ***long*** 자세히〔많이〕 알고 있다. ***en ~ des choses*** 여러 가지 일을 알고 있다. ***en ~ plus d'un***(***e***) 《구어》 빈틈이 없다. ***faire ~*** qc ***à*** qn …을 …에게 알리다〔통지하다〕: Faites-moi ~ l'heure de votre départ. 당신의 출발 시각을 알려 주시오. ***Je n'en sais trop rien ; Je ne sait trop.*** 확실히는 알 수 없다, 꼭 그렇다는 것은 아니다. ***je ne*** 〔***on ne***〕 ***sais quoi*** 〔***qui, quel, quand***〕 무엇인지〔누군지, 어떤 무엇인지, 언제인지〕 모를 : L'amour est un *je ne sais quoi.* 사랑은 무엇인지 잘 알 수 없는 것이다 / Il est mort de *je ne sais quelle* maladie. 그는 정체 모를 병으로 죽었다 / Notre départ est remis à *je ne sais quand.* 우리의 출발은 기약 없이 연기되었다. ***Je ne saurais trop le répéter.*** 아무리 되풀이해도 지나치지 않을 것이다. ***Je ne veux pas le ~.*** 《구어》 당신의 이유〔설명〕 따위는 알고 싶지도 않다. ***Je sais bien..., mais...*** 과연 …은 알고 있지만, 그러나 … : Je *sais bien* que vous êtes très occupé, *mais* vous auriez pu m'appeler. 당신이 바쁘다는 것은 알고 있지만, 그러나 나에게 전화 정도는 걸어 주었어야죠. ***Je sais ce que je sais.*** 더 이상 설명할 말이 없다. ***ne pas ~ ce qu'on fait, ce qu'on dit.*** 흥분한 나머지 자기가 무슨 짓을 하는지 무슨 소리를 하는지 모르다. ***ne ~ que*** 〔***quoi***〕 ***faire*** 〔***dire***〕 무엇〔무슨 말〕을 해야 할지 모르다. ***ne ~ rien de rien*** 아무것도〔전혀〕 모르다. ***ne vouloir rien ~*** 말을 듣지 않다, 허기를 완강히 거부하다. ***On ne sait jamais !*** 그럴 수도 있는 것이다. ***Peut-on ~ ?*** 가르쳐 주시지 않겠습니까? ***Que sais-je*** (***encore***) ***?*** 《열거한 후에》 기타 등등 : Elle a acheté de la viande, des légumes, *que sais-je encore ?* 그녀는 고기, 야채 등등을 샀다. (***pour***) ***autant que je sache ; que je sache ; à ce que je sache*** 내가 아는 한〔바로는〕: Il n'est pas si habile, *que je sache.* 내가 아는 한 그는 그런 재주가 없다. ***Qui sait ?*** 있을 수 있다 : Il s'est peut-être égaré, *qui sait ?* 그는 아마 길을 잃은 것이 아닐까? ***qui*** 〔***que***〕 ***vous savez*** 그 사람〔것〕《상대방이 알고 있어서 굳이 이름을 밝히지 않는 완곡어법》: N'en dites rien à *qui vous savez.* 그 사람에게 아무 말 마시오 / L'affaire *que vous savez* prend mauvaise tournure. (당신도 아는) 그 일이 잘 안 되어 간다. ***sans le ~*** 그런 줄은 모르고, 모르는 사이 : Il a été souvent en danger *sans le ~.* 그는 자기도 모르는 사이에 자주 위험에 빠지곤 했다. ***~ ce qu'on veut*** 의지가 강하다. ***S~ c'est pouvoir.*** 《격언》 아는 것이 힘이다. ~ qn ***par cœur*** …의 성격을 잘 알고 있다. ***~ vivre*** 처세술을 알고 있다. ***~ y faire*** 《구어》 빈틈없이 행동하다. ***tout ce qu'il sait*** 〔***savait***〕 《구어》《동작의 격심함을 나타내는 수식어구》: Il pleurait *tout ce qu'il savait.* 그는 하염없이 눈물을 흘리고 있다. ***tu sais vous sabez*** 《구어》《언명을 강조하기 위해 사용하는 삽입구》: Ce n'est pas bien, *tu sais !* 그건 좋지 않아, 알겠지 ! ***Va*** 〔***Allez***〕 ***~ !*** 전혀 뭐가 뭔지 모르겠는걸 !

— **se ~** *v.pr.* ① 《수동적》 알려지다 : Tout finit par *se ~.* 모든 것은 결국 알려지게 된다. ② 자기가 …임을 알다 : Il *se sait* condamné. 그는 자기가 유죄 선고를 받은 것을 알고 있다.

savoir² *m.* 지식, 학식 : homme de grand ~ 학식이 깊은 사람.

savoir- *préf.* 「…하는 기술, …하는 법」의 「뜻.

savoir-faire [savwarfɛːʀ] *m.* 《복수없음》 능력, 수완(= adresse) ; 솜씨 : homme d'affaires qui a beaucoup de ~ 수완이 좋은 실업가.

savoir-vivre [savwaʀviːvʀ] *m.* 《복수없음》 처세술 ; 예의범절 ; 예절 : manquer de ~ 예절을 모르다.

⁑**savon** [savɔ̃] *m.* ① 비누 : du ~ en poudre 가루 비누 / du ~ liquide 액체 비누 / un (pain de) ~ 비누 한 개 / ~ de toilette ; ~ pour la toilette 화장비누. ② 《구어》 심한 꾸지람(= réprimande) : passer 〔flanquer, donner〕 un ~ à qn …을 심하게 꾸짖다 / recevoir un bon ~ 꾸지람을 듣다.

savonnage [savɔnaːʒ] *m.* 비누로 씻기.

savonner [savɔne] *v.t.* 비누로 씻다〔빨다〕.
— **se ~** *v.pr.* 몸을 비누로 씻다, 몸에 비누칠하다 : *se ~* les mains 손을 비누로 씻다.

savonnette [savɔnɛt] *f.* 화장비누.

savonneux, euse [savɔnø, -øːz] *adj.* 비누질(質)의 : de l'eau *~euse* 비눗물.

savourer [savuʀe] *v.t.* ① (음식물을) 맛보다 ; (천천히) 음미하다 : ~ un vieux vin 오래된 포도주를 맛보다. ② (쾌락 · 명예 따위를) 만끽하다, 즐기다 : ~ son bonheur 행복을 만끽하다.

savoureusement [savuʀøzmɑ̃] *adv.* ① 음미하며 ; 맛있게. ② 풍취〔재미〕 있게 : anecdote ~ racontée 재미있게 이야기한 일화.

savoureux, euse [savuʀø, -øːz] *adj.* ① (음식물이) 맛있는, 맛좋은 : plat ~ 맛있는 요리. ② (이야기가) 재미〔재치〕있는 : histoire *~euse* 재미있는 이야기.

saxo [sakso] *m.* 〖음악〗《구어》 ① = saxophone. ② = saxophoniste.

saxophone [saksɔfɔn] *m.* 〖음악〗 색소폰.

saxophoniste [saksɔfɔnist] *n.* 색소폰 연

주자.

saynète [sɛnɛt] 〔에스파냐〕 *f.* 소희극(小喜劇) ; 촌극(= sketch).

sbire [sbiːʀ] *m.* 이탈리아의 경찰관 ; 《구어 · 경멸》 악덕 경관 ; (악당의) 하수인.

scabreux, euse [ska(ɑ)bʀø, -øːz] *adj.* ① 위험한 ; 곤란〔난처〕한 : entreprise ~*euse* 위험천만한 사업 / question ~*euse* 난처한 문제. ② 외설스러운, 음탕한 : histoire ~*euse* 음탕한 이야기.

scalène [skalɛn] *adj.* 〖기하〗 부등변(不等邊)의 : triangle ~ 부등변 삼각형.

scalp [skalp] *m.* (아메리카 인디언이 전리품으로 적에게서 벗기는) 머리 가죽.

scalpel [skalpɛl] *m.* 〖외과〗 (해부용의) 메스.

scalper [skalpe] *v.t.* (적의) 머리 가죽을 벗기다.

scandale** [skɑ̃dal] *m.* ① (정관계의) 추문, 스캔들 : ~ politique 정계의 스캔들. ② 빈축 ; 분개, 악평 : au grand ~ de tout le monde 만인의 빈축을 사며. ③ 파렴치〔부정〕한 행위 ; 독직(瀆職) : ~ politique 〔financier〕 정계〔금융계〕의 부정 사건. ④ 소란, 난동 : faire un ~ dans la rue 길에서 소란을 피우다. ***C'est un ~ que... …은 추악한 일이다〔언어도단이다〕.

scandaleusement [skɑ̃daløzmɑ̃] *adv.* 언어도단으로 ; 파렴치하게도.

scandaleux, euse** [skɑ̃dalø, -øːz] *adj.* 언어도단의 ; 파렴치한 ; 터무니없는 : fortune ~*euse* 부정 축재 / conduite ~*euse* 파렴치한 행동 / prix ~ 터무니없이 비싼 값. ***élection ~euse (세상의 빈축을 사는) 부정 선거.

scandaliser [skɑ̃dalize] *v.t.* …의 눈살을 찌푸리게 하다, …의 빈축을 사다, 분개〔분격〕시키다 : Sa conduite *scandalise* tout le monde. 그의 행동은 모든 사람의 빈축을 산다 / On *a été scandalisé* d'apprendre que... …라는 것을 알고 사람들은 분노했다. —— **se ~** *v.pr.* 《~ de》 …에 대해 눈살을 찌푸리다, 분격〔분노〕하다 : *se ~ de* sa conduite 그의 행동에 분노하다.

scander [skɑ̃de] *v.t.* ① (시구(詩句)의 연을) 분석하다. ② 실라블을 분명히 구분하여 발음하다 : Il parlait lentement, en *scandant* les mots. 그는 한마디 한마디를 또박또박 천천히 말했다. ③ 〖음악〗 박자를 맞추어 노래하다〔연주하다〕.

scandinave [skɑ̃dinaːv] *adj.* 스칸디나비아 (*la Scandinavie*)의. —— **S~** *n.* 스칸디나비아 사람. —— *m.* 스칸디나비아어(語).

scanner[1] [skanɛːʀ] 〔영〕 *m.* ① 〖인쇄〗 전자 제판기. ② 〖컴퓨터〗 스캐너《scanneur 의 사용이 권장됨》. ③ 〖의학〗 X선 단층 촬영법.

scanner[2] [skane] *v.t.* (스캐너 따위로) 주사(走査)하다. —— *v.i.* 스캐너를 사용하다.

scaphandre [skafɑ̃ːdʀ] *m.* ① 잠수구, 잠수복 : ~ autonome (산소통 · 호흡관 · 마스크 따위가 갖추어진) 잠수구. ② 우주복(= ~ spatial).

scaphandrier [skafɑ̃dʀije] *m.* (잠수복을 입는) 잠수부(夫).

Scapin [skapɛ̃] *n.pr.m.* ① 스카팽《이탈리아 희극 · 몰리에르 희극의 교활한 하인》. ② (*s*~) 모사꾼, 책략가.

scapulaire [skapylɛːʀ] *adj.* 어깨의. —— *m.* ① 〖해부〗 견갑골(肩胛骨). ② 〖가톨릭〗 (수도사의) 어깨에 걸치는 옷.

scarabée [skaʀabe] *m.* 〖곤충〗 풍뎅이.

Scaramouche [skaʀamuʃ] *n.pr.m.* 옛 이탈리아 희극의 광대《겉으로 뽐내는 겁쟁이》.

scarification [skaʀifikɑsjɔ̃] *f.* 〖외과〗 난절(亂切), 난절에 의한 방혈법(放血法).

scarifier [skaʀifje] *v.t.* 〖외과〗 (방혈을 위해 피부를) 난절하다, 난자(亂刺)하다.

scarlatine [skaʀlatin] *f.* 〖의학〗 성홍열(猩紅熱).

scarole [skaʀɔl] *f.* 〖식물〗 풀상추(= escarole).

scatologie [skatɔlɔʒi] *f.* 분뇨담(糞尿譚), 분변 문학.

scatologique [skatɔlɔʒik] *adj.* 분뇨담에 관한 ; 분변 문학의, 지저분한.

sceau [so] *m.* (*pl.* ***~x***) ① 도장, 인장(印章) ; (흔히 *pl.*) 관인(官印) : grand ~ de l'État 국새(國璽). ② 각인(刻印), 압인(押印) ; (상표 따위를 각인한) 봉랍. ③ 《비유》 표적, 표시 ; 특징, 특성 : style marqué du ~ de la modernité 현대적 특성을 지닌 스타일 / ouvrage qui porte le ~ du génie 천재성이 역력히 드러난 작품. ***apposer* 〔*mettre*〕 *son ~ à un document*** 문서에 조인〔날인〕하다. ***garde des S~x*** 국새 상서(國璽尙書) 《현재의 법무부 장관에 해당함》. ***marquer*** qn ***du ~ de l'infamie*** …에게 치욕의 낙인을 찍다. ***mettre le ~ à*** (la réputation de qn) 《문어》 (…의 명성)에 결정적인 뒷받침을 하다. ***sous le ~ du secret*** 비밀을 지킨다는 조건으로.

scélérat, e [seleʀa, -at] *adj.* 대죄(大罪)를 범한〔범할 만한〕 ; 악랄한, 간악한. —— *n.* 대죄인 ; 악랄〔간악〕한 사람 ; Petite ~*e !* 요 몹쓸 계집애 !

scélératesse [seleʀatɛs] *f.* 《문어》 악랄〔간악〕함, ; 흉악한 행위, 고약한 짓.

scellé [sɛ(e)le] *m.* (흔히 *pl.*) 〖법률〗 봉인 : mettre 〔apposer〕 les ~*s* à qc ; mettre qc sous ~*s* …에 봉인하다 / briser 〔lever〕 les ~*s* 봉인을 뜯다〔해제하다〕.

sceller [sɛ(e)le] *v.t.* ① 도장을 찍다, 조인(調印)하다 : ~ un acte 조약에 조인하다. ② 확고하게 하다 : ~ l'amitié franco-coréen 불한(佛韓) 우호를 확고하게 하다. ③ 봉인(封印)하다 : ~ une lettre 편지를 봉인하다. ④ 밀폐하다, 꽉 닫다 : faire ~ une fenêtre 창문을 단단히 닫게 하다 / avoir les lèvres *scellées* 입을 꼭 다물고 있다. ⑤ 〖건축〗 (회반죽 따위로) 메워서 고정시키다 : ~ des gonds dans un mur 경첩을 벽에 끼워 넣어 고정시키다.

scénario [senaʀjo] *m.* (*pl.* ***~s***) ① 〖영화〗 각본, 시나리오(= ~ ciné) ; 〖연극〗 상연 대본. ② 《비유》 각본, 미리 짜놓은 계획 : prévoir plusieurs ~*s* 몇몇 시나리오를 예상하다 / envisager un ~ optimiste 낙관적인 예측을 하다.

scénariste [senaʀist] *n.* 시나리오 작가.

***scène** [sɛn] *f.* ① 무대(= planches, plateau) ; (무대의) 장면 : ~ vaste et bien éclairée 넓고 조명이 잘된 무대 / La ~ représente un palais. 무대 장치는 궁전을 나타

내고 있다 / entrer en ~ (무대에) 등장하다 / sortir de ~ (무대에서) 퇴장하다 / quitter la ~ (배우가) 무대를 떠나다, 은퇴하다. ② (연극의 구분으로서) 장(場) ; (연극 · 영화 · 소설의) 장면 : acte II, ~ III 제 2 막 제 3 장 / jouer la grande ~ 볼 만한 장면을 연출하다 / ~ d'amour 러브신 / ~ tragique 비통한 장면. ③ 연극, 영화 : vedettes de la ~ et de l'écran 무대와 은막의 스타들. ④ (실생활의) 광경, 정경 ; (사건의) 현장 : être témoin d'une ~ 사건의 현장을 목격하다 / écrire des ~s de la vie des champs 전원생활의 정경을 묘사하다. ⑤ 활동의 장(場), 사회, (연극에 비유한) 세상사 : quitter la ~ politique 정계를 은퇴하다 / ~ du monde 《문어》 세상의 영광스러운 무대. ⑥ 싸움, 언쟁 (= querelle) ; 불평, 떼쓰기 : ~ de ménage 부부 싸움 / avoir une ~ avec qn …와 한바탕 싸우다. ⑦ 〖미술〗 정경화 : ~ de genre 풍속화 / ~ d'intérieur 실내화(畫). ***mettre en ~*** (희곡을) 상연하다 ; 등장시키다. ***mise en ~*** 상연 ; 연출. ***occuper la devant de la ~*** 중요한 위치를 차지하다. ***paraître en*** 〔***sur*** (***la***)〕 ~ 무대에 서다, 배우가 되다.

scénique [senik] *adj.* ① 무대의, 연극의 : décoration ~ 무대 장치 / art ~ 무대 예술 / representation ~ 연극의 공연. ② 연극적인 : situation ~ 연극적 상황.

scepticisme [sɛptisism] *m.* ① 〖철학〗 회의론(懷疑論)〔주의〕(≠ dogmatisme). ② 회의적 태도 : accueillir une information avec ~ 보도를 반신반의하며 듣다.

***sceptique** [sɛptik] *adj.* 회의적인 : attitude ~ 회의적인 태도 / être 〔rester〕 ~ sur qc …에 대해 회의적이다. ── *n.* 〖철학〗 회의론〔주의〕자 ; 회의적인 사람.

sceptre [sɛptʀ] *m.* ① (임금의) 왕홀(王笏) ; 왕권, 왕위. ② 《비유》 지배권, 통치권.

***schéma** [ʃema] *m.* ① 도식, 도표 : faire le ~ de la coupe d'une plante 식물의 단면도를 그리다. ② 개략(= esquisse) ; 초안, 플랜 (= plan) : ~ directeur (도시의) 기본 계획 / ~ de l'opération 작업 개요.

***schématique** [ʃematik] *adj.* ① 도표의, 도해의 : coupe ~ 단면도. ② 간략한(= simplifié) : dessin 〔figure〕 ~ 약도 / exposé ~ 약술(略述). ③ 피상적인, 대강의 : interprétation ~ 피상적인 설명.

schématiquement [ʃematikmɑ̃] *adv.* 도식적으로, 피상적으로. 「림.

schématisation [ʃematik] *f.* 도식화 ; 간추

schématiser [ʃematize] *v.t.* ① 도해〔도식화(圖式化)〕하다 : ~ le fonctionnement d'un moteur 엔진의 작동을 도식화하다. ② 개략화(槪略化)하다, 간추리다(= simplifier) : ~ sa pensée 자신의 생각을 간추리다.

schématisme [ʃematism] *m.* (지나친) 도식화 경향.

schème [ʃɛm] *m.* ① 〖철학〗 (칸트의) 선험적(先驗的) 도식. ② (전체적) 구조, 구도 ; (예술의) 양식.

scherzo [skɛʀts(dz)o] *m.* 〔이탈리아〕 〖음악〗 스케르초. ── *adv.* 활기차고 경쾌하게.

schilling [ʃiliŋ] *m.* 실링《오스트리아의 옛 화폐 단위》.

schismatique [ʃismatik] *adj.* 〖종교사〗 가톨릭에서 분리한, 이교(離敎)하는 : église ~ d'Orient (7-11 세기 서방 교회로부터) 동방 분리 교회, 동방 정교회. ── *n.* 이교자.

schisme [ʃism] *m.* 이교(離敎) ; 교회 분리 : faire ~ 이교하다. ② (정치 · 예술상 의견의) 분열, 분파(= dissidence).

schiste [ʃist] *m.* 〖지질〗 편암(片岩) ; 혈암(頁岩). 「(質)의.

schisteux, euse [ʃistø, -øːz] *adj.* 편암질

schizophrène [skizɔfʀɛn] *adj.* 〖의학〗 정신 분열증에 걸린. ── *n.* 정신 분열증 환자.

schizophrénie [skizɔfʀeni] *f.* 〖의학〗 정신 분열증.

schlittage [ʃlitaːʒ] *m.* 《지방어》 벌채한 나무를 산 위에서 썰매로 밑으로 운반하기.

schlitte [ʃlit] 〔독일〕 *f.* 벌채한 나무를 산 위에서 밑으로 운반하는 썰매.

schooner [skunœːʀ] 〔영〕 *m.* 스쿠너 선(船)《쌍돛대의 작은 배》.

schuss [ʃus] 〔독일〕 *m.* 〖스키〗 슈스, 직선 활강(滑降) : descendre en ~ 직선 활강하다. ── *adv.* 슈스로, 직선 활강으로 : descendre ~ 직선 활강으로 내려가다.

sciage [sjaːʒ] *m.* 톱질 ; 톱으로 켜기.

sciant, e [sjɑ̃, -ɑ̃ːt] *adj.* 《구어》 (사람을) 깜짝 놀라게 하는 ; 따분하게 하는.

sciatique [sjatik] *adj.* 〖해부〗 좌골(座骨) 신경의. ── *f.* 좌골 신경통.

scie** [si] *f.* ① 톱 : couteau-~ 식탁용 톱니 나이프 / ~ circulaire 둥근 전동 회전톱 / ~ à ruban 띠톱 / ~ à bois 〔à métaux〕 재목〔금속〕을 자르는 톱 / ~ sauteuse (곡선으로 잘라내는) 전동 실톱. ② 귀찮은〔지긋지긋한〕 사람〔일〕. ③ 되뇌는 말, 상투적 언사(= rengaine). ④ (악기로서의) 톱(= ~ musicale). ⑤ 〖어류〗 톱상어(= poisson ~). ***Quelle ~! 정말 귀찮은 사람〔일〕이다.

sciemment [sjamɑ̃] *adv.* 의식적으로, 일부러 : commettre une faute ~ 일부러 잘못을 범하다.

⁑**science** [sjɑ̃ːs] *f.* ① (일반적인) 학문, 학술 : monde de la ~ 학문의 세계, 학계 / La ~ n'a pas de patrie. 학문에는 조국이 없다. ② (*pl.*) ⓐ 과학 ; (특정의) 학문 : ~s naturelles 자연 과학 / ~s humaines 인문 과학 / ~ sociales 사회 과학 / ~s physiques 물리학. ⓑ 이과계 학문 ; (특정) 과학 : faculté des ~s 이학부 / ~s appliquées 응용과학 / ~s expérimentales 실험 과학. ③ 기술, 기량, 재능(= art, technique) : ~ du monde 처세술 / ~ des couleurs 재색 기술 / ~ de la guerre 전술. ④ 《문어》 지식, 학식, 교양 ; 지혜 : demi-~ 깊이 없는 지식 / égaler qn en ~ 학식에 있어 누구 못지 않다. ***Patience passe ~.*** 《격언》 인내는 재능을 앞선다. ***puits de ~*** 석학(碩學).

science-fiction [sjɑ̃sfiksjɔ̃] 〔영〕 *f.* 공상과학 소설(= SF).

***scientifique** [sjɑ̃tifik] *adj.* ① 과학적인, 객관적인 : méthode ~ 과학적인 방법 / vérité ~ 객관적인 진리. ② 학문의, 학술의 : congrès ~ 학술회의 / revue ~ 학술지 / nom ~ 학술명(≠ nom courant). ── *n.* 과학자 ; 이공계 학자〔학생〕.

scientifiquement [sjɑ̃tifikmɑ̃] *adv.* 과학적으로, 학술적으로.

scientisme [sjɑ̃tism] *m.* 과학 만능주의.

scientiste [sjɑ̃tist] *m.* 과학자 ; 과학 만능주의자. ── *adj.* 과학 만능주의의.

***scier** [sje] *v.t.* ① 톱으로 켜다 : ~ du bois 〔du marbre〕 나무를〔대리석을〕 자르다 / ~ des planches (나무를 켜서) 판자를 만들다. ② 《옛》 따분하게〔진저리나게〕 하다(= ennuyer) : Tu me *scies*. 너에게는 진저리가 난다. ③ 《구어》 놀라게 하다(= étonner) : Cette nouvelle m'*a scié*. 이 소식을 듣고 나는 아연실색했다.

scierie [siʀi] *f.* 제재소, 채석장.

scieur [sjœːʀ] *m.* (목재 · 석재를) 켜는 사람 ; 제재업자 ; 석공.

scinder [sɛ̃de] *v.t.* 분할하다, 세분〔구분〕하다 : ~ une question 문제를 세분화하다. ── **se ~** *v.pr.* (정당 따위가) 분열하다, 나뉘다 : Ce parti *s'est scindé* en deux factions. 이 당은 두 파로 분열했다.

scintillant, e [sɛ̃tijɑ̃, -ɑ̃ːt] *adj.* 반짝거리는. ── *m.* (크리스마스 트리의) 은박〔금박〕 장식(= clinquant).

scintillation [sɛ̃tijɑsjɔ̃] *f.* ① 반짝임, 반짝이는 빛. ② 〖물리〗 형광 물질의 형광.

scintillement [sɛ̃tijmɑ̃] *m.* (별 따위의) 반짝이는 빛 ; 점멸하는 빛, (보석의) 광채.

scintiller [sɛ̃tije] *v.i.* ① (별 · 보석 따위가) 반짝이다(= briller). ② (빛이) 깜박이다(= clignoter) : phare qui *scintille* au loin 멀리서 점멸하는 등대.

scion [sjɔ̃] *m.* ① 〖원예〗 새순 ; 새순 가지 ; 접목한 새 나무. ② 낚싯대 끝.

scission [sisjɔ̃] *f.* (회 · 정당 따위의) 분열, 분리 ; (의견의) 갈라짐 : ~ d'un syndicat 조합의 분열 / faire ~ 분열을 일으키다.

scissionniste [sisjɔnist] *adj.* 분열을 일으키는, 분열주의의 : activité ~ 분열을 일으키는 행동. ── *n.* 분열을 일으키는 사람.

scissiparité [sisipaʀite] *f.* 〖생물〗 분열 번식. 「진) 골구(骨溝).

scissure [sisyːʀ] *f.* 〖해부〗 (뼈가 서로 이어

sciure [sjyːʀ] *f.* 톱밥(= ~ de bois).

sclérose [skleʀoːz] *f.* ① 〖의학〗 경화증(硬化症) : ~ des artères 동맥 경화. ② 《비유》 (활동 · 발전 따위의) 경직화, 침체 : ~ d'un parti 정당 활동의 침체.

sclérosé, e [skleʀoze] *adj.* ① 〖의학〗 경화증에 걸린, 경화된. ② 경직화한, 침체한.

scléroser [skleʀoze] *v.t.* 〖의학〗 경화시키다 : ~ des varices 정맥류를 경화시키다. ── **se ~** *v.pr.* 경직화하다 ; 침체 상태에 빠지다 : *se* ~ dans ses habitudes 습관에 얽매어 발전이 없다.

sclérotique [skleʀɔtik] *f.* 〖해부〗 (눈의) 공막(鞏膜).

***scolaire** [skɔlɛːʀ] *adj.* 학교의 ; 학교용의 : année ~ 학년(도) / frais ~*s* 수업료 / livre 〔manuel〕 ~ 교과서 / livret ~ 통지표 / programmes ~*s* 교과 (과정) / réformes ~*s* 학제 개혁 / vie ~ 학교생활 / âge ~ (의무 교육의) 취학 연령.

scolarisation [skɔlaʀizɑsjɔ̃] *f.* ① 학교 교육의 보급〔시설〕 : ~ des pays sous-développés 저개발국의 교육 시설 정비. ② 취학 : taux de ~ 취학률(= taux de scolarité).

scolariser [skɔlaʀize] *v.t.* (지방 따위에) 학교 교육을 보급시키다 ; (아동을) 취학시키다 : enfants *scolarisés* 취학 아동.

scolarité [skɔlaʀite] *f.* ① 취학, 통학 ; (학교의) 교육 과정의 이수 : années de ~ 교육 연한 / certificat de ~ 교육 과정 이수〔재학〕 증명서. ② 의무 교육 연한 : prolongation de ~ 교육 연한의 연장.

scolastique [skɔlastik] *adj.* ① 스콜라 학파의. ② 《경멸》 스콜라 철학풍의, 스콜라 학파 같은. ── *m.* 스콜라 철학자, (스콜라적) 형식주의자. ── *f.* (중세) 스콜라 철학.

scoliose [skɔljoːz] *f.* 〖의학〗 척주 변형.

scolopendre [skɔlɔpɑ̃ːdʀ] *f.* ① 〖동물〗 지네(= mille-pattes). ② 〖식물〗 골고사리의 일종. 「모피.

sconce [skɔ̃ːs] *m.* 스컹크(= mouffette) ; 그

scoop [skup] 〔영〕 *m.* (신문의) 특종 (기사) 《exclusivité 의 사용이 권장됨》.

scooter [skutœ(ɛ)ːʀ] 〔영〕 *n.* 스쿠터.

scootériste, scooteriste [skut(e)ʀist] *n.* 스쿠터 타는 사람.

scorbut [skɔʀby] *m.* 〖의학〗 괴혈병.

scorbutique [skɔʀbytik] *adj.* 괴혈병(성)의 ; 괴혈병에 걸린. ── *n.* 괴혈병 환자.

score [skɔːʀ] 〔영〕 *m.* ① 〖스포츠〗 스코어. ② (시험 · 테스트의) 득점, 점수. ③ 〖정치〗 (선거의) 득표수.

scorie [skɔʀi] *f.* ① 〖야금〗 (보통 *pl.*) 광재(鑛滓), 광석 찌끼. ② 〖지질〗 화산암 찌끼. ③ 시시한〔하찮은〕 부분〔것〕, 군더더기.

scorpion [skɔʀpjɔ̃] *m.* ① 〖동물〗 전갈. ② (le *S*~) 〖천문 · 점성술〗 전갈자리 ; 전갈궁 《황도(黃道)의 제 8 궁》.

scotch [skɔtʃ] 〔영〕 *m.* ① 스카치 위스키. ② (*S*~) 스카치테이프《미국의 상표명》. 「다.

scotcher [skɔtʃe] *v.t.* 스카치테이프로 붙이

scout, e [skut] 〔영〕 *m.* 보이〔걸〕스카우트. ── *adj.* 보이〔걸〕스카우트(운동)의.

scoutisme [skutism] *m.* 보이〔걸〕스카우트 운동〔활동〕.

scrabble [skʀabl] 〔영〕 *m.* 스크래블《글자패를 가지고 하는 글자 맞추기 놀이》.

scraper [skʀa〔ɛ〕pœːʀ] 〔영〕 *m.* 〖토목〗 스크레이퍼《굴삭기(掘削機)의 일종》.

scribe [skʀib] *m.* ① 《옛》 서기(書記), 필생, 서생(書生). ② (고대 유대의) 율법학자.

scribouillard [skʀibujaːʀ] *m.* = scribe.

script [skʀipt] 〔영〕 *m.* ① 〖영화〗 스크립트, 대본. ② (인쇄체에 가까운) 손으로 쓴 필기체.

scripte [skʀipt] 〔영〕 *f.* 〖영화〗 영화 감독의 기록계 여비서(= script-girl), 스크립터.

scripteur [skʀiptœːʀ] *m.* ① 원고를 쓴 사람, 필자. ② 교황의 교서 집필자.

scrupule** [skʀypyl] *m.* ① (마음의) 거리낌 ; 양심의 가책 ; (잘못을 저지르지 않을까 하는) 주저, 의구심. ② 소심, 조심성 : homme de ~ 조심성 많은 사람 / maladie du ~ 〖의학〗 소심증. ***avoir des ~s à + *inf.* …하기가 마음에 걸리다〔양심에 거리껴지다〕 …하기를 주저하다. ***lever les ~s de*** qn …의 걱정을 덜어 주다, 거리낌을 면하게 해 주다. ***ne pas se faire ~ de*** + *inf.* 거리낌없이 …하

S

다. ***se faire ~ de***+*inf.* …하기를 주저하다.

scrupuleusement [skʀypyløzmɑ̃] *adv.* 세심하게, 면밀하게, 꼼꼼하게 ; 양심적으로.

***scrupuleux, euse** [skʀypylø, -øːz] *adj.* ① (지나치게) 양심적인, 착실한. ② (태도 따위가) 면밀한, 세심한, 빈틈없는 : attention ~*euse* 면밀한 주의〔배려〕/ ~ dans l'accomplissement des devoirs 의무를 수행하는 데 있어 빈틈없는.

scrutateur, trice [skʀytatœːʀ, -tʀis] *adj.* 탐색하는 ; 자세히 살피는 : regarder qn d'un œil ~ …을 탐색〔천착(穿鑿)〕하는 눈으로 보다. ── *n.* ① 탐색하는 사람 ; 자세히 살피는 사람. ② 개표 입회인, 검표인.

scruter [skʀyte] *v.t.* ① 탐색하다 : ~ les intentions de qn …의 의도를 탐색하다. ② 자세히 살피다(= inspecter, observer) : ~ le visage 얼굴을 유심히 살피다.

scrutin [skʀytɛ̃] *m.* 투표 ; 표결 ; 투표 방식 : ~ majoritaire 다수 득표자 당선 투표 / projet adopté sans ~ 표결 없이 채택한 안건 / bureau de ~ 투표소 / dépouiller le ~ 개표하다 / procéder au ~ 표결에 붙이다 / ~ découvert 〔secret, 《옛》 couvert〕 기명〔무기명〕 투표 / ~ de liste 연기(連記) 투표 / ~ public 〔secret〕 공개〔비밀〕 투표 / ~ uninominal 단기(單記) 투표 / voter au ~ 투표하다.

sculpté, e [skylte] *adj.* 조각된 : armoire ~*e* 조각으로 장식된 가구.

***sculpter** [skylte] *v.t.* 조각하다 ; (돌·나무에) 새기다 : ~ un buste 흉상을 조각하다 / 《목적보어 없이》 Il peint, mais il ne *sculpte* pas. 그는 그림을 그리지만 조각은 하지 않는다 / ~ une statue dans le marbre 대리석으로 상을 조각하다.

sculpteresse [skylt(ə)ʀɛs] *f.* 《드물게 sculpteur 의 여성형으로 씀》 여류 조각가.

***sculpteur** [skyltœːʀ] *m.* 조각가 : ~ sur bois 나무 조각가《여성은 femme ~》.

sculptural, e, aux [skyltyʀal, -o] *adj.* ① 조각 같은, 조각적인 : femme ~*e* 조각처럼 아름다운 여인. ② 조각의 : art ~ 조각 예술 / décoration ~*e* 조각 장식.

***sculpture** [skyltyːʀ] *f.* 조각 ; 조각술 ; 조각품〔작품〕 : ~ sur bois 목각 / ~ de glace 얼음 조각 / petite ~ 세공품.

S.D.F. 《약자》 sans domicile fixe 주거 부정자, 부랑인, 홈리스.

S.D.N. 《약자》 Société des Nations 국제 연맹.

⁑**se** [s(ə)] 《모음, 무음 h 앞에서는 **s'** [s]》 *pron. pers* ① 《대명동사이 재귀대명사 1 인칭 단복수형, 직접·간접목적보어 기능을 함》 자기를, (자기) 자신을, 자신에게, 자신을 위해서 ; 서로를, 서로에게, 서로를 위하여. ⓐ 《재귀적》 Elle *se* regarde dans la glace. 그녀는 거울 속의 자기 모습을 들여다본다《직접목적보어》/ Il *s'*attribua tout le mérite de la victoire. 그는 승리의 모든 공을 저 자신에게로 돌렸다《간접목적보어》. ⓑ 《상호적》 Ils *se* cherchent (les uns les autres). 그들은 서로 찾고 있다《직접목적보어》/ Ils *s'*écrivaient (l'un à l'autre). 그들은 서로 편지를 썼다《간접목적보어》. ⓒ 《수동적》 Ce sont des choses qui ne *se* font pas. 그건 될 수 없는〔못할〕 일들이다 / Le soleil ni la mort ne peuvent *se* regarder fixement. 태양도 죽음도 똑바로 지켜볼 수 없는 법이다. ② 《신체의 일부에 대한 소유형용사를 대신하여》 Il *se* lave les mains. 그는 (자기) 손을 씻는다. ③ 《순수한 관용적 대명동사》 *s'*evanouir 실신하다 / *s'*enfuir 도망치다 / *s'*envoler 날아가다 / Il aperçue de son erreur. 그는 자신의 잘못을 깨달았다. ④ 《비인칭구문에서》 Il *se* peut que+*sub.* …할 수도 있는 일이다 / Il *s'*en faut de beaucoup (que+*sub.*) (…하자면) 아직도 어림없다, 아직 멀었다 / Comment *se* fait-il que+*sub.?* …한 것은 어찌 된 일인가? ⑤ 《se+동사+속사》 Elle *se* croit très belle. 그 여자는 자기가 매우 아름답다고 생각하고 있다 / Il *s'*est senti l'âme triste. 그는 마음에 슬픔을 느꼈다.

séance** [seɑ̃ːs] *f.* ① 회의 ; 회합 : ouvrir 〔suspendre〕 une ~ 개회〔휴회〕하다 / présider une ~ 회의를 주재하다 / La ~ est ouverte 〔est levée〕. 지금부터 개회합니다 〔이것으로 폐회합니다〕《의장의 선언》. ② 개회 기간, 회기(= session) ; 개정(開廷) : Cette loi sera discutée à la prochaine ~ de l'Assemblée. 이 법안은 국회의 다음 회기에서 토의될 것이다. ③ (연예 따위의) 상연 〔상영〕(시간) ; (모델의) 포즈 잡고 있는 시간 ; (일·오락 따위의) 1 회 계속 시간 : première ~ du film 영화의 제 1 회 상영 / ~ d'entraînement 1 회 연습 (시간) / faire une longue ~ (à table) 오랫동안 회식하다. ④ (상투적으로 벌이는) 꼴불견인 광경, (연극같은) 소동 : Il a fait une de ces ~*s*. 그는 또 한번 꼴불견인 광경을 연출했다. ***~ tenante 즉석에서, 당장에, 곧.

séant¹, e [seɑ̃, -ɑ̃ːt] *adj.* 알맞은, 적합한, 어울리는(= convenable). ***Il n'est pas ~ de*** +*inf.* 〔***que***+*sub.*〕 …하는 것은 적합하지 않다. ── *m.* 앉은 자세 : être sur son ~ 앉아 있다 / se mettre 〔se dresser〕 sur son ~ 자리〔방바닥〕에서 일어나 앉다.

séant² [seɑ̃] ⇒ seoir.

seau** [so] *m.* (*pl.* **~x**) ① 들통, 양동이 : ~ à eau 물통 / puiser de l'eau avec un ~ 물통〔두레박〕으로 물을 긷다. ② 한 통 가득(한 분량) : un plein ~ de charbon 한 통 가득한 석탄〔숯〕. ***Il pleut à ~. 비가 억수같이 쏟아진다.

sébacé, e [sebase] *adj.* 〖생리〗 지방성의 ; 지방질을 분비하는 : glande ~*e* 피지선(腺).

sébile [sebil] *f.* 나무 공기 ; 동냥 그릇 : ~ d'un mendiant 거지의 쪽박. ***tendre la ~*** 비럭질〔구걸〕하다.

séborr(h)ée [sebɔʀe] *f.* 〖의학〗 피지루(皮脂漏) : ~ de cuir chevelu (탈모의 원인이 되는) 모발 있는 부분의 피지 과다증.

⁑**sec, sèche¹** [sɛk, sɛʃ] *adj.* ① 마른 ; 건조한 ; 메마른, (바싹) 말라 붙은 : saison *sèche* 건조기, 한발기 / feuille *sèches* 가랑잎 / terrain ~ 메마른 땅 / Il fait ~. 날씨가 건조하다. ② 말린, 건조시킨 : raisins ~*s* 건포도 / foins ~*s* 건초 / poisson ~ 건어 / linge 〔bois〕 ~ 말린 속옷〔목재〕. ③ (다른 것이 섞이지 않고) 그것만의, 단독의 ; 아무것도 곁들이지 않은 : pain ~ 아무것도 안 바

른 빵 / whisky ~ 위스키의 스트레이트 / orage ~ 비를 수반하지 않은 폭풍 / perte *sèche* 보상이 따르지 않는 손해 / vergue *sèche* 돛을 달지 않은 활대. ④ 말라빠진, 여윈, 수척한(= maigre) : ~ comme une allumette 《구어》 바싹 마른 / vieillard ~ 빼빼 여윈 노인. ⑤ (문체·작품 따위가) 무미건조한, (소리가) 여운이 없는, 메마른 : style ~ 무미건조한 문체 / voix *sèche* 메마른 목소리. ⑥ 인정머리 없는, 퉁명스러운, 냉담한 : cœur ~ 인정머리 없는 마음씨(의 사람) / d'un ton ~ 냉담한 어조로, 퉁명스럽게. ⑦ 〖카드놀이〗 한 장만의, 단판의 : carte *sèche*, 1 장만의 동색(同色) 카드 / jouer une partie *sèche* 단판 승부를 하다. ***à pied ~*** 발을 적시지 않고. ***consultation sèche*** 무료 상담〔진찰〕. ***donner un coup ~*** 철썩 때리다. ***n'avoir pas un fil de ~ sur le dos*** 《속어》 흠뻑 젖다. ***rester ~*** 대답을 못하다. ***un grand ~*** 홀쭉이, 마른 키다리. ***vin ~*** 단맛 없는 포도주.

── *m.* ① 건조한(한 장소) : mettre 〔tenir〕 qc au ~ …을 건조한 곳에 두다〔보관을 하다〕. ② 건초, 여물 : mettre un cheval au ~ 말에 건초를〔여물을〕 먹이다. ③ 야윈 사람. ***à ~*** ⓐ 말라서 ; 물 없이 : puits *à* ~ 마른 우물. ⓑ 돈 한푼 없이 ; 머리가 텅 비어 : Je suis *à* ~. 나는 빈털터리다.

── *adv.* ① 퉁명스럽게, 거칠게, 마구, 심하게: frapper ~ 마구 후려치다 / répondre ~ 내뱉 듯이 대답하다. ② 물 타지 않고 : boire ~ (술을) 물 타지 않고 마시다. ***aussi ~*** 《속어》 대뜸, 당장에, 즉석에서.

SECAM [sekam] 《약자》 séquentiel couleur à mémoire 〖방송〗 세캄 방식《프랑스·러시아에서 채택한 컬러 텔레비전 방식》.

sécant, e [sekɑ̃, -ɑ̃:t] *adj.* 〖수학〗 분할하는, 절단하는. ── *f.* 〖수학〗 분할선.

sécateur [sekatœːʀ] *m.* 전지(剪枝) 가위.

sécession [sesesjɔ̃] *f.* 분리, 이탈, 탈퇴. ***faire ~ de*** …에서 분리하다. ***Guerre de S~*** (미국의) 남북 전쟁.

sécessionniste [sesesjɔnist] *adj.* 분리파의. ── *n.* 분리〔독립〕주의자.

séchage [seʃaːʒ] *m.* 건조(시킴), 말림 : ~ à (l')air 공기 건조.

sèche [sɛʃ] *f.* ① (썰물 때 나타나는) 개펄, 간석지(干潟地). ② 《속어》 궐련(= cigarette).

sèche-cheveux [sɛʃʃəvø] *m.* 《복수불변》 두발 건조기, 헤어드라이어.

séchée [seʃe] *f.* 마르기 ; 말리기.

sèche-linge [sɛʃlɛ̃ːʒ] *m.* 《복수불변》 (세탁물) 건조기.

sèche-mains [sɛʃmɛ̃] *m.* 《복수불변》 (손을 말리는) 온풍 건조기.

sèchement [sɛʃmɑ̃] *adv.* ① 무뚝뚝하게, 퉁명스럽게 : répliquer ~ 무뚝뚝하게 대꾸하다. ② 거칠게, 재빠르게 : frapper ~ une balle 공을 재빨리 치다.

⁑sécher [seʃe] [6] *v.t.* ① 말리다, 건조시키다 : ~ ses vêtements mouillés 젖은 옷을 말리다 / ~ des viandes 고기를 건조시키다. ② 《학생은어》 (수업·강의를) 빼먹다 ; (회합·모임에) 참석하지 않다 : ~ un cours 〔la classe〕 수업을 빼먹다. ③ 《구어》 다 마셔 버리다 : ~ un verre 술잔을 단숨에 들이켜다. ***~ les larmes de*** qn …의 슬픔을 위로하다. ──*v.i.* ① 마르다, 건조하다 ; 고갈하다, 말라붙다 : peinture qui *sèche* en une heure 한 시간에 마르는 페인트. ② 《~ de》 (…때문에) 야위다, 초췌해지다 ; 괴로워하다 : Il *sèche de* désir. 그는 욕망으로 괴로워하고 있다. ③ 《속어》 〖학교〗 답안을 쓰지 못하다, (질문에) 대답하지 못하다. ***~ sur pied*** (나무가) 말라 버리다 ; (비애·고통 따위로) 지쳐 빠지다, 초췌해지다, 맥이 빠지다.

── **se ~** *v.pr.* ① (자기의) 몸〔옷〕을 말리다 : Je me *suis séché* devant le feu. 나는 불 앞에서 몸을 말렸다. ② 마르다, 고갈하다.

sécheresse [sɛ(e)ʃʀɛs] *f.* ① 건조 (상태) ; 가뭄, 한발 : grande ~ 큰 가뭄 / période de ~ 한발기. ② (몸이) 마름, 수척함, 여윔. ③ 무뚝뚝함, 퉁명스러움 ; 냉담 : répondre avec ~ 퉁명스럽게 대답하다. ④ 무미건조함 : ~ du style 무미건조한 문체.

séchoir [seʃwaːʀ] *m.* ① (종이·가죽 따위의) 건조장〔실〕 ; 건조기(器) : ~ à linge 빨래 너는 곳 / ~ à cheveux 헤어드라이어. ② 타월 걸이.

⁑second, e¹ [s(ə)gɔ̃, -ɔ̃:d] *adj.* 《명사 앞에 놓임. 단 livre, tome 은 제외》 ① 둘째의, 두 번째의, 제 2 의 ; 제 2 (차)의 : épouser qn en *~es* noces …와 재혼하다 / au ~ étage, 3 층에 / *~s* violons (오케스트라의) 제 2 바이올린 / L'habitude est une *~e* nature. 《격언》 습관은 제 2 의 천성 / livre 〔tome〕 ~ (책의) 제 2 권. ② (가치·우열의 개념에서) 2 위의, 2 등의 : ~ prix, 2 등상 / voyager en *~e* classes, 2 등석을 타고 여행하다 / obtenir la *~e* place dans un concours 경시에서 2 등을 하다. ③ 뒤떨어지는, 2 류의 ; 부차적〔지엽적〕인 : article de ~ choix, 2 류의 물건 / causes *~es* 부차적 원인. ④ (다시 시작한다는 뜻에서) 또 하나의〔다른〕(= autre), 새로운 : *~e* vie 제 2 의 인생 / un ~ Napoléon 나폴레옹의 재래(再來). ***état ~*** 〖의학〗 (몽유병자 따위의) 과도적 정신 병리 상태 ; 비정상 상태 : être dans un *état* ~ 비정상이다. ***pour la ~e fois*** 두 번째로. ***~e vue*** 비상한 투시력, 천리안.

── *n.* 둘째의 사람〔것〕, 제 2 위자 : la *~e* des filles Dupond 뒤퐁씨의 둘째딸 / être le ~ 〔la *~e*〕 de sa classe 반에서 2 등이다 / passer *~(e)* 2 위를 차지하다. ***sans ~(e)*** 비길 데 없는, 둘도 없는 : une beauté *sans ~e* 비길 데 없는 미모.

── *m.* ① 3 층(= ~ étage) : habiter au ~, 3 층에 살다. ② 보좌역, 조력자 ; 〖권투〗 세컨드 ; 〖해군〗 부관 : capitaine en ~ 부선장 / officier en ~ 부지휘관.

── *f.* ① (리세·콜레주의) 제 2 학급《고등학교 1 학년에 해당함》(= ~ classe, classe de ~). ② (열차의) 2 등 : billet de ~, 2 등 차표. ③ 〖음악〗 이도(二度). ④ 〖인쇄〗 재교쇄(再校刷). ⑤ (자동차의) 제 2 기어 : passer en *~e* 제 2 기어를 넣다.

***secondaire** [s(ə)gɔ̃dɛːʀ] *adj.* ① 제 2 급의, 그다지 중요하지 않은 : personnage ~, 2 류의 사람 / jouer un rôle ~ 조역(助役)을 하다. ② (시기적으로) 두 번째의, 제 2 기의 :

S

enseignement ~ 중등교육. ③ 제 2 차의, 부수적〔부차적〕인 : secteur ~ 제 2 차 산업《공업》/ problème ~ 부차적 문제. ④ 〖심리〗 2차성의. ── *m.* ① 중등 교육. ② 〖지질〗 중생대(= ère ~). ③ 제 2 차 산업(= secteur ~). ── *n.* 〖심리〗 2 차적 성격의 사람.

secondairement [s(ə)gɔ̃dɛʀmɑ̃] *adv.* 2차적〔부차적〕으로, 부수적으로.

***seconde**[2] [s(ə)gɔ̃:d] *f.* ① 초(秒) : vitesse par ~ 초속 / un mètre ~, 1 초당 1 미터. ② 순간, 잠깐 : dans une 〔deux〕 ~(*s*) 곧 / à la ~*e* 순식간에, 즉각 / Je reviens dans deux ~*s*. 곧 돌아오겠습니다 / Attendez une ~! 잠깐만 기다리세요! / Je vais le faire en deux ~*s*. 그것을 곧 하겠습니다. ③ 〖기하〗 초《각도의 단위》.

secondement [s(ə)gɔ̃dmɑ̃] *adv.* 둘째로, 다음으로.

***seconder** [s(ə)gɔ̃de] *v.t.* ① 보좌하다, 돕다 (= assister) : assistant qui *seconde* un professeur 교수를 돕는 조수. ② 지원하다, 조성〔촉진〕하다(= favoriser) : ~ les dessins de qn …의 계획을 밀어 주다.

secouage [s(ə)kwa:ʒ], **secouement** [s(ə)kumɑ̃] *m.* 흔들기 ; 진동, 동요.

secouer** [s(ə)kwe] *v.t.* ① (뒤)흔들다, 세게 움직이다(= agiter, ébranler) : ~ le flacon avant de l'ouvrir (마개를) 열기 전에 병을 흔들다 / bateau *secoué* par les vagues 파도에 흔들리는 배 / explosion qui *secoue* les vitres 유리창을 뒤흔드는 폭발. ② …에게 충격을 주다, 동요시키다 : Cette nouvelle l'*a secoué*. 이 뉴스는 그에게 충격을 주었다. ③ (몸의 일부분을) 흔들다 : ~ la tête 머리를 흔들다〔끄덕이다〕《거절 또는 승낙》. ④ 흔들어 떨어뜨리다, 털어 버리다 ; 뿌리치다 ; 떨쳐 버리다 : ~ la poussière 먼지를 털어 버리다 / ~ l'oppression 억압을 물리치다 / ~ sa torpeur 졸리움을 떨쳐 버리다. ⑤ 분발케 하다, 격려하다 ; 야단치다, 꾸짖다. ~ ***la poussière de ses pieds 〔***sandales***〕 아주 떠나다. ~ ***les puces à*** qn …을 호되게 꾸짖다. ── **se ~** *v.pr.* ① (자기의) 몸을 세게 흔들다, 몸서리치다. ② 《구어》 힘을 내다, 분발하다 : *Secoue-toi* un peu! 조금만 더 힘을 내라!

secourable [s(ə)kuʀabl] *adj.* 돕기 좋아하는 : tendre une main ~ aux pauvres 가난한 사람들에게 구원의 손길을 뻗다.

***secourir** [s(ə)kuʀi:ʀ] [20] *v.t.* (위험에 빠진 사람이나 가난한 사람을) 돕다, 원조〔구조 · 구제 · 구원〕하다 : ~ un blessé 부상자를 구호하다 / faire une collecte pour ~ les sinistrés 재해자를 돕기 위해 모금하다.
── **se ~** *v.pr.* ① 자기를 구하다. ② 구조〔구원〕되다. ③ 서로 돕다.

secourisme [s(ə)kuʀism] *m.* 응급 처치, 구급법. 「대원.

secouriste [s(ə)kuʀist] *n.* 구호반원, 구조

secours** [s(ə)ku:ʀ] *m.* ① 도움, 원조 ; 구조, 구제, 구호 : demander du ~ 도움을 청하다 / crier au ~ 살려 달라고 외치다 / caisse de ~ 구호〔구제〕 기금. ② (*pl.*) 구조대, 구급반 ; 원조금〔물자〕 : distribuer des ~ aux sinistrés 이재민에게 구호금을〔구호물자를〕 주다 / Patientez, les ~ arrivent. 참고 기다려요, 구조원들이 곧 옵니다. ③ (환자 · 부상자의) 응급 처치 : premiers ~ aux noyés 물에 빠진 사람에 대한 응급 처치 / boîte de ~ 구급상자. ④ 군사 원조 : troupes de ~ 원군. ⑤ 신의 구원. ***aller 〔***accourir, se porter***〕 ***au ~ de*** qn …을 도우러 가다. ***Au ~!*** 사람 살려! ***de ~*** 예비의, 비상용의 : roue *de* ~ (자동차의) 예비 타이어 / porte 〔sortie〕 *de* ~ 비상구 / terrain *de* ~ 〖공항〗 비상 착륙장.

secousse [s(ə)kus] *f.* ① 흔들림, 동요(= commotion) ; (지진의) 진동(= séisme) : rude 〔violente〕 ~ 심한 흔들림 / ~ sismique 〔tellurique〕 지진. ② (정신적) 타격, 충격(= choc) : Cette nouvelle a été pour lui une terrible ~. 이 소식은 그에게 크나큰 충격이었다. ③ (근육의) 경련 : ~ musculaire 근육 수축〔경련〕. ***à la ~*** 《구어》 손쉽게, 가볍게, 아무렇게나. ***n'en pas ficher une ~*** 《구어》 아무 일도 하지 않다. ***par ~s*** 발작적〔간헐적〕으로. ***sans ~*** 순조로이. ***se donner une ~*** 《구어》 분발〔노력〕하다.

⁑**secret**[1], **ète**[1] [s(ə)kʀɛ, -ɛt] *adj.* ① 비밀의, 기밀의 ; 은밀한, 숨은 ; 신비로운 : négociations ~*ètes* 비밀 협상 / rites ~*s* 신비한 제식 / escalier ~ 비밀 계단 / tiroir ~ 비밀 서랍 / maladie ~*ète* 성병 / agent ~ 비밀 공작원 / services ~*s* 정보부. ② 속에 숨겨진, 겉으로 드러나지 않은 : sentiment ~ 가슴에 숨겨 둔 비밀 / vie ~*ète* 사생활 / le sens ~ d'un livre 책의 숨은 뜻. ③ (사람이) 말이 없는, 입이 무거운(= renfermé), 과묵한 : homme très ~ 비밀을 지키는 사람.

⁑**secret**[2] [s(ə)kʀɛ] *m.* ① 비밀, 기밀 ; 속내, 마음속 : trahir le ~ 비밀을 누설하다 / ne pas avoir de ~ pour qn …에게 무엇이건 숨기지 않다 / ~ d'État 국가 기밀 / C'est un ~. 그건 당신께 말씀드릴 수 없소 / ~ professionnel 직무상 지켜야 할 비밀 의무 / ~*s* du cœur 마음속에 간직하는 비밀들. ② 비결, 비법 ; (수수께끼를 푸는) 열쇠 : donner 〔communiquer〕 un ~ de fabrication 제조 비법을 가르쳐 주다 / trouver le ~ de+*inf.* …하는 비결을 알아내다. ③ 숨겨진 이유, 참된 이유 : trouver le ~ de qc …의 참된 이유를 알아내다. ④ 비밀장치 : coffre-fort à ~ 비밀 장치를 한 금고. ⑤ 신비(= mystère) : ~*s* de la nature 자연의 신비. ⑥ 밀실, 독방 : mettre qn au ~ …을 독방에 감금하다. ***dans le ~ ; en ~*** 비밀리에, 몰래 : négocier *dans le* plus grand ~ 극비리에 교섭하다. ***être du ~*** 〔***dans le ~***〕 기밀에 참여하다, 비밀을 알고 있다. ***mettre*** qn ***dans le ~*** …에게 비밀을 알려 주다.

secrétaire**[1] [s(ə)kʀetɛ:ʀ] *n.* ① 비서(관) : faire écrire par sa ~ 여비서를 시켜 편지를 쓰게 하다 / une ~ sténodactylo(graphe) 속기 타이피스트겸 여비서. ② 서기(관) ; 간사 ; (국회 따위의) 사무처장〔국장〕. ~ ***d'ambassade 대사관 서기관. ~ ***de la rédaction*** (신문사〔잡지〕의 편집국장을 보좌하는) 편집차장. ~ ***de mairie*** (시의 실제 행정을 전담하는) 내무국장, 부시장.
── *m.* (사무용) 책상.

secrétairerie [s(ə)kRetɛRRi] *f.* ① 《옛》 비서과. ② 바티칸 추기경의 직(무).

secrétariat [s(ə)kRetaRja] *m.* ① 비서〔서기〕직(업무). ② 사무국 ; 비서과〔실〕.

secrète² [s(ə)kRɛt] *f.* (la ~) 비밀경찰(= police ~).

secrétement [s(ə)kRɛtmɑ̃] *adv.* 비밀리에, 남몰래 ; 슬그머니(≠ ouvertement) : projets ~ préparés 비밀리에 준비된 계획.

sécréter [sekRete] 6 *v.t.* ① 〖생리〗 분비하다 : Le rein *sécrète* l'urine. 신장은 오줌을 분비한다. ② 퍼뜨리다(= répandre).

sécréteur, -trice 〔때로 **-teuse**〕 [sekRetœ:R, -tRis〔-tø:z〕] *adj.* 〖생리〗 분비하는 : glande *~trice* 분비샘.

sécrétion [sekResjɔ̃] *f.* 〖생리〗 분비 (작용) ; 분비물 : ~ interne 내분비.

sectaire [sɛktɛ:R] *n.* (종교·정치 따위에서) 교파〔당파〕적인 사람, 편협한 사람. ── *adj.* 파벌적인, 광신적인(= fanatique) ; 과격한.

sectarisme [sɛktaRism] *m.* 편협함 ; 파벌 경향, 당파 근성.

secte [sɛkt] *f.* 종파 ; 당파, 분파 : faire ~ (à part) (따로) 한 파〔분파〕를 세우다.

***secteur** [sɛktœ:R] *m.* ① (배전·급수·선거 등을 위해 분할한) 지구, 구역 : 12ᵉ ~ de Paris 파리 제 12 선거구. ② 부문, 분야 ; 산업 부문 ; 전문 분야 : ~ primaire 〔secondaire, teritaire〕 제 1 차〔제 2 차, 제 3 차〕 산업 부문 / ~ de l'automobile 자동차 산업 부문. ③ 국소 배전선(配電線), 배전상의 구역 ; 전원(電源) : panne de ~ 구역 전체의 정전. ④ 《구어》 장소, 지역. ⑤ 〖수학〗 부채꼴. ⑥ 〖군사〗 작전구, 전선, 방위 구역 : ~ calme 평온한 전선 / ~ postal 야전 우편 구역. ⑦ 〖컴퓨터〗 섹터.

***section** [sɛksjɔ̃] *f.* ① (행정의) 부(部) ; 과(課) ; 구분, (선거의) 구(區) : ~ électorale 선거구. ② (버스 따위의) 요금 구간 : trajet de trois ~s, 3 구간의 행정(行程)〔거리〕. ③ (책의) 절(節), 부(部) : chapitre divisé en trois ~s, 3 절로 나누어진 장(章). ④ (군대의) 소대《30-40 명 정도》. ⑤ ⓐ 〖의학〗 절단 : ~ d'un tendon 힘줄의 절단. ⓑ 〖건축〗 단면(도). ⑥ 부문, 학과, (교육)계 : ~ littéraire 〔scientifique〕 문과〔이과〕계.

sectionnement [sɛksjɔnmɑ̃] *m.* ① 구분, 구획. ② 분할, 절단.

sectionner [sɛksjɔne] *v.t.* ① 구분〔분할〕하다(= fractionner) : ~ une ville en plusieurs circonscriptions électorales 한 도시를 여러 선거구로 나누다. ② 자르다, 절단하다(= couper) : Il a eu un doigt *sectionné* par une presse à découper. 그는 절단기에 손가락 하나를 잘렸다.

sectoriel, elle [sɛktɔRjɛl] *adj.* 지구〔부문〕별의 ; 〖경제〗 산업 분야별의 : analyse *~elle* de productivité 생산성의 분야별 분석.

séculaire [sekylɛ:R] *adj.* ① 100 년 마다의, 한 세기 마다의 : fête ~ 백년제. ② 한〔여러〕 세기를 지나온 ; 매우 오래된: arbres ~*s* 백년이 넘은 나무들 / haine ~ 해묵은 원한. ③ 세기 최후의 : année ~ 한 세기 최후의 해.

sécularisation [sekylaRizɑsjɔ̃] *f.* 지역 분산, 지구별 배치, (학구 따위의) 지역 분할 : ~ de l'enseignement public 교학 분리, 종교 관할에서 교육의 분리.

séculariser [sekylaRize] *v.t.* ① (교회의 재물·성직자를) 세속으로 돌리다, 환속시키다. ② (교육 따위를) 교회 관할에서 분리시키다(= laïciser).

séculier, ère [sekylje, -ɛ:R] *adj.* ① 세속의 : vie *~ère* 세속 생활. ② (교회·수도원의) 계율 밖에 있는, 교구(敎區)에 딸린, 재속(在俗)의 : clergé 〔prêt〕 ~ 재속 성직자〔신부〕. ── *n.* (성직자에 대하여) 세속인, 평신도(≠ clergé).

secundo [səgɔ̃do, sekɔ̃do] 〖라틴〗 *adv.* 둘째로《약자 : 2° ; primo 「첫째로」, tertio 「셋째로」 등의 말과 함께 쓰임》 (= deuxièmement).

sécurisant, e [sekyRizɑ̃, -ɑ̃:t] *adj.* 안정감을 주는 ; 신뢰감을 갖게 하는 : voiture *~e* 안정감을 주는 자동차.

sécuriser [sekyRize] *v.t.* ① 〖심리〗 …에게 안정감〔신뢰감〕을 주다 : ~ son patient 환자에게 안정감을 주다. ② 안전성을 높이다 : ~ les transports en commun 공공 교통 기관의 안전성을 높이다.

sécuritaire [sekyRitɛ:R] *adj.* 공공의 안전을 「위한.

sécurité** [sekyRite] *f.* ① 안심 : dormir en toute ~ 아주 안심하고 자다. ② 안전, 안정 : être en ~ 안전하다 / assurer la ~ de qc …의 안전을 보장하다 / ~ publique 공안, 치안 / ~ de l'emploi 고용의 안정. ③ 안전 보장 : ~ internationale 국제 안전 보장 / ~ collective 집단 안전 보장. ***Conseil de ~ (UN의) 안전 보장 이사회. ***de ~*** 안전을 위한 : dispositif *de* ~ 안전 장치 / ceinture *de* ~ (자동차) 시트 안전벨트. ***S~ sociale*** 사회 보장 (제도).

sédatif, ive [sedatif, -i:v] *adj.* 진통〔진정〕의 : eau *~ive* (캠퍼를 포함하는) 진통약. ── *m.* 진통〔진정〕제.

sédentaire [sedɑ̃tɛ:R] *adj.* ① 앉은 채로의 : profession 〔emploi〕 ~ 앉아서 하는 직업〔일〕. ② 집에 들여박혀 있는, 외출하기 싫어하는 : vie ~ 한곳에서 움직이지 않는 생활. ③ 이동하지 않는, 한곳에 정주(定住)하는 : population ~ 정착민 / rets ~ 〖어업〗 정치망(定置網). ── *n.* ① 정주민(족). ② 집에만 있는〔외출하기 싫어하는〕 사람.

sédentariser [sedɑ̃taRize] *v.t.* (유목민을) 정착〔정주〕시키다.

sédiment [sedimɑ̃] *m.* ① 〖지질〗 충적토(沖積土). ② 침전〔침적〕물.

sédimentaire [sedimɑ̃tɛ:R] *adj.* 〖지질〗 침전〔침적〕으로 생긴 : roches ~*s* 수성암.

sédimentation [sedimɑ̃tɑsjɔ̃] *f.* 침전〔침적〕 (작용).

séditieux, euse [sedisjø, -ø:z] *adj.* 반란〔폭동〕을 일으키는 : écrit ~ 불온 문서 / esprit ~ 모반심(謀反心). ── *n.* 폭도, 반란자.

sédition [sedisjɔ̃] *f.* 반란, 폭동, 봉기 : être en ~ 반란을 일으키고 있다.

séducteur, trice [sedyktœ:R, -tRis] *n.* 유혹자, 꾀는 사람. ── *m.* 호색가, 색마. ── adj. 유혹하는, 매혹적인 : voix *~trice* 매혹적인 음성.

séduction [sedyksjɔ̃] *f.* ① 유혹, 꾐 : ~ de

S

la publicité 광고의 유혹. ② (마음을 사로잡는) 매력, 매혹(= fascination) : céder à la ~ de la jeunesse 젊음의 매력에 굴복하다.

***séduire** [sedɥi:ʀ] 32 *v.t.* ① 꾀다, 유혹하다 ; (여자를) 농락하다 : ~ une femme mariée 유부녀를 유혹하다. ② (증인 따위를) 매수하다 : ~ qn par de l'argent 돈으로 사람을 매수하다. ③ 매혹하다 ; …의 마음을 끌다〔사로잡다〕: Sa beauté *a séduit* plus d'un homme. 그녀의 미모에 끌린 남자는 한두 명이 아니다 / Sa proposition ne me *séduit* pas. 그의 제안은 내 마음에 들지 않는다.

***séduisant, e** [sedɥizɑ̃, -ɑ̃:t] *adj.* ① 유혹하는, 마음이 끌리는〔솔깃해지는〕, 구미가 당기는 : thèses ~*es* 흥미를 끄는 논제. ② 매혹적인, 매력 있는 : jeune fille ~*e* 매력 있는 아가씨.

sédui-s, -t ⇒ séduire.

segment [sɛgmɑ̃] *m.* ① (분할한) 부분, 단편. ② 〖기하〗 절편(切片), 도형에서 잘라낸 부분 : ~ de droite 선분(線分). ③ 〖동물〗 (환형동물의) 체절(體節) ; (곤충의) 환절(環節). ④ 〖언어〗 분절음.

segmentation [sɛgmɑ̃tɑsjɔ̃] *f.* ① 분할, 세분화. ② 〖생물〗 염색체 분리, 난할(卵割). ③ 〖언어〗 분절.

segmenter [sɛgmɑ̃te] *v.t.* 분할하다, 나누다(= diviser). ── **se ~** *v.pr.* 분할되다.

ségrégatif, ive [segʀegatif, -i:v] *adj.* 격리〔분리, 차별〕하는 : politique ~*ive* 인종 차별 정책.

ségrégation [segʀegasjɔ̃] *f.* (유색 인종·계층·성(性) 따위의) 분리, 격리 ; 차별 : ~ raciale 인종 분리〔차별〕《특히 백인의 유색 인종에 대한》 / ~ sexuelle 성차별 / ~ scolaire 학력 차별 / ~ sociale par le logement 계층에 따른 주거지의 분리.

ségrégationnisme [segʀegɑsjɔnism] *m.* 인종 분리 정책(= apartheid).

ségrégationniste [segʀegɑsjɔnist] *adj.* 인종 분리 정책〔주의〕의, 인종 분리주의자의 ; 《일반적》 격리〔분리, 차별〕적인. ── *n.* 인종 분리주의자.

seiche [sɛʃ] *f.* 〖동물〗 갑오징어 : os de ~ 오징어의 갑(甲).

séide [seid] *m.* 맹신자(盲信者), 광신자(= fanatique).

seigle [sɛgl] *m.* ① 〖식물〗 호밀 : faux ~ 독보리 / faire les ~*s* 호밀을 베다. ② 호밀 가루 : pain de ~ (호밀로 만든) 흑빵.

seigneur** [sɛɲœ:ʀ] *m.* ① 〖역사〗 (봉건 제도하의) 영주(領主), 제후 : droits du ~ 영주권(領主權). ② ⓐ (구체제의) 귀족 ; 지체 높은 사람 : grand ~ 대귀족. ⓑ (프랑스 혁명 전의 경칭) …나으리 : le ~ Harpagon 아르파공 나으리. ③ 지배자, 권위자 ; 부호 : ~ de la finance 재계의 거물. ④ (*S*~) 〖가톨릭〗 주예수, 주님 : Notre-*S*~ 주예수 그리스도 / le jour du *S*~ 주일. ***À tout ~ tout honneur. 《격언》 지체 높은 분에게는 마땅한 대우를《빈정거리는 말》. ***en (grand) ~*** 점잖게, 의젓하게. ***faire le grand ~*** 으스대다, 돈을 펑펑 쓰다. ***~ et maître*** 《익살》 우리 집 주인 양반. ***vivre en (grand) ~*** 나으리처럼 살다, 호화롭게 살다.

seigneurial, e, aux [sɛɲœʀjal, -o] *adj.* ① 〖역사〗 영주의 ; 제후의 : terre ~*e* 영주 소유의 땅, 장원(莊園). ② 귀족에 걸맞는 ; 위풍당당한(= magnifique).

seigneurie [sɛɲœʀi] *f.* 영주권 ; 영지, 장원.

sein** [sɛ̃] *m.* ① (여자의) 젖가슴, 유방 ; (어머니·하느님 등의) 품 : bébé qui dort sur le ~ de sa mère 엄마 품안에서 자는 아기 / donner le ~ à un enfant 아이에게 젖을 빨리다 / prendre le ~ (아이가) 젖을 물다〔빨다〕 / faux ~*s* 가짜 유방. ② (여자의) 태(胎)(= entrailles, flanc) ; 태내(胎內) : jumeaux du même ~ 같은 태의 쌍둥이. ③ 내부, 속, 중심부. ④ 속마음, 생각 : déposer un secret dans le ~ d'un ami 친구에게 속마음을 얘기하다. ***au ~ de …속〔안〕에 ; …에 둘러싸여 ; …의 품에 안겨 : vivre *au ~ de* la famille 가족에 둘러싸여 살다.

Seine (la) [lasɛn] *n.pr.f.* 〖지리〗 센 강(江).

seing [sɛ̃] *m.* 《옛》 수결 ; 서명, 사인. ***acte sous ~ privé*** 〖법률〗 사서증서(私書證書)(= sous-seing).

séisme [seism] *m.* 지진(= tremblement de terre).

seize** [sɛ:z] *adj. num.* 《불변》 16 의 ; (서수의 대용으로) 제 16 의 : page ~, 16 페이지 / le ~ juillet, 7 월 16 일. ***Louis S~ 루이 16 세. ── *m.* 《복수불변》 16 ; 16 일.

***seizième** [sɛzjɛm] *adj. num.* ① 제 16 의, 16 번째의. ② 16 분의 1 의. ── *n.* 16 번째의 사람〔것〕, 16 번 : Elle est la ~ en géographie. 그녀는 지리 성적이 16 등이다. ── *m.* (파리의) 제 16 구 ; 16 세기(= le ~ siècle) ; 17 층(= ~ étage) ; 16 분의 1. ── *f.* 〖음악〗 16 분 쉼표.

seizièmement [sɛzjɛmmɑ̃] *adv.* 제 16 으로, 16 번째로.

***séjour** [seʒu:ʀ] *m.* ① 체류, 체재 ; (배의) 정박 : carte de ~ (외국인의) 체류 허가증 / faire un long 〔bref〕 ~ à …에 오래〔잠시〕 머무르다. ② 체류지, 거주(지) ; 체류 기간 ; ~ enchanteur 경치가 좋은 체류지. ③ 거실, 리빙룸(= salle de ~) : un trois pièces : ~, deux chambres 방 셋의 아파트.

***séjourner** [seʒuʀne] *v.i.* ① 체재〔체류〕하다, 머무르다(= demeurer) : ~ chez un ami 〔à l'hôtel〕 친구 집〔호텔〕에 머무르다. ② 오래 남아 있다 ; (물 따위가) 괴어 있다 : Ici, les neiges *séjournent* longtemps. 여기서는 눈이 오래 녹지 않는다 / l'eau qui *séjourne* dans les caves 지하실에 괴어 있는 물.

‡**sel** [sɛl] *m.* ① ⓐ 소금 ; 소금기 : une pincée de ~ 소금 한 줌 / gros ~ 굵은 소금 / mine de ~ 염광 / ~ de cuisine 조리용 식염 / ~ blanc 〔fin〕 (정제된) 고운소금 / mettre du ~ 소금을 치다 / régime sans ~ 소금의 섭취를 제한하는 식이 요법. ⓑ 짠맛 ; 간 : jambon d'un bon ~ 간이 맞는 햄. ② 〖화학〗 염(塩). ③ 《비유》 짜릿한 맛, 자극·흥취 따위를 주는 것 ; 흥취 ; 신랄함 ; 재치, 기지 : une plaisanterie pleine de ~ 재치가 넘치는 농담. ④ (*pl.*) (기절한 사람을) 정신 차리게 하는 약, 각성제(= ~*s* volatils 〔anglais〕). ***être changé en statue de ~*** 아연〔대경〕실색하다, 넋을 잃고 서 있다. ***le ~ de la***

S

terre 〖성서〗 땅의 소금, 사회의 귀감《세상에서의 의(義)를 지키라는 뜻의 그리스도의 말》. ***manger*** 〔***partager***〕 ***le pain et le ~ avec*** qn …와 함께 식사하다 ; 친하게 지내다 ; 환대를 받다.

select 《불변》**, sélect, e** [selɛkt] *adj.* 《구어》 선택된(= distingué), 일류의(= chic, élégant) : clientèle *sé*〔*e*〕*lecte* (알짜배기) 점잖은 고객들 / monde select ~ 상류 사회 / club ~ 일류 클럽.

sélectif, ive [selɛktif, -i:v] *adj.* 선택하는, 선별적인 : par la méthode *~ive* 선택 방법에 의하여〔따라〕.

***sélection** [selɛksjɔ̃] *f.* ① 선택, 선발, 선별 : faire une ~ parmi des candidats 지원자 중에서 선발하다 / match de ~ 선발 시합 / ~ professionnelle (적성 검사에 의한) 직업 선택법. ② 선발된 사람〔물건〕 : ~ d'athlètes pour les jeux Olympiques 올림픽 출전 선수단. ③ 〖생물〗 도태 : ~ naturelle 〔artificielle〕 자연〔인위〕 도태.

sélectionné, e [selɛksjɔne] *adj.* 선택〔선출・선발〕된 : sportif ~ 선발된 운동 선수. — *n.* 선발 선수.

***sélectionner** [selɛksjɔne] *v.t.* 선택〔선발・선별〕하다 ; 골라뽑다(= choisir) : ~ des athlètes pour les jeux Olympiques 올림픽에 출전할 선수를 선발하다 / ~ des graines à semer 파종할 종자를 고르다.

sélectionneur, euse [selɛksjɔnœ:ʀ, -ø:z] *n.* ① 선별자. ② 직업 적성자 선택 테스트 담당원. ③ 〖스포츠〗 대표 선수 선발 위원.

sélectivement [selɛktivmɑ̃] *adv.* 선택〔선별〕하여, 도태에 의하여.

sélectivité [selɛktivite] *f.* 〖통신〗 (수신 장치의) 신호〔주파수〕 선택도.

Séléné, Selênê [selene] *n.pr.f.* 〖그리스신화〗 달의 여신《로마 신화의 Luna 에 해당》.

sélénite [selenit] *adj.* 달의, 달 세계의.

self [sɛlf] *m.* 《복수불변》 셀프서비스 식당 《self-service 의 약자》.

self-control [sɛlfkɔ̃tʀo:l] *m.* 자제 : garder 〔perdre〕 son ~ 자제심을 갖다〔잃다〕.

self-induction [sɛlfɛ̃dyksjɔ̃] 〔영〕 *f.* 〖전기〗 자기(自己)유도.

self-made-man [sɛlfmɛdman] 〔영〕 *m.* (*pl.* ***~-~-men*** [-mɛn]) 자수성가한 사람.

self-service [sɛlfsɛʀvis] 〔영〕 *m.* 셀프서비스 (상점) : restaurant ~ 셀프서비스 레스토랑 / station-service qui fonctionne en ~ 셀프서비스식으로 운영하는 주유소.

selle [sɛl] *f.* ① (말・자전거 따위의) 안장 : se mettre en ~ 안장에 걸터타다. ② 변기 ; 〖의학〗 변통 ; (*pl.*) 대변 : aller à la ~ 화장실에 가다 / examen des ~ 변검사 / deux *~s* par jour 하루 두 번의 변통. ③ 〖요리〗 (양 따위의) 갈비 부분의 고기. ④ 〖미술〗 (조각가가 사용하는 회전하는) 조각대. ***aider*** qn ***à monter en ~*** …을 부축해 말에 태우다 ; 《옛》 곤경을 타개하도록 …을 돕다. ***demeurer entre deux ~s*** 《구어》 둘을 쫓다 하나도 못 잡다. ***être bien en ~*** 안장에 든든하게 자리잡고 있다 ; (지위 따위에) 든든하게 자리를 굳히고 있다. ***mettre*** qn ***en ~*** …을 말에 태우다 ; …의 사업을 궤도에 오르게 해주다. ***se remettre en ~*** 다시 안장에 걸터앉다 ; (사업이) 다시 궤도에 오르다.

seller [sɛ〔e〕le] *v.t.* (말 따위에) 안장을 얹다 : ~ son cheval 자기 말에 안장을 얹다.

sellette [sɛlɛt] *f.* ① 《옛》 (피고・죄수를 앉히는) 심문 걸상, 심문대. ② 작은 안장. ③ (빌딩 밖에서 일하는 도장공(塗裝工) 등의) 작업용 이동 걸상 ; (구두닦이용) 발판. ***être sur la ~*** 심문대에 오르다 ; 여러 사람의 입에 오르다〔비난・칭찬의 대상이 되다〕. ***mettre*** 〔***tenir, placer***〕 qn ***sur la ~*** …을 엄하게〔장시간〕 심문하다.

sellier [sɛ〔e〕lje] *m.* 마구공(工) ; 안장 제조공.

‡selon [s(ə)lɔ̃] *prép.* 《다음 말과 연음하지 않음》 ① …에 따라, …대로(= suivant) ; …만큼, …에 맞추어(= en proportion de) : faire qc ~ les règles 규칙에 따라 일을 하다 / traiter les gens ~ leur mérite 사람들을 재능만큼 응분의 대우를 하다. ② …에 의하면 ; …의 의견〔설・생각〕에 따르면(= d'après) : ~ les journaux 신문〔보도〕에 따르면 / ~ moi 내 생각으로는. ③ …의 관점으로 보아 : dépenser ~ ses moyens (재력으로 보아) 응분의 지출을〔소비를〕 하다. ④ 《~ que+*ind.*》 …에 따라서: ~ *qu'*on est riche ou pauvre 빈부에 따라서 / ~ *que* vous travaillerez ou non 당신이 일하는가 안하는가에 따라. ***C'est ~.*** 《구어》 그건 경우에 달렸다.

semailles [s(ə)ma:j] *f. pl.* 씨뿌리기(= ensemencement) ; 파종(기(期)) : les ~ et la moisson 파종기와 수확기.

‡semaine [s(ə)mɛn] *f.* ① ⓐ 주(週) : cette ~ 이번 주(에) / la ~ prochaine 내주(에) / en fin de ~ 주말에 / au début de la ~ 주초에 / billet de fin de ~ 주말 차표 / La ~ légale est de 40 heures. 법정 취업 시간은 주당 40 시간으로 되어 있다. ⓑ 1 주간 : une fois par ~ 주 1 회 / trois *~s* de congé, 3 주간의 휴가 / la ~ du livre 독서 주간. ② 《집합적》 위크데이, 취업일, 평일《일요일 또는 토요일 이외의 요일들》 : Cette route est moins encombrée en ~ qu'au week-end. 이 길은 평일에는 주말보다 덜 붐빈다. ③ 취업 시간으로 본 1 주일, 주당 취업 시간 : la ~ de quarante heures 주당 40 시간의 취업〔제도〕. ④ 일주분의 임금〔용돈〕 : payer à un ouvrier sa ~ 노동자에게 주급을 지불하다 / Il a déjà dépensé sa ~. 그는 벌써 한 주일치의 자기 용돈을 써 버렸다. ⑤ 주번, 주무(週務) : officier de ~ 주번 사관. ***à la petite ~*** 그때그때, 잠정적으로 : vivre *à la petite* ~ 그날그날 살아가다. ***à la ~*** 주 단위로 ; 주급으로 : chambre louée *à la* ~ 주 단위로 세낸 방. ***en ~ ; pendant la ~*** 평일에. ***la ~ des quatre jeudis*** 결코, 절대로 (…아니다). ***prendre la ~*** 주번이 되다, 주번 근무를 하다. ***~ anglaise*** 영국식 주일 근무제 : faire la ~ *anglaise* 일요일과 토요일 오후를 쉬다.

semainier, ère [s(ə)mɛ〔e〕nje, -ɛ:ʀ] *n.* 주당번〔당직〕. — *m.* 주간 근무표 ; 주별 책력 〔일력〕.

sémantique [semɑ̃tik] 〖언어〗 *f.* 의미론. — *adj.* 의미론의 ; 의미의.

sémaphore [semafɔ:ʀ] *m.* ① (해안에 있는)

S

신호기〔소〕. ② 〖철도〗 완목(腕木) 신호기.

***semblable** [sɑ̃blabl] *adj.* ① 《~ à》 …와 같은〔닮은〕, …와 비슷한(= pareil)(≠ différent) : deux individus ~*s* 서로 닮은 두 사람/ maison ~ *à* celle de son oncle 숙부의 집과 비슷한 집. ② 《명사 앞에서 강조적으로》 그〔이〕러한, 그〔이〕 같은 : ~*s* propos 그런 말 / Qui pourrait commettre de ~*s* bévues? 누가 그런 실수를 할 것인가?
— *n.* 《소유형용사와 함께》 ① 같은〔닮은·비슷한〕것 〔사람〕, 비길 만한 것〔사람〕: Il n'a pas son ~. 그를 따를 만한 사람이 없다. ② (*pl.*) 동류(同類), 동포 : vous et vos ~*s* 당신과 당신의 동포 / aider ses ~*s* 자기 동포〔동류〕를 도와 주다.

semblablement [sɑ̃blabləmɑ̃] *adv.* 그와 같이, 마찬가지로 ; 역시, 또한.

semblant** [sɑ̃blɑ̃] *m.* ① 외관, 겉모양. ② 가장, 겉보기. ***faire ~ de+*inf.* 〔***que***+*ind*〕 …하는 체하다 : Il *fait* ~ *de* pleurer. 그는 우는 체한다 / Je ne dormais pas, je *faisait* seulement ~. 나는 자고 있지 않았다. 그런 척하고 있었을 뿐이었다. ***faux ~*** 거짓 꾸밈. ***ne faire ~ de rien*** 아무런 일도 없는 체하다, 시치미 떼다. ***sous un ~ de*** …의 가면을 쓰고. ***un ~ de*** 외견상의, 겉뿐인 : *un ~ de* bonheur 허울뿐인 행복.

‡sembler [sɑ̃ble] *v.i.* … 처럼〔같아〕 보이다, …듯하다, …같다. ① 《속사와 함께》 Les heures m'*ont semblé* longues. 나에게는 시간이 긴 것 같았다 / Vous me *semblez* fatigué. 당신은 피로한 듯이 보이오. ② 《*inf.* 와 함께》 Vous *semblez* le regretter. 그것을 후회하는 것 같구려 / Chaque minute me *semblait* durer une heure. 1분 1분이 내겐 한 시간이나 계속되는 듯했다.
— *v. impers.* …와 같이 보이다〔생각되다〕. ① 《속사와 함께》 ⓐ 《~+형용사+de+*inf.*》 Il me *semble* inutile de vous le dire. 그것을 당신에게 말한다는 건 소용없을 것 같소. ⓑ 《~+형용사+que+*sub.*〔*ind.*〕》 Il *semble* évident *que* c'est un complot. 그것은 음모임이 분명한 듯하다. ② 《Il semble que +*sub.*〔*ind.*〕》 *Il semble qu*'il *n*'y ait 〔a〕 rien à faire. 할 일이 없는 것 같다 / *Il semble qu*'il fait plus chaud aujourd'hui qu'hier. 어제보다 오늘이 더 더운 것 같다 / *Il semble qu*'il serait plus prudent de consulter un médecin. 의사에게 진찰받는 것이 더 신중한 행동일 듯하다. ③ 《Il me 〔te; lui〕 semble+*inf.*》 *Il me semble* vous l'avoir dit. 나는 너희들에게 그것을 이미 말한 것 같다. ④ 《Il me 〔te; lui〕 semble que +*ind.*〔*cond*; *sub.*〕 / *Il me semble que* vous trompez. 당신이 잘못 생각한 것 같소 / *Il* ne *me semble* pas *que* cela soit possible. 내 생각으로는 가능한 것 같지 않다. ⑤ 《삽입구로》 Il est déjà parti, *semble*-t-il. 그는 이미 떠난 것 같다. ***ce me semble; à ce qu'il me semble*** 나의 생각으로는. ***comme bon vous semble*(*ra*) *; ce que bon vous semble*(*ra*) *; ce qu'il vous semble bon; ce qui vous semble bon*** 당신 좋으실 대로. ***Il me* 〔*te, lui,* etc.〕 *semble que***+*ind.* 《주절이 부정일 경우에는+*sub.*》 나〔너·그·그녀〕에게는 …처럼 생각된다. ***Que vous en semble?*** 그것을 어떻게 생각하십니까? ***Que vous semble*(*-t-il*) *de...?*** …에 대해 어떻게 생각하십니까?

semé, e [s(ə)me] *adj.* 《~ de》 …이 뿌려진 ; 산포된, 산재하는 : ciel ~ *d*'étoiles 별들이 총총한 하늘 / compagne ~*e d*'arbres 나무들이 여기저기 흩어져 있는 들판.

semelle** [s(ə)mɛl] *f.* ① (신·구두의) 바닥, 창 ; (양말 따위의) 바닥 ; 안창 : soulier à double ~, 2중 창의 구두 / remettre des ~*s* à des souliers 구두창을 갈다. ② 발의 길이〔크기〕. ***battre la ~ 발을 녹이려고 발바닥을 마주치다 ; 도보로 둘이 서로 여행하다. ***ne pas avancer d'une ~*** 제 자리에 머물러 있다. ***ne pas quitter*** qn ***d'une ~*** …의 뒤를 악착같이 따라다니다. ***ne pas reculer* 〔*rompre*〕 *d'une ~*** 한발짝도 물러서지 않다.

***semence** [s(ə)mɑ̃:s] *f.* ① 씨, 종자(= grain) : blé de ~ 밀 씨앗. ② 《비유》 원인 : ~*s* de discorde 불화의 씨 / jeter les ~*s* d'une révolution 혁명의 씨를 뿌리다. ③ 〖생리〗 정액(精液)(= sperme). ④ 자손 : la ~ d'Abraham 〖성서〗 아브라함의 자손. ⑤ 〖보석〗 잔 알 : ~ de perles 작은 알의 진주.

‡semer [s(ə)me] *v.t.* 4 *v.t.* ① 씨를 뿌리다, 파종하다 : ~ du blé 밀씨를 뿌리다 / ~ un champ 밭에 씨를 뿌리다 / 《목적보어 없이》 Il faut ~ pour récolter. 거두어들이려면 씨를 뿌리지 않으면 안 된다. ② 《비유》 (씨앗 이외의 것을) 흩뿌리다 ; (소문·불평·공포 따위를) 퍼뜨리다, 유포하다(= disséminer) : ~ son argent 돈을 뿌리다 / ~ de faux bruits 소문을 퍼뜨리다 / ~ la discorde 불화의 씨를 유포하다. ③ 《문어》 《~ qc de qc》 …에 …을 뿌리다 : ~ un chemin *de* fleurs 길에 꽃을 뿌리다. ④ 《~ qn》 《문어》 …을 쫓아 버리다, 떼어 버리다 ; (미행 따위를) 따돌리다 ; 〖스포츠〗 (경쟁 상대를) 뒤처지게 하다 : ~ un importun 귀찮은 녀석을 쫓아 버리다. ***récolter ce qu'on a semé*** 《격언》 자업자득, 인과응보(因果應報)《뿌린 씨를 거두어들임》. ***~ en terre ingrate*** 보답 없는 친절을 베풀다, 헛수고하다. ***~ le bon grain*** 좋은 사상을 널리 퍼뜨리다. — ***se ~*** *v.pr.* 씨가 뿌려지다 : Le blé *sème* en automne. 밀은 가을에 파종된다.

***semestre** [s(ə)mɛstʀ] *m.* ① 6개월, 반년, (1년의) 반기(半期) : ~ de janvier 〔d'hiver〕 상반기 / ~ de juillet 〔d'été〕 하반기. ② 6개월마다 지급되는 수당〔연금〕(= rente payée par ~). ③ 〖학교〗 6개월간의 학기 : être en plein 〔fin de〕 ~ 학기 중간〔말〕이다. ④ 6개월 근무 ; 〖군사〗 반기 휴가 : être en ~ 반기 휴가 중이다.

semestriel, elle [s(ə)mɛstʀijɛl] *adj.* ① 6개월〔반년〕마다의 : revue ~*elle* 연 2회 발간되는 잡지. ② 6개월간의, 반년간의 : congé ~ 6개월간의 휴가.

semestriellement [s(ə)mɛstʀijɛlmɑ̃] *adv.* 《드물게》 6개월〔반년〕마다.

semeur, euse [s(ə)mœ:ʀ, -ø:z] *n.* ① 씨 뿌리는 사람. ② 퍼뜨리는 사람 ; 유포자, 전파자 : ~ de faux bruits 헛소문을 퍼뜨리는 사

람 / ~ de troubles 혼란을 야기하는 사람.

semi- *préf.* 「반(半) · 준(準)」의 뜻.

semi-aride [s(ə)miaʀid] *adj.* 반사막 같은, 불모의 : terre ~ 반불모의 땅.

semi-automatique [s(ə)miɔ(o)tɔmatik] *adj.* 반자동식의 : arme ~ 반자동식 총.

semi-auxiliaire [s(ə)miɔ(o)ksiljɛːʀ] 〖언어〗 *adj.* 준조동사적인 : verbe ~ 준조동사 《aller, devoir, faire, laisser 따위》. ── *m.* 준조동사.

semi-circulaire [s(ə)misiʀkylɛːʀ] *adj.* 반원(형)의 : canaux ~*s* 〖해부〗 (내이(內耳)의) 삼반규관(三反規管).

semi-conducteur, trice [s(ə)mikɔ̃dyktœːʀ, -tʀis] *m.* et *adj.* 〖전기〗 반도체(의) : substances ~*trices* 반도체 물질.

semi-consonne [s(ə)mikɔ̃sɔn] *f.* 〖언어〗 반자음《[ɥ], [j], [w]》(= semi-voyelle).

semi-fini, e [s(ə)mifini] *adj.* 〖경제〗 반제품(半製品)의.

sémillant, e [semijɑ̃, -ɑ̃ːt] *adj.* 쾌활한, 활발한 : esprit ~ 활발한 정신.

séminaire [seminɛːʀ] *m.* ① 신학교(= grand ~) : petit ~ 신학 예비교, 중등 신학교《학생은 반드시 성직자일 필요는 없음》. ② 세미나 ; 연구회, 연수회 : ~ de sociologie 사회학 세미나 / participer à un ~ de formation 연수 세미나에 참가하다.

séminal, e, aux [seminal, -o] *adj.* 〖의학〗 정액, 정자의 : liqueur ~*e* 정액 / pertes ~*es* 유정(遺精), 몽정.

séminariste [seminaʀist] *m.* 신학생 ; 신학 연구생.

semi-nasal, e, aux [s(ə)minazal, -o] *f.* et *adj.* 〖언어〗 반비자음(= consonne ~*e*)(의).

sémio- *préf.* 「신호 · 기호」의 뜻.

semi-occlusive [s(ə)miɔklyziːv] *f.* 〖언어〗 반폐쇄음.

sémiologie [semjɔlɔʒi] *f.* ① 〖의학〗 징후학(= séméiologie). ② 기호학(= sémiotique).

sémiologique [semjɔlɔʒik] *adj.* ① 〖언어〗 기호학의. ② 〖의학〗 징후학의.

sémioticien, enne [semjɔtisjɛ̃, -ɛn] *n.* 기호론 학자.

sémiotique [semjɔtik] *f.* et. *adj.* 〖언어 · 논리〗 기호론(= sémiologie)(의).

semi-public [s(ə)mipyblik] *adj.* 〖법률〗 반관반민의 : entreprise ~ 반관반민의 기업.

sémique [semik] *adj.* = sémantique.

semi-remorque [s(ə)miʀ(ə)mɔʀk] *f.* 〖자동차〗 (앞바퀴가 없이 직접 견인차에 연결된) 세미 트레일러, 트레일러 트럭.

semis [s(ə)mi] *m.* 〖농업 · 원예〗 ① 씨뿌리기, 파종(법) : ~ à la volée 흩뿌리기, 살포파종 / ~ en ligne 줄뿌림, 조파(條播) / ~ au semoir 기계로 파종하기. ② 묘상(苗床), 모판, 못자리 : ~ sur couches 묘상. ③ 모, 묘목 : ~ d'œillets 카네이션의 모.

sémite [semit] *adj.* 셈(Sem)족〔사람〕의 ; 《특히》 유대인〔민족〕의. ── **S~** *n.* 셈사람《중동 지방의 제민족》; 《특히》 유대인.

sémitique [semitik] *adj.* ① 셈족〔사람〕의. ② 〖언어〗 셈어계(語系)의 : langues ~*s* 셈어족《히브리어 · 아랍어 · 이집트어 따위》.

semi-voyelle [s(ə)mivwajɛl] *f.* 반모음《[ɥ], [j], [w]》(= semi-consonne).

semoir [s(ə)mwaːʀ] *m.* ① 씨앗〔종자〕 주머니, 종자통. ② 파종기(播種機).

semonce [s(ə)mɔ̃ːs] *f.* ① 견책, 질책, 훈계(= réprimande) : donner 〔recevoir〕 une ~ 꾸중하다〔듣다〕. ② 〖해군〗 (다른 배에 대한) 국기 게양〔정선〕 명령 : coup de 〔canon de〕 ~ 국기 게양〔정선〕을 명령하는 공포(空砲).

semoncer [s(ə)mɔ̃se] *v.t.* 견책〔질책 · 훈계〕하다. ② 〖해양〗 (다른 배에) 국기 게양〔정선〕을 명령하다.

semoule [s(ə)mul] *f.* 굵은 밀가루〔곡식 가루〕; (옥수수로 만든) 녹말 : ~ de maïs 옥수수 가루 / sucre ~ 굵은 설탕.

sempiternel, elle [sɛ̃pitɛʀnɛl] *adj.* 끝없는, 끊임없는 ; 변함없는(= invariable), 한결같은 : ~*s* reproches 끊임없는 비난.

sempiternellement [sɛ̃pitɛʀnɛlmɑ̃] *adv.* 영원히, 끝없이 ; 변함없이, 한결같이.

semtex [sɛmtɛks] *m.* 강력 플라스틱 폭탄.

***sénat** [sena] *m.* ① (아테네 · 로마의) 원로원. ② (프랑스의) 상원 ; 상원 의사당.

sénateur [senatœːʀ] *m.* 원로원〔상원〕 의원 : un train de ~ 육중하고 느린 발걸음.

sénatorial, e, aux [senatɔʀjal, -o] *adj.* 상원〔원로원〕 의원의 : élections ~*es* 상원 의원 선거.

séneçon [sɛ(e)nsɔ̃] *m.* 〖식물〗 개쑥갓.

sénégalais, e [senegalɛ, -ɛːz] *adj.* (*le Sénégal*)의. ── **S~** *n.* 세네갈 사람.

sénescence [senesɑ̃ːs] *f.* 〖생물〗 노쇠 ; 노화 ; 노화 증세.

sénescent, e [senesɑ̃, -ɑ̃ːt] *adj.* 노쇠해 가는, 노화 증세를 보이는. ── *n.* 노인.

sénevé [sɛ(e)nve] *m.* 〖식물〗 흑겨자(의 씨).

sénile [senil] *adj.* ① 노인의, 노년의 : démence ~ 노인성 치매. ② (노인의) 망령.

sénilité [senilite] *f.* 노쇠, 노후(老朽) : ~ précoce 조로(早老).

senior [senjɔːʀ] *n.* et. *adj.* 〖스포츠〗 시니어(의)《주니어와 베테랑의 중간》.

senne [sɛn] *f.* 〖어업〗 예인망(曳引網).

‡sens[1] [sɑ̃ːs] *m.* ① 감각 (기능 · 능력) : L'homme a cinq ~; la vue, l'ouïe, le toucher, l'odorat et le goût. 인간에게는 오감이 있다 ; 시각, 청각, 촉각, 후각, 미각이 그것이다 / organes des ~ 감각 기관. ② (*pl.*) 관능, 성감(= sensualité) ; 성욕, 정욕(= instinct sexuel) : plaisir des ~ 관능적 쾌락 / éveiller 〔exciter, allumer, troubler〕 les ~ 관능〔정욕〕을 눈뜨게 하다〔자극하다〕. ③ 《~ de》 …의〔에 대한〕 감각, 직감, 센스 : le ~ *de* l'humour 해학의 센스 / le ~ *de* la réalité 현실 감각 / le ~ *du* beau 미에 대한 센스, 심미감. ④ 의식(= conscience) : perdre le ~ 제정신을 잃다 / ~ moral 도덕 의식, 도덕감. ⑤ 지각, 사려, 분별, 양식(良識) : avoir du ~ 사려 분별이 있다 / homme de ~ 양식 있는 사람. ⑥ 견해, 의견, 생각(= avis, opinion) ; 관점(= point de vue) : À mon ~, c'est absurde. 내 생각으로는 그것은 어리석은 일이다 / Ce qu'il dit va dans mon ~. 그가 말하는 것은 내 견해와 일치한다. ⑦ ⓐ 뜻, 의미(= signification): au ~ étroit 〔large〕 de mot 낱말의 좁은〔넓은〕 뜻으로(는) / mot à double ~ 두 가지 의미를

S

가진 말. ⓑ 의의(意義), (존재 이유의) 의미 : donner un ~ à sa vie 자기 인생에 의의를 부여하다. ***le ~ commun*** 상식 ; 〖철학〗 공통 감각《모든 감각의 통합된 지각 기능》: Cela n'a pas de ~ *commun.* 그것은 상식에 어긋난 일이다. ***tomber sous le ~*** 〔***les ~***〕 명약관화〔명백〕하다 : Il *tombe sous le ~* que... …하는 것은 명백하다.

sens² *m.* ① 취지, 방침 ; (진행) 방향 : prendre des mesures dans ce ~ 이 취지에 따른 조치를 강구하다. ② ⓐ 방향, 방면 : dans le ~ des aiguilles d'une montre 시계 바늘이 도는 방향으로 / dans tous les ~ 〔en tous ~〕 어떤 방향〔사방팔방〕으로. ⓑ (차의) 진행 방향 : ~ interdit 차량 진입 금지(로) / rue à ~ unique 〔deux ~〕 일방〔쌍방〕 통행로. ~ [sɑ̃] ***dessus dessous*** 뒤죽박죽으로 ; 정신없이 : mettre qn ~ *dessus dessous* …을 정신이 어지럽게 만들다, 얼떨떨하게 만들다. ~ [sɑ̃] ***devant derrière*** 앞뒤를 뒤바꾸어.

sensation** [sɑ̃sasjɔ̃] *f.* ① 감각, 느낌 ; 기분, 인상 : ~ de malaise 불쾌감 / ~ de fatigue 피로감 / ~ de chaud 뜨겁다는 느낌 / J'avais la ~ d'être guetté. 나는 감시당하는 것 같은 기분이다. ② 감동, 흥분, 센세이션 : Ce livre a fait ~. 이 책은 센세이션을 일으켰다. ***à ~ 센세이션을 일으키는, 이목을 끄는 : événement 〔nouvelle〕 *à ~* 센세이션을 일으키는 사건〔소식 · 보도〕.

sensationnalisme [sɑ̃sasjɔnalism] *m.* 센세이셔널리즘, 선정(煽情)주의.

***sensationnel, elle** [sɑ̃sajɔnɛl] *adj.* ① 센세이셔널한, 자극적인 ; 선정적인 : nouvelle *~elle* 센세이셔널한 뉴스. ②《구어》 굉장한, 비상한(= extraordinaire) ; 뛰어난 : acteur ~ 출중한〔비상한〕 배우. ── *m.* 센세이셔널함 ; 선정적임.

***sensé, e** [sɑ̃se] *adj.* 지각 있는, 사려〔분별〕 있는, 도리에 맞는(= raisonnable) : conduite *~e* 분별 있는 소행.

senseur [sɑ̃sœːʀ] 〔영〕 *m.* 〖전자〗 센서, 탐지 장치.

sensibilisation [sɑ̃sibilizɑsjɔ̃] *f.* ① 〖사진〗 (사진 건판 · 필름 따위의) 감도를 높이기. ②《비유》 여론의 환기, (사회 문제에) 예민하게 하기 : La ~ des gens à ce problème est grande. 이 문제에 대해 사람들은 매우 민감하다. ③ 〖생물〗 과민화, 알레르기.

***sensibiliser** [sɑ̃sibilize] *v.t.* ① 〖사진〗 (사진 건판 · 필름 따위의) 감도를 높이다. ②《~ à》 …에 대하여 민감〔예민〕하게 하다, 관심을 불러일으키다 : ~ l'opinion publique *au* problème d'emploi 여론을 고용 문제에 민감하게 하다. ③ 〖생물〗 (사람 · 기관에) 알레르기를 일으키다.── **se ~** *v.pr.* 《se ~ à》 …에 민감해지다.

***sensibilité** [sɑ̃sibilite] *f.* ① ⓐ 감각 : ~ de l'oreille 귀의 감각 / ~ à la chaleur 더위에 대한 감각. ⓑ 감수성 ; (지성에 대한) 감성, 민감성(≠ insensibilité) : ~ romantique 로맨틱한 감수성(의 사람). ② 다정다감함 ; 인정, 동정심 : avoir de la ~ 인정이 많다. ③ (계량기 따위의) 감도 ; 〖사진〗 감광도 ; 〖의학〗 (검사약 따위의) 정밀도.

sensible** [sɑ̃sibl] *adj.* ① 《~ à》 감성을 갖춘, 감각이 있는. ② 감수성이 강한〔예민한〕, (다정)다감한(= émotif) ; 인정 많은(= compatissant, humain). ③ 《~ à》 …을 감각할〔느낄〕 수 있는 ; …에 대해 민감한 : être ~ *à* la musique 음악에 대한 감수성이 풍부하다 / Je suis ~ *à* vos attentions. 당신의 친절을 고맙게 여기고 있습니다 / avoir la peau ~ 피부가 예민하다 ; 신경질이다. ④ 아픔을 쉬 느끼는, 취약〔허약〕한(= délicat, fragile) : ~ au froid 추위에 약한 / être ~ de la gorge 목이 약하다, 감기 들기 쉽다. ⑤ 감도(感度)가 높은 : plaque ~ 〖사진〗 건판(乾板). ⑥ 감지될〔느낄〕 수 있는(= perceptible) ; 〖철학〗 감성적인 : monde ~ 감각 세계 / différence à peine ~ 거의 느낄 수 없는 차이. ⑦ 눈에 띄는, 두드러진, 현저한(= notable) : progrès *~s* 현저한〔상당한〕 진보. ***d'une manière ~ 뚜렷이, 현저히. ***point ~*** 약점 ; 주요 시설.

***sensiblement** [sɑ̃sibləmɑ̃] *adv.* ① 두드러지게, 현저히, 상당히 : Les prix ont ~ augmenté. 물가가 현저하게 올랐다 / La température a ~ baissé. 기온이 상당히 내렸다. ② 《구어》 거의(= à peu près) : Ces deux garçons ont ~ la même taille. 이 두 소년은 키가 거의 같다.

sensiblerie [sɑ̃sibləʀi] *f.* (지나친) 감상(感傷) : faire de la ~ 값싼 감상을 나타내 보이다, 감상적이 되다.

sensitif, ive [sɑ̃sitif, -iːv] *adj.* ① 감각의, 감을 전하는 : nerf *~s* 지각 신경. ② 신경과민의. ── *n.* 신경과민의 사람.

sensoriel, elle [sɑ̃sɔʀjɛl] *adj.* 〖생리〗 감각(중추) 기관의 ; 감각의 : réaction *~elle* 감각반응.

sensualisme [sɑ̃sɥalism] *m.* ① 〖철학〗 감각론. ② 관능주의.

sensualiste [sɑ̃sɥalist] *n.* 감각론자, 관능주의자. ── *adj.* 감각론의, 관능주의의.

sensualité [sɑ̃sɥalite] *f.* ① 관능성, 호색(= érotisme) : pose pleine de ~ 관능적인 자세. ② (*pl.*) 성적 쾌락, 육욕. ③ 감각적 욕망.

***sensuel, elle** [sɑ̃sɥɛl] *adj.* ① 관능적인, 육감적인(= charnel) : volupté *~elle* 관능적 쾌락 / bouche *~elle* 육감적인 입. ② (사람이) 색을 밝히는, 육욕에 빠진 : Il a un tempérament ~. 그는 색을 밝힌다. ③ 신체적인.

sensuellement [sɑ̃sɥɛlmɑ̃] *adv.* 관능적〔육감적〕으로.

sentence [sɑ̃tɑ̃ːs] *f.* ① 격언, 금언. ② (재판관의) 판결, 선고(= arrêt) ; (심판관의) 판정(= jugement) : prononcer 〔exécuter〕 une ~ 판결을 내리다. ***rendre un ~*** (심판이) 판정을 내리다. ***~ de mort*** 사형 선고.

sentencieusement [sɑ̃tɑ̃sjøzmɑ̃] *adv.* ① 격언투로. ② 점잔 빼며, 젠체하며.

sentencieux, euse [sɑ̃tɑ̃sjø, -øːz] *adj.* ① 격언풍〔투〕의 ; 격언을 즐겨 쓰는 : discours ~ 격언을 많이 쓰는 연설. ② (어조 따위가) 점잔 빼는, 거드름 피우는, 젠체하는 : ton ~ 거만한 어조.

senteur [sɑ̃tœːʀ] *f.* ① 향기(= parfum) ; 향료. ② 〖식물〗 pois de ~ 스위트피.

senti, e [sɑ̃ti] *adj.* (표현 따위가) 생생한, 절실한 : Rien de ~. 절실한 맛이 통 없다. ***bi-***

en ~ 뼈에 사무치게 절실한, 통절한 : paroles *bien ~es* 충심으로부터의 말 / vérités *bien ~es* 통절한 진리.

sentier** [sɑ̃tje] *m.* ① (산·숲속의) 좁은 길, 오솔길 : ~ de forêt 숲속의 오솔길. ② 《비유》 (영광·정의 따위의) 길 : être sur le ~ de la guerre 싸움터로 나갈 채비가 되어 있다. ***suivre les ~s battus 손쉬운(상투적인) 방법을 따르다.

⁑sentiment [sɑ̃timɑ̃] *m.* ① ⓐ (희노애락 따위의) 감정, 마음, 기분 : ~ de haine 증오심 / exprimer 〔manifester〕 ses *~s* 감정을 표현하다 / ~ de tendresse 상냥한 마음. ⓑ 애정, 사랑(= *~s* amoureux) ; 감상(感傷), 정(情) : Elle partage mes *~s.* 그녀와 나는 사랑하는 사이다 / déclarer ses *~s* à qn …에게 사랑을 고백하다 / agir par ~ 정에 휘말려 행동하다. ② 의식, 자각(= conscience) ; 인상, 느낌(= impression) : Il a le ~ de sa faiblesse. 그는 자기가 약하다는 것을 자각하고 있다 / ~ de son devoir 의무감 / J'ai le ~ qu'il ne m'aime pas. 그가 나를 사랑하지 않는 느낌이 든다. ③ (예술에 대한) 감각, 센스(= sens) : avoir le ~ très vif 〔fin〕 du beau 미(美)에 대한 예민〔섬세〕한 감각을 지니다. ④ 《~ sur》 …에 대한 소견, 의견 : exprimer son ~ *sur* un problème 어떤 문제에 대해 견해를 피력하다. ***au ~ de*** qn : *au ~ de* mon père 아버지의 의견에 의하면. ***parler à ~s ouverts*** 기탄없이 말하다. ***partager les ~s de*** qn …와 의견을 같이 하다.

***sentimental, e, aux** [sɑ̃timɑ̃tal, -o] *adj.* 감정적〔감상적〕인 ; 애정의〔에 관한〕 : caractère ~ 감상적인 성격 / vie *~e* d'une personne 한 사람의 애정 생활. ── *n.* 감정적인 사람.

sentimentalement [sɑ̃timɑ̃talmɑ̃] *adv.* 감상적으로, 감성적으로.

sentimentalisme [sɑ̃timɑ̃talism] *m.* 감상주의, 센티멘털리즘.

sentimentalité [sɑ̃timɑ̃talite] *f.* 감상적인 성격〔태도〕, 감상벽.

sentine [sɑ̃tin] *f.* (더러운 물이 괴는) 배 밑바닥 ; 《비유》 더러운 곳.

sentinelle [sɑ̃tinɛl] *f.* 〖군사〗 보초, 파수병 : placer 〔relever〕 une ~ 보초를 세우다〔교대시키다〕.

⁑sentir [sɑ̃tiːʀ] [18] *v.t.* ① (감각으로) 느끼다, 감각하다 ; 감각으로 알다(= percevoir) : ~ le chaud 〔le froid〕 더위〔추위〕를 느끼다 / Je *sens* trembler le plancher. 마룻바닥이 흔들리는 것을 느낀다 / ~ ses bras 〔jambes〕 《구어》 팔이〔다리가〕 아프다. ② (어떤 감정을) 느끼다 : ~ de la joie 〔du chagrin〕 기쁨〔슬픔〕을 느끼다 / 《~ qc + *inf.*》 Il *sentit* la colère le gagner. 그는 분노가 치밀어 오르는 것을 느꼈다. ③ (정신적으로) 느끼다 ; 의식하다 ; 직감하다, 알아채다 (= deviner) ; 예감하다(= pressentir) : Il ne *sent* pas sa force. 그는 자기의 힘을 의식하지 못하고 있다 / Je *sens* que ce livre vous plaira. 이 책은 마음에 드실 것 같습니다. ④ …의 냄새를 맡다 : Il est enrhumé, il ne *sent* plus rien. 그는 감기가 들어서 통 냄새를 모른다 / ~ une rose 장미의 냄새를 맡다 (= flairer). ⑤ …의 냄새가 나다, …의 냄새를 풍기다 : ~ le brûlé 타는 냄새가 나다 / ~ l'essence 휘발유 내가 나다 / une piece qui *sent* le moisi 곰팡내가 나는 방. ⑥ …의 맛이 나다〔풍미가 있다〕 : Ce vin *sent* son terroir. 이 포도주는 산지 특유의 풍미가 있다. ⑦ …의 느낌을 주다, …의 낌새를 보이다 : ouvrage qui *sent* le travail 애쓴 낌새가 〔흔적이〕 보이는 작품 / Il *sent* le cadavre. 그는 죽을 날이 가깝다. ***faire ~*** 느끼게〔깨닫게〕 하다 : Il me *fait* ~ son autorité. 그는 내게 자기의 권위를 느끼게 한다. ***ne (pas) pouvoir ~*** qn …을 몹시 미워하다〔싫어하다〕. ***se faire ~*** 느껴지게 되다, 나타나다 : une douleur qui *se fait* ~ 차차 심해지는 고통. ***~ quelque chose pour*** qn …에게 마음이 끌리다.

── *v.i.* 냄새가 나다, 악취를 풍기다 : Ça *sent.* 《구어》 냄새가 고약하다 / Cela *sent* comme un baume. 향료 같은 냄새가 난다 / Ce poisson commence à ~. 이 생선은 상한 냄새가 나기 시작한다 / ~ de la bouche 입 냄새가 나다. ***~ bon*** 〔***mauvais***〕 냄새가 좋다〔나쁘다〕 : Ces roses *sentent* très *bon.* 이 장미는 매우 향기롭다 / Cela *sent bon* dans cette chambre. 이 방에서는 좋은 냄새가 난다 / ne pas ~ *bon* 낌새가 수상하다 〔신통찮다〕.

── **se ~** *v.pr.* ① ⓐ 자기 자신을 느끼다, 의식〔자각〕하다 : un jeune artiste qui commence à *se* ~ 제 재능을 자각하기 시작한 젊은 예술가. ⓑ 《se ~+속사》 자기 자신을 …하게 느끼다 : *se* ~ fatigué 피곤한 느낌이 들다 / *se* ~ bien 〔mal〕 기분이 좋다〔나쁘다〕. ⓒ 《se ~+*inf.*》 Je *me sens* renaitre. 나는 다시금 소생한 느낌이다《me는 renaitre의 주어》 / Elle *se sent* presser de 〔dans〕 ses bras. 그녀는 자기가 그의 팔〔품〕에 껴안기는 것을 느낀다《se는 presser의 목적보어》. ② 《se ~ de+qc 〔+*inf.*〕》 …의 영향을 입다〔받다〕, …의 결과를 지니다 (= se ressentir de) : Je *me sens* encore *de* cette blessure. 그 상처가 아직도 쑤신다. ③ 《se는 간접목적보어》 스스로 …을 느끼다 : Il *se sentait* le cœur plus libre. 그는 마음이 한결 자유로움을 느끼고 있었다. ④ 느껴지다, 파악되다 : Mais voyons, ça *se sent !* 그야 뻔한 것 아니야《설명이 필요 없다는 뜻》. ***ne pas pouvoir se ~*** 서로 참지 못하다, 서로 미워하다. ***ne pas se ~ de joie*** 기뻐서 어쩔 줄 모르다 : ***se ~ de*** …의 흔적을 느끼다, 영향을 받다. ***Tu ne sens plus ?*** 《구어》 (아니) 미쳤어.

seoir [swaːʀ] [63] *v.i.* 《활용형은 3 인칭 단수 (현재·반과거·미래·조건법·접속법 현재) 및 현재분사 seyant 만》 ① 《옛·문어》 《~ à》 …에 어울리다 : Cette coiffure vous *sied* très bien. 그 모자는 당신에게 아주 잘 어울린다. ② 《비인칭》 《~ à》 …에 적합하다, 부합하다 : Cette vanité ne *sied* pas bien avec la piété. 그런 허영심은 신앙심과 부합하지 않는다.

sep [sɛp] *m.* ① 〖해양〗 밧줄 매는 말뚝. ② 쟁깃술(= cep)《쟁기 날을 붙이는 목질부》.

S

sépale [sepal] *m.* 〖식물〗 꽃받침 조각, 악편(萼片).

séparable [separabl] *adj.* 분리할 수 있는 ; 〖수학〗 가분(可分)의.

séparateur, trice [separatœːr, -tris] *adj.* 분리하는. — *m.* 분리기 ; 〖전기〗 격리판(板) : ~ de sens (도로의) 중앙 분리대.

séparation** [separasjɔ̃] *f.* ① 가르기, 분리 : ~ des pouvoirs 〖정치〗 삼권 분립. ② 결별, 이별 : ~ d'avec qn …와의 이별 / ~ de deux amis 두 친구의 결별. ③ (집합체의) 이산(離散), 해산 : ~ d'une assemblée 산회(散會). ④ 경계, 구획(= démarcation) ; 구별, 구분(= distinction) : établir une ~ entre deux terrains 두 지역 사이에 경계를 긋다. ***~ de corps 〔***de biens***〕 〖법률〗 부부 별거〔재산 분할〕.

séparatisme [separatism] *m.* 〖정치 · 종교〗 분리주의.

séparatiste [separatist] 〖정치 · 종교〗 *n.* 분리주의자. — *adj.* 분리주의(자)의.

séparé, e [separe] *adj.* ① 다른, 별개의(= distinct). ② 《~ de》 …에서 갈라진, 헤어진 : Nous ne pouvons vivre un instant ~*s*. 우리는 한시도 헤어져서 살 수 없다 / vivre ~ *de* sa femme 아내와 별거하다.

séparément [separemɑ̃] *adv.* 따로따로, 별개로, 분리하여 : interroger des témoins ~ 증인들을 따로따로 신문하다.

‡séparer [separe] *v.t.* ① 분리하다, 떼어놓다 : ~ deux personnes qui se battent 싸우는 두 사람을 떼어놓다 / ~ A d'avec B, A를 B와 분리시키다. ② 가르다, 분할하다, 나누다(= partager) ; 경계 짓다 : ~ une chambre en deux par une cloison 칸막이로 방을 둘로 나누다 / Les Pyrénées *séparent* l'Espagne de la France. 피레네 산맥은 에스파냐와 프랑스의 경계가 되어 있다. ③ 구별하다, 가려내다(= distinguer) : ~ des problèmes pour mieux les résoudre 더 잘 해결하기 위해서 문제를 가려내다 / ~ la théorie et la pratique 이론과 실제를 구별하다. ④ 헤어지게 하다, 이별〔별거〕시키다 : La mort seule pourra les ~. 오직 죽음만이 그들을 헤어지게 할 수 있으리라.
— **se ~** *v.pr.* ① 분리되다, 갈라지다 : La rivière *se sépare* en deux. 이 강은 두 개로 갈라진다. ② 《se ~ de》 …와 헤어지다: Elle *s'est séparée de* son mari. 그녀는 남편과 헤어졌다. ③ 《~ de》 …을 내놓다, 포기하다 : Elle a dû *se ~ de* ses bijoux. 그녀는 보석을 내놓지 않으면 안 되었다. ④ (회합 따위가) 해산하다 : L'assemblée *se sépare*. 집회는 산회한다.

sépia [sepja] *f.* ① 오징어의 먹물. ② 〖미술〗 세피아《수채화용 암갈색 물감》; 세피아로 그린 그림.

‡sept [sɛt] 《고어에서는 자음으로 시작되는 명사 · 형용사 앞에서는 [sɛ]》 *adj. num.* 《불변》 ① 7의, 일곱의 : jours de la semaine, 1주의 7일. ② 《서수 대신으로》 7번째의, 제7의 : Charles ~ 샤를 7세《Charles Ⅶ로 쓰이는 것이 보통》/ page 〔chapitre〕 ~ 제7 페이지〔장〕. — *m* 《복수불변》 7, 일곱 ; 7일 ; (카드의) 7의 패 : le ~ mars, 3월 7일 / le ~ de carreau 다이아몬드의 7.

septante [sɛptɑ̃ːt] *adj. num.* 《불변》 《옛 · 지방어》 70의(= soixante-dix)《벨기에 · 스위스 및 프랑스 남동부에서 현재 사용함》.

‡septembre [sɛptɑ̃ːbr] *m.* 9월 : en 〔au mois de〕 ~ 9월에.

septennal, e, aux [sɛpte(ɛn)nal, -o] *adj.* 7년마다의 ; (의회 따위가) 임기 7년의 : festival ~, 7년마다 열리는 축제 / présidence ~*e* 임기 7년의 대통령제〔의장제〕.

septennat [sɛpte(ɛn)na] *m.* 〖프랑스사〗 7년 정치《1873년에 제정된 임기 7년의 대통령제》.

septentrion [sɛptɑ̃tri(j)ɔ̃] *m.* 《문어》 북, 북쪽(= nord) : au ~ 북쪽에.

septentrional, e, aux [sɛptɑ̃tri(j)ɔnal, -o] *adj.* 북쪽의, 북쪽에 위치한(≠ méridional) : l'Europe ~*e* 북유럽 / pôle ~ 북극.

septicémie [sɛptisemi] *f.* 〖의학〗 패혈증(敗血症).

septième** [sɛtjɛm] *adj.num.* ① 7번째의, 제7의. ② 7분의 1의. ***être au ~ ciel 제7천국에 있다, 다시 없는 행복〔기쁨〕을 맛보다. ***~ art*** 제7예술《영화》. — *n.* 7번째, 7번째의 것〔사람〕: être le 〔la〕 ~ (석차가) 7번째이다. — *m.* ① 7분의 1 : trois ~*s* 7분의 3. ② 8층(= ~ étage). ③ (파리의) 7구(區). — *f.* 제7학급(= ~ classe) : élève de ~ 제7급의 학생《초등 6년생에 상당함》.

septièmement [sɛtjɛmmɑ̃] *adv.* 7번째로.

septique [sɛptik] *adj.* 〖의학〗 부패성의, 패혈증성(性)의 ; 세균 감염성의. ***fosse ~*** (염기성 세균 작용에 의한) 분뇨 정화조.

septuagénaire [sɛptɥaʒenɛːr] *adj.* et *n.* 70세의 (노인).

septuple [sɛptypl] *adj.* 7배의, 일곱 갑절의. — *m.* 7배, 일곱 갑절.

sépulcral, e, aux [sepylkral, -o] *adj.* ① 무덤의, 분묘의. ② (얼굴 · 목소리가) 무덤에서 나온 듯한, 음울한 : voix ~*e* (무덤 밑바닥에서 들려오는 듯한) 음울한 음성.

sépulcre [sepylkr] *m.* 《문어》 무덤, 묘(= tombeau). ***le saint-S~*** 성묘(聖墓)《예루살렘에 있는 예수의 무덤》.

sépulture [sepyltyːr] *f.* ① 《문어》 매장(= inhumation) : corps resté sans ~ 매장되지 않은 시체. ② 묘지, 묘소 : ~*s* militaires 군인 묘지.

sépuelle [sekɛl] *f.* ① 연속, 연발 : une ~ d'injures 잇따라 퍼붓는 욕설. ② (보통 *pl.*) 〖의학〗 후유증. ③ (사건의) 여파 : les ~*s* de la guerre d'Algérie 알제리 전쟁의 여파.

séquence [sekɑ̃ːs] *f.* ① 〖카드놀이〗 점수 차례로 3장 이상 갖추어진 같은 빛깔의 카드. ② 〖음악〗 반복 진행. ③ 〖영화〗 시퀀스《일련의 화면이 모여 이루어지는 영화의 구성 단위》. ④ 〖언어〗 사열(辭列), 요소 연속.

séquentiel, elle [sekɑ̃sjɛl] *adj.* 연속적인, 일련의, 계열성의 ; 〖언어〗 요소 연속의.

séquestration [sekɛstrasjɔ̃] *f.* 〖법률〗 불법 감금 ; 유폐, 격리.

séquestre [sekɛstr] *m.* ① 〖법률〗 (계쟁물(係爭物)의 제3자에의) 기탁, 공탁 : mettre un bien sous ~ 재산을 기탁〔공탁〕하다. ② 기탁물 보관자. ③ (적국 재산의) 접수.

S

séquestrer [sekɛstʀe] *v.t.* ① 〖법률〗 (계쟁물을) 기탁〔공탁〕하다. ② 〖법률〗 불법 감금하다 ; 유폐하다, 격리하다 : ~ des otages 인질을 불법 감금하다. ── **se ~** *v.pr.* 은둔〔은거〕하다.

sé〔e〕quoia [sekɔja] *m.* 〖식물〗 세쿼이아 《캘리포니아 지방의 거대한 삼나무》.

sérac [seʀak] *m.* ① 〖지질〗 탑상빙괴(塔狀氷塊), 빙탑. ② 스위스산의 흰 치즈.

sérail [seʀaj] *m.* (*pl.* **~s**) (터키 황제의) 궁전 ; 후궁(= harem).

séraphin [seʀafɛ̃] *m.* 〖종교〗 세라핀, 치품천신(熾品天神)《9 계급 중 최고 천사》.

séraphique [seʀafik] *adj.* ① 치품 천신의. ② 천사 같은(= angélique) : air ~ 천사 같은 모습.

serein**[1]**, e** [s(ə)ʀɛ̃, -ɛn] *adj.* ① (날씨 · 하늘 따위가) 맑은, 청명한 : temps ~ 청명한 날씨. ② 평온한(= paisible, tranquille) : jours ~s 평온한 나날. ③ (태도 · 표정 따위가) 침착한, 차분한 : regard 〔visage〕 ~ 차분한 눈매〔표정〕. ***un coup de tonnerre dans un ciel ~ 청천벽력.

serein[2] [s(ə)ʀɛ̃] *m.* 밤이슬, 밤의 냉기 : prendre le ~ 밤이슬에 젖다.

sereinement [səʀɛnmɑ̃] *adv.* 차분하게, 침착하게.

sérénade [seʀenad] *f.* ① 〖음악〗 세레나데, 야상곡. ② 《구어》 (한밤중의) 소란.

sérénité [seʀenite] *f.* ① (하늘 · 날씨의) 맑음, 청명함, 화창함 ; 잔잔함, 고요함. ② 평온 : ~ de l'esprit 마음의 평온함. ③ 침착함, 차분함 : avec ~ 침착하게. ④ 냉정함, 공평함.

séreux, euse [seʀø, -ø:z] *adj.* 〖해부〗 장액성(漿液性)의 ; 장액 과다의. ── *f.* 〖의학〗 장액막(= membrane ~*euse*).

serf, ve [sɛʀf, sɛʀv] *n.* (중세 봉건 시대의) 농노(農奴)의.

serfouette [sɛʀfwɛt] *f.* 〖농업〗 괭이와 갈퀴를 겸한 농구.

serge [sɛʀʒ] *f.* 〖직물〗 세루, 사지.

sergent [sɛʀʒɑ̃] *m.* ① 〖군사〗 (프랑스 육군 · 공군의) 중사, 하사. ② 《옛》 ~ de ville 순경.

sergent-chef [sɛʀʒɑ̃ʃɛf] *m.* (*pl.* **~s-~s**) 〖군사〗 (육 · 공군의) 상사.

sergent-major [sɛʀʒɑ̃maʒɔ:ʀ] *m.* (*pl.* **~s-~s**) 〖군사〗 (육 · 공군의) 특무 상사.

sériciculteur [seʀisikyltœ:ʀ] *m.* 양잠업자.

sériciculture [seʀisikylty:ʀ] *f.* 양잠(업).

série** [seʀi] *f.* ① 연속, 일련(= suite, succession) : numéros de ~ 일련번호 / une ~ d'accidents 연속된 사고. ② (도구 따위의) 한 벌, 세트 ; 총서, 시리즈 ; (대량 생산된) 일련의 규격품《옷 · 구두 따위》 : compléter la ~ 세트를 갖추다. ③ (분류했을 때의) 같은 무리, 부류, 조(組) : classer qc par ~s 조별(組別)로 분류하다. ④ ⓐ 〖수학〗 급수 : ~ géométrique 등비(等比)급수. ⓑ 〖전기〗 직렬(直列) ; 〖화학〗 계(열) : montage en ~ 직렬 접속(≠ en parallèle) / ~ éthylénique 에틸렌계. ⓒ 〖생물〗 족(族) ; 〖식물〗 계(系). ⓓ 〖지질〗 통(統). ⑤ 〖스포츠〗 ⓐ 예선. ⓑ 부류, 급 : joueur classé dans la première ~ 톱 그룹에 랭크된 경기자. ***de ~ (획일) 대량 생산 방식의 : voiture *de* ~ 대량 생산된 차. ***en ~*** ⓐ (획일) 대량 생산 방식으로. ⓑ 연속의〔하여〕 : attentats *en* ~ 일련의 테러 행위. ⓒ 〖전기〗 직렬로. ***hors ~*** ⓐ 규격외의 : article *hors* ~ 특제품, 특대품. ⓑ 훌륭한, 뛰어난 : collaborateur *hors* ~ 뛰어난 협력자.

sérier [seʀje] *v.t.* 계열로 구분하다 ; 차례로 배열하다.

***sérieusement** [seʀjøzmɑ̃] *adv.* ① 열심히, 부지런하게 : travailler ~ 열심히 일하다〔공부하다〕. ② 진정으로, 정말로, 진지하게. ③ 대단히 ; 몹시(= gravement) : être ~ malade 병세가 대단하다.

****sérieux, euse** [seʀjø, -ø:z] *adj.* ① 진지한, 성실한, 착실한(≠ frivole, futile) ; (태도 · 표정 따위가) 정색을 한 : élève ~ et appliqué 성실하고 근면한 학생 / des lectures ~*euses* 진지한 독서 / une maison de commerce ~*euse* 착실한 상사 / d'un air ~ 정색을 하고, 진지한 태도로 / offre ~*euse* 성실한 제안. ② 근엄한(= grave). ③ 견실한 ; 얌전한(= rangé) ; (복장 따위가) 검소한, 점잖은 : costume ~ 점잖은 복장 / jeune fille ~*euse* 얌전한 아가씨. ④ 진정인, 진실인(= vrai) : C'est ~ ! 정말입니다. ⑤ 중대한(= important) ; 심상치 않은, 심각한 ; (병 따위가) 중한 ; 위험한 : maladie ~*euse* 중병 / affaire ~*euse* 중대한 사건. ⑥ 《명사 앞》 (질 · 양이) 확실한 ; 상당한, 막대한. ── *m.* ① 진지함, 성실함 ; 근엄〔엄숙〕한 표정〔태도〕. ② 중대성, 심각함 : le ~ d'une situation 상황의 심각함. ***prendre*** qc ***au ~*** …을 중시하다 ; …을 사실로 믿다 : Il a *pris* très au ~ cette plaisanterie. 그는 이 농담을 진지하게 받아들였다. ***prendre*** qn ***au ~*** …의 말을 곧이듣다, …의 행동을 사실로 믿다. ***se prendre au ~*** 잘난 체하다, 건방지게 굴다.

sérigraphie [seʀigʀafi] *f.* ① 〖직물〗 실크스크린 날염법(捺染法). ② 〖인쇄〗 실크스크린 인쇄(술).

serin, e [s(ə)ʀɛ̃, -in] *m.* ① 〖조류〗 방울새 무리 ; 카나리아(= ~ domestique). ② 《구어》 어리석은 사람, 바보.

seriner [s(ə)ʀine] *v.t.* ① (새에게) 새 풍금(serinette)으로 노래를 가르치다. ② 자꾸 되풀이해서 말하다〔가르치다〕.

seringa(t) [s(ə)ʀɛ̃ga] *m.* 〖식물〗 고광나무.

seringue [s(ə)ʀɛ̃:g] *f.* 분무기 ; (= ~ à arrosage) ; 주입기 ; 〖의학〗 주사기 ; 세척기.

seringuer [s(ə)ʀɛ̃ge] *v.t.* ① (소독물로 상처 따위를) 씻다, 세척하다. ② (약을) 주사하다, 주입하다. ③ 〖원예〗 …에 분무하다.

sérique [seʀik] *adj.* 〖의학〗 혈청의〔에 관한〕. ***réaction ~*** 혈청 반응, 혈청병.

serment [sɛʀmɑ̃] *m.* ① 서약, 맹세 ; 선서 : faux ~ 거짓 선서 ; 위증 / rompre son ~ ; manquer à son ~ 서약을 깨뜨리다. ② 《옛》 사랑의 맹세. ***faire ~ de*** + *inf.* …할 것을 맹세하다. ***prêter ~*** 선서하다 : faire prêter ~ à qn …에게 선서시키다 : ***~ d'ivrogne*** 《구어》 주정뱅이의 맹세 ; 지켜지지 않는 약속. ***~ professionnel*** 사법관 · 법원 소속 공무원의 선서. ***témoigner sous ~*** 선

서해서 증언하다.

sermon [sɛʀmɔ̃] *m.* ① 〖종교〗 설교, 강론(= prêche) : prononcer 〔faire〕 un ~ sur qc …에 관해서 설교하다. ② 《구어》 《경멸》 장황한 훈계.

sermonner [sɛʀmɔne] *v.t.* …에게 설교〔잔소리〕하다 : ~ un enfant 아이에게 잔소리하다.

sermonneur, euse [sɛʀmɔnœːʀ, -øːz] *n.* 설교하기 좋아하는 사람, 잔소리꾼. — *adj.* 설교하기 좋아하는, 잔소리를 잘하는.

séro- *préf.* 「장액·혈청」의 뜻.

séro-diagnostic [seʀɔdjagnɔstik] *m.* 〖의학〗 혈청 진단(법).

sérologie [seʀɔlɔʒi] *f.* 〖의학〗 혈청학 ; 혈청에 의한 항체 검사.

séronégatif, ive [seʀɔnegatif, -iːv] *adj.* 혈청 항체 반응 음성의, 《특히》 에이즈 항체 음성의.

séropositif, ive [seʀɔpozitif, -iːv] *adj.* 혈청 항체 반응 양성의, 《특히》 에이즈 항체 양성의. — *n.* 양성 혈청을 가진 사람 ; 에이즈 바이러스 보균자.

sérosité [seʀozite] *f.* 〖생리〗 장액(漿液).

serpe [sɛʀp] *f.* (나무베기·가지치기에 쓰이는) 낫도끼. ***fait* 〔*taillé*〕 *à la* ~ 〔*à coups de* ~〕** 윤곽이 거칠고 투박하게 생긴.

*__serpent__ [sɛʀpɑ̃] *m.* ① 〖동물〗 뱀 : ~ de verre (발 없는) 도마뱀. ② 악마, 마귀 ; 간특〔교활·간사〕한 사람 ; 배반자. ③ 〖음악〗 《옛》 뱀 모양의 나팔 ; (뱀처럼) 구불거리는〔사리는〕 것. ***langue de* ~** 독설가. ***nourrir* 〔*réchauffer*〕 *un* ~ *dans son sein*** 배은망덕한 자에게 은혜를 베풀다.

serpentaire [sɛʀpɑ̃tɛːʀ] *m.* 〖조류〗 사식조(蛇食鳥).

serpenteau [sɛʀpɑ̃to] *m.* (*pl.* ~***x***) ① 새끼뱀. ② 뱀 모양의 꽃불.

serpenter [sɛʀpɑ̃te] *v.i.* (길·강 따위가) 사행(蛇行)하다, 구불구불하다 : Le ruisseau *serpente* à travers la prairie. 시냇물이 초원을 구불거리면서 흘러간다.

serpentin, e [sɛʀpɑ̃tɛ̃, -in] *adj.* 뱀 같은 : danse ~*e* 뱀처럼 몸을 뒤트는 춤. — *m.* ① (증류기 따위의) 나선관(螺旋管). ② 색종이 테이프.

serpette [sɛʀpɛt] *f.* (나뭇가지를 자르는) 작은 낫.

serpillière [sɛʀpijɛːʀ] *f.* 〖직물〗 삼부스러기로 짠 거친 천(으로 된 걸레).

serpolet [sɛʀpɔlɛ] *m.* 〖식물〗 백리향(百里香)의 일종.

serrage [sɛʀaːʒ] *m.* (매듭·나사 따위를) 죄기.

serre [sɛːʀ] *f.* ① 압착. ② (*pl.*) (맹금(猛禽)·맹수의) 발톱 : ~*s* de l'aigle 독수리의 발톱. ③ 온실(= ~ chaude) : plante sous ~ 온실에서 가꾼 식물 / ~ à forcer 촉성 재배용 온실. ***effet de* ~** 〖기상〗 온실 효과. ***fruit de* ~ *chaude*** 온실 재배한 과일.

*__serré, e__ [seʀe] *adj.* ① 빽빽한, 밀집한(= compact) ; (피륙 등이) 올이 촘촘한 : Nous sommes *serrés* comme des harengs dans ce salon. 이 살롱은 콩나물시루 같군 / écriture ~*e* 깨알 같은 글씨 / tissu ~ 촘촘한 천. ② (옷이) 몸에 꼭 붙는〔끼는〕, 꽉 죄는 : robe ~*e* 몸에 꼭 끼는 드레스. ③ (거리가) 좁혀진, (서로) 밀어붙인, 답답한 : à distance ~*e* 가까운 거리에서 / On est un peu ~ ici. 이곳은 (좁아서) 좀 답답하다 / en rangs ~*s* 열을 좁혀서. ④ 간결한, 치밀한, 면밀한 : style ~ 간결한 문체 / critique ~*e* 치밀한 비평. ⑤ (승부가) 백중한 ; (사정이) 긴박〔절박〕한 : discussion ~*e* 격론 / lutte ~*e* ; match ~ 접전 / jeu ~ 긴박한 시합. ⑥ (재정적으로) 궁핍한, 옹색한 : budget ~ 긴축 예산 / vie ~ 옹색한 생활. ***avoir le cœur* ~** (슬픔으로) 가슴이 메는 것 같다. ***les dents* ~*es*** 이를 악물고.
— *adv.* ① 빽빽〔촘촘〕하게 : écrire ~ 자간〔행간〕을 꽉 채워 쓰다 / semer ~ 촘촘하게 (씨앗을) 뿌리다. ② 신중하게, 조심스럽게 : jouer ~ 신중하게 행동〔처신〕하다.

serre-joint(s) [sɛʀʒwɛ̃] *m.* 《복수불변》 나사로 된 거멀못, 죔쇠, 클램프.

serre-livres [sɛʀliːvʀ] *m.* 《복수불변》 북엔드, 책꽂이틀(= presse-livre).

serrement [sɛʀmɑ̃] *m.* 꽉 쥐기 ; 꽉 죄기. ~ ***de cœur*** 가슴이 메는 듯한〔비통한〕 심정. ~ ***de main*(*s*)** 악수.

⁑**serrer** [sɛʀe] *v.t.* ① ⓐ 죄다, 조르다, 묶다 : ~ un nœud 매듭을 죄다 / ~ le cou à qn …의 목을 조르다. ⓑ (옷 따위를) 꼭 끼게 하다 ; 졸라매다 : Cette jupe me *serre* un peu. 이 스커트는 약간 꼭 낀다 / Une ceinture de cuir lui *serrait* la taille. 그녀는 가죽 벨트를 단단히 졸라맸다. ② 꽉 잡다 ; 껴안다 : ~ la main à qn …와 악수하다 / ~ qn dans ses bras …을 품 안에 껴안다. ③ (주먹을) 불끈 쥐다 ; (이를) 악물다 ; (입·입술을) 꼭 다물다, (양미간을) 찌푸리다 : ~ les poings 주먹을 꼭 쥐다 / ~ les lèvres 입술을 꼭 다물다. ④ …의 간격을 좁히다(= rapprocher) ; …을 몰아붙이다 : ~ les lignes 행간을 좁히다 / ~ ses concurrents de près 경쟁 상대를 몰아붙이다. ⑤ (문체·이론 따위를) 간결하게 하다, 치밀〔면밀〕하게 하다 : ~ une question de près 문제를 면밀히 규명하다 / ~ son style 문체를 간결하게 하다. ⑥ ⓐ …에 육박〔근접〕하다 : ~ une ville (군대 따위가) 도시에 육박하다. ⓑ …에 근접하여〔바싹 붙어서〕 가다 : voiture qui *serre* le trottoir 인도에 바싹 붙어서 가는 자동차. ⑦ (볼트·너트를) 죄다 ; (브레이크를) 걸다 : ~ un écrou 너트를 죄다 / ~ un frein 브레이크를 걸다. ⑧ (가격을) 내리다 ; (시간을) 단축하다 : ~ les prix 가격을 내리다 / ~ les délais 기한을 단축하다. ~ ***la vis à*** qn …을 옥죄다, 엄하게 다루다. ~ ***le cœur* 〔*la gorge*〕 *à*** qn …의 가슴〔목〕을 조르다 : Cette nouvelle *lui serra le cœur.* 그 소식에 그녀는 가슴을 죄었다. ~ ***sa droite* 〔*sa gauche*〕** 차를 길의 오른쪽〔왼쪽〕에 붙이다.
— **se** ~ *v.pr.* ① 《se ~ la main》 악수하다 : Ils *se serrent la main.* 그들은 악수를 하고 있다. ② 《se ~ contre qn》 …에게 몸을 바싹 붙이다 : enfant qui *se serre contre* sa mère 엄마에게 몸을 바싹 붙인 아이. ③ 간격을 좁히다, 자리를 좁혀 앉다 : *Serrez-vous,* s'il vous plaît. 간격을 좁혀 주세요. ④ (가슴이) 죄어들다 ; (코르셋 따위로) (자기) 몸통을 죄다.

serre-tête [sɛʀtɛt] *m.* 《복수불변》 ① 머리

띠. ② (머리에 꼭 끼는) 비행모(帽).

***serrure** [sɛRyːR] *f.* 자물쇠 : ~ d'un coffrefort 금고 자물쇠 / mettre 〔laisser〕 la clé dans 〔sur〕 la ~ 자물쇠에 열쇠를 집어넣다.

serrurerie [sɛRyRRi] *f.* 자물쇠〔철물〕 제조〔판매〕업, 자물쇠 제조술〔공장〕, 자물쇠 장사.

ser-s, -t ⇒ servir.

sertir [sɛRtiːR] *v.t.* ① (보석 · 창유리 따위를) 끼우다, 박다(= enchâsser). ② (끼워 넣는 식으로) 접합하다.

sertissage [sɛRtisaːʒ] *m.* (보석 따위를) 끼우기, 박기 ; (끼워 넣기식) 접합, 고정.

sertisseur, euse [sɛRtisœːR, -øːz] *n.* 반지에 보석을 끼우는 세공사. — *m.* (총기의) 약협(藥莢) 장전기.

sertissure [sɛRtisyːR] *f.* 보석 끼우는 법 ; (보석을 무는) 거미발.

sérum [seRɔm] *m.* ① 〖생리〗 유장(乳漿) ; 장액(漿液). ② 〖의학〗 혈청(血淸) : ~ antidiphtérique 디프테리아 혈청.

servage [sɛRvaːʒ] *m.* ① 〖역사〗 농노의 신분 ; 농노 제도. ② 예속, 굴종, 속박.

serval [sɛRval] *m.* (*pl.* **~s**) 〖동물〗 (아프리카산(産)의) 살쾡이의 일종.

servant, e[1] [sɛRvɑ̃, ɑ̃ːt] *adj.* 잡일을 하는 ; 섬기는, 시중드는. ***cavalier* 〔*chevalier*〕 ~** 귀부인을 흠모하여 시중드는 기사. — *m.* ① 〖가톨릭〗 (미사 때 신부를) 보좌하는 사람. ② 포탄 · 기관총탄 장전병.

servante[2] [sɛRvɑ̃ːt] *f.* 《옛 · 지방어》 하녀, 식모(= bonne).

***serveur, euse** [sɛRvœːR, -øːz] *n.* ① (식당의) 사환, (식당 · 바의) 여사환 ; (임시로 고용된) 식탁 시중꾼. ② 〖테니스〗 서브 넣는 사람. ③ 〖카드놀이〗 딜러《패를 돌리는 사람》.

serviabillité [sɛRvjabilite] *f.* 남의 일을 돌보아 주기 좋아하는 성미, 친절.

serviable [sɛRvjabl] *adj.* 남의 일을 돌보아 주기 좋아하는, 친절한, 서글서글한.

⁑**service** [sɛRvis] *m.* ① (주인 · 신 따위를) 섬기기 ; (사회 · 단체 따위를 위한) 봉사, 헌신 : être au ~ de qn …에게 고용되어 있다 ; …의 하인이다 / prendre qn à son ~ …을 고용하다, …을 하인으로 삼다 / se mettre au ~ de l'État 나라에 헌신하다. ② (호텔 · 식당 따위의 손님에 대한) 서비스, 접대 ; 서비스료(= pourboire) ; (상품에 대한) 서비스 : ajouter à la note 10 % pour le ~ 서비스료로 10 % 를 계산서에 가산하다 / Le ~ est médiocre dans cet hôtel. 이 호텔의 서비스는 신통치 않다 / ~ après-vente 애프터 서비스. ③ 식사〔식탁〕의 시중 ; (식사에서 차례차례 나오는) 요리 코스 ; (기차 · 여객선 따위에서) 여러 회(回)로 나누어 제공하는 식사 ; 식사 세트, 식기 한 벌 ; 여러 사람분의 냅킨 한 벌 : premier 〔second〕 ~ 제 1〔2〕 코스 ; 제 1〔2〕회 식사 / ~ à café 〔à thé〕 커피〔티〕 세트. ④ (의무적으로 해야 하는) 일, 근무, 복무 ; 병역(= ~ militaire) ; 〖종교〗 종교 의식, 제식(= ~ divin) ; 미사, 예배(= ~ religieux) : ~ funèbre 〔mortuaire〕 장례식 (미사). ⑤ 도움, 조력, 진력, 봉사, 헌신 : Je suis 〔Je me mets〕 (tout) à votre ~. 무엇이든지 시키시는 대로 하겠습니다 / offrir ses ~*s*; faire offre de ~ 힘껏 도와드리겠다고 말하다. ⑥ (*pl.*) (보수를 받고 하는) 일 ; 서비스업. ⑦ (봉사 · 공공) 업무 ; 업무 부문 ; (관청 따위의) 부(部), 국(局), 과(課) ; (병원의) 과(科) ; 〖군사〗 (위생 · 경리 따위의) 부(部) ; (교통 · 전기 따위의) 공사, 회사 : ~ central 본부 / ~ de la santé 〖군사〗 보건과 / ~ des eaux 급수과〔사업〕 / le ~ des transports 수송 업무 / le ~ des informations (신문사 따위의) 정보〔보도〕부. ⑧ 사용(= usage) ; 효용, 유용, 쓸모(= utilité) : mot d'un ~ assez rare 별로 쓰이지 않는 말 / faire un bon ~ 쓸모가 있다 / étoffe d'un bon ~ 튼튼한 천. ⑨ (기차 · 기선 · 따위의) 운행, 운항 ; (교통 기관의) 편(便) : ~ des bateaux 〔des trains〕 배〔기차〕편. ⑩ (대포 따위의) 조작, (기계 따위를) 가동시키기. ⑪ (신문 · 잡지 따위의) 배달, 배부(= expédition, distribution), 배포 : On lui fait le ~ gratuit de la revue. 그에게 잡지를 무료로 우송한다. ⑫ 〖스포츠〗 (테니스 · 배구 따위의) 서브 : faire un ~ 서브를 넣다. ⑬ (극장의) 우대〔초대〕권. ***À votre ~***. (감사의 말에 대하여) 천만의 말씀입니다. ***être à cheval sur le ~*** 매우 꼼꼼하다. ***être de ~*** 당직이다 ; 근무 중이다. ***faire le ~*** 집무를 수행하다 ; 식사〔식탁〕 시중을 들다. ***Qu'y a-t-il pour votre ~?*** 무엇을 도와 드릴까요? ***rendre ~*** 유용하다, 쓸모 있다 : Ça peut toujours *rendre* ~. 《구어》 그것은 아직도 쓸모가 있다. ***rendre ~ à*** qn …을 위해 수고하다〔힘쓰다〕. ***rendre un mauvais ~ à*** qn …에게 해를 끼치다 ; …을 난처하게 만들다. ***~ actif* 〔*obligatoire*〕** 현역〔의무 병역〕. ***~ libre*** 셀프서비스(의). ***~s publics*** 공공 사업 ; 공무(公務).

***serviette** [sɛRvjɛt] *f.* ① 냅킨(= ~ de table) ; 타월, 수건(= ~ de toilette) : ~ en papier (식탁에서 쓰는) 종이 냅킨. ② (서류 넣는) 손가방 ; 책가방.

serviette-éponge [sɛRvjɛtepɔ̃ːʒ] (*pl.* **~s-~s**) *f.* 수건, 타월.

servile [sɛRvil] *adj.* ① 농노의, 노예의 : condition ~ 노예의 신분〔신세〕. ② 노예 같은, 비굴한 : flatterie ~ 비굴한 아첨. ③ (독창성이 없고) 맹목적인 : ~ imitation 〔imitateur〕 맹목적 모방〔모방자〕.

servilement [sɛRvilmɑ̃] *adv.* 농노처럼 ; 비굴하게 ; 맹종적으로.

servilité [sɛRvilite] *f.* ① 노예근성, 비굴. ② (유행 따위의) 맹목적 추종〔모방〕.

⁑**servir** [sɛRviːR] 18 *v.t.* ① (임금 · 신 따위를) 섬기다 ; …에게 고용되어 있다, …의 하인이다 ; …의 시중을 들다 ; …을 위해 일하다 ; …에 이바지〔공헌 · 봉사〕하다 : ~ Dieu 신을 섬기다 / ~ sa patrie 〔l'État〕 조국〔국가〕에 봉사하다 / 《목적보어 없이》 *J'ai servi* pendant la guerre. 전쟁 중에 군에 복무했다. ② …의 식사〔식탁〕 시중을 들다 ; (식사를 식탁에) 차려 내다 ; 대접하다 : ~ qc chaud …을 식기 전에 대접하다 / ~ à boire à qn …에게 술을 대접하다 / *Servez*-nous la soupe. 우리에게 수프를 주세요 / À table! c'est *servi*. 오세요, 식사 준비 됐습니다. ③ (손님을) 대하다, 시중들다 : ~ un client 손님을 맞다 / Le boucher nous *a* bien 〔*mal*〕

S

〔*servis*〕 aujourd'hui. 오늘 정육점 주인이 우리에게 좋은〔좋지 않은〕 고기를 주었다. ④ 돕다, …에 도움이 되다, 구제하다(= secourir), 원조하다(= appuyer) : être prêt à ~ ses amis 언제든지 자기 친구를 도우려 하다 / Sa mémoire l'*a* mal *servi*. 그의 기억은 도움이 되지 못했다, 기억이 분명치 않았다. ⑤ 제공하다, 주다(= offrir, donner) : ~ une rente 〔une pension〕 연금을 주다. ⑥ (테니스에서 공을) 서브하다 : ~ la balle 공을 서브하다. ⑦ 《구어》 화제를 제공하다, 지껄이다 : ~ un mauvais compliment 쓸데없는 찬사를 늘어놓다. ⑧ (암컷과) 교미하다. ⑨ 〖카드놀이〗 (패를) 나눠 주다, 돌리다. ⑩ (대포 따위를) 조작하다, 쏘다 ; (기계를) 가동시키다. ⑪ 만족시키다 : ~ les passions de qn …의 욕망을 만족시키다. ***En quoi puis-je vous ~?*** 무엇을 도와 드릴까요, 무슨 용무이십니까? ***Pour vous ~, Monsieur*** 〔***Madame***〕. 예, 그렇습니다.

— *v.t. ind.* ① 《~ à》 …에 소용되다〔쓰이다〕, 도움이 되다(= être utile à) : Le couteau *sert à* couper. 칼은 자르는 데 쓰인다 / Ces livres m'*ont servi à* prèparer mon examen. 이 책들은 내가 시험 준비하는 데 도움이 되었다. ② 《~ de》 …의 구실을 하다 ; …으로 사용되다, …의 역할을 하다 : ~ *de* secrétaire à qn …에게 비서로 고용되다, …의 비서로 일하다 / La petite pièce *sert de* dèbarras. 작은 방은 광으로 쓰인다 / 《목적 보어 없이》 Ce dictionnaire ne *sert* plus. 이 사전은 이제 도움이 되지 못한다 / Cela ne me *sert* à rien. 그것은 나에게 아무 소용도 없습니다 / Son oncle lui *a servi de* père. 숙부가 그의 아버지를 대신했다. ***À quoi cela sert-il?*** 그게 무슨 소용이 있는가? ***À quoi sert(-il) de*** + *inf.* 〔***que*** + *sub.*〕 …해서 무슨 소용이 있겠는가.

— *v.i.* ① 소용되다. ② 병역에 복무하다. ③ 고용살이하다. ④ 〖테니스〗 서브를 넣다. ***Cela ne sert de rien.*** 그것은 아무 소용도 없다. ***Rien ne sert de*** + *inf.* …하는 것은 아무 소용도 없다.

— **se ~** *v.pr.* ① 《se ~ de》 쓰다, 사용하다 (= utiliser) : *se ~ d'*un briquet pour allumer une cigarette 라이터로 담배에 불을 붙이다 / *se ~ de* ses relations 친분 관계를 이용하다. ② (음식물을) 제 그릇에 덜다〔따르다〕 : *Servez*-vous de salade. 샐러드를 드십시오 / Il *se sert* de vin. 그는 포도주를 제 손으로 따르다 / *Servez*-vous mieux 듬뿍 좀 드세요. ③ 스스로 제 일을 하다. ④ 물건·식료품을 구입하다 : *se ~* chez un marchand 상점에서 물건을 사들이다. ⑤ (음식·술 따위가) 차려지다 : Ce vin doit *se ~* très frais. 이 포도주는 차게 해서 마신다. ⑥ 서로 도움이 되다.

serviteur [sɛʀvitœːʀ] *m.* ① 하인(= domestique). ② 봉사자, 섬기는 사람 : fidèle ~ de l'État 국가의 충실한 종복《공무원》 / ~ de Dieu 신의 종복《성직자·독실한 신자》. ***Votre*** (***très humble et très obéissant***) ~. 경백(敬白)《편지 끝에 쓰는 말》.

servitude [sɛʀvityd] *f.* ① 노예의 신분, 노예 상태. ② 예속, 종속 ; 복종, 굴종. ③ 《문어》 구속, 속박(= contrainte) : se délivrer de toute ~ 일체의 구속에서 해방되다 / ~ grammaticale 문법적 구속. ④ 〖법률〗 (공익을 위해 부과되는) 지역권(地役權). ***mettre*** qn ***en ~*** …을 예속시키다, 굴종시키다. ~ ***de passage*** 통행권.

servo- *préf.* 「(기계의) 자동 보조·제어」의 「뜻.

servocommande [sɛʀvɔkɔmɑ̃ːd] *f.* 〖기계〗 자동 제어 장치《자동 브레이크 따위》.

servo-direction [sɛʀvɔdiʀɛksjɔ̃] *f.* 〖자동차〗 서보 조종 장치《방향 조종을 돕는》.

servo-frein [sɛʀvɔfʀɛ̃] *m.* (*pl.* **~-~s**) 자동 제동기.

***ses** [se] *adj.* 《son, sa 의 복수형》 그(여자)의, 그것의.

sésame [sezam] *m.* ① 〖식물〗 참깨 : huile de ~ 참기름. ② ≪*S*~, ouvre-toi!≫ 「열려라 참깨!」 「아라비안나이트」에서 Alibaba 가 사용한 주문》.

***session** [sesjɔ̃] *f.* ① (의회 따위의) 회기(會期), 개회 기간 : ~*s* ordinaires 통상〔법정〕 회기. ② (대학의) 시험기 : première ~ des examens 학년말 시험.

sesterce [sɛstɛʀs] *m.* 〖고대로마〗 세스테르티우스 은화《2½ as》.

set [sɛt] 〔영〕 *m.* ① 〖테니스·탁구·배구〗 세트, 회전(回戰(= match) : une partie en cinq ~*s*, 5 회전 시합. ② 〖영화〗 세트.

setier [sətje] *m.* ① (곡식용의) 옛 용량(容量)《약 150-300 리터, 곡물에 따라 차이가 있음》. ② (액체용의) 옛 용량《8 pintes》.

setter [setɛːʀ] 〔영〕 *m.* 세터《사냥개의 일종》.

seuil** [sœj] *m.* ① 문지방, 문턱 ; 문간, 입구 : être assis sur le ~ 입구에 앉아 있다. ② 초입, 시초, 시작, 출발점, 벽두(劈頭), 일보 직전(= entrée, commencement) : jusqu'au ~ de la mort 임종 직전까지, 죽는 그 순간까지. ③ 〖심리〗 역(閾), 한계 : ~ de la conscience 식역(識閾). ④ 〖경제〗 분기점 : ~ de rentabilité 수지〔손익〕 분기점. ⑤ 〖지리〗 (하상(河床)의) 융기부 : ~ continentale 대륙붕. ***au 〔***sur le***〕 ***~ de*** …의 시초〔벽두〕에, …의 고비에서.

‡seul, e [sœl] *adj.* ① 《속사》 혼자인, 홀로인, 외로운(= solitaire) ; 유일무이한, 독특〔특이〕한(= unique, singulier) : Il croit qu'il est ~ de son espèce. 그는 자기가 특이한 종류의 존재라고 생각하고 있다 / être ~ dans le monde 〔dans la vie〕 이 세상에 홀로 살다, 외톨이다 / se trouver 〔se sentir〕 bien ~ 매우 적적하다〔적적함을 느끼다〕 / être ~ de son opinion 독자적인 의견을 갖다. ② 《부가 형용사》 ⓐ 《명사 뒤》 단독의, 혼자만의, 오직 …뿐의 : homme ~ 고독한 사람 / morceau pour violon ~ 무반주 바이올린 독주곡 / Il y avait à la table deux femmes ~*es*. 테이블에는 두 여자가 앉아 있을 뿐이었다. ⓑ 《명사 앞》 단 하나의, 유일한 : un ~ Dieu 유일신 / une ~*e* amie 단 하나의 여자 친구 / une ~*e* fois 단 한 번 / C'est le ~ homme qui + *sub.* 〔*ind.*〕 그는 …한 유일한 사람이다. ③ 《부사적 용법》 ⓐ 오직 …만이 : *S*~ un alpiniste aussi fort que lui peut faire cette ascension. 오직 그처럼 강한 등산가만이 그런 등반을 할 수 있

다 / *S*~ le hasard peut lui permettre de réussir. 오직 요행만이 그를 성공시켜 주리라. ⓑ 혼자서, 혼자 힘으로 : Un homme ~ ne peut+*inf.* 한 사람의 힘만으로 …할 수 없다 / Vous ~ êtes capable de+*inf.* 당신만이 …할 수 있다 / Il l'a fait ~. 그는 혼자서 그것을 했다. ***à moi* ~** 나 혼자서 ; 나 혼자에게만. ***Cela va tout* ~.** 그것은 저절로〔순조롭게〕 잘 되어 간다. **~ *à* ~** 1대 1로, 단둘이 (마주보며) : Les deux époux restaient ~ *à* ~(*e*). 그 부부는 늘 단 둘뿐이었다.

— *pron.* ①《le ~, la ~*e*》 유일한 사람〔것〕 : Il 〔Elle〕 fut *le* ~ 〔*la* ~*e*〕 à m'encourager. 그〔그녀〕는 나를 격려해 주는 유일한 사람이었다. ②《un ~, une ~》 단 한 사람〔하나〕 : Il n'a pas rempli *une* ~*e* de ses obligations. 그는 그의 의무를 하나도 다하지 않았다. ***pas un* ~** 단 한 사람〔하나〕도 : *Pas un* ~ de ses amis ne l'abandonna. 그의 친구들 가운데 한 사람도 그를 버리지 않았다.

seulement** [sœlmɑ̃] *adv.* ①《직전·직후의 말을 한정하여》 오직 …뿐, 다만 …만 : Nous étions trois ~. 우리는 오직 3명뿐이었다 / rester quelques jours ~ 며칠만 머무르다 / Travaillez ~ ! 그저 일〔공부〕만 하시오. ②《절의 첫머리에서 접속사 용법으로 대립과 제한을 나타냄》 그렇지만, 단지 : Vous pouvez aller le voir, ~ ne restez pas trop longtemps. 그를 만나러 가도 좋아요, 그렇지만 너무 오래 머물지 말고 / C'est une bonne voiture, ~ elle consomme beaucoup. 이것은 좋은 차지만, 단지 연료를 많이 잡아먹는다. ③ 방금, 막, 바로 ; 아직 : Il est arrivé ~ ce soir. 그는 바로 오늘 저녁에야 도착했다 / Il est ~ deux heures. 아직 2시다. ④《부정문에서》 …조차(도)(= même) : On ne nous a pas ~ donné un verre d'eau. 우리들에게 물 한 잔조차도 주지 않았다. ⑤《의문문에서》 적어도, …만이라도(= au moins) : Viendrez-vous ~ ? 오시기는 하겠죠, 오시는 거죠? ***non* ~..., *mais aussi* 〔*encore*〕...** 단지 …뿐만 아니라, 또한 …이다〔하다〕 : *Non* ~ il ne fait rien, *mais encore* il gêne les autres. 저 녀석은 아무것도 하지 않을뿐더러 남을 귀찮게 한다. ***pas* ~ ; ~ *pas …조차 …않다 : Il n'a *pas* ~ de quoi payer sa pension. 그는 하숙비 낼 돈조차 없다. ***sans* ~+*inf.*** …조차 없이〔하지 않고〕 : partir *sans* ~ dire au revoir 작별 인사조차 없이 떠나다. ***si* ~**《소망·아쉬움 따위》 그저 …만 하다면 : *Si* ~ j'étais à Paris ! 그저 내가 지금 파리에 있기만 한다면.

「의, 홀로인.

seulet, ette [sœlɛ, -ɛt] *adj.*《구어》 혼자만

***sève** [sɛːv] *f.* ① 수액(樹液), 진. ② 정기, 원기, 활기(= force, vigueur) : plein de ~ 활기에 넘치는, 팔팔한.

***sévère** [sevɛːʀ] *adj.* ① 엄한, 엄격한, 준엄한, 근엄한 : père ~ envers ses enfants 자식에 대해 엄한 아버지 / magistrat ~ 준엄한 법관. ② 가혹한, 통렬한 : mesures ~s 가혹한 조치 / adresser de ~*s* critiques à qn …을 통렬하게 비판하다. ③ (경쟁 따위가) 치열한 ; (기후 따위가) 혹독한 : climat ~ 혹독한 기후. ④ (손실 따위가) 막중한(= grave), 심각한 : subir des pertes ~*s* 막대한 손실을 입다. ⑤ (건축물·복장 따위가) 장식이 없는, 검소한(= austère, dépouillé) : costume ~ 검소한 복장.

sévèrement [sevɛʀmɑ̃] *adv.* 엄하게, 엄격〔엄중·준엄〕하게(= durement, rigoureusement) ; 가혹하게, 통렬하게.

sévérité [seveʀite] *f.* ① 엄격, 준엄 ; 엄중〔엄밀〕함(= dureté, rigueur) : élever un enfant avec ~ 아이를 엄하게 키우다 / ~ du verdict 판결의 준엄함. ②《문어》 근엄한 ; 소박함 : ~ du style 문장의 간소함.

sévices [sevis] *m.pl.* 〖법률〗 (흔히 아이에 대한) 학대, 가혹 행위 : exercer des ~ sur son fils 자식을 학대하다.

sévir [seviːʀ] *v.i.* ①《~ contre》 …에 대하여 엄벌을 가하다, 탄압하다(= punir) : ~ *contre* les fraudeurs 부정 행위자를 엄하게 단속하다. ② 창궐하다, 만연하다 ; 맹위를 떨치다 : Une épidémie de grippe *sévit* en ce moment. 현재 독감이 맹위를 떨치고 있다.

sevrage [s(ə)vʀaːʒ] *m.* ① 이유(離乳), 젖떼기. ② 〖의학〗 (마약·술 따위를) 끊도록 하기. ③ 〖원예〗 (휘묻이를) 떼어내기.

sevrer [s(ə)vʀe] [4] *v.t.* ① 젖떼다, 이유(離乳)시키다 : ~ un bébé 아기의 젖을 떼다. ②《~ qn de qc》 …에게서 …을 빼앗다(= priver) : ~ qn *de* ses droits 〔*de* distractions〕 …에게서 권리를〔즐거움을〕 앗아가다. — **se ~** *v.pr.*《se ~ de》 …을 박탈당하다, 빼앗기다.

sex(a)- *préf.* 「6·60」의 뜻.

sexagénaire [sɛgz(ks)aʒenɛːʀ] *adj.* 60대의. — *n.* 60대의 노인.

sexagésimal, e, aux [sɛgzaʒezimal, -o] *adj.* 60의 ; 60을 기초〔기본〕로 한, 60진법의 : fractions ~*es* 〖수학〗 60진법 / division ~*e* (분·초 따위의) 60구분.

sex-appeal [sɛksapil] 〔영〕 *m.* 성적 매력.

S.Exc.《약자》 Son Excellence 각하.

***sexe** [sɛks] *m.* ① 성(性) ; 성별 : ~ masculin 남성 / ~ féminin 여성. ② 성기(性器) ; 외부 생식기 : ~ de l'homme 〔de la femme〕 남성〔여성〕 성기. ③ 성욕(= sexualité) : obsession du ~ 성적 망집(妄執). ④《집합적》 남성 또는 여성,《옛》 여성. ⑤ 〖생물〗 성징(性徵), 성 : détermination du ~ 성의 결정.

sexisme [sɛksism] *m.* 여성 차별주의.

sexiste [sɛksist] *n.* et *adj.* 여성 차별주의자(의).

sexologie [sɛksɔlɔʒi] *f.* 〖의학〗 성(性)과학.

sexologue [sɛksɔlɔg] *n.* 성(性)과학자.

sex-shop [sɛksʃɔp] 〔영〕 *m.* 〔*f.*〕 (*pl.* ~-~*s*) 포르노 가게, 섹스숍 ; 섹스 용품점.

sextant [sɛkstɑ̃] *m.* ① 〖해양〗 6분의(六分儀). ② 〖수학〗 원의 6분의 1. ③ (le *S*~) 〖천문〗 6분의자리《남쪽의 성좌》.

sexualité [sɛksɥalite] *f.* ① 성 본능, 성욕. ② 〖생물〗 성징(性徵), 성별.

sexué, e [sɛksɥe] *adj.* 유성(有性)의, 성적 구조가 있는, 생식 기관을 가진.

sexuel, elle [sɛksɥɛl] *adj.* ① 성의, 성적인 ; 성욕〔성감(性感)〕의 : les parties ~*elles* 성

기, 생식기 / instinct ~ 성 본능 / obsédé 〔maniaque〕 ~ 이상(異常) 성욕자. ② 〖심리〗 성감대의 ; 성 충동에 관한.

sexuellement [sɛksɥɛlmɑ̃] *adv.* 성적으로, 성적 관점에서.

sexy [sɛksi] 〔영〕 *adj.* 《불변》 성적 매력이 「있는.

seyant, e [sɛjɑ̃, -ɑ̃:t] *adj.* (복장 · 머리 따위가) 잘 어울리는 : robe *~e* 잘 어울리는 드레스.

S.F. 《약자》 ① sans frais 〖상업〗 무상, 무료. ② système français 〖기계〗 프랑스 규격. ③ science fiction 공상 과학 소설〔영화〕.

S.F.I.O. 《약자》 Section française de l'Internationale ouvrière 국제 노동자 동맹 프랑스 지부《프랑스 사회당의 옛날 명칭》.

S.G. 《약자》 ① Sa Grâce (공장 · 대주교) 각하 ; 각하 부인《영국의 존칭》. ② Sa Grandeur 전하.

S.G.D.G. 《약자》 Sans garantie du gouvernement (특허품의 품질에 관해) 정부의 보증 없음.

S.G.D.L. 《약자》 Société des gens de lettres 문필가 협회.

shah [ʃa] *m.* = schah.

shaker [ʃɛkœ:ʀ] *m.* 셰이커, 칵테일 혼합기.

shako [ʃako] *m.* (앞에 깃털 장식이 달린) 원통 모양의 보병용 군모.

***shampoing, shampooing** [ʃɑ̃pwɛ̃] 〔영〕 *m.* ① 샴푸, 머리 감기, 세발(洗髮)(용 비누) : ~ antipelliculaire 비듬 샴푸 / se faire un ~ 샴푸로 머리를 감다. ② (마루 · 융단 세척용) 클리너.

shampoingner [ʃɑ̃pwiɲ(n)e], **shampooiner, shampouiner** [ʃɑ̃pwine] *v.t.* 세발(洗髮)해 주다. ── *v.i.* 머리를 감다.

shampoingneur, euse [ʃɑ̃pwiɲ(n)œ:ʀ, -ø:z], **shampooineur, euse ; shampouineur, euse** [ʃɑ̃pwinœ:ʀ, -ø:z] *n.* 세발(洗髮)하는 사람. ── *f.* (양탄자 · 바닥 청소용의) 거품 내는 기계.

shérif [ʃeʀif] 〔영〕 *m.* 〖영국행정〗 주(州)(= county) 집정관 ; (미국의) 보안관 : étoile de ~ 보안관 배지.

sherpa [ʃɛʀpa] 〔네팔〕 *m.* ① 히말라야의 산악 안내인. ② 《구어》 정상 회담의 막후 조정자.

sherry [ʃɛʀi] 〔영〕 *m.* 셰리주(酒).

shetland [ʃɛtlɑ̃:d] 〔영〕 *m.* 셰틀랜드《스코틀랜드산의 모직물》.

S

shilling [ʃiliŋ] 〔영〕 *m.* 실링《영국의 은화, 1 파운드의 1/20 ; 《약자》 s》. 「사.

shoot [ʃut] 〔영〕 *m.* ① 〖축구〗 슛. ② 마약 주

shooter [ʃute] *v.i.* ① 〖축구〗 슛하다. ② 마약 주사를 놓다.

shopping [ʃɔpiŋ] 〔영〕 *m.* 쇼핑, 장보기 : faire son 〔du〕 ~ 장을 보다, 쇼핑하다.

***short** [ʃɔʀt] 〔영〕 *m.* ① 〖의복〗 쇼트 팬츠. ② 〖영화〗 단편물《200 미터 이하의 필름》.

show [ʃo] 〔영〕 *m.* (특히 스타 중심의) 쇼.

show-business [ʃobiznɛs] 〔영〕 *m.* 《복수 불변》 흥행업, 쇼 비즈니스《《구어》 showbiz [ʃobiz] 로 생략》.

⁑**si**[1] [si] 《il, ils 앞에서만 **s'**》 *conj.* ① 만약 …이면. ⓐ 《si+직설법 현재 · 과거 : 조건과 결과 사이의 밀접한 관계를 표시함》 *S'*il est deux heures, il est déjà parti. 지금 2 시라면, 그는 이미 떠나 버렸을 것이다 / Je ne partirai pas, *s'*il pleut. 비가 오면 외출하지 않겠다 / *S'*il vient et *si* je suis 〔que je sois〕 absent, dites-lui de m'attendre. 그가 찾아오고 내가 자리에 없으면 나를 기다리고 있으라고 말하시오《미래의 상태》 / Il faut se donner du mal, *si* l'on veut reussir. 성공하고 싶으면 고생해야 한다《범시적 진리》 / *S'*il est parti à midi, il y est arrivé à 2 heures. 정오에 떠났으면 그는 2 시에는 닿았을 것이다《과거의 사실》. ⓑ 《si+반과거 · 대과거 : 현재 · 과거의 비현실적 가정 ; 주절 동사는 조건법임》 *Si* j'étais riche, j'achèterais une voiture. 내가 부자라면 차를 한 대 살 텐데 / *S'*il n'avait pas plu, nous serions partis. 비가 오지 않았더라면 우리는 출발했을 텐데《주절에서 조건법 대신 직설법 반과거를 사용할 때도 있음》 / *Si* nous étions partis plus tard, nous manquions le train. 만약 늦게 떠났더라면 우리는 열차를 놓쳤을 것이다《결과의 확실성을 강조함》. ⓒ 《si+접속법 대과거 : 과거에 있어서의 비현실적 가정, 조건법과 과거 제 2 형》 《문어》 Le nez de Cléopâtre ; *s'*il eût été plus court, toute la face de la terre aurait 〔eût〕 changé. 클레오파트라의 코가 좀더 낮았다면 전세계의 판도가 달라졌으리라. ② …일 때는 언제나, …할 때마다(= chaque fois que, quand) : *S'*il se trompait, on corrigeait ses erreurs. 그가 실수하면 (그때마다) 그의 잘못을 고쳐 주곤 했었다. ③ 《대립 · 양보》 (비록) …이지만, …이라 할지라도 : *S'*il fut sévère, il fut juste. 그는 엄격했지만 공정하였다 / *Si* mes dépenses restent les mêmes, mes ressources diminuent. 내 지출은 그전과 같은데 수입은 줄어든다. ④ 《간접의문문의 도입》 ⓐ …인지 어떤지 : Je me demande *s'*il viendra. 그가 올는지 의심스럽다 / Je me demande *si* c'est vrai. 그것이 사실일까 하고 생각해 본다. ⓑ 얼마나 …인지 : Pensez *si* j'étais furieux. 내가 얼마나 화가 났었는지 생각 좀 해보시오 / Tu sais *si* je t'aime. 내가 (얼마나) 그대를 사랑하는지 알겠지. ⑤ ⓐ *Si*... c'est 〔c'est que, c'est parce que〕 …하는 것은 …이다〔이기 때문이다〕 : *Si* je ne vous ai pas salué, c'est que je ne vous ai pas vu. 내가 당신에게 인사하지 않은 것은 당신을 보지 못했기 때문이오 / *S'*il est malheureux, c'est bien de sa faute. 그가 불행한 것은 자기 탓이다. ⓑ C'est à peine 〔tout juste, (tout) au plus〕 *si*... 겨우〔고작해야〕 …일 뿐이다 / C'est à peine *si* je l'entends parler. 그의 말 소리가 겨우 들릴 뿐이다〔들릴까 말까 할 정도이다〕. ⑥ 《보어절의 도입》 Pardonnez-moi *si* je ne vous ai pas encore répondu. 아직 답장을 드리지 못한 것을 용서하십시오. ⑦ 《귀결절의 생략》 J'ai plus de souvenirs que *si* j'avais mille ans. 나는 천 년 산 것보다 더 많은 추억을 가지고 있다. ⑧ 《독립절에》 ⓐ 《의문》 Et *si* elle se fâche ? 그녀가 화를 낸다면 (어떻게 하지요) ? ⓑ 《바램》 *Si* cela pouvait arriver ! 그렇게 됐으면. ⓒ 《유감》 *S'*il m'avait écouté ! 그가 내 말을 들었으면

좋았을 걸. ⓓ《분개》 *Si* je lui donnerai ma fille! 그에게 내 딸을 주다니요 (어림도 없소). ⓔ《권고 · 제안》 *Si* nous partions? 떠날까요? / *Si* monsieur veut bien s'asseoir. 앉으시지요. ⓕ《명령》 *Si* vous vous taisiez! 가만 있어요! ⓖ《상대방의 물음을 되풀이해서》 C'est vrai ce que tu dis? — *Si* c'est vrai! 네 말이 정말이야? — 정말이고말고. ⑨《원인》 (= puisque) Comment l'aurais-je fais, *si* je n'étais pas né? 나는 태어나기도 전인데 어찌 그런 일을 했겠어요. ⑩《의문문+ou (bien) si : 직접 의문문과 간접 의문문의 혼합》 Est-il là, *ou* s'il est sorti? 그는 댁에 계신가, 그렇지 않으면 외출 중인가.

c'est à peine* 〔*tout au plus*〕 *si... 간신히〔겨우〕 …할 정도이다. ***C'est comme si l'on disait.*** 그것은 마치 …라고 말하는 것과 같다. ***C'et tout juste si*** (nous gagnerons Marseille). (마르세유에 도착하는 것)이 고작일 것이다. ***si ce n'est ;* (*si ce*) *n'était* 〔*n'étaient*〕 *;* (*si ce*) *n'eût été* 〔*n'eussent été*〕** ⓐ《+명사〔대명사〕》 …이 아니면〔아니었다면, 아니었던들〕; …을 제외하고. ⓑ《+que》 …하지 않는다면〔않았다면 · 않았던들〕 …라는 것을 제외하고: *Si ce n'était* 〔*N'était*〕 la pluie; *Si ce n'eût été* qu'il pleuvait... 비만 오지 않았던들… / Je ne deman de rien, *si ce n'est qu*'on me rende justice. 내가 옳다는 것을 인정받는 것밖에는 아무것도 바라지 않습니다. ***Si ce n'est pas...!*** 정말 …이 아닌가!: *Si ce n'est pas* désagréable! 정말 불쾌한 일이 아닌가! ***si j'étais* (*que*) *de vous*** 만약 내가 당신과 같은 입장이라면. ***s'il en fut*** 최대의, 희대의. ***si on peut dire*** 말하자면. ***si oui*** 만약 그렇다면(≠ sinon). ***si possible*** 가능하다면. ***si tant est que*** +*sub.* 《문어》 …한다면《강한 의문》.

— *m.* 《복수불변》 가정, 가상: Avec des *si* on mettrait Paris en 〔dans une〕 bouteille. 《구어》「만약」이라면 파리를 병 속에 넣을 수도 있으리라. ***C'est un homme qui n'a ni si ni mais.*** 그는 태도가 분명한 사람이다.

‡**si²** *adv.* ①《비교》 ⓐ《aussi... que의 부정; aussi 도 가능》 …만큼, 같은 정도로, 그렇게 (= aussi) : Il n'est pas *si* habile que vous. 그는 당신만큼 능란하지 못하다 / Il n'est pas *si* inteligent que vous le croyez. 그는 당신이 생각하는 것만큼 영리하지 않다 / N'allez pas *si* vite. 그렇게 빨리 가지 마시오. ⓑ《부정문 · 의문문에》《si+형용사(que) de+*inf.*》《옛》 …할 만큼 …한 : Qui te rend *si* hardi *de* troubler mon breuvage? 누가 너를 내가 먹는 물을 흐리게 할 만큼 대담하게 했단 말인가. ② ⓐ《si+형용사〔부사〕》 그토록, 매우, 아주, 썩(= tellement) : un *si* bon dîner 아주 맛있는 저녁 식사 / une femme *si* bonne 그렇게도 마음씨 고운 여자 / courir *si* vite 아주〔매우〕 빨리 달리다. ⓑ《si+형용사〔부사〕 que+결과절》 대단히 …하므로 …: Il marchait si vite qu'il était difficile de le suivre. 그는 어찌나 빨리 걸었는지 뒤따라가기가 어려웠다 / Il est *si* troublé *qu*'il ne peut rien dire. 그는 아주〔하도〕 흥분해서 아무 말도 못한다 / 《주절이 부정문 · 의문문일 때는 결과절에 *sub.* 가 사용되며, 그럴 경우 결과절도 부정문이면 pas 를 생략함》 Il n'est pas *si* entêté qu'on ne puisse le convaincre. 그는 설득할 수 없을 만큼 완고하진 않다. ③《양보》 ⓐ《si+형용사〔부사〕 que+*sub.*》 아무리 …이라 할지라도: *Si* mal qu'il ait agi, il faut lui pardonner. 아무리 나쁜 짓을 했다 해도 그를 용서해 주어야 한다 / *Si* bien qu'il parle, il fait encore quelques fautes. 아무리 유창하게 말을 해도, 그는 아직도 틀리는 일이 간혹 있다. ⓑ《si+형용사의 경우에는 도치 형식도 가능함》 Un roi, *si* grand soit il n'est qu'un homme. 제 아무리 위대하다 해도 왕도 사람에 지나지 않는다. ④ 아니오 (그렇소)《상대방의 부정에 대한 긍정. 강조형: mais *si*, *si* certes, *si* vraiment 등》: Ne m'avez-vous pas entendu? — *Si!* (je vous ai entendu). 내 말을 못 들었어요? — 아니 (들었습니다) / Vous n'en voulez pas? — Mais *si.* 더 원하지 않으시지요? — 아니 (원하고말고) / 《penser, croire, dire 동사들과 함께 긍정의 종속절에》 Il *dit* qu'il n'y a aucun danger; mais je *crois* que *si.* 그는 전혀 위험이 없다고 말한다. 그렇지만 나는 위험이 있다고 생각한다. ***que si*** 《si의 강조》 아니 확실히 (그렇소). ***si bien que*** 그 결과, 그래서: La chance tourna, si *bien qu*'il perdit tout ce qu'il avait gagné. 운이 기울어져 (그 결과) 딴 것을 모조리 잃었다. ***Si fait*** 아니오 (그렇습니다).

si³ *m.* 《복수불변》〖음악〗 다장조 음계의 제 7음; 그 기호.

S.I. 《약자》 ① Système international 국제 단위계(單位系). ② Syndicat d'Initiative 여행사, 관광 협회.

s.i. 《약자》 sans intérêt 〖주식〗 배당락(配當落).

siamois, e [sjamwa, -a:z] *adj.* 샴(*le Siam*)의. ***frères ~, sœurs ~es*** 동체가 붙어서 태어난 쌍둥이; 일심동체의 벗. — **S~** *n.* 샴 사람. — *m.* ① 샴어. ② 샴 고양이.

sibérien, enne [sibeʀjɛ̃, -ɛn] *adj.* 시베리아(*la Sibérie*)의. — **S~** *n.* 시베리아 사람.

sibille, sibylle [sibil] *f.* 무녀(巫女), 무당, 여자 점쟁이.

sibyllin, e [sibi(l)lɛ̃, -in] *adj.* ① 무녀〔무당〕의. ② (무녀의 예언처럼) 수수께끼 같은, 알쏭달쏭한(= énigmatique, obscur).

sic [sik] 〔라틴〕 *adv.* 「원문대로」《인용문의 주기(註記)》.

sicav [sika:v] *f.* 《복수불변》〖금융〗 (투자 신탁 회사의) 신탁 증서: acheter 〔vendre〕 des ~ 신탁 증서를 사다〔팔다〕

siccatif, ive [sikatif, -i:v] *adj.* ① 건조시키는: huile *~ive* 건조유. ②〖의학〗 건조 작용이 있는. — *m.* 건조제, 건조유.

siccité [siksite] *f.* ① 건조 상태(= sécheresse). ②〖건축〗 (창문의) 빗물받이 가로장.

sida [sida] *m.* 에이즈, 후천성 면역 결핍증 《Syndrome Immuno-Déficitaire Acquis》: virus du ~ 에이즈 바이러스 / malade atteint du ~ 에이즈 환자.

sidatique [sidatik] *adj.* et *n.* 에이즈에 감염된 (사람)《sidaïque 라고도 함》.

S

side(-)car [sidka:ʀ 〔영〕 *m.* 사이드카.

sidéen, enne [sideɛ̃, -ɛn] *adj.* et *n.* 에이즈에 감염된 (사람)(= sidatique).

sidéral, e, aux [sideʀal, -o] *adj.* 〖천문〗 항성(恒星)의.

sidérant, e [sideʀɑ̃, -ɑ̃:t] *adj.* 《구어》 깜짝 놀라게 하는, 아연실색케 하는.

sidérer [sideʀe] 6 *v.t.* 《구어》 깜짝 놀라게 하다, 아연실색케 하다 : Cette nouvelle m'*a sidéré*. 이 소식에 나는 질겁을 했다.

sidér(o)- *préf.* ① 「쇠」의 뜻. ② 「별」의 뜻.

***sidérurgie** [sideʀyʀʒi] *f.* 제철술, 단철술(鍛鐵術) ; 철강 공업 ; 제철업.

sidérurgique [sideʀyʀʒik] *adj.* 철공〔제철〕술의 ; 제철업의 : usine ~ 제철소 / industrie ~ 철강 공업.

sidérurgiste [sideʀyʀʒist] *n.* 제철업자.

:siècle [sjɛkl] *m.* ① 세기, 백년 : un demi-~ 반세기 / un quart de ~, 4 반세기, 25 년 / les écrivains du dix-neuvième ~, 19 세기의 작가들. ② 《구어》 (흔히 *pl.*) 긴〔장구한〕 세월 : coutume qui date depuis des ~s 오랜 옛날부터 전해 오는 습관 / Il y a un ~ 〔des ~s〕 que je ne vous ai vu. 무척 오래간만에 뵙겠습니다. ③ 시대(= époque) ; 당대 : le ~ de Louis XIV 루이 14 세 시대 / ~ de l'atome 원자력 시대 / ~ des Lumières 계몽 시대《프랑스의 18 세기》/ idées de son ~ 〔du ~〕 당대의 사상. ④ 세속, 속계 : plaisirs du ~ 속세의 낙〔쾌락〕/ se retirer du ~ 속계에서 물러나다《종교 생활로 들어가다》. ***dans tous les ~s des ~s; aux ~s des ~s*** 〖가톨릭〗 영원토록. ***de ~ en ~*** 대대로(= d'âge en âge). ***du ~*** 《구어》 세기의, 세기적인. ***le ~ d'or*** 황금 시대. ***le ~ futur*** 내세. ***le 〔notre〕 ~*** 현대.

sied, sié -e, -ent ⇒ seoir.

siège** [sjɛ:ʒ] *m.* ① 의자 ; 좌석, 자리 : Prenez un ~. 앉으세요 / offrir un ~ à un visiteur 방문객에게 의자를 권하다 / ~ avant 〔arrière〕 d'une voiture 차의 앞〔뒤〕 좌석. ② ⓐ 의석(議席) : Le parti a gagné vingt ~s. 당은 20 석을 차지했다. ⓑ ~ apostolique 〔pointifical〕 〖가톨릭〗 교황좌(教皇座). ② 하반신 ; 궁둥이. ③ (단체 따위의) 본거지, 소재지 : L'unesco a son ~ à Pris. 유네스코 본부는 파리에 있다 / le ~ social (회사 따위의) 본사, 본부 / Rome est le ~ de la papauté. 로마는 교황청의 소재지다. ④ 《문어》 중추, (아픈) 부위 : Le cerveau est le ~ de la pensée. 뇌는 사고의 중추이다 / ~ d'une maladie 병소(病巢). ⑤ 〖군사〗 포위 공격, 공략 : le ~ de Paris en 1870, 1870 년의 파리 공략. ***état de ~ 계엄(령) : être en état de ~ 계엄령 하에 있다. ***Mon ~ est fait.*** 내 결심은 정해졌다. ***saint-s ~*** 교황청.

siéger [sjeʒe] 36 *v.i.* ① 자리를〔의석을〕 차지하다 : ~ au Sénat 상원의 의석을 차지하다. ② 〖가톨릭〗 주교좌〔교황좌〕에 앉다. ③ (조직 · 기관 따위가) …에 본부〔본사〕를 두다 : L'ONU siège à New York. UN 은 뉴욕에 본부를 두고 있다. ④ (회의 · 재판 등이) 열리다 : L'assemblée *siégera* demain. 의회는 내일 열린다. ⑤ 《문어》 존재하다, 있다 : Voilà où *siège* le mal. 여기에 악의 근원이 있다.

sien, enne** [sjɛ̃, -ɛn] *adj. poss.* 그〔그녀〕의, 자기의. ① 《속사로서》 Cette découverte est *~enne*. 이 발견은 그〔그녀〕의 것이다. ② 《부가형용사로서》 《옛》 une chose *~enne* 그〔그녀〕의 것. ── *pron. poss.* 《항상 정관사를 수반》 그(녀)의 것 : mon père et *le ~* 내 아버지와 그의 아버지. ── *m.* 자기의 재산 ; 자기의 노력〔의견, 지어낸 말〕 : À chacun le ~. 각자 자기 몫을 가지고 있다 / ajouter du ~ à un récit 어떤 이야기에 자기가 꾸민 이야기를 덧붙이다. ***être près du ~. 자기 것을 몹시 아끼다. ***y mettre du ~*** 어떤 일에 성의를 다하다, 노력하다 ; 기여하다 ; 양보하다. ── *f.* (*pl.*) 어리석은 짓. ***faire des ~ennes*** 변함없이 어리석은 짓을 하다.

sierra [sjɛʀa] 〔에스파냐〕 *f.* (에스파냐권에서) 산맥, 연봉(連峰).

sieste [sjɛst] 〔에스파냐〕 *f.* 점심 후의 휴식, 낮잠, 오수(午睡). ***faire la ~*** 낮잠 자다.

sieur [sjœ:ʀ] *m.* 〖법정용어〗 씨 : Notre ~ Martin 마르탱씨. ***le ~ un tel*** 〖법률〗 모씨(某氏) ; 《경멸》 그 아무개라는 자.

sifflant, e [siflɑ̃, -ɑ̃:t] *adj.* ① 휙휙 소리를 내는 ; 휘파람 소리 같은. ② 〖언어〗 치찰음(齒擦音)의. ── *f.* 〖언어〗 치찰음(= consonne ~*e*)《s, z, ch, f 따위》.

sifflement [sifləmɑ̃] *m.* ① 휘파람, 휙휙거리는 소리 ; 새의 (날카로운) 지저귐 ; 기적 소리 ; 호각 소리 : ~ du vent 바람부는 소리 / ~s d'un merle 개똥지빠귀가 우는 소리. ② 야유하는 휘파람 소리. ③ (라디오의) 삐-하는 잡음.

***siffler** [sifle] *v.i.* 휘파람 불다 ; 휙휙〔씩씩〕 소리를 내다 ; 기적을 울리다 ; 호각을 불다 ; (카나리아 따위가) 날카롭게 울다 : Le train *siffle* pour annoncer son arrivée. 열차가 도착을 알리기 위해 기적을 울린다. ── *v.t.* ① (노래를) 휘파람으로 부르다 ; (동물 · 사람 따위를) 휘파람〔호각〕으로 부르다 : ~ son chien 자기 개를 휘파람으로 부르다. ② 휘파람을 불어 야유하다 : ~ un acteur 〔un orateur〕 배우〔연사〕를 야유하다. ③ 《속어》 단숨에 마시다 : ~ une bouteille de vin 술 한 병을 쭉 들이켜다.

sifflet [siflɛ] *m.* ① 호각 ; 기적 : régler la circulation à coups de ~ 호각으로 교통 정리를 하다. ② (*pl.*) 야유의 휘파람 소리 : La pièce fut accueillie par des ~s. 그 연극은 야유를 받았다. ***coup de ~*** 호각을 불기 ; 기적을 울리기. ***en ~*** 비스듬히.

siffleur, euse [siflœ:ʀ, -ø:z] *n.* (공연장 따위에서) 휘파람 불며 야유하는 사람. ── *adj.* 휘파람을 부는 ; (새가) 삐이삐이 우는.

sifflotement [siflɔtmɑ̃] *m.* 가벼운 휘파람(으로 부는 곡조).

siffloter [siflɔte] *v.i.* et. *v.t.* 가볍게 휘파람 「불다.

sigillographie [siʒi(l)lɔgʀafi] *f.* 인장학(印章學)《특히 중세 문헌의》.

sigle [sigl] *m.* 두문자(頭文字)에 의한 약자〔약호〕《예 : O.N.U. <Organisation des Nations Unies 유엔》.

signal** [siɲal] *m.* 〔*pl.* ***-aux [o]〕 ① 신호 ; 표지(標識) ; 신호기, 신호등 ; 통신 : re-

S

specter un ~ 신호를 지키다 / ~ aux de rout 도로 표지 / ~ horaire 시보(時報) / ~ sonore 〔acoustique〕 소리에 의한 경보. ② (사건・행동의) 계기, 발단, 개시(의 신호) : Cet article a été le ~ d'une véritable campagne de presse. 그 기사를 계기로 본격적인 언론 홍보전이 시작되었다. ③ 〖측량〗 시준표(視準標). ***au ~ donné*** 신호와 더불어, 신호가 떨어지자 : *Au ~ donné,* tous se levèrent. 신호와 함께 일제히 일어섰다. ***donner le ~ de*** …의 신호를 하다 ; …의 봉화를 올리다, …을 솔선해서 하다.

signalé, e [siɲale] *adj.* ① 현저한, 각별〔특별〕한(= remarquable) : rendre un ~ service 〔un service ~〕 각별한 도움〔친절〕을 베풀다. ② 《경멸》 소문난, 유명한.

***signalement** [siɲalmɑ̃] *m.* (범죄자・유실물 따위의) 인상 착의〔특징〕 표시.

***signaler** [siɲale] *v.t.* ① 신호로 알리다〔전하다〕 : La sonnerie *a signalé* le début des cours. 벨소리가 수업시작을 알렸다. ② …의 특징〔인상착의〕을 알리다. ③ 특히 지적해 말하다, 특필〔특기〕하다 ; …에 대해 주의를 환기시키다 : Un seul journal *a signalé* leur présence à Paris. 한 신문만이 그들의 파리 체재를 지적하였다 / ≪Rien à ~.≫ 「특기할 만한 것 없음」 ④ 유명하게 하다 ; 눈에 띄게 하다 : ~ son audace 대담성을 과시하다. ⑤ 통보하다. — **se ~** *v.pr.* 《se ~ par》 …에 의하여〔으로〕 유명해지다, 이름을 떨치다, 주목을 끌다 : *se ~ par* sa bravoure 〔ses cruautés〕 용맹성〔잔인성〕으로 이름을 떨치다.

signalétique [siɲaletik] *adj.* 인상(人相) 기록의 ; 특징을 나타내는. ***fiche ~*** (경찰의) 인상 카드.

signalisation [siɲalizɑsjɔ̃] *f.* 신호 ; 표지 : panneaux de ~ 신호 표지판 / ~ routière 도로 표지《경계선・신호등・표지판 따위》.

signaliser [siɲalize] *v.t.* (도로 따위에) 신호기〔표지〕를 설치하다.

***signataire** [siɲatɛːʀ] *n.* 서명자, 조인자.

***signature** [siɲatyːʀ] *f.* ① 서명, 날인 : ~ sociale 회사인(印) / apposer sa ~ 서명을 하다. ② 〖인쇄〗 접지(摺紙) 기호〔번호〕.

signe** [siɲ] *m.* ① 표시, 표적, 안표 ; 부호, 기호 : Le rire est le ~ de la joie. 웃음은 기쁨의 표시다 / ~*s* orthographiques 철자 / ~*s* de ponctuation 구두점 / ~ abréviatif 약호. ② 징후, 낌새, 전조, 징조, 조짐 ; (병의) 증상 : ~ précurseur 〔avant-coureur〕 전조(前兆). ③ (감정・의사의) 표시 ; 표정, 몸짓, 손짓 ; 신호 : faire un ~ de la tête 〔de la main〕 고갯짓〔손짓〕을 하다. ④ (지위・직업 따위를 나타내는) 마크, 표장, 휘장 : ~ de grade 〖군사〗 계급장. ⑤ 〖점성술〗 (타고난) 반점. ***C'est bon 〔***mauvais***〕 ***~.*** 좋은〔나쁜〕 징조다. ***en ~ de*** …의 표시로서. ***ne pas donner*** 〔***faire***〕 ***~ de vie*** 살아 있는 표적이 없다, 감감무소식이다. ***sous le ~ de...*** …의 별 밑에 ; …의 영향을 받아서, …의 분위기에 지배되어 : Il est né *sous le ~ de* la chance. 그는 행운의 별 아래 태어났으며, 행운을 타고났다. ***un ~ des temps*** 시대의 징조〔특징〕 : L'augmentation de la délinquance juvénile est *un ~ des temps.* 소년범죄의 증가는 이 시대의 (나쁜) 징조다.

signer** [siɲe] *v.t.* ① …에 서명하다 ; …에 조인하다 : ~ un armistice 〔la paix〕 정전 협정〔평화 조약〕에 조인하다 / ~ un tableau 그림에 (자필) 서명하다 / œuvre non *signée* 작자 미상〔익명〕의 작품 / ~ un acte 증서에 서명하다. ② (보석 따위에) 각인(刻印)하다. ***C'est signé. 누구의 것〔짓〕인지 분명하다, 그 사람의 특징을 지니고 있다. — **se ~** *v.pr.* ① 〖종교〗 성호(聖號)〔십자〕를 긋다. ② 서명〔조인〕되다.

signet [siɲɛ] *m.* ① 〖제본〗 서표(書標) 끈, 갈피 끈. ② 〖인터넷〗 북마크.

signifiant, e [siɲifjɑ̃, -ɑ̃ːt] *adj.* 《문어》 뜻깊은, 의미심장한. — *m.* 〖언어〗 (언어 기호의) 기표(記表), 기호 표기(≠ signifié)《청각 영상을 가리킴. *Saussure* 의 용어》.

***significatif, ive** [siɲifikatif, -iːv] *adj.* ① 명백한(= éloquant) : résultats ~*s* d'une élection 선거의 명백한 결과. ② ⓐ 어떤 사실을 의미하는 : visage d'une pâleur ~*ive* 병색이 완연한 창백한 얼굴. ⓑ 《~ de》 …을 의미하는, 나타내는(= révélateur) : Son attitude est ~*ive de* son changement d'opinion. 그의 태도는 그의 의견이 달라졌음을 말해 준다.

signification [siɲifikɑsjɔ̃] *f.* ① 의미, 뜻, 취지 ; (언어・기호의) 의의, 뜻 : ~ d'un mot 어의(語義). ② 〖법률〗 (판결・영장 따위의) 전달, 송달, 통보(= notification) : ~ à personne 본인에 대한 직접 통보. ③ 〖언어〗 degrés de ~ 급(級)《형용사・부사의 원급・비교급・최상급 따위》.

significativement [siɲifikativmɑ̃] *adv.* 뜻을 분명히 하여 ; 뜻〔의미〕있게.

signifié [siɲifje] *m.* 〖언어〗 (언어 기호의) 기의(記意), 기호 내용《기호가 내포하는 개념. *Saussure* 의 용어. signifiant 의 반대》.

signifier** [siɲifje] *v.t.* ① 의미하다, …의 뜻을 갖다(= vouloir dire) : Que *signifie* ce mot? 이 말은 무슨 뜻인가? / Liberté ne *signifie* pas nécessairement désordre. 자유는 반드시 무질서를 뜻하는 것은 아니다. ② (의사 따위를) 분명히 표시〔표명〕하다 ; 통고하다 : ~ son congé à qn …에게 해고를 통고하다 / ~ ses intentions a qn …에게 자기 의사를 명백히 알리다. ③ 〖법률〗 전달〔송달〕하다. ***Qu'estce que cela signifie?; Que signifie? 《구어》 도대체 그게 무엇이란 말이오?《이해할 수가 없다는 불만의 표시》.

S

‡silence [silɑ̃ːs] *m.* ① 침묵, 무언 ; 비밀(을 지킴) ; 묵도 : garder 〔rompre〕 le ~ 침묵을 지키다〔깨다〕 / observer une minute de ~, 1분간의 묵도를 올리다 / Je vous demande le ~ absolu sur cette affaire. 이 사건에 대해 절대 비밀을 지켜 주시오. ② 무소식, 소식의 두절 : écrire après un ~ d'un an, 1년의 무소식 끝에 편지를 쓰다. ③ 고요함, 정적 : le ~ de la nuit 밤의 고요. ④ 〖음악〗 휴지, 쉼표. ***en*** 〔***dans le***〕 ***~*** 묵묵히 ; 비밀리에 : obéir *en ~* 말없이 복종하다 / révolte préparée *dans le ~* 비밀리에 준비된 반란. ***faire ~*** 입을 다물다. ***imposer*** (***le***) ***~ à*** qn …을 침묵시키다.

silencieusement [silɑ̃sjøzmɑ̃] *adv.* 말없

이, 묵묵히 ; 조용히 ; 남몰래, 비밀리에.

*__silencieux, euse__ [silɑ̃sjø, -ø:z] *adj.* ① 말 없는, 무언의 : rester ~ 입을 다물고 있다. ② 고요한, 조용한, 소리 없는 : moteur ~ 조용한 모터 / à pas ~ 살금살금. ── *m.* (발동기 · 피스톨 따위의) 소음 장치. ── *n.* 말없는 사람.

__silex__ [silɛks] 〔라틴〕 *m.* ① 수석(燧石), 부싯돌 ; 규석(珪石). ② 규석으로 만든 옛날 무기 《도끼 따위》(= arme en 〔de〕 ~).

*__silhouette__ [silwɛt] *f.* ① 실루엣, 윤곽, 영상, 그림자 : la ~ des arbres dans une eau bleue 푸른 물에 비친 나무 그림자. ② 몸의 선, 몸매 ; (물체의) 형태 : Cette femmne a une ~ élégante. 이 부인은 몸매가 아름답다.

__silhouetter__ [silwɛ〔e〕te] *v.t.* …의 실루엣을 비추다 ; …의 윤곽을 드러내다. ── **se** ~ *v.pr.* 그림자가 비치다 ; 윤곽이 드러나다.

__silice__ [silis] *f.* 〖화학〗 무수규산(無水珪酸) ; 규토, 규석.

__siliceux, euse__ [silisø, -ø:z] *adj.* 규토질의, 규토를 함유하는 : bronze ~ 규소 청동.

__silicium__ [silisjɔm] *m.* 〖화학〗 규소(硅素).

__silicone__ [silikɔn] *f.* 〖화학〗 실리콘.

__silicose__ [siliko:z] *f.* 〖의학〗 규폐증(硅肺症).

__sillage__ [sija:ʒ] *m.* ① 〖해양〗 항적(航跡) ; (사람 · 동물 · 물체의) 지나간 자국〔자취〕. ② 〖물리〗 (유체(流體) 속에서 움직이는 물체의) 후류(後流). ③ (배의) 항진(航進) 속도 : doubler le ~ d'un navire 다른 배의 두 배의 속력으로 달린다. ④ 〖어업〗 저인망(底引網).

__sillon__ [sijɔ̃] *m.* ① 〖농업〗 밭고랑 ; (*pl.*) 《시어》 밭, 전답. ② (레코드 따위 표면의) 홈 ; (지나간) 자국 ; (얼굴의) 주름살 : ~ des roues 바퀴자국. ***faire*** 〔***creuser***〕 ***son ~*** 참을성 있게 자기 일을 하다.

__sillonner__ [sijɔne] *v.t.* ① …에 고랑을 내다 ; …에 자국을 내다 ; 주름지게 하다 : visage *sillonné* de rides 깊게 주름진 얼굴. ② (비행기 · 배가 공중〔해상〕을) 종횡으로 누비다 : Des avions *sillonnent* le ciel. 비행기들이 하늘을 종횡으로 난다.

__silo__ [silo] *m.* ① (농작물) 저장고, 지하 창고 ; (목초를 넣는) 사일로 : ~ à céréales 곡물 창고. ② 〖군사〗 (지하의) 미사일 격납고.

__silure__ [sily:ʀ] *m.* 〖어류〗 메기.

__simagrée__ [simagʀe] *f.* (흔히 *pl.*) ① 겉꾸밈, 허식, 가식, 위선. ② 교태, 아양(= minauderies, mines). ***faire des ~s*** 거짓 태도를 꾸미다, 점잔 빼다, 아양 부리다. ***faire la ~ de***＋*inf.* …하는 체하다.

__simarre__ [sima:ʀ] *f.* ① (신부의) 실내복. ② (법관 · 교수의) 장의(長衣) ; (남녀의) 긴 옷.

__simien, enne__ [simjɛ̃, -ɛn] *adj.* 원숭이의 〔같은〕. ── *m. pl.* 〖동물〗 원숭이류(類).

__simiesque__ [simjɛsk] *adj.* (얼굴 · 표정이) 원숭이 같은.

__similaire__ [similɛ:ʀ] *adj.* ① 〖기하〗 닮은꼴의, 유사한 : termes ~*s* 〖수학〗 동류항 / figure ~ 〖수학〗 닮은꼴. ⓑ 《~ à》 …와 동류의, 비슷한.

__similarité__ [similaʀite] *f.* 유사, 비슷함.

__simili__[1] [simili] *m.* 《구어》 모조(품)(= imitation) : bijoux en ~ 인조 보석.

__simili__[2] *adj. m. pl.* 〖음악〗 앞과 같은.

__simil(i)-__ *préf.* 「모조 · 모방」의 뜻.

__similicuir__ [similikɥi:ʀ] *m.* 인조 가죽.

__similigravure__ [similigʀavy:ʀ] *f.* 〖인쇄〗 망판(網版) 제판술 ; 망판 (사진).

__similitude__ [similityd] *f.* ① 유사(類似) ; 〖기하〗 상사(相似). ② 〖수사학〗 비유, 직유.

__simonie__ [simɔni] *f.* 《문어》 〖가톨릭〗 성물(聖物)〔성직〕 매매.

__simoun__ [simun] *m.* 시문《사하라 사막의 열풍》.

__simple__ [sɛ̃:pl] *a.* ① 단순한(≠ compliqué) ; 하나의, 단일한 : billet ~ (왕복표에 대한) 편도권(片道券) / mot ~ (합성어 · 복합어에 대한) 단일어 / temps ~*s* 〖언어〗 단순시제 / équation ~ 〖수학〗 1 차 방정식. ② 간단한, 간결한, 간편한, 알기 쉬운(= facile ; ≠ complexe) : moyen bien ~ 극히 간단한 방법 / Ce problème d'algèbre est ~. 이 대수 문제는 간단하다. ③ 순진한, 순박한, 소박한(= franc, droit ; ≠ affecté, orgueilleux) : cœur ~ 순박한 마음〔사람〕. ④ 《경멸》 고지식한(= naïf) ; 우둔한 : ~ d'esprit 《구어》 머리가 모자라는. ⑤ 꾸밈없는, 수수한, 간소한 : repas 〔vie〕 ~ 간소한 식사〔생활〕. ⑥ 《명사 앞》 단지 …만의(seul), 한낱, 하잘것없는 : ~ particulier (공인(公人)이 아닌) 단순한 개인 / soldat 졸병 / demander par ~ curiosité 단순한 호기심에서 묻다. ***C'est* (***bien*** 〔***tout***〕) ***~.*** (해결이) 문제없다, 간단한 이야기이다 ; (결과가) 뻔한 이야기이다. ***pur et ~*** 순전한, 무조건의 : refus *pur et* ~ 무조건의 거절. ── *n.* 우둔한 사람, (머리가) 단순한 사람 : C'est un ~ 저 사람은 우둔한〔단순한〕 친구야. ── *m.* ① 〖테니스〗 단식, 싱글 : jouer en ~ 단식 시합을 하다 / ~ dames 〔messieurs〕 여자〔남자〕 단식. ② 단일한 것 ; 단순〔간단〕한 것.

*__simplement__ [sɛ̃pləmɑ̃] *adv.* ① 단순하게 ; 간단〔간략 · 간소〕하게. ② 단순히, 단지, 오로지, 그저, 다만 : Il a ~ voulu vous faire peur. 그는 단지 당신에게 겁을 주는 것만이 목적이었다. ③ 꾸밈없이 ; 격식을 차리지 않고 ; 소박〔순진〕하게 ; 솔직하게 : homme vêtu ~ 수수한 옷차림의 남자.

__simplet, ette__ [sɛ̃plɛ, -ɛt] *adj.* ① 고지식한, 어리석은(= naïf). ② (사물이) 너무 단순한, 좀 빈약한.

*__simplicité__ [sɛ̃plisite] *f.* ① 단순 ; 단일(성). ② 간략, 간소 ; 용이 : ~ du style 문장의 간결성 / problème d'une grande ~ 지극히 쉬운 문제. ③ 소박 ; 솔직 ; 순진 ; 고지식함, 어리석음 : parler avec ~ 솔직하게 이야기하다 / avoir la ~ de＋*inf.* 어리석게도〔순진하게도〕 …하다. ***en toute ~*** 아주 소박하게, 담담하게.

__simplifiable__ [sɛ̃plifjabl] *adj.* 단순〔간략 · 단일 · 간단〕하게 할 수 있는.

__simplificateur, trice__ [sɛ̃plifikatœ:ʀ, -tʀis] *adj.* 단순〔간략 · 간단〕하게 하는. ── *n.* 간략〔간단〕하게 하는 사람.

__simplification__ [sɛ̃plifikɑsjɔ̃] *f.* 단일화, 단순화, 간략화(≠ complication).

*__simplifier__ [sɛ̃plifje] *v.t.* 단순〔간단 · 간략〕하게 하다 ; 단일화하다 : ~ les formalités 절차를 간소화하다. ── **se** ~ *v.pr.* 간단〔단순 · 간략〕해지다 ; 단일화하다.

simplisme [sɛ̃plism] *m.* (논리 따위의) 지나친 단순화 ; 단일주의, 간략주의.

simpliste [sɛ̃plist] *n.* ① 속단 논법가. ② 간략〔간편〕주의자. ③ 너무 고지식한〔어리석은〕 사람. — *adj.* 너무 간단한, (논리가) 일면적인 ; 간편〔간략〕주의의 : argument ~ 너무 단순화된 논법.

simulacre [simylakʀ] *m.* ① 우상 ; 환영(幻影), 유령 : ~ de gouvernement 괴뢰 정부. ② 시늉, 가장, 흉내(= semblant). ③ 〖군사〗 모의(模擬) : ~ de combat 모의전.

simulateur, trice [simylatœːʀ, -tʀis] *n.* ① 흉내 내는 사람 ; …체하는 사람. ② 꾀병 부리는 사람. — *m.* 모의 실험기《실제 기능을 인위적으로 재현하는 기계》: ~ de vol 모의 실험 비행기.

simulation [simylɑsjɔ̃] *f.* ① 거짓 꾸밈, 가장, 위장 : ~ d'une maladie 꾀병. ② 〖법률〗 가장〔위장〕 행위. ③ 모의 실험《simulateur에 의한 기능의 인위적 재현》.

simulé, e [simyle] *adj.* 위장된, 가장된(= faux) : attaque ~*e* 위장 공격 / maladie ~*e* 꾀병.

simuler [simyle] *v.t.* ① 가장〔위장(僞裝)〕하다, …체하다(= feindre) : ~ la fatigue pour ne pas travailler 일을 하지 않으려고 피로한 체하다. ② 흉내 내다(= imiter) ; 모의하다 : ~ un combat 모의전투를 하다. ③ 《주어 : qc》 …같아 보이다, …같은 인상을 주다.

simultané, e** [simyltane] *adj.* ① 동시의, 동시에 행해지는 : traduction ~*e* 동시통역 / enseignement ~ 합반 수업. ② 〖수학〗 연립의 : équations ~*es* 연립 방정식. ***personnalité ~e 이중인격.

simultanéite [simyltaneite] *f.* 동시성(= coïncidence, concomitance) : ~ de deux actions 두 행동의 동시성.

***simultanément** [simyltanemɑ̃] *adv.* 동시에, 일제히, 같은 순간에.

sinapisme [sinapism] *m.* 〖약학·의학〗 (겨자에 의한) 발적 요법, (겨자) 찜질 연고.

sincère** [sɛ̃sɛːʀ] *adj.* ① 솔직한(= franc) ; 진지한, 성실한, 진실한, 참된(= véritable ; ≠ hypocrite) : homme ~ dans ses actions 행동이 성실한 사람. ② 진심에서 우러나는, 충심의(= vrai) : repentir ~ 진심에서 우러나는 뉘우침 / amitié ~ 변함없는 우정. ***Agréez mes ~s salutations. 경구(敬具) 《편지의 맺음말》.

sincèrement [sɛ̃sɛʀmɑ̃] *adv.* 성실하게, 솔직히 ; 진심으로, 충심으로 : regretter ~ d'avoir fait qc …한 점을 진심으로 유감스럽게 생각하다.

sincérité [sɛ̃seʀite] *f.* ① 솔직함 ; 성실, 진실(성) : répondre avec ~ 솔직하게 대답하다 / Personne ne doute de la ~ de ses paroles. 아무도 그의 말의 진실성〔성실성〕을 의심하지 않는다. ② (서류 따위의) 진짜임, 진정성(= authenticité). ***avec ~*** 진정으로 ; 솔직하게. ***en toute ~*** 아주 솔직하게 ; 기탄없이.

sinécure [sinekyːʀ] *f.* 한직(閑職). ***Ce n'est pas une ~.*** 《구어》 그건 쉬운 일이 아니다.

sine die [sinedje] 〔라틴〕 *loc. adv.* 〖정치·외교〗 무기한으로 : renvoyer un débat ~ 토의를 무기한으로 연기하다.

sine qua non [sinekwanɔn] 〔라틴〕 *loc. adj.* 필요불가결한 : condition ~ 필요 불가결한 조건. — *m.* 《복수불변》 필수 조건.

S.-Infre 《약자》 Seine-Inférieure 센앵페리외르 도(道)《현재의 *Seine-Maritime*》.

singe** [sɛ̃ːʒ] *m.* ① 〖동물〗 원숭이 ; 수컷 원숭이《암컷은 guenon》. ② 모방자 ; 못생긴 사람. ③ 《속어·노동자은어》 고용주, 주인(= patron). ④ 《군대속어》 콘비프 ; 쇠고기 통조림. ***être agile 〔***malin***〕 ***comme un ~*** 몹시 민첩하다〔약삭빠르다〕. ***faire le ~*** 우스꽝스러운〔맹랑한〕 짓을 하다.

singer [sɛ̃ʒe] *v.t.* 3 ① 흉내 내다, 모방하다(= imiter) : ~ les manières d'un homme politique 정치인의 제스처를 흉내 내다. ② 가장하다, 체하다(= feindre).

singerie [sɛ̃ʒʀi] *f.* ① 찡그린 얼굴 ; 우스꽝스러운 짓〔흉내〕 : faire des ~*s* pour amuser qn …을 웃기려고 우스꽝스런 흉내를 해 보이다. ② 짐짓 꾸민 태도 ; 허식, 허영.

single [siŋgəl] 〔영〕 *m.* ① 〖테니스〗 단식 시합. ② (호텔·침대차의) 1 인용의 방〔침대〕.

singulariser [sɛ̃gylaʀize] *v.t.* (기발해서) 눈에 띄게 하다. — **se ~** *v.pr.* 유달리 눈에 띄게 하다, 별난 짓을 하다 : *se* ~ par sa toilette 유별나게 화장을 하다.

singularité [sɛ̃gylaʀite] *f.* ① 특이성(= originalité) ; (옷차림·태도 따위의) 기이함 ; 기발한〔별난〕 짓 : ~ d'une mode 야릇한 유행. ② 〖문법〗 단수성(≠ pluralité).

singulier, ère** [sɛ̃gylje, -ɛːʀ] *adj.* ① 단독의, 단일한, 단신(單身)의 ; 〖문법〗 단수의. ② 독특한(= particulier) ; 특이한, 비범한(= spécial, extraordinaire) : beauté ~*ère* 특이한 미. ③ 기이한, 기발한, 이상한, 야릇한, 기괴한(= bizarre, curieux, étrange) : destinée ~*ère* 기구한 운명. ***combat ~ 맞겨룸, 결투. ***nombre ~*** 〖문법〗 단수.
— *m.* ① 〖문법〗 단수(형)(≠ pluriel). ② 특이〔기발·기괴·이상〕한 일.

singulièrement [sɛ̃gyljɛʀmɑ̃] *adv.* ① 특히 ; 몹시, 유달리 : Ce livre lui a ~ déplu. 이 책은 유난히 그의 마음에 거슬렸다. ② 기이〔야릇〕하게.

***sinistre** [sinistʀ] *adj.* ① 불길한 ; 불쾌한 : présage ~ 불길한 예감. ② 음흉한, 흉악한, 험상궂은, 험악한 : ~ voyou 흉악한 불량배. ③ ⓐ 우울한 : réception ~ 우울한 리셉션. ⓑ 음침한(= lugubre) : Le soir, la rue est ~. 밤에는 거리가 음침하다. ⓒ (사람이) 침울한, 울적한 : Aujourd'hui, André est vraiment ~. 오늘 앙드레는 정말 침울하군. ④ 《명사 앞》 지독한 : un ~ imbécile 지독한 바보. — *m.* ① (화재·홍수·지진 따위의) 천재지변, 재난 : Le ~ a fait plusieurs victims. 그 재난으로 몇 명의 희생자가 나왔다. ② 〖보험〗 재해, 손해.

sinistré, e [sinistʀe] *adj.* 재해를 당한 : région ~*e* 재해 지역. — *n.* 이재민 : ~*s* d'une inondation 수재민.

sinistrose [sinistʀoz] *f.* ① 〖심리〗 재해 신경증. ② 극도의 비관론.

sino- *préf.* 「중국의」의 뜻.

sino-coréen(ne) [sinɔkɔʀeɛ̃, -ɛn] *adj.* 한

중(韓中)의.

sinologie [sinɔlɔʒi] *f.* 중국 연구, 중국학.

sinologue [sinɔlɔg] *m.* 중국 연구가〔학자〕.

***sinon** [sinɔ̃] *conj.* ① 그렇지 않으면(= autrement) : Il n'a pas eu votre lettre, ~ il serait venu. 그는 당신의 편지를 못 받았겠지요, 그렇지 않다면 왔을 겁니다. ② …이 아니고, …을 제외하고(는), …이외에는(= excepté, sauf) : Il ne se préoccupe de rien, ~ de boire et de manger. 마시고 먹는 것 빼놓고는 하는 일이란 전연 없다 / ne rien désirer, ~ la paix 평화 이외에는 아무 것도 바라지 않다. ③ …이 아니더라도 : Elle est mignonne, ~ belle. 그녀는 미인은 아니라 해도 귀엽다.

sinoque [sinɔk] *adj.* 《구어》 머리가 돈(= cinglé, fou), 바보 같은(= imbécile).

sinueux, euse [sinɥø, -ø:z] *adj.* ① 구불구불한 : une rivière *~euse* 굽이굽이 흐르는 강. ② (태도 · 수단 따위가) 솔직하지 못한.

sinuosité [sinɥozite] *f.* ① 굴곡, 구불구불함(= courbe) : ~ d'une rivière 〔d'une route de montagne〕 강〔산길〕의 굴곡. ② 《비유》 솔직하지 못함.

sinus[1] [sinys] 〔라틴〕 *m.* 〖해부〗 부비강(副鼻腔).

sinus[2] *m.* 〖수학〗 사인, 정현(正弦).

sinusite [sinyzit] *f.* 〖의학〗 부비강염(炎), 축농증.

sinusoïdal, e, aux [sinyzɔidal, -o] *adj.* 〖수학〗 정현곡선의.

sinusoïde [sinyzɔid] *f.* 〖수학〗 정현곡선.

sionisme [sjɔnism] *m.* 시온주의《팔레스타인에 유대인 국가를 건설하려는 운동》.

sioniste [sjɔnist] *n.* 시온주의자, 유대국 재흥 운동자. — *adj.* 시온주의에 관한.

Sioux [sju] *n.pr.m.* 수족(族)《아메리칸 인디언의 한 부족》. ***des ruses de ~*** 《구어》 교묘한 계략. — **s~** *m.* 수 언어.

siphon [sifɔ̃] *m.* ① 〖물리〗 사이펀(병). ② 〖동물〗 수관(水管), 흡관(吸管).

siphonner [sifɔne] *v.t.* (액체를) 사이펀으로 주입〔흡입〕하다.

sire [si:ʀ] *m.* ① (*S~*) 폐하, 전하《군주에 대한 호칭》. ② 경(卿), 나으리《봉건 시대의 제후에 대한 칭호》. ***un pauvre ~*** 무능한 놈.

sirène [siʀɛn] *f.* ① 사이렌, 경적, 기적 : ~ d'alerte 경보 사이렌. ② 〖그리스신화〗 세이렌《반인반어(半人半魚)의 요정》. ③ 《구어》 남자를 현혹시키는 미녀, 요부.

sirius [siʀjys] *m.* 〖천문〗 시리우스, 천랑성(天狼星).

siroc(c)o [siʀɔko] *m.* (북아프리카에서 불어오는 덥고 건조한) 지중해의 동남풍〔열풍〕.

***sirop** [siʀo] *m.* ① 시럽 : ~ de fruits 과일 시럽 / ~ contre la toux 기침 물약. ② 달콤한 것 : Cette changson, c'est du ~. 이 음악은 달콤하다.

siroter [siʀɔte] *v.t.* et *v.i.* 《구어》 조금씩 마시다(= déguster), 음미하며 조금씩 마시다.

sirupeux, euse [siʀypø, -ø:z] *adj.* ① 시럽의〔같은〕; 끈적끈적한. ② 《비유》 달콤하고 센티멘털한 : musique *~euse* 달콤한〔감상적인〕 음악.

sis, e [si, -i:z] *adj.* 〖법률〗 …에 위치한〔있는〕, …소재의(= situé) : maison *~e* à Séoul 서울 소재의 가옥.

sisal [sizal] *m.* 〖식물〗 사이잘《용설란의 일종》 : corde en ~ 사이잘삼 밧줄.

sismal, e, aux [sismal, -o] *adj.* 〖지질〗 진도(震度)를 나타내는.

sisme [sism] *m.* 지진(= séisme).

sismique [sismik] *adj.* 지진의 ; 지진에 관한 : onde ~ 지진파 / zone ~ 지진대(帶).

sism(o)- *préf.* 「지진」의 뜻.

sismographe [sismɔgʀaf] *m.* 지진계.

sismographie [sismɔgʀafi] *f.* 지진 관측(법).

sismologie [sismɔlɔʒi] *f.* 지진학.

Sisyphe [sizif] *n.pr.m.* 〖그리스신화〗 시지프스《지옥으로 굴러떨어지는 바위를 한없이 되풀이하여 산꼭대기로 밀어 올리는 형벌을 받았음》. ***C'est un rocher de ~.*** 아무리 해도 끝나지 않는 일이다. ***un travail de ~*** 끝없는 헛수고.

site [sit] *m.* ① 경치, 풍경, 경관(= paysage) : protection des *~s* naturels 자연경관의 보호. ② 위치, 지역 : ~ archéologique 고고학상의 발굴 지역. ③ (도시의) 지형, 지세. ④ 〖군사〗 조준 각(= angle de ~). ⑤ 〖컴퓨터〗 (인터넷) 사이트 : ~ web 웹 사이트.

sit-in [sitin] 〔영〕 *m.* (시위자들의) 농성.

sitio- *préf.* 「음식」의 뜻.

sitologie [sitɔlɔʒi] *f.* 환경학.

sitologue [sitɔlɔg] *n.* 환경학자.

sitôt [sito] *adv.* ① 《de ~》 그렇게 빨리《부정문에 사용》 : Il ne partira pas *de ~*. 그는 그렇게 빨리 떠나지는 않을 것이다. ② 《과거분사와 함께》 …하자 곧 : *S~* le repas fini, il partit. 식사를 마치자 그는 곧 출발했다. ③ 《après, avant 의 앞》 직전에 : ~ *avant* le cours 수업이 시작되지 직전에. ***ne... pas ~ ... que*** 《옛》 …하자마자 곧 : Il *ne* fut *pas* ~ parti *que* je me mis à travailler. 그가 떠나자마자 나는 일을 시작했다. ***~ que***+*ind.* …하자마자 곧(= dès que) : *S~ qu*'il reçut la lettre, il partit. 편지를 받자마자 그는 출발했다. — *prép.* 《문어》 …직후에.

‡situation [sitɥasjɔ̃] *f.* ① (지리적) 위치 : Ce port est dans une ~ favorable au commerce. 이 항구는 교역에 유리한 위치에 있다. ② (사회적) 지위 ; 직장 : Il a une belle ~. 그는 훌륭한 지위에 있다 / perdre sa ~ 직장을 잃다. ③ (정치상 · 외교상 · 재정상의) 상태, 상황 ; 〖군사〗 전황 : la ~ internationale 국제 정세 / la ~ de famille de cette personne 이 사람의 가족 상황 / se trouver dans une ~ avantageuse 〔dangereuse〕 유리〔위험〕한 상태〔입장〕에 놓여 있다. ④ (개인적인) 입장, 처지 ; 사정 : Il est dans une ~ difficile. 그는 난처한 입장에 있다 / Je ne suis pas au courant de la ~. 나로서는 사정을 잘 모르겠다. ⑤ (연극 · 소설의) 장면, 시추에이션 : ~ pathétique 비극적인 장면. ⑥ 〖경제〗 상황 보고(서), 통계 보고(서). ***en ~*** 현실과 꼭 같은 상황에서, 실제와 같이. ***être dans une ~ intéressante*** 《구어》 임신 중이다. ***être en ~ de***+*inf.* …할(수 있는) 입장에 있다.

situé, e [sitɥe] *adj.* 위치한, 놓인(= placé) : Sa maison est bien 〔mal〕 *~e*. 그의 집은 좋은〔나쁜〕 위치에 자리잡고 있다.

***situer** [sitɥe] *v.t.* (공간적 · 시간적으로) …

S

의 위치를 정하다, 배치하다 : L'auteur *a situé* cette scène à Paris. 작가는 그 장면을 파리로 설정했다 / ~ un événement à telle époque 어떤 사건을 어느 시대로 설정하다. ***On ne le situe pas bien.*** 《구어》 그가 어떤 사람인지 잘 알 수 없다. — **se ~** *v.pr.* 위치하다, 놓여 있다 : Ce parti *se situe* à droite. 이 당은 우익쪽이다.

***six** [sis] *adj. num.* 《자음 앞에서는 [si], 모음 앞에서는 [siz]로 발음됨》 6 의, 6 개〔사람〕의 ; 6 번째의(= sixième) : Nous en avons ~ [sis]. 우리는 그것을 여섯 개 갖고 있다 / à ~ heures [sizœːʀ] 여섯 시에 / ~ crayons [sikʀɛjɔ̃] 연필 여섯 자루 / Charles ~ 샤를 6 세. — *m.* 《언제나 [sis] 로 발음함》 6 ; (달의) 6 일 ; (카드놀이) 6 점짜리 카드 : le ~ décembre 12 월 6 일 / un ~ de cœur (카드놀이의) 하트의 여섯 끗.

six-huit [sisɥit] *m.* 《복수불변》 〖음악〗 8 분의 6 박자(= mesure à ~).

***sixième** [sizjɛm] *adj.num.* 여섯째의, 제 6 (번)의 : le ~ arrondissement de Paris 파리의 제 6 구(區). — *n.* 여섯째의 사람〔것〕; 6 번. — *m.* 6 분의 1 ; 7 층(= ~ étage) : quatre ~*s*, 6 분의 4. — *f.* 〖학교〗 제 6 학년(의 학생 · 교실)《우리나라 중학 1 학년에 해당》.

sixièmement [sizjɛmmɑ̃] *adj.* 여섯째로.

six-quatre-deux (à la) [alasiskatʀdø] *loc. adv.* 《구어》 아무렇게나, 되는대로, 날림으로(= négligemment) : faire qc *à la ~* … 을 아무렇게나 하다.

sixte [sikst] *f.* ① 〖음악〗 6 도(음정) : accord de ~, 6 도 화음. ② 〖펜싱〗 제 6 의 자세.

skaï [skaj] *m.* 《상표》 인조 가죽(= similicuir) : sac en ~ 인조 가죽 핸드백.

skate [skɛt] ⇒ skate-board.

skate-board [ske(ɛ)tbɔʀd] 〔영〕 *m.* (*pl.* ***~-s***) 스케이트보드(= planche à roullete).

skating [skɛtiŋ] 〔영〕 *m.* 롤러스케이트 ; 롤러스케이트장.

sketch [skɛtʃ] 〔영〕 *m.* (*pl.* ***~es***) 〖연극〗 스케치, 촌극(寸劇).

ski** [ski] *m.* 스키 ; 스키용구 : aller à 〔en〕 ~*s* 스키를 타러 가다 / bâton de ~ (스키용) 스틱, 지팡이 / faire du ~ 스키를 타다. ***saut à 〔***en***〕 ***~*** 스키 점프. ***~ nautique*** 수상 스키. ***station de ~*** 스키장.

skiable [skjabl] *adj.* 스키를 탈 수 있는, 스키 타기에 적합한.

skier [skje] *v.i.* 스키를 타다.

skieur, euse [skjœːʀ, -øːz] *n.* 스키를 타는 사람. 「용 보트》.

skif(f) [skif] 〔영〕 *m.* 경정(輕艇)《1 인승 경주

skipper [skipɛ(œ)ːʀ] 〔미〕 *m.* 〖해양〗 경주용 요트의 대장〔조타수〕.

skunks [skɔ̃ːks], **skungs** [skɔ̃ːgz] 〔영〕 *m.* 스컹크의 모피(= sconse).

slalom [slalɔm] 〔노르웨이〕 *m.* 슬랄롬《스키의 회전(回轉) 경기》. ***~ géant*** 대(大)회전.

slalomer [slalɔme] *v.i.* ① 〖스키〗 슬랄롬을 하다, 회전을 하다. ② 장애물을 요리조리 피해서 가다.

slalomeur, euse [slalɔmœːʀ, -øːz] *n.* 〖스키〗 회전 경기자.

slave [slaːv] *adj.* 슬라브 민족의 ; 슬라브풍〔식〕의 — *n.* 슬라브인. — *m.* 슬라브어.

slavisant, e [slavizɑ̃, -ɑ̃ːt] *adj.* 슬라브족(族)의, 슬라브족 특유의. — *m.* 슬라브어 학자.

sleeping(-car) [slipiŋ(kaːʀ)] 〔영〕 *m.* 《옛》 〖철도〗 침대차(= wagon-lit).

***slip** [slip] 〔영〕 *m.* 〖복장〗 (남녀용의 짧은) 팬티, 슬립 ; 수영 팬티(= ~ de bain).

slogan [slɔgɑ̃] 〔영〕 *m.* 〖상업 · 정치〗 슬로건, 표어, 구호 : lancer un ~ 구호를 내걸다 / ~ publicitaire 선전 표어.

slow [slo] 〔영〕 *m.* 슬로 댄스(곡).

S.M. 《약자》 ① Sa Majesté 폐하. ② service militaire 병역.

smala(h) [smala] 〔아라비아어〕 *f.* ① 아라비아 추장 일족의 이동 집단. ② 《구어》 대가족, 대세대(= famille nombreuse) : partir avec toute sa ~ 대가족을 데리고 떠나다.

smash [smaʃ] 〔영〕 *m.* 〖테니스〗 스매시《강하게 내려치기》.

smasher [smaʃe] *v.i.* 〖테니스〗 스매시하다.

S.M.E. 《약자》 système monétaire européen 유럽 통화 제도《1978 년부터》.

S.M.I.C. [smik] *m.* 《약자》 salaire minimum interprofessionnel de croissance 슬라이드제(制) 최저 임금《1970 년부터》.

smicard, e [smikaːʀ, -aʀd] *n.* 《구어》 최저 임금(S.M.I.C.) 생활자 ; 최저 임금 노동자.

smigard, e [smigaːʀ, -aʀd] *n.* 《옛》 최저 임금 봉급생활자 ; 최저 임금 노동자.

smocks [smɔk] 〔영〕 *m.pl.* 〖의복〗 스모킹《기하학적 무늬의 주름 장식》.

smog [smɔg] 〔영〕 *m.* 스모그.

smoking [smɔkiŋ] 〔영〕 *m.* 〖의복〗 스모킹, 턱시도《남자용 약식 야회복》.

snack-bar [snakbaːʀ], **snack** [snak] 〔영〕 *m.* (*pl.* ***~-~s ; snacks***) 스낵바, 간이식당.

S.N.C.F. 《약자》 Société Nationale des Chemins de fer Français 프랑스 국유 철도.

snif(f) [snif] *interj.* 코를 훌쩍거리는 소리.

snob [snɔb] 〔영〕 *n.* 유행을 따르는 사람 ; 속물. — *adj.* 《불변》 (때로 *pl.* ***~s***) 유행을 따르는.

snober [snɔbe] *v.t.* (snob 이 하듯 사람을) 깔보다, 경멸〔멸시〕하다.

snobinard, e [snɔbinaːʀ, -aʀd] *adj.* et *n.* 《구어》 《경멸》 유행을 따르는 (사람).

snobisme [snɔbism] *m.* 유행 추종, 속물 근성, 스노비즘.

snow-boot [snobut] 〔영〕 *m.* (*pl.* ***~-~s***) (구두 위에 덧신는) 설화(雪靴), 눈신.

S.-O. 《약자》 sud-ouest 남서(南西).

soap-opéra [sopɔpeʀa] 〔영〕 *m.* (*pl.* ***~-~s***) (텔레비전의) 인기 드라마.

***sobre** [sɔbʀ] *adj.* ① (음식 · 술을) 절제하는(= tempérant). ② 절도 있는, 검소한, 간소한, 수수한 : vêtement de coupe ~ 검소한 스타일의 옷. ③ (표현이) 간결한, 과장 없는(= simple) : style ~ 간결한 문체. ④ 《~ de》 …을 삼가는(= réservé) : ~ en paroles 말이 적은 / être ~ d'éloges 칭찬하는 데 인색하다.

sobrement [sɔbʀəmɑ̃] *adv.* ① 절제하여, 간소〔검소〕하게 ; 수수하게 : parler ~ 간결

S

하게 말하다 / vivre ~ 검소하게 살다. ② 조심성 있게.

sobriété [sɔbʀijete] *f.* ① (음식의) 절제(= frugalité) ; 절도 ; 검소, 간소 : La ~ est une condition de bonne santé. (음식의) 절제는 건강의 조건이다. ② 〖예술〗 과장 · 허식이 없음, (표현의) 간결.

sobriquet [sɔbʀikɛ] *m.* 별명.

soc [sɔk] *m.* 〖농업〗 보습.

sochet [sɔʃɛ] *m.* 보습의 일종.

sociabilité [sɔsjabilite] *f.* 사교성 ; 상냥스러움, 사근사근함.

sociable [sɔsjabl] *adj.* ① 사교적인, 붙임성 있는(= aimable) : enfant peu ~ 붙임성이 없는 아이 / caractère ~ 사교적인 성격. ② 사회성이 있는 ; 무리지어 사는 : L'homme est un animal ~. 인간은 사교적 동물이다 / insectes ~s 무리지어 사는 곤충.

sociablement [sɔsjabləmɑ̃] *adv.* 사교적으로 ; 사근사근하게, 친절하게.

‡**social, e, aux** [sɔsjal, -o] *adj.* ① 사회적인, 사회(생활)의(≠ individuel) : problèmes ~*aux* ; questions ~*es* 사회 문제 / vie ~*e* 사회생활. ② 사회 복지〔보장〕의 : sécurité ~*e* 사회 보장 (제도) / politique ~ 사회 복지 정책. ③ 〖식물〗 군생하는 ; 〖동물〗 군거(群居)하는. ④ 회사〔상사〕의 : capital ~ 회사 자본금 / nom ~ 회사〔상사〕명.
— *m.* 사회 문제〔현상〕 : repenser l'économique à travers le ~ 사회 문제를 통해 경제를 재검토하다.

social-démocrate [sɔsjaldemɔkʀat] *n.* (*pl.* ~***aux***-~***s***) 〖정치〗 사회 민주주의자, 사회 민주당원. — *adj.* parti ~ 사회 민주당 (*pl.* partis ~*aux*-~*s*).

social-démocratie [sɔsjaldemɔkʀasi] *f.* 〖정치〗 (독일의) 사회 민주주의 ; 사회 개량주의.

socialement [sɔsjalmɑ̃] *adv.* 사회적으로 ; 사회학상 : groupes ~ différenciés 사회적으로 구분이 되는 집단.

socialisant, e [sɔsjalizɑ̃, -ɑ̃:t] *adj.* et *n.* ① 사회주의적 경향을 띤 (사람). ② 경제적 · 사회적 현실을 중시하는 (사람).

socialisation [sɔsjalizasjɔ̃] *f.* 〖정치 · 경제〗 (생산 수단의) 공유화, 국유화 ; 사회주의화 : ~ des biens privés 사유 재산의 국유화.

S

socialiser [sɔsjalize] *v.t.* ① 사회주의화하다 : pays *socialisé* 사회주의화 된 나라. ② 공유화〔국유화〕하다 : ~ la propriété 재산을 국유화하다. — **se** ~ *v.pr.* 사회(주의)화되다, 공유화되다.

***socialisme** [sɔsjalism] *m.* 사회주의 : ~ chrétien 기독교 사회주의 / ~ d'État 국가 사회주의.

***socialiste** [sɔsjalist] *n.* 사회주의자 ; 사회당원. — *adj.* 사회주의자의 ; 사회당의 : parti ~ 사회당 / régime ~ 사회주의 체제.

socialo- *préf.* 「사회주의의」의 뜻.

sociétaire [sɔsjetɛ:ʀ] *n.* (정규의) 사원, 회원, 단원 : ~ d'une société anonyme 주주(株主) / ~ de la Comédie-Française 코미디 프랑세즈의 정회원. — *adj.* 회사〔단체〕에 가입하고 있는, (회원이) 정규의.

sociétariat [sɔsjetaʀja] *m.* 정사원〔정회원〕 자격 ; 《특히》 코미디프랑세즈의 정회원.

‡**société** [sɔsjete] *f.* ① 사회(= communauté) : ~ humaine 인류 사회 / ~s primitives 〔civilisées, modernes, féodales〕 원시〔문명 · 현대 · 봉건〕 사회. ② 회, 협회, 학회; 단체 ; 조합 : la ~ des comédiens-français 프랑스 연극인 협회 / ~ de bienfaisance 자선 단체 / ~ de secours mutuels 공제 조합. ③ 회사(= ~ commerciale) : constituer 〔fonder〕 une ~ 회사를 설립하다 / actes de ~ 회사의 기본 정관. ④ 교제, 사교(= commerce) ; 사교계 ; 한 자리에 모인 사람들 : rechercher la ~ de qn …와 교제하기를 원하다 / Toute la ~ se mit debout. 그 자리에 있던 모든 사람들이 일어섰다. ***de*** ~ 사교상의, 교제의 : talent *de* ~ 사교의 재능. ***en*** ~ 사회를 이루어 ; 공동으로 : vivre *en* ~ 사회생활을 하다. ***la haute*** ~ 상류 사회.

socio- *préf.* 「사회의」의 뜻.

socio(-)culturel, elle [sɔsjɔkyltyʀɛl] *adj.* 사회 문화의.

sociodrame [sɔsjɔdʀam] *m.* 〖심리〗 사회극《집단 심리 요법으로 쓰이는 사회 심리극》.

socioéconomique [sɔsjɔekɔnɔmik] *adj.* 사회 경제적인 : étude ~ 사회 경제학.

sociolinguistique [sɔsjɔlɛ̃gyistik] *f.* 사회언어학.

***sociologie** [sɔsjɔlɔʒi] *f.* 사회학 : ~ politique 정치 사회학.

sociologique [sɔsjɔlɔʒik] *adj.* 사회학(상)의, 사회학적인.

sociologue [sɔsjɔlɔg] *n.* 사회학자 ; 사회학과의 학생.

socio(-)professionnel, elle [sɔsjɔpʀɔfɛsjɔnɛl] *adj.* 사회 직능별의 : catégorie ~*elle* 직업별 사회층. — *n.* 사회 직능 대표.

socle [sɔkl] *m.* (기둥의) 주춧돌 ; (조상(彫像) · 꽃병 따위의) 받침, 대좌(臺座).

socque [sɔk] *m.* (농민 · 수도승들의 밑바닥이 높은) 나막신 ; 나무 바닥(이 달린) 신발.

socquette [sɔkɛt] *f.* (보통 *pl.*) 여자의 짧은 양말, 반양말, 삭스.

socratique [sɔkʀatik] *adj.* 소크라테스의 ; 소크라테스파〔풍〕의 : méthode ~ 소크라테스식 문답법 / amour ~ (남성간의) 동성연애. — *m.* 소크라테스파에 속하는 사람, 문하인.

soda [sɔda] *m.* 소다수(水).

sodium [sɔdjɔm] *m.* 〖화학〗 소듐, 나트륨.

sodomie [sɔdɔmi] *f.* 남색(男色), 계간, 비역(= pédérastie).

sodomite [sɔdɔmit] *m.* 남색가(= homosexuel, pédéraste). — *adj.* 남색의.

‡**sœur** [sœ:ʀ] *f.* ① ⓐ 언니, 동생, 누이, 누나; (*pl.*) 자매 : ~ aînée 언니, 누나《구어로는 grand ~》 / ~ cadette 〔puînée〕 (누이)동생《구어로는 petite ~》. ⓑ (자매처럼) 친한 사람. ⓒ (자매처럼) 비슷한 것 : Toutes les passions sont ~*s*. 정열은 모두 비슷한 점이 있다. ② 〖가톨릭〗 수녀(修女)《호칭으로는 ma ~》 : bonne ~ 자선 사업〔병원 · 유치원 등〕에 종사하는 수녀.

sœurette [sœʀɛt] *f.* 《애칭》 (누이)동생.

sofa [sɔfə] *m.* 소파, 긴 의자(= canapé)

software [sɔftwɛːʀ] 〔미영〕 *m.* 〖컴퓨터〗 소프트웨어(= logiciel ; ≠ hardware).

⁑**soi** [swa] *pron. pers.* 《재귀인칭대명사 se 의 강세형 ; soi 의 강조형은 soi-même》 자기, 자기 자신 ; 그 자체, 그것 자체. ① 《비특정의 주어로 된 문장, 주어가 명시되지 않은 문장에서》. ⓐ 《부정법과 함께》 Être trop content de ~ est une sottise. 너무 자기만족을 하는 것은 어리석은 일이다. ⓑ 《주어와 동격 ; 이 경우에는 soi-même 만을 사용》 Ici on fait tout ~-même. 여기서는 모든 일은 자기 자신이〔직접〕 한다. ⓒ 《ne... que... 구문에서 직접목적보어로》 On *n'aime que* ~. 사람은 자기 자신밖에 사랑하지 않는다 / On *ne* pense *qu'*à ~-même. 사람은 제 생각만 한다. ⓓ 《전치사의 보어》 amour de ~ 자애(自愛), 자존심 / confiance en ~ 자신감 / malgré ~ 본의 아니게 / rapporter tout à ~ 뭐든지 자기 본위로 해석하다. ⓔ 《속사》 Il faut toujours être ~. 언제나 자기의 본심을 잃어서는 안 된다. ⓕ 《비교의 보어로서 que 나 comme 다음에서》 On a souvent besoin d'un plus petit *que* ~. 사람이란 흔히 자기보다 더 약한 사람이 필요한 법이다. ② 《특정의 주어로 된 문장에서》 ⓐ 《lui, elle, eux 의 사용이 애매할 때》 Elle se moquait de sa fille et ne pensait qu'à ~. 그 여자는 자기 딸을 무시하고 자기자신만을 생각했었다. ⓑ 《주어가 일반성을 띨 경우》 L'égoïste ne vit que pour ~. 이기주의자는 오직 자신만을 위해서 산다. ⓒ 《옛》 《lui, elle 대신으로》 homme qui n'agit que pour ~ 제 자신을 위해서만 행동하는 사람. ***à part ~*** 《구어》 마음속으로, 혼자서. ***Cela va de ~.*** 그건 당연하다〔말할 것도 없다, 물론이다〕. ***chez ~*** 자기 집에(서) ; 자기 집, 자택, 집 : Il a un *chez* ~. 그에게는 제 집이 있다. ***de ~*** 본시, 본디 : *De* ~ le vice est odieu. 본시 악덕이란 흉한 것이다. ***~-même*** ⓐ 스스로 (결단하여). ⓑ 저절로. ***en ~*** 그 자체로서(는) ; 본질적으로, 본디. ***ne pas être à ~*** 자립성을 잃다 ; 제 정신을 잃다. ***être à ~*** 자립하다, 자주성이 있다. ***prendre*** qc ***sur ~ ; prendre sur ~ de*** + *inf.* …하는 책임을 지다. ***revenir à ~*** 정신〔의식〕을 회복하다, 제정신이 들다. ***sur ~*** 자기 몸에 : n'avoir plus d'argent *sur* ~ 이젠 한푼도 가진 것이 없다.

── *m.* 《복수불변》 ① 자기 자신 : le ~ 자아. ② 〖정신분석〗 이드(= ça). ③ 〖철학〗 의식 ; 자아 : en ~ 즉자(卽自) / pour ~ 대자(對自). ***un autre ~*** 제 2 의 자기, 가장 가까운 사람〔친구〕 ; 또 다른 하나의 자아.

*__soi-disant__ [swadizɑ̃] *adj.* 《불변》 ① 《사람에 관하여》 자칭의 ; 소위 : ~ docteur 자칭 박사 / ~ philosophes 자칭 철학가. ② 《사물에 관하여》 이른바(= prétendu), …라고 일컬어지는 : travaux ~ difficiles 어렵다고들 하고 있는 일. ── *adv.* 표면상은, 자칭하는 바로는, 자기 이야기로는 : Il est parti, ~ pour revenir. 그는 돌아온다고 하면서 떠났다.

*__soie__ [swa] *f.* ① 생사 ; 명주(실), 비단 : dame habillée de ~ de Chine 중국 비단옷을 입은 부인. ② (돼지 · 멧돼지 따위의) 뻣뻣한 털 : brosse en ~*s* de sanglier 멧돼지털 브러시. ***papier de ~*** 박엽지(博葉紙).

soierie [swaʀi] *f.* ① 견직물, 비단 : ~*s* de Lyon 리용 견직물 / marchand de ~*s* 비단장수. ② 견직물 공업〔판매업〕 : être dans la ~ 견직 공업에 종사하다〔직공이다〕.

*__soif__ [swaf] *f.* ① 갈증, 목마름 : ~ brûlante 타는 듯한 갈증 / mourir de ~ 목이 말라 죽을 지경이다 / étancher sa ~ 목을 축이다, 갈증을 풀다 / boire sans ~ 폭음하다, 대주가〔주호〕다. ② 《~ de》 …에 대한 갈망, 욕구 : la ~ *de* l'or 대단한 금전욕 / la ~ *de* connaître 지식욕, 향학열. ***avoir grand ~*** 〔***grand-~***〕 몹시 목마르다.

soiffard, e [swafaːʀ, -aʀd] *n.* 《구어》 술꾼, 모주꾼, 주정뱅이. ── *adj.* 주정뱅이의(= ivrogne).

soignant, e [swaɲɑ̃, -ɑ̃ːt] *adj.* 간병인의, 간호 보조사의 : un(e) aide ~(*e*) 간호 보조사.

soigné, e [swaɲe] *adj.* ① 공들인, 정성들인, 세심한 주의를 기울인(≠ négligé) : cuisine ~*e* 공들인 요리. ② 손질이 잘 된 ; 깨끗한(= propre) : ~ de sa personne 몸치장이 말쑥한 / mains ~*es* 깨끗한 손. ③ 《구어》 심한, 굉장한(= excessif) : rhume ~ 심한 감기. ── *m.* 공〔정성〕들인 것.

⁑**soigner** [swaɲe] *v.t.* ① 돌보다, 보살피다 ; 손질하다 : ~ ses invités 손님을 돌보다〔대접하다〕 / ~ ses fleurs 꽃을 손질하다 / ~ un cheval 말을 보살피다. ② 소중히 하다, 조심스럽게 다루다, 아껴 쓰다(≠ négliger) : ~ ses outils 자기 연장을 아껴 쓰다〔소중히 다루다〕. ③ 치료〔간병 · 간호〕를 하다 : ~ une maladie 환자의 간호를 하다 / Il a été mal *soigné* 그는 응급 치료가 나빴다 / ~ son rhume 감기를 치료하다. ④ …에 정성을 기울이다, 공들이다, 마음을 쓰다 : ~ un travail 일에 정성을 들이다 / ~ sa mise 옷차림에 마음을 쓰다. ── **se ~** *v.pr.* ① 건강에 신경을 쓰다, 몸조심하다, 몸조리하다 : *Soignez-vous* bien. 몸조리 잘 하십시오. ② (병이) 치료되다 : La tuberculose *se soigne* bie*n*. 폐결핵 치료는 어렵지 않다. ③ 몸치장하다, 옷차림에 마음을 쓰다.

soigneur [swaɲœːʀ] *m.* 〖스포츠〗 (복싱 · 프로레슬링 따위의) 트레이너, 세컨드.

soigneusement [swaɲøzmɑ̃] *adv.* ① 조심하여, 공들여서 : maison ~ entretenue 정성 들여 관리한 집. ② 세밀하게, 철저하게 : examiner ~ une affaire 사건을 세밀하게 검토하다.

*__soigneux, euse__ [swaɲø, -øːz] *adj.* ① 《~ de》 …에 마음을 쓰는 ; (사람이) 세심한, 성실한 : employée très ~*euse* 아주 성실한 여사무원. ② (일이) 정성 들인, 꼼꼼한 : travail ~ 정성 들인 일 / recherches ~*euses* 진지한 연구. ***peu ~*** (사람이) 조심스럽지 않은 ; (일이) 아무렇게나 한, 공들이지 않은.

soi-même [swamɛm] *pron. pers.* 《재귀인칭대명사 soi 의 강조형》 자기 자신, 그 자체 : rentrer en ~ 자기 자신을 반성하다. ── *m.* 《복수불변》 자기 자신 ; 자기의 분신 : un autre ~ 제 2 의 자기.

⁑**soin** [swɛ̃] *m.* ① 마음을 쓰기, 세심한 주의,

S

정성 : mettre un ~ infini à+*inf.* …하는 데 세심한 주의를 기울이다 / apporter un ~ extrême à qc 〔+*inf.*〕 …에〔하는 데〕 정성을 들이다. ② 관심 ; 염려, 걱정(= souci) : Son premier ~ fut de nous mener à la place. 그는 우선 우리를 광장으로 데려 갈 걱정부터 했다. ③ (여러 가지) 배려, 돌보는 일, 보살핌 ; 보호, 감독 : L'enfant a besoin des ~*s* d'une mère. 아기는 엄마가 보살펴 줄 필요가 있다 / confier A aux ~*s* de B, A를 B의 보호〔감독〕 아래 두다. ④ 간호, 치료, 처리(= traitement) : recevoir des ~*s* dans un hôpital 병원에서 치료를 받다 / ~*s* médicaux 〔dentaires〕 내과〔치과〕 치료. ⑤ 몸단장, 몸치장 : ~*s* du corps 〔de toilette, de beauté〕 옷을 차려 입기〔화장하기〕. ***Aux*** (***bons***) ***~s de M. X.*** X씨 전교(轉交), X씨 방(方). ***avec ~*** 정성들여, 공들여. ***avoir*** 〔***prendre***〕 ***~ de*** …을 돌보다〔보살피다〕; 간호하다. ***avoir*** 〔***prendre***〕 ***~ de***+*inf.* ***;*** ***avoir ~ que***+*sub.* 유의하여 …하다, …하도록 유의하다. ***être en ~*** 염려하다.

‡**soir** [swaːʀ] *m.* ① 저녁, 밤 : repas 〔salut〕 du ~ 저녁 식사〔인사〕 / chaque ~; tous les ~*s* 매일 저녁 / la presse du ~ 석간(신문) / le quinze au ~, 15일 저녁에. ② 《시간을 나타낼 때, 주로 16시 이후 자정까지의 사이》 하오, 오후 : six heures du ~ 하오 6시. ③ 만년, 노년(= vieillesse) : ~ de la vie 인생의 황혼. ***À ce ~ !*** 저녁에 만납시다《헤어질 때의 인사》. ***ce ~*** 오늘 저녁(에). ***demain*** (***au***) ***~*** 내일 저녁에. ***du matin au ~*** 한나절 내내. ***hier*** (***au***) ***~*** 엊저녁에. ***la veille au ~*** 그 전날 저녁에. ***le lendemain*** (***au***) ***~*** 다음날 저녁에. ***le ~*** 저녁에. ***lundi*** (***au***) ***~*** 월요일 저녁에. ***par un beau ~ d'eté*** 어느 여름날 저녁에. ***robe du ~*** 정식의 야회복. ***sur le ~*** 저녁때쯤. ***un ~*** 어느 날 저녁에.

***soirée** [swaʀe] *f.* ① 저녁, 밤(시간)《일몰로부터 취침까지》: passer ses ~*s* à lire 저녁나절을 독서로 보내다 / J'ai passé une bonne ~. 나는 즐거운 밤을 보냈다. ② (보통 저녁 식사 후의) 야회, 밤파티 ; (연예 · 친목을 위한 야간) 모임 : aller en ~ 야회〔밤파티〕에 가다 / ~ dansante (야간의) 댄스 파티 / ~ musicale 음악의 밤. ③ (연극 따위의) 야간 상연 : passer en ~ (연극이) 밤에 상연되다.

S

soit¹ [swa] être 의 접속 · 현재 · 3 · 단수.

soit²** *conj.* ① 《~…~ 〔ou〕》 …이든지 …이든지 (간에) : ~ l'un, ~ l'autre 이것이든 저것이든, 어느 것이든지 / ~ maintenant, ~ demain, ou après-demain 오늘이든 내일이든 또는 모래든 언젠가는. ② 즉, 곧, 다시 말해서(= c'est-à-dire) : trois objets à dix francs, ~ trente francs 10프랑짜리 물건 3개, 즉 30프랑. ③ 《동사로서 접속법이 굳어진 표현》 …이 있다고 하자 : *S*~ le triangle ABC. 삼각형 ABC가 있다고 하자. ***s~ que... ***~*** 〔***ou***〕 ***que...*** +*sub.* …이든지 …이든지 : *S*~ *qu'*il parte, ~ 〔*ou*〕 *qu'*il reste, moi je partirai. 그 사람이야 떠나든 말든 나는 떠나겠다. ── *adv.* [swat] 좋소, 그렇게 합시다〔하시오〕: Vous le voulez? *S*~, j'irai avec vous. 그러길 바라십니까? 좋소, 그럼 제가 함께 가 드리죠.

***soixantaine** [swasɑ̃tɛn] *f.* ① 약 60 : une ~ de francs 약 60 프랑. ② 60세쯤, 약 60세 : avoir passé la ~ 나이가 60대이다.

soixante** [swasɑ̃ːt] *adj. num.* 《불변》 60의 ; 제 60의 : âge de ~ ans 60세 / page ~ 60(번째) 페이지. ***~ et un 〔***unième***〕***,*** 61 〔제 61〕의. ── *m.* 《복수불변》 ① 60 : ~ moins vingt, quarante 60 빼기 20은 40 / Il habite au ~, rue X. 그는 X가 60번지에 산다.

***soixante-dix** [swasɑ̃tdi(s)] *adj. num.* 《불변》 70의 ; 제 70의.

soixante-dixième [swasɑ̃tdizjɛm] *adj. num.* 《불변》 제 70의. ── *n.* 70번째의 것〔사람〕. ── *m.* 70분의 1.

soixantième [swasɑ̃tjɛm] *adj. num.* 《불변》 60번째의, 제 60의. ── *n.* 60번째의 것〔사람〕. ── *m.* 60분의 일.

soja [sɔʒa] *m.* 〖식물〗 대두(= soya) : germes de ~ 콩나물 / sauce de ~ 콩간장 / pâté de ~ 두부.

***sol¹** [sɔl] *m.* ① 땅바닥, 지면(= terre) : creuser le ~ 지면을 파다 / s'asseoir sur le ~ 땅바닥에 앉다 / toucher le ~ (비행기가) 착륙하다. ② (건물의) 바닥, 바닥재(材) : revêtement de ~ (리놀륨 · 카펫 따위의) 바닥재 / gymnastique au ~ 〖체조〗 마루 운동. ③ (지질 · 산물에서 본) 토지, 토양 : ~ aride 〔fertile〕 불모의〔비옥한〕 토지. ④ (부동산으로서의) 토지, 땅. ⑤ 고장, 나라, 고국(= pays) : ~ natal 모국, 고향 / rester cloué au ~ 《구어》 한곳에 정주하다.

sol² *m.* 〖음악〗 다장조 음계의 제 5음, G음, 솔 ; 그 기호.

sol-air [sɔlɛːʀ] *adj.* 《불변》 〖군사〗 지대공(地對空)의 : missiles ~ 지대공 미사일.

solaire [sɔlɛːʀ] *adj.* ① 태양의 : année ~ 〖천문〗 태양년《365일 5시간 48분 46초》 / rayons ~*s* 태양 광선 / système ~ 태양계. ② 태양열〔빛〕을 이용한 ; 태양 에너지에 관한 : cadran ~ 해시계 / maison ~ 태양열 주택. ③ 햇빛을 차단하는 : crème ~ 선크림 / lunettes ~*s* 선글라스. ④ 〖해부〗 plexus ~ 태양 신경총(太陽神經叢).

solarium [sɔlaʀjɔm] *m.* 〖의학〗 일광욕실, 솔라륨 ; 일광욕에 적합한 장소.

‡**soldat** [sɔlda] *m.* ① 군인 : métier de ~ 군인 생활 / ~ d'artillerie 〔de cavalerie〕 포병〔기병〕 / ~ de marine 해병(대원). ② 병사, 사병, 병졸, 졸병(= simple ~). ③ 《~ de》 …의 전사, 투사, 수호자 : ~ *de* la liberté 자유의 전사. ***le tombeau*** 〔***la tombe***〕 ***du S~ inconnu*** 〔***de l'Inconnu***〕 (파리 개선문 밑의) 무명용사의 무덤. ***se faire ~*** 군인이 되다. ***vieux ~*** 노병 ; 노장.

soldate [sɔldat] *f.* 여자 군인, 여군.

soldatesque [sɔldatɛsk] *f.* 《집합적》 오합지졸. ── *adj.* 《경멸》 군인 같은, 군인투의 : langage ~ 군인식 말투.

solde¹ [sɔld] *f.* (군인 · 군속 등의) 봉급 : toucher sa ~ (군인이) 자기 월급을 받다 / congé sans ~ 무급(無給) 휴가. ***être à la ~ de*** qn …에게 고용되어 있다 ; …에게 매

수되어 있다.

***solde²** *m.* ① 〖상업〗 (계좌의) 대차(貸借) 차액 : ~ débiteur 차월액(借越額) / ~ créditeur 대월액(貸越額). ② 바겐세일, 염가 대매출 ; (흔히 *pl.*) 그 상품 : articles mis en ~ 바겐세일 상품. ③ 미불금, 잔금.

solder [sɔlde] *v.t.* ① 〖상업〗 대차 결산을 하다 ; (미불금을) 청산하다. ② (재고품을) 염가에 특매하다, 바겐세일하다. ── **se ~** *v.pr.* 《se ~ par 〔en〕》 ① (대차 차액이) …으로 청산되다, 청산한 결과 …이 되다 : Le budget *se solde par* un déficit. 결산의 결과 예산은 적자가 되었다. ② …의 결과가 되다, …으로 귀착되다 : L'affaire *s'est soldée* par un échec. 그 일은 실패로 끝났다.

soldeur, euse [sɔldœːʀ, -øːz] *n.* 〖상업〗 재고품의 염가 판매상, 떨이 물건 장수.

***sole¹** [sɔl] *f.* 〖어류〗 혀넙치, 혀가자미.

solécisme [sɔlesism] *m.* 〖문법〗 파격어법, 어법상의 오류.

⁑**soleil** [sɔlɛj] *m.* ① 태양, 해 : Le ~ se lève à l'est. 해는 동쪽에서 떠오른다 / ~ levant 〔couchant〕 떠오르는〔지는〕 해. ② 〖천문〗 (항성으로서의) 태양 ; 중심 항성 : La Terre tourne autour du *S*~. 지구는 태양의 주위를 돈다. ③ 일광, 햇빛(= rayons du ~) ; 양지, 볕 ; 쾌청, 갠 날씨 : s'allonger au ~ 양지에서 잠들다 / Il fait (du) ~ 맑은 날씨이다 / robe bain de ~ 일광욕복 / coup de ~ 일사병 ; 햇볕에 데임 / lunettes 〔chapeau〕 de ~ 선글라스〔차양 모자〕. ④ 《비유》 태양과 같은 인물 ; (기쁨·행복의) 샘, 원천 : le Roi-*S*~ 태양왕 루이 14 세. ⑤ (꽃불이 바퀴 모양으로) 빙빙 돌기 ; 〖철봉〗 대차륜 돌기 : faire le grand ~ à la barre fixe ; tourner en ~ autour de la barre 철봉에서 대차륜을 돌다. ⑥ 〖식물〗 해바라기(= tournesol). ***au ~, au grand ~*** 양지(陽地)에(서) ; 햇빛을 받아서 ; 백일하에, 공공연히. ***avoir sa 〔une〕 place au ~*** 유리〔중요〕한 지위를 차지하다. ***avoir un bien 〔du bien, des biens〕 au ~*** 부동산을 가지고 있다. ***en plein ~*** 따뜻한〔뜨거운〕 햇볕에. ***Il fait grand ~.*** 해가 중천에 떠 있다. 대낮이다. ***piquer un ~*** 얼굴이 빨개지다. ***prendre le ~*** 햇볕을 쬐다. ***sous le ~*** 이 세상〔지상〕에.

solen [sɔlɛn] *m.* 〖패류〗 긴맛(= conteau).

***solennel, elle** [sɔlanɛl] *adj.* ① (의식 따위가) 장엄한, 성대한(= pompeux) : messe ~*elle* ; service ~ 장엄 미사, 대미사. ② 정식의, 공식적인 ; (계약·서약 따위가) 격식을 갖춘 : serment ~ 정식의 선서 / audience ~*elle* 공식적인 접견. ③ 《흔히 경멸》 거드름 피우는, 점잔 빼 ; 과장된(= grave, affecté, emphatique) : parler d'un ton ~ 점잔 빼 어조로 말하다 / homme ~ 거드름 피우는 남자.

solennellement [sɔlanɛlmɑ̃] *adv.* ① 성대〔장엄〕하게 : mariage célébré ~ 성대하게 치른 결혼식. ② 공식적으로, 정식으로, 격식을 갖추어 : recevoir ~ un ambassadeur 대사를 공식 접견하다. ③ 거만하게 ; 점잔 빼며

***solennité** [sɔlanite] *f.* ① 장엄함, 성대함, 엄숙함 : ~ d'une cérémonie 식전(式典)의 엄숙함 / ~ d'un discours 담화의 장중함. ② 성대한 의식 : ~*s* du culte catholique 가톨릭의 (성대한) 의식. ③ 거만한 태도, 젠체함.

solénoïde [sɔlenɔid] *m.* 〖전기〗 원통에 감은 긴 코일.

solex [sɔlɛks] *m.* 〖상표명〗 모터 바이시클.

solfatare [sɔlfataːʀ] *f.* 〖지질〗 황기공(黃氣孔).

solfège [sɔlfɛːʒ] *m.* 〖음악〗 계명으로 노래하기 ; 솔페지오 교습서.

solfier [sɔlfje] 〖음악〗 *v.t.* (도레미파의) 계명으로 노래하다. ── **se ~** *v.pr.* 계명으로 노래 불려지다.

***solidaire** [sɔlidɛːʀ] *adj.* ① ⓐ 〖법률〗 연대 책임을 진 : obligation 〔responsabilité〕 ~ 연대 의무〔책임〕. ⓑ 《~ de 〔avec〕》 …와 연대하고 있는 : Les étudiants se déclarent ~*s des* travailleurs. 학생들은 노동자와의 연대를 표명하고 있다. ② (사물이) 연결되어 있는, 서로 관련하고 있는 : problèmes ~*s* 관련 있는 문제.

solidairement [sɔlidɛʀmɑ̃] *adv.* 〖법률〗 연대적으로, 연대 책임에 의하여.

solidariser [sɔlidaʀize] *v.t.* ① 연계시키다 : mécanisme à action *solidarisée* 연동 장치. ② 〖법률〗 …에게 연대 책임을 지우다. ── **se ~** *v.pr.* 《~ avec》 …와 연대하다.

solidarité** [sɔlidaʀite] *f.* ① 연대, 연대감 : ~ de classe 계급적 연대 / professionnelle 직업상의 연대. ② (두 가지 사물·현상의) 관련성. ③ 〖법률〗 연대 책임. ***grève de ~ 동정 파업.

⁑**solide** [sɔlid] *adj.* ① 고체의 ; (음식이) 고형의 : aliments ~*s* et aliments liquides 고형식과 유동식 / corps ~ 고체. ② ⓐ 튼튼한, 굳건한, 견고한 ; (변함없이) 오래가는 : meuble ~ 튼튼한 가구 / nœud ~ 단단히 묶은 매듭 / amitié ~ 변함없는 우정 / couleur ~ 불변색. ⓑ 체격이 좋은, (몸이) 실팍한, 건강한(= robuste) : gaillard ~ 늠름한 젊은이 / ~ comme un roc 바위같이 건장한. ③ (신념 따위가) 확고한 ; (성품이) 견실한 : preuve 〔alibi〕 ~ 확고부동한 증거〔알리바이〕 / C'est un esprit ~. 저 사람은 견실한 인간이다. ④ 실속있는, 충실한 : prendre un ~ repas 실속있는 식사를 하다. ⑤ 《구어》 대단한(= bon, grand), 상당한(= important), 호된 : un ~ coup de poing 호된 주먹질 / un ~ appétit 왕성한 식욕. ⑥ 〖기하〗 입체의 : angle ~ 입체각. ***être ~ au poste*** 담당 부서〔직무〕를 고수〔수행〕하다 ; (신념이) 확고하다. ── *m.* ① 고체 ; 〖기하〗 입체. ② 확고한 것.

solidement [sɔlidmɑ̃] *adv.* ① 굳게, 튼튼하게, 견실하게 : ficeler un paquet ~ 상자를 끈으로 단단히 묶다 / idée ~ ancrée 확고하게 자리잡은 생각 / établir ~ son influence 착실하게 세력을 굳히다. ② 《구어》 호되게, 심하게 : Il l'a ~ engueulé. 그는 그 사람에게 심한 욕을 해댔다.

solidification [sɔlidifikɑsjɔ̃] *f.* 〖물리〗 응고, 응결, 고체화.

solidifier [sɔlidifje] *v.t.* 응고〔응결〕시키다, 고체로 만들다. ── **se ~** *v.pr.* 고체가 되다, 응고[응결]하다

solidité [sɔlidite] *f.* ① 단단함, 견고함 ; 내구성(≠ fluidité, fragilité) : ~ d'une construction : 건축물의 견고함. ② 불변, 안정성 ; 확실함 : ~ d'un argument 논거의 확실성.

soliloque [sɔlilɔk] *m.* 독백, 혼잣말(= monologue).

soliloquer [sɔlilɔke] *v.i.* 독백하다, 혼잣말「하다.

soliste [sɔlist] 〖음악〗 *n.* 독창자, 독주자. — *adj.* 독창〔독주〕하는.

solitaire** [sɔlitɛːʀ] *adj.* ① 고독한, 외로운, 홀로 있는, 혼자의 : gens ~ 외로운 사람들 / humeur ~ 고독을 좋아하는 기질. ② (장소가) 쓸쓸한, 적막한, 호젓한(= désert) ; 외진, 외딴 : parc ~ 사람 없는 쓸쓸한 공원. ③ 〖식물〗 단생(單生)의 : fleur ~ (한 줄기에 꽃이 하나만 피는) 단생화《튤립 따위》. ***plaisir ~ (혼자서 하는) 자위 행위, 수음. — *n.* 은자(隱者), 은둔자. — *m.* ① 〖사냥〗 무리에서 떨어져 사는 늙은 멧돼지. ② 〖카드놀이〗 솔리테르. ③ 외알박이 보석.

solitairement [sɔlitɛʀmɑ̃] *adv.* 단독으로 ; 외로이, 쓸쓸히 ; 은둔하여.

***solitude** [sɔlityd] *f.* ① 고독, 외로움(= isolement) : vivre dans la ~ 고독하게〔조용히〕 살다. ② 쓸쓸한〔외딴〕 곳, 벽지 ; 적막함, 고요함 : dans la ~ de la nuit 밤의 정적 속에서. ③ 은둔(= retraite) : se retirer 〔vivre〕 dans la ~ 은둔하다, 은둔 생활을 하다.

solive [sɔliːv] *f.* 〖건축〗 들보, 장선.

sollicitation [sɔ(l)lisitɑsjɔ̃] *f.* ① 권유(= appel), 유혹(= tentation) : résister aux ~*s* du plaisir 쾌락의 유혹과 싸우다. ② 간청, 청원(= requête).

***solliciter** [sɔ(l)lisite] *v.t.* ① (양식에 따라) …원(願)을 제출하다, 간청〔청원〕하다, 요청하다 ; (끈질기게) 부탁하다 : ~ un congé 휴가원을 제출하다 / ~ une audience de qn (지위가 높은 사람에게) 면회를 청하다 / Ils *ont sollicité* sa présence à la réunion. 그들은 그녀에게 회합에의 출석을 요청했다. ② 《~ qn de+*inf.*》 …에게 …하도록 부탁하다 ; (동물에게) …시키다 : On l'*a sollicité d'*accepter cette proposition. 사람들은 그에게 꼭 이 제안을 수락하도록 부탁했다. ③ 《문어》 부추기다, (마음을) 끌다 : ~ la curiosité 호기심을 자극하다 / ~ l'attention de qn …의 주의를 끌다. ④ ~ un texte 문서를 자기 형편에 유리하도록 해석하다.

solliciteur, euse [sɔ(l)lisitœːʀ, -øːz] *n.* 청원인 ; 탄원자.

sollicitude [sɔ(l)lisityd] *f.* 배려, 마음 씀, 걱정, 염려 : demander avec ~ si... 혹시 …이 아닐까 하고 걱정스럽게 묻다 / ~ maternelle 어머니의 걱정〔근심〕.

solo [sɔlo] 〔라틴〕 *m.* (*pl.* **~s, *soli*** [sɔli]) 〖음악〗 독창〔독주〕(부) : ~ de violon 바이올린 독주 / jouer en ~ 독주하다. ***en*** **~** 단독으로. ***spectacle*** **~** 원맨쇼.

sol-sol [sɔlsɔl] *adj.* 《불변》 〖군사〗 지대지(地對地)의 : missiles ~ 지대지 미사일.

solstice [sɔlstis] *m.* 〖천문〗 지(至). **~ *d'été*** 하지. **~ *d'hiver*** 동지.

solubilisé, e [sɔlybilize] *adj.* 녹기 쉬운, 용「해성의.

solubiliser [sɔlybilize] *v.t.* 녹기 쉽게 하다 : café *solubilisé* 인스턴트 커피.

solubilité [sɔlybilite] *f.* ① 〖화학〗 용해도. ② 용해성, 가용성.

soluble [sɔlybl] *adj.* ① 용해될〔녹을〕 수 있는, 가용성(可溶性)의. ② (문제가) 해결될〔풀릴〕 수 있는(= résoluble).

soluté [sɔlyte] *m.* 〖약학〗 용제(溶劑) ; 〖화학〗 용해질(質).

***solution** [sɔlysjɔ̃] *f.* ① 〖화학〗 용해 ; 용액 : sel en ~ dans l'eau 물에 용해된 소금 / ~ alcoolique 알코올 용액. ② 해결(책) ; (난국의) 타개 ; 〖수학〗 풀이, 해답 : ~ d'une équation 방정식의 풀이 / chercher 〔trouver〕 la ~ d'une énigme 수수께끼의 해답을 찾다〔찾아내다〕 / ~ de paresse 〔de facilité〕 안이한 해결책. ③ 중단(= interruption) : ~ de continuité dans la mémoire 기억의 중단.

solutionner [sɔlysjɔne] *v.t.* (문제를) 풀다, 해결하다(= résoudre).

solvabilité [sɔlvabilite] *f.* (채무 따위의) 지불〔변제〕 능력.

solvable [sɔlvabl] *adj.* 지불 능력이 있는.

solvant [sɔlvɑ̃] *m.* 〖화학〗 용매(溶媒), 용제(溶劑).

somalien, ne [sɔmaljɛ̃, -ɛn] *adj.* 〖지리〗 소말리아(*la Somalie*)의. — **S~** *n.* 소말리아 사람.

somatique [sɔmatik] *adj.* 몸의, 육체〔신체〕에 관한《psychique 「정신적」에 상대되는 말》 : symptômes ~*s* 신체적 징후.

somatiser [sɔmatize] *v.t.* 〖정신분석〗 (정신 질환자를) 신체적 질환자로 돌리다.

⁑**sombre** [sɔ̃ːbʀ] *adj.* ① 어두운, 어두컴컴한 (= obscur ; ≠ clair) : ~ comme une prison 〔un tombeau〕 아주 캄캄한 / nuit ~ 어두운 밤 / ~*s* abîmes 캄캄한 심연(深淵). (색깔 따위가) 거무스레한, 우중충한, 칙칙한 (= foncé) : vêtement ~ 거무스레한 옷 / eau d'un bleu ~ 검푸른 물. ② (얼굴·생각 따위가) 우울한, 음침한, 침울한(= morose, triste) : visage ~ 침울한 얼굴 / tempérament ~ 우울한 성질. ③ 암담한(= tragique) : avenir ~ 암담한 미래. ④ 《구어》 한심한, 가련한, 개탄할(= lamentable, déplorable) : ~ histoire 한심한 이야기〔일〕 / ~ imbécile 한심한 바보.

sombrer [sɔ̃bʀe] *v.i.* ① 〖해양〗 (배가) 침몰하다(= couler). ② 《~ dans》 (사람이) …에 몰입하다, 빠지다(= tomber) ; 파멸〔붕괴·몰락〕하다, 무너지다 : ~ *dans* la boisson 술에 빠지다 / se sentir ~ 자신이 파멸해 감을 느끼다.

sombrero [sɔ̃bʀeʀo] *m.* (에스파냐·멕시코 등지의) 챙이 넓은 펠트 모자.

***sommaire** [sɔ(m)mɛːʀ] *adj.* ① 간단한, 간략한(≠ détaillé) : repas ~ 간단한 식사 / exposé ~ 간략한 설명. ② 〖법률〗 약식〔즉결〕의 : exécution ~ 약식 처형 / matières ~*s* 즉결 재판〔사건〕. ③ 초보적인, 피상적인 : connaissances ~*s* 초보 지식. — *m.* 개요 ; 약설.

sommairement [sɔ(m)mɛʀmɑ̃] *adv.* 간략하게, 요약하여(= brièvement) ; 간소하게.

sommation [sɔ(m)mɑsjɔ̃] *f.* ① (세금 따위의) 독촉, 요청 : ~ verbale 〔par écrit〕 구두〔문서〕에 의한 독촉 / avoir ~ de payer une

빚을 갚으라는 독촉을 받다. ② (보초 · 경찰의) 경고, (데모 군중의 해산) 권고.

‡somme¹ [sɔm] *f.* ① 합계, 총계, 총액, 총량 ; 〖수학〗 합, 총화 : faire la ~ de deux nombres 두 수를 합계하다 / La ~ de nos pertes est considérable. 우리의 손실의 총계는 막대하다. ② 금액 ; 거액의 돈(= grosse ~) : ~ de 200 francs, 200 프랑의 금액 / Pour moi, 500 francs, c'est une ~. 내게는 500 프랑도 거액이다. ③ 전서(全書), 대전(大全), 개요 : ~ philosophique 철학 개요. ***~ toute ; en ~*** 요컨대, 결국, 필경.

somme² *f.* 짐바리. ***bête de ~*** 짐바리 짐승 ; 마소처럼 혹사당하는 사람.

somme³ *m.* 수면, 잠. ***faire un (petit) ~*** 한잠〔잠깐〕 자다.

‡sommeil [sɔmɛj] *m.* ① 잠, 수면 ; 졸음 : tomber de ~ 졸려 못견디다 / nuit sans ~ 잠 오지 않는 밤 / tirer qn du ~ …을 잠에서 깨우다 / yeux lourds de ~ 잠이 덜 깬 눈. ② 휴식 ; 활동 정지 상태(= inactivité) : ~ hiémal〔hibernal〕 (생물의) 동면. ③ 《le *S*~》 〖신화〗 잠의 신. ***dormir d'un ~ de plomb*** 〔***de mort***〕 (죽은 듯이) 깊이 잠들어 있다. ***le ~ éternel ; le dernier ~*** 영면, 죽음 : s'endormir *du dernier ~* 〔*d'un ~ éternel*〕 영면하다.

sommeiller [sɔmɛ(e)je] *v.i.* ① 졸다, 얕은 잠이 들다. ② (자연 · 지성 따위가) 잠자다, 활동하지 않다.

sommelier, ère [sɔməlje, -ɛːʀ] *n.* (카페 · 음식점 따위의) 포도주 담당자, 소믈리에.

sommer¹ [sɔ(m)me] *v.t.* 《~ qn de+*inf.*》 …에게 …하도록 독촉〔요구〕하다 : On l'*a sommé de* comparaître. 그는 출두명령을 받았다.

sommer² *v.t.* 〖수학〗 합계하다. 「수.

sommes [sɔm] être의 직설 · 현재 · 1 · 복

***sommet** [sɔmɛ] *m.* ① 꼭대기, 정상(= faîte, haut) ; (끝이 뾰족한 것의) 정점 ; 〖기하〗 꼭짓점 : ~ d'une montagne 산꼭대기 / ~ d'un triangle 3각형의 정점. ② (권력 · 명성 따위의) 절정, 극치 : être au ~ du pouvoir 권력의 절정에 있다. ③ 〖정치〗 정상 회담 : ~ des Quinze 유럽 연합 15 개국 수뇌 회담.

sommier¹ [sɔmje] *m.* ① (침대의) 스프링대. ② 〖건축〗 횡재(橫材).

sommier² *m.* 금전 출납부, 장부 ; 서류철. ***les ~s*** 《구어》 경찰의 신원 조사계.

sommité [sɔ(m)mite] *f.* ① 〖식물〗 (풀 · 나뭇가지의) 상단(上端), 선단. ② 《비유》 최고 권위자, 최고 권력자 : une ~ de la médecine. 의학계의 최고 권위자.

somnambule [sɔmnɑ̃byl] *n.* 몽유병자. — *adj.* 몽유병의, 최면술에 걸린.

somnambulesque [sɔmnɑ̃bylɛsk], **somnambulique** [sɔmnɑ̃bylik] *adj.* 몽유병의, 몽유병자의.

somnambulisme [sɔmnɑ̃bylism] *m.* 몽유병 : ~ provoqué〔magnétique〕 최면 상태, 피[illegible].

somnifère [sɔmnifɛːʀ] *adj.* ① 〖의학〗 최면의. ② 졸리게 하는, 지루한. — *m.* 〖의학〗 최면제, 수면제(= soporifique).

somnolence [sɔmnɔlɑ̃ːs] *f.* 반수(半睡) 상태, 비몽사몽 ; 졸기 ; 무기력

somnolent, e [sɔmnɔlɑ̃, -ɑ̃ːt] *adj.* ① 졸고 있는, 반수 상태의, 비몽사몽간의, 졸음이 오는 : être ~ après un bon repas 식사를 잘 하고 난 후에 졸음이 오다. ② 무기력한, 활동하지 않는.

***somnoler** [sɔmnɔle] *v.i.* ① 졸다, 선잠이 들다. ② (재능 따위가) 잠들어 있다, 발휘되지 않다.

somptuaire [sɔ̃ptɥɛːʀ] *adj.* 사치〔낭비〕에 관한. ***lois ~s*** (고대 로마의) 사치 단속령.

somptueusement [sɔ̃ptɥøzmɑ̃] *adj.* 사치스럽게 ; 호화롭게.

***somptueux, euse** [sɔ̃ptɥø, -øːz] *adj.* 사치스러운 ; 호화로운(= fastueux, luxueux) : édifice ~ 호화로운 건물 / ~ repas 진수성찬.

somptuosité [sɔ̃ptɥozite] *f.* 사치, 호사 ; 호화로움.

‡son¹ [sɔ̃] (*f.* ***sa***, *pl.* ***ses***) *adj. poss.* 그의, 그 여자의, 그것의, 자기의. ⓐ 《소유》 *sa* maison 그〔그 여자 · 자기〕의 집 / ~ chien 그〔그 여자의〕 애견. ⓑ 《강조》 *sa* propre fille 그〔그 여자 · 자기〕 자신의 딸 / C'est *sa* faute à lui〔elle〕. 그것은 그〔그 여자〕의 잘못이다. ⓒ 1) 《반복》 ~ père, *sa* mère et *ses* enfants. 그〔그 여자 · 자기〕의 아버지와 어머니와 자식들. 2) 《비반복》 ~ collègue et ami 그의 동료이자 친구 / *ses* date et lieu de naissance 출생의 연월일과 장소 / *sa* grande et belle maison 그〔그 여자〕의 크고 아름다운 집. ⓓ 《습관》 Elle n'avait ~ dimanche qn'une semaine sur deux. 그녀는 2 주일에 한 번 밖에는 일요일을 갖지 못했다 / Elle a *sa* crise. 그녀는 예의 경련〔발작〕이 또 일어났다. ⓔ 《특이성 · 직분》 Cette auto fait *ses* 100 kilomètres à l'heure. 이 차는 시속 100 km 를 낼 수 있다 / Il a fait ~ service. 그는 군복무를 마쳤다. ⓕ 《동작의 주어 · 목적보어》 J'attends ~ retour. 그가 돌아오기를 기다리고 있다 / Je pâlis à *sa* vue. 나는 그를 보고 새파래졌다 / Je suis ~ obligé. 나는 그에게 은혜를 입고 있다 / Vous êtes ~ successeur. 당신은 그의 후계자다 / ~ lecteur 그의 책의 독자 / *sa* lecture 그것〔그 책〕을 읽기. ⓖ 《부정대명사 on, chacun 따위와 함께》 On n'est jamais content de ~ sort. 사람은 자기 운명에 결코 만족하지 않는다 / Chacun à ~ tour. 각자 차례대로.

son²** *m.* (목소리 · 악기. 종 따위의) 소리, 음향 ; 악음(樂音)《조음(噪音(bruit))에 대하는 말》; 〖언어〗 음성, 음 : baisser le ~ d'un poste 라디오〔텔레비전〕의 소리를 낮추다 / langue des ~*s* 《문어》 음악. ***au ~ 〔***aux ~s***〕 ***de...*** …의 음악을 들으면서, …의 음에 맞추어 : On dansait *au ~ de* l'accordéon. 사람들은 아코디언 소리에 맞추어 춤추었다. ***spectacle*** 《***~ et lumière***》 「음향과 조명」 스펙터클《유적 따위를 조명과 음향을 사용하며 그 역사를 보여 주는 관광 쇼》.

son³ *m.* ① 밀기울, 겨 : farine de ~ 밀기울 섞인 밀가루 / pain de ~ 밀기울 빵 / eau de ~ 밀기울죽. ② 톱밥 : poupée de ~ 톱밥을 채워 넣은 인형. ③ taches de ~ 주근깨.

S

sonar [sɔnaːʀ] 〔영〕 *m.* 수중 음파 탐지기.

sonate [sɔnat] *f.* 〖음악〗 소나타, 주명곡.

sonatine [sɔnatin] *f.* 〖음악〗 소(小)주명곡, 소나티네.

***sondage** [sɔ̃daːʒ] *m.* ① (여론) 조사 : ~ d'opinion 여론 조사 / ~ d'écoute 시청률 조사 / Les ~*s* le donnaient pour battu. 여론 조사는 그의 패배를 예측했다. ② (수심·지질 따위의) 측량 : ~ d'un terrain 토지의 지질 조사. ③ 〖의학〗 (강(腔)·관(管) 따위에의) 존데〔소식자〕 삽입. ④ 〖통계〗 무작위표본 추출.

sonde [sɔ̃ːd] *f.* ① 〖해양〗 측연(測鉛), 수심 측량기. ② 〖광산〗 보링기(機), 시추기(試錐機). ③ 〖의학〗 존데, 소식자(消息子), 식물(食物) 주입관.

sonder [sɔ̃de] *v.t.* ① (수심·지질 따위를) 측정〔조사〕하다, (대기를) 관측하다 : ~ un port 항구의 수심을 측정하다 / ~ un terrain 보링기로 지질을 조사하다. ② 〖의학〗 존데(sonde)를 삽입하여 …을 조사하다. ③ (의견 따위를) 탐색〔조사〕하다 : ~ qn …의 의향을 떠보다 / ~ l'opinion 여론 조사를 하다. ***~ le terrain*** (성공의 가능성을 알기 위해) 정세를 살피다.

sondeur, euse [sɔ̃dœːʀ, -øːz] *n.* 수심 측량기사, (지질 조사) 시추인(試錐人) ; 여론 조사 반원. ── *m.* 〖해양〗 측심기(測深機) ; 〖항공〗 (비행기의) 고도 측정기〔탐지기〕 : ~ à ultra-sons 초음파 탐지기. ── *f.* 〖광업〗 시추용 보링 기계.

songe [sɔ̃ːʒ] *m.* 꿈(= rêve) ; 몽상, 환영, 꿈 같은 일 : La vie n'est qn'un ~. 인생은 한바탕 꿈에 불과하다 / s'évanouir comme un ~ 꿈처럼 사라져 버리다.

songe-creux [sɔ̃ʒkʀø] *m.* 《복수불변》 공상가, 몽상가.

songer** [sɔ̃ʒe] [3] *v.t. ind.* ① 《~ à》 …을 생각하다, 고려하다, …에 주의를 기울이다 : Il ne *songe* qu'*à* sa carrière. 그는 자신이 출세하는 것밖에 생각하지 않는다. ② 생각해 내다, 머리에 떠올리다, 상기〔회상〕하다 : Cette photo me fait ~ *à* ma jeunesse. 이 사진은 젊은 시절을 생각나게 한다 / Elle *songeait* souvent *à* son enfance. 그녀는 유년 시절의 일을 잘 회상하곤 한다. ③ 《~ à+*inf.*》 …할 일을 생각해 내다, …할 참이다, …하려고 하다 : Il *songe à* se marier. 그는 서서히 결혼하려고 생각하고 있다 / Je ne *songeais* pas *à* vous blesser. 당신을 기분 상하게 할 작정은 아니었습니다. ④ 《옛》 꿈을 꾸다, 몽상하다. ***sans ~ à mal 악의 없이 : J'ai dit cela *sans ~ à mal.* 저는 악의 없이 그렇게 말했습니다. ***Songez-y (bien) !*** 《경고의 표현》 ⓐ 잘 생각해 보시오! ⓑ 기억해 보시라구요! ***Vous n'y songez pas.*** 〔***À quoi songez-vous ?***〕 《납득할 수 없는 말을 하는 사람에게》 설마, 어림도 없는 일이오. ── *v.t.* 《~ que...》 …의 일을 잊지 않다, …을 생각하다 : *Songez que* tout dépend de votre attitude. 모든 것은 당신 태도에 달려 있다는 것을 잊지 않도록.

songerie [sɔ̃ʒʀi] *f.* 꿈꾸기 ; 몽상에 빠지기 ; (흔히 *pl.*) (갖가지) 몽상.

songeur, euse [sɔ̃ʒœːʀ, -øːz] *n.* 꿈꾸는 사람, 몽상가. ── *adj.* ① 몽상에 잠기는, 공상〔몽상〕하기를 좋아하는. ② 생각에 잠긴(= pensif) : d'un air ~ 생각에 잠긴 모습으로.

sonique [sɔnik] *adj.* 소리의, 음향의 : vitesse ~ 음속.

sonnaille [sɔnɑːj] *f.* (가축의 목에 다는) 방울 ; 방울 소리.

sonnant, e [sɔnɑ̃, -ɑ̃ːt] *adj.* ① 시각을 알리는 : horloge 〔montre〕 ~*e* 시각마다 치는 큰 괘종시계. ② 정각 …시의(= précis) : à sept heures ~*(es)* 일곱 시 정각에. ***espèces ~es (et trébuchantes)*** 경화(硬貨), 금속 화폐.

sonné, e [sɔne] *adj.* ① (시각을 알리는 종이) 울린 ; 경과된, 지난 : Il est dix heures ~*es.* 10 시가 지났다 / Il a quarante ans bien ~*s.* 《구어》 그는 벌써 40 을 지났다. ② 《구어》 미친, 머리가 돈(= fou, cinglé) : Elle est ~*e.* 그 여자는 머리가 돌았다.

sonner** [sɔne] *v.i.* ① (종·시계·벨·나팔 따위가) 울리다(= résonner, tinter) : La trompette *sonne.* 나팔이 울린다 / faire ~ un réveil 자명종을 울리게 하다. ② …의 종〔벨〕이 울리다 ; …의 시각을 알리는 시계 소리가 울리다 ; (시각이) 도래하다(= arriver) : Le téléphone *sonne.* 전화벨 소리가 울린다 / Les vêpres *sonnent.* 〖가톨릭〗 만종이 울린다 / Sa dernière heure 〔Son heure〕 *a sonné* 그〔그녀〕의 죽음의 시각이 다가왔다. ③ 〖언어〗 (글자가) 발음되다 ; (말이) 들리다 : faire ~ la fin de ses phrases 말끝을 분명히 발음하다. ④ 초인종〔벨〕을 울리다 : entrer sans ~ 벨을 누르지 않고 들어오다〔가다〕 / On *sonne.* 누군가 초인종을 울리고 있다. ***~ creux 공허하게 울리다. ***~ faux*** 거짓(말) 같은 인상을 주다. ── *v.t.* ① (종을) 울리다, 치다 ; (취주 악기를) 불다 : ~ le clairon 나팔을 불다. ② (미사·식사 따위를) 종〔벨〕을 울려서 알리다 ; (사람을) 초인종을 울려서 부르다 ; (시계가 시각을) 치다 : L'horloge *a sonné* onze heures. 시계가 11 시를 쳤다 / ~ les matines 아침 기도 시간을 알리다. ③ 《구어》 (사람을 주먹으로) 호되게 때리다〔치다〕 : Le boxeur *était sonné.* 권투 선수는 그로기 상태였다. ***se faire ~*** 《구어》 견책〔힐난〕당하다. ***se faire ~ les cloches*** 호되게 야단맞다.

sonnerie [sɔnʀi] *f.* ① (종이나 벨의) 소리 : ~ du téléphone 전화벨 소리. ② 벨(의 장치), 알람 : bouton de ~ 벨을 울리게 하는 버튼 / remonter la ~ d'un réveil 잠을 깨기 위한 알람을 세트하다. ③ (몇 개 한 벌의) 종소리, 차임 ; 교회의 종. ④ (나팔 따위의) 신호.

sonnet [sɔnɛ] *m.* 〖운율〗 소네트, 14 행시 《일반적으로 4 행시 (quatrain) 2 연과 3 행시(tercet) 2 연으로 구성된 정형시》.

***sonnette** [sɔnɛt] *f.* ① 초인종, 벨, 차임 ; 벨 소리 : ~ d'alarme 비상 벨 / appuyer sur la ~ (현관의) 벨을 누르다 / donner trois coups de ~ 벨을 세 번 울리다. ② 요령, 방울 : Elle a agité la ~ pour annoncer le dîner. 그녀는 저녁 식사를 알리기 위해 방울을 흔들어 울렸다. ③ 말뚝 박는 기구(= bélier). ④ 〖동물〗 serpent à ~ 방울뱀.

sonneur [sɔnœːʀ] *m.* ① (교회의) 종 치는

사람. ② 말뚝 박는 기구 조작자. ***dormir comme un ~*** (종소리에도 깨지 않는 채) 깊이 잠들다.

sono [sɔno] *f.* 《구어》 음향 장치, 확성 장치.

***sonore** [sɔnɔːʀ] *adj.* ① ⓐ 소리를 내는 ; 소리가 나는 : métal ~ (두드리면) 소리가 나는 금속. ⓑ 소리의, 음(音)의 : effets ~*s* 〖영화〗 음향 효과 / onde ~ 〖물리〗 음파 / reproduction ~ 소리의 재생. ② (소리가) 잘 울리는 ; (장소가) 소리를 잘 반향하는 : voix ~ 낭랑한 목소리 / écho ~ 잘 반향하는 메아리. ③ 〖언어〗 유성(有聲)의 : consonne ~ 유성 자음《b, d 따위의 탁음》. — *f.* 〖언어〗 유성 자음, 유성음.

sonorisation [sɔnɔʀizɑsjɔ̃] *f.* ① 〖언어〗 (무성음의) 유성화(有聲化). ② 〖영화〗 음향 효과를 넣기, 더빙. ③ (뮤직홀 따위의) 음향 장치, 확성 장치 설비〔시설〕.

sonoriser [sɔnɔʀize] *v.t.* ① 〖언어〗 (무성음을) 유성화하다. ② 〖영화〗 (영화에) 음향 효과를 넣다, 토키로 하다. ③ (뮤직홀의 실내에) 음향〔확성〕 장치를 하다.

sonorité [sɔnɔʀite] *f.* ① (소리의) 울림, 명향성(鳴響性) ; 음질, 음색 : ~ d'un poste de radio 라디오의 음질 / ~ d'un violon 바이올린의 음색. ② 음향(이 좋음) ; 반향의 상태 : ~ d'une salle 홀의 음향 효과. ③ 〖언어〗 유성 ; 유성음의 울림.

sonothèque [sɔnɔtɛk] *f.* 〖영화 · 연극〗 ① 음향〔사운드〕 라이브러리. ② 음향 효과 녹음 보관소〔컬렉션〕.

sophisme [sɔfism] *m.* 궤변, 억지 이론.

sophiste [sɔfist] *m.* 궤변가 ; 〖그리스철학〗 소피스트. — *adj.* 궤변을 일삼는.

sophistication [sɔfistikɑsjɔ̃] *f.* ① 궤변을 부리기. ② 부자연스럽게 꾸미기, 태〔멋〕 부리기. ③ (옷차림 · 연출 따위가) 기발함. ④ (기계 제조 기술상의) 고도의 복잡성〔완성도〕, 정교함 ; 고성능화.

sophistique [sɔfistik] *adj.* 궤변의, 억지로 꿰어맞춘 : argument ~ 궤변적인 논증. — *f.* 〖고대그리스〗 궤변술〔철학〕.

sophistiqué, e [sɔfistike] *adj.* ① ⓐ 짐짓 꾸민, 위장한(= affecté) : style ~ (부자연스럽게) 기교를 부린 문체. ⓑ 때를 벗은, (도회적으로) 세련된 : femme ~*e* 대단히 세련된 여자. ② 최첨단 기술의 ; 고성능의 : engin ~ 하이테크 병기(兵器).

sophistiquer [sɔfistike] *v.t.* ① (술 · 약 따위에) 섞음질을 하다, …을 위조하다 : ~ du vin 포도주에 섞음질하다. ② 지나치게〔부자연스럽게〕 꾸미다 : ~ sa toilette 몸치장을 부자연스럽게 하다. ③ (기술 따위를) 고도화하다, 정교하게 하다. — **se ~** *v.pr.* 점점 복잡해지다, 고도화되다 : Les techniques *se sophistiquent* de plus en plus. 기술이 점점 고도화되어 간다.

soporifique [sɔpɔʀifik] *adj.* ① 〖약학〗 잠들게 하는, 최면 작용을 하는(= dormitif, hypnotique). ② 《구어》 (책 따위가) 지루한, 따분한, 재미없는. — *m.* 수면제.

soprano [sɔprano] 〔이탈리아어〕 *m.* (*pl.* ~s, ***soprani***[-ni]) 〖음악〗 소프라노, 최고음부. — *n.* 소프라노 가수.

sorbet [sɔʀbɛ] *m.* 소르베《술 · 향료 · 과즙이 든 일종의 아이스크림》.

sorbetière [sɔʀbətjɛːʀ], **sorbétière** [sɔʀbetjɛːʀ] *f.* 소르베 제조기.

sorbier [sɔʀbje] *m.* 〖식물〗 마가목.

sorbonnard, e [sɔʀbɔnaːʀ, -aʀd] *m.* 《구어》 《경멸》 소르본(*Sorbonne*) 대학생〔교수〕. — *adj.* 소르본풍(風)의.

Sorbonne [sɔʀbɔn] *n.pr.f.* 소르본《이전의 파리 대학 문 · 이학부 ; 현재는 파리 제 4 대학 ; 원래는 13 세기 중반에 Robert de Sorbon이 창설한 신학 기숙 학교》 : étudier en ~ 소르본에서 수학하다 / professeur à la ~ 소르본 교수.

sorcellerie [sɔʀsɛlʀi] *f.* ① 마법, 요술. ② 요술 같은 재주, 신기(神技).

sorcier, ère [sɔʀsje, -ɛːʀ] *n.* ① 마법사, 요술쟁이(= magicien). ② 재주가 교묘한 사람 : C'est un vrai ~. 기막힌 재주꾼이군. ***chasse aux ~ère*** 마녀 사냥 ; 〖정치〗 반정부 인사들에 대한 조직적 숙청. ***Il ne faut pas être (grand) ~ pour***+*inf.* …하기는 어렵지 않다. — *adj.* 《구어》 어려운 : Ce n'est pas (bien) ~. 그것은 별로 어렵지 않다.

sordide [sɔʀdid] *adj.* ① (옷 따위가) 더러운, 불결한, 누추한 : logement ~ 불결한 거처. ② 치사스러운, 비열한, 비천한 : egoïsme ~ 비열한 이기주의.

sordidement [sɔʀdidmɑ̃] *adv.* 더럽게, 치사스럽게, 비열하게, 몹시 인색하게.

sordidité [sɔʀdidite] *f.* 《문어》 ① 더러움, 초라함. ② 야비함, 치사함, 인색함.

sorg(h)o [sɔʀgo] *m.* 〖식물〗 (아프리카 · 인도의) 수수속(屬).

sornette [sɔʀnɛt] *f.* (흔히 *pl.*) 객쩍은〔부질없는〕 소리, 헛소리 : raconter 〔débiter〕 des ~*s* 헛소리를 늘어놓다.

sort** [sɔːʀ] *m.* ① 운명, 천명(= destin, destinée) ; 수명 : un coup 〔une ironie〕 du ~ 운명의 시련〔장난〕 / terminer son ~ 죽다. ② 운, 운수(= chance, fortune) : le ~ des armes 무운 / conjurer le mauvais ~ 악운을 쫓다 / les caprices du ~ 변덕스러운 운명, 알 수 없는 운수. ③ 처지, 신세 ; 지위, 신분 : améliorer le ~ des travailleurs 근로자의 처지〔지위〕를 개선하다. ④ 추첨, 제비 : tirage au ~ 추첨하기, 제비뽑기. ⑤ 주술 ; 저주, 방자. ***faire un ~ à qc. ⓐ …을 돋보이게 하다, 선전하다 ; 강조하다. ⓑ 《구어》 …을 끝장내다 : *faire un ~ à* un pâté 파이를 다 먹어 버리다. ***jeter un ~ à*** qn …에게 마법을 걸다. ***Le ~ en est jeté.*** 주사위는 던져졌다.

sortable [sɔʀtabl] *adj.* ① 《주로 복장으로》 (남 앞에) 내놓을 만한, (옷이) 입고 나설 만한, (사람이) 어엿한, 점잖은, 얌전한 : Tu n'es vraiment pas ~. 넌 정말 점잖지 못하구나. ② 적당한, 마땅한, (신분 · 지위에) 어울리는 : parti ~ pour leur fille 그들의 딸에게 어울리는 혼처.

sortant, e [sɔʀtɑ̃, -ɑ̃:t] *adj.* ① 퇴임하는 ; 졸업하는 : élèves ~*s* 졸업하는 학생 / membres ~*s* (임기가 차서) 퇴임하는 의원. ② (추첨에) 당첨된 : numéro ~ 당첨 번호. — *n.* (흔히 *pl.*) 나가는 사람 : les entrants et les ~*s* (극장 따위) 입장자와 퇴출자.

S

sorte** [sɔʀt] *f.* ① 종류, 품종, 부류(= espèce, genre) : plusieurs ~*s* d'objets de même qualité 품종이 같은 여러 가지 물건 / cette ~ de gens 이런 부류의 사람들 / Cette ~ de livres ne sont pas bons à lire. 이런 종류의 책은 읽으면 해롭다. ② 《흔히 관용구에서》 …하는 방식, 방법(= façon, manière). ***de la 〔***cette***〕 ~ 그렇게, 그런 식으로 : Ne parlez pas *de la* ~. 그렇게 말하지 마세요. ***de*** ~ ***à***+*inf.* …하려는 방법〔방식〕으로. ***de*** ~ ***que*** 〔***de telle*** ~ ***que, en*** ~ ***que***〕 ⓐ 《+*ind.*》 《결과》 그래서, 따라서 : Il était absent, *de* ~ *que* je n'ai pas pu le voir. 그는 부재중이어서 만날 수가 없었다. ⓑ 《+*sub.*》 《목적》 …하도록 : Faites *de* ~ *que* tout soit prêt à temps. 제 시간에 모든 준비가 되도록 하시오. ***de toute***(***s***) ~(***s***) 각종의, 가지각색의. ***en quelque*** ~ 말하자면, 이를테면. ***en*** 〔***telle***〕 ~ ***de***+*inf.* …하도록. ***toutes*** ~***s de***+'명사' ; 《옛》 ***toute*** ~ ***de***+'명사' 모든 종류의, 가지각색의 : On vend ici *toutes* ~*s d'*articles de sport. 이 상점에서는 모든 종류의 운동용품을 판다. ***une*** ~ ***de***+'무관사명사' 일종의 : *une* ~ *de* poésie 일종의 시.

***sortie** [sɔʀti] *f.* ① ⓐ 나가기, 나오기 ; 외출 ; 퇴출 : la ~ des bureaux 퇴근 (시간) / ~ des élèves 학생들의 졸업. ⓑ (기분 전환을 위해) 바람 쐬러 나가기, 산책 : ~ pour prendre l'air 바람을 쐬기 위한 외출. ⓒ 〖연극〗 (인물의) 퇴장 : ~ d'un personnage (무대에서의) 등장인물의 퇴장. ② 〖상업〗 ⓐ 수출, 반출 ; 출하 : ~ des produits fabriqués 제품이 시장에 나오기 / droit de ~ 수출세. ⓑ 매출, 발행 ; 개봉 : ~ d'un nouveau modèle de voiture 신형 자동차의 발매 / ~ d'un livre 책의 간행 / ~ d'un film 영화의 개봉. ③ 지출(금) : Il y a plus de ~*s* que de rentrées ce mois-ci. 이달에는 수입보다 지출이 많다. ④ 출구(= issue ; ≠ entrée) : La ~ de cet hôpital donne sur un parking. 이 병원의 출구는 주차장에 면해 있다 / ~ de secours 비상구. ⑤ 야단〔호통〕치기, 쏘아붙이는 말, 욕설(= algarade, invective) : Elle est capable de n'importe quelle ~ devant les gens. 그녀는 사람들 앞에서 어떤 무례한 말을 할지 모를 위인이다. ⑥ (액체 · 가스의) 유출, 누출 ; 배출 : ~ des gaz 가스 누출. ⑦ 〖컴퓨터〗 출력, 아웃풋.

S

sortie-de-bain [sɔʀtidbɛ̃] (*pl.* ~***s***-~-~) *f.* (목욕용) 실내복.

sortilège [sɔʀtilɛːʒ] *m.* 마법, 마술, 주문(呪文) : soumettre par un ~ 마술을 걸다.

sortir** [sɔʀtiːʀ] 18 *v.i.* 《조동사는 일반적으로 être》 ① ⓐ 《~ de》 …에서 나가다, 나오다 (≠ entrer) : ~ *de* chez soi 집 밖으로 나가다 / ~ *du* lit 이불 속에서 나오다, 일어나다 / Les gens *sortaient du* cinéma. 사람들이 영화관에서 나오고 있었다 / rivière qui *sort de* son lit 밖으로 넘쳐흐르는 강 / Les blés *sortent de* la terre. 땅에서 밀이 돋아나온다. ⓑ 《장소의 보어 없이》 나가다, 나오다, 외출하다 : 〖연극〗 퇴장하다 ; 〖군사〗 출격하다, 출동하다 ; (차 · 배 따위가) 출발〔출범〕하다 ; (싹이) 나다 ; (꽃이) 피어나다 ; (이가) 나다 ; (홍역이) 발진하다, 솟다 ; (책 · 상품 따위가) 나오다, 출간〔출판〕되다, 발매되다, (영화가) 개봉되다 ; (도박 · 추첨에서 번호 따위가) 나오다, 당첨되다 ; (시험에 문제가) 나오다 : Personne ne *sort* par ce temps. 이런 날씨에 외출하는 사람은 아무도 없다/ question qui *sort* à un examen 시험에 나오는 문제 / Il lui *est sorti* une dent. 그에게 이가 하나 났다 / Une nouvelle voiture va ~. 곧 새 차가 발매될 것이다 / Le film *sortira* dans une semaine. 그 영화는 1주일 후에 개봉될 것이다. ② (밖으로) 나타나다, 드러나다(= se manifester, apparaitre) ; 두드러지다, 뚜렷하다, 돋보이다 : chiffre qui n'*est sorti* qu'une fois sur mille, 1,000 번에 단 한번밖에 나오지 않는 숫자《도박에서》 / La vérité *sort* enfin. 마침내 진실이 드러난다. ③ 《~ de》 ⓐ …에서 불쑥 앞으로 나오다, 튀어나오다, 돌출하다(= faire saillie) : Quel nom *est sorti de* ta bouche? 너 지금 무슨 이름을 말했지 / pierre qui sort *du* mur 벽에서 불쑥 튀어나와 있는 돌. ⓑ …을 일탈〔이탈〕하다 ; (기억에서) 새어나가다, 사라지다 ; (위험 따위에서) 빠져나오다, …을 벗어나다 : véhicule qui *sort des* rails 탈선하는 차량 / Cela *sort de* ma compétence. 그것은 내 권한 밖이다 / ~ indemme *d'*un accident 불상사에서 피해 없이 헤어나다 / ~ *de* l'ordinaire 상궤(常軌)를 벗어나다 / Cela m'*est sorti de* la tête. 나는 그걸 잊어버렸다. ⓒ …에서 방금 나간〔나온〕 터다 ; (어떤 일을 끝내고 그 자리에서) 나오다 ; (일을) 끝장내다, 마치다 ; (어떤 상태 · 시기를) 떠나다 : écolier 〔ouvrier〕 qui *sort* à six heures 6시에 파하는 학생〔직공〕 / ~ *d'*un entretien 회담을 마치다 / ~ *d'*une école 학교를 졸업하다 / ~ *de* table (식사를 끝내고) 식탁을 떠나다 / ~ *de* prison 출옥하다 / Il *sort* d'ici. 그는 금방 나갔다 / J'ai trop à faire, je n'en *sors* pas 할 일이 너무나 많아서 좀처럼 끝나지 않는다 / On *sortait de* l'hiver. 겨울이 끝난 무렵이었다. ⓓ …에서 생기다 ; (제품 · 작품 따위가) …에서 만들어져 나오다 ; …의 출신이다 : Cela *sort du* cœur. 그 말은 진심이다 / Que va-t-il en ~? 그 결과가 어떻게 될까 / ~ *d'*une famille distinguée 명문의 출신이다 / robes qui *sortent de* chez les grands couturiers 고급 양장점의 제품인 여성복들 / Elle *sort du* Conservatoire. 그녀는 콩세르바투아르 출신이다. ⓔ 《~ de+*inf.*》 막 …한 터이다(= venir de). ***en ~ 난관을 헤어나다. ***ne pas*** ~ ***de là*** 자기 주장을 바꾸지〔굽히지〕 않다. ***ne pas vouloir*** ~ ***de là*** 끝내 자기주장을 굽히지 않다 : Il persiste dans son opinion, il *ne veut pas* ~ *de là*. 그는 자기 주장을 끝내 굽히려 하지 않는다. ~ ***d'en prendre*** 이젠 지긋지긋하다, 다시 그런 일을 하지 않겠다 : Merci bien, je *sors d'en prendre*. 고맙지만 이젠 그 일은 진절머리가 난다. ~ ***de soi-même*** 자아를 탈피하다, 자신을 잊다.
— *v.t.* 《조동사는 avoir》 ① 꺼내다 ; 내놓다 ; 끌어 내다 ; 외출시키다 ; 데리고 나가다 ; 구출하다 ; 《구어》 내쫓다, 추방하다 ; (경쟁자 · 운동 경기 팀 따위를) 탈락시키다 : ~

un objet de sa poche 호주머니에서 물건을 꺼내다 / ~ un malade 환자를 밖으로 데리고 나가다 / mari qui *sort* sa femme 동부인하고 외출하는 남편. ② 《구어》 (어떤 말을) 끄집어내다, 입 밖에 내다 : ~ des injures à qn 《구어》 …에게 욕설을 퍼붓다. ③ (작품을) 간행〔출간〕하다 ; (새 상품을) 발매하다 : ~ une marchandise 상품을 시장에 내놓다 / ~ un livre 출간하다.

── **se ~** *v.pr.* 《se ~ de》 …에서 빠져나가다〔나오다〕; 《구어》 탈출하다 : s'en ~ 궁지에서 빠져나오다 / Il *s'est sorti de* cette situation. 그는 제 힘으로 그 상황에서 빠져나왔다.

── *m.* 《옛 · 문어》 나옴 ; 끝남. ***au ~ de*** (장소 · 시설 따위에서) 나올 때, 나오자 ; (상태 · 시기가) 끝날 무렵에, …이 끝나고 : *au ~ de* la table 〔l'école〕 식사가 끝나고〔학교가 파하고〕 나서 / *au ~ de* l'enfance 유년기도 지나서 / *au ~ de* l'hiver 겨울이 지나고.

S.O.S. [ɛsoɛs] *m.* 《약자》 ① 〖무전〗 조난 신호 : envoyer 〔lancer〕 un ~, S.O.S.를 치다. ② 구호 조직 ; 구조 전화 상담 : *SOS* racisme 인종 차별 구호 단체《1988 년 창설》. ③ 《비유》 (금전상의) 구원 요청 : J'ai envoyé un ~ à mes parents. 급히 송금해 달라고 부모에게 전보를 쳤다.

sosie [sozi] *m.* 꼭 닮은 사람 : C'est le ~ de son frère. 그는 형과 꼭 닮았다.

sot, sotte** [so, sɔt] *adj.* ① 어리석은, 바보인(= bête, idiot). ② 당황한 어쩔 줄 모르는(= confus). ③ (대답 따위가) 바보 같은, 이치에 맞지 않는(= absurde) : *sotte* réponse 바보 같은 대답. ***rester* 〔*se trouver*〕 *tout ~ 몹시 당황해 하고 있다. ── *n.* 바보, 멍청이, 얼간이.

sotie, sottie [sɔti] *f.* 중세기의 소극(笑劇).

sottement [sɔtmɑ̃] *adv.* 어리석게, 바보같이.

sottise [sɔti:z] *f.* ① 어리석음 ; 우둔 : ~ humaine 인류의 어리석음. ② 어리석은 짓〔말〕; 《구어》 무례한 말 ; (아이의) 장난 : faire 〔commettre〕 une ~ 〔des ~*s*〕 어리석은 짓을 하다. ***avoir la ~ de***+*inf.* 어리석게도 …하다. ***dire des ~s à*** qn …에게 욕설을 퍼붓다.

sottisier [sɔtizje] *m.* 《구어》 소화집(笑話集) ; 음탕한 노래책〔소가집(小暇集)〕.

sou** [su] *m.* ① 1 수 짜리 동전《5 상팀에 해당》; 동전 : le ~ du france, 1 프랑에 1 수의 에누리 / appareil automatique à ~*s* 자동 판매기. ② 약간의〔얼마 안되는〕 돈. ③ 《구어》 (*pl.*) 돈(= argent) : question de gros ~*s* 《구어》 금전〔이해〕 문제. ***être près de ses ~s 인색하다. ***jusqu'au dernier ~*** 한 푼도 남김 없이. ***n'avoir pas le ~; être sans le ~* 〔*un ~ vaillant*〕** 동전 한 푼 없다. ***s'ennuyer* 〔*s'embêter*〕 *à cent ~s de l'heure*** 아주 지루하다〔지긋지긋하다〕. ***~ à ~ ; ~ par ~ ; ~ sur ~*** 한 푼 한 푼, 조금씩 조금씩.

soubassement [subasmɑ̃] *m.* ① 〖건축〗 토대, 기초 ; 〖지질〗 (지층의) 기반. ② 《비유》 기반, 토대(= base) : ~ social 사회적 기반.

soubresaut [subʀəso] *m.* ① (말이) 갑자기 뛰어오르기(= saut brusque) ; (탈것의) 심한 동요. ② 신체의 급격한 요동(= sursaut) ; 움찔 놀라기 ; 《비유》 급격한 감동 : Cette nouvelle m'a donné un ~. 그 소식에 접하고 가슴이 철렁했다. ③ 〖의학〗 경련.

soubrette [subʀɛt] *f.* ① (희극의) 시녀(侍女) ; 하녀. ② 《구어》 깜찍하고 상냥한 하녀.

souche [suʃ] *f.* ① 그루터기, 나무 밑동. ② 기원, 근원(= origine) ; 선조, 조상 : mot de ~ latine 라틴어에서 온 말. ③ (영수증 · 수표 따위의) 원부(原簿) : registre à ~ 원부장 / chéquier à ~ 수표 발행첩. ***de bonne ~*** 혈통이 좋은 : chien *de bonne ~* 혈통이 좋은 개. ***de vieille ~*** 오래된 가문의. ***être* 〔*rester*〕 *comme une ~*** 우두커니 움직이지 않고 있다.

souci**[1] [susi] *m.* 걱정, 근심 ; 걱정거리 : ~*s* d'argent 돈 걱정 / donner bien des ~*s* à qn …에게 걱정을 몹시 시키다. ② 《~ de》 …에 대한 배려, 관심 : mon premier ~ 나의 주요 관심사. ***être en ~ de qn 〔qc〕 …을 걱정하다. ***sans ~*** 마음 편하게〔편한〕. ***se faire du ~*** 걱정하다, 애를 태우다.

souci[2] *m.* 〖식물〗 금잔화(金盞花).

soucier (se) [s(ə)susje] *v.pr.* 《se ~ de》 …을 걱정하다, 근심하다, 염려하다《부정문에 쓰이는 일이 많음》. ***ne pas se ~ de***+*inf.* …할 생각이 없다 : Je *ne me soucie pas de* le savoir. 그것을 알 생각이 없다. ***ne pas se ~ que***+*sub.* …을 개의치 않다 ; …을 별로 바라지 않다 : Je *ne me soucie pas qu'*il vienne. 그가 오는 것은 반갑지 않다.

soucieux, euse [susjø, -ø:z] *adj.* ① 《~ de》 …을 신경쓰는, …하는 데 열심인, …을 소중히 여기는 : Il est toujours ~ *de* son image. 그는 항상 자기 모습에 신경을 쓰고 있다. ② 걱정스러운 : air ~ 걱정스러운 태도 / mère ~*euse* 걱정하는 어머니. ***peu ~ du lendemain*** 내일〔장차〕 일을 개의치 않는, 마음 편한.

soucoupe [sukup] *f.* (찻잔의) 받침 접시. ***faire des yeux comme des ~s*** (놀라서) 눈이 휘둥그래지다. ***~ volante*** 비행접시.

soudage [suda:ʒ] *m.* 납땜, 용접.

‡**soudain, e** [sudɛ̃, -ɛn] *adj.* 갑작스러운, 뜻하지 않은(= brusque, subit), 난데없는, 불시의 : douleur ~*e* 갑작스러운 고통. ***mort ~e*** 급사(急死). ── *adv.* ① 갑자기, 돌연, 느닷없이, 별안간. ② 곧(= aussitôt).

soudainement [sudɛnmɑ̃] *adv.* 갑자기, 난데없이, 느닷없이, 별안간.

soudaineté [sudɛnte] *f.* 갑작스러움, 돌연함 : ~ d'une catastrophe 갑작스러운 재난.

soudanais, e [sudanɛ, -ɛ:z], **soudanien, enne** [sudanjɛ̃, -ɛn] *adj.* 수단(*le Soudan*)의. ── **S~** *n.* 수단 사람.

soudard, soudart [suda:ʀ] *m.* ① 《옛》 직업 군인, 용병(傭兵). ② 《문어》 난폭한 군인.

soude [sud] *f.* 〖화학〗 소다 ; 나트륨(= sodium) : bicarbonate de ~ 중탄산소다.

souder [sude] *v.t.* ① 납땜〔땜질〕 하다, 용접하다, 접합시키다 ; (뼈 따위를) 유착(癒着)시키다 : fer à ~ 용접용 인두. ② 굳게 단결시키다. ── **se ~** *v.pr.* ① 용접되다 ; 접합되다 ; (뼈 따위가) 유착하다. ② 굳게 단결하다.

S

soudeur, euse [sudœːʀ, -øːz] *m.* 용접공, 납땜공 ; 접합하는 사람. ── *f.* 용접기.

soudoyer [sudwaje] *v.t.* 7 고용하다 ; 매수하다 : ~ un fonctionnaire 공무원을 매수하다.

soudure [sudyːʀ] *f.* ① 납땜, 땜질, 용접 ; 접합 : ~ à l'étain 〔au cuivre〕 연〔경(硬)〕땜질. ② 용접부 ; 때운 자리. ③ (과도기·교체기의) 교량 역할, 임시적 대리 역할. ***faire la ~*** 새 상품이 나오기 전에 수요를 충족시키다. ***sans ~(s)*** 이은 짬이 없는.

soufflage [suflaːʒ] *m.* ① (유리 따위를) 불어서 만들기. ② 〖해양〗 (안정성을 높이기 위한) 배 밑바닥의 덧대기.

soufflant, e [suflɑ̃, -ɑ̃ːt] *adj.* 바람을 보내는〔일으키는〕 : machine ~*e* 송풍기.
── *m.* 《은어》 권총(= revolver).

souffle** [sufl] *m.* ① 입김 ; 숨, 숨결(= haleine) ; 호흡(= respiration) ; 〖언어〗 기식(氣息) : reprendre son ~ 숨을 돌리다 / retenir son ~ 숨을 죽이다. ② (바람이) 한번 불기〔일기〕 ; 〖군사〗 폭풍 ; 〖항공〗 (비행기가 지난 뒤에 생기는) 기류 : Il n'y a pas un ~ de vent. 바람 한점 없다. ③ 영감(= inspiration) : ~ de l'ecrivain 작가의 영감 / ~ poétique 시적 영감. ④ 〖의학〗 (청진할 때 들리는 기관의) 잡음 : ~ cardiaque 심장의 잡음. ⑤ 발산 기체〔가스〕 : ~ empoisonné 독기. ***avoir du ~ 호흡이 길다 ; 《구어》 대담하다. ***couper le ~ à*** qn …의 숨이 끊어지게〔가쁘게〕 하다 ; …을 몹시 놀라게 하다. ***en avoir le ~ coupé*** (숨이 끊어질 정도로) 몹시 놀라다. ***être à bout de ~*** 숨이 가쁘다, 헐레벌떡거리다. ***manquer de ~ ; avoir le ~ court*** 숨이 짧다 ; (문학 작품·작가가) 박력이 없다. ***second*** 〔***deuxième***〕 ***~*** 새로운 활기, 원기 회복.

soufflé, e [sufle] *adj.* ① 부풀게 한, 부푼(= gonflé). ② 과장된(= enflé). ③ 《구어》 대경실색한, 질겁한(= abasourdi) ; 〖언어〗 무성음(無聲音)의. ── *m.* 〖요리〗 수플레《달걀 흰자위에 우유를 섞어서 구워 만든 요리》 : omelette ~*e* 수플레식 오믈렛.

***souffler** [sufle] *v.i.* ① 입김을 내불다 ; 숨을 가쁘게 내쉬다, 헐떡거리다 ; 숨 돌리다, 쉬다 : ~ dans une trompette 나팔을 불다 / ~ sur une bougie pour l'éteindre 촛불을 불어 끄다 / Laissez-nous le temps de ~. 우선 숨돌릴 시간을 주시오 / ~ comme un bœuf 〔cachalot, phoque〕 《구어》 몹시 헐떡거리다. ② (풀무 따위가) 바람을 보내다 ; (바람이) 불다 : Le vent *souffle* avec violence 〔en tempête〕. 바람이 몹시〔폭풍이〕 분다. ③ (풍금 따위에 송풍 장치로) 송풍하다.
── *v.t.* ① ⓐ (불 따위를) 불어서 세게 하다 ; 불어 끄다 ; …에 바람을 불어넣다 ; 불어서 부풀게 하다 : ~ le feu 불을 불어 끄다 / ~ la discorde 불화를 부채질하다. ⓑ ~ le verre 〔l'émail〕 유리〔에나멜〕 제품을 불어서 만들다. ② 내불다 ; 내뿜다 : ~ la fumée par le nez 〔par la bouche〕 담배 연기를 코로〔입으로〕 내뿜다 / ~ l'alcool 술 냄새를 풍기다. ③ 폭발물이 일으키는 바람〔폭풍〕으로 파괴하다 : Ma maison *a été soufflée* par une bombe. 내 집은 폭탄으로 파괴되었다. ④ ⓐ 속삭이다, 소곤소곤 말하다(= chuchoter). ⓑ 작은 목소리로 알려 주다 : ~ son rôle à un acteur ; ~ un acteur 배우에게 대사를 작은 목소리로 일러 주다. ⓒ 암시하다(= suggérer). ⑤ 《구어》 몹시〔깜짝〕 놀라게 하다(= stupéfier) : *J'ai été soufflé* en apprenant son divorce. 나는 그의 이혼 소식을 듣고 몹시 놀랐다.

soufflerie [sufləʀi] *f.* ① 송풍 장치, 송풍기(送風器), 풀무. ② 〖항공·기계〗 풍동(風洞).

soufflet [suflɛ] *m.* ① 풀무 ; 송풍기〔장치〕 : bruit de ~ 〖의학〗 (심장의) 잡음. ② (마차 따위의 접이식) 포장 ; (객차를 연결하는) 포장식 출입대 ; 〖사진〗 주름상자. ③ 따귀 (때리기) ; 모욕.

souffleter [sufləte] 5 *v.t.* …의 따귀를 때리다(= gifler) ; 모욕하다(= humilier) : ~ qn de son mépris …을 모욕하다.

souffleur, euse [suflœːʀ, -øːz] *n.* ① 부는 사람 ; 헐떡거리는 사람. ② 〖연극〗 프롬프터 《대사를 일러 주는 사람》. ***~ de verre*** 〔***bouteilles***〕 유리 제품을 불어서 만드는 직공. ***trou du ~*** 프롬프터 박스.

souffrance** [sufʀɑ̃ːs] *f.* 괴로움, 고통, 번민 : endurer la ~ 고통을 참다. ***en ~ 미결 중인, 정체〔중단〕된, 밀린 : marchandise *en ~* (세관 따위의) 체화(滯貨).

***souffrant, e** [sufʀɑ̃, -ɑ̃ːt] *adj.* ① 괴로워하는, 번민하는. ② 몸이 편찮은(= indisposé) : Je suis ~, j'ai pris froid. 감기가 들어서 몸이 불편하다.

souffre-douleur [sufʀədulœːʀ] *m.* 《복수불변》 놀림감, 학대받는 사람〔동물〕.

souffreteux, euse [sufʀətø, -øːz] *adj.* 몸이 편찮은, (어린이가) 허약한(= maladif) : enfant ~ 허약한 아이.

‡**souffrir** [sufʀiːʀ] 12 *v.t.* ① (고통 또는 불쾌한 일을) 당하다, 겪다, 받다, 맛보다 ; (손해 따위를) 입다(= subir) : ~ mille morts 심한 고통을 당하다. ② 참다, 견디다(= endurer, supporter) ; ~ la faim 〔la soif〕 허기를〔갈증을〕 참다. ③ 묵인하다, 허용하다(= admettre, tolérer) ; 용서하다(= permettre) : ~ qc chez qn …에게 …을 용서〔묵인·허용〕하다 / Cette affaire ne *souffre* plus de retard. 이 일은 더 이상의 지체를 허용하지 않는다. ***~ comme un damné*** 지옥의 고통을 맛보다. ***~ que*** + *sub.* …하는 것을 용서하다 : *Souffrez que* je reste ainsi debout. 선 채로 있는 것을 용서하십시오. ── *v.i.* ① ⓐ 괴로워하다, 고통을 느끼다, 고민하다 : Le malade *souffre* terriblement. 환자는 몹시 고통스러워한다. ⓑ 《~ de》 …으로 괴로워하다, 고통을 느끼다 ; …이 아프다 : ~ *du* froid 추위로 고통받다 / ~ *des* dents 〔*de la* tête〕 이〔머리〕가 아프다. ② 《~ de》 (장사 따위가) …으로 타격〔피해〕을 입다 : ~ *des* bombardements 폭격으로 피해를 입다 / Sa réputation en *a souffert*. 그의 명성은 그것 때문에 타격을 받았다. ③ 부진하다, 불경기이다. ***~ à*** + *inf.* …하는 것이 고통스럽다. ***~ de*** + *inf.* …하여 괴로워하다, …하기가 괴롭다. ── **se ~** *v.pr.* 견딜〔참을〕 수 있다 : Voilà qui ne saurait *se* ~. 그것이야말로 참을 수 없을 것이오.

S

soufisme [sufism] *m.* 〖종교사〗 수피교(의 교리)《페르시아 회교의 신비파》.

soufre [sufʀ] *m.* 〖화학〗 황(黃), 유황. ── *adj.* 《불변》 유황빛의, 황색의.

soufrer [sufʀe] *v.t.* ① …에 황을 바르다 ; …에 황을 넣다〔섞다〕. ② (포도나무 따위에) 황 가루를 뿌리다〔살포하다〕. ③ 황으로 처리하다 ; (양모 따위를) 황으로 표백하다.

soufrière [sufʀijɛːʀ] *f.* 유황갱(坑).

souhait [swɛ] *m.* 소원, 소망, 염원(= vœu) : faire 〔former〕 des ~s 염원을 품다 / accomplir 〔réaliser〕 un ~ 소원 성취하다. ***à ~*** 바라는 대로, 마음껏. ***À vos ~s.*** 시원하겠네《재채기하는 사람에게 하는 말》. ***~s de bonheur*** 〔***malheur***〕 축복〔저주〕.

souhaitable [swɛtabl] *adj.* 바랄 수 있는, 바람직한(= désirable) : Ce n'est pas~. 그것은 바람직하지 않다. ***Il est ~ que***+*sub* …하는 것이 바람직하다 : *Il serait ~ qu'*elle vienne toute seule. 그 여자 혼자서 오는 것이 바람직할 것이다.

souhaiter** [swɛ(e)te] *v.t.* 바라다, 빌다, 원하다, 희구하다 : ~ bon voyage à qn …에게 즐거운 여행을 기원하다 / Je *souhaite* sa réussite. 나는 그의 성공을 바라고 있다 / Je *souhaite* (de) pouvoir vous rendre service. 당신을 도와드리고 싶습니다 / Nous *souhaitons* que vous réussissiez 〔Nous vous *souhaitons* de réussir〕 à votre examen. 시험에 성공하기를 빕니다 / se faire ~ (…에게 자기를) 기다리게 하다. ***Je vous en souhaite ! 《구어》 잘 해 보시오 (안 될 겁니다〔큰코다칠 겁니다〕). ***Je vous la souhaite bonne*** (***et heureuse***) 《구어》 ***; Je vous souhaite une bonne*** (***et heureuse***) ***année.*** 새해 복 많이 받으십시오.

souiller [suje] *v.t.* ① 더럽히다(= salir) : ~ ses vêtements de boue 옷을 진흙투성이로 만들다. ② (명예 · 양심 따위를) 더럽히다, 훼손하다(= déshonorer) : ~ l'honneur de qn …의 명예를 더럽히다. ③ 욕하다 ; 모독하다. ── **se ~** *v.pr.* ① 더러워지다. ② 자기 몸〔이름〕을 더럽히다.

souillon [sujɔ̃] *n.* 옷을 더럽히는 어린애. ── *f.* 하녀, 식모(= ~ de cuisine).

souillure [sujyːʀ] *f.* ① 얼룩, 때, 더러움(= tache). ② (명예 따위의) 오점.

souk [suk] *m.* ① (중동 · 북아프리카의) 시장, 장. ② 《구어》 난장판.

soul [sul] 〔영〕 *n.* et *adj.* 《불변》 〖음악〗 소울「(의).

soûl, e** [su, sul] *adj.* ① 《구어》 술 취한(= ivre) ; 도취한. ② 《~ de》 …에 싫증난, 물린. ── *m.* 《다음 숙어로만 쓰임》 ***tout son 〔***mon***〕 ***~*** 실컷, 마음껏 : J'ai mangé *tout mon ~*. 나는 실컷 먹었다.

soulagement [sulaʒmɑ̃] *m.* ① 경감, 완화(= adoucissement, apaisement) ; 진정(鎭靜) ; 위무, 위안 : donner 〔apporter〕 du ~ à qn …을 위로해 주다, …의 고통을 덜어 주다. ② 안도 : soupir de ~ 안도의 한숨.

***soulager** [sulaʒe] [3] *v.t.* ① …의 짐을 덜어 주다, …의 부담을 덜게 해 주다, 〖해양〗 배의 짐을 줄이다 : ~ le peuple d'un impôt 국민에게 세금의 부담을 덜어 주다. ② …의 (육체적 · 물질적 · 정신적) 부담〔고통〕을 덜어 주다, 편하게 하다(= apaiser, calmer) : ~ son cœur 마음에 걸리는 것을 털어놓다 / remède qui m'*a soulagé* 내 고통을 덜어 주는 약. ③ 돕다(= aider), 구해 주다(= aider, secourir) : ~ un malheureux 불행한 사람을 돕다〔위로해 주다〕. ── **se ~** *v.pr.* ① 자기의 부담을 덜다. ② 시름을 덜다, 마음이 편해지다. ③ 《구어》 용변(用便)하다.

soûlant, e [sulɑ̃, -ɑ̃ːt] *adj.* 물리게 하는, 진절머리 나는, 지긋지긋하게 하는.

soûlard, e [sulaːʀ, -aʀd] *n.* et *adj.* 《구어》 술꾼〔술주정뱅이 · 술고래〕(의).

soûler [sule] *v.t.* 《구어》 ① 포만케 하다(= rassasier) ; 취하게 하다(= enivrer). ② 《~ de》 …으로 귀찮게〔골치 아프게, 진저리 나게〕 하다. ── **se ~** *v.pr.* ① 《se ~ de》 …을 물리도록 먹다. ② 만취하다(= s'enivrer) : *se ~* au whisky 위스키에 만취하다.

soulèvement [sulɛvmɑ̃] *m.* ① 들어올리기 ; 솟아오르기, 높아지기. ② 〖지질〗 (땅의) 융기 ; (파도의) 놀(= ~ des flots). ③ (민중의) 반란, 봉기, 폭동(= insurrection) : apaiser 〔réprimer〕 un ~ 반란〔폭동〕을 진압하다.

soulever** [sul(ə)ve] [4] *v.t.* ① 올리다, 쳐들다 ; 들어올리다, 밀어올리다 : ~ un malade dans son lit 환자를 침대에서 일으키다 / ~ qn de terre …을 땅에서 일으키다. ② 〖지질〗 (지각(地殼)을) 융기시키다. ③ (먼지 따위를) 일으키다 : Le vent *soulève* la poussière. 바람이 먼지를 일으킨다. ④ 감격시키다(= transporter, exalter) ; 분격게 하다, 봉기시키다, 선동하다 : ~ le peuple 민중을 봉기시키다. ⑤ (감정 · 반발심 따위를) 불러일으키다, 유발하다(= exciter, provoquer) ; (문제 · 어려움 따위를) 제기하다(= poser, susciter) : ~ l'enthousiasme 열광케 하다. ⑥ 《구어》 빼앗다, 탈취하다(= enlever, prendre) : On lui *a soulevé* son portefeuille. 그의 돈지갑을 훔쳐갔다. ***~ le cœur 구역질나게 하다. ── **se ~** *v.pr.* ① 일으켜 세워지다, 들어올려지다, 높아지다 : *se ~* de sa chaise 의자에서 몸을 일으키다. ② 반란을 일으키다, 봉기하다 : Le peuple *s'est soulevé* contre la tyrannie. 인민은 폭군에 맞서 봉기했다.

soulier** [sulje] *m.* 신, 구두, 단화 : ~s de sport 운동화. ***être dans ses petits ~s 곤경에 빠져 있다.

soulignage [suliɲaːʒ], **soulignement** [suliɲmɑ̃] *m.* (주의 · 강조를 위해 글자에) 밑줄 긋기 ; 특히 힘주어 말〔발음〕하기, 강조.

***souligner** [suliɲe] *v.t.* ① 밑줄〔하선 · 언더라인〕을 긋다 : ~ un mot 〔un passage, une phrase〕 au crayon rouge 빨간 연필로 단어〔한 절, 한 문장〕에 밑줄을 치다. ② 강조하다 ; 두드러지게 하다 : ~ la sveltesse de sa taille par qc …으로써 자기의 날씬한 몸매를 돋보이게 하다.

soûlographie [sulɔgʀafi] *f.* 《구어》 곤드레만드레 취하기, 명정(酩酊)(= ivrognerie).

soulte [sult] *f.* 〖법률〗 (유산 따위의 분배 · 교환의 몫을 균등하게 하기 위한) 보충금, 〖상업〗 부족금〔차액〕 지급.

***soumettre** [sumɛtʀ] [46] *v.t.* ① (사람을) 굴복시키다, (폭도 따위를) 진압하다(= assujettir, dompter) ; (감정을) 억누르다, 억제하다 : ~ ses passions 〔son orgueil〕 정념〔자만심〕을 억제하다 / ~ des rebelles 반역자들을 굴복시키다〔진압하다〕. ② 《흔히 수동태로》 (법률 따위에) 따르게 하다, 부과하다 : revenu *soumis* à l'impôt 과세 소득. ③ …에게 맡기다, 위임하다 ; …에(게) 제출하다 : ~ un problème à un spécialiste 문제를 전문가에게 위임하다 / Il va ~ son projet au comité. 그는 자기 안(案)을 위원회에 제출한다. ④ 《~ qn 〔qc〕 à qc》 …에게 …을 받게 하다 : ~ un sportif *à* un entraînement sévère 스포츠 선수에게 맹훈련을 받게 하다. ── **se ~** *v.pr.* ① 《se ~ à》 (권위·명령·결정 따위에) 굴복〔복종〕하다, 따르다 : *se* ~ *à* la loi 법에 복종하다. ② 《se ~ à》 (수술 따위를) 받다 : *se* ~ *à* une opération chirurgicale 외과 수술을 받다.

soumis, e** [sumi, -i:z] *adj.* ① (아이가) 유순한, 온순한, 공손한(= docile, obéissant) : fils ~ 얌전한 아들 / air ~ 공손한 태도. ② 《~ à》 (법률·권력 따위에) 따르는, 복종하는 : ~ *à* l'impôt 과세되는 / pays ~ *à* l'influence française 프랑스의 영향 밑에 있는 나라. ***fille ~e (등록되어) 통제를 받는 창녀.

soumission [sumisjɔ̃] *f.* ① (반역자 따위의) 굴복, 항복, 귀순 ; 복종의 맹세 : faire (sa) ~ 항복〔귀순〕하다 ; 복종을 맹세하다. ② 《~ à》 …에 대한 복종, 순종 : une ~ aveugle *à* un parti 당에 대한 맹목적인 순종. ③ 〖상업〗 입찰〔청부〕 견적서 : faire une ~ pour un travail 어떤 일〔공사〕에 입찰하다 ; 어떤 일을〔공사를〕 도급맡다.

soumissionnaire [sumisjɔnɛːʀ] *m.* 〖법률〗 입찰자, 청부인.

soumissionner [sumisjɔne] *v.t.* (공사·사업 따위를) 도급맡다, 입찰하다.

soupape [supap] *f.* 〖기계〗 날름쇠, 판(瓣), 밸브. ***~ de sûreté*** 안전판.

***soupçon** [supsɔ̃] *m.* ① 혐의, 의혹 : avoir quelques ~*s* que... ne (+*sub.*) …이 아닌가 하는 의혹〔의심〕을 품다 / un ~ mal fondé 근거 없는 의심 / dissiper les ~*s* 의혹을 풀다. ② 추측, 짐작(= simple conjecture) : J'ai le ~ que c'est lui qui est venu. 온 것은 그 사람인 것 같다. ③ 《구어》 극소수, 극소량, 약간 ; 낌새(= apparence légère) : ~ de lait 약간의 우유 / avoir un ~ de fièvre 열이 조금 있는 것 같다.

soupçonnable [supsɔnabl] *adj.* 수상쩍은 ; 의심 가는, 혐의를 둘 수 있는.

***soupçonner** [supsɔne] *v.t.* ① 수상히 여기다, …에게 혐의를 두다, …이 아닌가 의심하다(= suspecter) : La femme de César ne doit pas même *être soupçonnée.* 《격언》 남에게 의심받을 만한 일은 아예 하지 마라 / ~ qn de qc 〔d'avoir fait qc〕 …에게 …의〔한〕 혐의를 두다 / On le *soupçonne* de vol 〔d'avoir volé〕. 그가 도둑질을 한 것이 아닌가 모두들 의심하고 있다. ② 추측〔짐작〕하다, 어렴풋이 느끼다(= conjecturer, présumer, se douter de) : ~ un piège 함정을 알아차리다 / ~ que+*ind.* …라고 생각〔추측〕하다《주절이 의문문〔부정문〕일 때는 종속절에는 보통 *sub.*을 사용함》.

soupçonneusement [supsɔnøzmɑ̃] *adv.* 《문어》 수상히 여기며, 의심하는 눈으로 ; 의심쩍게.

***soupçonneux, euse** [supsɔnø, -ø:z] *adj.* 의심 많은, 의심하는, 수상쩍은 : air ~ 수상쩍은 태도 / regards ~ 의혹의 눈길. ── *n.* 의심 많은 사람.

soupe** [sup] *f.* ① 수프《옛날에는 고깃국물에 적신 빵조각을 가리켰음》 : bon de ~ 수프 배급표 / ~ aux choux 〔à l'oignon〕 양배추〔양파〕를 넣은 진한 수프. ② (군대·교도소에서의) 수프만의 급식 : ~ populaire (극빈자에의) 무료 급식소. ③ 《구어》 식사 : faire la ~ 식사를 하다 ; 식사를 만들다. ***À la ~! 《구어》 식사가 나왔다! ***être trempé 〔mouillé〕 comme une ~*** 흠뻑 젖어 있다. ***~ au lait*** 우유에 빵을 뜯어서 담근 것. ***un gros plein de ~*** 《구어》 몹시 뚱뚱한 사람.

soupente [supɑ̃:t] *f.* 벽장, 고미 다락방.

souper** [supe] *m.* ① 《옛·지방어》 저녁밥(= dîner). ② 밤참, 야식. ── *v.i.* ① 《옛·지방어》 《~ de, 《구어》 avec》 …으로 저녁을 먹다. ② 밤참을 먹다. ***avoir soupé de qc 〔qn〕 《구어》 …에 진저리나다 : J'*en ai soupé.* 이제는 진저리난다.

soupeser [sup(ə)ze] *v.t.* [4] ① 손에 들어 무게를 헤아리다. ② 차분히 검토하다 : ~ des arguments 논지를 면밀히 검토하다.

soupier, ère [supje, -ɛːʀ] *adj.* et *n.* 수프를 좋아하는 (사람). ── *f.* 수프 그릇(에 든 것).

soupir** [supi:ʀ] *m.* ① 한숨 ; 탄식(= plainte lyrique) : pousser de profonds ~*s* 깊은 한숨을 내쉬다 / ~ de résignation 체념의 한숨. ② 《시어》 사랑 고백, 동경 ; 슬픈 소리〔노래·가락〕. ③ 〖음악〗 4분 쉼표. ***rendre le dernier ~ 마지막 숨을 거두다, 숨지다, 죽다.

soupirail [supiʀa:j] *m.* (*pl.* ***-aux*** [-o]) (지하실의) 채광 환기창.

soupirant, e [supiʀɑ̃, -ɑ̃:t] *adj.* 《드물게》 (사랑으로) 한숨짓는, 탄식하는. ── *m.* 구애자(求愛者), 여자를 연모하는 남자.

***soupirer** [supiʀe] *v.i.* ① 한숨짓다, 탄식하다 : ~ de douleur 고통의 한숨을 짓다 / ~ d'aise 안도의 숨을 내쉬다. ② 《문어》 《~ pour》 …을 연모〔사모〕하다 ; 《~ après》 …을 열망하다 : ~ *pour* une femme 여자에게 사랑으로 애태우다 / ~ *après* le bonheur 행복을 열망하다. ── *v.t.* 《시어》 애원하다, 한탄하며 말하다 ; 애절하게 읊다 : ~ ses peines 자기 고통을 슬프게 노래하다 / ~ les vers 애절하게 시구를 읊다.

souple** [supl] *adj.* ① 유연한, 부드러운, 녹신(녹신)한, 나긋나긋, 잘 휘는(= flexible ; ≠ raide) : branche ~ 잘 휘는 나뭇가지 / cuir ~ 연한 가죽. ② (사람이) 경쾌한, 민첩한, 날렵한(= agile) : ~ comme un chat 고양이같이 재빠른. ③ 순응성〔적응성·융통성〕이 많은 ; (사람이) 유순〔온순〕한(= docile) : talent ~ 무엇에나 적응하는 재능. ***disque ~ 〖컴퓨터〗 플로피디스크. ***être ~ comme un gant ; avoir les reins 〔l'échine〕 ~s*** 남에게 굽실거리다, 남이 말하는 대로 따르다.

souplement [supləmɑ̃] *adv.* 유연하게, 부드럽게 ; 경쾌하게.

souplesse [suplɛs] *f.* ① 유연성, 부드러움

(= flexibilité) : ~ du style 문체의 유연성. ② 경쾌함, 민첩성. ③ 순응〔적응·융통〕성, 영합성(迎合性) : ~ d'esprit 융통성이 있음. ***en ~*** 《구어》 수월하게. ***tour de ~*** 곡예.

souquer [suke] *v.t.* 〖해양〗 (밧줄 따위를) 꼭 죄다. ── *v.i.* 있는 힘을 다하다〔다하여 노를 젓다〕 : ~ sur la rame 〔les avirons〕 있는 힘을 다하여 노를 젓다.

⁑source [surs] *f.* ① 샘 ; 수원(水源) : eau de ~ 샘물 / ~ thermale 〔chaude〕 온천. ② 원천, 본원, 근원, 기원 ; 원인 ; 원산지 : ~ de pétrole 유전(油田) / ~ lumineuse 〖광학〗 광원 / Le mal est la ~ du vrai bonheur. 고통은 참다운 행복의 근원이 된다. ③ 출처, 근거, 본거 ; (*pl.*) 원전(原典) : tenir 〔savoir〕 qc de bonne ~ 〔de ~ sûre〕 확실한 출처로부터 …의 정보를 얻다 / Cet historien a utilisé toutes les ~*s*. 이 역사가는 모든 원전을 참고했다. ***couler de ~*** ⓐ (이야기 따위가) 샘솟듯 줄줄 나오다. ⓑ 당연한 결과이다 : conclusion qui *coule de ~* 당연한 결론. ***de ~***+'형용사' …의 소식통으로부터〔에 의하면〕 : *De ~ officielle*, on indique que... 공식적인 소식통에 의하면 …라고 한다. ***prendre sa ~ à*** 〔***dans***〕 …에서 흘러나오다 ; …에 근원을 두다. ***remonter à la ~*** 〔***aux ~s***〕 근원으로 거슬러 올라가다.

sourcier, ère [sursje, -ɛ:r] *n.* 점지팡이로 지하수맥을 찾아내는 사람.

sourcil** [sursi] *m.* 눈썹. ***froncer le(***s***) ***~***(***s***) 눈살을 찌푸리다.

sourcilier, ère [sursilje, -ɛ:r] *adj.* 〖해부〗 눈썹의 : arcades ~*ères* 눈두덩, 미궁(眉弓).

sourciller [sursije] *v.i.* 《부정문에만 사용》 눈살을 찌푸리다 ; (놀라서) 눈썹을 흠칫 하다. ***sans ~*** 눈썹 하나 까딱 않고.

sourcilleux, euse [sursijø, -ø:z] *adj.* ① 눈살을 찌푸린 ; 오만한, 거만한(= hautain, sévère) : air ~ 오만한 태도 / front ~ 찌푸린 얼굴. ② 까다로운, 세심한, 빈틈없는.

sourd, e** [su:r, surd] *adj.* ① 귀먹은, 귀가 먼, 귀머거리의 ; 《~ à》 …을 들으려 하지 않는 : clameur *à* rendre les gens ~*s* 귀청이 터질 것 같은 시끄러운 소리 / devenir ~ 귀머거리가 되다 / rester 〔être〕 ~ *aux* prières 청을 들어 주려고 하지 않다. ② (방 따위가) 잘 울리지 않는 ; 방음의. ③ (소리·빛깔 따위가) 어렴풋한, 은은한, 희미한. ④ 겉으로 잘 드러나지 않는, 은연한 ; 암묵리의 : rumeur ~*e* 외부로 퍼지지 않는 소문 / lutte ~*e* 암투. ⑤ 소리를 내지 않는 ; 〖언어〗 무성(無聲)의. ***être ~ comme un pot 귀가 완전히〔아주〕 먹었다. ***faire la ~e oreille*** 들은 체 만 체하다. ── *n.* 귀머거리. ***Autant vaut parler à un ~.*** 《속담》 쇠귀에 경읽기. ***faire le ~*** 못 듣는 체하다. ***frapper comme un ~*** 사정없이 때리다. ── *f.* 〖언어〗 무성음(= consonne ~*e*).

sourdement [surdəmɑ̃] *adv.* ① 희미하게, 은은하게 : Le tonnerre grondait ~. 천둥이 희미하게 울렸다. ② 남몰래, 은밀히(= secrètement).

sourdine [surdin] *f.* 〖음악〗 약음기(弱音器) ; 〖자동차〗 조광기(調光機). ***à la*** 〔***en***〕 ***~*** 소리를 내지 않고 ; 몰래, 슬그머니. ***jouer en ~*** 〔***avec la ~***〕 (약음기로) 음을 약화시켜 연주하다. ***mettre une ~ à*** qc …을 약화〔완화〕시키다.

sourdingue [surdɛ̃:g] *adj.* 《경멸》 귀머거리의(= sourd). ── *n.* 귀머거리.

sourd-muet, sourde-muette [surmɥɛ, surdəmɥɛt] *n.* et *adj.* (*pl.* ***~s-~s***) 농아(聾啞)(의) : enfants ~*s*-~*s* 농아 아동.

sourdre [surdr] 25 *v.i.* 《부정법과 직설법 현재 3인칭 외에는 별로 쓰이지 않음. *Il sourd, ils sourdent.*》 ① (물 따위가) 샘솟다, 솟아나다. ② 일어나다, 야기되다(= surgir) : Son mécontentement *sourdait* de jour en jour. 그녀의 불만은 나날이 표면화되어 갔다.

souriant, e [surjɑ̃, -ɑ̃:t] *adj.* 미소짓는, 싱글벙글하는 ; 기분 좋은 : visage ~ 웃는 낯 / soleil ~ 맑게 빛나는 태양.

souriceau [suriso] *m.* (*pl.* ***~x***) 〖동물〗 생쥐 새끼.

souricière [surisjɛ:r] *f.* ① 쥐덫, 쥐틀. ② 함정, 올가미(= piège). ③ (경찰의) 잠복처 : se jeter 〔se mettre〕 dans une ~ 함정에 걸리다 ; 궁지에 빠지다.

sourire [suri:r] *v.i.* 47 ① 미소짓다, 빙그레〔씽긋〕 웃다 : ~ à qn …에게 미소짓다, 만족의 뜻을 표하다. ② 《주어 : qc》 《~ à qn》 …의 마음에 들다(= plaire) ; …에게 유리하다(= être favorable) : projet qui ne me *sourit* guère 내게는 별로 탐탁하지 않은 계획 / Enfin la chance me *sourit*. 마침내 내 운이 트였다. ③ 《~ de qc 〔qn〕》 …을 비웃다, 조소하다. ── ***se ~*** *v.pr.* 서로 미소짓다. ── *m.* 미소 ; 조소 : ~ affecté 억지 웃음 / faire 〔adresser〕 un ~ à qn …에게 미소짓다. ***avoir le ~*** 만족스러운 표정을 짓다, 만족스러워하다 : *avoir* toujours *le* ~ sur les lèvres 입가에 미소를 늘 띠다. ***garder le ~*** 줄곧〔여전히〕 싱글벙글하다.

souris** [suri] ① 〖동물〗 생쥐 : ~ d'eau 뾰족뒤쥐 / ~ de terre 들쥐. ② 《구어》 젊은 여자, 처녀 ; 정부. ③ 양의 무릎 관절의 근육《수프용》. ④ 〖정보〗 (컴퓨터의) 마우스 : cliquer avec la ~ 마우스로 클릭하다. ***La montagne a accouché d'une ~. 《속담》 태산명동서일필(泰山鳴動鼠一匹). ***~ d'hôtel*** 《구어》 호텔 전문의 여자 도둑. ── *adj.* 《불변》 (gris) ~ 쥐색 / cheval ~ 회색 말.

sournois, e [surnwa, -a:z] *adj.* 음험한, 엉큼한 ; 교활한 : caractère ~ 뱃속이 검은 사람. ── *n.* 음험한〔엉큼한〕 사람.

sournoisement [surnwazmɑ̃] *adv.* 음험하게, 엉큼하게 ; 교활하게.

sournoiserie [surnwazri] *f.* 엉큼함, 음험함 ; 음험한〔엉큼한〕 짓.

⁑sous [su] *prép.* 《다음 말이 모음으로 시작될 때는 연음을 함 : ~ un arbre [suzœ̃narbr]》 ① 《위치·장소》 …아래에, 밑에 : mettre un oreiller ~ sa tête 베개를 베다 / passer ~ la fenêtre de qn …의 창 밑을 지나가다 / tirer qc de ~ la table 책상 밑에서 …을 끄집어내다 / porter son sac ~ son bras 가방을 팔 밑에 끼고 다니다. ② 《위치·장소》 …안에, 속에 : disparaître ~ les nuages 구름 속으로 사라지다 / avoir qc ~ la main …을 수중에 가지다 / vivre ~ la tente 천막 속에

서 살다 / se promener ~ la pluie 빗속을 거닐다 /《~+무관사명사》 à cent mètres ~ terre 지하 100 미터 지점에(서) / mettre une lettre ~ enveloppe 편지를 봉투에 넣다 / mettre qc ~ clef 자물쇠로 채워 두다. ③《시기 · 기간》…시대에 ; …치세에 : ~ la Révolution francaise 프랑스 혁명 시대에 / ~ Louis 14, 루이 14 세 치하에. ④ …이내에 : ~ huitaine 〔quinzaine〕, 1〔2〕 주일 이내에. ⑤《외관 · 명목》…을 입고, …의 형태로, …으로 : se promener ~ un manteau 외투를 입고 산책하다 / médicament ~ la forme de cachets 정제로 된 약 / ~ une figure humaine 사람의 형상으로 / écrire ~ un faux nom 가짜 이름을 쓰다 / ~ un prétexte ou l'autre 이러저러한 구실〔핑계〕로. ⑥《원인 · 작용 · 영향》…에 의하여, …의 영향으로 : branche qui plie ~ le poids des fruits 열매의 무게로 휜 나뭇가지 / ~ l'empire de la colère 화가 나서 / femmes ~ oppression 억압받고 있는 여성들 / ~ la pression de qn …의 압력을 받고 / ~ l'influence de qn 〔qc〕 …의 영향하에 /《~+무관사명사》 mettre ~ presse (책을) 인쇄에 부치다 / livre ~ presse 인쇄 중인 책. ⑦《관점》…관점〔시각〕에서 : ~ cet angle 〔cet aspect〕 이러한 각도〔면〕에서 / ce point de vue 이러한 관점에서 / *S*~ ce rapport, il vous est inférieur. 그런 점에서 보면 그는 당신보다 못하다. ⑧《조건》…하에, …조건으로 : ~ condition 조건부로 / ~ contrat 계약하에 : se mettre ~ la protection de qn …의 보호하에 들어가다 / confier qc ~ le sceau du secret 비밀 보장의 약속하에 …을 고백하다 / ~ promesse de... …의 약속하에 / ~ votre responsabilité 당신이 책임을 지기로 하고. ⑨《종속 · 지배 · 제약》…밑에(서), …치하에(서) : servir ~ un roi 왕을 섬기다 / avoir des hommes ~ ses ordres 자기 지휘하에 사람들을 거느리고 있다 / combattre ~ le drapeau de la France 프랑스 국기 밑에서 싸우다 / ~ la direction 〔la responsabilité〕 de qn …의 관리〔책임〕하에 / ~ les auspices de …의 협찬으로. ***~ la côte*** 〖해양〗 해안에 접근하여. ***~ le vent*** 바람을 등지고. ***~ main*** 은밀히. ***~ peu*** (***de jours, de temps***) 곧, 쉬이.

sous- [su, suz] *préf.*《[suz]는 모음과 무성 h 앞에서》「아래 · 밑」의 뜻. ① (관직 따위 지위가) 아래의 : *sous*-directeur 차장(次長). ② 평균 이하의 : économie *sous*-développée 발전이 뒤떨어진 경제. ③ …의 밑에 있는 : *sous*-sol 지하층. ④ 하위에 속하는 : *sous*-traitant 하청업자.

sous-alimentation [suzalimɑ̃tɑsjɔ̃] *f.* 영양 불량, 영양실조(≠ suralimentation).

sous-alimenté, e [suzalimɑ̃te] *adj.* 식량 부족의, 영양 불량〔실조〕의, 결식(缺食)의.

sous-bois [subwa] *m.*《복수불변》① (숲의 큰 나무 밑에서 자란) 초목. ② 〖미술〗 숲속을 주제로 한 그림.

sous-catégorisation [sukategɔʀizɑsjɔ̃] *f.* 〖언어〗 하위 범주화.

sous-chef [suʃɛf] *m.* (*pl.* ***~-~s***) ① 차장(次長). ② 〖음악〗 부지휘자(= ~ de musique).

sous-classe [suklaːs] *f.* ① 〖생물〗 아강(亞綱)《classe 의 하위 분류》. ② 하위 구분.

sous-comité [sukɔmite] *m.* 소 위원회 ; 분과 위원회.

sous-commission [sukɔmisjɔ̃] *f.* 소〔분과〕 위원회《위원의 총체》.

sous-consommation [sukɔ̃sɔmɑsjɔ̃] *f.* 소비 부족, 과소 소비.

sous-continent [sukɔ̃tinɑ̃] *m.* 〖지리〗 아대륙(亞大陸).

souscripteur, trice [suskʀiptœːʀ, -tʀis] *m.* ① 〖재정〗 (주식 · 채권 등의) 응모자 ; 어음의 발행인 ; 예약자 ; 기부자. ② (출판물의) 예약 구독 신청자.

souscription [suskʀipsjɔ̃] *f.* ① 기명, 서명. ② (주식 · 채권 따위에 대한) 응모, 신청 : ouvrir 〔clore〕 une ~ 신청의 접수를 개시〔마감〕하다. ③ (출판물에 대한) 예약〔구독〕 신청 : vendre par ~ (책을) 예약 판매하다 / publier un ouvrage par ~ 책을 예약 출판하다. ④ 예약금, 기부금.

***souscrire** [suskʀiːʀ] [38] *v.t.* (서명하여) 신청하다, 응모하다, 서명하다 : ~ un contrat 계약서에 서명하다 / capital *souscrit* 출자(出資) 신청을 받은 자본 / ~ un abonnement au journal 신문 구독 신청을 하다. ── *v.i.* 《~ à》 ① …에 응모〔신청〕하다, 출자하다 ; 기부하다 : ~ *à* un emprunt 공채에 응모하다 / ~ pour (la somme de) dix mille francs 만 프랑(의 금액) 기부를 신청하다. ② (출판물의) 예약을 하다 : ~ *à* une publication 책의 예약 신청을 하다. ③ 찬성하다, 동의하다 : ~ *aux* exigences de qn …의 요구를 묵살하다.

sous-cutané, e [sukytane] *adj.* 피하(皮下)의. ***injection ~e*** 피하 주사.

sous-développé, e [sud〔ɛe〕vlɔpe] *adj.* 개발이 뒤진, 후진의. ***pays ~s*** 저개발국《현재는 pays en voie de développement (발전도상국)이라고 함》.

sous-développement [sude〔ɛ〕vlɔpmɑ̃] *m.* (경제 · 국가의) 저개발, 후진성.

sous-diaconat [sudjakɔna] *m.* 〖종교〗 차부제의 직〔신분〕 ; 부집사의 직〔신분〕.

sous-diacre [sudjakʀ] *m.* 〖종교〗 차부제(次副祭) ; 부(副)집사.

sous-directeur, trice [sudiʀɛktœːʀ, -tʀis] *n.* ① 부지배인 ; 차장. ② 부소장 ; 교감 ; 부원장. 「수.

sous-économe [suzekɔnɔm] *n.* 회계 조

sous-emploi [suzɑ̃plwa] *m.* 〖경제〗 불완전 고용 (상태)(≠ plein-emploi).

sous-employè, e [suzɑ̃plwaje] *adj.* ① 〖경제〗 부분〔불완전〕 고용의. ② (전(全)가능성 · 능력 · 시간 중) 일부만이 이용되는.

sous-ensemble [suzɑ̃sɑ̃ːbl] *m.* 〖수학〗 부분 집합.

sous-entendre [suzɑ̃tɑ̃ːdʀ] [25] *v.t.* ① …의 뜻을 함축시키다, 언외〔은연중〕에 암시하다 : ~ un mécontentement 불만을 암시하다. ② 〖언어〗 생략하다. ── **se ~** *v.pr.* ① 언외〔은연중〕에 함축되다. ② 생략되다.

sous-entendu, e [suzɑ̃tɑ̃dy] *adj.* ① (뜻이) 함축된, 언외〔은연중〕에 암시한 : men-

S

ace ~*e* 무언의 협박. ② 생략된. — *m.* 함축된 의미, 암시 : suggérer qc par ~*s* …을 은연중에 암시하다.

sous-équipé, e [suzekipe] *adj.* 〖경제〗 설비〔시설〕 부족의 ; 저개발의(≠ suréquipé).

sous-équipement [suzekipmɑ̃] *m.* 〖경제〗 설비〔시설〕 부족, 저개발.

sous-espèce [suzɛspɛs] *f.* 〖생물〗 아종(亞種).

sous-estimation [suzɛstimasjɔ̃] *f.* 가치 이하의 견적, 과소평가.

sous-estimer [suzɛstime] *v.t.* 가치 이하로 견적하다, 과소평가하다(≠ surestimer) : ~ son adversaire 상대를 과소평가하다.

sous-évaluation [suzevalɥasjɔ̃] *f.* 과소평가.

sous-évaluer [suzevalɥe] *v.t.* 시가 이하로 평가하다, 과소평가하다(≠ surévaluer).

sous-exposer [suzɛkspoze] *v.t.* 〖사진〗 불충분하게 노출하다(≠ surexposer).

sous-exposition [suzɛkspozisjɔ̃] *f.* 〖사진〗 노출 부족(≠ surexposition).

sous-fifre [sufifʀ] *m.* 《경멸》 말단 직원, 졸때기 : Ne vous adressez pas à des ~*s*. 말단 직원을 상대로 하지 마시오.

sous-genre [suʒɑ̃:ʀ] *m.* 〖생물〗 아속(亞屬).

sous-gouverneur [suguvɛʀnœ:ʀ] *m.* 부총독 ; 부지사 ; 부총재.

sous-homme [suzɔm] *m.* 열등〔하급〕 인간, 인간 쓰레기(≠ surhomme).

sous-humanité [suzymanite] *f.* 인간 이하(의 상태) ; 《집합적》 하층민, 열등 인간들.

sous-informé, e [suzɛ̃fɔʀme] *adj.* 정보 부족의.

sous-jacence [suʒasɑ̃s] *f.* 〖언어〗 condition de la ~ (이동 변형을 제한하는) 하위 인접 조건.

sous-jacent, e [suʒasɑ̃, -ɑ̃:t] *adj.* ① 밑에 있는, 아래에 깔린 : couche ~*e* (광맥 따위의) 하층. ② 감춰진, 겉으로 드러나지 않은 (= caché, implicite) : difficultés ~*es* 눈에 보이지 않는 어려움. ③ 〖언어〗 (생성 문법에서) 기저(基底)의.

sous-lieutenant [suljøtnɑ̃] *m.* 육군 소위.

sous-locataire [sulɔkatɛ:ʀ] *n.* (가옥 일부의) 전차인(轉借人).

sous-location [sulɔkɑsjɔ̃] *f.* (가옥 일부의) 전대(轉貸), 전차(轉借).

sous-louer [sulwe] *v.t.* (임대한 가옥의 일부를 다시) 전대하다, 전차하다.

sous-main [sumɛ̃] *m.* 《복수불변》 (글 쓸 때 종이 밑에 놓는) 받침, 데스크 매트. ***en*** ~ 남몰래, 비밀리에.

***sous-marin, e** [sumaʀɛ̃, -in] *adj.* 바닷속의, 해저의 ; 잠항(潛航)의 : plant ~*e* 해저 식물 / volcan ~ 해저 화산 / plongée ~*e* 스쿠버 다이빙. — *m.* 잠수함 : ~ nucléaire 원자력 잠수함.

sous-marinier [sumaʀinje] *m.* 잠수함 승무원.

sous-marque [sumaʀk] *f.* (저품질의 상품에 붙이는) 하위 상표.

sous-multiple [symyltipl] *adj.* 〖수학〗 약수의. [illegible] *m.* 약수 : 2 et 5 sont des [illegible] 10. 2와 5는 10의 약수이다.

sous-œuvre [suzœ:vʀ] *m.* 〖건축〗 (건물의) 토대, 기초 ; 토대 공사. ***en*** ~ 기초〔토대〕부터 ; 근본적으로 : reprendre un mur en ~ 벽의 토대 공사를 새로 하다.

sous-off [suzɔf] *m.* 〖군사〗 《구어》 부사관 (= sous-officier).

sous-officier [suzɔfisje] *m.* 〖군사〗 부사관 《구어로는 sous-off》.

sous-ordre [suzɔʀdʀ] *m.* 《복수불변》 ① 하위(下位) ; 부하. ② 〖생물〗 아목(亞目). ***en*** ~ 차위(次位)의 : créancier *en* ~ 〖법률〗 채권자의 채권자.

sous-payer [supe〔ɛ〕je] *v.t.* 저임금을 지불하다 : main-d'œuvre *sous-payée* 저임금 노동자.

sous-peuplé, e [supœple] *adj.* (인구가) 과소(過疎)한 : région ~*es* 인구 저밀 지역.

sous-peuplement [supœpləmɑ̃] *m.* 인구 과소.

sous-pied [supje] *m.* 각반이나 바지 끝을 구두 밑으로 돌려 매는 끈.

sous-préfecture [supʀefɛkty:ʀ] *f.* 군 ; 군수의 직〔관사 · 재직 기간〕 ; 군청 (소재지).

sous-préfet [supʀefɛ] *m.* 군수.

sous-production [supʀɔdyksjɔ̃] *f.* 〖경제〗 생산 부족.

sous-produit [supʀɔdɥi] *m.* ① 부산물. ② 《비유》 서툰 모방품, 아류(亞流).

sous-programme [supʀɔgʀam] *m.* 〖컴퓨터〗 부(副)프로그램, 서브루틴.

sous-prolétariat [supʀɔletaʀja] *m.* 하층 프롤레타리아 계급, 하급 무산 계급.

sous-secrétaire [sus(ə)kʀetɛ:ʀ] *m.* 서기보 ; 차관(= ~ d'État). ***~ d'État aux affaires étrangères*** 외무 차관.

sous-secrétariat [suskʀetaʀja] *m.* 서기보의 직 ; 차관 직〔실〕.

sous-seing [susɛ̃] *m.* 《복수불변》 〖법률〗 사서 증서(私署證書) ; 사계약.

soussigné, e [susiɲe] *adj.* 아래에 서명한 : témoin ~ 아래에 서명한 증인. — *n.* 아래에 서명한 사람.

***sous-sol** [susɔl] *m.* (*pl.* **~-~s**) ① 〖지질〗 심토(心土)《표토 밑의 지층》. ② 〖건축〗 지하실, 지하층 : second ~ 지하 2층 / garage en ~ 지하 주차장.

sous-station [susta〔ɑ〕sjɔ̃] *f.* 〖전기〗 변전소.

sous-tendre [sutɑ̃:dʀ] 25 *v.t.* ① 〖기하〗 (호(弧)의) 양끝을 잇다. ② (이론 따위의) 기초가 되다 : axiomes qui *sous-tendent* la pensée humaine 인간 사고의 기초를 이루는 공리(公理).

sous-tension [sutɑ̃sjɔ̃] *f.* (*pl.* **~-~s**) ① 〖전기〗 저(低)전압(= sous-voltage). ② 〖의학〗 저혈압(= hypotension).

sous-titrage [sutitʀa:ʒ] *m.* 〖영화〗 자막(字幕)을 넣기.

***sous-titre** [sutitʀ] *m.* (*pl.* **~-~s**) ① 부제(副題), 소제목. ② 〖영화〗 자막.

sous-titrer [sutitʀe] *v.t.* (영화에) 자막을 넣다 : film *sous-titre* 자막이 들어 있는 영화.

***soustraction** [sustʀaksjɔ̃] *f.* ① 〖수학〗 빼기, 뺄셈 : faire une ~ 뺄셈을 하다. ② 〖법률〗 ([illegible]) [illegible].

soustraire [sustʀɛ:ʀ] 44 *v.t.* ① 《~ de》 〖수학〗 …에서 빼다(≠ additionner) : ~ 10 *de* 30, 30에서 10을 빼다. ② 《~ à》 …에서

울궈내다, 사취하다(= enlever) : Il s'est fait ~ son portefeuille. 그는 지갑을 도둑맞았다. ③《~ qn à qc》…을 …에서 면하게〔피하게〕 하다 : ~ qn *au* danger …을 위험에서 피하게 하다 / Rien ne peut vous ~ *à* sa colère. 무슨 일을 해도 당신은 그녀의 노여움을 면할 수가 없을거요. ④《~ de》…에서 빼내다, 훔치다 : ~ des pièces *d'*un dossier 서류철에서 서류를 빼내다 / ~ de l'argent à qn …에게서 돈을 훔치다. — **se** ~ *v.pr.*《se ~ à》…을 면하다, 피하다 : *se* ~ *à* un devoir 어떤 의무에서 벗어나다 / *se* ~ *à* la justice 〔*au* chatiment〕 법망〔징벌〕을 피하다.

sous-traitance [sutʀɛtɑ̃:s] *f.* 하청(下請) : travailler en ~ 하청받아 일하다.

sous-traitante [sutʀɛtɑ̃, -ɑ̃:t] *adj.* 하청의. entreprise ~*e* 하청 기업. — *m.* 하청인.

sous-traité [sutʀɛ〔e〕te] *m.* (*pl.* **~-~s**) 하청 (계약).

sous-traiter [sutʀɛ〔e〕te] *v.t.* 하청 계약을 맺다, 하청을 맡다 : ~ une affaire 일의 하청을 맡다.

sous-ventrière [suvɑ̃tʀijɛ:ʀ] *f.* (*pl.* ~-~*s*) (말의) 뱃대끈 ;《구어》허리띠.

sous-verre [suvɛ:ʀ] *m.* 《복수불변》 (그림·사진용) 작은 액자 ; 액자에 넣은 사진〔그림〕: photos de famille dans un ~ 액자에 넣은 가족 사진들.

***sous-vêtement** [suvɛtmɑ̃] *m.* (*pl.* **~-~s**) 속옷, 내의, 내복 : ~*s* masculins 〔féminins〕 남자〔여자〕 내의.

soutache [sutaʃ] *f.* 〖의복〗 (군복·여자 옷의) 장식끈.

soutacher [sutaʃe] *v.t.* 〖의복〗 …에 장식끈을 달다.

soutane [sutan] *f.* 법의(法衣), 수단《신부의 길고 검은 평상복》. ***prendre la ~*** 성직자가 되다.

soute [sut] *f.* 〖해양〗 (배 밑바닥의) 화물창(貨物艙) ; 〖항공〗 (기체 내의) 화물 적재소 : mettre qc en ~ …을 화물창에 넣다.

soutenable [sutnabl] *adj.* 지지할 수 있는 : opinion peu ~ 지지받기 어려운 의견.

soutenance [sutnɑ̃:s] *f.* (석사·박사) 학위논문의 구두심사 : assister à une ~ de thèse 박사학위 논문 구두심사에 참여하다.

soutènement [sutɛnmɑ̃] *m.* ① 〖토목〗 받치기, 버팀 ; 지주(支柱) : mur de 축대, 옹벽(擁壁). ② 〖광산〗 갱목(坑木).

souteneur [sutnœ:ʀ] *m.* (창녀의) 기둥서방.

soutenir** [sutni:ʀ] 16 *v.t.* ① (밑에서) 떠받치다, 지탱하다(= supporter) : colonnes qui *soutiennent* une voûte 둥근 천장을 떠받치고 있는 기둥들. ② 버티다(= étayer) ; (사람을) 부축하다 : ~ un malade 〔un blessé〕 병자〔부상자〕를 부축하다. ③ …의 기운을 돋우어 주다 ; (용기 따위를) 북돋우다 : Prenez un peu de nourriture, cela vous *soutiendra.* 식사를 좀 하십시오, 그러면 기운이 날 것입니다 / piqure qui *soutien* le cœur 강심제 주사. ④ (정부·의견 따위를) 지지하다, 옹호하다, 두둔하다(= appuyer, défendre) ; (기업 따위를) 지원〔원조〕하다(= aider) ; (가족을) 부양하다 : ~ un candidat aux élections 선거에서 어떤 입후보자를 지지하다〔지원하다〕 / ~ une famille 〔une maison〕 가족을 부양하다 / ~ une entreprise 기업에 자금 지원을 하다. ⑤ 주장하다(= affirmer) : ~ ses droits 자기의 권리를 주장하다 / 《~+*inf.* 〔que+*ind.*〕》 Il *soutient* l'avoir vu. 그는 그것을 보았다고 주장한다 / Je *soutiens que* ce n'est pas possible. 나는 그것이 불가능하다고 주장한다. ⑥《~ une thèse》(학위 논문 공개 심사에서) 자기의 설을 주장하다. ⑦ 견디다, …에 저항하다(= résister à) : ~ la fatigue 〔la torture〕 피로〔고문〕를 견뎌 내다 / ~ l'assaut des ennemis 적의 습격을 견뎌 내다. ⑧ 지속〔계속〕되게 하다, 유지〔지탱〕하다(= maintenir, entretenir) : ~ la conversation 화젯거리를 계속 제공하다 / ~ son rang 자기 지위를〔신분을〕 유지하다. ***~ le regard de qn …의 시선에 맞서서 …을 쳐다보다. — **se** ~ *v.pr.* ① 몸을 기대다 : *se* ~ à l'aide de béquilles 협장(脇杖)으로 몸을 지탱하다. ② 서 있다 ; (물 위·공중에) 떠 있다 : Je ne *me soutiens* plus (sur mes jambes). 나는 더 이상 서 있을 수 없다. ③ (사람의 젊음·건강·성격·지위 따위가 쇠하지 않고) 계속되다, (우정·흥미 따위가) 지속〔유지〕되다 : L'intérêt d'un bon roman *se soutient* jusqu'à la fin. 좋은 소설의 흥미는 끝까지 지속된다. ④ (의견·학설 따위가) 지지〔옹호〕되다 ; 주장되다. ⑤ 견딜 수 있다. ⑥ 서로 부축하다, 서로 돕다 : Ils *se soutiennent* les uns les autres. 그들은 서로서로 돕고 있다.

soutenu, e [sutny] *adj.* ① 고상한, 품위 있는 : style ~ 고상한 문체 / langue ~*e* 품위 있는 언어 표현. ② 지속적인, 변함없는, 줄기찬 : travail ~ 줄기찬 작업〔공부〕 / efforts ~*s* 꾸준한 노력. ③ 두드러진, 뚜렷한(= accentué) : couleur ~*e* 두드러진 빛깔.

***souterrain, e** [sutɛʀɛ̃, -ɛn] *adj.* ① 지하의 : chemin de fer ~ 지하철(도) / galeries ~*es* des mines 광산의 갱도. ② 비밀의, 은밀한 : employer des voies ~*es* 은밀한 수단〔공작〕을 꾸미다. — *m.* 지하도.

soutien [sutjɛ̃] *m.* ① 떠받치기 ; 받침, 버팀 : ~ de la voûte 둥근 천장을 떠받치기 / mur de ~ 버팀벽. ② 지지 ; 지원(= aide, appui) : se faire le ~ de qc …을 지지하다〔옹호하다〕 / Vous pouvez compter sur mon ~. 틀림없이 당신을 지지합니다 / ~ financier aux défavorisés 혜택받지 못한 사람들에의 재정적 지원. ③ 지지자, 원조자 : armée de ~ 구원군 / Je n'ai d'autre ~ que vous. 내게 당신 이외의 지지자는 없습니다. ***~ de famille*** 가족 부양자.

***soutien-gorge** [sutjɛ̃gɔʀʒ] *m.* (*pl.* ~(**s**)-~) (여자의) 브래지어(= bustier).

soutien-s, -t, soutiendr-ai, -as ⇒ soutenir.

soutier [sutje] *m.* 〖해양〗 (배의) 창고 담당선원.

soutirage [sutiʀa:ʒ] *m.* (앙금 제거를 위해 포도주 따위를) 옮겨담기 ; 옮겨담은 술.

***soutirer** [sutiʀe] *v.t.* ① (앙금 제거를 위해 포도주 따위를 새통에) 옮겨담다. ②《~ qc à qn》…에게서 (금품을) 우려내다, (약속 따위를 강제로) 얻어내다 : ~ de l'argent *à* qn

…의 돈을 우려먹다 / ~ une promesse *à* qn …에게서 약속을 받아내다.

souvenance [suvnɑ̃:s] *f.* 《문어》 추억, 회상 : avoir ~ de qc [que...] …을 회상하다 / garder [perdre] ~ de qc …의 추억을 간직하고 있다[을 잊어버리다].

⁑souvenir[1] [suvni:ʀ] [16] *v. impers.* 《조동사 être》 《문어》 《Il me [te, lui...] *souvient* de [que...]》 나[너, 그(녀)]의 마음에 떠오르다, 생각나다, 기억나다 : *Il me souvient des* jours de mon enfance. 나는 어린 시절들의 나날들이 생각난다 / *Il me souvient d'*avoir lu cela quelque part. 어디서엔가 그것을 읽었던 기억이 난다. — **se ~** *v.pr.* ① 《se ~ de qc [qn]》 …을 생각해내다, 기억하고 있다 : Vous *vous souvenez de* moi? 저를 기억하고 계십니까? / Je *me souviendrai de* ce jour-là toute ma vie. 나는 평생 그날의 일을 잊지 않을 것이다. ② 《se ~ de+부정사 복합형》 …한 것을 생각해내다[기억하다] : Il *se souvenait* (*de*) les avoir rencontrés. 그는 그들과 만난 것을 기억하고 있다. ③ 《se ~ que...》 …라는 것을 기억하다《주절이 부정문 또는 의문문의 경우 que 이하는 접속법이 보통》 : Je *me souviens qu'*il a dit cela. 그가 그렇게 말한 것을 나는 기억하고 있다. ④ 《se ~+의문사》 Je ne *me souviens* pas *où* j'ai laissé mon parapluie. 어디에서 우산을 잊어버렸는지 생각나지 않는다. ⑤ 《명령형으로》 《~ de》 …을 잊지 않도록 하다, 염두에 두다 : *Souvenez-vous de* votre promesse. 약속을 잊지 않도록 하세요. ***autant que je m'en souviens;*** (***autant***) ***que je m'en souvienne*** 내가 기억하는 한에서는. ***Il s'en souviendra.*** 그는 그것을 기억할 것이다, 그는 후회할 것이다. ***Je m'en souviendrai!*** 나는 그것을 기억할 것이다, 두고 보자!

souvenir**[2] *m.* ① 기억(력), 추억, 회상 : ~ vague 어렴풋한 기억 / conserver [perdre] le ~ de... …의 기억을 간직하다[잊다] / raconter des ~*s* d'enfance 어린 시절의 추억을 이야기하다. ② 기념(품), (추억의) 선물 : boutique de ~*s* 기념품 상점 / ~ de son voyage en Grèce 그의 그리스 여행의 기념품. ③ (*pl.*) 회상록, 회고록(= mémoires) : écrire ses ~*s* 회상록을 쓰다. ④ 《인사》 Affectueux [Meilleurs] ~*s* à qn …에게 안부 전해 주십시오《편지의 맺음말》. ***en ~ de qn [qc] …을 생각해서[기념하여] : Gardez ceci *en ~ de* moi. 나에 대한 기억으로 이것을 가지세요.

⁑souvent [suvɑ̃] *adv.* ① 흔히, 자주, 종종 (= fréquemment) : Il n'est pas ~ à la maison. 그는 집에 없을 때가 많다 / Cela arrive ~. 그것은 늘 있는 일이다. ② 많은 경우에, 대체로, 보통(= généralement) : Quand on est jeune, ~ on est pauvre. 젊을 때는 대체로 가난하다. ***le plus ~*** 대개의 경우, 대체로 : *Le plus souvent* elle passe la soirée chez elle. 그녀는 밤에는 대체로 집에서 보낸다. ***plus ~ qu'à mon*** (***ton, son***) ***tour*** 보통보다 자주 : Il fait des heures supplémentaires *plus ~ qu'à son tour.* 그는 보통때보다 훨씬 초과 근무를 하고 있다.

***souverain, e** [suvʀɛ̃, -ɛn] *adj.* ① 지상(至上)의, 최고의(= suprême) ; 지극한 : la ~*e* félicité 지복(至福). ② 최고의 권한을[권위를] 가진 ; 주권을 행사하는 : Dans les démocraties, le peuple est ~. 민주주의 국가에서는 국민이 최고의 권한을 가진다. ③ 극도의, 극단적인(= extrême) : ~ mépris 극도의 경멸. ④ 가장 효력 있는(= très efficace) : remède ~ 특효약. ⑤ 〖법률〗 종심(終審)의 : cour ~*e* 종심 법원. — *n.* 주권자, 군주 : ~ absolu 절대 군주. — *m.* ① 〖법률〗 주권자. ② 소브린《영국의 1 파운드 금화 sovereign》.

souverainement [suvʀɛnmɑ̃] *adv.* ① 더할 나위 없이, 최고로, 지극히 : Il chante ~. 그는 완벽하게 노래 부른다. ② 최고의 권위를 갖고 : décider ~ 전권을 가지고 결정하다. ③ 〖법률〗 종심에서 : juger ~ 최종심을 행하다.

souveraineté [suvʀɛnte] *f.* ① 군주의 신분[지위·권한], 주권 ; 통치권 ; 절대 권력 : exercice [délégation] de la ~ 주권의 행사[위임] / principe de la ~ nationale 주권재민(主權在民)의 원칙 / atteinte à la ~ d'un État 국가의 주권에 대한 침해. ② 주권이 미치는 영토.

soviet [sɔvjɛt] 〖러시아〗 *m.* 《옛》 소비에트의 노농(勞農) 평의회 : *S~* suprême 소련연방 최고회의. ***les S~s; la république des S~s*** 소비에트 연방 공화국, 소련.

soviétique [sɔvjetik] *adj.* 《옛》 소비에트의, 소련의 : gouvernement ~ 소련 정부 / socialisme ~ 소련 사회주의. ***l'Union des Républiques Socialistes S~s*** 소비에트 연방(《약자》 U.R.S.S.). — **S~** *n.* 소련 사람.

sovkhoz(e) [sɔvko:z] 〖러시아〗 *m.* (소련의) 소호즈, 국영 농장.

soya [sɔja] *m.* 〖식물〗 콩, 대두(大豆)(= soja).

soyeux, euse [swajø, -ø:z] *adj.* 비단의, 비단 같이, 부드러운[윤기나는] : cheveux ~ 비단결 같은 머리카락. — *m.* (리옹의) 견직물 제조업자[상인]. — *f.* 〖식물〗 박주가리속(屬)의 식물.

soy-ez, -ons ⇒ être.

S.-P. 《약자》 saint-Père 〖가톨릭〗 교황.

S.P.A. 《약자》 Société Protectrice des Animaux 동물 애호 협회.

spacieusement [spasjøzmɑ̃] *adv.* 넓게, 널찍하게 : Il est logé ~. 그는 넓은 집에서 살고 있다.

***spacieux, euse** [spasjø, -ø:z] *adj.* 넓은, 광대한 : voiture ~*euse* 내부 공간이 넓은 차 / chambre ~*euse* 넓은 침실.

spaghetti [spagɛ(t)ti, -geti] 〖이탈리아〗 *m. pl.* ① 〖요리〗 스파게티. ② 〖영화〗 western ~ 마카로니 웨스턴.

spahi [spai] *m.* 〖군사〗 (옛 알제리의 프랑스 군대의) 아프리카 원주민 기병.

sparadrap [spaʀadʀa] *m.* 반창고 ; 고약.

sparterie [spaʀt(ə)ʀi] *f.* 에스파르트 섬유 (제조) ; 에스파르트 제품.

spartiate [spaʀsjat] *adj.* 스파르타(인)의 ; 스파르타풍의, 엄격한 : repas ~ 검소한 식사. ***à la S~*** 스파르타식으로, 엄격하게 : élever un enfant *à la ~* 아이를 스파르타식으로 기르다. — **S~** *n.* 스파르타 사람 ; (스

파르타인처럼) 엄격한 사람. — *f. pl.* 가는 가죽끈으로 엮은 샌들.

spasme [spasm] *m.* 〖의학〗 경련 : avoir des ~*s* de l'estomac 위경련을 일으키다.

spasmodique [spasmɔdik] *adj.* 경련(성)의 : contraction ~*s* 경련성 수축.

spasmodiquement [spasmɔdikmɑ̃] *adv.* 경련적으로. 「석.

spath [spat] *m.* 〖광물〗 벽개성(劈開性) 광

spatial, e, aux [spasjal, -o] *adj.* ① 공간의, 공간적인(≠ temporel). ② 우주 공간의 ; 우주에 관한(= cosmique) : voyage ~ 우주 여행 / vaisseau ~ 우주선 / engin ~ 우주 비행체〔로켓〕. 「로.

spatialement [spasjalmɑ̃] *adv.* 공간적으

spatiologie [spasjɔlɔʒi] *f.* 우주 과학.

spatule [spatyl] *f.* ① 주걱, (약제·그림물감 개는 데 쓰는) 칼 ; (미장이의) 흙손. ② 〖조류〗 넓적부리《야생오리》. ③ (스키의 위로 쳐들린) 앞부분(≠ talon).

speaker [spikœːʀ] *m.* 〔영〕 ① 아나운서(= annonceur). ② (영미의) 하원 의장.

speakerine [spikʀin] *f.* 여자 아나운서.

***spécial, e, aux** [spesjal, -o] *adj.* ① 특별한, 특수한(≠ général) ; 전문적인 : étude ~*e* 전문〔특수〕 연구 / prix ~ 특가 / pouvoirs *spéciaux* 특권. ② 《~ à》 …에 특유한, 고유의 : façon de parler ~*e aux* journalistes 저널리스트 특유의 말투. ③ 특이한, 별난, 기이한(= singulier) : C'est un peu ~. 《구어》 아주 괴상〔야릇〕하다 / avoir des goûts *spéciaux* 특이한〔이상한〕 맛이 나다. ④ 예외적인, 임시의(= extraordinaire ; ≠ permanent) : train ~ 임시 열차.

***spécialement** [spesjalmɑ̃] *adv.* ① 특히, 특별히 : Il pleut souvent au Japon, ~ en juin. 일본에서는 특히 6월에 비가 많이 온다. ② 일부러, 고의로 : Il est venu ~ pour vous voir. 그는 당신을 만나러 일부러 왔다.

spécialisation [spesjalizɑsjɔ̃] *f.* 특수화, 전문화 : ~ des sciences 학문의 전문화.

spécialisé, e [spesjalize] *adj.* 《~ dans 〔en〕》 …을 전문으로 하는 ; 전문의 : juriste ~ *dans* le droit international 국제법의 전문가. ***ouvrier*** ~ 〖행정〗 양성공(工)《직업 면허장(C.A.P.)이 없는 하급공(《약자》 O.S.).

spécialiser [spesjalize] *v.t.* 특수화하다 ; 전문화하다 : ~ un enseignement 교육을 전문화하다. — **se** ~ *v.pr.* 《se ~ dans》 …을 전문으로 하다, 전공하다.

S

***spécialiste** [spesjalist] *n.* ① 전문가, 전공자 : ~ de l'informatique 정보 공학의 전문가. ② 전문 의사(= médecin ~) : consulter un ~ en cancérologie 암 전문의의 진찰을 받다. ③ 《구어》 상습자 : ~ de l'escroquerie 상습 사기범.

***spécialité** [spesjalite] *f.* ① 전문, 전공 : Sa ~, c'est l'anthropologie. 그녀의 전공은 인류학이다 / ~ médicale 의사의 전문 영역. ② (그 고장의) 특산물, 특제품. ③ 《구어》 특이한 버릇 : Il a la ~ de vous interrompre. 그는 남의 말을 가로채는 버릇이 있다.

spécieux, euse [spesjø, -øːz] *adj.* 허울 좋은, 언뜻 보아 그럴듯한 : argument ~ 그럴 듯한 주장. — *m.* 허울좋음, 그럴 듯함.

spécification [spesifikɑsjɔ̃] *f.* ① 특기〔명시〕하기 ; 명확하게 한정〔규정〕하기 : sans ~ d'heure ni de lieu 시간과 장소를 명시하지 않고. ② (공산품 따위의) 명세서 : ~ d'un produit industriel 제품의 명세서.

spécificité [spesifisite] *f.* 특수성, 특징 ; 〖의학〗 특효 : ~ d'un symptôme (병)증세의 특수성 / ~ d'un remède 약의 특효성.

spécifier [spesifje] *v.t.* 특기하다, 명시하다 (= préciser) ; 명확하게 한정〔규정〕하다 : ~ le numéro 번호를 명시하다.

***spécifique** [spesifik] *adj.* ① (어떤 종류에) 특유〔고유〕한, 특수한, 독특한 : odeur ~ d'une herbe 어떤 풀의 독특한 냄새. ② 〖의학〗 (약이) 특효 있는 : médicament 〔remède〕 ~ 특효약. ③ 〖물리〗 비(比)의 : poids ~ 비중(比重).

spécifiquement [spesifikmɑ̃] *adv.* 특히, 전형적으로 : accent ~ marseillais 전형적인 마르세유 사투리.

spécimen [spesimɛn] 〔라틴〕 *m.* 견본, 표본 ; 전형 : ~*s* destinés à la publicité 선전용 견본 / ~ du conducteur dangereux 위험한 운전수의 전형.

spectacle** [spɛktakl] *m.* ① 광경, 정경 : ~ affreux 무시무시한 광경. ② 구경거리, 흥행물, 연극, 영화, 쇼 : ~ payant (바자 따위의) 여흥 / le monde du ~ 연예계 / taxe sur les ~*s* 흥행세 / ~ solo 원맨쇼. ***au ~ de …의 광경을 보고. ***être* 〔*se donner, s'offrir*〕 *en ~ ; servier de ~*** 뭇사람의 이목을 끌다〔비평을 사다〕. ***revue* 〔*pièce*〕 *à grand ~*** 대규모의〔호화판〕 레뷔〔연극〕.

spectaculaire [spɛktakylɛːʀ] *adj.* 구경거리가 될 만한, 장관(壯觀)인, 눈부신 : match ~ 구경할 만한 경기〔시합〕 / résultat ~ 눈부신 결과.

***spectateur, trice** [spɛktatœːʀ, -tʀis] *n.* ① 구경꾼, 관(람)객. ② 방관자 ; 〖법률〗 목격자 : ~ d'un drame de la rue 거리의 참극의 목격자 / en ~ 방관자로서.

spectral, e, aux [spɛktʀal, -o] *adj.* ① 유령의, 유령 같은(= fantomatique) : pâleur ~*e* 유령 같은 창백함. ② 〖광학〗 스펙트럼의, 분광 : analyse ~*e* 〖화학〗 스펙트럼 분석.

spectre [spɛktʀ] *m.* ① 유령, 망령, 도깨비, 귀신(= fantôme). ② 공포심을 일으키는 것 ; 유령처럼 여윈 사람 : ~ de la guerre 전쟁의 망령. ③ 〖광학〗 스펙트럼, 분광(分光) : ~ atomique 원자 스펙트럼.

spectroscope [spɛktʀɔskɔp] *m.* 분광기(器). 「분광학.

spectroscopie [spɛktʀɔskɔpi] *f.* 〖광학〗

spéculateur, trice [spekylatœːʀ, -tʀis] *n.* ① 《옛》 사색가 ; 공론가. ② (특히 증권) 투기꾼.

spéculatif, ive [spekylatif, -iːv] *adj.* ① 사변적〔사색적〕인 ; 순리적(純理的)인. ② 투기적인 : valeurs ~*ives* 투기적 유가 증권.

spéculation [spekylɑsjɔ̃] *f.* ① 사변, 사색, 순이론, 공론 : Ce n'est qu'une pure ~. 그것은 공론(空論)에 불과하다. ② 〖상업〗 투기 : se livrer à des ~*s* hasardeuses 위험한 투기에 골몰하다.

spéculer [spekyle] *v.i.* ① 《~ sur》 …에 대

하여 사변〔사색〕하다 : philosophe qui *spécule sur* le monde 이 세계에 대해서 사색하는 철학자. ② 《~ sur》 …에 투기(投機)하다 : Il *spécule sur* les terrains à bâtir. 그는 건축 부지에 투기한다. ③ 《~ sur》 …을 이용하다〔틈타다〕, …에 편승하다 : ~ *sur* l'échec de ses concurrents 경쟁자들의 실패를 이용하다.

spéculum [spekylɔm] *m.* 〖의학〗 검경(檢鏡) : ~ vaginal 질경(膣鏡) / ~ anal 항문경.

speech [spitʃ] 〔영〕 *m.* 스피치, 연설.

speed [spid] 〔영〕 *m.* 《구어》 암페타민, LSD. ── *adj.* 암페타민을 복용한 ; 흥분한.

spéléologie [speleɔlɔʒi] *f.* 굴탐험 ; 동굴학.

spéléologique [speleɔlɔʒik] *adj.* 동굴학의〔에 관한〕.

spéléonaute [speleɔnoːt] *n.* 동굴 탐험자.

spermatozoïde [spɛʀmatozɔid] *m.* 〖생리〗 정자, 정충(精蟲).

sperme [spɛʀm] *m.* 〖생리〗 정액(精液).

spermicide [spɛʀmisid] *m.* 정자 죽이는 약, 피임용 젤리. ── *adj.* 살정자(殺精子)의.

sphère [sfɛːʀ] *f.* ① 구(球), 구체(球體), 구면(球面) : ~ céleste 〖천문〗 천구(天球) / centre d'une ~ 구의 중심. ② 범위, 영역, 권(圈) : ~ d'influence 영향권, 세력권 / ~ d'activité 활동 범위. ③ 계층, 사회 : hautes ~*s* de la politique 정계의 상층부.

sphéricité [sfeʀisite] *f.* 구형(球形), 구상(球狀), 공 모양.

sphérique [sfeʀik] *adj.* 구형의, 공 모양의 : corps〔surface〕 ~ 구체〔구면〕 / triangle ~ 구면 삼각형. ***géométrie ~*** 구면 기하학.

sphéroïde [sfeʀɔid] *m.* 〖기하〗 회전 타원체, 구상체(球狀體).

sphincter [sfɛ̃ktɛːʀ] 〔라틴〕 *m.* 〖해부〗 괄약근(括約筋) : ~ de l'anus 항문 괄약근.

sphinge [sfɛ̃ːʒ] *f.* 〖신화〗 ① 여자의 몸을 한 스핑크스. ② 수수께끼의 여자.

sphinx [sfɛ̃ːks] *m.* 〖신화〗 ① (고대 이집트의) 스핑크스상(像). ② 불가해한 사람, 수수께끼의 인물. ③ 〖곤충〗 박각시나방.

spider [spidɛːʀ] *m.* (스포츠카 따위의) 뒤쪽 짐칸.

spinal, e, aux [spinal, -o] *adj.* 〖해부〗 등뼈의, 척추의 ; 척수의 : moelle ~*e* 척수 / nerfs ~*aux* 척수 신경.

spinnaker [spinakɛːʀ, -nɛkœːʀ] 〔영〕 *m.* 〖해양〗 스피니커《요트의 대형 삼각돛 ; 《약자》 spi》.

spiral, e, aux [spiʀal, -o] *adj.* 나선형의. ── *m.* (시계의) 작은 태엽. ── *f.* ① 나선형 철사, 소용돌이꼴 곡선. ② 〖경제〗 (물가 따위의) 연쇄 상승 ; 악순환 : ~ inflationniste 인플레의 악순환. ***en ~e*** 나선형으로 ; 나선형의 : escalier *en ~e* 나선형 계단.

spire [spiːʀ] *f.* 나선의 한 둘레(= tour de spire) ; 나선(= spirale).

spirite [spiʀit] *n.* 강신술자(降神術者) ; 강신술. ── *adj.* 강신술의.

spiritisme [spiʀitism] *m.* 강신술 ; 심령학, 교령설(交靈說).

spiritual, s [spiʀitɥoːl, -oːls] *m.* 흑인 영가 (= négro-~).

spiritualisation [spiʀitɥalizɑsjɔ̃] *f.* 정신화, 영화(靈化) ; 영적 해석.

spiritualiser [spiʀitɥalize] *v.t.* 《문어》 정신화하다, 영화(靈化)하다 ; 고결〔숭고〕하게 하다 : ~ l'amour 사랑을 숭고하게 하다.

spiritualisme [spiʀitɥalism] *m.* 〖철학〗 심령론(心靈論) ; 유심론 ; 정신주의(적 경향).

spiritualiste [spiʀitɥalist] *n.* 유심론자 ; 정신주의자. ── *adj.* 유심론의 ; 정신주의의.

spiritualité [spiʀitɥalite] *f.* 영성(靈性), 정신성 ; 구도(求道).

***spirituel, elle** [spiʀitɥɛl] *adj.* ① 영적인, 정신적인 ; 종교〔교회〕의 : pouvoir ~ du pape 교황의 신앙 문제에 관한 교권 / plaisir ~ 정신적 쾌락〔기쁨〕. ② 신비적인 ; 비유적인(≠ littéral). ③ 재치〔기지〕 있는, 재담을 잘하는 : femme très ~*elle* 대단히 재치 있는 여자. ── *m.* 영사(靈事)(≠ charnel) ; 교권(敎權).

spirituellement [spiʀitɥɛlmɑ̃] *adv.* ① 영적으로, 정신적으로. ② 재치 있게.

spiritueux, euse [spiʀitɥø, -øːz] *adj.* 알코올을 함유하는. ── *m.* 알코올 음료.

spleen [splin] 〔영〕 *m.* 《문어》 우울 ; 우울증 ; 우수.

splendeur [splɑ̃dœːʀ] *f.* ① 《문어》 빛, 광채, 광휘(= grand éclat de lumière) : ~ du soleil 태양의 광휘. ② 찬란〔화려 · 장려〕함 ; 눈부신 아름다움 ; (한 나라의) 영화(榮華)(= prospérité, gloire) : ~*s* de l'art grec 그리스 예술의 찬란한 작품 / Rome au temps de sa ~ 전성기의 로마.

***splendide** [splɑ̃did] *adj.* 휘황찬란한, 화려한, 호화로운, 눈부시게 아름다운 : fête ~ 호화로운 잔치 / Quel temps ~ ! 눈부시게 화창한 날씨로군 !

splendidement [splɑ̃didmɑ̃] *adv.* 휘황찬란하게, 화려하게 ; 훌륭하게.

spoliateur, trice [spɔljatœːʀ, -tʀis] *n.* 약탈〔강탈〕자, 횡령〔사취〕자.

spoliation [spɔljɑsjɔ̃] *f.* 약탈, 강탈, 횡령, 사취.

spolier [spɔlje] *v.t.* 약탈〔강탈〕하다, 횡령〔사취〕하다. **~ qn *de* qc** …에게서 …을 빼앗다.

spongieux, euse [spɔ̃ʒjø, -øːz] *adj.* 해면질의, (해면처럼) 물을 흡수하는, 물렁물렁한 : tissu ~ 〖식물〗 해면〔갯솜〕 조직.

spongiforme [spɔ̃ʒifɔʀm] *adj.* 해면 모양의 : encéphalopathie ~ bovine (《약자》 ESB) 우해면상뇌증(牛海綿狀腦症)《광우병》.

sponsor [spɔ̃〔ɔn〕sɔːʀ] 〔영〕 *m.* (재정적인) 후원자, 스폰서 ; 광고주(= commanditaire) : ~ d'une exposition 전시회의 후원자.

sponsoriser [spɔ̃〔ɔn〕sɔʀize] 〔영〕 *v.t.* 스폰서〔후원자〕가 되다 : se faire ~ par un industriel 어떤 기업가의 후원을 받다.

***spontané, e** [spɔ̃tane] *adj.* ① 자연 발생적인, 자발적인 : aveu ~ 자발적인 자백 / phénomène ~ (자연히 일어나는) 천연 현상. ② 충동적〔본능적〕인(= instinctif) : caractère ~ 충동적인 성격. ③ 솔직한(= franc, sincère) : homme ~ 솔직한 남자.

spontanéité [spɔ̃taneite] *f.* 자연스러움 ; 무의식적임 ; 솔직함 : ~ d'une réponse 대답의 솔직함 / avec ~ 꾸밈없이.

spontanément [spɔ̃tanemɑ̃] *adv.* 자발적

S

으로 ; 저절로, 자연히 : agir ~ 자발적으로 행동하다 / porter secours ~ à un blessé 자진해서 부상자를 돕다.

sporadique [spɔʀadik] *adj.* ① (병이 전염성이 아니라) 산발성(散發性)의(≠ épidémique). ② 산발적인, 이따금 일어나는 : mouvements ~*s* de grève 산발적인 파업 운동.

sporadiquement [spɔʀadikmɑ̃] *adv.* 산발적으로, 부정기적으로.

sporange [spɔʀɑ̃:ʒ] *m.* 〖식물〗 포자낭(胞子囊).

spore [spɔ:ʀ] *f.* 〖생물〗 포자.

sport** [spɔ:ʀ] *m.* 운동, 운동 경기, 스포츠 : ~*s* individuels 개인 경기 / ~*s* d'équipe 단체 경기 / ~*s* de combat 격투기 / ~*s* d'hiver 동계 스포츠. ***C'est du ~. 그건 힘든〔위험한〕 일이다. ***Il va y avoir du ~.*** 한바탕 싸움〔소란〕이 벌어질 것 같다.
— *adj.* 《불변》 (옷 따위가) 스포츠형의 : costume ~ 운동복.

***sportif, ive** [spɔʀtif, -i:v] *adj.* ① 운동의, 스포츠의, 운동〔스포츠〕에 관한 : journal ~ 스포츠 신문 / esprit ~ 스포츠 정신 / association ~*ive* 스포츠 협회. ② 스포츠맨다운, 공정한. — *n.* 운동가, 스포츠맨.

sportivement [spɔʀtivmɑ̃] *adv.* 운동가〔스포츠맨〕답게.

sportivité [spɔʀtivite] *f.* 스포츠〔스포츠맨〕 정신 ; 스포츠맨다운 태도.

spot [spɔt] 〔영〕 *m.* ① 스포트라이트. ② (텔레비전의 프로그램과 프로그램 사이에 삽입하는) 짧은 상업 광고.

sprat [spʀat] *m.* 〖어류〗 작은 청어《훈제용》.

spray [spʀɛ] 〔영〕 *m.* 분무기.

s.-préf. 《약자》 sous-préfecture 군(郡) ; 군청 (소재지) ; 군수의 직.

sprint [spʀint] 〔영〕 *m.* 〖스포츠〗 ① 라스트 스퍼트, 최후의 역주〔역영(力泳)〕(= rush). ② 단거리 경주, 스프린트. ***piquer un ~*** 《구어》 스퍼트를 걸다, 냅다〔쏜살같이〕 달리다.

sprinter[1] [spʀinte] *m.* 단거리 경주자.

sprinter[2] *v.i.* (결승점 가까이에서) 힘껏 달리다, 역주하다.

sq. 〔라틴〕 《약자》 sequentia 이하《인용 또는 참고한 대목을 가리킴》 : p.50 *sq.* 50 페이지 이하.

sqq. 〔라틴〕 《약자》 sequentia que 및 이하《인용〔참고〕한 대목을 가리킴》 : p.50 *sqq.* 50 페이지 및 이하.

squale [skwal] *m.* 〖어류〗 상어.

S

squame [skwam] *f.* ① 《옛》 (물고기 · 뱀의) 비늘. ② 〖식물〗 인엽(鱗葉). ③ 〖의학〗 피부병으로 떨어지는 비늘.

squameux, euse [skwamø, -ø:z] *adj.* 비늘로 덮인 ; 〖해부〗 비늘 모양의.

***square** [skwa:ʀ] *m.* (거리의) 작은 공원 ; (건물에 둘러싸인) 광장.

squash [skwaʃ] 〔영〕 *m.* 〖스포츠〗 스쿼시 : jouer au ~ ; faire du ~ 스쿼시를 하다.

squat [skwat] 〔영〕 *m.* 불법 점거, 무단 거주.

squatter[1] [skwate], **squattériser** [skwateʀize] *v.t.* (주거를) 불법 점거하다, …에 무단 거주하다.

squatter[2], **squatteur** [skwatœ:ʀ] *m.* ① 불법 점거자, 무단 거주자. ② 미국 서부의 불법 입식자(入植者).

squaw [skwo] *f.* (아메리카 인디언의) 기혼 여성.

***squelette** [skəlɛt] *m.* ① (사람 · 척추동물의) 골격, 뼈대 : 해골. ② (배 따위의) 틀, 골조. ③ 말라 빠진〔피골이 상접한〕 사람. ④ (소설 따위의) 대장의 줄거리.

squelettique [skəlɛ〔e〕tik] *adj.* ① 해골 같은 ; 피골이 상접한 : maigreur ~ 해골처럼 마른 사람. ② 지나치게 간결한, 빈약한 : exposé ~ 아주 빈약한 보고.

squille [skij] *f.* 〖동물〗 갯가재속(屬).

squirr(h)e [ski:ʀ] *m.* 〖의학〗 경성암(硬性癌).

S.S. 《약자》 ① Sa Sainteté 성하(聖下)《로마 교황의 존칭》. ② Saint Sacrement 〖가톨릭〗 성체. ③ Schutzstaffel (독일) 나치스의 친위대. ④ Sécurité Sociale 사회 보장.

St. 《약자》 Saint 성(聖)《성인 이름 앞에 붙임》.

st 《약자》 stère 스테르《재목 · 장작의 양을 재는 단위 ; 1st = 1 m³》.

stabilisateur, trice [stabilizatœ:ʀ, -tʀis] *adj.* 안정시키는. — *m.* 〖선박 · 항공〗 자동 안정 장치.

stabilisation [stabilizɑsjɔ̃] *f.* ① 안정화(化) : ~ monétaire 통화의 안정. ② 제어(制御) : ~ des fusées 로켓 궤도 제어.

stabiliser [stabilize] *v.t.* ① (통화 · 가격 따위를) 안정시키다 : ~ la situation politique 정국을 안정시키다. ② (선박 · 비행기 따위에) 자동 안정 장치를 하다. ③ 〖화학〗 (화합물 따위를 분해되지 않게) 안정시키다.
— **se ~** *v.pr.* 안정되다 : Les prix *se sont stabilisés.* 물가는 안정되었다.

stabilité [stabilite] *f.* ① 안정(성) ; 견고함 ; 내구력 : ~ de la situation politique 정국의 안정 / ~ d'un pont 다리의 내구력. ② 〖화학〗 (화합물의) 안정성 ; 〖기계〗 복원력 : ~ d'un avion 비행기의 복원력.

***stable** [stabl] *adj.* ① 안정된, 튼튼한(= ferme, solide) : édifice ~ 튼튼한 건물 / gouvernement ~ 안정된 정부. ② 변치 않는(= constant) ; 항구적인(= durable) : paix ~ 항구적인 평화. ③ 〖화학〗 화합물이 분해되지〔변화하지〕 않고 안정된 ; 〖기계〗 복원력 있는.

staccato [stakato] 〔이탈리아〕 *adv.* 단음(斷音) 으로, 띄엄띄엄(≠ legato). — *m.* (*pl.* **~*s*, *staccati*** [-ti]) 단음주법(奏法).

***stade** [stad] *m.* ① 경기장, 스타디움 : ~ olympique 올림픽 경기장. ② (발전의) 단계, 정도(= phase) : dépasser un certain ~ 어떤 정도를〔수준을〕 넘어서다 / les différents ~*s* du développement d'une maladie 병의 진행에 따르는 여러 단계. ③ 〖심리분석〗 …기(期)(= période) : ~ oral 〔anal〕 구순(口脣)〔항문〕기.

staff[1] [staf] *m.* 스태프《건축물 장식용으로 쓰이는 식물 섬유와 석고의 혼합물》.

staff[2] 〔영〕 *m.* ① 스태프, 제작진 : 간부 직원, 임원 : le patron et son ~ 사장과 간부 직원들. ② 스태프 회의.

staffeur [stafœ:ʀ] *m.* staff[1] 작업을 하는 직공.

***stage** [sta:ʒ] *m.* (변호사 · 의사 · 간호사 · 교원 따위의) 실습〔연수〕 (기간) : faire son ~ 실습을 하다 / ~ pédagogique 교육 연수.

stagflation [stagflɑsjɔ̃] 〔영〕 *f.* 〖경제〗 스태

그플레이션《경기 침체 상태에서 물가가 폭등하는 현상》.

stagiaire [staʒjɛːʀ] *adj.* 실습 중의. ***avocat* ~** 변호사 시보(試補). ***période* ~** 실습 기간. ── *n.* 실습생, 수강생, 연수생.

stagnant, e [stagnɑ̃, -ɑ̃ːt] *adj.* ① (물이) 괴어 있는, 흐르지 않는. ② 활발치 못한, 정체〔침체〕된 : commerce ~ 침체된 산업.

stagnation [stagnɑsjɔ̃] *f.* ① (물이) 괴어 있음, 흐르지 않음. ② 정체, 침체, 부진 : ~ de l'industrie 산업의 부진.

stagner [stagne] *v.i.* ① (물이) 괴어 있다, 흐르지 않다. ② 정체〔침체〕하다, 부진하다(= croupir) : Le commerce *stagne.* 무역은 침체 상태에 빠져 있다.

stalactite [stalaktit] *f.* 〖지질〗 종유석(鐘乳石).

stalagmite [stalagmit] *f.* 〖지질〗 석순(石筍).

stalinien, enne [stalinjɛ̃, -ɛn] *adj.* 스탈린(*Staline,* 소련의 정치가)의.

stalinisme [stalinism] *m.* 스탈린주의.

stalle [stal] *f.* ① 〖가톨릭〗 (교회의 성가대석 주위의) 성직자 석(席). ② (극장의) 특별석. ③ 마구간의 한 칸, 마방(馬房).

stance [stɑ̃ːs] *f.* (시(詩)의) 절(節)(= strophe) ; (*pl.*) 스탕스《16세기 이후의 종교적 · 윤리적 · 비극적 서정시》.

stand [stɑ̃ːd] 〔영〕 *m.* ① 〖스포츠〗 (경기장의) 관람석. ② (박람회에서 각 출품자에게 할당된) 출품 진열 장소. ③ 사격장(= ~ de tir). **~ *de ravitaillement*** (자동차 · 오토바이 경주자의) (연료) 보급소.

standard [stɑ̃daːʀ] 〔영〕 *m.* ① 표준, 규격(= norme). ② (영국에서 금 · 은의) 순도(純度) 기준 ; (화폐의) 법정 순분(純分). ③ 〖전화〗 (구내선(構內線)의) 교환대. **~ *de vie*** 생활수준(= niveau de vie). ── *adj.* 《불변》 ① 표준(형)의, 규격에 맞는 : modèl ~ 표준형 / pièces ~ 규격에 맞는 부품. ② 틀에 박힌 : sourire ~ d'hôtesse d'accueil 접수계 아가씨의 틀에 박힌 미소.

standardisation [stɑ̃daʀdizɑsjɔ̃] *f.* 표준화 ; 〖공업〗 규격화 ; 획일화.

standardiser [stɑ̃daʀdize] *v.t.* ① 표준〔규격〕에 맞추다 : ~ une fabrication 제품을 규격화하다. ② 획일화하다.

standardiste [stɑ̃daʀdist] *n.* 〖전화〗 (내선(內線)의) 교환수.

stand-by [stɑ̃dbaj] 〔영〕 *n.* 《복수불변》 (항공편의) 탑승 대기자.── *adj.* 《불변》 탑승 대기의 : billets ~ 탑승 대기표.

standing [stɑ̃diŋ] 〔영〕 ① (경제적 · 사회적) 지위, 신분 ; 생활수준 : améliorer son ~ 생활수준을 향상시키다. ② (주거의) 쾌적함, 호화로움 : immeuble de bon 〔grand〕 ~ 고급 주택 / villas grand ~ 호화 별장.

staphylocoque [stafilɔkɔk] *m.* 〖의학〗 포도상 구균(葡萄狀球菌).

star [staːʀ] *f.* 〖영화 · 연극〗 스타, 인기 배우《특히 여배우》(= vedette).

starlet(te) [staʀlɛt] *f.* 신인 스타〔여배우〕.

starter [startɛːʀ] 〔영〕 *m.* ① 〖스포츠〗 (경마 · 경주 등의) 출발 신호원. ② 〖기계〗 (모터의) 시동기, 기동기.

starting-block [staʀtiŋblɔk] 〔영〕 *m.* (육상 경기의) 스타팅블록, 출발대(臺).

starting-gate [staʀtiŋgɛt] 〔영〕 *m.* 〖경마〗 스타팅게이트, 출발문(門).

stase [stɑːz] *f.* 〖의학〗 (혈행 따위의) 정지(증) : ~ sanguine 울혈(鬱血).

***station** [sta(ɑ)sjɔ̃] *f.* ① 잠시 머무르기〔멎기〕 : faire de longues ~*s* devant les boutiques 상점들 앞에서 오래 머무르다. ② 어떤 자세를 취하기 : rester en ~ verticale 서 있는 자세를 취하고 있다. ③ (지하철 · 버스의) 정류〔정거〕장 ; (기차의) 작은 역, (택시의) 대기소 : ~ d'autobus (대기 시설이 있는) 버스 정류장 / ~ de métro 지하철 역 / ~ de taxi 택시 승강장. ④ 관측〔시험 · 연구〕소 (시설) ; 발전소 ; (전신 · 전화 등의) 국(局) ; 방송국 : ~*s* agronomiques 농사 시험장 / ~ astronomique 천문대 / ~ de radio 〔de télévision〕 라디오〔TV〕 방송국. ⑤ 시설, 서비스 스테이션 : ~ libre-service 셀프 서비스 주유소. ⑥ 휴양지 ; 온천장(= ~ thermale) : ~ balnéaire 해수욕장 / ~ de ski 스키장. ⑦ 〖가톨릭〗 (십자가 성로(聖路)의) 처(處)《14처가 있음》(= ~ de la Croix).

***stationnaire** [stasjɔnɛːʀ] *adj.* ① 움직임이 없는, 정지하고 있는 : rester 〔demeurer〕 ~ 정지한 채 있다. ② 진전이 없는, 답보〔정체〕 상태에 있는 : activité économique ~ 정체된 경제 활동 / malade dans un état ~ 병세의 차도가 없는 환자.
── *n.* 현상 유지론자.

***stationnement** [stasjɔnmɑ̃] *m.* 주차, 정차(= parking) : parc de ~ 주차장 / en ~ 주차 중인 / ~ interdit 주차 금지 / ~ payant 유료 주차.

stationner** [stasjɔne] *v.i.* (사람이) 멈춰 서다, 주차하다, 정차하다 : Il est interdit de ~ dans cette rue. 이 길에 주차하는 것은 금지되어 있다. ***Défense de ~ ! 「주차 금지」.

***station-service** [stasjɔ̃sɛʀvis] *f.* (*pl.* **~s-~**) 〖자동차〗 주유소 ; 정비소.

statique [statik] *adj.* ① 정적(靜的)인(≠ dynamique) ; 정지 상태의 : électricité ~ 정전기. ② 정체된, 고정된, 답보 상태의 : société ~ 정체된 사회. ── *f.* 정역학(靜力學).

statisme [statism] *m.* 정지 (상태)(≠ dynamisme).

statisticien, enne [statistisjɛ̃, -ɛn] *n.* 통계학자.

statistique [statistik] *f.* 통계학 ; 통계(표) : ~ sociologique 〔économique〕 사회〔경제〕 통계. ── *adj.* 통계(학)의 : enquête ~ 통계 조사.

statistiquement [statistikmɑ̃] *adv.* 통계적으로, 통계학상.

stator [statɔːʀ] *m.* 〖전기 · 기계〗 (터빈의) 고정자(固定子).

statuaire [statɥɛːʀ] *n.* 조상(彫像)〔입상〕 제조인. ── *f.* 조상〔입상〕술(術).

***statue** [staty] *f.* ① 조상(彫像), 입상 : ~ de marbre 〔bronze〕 대리석상〔동상〕 / dresser 〔élever, ériger〕 une ~ à qn …의 입상을 세우다 / droit 〔immobile〕 comme une ~ 동상처럼 꼼짝도 하지 않는 / ~ équestre 기마상. ② 냉정한 사람 : Cette femme est une ~. 저 여자는 냉정한 여자다. ③ 화신(化身) : ~

S

du désespoir 절망의 화신.

statuer [statɥe] *v.t.* (법령 따위로) 규정하다, 제정하다 : ~ que+*ind.* …라고 규정하다. — *v.t. ind.* 《~ sur》 …에 관해서 결정을 내리다, …을 재결〔판결〕하다 : ~ *sur* un litige 소송을 판결하다.

statuette [statɥɛt] *f.* 작은 상(像).

statufier [statyfje] *v.t.* 《구어》 ① …의 상을 세우다. ② 《주어 : qc》 (긴장 따위가 사람을) 조상처럼 만들다, 얼어붙게 하다.

statu quo [statyk(w)o] 〔라틴〕 《복수 없음》 현상 : maintenir le ~ 현상을 유지하다.

stature [staty:ʀ] *f.* ① 키, 신장(= taille) : homme d'une ~ moyenne 중키의 남자. ② 세력, 영향력(= importance) : homme d'État d'une ~ exceptionnelle 각별한 영향력을 발휘하는 정치가.

***statut** [staty] *m.* ① 법규, 법령 : le ~ des fonctionnaires 공무원 법규. ② 사회적 신분(= situation) ; 지위(= position) : le ~ de la femme 여성의 사회적 지위. ③ (*pl.*) (회사 · 단체의) 규약, 정관(定款) : rédiger les ~*s* 정관을 기초〔작성〕하다.

statutaire [statytɛ:ʀ] *adj.* 규정의 ; 규약에 따른 : gérant ~ 규정에 정해진 관리인.

statutairement [statytɛʀmɑ̃] *adv.* 규정〔규약〕에 따라.

Ste 《약자》 Société 〖상업〗 회사.

Ste. 《약자》 Sainte 성《성녀의 이름 앞에 붙임》.

steak [stɛk] *m.* 스테이크, 비프스테이크 : ~ saignant 〔bleu〕 레어〔설익힌〕 스테이크 / ~ à point 〔bien cuit〕 미디엄〔웰던〕 스테이크 / ~ haché 햄버그스테이크.

steamer [stimœ:ʀ] 〔영〕 *m.* 기선, 증기선.

stéarine [steaʀin] *f.* 〖화학〗 스테아린.

stéatite [steatit] *f.* 〖광물〗 납석(蠟石).

steeple(-chase) [stipl(əʃɛ:z)] 〔영〕 *m.* 〖경마〗 야외 장애물 경주 ; 〖육상〗 (3,000 m) 장애물 경주.

steeple-chaser [stipləʃɛzœ:ʀ] *m.* 〖경마〗 야외 장애물 경주용 말.

stégomyie [stegɔmii] *f.*〔*m.*〕 〖곤충〗 황열병을 옮기는 이집트 모기.

stèle [stɛl] *f.* 석비(石碑) ; 기념 돌기둥.

stellaire [ste(ɛl)lɛ:ʀ] *adj.* 별의, 별 모양의 : magnitude ~ 별의 등급.

stem(m) [stɛm] 〔노르웨이〕 *m.* 〖스포츠〗 (스키의) 제동 회전.

stemma [stɛma] 〔라틴〕 *m.* 〖언어〗 (문의) 구조계도(構造系圖).

stencil [stɛ̃(ɛn)sil] *m.* 〔영〕 스텐실페이퍼 《타이프라이터용 등사 원지》.

sténo [steno] *n.* 속기사(= sténographe) ; 속기 타이피스트(= sténodactylo). — *f.* 속기술, 속기록(= sténographie).

sténodactylo [stenɔdaktilo], **sténodactylographe** [stenɔdaktilɔgʀaf] *n.* 속기자 겸 타이피스트.

sténographe [stenɔgʀaf] *n.* 속기자.

sténographie [stenɔgʀafi] *f.* ① 속기술 《sténo로 생략》 : prendre un discours en *sténo* 연설을 속기하다. ② 속기자의 직업.

sténographier [stenɔgʀafje] *v.t.* 속기하다.

sténographique [stenɔgʀafik] *adj.* 속기(술)의 : compte rendu ~ 속기록.

sténotype [stenɔtip] *f.* 속기 타이프라이터.

sténotypiste [stenɔtipist] *n.* 속기 타이피스트.

stentor [stɑ̃tɔ:ʀ] *m.* (그리스의 용사 스텐토르처럼) 목청이 높은〔목소리가 큰〕 사람 : voix de ~ 큰〔우렁찬〕 목소리.

steppe [stɛp] 〔러시아〕 *f.* 스텝《중앙아시아의 대초원》.

steppique [stɛ(e)pik] *adj.* 스텝의 ; 스텝에서 나는 : plaines ~*s* 초원.

stercoraire [stɛʀkɔʀɛ:ʀ] *adj.* 똥의, 똥 모양의 ; 〖식물〗 똥에서 나는. — *m.* 〖곤충〗 (똥 속에 사는) 풍뎅이의 일종 ; 〖조류〗 큰 갈매기의 일종.

stère [stɛ:ʀ] *m.* 〖도량형〗 스테르《장작의 계량 단위 ; 1 입방 미터》.

stéréo [steʀeo] *adj.* = stéréophonie, stéréophonique.

stéréo- *préf.* 「고체 · 입체」의 뜻.

stéréographie [steʀeɔgʀafi] *f.* 사형술(寫形術), 실체 화법.

stéréographique [steʀeɔgʀafik] *adj.* 사형술의, 실체화의 : projection ~ 〖도안〗 입체 사영(射影)(법).

stéréométrie [steʀeɔmetʀi] *f.* 입체 계측법(計測法) ; 입체 기하학.

stéréophonie [steʀeɔfɔni] *f.* 스테레오, 입체 음향(술) : transmettre qc en ~ …을 스테레오로 방송하다.

stéréophonique [steʀeɔfɔnik] *adj.* 스테레오의, 입체 음향의. ***audition ~*** 두 개의 확성기로 듣는 청취. ***disque ~*** 스테레오레코드. ***effet ~*** 입체 음향 효과.

stéréoscope [steʀeɔskɔp] *m.* 〖광학〗 입체경, 실체경(實體鏡).

stéréoscopie [steʀeɔskɔpi] *f.* 입체 시법(視法) ; (입체 시법에 의한) 입체 영상.

stéréoscopique [steʀeɔskɔpik] *adj.* 실체〔입체〕경의 : vision ~ 〖물리〗 실체 시각.

stéréotomie [steʀeɔtɔmi] *f.* (석재 따위의) 절체법(截體法).

stéréotype [steʀeɔtip] *m.* 〖인쇄〗 ① 스테로판, 연판(= cliché). ② 상투적 표현(= cliché) ; 틀에 박힌〔진부한〕 태도, 고정관념.

stéréotypé, e [steʀeɔtipe] *adj.* ① 〖인쇄〗 스테로판의. ② 틀에 박힌, 판에 박은, 상투적인 : phrase ~*e* 틀에 박힌 문장.

stéréotypie [steʀeɔtipi] *f.* 〖인쇄〗 스테로판〔연판〕 인쇄.

stérile [steʀil] *adj.* ① 열매를 맺지 못하는 ; 불모의, 메마른 : arbre ~ 열매를 맺지 못하는 나무 / terre 〔sol〕 ~ 메마른 땅 / anée ~ 흉년. ② (여자가) 아이를 낳지 못하는, 불임(不姙)의 : femme ~ 불임증 여성, 석녀(石女). ③ 《비유》 아무것도 산출하지 못하는, 비생산적인 : esprit ~ 창의성이 없는 사람 / discussion ~ 비생산적인 의논. ④ 무균(無菌)의, 살균의 : culture ~ 무균 배양 / chambre ~ 무균실(室). ⑤ 헛수고의, 보람없는 : effort ~ 헛수고.

stérilement [steʀilmɑ̃] *adv.* 보람 없이, 결실 없이.

stérilet [steʀilɛ] *m.* 피임링《질내에 삽입하는 것》.

stérilisateur [steʀilizatœ:ʀ] *m.* 살균기(殺菌器) ; 소독기.

stérilisation [steʀilizɑsjɔ̃] *f.* ① 〖의학〗 불임 수술. ② 살균, 소독 : ~ par chauffage 열에 의한 살균.

stérilisé, e [steʀilize] *adj.* 살균된, 무균의 (= pasteurisé) : lait ~ 멸균 우유.

stériliser [steʀilize] *v.t.* ① 불임케 하다, 단종(斷種)하다, 거세하다 : faire ~ un animal 동물에게 불임 수술을 하다. ② (상상력 따위를) 메마르게 하다, 고갈시키다. ③ 살균〔소독〕하다 : ~ un instrument 기구를 살균하다.

stérilité [steʀilite] *f.* ① (생물의) 불임(증) (≠ fécondité). ② (토양의) 불모(성)(≠ fertilité) : ~ d'une terre 토지의 불모. ③ 빈약함, 헛됨, 무익함 : ~ d'un débat 논쟁의 무익함. ④ 무균성(無菌性).

sterling [stɛʀliŋ] 〔영〕 *m.* 《복수불변》 스털링《영화(英貨)》: payer en ~ 스털링으로 지급하다. — *adj.* 《불변》 스털링의 : cinquante livres ~ 영화(英貨) 50 파운드.

sternum [stɛʀnɔm] *m.* 〖해부〗 흉골.

sternutation [stɛʀnytɑsjɔ̃] *f.* 재채기하기 ; 재채기(= éternuement).

sternutatoire [stɛʀnytatwaːʀ] *adj.* 〖의학〗 재채기나게 하는. ***gaz ~*** 재채기성(性) (독)가스. — *m.* 재채기 촉진제.

stéroïde [steʀɔid] *m.* 〖화학〗 스테로이드 ; 스테로이드 호르몬.

stéthoscope [stetɔskɔp] *m.* 〖의학〗 청진기.

steward [stiwaʀt, stju(w)aʀd] 〔영〕 *m.* (기선 · 여객기 · 클럽 따위의) 급사장, 웨이터.

stick [stik] 〔영〕 *m.* ① (가느다란) 스틱, 단장 ; 채찍 ; (하키의) 스틱. ② 립스틱.

stigmate [stigmat] *m.* ① (*pl.*) 성흔(聖痕) 《그리스도의 5개의 상처 자국》. ② 상처 자국, 마마 자국 : ~*s* de la petite vérole 천연두 자국. ③ 《비유》 낙인, 흔적, 오명 : ~*s* du vice 악의 낙인. ④ 〖동물〗 기문(氣門) ; 〖식물〗 암술머리, 주두(柱頭) ; 〖곤충〗 숨구멍, 기공(氣孔).

stigmatisation [stigmatizɑsjɔ̃] *f.* 낙인 찍기 ; 오명 씌우기.

stigmatisé, e [stigmatize] *adj.* et *n.* (그리스도의) 성흔(聖痕)을 받은 (사람).

stigmatiser [stigmatize] *v.t.* ① (병이) 흔적을 남기다, 낙인을 찍다. ② 공공연히 비판〔비난〕하다(= condamner) : ~ les brutalités policières 경찰의 잔인한 행위를 격렬히 비난하다.

stillation [sti(l)lɑsjɔ̃] *f.* 방울처럼 떨어짐, 적하(滴下).

stimulant, e [stimylɑ̃, -ɑ̃ːt] *adj.* 자극하는, 촉진하는 ; 흥분시키는, 고무하는 : L'air marin est ~. 바다 공기는 건강에 좋다. — *m.* 자극물 ; 〖약학〗 흥분제(= médicament ~).

stimulateur, trice [stimylatœːʀ, -tʀis] *m.* 〖의학〗 자극하는 것 : ~ cardiaque 심장 자극기.

stimulation [stimylɑsjɔ̃] *f.* ① 자극, 격려, 고무. ② 〖의학〗 (자극물에 의한) 흥분.

***stimuler** [stimyle] *v.t.* ① (신체의 기관 따위를) 자극하다 ; (식욕 따위를) 촉진하다 ; (사람을) 흥분시키다 : ~ la digestion 소화를 촉진하다. ② 격려하다, 고무하다, 분발시키다(= encourager, exciter, animer) : ~ qn au travail …을 격려해서 일을 시키다.

stimulus [stimylys] 〔라틴〕 *m.* (*pl.* ***stimuli*** [-li]) 〖생물 · 의학〗 자극(물).

stipe [stip] *m.* 〖식물〗 (고사리 따위의) 잎자루 ; (버섯 따위의) 자루.

stipendier [stipɑ̃dje] *v.t.* 《문어》 (돈으로) 매수하다 : politicien *stipendié* 매수된 정치가.

stipulation [stipylɑsjɔ̃] *f.* 〖법률〗 약정, 규약, 규정. ***~s d'un contrat*** 계약 조항.

stipule [stipyl] *f.* 〖식물〗 턱잎, 탁엽(托葉).

stipuler [stipyle] *v.t.* ① 〖법률〗 약정하다 ; (계약의 조항을) 규정하다 ; 정하다 : ~ une garantie dans le contrat 계약 중에 보증을 규정하다. ② 명기하다(= préciser) : Il est *stipulé* que... …라고 명기되어 있다.

stochastique [stɔkastik] *adj.* 우연히 생긴, 우발적인.

***stock** [stɔk] 〔영〕 *m.* ① 〖상업〗 재고품, 재고량 ; 〖재정〗 (현금의) 보유량, 보유액 : écouler son ~ 재고품을 정리〔판매〕하다 / le ~ d'or de la Banque de France 프랑스 은행의 금보유량. ② 《구어》 (다량의) 비축물 : avoir un ~ de cigarettes 담배를 많이 비축해 두고 있다.

stockage [stɔkaːʒ] *m.* ① 사들이기, 매입 ; 저장 : ~ souterrain 지하 (저장) 탱크. ② 〖컴퓨터〗 capacité de ~ 메모리 용량.

stock-car [stɔkkaːʀ] 〔영〕 *m.* (*pl.* **~-~*s***) 고물 자동차의 장애물 경주(에 참가한).

***stocker** [stɔke] *v.t.* ① 사들이다, 매입하다 ; 저장하다 : ~ des produits alimentaires 식료품을 사들여 저장하다.

stock-exchange [stɔkɛksʃɑ̃ʒ] 〔영〕 *m.* (*pl.* **~-~*s***) 증권 거래소.

stockfisch [stɔkfiʃ] *m.* 건대구, 건어물.

stockiste [stɔkist] *m.* 〖상업〗 매입업자.

stock-option [stɔkɔpsjɔ̃] *f.* (*pl.* **~-~*s***) 〖경제〗 스톡옵션《회사 임원 등이 자사 증자주를 일정 가격으로 살 수 있는 권리》.

stoïcien, enne [stɔisjɛ̃, -ɛn] *adj.* 스토아 학파의 ; 금욕적인. — *n.* 스토아 학파의 철학자 ; 금욕주의자.

stoïcisme [stɔisism] *m.* ① 〖철학〗 스토아 철학. ② 금욕주의, 극기, 견인(堅忍).

stoïque [stɔik] *adj.* 금욕의, 극기의, 의연한 : rester ~ en face d'un danger 위기에 처해서도 흔들리지 않다 / prendre une résolution ~ 의연한 결정을 내리다. — *n.* 금욕가, 극기주의자.

stoïquement [stɔikmɑ̃] *adv.* 의연하게 : supporter ~ l'adversité 의연하게 역경을 견디다.

stol [stɔl] 〖〔영〕< *Short Taking Off and Landing*〗 *m.* 단거리 이착륙기.

stolon [stɔlɔ̃] *m.* 〖식물〗 포복경(匍匐莖).

stomacal, e, aux [stɔmakal, -o] *adj.* 위(胃)의 : douleur ~*e* 위통.

stomachique [stɔmaʃik] *adj.* 건위(健胃)의. — *m.* 건위제(劑).

stomate [stɔmat] *m.* 〖식물〗 기공(氣孔)(= pore) ; 〖해부〗 수구멍.

stomatite [stɔmatit] *f.* 〖의학〗 구내염(口內炎).

stomatologie [stɔmatɔlɔʒi] *f.* 구강 의학.

stomatologiste [stɔmatɔlɔʒist], **sto-**

matologue [stɔmatɔlɔg] *n.* 〖의학〗 구강 병과(口腔病科) 의사.

*stop [stɔp] 〔영〕 *interj.* ① 스톱, 정지. ② (전보(電報)의 단락을 나타내는) 스톱. ― *m.* ① (자동차 후미의) 스톱라이트(= feux stop). ② 정지 신호. ③ 《구어》 히치하이크, 오토스톱(= auto-~) : voyager en ~ 히치하이크로 여행하다.

stoppage [stɔpaːʒ] *m.* ① 멈추기, 정지 ; 막기. ② (옷의) 짜깁기(= rentrayage).

***stopper** [stɔpe] *v.t.* ① (차 · 기계 따위를) 멈추다, 세우다, 정지시키다 : ~ un moteur 엔진을 멈추다. ② 가로막다, 저지하다 : ~ l'inflation 인플레를 저지하다. ③ (터진 옷을) 짜깁기하다(= rentrayer). ― *v.i.* (배 · 차 · 기계 따위가) 멎다, 서다 : *Stoppez* ici. 여기서 멈춰라.

stoppeur, euse [stɔpœːʀ, -øːz] *n.* 짜깁기하는 사람(= rentrayeur).

store [stɔːʀ] *m.* (위로 말려 올라가는) 발, 블라인드 : ~ vénitien 베네치아 블라인드.

story-board [stɔʀibɔʀd] 〔영〕 *m.* (*pl.* **~-~s**) 스토리보드《드라마 · 영화의 주요 장면을 차례대로 나타낸 소묘화를 붙인 패널》.

stout [stawt, stut] 〔영〕 *m.* 스타우트《독한 흑맥주》.

strabisme [stʀabism] *m.* 〖의학〗 사시(斜視), 사팔뜨기 : ~ convergent 〔divergent〕 내〔외〕 사시.

strangulation [stʀɑ̃gylɑsjɔ̃] *f.* 교수(絞首), 교살(絞殺)(= étranglement).

strapontin [stʀapɔ̃tɛ̃] *m.* ① (극장 · 자동차 따위의) 보조 의자. ② ⓐ (회의 등에서의) 비공식 지위〔자격〕《옵서버 따위》. ⓑ (잠정적인) 임시직.

stras(s) [stʀaːs] *m.* 인조〔가짜〕 보석.

stratagème [stʀataʒɛm] *m.* 계략, 책략, 술책 ; 〖군사〗 전략.

strate [stʀat] *f.* ① 층, 계층. ② 〖지질〗 지층.

stratège [stʀatɛːʒ] *m.* ① 〖군사〗 전략가 ; 작전 지휘관. ② 책략〔계략〕에 능한 사람. ③ 기획자 : fin ~ 유능한 기획자.

stratégie [stʀateʒi] *f.* 술책, 책략(= stratagème) ; 용병술, 전략 : position 〔point〕 ~ 전략상의 거점 / ~ électorale 선거 전략.

stratégique [stʀateʒik] *adj.* 전략상의 ; 전략적인, 전략상 중요한 : point ~ 전략 요점 / bombardement ~ 전략 폭격 / matières ~*s* 전략 물자.

S

stratégiquement [stʀateʒikmɑ̃] *adv.* 전술상, 전략상.

stratification [stʀatifikɑsjɔ̃] *f.* ① 〖지질〗 층형성(層形成), 성층(成層). ② 〖통계〗 (분류상의) 계층.

stratifié, e [stʀatifje] *adj.* ① 층을 이룬, 여러 층으로 된. ② (폴리에스테르 따위가) 플라스틱과 직물 또는 유리 섬유를 층첩시켜 만든. ― *m.* (폴리에스테르 따위의) 합판.

stratosphère [stʀatɔsfɛːʀ] *f.* 〖기상〗 성층권(成層圈).

stratosphérique [stʀatɔsfeʀik] *adj.* 〖기상〗 성층권의 : fusés ~ 성층권 탐사 로봇.

stratus [stʀatys] *m.* 〖기상〗 층운(層雲).

streptocoque [stʀɛptɔkɔk] *m.* 〖세균〗 연쇄상구균(球菌).

streptomycine [stʀɛptɔmisin] *f.* 〖약학〗 스트렙토마이신.

stress [stʀɛs] *m.* 〖의학〗 스트레스.

stressant, e [stʀɛsɑ̃, -ɑ̃ːt] 〔영〕 *adj.* 스트레스를 일으키는〔주는〕.

stresser [stʀɛ(e)se] 〔영〕 *v.t.* (…에게) 스트레스를 일으키다〔주다〕. ***être stressé par*** …때문에 스트레스를 받다. ― *v.i.* 《구어》 스트레스가 쌓이다.

stretching [stʀɛtʃiŋ] 〔영〕 *m.* 〖운동〗 스트레칭 체조.

strette [stʀɛt] *f.* 〖음악〗 둔주곡(遁走曲)의 화려한 종결부.

***strict, e** [stʀikt] *adj.* ① 엄밀한, 엄정한(= rigoureux) : ~*e* observation des lois 법률의 엄수 / C'est la ~*e* vérité. 그것은 엄연한 사실이다. ② (사람이) 엄한, 엄격한 : ~*e* observation du règlement 규율의 엄격한 준수 / mère très ~*e* à l'égard de ses enfants 자식들에 대해 아주 엄한 어머니. ③ 최저한의, 최소한의 : C'est votre droit le plus ~. 그것은 당신의 최저한의 권리입니다. ④ 단정한, 간결한 : tenue ~*e* 단정한 옷차림 / langue ~*e* 간결한 언어.

strictement [stʀiktəmɑ̃] *adv.* ① 엄밀히, 엄정히 ; 정확히 : affaire ~ personnelle 전적으로 사적〔개인적〕인 일 / ~ parlant 엄밀히 말하자면. ② 엄격히 ; 엄중히 : observer ~ le règlement 규칙을 엄격히 지키다. ③ 단정히, 말쑥하게 : être ~ vêtu 단정한 옷차림을 하고 있다.

stricto sensu [stʀiktɔsɛ̃sy] 〔라틴〕 *adv.* 엄밀한 의미로, 한정된 의미로(= au sens strict ; ≠ lato sensu).

stridence [stʀidɑ̃ːs] *f.* 날카로운 소리, 시끄러운 소리.

strident, e [stʀidɑ̃, -ɑ̃ːt] *adj.* (소리가) 날카로운, 새된 : sifflet ~ d'une locomotive 기관차의 귀청을 찢는 듯한 날카로운 기적 소리.

stridulant, e [stʀidylɑ̃, -ɑ̃ːt] *adj.* (곤충 따위가) 찌르륵거리는, 날카로운 소리로 우는.

stridulation [stʀidylɑsjɔ̃] *f.* 찌르륵거리는 소리, 날카로운 소리 : ~ des cigales 〔criquets〕 매미〔귀뚜라미〕 울음소리.

striduler [stʀidyle] *v.i.* (매미 · 귀뚜라미 따위가) 날카로운 소리로 울다.

strie [stʀi] *f.* (흔히 *pl.*) 가는 줄, 줄무늬 ; 〖건축〗 기둥의 세로 홈 : ~*s* d'une coquille 조개껍질의 가는 줄무늬.

strié, e [stʀije] *adj.* 가는 줄이 있는, 줄무늬가 있는 : muscle ~ 〖해부〗 가로무늬근, 횡문근(橫紋筋).

strier [stʀije] *v.t.* …에 줄을 넣다, 줄무늬를 넣다 ; …에 홈을 파다.

strige [stʀiːʒ] *f.* 《문어》 흡혈귀.

strip-tease [stʀiptiːz] 〔영〕 *m.* 스트립쇼 ; 스트립쇼 극장 ; 《비유》 노출 취미.

strip-teaseuse [stʀiptizøːz] *f.* 스트리퍼.

striure [stʀijyːʀ] *f.* 가는 줄, 줄무늬 ; 홈.

strophe [stʀɔf] *f.* (시의) 절(節) ; (노래의) 절.

structural, e, aux [stʀyktyʀal, -o] *adj.* 구조〔조직〕상의 ; 구조 연구의 : linguistique ~*e* 구조 언어학 / analyse ~*e* 구조 분석.

structuralisme [stʀyktyʀalism] *m.* 〖철학 · 언어〗 구조주의.

structuraliste [stʀyktyʀalist] *adj.* 구조주의(자)의. ── *n.* 구조주의자. 「성.
structuration [stʀyktyʀɑsjɔ̃] *f.* 구조화, 구
***structure** [stʀykty:ʀ] *f.* ① 구조, 구성, 조직 : ~ du corps humain 인체의 구조 / ~ d'un bâtiment 건물의 구조 / ~ sociale 사회 구조 / ~ d'un roman 소설의 구조. ② 기구(機構) : ~*s* administratives 행정 기구 / réformes de ~ 기구 개편 / ~(*s*) d'accueil 수용 시설〔태세〕《관광·문화·스포츠 따위를 위한 시설·서비스 기관을 가리킴》. ③ 〖언어〗 구조 : ~ profonde 〔de surface〕 〖언어〗 심층〔표층〕 구조.
structuré, e [stʀyktyʀe] *adj.* 구조를 갖춘, 구성〔조직〕된 : groupe très ~ 잘 조직된 그룹.
structurel, elle [stʀyktyʀɛl] *adj.* 구조적인, 구조상의, (단체의) 기구〔조직〕에 관한. ***chômage*** ~ 구조적 실업.
structurer [stʀyktyʀe] *v.t.* …에 구조를 부여하다, …을 구성〔조직〕하다. ── **se** ~ *v.pr.* 구성〔조직〕되다, 구조화하다. 「니네.
strychnine [stʀiknin] *f.* 〖화학〗 스트리키
stuc [styk] *m.* 〖건축〗 화장 회반죽 (장식) : enduire de ~ 화장 회반죽을 바르다. 「공.
stucateur [stykatœ:ʀ] *m.* 화장 회반죽 미장
studette [stydɛt] *f.* 《구어》 소형 스튜디오〔단칸〕 아파트.
studieusement [stydjøzmɑ̃] *adv.* 부지런히, 열심히 : passer ~ ses loisirs 여가를 열심히 공부하며 보내다.
***studieux, euse** [stydjø, -ø:z] *adj.* ① 부지런한, 근면한(= appliqué ; ≠ paresseux) : élève ~ 열심히 공부하는 학생. ② 독학의, 학구적인.
***studio** [stydjo] *m.* ① (예술가·사진가의) 작업실, 아틀리에. ② 〖영화·라디오·연극〗 촬영소, 스튜디오 ; 방송실 ; (전위극〔영화〕의) 소극장. ③ (간단한 주방·욕실이 딸린) 단실(單室)〔원룸〕 아파트〔주택〕.
stupéfaction [stypefaksjɔ̃] *f.* ① 〖의학〗 마취〔마비〕 상태. ② 경악(= stupeur), 아연실색.
stupéfaire [stypefɛ:ʀ] *v.t.* 《3 인칭 단수·현재와 복합형으로만 쓰임》 깜짝 놀라게 하다, 아연실색케 하다.
***stupéfait, e** [stypefɛ, -ɛt] *adj.* ① 《~ de qc 〔de+*inf.*〕》 …에〔하여〕 아연실색한, 깜짝 놀란 : Je suis ~ *de* votre réponse. 당신 대답을 들으니 어이가 없다 / Il est ~ *de* te voir si grandi. 그는 네가 이처럼 자란 것을 보고 깜짝 놀랐다. ② 《être ~ que+*sub.*》 …라는 것에 놀란.
***stupéfiant, e** [stypefjɑ̃, -ɑ̃:t] *adj.* ① 〖의학〗 (약이) 마취〔마비〕시키는. ② 깜짝 놀라게 하는(= étonnant) : nouvelle ~*e* 놀라운 소식. ── *m.* 마약(= drogue) : la brigade des ~*s* 〖경찰〗 마약 조사반.
stupéfier [stypefje] *v.t.* ① 〖의학〗 마취〔마비〕시키다. ② 아연실색게 하다, 어리둥절하게 하다 : Ce discours *a stupéfié* toute l'assistance. 그 연설은 모든 청중을 어리둥절케 했다.
stupeur [stypœ:ʀ] *f.* ① 〖의학〗 마비 ; 혼미(昏迷). ② 대경실색, 망연자실 : frapper qn de ~ …을 아연실색게〔어리둥절케〕 하다.

***stupide** [stypid] *adj.* ① 얼빠진, 우둔한, 어리석은 : faire des fautes ~*s* 얼빠진 실수를 하다 / Elle est vraiment ~ . 그 여자는 정말 머리가 둔하다. ② 어처구니없는 ; 터무니없는 ; 무모한 : accident ~ 어처구니없는 사고. ── *n.* 바보, 얼간이.
stupidement [stypidmɑ̃] *adv.* 어리석게, 멍청하게, 얼빠져서.
stupidité [stypidite] *f.* 어리석음 ; 어리석은 짓〔말〕: être d'une ~ incroyable 말할 수 없이 어리석다 / faire〔dire〕 des ~*s* 바보 같은 짓〔말〕을 하다.
stupre [stypʀ] *m.* 《문어》 방탕, 풍속문란.
style** [stil] *m.* ① ⓐ 문체, 문장 ; 〖문법〗 화법 : ~ commercial 상업문의 문체 / soigner son ~ 문장을 다듬다 / ~ direct 〔indirect〕 직접〔간접〕 화법. ⓑ (작가·문학 장르의) 독자적인〔독특한〕 문체, 필치 : ne pas avoir de ~ 진부한 필치로 글을 쓰다 / Le ~ est l'homme même. 문체는 곧 그 사람이다 《*Buffon* 의 말》. ⓒ (미술·가구 따위의) 양식, 스타일 ; 예술적 작풍 : le ~ byzantin 〔gothique〕 비잔틴〔고딕〕 양식 / ~ d'un peintre 어떤 화가의 화풍. ② (복장·태도 따위의) (특수한) 유형, 방식 ; (개인 특유의) 형(型), 식, 투 : ~ de vie 삶의 방식, 라이프스타일 / ~ d'action 자기류의 행동 방식. ③ 〖스포츠〗 (경기자의) 폼, 스타일 : nageur qui a du ~ 멋있는 폼으로 수영을 하는 사람. ④ (해시계의) 지침 ; 〖식물〗 화주(花柱), 암술대. ***avoir du ~ 독특한 품격이 있다. ***de grand*** ~ 대규모의 : opération *de grand* ~ 대규모 작전. ***de*** ~ 특수한 스타일을 가진 ; 시체풍의 : un meuble *de* ~ 특유한 스타일을 지닌 가구.
stylé, e [stile] *adj.* 잘 훈련된 ; 세련된. domestique ~ 잘 훈련된〔예의바른〕 하인.
stylet [stilɛ] *m.* (날이 좁고 뾰족한) 단검(短劍), 비수.
stylisation [stilizɑsjɔ̃] *f.* 양식화 ; 도안화.
styliser [stilize] *v.t.* 양식화하다 ; 도안화하다 : fleurs *stylisées* 도안화된 꽃.
stylisme [stilism] *m.* ① 문체를 지나치게 다듬기. ② 〖복장〗 스타일리스트의 직업 ; 〖공업〗 공업 디자인.
styliste [stilist] *n.* ① 문장가 ; 명문가. ② 〖복장〗 스타일리스트, (의상점에 고용된) 새 모드의 시범역〔상담역〕 ; 새 모드의 창안자. ③ 〖공업〗 공업 디자이너.
stylisticien, enne [stilistisjɛ̃, -ɛn] *n.* 문체론 전문가, 문체 연구가.
stylistique [stilistik] *f.* 〖언어〗 문체학, 문체론 : ~ comparée 비교 문체론. ── *adj.* 문체(상)의 : analyse ~ d'un roman 소설의 문체 분석 / étude ~ 문체론적 연구.
***stylo** [stilo] *m.* 펜 ; 만년필(= stylograph) : écrire au ~ 만년필로 쓰다 / ~ à bille ; ~(-)bille 볼펜.
stylo(-)bille [stilɔbij] *m.* (*pl.* **~s-~s** ; **~s**) 《구어》 볼펜(= stylo à bille).
stylo-feutre [stilɔfø:tʀ] *m.* (*pl.* ~(***s***)-~***s***) 사인펜, 매직펜.
stylomine [stilɔmin] *m.* 〖상표명〗 샤프펜슬.
su, e [sy] *adj.* 알려진 ; 배운 ; 아는 : leçon bien ~*e* 익히 배운 학과.

S

— *m.* 《옛》 아는 바 ; 지식. ***au ~ de*** qn … 이 아는 바와 같이 : Elle vivait avec Paul *au ~ de* ses parents. 그녀가 폴과 동거하고 있다는 것은 양친도 아는 바였다. ***au vu et au ~ de tout le monde*** 누구나 보고 알고 있는 바와 같이 ; 공공연히.

suaire [sɥɛːʀ] *m.* 수의(壽衣), 염포(殮布)(= linceul).

suant, e [sɥɑ̃, -ɑ̃ːt] *adj.* ① 땀이 나는, 땀을 흘리는 : avoir les mains *~es* 손에 땀이 나다. ② 《구어》 지겨운, 따분한, 성가신 : Ce film est ~. 이 영화는 따분하다.

suave [sɥaːv] *adj.* 그윽한, 달콤한, 감미로운 ; 기분좋은 : parfum ~ 그윽한 향기 / musique ~ 달콤한 음악.

suavité [sɥavite] *f.* ① 감미(甘味), 향미 ; 묘미 : ~ d'une odeur 향기의 그윽함. ② 아리따움, 우아.

subalpin, e [sybalpɛ̃, -in] *adj.* ① 알프스 기슭의. ② 〖식물〗 아고산대(亞高山帶)의.

subalterne [sybaltɛʀn] *adj.* ① 밑의, 종속된, 하위〔차위(次位)〕의, 하급의 : employé ~ 하급 직원 / position ~ 말단직. ② (정신 등이) 열등한, 범용(凡庸)한. — *n.* 하급자, 하급 직원, 부하. — *m.* 〖군사〗 하급 장교, 위관(= officier ~).

subconscient, e [sypkɔ̃sjɑ̃, -ɑ̃ːt] *adj.* 잠재의식의. — *m.* 〖심리〗 잠재의식.

subdiviser [sybdivize] *v.t.* 세분하다, 재(再)구분하다 : ~ un chapitre en paragraphes 장(章)을 몇 개의 절(節)로 구분하다. — **se** ~ *v.pr.* 세분〔세별〕되다.

subdivision [sybdivizjɔ̃] *f.* 세분 ; 재구분 : ~ d'un chapitre en trois sections 한 장(章)을 세 절(節)로 나누기 / ~ administrative 행정 구획.

subéreux, euse [sybeʀø, -øːz] *adj.* 〖식물〗 코르크질의.

***subir** [sybiːʀ] *v.t.* ① (심문 따위를) 받다, (패배 따위를) 당하다, (손실 따위를) 입다 : ~ un interrogatoire 심문을 받다 / ~ des violences 폭행을 당하다. ② 참고 견디다, 인종(忍從)하다, 감내하다(= supporter) : ~ son destin 자기 운명을 감수하다 / ~ une peine 복역하다 / Il a fallu ~ l'orateur pendant deux heures. 두 시간 동안이나 연사의 이야기를 들어야만 했다. ③ (치료를) 받다 ; (시험을) 치르다 : malade qui *subit* une opération chirurgicale 외과 수술을 받은 환자 / ~ un examen 시험을 치르다〔보다〕. ④ (수정 따위를) 받다 : manuscrit qui *a subi* plusieurs modifications 많은 수정을 받은 초고(草稿).

***subit, e** [sybi, -it] *adj.* 급작〔갑작〕스러운, 돌연한 : mort *~e* 급사 / changement ~ de situation 상황의 급변.

***subitement** [sybitmɑ̃] *adv.* 갑자기, 돌연히 : disparaître ~ 갑자기 사라지다.

subito [sybito] *adv.* 《구어》 돌연히, 갑자기.

subjacent, e [sybʒasɑ̃, -ɑ̃ːt] *adj.* 밑의, 밑에 있는(= sous-jacent).

***subjectif, ive** [sybʒɛktif, -iːv] *adj.* ① 〖철학〗 주체의, 주관적인(≠ objectif) : jugement ~ 주관적인 판단. ② 〖문법〗 주어의 : cas ~ 주격. ③ 〖의학〗 환자가 자각하는 : symptôme ~ 자각 증상.

subjectivement [sybʒɛktivmɑ̃] *adv.* 주관적으로.

subjectivisme [sybʒɛktivism] *m.* 〖철학〗 주관론, 주관주의 ; 주관적인 경향.

subjectivité [sybʒɛktivite] *f.* 주관성, 주체성(≠ objectivité) : ~ d'un jugement 판단의 주관성.

subjonctif, ive [sybʒɔ̃ktif, -iːv] *adj.* 〖문학〗 접속법의. — *m.* 접속법(= mode ~).

subjuguer [sybʒyge] *v.t.* ① 매료하다, …의 마음을 사로잡다 : Son éloquence *a subjugué* l'auditoire. 그의 웅변은 청중을 매료시켰다. ② 정복하다, 굴복시키다(= conquérir) : ~ un peuple 민족〔국민〕을 정복하다. ③ 《문어》 (정신 따위를) 지배하다, …위에 군림하다(= dominer) : se laisser ~ par une femme 여자에 눌려 꼼짝 못하다.

sublimation [syblimɑsjɔ̃] *f.* 〖화학 · 심리〗 승화(昇華) ; 순화 : ~ des instincts 본능의 승화 / ~ d'une passion 정념의 순화

***sublime** [syblim] *adj.* ① 숭고한 ; 고상한 ; 고귀한 : style ~ 고상한 문체 / personnage ~ de dévouement 숭고할 정도로 헌신적인 인물. ② 뛰어난, 탁월한, 발군(拔群)의 : paysage ~ 절경 / œuvre ~ 아주 뛰어난 작품 / artiste ~ 탁월한 예술가. — *m.* 숭고함, 고귀함.

sublimé, e [syblime] *adj.* 승화한 : image *~e* de la douleur 고뇌의 승화된 모습. — *m.* 〖화학〗 승화물.

sublimement [syblimmɑ̃] *adv.* 숭고하게, 장엄하게 ; 탁월하게.

sublimer [syblime] *v.t.* ① 〖화학〗 승화시키다. ② 〖심리〗 (충동적 · 본능적 욕구를) 순화하다, 승화시키다(= épurer).

subliminal, e, aux [sybliminal, -o] *adj.* 〖심리〗 의식에 떠오르지 않는, 잠재의식의(= subconscient).

sublimité [syblimite] *f.* 《문어》 숭고.

sublingual, e, aux [syblɛ̃gwal, -o] *adj.* 〖해부 · 의학〗 혀 밑의, 설하(舌下)의.

submerger [sybmɛʀʒe] [3] *v.t.* ① 물속에 잠그다, 침수시키다(= noyer, inonder) ; (배를) 침몰〔잠수〕시키다 : raz de marée qui *submerge* une digue 제방을 물속에 잠기게 한 해일. ② 침입하다, 휩쓸다 : pays *submergé* par l'ennemi 적에게 유린당한 나라 / *être submergé* par l'anarchie 무정부 상태에 휩쓸리다〔빠지다〕. ***être submergé de dette*** 빚에 몰려 꼼짝할 수 없게 되다. ***être submergé de travail*** 눈코 뜰 새 없이 바쁘다.

submersible [sybmɛʀsibl] *adj.* 잠수할 수 있는 ; 수몰할 수 있는 : terrains *~s* 침수되기 쉬운 땅. — *m.* 잠수함(= navire ~).

submersion [sybmɛʀsjɔ̃] *f.* 침수, 수몰 ; 침몰 : mort par ~ 익사 / ~ d'une terre 땅의 침수 / ~ d'un navire 배의 침몰.

subodorer [sybɔdɔʀe] *v.t.* 눈치채다, 알아차리다 : ~ une anarque 속임수를 알아차리다 / ~ une intrigue 음모를 간파하다.

subordination [sybɔʀdinɑsjɔ̃] *f.* 《~ à》 …에 대한 종속, 복종 : ~ de l'armée *au* chef d'État 국가 원수에 대한 군대의 종속. ② 〖문법〗 (주절과 종속절의) 종속 관계 : con-

S

jonction de ~ 종속접속사.

***subordonné, e** [sybɔʀdɔne] *adj.* (관계가) 종속적인 ; 〖언어〗 (주절에) 종속된 : position ~*e* 종속적 지위 / proposition ~*e* 종속절. ── *n.* 하급자, 부하. ── *f.* 〖언어〗 종속절(= proposition ~*e*).

subordonner [sybɔʀdɔne] *v.t.* 《~ à》 …에 종속시키다, …의 밑에 두다 ; …에 복종시키다 ; …에 따르게 하다 : ~ ses dépenses *à* son revenu 수입에 맞추어 지출하다 / ~ l'intérêt individuel *à* l'intérêt collectif 개인의 이익을 집단의 이익에 종속시키다〔의 밑에 두다〕. ── **se** ~ *v.pr.* 《se ~ à》 …에 종속하다 ; …에 따르다.

subornation [sybɔʀnɑsjɔ̃] *f.* 매수 : ~ de témoin 증인의 매수.

suborner [sybɔʀne] *v.t.* ① 매수하다 ; 교사(敎唆)하다 : ~ un témoin 증인을 매수하여 위증하게 하다. ② (미끼로) 유혹하다(= séduire) : ~ une jeune fille 처녀를 유혹하다.

suborneur, euse [sybɔʀnœːʀ, -øːz] *n.* ① 〖법률〗 교사(敎唆)〔사주(使嗾)〕자 ; 매수자. ② 유혹자.

subrécargue [sybʀekaʀg] *m.* 〖해양〗 (상선의) 화물 관리인.

subreptice [subʀɛptis] *adj.* (계약 · 출판 따위가) 몰래 하는, 비밀리의 ; 위법의 : par un moyen ~ 은밀하게, 부정 수단으로.

subrepticement [sybʀɛptismɑ̃] *adv.* 슬그머니, 남몰래 ; 부정하게.

subrogation [sybʀɔgɑsjɔ̃] *f.* 〖법률〗 (채권자의) 대리 ; (권한 따위의) 위임.

subrogé, e [sybʀɔʒe] *adj.* 〖법률〗 ~ tuteur 후견인 대리〔감독〕. ── *n.* 후견 감독인.

subroger [sybʀɔʒe] *v.t.* ③ 〖법률〗 대위(代位)시키다, 대리시키다 ; 대위 변제하다.

subséquemment [sypsekamɑ̃] *adv.* 〖법률〗《옛》 그 결과, 따라서.

subséquent, e [sypsekɑ̃, -ɑ̃ːt] *adj.* 〖법률〗 (후계자의 순위가) 바로 뒤의, 그 다음의.

subside [syps〔bz〕id] *m.* (단체 · 국가에 대한) 원조금, 보조금 : solliciter un ~ 보조금 지원을 요청하다 / couper les ~*s* 보조금 지원을 중단하다.

subsidiaire [syps〔bz〕idjɛʀ] *adj.* 보조적인 ; 부대적인 ; 부차적인 : motif ~ 부차적인 동기 / moyens ~s 보조 수단.

subsidiairement [syps〔bz〕idjɛʀmɑ̃] *adv.* 보조적으로 ; 부대적으로.

subsistance [sybzistɑ̃ːs] *f.* ① 생계, 생활 수단 : pourvoir à la ~ de sa famille 가족의 생계를 세우다. ② 생활 필수품의 공급 ; (*pl.*) (식량 따위) 생활 필수품 : service des ~*s* 〖군사〗 식량 보급부.

***subsister** [sybziste] *v.i.* ① (사물이) 존속하다 ; 효력이 있다 : La Grand Muraille de Chine *subsiste* encore. 중국의 만리장성은 지금도 남아 있다 / traité qui *subsiste* toujours 여전히 효력을 지니고 있는 조약. ② (사람이) 생존을〔생계를〕 유지하다, 생존하다, 살아가다(= survivre) : ~ d'aumônes 남의 구호를 받으며 살아가다.

subsonique [sypsɔnik] *adj.* 음속 이하의, 아(亞)음속의《음속의 0.8 배까지》: avion ~ 아음속 비행기.

substance** [sypstɑ̃ːs] *f.* ① 실질 ; 내용, 알맹이 ; 요점, 요지 : la ~ d'un article 논설의 요지 / argument sans ~ 알맹이 없는 이론. ② 〖철학〗 실체, 본질. ③ 물질, 물체(= matière) ; 자양, 양분 : ~ toxique 유독 물질 / ~ solide 〔liquide, gazeuse〕 고체〔액체 · 기체〕 / ~ nutritive 자양분. ***en **~** 실질적으로 ; 요컨대 : C'est, *en* ~, ce qui a été décidé. 이것이 요컨대 결정된 것이다.

substantiel, elle [sypstɑ̃sjɛl] *adj.* ① 〖철학〗 실체의. ② 실속 있는, 충실한, 실질적인 : lecture ~*elle* 충실한 독서. ③ 《구어》 상당한, 막대한 : des avantages ~*s* 상당한 이익 / une aide ~*elle* 많은 원조금. ④ 자양〔양분〕이 많은(= nourrissant) : repas ~ 영양이 풍부한 식사. ⑤ 중대〔중요〕한(= essentiel) : partie la plus ~*elle* d'un livre 어떤 책의 가장 중요한 부분.

substantiellement [sypstɑ̃sjɛlmɑ̃] *adv.* 실질적으로 ; 요컨대 ; 〖철학〗 실체적으로.

substantif, ive [sypstɑ̃tif, -iːv] *adj.* 〖언어〗 명사의, 실사(實詞)의 : proposition ~*ive* 명사절 / style ~ 명사를 많이 사용한 문체. ── *m.* 명사, 실사(實詞)(= nom).

substantifique [sypstɑ̃tifik] *adj.* la ~ moelle (작품에서) 정신의 양식이 되는 것 《*Rabelais*가 사용한 말》.

substantivé, e [sypstɑ̃tive] *adj.* 〖언어〗 (형용사 · 분사 따위가) 실사〔명사〕화된 : adjectif ~ 명사화된 형용사.

substantivement [sypstɑ̃tivmɑ̃] *adv.* 〖문학〗 실사〔명사〕적으로.

substituer [sypstitɥe] *v.t.* ① 〖법률〗 ~ un héritier 〔un héritage〕 상속인을 변경하다 〔변경시켜 재산을 주다〕. ② 대체〔대용〕하다 (= remplacer) : ~ l'énergie éolienne *au* nucléaire 원자력 에너지 대신 풍력 에너지를 사용하다 / ~ A à B, B를 A로 대체하다, B 대신에 A를 사용하다. ── **se** ~ *v.pr.* 《se ~ à》 …의 대리가 되다, …에 대체되다 : *se* ~ *au* directeur 사장 대리를 하다.

substitut [sypstity] *m.* ① 대리인, 대행자 ; 〖법률〗 검사 대리. ② 대체물, 대용품.

substitution [sypstitysjɔ̃] *f.* ① 대체, 대용 : ~ de la margarine au beurre 버터 대용의 마가린. ② 〖화학〗 치환(置換) ; 〖수학〗 대입(代入).

substrat [sypstʀa] *m.* ① 기반, 토대 : ~ économique d'un développement culturel 문화 발전의 경제적 기반. ② 〖언어〗 기층(基層) (언어) ; 〖철학〗 기체(基體).

subterfuge [syptɛʀfyːʒ] *m.* 핑계, 구실(= échappatoire) ; 술책, 농간, 속임수(= ruse) : user de ~*s* 속임수를 쓰다.

***subtil, e** [syptil] *adj.* ① 예민한, 치밀한(= fin, pénétrant) : observateur ~ 예민한 관찰자 / ~ diplomate 치밀한 외교관. ② 미묘한, 섬세한(= délicat) : C'est trop ~ pour moi. 그것은 너무 미묘해서 나로서는 알기 힘들다 / parfum ~ (꽃 따위의) 섬세한 향기. ③ 교묘한 : interprétation ~*e* 교묘한 해석. ④ (독이) 빨리 퍼지는, 효과가 빠른.

subtilement [syptilmɑ̃] *adv.* ① 교묘하게, 치밀하게 : raisonner ~ 치밀하게 생각하다 / duire ~ une négociation 교묘하게 교섭을

이끌다. ② 미묘하게, 섬세하게 : pensée exprimée ~ 섬세하게 표현된 생각.

subtilisation [syptilizɑsjɔ̃] *f.* 소매치기, 슬쩍 훔치기(= vol).

subtiliser [syptilize] *v.t.* 슬쩍 훔치다, 후무리다(= escamoter, étouffer) : On m'*a subtilisé* mon portefeuille. 누군가 내 지갑을 훔쳐 갔다. ── *v.i.* 《경멸》 (문장 따위를) 천착하다, 지나치게 면밀히 생각하다〔논하다〕.

subtilité [syptilite] *f.* ① 치밀, 정밀, 예민, 교묘함(= finesse) : ~ d'une analyse 분석의 치밀함. ② (보통 *pl.*) 번쇄(煩瑣)한 이론, 천착(穿鑿). ③ 《문어》 (입자 따위의) 미세함, (향기 따위의) 섬세함.

subtropical, e, aux [syptʀɔpikal, -o] *adj.* 〖지리〗 아열대의 : climat ~ 아열대성 기후.

suburbain, e [sybyʀbɛ̃ -ɛn] *adj.* 시외의, 교외의(= banlieue) : chemin de fer ~ 교외선 / réseau d'autobus ~ 시외 도로망.

subvenir [sybvəniːʀ] [16] 《조동사는 avoir》 *v.t. ind.* 《~ à》 …에 보조〔원조〕해 주다 : Le gouvernement *a subvenu aux* dépenses de l'expédition. 정부는 탐험대의 비용에 원조를 해 주었다. ***~ aux besoins de*** qn …이 필요로 하는 것을 마련〔조달〕해 주다.

subvention [sybvɑ̃sjɔ̃] *f.* 보조금 : accorder une ~ à une école privée 사립학교에 보조금을 주다 / ~ de l'État 국가 보조.

subventionnel, elle [sybvɑ̃sjɔnɛl] *adj.* 보조금의 : aide ~*elle* 보조금의 지원.

subventionner [sybvɑ̃sjɔne] *v.t.* …에 보조금을 교부하다〔주다〕 : ~ un journal 신문에 보조금을 주다 / théâtres *subventionnés* 정부의 보조금을 받는 극장.

subversif, ive [sybvɛʀsif, -iːv] *adj.* (질서·법규 따위를) 전복하는, 파괴하는 : guerre ~*ive* (반정부) 파괴 활동 / théorie ~*ive* 반체제 이론.

subversion [sybvɛʀsjɔ̃] *f.* (국가·도덕 따위의) 전복, 파괴 : tentative de ~ de l'État 정부 전복 계획 / ~ d'une civilisation 문명의 파괴.

subvertir [sybvɛʀtiːʀ] *v.t.* (질서·법규 따위를) 전복시키다, 파괴하다, 와해시키다.

suc [syk] *m.* ① 즙, 액 : ~ de citron 레몬즙. ② (학문·작품 따위의) 정수(精髓), 정화(精華) : tirer tout le ~ de qc …에서 정수를 뽑다. ③ 〖생리〗 분비액 ; 〖생물〗 세포액.

succédané, e [syksedane] *m.* 대용약 ; 대용품〔물〕(= ersatz) : ~ de sucre 인공 감미료 / ~ de caoutchouc 대용 고무.

S

***succéder** [syksede] [6] *v.t. ind.* 《~ à》 ① …의 뒤를 잇다, …를 계승하다 ; 〖법률〗 (재산을) 상속하다 : ~ *au* trône 왕위를 계승하다 / Il *a succédé à* son père à la direction de la société. 그는 아버지의 뒤를 이어 회사 경영자의 지위에 올랐다. ② …에 잇달아〔뒤이어〕 오다 : La nuit *succède au* crépuscule. 땅거미가 지고 밤이 온다 / Le printemps *succède à* l'hiver. 겨울이 가고 봄이 온다. ── **se ~** *v.pr.* 연달아 뒤를 잇다 ; 잇달아〔계속해〕 일어나다 : Les beaux jours *se sont succédé* pendant un mois. 화창한 날씨가 한 달 동안 계속되었다.

⁑**succès** [syksɛ] *m.* ① 성공, 크게 적중함(= réussite ; ≠ échec) : remporter un ~ diplomatique 외교상의 성공을 거두다 / avoir un très grand ~ 크게 적중하다 / ~ militaire 전승(戰勝). ② 인기, 호평 : ~ du moment 〔jour〕 인기 작품〔곡〕 / auteur 〔film〕 à ~ 호평받는 작가〔영화〕. ③ 히트작, 성공을 거둔 작품 : dernier ~ de Michael Jackson 마이클 잭슨의 최신 히트곡 / grand ~ de libraire 베스트셀러. ④ (이성에게) 환심을 삼, 인기 있음 : ~ féminis 염복(艶福) / homme *à* ~ 여성에게 인기가 있는 사내. ***avec ~*** 성공적으로, 훌륭히 : s'en tirer avec ~ 성공적으로 난관을 헤쳐 나가다.

successeur [syksesœːʀ] *m.* 《여성형 없음》 후임자, 후계자 ; 〖법률〗 상속자 : désigner son ~ 후계자를 지명하다.

successif, ive [syksesif, -iːv] *adj.* 연속적〔계속적〕인 : échec ~*s* 연이은 실패 / trois jours ~*s* 사흘 계속하여. ***droit ~*** 상속법〔권〕.

succession** [syksesjɔ̃] *f.* ① (사건·현상 따위의) 잇달아 일어남〔옴〕, 연속, 계속 : une ~ d'événements 잇단 사건. ② 후계 ; (왕위의) 계승 : guerre de la *S*~ d'Autriche 오스트리아 왕위 계승 전쟁. ③ 〖법률〗 상속 ; 상속 재산, 유산(= héritage) : droit de ~ 상속권 / partager une ~ 상속을 분배하다. ***prendre la ~ de qn …의 뒤를 이어받다. ***recueillir une ~*** 유산을 물려받다.

***successivement** [syksesivmɑ̃] *adv.* 연달아, 뒤를 이어, 차례차례로 : passer ~ de la joie à la tristesse 희비가 엇갈리다.

successoral, e, aux [syksesɔʀal, -o] *adj.* 〖법률〗 상속(권)에 관한 : taxes ~*es* 상속세.

succinct, e [syksɛ̃(kt), -ɛ̃ː(k)t] *adj.* ① (이야기·보고 따위가) 간결한(= bref, concis) ; (사람이) 말수가 적은 : exprimer ~ sa pensée 자신의 생각을 간략히 표현하다. ② 분량이 적은 : repas ~ 간단한 식사.

succinctement [syksɛ̃tmɑ̃] *adv.* 간결하게, 간단하게(= brièvement).

succion [syksjɔ̃] *f.* 빨아들이기, 흡수 (작용) : appareil de ~ 흡인기.

***succomber** [sykɔ̃be] *v.i.* ① 《~ sous》 (무거운 힘에) 짓눌리다 ; (수 따위에) 압도되다 : ~ *sous* un fardeau 무거운 짐에 짓눌리다. ② 《~ à》 …에 지다, 굴복하다 : ~ *à* la fatigue 피로로 쓰러지다 / ~ *à* la tentation 유혹에 지다. ③ 《보어 없이》 죽다 : Les blessés *ont succombé.* 부상자들은 죽었다. ④ (여자가) 몸을 내맡기다.

succube [sy(k)kyb] *m.* 음몽 마녀(淫夢魔女)《자고 있는 남자와 성교한다는 마녀》.

succulence [sykylɑ̃ːs] *f.* ① (음식의) 맛좋음 ; 풍미. ② 《비유》 흥미진진함 ; 재미.

succulent, e [sykylɑ̃, -ɑ̃ːt] *adj.* ① 즙〔자양분〕이 많은 : fruit ~ 다육과(多肉果). ② 맛좋은 : mets ~*s* 맛있는 요리. ③ 《비유》 흥미진진한 : récit ~ 흥미진진한 이야기.

succursale [sykyʀsal] *f.* ① 〖가톨릭〗 지성당(支聖堂), 분회당(分會堂). ② 지점, 지부 : ~ d'une banque 은행의 지점.

succursalisme [sykyʀsalism] *m.* 〖경제〗 (기업체의) 지점 체제 경영 ; 체인스토어 방식.

succursaliste [sykyʀsalist] *adj.* (기업) 지점 체제를 채택한. ── *m.* 지점, 체인점. ── *n.* 체인점 경영자.

sucer** [syse] [2] *v.t.* ① ⓐ 빨다 ; 빨아들이다 : ~ son pouce 손가락을 빨다 / ~ le sang (모기·거머리 따위가) 피를 빨다. ⓑ 빨아 먹다 : ~ le jus d'un fruit 과일의 즙을 빨아 먹다. ② 착취하다 : ~ le sang de qn …의 고혈을 빨아먹다. **~** qc ***avec le lait …을 일찍부터 몸에 배게 하다 : Il *a sucé avec le lait* l'amour de l'indépendance. 그는 어릴적부터 독립심을 길렀다.

sucette [sysɛt] *f.* ① (고무 따위의) 젖꼭지. ② 막대사탕.

suceur, euse [sysœːʀ, -øːz] *n.* 빠는〔빨아들이는〕 사람 : ~ de sang 남의 돈을 빨아먹는〔우려먹는〕 사람. ── *m. pl.* 〖곤충〗 흡입관의 입을 가진 곤충류.

suçoir [syswaːʀ] *m.* ① (벼룩 따위의) 흡반 ; 흡관. ② (기생 식물의) 흡근(吸根).

suçon [sysɔ̃] *m.* ① 빨린 자국 ; 키스 마크 : faire un ~ à qn …에게 키스 자국을 내다. ② 《지방어》 막대 사탕.

suçotement [sysɔtmɑ̃] *m.* 조금씩 빨기.

suçoter [sysɔte] *v.t.* 조금씩 빨다, 할짝이다.

sucrage [sykʀaːʒ] *m.* 설탕을 넣기, 달게 하기, 가당(加糖).

sucrant, e [sykʀɑ̃, -ɑ̃ːt] *adj.* 달게 한, 단.

‡sucre [sykʀ] *m.* ① 설탕 : ~ en poudre 〔en morceaux, en tablette〕 가루설탕〔각사탕〕 / Combien de ~*s* dans votre café? 당신의 커피에 설탕을 얼마나 넣을까요? ② ⓐ 〖화학〗 당(糖) : ~ de fruit 〔de lait, de raisin〕 과〔유(乳)·포도〕당. ⓑ 〖생리〗 당 : ~ sanguin 혈당 / examiner le ~ des urines 소변의 당을 검사하다. ***casser du ~ du le dos*** 〔***la tête***〕 ***de*** qn …의 험담을 하다. ***être en ~*** 버티는 힘〔내구력〕이 거의 없다. ***être tout ~*** (***et***) ***tout miel*** (태도가) 매우 상냥〔유순〕하다. ***pain de ~*** 원뿔 모양의 설탕덩어리. ***~ des paroles*** 감언, 아첨하는 말.

sucré, e** [sykʀe] *adj.* ① 설탕〔당분〕이 든 ; (맛이) 단, 달콤한 : fruit bien ~ 아주 단 과일 / eau ~*e* 설탕물. ② (언사가) 달콤한 ; (태도·사람이) 알랑거리는 : air ~ 알랑거리는 기색〔표정〕. ***diabète ~ 〖의학〗 당뇨병. ── *n.* faire le ~ 〔la ~*e*〕 정다운 체하다, 양의 탈을 쓰고 있다. ── *m.* 단맛.

sucrer** [sykʀe] *v.t.* ① …에 설탕을 넣다 ; 달게 하다 : ~ qc avec du miel 꿀로 …에 단맛을 내다. ② 《구어》 취소하다, 몰수하다 : On lui *a sucré* son permis. 면허증을 몰수당했다. **~ *les fraises 《비어》 손을 떨다 ; 노망하다. ── **se ~** *v.pr.* ① 《구어》 (커피·차에) 제 손으로 설탕을 넣다. ② 《비유》 (분배에서 남을 제치고) 큰 몫을 차지하다, 크게 득을 보다.

sucrerie [sykʀəʀi] *f.* ① 제당 공장 ; 설탕 정제 공장. ② (흔히 *pl.*) 사탕과자 ; 단것.

sucrier, ère [sykʀije, -ɛːʀ] *adj.* 제당의 ; 설탕을 함유한 : industrie ~*ère* 제당 공업 / betterave ~*ère* 사탕무. ── *n.* 제당업자 ; 제당공. ── *m.* (식탁용) 설탕 그릇.

‡sud [syd] *m.* 《복수없음》 ① 남쪽, 남녘(≠ nord) ; 남방 ; 남부 : le 〔un〕 vent du ~ 남풍〔편(偏)남풍〕 / le *S*~ de la France 남프랑스 / Afrique du *S*~ 남아프리카 / se diriger vers le ~ 남쪽을 향해 나아가다. ② 〖해양〗 남풍. ***au ~*** 남쪽으로. ***au ~ de*** …의 남쪽〔남부〕에. ***la Croix du S~*** 〖천문〗 남십자성. ***vers le ~*** 남쪽을 향해서. ── *adj.* 《불변》 남쪽의, 남방의 : le pôle ~ 남극 / côté ~ de l'immeuble 건물의 남쪽.

sud-africain, e [sydafʀikɛ̃, -ɛn] *adj.* 남아프리카(l'Afrique du Sud). ***l'Union ~e*** 남아프리카 연방. ── **S~-A~** *n.* (*pl.* **~-~s**) 남아프리카 사람.

sud-américain, e [sydameʀikɛ̃, -ɛn] *adj.* 남아메리카(l'Amérique du Sud)의. ── *n.* **S~-A~** (*pl.* **~-~s**) 남아메리카 사람.

sudation [sydɑsjɔ̃] *f.* 〖의학〗 발한(發汗).

sudatoire [sydatwaːʀ] *adj.* 〖의학〗 땀을 내는, 발한성의. ── *m.* 증기욕, 한증.

sud-coréen, enne [sydkɔʀeɛ̃, -ɛn] *adj.* 한국의. ── **S~-C~** *n.* 한국 사람.

sud-est [sydɛst] *m.* 《복수없음》 동남, 남동 ; 동남〔남동〕부 : vent du ~ 남동풍 / l'Asie du *S~-E~* 동남아시아. ── *adj.* 《불변》 동남의 : région ~ 동남 지방.

sudorifique [sydɔʀifik] *adj.* 〖약학〗 발한시키는. ── *m.* 발한제.

sudoripare [sydɔʀipaːʀ] *adj.* 〖해부〗 발한(發汗)하는. ***glande ~*** 땀샘, 한선(汗腺).

sud-ouest [sydwɛst] *m.* 《복수없음》 ① 서남, 남서 ; 서남〔남서〕부. ── *adj.* 《불변》 서남의 : région ~ 남서 지방.

sud-sud-est [sydsydɛst, 〖해양〗 sysyɛ] *m.* 《복수없음》 남남동 ; 남남동풍〔지방〕. ── *adj.* 《불변》 남남동의.

sud-sud-ouest [sydsydwɛst, 〖해양〗 sysyʀwa] 〖해양〗 *m.* 《복수없음》 남남서 ; 남남서풍〔지방〕. ── *adj.* 《불변》 남남서의.

Suède [sɥɛd] *n.pr.f.* 스웨덴. ── **s~** 쉬에드 가죽《특히 장갑 제조용》.

suédé, e [sɥede] *adj.* 쉬에드 가죽 같은 : tissu ~ 쉬에드 피륙. ── *m.* 쉬에드 가죽(= cuir ~).

suédine [sɥedin] *f.* 쉬에드 가죽 비슷한 피륙.

***suédois, e** [sɥedwa, -aːz] *adj.* 스웨덴(*la Suède*)의 : mobilier ~ 스웨덴 가구. ── **S~** *n.* 스웨덴 사람. ── *m.* 스웨덴어.

suée [sɥe] *f.* 땀흘림 ; 식은땀, 진땀 : attraper une bonne ~ à+*inf.* …하는 데 진땀을 빼다 / avoir une rude ~ 등골이 오싹해지다 / avoir 〔prendre〕 une ~ 식은 땀을 흘리다.

suer** [sɥe] *v.i.* ① 땀을 흘리다(= transpirer) : ~ à grosses gouttes 구슬 같은 땀을 흘리다 / chaleur qui fait ~ 땀이 나는 더위, ② 땀흘려 일하다, 수고하다(= peiner) : Il *a* bien *sué* sur ce travail. 그는 그 일을 하는 데 무진 애를 썼다. ③ (벽 따위가) 물기가 스며나오다 : Les murs *suent.* 벽에 습기가 찬다. ***faire ~ qn …에게 고된 일을 시키다 ; …을 귀찮게 하다, …을 진절머리나게 하다 : Il *me fait suer* avec ses histoires de pêche. 그의 낚시 이야기에는 진저리가 난다. ***se faire ~*** 《속어》 싫증나다 ; 귀찮다, 지긋지긋하다. ***~ à***+*inf.* …하려고 애쓰다. ── *v.t.* 발산하다, 드러내다(= exhaler) : maison qui *sue* la

S

misère 가난의 티가 나는 집. ~ ***l'ennui*** (사람·사물이) 아주 따분해 보이다. ~ ***l'orgueil*** 아주 거만해 보이다. ~ ***sang et eau*** 피땀 흘려 일하다, 피나는 노력을 하다.

***sueur** [sɥœːʀ] *f.* ① ⓐ 땀 ; 식은땀 : être ruisselant de ~ 땀이 비오듯 흐르다 / Cela me donne des ~*s* froides. (공포 따위로) 식은땀이 나는구나. ⓑ (흔히 *pl.*) 수고, 노력(= travail, effort) : vivre de la ~ du peuple 백성의 피땀으로 살다 / le fruit de mes ~*s* 내 땀의 결정. ② 발한, 땀흘림(= suée, transpiration).

suffire** [syfiːʀ] [31] *v.i.* 족하다, 충분하다 : Un seul peut ~. 한 사람이면 족하다 / Cela ne *suffit* pas. 그것만으로는 충분치 못하다. ***Ça suffit !; 《구어》 ***Ça suffit comme ça !*** 그만 해 둬! (이제 지긋지긋하다).
— *v.t. ind.* ① 《~ à》 ⓐ (사물이) …에 족하다, 충분하다 : Cela *suffit à* mon bonheur. 그것이면 내 행복에 충분하다. ⓑ (사람이) …을 충족시키다 : Il pouvait ~ *à* tous ses besoins. 그는 그의 모든 욕구를 충족시킬 수 있었다. ② 《~ à 〔pour〕 qc 〔+*inf.*〕》 …하기에 족하다〔충분하다〕 : Trois jours lui *suffiront pour* ce travail. 그가 이 일을 마치는 데 사흘이면 족할 것이다 / Cela ne me *suffit* pas *pour* vivre. 그것으로는 살아가기에 부족하다 / Cette somme *suffit à* payer mes dettes. 이 돈이면 내 빚을 갚기에 충분하다. ③ 《~ pour que+*sub.*》 …하기 위해서는 …이면 족하다〔충분하다〕 : Les moutons sont timides... le moindre bruit extraordinaire *suffit pour qu'*ils se précipitent. 양들은 겁이 많다. 조금만 이상한 소리가 나도 그놈들은 달아난다. ***À chaque jour suffit sa peine*** 〔***sa tâche***〕. 하루의 수고는 그 날로 족하니라《마태복음 6:34》.
— *v. impers.* ① 《Il suffit (à qn) de+*inf.*》 *Il* lui *suffit d'*être tranquille. 그는 조용히 지낼 수 있으면 족하다 / *Il* ne *suffit* pas *d'*avoir de l'argent pour être heureux. 행복해지기 위해서는 돈만으로는 족하지 않다. ② 《Il suffit (à qn) que+*sub.*》 *Il* me *suffit que* vous m'aimiez 〔m'aimez〕. 당신이 저를 사랑한다는 것만으로 저에겐 족해요. ***Il suffit !;*** 《구어》 ***Suffit !*** 그만 해.
— **se** ~ *v.pr.* 자기만으로 충분하다, 자족하다 ; 자활〔자립〕하다 : pays qui *se suffit* à lui-même 자급자족 국가.

suffisamment** [syfizamɑ̃] *adv.* 충분히, 넉넉히. ~ ***de …을 충분히 : J'ai ~ *de* bien 〔J'ai *du* bien ~〕 pour vivre. 나는 생활에 부족함이 없다〔살 만큼 재산을 충분히 가지고 있다〕.

suffisance [syfizɑ̃ːs] *f.* ① 충분함 : manger à sa ~ 배불리 먹다. ② 자만, 거만, 건방짐 : un air de ~ 거만한 기색. ***à*** 〔***en***〕 ~ 충분히. ***avoir*** (***sa***) ~ ***de*** qc …을 흡족히 가지다. ***homme de*** ~ 유능한 사람.

***suffisant, e** [syfizɑ̃, -ɑ̃ːt] *adj.* ① ⓐ 충분한, 넉넉한(≠ insuffisant) : C'est bien ~. 그것으로 충분하다. ⓑ 《~ pour qc 〔+*inf.*〕》 …에〔하기에〕 충분한 : Cette somme est ~*e pour* couvrir vos frais de déplacement. 그 금액으로 당신의 여비를 충당하는 데 충분합니다 / Deux années sont ~*es pour* achever ce travail. 그 일을 마치는 데 2년으로 충분하다. ② 거만한, 건방진, 거드름 피우는 : ton 〔air〕 ~ 거만한 어조〔태도〕.

suffixation [syfiksɑsjɔ̃] *f.* 〖언어〗 접미사에 의한 파생어 형성.

suffixe [syfiks] 〖언어〗 *m.* 접미사. — *adj.* 접미의.

suffixer [syfikse] *v.t.* …에 접미사를 붙이다.

suffocant, e [syfɔkɑ̃, -ɑ̃ːt] *adj.* ① 숨막히는, 질식시키는 : chaleur ~*e* 숨막힐 듯한 더위 / gaz ~ 질식 가스. ② 기가 막히는 : révélations ~*es* 아연실색할 폭로.

suffocation [syfɔkɑsjɔ̃] *f.* 숨막힘, 호흡 곤란 : crise de ~ (발작으로 인한) 호흡 곤란 / avoir des ~*s* 호흡 곤란이 일어나다.

suffoquer [syfɔke] *v.t.* ① 숨막히게 하다, 질식시키다 : Les sanglots la *suffoquaient.* 그녀는 오열로 숨이 막힐 것 같았다 / chaleur qui *suffoque* 숨막히게 하는 더위. ② (격심한 감정이) 숨막힐 지경으로 만들다, 기가 막히게 하다 : Son culot nous *a suffoqués.* 그녀의 뻔뻔스러움에 모두 기가 막혔다 / La colère le *suffoquait.* 그는 화가 나서 씨근거리고 있었다. — *v.i.* ① 숨막히다, 질식하다 : On *suffoquait* dans cette pièce surchauffée. 그 방은 너무 더워 숨이 막힐 지경이었다. ② (격심한 감정으로) 숨이 막힐 지경이다, 기가 막히다 : ~ de colère 숨이 막히도록 분개하다, 화가 나서 씨근거리다.

suffragant [syfʀagɑ̃] *adj.* 〖가톨릭〗 대주교에게 종속되는, 보좌의. — *m.* 〖가톨릭〗 대주교 소속 교구〔주교〕. — *n.* (회의·논문 심사 등에서) 투표권을 가진 사람.

suffrage [syfʀaːʒ] *m.* ① 투표 ; 표(= voix) : obtenir la majorité des ~*s* 표의 과반수를 얻다 / ~*s* exprimes 유효 투표. ② 선거 (방법) : ~ direct 〔indirect〕 직접〔간접〕 선거 / ~ universel 보통 선거. ③ 찬성, 동의(= approbation) : obtenir les ~*s* du public 공중(公衆)의 찬동을 얻다.

***suggérer** [sygʒeʀe] [6] *v.t.* ① 《~ qc à qn》 …에게 …을〔하는 것을, 이라는 것을〕 암시하다, 넌지시 비추다 ; 제안〔제의〕하다 : C'est lui qui *nous a suggéré* ce projet. 그가 우리에게 그 계획을 넌지시 비추었다 / ~ une idée à qn …에게 힌트〔암시〕를 주다. ② 《사물이 주어》 머리에 떠오르게 하다, 연상시키다 ; 불러일으키다(= évoquer) : Ce paysage *suggère* mon pays natal. 이 풍경은 내 고향을 연상하게 한다 / poème qui *suggère* des sentiments nobles 숭고한 감정을 불러일으키는 시(詩).

suggestif, ive [sygʒɛstif, -iːv] *adj.* ① 암시적인 ; 연상케 하는 : musique ~*ive* 무언가를 연상케 하는 음악. ② 선정적인, 외설의 : photo ~*ive* 선정적인 사진.

***suggestion** [sygʒɛstjɔ̃] *f.* ① 암시, 힌트 ; 제안, 제의(= proposition) : faire une ~ 어떤 일을 제안하다. ② 《문어》 시사(示唆) ; 〖법률〗 교사(敎唆). ③ 〖심리〗 암시 작용 : ~ hypnotique 최면 암시.

suggestionner [sygʒɛstjɔne] *v.t.* …에게 암시를 주다, 생각을 불어넣다. — **se** ~

v.pr. 고정관념에 사로잡히다, 망상을 품다.

suicidaire [sɥisidɛːʀ] *adj.* ① 자살의 ; 자살할 우려가 있는 : mélancolique ~ 자살할 위험이 있는 우울증 환자. ② 《비유》 자멸적인 ; 자포자기적인 : entreprise ~ 자멸을 초래하는 기획.

suicide [sɥisid] *m.* ① 자살 (행위) : une tentative de ~ 자살 기도 / faux ~ 자살 미수. ② 자멸 (행위) : ~ économique d'un pays 한 나라의 경제적 자멸. ***C'est du ~.*** 《구어》 그건 자살 행위야.

suicidé, e [sɥiside] *n.* 자살자.

***suicider (se)** [səsɥiside] *v.pr.* 자살하다 ; 자멸하다 : *se* ~ de désespoir 절망한 나머지 자살하다.

suie [sɥi] *f.* ① 그을음, 검댕. ② 〖농업〗 깜부기(병), 흑수병.

suif [sɥif] *m.* ① (동물의) 비계, 지방, 기름 : du ~ de bœuf 쇠(고기) 기름 / ~ végétal 〔minéral〕 식물성〔광물성〕 기름. ② 《경멸》 (인간의) 지방. ***Boule de ~*** 비곗덩어리 《*Maupassant* 의 단편소설》.

suif(f)er [sɥife] *v.t.* …에 기름을 바르다〔칠하다〕.

sui generis [sɥiʒeneʀis] 〔라틴〕 *loc. adj.* 독특한, 특유한 : odeur ~ 독특한 냄새《흔히 나쁜 냄새의 완곡한 표현》.

suint [sɥɛ̃] *m.* (양의 몸에서 분비되어 양털에 섞여 있는) 방질액(肪質液).

suintement [sɥɛ̃tmɑ̃] *m.* (액체의) 스며나옴, 배어나옴, 삼출(滲出) ; 누출.

suinter [sɥɛ̃te] *v.i.* ① 스며〔배어〕나오다 ; (조금씩) 흐르다 : L'eau *suinte* à travers les rochers. 물이 바위 틈으로 스며나와 흐른다. ② (축축하게) 스며나오다, 새다 : plaie qui *suinte* 피가 스며나오는 상처.

suis [sɥi] ① être 의 직설 · 현재 · 1 · 단수. ② suivre 의 직설 · 현재 · 1〔2〕 · 단수 · 명령 · 2 · 단수.

Suisse[1] [sɥis] *n.pr.f.* 〖지리〗 스위스 : la ~ alémanique 〔italienne, romande〕 스위스의 독일어〔이탈리어 · 프랑스어〕 사용 지방.

Suisse[2]**, esse** [sɥis, sɥisɛs] *n.* 《지금은 여성 Suissesse는 비꼬는 말투에만 쓰이고 보통은 une dame 〔femme〕 Suisse》 스위스 사람. ── *m.* (*S*~ 또는 *s*~) ① 〖역사〗 (바티칸의) 스위스 호위 용병. ② (성당의) 예장(禮裝) 순경 ; (큰 저택 · 호텔 따위의) 수위. ***manger*** 〔***boire***〕 ***en ~*** 혼자 식사하다〔마시다〕《스위스 사람은 비사교적이라 함》.

***suisse** [sɥis] *adj.* 스위스의 : franc ~ 스위스 프랑. ── *m.* 스위스 원산의 흰 치즈 : petit ~ 크림으로 만든〔된〕 생치즈.

‡suite [sɥit] *f.* ① 수행원들, 일행들 ; 시종들 : le chef de l'État et sa ~ 국가 원수와 그 수행원. ② ⓐ 후속, 계속 ; 속편(續篇) : la ~ au prochain numéro 다음 호에 계속 / la ~ des événements 사건들의 그 뒤〔뒤에 일어난 일〕, 사건들의 후일담 / Le serveur nous apporta la ~. 웨이터가 다음 요리를 갖고 왔다. ⓑ 연속, 잇달음, 일련의 것 : Il a publié une ~ romanesque. 그는 연작 소설을 발표했다 / 《une ~ de+복수명사》 Il a eu *une ~ de* malheurs. 그에게는 불행이 잇달았다. ③ 결과 ; (*pl.*) 후유증 : la ~ de sa conduite 그의 행실이 빚어낸 일〔결과〕 / les ~*s* d'une maladie 병의 후유증 / mourir des ~*s* d'une blessure 부상당한 결과 죽다. ④ 실현, 실행 : projet qui n'a pas eu de ~ 실현되지 못한 계획. ⑤ 일관성, 맥락 : propos sans ~ 앞뒤가 맞지 않는〔두서없는〕 말 / avoir de la ~ dans les idées 생각에 일관성이 있다. ⑥ 〖수학〗 수열(數列) ; 〖음악〗 조곡(組曲). ⑦ (고급 저택 · 호텔의) 방 여럿이 잇따른 독실.

à la ~ 연달아, 계속해서: Nous avons vu trois films *à la* ~. 우리는 계속해서 영화 세 편을 보았다. ***à la ~ de*** ⓐ 《공간적》 …의 뒤에 : se mettre *à la ~ d'*une file d'attente 기다리는 줄 끝에 서다. ⓑ …을 하고 나서 : *À la ~ de* ce roman, il a publié un recueil de poèmes. 이 소설에 뒤이어 그는 시집을 출판했다. ⓒ …의 결과로, …이 원인이 되어 : Il s'était fait prêtre *à la ~ d'*un chagrin d'amour. 그는 사랑의 슬픔을 겪은 뒤 사제가 되었다. ***dans*** 〔***par***〕 ***la ~*** 그 후에, 그 뒤. ***de ~*** 계속해서, 연이어서 ; 즉시 (= tout de ~) : deux mois *de* ~ 두 달 계속해서. ***donner ~ à un projet*** 안(案)을 실천에 옮기다 ***et ainsi de ~*** 등등(等等), 이하 동〔같음〕. ***faire ~ à*** ⓐ 《공간적》 …의 뒤에 위치하다 : appartement *faisant ~ au* musée 미술관에 잇달아 위치한 아파트 ⓑ 《시간적》 …의 후에 일어나다 : vote qui *fait ~ à* une proposition 제안에 뒤이은 투표. ***par*** 〔***en***〕 ***~ de*** …의 결과로서 ; …에 비추어 : Ils se sont séparés *par ~ d'*un désaccord. 그들의 의견이 맞지 않아 헤어졌다. ***prendre la ~ de*** qn 〔qc〕 …의 뒤를 잇다, …을 계승하다. ***sans ~*** 일관성이 없는, 맥락 없는, 지리멸렬한. ***~ à votre lettre*** 귀하의 편지에 대한 답으로《답장의 서두에 사용하는 표현》. ***tout de ~*** 곧, 당장에 ; 《공간적》 바로 뒤에 : Partez *tout de* ~. 곧 떠나시오. ***tout d'une ~*** 단숨에.

***suivant**[1]**, e** [sɥivɑ̃, -ɑ̃ːt] *adj.* ① 다음의 : la personne ~*e* 다음 사람 / le dimanche ~ 다음 일요일 / l'exemple ~ 다음〔아래〕 예(문) / au chapitre ~ 다음 장(章)으로. ② 《대명사적으로》 다음 사람〔것〕 : Au ~ ! 〖학교〗 다음 사람〔차례〕 / Notre méthode est la ~*e*. 우리의 방법은 다음과 같다.

suivant**[2] [sɥivɑ̃] *prép.* 《다음 말과 [t]로 연음함》 ① …에 따라서〔따르면〕, …에 의하여〔의하면〕 : ~ son habitude 그의 습관 대로 / ~ le temps 날씨에 따라 / ~ le cas 경우에 따라. ② (방향)을 따라서, …을 끼고 : ~ la ligne 줄을 따라서. ***~ que+*ind.* …(함)에 따라 : *S~ qu'*on m'aime ou hait, j'aime ou hais à mon tour. 남에게서 사랑을 받느냐 미움을 받느냐에 따라 나도 사랑하거나 또는 미워한다.

suiveur [sɥivœːʀ] *m.* ① (사상 · 운동 따위의) 추종자, 모방자. ② 경주자들의 뒤를 따라가는 관계자《보도진 등》.

suivi, e [sɥivi] *adj.* ① (이야기 · 정책 따위가) 일관성 있는 ; 조리(가) 닿는 : histoire ~*e* 일관성 있는 이야기. ② (수요 · 교통 따위가) 끊이지 않는, 계속되는 : relations ~*es* 오래 지속되는 관계. ③ 관객〔청중 · 수

S

강생〕이 많이 모이는, 인기 있는 : un cours très ~ 수강생이 매우 많은 강의. ── *m.* 추적 조사.

suivisme [sɥivism] *m.* 추종, 맹종(적인 태도).

suiviste [sɥivist] *adj.* et *n.* 맹종하는 (사람).

‡suivre [sɥiːvʀ] [36] *v.t.* ① 뒤따르다, 따라가다〔오다〕; 따라다니다, 수행하다 ; …의 뒤를 밟다, 뒤쫓다, 추적하다 : ~ qn dans la tombe …을 뒤따라 죽다 / Sa femme le *suit* dans tous ses voyages. 그의 아내는 그가 여행하는 곳마다 따라다닌다 / Son image me *suit* toujours. 그의 영상이 언제나 눈앞에 어른거린다 / faire ~ qn …의 뒤를 밟게 하다, …을 감시하게 하다 / Il *était suivi* de son secrétaire. 그는 비서를 대동하고 있었다. ② 지켜보다, …에서 눈을 떼지 않다, 주시하다 : médecin qui *suit* un malade 환자의 병세를 지켜보는 의사. ③ (길 · 강을) 따라가다 : ~ un sentier 오솔길을 따라가다 / ~ le droit chemin 곧은 길을 곧장 가다 ; 정도(正道)를 따르다. ④ (행동 · 유행 따위를) 따르다, 본받다 ; 추종하다 : ~ la mode 유행을 따르다. ⑤ (법칙 · 지령 · 본능 · 습관 따위에) 따르다 : ~ sa fantaisie 기분에 따르다 / ~ ses passions 정열에 몸을 내맡기다 / Personne ne vous *suivra* dans votre décision. 아무도 당신 결정에 따르지 않을 것입니다. ⑥ (이야기 따위를) 따라가다, 이해하다 : Vous parlez trop vite, il est difficile de vous ~. 말을 너무 빨리 해서 알아들을〔따라갈〕 수가 없습니다 / *Suivez*-moi bien. 내 말을 잘 들으시오. ⑦ (강의 따위를) 계속 수강〔청강〕하다 ; …에 열심히 다니다 : ~ un cours 강의를 듣다, 계속 수강하다. ⑧ (프로그램 따위를) 계속 시청하다 : ~ un feuilleton à la télévision 텔레비전 연속극을 계속 시청하다. ⑨ (사업을) 수행하다 ; (직업에) 종사하다. ⑩ …의 다음에 오다, 뒤를 잇다, …에 잇따르다 ; (귀결로서) …이 따르다 : La nuit *suit* le jour. 낮이 가면 밤이 온다 / Sa maison *suit* la nôtre. 그의 집은 우리 집 다음에 있다 ⑪ 《목적보어 없이》 ⓐ 뒤따르다 : le volume qui *suit* 다음 권 / le jour qui *suivit* 그 다음날. ⓑ 주의 깊게〔열심히〕 듣다 : un élève qui ne *suit* pas en classe 수업 중 선생님의 말을 잘 듣지 않는 학생. ≪***À faire ~.***≫ ; ≪***prière de faire ~.***≫ 「전송(轉送)하여 주시압」《편지 겉봉에 쓰는 말》. ≪***À ~.***≫ (다음 호에) 「계속」. ***~ le mouvement*** 《구어》 남들처럼 하다. ***~ son cours*** 순조롭게 진전하다.

── *v.t. ind.* 《~ de》 (결과로) 생기다〔나오다〕 : malheurs qui *suivent de* la discorde 불화에서 오는 불행 / Cela *suit de* sa doctrine. 그것은 그의 설의 당연한 귀결이다.

── *v. impers.* ① 다음〔뒤〕에 오다. ② 《Il suit de qc》 결과가 생기다 : Que *s'en est-il suivi*? 그 결과 어떻게 됐나? / *Il suit de* là que votre ami vous a menti. 결과적으로 당신 친구가 당신에게 거짓말한 것이 됩니다. ***comme suit*** 다음과 같이.

── **se ~** *v.pr.* ① 계속〔차례차례〕 뒤를 잇다 : les numéros qui *se suivent* 잇따른 번호 / événements qui *se suivent* de près 잇따른 사건. ② 연결이 닿다, 앞뒤가 맞다, 일관성이 있다. ③ 《s'en ~》 《비인칭》 결과로서 생기다.

sujet**[1] [syʒɛ] *m.* ① (희로애락 · 다툼 따위의) 원인, 이유 : ~ de discorde 불화의 씨〔원인〕 / sans ~ 이유 없이. ② 주제, 제재, 소재 : ~ de conversation 화제 / Quel est le ~ de ce film? 이 영화의 주제가 무엇이냐? / ~ de thèse 논문의 주제. ③ (연구의) 재료 ; 교과목(敎科目). ④ 〖의학〗 (수술 따위를 받는) 환자 ; 피실험자. ⑤ 인물 : un brillant ~ 뛰어난 학생〔아이〕 / bon 〔mauvais〕 ~ 좋은〔나쁜〕 사람. ⑥ 〖언어〗 주어 ; 〖논리〗 주사(主辭) ; 〖철학〗 주체, 주관(≠ objet). ***à 〔***sur***〕 ***ce ~*** 이 점에 관해서(= à propos de) : Je suis venu vous voir *au ~ de* mon fille. 딸의 문제로 당신을 만나러 왔습니다. ***avoir ~ de***+*inf.* …할 만한 이유가 있다 : Vous n'*avez* pas *~ de* vous plaindye. 당신은 불평할 이유가 없습니다.

sujet[2]**, ette** [syʒɛ, -ɛt] *adj.* ① 종속된, 예속된 : provinces *~ettes* 속주(屬州). ② (법 · 명령 따위에) 따라야 하는 ; …을 면할 수 없는 : ~ à l'impôt 세금을 물어야 하는 / ~ à la mort 죽음을 면할 수 없는. ③ 자칫 …하기 쉬운〔일쑤인〕 ; …하는 경향〔버릇〕이 있는 : femme *~ette* au vertige 현기증이 잘 나는 여자 / ~ à la colère 성을 잘내는 / ~ à oublier 잘 잊어버리는, 건망증이 심한.

── *n.* 신하, 신민(臣民) ; 국민 : le roi et ses *~s* 왕과 그의 신하.

sujétion [syʒesjɔ̃] *f.* ① (지배 권력에의) 예속 ; (권위에의) 복종(= soumission) : ~ à la coutume 습관에의 예속. ② (의무적인) 구속, 속박(= contrainte) ; 책무 : emploi qui comporte une grande ~ 많은 구속이 따르는 일자리. ***se faire une ~ de***+*inf.* …할 의무를 지니다.

sulfatage [sylfataːʒ] *m.* 〖원예〗 (포도나무 따위에의) 황산구리 용액의 살포.

sulfate [sylfat] *m.* 〖화학〗 황산염. ***~ de cuivre*** 황산구리. ***~ de zinc*** 황산아연.

sulfater [sylfate] *v.t.* 〖원예〗 (포도나무 따위에 소독을 위해) 황산구리 용액을 뿌리다.

sulfateuse [sylfatøːz] *f.* ① 〖원예〗 황산구리 용액 살포기. ② 소형 경기관총.

sulfurage [sylfyʀaːʒ] *m.* (포도나무의 해충을 없애기 위해) 황화탄소를 토양에 주입하기.

sulfure [sylfyːʀ] *m.* 〖화학〗 황화물 : ~ de carbone 황화탄소 / ~ de fer 황화철.

sulfurer [sylfyʀe] *v.t.* ① 〖화학〗 황화하다, 황과 화합시키다. ② 〖원예〗 (해충 구제를 위해 포도밭에) 황화탄소를 뿌리다.

sulfureux, euse [sylfyʀø, -øːz] *adj.* ① (유)황질의, 황을 함유한 : source *~euse* 유황천(泉). ② 아황산의 : anhydride ~ 무수(無水)아황산.

sulfurique [sylfyʀik] *adj.* 황을 함유한. ***acide ~*** 황산.

sulky [sylki, sœlke] 〔영〕 *m.* 〖스포츠〗 말 한 필이 끄는 경주용 1 인승 2 륜마차.

sultan [syltɑ̃] *m.* 회교국 군주 ; 〖역사〗 터키 황제.

sultanat [syltana] *m.* 회교국 군주의 왕위〔치세〕.

sultane [syltan] *f.* ① 회교국 왕비. ② 《옛》

S

터키 전함(戰艦).

summum [sɔ(m)mɔm] *m.* 최고도, 절정(= apogée, sommet), 극치 : être au ~ de la gloire 최고의 영예를 누리고 있다.

sunna [synna] *f.* 순낫《마호메트의 언행에 기초를 둔 구전(口傳) 회교 교전(教典)》; 정통 회교.

sunlight [sœnlajt] 〔영〕 *m.* (영화 촬영용) 라이트.

sunnisme [synism] *m.* (순낫을 존중하는) 정통 회교도파.

sunnite [sy(n)nit] *n.* et *adj.* (순낫을 존중하는) 정통 회교도(의).

super[1] [sypɛ:ʀ] *m.* 《구어》 = supercarburant.

super[2] *adj.* 《불변》 〖구어〗 고급의 ; 멋진, 훌륭한 : C'est ~! 굉장하군!, 멋지군!

super- *préf.* 「위의, 초월한, 뛰어난, 이상」의 뜻.

***superbe** [sypɛʀb] *adj.* ① 눈부시게 아름다운, 화려한 ; 멋진, 기막힌 : femme ~ 눈부실 정도의 미인 : appartement 멋진 아파트 / vue ~ 기막힌 전망. ② 굉장한, 훌륭한, 아주 좋은(= excellent) : Situation ~ 더할 나위 없이 좋은 상황. ③ 《être ~ de+명사》 완전히〔전적으로〕 …하다 : Il *était* ~ *d'*indifference. 그는 놀라울 정도로 냉담했다. ── *f.* 《문어》 오만, 교만.

superbement [sypɛʀbəmɑ̃] *adv.* 화려하게, 훌륭하게 ; 오만하게.

supercarburant [sypɛʀkaʀbyʀɑ̃] *m.* (옥탄가(價)가 80 이상인) 고급 휘발유(《약자》 super).

superchampion, onne [sypɛʀʃɑ̃pjɔ̃, -ɔn] *n.* 여러 차례 우승한 슈퍼 챔피언.

supercherie [sypɛʀʃəʀi] *f.* 사기, 협잡 : user de ~ 사기치다, 속임수를 쓰다.

supérette [sypeʀɛt] *f.* 소형 슈퍼마켓 《supermarché 보다 작은 규모로 주로 식료품 판매에 주력함》.

superfétation [sypɛʀfetɑsjɔ̃] *f.* ① 〖생리〗 과수정(過受精). ② 쓸데없는 중복, 사족(蛇足).

superfétatoire [sypɛʀfetatwa:ʀ] *adj.* 중복된, 쓸데없는 ; 사족의.

***superficie** [sypɛʀfisi] *f.* ① (물체의) 표면(= surface) : ~ da la terre 지표(地表). ② 면적 : mesurer la ~ d'un terrain 토지의 면적을 측량하다. ③ 《문어》 (사물의) 겉, 피상 (= aspect ; ≠ fond) : Son savoir est tout en ~. 그의 지식은 순전히 피상적일 뿐이다.

***superficiel, elle** [sypɛʀfisjɛl] *adj.* ① 표면의 ; 표면만의, 얕은 : une blessure 〔plaie〕 ~*elle* 외상(外傷). ② 천박한, 피상적인(≠ exhaustif, approfondi) : esprit ~ 천박한 사람 / connaissance ~*elle* 피상적인 지식.

superficiellement [sypɛʀfisjɛlmɑ̃] *adv.* ① 표면적으로, 표면상. ② 천박하게, 피상적으로.

superfin, e [sypɛʀfɛ̃, -in] *adj.* (상품이) 최상품의, 극상 품질의《주로 광고 문구》.

***superflu, e** [sypɛʀfly] ── *adj.* ① 여분의, 남아도는, 잉여의(= de trop) : biens ~s 여분의 재산 / personnel ~ 남는 인원〔사람〕. ② 필요 이상의, 쓸데없는(= inutile) : dépense ~*e* 쓸데없는 지출 / propos ~*s* 군더더기 말 / précautions ~*es* 지나친 조심. ③ 헛된, 무익한 : efforts ~*s* 헛된 노력. ── *m.* ① 여분, 잉여. ② 필요 이상의 것, 쓸데없는 것. ③ 사치(= luxe) : mépriser le ~ 사치를 멸시〔배격〕하다.

superfluité [sypɛʀflɥite] *f.* ① 여분, 과잉. ② (*pl.*) 쓸데없는 것, 여분의 재산.

super-grand [sypɛʀgʀɑ̃] *m.* (*pl.* **~-~s**) 《구어》 ① 초강대국《미 · 소 · 중》. ② 거대기업.

‡supérieur, e [sypeʀjœ:ʀ] *adj.* ① ⓐ 다른 것보다 위의, 상위〔상부〕의(≠ inférieur) : étages ~*s* 위층, 높은 층 / partie ~*e* 상부. ⓑ 《~ à》 …보다 높은, 보다 나은, 보다 우월한, …을 능가하는 : tempéreature ~ *à* la normale 정상보다 높은 온도 / intelligence ~*e* 탁월한 지성. ② (수 · 양 · 질이) 우세한, 우량한, 고급〔상등〕의 : étoffe de qualité ~*e* 상질의 천 / ennemi ~ *en* nombre 수적으로 우세한 적. ③ ⓐ (서열 · 정도가) 높은, 고등의, 상급의 ; 우위〔상위〕의 ; 상류의 : classes ~*es* de la société 사회의 상류층〔계급〕/ enseignement ~ 고등 교육. ⓑ (강의) 상류의 : le Rhône ~ 론강 상류. ④ 거만〔오만〕한 (= arrogant) : sourire ~ 거만한 미소. ⑤ 진화한, 고등의 : animaux ~*s* 고등동물 / végétaux ~*s* 고등식물. ── *n.* ① (소질 · 공적 · 지위 따위가) 위인〔나은〕 사람, 상위자, 상관. ② 〖종교〗 수도원〔수녀원〕장 ; 고위 성직자.

supérieurement [sypeʀjœʀmɑ̃] *adv.* 뛰어나게, 탁월하게, 훌륭하게 : chanter ~ 아주 멋지게 노래하다 / être ~ doué 뛰어난 재능을 타고나다.

supériorité [sypeʀjɔʀite] *f.* ① 상위, 상급 : ~ d'âge (나이로서) 손위, 연장. ② 우위, 우월 ; 탁월, 우량 : L'ennemi avait la ~ numérique. 적은 수적으로 앞서 있었다. ③ 우월감, 거만, 오만 : air de ~ 거만한 모습 / avoir le sentiment de sa ~ 우월감을 갖다.

superlatif, ive [sypɛʀlatif, -i:v] *adj.* ① 〖문법〗 최상급의 : adjectif ~ 최상급 형용사. ② 《비유》 극도의 ; 과장된 : compliments ~*s* 과장. ── *m.* ① 〖문법〗 최상급. ② 과장된 표현. ***au*** ~ 매우, 극히.

super(-)léger [sypɛʀleʒe] *m.* (*pl.* **~(-)~s**) 〖스포츠〗 ① (권투의) 슈퍼라이트급. ② (권투의) 슈퍼라이트급 선수.

superman [sypɛʀman] 〔미〕 *m.* (*pl.* ***-men*** [-mɛn]) 슈퍼맨, 초인(超人).

***supermarché** [sypɛʀmaʀʃe] *m.* 슈퍼마켓.

superphosphate [sylpɛʀfɔsfat] *m.* 〖농업〗 과린산(過燐酸)비료.

superposable [sypɛʀpozabl] *adj.* 겹쳐 놓을 수 있는.

superposer [sypɛʀpoze] *v.t.* 겹쳐〔포개〕 놓다 : ~ la pierre à la pierre 돌에 돌을 포개 놓다 / ~ des livres 책을 쌓아올리다. ── **se** ~ *v.pr.* 서로 겹치다 ; 포개지다 ; 중첩되다 : Divers souvenirs *se superposent.* 갖가지 추억들이 겹쳐져 떠오른다.

superposition [sypɛʀpozisjɔ̃] *f.* 겹쳐〔포개〕 놓기 ; 겹치기 ; 누적 ; 〖영화〗 이중 노출.

super-préfet [sypɛʀpʀefɛ] *m.* (행정 관청의) 특별 감사원.

S

super-production [sypɛʀpʀɔdyksjɔ̃] 〔영〕 *f.* 〖영화〗 초대작(超大作).

superprofit [sypɛʀpʀɔfi] *m.* 막대한 이윤; 초과 이윤.

super-puissance [sypɛʀpɥisɑ̃:s] *f.* (*pl.* **~-~s**) 초강대국(= super-grand).

supersonique [sypɛʀsɔnik] *adj.* 〖물리〗 초음속의: avion ~ 초음속 비행기 / onde ~ 초음파.

superstar [sypɛʀsta:ʀ] 〔영〕 *f.* (영화·텔레비전 따위의) 슈퍼스타.

supersttieux, euse [sypɛʀstisjø, -ø:z] *adj.* ① 미신적인, 미신을 믿는: homme ~ 유달리 미신을 믿는 남자. ② 《구어》 (규칙 따위를) 맹목적으로 신봉하는: observateur ~ d'une règle 규칙을 지나치게 꼬박꼬박 지키는 사람. ── *n.* 미신가.

superstition [sypɛʀstisjɔ̃] *f.* ① 미신, 미신적인 생각〔습관·행위〕. ② 《구어》 맹목적 신봉〔애착·집착〕: avoir la ~ de qc …에 (대해서) 지나치게〔맹목적으로〕 집착하다.

superstructure [sypɛʀstʀykty:ʀ] *f.* ① 〖건설·토목〗 (토대·교각 위의) 상부 구조(물); 〖철도〗 상구(上構)《레일·침목·전철기 따위》; 〖해양〗 (갑판 위의) 상부 구조(물). ② 〖철학〗 (경제적 토대 위에 서는 사회 조직의) 상부 구조《마르크스주의 용어》.

superviser [sypɛʀvize] *v.t.* 감독하다(= contrôler); 감수(監修)하다. 「수자.

superviseur [sypɛʀvizœʀ] *m.* 감독자; 감

supervision [sypɛʀvizjɔ̃] *f.* 감독; 감수.

supin [sypɛ̃] *m.* 〖문법〗 (라틴 문법의) 동사성 명사, 목적 분사.

supination [sypinɑsjɔ̃] *f.* ① 번듯이 누운 모양, 앙와(仰臥): en ~ 번듯이 누워서. ② 손바닥을 위로 향하기, 외전(外轉).

supplanter [syplɑ̃te] *v.t.* ① (남을 밀어내고) 대신 들어앉다, …의 자리를 빼앗다(= évincer): ~ un rival 경쟁 상대의 지위를 빼앗다. ② …을 대신하다, …에 대체되다(= éliminer): L'ordinateur *a supplanté* la machine à écrire. 타이프라이터는 컴퓨터로 대체되었다.

suppléance [sypleɑ̃:s] *f.* (직책·임무의) 대행, 대리: obtenir une ~ de qn …의 대리로 임명되다 / remplir une ~ 대리를 맡아보다.

suppléant, e [sypleɑ̃, -ɑ̃:t] *n.* 대리인; 〖연극〗 대역. ── *adj.* 대리의: juge ~ 대리판사.

S

suppléer [syplee] *v.t.* ① 보충하다, (부족한 것을) 채우다, 메우다: ~ un manque 〔une lacune〕 부족한 것을 메우다 / ~ le reste 나머지를 채우다. ② …의 대신 일하다, 대리를 보다: se faire ~ 대리를〔대신을〕 찾아내다〔발견하다〕. ── *v.t. ind.* 《~ à》 …의 부족을 채우다〔메우다, 보충하다〕: ~ *à* une vacance 〔un poste vacant〕 공석을 메우다 / ~ au manque d'effectifs en engageant des intérimaires 스탭의 부족을 임시 직원을 고용하여 보충하다. ── **se ~** *v.pr.* ① 보충되다. ② 대리가 되다; 서로 대신하다.

supplément** [syplemɑ̃] *m.* ① 보충; 부가, 추가: ~ de travail 추가 근무. ② (책의) 보유(補遺), 증보; (신문 잡지의) 부록: littéraire à un journal 신문의 문예 부록. ③ (급료 따위의) 추가분, 증액; 추가 요금(표), 할증 요금: ~ pour excédent de bagages 하물 초과 운임. ④ 〖기하〗 보각(補角)(= ~ d'un angle). ***en ~ 부가〔추가〕로.

***supplémentaire** [syplemɑ̃tɛ:ʀ] *adj.* ① 보충의; 추가〔부가〕의: heures ~*s* (de travail) 초과 근무 시간 / train ~ 임시 증편 열차. ② 〖기하〗 보각(補角)을 이루는: angles ~*s* 보각.

supplémentairement [syplemɑ̃tɛʀmɑ̃] *adv.* 추가로; 게다가, 더욱이.

supplémenter [syplemɑ̃te] *v.t.* ① 추가 요금을 부과하다: ~ un billet 추가 요금을 받고 상등 좌석표로 고쳐 주다. ② (식품에) 첨가하다: lait *supplémenté* en vitamines 비타민을 첨가한 우유.

supplétif, ive [sypletif, -i:v] *adj.* 보충의, 추가〔부가〕의: forces ~*ives* 보충 부대. ── *m.* 보충병.

suppliant, e [syplijɑ̃, -ɑ̃:t] *adj.* 애원하는, 탄원하는: voix ~*e* 애원하는 듯한 목소리. ── *n.* 애원자, 탄원자.

supplication [syplikɑsjɔ̃] *f.* 애원, 탄원: Il a été condamné malgré les ~*s* de sa famille. 가족들의 탄원에도 그는 유죄를 선고받았다.

supplice [syplis] *m.* ① 체형(體刑); 사형(= dernier ~); 형벌: ~*s* du fouet 태형(笞形) / ~ du gibet 교수형 / condamner qn au ~ …을 사형에 처하다 / ~ chinois 잔혹한 형벌. ② (육체적·정신적) 심한 고통〔괴로움〕: éprouver le ~ de la jalousie 질투의 고뇌에 시달리다 / Sa présence était pour moi un ~. 그녀가 있는 것이 나에게는 고통이었다. ③ 처형장: mener qn au ~ …을 형장으로 끌고 가다. ***être au ~*** 심한 고통을 겪다, 몹시 괴로운 처지에 있다〔애를 태우다〕. ***mettre*** qn ***au ~*** …을 괴롭히다. ***~ de Tantale*** (뜻을 이루지 못하는) 안타까운 고통, 애타는 괴로움. **~(*s*)** ***éternel*(*s*)** 지옥의 괴로움.

supplicié, e [syplisje] *adj.* et. *n.* 체형〔고문〕이 가해진 (사람).

supplicier [syplisje] *v.t.* ① 체형〔고문〕을 가하다. ② 《문어》 몹시 괴롭히다.

supplier** [syplije] *v.t.* …에게 애원〔탄원〕하다: Je vous supplie de me pardonner. 제발 저를 용서해 주세요. ~ qn ***de+*inf.* 〔***que*** +*sub.*〕 …에게 …해 달라고 간청〔부탁〕하다: Je vous *supplie de* me pardonner. 제발 저를 용서해 주십시오 / Elle *a* même *supplié* qu'on ne lui écrivît pas. 그녀는 편지도 써 보내지 말라고 부탁했다. ***Je vous en supplie.*** 제발 (부탁입니다).

supplique [syplik] *f.* ① 《문어》청원, 탄원, 청탁·의뢰. ② 탄원서, 청원서.

support [sypɔ:ʀ] *m.* ① 버티는〔받치는〕 물건, 받침, 버팀; 〖건축〗 버팀목; 지주(支柱); (도구·기계의) 대(臺), 대좌(臺座): ~ d'une statue 조각상의 받침대 / ~*s* de charpente 골조(骨彫)의 지주. ② 〖상업〗 광고 매체〔수단·기관〕《텔레비전·영화·신문·라디오 따위의 상업 광고에 이용되는 매체》: ~ publicitaire 광고 매체 / ~ (d'une information) 정보 저장 매체. ③ 〖미술〗 화포(畫布), 화선지, 목판: ~ d'un dessin 데생

의 화지(畵紙).

supportable [sypɔʀtabl] *adj.* ① 견딜 수 있는, 참을 수 있는 : douleur 〔peine〕 ~ 참을 만한 고통. ② (태도 따위가) 용서〔용인〕할 수 있는 : Sa conduite n'est pas ~. 그의 행위는 용서할 수 없다. ③ 그만하면 괜찮은〔쓸만한〕(= acceptable, passable).

***supporter**[1] [sypɔʀte] *v.t.* ① 떠받치다, 받치다, 받들다(= soutenir) : poutres qui *supportent* le plafond 천장을 지탱하는 대들보. ② (비용을) 부담하다 ; (생활을) 유지하다 ; (결과의 책임을) 짊어지다 : ~ une dépense 지출을 부담하다 / ~ la responsabilité 책임을 지다. ③ ⓐ 참(아 내)다, 견디(어 내)다 : Il *supporte* ses malheurs sans se plaindre. 그는 묵묵히 불행을 견디어 내고 있다 / Je ne peux pas ~ ce type. 나는 저 녀석이라면 참을 수 없다. ⓑ 허용하다, 용인〔용서〕하다(= tolérer, admettre) : On ne saurait ~ une telle insolence. 그런 무례함은 용인할 수 없다. ⓒ 《~ de+*inf.* 〔~ que+*sub.*〕》 …라는〔하는〕 것을 견디다〔참다〕 : Il ne *supporte* pas *d'*être interrompu. 그는 남이 말을 가로막는 것을 참지 못한다 / Il ne *supporte* pas *qu'*on le fasse attendre. 그는 사람들이 그를 기다리게 하는 것을 참지 못한다. ④ 《주어 : qc》 …에 저항력이 있다, 감당해 내다 : verre qui *supporte* le feu 내화성 유리 / Le bateau *a* bien *supporté* la tempête. 배는 폭풍에 잘 견뎌 냈다. ⑤ 지원하다 ; 응원하다 : ~ un parti 당을 지원하다 / ~ une équipe 팀을 응원하다. — **se ~** *v.pr.* ① 참을〔견딜〕 수 있다. ② 서로 지탱해 주다.

supporter[2] [sypɔʀtɛ〔œ〕:ʀ] 〔영〕, **supporteur** [sypɔʀtœ:ʀ] *m.* (정치·사상 따위의) 지지자 ; 〖스포츠〗 (선수·팀의) 후원자, 응원자.

supposé, e [sypoze] *adj.* ① 가정된, 상정(想定)된 : l'auteur ~ d'un tableau 그림의 추정 작자. ② 거짓의, 가짜의 : testament ~ 허위 유언. — *prép.* …으로 가정하면. ~ ***que***+*sub.* …라고 가정한 경우에, 가령 …라고 가정하더라도 : *Suppose que* ce soit vrai, que peut-on faire? 그것이 사실이라고 가정하고, 어떻게 하면 좋을까?

*****supposer** [sypoze] [1] *v.t.* ① 가정하다, 상정하다(= imaginer) : *Supposons* une ligne A-B. 직선 AB가 있다고 가정하자 / 《~ qc+속사》 ~ le problème rèsolu 문제가 해결된 것으로 가정하다 / 《~ que+*sub.* 〔*ind.*〕》 *Supposez que* vous ayez une maladie grave. 당신이 중병에 걸렸다고 가정해 보세요. ② 추정하다, 추측하다(= conjecturer, présumer) : 《~ qc à 〔chez〕 qn》 Vous me *supposez* des talents que je n'ai pas. 당신은 내게 있지도 않은 재능이 있다고 추측하시는군요 / 《~ qn 〔qc〕+속사》 On vous *suppose* averti. 사람들은 당신이 이미 알고 있었으리라고 생각합니다 / Il *est supposé* avoir compris. 그는 아마도 알아들었을 것이다 / 《~ que+*ind.*》《주절이 부정·의문이면 *sub.*》. Votre attitude laisse ~ *que* vous êtes fatigué. 당신 태도로 미루어 보아, 당신은 피곤하시군요 / Je ne *suppose* pas *qu'*il ait bientôt fini. 나는 그가 곧 일을 끝내 놓으리라고 생각되지 않습니다. ③ 전제로 하다 ; 필요조건으로 하다 : 《~ qc 〔que+*sub.* 〔*ind.*〕〕》 Les droits *supposent* les devoirs. 권리는 의무를 전제로 한다 / Réussir *suppose qu'*on a essayé. 성공은 시도(試圖)를 전제로 한다. ④ (가짜를 진짜로) 속여넘기다〔꾸미다〕 : ~ une signature 〖법률〗 서명을 위조〔날조〕하다. ***à ce qu'on suppose*** 추측하건대. ***à ~*** 〔***en supposant***〕 ***que***+*sub.* …라고 가정하고 : *À ~ que vous soyez* refusé à votre examen, que ferez-vous? 당신이 시험에 불합격한다고 가정할 경우 어떻게 하시겠습니까?
— **se ~** *v.pr.* ① 자기를 …라고 가정〔상상〕하다. ② 가정되다. ③ 서로 예상하다〔전제로 하다〕.

supposition** [sypozisjɔ̃] *f.* ① 가정, 가설 ; 가상, 추측 : Ce que vous dites là n'est qu'une simple 〔pure〕 ~. 당신이 그렇게 말하시는 것은 추측에 지나지 않습니다. ② 〖법률〗 (문서) 위조 ; (직함 따위의) 사칭(詐稱). ***Dans la ~ que+*ind.* …라고 가정할 경우에 : *dans la ~ qu'*il ne viendra pas avec vous 그가 당신과 같이 오지 않을 경우에. ***Une ~ que***+*cond.* 〔*sub.*〕 《구어》 …라고 가정하자 : *Une ~ que* vous soyez empêché de venir, prévenez-nous à temps. 당신이 오지 못하게 될 경우에는 제때에 우리에게 알려 주세요.

suppositoire [sypozitwa:ʀ] *m.* 〖약학〗 좌약(坐藥).

suppôt [sypo] *m.* 《문어》 (나쁜 일의) 앞잡이. ***~ de Bacchus*** 주정뱅이. ***~ de Satan*** 악인(의 부하).

suppression** [sypʀesjɔ̃] *f.* ① 제거, 삭제 : ~ d'un mur 벽의 철거 / faire des ~s dans un texte 문장의 여기저기를 삭제하다. ② 폐지 : ~ de la peine de mort 사형 제도 폐지. ③ 〖법률〗 (증거의) 인멸 : ~ de preuves 증거 인멸. ***~ d'état 〖법률〗 신분 정지. ***~ d'(un) enfant*** 〖법률〗 출생 인멸(죄).

***supprimer** [sypʀime] *v.t.* ① 제거하다, 삭제하다, 지우다 : ~ les obstacles 장애를 제거하다 / ~ un passage dans un discours 연설의 1절을 삭제하다 / Ce médicament *supprime* la douleur. 이 약은 통증을 없애 준다. ② 〖법률〗 (증거 따위를) 인멸하다 : ~ les preuves d'un crime 범죄의 증거를 인멸하다. ③ (법규·제도 따위를) 폐지하다 : ~ une loi 법률을 폐지하다 / ~ l'examen d'entrée 입학시험을 폐지하다. ④ 금지하다, 금하다 ; 취소하다(= enlever) : ~ un journal 신문의 발행을 금지하다 / ~ le permis de conduire à qn …의 운전면허를 취소하다. ⑤ 《속어》 (사람을) 없애 버리다, 죽여 버리다 : ~ un témoin gênant 《구어》 방해되는 증인을 영원히 없애 버리다〔죽이다〕.
— **se ~** *v.pr.* ① 삭제〔폐지〕되다. ② 《속어》 자살하다(= se suicider).

suppurant, e [sypyʀɑ̃, -ɑ̃:t] *adj.* 〖의학〗 화농하는, 곪는.

suppuratif, ive [sypyʀatif, -i:v] *adj.* 〖의학〗 화농성(性)의. — *m.* 〖약학〗 화농제.

suppuration [sypyʀasjɔ̃] *f.* 화농(化膿), 농

S

루(膿漏).

suppurer [sypyʀe] *v.i.* (상처·종기가) 곪다, 화농하다; 고름이 나오다: La plaie *suppure.* 상처가 곪는다.

supputation [sypytɑsjɔ̃] *f.* ① 계산, 산정(算定): ~ d'une dépense 비용의 산출. ② (장래에 대한) 예측, 예견: ~ de l'avenir 미래에 대한 예측.

supputer [sypyte] *v.t.* ① 계산〔산정·산출〕하다: ~ le coût d'une réparation 수리비를 계산해 보다. ② (장래·가능성 따위를) 따져 보다, 추정하다: ~ ses chances 성공의 가능성을 따져 보다.

supra [sypʀa] 〔라틴〕 *adv.* 전술한 대로, 앞서 언급한 바(=ci-dessus).

supraconducteur, trice [sypʀakɔ̃dyktœ:ʀ, -tʀis] *adj.* 〖물리〗 초전도성(超導電性)의. ── *n.* 초전도체.

supraconductivité [sypʀakɔ̃dytivite] *f.* 〖물리〗 초전도(율).

supra(-)national, e, aux [sypʀanasjɔnal, -o] *adj.* 초(超)국가적인, 국제적인: organisme ~ 초국가적 기구.

supranationalisme [sypʀanasjɔnalism] *m.* 초국가 기구 지지론, 국제화주의.

supranaturalisme [sypʀanatyʀalism] *m.* ① 초자연. ② 〖철학〗 초자연주의.

suprasensible [sypʀasɑ̃sibl] *adj.* 〖철학〗 초감각적인, 감각을 초월한.

supraterrestre [sypʀatɛʀɛstʀ] *adj.* 초현세의, 내세의: monde ~ 저승.

suprématie [sypʀemasi] *f.* 최고 권위; 우위, 패권, 주도권: avoir la ~ politique 정치적 주도권을 장악하다 / ~ de la raison sur les passions 정념에 대한 지성의 우위.

***suprême** [sypʀɛm] *adj.* ① 최고의, 최상의, 지상의; 지대한(=très grand): le chef ~ de l'État 국가 원수 / le pouvoir ~ 지상권(至上權) / bonheur ~ 최고〔지상〕의 행복; 〖종교〗 천당의 행복. ② 최고도의, 극도의: ~ habileté 극도의 교묘함 / arriver au ~ degré des honneurs 영예의 절정에 달하다. ③ 최후의(=dernier): ~ espoir 마지막 희망 / heure 〔moment〕 ~ 임종시 / honneurs ~*s* 장례.

suprêmement [sypʀɛmmɑ̃] *adv.* 최상으로, 최고도로(=extrêmement).

‡sur[1] [syʀ] *prép.* ① 《위치》 …의 위에; …의 표면에: s'asseoir ~ une chaise 의자 위에 앉다 / ~ mer et ~ terre 해상과 육상에서 / avoir un chapeau ~ la tête 모자를 쓰고 있다 / appuyer ~ un bouton 누름단추를 누르다 / Il y a un vase ~ la table. 테이블 위에 꽃병이 하나 있다. ② …의 몸에 지니고: avoir de l'argent ~ soi 돈을 제몸에 지니고〔가지고〕 있다 / Avez-vous des allumettes ~ vous? 성냥을 가지고 계십니까? ③ 《장소》 …에(서); …의 곁에, 연변에: une ville ~ la Seine 센 강변의 도시 / ~ la plage 해변〔강변〕에서 / Il neige ~ Paris. 파리에 눈이 내리고 있다. ④ 《주제》 …에 관하여: parler ~ un sujet 어떤 주제에 관하여 말하다 / ~ ce point 이 점에 관해서. ⑤ 《근거·기준》 …에 의하여, 의거하여: croire qn ~ parole 말만 듣고 …을 신용하다 / ~ mesure 치수에 맞추어 / juger qn ~ les apparences …을 외모로 판단하다 / Il est venu ~ mon invitation. 그는 나의 초청으로 왔다. ⑥ 《보증》 …을 내걸고, …의 이름으로: ~ ma parole 맹세코 / ~ mon honneur 내 명예를 걸고. ⑦ 《반복》 《무관사명사 + ~ + 무관사명사》 잇달아, 계속해서, 거듭하여: coup ~ coup 거듭거듭 / recevoir visite ~ visite 연이은 방문을 받다 / fumer cigarette ~ cigarette 줄담배를 피우다. ⑧ 《추출》 …중(中)에서: trois hommes ~ onze 열 한 사람 중 세 사람 / un cas ~ cent 백에 하나의 경우 / économiser ~ ses revenus 수입 중에서 절약하다 / un ~ dix 열의 하나. ⑨ 《비율》 비, …대(對) …: chambre de 8 mètres ~ 6, 8 미터에 6 미터의 방 / Cette table a 1 mètre de long ~ 2 de large. 이 테이블은 길이 1 미터 폭 2 미터이다. ⑩ 《우위·지배》 …에 대하여: avoir de l'autorité ~ qn …에 대하여 세력이 있다 / Le malheur est ~ nous. 불행이 우리에게 닥치고 있다 / avoir des droits ~ qn …에 대하여 권리가 있다 / agir 〔influer〕 ~ qn …에게 영향을 미치다 / l'emporter ~ qn …보다 우세하다; 이기다. ⑪ 《목표·방향》 …을 향하여: fermer la porte ~ qn …에게 문을 쾅 닫아 버리다 / ~ votre droite 당신의 오른쪽으로 / Elle allait ~ vingt ans. 그 여자는 스무 살을 바라보고 있었다. ⑫ …의 비용으로: un parasite vivant ~ l'homme 인체에 붙어 사는 기생충 / vivre ~ le commun 공동 비용으로 살다. ⑬ …으로: chanter qc ~ un certain air 어떤 가락으로 …을 노래하다. ⑭ 《태도》 …에 처해서, …의 상태로: se tenir ~ la défensive 방어 태세를 취하다, 수세를 취하다 / être ~ ses gardes 〔le qui-vive〕 경계 태세를 취하다. ⑮ 《매체》 …에(서); …을 통해: ~ BBC, BBC 방송을 통해 / ~ les grandes ondes 장파(長波)로. ⑯ 《시간》 ⓐ …즈음, …무렵, …경: ~ le soir 저녁 무렵에 / ~ les onze heures, 11 시경에 / être ~ le retour 곧 돌아오려는 참이다 / aller ~ les vingt ans 스무 살을 바라보다. ⓑ …의 직후에: ~ le coup 즉석에서, 곧바로 / être pris ~ le fait 현행범으로 체포되다. ⓒ …동안, …에 걸쳐: des paiements ~ six mois, 6 개월에 걸쳐 분할 지불하다 / réforme échelonnée ~ plusieurs années 몇 년간에 걸친 개혁. ***~ ce*** 〔***cela***〕***; ~ quoi*** 그리고 나서; 그런데. ***~ l'heure*** 당장에, 곧, 즉시로, 즉각. ***~ toutes choses*** 무엇보다도, 특히. ***donner ~*** …으로 면하다. ***être ~ les lieux*** 현장에 있다. ***être ~ ses intérêts*** 자기의 이익만 생각하다. ***revenir ~ ses pas*** 되돌아오다. ***~ ce*** 〔***cela***〕 그리고 나서; 그런데. ***~ le soir*** 저녁 무렵에. ***~ toutes choses*** 무엇보다도, 특히.

sur[2]**, e** [sy:ʀ] *adj.* (과일이) 신, 시큼한.

sur- *préf.* 「위·상위; 과잉·과도」의 뜻.

‡sûr, e [sy:ʀ] *adj.* ① (사물이) 틀림없는, 확실한(≠douteux); (사람·사물이) 믿을 수 있는: mémoire ~*e* 확실한 기억 / C'est 〔La chose est〕 ~*e*. 그것은 확실하다 / un ami ~ 믿을〔신뢰할〕 수 있는 친구 / Cette jeune fille est ~*e*. 그것은 확실하다 / Cette jeune fille est ~*e*. 그 처녀는 믿을 만하다. ② 《~ de qc 〔que+*ind.*〕》 …을 확신하고 있는(= certain, convaincu) ; 《~ de qn》 …을 신뢰하고 있는 : J'en suis ~. 틀림없습니다 / être ~ *du* succès 성공에 자신이 있다 / Vous pouvez être ~ qu'il gagnera la course. 그가 경주에 이기리라는 것을 당신은 믿어도 좋다 / Ils sont ~*s de* s'aimer. 그들은 서로 사랑한다는 것을 확신하고 있다 / 《être ~+간접의문문》 Je ne *suis* pas ~ si j'ai fermé la porte. 내가 문을 닫았는지가 확실치가 않다. ③ 확고한(= solide) : moyen ~ 확실한 방법〔수단〕 / avoir la mémoire ~*e* 기억력이 확실하다 / des bases peu ~*es* 확고하지 못한 기반. ④ 의심할 여지 없는, 정말의 ; 분명한(= authentique, évident) : Ce qui est ~, c'est que je n'irai pas. 분명한 것은 내가 가지 않으리라는 사실이다. ⑤ 안전한, 위험 없는(≠ dangereux) : Ce quartier n'est pas ~ la nuit. 이 거리는 밤에 안전한 곳이 못된다 / Ce sera plus ~. 그것이 더 안전할 것이다. ***à coup ~*** 틀림없이, 확실히 : Tu réussiras *à coup* ~. 너는 틀림없이 성공할 것이다. ***Bien ~ !*** 《구어》 그야 물론이지 : Tu viens? — *Bien* ~. 너 오니? — 물론이지. ***mettre*** qn 〔qc〕 ***en lieu ~*** …을 안전한 곳에 두다〔숨기다〕. ***pour ~*** 《구어》 틀림없이, 확실히 : *Pour* ~ il gagnera. 확실히 그가 이길거야 / *Pour* ~ qu'il a tort. 확실히 그가 틀렸어. — *m.* ***jouer au plus ~*** 만전의 대책을 세우다. ***pour le plus ~*** 만일의 경우에 대비하여.

surabondamment [syʀabɔ̃damɑ̃] *adv.* 과도하게, 지나칠 만큼 : expliquer ~ 장황하게 설명하다.

surabondance [syʀabɔ̃dɑ̃:s] *f.* 과다, 과잉, 여분 : ~ de produits sur le marché 생산품의 과잉 출하.

surabondant, e [syʀabɔ̃dɑ̃, -ɑ̃:t] *adj.* 과다〔과잉〕의, 지나치게 많은 : production ~*e* 과잉 생산.

surabonder [syʀabɔ̃de] *v.i.* ① 충분하고도 남다, 매우 많다 : pays qui *surabonde* en grains 곡식이 충분하고도 남는 나라. ② 《~ de 〔en〕 qc》 …이 잔뜩 있다 : La région *surabonde en* 〔*de*〕 fruits. 이 고장은 과일이 풍성하다.

suractivité [syʀaktivite] *f.* 〖생리〗 (기관의) 이상(異常) 활동 ; (과도한) 기능 항진.

suraigu, ë [syʀegy] *adj.* (소리 · 음성이) 몹시 날카로운 : cri ~ 째질 듯한 소리.

surajouter [syʀaʒute] *v.t.* 다시 더하다〔덧붙이다〕 : ornement *surajoutés* 과도하게 덧붙인 장식. — **se ~** *v.pr.* 다시 덧붙여지다.

suralimentation [syʀalimɑ̃tɑsjɔ̃] *f.* ① 영양 과다 ; 〖의학〗 고영양 요법. ② (엔진 따위에 대한) 연료의 과다 공급, 과다 주입.

suralimenter [syʀalimɑ̃te] *v.t.* ① …에게 보통량 이상의 먹이를〔음식을〕 주다 ; 〖의학〗 …에게 고영양 요법을 쓰다. ② (엔진 따위에 연료를) 과다 공급하다.

suranné, e [syʀane] *adj.* 《문어》 ① 시대가 지난, 예스러운(= démodé) : charm ~ 고풍스런 매력. ② 나이를 먹은.

surarmement [syʀaʀməmɑ̃] *m.* 과잉 군비.

surarmer [syʀaʀme] *v.t.* …을 과도하게 무장시키다, 과잉 군비를 갖추게 하다.

surbaisser [syʀbɛ〔e〕se] *v.t.* ① 〖건축〗 (아치 · 천장 따위를) 편원으로 만들다. ② 〖자동차〗 (차체를) 보통보다 낮게 하다.

surbooking [syʀbukiŋ] 〘영〙 *m.* 정원을 초과한 예약 접수.

surboum [syʀbum] *f.* 《옛 · 구어》 (젊은이가 자택에서 여는) 댄스 파티.

surcharge [syʀʃaʀʒ] *f.* ① 과다, 과잉 : ~ de décoration 장식 과다. ② 초과 적재, 과중 ; 초과량 : prendre des voyageurs en ~ 손님을 너무 태우다. ③ (쓰여진 글자에다) 덧붙여 쓴 것, 가필 ; (색의) 덧칠 : manuscrit plein de ~*s* 잔뜩 가필한 원고. ④ 가중 과세, 과도한 중세. ⑤ (우표에 찍은) 가격 정정인(印).

***surchargé, e** [syʀʃaʀʒe] *adj.* ① (짐을) 너무 많이 실은 ; 지나치게 꾸민 : autobus ~ 정원 초과〔초만원〕 버스 / décoration ~*e* 과다한 장식. ② (일이) 과중한, 바쁜 : journée ~*e* 분주한 하루 / Je suis ~. 나는 일이 몹시 바쁘다. ③ (원고를) 고쳐 쓴, 가필한 : brouillon ~ 가필한 초고.

surcharger [syʀʃaʀʒe] *v.t.* [3] ① (말 · 차 따위에) (짐을) 더 싣다, 너무 싣다 ; …에(게) 지나친 부담을 지우다 : ~ une voiture 자동차에 짐을 너무 많이 싣다 / *être surchargé* de soucis 〔de travail〕 근심〔일〕을 너무 많이 짊어지고 있다. ② …에(게) 지나친 중세(重稅)를 과하다 : *être surchargé* d'impôts 중세에 시달리다. ③ (쓰여진 글 위에) 덧붙여 쓰다, 가필하다 ; (도료 · 색을) 덧칠하다. — **se ~** *v.pr.* 과중한 짐을 짊어지다 : *se* ~ d'affaires 일을 너무 많이 짊어지다.

surchauffe [syʀʃo:f] *f.* ① 과열 (상태). ② 〖경제〗 급격한 성장, 경기의 과열.

surchauffé, e [syʀʃofe] *adj.* ① 과열된 : pièce ~*e* 지나치게 난방이 된 방. ② 지나치게 흥분한, 열광한(= surexcité).

surchauffer [syʀʃofe] *v.t.* 과열시키다 : ~ la chambre 지나치게 난방을 하다.

surchauffeur [syʀʃofœ:ʀ] *m.* 〖기계〗 과열기(器).

surchoix [syʀʃwa] *m.* 정선(精選), 극상 ; 정선품(品).

surclasser [syʀklɑse] *v.t.* ① (경쟁자를) 큰 차이로 이기다, …에게 압승하다 : coureur qui en *surclasse* un autre 다른 주자를 압도하는 주자. ② …보다 훨씬 낫다, …을 능가하다.

surcomposé, e [syʀkɔ̃poze] *adj.* 〖문법〗 중복합의 : passé ~ 중복합 과거.

surconsommation [syʀkɔ̃sɔmɑsjɔ̃] *f.* 과소비 ; 과용, 낭비 : ~ de médicament 약물의 과용.

surcontrer [syʀkɔ̃tʀe] *v.t.* 〖카드놀이〗 (상대방이) 배(倍)로 한 내깃돈을 또 배로 올리다, 거듭 곱 걸다.

surcot [syʀko] *m.* (기사가 갑옷 위에 입던) 겉옷, (중세기의) 부인용 겉옷.

surcoupe [syʀkup] *f.* 〖카드놀이〗 상대편보다 윗수의 카드를 내놓기

surcouper [syʀkupe] *v.t.* (트럼프 놀이에서) 상대편보다 윗수의 카드를 내놓다.

surcroît [syʀkʀwa〔ɑ〕] *m.* 증가, 추가 : ~ de

S

travail 가외의 일〔근무〕/ faire un ~ d'effort 한층 더 노력하다. ***de*** 〔***par***〕 ***~*** 그 위에, 게다가 : livre utile et intéressant *par* ~ 유용하고 게다가 재미있기까지 한 책. ***pour ~ de malheur*** 설상가상으로. ***un ~ de...*** 더욱 많은 ….

surdimensionné, e [syʀdimɑ̃sjɔne] *adj.* 필요 이상으로 큰(= démesuré) : équipements ~s 지나치게 덩치가 큰 장비.

surdi-mutité [syʀdimytite] *f.* 농아(聾啞).

surdité** [syʀdite] *f.* 귀가 들리지 않음 ; 난청 : ~ complète 완전히 귀가 들리지 않다. ***~ musicale 음치.

surdosage [syʀdoza:ʒ] *m.* 〖의학〗 (약물의) 과잉 투여〔복용〕.

surdose [syʀdo:z] *f.* (의약의) 기준 초과분, 과잉 분량 ; 치사량.

surdoué, e [syʀdwe] *adj.* et *n.* 지능지수가 높은 (아이〔사람〕)(I.Q. 170 이상). 「무.

sureau [syʀo] *m.* (*pl.* **~x**) 〖식물〗 딱총나

sureffectif [syʀefɛktif] *m.* 초과〔과다〕 인원 : personnel en ~ 과잉 인력 / réduire les ~s 과다한 인원을 줄이다.

surélévation [syʀelevɑsjɔ̃] *f.* ① 더욱 높이기〔올리기〕. ② (물가 따위의) 등귀, 폭등 : ~ des prix 물가의 이상 폭등.

***surélever** [syʀelve] [4] *v.t.* ① (건물 따위를) 더 높여 짓다 : ~ un immeable d'un étage 집을 한 층 올려 증축하다. ② (물가·온도 따위를) 더 올리다, 지나치게 올리다.

***sûrement** [syʀmɑ̃] *adv.* ① 확실히, 틀림없이, 반드시(= certainement) : *S*~ qu'il viendra. 그는 틀림없이 올 게다 / Vous pensez venir nous voir ? — *S*~ 〔*S*~ pas〕. 우리를 만나러 오실 생각입니까? — 물론이오〔천만에요〕. ② 안전하게(= avec sûreté) : argent ~ placé 안전하게 둔 돈.

sur(-)emploi [syʀɑ̃plwa] *m.* 〖경제〗 (인력의) 과잉 고용 ; (자원의) 과잉 사용.

surenchère [syʀɑ̃ʃɛ:ʀ] *f.* ① (경매에서) 더 비싼 값을 부르기 : faire une ~ sur qn …보다 값을 더 (높게) 부르다. ② (경쟁적으로) 부풀리기, 격화 : ~ électorale 선거에서의 과대 공약 : ~ de violences 더욱 격화되어 가는 폭력 사태.

surenchérir [syʀɑ̃ʃeʀi:ʀ] *v.i.* ① (경매에서) 더 비싼 값을 부르다. ② (경쟁 상대보다) 약속을 더 크게 하다〔내걸다〕.

surenchérisseur [syʀɑ̃ʃeʀisœ:ʀ] *m.* (경매에서) 더 비싼 값을 부르는 사람.

surendetté, e [syʀɑ̃dete] *adj.* 〖경제〗 채무 과다〔초과〕의 : pays ~ 외채(外債) 과다국.

surendettment [syʀɑ̃dɛtmɑ̃] *m.* 〖경제〗 누적 채무(를 짐) : ~ des ménages 누적된 가계 채무.

surentraînement [syʀɑ̃tʀɛnmɑ̃] *m.* 〖스포츠〗 과도한 연습, 오버 트레이닝.

surentraîner [syʀɑ̃tʀɛ(e)ne] *v.t.* 〖스포츠〗 지나치게 연습〔훈련〕시키다.

suréquipé, e [syʀekipe] *adj.* 과잉 설비의.

suréquipement [syʀekipmɑ̃] *m.* 과잉 설비〔장비〕.

suréquiper [syʀekipe] *v.t.* 필요 이상으로 설비〔장비〕하다. 「가.

surestimation [syʀɛstimɑsjɔ̃] *f.* 과대평

surestimer [syʀɛstime] *v.t.* 과대평가하다 : ~ l'importance d'un événement 사건을 지나치게 중요하게 평가하다 / ~ un tableau 그림을 지나치게 고가로 감정하다.

suret, ette [syʀɛ, -ɛt] *adj.* (과일 따위가) 시큼한.

sûreté** [syʀte] *f.* ① 확실(성), 틀림없음 : ~ de main 틀림없는 솜씨 / ~ dans le choix 선택에 있어서의 정확성. ② 안전, (국가·사회 등의) 안녕(= sécurité) : attentat contre la ~ de l'État 국가의 안전에 대한 침범 / ~ individuelle 개인의 안전《부당하게 체포·구류되지 않는 권리》. ③ 안전 장치 : serrure de ~ 안전 자물쇠 / cran de ~ d'un pistolet 권총의 안전 장치. ④ ⓐ 〖법률〗 보증, 담보(= garantie). ⓑ 《옛》 조심. ***de ~ 안전한 … ; 안전을 보장하는 : lieu *de* ~ 안전한 장소 / rasoir *de* ~ 안전 면도. ***en ~*** 안전하게 ; 감옥에. ***la S~ ; la S~ nationale*** 〔***générale***〕 치안국 : police de *la S*~ 경찰 / agent de *la S*~ 경찰관. ***pour plus de ~*** 더욱 안전을 기하기 위해.

surévaluation [syʀevalɥɑsjɔ̃] *f.* 과대평가.

***surévaluer** [syʀevalɥe] *v.t.* 과대평가하다.

surexcitation [syʀɛksitɑsjɔ̃] *f.* 과도한 흥분, 강한 자극.

***surexcite, e** [syʀɛksite] *adj.* 지나치게〔극도로〕 흥분한(= exalté).

surexciter [syʀɛksite] *v.t.* 지나치게 흥분시키다, 강하게 자극하다 : ~ l'imagination 상상력을 극도로 자극하다.

surexploitation [syʀɛksplwatɑsjɔ̃] *f.* 과잉 개발 ; 극단적인 착취.

surexploiter [syʀɛksplwate] *v.t.* 과도〔무분별〕하게 개발하다 ; 심하게 착취하다 : ~ les ressources pétrolières 석유 자원을 무분별하게 채굴하다.

surexposer [syʀɛkspoze] *v.t.* 〖사진〗 지나치게 노출하다.

surexposition [syʀɛkspozisjɔ̃] *f.* 〖사진〗 노출 과다.

surf [sœʀf] 〔영〕 *m.* ① 〖스포츠〗 서핑, 파도타기. ② 〖댄스〗 로큰롤 비슷한 댄스(곡).

surface** [syʀfas] *f.* ① 표면, 외면, 거죽, 겉 : la ~ de la terre ; la ~ terrestre 지구의 표면, 지표(地表) / ~ de l'eau 〔de la mer〕 수면〔해수면〕. ② (형체·면적을 가진) 면(面) ; 〖기하〗 면 ; 면적, 건평 : ~ de niveau 〖물리〗 수준면 / ~ plane 〔courbe〕 평면〔곡면〕/ La salle fait cinquante mètres carrés de ~. 응접실의 면적은 50 평방미터이다 / calculer la ~ d'un appartement 아파트의 평수를 계산하다. ③ 외관, 허울, 피상(皮相) : amitié de ~ 표면상의 우정 / Sa palitesse est toute de ~. 그의 친절은 허울뿐이다. ④ 보증이 될 수 있는 지위·재산 ; 신용 : ~ financière de qn …의 재정 능력〔신용도〕. ***en ~ 표면에, 표면상. ***faire ~ ; revenir en ~*** 수면에 떠오르다〔나타나다〕.

surfait, e [syʀfɛ, -ɛt] *adj.* 과대평가된 ; 평판보다 못한 : ouvrage ~ 과대평가된 작품.

surfer [sœʀfe] *v.i.* 서핑을〔파도타기를〕 하다.

surfeur, euse [sœʀfœ:ʀ -ø:z] *n.* 서핑〔파도타기〕하는 사람.

surfil [syʀfil] *m.* 〖재봉〗 사뜨기, 감침질.

S

surfiler [syʀfile] *v.t.* 〖재봉〗 (옷의 가장자리를) 사뜨다 ; 감칠질하다.

surfin, e [syʀfɛ̃, -in] *adj.* 〖상업〗 (품질이) 극상인 : qualité ~*e* 극상품.

surfusion [syʀfyzjɔ̃] *f.* 〖물리〗 과융해(過融解).

***surgelé, e** [syʀʒəle] *adj.* (식품이) 급속 냉동된 : aliments ~*s* 냉동 식품.

surgeler [syʀʒəle] *v.t.* (식품을 저온으로) 급속 냉동시키다 : poisson *surgelé* en mer 바다에서 곧바로 급속 냉동된 생선.

surgénérateur, trice [syʀʒeneʀatœːʀ, -tʀis] *adj.* 〖물리〗 (분열) 증식(增殖)의 : réacteur ~ 증식로(爐).

surgeon [syʀʒɔ̃] *m.* 〖식물〗 그루터기에서 돋는 새싹.

***surgir** [syʀʒiːʀ] *v.i.* 《조동사는 avoir, 때로 être》 ① (불현듯) 나타나다(= jaillir) : Un camion *surgit* du brouillard. 트럭이 안개 속에서 나타났다. ② (기억 따위가) 떠오르다 ; (문제 따위가) 일어나다, 생기다 : faire ~ un souvenir 기억을 불러일으키다 / Des difficultés *surgissent* de toutes parts. 어려움이 곳곳에서 생긴다.

surgissement [syʀʒismɑ̃] *m.* (액체 따위의) 분출 ; (갑작스런) 출현 ; (문제 따위의) 발생.

surhaussé, e [syʀose] *adj.* 〖건축〗 (궁륭·아치 따위가) 초(超)반원의.

surhausser [syʀose] *v.t.* 〖건축〗 (벽 따위를) 더욱 높이다(= surélever) ; (궁륭·아치를) 초반원으로 하다.

surhomme [syʀɔm] *m.* 초인(超人).

surhumain, e [syʀymɛ̃, -ɛn] *adj.* 초인적인 : effort ~ 초인적 노력.

surimposer [syʀɛ̃poze] *v.t.* (상품에) 부가세를 부과하다(= surtaxer).

surimpression [syʀɛ̃pʀɛsjɔ̃] *f.* 〖사진〗 이중(二重) 인화, 오버랩.

surin [syʀɛ̃] *m.* 《구어》 단도, 단검.

surinformé, e [syʀɛ̃fɔʀme] *adj.* 정보 과잉의.

surintendance [syʀɛ̃tɑ̃dɑ̃ːs] *f.* 〖역사〗 (구제도에서의) 총감독관의 직위〔관사〕.

surintendant [syʀɛ̃tɑ̃dɑ̃] *m.* 〖역사〗 (구제도하의) 총감독관 : ~ des finances 재정 총감독관, 재무장관.

surir [syʀiːʀ] *v.i.* (맛이) 시어지다 : Ce vin *a* un peu *suri.* 이 포도주는 좀 시큼해졌다.

surjet [syʀʒɛ] *m.* 〖재봉〗 감치기.

surjeter [syʀʒəte] *v.t.* [1] 〖재봉〗 감치다.

sur-le-champ [syʀləʃɑ̃] *adv.* 즉시, 당장, 곧 : partir ~ 즉시 출발하다.

***surlendemain** [syʀlɑ̃dmɛ̃] *m.* 그 다음다음 날 : le ~ de son arrivée 그가 도착한 다음다음 날 / le ~ matin 그 다음다음 날 아침.

surligneur [syʀliɲœːʀ] *m.* 형광펜.

surlonge [syʀlɔ̃ːʒ] *f.* 〖요리〗 소의 어깨고기, 견육(肩肉).

surmenage [syʀmənaːʒ] *m.* 과로 ; 혹사 : ~ intellectuel 정신적 과로.

***surmené, e** [syʀməne] *adj.* 과로한, 지친.

surmener [syʀməne] *v.t.* 과로시키다 ; 혹사하다 : ~ des ouvriers 노동자를 혹사하다. — **se** ~ *v.pr.* 과로하다 : Il *se surmène* trop. 그는 지나치게 과로한다.

surmoi [syʀmwa] *m.* 〖심리〗 초자아(超自我)《프로이트의 용어》.

surmontable [syʀmɔ̃tabl] *adj.* 극복할 수 있는 : obstacle ~ 극복할 수 있는 장애.

***surmonter** [syʀmɔ̃te] *v.t.* ① …의 위에 얹다 : édifice *surmonté* d'une croix 십자가를 위에 얹은 건물. ② 이겨내다, 극복하다(= vaincre) : ~ son chagrin 슬픔을 이겨내다 / ~ les difficultés 어려움을 이겨내다, 난관을 타개하다 / ~ la crise 위기를 극복하다. — **se** ~ *v.pr.* ① 자제하다. ② 극복되다 ; 억제되다.

surmoule [syʀmul] *m.* 모형에서 뜬 주형〔거푸집〕.

surmouler [syʀmule] *v.t.* 모형에서 주형을 뜨다.

surmulot [syʀmylo] *m.* 〖동물〗 시궁쥐(= rat d'égout).

surmultiplié, e [syʀmyltiplije] *adj.* 자동 증속 장치로 변속된. — *f.* 자동 증속 장치로 변속된 속력(= vitesse ~*e*).

surnager [syʀnaʒe] [3] *v.i.* ① 표면에 뜨다, 떠오르다 : Versé dans de l'eau, le pétrole *surnage.* 물속에 쏟아진 석유는 물에 뜬다. ② 살아남다, 잔존〔존속〕하다(= survivre, subsister) : Cette entreprise *surnage* malgré la récession économique. 이 기업은 경기 침체에도 불구하고 살아남아 있다. — *v.t.* (액체의) 위에 뜨다.

surnaturalité [syʀnatyʀalite] *f.* 초자연성.

surnaturel, elle [syʀnatyʀɛl] *adj.* ① 초자연적인 : événement ~ 기적 / phénomène ~ 초자연적 현상 / êtres ~*s* (정령·악마 따위의) 초자연적 존재. ② 신비한, 불가해한. — *m.* 초자연(적인 것).

surnom [syʀnɔ̃] *m.* ① 〖고대로마〗 첨명(添名). ② 별명, 이명(異名).

surnombre** [syʀnɔ̃ːbʀ] *m.* 정원 초과(분). ***en ~ 가외로〔의〕 : prendre des voyageurs *en* ~ 정원 이상으로 손님을 태우다.

surnommer [syʀnɔme] *v.t.* …에(게) 별명을〔별호를〕 붙이다 : Louis XIV *a été surnommé* le Roi Soleil. 루이 14 세는 태양왕이란 별명이 있었다.

surnuméraire [syʀnymeʀɛːʀ] *adj.* 정원 외의 ; 여분의 : avoir un doigt ~ 손가락이 하나 더 있다. — *n.* 〖행정〗 임시직, 촉탁.

suroît [syʀwa] *m.* 〖해양〗 남서풍 ; (폭풍우 때 선원이 쓰는) 방수모(防水帽).

surpassement [syʀpɑsmɑ̃] *m.* 《문어》 능가, 초월 : ~ de soi 자기 초월.

surpasser [syʀpɑse] *v.t.* ① 《주어 : qn》 …보다 뛰어나다〔낫다〕, 능가하다 : ~ qn en habileté …보다 재주〔솜씨〕가 낫다 / ~ ses concurrents 경쟁자들을 앞지르다 / Le résultat a *surpassé* les espérances. 결과는 기대 이상이었다. ② 《주어 : qc》 (한계를) 넘어서다(= dépasser) ; …을 상회하다 : entreprise qui *surpasse* les forces de l'esprit humain 인간 정신력의 한계를 넘어서는 시도. — **se** ~ *v.pr.* 평상시 이상의 실력〔능력〕을 발휘하다 : Cet acteur *s'est surpassé* aujourd'hui. 오늘 이 배우는 평소보다 연기를 더 잘했다.

surpayer [syʀpɛ(e)je] [8] *v.t.* 너무 많이〔비싸게〕 치르다 ; 추가 지불하다 : maison qu'il *a surpayée* 그가 너무 비싸게 지불하

S

고 산 집 / ~ les terrains 땅을 비싼 값으로 사다.
surpeuplé, e [syʀpœple] *adj.* 인구〔인원〕 과잉의 : classe *~e* 과밀 학급 / pays ~ 인구 과잉 국가.
surpeuplement [syʀpœpləmɑ̃] *m.* 인구 과잉, 인원의 과밀.
surpiquer [syʀpike] *v.t.* (천 · 옷에 장식을 위해) 누비질하다.
surpiqûre [syʀpiky:ʀ] *f.* 누비질.
sur(-)place [syʀplas] *m.* faire du ~ (자전거에서) 평형을 잡은 채 움직이지 않다 ; (자동차가 교통 체증으로) 제자리 걸음을 하다.
surplis [syʀpli] *m.* 〖종교〗 백의(白衣)《사제가 승의 위에 입는 겉옷》.
surplomb [syʀplɔ̃] *m.* ① (벽 · 벼랑 따위의) 상부가 앞으로 내민 모양〔상태〕. ② (건물 따위의) 돌출 부분.
surplombant, e [syʀplɔ̃bɑ̃, -ɑ̃:t] *adj.* 상부가 내민, 전방으로 돌출한.
surplombement [syʀplɔ̃bmɑ̃] *m.* = surplomb.
surplomber [syʀplɔ̃be] *v.i.* 상부가〔앞으로〕 내밀다〔기울다〕. ── *v.t.* …의 위로 불쑥 나오다 : rochers qui *surplombent* la route 길 위로 불쑥 튀어나온 바위.
surplus [syʀply] *m.* ① 여분, 잉여(剩餘) ; 과잉 생산품 : ~ agricoles 과잉 농산물 / liquider des ~ 과잉 재고품을 투매하다. ② (*pl.*) 〖군사〗 전쟁 후에 남은 군수 물자 : ~ américains (제 2 차 대전 후의) 미국의 잉여 물자. ***au ~*** 게다가, 그 위에 또 : On mange mal dans ce restaurant et *au ~*, le patron est antipathique. 저 레스토랑은 맛이 없을 뿐더러, 가게 주인도 인상이 나쁘다.
surpoids [syʀpwa] *m.* 초과 중량.
surpopulation [syʀpɔpylɑsjɔ̃] *f.* (도시 · 국가의) 인구 과잉.
***surprenant, e** [syʀpʀənɑ̃, -ɑ̃:t] *adj.* 의외의, 뜻밖의, 놀라운 : résultat ~ 의외의〔놀라운〕 성과 / faire des progrès *~s* 놀랄만한 발전을 하다 / Il n'est pas ~ qu'il ait échoué. 그가 실패했다고 해도 놀랄 일이 아니다.
***surprendre** [syʀpʀɑ̃:dʀ] [26] *v.t.* ① ⓐ 현장에서 잡다, 불시에 붙들다 ; 기습하다 : ~ un voleur 도둑을 현장에서 체포하다. ⓑ《~ qn à+*inf.*》 …이 …하고 있는 현장을 붙잡다〔발견하다〕 : On l'*a surpris à* tricher. 그는 커닝하고 있는 현장을 들켰다. ② (비밀 따위를) 알아채다, 간파하다 ; (감정 따위를) 읽다 : ~ un secret 비밀을 알아채다. ③《주어 : qn〔qc〕》 뜻하지 않게 찾아가다〔닥치다〕 : ~ un ami chez lui 친구의 집을 예고 없이 방문하다 / L'orage nous *a surpris*. 우리는 불시에 소나기를 만났다. ④ 깜짝 놀라게 하다 : Cette nouvelle *a surpris* tout le monde. 이 소식은 모든 사람들을 놀라게 했다 / Cela me *surprendrait*. 설마 그럴 리가 있을까요《그것이 사실이라면 놀랄 일이다》 / Cela me *surprendrait* qu'il revienne 〔s'il revenait〕. 그가 돌아온다면 놀랄 일이다 / 《수동태》《être surpris de qc de+*inf.*》 J'*ai été* bien *surpris de* la voit déjà rentrée. 그녀가 벌써 돌아온 것을 보고 나는 깜짝 놀랐다 / 《être surpris que+*sub.*》 Je *suis surpris qu*'elle parte ainsi. 그녀가 그렇게 떠나 버린다는 것은 정말 뜻밖이다 / *être* agréablement *surpris* 뜻밖에도 즐거운 기분을 맛보다. ── **se ~** *v.pr.* 《se ~ à+*inf.*》 자기도 모르게 …하다 : *se ~ à* pleurer 자기도 모르게 눈물을 흘리다 / Souvent je *me suis surpris à* rêver. 때때로 나는 자신도 모르게 몽상에 잠겨 있곤 했다.
surpression [syʀpʀesjɔ̃] *f.* 초과 압력 ; 고압(高壓).
surprime [syʀpʀim] *f.* 할증 보험료.
surpris, e[1] [syʀpʀi, -i:z] *adj.* (의표를 찔려) 놀란. ***être ~e de*** qc 〔***de***+*inf.*〕 …에〔하여〕 놀라다 : Je *suis* très ~ *de* vous rencontrer ici. 이런 데서 만나게 되어 깜짝 놀랐습니다. ***être ~e que***+*sub.* 〔***de ce que***+*ind.*〕 …의 일로 놀라다 : Je *suis* ~ *qu*'elle soit partie toute seule. 그녀가 혼자서 출발한 것에 놀랐다.
⁑surprise[2] [syʀpʀi:z] *f.* ① 놀라움 : cri de ~ 놀라움의 탄성 / rester muet de ~ 너무 놀라서 말도 안 나오다 / aller ~ en ~ 연달아 놀라움을 겪다. ② 뜻밖의 일〔사태〕, 깜짝 놀랄 일 : Une bonne ~ m'attendait. 뜻밖의 즐거움이 나를 기다리고 있었다 / voyage sans ~ 아무 일도 없는 무사한 여행 / mauvaise ~ 생각지도 못한 사태. ③ (뜻밖의) 선물〔기쁨〕 : Il m'a fait une ~ pour ma fête. 그는 나의 생일에 뜻밖의 선물을 주었다. ***à sa grande ~*** 아주 놀랍게. ***par ~*** 불시에, 뜻밖에 ; 교묘하게 속여서 : Il a obtenu mon consentement *par ~*. 그는 교묘한 수법으로 내 동의를 얻어냈다.
-surprise *suff.* 「갑작스런, 뜻밖의」의 뜻.
surprise-party [syʀpʀizpaʀti] 〖영〗 *f.* (*pl.* ***~s-~s***) 습격 파티《각자가 먹을 것을 준비하여 갑자기 친구 집을 찾아가 여는 파티》.
surproduction [syʀpʀɔdyksjɔ̃] *f.* 〖경제〗 생산 과잉.
surprotéger [syʀpʀɔteʒe] *v.t.* 과보호하다 : handicapé *surprotégé* 과보호받는 장애인.
surpuissant, e [syʀpɥisɑ̃, -ɑ̃:t] *adj.* 매우 강력한 ; (기계 따위가) 출력이 매우 큰 : pays ~ 초강대국 / moteur ~ 초강력 엔진.
surréalisme [syʀʀealism] *m.* 초현실주의.
surréaliste [syʀʀealist] *adj.* 초현실주의의. ── *n.* 초현실주의자〔작가 · 화가〕. 「起).
surrection [syʀʀɛksjɔ̃] *f.* 〖지질〗 융기(隆
surréel, elle [syʀʀeɛl] 〖철학〗 *adj.* 초현실적인. ── *m.* 초현실(적인 것).
surrégime [syʀʀeʒim] *m.* ① (엔진의) 과회전. ②《비유》 무리한 활동.
surrénal, e, aux [syʀʀenal, -o] 〖해부〗 *adj.* 신장(腎臟) 위에 있는 ; 부신(副腎)의. ── *f. pl.* 부신(= glandes 〔capsules〕 *~s*).
surréservation [syʀʀezɛʀvɑsjɔ̃] *f.* (정원을 넘어선) 초과 예약(= surbooking).
sursaturation [syʀsatyʀɑsjɔ̃] *f.* 〖물리 · 화학〗 과포화(過飽和).
sursaturé, e [syʀsatyʀe] *adj.* ①《~ de》 …에 진저리나는. ② 〖물리 · 화학〗 과포화 상태에 있는.
***sursaut** [syʀso] *m.* ① 펄쩍 뛰기, 소스라치기 : faire un ~ 소스라쳐 일어나다. ② 분기(奮起), 분발 : dans un dernier ~ d'énergie

S

마지막 기력〔안간힘〕을 다하여. ***en ~*** 소스라쳐, 펄쩍 : Il s'est réveillé *en ~*. 그는 소스라쳐 눈을 떴다.

***sursauter** [syʀsote] *v.i.* 펄쩍 뛰다, 소스라치다 : Cette nouvelle m'a fait ~. 이 소식에 나는 소스라치게 놀랐다.

surseoir [syʀswaːʀ] [62] *v.t. ind.* 《~ à》 〖법률〗 …을 연기하다, 유예하다(= différer) : ~ *à* une exécution 사형 집행을 연기하다. ***ordonnance de ~*** 〖법률〗 유예 명령.

sursis [syʀsi] *m.* ① 〖법률〗 집행 유예(猶豫) : trois ans de prison avec ~ 징역 3 년에 집행 유예. ② 〖군사〗 징집 유예 : être en ~ 징집 유예되어 있다. ③ 유예 기간 ; 연기.

sursitaire [syʀsitɛːʀ] *adj.* et *m.* 집행 유예를 받은 (사람).

surtaxe [syʀtaks] *f.* ① 〖재정〗 부가세 : ~ progressive (개인 소득에 대한) 누진(累進) 부가세 / ~ à l'importation 수입 부가세. ② 부당한 중세(重稅).

surtaxer [syʀtakse] *v.t.* …에 부가세를 과하다 ; 중세를 과하다.

surtension [syʀtɑ̃sjɔ̃] *f.* ① 〖전기〗 과전압(過電壓). ② 초긴장.

‡surtout[1] [syʀtu] *adv.* 특히, 무엇보다도, 그 중에서도 : *S~*, n'oubliez pas de nous prévenir de votre arrivée. 특히 도착 시간을 미리 알려 줄 것을 잊지 마시오 / Et ~, soyez sages. 무엇보다도 얌전하게 있어요 / J'aime les fruits, ~ les oranges. 나는 과일이, 그 중에서도 오렌지가 좋다.

surtout[2] *m.* ① 《옛》 외투. ② 식탁 중앙에 (꽃 · 과일을 담아) 놓는 장식 그릇. ③ 손수레(= petite charrette).

surveillance [syʀvɛjɑ̃ːs] *f.* ① 감시, 감독 ; 경계 : être sous ~ policière 경찰의 감시하에 있다 / ~ des travaux 공사의 감독 / société de 경비 회사 / bâtiment 〔avion〕 en ~ 〖군사〗 초계(哨戒) 중인 군함〔비행기〕. ② (환자에 대한) 관찰〔감시〕 : ~ médicale 요주의《위급 환자에 대한 용어》 / malade en ~ à l'hôpital 병원에서 응급 치료를 받고 있는 환자.

surveillant, e [syʀvɛjɑ̃, -ɑ̃ːt] *n.* ① 감시인, 감독자 ; 간수 : ~ de travaux 공사 감독. ② 〖학교〗 학생감(監) : ~ (d'étude) 자습 감독관 / ~ d'internat (기숙사의) 사감(舍監).

***surveiller** [syʀvɛ(e)je] *v.t.* ① 감시하다 ; 감독하다(= contrôler, inspecter) ; 경계하다 : La police le *surveille* de près. 경찰은 그를 엄중히 감시하고 있다 / ~ des travaux 공사를 감독하다. ② (어린애 · 환자 따위를) 보살피다 ; (일거리를) 돌보다 : ~ des enfants 아이들을 보살피다 / ~ ses bagages 자기 짐을 지키다. ③ …에 주의하다, 조심하다 : ~ langage 주의해서 말하다 / ~ sa santé 건강에 조심하다. ── **se ~** *v.pr.* ① 언동을 삼가다. ② 서로 감시하다.

survenance [syʀvənɑ̃ːs] *f.* 〖법률〗 사후(事後) 도래(到來)〔부가〕.

***survenir** [syʀvəniːʀ] [16] 《조동사는 être》 *v.i.* ① (사람이) 뜻밖에 오다〔나타나다〕; (사건이) 돌발하다〔생기다〕 : changements qui *surviennent* dans une société 사회 안에 갑자기 일어나는 변화 / 《비인칭》 Il *survint* une tempête. 폭풍우가 엄습했다. ② 〖법률〗 《~ à》 …에 덧붙이다, …의 사후(事後)에 오다.

survêtement [syʀvɛtmɑ̃] *m.* ① 〖스포츠〗 (선수가 경기 전후에 입는) 보온용 덧옷, 트랙수트. ② 운동복, 트레이닝복.

survie [syʀvi] *f.* ① 살아남음, 잔존(殘存), 생존 : Les chances de ~ du patient sont minces. 환자가 생존할 가능성은 희박하다 / equipements de ~ (우주 비행사의) 구명 장치. ② 사후(死後)의 존속, 내세의 삶 : croire à la ~ de l'âme 영혼이 사후(死後)에도 존속한다고 믿다.

survirer [syʀviʀe] *v.i.* 〖자동차〗 오버스티어링하다.

survivance [syʀvivɑ̃ːs] *f.* ① 잔존물, 유물, 유풍(遺風) : ~*s* d'une époque révolue 지나간 시대의 유물. ② 《문어》 살아남기(= survie) ; 사후(死後)의 존속 : ~ de l'âme 영혼의 존속〔불멸〕. ***~ du plus apte*** 〔***des mieux adaptés***〕 〖생물〗 적자생존(適者生存).

***survivant, e** [syʀvivɑ̃, -ɑ̃ːt] *adj.* 살아남은. ── *n.* 살아남은 사람, 잔존〔생존〕자 ; 유족 : les ~*s* d'un naufrage 조난의 생존자.

***survivre** [syʀviːvʀ] [37] *v.t. ind.* 《~ à》 ① …의 뒤에 살아남다, …보다 오래 살다 : ~ *à* un accident 사고에서 살아남다 / Il *a survécu à* ses enfants. 그는 자식들보다 오래 살았다. ② …을 모면하고 살아남다 ; …을 잃고도 살아가다 : ~ *à* son honneur 명예를 잃고 치욕 속에 살다 / Elle n'a pu ~ *à* cette humiliation. 그녀는 치욕을 견뎌내지 못하고 자살했다. ── *v.i.* 《주어 : qn 〔qc〕》 살아남다, 잔존하다 : Après un tel malheur, aura-t-il la force de ~ ? 그런 불행을 겪고도 그는 살아나갈 힘이 있을까 ? / Cette institution *a survécu à* la Révolution. 이 제도는 프랑스 혁명 후에도 존속했다.

── **se ~** *v.pr.* 《se ~ dans》 《속어》 살아남다 : *se ~ dans* ses enfants 〔ses ouvragés〕 자식들의 추억 속에서〔자기의 작품 속에서〕 살아남다.

survol [syʀvɔl] *m.* ① 상공 비행 : ~ de la Manche 영불 해협 횡단 비행. ② 죽 훑어보기, 대략의 검토.

***survoler** [syʀvɔle] *v.t.* ① 〖항공〗 …위를 날다, …의 상공을 비행하다 : Nous *survolons* actuellement les Alpes. 우리는 지금 알프스 상공을 비행 중입니다. ② (책 따위를) 대강 훑어보다 ; (문제 따위를) 대강 살펴보다 : ~ un article 기사를 훑어보다 / ~ une question 문제를 대충 검토하다.

survoltage [syʀvɔltaːʒ] *m.* 전압의 증가.

survolté, e [syʀvɔlte] *adj.* ① 전압을 높인 ; 과전압의 : courant ~ 고압 전류. ② 《비유》 극도로 흥분한(= surexcité) : public ~ 흥분한 관중.

survolter [syʀvɔlte] *v.t.* ① 전압을 높이다. ② 극도로 흥분시키다.

sus [sy(s)] *adv.* …의 위에. ***courir ~ à*** qn …에게 달려들다. ***en ~*** 게다가, 그 위에 : Le service est en ~. 이 밖에 서비스료가 추가됩니다. ***en ~ de*** …외에, …밖에, …위에. ── *interj.* 《속어》 자 어서 ; 자 덤벼라 : *S~*, mes amis, partons. 자, 친구들 출발하세.

S

sus- *préf.* 「위에 · 위의」의 뜻.

susceptibilité [sysɛptibilite] *f.* ① 격하기 쉬운 성질, 예민한 감정 : femme d'une extrême ~ 몹시 예민한〔쉽게 화를 내는〕 여자 / ménager la ~ de qn …의 기분을 상하지 않게 신경을 쓰다. ③ 〖물리〗 자화율(磁化率).

***susceptible** [sysɛptibl] *adj.* ① (사람 · 성격이) 민감한, 자존심이 강한, 화를 잘내는, 감정적인 : Il est très ~. 그는 화를 잘낸다. ② 《~ de qc》 …의 여지가 있는, …하기 쉬운 : programme ~ *de* modifications 변경의 여지가 있는 프로그램. ③ 《~ de+*inf.*》 …할 가능성이 있는, …할지도 모르는(= capable) : textes ~*s d'*interprétations différentes 여러 가지 의미로 해석될 수 있는 글들 / incident ~ *d'*entraîner un conflit 분쟁을 초래할지도 모를 사건.

***susciter** [sysite] *v.t.* ① (감정 따위를) 불러일으키다(= éveiller) ; (기억 따위를) 되살아나게 하다 : Cette découverte *a suscité* l'intérêt du public. 이 발견은 대중의 관심을 불러일으켰다 / ~ des souvenirs 추억을 되살리게 하다. ② 《문어》 야기하다, 생기게 하다 : Le pouvoir *suscite* des mécontents. 권력은 불평 분자를 생기게 한다 / ~ des ennuis à qn …을 난처하게 만들다 / ~ des querelles 분쟁을 야기하다.

suscription [syskripsjɔ̃] *f.* 표기(表記) ; (편지의) 수신인 주소 성명, 겉봉에 쓴 것.

susdit, e [sysdi, -it] 〖법률〗 *adj.* 전기(前記)의, 상기의. ── *n.* 상기한 것〔사람〕.

sus(-)mentionné, e [sysmɑ̃sjɔne] *adj.* 상기의, 전술(前述)의(= susdit).

susnommé, e [sysnɔme] *adj.* 위에 이름을 든 ; 전기의, 상기의. ── *n.* 상기자(者).

***suspect, e** [syspɛ(kt), -ɛkt] *adj.* ① 수상한, 의심스러운 : conduite ~*e* 수상한 행동. ② 《~ de qc 〔de+*inf.*〕》 …의〔할〕 우려가 있는 : magistrat ~ *de* partialité 공평을 잃을 우려가 있는 사법관. ③ (품질이) 의심스러운, (식품 · 제품 따위가 오염의) 우려가 있는 : viande ~*e* 품질이 의심스러운 고기. ── *n.* 수상한 사람, 혐의자, 용의자 : interrager un ~ 용의자를 조사하다.

suspecter [syspɛkte] *v.t.* (사람 · 행위를) 수상히 여기다, 혐의를 두다 : ~ l'honnêteté de qn …의 정직성을 의심하다. ~ qn ***de*** qc 〔***de***+*inf.* ; ***que***+*ind.*〕 …을 무엇이 아닌가〔…하지나 않는가〕 의심하다 : On le *suspecte de* vol. 그는 도둑질을 한 혐의를 받고 있다.

suspendre** [syspɑ̃:dʀ] [25] *v.t.* ① 매달다, 늘어뜨리다, 걸다 : ~ un lustre au plafond 천장에 샹들리에를 달다 / ~ un tableau au mur 벽에 그림을 걸다. ② (활동을) 중단〔중지〕하다 ; 정지시키다 : ~ ses payements 〖상업〗 지급을 정지하다 / ~ une revue 잡지를 발간 정지 처분하다. ③ 유예〔연기〕하다, 보류하다 : ~ un jugement 〔l'exécution d'un arrêt〕 판결〔법령의 시행〕을 연기하다 / ~ son jugement 판단을 보류하다. ~ ***un fonctionnaire (***de ses fonctions***) 공무원을 정직(停職)시키다. ── **se** ~ *v.pr.* 《se ~ à》 매달아지다, 걸리다.

suspendu, e [syspɑ̃dy] *adj.* ① 《~ à》 …에 매달린 ; (높은 데) 붙어 있는 듯한 : pont ~ 조교(弔橋) / maison ~*e au* flanc de la montagne 산비탈에 매달린 듯한 집. ② 중단〔중지〕된 ; 보류된 : séance ~*e* 중단된 회의 / jugement ~ 보류된 판결. ③ 정직〔휴직〕 중인 : fonctionnaire ~ 정직 중인 공무원. ④ voiture bien 〔mal〕 ~*e* 현가〔스프링〕 장치가 잘 듣는〔안듣는〕 자동차.

suspens [syspɑ̃] *m.* 《문어》 중단, 일시 정지 ; 미해결. ***en*** ~ ⓐ 미해결〔미완성〕인 채로 : L'affaire reste *en* ~. 사건은 미해결인 채로이다. ⓑ 어중간한〔애매한〕 채로.

suspense[1] [syspɑ̃:s] *f.* 〖가톨릭〗 성직 정지.

suspense[2] [syspɑ̃:(ɛn)s] 〔영〕 *m.* ① 〖영화 · 소설〗 서스펜스《독자나 관객을 고도의 긴장감으로 끌고 가는 상태》.

suspensif, ive [syspɑ̃sif, -i:v] *adj.* 〖법률〗 (판결의 집행, 계약의 시행 따위를) 정지〔중지〕하는 : arrêt ~ (판결의) 집행 연기 결정.

suspension [syspɑ̃sjɔ̃] *f.* ① 매달림 ; 늘어뜨림 : ~ d'un balancier 그네의 매어달림(상태). ② (일시적) 정지〔중지〕 : ~ d'armes (국지적) 휴전 / ~ d'audience (재판의) 휴정 / ~ de paiements 지불 정지. ③ (공무원 따위의) 정직 처분. ④ 〖물리 · 화학〗 현탁(懸濁)(액). ***mort par*** ~ 교수형. ***points de*** ~ 〖문법〗 정지점, 중단표《…》.

suspensoir [syspɑ̃swa:ʀ] *m.* 〖의학〗 걸어 매는 붕대〔띠〕 ; 걸빵.

suspente [syspɑ̃:t] *f.* ① 〖해양〗 물건을 매어다는 밧줄. ② (기구 · 낙하산의) 걸어 매어 평형을 유지하는 서스펜션 라인.

suspicion [syspisjɔ̃] *f.* 혐의, 용의 ; 의혹, 불신 : avoir de la ~ à l'égard de qn …에 대하여 혐의를 품다. ***être en*** ~ 혐의를 받고 있다.

sustentateur, trice [systɑ̃tatœ:ʀ, -tʀis] *adj.* 〖항공〗 양력(揚力)〔부력〕을 확보하는.

sustentation [systɑ̃tɑsjɔ̃] *f.* ① 평형상태를 유지하기. ② 영양 공급, 생명 유지. ③ 〖항공〗 부력(浮力), 양력(揚力).

sustenter [systɑ̃te] *v.t.* (환자 따위에게) 영양을 공급하다. ── **se** ~ *v.pr.* 영양을 취하다 ; 먹다.

susurrement [sysyʀmɑ̃] *f.* 속삭임, 중얼거림 ; 살랑거리는 소리.

susurrer [sysyʀe] *v.i.* ① 속삭이다, 중얼거리다. ② (나뭇가지 · 바람 · 물결 따위가) 살랑〔출렁〕거리다. ── *v.t.* (말을) 속삭이다 : ~ une confidence à qn …에게 비밀을 속삭이다.

suture [syty:ʀ] *f.* ① 〖의학〗 (상처의) 봉합(縫合)(술) : faire des points de ~ (상처 자리를) 몇 바늘이나 꿰매다. ② 〖해부〗 (뼈의) 접합(부) : ~ du crâne 두개골의 접합부.

suturer [sytyʀe] *v.t.* (상처를) 꿰매다, 봉합하다 : ~ une plaie 상처를 봉합하다.

suzerain, e [syzʀɛ̃, -ɛn] 〖역사〗 *n.* (봉건 시대의) 종주(宗主), 봉건 군주. ── *adj.* 종주의 : puissance ~*e* 종주권.

suzeraineté [syzʀɛnte] *f.* 종주권, 지배권.

svastika, swastika [svastika] 〔산스크리트〕 *m.* 만(卍)자《힌두교의 상징》; 만자형 십자가.

***svelte** [svɛlt] *adj.* 늘씬한, 날씬한 : ~ jeune

fille 날씬한 몸매의 아가씨.

sveltesse [svɛltɛs] *f.* 늘씬〔날씬〕함. 「록.

S.V.P. 《약자》 s'il vous plait 부디, 아무쪼

swap [swap] 〔영〕 *m.* 『경제』 스와프 협정《환시세 안정을 위한 중앙 은행들 간의 통화 예입 협정》.

sweater [swi(ɛ)tœːʀ] 〔영〕 *m.* ① 스웨터. ② = sweat-shirt.

sweat-shirt [swi(ɛ)tʃœʀt] *m.* 『스포츠』 트레이닝 셔츠 ; 땀복.

sweepstake [swipstɛk] 〔영〕 *m.* 『경마』 내깃돈 총액의 독점.

swing [swiŋ] 〔영〕 *m.* ① 『권투 · 골프』 스윙. ② 재즈 음악 특유의 율동.

sybarite [sibaʀit] *adj.* 놀기 좋아하고 나태한. ── **S~** *n.* (시바리스 사람처럼) 나약하고 방탕한 사람《남이탈리아에 있었던 고대 그리스의 식민도시 시바리스(*Sybaris*)의 주민의 뜻에서》.

sybaritisme [sibaʀitism] *m.* 향락 취미.

sycomore [sikɔmɔːʀ] *m.* 『식물』 큰 단풍나무의 일종(= érable ~) ; (이집트 원산의) 무화과나무(= figuier ~).

sycophante [sikɔfɑ̃ːt] *m.* 《문어》 밀고자 ; 스파이 ; 사기꾼.

syllabation [si(l)labɑsjɔ̃] *f.* 『문법』 음절 구분(법).

syllabe [si(l)lab] *f.* 『언어』 음절, 음철 : ~ fermée 〔ouverte〕 폐〔개〕음절 / ~ muette 〔féminine〕 무음 e 로 끝나는 음철〔여성 음철〕.

syllaber [si(l)labe] *v.t.* 음절로 나누다.

syllabique [si(l)labik] *adj.* 음절의, 음철의.

syllabisme [si(l)labism] *m.* 음절문자법 ; 음절수에 의한 운율법.

syllogisme [si(l)lɔʒism] *m.* ① 『논리』 삼단논법. ② 《비유》 탁상공론.

sylphe [silf] *m.* 실프《중세 켈트 · 게르만 양민족 신화의 공기의 정령(精靈)》.

sylphide [silfid] *f.* ① 실피드《sylphe 의 여성형》. ② (공기의 요정처럼) 우아하고 날씬한 여자 : avoir une taille de ~ 날씬한 몸매를 하고 있다. 「요정.

sylvain, e [silvɛ̃, -ɛn] *m.* 『로마신화』 숲의

sylvestre [silvɛstʀ] *adj.* 숲의, 숲에서 생기는〔자라는〕 : pin ~ 유럽 적송(赤松).

sylvicole [silvikɔl] *adj.* 숲속에 사는 ; 임업〔임학〕의 ; 식림(植林) 의 : industrie ~ 임업.

sylviculteur [silvikyltœːʀ] *m.* 삼림학자 ; 임업 종사자. 「식림.

sylviculture [silvikyltyːʀ] *f.* 임학 ; 임업 ;

symbiose [sɛ̃bjoːz] *f.* ① 『생물』 공생(共生) : ~ entre micro-organismes 미생물들 간의 공생 (관계). ② 《문어》 밀접한 관계 ; 공존, 결합 : ~ entre deux théories 두 이론 간의 밀접한 관계.

***symbole** [sɛ̃bɔl] *m.* ① 상징, 표상(表象), 심벌 : Le laurier est le ~ de la victoire. 월계수는 승리의 상징이다. ② 상징적〔대표적〕 인물 : Il est devenu le ~ de l'unité nationale. 그는 국가 통일의 상징적 인물이 되었다. ③ 기호 : ~ algébrique 〔chimique〕 대수〔화학〕 기호. ④ 『기독교』 신경(信經) : ~ des Apôtres 사도신경.

symbolique [sɛ̃bɔlik] *adj.* ① 상징적인, 표상적인 : objet 〔peinture〕 ~ 상징적 물건〔회화〕 / sens ~ 상징적 의미. ② 실질이 없는, 명목뿐인 : augmentation ~ des salaires 명목상의 봉급 인상. ③ 기호의 : écriture ~ 상형 문자〔그림 문자〕 / logique ~ 기호 논리학. ── *f.* ① 『종교』 상징론(論), 표상 해석 : ~ des rêves 『정신분석』 꿈의 상징학. ② 기호논리학 ; 기호 체계.

symboliquement [sɛ̃bɔlikmɑ̃] *adv.* 상징적으로 ; 기호로써.

symbolisation [sɛ̃bɔlizɑsjɔ̃] *f.* 상징화, 상징적 표현.

symboliser [sɛ̃bɔlize] *v.t.* 상징하다, …의 상징이다 ; 상징으로 나타내다 : L'olivier *symbolise* la paix. 감람나무는 평화의 상징이다 / On *symbolise* la paix par une colombe. 평화는 비둘기에 의해 상징된다.

symbolisme [sɛ̃bɔlism] *m.* ① 『예술』 상징주의. ② 상징 체계, 상징〔기호〕 사용.

symboliste [sɛ̃bɔlist] *n.* 상징주의자.
── *adj.* 상징주의의 : poésie ~ 상징시.

***symétrie** [simetʀi] *f.* ① 좌우대칭 ; 균형, 조화 : vases disposés avec ~ 대칭을 이루게 배치해 놓은 꽃병들. ② 『수학』 대칭 ; 『생물』 상칭(相稱) : axe de ~ 대칭축 / ~ bilatérale 좌우 상칭.

symétrique [simetʀik] *adj.* ① 균제가〔균형이〕 잡힌 ; (좌우) 대칭적인 : arrangement ~ 균형을 이룬 배열 / organes ~*s* 대칭적인 기관(器官). ② 『생물』 상칭의 ; 『수학』 대칭의 ; 『식물』 대생(對生)의.

symétriquement [simetʀikmɑ̃] *adv.* 잘 어울리게, 균형잡히게 ; 대칭적으로 : fenêtres disposées ~ 좌우 균형 있게 배치된 창.

***sympa** [sɛ̃pa] *adj.* 《불변》 《구어》 마음에 드는, 멋진(= sympathique) : petit restau ~ 아담하고 멋진 레스토랑.

***sympathie** [sɛ̃pati] *f.* ① 호감, 호의(≠ antipathie) : avoir 〔éprouver〕 de la ~ pour qn …에게 호감을 품다 / accueillir une idée avec ~ 어떤 이념을 호의적으로 받아들이다. ② 공감, 동감 : ~*s* politiques 정치적 공감 / Ce projet a toutes mes ~*s*. 그 계획에 나는 전적으로 동감한다. ③ 《문어》 동정, 연민 : être en ~ avec les malheureux 불행한 사람들을 동정하고 있다. ④ 『생리』 교감(交感).

***sympathique** [sɛ̃patik] *adj.* ① 호감을 주는, 마음에 드는 : geste ~ 호감이 가는 행동, 귀여운 몸짓 / Elle m'est très ~. 그녀는 아주 내 마음에 들었다. ② 《구어》 기분좋은, 즐거운 : soirée ~즐거운 저녁. ③ 《~ à》 …에 공감하는, 호의적인 : être ~ *aux* idées de qn …의 생각에 공감하다. ④ 『해부』 교감(交感)의 : nerf ~ 교감신경. ── *m.* (grand) ~ 교감신경.

sympathiquement [sɛ̃patikmɑ̃] *adv.* 호감을〔호의〕를 갖고(= amicalement) : accueillir ~ un visiteur 손님을 충심으로 환대하다.

sympathisant, e [sɛ̃patizɑ̃, -ɑ̃ːt] *adj.* (어떤 사상에) 공감〔동조〕하다. ── *n.* 동조자 : communiste 공산당 동조자.

***sympathiser** [sɛ̃patize] *v.i.* ① 《~ avec》 …와 공감〔공명〕하다 ; 마음이 맞다 : Ils *ont* tout de suite *sympathisé*. 그들은 곧 서로

S

뜻이 통하게 되었다. ② 융합하다, 감응하다. ~ ***mal ensemble*** 사이가 나쁘다.

symphonie [sɛ̃fɔni] *f.* ① 〖음악〗 교향악〔곡〕, 심포니. ② 《문어》 조화 : ~ de couleurs 색깔의 조화.

symphonique [sɛ̃fɔnik] *adj.* 교향악의 : poème ~ 교향시 / orchestre ~ 교향악단, 심포니오케스트라 / œuvres ~*s* 교향곡.

symphoniste [sɛ̃fɔnist] *m.* 교향악 작곡가〔연주가〕.

symposium [sɛ̃pozjɔm] 〔영〕 *m.* ① 심포지엄, 토론회. ② (같은 문제에 관한 여러 사람의) 논집(論集). ③ (고대그리스의) 향연.

symptomatique [sɛ̃ptɔmatik] *adj.* ① 〖의학〗 징후가 되는, 증상을 나타내는〔다루는〕 : anémie ~ 빈혈 증상. ② (사태 따위의) 전조가 되는, 특징을 나타내는(= caractéristique) : grève ~ du malaise social 사회 불안의 전조가 되는 파업.

***symptôme** [sɛ̃pto:m] *m.* ① (사태의) 전조, 조짐, 낌새(= signe) : ~*s* d'une révolution prochaine 오고야 말 혁명의 전조. ② 〖의학〗 징후, 증상 : ~*s* subjectifs 자각 증상 / ~*s* d'une maladie 병의 징후.

synagogue [sinagɔg] *f.* 유대 교회 ; 유대교 신자 ; 유대교.

synchrone [sɛ̃kʀo:n] *adj.* ① 병발(併發)의, 동시에 일어나는 ; 동시성의. ② 〖전기〗 동기(同期)의, 동위상(同位相)의.

synchronie [sɛ̃kʀɔni] *f.* 〖언어〗 공시태(共時態)(≠ diachronie).

synchronique [sɛ̃kʀɔnik] *adj.* ① 동시의, 동시에 일어나는. ② 〖언어〗 공시적(共時的)인 : linguistique ~ 공시 언어학.

synchronisation [sɛ̃kʀɔnizɑsjɔ̃] *f.* 동시화(同時化) ; 〖전기〗 동기화(同期化) ; 〖영화〗 싱크로나이즈, 동시 녹음.

synchronisé, e [sɛ̃kʀɔnize] *adj.* (운동·현상·장치 따위가) 동시에 이루어지게 된 : natation ~*e* 〖스포츠〗 싱크로나이즈 스위밍.

synchroniser [sɛ̃kʀɔnize] *v.t.* ① 동시에 일어나게 하다, 동시성을 갖게 하다. ② 〖영화〗 싱크로나이즈〔동시 녹음〕하다.

synchronisme [sɛ̃kʀɔnism] *m.* ① 동시성, 동기(同期) (상태) : ~ de deux movements 두 가지 운동의 동시성. ② (날짜·시대의) 일치.

synclinal, e, aux [sɛ̃klinal, -o] *adj.* 〖지질〗 향사(向斜)의.

S

syncope [sɛ̃kɔp] *f.* ① 〖의학〗 가사(假死), 인사불성, 기절 ; 졸도 : avoir une ~ 졸도하다. ② 〖음악〗 절분법(切分法), 싱코페이션.

syncopé, e [sɛ̃kɔpe] *adj.* ① 〖음악〗 (음표가) 절분(切分)된 ; 리듬이 강한. ② 《구어》 깜짝 놀란, 아연실색한(= stupéfait).

syncoper [sɛ̃kɔpe] *v.t.* 〖문학〗 중략하다 ; 〖음악〗 절분하다.

syncrétisme [sɛ̃kʀetism] *m.* ① 〖철학〗 제설(諸說)〔제파(諸派)〕 통합. ② 〖종교〗 제교혼효(諸教混淆)〔통합〕.

syndic [sɛ̃dik] *m.* ① (파리시 의회의) 사무국 특별 위원《시설 및 의전 담당》. ② (공동주택의) 관리 조합 위원. ③ (공동의 권익을 도모하는) 관리자, 위원, 대표 : ~ de faillite 〖법률〗 파산 관리인. ④ 〖역사〗 (옛 자유 도시의) 시민 대표.

***syndical, e, aux** [sɛ̃dikal, -o] *adj.* ① (노동)조합의, 조합 운동의 : délégué ~ 조합 대표 / confédération (centrale) ~*e* 노조 연합. ② 동업 조합의 : chambre ~*e* 고용주 조합.

syndicalisation [sɛ̃dikalizɑsjɔ̃] *f.* 조합 가입 ; 조합화(化).

syndicaliser [sɛ̃dikalize] *v.t.* 조합에 가입시키다 ; 조합 기구로 만들다 ; …에게 조합 활동을 시키다. ── **se** ~ *v.pr.* 조합원이 되다.

syndicalisme [sɛ̃dikalism] *m.* 생디칼리즘 《급진적 산업 조합 운동》; 조합 운동〔활동·주의〕 : ~ ouvrier 노조 운동 / faire du ~ 노조활동을 하다.

syndicaliste [sɛ̃dikalist] *n.* 조합주의자〔활동가〕. ── *adj.* 노동조합 운동〔주의〕의 : movement ~ 노동조합 운동.

***syndicat** [sɛ̃dika] *m.* ① 노동조합 : adhérents d'un ~ 노동조합의 조합원. ② 동업 조합 : ~ patronal 고용주 조합 / ~ d'employés 종업원 조합. ③ 기업 연합, 신디케이트. ④ (공동의 권익을 지키기 위한) 협회 : ~ d'initiative 관광 협회.

syndiqué, e [sɛ̃dike] *adj.* (노동)조합에 가입한 : ouvriers ~*s* 조합 가맹 노동자. ── *n.* 노조원 : les ~*s* et les non-~s 조합원과 비조합원.

syndiquer [sɛ̃dike] *v.t.* ① (노동자를) 조합원으로 조직하다. ② (기업을) 신디케이트로 하다. ── **se** ~ *v.pr.* ① (노동)조합에 가입하다. ② (기업이) 신디케이트를 만들다.

syndrome [sɛ̃dʀo:(ɔ)m] *m.* 〖의학〗 증후군(症候群) : ~ clinique 임상 증후군.

synecdoche, synecdoque [sinɛkdɔk] *f.* 〖수사학〗 제유법(提喩法)《일부로 전체, 전부로 일부를 나타내는 법》.

synérèse [sineʀɛ:z] *f.* 〖음성〗 모음융합《모음 [i] [u] [y] 에 다른 모음이 이어질 때 전자가 반모음화하여 [j] [w] [ɥ] 로 되는 현상》.

synergie [sinɛʀʒi] *f.* 〖생리〗 공동〔공조〕 작용 : ~ musculaire 근육의 공조.

synesthésie [sinɛstezi] *f.* 〖생물·심리〗 공감각(共感覺)《하나의 감각이 딴 영역의 감각을 일으키는 현상》.

synodal, e, aux [sinɔdal, -o] *adj.* 〖종교〗 교구〔교회〕의.

synode [sinɔd] *m.* 〖가톨릭〗 주교구(主教區)의 성직자 회의 ; 공회의(公會議)(= concile) ; 〖신교〗 교회 회의.

synodique [sinɔdik] *adj.* ① 〖종교〗 교구 회의의. ② 〖천문〗 삭망(朔望)의 : mois ~ 삭망월(月).

synonyme [sinɔnim] *adj.* 〖언어〗 동의(同義)의, 유의(類義)의 : terms ~s 동의어. ── *m.* 동의어, 유의어(語)(≠ antonyme).

synonymie [sinɔnimi] *f.* 동의성, 유의성.

synonymique [sinɔnimik] *adj.* 동의〔유의〕(어)의.

synopsis [sinɔpsis] *f.* ① (어떤 학과·문제 따위의) 요람(要覽), 일람(표), 적요. ② 〖영화〗 시놉시스, (스토리의) 대강 줄거리《때로 *m.*으로도 쓰임》.

synoptique [sinɔptik] *adj.* 요람의, 일람의, 적요의 : tableau ~ 일람표. ***Évangiles ~s***

공관(共觀) 복음서《마태 · 마가 · 누가의 3 복음서를 가리킴》.

synovie [sinɔvi] *f.* 〖해부〗 관절액, 활액.

synovite [sinɔvit] *f.* 〖의학〗 활막염(滑膜炎).

syntacticien, enne [sɛ̃taktisjɛ̃, -ɛn] *n.* 구문법 연구자.

syntactique [sɛ̃taktik] *adj.* = syntaxique.

syntagmatique [sɛ̃tagmatik] *adj.* 〖언어〗 연사(連辭)(론)적인.

syntagme [sɛ̃tagm] *m.* 〖언어〗 ① 연사(連辭)(체). ② 〖문법〗 구(句) : ~ verbal 〔nominal〕 동사〔명사〕구.

syntaxe [sɛ̃taks] *f.* 통어법(通語法) ; 구문론, 통사론(統辭論).

syntaxique [sɛ̃taksik] *adj.* 통사론의, 구문「(론)의.

synthèse [sɛ̃tɛ:z] *f.* ① 〖논리〗 종합 ; 총괄, 통합 : analyse et ~ 분석과 종합 / faire la ~ de deux théories 두 이론을 종합〔통합〕하다. ② 〖화학〗 합성 : faire la ~ d'un composé 어떤 화합물을 합성하다 / produit de ~ 합성제품. ③ 〖컴퓨터〗 합성 : image de ~ 컴퓨터 그래픽스.

synthétique [sɛ̃tetik] *adj.* ① 〖논리〗 종합적인 ; 총괄적〔개괄적〕인 : méthode ~ 종합적 방법. ② 〖화학〗 합성의, 인공의(≠ naturel) : résine ~ 합성수지. — *m.* 《구어》 합성제품〔수지, 섬유〕 : textile ~ 합성섬유.

synthétiquement [sɛ̃tetikmɑ̃] *adv.* 종합하여, 합성적〔인공적〕으로.

synthétiser [sɛ̃tetize] *v.t.* ① 종합하다 ; 총괄〔개괄〕하다. ② 합성하다 ; 조합하다 : ~ une protéine 단백질을 합성하다.

synthétiseur [sɛ̃tetizœ:ʀ] *m.* 〖음악〗 신시사이저 : ~ de parole 음성 합성 장치.

syntonie [sɛ̃tɔni] *f.* 〖전기〗 동조(同調) ; 〖심리〗 동조성(性).

syntoniseur [sɛ̃tɔnizœ:ʀ] *m.* 튜너, 동조기「(同調器).

syphilis [sifilis] *f.* 〖의학〗 매독(= vérole).

syphilitique [sifilitik] *adj.* 매독의. — *n.* 매독 환자.

Syrie [siʀi] *n.pr.f.* 〖지리〗 시리아.

syrien, enne [siʀjɛ̃, -ɛn] *adj.* 시리아(*la Syrie*)의. — **S~** *n.* 시리아 사람. — *m.* 시리아어.

***systématique** [sistematik] *adj.* ① 체계적인, 계통적인, 조직적인 : esprit ~ 체계적인 두뇌 / classement ~ 계통적〔조직적〕 분류. ② 《나쁜 의미로》 (사람 · 생각 따위가) 융통성 없는, 완고한, 틀에 박힌 : opposition ~ 완강한 반대 / écrivain ~ 틀에 박힌 작가. ③ (행동 따위가) 철저한, 계획적인, 조직적인 : exploitation ~ 철저한 착취 / destruction ~ 계획적인 파괴. — *n.* 융통성 없는 사람.

systématiquement [sistematikmɑ̃] *adv.* ① 체계적〔계통적 · 조직적〕으로. ② 철저히, 시종일관 ; 고의로.

systématisation [sistematizɑsjɔ̃] *f.* 체계화, 계통화, 조직화.

systématiser [sistematize] *v.t.* 체계적으로 만들다, …에 계통을 세우다, 조직화하다. — **se ~** *v.pr.* 체계가〔계통이〕 서다, 조직화되다.

‡système [sistɛm] *m.* ① 방법, 방식, 장치 : nouveau ~ d'éclairage 신식의 조명법 / ~ de sécurité 안전 장치. ② 《구어》 방편, 수단, 요령(= moyen) : C'est un bon ~. 그 녀석은 요령이 좋다 / Je connais le ~. 나는 좋은 방법을 알고 있다. ③ 제도, 체제 : ~ d'éducation 교육 제도 / ~ politique 〔social〕 정치〔사회〕 제도 / ~ monétaire 화폐 제도. ④ 계(系), 계통, 체계, 조직 : ~ solaire 〔planétaire〕 태양〔행성〕계 / ~ nerveux 신경 계통. ⑤ (철학 따위의) 체계 ; 통일 이론, 학설 : le ~ de Copernic 코페르티쿠스의 학설〔지동설〕 / le ~ philosophique de Kant 칸트의 철학 체계. ⑥ (도량형의) 단위계(單位系), …법 : ~ d'unités 단위, 계량법 / ~ décimal, 10 진법 / ~ métrique 미터법. ⑦ 분류(법) : ~ de Linné 린네의 분류법. ⑧ 〖컴퓨터〗 시스템 : ~ d'exploitation 오퍼레이팅 시스템《OS》 / ~ de gestion de bases de données 데이터베이스 관리 시스템. ***courir* 〔*porter, taper*〕 *sur le ~*** 《구어》 남의 신경을 건드리다. ***esprit de ~*** ⓐ 체계적 사고〔정신〕. ⓑ 틀에 박힌 사고방식(의 소유자).

systémique [sistemik] *adj.* ① 체계〔조직〕의. ② 혈류(血流) 순환계의.

systole [sistɔl] *f.* 〖생물〗 심장 수축.

T

T, t [te] *m.* ① 프랑스 자모의 제 20 자. ② T 자형(字型) ; T 자형의 것 ; T 자형의 자. ***en T,*** T 자형의. ***règle en T,*** T 자.

t. 《약자》 ① tour 회전 : *t.*/mn 1 분간의 회전수(= tours par minute). ② tonneau 통. ③ tome 권(券), 책. ④ titre 〖재정〗 유가 증권, 주식, 주권. ⑤ tonne 〖도량형〗 미터톤《천 킬로그램이 1 톤》. ⑥ température 〖물리〗 온도, 기온. ⑦ temps 때, 시간. ⑧ toque 〖경마〗 기수의 모자.

t' [t] *pron. pers.* ① te의 생략형. ② 《구어》 tu의 생략형.

⁑ta [ta] *adj. poss. f.* 《ton¹의 여성형》 너〔자네 · 그대 · 당신〕의.

tabac¹** [taba] *m.* ① 담배 ; 코담배 : du ~ grossier (질이) 조잡한 담배 / bureau 〔débit〕 de ~ 담배 가게 / débitant de ~ 담배 소매 상인. ② 《속어》 담배 가게(= débit 〔bureau〕 de ~) : café-~ 담배도 파는 카페. ③ 〖식물〗 담배나무. ***le même ~ 《구어》 같은 것〔종류〕 : C'est toujours *le même* ~ 다를 게 하나도 없다. ***les T~s*** 전매청(= Régie francaise des ~s). ── *adj.* 《불변》 담배빛깔의 : couleur ~ 담배색.

tabac² *m.* ① 《옛 · 구어》 구타(= volée de coup) ; 싸움(= bataille). ② (연극 따위의) 대성공 : faire un ~ ; 《속어》 avoir le gros ~ 대성공을 거두다. ***coup de ~*** 태풍, 거친 날씨. ***passer*** qn ***à ~*** …을 마구 때리다 ; 혼내 주다. ***rude ~*** 고된 일.

tabagie [tabaʒi] *f.* 흡연, 끽연 ; 담배 냄새가 배어 있는 곳〔방〕 : Ce bureau est une ~. 이 사무실은 마치 흡연실 같다.

tabagisme [tabaʒism] *m.* 〖의학〗 담배〔니코틴〕 중독(= nicotinisme).

tabasser [tabase] *v.t.* 《구어》 마구 때리다, 난타하다(= passer à tabac²).

tabatier, ère [tabatje, -ɛːʀ] *n.* 담배 제조 직공. ── *f.* ① (경첩 달린) 코담배갑. ② 〖건축〗 (경첩 달린) 천창(天窓)(= fenêtre 〔châssi〕 à ~*ère*).

tabernacle [tabɛʀnakl] *m.* 〖가톨릭〗 (성체의 빵을 담는) 감실(龕室).

tablature [tablatyːʀ] *f.* 〖음악〗 (악기의) 운지법(運指法) 도표.

⁑table [tabl] *f.* ① 테이블, 탁자 ; 대(臺) ; 식탁 : ~ de bois à quatre pieds 네발 달린 나무 탁자 / ~ de travail 책상 / ~ ovale 타원형 탁자. ② 식사 ; 음식 ; 회식자, 좌중(= tablée) : bonne ~ 맛있는 식사 / propos de ~ 식사중의 좌담. ③ 판자, 평판(平板) ; 판(板) : ~ (d'harmonie) (악기의) 음향판 / ~ de roc 바위의 평평한 면. ④ 《옛》 화판(畫板) ; 서판(書板)(= tablette). ⑤ 〖해부〗 (두개골의) 골판(骨板). ⑥ (보석의) 평평한 면(面) : diamant (taillé) en ~ 편편한 모양의 금강석. ⑦ 〖전화〗 교환대. ⑧ 표, 일람표 ; 목록 ; 목차 : ~ de mortalité 〔de natalité〕 사망〔출생자〕 통계표 / ~ de multiplication 구구표 / ~ de logarithmes 대수(對數)표. ⑨ 〖심령술〗 호구리(狐狗狸)《신령의 힘에 의해 테이블을 움직이는 영기술(靈氣術)의 일종》. ***A~ !*** 자, 식탁에 앉읍시다. ***dessous de ~*** 《속어》 (암거래에서) 슬쩍 쥐어 주는 돈. ***dresser*** 〔***mettre***〕 ***la ~*** 식탁을 차리다, 식사 준비를 하다. ***être à ~*** 식사 중이다. ***T~ ronde*** 〖문학〗 (아서왕과 그 기사가 앉았던) 원탁 ; 원탁 회의, 토론회.

⁑tableau [tablo] *m.* (*pl.* ***~x***) ① 그림, 회화(작품) : ~ religieux 종교화 / galerie de ~ 화랑. ② 경치 ; 장면, 광경 ; 조망 ; 묘사 : Vous voyez d'ici le ~ ! 《구어》 이제 그 장면이 눈앞에 선하지요 / ~*x*, de la vie militaire 군대 생활의 묘사. ③ 〖연극〗 장(場) : drame en trois actes et quinze ~*x*, 3 막 15 장 짜리 극. ④ 표, 일람표 ; 명부 ; 〖법률〗 변호사〔배심원〕 명부 ; 도표 (圖表) : ~ synoptique 일람표 / ~ statistique 통계표 / ~ des conjugaisons 동사 변화표 / ~ d'honneur 〖학교〗 우등생 명부. ⑤ 판(板) ; 흑판(= ~ noir) ; 게시판(= ~ d'affichage) ; 고시판(= ~ d'annonce) ; 〖해양〗 (배의) 이름판《배의 뒤쪽〔고물〕의 평평한 부분》 : aller 〔passer〕 au ~ 흑판 앞에 가서 질문을 받다. ⑥ 〖사냥〗 (사냥 후에) 종류별로 늘어놓은 불치(= ~ de chasse). ***jouer*** 〔***miser, gagner***〕 ***sur les deux ~x*** 양다리를 걸치다, 기회주의적이다. ***~ à l'huile*** 〖미술〗 유화. ***~ chronologique*** 연표. ***~ de bord*** (자동차 · 비행기 따위의) 계기판(= planche de bord). ***~ de chasse*** 〖사냥〗 (사냥 후 잡은 것들을 종류별로) 늘어놓음 : aviateur qui a un beau ~ *de chasse* 많은 비행기를 격추한 조종사.

tableautin [tablotɛ̃] *m.* 작은 그림.

tablée [table] *f.* 한 식탁에 모인 사람들, 회식자들.

tabler [table] *v.t. ind.* 《~ sur》 …에 기대를 〔희망을〕 걸다 ; …에 기초〔근거〕를 두다 : Il vaut mieux ~ *sur* son travail que *sur* la chance. 요행에 기대를 거느니 차라리 자기 일에 기대를 거는 편이 좋다.

tablette [tablɛt] *f.* ① 시렁, 선반 ; 판자 ; 판(板) : ~ de cheminée 난로 선반 / ~s d'une bibliothèque 서가(書架). ② 〖약학〗 정제(錠劑) ; 판대기 모양으로 굳힌 것 : ~ de chocolat 초콜릿 한 개. ***mettre*** 〔***noter, marquer***〕 qc ***sur ses ~s*** 잘 기억해 두다, 명심하다. ***Rayez cela de vos ~s.*** 그건 기대하지 마시오.

tableur [tablœːʀ] *m.* 〖컴퓨터〗 (도표 형태의 자료를 구축 · 편집하는) 패키지 프로그램.

tablier** [tablije] *m.* ① 앞치마, 에이프런 ; 마차 앞의 흙받기 : rôle à ~ 〖연극〗 하인역 / ~-blouse 일옷, 덧옷. ② 〖자동차〗 (운전석 앞의) 계기판(計器板). ③ (다리 따위의) 널바닥(= ~ de pont). ④ (벽난로 앞의 바람 조절용) 철판. ***rendre son ~ (하녀가) 직장을 그만두다 ; 《비유》 사직하다.

tabloïd, e [tablɔid] *m.* ① 타블로이드판 신문. ② 〖약학〗 정제(錠劑)(= comprimé). — *adj.* 타블로이드판의 : format ~ 타블로이드판.

***tabou, e** [tabu] *adj.* 《때로 불변》. ① 금기(禁忌)의, 금물의 ; 금지된 : sujets ~*s* 금기시되는 주제. ② 비판해서는 안 되는, 신성불가침의. — *m.* 금기(禁忌) ; 금제(禁制), 터부 : ~*s* sexuels 성적(性的) 금기.

***tabouret** [tabuʀɛ] *m.* ① (팔걸이 · 등이 없는) 의자 : ~ de piano 피아노용 의자. ② (발을 올려놓는) 발받침.

tabulaire [tabylɛːʀ] *adj.* ① 표의 ; 도표의 : logarithmes ~*s* 〖수학〗 대수표 / différence ~ 표차(表差). ② 〖지질〗 평판(平板) 모양의 ; 탁상(卓狀) 모양의.

tabulateur [tabylatœːʀ] *m.* (타이프라이터) 도표 작성 장치.

tabulatrice [tabylatʀis] *f.* 〖컴퓨터〗 제표(製表) 장치.

tac [tak] *m.* 탁〔딱〕 하는 소리 ; 총을 쏠 때 나는 소리 ; 칼이 맞부딪치는 소리. ***du ~ au ~*** 〖검술〗 재빨리, 잽싸게 ; 《구어》 날카로운 말투로, 사납게 : riposter 〔répondre〕 *du ~ au ~* 〖검술〗 잽싸게 되찌르다 ; 《구어》 사납게 말대꾸하다.

tache** [taʃ] *f.* ① 얼룩 ; 반점(斑點) ; 점 ; 멍든 자리 ; 〖미술〗 (점묘(點描)의) 색점(色點) ; 조색(調色) : ~ d'huile 〔d'encre〕 기름 〔잉크〕 얼룩. ② 흠, 결점 ; 오점(汚點) ; 오명(汚名) : C'est une ~ à sa réputation. 그게 그의 오점이 되고 있다. ***faire ~ (빛깔 따위가) 어울리지 않다 ; 눈에 거슬리다 : Ce vase *fait ~* dans le salon. 이 꽃병은 이 살롱에 어울리지 않는다. ***faire ~ d'huile*** 점점 크게 번지다〔퍼지다〕 : idée qui *fait ~ d'huile* 점점 크게 번져 나가는 사상〔이념〕.

tâche** [tɑːʃ] *f.* (맡겨진) 일, 임무, 과업 ; 의무 ; 직무, 숙제 ; 노력 : s'imposer une ~ 숙제를 스스로 부과하다 / remplir sa ~ 자기 일을 수행하다 / s'acquitter d'une ~ 일을 해내다. ***à la ~ 도급(都給)으로〔의〕, 삯일〔품팔이〕로〔의〕 : ouvrage *à la ~* 도급일 / ouvrier *à la ~* 삯일꾼, 품팔이꾼 / travailler *à la ~* 도급으로〔품팔이로〕 일하다. ***prendre à ~ de*** + *inf.* …하려고 애쓰다〔노력하다〕.

taché, e [taʃe] *adj.* 〔얼룩〕이 있는 ; (과일 따위가) 흠이 있는, 반점이 있는 : fruits ~*s* 흠 있는 과일.

***tacher** [taʃe] *v.t.* 얼룩지게 하다 ; (명예 따위를) 더럽히다 : ~ ses vêtements 옷을 더럽히다 / 《목적보어없이》 Le vin rouge *tache.* 붉은 포도주가 묻으면 얼룩진다. — se ~ *v.pr.* ① 자기 옷을 얼룩지게 하다. ② 더러워지다 : nappe blanche qui *se tache* vite 금새 더러워지는 흰 냅킨.

tâcher** [tɑʃe] *v.t. ind.* ~ ***de 〔《옛》 ***à***〕 + *inf.* …하려고 애쓰다〔노력하다〕(= s'efforcer de) : *Tâchez de* ne pas oublier. 잊지 않도록 하시오. — *v.t.* ~ ***que*** 〔***à ce que***〕 + *sub.* …하도록 애쓰다 : *Tâchez que* cela ne se reproduise pas. 그런 일이 다시 일어나지 않도록 노력하시오.

tâcheron [tɑʃʀɔ̃] *m.* ① 〖건축〗 하청〔하도급〕인. ② 《구어》 열심히 일하는 사람 ; 《경멸》 자발성 없이 헛된 일만 하는 사람.

tacheté, e [taʃte] *adj.* 반점이 있는, 얼룩얼룩한 : chien à robe blanche ~*e* de brun 흰 바탕에 갈색 얼룩점이 있는 개.

tacheter [taʃte] 5 *v.t.* 얼룩지게〔얼룩얼룩하게〕 하다, …에 반점을 넣다(= moucheter).

tachisme [taʃism] *m.* 〖미술〗 ① 《옛》 (구상화의) 점묘법(= pointillisme). ② (추상화의) 타시즘.

tachiste [taʃist] *n.* (신인상파의) 점묘화가 ; (추상화의) 타시스트.

tachycardie [takikaʀdi] *f.* 〖의학〗 심계증(心悸症), 심장 고동의 이상 급속.

tachygraphe [takigʀaf] *n.* 속기사. — *m.* 〖기계〗 (자동차의) 속도 계기, 태코그래프.

tachymètre [takimɛtʀ] *m.* 회전 속도계.

tacite [tasit] *adj.* 암암리의, 암묵의, 무언의(= implicite) : consentement ~ 암묵적 동의 / convention ~ 〖법률〗 묵계.

tacitement [tasitmɑ̃] *adv.* 암암리에 ; 암시적으로 ; 묵시적으로(= implicitement)

taciturne [tasityʀn] *adj.* 말수가 적은, 과묵한(≠ bavard, loquace) ; 유머가 없는. — *n.* 과묵한 사람 ; 유머가 없는 사람.

tacle [takl] 〔영〕 *m.* 〖스포츠〗 (축구 따위의) 태클 : effectuer un ~ 태클을 하다.

tacot [tako] *m.* 《구어》 낡은 자동차〔마차〕.

tact [takt] *m.* ① 촉각(= toucher) : choisir au ~ (옷감을) 손으로 만져 고르다. ② 임기응변 ; 묘한 솜씨, 재치 ; (일의) 요령(= doigté) : avoire du ~ 재치가 있다 / répondre avec ~ 재치 있게 답하다.

tacticien, enne [taktisjɛ̃, -ɛn] *m.* ① 전술가, 병법가. ② 책략가, 술책가, 모사꾼.

tactile [taktil] *adj.* 촉각의 : sensation ~ 촉감 / poils ~*s* 〖동물〗 더듬이털, 촉모(觸毛).

***tactique** [taktik] *f.* ① 전술, 전략, 병법(= stratégie) ; (스포츠의) 작전 : ~ d'une équipe de football 축구팀의 작전. ② 책략, 계략 ; 술책. — *adj.* 전술(상)의 : arme nucléaire ~ 전술 핵무기.

taffetas [tafta] 〔이탈리아〕 *m.* 〖직물〗 호박단(琥珀緞), 타프타. ~ ***gommé*** 〖의학〗 반창고 ; 방수포.

tafia [tafja] *m.* 당밀이나 설탕 찌끼로 만든 럼주의 일종.

tag [tag] 〔영〕 *m.* (벽이나 지하철 따위의) 낙서《낙서가의 서명이 있음》.

tagliatelles [tagljatɛl] 〔이탈리아〕 *f. pl.* 이탈리아의 파스타의 일종.

taguer [tage] *v.i.* (스프레이로) 낙서하다.

Tahiti [taiti] *n.pr.* = Taïti. 「= Tahitien.

tahitien, enne [tais〔t〕jɛ̃,-ɛn] *adj.* et *n.*

taïaut, tayaut [tajo] *interj.* 〖사냥〗 쉬쉬 《사냥꾼이 짐승을 보고 사냥개를 부추기는

T

소리》.
taï-chi [tajʃi], **taï-chi-chuan** [tajʃiʃwan] 〔중국〕 *m.* 〖스포츠〗 태극권(太極拳).
taie [tɛ] *f.* ① 베갯잇(= ~ d'oreiller). ② 〖의학〗 각막 백반, (눈의) 삼. ***avoir une ~ sur l'œil*** (편견 따위로) 눈이 멀어지다〔어둡다〕.
taïga [taiga] *f.* 〖지리〗 (시베리아 · 북아메리카의) 침엽 수림 지대, 타이가.
taillable [tɑ〔a〕jabl] *adj.* 〖역사〗 인두세(人頭稅)를 과할 수 있는. ***être ~ et corvéable (à merci)*** 착취의 대상이다, 고생할 팔자이다.
taillade [tɑ〔a〕jad] *f.* (깊이) 벤 상처, 짼 자리, 칼자국(= balafre) : se faire une ~ en se rasant 면도하다가 베다.
taillader [tɑ〔a〕jade] *v.t.* 베다, 째다(= entailler). — **se** ~ *v.pr.* 자기의 …을 베다 : *se* ~ le visage en se rasant 면도하다가 얼굴을 베다.
taillanderie [tɑ〔a〕jɑ̃dʀi] *f.* ① 날붙이 제조업〔판매〕업. ② 《집합적》 날붙이《칼 따위》.
taillant [tajɑ̃] *m.* (칼 · 낫 따위의) 날.
⁑**taille**¹ [tɑːj] *f.* ① 재단, 자르기 ; 깍기 ; 베기 : ~ de cheveux 이발 ; 머리 깎는 식 / pierre de ~ 건축용 석재. ② (나무의) 가지치기, 전지 ; (전지한 후에 돋는) 새 가지 ; (그루터기에서 자라나는) 어린나무 : ~ des arbres (나무의) 가지치기. ③ 자르는〔깎는 · 베는〕 법〔식〕 ; 재단(裁斷) ④ 〖조각〗 판각(版刻) : ~ du bois 목판 조각 / ~ d'épargne 양각(陽刻). ⑤ (검(劍)의) 날(= tranchant) : coup de ~ 〖검술〗 칼날로 치기(≠ coup d'estoc). ⑥ 인두세(人頭稅). ⑦ 〖의학〗 방광 결석 절제(= cystotomie).
taille² *f.* ① 키, 신장(= stature) ; 크기(= dimension) ; 능력, 역량(= capacité) : de grande 〔petite〕 ~ 키가 큰〔작은〕 / de ~ moyenne 중키의. ② 동체 ; 허리 ; 몸매 : long court de ~ 허리가 긴〔짧은〕 / tour de ~ (옷의) 허리 둘레 / ~ de guêpe 날씬한 허리 / avoir la ~ bien prise 허리가 날씬하다. ③ (옷의) 크기, 사이즈 : Cette veste n'est pas *à* ma ~ faites-vous? 당신의 옷 사이즈는 얼마입니까? ④ (물건의)크기, 규모, 사이즈 : pierre de grande ~ 커다란 돌 / photo de la ~ d'une carte de visite 명함판 사진. ***à* 〔*de*〕 *la ~ de*** …에 알맞은, …에 적격인. ***de ~*** 《구어》 대단히 큰 ; 중대한. ***de ~ à*** …할 능력이 있는. ***Il n'est pas de ~.*** 그에겐 그런 능력이 없다. ***prendre bien la*** 허리에 꼭 맞다.
taillé, e [tɑje] *adj.* ① 잘린, 재단된, 깎아 손질된, 깎인 : ~ en …의 모양으로 깎은 ; bâton ~ en pointe 뾰족하게 깎은 막대기 / arbre ~ en cône 원뿔꼴로 잘린 나무. ② …한 몸매〔체격〕의 : homme bien ~ 체격이 좋은 사람. ***être ~ pour...*** …에 적합하다 : cheval ~ *pour* la course 경마용으로 적합한 말.
taille-crayon [tɑ〔a〕jkʀɛjɔ̃] *m.* (*pl.* **~-~s**) 연필 깎는 기구.
taille-douce [tɑ〔a〕jdus] *f.* (*pl.* **~s-~s**) 동판 조각술〔인쇄〕 : graveur en ~ 동판화가.
taille-ongles [tɑ〔a〕jɔ̃ːgl] *m.* 《복수불변》 손톱깎이.
⁑**tailler** [tɑje] *v.t.* ① 자르다, 깎다, 베다, 썰다 ; 전지하다 : ~ un crayon 연필을 깎다 / ~ un diamant 금강석을 자르다 / ~ des arbres fruitiers 과수를 전지하다. ② (옷을) 마르다, 재단하다 ; 깎아서〔잘라서〕 …을 만들다 : ~ une robe 옷을 재단하다 / ~ une statue dans le marbre 대리석을 깎아서 조상을 만들다. ***~ un costard* 〔*une veste*〕 *à*** qn 《구어》 …의 험담을 하다. ~ qn 〔qc〕 ***en pièce*** …을 부수다, 분쇄하다. — **se** ~ *v.pr.* ① 자기를 위해 …을 자르다〔마르다〕. ② 《구어》 도망치다 ; 가 버리다(= s'enfuir). ③ 손에 넣다(= obtenir) : *se* ~ un franc succès (작품 따위가) 큰 성공을 거두다.
taillerie [tɑjʀi] *f.* 보석 연마술 ; 보석 세공사의 작업장.
*__tailleur, euse__ [tɑjœːʀ, øːz] *m.* ① 재단사, 재봉사, 양복 짓는 사람 ; 양복점〔양장점〕 주인 : maître ~ 양복점 주인 / ~ pour dames 양장 재단사. ② (나뭇가지 따위를) 자르는 사람, (보석) 세공사 ; 석공(石工)(= ~ de pierres) : ~ de pierres précieuses 보석 세공사. ③ (카드놀이의) 물주. ***s'asseoir en ~*** 책상다리를 하고 앉다.
taillis [taji] *m.* 잡목림 ; 벌채림 ; 잡목.
tailloir [tɑ〔a〕jwaːʀ] *m.* 〖건축〗 (원기둥의) 머리판(= abaque).
tain [tɛ̃] *m.* (거울 뒤에 입히는) 주석과 수은의 합금 : glace sans ~ 유리 칸막이.
⁑**taire** [tɛːʀ] 33 《직설법 · 현재 · 3 인칭 단수는 tait》 *v.t.* 말하지 않다, 비밀로 하다, 숨기다 : ~ ses raisons 이유를 말하지 않다 / ~ la vérité 사실을 숨기다 / ~ sa douleur 고통을 내색하지 않다. — **se** ~ *v.pr.* ① 침묵을 지키다, 잠자코 있다, 입을 다물다 : *se* ~ sur un secret 비밀에 관해서 함구하다 / Tu aurais mieux fait de *te* ~. 가만히 있는 편이 더 나았었는데. ② (소리가) 그치다, 잠잠해지다 : Les bruits de la rue *se sont tus.* 거리의 소음이 잠잠해졌다. ***faire ~*** 《se 의 생략》 입을 다물게 하다 ; (감정을) 억제하다 : *faire* ~ un enfant 어린애를 조용하게 하다 / *faire* ~ sa colère 노여움을 억누르다.
taïtien, enne [tais〔t〕jɛ̃, -ɛn] *adj.* 타히티 섬의. — **T~** *n.* 타히티 섬 사람. — *m.* 타히티 말.
Taiwan [taiwan] *n.pr.f.* 타이완(= Formose).
take-off [tɛːkɔf] 〔영〕 *m.* ① (비행기의) 이륙(= decollage). ② 비약적 발전.
talc [talk] *m.* ① 〖광물〗 활석(滑石). ② 탤컴 파우더(= poudre de ~)《약용분》.
talé, e [tale] *adj.* (과일이) 상한.
*__talent__ [talɑ̃] *m.* ① 재주, 재간, 재능, 수완 : avoir le ~ des langues 어학의 재주가 있다 / ~ de société 남들을 즐겁게 하는 재능. ② 재주 있는 사람, 인재 : peintre de ~ 재능 있는 화가. ***avoir du ~*** 재능이 있다. ***de ~*** (사람이) 수완 있는, (작품이) 우수한.
talentueux, euse [talɑ̃tɥø, -øːz] *adj.* 재주 있는, 재능 있는.
talion [taljɔ̃] *m.* 〖역사〗 동죄(同罪)의 형벌 ; 복수(법), 앙갚음. ***la loi du ~*** 동태(同態) 복수법《가해자에게 피해자와 같은 정도의 고통을 주는 형을 과하는 법제》.
talisman [talismɑ̃] *m.* 부적, 호신부〔패〕 ; 마스코트(= porte-bonheur).
talkie-walkie [tokiwoki, tɔlkiwɔlki] *m.* (*pl.*

~s-~s) 워키토키《휴대용 전화기》.

talk-show [tɔ(l)kʃo] 〔영〕 *m.* (*pl.* **~-~s**) (방송에서) 유명 인사의 인터뷰 프로, 토크 쇼.

Talmud [talmyd] *n.pr.m.* 〖종교〗 탈무드《유대교의 율법》.

talmudique [talmydik] *adj.* 탈무드의.

taloche [talɔʃ] *f.* ① 《구어》 손바닥으로 머리〔얼굴〕 치기〔때리기〕: donner une ~ 따귀를 때리다. ② (미장이의) 흙받기.

talocher [talɔʃe] *v.t.* …의 머리〔얼굴〕 손바닥으로 치다〔때리다〕(= calotter) : ~ un enfant 어린애를 철썩 때리다.

talon** [talɔ̃] *m.* ① (발)뒤꿈치 ; (양말 · 구두의) 뒤축 ; (말의) 발굽 ; 박차 : s'asseoir sur les ~s 쭈그리고 앉다 / presser un cheval du ~ 말에 박차를 가하다. ② (물건의) 끝부분, 말단 : ~ d'une canne à pêche 낚싯대의 뒤끝 / ~ de lame 칼날의 슴베. ③ 〖카드놀이〗 도르고 남은 카드. ④ 원부(原符)《수표 · 영수증 따위를 떼어 주고 남은 쪽》(≠ volant ; = ~ de souche). ***marcher sur les ~s de qn …의 바로 뒤에 따라가다. ***montrer*** 〔***tourner***〕 ***les ~s*** 도망치다. ***~ d'Achille*** 급소, 약점.

talonnage [talɔnaːʒ] 〖럭비〗 힐아웃《스크럼 때 발뒤축으로 공을 뒤로 차기》.

talonnement [talɔnmɑ̃] *m.* 뒤쫓기, 추격 ; 들볶기.

talonner [talɔne] *v.t.* ① 바싹 뒤따르다, 뒤따라다니다 ; 바짝 추격하다 : ~ l'ennemi 적을 바싹 추격하다. ② (말에) 박차를 가하다. ③ …에게 심히 독촉하다 ; 괴롭히다(= tourmenter, harceler) : Ses créanciers le *talonnent*. 빚쟁이들이 그를 들볶아댄다. ④ 〖럭비〗 힐아웃하다.

talonnette [talɔnɛt] *f.* ① 구두 뒤축 밑에 붙이는 고무. ② 바짓부리 안쪽에 대는 천.

talonneur [talɔnœːʀ] *m.* 〖럭비〗 후커《스크럼 때의 중심 선수》.

talquer [talke] *v.t.* 탤컴파우더를 바르다〔뿌리다〕.

talus [taly] *m.* ① 경사지(傾斜地), 사면(斜面), 비탈. ② 경사, 물매, 기울기. ***aller en ~*** 물매〔경사〕를 이루다. ***en ~*** 비스듬히.

tamanoir [tamanwaːʀ] *m.* 〖동물〗 큰개미핥기.

tamarin [tamaʀɛ̃] *m.* 〖식물〗 타마린드《콩과의 상록 교목》; 그 열매 ; = tamaris.

tamaris(c) [tamaʀis(k)], **tamarix** [tamaʀiks] *m.* 〖식물〗 위성류.

tambouille [tɑ̃buj] *f.* ① 《구어》 맛없는 음식〔요리〕, 요리(= cuisine). ② 취사장 ; 취사당번. ***faire la*** 〔***une***〕 ***~*** 취사하다.

tambour** [tɑ̃buːʀ] *m.* ① 북 ; 북치는 사람, 고수(鼓手) : battement 〔roulement〕 de ~ 북소리 / battre du 〔le〕 ~ 북을 치다. ② (원통형) 드럼, 실린더 ; 둥근 자수틀 : ~ de frein (자동차의) 브레이크 드럼 / ~ laveur d'une machine à laver 전기 세탁기의 회전물통 / ~ de moulinet (낚싯대의) 릴 드럼. ③ (유리로 된) 회전문 ; 이중문의 현관〔입구〕. ***au son du ~ 북을 울리며, 시끄럽게, 주책없이. ***raisonner comme un ~*** 당치도 않은 많은 이론을 늘어놓다. ***sans ~ ni trompette*** 슬그머니, 은밀히. ***~ battant*** 부산하게, 민첩하게 : mener une affaire ~ battant 일을 척척 해치우다.

tambourin [tɑ̃buʀɛ̃] *m.* ① 탬버린(= tambour de basque). ② 〖음악〗 (한 손으로 관악기를 불며 북채 하나로 치는) 긴 북 ; 긴 북을 치는 사람.

tambourinage [tɑ̃buʀinaːʒ], **tambourinement** [tɑ̃buʀinmɑ̃] *m.* 북치기, 두드려서 소리내기 ; 둥둥 울리는 북소리.

tambourinaire [tɑ̃buʀinɛːʀ] *m.* (남프랑스의) 긴 북을 치는 사람.

tambouriner [tɑ̃buʀine] *v.i.* ① 북을 치다. ② (손가락 끝으로 책상 따위를) 두드리다 : ~ à 〔sur〕 la porte de qn …의 방문을 두드리다 / La pluie *tambourine* sur les vitres. 비가 유리창을 두드린다. — *v.t.* ① 북으로 연주하다 : ~ une marche 북으로 행진곡을 연주하다. ② 북을 쳐서 알리다.

tambour-major [tɑ̃buʀmaʒɔːʀ] *m.* (*pl.* **~s-~s**) 〖군사〗 (연대의) 고적대장(鼓笛隊長).

tamis [tami] *m.* 체, 여과기 : ~ à farine 밀가루체. ***passer au ~*** 체로 치다 ; 《비유》 엄선하다 ; 면밀히 검토〔조사〕하다.

tamisage [tamizaːʒ] *m.* ① 체질, 체로 거르기 : ~ de la farine 밀가루를 체로 치기. ② 빛을 부드럽게〔약하게〕 하기.

Tamise (**la**) [latamiːz] 〔영〕 *n.pr.f.* 〖지리〗 템스 강.

tamiser [tamize] *v.t.* ① (가루 · 모래를) 체로 치다 ; (액체를) 여과하다, 거르다 : ~ du sable 모래를 체질하다. ② (빛을) 누그러뜨리다, 부드럽게 하다 : ombrelle qui *tamise* la lumière 빛을 누그러뜨리는 작은 양산.

tamiseur, euse [tamizœːʀ, -øːz] *n.* 체질하는 사람〔일꾼〕. — *m.* (화로의) 재받이.

***tampon** [tɑ̃pɔ̃] *m.* ① 마개 ; (맨홀 따위의) 뚜껑 : arrêter une fuite d'eau avec un ~ 물이 새는 것을 마개로 틀어막다 / ~ de liège 코르크 마개. ② (헝겊 따위의) 뭉치, 탐폰 ; (니스 칠용의) 패드 : vernir un meuble au ~ 패드로 가구에 니스칠을 하다. ③ 〖외과〗 탐폰《지혈용 솜 · 거즈》, 지혈전(止血栓) ; 면봉(綿棒) : ~s hygiéniques 〔périodiques〕 생리대. ④ 〖건축〗 (못을 박기 위해 벽 속에 넣는) 나무 쐐기. ⑤ 고무인, 스탬프, 소인(消印), 검인(檢印) : donner un coup de ~ sur un passeport 여권에 출〔입〕국 스탬프를 찍다 / ~ de la poste 우체국 소인. ⑥ 〖철도〗 (기차의) 완충기 ; 완충 장치 : servir de ~ 완충 장치 역할을 하다, 조정〔중재〕역을 맡다 / zone ~ 완충 지대.

tamponnement [tɑ̃pɔnmɑ̃] *m.* ① 마개〔쐐기〕 틀어막기 ; (벽에) 나무 쐐기 박기. ② 〖의학〗 (상처에) 솜 · 거즈 틀어막기. ③ 〖철도〗 충돌. ④ 《속어》 주먹다짐, 구타.

tamponner [tɑ̃pɔne] *v.t.* ① …에 마개를 막다〔끼우다〕, …의 구멍을 틀어막다. ② 〖의학〗 (상처를 거즈 · 솜 · 탐폰으로) 누르다, 지혈하다, 탐폰을 틀어막다. ③ (솜 · 헝겊 따위로) 문지르다, 닦다 ; (가구를) 니스로 칠하다 : ~ une table avec du vernis 테이블에 니스칠을 하다. ④ (벽에) 쐐기를 박다. ⑤ (편지 · 서류에) 스탬프를 찍다 : ~ le courrier 우편물에 소인을 찍다. ⑥ (기차나 자동차가) 충돌하다 : La voiture *a tamponné* le

T

mur. 자동차가 벽을 들이받았다. — **se ~** *v.pr.* ① 탐폰으로 자기의 …을 가볍게 누르다〔닦다, 지혈하다〕. ② (차가) 서로 충돌하다. ***s'en ~*** (***le coquillard***) 《구어》 개의치 않다, 무시하다.

tamponneur, euse [tɑ̃pɔnœːʀ, -øːz] *adj.* 충돌하는. ***autos ~euse*** (유원지에서 서로 부딪치면서 노는) 소형 전기 자동차.

tamponnoir [tɑ̃pɔnwaːʀ] *m.* (벽속에 나무 쐐기를 박기 위해) 구멍 뚫는 끌, 천공기.

tam-tam [tamtam] *m.* ① 바라, 징. ② (아프리카 원주민의) 북, 탐탐; (신호하는) 북소리. ③ 《구어》 요란한 선전; 야단법석, 소란: faire du ~ autour de qc …으로 야단법석을 떨다.

tan [tɑ̃] *m.* 탠피(皮)《무두질에 쓰는 떡갈나무 따위의 나무껍질 가루》.

tancer [tɑ̃se] *v.t.* [2] 《문어》 꾸짖다: ~ vertement son fils 아들을 호되게 꾸짖다.

tanche [tɑ̃ːʃ] *f.* 〖어류〗 잉어의 일종.

tandem [tɑ̃dɛm] 〔영〕 *m.* ① 세로 나란히 맨 두 필의 말; 그 말들이 끄는 마차. ② 2인승 자전거. ③ 《구어》 커플, 2인조, (양자의) 협력: un ~ d'escrocs, 2인조 사기꾼. ***cylindres en ~*** 〖기계〗 직렬 실린더. ***en ~*** 협력해서, 어울려서; (둘이) 함께.

‡tandis que [tɑ̃dik(ə)] *loc. conj.* ① 《동시성》 …하는 동안에(= pendant que, dans le même moment que): Travaillons ~ *que* nous sommes jeunes. 젊은 동안에 일하자. ② 《대립》 …하는데, …하는 반면에, 한편(= alors que, au lieu que): Vous reculez, ~ *qu*'il faudrait avancer. 전진을 해야 할 텐데 반대로 당신은 물러서고 있소.

tangage [tɑ̃gaːʒ] *m.* (배·비행기의) 앞뒤로의 흔들림, 키질(≠ roulis).

tangence [tɑ̃ʒɑ̃ːs] *f.* 〖기하〗 접촉: point 〔ligne〕 de ~ 접점〔선〕.

tangent, e [tɑ̃ʒɑ̃, -ɑ̃ːt] *adj.* ① 《~ à》 〖기하〗 …에 접(촉)하는: droit ~*e à* une courbe 곡선에 접하는 직선. ② 《구어》 가까스로의, 아슬아슬한: Il a été reçu à son examen, mais c'était ~. 그는 합격하긴 했지만, 아슬아슬했어. — *f.* 〖기하〗 접선(接線); (삼각함수의) 정접(正接), 탄젠트. ***s'échapper par la ~e; prendre la ~e*** 교묘하게 회피하다〔처리하다〕, 핑계를 대다; 몰래〔슬그머니〕 도망치다.

tangentiel, elle [tɑ̃ʒɑ̃sjɛl] *adj.* 〖기하〗 접선〔정접〕의: équitation ~*elle* 접선 방정식.

T

tangible [tɑ̃ʒibl] *adj.* ① 만져서 알 수 있는, 촉지할 수 있는: corps ~ 촉지할 수 있는 물체. ② 확실한, 명백한: preuve ~ 확실한 증거.

tango [tɑ̃go] 〔에스파냐〕 *m.* ① 〖무용〗 탱고: danser le ~ 탱고춤을 추다. ② 밝은 오렌지색. — *adj.* 《불변》 밝은 오렌지색의.

tanguer [tɑ̃ge] *v.i.* ① (배·비행기 따위가) 앞뒤로 흔들리다, 키질하다. ② (전후좌우로) 몸을 흔들다.

tanière [tanjɛːʀ] *f.* ① (야수의) 소굴, 굴 (= antre, gîte): ~ de l'ours 곰의 굴. ② 누추한 집; 은신처; 외딴 집.

tanin [tanɛ̃] *m.* 〖화학〗 탄닌; 탄닌산(= acide ~).

tank [tɑːk] 〔영〕 *m.* ① 〖군사〗 탱크, 전차. ② (물·가솔린 등의) 저장 탱크; (유조선의) 탱크. ③ 《구어》 대형 자동차.

tanker [tɑ̃kɛ(œ)ːʀ] *m.* 유조선(= pétrolier), 탱커.

tankiste [tɑ̃kist] *m.* 〖군사〗 전차병.

tannage [tanaːʒ] *m.* (가죽의) 무두질.

tannant, e [tanɑ̃, -ɑ̃ːt] *adj.* ① 무두질에 쓰이는. ② 《구어》 귀찮은, 진저리나는: Il est ~ avec ses requêtes. 그 사람은 하도 청탁이 많아서 귀찮은 녀석이다.

tanné, e [tane] *adj.* ① 무두질한: peau ~*e* 유피. ② 황갈색의; (햇볕에 그을려서) 구릿빛이 나는: avoir la peau ~*e* 피부가 구릿빛이다.

tanner [tane] *v.t.* ① (가죽을) 무두질하다. ② (피부를) 그을게 하다(= bronzer). ③ 《구어》 귀찮게 굴다, 괴롭히다: Tu nous *tannes!* 귀찮다니까!

tannerie [tanʀi] *f.* ① 무두질 공장, 피혁 공장; 제혁업. ② 《속어》 구타, 매질.

tanneur [tanœːʀ] *m.* ① 무두장이. ② 피혁 제조〔판매〕인.

tannin [tanɛ̃] *m.* = tanin.

tan(-)sad [tɑ̃sad] *m.* 오토바이의 보조석.

‡tant [tɑ̃] *adv.* ① 《동사와 함께》 그렇게〔매우〕 많이, 그처럼, 그토록, 몹시(= tellement): J'aime ~ le café. 나는 커피를 매우 좋아한다 / cette femme ~ aimée 그토록 사랑받는 그 여인 / J'ai ~ marché. 아주 많이 걸었다. ② 《~ de+명사》 그렇게 많은: Vous avez ~ d'argent? 당신은 그렇게 돈이 많습니까? / Ne faites pas ~ de façons. 그렇게 너무 점잔빼지 마시오 / Il a ~ d'argent qu'il ne sait qu'en faire. 그는 처치 곤란할 만큼 돈이 많다. ③ 《동등 비교》 ⓐ 《~ que》 …만큼(= autant): Il ne travaille pas ~ *que* vous. 그는 당신만큼 일하지 않는다 / Il n'a pas ~ d'amis *que* son frère. 그는 그의 형만큼 친구를 갖고 있지 못하다 / Vous ne me plaisez pas ~ *qu*'elle. 당신은 그 여자만큼 내 마음에 들지 않소 / Rien ne pèse ~ *qu*'un secret. 비밀만큼 짐이 되는 것은 없다 / ~ *que* vous voudrez 원하시는 만큼. ⓑ 《~ que》 《시간》 …하는 동안에는, …하는 한(= aussi longtemps que): *T~ que* j'aurai du souffle, je protesterai. 목숨이 붙어 있는 한 나는 항의할 것이오 / *T~ qu*'il y a de la vie, il y a de l'espoir. 생명이 있는 한 희망은 있다 / ~ *que* je vivrai 내가 살아 있는 한. ⓒ 《~ que》 《공간》 …하는 한(= aussi loin que): ~ *que* la vue peut s'étendre 눈길이 닿는 한. ⓓ 《~ ...que》 …와 마찬가지로, …도 …도(= aussi bien ...que): ~ pour vous *que* pour moi 나를 위한 것과 마찬가지로 당신을 위해서도 / sa supériorité ~ physique *que* morale 그(녀)의 육체적 및 정신적 탁월성. ④ 《~ (...) que》 《que 이하는 결과절(節)》 ⓐ 《주절이 긍정일 경우: ~ (...) que+*ind.*》 매우〔너무나〕 …하기 때문에 …하다: Il a ~ couru *qu*'il est tout en nage. 그는 하도 달렸기 때문에 땀에 흠뻑 젖었다. ⓑ 《주절이 의문·부정일 경우: ~ (...) que+*sub.*》. …할 만큼 …한가하다〔하지 않다〕: A-t-il 〔Il n'a pas〕 ~ de soucis *qu*'il ne puisse nous écrire?〔.〕 그는 우리에게 편지를 쓰지 못할 만큼 걱정이 많은가?〔많지는 않다〕. ⑤ ⓐ 《옛》 《~+형용사+que+

sub.》 아무리 …이라 할지라도〔하더라도〕(= quelque) : ~ dévouée *qu*'elle soit ; ~ dévouée soit-elle 그 여자가 아무리 헌신적이라 하더라도. ⓑ《~ que+*sub.*》…할 때까지, …하기까지. ⑥《문두에서 ; 원인절을 유도함》 그만큼, 그렇게도, 그렇게까지 : Il n'a jamais pu cacher cette erreur, ~ il est sincére. 그는 그의 잘못을 감추지 않았다. 그만큼 그는 솔직한 사람이다. ⑦《명사적 용법 ; 명시하지 않은 양 따위를 표시》 얼마(간), 약간 : ~ pour cent 백분의 얼마 / payer (à) ~ par mois 다달이 얼마를 지불하다 / Ça fait ~《구어》 가격이 얼마다 / le ~ 며칠날. ***en ~ que*** …으로서, …의 자격으로 ; …의 범위 내에서 ; …인 이상〔한(限)〕: *en ~ que* Français 프랑스인으로서 / Je suis Coréen *en ~ que* je suis né en Corée. 나는 한국에서 태어난 이상 한국인이다. ***si ~ est que***+*sub.* 가령 …이라면〔하다면〕, …라고 가정한다면, ***~ bien que mal*** 이럭저럭, 간신히 : Il a terminé son dessin *~ bien que mal.* 그는 그럭저럭 그림을 끝마쳤다. ***~ et plus*** 아주 많이 : Il s'amuse *tant et plus.* 그는 아주 많이 즐기고 있다. ***et ~ de*** 아주 많은. ***T~ mieux !*** 그럼 잘됐다, 안성맞춤이다. ***T~ pis !*** 낭패로군 ; 할 수 없지 ; 딱한 일이다. ***T~ pis ~ mieux !*** 그것은 아무래도 좋다. ***~ qu'à***+*inf.* 어차피 …할 바엔 : *T~ qu'à* faire, faites-le bien. 어차피 할 바엔 잘 하시오. ***T~ s'en faut que***+*sub.* …하기는커녕 (그 반대다). ***~ seulement*** 다만(= seulement). (***un***) ***~ soit peu*** 조금이라도, 다소라도 : *un ~* soit peu de liberté 아주 얼마 안 되는 자유. ***tous ~ que nous sommes*** 우리들 모두.

tante** [tɑ̃:t] *f.* ① 백모, 숙모, 고모〔이모·외숙모〕, 아주머니 : ~ paternelle〔maternelle〕 백모, 숙모, 고모〔외숙모·이모〕 ②《속어》 (동성연애자의) 여자역(= tantouse). ***~ à la mode de bretagne (외) 종고모 ; 먼 친척 아주머니.

tantième [tɑ̃tjɛm] *adj.* 얼마큼의, 기정(既定)의 : ~ partie des bénéfices 이익의 어느 일정의 비율. — *m.* 퍼센티지 ;〖상업〗(이익의) 배당률 : prélever un ~ de 5 pour cent, 5 퍼센트를 공제하다.

tantine [tɑ̃tin] *f.*《소아어》 백모, 숙모, 아주머니(= ma tante).

tantinet [tɑ̃tinɛ] *m.* 약간, 조금. ***un ~ de*** 아주 조금 : *un ~ de* pain 약간의 빵. ***un ~*** 약간, 좀.

***tantôt** [tɑ̃to] *adv.* ①《구어》 (오늘) 오후에 : Venez ~ prendre le thé. 오후에 와서 차를 드세요. ② 혹은, 때로는(= parfois), **~…~…** 어떤 때는 … 또 어떤 때는 … : *T~* gai, ~ triste. 때로는 명랑하고 때로는 슬프다. ③《옛·지방어》 곧, 조금 후에.

tantouse, tantouze [tɑ̃tu:z] *f.*《속어》 동성연애자의 여자역(= tante).

tanzanien, enne [tɑ̃zanjɛ̃, -ɛn] *adj.* 탄자니아(*la Tanzanie*)의. — **T~** *n.* 탄자니아 사람. 「교(道敎).

taoïsme, taôïsme [taɔism] *m.*〖종교〗 도

taoïste, taôïste [taɔist] *adj.*〖종교〗 도교의. — *m.* 도교 신도.

taon [tɑ̃] *m.*〖곤충〗 등에.

tapage [tapa:ʒ] *m.* ① 떠들썩한 소리, 소음 ; 소란, 소동 : faire un beau ~ 한바탕 소란을 피우다 / ~ infernal 귀가 찢어질 듯한 소음 / ~ nocturene 야간 소음죄. ② 물의, 추문, 스캔들 : Ce livre a fait grand ~. 이 책은 큰 물의를 일으켰다. ***bien du ~ pour peu de chose*** 하찮은 일로 떠들어대는 소동. 「다.

tapager [tapaʒe] *v.i.* 떠들다 ; 소란을 피우

tapageur, euse [tapaʒœ:ʀ, -ø:z] *adj.* ① 떠들썩한, 시끄러운 : musique *~euse* 시끄러운 음악. ② 물의를 일으키는 : liaison *~euse* 스캔들을 불러일으킨 연애 관계.

tapageusement [tapaʒøzmɑ̃] *adv.* 시끄럽게, 소란하게 ; 요란하게, 현란하게.

tapant, e [tapɑ̃, -ɑ̃:t] *adj.*《구어》 (시계가) 치는 : à midi ~ 정각 12 시에. ***à l'heure ~e*** 정각에.

tape[1] [tap] *f.* ① 마개, 뚜껑. ②《옛》〖군사〗 포구(砲口) 마개.

tape[2] *f.* 손바닥으로 치기 : ~ amicale sur l'épaule 애정의 표시로 어깨를 톡톡 치기.

tapé, e[1] [tape] *adj.* ① (과일이) 농익은, (농익어서) 상한 ; 흠이 있는 : pommes *~es* pour la compote 설탕절임용으로 납작하게 말린 사과. ②《구어》 (얼굴 피부가) 느즈러진 ; (나이 들어) 지쳐 보이는. ③《구어》 미친, 머리가 돈. ***bien ~*** 멋지게 잘한〔응수한〕: response *bien ~e* 적절한 멋진 답변.

tape-à-l'œil [tapalœj] *adj.*《불변》 (빛·장식 등이) 돋보이는, 겉만 번드레한. — *m.*《복수불변》 겉만 번드레한 것, 겉치레.

tapecul(l), tape-cul [tapky] *m.* ① 시소 ; 회전문. ② (낡은) 소형 2 륜 마차. ③ 등자(鐙子) 없이 말타기 ; 엉덩방아 찧기. ***faire du ~***《구어》 (계속 엉덩방아를 찧으며) 말을 타다.

tapée[2] [tape] *f.*《구어》 많음, 다수 : une ~ d'enfants 많은 어린애들.

tapement [tapmɑ̃] *m.* 손바닥으로 치기〔치는 소리〕: entendre un ~ à la porte 문을 두드리는 소리를 듣다.

***taper** [tape] *v.t.* ① (사람을) 손바닥으로 찰싹 때리다, 치다(= frapper) ; (물건을) 두드리다(= battre), 두드려 소리를 내다 ; (타자기·피아노 따위를) 치다 : ~ un enfant 어린이의 뺨을 찰싹 때리다 / ~ une lettre 편지를 타자기로 치다 / ~ trois coups à la porte 문을 세 번 노크하다 / ~ un air sur un piano 피아노로 곡을 서툴게 치다. ② (페인트 따위를) 칠하다. ③《~ qn》《구어》 (돈을) …에게서 꾸다〔빌다〕: ~ qn de dix francs …에게서 10 프랑을 꾸다.
— *v.i.* ① 치다 ; 때리다 ;《~ sur》 …을 때리다 ;《~ de》 …으로 두드리다 : ~ *sur* l'épaule 어깨를 두드리다 / ~ *des* mains〔dans ses mains〕 손뼉을 치다. ②《~ (à la machine)》 타자기를 치다. ③《~ contre》 …에 부딪치다. ④ (술이) 오르다 ;《속어》 악취를 풍기다 : ~ à la tête (술이) 오르다, 취하다. ⑤ (태양이) 쨍쨍 내리쬐다 : Le soleil *tape.* 해가 쨍쨍 내리쬐다. ⑥《~ dans》 …에서 꺼내 쓰다, …을 거의 소비〔사용〕하다 : ~ *dans* les provisions 저장된 식량을 거의 소비하다. ***~ à côté*** 실패하다, 헛다리짚다.

~ ***dans le mille*** 성공하다, 적중하다. ~ ***sur les nerfs*** 〔***le système***〕 신경을 거스르다〔건드리다〕. ~ ***sur le ventre de*** qn 《구어》 …을 허물없이 대하다.
— **se** ~ *v.pr.* ① 자기의 …을 치다; 서로 치고받다〔때리다〕: *se* ~ sur la cuisse (자기의) 무릎을 탁 치다. ② 《구어》 먹다, 마시다: *se* ~ un bon repas 푸짐한 식사를 하다. ③ 《구어》 *se* ~ qn: …와 섹스하다. ④ 《구어》 (힘든 일을) 하다.

tapette [tapɛt] *f.* ① 가볍게〔살짝〕 치기〔때리기〕. ② (조각사의) 망치; (라켓 모양의) 융단 두드리개; 파리채. ③ 《구어》 혀, 수다쟁이: Il a une fière ~ 〔une de ces ~s〕. 그는 정말 수다쟁이다. ④ 《속어》 (동성연애자의) 여자역(= tante).

tapeur, euse [tapœːʀ, -øːz] *n.* 돈을 자주 꾸는 사람.

tapi, e [tapi] *adj.* ① 쪼그려 앉은, (웅크리고) 숨은. ② (위험이) 숨은, 내재한.

tapin [tapɛ̃] *m.* 북; 《옛》 북치는 사람; (매춘부의) 손님끌기: faire le ~ 《옛》 (매춘부가 거리에서) 손님을 끌다.

tapinois (en) [ɑ̃tapinwa] *loc. adv.* 몰래, 슬그머니(= en catimini); 엉큼하게.

tapioca, tapioka [tapjɔka] *m.* 타피오카 《manioc 뿌리에서 빼내는 식용 전분》; 타피오카 수프.

tapir¹ [tapiːʀ] *m.* ① 〖동물〗 맥(貘). ② 《학생은어》 개인 교수를 받고 있는 학생.

tapir² **(se)** [s(ə)tapiːʀ] *v.pr.* ① (동물이) 웅크리다, (웅크려) 숨다(= être tapi): Le chat *s'est tapi* sous le lit. 고양이가 침대 아래 웅크려 숨었다. ② (사람이) 은둔하다, 은거하다(= se retirer): *se* ~ dans sa maison 집 안에 은거하다.

tapis** [tapi] *m.* ① 융단, 카펫, 양탄자: ~ chauffant 전기 난방용 양탄자 / ~ de laine 모직 융단, 울 카펫 / brosser les ~ 양탄자를 솔질하다. ② (마루에) 까는 자리; 융단 모양의 것: ~ de gazon 〖원예〗 잔디밭 / ~ de sol (캠핑용) 매트 / ~ de neige 설원. ③ (테이블 따위의) 보, 커버: ~ de table 테이블보. ④ 〖스포츠〗 (권투 따위의) 매트: aller au ~ (pour le compte) (권투에서) 다운되다. ***amuser le ~ 일동〔좌중〕을 즐겁게 만들다. ***mettre*** qc ***sur le*** ~ …을 의제〔화제〕에 올리다, 문제 삼다, 심의하다. ***revenir sur le*** ~ 다시 화제가 되다. ~ ***roulant*** 〖공업〗 (물건을 운반하는) 벨트 컨베이어; 자동식 보도(= trottoir roulant). ~ ***vert*** 도박대(臺), 회의용 책상.

tapis-brosse [tapibʀɔs] *m.* 구두흙털개(= paillasson), 매트.

tapisser [tapise] *v.t.* (벽을) 태피스트리로〔벽걸이로〕 장식하다: …에 벽지를 바르다; 덮다(= recouvrir): ~ un mur de papier peint 벽지로 도배하다 / ~ des murs de photos 온 벽에 사진을 붙이다 / mur *tapissé* d'affiches 온통 포스터를 붙인 벽.

tapisserie [tapisʀi] *f.* ① (벽에 걸거나 테이블에 펴 놓는) 장식 융단; 벽걸이; 벽지. ② 태피스트리; 일종의 자수(= broderie): faire une ~ 〔de la ~〕 수를 놓다. ***faire*** ~ (무도회에서 춤출 상대가 없어) 옆에서 구경만 하다.

tapissier, ère [tapisje, -ɛːʀ] *n.* ① 융단 상인; 실내 장식업자(= ~ décorateur). ② 태피스트리 제작자.

tapon [tapɔ̃] *m.* (뚤뚤 말린) 헝겊·종이 뭉치〔마개·쐐기〕.

tapotage [tapɔtaːʒ] = tapotement ②.

tapotement [tapɔtmɑ̃] *m.* ① (손으로) 가볍게 두드리기. ② 〖의학〗 타박법(打拍法)《안마법의 일종》.

tapoter [tapɔte] *v.t.* ① 가볍게 두드리다〔치다〕《애정의 표시》: ~ la joue d'une enfant 어린이의 볼을 톡톡 두드리다. ② (곡을) 피아노로 치다. — *v.i.* (손가락으로) …을 가볍게 두드리다.

tapuscrit [tapyskʀi] *m.* (조판을 위해) 타자로 친 텍스트.

taquet [takɛ] *m.* ① (가구를 안정시키는) 나무 받침; (목재의) 회전식 빗장〔걸쇠〕. ② 〖건축〗 받침목; 〖해양〗 밧줄걸이.

***taquin, e** [takɛ̃, -in] *adj.* et *n.* 놀리기 좋아하는 (사람); 짓궂은〔지분거리는〕 (사람).

taquiner** [takine] *v.t.* ① 약 올리다, …에게 짓궂게〔귀찮게〕 굴다, 괴롭히다, 놀리다(= s'amuser à contrarier). ② 걱정시키다, 애타게 하다(= inquiéter): Il tousse, ça me *taquine* 그가 기침을 하는데 걱정이 좀 된다. ~ ***la muse 시를 짓다. ~ ***le goujon*** 《구어》 낚시질을 하다.

taquinerie [takinʀi] *f.* ① 짓궂은 성미. ② 짓궂은 짓〔말〕, 조롱, 놀림, 야유.

tarabiscoté, e [taʀabiskɔte] *adj.* ① 홈을 판; 쇠시리 장식을 한. ② 《구어》 (문장 따위가) 지나치게 꾸민(≠ simple, sobre).

tarabuster [taʀabyste] *v.t.* 귀찮게 재촉하다; (말로) 괴롭히다, 꾸짖다; 걱정하게 하다: Cette affaire me *tarabuste*. 그 일이 나를 속타게 만든다 / idée qui m'*a tarabusté* toute la journée 온 종일 내 머리에서 떠나지 않는 괴로운 생각.

tarasque [taʀask] *f.* (남프랑스, 특히 *Tarascon*에서 성신 강림절에 거리에 끌고 다니는) 기괴한 동물 모형, 괴수상(怪獸像).

taratata [taʀatata] *interj.* 엉터리다, 시시하다《경멸·의심을 나타냄》.

taraud [taʀo] *m.* 암나사 홈을 파는 기구.

tarauder [taʀode] *v.t.* …에 암나사 홈을 파다; …에 (도래송곳으로) 구멍을 뚫다.

‡tard [taːʀ] *adv.* ① 늦게, 늦어서(≠ tôt); 밤늦게: ~ dans la nuit 밤늦게까지 / se coucher 〔se lever〕 ~ 늦게 자다〔일어나다〕 / Il est trop ~ pour... …하기에는 너무 늦다. ② 나중에, 뒤에, 후에. ***au plus*** ~ (아무리) 늦어도: Il sera là dans deux heures *au plus* ~. 그는 늦어도 두 시간 후에는 여기 와 있을 것이다. ***Il n'est jamais trop*** ~ ***pour bien faire.*** 《격언》 늦게라도 좋은 일은 해야 한다. ***plus*** ~ 나중에, 후일(= ultérieurement); …후에(= après). ***tôt ou*** ~ 조만간, 머지 않아, 가까운 장래에. — *m.* 저녁때; 심야; 만년. ***sur le*** ~ 밤늦게; 만년에: se marier *sur le* ~ 만년에 결혼하다.

***tarder** [taʀde] *v.i.* ① 늦어지다: Comme il *tarde!* 왜 이렇게 늦을까. ② 《~ à+*inf.*》 …하기를 지체하다, 좀처럼 …하지 않다; 꾸물거리다: Ils tardent *à* revenir. 그들은 좀처

럼 돌아오지 않는다 / Pourquoi tant ~ *à* m'ouvrir la porte? 왜 문을 안 열고 우물쭈물하는 거요? ③《ne pas ~ à+*inf.*》 곧 …하다 : Nous *ne tarderons pas à* le voir venir. 그는 곧 올 것이다. ④《비인칭》《Il me 〔te, lui, etc.〕 tarde de+*inf.* 〔que+*sub.*〕》 …하는 것이 몹시 기다려지다, 고대되다 : *Il me tarde de* le voir. 어서 그를 만나고 싶다.

tardif, ive [taʀdif, -i:v] *adj.* ① 늦은, 늦게 온, 철늦은 : remords ~*s* 때늦은 후회 / heure ~*ive* 늦은 시간. ② (동작이) 둔한.

tardivement [taʀdivmɑ̃] *adv.* 늦게(≠ hâtivement, précocement), 늦은 시기〔시간〕에 : rentrer ~ 늦게 돌아오다.

tare [ta:ʀ] *f.* ①〖상업〗(상품을 달 때의) 그릇〔포장〕의 무게. ②〖상업〗(상품의) 손상, 결량(缺量) ; (손상·결량에 따른 상품의) 가치감소. ③ (사회 제도 등의) (중대한) 결함 ; (유전적) 결함 : ~*s* d'une société 사회의 모순점.

taré, e [taʀe] *adj.* ① 흠 있는 ; (상품이) 손상된. ② 타락한 ; 부패한 : femmes ~*es* 타락한 여자 / régime ~ 부패한 체제.

tarentelle [taʀɑ̃tɛl] *f.* 타란텔라 춤〔무곡(舞曲)〕《이탈리아 남부 지방의 3박자 춤》.

tarentule [taʀɑ̃tyl] *f.*〖동물〗(이탈리아 타렌트(*Tarente*) 지방의) 독거미.

tarer [taʀe] *v.t.* (포장의) 무게를 달다.

targette [taʀʒɛt] *f.* 작은 빗장(= petit verrou), 걸쇠 : mettre la ~ 걸쇠를 걸다.

targuer (se) [s(ə)taʀge] *v.pr.* 《se ~ de》 …을 자부〔자랑〕하다, 뽐내다 : *se ~ de* sa fortune 재산을 뽐내다.

tari, e [taʀi] *adj.* 물이 없는, 고갈된(= épuisé) : source ~*e* 고갈된 샘 / ressources ~*es* 고갈된 자원.

tarière [taʀjɛ:ʀ] *f.* ① 도래송곳 ; 천공기(穿孔機) ;〖광산〗착암기 : ~ de mine 광산의 착암기. ②〖곤충〗(가시 모양의) 산란관.

*__tarif__ [taʀif] *m.* 정가(표), 가격(표) ; 요금(표), 임금(표) ; 운임(표) ; 세율 ; 관세(표) : billet à plein ~ 〔demi-~, ~ réduit〕 보통〔반액, 할인〕권 / payer plein ~ 보통〔전액〕 요금을 치르다 / ~ de la publicité〖신문〗광고료 / ~*s* postaux 우편 요금. **~ *général*** 국정관세율.

tarifaire [taʀifɛ:ʀ] *adj.*〖상업〗요금〔가격, 세율〕에 관한 : réforme ~ 요금〔관세·세율〕 개정.

tarifer [taʀife], **tarifier** [taʀifje] *v.t.* …의 가격〔임금·요금〕을 정하다 ; …의 세율을 정하다 : ~ les marchandises 〔les transports〕 상품 가격〔운임〕을 정하다.

tarification [taʀifikɑsjɔ̃] *f.*〖상업〗가격〔요금·임금〕의 결정 ; 세율의 결정.

tarir [taʀi:ʀ] *v.t.* (바짝) 말리다, 고갈시키다 : ~ les larmes de qn 《문어》 …을 위로해 주다《눈물을 말려 주다란 뜻에서》 / ~ l'imagination 상상력을 고갈시키다. ── *v.i.* (바싹) 마르다, 고갈하다 ; 《비유》 없어지다, 끊어지다 : source qui ne *tarit* jamais 결코 마르지 않는 샘물. ***ne pas ~ d'éloges sur*** qn 계속해서 …을 칭찬하다. ***ne pas ~ sur*** qc 그칠 줄 모르고 …의 이야기를 하다. ── **se ~** *v.pr.* (샘 따위가) 마르다, 고갈하다 : Sa veine poétique *s'est tarie.* 그의 시흥(詩興)은 완전히 고갈되었다.

tarissable [taʀisabl] *adj.* 마를〔고갈될·끊어질〕 수 있는. 「모슬린.

tarlatane [taʀlatan] *f.*〖직물〗일종의 얇은

tarmac [taʀmak] 〔영〕 *m.* (비행장의) 계류장과 도로.

tarot [taʀo] 〔이탈리아〕 *m.*〖카드놀이〗타로카드《78장이 한 벌인 이탈리아식 카드》 : jouer au(x) ~(s) 타로카드 놀이를 하다.

tarse [taʀs] *m.* ①〖해부·동물〗발목뼈, 부골(跗骨). ② (곤충의) 부절(跗節).

tarsien, enne [taʀsjɛ̃, -ɛn] *adj.*〖해부〗발목뼈의, 부골의. 「직물.

tartan[1] [taʀtɑ̃] 〔영〕 *m.* 격자〔체크〕 무늬 모

tartan[2] *m.*〖상표명〗타탄《육상 트랙이나 테니스 코트에 까는 합성 고무재》.

tartane [taʀtan] *f.* (지중해의) 작은 범선.

tartare [taʀta:ʀ] *adj.* 타타르《중앙아시아 터키·몽골》의. ***à la ~***〖요리〗버터 구이의. ***sauce ~*** 타타르소스《마요네즈 소스의 일종》. ***steak ~*** 타타르 스테이크《타타르 소스로 간을 한 쇠고기〔말고기〕 요리》.
── **T~** *n.* 타타르 사람 ; (*pl.*) 타타르 민족.
── *m.* 타타르어(語).

tartarin [taʀtaʀɛ̃] *m.* 《구어》 허풍선이《*A. Daudet*의 작중 인물 이름에서》.

tarte [taʀt] *f.* ① 과일〔잼·크림〕 파이. ② 《속어》 손바닥으로 치기(= gifle). ***C'est (pas) de la ~!*** 쉬운〔어려운〕 일이군. ***C'est sa ~ à la crème.*** 그는 말끝마다 그 이야기다. ── *adj.* 《구어》 얼빠진, 무가치한, 보기 흉한 : film ~ 시시한 영화.

tartelette [taʀtəlɛt] *f.* 조그만 과일 파이.

Tartempion [taʀtɑ̃pjɔ̃] *m.* 《구어》 거시기, 아무개(= machin, truc).

tartignolle [taʀtiɲɔl] *adj.* 《구어》 이상한, 우스꽝스러운 ; 보기 흉한(= tarte) : Il est vraiment ~. 그는 정말 우스꽝스럽다.

*__tartine__ [taʀtin] *f.* ① 버터〔잼〕 바른 빵(= ~ de beurre, ~ de confiture). ② 《구어》 장광설, 객설, 장황한 이야기〔글·기사〕 : Il a fait là-dessus toute une ~. 그는 그 문제에 관해 장광설을 늘어놓았다.

tartiner [taʀtine] *v.t.* (빵에) 버터 또는 잼을 바르다 : fromage à ~ 빵 조각에 바르기 쉬운 녹은 치즈.

tartre [taʀtʀ] *m.* ①〖화학〗주석(酒石). ②〖치과〗치석(齒石). ③ (보일러의) 물때.

tartuf(f)e [taʀtyf] *m.* 사이비 신앙가(= faux dévot) ; 위선자(= hypocrite)《*Molière* 작 *Le Tartuffe*에서 유래》. ── *adj.* 위선적인.

tartuf(f)erie [taʀtyfʀi] *f.* 사이비 신심, 위선(적 행위)(= hypocrisie).

‡**tas** [tɑ] *m.* ① 무더기, 더미 ; 다수 ; 떼, 무리 : ~ d'ordures 〔de foin〕 쓰레기〔건초〕 더미 / mettre qc en ~ …을 쌓아 올리다 / Il y en a des ~ et des ~. 그거라면 산더미처럼 있다. ②〖건축〗(건축) 공사 중인 건물. ***dans le ~*** 많은 것〔사람〕 중에서 ; 닥치는 대로 : taper 〔tirer〕 *dans le ~* 《구어》 군중을 닥치는 대로 후려갈기다〔무차별 사격하다〕. ***faire le ~*** 《속어》 (창녀가) 길에서 손님을 끌다. ***sur le ~*** 현장에서, 작업 중의 : prendre qn *sur le ~* …을 현장에서 붙잡다. ***T~***

de salauds ! 《경멸》 더러운 놈들 같으니! ***un*** 〔***des***〕 **~ *de...*** 산더미 같은…, 많은… : *un ~ de* gens 많은 사람들 / J'ai *des ~ de* choses à vous dire. 나는 당신에게 할 말이 많다.

tassage [tasa:ʒ] *m.* 〖스포츠〗 진로 방해.

:tasse [tɑ:s] *f.* (손잡이 달린) 잔, 찻잔 ; 잔에 담긴 차 : une ~ de café 커피 한 잔 / ~ de porcelaine 도자기 찻잔. ***boire*** 〔***prendre***〕 ***une*** 〔***la***〕 **~** 《구어》 (수영을 하다가) 물을 마시다.

tassé, e [tɑse] *adj.* ① 꽉 들어찬 ; 눌러 찌부러진 ; 압착된 느낌의 : prisonniers *~s* dans un wagon 열차 안에 콩나물 시루가 된 죄수들. ② (나이 먹어) 쇠약한, 노쇠한. ③ 침하된, 무너진 : terrain ~ 침하된 땅.

tasseau [tɑso] *m.* (*pl.* **~x**) 시렁받침 (= support) ; 까치발.

tassement [tɑsmɑ̃] *m.* ① 침하(沈下), 강하 (= affaissement) : ~ du sol 땅의 침하. ② 〖상업〗 하락세, 약세 ; (경제 성장의) 둔화 : ~ des ventes 판매량의 저하.

***tasser** [tɑse] *v.t.* ① 압축하다, 누르다 ; 쑤셔 넣다 ; 다지다 : ~ le tabac dans la pipe 파이프에 담배를 다져 넣다 / On *était tassés* dans le métro. 지하철에 사람들이 빽빽이 차 있었다. ② 〖스포츠〗 (주자(走者)가) (다른 선수를) 트랙 가장자리로 몰아붙이다.
— *v.i.* (초목이) 무성해지다, 우거지다.
— **se ~** *v.pr.* ① 들어차다 ; 밀집하다 ; (눌려서) 굳어지다 ; 다져지다 ; 좁히다 : *Tassez-vous* un peu. 좀 (자리를) 좁히십시오. ② (토지 따위가) 내려앉다, 침하하다. ③ (노쇠해서 몸이) 움츠러들다, 쪼그라들다. ④ 《구어》 (어려운 문제가) 원만히 해결되다 : Il y a des difficultés ; ça *se tassera!* 난점이 있지만 잘되어 갈 것이다. ⑤ 〖상업〗 (물가가) 떨어지다, 약세이다 : ***se ~*** qc 《구어》 …을 배불리 먹다〔마시다〕(= se taper) : *se ~* des gâteaux 과자를 먹어치우다.

taste-vin [tastəvɛ̃] *m.* 《복수불변》 = tâte-vin.

tata [tata] *f.* ① 《소아어》 아줌마(= tante) : ~ et tonton 아줌마와 아저씨. ② 《속어》 (동성애자의) 여자역(= tante, tantouse).

tatane [tatan] *f.* 《구어》 신발(= chaussure).

ta, ta, ta [tatata] *interj.* 어머나, 그럴 수가 : 그만 해〔됐어〕《상대방 말을 가로막을 때》.

tâter** [tɑte] *v.t.* ① 만지다, 더듬다 : ~ une étoffe 천을 손으로 만져 보다 / ~ le pouls d'un malade 환자의 맥박을 짚다 / marcher *en tâtant* les murs 벽을 더듬으며 걷다. ② 탐색하다 ; 타진하다 : ~ l'ennemi 적의 정세를 살피다 / ~ l'opinion 여론을 살피다. ***~ le terrain 지형을 정찰하다 ; 정세를 살피다 ; 상대방의 속셈을 떠보다. — *v.t. ind.* ① 《~ de 〔à〕》 맛보다, 먹어 보다. ② 《~ de》 …을 해보다, 경험하다 : Cet homme *a tâté de* tous les métiers. 이 사람은 안 해본 직업이라고는 없다 / ~ *de* la prison 감옥살이를 경험하다. — **se ~** *v.pr.* ① 자기 몸을 만지다 ; 몸을 돌보다. ② (결심하기 전에) 숙고하다 ; 망설이다 : Il n'a rien décidé, il *se tâte.* 그는 아무런 결정을 내리지 않고 있다, 지금 심사숙고 중이다.

tâte-vin [tɑtvɛ̃] *m.* 《복수불변》 술맛을 보는 잔〔관(管)〕 ; 술맛 보는 사람(= taste-vin).

tatillon, onne [tatijɔ̃, -ɔn] *adj.* 좀스러운, 곰상스러운, 옹졸한(= exagérément minutieux). — *n.* 좀스러운 사람.

tâtonnant, e [tɑtɔnɑ̃, -ɑ̃:t] *adj.* 더듬는 ; 모색하는 ; 망설이는.

tâtonnement [tɑ〔a〕tɔnmɑ̃] *m.* 더듬기 ; (암중)모색 : ~ d'un aveugle 소경의 더듬기 / parvenir à une solution après de nombreux *~s* 여러 차례의 모색 끝에 해결점에 다다르다. ***par ~*** 시행착오에 의해서.

tâtonner [tɑtɔne] *v.i.* ① 더듬다 : s'avancer dans l'obscurité en *tâtonnant* 어둠 속을 더듬어 나아가다. ② 《비유》 (충분히 이해를 못해서) 주저하다, 모색하다.

tâtons (à) [atɑtɔ̃] *loc. adv.* ① 더듬어서, 암중모색해서 : marcher 〔aller〕 *à ~* dans une pièce obscure 어두운 방안을 더듬어서 가다. ② 어림치고, 대중없이, 무턱대고 : chercher *à ~* 어림치고〔대중없이〕 찾다.

tatou [tatu] *m.* 〖동물〗 아르마딜로.

tatouage [tatwa:ʒ] *m.* 문신(文身) (넣기).

tatouer [tatwe] *v.t.* (몸에) 문신을 넣다 : se faire ~ la poitrine 가슴에 문신을 그려 넣다.

tatoueur [tatwœ:ʀ] *m.* 문신 새기는 사람.

taudis [todi] *m.* 누추한 집, 지저분한 집(= galetas) : lutte contre les ~ 빈민굴 일소 운동.

taulard, e, tôlard, e [tola:ʀ, -aʀd] *n.* 《은어》 죄수(=prisonnier).

taule, tôle [to:l] *f.* ① 《구어》 집(= maison) ; 방 : louer une ~ 방을 빌리다. ② 《은어》 영창, 감옥(= prison) : aller en ~ 감옥에 들어가다. ③ 갈보집, 유곽.

taulier, ère [tolje, -ɛ:ʀ] *n.* 《구어》 여관〔하숙집〕 주인 ; 포주.

taupe [to:p] *f.* ① 〖동물〗 두더지 ; 두더지 가죽. ② (침투한) 첩자, 스파이. ③ 《학생은어》 이공과〔이과〕 대학(École polytechnique, Grandes écoles scientifiques) 입시 준비반.

taupé, e [tope] *adj.* 〖직물〗 두더지 가죽 같은 ; 벨벳 같은, 벨벳 모양의 : feutre ~ 벨벳. — *m.* 벨벳 모자(= chapeau ~).

taupin [topɛ̃] *m.* 《학생은어》 파리 이공과 대학 입학시험 준비 학생.

taupinée [topine], **taupinière** [topinjɛ:ʀ] *f.* ① 두더지 흙두둑 ; 두더지굴. ② 작은 언덕 (= petit monticule). ③ 하수구(= égout).

taureau** [tɔʀo] *m.* (*pl.* **~x**) ① (거세하지 않은) 황소(= bœuf) ; 황소 같은〔크고 힘이 센〕 사람 : ~ à bosse 〔du Canada〕 들소 / fort comme un ~ 황소같이 힘세고 사나운. ② (*T~*) 〖천문〗 황소자리 ; 금우궁(金牛宮). ***de ~ (황소처럼) 크고 힘센 : avoir une force *de ~* 힘이 매우 세다. ***prendre*** 〔***attaquer***〕 ***le ~ par les cornes*** 《구어》 정면으로 난국에 대결하다.

taurillon [tɔʀijɔ̃] *m.* 수송아지.

taurin, e [tɔʀɛ̃, -in] *adj.* 황소의〔에 관한〕 ; 투우에 관한.

tauromachie [tɔʀɔmaʃi] *f.* 투우(술).

tautologie [totɔlɔʒi] *f.* 〖수사학〗 동의어〔유어(類語)〕 반복, 중복.

tautologique [totɔlɔʒik] *adj.* 동의어〔유사어〕 반복의.

T

taux [to] *m.* ① 공정 가격(= prix fixé par l'État) ; (유가 증권의) 시세 ; (차용금 · 할인 따위의) 이율 (= ~ d'intétêt) ; 연이율 : prêter de l'argent au ~ de 5 pour 100 연 5 푼 이자로 돈을 빌려 주다. ② 백분율(= pourcentage) ; 율(率), 비(比), 비율 : ~ découte, (TV) 시청률 / ~ de 〔du〕 change 환율 / ~ de la mortalité 사망률.

t.à.v. 《약자》 Tout à vous 경구(敬具), 여불비례(餘不備禮)《편지의 맺음말》.

tavelé, e [tavle] *adj.* 반점이 있는, 얼룩진 : visage ~ d'éphélides 주근깨 반점이 있는 얼굴.

tavelure [tavly:ʀ] *f.* 반점, 얼룩(무늬) : ~*s* de la peau 피부의 반점.

taverne [tavɛʀn] *f.* ① (전원풍의) 카페 레스토랑 ; 음식점 ; 술집. ② 《옛》 선술집.

tavernier, ère [tavɛʀnje, -ɛ:ʀ] *n.* 선술집 〔음식점〕 주인.

taxation [taksɑsjɔ̃] *f.* ① (정부에 의한) 가격 〔요금〕 결정 ; (소송 비용, 세금의) 사정(査定) : ~ d'office 인정 과세. ② 과세(課稅).

***taxe** [taks] *f.* ① (식료품 따위의) 공정 가격(= prix officiellement fixé) ; (전화 · 우편 · 철도 따위의) 요금 : vendre plus cher que la ~ 공정 가격보다 비싸게 팔다 / ~ postale 우편 요금. ② 세금 ; 세액 : ~ de port 입항세 / ~ sur la valeur ajoutée 《T.V.A.》 부가가치세 / ~ sur le revenu 소득세. ③ 〖법률〗 (소송 비용의) 사정(査定).

taxer [takse] *v.t.* ① …의 가격〔요금〕을 정하다 ; 〖법률〗 (소송 비용을) 사정(査定)하다. ② …에〔에게〕 과세하다 ; …의 세액을 정하다 : ~ des objets de luxe 사치품에 과세하다. ③ 《~ qn de》 …에 대해 비난하다(= blâmer, accuser) : ~ qn *d'*avarice 〔*d'*être avare〕 …을 인색하다고 비난하다.

***taxi** [taksi] *m.* ① 택시 : prendre un ~ 택시를 잡다 / station de ~*s* 택시 주차장 / avion-~ 전세 비행기 / ~ libre 〔occupé〕 빈 〔손님이 탄〕 택시. ② 《구어》 택시 운전사 : Elle est ~. 《구어》 그녀는 택시 운전사다.

taxidermie [taksidɛʀmi] *f.* 박제술(剝製術) (= empaillage, naturalisation).

taxi-girl [taksigœʀl] 〔영〕 *f.* (카바레 따위의) 돈 받고 춤 상대해 주는 직업 댄서.

taximètre [taksimɛtʀ] *m.* 택시미터.

taxinomie [taksinɔmi] *f.* 분류학, 계통학(= taxonomie).

taxiphone [taksifɔn] *m.* 《옛》 공중전화.

taxiway [taxiwɛ] 〔영〕 *m.* (비행기의) 유도로 《공항의 활주로와 에이프런의 연결로》.

taxonomie [taksɔnɔmi] *f.* = taxinomie.

taylorisme [tɛlɔʀism] *m.* 테일러식 산업 능률 증진법《공장의 경영 합리화 방법》(= système Taylor).

t.c., T.C. 《약자》 ① télégramme collationné 조회 전보. ② thermomètre centigrade 섭씨 온도계. ③ taxes comprises 세금 포함. ④ tables chronologiques 연표(年表). ⑤ toutes coupures 전액 보조 지폐.

T.C.F. 《약자》 ① Touring-Club de France 프랑스 관광 클럽. ② Très cher frère 〖종교〗 가장 사랑하는 형제여.

tchadien, enne [tʃadjɛ̃, -ɛn] *adj.* 〖지리〗 차드(*la Tchad*) 공화국의. ── **T~** *n.* 차드 사람.

tchador [tʃadɔ:ʀ] *m.* 차도르《시아파 회교도 여자들이 착용하는 베일》.

tchao, ciao [tʃao] *interj.* 《구어》 안녕(= au revoir)《작별 인사》.

tchatcher [tʃatʃe] *v.t.* 《구어》 수다를 떨다.

tchécoslovaque [tʃekɔslɔvak] *adj.* 《옛》 체코슬로바키아(*la Tchécoslovaquie*) (사람)의. ── **T~** *n.* 체코슬로바키아 사람.

Tchécoslovaquie [tʃekɔslɔvaki] *n.pr.f* 〖지리〗 《옛》 체코슬로바키아.

***tchèque** [tʃɛk] *adj.* 체코(족)의 : littérature ~ 체코 문학. ── **T~** *n.* 체코 사람. ── *m.* 체코어.

tchin-tchin [tʃintʃin] 〔중국〕 *interj.* 《구어》 건배《잔을 부딪치며》.

***te** [t(ə)] 《모음 · 무성 h 앞에서는 t'가 됨》 *pron. pers.* 《2 인칭 단수, 직접보어 및 간접보어. 일반적으로 친근 · 경멸을 나타내나, 제왕 · 신에 대한 두려움의 뜻도 나타냄》 ① 너〔당신 · 자네〕를 : Je *t'*aime. 나는 너를 사랑한다 / Je *te* quitte sans regret. 후회 없이 그대를 떠난다. ② 너〔자네 · 당신〕에게 〔에게서 · 을 위해 · 의〕 : Je *t'*écrirai 자네에게 편지를 쓰겠네 / Qui *t'*a pris la montre? 누가 네게서 시계를 빼앗았니? / Je vais *te* faire un robe. 너를 위해 옷을 만들어 주마 / Je vais *te* casser la tête. 너의 머리통을 부술 테야 / si cela *te* vient à l'esprit 《소유의 표시》 그것이 네 머리에 떠오르면 / Cela peut *t'*être utile. 그것은 너에게 유용할지도 모른다 / Elle *t'*est devenue étrangère. 그녀는 너와 상관없는 여자가 되었다 / Elle *te* court après. 《구어》 그녀는 네 뒤를 쫓아다닌다 / Ils *te* tomberont dessus. 《구어》 그들은 자네 위로 떨어질 것이다. ③ 《상대방의 주의를 끌기 위한 허사적 용법》 Je *te* le lui ai renvoyé sur-le-champ. 그것을 그에게 곧 반송하였다 / Si C'était mon fils, je *te* le dresserais. 그 애가 내 아들이라면 버릇을 고쳐 놓을 텐데. ④ 《대명동사의 보어》 Tu *t'*en souviens. 너는 기억하겠지 / Tu *t'*égareras. 너는 길을 잃을 것이다. ⑤ 《긍정형과 en, y 사이에서 toi 의 대용으로 쓰이며 t'가 됨》 Souviens-*t'*en. 그것을 기억해 두게 / Va-*t'*en. 가게 / Mets *t'*y. 그 일을 시작하게. ⑥ 《voici, voilà 앞에서》 *Te voici.* 자네 왔군 / *Te voilà* encore à regarder les tableaux. 자넨 아직도 거기서 그림을 보고 있군.

té[1] [te] *m.* T 자형의 자 ; T 자형 갱도(坑道) ; T 자 모양의 물건. ***en té***, T 자형의.

té[2] *interj.* 《놀라움》 저런, 어머나 : *Té*, c'est Marius. 이거 마리우스가 아닌가.

technétronique [tɛknetʀɔnik] *adj.* 전자공학 기술의 : ère ~ 전자 공학 기술 시대.

***technicien, enne** [tɛknisjɛ̃, -ɛn] *m.* 기술자 ; 전문가(= spécialiste) : officier ~ 기술장교 / ~ des problèmes de la gestion 경영문제 전문가.

technicité [tɛknisite] *f.* 전문성 ; (전문) 기술(= technique) : travail d'une haute ~ 고도의 전문적인 일.

***technique** [tɛknik] *adj.* ① 학술적인 ; 전문

적인(= spécial) : termes ~s 학술어 ; 전문어. ② 기술상의, 기술적인 : collège ~ 기술〔공업〕학교 / art ~ 공예, 공업 기술. — *f.* ① 기술, 기교, 기법 : ~s de pointe 첨단 기술 / innovations de la ~ 기술 혁신 / ~ électrique 전기 공학 / ~ du piano 피아노의 기교. ② 수법 ; 《구어》 방법, 방편 : trouver la bonne ~ 《구어》 좋은 방법〔방편〕을 발견하다.

techniquement [tɛknikmɑ̃] *adv.* 학술적〔전문적〕으로 ; 기술적으로.

technocrate [tɛknɔkʀat] *m.* ① 테크노크래트, 전문 지식을 갖춘 고위 관리직.

technocratie [tɛknɔkʀasi] *f.* ① 테크노크라시, 기술자 우선주의. ② 테크노크래트에 의한 지배 체제.

technologie [tɛknɔlɔʒi] *f.* ① 공학 ; 기술학 ; 과학 기술 : ~ océanique 해양 공학 / ~s de pointe 첨단 기술 ② 《집합적》 전문어, 학술어, 기술 용어.

technologique [tɛknɔlɔʒik] *adj.* ① 공학의 : 기술학의 ; 과학 기술의 : progrès ~ 과학 기술의 진보. ② 전문어의.

technologiste [tɛknɔlɔʒist], **technologue** [tɛknɔlɔg] *m.* 공학자 ; 과학 기술 전문가.

technopole [tɛknɔpɔl] *f.*, **technopôle** [tɛknopol] *m.* (연구 · 교육 기관 · 산업체를 모아 놓은 도심 주변의) 기술 단지.

technostructure [tɛknɔstʀyktyːʀ] *f.* 테크노스트럭처(《기업 · 정부의 의사 결정에 참여하는 전문가 집단》).

teck [tɛk] *m.* 〖식물〗 티크 ; 그 재목.

teckel [tekɛl] *m.* (독일종의) 다리가 짧은 테리어(= terrier)(《사냥개》).

tectonique [tɛktɔnik] *f.* 〖지질〗 ① 구조 지질학 ; 지각 구조. — *adj.* 구조 지질학의 ; 지각 구조의.

Te Deum [tedeɔm] *m.* 《복수불변》 〖가톨릭〗 테데움(《라틴어로 된 감사의 노래》) ; (테데움을 노래하는) 감사 예식.

T.E.E. 《약자》 Trans-Europe-Express 유럽 국제 특급 (열차).

teenager, teen-ager [tinedʒœːʀ] 〔영〕 *n.* 10 대 소년〔소녀〕(《13-19 세》).

tee-shirt, T-shirt [tiʃœʀt] 〔영〕 *m.* 티셔츠.

tégument [tegymɑ̃] *m.* 〖생물〗 외피(外皮), 포피(包皮), 피막(皮膜)(《피부 · 털 · 비늘 등》) ; 〖식물〗 내종피(內種皮), 곡물 껍질.

teigne [tɛɲ] *f.* ① 〖곤충〗 곡식 좀나방의 일종. ② 〖의학〗 기계충, 머리버짐, (두부(頭部)) 백선(白癬). ③ 《구어》 심술궂은 사람 : C'est une vraie ~. 그는 정말 고약한 사람이다 / mauvais 〔méhant〕 comme une ~ 고약한, 심술궂은.

teigneux, euse [tɛɲø, -øːz] *adj.* ① 〖의학〗 (두부) 백선〔기계충〕에 걸린. ② 《구어》(성미가) 고약한, 심술궂은(= hargneux). — *n.* (두부) 백선〔머리버짐병〕 환자.

***teindre** [tɛ̃ːdʀ] 27 *v.t.* 물들이다, 염색하다 ; 채색〔착색〕하다(= colorer) : ~ ses cheveux 머리를 물들이다 / 《~ qc en 〔de〕》 faire ~ un vêtement *en* noir 옷을 검은 색으로 물들이다. — **se** ~ *v.pr.* ① 자기 머리를 염색하다(= se ~ les cheveux). ② 물들다, 염색되다 : La mer *se teint de* pourpre. 바다가 붉게 물든다.

teint¹, e¹ [tɛ̃, -ɛ̃ːt] *adj.* 염색된 : cheveux ~s 물들인 머리.

***teint²** [tɛ̃] *m.* ① 얼굴빛, 안색(= camation) : ~ hâlé 〔bronzé〕 (햇볕에) 탄〔그을린〕 얼굴빛 / ~ pâle 〔fatigué〕 창백한〔피곤한〕 안색. ② 염색 (상태). ***bon* 〔*grand*〕 ~** ⓐ 《형용사적 용법》 색이 바래지 않게 염색된. ⓑ (의지가) 견실〔확고〕한 : catholique *bon* ~ 견실〔독실〕한 가톨릭 신자.

***teinte²** [tɛ̃ːt] *f.* ① 빛깔, 색조 : demi-~ 연한 빛깔 / ~ forte 〔faible, claire〕 짙은〔연한, 선명한〕 빛깔. ② 기미(氣味), 투, 뉘앙스 : une ~ de 약간의 …한 기미 / Dans ce texte, il y a *une* ~ *d'*ironie. 이 글에는 비꼬는 투가 스며 있다.

teinté, e [tɛ̃te] *adj.* 빛깔을 띤 ; 엷게 물든 〔채색된〕 : ~ de rose 장밋빛을 띤.

teinter [tɛ̃te] *v.t.* ① 물들이다, 빛깔을 띠다 : Le soleil couchant *teintait* les fenêtres de rose. 석양이 창을 장밋빛으로 물들이고 있다. ② 《~ qc de》 …의 뉘앙스를 띠게 하다 : ~ ses compliments *d'*ironie subtile 찬사에 미묘한 비꼼을 섞다. — **se** ~ *v.pr.* 《se ~ de》 …이 섞여 있다 ; …의 기미가 있다 : remarque qui *se teinte d'*ironie 풍자가 섞인 지적.

teinture [tɛ̃tyːʀ] *f.* ① 물들임, 염색 ; 염색술 ; (염색한) 빛깔 ; 물감 : plonger une étoffe dans de la ~ 원단을 물감 속에 담그다. ② 피상적〔수박 겉 핥기식의〕 지식 : avoir une 〔quelque〕 ~ de philosophie 철학을 수박 겉 핥기로 알고 있다. ③ 〖약학〗 정기(丁幾) : ~ d'iode 옥도정기.

teinturerie [tɛ̃tyʀʀi] *f.* ① 염색업〔술〕 ; 염색공장. ② 드라이클리닝 가게, 세탁소.

teinturier, ère [tɛ̃tyʀje, -ɛːʀ] *n.* ① 염색업자. ② 드라이클리닝 가게〔세탁소〕 주인.

:tel, telle [tɛl] *adj.* ① 《부가 형용사로서 ; 명사 앞에》 이러한, 그러한 : On ne verra plus de ~s hommes. 그런 사람들은 다시 못 볼 것이다 / Une *telle* conduite vous fait honneur. 이와 같은 행위는 당신의 명예가 된다 / Je suis étonné qu'il tienne de ~s propos. 그가 그런 말을 하다니 놀랍다 / *T*~ il était, ~ il demeure. 그는 옛날 (모습) 그대로다. ② 《속사로서 ; 전술한 내용의 요약》 그와 같은 : Instruire en intéressant, ~ est le but de l'éducation. 관심을 불러일으키면서 가르치는 것, 이것이 곧 교육의 목적이다 / *T*~ est mon avis. 내 의견은 그와 같소. ③ 《밝힐 필요가 없는 수효 · 물량을 나타내어》 어느, 얼마큼〔얼마〕의 : ~ jour dans *telle* ville 모 도시에서 모일 / Il doit *telle* somme. 그는 얼마의 금액을 치러야만 한다 / commencer à *telle* ou *telle* heure 그 어느 시간에 시작하다 / dire *telle* et *telle* chose 이러이러한 말을 하다. ④ 《강조》 《~ (+명사)+que》 …할 만큼, 어찌나 …한지(…하다) : Son pouvoir est ~ que tout lui obéit. 그의 권력은 어찌나 대단한지 모두가 그에게 복종한다 / Il a fait un ~ bruit qu'il a réveillé toute la maison. 그는 어찌나 떠들어 댔던지 집안 사람을 다 깨우고 말았다 / 《부

정문에서는 *sub.*》 Je n'en ai pas un besoin ~ que je ne *puisse* attendre. 나는 기다릴 수 없을 만큼 (그렇게 절박하게) 그것이 필요하지는 않다. ⑤ …와 같은 …인 그대로, ⓐ《~ que 〔대명사〕》 ami ~ *que* lui 그와 같은 친구 / Il disparut rapidement, ~ un éclair. 그는 번개처럼 재빨리 사라졌다 / Il est ~ *que* son père 그는 아버지와 같다〔를 닮았다〕. ⓑ《~ que+*ind.*》 Les faits sont ~*s que* je vous les ai racontés. 사실은 당신에게 이야기한 바와 같다 / voir les choses *telles qu'*elles sont 사물을 있는〔사실〕 그대로 보다 / *t~ que* vous le voyez 당신이 보는 바와 같이 ***à ~ point*** 그렇게까지, 그 정도까지 : Il a travaillé *à ~ point qu'*il est tombé malade. 그는 병이 날 정도로 일했다. ***comme*** 〔***en tant que***〕 ~ 그것으로서, 그 이름으로 : Ce n'est pas du Bordeaux bien qu'on me l'ait vendu *comme* ~. 보르도 포도주라고 팔았지만 그것은 그렇지 않다. ***de telle sorte*** 〔***façon, manière***〕 ***que*** ⓐ《+*sub.*; 목적》 …하기 위해, …하도록 : Je t'enverrai ce paquet tout de suite *de telle sorte que* tu le reçoives demain. 당신이 내일 이 소포를 받도록 지금 곧 보내겠다. ⓑ《+*ind.*; 결과》 그 결과 : Il parle *de telle sorte que* je ne le comprends pas. 그는 그런 식으로 이야기하기 때문에 알아들을 수가 없다. ***Il n'y a rien de ~ que***+명사 〔***que de***+*inf.*〕 …〔하는 것〕보다 더 나은 것은 없다 : *Il n'y a que de* ~ pour la santé *que* le yoga. 요가보다 건강에 나은 것은 없다. ~ ***que*** …와 같은, … 그대로의 : femme *telle que* sa mère 그의 어머니와 같은 여자. ~ ***quel*** ⓐ 그대로 : Je vous achète la voiture *telle quelle*. 나는 자동차를 그 상태대로 당신에게서 사겠다. ⓑ 평범한, 진부한 : raisons *telles quelles* 하찮은 이유.

— *pron.* 어떤 사람; 아무개, 모인(某人) : Monsieur un *tel* 모씨 / Madame une *telle* 모부인 / la famille un *tel* 〔les un *tel*〕 모씨 집안 / *T~* l'en blâmait, (*et*) ~ l'en excusait. 어떤 사람은 그를 책망하고, 어떤 사람은 용서했다. ~ ***qui*** …하는 자 : *T~ qui* rit vendredi dimanche pleurera. 《격언》 금요일에〔오늘〕 웃는 자는 일요일에〔내일〕 운다.

télé [tele] *f.* 《구어》 ① 텔레비전(=télévision) : émission de ~ 텔레비전 방송. ② 텔레비전 수상기(=téléviseur).

télé(-)achat [teleaʃa] *m.* TV 주문 판매; (TV 주문 판매를 위한) 상품 소개.

télébenne [telebɛn], **télécabine** [telekabin] *f.* 소형 케이블카, 리프트.

télécarte [telekaʀt] *f.* (공중)전화 카드.

télécharger [teleʃaʀʒe] *v.t.* 〖컴퓨터〗 (모뎀 전산망을 이용하여) 컴퓨터끼리 자료를 이동〔전송〕시키다, 다운로드하다.

télécinéma(tographe) [telesinema(tɔgʀaf)] *m.* 텔레비전에 의한 영화의 방영 장치; (텔레비전 방송국의) 영화 방송과(課).

télécommande [telekɔmɑ̃d] *f.* 원격 조종, 원거리 조종; 리모콘 : ~ des avions 비행기의 원격 조종.

télécommander [telekɔmɑ̃de] *v.t.* ① 원격 조종하다 : ~ la mise à feu d'une fusée 로켓의 점화를 원격 조종하다. ② 《비유》 (멀리서) 조종하다 : ~ un complot 음모를 원격 조종하다.

télécommunication [telekɔmynikɑsjɔ̃] *f.* 전기 통신, (전기·전파 따위에 의한) 원거리 통신 : satellite artificiel utilisé comme relais en ~s 무선 중계용 통신 위성 / ~ en multiplex 다중 통신.

téléconférence [telekɔ̃feʀɑ̃s] *f.* (서로 다른 장소에서 TV로 연결되는) 화상 회의. 「스.

télécopie [telekɔpi] *f.* 전송 복사 (장치), 팩

télécopier [telekɔpje] *v.t.* 전송 복사하다.

télécopieur [telekɔpjœːʀ] *m.* 팩스, 전송 복사기.

télédétection [teledetɛksjɔ̃] *f.* 원격 탐사(학〔술〕) : ~ par satellite 위성을 통한 원격 탐사.

télédiffuser [teledifyze] *v.t.* 텔레비전으로 방영하다(=téléviser). 「영.

télédiffusion [teledifyzjɔ̃] *f.* 텔레비전 방

télédistribution [teledistʀibysjɔ̃] *f.* 유선 방송, 케이블 TV 방송.

télé(-)enseignement [teleɑ̃sɛɲmɑ̃] *m.* (TV에 의한) 원격 시청각 교육.

téléférique [telefeʀik] *adj.* 삭도(索道) 운반의. — *m.* 운반용 삭도; 공중 케이블카.

téléfilm [telefilm] *m.* 텔레비전 영화.

télégénique [teleʒenik] *adj.* TV에서 모습이 잘 나타나는, TV가 잘 받는 : chanteuse ~ TV에서 예쁘게 보이는 여가수.

***télégramme** [telegʀam] *m.* 전보 : ~ chiffré 〔urgent〕 암호〔지급〕 전보.

télégraphe [telegʀaf] *m.* ① 전신기 : ~ sous-marin 해저 전신. ② 전신국, 신호기 : ~ aérien 고소(高所) 신호기.

télégraphie [telegʀafi] *f.* 전신(술). ~ ***sans fil*** 무선 전신(《약자》 T.S.F.).

***télégraphier** [telegʀafje] *v.t.* ① (전보를) 치다 : ~ une dépêche 전보를 치다. ② 전보로 알리다, 타전(打電)하다 : 《~ qc à qn》 ~ une nouvelle à un ami 친구에게 전보로 소식을 알리다.

télégraphique [telegʀafik] *adj.* 전신에 관한, 전신에 의한. ***bureau ~*** 전신국. ***dépêche ~*** 전보. ***mandat ~*** 전신환(換).

télégraphiquement [telegʀafikmɑ̃] *adv.* 전신으로, 전보로.

télégraphiste [telegʀafist] *n.* ① 전신 기사. ② 전보 배달부.

téléguidage [telegidaːʒ] *m.* (로켓 따위의) 무선 유도, 원격 조종, 리모트 컨트롤.

téléguider [telegide] *v.t.* ① (로켓 따위를) 원격 조종하다 : missile *téléguidé* 유도 미사일. ② 《비유》 먼곳〔배후〕에서 조종하다.

téléinformatique [teleɛ̃fɔʀmatik] *f.* et *adj.* 컴퓨터의 원거리 이용 (장치)(의), 데이터 통신 (기술)(의). — *adj.* 컴퓨터의 원거리 이용 (장치)의, 데이터 통신 (기술)의.

téléobjectif [teleɔbʒɛktif] *m.* 〖사진〗 망원렌즈.

téléologie [teleɔlɔʒi] *f.* 〖철학〗 목적론

télépaiement [telepɛmɑ̃] *m.* 〖금융〗 (전신) 자동 이체.

télépathie [telepati] *f.* 〖심령〗 텔레파시, 정

신 감응.

téléphérique [telefeʀik] *adj.* 삭도 운반의. ── *m.* 공중 케이블카.

⁑**téléphone** [telefɔn] *m.* 전화기 ; 전화 : ~ automatique 자동식 전화기 / ~ public 공중전화 / abonnés du ~ 전화 가입자 / ~ urbain 〔interurbain〕 시내〔시외〕 전화. ***au*** 〔***par***〕 ~ 전화로 : appeler 〔sonner〕 qn *au* ~ 전화로 …을 불러내다. ***coup de*** ~ 전화를 걸기 : donner un *coup de* ~ à qn …에게 전화를 걸다.

⁑**téléphoner** [telefɔne] *v.i.* 전화를 걸다 : *Téléponez de* venir 그에게 오라고 전화하시오. ── *v.t.* ① ⓐ …을 전화로 알리다 : ~ les résultats de l'élection 전화로 선거 결과를 전하다. ⓑ 《~ à qn de+*inf.*》 …에게 …하도록 전화하다 : Il m'*a téléphoné* de venir ce soir. 그는 나에게 오늘밤 오라고 전화했다. ⓒ 《~ que+*ind.*》 …라고〔하다고〕 전화로 알리다 : Je lui *ai téléphoné que* je serai en retard. 나는 그에게 늦을 것이라고 전화했다. ② 〖스포츠〗 (어떤 동작을) 미리 알게 하다 : ~ une passe 패스를 상대에게 눈치채게 하다. ── **se** ~ *v.pr.* 서로 전화하다 : Ils *se téléphonent* tous les soirs. 그들은 매일밤 전화한다.

***téléphonique** [telefɔnik] *adj.* 전화의〔에 관한〕, 전화에 의한 : appareil ~ 전화기 / appel ~ 전화 호출 / cabine ~ (publique) (공중) 전화실 / communication ~ 통화. ── *m.* ~ combiné 송수화기.

téléphoniste [telefɔnist] *n.* 전화 교환원.

téléprompteur [telepʀɔ̃ptœʀ] *m.* 텔레프롬프터《TV 출연자에게 대본을 확대시켜 보여 주고, 화면에는 나타나지 않는 장치》.

téléreportage [teleʀ(ə)pɔʀtaːʒ] *m.* 텔레비전 탐방.

téléscopage [telɛ〔e〕skɔpaːʒ] *m.* (두 차의) 격돌, 충돌 : ~ de deux trains 두 기차의 충돌 / ~ en série 연쇄 충돌.

télescope [telɛ〔e〕skɔp] *m.* 망원경: ~ électronique 전자 망원경.

télescoper [telɛskɔpe] *v.t.* (열차 따위가 다른 차체를) 들이받다, …에 들이받히다 : le train qui *a télescopé* une voiture au passage à niveau 건널목에서 차를 들이받은 기차. ── **se** ~ *v.pr.* 서로 들이받히다.

télescopie [telɛskɔpi] *f.* 망원경 사용법.

télescopique [telɛ〔e〕skɔpik] *adj.* ① (천체) 망원경의 ; 망원경에 의한 : observations ~s 망원경에 의한 관찰. ② 끼웠다 뺐다 하게 된, 신축식의 : trépied ~ 신축식 삼각대.

téléscripteur [tele〔ɛ〕skʀiptœːʀ] *m.* 텔레타이프(=télétype), 텔레프린터.

télésiège [telesjɛːʒ] *m.* 〖스키〗 (좌석이 매달린) 단삭(單索) 케이블카, 의자식 리프트.

téléski [teleski] *m.* (스키장의) 리프트(=remonte-pente).

***téléspectateur, trice** [telespɛktatœːʀ, -tʀis] *n.* 텔레비전 시청자.

télésurveillance [telesyʀvɛjɑ̃ːs] *f.* (전자 장비를 이용한) 원격 감시, 모니터. 「실.

téléthèque [teletɛk] *f.* 텔레비전 자료 수집

télétraitement [teletʀɛtmɑ̃] *m.* 〖컴퓨터〗 (전화 · 전신 따위를 통한) 원격 정보 처리.

télétravail [teletʀavaj] *m.* (정보 통신을 이용한) 재택 근무.

télétype [teletip] 〔영〕 *m.* 텔레타이프.

télévente [televɑ̃ːt] *f.* (전화 · 컴퓨터 따위에 의한) 통신 판매.

***télévisé, e** [televize] *adj.* 텔레비전으로 방송되는 : journal ~ 텔레비전 뉴스. 「하다.

***téléviser** [televize] *v.t.* 텔레비전으로 방송

téléviseur [televizœːʀ] *m.* 텔레비전 수상기 : ~ couleur 컬러 텔레비전.

***télévision** [televizjɔ̃] *f.* ① 텔레비전 (방송) (《약자》 téle, T.V.) : émission de ~ en direct 〔en différé〕 텔레비전 생〔녹화〕 방송 / ~ en couleurs 컬러 텔레비전 / ~ par câbles 유선 텔레비전 / passer à la ~ 텔레비전에 출연하다. ② 《구어》 텔레비전 수상기(=téléviseur) : regarder la ~ 텔레비전을 보다.

télévisuel, elle [televizɥɛl] *adj.* 텔레비전의 : feuilleton ~ TV 연속극.

télex [telɛks] *m.* (통신사용) 텔렉스.

⁑**tellement** [tɛlmɑ̃] *adv.* ① 《형용사 · 부사 앞》 그렇게, 그처럼, 그토록, 아주, 매우, 대단히 : une question ~ facile 그렇게〔아주〕 쉬운 문제 / Elle est ~ modeste. 그녀는 매우 겸손하다 / ce livre ~ historique 그렇게까지 역사적인 이 책 / un être ~ au-dessus de moi 나보다 월등 나은 인간. ② 《부정문에서》 그리, 그다지, 별로 : Je n'aime pas ~ cela. 나는 그것을 그다지〔별로〕 좋아하지 않는다. ③ 《동사와 함께》 그렇게〔아주 · 매우〕 많이(=tant) : Il travaille ~. 그는 아주〔매우〕 열심히 일한다 / L'âge l'a ~ changé. 나이를 먹어서 그는 아주 달라졌다. ④ 《~ de+명사》 그렇게도〔아주 · 매우〕 많은 : J'ai ~ *de* soucis. 나는 걱정이 태산 같다 : Il a pris ~ *de* précautions. 그는 아주 조심했다 / On aurait dit que leur peau allait craquer, ~ elle était tendue. 그들의 피부는 금방이라도 터질 것만 같았다, 그토록 팽팽한 피부였다 / Il s'endormait à table, ~ il avait couru. 그는 식탁에 앉은 채 잠들어 버렸다, 그토록 그는 뛰어다녔던 것이다. ⑤ 《문두에서 원인절을 유도》 그렇게도, 그렇게까지 : Je ne le reconnaissais pas, ~ il avait changé. 나는 그를 알아볼 수 없었다, 그렇게도 그는 변했던 것이다. ⑥ 《비교급의 강조》 훨씬, 한결(더) : 훨씬 더 : Elle était ~ *plus* intelligente que sa soeur. 그녀는 동생보다 훨씬 영리했다 / Ce serait ~ mieux. 그편이 훨씬 더 나을 것이다. ~ ***... que*** ⓐ …만큼 : Il n'est pas ~ dépourvu de bon sens *que* d'y aller. 거기에 갈 만큼 그는 어리석지 않다. ⓑ …하도록 : Conduisez-vous ~ *qu*'on n'ait rien à vous reprocher. 남에게 아무런 비난도 받지 않도록 처신하시오. ⓒ 너무나〔하도〕 …때문에 …하다 : Il a ~ travaillé *qu*'il en est tombé malade. 그는 너무 일해서 병이 났다

tellurien, enne [teɛ(l)lyʀjɛ̃, -ɛn], **tellurique** [teɛ(l)lyʀik] *adj.* ① 대지(大地)의, 토지의, 지중에서 발생〔발산〕하는 : secousse *telluriques* 지진 / eaux *telluriques* 지하수. ② 〖천문 · 물리〗 지구의 ; 〖지질〗 지하의 : raies *telluriques* 지구 대기선.

téméraire [temeʀɛːʀ] *adj.* (사람 · 행동이)

무모한, 위험한, 경솔한, 대담한 : entreprise ~ 무모한 기획 / jugement ~ 경솔한 판단. ── *n.* 무모〔경솔〕한 사람.

témérairement [temeʀɛʀmɑ̃] *adv.* 《문어》 무모하게 ; 경솔하게 : juger ~ 경솔하게 판단하다.

témérité [temeʀite] *f.* ① 무모 ; 경솔(= imprudence) ; (*pl.*) 무모한 짓〔말〕. ② (문학·예술의) 대담한 효과.

témoignage** [temwaɲaːʒ] *m.* ① 증언 ; 증거 : d'après 〔selon〕 le ~ de qn …의 진술에 의하면 / appeler qn en ~ …을 증인으로 소환하다 / faux ~ 위증 / ~ d'innocence 무죄라는 증언. ② (우정 따위의) 표시, 보증 : ~*s* d'affection 애정의 표시 / Acceptez ce modeste ~ de ma reconnaissance. 별것 아니지만 저의 감사의 표시로 이것을 받아주세요. ***porter ~ 증언하다. ***rendre ~*** ⓐ *rendre* ~ à qn …에게 유리한 증언을 하다. ⓑ *rendre* ~ de qc …에 경의를 표하다, …을 찬양하다 : *rendre* ~ *à* la vérité 진리 앞에 경의를 표하다.

***témoigner** [temwaɲe] *v.t.* ① 증언하다(= attrester) : Il *a témoigné* l'avoir vu 〔qu'il l'avait vu〕. 그 사람을 보았다고 그는 증언했다. ② ⓐ (사람이) 표시〔표명〕하다, 나타내보이다(= exprimer, manifester) : ~ de la sympathie 〔du dédain〕 à qn …에게 호감〔경멸〕을 표시하다 / ~ ses sentiments par des paroles 〔des actes〕 자기의 감정을 말로〔행동으로〕 나타내다. ⓑ (사물이) …이 증거〔표시〕이다, 보여 주다, 말해 주다 : Ce geste *témoigne* qu'il vous est attaché 〔combien il vous est attaché〕. 그런 행동은 그가 당신을 아끼고 있다는 사실을〔얼마나 당신을 아끼고 있는지를〕 말해 주고 있습니다. ── *v.t. ind.* 《~ de》 ① (사람이) …을 증언하다 : ~ *de* l'innocence de qn …의 무죄를 증언하다 ② (사물이) …의 증거를 보여주다, …을 나타내다 : Ses œuvres *témoigneront* de ce qu'il fut. 그가 남긴 여러 작품들은 그의 사람됨을 말해 줄 것이다. ── *v.i.* 〚법률〛 증언하다 : ~ contre 〔en faveur de〕 qn …에게 불리한〔유리한〕 증언을 하다.

témoin** [temwɛ̃] *m.* ① 증인 ; 입회자 ; 목격자 : audition des ~*s* 증인들의 증언 청취 / ~ à charge 〔à decharge〕 원고〔피고〕측의 증인 / ~*s* d'un mariage 결혼의 입회인 / Elle a été le seul ~ de l'accident. 그녀는 사고의 유일한 목격자였다. ② ⓐ 증거, 증명 ; 증거가 되는 것 : en ~ de quoi 《옛》 그 증거로서. ⓑ 《문두에서 ; 불변》 증거로는(= à preuve) : *T*~ les coups que j'ai reçus. 내가 매를 맞았다는 사실이 그 증거다. ③ 〚스포츠〛 (릴레이 경주의 바톤〔손수건〕 : passer le ~ au suivant 다음 주자에 바톤을 넘겨주다. ④ 《동격》 표시물, 지표가 되는 것 : lampe ~ (작동 중임을 나타내는) 표시등 / secteur ~ de l'industrie 산업의 지표가 되는 부문 / animaux 〔plantes〕 ~*s* (실험의 결과와 비교하기 위한) 대조 동물〔식물〕. ***barre des ~s (법정의) 증인석. ***être ~ de*** qc …을 목격하다 : Mes yeux *en sont* ~*s*. 그건 내 눈으로 직접 보았다. ***prendre*** qn ***à*** 〔***pour***〕 ~ 증인으로 삼다.

***tempe** [tɑ̃ːp] *f.* 〚해부〛 관자놀이.

tempérament** [tɑ̃peʀamɑ̃] *m.* ① 체질 ; 기질 ; 성격(= caractère) : ~ sanguin 다혈질 / être d'un ~ actif 활동적인 기질이다. ② 조정 ; 타협(책) ; 절도(節度). ③ 《옛》 균형 ; 중용 ; 〚음악〛 평균율. ④ 관능적인 욕구(= sensualité). ***à ~ 분납으로. ***avoir du ~*** 호색가이다 ; 개성이 강하다. ***C'est un ~.*** 개성이 강한 사람이다. ***garder un certain ~*** 어느 정도의 절도를 지키다. ***par ~*** 선천적으로. ***vente à ~*** 할부 판매.

tempérance [tɑ̃peʀɑ̃ːs] *f.* 절제 ; 절식 ; 금주 : société de ~ 금주회(禁酒會).

tempérant, e [tɑ̃peʀɑ̃, -ɑ̃ːt] *adj.* 절제〔자제〕하는, 절도 있는. ── *n.* 절제가.

température** [tɑ̃peʀatyːʀ] *f.* ① 기온, 온도 ; 기후 : ~ ambiante 주위 온도 / ~ maximum 〔minimum〕 diurne 낮 최고〔최저〕 온도. ② 체온 ; 열(= fièvre) : aovir 〔faire〕 de la ~ 열이 있다 / prendre sa ~ 체온을 재다. ③ 《비유》 분위기, 열기, 동향 : pendre la ~ de l'opinion publique 여론의 동향을 살피다. ***T~ 〚신문〛 일기 예보.

tempéré, e [tɑ̃peʀe] *adj.* ① (기후가) 온화한 : climat ~ 온화한 기후 / zone ~*e* 온대. ② 절도 있는, 온건〔온당〕한 : esprit ~ 절도 있는 정신. ***gamme ~e*** 〚음악〛 평균율 음계.

tempérer [tɑ̃peʀe] [6] *v.t.* 완하하다(= adoucir, atténuer) ; 진정시키다(= modérer, calmer) : ~ une boisson (독한) 술을 약하게 하다 / ~ les douleurs 고통을 완화시키다. ── **se** ~ *vpr.* 완화되다 ; 진정되다 : Le froid se tempère enfin. 마침내 추위가 누그러졌다.

tempête** [tɑ̃pɛt] *f.* ① 폭풍우, 돌풍 ; (바다의) 격심한 풍랑 : ~ de neige 눈보라 / ~ qui fait rage 맹위를 펼치는 폭풍우. ② 격동 ; 소요, 동란 ; 격론 ; (열정의) 광분 : ~*s* révolutionnaires 혁명의 소용돌이 / ~ des passions 격정. ***~ de neige 눈보라. ***une ~ d'applaudissements*** 우레와 같은 갈채.

tempêter [tɑ̃pɛ(e)te] *v.i.* ① (바람 등이) 몹시 불다, 휘몰아치다. ② 《구어》 격노하다, 노발대발하다, 호통치다(= fulminer) : ~ contre qn 〔qc〕 …에 대해 분노를 터뜨리다.

tempétueux, euse [tɑ̃petɥø, -øːz] *adj.* ① 《옛》 폭풍우가 몰아치는. ② 《비유》 격동의, 파란만장한 : vie ~*euse* 파란만장한 인생. ③ 《구어》 화를 잘내는.

***temple** [tɑːpl] *m.* ① (기독교 이외의) 신전(神殿), 사원, 사찰 : ~ bouddhique 절 / ~ grec 그리스 신전. ② (프랑스 신교의) 교회당 ; 《시어》 (가톨릭의) 성당 ; 성전과 같은 곳, 전당.

templier [tɑ̃plije] *m.* 〚역사〛 성당 기사단원 (= chevalier du Temple).

tempo [tɛ̃〔ɛm〕po] 〔이탈리아〕 *m.* ① 〚음악〛 템포, 속도 : à ~ 〔~ primo〕 본래의 속도로. ② 《비유》 (일·행동 따위의) 속도, 리듬.

***temporaire** [tɑ̃pɔʀɛːʀ] *adj.* 일시〔잠정〕적인 ; 임시의 : gouvernement ~ 임시 정부 / mesure ~ 잠정적 조치.

temporairement [tɑ̃pɔʀɛʀmɑ̃] *adv.* 임시로 ; 일시적으로, 잠시.

temporal, e, aux [tɑ̃pɔʀal, -o] *adj.* 〚해

T

부』 측두부(側頭部)의, 관자놀이의 : muscle ~ 측두근(筋). — *m.* 측두골(骨).

temporalité [tɑ̃pɔʀalite] *f.* 〖철학〗 시간성, 시간적 가치.

temporel, elle [tɑ̃pɔʀɛl] *adj.* ① 현세의, 세속적인 ; 물질적인(≠ spirituel) : biens ~*s* 물질적 부(富). ② 일시적, 덧없는(≠ éternel) : beauté ~*elle* 일시적인 아름다움 / existence ~*elle* 덧없는 삶. ③ 〖문법〗 시제를 나타내는 ; 〖철학〗 시간의(≠ spatial).

temporellement [tɑ̃pɔʀɛlmɑ̃] *adv.* ① 세속적으로 ; 물질적으로. ② 〖철학〗 시간적으로.

temporisateur, trice [tɑ̃pɔʀizatœːʀ, -tʀis] *adj.* 때〔기회〕를 기다리는, 시간을 벌기 위한. — *n.* 때〔기회〕를 기다리는 사람. — *m.* (기계 따위의) 타이머, 시한 장치.

temporisation [tɑ̃pɔʀizɑsjɔ̃] *f.* ① 때〔기회〕를 기다리기, 질질 끌기. ② (기계 · 기구 등의) 작동 시간을 늦추기, 타이머 조절.

temporiser [tɑ̃pɔʀize] *v.i.* 시기〔기회〕를 기다리다, 시간을 벌다 : Il est parfois bon de ~. 때때로 시기를 기다리는 것이 좋다. — *v.t.* 〖기술〗 (기계 따위의) 작동 시간을 늦추다, 타이머를 조절하다.

⁑**temps** [tɑ̃] *m.* ① 때, 시간 ; 틈, 여가, 여유 ; 시각 ; (…하는) 동안, 사이 ; 기간 : marche du ~ 시간의 흐름 / Le ~ presse. 시간이 없다(빨리 서둘러야 한다) / à peu de ~ de là 그 후 얼마 안 있다가 / dans 〔sous〕 peu de ~ 근간에 / peu de ~ avant 〔après〕 조금 전〔후〕에 / perdre son ~ 시간을 낭비하다 / avoir du ~ (de libre) 여가가 있다 / Il faut du ~ pour qc 〔+*inf.*〕 …을〔하기〕 위해 시간이 필요하다 / ~ de Greenwich 그리니치 표준시 / ~ solaire 태양시 / Le ~, c'est de l'argent. 《속담》 시간은 돈이다. ② …할 시간〔시기〕 ; 기회, 찬스 : remettre qc à un autre ~ …을 다른 때로 미루다 / Chaque chose en son ~. 제반 일은 제때에 해야 한다(시기를 놓쳐서는 안 된다) / bien 〔mal〕 choisir son ~ 기회〔찬스〕를 잡다〔놓치다〕 / Le ~ est venu de sequiter 이제 작별할 시간이 왔다. ③ …의 계절(= saison) : le ~ des moissons 〔des vacances, de la chasse〕 추수〔방학, 사냥〕철. ④ 시대 ; 현대, 당대 : *les* ~ modernes 현대 / en ce ~-là 그때, 당시 / ces ~-ci 요즈음, 근래 / en ~ normal 〔ordinaire〕 평시에 / de notre ~ 현대에는, 현대 / Les ~ sont bien changés. 시대는 아주 변했다 / signe des ~ 시대 징후〔특징〕. ⑤ 날씨, 천기, 일기 : prévision du ~ 일기 예보 / beau 〔mauvais〕 ~ 좋은〔궂은〕 날씨 / Quel ~ fait-il ? 날씨가 어떤가요 ? / Le ~ est à la pluie. 비가 올 것 같다. ⑥ ⓐ 〖음악〗 박자 : mesure 〔valse〕 à trois ~, 3 박자〔3 박자의 왈츠〕. ⓑ 〖기계〗 사이클 : moteur à deux ~, 2 사이클의 엔진(= un deux ~). ⓒ (작업 따위의) 단계 : dans un premier ~ 첫 단계에서 / L'opération s'est faite en deux ~ . 수술은 두 단계로 나뉘어 진행되었다. ⓓ 〖스포츠〗 (경주의) 시간, 타임 ; 〖펜싱〗 동작 : faire 〔réaliser〕 un bon ~ 좋은 기록을 세우다. ⑦ 〖문법〗 (동사의) 시칭, 시제 : ~ simple 〔composé〕 단순〔복합〕 시제 / concor- dance des ~*s* 시제의 일치. ⑧ 〖컴퓨터〗 ~ partagé 시간 분할(〖영〗 time sharing) ; ~ réel 실(實)시간(〖영〗 real time).

à plein ~ ; à ~ plein 풀 타임으로, 상근(常勤)으로. ***à ~*** ⓐ 때 맞추어, 늦지 않게 : arriver *à* ~ 늦지 않게 도착하다. ⓑ 유기(有期)의 : condamnation *à* ~ 유기형(刑). ***à ~ partie*** 파트타임으로. ***à ~ perdu*** 한가한 때에. ***avoir fait son ~*** 정년이 되다, 형기를 마치다 ; 수명이 다 되다, 폐물이 되다 ; 시대에 뒤지다 : un vêtement qui *a fait son* ~ 다 해어져 못 입게 된 옷. ***dans le ~*** 옛날(에는). ***dans le*** 〔***au, du***〕 ***~ où*** 〔***que***〕 …할 때, …하는 동안 : *du* ~ *que* j'étais jeune 내가 젊었을 때. ***dans la suite*** 〔***le cours***〕 ***des ~s*** 장차, 훗날에. ***dans*** 〔***en***〕 ***son ~*** 제때에, 적기에 : venir *en son* ~ 때마침 오다. ***de mon ~*** 내가 젊었을 때는. ***de ~ en ~ ; de ~ à autre*** 이따금, 때때로. ***de tout ~*** (예로부터) 언제나, 어느 때나, 늘 : Cela a été ainsi *de tout* ~. 그것은 언제나 그런 상태였다. ***en même ~*** (***que***) (와) 동시에 : Je suis arrivé *en même* ~ *que* lui. 나는 그와 동시에 도착했다. ***en ~ voulu*** 〔***utile***〕 알맞은 때에, 적절한 시기에. ***entre ~*** 그 동안에, 한편. ***être de son ~*** 시대에 순응하다, 시류에 따르다. ***faire son ~*** 병역 의무를 다하다. ***Il en est encore ~***. 아직 때는 늦지 않다. ***Il est ~ de*** + *inf.* 〔***que*** + *sub.*〕 지금이 …할 때다 : *Il est* ~ *de* partir 〔*que* nous partions〕. 떠나야 할 때다. ***il était ~*** 《구어》 하마터면 (큰일 날 뻔했다) : *Il était* ~, vous seriez tombé. 하마터면 넘어질 뻔했다. ***Il n'est que ~.*** 빨리 서둘러야 한다. ***la plupart du ~*** 대개의 경우. ***le bon vieux ~*** 그리운 옛 시절. ***le ~ de*** + *inf.* 〔***que*** + *sub.*〕 …만 하면 ; …하는 시간이면 : *Le* ~ *de* mettre mon manteau, et j'arrive. 외투만 입으면 곧 가요. ***n'avoir qu'un ~*** 잠깐이다 : La jeunesse *n'a qu'un* ~. 청춘도 한때다. ***par le ~ qui court*** 《구어》 요즈음에는, 요즘 시절에는. ***passer bien son ~ ; prendre*** 〔***se donner, se payer***〕 ***du bon ~*** 생활을 즐기다. ***prendre*** (***tout***) ***son ~*** 천천히 일을 하다. ***quelque ~; un*** (***certain***) ~ 얼마〔한〕 동안. ***tout d'un ~*** 일시에, 일거에. ***tout le ~*** 언제나, 늘, 줄곧 : répéter *tout le* ~ la même chose 시종 같은 말만 되풀이하다. ***tout le ~ que*** 〔***où***〕 …하는 동안 내내〔시종〕.

tenable [tənabl] *adj.* 《주로 부정문》 ① (장소가) 그런 대로 지낼 수 있는, (집이) 살 만한 ; (지위가) 유지될 수 있는 : On étouffe ici, ce n'est plus ~. 여기는 무더워서 더 이상 견딜 수가 없다. ② (사람이) 감당〔통제〕할 수 있는 : Les enfants ne sont pas ~*s*. 아이들은 감당할 수 없다.

tenace** [tənas] *adj.* ① 점착력(粘着力)이 있는, 끈적거리는 : colle ~ 잘 붙는 풀. ② (사람 · 성질이) 끈질긴, 집요한 ; 완고한 ; 완강한 ; (편견 · 원한 따위가) 뿌리 깊은 : une ~ haine 뿌리 깊은 원한 / rhume ~ 잘 낫지 않는 감기. ***mémoire ~ 변함없는〔좋은〕 기억력.

ténacité [tenasite] *f.* ① 점착력, 점착성. ②

끈질김, 집요함 ; (편견 등의) 뿌리 깊음 : ~ d'une odeur 좀처럼 가시지 않는 냄새. ③ 완고함, 고집스러움 : une ~ toute paysaune 농민 특유의 완고함.

tenaille [tənɑ:j] *f.* (흔히 *pl.*) 집게, 못뽑이 : arracher un clou avec des ~*s* 집게로 못을 뽑다.

***tenaillement** [tənɑjmɑ̃] *m.* (육체적 · 정신적) 고통, 괴로움, 가책(呵責).

tenailler [tənɑje] *v.t.* 괴롭히다, …에게 고통을 주다 : La faim le *tenaille.* 굶주림이 그를 괴롭힌다.

tenancier, ère [tənɑ̃sje, -ɛ:ʀ] *n.* 《경멸》 (도박장 · 술집 · 호텔 등의) 경영자 : ~ d'une maison de jeux 도박장 지배인.

tenant, e [tənɑ̃, -ɑ̃:t] *adj.* 《다음 표현으로만 쓰임》 ① séance ~*e* ⓐ 개회 중에, 회의 도중에. ⓑ 즉석에서 : refuser qc *séance ~e* …을 즉석에서 거절하다. ② chemise à col ~ 깃이 달린 셔츠. — *m.* ① (학설 · 주의 등의) 주장자, 지지자 : ~*s* du libéralisme 자유주의 옹호자. ② 〖스포츠〗 선수권 보유자 : ~ du titre 타이틀 보유자. ③ (*pl.*) 인접지. ***les ~s et* (*les*) *aboutissants*** (사건 따위의) 상세한 내용, 자초지종 : connaître les tenants et les aboutissants d'une affaire 사건의 자초지종을 알고 있다. ***tout d'un ~ ; d'un* (*seul*)** ; (소유지가) 계속 인접한 ; (시간이) 연속된.

tendance** [tɑ̃dɑ̃:s] *f.* ① (사람의) 경향, 성향(性向), 성벽(= penchant, inclination) ; 기질(= disposition) : ~ égoïste 이기적인 성향 / ~(*s*) au mensonge 거짓말하는 성향. ② (문화 따위의) 경향 ; (사건 따위의) 추세, 동향(= orientation) : ~ boursière 주가(株價) 동향 / ~*s* nouvelles de la musique contemporaine 현대 음악의 새로운 경향. ③ (정당 따위의) 파벌, 유파, 당파색 : ~ politique 정치적 당파색 / parti qui est divisé en deux ~*s* 두 파벌로 갈라진 정당. ***avoir* (*une*) ~ *à + qc 〔*inf.*〕 …의〔하는〕 경향이 있다 : La population de ce pays *a ~ à* s'accroîte. 이 나라의 인구는 증가 경향이 있다. ***faire à*** qn ***un procès de ~*** …을 그의 예단(豫斷)에 따라 판단〔비난〕하다.

tendancieusement [tɑ̃dɑ̃sjøzmɑ̃] *adj.* 왜곡〔편향〕하여 : interpréter ~ un événement 어떤 사건을 왜곡하여 해석하다.

tendancieux, euse [tɑ̃dɑ̃sjø, -ø:z] *adj.* 편향된, 왜곡된 : interprétation ~ 편향〔왜곡〕된 해석.

tender [tɑ̃dɛ:ʀ] 〔영〕 *m.* ① 〖철도〗 탄수차(炭水車). ② 〖해양〗 (소형) 보급선 ; 거룻배.

tendeur, euse [tɑ̃dœ:ʀ, -ø:z] *n.* (막 따위를 당겨서) 치는 사람 ; (덫 · 올가미 따위를) 놓는 사람. — *m.* 〖기계〗 (피대 등을) 죄는 장치.

tendineux, euse [tɑ̃dinø, -ø:z] *adj.* ① (고기가) 힘줄이 많은, 질긴 : viande ~*euse* 힘줄이 많은 고기. ② 〖해부〗 힘줄〔건(腱)〕의.

tendinite [tɑ̃dinit] *f.* 〖의학〗 건염(腱炎).

tendon [tɑ̃dɔ̃] *m.* 〖해부〗 건(腱), 힘줄 : ~ d'Achille 아킬레스건.

tendre**[1] [tɑ̃:dʀ] 25 *v.t.* ① 팽팽하게 하다, (잡아)당기다 : ~ arc 활시위를 당기다 / ~ une corde 밧줄을 팽팽하게 하다. ② (손을) 뻗다, 내밀다 ; …을 내놓다 : ~ la main 손을 내밀다 / Il m'*a tendu* une lettre. 그는 내게 한 통의 편지를 내놓았다. ③ (넓게) 펴다, (펴서) 깔다 ; (덫을) 놓다, 장치하다 ; (벽걸이를) 걸다 ; (벽지를) 바르다 : ~ un filet 덫을 놓다 / ~ un mur de tapisserie 벽에 벽걸이를 걸다 / ~ une pièce de papier 방에 벽지를 바르다. ④ 긴장시키다 : ~ son esprit 정신을 바싹 차리다 / ~ l'atmosphère 분위기를 긴장시키다. ***~ la main à qn ⓐ …에게 손을 내밀다, 악수를 청하다 ; …와 화해하다 : ~ la main à son ennemi 적에게 화해의 손길을 내밀다. ⓑ 구원을 청하다 ; 구걸하다. ***~ l'oreille*** 귀를 기울이다. — *v.t. ind.* ① 《~ à》 …으로 향하다 ; …을 지향하다, 목표로 삼다 : ~ *à* 〔vers〕 la perfection 완전을 지향하다 / ~ *à* l'idéal 이상을 목표로 삼다. ② 《~ à + *inf.*》 …의 경향이 있다, 점차 …하기에 이르다 : Cette coutume *tend à* disparaître. 이러한 관습은 사라져 가는 추세에 있다 / La société moderne *tend à* supprimer l'inégalité. 현대 사회는 불평등을 제거하는 방향으로 나아가고 있다. ***~ à sa fin*** 끝〔종말〕이 가까워지다. — **se ~** *v.pr.* ① (관계 따위가) 긴장되다, 악화되다 : Leurs rapports se sont tendus. 그들의 관계는 험악해졌다. ② (손을) 서로 내밀다.

tendre**[2] *adj.* ① 부드러운, 연한, (빛 · 색이) 진하지 않은, 부드러운, 느낌을 주는 : peau ~ 부드러운 피부 / viande ~ 연한 고기 / couleur ~ 부드러운 색조. ② 어린 : ~ enfance 유소년기. ③ (사람 · 말 따위가) 정다운, 애정어린, 상냥한, 호의적인 : âme ~ 인정이 많은 사람 / paroles ~*s* 애정이 넘치는 말 / regard ~ 다정한 눈길. ④ 《~ à》 …에 민감한 ; (유혹에) 빠지기 쉬운 ; …에 대해 신경질인 : avoir la bouche ~ (말이) 재갈에 대해 민감하다. — *m.* 부드럽고 다정한 사람, 상냥한 사람 ; 《옛》 사랑, 애정. ***avoir un ~ pour qn …에게 애정을 품다.

tendrement [tɑ̃dʀəmɑ̃] *adv.* 다정하게, 상냥하게, 정답게 : regarder qn ~ …을 정답게 바라보다.

***tendresse** [tɑ̃dʀɛs] *f.* ① 상냥함, 애정, 자애(= affection, amour) ; (*pl.*) 애무, 애정의 표현 : avec ~ 상냥하게, 정답게 / avoir de la ~ pour qn …에게 애정을 갖다 / Mille ~*s* 애정을 담아서《편지의 맺음말》. ② 연소, 애티 : ~ de l'âge 나이가 어림. 「움.

tendreté [tɑ̃dʀəte] *f.* (고기가) 연함, 부드러

tendron [tɑ̃dʀɔ̃] *m.* ① 《구어》 아가씨, 소녀. ② 〖요리〗 (송아지의) 연골(軟骨)이 있는 가슴 부분의 고기.

tendu, e** [tɑ̃dy] *adj.* ① 팽팽하게 당겨진, 팽팽한 : corde ~*e* 팽팽히 당겨진 밧줄. ② 긴장된, 긴박한 : esprit ~ 잔뜩 긴장된 마음 / La situation politique au Proche-Orient reste ~*e.* 근동의 정국은 여전히 긴박한 상태이다 / Il était très ~. 그는 매우 긴장되어 있었다. ③ 《~ de》 (방이) 벽포를 붙여진, 벽지를 바른 : chambre ~*e d'*un papier historié 그림무늬의 벽지를 바른 방. ***politique de la main ~e 유화 정책.

T

ténèbres [tenɛbʀ] *f. pl.* ① 어둠, 암흑 : dans les ~ d'un cachot 감옥의 어둠 속에서 / ~ de la nuit 밤의 어둠. ② 《비유》 암흑상태 ; 무지, 몽매 : ~ de l'ignorance 무지, 문맹. ***empire des ~*** 지옥. ***Prince* 〔*Ange*〕 *des T~*** 악마.

ténébreux, euse [tenebʀø, -ø:z] *adj.* ① 캄캄한, 어두운 : bois ~ 어두운 숲 / prison ~*euse* 캄캄한 감옥. ② (사람 · 계획이) 음흉한, 엉큼한, 은밀한 : complot ~ 은밀한 음모 / ~ desseins 엉큼한 계획. ③ (사건 · 문장 등이) 이해하기 어려운, 난해한, 불가해한 : affaire ~*euse* 신비에 싸인〔알 수 없는〕 사건. ④ (사람이) 침울한, 우울한(= sombre, mélancolique). — *n.* 《문어》 침울한 사람 : beau ~ 《익살》 사랑에 번민하는 남자.

teneur[1] [tənœ:ʀ] *f.* ① (문서 따위의) 내용, 문면(文面) : ~ d'une lettre 편지의 내용. ② (용액의) 함유량 ; 농도 : ~ d'un vin en alcool 와인의 알코올 농도.

teneur[2]**, euse** [tənœ:ʀ, -ø:z] *n.* ① 경영자, 주인 : ~ brelan 도박장 주인. ② 담당자 : ~ de livres 장부 담당자.

ténia [tenja] *m.* 〖동물〗 촌충.

‡tenir [təni:ʀ] 16 *v.t.* ① 잡고〔쥐고 · 들고 · 가지고〕 있다(≠ lâcher) : ~ qc à la main 〔dans ses bras, à la bouche〕 …을 손에 들고〔품에 안고, 입에 물고〕 있다 / ~ qn par le bras …의 팔을 잡고 있다 / ~ la rampe d'un escalier 계단의 난간을 잡다.

② 붙잡아〔매어 · 묶어〕 두다〔놓다〕(= retenir) ; (들보가 천장을, 기둥이 조상(彫像)을) 떠받치다(= soutenir) : ~ son chien en laisse 개를 줄에 매어 놓다 / sandales *tenues* par des courroies 가죽끈으로 묶은 샌들 / Ce tableau *est tenu* par des clous. 이 그림은 못으로 고정되어 있다.

③ (어떤 곳에) 사람을 붙잡아〔붙들어〕 두다, (물건을) 간직해 두다(= garder) : ~ qn en prison …을 감금해 두다 / ~ qc au frais …을 서늘한 곳에 간수하다.

④ ⓐ 유지하다(= garder, maintenir) : ~ son sérieux 위엄을 지키다 / ~ l'accord (현악기가) 바른 음을 유지하다 / ~ une grippe 〔un rhume〕 《구어》 독감을〔감기를〕 앓고 있다. ⓑ 《목적보어의 속사와 함께》 (어떤 상태로) 유지하다 ; (사람을 어떤 상태에) 있게 하다 : ~ qc en bon état …을 양호한 상태로 유지하다 / ~ les yeux fermés 눈을 감고 있다 / Ces travaux me *tiennent* occupé. 이 일로 나는 바쁘다 / Elle *tient* son mariage secret. 그녀는 자기 결혼을 비밀로 하고 있다 / Elle *tient* sa maison propre. 그녀는 자신의 집을 깨끗이 유지한다.

⑤ 붙잡다, 붙들다 ; (감정 따위가 사람을) 사로잡다 ; (해답 따위를) 알아내다(= saisir) : ~ le voleur 도둑을 붙잡다 / La colère le *tient.* 그는 골이 났다 / La fièvre me *tient.* 열이 내리지 않는다 / ~ le mot de ènigme 수수께끼를 풀다.

⑥ 억제하다(= retenir) ; 제어하다, 지배하다, 휘어잡다(= maîtriser) ; 이겨 내다(= résister à, supporter) : ~ sa langue 하고 싶은 말을 참다 / On ne peut plus ~ cet enfant. 이 애는 이제 더 이상 어떻게 할 도리가 없다 / ~ le coup 시련을 이겨 내다.

⑦ (자리를) 차지하다, 점령하다(= occuper) : ~ un territoire 〔une position〕 영토〔진지〕를 점령하다 / Vous *tenez* trop de place. 당신은 자리를 너무 많이 차지하고 있소.

⑧ 함유하다(= contenir) ; (그릇이) 용량이 …이다 ; 수용 능력이 …이다 : Cette cruche *tient* un litre. 이 항아리는 1 리터가 들어 있다〔든다〕 / La voiture est trop petite pour nous ~ tous. 이 차는 우리가 다 타기엔 너무 작다.

⑨ ⓐ 《~ qn 〔qc〕 (pour, comme) + 속사》 (…라고) 인정〔간주〕하다, …으로 보다 : Je vous *tiens* innocente. 당신은 죄가 없다고 생각한다 / Je *tiens* l'affaire faite. 일은 다 된 것으로 생각한다 / Je *tiens* cela pour vrai. 나는 그것이 사실이라고 인정한다. ⓑ 《~ que + *ind.*》 …라고 생각하다. ⓒ 《~ à qc + *inf.* 〔que + *ind.*〕》 …하는 것을〔을〕 …으로 여기다.

⑩ (약속 따위를) 지키다, 이행〔실행〕하다 ; (행동 · 말 따위를) 하다 : ~ sa parole 약속을 지키다 / ~ ses engagements 〔un pari, un serment〕 계약을〔내기 · 맹세를〕 이행하다 / ~ un langage impertinent 건방진 소리를 하다 / ~ une bonne conduite 품행이 좋다.

⑪ 관리하다, 경영하다(= diriger, gérer) ; (학급을) 담임하다 ; (직무 따위를) 담당하다 ; 〖상업〗 (상품을) 취급하다 ; (회의를) 주관〔개최〕하다, 열다 : ~ une boutique 가게를 경영하다 / ~ une assemblée 회의를 열다 / un café *tenu* par deux femmes 두 여인이 경영하는 다방 / ~ la caisse 〔les livers〕 회계〔장부〕를 맡아보다.

⑫ (일기 · 장부 따위를) 적다 : ~ un journal 〔un registre〕 일기〔장부〕를 적다.

⑬ 《~ qc de qn》 …을 …에게서 받다, 얻다 (= recevoir, obtenir) ; …에게서 들어서 알다 : Je le *tiens* de lui. 나는 그것을 그에게서 들었다 / ~ qc de race 〔de naissance〕 …을 집안의 내림으로 이어받다 / ~ une terre de qn …에게서 토지를 상속받다 / ~ qc de bonne source 확실한 소식통으로부터 …을 듣다.

en ~ 얻어맞다 ; 봉변당하다 ; 속다 ; 머리가 돌다 ; 술에 취하다. ***en ~ pour*** qn …에게 홀딱 반하다 : Il *en tient pour* cette fille. 그는 이 처녀에게 홀딱 반했다. ***faire ~*** qc ***à*** qn …을 …에게 전달하다. ***Mieux vaut ~ que courir ; Un tiens vaut mieux que deux tu l'auras.*** 《격언》 내일의 천 냥은 오늘의 한 푼만 못하다. ≪***Tenez votre gauche.***≫ 「좌측 통행」. ***Tiens ! ; Tenez !*** 저런, 아아니, 이봐 자아《놀람 · 주의 환기 · 물건을 건네 줄 때》.

— *v.i.* ① 《~ à 〔sur〕》 …에 붙어 있다, 고정되어 있다 ; 《~ à》 …와 인접되어 있다, …와 관계가〔인연이〕 있다 : des lunettes qui *tiennent* sur le bout des narines 코 끝에 걸려 있는 안경 / La corde *tient* au mur. 밧줄은 벽에 붙어〔묶여〕 있다 / Je *tiens* encore par mille liens au monde dans lequel j'ai vécu. 나는 내가 살아온 세계에 아직도 많은 연줄로 매여 있다 / Le jardin *tient* à la

maison. 정원은 집과 인접해 있다.
② 《~ dans, en, à》 들어갈 수 있다, 수용되다 : On *tient* huit à cette table. 이 식탁에는 여덟 사람이 앉을 수 있다 / Nous ne *tiendrons* pas tous dans la voiture. 우리가 다 그 차에 탈 수는 없을 거다.
③ ⓐ (같은 자세로) 있다, (서) 있다 : Je ne *tiens* plus debout. (피곤해서) 더 이상 서 있을 수 없다. ⓑ (사물이) (같은 상태로) 오래가다, 질기다, 튼튼하다, (색이) 바래지 않다 ; (약속 따위가) 변동이 없다 : coiffure qui ne *tient* pas 잘 풀리는 머리 (모양) / Leur union n'*a* pas *tenu*. 그들의 결합은 오래 가지 못했다 / Cela *tient* toujours jeudi? 목요일의 약속〔예정〕은 변함없지요?
④ (사람이) 저항하다, 버티다, 지탱하다, 견디다, 참다 : ~ ferme contre l'ennemi 적에게 완강히 버텨 나가다 / Tu es trop tendu, tu ne *tiendras* pas. 당신은 너무 신경을 쓰고 있소, 그래선 지탱하지 못할 거요.
⑤ (회의가) 열리다 ; (장이) 서다.
ne plus pouvoir ~ ; ne pouvoir y ~ (분노 따위를) 참지 못하다, 참을 수 없다 : C'est à *n'y plus ~*. 더 이상 참을 수가 없다. ***~ bon*** 〔***ferme***〕 완강히 저항하다.
── *v.t. ind.* ① 《~ de qn 〔qc〕》 …을 닮다, …의 성질을 띠다, …와 흡사하다 ; (종류에) 속하는 일이다 : Il *tient* de son père. 그는 아버지를 닮았다 / Cela *tient* du miracle. 그건 기적에 속하는 일이다.
② 《~ à qc》 기인하다, 유래하다 : À quoi donc *tient* son illusion? 그의 그 터무니없는 생각은 어디서 오는 것인가? / ~ *à* ce que+*ind.* …의 까닭은 …이다 : Cela *tient à ce* que nous n'avons pas la même nature. 그건 우리 성격이 다르기 때문이다.
③ 《~ à qn 〔qc〕》 집착하다, 고집하다, 애착〔관심〕을 가지다 : ~ *à* la vie 생명에 집착하다, 목숨을 아끼다 / Il *tient à* l'argent. 그는 돈에 집착한다 / Je ne *tiens* plus *à* personne. 나는 이제 누구에게도 애착심을 갖고 있지 않다.
④ 《~ à》 …에 인접하다 ; …에 붙어 있다 : Le jardin *tient à* la maison. 정원은 집에 인접해 있다 / La résine des pins *tient à* la peau. 송진이 피부에 붙어 있다.
⑤ 《~ à+*inf.*》 …하기를 열망하다, 꼭〔몹시〕 …하고 싶어하다. : J'*ai tenu à* les inviter. 난 그들을 꼭 초대하고 싶었다 / 《~ à ce que+*sub.*》 Je *tiens à* ce que vous veniez. 당신이 꼭 오시기를 바랍니다.
── *v. impers.* 관계되다. ***Il a tenu à peu de chose que*** (***ne***)+*sub.* 《비인칭》 하마터면 …할 뻔했다 : *Il a tenu à peu de chose que* je ne rate le train. 하마터면 기차를 놓칠 뻔했다. ***Il ne tient qu'à vous de***+*inf.* 〔***que***+*sub.*〕 《비인칭》 …하는 것은 오로지 당신에게 달려 있다 : *Il ne tient qu'à* moi que cela réussisse. 그 일이 잘 되는 것은 오직 내게 달려 있다. ***Qu'à cela ne tienne.*** 그런 것은〔일은〕 아무래도 좋다.
── **se ~** *v.pr.* ① 자기의 …을 잡다 : *se ~* la tête dans les mains 양손으로 자기 머리를 껴안다 / *se ~* les côtes 자기 배를 안다. ② 서로 …을 잡다 ; 서로 관련이 있다 : *se ~* par la main 서로 손을 잡다 ; 서로 돕다 / Tout cela *se tient*. 그 모든 것은 서로 연관성이 있다. ③ 《se ~ à》 …을 잡고 늘어지다, …에 매어달리다, 달라붙다 : *se ~ à* une branche 나뭇가지에 매달리다. ④ (회의가) 열리다 ; (약속 등이) 지켜지다 ; 발언되다 : Ces fêtes *se tiennent* chaque année. 이 축제는 해마다 열린다. ⑤ 《se ~ pour》 자기를 …라고 여기다 : *se ~ pour* insulté 자기가 모욕받은 것으로 생각하다. ⑥ (어떤 곳·상태에) 있다 ; 행동〔처신〕하다 : *se ~* chez soi 제 집에 있다 / savoir *se ~* avec les femmes 여자를 대할 때의 에티켓을 알고 있다 / ne savoir comment *se ~* 어떻게 처신해야 할지 모르다. ⑦ 조심하다 ; 자제하다. ***ne pouvoir se ~ de***+*inf.* …하지 않을 수 없다. ***ne savoir à quoi s'en ~*** 어떻게 (생각)해야 할지 모르다. ***s'en ~ à*** qc …으로 그치다, …으로 만족하다 : Ce soir je *m'en tiendrai à* la bière. 오늘밤은 맥주만으로 그치기로 합시다. ***se le ~ pour dit*** 말대꾸하지 않다, 말없이 따르다 : *Tenez-vous-le pour dit.* 하란대로만 하시오. ***se ~ à*** qc 《문어》 …을 엄격히 지키다. ***se ~ à carreau*** 《구어》 조심하다.

tennis** [tenis] 〔영〕 *m.* ① 테니스, 정구 : jouer au ~ 테니스를 하다 / court 〔terrain〕 de ~ 테니스코트 / tournoi de ~ 테니스 토너먼트. ② 테니스코트. ***~ de table 탁구.

tennisman [tenisman] *m.* (*pl.* ***-men*** [-mɛn]) 《옛》 테니스 선수.

tenon [tənɔ̃] *m.* ① 〖목공〗 장부. ② 〖건축〗 철제 이음 꺽쇠.

ténor [tenɔːʀ] *m.* 〔이탈리아〕 ① 〖음악〗 테너 ; 테너 가수 : voix de ~ 테너 목소리. ② 《구어》 제일인자, 지도적인 인물.

***tension** [tɑ̃sjɔ̃] *f.* ① (줄 따위의) 팽팽함 ; (정신적) 긴장 ; (관계의) 긴박, 절박 : ~ des relations 긴장된 관계 / ~ nerveuse 신경의 긴장, 신경과민 / ~ d'esprit 정신의 긴장 / ~ internationale 국제 간의 긴장. ② 〖의학〗 혈압(= ~ artérielle) : prendre la ~ de 〔à〕 qn …의 혈압을 측정하다 / avoir 〔faire〕 de la ~ 《구어》 혈압이 높다 / faire une hausse 〔baisse〕 de ~ artérielle 혈압이 오르다〔내리다〕. ③ ⓐ 〖물리〗 장력(張力) : ~ superficielle 표면 장력. ⓑ 〖전기〗 전압(= ~ électrique) : transformateur de ~ 변압기.

tentaculaire [tɑ̃takylɛːʀ] *adj.* ① 〖동물〗 촉수의 : bras ~*s* du poulpe 문어의 발. ② 《비유》 사방으로 뻗어 나가는 : firme multinationale ~ 문어발식 다국적 기업.

tentacule [tɑ̃takyl] *m.* 〖동물〗 촉수 ; (문어 따위의) 발 : ville qui étend des ~*s* 사방으로 뻗어 나간 도시.

tentant, e [tɑ̃tɑ̃, -ɑ̃ːt] *adj.* 마음을 끄는, 매력적인 : menu ~ 식욕을 당기는 차림표.

tentateur, trice [tɑ̃tatœːʀ, -tʀis] *adj.* 유혹하는 : beauté ~*trice* 사람을 홀리는 미모.
── *n.* 유혹자 ; 악마(= esprit ~).

***tentation** [tɑ̃tɑsjɔ̃] *f.* ① (악으로의) 유혹 : résister 〔céder〕 à la ~ 유혹에 저항하다〔넘어가다〕. ② 《~ de》 …을 하고 싶은 마음, 욕망(= envie, désir) : ~ *des* voyages 여행하고 싶은 마음.

T

***tentative** [tɑ̃tatiːv] *f.* ① 시도, 기도 (=essai) : ~ dévasion 탈주를 시도하다 / faire une ~ auprès de qn …을 설득하려고 시도하다. ② 〖법률〗 미수죄 : ~ d'assassinat 살인 미수 / ~ de suicide 자살 미수.

***tente** [tɑ̃ːt] *f.* 천막, 텐트 : ~ de camping 캠핑용 천막 / abbattre les ~*s* 천막을 걷다 / monter une ~ 천막을 치다 / cicre sous la ~ 천막 생활을 하다.

tenter** [tɑ̃te] *v.t.* ① ⓐ 《~ qn》 유혹하다(=séduire) ; …의 마음을 끌다 : Ça ne me *tente* guère. 마음이 별로 내키지 않는다 / Ce gâteau me *tente.* 이 과자는 참으로 먹음직스럽다 / Cette robe l'a *tentée.* 그녀는 이 드레스를 사고〔갖고〕 싶어졌다. ⓑ (악의 길로) 유혹하다, 꾀다(=attirer) : Le serpent *tenta* Ève. 뱀이 이브를 꾀었다. ② ⓐ 《~ qc》 시도〔기도〕하다, 해보다(=essayer), 시험〔테스트〕해보다 : ~ une démarche 교섭을 시도하다 / ~ une expérience 체험을 해보다 / ~ sa chance 기회를〔운을〕 시험하다 / ~ le tout pour le tout 흥하든 망하든〔성패를 걸고〕 해보다. ⓑ 《~ de+*inf.*》 …하려고 시도하다 : Le prisonnier a *tenté de* s'évader. 죄수는 탈주를 시도했다. ***être tenté de+*inf.* …할 마음이 되다, …하고 싶어지다, 걸핏하면 …하다 : Je *suis tenté de* croire qu'il est coupable. 나는 그가 유죄라고 믿고 싶어진다. ***se laisser ~*** 욕망에 사로잡히다, 유혹당하다.

tenture [tɑ̃tyːʀ] *f.* 벽지(=papier-~) ; 벽걸이 천 ; (장례용의) 검은 장막.

tenu, e¹ [təny] *adj.* ① bien 〔mal〕 ~ (어린애가) 잘 보살펴진〔보살펴지지 않은〕, (집안·뜰이) 손질이 잘 된〔안 된〕. ② 《être ~ à qc 〔à+*inf.*〕》 …할 의무가 있다, …하지 않을 수 없다, …해야만 하다 : Le médecin *est ~ au* secret professionnel. 의사는 직업상의 비밀을 지킬 의무가 있다 / Les employés *sont ~s d'*arriver à l'heure. 직원은 정각에 도착하지 않으면 안 된다.

ténu, e [teny] *adj.* ① (실 따위가) 가느다란. ② (액체 따위가) 묽은 ; (기체가) 희박한 ; (안개가) 엷은 ; (소리가) 가냘픈.

tenue²** [təny] *f.* ① (회의·법정의) 개최, 개정 : ~ d'un congrès à Genève 제네바에서의 회의 개최. ② 정리, 관리, 운영, 손질 : ~ des livres 〔des comptes〕 부기, 회계 관리 / veiller à la bonne ~ d'un établissement 시설을 잘 관리하는 데 힘쓰다. ③ 태도, 자세, 행실 : avoir de la ~ 행실이 단정하다 / mauvaise ~ d'un écolier 학생의 좋지 못한 자세. ④ 옷〔몸〕차림, 옷매무새 ; 복장 ; 제복 : petite ~ 약식 복장 / ~ de soirée 야회복 / ~ de ville 외출복 / ~ civil 평복 / militaire en ~ 군복 차림의 군인. ⑤ 〖금융〗 견실(堅實), 안정 : ~ du won face au dollar 달러에 대한 원화의 안정. ⑥ (작품 따위의) 품위, 질, 격조 : roman d'une haute ~ 격조 높은 소설. ***avoir de la ~ 얌전하다 ; 태도가 점잖다. ***De la ~ !*** (어린이에게) 얌전히 있어, 몸가짐을 바르게 해 ! ***en (grande) ~*** 예복 차림으로, 정장하고.

ténuité [tenɥite] *f.* 《문어》 (매우) 가늚 ; 엷음 ; 가냘픔 ; 미세 ; 미묘.

tep [tɛp] *f.* 《약자》 tonne équivalent pétrole 《석유 1톤의 열량에 상당하는 에너지의 단위》.

ter [tɛːʀ] *adv.* 3 ; 3호 ; 〖음악〗 세 번 반복하여 : Numéro 5 ~, 5번지 3호.

tératologie [teʀatɔlɔʒi] *f.* 〖의학〗 기형학.

tercet [tɛʀsɛ] *m.* 〖운율〗 3행시(三行詩) ; 3연구(三聯句) ; 〖음악〗 셋잇단음표.

térébenthine [teʀebɑ̃tin] *f.* 〖화학〗 테레빈, 송진 : essence de ~ 테레빈유(油).

térébrant, e [teʀebʀɑ̃, -ɑ̃ːt] *adj.* 〖동물〗 (곤충이) 구멍을 뚫는(=perforant) ; 〖의학〗 (통증이) 찌르는 듯한.

tergal¹ [tɛʀgal] *m.* (*pl.* **~s**) 〖상표명〗 테르갈《(프랑스산의) 합성 섬유로 만든 천》.

tergal², e, aux [tɛʀgal, -o] *adj.* 등의(=dorsal) : douleur ~*e* 등의 통증.

tergiversation [tɛʀʒivɛʀsɑsjɔ̃] *f.* (보통 *pl.*) 핑계 ; 주저, 망설임(=hésitation) : Assez de ~*s !* 그만 좀 망설이시오 !

tergiverser [tɛʀʒivɛʀse] *v.i.* 《문어》 핑계대다 ; 망설이다, 주저하다 : sans ~ 주저 없이.

⁑terme [tɛʀm] *m.* Ⓐ ① 끝, 최종, 종말(=bout, fin), 귀결 ; 한도 : le ~ de la vie 죽음 / au ~ de ses tribulations 고생 끝에 / arriver au ~ de qc …의 종점에 이르다, …의 끝을 보다 / Les forces de l'esprit humain ont un ~. 인간의 지력에는 한도가 있다. ② 기한, 기일 ; (집 따위의) 차용 기간 ; 1기분의 임대료《보통 3개월》, 1기분의 지불금 ; 산기(産期) : marché à ~ 정기 거래 / demander un ~ de grâce 지불 기일 연기를 청하다 / arriver à ~ 만기가 되다 / avancer 〔reculer〕 le ~ de qc …의 기한을 앞당기다〔늦추다〕 / jour du ~ 기일 / payer le ~ 방세〔집세〕를 지불하다 / avoir un ~ de retard, 1기분의 임차료〔집세〕가 밀리다 / Il doit déjà plusieurs ~*s*. 그는 벌써 집세가 여러 달치 밀렸다.

Ⓑ ① 말(=mot), 단어 ; (*pl.*) 말투, 표현 ; (법률의) 조문 : rechercher le ~ propre 〔précis〕 적절〔정확〕한 말을 찾다 / Il s'exprima en ces ~*s*. 그는 이런 표현을 썼다 / en ~*s* clairs 〔courtois〕 분명 정중한 말투로. ② (임산부의) 산기(産期), 산달 : accoucher à ~ 산달이 차서 출산하다 / enfant né avant ~ 조산아. ③ (*pl.*) 관계, 사이(=rapport, relation) ; 상태 : être en bons 〔mauvais〕 ~*s* avec qn …와 사이가 좋다〔나쁘다〕 / En quels ~*s* étiez-vous avec lui ? 그 사람과는 어떤 관계였습니까 ? / aux ~*s* de la loi 법조문에 따르면. ④ 특수 어휘, 용어, 술어 : ~*s* régionaux 지방어 / ~ technique 기술용어. ⑤ (서로 연관성이 있는) 각항, 조목, 항목, 〖수학〗 항(項) ; 〖논리〗 명사(名辭) ; 〖언어〗 항, 사항(辭項) : ~ de comparaison 비교의 (각)항 / aux ~*s* d'une équation 방정식의 항. ⑥ (*pl.*) 조건.

à court 〔long〕 ~ 단기〔장기〕의 : programme *à long ~* 장기 계획 / emprunt *à court ~* 단기 공채. ***mener*** qc ***à bon ~*** …을 성취하다, 성사시키다 : J'ai pu *mener* cette affaire *à ~* malgré de nombreuses difficultés. 나는 수많은 어려움이 있기는 했지만 이 일을 성사시킬 수 있었다. ***moyen ~*** ⓐ 〖논리〗 (삼단 논법의) 매개념. ⓑ 중간 항

T

(項) ; 중용 ; 절충.

terminaison [tɛʀminɛzɔ̃] *f.* 《드물게》 ① (사건 따위의) 종결, 완료. ② 〖해부〗 (신경 따위의) 말단, 말초(= bout, extrémité) : ~*s* nerveuses 신경의 말단. ③ 〖언어〗 어미 ; 접미사.

terminal, e, aux [tɛʀminal, -o] *adj.* 최후의, 끝의 ; 말단의 : classe ~*e* d'un lycée 고교 최종 학년〔3 학년〕/ formule ~*e* d'une lettre 편지의 결구. ── *f.* 〖교육〗 리세(lycée, 프랑스의 고등학교)의 최종 학년(= classe ~*e*). ── *m.* ① 종착역, 터미널 ② 〖컴퓨터〗 단말 (장치).

terminer** [tɛʀmine] *v.t.* ① 끝마치다, 종료〔완료〕하다, 종결짓다 : ~ un travail 일을 끝내다 / ~ un débat 토론을 종결짓다 / ~ ses jours à l'hôpital 병원에서 그의 생애를 끝마치다. ② …의 경계를 이루다, …의 한계를 짓다 : contours *terminés* 확실한 윤곽. ③ …의 끝에 있다, …의 끝을 장식하다 : la description qui *termine* son poème 그의 시의 최후를 장식하는 묘사. ***en avoir terminé avec qc〔qn〕 …을 끝마치다〔…와의 관계를 끊다〕: Depuis cette histoire, *j'en ai terminé* avec eux. 그 일이 있은 후로 나는 그들과 관계를 끊었다. ── **se** ~ *v.pr.* ① 끝나다, 막을 내리다 : La route se *termine* ici. 길은 여기서 끊어진다. ② 《se ~ par, en》 …으로 끝나다 : *se* ~ *par* une voyelle (단어가) 모음으로 끝나다 / L'histoire *se termine par* la mort de l'héroïne. 이야기는 여주인공의 죽음으로 끝난다.

terminologie [tɛʀminɔlɔʒi] *f.* 《집합적》 술어, 학술〔전문〕 용어, (어떤 집단의) 용어 : ~ grammaticale 문법 용어 / ~ de la médecine〔publicité〕 의학〔광고〕 용어.

terminologique [tɛʀminɔlɔʒik] *adj.* 학술어의, 전문 용어의 ; 술어의.

***terminus** [tɛʀminys] *m.* (철도 · 버스의) 종점, 종착역 : aller jusqu'au ~ 종점까지 타고 가다 / *T*~ ! Tout le monde descend. 종착역입니다. 모두 내리세요.

termite [tɛʀmit] *m.* 〖곤충〗 흰개미. ***travail de*** ~ 서서히 진행되는 파괴.

termitière [tɛʀmitjɛːʀ] *f.* ① 〖곤충〗 흰개미집. ② 사람이 우글대는 곳《대도시 · 공장》.

ternaire [tɛʀnɛːʀ] *adj.* 셋의, 셋으로 되는, 세 가지 성분의 : nombres ~*s* 세 자릿수 / numération ~ 〖수학〗 3 진법 / mesure ~ 〖음악〗 3 박자.

***terne** [tɛʀn] *adj.* ① 흐릿한 ; 광택 없는, (금속이) 윤이 안 나는 : couleur ~ 흐릿한 빛깔 / regard ~ 흐리멍텅한〔표정 없는〕 눈. ② (문체가) 생기〔활기〕 없는 ; (사람이) 신통치 않은, 평범한 : vie ~ et grise 음울한 회색빛의 인생 / style ~ 생기없는 문체 / élève ~ 평범한 학생.

ternir [tɛʀniːʀ] *v.t.* ① 윤〔광택〕을 없애다, 흐리게 하다 : Le soleil *ternit* les étoffes. 햇빛은 천의 색깔을 바래게 한다 / meubles *ternis* par la poussière 먼지로 뿌옇게 된 가구. ② (명예 따위를) 더럽히다, 손상시키다 : ~ la réputation〔l'honneur〕 de qn …의 명예를 손상시키다. ── **se** ~ *v.pr.* ① 윤〔광택〕을 잃다, 흐려지다 ; (빛이) 바래다 : Cette étoffe *se ternit* aisément. 이 천은 색이 쉽게 바랜다. ② (명예 따위가) 손상되다 ; (기억력 따위가) 쇠퇴하다 : Sa mémoire *s'est ternie.* 그의 기억력은 쇠퇴했다.

ternissure [tɛʀnisyːʀ] *f.* ① 흐림 ; 흐린 반점. ② (명성 따위의) 허물, 오점(汚點).

‡terrain [tɛʀɛ̃] *m.* ① 토지, 땅 ; 지역 ; 지면 ; 대지(垈地), 부지(敷地), 터(= ~ à bâtir) : ~ fertile ; bon ~ 비옥한 토지 / spéculation sur les ~s 토지에 대한 투기 / ~ à bâtir 부지 / ~ à vendre 분양지 / ~ vague 공지. ② 토양, 흙 ; 토질 : ~ argileux〔calcaire〕 점토질〔석회질〕의 토질. ③ 지형, 지세. ④ (특수 목적을 위한) 장소, …장(場), 현장 ; 〖군사〗 전장(戰場) : ~ de sport 운동〔경기〕장 / ~ de camping 야영장 / enquête sur le ~ 현장 조사 / ~ d'aviation 비행장 / reconnaître le ~ 전장〔적진〕을 정찰하다. ⑤ 《비유》 사정, 상황, 조건 ; (활동의) 분야 ; 세력 범위, 자기 영역 : tâter〔sonder〕 le ~ 상황을〔정세를〕 살피다 / chercher〔trouver〕 un ~ d'entente 타협점을 찾다 / regagner le ~ perdu 잃은 땅을 회복하다. ⑥ 〖지질〗 지층 : ~s glaciaires〔volcanique〕 빙하기〔화산기〕 지층. ⑦ 〖의학〗 (질병 따위의) 소지(素地), 체질 : ~ résistant〔de moindre résistance〕 강건한〔허약한〕 체질. ***avoir l'avantage du*** ~ 유리한 위치를 차지하다. ***céder du*** ~ 후퇴하다 ; 양보하다. ***connaître le***〔***son***〕 ~ 사정〔입장〕을 잘 알고 있다, 일 처리를 어떻게 해야 할지 잘 알다. ***être sur son*** ~ 자기 전문 분야의 일을〔이야기를〕 하다. ***gagner du*** ~ (싸움에서) 전진하다, 득세하다. ***perdre du*** ~ (싸움에서) 후퇴하다, 세력을 잃다. ***préparer le*** ~ 정지 작업을 하다, 사전 준비를 하다. ***se conduire comme en*** ~ ***conquis*** 안하무인격으로 행동하다. ***se placer sur un bon***〔***mauvais***〕 ~ 유리한〔불리한〕 입장에 서다.

terrasse** [tɛʀas] *f.* ① 축대《돌담 따위로 흙을 쌓아 올린 터》. ② 발코니, 노대(露臺) ; 옥상 정원 ; 평면 지붕 : ~ d'un parc 공원의 노대 / toiture en ~ 평평한 옥상. ③ 테라스《카페 앞에 의자를 늘어놓은 인도(人道)의 일부》 : s'asseoir à la ~ (d'un café) 카페의 테라스에 앉다. ④ 〖지질〗 단구(段丘). ***cultures en ~***s*** 계단식〔층계식〕 경작지 ~ ***littorale***〔***marine***〕 해안 단구.

terrassement [tɛʀasmɑ̃] *m.* ① 흙 쌓기〔나르기〕, 흙일 ; 토목 공사(= travaux de ~) : entrepreneur de ~ 토목 도급업자. ② (보통 *pl.*) 성토(盛土).

terrasser [tɛʀase] *v.t.* ① 〖토목〗 흙을 파다. ② (땅에) 쓰러뜨리다〔넘어뜨리다〕 ; 쳐부수다, 때려눕히다 : ~ un ennemi 적을 쳐부수다 / La révolte *a été terrassée.* 반란을 진압되었다. ③ (소식 따위가) 어리둥절〔망연자실〕케 하다, 낙심시키다 : L'annonce de cette mort l'*a terrassé.* 이 죽음의 소식은 그를 망연자실케 했다.

terrassier [tɛʀasje] *m.* 토목 공사 인부.

‡terre [tɛːʀ] *f.* ① 대지(大地) ; 지구 ; 세계, 세상 ; 지상, 현세 ; toute la ~ 전 세계〔이 사람들〕/ aux quatre coins de la ~ 전 세계에, 곳곳에 / la ~ entière 이 세상의 모든 사람들 / paradis sur la ~ 지상 낙원 / faire le tour de la ~ 세계를 일주하다 / La *T*~ tourne autour du Soleil. 지구는 태양의 주위를 돈다. ② 육지, 뭍 ; 육로 ; 지상, 지면 ; 지각(地殼) ; (*pl.*) 오지 : tactique de ~ brûlée 〖군사〗 초토 전술 / tremblement de ~ 지진 / transport par ~ 육상 수송 / avion qui se pose à ~ 착륙하는 비행기. ③ 땅, 대지, 소유지, 토지 ; 농지, 영지 ; 지면, 땅바닥 : basses 〔hautes〕 ~*s* 저지〔고지〕 / fonds de ~ 소유지, 부동산 / ~ cultivée 〔inculte〕 경작지〔황무지〕 / acheter une ~ 땅을 사다 / vivre de ses ~*s* 땅의 수익으로 생활하다. ④ 지방, 지역, 영토, 나라 : ~*s* boréales 극지(極地) / *T*~ sainte 〖성서〗 성지 / la *T*~ promise 〖성서〗 약속의 땅 / revoir sa ~ natale 고향을 방문하다. ⑤ 묘지, 분묘. ⑥ 흙, 토양 ; 지질 : pipe en ~ 도제(陶製) 파이프 / ~*s* rares 희토류(稀土類) 원소 / ~z de montagne 황토 / ~ de chine 〔à porcelaine〕 백도토(白陶土) / ~ grasse 옥토 / ~ labourée 경작지 / biens de la ~ 농작물 / cultivate la ~ 땅을 갈다 / retour à la ~ 귀농 / être attache à la ~ 전원생활을 좋아하다. ⑦ 〖전기〗 접지 ; 접지선 : prise de ~ 접지 어스 : mettre à la ~ 어스하다. ***entre ciel et ~*** 공중에 매달려서. ***être sous*** 〔***en***〕 ~ 지하에 잠들어 있다, 죽었다. ***être sur ~*** 생존해 있다. ***mettre*** qn ***plus bas que ~*** …을 아주 무시하다. ***par ~*** ⓐ 지면에, 바닥에 : tomber *par* ~ 넘어지다, ⓑ 육로로 : vayager *par* ~ 육로로 여행하다. ⓒ 허사가 된, 무너진 : Voilà tous nos projets *par* ~. 우리의 모든 계획이 물거품이 됐다. ***revenir sur ~*** 현실로 되돌아오다 ; 몽상에서 깨어나다. ***~ à ~*** 세속적인. ***vouloir rentrer sous ~*** (부끄러워) 쥐구멍이라도 찾다.

terre-à-terre [tɛʀatɛːʀ] *loc. adj.* 《불변》 세속적인 ; 현실적인, 실제적인 : esprit ~ 세속적인 인간.

terreau [tɛʀo] *m.* (*pl.* **~x**) 〖원예〗 부식토(腐蝕土) : ~ de feuilles 부엽토(腐葉土).

terre-neuvas [tɛʀnœva] *adj.* et *m.* (*pl.* **~s-~**) = terre-neuvier.

terre-neuve [tɛʀnœːv] *n.pr.f.* (*T*~-*N*~) 〖지리〗 뉴펀들랜드 주(州). — *m.* 뉴펀들랜드개《인명 구조에 이용됨》.

terre-neuvier [tɛʀnœvje] *m.* (*pl.* **~-~s**) 뉴펀들랜드 어장으로 가는 대구잡이 어부〔어선〕. — *adj.* 뉴펀들랜드 어장에 출어하는.

terre-plein [tɛʀplɛ̃] *m.* (*pl.* **~-~s**) (흙으로 쌓아 올린) 둑, 성토 ; 대지(臺地) : ~ central d'une autoroute 도로의 중앙 분리대.

terrer [tɛʀe] *v.t.* 〖원예〗 흙을 덮다〔뿌리다〕 ; 북을 주다 : ~ une vigne 포도나무의 부리에 흙을 뿌리다. — *v.i.* (토끼 따위가) 굴 속에 살다 ; 굴을 파다. — **se** ~ *v.pr.* ① (짐승이) 땅 속에 숨다. ② 들어박히다, 잠복하다 : Il *se terre* chez lui. 그는 집에 들어박혀 있다.

terrestre [tɛʀɛstʀ] *adj.* ① 지구의 : globe ~ 지구 / rotation ~ 지구의 자전. ② 지상의 ; 세속의, 현세의 : paradis ~ 지상의 낙원 / joies ~*s* 현세의 즐거움. ③ 육상의, 육지〔뭍〕에 사는, 육서(陸棲)의 : transport ~ 육상 수송 / animaux ~*s* 육생 동물.

***terreur** [tɛʀœːʀ] *f.* ① (심한) 공포, 무시무시함, 무서움 : être dans la ~ 공포에 떨고 있다 / semer la ~ 공포에 빠뜨리다. ② 공포 정치, 압제 : gouverner par la ~ 공포 정치를 펴다 / 〖프랑스사〗 la *T*~ 공포 정치《프랑스 대혁명기의》. ③ 공포심을 일으키는 사람〔것〕, 공포의 근원〔원인〕 : Il est la ~ du village. 그는 온마을이 두려워하는 (공포의) 인물이다.

terreux, euse [tɛʀø, -øːz] *adj.* ① 흙의, 흙내 나는 : goût ~ 〔odeur ~*euse*〕 흙냄새. ② 흙투성이의 : main ~*euse* 흙 묻은 손. ③ 흙빛의 : figure ~*euse* 안색이 나쁜 얼굴.

⁑terrible [tɛʀibl] *adj.* ① 무시무시한, 끔찍한, 무서운 : expression ~ 무서운 표정 / ~ accident 끔찍한 사고 / bruit ~ 굉장한 소음. ② 《구어》 대단한, 지독한, 굉장한 : ~ appétit 굉장한 식욕 / ~ bavard 지독한 수다쟁이 / C'est ~ cher. 그것은 엄청나게 비싸다 / Il fait une chaleur ~. 대단한 더위다. ③ 지독히 나쁜, 불쾌한, 참기〔다루기〕 힘든, 역겨운, 딱한(= desolant) : enfant ~ 다루기 힘든 아이 ; (집단의) 골칫거리, 이단자 / C'est ~ de ne pouvoir compter sur lui. 그를 믿을 수 없다니 딱한 일이군. ④ 《구어》 아주 근사한, 빼어난, 뛰어난 : C'est un film ~. 그것은 아주 근사한 영화이다. — *adv.* 《구어》 매우, 아주(= très bien) : Ça marche ~. 아주 잘 진행되고 있다, 최고다.

terriblement [tɛʀibləmɑ̃] *adv.* ① 무섭게, 무시무시하게. ② 몹시, 굉장히, 엄청나게 : Il y avait ~ de gens. 사람들이 엄청나게 많았다 / manger ~ 굉장히 (많이) 먹다.

terrien, enne [tɛʀjɛ̃, -ɛn] *adj.* ① 육지〔내륙부〕에 사는. ② 토지를 가진 : propriétaire ~ 지주(地主). ③ 시골〔농촌〕 (사람)의. — *n.* 지구인《우주인에 대한》, 내륙인.

terrier [tɛʀje] *m.* ① (토끼 따위의) 땅굴. ② 〖동물〗 테리어《사냥개의 일종》.

terrifiant, e [tɛʀifjɑ̃, -ɑ̃ːt] *adj.* (사람을) 공포에 떨게 하는, 무서운, 끔찍한, 섬뜩〔흠칫〕하게 하는 : film ~ 무시무시한〔공포〕 영화 / roman ~ 괴기 소설.

terrifier [tɛʀifje] *v.t.* …에게 공포심을 일으키다, 두려움에 떨게 하다(= terroriser) : Ses cris *terrifiaient* l'enfant. 그의 고함 소리에 아이는 공포에 질렸다.

terril [tɛʀi(l)] *m.* (광산의) 흙을 버리는 장소, (광산의) 파낸 흙더미.

terrine [tɛʀin] *f.* ① (도기 · 금속제의) 단지, 항아리(의 내용물). ② 〖요리〗 테린《파테(pâté)를 만드는 뚜껑이 달린 용기》 ; 테린에 담아 조리한 파테.

***territoire** [tɛʀitwaːʀ] *m.* ① 영토, 국토 : ~ national 국토 / violation du ~ 영토 침범 / ~ maritime 영해. ② 관할 구역, 소속 지역 ; 영역, (동물 등의) 세력 범위, 세력권 : le ~ de la commune 시읍면의 관할 구역 / marquer son ~ (동물이) 자기 영역을 분명히 하다.

territorial, e, aux [tɛʀitɔʀjal, -o] *adj.* 영토〔영지 · 관구〕의 : modifications ~*es* 영토의 개변(改變) / mer ~*e*, eaux ~*es* 영해(領海). ***armée ~e*** 국민군. — *f.* 국민군. — *m.* 국민병.

territorialité [tɛʀitɔʀjalite] *f.* 〖법률〗 속지성, 속령성, 영토 : ~ de l'impôt 조세의 속령성.

terroir [tɛʀwaːʀ] *m.* 지방, 지방색 : produits du ~ 특산물 / accent du ~ 지방 사투리 / goût du ~ (포도주의) 산지 특유의 맛.

*__terroriser__ [tɛʀɔʀize] *v.t.* 무서움〔공포〕에 떨게 하다 : Une bande de voyous *terrorise* le quartier. 한 패의 비행 소년들이 도시를 공포에 몰아넣고 있다. ── *v.i.* 〖역사〗 …에 공포 정치를 행하다.

*__terrorisme__ [tɛʀɔʀism] *m.* 테러리즘, 테러(행위) ; 〖역사〗 공포 정치 : acte de ~ 테러 행위 / ~ intellectuel 지적 횡포.

terroriste [tɛʀɔʀist] *n.* 폭력 분자, 테러리스트. ── *m.* 〖역사〗 (프랑스 혁명가의) 공포 정치가. ── *adj.* 폭력 행위의, 테러리스트의.

tertiaire [tɛʀsjɛːʀ] *adj.* ① 〖지질〗 제 3 기(紀)의 ; 〖의학〗 제 3 기(期)의 : terrains ~*s* 제 3 기층. ② 〖경제〗 제 3 차 산업 분야의, 서비스업의 : secteur ~ 제 3 차 산업.
── *m.* ① 〖지질〗 제 3 기(紀). ② 〖경제〗 제 3 차 산업 (분야).

tertio [tɛʀsjo] 〔라틴〕 *adv.* 셋째로.

tertre [tɛʀtʀ] *m.* (고립된) 언덕, 작은 산, 총(塚).

*__tes__ [te] *adj.* 《ton, ta 의 복수형》 너의, 그대의, 「자네의.

tessiture [tesityːʀ] 〔이탈리아〕 *f.* 〖음악〗 성역(聲域), 음역(音域).

tesson [tesɔ̃] *m.* (오지그릇 · 유리그릇의) 파편 : ~*s* de bouteille 병의 깨진 조각.

*__test__[1] [tɛst] 〔영〕 *m.* ① 지능〔적성〕 검사, (심리) 테스트 : ~ d'aptitude(s) 적성 검사 / ~ d'orientation professionnelle 직업 적성 검사 / ~ psychologique 심리 테스트. ② (제품 성능의) 테스트, (선악 따위의) 시금석, 시행(試行) ; (과학적) 검사, 시험 : zone-~ 시행 지역 / ~ génnétique 유전자 검사 / soumettre qc à un ~ …을 테스트하다. ③ 〖석유〗 시추.

test[2] *m.* 〖동물〗 (조개류 · 유각류 따위의) 외각, 껍데기 ; (거북의) 등.

*__testament__ [tɛstamɑ̃] *m.* ① 〖법률〗 유언, 유서 : ~ authentique ; 공정(公正) 증서에 의한 유서 / ~ mystique 증인 앞에서 공증인이 밀폐 봉인한 유서. ② (작가의) 유작, 최후의 작품. ③ 〖종교〗 l'Ancien 〔le Nouveau〕 *T*~ 구약〔신약〕 성서.

testamentaire [tɛstamɑ̃tɛːʀ] *adj.* 〖법률〗 유언에 의한, 유서의 : disposition ~ 유증(遺贈) 조항 / exécuteur ~ 유언 집행자.

testateur, trice [tɛstatœːʀ, -tʀis] *n.* 〖법률〗 유언자.

tester[1] [tɛste] *v.i.* 유언을 하다〔쓰다〕 ; 유증하다.

tester[2] *v.t.* (사람 · 제품 따위를) 테스트하다, 검사하다, 시험해보다 : ~ un nouveau produit 신제품을 시험하다.

testicule [tɛstikyl] *m.* 〖해부〗 고환, 불알.

testimonial, e, aux [tɛstimɔnjal, -o] *adj.* 〖법률〗 증언에 의한 : preuve ~*e* 증언.

tétanie [tetani] *f.* 〖의학〗 테타니《근육이 경련 · 발작이 나타나는 증상》.

tétanique [tetanik] *adj.* 〖의학〗 파상풍의 ; 강직 경련성의. ── *n.* 파상풍 환자.

tétanos [tetanoːs] *m.* 〖의학〗 파상풍.

têtard [tɛtaːʀ] *m.* ① 〖동물〗 올챙이. ② 〖원예〗 우산 모양으로 전지한 나무. ③ 《구어》 꼬마, 어린애(=enfant).

__tête__ [tɛt] *f.* ① 머리, 두부, 두개골 ; 두발, 머리칼 : signe de ~ 머리를 흔들어서 하는 의사 표시 / ~ d'oreiller 베갯잇 / le chapeau sur la ~ 모자를 머리에 올려놓고 / ~ chauve 대머리 / ~ de poisson 생선 대가리 / ~ de mort 해골 / se gratter la ~ 머리를 긁다 / J'ai mal à la ~. 나는 머리가 아프다. ② 얼굴, 표정 : une ~ bizarre 괴상한 얼굴 / faire une drôle de ~ 묘한 표정을 짓다 / belle ~ 잘생긴 얼굴 / Il a une ~ qui ne me revient pas. 그의 얼굴은 마음에 안든다. ③ 머리만큼의 길이〔높이〕 : Il a une ~ de plus que moi. 그는 나보다 머리 하나만큼 더 크다. ④ 〖축구〗 헤딩 : faire une ~ 헤딩하다. ⑤ ⓐ 두뇌, 지능, 지력 ; 이성 ; 양식, 판단력 ; 기억력 ; 냉정, 침착 ; 고집, 완고 : travail de ~ 정신노동 / avoir une ~ grosse 〔petite〕 ~ 머리가 좋다〔나쁘다〕 / J'ai une idée dans la ~ 〔en ~〕. 내게 생각〔묘안〕이 있다 / idée qui passe par la ~ 머리를 스쳐 가는 생각. ⓑ 머리가 좋은 사람 : bonne ~ 판단력이〔머리가〕 좋은 사람. ⑥ 한 사람, 한 마리, 한 필 : ~ à l'huile 《비어》 엑스트라로 출연하는 사람 / ~ ronde 〖영국사〗 의회당원 / un troupeau de 30 ~*s*, 30 마리의 동물의 떼 / 《par ~》 payer cent francs *par* ~ 1 인당 100 프랑을 지불하다. ⑦ 가장〔분장〕한 얼굴〔사람〕 ; 머리의 초상〔조상〕 : bal de ~*s* 가면무도회 / ~ d'une médaille 인물을 조각한 메달 / faire la ~ d'un rôle 어떤 역을 위해 분장하다. ⑧ 생명, 목숨 : sauver sa ~ 목숨을 구하다 / risquer sa ~ 생명을 위태롭게 하다 / jouer sa ~ 목숨을 걸다. ⑨ 우두머리, 두목, 지도자, 수령 : ~ d'un mouvement 어떤 운동의 지도자 / ~ d'une entreprise 회사의 사장 / ~ du gouvernement 내각 수반. ⑩ 선두 ; 수위 ; 앞장 ; 첫머리 ; 시초, 처음, 필두(筆頭), 권두(卷頭) : ~ du cortège 열의 선두 / être à la ~ de sa classe 반에서 일등이다 / voiture de ~ 선두 차량. ⑪ 꼭대기, 위, 끝, 정점(=cime) ; (물건의) 선단(先端), (못 따위의) 대가리 : ~ des arbres 나무의 꼭대기 / frapper la bille en ~ (당구공의) 윗부분을 치다 / ~ de clou 못 대가리 / ~ d'un missile 미사일 탄두. ***avoir de la ~* 머리가 좋다 ; 착실하다. ***avoir la ~ ailleurs*** 다른 생각을 하고 있다. ***avoir ses ~s*** 《구어》 사람들에 대해 편견을 갖다. ***avoir toute sa ~*** 아주 침착하다 ; (노인 · 환자 따위가) 정신이 말짱하다. ***avoir une bonne ~*** 호인 같은〔믿음직한〕 얼굴 모습이다. ***coup de ~*** 무모한〔경솔한〕 생각〔짓〕. ***donner de la ~ contre les murs*** 〔***un mur***〕 무모한 짓〔불가능한 일〕을 하려고 하다. ***en avoir par-dessus la ~*** 참을 수 없다, 진저리가 나다. ***en avoir une ~*** 《구어》 몹시 피곤해 보이다 : Il *en a une* ~ ! (지쳐서) 얼굴이 말이 아니군! ***en faire une ~*** 침울한 얼굴을 하다. ***en faire*** 〔***n'en faire qu'***〕 ***à sa ~*** 제 고집대로 하다. ***en ~ à ~*** 마주 앉아서, 단

둘이서. ***en ~ de*** …의 선두에 서서, 맨 앞〔첫머리〕에. ***être tombé sur la ~*** 《구어》 머리가 약간 돌았다. ***faire la ~*** 싫은 얼굴을 하다 ; 뾰루퉁하다. ***faire une*** (***sale***) ~ 《구어》 어이없다는 듯한 표정을 짓다 ; 화를 내다 ; 〖축구〗 헤딩을 하다. ***mettre à*** qn ***dans la ~ que***+*ind.* …에게 …라고 생각하게 하다, …라는 생각이 들게 하다. ***monter*** 〔***porter***〕 ***à la ~*** (취기 따위가) 머리에 오르다. ***n'avoir plus sa ~*** (***à soi***) 정신이 흐려지다, 망령 들다. ***n'en faire qu'à sa ~*** 제 고집〔제멋〕대로만 행동하다. ***ne*** (***pas***) ***savoir où donner de la ~*** 어찌할 바를 모르다. ***par ~,*** 1 인당. ***perdre la ~*** 당황하다 ; 머리가 돌다. ***prendre la ~*** ⓐ 선두를 달리다. ⓑ 머리를 사로잡다 : Ça (me) *prend la ~*. 그것이 내 머리를 떠나지 않는다. ***sans queue ni ~*** 시작도 끝도 없이, 지리멸렬로. ***se creuser*** 〔***se casser***〕 ***la ~*** 《구어》 깊이〔골똘히〕 생각하다, 머리를 짜다. ***se mettre en*** 〔***dans la***〕 ***~ de***+*inf.* 〔***que***+*ind.*〕 …할 생각을 품다, …할 것을 결심하다 : Il *s'est mis en ~ d'y* renoncer. 그는 그것을 포기하기로 마음먹었다. ***se payer la ~ de*** qn 《구어》 …을 우롱하다. ***~ à gifle*** 〔***à claques***〕 《구어》 (뺨을 때리고 싶을 만큼) 보기 싫은 얼굴. ***~ brûlée*** 모험심이 강한 사람. ***~ de*** …한 녀석〔놈〕 : ~ *de* cochon 〔lard, mule, pioche〕 돌대가리, 고집쟁이 / ~ *de* nœud 《속어》 바보 녀석. ***tenir ~ à*** qn 〔qc〕 …에게〔에〕 대항〔저항〕하다. ***tourner la ~ à*** qn …의 머리를 멍하게 만들다 ; …의 머리를 이상하게 만들다.

tête-à-queue [tɛtakø] *m.* 《복수불변》 (차·말 따위의) 회전, 급한 방향 전환 : faire un ~ (자동차가) U 턴하다.

tête-à-tête [tɛtatɛt] *loc. adv.* 단둘이서, 마주 보고 (앉아) : rester ~ avec qn …와 단둘이 마주 앉아 있다 / On les a laissés ~. 사람들은 그들 단둘만 남겨 두었다. ── *m.* 《복수불변》 (둘이서만 하는) 대담, 면담(=entrevue) : J'ai eu un ~ avec le directeur. 나는 사장과 면담했다. ***en ~*** 단둘이서, 마주 보고〔앉아〕 : Je les ai trouvés *en ~*. 나는 그들이 단둘이 있는 것을 보았다.

tête-bêche [tɛtbɛʃ] *loc. adv.* (두 사람이) 머리와 다리를 서로 거꾸로 나란히 ; (두 물건을) 서로 거꾸로 되게 : coucher ~ 서로 거꾸로 누워 자다.

tête-de-loup [tɛtdəlu] *f.* (*pl.* **~s**-~-~) 긴 자루가 달린 천정 청소용 솔〔브러시〕.

tête-de-nègre [tɛtdənɛgʀ] *adj.* 《불변》 짙은 갈색의. ── *m.* 《복수불변》 짙은 갈색 ; 초콜릿을 입힌 과자의 일종.

tétée [tete], **tetée** [təte] *f.* ① 젖을 빨기. ② 포유(哺乳)의 1 회 분량 : donner sept ~s par jour 하루에 7 번 젖을 먹이다.

téter [tete] 6, **teter** [təte] 5 *v.t.* ① (젖을) 빨다 : ~ sa mère 어머니 젖을 빨다 / à ~ à son enfant 아이에게 젖을 먹이다. ② 《구어》 (손가락을) 빨다.

tétine [tetin], **tetine** [tətin] *f.* ① (동물, 특히 소·돼지의) 젖통. ② 고무 젖꼭지.

téton [tetɔ̃], **teton** [tətɔ̃] *m.* 《구어》 (여자의) 유방, 젖통(=sein).

tétrachlorure [tetʀaklɔʀyːʀ] *m.* 〖화학〗 4 염화물. ~ de carbone 4 염화탄소.

tétraèdre [tetʀaɛdʀ] 〖기하〗 *adj.* 4 면체의, 4 면의. ── *m.* 4 면체.

tétralogie [tetʀalɔʒi] *f.* ① 〖고대그리스〗 4 부극(四部劇). ② 〖음악〗 (가극의) 4 부작.

tétramètre [tetʀamɛtʀ] *adj.* 4 운율의. ── *m.* 4 운율 시구.

tétrapode [tetʀapɔd] *adj.* 〖동물〗 네 발 가진(=quadrumane) : animal ~ 4 족 동물. ── *m. pl.* 〖동물〗 4 족 동물, 4 족류.

tétras [tetʀɑ] *m.* 〖조류〗 뇌조(雷鳥).

***têtu, e** [tɛ(e)ty] *adj.* 고집불통의, 완고한 : ~ comme une mule 몹시 완고한. ── *n.* 고집쟁이. ── *m.* (석공의) 망치, 해머.

teuf-teuf [tœftœf] *m.* (*pl.* ~(**s**)-~(**s**)) ① 《소아어》 뚜뚜(자동차 소리) ; 《의성어》 엔진의 폭발음. ② 《구어》 구식 자동차.

teuton, onne [tøtɔ̃, -ɔn] *adj.* 튜턴 (민족)의. ── **T~** *n.* 튜턴 사람 ; 《경멸》 독일놈. ── *m.* 튜턴어(《중세의 독일 북부 언어》).

teutonique [tøtɔnik] *adj.* 튜턴 민족의.

***texte** [tɛkst] *m.* ① 원문, 본문 ; 〖연극·오페라〗 대본, 대사, 가사 : lire Homère dans le ~ 호머의 작품을 원문으로 읽다 / apprendre son ~ 〖연극〗 대사를 외다. ② 원고, 문장 : ~ manuscrit 손으로 쓴 원고 / soumettre un ~ à un éditeur 원고를 출판사에 넘기다. ③ 〖문학〗 작품, 문헌 ; (작품의) 발췌, 일부분(=morceau) : ~*s* latins 라틴 어 문헌 / explication de ~ 텍스트〔작품〕 해석 / choix de ~*s* ; ~*s* choisis 작품 선집(=anthologie). ④ 주제(=sujet) ; 제목 : ~ d'un devoir 〔d'une dissertation〕 과제물〔논문〕의 주제 / cahier de ~s 숙제장. ⑤ 〖인쇄〗 (여백에 대한) 본문, 인쇄 부분.

***textile** [tɛkstil] *adj.* 직물의 ; 직조에 적합한 ; 직물의 원료가 되는 : industrie ~ 섬유 공업 / usine ~ 직물 공장. ── *m.* ① 직물 원료, 섬유 : ~*s* chimiques artificiels 인조 화학 섬유 / ~*s* synthétiques 합성 섬유. ② 섬유 산업〔공장〕 : travailler dans le ~ 섬유 공장에서 일하다.

texto [tɛksto] *adv.* 《구어》 원문대로 ; (말한) 그대로 : Je te répète ~ ce qu'il m'a dit. 그 사람이 얘기한 그대로 다시 말할게.

textuel, elle [tɛkstɥɛl] *adj.* 본문〔원문〕대로의 : traduction ~*elle* 축어적 번역, 직역 / Voilà ce qu'il a dit, c'est ~. 《구어》 그는 그런 말을 했어요, 바로 그대로 말입니다.

textuellement [tɛkstɥɛlmɑ̃] *adv.* 원문〔본문〕대로, 정확히 ; 말한 그대로(《구어》 texto) : rapporter ~ les paroles de qn …의 말 그대로 옮기다.

texture [tɛkstyːʀ] *f.* ① 피륙의 짜임새 ; 직조법(=tissage). ② (물체의) 조직(=contexture) ; (작품의) 짜임새, 구조(=structure).

tézigue [tezig] *pron. pers.* 《속어》 너(=toi).

T.G.V. 《약자》 train à grande vitesse 초고속 열차.

thaïlandais, e [tai(j)lɑ̃dɛ, -ɛːz] *adj.* 타이〔태국〕(*Thaïlande*)의 ; 태국에 관한. ── **T~** *n.* 타이〔태국〕인. ── *m.* 타이〔태국〕어.

Thaïlande [tai(j)lɑ̃ːd] *n.pr.f.* 타이, 태국.

thalassothérapie [talasɔteʀapi] *f.* 〖의

학】 해수〔해양 기후〕 요법 : centre 〔institut〕 de ~ 해수 요법 치료 센터.

thalidomide [talidɔmid] 〔영〕 *f.* 【의학】 탈리도미드《진정제의 일종》.

thalle [tal] *m.* 【식물】 엽상체(葉狀體).

thallophytes [ta(l)lɔfit] *f. pl.* 【식물】 엽상(葉狀) 식물.

thalweg [talvɛg] 〔독일〕 *m.* 【지질】 수로, 유심선(流心線)(= talweg).

thanatologie [tanatɔlɔʒi] *f.* ① 죽음에 대한 연구. ② 【의학】 사인(死因) 연구.

thanatos [tanatoː〔ɔ〕s] *m.* 【심리】 타나토스《죽음의 충동》(≠ éros).

thaumaturge [tomatyʀʒ] *adj.* 《문어》 기적을 행하는, 마술의. ── *m.* 《문어》 기적을 행하는 사람 ; 마술사(= magicien).

thé** [te] *m.* ① 차나무 ; 차나무의 잎 ; 차 ; 홍차 : prendre du ~ 차를 마시다 / ~ fort 〔léger〕 진한〔묽은〕 차 / ~ vert 〔noir〕 녹〔홍〕차 / une tasse de ~ 차 한 잔 / ~ au lait 〔au jasmin〕 우유를〔재스민을〕 탄 차 / culture du ~ 차의 재배. ② (과자를 곁들인) 오후의 차 ; 티 파티 : salon de ~ 찻집 / être invité à un ~ 오후의 티 파티에 초대받다 / donner un ~ 티 파티를 열다. ***rose ~ ; rose-~ 차 빛깔의 장미 ; 갈색 띤 분홍꽃.

théâtral, e, aux [teatʀal, -o] *adj.* ① 연극의(= dramatique) : représentation ~*e* 연극 공연 / œuvre ~*e* 희곡 / saison ~*e* 연극 시즌. ② 과장된, 연극적인 : geste ~ 연극적인〔과장된〕 몸짓.

théâtralement [teɑ〔a〕tʀalmɑ̃] *adv.* 연극적으로 (과장해서) : gesticuler ~ 과장된 제스처를 쓰다.

théâtraliser [teɑ〔a〕tʀalize] *v.t.* 연극화하다, 각색하다.

théâtralité [teɑ〔a〕tʀalite] *f.* (어떤 작품의) 연극성 : ~ de l'opéra 오페라의 연극적 성격.

⁑théâtre [teɑːtʀ] *m.* ① 극장 ; 무대 ; 극단 : aller au ~ 극장에 가다 / ~*s* subventionnés 국가 보조를 받는 극단들. ② 연극 ; 《집합적》 극작, 희곡 : pièce de ~ 연극 작품, 희곡 / ~ improvisé 즉흥극 / critique de ~ 연극 평론(가). ③ 연극적인 과장〔몸짓〕 : gestes de ~ 연극적인〔과장된〕 몸짓. ④ (사건의) 현장, 무대 : ~ d'un crime 범죄의 현장 / ~ des opérations 【군사】 작전 구역. ⑤ 계단식 원형 강당. ***C'est du ~***. 그건 연극이다〔정말이 아니다〕. ***coup de ~*** 사건의 극적 변화 ; 돌발 사태. ***faire du ~*** 무대에 서다. ***le ~ de boulevards* 〔*du Boulevard*〕** 불바르풍의 희곡《경쾌한 통속극》. ***mettre au ~*** (각본을) 무대에 올리다, 상연하다, (주제를) 극화하다. ***~ de la querre*** 전장. ***~ de verdure*** 야외극장.

thébaïde [tebaid] *f.* 《문어》 은둔처.

théier [teje] *m.* 【식물】 차나무(= thé).

théière [tejɛːʀ] *f.* 차 끓이는 그릇 ; 다기(茶器) : ~ d'argent 은(銀)다기.

théine [tein] *f.* 【화학】 테인(= caféine).

théisme [teism] *m.* 【신학】 유신론(≠ athéisme).

théiste [teist] *n.* 유신론자.

***thématique** [tematik] *adj.* ① 【언어】 어간의 : voyelle ~ 어간 모음. ② 【음악 · 문학】 주제의, 테마의 : critique ~ 주제 비평.

thème** [tɛm] *m.* ① 주제, 제목 ; 논제, 테마 ; 【음악】 주제 (선율) : ~ d'un discours 연설의 주제 / Tout écrivain a ses ~*s* personnels. 모든 작가는 제각기 자기 나름의 주제를 가지고 있다. ② 【학교】 (자국어의 타국어로의) 번역, 작문. ③ 【언어】 어간. ***fort en ~ 《구어》 우등생 ; 《경멸》 책만 파고 드는 근면가, 책벌레.

théo- *préf.* 「신」의 뜻.

théocratie [teɔkʀasi] *f.* 신정(神政)〔교권〕 정치(의 사회) : ~ pontificale 교황의 교권 정치.

théocratique [teɔkʀatik] *adj.* 신정 (정치) 「의.

théodicée [teɔdise] *f.* 【철학】 변신론(辯神論), 신의론(神義論)《악의 존재를 신의 섭리로 보는 설》.

théogonie [teɔgɔni] *f.* 신들의 계보, 신통기(神統記).

théologal, e, aux [teɔlɔgal, -o] *adj.* 신에 관한. ── *m.* 신학 교수.

théologie [teɔlɔʒi] *f.* 신학 : la ~ catholique 가톨릭 신학. ***docteur en ~*** 신학 박사.

théologien, enne [teɔlɔʒjɛ̃, -ɛn] *n.* 신학자. ── *adj.* 신학의 ; 신학을 공부하는.

théologique [teɔlɔʒik] *adj.* 신학(상)의 : études 〔querelles〕 ~*s* 신학 연구〔논쟁〕.

théorème [teɔʀɛm] *m.* 【수학】 정리(定理) : ~ de Pythagore 피타고라스의 정리.

théoricien, enne [teɔʀisjɛ̃, -ɛn] *n.* 이론가, 이론 연구가 ; 《경멸》 공론가(空論家).

théorie** [teɔʀi] *f.* ① 이론, 학설 : bâtir une ~ 학설을 세우다 / mettre une ~ en application 이론을 응용〔실천〕하다. ② 공론(空論), 비실제적인 이론 : C'est de la ~. 그것은 공론에 불과하다〔말뿐이다〕. ***en ~ 이론상, 이론적으로는.

***théorique** [teɔʀik] *adj.* ① 이론적인, 학리적인 : physique ~ 이론 물리학 / ② 《경멸》 이론만의 : décision toute ~ 전적인 탁상공론 / Ce que tu dis est ~. 네가 말하는 것은 이론일 뿐이다.

théoriquement [teɔʀikmɑ̃] *adv.* 이론적으로, 이론상 학리적으로 : *T*~, vous avez raison. 이론적으로는 당신이 옳다.

théorisation [teɔʀizɑsjɔ̃] *f.* 이론화.

théoriser [teɔʀize] *v.t.* 이론화하다 : ~ une opinion philosophique 철학적 견해를 이론화하다. ── *v.i.* 《~ sur》 …에 대하여 이론을 세우다 : ~ *sur* un problème 어떤 문제에 대해 이론을 세우다.

théosophie [teɔzɔfi] *f.* 접신론(接神論), 신지학(神智學).

thérapeute [teʀapøːt] *m.* 임상의(臨床醫) ; 정신 치료 전문의(= psychothérapeute).

thérapeutique [teʀapøtik] *adj.* 치료(상)의 : substances 〔propriétés〕 ~*s* 의약품. ── *f.* 치료〔임상〕학 ; 치료법〔술〕.

thérapie [teʀapi] *f.* 【의학】 치료(법), 정신 치료(= psychothérapeute) : ~ comportementale 행동 요법 / ~ psychanalytique 정신 분석 요법

thermal, e, aux [tɛʀmal, -o] *adj.* 온천〔광천〕의 ; 온천을 이용한 : eaux ~*es* 온천 / station ~*e* 온천장 / cure ~*e* 온천 치료.

T

thermalisme [tɛʀmalism] *m.* ① 온천 이용〔개발〕; 온천 시설. ② 온천의 성분.

thermes [tɛʀm] *m. pl.* 〚고대그리스 · 로마〛 공동 목욕탕; 온천장.

thermidor [tɛʀmidɔːʀ] *m.* 〚프랑스사〛 열월(熱月)《프랑스 혁명력의 제 11월. 7월 19 일-8 월17 일》: le 9- *T*∼ 로베스피에르의 실각의 날《1794 년 7 월 27 일》.

thermie [tɛʀmi] *f.* 테르미《열량 단위 ; 1,000 킬로 칼로리》.

thermique [tɛʀmik] *adj.* 열(熱)의 : moteur ∼ 열기관 / effet ∼ 열효과 / énergie ∼ 열에너지 / centrale ∼ 화력 발전소.

therm(o)- *préf.* 「열(熱)」의 뜻.

thermocautère [tɛʀmɔko〔o〕tɛːʀ] *m.* 〚의학〛 소작기(燒灼器).

thermodynamique [tɛʀmɔdinamik] *f.* 열역학(熱力學). ── *adj.* 열역학의.

thermoélectrique [tɛʀmɔelɛktʀik] *adj.* 열전기의 : effet ∼ 열전 효과. ***couple*** ∼ 열전쌍(熱電雙). ***pile*** ∼ 열전퇴(熱電堆).

thermogène [tɛʀmɔʒɛn] *adj.* 열을 발생하는 : ouate ∼ 온습포용 면(綿).

thermographe [tɛʀmɔgʀaf] *m.* 자기(自記) 온도계.

thermographie [tɛʀmɔgʀafi] *f.* 〚의학〛 자기 온도계에 의한 측정, 그 사용법.

thermomètre** [tɛʀmɔmɛtʀ] *m.* ① 온도계, 한란계 : ∼ médical 체온계 / Le ∼ monte 〔descend〕. 기온이 올라간다〔내려간다〕. ② 《비유》 기준, 지표(= baromètre) : Les cours de la Bourse sont le ∼ de l'atmosphère politique. 증권 시세는 곧 정치적 상황의 바로미터이다. ∼ ***à mercure 〔***à alcool***〕 수은〔알코올〕 온도계. ∼ ***centigrade*** 〔***Fahrenheit***〕 섭씨〔화씨〕 온도계. ∼ ***enregistreur*** 자기 온도계.

thermométrie [tɛʀmɔmetʀi] *f.* 온도 측정(법) ; 검온(檢溫)(법).

thermonucléaire [tɛʀmɔnykleɛːʀ] *adj.* 〚물리〛 열핵(熱核)의 ; 열핵 반응에 의한 ; 핵융합의 : bombe ∼ 핵폭탄. ***armes*** ∼***s*** 열핵무기. ***réaction*** ∼ 열핵 반응.

thermoplastique [tɛʀmɔplastik] *adj.* et *m.* 〚물리〛 열가소성(熱可塑性)의 (물질).

thermos [tɛʀmoːs] *m.* 〔*f.*〕 〚상표명〛 보온용기 ; 보온병 : bouteille ∼ 보온병.

thermostat [tɛʀmɔsta] *m.* (자동) 온도 조절 장치, 정온기(定溫器), 서머스탯 : ∼ électrique 전기 정온기.

thésard, e [tezaːʀ, -aʀd] *n.* 학위〔박사〕 논문 준비자.

thésaurisation [tezɔ〔o〕ʀizɑsjɔ̃] *f.* 축재(蓄財) ; 〚경제〛 자본 축적.

thésauriser [tezɔ〔o〕ʀize] *v.t.* (자본을) 축적하다, (돈을) 모으다 : ∼ une petite fortune 상당한 재산을 모으다. ── *v.i.* 돈을 모으다, 축재하다.

thésauriseur, euse [tezɔ〔o〕ʀizœːʀ, -øːz] *n.* 축재가(蓄財家); 수전노(= avare). ── *adj.* 축재하는.

thésaurus [tezɔ〔o〕ʀys] *m.* 《복수불변》 ① (문헌학 · 고고학) 사전 ; 유어(類語) 사전. ② 〚컴퓨터〛 시소러스《기억된 정보의 색인》.

thèse [tɛːz] *f.* ① 〚철학〛 (변증법의) 테제, (논리를 전개하기 위한) 최초의 명제, 정립(定立). ② 학위 논문 : préparer une ∼ de doctorat 박사 학위 논문을 준비하다 / soutenance de ∼ 학위 논문의 공개 심사. ③ 주장, 의견, 설(說), 학설(= opinion, doctrine) : avancer une ∼ 주장을 내세우다 / contredire 〔réfuter〕 une ∼ 주장을 반박하다.

thibaude [tiboːd] *f.* 〚직물〛 우모직(牛毛織).

thomisme [tɔmism] *m.* 〚철학〛 토마스설(說)《토마스 아퀴나스의 신학설》.

thomiste [tɔmist] *adj.* 토마스설의 ; 토마스설을 신봉하는. ── *m.* 토마스파의 학도.

***thon** [tɔ̃] *m.* 〚어류〛 다랑어, 참치 : ∼ en boîte 참치 통조림 / pêche au ∼ 참치잡이.

thonier [tɔnje] *m.* 다랑어 잡이 어선.

Thora [tɔʀa] 〔헤브라이〕 *f.* 모세의 5 서(書) (le Pentateuque) ; (모세의) 율법, 계율.

thorac(o)- *préf.*, **-thorax** *suff.* 「흉곽 · 흉부」의 뜻.

thorax [tɔʀaks] *m.* 〚해부〛 흉곽 ; 〚곤충〛 흉부.

thorium [tɔʀjɔm] *m.* 토륨《방사성 원소》.

thriller [tʀilœ〔ɛ〕ːʀ, sʀilœːʀ] 〔영〕 *m.* 〚영화〛 스릴러 (영화 · 소설 따위).

thrombose [tʀɔ̃boːz] *f.* 〚의학〛 혈전증(血栓症).

thune [tyn] *f.* 《속어》 5 프랑 화폐 ; 《은어》 돈 : Je n'ai plus une ∼ 돈이 한 푼도 없다.

thuriféraire [tyʀifeʀɛːʀ] *m.* ① 〚가톨릭〛 (제식(祭式)에서) 향로를 받드는 사람. ② 《문어》 아첨꾼(= encenseur, flagorneur).

thuya [tyja] *m.* 〚식물〛 측백나무(= cyprès).

thym [tɛ̃] *m.* 〚식물〛 백리향속(白里香屬)의 식물《향료 · 양념으로 쓰임》.

thymus [timys] *m.* 〚해부〛 흉선(胸線).

thyroïde [tiʀɔid] *adj.* 〚해부〛 갑상(甲狀)(선)의. ── *f.* 갑상선(= glande 〔corps〕 ∼).

thyroïdien, enne [tiʀɔidjɛ̃, -ɛn] *adj.* 〚해부〛 갑상선의 : hormone ∼*enne* 갑상선 호르몬.

thyrse [tiʀs] *m.* 〚그리스신화〛 주신(酒神) 바커스(*Bacchus*)의 지팡이.

ti 《약자》《3 인칭 단수 의문문의 t-il 의 단축형, 의문문에서 주어 도치를 피하기 위해 사용됨》: J'y va-*ti*, j'y va-*ti* pas? 갈까 말까.

tiare [tjaːʀ] *f.* 〚종교〛 (로마 교황의) 삼중관(三重冠) ; 교황의 지위. ***ceindre*** 〔***coiffer, porter***〕 ***la*** ∼ 교황이 되다.

Tibet (le) [lətibɛ] *n.pr.m.* 〚지리〛 티베트.

tibétain, e [tibetɛ̃, -ɛn] *adj.* 티베트(*le Tibet*)의 : lamaïsme ∼ 티베트의 라마교. ── **T**∼ *n.* 티베트 사람. ── *m.* 티베트 어.

tibia [tibja] *m.* 〚해부〛 넓적다리(뼈) ; 경골(脛骨) ; 〚곤충〛 경절(脛節). ***donner un coup de pied dans les*** ∼***s à*** qn 《구어》 …의 정강이를 발길로 차다.

tic [tik] *m.* ① 〚의학〛 (흔히 안면의) 경련 : ∼ convulsif 안근(顔筋) 경련 / ∼ douloureux 안면 신경통 / Il a des ∼*s*. 그는 얼굴〔몸〕을 실룩실룩 경련을 일으킨다. ② (무의식적인) 묘한〔나쁜〕 버릇 : ∼ de langage 말의 (나쁜) 버릇. ***avoir le*** ∼ ***de*** + *inf.* …하는 버릇이 있다.

***ticket** [tikɛ] *m.* ① 표, 승차권, 입장권 ; (식당의) 식권 : acheter un carnet de ∼*s* 회수권을 사다 / ∼ de bagages 짐표 / ∼ de métro 지하철 표 / ∼ de quai 〚철도〛 입장권. ② ∼ modérateur (사회 보험 가입자의) 자

기 부담액.

tic(-)tac, tic tac [tiktak] *m.* 《복수불변》 (시계 따위의) 똑딱거리는 소리.

tie-break [tajbrɛk] 〔영〕 *m.* (*pl.* **~-~s**) 〖테니스〗 타이브레이크.

***tiède** [tjɛd] *adj.* ① 미지근한, (바람 · 날씨가) 훈훈한, 포근한 : café ~ 미지근한 커피 / Il fait ~. 날씨가 포근하다. ② (사람 · 감정이) 미적지근한, 미온적인, 열성〔열의〕 없는 : partisan ~ 열의 없는 지지자. ③ 《문어》 안락한, 쾌적한, 기분 좋은(= agréable). — *n.* 열의 없는 사람 ; (정치적) 온건파. — *adv.* boire ~ 미지근한 음료수를 마시다.

tièdement [tjɛdmɑ̃] *adv.* 미적지근하게, 미온적으로, 열의 없이 : être ~ accueilli 환대를 별로 받지 못하다 / approuver ~ 마지못해 찬성하다.

tiédeur [tjedœ:ʀ] *f.* 미지근함 ; 미온(微溫) ; (바람 · 날씨 따위가) 훈훈함, 포근함 : ~ d'un soir du printemps 봄날 저녁의 포근함 / agir avec ~ 열성 없는 행동을 하다.

tiédir [tjedi:ʀ] *v.i.* 미지근해지다 ; (우정 따위가) 식다 : faire ~ l'eau 물을 미지근하게 하다. — *v.t.* 미지근하게 하다, 훈훈하게 하다 ; (열의를) 식히다 : l'air *tiédi* par un poêle 난로로 훈훈해진 공기.

***tien, enne** [tjɛ̃, -ɛn] *adj. poss.* 《강세형》 너의, 그대의, 자네의 : Mes intérêts sont ~*s*. 나의 이익은 곧 너의 이익이다 / Je suis ~*enne*. 나는 당신의 것이오.

— *pron. poss.* 《정관사를 수반함》 너〔그대 · 자네〕의 것 : mes enfants et les ~*s* 나의 아이들과 너의 아이들 / Voici mes stylos et voilà les ~*s*. 내 만년필은 여기 있고 자네 것은 저기 있다. ***À la tienne !*** 《구어》 자네의 건강을 위해 !《축배를 들 때》.

— *m.* ① 너〔그대 · 자네〕의 것〔재산 · 노력 · 의견 따위〕 : disputer sur le ~ et le mien 네 것 내 것을 따지며 싸우다. ② (*pl.*) 네 친족〔친구들 · 편들〕 : Il faut penser aux ~*s !* 네 가족〔친구〕들 생각을 해야지 / Il faut y mettre du ~. (너는) 노력을 좀 해야겠다.

— *f. pl.* 바보 같은 짓, 무분별. ***faire des ~ennes*** 《구어》 늘 하는 어리석은 짓을 하다 : Tu *as* encore *fait des ~ennes !* 또 바보 같은 짓을 했구나.

tiens** [tjɛ̃] *interj.* ① 《놀람》 저런, 어머나, 어쩌면, 그래. ② 《주의의 환기》 이봐, 자 : *T~*, prends cela. 자, 그것을 가져. ***T~, ~ ! 그럴 수가, 아니 ; 아뿔싸 ; 설마.

tierce[1] [tjɛʀs] *adj.* tiers 의 여성형. — *f.* ① 〖음악〗 3 도(度) 음정《두 음 사이에 분리된 제 3 음》 : ~ majeure 장(長) 3 도. ② 〖카드놀이〗 같은 종류의 카드로 연속된 석 장. ③ 〖인쇄〗 제 3 교《최종 교정》.

***tiercé, e** [tjɛʀse] *adj.* ① 〖농업〗 세벌갈이한 : champ ~ 세벌갈이한 밭. ② 〖문장(紋章)〗 (두 개의 횡선으로) 3 등분된. ③ pari ~ 〖경마〗 3 연승식 경마《상위 입상의 세 마리의 말에 거는 내기》. — *m.* 〖경마〗 3 연승식 경마(의 상금) ; ~ dans l'ordre 〔le désordre〕 3 연승 단식〔복식〕 경마.

tiers, tierce**[2] [tjɛ:ʀ, -ɛʀs] *adj.* 《옛》 셋째 번의, 제 3 의 : une *tierce* personne 제 3 자 / fièvre *tierce* 〖의학〗 3 일열(熱). ***~ état 〖역사〗 (프랑스혁명 전 귀족 · 승려 다음의) 제 3 계급, 평민. ***~ parti*** 〖법률〗 제 3 당, 중립당. — *m.* ① 3 분의 1 : deux ~ du travail 일의 3 분의 2. ② 제 3 자, 국외자 ; 외부인 : un couple et un ~ 부부와 또 다른 한 사람. ③ (*T~*) 〖역사〗 제 3 계급(= ~ état). ***être en ~*** 제 3 자의 입장에 있다. ***se moquer*** 〔***se ficher***〕 ***du ~ comme du quart*** 《구어》 아무도 안중에 없다.

tiers(-)monde [tiɛʀmɔ̃:d] *m* 〖정치〗 제 3 세계.

tiers-mondisme [tjɛʀmɔ̃dism] *m.* 제 3 세계와의 연대.

tif, tiffe [tif] *m.* (보통 *pl.*) 《구어》 머리털(= cheveu).

***tige** [ti:ʒ] *f.* ① (식물의) 줄기, 대, (나무의) 줄기〔가지〕, 묘목 ; 막대 : ~ qui se ramifie 가지를 치는 줄기 / ~*s* de cerisiers 버찌나무의 묘목 / ~*s* de fer 쇠막대. ② 주신(柱身) ; 우간(羽幹) ; (구두 따위의) 긴 목 ; (피스톤의) 간(桿), 축(軸). ③ 《구어》 궐련. ④ (가계의) 선조.

tignasse [tiɲas] *f.* ① 《구어》 허술한 가발. ② 더부룩한〔부수수한〕 머리.

***tigre, esse** [tigʀ, -ʀɛs] ① 범, 호랑이. ② 잔인한 사람 : jaloux comme un ~ 몹시 질투하는 / une ~*esse* 반항적이고 질투심이 강한 여자.

tigré, e [tigʀe] *adj* 호랑이 무늬의, 호피(虎皮) 같은 얼룩이 있는 : chat ~ 얼룩 고양이.

tilbury [tilbyʀi] *m.* ① 2 인승 2 륜 마차. ② 〖농업〗 경운기.

tilde [tild] *m.* 틸드 기호《에스파냐어에서 n 을 [ɲ]로 발음하기 위해 ñ 위에 붙이는 기호》 : mettre des ~*s* 틸드를 붙이다.

tillac [tijak] *m.* (옛날 배의) 상갑판.

tilleul [tijœl] *m.* ① 보리수. ② (말린) 보리수의 수꽃《약용》 ; 보리수꽃의 탕약.

tilt [tilt] 〔영〕 *m.* ① 틸트《핀볼 머신(flipper, billard électrique)에서 게임의 중단 표시》. ② 《감탄사》 *T~ !* 맞았다(= touché) ! ***faire ~*** (생각 등을) 떠오르게 하다 ; 정곡을 찌르다 : Ça *a fait* ~. 그래, 생각이 났어.

timbale [tɛ̃bal] *f.* ① 〖음악〗 팀파니《반구형(半球形)의 북》 : battre des ~*s* 팀파니를 치다. ② 〖요리〗 파이 굽는 틀(로 만든 파이). ③ (굽 없는) 금속 잔. ④ 〖곤충〗 (매미 날개의) 진동막. ***décrocher la ~*** 《구어》 (남을 물리치고) 목적을 달성하다.

timbalier [tɛ̃balje] *m.* 팀파니 치는 사람

timbrage [tɛ̃bʀa:ʒ] *m.* 소인 찍기, 스탬프 찍기 ; 인지 붙이기.

timbre** [tɛ̃:bʀ] *m.* ① 벨, 종, 초인종(= sonnette) : ~ d'appel 초인종, (전화의) 벨 / ~ électrique 전종(電鐘). ② (목소리 · 악기 따위의) 음색, 음향 : voix sans ~ 입속으로 우물거리는, 분명치 않은 목소리 / voix qui a du ~ 울림이 풍부한 목소리. ③ 우표(= ~-poste), 실《크리스마스 실 따위》, 라벨(= label) ; 인지(印紙), 증지 : coller un ~ sur l'enveloppe 봉투에 우표를 붙이다 / ~ à un franc, 1 프랑짜리 우표 / ~ fiscal 수입 인지 / ~*s* spéciaux 기념우표 / faire collection de ~*s* 우표를 수집하다. ④ 소인(消印), 관인(官印), 스탬프, 인장 ; 검사증 ; 타인기(打印器) : ~ dateur 〔à date〕 일부(日附) 타인기 / imprimer 〔apposer〕 son ～ 관인을 찍다. **～ *de jour 일부인(日). **～ *de quittance*** (영수증에 붙이는) 수입 인지.

timbré, e [tɛ̃bʀe] *adj.* ① 인지〔우표〕가 붙은 ; 소인〔일부인〕이 찍힌 : lettre ～*e* de Paris 파리의 소인이 찍힌 편지 / papier ～ 〖법률〗 인지가 붙은 서류. ② (소리가) 잘 울리는, 낭랑한. ③ 《구어》 머리가 약간 돈.
── *n.* 《구어》 머리가 약간 돈 사람.

timbre-amende [tɛ̃bʀamɑ̃:d] *m.* (*pl.* **～s-～s**) (교통 위반에 대한) 벌금 납부용 인지.

timbre-poste [tɛ̃bʀəpɔst] *m.* (*pl.* **～s-～**) 우표.

timbre-quittance [tɛ̃bʀəkitɑ̃:s] *m.* (*pl.* **～s-～**) (영수증용) 수입 인지.

timbrer [tɛ̃bʀe] *v.t.* ① …에 인지〔우표〕를 붙이다 : ～ une lettre 편지에 우표를 붙이다. ② …에 소인〔스탬프·일부인〕을 찍다 : lettre ～*e* de Paris 파리의 소인이 찍힌 편지. ③ (증서 따위 첫머리에) 날짜와 내용의 개요를 적다.

***timide** [timid] *adj.* ① 겁 많은, 소심한, 내성적인, 수줍은 ; (문체 따위가) 박력 없는, 무기력한 : enfant ～ 소심한〔내성적인〕 아이 / voix ～ 수줍은 목소리 / amoureux ～ 소심한 연인. ② (비평·조처 따위가) 과단성 없는, 우유부단한, 무기력한, 조심스러운 : ～ réforme 과단성 없는〔미지근한〕 개혁.
── *n.* 소심한 사람 ; 수줍은 사람.

timidement [timidmɑ̃] *adv.* 겁내어 ; 수줍어하며 ; 조심스럽게, 머뭇거리며 : répondre ～ 머뭇거리며 대답하다.

timidité [timidite] *f.* 겁 ; 소심 ; 수줍음 : surmonter sa ～ 소심증을 극복하다.

timing [tajmiŋ] 〔영〕 *m.* (과정·행사 따위의) 세밀한 시간표, 예정.

timon [timɔ̃] *m.* (수레의) 채 ; 굴대, 축(軸).

timonerie [timɔnʀi] *f.* ① 《옛》 〖해양〗 조타(操舵) ; 조타실. ② 신호·항로 감시 ; 신호수, 항로 감시원. ③ (자동차의) 조종 장치.

timonier [timɔnje] *m.* ① 〖해양〗 조타수, 키잡이 ② 신호수, 항로 감시원.

timoré, e [timɔʀe] *adj.* 소심한, 겁 많은, 소극적인 : caractère ～ 소심한 성격. ── *n.* 겁쟁이, 소심한〔소극적인〕 사람.

tin [tɛ̃] *m.* 받침나무, 굄목 ; (*pl.*) 〖선박〗 (건거(乾渠)의) 용골대(龍骨臺).

tinctorial, e, aux [tɛ̃ktɔʀjal, -o] *adj.* 염료의, 염색(용)의 : matières ～*es* 염료.

tinette [tinɛt] *f.* ① (버터 운반용) 작은 통. ② 분뇨통. ③ 《구어》 (*pl.*) 변소.

tintamarre [tɛ̃tama:ʀ] *m.* 소음, 시끄러운 소리 : ～ du train 기차의 소음.

tintement [tɛ̃tmɑ̃] *m.* 종〔방울〕소리 ; (종의) 여운 ; 땡그랑 소리. **～ *d'oreille*** 이명(耳鳴), 귀울음.

tinter [tɛ̃te] *v.t.* (종을) 울리다. ── *v.i.* ① (종이) 울린다 : La cloche de l'église *tinte.* 교회의 종이 울린다. ② (부딪쳐서) 날카로운 소리를 내다, 땡그랑 소리를 내다 : faire ～ les verres 술잔을 맞대어 축배를 들다. ③ (귀가) 울다. ***Les oreilles ont dû vous ～.*** 당신 귀가 가려웠을거요《본인이 없는 동안 그의 이야기를 했을 때 하는 말》.

tintin [tɛ̃tɛ̃] *m.* 짤그랑《컵 따위가 부딪치는 소리》. ***faire ～*** 《구어》 없는 대로 참고 지내라. ── *interj.* 《구어》 아무것도 없다, 어쩔 수 없어, 천만에《거절을 나타냄》(= La peau !).

tintinnabuler [tɛ̃tinabyle] *v.i.* (방울 등이) 딸랑딸랑 울리다 : faire ～ un trousseau de clefs 열쇠꾸러미를 쩔그렁거리다.

tintouin [tɛ̃twɛ̃] *m.* ① 《옛》 이명, 귀울음. ② 《구어》 법석, 소란(= vacarme). ③ 《구어》 근심, 걱정(= souci, tracas). ***avoir*** 〔***se donner***〕 ***du ～*** 《구어》 걱정이 많다. ***donner du ～*** (사건 등이) 귀찮다, 두통거리다.

tique [tik] *f.* 〖곤충〗 진드기.

tiquer [tike] *v.i.* 《구어》 얼굴을 찡그리다, 부루퉁해지다 : faire ～ qn …의 상을 찌푸리게 하다.

tiqueté, e [tikte] *adj.* 얼룩〔반점〕이 있는.

tir** [ti:ʀ] *m.* ① 사격, 포격, (활 따위를) 쏘기 ; 발사, 발포(發砲) : ～ réel 실탄 사격 ～ à l'arc 활쏘기 / ～ au fusil 총격, 소총 사격 / ～ à blanc 공포(空砲) 사격 / ～ nourri 맹포격 / à ～ rapide 속사의 / anlge 〔ligne〕 de ～ 사각(射角)〔사선 (射線)〕. ② 사격장(= champ de ～), 사격 경기장. ***ajuster le ～ 조준을 맞추다〔수정하다〕 ; 방침을 정하다〔바르게 하다〕. **～ *au but*** 〖축구〗 슈팅.

tirade [tiʀad] *f.* 장황하게 늘어놓는 말, 장광설 ; 〖연극〗 긴 독백(= monologue) : ～ d'injures 그칠 줄 모르는 욕지거리 / faire toute une ～ sur qc …에 대해 장광설을 늘어놓다.

tirage** [tiʀa:ʒ] *m.* ① (잡아·끌어)당기기, 끌기 : cordon de ～ (커튼 따위를) 잡아당기는〔여닫는〕 끈. ② 뽑아내기, 추출(抽出), 채굴 : ～ de la soie 누에고치에서 실을 뽑기. ③ 제비뽑기, 추첨 : par voie de ～ 추첨에 의해서. ④ 〖인쇄〗 인쇄 부수 ; 판(版), 쇄(刷) ; 출판물 ; 〖사진〗 (밀착) 인화 : édition à ～ limité 한정판 / journaux à fort 〔à grand, à gros〕 ～ 발행 부수가 많은 신문 / premier ～ 초판 / ～ de luxe 호화판 / le développement et le ～ d'une pellicule 필름의 현상과 인화. ⑤ (어음 따위의) 발행. ⑥ (굴뚝의) 연기가 빠지기, 통풍. ***Il y a du ～ (사람들 사이에) 알력〔갈등〕이 있다. ***le grand ～ de la saison*** 이 기간의 베스트 셀러. **～ *à part*** 〖인쇄〗 별쇄(別刷). **～ *au sort*** 추첨.

tiraillement [tiʀɑjmɑ̃] *m.* ① 마구 잡아당기기. ② 불화, 갈등, 알력 : ～*s* entre le législatif et l'exécutif 입법부와 행정부 사이의 갈등. ③ 경련 : ～*s* d'estomac 위경련.

tirailler [tiʀɑje] *v.t.* ① 《～ qc 〔qn〕》 (이리저리 자꾸) 잡아〔끌어〕당기다 : ～ qn par la manche …의 옷소매를 잡아당기다. ② 《～ qn》 성가시게 조르다 ; (상반되는 일·감정이) 괴롭히다, 난처하게 하다 : *être tiraillé* entre... …의 사이에 끼어 이러지도 저러지도 못하다 / L'amitié et le devoir le *tiraillent.* 그는 우정과 의무 사이에서 번민한다. ***se faire ～*** 좀처럼 승낙하지 않다.
── *v.i.* ① 난사(亂射)하다, 마구 발포하다.

tiraillerie [tiʀɑjʀi] *f.* ① (지속적인) 알력, 불화, 갈등(= tiraillement). ② 각개 사격.

tirailleur [tiʀɑjœ:ʀ] *m.* ① 저격병 : trou de ～ 저격호(壕). ② (*pl.*) (식민지의) 원주민 부대의 보병. ***en ～s*** 산개 (散開)하여.

tirant [tiʀɑ̃] *m.* ① 〖제화〗 날개《구두 끈을 꿰

는 가죽 부분》. ② 〖건축〗 들보 ; 〖해양〗 흘수(吃水)(= ~ d'eau).

tire[1] [tiːʀ] *f.* ① vol à la ~ 소매치기하기 / voleur à la ~ 소매치기, 날치기. ② 《구어》 자동차(= bagnole).

tiré, e[2] [tiʀe] *adj.* ① 야윈, 초췌한 : les traits ~*s* 초췌한 모습. ② 인쇄된, (사진이) 인화된. ③ 《~ de》 끄집어내진 ; 취재된 : roman ~ *d'*un fait divers 사회면 기사에서 취재된 소설. — *n.* ① 〖상업〗 어음 지급인, (수표) 수취인(= personne ~*e*). ② (책의) 판(版) : ~ à part 별쇄(본).

tire-au-cul [tiʀoky] 《속어》, **tire-au-flanc** [tiʀoflɑ̃] *m.* 《복수불변》 《구어》 〖군사〗 농땡이 병사(= paresseux).

tire-botte [tiʀbɔt] *m.* (*pl.* **~-~s**) 장화 주걱 ; 장화 신을 때 쓰는 기구.

*__tire-bouchon__ [tiʀbuʃɔ̃] *m.* (*pl.* **~-~s**) 병마개 뽑이. ***en*** **~** 나선 모양으로 : escalier *en* ~ 나선형 계단.

tire(-)bouchonner [tiʀbuʃɔne] *v.t.* 나선 모양으로 만들다. — *v.i.* (연기 따위가) 소용돌이치다.

tire-clou [tiʀklu] *m.* 못뽑이.

tire-d'aile (**à**) [atiʀdɛl] *loc. adv.* 날개를 치며 ; 나는 듯이 빨리, 쏜살같이 : Le temps fuit *à* ~. 세월이 무척 빨리 흐른다.

tirée [tiʀe] *f.* 《구어》 멀고 힘든 행로〔도정〕.

tire-fesses [tifɛse] *m.* 《구어》 〖스키〗 리프트(= téléski, remonte-pente).

tire-fond [tiʀfɔ̃] *m.* 《복수불변》 ① 〖철도〗 (침목의) 나사못 ; (목공의) 나무 나사못. ② 촛대를 매달기 위한 천정의 고리.

tire-jus [tiʀʒy] *m.* 《속어》 손수건.

tire-laine [tiʀlɛn] *m.* 《복수불변》 《옛》 노상강도 ; 도둑.

tire-lait [tiʀlɛ] *m.* 《복수불변》 (모유의) 착유기(搾乳器).

tire-larigot (**à**) [atiʀlaʀigo] *loc. adv.* 많이, 대량으로 : boire à ~ 마음껏 마시다.

tire-ligne [tiʀliɲ] *m.* 제도용 오구(烏口).

tirelire [tiʀliːʀ] *f.* ① 저금통 : mettre des sous dans une ~ 저금통에 잔돈을 넣다 / casser la ~ 저금통을 깨다. ② ⓐ 《구어》 머리, 얼굴. ⓑ 배, 위.

__tirer__ [tiʀe] *v.t.* ① 잡아〔끌어〕당기다, 끌다 ; 팽팽하게 당기다 : ~ les cheveux à qn …의 머리카락을 잡아당기다. ② (휘장 · 빗장을) (잡아당겨) 열다〔닫다〕, (문을) 닫다, (서랍을) 열다 : ~ la porte derrière〔après〕 soi 들어간〔나온〕 뒤에 문을 닫다. ③ 꺼내다, 끌어내다 ; 뽑아내다, 빼내다, 추출하다 ; 파내다 ; 떼내다 ; (젖 · 즙을) 짜다 ; (물을) 길어내다 ; (돈을) 얻어〔짜〕내다 ; (결론을) 끌어내다 ; (사람을) 끌어내다 ; 구해 내다 : ~ l'épée du fourreau 칼집에서 칼을 뽑다 / ~ qn du doute〔du sommeil〕 …의 의심을 풀어 주다〔잠을 깨우다〕 / ~ vengeance de qn …에게 흘러내리다 / ~ qn d'embarras〔d'affaire, de difficulté, d'un mauvais pas〕 …을 곤경에서 구해 내다 / ~ de l'eau d'un puits 우물에서 물을 퍼내다. ④ (잡아당겨서) 벗다〔벗기다〕 : ~ ses bas 양말을 벗다 / ~ les bottes à qn …의 장화를 벗기다. ⑤ (도면을) 그리다 ; (줄을) 긋다 : ~ un trait 줄을 긋다. ⑥ ⓐ (책을) 인쇄하다 ; (판화를) 찍다 ; (사진을) 밀착〔인화〕하다 : ~ un roman à 5,000 exemplaires 소설 5,000 부를 인쇄하다. ⓑ 《~ le portrait de qn ; ~ qn en portrait》 …의 모습을 사진으로 찍다. ⑦ (총 · 총알 · 화살을) 쏘다 ; (사냥감 · 사람을) 쏘다 ; (꽃불을) 쏘아올리다 : ~ un coup de revolver 권총을 한 방 쏘다 / ~ le canon 대포를 쏘다. ⑧ (말을) 따오다, 차용하다(= emprunter) : mot *tiré* du latin 라틴어에서 따온 차용어 ; 라틴어에서 파생된 말. ⑨ 얻어 내다, 얻다(= obtenir, recueillir) : ~ du profit 이익〔이득〕을 얻다 / ~ avantage de sa position 자기의 지위를 이용하다 / ~ parti d'une chose 어떤 일에서 이익을 얻다, 어떤 일을 이용하다. ⑩ (제비 따위를) 뽑다 : ~ une loterie 복권을 뽑다 / ~ au sort 《목적보어 없이》 제비를 뽑다. ⑪ (어음 따위를) 발행하다(= émettre) : ~ une lettre de change sur qn …앞으로 환어음을 발행하다. ⑫ (배가 …의) 흘수(吃水)이다 : ~ 10 mètres (d'eau) 흘수 10 미터이다. ⑬ 《구어》 (시간을) 힘들게 지내다 : ~ un an de prison 1년간의 옥살이를 하다. ***bon à* **~** 〖인쇄〗 교료(校了). **~ *des*** 〔***les***〕 ***armes*** 검술을 하다. **~ *la jambe*** (피로 · 통증으로) 발을 질질 끌다. **~ *les ficelles*** 〔***cordes***〕 배후에서 조종하다. **~ *les vers du nez à*** qn …에게 (교묘히 질문하여) 말하게 하다. **~ *l'œil*** 사람의 눈을 끌다. **~ *un texte à soi*** 어떤 글을 자기에게 유리하게 해석하다.

— *v.i.* ① (피부 따위가) 팽팽해지다. ② 통풍이 잘 되다 : poêle qui *tire* bien 연기가 잘 빠지는 난로. ③ 검을 쓰다(= ~ des armes). ④ ⓐ (총 · 활 따위를) 쏘다, 발사하다 ; 《~ sur》 …을 향해〔겨누어〕 쏘다 ; 《~ à》 …을 쏘다 : ~ *au* fusil 총으로 쏘다 / ~ *à* l'arc〔de l'arc〕 활로 쏘다. ⓑ (총포가) 발사되다. ⑤ (jeu de boules 에서) cochonnet 또는 다른 공을 겨누어 공을 던지다. ⑥ 《~ à〔sur, vers〕》 …을 닮다, …에 가깝다, …와 비슷하다 : couleur *tirent sur* le vert 초록색을 띤 푸른 색. ⑦ 《~ à〔sur, vers〕》 …으로 가다〔도망치다〕. ⑧ 《~ à》 인쇄되다 : journal qui *tire à* trente mille, 3 만 부를 발행하는 신문. **~ *à la ligne*** (더 많은 고료를 위해 원고의 글을) 잡아 늘이다. **~ *à sa fin*** 임종에 가까워지다 ; 끝나가다. **~ *au flanc*** 〔***au cul***〕 《구어》 게으름〔농땡이〕 부리다, 꾀부리다. **~ *en longueur*** 길어지다, (병 따위가) 오래 끌다.

— *v.t. ind.* 《~ sur》 ① …을 잡아당기다 : ~ *sur* une ficelle 줄을 잡아당기다. ② (파이프 따위를) 빨다. **~ *sur la ficelle*** 지나친 짓을 하다, 과분한 이익을 얻으려고 하다.

— **se** ~ *v.pr.* ① 《se ~ de》 …에서 빠져나오다, 벗어나다 ; (어려운 일을) 해내다. ② (지루한〔힘드는〕 일이) 끝 나가다 : Ça *se tire!* 이제 겨우 다 돼 간다. ③ 《속어》 뺑소니치다, 줄행랑 놓다 : *se* ~ en douce 슬그머니 내빼다. ④ 인쇄되다, 당겨지다, 팽팽해지다. ⑤ 꺼내어지다, 추출되다 ; 차용되다 ; 생기다. ⑥ 서로 잡아당기다. ⑦ 《se 는 간접목적보어》 자기를〔에게〕 쏘다 : *se* ~ un coup de pistolet 피스톨로 자살하다. ***s'en*** **~ ; *se***

T

~ d'affaires 곤경을 벗어나다 ; 어려운 일을 용케 해내다 : Ils ont tout juste de quoi *s'en ~*. 그들은 겨우 먹고 살아갈 만하다. **s'en ~ avec** qc 《구어》 …만으로 끝나다 : Il *s'en est tiré avec* trois mois de prison. 그는 석 달의 징역만으로 끝났다.

tiret [tiʀɛ] *m.* 〖인쇄〗 대시《–》.

tirette [tiʀɛt] *f.* ① 막〔커튼〕을 여닫는 끈 ; (장치를 작동시키는) 레버. ② (가구의 수납식(收納式)) 널빤지, 선반의 널.

tireur, euse [tiʀœːʀ, -øːz] *n.* ① (총·활의) 사수(射手), 사격수 : ~ au fusil 〔à l'arc〕 소총사수〔궁수(弓手)〕. ② 〖상업〗 (어음의) 발행인. ③ 〖인쇄〗 교정쇄 인쇄공 ; 〖사진〗 인화하는 사람. — *f.* 〖사진〗 인화기, 프린터.

tiroir** [tiʀwaːʀ] *m.* ① (책상 따위의) 서랍 : ouvrir 〔fermer〕 un ~ 서랍을 열다〔닫다〕. ② 〖기계〗 (증기 기관의) 활판(滑瓣), (계산자의) 슬라이드 : boîte de ~ 기실(汽室). ***fond de ~ 서랍 속에 깊이 넣어 둔 것 ; 낡고 가치 없는 것 ; 《구어》 남은 돈 : auteur qui publie ses *fonds de ~s* 오래전에 써 두었던 것을 출판하는 작가. ***nom à ~s*** 여러 말로 이어진 이름〔성〕. ***pièce à ~(s)*** 연관성 없는 여러 장면으로 구성된 희곡, 삽화극.

tiroir-caisse [tiʀwaʀkɛs] (*pl.* **~s-~s**) *m.* 〖상업〗 (상점의) 금전 등록기.

tisane [tizan] *f.* ① 탕약 : boire une ~ le soir 저녁마다 탕약을 마시다. ② ~ de champagne 《경멸》 싸구려 샴페인.

tison [tizɔ̃] *m.* ① 타다 남아 꺼져 가는 장작, 깜부기불. ② 내풍(耐風) 성냥.

tisonner [tizɔne] *v.i.* 불을 쑤셔 일으키다. — *v.t.* ~ le feu 불을 쑤셔 일으키다, 뒤적거리다 ; 《구어》 (싸움을) 부채질하다.

tisonnier [tizɔnje] *m.* 부지깽이.

tissage [tisaːʒ] *m.* ① 〖직조〗 방직, 직조 ; 직물 : ~ mécanique 기계직(織) / ~ à la main 수직(手織). ② 직물 공장.

***tisser** [tise] *v.t.* ① (직물을) 짜다 ; (거미가 줄을) 치다 : métier à ~ 직조기. ② (소설의 줄거리 따위를) 꾸미다, 꾸며〔만들어〕 내다 : récit *tissé* de mensonges 거짓투성이의 꾸민 이야기.

tisserand, e [tisʀɑ̃, -ɑ̃ːd] *n.* 직조공, 방적공 : ~ drapant 〔en soie〕 모직〔견직〕공. — *adj.* 직물을 짜는.

tisseur, euse [tisœːʀ, -øːz] *n.* 직조공.

‡tissu¹ [tisy] *m.* ① 직물, 피륙 ; 옷감, 천 ; 피륙의 결 : marchand de ~s 옷감 장수 / ~ de cotton 〔de laine, de soie〕 면〔모·견〕직물 / étoffe d'un ~ serré 올이 촘촘한 피륙. ② 〖생물〗 (세포의) 조직, 구조 : ~ musculaire 〔nerveux〕 근육〔신경〕 조직. ③ 《~ de》 …으로 짜여진〔꾸며진〕 것, …의 연속〔투성이〕 : ~ *de* contradicitons 모순 덩어리 / ~ *de* mensonges 거짓말투성이. ④ 〖사회〗 조직(체), 구조 : ~ industriel 산업 조직 / ~ urbain 도시의 공간 구조.

tissu², e [tisy] tisser ② 의 과거분사.

tissu-éponge [tisyepɔ̃ːʒ] *m.* (*pl.* **~s-~s**) 〖직물〗 타월감〔천〕.

tissulaire [tisylɛːʀ] *adj.* 〖생물〗 (세포) 조직의.

tissure [tisyːʀ] *f.* ① (직물의) 결, 발 : étoffe à ~ serrée 〔lâche〕 올이 촘촘한〔성긴〕 피륙. ② (소설 따위의) 짜임새.

titan, e¹ [titɑ̃] *m.* 장사, 거인(= géant), 거대한 것 : œuvre de ~ 초대작(超大作). — **T~** *n.pr.m* 〖그리스신화〗 티탄, 타이탄《거인》 ; (*pl.*) 티탄족(族)《12 인의 거인》. — *adj.* 위대한, 거대한 : grue *t~e* 타이탄 크레인.

titane² [titan] *f.* 〖화학〗 티탄.

titanesque [titanɛsk] *adj.* 초인적인, 거대한 : effort ~ 초인적인 노력 / entreprise ~ 거창한 기획

titi [titi] *m.* 《속어》 파리의 불량소년.

titillation [titi(l)lɑsjɔ̃, -jɑsjɔ̃] *f.* 《문어》 간지러운 듯한 쾌감.

titiller [titi(l)le, titije] *v.t.* 《문어》 가볍게 간지럽히다.

titrage [titʀaːʒ] *m.* ① 〖화학〗 (용액의) 적정(滴定) : ~ d'un alcool (술의) 알코올 정량. ② 〖영화〗 자막 삽입.

‡titre [titʀ] *m.* ① (책·장(章)·노래·영화·신문 기사 따위의) 표제, 제목 ; (법전 따위의) 절(節), 항(項) : gros ~s de la une ; sur cinq colonnes à la une 신문 제 1 면의 큰 표제 / page de ~ 속표지, 안겉장 / faux ~ 반표지《속표지 앞장의 작은 글자로 된 표지》 / ~ courant 각 페이지 윗가에 적은 표지. ② 칭호, 직함, 관직명, (의사·변호사 등의) 직위 ; 작위(= ~ de noblesse) : avoir un ~ (de noblesse) 직위를 가지고 있다. ③ 경칭, 존칭《monsieur, madame, 의사에 대한 docteur, 변호사·공증인에 대한 maître 따위》. ④ 〖스포츠〗 선수권, 타이틀. ⑤ 자격 ; 명의, 명칭 ; 명목, 이유 ; 《~ à》 (…에 대한) 자격〔권리〕 : ~ de père 아버지의 자격〔명칭〕 / ~ de champion du monde 세계 선수권자 자격 / avoir des ~s *à* une place 〔*à* la reconnaissance de qn〕 어떤 지위에 앉을〔어떤 사람의 감사를 받을 만한〕 자격이 있다. ⑥ 권리 증서, 문서 ; 증권 ; 면허증 : ~ de propriété 부동산 등기 증서〔권리증〕 / ~ authentique 공정 증서 / ~ au porteur 무기명 증권 / ~ d'action 주권 / ~ de rente 정부 발행의 공채증서 / ~ nominatif 기명 증권 / ~ de permission 〖군사〗 외출 허가증 / ~ de transport 차표. ⑦ (광석의) 광물 함유량 ; (금·합금·경화(硬貨)의) 순분(純分), 금위(金位) ; 〖화학〗 (용액의) 적정량 ; (면사·철사 따위의) 호수, 사이즈 ; 섬유 제품의 혼방율 : or au ~ 본위금(本位金). ***à ce ~*** 이런 이유로. ***à plus d'un ~ ; à des ~s divers*** 여러 가지 이유로. ***A quel ~ ?*** 무슨 자격으로 ; 무슨 이유로 ***à ~***+'형용사' …적으로 : *à* ~ exceptionnel 예외적으로 / *à* ~ gratuit 〔onéreux〕 무료〔유료〕의, 무료〔유료〕로. ***à ~ de*** …의 자격으로, …으로서 : *à* ~ *d'*ami 친구로서 / *à* ~ *d'*essai 시험적으로. ***au même ~ (que)*** …(와) 같은 이유로 ; 같은 자격으로. ***au ~ de*** …의 요구에 의하여. ***en ~*** 정식 자격을 가진 : professeur *en* ~ 정교수.

titré, e [titʀe] *adj.* ① 자격 있는, 작위〔직위〕가 있는 : gens ~s 귀족 / personne ~*e* 작위가 있는 사람. ② 제명(題名)을 붙인.

titrer [titʀe] *v.t.* ① …에게 칭호〔작위〕를 주다. ② …에 제목을 붙이다. ③ 〖영화〗 (영화

에) 자막을 넣다. ④ 〖야금〗 (광석의) 광물 함유도를 검정(檢定)하다 ; (합금 따위의) 순도(純度)를 검정하다. ⑤ 〖화학〗 (용액을) 적정(滴定)하다 : un whisky qui titre 40° 알코올 함유량 40°의 위스키.

titubant, e [titybɑ̃, -ɑ̃:t] *adj.* 비틀거리는, 갈짓자로 걷는 : ivrogne ~ 비틀거리는 취객 / démarche ~*e* 갈지자 걸음걸이.

tituber [titybe] *v.i.* 비틀거리다, 갈지자로 걷다.

titulaire [titylɛ:ʀ] *adj.* ① 칭호를〔직함을〕 가진, 정식의 : membre ~ 정회원 / professeur ~ 정교수. ② 법적으로 (자격) 소지〔보유〕가 인정된. ③ 명의상〔만〕의 : évêque ~ 명의 주교. ── *n.* ① 자격 보유자《정교수 따위》. ② …의 (자격) 소유가 인정된 사람 : ~ d'un abonnement 〖전화〗 가입자 / ~ du permis de conduire 운전면허 소지자 / être ~ d'une licence 라이선스〔면허〕를 가진 사람.

titularisation [titylaʀizɑsjɔ̃] *f.* 임관, 임용, 전임(傳任)으로 하기.

titulariser [titylaʀize] *v.t.* 본관에 임명하다, 임관시키다 : ~ un fonctionnaire 공무원을 임명하다 / passer un examen pour *être titularisé* 임용 시험을 치다.

T.I.V. 《약자》 tableau indicateur de vitesse-limite 최대 속도계.

T.L. 《약자》 taxe locale 지방세.

T.M.G. 《약자》 temps moyen de Greenwich 그리니치 평균시.

T.N.P. 《약자》 Théâtre National Populaire 국립 민중 극장.

T.N.T., TNT 《약자》 trinitrotoluène 트리니트로톨루엔, 티엔티(TNT) 화약.

toast [to:st] *m.* ① 축배, 건배 : ~ de bienvenue 환영의 축배. ② 토스트빵 : ~ beurré 버터 바른 토스트. ***porter un ~ à*** qn (…의 건강을 위해) 축배를 들다, 건배하다.

toasteur [tostœ:ʀ] *m.* (빵 굽는) 토스터.

toboggan [tɔbɔgɑ̃] 〔영〕 *m.* ① 터보건 썰매. ② (돌며 내려가는) 미끄럼틀. ③ (화물 운반용) 활주 장치(= goulotte). ④ (조립 · 분해가 가능한) 자동차용 입체 교차 가설교.

toc [tɔk] *interj.* 똑똑, 톡, 탁《부딪치는 소리》 : faire ~ ~ à la porte 문을 똑똑 두드리다. ***Et ~ !*** 《구어》 잘했군 ; 멋지게 해냈군(= Bien envoyé !) ── *m.* ① 툭탁거리는 소리. ② 가짜, 위조품, 모조품 ; 하찮은 것 : C'est du ~! 그건 가짜야 / en ~ 가짜의, 모조의. ── *adj.* 《불변》 ① 《구어》 머리가 돈(= toqué) : Il est devenu ~. 그자는 머리가 돌았어. ② 가짜〔모조품〕인 : un meuble ~ 모조 가구. ③ 하찮은, 시시한 : Ça fait ~ ! ; C'est ~ ! 가짜같이 보인다, 야해 보인다.

tocante [tɔkɑ̃:t] *f.* 《구어》 회중〔손목〕시계.

tocard, e, toquard, e [tɔka:ʀ, -aʀd] 《속어》 *adj.* 쓸모없는 ; 보기 흉한 ; 우스꽝스러운. ── *m.* ① 입상할 가망이 없는 말. ② 바보, 얼간이.

toccata [tɔkata] *f.* (*pl.* ***toccate*** [-te]) 〖음악〗 토카타.

tocsin [tɔksɛ̃] *m.* 경종(警鐘) : sonner le ~ 경종을 울리다 / sonner le ~ contre qn 〔sur qn〕 …에 대해 민중을 선동하다.

toge [tɔ:ʒ] *f.* ① (법관 · 교수 등의) 정장, 긴 예복. ② 〖고대로마〗 토가《길고 펑퍼짐한 옷》.

togolais, e [tɔgɔlɛ, -ɛ:z] *adj.* 토고(*le Togo*, 서아프리카의 나라)의. ── **T~** *n.* 토고 사람.

tohu-bohu [tɔybɔy] 〔헤브라이〕 *m.* 《복수불변》 〖성서〗 혼돈 ; 《구어》 혼란, 소란, 난장판, 법석 : ~ des enfants 아이들의 법석.

⁑toi [twa] *pron. pers.* 《2 인칭 단수 · 강세형》 너, 그대, 자네. ① 《전치사 뒤》 chez ~ 너의 집에서 / C'est à ~. 그건 네 것이다 / Je suis content de ~. 나는 네게 만족하고 있다 / Je vais avec ~. 너와 함께 간다. ② 《비교의 접속사 que, comme 뒤》 Il est plus âgé *que* ~. 그가 너보다 손위다 / Il est plus faible *que* ~. 그는 너보다 약하다 / *comme* ~ 너처럼. ③ 《속사(屬詞)》 C'est ~ qui me l'as dit. 그렇게 말한 건 너란 말이다. ④ 《tu, te 의 동격》 *T~*, tu joues et moi, je travaille. 너는 놀고 있지만 나는 일하고 있다 / *T~* seul peux la consoler. 너만이 그녀를 위로할 수 있다. ⑤ 《등위(等位)》 *T~* et moi, nous irons ensemble. 너와 나는 같이 가자 / nous deux, ~ et moi 너와 나, 우리 둘. ⑥ 《분사절의 주어, 생략적 구문》 *T~* parti, j'ai couru ici. 네가 떠나자 나는 여기로 달려왔다 / Qui, ~ ? 누구냐, 너는 ? / *T~*, nous quitter ! 네가 우리를 떠나다니. ⑦ 《호격》 Et ~, viens avec moi, 그리고 너, 나와 함께 가자. ⑧ 《소유형용사 ton 을 강조》 ton travail à ~ 너의 일. ⑨ 《형용사 même 앞에》 ~-même 너 자신. ⑩ 《대명동사의 긍정 명령법에 ; en, y 가 뒤에 오면 t' 가 됨》 Tais-~ 입닥쳐 / Dépêche-~ ! 서둘러라 / Va-*t'*en ! 나가 버려 ! ⑪ 《특수구문에서》 C'est à ~ de chanter. 네가 노래할 차례이다 / C'est gentil à ~ de venir m'aider. 나를 도우러 와 주어서 고맙다. ***Connais-~ ~-même.*** 너 자신을 알라. ***être à tu et à ~ avec*** qn …와 친한 사이다.

⁑toile [twal] *f.* ① ⓐ 아마포, 리넨 ; 삼베 ; 무명(베) ; 포목 ; (천막 · 돛 따위를) 만드는 천 : ~ de coton 면포 / ~ à voile 범포(帆布) / ~ imprimée 프린트된 천 / ~ d'emballage 포장용 천 / ~ de tente 텐트천, 즈크 / ~ de soie 얇은 명주천. ⓑ 《집합적》 (면직물에 대해) 마직물. ② 화포(畫布), 캔버스 ; 유화 : peindre une ~ 그림을 그리다 / ~ de maître 대가의 그림. ③ 〖연극〗 막, 무대 장치. ④ 돛(전체) : faire de la ~ 돛을 확짝 펴다 / navire chargé de (~)s. ⑤ 천막, 텐트, 차일 : coucher sous la ~ 천막을 치고 자다. ⑥ 〖테니스〗 네트. ⑦ (*pl.*) (풍차의) 익포(翼布) ; 짐승 잡는 그물. ***à sec de ~(s)*** 돛을 펴지 않고. ***~ d'araignée*** 거미집. ***~ de fond*** 배경을 그린 천 ; 《비유》 (어떤 사건의 사회적 · 정치적) 배경. ***~ métallique*** 쇠그물, 철망.

toilerie [twalʀi] *f.* 리넨, 면직물 ; 리넨 공장〔상점〕 ; 리넨〔면직물〕업.

toilettage [twalɛta:ʒ] *m.* ① 애완동물 단장〔손질〕. ② 약간의 수정, 가벼운 손질.

***toilette** [twalɛt] *f.* ① 화장대, 경대 ; 세면대 : table de ~ 화장대. ② 화장, 몸단장 ; 세면 : faire sa ~ 몸단장을 하다, 세면하다 / être à sa ~ 화장하고 있다. ③ (여자의) 옷치장, 옷차림(새) ; (여성의) 의상, 옷 : ~ élegante 우

T

아한 복장 / changer de ~ 옷을 갈아입다 / faire ~ 옷치레하다 / ~ de bal 야회복 / aimer la ~ 몸치장하기를 좋아하다 / Elle porte bien la ~. 그녀는 맵시 있게 옷을 잘 입는다. ④ (흔히 *pl.*) 화장실, 세면장, 변소 : cabinet de ~ 화장실 / aller aux ~s 화장실에 가다. ⑤ 미화, 청소 ; 손질 : ~ de la maison 집안 청소.

toiletter [twalɛ(e)te] *v.t.* 청소하다.

***toi-même** [twamɛm] *pron. pers.* 너 자신.

toise [twa:z] *f.* ① 길이의 옛 단위《1.949 m》 ② 신장 측정기 : passer qn à la ~ …의 키를 재다.

toiser [twaze] *v.t.* ① 《옛》 목측(目測)하다. ② (키를) 신장계로 측정하다. ③ (경멸하는 눈초리로) 훑어보다 : ~ qn des pieds à la tête …을 발끝에서 머리끝까지 훑어보다. ── **se** ~ *v.pr.* 서로 훑어보다.

toison [twazɔ̃] *f.* ① (양 따위의) 가지런히 밀생(密生)한 털 (모양). ② 《구어》 숱이 많은 머리털 ; 텁수룩한 털. ***la T~ d'or*** 〚그리스 신화〛 (영웅 *Jason*이 뺏은) 황금 양털.

⁑toit [twa] *m.* ① 지붕 : ~ de tuile 〔de chaume〕 기와〔초가〕지붕 / ~ en pente 경사 지붕 / ~ plat 평지붕 / ~ à la 〔en〕 mansarde 망사르드 지붕《이중 물매식 지붕》 / ~ en terrasse 〔en plate-forme〕 테라스식 지붕. ② (차의) 지붕 : ~ découvrant 〔ouvrant〕 (차의) 개폐식 지붕. ③ 집 ; (가축 등의) 우리 : sous le ~ paternel 생가(生家)에서 / être sans ~ 집이 없다 / vivre sous le même ~ avec qn …와 한집에서 살다 / ~ à cochon 〔porc〕 돼지우리. ***habiter sous les ~s*** 〔***le même ~ avec*** qn〕 한 집에서 살다. ***le ~ du monde*** 세계의 지붕《파미르 고원 내지 티베트》. ***sous le ~ de*** …의 집에 : recevoir qn *sous son* ~ …을 자택에 맞아들이다.

toiture [twaty:ʀ] *f.* 《집합적》 지붕 : ~ à redents (공장 따위의) 톱니 모양의 지붕.

tôle¹ [to:l] *f.* 금속판 ; 철판 ; 양철, 함석 : ~ de cuivre 동판 / ~ galvanisée 함석 / ~ d'aluminium 알루미늄판 / toit de ~ ondulée 골함석 지붕.

tôle² *f.* = taule.

tôlée [tole] *adj.f.* neige ~ 녹기 시작했다가 다시 언 눈.

tolérable [tɔleʀabl] *adj.* 참을〔견딜〕 수 있는 ; 용인할 수 있는 : Cette douleur n'est pas ~. 이 고통은 견디기 힘들다.

tolérance [tɔleʀɑ̃:s] *f.* ① (사상 · 신앙에 대한) 관용(寬容) : faire preuve de ~ 관용을 보이다 / ~ religieuse 〔politique〕 종교〔정치〕상의 관용. ② 관대하게 봐주기, 묵인 ; 허용 사항 : ~ grammaticale 문법상의 허용 사항 / seuil de ~ 허용 한계. ③ 〚의학〛 (내성(耐性), 내약력(耐藥力). ④ 공차(公差)(= marge de ~)《법률상 용인된 제품의 질 · 양의 과부족》. ***maison de ~*** 《옛》 (법으로 용인되던) 창가(娼家).

tolérant, e [tɔleʀɑ̃, -ɑ̃:t] *adj.* ① 관대한, 아량있는, 너그러운 : Ses parents sont très ~s. 그의 부모는 매우 너그럽다. ② (신앙 · 사상의) 자유를 용인하는 : doctrine 〔religion〕 ~*e* 다른 학설〔종파〕에 관대한 학설〔종교〕.

***tolérer** [tɔleʀe] [6] *v.t.* ① 참다(= supporter), 견디다 ; 용납하다, 용인〔묵인〕하다 ; 허용하다 ; 너그러이 봐주다(= autoriser, permettre) : ~ les abus 잘못〔부정〕을 묵인하다 / douleur qu'on ne peut ~ 견딜 수 없는 고통 / 《~ qc de qn》 Il *tolère* tout *de* son fils. 그는 아들에 대해서는 모든 것을 다 참아 준다 / 《~ de+*inf.*》 Il ne *tolère* pas *d'*être contredit. 그는 남이 자기 말을 반박하는 것을 받아들이지 못한다 / 《~ que+*sub.*》 Il ne *tolère* pas *qu'*on l'imite. 그는 사람들이 자기를 흉내내는 것을 참지 못한다. ② 《~ qn》 …이 한 자리에 있는 것을 참다 ; …의 결점을 참다〔묵인하다〕, …을 너그럽게 봐주다. ③ 〚의학〛 (약에 대해서) 내성(耐性)이 있다(= ~ un médicament) ; 부작용이 없다 : piqûre bien *tolérée* 부작용이 없는 주사. ── **se** ~ *v.pr.* 서로 참다〔너그럽게 봐주다〕 : Ils *se tolèrent* l'un l'autre. 그들은 서로 참고 지낸다.

tôlerie [tolʀi] *f.* ① 철판 제조 공장 ; 철판 제조〔판매〕업. ② 《집합적》 철판 제품.

tôlier [tolje] *m.* 철판 제조〔판매〕인.

tolite [tɔlit] *f.* 톨리트《폭약》.

tollé [tɔ(l)le] *m.* (*pl.* ~(**s**)) 비난〔분노〕의 소리, 항의의 외침《유대인이 그리스도에 대해 외친 배척의 노호(怒号)》. ***crier ~ sur*** 〔***contre***〕 qn …을 향해 분노의 고함을 지르다. ***soulever un ~ général*** 모든 사람의 비난을 불러일으키다.

toluène [tɔlɥɛn] *f.* 〚화학〛 톨루엔.

T.O.M., TOM 《약자》 Territoires d'Outre-Mer 해외 영토.

tomahawk [tɔmaoːk] *m.* (북미 인디언의 전투용) 도끼, 전부(戰斧). ***enterrer le ~*** 화해하다《도끼를 땅에 묻는다는 데서》.

tomaison [tɔmɛzɔ̃] *f.* 〚인쇄〛 (책에) 권수(卷數)를 매기기, 권수 표시〔번호〕.

tomate** [tɔmat] *f.* ① 토마토 : salade de ~s 토마토 샐러드 / sauce ~ 토마토 소스 / recevoir des ~s (군중들로부터) 토마토 세례를 받다. ② 《구어》 파스티스(pastis)에 석류 시럽을 넣은 음료. ***en être comme une ~ 《속어》 얼굴이 새빨개져 있다《부끄러움 따위로》. ***rouge comme une ~*** (부끄러워) 홍당무처럼 새빨간.

tombal, e [tɔ̃bal] *adj.* 무덤의 : pierre ~*e* 묘석 / inscriptions ~*es* 묘비명.

tombant, e [tɔ̃bɑ̃, -ɑ̃:t] *adj.* ① 《드물게》 무너져〔멸망해〕 가는 ; 약해져 가는 ; (날이) 저물어 가는 : voix ~*e* 점점 낮아지는 목소리 / vent ~ 약해져 가는 바람 / à la nuit ~*e* 해 질 무렵에, 황혼에. ② 늘어진, 처진 : draperies ~*es* 아래로 드리워진 장식 휘장.

tombe** [tɔ̃:b] *f.* ① 무덤, 묘혈 : ~s d'un cimetière 묘지에 있는 무덤 / se recueillir sur la ~ de qn …의 묘에 성묘하다. ② 묘석 ; 묘비 : épitaphe *gravée* sur une ~ 묘석에 새겨진 비명(碑銘). ③ 《시어》 죽음 : descendre dans la ~ 죽다. ***être au bord de la ~ ; avoir un pied dans la ~ 죽어 가고 있다, 빈사 상태에 있다.

tombé, e¹ [tɔ̃be] *adj.* 떨어진 : fruits ~s 떨어진 과일 / 〚축구〛 coup de pied ~ 드롭킥.

tombeau [tɔ̃bo] *m.* (*pl.* ~**x**) ① 묘비, 묘석 ;

T

묘, 무덤 : ~ en marbre 대리석 묘비 / ~ de famille 가족묘 / ~ de soldat inconnu 무명 용사의 묘. ② (묘지처럼) 음산한 곳 ; 많은 희생자가 생긴 곳, 묘지 : Cette maison est un vrai ~. 그 집은 정말 묘지처럼 음산하다. ③ 《문어》 죽음 ; 종말, 소멸 : ~ de ses espérances 그의 희망의 소멸 / être fidèle jusqu'au ~ 죽을 때까지 충실하다. ***conduire* 〔*rouler*〕 *à ~ ouvert*** (사망 사고가 날 정도로) 맹렬한 속도로 (차를) 몰다. ***mettre*** qn ***au ~*** …을 죽음에 이르게 하다. ***se creuser un ~*** 스스로 무덤을 파다.

***tombée²** [tɔ̃be] *f.* (해가) 짐 ; 떨어짐 ; (비가) 내림 : à la ~ du jour 〔de la nuit〕 해질 무렵에 / Je rentrerai avant la ~ du jour. 해질녘까지는 돌아올 생각이다 / ~ de pluie 〖기상〗 강우량 / ~ des feuilles 낙엽.

⁑tomber [tɔ̃be] *v.i.* 《조동사는 보통 être》 ① 떨어지다 ; (비 따위가) 내리다 ; (날이) 저물다 : La pluie 〔La neige〕 *tombe* ; 《비인칭》 Il *tombe* de la pluie 〔de la neige〕. 비가〔눈이〕 온다 / ~ de cheval 말에서 떨어지다 / Le jour 〔La nuit, Le soir〕 *tombe*. 어두워진다, 날이 저물어 간다. ② 늘어지다 ; 늘어져〔드리워져〕 있다 : épaules qui *tombent* 축 늘어진 어깨 / Un grand lustre *tombait* du plafond. 커다란 샹들리에가 천정에 드리워져 있었다. ③ 넘어지다(= ~ par terre) ; 쓰러지다(= s'affaisser) ; 무너지다 : faire ~ qn …을 넘어뜨리다 / ~ de fatigue 〔de sommeil〕 피곤해서〔잠이 와서〕 쓰러질 것 같다(= s'écrouler). ④ 죽다 (= mourir, périr) : ~ au champ d'honneur 전사하다 / Ils *sont tombés* en vain. 그들은 개죽음했다. ⑤ (이 · 머리털 따위가) 빠지다 : Mes cheveux commencent à ~. 내 머리가 벗겨져 간다. ⑥ 그치다, 없어지다, 사라지다 ; (바람이) 자다 ; (바다가) 잔잔해지다 ; (열이) 내리다 ; (대화가) 활기를 잃다 ; (목소리가) 작아지다 ; (불이) 꺼져 가다, 사그라져 가다 ; (값이) 내려가다 ; (흥분이) 가라앉다 : Ses illusions *tombent*. 그의 환상은 사라진다 / Le vent *est tombé*. 바람이 그쳤다 / Toutes ses préventions *sont tombées*. 그의 선입관은 다 없어졌다 / L'exaltation *est tombée*. 흥분은 가라앉았다 / Les prix ne *tombent* pas. 물가는 내리지 않는다. ⑦ 〖연극〗 (연극이) 실패하다 : La pièce *tomba*. 그 연극은 실패했다. ⑧ 몰락하다, 전락〔실추〕하다(= déchoir) ; (왕 · 장관 따위가) 실각하다 ; 권위를〔신용을〕 잃다 ; (정부가) 무너지다 ; (요새가) 함락하다 : Le premier minstre *est tombé*. 수상이 실각했다. ⑨ 《~ + 형용사》 (사람이) (갑자기) …되다(= devenir, être) : ~ malade 〔amoureux〕 병나다〔반하다〕 / ~ d'accord sur …에 대하여 합의하다. ⑩ (날짜 · 축제일 따위가) …날에 해당하다, …날이다(= coindicer avec) : Son anniversaire *tombe* un dimanche. 그의 생일은 일요일이다. ⑪ 《~ sur qn》 …에게 덤벼〔달려〕들다 ; …을 덮치다 ; …을 비난〔공격〕하다 ; (혐의가) …에게 씌워지다 ; 《~ sur qn 〔qc〕》 …을 우연히 만나다〔발견하다〕 ; (화제가) …에 미치다, …의 이야기로 돌아가다 : ~ *sur* l'ennemi 적을 기습하다 / La conversation *tomba sur* le film. 화제가 그 영화 이야기로 돌아갔다 / Le sort *tomba sur* lui. 그가 당첨됐다 / ~ *sur* un mot 문득 어떤 말이 생각나다. ⑫ 《~ dans》 (함정 · 불행 따위)에 빠지다, …에 걸려들다 ; (강물이) …으로 흘러들어가다 ; (길이) …으로 통하다 : ~ *dans* les mains de qn …의 손아귀에 빠지다, …에게 걸려들다 / ~ *dans* l'oubli 잊혀지다 / ~ *dans* le discrédit 신용을 잃다, 평판이 떨어지다 / rue qui *tombe dans*〔sur〕 le Bulevard Saint-Michel 생미셸가로 통하는 길. ⑬ 《~ en》 …에 빠지다, (고통에) 사로잡히다 ; …상태로 되다 : ~ *en* défaillance 〔*en* syncope〕 인사불성이 되다, 실신〔기절〕하다 / ~ *en* lambeaux 〔*en* morceaux, *en* poussière〕 누더기〔산산조각 · 먼지〕가 되다 / ~ *en* disgrâce 총애를 잃다 / ~ *en* panne (차 따위가) 고장 나다. ⑭ 《~ sous》 (사람이) …을 받게 되다 ; (사물이) (우연히) …에 미치게 되다, …에 들어오다, …(눈에) 띄다 : ~ *sous* le joug 〔la domination〕 de l'ennemi 적의 속박을〔지배를〕 받게 되다 / Il mange tout ce qui *tombe sous* la dent. 그는 닥치는 대로 무엇이나 다 먹는다 / Cet article m'*est tombé sous* les yeux. 이 기사가 우연히 내 눈에 띄었다. ⑮ (신문 따위가) 인쇄가 끝나다 ; (전보 따위가) 도착하다 : L'édition du soir *tombe* à cinq heure. 저녁판 신문이 5 시에 인쇄가 끝난다 / Le télégramme *tombera* bientôt. 곧 전보가 도착할 것이다. ⑯ (뉴스 따위가) 발표되다 ; 보도되다. ⑰ 《은어》 체포되다 : Il *est tombé* pour proxénétisme. 그는 매춘업죄로 체포되었다. ***faire ~*** 떨어뜨리다, 쓰러뜨리다 : Vous *avez fait* ~ votre journal. 신문을 떨어뜨렸습니다. ***laisser ~*** ⓐ 놓치다, 떨어뜨리다 : *laisser* ~ un mouchoir 손수건을 떨어뜨리다. ⓑ 《구어》 (사람을) 버리다 : Il *a laissé* ~ sa femme. 그는 아내를 버렸다. ⓒ 집어치우다, 그만두다(= abandonner) : *Laisse ~ !* 그만둬, 집어치워 / *J'ai laissé* ~ le tennis. 나는 테니스를 집어치웠다. ***~ aux pieds de*** qn …의 발 아래 꿇어 엎드리다. ***~ bien*** 마침 잘되다, 안성맞춤이다 : Tu *tombe bien !* On te cherchait. 마침 잘 왔군, 너를 찾고 있는 중이야. ***~ juste*** (계산 · 운산이) 딱 맞게 끊어지다 : Ton calcul *tombe juste ?* 네 계산이 정확하게 맞니 ? ***~ mal*** 일이 딱하게〔난처하게〕 되다, 잘못되다 : Ça *tombe* assez *mal*. 일이 아주 잘못 되었다. ***~ sous le sens*** 이해가 되다, 명백하다.
── *v.t.* 《조동사는 보통 avoir》 ① 넘어〔떨어〕뜨리다 ; 〖레슬링〗 (상대를) 폴로 이기다. ② 《구어》 (여자를) 손에 넣다, 유혹하다. ③ 《구어》 (상의를) 벗다 : ~ la veste 상의를 벗다.
── *m.* ① (씨름 · 레슬링에서) 어깨가 매트에 닿기, 폴 : gagner par ~ 폴로 이기다. ② 《드물게》 해가 지는 것(= tombée)

tombereau [tɔ̃bʀo] *m.* (*pl.* **~*x***) ① 덤프차, 덤프차 한 대의 분량 : un ~ de sable 덤프차 한 대 분의 모래. ② 〖철도〗 무개화차 (한 대의 분량).

tombeur [tɔ̃bœːʀ] *m.* ① 레슬링 선수. ② 호색한, 색마(= ~ de femmes).

tombola [tɔ̃bɔla] *f.* 일종의 복권.

tome** [tɔm] *m.* ① (책의) 권(卷) : *T*~ I [II] 제 1[2] 권 / ouvrage en cinq ~*s* 다섯 권의 저작. ② 《비유》 부분, 구분 : le premier ~ de sa vie 그의 인생 전반기. ***faire [***être***] ***le second ~ de*** qn …와 꼭닮다.

tom(m)ette [tɔmɛt] *f.* (남프랑스의) 바닥[마루]용 붉은 벽돌, 포석(鋪石).

tomographie [tɔmɔgʀafi] *f.* 〖의학〗 국소 뢴트겐 촬영술, 단층 촬영 : ~ informatisée, CT 촬영.

tom-pouce [tɔmpus] *m.* 《복수불변》 꼬마, 난쟁이. ② (여자용의) 접는 우산.

⁑**ton¹, ta, tes** [tɔ̃, ta, te] *adj. poss.* 《모음으로 시작되는 말 앞에서는 ta 대신에 ton 을 씀. ton 은 모음 앞에서는 [tɔ̃n] 또는 [tɔn]》 ① 《소유・관계》 너의, 그대의, 자네의 ; (신・제왕에 대하여) 당신의 : ~ père 너의 아버지 / *tes* crayons 너의 연필 / Que *ta* volonté soit faite. 주여, 당신의 뜻대로 이루어지이다. ② 《습관・강조》 (네가) 걸핏하면 (말하는), 단골로 (…하는) : Voilà encore de *tes* facéties. 또 네 그 단골 메뉴의 익살이구나. ③ 《동작명사의 주어・목적어》 *T*~ juge 당신을 심판하는 사람 / ~ départ 너의 출발 / à *ta* vue 너를 보고.

ton²** [tɔ̃] *m.* ① 음조(音調), 음색(音色), 소리 : ~ aigu [élevé] 날카로운[높은] 음조 / ~ grave [bas] 낮은 음조. ② ⓐ 어조, 말투, 말씨 : parler d'un [sur un] ~ doux [railleur, de plaisanterie] 부드러운[비웃는, 농담하는 듯한] 투로 말하다 / prendre le ~ d'un moraliste 설교하는 어조로 말하다. ⓑ (문장의) 문체 : ~ soutenu [noble] 격조 높은 문체. ③ 거동, 태도(= manière) ; 품위 : avoir du ~ 거동이[말투가] 품위가 있다. 〖음악〗 음도(音度), 성조(聲調), 음정, (장단의) 조(調), 주조(主調) ; 전음(全音) : ~ d'ut 다조 / ~ majeur [mineur] 장[단]조 / ~*s* et demi ~*s* 온음과 반음. ④ 〖언어〗 성조(聲調) ; 고저 악센트 : Le chinois possède quatre ~*s*. 중국어에는 4 성이 있다. ⑤ 〖미술〗 색조(色調), 빛깔 : ~*s* chauds [froids] 따스한[차가운] 빛깔. ⑥ 원기, 정력, 활력 : manquer de ~ 원기가 없다. ***changer de ~ ; 《구어》 ***chanter sur un autre ~*** 어조[태도]를 바꾸다. ***de bon*** [***mauvais***] ~ 점잖은[상스러운] : vêtements *de bon* ~ 점잖은 복장. ***donner le ~*** ⓐ (현악기의 음조를 맞추기 위하여) A 음을 울리다. ⓑ 모범을 보이다, 리드하다, 중심이 되다 : Dans ce groupe, c'est lui qui *donne le* ~. 이 그룹에서는 그가 리더이다. ***être*** [***se mettre***] ***dans le ~*** ⓐ 주위의 빛깔과 조화를 이루다. ⓑ (사람이) 적응[순응]하다 : Il n'*est* pas *dans le* ~. 그는 주위 사람과 잘 어울리지 못한다. ***le prendre sur un ~***+'형용사' …한 태도를 취하다. ***prendre le ~ de*** qn ; ***se mettre au ~ de*** qn …을 본뜨다, …의 흉내를 내다. ***sur tous les ~s*** 온갖 방법으로 : faire savoir *sur tous les* ~*s* 모든 수단을 써서 납득시키다.

tonal, e, aux [tɔnal, -o] *adj.* 음계의, 음조의 : système ~ 음계법.

tonalité [tɔnalite] *f.* ① 〖음악〗 음조, 조성(調性) ; 〖미술〗 색조(= tinte). ② 음색, 음질 ; 《비유》 인상, 뉘앙스 : bonne ~ d'un récepteur de radio 라디오의 좋은 음질 / parler avec une ~ douce 부드러운 어조로 말하다. ③ (전화의) 발신음.

tondeur, euse [tɔ̃dœːʀ, -øːz] *n.* (양・말 따위의) 털 깎는 사람 ; (직물의) 전모공(剪毛工) ; (잔디 따위를) 깎는 사람. ── *f.* 전모기(機) ; 이발기(= ~ de coiffeur), 잔디 깎는 기계(= ~ à gazon).

***tondre** [tɔ̃ːdʀ] [25] *v.t.* ① (동물의) 털을 깎다, (직물을) 전모(剪毛)하다, (잔디를) 깎다 : ~ un mouton 양털을 깎다 / ~ le gazon 잔디를 깎다. ② (사람의) 머리를 짧게 깎다. ③ 《~ qn》 (세금 따위를 가혹하게 매겨) …을 착취하다.

tondu, e [tɔ̃dy] *adj.* 털을 깎인 ; 머리를 짧게 깎인 ; 풀을 깎인 : cheveux ~s 짧게 깎은 머리. ── *n.* 머리를 짧게 깎은 사람.

tonicité [tɔnisite] *f.* (근육의) 탄력성 ; 긴장도 ; 활력[기운]을 돋우는 힘, 자극성.

tonifiant, e [tɔnifjɑ̃, -ɑ̃ːt] *adj.* 활력을 주는, 원기를 돋우는. ── *m.* 강장제.

tonifier [tɔnifje] *v.t.* …의 몸을 튼튼하게 하다, …의 원기를 돋우다 ; 탄력 있게 하다 : ~ l'esprit 정신을 자극하다 / ~ la peau [l'épiderme] à l'eau froide 냉수로 피부를 단련하다 / ~ l'organisme 기관을 튼튼하게 하다.

tonique [tɔnik] *adj.* ① 〖언어〗 악센트가 있는, 양음(揚音)의 : accent ~ 강세 악센트. ② 활력을 주는, 자극하는 : médicament [remède] ~ 강장제. ③ 원기[활기]를 돋우는 : idée ~ 사람의 기운을 돋우는 사상. ── *m.* 강장제, 자극제 : ~*s* du cœur 강심제. ── *f.* ① 〖언어〗 주음절(節), 악센트가 있는 모음[음절]. ② 〖음악〗 주조음(主調音), 주음(主音).

tonitruant, e [tɔnitʀyɑ̃, -ɑ̃ːt] *adj.* (목소리가) 우레 같은 ; (바람이) 격심한 : d'une voix ~*e* 쩌렁쩌렁한 목소리로.

tonitruer [tɔnitʀye] *v.i.* 《구어》 큰 소리로 말하다, 큰 소리를 내다.

tonnage [tɔnaːʒ] *m.* ① 톤수, 적량(積量), 적재량 : ~ brut 총톤수 / bâtiment d'un gros [fort] ~ 중량급[톤수가 큰] 선박. ② (여객기가 이륙할 때의) 최대 총중량. ③ (한 항구에 출입하는[한 나라가 보유하는] 배의) 총 톤수. ④ 톤세(稅)(= droit de ~).

tonnant, e [tɔnɑ̃, -ɑ̃ːt] *adj.* (목소리가) 우레 같은 : voix ~*e* 우레 같은 큰 목소리. ***Jupiter ~*** 천둥의 신(神) 주피터.

tonne** [tɔn] *f.* ① 큰통 ; 한 통의 분량. ② 톤 《1,000 kg ; 기호 t》 ; (선박의) 배수톤 : un camion de trois ~*s* 적재량 3 톤 화물 자동차 / ~ d'arrimage [d'encombrement] 용적(容積)톤 / paquebot de dix mille ~*s* 1 만 톤의 상선. ***des ~s de... 《구어》 많은…, 대량의… : *des* ~*s de* fruits 엄청나게 많은 과일.

tonneau** [tɔno] *m.* (*pl.* ~x***) ① 통 ; 한 통의 분량 : ~ de bière [de vin] 맥주[포도주] 통 / mettre du vin en ~ 와인을 통에 담다 / ~ de poudre 화약 통. ② 배의 용적톤《2.83 세제곱미터》. ③ 〖항공〗 횡전(橫轉)《곡예비행의 한 종목》 ; (옆으로 한 바퀴 돌아 전복하는) 자동차 사고 : faire plusieurs ~*x* sur la

T

pente 비탈에서 몇 바퀴 구르다. ***du même* ~** 《구어》 같은 종류의, 비슷한. ***être d'un bon* ~** 《구어》 품질이 좋다.

tonnelet [tɔnlɛ] *m.* 작은 통 ; 드럼통.

tonnelier [tɔnəlje] *m.* 통 제조〔수리〕공.

tonnelle [tɔnɛl] *f.* 지붕이 푸른 나뭇잎으로 된 정자 ; 〖건축〗 궁륭(穹窿).

tonnellerie [tɔnɛlʀi] *f.* 통 제조업 ; 통 공장.

***tonner** [tɔne] *v. impers.* 천둥 치다 : Il *tonne* assez souvent en été. 여름에는 빈번히 천둥이 친다. ── *v.i.* ① 우렁차게〔쾅쾅・요란하게〕 울리다 : Le canon *tonne.* 대포가 쾅쾅 울린다. ② 《~ contre》 …에게 노발대발하다, 격렬하게 비난하다, 고함치다. ***On n'entendrait pas dieu* ~.** (천둥소리도 들리지 않을 정도로) 소리가 요란하다.

***tonnerre** [tɔnɛːʀ] *m.* ① 천둥, 우레, 뇌명(雷鳴), 《구어》 벼락(= foudre) : grondement 〔roulement〕 de ~ 천둥 치는 소리, 뇌명 / Le ~ tomba sur un arbre. 벼락이 나무에 떨어졌다. ② 우레 같은 소리 : un ~ d'applaudissement 우레와 같은 박수. ***coup de* ~** 돌발 사건, 청천벽력 : Ces révélations furent un *coup de* ~. 이 폭로는 청천벽력이었다. ***de* ~** 우레 같은, 우렁찬 : une voix *de* ~ 우렁찬 목소리. ***du* ~ (*de Dieu*)** 굉장한, 기가 막힌《감탄・찬미의 최상급》: C'est *du* ~ ! 굉장하다 / une fille du ~ 굉장히 멋있는 여자. ***Mille* ~*s* ! ; *Nom d'un* ~ ! ; *T*~ (*de Dieu*) !** 제기랄, 빌어먹을.

tonsure [tɔ̃syːʀ] *f.* ① 〖가톨릭〗 삭발부(削髮部)《성직자가 될 때 머리 한가운데를 둥글게 깎은 부분》; 삭발식(式). ② 《구어》 (머리 꼭대기가 둥글게 머리털이 빠진) 대머리. ***recevoir* 〔*prendre*〕 *la* ~** 성직자가 되다, 삭발식을 갖다.

tonsuré, e [tɔ̃syʀe] *adj.* 삭발식을 가진. ── *m.* 삭발식을 받은 사제(司祭).

tonsurer [tɔ̃syʀe] *v.t.* …에게 삭발하다.

tonte [tɔ̃ːt] *f.* ① (양 따위의) 털깎기, 전모(剪毛) ; 깎은 털 ; 털 깎는 시기, 전모기(期) : ~ des moutons 양털 깎기. ② 잔디 깎기(= ~ des gazons).

tontine [tɔ̃tin] *f.* 톤틴식 연금법 ; (그 조합원이 받는) 배당금.

tonton [tɔ̃tɔ̃] *m.* 《소아어》 큰〔작은〕 아버지, 아저씨(≠ tata) : le ~ et la tata 《속어》 아저씨와 아줌마.

tonus [tɔnys] 〔라틴〕 *m.* ① 〖의학〗 토누스, (근육의) 긴장(= tonicité) : ~ musculaire 근육 긴장. ② 힘, 정력, 기력, 박력 : manquer de ~ 박력이 없다.

top[1] [tɔp] *interj.* ① 땡《시보(時報) 따위의 신호 소리》: prendre un ~ (시보에) 시간을 맞추다. ② 개시의 신호.

top[2] [tɔp] 〔영〕 *adj.* 《불변》 톱, 최고의, 정상의 톱 : ~ niveau 톱 레벨 / ~ model 톱 모델 / ~ secret 극비.

topaze [tɔpaːz] *f.* 〖광물〗 황옥(黃玉), 토파즈 : couleur ~ 투명한 황색.

tope [tɔp] *interj.* 그럽시다, 됐소, 좋소.

-tope *suff.* 「위치・지형」의 뜻

toper [tɔpe] *v.i.* (승낙의 표시로) 서로 손〔술잔〕을 마주치다 ; (상대의 도전에) 응하다, 동의하다. ***Tope-là !*** 그래 좋소! 그렇게 합시다!

topinambour [tɔpinɑ̃buːʀ] *m.* 〖식물〗 뚱딴지 ; 돼지감자.

topique [tɔpik] *adj.* ① 〖의학〗 (약이) 국소용(局所用)의. ② 문제의 핵심을 찌르는, 적절한. ── *m.* ① 〖의학〗 국소약(藥)(= médicament ~). ② 상투 어구. ③ 〖철학〗 논점. ── *f.* 〖철학〗 대체〔전재〕론 ; 〖정신분석〗 국소론.

topo [tɔpo] *m.* ① 지형도(= topoguide). ② 《구어》 연설(= discours), 논술 : faire un ~ sur …에 관하여 논술하다 / prononcer un ~ 연설하다. ***C'est toujours le même* ~.** 늘 똑같은 이야기다.

topo- *préf.* 「장소・자형」의 뜻.

topographe [tɔpɔgʀaf] *m.* 지지(地誌)학자, 지형학자.

topographie [tɔpɔgʀafi] *f.* ① 지형학, 지지(地誌). ② 지형도, 지도.

topographique [tɔpɔgʀafik] *adj.* 지형학의 ; 지형 측량의 : carte ~ 지형도.

topologie [tɔpɔlɔʒi] *f.* 〖수학〗 위상(位相), 위상 기하학.

toponymie [tɔpɔnimi] *f.* 지명학, 지명(地名) 연구.

toponymique [tɔpɔnimik] *adj.* 지명(학)의.

toquade [tɔkad] *f.* 《구어》 심취, 일시적 열광〔열중〕 : avoir une ~ pour qn …에게 홀딱 반하다.

toquante [tɔkɑ̃ːt] *f.* 《구어》 회중시계(= tocante).

toquard, e [tɔkaːʀ, -aʀd] *adj.* et *n.* = tocard.

toque [tɔk] *f.* (쿡・법관의) 챙 없는 모자 : ~ de juge 법관 모자 / ~ de cuisinier 요리사 모자.

toqué, e [tɔke] *adj.* ① 약간 머리가 돈. ② 《~ de》 …에 열중〔열광〕한 : Il est ~ *de* cette chanteuse. 그는 그 여가수에 홀딱 반해 버렸다 ── *n.* 《구어》 약간 머리가 돈 사람.

toquer [tɔke] *v.i.* 《구어》 가볍게 두드리다 : ~ à la porte 문을 노크하다. ── *v.t.* 머리를 돌게 하다. ── **se** ~ *v.pr.* 《se ~ de》 …에 심취〔열광〕하다.

Torah [tɔʀa] *f.* 모세의 5서(書)〔율법〕(= Thora).

torche** [tɔʀʃ] *f.* ① 횃불 : ~ de paille 지푸라기 횃불. ② ~ électrique (막대기 모양의) 회중전등. ***être transformé en* ~ *vivante 산채로 불에 태워지다, 분신자살을 하다《「불이 타고 있는 횃불로 화하다」란 뜻에서》.

torché, e [tɔʀʃe] *adj.* ① 겉날린, 되는대로의 : C'est du travail ~. 그것은 조잡한〔날림의〕 일이다. ② 《구어》 (bien) ~ 잘 됐다 : ***C'est bien* ~ !** 멋지게 됐다, 대성공이다.

torche-cul [tɔʀʃəky] *m.* 《구어》 걸레쪽 같은 글〔책・신문〕 ; 《옛・구어》 뒤지, 화장지.

torcher [tɔʀʃe] *v.t.* ① 닦다, 훔치다 : ~ un plat 〔une assiette〕 접시를 닦다 / ~ le plat 《구어》 접시를 닦는 듯이 깨끗이 먹어 치우다. ② 《구어》 (일을) 서둘러서 날림으로 하다 : ~ son travail 자기 일을 엉터리로 하다. ③ 거친 벽토로 만들다〔바르다〕.

torchère [tɔʀʃɛːʀ] *f.* ① 횃불 등롱(燈籠). ② 가지 달린 큰 촛대〔촉대〕.

torchis [tɔʀʃi] *m.* 〖건축〗 (짚을 섞은) 벽토

(壁土), 새벽.

torchon** [tɔʀʃɔ̃] *m.* ① 행주, 걸레 : donner un coup de ~ sur la table 책상을 걸레로 닦다. ② 《구어》 하찮은〔쓸모없는, 엉터리 같은〕 글. ***coup de ~ ⓐ 세게 때리기, 격렬한 싸움. ⓑ 해고, 추방. ***Il ne faut pas*** 〔***Ne pas***〕 ***mélanger les ~s et les serviettes.*** 《속담》 사람에 따라 거기에 상응한 대접을 해야 한다 ; 걸레와 수건〔좋은 것과 나쁜 것〕을 구별하지 않고 써서는 안된다. ***Le ~ brûle.*** 《구어》 (부부 따위가) 사이가 틀어져 있다, 싸움을 하고 있다. ***se donner un coup de ~*** 《속어》 서로 치고받고 하다.

torchonner [tɔʀʃɔne] *v.t.* ① 닦다, 훔치다. ② 《구어》 (일을) 되는대로 날림으로 해치우다(= torcher, bâcler).

tordage [tɔʀda:ʒ] *m.* (실을) 꼬기 ; 꼰 실.

tordant, e [tɔʀdɑ̃, -ɑ̃:t] *adj.* 《구어》 몹시 우스운, 포복절도할 : C'est une histoire ~*e.* 포복절도할 얘기다.

tord-boyaux [tɔʀbwajo] *m.* 《복수불변》 《구어》 독한 화주(火酒) ; 쥐약.

tordoir [tɔʀdwa:ʀ] *m.* ① 탕개목. ② 자새. ③ 빨래 짜는 기계, 탈수기.

tordre** [tɔʀdʀ] 25 *v.t.* ① 비틀다 ; 쥐어짜다 ; 꼬다 : ~ du linge 내의를 짜다 / ~ le bras à qn …의 팔을 비틀다. ② (비틀어) 구부리다, 휘게 하다, 비뚤어지게 하다, 옥죄다 : ~ une barre de fer 철봉을 구부러뜨리다. ③ (법률・어구의) 뜻을 왜곡하다, 곡해하다. ***~ le cou à qn …의 목을 비틀다, 목졸라 죽이다. ***~ le nez*** 〔***la bouche***〕 불만스런 표정을 짓다, 입가를 찌푸리다. ── **se ~** *v.pr.* ① 몸을 비틀어 꼬다 ; 자지러지게 웃다, 포복절도하다 : *se* ~ de rire 몸을 비틀어 꼬며 웃다, 포복절도하다 / *se* ~ de douleur 고통을 못 이겨 몸을 비틀다. ② 《se는 간접목적보어》 (손・발을) 삐다 : *se* ~ le pied 발을 삐다. ③ 《수동적》 (물건이) 휘다, 뒤틀리다, 구부러지다 : lierre qui se *tord* 꼬불꼬불 구부러진 담쟁이덩굴. ***se ~ les mains*** 〔***les bras***〕 (절망으로) 손〔팔〕을 뒤틀다.

tordu, e [tɔʀdy] *adj.* ① 꼬인, 비틀어진 : tronc d'arbre ~ 뒤틀린 나무줄기. ② (얼굴이) 찌푸린 ; 《비유》 피로한 ; (경주마가) 지쳐버린 : bouche ~*e* 일그러진 입 / nerfs ~*s* 피로한 신경 / cheval ~ 지쳐버린 말. ***avoir l'esprit ~*** 괴팍스럽다 ; 머리가〔생각이〕 이상야릇하다〔돌았다〕. ***Il est complètement ~.*** 《구어》 그는 머리가 완전히 돌았다.

toréador [tɔʀeadɔ:ʀ] 〔에스파냐〕 *m.* 투우사 ; 《특히》 마타도르(= matador).

toréer [tɔʀee] *v.i.* 투우사 노릇을 하다.

torero [tɔʀeʀo] 〔에스파냐〕 *m.* = toréador.

torgn(i)ole [tɔʀɲ(j)ɔl] *f.* 《구어》 따귀치기 ; 구타, 매질 : flanquer 〔recevoir〕 des ~*s* 한 대 먹이다〔얻어맞다〕.

toril [tɔʀil] 〔에스파냐〕 *m.* (투우장 내의) 투우 대기소.

tornade [tɔʀnad] 〔에스파냐〕 *f.* 〖기상〗 (서아프리카・미국의) 선풍(旋風), 회오리바람 ; 《비유》 돌발적인 대참사. ***entrer*** 〔***faire irruption***〕 ***comme une ~*** 총알처럼 뛰어들어가다.

torpeur [tɔʀpœ:ʀ] *f.* 마비〔무감각〕 상태 ; 혼수 상태 ; 허탈, 무기력 : état de ~ 마비 상태. ***être plongé dans la ~*** 마비 상태〔허탈〕에 빠져 있다. ***faire sortir*** 〔***tirer***〕 qn ***de sa ~*** …을 마비〔허탈・무기력〕 상태에서 벗어나게 하다.

torpide [tɔʀpid] *adj.* 마비된 ; 무기력한.

torpillage [tɔʀpija:ʒ] *m.* ① 어뢰〔기뢰(機雷)〕 공격 ; 어뢰〔수뢰〕에 의한 격침. ② (계획 따위의) 저지, 방해 : ~ d'un plan de paix 평화안의 방해 공작.

torpille [tɔʀpij] *f.* ① 〖해군〗 어뢰(魚雷), 기뢰(機雷)(= ~ fixe) ; 〖항공〗 공뢰(空雷)(= ~ aérienne) : ~ automobile 어뢰 / ~ vigilante 〔automatique〕 촉발 기뢰. ② 〖어류〗 시끈〔전기〕 가오리(= poisson ~). ***lancer une ~*** 어뢰를 발사하다. ***~ lumineuse*** (잠수 촬영용) 수중 라이트.

torpiller [tɔʀpije] *v.t.* ① 어뢰〔공뢰〕로 공격하다. ② (법안・계획 따위를 이면 공작으로) 좌절시키다 : ~ un projet 계획을 좌절시키다 / ~ des négociations de paix 평화 협상을 실패로 돌아가게 만들다.

torpilleur [tɔʀpijœ:ʀ] *m.* 수뢰〔어뢰〕정(艇) ; 《구어》 (일・계획 따위를) 방해하는 사람.

torréfacteur [tɔʀefaktœ:ʀ] *m.* (커피 따위를) 볶는 그릇.

torréfaction [tɔʀefaksjɔ̃] *f.* 볶기, 굽기, 찌기.

torréfiant, e [tɔʀefjɑ̃, -ɑ̃:t] *adj.* 볶는 ; (태양・열이) 타는〔찌는〕 듯한, 작열하는.

torréfier [tɔʀefje] *v.t.* 볶다, 굽다, 찌다 : ~ du café 커피를 볶다.

torrent** [tɔʀɑ̃] *m.* ① 급류, 격류, 분류(奔流) : ~*s* impétueux 격류 / verser des ~*s* de larmes 비오듯 눈물을 쏟다 / ~*s* révolutionnaires 노도(怒濤) 같은 혁명의 물결. ② 《비유》 《~ de》 (세차게) 솟아나옴〔쏟아짐〕 : ~ *d'*injures 쉴 새 없이 퍼붓는 욕설. ***Il pleut à ~s. 비가 억수로 쏟아진다.

torrentiel, elle [tɔʀɑ̃sjɛl] *adj.* 급류의, 격류의 ; 급류〔폭포・억수〕 같은 : Il tombait une pluie ~*elle.* 비가 억수로 쏟아지고 있었다.

torrentueux, euse [tɔʀɑ̃tɥø, -ø:z] *adj.* 《문어》 급류〔격류〕 같은 ; 맹렬한 ; 격동의.

torride [tɔʀid] *adj.* 찌는 듯한, 몹시 더운(= brûlant) ; 열대의(= tropical) : chaleur ~ 염열(炎熱), 혹서(酷暑) / climat ~ 열대성 기후 / zone ~ 열대.

tors, e[1] [tɔ:ʀ, tɔʀs] *adj.* 《*f.*는 속어로 torte 라고도 함》 ① 꼬인(= tordu) ; 비틀린, 휜(= contourné) : jambes ~*es* 휜 다리 / fil ~ 꼬인 실 / rues *tortes* 구불구불한 길. ② 〖건축〗 (원주 따위가) 나선형의 : colonne ~*e* 나선형 원주(圓柱).

torsade [tɔʀsad] *f.* ① 꼬아서 만든 술, 엮음술 ; 견장(肩章)의 술. ② 〖건축〗 밧줄꼴 쇠시리(= moulure). ***~ de cheveux*** 한 줄로 길게 땋은 머리.

torsadé, e [tɔʀsade] *adj.* 꼬인, 엮은 : colone ~ 꼬인 형태의 기둥.

torsader [tɔʀsade] *v.t.* 꼬다 ; 엮다.

torse[2] [tɔʀs] 〔이탈리아〕 *m.* ① 〖조각〗 토르소(머리・손발이 없는 조상(彫像)) ; 상반신상(像). ② 흉부, 몸통, 상반신(= buste) : bomber le ~ 가슴을 내밀다 ; 뽐내다.

torsion [tɔʀsjɔ̃] *f.* ① 꼬기, 드리기 ; 꼬임, 비틀림 : balance de ~ 〖물리〗 비틀림 저울. ②

(신체 부위의) 염좌(捻挫), 삠 : ~ du pied 〔de la cheville〕 발〔발목〕의 염좌.

tort** [tɔːʀ] *m.* ① 잘못, 틀림 ; 부정, 비행 ; 과실, 과오, 실수(= faute) : reconnaître ses ~*s* 자신의 과오를 시인하다 / C'est un ~ d'avoir agi aussi vite. 그렇게 빨리 행동한 것은 잘못이다. ② 손해, 피해 ; 폐해, 폐, 지장(= dommage, préjudice) : demander réparation d'un ~ 손해 배상을 요구하다. ***à ~ 부당하게 ; 잘못 알고 : accuser qn *à ~* …을 잘못 비난하다. ***à ~ et à travers*** 함부로, 닥치는 대로 : dépenser 〔parler〕 *à ~ et à travers* 함부로 돈을 탕진하다〔입을 놀리다〕. ***à ~ ou à raison*** 옳건 그르건 간에. ***avoir des ~s envers*** qn …에게 가혹한 짓을 하다. ***avoir ~*** (***de*** + *inf.*) (…하는 것은) 잘못이다〔나쁘다〕. ***donner ~ à*** qn …의 잘못을 비난하다 ; …의 잘못으로 돌리다 : On ne peut que lui *donner ~*. 그가 잘못했다고 할 수밖에 없다. ***être dans son ~ ; être en ~*** 자기 잘못이다, 자기가 나쁘다. ***faire*** (***du***) ***~ à*** qn …에게 피해를 주다 ; 폐를 끼치다 : *faire ~ à* la réputation de qn …의 평판〔명성〕을 더럽히다 / Si tu arrives en retard, ça lui *fera du ~*. 네가 늦게 오면 그에게 폐가 될 거야. ***faire ~ à*** qn ***de*** qc (부당하게) …에게 …을 잃게 하다〔의 피해를 입히다〕. ***mettre*** qn ***dans son ~*** …에게 잘못을 뒤집어 씌우다. ***redresser les ~s*** 잘못된 일들을 바로잡다 ; 피해를 보상하다. ***se donner des ~s ; se mettre en ~*** 비난받을 만한 일을 하다 ; 실수를 하다. ***se faire du ~*** 자신에게 해로운 일을 하다, 손해보다.

torticolis [tɔʀtikɔli] *m.* 〖의학〗 사경(斜頸) ; (근육통을 동반하는) 목의 비틀림〔아픔〕. ***avoir*** 〔***attraper***〕 ***le ~*** (무리한 자세 따위 때문에) 목이 아프다.

tortillard [tɔʀtijaːʀ] *m.* 《구어》 꼬불꼬불한 철도 노선 ; 꼬불꼬불한 지방 철도의 기차.

tortillement [tɔʀtijmɑ̃] *m.* 꼬기 ; 비틀기 ; (엉덩이를) 흔들기 ; 비틀린〔비꼬인〕 모양 : marcher avec un léger ~ des hanches 허리를 가볍게 흔들며 걷다.

tortiller** [tɔʀtije] *v.t.* ① 꼬다, 엮다 ; 비틀다, 비꼬다 ; (머리를) 말다 : ~ sa moustache 수염을 꼬다. ② (특히 초조할 때) 손으로 만지작거리다 : ~ son chapeau entre ses doigts 손가락으로 모자를 만지작거리다. — *v.i.* ① 몸을 비비 꼬다 ; (허리 · 엉덩이를) 흔들다(= balancer, remuer) : ~ ses hanches 《구어》 허리를 흔들며 걷다. ② 《구어》 요리 조리 핑계 대다 ; 우물쭈물하다, 주저하다. ***Il n'y a pas à ~. 우물쭈물할 것 없다. — ***se ~*** *v.pr.* 자기 몸을 꿈틀거리다〔뒤틀다〕.

tortillon [tɔʀtijɔ̃] *m.* 꼰 것 ; (여자가 짐을 머리에 일 때 받치는) 똬리 : ~ de papier 꼰 종이.

tortionnaire [tɔʀsjɔnɛːʀ] *adj.* 고문하는 ; 난폭한 : police ~ 고문 경찰 / appareil ~ 고문 기구. — *m.* 고문하는 사람.

tortu, e¹ [tɔʀty] *adj.* ① 《옛》 구부러진, 꼬불꼬불한 ; (마음이) 비뚤어진, 휜 : jambes ~*es* 휜 다리. ② 당치 않은 : esprit ~ 삐뚤어진 생각.

tortue²** [tɔʀty] *f.* 〖동물〗 거북 : ~*s* terrestres 육지거북 / ~*s* marines 바다거북. ***à pas de ~ 느릿느릿. ***Quelle ~! ; C'est une vraie ~!*** 지독한 느림보로군.

tortueusement [tɔʀtɥøzmɑ̃] *adv.* ① 구불구불, 꼬불꼬불. ② 엉큼하게, 음흉하게.

tortueux, euse [tɔʀtɥø, -øːz] *adj.* ① 꼬부라진, 구불구불〔꼬불꼬불〕한 ; 휜(= sinueux) : sentier ~ 꼬불꼬불한 샛길. ② (언행이) 비뚤어진, 음흉한, 교활한(= hypocrite, oblique, retors) : conduite ~*euse* 음흉한 짓 / langage ~ 솔직하지 못한 말.

torturant, e [tɔʀtyʀɑ̃, -ɑːt] *adj.* 마음을 괴롭히는, 몹시 고통스러운 : remords ~ 뇌리에서 떠나지 않는 후회.

torture [tɔʀtyːʀ] *f.* ① 고문 ; 가책(= supplice) : mettre qn à la ~ ; infliger 〔faire subir〕 la ~ à qn …에게 고문을 가하다 ; …을 몹시 난처하게 하다 / subir 〔supporter〕 des ~*s* 고문을 당하다. ② (정신적, 육체적) 고통, 고민(= tourment) : ~ de la faim 기아로 인한 고통. ***être à la ~*** 《구어》 심한 고통을 겪다 ; 몹시 근심하다. ***se mettre l'esprit à la ~*** 머리를 쥐어짜다 ; 지혜를 짜다.

torturer** [tɔʀtyʀe] *v.t.* ① 고문하다 : ~ un accusé 피고를 고문하다. ② (정신적 · 육체적으로) 몹시 괴롭히다, 큰 고통을 주다(= martyriser, tourmenter) ; 학대하다 : ~ un enfant 어린이를 학대하다 / La jalousie le *torture*. 질투가 그를 몹시나 괴롭힌다. ③ (글의 뜻을) 곡해하다, 왜곡하다(= fausser) : ~ un texte 문장의 뜻을 왜곡하다. — ***se ~ *v.pr.* ① 《se는 간접목적보어》 *se ~* le cerveau 〔l'esprit〕 골치를 썩이다. ② 자신을 괴롭히다. ***visage torturé*** 찌푸린 얼굴.

torve [tɔʀv] *adj.* 흘겨보는 듯한, (눈, 눈초리가) 사나운 : regard ~ 사나운 눈초리.

tôt** [to] *adv.* 일찍이(= précocement ; ≠ tard) ; 곧, 빨리, 속히 : se lever 〔se coucher〕 ~ 일찍 일어나다〔자다〕 / Il a su lire très ~. 그는 일찍부터 책을 읽을 줄 알았다 / 《비인칭》 Il est trop ~ pour savoir les résultats. 결과를 알기에는 너무 이르다. ***au plus ~ 되도록 빨리 ; 일러도, 빨라도 : Ce sera la semaine prochaine *au plus ~*. 빨라도 내주일이 될 것이다. ***avoir ~ fait de*** + *inf.* 즉시 …하다 : Il *eut ~ fait de* se justifier. 그는 즉시 자기 변명을 했다. ***de si ~*** 그렇게 빨리는《부정과 함께 쓰임》 : Il ne viendra pas *de si ~*. 그는 그렇게 빨리는 오지 않을 것이다. ***le plus ~ possible*** 가능한 한〔되도록〕 빨리〔속히〕. ***Le plus ~ sera le mieux.*** 빠를수록 좋다. ***ne... pas plus ~ que...*** …하자 곧, …하자마자 : Il *n'*eut *pas plus ~* parlé *qu'*il s'en repentit. 그는 이야기를 하자 곧 후회했다. ***plus ~ que*** (***plus***) ***tard*** 되도록 빨리〔일찍이〕 : Venez *plus ~ que tard*. 되도록 빨리 오시오. ***~ après*** 곧, 잠시 후에. ***~ ou tard*** 조만간에, 언젠가는. ***très*** 〔***trop***〕 ***~*** (평소 · 정상보다) 일찍 : *très ~* dans l'après-midi 오후 빨리.

***total, e, aux** [tɔtal, -o] *adj.* 전체〔전부〕의(= entier), 전적인 ; 완전한(= complet) ; 총(總)(= global) : le prix ~ 전체 금액, 총액 / confiance ~*e* 전적인 신임 / une ruine ~*e*

T

전멸, 완전한 파괴 / une heure de liberté ~*e* 한 시간의 완전한 자유. ***éclipse ~e*** 개기식(皆旣飾). ***guerre ~e*** 총력전, 전면전. — *m.* 전체, 총계, 총액(= montant, somme) : un ~ de mille francs 총액 1,000 프랑 / le ~ de la population 총인구. ***au ~*** 《구어》 합계하여, 결론적으로, 결국. ***faire le ~*** 총계하다. — *adv.* 《구어》《문장 첫머리에서》 요컨대, 결국(= bref, pour finir).

***totalement** [tɔtalmɑ̃] *adv.* 완전히, 전연, 아주(= absolument) : Il est ~ guéri. 그는 완쾌했다 / Il a ~ changé. 그는 사람이 완전히 변했다.

totalisateur, trice [tɔtalizatœːʀ, -tʀis] *adj.* 합산〔총계〕하는 : machine ~*trice* 계산기, 합산기. — *m.* 합산기. — *f.* 금전 등록기.

totalisation [tɔtalizɑsjɔ̃] *f.* 합계, 총계.

totaliser [tɔtalize] *v.t.* ① 합산하다, 총계하다(= additionner) : ~ les bénéfices réalisés 올린 이윤을 합산하다. ② …의 총계에 이르다 : La population de cette ville *totalise* environ dix mille personnes. 이 도시의 인구는 약 1 만이다.

totalitaire [tɔtalitɛːʀ] *adj.* ① 전체주의의 ; 절대적인, 독재적인 : régime ~ 전체주의 체제. ② (세계관 · 철학관 따위가) 포괄〔총괄〕적인 : philosophie ~ 포괄적인 철학.

tatalitarisme [tɔtalitaʀism] *m.* ① 전체주의. ② 권위주의 ; 독선.

totalité [tɔtalite] *f.* 전체, 총체, 전부(= ensemble, intégralité). ***en ~*** 전체로서, 일괄하여, 통틀어서. ***pris dans sa ~*** 전체적으로 보아, 대체로.

totem [tɔtɛm] 〔영〕 *m.* 〚종교〛 토템《미개인의 종족 상징으로 숭배하는 동식물 · 자연물》.

totémique [tɔtemik] *adj.* 토템의, 토템 신앙의 : système ~ 토템 체계.

totémisme [tɔtemism] *m.* 토템 신앙〔연구〕.

toubib [tubib] *m.* 《구어》 의사, 《군대속어》 군의관(= médecin).

toucan [tukɑ̃] *m.* ① 〚조류〛 (열대 아메리카산) 거취조(巨嘴鳥). ② (*T*~) 〚천문〛 거취조좌(座).

touchant, e [tuʃɑ̃, -ɑ̃ːt] *adj.* 사람의 마음을 감동시키는, 눈물겨운, 애처로운, 감격적인(= émouvant, attendrissant) : paroles ~*es* 감동적인〔비통한〕 말 / scène ~*e* 감동적인 정경. — *prép.* …에 관하여, …에 대하여(= concernant, au sujet de) : Je n'ai rien appris ~ cette affaire. 이 일〔사건〕에 관해서는 나는 아무것도 아는 바가 없다.

T

touche [tuʃ] *f.* ① 만지기, 손을 대기, 접촉. ② (피아노 · 타자기 · 컴퓨터의) 키, 건반, 건(鍵) ; (기타 따위의) 스톱, 지판(指板) : ~*s* d'une guitar 기타의 스톱. ③ 〚미술〛 (화필의) 터치, (그림의) 필촉(筆觸), 색채 효과, 색조 ; 〚문학〛 (작가의) 필치, 문체(의 특징) ; 〚인쇄〛 잉크 칠 : mettre une ~ de gaieté 밝은 터치를 하다. ④ 《구어》 모양, 외관, 꼴(= allure, tournure) : avoir une drôle de ~ 괴상한 모양을 하고 있다 / avoir la ~ de+*inf.* …하는 것처럼 보이다. ⑤ 〚축구 · 럭비〛 터치(라인)(= ligne de ~) ; 드로인(= remise en ~) ; 터치라인 아웃 : Il y a ~. 터치라인 아웃이다 / Le ballon est sorti en ~. 공이 터치라인 밖으로 나갔다. ⑥ 〚펜싱〛 찌르기 ; 〚당구〛 공을 맞히기, 히트 ; 〚낚시〛 물고기가 미끼를 물기 : manque de ~ 〚당구〛 미스 / sentir une ~ 물고기가 미끼를 무는 것을 느끼다. ⑦ 시금(試金) : pierre de ~ 시금석. ***avoir la*** 〔***une***〕 ***~*** 《구어》 이성의 마음을 끌다. ***faire une ~*** 《구어》 (이성을) 걸려들게 하다, 유혹하다. ***la sainte-~*** 《속어》 월급을 받기 ; 월급날. ***mettre une ~ de gaieté*** 〔***une touche exotique***〕 (장치 옷차림 · 묘사 따위에서) 쾌활한〔이국적인〕 정취를〔맛을〕 가미하다. ***rester*** 〔***être mis***〕 ***sur la ~*** 《구어》 터치라인 밖에 있다, 방관자 입장에 있다, 소외되어 있다.

touche-à-tout [tuʃatu] *n.* 《복수불변》 무엇에나 손을 대는〔참견하는〕 어린애. — *adj.* 무엇에나 참견하는, 나서기 좋아하는.

****toucher** [tuʃe] *v.t.* ① 만지다, …에 손을 대다(= palper) ; 건드리다 ; 가볍게 치다 ; (피아노 · 오르간을) 치다 : ~ du bout des doigts 손가락 끝으로 만지다 / ~ l'épaule de qn pour attirer son attention …의 주의를 끌기 위해 어깨를 툭 치다 / ~ le clavier 〔le piano〕 건반을〔피아노를〕 치다. ② …에 가볍게 부딪치다 ; …에 닿다〔다다르다〕 ; …에 인접해 있다 : navire qui *touche* le port 항구에 닿는 배. ③ (돈 · 월급 따위를) 받다, 수령하다(= gagner, recevoir) ; (양식 · 무기 따위를) 지급받다 ; (수표를) 현금으로 바꾸다 : ~ un traitement 〔des mensualités〕 봉급〔월급〕을 받다 / Combien *touchez*-vous par an ? 연수입이 얼마입니까 ? ④ …와 접촉하다(= atteindre), 연락하다 : Je l'*ai touché* par téléphone. 그와 전화로 연락이 되었다. ⑤ 사물이 …에〔에게〕 관계되다, …와 관련이 있다 ; (사람이) …와 혈연관계가 있다 : Cela ne me touche en rien. 그건 나에게는 전혀 관계가 없다 / en ce qui *touche* la musique 음악에 관해서는 / ~ qn de prés …와 가까운 친척이다. ⑥ 감동시키다, 애처로운 생각이 들게 하다, …에게 충격을 주다 : *être touché* de 〔par〕 …에 감동되다, 충격을 받다 / Ce reproche l'*a touché* (au vif). 이 비난은 그의 아픈 곳을 찔렀다. ⑦ …에 언급하다 ; 말하다 : ~ un mot de qc à qn …에게 …에 관해서 (간단히) 한마디 하다 / Il m'*a touché* un mot de ses projets. 그는 자기 계획에 관해 내게 말하였다. ⑧ 맞히다, 명중시키다 ; 〚펜싱〛 (상대방을) 찌르다 ; 〚권투〛 때리다 ; 치다 ; 〚테니스〛 (공을) 치다 : ~ la cible 〔le but〕 표적을 명중시키다 / Le sanglier *a été touché*, mais il s'est sauvé. 멧돼지는 총에 맞았지만 달아났다 / boxeur qui *touche* son adversaire au menton 상대방의 턱을 타격하는 권투 선수 / ~ la balle de sa raquette 라켓으로 공을 치다. ⑨ 〚의학〛 진료를 하다 ; 내진하다. ⑩ (시금석(試金石)으로) 시험하다. ***Il ne faut pas ~ cette corde-là.*** 《구어》 그런 일〔것〕에는 손대지 말아야 한다. ***ne pas laisser ~ terre à*** qn …을 독촉〔재촉〕하다. ***ne pas ~ terre*** 급히 가다 ; 경쾌하게 춤추다. ***~ juste*** 《비유》 급소를 찌르다. ***~ la corde sensible*** 가장 예민한 곳을 건드리다. ***~ la main*** (***à*** qn) 손

을 잡다, (…와) 악수를 하다. ~ ***terre*** (배가) 입항하다 ; (비행기가) 착륙하다 ; 승부에 지다. ***Touchez là !*** 《옛》 자, 악수합시다《계약 성립의 표시로》.

— *v.t. ind.* 《~ à》 ① 만지다, …에 손을 대다 ; …을 해치다, 건드리다 : Cet enfant *touche à* tout ce qu'il voit. 이 아이는 눈에 띄는 모든 것에 손을 댄다 / Il n'*a* pas *touché à* son déjeuner. 그는 점심을 거의 먹지 않았다 / Ne *touche* pas *à* mon frère. 내 동생을 건드리지 마라. ② …에 언급하다, (문제를) 다루다 : Il serait délicat de ~ *à* ce sujet. 이 문제를 다루는 것은 위험할 것이다. ③ 손질하다, …에 수정을 가하다 : ~ *aux* réglements 정관을 수정하다 / Ton travail est parfait, n'y *touche* plus. 네 일은 완벽해 더 이상 손대지 마라. ④ …에 붙어 있다, 인접해 있다. ⑤ …에 가까이 가다, 접근하다, 닿다, 다다르다, 도착하다 : ~ *au* port 항구에 닿다 / ~ *au* but 목적에 이르다 / Nous *touchons au* printemps. 곧 봄이다. ⑥ …에 가깝다, 비슷하다, …을 닮다 : une prudence qui *touche* presque *à* la lâcheté 거의 비굴에 가까운 신중성. ⑦ …에 관련되다, 관계가 있다 : Le journalisme *touche à* tout dans cette époque. 저널리즘은 오늘날 모든 일에 관여하고 있다 / en ce qui *touche à* cette question 이 문제에 관해서는. ⑧ 혈연관계가 있다, 친척지간이다 : ~ de près *à* qn …와 친척이다. ⑨ 《~ de》 《문어》 (악기를) 치다 : ~ *du* piano 〔*de* l'orgue〕 피아노를〔오르간을〕 치다. ***Il ne touche pas à terre.*** 《구어》 그는 기뻐서 어쩔 줄 모른다.

— **se** ~ *v.pr.* 맞닿다 ; 서로 만지다 ; 상접(相接)하다, 서로 인접해 있다 ; 서로 비슷하다〔닮다〕 : Les extrêmes *se touchent.* 양극은 상통한다 / Leurs maisons *se touchent.* 그들의 집은 인접하고 있다 / Nous *nous touchons* par tant de points. 우리는 많은 점에서 서로 닮았다. ***Ils se touchent la main.*** 그들은 계약을 체결하고 악수를 나눈다 ; 그들은 화해의 악수를 나눈다.

— *m.* ① 촉각 ; 촉감 ; 감촉 : doux 〔rude〕 au ~ 촉감이 부드러운〔딱딱한〕. ② 손대기, 만지기 ; (피아니스트의) 터치 : reconnaître qc au ~ 손으로 만져 보고 …을 분간하다. ③ 〚의학〛 촉진(觸診).

touche-touche (à) [atuʃtuʃ] *loc. adv.* 《구어》 (차 · 사람 따위가) 거의 스치듯이〔연이어〕, 꼬리에 꼬리를 물고.

touer [twe] *v.t.* 〚해양〛 (배를) 끌다 ; 물속에 던진 닻줄을 잡아당겨 (배를) 움직이다.

touffe [tuf] *f.* ① (머리털 따위의) 타래 ; (털 따위의) 술, 뭉치 : perdre ses cheveux par ~*s* 머리털이 뭉텅 빠지다. ② 수풀, 덤불.

touffeur [tufœːʀ] *f.* 《문어》 후끈한 열기.

***touffu, e** [tufy] *adj.* ① 무성한, (초목이) 울창한, (가지가) 우거진 : barbe ~*e* 빽빽하게 난 수염. ② (줄거리 · 문체 따위가) 뒤얽힌, 복잡한 : livre ~ 내용이 꽉 들어찬 책 / discours ~ 복잡하고 장황한 연설.

touiller [tuje] *v.t.* 젓다(= remuer) ; 뒤섞다(= mêler, mélanger) : ~ la salade 샐러드를 뒤섞다 / ~ les cartes 카드를 뒤섞다.

⁑**toujours** [tuʒuːʀ] *adv.* ① 언제나, 항상, 영원히 ; 어떤 경우에도(= en toute occasion) : Il l'avait ~ détesté. 그는 그를 항상 미워하고 있었다 / Il est ~ prêt à vous aider. 그는 어느 때라도 당신을 도울 준비가 되어 있습니다. ② 전과 다름없이, 여전히, 아직도 (= encore) : Il l'aimait ~. 그는 여전히 그를 사랑하고 있었다 / On ne démarrait pas ~. 아직도 출발하지 않고 있었다. ③ 어쨌든, 아무튼, 하여간에, 그래도(= en tout cas, néanmoins) : 《문장 앞에 올 때에는 주어가 도치됨》 C'est ~ mieux que rien. 어쨌든 없는 것보다는 낫다 / Essayez ~. 아무튼 해 보아라. ④ 《부정문 끝에서 일종의 감탄사로》 어쨌든, 아무튼 : Qui a cassé la vitre ? — Ce n'est pas moi, ~ ! 누가 창문 유리를 깼지? — 아무튼 나는 깨지 않았다. Tu n'es pas allé chez moi, ~ ? — Penses-tu ! 좌우간 우리 집에는 가지 않았겠지? — 천만에. ***Allez ~ !*** 그래도〔상관없으니〕 계속하시오. ***à ~ ; pour ~*** 영원히. ***C'est ~ ça ; Cest ~ autant de pris*** 〔***gagné***〕. 아무튼 없는 것보다는 낫다〔그만큼 이득이다〕. ***comme ~*** 여느 때와 다름 없이. ***depuis ~*** 오래 전부터(= depuis longtemps). ***de ~*** 언제나, 변함없는 : ami *de* ~ 오랜 친구. ***Il peut ~ courir*** 〔***se fouiller***〕. 《구어》 아무리 해도 소용없다. ***Les absents ont ~ tort.*** 《구어》 자리에 없으면 언제나 손해보게 마련이다. ***ne... pas ~*** 언제나〔반드시〕 …하지는 않다. ***pour ~*** 영원히, 영구히(= à ~) : Il est parti *pour* ~. 그는 영영 떠나가 버렸다. ***T~ est-il que...*** 어쨌든 …은 사실이다 : Personne ne voulait y croire. *T~ est-il que* c'est arrivé. 아무도 그것을 믿으려 하지 않았지만, 어쨌든 그 일이 일어난 것은 사실이다. ~ ***moins*** + '형용사' 점점 덜(= de moins en moins). ~ ***plus*** + '형용사' 점점〔갈수록〕 더 (= de plus en plus).

toundra [tundʀa] *f.* 〚지리〛 (시베리아의) 툰드라, 동토대(凍土帶).

toupet [tupɛ] *m.* ① (털 따위의) 작은 술〔뭉치 · 타래〕 ; (여자의) 앞머리 : faux ~ (정수리만을 덮는) 가발. ② 뻔뻔스러움 : avoir le ~ de + *inf.* 뻔뻔스럽게도 …하다. ***avoir du ~*** 뻔뻔스럽다. ***payer de ~*** 《구어》 (체면 · 염치 따위를 가리지 않고) 배짱으로 대하다.

toupie [tupi] *f.* ① 팽이 : jouer à la ~ ; faire tourner une ~ 팽이를 돌리며 놀다. ***fouetter*** 〔***lancer***〕 ***une ~*** 팽이를 (돌리기 위해) 던지다〔치다〕.

tour¹** [tuːʀ] *f.* 탑(塔), 종루 ; (초)고층 빌딩 ; 〚체스〛 룩《서양 장기의 말》 : ~ de guet 망루 / ~ de contrôle 〚항공〛 관제탑 / la *T~* Eiffel 에펠탑. ~ ***de Babel 바벨탑 ; 떠들썩한 곳 ; 복잡한 사회. ~ ***d'ivoire*** 상아탑.

⁑**tour²** *m.* ① 둘레(의 길이) ; 윤곽 ; 한 바퀴 돌기, 일주(一周) ; 주유(周遊), (짧은) 산책 : ~ de hanches 허리의 사이즈 / ~ du visage 얼굴의 윤곽 / prendre son ~ de poitrine 가슴둘레를 재다 / *T~* de France 프랑스 일주 자전거 경주 / une piste de cent mètres de ~ 일주 100 미터의 경주로 / faire un ~ en ville 시내를 한 바퀴 돌다. ② 회전, 선회, 돌리기 : ~*s* de roue 바퀴의 회전 / faire un ~ sur soi-même 자전하다 / fermer la

T

porte à double ~ 열쇠를 두 번 돌려서 문을 닫다, 엄중히 문단속을 하다. ③ (몸·물건에) 두르는 장식〔것〕: ~ de cou 목도리〔네커치프〕/ ~ de lit (침대 가장자리의) 침구 《시트·모포·커버 따위》. ④ 재주, 곡예, 요술; 술책, 책략; 장난: ~ de main 손재주, 솜씨 / ~s d'un acrobate 〔jongleur〕 곡예사의 곡예 / ~s de magie 마술 / ~ de cartes 카드 요술. ⑤ (일의) 진전, 전개, 경향, 양상, 모습: ~ de pensée 사상의 경향 / observer le ~ des événements 사건의 진전을 주시하다 / Cette affaire a pris un mauvais ~. 이 사건은 그 전개가 의심스러워졌다. ⑥ 차례, 순번: C'est votre ~. 당신 차례다 / À qui le ~? 누구 차례인가요? ⑦ (문장의) 표현(= ~ de phrase); (문제 따위를) 한번 훑어보기, 개관하다: ~ rapide de la situation 정세에 대한 간단한 분석. ***à ~ de bras*** 온 힘을 다하여, 힘껏: frapper *à ~ de bras* 힘껏 때리다. ***à ~ de role*** 번갈아, 교대로. ***donner un bon ~ à*** qc …을 호전시키다. ***en un ~ de main*** 순식간에; 손쉽게. ***faire le ~ de*** qc …을 일주하다; …을 조사〔검토〕하다. ***faire un ~ d'horizon*** 사방을 전망하다; 정세를 개관하다. ***jouer un ~*** 〔***des ~s***〕 ***à*** qn …에게 장난을 치다, …을 속이다: *jouer un* mauvais ~ *à* qn 《구어》 …에게 못된 장난을 치다. ***Le sang ne lui a fait qu'un ~.*** 《구어》 그(녀)는 화를 버럭 냈다〔깜짝 놀라 어찌할 바를 몰랐다〕. ***Le ~ est joué.*** 잘됐다〔걸려들었다〕. ***prendre un bon*** 〔***mauvais***〕 ~ (사업 따위가) 호전〔악화〕되다. ***~ à ~*** 차례차례로; 번갈아. ***~ de force*** 힘으로 하는 기술; 위업, 역작; 아슬아슬한 재주: un ~ *de force* technique 기술의 성과. ***~ de reins*** 허리의 염좌(捻挫); 요통(腰痛). ***~ de table*** 회의·토론회에 참석한 사람들에게 돌아가며 의견을 묻는 방식.

tour^3 *m.* ① (도공(陶工)의) 녹로(轆轤); 〖기계〗 선반(旋盤). ② 선회식 옷장〔찬장〕; 선회식 요리 운반구.

tourbe [tuʀb] *f.* 이탄(泥炭).

tourbeux, euse [tuʀbø, -ø:z] *adj.* 이탄을 함유한, 이탄질(質)의; (식물이) 이탄에서 생기는.

tourbier, ère [tuʀbje, -ɛ:ʀ] *adj.* 이탄(질)의. —— *f.* 이탄갱(坑), 이탄지(地), 이탄층.

tourbillon [tuʀbijɔ̃] *m.* ① 소용돌이; 선풍, 회오리바람(=cyclone): passer comme un ~ 회오리바람처럼 지나가다. ② (먼지·연기 따위의) 회오리; (급)선회: ~ de poussière 회오리처럼 이는 먼지 / ~ d'une danse 댄스의 급선회. ③ 《문어》 (생활·쾌락 따위의) 회오리, 혼잡, 와중(渦中): ~ de la vie moderne 현대 생활의 소용돌이〔혼잡〕. ④ 〖물리〗 선회.

tourbillonnant, e [tuʀbijɔnɑ̃, -ɑ̃:t] *adj.* 소용돌이치는, 빙빙 도는, 맴도는: mouvement ~ de l'air 〔eau〕 공기〔물〕의 소용돌이 운동 / zone ~ 회오리바람 지대.

tourbillonnement [tuʀbijɔnmɑ̃] *m.* 소용돌이, 선회; 어지러운 움직임, 정신없이 부산함: vent ~ 소용돌이 바람. ***~ des affaires*** 정신없이 어지러운〔혼잡스러운〕 일.

tourbillonner [tuʀbijɔne] *v.i.* 소용돌이치다, 선회하다, 맴돌다; 《비유》 어지럽게 움직이다: poussière de neige qui *tourbillonnait* autour de lui 그의 주위에서 소용돌이치는 눈보라 / Les pensées *tourbillonnent.* (착잡한) 생각들이 머리에서 맴돈다.

tourelle [tuʀɛl] *f.* ① 〖건축〗 작은 탑; 망루. ② 〖군사〗 (전차의) 포탑(砲塔); 〖해군〗 사령탑, 전망탑; (기관총의) 총좌: ~s d'un navire 군함의 포탑.

tourisme** [tuʀism] *m.* 관광, 관광〔유람〕 여행: ~ à bicyclette 자전거 여행 / ~ de masse; ~ organisé 단체 관광 / voiture 〔avion〕 de ~ (영업용 외의) 승용차〔자가용 비행기〕/ ~ industriel 산업 시찰 여행. ***bureau 〔***office***〕 ***de ~*** 여행 안내소. ***faire du ~*** 관광(여행)을 하다.

***touriste** [tuʀist] *n.* 유람객, 관광객. —— *adj.* classe ~ (기선·항공기의) 투어리스트 클라스《2등에 해당》.

touristique [tuʀistik] *adj.* 유람(여행)의〔에 관한〕, 관광의〔에 관한〕: renseignements ~s 여행 안내 / visite ~ 명소 관광 / ville ~ 관광 도시.

tourmaline [tuʀmalin] *f.* 〖광물〗 전기석(電氣石).

tourment [tuʀmɑ̃] *m.* (육체적·정신적) 고통, 고뇌, 고민; 고민거리(= peine): ~ de la maternité 분만의 고통 / ~ de la question 고문의 고통 / Cette affaire lui a donné beaucoup de ~*s.* 이 사건은 그에게 많은 고통을 주었다 / Son fils lui donne 〔cause〕 bien du ~. 아들은 그(녀)에게 고민거리이다.

tourmentant, e [tuʀmɑ̃tɑ̃, -ɑ̃:t] *adj.* 고통스러운, 괴로운, 골치 아픈.

tourmente [tuʀmɑ̃:t] *f.* 혼란, 소요(騷擾), 폭동, 동란: ~ révolutionnaire 혁명의 소요.

tourmenté, e [tuʀmɑ̃te] *adj.* ① 기복(起伏)이 많은, 굴곡(屈曲)이 심한(= accidenté): relief ~ 기복이 많은 지형. ② 고뇌의 빛을 보이는, 번민〔고민〕하는; 불안한, 안절부절 못하는, 혼란한(= troublé, inquiet, agité): avoir un visage ~ 고뇌의 빛을 얼굴에 나타내다 / époque ~*e* (정치적으로) 불안한〔혼란한〕 시기 / vie ~*e* 파란만장한 생애. ③ (바다가) 풍랑이 심한, 거친: mer ~*e* 풍랑이 심한 바다. ④ (문체 따위가) 지나치게 꾸며진, 부자연한.

***tourmenter** [tuʀmɑ̃te] *v.t.* ① (정신적·육체적인) 고통을 주다, 괴롭히다, 귀찮게 굴다: Ce remords le *tourmente.* 이 회한(悔恨)으로 그는 고통을 받고 있다 / *être tourmenté* par ses rhumatismes 류머티즘으로 고생하다 / ~ qn de ses reproches …에게 비난을 퍼붓다 / avoir l'esprit *tourmenté* par la jalousie 질투로 고통을 당하다 / Ses créanciers le *tourmentent.* 채권자들이 그를 못살게 괴롭힌다. ② 《문어》 (욕망 따위가) 마음을 시달리게 하다, 자극하다. ③ 《구어》 만지작거리다: ~ sa moustache 〔son mouchoir〕 수염〔손수건〕을 만지작거리다.
—— **se** ~ *v.pr.* 번민〔고민〕하다; 몹시 근심〔걱정〕하다: Il *se tourmente* pour des riens. 그는 사소한 일로 고민한다.

tournage [tuʀnaːʒ] *m.* 〖영화〗 촬영: équipe de ~ 촬영반.

tournailler [tuʀnaje] *v.i.* (같은 곳을) 뱅뱅 돌다, 서성거리다, 얼찡거리다(= tourniquer) : ~ dans une pièce 실내에서 서성거리다.
— *v.t.* 만지작거리다, 빙빙 돌리다 : ~ sa moustache 수염을 만지작거리다.

tournant**[1] [tuʀnɑ̃] *m.* ① 구부러진 곳, 모퉁이 : prendre un ~ (차 따위로) 커브를 돌다. ② 전환기, 전기(轉機), 전환점 : marquer un ~ 전환점을 이루다 / Il est à un ~ de sa carrière. 그는 인생의 전환점에 있다. ③ 소용돌이, (물방아의) 물레바퀴. ***attendre** qn **au ~ …이 궁지에 몰리는 것을 기다리다, …에게 복수할 기회를 기다리다. ***avoir** (**rattraper**) qn **au ~*** …에게 (기회를 잡아) 복수하다.

tournant[2]**, e** [tuʀnɑ̃, -ɑ̃:t] *adj.* 회전(선회)하는, 우회하는 ; 구불구불한 ; 소용돌이치는 ; 나선형의 : fauteuil ~ 회전의자 / scène ~*e* 회전 무대 / chemin ~ 구부구불한 길 / escalier ~ 나선 계단 / pont ~ 선개교(旋開橋). ***grève tournante*** 파상적 스트라이크. ***mouvement tournant*** (적에 대한) 포위 작전.

tourné, e[1] [tuʀne] *adj.* ① (포도주 · 우유가) 변질한, 산패한, 시어진(= aigri). ② 《~ vers, à》 …으로 향한 : église bien ~*e* (동쪽으로 향해 있는) 잘 자리잡은 성당. ③ (…의) 형상(모양)을 한 : bien (mal) ~ 모양이 좋은(나쁜) ; (글 따위가) 표현이 잘 된(서투른) / avoir les jambes bien ~*es* 다리가 날씬하다. ***esprit mal ~*** 비뚤어진 근성.

tourne-à-gauche [tuʀnago:ʃ] *m.* 《복수불변》 나사 돌리개, 드라이버, 스패너, 렌치 ; 수나사 깎는 기구 ; 톱날 세우개.

tournebouler [tuʀnəbule] *v.t.* 《구어》 얼빠지게 하다 …의 정신을 착란케 하다(= affoler) : Elle *est* toute *tourneboulée.* 그녀는 완전히 얼이 빠져 있다 / Cette nouvelle l'*a tourneboulé.* 그 소식은 그의 마음을 뒤흔들어 놓았다.

tournebroche [tuʀnəbʀɔʃ] *m.* 〖요리〗 꼬치 회전기(= rôtissoire).

tourne-disque [tuʀnədisk] *m.* 레코드 플레이어 ; 전축(= électrophone).

tournedos [tuʀnədo] *m.* 〖요리〗 (얇게 썰어서 구운) 안심 고기 (= filet).

tournée[2] [tuʀne] *f.* ① 출장, (업무상의) 순시, 여행 ; (지방) 순회(巡廻) ; (우체부의) 배달 돌기 ; (의사의) 순회 왕진 ; 〖골프〗 1 라운드 ; 《구어》 산책 : ~ d'inspection 시찰 여행 / ~ électorale d'un député 국회의원의 선거 유세 / ~ théâtrale 극단의 순회 공연 / voyageur de commerce en ~ 지방 출장 중인 세일즈맨 / Le médecin fait une ~ de visites. 의사가 순회 왕진을 한다 / la ~ du facteur 우편 배달. ② 《구어》 일동(一同)에게 한턱 내기 : payer (offrir) une ~ 한턱 내다. ③ 《속어》 마구 때리기, 구타, 난타 : recevoir une ~ 마구 구타를 당하다. ***faire la ~ de*** …을 순방하다, 차례로 돌아다니다 : *faire la ~ des* boîtes de nuit 나이트클럽을 돌아다니다. ***faire une ~*** 산책하다. ***flanquer une ~ à*** qn …을 구타하다.

tournemain [tuʀnəmɛ̃] *m.* ***en un ~*** 눈깜박할 사이에, 순식간에, 곧(= en un tour de main).

⁑tourner [tuʀne] *v.t.* ① 돌리다 ; 휘젓다(= remuer) : ~ une roue 바퀴를 돌리다 / ~ une sauce (une salade) 소스(샐러드)를 휘젓다. ② (목재 · 금속 따위를) 선반(녹로(轆轤))에 걸고 돌리다 : ~ un pied de table 테이블의 다리를 선반으로 깎아 만들다. ③ 돌려 놓다. ④ 《~ qc autour de qc》 …을 …의 둘레에 감다 : ~ une corde *autour d'*un pieu 말뚝에 밧줄을 감다. ⑤ 향하게 하다, …으로 돌리다 : ~ ses pas d'un autre côté 다른 쪽으로 발길을 돌리다 / ~ les yeux (son regard) vers (sur) qn …에게 눈길을 돌리다 / ~ ses efforts (ses pensées) vers qn (qc) …에 노력(생각)을 기울이다. ⑥ 면밀히 조사(검토)하다 (= examiner) : ~ le coin de l'avenue 길 모퉁이를 돌다 / ~ les positions de l'ennemi 적의 진지를 포위하다. ⑦ 돌다, 우회하다 ; (적을) 포위하다; 일주하다. ⑧ 피하다, 회피하다 (= éluder) : ~ l'obstacle (la difficulté) 장애물(난관)을 피하다 / ~ la loi 법망을 피하다. ⑨ (영화를) 촬영하다 ; (배우가 영화에) 출연하다 : ~ un roman 소설을 영화화하다. ⑩ (어떤 방식으로 글 · 말 따위를) 표현하다 : bien ~ une phrase (une lettre) 표현을 잘 하다(편지를 잘 쓰다). ⑪ 《~ qc (qn) en (à)》 …으로 만들다 ; …으로 해석하다 : ~ qc *à* son avantage …을 자기에게 유리하도록 만들다 / ~ qc *au* tragique …을 비관적으로 보다 / qc *en* plaisanterie …을 농담으로 돌리다 / ~ qn (qc) *en* ridicule (*en* dérision) …을 웃음거리로 만들다(조롱하다) ⑫ (책장을) 넘기다, (카드를) 뒤집다(= retourner) : ~ les pages 페이지를 넘기다 / ~ une étoffe d'un autre sens 천을 뒤집다. ⑬ 《구어》 (우유 따위를) 상하게 하다, 산패시키다. ***~ l'estomac** (**le cœur**) **à*** qn …을 메스껍게(구역질나게) 하다. ***~*** qc ***en bien** (**en mal**)* …을 좋게(나쁘게) 해석하다. ***~*** qn (***de tous les sens, de tous les côtés***) (의중을 알아내려고, 자백하게 하려고) 유도 신문하다.
— *v.i* ① 돌다, 회전하다; 기계가 돌아가다 ; 《구어》 (공장 따위가) 운영되다, 돌아가다 : faire ~ la machine 기계를 돌리다(운전하다) / La terre *tourne* autour du soleil. 지구는 태양 주위를 돈다. ② 방향을 바꾸다(전환하다) ; (길이) 구부러지다 ; (사람이) 길을 돌다, 돌아가다 : J'*ai tourné* dans une rue à droite. 나는 오른쪽 길로 돌았다 / Le vent *tourne* au Nord. 풍향이 북쪽으로 바뀐다. ③ 주저하다, 망설이다, 갈팡질팡하다 : ~ longtemps avant de prendre un parti 결심하기 전에 오래 망설이다. ④ (포도주 · 우유가) 변질하다, 산패하다, 시어지다 : ~ à l'aigre (우유가) 시어지다. ⑤ 《~ en, à》 …이 되다, …으로 바꾸다, 변하다 : Son amour *tourna en* (*à* la) haine. 그(녀)의 사랑은 증오로 변하였다 / ~ *à* la aloire (*à* la honte) de qn …의 명예(수치)가 되다. ⑥ (영화에) 출연하다 : Elle *a tourne* dans beaucoup de films. 그녀는 많은 영화에 출연했다. ***La tête lui a tourné.*** 그(그녀)는 (심취하여 · 반하여) 머리가 몽롱해졌다. ***Le pied lui a tourné.*** 그(그 여자)는 발을 삐었다. ***ne savoir de quel côté ~*** 《구어》 어

T

찌할 바를 모르다. ~ ***autour de*** qc …에 관심〔주제〕의 초점을 두고 있다. ~ ***autour de*** qn …을 해치려고 노리다 ; …의 호의를〔환심을〕 사려고 하다. ~ ***bien*** 〔***mal***〕 호전하다〔악화하다〕; 사람이 개선되다〔타락하다〕: L'affaire *à bien* 〔*mal*〕 *tourné*. 사업이 잘 되었다〔안 되었다〕/ Il *a mal tourné*. 그는 소행이 나빠졌다. ~ ***contre*** qn …을 배반〔거역〕하다, …의 뜻을 어기다. ~ ***du côté de*** qn …의 편을 들다. ~ ***rond*** (기계가) 잘 돌아가다, (일이) 잘 되어 가다 : 《주로 부정형으로》 Ça ne *tourne* pas *rond*. 일이 잘 되어 가지 않는다.

── *v. impers.* 〖카드놀이〗 (…이) 으뜸패이다 : Il *tourne* carreau. 다이아몬드가 으뜸패이다 / De quoi *tourne*-t-il ? ⓐ 으뜸패는 무엇인가 ? ⓑ 무슨 일인가 ? (= De quoi s'agit-il ?).

── **se** ~ *v.pr.* ① 돌다, 회전하다 ; 몸을 돌리다 ; 돌아서다 ; 돌아보다 ; …으로 향하다 : *se* ~ vers la fenêtre 창 쪽을 돌아보다 / *se* ~ vers une question 어떤 문제에 관심을 갖다 / *se* ~ vers une profession 어떤 직업에 종사하다. ② 《~ en 〔à〕》 …이 되다, …으로 바뀌다, 변하다 : Le temps *se tourne au* beau. 날씨가 좋아진다 / *se* ~ *en* vinaigre (술이) 초가 되다. ③ 《옛》 《se ~ +부사〔부사구〕》 …하게 되다. ④ 개심〔개종〕하다. ⑤ 선반으로 가공되다. ***de quelque côté qu'on se tourne*** 어느 쪽을 향하든 간에 ; 《비유》 어느 쪽〔편〕에 서든 간에. ***ne savoir où se ~ ; ne plus savoir de quel côté se ~*** 누구를 의지해야 할지 모르다 ; 어떤 입장에 설 지를 모르다. ***se ~ contre*** qn …을 거역하다, 적대하다. ***se ~ vers*** qn …에게 구원을 청하다.

tournesol [turnəsɔl] *m.* 〖식물〗 해바라기 : huile de ~ 해바라기 기름.

tourneur, euse [turnœːr, -øːz] *m.* 선반공; 녹로 세공인.

tournevis [turnəvis] *m.* 드라이버, 나사 돌리개.

tournicoter [turnikɔte]**, tourniquer** [turnike] *v.i.* 《구어》 (뱅뱅) 돌다(= tournailler) ; 서성거리다, 오락가락하다 : ~ autour de qn 〔qc〕 …의 주위에서 늘 귀찮게 맴돌다.

tourniquet [turnikɛ] *m.* ① (건물 입구의) 회전문(= porte à tambour), (십자형) 회전대 ; 회전식 진열대. ② (잔디용의) 스프링클러. ③ 〖외과〗 지혈대(止血帶).

tournis [turni] *m.* 현기증(= vertige).

tournoi [turnwa] *m.* ① (중세의) 마상 시합(馬上試合), 기마 시합. ② (토너먼트 방법에 의한) 시합, 승부(= concours) : ~ de tennis 〔bridge〕 테니스〔브리지〕 대회. ③ 《문어》 경쟁, 시합.

tournoiement [turnwamɑ̃] *m.* ① 회전, 선회(旋回) ; 소용돌이. ② 어지러움, 현기증, 멀미(= ~ de tête).

***tournoyer** [turnwaje] 7 *vi.* ① 뱅뱅돌다, 선회하다, 소용돌이치다 ; 회전하다(= pivoter) ; 《속어》 헤매다 : Des avions *tournoient* dans le ciel. 비행기가 하늘에서 선회하고 있다. ② 《옛》 (기사가) 창시합을 하다.

tournure** [turnyːr] *f.* ① 형세, 국면(局面) ; 추이(推移), 전개 : ~ des événements 사건의 추이 / prendre une bonne 〔mauvaise〕 ~ 국면이 호전〔악화〕되다. ② 표현, 표현법, 어투 : ~ d'une phrase 문장의 표현법, 문체 / employer une ~ élégante 멋있는 표현을 쓰다. ③ (사물의) 외관, 모습, 태도 : avoir une jollie ~ 아름다운 모습을 하고 있다 / avoir une autre ~ 모습을 바꾸다. ***donner une autre ~ à qc …의 국면을 일변시키다. ~ ***d'esprit*** (사물에 대한) 사고방식 ; 성향, 성질, 기질.

tour-opérateur [turɔperatœːr] 〔영〕 *m.* (*pl.* **~-~s**) (단체) 여행 알선업자, 관광 여행업자.

tourte [turt] *f.* 〖요리〗 (고기 · 과일 따위를 넣은) 파이. ── *adj.* 《구어》 어리석은.

tourteau [turto] *m.* (*pl.* **~x**) ① 《옛》 둥근 빵《과자의 일종》. ② 〖농업〗 깻묵. ③ (대서양 산의) 큰 게.

tourtereau [turtəro] *m.* (*pl.* **~x**) (*pl.*) 《구어》 사랑하는 젊은 남녀. ***s'aimer comme deux ~x*** 《구어》 (남녀 간에) 사이가 좋다.

tourterelle [turtərɛl] *f.* 〖조류〗 멧비둘기, 호도애.

tourtière [turtjɛːr] *f.* 파이 굽는 냄비 ; 파이 접시.

tous [tu(s)] ⇒ tout.

Toussaint (**la**) [latusɛ̃] *n.pr.f.* 〖종교〗 제성첨례(諸聖瞻禮), 만성절(萬聖節)《11 월 1 일》.

***tousser** [tuse] *v.i.* ① 기침하다 ; (주의를 끌기 위해) 헛기침하다 : ~ à cause d'un rhume 감기 때문에 기침이 나다 / ~ pour avertir qn …에게 주의시키기 위해 헛기침하다. ② 《비유》 (엔진이) 덜커덩거리다, 걸리지 않다(= avoir des ratés). ③ 《속어》 투덜거리다, 불평하다 ; 항의하다.

toussotement [tusɔtmɑ̃] *m.* 잔기침하기.

toussoter [tusɔte] *v.i.* 잔〔헛〕기침하다.

⁑**tout, e** [tu, tut] (*m.pl.* ***tous*** [tu(s)], *f.pl.* ***toutes*** [tut]) *adj.* 《복수 tous 는 [tu]. 단, 모음 앞에서는 [z]로 연음함》 ① 《한정된 단수명사 또는 대명사와 함께》 전체〔전부〕의, 모든, 온갖. ⓐ 《~+le 〔la〕+명사》 ~ *le* jour ; ~*e la* journée 온종일 / *T*~ ce qui reluit n'est pas or. 번쩍인다고 반드시 금은 아니다 / ~ *le* pays (특정의) 그 나라 전체 / ~*e la* France 프랑스 전국 / ~*e* l'Europe 전유럽 / ~*e la* famille 온 집안 식구 / ~ *le* temps 줄곧, 항상 / ~*e la* nuit 밤새도록. ⓑ 《~ 소유, 지시형용사+명사》 ~ ma vie 나의 전생애 / faire ~ son devoir 직무를 다하다 / ~ cet été 금년 여름내. ⓒ 《~ 지시대명사》 ~ ceci 〔cela〕 이〔그〕 모든 것 / *T*~ cela, ce sont des folies. 그 모든 것은 미친 짓이다 / ~ ce que j'ai vu 내가 본 모든 것.

② 《~ un(e)+명사》 전체〔전부의〕 ; 틀림없는 ; 큰 : ~ *un* pays 한 나라 전체 / Son histoire est ~ *un* roman. 그의 이야기는 꼭 소설 같다 / C'est ~*e une* entreprise. 그것은 큰 계획이다 / ~ *un* hiver 한겨울 내내.

③ 《~+무관사명사》 ⓐ 《성구》 avoir ~*e* liberté 아주 자유롭다 / à ~*e* force 온 힘을 다해서 ; 기어코, 기필코. ⓑ 《~ +작가명》 lire ~ Racine 라신의 모든 작품을 읽다. ⓒ 《~(e)+도시명》 *T*~(*e*) Rome brûlait. 전 로마 시가가 불타고 있었다. ⓓ 《~(e)+작품

명》 J'ai lu ~ les misérables. 나는 「레미제라블」을 끝까지 다 읽었다.
④《강조》 dans sa ~*e* jeunesse 그가 아주 젊었을 때.
⑤《동격》 Elle tremblait ~*e*. 그녀는 온몸을 떨고 있었다 / Elle était ~*e* à son travail. 그녀는 자기 일에 열중하고 있다.
— *adj. ind.* ①《한정된 복수명사 또는 대명사와 함께》 모든 ; 제각기〔각각〕의. ⓐ《tous 〔~es〕+관사〔지시·소유형용사〕+명사》 *tous* ces livres 이 모든 책들 / *tous* les huits jours 매주 / *tous* les jours 매일 / *tous* les trois jours 사흘마다 / *tous* les hommes 모든 사람들 / *tous* les autres 그 밖의 모든 사람들 / *tous* ces enfants 이 모든 어린이들. ⓑ《tous 〔~es〕+무관사명사》 avoir *tous* pouvoir sur qn …에 대해서 모든 권한을 가지다. ⓒ《tous 〔~es〕+(무)관사+수명사》 *tous* (les) trois 셋 다 / *tous* les deux 둘 다. ⓓ《tous 〔~es〕+무관사명사+형용사〔분사〕》 ~*es* affaires cessantes 모든 일이 중단되고 / *tous* feux éteints 불은 모두 끄고 / ~*es* proportions gardées 모든 관계〔차이〕를 고려하여, 정도의 차이는 있어도. ⓔ《전치사+tous 〔~es〕+(무)관사명사》 à *tous* les coins de rue 길 구석구석까지 전부 / à *tous* égards 모든 점에서 / de *tous* (les) côtés 사방에서〔사방으로〕. ⓕ《tous 〔~es〕+명사》《시간·거리·단위》 각각, …마다(= chaque),…매 : *tous* les jours 매일 / *tous* les ans 매년 / *tous* les trois jours 사흘마다 / une borne *tous* les kilométres 매 킬로미터마다 있는 이정표 / *Tous* les combien y a-t-il un train? 몇 시간마다 기차가 있습니까?
②《무관사 단수명사와 함께》 ⓐ 어떤 …도, 어느 것〔사람〕도, 무엇이든지, 누구든지 : donner ~*e* satisfaction 마음을 흡족하게 해주다 / ~*e* personne 사람은 누구든지 / *T*~*e* peine mérite salaire. 고생은 어떤 것이든지 보상을 받을 가치가 있다 / ~ autre que vous 당신 이외의 어떠한 사람이라도 / ~ autre que mon père 내 아버지 이외는 모두 / *T*~ travail de bureau lui est interdit. 그에게는 어떤 사무를 보는 것도 금지되었다 / *T*~ homme est mortel. 누구나 죽기 마련이다. ⓑ《전치사 뒤에서》 de ~*e* manière 어쨌든 / à ~ propos 무엇이든지, 모든 일에 (대해서) / avant ~*e* chose 무엇보다도 먼저, 특히.
③《무관사 복수명사와 함께》 모든 : voguer à ~*es* voiles 온 돛을 펴고 항해하다.
C'est ~+'명사' 전체가 …이다 : À les pendre un à un, *c'est* ~ bons garçons. 한 사람 한 사람을 대하고 보니 모두 좋은 아이들이다. ***pour*** ~+'무관사 명사', …라고는 : *pour* ~ meuble, il y avait là une table et deux chaises 가구라곤 책상 하나와 의자 둘 뿐이었다. ~ ***ce qu'il y a de***+'복수명사' 모든 …들 : *T*~ *ce qu'il y avait de* professeurs était venu 〔étaient venus〕. 교수란 교수는 모두 와 있었다. ~ ***ce qu'il y a de***+'형용사' …한 모든 것. ~ ***ce qu'il y a de plus***+'형용사' 매우〔아주〕 …한 : des gens ~ *ce qu'il y a plus* cultivé 〔cultivés〕 매우 교양 있는 사람들. ~(***e***) ***de*** 온통 …으로 이루어진 : une existence ~*e de* méditation spirituelle 온통 영적인 명상으로 엮어진 생애. ~ ***le monde*** 누구나, 모두.
— *pron.* ①《단수·중성》 모든〔온갖〕 것, 전부, 모두, 무엇이나 : Dieu a ~ créé. 하느님은 만물을 창조했다 / L'argent n'est pas ~. 돈이 전부가 아니다 / Honneur, fortune, il avait ~ perdu. 그는 명예, 재산 모든 것을 잃어버렸다 / Femmes, moines, vieillards, ~ était descendu. 여자도 승려도 노인도 모두 차(車)에서 내려 있었다. ②《복수, tous [tus], toutes [tut]》 모두 ; 모든 사람들 ; 모든 것들. ⓐ《명사적》 Tous ont approuvé sa proposition. 전원이 그의 제안에 찬성했다 / Jésus Christ est mort pour *tous*. 예수 그리스도는 모든 사람을 위해 죽었다. ⓑ《동격》 Je vous invite *tous*. 나는 여러분 전부를 초대합니다 / Elles sont ~*es* chez elles. 그녀들은 다 집에 있다. ⓒ《앞에 나온 명사·대명사를 받아》 Vous *tous*, soyez témoins. 여러분 모두가 증인이 되어 주세요 / Regardez ces arbres : *tous* sont en fleurs. 저 나무들 좀 보시오. 모든 꽃이 피어 있소. ⓓ《앞에 열거된 말들의 요약》 Laisse ces outils à leur place, je me sers de *tous*. 이 연장들을 제자리에 두어라, 내가 모두 쓰는 것이니. ***à ~ faire*** 모든 일을 다 하는 잡역부〔하녀〕 ***avoir ~ de*** …을 꼭 닮다 : Il *a* ~ *d'*un sauvage. 그는 꼭 야만인 같다. ***Ce n'est pas ~ d'*** (être assidu, il faut encore)... (열심인 것)만으로는 안 된다(또 …이 필요하다). ***C'est ~.*** 이뿐입니다. ***C'est ~ ou rien*** [tutuʀjɛ̃]. 양단간에 결정을 해야 한다. ***en ~ et pour ~*** 완전히, 꼭 …만을 : Je suis de votre avis *en* ~ *et pour* ~. 나도 당신과 꼭 같은 의견이오. ***T~ est là.*** 문제의 핵심은 여기에 있다.
— *m.* (*pl.* **touts**) ① 전부, 전체, 총체 : Le ~ est plus grand que la partie. 전체는 부분보다 크다 / Ferme et château, j'ai acheté le ~. 농원, 저택 등 나는 모든 것을 샀다. ② 본질, 핵심, 가장 중요〔소중〕한 것 : Le ~ est de réussir. 요는 성공함에 있다, 어떻든 간에 성공해야 한다 / Le ~ est qu'il réussisse. 요는 그가 성공함에 있다 / Le ~ n'est pas de+*inf.* …하는 것만으로는 안 된다 / La musique est son ~. 《문어》 음악이 그의 전부다. ③ 〚수학〛 총계, 합계. ④ (때로 *T*~) 만물, 삼라만상(= univers) : le (grand) ~ 우주. ***Ce n'est pas le ~.*** 그것만으로는 안 된다. ***du ~ au ~*** 완전히, 전연. ***en ~*** 모두 : Cela fait mille francs *en* ~. 모두 천 프랑이 된다. ***faire son ~ de*** qn 〔qc〕 오로지 …만을 사랑하다. ***pas*** 〔***point***〕 ***du ~ ; du ~*** 전혀 아무것도 …아니다. ***rien du ~*** 전혀 아무것도 아니다. ***risquer*** 〔***jouer, mettre***〕 ***le ~ pour le ~*** 깡그리 잃느냐 따느냐의 모험을 하다, 결사적으로 해보다.
— *adv.* 《부사지만 자음 또는 유성 h로 시작되는 여성어 앞에서는 ***toute*** (복수에서는 ***toutes***)가 됨. 모음 앞에서는 일반적으로 변화하지 않음 : fleur *toute* fraîche, femmes *toutes* honteuses》 ① 매우, 완전히, 아주(= très, fort), 참, 전혀. ⓐ《~ +형용사》 ~ jeune 아주 어린 / ~ préparé 준비가 완벽하

T

게 된 / Ils sont ~ étonnés. 그들은 매우 놀랐다 / portes qui s'ouvrent ~*es* grandes 활짝 열리는 문(門) / manger de la viande ~*e* crue 고기를 날로〔생으로〕 먹다 / se coucher ~ habillé 옷을 입은 채 자다. ⓑ 《~+부사〔전치사구〕》 ~ près 바로 가까이 / ~ au loin 썩 멀리 / ~ aussitôt 즉시 / ~ autrement 딴판으로 / ~ au fond 아주 안쪽에 / ~ au sommet 아주 꼭대기에 / Parlez ~ bas. 아주 낮은 소리로 말하시오. ② 《양보절》《~+형용사+que》 (=si ...que ; quelque ...que). ⓐ 《~+*ind.*》 매우 …이지만 : *T*~ main *qu*'il est, il s'est trompé. 그는 매우 영리하지만 그래도 틀렸다〔잘못 알았다〕 / ~ enfant *que* j'étais 나는 어린애였지만. ⓑ 《~+*sub.*》 아무리 …이라 할지라도 : ~ riches *qu*'il soient 그들이 아무리 부자라 할지라도. ③ 《~+형용사로 쓰인 명사》《강조》 des étoffes ~ laine 〔soie〕 순모〔순견〕의 옷감 / être ~ zèle 아주 열심이다 / Il est ~ energie. 그는 매우 정력적이다 ④ 《~ en + 현재분사》 ⓐ …하면서 《동시성》 : Elle tricotait ~ *en* chantant. 그녀는 노래를 하면서 뜨개질을 하고 있었다. ⓑ …하면서도《대립》 : *T*~ *en* étant très riche, il vit très simplement. 매우 부자이면서도 그는 퍽 검소하게 살았다. ⑤ 《~ en 〔à〕》 Elle est habillée ~ *en* noir. 그녀는 아주 검은 옷차림을 하고 있다 / Elle était ~ *en* larmes. 그녀는 하염없이 눈물을 흘리고 있었다. ***~ à coup*** 갑자기. ***~ à fait*** 완전히, 전혀, 아주, 참. ***~ à l'heure*** 금방, 곧. ***~ de même*** ⓐ 그래도, 그렇지만. ⓑ 얼마나, 정말《감탄을 강조함》 : C'est ~ *de même* malheureux ! 정말 불행한 일이 아니냐.

tout-à-l'égout [tutalegu] *m.* 《복수불변》 오수 배출 장치, 수세식 장치.

***toutefois** [tutfwa] *adv.* 그럼에도 불구하고, 그러나, 그렇지만 : J'aimerais ~ le voir. 그래도 그를 만나보면 좋겠어요 / 《문두 위치》 *T*~, il convient que la raison entreprenne sur le sentiment. 그렇지만 이성이 감정을 제압하도록 하는 것이 옳다 / 《문미 위치》 Il vous, regarde avec confiance, sans naïveté ~. 그는 당신을 신뢰하지만 순진해서 그러는 것은 아니다 / Ce projet est original ~ il est irréalisable. 이 계획은 독창적이지만, 실현이 불가능하다.

toute-puissance [tutpɥisɑ̃:s] *f.* 《복수없음》 (신의) 전능(全能), 지상권(至上權) ; 절대적인 권력〔힘〕.

tout-fou [tufu] *adj. m.* et *m.* 《구어》 미치광이 같은 (사람), 매우 흥분한 (사람).

toutou [tutu] *m.* 《소아어》 멍멍, 개.

Tout-Paris [tupaʀi] *m.* 《구어》 파리의 명사들.

tout-petit [tup(ə)ti] *m.* 유아, 아기.

tout(e)-puissant(e) [tupɥisɑ̃, tutpɥisɑ̃:t] (*m. pl.* ***~-~s***, *f. pl.* ***~es-~es***) *adj.* 〖신학〗 전능(全能)한, 절대적 권력을 가진. ── **le T~-P~** *m.* 전능한 신.

tout-terrain [tutɛ(ʀ)ʀɛ̃] *adj.* 《여성불변》 (*pl.* ***~-~s***) ① (차가 도로외) 어디라도 달릴 수 있는 : voitures 〔véhicules〕 ~-~*s* 지프, 사륜 구동차. ② 《비유》 어떤 활동〔상황〕에도 적합한. ── *m.* 지프(=jeep), 사륜 구동차(=quatre-quatre).

tout-va (à) [atuva] *loc.adj.* 무제한으로, 비길 데 없이, 극단의, 매우 심한 : inflation *à* ~ 천정부지의 인플레이션.

tout-venant [tuvnɑ̃] *m.* 《복수없음》 ① 조탄(粗炭). ② 특별히 고르지 않은〔선택하지 않은〕 물건〔사람〕 : club qui admet le ~ 아무나 입회할 수 있는 클럽.

toux [tu] *f.* 기침 : quinte 〔accès〕 de ~ 기침의 발작 / sèche 마른기침 / ~ grasse 가래가 나오는 기침 / petite ~ 가벼운 기침 / ~ violente 심한 기침.

toxicité [tɔksisite] *f.* 독성(毒性), (동물의 체중 1 kg 에 대한) 치사량(= coefficient de ~).

toxico- *préf.* 「독, 약물」의 뜻.

toxicologie [tɔksikɔlɔʒi] *f.* 독물학.

toxicologue [tɔksikɔlɔg] *m.* 독물학자.

toxicomane [tɔksikɔman] *adj.* 마약〔약물〕 중독의. ── *n.* 마약〔약물〕 중독자.

toxicomanie [tɔksikɔmani] *f.* 마약〔약물〕 중독.

toxine [tɔksin] *f.* 〖생리〗 독소(毒素).

***toxique** [tɔksik] *m.* 독(毒), 독물 ; 독성 : ~*s* minéraux 광물독 / ~*s* organiques 유기독물. ── *adj.* 유독(有毒)의 : gaz ~ 독가스 / obus ~ 독가스탄(彈).

tp 《약자》 tonne-poids 중량톤.

T.P. [tepe] 〘travaux pratiques〙 *m. pl.* 연습, 실습 : ~ de chimie 화학 실습.

trac [tʀak] *m.* 《구어》 겁, 공포심 : avoir le ~ 겁내다 / ~ d'un candidat 수험생의 겁 / ficher le ~ à qn …에게 겁을 먹게 하다.

trac (tout à) [tutatʀak] *loc. adv.* 불쑥, 느닷없이, 경솔하게.

traçabilité [tʀasabilite] *f.* (식품의 생산·유통 경로의) 추적 가능성, 원료〔원산지〕 명시성.

traçage [tʀasa:ʒ] *m.* (작업의) 도면 만들기, 작도, 줄긋기, 설계 ; 채굴 준비.

traçant, e [tʀasɑ̃, -ɑ̃:t] *adj.* ① 〖식물〗 (뿌리가) 옆으로 퍼지는〔뻗는〕. ② balle ~*e* 예광탄(曳光彈).

tracas [tʀaka] *m.* (물질적인 것에 대한) 근심, 걱정. ***avoir du ~*** 안달〔걱정〕하다. ***susciter des ~ à*** qn …에게 걱정을 끼치다.

***tracasser** [tʀakase] 걱정〔근심〕시키다, 괴롭히다 : La santé de son fils le *tracasse.* 아들의 건강 상태가 그의 걱정거리이다. ── **se ~** *v.pr.* 걱정하다, 심로하다, 안달하다 : Ne *vous tracassez* pas. 걱정하지 마십시오.

tracasserie [tʀakasʀi] *f.* 트집, 짓궂은 일〔행위〕, 번거로움, 귀찮은 일 ; (흔히 *pl.*) 걱정〔근심〕거리, 걱정 : ~*s* administratives 행정상의 번잡한 절차.

tracassier, ère [tʀakasje, -ɛ:ʀ] *adj.* 귀찮은, 번거로운 ; 까다로운 : directeur ~ 까다로운 상관 / patron ~ 잔소리 잘하는 주인.

trace** [tʀas] *f.* ① 흔적, (발)자국, 발자취, (바퀴 따위의) 자국 : ~*s* de pas la neige 눈 위의 발자취 / ~ de pneus 바퀴자국 / suivre un animal à la ~ 발자국을 따라 동물의 뒤를 쫓다. ② (상처 따위의) 자국, 흉터 ; 흔적 : ~ de brûlure 덴 자국 / ~ de coups 매맞은 자국 / porter sur son visage la ~ de la souffrance 얼굴에 고통의 흔적을 지니고 있다 / les ~*s* d'une bataille 전투의 흔적. ③ 마음의 흔적, 인상 ; (과거사의) 흔적, 형적 ; 유적 : ~ d'une civilisation 문명의 유물 / laisser des ~*s* profondes dans le cœur 마음속에 깊은 인상을 남기다. ④ 미량(微量) : déceler des ~*s* de dioxine 미량의 다이옥신을 검출하다. ***être sur la ~ de …을 발견하기 직전이다. ***suivre les ~s*** 〔***marcher***〕 ***sur les ~s de*** qn …의 발자취를 따라가다 ; …을 본받다.

tracé [tʀase] *m.* ① 도면, 도안, 설계도 : faire le ~ d'une route 도로의 도면을 그리다 / ~ de la future autoroute 고속도로 설계도. ② (철도·도로의) 노선(路線) ; 강줄기.

tracer** [tʀase] *v.t.* ① (선을) 긋다, (선으로) 그리다 : ~ une ligne droite 직선을 긋다 / ~ un plan 도면을 그리다. ② (글자를) 쓰다, (글로) 묘사하다(= décrire) : ~ des lettres 문자를 쓰다. ③ (도면상에) 선긋기를 하다, (도로·시가지 등의) 구획선을 긋다 : ~ une route 도로의 계획된 노선을 긋다. ④ (도로를) 만들다〔내다〕; 《비유》 (나갈 길을) 제시하다 : ~ la route 〔le chemin, la voie〕 à qn …에게 따라야 할 충고를 해주다. ***~ une ligne de conduite à qn ***; ~ le chemin à*** qn …에게 걸어나갈 길을 가리키다, 모범을 보이다. ── *v.i.* 〖원예〗 (뿌리·줄기가) 옆으로 뻗다.

trachéal, e, aux [tʀakeal, -o] *adj.* 〖해부〗 기관(氣管)의〔에 관한〕.

trachée [tʀaʃe] *f.* 〖해부〗 기관(氣管).

trachéite [tʀakeit] *f.* 〖의학〗 기관염(炎).

trachéo- *pref.* 「기관」의 뜻.

trachéotomie [tʀakeɔtɔmi] *f.* 〖의학〗 기관절개술(切開術).

***tract** [tʀakt] 〔영〕 *m.* (선전·광고용) 삐라 ; 팜플렛 : distribuer 〔lancer〕 des ~*s* 삐라를 뿌리다.

tractation [tʀaktɑsjɔ̃] *f.* (*pl.*) 《경멸》 (암)거래, 흥정.

tracter [tʀakte] *v.t.* (트랙터 따위로) 끌다, 견인하다.

tracteur [tʀaktœːʀ] *m.* 견인차, 트랙터 : ~ agricole 농업용 트랙터.

traction [tʀaksjɔ̃] *f.* ① 끌기, 끌어〔잡아〕당기기, 견인 ; 견인력 : ~ animale 〔mécanique〕 동물〔기계 장치〕로 차를 끌기 / ~ électrique 전기 기관차 견인 / ~ à vapeur 〔à bras〕 증기로〔인력으로〕 차를 끌기. ② 〖자동차〗 구동(驅動) : ~ avant 〔arrière〕 전륜〔후륜〕 구동(차). ③ 〖스포츠〗 턱걸이 ; 팔 굽혀펴기 : faire des ~*s* 턱걸이하다. ***lutte à la corde de ~*** 줄다리기.

tradition** [tʀadisjɔ̃] *f.* ① 전승(傳承) ; 구전(口傳) : ~ populaire 민간 전승, 전설 / ~ orale 구비(口碑), 구두 전승. ② 〖신학〗 성전(聖典), 경전 : la *T*~ (가톨릭) 성전 / ~ juive 유대교의 경외 성전. ③ 전통 ; 관습, 관례(= coutume) : maintenir une ~ 관습을 지키다 / rompre avec la ~ 전통을 깨다 / ~s des grandes écoles 특수 대학들의 전통. ④ 〖법률〗 (매각물 따위의) 인도(引渡)(= remise, livraison). ***être de ~ 관례이다 : Bien traiter les étrangers *est de* ~ dans ce pays. 외국인을 기분좋게 대접하는 것이 이 나라의 관례이다. ***Il est de ~ de***+*inf.* 〔***que***+*ind.*〕 …하는 것이 전통〔관례〕이다.

traditionalisme [tʀadisjɔnalism] *m.* 전통에의 맹목적인 집착 ; 전통주의.

traditionaliste [tʀadisjɔnalist] *adj.* 전통주의의. ── *n.* 전통주의자.

traditionnel, elle [tʀadisjɔnɛl] *adj.* 전설적인 ; 전통적인(= conformiste) ; 관례적인, 보수적인 : grammaire ~*elle* 전통 문법 / musique ~*elle* 전통 음악.

traditionnellement [tʀadisjɔnɛlmɑ̃] *adv.* 전통적〔전설적〕으로 : 관례적으로

traducteur, trice [tʀadyktœːʀ, -tʀis] *n.* 번역자 ; 번역기(機) : ~-interprète 번역자 겸 통역 / ~ expert 공인 번역사.

***traduction** [tʀadyksjɔ̃] *f.* 번역 ; 해석 ; 번역서, 번역문 : ~ inexacte 오역 ; 오해 / ~ libre 의역 / ~ littéraire 직역 / ~ automatique (전자 기계에 의한) 자동 번역.

***traduire** [tʀadɥiːʀ] 32 *v.t.* ① 번역하다 : ~ un texte en français 원문을 불어로 번역하다 / ~ un auteur 어떤 작가의 작품을 번역하다 / 《목적보어 없이》 machine à ~ (자동) 번역기. ② 해석하다 (= interpréter) : Vous *traduisez* mal ma pensée. 당신은 내 생각을 오해하고 있다. ③ 표현하다 (= exprimer, peindre) ; 나타내다 (= manifester) : ~ ses sentiments 감정을 표현하다 / ~ sa volonté dans des actes 의지를 행동으로 표출시키다. ── **se ~** *v.pr.* ① 번역되다 : Cette expression ne peut pas *se* ~ français. 이 표현은 프랑스어로 번역되지 않는다. ② 표현되다 ; 나타나다 : La joie des spectateurs *se traduisait* en exclamations. 관객들의 기쁨이 환호로 나타났다.

traduisible [tʀadɥizibl] *adj.* 번역할 수 있는.

trafic** [tʀafik] *m.* ① 암거래, 부정 거래, 밀매 : faire le ~ des stupéfiants 마약을 밀매하다. ② 〖철도〗 (여객·화물의) 수송 ; 운수 ; (기차·자동차·선박·비행기 따위의) 왕래, 교통 ; (한 노선의) 교통량 : ~ maritime 〔routier, aérien〕 해상〔육로, 항공〕 교통 / ligne à grand ~ 교통량이 많은 노선. ***heures de fort ~ (교통이 혼잡한) 러시아워. ***~ d'influence*** 〖법률〗 수회(收賄).

traficotage [tʀafikɔtaːʒ] *m.* 《구어》 암거래.

traficoter [tʀafikɔte] *v.i.* 《구어》 암거래를 하다. ── *v.t.* 《구어》 몰래〔숨어서〕 하다.

trafiquant, e [tʀafikɑ̃, -ɑ̃ːt] *m.* 《경멸》 상인, 거래인, 무역상 ; 부정 거래자, 밀매자 : ~ en stupéfiants 마약 밀매자.

trafiquer [tʀafike] *v.i.* ① 부정 거래를 하다 ; 암거래하다 : ~ des métaux précieux 귀금속을 암거래하다. ② (술 따위의) 가짜를 만들다. ── *v.t. ind.* 《~ de》 …을 팔아먹다, (권력 따위를 이용하여) 부정 이득을 얻다, …을 부정하게 이용하다 : ~ *de* sa conscience 양심을 팔아먹다 / ~ *de* son honneur 〔crédit〕 자기 명성〔신용〕을 (돈 받고) 팔다〔이용하여 이익을 얻다〕 / ~ *de* son influence 직권을 남용하다, 청탁성 뇌물을 받다

***tragédie** [tʀaʒedi] *f.* ① 〖연극·문학〗 비극 (≠ comédie) : héroïne de ~ 비극의 여주인공. ② 비극적인 사건, 참사 : sanglante ~

T

유혈 참사. ***jouer la ~*** 《구어》 남의 동정을 사려고 하다.

tragédien, enne [tʀaʒedjɛ̃, -ɛn] *n.* 비극 「배우.

tragi-comédie [tʀaʒikɔmedi] *f.* (*pl.* **~-~s**) ① 〖문학〗 희비극. ② 희비극적인 사건.

tragi-comique [tʀaʒikɔmik] *adj.* 희비극의, 희비극에 속하는; (사건이) 희비극적인: situation ~ 희비극적 상황.

tragique** [tʀaʒik] *adj.* ① 비극의(≠ comique): auteur 〔pièce〕 ~ 비극 작가〔작품〕/ personnages ~*s* 비극의 등장 인물. ② 비극적인, 비참〔비통〕한: mort ~ 비참한 죽음 / accident ~ 비극적인 사고. — *m.* ① 비극: le ~ et le comique 비극과 희극. ② 비극 작가. ③ 비극적인 일, 비참, 참상. ***Ce n'est pas ~. 별 것 아니다. ***considérer avec sang-froid le ~ de la situation*** 사태의 심각성을 냉정하게 생각하다. ***prendre*** qc ***au ~*** …을 비극적으로 생각하다. ***ton ~*** 비통한 어조. ***tourner au ~*** 비극적으로 되다.

tragiquement [tʀaʒikmɑ̃] *adv.* 비극적으로, 비참하게: mourir ~ 비참하게 죽다.

***trahir** [tʀaiːʀ] *v.t.* ① 배반〔배신〕하다; 저버리다(=abandonner, lâcher): ~ un ami 〔sa patrie〕 친구를〔조국을〕 배반하다 / ~ la confiance de qn …의 신뢰를 저버리다 / ~ les intérêts de qn …의 이익에 어긋나는 짓을 하다 / Ses forces l'*ont trahi.* 그는 힘이 모자랐다(《체력이 그를 저버렸다》). ② 누설하다, 폭로하다, 드러내다(=révéler, divulguer): ~ un secret 비밀을 누설하다 / Son attitude *trahit* son trouble. 그의 태도는 불안감을 드러내고 있다 / ~ sa pensée 본심을 드러내다. ③ (생각을) 왜곡하다(=exprimer infidèlement, déformer): ~ la pensée de qn …의 생각을 왜곡해서 전하다. ④ 《주어: qc》 실망시키다, 기대에 어긋나게 하다: Les événements *ont trahi* ses espérances. 사건의 결과는 그의 기대에 어긋났다. — **se ~** *v.pr.* ① 본심을 드러내다, (자기의 비밀을) 누설하다: *se ~* par le bruit fait 떠들어댔기 때문에 비밀을 누설하다. ②《주어: qc》 나타나다, 드러나다(= apparaître): Son émotion *se trahissait* par le tremblement de ses mains. 그의 감정은 손의 떨림에 의해 드러나고 있었다.

trahison** [tʀaizɔ̃] *f.* 배반, 배신; 저버림; (나라에 대한) 반역; (적과의) 내통: commettre une ~ 배신 행위를 하다 / ~ d'une femme 아내의 부정. ***en 〔***par***〕 ***~*** 배반하여, 계략에 의해. ***haute ~*** 대역죄, 내통죄, 특별 배임죄.

⁑train [tʀɛ̃] *m.* Ⓐ ① 열차, 기차: monter dans un ~ 열차에 올라타다 / manquer son ~ 기차를 놓치다 / voyager par le ~ 열차로 여행하다 / ~ de plaisir (축제 때 따위의) 할인 유람 열차 / ~ de voyageurs 〔de marchandises〕 객차〔화차〕/ ~ express 〔omnibus〕 급행〔완행〕 열차 / ~ de Paris 파리발(發) 열차. ② (차·배·마소 따위의) 열(列), 행렬, 대열; (병참)대(隊): ~ de wagons derrière une locomotive 기관차에 끌려오는 객차의 대열 / ~ de mulets 노새의 대열. ③ (함께 돌아가는) 기계 장치 한 벌: ~ d'engrenages 〔de roues dentées〕 〖기계〗 일련의 톱니바퀴 / ~ de pneus 〖자동차〗 한 벌의 타이어. ④ 〖군사〗 보급 부대, 병참대(= ~ des équipages): ~ d'artillerie 포병대의 탄약 보급차 대열 / ~ régimentaire 〔de combat〕 연대〔부대〕 소속 병참차군. ⑤ (말 따위의) 앞 또는 뒷몸뚱이; (탈것의) 다리; 차대(車臺), 차가(車駕): ~ avant 〔arrière〕 전〔후〕 차륜, 차축부. ⑥ ~ spatial 우주선; 다단식 우주 로켓. ⑦ (왕족·부호의) 수종, 수행원 일동: avoir un grand ~ de maison 많은 하인을 부리고 있다. ⑧ 법석(=tapage). ⑨ 《구어》 궁둥이. ⑩ 일련(의 법령·명령 따위): des grandes réformes 일련의 대개혁 / ~ social 일련의 사회적 조치 / un ~ d'arrêtés de titularisation des professeurs 고등학교 교사 자격증 수여에 관한 일련의 법령.

Ⓑ ① 걸음걸이; (걷는, 달리는) 속도: ralentir son ~ 걸음걸이를 늦추다 / ~ rapide 빠른 걸음걸이 / marcher un grand ~ 매우 빨리 걷다. ② 〖스포츠〗 (경주의) 페이스: Le ~ est rapide 〔soutenu〕. (경주의) 페이스가 빠르다〔완만하다〕/ mener le ~ 선두를 달리다. ③ (일·사건 따위의) 진행 상태, 형세; 추이; (살림의) 형편: Voilà le ~ du monde. 이것이 바로 세상 돌아가는 형편이다.

à fond de ~ 전속력으로. ***à grand ~*** 매우 빨리. ***aller bon ~*** 빨리 달리다〔가다〕. ***aller son petit ~*** 천천히 걸어가다; 유유히 행동하다. ***aller son ~*** 순조로이 진척되다. ***au ~ dont il y va*** 지금 형세로는. ***au ~ dont*** 〔***du ~ où***〕 ***vont les choses*** 일이 이런 추세로 진척되어 가면. ***être bien*** 〔***mal***〕 ***en ~*** 기분이 좋다〔나쁘다〕. ***être dans le ~*** 《구어》 시류(時流)에 영합하고 있다. ***être en ~*** 기분이 좋다, 신이 나다; (일이) 시작되어 있다. ***être en ~ de***+*inf.* …하고 있는 중이다; …할 마음〔생각〕이 있다: Je ne *suis* pas *en ~ de* rire. 웃고 싶은 마음이 안 난다. ***mener bon ~*** qc …을 서두르다, 급히 해치우다. ***mener*** (***un***) ***grand ~*** 호사스러운 생활을 하다. ***monter*** 〔***prendre***〕 ***dans le ~ en marche*** (어떤 사업·계획에) 도중에 끼어들다. ***suivre le ~*** 앞장선 사람과 같은 걸음걸이로 가다; 다른 사람들이 하는 대로 하다. ***tout d'un ~*** 단숨에. ***~ de vie*** 생활 상태, 살림 형편.

traînailler [tʀɛnɑje] *v.t.* = traînasser.

traînant, e [tʀɛnɑ̃, -ɑ̃ːt] *adj.* 질질 끌리는; 활기〔기운〕 없는; (목소리가) 느릿느릿하고 힘없는: à pas ~*s* 질질 끄는 듯한 발걸음으로 / voix ~*e* 느릿느릿하고 힘없는 목소리.

traînard, e [tʀɛnaːʀ, -aʀd] *m.* 낙오자; 《구어》 느림보(=lambin). — *adj.* 느릿느릿한, 굼뜬, (목소리가) 께느른한.

traînasser [tʀɛnase] *v.i.* ① 배회하다, 얼쩡거리다, 어슬렁거리다(= vagabonder): ~ dans la rue 길에서 할 일 없이 얼쩡거리다. ② 느릿느릿 행동하다, 느리게 굴다, 꾸물거리다(=lambiner): Ce n'est pas le moment de ~. 꾸물거릴 때가 아니다.

traîne [tʀɛn] *f.* ① 바닥에 끌리는 옷자락: robe de mariée à ~ 옷자락이 끌리는 신부의 드레스. ② 〖어류〗 저인망(底引網), 예망(曳網). ***à la ~*** ⓐ (뒤에 붙들어 매어) 끄는, (뒤에) 끌려오는: bateau *à la* ~ 예선(曳

船). ⓑ《구어》 되는 대로 방치된 ; 낙오한, 뒤처진 : laisser qc *à la* ~ …을 되는 대로 방치해 두다 / être 〔demeurer〕 *à la* ~ 뒤에 처져 있다, 낙오해 있다.

traîneau [tʀɛno] *m.* (*pl.* **~x**) 썰매 : ~ tire par des chiens 개가 끄는 눈썰매 / voyager en ~ 썰매로 여행하다.

traînée [tʀɛ〔e〕ne] *f.* ① 가늘고 길게 뻗은 자국, 점점이 이어진 것 : ~*s* de sang 방울방울 떨어져 있는 핏자국. ② (어떤 것을) 끌고 간 자국 ; (혜성·유성의) 꼬리: ~ d'une comète 혜성의 꼬리 / ~ de condensation 비행운(飛行雲).

traînement [tʀɛnmɑ̃] *m.* (발을) 질질 끌기 ; 목소리를 길게 끌기 : ~*s* de pieds 발을 질질 끌기 / ~ de la voix 목소리를 길게 끌기.

traîner** [tʀɛ〔e〕ne] *v.t.* ① 끌다, (질질) 끌고 가다(≠ pousser) : ~ qn par les pieds …의 발을 질질 끌고 가다. ② 끌고〔데리고, 가지고〕 다니다(= trimbaler) ; (물건을) 들고 다니다 : ~ ses enfants 아이들을 데리고 다니다 / Il *traîne* sa femme à toutes ses conférences. 그는 회의 때마다 부인을 동반한다. ③ (고통 따위를) 견디다, 겪다 : ~ une existence misérable 비참한 생활을 견디어 나가다 / ~ une maladie 오랜 고질을 지니고 있다. ④ (일을) 오래 끌다, 지연시키다 : ~ une affaire en longueur 일을 질질 오래 끌다. ***Qu'est-ce qu'il traîne ? 《구어》 그는 무엇을 꾸물대고 있지? **~ *la semelle*** 발을 질질 끌다 ; 비참한 생활을 하다. **~ *la jambe*** 〔***la patte***〕 절름거리다. **~** qn ***dans la boue*** 《구어》 …을 진창 속으로 끌어들이다, …의 얼굴에 먹칠을 하다. **~ *ses paroles ; ~ la voix*** 이야기를 느릿느릿하다.

— *v.i.* ① (옷자락이) 질질 끌리다, (밑으로) 길게 늘어지다 : cheveux qui *traînent* dans le dos 등에 길게 늘어뜨린 머리. ② 흩어져 있다, 굴러다니다 : Ses livres *traînent* sur le plancher. 그(녀)의 책들이 마루 위에 여기저기 흩어져 있다. ③ (사라지지 않고) 남아 있다, 잔존하다 : Quelques lambeaux de nuages *traînaient* dans le ciel. 몇 조각의 구름이 아직 하늘에 걸려 있었다. ④ 꾸물거리다, 늦어지다 ; 낙후되다, 뒤에 처지다 : ~ en chemin 도중에 딴 짓 하느라 늑장부리다 / Ne *traînez* pas, le travail presse ! 꾸물거리지 마라, 일을 서둘러라! ⑤ 오래 끌다, (…하는 데) 시간이 걸리다 ; (목소리가) 길게 여운을 남기며 울리다 : faire ~ un procès 소송을 오래 끌게 하다 / Ce chantier *traîne* depuis dix ans. 이 현장은 지난 10 년 동안이나 진척되지 않고 있다. ⑥ 아주 흔하다, 진부하다 : Ça *traîne* partout cette idée. 그런 생각은 흔해빠졌다. ⑦ 배회하다(= vagabonder), 얼쩡거리다 (= errer) : ~ dans les rues 거리에서 얼쩡거리다. ***L'affaire traîne.*** 일이 진척되지 않는다. ***laisser* ~** 방치하다 : Cet écolier *laisse* ~ ses affaires. 이 학생은 소지품을 치우지 않고 내버려 둔다. **~ *en longueur*** 오래 끌다, 지연되다.

— **se ~** *v.pr.* ① 기다, 기어가다 : *se* ~ aux genoux 〔aux pieds〕 de qn …의 발 아래 엎드리다. ② 기운 없이 걷다 ; 마지못해 가다 : *se* ~ à une réunion 회합에 마지못해 나가다. ③ 진척 안 되다, 질질 끌다, 길게 끌다 : La conversation *se traîne.* 대화가 질질 끈다.

train(-)train [tʀɛ̃tʀɛ̃] *m.* 《구어》 습관적으로 하는 변화없는 일 ; 상습, 타성 : ~ quotidien de la vie 평범한 일상생활.

traire [tʀɛːʀ] [44] *v.t.* (소·염소 따위의) 젖을 짜다 ; (젖을) 짜다 : ~ une vache 소의 젖을 짜다 / machine à ~ 착유기.

⁑**trait** [tʀɛ] *m.* ① 끌기 ; 〖마패〗 수레끄는 줄, (말의) 봇줄 ; 〖수렵〗 (개를 매는) 가죽끈(= courroie) : animal 〔bête〕 de ~ 짐마차 끄는 짐승 《마소 따위》 / cheval de ~ 만마(輓馬). ② (활을) 쏘기, (창을) 던지기 ; 화살, 투창 : décocher un ~ 화살을 쏘다 / une grêle de ~*s* 비오는 듯한 화살 / Le soleil dardait ses ~*s.* 《문어》 햇볕이 쨍쨍 쬐고 있었다 / les ~*s* de l'Amour 《문어》 큐피드의 화살 / armes de ~ 《옛》 화살·투창 따위의 무기 / gens 〔hommes〕 de ~ 《옛》 사수(射手), 창 던지는 사람. ③ 악의에 찬 행동 ; 독설, 신랄한 말 : ~ de médisance 독설 / ~ satirique 〔mordant〕 빈정거림, 비꼼. ④ 마음을 강하게 찌르는〔감동시키는〕 것〔감정〕 : les ~*s* de l'amour 애틋한 사랑의 감정 / un ~ d'amitié 우정. ⑤ 선(線), 줄 : ~ plein 〔discontinu〕 실선(實線)〔점선〕 / tracer un ~ 선을 긋다. ⑥ 윤곽을 그리는 선, 묘선(描線). ⑦ 표현(법) ; 기발한 표현〔필치〕 : peindre en ~*s* touchants 감동적인〔열렬한〕 솜씨〔필치〕로 묘사하다. ⑧ (*pl.*) 얼굴, 모습, 용모, 윤곽 : ~*s* réguliers 번듯한〔균형잡힌〕 용모 / ~*s* tirés 피로한 표정. ⑨ 특색, 특징 : ~ caractéristique 특징. ⑩ (자질·능력을 나타내는) 행위〔말·생각〕 : ~ de génie 천재적 착상〔수완〕 / ~ d'esprit 재치 있는 행위〔말〕 / ~ de courage 〔cruauté〕 용감〔잔인〕한 행위. ⑪ (*pl.*) 부정한 행위. ⑫ 간계. ⑬ 단숨에 마시기〔마시는 것〕 ; 한 번에 하는 일. ⑭ 〖음악〗 급속한 악구(樂句), 현란한 악구. ***à grands* ~*s*** ⓐ 대강, 대충, 간추려서 : peindre qc *à grands* ~*s* …을 대충 그리다. ⓑ 꿀꺽꿀꺽 : boire *à grands* ~*s* 꿀꺽꿀꺽 마시다. ***à longs* ~*s*** 천천히(마시다). ***au* ~** 선화(線畫)로〔의〕 : dessin *au* ~ 선화. ***avoir le* ~** (체스 따위에서) 선수(先手)이다. ***avoir* ~ *à*** qc …에 관계가 있다 : Je m'intéresse à tout ce qui *a* ~ *à* la musique. 나는 음악과 관계가 있는 모든 것에 흥미가 있다. ***d'un*** (***seul***) **~ *; tout d'un* ~** 단숨에, 순식간에. ***partir comme un* ~** 쏜살같이 달려가다.

traitable [tʀɛtabl] *adj.* 다루기〔취급하기〕 쉬운(= accommodant, maniable) ; 순한, 온순한 : sujet difficilement ~ 다루기 어려운 주제.

traitant, e [tʀɛtɑ̃, -ɑ̃:t] *adj.* 치료하는 ; 효과가 있는 : médecin ~ 주치의.

trait d'union [tʀɛdynjɔ̃] *m.* 하이픈, 연결부호《-로 표시된》.

***traite** [tʀɛt] *f.* ① 젖짜기. ② (한 번 가는) 거리〔여정, 행정(行程)〕(= chemin, parcours) : faire une longue ~ 긴 행정을 계속 걷다. ③ 〖상업〗 어음 : ~ en l'air 공수표 / ~ refusée 부도 어음. ④ 통상, (아프리카 연안의)

무역, 교역 : ~ des noirs, ~ des nègres 흑인 매매 / ~ des femmes 〔blanches〕 부녀자의 인신 매매. ***d'une seule ~; tout d'une ~*** 단숨에, 쉬지 않고. ***faire*** 〔***tirer une***〕 ***~ sur*** qn …에게 어음을 발행하다.

traité** [tʀɛ(e)te] *m.* ① 《~ de, sur》 …에 관한 논설, …론(論), …개론 : ~ *d'*économie politique 경제학 개론. ② 조약, 협정(= pacte, accord) ; 계약(= contrat) : signer un ~ 조약을 조인하다. ***passer un ~ avec qn …와 계약을 맺다. ***~ de paix*** 〔***de commerce***〕 평화〔통상〕 조약.

traitement** [tʀɛtmɑ̃] *m.* ① 대우 ; 대접 : recevoir un 〔jouir d'un〕 ~ de faveur 우대받다. ② (공무원의) 봉급, 급여(= rémunération, salaire) : ~ budgétaire (공무원의) 본봉 / toucher ~ considérable 높은 봉급을 받다 / secrétaire sans ~ 무급 비서. ③ 〖의학〗 치료(= cure, remède), 처치 : suivre un ~ 치료를 받다. ④ 가공, 처리(법) : ~ thermique 열 처리. ***mauvais ~s 학대. ***premier ~*** 응급 치료. ***~ annuel*** 연봉.

***traiter** [tʀɛ(e)te] *v.t.* ① (사람을) 대우하다, 대접하다 ; 대하다 : ~ qn en frère …을 형제로 대우하다 / ~ qn avec froideur …을 냉대하다 / ~ ses invités magnifiquement 손님들께 진수성찬을 대접하다. ② 《~ qn de...》 …을 …취급하다, …라고 부르다, 매도하다 : Il s'est fait ~ *d'*idiot. 그는 바보 취급당했다 / Le prof m'*a traité de* tous les noms. 선생님은 나를 마구 매도하셨다. ③ (문제 따위를) 다루다, 논하다 : ~ une question à fond 〔superficiellement〕 어떤 문제를 철저하게〔수박 겉핥기로〕 논하다. ④ 치료하다 : ~ un malade 환자를 치료하다 / se faire ~ d'un cancer 암의 치료를 받다. ⑤ 담판하다, 교섭하다. ⑥ 처리하다, 가공하다 ; 정제하다 : ~ un mineral 광석을 제련하다 / ~ le lait par la pasteurisation 우유를 저온 살균법으로 처리하다.
— *v.i.* 담판〔협의·교섭〕하다 ; 거래〔장사〕하다 : ~ de la paix 강화 협상을 하다.
— *v.t. ind.* 《~ de》 …을 논하다, 다루다 : ~ des origines *du* socialisme 사회주의의 기원을 논하다.
— **se ~** *v.pr.* ① 자기를 다스리다. ② 서로 상대를 …취급하다 : Ils *se traitent d'*imbéciles. 그들은 서로 바보 취급을 하고 있다. ③ (용건 따위가) 협의〔교섭〕되다. ④ 처리〔가공〕되다.

traiteur [tʀɛtœːʀ] *m.* 음식점 주인 ; (연회 따위에서) 주문을 받아 요리하는 사람〔업자〕.

traître, traîtresse** [tʀɛːtʀ, tʀɛtʀɛs] *adj.* ① 배반〔배신〕하는, 배반〔배신〕할 염려가 있는 : être ~ *à* sa patrie 조국을 배반한 사람이다. ② 보기보다 위험한, 음흉〔음험〕한(= sournois), (동물이) 뜻밖에 해치는, (개·말이) 무는, 뒷발로 차는, (고양이가) 할퀴는 : chien ~ 온순해 보이나 물려고 달겨드는 개 / vin ~ 입에 당기지만 쉽게 취하는 포도주. ***ne pas croire 〔***dire***〕 ***un ~ mot*** 《구어》 한 마디도 말하지 않다. — *n.* ① 배반자, 배신자, 반역자, 모반인. ② 음흉한 사람 ; 〖연극〗 악역. ***en ~*** 배반하여 ; 남의 방심한 틈을 타서 : prendre qn *en* ~ …의 허를 찌르다.

traîtreusement [tʀɛtʀøzmɑ̃] *adv.* 비열하게, 음험〔음흉〕하게 : attaquer qn ~ par-derrière 비겁하게 …을 뒤에서 공격하다.

traîtrise [tʀɛ(e)tʀiːz] *f.* ① 배반〔배신〕 (행위)(= déloyauté) ; 반역 ; 부실함 ; 비열〔음흉〕함 : agir par ~ 비열한 행위를 하다. ② 생각지 못한 위험 : ~ de rochers à fleur d'eau 암초의 생각지 못한 위험 / Ce détroit est plein de ~*s*. 이 해협에는 뜻밖의 위험이 많이 도사리고 있다.

trajectoire [tʀaʒɛktwaːʀ] *f.* 탄도(彈道) ; 궤도 : ~ d'un missile 미사일의 탄도.

trajet** [tʀaʒɛ] *m.* 도정(道程), 여정(旅程), 노정(路程) : Le ~ dure quatre heures. 거기까지 가는 데 네 시간이 걸린다 / faire 〔parcourir〕 un long ~ 먼 길을 가다 / sur le ~ de l'hôpital à la maison 병원에서 집으로 가는 도중에. ***~ par mer 항해.

tralala [tʀalala] *m.* 《구어》 (화려하게 멋을 낸) 겉치레, 꾸밈새, (눈길을 끄는) 화려함(= flafla) ; 젠체함 : être sur son ~ ; être en (grand) ~ 화려하게 몸치장을 하고 있다 / faire du ~ 멋을 내다. — *interj.* 트랄랄라 《기쁨·조소 따위를 나타냄》 : *T~!* j'ai gagné. 야호! 내가 이겼다.

tram [tʀam] *m.* 《구어》 전차(電車)(= tramway) : prendre le ~ 전차를 타다.

trame [tʀam] *f.* ① 〖직물〗 씨실. ② (소설 따위의) 줄거리, 맥락 ; 복잡한 사건의 배경 : ~ d'un roman 소설의 줄거리.

tramer [tʀame] *v.t.* ① 〖직물〗 씨실을 먹이다, (피륙을) 짜다. ② ~ une action (소설·희곡의) 줄거리를 짜다. ③ (음모 따위를) 획책하다, 꾸미다(= comploter) : ~ un complot 음모를 꾸미다. — **se ~** *v.pr.* 계획〔획책〕되다 : 《비인칭》 Il *se trame* quelque chose. 무언가 은밀히 획책되고 있다.

tramontane [tʀamɔ̃tan] *f.* (지중해 연안의) 북풍 ; (피레네·알프스를 넘어 부는) 산바람.

trampoline [tʀɑ̃pɔlin] *m.* 〖스포츠〗 트램폴린 (체조)《쇠틀 안에 스프링을 단 즈크 그물의 탄성을 이용한 운동 기구》.

tramway [tʀamwɛ] 〔영〕 *m.* 시가 철도 ; (전차의) 궤도 ; 전차.

tranchant, e [tʀɑ̃ʃɑ̃, -ɑ̃ːt] *adj.* ① 날카로운, 예리한, 잘 드는 : couteau ~ 잘 드는 칼. ② (의견이) 단정적인, 단호한, 분명한, 또렷한 : réponse ~*e* 단정적인 대답 / parler d'un ton ~ 단호한 어조로 이야기하다.
— *m.* ① 칼날(= fil, taille) : ~ d'un couteau 칼끝과 날 / ~ de la main 손바닥의 새끼손가락 쪽 / mettre 〔donner〕 le ~ à une lame 날을 갈다〔세우다〕. ② 칼날 같은〔단호한〕 성격 : Cette raillerie est une épée à deux ~*s*. 이 야유는 양날의 칼이다〔두 사람을 동시에 친다〕. ***argument à double ~*** 〔***à deux ~s***〕 양도(兩刀) 논법, 상반되는 두 가지 효과를 나타낼 수 있는 논법.

***tranche** [tʀɑ̃ːʃ] *f.* ① 얇은 조각 ; 한 조각, 단편 : couper en ~*s* 얇게 자르다 / une ~ de pain 빵 한 조각 / ~ de vie (작품에 그려진) 인생의 단면. ② (분할한) 부분 ; (채권 따위의) 분할 발행분 : émettre un emprunt par ~*s* 채권을 몇 회로 나누어 발행하다. ③ (책의 등을 제외한 3 면의) 자른 자리〔단면〕 ;

(화폐 따위의) 가장자리 : livre doré sur ~*s* 금박을 한 단면의 책. ④ 〖요리〗 (소의) 넓적다리 속살(= tende ~) : bifteck dans la ~ 소의 넓적다리 속살 스테이크. ⑤ (전체에 대한) 일부, 부분 ; 구분 : ~ d'âge 연령대(帶) / ~ horaire 시간대(帶) / première ~ des travaux 공사의 제 1 기(期)분. ***s'en payer une ~*** 《구어》 크게 즐기다. ***~ napolitaine*** 나폴리풍(風) 아이스크림.

tranché, e[1] [tʀɑ̃ʃe] *adj.* 뚜렷한, 분명한(= distinct, net) ; 단정적인, 단호한 : ligne de démarcation ~*e* 분명한 경계선 / refus ~ 단호한 거절 / couleur ~*e* 분명한 색채.

tranchée[2] [tʀɑ̃ʃe] *f.* 호(壕), 긴 구덩이 ; 〖군사〗 참호 : creuser 〔ouvrir〕 une ~ 호〔구덩이〕를 파다 / guerre de ~*s* 참호전(戰).

tranche r** [tʀɑ̃ʃe] *v.t.* ① 자르다, 베다, 절단하다 : ~ la tête à 〔de〕 qn …의 머리를 자르다 / ~ la gorge 목을 베다. ② (곤란한 문제를) 일거에 해결하다, 결말을 짓다 : ~ un différend 분쟁을 깨끗이 해결하다 / ~ la discussion d'un mot 토론을 한 마디로 종결짓다. ── *v.i.* ① 《~ de 〔sur〕》 딱 잘라 결정하다, 결단을 내리다 : ~ *sur* 〔*de*〕 qc …에 관해서 단호한 결정을 내리다 / Il faut ~ sans plus hésiter. 더 이상 망설이지 말고 결단을 내려야 한다. ② 《~ sur 〔avec〕》 뚜렷이 나타나다〔솟아오르다〕(= se distinguer) ; (…와) 뚜렷이 대조를 이루다 : ~ *sur* le ciel 하늘에 뚜렷이 드러나다〔우뚝 솟아오르다〕 / rouge qui *tranche sur* un fond noir 검은 배경에 뚜렷이 구분되는 빨강. ***~ dans le vif 단호한 조치를 취하다, 비상 수단에 호소하다.

tranchoir [tʀɑ̃ʃwaːʀ] *m.* ① (육류 · 치즈용) 나무 도마. ② 식칼.

⁑**tranquille** [tʀɑ̃kil] *adj.* ① 평온한(= calme) ; 안온한, 잔잔한 : dormir ~ 편안히 잠자다 / mener une vie ~ 안온한 생활을 하다 / marcher d'un pas ~ 조용조용 걸어가다 / Nous habitons (dans) un quartier ~. 우리는 평온한 동네에 산다 / La mer était ~. 바다는 잔잔했다. ② (사람이) 조용한, 얌전한 ; 안심한, 걱정이 없는 : vieillard ~ 조용한 노인 / voisin ~*s* 점잖은 이웃 / Soyez ~, tout ira bien. 안심하세요, 모든 일이 다 잘 될테니. ③ 《구어》 확실한(= sûr), 확고한 : conviction ~ 확실한 신념 / Je suis ~ qu'il reviendra. 틀림없어, 그는 돌아올 거다. ***avoir l'esprit* 〔*la conscience*〕 *~*** 마음이 평온하다〔양심에 거리낌이 없다〕. ***laisser*** qc ***~*** 《구어》 …에 상관하지 않다. ***laisser*** qn ***~*** …을 가만 내버려 두다, 괴롭히지 않다. ***Laissez-moi ~ !*** 좀 가만히 내버려두시오. 귀찮게 굴지 마시오 : *Laissez-moi* ~ avec cette affaire. 이 일로 나를 괴롭히지 말아다오. ***se tenir ~*** (말없이) 조용히 있다.

***tranquillement** [tʀɑ̃kilmɑ̃] *adv.* 평온하게 ; 안심하고, 유유히 ; 태연히, 침착하게 : Il faut envisager ~ la situation. 침착하게 사태에 대처해야 한다.

tranquillisant, e [tʀɑ̃kilizɑ̃, -ɑ̃:t] *adj.* 안심〔진정〕시키는 : médicament ~*e* 신경 안정제. ── *m.* 신경 안정제, 진정제.

***tranquilliser** [tʀɑ̃kilize] *v.t.* 안심〔진정〕시키다(= calmer) ; 평온하게 하다, 신경을 안정시키다 : Je *suis tranquillisé.* 나는 마음이 가라앉았다 / ~ l'esprit 마음을 진정시키다. ── **se ~** *v.pr.* 안심하다 ; 평온해지다, (바다가) 잔잔해지다 : *Tranquillez-vous* au sujet de cette affaire. 그 문제라면 안심하세요.

tranquillité [tʀɑ̃kilite] *f.* ① 평온, 고요함, 잔잔함, 조용함 ; (마음의) 평안, 안심 : ~ d'esprit 마음의 평안 / cette ~ des soirs où la mer se calme 바다가 잔잔해지는 밤의 정적. ② 안녕, 질서, 평화(= paix), 치안 : troubler la ~ publique 세상의 평화를 어지럽히다 / établir 〔obtenir〕 la ~ 치안을 확립하다. ***en toute ~*** 평온하게, 안심하고.

trans- *préf.* ① 「…의 저쪽에, …을 넘어서(= au-delà de)」의 뜻. ② 「…을 가로질러서(= à travers)」의 뜻. ③ 「이행(= passage), 변화(= changement)」의 뜻.

transaction [tʀɑ̃zaksjɔ̃] *f.* ① 타협 ; 〖법률〗 화해 : ~ de la 〔avec sa〕 conscience 《경멸》 양심과의 타협. ② 〖상업〗 상거래, 매매 : ~*s* immobilières 부동산 매매 / activité 〔sécurité〕 des ~*s* 상거래의 활기〔안전성〕.

transactionnel, elle [tʀɑ̃zaksjɔnɛl] *adj.* 합의의, 화해적인, 화해에 의한 ; 거래의 : règlement ~ 합의에 의한 해결.

transafricain, e [tʀɑ̃zafʀikɛ̃, -ɛn] *adj.* 아프리카 종단의 : chemin de fer ~ 아프리카 종단 철도.

transalpin, e [tʀɑ̃zalpɛ̃, -in] *adj.* 알프스 산맥 저 너머의 ; 알프스 횡단의 : tunnel ~ 알프스 횡단 터널.

transat [tʀɑ̃zat] *m.* 《속어》 = transatlantique. ── **T~** *f.* 대서양 기선 회사.

transatlantique [tʀɑ̃zatlɑ̃tik] *adj.* 대서양 저편의 ; 대서양을 횡단하는 : lignes ~*s* 대서양 항로. ── *m.* 대서양 횡단 정기선(= paquebot ~) ; (*pl.*) (위)의 승객.

transbahutage [tʀɑ̃sbaytaːʒ] *m.* 《구어》 (화물 따위의) 운반, 이동.

transbahuter [tʀɑ̃sbayte] *v.t.* 《구어》 옮기다, 운반하다(= transporter).

transbordement [tʀɑ̃sbɔʀdəmɑ̃] *m.* (화물의) 옮겨 싣기, (승객의) 갈아 태우기, 다른 배로 옮기기 ; 배로 건네기.

transborder [tʀɑ̃sbɔʀde] *v.t.* ① (화물을 다른 배 · 열차에) 옮겨 싣다, (승객을) 갈아 태우다. ② (사람을) 배로 건네 주다.

transbordeur [tʀɑ̃sbɔʀdœːʀ] *m.* 운반차교(運搬車橋)(= pont ~) 《강 · 항만 한쪽에서 건너편으로 화물 · 여객을 건네 주는 일종의 조교(弔橋)》 ; 연락선, 페리보트. ***bac ~*** (열차를 나르는) 열차 연락선.

transcendance [tʀɑ̃sɑ̃dɑ̃:s] *f.* 〖철학〗 초월성 ; 우월성, 탁월(성) : ~ de Dieu 신의 초월성 / ~ d'un talent 재주의 뛰어남.

transcendant, e [tʀɑ̃sɑ̃dɑ̃, -ɑ̃:t] *adj.* ① 초월적인 : valeur ~*e* de la vie 생명의 초월적인 가치. ② (재능 · 공적 따위가) 탁월한, 뛰어난(= sublime) : génie ~ 불세출의 천재 / esprit ~ 탁월한 정신(의 소유자) / Il n'est pas ~. 그는 대단치 않은 보통의 남자이다.

transcender [tʀɑ̃sɑ̃de] *v.t.* 초월하다.

transcoder [tʀɑ̃skɔde] *v.t.* 〖TV〗 (방영 방

식이 다른 영상 전파를) 전환하다, …의 방영 방식을 바꾸다 ; 〖컴퓨터〗 코드 전환을 하다.

transcription [tʀɑ̃skʀipsjɔ̃] *f.* ① 전사(轉寫), 베껴 쓰기 ; 사본, 등본 ; 〖법률〗 등기 : faire la ~ d'un manuscrit 원고를 베껴 쓰다. ② (다른 문자로) 바꿔 쓰기 : ~ phonétique 발음 기호로 바꿔 쓰기 / faire la ~ en clair d'un message chiffré 암호문을 보통의 문장으로 풀어 쓰다. ③ 〖음악〗 (다른 악기용으로의) 편곡.

transcrire [tʀɑ̃skʀiːʀ] [38] *v.t.* ① 베끼다, 전사(轉寫)하다 : ~ une citation 인용문을 베껴 쓰다. ② 《~ en》 (다른 문자로) 바꿔 쓰다 : ~ d'un texte grec *en* caractères latins 그리스어로 된 문장을 라틴어 문자로 바꿔 쓰다. ③ (다른 악기용으로) 편곡하다 : Liszt *a transcrit* pour le piano des pièces d'orgue de Bach. 리스트는 바하의 오르간곡을 피아노곡으로 편곡했다.

transe [tʀɑ̃ːs] *f.* ① (흔히 *pl.*) 불안, 공포, 두려움(= affres, anxiété). ② 실신〔최면〕 상태. ***entrer* 〔*être*〕 *en* ~** 실신〔최면〕 상태로 들어가다〔상태에 있다〕 ; 《구어》 매우 흥분하(고 있)다. ***être dans les ~s ; être dans des ~s mortelles*** 몹시 불안해 하다.

transept [tʀɑ̃sɛpt] 〔영〕 *m.* 〖건축〗 (교회당의) 좌우의 익부(翼部), 수랑(袖廊).

transfèrement [tʀɑ̃sfɛʀmɑ̃] *m.* 이전, 이송, 양도 : ~ d'un prisonnier 죄수의 이송.

transférer [tʀɑ̃sfeʀe] *v.t.* ① 옮기다, 이전〔이송〕하다 ; 〖법률〗 양도하다 : ~ un prisonnier 죄수를 이송하다 / ~ le corps d'un mort 이장(移葬)하다. ② 물리다, 연기하다 : ~ une fête 잔치를 연기하다.

transfert [tʀɑ̃sfɛːʀ] *m.* 옮기기, 이전 ; 이송 ; 이동 : ~ de technologie 기술 이전.

transfiguration [tʀɑ̃sfigyʀɑsjɔ̃] *f.* 변형, 변모, 변화 ; ~ du monde 세계의 변모 / Cette bonne nouvelle a provoqué en lui une véritable ~. 그 소식을 듣고 그의 얼굴이 정말로 환해졌다.

transfigurer [tʀɑ̃sfigyʀe] *v.t.* ① 변모〔변화〕시키다 ; 미화하다(= embellir) : héros *transfiguré* par la légende 전설로 미화된 영웅. ② (얼굴 표정을) 밝게〔아름답게〕 하다 : La joie l'*avait transfiguré*. 그의 얼굴은 기쁨으로 빛났다.

transformable [tʀɑ̃sfɔʀmabl] *adj.* 변형〔변화〕 가능한(= métamorphosable).

transformateur, trice [tʀɑ̃sfɔʀmatœːʀ, -tʀis] *adj.* 변형하는 ; 가공하는. — *m.* 〖전기〗 변압기, 트랜스(《구어》 transfo).

***transformation** [tʀɑ̃sfɔʀmɑsjɔ̃] *f.* 변형, 변화 ; 개조, 개량 : ~ des matières premières 원료의 가공 / faire des ~*s* d'une maison 집을 개축하다 / ~ de la chrysalide en papillon 번데기의 나방으로의 변태. ***industrie de* ~** 가공업(加工業).

***transformer** [tʀɑ̃sfɔʀme] *v.t.* ① 변형〔변화 · 변모〕시키다, 개조하다 : ~ une maison 집을 개조하다 / ~ un vêtement 옷을 개조하다 / ~ qc en qc …을 …으로 변형시키다 / ~ du plomb en or 납을 금으로 변화시키다. ② 〖수학〗 변환하다 : ~ une équation 방정식을 변환하다. ③ 《~ qn》 (…의 성격 · 태도를) 일변시키다, 개선하다 : L'éducation peut ~ un enfant. 교육은 어린이의 성격을 고칠 수 있다 / Son séjour à l'étranger l'*a transformé*. 외국 체류는 그를 변화시켰다. ④ 《~ un essai》 〖럭비〗 트라이를 골로 성공시키다. — **se ~** *v.pr.* 변형〔변화 · 변모〕하다 : Depuis son mariage il *s'est* bien *transformé*. 결혼 이후 그는 아주 사람이 달라졌다 / La pluie *s'est transformée* en neige. 비가 눈으로 변했다.

transformisme [tʀɑ̃sfɔʀmism] *m.* 〖생물〗 (생물) 변이설.

transformiste [tʀɑ̃sfɔʀmist] *adj.* 생물 변이설의. — *n.* 생물 변이설 신봉자.

transfrontalier, ère [tʀɑ̃sfʀɔ̃talje, -ɛːʀ] *adj.* 국경 양편의 ; 국경을 가로지르는 ; (일하러 가기 위해) 국경을 넘는.

transfuge [tʀɑ̃sfyːʒ] *m.* 〖군사〗 투항자 ; 탈주병. — *n.* 개당자(改黨者), 변절자.

transfuser [tʀɑ̃sfyze] *v.t.* (액체 따위를) 옮기다 ; 수혈하다 : ~ du sang à un blessé 부상자에게 수혈하다.

transfusion [tʀɑ̃sfyzjɔ̃] *f.* ① 수혈(= ~ sanguine). ② 감화, 전수 ; 융합.

transgresser [tʀɑ̃sgʀɛ〔e〕se] *v.t.* (법 · 명령 따위를) 어기다, 위반하다(= violer) : ~ une loi 〔un règlement, la Constitution〕 법률〔규칙 · 헌법〕을 위반하다 / ~ des ordres 명령에 불복종하다.

transgresseur [tʀɑ̃sgʀɛsœːʀ] *m.* 위반자.

transgression [tʀɑ̃sgʀɛjɔ̃] *f.* 위반(= violation).

transhumance [tʀɑ̃zymɑ̃ːs] *f.* (알프스산중의 계절에 따른) 양떼 이동, 이동 목축.

transhumant, e [tʀɑ̃zymɑ̃, -ɑ̃ːt] *adj.* 이동 목축의, 계절에 따라 이동하는. — *m.* 산으로 이동한 양떼.

transhumer [tʀɑ̃zyme] *v.i.* (양떼가) 산으로 이동하다.

transi, e [tʀɑ̃s〔z〕i] *adj.* ① 《~ de》 (추위에) 언, 얼어붙은(= engourdi de froid) : être ~ *de* froid 추위에 얼어 있다. ② 《~ de》 (공포 따위에) 사로잡힌 : être ~ *de* peur 공포에 사로잡혀 있다. ③ amoureux ~ 《구어》 소심한 애인.

transiger [tʀɑ̃ziʒe] [3] *v.i.* ① 《~ avec》 …와 화해〔타협〕하다(= s'arranger, composer, s'entendre) : Il vaut mieux ~ que faire un procès. 소송을 하느니보다는 화해하는 것이 더 낫다. ② 《~ avec 〔sur〕 qc》 …에 관해서 양보하다, …을 굽히다(= pactiser avec) : ~ *avec* sa conscience 양심을 굽히다 / ~ *sur* l'honneur 명예〔지조〕를 굽히다.

transir [tʀɑ̃s〔z〕iːʀ] *v.t.* ① (추위가 사람을) 얼게 하다. ② (공포 따위가) 오싹하게〔떨게〕 하다 : Cette nouvelle le *transit* de peur. 이 소식은 그를 공포에 떨게 했다.

transistor [tʀɑ̃zistɔːʀ] 〔영〕 *m.* 〖전자〗 트랜지스터 ; 트랜지스터 라디오.

transistoriser [tʀɑ̃zistɔʀize] *v.t.* 트랜지스터화하다.

transit [tʀɑ̃zit] 〔이탈리아〕 *m.* ① 〖상업〗 면세(免稅) 통과 ; 화물 수송 ; 수송 화물 : marchandises en ~ 면세 통과 화물. ② (선박 · 비행기가 급유를 위해, 또는 승객이 갈

아타기 위해) 일시적으로 기항〔착륙〕하는 것 (=escale) : passager en ～ 통과 승객.

transitaire [tʀɑ̃zitɛːʀ] *adj.* 면세 통과의, (상품을) 면세로 통과시키는 : pays ～ 통과세 면제국. ── *n.* 면세 통과 수속인, 운송업자(=commissionnaire).

transiter [tʀɑ̃zite] *v.t.* (화물을) 면세 통과시키다. ── *v.i.* (화물이) 면세 통과하다 ; (통과 여객으로) 경유하다 : marchandises qui *transitent* par la France 프랑스 국내를 면세로 통과하는 화물 / voyageur qui *transite* par Moscou 모스크바를 통과〔일시 기항〕하는 여객.

transitif, ive [tʀɑ̃zitif, -iːv] 〖문법〗 *adj.* 타동적인 : verbe ～ direct 〔indirect〕 직접〔간접〕 타동사. ── *m.* 타동사.

transition [tʀɑ̃zisjɔ̃] *f.* ① 추이(推移), 변천, 변화 : ～ brusque de température 기온의 급격한 변화. ② 중간 과정, 과도기, 전환점 : regime de ～ 과도적 제도〔정체〕/ Nous sommes dans une époque de ～. 지금은 과도기이다. ***de ～*** 과도기적인, 임시의 : gouvernement *de* ～ 임시 정부. ***période de ～*** 과도기. ***sans ～*** 중간 과정 없이, 대번에 불쑥, 느닷없이, 갑자기 : passer *sans* ～ de l'exaltation au désespoir 환희에 차 있다가 느닷없이 절망에 빠지다.

transitivement [tʀɑ̃zitivmɑ̃] *adv.* 〖문법〗 타동사적으로.

transitivité [trɑ̃zitivite] *f.* 〖문법〗 (동사의) 타동성 ; 〖수학·논리〗 (관계의) 추이성 ; 전이성(轉移性).

transitoire [tʀɑ̃zitwaːʀ] *adj.* 잠시의, 일시적인(=passager, fugitif), 덧없는, 과도적인 (=provisoire) : La vie de l'homme est ～. 인간의 삶은 덧없는 것이다 / dispositions ～*s* 잠정적 조치.

translation [tʀɑ̃slɑsjɔ̃] *f.* ① 이동, 이송, 이전(=transfert) : ～ d'un prisonnier 죄수의 이송. ② 전임 ; 〖법률〗 양도 : ～ d'un évêque 주교의 전임 / ～ de propriété 재산의 양도 ③ 〖물리〗 병진(竝進)(운동).

translucide [tʀɑ̃slysid] *adj.* 반투명의.

translucidité [tʀɑ̃slysidite] *f.* 반투명.

transmetteur [tʀɑ̃smɛtœːʀ] *m.* 〖전신〗 송신기 ; 〖전화〗 송화기.

***transmettre** [tʀɑ̃smɛtʀ] 46 *v.t.* ① 전하다, 전달하다 ; 전갈하다(=communiquer) : ～ un message à qn …에게 메시지를 전하다 / ～ une nouvelle 소식을 전하다 / *Transmettez*-lui de ma part mes sincères salutions. 내가 안부 여쭙더라고 그분에게 전해 주십시오. ② (후손에게) 물려주다, 〖법률〗 양도〔이양〕하다(=léguer) : ～ un héritage 유산을 물려주다 / ～ son autorité à qn 자신의 권한을 …에게 이양하다. ③ (전기 따위가) 통하다, 전달하다 : Cette matière *transmet* l'électricité. 이 물질은 전기가 통한다. ④ (이름·전통 따위를) 남기다 ; 건네주다, 전하다 : ～ son nom à la postérité 후세에 이름을 남기다 / ～ un dossier à qn 서류를 (아무)에게 건네주다 ⑤ 방송〔중계〕하다, 송신하다 : ～ un concert en direct 음악회를 생방송하다. ⑥ (병을) 옮기다, 전염시키다 : parasite qui *transmet* une maladie 병을 옮기는 기생충. ⑦ 〖럭비〗 (공을) 패스하다. ── **se ～** *v.pr.* 전해지다 ; 전달〔전파〕되다 ; 감염〔전염〕되다 ; 서로 전하다 : Les son *se transmettent* par l'air. 소리는 공기에 의해 전달된다 / Cette maladie *se transmet* vite. 이 병은 급히 전염된다.

transmigration [tʀɑ̃smigʀɑsjɔ̃] *f.* 〖종교〗 윤회(輪回), 전생(轉生)(=～ des âmes, métempsychose).

transmi-s, -t ⇒ transmettre.

transmissibilité [tʀɑ̃smisibilite] *f.* 전달 가능성 ; 감염〔전염〕 가능성, 양도 가능성 ; 유전 가능성.

transmissible [tʀɑ̃smisibl] *adj.* ① 전달〔전파〕할 수 있는 ; 양도 가능한 : pensée difficilement ～ 쉽게 전해질 수 없는 사상 / droit ～ 양도 가능한 권리. ② 유전하는 ; 전염하는 : caractères biologiques ～*s* 유전하는 생물학적 형질 / maladie ～ 전염병.

transmission [tʀɑ̃smisjɔ̃] *f.* ① 전달, 송달 ; (빛·소리의) 전파 ; 감염〔전염〕 ; 유전 : ～ d'un ordre 명령의 전달 / ～ de pensée 정신 감응, 텔레파시(=télépathie) / ～ du son 〔de la lumière〕 음〔빛〕의 전파 / ～ des caractères 형질 유전. ② 〖법률〗 양도, 상속, 이양 : ～ des pouvoirs 정권 이양 / ～ d'une propriété 재산의 양도. ③ 〖전신〗 송신, 방송, 전송 ; (*pl.*) 〖군사〗 통신 ; 연락 ; 통신대 : services des ～*s* 통신대. ④ 〖기계〗 전동(傳動) (장치) : ～ automatique 자동 변속 장치. ***arbre de ～*** 〖기계〗 구동축(驅動軸). ***～ des biens par voie de succession*** 재산 상속.

transmuer [tʀɑ̃smɥe] *v.t.* 변질〔변환〕시키다, 변형시키다.

transmutation [tʀɑ̃smytɑsjɔ̃] *f.* ① 변질, 변형. ② 〖물리〗 (원자핵의) 변환 ; 〖생물〗 염색체 돌연변이. ③ 《문어》 변모, 변용.

transocéanique [tʀɑ̃zɔseanik] *adj.* 대서양 저편에 있는 ; 대서양 횡단의 : commerce ～ 대서양 무역.

transparaître [tʀɑ̃spaʀɛtʀ] 41 *v.i.* ① (…너머로) 비쳐 보이다 : La lune *transparaît* à travers les nuages légers. 달이 얇은 구름 너머로 비쳐 보인다. ② 속이 빤히 드러나 보이다 : laisser ～ une intention secrète 저의를 드러내 보이다.

transparence [tʀɑ̃spaʀɑ̃ːs] *f.* ① 투명 ; 투명도 : ～ du cristal 수정의 투명함. ② 명료함, 명백함 : ～ d'un texte 글의 명료함.

***transparent, e** [tʀɑ̃spaʀɑ̃, -ɑ̃ːt] *adj.* ① 투명한 ; 속이 환히 들여다보이는 : peau ～*e* 정맥이 환히 보이는 살갗 / ciel ～ 맑은 하늘 / tissus ～*s* 속이 비치는 얇은 천. ② 뻔한, 명백한(=clair, évident) : mot ～ 의미가 명료한 단어.

transpercer [tʀɑ̃spɛʀse] *v.t.* ① 찌르다, 꿰뚫다, 관통하다(= percer) : avoir le bras *transpercé* d'une balle 팔을 총알로 관통당하다. ② 스며들다(=pénétrer) : La pluie *a transpercé* mes vêtements. 비가 옷속으로 스며들었다. ***～ le cœur à*** 〔***de***〕 qn ***;*** ～ qn ***de douleur*** …의 마음을 아프게(비통하게) 하다. ～ qn ***d'un coup d'épée*** …의 몸을 단칼에 꿰찌르다.

transpiration [tʀɑ̃spiʀɑsjɔ̃] *f.* 발한(發汗)

(= sudation) ; 땀(= sueur) : être en ~ 땀으로 함빡 젖다 / La chaleur provoque la ~. 더위로 땀이 난다 / chemise humide de ~ 땀에 젖어 축축한 셔츠.

***transpirer** [tʀɑ̃spiʀe] *v.i.* ① 땀을 흘리다, 땀이 나다(= suer) : ~ des paumes 손바닥에 땀이 나다 / ~ à grosses gouttes 땀을 비오듯 흘리다. ② (비밀 따위가) 새다, 누설되다(= percer) : La secret *a transpiré*. 그 비밀이 새어나갔다 / Rien n'*a transpiré* de ce projet. 이 계획은 전혀 누설되지 않았다 / La nouvelle *a transpiré*. 정보가 새어 나갔다.

transplant [tʀɑ̃splɑ̃] *m.* 〖생물〗 (기관 · 조직의) 이식 ; 〖의학〗 이식한 기관〔조직〕.

transplantation [tʀɑ̃splɑ̃tɑsjɔ̃] *f.* ① 옮겨 심기, 이식 : ~ des arbres 나무의 이식. ② (사람 · 동물의) 이주 : ~ des ruraux dans des zones urbaines 농촌 인구의 도시 이주. ③ 〖의학〗 장기 이식 : ~ cardiaque 심장 이식.

transplanter [tʀɑ̃splɑ̃te] *v.t.* ① 옮겨 심다, 모종내다 : ~ un jeune arbre 묘목을 옮겨 심다. ② 이주〔이전〕시키다 : ~ une populations 주민을 이주시키다. ③ 〖의학〗 (기관 · 조직을) 이식하다(= greffer) : ~ un organe 장기를 이식하다.

transpondeur [tʀɑ̃spɔ̃dœːʀ] *m.* 〖통신〗 (레이더 신호에 자동 응답하는) 트랜스폰더, 자동 응답기.

transport** [tʀɑ̃spɔːʀ] *m.* ① 운반, 운송, 수송 ; 수송선〔차량〕 ; (*pl.*) 교통 기관, 수송〔운반〕 수단 : entreprise de ~*s* 운송 회사 / ~ des voyageurs 여객의 운반 / ~ de troupes 군대 수송 (차량) ; 군대 수송선. ② 운송료, 운임, 여비(= frais de ~) : Le ~ est en plus. 운송료는 별도입니다. ③ 격정(= exaltation), 흥분, 열광(= enthousiasme) : avec ~ 열광〔흥분〕하여. ④ 〖의학〗 뇌충혈. **~(*s*) *de joie 광희(狂喜), 환희 : avoir des ~*s de joie* 기뻐서 어쩔 줄 모르다.

transportable [tʀɑ̃spɔʀtabl] *adj.* 운반〔수송 · 운송〕할 수 있는 : marchandise ~ par avion 비행기로 운반할 수 있는 화물.

transporté, e [tʀɑ̃spɔʀte] *adj.* 기뻐 어찌할 바를 모르는 ; 흥분한 : Il est rentré chez lui ~ de joie. 그는 매우 기뻐하며 집으로 돌아갔다.

***transporter** [tʀɑ̃spɔʀte] *v.t.* ① 운반〔운송 · 수송〕하다 : ~ ses meubles 가구를 운반하다 / ~ en camion 트럭으로 수송하다. ② 이동시키다, 옮기다, 가져가다 : ~ un fait historique sur la scène 〔à l'écran〕 역사적 사실을 극으로〔영화로〕 꾸미다. ③ (소유권 따위를) 양도하다. ④ 〖부기〗 전기(轉記)하다, 이월하다 : ~ une somme d'un compte courant à un autre compte 당좌예금의 일부를 다른 구좌에 옮기다. ⑤ 흥분케 하다, 열광케 하다, 감격시키다(= exalter) : Cette nouvelle *a transporté* la foule *d'*enthousiasme. 이 소식은 군중을 열광시켰다.

— **se** ~ *v.pr.* ① (…으로) 가다 : *se* ~ sur les lieux du crime 범행 현장에 가다. ② …에 있는 것으로 상상하다 : *se* ~ dans le passé 과거를 회상하다.

transporteur, euse [tʀɑ̃spɔʀtœːʀ, -øːz] *adj.* 운반〔수송 · 운송〕하는 : chariot ~ 이동 기중기 / compagnie ~*euse* 운송 회사.

— *m.* ① 운반업자, 운송인 : ~ terrestre 〔maritime〕 육로운송〔해운〕업자. ② 운반 장치 ; 컨베이어 : ~ à courroie 벨트 컨베이어.

transposable [tʀɑ̃spozabl] *adj.* 다른 것으로 바꿔〔옮겨〕 놓을 수 있는, 순서〔위치〕를 바꿀 수 있는 : Cette scène est ~ dans un autre cadre. 이 장면은 다른 배경 속에 그대로 옮겨놓을 수 있다.

transposer [tʀɑ̃spoze] *v.t.* ① 순서를 바꾸다, (다른 배경 · 내용으로) 바꾸다〔옮기다〕 : ~ une légende antique dans une pièce de théâtre 고대 전설을 희곡화하다. ② 〖음악〗 이조(移調)하다 ; 〖언어〗 도치(倒置)시키다 : ~ les mots d'une phrase 문장의 어순을 바꾸다.

transposition [tʀɑ̃spozisjɔ̃] *f.* (위치 · 순서의) 바꿔 놓기 ; 옮겨 놓기, 전환 ; 〖언어〗 어순 전환 ; 〖음악〗 이조(移調) : ~ de sens 의미 전환 / ~ de la réalité dans une œuvre littéraire 현실을 문학 작품화하기.

transsexualisme [tʀɑ̃(s)sɛksɥalism] *m.* 〖정신의학〗 성도착증, 이성화(異性化) 욕망.

transsexuel, elle [tʀɑ̃(s)sɛksɥɛl] *adj.* 〖정신의학〗 성도착증의, 성전환증의(≠ homosexuel). — *n.* 성도착자 ; 성전환한 사람.

transsubstantiation [tʀɑ̃(s)sypstɑ̃sjɑsjɔ̃] *f.* 본질의 변화 ; 〖신학〗 화체(化體)《성찬의 빵과 포도가 그리스도의 살과 피로 변함》.

transsuder [tʀɑ̃(s)syde] *v.i.* 스며나오다, 배어나오다, 침투하다.

transvasement [tʀɑ̃svɑzmɑ̃] *m.* ① 옮겨 붓기. ② (꿀벌을) 다른 벌통으로 옮기기.

transvaser [tʀɑ̃svɑse] *v.t.* (액체를) 다른 그릇에 옮기다.

transversal, e, aux [tʀɑ̃svɛʀsal, -o] *adj.* ① 가로놓인 ; 횡단하는 ; 가로지른 : rue ~*e* (간선도로에 대한) 교차로 / vallée ~*e* 〖지리〗 횡곡 / ligne ~*e* 횡단선 / section ~*e* 횡단면 / coupe ~*e* et coupe longitudinale 횡단면과 종단면. ② 다방면의, 다영역의 : discipline ~*e* 여러 학문 분야의. — *f.* (기차 · 승용차의 간선을 거치지 않는) 횡단도로(선).

transversalement [tʀɑ̃svɛʀsalmɑ̃] *adv.* 가로로, 수평으로 ; 횡단하여.

transverse [tʀɑ̃svɛʀs] *adj.* 〖해부〗 가로놓인 : muscles ~*s* 횡근(橫筋).

transvider [tʀɑ̃svide] *v.t.* (액체를) 다른 용기에 옮겨 따르다〔넣다〕.

trapèze [tʀapɛːz] *m.* ① 〖기하〗 사다리꼴 ; 〖해부〗 승모근(僧帽筋)(= muscle ~). ② 〖체조〗 그네 : ~ volant (서커스의) 공중 그네 / monter au ~ 그네를 타다. **~ *vocalique*** 〖언어〗 모음 제형(梯形).

trapéziste [tʀapezist] *n.* 〖스포츠〗 그네 연습〔경기〕하는 사람 ; 그네 곡예사.

trapézoïdal, e, aux [tʀapezɔidal, -o] *adj.* 사다리꼴의.

trappe [tʀap] *f.* ① (마룻바닥 · 천장 따위에 낸) 뚜껑문 : descendre dans une cave par une ~ 뚜껑문으로 지하실에 내려가다. ② 〖사냥〗 함정, 허방다리 : tomber dans une ~ 함정〔계략〕에 빠지다〔걸리다〕.

trappeur [tʀapœːʀ] *m.* (알래스카 · 캐나다

T

의) 모피 전문 사냥꾼.

trappiste [tʀapist] *m.* 트라피스트회(會)의 수도사. 「수녀.

trappistine [tʀapistin] *f.* 트라피스트회의

trapu, e [tʀapy] *adj.* ① 똥똥한, 땅딸막한, 딱 바라진(≠ élancé); (물건이) 육중한(= massif). ② 《학생은어》 ⓐ 능숙한, 잘하는(= fort) : Il est ~ en maths. 그는 수학을 잘한다. ⓑ (문제 따위가) 어려운, 까다로운(= difficile) : problème ~ 까다로운 문제.

traque [tʀak] *f.* ① 〖사냥〗 (사냥감을) 몰아대기, 몰이. ② 《구어》 (사람의) 추적.

traquenard [tʀaknaːʀ] *m.* ① 함정 ; 책략(= piège) : tomber dans un ~ 함정〔책략〕에 빠지다〔걸리다〕 / tendre un ~ à qn …에게 함정을 파다. ② 숨겨진 난점 : question d'examen pleine de ~s 함정투성이의 시험 문제.

traquer [tʀake] *v.t.* ① 〖사냥〗 (짐승을) 몰다, 몰아대다 : ~ un renard 여우를 몰다. ② (사람을) 추격하다(= poursuivre) ; 바짝 몰아세우다, 괴롭히다 : ~ un voleur 도둑을 바짝 쫓다 / *être traqué* par la police 경찰에 쫓기다.

traqueur [tʀakœːʀ] *n.* 〖사냥〗 몰이꾼.

trauma [tʀoma] *m.* 〖의학〗 외상(外傷) ; 〖심리〗 정신적 외상, 충격(= traumatisme).

traumatique [tʀomatik] *adj.* 〖의학〗 외상성의 ; 심적 외상(성)의 : choc ~ 외상성 쇼크.

traumatisant, e [tʀomatizɑ̃, -ɑ̃ːt] *adj.* 〖정신분석〗 심적 외상을 주는, 충격을 주는 ; 매우 쇼킹한 : experience ~*e* 정신적 쇼크를 주는 경험.

***traumatiser** [tʀomatize] *v.t.* ① 〖의학〗 외상을〔상처를〕 입히다〔주다〕 : Cet accident l'*a traumatisé.* 이 사고로 그는 외상을 입었다. ② 〖정신분석〗 심적 외상을 입히다 ; 심한 충격을〔동요를〕 주다 : Elle *a été traumatisée* par son échec. 그녀는 자기의 실패로 마음에 깊은 상처를 입었다.

traumatisme [tʀomatism] *m.* ① 〖의학〗 외상성(外傷性) 장애 ; 외상 : ~ crânien 두개골 타박상. ② 〖정신분석〗 (충격으로 인한) 심적 외상 ; (마음의) 심한 충격〔상처〕.

traumatologie [tʀomatɔlɔʒi] *f.* 〖의학〗 (교통사고·산업재해 따위의) 외상(外傷) 치료학 : service de ~ d'un hôpital 병원의 외상 구급부.

‡travail[1] [tʀavaj] *m.* (*pl.* **-aux** [-o]) ① ⓐ 일, 노동, 근무 ; 공부, 학습 ; 작업 ; 일거리 : interrompre un ~ en cours 하고 있는 일〔사업〕을 중단하다 / chercher 〔donner〕 du ~ 일거리를 찾다〔주다〕 / lieu de ~ 일터, 직장 / ~*aux* agricoles〔des champs〕 농사일〔밭일〕 / demander beaucoup de ~ 일이 많다. ⓑ (경제 활동으로서의) 노동 ; 《집합적》 노동자 : ~ intellectuel 〔de l'esprit〕 지적〔정신〕 노동 / ~ musculaire 〔physique〕 근육〔육체〕 노동 / conflit du ~ 노동 쟁의 / le monde du ~ 노동자들. ⓒ 〖기계〗(기계·모터의) 효율, 효능, (기계·신체 조직의) 기능 : ~ d'une machine 기계의 기능 / ~ du cœur 심장의 기능. ② 직업(= emploi, métier) ; 직책, 직무(= spécialité) ; 사업 : femme au ~ 직장여성 / avoir un ~ régulier 정규적인 직업을 갖다 / ~ temporaire 임시직 / ~ à plein-temps 〔à mi-temps〕 풀타임〔파트타임〕 근무. ③ 가공, 세공, 공작 ; 세공의 솜씨 ; 숙련 ; 〖스포츠〗 훈련, 연습 : ~ soigné 공들인 솜씨 / ~ du bois 목공일 / bijou d'un beau ~ 세공 솜씨가 훌륭한 보석 / d'une gymnaste à la poutre 여자 체조 선수의 평균대 연습. ④ (*pl.*) 토목 공사, 공사 : ~*aux* de construction 건설 공사 / ~*aux* publics 공공 토목공사 / ≪Ralentir, ~*aux*≫ 「서행, 공사중」《도로 공사 중의 표지판》. ⑤ 작용 ; 변질 ; (목재 따위의) 뒤틀림 ; 발효 ; (물의) 침식(작용) : ~ d'une poutre 모르는 사이에 들보가 내려앉음 / ~ de la fermentation 발효 작용 / ~ des eaux 물의 (침식) 작용. ⑥ 분만의 고통, 산고, 진통 : salle de ~ d'une maternité 분만실. ⑦ 고심한 흔적 ; 노력의 성과, 작품 ; 연구 ; 논문 ; 저작 ; 심의, 토의 ; (*pl.*) (학회의) 보고 : Montrez-moi votre ~. 당신이 해 놓은 일을 보여 주시오 / ~ historique 역사상의 연구〔저술〕 / L'assemblée poursuit ses ~*aux* 의회는 심의를 계속하고 있다. ⑧ (*pl.*) 〖군사〗 작전, 전략 : ~*aux* de défense 방어 작전 ! ~*aux* de siège 공략 작전.

avoir le ~ facile 〔***lent***〕 일손이 재다〔뜨다〕. ***être sans ~*** 실직하고 있다, 무직자다. ***femme en ~*** 진통 중인 산모. ***homme de ~*** 일꾼, 노동자 ; 부지런히 일하는 사람. ***inspecteur du ~*** 근로 감독관. ***manque de ~*** 실직, 실업. ***Organisation internationale du ~*** 국제 노동 기구. ***parti du ~*** 〖정치〗 노동당. ***sans-~*** 실업자. ***se mettre au ~*** 일을 하기 시작하다. ***~ à l'aiguille*** 바느질, ***~ à la main ; ~ manuel*** 수공일. ***~aux d'approche*** (사람을 농락하기 위한) 책략, 계교 ; 접근하려는 공작. ***~aux pratiques*** 〖학교〗 연습, 실습. ***~aux publics*** 공공 토목 사업. ***~ de cheval*** 매우 고된 일, 지적 노동.

travail[2] *m.* (*pl.* **~s**) 짐승을 붙들어 매는 틀 《편자를 박을 때나 치료할 때 쓰는 것》.

‡travailler [tʀavaje] *v.i.* ① 일하다, 노동하다, 근무하다 ; 수고하다 ; 공부하다 ; 노력하다 : ~ dur 〔d'arrache-pied〕 열심히〔쉬지 않고〕 일하다〔공부하다〕 / Finis de jouer et va ~! 그만 놀고 가서 공부해라 / ~ en usine 〔aux champs〕 공장〔밭〕에서 일하다 / ~ contre qn …을 방해하다. ② (기계가) 돌아가다, 가동하다 ; (돈이) 이자를 낳다 : faire ~ une machine 기계를 돌리다 / faire ~ son argent 돈을 놀리다, 이자 놀이하다. ③ (곡예사·운동선수가) 훈련하다, 연습하다(= s'exercer) : acrobate qui *travaille* sans filet 망 없이 연습하는 곡예사. ④ 활동하다, 작용하다(= agir) : Le temps travaille pour nous. 시간은 우리에게 유리하게 작용한다 / faire ~ son imagination 그의 상상력을 활발하게 하다. ⑤ 작용을 받다 ; 변질하다 ; (목재 따위가) 휘다, 뒤틀리다 ; (벽이) 금이 가다 ; (밧줄이) 켕기다 ; (술이) 발효하다 ; (빛이) 바래다 : panneau de bois qui *travaille* 뒤틀린 판자 / Le vin *travaille.* 포도주가 발효한다 / Ce mur *travaille* 이 벽은 금이 가 있다. ⑥ (배가) 몹시 흔들리다 : Le navire

T

travaille. 배가 몹시 흔들린다.
— *v.t. ind.* 《~ à》 …에 힘을 기울이다 : ~ *à* la perte de qn …을 파멸시키려고 갖은 애를 쓰다 / ~ *à* un roman 소설 쓰기에 힘을 기울이다. **~ *à*+*inf.*** …하려고 애쓰다 : Travaillons *à* bien penser. 올바르게 생각하도록 노력하자.
— *v.t.* ① (원료를) 가공하다, (보석을) 세공하다 ; (땅을) 갈다 ; (반죽을) 이기다 : ~ une matière 원료를 가공하다 / ~ un bijou 보석을 세공하다 / ~ la terre 땅을 갈다. ② (사람을) 선동하다(= agiter, exciter), (사람에게) 영향을 끼치다 : ~ l'opinion 여론을 조작하다 / ~ les esprits 인심을 선동하다. ③ 괴롭히다 ; (신체적) 고통을 주다 : La fièvre *travaille* le malade. 병자는 신열로 고생하고 있다 / Cette question le *travaille.* 이 문제가 그를 괴롭히고 있다 / *être travaillé* de la goutte 통풍(痛風)으로 고생하다. ④ (문장을) 다듬다 : ~ son style 문장을 다듬다 / ~ un mémoire 논문을 손질하다. ⑤ (학과·악기·곡 따위를) 공부하다, 연습하다, 연마하다 : ~ les mathématiques 〔la philosophie〕 수학〔철학〕을 공부하다 / ~ un morceau de piano 피아노곡을 연습하다. ⑥ (동물을) 훈련시키다, 조련하다 : ~ un cheval 말을 조련하다. ⑦ 《속어》 때리다, 난폭하게 대하다(= battre) : Un flic m'*a travaillé.* 경관이 나에게 가혹 행위를 했다. ⑧ 〖테니스〗 (공에 커트 따위의) 변화를 주다 ; 〖권투〗 공격하다 : ~ une balle 공을 커트하다 / ~ son adversaire au corps 상대의 몸통을 공격하다. ⑨ (포도주 따위에) 섞음질을 하다, (내용물을) 속이다.
— **se ~** *v.pr.* ① 《se ~ à+*inf.*》 …하려고 애쓰다. ② 자기의 …을 괴롭히다 : *se* ~ l'esprit 〔l'imagination〕 골치를 썩이다〔여러 가지로 언짢은 일을 상상하다〕. ③ 가공〔세공(細工)〕되다.

***travailleur, euse**[1] [tʀavajœːʀ, -øːz] *adj.* ① 근면한, 열심히 일하는, 부지런한 : élève ~ 열심히 공부하는 학생. ② 노동자의 : classes ~*euses* 노동 계급. — *n.* ① 부지런한〔공부를 열심히 하는〕 사람〔학생〕. ② 노동자 : ~ manuel 육체 노동자 / ~ intellectuel 지식 노동자 / ~ agricole 농촌 노동자, 농민 / ~ immigre 이주민 노동자. ③ (*pl.*) 봉급 생활자(= salariés), 근로자 ; 공장 노동자 : condition des ~*s* 근로 조건.

travailleuse[2] [tʀavajøːz] *f.* ① 재봉대. ② ~ familiale 가정부《가족 수당 공고(公庫) 파견의》.

travaillisme [tʀavajism] *m.* 〖정치〗 (영국) 「노동당의 정책.

travailliste [tʀavajist] *n.* 〖정치〗 노동당 의원〔당원〕. — *adj.* 노동당의 : gouvernement ~ 노동당 정부 / Parti ~ 노동당.

travailloter [tʀavajɔte] *v.i.* 조금씩〔가볍게〕 일하다.

travée [tʀave] *f.* ① 〖건축·토목〗 기둥〔지주(支柱)〕 사이의 간격〔공간〕. ② 걸상·책상의 열 ; 걸상에 앉아 있는 좌중〔회중(會衆)〕 : ~ d'un amphithéâtre 계단식 강당의 좌석.

traveller's chèque [tʀavlœʀsʃɛk] 〔영〕 *m.* 트래블러스 체크, 여행자(용) 수표(= chèque de voyage).

travel(l)ing [tʀavliŋ] 〔영〕 *m.* 〖영화〗 이동 촬영(기) : ~ arrière 후퇴 이동 / ~ avant 전진 이동.

travers [tʀavɛːʀ] *m.* ① 폭, 넓이 ; 두께 : deux ~ de doigt 손가락 두 개의 폭. ② 〖해양〗 현측(舷側), 측면. ③ (땅·건물 따위의) 경사(= biais) ; (슬레이트의) 균열 방향 ; 비뚤어진 모양〔성격〕 : Il y a du ~ dans ce bâtiment. 이 건물에는 경사진 데가 있다. ④ 나쁜 버릇, 기벽(= manie) ; 결점 : Chacun a ses qualités et ses ~. 사람마다 장점과 단점이 있다. ***à tort et à ~*** 함부로. ***à ~*** qc …너머로 ; …을 통하여 ; …을 가로질러 ; …사이에, …복판에 : voir *à* ~ les rideaux 커튼을 통해 보다 / juger les gens *à* ~ les préjugés de sa classe 계급적 편견을 통해 사람들을 판단하다 / *à* ~ (les) champs 벌판을 건너〔가로질러〕. ***au ~ de*** qc ⓐ …을 통하여, …사이로 ; …에 의하여 : *Au ~ de* la brume, on aperçoit l'église. 안개 사이로 교회가 보인다 / *au ~ de* cette comparaison 이 비교에 의하여. ⓑ (장애물을) 통과하여, 헤치고 : Il avance *à* ~ la foule. 그는 군중 속을 헤치며 나아갔다. ***au ~ du corps*** 몸뚱이를 꿰뚫어. ***de ~*** ⓐ 비스듬히, 비뚤어지게 : avoir le nez 〔la bouche〕 *de* ~ 코가〔입이〕 비뚤어져 있다 / regarder qn *de* ~ …을 곁눈으로 흘겨보다 / mettre son chapeau *de* ~ 모자를 비스듬히 쓰다. ⓑ 틀리게, 부정확하게 : entendre 〔prendre〕 qc *de* ~ …을 곡해하다, 고깝게 생각하다 / raisonner *de* ~ 틀리게 생각하다 / ideés tout(es) *de*~ 엉뚱한 생각. ***en ~*** 가로 ; 측면으로 : scier une planche *en* ~ 판자를 가로 톱질하다 / être *en* ~ à la lame (배가) 물결을 측면으로 받다. ***en ~ de*** …을 가로질러. ***se mettre* 〔*venir*〕 *en ~*** 배를 멈추다, 정선(停船)하다. ***se mettre* 〔*se jeter*〕 *en ~ de*** qc …에 반대하다, …을 가로막다 : *se mettre en ~ de* la route de qn …의 통행을 막다 / Il *s'est mis en ~ de* mon projets. 그는 내 계획을 반대하고 나섰다.

traversable [tʀavɛʀsabl] *adj.* 건널 수 있는, 횡단할 수 있는 : rivière ~ à gué 걸어서 건널 수 있는 얕은 강물.

traverse [tʀavɛʀs] *f.* ① 가로장, 가로살, 동살 ; (창문 등의) 빗장(= barre de ~) ; 〖철도〗 침목(枕木) ; 상인방. ② 지름길, 샛길(= chemin de ~) : prendre la ~ 지름길로 가다. ③ (*pl.*) 장애, 방해(= obstacles) : se mettre 〔se jeter〕 à la ~ …을 방해하다. ***à la ~*** 《옛》 비스듬히, 옆으로.

traversée [tʀavɛʀse] *f.* ① 〖해양·항공〗 (바다·강을) 건너기, 도항(渡航), 항해 ; 횡단 : ~ de l'Atlantique (배·비행기에 의한) 대서양 횡단. ② 〖철도〗 교차점(= ~ de voie). **~ *du désert*** 사막의 횡단 ; (정치인 따위의) 재야(在野) 기간, 불우한 시절.

****traverser** [tʀavɛʀse] *v.t.* ① 건너다, 횡단하다, 가로지르다 : ~ la rue 거리를 가로지르다〔건너다〕 / ~ un pont 다리를 건너다 / ~ le Sahara 사하라 사막을 횡단하다. ② 꿰뚫다, 관통하다 ; …에 스며들다 : La Seine *traverse* Paris. 센 강은 파리를 관류(貫流)한다 / La pluie *a traversé* son manteau. 비가 그

의 외투에 스며들었다. ③ (생각이 머리에) 문득 떠오르다 : Une idée me *traversa* l'esprit. 한 가지 생각이 문득 떠올랐다. ④ (어떤 시기를) 살다, 보내다, 경험하다 : Nous *traversons* une période de crise. 우리는 위기의 시대에 살고 있다. *~ **la foule*** 군중을 헤치고 나아가다. ── **se** ~ *v.pr.* (말이) 비스듬히 걷다.

traversier, ère [tʀavɛʀsje, -ɛ:ʀ] *adj.* 가로의 ; 횡단하는. ***barque ~ère*** 연락선, 나룻배. ***flûte ~ère*** 횡적(橫笛).

traversin [tʀavɛʀsɛ̃] *m.* (침대의 폭만한) 긴 베개.

travertin [tʀavɛʀtɛ̃] *m.* 〖지질〗 석회화(石灰華).

travesti, e [tʀavɛsti] *adj.* 가장한 : bal ~ 가장 무도회. ── *n.* (이성으로) 변장한 사람. ── *m.* ① 여자 역을 연기하는 남자 배우(= acteur ~). ② (가면 무도회용의) 가장 의상.

travestir [tʀavɛsti:ʀ] *v.t.* ① 가장〔변장〕시키다 : ~ un homme en femme 남자를 여장시키다. ② 와전하다, 왜곡하다 : ~ la vérité 진실을 왜곡하다. ── **se** ~ *v.pr.* 《se ~ en》 …으로 변장하다 ; 분(扮)하다 : *se ~ en* paysanne 시골 여자로 변장하다.

travestissement [tʀavɛstismɑ̃] *m.* ① 가장, 변장 : pièce à ~*s* 한 배우가 여러 사람의 역을 하는 극. ② 왜곡, 와전(訛傳) : ~ de la vérité 진실의 왜곡.

traviole (de) [dətʀavjɔl] *loc. adv.* 《속어》 비스듬히, 비뚜름하게(= de travers) : mettre son chapeau *de* ~ 비뚜름하게 모자를 쓰다.

trayeur, euse [tʀɛjœ:ʀ, -ø:z] *n.* 젖 짜는 사람. ── *f.* 젖 짜는 기계, 착유기.

trébuchant, e [tʀebyʃɑ̃, -ɑ̃:t] *adj.* ① 《옛》 (화폐가) 정량(定量)의 : espèces sonnantes et ~*es* (바로 쓸 수 있는) 현금. ② 비틀거리는 : démarche ~*e* 비틀거리는 발걸음.

trébucher [tʀebyʃe] *v.i.* ① 비트적〔비틀〕거리다(= broncher) ; (몸의) 균형을 잃다(= chanceler) : ~ sur une pierre 돌에 걸려 비틀거리다. ② (이성이) 흔들리다. ③ (곤란에 부딪혀) 머무적거리다, 실패하다 : ~ sur un mot 어떤 말을 하려면서 머뭇거리다 / ~ dans une affaire 사업에 실패하다.

tréfilage [tʀefila:ʒ] *m.* 철사 제조.

tréfiler [tʀefile] *v.t.* (금속을 늘여서) 철사로 만들다.

tréfilerie [tʀefilʀi] *f.* 철사 제조 공장〔제조 기계〕.

***trèfle** [tʀɛfl] *m.* ① 〖식물〗 클로버, 토끼풀 : chercher des ~*s* à quatre feuilles 네 잎 클로버를 찾다 / un croisement en ~ 네 잎 클로버 모양의 입체 교차로. ② 〖카드놀이〗 클로버 : jouer ~ 클로버를 내놓다. ③ 〖건축〗 클로버 무늬.

tréfonds [tʀefɔ̃] *m.* 《문어》 가장 깊은 곳에 있는 것, 가장 깊은 곳 : être ému jusqu'au ~ de l'âme 마음속 깊이 감동되다.

treillage [tʀɛja:ʒ] *m.* ① 격자 (세공). ② 철망 ; 포도덩굴을 받치는 철사.

treillager [tʀɛjaʒe] [3] *v.t.* 격자 울타리를 설치하다 ; …에 철망을 치다.

treille [tʀɛj] *f.* 포도 덩굴 시렁 ; 울타리나 담에 덩굴을 올린 포도 나무.

treillis[1] [tʀɛ〔e〕ji] *m.* ① 올이 굵은 마포(麻布), 조포(粗布), 즈크 : jeu de ~ 작업복. ② 〖군사〗 작업복, 전투복.

treillis[2] *m.* ① 격자(格子), 철망. ② 〖토목〗 트러스, 형구(桁構).

treillisser [tʀɛjise] *v.t.* …에 격자를 달다 ; …에 철망을 치다〔달다〕.

⁑**treize** [tʀɛ:z] *adj. num.* 《불변》 ① 열 셋의. ② 열 셋째의 : page ~ 제 13 페이지. ── *m.* 《복수불변》 13(의 숫자) ; 13 일〔시 · 분 · 번지〕 ; (트럼프의) 13 : vendredi ~ (액운을 가져온다는) 13 일의 금요일.

treizième [tʀɛzjɛm] *adj. num.* 열 셋째의 ; 13 분의 1 의. ── *n.* 열 셋째(의 것 · 사람). ── *m.* 13 분의 1 ; (파리의) 제 13 구(區).

treizièmement [tʀɛzjɛmmɑ̃] *adv.* 열 셋째로.

trekking [tʀɛ〔e〕kiŋ] 〔영〕 *m.* 트레킹, 가벼운 산행〔등산〕 : faire un ~ 트레킹을 하다.

tréma [tʀema] *m.* 〖문법〗 트레마, 분음부(分音符)《ï, ü, ë 의 ¨》. ── *adj.* 《불변》 트레마가 붙은.

tremblaie [tʀɑ̃blɛ] *f.* 사시나무 숲.

tremblant, e [tʀɑ̃blɑ̃, -ɑ̃:t] *adj.* ① 떠는, 떨리는 : voix ~*e* 떨리는 목소리 / ~ de colère〔de froid〕 분노〔추위〕에 떠는. ② 흔들〔건들〕거리는 ; (빛이) 가물거리는, 깜박거리는 : lueur ~*e* 깜박거리는 불빛(= vacillant).

tremble [tʀɑ̃:bl] *m.* 〖식물〗 사시나무.

tremblé, e [tʀɑ̃ble] *adj.* (필적 따위가) 떨리는 손으로 그어진 ; 꼬불꼬불한 ; 〖인쇄〗 선(線)이 물결 모양의 ; 〖음악〗 (목소리가) 떨리는, 전음(顫音)의 : écriture ~*e* 떨린 필적 ; 꼬불꼬불한 글씨체 / sons ~*s* 전음. ── *m.* 〖인쇄〗 파선(波線)(= filet ~).

tremblement** [tʀɑ̃bləmɑ̃] *m.* ① (몸 · 목소리 따위의) 떨림, 경련 ; 진동 ; 전율 : ~ de la main 손의 떨림 / ~ de froid〔de peur〕 추위〔공포〕에 의한 떨림〔전율〕. ② 흔들림, 산들거림 ; (빛이) 가물거림, 깜박거리기 : ~ des feuilles 나뭇잎의 산들거림. ③ 〖음악〗 전음(顫音) ; 〖의학〗 진전(振顫). ***et tout le ~ 《구어》 그 밖에 모든 것〔사람〕. ***~ de terre*** 지진.

trembler** [tʀɑ̃ble] *v.i.* ① (추위 · 분노 따위로) 떨다(= frissonner, grelotter) ; (몸 · 손 · 목소리 따위가) 떨리다 : ~ comme une feuille 몹시 떨다 / ~ de froid〔colère〕 추위〔분노〕로 떨다. ② (나뭇잎 따위가) 흔들리다(= frémir) ; (대지 따위가) 진동하다 : roseaux qui *tremblent* au vent 바람에 흔들리는 갈대 / La terre a ~. 지진이 일어났다 / une explosion qui fit ~ les vitres 유리창을 진동시킨 폭발. ③ (근심 따위로) 마음이 동요하다, 근심하다, 두려워하다, 몹시 걱정하다(= avoir peur) ; 《~ de+*inf.*》 …하지 않을까 조마조마〔전전긍긍〕해 하다 : ~ pour qn …의 일이 몹시 걱정스럽다 / Il *tremblait* d'etre puni. 그는 벌 받지나 않을까 하고 전전긍긍하고 있었다. ④ 〖음악〗 전음〔떤음〕으로〔트레몰로로〕 연주하다. ***faire ~ 살랑거리게 하다 ; (사람을) 두려움에 떨게 하다. ***~ comme une feuille*** (나뭇잎처럼) 몹시 흔들리게 하다. ***~ le frisson*** 와들와들 떨다, 전율하다.

trembleur, euse [tʀɑ̃blœ:ʀ, -ø:z] *n.* 겁쟁

이. ── *adj.* 떨리는. ── *m.* 〖물리〗 진동기.

tremblotant, e [tʀɑ̃blɔtɑ̃, -ɑ̃:t] *adj.* (가볍게) 떠는, 떨리는 ; 나부끼는 ; (빛이) 깜박거리는 : mains ~*es* 떨리는 손 / voix ~*e* 떨리는 목소리 / lumière ~*e* 깜박이는 불빛.

tremblote [tʀɑ̃blɔt] *f.* avoir la ~ 《구어》 (무서움 · 추위로) 부들부들 떨다.

tremblotement [tʀɑ̃blɔtmɑ̃] *m.* (가벼운) 떨림 ; 나붓거림 ; 깜박거림.

trembloter [tʀɑ̃blɔte] *v.i.* (가볍게) 떨(리)다(= trembler légèrement) ; (빛이) 가물거리다, 나붓거리다 ; 깜박거리다.

trémie [tʀemi] *f.* ① (제분기의) 깔때기 모양의 투입구. ② 지하 주차장의 입구, (마루의) 벽난로 자리 ; (지붕의) 굴뚝 자리.

tremolo, trémolo [tʀemɔlo] *m.* 〖음악〗 전음(顫音), 떤음, 트레몰로 ; (감동으로) 떨리는 목소리 : avec des ~*s* dans la voix 감동으로 목소리를 떨다.

trémoussement [tʀemusmɑ̃] *m.* (분주히) 몸을 흔들기〔움직이기〕.

trémousser (se) [sətʀemuse] *v.pr.* ① (까불까불 · 좌우로) 움직이다, 흔들다 ; 간들거리다 : marcher en *se trémoussant* 간들거리며 걷다. ② 우물쭈물하다 : Allons, *trémoussez-vous !* 자, 우물쭈물 말고 빨리 하시오.

trempage [tʀɑ̃pa:ʒ] *m.* (가죽 · 피륙 · 종자 따위를) 물에 담그기 : ~ du linge dans la lessive 세탁물을 세제에 담그기.

trempe [tʀɑ̃:p] *f.* ① (액체에) 담그기〔적시기〕 : mettre qc en ~ …을 물에 담그다〔적시다〕. ② (쇠 따위의) 담금질, 경화(硬化) : acier de ~ 담금질한 강철. ③ 《구어》 (강인한) 체질, 기질, 성질 : Les gens de cette ~ sont rares. 이런 기질의 의연한 사람들은 드물다. ④ 《속어》 구타, 때리기 : donner une ~ 호되게 때리다.

trempé, e [tʀɑ̃pe] *adj.* ① 물에 담근〔잠긴 · 적신 · 젖은〕 ; 흠뻑 젖은 : ~ de sueur 땀에 흠뻑 젖은 / pain ~ 수프에 적신 빵. ② (쇠를) 담금질한 : acier ~ 경화강(硬化鋼). ③ (성격 따위가) 단련된, 강인한, 꿋꿋한 : un caractère bien ~ 강인한 성격.

***tremper** [tʀɑ̃pe] *v.t.* ① ⓐ (액체가) 스며들다 ; 젖게 하다 : La pluie *a trempé* sa chemise. 비가 그의 셔츠를 적셨다. ⓑ (액체에) 담그다, 잠그다, 적시다(= mouiller) : ~ la soupe 빵을 수프에 적시다 / ~ du linge dans l'eau 속옷을 물에 담그다 / ~ sa plume dans l'encre 펜에 잉크를 찍다. ② 〖야금〗 담금질하다 : ~ une lame 칼날을 담금질하다. ③ 《문어》 (성격 따위를) 강인하게 하다, 단련시키다(= endurcir, fortifier) : L'expérience l'*a* bien *trempé*. 경험은 그를 충분히 단련시켰다. ── *v.i.* ① (액체에) 잠기다 : faire ~ 〔mettre à ~〕 du linge 빨랫감이 물에 잠기다. ② 《~ dans》 가담하다 : ~ *dans* un complot 《구어》 음모에 가담하다. ── **se** ~ *v.pr.* ① 물에 잠기다, 가볍게 샤워하다. ② 자신의 …을 물에 잠그다 : *se* ~ les pieds dans l'eau 물에 발을 담그다.

trempette [tʀɑ̃pɛt] *f.* 《구어》 (간단한) 목욕 ; (포도주 따위에 적셔 먹는) 얇게 썬 빵. ***faire la*** ~ 빵조각을 포도주 · 우유 따위에 적셔 먹다.

tremplin [tʀɑ̃plɛ̃] *m.* ① 도약판, 발판 ; (다이빙의) 뜀판 ; (스키의) 점프대 : faire le (saut du) ~ 점프대에서 뛰어내리다. ② 《구어》 성공의 수단〔발판〕 : se faire de qn un ~ …을 성공의 발판으로 삼다.

***trentaine** [tʀɑ̃tɛn] *f.* (약) 30 ; 《구어》 (약) 30 세, 30 대 : Nous avons franchi la ~. 우리는 30 고개를 넘었다.

⁑trente [tʀɑ̃:t] *adj. num.* 《불변》 ① 30 의 : ~ minutes 30분 / Septembre a ~ jours. 9월은 30 일까지 있다. ② 《서수사 대신으로》 제 30 의, 30 번째의 : page ~ 제 30 페이지. ── *m.* 《복수불변》 ① 30(의 숫자), 30 일〔분 · 번지〕 : remise de ~ pour cent, 30% 의 할인 / Il habite au ~. 그는 30 번지에 산다. ② 〖테니스〗 서티《두 번째의 득점》.

trente et un(e) [tʀɑ̃teœ̃] *m.* 31 ; 31일 ; 31 번(지) : du premier janvier au ~ décembre 1 월 1 일부터 12 월 31 일까지. ***être*** 〔***se mettre***〕 ***sur son*** ~ 《구어》 가장 좋은 옷을 입다, 성장(盛裝)하다.

trente-trois [tʀɑ̃tətʀwa] *adj.* 33 의 ; 제 33 번째의.

trentième [tʀɑ̃tjɛm] *adj.* 제 30 의, 30 번째의 : arriver ~ sur cinquante 50 명 중 30 번째로 도착하다. ── *n.* 30 번째의 것 : être le 〔la〕 ~ sur une liste 명부의 30 번째이다. ── *m.* 30 분의 1 : un ~ de ses revenus 수입의 30 분의 1.

trépan [tʀepɑ̃] *m.* ① 〖외과〗 두개골에 구멍 뚫는 기계, 천두기(穿頭器) : opération du ~ 개두(開頭) 수술. ② 〖기계〗 (암석 · 목재 따위에 구멍을 내는) 천공기(穿孔機), 착암기.

trépanation [tʀepanɑsjɔ̃] *f.* 천두술(穿頭術), 개두술 ; (뼈의) 천공.

trépaner [tʀepane] *v.t.* ① 〖외과〗 천두 수술을 하다. ② (암석 따위에) 구멍을 뚫다 ; (광산에) 갱도를 파다.

trépas [tʀepɑ] *m.* 《시어》 죽음, 운명(= mort) : passer 〔aller〕 de vie à ~ 《구어》 죽다, 운명하다.

trépassé, e [tʀepɑse] *adj.* 죽은. ── *n.* 죽은이, 고인(= mort) : prier Dieu pour les ~*s* 죽은 사람들을 위하여 신에게 기도하다.

trépasser [tʀepɑse] *v.i.* 《조동사는 avoir, 때로 être》 운명하다, 죽다(= mourir) : Il a *trépassé* à deux heures du matin. 그는 오전 2 시에 운명했다.

trépidant, e [tʀepidɑ̃, -ɑ̃:t] *adj.* ① 심하게 진동하는, 흔들리는 : danse ~*e* 요란스런 춤. ② 부산한(= agité) ; 분주한 : mener une vie ~*e* 몹시 바쁜 생활을 하다.

trépidation [tʀepidɑsjɔ̃] *f.* ① 진동, 동요 : ~ du moteur 엔진의 진동. ② (어지러울 정도로) 몹시 바쁨〔분주함〕 : ~ de la vie parisienne 파리 생활의 분주함.

trépider [tʀepide] *v.i.* ① 진동하다, 흔들리다 : Cette maison *trépide* au passage des camions. 이 집은 트럭이 지나가면 흔들린다. ② 마음이 동요하다 ; (불안하여) 안절부절 못하다.

trépied [tʀepje] *m.* 삼각대(三脚臺), 삼각 걸상〔탁자〕 : ~ téléscopique d'un appareil photograpique 카메라의 접는 삼각대.

trépignement [tʀepiɲmɑ̃] *m.* 발을 구르기

T

〔구르는 소리〕.

trépigner [tʀepiɲe] *v.i.* 발을 구르다 : ~ de colère 화가 나서 발을 구르다 / ~ de joie 기뻐 날뛰다. ── *v.t.* 짓밟다.

‡très [tʀɛ] *adv.* 《형용사(구)·부사(구)를 수식》 매우, 몹시, 대단히(= bien, fort). ① 《형용사(구) 앞》 ~ gentil 매우 친절한 / ~ riche 매우 부유한 / C'est ~ clair. 더할 나위 없이 분명하다. ② 《부사(구) 앞》 ~ bien 썩 잘 / ~ souvent 빈번히 / Il se porte ~ bien. 그는 매우 건강하다 / Il était ~ en retard. 그는 매우 늦었다 / Il est ~ en vue. 그는 매우 뛰어났다 / À ~ bientôt. 《속어》 곧 또 만납시다. ③ 《형용사화한 명사(구) 앞》 Elle est ~ femme. 그녀는 정말 여자답다 / Ils sont ~ amis. 《구어》 그들은 매우 사이 좋다. ④ 《과거분사 앞》 opinion ~ répandue 널리 퍼진 의견 / Il est ~ aimé dans le monde. 그는 사교계의 총아이다. ⑤ 《동사구 속의 명사 앞》 J'ai ~ faim〔soif〕. 나는 몹시 배고프다〔매우 목마르다〕. ⑥ 《단독으로》 《구어》 Êtes-vous satisfait? — *T*~. 만족합니까? — 예, 대만족입니다 / Avez-vous passé de bonnes vacances? — Non, pas ~. 즐거운 휴가를 보냈습니까? — 아니 그리 즐겁지 않았소. ⑦ 《형용사적으로 쓰인 숙어 앞》 un monsieur ~ comme il faut 대단히 훌륭한 사람.

trésor** [tʀezɔːʀ] *m.* ① 보배, 보물, 재보(財寶) : ~*s* artistiques 미술 걸작품 / découvrir un ~ 보물을 발견하다. ② 보고(寶庫); 보물 보관소; (교회에 부속된) 보물고(庫) : le ~ de Notre-Dame 노트르담 대성당의 보물(전). ③ (보통 *T*~) 국고(國庫)(= le *T*~ public) : ~ de l'État 국고금 / bons du *T*~ (단기) 국고 채권. ④ (흔히 *pl.*) 부(富), 많은 재화(財貨); 걸작〔귀중〕품 : ~*s* du musée du Louvre 루브르 미술관의 명품 / Il a amassé des ~*s*. 그는 막대한 부를 쌓았다. ⑤ 매우 귀중한 것〔사람〕 : Cet ami est pour lui un véritable ~. 이 친구는 그에게는 정말 귀중한 보배이다. ⑥ (책 이름으로서) 보전(寶典), (지식 따위의) 보고. ***mon ~ 내 귀여운 사람〔보물〕《애정의 표현》. ***un*** ~ 〔***des*** ~***s***〕 ***de...*** 수많은 귀중한 물건들.

trésorerie [tʀezɔʀʀi] *f.* ① 국고, 국가의 재정(= *T*~ publique, *T*~ de l'État). ② (민간 기업의) 유동 자본, 재원, 자금 조종〔관리〕; 경리 회계 : difficultés de ~ 재원의 부족, 지급 곤란.

trésorier, ère [tʀezɔʀje, -ɛːʀ] *n.* 출납관, 회계원, 재무관; 〖군사〗 재정관 : commis ~ 회계과 서기 / ~ d'une société 회사의 경리계.

tressage [tʀɛsaːʒ] *m.* 짜기, 땋기, 엮기.

tressaillement [tʀesajmɑ̃] *m.* ① (놀람·공포 따위로) 떨기, 전율; (기쁨 따위로) 마음의 설렘〔두근거림〕 : secret ~ de joie 남모를 기쁨의 설렘. ② 동요(= agitation) : ~*s* de la foule 군중의 동요.

tressaillir [tʀesajiːʀ] *v.i.* ① (놀람·무서움 따위로) 몸을 떨다, 몹시 놀라다, 소스라치다; (기쁨으로) 마음이 설레다 : faire ~ qn …을 깜짝 놀라게 하다 / ~ de joie 기뻐서 마음이 설레다. ② (사물이) 진동하다, 동요하다 : Sous le choc, le plancher *a tresailli.* 충격을 받고 마룻바닥이 흔들렸다.

tressautement [tʀesotmɑ̃] *m.* 《문어》 흠칫하기, 깜짝 놀라기; (차 등의) 심한 흔들림.

tressauter [tʀesote] *v.i.* ① (놀람·무서움 따위로) 부들부들 떨다, 소스라치다 : Ce bruit l'a fait ~. 그 소리에 그녀는 깜짝 놀랐다. ② (짐수레 따위가) 몹시 흔들리다〔덜커덩거리다〕(= cahoter).

tresse [tʀɛs] *f.* ① 엮은 끈〔줄〕, 편물(編物); 엮음 장식끈 ② 땋아늘인 머리. ③ 〖건축〗 엮음 장식.

tresser [tʀɛ(e)se] *v.t.* 짜다, 땋다, 엮다 : ~ ses cheveux 머리를 땋다 / ~ un panier 광주리를 엮다..

tréteau [tʀeto] *m.* (*pl.* ~***x***) ① (다리 달린) 발판, 사각대(四脚臺). ② (*pl.*) (유랑 극단 등의) (장터의) 간이 무대〔극장〕. ***monter sur les*** ~***x*** 지방 순회 극단의 배우가 되다. 「치.

treuil [tʀœj] *m.* 〖기계〗 권양기(捲揚機), 윈

trêve [tʀɛːv] *f.* ① 휴전, 정전(= cessez-le-feu); 휴전 협정 : conclure une ~ 휴전〔정전〕협정을 맺다 / demander 〔accepter〕 une ~ 휴전을 제안〔응낙〕하다. ② (일·고통 따위의) 휴지, 중단, 멈춤, 쉼 : ~ entre les partis 정당 사이의 휴전 / Donnez quelque ~ à votre esprit. 머리 좀 식히십시오. ***faire*** ~ ***à*** qc …을 중단〔중지〕하다. ***sans*** ~ 끊임없이. ~ ***de...*** …은 이제 그만 해라 : *T*~ *de* plaisanterie. 농담은 이제 그만 하시오.

***tri** [tʀi] *m.* 선별, 구분, 분류, 정리 : faire un ~ parmi des candidats 지원자 중에서 선발하다 / ~ des lettres 편지의 분류〔정리〕 / faire le ~ de ses vêtements 의복을 분류〔정리〕하다.

tri- *préf.* 「3 개(trois)」의 뜻.

triage [tʀijaːʒ] *m.* ① 구분, 분류; 정리 : ~ du linge à laver 세탁물 구분하기. ② 가려냄, 선별; 〖광물〗 선광(選鑛) : ~ des graines 종자의 선별 / ~ des meilleurs candidats 우수한 수험생의 선발. ③ 〖철도〗 (출발에 앞서) 화차·객차를 바꾸기 : gare de ~ 조차장 / voie de ~ 측선(側線).

trial [tʀijal] 〔영〕 *m.* 〔*f.*〕 (*pl.* ~***s***) 모터크로스 레이스(용의 오토바이).

trialogue [tʀijalɔg] *m.* 3 자(者) 회담.

***triangle** [tʀi(j)ɑ̃ːgl] *m.* ① 삼각형(의 것) : ~ équilatéral 정삼각형 / ~ rectangle 직각 삼각형. ② 〖해양〗 삼각 신호기; 〖측량〗 삼각점; 삼각자. ③ 〖음악〗 트라이앵글.

triangulaire [tʀijɑ̃gylɛːʀ] *adj.* ① 삼각형의, 세모꼴의 : pyramide ~ 삼각추(錐), 세모뿔 / voile ~ 〖해양〗 삼각돛. ② 삼자 간의, 삼국 간의 : commerce ~ 삼각 무역 / élection ~ 〖정치〗 (선거 후보자의) 삼파전. ── *m.* 삼각근(筋)(= muscle ~).

triangulation [tʀijɑ̃gylɑsjɔ̃] *f.* 〖측량〗 삼각측량.

trias [tʀijɑːs] *m.* 〖지질〗 3 첩기(疊紀)(층).

triathlon [tʀi(j)atlɔ̃] *m.* 〖운동〗 3 종 경기.

tribal, e, aux [tʀibal, -o] *adj.* 부족의 : peuple ~ 부족민 / régime ~ 부족제.

tribo-électricité [tʀiboelɛktʀisite] *f.* 〖물리〗 마찰 전기.

tribord [tʀibɔːʀ] *m.* 〖해양〗 우현(右舷)(≠ bâbord) : Le bateau penche à ~. 배가 우

T

현으로 기울어진다.

tribu [tʀiby] *f.* ① 종족, 부속 ; (고대 이스라엘의 12) 지족(支族) : ~*s* d'Afrique 아프리카의 부족들 / ~*s* nomades 유목 부족. ② 대가족, 일족(= smala), 대집단.

tribulation [tʀibylɑsjɔ̃] *f.* ① 《문어》 (종교적) 고뇌, 번민. ② (*pl.*) 불운, 고난(= adversité) : Il n'est pas au bout de ses ~*s.* 그의 고난은 아직 끝나지 않았다.

tribun [tʀibœ̃] *m.* ① 〖로마사〗 호민관(護民官)(= ~ de la plèbe). ② 《문어》 (선동적인) 웅변가, 민중 선동가 : éloquence de ~ 대중에 호소하는 웅변.

tribunal** [tʀibynal] *m.* (*pl.* **-aux** [-o]) ① 법원, 법정 ; 재판 ; 《집합적》 재판관(석) : comparaître devant le ~ 법정에 출두하다, 재판을 받다 / saisir un ~ d'une affaire 어떤 사건을 재판에 회부하다 / compte rendu des décisions des ~*aux* 판례집. ② 재판(권) : ~ civil 〔criminel, militaire〕 민사〔형사 · 군사〕 재판. ③ 《문어》 심판 : le ~ suprême 최후의 심판. ***en plein ~ 공판석에서. ***prendre la voie des ~aux*** 재판에 호소하다.

tribune [tʀibyn] *f.* ① (특히 의회의) 연단 : monter à la ~ 등단(登壇)하다 / ~ du public 〔de la presse〕 (국회의) 일반 방청석〔기자석〕. ② (교회의) 특별석, 높은 단(壇) : ~ sacrée 설교단. ③ (경마장 · 경기장 따위의) 관객석, 방청석, 스탠드 : ~ d'un stade 스타디움의 관람대 / louer une ~ 관람석을 예약하다. ④ (신문 · 라디오 · 텔레비전 따위의) 논단, 토론회 : ~ libre d'un journal 신문의 자유 논단 / organiser une ~ sur un sujet d'actualité 시사 문제에 대한 토론회를 마련하다. ***éloquence de la ~*** 의정 단상의 웅변. **~ *des critiques*** (텔레비전 · 라디오의) 시사 평론 프로.

tribut [tʀiby] *m.* ① (속국이 바치는) 조공(朝貢). ② (군주 · 영주에게 바치는) 공물(貢物) ; 조세, 세금(= impôt) : lever un ~ 조세를 징수하다 / payer ~ 공물을 바치다. ③ 《구어》 의무, 책무 ; 《옛》 대가 : recevoir le ~ de ses peines 노력의 대가를 받다.

tributaire [tʀibytɛːʀ] *adj.* ① 《~ de》 …에게 조공〔조세 · 공물〕을 바치는. ② …에 의존하는, 종속하는(= dépendant) : Corée est ~ *des* pays étrangers particulièrement pour le pétrole. 한국은 특히 석유를 외국에 의존하고 있다. ③ 《~ de》 (강이) …으로 흘러드는 : fleuve ~ *de* la Méditerranée 지중해로 흘러드는 강.

tricentenaire [tʀisɑ̃tnɛːʀ] *adj.* 300 년이 된〔지난〕. ── *m.* 300 년제 : fêter le ~ d'un grand écrivain 대작가의 탄생 300 주년을 기념하다.

triche [tʀiʃ] *f.* 《구어》 (특히 도박에서의) 속이기, 속임수 : C'est de la ~. 그건 속임수다. ***obtenir*** qc ***à la ~*** …을 사취하다.

***tricher** [tʀiʃe] *v.i.* ① (도박 따위에서) 속임수를 쓰다, 야바위 치다 ; (시험에서) 커닝을 하다(= ~ aux examens) : ~ aux cartes 카드패를 속이다. ② 배신하다, 변심하다 : ~ en amour 변심하다 / ~ en politique 변절하다. ③ (제품의) 결함을 감추다, 눈가림하다, 호도(糊塗)하다 : Il a fallu ~ pour allonger cette robe. 그는 옷을 늘리기 위해 눈가림을 해야 했다.

tricherie [tʀiʃʀi] *f.* 속임수, 협잡 : gagner par ~ 속임수를 써서 이기다.

tricheur, euse [tʀiʃœːʀ, -øːz] *n.* 속임수 쓰는 사람, 협잡꾼 : ~ professionnel 전문 사기 도박꾼. ── *adj.* 속임수를 쓰는, 속이는.

trichine [tʀik〔ʃ〕in] *f.* 〖동물〗 선모(旋毛)충.

trichromie [tʀikʀɔmi] *f.* 삼색 사진법, 삼색 판법.

tricolore [tʀikɔlɔːʀ] *adj.* ① 3 색의 : feu ~ réglant la circulation 교통을 통제하는 삼색 신호등 / le drapeau ~ 삼색기《프랑스 국기》. ② 프랑스의(= français) : l'équipe ~ 프랑스팀. ── *m.* 〖스포츠〗 프랑스팀 : victoire des ~*s* 프랑스팀의 승리.

tricorne [tʀikɔʀn] *m.* 삼각모.

***tricot** [tʀiko] *m.* 편물, 뜨개질 ; 〖직물〗 트리코, (손으로 짠) 털옷 ; 메리야스 : des chaussettes en 〔de〕 ~ 뜨개질한 양말 / dentelle au ~ 편물의 레이스 / points de ~ 뜨개질감의 코 / faire du ~ 뜨개질하다.

tricotage [tʀikɔtaːʒ] *m.* 뜨개질 ; 편물 : ~ de la laine à la machine 모사(毛絲)의 기계 뜨기.

tricoté, e [tʀikɔte] *adj.* 뜨개질한, 편물로 만든, 니트의 : ~ en laine 모직 니트웨어.

tricoter** [tʀikɔte] *v.t.* 짜다, 뜨다 : ~ des bas 양말을 뜨다. ── *v.i.* ① 뜨개질하다, 편물을 하다. ② 《구어》 빨리 달리다, 도망치다(= ~ des jambes). ***aiguilles à ~ 뜨개바늘. ***machine à ~*** 편물기.

tricoteur, euse [tʀikɔtœːʀ, -øːz] *n.* 뜨개질하는 사람, 편물사. ── *f.* 편물 기계.

trictrac [tʀiktʀak] *m.* 트릭트랙《서양 주사위 놀이》.

「〔손수레〕.

tricycle [tʀisikl] *m.* 삼륜차 ; 세발 자전거

trident [tʀidɑ̃] *m.* ① 〖신학〗 삼지창《해신(海神) *Neptune* 의 홀(笏)》. ② 세발 작살, 세발 갈퀴.

tridimensionnel, elle [tʀidimɑ̃sjɔnɛl] *adj.* 3 차원의, 입체의.

trièdre [tʀijɛdʀ] *adj.* 〖수학〗 3 면의. ── *m.* 삼면각(= angle ~).

triennal, e, aux [tʀije〔ɛn〕nal, -o] *adj.* 3 년간〔제〕의 ; 3 년마다의 : fonction ~*e,* 3년 임기의 직책 / plan ~, 3 개년 계획.

triennat [tʀije〔ɛn〕na] *m.* 3 년간 ; 3 년간의 임기.

***trier** [tʀije] *v.t.* 골라내다, 추리다, 선별(選別)〔구분 · 분류〕하다 ; 정리하다 : ~ des lettres (우편 구역별로) 편지를 분류하다 / ~ au tamis 체로 치다, 체질해서 골라내다 / Il *triait* ses papiers. 그는 서류를 정리하고 있었다.

trieur, euse [tʀijœːʀ, -øːz] *n.* 고르는〔추리는〕 사람, 구분〔분류〕자 ; 선별공(工). ── *m.* (낟알의) 선별기 ; 〖광물〗 선광기. ── *f.* (전산기용의) 카드 분류기.

trifouiller [tʀifuje] *v.t.* 《구어》 마구 뒤적이다, 휘젓다 ; (기계를) 만지작거리다 : Cela m'*a trifouillé* le cœur. 그 일은 내 마음을 뒤흔들어 놓았다. ── *v.i.* 《~ dans》 …의 속을 마구 뒤적이다 / Ne viens pas ~ *dans* mes affaires. 내 일을 휘저어 놓으려고 오지 마

시오.

trigonométrie [tʀigɔnɔmetʀi] *f.* 〖수학〗 삼각법 : ~ rectiligne 〔plane〕 평면 3 각법 / ~ sphérique 구면(球面) 3 각법.

trigonométrique [tʀigɔnɔmetʀik] *adj.* 삼각법의 : équations ~s 3 각방정식.

trijumeau, elle [tʀiʒymo, -ɛl] (*pl.* **~x**) *n.* 세쌍둥이. ── *m.* 〖해부〗 삼차(三叉) 신경(= nerf ~). ── *adj. m.* 삼차 신경의.

trilatéral, e, aux [tʀilateʀal, -o] *adj.* 3 변(三邊)의.

trilingue [tʀilɛ̃:g] *adj.* 3 개 국어로 된 ; 3 개 국어를 아는 : De nombreux Suisses sont ~*s.* 많은 스위스인들은 3 개 국어를 말한다.

trille [tʀij] 〔이탈리아〕 *m.* 〖음악〗 전음(顫音)〔떤음〕; 바이브레이션.

triller [tʀije] *v.t.* 떠는 소리로 노래하다. 전음〔떤음〕으로 연주하다.

trillion [tʀiljɔ̃] *m.* ① 조(兆)(= 10^{12}). ② 100 경(京)《10^{18}, 1948 년부터》.

trilobé, e [tʀilɔbe] *adj.* 〖식물〗 (잎이) 3 열(三裂)의 ; 〖건축〗 3 엽 장식의.

trilobite [tʀilɔbit] *m.* 〖고대생물〗 삼엽충류(三葉蟲類).

trilogie [tʀilɔʒi] *f.* ① 〖고대그리스〗 비극 3 부작, (극 · 시의) 삼부작 ; 삼부곡(曲). ② 3인조, 3 인 체제, 3 위일체.

trimaran [tʀimaʀɑ̃] *m.* 〖해양〗 3 동선(胴船) 《선체가 3 개인 경주용 요트》.

trimardeur [tʀimaʀdœ:ʀ] *m.* 《속어》 방랑자 ; 떠돌이(= nomade, vagabond).

trimbal(l)age [tʀɛ̃bala:ʒ], **trimbal(l)ement** [tʀɛ̃balmɑ̃] *m.* (거추장스러운 것을) 끌고 다니기, 운반 ; 돌아다니기, 여행.

trimbal(l)er [tʀɛ̃bale] *v.t.* 《구어》 (거추장스러운 것을) 들고 다니다(= traîner), 운반하다 (= transporter) ; (사람을) 데리고 다니다 : Je ne vais pas ~ trois enfants dans Paris. 난 파리 시가를 아이 셋을 데리고 다니지 않겠어. ***Qu'est-ce qu'il trimballe!*** 참 바보 같은 놈이군.

trimer [tʀime] *v.i.* 《구어》 ① 고된 일을 하다, 수고하다(= peiner) : ~ comme un nègre 흑인 노예처럼 죽도록 일하다. ② 몹시 지쳐 힘겹게 걷다.

trimestre [tʀimɛstʀ] *m.* ① 사분기(四分期) ; 〖학교〗 (3 개월의) 학기 ; 3 개월간 : premier ~ 1 학기《10 월-크리스마스》/ second ~ 2 학기《정초-부활절》/ troisième ~ 3 학기 《부활절-여름방학》. ② 3 개월의 지불금〔연금 · 급료〕; 〖학교〗 한 학기분의 수업료. ***par*** **~.** 3 개월마다 ; 〖학교〗 학기마다.

trimestriel, elle [tʀimɛstʀijɛl] *adj.* 3 개월의 ; 3 개월마다〔분〕의 ; (잡지가) 계간(季刊)의. ***bulletin* ~** 〖학교〗 학기말 레포트. ***revue* ~*elle*** 계간 잡지.

trimestriellement [tʀimɛstʀijɛlmɑ̃] *adv.* 3 개월에 ; 3 개월마다.

trimoteur [tʀimɔtœ:ʀ] *m.* 3 발동기형의 비행기, 삼발기(= avion ~).

tringle [tʀɛ̃:gl] *f.* (커튼 따위의 고리를 끼우는) 봉 막대기(= ~ à rideaux) ; (상점에서 상품을 매달아 놓는) 가로대.

Trinité [tʀinite] *f.* ① 〖신학〗 (기독교의) 삼위일체. ② (*t*~) 세 가지 것〔세 사람의〕의 한 그룹(= triade, trio). ***à Pâques ou à la T~*** 《구어》 (기약할 수 없는) 먼 훗날에, 언젠가 ; 결코 (…아닌). (***fête de***) ***la ~*** 삼위일체 축일《성신 강림 축일 다음 일요일》.

trinôme [tʀino:m] *adj.* et *m.* 〖수학〗 3 항식(三項式)(의).

trinquer [tʀɛ̃ke] *v.i.* ① 술잔을 맞대어 축배를 들다, 건배하다 ; 《~ à qc》 …을 위해 건배하다 : ~ à la santé de qn …의 건강을 위해 건배하다. ② 《구어》 피해를 입다, (좋지 않은 일을) 당하다 : ~ de quinze jours de prison 2 주간의 구류 처분을 당하다.

trio [tʀijo] 〔이탈리아〕 *m.* ① 〖음악〗 3 중창〔주〕, 3 중주단, 트리오 : ~ pour piano, violon et violoncelle 피아노 · 바이올린 · 첼로 3 중주(곡) / ~ vocal 3 중창 / jouer en ~ 트리오로 연주하다. ② 삼인조.

triomphal, e, aux [tʀijɔ̃fal, -o] *adj.* ① 개선(凱旋)의, 축승(祝勝)의 : marche ~*e* 개선 행진 / élection ~*e* 대승한 선거. ② 의기양양한, 기고만장한 : faire une entrée ~*e* 마치 개선장군같이 의기양양하게 입장하다 / d'un geste ~ 기고만장한 몸짓으로. ③ 열렬한, 열광적인 : accueil ~ 열광적인 환영.

triomphalement [tʀijɔ̃falmɑ̃] *adv.* 의기양양하게, 당당하게 ; 열렬히 : entrer ~ 당당히 입장하다 / être accueilli ~ 열광적인 영접을 받다.

triomphalisme [tʀijɔ̃falism] *m.* 승리의 도취감, 승리자 의식《정의는 승리자의 것이라고 생각하는》; 자신(自信) 과잉, 자부심.

triomphaliste [tʀijɔ̃falist] *adj.* 독선적인, 자신(自信) 과잉의. ── *n.* 자신만만한〔자부심이 강한〕 사람.

triomphant, e [tʀijɔ̃fɑ̃, -ɑ̃:t] *adj.* ① 개선한, 승리를 거둔 : sortir ~ d'une épreuve (시합에서) 눈부신 성과를 올리다. ② 의기양양한, 득의에 찬, 당당한 : avoir un air ~ 의기양양한 모습을 하고 있다.

triomphateur, trice [tʀijɔ̃fatœ:ʀ, -tʀis] *adj.* 전승한, 승리한 ; (장군이) 개선한 : nation ~*trice* 승전국. ── *n.* 승리자 ; 크게 성공한 사람 : ~*s* des jeux Olympiques 올림픽 경기의 승리자들.

triomphe** [tʀijɔ̃:f] *m.* ① 개선 ; (시합 · 경기 따위에서의) 승리 : arc de ~ 개선문 / remporter un ~ 승리를 거두다. ② 대성공, 개가(= apothéose) ; 열렬한 갈채〔격찬〕: Les débuts de cette actrice ont été un ~. 그 여배우의 데뷔는 대성공이었다 / un ~ de la médecine moderne 근대 의학의 빛나는 개가 / Il a remporté un vrai ~. 그는 정말 열렬한 갈채를 받았다. ③ 최고의 특기〔장기(長技)〕, 십팔번 ; (예술가의) 대표작 : ~ d'un artiste 예술가의 대표작 / Les *feuilles mortes* a été le ~ d'Yves Montant. 「고엽(枯葉)」은 이브 몽탕의 18 번이었다. ④ 승리의 기쁨, 의기양양 : air de ~ 승리감에 넘친 모습. ***en* ~** 승리를 자랑하며 ; 의기양양하게. ***faire un ~ à qn …에게 박수 갈채하다. ***porter*** qn ***en ~*** (승자를) 목말을 태워 환호에 답하게 하다.

triompher [tʀijɔ̃fe] *v.i.* ① (싸워) 이기다, 승리하다 : le parti qui *triomphe* aux élections 선거전에서 승리한 정당 / ~ dans une discussion 토론에서 이기다. ② 압승하다, 대성공을 거두다 : La gauche *triomphera* aux prochaine élections. 다음 선거에서는 좌익이 압승할 것이다. ③ 의기양양해 하다, 기고만장하다, 승리를 구가하다. ④ 뛰어나다, 걸출하다(= exceller) : ~ dans un art 어떤 재주에 뛰어나다. — *v.t. ind.* 《~ de qn》 ① 제압하다(= vaincre) ; 《~ de qc》 …을 이겨내다, 극복하다(= surmonter) : ~ *de* ses adversaires 경쟁자〔적수〕들을 물리치다 / ~ *des* obstacles 장애를 극복하다. ② …을 기뻐하다 : ~ du malheur de qn …의 불행을 기뻐하다.

trip [tʀip] 〔영〕 *m.* 《구어》 (LSD 따위에 의한) 환각 상태(= défonce), (LSD 따위) 환각제 사용 : être en plein ~ d'acide 완전히 환각 상태에 빠져 있다.

tripaille [tʀipɑ:j] *f.* (동물의) 창자, 내장.

triparti, e [tʀipaʀti], **tripartite** [tʀipaʀtit] *adj.* 3 개의 부분으로 이루어진, 3 자〔당〕의 : accord *tripartite* 3 국 협정 / conversations *tripartites* 3 자〔파 · 당〕 회담, 3 국 회담 / gouvernement *tripartite* 3 당 연립 정부.

tripartition [tʀipaʀtisjɔ̃] *f.* 3 등분.

tripatouillage [tʀipatuja:ʒ] *m.* 《구어》 ① (문장 따위를) 멋대로 고치기, (부정한) 가필〔변경〕, 변조 : ~ des textes 원문을 마구 뜯어고치기 / ~ d'un document 문서 변조. ② 속임(수), 협잡.

tripatouiller [tʀipatuje] *v.t.* ① 《구어》 (문장 따위를) 멋대로 바꾸다〔고치다〕, …에 마구 가필하다 ; (계산서 따위를) 고쳐 쓰다(= altérer, truquer) : ~ les textes 원문을 마음대로 고쳐 쓰다 / ~ la comptabilité 회계를 속이다. ② 마구 만지작거리다(= tripoter).

tripe [tʀip] *f.* ① (보통 *pl.*) (소 따위의) 창자, 내장(= boyau) ; 《구어》 (사람의) 내장, 배 : avoir mal aux ~*s* 배가 아프다 / rendre ~*s* et boyaux 위장 안의 것을 모두 토하다. ② 《비유》 마음속(= entrailles) : se battre avec ses ~*s* 마음속의 생각과 싸우다. ③ (*pl.*) 〖요리〗 내장 요리 : ~*s* à la mode de Caen 내장과 양파를 쪄서 만든 캉식의 요리. ***acteur qui jous avec ses ~s*** (역할에) 몰입하여 연기하는 배우. ***avoir des ~s*** 《구어》 배짱이 두둑하다.

triperie [tʀipʀi] *f.* (식품으로서 가축의) 내장을 취급하는 장사〔가게〕.

tripette [tʀipɛt] *f.* ***Ça ne vaut pas ~.*** 《구어》 그건 한 푼의 가치도 없다.

triphasé, e [tʀifɑze] *adj.* 〖전기〗 삼상(三相)의 : courant ~ 삼상 교류.

T

***triple** [tʀipl] *adj.* ① 3 배의, 3 중의, 3 층의 : ~ dose, 3 배의 복용량 / ~ menton, 3 중 턱 / ~ collision, 3 중 충돌 / soulier à ~ semelle, 3 중창의 구두 / Sa dépense est ~ de la miene. 그의 지출은 나의 3 배이다. ② 3 요소의, 3 국 간의 : *T*~ Entente 3 국 협상. ③ 《구어》 더 할 나위 없는, 굉장한, 대단한(= grand) : ~ sot 굉장한 바보 / au ~ galop 전속력으로. — *m.* 3 배, 3 중 : plier en ~ (종이 따위를) 셋으로 접다.

triplé, e [tʀiple] *m.* 〖경마〗 3 연승 ; 〖운동〗 (한 팀에 의한) 1, 2, 3 위의 석권. — *n. pl.* 세 쌍둥이.

triplement[1] [tʀipləmɑ̃] *adv.* 3 배로, 3 중으로 ; 극도로, 극히.

triplement[2] *m.* 3 배로〔3 중으로〕 하기.

tripler [tʀiple] *v.t.* 3 배로 하다, 세 곱하다, 세 겹〔3 중〕으로 하다 : ~ un nombre 어떤 수를 세 배로 하다 / Il *a triplé* sa fortune. 그는 재산을 세 배로 늘렸다. — *v.i.* 3 배가〔3 중이〕 되다 : La population de la ville *a* presque *triplé* en dix ans. 시의 인구는 10 년간 약 10 배가 되었다.

tripoli [tʀipɔli] *m.* 〖광물〗 규조토, 규질(硅質) 석회암《유리 · 금속 연마용》.

tri(-)porteur [tʀipɔʀtœ:ʀ] *m.* (*pl.* ~(-)~*s*) 삼륜 자전거《화물 운반용》; 삼륜 오토바이.

tripot [tʀipo] *m.* ① 《경멸》 도박장 ② 수상한 집 ; 평판 나쁜 술집.

tripotage [tʀipɔta:ʒ] *m.* ① 만지작거리기, 휘젓기. ② 부정(不正), 속임수, 모략, 이면공작 : ~*s* electoraux 선거 위반.

tripotée [tʀipɔte] *f.* 《구어》 ① 매질, 구타(= raclée, rolée) : flanquer une ~ à qn …을 마구 때리다. ② 다수(= grand nombre) : avoir une ~ d'enfants 아이들이 많다.

tripoter [tʀipɔte] *v.t.* ① 만지작거리다, 주물럭거리다, 어루만지다 : ~ sa barbe 수염을 만지작거리다 / ~ une fille 《구어》 여자의 몸을 어루만지다. ② 획책하다, 기도(企圖)하다, 이익을 노리다 : ~ l'argent d'autrui 남의 돈으로 투기를 하다. — *v.i.* ① 《구어》 만지작거리다 ; 뒤적이다 : ~ dans un tiroir 서랍을 마구 뒤적이다. ② 부정을 저지르다 ; 투기를 하다 : ~ dans une affaire louch 수상한 사건에 관계하다. — **se** ~ *v.pr.* (몸의 일부를) 만지작거리다.

triptyque [tʀiptik] *m.* ① 〖미술〗 세 폭 그림〔조각〕; 세폭 병풍. ② 3 절(折)의 서류, (자동차 여행 때의) 3 절 세관 통행증. ③ 3 부작.

trique [tʀik] *f.* 《구어》 둥근 몽둥이, 곤봉(= gourdin, matraque) : menacer qn de sa ~ …을 곤봉으로 위협하다. ***faire marcher*** qn ***à coups de ~*** 몹시 거칠게 다루다. ***sec comme un coup de ~*** 매우 여윈.

trisaïeul, e [tʀizajœl] *n.* 고조부, 고조모.

trisannuel, elle [tʀiza(n)nɥɛl] *adj.* 3 년마다 있는 ; 〖식물〗 3 년생의 : plante ~*elle* 3 년생의 식물.

trisection [tʀisɛksjɔ̃] *f.* 〖기하〗 3 등분.

trisomique [tʀizɔmik] *adj.* 〖생물〗 3 염색체성의 ; 〖의학〗 다운 증후군의《선천성 치매의》. — *n.* 다운 증후군 환자.

****triste** [tʀist] *adj.* ① 슬픈, 서글픈(≠ gai, joyeux) : histoire ~ 슬픈 이야기 / ~ souvenir 슬픈 추억 / regard ~ 슬픈 눈매 / C'est la ~ vérité. 그것은 슬픈 진실이다 / être ~ à mourir 죽고 싶을 정도로 슬퍼하다 / Nous sommes ~*s* de mort de notre ami. 우리는 우리 친구의 죽음을 슬퍼한다. ② 침울〔우울〕한(= mélancolique), 쓸쓸한, 음울한, 음산한 ; 살풍경한 : ~ couleur 음울한〔칙칙한〕 색깔 / gens ~*s* 침울한 사람 / temps ~ 음산한 날씨 / femme timide et ~ 소심하고 우울한 (성격의) 여인 / Ma chambre donna sur une rue ~. 내 방은 쓸쓸한 거리에 면해 있다. ③《명사 앞》 비참한, 한심한, 가련한, 초라한 ; 불쾌한 느낌이 드는 : ~

personnage 한심한 인간 / ~ dîner 초라한 저녁밥 / ~ histoire (듣기) 불쾌한 이야기 / mener une ~ existence 비참한 생활을 보내다 / Il est rentré dans un ~ état. 그는 한심한 몰골로 돌아왔다. ④ 시시한, 하찮은, 보잘것없는 ; 고통스러운(= pénible) ; 마음 아픈(= fâcheux) : soirée ~ 시시한 파티 / repas ~ 보잘것없는 식사 / vivre de ~*s* jours 고통스러운 하루하루를 살다 / C'est bien ~. 유감스러운 일이다 / avoir le vin ~ 술에 취하면 우는 버릇이 있다. ***avoir ~ mine*** 〔***figure***〕 안색이 좋지 않다. ***être ~ comme un bonnet de nuit*** 〔***à mourir***〕 《구어》 몹시 우울하다. ***faire ~ mine à*** qn …을 냉대하다. ***~ mine*** 〔***figure***〕 슬픈〔우울한〕 얼굴 : le Chevalier à la ~ *figure* 우울한 얼굴의 기사《동키호테》 / faire *mine* 〔*figure*〕 음울한 모습을 하고 있다, 불쾌한 표정을 짓다.

tristement [tʀistəmɑ̃] *adv.* ① 슬프게, 슬픈 듯이, 우울하게, 가련하게, 비참하게 : baisser la tête ~ 슬픈 듯이 고개를 숙이다. ② 유감스럽게 ; 나쁜 의미로, 좋지 않은 일로 : personnage ~ célèbre 좋지 않은 일로 유명한 사람 / C'est ~ vrai. 유감스러운 일이지만 그것은 사실이다 / Il est devenu ~ célèbre. 그는 좋지 않은 일로 유명해졌다.

***tristesse** [tʀistɛs] *f.* ① 슬픔, 우울(= mélancolie) : avoir de la ~ 슬퍼하다 / sourire avec ~ 슬픈 미소를 짓다. ② 음울함, 쓸쓸함, 서글픔 : ~ qui règne dans le maison vide 텅빈 집안에 감도는 쓸쓸함 / ~ de la vie solitaire 고독한 생활의 쓸쓸함. ③ 슬픈 순간 ; 슬픈〔비극적인〕 일 : ~*s* de la vie quotidienne 일상생활의 쓸쓸한 순간들.

triton *m.* ① 〚음악〛 삼련전음(三連全音)《증사도(增四度)》. ② 〚물리〛 트리톤, 3중양자.

triturateur [tʀityʀatœːʀ] *m.* 분쇄기.

trituration [tʀityʀɑsjɔ̃] *f.* ① 분쇄, (가루로) 부수기, 빻기, 으깨기. ② 저작(詛嚼), 씹기.

triturer [tʀityʀe] *v.t.* ① 분쇄하다, 빻다, 갈아 으깨다(= broyer) : ~ du sel 소금을 빻다. ② 씹다, 저작(咀嚼)하다, 반죽하다, 마구 주무르다, 만지작거리다 : ~ son mouchoir 손수건을 만지작거리다. ③ 조작하다 ; 거칠게 다루다. ***se ~ la cervelle*** 〔***les méninges***〕 고심참담하다, 머리를 짜내다.

triumvirat [tʀijɔmviʀa] *m.* 〚고대로마〛 3두 정치 ; 《문어》 3두 정치.

trivial, e, aux [tʀivjal, -o] *adj.* ① 진부한, 평범한, 범속한(= plat, commun) : style ~ 통속적인 문체 / details ~*aux* 흔해 빠진 자질구레한 일들. ② 저속〔비속〕한, 야비한(= vulgaire, grossier) : langage ~ 비어(卑語), 상말 / plaisanterie ~*e* 외설스러운 농담. — *m.* 저속한 것〔문제〕.

trivialement [tʀivjalmɑ̃] *adv.* 진부하게 ; 비속〔저속〕하게, 상스럽게.

trivialité [tʀivjalite] *f.* ① 저속, 야비 ; 상스러운〔야비한〕 말〔농담〕 : plaisanterie d'une ~ choquante 매우 품위 없는 농담. ② 《옛·문어》 평범한, 진부함.

troc [tʀɔk] *m.* 물물 교환(제도) : accord de ~ 구상 무역 협정, 바터 협정 / faire un ~ avec qn …와 물물 교환을 하다. ***~ pour ~*** 공평한〔1 대1 의〕 물물 교환.

troglodyte [tʀɔglɔdit] *m.* ① 〚인류〛 혈거인(穴居人) ; 땅속에 사는〔일하는〕 사람. ② 〚조류〛 굴뚝새.

trogne [tʀɔɲ] *f.* 불그스름한 얼굴《술고래 따위의》.

trognon [tʀɔɲɔ̃] *m.* (야채·과일 따위의) 심, 속 : ~ de pomme 〔de chou〕 사과〔양배추〕의 속.

troïka [tʀɔika] *f.* ① 트로이카《말 셋이 끄는 썰매》. ② (정치 등에서의) 3두〔3원〕 체제.

‡trois [tʀwɑ] *adj.* 《복수불변》 ① 3의, 세 사람의 : les ~ Mousquetaires 삼총사 / ~ dizaines, 약 30. ② 《서수 대신》 세 번째의, 제 3의 : chapitre ~ 제 3장 / page ~ 제 3페이지. ③ 잠시의 ; 약간의 : deux ou ~ 두세 개, 조금 / Je reviens dans ~ minutes. 곧 돌아오겠소. — *m.* 《복수불변》 ① 3(의 숫자) : *T*~ et un, quatre. 3+1=4 / ~ pour cent, 3퍼센트 ; 연리(年利) 3푼. ② 3일〔시·분·번지〕 ; (트럼프의) 3 : Le ~ est un lundi. 3일은 월요일이다 / Il habite au ~, rue du Bac. 그는 Bac 가(街) 3번지에 산다. ***règle de ~*** 〚수학〛 비례 계산법, 삼률법(三率法). ***vie*** 〔***ménage***〕 ***à ~*** 삼각관계.

trois-deux [tʀwɑdø] *m.* 〚음악〛 2분의 3박자(곡).

trois-étoiles, trois étoiles [tʀwɑzetwal] *m.* ① 3별표《*** ; 이름을 밝히지 않으려 할 때 이름 대신 쓰임》 : Madame ~ 〔Mme***〕 모 여사. ② (동격으로) 별 셋의 : un restaurant ~ 별 셋의 식당.

trois-huit [tʀwɑɥit] *m.* 《복수불변》 ① 〚음악〛 8분의 3박자(곡). ② 8시간 3교대제(의 노동) : faire les ~ 3교대제로 근무하다.

‡troisième [tʀwɑzjɛm] *adj. num.* 3번째의, 제 3의 ; 3분의 1의 : la ~ fois 세 번째 / le ~ étage 4층 / ~ leçon 제 3과 / la ~ personne 3인칭 / ~ âge 제 3의 인생《노년기 ; 60–75세》. — *n.* 세 번째의 것〔사람〕 : Vous êtes la ~ à arriver. 당신은 세 번째로 도착했다. — *m.* 3분의 1 ; 3일 ; 4층(=~ étage) ; (파리의) 제 3구(= ~ arrondissement). — *f.* ① 〚학교〛 (lycée 의) 제 3학급(의 학생들·교실)《중학 4학년에 해당》. ② 〚철도〛 3등 ; 자동차의 3단 기어(= ~ vitesse) : voyager en ~, 3등을 타고 여행하다.

troisièmement [tʀwɑzjɛmmɑ̃] *adv.* 셋째로, 세 번째로.

trois-mâts [tʀwɑmɑ] *m.* 《복수불변》 세 돛대 범선, 세 대박이 돛배.

trois-quarts [tʀwɑkaːʀ] *m.* ① (아동용의) 소형 바이올린. ② 〚의복〛 (여자용) 7부 외투. ③ 〚럭비〛 스리쿼터 백.

trois-quatre [tʀwɑkatʀ] *m.* 《복수불변》 〚음악〛 4분의 3박자(의 곡).

trolley [tʀɔlɛ] 〔영〕 *m.* (전차의) 트롤리, 무궤도 전차 ; = trolleybus.

trolleybus [tʀɔlɛbys] *m.* 트롤리 버스, 무궤도 전차.

trombe [tʀɔ̃ːb] *f.* (바다) 회오리, 열대성 저기압 : ~ d'eau 폭우, 집중 호우. ***comme une*** 〔***en***〕 ***~*** 맹렬한 세력으로.

trombine [tʀɔ̃bin] *f.* 《속어》 얼굴(= visage, trompette).

tromblon [tʀɔ̃blɔ̃] *m.* 나팔총《모양이 나팔 같음》 ; 나팔 모자.

T

trombone [tʀɔ̃bɔn] *m.* ① 〖음악〗 트롬본《취주 악기의 일종》; 트롬본 취주자 : ~ à coulisse 슬라이드 트롬본. ② (종이를 끼우는) 클립.

tromboniste [tʀɔ̃bɔnist] *m.* 트롬본 취주자.

trompe [tʀɔ̃:p] *f.* ① (목동·사냥용의) 나팔 ; (자동차의) 경적 : ~ de chasse 사냥 나팔 / ~ de brume 배의 고동, 무적(霧笛) / sonner de la ~ 나팔을 불다 ; 클랙슨을 울리다. ② 〖동물〗 (코끼리의) 코 ; 〖곤충〗 (곤충의) 문관(吻管). ③ 〖해부〗 (나팔 모양의) 관(管) : ~ d'Eustache 유스타키오관(管) / 이관(耳管) / ~*s* de Fallope ; ~ utérine 수란관(輸卵管), 나팔관. ④ 〖건축〗 벽귀의 작은 홍예. ***publier*** qc ***à son de*** ~ 《구어》 나팔을 불어 …을 알리다 ; 요란스럽게 선전하다.

trompe-la-mort [tʀɔ̃plamɔ:ʀ] *n.* 《복수불변》《구어》 불사신(不死身), 구사일생으로 살아난 사람 ; 무모한〔겁없는〕 녀석.

trompe-l'œil [tʀɔ̃plœj] *m.* 《복수불변》 겉치레, 눈가림 : C'est du ~. 그건 겉치레뿐이다.

***tromper** [tʀɔ̃pe] *v.t.* ① 속이다(= abuser) ; (남편·아내를) 배신하다 : ~ sa femme 아내를 두고 불륜 관계를 맺다 / se laisser ~ aux 〔par les〕 apparences 겉치레에 속아 넘어가다. ② 잘못 생각하게 하다, 틀리게 하다 : C'est ce qui vous *trompe.* 그게 당신이 잘못 생각하고 있는 점이다 / Ma mémoire me *trompe.* 내 기억의 잘못이다. ③ (기대를) 저버리다(= décevoir, frustrer), 어긋나게 하다 : ~ la bonté 〔la confiance〕 de qn …의 선의〔신뢰〕를 저버리다 / Le résultat *a trompé* notre attente. 결과는 우리들의 기대에 어긋났다. ④ (일시적으로 욕구·기분 따위를) 달래다, 잊게 하다, 가라앉히다 : ~ la faim 〔son ennu〕 시장기를〔지루함을〕 달래다 / faire des mots croises pour ~ l'ennul 지루함을 잊으려고 십자말풀이를 하다. ⑤ (법망·추적·감시망 따위를) 따돌리다, 피하다, 속이다, 뚫다(= échapper à) : ~ les poursuivants 추적자를 따돌리다 / ~ la vigilance de la police 경찰의 경계를 속이다 / ~ la loi 법망을 뚫다〔피하다〕.

— **se ~** *v.pr.* ① 잘못하다, 실수하다 : Tout le monde *se trompe.* 누구나 다 실수하는 법이다. ② 잘못 생각하다, 오해하다 : Je *me suis trompoé* sur ses intentions. 나는 그의 의도를 오해했다. ③ 《재귀적》 자신을 속이다 ; 《비유》 서로 속이다. ④ 《se ~ de qc》 …에 관해 혼동을〔착오를〕 일으키다, …을 잘못 알다 : *se ~ de* cent francs dans un compte 계산에서 100 프랑 착오를 일으키다 / *se ~ de* direction 방향을 잘못 잡다 / *se ~ d'*heure 시간을 잘못 알다. ⑤ 《se ~ à》 …에 속다 : Ne *t'y trompe* pas. 겉모습만 보고 속지 말게. ***Il n'y a pas à s'y ~*** 그건 틀림없는 일이다. ***si je ne me trompe*** 내 생각이 잘못이 아니라면.

tromperie [tʀɔ̃pʀi] *f.* 기만, 협잡, 속임수, 사기(= tricherie) : ~ dans le commerce 상거래에서 사기〔속임수〕.

trompeter [tʀɔ̃pte] *v.t.* (나팔을 불며) 알리다 ; 《비유》 (소문을) 퍼뜨리다.

trompette [tʀɔ̃pɛt] *f.* ① 나팔 ; 〖음악〗 트럼펫 : ~ basse 베이스 트럼펫 : jouer de la ~ 트럼펫을 불다. ② (사동차의) 경적. ③ 〖패류〗 소라고둥. ***en ~*** 위를 향한, 위〔뒤〕로 젖혀진. ***nez en ~*** 들창코. — *m.* 〖군사〗 나팔수 ; 〖음악〗 트럼펫 취주자.

trompettiste [tʀɔ̃pɛ(e)tist] *m.* 나팔수 : 트럼펫 취주자.

trompeur, euse [tʀɔ̃pœ:ʀ, -ø:z] *adj.* 속이는, 기만적인, 겉보기만 그럴듯한 : promesse ~*euse* (믿을 수 없는) 말만의 약속.

— *n.* 기만자, 사기꾼, 협잡꾼. ***À ~, ~ et demi.*** 《속담》 뛰는 놈 위에 나는 놈이 있다.

trompeusement [tʀɔ̃pøzmɑ̃] *adv.* 속여서, 기만하여, 협잡하여.

***tronc** [tʀɔ̃] *m.* ① (나무의) 줄기, 수간(樹幹), 밑동, 둥치 : ~ d'arbre 나무줄기 / ~ de colonne (원주의) 주신(柱身). ② (인체의) 동체(胴體), 몸통 : partie supérieure du ~ 동체의 상반신. ③ (교회의) 연보함(捐補函) : ~ des pauvres 자선함. ④ 〖건축〗 주간(柱幹). ⑤ (집안의) 직계(直系), 가계(家系), 선조 : Ces deux familles sont issues d'un même ~. 이 두 가문은 같은 조상에서 나왔다. ⑥ ~ de cône 〔de pyramide〕 〖기하〗 원뿔〔각뿔〕대(臺). ⑦ 〖해부〗 (동맥·신경 따위의) 간(幹) : ~ cérébral 뇌간(腦幹).

troncature [tʀɔ̃katy:ʀ] *f.* 절단면, 절단부 ; (결정(結晶)의) 결능(缺稜).

tronche [tʀɔ̃:ʃ] *f.* 《구어》 머리, 얼굴(= tête) : une drôle de ~ 이상하게 생긴 얼굴.

tronçon [tʀɔ̃sɔ̃] *m.* ① (둥글고 긴 것의) 토막 : ~*s* d'anguille 뱀장어 토막. ② (문장 따위의) 한 부분, 일부 ; (철도·도로 따위의) 구간 : ~ de chemin de fer 철도의 1 구간. ③ (말꼬리의) 심부(心部)《털 부분과 구별하여》.

tronconique [tʀɔ̃kɔnik] *adj.* 〖기하〗 원뿔대 모양의.

tronçonnage [tʀɔ̃sɔna:ʒ] *m.* (둥글고 긴 것을) 토막 내기, 자르기.

tronçonner [tʀɔ̃sɔne] *v.t.* (둥글고 긴 것을) 토막으로 자르다 ; 단편으로 하다.

tronçonneuse [tʀɔ̃sɔnø:z] *f.* (둥글고 긴 것을) 토막 치는 기구, 절단기.

trône [tʀo:n] *m.* ① 왕좌, 옥좌 : ~ épiscopal 주교좌 / ~ pontifical 교황좌. ② 왕권, 왕위 : monter sur le ~ 왕위에 오르다 / placer qn sur le ~ …을 왕위에 앉히다.

trôner [tʀone] *v.i.* ① 왕위에 오르다, 즉위하다 ; 상석을 차지하다. ② 젠체하고 뽐내다, 뻐기다 ; 군림하다. ③ 눈에 띄다. (남의) 이목을 끌다 : Un buste *trône* sur la cheminée. 난로 위에 흉상이 의젓이 놓여 있다.

tronquer [tʀɔ̃ke] *v.t.* ① 주요 부분을 잘라내다 ; 절단하다(= amputer) : ~ une statue 조상(彫像)의 머리·손발을 잘라 버리다. ② 《구어》 (문장 따위의) 일부를 삭제하다 : article *tronqué* par la censure 검열에 의해 삭제된 기사.

***trop** [tʀo] 《형용사·부사 앞에서는 [tʀɔ], 모음으로 시작되는 형용사·부사 앞에서는 [tʀɔp]》 *adv.* ① 너무, 지나치게, 과도하게(= excessivement). ⓐ 《형용사·부사와 함께》 C'est ~ cher. 그것은 너무 비싸다 / ~ loin 너무 멀리 / ~ près 너무 가까이 / se lever ~ tard 너무 늦게 일어나다. ⓑ 《동사와 함

께》 ~ charger 너무 싣다 / Il a ~ bu. 그는 지나치게 술을 마셨다 / J'en ai ~ envie. 나는 그것을 몹시 원하고 있다. ⓒ 《전치사구와 함께》 Je suis ~ en colère. 나는 아주 골이 나 있다. ② ⓐ 매우, 몹시, 무척, 대단히(= très, beaucoup, bien, fort) : C'est ~ drôle. 그것 참 재미있군요 / Cet enfant est ~ mignon. 이 아이는 무척 귀여운데 / Vous êtes ~ aimable. 정말 친절하십니다. ⓑ 《부정으로》 별로〔그다지〕 …아니다(= pas beaucoup, pas bien, guère) : Je ne sais pas ~. 잘 모르겠소 / Il n'est pas ~ satisfait du résultat. 그는 결과에 별로 만족하지 않는다. ③ 《명사적 용법》 지나침, 과잉, 과도 : en faire ~ 필요 이상의 노력을 하다 / Ils sont ~. 그들은 수가 너무 많다. ④ 《구어》 《형용사적》 Il est ~, ce mec ! 저 녀석은 과장이 심해, 못 믿겠어 ! ⑤ 《~ de+무관사명사》 과도한 …, 지나치게 많은 … : J'ai acheté ~ *d'*oranges. 나는 오렌지를 너무 많이 샀다 / Tu fais ~ *de* bruit. 너는 몹시도 소란스럽구나 / sans ~ *de* peine 별로 힘들이지 않고. ***C'en est ~.*** 그건 너무하다. ***C'est ~.*** 그건 너무 많소《선물에 대한 답례의 말》; 그건 너무하다. ***de ~*** 여분의 ; 쓸데없는, 방해가 되는 ; 넘치는 : Cette remarque est *de* ~. 그 지적은 사족(蛇足)이다 / Je crains d'être *de* ~. 방해가 되지 않을까요. ***en ~*** 과도하게, 여분으로 : Il y a une personne *en* ~ dans l'autobus. 이 차는 한 사람 초과이다. ***être de ~*** 필요없다, 불필요한〔귀찮은 · 성가신〕 존재다. ***ne... que ~*** 넘칠 만큼 ; 너무나도 : Je *ne* le sais *que* ~. 나는 그를 알만큼 알고 있다. ***par ~*** 너무나, 지나치게. ***rien de ~*** 〖구어〗 별로 …아니다 : Tu le trouves intelligent ? — Oh ! *rien de* ~ ! 그가 영리하다고 생각하니 ? — 아니, 별로 ! ~ (***de***) ***... pour*** + *inf.* 〔***que*** + *sub.*〕 …하기에는 너무 …하다 ; 너무 …해서 …하지 못하다 : Il est ~ paresseux *pour* réussir. 그는 너무 게을러서 성공은 못 할 것이다 / J'ai ~ *de* travail pour sortir. 나는 일이 너무 많아서 외출할 수 없다. ***~ peu*** 불충분하게 : Il est ~ *peu* prudent. 그는 조심성이 부족하다.
── *n.* 과도, 과잉 : Le ~ d'expédients peut gâter une affaire. 지나치게 술책을 쓰면 일을 그르치게 된다.

trope [tʀɔp] *m.* 〖수사학〗 전의(轉義), 비유 《어구가 본래의 뜻과 달리 쓰이는 기법 ; 은유(métaphore), 환유(métonymie), 제유(synecdoque) 따위》.

trophée [tʀɔfe] *m.* ① 전리품, 전승 기념품. ② 〖스포츠〗 트로피.

tropical, e, aux [tʀɔpikal, -o] *adj.* 열대(성)의, 열대 지방의, 열대 같은 : région ~*e* 열대 지방 / climat ~ 열대성 기후 / plantes ~*es* 열대 식물 / chaleur ~ 열대 지방 같은 더위, 혹서.

tropique [tʀɔpik] *m.* ① 〖지리〗 회귀선(回歸線) : ~ du Cancer 〔Capricorne〕 북〔남〕 회귀선. ② (*pl.*) 열대 지방 : vivre sous les ~*s* 열대 지방에 살다. ── *adj.* 〖천문〗 회귀의 : année ~ 회귀년, 태양년.

tropisme [tʀɔpism] *m.* ① 〖생물〗 굴성(屈性), 향성(向性). ② 단순한 반사 작용.

troposphère [tʀɔpɔsfɛːʀ] *f.* 〖기상〗 대류권(對流圈).

trop-perçu [tʀɔpɛʀsy] *m.* 《복수불변》 징수 초과액(≠ moins-perçu), 과중 징수.

trop-plein [tʀɔplɛ̃] *m.* ① 넘침 ; 과잉(의 것) : déversement au dehors du ~ de la production 과잉 생산품의 투매〔덤핑〕 / ~ de tendresse 넘치는 애정. ② (세면기 따위의) 배수구(= déversoir).

troquer [tʀɔke] *v.t.* ① 교환하다, 물물 교환하다 : ~ qc contre qc …을 …와 교환하다 / ~ du sel contre de l'or 소금을 금과 교환하다. ② …와 바꾸다, (옷을) 갈아입다.

troquet [tʀɔkɛ] *m.* 《속어》 선술집 (주인) 《mastroquet 의 단축형》.

trot [tʀo] *m.* (말의) 속보(速步), 트로트《pas 와 galop 의 중간》 : course au ~ 속보 경주. ***au petit ~*** 약간 빠른 속도로. ***au ~*** 속보로 ; 서둘러서 : Allez-y, et *au* ~ ! 자 빨리 가, 서둘러 !

trotte [tʀɔt] *f.* 《구어》 ① 행정(行程), 도정, (상당히) 먼 거리 : faire une bonne ~ 멀리까지 걷다 / Ça fait une ~ ! 거리가 꽤 멀군그래.

trotte-menu [tʀɔtməny] *adj.* 《불변》 《익살》 종종걸음치는.

trotter [tʀɔte] *v.i.* ① (말 · 기수가) 속보로 달리다. ② 종종걸음으로 걷다. ③ 《구어》 (생각 따위가) 머리에서 떠나지 않다 : Cette idée me *trotte* par 〔dans〕 la tête. 이 생각이 내 머리에서 떠나지 않고 있다. ***être toujours à ~*** 《구어》 노상 분주하게 쏘다니고 있다.

trotteur, euse [tʀɔtœːʀ, -øːz] *m.* ① 속보 훈련이 된 말, 속보 경주용 말. ② 《구어》 걸음이 빠른 사람. ── *f.* (시계의) 초침.

trottiner [tʀɔtine] *v.i.* 종종걸음 치다, 잦은 걸음으로 걷다 ; (말이) 속보로 달리다.

trottinette [tʀɔtinɛt] *f.* ① (어린이용) 외발 킥보드. ② 《구어》 소형 자동차.

***trottoir** [tʀɔtwaːʀ] *m.* 보도, 인도 : se promener sur les ~*s* 보도〔거리〕를 산책하다 / ~ cyclable 자전거 도로 / ~ roulant(= tapis roulant) 벨트 컨베이어(식 보도).

trou** [tʀu] *m.* ① 구멍 ; 구덩이 ; (짐승의) 굴 ; (은신용) 참호 : ~ d'un terrain de golf 골프장의 구멍 / regarder par le ~ de la serrure 열쇠구멍으로 들여다보다 / creuser 〔percer〕 un ~ 구멍을 파다〔뚫다〕 / ~ de renard 여우굴 / tomber dans un ~ 구덩이에 빠지다 / ~ individu 〖군사〗 개인 참호. ② (신체의) 구멍 : ~*s* de nez 콧구멍 / ~ de balle 〔du cul〕 항문 / *T*~ du cul 멍청한 놈 ! ③ 공백 ; 결함 ; (기억 따위의) 결여된 부분 ; 적자, 결손, 빚 : ~ dans son emploi du temps 일과의 비어 있는 시간 / ~ de la sécurité sociale 사회 보장 재정의 적자. ④ 창문 : ~ d'aération 환기창. ⑤ 초라한 집, 오막살이. ⑥ 시골의 작은 마을, 벽지 ; 은둔처 : habiter un ~ où il n'y a pas de cinéma 영화관도 없는 벽촌에 살다. ⑦ 《구어》 묘혈 무덤 : aller au ~ 뒈지다, 죽다 / être dans un [illegible]에 있다. ⑧ 《구어》 감옥(= prison) : envoyer qn ~ …을 감옥에 보내다. ⑨ 〖골프〗 홀 : golf (de) 18 ~*s*, 18 홀의 코스. ***avoir un ~ de mémoire 기억에 결여된 구

T

석이 있다. ***avoir un ~ sous le nez*** 《속어》 취하다. ***boire comme un ~*** 《속담》 밑빠진 독에 물붓기《대주가》. ***boucher un ~*** 《구어》 빚을 갚다 ; 남의 대리로 일을 처리해 주다. ***faire le ~*** 〖럭비〗 적의 디펜스를 돌파하다 ; 《비유》 경쟁 상대를 떼어놓고 독주하다. ***faire le ~ normand*** 〔***du milieu***〕 식사 도중에 식욕 증진을 위해 브랜디나 위스키를 마시다. ***faire son ~*** 《구어》 좋은 직장에 있다, 출세하다. ***~ d'homme*** 맨홀. ***~ normand*** 식사 도중에 마시는 브랜디.

troubadour [tʀubaduːʀ] *m.* 〖문학사〗 (langue d'oc로 시를 쓴) 중세 남프랑스의 음유 시인.

troublant, e [tʀublɑ̃, -ɑ̃ːt] *adj.* ① (마음을) 혼란시키는, 불안하게 하는(= déconcertant) : inquiétude ~*e* 마음이 진정되지 않는 불안 / mystère ~ 불안에 빠뜨리는 신비 / question ~*e* 당혹스럽게 하는 질문. ② 매혹적인, 육감적인 : femme ~*e* 관능적인 여자.

trouble**[1] [tʀubl] *adj.* ① 탁한(≠ limpide) ; 흐린, 뿌연(≠ net) ; 혼탁〔혼란·혼돈〕한 : eau ~ 탁한 물 / avoir la vue ~ 눈이 침침〔흐릿〕하다. L'air est ~. 안개가 끼어 있다. ② 불순한, 수상쩍은, 엉큼한(= louche) : désirs ~*s* 불순한〔엉큼한〕 욕정 / regard ~ 수상쩍은 시선 / Il y a quelque chose de ~ dans sa vie. 그(녀)의 생활에는 무언가 수상쩍은 데가 있다. — *adv.* 흐리게, 뿌옇게 : voir ~ 흐릿하게 보이다, 똑똑히 보이지 않다. ***pêcher en eau ~ 혼란을 틈타서 득을 보다.

trouble**[2] *m.* ① 혼란(= désordre). ② (마음의) 동요(= désarroi), 불안, 혼미 : état de ~ 불안 상태 / Il était trahi par son ~. 그는 자기도 모르게 마음의 동요를 드러냈다. ③ 분규, 분쟁, 불화. ④ 흥분 ; (*pl.*) 소요, 봉기, 폭동 : ~*s* politiques 정치적 폭동 / ~*s* religieux 종교 분쟁 / réprimer 〔apaiser〕 les ~*s* 폭동을 진압하다. ⑤ 〖의학〗 장애, 착란 : ~*s* de la vue 시력 장애 / ~ névrotique 신경 장애 / ~*s* de digestion 소화 불량. ***jeter 〔***portr, semer***〕 ***le ~ dans*** qc …을 혼란에 빠뜨리다 ; …에 불화의 씨를 뿌리다.

***troublé, e** [tʀuble] *adj.* ① 흐린, 탁한, (눈이 눈물로) 흐려진. ② 혼란된 ; 착란된, 어수선한 : avoir l'esprit ~ 정신이 착란해 있다. ③ (사람이) 불안한, 당황한, 어리둥절한(= perplexe, embarrassé).

trouble-fête [tʀubləfɛt] *n.* 《복수불변》 좌흥을 깨는 사람, 방해자.

troubler** [tʀuble] *v.t.* ① 흐리게〔탁하게〕 하다, 뿌옇게 만들다 : ~ du vin 포도주를 탁하게 하다 / ~ la vue 눈이 흐려지게 하다. ② (머리를) 어지럽게〔어수선하게〕 하다 ; 혼란〔착잡〕하게 하다. ③ (평화 따위를) 어지럽히다 ; 혼란에 빠뜨리다 : ~ l'ordre public 질서를 문란케 하다 / ~ la digestion 소화 장애를 일으키다 / ~ un ménage 가정 풍파를 일으키다. ④ (안면·휴식·이야기 따위를) 방해하다 ; (침묵을) 깨뜨리다 ; …에 불화〔분규·풍파〕를 일으키다 : ~ le sommeil 〔repos〕 de qn …의 안면〔휴식〕을 방해하다 / ~ les projets de qn …의 계획을 방해하다. ⑤ 《~ qn》 …의 마음을 동요키시다〔흔들리게·설레게 하다〕 ; 불안〔당황〕하게 하다 : examinateur sévère qui *trouble* les candidats 수험생들을 당황케 하는 엄한 시험관 / Son charme l'*a troublé*. 그는 그녀의 매력에 마음이 흔들렸다. — ***se ~ *v.pr.* ① 흐려지다, 탁해지다(= se brouiller, s'obscurcir) : Le vin se trouble. 포도주가 탁해진다. ② (정신이) 어수선해지다, 혼란〔착잡〕해지다. ③ 《주어 : qn》 마음이 흔들리다〔설레다〕 ; 당황하다, 어쩔 줄 모르다 : Il *s'est troublé* devant cette accusation. 그는 이 비난에 당황했다 / sans *se ~* 마음의 동요없이, 차분히.

trouée [tʀue] *f.* 갈라진 틈 ; 빠져나갈 구멍 ; 〖군사〗 돌파구 ; (산중의) 협로 ; (구름 사이의) 틈새 : ~ dans une haie 울타리의 구멍 / faire sa ~ 통로를 열다.

trouer** [tʀue] *v.t.* ① …에 구멍을 뚫다〔내다〕 : ~ un mur 벽에 구멍을 내다. ② (어둠·공간을) 꿰뚫다 : Le phare *trouait* les ténèbres. 등댓불이 어둠을 꿰뚫었다. — *v.i.* 구멍을 뚫다. — ***se ~ *v.pr.* 구멍이 뚫리다 ; (구름이) 갈라지다 ; 통로가 트이다.

troufion [tʀufjɔ̃] *m.* 《구어》 병사(= troupier).

trouillard, e [tʀujaːʀ, -aʀd] *adj.* 《속어》 겁많은. — *n.* 겁쟁이(= poltron).

trouille [tʀuj] *f.* 《구어》 공포, 겁(= peur) : avoir la ~ 겁내다, 두려워하다 / flanquer la ~ à qn …에게 겁을 주다.

trouillomètre [tʀujɔmɛtʀ] *m.* avoir le ~ à zéro 《구어》 몹시 겁내다.

troupe** [tʀup] *f.* ① 떼, 무리, 동아리, 패, 집단 ; 일행(= bande) : une ~ de touristes 한 떼의 관광객. ② 〖연극〗 극단, 단 : ~ de théâtre 연극단 / ~ de danseurs 무용단 / ~ en tournée 순회 중인 극단. ③ 〖군사〗 부대 ; 《집합적》 군 ; 군인, 사병 ; (*pl.*) 군대 : lever des ~*s* 징병하다 / le moral de la ~ 부대의 사기 / mobiliser des ~*s* 군대를 동원하다. ***corps de ~ 부대. ***enfant de ~*** 부대에서 국비로 양육되는 군인의 자제. ***en ~*** 떼를 지어 : Ils sont partis *en ~*. 그들은 떼를 지어 출발했다. ***homme de ~*** 병졸. ***la ~ et le gradé*** 병졸과 부사관. ***officiers et ~*** 장교와 일반 사병. ***par ~s de dix*** 열 사람씩 짝을 지어.

***troupeau** [tʀupo] *m.* (*pl.* **~x**) (가축·사람의) 떼, 무리 ; (교구의) 신도 ; 군중, 《경멸》 오합지졸 : ~ de buffles 물소 떼 / ~ des candidats (줄지어 있는) 지원자들의 무리.

troupier [tʀupje] *m.* 《구어》 〖군사〗 병사(= troufion, soldat). ***jurer comme un ~*** 상스럽게 욕설을 뇌까리다. — *adj.* comique ~ (병사의 이야기를 주제로 한) 조잡한 희극의 일종《1900 년대에 유행》.

trousse [tʀus] *f.* ① 연장통, 도구함, (칸막이가 있는) 가방〔케이스〕 ; (의사의) 기구 넣는 (왕진) 가방 : ~ de toilette 화장품 상자 / ~ à ongles 손톱 손질 도구 주머니. ② (말안장 뒤에 다는) 짐. ③ (*pl.*) 《옛》 (몸종의) 반바지. ***avoir*** qn ***à ses ~s*** …에게 쫓기고 있다 : *avoir* la police *à ses ~s* 경찰관에게 쫓기고 있다. ***être aux ~s de*** qn …의 뒤를 따라다니다.

trousseau [tʀuso] *m.* (*pl.* **~x**) ① (열쇠 따

위의) 꾸러미, 묶음 : ~ de cléfs 열쇠 꾸러미. ② (출가·입사(入舍)·입원 준비의) 의류품, 혼수.

troussequin [tʀuskɛ̃] *m.* ① (말의) 안장 뒤의 휘어오른 부분. ② (목수의) 평행자.

trousser [tʀuse] *v.t.* ① 《옛》 (옷자락을) 걷어올리다 : ~ sa robe 〔ses manches〕 드레스〔소매〕를 걷어올리다. ② (일을) 재빨리 해치우다〔마무리하다〕 : ~ la besogne 일을 재빨리 해치우다 / ~ une lettre 편지를 재빨리 쓰다. ③ 〖요리〗 《~ une volaille》 (굽기 전에) 닭·새 따위의 죽지를 몸뚱이에 동여매다. ~ ***bagage*** 《구어》 짐을 꾸리다 ; 갑자기〔몰래〕 떠나다 ; 도망치다 ; 죽다. ~ ***un compliment*** 인사치레를 요령 있게 잘하다.

trou-trou [tʀutʀu] *m.* (*pl.* **~-~s**) 〖의복〗 (리본을 끼우는) 구멍 장식.

trouvable [tʀuvabl] *adj.* 찾아낼 수 있는.

trouvaille [tʀuvɑːj] *f.* ① 《구어》 의외의 발견(물) : faire une ~ aux puces 벼룩시장에서 의외의 것을 발견하다 / C'est une bonne ~. 《구어》 이것 희한한 물건인데. ② 새로운〔독창적〕 발상〔표현〕, 착상, 기묘한 생각 : ~*s* d'un écrivain 작가의 독창적인 기법 / ~ d'expression 새 맛이 있는 교묘한 표현.

trouvé, e [tʀuve] *adj.* ① 우연히 발견된, 주워 온 : enfant ~ 주워 온 애, 업둥이 / objet ~ 습득물. ② (말·표현 따위가) 독창적인, 참신한 : formule bien ~*e* 매우 참신한 표현. ***C'est bien ~ !*** 그거 좋은 생각(안)이다. ***tout ~*** 저절로 생긴 ; 문득 생각난.

****trouver** [tʀuve] *v.t.* ① (찾다가) 발견하다, 찾아내다, (찾던 것〔사람〕을) 얻다 : J'ai eu du mal à ~ sa maison. 그의 집을 찾느라고 고생했다 / ~ un visage connu dans la foule 군중 속에서 아는 얼굴을 찾아 내다 / Il a été *trouvé* mort dans son lit. 그가 침대에서 죽어 있는 것이 발견됐다 / ~ un appartement 〔une bonne〕 아파트〔하녀〕를 얻다. ② (우연히) 발견하다 ; (임자 없는 물건을) 얻다, 줍다 : ~ un portefeuille dans la rue 길에서 지갑을 줍다. ③ 만나다(= rencontrer) : ~ qn sur son passage 지나다가 어떤 사람을 만나다 / Où peut-on vous ~ ? 어디를 가면 당신을 뵐 수 있겠습니까? / ~ un obstacle 장애물을 만나다. ④ 알아내다(= découvrir) ; 생각해 내다, 고안하다(= inventer) : ~ la cause d'une maladie 병의 원인을 알아내다 / ~ un procédé 방법을 생각해 내다 / ~ la solution d'un problème 문제의 해답을 생각해 내다. ⑤ (시간·기회 등을) 갖게 되다(= disposer de) : Je ne *trouve* pas le temps 〔l'occasion〕 d'y aller. 나에겐 그곳에 갈 시간이〔기회가〕 없다. ⑥ 느끼다, 맛보다(= éprouver) : ~ du plaisir à lire 독서를 즐기다 / ~ de la difficulté 곤란을 느끼다. ⑦ 알아보다, 인정하다, 인식하다(= reconnaître) : Je vous *trouve* bonne mine. 신색〔안색〕이 좋으십니다 / Je lui *trouve* du talent. 그는 재주가 있어 보인다. ⑧ 《~ qn 〔qc〕 + 속사》 (…이 …한〔하는〕 것을) 발견하다, 보다(= voir) : J'*ai trouvé* la maison vide. 집은 비어 있었다 / Je l'*ai trouvé* cuillant 〔qui cueillait〕 des fleurs. 그가 꽃을 따고 있는 것을 나는 보았다. ⑨ 《~ qn 〔qc〕 + 속사》 (…을 …하다고〔라고〕) 생각하다, 판단하다(= estimer, juger) : ~ un ouvrage bien fait 작품이 잘 됐다고 생각하다 / Je *trouve* cette idée bonne. 그것은 좋은 생각이라고 생각한다 / ~ beau 아름답다고 생각한다 / ~ un plat trop salé 요리가 너무 짜다고 생각하다 / ~ la question difficile 질문이 어렵다고 생각하다 / Je *trouve* qu'il a tort. 나는 그가 잘못이라고 생각한다. ⑩ 《~ à + *inf.*》 …할 방도를 발견하다, …할 수 있다(= ~ le moyen de) : ~ *à* gagner sa vie 생계를 꾸려갈 방도를 찾아내다 / On ne *trouve* pas facilement *à* se distraire ici. 여기서는 쉽사리 기분을 전환할 수 없다. ⑪ 《~ que + *ind.*》 …라고 생각하다 : Je *trouve que* ce film est excellent. 나는 이 영화가 아주 좋다고 생각한다. ~ ***à redire*** 〔***dire***〕 ***à*** qc …의 결점을 찾아내다, …을 비난〔비평〕하다. ~ ***mieux de ne pas*** + *inf.* …하지 않는 편이 낫다고 생각하다. ~ qn ***sur son chemin*** …의 방해를 받다.

— **se** ~ *v.pr.* ① 발견되다 : Son nom ne *se trouve* pas sur la liste. 그의 이름은 리스트에 없다. ② (어떤 장소에) 있다, 존재하다 ; 가다 : Je *me trouverai* chez vous à 3 heures. 3 시에 댁으로 가겠습니다. ③ (어떤 상태에) 있다 : La maison *se trouva* vide en un instant. 집은 순식간에 비었다 / *se* ~ en danger 위험에 빠져 있다. ④ 《속사와 함께》 자기가 …라고 생각하다〔느끼다〕 : *se* ~ malheureux 자기가 불행하다고 생각하다 / *se* ~ dépaysé 타향에 온 느낌이다, 낯설다 / *se* ~ belle 자기가 미인이라고 생각하다. ⑤ …라고 판명되다 : La nouvelle *s'est trouvée* fausse. 그 보도는 오보(誤報)임이 판명되었다. ⑥ 자기 자신을 발견하다, 자기의 참모습을 알다. ⑦ 《se ~ + *inf.*》 우연히〔마침〕 …하다 : Il *se trouvait* habiter près de chez moi. 그는 마침 나의 집 근처에 살고 있었다 / Le professeur *se trouva* nez à nez avec l'inspecteur. 선생은 어쩌다가 장학관과 마주치게 되었다. ***Il se trouve*** …이 있다(= Il y a) : *Il se trouve* des gens qui disent que... …라고 말하는 사람들이 있다. ***Il se trouve que*** + *ind.* …하게 되다 : *Il se trouve que* la porte était fermée. 문이 닫혀 있었다. ***se ~ à*** + *inf.* …하고 있는 중이다(= être en train de) : Il *se trouvait à* lire. 그는 독서 중이었다. ***se ~ bien de*** + *inf.* …해서 잘했다고 생각하다. ***se ~ bien*** 〔***mal***〕 ***de*** qc 〔+ *inf*〕 …을 만족스럽게〔불만스럽게〕 여기게 되다.

trouvère [tʀuvɛːʀ] *m.* 〖문학사〗 중세 북프랑스의 음유시인.

troyen, enne [tʀwajɛ̃, -ɛn] *adj.* (소아시아) 트로이(*Troie*)의, (프랑스 샹파뉴의) 트루아(*Troyes*)의. — **T~** *n.* 트로이〔트루아〕인.

truand, e [tʀyɑ̃, -ɑ̃ːd] *n.* 《옛》 거지, 부랑자, 방랑자. — *m.* 무뢰한, 악당, 무법자.

truander [tʀyɑ̃de] *v.t.* 《속어》 훔치다, 사취하다.

trublion [tʀyblijɔ̃] *m.* 분쟁을 일으키는 사람, 선동가, 말썽꾼.

***truc**[1] [tʀyk] *m.* ① 《구어》 비결, 요령(= astuce, secret) : trouver un ~ pour... …의

비결을 알아내다 / connaître les ~s d'un métier 일의 요령을 터득하고 있다. ② 속임수 ; 〖영화 · 연극〗 트릭 : ~s d'un prestidigitateur 마법사의 속임수. ③ 《구어》 《정확한 명칭을 모를 때》 거시기, 뭐라고 하는 것, 아무개 : Qu'est-ce que c'est que ce ~ jaunâtre là-bas ? 저기 있는 저 누르스름한 것은 무엇인가 ? ④ 《구어》 전문(분야), 장기, 영역 : La cuisine, c'est son ~. 요리는 그(녀)의 특기이다 / Ce n'est pas mon ~. 그것은 잘 못한다. ***avoir le ~ pour*** + *inf.* …하는 요령〔비결〕을 알고 있다.

truc², truck [tʀyk] 〔영〕 *m.* 무개(無蓋) 화차 ; 트럭.

trucage [tʀykaːʒ] *m.* 기만 수단, 속임수 ; 〖영화〗 트릭 (촬영), 특별 효과.

trucheman, truchement [tʀyʃmɑ̃] *m.* 《문어》 대리인, 대변자 ; 중개자 ; 대변하는 것 ; (표현의) 수단 : avoir recours au ~ de qn …의 중개를 요청하다 / La musique est le ~ de leurs idées. 음악은 그들의 생각을 표현하는 수단이다. ***par le ~ de*** qn …의 중개로.

trucider [tʀyside] *v.t.* 《구어》 학살하다, 죽이다.

truculence [tʀykylɑ̃ːs] *f.* ① (말 · 태도의) 노골성, 원색적임. ② 《옛》 거침, 과격성.

truculent, e [tʀykylɑ̃, -ɑ̃ːt] *adj.* ① (말씨가) 노골적인, 원색적인 ; 호쾌한 : plaisanterie ~*e* 노골적인 농담. ② 《옛》 거친(= haut en couleur).

truelle [tʀyɛl] *f.* 흙손. ***~ à poisson*** 생선 나이프《생선 먹을 때 쓰는 것》.

truellée [tʀyɛ(e)le] *f.* 한 흙손의 분량.

truffe [tʀyf] *f.* ① 〖식물〗 송로. ② (개의) 코 ; 《구어》 주먹코. ③ 《속어》 바보.

truffer [tʀyfe] *v.t.* ① 〖요리〗 …에 송로를 넣다. ② 《구어》 《~ de》 …을 섞다, 가득 채우다(= remplir) : ~ un discours *de* citations 연설에 인용문을 잔뜩 삽입하다.

truffier, ère [tʀyfje, -ɛːʀ] *adj.* 송로의 ; 송로를 생산하는, 송로 채집의 훈련을 받은. — *n.* 송로 재배자. — *f.* 송로 재배지.

truie [tʀɥi] *f.* 암퇘지 : peau de ~ 돼지 가죽.

truisme [tʀɥism] *m.* 《문어》 자명한 이치.

truite** [tʀɥit] *f.* 〖어류〗 송어 : ~ de mer 바다 송어. ***~ saumonée 살이 불그스름한 바다 송어.

trumeau [tʀymo] *m.* (*pl.* ***~x***) ① 〖건축〗 창 사이의 벽 ; (창 사이의 벽에 달린) 거울. ② 〖요리〗 (소의) 대접살.

truquage [tʀykaːʒ] *m.* = trucage.

truqué, e [tʀyke] *adj.* 위조〔변조〕한 ; 속임수를 쓴, 부정(不正)한 : tableau ~ 위조한 그림 / élections ~*es* 부정 선거.

truquer [tʀyke] *v.t.* ① 위조〔변조〕하다 ; 속이다 : article *truqué* 위조품 / ~ un dossier 서류를 위조하다 / ~ les cartes 카드를 변조하다 / combat de boxe *truqué* (미리 짜고 하는) 사기 권투 시합. ② (영화에서) 트릭 촬영을 하다. — *v.i.* 속임수를 쓰다.

truqueur, euse [tʀykœːʀ, -øːz] *adj.* et *m.* 위조자(의), 사기꾼(의), 협잡꾼(의) ; 〖영화〗 트릭 촬영 기사(技師)(의).

trusquin [tʀyskɛ̃] *m.* ① (목수의) 평행자. ② (마구 제조인의) 가죽 끼우는 기구.

trust [tʀœst] 〔영〕 *m.* 〖경제〗 ① 트러스트, (독점적) 기업 합동. ② 대기업 : grands ~*s* internationaux 국제적 대기업.

truster [tʀœste] *v.t.* (기업 합동으로) 독점하다 : ~ un marché 〔produit〕 시장〔제품〕을 독점하다.

tsar [ts〔dz〕aːʀ] *m.* 러시아 황제.

tsarine [ts〔dz〕aʀin] *f.* 러시아 황후.

tsarisme [ts〔dz〕aʀism] *m.* 러시아의 제정 (시대).

tsariste [ts〔dz〕aʀist] *adj.* 러시아 제정파(派)〔정치〕의 : régime ~ (러시아의) 제정 제도. — *n.* (러시아) 제정파(의 사람).

tsé(-)tsé [tsetse] *f.* 《복수불변》 〖곤충〗 (남아프리카의) 체체파리(= mouche ~).

T.S.F. [teɛsɛf] *f.* 《약자》 télégraphie 〔téléphonie〕 sans fil 무선 전신〔전화〕 ; 라디오 (방송).

T-shirt [tiʃœʀt] *m.* = tee-shirt.

tsigane [ts〔dz〕igan] *f.* = tzigane.

tsunami [tsu〔y〕nami] 〔일본〕 *m.* 〖기상〗 (태평양 연안의) 해일.

T.S.V.P. 《약자》 Tournez, s'il vous plaît. 뒷면에 계속, 뒷면 참조.

⁑**tu¹** [ty] *pron. pers.* 《2인칭 · 단수 · 주어 ; 강세 없으나, 단순 도치된 경우에만 강세》 《속어의 경우 모음 앞에서는 *t'*[t] : T'as [ta] tort(= Tu as tort)》 *pron.* ① 《친한 사람 · 가족 · 손아랫사람 · 동물 따위에게》 네가, 너는, 자네가, 그대가, 그대는 : *Tu* as raison. 네 말이 맞다 / *Tu* te trompes. 네가 착각했다. ② 《시문 · 종교에서 신 · 제왕 따위에 대한 숭배의 뜻을 나타냄》 당신은, 당신이, 그대는, 그대가. ***employer le tu*** 말을 놓고 하다. ***être a tu et à toi avec*** qn …와 너나하는 사이이다, 막역하다. — *m.* 《복수불변》 너(라는 말) ; tu(너)의 사용 : dire *tu* à qn …에게 「너」라는 말을 사용하다.

tu² taire의 과거분사.

tuant, e [tɥɑ̃, -ɑ̃ːt] *adj.* 《구어》 힘드는, 견딜 수 없는 ; 성가신, 귀찮은(= énervant, importun), 진력〔싫증〕나는 : travail ~ 몹시 힘든 일 / Ce gosse est vraiment ~ ! 이 아이는 정말 귀찮게 구는구나 / Il est ~ avec ses sermons. 그의 설교에는 정말 진력이 난다.

tub [tœb] 〔영〕 *m.* 목욕통 ; 입욕, 욕조 ; 목욕 : prendre un ~ 목욕하다.

tub- *préf.* 「관 · 통」의 뜻.

tuba [tyba] *m.* ① 〖음악〗 튜바《취주 악기의 일종》. ② (잠수용의) 호흡관(管).

tubage [tybaːʒ] *m.* 〖토목〗 관을 박기, 배관 ; 도관(導管) 부설 ; 〖기계〗 보일러의 도관 ; 〖외과〗 삽관법(揷管法).

tube** [tyb] *m.* ① 관, 통, 튜브 ; 파이프 : ~ à essai 시험관 / ~ à vide 진공관 / ~ cathodique 브라운관 / ~ fluorescent 형광관 / ~ de〔au〕 néon 네온관 / ~ lancefusées 로켓 발사관. ② 〖해부〗 관, 관상(管狀) 기관 ; 〖의학〗 관 모양의 기구 : ~ digestif 소화관 / ~ à injection 주사기 / ~ en 〔de〕 Caoutchouc (배설 따위에 쓰는) 고무관. ③ 관 모양의 용기(容器), 튜브에 든 … : ~ de dentifrice 튜브에 든 치약 / ~ de rouge à lèvres 통 모양의 용기에 든 입술연지. ④ 《구어》 히트곡 ; (가요곡 · 연극의) 히트. ***à pleins ~s 엔진을 최고로 회전시켜 ; 음량을 최고로 올

려 : mettre la radio *à plein* ~ 라디오의 볼륨을 최대로 높이다.

tuber [tybe] *v.t.* 〚토목〛 (우물 · 유정 따위에) 파이프를 꽂다〔박다〕, 장관(裝管)하다 ; 〚외과〛 삽관(插管)하다.

tubercule [tybɛʀkyl] *m.* ① 〚식물〛 덩이 줄기, 괴경(塊莖)《감자 따위》. ② 〚의학〛 결절(結節) ; 결핵(結核).

tuberculeux, euse [tybɛʀkylø, -ø:z] *adj.* ① 〚식물〛 괴경의 : racine *~euse* 괴근. ② 〚의학〛 결핵성의, 결핵에 걸린 ; 결절의 : bacille ~ 결핵균. — *n.* 결핵환자.

tuberculine [tybɛʀkylin] *f.* 〚의학〛 투베르쿨린《주사약》.

tuberculose [tybɛʀkylo:z] *f.* 〚의학〛 결핵(증) : ~ pulmonaire 폐결핵.

tubérosité [tybeʀozite] *f.* ① 〚해부〛 (뼈의) 결절. ② 〚식물〛 혹.

tubulaire [tybylɛ:ʀ] *adj.* ① 관(管)〔통〕 모양의 : lampe ~ (형광등 따위의) 통 모양의 전구. ② 여러 개의 관으로 된, 관이 달린 : chaudière ~ 〚기계〛 연관(鉛管) 보일러.

tubulé, e [tybyle] *adj.* 관〔통〕 모양의.

tubulure [tybyly:ʀ] *f.* ① 관(管) 꽂는 구멍. ② 배관, (건물 따위의) 배관 상태.

tudesque [tydɛsk] *adj.* ① 《옛》 튜턴 민족의. ② 《경멸》 튜턴적인, 상스러운, 거친.

tué, e [tɥe] *adj.* 피살된, 죽은 : soldats *~s* au combat 전사자. — *n.* 피살자, 사망자 : enfants des *~s* 전재(戰災) 고아.

tue-mouche(s) [tymuʃ] *m.* 《복수불변》 〚식물〛 독버섯의 일종. — *adj.* 《불변》 papier ~ 파리 잡는 끈끈이 종이.

‡**tuer** [tɥe] *v.t.* ① 죽이다, 살해하다, (전쟁 · 사고 따위로) 죽게 하다 ; (식물을) 말려 죽이다 : ~ qn avec un poignard 단도로 …을 찔러 죽이다 / Il *a été tué* à la guerre. 그는 전사했다 / Une personne *a été tuée* et deux autres blessées dans cet accident. 이 사고로 1 명이 죽고, 2 명이 부상했다 / Il est à ~ ! 《구어》 저녀석은 죽여야 마땅할 놈이다. ② 망치다, 못쓰게 하다, 엉망이 되게 하다 ; 말살하다 ; …의 효과를〔빛을〕 잃게 하다 : La bureaucratie *tue* l'initiative. 관료주의는 창의성을 말살한다 / La boisson *a tué* ce jeune homme. 술이 이 청년을 망쳤다 / La crise des affaires *a tué* certains petits commerces. 불경기가 몇몇 소상인들을 망하게 했다 / ~ une couleur 색깔이 죽다. ③ 녹초가 되게 하다, 몹시 싫증나게 하다, 지겹게〔진저리나게〕 하다 ; 절망시키다 : Ce bruit me *tue* 저 소음 때문에 나는 미칠 지경이다 / Ses mensonges me *tuent*. 그의 거짓말에는 진저리가 난다 / Cet enfant me *tuera*. 이 아이에게는 두 손 들었다. ④ 《구어》 깜짝 놀라게 하다. ***Le ridicule tue.*** 웃음거리가 되면 끝장이다. **~ *dans l'œuf*** (나쁜 경향의) 싹을 미리 잘라 버리다. **~ *le temps*** 시간을 이럭저럭 보내다, 심심파적으로 하다. **~ *le ver*** 《구어》 빈속에 한잔하다.
— **se ~** *v.pr.* ① 자살하다(= se suicider) ; (사고로) 죽다 : Il *s'est tué* en se jetant un train. 그는 전차에 투신 자살했다 / Il *s'est tué* en voiture. 그는 자동차 사고로 죽었다. ② 무리하다 ; 건강을 해치다(= se nuire) : *se* ~ de travail 일에 과로하여 몸을 버리다 / *se* ~ à force de boire 너무 술을 마셔서 건강을 해치다. ***se ~ à*** + *inf.* 필사적〔전심전력〕으로 …하다 : Je *me suis tué à* le lui expliquer. 나는 그 일을 혀가 닳도록 그에게 설명했다.

tuerie [tyʀi] *f.* ① 학살 ; 도살 ; 도살장; 대량 학살〔살륙〕 : affreuses *~s* des guerres modernes 현대전의 끔찍한 대량 살육. ② 《구어》 살인적 혼잡 : Cette exposition? C'est une vraie ~. 그 전시회요? 사람이 엄청나게 붐벼요.

tue-tête (**à**) [atytɛt] *loc. adv.* 목청을 다하여 : crier *à* ~ 목이 터져라 소리지르다.

tueur, euse [tɥœ:ʀ, -ø:z] *n.* 살인자, 암살자 : ~ sadique 잔인한 살인자 / ~ à gages 청부 살인자.

tuf [tyf] *m.* ① 〚지질〛 응회암(凝灰岩) : ~ calcaire 석회화(華). ② 《문어》 (사람의 마음이나 사회의) 본성, 심부(深部), 속 깊은 곳, 진상 : atteindre le ~ (마음의) 심부를 건드리다 / le ~ de son caractère 그의 본성. ***toucher le ~*** 〚상업〛 (물가가) 바닥 시세가 되다.

tuf(f)eau [tyfo] *m.* (*pl.* ***~x***) 〚지질〛 백토(白土). — *adj.* 백토질의.

***tuile** [tɥil] *f.* ① 기와 : ~ plate 평기와 / toit de *~s* 기와지붕 / couvrir un comble en *~s* 지붕을 기와로 이다. ② 《구어》 뜻밖의 재난, 재수 없는 일 : Quelle ~ ! 재수 없게끔. ③ 나사(羅紗)의 털을 반반하게 뉘는 널빤지 ; 기와 모양의 비스킷.

tuileau [tɥilo] *m.* (*pl.* ***~x***) 기와 조각.

tuilerie [tɥilʀi] *f.* 기와 공장, 기와 가마.

tuilier, ère [tyilje, -ɛ:ʀ] *adj.* 기와 제조의 : industrie *~ère* 기와 공업. — *n.* 기와 제조공(工) ; 기와 제조 업자.

***tulipe** [tylip] *f.* ① 〚식물〛 튤립. ② (램프 · 전등의) 튤립 모양의 갓.

tulipier [tylipje] *m.* 〚식물〛 튤립 트리《북미 원산의 목련과 교목의 일종》.

tulle [tyl] *m.* (베일 등에 쓰는) 얇은 명주 망「사.

tullier, ère [tylje, -ɛ:ʀ] *adj.* 망사의 : industrie *~ère* 망사 제조업.

tuméfaction [tymefaksjɔ̃] *f.* 〚의학〛 종창(腫脹) ; 부종(浮腫).

tuméfié, e [tymefje] *adj.* 종기가 난, 부어오「른.

tuméfier [tymefje] *v.t.* 붓게〔종기가 나게〕 하다. — **se ~** *v.pr.* 붓다, 종기가 나다.

tumescence [tymesɑ̃:s] *f.* 종창 (상태).

tumescent, e [tymesɑ̃, -ɑ̃:t] *adj.* 〚의학〛 붓는, 부어오른.

tumeur [tymœ:ʀ] *f.* 〚의학〛 종기, 종양 : avoir une ~ au genou 무릎에 종기가 나다 / ~ cérébrale 뇌종양 / ~ bénigne 〔maligne〕 양성〔악성〕 종양.

tumulaire [tymylɛ:ʀ] *adj.* 무덤〔묘(墓)〕의 : pierre ~ 묘석.

tumulte [tymylt] *m.* ① 법석, 소란 ; 동요, 혼란, 소동(= agitation) ; 술렁거림, 활기 : ~ de la rue 거리의 소란 / ~ d'acclamations 떠들썩한 환호성 / Un [illegible] éclate. 소동이 일어났다 / apaiser le ~ 소동을 가라앉히다 / en ~ 소란스럽게. ② 《문어》(마음의) 동요, 흥분 : ~ des passions 정념의 격동.

T

tumultueusement [tymyltɥøzmɑ̃] *adv.* 소란하게.

tumultueux, euse [tymyltɥø, -ø:z] *adj.* 소란스러운; 떠들썩한: foule ~*euse* 소란스러운 군중. ② 혼란한, 동요된; 파란 많은(= agité): vie ~*euse* 파란만장한 생애.

tumulus [tymylys] *m.* (*pl.* ~ 또는 ***tumuli*** [tymyli]) 〖고고학〗 봉분; 고분, 석총(石塚).

tuner [tynɛ:ʀ, tjunœ:ʀ] 〔영〕 *m.* (라디오·텔레비전의) 튜너, 동조기.

tungstène [tœ̃k(g)stɛn] *m.* 〖화학·야금〗 텅스텐: filament au ~ 텅스텐 필라멘트.

tunique [tynik] *f.* ① 〖고대로마〗 (옛날의) 무릎까지 내려오는 속옷; (목단이의) 군복〔학생복〕 상의, 사제(司祭)의 제례복(= tunicelle); (여성용) 7분(分) 기장의 코트: ~ de gymnastique 체조복. ② 〖해부〗 막(膜), 피막(皮膜).

tunisien, enne [tynizjɛ̃, -ɛn] *adj.* 튀니지의. —— **T~** *n.* 튀니지 사람.

***tunnel** [tynɛl] 〔영〕 *m.* ① 지하도, 터널: sous le ~ 터널 속에서 / le ~ sous la Manche 영불 해저 터널(= l'Eurotunnel) / percer un ~ 터널을 파다. ② 어둠의 시기, 난국, 터널: arriver au bout du ~ 어려운 시기를 벗어나다, 시련이 끝나다. ***voir le bout du ~* 〔*sortir de ~*〕** 터널의 출구가 보이다; 난국을 벗어나다.

tupaïa, tupaja [typaja] *m.* 〖동물〗 튜파이아《열대 아시아산의 다람쥐 비슷한 동물》.

turban [tyʀbɑ̃] *m.* 터번《회교도의 두건》; 터번 모양의 여성용 모자: prendre le ~ 회교도가 되다.

turbin [tyʀbɛ̃] *m.* 《구어》 (돈벌이가 되는) 일, 노역; 《은어》 매춘: aller au ~ 일하러 가다.

turbine [tyʀbin] *f.* 〖기계〗 터빈, 회전 날개: ~ hydraulique 수력 터빈 / générateur à ~s 터빈 발전기 / ~ à réaction 반동 터빈 / ~ à vapeur 〔gaz〕 증기〔가스〕 터빈.

turbiner [tyʀbine] *v.i.* ① 《속어·옛》 어려운 일을 하다, 악착같이 일하다, 애쓰다(= travailler). ② 아이스크림을 만들다. —— *v.t.* (설탕 제조 때) 원심기(遠心器)로 분밀(分蜜)하다.

turbo- *préf.* 「선회(旋回)」의 뜻.

turbo-alternateur [tyʀɔaltɛʀnatœ:ʀ] *m* 터빈 교류 발전기.

turbo(-)compresseur [tyʀbɔkɔ̃pʀɛ(e)sœ:ʀ] *m.* 〖기계〗 터보 압축기.

turbo(-)moteur [tyʀbɔtœ:ʀ] *m.* 〖기계〗 가스터빈. 터보엔진.

turbo(-)propulseur [tyʀbɔpʀɔpylsœ:ʀ] *m.* 〖항공〗 터보프롭〔프로펠러〕 엔진.

turboréacteur [tyʀbɔʀeaktœ:ʀ] *m.* 터보제트 엔진.

turbot [tyʀbo] *m.* 〖어류〗 가자미의 일종.

turbo(-)train [tyʀbɔtʀɛ̃] *m.* 가스터빈 기관차(가 끄는 기차)(《약자》 turbo).

turbulence [tyʀbylɑ̃:s] *f.* ① 소란, 부산스러움: ~ d'un enfant 어린아이의 소란스러움. ② 〖기상〗 난기류, 소용돌이, 난류; 〖유체역학〗 와란류(渦亂流); 와류(渦流) 형성.

turbulent, e [tyʀbylɑ̃, -ɑ̃:t] *adj.* ① 소란한, 부산한(= bruyant): élèves ~s 소란스런 학생들 / La plupart des enfants sont ~s. 대부분의 아이들은 시끄럽게 떠들어댄다. ② 《문어》 소란을 좋아하는〔피우는〕: esprit ~ 들뜨고 떠들썩하기 좋아하는 성미〔사람〕 / vie ~*e* 파란 많은 생애. ③ 〖유체역학〗 난류〔와류〕의, (유체(流體)가) 소용돌이〔난류〕를 일으킨.

turc, turque** [tyʀk] 〔몽골〕 *adj.* 터키(*Turquie*)의; 터키 사람〔말〕의: bain ~ 터키탕 / marche *turque* 터키 행진곡. ***à la turque 터키식으로: être assis *à la turque* 책상다리하고 앉다. —— *m.* 터키어(語).
—— **T~** *n.* 터키 사람. ***fort comme un T~*** (터키 사람처럼) 매우 힘이 센, 매우 튼튼한. ***se faire T~*** 회교도가 되다. ***tête de T~*** 조소거리, 웃음거리.

turf [tyʀf] 〔영〕 *m.* 경마장; 경마(계).

turfiste [tyʀfist] *m.* 경마 팬.

turgescence [tyʀʒesɑ̃:s] *f.* 〖의학〗 종창(腫脹).

turgescent, e [tyʀʒesɑ̃, -ɑ̃:t] *adj.* 〖의학〗 붓는, 부은, 종창된.

turlupiner [tyʀlypine] *v.t.* (아무를) 귀찮게 굴다, 괴롭히다(= tourmenter): Ça me *turlupine.* 귀찮게 구는군.

turlututu [tyʀlytyty] *interj.* 홍, 시시하군; 그만둬《거절·냉소》.

turne [tyʀn] *f.* ① 《구어》 누옥(陋屋); 누추한 방(= taudis); (더러운) 일터. ② 《학생은어》 방, 좁고 답답한 공부방.

turn(-)over [tœʀnɔvœ:ʀ] 〔영〕 *m.* ① 〖경제〗 (기업체의) 인사 교체율, 신규 채용률. ② 상품의 회전율.

turpitude [tyʀpityd] *f.* 비열; 파렴치(= ignominie) 비열한 짓, 추행: dévoiler la ~ de qn …의 파렴치함을 폭로하다 / commettre une ~ 파렴치한 짓을 하다.

turquerie [tyʀk(ə)ʀi] *f.* 터기〔동양〕풍의 취향〔문물〕.

turquoise [tyʀkwa:z] *f.* 〖광물〗 터키옥(玉).
—— *adj.* 《불변》 터키옥색의, 청록색의.
—— *m.* 《복수불변》 터키옥색, 청록색.

tutélaire [tytelɛ:ʀ] *adj.* 《문어》 보호의, 수호하는; 〖법률〗 후견의, 후견에 관한: dieu ~ 수호신 / ange ~ 수호천사 / gestion ~ 후견 관리.

tutelle [tytɛl] *f.* ① 보호, 감독, 감시: prendre qn en ~ …를 보호하다 / sous la ~ des lois 법의 보호 아래 / tenir qn sous sa ~ 《문어》 (아무)를 감독하다. ② 〖법률〗 후견: ~ légale 법정 후견. ③ 〖국제법〗 신탁통치: Conseil de ~ de l'O.N.U. 국제 연합 신탁 통치 이사회.

tuteur, trice [tytœ:ʀ, -tʀis] *n.* 〖법률〗 후견인; 보호자, 후원자: ~ légal 법정 후견인 《부모, 직계 존속》 / ~ testamentaire 유언에 의한 후견인 / subrogé ~ (가족회의에서 선발된) 후견 감독인 / Il n'a pas besoin de ~. 그는 이제 보호자가 필요 없다. —— *m.* 〖원예〗 (과목의) 보호목, 버팀 막대, 지주.

tuteurer [tytœʀe] *v.t.* 〖원예〗 (과수에) 지주를 세워 주다.

tutoiement, tutoîment [tytwamɑ̃] *m.* (상대에게 tu를 사용하여) 말을 놓고 하기; 격의〔허물〕 없는 사이〔관계〕.

***tutoyer** [tytwaje] 7 *v.t.* ① …에게 너나들

T

이로 말하다, 친근하게 말하다, 터놓고 말하다《vous 가 아니라 tu 를 사용하여 말하다》: Ce professeur *tutoie* ses élèves. 그 선생님은 학생들에게 tu 를 사용하여 말한다. ② (…와) 친밀한 관계다. — **se** ~ *v.pr.* 서로 말을 놓고하다, 너나들이로 말하다.

tutti [tu(t)ti] 〔이탈리아〕 *m. pl.* 〖음악〗 오케스트라의 모든 악기, 총주부(總奏部).

tutti quanti [tu(t)tikwɑ̃ti] *loc. adv.* 《구어》 그 밖에 여러 가지, 어중이떠중이, 등등(= etc.). 「엉덩이.

tutu [tyty] *m.* ① 발레용 스커트. ② 《소아어》

***tuyau** [tɥijo] *m.* (*pl.* **~x**) ① 관(管), 통, 파이프, 도관(導管) : ~ de PVC 염화비닐관 / ~ de gaz 가스관 / ~ d'échappement 배기관 / ~ de cheminée 벽난로의 굴뚝 / ~ acoustique 통화관 / ~ de poêle 난로의 연통; 《구어》 실크해트 / ~ d'incendie 소방 호스 / ~ d'orgue 〖음악〗 (파이프 오르간의 음관(音管). ② ~ de l'oreille 이도(耳道), 귓구멍. ③ (풀 먹인) 속옷의 둥근 주름. ④ 《구어》 비밀 정보, 예상 : ~ crevé 《구어》 엉터리〔허위〕 정보 / obtenir un bon ~ 솔깃해지는 정보를 입수하다.

tuyautage [tɥijotaːʒ] *m.* ① 〖의복〗 (옷의) 둥근 가두리 장식. ② 《집합적》 (기관의) 도관(導管); 《구어》 정보 제공.

tuyauté, e [tɥijote] *adj.* 둥근 가두리 장식이 된. — *m.* 둥근 가두리 장식(법).

tuyauter [tɥijote] *v.t.* ① (옷에) 둥근주름을 잡다. ② 《구어》 정보를 제공하다 : ~ qn sur les cours de la Bourse …에게 증권 시세에 관한 정보를 제공하다. — **se** ~ *v.pr.* 정보를 교환하다.

tuyauterie [tɥijotʀi] *f.* 도관(導管) 제조(소); 《집합적》 (증기 기관 따위의) 도관; (오르간의) 음관(音管) : travaux de ~ 배관 공사.

tuyère [ty〔ɥi〕jɛːʀ] *f.* 〖기계〗 통풍관(管). ~ ***d'éjection*** 〖항공〗 (제트 엔진의) 분사구.

TV, T.V. 《약자》 télévision 텔레비전.

T.V.A. [tevea] *f.* 《약자》 taxe sur à la valeur ajoutée 부가 가치세.

tweed [twid] 〔영〕 *m.* 〖직물〗 트위드 《스코치 모직의 일종》.

twist [twist] 〔영〕 *m.* 〖댄스〗 트위스트.

tympan [tɛ̃pɑ̃] *m.* ① 〖해부〗 고막; 고실(鼓室)(= caisse du ~); 중이(中耳)(= oreille moyenne). ② 〖건축〗 (합각머리 따위의) 삼각면, 합각벽. ***briser le ~ à*** qn …에게 큰 소리로 말하다. ***crever le ~*** (소리가) 귀를 찢는 듯하다, 매우 요란하다.

tympanique [tɛ̃panik] *adj.* 〖해부〗 중이(中耳)의, 고실(鼓室)의; 〖의학〗 고창(鼓脹)의 : cavité ~ 고실(鼓室) / membrane ~ 고막(鼓膜) / son ~ 〖의학〗 고음(鼓音).

tympanon [tɛ̃panɔ̃] *m.* 〖음악〗 팀파논《일종의 현금(絃琴), 헝가리의 타현 악기》.

****type** [tip] *m.* ① 형(型), 원형(原型), 유형(類型) : ~*s* humains (인류학적인 면에서의) 인가의 유형 / ~ asiatique 아시아계 인종의 특징. ② 전형(典刑), 이상형 : exemple-~ 전형적인 보기 / caractère ~ de l'industrie moderne 현대 산업의 전형적인 성격 / formule ~ 정형(定型) 양식 / C'est le ~ même de l'avare. 저것은 구두쇠의 전형이다. ③ (제품 따위의) 형(型), 표준형, 모델 : ~ de voiture 자동차의 형 / objet conforme au ~ réglementaire 규격품, 표준형에 맞는 제품. ④ 《구어》 녀석, 놈; 건물 : C'est un brave ~. 저 녀석은 좋은 놈이다 / Quel drôle de ~! 정말 괴짜로군 / pauvre ~ 가엾은 녀석. ⑤ 《구어》 (좋아하는) 타입〔형〕 : C'est mon ~. 내가 좋아하는 타입이다 / Ce n'est pas mon ~. 그〔그녀〕는 네가 좋아하는 종류의 남자〔여자〕가 아니다. ⑥ 〖인쇄〗 (어느 서체의) 활자(= caractère); 활자의 서체(= modèle) : ~ roman 로마체 / ~ du sept points 7 포인트 활자. ***vrai ~ français*** 전형적 프랑스 사람.

-type *suff.* 「형(型)·유형」의 뜻.

typé, e [tipe] *adj.* 전형적인, 두드러진 : personnage ~ d'un roman 소설 속의 전형화된 인물 / parisien bien ~ 전형적인 파리 사람 / C'est un Sud-Americain fortement ~. 저 사내는 정말로 전형적인 남미인이다.

typer [tipe] *v.t.* 전형화(典型化)하다.

typhique [tifik] *adj.* 〖의학〗 티푸스의. — *n.* 티푸스 환자.

typhoïde [tifɔid] 〖의학〗 *adj.* 티푸스성의 : fièvre ~ 장티푸스 / fièvre ~ exanthématique 발진티푸스. — *f.* 장티푸스.

typhoï(di)que [tifɔi(di)k] *adj.* 장티푸스성(性)의. — *n.* 장티푸스 환자.

typhon [tifɔ̃] *m.* 〖기상〗 태풍.

typhus [tifys] *m.* 〖의학〗 티푸스; 발진티푸스(= ~ exanthématique) : ~ abdominal 장티푸스(= typhoïde) / ~ murin 발진열.

-typie *suff.* 「인(印)·형(型)」의 뜻.

***typique** [tipik] *adj.* ① 전형적인, 대표적인(= caractéristique); …의 특징을 나타내는, 특유한(= spécifique) : la Coréenne ~ 전형적인 한국 여자 / plat ~ de la région 고장의 특유한 요리 / architecture ~ de la période romane 로마네스크 양식 시대의 건축. ② 〖음악〗 musique ~ (남미의) 티피코(tipico) 음악.

typiquement [tipikmɑ̃] *adv.* 전형적으로 : comportement ~ féminin 전형적으로 여성적인 행동.

typo [tipo] *m.* 《구어》 식자공(= typographe).

typo- *préf.* 「인쇄」의 뜻.

typochromie [tipɔkʀɔmi] *f.* 착색 인쇄.

typographe [tipɔgʀaf] *n.* 식자공, 활판 인쇄공. — *adj.* 활판 인쇄에 종사하는.

typographie [tipɔgʀafi] *f.* ① 활판 인쇄술; 인쇄소. ② 식자, 조판.

typographique [tipɔgʀafik] *adj.* 활판 인쇄의 : 인쇄상의 : presse ~ 활판 인쇄 / caractères ~s 활자 / erreur ~ 오식 / écriture ~ 활자체. 「인쇄(술).

typolithographie [tipɔlitɔgʀafi] *f.* 석판

typologie [tipɔlɔʒi] *f.* 유형학, 분류학; 분류 : ~ des structures économiques 경제 구조의 유형학 / ~ des langues 언어 분류학 / ~ des régimes politiques 정치 체제의 분류.

typologique [tipɔlɔʒik] *adj.* 유형〔분류〕학의, 유형학상의.

tyran [tiʀɑ̃] *m.* (드물게 *f.* ***tyranne***) ① 폭군, 전제 군주; 압제자(= despote) : Néron fut un ~ cruel. 네로는 잔인한 폭군이었다.

② 폭군적인〔횡포한〕 인간, 폭군 : cet homme est un ~ chez lui. 그는 집안의 폭군이다. ③ 〖조류〗 타이런트새《열대 아메리카산의 연작류》. ***en*** ~ 폭군처럼, 횡포하게. ***faire le*** ~ 폭군처럼 굴다.

tyranneau [tiʀa(n)no] *m.* (*pl.* **~x**) 《문어》 작은 폭군 ; 《익살》 집안의 폭군.

tyrannicide [tiʀan(n)isid] *m.* 폭군 주살(誅殺). — *n.* 폭군 살해자. — *adj.* 폭군 주살〔살해〕의.

tyrannie [tiʀa(n)ni] *f.* ① 전제 군주제 ; 폭정 ; (고대 그리스의) 참주 정치 : lutte contre la ~ 폭정에 대한 항거 / ~ militaire 군사 독재(정치). ② 횡포 ; 절대적 권력 : ~ d'un père 아버지의 횡포 / exercer sa ~ sur qn …에게 절대적 권력을 휘두르다. ③ 《문어》 압도적인 힘〔영향력〕 ; (유행 따위의) 불가항력 : ~ de l'opinion 여론의 강한 압력 / ~ de la mode 유행의 저항할 수 없는 힘.

tyrannique [tiʀa(n)nik] *adj.* ① 폭군적인, 전제 정치의 ; 압제〔전제〕적인 ; 횡포한 : loi ~ 전제적인 법률 / pouvoir ~ d'un souverain 군주의 절대적인 권력 / mesures ~s 가혹한 조치. ② 억제할 수 없는 : instincts ~s 억제할 수 없는 본능.

tyranniser [tiʀa(n)nize] *v.t.* ① 압제하다, …에게 폭정을 펴다 ; 학대하다, 괴롭히다 : ~ les peuples 민중을 압제하다 / ~ sa femme et ses enfants 아내와 자식들을 학대하다. ② (…에 대해) 강한 영향력을 발휘하다 : mode qui *tyrannise* les femmes 여성을 사로잡는 유행.

tyrolien, enne [tiʀɔljɛ̃, -ɛn] *adj.* 티롤 지방(*le Tyrol*, 이탈리아 북부 지방)의. — *f.* 〖음악〗 티롤 지방 특유의 노래《요들송》. — **T~** *n.* 티롤사람.

tzar [tsaʀ, dzaʀ] *m.* = tsar.

tzigane, tsigane [ts〔dz〕igan] *adj.* 보헤미아(*la Bohémie*)의 ; 보헤미아 사람의. — **T~** *n.* 보헤미아 사람, 집시 ; 집시 악사. — *m.* 보헤미아어.

tzingaro [tsɛ̃gaʀo] *m.* = zingaro.

T

U

U, u [y] *m.* 프랑스 자모의 제 21 자. ***en U,*** U 자형(形)의 : fer *en U,* U 자형 쇠막대 / tube *en U* 〖화학〗 U 자관(管).
ubac [ybak] *m.* 〖지리〗 (알프스 산맥의) 북측 사면, 응달쪽, 음지(陰地).
ubiquité [ybikɥite] *f.* 편재(遍在), 동시에 어디든지 있음; 〖종교〗 그리스도의 편재. ***Il a le don d'~.*** 어디서나 그를 보게 된다.
ubuesque [yby(ɥ)ɛsk] *adj.* 기괴한, 기묘한, 그로테스크한.
U.D.R. 《약자》 ① Union des Démocrates pour la République 공화국 민주 연합《드골파의 정당명》. ② Union pour la défense de la République 공화국 방위 연합《1968 년 5 월 위기에 결성된 프랑스 보수파의 연합》.
U.E.O. 《약자》 Union de l'Europe occidentale 서유럽 동맹(〔영〕 W.E.O.).
UFO 〔영〕 《약자》 unidentified flying object 미확인 비행 물체.
uhlan [ylɑ̃] *m.* (폴란드 · 독일 · 오스트리아의) 창기병(槍騎兵)(= hulan).
U.H.T. 《약자》 Ultra-Haute Température 초고온 (살균법) : lait ~ 초고온 살균 우유.
U.I.C. 《약자》 Union internationale des chemins de fer 국제 철도 연맹.
ukase [ykɑːz] *m.* ① (러시아 황제의) 칙령. ② 《구어》 엄명, 절대적 명령.
ukrainien, enne [ykʀɛnjɛ̃, -ɛn], **ukranien, enne** [ykʀanjɛ̃, -ɛn] *adj.* 우크라이나(*Ukraine*)의. ── **U~** *n.* 우크라이나 사람.
ulcération [ylseʀɑsjɔ̃] *f.* 〖의학〗 궤양(潰瘍)(형성) : début d'~ 궤양 초기 / ~ cancéreuse 암〔악성〕 궤양.
ulcère [ylsɛːʀ] *m.* 〖의학〗 궤양 : ~ de 〔à〕 l'estomac 위궤양.
ulcérer [ylseʀe] 6 *v.t.* ① 〖의학〗 …에 궤양이 생기게 하다. ② 《구어》 가슴 아프게 하다, …의 마음에 깊은 상처를 입히다 ; 깊은 원한을 품게 하다. ── **s'~** *v.pr.* 궤양이 되다.
ulcéreux, euse [ylseʀø, -øːz] *adj.* 〖의학〗 궤양성의 ; 위〔십이지장〕 궤양에 걸린.
── *m.* 위〔십이지장〕 궤양 환자.
U.L.M. 《약자》 ultra-léger motorisé 초경량 엔진 부착 비행기.
ultérieur, e [ylteʀjœːʀ] *adj.* ① 〖지리〗 (산맥 · 강) 저편의, 저쪽에 있는(≠ citérieur) : l'Inde ~*e* 갠지스강 저편의 인도. ② ⓐ 후일의, 금후〔차후〕의(≠ antérieur) : générations ~*es* 후세의 사람들. ⓑ 《~ à》 …보다 후의, …뒤에 일어나는.
***ultérieurement** [ylteʀjœʀmɑ̃] *adv.* 금후, 장차, 후일, 뒤에(= après, par la suite) : Nous en parlerons ~. 그 이야기는 나중에 합시다.
ultième [yltjɛm] *adj.* = ultime.
ultimatif, ive [yltimatif, -iːv] *adj.* 《드물게》 최후통첩의.
ultimatum [yltimatɔm] *m.* 최후의 조건; 최후통첩 ; 종결 : adresser 〔envoyer〕 un ~ 최후통첩을 보내다.
***ultime** [yltim] *adj.* ① 최후의, 최종적인 : ~ décision 최종 결정 / paroles ~*s* du mourant 죽어 가는 사람의 마지막 말 / ~ espoir 최후의 희망. ② 궁극적인, 근본적인 : cause ~ 궁극인(因).
ultimo [yltimo] 〔라틴〕 *adv.* 최후로, 최종으로, 마지막으로.
ultra [yltʀa] *n.* 〖정치〗 과격 왕정주의자(= ~-royaliste) ; 과격〔극단〕론자 ; 극우파.
── *adj.* ① 극상의, 최고급의. ② 과격〔극단〕론(자)의 ; 극우(파)의 ; 과격 왕정주의의.
ultra- *préf.* 「극단의 · 초(超)」의 뜻.
ultracisme [yltʀasism] *m.* 《옛》 〖정치〗 과격 왕정 복고주의.
ultra-libéral, e, aux [yltʀalibeʀal, -o] 〖정치〗 *adj.* 급진 자유주의의. ── *n.* 급진 자유주의자.
ultramicroscope [yltʀamikʀɔskɔp] *m.* 한외(限外) 현미경.
ultramoderne [yltʀamɔdɛʀn] *adj.* 초현대적인, 최첨단의.
ultra-rapide [yltʀaʀapid] *adj.* 초고속의: avion ~ 초고속 비행기.
ultra-révolutionnaire [yltʀaʀevɔlysjɔnɛːʀ] *adj.* 과격 혁명주의의. ── *n.* 과격 혁명 사상가〔당원〕.
ultra(-)sensible [yltʀasɑ̃sibl] *adj.* 초(超)고감도의: pellicule ~ 초고감도 필름.
ultra(-)son [yltʀasɔ̃] *m.* (*pl.* **~-~s**) 초음파.
ultra(-)sonore [yltʀasɔnɔːʀ] *adj.* 초음(超音)의. ***ondes ~s*** 〖물리〗 초음파.
ultra(-)violet, ette [yltʀavjɔlɛ, -ɛt] *adj.* 자외(紫外)의. ***rayons ~s*** 자외선. ── *m.* 〖물리〗 자외선(《약자》 U.V.).
ululement [ylylmɑ̃] *m.* (올빼미의) 울음소리(= hululement) ; 신음 소리, 비탄의 소리.
ululer [ylyle] *v.i.* (올빼미 따위가) 울다(= hululer) ; 구슬프게 울다.
‡**un, e** [œ̃, yn] 《다음 말과 연음할 때는 un an [œ̃nɑ̃]》 *adj.* ① 《수형용사》. ⓐ 《기수》 하나의 : *une* ou deux fois 한두 번 / Il vient *un* jour sur deux. 그는 하루걸러 온다 / vingt et *une* villes et villages 21 개 도시와 촌락 《가장 가까운 명사에 일치》 / Il est trois heures *une* 〔moins *une*〕 (minute). 3 시 1 분〔1 분 전〕 이다 / pour le prix d'*un* franc cinquante, 1 프랑 50 (상팀)의 값으로. ⓑ 《서수》 첫째의, 제 1 의 : livre *un* 제 1 권 / page *un* 제 1 페이지《여성명사 뒤에서도 변화하지 않음》 / chapitre *un* 〔premier〕 제 1

장 / numéro *un* de la revue 잡지의 1 호 / l'an *un* de la République 공화력 1 년 / vers 〔sur〕 les *une* heure de l'après-midi 오후 1 시경에. ***par un*** 〔***une***〕 단 하나의 …도. ***sans un*** (***sou***) 무일푼의, 빈털터리의. ② 《품질형용사》 《명사 뒤 또는 속사로 쓰여》 유일〔단일〕무이의 ; 불가분의 ; 일관된, 통일된 : la République *une* et indivisible 단일 불가분의 공화국 / Dieu est *un.* 신은 한 분이시다 / La France doit être *une.* 프랑스는 하나로 뭉쳐야 한다. ***ne faire qu'un avec*** …와 일체가 되다. ***n'être qu'un; ne faire qu'un*** 《주어 : 복수》 하나나 다름없다, 일심동체이다 ; 매우 닮았다.

— *m.* 《un 앞에서 모음자 생략도 연음도 하지 않는 것이 원칙. de un, deux un [døzœ̃]. un un [œ̃nœ̃]은 예외》 ① 하나, 1 : compter de *un* à dix, 1 에서 10 까지 세다 / *Un* et *un* [œ̃eœ̃] font deux. 1＋1＝2 / équipe qui mène (par) deux à *un* 2 대 1 로 앞서고 있는 팀. ② 《복수불변》 1 이라는 숫자 : Trois *un* de suite font cent onze. 1 을 셋 연달아 쓰면 111 이 된다. ③ 1 번 ; 1 호 ; 1 번지 ; 1 호실 : le *un* 〖연극〗 제 1 막 / habiter le *un* 〔au *un*〕, rue de Paradis 파라디가(街) 1 번지에 살다 / Le *un* est sorti au loto, 복권에서 1 번이 나왔다.

— *f.* 《복수불변》 ① (신문의) 1 면 : sur cinq colonnes à la *une*, 1 면에 5 단으로. ② 1 시, 1 분 : entre *une* et deux, 1 시와 2 시 사이에. ③ (텔레비전의) 채널 ; 1 번 테이블 : film sur la *une*, 1 번 채널에서 방영하는 영화.

— *art. indéf.* (*pl.* ***des***[de]) ① ⓐ 《셀 수 있는 명사의 불특정한 한 개를〔사람을〕 나타내어》 한, 어떤 : *un* jour 어느 날 / *un* élève de cette école 그 학교의 한 학생. ⓑ 《드물게 셀 수 없는 명사 앞에서》 약간의 : pour *un* temps 잠시간, 잠깐 동안 / *un* soleil ardent 따가운 햇볕 / affaire d'*une* grande importance 매우 중요한 일. ⓒ 《명사를 대표하여》 *Un* homme ne pleure pas. 사나이는 울지 않는 법이다. ② 《un＋고유명사》 ⓐ …와 같은 사람 ; …라는 어떤 사람 ; …가(家)의 한 사람 : C'est *un* nouveau Cicéron. 그는 키케로의 재래(再來)라 할 만하다. ⓑ …의 작품 : acheter *un* Balzac 발자크의 작품을 한 권 사다. ③ 《과장》 Il fait *un* froid dehors! 밖은 매우 춥다 / J'ai eu *un* monde aujourd'hui! 오늘은 손님이 참 많았다 / Il est d'*une* force! 그는 힘이 굉장하다 / Il fait *un* de ces vents! 심한 바람이 불고 있다 / 《d'un(e)＋명사 · 형용사》 Elle était *d'une* gentillesse! 그녀는 참 친절했다. ***pendant des heures et des heures*** 여러 시간, 장시간. ***pour une raison ou pour une autre*** 이러저러한 이유로.

— *pron. indéf.* ① 《un(e) 또는 l'un(e)》 하나, 한 사람 : Ces pommes coûtent dix francs *l'une* 이 사과의 값은 한 개 10 프랑이다/*un* de ces jours 근일 중에 / *l'un* des trois 셋 중의 하나 / *un* 〔*l'un*〕 de 〔d'entre〕 nous 우리들 중의 한 사람 / *un* 〔*l'un*〕 des meilleurs de la classe 학급에서 가장 우수한 학생 중의 하나 / de deux jours *l'un* 이틀에 한 번, 하루걸러(＝un jour sur deux). ② 《l'autre 〔une autre〕, les autres 〔d'autres〕 와 대립적으로 쓰여서 l'un(e), les un(e)s》 ⓐ 한 사람, 하나 ; 전자(前者) : Deux femmes passèrent, *l'une* jeune, l'autre vieille. 두 여자가 지나갔다. 한 사람은 젊고 또 한 사람은 늙었었다. ⓑ 어떤 사람〔것〕들 : *Les uns* fumaient, d'autres s'étaient mis à jouer, *un* petit nombre restait à table. 어떤 사람들은 담배를 피우고 있었고, 또 다른 어떤 사람들은 노름을 시작했었고, 몇몇 사람들은 식탁에 남아 있었다. ③ 《대명사 en과 함께 쓰여서》 하나, 한 사람 : Parmi ces livres il y en a *un* que j'ai acheté hier. 이 책 중에는 내가 어제 산 것도 있다. ④ 《옛》 《관사 없이 주로 남성단수형으로 쓰여서》 ⓐ 어떤 사람(＝quelqu'un) : L'homme descendit lentement, mais non pas comme *un* qui hésite. 사나이는 천천히 내려왔다. 그러나 주저하는 사람 같진 않았다. ⓑ 어떤 것(＝une chose) : Promettre est *un*, et tenir est *un* autre. 약속하는 것과 약속을 지키는 것은 별개의 문제다. ***Et d'un ; Et d'une.*** 《구어》 우선 하나. ***les une et les autres*** 모두다. ***l'un dans l'autre; l'un portant l'autre*** 통틀어서. ***l'un et l'autre*** 둘이 다. ***l'un l'autre*** 서로. ***l'un ou l'autre*** 어느 편이든지. ***pas un*** 〔***une***〕 그 누구도, 아무도 : *Pas un* n'a répondu. 아무도 대답하지 않았다. ***plus d'un*** 〔***une***〕 여러 사람. ***un à un*** [œ̃naœ̃] ***; un par un*** 하나〔한 사람〕씩.

unanime** [ynanim] *adj.* ① 전원〔만장〕 일치의 : d'une voix ～ 이구동성으로 / décision ～ 전원 일치의 결정. ② 《～ sur 〔dans〕 qc》 …에 대하여 같은 의견의 : être ～*s sur* une question 어떤 문제에 관해 의견이 같다 / être ～ *dans* le refus 만장일치로 거절하다. ***être ～s à 〔***pour***〕＋*inf.* 일치하여 …하다 : Les critiques *sont* ～*s à* louer ce romancier. 비평가들은 한결같이 소설가를 찬양한다.

unanimement [ynanimmɑ̃] *adv.* 만장〔전원〕일치로 : approuver ～ 만장일치로 찬성하다.

unanimisme [ynanimism] *m.* 〖문학〗 일체(一體)주의, 위나니미슴.

unanimité** [ynanimite] *f.* 만장일치 ; (행동 · 마음의) 일치, 일체감 : obtenir l'～ des suffrages 전원의 찬성표를 얻다. ***à l'～ 만장일치로 : être élu *à l'～* 만장일치로 선출되다 / projet adopté *à l'～* 만장일치로 채택된 계획. ***faire l'～*** 전원의 합의를 얻다.

underground [œndœʀgʀaund, œ̃dɛʀgʀ(a)und] 〔영〕 *adj.* 《불변》 (예술의) 전위적 경향〔운동〕의 : film ～ 전위 영화. — *m.* 전위〔언더그라운드〕 예술〔그룹〕.

U.N.E.S.C.O., Unesco [ynɛsko] 〔*U*nited *N*ations *E*ducational, *S*cientific and *C*ultural *O*rganization〕 *f.* 유네스코, 국제연합 교육 과학 문화 기구(＝Organisation des Nations-Unies pour l'Éducation, la Science et la Culture).

***uni, e** [yni] *adj.* ① (땅 · 길이) 평탄한, 펀펀〔판판〕한 ; (표면이) 매끈한 : terrain ～ 평평한 땅 / mer ～*e* 잔잔한 바다 / sable ～ et fin 반듯하고 보드라운 모래 벌판 / surface

~*e* 평탄한 표면. ② (피륙이) 무늬 없는, 무지(無地)의; 단색의; 장식 없는 : tissu ~ 무늬 없는 피륙〔직물〕/ étoffe ~*e* 무늬 없는 천 / couleur ~*e* 단색. ③ 《구어》 (사람이) 꾸밈없는, 담박한 ; (문체 · 생활이) 변화 없는, 단조로운(= monotone) ; 한결같은(= uniforme) : vie ~*e* 단조로운 생활 / homme simple et ~ 단순하고 꾸밈없는 사람. ④ 《~ à 〔avec〕》 …에〔와〕 결합된; 화합〔일치〕한 ; 화목한; 연합한 : ~*s* par le mariage 결혼으로 결합된 / famille ~*e* de corps et d'esprit 몸과 마음이 하나가 된 화목한 가정. ***États-U~s*** 아메리카 합중국. ***Organisation des Nations U~es*** 국제 연합.
— *m.* ① 단조(로움), 단순. ② 무늬 없는〔단색의〕 천. ***porter de l'~*** 무지의 옷을 입다. ***vêtement en ~*** 무지의 옷.

uniate [ynjat] *adj.* 동방 가톨릭 교회의.
— *n.* 동방 가톨릭 교회의 교도.

UNICEF [ynisɛf] 〔*U*nited *N*ations *C*hildren's *F*und〕 《약자》 국제 연합 아동 기금(= Fonds des Nations Unies pour l'enfance).

unicellulaire [yniselylɛːʀ] *adj.* et *m.* 〚생물〛 단세포의 (동물).

unicité [ynisite] *f.* 단일성.

unicolore [ynikɔlɔːʀ] *adj.* 단색의, 무지(無地)의.

unicorne [ynikɔʀn] *adj.* 뿔이 하나인, 일각(一角)의. — *m.* ① 〚신화〛 일각수(一角獸). ② 《옛》 일각 돌고래(= narval).

unième [ynjɛm] *adj. num.* 제 1 의《단독으로는 쓰이지 않고 반드시 10 단위 · 100 단위 등의 숫자와 함께 쓰임》: vingt et ~ 제 21번째의 / cent ~ 101 번째의 / la mille et ~ nuit 천일야(千一夜).

unièmement [ynjɛmmɑ̃] *adv.* 제 1 차로, 1 번째로《복합어로만 쓰임》: vingt et ~ 21 번째로.

uniface [ynifas] *adj.* 단면(單面)의.

unificateur, trice [ynifikatœːʀ, -tʀis] *adj.* 통일〔통합〕하는 : mouvement ~ 통일 운동.

unification [ynifikɑsjɔ̃] *f.* ① 통일, 통합 ; (산업의) 합동 : ~ d'un pays 나라의 통일. ② 규격화 ; 단일화.

unifié, e [ynifje] *adj.* 통일〔통합 · 합동〕한 ; (무게 · 치수 · 상품 따위가) 규격〔표준〕에 맞는 : parti ~ 〚정치〛 (1905 년에 결성된 프랑스의) 사회당. — *n.* 〚정치〛 사회당원.

unifier** [ynifje] *v.t.* ① 통일〔통합〕하다 ; 합동하다 : ~ un pays 나라를 통일하다 / ~ un parti 당을 통합하다. ② 표준에 맞추다, 규격화하다(= standardiser); 일정하게 하다, 단일화하다(= uniformiser). ***~ les poids et mesures 도량형을 통일하다. ***~ l'orthographie*** 철자법을 통일하다.

uniforme** [ynifɔʀm] *adj.* ① 한결같은 ; 똑같은 ; 획일적인, 균일한 : maisons ~*s* des banlieues des villes du Nord 북부 지방 도시 교외의 획일적인 집들. ② (생활 · 문체가) 변화 없는, 단조로운(= monotone) ; (행동이) 시종일관한 : vie ~ 단조로운 생활 / ciel ~ et gris 온통 회색으로 물든 하늘 / conduite ~ 시종일관한 행동 / La loi est ~, les mœurs ne le sont pas. 법은 같으나 관습은 그렇지가 않다. — *m.* 제복, 군복, (선수의) 유니폼 : ~ d'officier 〔de marin〕 장교〔해군〕의 군복 / ~ d'hôtesse de l'air 스튜어디스 제복. ***endosser 〔***quitter***〕 ***l'~*** 《구어》 군인이 되다〔군적을 떠나다〕. ***en grand ~*** 정장을 하고. ***en ~*** 제복〔군복〕을 입은. ***être sous l'~*** 군인이다.

uniformément [ynifɔʀmemɑ̃] *adv.* 한결같이, 똑같이, 일률적으로 ; 일정하게 ; 단조롭게 : femmes vêtues de noir ~ 하나같이 검은 옷을 입은 여자들.

uniformisation [ynifɔʀmizɑsjɔ̃] *f.* 통일, 규격화, 획일화.

uniformiser [ynifɔʀmize] *v.t.* ① 똑같게〔일정하게〕 하다, 통일〔단일화 · 균일화〕하다. ② 표준화〔규격화〕하다(= standardiser).

uniformité [ynifɔʀmite] *f.* ① 균일(均一), 균등, 일률, 획일 ; (의견의) 일치(≠ diversité) : ~ des costumes 복장의 획일성 / ~ des mœurs 〔coutumes〕 풍습이 유사함. ② 단조, 무변화(= régularité) ; (행동의) 일관성, (사상의) 견실성 : ~ du paysage 〔de la vie〕 풍경〔생활〕의 단조로움.

unijambiste [ynizɑ̃bist] *adj.* et *n.* 다리가 하나밖에 없는 (사람), 외다리(의).

unilatéral, e, aux [ynilateʀal, -o] *adj.* ① 〚식물〛 한쪽에만 발생하는 : fleur ~*e* 〚식물〛 측생화《축의 한쪽에만 피는 꽃》. ② 일방적인 : stationnement ~ 일방 주차(一方駐車) / acte ~ 단독 행위. ③ 〚법률〛 편무(片務)의 (≠ bilatéral) : contrat ~ 편무 계약.

unilatéralement [ynilateʀalmɑ̃] *adv.* 일방적으로 ; 한쪽만으로, 한쪽에만 ; 〚법률〛 편무적으로 : rompre ~ un traité 일방적으로 조약을 깨뜨리다.

uniment [ynimɑ̃] *adv.* ① 균일하게 ; 한결같이 ; 평탄하게 ; 일정한 속도로 : rouler ~ (차가) 일정한 속도로 달리다. ② 《tout ~》 솔직하게, 있는 그대로 : *tout* ~ 솔직하게, 있는 그대로.

uninominal, e, aux [yninɔminal, -o] *adj.* 이름이 단 하나뿐인 ; 단 하나의 이름을 지정하는. ***scrutin*** 〔***vote***〕 ***~*** 단기(單記) 투표.

union** [ynjɔ̃] *f.* ① 결합, 합일, 합체(= alliance ; ≠ désunion). ② 단결, 일치, 협동, 화합(= entente, accord). ③ 조합 ; 협회 ; 동맹 ; 연합 ; 연방. ④ 결혼 ; 결연 ; 성교 : ~ conjugale 결혼 / ~ légitime 합법 결혼 / ~ libre 내연 (관계) / ~ bien assortie 천생배필 / ~ des sexes 남녀의 성교. ***L'~ fait la force. 《격언》 단결은 힘이다. ***U~ américaine*** 아메리카 합중국. ***U~ douanière*** 관세 동맹. ***U~ française*** 프랑스 연합 《1946–58 년 ; 본국과 식민지 등 전체 프랑스 영토의 종합체》. ***~ ouvrière*** 노동조합. ***~ postale universelle*** 만국 우편 연합.

unioniste [ynjɔnist] *m.* 노동조합론자 ; 노동조합원 ; 〚정치〛 통일 국가〔연방〕주의자.

***unique** [ynik] *adj.* ① ⓐ 《명사 앞 또는 뒤》 유일한, 하나밖에 없는(≠ multiple, plusieurs) : C'est son ~ fils 〔son fils ~〕. 그 아이는 그의 외아들이다 / prime ~ 일시불이 보험료 / voie 〔rail〕 ~ 〚철도〛 단선. ⓑ 《보통명사 뒤》 (여러 것에 공통되는) 단 하나의 : prix ~ 균일 가격 ; 균일 염가 판매점(= uniprix). ② 《명사 뒤》 ⓐ 독특한, 유례없는,

U

탁월한, 기발한, 진기한(= incomparable) : ~ au monde 천하일품의 / talent ~ 박월한 재주 / homme ~ en son espèce 다시 없는 기인(奇人). ⓑ 엉뚱한, 야릇한(= extravagant) : Il est vraiment ~! 그놈은 정말 엉뚱한 녀석이다. ***être ~ en*** 〔***dans***〕 ***son genre*** 그들 중에서는〔그 방면에서는〕 독자적인 존재〔비길 데 없는 사람〕이다. ***front ~*** 통일〔공동〕 전선. ***régime de parti ~*** 일당 독재 체제. (***rue à***) ***sens ~*** [sɑ̃:s(z)ynik] 일방통행로. ***seul et ~*** 단 하나의, 유일한.

***uniquement** [ynikmɑ̃] *adv.* 오로지, 그저, 다만 ; 무엇보다도 : aimer ~ 무엇보다도 …을 사랑하다 / Il pense ~ à l'argent. 그는 오로지 돈만을 생각한다.

***unir** [yni:ʀ] *v.t.* ① 합치다, 통합하다, 병합하다 : ~ une province à un pays 한 지방을 어떤 나라에 병합하다 / Il faut ~ nos efforts. 우리들의 노력을 서로 합쳐야 한다. ② 잇다, 연결〔결합〕하다 ; 결혼시키다 : ~ A et B ; ~ A à 〔avec〕 B, A와 B를〔A를 B에〕 연결시키다 / amitié qui les *unit* 그들을 맺어주는 우정 / ligne aérienne qui *unit* l'Asie et l'Europe 아시아와 유럽을 연결하는 항공 노선 / ~ les deux jeunes gens 두 젊은이를 결혼시키다. ③ 고르게〔한결같게〕 하다 : ~ une surface 표면을 평평하게 하다 / ~ une teinte 색조를 같게 하다. ④ 단결〔협력 · 일치 · 화합〕시키다 : ~ le geste à la parole 언행을 일치시키다. ⑤ (서로 다른 특징을 동시에) 갖(추)다, 겸비하다 : ~ la force à 〔et〕 la sagesse 힘과 지혜를 겸비하다.

— **s'~** *v.pr.* ① 합쳐지다, 통합〔병합〕되다 ; 결합〔연결〕되다 : rivières qui *s'unissent* 합류하는 하천 / couleurs qui *s'unissent* harmonieusement 조화를 잘 이루는 색깔. ② 고르게〔한결같게〕 되다. ③ 결혼하다 ; 단결〔협력 · 화합〕하다 : La nation *s'unit* contre l'envahisseur. 국민은 침략자에 대해 일치단결하다 / Ces deux jeunes gens *s'uniront*. 저 두 젊은이들은 결혼할 것이다. ***s'~ à*** qn …에게 협력하다.

unisexe [ynisɛks] *adj.* (복장 따위가) 유니섹스의, 남녀 공통인.

unisexualité [ynisɛksɥalite] *f.* 〖식물〗 단성(單性) ; 동성애.

unisexuel, elle [ynisɛksɥɛl], **unisexué, e** [ynisɛksɥe] *adj.* 〖식물〗 (꽃이) 단성의; 동성간의.

unisson [ynisɔ̃] *m.* ① 〖음악〗 동조(同調), 동음(同音)(= consonance) ; 제창(齊唱). ② 일치, 화합(= accord, harmonie). ***à l'~*** (***de***) (…와) 일치하여 : chanter *à l'~* 제창하다 / Nos cœurs sont *à l'~* 우리들의 마음은 서로 잘 통한다. ***se mettre à l'~ de*** qn 〔***des circonstances***〕 …와 같은 보조를 취하다〔상황에 순응하다〕.

unitaire [ynitɛ:ʀ] *adj.* ① 통일의, 통일적인 ; 일원적인, 단일적인, ② 한 개의, 단위(單位)의. ***prix ~*** 〖상업〗 단가(單價). ***théorie du champ ~*** 〖물리〗 (아인슈타인의) 통일장(場) 이론.

unitarisme [ynitaʀism] *m.* 〖종교사〗 유니테리언파의 교리, 유일신교 ; 〖정치〗 단일 정부주의, 중앙 집권론.

unité** [ynite] *f.* ① 단일성; 통일〔일관〕성 ; 일치 ; 화합 ; 조화 : ~ de points de vue 관점의 일치 / l'~ d'une œuvre 작품의 조화〔통일성〕 / faire 〔maintenir〕 l'~ 통일시키다〔통일을 유지하다〕 / briser 〔rompre〕 l'~ 통일을 깨뜨리다. ② (도량형 · 화폐 따위의) 단위 ; 1 개 : ~ monétaire 화폐 단위 / ~ de grandeur 〔de largeur〕 크기〔넓이〕의 단위 / ~ de valeur (학생의 취득) 단위(《약자》 U.V.). ③ 〖군사〗 단위 부대 ; (해군의) 함대 : rejoindre son ~ 귀대하다. ④ 〖컴퓨터〗 장치, 유니트 : ~ de contrôle 제어 장치 / ~ centrale 중앙 처리 장치. ***grande ~; ~ tactique 〖군사〗 전술 단위, 대부대(《사단에 상당》). ***prix de l' ~*** 단가(= prix unitaire). ***règle des trois ~s*** 〖문학〗 삼단일(三單一)의 규칙.

***univers** [ynivɛ:ʀ] *m.* ① 우주(= monde, nature) ; 천지만물, 삼라만상 : auteur de l'~ 창조주, 신 / ~-île 은하수 / les lois de l'~ 우주의 법칙 / âge de l'*U*~ 우주 시대. ② 세계(= monde, terre) ; 전세계의 사람들 : citoyen de l'~ 세계의 시민 / être connu dans l'~ entier 전 세계에 알려져 있다. ③ (인간 생활의) 영역 : ~ poétique 시의 세계〔영역〕 / Il vit dans un ~ du rêve. 그는 꿈의 세계에서 살고 있다 / ~ mental 정신세계.

universalisation [ynivɛʀsalizɑsjɔ̃] *f.* 보편화, 보급 : ~ de la culture humaine 인간 문화의 보편화.

universaliser [ynivɛʀsalize] *v.t.* 보편화하다, 널리 보급하다(= diffuser, généraliser).

— **s'~** *v.pr.* 보편화되다, 보급되다.

universaliste [ynivɛʀsalist] *n.* ① 〖철학〗 보편주의자. ② 〖신학〗 보편 구제론자.

— *adj.* 보편주의적인.

universalité [ynivɛʀsalite] *f.* ① 일반성, 보편성 ; 편재성. ② (지식 · 재능의) 다방면성 ; 〖논리〗 (명제의) 전칭성(全稱性). ③ 총체. ~ ***des biens*** 전 재산. ~ ***des êtres*** 만물, 삼라만상.

universaux [ynivɛʀso] *m. pl.* 〖철학〗 일반 개념 ; 〖논리〗 전칭 명제(全稱命題).

universel, elle** [ynivɛʀsɛl] *adj.* ① 일반적인, 보편적인 ; 만인 공통의 ; 포괄적인 ; 모든 것〔경우〕에 적용되는 ; 〖논리〗 전칭적(全稱的)인 ; 〖기계〗 만능의, 자재(自在)의 : proposition *~elle* 전칭 명제 / suffrage ~ 〖정치〗 보통 선거 / légataire 〔legs〕 ~ 〖법률〗 포괄 수유자(包括受遺者) / remède ~ 만병통치약 / clé *~elle* 만능 스패너. ② 전 세계의, 세계적인(= mondial) ; 우주적인(= cosmique) : histoire *~elle* 세계사 / exposition *~elle* 만국 박람회 / paix *~elle* 세계 평화 / gravitation *~elle* 만유인력. ③ (사람이) 박식한 : esprit 〔homme〕 ~ 박식한 사람. — *m.* ① 보편(≠ particulier). ② (*pl.* ***universaux [-so]) 〖철학〗 일반 개념 ; 〖논리〗 전칭 명제.

universellement [ynivɛʀsɛlmɑ̃] *adv.* 일반적으로 ; 보편적으로 ; 세계적으로 ; 〖논리〗 전칭적으로 : vérité ~ reconnue 모두가 인정하는 보편적 진리.

universiade [ynivɛʀsjad] *f.* 국제 대학생 올림픽, 유니버시아드.

***universitaire** [ynivɛʀsitɛ:ʀ] *adj.* (종합) 대

학의, 대학에 속하는 : honneurs ~*s* 학사원(學士院)상 / quartier ~ 대학가 / restaurants ~*s* 대학 식당. ***corps* ~** 프랑스 교수단(= Université de France). — *n.* 프랑스 교수단의 일원, 교수, 교원.

***université** [ynivɛʀsite] *f.* 대학, (종합) 대학교(의 교사(校舍)) ; 학부 : l'~ de Paris 파리 대학교 / conseil d'~ 대학 평의회 / faculté des lettres de l'~ 대학의 문학부. ***U~* (*de France*)** 프랑스 교수단.

univoque [ynivɔk] *adj.* 〖논리〗 (말 따위가) 언제나 같은 뜻을 갖는, 일의(一義)의 (≠ équivoque) : proposition ~ 일의적 명제.

upérisé, e [ypeʀize] *adj.* (우유 따위가) 고온 증기 주입 살균 처리된.

uppercut [ypɛʀkyt] 〔영〕 *m.* 〖권투〗 어퍼컷.

uranisme [yʀanism] *m.* 〖의학〗 남자 동성애욕, 남색.

***uranium** [yʀanjɔm] *m.* 〖화학〗 우라늄(U) : ~ enrichi 농축 우라늄.

Uranus [yʀanys] *n.pr.m.* ① 〖그리스신화〗 우라노스《하늘의 신》. ② 〖천문〗 천왕성.

***urbain, e** [yʀbɛ̃, -ɛn] *adj.* ① 도시의(≠ rural) : architecture ~*e* 도시 계획 / populations ~*es* 도시 인구 / paysages ~*s* 도시 풍경. ② 《문어》 도시풍의, 도시인다운 : homme très ~ 아주 도시인다운〔세련된〕 사람.

urbanisation [yʀbanizɑsjɔ̃] *f.* 도시 계획 사업, 구획 정리 사업 ; 인구의 도시 집중 경향.

urbaniser [yʀbanize] *v.t.* 도시화하다, 도시풍으로〔우아하게 · 세련되게〕 하다 : région lentement *urbanisée* 서서히 도시화된 지방.

urbanisme [yʀbanism] *m.* 도시 계획.

urbaniste [yʀbanist] *m.* 도시 계획가, 도시 공학자. — *adj.* 도시 계획의.

urbanité [yʀbanite] *f.* 도시풍, 우아함, 세련됨 ; 예의 바름, 점잖음, 정중함(= courtoisie) : avec ~ 예의 바르게, 정중하게.

urbanologie [yʀbanɔlɔʒi] *f.* 도시학, 도시 문제 연구.

urbi et orbi [yʀbiɛtɔʀbi] 〔라틴〕 *loc. adv.* 〖가톨릭〗 도시〔로마〕와 세계에, 만인에게《교황이 전 세계 가톨릭 신도에게 하는 축복의 말》. ② 《비유》 사방에, 도처에(= partout) : publier qc ~ …을 사방에 공표하다.

urée [yʀe] *f.* 〖화학〗 요소(尿素).

urémie [yʀemi] *f.* 〖의학〗 요독증(尿毒症).

uretère [yʀtɛːʀ] *m.* 〖생물〗 수뇨관(輸尿管), 요관(尿管).

urètre [yʀɛtʀ] *m.* 〖생물〗 요도(尿道).

urgemment [yʀʒamɑ̃] *adv.* 긴급〔다급〕하게, 화급히, 지급으로.

urgence** [yʀʒɑ̃ːs] *f.* ① 화급, 긴급, 지급. ② 절박한 사건 ; 응급 환자. ***demander l'~ 〖정치〗 긴급동의를 제출하다. ***de toute* 〔*d'extrême*〕 ~** 긴급을 요하는 ; 화급히. ***d'~*** 화급히 ; 긴급〔화급〕한, 응급의 : mesures *d'~* 긴급 조처 / état *d'~* 〖법률〗 비상사태 / réparations *d'~* 응급 수리. ***en cas d'~*** 긴급〔화급〕한 경우에는. ***Il y a ~.*** 사태가 절박하다 ; *Il y a* grande ~ à ce que + *sub.* 지급으로 …하는 것을 요한다. ***selon l'~*** 긴급 사태에 따라서. ***vote d'~*** 긴급 결의.

urgent, e** [yʀʒɑ̃, -ɑ̃ːt] *adj.* 화급한, 긴급한, 절박한 : besoins ~*s* en logements neufs 새로운 주택의 절박한 필요 / secours ~*s* 긴급 구호. ≪U~***≫ 〖우편〗 「지급」《봉투에 적는 말》.

urger [yʀʒe] ③ *v.i.* 《3 인칭 단수로만 쓰임》 화급하다, 절박하다 : Ça *urge !* 사태가 급박하다.

urinaire [yʀinɛːʀ] *adj.* 〖해부〗 오줌의, 비뇨(泌尿)의 : voies 〔appareils〕 ~*s* 비뇨기(器). — *m.* 〖의학〗 비뇨기병 환자.

urinal [yʀinal] *m.* (*pl.* ***-aux*** [-o]) 〖의학〗 소변기, 요강.

urine [yʀin] *f.* 오줌, 소변 : évacuer l'~ 오줌 누다 / analyse d'~*s* 소변 분석 / ~*s* claires 〔troubles〕 맑은〔탁한〕 오줌.

uriner [yʀine] *v.i.* 소변 보다, 방뇨(放尿)하다. ≪***Défense d'~***≫ 「소변 금지」《게시》.

urinoir [yʀinwaːʀ] *m.* ① 공동변소, 소변 보는 곳. ② 요강, 소변기(= urinal).

urique [yʀik] *adj.* 요(尿)의. ***acide ~*** 요산(尿酸). ***calcul ~*** 요결석(尿結石).

urne [yʀn] *f.* ① 항아리 ; 유골 단지. ② 투표함. ③ 《속어》 대가리 ; 상(相)통. ***aller aux ~s*** 투표하러 가다. ***~ de scrutin; ~ électorale*** 투표함.

urographie [yʀɔgʀafi] *f.* 〖의학〗 비뇨기 뢴트겐 사진술.

urologie [yʀɔlɔʒi] *f.* 〖의학〗 비뇨기학.

urologiste [yʀɔlɔʒist] *m.* 〖의학〗 비뇨기학자 ; 비뇨기과 의사.

U.R.S.S. [yʀs, yɛʀɛsɛs] 《약자》 Unions des Républiques Socialistes Soviétiques 소련, 소비에트 사회주의 공화국 연방.

urticaire [yʀtikɛːʀ] *f.* 〖의학〗 두드러기.

urticant, e [yʀtikɑ̃, -ɑ̃ːt] *adj.* 따끔따끔한.

uruguayen, enne [yʀygɛjɛ̃, -ɛn] *adj.* 우루과이(*l'Uruguay*)(공화국)의. — **U~** *n.* 우루과이 사람.

us[1] [ys] *m. pl.* 《옛》 관례《다음 숙어로 남아 있음》. ***us et coutumes*** [yzekutym] 관례와 풍습.

us[2] *m.* 라틴어의 어미의 일종. ***mots en us*** 《구어》 (라틴어를 어원으로 하는) 전문어, 술어. ***savant en us*** (함부로 라틴어를 사용하는) 현학자.

U.S.A. [yɛsa] 《약자》 United States of America 아메리카 합중국.

usable [yzabl] *adj.* 소모되기 쉬운, 해지기 쉬운, 닳아 떨어지는(≠ inusable).

‡**usage** [yzaːʒ] *m.* ① 사용(= emploi) ; 이용 ; 유용, 효능 ; 〖법률〗 사용권, (권력 따위의) 행사 ; 실행 : ~ d'un outil 도구 사용 / ~ de la force 무력 행사 / valeur d'~ 유용 가치. ② 상용(常用) ; 〖언어〗 관용 (어법) : article d'~ 일용품 / bon 〔bel〕 ~ 〖언어〗 올바른 관용 (어법) / coefficient d'~ d'un mot 〖언어〗 언어의 사용 빈도수 / orthographe d'~ (언어의) 관용적 철자 / phrase d'~ (일상 회화에서 쓰이는) 관용 문구. ③ 관습, 풍습, 습관(= coutume) ; 《les ~*s*》 관례, 관행 : ~ reçu 널리 퍼져 있는 습관〔풍습〕 / conforme 〔contraire〕 aux ~s 관습에 부합하는〔어긋난〕 / C'est l'~ de 〔que〕... …하는 것이 관례이다. ④ (흔히 *pl.*) 예절, 예법 : ignorer les ~*s* ; manquer d'~ 예의범절을 모르다 / Il

connaît bien les ～s. 그는 예절을 잘 알고 있다. ⑤ 기능(=fonctionnement) : ～ des sens 감각 기능 / perdre l'～ de l'ouïe 귀가 들리지 않게 되다 / perdre l'～ de la parole 말을 못하게 되다. ⑥ 유용성, 용도 : Un couteau a plusieurs ～s. 칼에는 여러 가지 용도가 있다. ⑦ (의류·가구 따위의) 내구력(耐久力). ⑧ 실천, (실제) 경험, (외국어 등의) 실용. ⑨ (*pl.*) 공유 방목장(公有放牧場); 〖교회〗《옛》 기도서(書). ***à l'～*** 사용해 볼 때〔보면〕. ***à l'～ de; à ～ de*** …용(用)의. ***article à mon ～*** 사용품(私用品). ***avoir l'～ de*** qc …을 사용할 줄 알다, …에 익숙하다; …을 사용할 수 있다 : *avoir l'～ d'*un bien 재산의 사용권을 가지다. ***droit d'～ continu*** 사용권. ***d'～*** 관례〔관용〕적인. ***en ～*** 통용되고 있는 : mot *en ～* 통용어 / dispositifs encore *en ～* 아직도 통용되는 법조문(法條文). ***faire de l'～ ; faire un bon ～*** (물건이) 오랜 사용에 견디어내다, 오래가다, 질기다, 튼튼하다 : Ces chaussures lui *ont fait de l'～*. 그는 이 구두를 오랫동안 신었다. ***faire ～ de*** qc …을 사용〔행사〕하다. ***faire (un) bon 〔mauvais〕 ～ de*** qc …을 올바르게〔나쁘게〕 사용하다. ***Il est d'～ de*** +*inf.* …하는 것이 관습이다. ***médicament à ～ interne 〔externe〕*** 내복〔외용〕약.

usagé, e** [yzaʒe] *adj.* 이미 사용된; (물건이) 헌, 중고의; 진부한 : vêtements ～*s* 낡은 의복 / expression ～*e* 낡은〔진부한〕 표현. ***non ～ 새로운.

usager, ère [yzaʒe, -ɛːʀ] *adj.* 일상의, 상용(常用)의 : effets ～*s* 면세(免稅) 일용품.
— *n.* ① 사용권 소유자. ② (도로·철도·언어 등의) 사용〔이용〕자; 상용자 : ～*s* du français 프랑스 말의 사용자. — *m.* (전화·교통 기관 등의) 공공 기관 이용자.

usant, e [yzɑ̃, -ɑ̃ːt] *adj.* ① 〖법률〗 행사권 있는, 행사하는 : ～(*e*) et jouissant(e) de ses droits (성년이 된 고아가) 권리를 향유하는. ② (마찰이) 닳게 하는; 힘〔건강〕을 소모하는, 피로하게 하는 : travail ～ 힘드는 일.

***usé, e** [yze] *adj.* ① 낡은, 헌, 해진; 마멸〔소모〕된 : vêtements 〔tissus〕 ～*s* 낡은〔해진〕 의복〔천〕 / ～ jusqu'à la corde 닳아 떨어진, 다 해져 버린. ② 쇠약해진, 지쳐 버린; (얼굴이) 야윈; (땅이) 피폐한; (물이) 더러워진; (감정 따위가) 감퇴된, 무디어진(=diminué, émoussé) : passion ～*e* 식어 버린 정열. ③ (사상 따위가) 진부한 : termes vagues et ～*s* 애매하고 진부한 말〔표현〕.

user** [yze] *v.t. ind.* 《～ de》 …을 사용하다 : ～ bien 〔mal〕 *de* qc …을 이용〔악용〕하다 / ～ *de* douceur 온건한 수단을 쓰다 / ～ *de* violence 폭력을 쓰다 / Je n'*use* jamais *de* café le soir. 나는 저녁에는 커피를 절대로 안 마신다 / ～ *d'*un droit 〔d'un privilège〕 권리를〔특권을〕 행사하다. ***en ～... avec qn 《문어》 …에 대해서 …하게 행동하다, …을 …하게 대하다 : De quelle manière *en userez*-vous *avec* un jeune cavalier? 젊은 기사를 어떻게 대하겠소? / *en* ～ bien 〔mal〕 *avec* qn …에 대해서 정중하게〔모질게〕 굴다.
— *v.t.* ① 소모하다, 소비하다, 낭비하다(=consommer, dépenser) : Cette voiture *use* trop d'essence. 이 자동차는 휘발유를 너무 많이 소모한다. ② (오래 써서) 낡이 빠지게〔헐게·해지게〕 하다; 마멸시키다 : ～ une pointe (바늘 따위의) 끝을 무디게 하다 / *J'ai usé* mes chaussures. 내 구두는 헐었다 / rail *usé* par le frottement 마찰로 마멸된 레일. ③ 쇠약하게 하다, (건강을) 해치다; 《～ qn》 …의 기력을 쇠진케 하다 : ～ sa santé 〔sa vue〕 건강〔시력〕을 해치다 / Le travail l'*a usé*. 그는 일을 많이 하여 쇠약해졌다 / Les excès l'*ont usé*. 그는 방탕으로 진이 빠졌다. ④ (시간을) 보내다, 허비하다(= passer) : ～ trois heures ça et là, 3 시간을 여기저기서 보내다.
— **s'～** *v.pr.* ① 소모되다. ② 쇠약해지다. ③ 낡아 빠지다, 해지다; 마멸하다: tissu qui *s'use* vite 쉬이 닳아 떨어지는 천. ④ 약화되다; (세력·신용 따위가) 쇠퇴하다 : Son autorité commence à s'～. 그의 권위가 떨어지기 시작한다. — *m.* ① 사용. ② (의복 따위의) 내구력(耐久力). ③ 교제.

usinage [yzinaːʒ] *m.* 기계에 의한 제조; 마무리 작업; 《구어》 혹사, 착취; 애써 일하기.

‡usine [yzin] *f.* ① 공장, 제조소; 《집합적》 공장 종업원 : ～ d'automobiles 자동차(제조) 공장 / ～*s* textilles 직물 공장 / directeur d'～ 공장 경영자 / ouvrier 〔ouvrière〕 d'～ 직공〔여직공〕 / travailler en 〔dans une〕 ～ 공장에서 일하다. ② 《구어》 (규모·종업원의 수·수입 따위가) 공장 같은 곳 : Ce restaurant est une véritable ～. 이 음식점은 사람이 들끓어서 너무 복잡하다 / ～ à champions 챔피언을 많이 배출하는 곳 / Ce salon est une ～ à potins. 이 살롱은 마치 소문을 생산해 내는 공장 같다. ③ 《구어》 근무처.

usiner [yzine] *v.t.* ① (공장에서) 제조하다; 기계로 가공하다 : ～ des produits finis 완제품을 생산하다. ② 《구어》 혹사하다.
— *v.i.* 《구어》 악착스레 일하다 : Ça *usine*, ici! 여기선 일을 악착같이 하는군!

usinier, ère [yzinje, -ɛːʀ] *adj.* 공장의, 공장에 관한. — *n.* 공장주.

usité, e [yzite] *adj.* ① 사용되고 있는; 통용되는 : très 〔peu〕 ～ 자주 쓰이는〔그다지 안 쓰이는〕. ② 틀에 박힌, 평범한.

***ustensile** [ystɑ̃sil] *m.* 도구, 기구, 용구, 집기 : ～ aratoire 농구 / ～ de ménage 〔de cuisine〕 살림살이 도구〔부엌 세간〕 / ～ de toilette 화장 도구.

usucaper [yzykape] *v.t.* 〖법률〗 시효에 의하여 취득하다.

usuel, elle [yzɥɛl] *adj.* 상용의, 관용(慣用)의, 일용(日用)의(=habituel); 보통〔통상〕의, 평범한(=commun, ordinaire) : dénomination ～*elle* d'une plante 식물의 통상 명칭《학술명이 아닌》 / Il est ～ de... …하는 것이 보통〔예사〕이다.

usuellement [yzɥɛlmɑ̃] *adv.* 보통, 일반적〔통상적〕으로, 평소에, 일상(日常).

usufruit [yzyfʀɥi] *m.* 〖법률〗 용익권(用益權), 사용 수익권.

usufruitier, ère [yzyfʀɥitje, -ɛːʀ] 〖법률〗 *n.* 용익권자. — *adj.* 용익권자에 속하는〔관한〕; 용익권을 가진.

U

usuraire [yzyʀɛːʀ] *adj.* 고리의, 폭리의 : intérêt ~ 높은〔비싼〕 이자.

usure¹ [yzyːʀ] *f.* 고리, 폭리 ; 고리대금 : prêter à ~ 고리로 돈을 빌려 주다, 고리대금을 하다. ***rendre*〔*payer*〕 *avec* ~** 《구어》 (받은 은혜·모욕 따위를) 받은〔겪은〕 것 이상으로 갚다.

usure² *f.* ① 소모, 마멸, (사용으로 인한) 파손, 훼손 : résister à l'~ 내구성이 강하다, 질기다. ② 노쇠, 쇠약, 감퇴 : ~ de l'énergie 정력의 감퇴 / ~ nerveuse 신경 쇠약 / guerre d'~ 〖군사〗 소모전. ***avoir*** qn ***à l'~*** …을 점점 지치게 하여〔힘 빼기 작전으로〕 …의 우위에 서다.

usurier, ère [yzyʀje, -ɛːʀ] *n.* 고리대금업자. ── *adj.* 폭리를 탐하는.

usurpateur, trice [yzyʀpatœːʀ, -tʀis] *n.* 찬탈자(簒奪者) ; 횡령자 ; (권리) 침해자. ***l'U~*** 나폴레옹 1세. ── *adj.* 찬탈하는 ; 횡령하는 ; 권리를 침해하는.

usurpation [yzyʀpɑsjɔ̃] *f.* ① 찬탈 ; 횡령 ; (권리의) 침해 ; 부당 취득 : ~ d'un titre nobiliaire 귀족 칭호의 참칭(僭稱). ② 횡령물.

usurpatoire [yzyʀpatwaːʀ] *adj.* 찬탈의, 횡령의, (권리) 침해의.

***usurper** [yzyʀpe] *v.t.* 빼앗다, 강탈하다 ; 부당하게 차지하다 ; 횡령하다 ; (왕위를) 찬탈하다 ; (권리를) 침해하다 : ~ un pouvoir 〔des honneurs〕 권력을〔명예를〕 부당하게 얻다 / ~ le trône 왕위를 찬탈하다. ── *v.i.* 《~ sur》 …을 침해하다 : ~ *sur* les droits de qn …의 권리를 침해하다. ── **s'~** *v.pr.* 강탈〔횡령〕되다.

ut [yt] *m.* 《복수불변》 〖음악〗 ① 다음(音), c 음 : clef d'~ 다〔c〕음 기호 / en ~ mineur 다〔c〕 단조의. ② 장음계의 제 1 음, 도(= do).

U.T.A. 《약자》 Union des transports aériens 항공 수송 연맹.

utérin, e [yteʀɛ̃, -in] *adj.* ① 이부(異父)의, 씨〔아비〕 다른 : frères ~*s* 이부(異父)〔씨 다른〕 형제 / sœur ~*e* 이부 자매. ② 〖해부〗 자궁의 : grossesse extra-~*e* 자궁외(外) 임신 / fureur ~*e* (여자의) 색광(色狂). ── *m. pl.* 이부(異父) 형제자매.

utérus [yteʀys] *m.* 〖해부〗 자궁 : col de l'~ 자궁 경관(頸管).

:utile [ytil] *adj.* ① 유익한, 유용한, 쓸모 있는 ; 필요한, 없어서는 안될(= indispensable) : d'~*s* conseils 유익한 충고 / dépenses ~*s* 필요한 지출 / livre ~ aux hommes 인간에게 유익한 책 / Ce outil est très ~. 이 연장은 매우 유용하다. ② 유효한(= efficace, valide) : jours ~*s* 〖법률〗 유효 기간 / charge ~ (차량의) 유효 적재량. ***effet* ~** 실효력 ; 〖기계〗 유효 동력. ***en temps* ~** 유효 기간 내에 ; 알맞은〔계제가 좋은〕 때에. ***Il est* ~ *de*** + *inf.* ; ***Il est* ~ *que*** + *sub.* …하는 것은 유익하다. **~ *à*** + *inf.* … 하면〔하여〕 유용한 : ouvrages ~*s* 〔dictionnaire ~〕 *à* consulter 참조하면 유익한 저서〔사전〕.

utilement [ytilmɑ̃] *adv.* 유익하게, 유리하게, 유효하게 : employer ~ un outil 도구를 유용하게 사용하다.

utilisable [ytilizabl] *adj.* 이용할 수 있는 : moyen ~ 사용 가능한 수단.

utilisateur, trice [ytilizatœːʀ, -tʀis] *adj.* 《~ de》 사용〔이용〕하는 : industries ~*trices du* courant electrique 전력 사용 산업. ── *n.* (기계·설비 따위의) 사용자, 이용자 : ~ d'un ordinateur 컴퓨터 사용자.

***utilisation** [ytilizɑsjɔ̃] *f.* 사용, 이용, 활용 : ~ des ressources naturelles 천연자원의 이용 / ~ pacifique de l'énergie nucléaire 핵에너지의 평화적 이용.

***utiliser** [ytilize] *v.t.* 이용하다, 활용하다 ; 사용하다(= employer) : ~ un outil 도구를 사용하다 / l'étroit espace bien *utilisé* 잘 활용된 비좁은 공간 / Il *utilise* sa voiture pour aller à son travail. 그는 직장에 가는데 자기 차를 이용한다 / ~ l'énergie solaire pour le chauffage domestique 가정용 난방을 위해 태양 에너지를 이용하다. ── **s'~** *v.pr.* ① 남에게 유익한 일을 하다. ② 이용〔활용〕되다.

utilitaire [ytilitɛːʀ] *n.* 공리〔실리〕주의자. ── *adj.* 공리〔실리〕주의적인, 타산적인 ; 실용적인 ; 영업용의 : morale 〔art〕 ~ 실리주의 윤리〔실용 예술〕 / véhicules ~*s* 영업용 자동차《화물차·관광 버스 따위》 / articles ~*s* 실용품.

utilitarisme [ytilitaʀism] *m.* 공리주의.

utilité** [ytilite] *f.* ① 유용(성), 효용(성), 유익(성)(≠ inutilité) ; 실리, 이득 ; 유익한 것 : pour son ~ personnelle 개인적인 편의를 위해 / Quelle est l'~ de cet appareil ? 이 기구의 용도는 무엇이냐 ? ② (*pl.*) 〖연극〗 단역(端役) : jouer les ~*s* 단역을 하다. ***avoir son* ~** 유효하다. ***être d'une grande* ~** 매우 유익〔요긴〕하다. ***Il y a* (*de l'*)~ *à + *inf.* …하는 것은 유익〔유용〕하다. ***n'être d'aucune* ~** 아무 쓸모〔소용〕없다. ***sans* ~** 쓸모없는. **~ *marginale*** 한계 효용(限界效用). **~ *publique*** 〖법률〗 공익.

***utopie** [ytɔpi] *f.* ① 공상, 몽상, 환상(= illusion), 꿈. ② 유토피아, 이상향 ; 공상적 계획 : créer des ~*s* 공중누각을 쌓다〔그리다〕.

utopique [ytɔpik] *adj.* 유토피아 같은, 공상적인, 몽상적인 : socialisme ~ 공상적 사회주의. ── *n.* 유토피아를 지향하는 사람.

utopiste [ytɔpist] *n.* 공상가, 몽상가 ; 유토피아를 꿈꾸는 사람(= rêveur). ── *adj.* 유토피아를 꿈꾸는, 공상적인.

ut supra [ytsypʀa] 〔라틴〕 *loc. adv.* 아래와 같이.

U.V.¹ 《약자》 unité de valeur (프랑스 대학의) 이수 단위.

U.V.² 《약자》 ultra-violets 자외선.

uval, e, aux [yval, -o] *adj.* 포도의 : cure 〔station〕 ~*e* 포도 요법〔요양소〕.

uvulaire [yvylɛːʀ] *adj.* 〖해부〗 현옹수(懸壅垂)〔목젖〕의 ; 〖언어〗 목젖의 진동으로 생기는, 구개수음(口蓋垂音)의《예 : grasseyé 의 r》. ── *f.* 〖언어〗 구개수음.

U

V

V, v [ve, 《드물게》 və] *m.* ① 프랑스 자모의 제 22자; 로마 숫자의 5: *V* majuscule; grand *V* 대문자 V / *v* minuscule; petit 소문자 v. ② V자형(의 것) : décolté en *V* V자형 네크라인 / *V* de la victoire 승리의 V사인.

v. 《약자》 ① voyez; voir 보라, 참조. ② votre 당신의, 귀하의. ③ volt 〖전기〗 볼트. ④ vitesse 〖기계〗 속도. ⑤ volume 〖물리〗 용적.

va[1] [va] aller의 직설 · 현재 · 3 · 단수 · 명령 · 2 · 단수.

va[2] *interj.* 자, 어서; 좋아, 됐어, 알았어; 정말: *Va* pour 100 francs. 100프랑이면 됐어. ***Va pour cela.*** 그렇게 하지.

⁑**vacance** [vakɑ̃:s] *f.* ① 공석, 공위, 결원; 공백 (기간); 부재: ~ d'une chaire de faculté 대학의 정교수 자리의 공석 / la ~ du pouvoir 정권의 부재 / ~ de succession 〖법률〗 상속인의 부존재. ② (*pl.*) 《드물게 *sing.*》 방학 휴가(= congé); (연중) 휴가기; 휴식, 휴양(= repoos); 휴정(休廷) : colonie de ~*s* 임간학교, 여름 학교 / lieu de ~*s* 휴양지 / partir en ~*s* 휴가〔바캉스〕를 떠나다 / Bonnes ~*s!* 즐거운 방학〔휴가〕을 보내기를! / le dernier jour de ~*s* 방학〔휴가〕의 마지막 날 / ~*s* parlementaires 국회의 휴회 (기간). ***entrer*** 〔***être***〕 ***en ~s*** 휴가가 되다, 휴가 중이다. ***grandes ~s*** 〖학교〗 여름 방학, 하기 휴가. ***jour de ~(s)*** 휴일. ***~s de Noël*** 〔***de Pâques***〕 크리스마스〔부활절〕 휴가 ***~s judiciaires*** 〖법률〗 재판 휴정 (기간).

vacancier, ère [vakɑ̃sje, -ɛːʀ] *adj.* 휴가의, 휴가 중의; 휴가 여행의: installations ~*ères* 휴양 시설. ── *n.* 휴가객, 피서객.

vacant, e [vakɑ̃, -ɑ̃:t] *adj.* ① (방 · 집 따위가) 비어 있는(≠ occupé); 공석의: poste ~ 비어 있는 부서 / succession ~*e* 〖법률〗 상속인의 부존재 / chaire ~*e* (강의 담당 교수의) 결원. ② 〖법률〗 소유자가 없는(= disponsable), 무주(無主)의 : biens ~*s* 주인 없는 재산. ***place ~e*** 공석, 공위(空位).

vacarme [vakaʀm] *m.* ① 소동, 소란, 야단법석: ~ d'enfer 굉장한 소란 / faire du ~ 법석을 떨다. ② (요란한) 소음: ~ des klaxons 경적음의 요란한 소음.

vacataire [vakatɛːʀ] *adj.* (일정 기간의 계약에 의해) 임시로 일하는, 자유 계약의. ── *n.* 자유 계약자, 프리랜서.

vacation [vakɑsjɔ̃] *f.* ① (법관 · 공증인(公證人) 등의 어떤 사건에 관한) 심사 기간, 집무 시간. ② (*pl.*) (공증인 · 변호사 등에 대한) 사례금, 수당: toucher de fortes ~*s* 막대한 사례금을 받다.

vaccin** [vaksɛ̃] *m.* 〖의학〗 ① 백신; 두묘(痘苗); 우두, 종두: injection de ~ 백신 주사 / faire un ~ à un enfant 어린아이에게 우두 접종을 시키다 ② 《구어》 면역시켜 주는 것, 예방약: Il n'y a pas de ~ contre la paresse. 게으름에는 예방약이 없다. ***~ contre la rage 광견병 예방 주사액.

vaccinal, e, aux [vaksinal, -o] *adj.* 〖의학〗 백신의; 종두의; 백신 접종에 의한: inoculation ~*e* 백신 주사 / réactions ~*es* 백신 반응.

vaccination [vaksinɑsjɔ̃] *f.* 〖의학〗 백신 주사, 예방 접종〔주사〕(= préventive 〔immunisante〕); 종두: ~ antidiphérique 디프테리아 예방 주사 / ~ par injection 〔par la bouche〕 주사〔경구〕 접종.

vaccine [vaksin] *f.* 〖수의학〗 우두창(牛痘瘡); 〖의학〗 접종한 우두; 백신 접종.

vacciner [vaksine] *v.t.* ① 〖의학〗 …에게 예방접종을 하다; 종두하다: ~ un enfant contre la variole 어린아이에게 우두를 놓다 / se faire ~ contre la grippe 감기 예방주사를 맞다. ② 《구어》 면역되게〔무감각해지게〕 하다; (유혹에서) 벗어나게 하다: Je *suis vacciné* contre la peur. 나는 무서움을 타지 않게 되었다.

vachard, e [vaʃaːʀ, -aʀd] *adj.* 《구어》 짓궂은, 심술궂은.

⁑**vache** [vaʃ] *f.* ① 암소; 암소 고기: petit de la ~ 송아지 / ~ laitière 젖소. ② 암소 가죽; (캠핑때 물을 넣어두는) 가죽 부대, 물주머니(= ~ à eau): sac en ~ 소가죽 핸드백. ③ 《구어》 뚱뚱한 여자; 주책없는 여자; 매춘부; 《구어》 경찰관, 헌병; 《구어》 심술궂은 놈; 망할 놈: une vieille ~ 심술궂은 늙은이 / Ne fais pas la ~! 짓궂게 굴지 마라! / ~ à roulettes 자전거를 탄 경찰관. ④ 〖동물〗 ~ marin 듀공(= dugon); 해마(= morse). ***donner des coups*** 〔***de pied***〕 ***en ~*** 《구어》 …을 배반하는 행동을 하다. ***être gros comme une ~*** 매우 뚱뚱하다. ***grand chemin des ~s*** 《구어》 누구나 알고 있는 당연한 일. ***manger de la ~ enragée*** 《구어》 고생하다. ***pleurer comme une ~*** 흐느껴 울다. ***queue de ~; poil de ~*** 《속어》 붉은 머리털. ***une*** 〔***un***〕 ***~ de*** qc 《속어》 멋진, 굉장한: *une ~ de* petite maison 멋들어진 작은 집. ***~ à lait*** 젖소.

── *adj.* 《구어》 ① 심술궂은, 짓궂은, 고약한(= méchant; ≠ gentil): C'est ~! 고약〔난처〕하군! / C'est ~ d'avoir fait cela. 그런 짓을 하다니 고약하다. ② 《명사 앞》 《반어적》 멋진, 희한한, 굉장한(= beau).

vachement [vaʃmɑ̃] *adv.* 《속어》 터무니없이, 몹시, 굉장히(= beaucoup, rudement): film ~ bien 기가 막히게 좋은 영화 / Il pleut ~. 비가 억수로 쏟아진다.

vacher, ère [vaʃe, -ɛːʀ] *n.* ① 소 치는 목동

〔목녀〕, 목우자. ② 《경멸》 시골뜨기 : manières de ~ 촌스러운 태도.

vacherie [vaʃʀi] *f.* ① 소 외양간, 우사(牛舍). ② 《속어》 짓궂은 언사 ; 가혹한 짓 : dire des ~*s* 짓궂은 말을 하다 / Quelle ~ de temps ! 날씨도 더럽군 !

vacherin [vaʃʀɛ̃] *m.* ① 〖농업〗 프랑슈콩테(*Franche-Conté*)에서 나오는 치즈, 그뤼예르 치즈. ② 바슈랭《생크림 케이크》.

vachette [vaʃɛt] *f.* 암송아지(가죽) : sac en ~ 암송아지 가죽 핸드백.

vacillant, e [vasijɑ̃, -ɑ̃:t, 《옛》 -i(l)lɑ̃, -ɑ̃:t] *adj.* ① 흔들거리는, 뒤뚱거리는, 비틀거리는(= titubant) : démarche ~*e* 비틀거리는 걸음걸이. ② 너울거리는 ; (등불 따위가) 가물거리는 : flamme ~*e* d'une bougie 초의 가물거리는 불꽃. ③ 《구어》 변하기 쉬운, 불안정한, 우유부단한, 약해진 : esprit ~ 우유부단한 사람 / santé ~*e* 연약한 체질 / foi ~*e* 흔들리는 신앙 / mémoire ~*e* 아리송한 기억.

vaciller [vasije, 《옛》 -i(l)le] *v.i.* ① 흔들〔뒤뚱〕거리다 ; (다리 따위가) 후들거리다, 떨리다 : ~ sur ses jambes 다리가 후들거리다 / poteau qui *vacille* 흔들거리는 말뚝. ② (불꽃 따위가) 너울거리다 ; (불빛 따위가) 깜빡〔가물〕거리다 : bougie 〔lumière〕 qui *vacille* 깜박거리는 촛불〔불빛〕. ③ (마음 · 결심 따위가) 흔들리다, 망설이다 ; 우유부단하다 ; 변하기 쉽다 ; (기억이) 불확실하다 : ~ dans ses résolutions 결심히 서지 않다 / mémoire qui *vacille* 아리송한 기억.

va-comme-je-te-pousse [vakɔmʒətpus] *n.* 《복수불변》 《구어》 태평스러운 사람. ***à la ~*** 아무렇게나, 되는 대로 : enfant élevé *à la* ~ 마구 키워진 아이.

vacuité [vakɥite] *f.* 비어 있음 ; 공허 ; 허무 : ~ de la place 텅 빈 광장 / ~ d'une œuvre 작품의 무의미함.

vacuum [vakɥɔm] *m.* 진공(眞空).

vade-mecum [vademekɔm] 〔라틴〕 *m.* 《복수불변》 《문어》 (휴대용의) 책, 편람, 요람, 안내서 ; 휴대품.

vadrouille [vadʀuj] *f.* ① 〖해양〗 자루걸레. ② 《옛》 (정처 없는) 산책, 바람 쐬기(= promenade). ③ 난봉꾼 ; 매춘부. ***en ~*** 산책 중의 : partir *en* ~ 바람 쐬러 나가다.

vadrouiller [vadʀuje] *v.i.* ① 《구어》 정처 없이 거닐다, 산책하다. ② 바람나서 돌아다니다, 난봉부리다.

vadrouilleur, euse [vadʀujœ:ʀ, -ø:z] *adj.* et. *n.* (정처 없이) 거니는 (사람), 산책하는 (사람).

va-et-vient [vaevjɛ̃] *m.* 《복수불변》 ① 왕래, 왕복 ; 오르내림 ; 왕복 운동 ; 진동(= oscillation) : un ~ incessant 끊임없는 사람의 왕래 / ~ d'un piston 피스톤의 왕복 운동 / café où il y a beaucoup de ~ 사람이 많이 오가는 카페. ② (물건 · 의견 따위의) 교류, 교환(= échange) : ~ d'échanges culturels entre deux pays 양국 간의 문화 교류 활동. ③ (밧줄로 끌어 움직이는) 나룻배 ; 〖해양〗 (배와 배 사이의) 거넬 밧줄 ; 왕복시 톱니바퀴. ④ 〖전기〗 2 로(二路) 스위치(= commutateur ~). ⑤ 〖건축〗 회전문(= porte ~). ***faire le ~ entre A et B*** (나룻배 따위가) A와 B 사이를 왕복하다.

vagabond, e [vagabɔ̃, -ɔ̃:d] *adj.* ① 방랑하는, 유랑하는(= nomade) : peuples ~*s* 유랑민 / mener une vie ~*e* 방랑 생활을 하다. ② (주의가) 산만한, (마음이) 들뜬(= désordonné), 변덕스러운, 제멋대로의 (= débridé) : imagination ~*e* 분방한 상상 / humeur ~*e* 변덕스러운 기분 / regard ~ 고정되지 않은 시선. ── *n.* ① 방랑자, 유랑자. ② 《구어》 부랑자, 떠돌이, 뜨내기 : jeune ~ 부랑아.

vagabondage [vagabɔ̃da:ʒ] *m.* ① 방랑(벽), 유랑(벽). ② (생각 따위가) 갈피를 못잡음, 방황 ; 산만함 : ~ de l'esprit 갈피를 잡을 수 없는 마음.

vagabonder [vagabɔ̃de] *v.i.* ① 방랑〔유랑〕하다(= errer), 방황하다 : ~ dans la rue 거리를 방황하다 / ~ de par le monde 세계를 유랑하다. ② (생각 따위가) 갈피를 못 잡다, 자꾸 옮겨가다 : laisser ~ ses rêveries 하염없는 몽상에 잠기다 / regard qui *vagabonde* 고정되지 않은 시선.

vagin [vaʒɛ̃] *m.* 〖해부〗 질(膣).

vaginal, e, aux [vaʒinal, -o] *adj.* 〖해부〗 질의 : sécrétions ~*es* 질 분비액 ── *f.* 고환 백막(白膜) (= tunique ~*e*).

vagir [vaʒi:ʀ] *v.i.* (갓난아이가) 울다 ; (토끼 · 악어 따위가) 가냘프게 울다.

vagissant, e [vaʒisɑ̃, -ɑ̃:t] *adj.* ① (갓난아이가) 우는. ② (울음소리가) 가냘픈, 약하고 구슬픈.

vagissement [vaʒismɑ̃] *m.* (갓난아이의) 울음소리 ; (토끼 · 악어따위의) 가냘픈 울음소리.

vague¹** [vag] *f.* ① 물결(= onde), 파도(= houle) ; 파동 ; 바다 : hauteur d'une ~ 파도 높이 / ~*s* au rivage 해소(海嘯) / grosses ~*s* 큰 파도 / ~*s* déchaînées 노도. ② 물결 모양의 것, 파상(波狀) ; (빛 · 음파 · 열 따위의) 전파 ; (물결처럼) 밀려오는 것 : ~ des sons 소리의 파동 / ~*s* de la chevelure 머리의 웨이브 / ~*s* successives d'immigrants 이민의 잇따른 물결 / ~ d'assaut 〖군사〗 공격파. ③ 《문어》 (감정 따위가) 밀려오기, 고조 : ~*s* d'applaudissements 노도와 같은 박수갈채 / ~ de rire 웃음의 물결 / ~ de la douleur 밀려오는 고통. ④ 맥주 교반기(攪拌器). ⑤ 〖영화 · 예술〗 nouvelle ~ (60 년대를 전후하여 젊은 영화 · 예술인들이 중심이 된) 새로운 세대〔경향〕, 누벨 바그 : film nouvelle ~ 누벨 바그 영화 / robe très *nouvelle* ~ 《구어》 최신 모드의 의상. ***faire des ~s 물의를 일으키다, 충격을 던지다(= scandaliser, choquer). ***~ de fond*** 놀, 세찬 파도. ***~ de froid*** 〔***chaleur***〕 한파(寒波)〔열파〕.

***vague²** *adj.* ① 애매한, 모호한, 막연한(= flou, voilé) : en termes ~*s* 애매한 말로 / expression ~ 애매한 표현 / inquiétude ~ 막연한 불안 / promesse ~ 막연한 약속. ② 불분명한, 어렴풋한, 희미한 : couleur ~ 희미한 빛깔 / souvenir ~ 아련한 추억 / forme ~ dans la nuit 어둠 속의 어렴풋한 형체. ③ (옷 따위가) 품이 넓은(≠ serré) : robe ~ 꼭 맞지 않는 드레스. ④ 비어 있는 ;

V

(논·밭 따위가) 경작되어 있지 않은: terrain ~ 빈터, 공지 / terres ~s 황무지. ⑤ 《항상 명사 앞》 하찮은, 대수롭지 않은(= insignifiant) : ~ parent à moi 나의 먼 친척 / occuper de ~s fonctions 대수롭지 않은 직책을 맡다. ── *m.* ① 막연함, 어렴풋함: s'abandonner au ~ de ses pensées 멍청하니 생각에 잠기다. ② 허공(虛空) : fixer les yeux dans le ~ 허공을 쳐다보다. ***avoir du ~ à l'âme*** 하염없이 수심에 잠겨 있다. ***rester dans le ~*** (생각·의향을) 명확히 나타내지 못하다, 우유부단하다. 「도.

vaguelette [vaglɛt] *f.* 잔물결, 잔잔한 파

vaguement [vagmɑ̃] *adv.* ① 막연하게 (= confusément), 애매하게, 어렴풋이 ~ qc 어렴풋이: distinguer …을 알아보다 / comprendre qc ~ …을 막연하게 이해하다. ② 약간, 조금 : robe ~ bleue 약간 푸른색을 띤 드레스.

vaguemestre [vagmɛstʀ] 〔독일〕 *m.* 〖군사〗 병참 장교 ; 우편 담당 하사관.

vaguer [vage] *v.i.* ① 《문어》 방황하다, 떠돌아다니다(= errer) : ~ à travers la ville 시내를 떠돌아다니다. ② (생각 따위가) (막연히) 감돌다 ; (시선 따위가) 옮겨다니다 : laisser ~ ses pensées 〔rêveries〕 하염없이 생각〔몽상〕에 잠기다.

vahiné [vaine] *f.* 타이티(*Tahiti*)의 여자 ; (타이티의) 아내, 정부(情婦).

vaillamment [vajamɑ̃] *adv.* 용감하게, 굳세게 ; 열심히.

vaillance [vajɑ̃:s] *f.* 《문어》 용기, 용맹(= courage) ; 굳셈, 씩씩함 : faire preuve de ~ 용기를 보여 주다. ***avec ~*** 용감하게.

vaillant, e [vajɑ̃, -ɑ̃:t] *adj.* ① 《명사 앞》 용감한 ; 씩씩한, 용맹한(= courageux ; ≠ lâche) : ~ combattant 용감한 투사. ② 《명사 뒤》 (일 따위에) 부지런한, 열심인 ; (역경에서) 꿋꿋한, 굳센 : ~ dans l'adversité 역경에서 꿋꿋한. ③ 《명사 뒤》 튼튼한, 건강한, 정정한 : vieillard encore ~ 아직도 정정한 노인. ***n'avoir pas* 〔*plus*〕 *un sou ~*** 《문어》 무일푼이다. ── *m.* 재산, 현금. ── *adj.* 현금으로 : avoir cent mille francs ~ 현금으로 10만 프랑을 가지고 있다.

vaille que vaille [vajkəvaj] *adj.* 거의, 그럭저럭 : Il faudra bien l'aider, ~. 그를 좀 도와야겠소.

vaill-e(s), -ent ⇒ valoir.

vain, e** [vɛ̃, -ɛn] *adj.* ① 빈, 공허한, 헛된, 무의미한, 근거 없는 : ~*es* images 환상 / ~*es* paroles 빈말 / ~ espoir 헛된 희망 / terres ~*es* et vagues 빈터, 공지(空地) / ~*e* promesse 빈 약속. ② 보람 없는, 소용없는, 공연한, 쓸데없는, 무익한(= inutile, inefficace) : de ~s efforts 쓸데없는 노력 / discussion ~*e* 공론(空論) / Il est ~ de songer à cela. 그것에 대해 생각해 보았자 쓸데없는 일이다. ③ 《문어》 거만한(= vaniteux), 건방진, 잘난 체하는 ; 경박한(= frivole, léger) : homme ~ 경박한 사람 / ~ de son talent 재능에 우쭐해 있는 / Elle était ~*e* de sa beauté. 그녀는 자기 미모에 우쭐해 있었다. ***en ~ 보람 없이, 쓸데없이, 헛되이 : mourir *en* ~ 헛되이 죽다 / Je suis allé chez vous *en* ~. 당신 집에 갔으나 헛일이었소. ***~e gloire*** 허영. ***~e pâture*** 공동 방목장(放牧場).

vainc [vɛ̃] vaincre의 직설·현재·3·단수.

vaincre** [vɛ̃:kʀ] [49] *v.t.* ① 이기다 ; 정복하다 ; 쳐부수다 : ~ qn aux échecs 체스에서 …을 이기다, 장기가 …보다 세다 / ~ qn à la course 경주에서 …을 무찌르다. ② (장애·어려움 따위를) 극복하다, 이겨 내다 ; 억누르다 ; 능가하다 ; 설복하다 : ~ des difficultés 어려움을 극복하다 / ~ une maladie 병을 이겨 내다 / ~ sa colère 분노를 참다. ***se laisser ~ 양보하다, (감정에) 동하다 : *se laisser* ~ à la tentation 유혹에 넘어가다.

vaincu, e [vɛ̃ky] *adj.* 진, 패배한, 정복된, 설복당한 : s'avouer ~ 패배를 인정하다, 항복하다 / nation ~*e* 패전국 / maladie incurable ~*e* 정복된 불치의 병. ── *n.* 패자 ; 패배주의자 : attitude de ~ 패배주의적 태도.

vainement [vɛnmɑ̃] *adv.* 보람 없이, 헛되이 : Il a travaillé ~ et sans fruit. 그가 한 일은 보람도 성과도 없었다.

vainqu-e(s), -ent ⇒ vaincre.

***vainqueur** [vɛ̃kœːʀ] *m.* ① 승리자, 정복자 (= gagnant) : ~ de la guerre 전쟁의 승자 / ~ aux points 〔par K.O.〕 〖권투〗 판정승〔케이오승〕을 거둔 선수. ② (난관 따위를) 극복〔정복〕한 사람 : le ~ de l'Everest 에베레스트 산을 최초로 정복한 등산가. ── *adj. m.* 승리자의, 의기양양한, 우쭐한 : équipe ~ 우승팀 / air ~ (싸워 이겨서) 의기양양한 모양 《여성 명사일 경우 victorieuse : l'équipe *victorieuse*》.

vairon[1] [vɛʀɔ̃] *m.* 〖어류〗 피라미의 일종.

vairon[2] *adj. m.* (눈이) 여러 가지 빛깔을 띤 ; (사람·말이) 고리눈의.

vais [vɛ] aller의 직설·현재·1·단수.

vaisseau [vɛso] *m.* (*pl.* **~x**) ① 그릇, 용기(容器). ② (커다란) 배, 선박(= bâtiment, navire) : ~ de guerre 군함 / ~-hôpital 병원선 / ~ marchand 상선 / capitaine de ~ 해군 대령 / ~ spatial 우주선 / ~ amiral 기함(旗艦). ③ 〖건축〗 (큰 건물의) 내부 공간 ; (교회 따위의) 주열(柱列)로 나뉘어진 칸(= nef). ④ 〖해부〗 맥관(脈管), 도관(導管), 혈관 (= ~ sanguin) : ~*x* lymphatiques 림프관 / ~*x* capillaires 모세관. ***brûler ses ~x*** 배수의 진을 치다. ***conduire le ~*** 《구어》 지휘하다. ***~ de l'État*** 국가의 경륜(經綸).

vaisselier [vɛsəlje] *m.* 식기장, 찬장.

vaisselle** [vɛsɛl] *f.* ① 《집합적》 ⓐ 식기류 《특히 접시 종류》. ⓑ (식사 후의) 씻어야 할 식기〔식기 씻기·설거지〕 : eau de ~ 설거지한 후의 더러운 물 / Elle n'a pas fini sa ~. 그녀는 설거지를 끝내지 못했다. ② 용구, 도구 : ~ de toilette 세면 도구. ③ 《구어》 훈장. ***~ de poche 잔돈, 용돈. ***~ plate*** 귀금속으로 만든 식기《은·금 그릇》.

val [val] *m.* (*pl.* **~s, vaux** [vo]) 《시어》 〖지리〗 골짜기, 계곡 《지명·관용어 외에는 별로 쓰이지 않음》 : le *V*~ de Loire 루아르강의 계곡. ***par monts et par vaux*** 산을 넘고 골짜기를 건너, 각처에.

valable [valabl] *adj.* ① 유효한, 효력이 있는 : contrat 〔testament〕 ~ 법적 효력이 있

는 계약〔유언〕 / billet ~ (pour) trois mois 석달간 유효한 표. ② 납득할 만한, 받아들일 수 있는 ; 타당한, 근거가 있는(= acceptable) : argument ~ 타탕한 논거 / raison ~ 정당한 이유. ③ 가치가 있는 ; 훌륭한(= qualifié) : écrivain 〔œuvre〕 ~ 훌륭한 작가〔작품〕. ④ 《구어》 유리한, 이로운(= intéressant).

valablement [valabləmɑ̃] *adv.* 유효하게 ; 승인될 만하게 ; 훌륭하게 : alléguer ~ que... …라고 정당하게 주장하다 / s'excuser ~ de son retard 지각한 것에 대해 납득할 만한 변명을 하다.

valence [valɑ̃:s] *f.* 〖화학〗 원자가(原子價) ; 이온가(= ionique).

valentin [valɑ̃tɛ̃] *m.* 《옛》 성 발렌타인제(祭) 《2월 14일》에 처녀들이 골라잡는 애인.

valet [valɛ] *m.* ① 하인, 사환, 종복 ; 고용인 : ~ de chambre (호텔 따위의) 객실 담당자, 사환 / ~ de pied (제복을 입은) 하인, 종복 / ~ de ferme 농장 고용인, 머슴. ② 비굴하게 아부하는 자, 추종자 : ~*s* des gens au pouvoir 권력자의 추종자들 / se faire le ~ de qn …에게 비굴하게 아첨하다. ③ (카드놀이의) 잭 ; 〖연극〗 하인(의 역) : ~ de pique 스페이드잭. ④ 꺾쇠 ; (목공의) 판자 걸치개 ; 도어클로즈《문이 저절로 닫히는 장치》. ⑤ (남자용) 다리 달린 옷걸이(= ~ de nuit).

valetaille [valtɑ:j] *f.* 《집합적》 하인들.

valétudinaire [valetydinɛ:ʀ] *adj.* et *n.* 병약한 (사람), 허약한 (사람).

⁑**valeur** [valœ:ʀ] *f.* ① (물건의) 가치 ; 가격(= prix), 값 : objet de ~ 〔de grande ~, de peu de ~〕 값나가는〔값비싼 · 값싼〕 물건 / diminution de ~ 가치 하락 / ~ vénale 시가(市價) / ~ en fabrique 생산 원가 / ~ ajoutée 부가 가치세(《약자》 T.V. A) / ~ marchande 시장 가치, 시가(市價) / estimer la ~ des antiquités 고미술품의 가치를 평가하다. ② (*pl.*) 유가 증권(= ~ mobilière) ; 주식 ; 어음 : ~*s* cotées 상장주 / ~*s* populaires 인기주 / escompte d'une ~ 어음 할인 / placer sa fortune en ~*s* (mobilières) 재산을 주식에 투자하다 / négocier 〔réaliser〕 des ~*s* 주식을 현금으로 바꾸다, 매도하다. ③ (사람의) 가치, 자질, 장점(= mérite) ; 《문어》 용기(= bravoure) : homme de ~ ; une ~ (인격 · 지성면에서) 아주 훌륭한 사람 / juger qn à sa juste ~ …의 진가를 올바로 평가하다. ④ (사물의) 효능, 효력 ; 유효성 ; 진가, 특질 : ~ d'une thérapeutique 치료법의 유효성 / Sans signature, cet acte n'a aucune ~. 서명이 없으면 이 증서는 전혀 효력이 없다. ⑤ 〖철학〗 (진 · 선 · 미 따위의 보편적) 가치 ; 이상(= idéal) ; (*pl.*) (한 시대 · 한 사회에 공통적인) 가치〔가치 체계 · 가치관〕 : jugement de ~ 가치 판단 / effondrement des ~*s* 가치관의 붕괴. ⑥ 〖수학〗 값, 치(値), 수치 ; 〖음악〗 음표(音標)가 나타내는 음의 길이, 음가(音價) ; 〖미술〗 색가(色價) ; 〖언어〗 가치 : ~ moyenne 평균값 / ~ limite 극한값 / ~ linguistique 〔expressive〕 언어 〔표현적〕 가치 / ~ phonique 음가. ⑦ (내체적인) 분량. ⑧ 〖교육〗 unité de ~ (프랑스 대학의) 이수 단위(《약자》 U.V). ⑨ 〖카드놀이〗 (카드의) 가치, 힘. ***de*** (***grande***) ~ ⓐ 값비싼, 귀중한 : objet *de* (*grande*) ~ 값비싼 물건 / document *de* ~ 귀중한 자료. ⓑ 우수한, 유능한(= valable) : acteur *de* ~ 명배우. ***la*** ~ ***de*** 대략, 약 : *la* ~ *d'*une cuillerée 약 한 숟갈의 분량 / Ajoutez *la* ~ *d'*un litre d'eau. 물 1 리터가량을 보태시오. ***mettre*** qc 〔qn〕 ***en*** ~ ⓐ …을 이용〔활용〕하다 ; 개척〔개발〕하다 : *mettre* un capital *en* ~ 재산을 활용하다, 증식하다 / mettre un pays *en* ~ 지방을 개발하다. ⓑ …을 돋보이게 하다 ; 강조하다 : *mettre* une couleur *en* ~ 어떤 색깔을 돋보이게 하다 / mot *mis en* ~ dans une phrase 문장 속에서 강조된 말.

valeureusement [valœʀøzmɑ̃] *adv.* 용감하게(= bravement).

valeureux, euse [valœʀø, -ø:z] *adj.* ① 용감한(= brave) : de ~ soldats 용감한 병사. ② 《드물게》 가치 있는.

validation [validɑsjɔ̃] *f.* 법률적으로 유효하게 하기, 법적 유효성의 인정.

valide [valid] *adj.* ① 건강한, 건장한 ; 원기 있는 : homme ~ 건강한 사람. ② 유효한, 통용되는(= valable) : mariage 〔contrat〕 ~ 정식 결혼〔계약〕. ③ 정당한, 타당한.

valider [valide] *v.t.* (법률상) 유효하게 하다 ; 유효로 인정하다 : élection *validée* 유효로 인정된 선거.

validité [validite] *f.* (법적) 유효성, 효력 ; 유효 기간(= durée de ~) : ~ d'acte 증서의 유효성 / ~ de trois mois, 3개월의 유효 기간. ***établir la ~ d'un argument*** 주장을 밀고 나가다.

valise** [vali:z] *f.* 손가방, (여행용) 가방 : bourrer 〔remplir〕 une ~ 가방을 (짐으로) 채우다 / boucler sa ~ 《비유》 여행 준비를 끝내다. ***faire sa ~ 〔***ses ~s***〕 짐을 꾸리다, 떠날 채비를 하다. ~ ***diplomatique*** 〖국제법〗 외교 행낭.

vallée** [vale] *f.* ① 골짜기, 계곡 : descendre dans la ~ 계곡에 내려가다 / ~ sèche 〔morte〕 물이 마른 계곡. ② 유역(= bassin) : ~ du Nil 나일강 유역. ③ (산악 지방의) 저지대 : hommes de la ~ 저지대 사람들. ~ ***de larmes 〔***de misère***〕 이 세상, 이승.

vallon [valɔ̃] 〔이탈리아〕 *m.* 작은 골짜기, 소계곡. ***le sacré*** ~ 〖신학〗 시신(詩神) *Muses*가 살았다는 파르나스(Parnasse) 산의 골짜기 ; 시(詩).

vallonné, e [valɔne] *adj.* 계곡이〔골짜기가〕 많은 : région ~*e* 골짜기가 많은 지방.

vallonnement [valɔnmɑ̃] *m.* ① (골짜기와 언덕이 있는 지대의) 기복 ; 기복이 심한 지형. ② 작은 골짜기로 만들기.

⁑**valoir** [valwa:ʀ] 〔64〕 *v.i.* ① …의 값이다, 값이 나가다 : Combien *vaut* cela ? 이것은 (값이) 얼마입니까 ? / ~ cent francs le mètre, 1미터에 100프랑 나가다 / la somme que *vaut* cette propriété 이 토지의 가격. ② 《사물에 대해》 이용〔사용〕 가치가 있다, 유효하다 : argument qui ne *vaut* rien 아무 가치도 없는 논거 / Nous verrons ce que *vaut* ce médicament. 이 약의 효력을 우리는 알게 될 것이다 / Ce climat ne me *vaut* rien. 이 기후는 나의 건강에 해롭다. ③ 《사람에 대해》 능력〔재능〕이 있다, 유능하다 ; 도움이

V

되다 : savoire ce que l'on *vaut* 자신의 가치를 알다 / acteur qui ne *vaut* rien 재능이 없는 배우. ④ (…할 만한) 가치가 있다(= mériter) : Son succès *vaut* une récompense. 그의 성공은 상을 받을 만하다 / (~ de + *inf.* 〔que + *sub.*〕) Ce livre *vaut d'être* lu et relu. 그 책은 여러 번 되풀이해서 읽을 만한 가치가 있다. ⑤ …에 상당하다, 비길 만하다(= équivaloir) : Un kilo *vaut* mille grammes. 1킬로는 1,000그램이다 / L'un *vaut* l'autre. 서로 우열을 가릴 수가 없다. ⑥ …만큼의 재산〔수입〕이 있다 : Il *vaut* un million de dollars. 그는 백만 달러의 재산을 가지고 있다. ⑦ 《~ pour》 …에 관계가 있다, 적용된다 : Cette loi *vaut pour* tout le monde. 이 법은 누구에게나 적용된다. ***à ~ (sur)*** …의 선금으로서, 계약금조로 : verser un acompte *à ~ sur* l'achat de qc …을 사기 위해 선금을 치르다. ***Ça vaut le coup.*** 《구어》 그것은 해볼 만한 가치가 있다. ***Ça vaut mieux que***+명사 〔***que de***+*inf.*〕 《구어》 …보다〔하는 것보다〕 더 낫다 : *Ça vaut mieux que* la pluie. 비가 오는 것보다 이게 낫다. ***Ce n'est rien qui vaille.*** 그건 아무런 가치도 없다. ***faire ~*** 유리하게 사용하다 ; (돈을) 불리다 ; 돋보이게 하다 ; 개척〔개발〕하다 ; 칭찬하다 ; (권리 등을) 주장하다, 행사하다 : redingote grise qui *faisait ~* sa haute taille 그의 큰 키를 돋보이게 하는 회색 프록코트 / Cet acteur *fait ~* ses rôles. 이 배우는 그가 맡은 역을 실감이 나게 한다 / *faire ~* une terre 토지를 개간하다 / *faire ~* ses capitaux 자산을 운영하여 증식하다 / *faire ~* ses droits 권리를 행사하다. ***ne rien ~*** ⓐ 아무런 값어치도 없다. ⓑ *ne rien ~* pour …에 유해하다 ; 건강에 나쁘다 / Le froid *ne vaut rien pour* les rhumatismes. ***rien qui vaille*** 《부정형으로》 신통한 일이라고는 아무것도 (하지) 않다 : Il ne fait *rien qui vaille.* 그는 신통한 일이라고는 아무것도 하지 않는다. ***~ la peine*** (***de*** + *inf.* 〔***que*** + *sub.*〕) …(할) 만한 가치가 있다 : Cela *vaut la peine qu*'on l'écrive. 이것은 기록할 만한 가치가 있다.

— *v. impers.* ***Autant vaut...*** …와 다름없다, …하는 게 낫다 : *Autant vaut* rester ici. 이곳에 있는 편이 낫다. ***Il vaut*** 〔***vaudrait***〕 ***mieux*** 〔***Mieux vaut***〕 + *inf.* 〔***que*** + *sub*〕 …하는 편이 좋다 : *Il vaudrait mieux* rester à la maison. 집에 있는 편이 좋을지도 모른다. ***Il vaut mieux*** 〔***Mieux vaut***〕 + *inf.* ***que*** (***de***) + *inf.* …보다 …하는 편이 좋다 : *Il vaut mieux* se taire *que* (*de*) parler inutilement. 쓸데없이 수다를 피우는 것보다는 입을 다물고 있는 편이 좋다 / *Mieux vaut* perdre sa fortune *que* son honneur. 명예를 잃는 것보다는 재산을 잃는 편이 좋다.

— *v.t.* 《~ qc à qn》 …에게 …을 가져다 주다〔얻게 하다〕(= procurer)《과거분사는 목적보어에 일치함》: soucis que nous *a valus* cette entreprise 이 계획 때문에 우리가 느꼈던 근심 / 《~ à qn de + *inf.*》 Son état de santé lui *vaut d'être* mis à la retraite. 그는 건강 상태가 좋지 않아 사직해야만 했다.

— ***se ~*** *v.pr.* (서로) 값어치가 같다, 같은 정도이다, 우열이 없다 : Ces deux frères *se valent*. 그 두 형제는 우열이 없다. ***Ça se vaut.*** 《구어》 비슷하다, 피차 별 차이 없다.

valorisant, e [valɔʀizɑ̃, -ɑ̃:t] *adj.* 가치〔평가〕를 높이는 : étalage ~ des marchandises 상품을 돋보이게 하는 진열.

valorisation [valɔʀizɑsjɔ̃] *f.* ① 더 높은 가치를 줌, 중시 ; 활용 : ~ d'une région sous-développé 저개발 지역의 중시. ② 〖경제〗 (값이 내린 상품이나 주권 따위의) 가격 유지〔안정〕 : ~ des denrées agricoles 농산물 가격의 인상〔유지〕.

valoriser [valɔʀize] *v.t.* ① 〖경제〗 …의 가격을 회복시키다 ; 〖철학 · 심리〗 …의 가치를 부여하다〔증가시키다〕 : Ces modifications *valorisent* les modeles existants. 이 변경은 기존 모델의 가치를 높인다. ② 〖은행〗 (어음 따위를) 취결(就結)하다. ③ 《~ qc 〔qn〕》 더 가치 있게〔돋보이게〕 하다 : Son succès l'*a valorisé* aux yeux de ses amis. 그는 성공함으로써 친구들로부터 더 인정받게 되었다.

— ***se ~*** *v.pr.* 《주어 : qn》 자신의 가치〔평가〕를 높이다.

valse [vals] *f.* ① 〖음악〗 왈츠, 왈츠곡, 원무곡 : ~ viennoise 비엔나 왈츠《빠른 회전 왈츠》 / ~ musette 대중 왈츠 / jouer une des ~*s* de Strauss 슈트라우스의 왈츠곡을 연주하다. ② 《구어》 (정치 · 행정 부서의) 빈번한 인사 이동 ; (물가의) 급등 : ~ des ministres 장관의 빈번한 교체 / ~ des étiquettes 소매물가의 급등.

valse-hésitation [valsezitɑsjɔ̃] *f.* 주저하는 태도, 망설임.

valser [valse] *v.i.* ① 왈츠를 추다 : ~ à trois temps, 3박자 왈츠를 추다. ② 《구어》 넘어지다, 쓰러지다 ; 내던져지다 ; (사람이) 쫓겨나다. ***envoyer ~*** 《구어》 (고용인 따위를) 해고하다, 쫓아내다. ***faire ~ l'argent*** 《구어》 돈을 물 쓰듯이 쓰다. ***faire ~*** qn …와 왈츠를 추다 ; 《구어》 …을 내쫓다.

— *v.t.* (춤을) 추다.

valseur, euse [valsœ:ʀ, -ø:z] *n.* 왈츠를 추는 사람. — *adj.* 왈츠를 추는.

valu, e [valy] valoir의 과거분사.

valve [valv] *f.* ① 〖기계〗 밸브 ; 〖해부〗 판(瓣), 판막 : ~ rotative 회전 밸브 / ~ cardiaque 심장 판막 / ~ à bille 인공 판막. ② (조개 · 굴 따위의) 껍데기, 조가비 ; 〖식물〗 (깍지 · 포(苞) · 삭(蒴)의) 판. ③ 〖전기〗 (정류용의) 전자관, 진공관(= lampe ~) : ~ redresseuse 정류관.

valvule [valvyl] *f.* 〖해부〗 작은 판, 판맥 : ~*s* urétrales 요도판(尿道瓣).

vamp [vɑ̃:p, vamp] 〔영〕 *f.* 《구어》 〖영화〗 뱀프〔음녀(淫女)〕역의 여배우 ; 요부, 탕녀.

vampire [vɑ̃pi:ʀ] 〔독일〕 *m.* ① 흡혈귀. ② 살인마, 가혹한 착취자. ③ 〖동물〗 (남미산의) 흡혈 박쥐.

vampirisme [vɑ̃piʀism] *m.* ① 흡혈귀 찬양. ② 가혹한 착취 ; 물욕, 탐욕.

van[1] [vɑ̃] *m.* 〖농업〗 키(箕) ; 풍구 : passer au ~ 풍구질하다.

van[2] *m.* (경마 말을 운송하는) 유개 화차, 밴.

vandale [vɑ̃dal] 《구어》 *n.* ① 〖역사〗 반달 사람《고대 게르만 민족》. ② (예술 · 문화 따

위의) 파괴자. — *adj.* ① 반달 사람의. ② 문화를 파괴하는.

vandalisme [vɑ̃dalism] *m.* (예술·문화 따위의) 파괴.

vanille [vanij] *f.* 〖식물〗 바닐라 ; 바닐라 향료 : gousse de ~ 바닐라의 열매 / glace à la ~ 바닐라 아이스크림.

vanillé, e [vanije] *adj.* 〖요리〗 바닐라향을 넣은.

vanillier [vanije] *m.* 〖식물〗 바닐라 나무.

vanité** [vanite] *f.* ① 공허, 헛됨, 덧없음, 허무 (= néant, vide) : ~ des choses humaines 인간사의 헛됨. ② 허영심 ; 자만심 : flatter la ~ de qn …의 허영심에 영합하다 / blesser qn dans sa ~ …의 자존심을 상하게 하다. ③ 하찮은 일〔짓〕. ***faire 〔***tirer***〕 ***~ de*** …을 자만〔자랑〕하다. ***par ~*** 허세를 부리고. ***sans ~*** 자랑은 아니지만.

vaniteux, euse [vanitø, -øːz] *adj.* 허영심〔자만심〕이 강한 ; 거만한, 건방진 : ~ comme un paon 매우 거만한. — *n.* 허영심〔자만심〕이 강한 사람, 젠체하는 사람.

vannage [vanaːʒ] *m.* ① 〖농업〗 (곡물의) 키질. ② 키질해 낸 겨. ③ 《구어》 피로.

vanne[1] [van] *f.* ① (수문의) 개폐문 : ~ de décharge 방수문(防水門) / ~ de barrage 상하 개폐식 수문 / ouvrir 〔fermer〕 les ~*s* d'une écluse ; lever 〔mettre〕 les ~*s* 수문을 열다〔닫다〕. ② (도수관(導水管) 따위의) 판(瓣), (내연 기관·증기 기관의) 나비 모양의 판 : ~ à papillon 나비 모양의 판.

vanne[2] *m.*〔*f.*〕 《구어》 짓궂은 짓(= farce) ; 신랄한〔불쾌한〕 말(= pique), 욕지거리 : faire une ~ à qn …에게 짓궂은 짓을 하다 / lancer des ~s 가시 돋친 말을 하다.

vanné, e [vane] *adj.* 《구어》 녹초가 된(= épuisé).

vanneau [vano] *m.* (*pl.* ***~x***) 〖조류〗 댕기물떼새.

vanner [nave] *v.t.* ① 〖농업〗 키로 까부르다, 키질하다 ; 풍구로 부치다. ② 《구어》 피로하게 만들다, 녹초가 되게 하다.

vannerie [vanʀi] *f.* ① 광주리 제품 : point de ~ 광주리 엮기. ② 광주리 제조(업).

vanneur, euse [vanœːʀ, -øːz] *adj.* 키질하는. — *n.* 키질하는 사람.

vannier [vanje] *m.* 광주리 장수〔만드는 사람〕.

vantail [vɑ̃taj] *m.* (*pl.* ***-aux*** [-o])(밀어서 여는 문·창문의) 문짝(= battant) : porte à deux ~*aux* 양쪽으로 여는 문, 접는 문.

vantard, e [vɑ̃taːʀ, -aʀd] *adj.* et *n.* 자만하는 (사람), 허풍떠는 (사람)(= bluffeur).

vantardise [vɑ̃taʀdiːz] *f.* 자만, 허풍, 큰소리, 호언장담(= bluff).

vanter** [vɑ̃te] *v.t.* 칭찬하다, 찬양하다(= célébrer, exalter) : ~ les mérites de qn …의 재능을〔공로를〕 칭찬하다. — **se ~** *v. pr.* ① 《se ~ de qc》 …을 자랑하다, 자만하다 : Il *se vante* tout le temps. 그는 항상 자기 자랑만 한다 / *se ~ d'*avoir réussi à un examen 시험에 합격한 것을 뽐내다 / Il n'y a pas de quoi *se* ~. 자랑할 것이 없다, 자랑할 것이 못 된다. ② 《se ~ de+*inf.*》 …할 수 있다고 자부하다(= se flatter) : Il *se vante de* gagner cette course. 그는 이 경주에서 이긴다고 자부하고 있다. ***ne pas s'en ~ ; ne pas se ~ de qc 《구어》 (과오 따위를) 말하지 않다, 시치미 떼다.

vanterie [vɑ̃tʀi] *f.* 자만, 제 자랑 ; 자만하는 말 ; 허풍.

va-nu-pieds [vanypje] *n.* 《복수불변》 《경멸》 거지, 부랑자(= gueux) : avoir l'air d'un ~ 몰골이 지저분하다.

vape [vap] *f.* 《구어》 (정신의) 혼미, 몽롱함 : être dans les ~*s* 정신이 몽롱하다.

vapeur**[1] [vapœːʀ] *f.* ① 증기 ; 수증기 (= ~ d'eau), 김 ; (대기 속에 발산되는) 가스 : bain de ~ 증기탕 / cuisine pleine de ~ 수증기가 가득찬 부엌. ② 연무(煙霧) ; 안개 : Le village était enveloppé par les ~*s* matinales. 마을은 아침 안개로 싸여 있었다. ③ (음식물의) 향기. ④ 덧없는 것. ⑤ (*pl.*) 우울증, 울적감, 히스테리 ; 현기증 : ~*s* de colère 격노 / ~*s* de la gloire 영광의 도취 / ~*s* du vin 포도주의 취기, 술기운. ***à la ~ 증기로 ; 전속력으로 ; 서둘러서. ***à toute ~*** 전속력으로 ; 부랴부랴. ***à voile et à ~*** (성적으로) 능수능란하다. ***bateau à ~*** (증)기선. ***faire*** qc ***à la ~*** 《구어》 …을 재빨리 처리하다. ***machine à ~*** 증기 기관. ***navire sous ~*** 진행 중인 배.

vapeur[2] *m.* 증기선, 기선(= bateau à ~).

vapocraquage [vapɔkʀakaːʒ] *m.* 〖석유화학〗 수증기 분해.

vaporeusement [vapɔʀøzmɑ̃] *adv.* 흐릿하게, 어렴풋이, 아리송하게.

vaporeux, euse [vapɔʀø, -øːz] *adj.* ① 수증기가 많은. ② 흐릿한, 어렴풋한, 몽롱한, 모호한 : ciel ~ 안개 낀 하늘 / lumière ~*euse* 희미한 빛. ③ (피륙이) 얇고 가벼운, (옷차림이) 홀가분한, (발걸음이) 경쾌한.

vaporisateur [vapɔʀizatœːʀ] *m.* ① 소형 분무기 ; 향수 뿌리는 기구. ② 〖공학〗 증발기, 증류기.

vaporisation [vapɔʀizɑsjɔ̃] *f.* 증발, 기화(= évaporation) ; 분무(= pulverisation).

vaporiser [vapɔʀize] *v.t.* ① 증발〔기화〕시키다 ; 분무하다 : ~ des rosiers avec un insecticide 장미 나무에 살충제를 뿌리다 / La chaleur *vaporise* l'eau. 열이 물을 증발시킨다. ② 《구어》 향수를 뿌리다 : ~ un 〔du〕 parfum 향수를 뿌리다. — **se ~** *v.pr.* 증발〔기화〕하다.

vaquer [vake] *v.i.* ① (지위가) 비어 있다, 공석이다. ② (의회·법정이) 쉬다, 휴회〔휴교·휴정〕하다 : Les classes *vaqueront* du 20 juillet au 30 août. 학교는 7월 20일부터 8월 30일까지 방학이 된다. — *v.t. ind.* 《~ à》 …에 종사하다 ; …에 열중하다 : ~ *à* son travail 일에 열중하다.

varan [vaʀɑ̃] *m.* 〖동물〗 (북아프리카의) 큰 도마뱀.

varappe [vaʀap] *f.* 〖등산〗 암벽 등반 ; 록클라이밍.

varappeur, euse [vaʀapœːʀ, -øːz] *n.* 암벽 등반자(= rochassier).

varec(h) [vaʀɛk] *m.* 〖식물〗 해초.

vareuse [vaʀøːz] *f.* ([illegible] 운동복 따위의) 넉넉한 상의 ; 수부의 작업복 ; 점퍼.

variabilité [vaʀjabilite] *f.* 부정(不定), 변하기 쉬움 ; 〖생물〗 변이성 ; 〖언어〗 변화성 : ~

V

des humeurs 변덕.

***variable** [varjabl] *adj.* ① 변하기 쉬운, 불안정한(= changeant, instable) : temps ~ 불안정한 날씨 / avoir une humeur ~ ; être d'une humeur ~ 변덕스럽다. ② (상황 따위에 따라서) 변화하는, 가변적인, 여러 가지의 : taux ~*s* 변동 이율 / L'augmentation des salaires est ~ selon les individus. 급료 인상 액수는 사람에 따라 다르다. ③ 〖언어〗 (어미가) 변화하는, 굴절하는 : mot ~ en genre et en nombre 성과 수에 따라 변화하는 낱말. ── *f.* 〖수학 · 논리〗 변수, 변량 ; 변황. ── *m.* 불안정 : Le baromètre est au ~. 청우계가 날씨의 변하기 쉬움을 나타내고 있다.

variant, e [varjɑ̃, -ɑ̃:t] *adj.* 변화하는, 변하기 쉬운. ── *f.* ① 개정본, 이본(異本) ; 이문(異文), 변문(變文). ② 〖언어〗 (변)이형((變)異形), 이체(異體) : ~ combinatoire 〔libre〕 결합〔자유〕 변이형. ③ (같은 종류의 것과) 약간 다른 것, 이형 : ~ d'un motif 〖음악〗 어떤 주제의 변형.

variateur [varjatœ:r] *m.* 〖기계〗 ~ de vitesse 변속기〔장치〕.

variation [varjɑsjɔ̃] *f.* ① 변화, 변천, 변동 : ~ de prix 가격 변동 / enregistrer des ~*s* de temperature 온도 변화를 기록하다. ② (*pl.*) 〖음악〗 변주(곡) : ~ sur un thème 주제에 의한 변주. ③ 〖무용〗 바리아시옹《발레의 독무 부분》.

varice [varis] *f.* 〖의학〗 정맥류(靜脈瘤).

varicelle [varisɛl] *f.* 〖의학〗 수두(水痘), 수포창(水泡瘡).

varié, e** [varje] *adj* ① 변화가 많은, 다양한 : répertoire 다양한 레파토리 / paysage ~ 변화 많은 경치 / vie ~*e* 파란만장한 인생 / style ~ 문체의 다채로움. ② 여러 가지의, 가지각색의 : fleurs aux couleurs ~*es* 가지각색의 꽃 / sens ~*s* d'un mot 낱말의 여러 의미 / Il y a une grande ~ d'avis sur ce point. 그 점에 대해서는 의견이 분분하다. ③ 〖음악〗 변주(부)를 가진 : thème ~ 변주 주제. ***air ~ 〖음악〗 변주곡이 붙은 곡.

***varier** [varje] *v.t.* ① 여러 가지로 바꾸다〔갈다〕, 가지각색으로 하다, …에 변화를 주다 : ~ son style 문체에 변화를 주다 / ~ ses toilettes 자주 옷을 갈아입다 / ~ ses plaisirs 다양한 쾌락을 추구하다 ; 《비꼼》 더욱 난처해지다. ② 〖음악〗 변곡〔변주〕하다.
── *v.i.* ① 여러 가지로 변하다, 변화하다 ; 다르다(= changer, différer) : Les goûts *varient* selon l'âge 〔la culture〕 des gens. 취미는 사람들의 연령〔교양〕에 따라 다르다. ② 의견을 바꾸다, 의견이 달라지다, 설(說)을 달리하다 : ~ dans ses réponses 대답이 늘 같지 않다〔모순되다〕. ③ 《~ de》 …을 바꾸다 : ~ *de* méthode 방법을 바꾸다. ④ 〖수학〗 (함수 따위가) 변화하다. ⑤ 〖언어〗 변화〔굴절〕하다.

***variété** [varjete] *f.* ① 변화가 많음, 다양성, 다채로움 ; 변화 ; 다름 : ~ des goûts 취미의 다양성 / aimer la ~ 변화를 좋아하다 / Il y a une grande ~ d'avis sur ce point. 그 점에 대해서는 의견이 매우 분분하다. ② 〖생물〗 변종(變種), 품종 : nouvelle ~ d'orange 오렌지의 변종 / divers ~*s* de blés 밀의 여러 가지 품종. ③ (*pl.*) 잡록(雜錄)(= mélange) ; 잡다한 프로로 된 흥행물, 버라이어티 쇼(= spectacle de ~*s*) : recueil de ~*s* 잡록집 / programme de ~*s* 버라이어티 쇼 프로그램. ④ 〖수학〗 다양체 : ~ algébrique 대수 다양체.

variole [varjɔl] *f.* 〖의학〗 천연두, 두창(痘瘡) : ~ des vaches 〖수의학〗 우두.

variolique [varjɔlik] *adj.* 〖의학〗 천연두의 ; 천연두에 관한.

variomètre [varjɔmɛtr] *m.* ① 〖전기〗 바리오미터. ② 〖항공〗 기압 측정기.

variorum [varjɔrɔm] *adj.* 《불변》 여러 사람의 주석을 모은, 집주(集註)의 : édition ~ 집주본(本). ── *m.* 집주본.

variqueux, euse [varikø, -ø:z] *adj.* 〖의학〗 정맥류에 기인하는, 정맥류성의.

varlope [varlɔp] *f.* 큰 대패.

vasculaire [vaskylɛ:r] *adj.* 〖생물〗 맥관〔도관 · 혈관〕에 관한〔으로 된〕 : système ~ 맥관〔혈관〕계 / pression ~ 혈압.

vascularisation [vaskylarizɑsjɔ̃] *f.* 혈관신생(新生), 혈관화(化), 혈관 분포.

vascularisé, e [vaskylarize] *adj.* 혈관이 있는, 혈관이 차지한〔묶여 있는〕 : tissu richement ~ 혈관이 많은 조직.

vase¹** [vɑ:z] *m.* ① 단지, 항아리, 그릇, 병, 꽃병(= ~ à fleurs) : ~ cinéraire 납골 단지 / ~ de nuit (침실용의) 변기, 요강 / ~*s* sacrés 성기(聖器) / ~*s* communicants 〖물리〗 연통관(連通管). ② 〖식물〗 (튤립 따위의) 꽃받침 ; 〖건축〗 (코린트식의) 기둥머리. ***en ~ clos 들어박혀서, 외부와 연락을 끊고.

***vase²** *f.* (물 밑의) 진흙, 개흙, 수렁 (= boue).

vasectomie [vazɛktɔmi] *f.* 〖의학〗 정관 절제(술)(精管切除(術)).

vaseline [vazlin] 〔영〕 *f.* 바셀린.

vaseux, euse [vazø, -ø:z] *adj.* ① 진흙이 많은. ② 《구어》 피로한, 기진한(= fatigué). ③ (이야기 따위가) 모호한, 알쏭달쏭한(= trouble, obscur) : raisonnement ~ 애매한 이론 / devoir ~ 엉터리 숙제.

vasistas [vazistɑ:s] *m.* 《복수불변》 (문 · 창 위의) 여닫는 작은 창.

vaso-constricteur, trice [vazɔkɔ̃striktœ:r, -tris] *adj. m.* 〖생리〗 혈관을 수축시키는. ── *m.* 혈관 수축제.

vaso-constriction [vazɔkɔ̃striksjɔ̃] *f.* 〖생리〗 혈관 수축.

vaso-dilatateur, trice [vazɔdilatatœ:r, -tris] *adj.* 〖생리〗 혈관을 확장시키는.
── *m.* 혈관 확장제.

vaso-dilatation [vazɔdilatɑsjɔ̃] *f.* 〖생리〗 혈관 확장.

vaso-moteur, trice [vazɔmɔtœ:r, -tris] *adj.* 〖해부〗 혈관 운동의 : nerfs ~*s* 혈관 운동 신경. ── *m.* 혈관 운동 신경.

vasouillard, e [vazuja:r, -ard] *adj.* 《구어》 우물쭈물하는, 망설이는.

vasouiller [vazuje] *v.i.* ① 《구어》 우물쭈물하다, 망설이다. ② (일이) 순조롭지 않다, 꼬이다.

vasque [vask] *f.* 수반(水盤) : ~ de marbre 대리석 수반.

vassal, e, aux [vasal, -o] *n.* ① 〚역사〛 가신(家臣), 봉신(封臣). ② 예속된 사람. ― *adj.* 봉신의 ; 예속된, 종속된 : grands ~*aux* 봉건 제후.

vassalisation [vasalizɑsjɔ̃] *f.* 예속화, 종속화 ; 속국화.

vassaliser [vasalize] *v.t.* 《드물게》 예속시키다 ; 신하로 삼다.

***vaste** [vast] *adj.* ① 널따란, 거대한, 광대한, 광활한 : ~ mer 가이없는 바다 / ~ plaine 허허벌판 / ~ édifice 거대한 건물. ② 대규모의 ; 원대한, (지식 따위가) 광범위한 : connaissances très ~*s* 매우 해박한 지식 / ~*s* ambitions 원대한 야심. ③ (옷 따위가) 큰, 낙낙한 : ~ manteau 낙낙한 외투. ④ 다수의, 다량의 : une ~ foule 대군중. ⑤ 《구어》 지나친, 지독한 : C'est une ~ blague. 그것은 터무니없는 허풍에 불과하다.

vastité [vastite], **vastitude** [vastityd] *f.* 광대(廣大), 광막 ; 광막한 넓이〔공간〕.

va-t-en-guerre [vatɑ̃gɛːʀ] *adj.* 《불변》 et *n.* 《복수불변》 호전적인 (사람) (= belliciste).

vaticination [vatisinɑsjɔ̃] *f.* 예언.

vaticiner [vatisine] *v.i.* 예언하다.

va-tout [vatu] *m.* 《복수불변》 (노름판에서 돈 따위를) 있는 대로 다 걸기, 단판내기 : faire ~ 있는 돈을 몽땅 걸다. ***jouer son ~*** 성패 간에 해보다, 단판 씨름하다.

vaudeville [vodvil] *m.* 풍자가(諷刺歌) ; 보드빌, 노래 섞인 희극, 통속 희극.

vaudevillesque [vodvilɛsk] *adj.* 보드빌 같은, 통속 희극적인 ; 우스꽝스러운 : situation ~ 희극적 상황.

vaudevilliste [vodvilist] *m.* 통속 희극 작가.

vaudou [vodu] *m.* ① 부두교《서인도 제도 미국 남부 흑인의 기독교 교회와 주술적 요소가 합쳐진 신앙》. ② 부두교의 신 ; 부두교도.

vaudr-ai -as, etc. ⇒ valoir.

vau-l'eau (à) [avolo] *loc. adv.* 물결따라, 흘러가는 대로. ***(s'en) aller à ~*** (계획 따위가) 실패로 돌아가다. ***laisser aller à ~*** 내버려두다.

vaurien, enne [voʀjɛ̃, -ɛn] *n.* ① 《구어》 불량 소년〔소녀〕. ② 건달, 무뢰한 ; 경솔한 사람. ― **V~** *m.* 보리엥형(形) 요트《모노 타입의 소형 요트》.

vaut [vo] valoir 의 직설 · 현재 · 3 · 단수.

vautour [votuːʀ] *m.* ① 〚조류〛 독수리 : ~ moine 검은 독수리. ② 욕심쟁이 ; 고리대금업자. ③ 강경파, 매파.

vautrer (se) [s(ə)votʀe] *v.pr.* ① 뒹굴다 : *se* ~ sur son lit 침대에 누워 뒹굴다 / *se* ~ dans un fauteuil 빈둥빈둥 날을 보내다. ② 《경멸》 …에 빠지다 : *se* ~ dans la débauche 주색에 빠지다.

vaux¹ ⇒ valoir.

vaux² [vo] val 의 복수.

vauxhall [voksal] *m.* (무도회 · 음악회가 열리는) 공원 ; 홀.

va-vite (à la) [alavavit] *loc. adv.* 급히, 서둘러서, 되는대로, 아무렇게나(= hâtivement) : question résolue *à la* ~ 급히 해결된 문제.

V.D.Q.S. 《약자》 vin délimité de qualité supérieure 상등품 한정 포도주.

‡veau [vo] *m.* (*pl.* ~*x*) ① (만 1 세까지의) 송아지 ; 송아지 고기 ; 송아지 가죽 : ~ de lait 젖먹이 송아지 / rôti de ~ 송아지 불고기 / livre relié en ~ 송아지 가죽 장정의 책. ② 《구어》 게으름뱅이, 바보, 얼간이 ; 〚경마〛 (경주마의) 둔마 ; (가속력이 좋지 않은) 고물 자동차. ***faire le ~*** 《구어》 축 늘어지듯 드러눕다. ***faire le pied de ~*** 굽실굽실하다. ***~ d'or*** 금송아지《돈》 : adorer le ~ *d'or* 돈을 숭상하다, 부귀에 아부하다.

vécés [vese] *m.* 《복수불변》 《구어》 화장실 (=water closet).

vecteur [vɛktœːʀ] *m.* ① 〚수학〛 벡터 : somme de ~*s* 벡터 합. ② 〚생물〛 (병균의) 숙주(宿主), 질병 전파 매개 동물〔식물〕. ③ 《비유》 매개자, 매체 : ~*s* des informations 정보 전달의 매체. ― *adj. m.* 〚수학〛 rayon ~ 동경(動徑) 벡터.

vectoriel, elle [vɛktɔʀjɛl] *adj.* 〚수학〛 벡터의 : produit ~ 벡터의 적(積).

vécu, e [veky] *adj.* ① 생활한, 실제로 경험한 ; (소설 등이) 박진감 있는 : histoire ~*e* 체험담, 실화 / roman ~ 실화 소설. ② (시대가) 지난 : siècles ~*s* 지난 세기들, 옛날. ― *m.* 체험한 일.

vedettariat [vədɛtaʀja] *m.* 스타의 지위, 스타덤.

vedette [v(ə)dɛt] *f.* ① 〚해군〛 초계정(哨戒艇) ; 〚군사〛 파수병. ② 〚연극 · 영화〛 인기 배우, 스타. ③ 〚연극〛 (배우가) 광고에서 커다란 글씨로 이름이 씌어지기. ***écrire*** 〔***mettre***〕 qc ***en ~*** (광고 따위에서) …을 한 줄로 큰 글씨로 쓰다〔인쇄하다〕 ; …을 눈에 띄게 하다. ***en ~*** 화제의, 각광을 받은 ; 이름이 대서특필된 : mettre... *en* ~ …에 초점을 맞추다, …을 부각시키다, …에 주목을 끌다. ***faire la ~ ; jouer les ~s*** 으스대다 ; 이목을 끌고 싶어하다. ***mots en ~*** 큰 글씨로 쓴 말〔문구〕 ; (편지 허두의) 인사말.

védisme [vedism] *m.* 베다교(教).

***végétal, e, aux** [veʒetal, -o] *adj.* ① 식물의 : règne ~ 식물계 / biologie ~*e* 식물학. ② 식물로 만든 : beurre ~ 식물성 버터 / graisse ~*e* 식물성 지방. ③ 식물을 생장시키는 : sol 〔terre〕 ~ 부식토. ― *m.* 식물 : science des ~*aux* 식물에 관한 학문.

végétarianisme [veʒetaʀjanism] *m.* 채식주의.

végétarien, enne [veʒetaʀjɛ̃, -ɛn] *adj.* 채식주의의 : régime ~ 채식 요법. ― *n.* 채식주의자.

végétarisme [veʒetaʀism] *m.* 채식주의.

végétatif, ive [veʒetatif, -iːv] *adj.* ① 식물적 생장의 ; 〚생리〛 내장 신경의 : vie ~*ive* 〔organique〕 (무의식적인) 영양 작용(≠ vie animale 〔de relation〕) / fonction ~*ive* 영생(營生) 기능, (무의식적인) 식물적 작용. ② (생활이) 초목과도 같은, 보람 없는 : mener une vie ~*ive* 무위도식하다.

végétation [veʒetɑsjɔ̃] *f.* ① 《집합적》 (한 장소의) 식물, 초목 ; (한 지방의) 식물군(群) : ~ tropicale 열대 식물 / zones de ~ 식물대(帶). ② (식물의) 생장(生長) 작용. ③ (*pl.*) 〚의학〛 비대 증식(肥大增殖) : ~*s* adénoïdes 선양(腺樣) 증식증, 아데노이드.

V

végéter [veʒete] 6 *v.i.* (식물이) 생장하다 ; 보람 없이 살다, 허송세월하다 : ~ dans la misère 곤궁하게 살아가다 / affaire qui *végète* 지지부진한 일.

véhémence [veemɑ̃:s] *f.* 열렬, 격렬 : discuter avec ~ 열띤 토론을 하다 / protester avec ~ 격렬하게 항의하다.

véhément, e [veemɑ̃, -ɑ̃:t] *adj.* 열렬한, 격렬한, 맹렬한(= violent) : reproches ~*s* 격렬한 비난 / colère ~*e* 격렬한 분노.

véhiculaire [veikylɛ:ʀ] *adj.* 〖언어〗 langue ~ 매개 언어《모국어를 달리하는 서로 다른 민족 사이의 의사 전달 언어》.

véhicule** [veikyl] *m.* ① 수레, 탈것 ; 교통〔운반〕 수단 : ~ à quatre roues, 4륜차 / ~ spatial 우주선. ② 매개물, 전도물(傳導物) ; 전달 수단 : Le langage est le ~ de la pensée. 언어는 사상의 전달 수단이다. ***~s terrestres 〔***aériens, cosmiques***〕 지상〔항공 · 우주〕의 교통 수단〔탈것〕.

véhiculer [veikyle] *v.t.* 수레로 운반하다 ; 운반〔수송〕하다 : ~ des marchandises 상품을 운반하다.

veille** [vɛj] *f.* ① 깨어 있음 ; 불면 : état de ~ 잠을 자지 않는 상태. ② 밤새움, 철야 ; (*pl.*) 철야 공부 ; (*pl.*) 불면 : consacrer ses ~*s* à la philosophie 밤새워 철학 공부를 하다. ③ 야경(夜警) ; 숙직 : prendre la ~ 불침번을 서다. ④ 전날 ; (축제 따위의) 전날밤 : ~ de sa mort 그가 죽기 전날 / ~ au soir 전날 저녁 / ~ de Noël 크리스마스 이브 / ~ de Pâques 부활절 전날. ***à la ~ de …의 직전에. ***entre la ~ et le sommeil*** 비몽사몽간에. ***être à la ~ de***+*inf.* 막 …하려는 참이다.

veillée [vɛ(e)je] *f.* ① 저녁 먹을 때부터 자기까지의 시간(= soirée). ② 야회. ③ (병자의) 철야 간호 ; (초상집) 밤샘, 철야. ***~ d'armes*** 중대한 일이 있기 전날 저녁 ; (시련 · 어려움에 대한) 정신적인 준비.

veiller** [vɛ(e)je] *v.i.* ① 밤새우다, 철야하다 ; 밤일하다 : ~ jusqu'à trois heures du matin 새벽 3시까지 잠을 자지 않다 / ~ très tard 〔toute la nuit〕 pour travailler 밤늦게까지〔밤새워〕 일을 하다. ② 야경하다 ; 숙직하다 : Un agent de police *veille* à l'entrée de l'Hôtel de ville. 경찰이 시청 입구에서 경비를 하고 있다. — *v.t. ind.* ① 《~ à》 …에 주의하다 : ~ *à* ses intérêts 시간에 대도록 주의하다 / 《~ à+*inf.*》 Veillez *à* fermer la porte à clef en sortant. 외출할 때 문을 잠그도록 하시오 / 《~ à ce que+*sub.*》 ~ *à ce que* l'ordre ne soit pas troublé 질서가 어지러워지지 않도록 조처하다. ② 《~ sur》 …을 감시하다 ; …을 돌보다 : ~ *sur* la santé de qn …의 건강에 유의하다 / Il faut ~ *sur* (la conduite de) cet homme. 이 남자(의 행동거지)를 감시해야 한다. ***~ sur soi-même 자기를 반성하다, 언행을 삼가다. — *v.t.* ① (죽은이 곁에서) 밤샘하다 ; (병자를) 밤새워 간호하다 : ~ un défunt 고인을 위해 밤샘하다 / ~ un malade 환자를 밤새워 간호하다. ② (사람을) 감시하다, 경비하다(= surveiller) : *Veille* qu'on ne sorte pas. 아무도 나가지 못하도록 감시하라.

veilleur [vɛjœ:ʀ] *n.* ① 밤샘하는 사람 : ~ de nuit (공공 기관 · 상점 · 호텔 등의) 숙직자 ; 야간 근무자. ② 〖군사〗 불침번 ; 야경꾼.

veilleuse [vɛjø:z] *f.* ① 야등(夜燈) ; 경계등. ② (가스 레인지 따위의) 약한 불꽃 : lumière en ~ 침침한 불빛. ③ 〖식물〗 콜히쿰속(屬). ***mettre en ~*** 등불 · 가스 따위의 심지를 낮추다 ; 소규모로 만들다 ; 《구어》 (사업 따위를) 축소하다 : *mettre* la lampe *en* ~ 램프의 불빛을 약하게 하다 / *mettre* un problème *en* ~ 어떤 문제를 보류하다.

veinard, e [vɛna:ʀ, -aʀd] *adj.* 운이 좋은. — *n.* 운수 좋은 사람(= chanceux).

veine** [vɛn] *f.* ① 〖해부〗 정맥 ; 혈맥 ; 〖식물〗 엽맥(葉脈) ; 〖광물〗 광맥 ; 줄기 ; 줄 : ~ cave 대정맥 / ~ porte 문동맥 / ~*s* pulmonaires 허파 정맥 / ~ de houille 탄층. ② 나뭇결, 돌결 : ~ du marbre 대리석의 무늬. ③ 감흥, 영감(靈感) : ~ poétique 시적(詩的) 영감. ④ 기질 ; 기분. ⑤ 《구어》 행운, 요행, 재수 : avoir de la ~ 운이 좋다 / avoir de la ~ de+*inf.* 재수좋게 …하다 / coup de ~ 요행(수) / Ça c'est une ~! 운이 좋은데. ***avoir du feu dans les ~s 피가 끓고 있다, 성격이 격하다. ***être en ~*** 영감이 떠오르다 ; 운이 좋다. ***être en ~ de***+*inf.* …하려는 생각이 들다. ***Pas de ~!*** 재수 없다! ***sentir le sang se glacer*** 〔***bouillir***〕 ***dans ses ~s*** (두려움 · 놀람 따위로) 얼빠지다, 넋이 나가다. ***se saigner aux quatre ~s*** (남을 위해) 자기 돈을 다 쓰다〔주다〕. ***s'ouvrir les ~s*** (자살하기 위해) 손목의 정맥을 자르다. ***tomber sur une bonne ~*** 《구어》 운이 좋다, 좋은 일거리〔지위〕를 얻다. ***une ~ de pendu*** 〔***de cocu***〕 《구어》 비상한 행운, 큰 횡재. ***~ fluide*** (물 · 가스의) 분출. ***V~!*** 됐다!

veiné, e [vɛ(e)ne] *adj.* ① (피부에) 파란 정맥이 드러나 보이는, 엽맥(葉脈)이 표출된. ② 나뭇결〔돌결〕이 많은.

veiner [vɛ(e)ne] *v.t.* 나뭇결〔돌결〕 무늬를 넣다 : ~ un mur 벽에 나뭇결 무늬를 넣다.

veineux, euse [vɛnø, -ø:z] *adj.* ① 정맥의 〔으로 된〕 ; 맥관(脈管)의 ; 〖식물〗 엽맥의 : sang ~ 정맥혈. ② 나뭇결〔돌결〕이 많은 : bois ~ 결이 많은 나무.

veinule [vɛ(e)nyl] *f.* ① 소정맥, ② 〖식물〗 세맥(細脈). ③ 얕은 광맥〔탄층〕.

veinure [vɛ(e)ny:ʀ] *f.* 나뭇결〔돌결〕무늬(장식).

vêlage [vɛla:ʒ], **vêlement** [vɛlmɑ̃] *m.* (암소의) 분만(分娩).

vélaire [velɛ:ʀ] *adj.* 연구개(軟口蓋)의. — *f.* 연구개음(音).

velcro [vɛlkʀo] *m.* 《복수불변》 나일론제 접착천 : fermeture ~ 접착 여밈《지퍼 · 단추 대용으로 쓰임》.

vêler [vɛ(e)le] *v.i.* (소가) 새끼를 낳다.

vélin, e [velɛ̃, -in] *adj.* 송아지 가죽의 ; 송아지 가죽 비슷한. — *m.* ① (사산(死産)한) 송아지 가죽. ② (사산한 송아지 가죽으로 만든) 독피지(犢皮紙)(= papier ~) ; (독피지를 모방한) 고급 종이 : manuscrit sur ~ 독피지의 사본.

véliplanchiste [veliplɑ̃ʃist] *n.* 윈드 서퍼.

velléitaire [ve(ɛl)leitɛ:ʀ] *adj.* 기분에 좌우되는 ; 줏대가 없는 ; 의지가 약한, 우유부단

한. ── *n.* 기분파의〔우유부단한〕 사람.

velléité [ve(ɛl)leite] *f.* 무엇을 해볼까 하는 의사〔생각 · 뜻〕: avoir des ~*s* de travail 〔travailler〕 일할 의사가 있다 / n'avoir aucune 〔pas la moindre〕 ~ de+*inf.* 전혀 … 할 생각이 없다. ***avoir la ~ de***+*inf.* …할 마음이 있다.

vélo** [velo] *m.* 《구어》 자전거(= bicyclette) ; 자전거 타기. ***aller en ~ 〔***à ~, sur son ~***〕 자전거를 타고 가다. ***faire du ~*** 자전거를 타고 돌아다니다.

véloce [velɔs] *adj.* 민속한, 빠른, 날쌘, 날렵한 : doigts ~*s* d'un pianiste 피아니스트의 경쾌한 손가락.

vélocité [velɔsite] *f.* ① (악기 연주에 있어서) 빠른 움직임, 속도 : exercice de ~ au piano 피아노 빨리 치기 연습. ② 《드물게》 빠른 동작(= vitesse, rapidité).

vélodrome [velɔdʀɔ(oː)m] *m.* 자전거 경주장.

vélomoteur [velɔmɔtœːʀ] *m.* (배기량 50 cc-125 cc 의) 소형 오토바이.

vélomotoriste [velɔmɔtoʀist] *n.* 소형 오토바이를 타는 사람.

véloski [velɔski] *m.* 스키봅(ski-bob).

velours** [v(ə)luːʀ] *m.* ① 〘직물〙 벨벳, 비로드 : ~ à côtes 〔cannelé, coulissé, de chasse〕 코르덴 / ~ de laine 벨루어《가는 방모사(紡毛絲)를 두 겹으로 짜서 털깃이 서게 한 직물》/ ~ uni 털이 매끈하고 자디잔 비로드/ doux comme du ~ 비로드처럼 부드러운. ② (감촉이) 부드러운 것 : des yeux de ~ 부드러운 눈 / veau ~ 무두질한 부드러운 송아지 가죽, 쉬에드 가죽. ③ 틀리게 하는 리에종(= liaison). ***à pas de ~ 발소리를 내지 않고 살금살금. ***Ça ira comme sur du ~.*** 그건 저절로 잘 될 것이다.

velouté, e [v(ə)lute] *adj.* 벨벳〔비로드〕 같은, 부드러운 : pelage ~ 부드러운 털 / lumière 〔voix〕 ~*e* 부드러운 빛〔목소리〕/ vin ~ (맛이) 부드러운〔순한〕 포도주. ── *m.* 비로드의 잔털 ; 부드러움, 부드러운 맛 ; 〘요리〙 진한 수프 : ~ de la peau 피부의 보들보들함 / ~ d'éclairage 조명의 부드러움.

veloutine [v(ə)lutin] *f.* ① 털이 많은 모직물 〔면직물〕; 18 세기의 견직물의 일종. ② (화장용) 분의 일종.

velu, e [v(ə)ly] *adj.* 털이 북슬북슬한, 털투성이의 : jambes ~*es* 털이 많은 다리 / fourrure ~*e* 털이 긴 모피.

velum, vélum [velɔm] 〘라틴〙 *m.* (야외 집회용의) 차일.

venaison [v(ə)nɛzɔ̃] *f.* 〘요리〙 사냥해서 잡은 짐승의 고기《사슴 · 영양 · 산돼지 따위》; (사슴 · 멧돼지 따위의) 기름살.

vénal, e, aux [venal, -o] *adj.* 돈에 팔리는 ; 《경멸》 매수되는, 돈에 좌우되는 : femme ~*e* 매춘부, 창녀 / amour ~ 매춘 / offices ~*aux* 매매되는 관직. ***valeur ~e*** 〘경제〙 시장 가격〔가치〕.

vénalité [venalite] *f.* 매수할 수 있음, 돈으로 살 수 있음.

venant, e [v(ə)nɑ̃, -ɑ̃ːt] *adj.* ① 발육이 빠른, 잘 성장하는. ② 《옛》 규칙적으로 지불되는. ***bien ~*** 발육이 빠른. ***bien*** 〔***mal***〕 ~ 《옛》 규칙적으로 지불되는〔되지 않는〕. ── *n.* 오는 사람. ***à tout ~ ; à tous ~s*** 누구에게나. ***À tout ~ beau jeu.*** 도전해 오는 자는 누구든지 상대해 주마. ***les allants et les ~s*** 가는 사람 오는 사람.

vendable [vɑ̃dabl] *adj.* 판매할 수 있는, 판매하기 쉬운.

***vendange** [vɑ̃dɑ̃ːʒ] *f.* ① 포도 수확(기) ; 거두어들인 포도 : faire la ~ 〔les ~*s*〕 포도를 거두어들이다 / le temps des ~*s* 포도 수확기(期). ② 《구어》 훔친 물건.

vendanger [vɑ̃dɑ̃ʒe] [3] *v.t.* (포도를) 수확하다, 거두어들이다 : ~ la vigne 포도를 따다. ── *v.i.* 포도를 수확하다.

vendangeur, euse [vɑ̃dɑ̃ʒœːʀ, -øːz] *n.* 포도를 수확하는 사람.

vendémiaire [vɑ̃demjɛːʀ] *m.* 포도월(葡萄月)《프랑스 공화력의 제 1 월 ; 양력 9 월 22 〔23 · 24〕일부터 10 월 21〔22 · 23〕일까지》.

vendetta [vɑ̃de(ɛt)ta] 〘이탈리아〙 *f.* (코르시카에서의 집안 간의) 복수 ; (대대로 이어지는) 반목.

***vendeur, euse** [vɑ̃dœːʀ, -øːz] *n.* 《법률용어로서의 여성형은 venderesse [vɑ̃dʀɛs]》 판매인, 상인, 점원 ; 〘법률〙 매도인(賣渡人) : ~ de poissons 〔légumes〕 생선〔야채〕 장수 / ~ ambulant 행상인 / ~*euse* de grand magasin 백화점의 여점원 / ~ à la sauvette 무허가 노점상 / le ~ et l'acheteur 매도인과 매수인. ── *adj.* 파는, 팔 뜻이 있는 : Il veut acheter ce terrain mais je ne suis pas ~. 그는 이 땅을 사고자 하는데 나는 팔 생각이 없다 / pays ~ de riz 쌀 수출국.

‡**vendre** [vɑ̃ːdʀ] [25] *v.t.* ① 팔다, 매도하다(≠ acheter) ; …의 장사를 하다 : maison à ~ 팔〔내놓은〕 집 / ~ au comptant 〔à crédit〕 현금〔외상〕으로 팔다 / ~ cher 〔à bon marché〕 비싸게〔싸게〕 팔다. ② (사람 · 나라를) 배반하다 ; (비밀을) 돈 받고 누설하다 ; (양심 따위를) 팔다 : ~ son honneur 돈 때문에 명예를 저버리다 / ~ son complice 공범자〔공모자〕를 (경찰에) 넘기다 / ~ son âme 〔sa conscience〕 자기 영혼〔양심〕을 팔다. ***~ la mèche*** 《구어》 비밀을 털어놓다. ── ***se ~*** *v.pr.* ① 팔리다, 거래되다 : auteur qui *se vend* bien (저술 · 작품이) 잘 팔리는 작가 / *se* ~ à la pièce 〔douzaine〕 낱개〔다스〕로 팔리다. ② 몸을 팔다 ; 지조를 팔다 : *se* ~ à un parti 정당에 팔려 가다. ***Cela se vend comme des petits pains.*** 《구어》 매우 잘 팔린다, 날개 돋친 듯이 나간다.

‡**vendredi** [vɑ̃dʀədi] *m.* 금요일 : ~ treize (액운을 가져온다는) 13 일의 금요일.

vendu, e [vɑ̃dy] *adj.* 팔린 ; 매수된 : juge ~ 매수된〔부패한〕 판사. ── *m.* 배반자, 매수된 사람, 변절자 : Espèce de ~ ! 파렴치한 놈!

venelle [vənɛl] *f.* 《옛》 골목길, 오솔길. ***enfiler la ~*** 《구어》 부리나케 도망치다.

vénéneux, euse [venenø, -øːz] *adj.* 독(毒) 있는 ; 유해한《주로 식물에 관하여》: des champignons ~ 독버섯 / idée ~*euse* 《비유》 유해한 사상 / influence ~*euse* 악영향.

vénérable [veneʀabl] *adj.* 존경〔존숭〕할 만한 : d'un âge ~ 연로한 / ~ vieillard 존경할 만한 노인 / air ~ 위엄 있는 태도 / lieu ~

성지(聖地) / ~ institution 유서 깊은 기관.

vénération [veneʀɑsjɔ̃] *f.* 존경 ; 숭배 ; (종교상의) 숭경 : avoir 〔éprouver〕 de la ~ pour qn …을 숭배하다 / avec ~ 존경심을 가지고 / ~ des saints 성인 숭배.

vénérer [veneʀe] 6 *v.t.* 존경하다, 숭배〔숭상〕하다 : maître *vénéré* 존경받는 스승 / ~ une relique 〔un saint〕 성유물〔성인〕을 숭배하다 / ~ la tradition 전통을 숭상하다.

vénerie [vɛ(e)nʀi] *f.* 개 사냥술(術), 사냥.

vénérien, enne [veneʀjɛ̃, -ɛn] *adj.* 〖의학〗 성교(性交)에 의한, 성병의 : acte ~ 성교 / maladies ~*ennes* 성병. ── *n.* 성병 환자.

venette [vənɛt] *f.* 《구어》 공포, 무서움 : avoir la ~ 겁을 집어먹다, 두려워하다.

veneur [vənœːʀ] *m.* 수렵가, 사냥꾼 : Grand *V*~ (왕가의) 수렵장.

vénézuélien, enne [venezɥeljɛ̃, -ɛn] *adj.* 베네수엘라(*le Vénézuéla*)의. ── **V~** *n.* 베네수엘라 사람.

vengeance** [vɑ̃ʒɑ̃ːs] *f.* ① 복수, 앙갚음, 보복, 복수심, 보복심 : exercer sa ~ sur qn …에게 복수하다〔원한을 풀다〕/ avoir la ~ dans le cœur 복수심을 품다 / agir par (esprit de) ~ 복수심에서 행동하다. ② 벌, 징벌. ***La ~ est un plat qui se mange froid. 《격언》 복수하자면 때를 기다려야 한다. ***prendre la ~ de*** qn …의 원수를 갚다.

***venger** [vɑ̃ʒe] 3 *v.t.* ① ⓐ 《~ qn》 …의 원수를 갚다, 복수하다(= laver) : ~ son père 〔ami〕 아버지〔친구〕의 원수를 갚다. ⓑ 《~ qc》 (해를 입은〔모욕을 당한〕 것의) 복수를 하다 : ~ son honneur 〔son nom〕 명예가〔이름이〕 더럽힘을 당한 데 대한 복수를 하다. ② 《~ qc》 …의 앙갚음〔보복〕을 하다 : ~ un affront 〔une injure〕 dans le sang 피로써 모욕을 씻다 / ~ une offense sur qn …에게 모욕에 대한 앙갚음을 하다. ── **se ~** *v.pr.* ① 《se ~ de qn 〔qc〕》 …에게〔에〕 대하여 복수하다 : *se* ~ *d*'un calomniateur 〔*d*'une insulte〕 중상모략자〔모욕〕에 대하여 복수하다. ② 《se ~ sur qn》 (제 3 자) …에게 복수하다 : *se* ~ du père *sur* le fils 아버지에 대한 원수를 아들에게 갚다. ③ 《간접목적보어 없이》 복수하다 : Je *me vengerai !* 복수하고 말테다 ! ④ (다른 것으로) 대치하다, 벌충하다 : *se* ~ de son ignorance par sa morgue 자신의 무식함을 교만한 태도로 얼버무리다. ⑤ 복수〔보복〕당하다 : Un affront *se venge.* 모욕을 가하면 보복당한다.

vengeur, vengeresse [vɑ̃ʒœːʀ, vɑ̃ʒʀɛs] *n.* 복수자. ── *adj.* 복수하는 : épée 〔main〕 *vengeresse* 복수의 검〔손〕/ dieux ~*s* 징벌의 신.

véniel, elle [venjɛl] *adj.* (죄가) 가벼운〔경미한〕, 용서받을 수 있는 : péché ~ 〖신학〗 (신의 은총을 막지 않는) 가벼운 죄, 소죄.

venimeux, euse [vənimø, -øːz] *adj.* ① (동물, 특히 뱀이) 독(毒) 있는 : bête ~*euse* 독충(毒蟲) / serpent ~ 독사. ② (비평 따위가) 악의 있는, 신랄한, 독살스러운 : langue ~*euse* 독설가 / paroles ~*euses* 악의에 찬 말, 중상.

venin [vənɛ̃] *m.* ① (뱀 · 전갈 따위의) 독, 독액 : ~ de serpent 뱀의 독. ② 악의, 원한 ; 독설, 중상 : paroles pleines de ~ 원한에 넘친 말. ***jeter* 〔*cracher*〕 *son ~ à*** qn ***; répandre son* 〔*du*〕 *~ contre*** qn (홧김에) …에 대하여 아무 말이나 마구 해 버리다.

‡venir [v(ə)niːʀ] 16 *v.i.* 《조동사는 être》 ① 오다 ; (상대방쪽으로) 가다 : Il ne *vient* jamais à nos réunions. 그는 우리 모임에 전연 오지 않는다 / faire ~ le médecin 의사를 불러오다 / Je *viens !* 지금 갑니다 / D'où *est*-il *venu ?* 그 사람 어디서 왔소 ? / Je ne fais qu'aller et ~. 갔다가 금방 돌아올게 / 《~ de》 Il *vient de* la gare. 그는 역에서 온다 / 《~ à》 Il est *venu à* Paris. 그가 파리에 왔다 / 《비인칭》 Il *est venu* quelqu'un. 누군가가 왔다. ② (정도 · 범위가) 달하다, 이르다, 도달하다 : 《~ à》 ~ *à* une conclusion 결론에 이르다 / projet qui *vient à* maturité 무르익은 계획 / ~ *à* son but 목표에 도달하다 / L'eau nous *venait aux* genoux. 물이 무릎에까지 닿았다 / La propriété du voisin *vient jusqu'à* cette borne. 이웃의 토지는 이 경계선까지 뻗어 있다. ③ (때가) 오다, 도래하다 : semaine qui *vient* 내주 / quand *vient* son tour 그의 차례가 되었을 때 / dans les années qui *viennent* 앞으로 수년간 / Le moment de partir *est venu.* 떠날 때가 되었다 / 《분사구문》 le jour *venu* 날이 밝자. ④ 《~ après》 (순서로서 뒤에) 오다 : Fais ton travail, les jeux *viendront après.* 공부부터 해라, 노는 것은 나중이다 / Notre équipe *vient* troisième position *après* la vôtre. 우리들 팀이 당신들 팀의 뒤를 이어 3 위를 차지하고 있다. ⑤ 태어나다(= naître) : ~ au monde 세상에 태어나다 / ceux qui *viendront* après nous 우리 후세 사람들. ⑥ (사건 따위가) 일어나다, 발생하다, 생기다 ; (생각 따위가) 떠오르다 ; (때가) 되다 : maladie qui *vient* bien mal à propos 공교롭게도 발생한 병 / Une idée m'*est venue* soudain. 갑자기 어떤 생각이 떠올랐다 / Une pitié lui *est venue* au cœur. 그의 마음속에 동정심이 생겼다 / Des rougeurs lui *sont venues* sur tout le corps. 붉은 반점이 그의 온 몸에 나타났다 / L'heure *est venue* de réfléchir. 곰곰 생각할 때가 되었다 / Il me *vient* l'envie de tout abandonner. 모든 것을 포기하고 싶은 생각이 난다 / 《비인칭》 Il lui *vient* une grosse fièvre. 그는 고열이 난다. ⑦ (액체가) 나오다, 흘러나오다 : L'eau chaude ne *vient* plus au robinet. 온수가 더 이상 나오지 않는다 / Des larmes lui *sont venues* aux yeux. 그의 눈에 눈물이 고였다. ⑧ 《~ de》 …의 출신이다, …의 산(産)이다 : du coton qui *vient d*'Egypte 이집트산 면화 / Il *vient d*'une famille bourgeoise. 그는 부르주아 가문 출신이다 / C'est la ville *d'où* elle *vient.* 그 도시는 그녀의 출신지이다. ⑨ 《~ de》 …에서 유래하다, 기인하다 : mot qui *vient du* latin 라틴어에서 온 말 / Cette erreur *vient de* la précipitation. 이 실수는 너무 서두른 데 기인한다 / rumeur qui *vient d*'une source autorisée 믿을 만한 곳〔소식통〕에서 나온 소문 / Cette terre *vient des* aïeux. 이 땅은 조상이 물려준 것이다. ⑩ 자라다, 성장〔발

육〕하다 : sol où le blé *vient* bien〔mal〕 밀이 잘〔잘 못〕 자라는 땅 / Les dents commencent à ~ à cet enfant. 이 아이는 이가 나기 시작한다. ⑪《주로 bien, mal 과 함께》(사업 따위가) 되어 나가다 ; (판화 · 사진 따위가) 나오다 : estampe qui *vient bien* 〔*mal*〕 잘〔잘못〕 나온 판화 / L'affaire commence *à bien* ~. 사업이 잘 되어 나가기 시작한다. ⑫《~+*inf.*》 ⓐ《목적》 …하러 오다 : Il *vient* me voir. 그는 나를 보러 온다 / Ne manquez pas de ~ me voir. 잊지 말고 날 보러 오시오 / Je *viendrai* vous chercher. 당신을 데리러 가겠소. ⓑ《결과》 와서〔다가 와서〕 …하다 : Il *vient* tomber à mes pieds. 그는 내 발 밑에 와서 쓰러졌다. ⓒ《놀라움 · 항의 · 분노》 Vous *venez* prétendre que vous ne l'avez pas vu ! 그를 보지 못했다고 주장하는 겁니까 ! ⑬《~ à+*inf.*》 우연히 …하게 되다 : S'il *vient à* pleuvoir, vous fermerez la fenêtre. 비가 오게 되면 창문을 닫으시오 / Comment *est*-il *venu à* faire cela ? 그가 어떻게 그런 일을 하게 되었습니까 ? ⑭《~ de+*inf.*》《근접 과거를 나타내어》 막 …한 참이다 : Je *viens de* recevoir de ses nouvelles. 방금 그의 소식을 받았다 / Je *viens* juste *de* terminer mon devoir. 나는 방금 숙제를 마친 참이다 / livre qui *vient de* paraître 막 나온 책, 최신간.

à **~** 미래의 : les générations *à* ~ 미래의 세대. ***Ça vient***《구어》 잘 되어 가다 ; 곧 되어 가다 : *Ça vient* ce projet ? 그 계획 잘 되어 가니 ? / *Ça vient*, le café ? 커피는 아직 안 되었니 ? ***Cela vient de ce que***+*ind.* 그것은 …의 결과이다. ***De là***〔***D'où***〕 ***vient que***+*ind.* …한 것은 바로 그런〔앞서 말한〕 이유에서이다 : *De là vient qu*'il est totalement désemparé. 그가 어찌할 바를 모르는 것은 바로 그런 이유에서이다. ***D'où vient*** (***-il***) ***que***+*ind.*〔*sub.*〕***?*** …은 무슨 까닭인가 ? : *D'où vient qu*'on ne s'en soit pas aperçu ? 그걸 못 알아차린 것은 어찌 된 일일까 ? ***en ~ à***+qc〔+*inf.*〕 …하기에 이르다 : Il *en était venu à* mendier. 그는 거지 신세가 되고 말았다 / J'*en viens à* croire *que...* …라고 믿게끔 되었다 / ***Qu'il y vienne.*** 할 테면 해 봐라. ***voir ~*** ⓐ 오는 것이 보이다 : Je *vois* ~ mon frère. 남동생이 오는 것이 보인다. ⓑ (…의) 속이 들여다보이다. ⓒ (사태를) 관망하다, 지켜보다. ***Vous y venez.*** 점점 나의 의견에 가까워지셨습니다. ***y ~*** 승낙〔찬성 · 수락〕하게 되다 : Il faudra qu'il *y vienne*. 그는 마침내 승낙하게 될 것이다 / Qu'il *y vienne !*; *Viens-y* (pour voir) ! 어디 할 테면 해 봐라 !

— **s'en ~** *v.pr.*《구어》 오다(=venir) : Le voilà qui *s'en vient* vers nous. 그가 우리 쪽으로 온다.

— *m.*《문어》 오기 : l'aller et le ~ 왕래.

vénitien, enne [venisjɛ̃, -ɛn] *adj.* 베네치아의, 베니스(*Venise*)의 : blond ~ 베네치아 블론드《붉은기가 도는 금발》/ lanterne ~ (아코디언 모양의) 종이등 — **V~** *n.* 베네치아 사람.

⁑vent [vɑ̃] *m.* ① 바람 ; 공기 ; 기류(氣流) : Il y a〔Il fait〕 du ~. 바람이 분다 / ~ du nord 북풍 / moulin à ~ 풍차 / rapide comme le ~ 바람처럼 빠른, 쏜살 같은 / instruments à ~ 관〔취주〕 악기 / ballon plein de ~ 공기가 가득 찬 풍선 / voler au ~ 공중을〔바람을 타고〕 날다. ② 방향, 방위 : quatre ~*s* 동서남북, 사방 / aires de ~ 나침반의 32 방위 / aux quatre ~*s* ; à tous les ~*s* 사방으로. ③ 방귀 : faire〔lâcher〕 un ~ 방귀 뀌다. ④《옛》 숨, 호흡 : prendre (son) ~ 숨을 돌리다. ⑤〖사냥〗(짐승이 남기는) 냄새. ⑥ 풍조, 경향 ; 형세 : Le ~ est à l'optimisme. (일반) 경향은 낙관적이다 / Le ~ tourne. 형세가 달라진다 / un ~ de révolte 반란 움직임. ⑦ 풍문 ; 공허, 허망한〔헛된, 무가치한〕 일 : n'avoir ni ~ ni nouvelle de qc 전연 …의 소식이 없다 / C'est du ~. 헛된 일이다, 공연한 약속이다. ***aller contre ~s et marées*** 바람과 조수를 거슬러 가다 ; 만난을 무릅쓰고 나아가다. ***aller selon***〔***être dans***〕 ***le ~*** 바람을 따라 배를 나아가게 하다 ;《구어》 대세〔시류〕를 따르다. ***avoir le ~ en poupe*** 순풍에 돛을 달고 있다, 형세가 유리하다. ***avoir ~ de*** qc …의 소문을 듣다. ***dans le ~*** 유행하는, 현대적인 : chapeau *dans le* ~ 유행하는 모자. ***en coup de ~***《구어》 돌풍처럼 ; 급히. ***en plein ~*** 노천에서, 한데에서 : dormir *en plein* ~ 노숙하다 / théâtre *en plein* ~ 야외 극장. ***faire du ~*** 바람을 보내다 ;《구어》 거드름 피우다, 잘난 체하다. ***être au ~ d'un danger*** 위험한 것에 가까이 하지 않다. ***jeter au ~*** 흐트러 버리다 ;《구어》 집어 던지다 ; 좇아 버리다 ;《문어》 뭉게 버리다, 없는 것으로 하다. ***marcher le nez au ~*** 어슬렁거리다. ***prendre le ~***[1] ***; observer d'où vient le vent*** (사냥감이 경계하여) 주위의 냄새를 맡다 ; 형세를 살피다 ; 눈치를 보다. ***prendre le ~***[2] 〖해양〗 돛에 바람이 맞게 하다. ***tourner***〔***virer***〕 ***à tout ~***〔***au moindre ~***〕 변심하기 일쑤다.

vente** [vɑ̃:t] *f.* ① 판매, 매각(≠ achat) ; 매매 계약(= contrat de ~) ; 매상(고) ; (*pl.*) 팔린 물건 : prix de ~ 판매 가격 / ~ à domicile 방문 판매 / ~ automatique 자동 판매 / ~ en gros〔au détail〕 도매〔소매〕/ marchandise hors de ~ 비매품 / ~ en série 대량 판매 / ~ à prix fixe 정가 판매 / ~ à bon marché 염가 판매 / point de ~ (어떤 상품의) 취급〔판매〕점 / médicament en ~ libre 자유 판매되는 약품 / mettre〔offrir〕 qc en ~ …을 발매하다 / mise en ~ 발매 / ~ brute 총매상(고) / promotion des ~*s* 판매 촉진. ② 벌채(伐採). ③《옛》 비밀 결사. ***de (***bonne***) **~** 잘 팔리는. ***La vente va***〔***ne va pas***〕. 판매 성적이 좋다〔나쁘다〕. ***rencontrer la forte ~*** 잘 팔리다, 날개 돋친 듯이 나가다. ***service après***(-)**~** 애프터 서비스(과). **~ *de charité*** 자선 판매, 바자. **~ *publique***〔***aux enchères***〕 경매.

venté, e [vɑ̃te] *adj.* 바람에 떠밀린 : plaine ~*e* 바람이 불어대는 들판 / arbre faux ~ 바람으로 성장이 부실한 나무

venter [vɑ̃te] *v.i.* (바람이) 불다 :《비인칭》 Il *vente*. 바람이 분다 / qu'il pleuve ou qu'il *vente* 비가 오거나 바람이 불거나, 어떤 날씨

V

라도. ── *v.t.* ① (바람이) 물살을 떠밀다. ② (곡물을) 까부르다, 바람에 불려 잡물을 가려 내다.

venteux, euse [vɑ̃tø, -øːz] *adj.* 바람이 부는; 가스가 생기게 하는; 기포(氣泡)가 생긴: mois ~ 바람이 많이 부는 달 / colique *~euse* 장내 가스에 의한 복통.

ventilateur [vɑ̃tilatœːʀ] *m.* 환기 장치; 선풍기, 송풍기.

ventilation [vɑ̃tilɑsjɔ̃] *f.* ① 통풍, 환기(통): ~ naturelle 자연 환기 / puits de ~ 환기갱(坑) / ~ thermique 열통풍. ② 〖생리·의학〗 환기, 호흡: ~ pulmonaire 폐의 환기. ③ 〖법률〗 비례 평가(比例評價). ④ 분류, 배치.

ventiler [vɑ̃tile] *v.t.* ① …에 환기를 하다; …에 송풍하다: ouvrir une fenêtre pour ~ la chambre 방을 환기하기 위해서 창문을 열다. ② 〖법률〗 (팔린 것의 전체에 대한) 비례 평가를 하다. ③ 〖회계〗 (액수를) 여러 계정에 배당하다. ④ 분류하다, 그룹으로 나누다: ~ les élèves sur plusieurs classes 학생들을 여러 반으로 나누다. ***mal ventilé*** 환기가 나쁜: restaurant *mal ventilé* 통풍이 잘 안 되는 식당.

ventôse [vɑ̃toːz] *m.* 풍월(風月) 《프랑스 공화력의 제6월; 양력 2월 20〔21〕일부터 3월 19〔20〕일까지》.

ventouse [vɑ̃tuːz] *f.* 〖의학〗 흡각(吸角); (거머리 따위의) 빨아들이는 입, 흡반(吸盤), 흡구(吸口); 바람 구멍, 통풍구; 〖기계〗 공기실. ***faire ~*** 《구어》 끈덕지게 붙어다니다; 〖경제〗 외국 자본을 흡수하다.

ventral, e, aux [vɑ̃tʀal, -o] *adj.* 배〔복부〕의 (= abdominal; ≠ dorsal): nageoires *~es* 배지느러미. ── *m.* (복부에 장착하는) 예비 낙하산(= parachute ~).

:ventre [vɑ̃ːtʀ] *m.* ① 배, 복부; (배의) 불룩한 데: bas(-)~ 아랫배; 음부 / rentrer le ~ 배를 들어가게 하다 / se remplir le ~ 배를 채우다 / se coucher sur le ~ 배를 깔고 눕다 / avoir mal au ~ 배가 아프다 / avoir 〔prendre〕 du ~ 배가 뚱뚱하다〔나오다〕. ② (물체의) 불룩한 부분; (차체 따위의) 밑부분, 하부: ~ d'un bateau 배의 옆구리 / hauteur sous ~ (차체의) 바닥 부분. ③ 체내, 태내(胎內): dès le ~ de sa mère 어머니의 뱃속에서부터, 태어나기 전부터. ***à plat ~*** 배를 깔고 엎드려서: être *à plat ~* devant qn …앞에서 비굴하게 굴다〔설설 기다〕. ***à ~ déboutonné*** 꺼리지 않고, 지나치게: manger 〔rire〕 *à ~ déboutonné* 실컷 먹다〔포복절도하다〕. ***avoir le ~ creux*** 〔***plein***〕 공복이다〔배가 부르다〕. ***avoir*** qc ***dans le ~*** …의 의욕이 있다, …할 생각〔속셈〕이다. ***en avoir au*** 〔***dans le***〕 ~ 《구어》 담력〔배짱〕이 있다. ***faire mal au ~ à*** qn …의 마음을 상하게 하다. ***faire rentrer les paroles dans le ~ à*** qn 《구어》 …으로 하여금 자기가 한 말을 후회케 하다. (***ne pas***) ***avoir la reconnaissance du ~*** 《구어》 자기를 먹여 준〔키워 준〕 사람에게 감사할 줄 알다〔모르다〕. ***se remplir le ~*** 먹다, 마시다. ***se serrer le ~*** 먹지 않고 지다다. ***~ à terre*** 전속력으로.

ventrée [vɑ̃tʀe] *f.* ① 한배의 새끼. ② 《구어》 배를 채울 음식: s'en flanquer une pleine ~ 배불리 먹다.

ventriculaire [vɑ̃tʀikylɛːʀ] *adj.* ① 심실의, 뇌실의. ② (곤충의) 위(胃)의.

ventricule [vɑ̃tʀikyl] *m.* ① 〖해부〗 실(室); 심실; 뇌실. ② 〖동물〗 ~ succenturié (새의) 소낭(嗉囊).

ventriloque [vɑ̃tʀilɔk] *adj.* 복화(술)의. ── *n.* 복화(술)자(者).

ventriloquie [vɑ̃tʀilɔki] *f.* 복화술(腹話術); 복성(腹聲).

ventripotent, e [vɑ̃tʀipɔtɑ̃, -ɑ̃ːt] *adj.* 배가 뚱뚱한, 배뚱뚱이의.

ventru, e [vɑ̃tʀy] *adj.* 배가 뚱뚱한, 배뚱뚱이의; (병·독 따위가) 중배가 부른; (격막 따위가) 부어오른.

venu, e[1] [v(ə)ny] *adj.* ① 만들어진, 된: un enfant mal ~, chétif 발육이 나쁜 병약한 아이 / gravure bien *~e* 잘 그려진 그림. ② 받아들여지는. ***être bien*** 〔***mal***〕 ~ 시기에 알맞다〔맞지 않다〕; 환영받다〔못 받다〕; 발육이 좋다〔나쁘다〕; 잘〔잘못〕되다: Ils *seraient mal ~s* de s'en plaindre. 그들이 불평한다는 것은 적합지 않다 / 《비인칭》 Il *serait mal ~* d'insister. 굳이 우기는 건 좋지 않다. ── *n.* 온 사람. ***le dernier ~; la dernière ~e*** 최후에 온 사람: 《구어》 보잘 것없는 사람. ***le nouveau ~*** 신참자, 새얼굴. ***le premier ~; la première ~e*** 선착자; 아무나, 누구든지: Demandez *au premier ~*, il dira la même chose. 누구에게나 물어 보시오, 같은 말을 할테니.

venue[2] [v(ə)ny] *f.* ① 오기, 도래(到來), 도착; 탄생: la ~ du Messie 메시아의 도래 / attendre la ~ du printemps 봄이 오기를 기다리다. ② (어린이·나무 따위의) 발육, 성장; (작품 따위의) 완성(도): enfant d'une belle ~ 발육이 좋은 아이 / arbre d'une belle 〔bonne〕 ~ 잘 자란 나무 / Ce portrait n'est pas d'une seule ~. 이 초상화는 단번에 그려진 것이 아니다〔수정이 가해졌다〕. ***allées et ~s*** 왕래. ***première ~*** 새싹; 소묘, 초벌. ***tout d'une ~; d'une seule ~*** 늘씬한, 쭉 뻗은.

Vénus [venys] *n.pr.f.* ① 〖로마신화〗 비너스; 비너스 상(像). ② 절세의 미인. ③ 〖천문〗 금성(金星).

vépéciste [vepesist] *n.* 통신 판매업자〔회사〕.

vêpres [vɛpʀ] *f. pl.* 〖가톨릭〗 저녁 기도, 만과(晩課), 만도(晩禱); 만도의 종.

ver** [vɛːʀ] *m.* 벌레; 유충(= larve), 모충(= chenille), 구더기: ~ luisant 개똥벌레 / ~ solitaire 〖의학〗 촌충. ***avoir le ~ solitaire 《구어》 늘 배가 고프다, 대식가이다. ***tirer les ~s du nez à*** qn 《구어》 …으로 하여금 입을 열게 하다, …을 유도 신문하다. ***~ à soie*** 누에. ***~ blanc*** 풍뎅이 유충. ***~*** (***de terre***) 지렁이. ***~ intestinal*** 기생충, 회충.

véracité [veʀasite] *f.* 정직, 성실; 진실성: ~ de son témoignage 그의 증언의 진실성 / décrire 〔raconter〕 qc avec ~ 있는 그대로 묘사하다〔이야기하다〕.

véranda [veʀɑ̃da] *f.* 베란다.

verbal, e, aux [vɛʀbal, -o] *adj.* ① 구두(口頭)의, 구술의(≠ écrit); 언어의, 언어적인;

자의(字意)의 : expression ~*e* 언어적 표현 / ordes ~*aux* 구두 명령 / rapport ~ (학회 따위에서의) 구두 발표 / comportement ~ 언어 행동 / explication ~*e* 자의(字意) 해석. ② 〖문법〗 동사의, 동사적인, 동사에서 파생된 : système ~ d'une langue 언어의 동사 체계 / adjectif ~ 동사적 형용사 / locution ~*e* 동사구 / phrase ~*e* 동사문. ***convention ~e*** 구두 계약. ***location ~e*** 계약서 없는 임대차 계약. ***note ~e*** (외교상의) 구두 통첩, 무서명 각서. ***promesse ~e*** 말로 하는 약속. ***réponse ~e*** (컴퓨터의) 음성 응답.

verbalement [vɛʀbalmɑ̃] *adv.* 구두로, 말로, 언어로 : s'exprimer ~ 언어로 표현하다 / Il ne le promit que ~. 그는 그것을 구두로만 약속한다.

verbalisation [vɛʀbalizɑsjɔ̃] *f.* 〖법률〗 구술 ; 조서 작성 ; 〖심리〗 언어 표현 행위, 언어화(言語化).

verbaliser [vɛʀbalize] *v.i.* ① 〖법률〗 조서를 작성하다 ; (경관이 규칙 위반자로부터) 구술(口述)을 받다 : L'agent de police *a verbalisé.* 경관이 조서를 작성했다. ② 〖심리〗 언어로 표현하다, 언어화하다.

verbalisme [vɛʀbalism] *m.* (내용보다) 언어에 대한 편중, 언어 편중주의 ; 어구(語句)에 대한 집착 ; 췌언(贅言), 군소리.

verbe** [vɛʀb] *m.* ① 《옛》 말(투), 언사 ; 어조 ; 말, 언어 표현 : parler avec le ~ mordant 신랄한 어조로 말하다 / ~ poétique 시적 표현〔언어〕. ② (*V*~) 〖신학〗 말씀《삼위일체의 제 2 위, 그리스도》. ③ 〖문법〗 동사 : ~ intransitif 〔transitif〕 자동사〔타동사〕 / temps 〔modes〕 du ~ 동사의 시제〔법〕 / ~ auxiliaire 조동사 / ~ impersonnel 비인칭동사 / ~ pronominal 대명동사. ***avoir le ~ haut 높은 목소리〔큰 소리〕로 말하다, 언성이 높다 ; 거만하게 이야기하다.

verbeux, euse [vɛʀbø, -ø:z] *adj.* 말이 많은, 수다스러운(= bavard) : orateur ~ 너무 말이 많은 연사 / style ~ 장황한 문체.

verbiage [vɛʀbja:ʒ] *m.* 수다, 다변, 객설.

verbiager [vɛʀbjaʒe] [3] *v.i.* 《드물게》 수다떨다, 군소리하다.

verbosité [vɛʀbozite] *f.* 수다, 객설, 다변.

verdâtre [vɛʀdɑ:tʀ] *adj.* 초록빛이 도는, 푸르스름한 : mer ~ 청록색의 바다 / teint ~ 창백한 얼굴.

verdelet, ette [vɛʀdəlɛ, -ɛt] *adj.* 《옛·방언》 ① 초록빛 도는. ② (포도주가) 신 : vin ~ (숙성이 덜 된) 신맛이 나는 포도주. ③ 《구어》 (노인이) 아직도 정정한.

verdeur [vɛʀdœ:ʀ] *f.* ① 나무의 푸르름, 시들지 않은 모양. ② (과일의) 미숙(未熟) ; (풋과일·포도주의) 떫은맛. ③ (말·표현의) 대담함 ; 신랄함 ; 노골적임. ④ 《구어》 (노인의) 정정함. ***dans la ~ de l'âge*** 한창 젊을 때.

verdict [vɛʀdik(t)] *m.* 〖법률〗 (배심원의) 평결(評決) ; 심판, 재판 ; 판결 ; 의결 ; 《구어》 판단, 의견 : ~ de culpabilité 〔~ positif〕 유죄 평결 / ~ d'acquittement 〔~ négatif〕 무죄 평결 / le ~ des électeurs 유권자의 판결. ***prononcer*** 〔***rendre***〕 ***un ~*** 평결을 내리다.

verdir [vɛʀdi:ʀ] *v.t.* 푸르게 하다, 초록빛으로 만들다. ― *v.i.* ① (식물이) 푸르러지다, 초록빛으로 되다 ; 잎이 무성해지다, 싹이 돋다 : Les champs *verdissent* au printemps. 봄이 되면 들은 푸르러진다. ② (공포에 질려 얼굴빛이) 창백해지다(= blêmir) : ~ de peur 겁에 질려 창백해지다.

verdissage [vɛʀdisa:ʒ] *m.* 초록빛으로 만들기, 초록빛이 되기.

verdissement [vɛʀdismɑ̃] *m.* 녹색〔초록빛〕으로 되기.

verdoiement [vɛʀdwamɑ̃] *m.* 초록빛으로 되기, 푸르러지기.

verdoyant, e [vɛʀdwajɑ̃, -ɑ̃:t] *adj.* 푸르른, 녹색의 : prairie ~*e* 푸른 목장 / prés ~*s* 푸른 초원.

verdoyer [vɛʀdwaje] [7] *v.i.* (초목·초원·산야 등이) 초록빛으로 되다, 푸르러지다.

verdure [vɛʀdy:ʀ] *f.* 초록빛, 녹색 ; 녹엽, 청초, 녹야(綠野) ; 〖요리〗 야채 ; 녹전(綠氈) : rideau de ~ 푸른 나무들의 커튼 / tapis de ~ 푸른 잔디. ***cabinet de ~*** (나뭇가지·덩굴풀이 이루는) 초록 정자.

véreux, euse [veʀø, -ø:z] *adj.* 벌레가 든, 벌레가 생긴 ; 수상한, 의심스러운 ; 썩어빠진 : fruits ~ 벌레먹은 과일 / agent ~ 부패한 경찰관 / affaire ~*euse* 수상쩍은 거래 / spéculation ~*euse* 의심쩍은 투기.

verge [vɛʀʒ] 〔라틴〕 *f.* ① 채찍 ; 막대기 ; (법정 수위(法廷守衛)·성당지기 등의) 권표(權標). ② 저울대 ; 닻채. ③ 옛날의 지척(地尺). ④ 〖해부〗 음경(陰莖)(= pénis). ***donner des ~s pour se faire fouetter*** 상대방에게 공격의 무기를 주다 ; 화를 자초하다. ***faire baiser les ~s á*** qn …에게 벌을 감수하게 하다. ***gouverner avec une ~ de fer*** 독재 정치를 펴다. ***passer par les ~s*** 《군대속어》 태형(笞刑)을 받다.

vergé, e [vɛʀʒe] *adj.* 〖직물〗 (염색·직조가 잘못되어) 얼룩이 간, 줄무늬가 있는 ; 줄무늬가 비쳐 보이는《종이 따위》.

verger [vɛʀʒe] *m.* 과수원.

vergeter [vɛʀʒəte] [5] *v.t.* ① (의복 따위를) 솔질하다. ② 매질〔채찍질〕하여 흔적을 내다, 상처를 입히다.

vergeture [vɛʀʒəty:ʀ] *f.* (흔히 *pl.*) 채찍 자국 ; 《일반적》 피부에 생긴 자국.

verglacé, e [vɛʀglase] *adj.* 빙판으로 덮인 : route ~*e* 빙판〔위험한〕 길.

verglacer [vɛʀglase] [2] *v. impers.* 빙판이 지다, 빙판으로 덮이다.

***verglas** [vɛʀgla〔ɑ〕] *m.* (땅 위의) 빙판 : accident de voiture dû au 빙판길 교통 사고.

vergogne [vɛʀgɔɲ] *f.* 부끄러움, 수치심. ***sans ~*** 파렴치한〔하게〕.

vergue [vɛʀg] *f.* 〖해양〗 활대. ***avoir*** (***le***) ***vent*** 〔***être vent***〕 ***sous ~*** 순풍을 받다. ***être ~ à ~*** (두 배가) 활대가 맞닿을 정도로 접근해 있다. ***grande ~*** 큰 돛대의 하활.

véridicité [veʀidisite] *f.* ① 정직, 성실 ; 진실성(= véracité). ② 사실임, 정확함(= vérité).

véridique [veʀidik] *adj.* 진실한 ; 항상 진실을 말하는 사실의 ; 성실한 ; 정직한 : témoignage ~ 사실 그대로의 증언 / personne ~ 진실한 사람 / rapport ~ 실록(實錄).

véridiquement [veʀidikmɑ̃] *adv.* 정직하

V

게, 사실대로, 성실하게, 정확하게.

vérifiable [veʀifjabl] *adj.* 확인〔검증〕할 수 있는: hypothèse ~ 검증 가능한 가정.

vérificateur, trice [veʀifikatœːʀ, -tʀis] *n.* ① 검사관. ② 검사기, 계기(計器). ~ ***comptable*** 〔***de comptes***〕 회계 검사관. ~ ***des douanes*** 세관 검사관. — *adj.* 검사하는; 검사에 사용하는. — *f.* 검사기(器).

vérification [veʀifikɑsjɔ̃] *f.* ① 검사, 검증, 검토: ~ de comptes; ~*s* comptables 회계 검사〔감사〕/ ~ des pouvoirs 의원 자격 심사 / ~ d'écritures 〖법률〗 필적 감정; 문서의 진위 확인. ② 확증, 입증; 확인: ~ d'un calcul 검산, 계산의 확인.

*__vérifier__ [veʀifje] *v.t.* ① 검사하다, 검토〔검증·음미·심사〕하다: Il faut ~ cette rumeur. 이 소문을 확인할 필요가 있다 / ~ des comptes 회계를 감사하다 / ~ si le train part toujours à la même heure 기차가 항상 같은 시간에 떠나는지 확인하다. ② 확증〔입증〕하다; 확인하다: ~ une hypothèse par l'expérience 가설을 실험을 통해 실증하다. — **se** ~ *v.pr.* 확증〔확인〕되다, 실증〔인증〕되다: Ces pronostics *se sont vérifiés.* 그의 예상이 옳았다는 것이 입증되었다.

vérin [veʀɛ̃] *m.* 잭 《일종의 기중기(起重機)》. ~ ***hydraulique*** 수압(水壓) 잭.

vérisme [veʀism] *m.* (19 세기 말 이탈리아 문학·음악에 있어서) 진실주의.

⁑**véritable** [veʀitabl] *adj.* ① 진짜의(= réel; ≠ faux); 사실대로의; 실제의: son ~ nom (가명이 아닌) 진짜 이름 / bénéfice ~ 실수익. ② 참된, 진실한; 진정한: ~ amour 진정한 사랑 / ~ ami 참된 친구. ③ 틀림없는, 확실한. ④ 전적인, 완전한: ~ folie (변명의 여지 없는) 전적인 실수〔과오〕/ ~ canaille 완전한 악당.

*__véritablement__ [veʀitabləmɑ̃] *adv.* 참말로, 진실로, 실제로, 바로; 확실히, 과연.

⁑**vérité** [veʀite] *f.* ① 진실(성); 진상; 사실; 현실: dire toute la ~ (알고 있는) 모든 사실을 그대로 말하다 / la simple ~; la ~ pure et simple 거짓 없는 진실 (그대로) / ~ historique 역사적 사실 / chercher 〔trouver〕 la ~ sur qn …에 대한 진상을 규명하다 / être à côté de la ~ 현실과 동떨어지다 / opération ~ (작전 따위의) 실제 상황. ② 진리; (흔히 *pl.*) 원리: les ~*s* premières 제일 원리, 근본 원리 / ~ relative 〔subjective〕 상대적〔주관적〕 진리. ③ 성실, 정직: (avec) un air de ~ 성실한 태도(로) / Il est la ~ même. 그는 성실 그 자체이다. ④ 〖미술〗 박진성(迫眞性): ~ d'un personnage 작중 인물의 박진감. ⑤ 참다운 모습; 본성, 본질, 특성: acteur qui s'interroge sur la ~ de ses personnages 인물〔배역〕의 본질을 파악하고 있는 배우 / ~ des prix 가격 실태(實態). ***à la ~*** 실은, 사실인즉. ***C'est la ~ vraie.; C'est l'entière*** 〔***la pure***〕 ***~.*** 《구어》 그것은 사실 그대로이다, 틀림없는 사실이다. ***déguiser*** 〔***trahir***〕 ***la ~*** 거짓말하다, 속이다. ***dire à*** qn ***ses ~s*** 〔***ses quatre ~s***〕 《구어》 …의 잘못〔결점〕을 노골적으로 지적하다〔나무라다〕. ***en ~*** 참으로, 실로. ***La ~, c'est que...*** 사실, 말하자면 …이다. ***paysage d'une grande ~*** 생생한 실감이 나는 풍경화.

verjus [vɛʀʒy] *m.* 신 포도즙; 덜 익은 포도.

verlan [vɛʀlɑ̃] *m.* 단어의 음절을 뒤집어 말하는 은어의 일종《예: pourri 대신 ripoux, café 대신 féca》.

vermeil, eille [vɛʀmɛj] *adj.* 진홍빛의, 새빨간: lèvres ~*eilles* 붉은 입술. — *m.* 도금한 은〔구리〕. — *f.* 적옥(赤玉)《보석》.

vermicelle [vɛʀmisɛl] *m.* 〖요리〗 버미첼리《가느다란 서양 국수의 일종》: soupe au ~ 버미첼리 수프 / ~ chinois 국수.

vermiforme [vɛʀmifɔʀm] *adj.* 벌레 모양의: larve ~ 〖동물〗 (벌레의) 유충.

vermifuge [vɛʀmifyːʒ] *adj.* 구충의. — *m.* 구충제(驅蟲劑).

vermillon [vɛʀmijɔ̃] *m.* ① 주사(朱砂). ② 주홍색. — *adj.* 《불변》 주홍빛의, 새빨간.

vermillonner[1] [vɛʀmijɔne] *v.t.* 주홍빛으로 칠하다〔물들이다〕.

vermillonner[2] *v.i.* (오소리가 먹이를 찾느라고) 땅을 파다〔파헤치다〕.

vermine [vɛʀmin] *f.* ① 벌레, 기생충, 해충(害蟲) 《이·빈대·벼룩 따위》; 점차로 침식(浸蝕)하는 것: couvert de ~ 이가 뀐. ② 못된 놈, 무뢰한, 악한, (사회의) 기생충〔쓰레기〕: C'est de la ~! 저 놈은 인간쓰레기다!

vermisseau [vɛʀmiso] *m.* (*pl.* ~***x***) 작은 벌레〔지렁이〕; 유충; 하잘것없이 약한 자.

vermouler (se) [s(ə)vɛʀmule] *v.pr.* (나무가) 벌레 먹다; 변질하다, 색이 바래다.

vermoulu, e [vɛʀmuly] *adj.* ① (목재 따위가) 벌레 먹은. ② 《구어》 낡은; 케케묵은; 지친: cette œuvre moisie et ~*e* 곰팡내 나는 케케묵은 작품 / Je suis tout ~. 나는 무척 지쳤다.

vermoulure [vɛʀmulyːʀ] *f.* 벌레 먹은 자국, 벌레 구멍.

vermout(h) [vɛʀmut] *m.* 베르뭇주(酒).

vernaculaire [vɛʀnakylɛːʀ] *adj.* 그 나라 고유의: langue ~ 지방어, 사투리. — *m.* (어떤 나라 특유의) 토어(土語).

vernal, e, aux [vɛʀnal, -o] *adj.* 봄의, 봄 같은; 봄에 피는. ***point ~*** 〖천문〗 춘분점.

verni, e [vɛʀni] *adj.* ① 니스를 칠한; 빛나는: chaussures ~*es* 칠피 구두. ② 《구어》 운이 좋은: Vous êtes ~! 당신은 운이 좋았군. ③ 술취한. ***cuir ~*** 칠피. — *m.* ① 《구어》 운이 좋은 사람. ② (*pl.*) 칠피 구두.

vernier [vɛʀnje] *m.* 유척(遊尺), 부척(副尺).

vernir [vɛʀniːʀ] *v.t.* ① …에 니스를 칠하다; …에 옻칠을 하다; 〖요업〗 …에 유약(釉藥)을 바르다. ② 《구어》 겉치레하다. ***être verni*** 운이 좋다.

vernis [vɛʀni] *m.* ① 바니스, 니스; 윤내는 약; (도자기의) 유약(釉藥), 잿물; 칠피(漆皮): ~ à l'alcool 〔à l'essence, à l'huile〕 알코올〔휘발유·기름〕용 바니스. ② 칠피 구두: une paire de ~*s* 칠피 구두 한 켤레. ③ 겉치레, 허식: n'avoir que du ~ 오로지 겉치레뿐이다. ***avoir le ~ du monde*** 겉으로는 세련된 것 같다. ***~ à ongles*** 매니큐어액.

vernissage [vɛʀnisaːʒ] *m.* ① 니스칠〔옻칠〕; 잿물을 먹이기. ② 미술 전람회 개인전

일《작품에 가필이 허용되는 날》.

vernisser [vɛʀnise] *v.t.* 와니스를〔옻을〕 칠하다; 유약을 바르다: ~ une poterie 도기에 유약을 바르다.

vérole [veʀɔl] *f.* ① 매독(= syphilis). ② 《옛》 포창(疱瘡)《발진하여 자국을 남기는 병의 총칭》: petite ~ 천연두(= variole). ***grain de petite ~*** 마맛자국. ***petite ~ volante*** 수두(水痘), 작은 마마. 「제》.

véronal [veʀɔnal] *m.* 〖약학〗 베로날《최면

véronique [veʀɔnik] *f.* ① (투우에서) 베로니카 케이프를 쓰는 방법. ② 〖식물〗 개불알풀속(屬).

verr-ai, -as, etc. ⇒ voir.

verrat [vɛʀa] *m.* 수퇘지.

*‡***verre** [vɛːʀ] *m.* ① 유리: articles de ~ 유리 제품 / fibre de ~ 유리 섬유 / ~ moulé 압착 유리 / ~ pyrex 파이렉스 유리. ② 유리 제품; 판유리; 유리잔; 안경알; 렌즈; 광학 유리(= ~ (d')optique); 시계의 유리: ~ ballon 구형(球形)컵 / ~ en cristal 크리스탈 잔 / ~ d'eau (물병·컵·단지 따위의) 음료용 세트 / ~ concave 〔convexe〕 오목〔볼록〕 렌즈 / ~ grossissant 확대경 / ~ de contact 콘택트 렌즈 / ~s de myope 〔de presbyte〕 근시〔원시〕 렌즈 / porter des ~s 안경을 쓰다. ③ 한 컵의 분량; 한 잔: ~ à vin 〔bière〕 포도주〔맥주〕잔 / boire un ~ 한 잔 마시다 / offrir 〔payer〕 un ~ 한 잔 사다. ④ (환등의) 슬라이드. ***choquer le ~*** (축배를 들기 전에) 잔을 맞대다. ***maison de ~*** 비밀이 없는 집. ***papier de ~*** (유리 가루의) 사포(沙布), 사지(砂紙). ***sous ~*** 유리 진열장 안에: mettre *sous* ~ une photographie 사진을 액자에 넣다.

verrerie [vɛʀʀi] *f.* ① 유리 제조법〔판매〕: procédés traditionnels 〔modernes〕 de la ~ 전통적인〔현대적인〕 유리 (제품) 제조법. ② 유리 공장. ③ 《집합적》 유리 제품: boutique de ~ 유리 제품 상점.

verrier [vɛʀje] *m.* ① 유리 (제품) 제조인; 유리 제품 장수: artisan 〔ouvrier〕 ~ 유리 제품 제조공. ② 컵 바구니. — *adj.* 유리의: peintre ~ 스테인드글라스〔착색 유리〕 직공.

verrière [vɛʀjɛːʀ] *f.* 컵 넣는 그릇; 유리 뚜껑; 유리 상자; 그림 유리창; 대형(大型)의 그림 유리: ~ de la cathédrale Chartres 샤르트르 대성당의 스테인드글라스.

verroterie [vɛʀɔtʀi] *f.* 유리 세공품: bijoux en ~ 유리 장신구.

*****verrou** [vɛʀu] *m.* ① 빗장; 자물쇠청: mettre 〔pousser〕 le ~ 빗장을 지르다 / tirer le ~ 빗장을 빼다 / ~ de sûreté 문 밖에서 열쇠로 열게 되어 있는 빗장. ② (총 따위의) 걸쇠 장치; 〖군사〗 (요소의) 경비 요원. ***être sous les ~s*** 옥에 갇혀 있다. ***fermer une porte au ~*** 문에 빗장을 지르다. ***mettre*** 〔***pousser***〕 ***les ~s*** 빗장을 지르다. ***mettre sous les ~s*** 옥에 가두다. ***s'enfermer au ~*** (방문객을 피하여) 문을 닫아 걸고 집에 들어박히다. ***tirer les ~s*** 빗장을 뽑다.

verrouillage [vɛʀujaːʒ] *m.* ① 빗장을 지르기; 문빗장 장치. ② 〖군사〗 (전선) 방어를 굳힘, 폐쇄 작전.

verrouiller [vɛʀuje] *v.t.* ① (문에) 빗장을 지르다(= barricader, cadenasser); 차단하다, 막다(= bloquer): ~ une porte 〔une fenêtre〕 문〔창문〕에 빗장을 지르다 / ~ une brèche (방어 태세를 취하기 위하여) 돌파구를 폐쇄하다. ② (사람을) 감금하다: ~ un prisonnier 죄수를 구금하다. — **se ~** *v.pr.* 틀어박히다, 칩거하다(= s'enfermer).

verrue [vɛʀy] *f.* 무사마귀; 결점.

verruqueux, euse [vɛʀykø, -øːz] *adj.* 무사마귀가 많은; 〖식물〗 무사마귀 모양의 돌기가 많은.

*****vers**[1] [vɛːʀ] *m.* (시·운문의) 행(行); 운문(韻文), 시(詩). ***faire des ~*** 시를 짓다. ***grands ~*** 12음절 시구, 알렉산드르 구격(句格)의 시. ***petits ~*** 경묘한 단시(短時). ***~ blancs*** 무운(無韻)시. ***~ de société*** (우아한) 사교계의 시. ***~ et prose*** 운문과 산문. ***~ faux*** 파격시. ***~ libres*** 자유시. ***~ réguliers*** 정형시.

*‡***vers**[2] *prép.* 《다음 말과 연음하지 않음》 ① …(으)로, …곳으로, …쪽으로; …으로 향하여: aller ~ Paris 파리로 가다 / tourner la tête ~ qn …쪽으로 머리를 돌리다 / ~ le Nord 북쪽으로 / ~ une solution du problème 문제의 해결점을 지향하여 / 《오용》 naviguer ~ sept cents mètres 약 700 m 고도로 비행하다. ② …무렵, …경(頃), …쯤: ~ (les) cinq heures 다섯 시경에 / ~ minuit 자정경에 / ~ le soir 저녁때 / ~ trente-deux ans, 32살쯤 / ~ trois heures, 3시경〔쯤〕. ③ 《옛》 …에 대하여.

versant [vɛʀsɑ̃] *m.* 사면(斜面), (산의) 비탈; (운하 따위의) 둑.

versatile [vɛʀsatil] *adj.* 의견이 변하기 쉬운, 변덕스러운(= capricieux; ≠ constant).

versatilité [vɛʀsatilite] *f.* 변하기 쉬움, 변덕(= inconstance).

verse [vɛʀs] *f.* 붓기, 주입(注入); (곡물이) 쓸려 넘어짐. ***à ~*** 많이. ***Il pleut à*** 〔***La pluie tombe***〕 ***~.*** 비가 억수로 내린다.

versé, e [vɛʀse] *adj.* 《~ dans》 …에 정통한, 숙달한, 능한: ~ *dans* les lettres et les arts 문학에 조예가 깊은 / être ~ *dans* l'histoire ancienne 고대사에 정통하다.

Verseau [vɛʀso] *m.* (*pl.* **~x**) 〖건축〗 사면, 구배; 〖천문〗 수병좌(水瓶座).

versement [vɛʀsəmɑ̃] *m.* ① (액체를) 붓기; (액체의) 유출(流出). ② 〖재정〗 불입(拂入)(금), 납입, 납부(금): bulletin de ~ 입금표 / s'acquitter en plusieurs ~s 몇 차례로 나누어〔분할〕 불입하다. ③ (상품의) 인도(引渡). ④ 〖군사〗 (군수품의) 급여.

*****verser** [vɛʀse] *v.t.* ① (액체를) 붓다, 따르다; (눈물·피 따위를) 흘리다; 쏟다; 《비유》 뿌리다, 뿌려 주다(= répandre): ~ le café dans les tasses 커피를 잔에 따르다 / ~ des larmes 〔pleurs〕 《문어》 눈물을 흘리다 / ~ son sang 피를 흘리다; 다치다; 죽다 / ~ le mépris sur qn …에게 경멸의 말을 퍼붓다 / ~ l'or à pleines mains 돈을 마구 뿌리다 / ~ le sang de qn 《문어》 …을 죽이다. ② 넘어뜨리다, 쓰러뜨리다: L'orage *a aversé* les blés. 폭풍이 밀을 쓰러뜨렸다. ③ 불입〔납입·납부〕하다: ~ des intérêts 이자를 내다. ④ (생각을) 털어놓다.

V

⑤ (자료 따위를) 첨가〔첨부〕하다 : ~ une nouvelle pièce au dossier 서류에 새 자료를 끼워넣다. ⑥ 〖농업〗 (밭을) 갈다. ⑦ 〖군사〗 (군수품을) 급여하다. **~ le mépris sur** qn …을 경멸하다. **~ ses secrets** 〔**chagrins**〕 **dans le cœur de** qn …에게 자기 비밀〔슬픔〕을 털어놓다. **~ son sang** 목숨을 바치다. ── *v.i.* ① (자동차 따위가) 전복하다(= culbuter) : Sa voiture *a versé* dans le fossé. 그의 자동차가 도랑으로 곤두박질했다. ② (농작물이) 바람에 쓰러지다, 눕다. ③ 《~ dans》 빠지다 : auteur qui *verse dans* la facilité 무사안일주의에 빠진 작가 / Je *verse* tout à fait *dans* vos idées. 나는 전적으로 당신 생각에 동의합니다. **~ en beau chemin** 《구어》 만사가 잘 되어 가다 실패하다. ── **se ~** *v.pr.* ① (강물이) 흘러들다. ② 제 손으로 따르다. ③ 불입되다.

verset [vɛʀsɛ] *m.* ① 〖교회〗 (성서의) 절(節) ; (성서에서 인용된) 창구(唱句). ② 시구(詩句).

verseur, euse [vɛʀsœːʀ, -øːz] *n.* (커피 따르는) 보이 ; 웨이트리스. ── *m.* 파리 중앙시장의 생선 경매 계원 ; 〖광물〗 광차(鑛車)를 비우는 인부. ── *f.* 커피 주전자.

versificateur, trice [vɛʀsfikatœːʀ, -tʀis] *n.* 작시가(作詩家) ; 시인.

versification [vɛʀsifikɑsjɔ̃] *f.* 작시법(作詩法) ; 시풍, 시체(詩體).

versifier [vɛʀsifje] *v.i.* 시를 짓다. ── *v.t.* 운문으로 쓰다 : drame *versifié* 운문으로 된 극.

***version** [vɛʀsjɔ̃] *f.* ① 번역 ; 역문(譯文). ② (텍스트의) 이본(異本) ; (이본 · 사본의) 독법(讀法) ; 〖영화〗 …어판(語版) : cinq ~*s* du même texte 동일 텍스트의 다섯 가지 판본 / film américain en ~ française 미국 영화의 프랑스어판 / film en ~ originale 원어판(原語版) 영화. ③ (사건 따위의) 설명, 해석, 진술. ④ (어떤 일에 관한 여러 가지 다른 방식의) 이야기, 설명, 설(說). ⑤ 〖의학〗 태아 전위법(轉位法). **la ~ des Septante** (70인에 의한) 성서의 그리스어 번역.

verso [vɛʀso] *m.* (종이의) 이면(裏面). ***Voir au ~.*** 이면을 보라.

versus [vɛʀsys] *prép.* …대(對), …에 대비하여(= par opposition à) (《약자》 vs 로 쓰임).

‡vert, e [vɛːʀ, vɛʀt] *adj.* ① 녹색〔초록색〕의, 푸른 : feu ~ (신호등의) 푸른 신호 / feuillage ~ 푸른 잎. ② 생것〔날것〕의 ; 마르지〔익지, 볶지〕 않은 ; (포도주가) 덜 익은, 맛이 신 ; 아직 가공되지 않은 : bois ~ 생나무 / blé ~ 아직 덜 익은 밀 / cuir ~ (무두질하지 않은) 생가죽. ③ (수목이) 푸릇푸릇한 ; 나이 어린 ; 풋내기의, 경험 없는 : pousses ~*es* 새싹, 새순 / ~*e* jeunesse 팔팔한 젊은 시절. ④ (노인이) 원기 왕성한, 정정한 : vieillard encore ~ 아직도 정정한 노인 / ~*e* vieillesse 노익장(老益壯). ⑤ 신선한 ; 싱싱한 : légumes ~*s* 싱싱한 야채. ⑥ 엄한 : ~*e* réprimande 엄한 질책. ⑦ 《구어》 노골적인, 외설스러운. ***en dire des ~es*** (***et des pas mûres***) 《구어》 외설스러운 생각을 하다. ***Ils sont trop ~s.*** 포도는 아직 덜 익었다(《손에 넣을 수 없는 것에 대한 오기(傲氣)의 말. la fontaine 의 우화에서》). ***langue ~e*** 은어, 속어. ── *m.* ① 녹색, 초록색 : ~ foncé 〔tendre〕 짙은〔연한〕 녹색 / ~ bouteille 〔d'olive, d'eau〕 농녹색(濃綠色)〔황색 · 해록색(海綠色)〕의. ② 녹색 염료〔물감〕 ; (옷의) 녹색 : être habillé de 〔en〕 ~ 녹색 옷을 입고 있다. ③ 푸른 목초, 생초(生草) ; 푸른 들 : mettre un cheval au ~ 말을 방목하다. ④ 시골. ***employer le*** (***bois***) ***~ et le sec*** 《구어》 온갖 수단을 쓰다. ***prendre*** qn ***sans ~*** …을 불시에 치다. ***se mettre au ~*** 《구어》 시골에 휴양하러 가다. ***vêtu de ~*** 초록색 옷을 입은. ── *f.* 《구어》 압생트(《술》).

vert-de-gris [vɛʀdəgʀi] *m.* ① 녹청(綠靑) (《산화구리》). ② 《속어》 독일 병사. ── *adj.* 《불변》 녹청색의.

vert-de-grisé, e [vɛʀdəgʀize] *adj.* 녹청으로 덮인 ; 녹청색의.

vertébral, e, aux [vɛʀtebʀal, -o] *adj.* 〖생물〗 척추의 : colonne ~*e* 척추.

vertèbre [vɛʀtɛbʀ] *f.* 〖생물〗 추골(椎骨).

vertébré, e [vɛʀtebʀe] *adj.* 〖동물〗 척추가 있는. ── *m.pl.* 척추동물, 등뼈동물.

vertement [vɛʀtəmɑ̃] *adv.* 《구어》 호되게, 심하게. ***tancer ~*** 호되게 꾸짖다.

vertical, e, aux** [vɛʀtikal, -o] *adj.* 수직〔상하〕의(≠ horizontal) : ligne ~*e* 수직선 / plan ~ 수직면 / organisation ~*e* 계층적 조직 / concentration ~*e* 〖경제〗 (한 산업의 관련된 부문의) 종단적(縱斷的) 집중. ── *m.* 〖천문〗 수직권(垂直圈). ── *f.* 수직선(= ligne ~*e*). ***à la ~e 수직으로 ; 일직선으로.

verticalement [vɛʀtikalmɑ̃] *adv.* 수직으로.

verticalité [vɛʀtikalite] *f.* 수직.

vertige** [vɛʀtiːʒ] *m.* ① 현기증, 어지러움. ② 미망(迷妄), 《비유》 정신 없음, 혼미, 착란. ***à donner le ~ 현기증이 날 만큼, 어지러울 만큼 ***avoir le ~ ; être pris de ~*** 어지럽다, 현기증 나다.

vertigineusement [vɛʀtiʒinøzmɑ̃] *adv.* 어지러울 정도로 : Les prix ont monté ~. 물가가 굉장히 올랐다.

vertigineux, euse [vɛʀtiʒinø, -øːz] *adj.* ① 어지러운 ; (높이 · 속도 등이) 어지러울 정도의 ; 현기증의 : vitesse ~*euse* 어지러울 지경의 속도. ② 대단한, 굉장한, 매우 심한(= terrible) : hausse ~*euse* des prix 물가의 굉장한 상승.

vertigo [vɛʀtigo] *m.* 〖수의학〗 (말의) 훈도병(暈倒病) ; 기상(奇想), 일시적 기분, 변덕(= caprice, fantaisie).

vertu** [vɛʀty] *f.* ① 덕 ; 미덕(美德) ; 덕행 : le vice et la ~ 악덕과 미덕 / pratiquer la ~ 덕을 행하다. ② 부덕(婦德), 정조, 정절(= chasteté) ; 정숙한 여인 : femme de petite ~ 정조 관념이 희박한 여자 / être d'une ~ farouche 정조 관념이 강하다, 정결하다. ③ (약 따위의) 효력, 효능(効能) : ~ médicale 약효. ④ 《옛》 힘, 용기. ⑤ (*V~s*) 역품 천신(力品天神) (《천사의 다섯째 계급》). ***avoir de la ~ 덕이 있다, 훌륭하다 : Vous *avez* bien *de la* ~ à le supporter. 그것을 참고 견디다니 참 무던하군요. ***C'est un prix de ~.*** 나무랄 데 없는 여자다. ***en ~ de*** ⓐ …에 의하여, 근거해서 : *en* ~ *de* la loi 법에 의해. ⓑ …의 이름으로, …의 명목하에 : *en* ~ *de* la

V

morale 도덕의 이름으로. ***faire de nécessité*** **~** 해야 할 일을 기꺼이 하다. ***Il a de la ~.*** (그렇게 하다니) 그는 덕이 있는 사람이다.

vertueusement [vɛʀtɥøzmɑ̃] *adv.* 미덕을 지켜, 덕망 있게; 정숙하게.

vertueux, euse [vɛʀtɥø, -ø:z] *adj.* 덕이 높은, 고결한; 덕망 있는, 덕성스러운; 정숙한: cœur ~ 고결한 마음 / action [conduite] ~*euse* 덕행, 선행 / épouse ~*euse* 정숙한 아내.

verve [vɛʀv] *f.* ① (글이나 말에서) 풍부한 재치, 훌륭한 기지; 능변. ② 《옛》 (시인·변사(辯士)·배우 등의) 정열, 활기, 기백. ***avec ~*** 열정을 기울여, 열렬하게, 열렬한 어조로. ***être en ~*** 정열적이다, 기백이 있다. ***manquer de ~*** 재치가 없다.

verveine [vɛʀvɛn] *f.* 〖식물〗 마편초.

vésanie [vezani] *f.* 〖의학〗 정신 착란, 광기.

vésical, e, aux [vezikal, -o] *adj.* 〖생물〗 방광(膀胱)의.

vésicatoire [vezikatwa:ʀ] *adj.* 발포시키는. — *m.* 발포약.

vésicule [vezikyl] *f.* 〖해부〗 소포, 소낭(小囊); 〖식물〗 소공포(小空胞), 기포(氣胞); 〖의학〗 수포(水疱). **~ *aérienne*** (물고기의) 부레. **~ *biliaire*** 담낭(膽囊). ***~s séminales*** 정낭(精囊).

vespasienne [vɛspazjɛn] *f.* (거리의) 공중변소.

vespéral, e, aux [vɛspeʀal, -o] *adj.* 저녁의: clarté ~*e* 석양. — *m.* 〖교회〗 만과서(晩課書).

vessie [vesi] *f.* ① 〖해부〗 방광(膀胱). ② 〖의학〗 얼음주머니. ③ 《구어》 수종(水腫), 물집; 낭(囊), 포(胞). ***prendre des ~s pour des lanternes*** 《구어》 엉뚱한 착오를 하다; 어리석은 실수를 하다: faire *prendre des ~s pour des lanternes* 터무니없는 이야기를 하다, 궤변을 일삼다. **~ *natatoire*** 부레.

veste** [vɛst] *f.* ① 저고리, 웃옷: ~ droite [croisée] 싱글[더블] 저고리 / sortir en ~ (웃옷만으로) 외투를 걸치지 않고 외출하다. ② 실패; 패배(= échec) ***remporter [ramasser, prendre] une ~ 《구어》 (경쟁 시험 따위에서) 실패하다. ***retourner sa ~*** 《구어》 변절하다; 의견[주장]을 바꾸다. ***tomber la ~*** 《구어》 웃옷을 벗다.

vestiaire** [vɛstjɛ:ʀ] *m.* ① 모자·외투 따위를 벗어 두는 방, 휴대품 보관소; (보관소에 맡긴) 휴대품; 탈의실: ~ d'un musée 박물관의 휴대품 보관소 / déposer son manteau au ~ 휴대품 보관소에 외투를 맡기다 / prendre son ~ 맡겨 놓은 것을 되찾다. ② 《집합적》 (옷장 속의) 의류; (개인의) 의류 전체(= garde-robe) : son ~ d'hiver 그의 겨울옷 / mon ~ d'été 나의 여름옷 (전부). ***Au ~! 《구어》 꺼져라! 《극장에서 관객이 연기자들에게 지르는 고함》.

vestibule [vɛstibyl] *m.* 현관, 입구(= entrée).

vestige [vɛsti:ʒ] *m.* ① (사람·동물이) 발자국. ② 유적(遺跡); 유물; 잔해, 폐허(= débris, ruine) : ~*s* d'une civilisation disparue 사라진 문명의 유적 / ~*s* d'un château 성곽의 유적. ③ 자취, 흔적, 추억: ~*s* d'un grandeur 영광의 흔적 / ~*s* d'un amour éteint 식어 버린 사랑의 추억.

vestimentaire [vɛstimɑ̃tɛ:ʀ] *adj.* 의복의, 내의의: dépense ~ 피복비.

***veston** [vɛstɔ̃] *m.* (남자용의) 짧은 저고리, 웃옷, 윗도리: complet-~ (조끼가 포함된) 양복 한 벌 / ~ d'intérieur 스모킹 / être en ~ 양복을 입고 있다.

⁑**vêtement** [vɛtmɑ̃] *m.* (흔히 *pl.*) 옷, 의복, 의류; 웃옷(= veste); 외투(= manteau); 복식《모자·구두·장신구 따위도 포함》; 복식업: armoire à ~*s* 양복장 / ~*s* civils [militaires] 평복[군복] / ~ de tous les jours [de dimanche] 평상복[정장] / ~ légers [chauds] 가벼운[따뜻한] 옷 / mettre ses ~*s* 옷을 입다 / ~*s* sacerdotaux (사제의) 제의(祭衣) / industrie du ~ 의류 산업 / ~ de soirée 야회복 / ~*s* de dessous 속옷.

vétéran [veteʀɑ̃] *m.* ① 퇴역 노병(老兵); 〖군사〗 고참병(古參兵). ② 노련한 사람, 노장, 선배(= ancien) : ~*s* de la politique 정계의 원로들. ③ 〖학교〗 낙제생.

***vétérinaire** [veteʀinɛ:ʀ] *adj.* 수의의: art ~ 수의학. — *m.* 수의사(= médecin ~).

vétille [vetij] *f.* 사소한 일, 대수롭지 않은 일, 하찮은 일, 실없는 짓; 폭죽: s'attacher à des ~*s* 사소한 일에 집착하다.

vétiller [vetije] *v.i.* ① 하찮은 일을 재미있어 하다, 실없는 짓을 하다. ② 사소한 일에 구애하다, 좀스럽게 굴다.

vêtir [vɛ(e)ti:ʀ] 22 *v.t.* ① 《~ qn》 (어린이 등에게) 옷을 입히다; (거지 등에게) 옷을 주다(= habiller) : ~ un enfant 아이에게 옷을 입히다 / ~ des pauvres 가난한 사람에게 옷을 주다 / Elle *est vêtue* d'une robe bleue. 그녀는 푸른 드레스를 입고 있다. ② 《구어》 (옷을) 입다: ~ un manteau 외투를 걸치다. — **se ~** *v.pr.* 옷을 입다(= s'habiller) : *se* ~ chaudement 따뜻하게 옷을 입다 / 《se ~ de》 *se* ~ *de* linge blanc 흰 내의를 입다 / *se* ~ à la dernière mode 최신 유행에 따라 옷을 입다.

veto [veto] 〔라틴〕 *m.* 거부, 부인; 〖법률〗 거부권(= droit de ~). ***mettre son ~ à*** qc 무엇을 거부[부결]하다.

***vêtu, e** [vɛ(e)ty] *adj.* 《~ de》 …을 입은, 걸친(= habillé); 《문어》 …을 입힌, …으로 덮인(= couvert) : livres ~*s de* veau 양피(羊皮)로 장정한 책.

vétuste [vetyst] *adj.* 낡아빠진; 노후한(≠ neuf); (옷이) 낡은, 해진: bâtiment ~ 낡은 건물 / outillage ~ 노후한 설비.

vétusté [vetyste] *f.* 《문어》 낡음, 고색(古色), 노후(老朽), 오래 입어 해짐.

veuf, veuve** [vœf, -œ:v] *m.* 홀아비. — *f.* ① 과부: *veuve* de guerre 전쟁 미망인. ② 〖식물〗 체꽃의 일종(= fleur de ~). ③ 〖조류〗 선녀조. ④ 《구어》 단두대. ***épouser la veuve 단두대에서 목이 잘리다. ***pension de veuve*** 미망인 연금. — *adj.* ① 《~ de》 …을 잃은, …이 없는: nation *veuve de* son chef 지도자를 잃은 나라. ② 배우자를 잃은, 홀아비[과부]의: homme ~ 홀아비 / femme *veuve* 과부 / être ~ [*veuve*] de qn …와 사

별하다.
veuill-e(s), -ons, etc. ⇒ vouloir.
veule [vø:l] *adj.* 기운 없는, 무기력한(= faible, mou).
veulent [vœl] vouloir 의 직설 · 현재 · 3 · 복수.
veulerie [vœlʀi] *f.* 무기력, 나약함 ; 비열.
veut [vø] vouloir 의 직설 · 현재 · 3 · 단수.
veuvage [vœva:ʒ] *m.* 홀아비〔과부〕 생활 : se remarier après une année de ~, 1 년간의 홀아비〔과부〕 생활 후에 재혼하다.
veuve [vœ:v] *f.* et *adj. f.* veuf 의 여성형.
veux [vø] vouloir 의 직설 · 현재 · 1〔2〕 · 단수.
vexant, e [vɛksɑ̃, -ɑ̃:t] *adj.* ① 화가 나는, 분개시키는, 불쾌한, 기분 나쁜(= irritant, rageant) : Nous avons raté le train, c'est ~! 열차를 놓쳐 화나는데. ② 자존심 상하게 하는, 모욕적인(= humiliant, blessant) : attitude ~*e* pour qn …에 대한 모욕적인 태도.
vexation [vɛksɑsjɔ̃] *f.* 성가시게 굴기, 괴롭히기, 학대 ; 기분〔자존심〕을 상하게 하기, 모욕, 굴욕(= humiliation) : essuyer des ~*s* 굴욕을 당하다.
vexatoire [vɛksatwa:ʀ] *adj.* 남을 괴롭히는, 억압〔박해〕하는, 가혹한 : mesure ~ 억압적 조처 / impôt ~ 가혹한 과세.
*__vexer__ [vɛkse] *v.t.* ① 약올리다, 성가시게 굴다, 화나게 하다(= blesser ; ≠ flatter) ; …의 기분〔자존심〕을 상하게 하다(= froisser) : Son comportement m'*a vexé.* 그의 행동이 나를 화나게 했다 / 《être vexé de + *inf.* 〔que + *sub.*〕》 Il *est vexé d*'avoir raté son examen. 그는 시험에 낙방해서 자존심이 상했다. ② 《옛》 괴롭히다, 학대〔억압〕하다.
— **se** ~ *v.pr.* 약오르다, 성내다, 화내다 : Il *se vexe* d'un 〔pour un〕 rien. 그는 아무것도 아닌 것을 가지고 화를 낸다.
via [vja] 〔라틴〕 *prép.* …을 경유하여(= par), …을 거쳐 : aller à Paris ~ Rome 로마 경유 파리로 가다.
viabiliser [vjabilize] *v.t.* …에 택지 공사를 시공하다, 정지 작업을 하다, …을 택지로 조성하다 : lotissement *viabilisé* 택지로 조성된 분양지.
viabilité[1] [vjabilite] *f.* (태아 · 조생아의) 자랄 수 있는 힘 ; 생존 가능 ; 지속성 ; 발전성 : ~ d'une entreprise 한 기업의 존속 가능성 / ~ d'une affaire 사업의 발전성.
viabilité[2] *f.* (도로 · 하수도 · 상수도를 포함한) 정지 작업, 택지 조성 : mettre une route 〔un chemin〕 en état de ~ 도로를 정비하다.
viable [vjabl] *adj.* ① 생활력 있는. ② 오래갈〔성공할〕 가망이 있는 : entreprise ~ 생존 가능한 기업 / projet ~ 실현 가능한 계획.
viaduc [vjadyk] *m.* 육교, 고가교.
viager, ère [vjaʒe, -ɛ:ʀ] *adj.* ① 종신의, 생존하는 동안의 : rentier ~ 종신 연금 수령자. ② 《구어》 (영예 · 명성이) 한 대(代)뿐인, 일시적인, 덧없는. — *m.* 종신 연금(= rente ~*ère*). ***à titre*** ~ 종신으로. ***en*** ~ 종신 연금 수수권(收受權)과 교환으로 : placer son argent *en* ~ 종신 연금을 탈 수 있는 권리를 사다.
*__viande__ [vjɑ̃:d] *f.* ① (짐승 · 새 따위의 식용) 고기. ② 《구어》 인체, 육체. ***Amène ta ~ !*** 《구어 · 속어》 오너라! 덤벼라! ***grosse ~ ; ~ de boucherie*** 소 · 돼지 · 양의 고기. ***Il n'est ~ que d'appétit.*** 《격언》 시장이 반찬. ***marchand de ~*** 《속어》 매음업자. ***menue ~*** 새고기. ***montrer sa ~*** 《구어》 알몸을 드러내다. ***sac à ~*** 《구어》 침대, 시트. ***~ blanche*** 송아지 · 토끼 · 가금(家禽) 따위의 고기. ***~ creuse*** 터무니없는 공상. ***~ noire*** 산돼지 · 산토끼 · 도요새 따위의 고기. ***~ rouge*** 소〔염소 · 양〕고기.
viander [vjɑ̃de] *v.i.* (사슴 따위가) 풀을 뜯어 먹다.
viatique [vjatik] *m.* ① 노자, 여비. ② 〖종교〗 성량(聖糧) 《임종 때에 받는 성체(聖體)》. ③ 성공의 수단.
vibrant, e [vibʀɑ̃, -ɑ̃:t] *adj.* ① 떨리는, 진동하는 ; 울리는 : membrane ~*e* 진동막 / consonne ~*e* 〖언어〗 진동음. ② (연설 따위가) 깊은 감명을 주는, 감동적인(= touchant) : discours ~ 감동적인 연설. ③ 감수성이 예민한 : nature ~*e* 감수성이 강한 기질. ***voix ~e d'émotion*** 감동으로 떨리는 목소리.
— *f.* 〖언어〗 진동음《[ʀ, l]》.
vibraphone [vibʀafɔn] *m.* 〖음악〗 (재즈에 쓰이는) 비브라폰《금속관 타악기》.
vibrateur [vibʀatœ:ʀ] *m.* 〖전기〗 진동자(振動子).
vibratile [vibʀatil] *adj.* 〖생물〗 진동성의.
vibration [vibʀɑsjɔ̃] *f.* 떨림, 흔들림 ; 진동 : ~ d'une voix 목소리의 떨림 / ~*s* lumineuses 〔sonores〕 빛〔소리〕의 진동 / ~ de l'air 〔de la lumière〕 (더운 공기 때문에 느끼는) 아른거림, 아지랑이.
vibrato [vibʀato] 〔이탈리아〕 *m.* 〖음악〗 비브라토《재즈 · 성악 · 현악에서의 같은 음의 빠른 진동》.
vibratoire [vibʀatwa:ʀ] *adj.* 진동의 ; 진동을 일으키는 : circuit ~ 〖무전〗 진동 회로(回路) / massage ~ 〖의학〗 진동 마사지.
*__vibrer__ [vibʀe] *v.i.* ① 떨(리)다, 진동하다 : Sa voix *vibrait* de colère. 그의 목소리는 분노로 떨렸다. ② 감동하다 : faire ~ (les cordes sensibles de) l'âme 깊은 감명을 주다, 심금을 울리다.
vibreur [vibʀœ:ʀ] *m.* 진동 장치 ; 진동기.
vibrion [vibʀijɔ̃] *m.* ① 〖생물 · 의학〗 코머균(菌), 비브리오. ② 《구어》 흥분〔초조〕한 사람.
vibrionner [vibʀijɔne] *v.i.* ① 《구어》 (의견 따위가) 퍼지다. ② (폭풍이) 격화하다 ; 《구어》 흥분하다 ; 안절부절못하다 : Qu'a-t-il à ~ autour de nous ? 그는 무엇 때문에 안절부절못하고 있는 건가 ?
vibrisse [vibʀis] *f.* 코털 ; 〖동물〗 감각모(感覺毛) ; 실 모양의 날개털.
vibromasseur [vibʀɔmasœ:ʀ] *m.* 전기 마사지기(器).
vicaire [vikɛ:ʀ] *m.* 《옛》 대리인 ; 옛 로마제국 행정구의 대관(代官) ; 〖가톨릭〗 보좌 신부. ***grand ~ ; ~ général*** 부주교(副主敎). ***~ apostolique*** (포교지에서의) 교황 대리 (대)주교 ; 대목(代牧). ***~ de Jésus-Christ*** 교황.
vicariat [vikaʀja] *m.* ① 〖가톨릭〗 보좌 신부의 직〔재직 기간 · 저택〕. ② 분교회(分敎會) : ~ apostolique 교구, 포교구.
vicarier [vikaʀje] *v.i.* 보좌 신부로 일하다.
*__vice__ [vis] *m.* ① 결점, 결함(= travers) : ~ de

forme 〚법률〛 서식상의 불비 / ~ de prononciation 발음상의 결점 / ~ propre (물품의) 고유한 결함. ② 악덕(惡德), 악, 악폐(惡弊), 악습(≠ vertu) : bourbier du ~ 악의 소굴 / ~*s* qui infestent la société 사회에 만연된 악습 / combattre le ~ 악과 싸우다. ③ 타락, 방탕(= débauche) : vivre 〔croupir〕 dans le ~ 방종〔방탕〕한 생활을 하다. ④ (상식에 어긋나는) 도착적(倒錯的) 취미, 악취미 ; (병적인) 악습 ; 《구어》 교활(= ruse) : ~ contre nature 변태 성욕 / ~ du toxicomane 마약 상습 / ~ de boire 음주벽. ⑤ 악인(惡人) : punir le ~ 악인을 징벌하다. ***avoir du ~ ; ne pas manquer de ~*** 《속어》 빈틈이 없다. ***bourbier du ~*** 악의 소굴. ***déraciner des ~s*** 악습을 근절하다. ***La paresse* 〔*L'oisiveté*〕 *est mère de tous les ~s.*** 《격언》 게으름〔무위도식〕은 모든 악의 근원이다. ***Pauvreté n'est pas ~.*** 《속담》 가난은 죄악이 아니다. ***~ de conformation*** 기형(畸形).

__vice-__ *préf.* 「부(副)·대리·차(次)」의 뜻.

__vice-amiral__ [visamiʀal] *m.* (*pl.* ***~-~aux*** [-o]) 해군 중장 ; 해군 중장의 기함(旗艦).

__vice-présidence__ [vispʀezidɑ̃:s] *f.* (*pl.* ***~-~s***) 부통령〔부의장·부회장·부사장〕의 직.

__vice-président, e__ [vispʀezidɑ̃, -ɑ̃:t] *n.* (*pl.* ***~-~s***) 부통령 ; 부총재 ; 부의장 ; 부사장 ; 부회장.

__vice-recteur__ [visʀɛktœ:ʀ] *m.* (*pl.* ***~-~s***) 부총장 ; 파리 대학 총장《1920 년까지 파리 대학의 recteur 는 문교부 장관이었음》.

__vice-roi__ [visʀwa] *m.* (*pl.* ***~-~s***) 부왕 ; 총독, 태수.

__vice versa, vice-versa__ [vis(e)vɛʀsa] 〔라틴〕 *loc. adv.* 거꾸로, 반대로(= réciproquement, inversement) : Il aime les enfants et ~. 그는 아이들을 사랑하고 또 아이들도 그를 사랑한다.

__Vichy__ [viʃi] *n.pr.* 비시《프랑스 중부의 온천지》. ***gouvernement de ~*** 비시 정부《제 2 차 대전 때 *Pétain* 원수를 수반으로 한 친독 정부. 국가명 État français》. ── **v~** *m.* ① 〚직물〛 비시 면포(= toile de *V~*). ② 비시 광천수(= eau de *V~*) : commander un ~ 〔un verre de ~〕 비시 광천수를 한 잔 주문하다 / boire un (verre de) ~ 비시 광천수를 한 잔 마시다. ***pastille de ~*** 비시정(錠)《소화약의 일종》.

__vicié, e__ [visje] *adj.* (공기가) 탁한, 더러운 ; 오염된 ; (음식·정부가) 부패한 : air ~ (가스에) 오염된 공기.

__vicier__ [visje] *v.t.* ① 나쁘게 만들다 ; 부패〔타락〕시키다 ; 더럽히다 ; 오염시키다(= corrompre ; ≠ purifier) : L'argent *a* tout *vicié*. 돈이 모든 것을 타락하게 했다 / fumées d'usine qui *vicient* l'air 공기를 오염시키는 공장의 연기. ② 〚법률〛 무효로 만들다.

*__vicieux, euse__ [visjø, -ø:z] *adj.* ① 결점 있는, 그릇된, 불완전한(= défectueux, fautif) : contrat ~ 미비점이 있는 계약 / expression ~*euse* 잘못된 표현. ② (행동이) 사악한, 못된 ; 타락한 ; 음탕한, 방탕한 ; 악습에 젖어 있는(= corrompu) : enfants ~ 비행〔불량〕 소년 / regard 〔geste〕 ~ 음탕한 눈짓〔몸짓〕 / penchant ~ pour l'alcool 나쁜 음주벽. ③ 《구어》 (취미가) 별난, 이상한(= bizarre) : Il faut être ~ pour aimer ça. 그런 것을 좋아하다니 별난 취미군. ***cercle ~*** 〚논리〛 순환논법(循環論法). ***locution ~euse*** 틀린 어법. ── *m.* 품행이 나쁜 사람 ; 개구쟁이.

__vicinal, e, aux__ [visinal, -o] *adj.* (길·철도가) 한 지방만의 ; 마을 사이의. ***chemin ~*** (마을과 마을을 잇는) 시골길.

__vicissitude__ [visisityd] *f.* 순환 ; 변천 ; 유위변전(有爲變轉), 성쇠, (인생의) 부침 : ~*s* des mœurs 풍속의 변천 / subir les ~*s* de la vie 〔du destin〕 인생〔운명〕의 부침을 겪다.

__vicomte__ [vikɔ̃:t] *m.* 자작(子爵).

__vicomtesse__ [vikɔ̃tɛs] *f.* 자작 부인.

*__victime__ [viktim] *f.* ① 제물 ; 희생. ② 희생자 ; 피해자 ; 조난자 : faire de nombreuses ~*s* 많은 희생자를 내다. ***être* (*la*) *~ de*** … 의 희생이 되다. ***~ du devoir*** 의무를 다하고 쓰러진 사람.

__victimer__ [viktime] *v.t.* 제물로 바치다 ; 《구어》 농락하다.

*__victoire__ [viktwa:ʀ] *f.* 승전 ; 승리 : crier 〔chanter〕 ~ 개가를 올리다, 만세를 외치다 / courir de ~ en ~ 연전연승하다 / remporter (la) ~ sur qn …을 누르고 승리하다, …에게 이기다. ***~ à la Pyrrhus*** 막대한 희생의 대가로 얻은 승리. ***~ aux points* 〔*par K.-O.*〕** 〚권투〛 판정〔케이오〕승. ***~ sur soi-même*** 극기(克己).

__victorieusement__ [viktɔʀjøzmɑ̃] *adv.* 승리하여, 성공리에(= avec succès) : lutter ~ contre qn …와 싸워 승리를 거두다.

__victorieux, euse__ [viktɔʀjø, -ø:z] *adj.* ① 승리한(= vainqueur ; ≠ vaincu) ; 의기양양한 : général ~ 개선장군 / sortir ~ d'un combat 싸움을 승리로 끝내다 / avoir un air ~ 의기양양한 태도를 보이다. ② (증거가) 결정적인 ; (대답이) 반박을 불허하는. ***être ~ de*** qn …에게 이기다.

__victuaille__ [viktɥa:(a)j] *f.* (흔히 *pl.*) 식료, 식량.

__vidage__ [vida:ʒ] *m.* 비우기 ; (생선·새 따위의) 내장을 뽑기.

__vidange__ [vidɑ̃:ʒ] *f.* ① 비우기 ; 퍼내기 ; (변소의) 거름 푸기 : ~ d'un tonneau 〔réservoir〕 통을〔탱크를〕 비우기. ② (자동차의) 오일 교환 ; (석유 정제 후의) 침전물 제거 : la ~ et le graissage 오일 교환과 기름칠. ③ 배수구 ; 배수 장치 : ~ d'un lavabo 세면대의 배수관. ④ (*pl.*) 오물, 똥거름, 분뇨 : traitement chimique des ~*s* 분뇨의 화학적 처리. ***être en ~*** 《구어》 얼근히 취해 있다. ***matières de ~*** 똥거름. ***tonneau en ~*** 가득 차지 않은 통.

__vidanger__ [vidɑ̃ʒe] [3] *vt.* (청소하기 위해 용기 따위를) 비우다 ; (오수·분뇨 따위를) 퍼내다, 수거하다 : ~ l'huile d'un moteur 엔진 오일을 교환하다 / ~ les eaux residuelles 폐수 처리하다.

**__vide__ [vid] *adj.* ① 빈, 비어 있는 : porte-monnaie ~ 텅 빈 지갑 / arriver chez un ami les mains ~ 친구 집에 빈손으로(선물 없이) 오다 / maison ~ 버려진 집(= abandonné) / Il y avait de nombreux fauteuils ~*s* au théâtre. 극장에는 빈자리가 얼마든

V

지 있었다. ② 한가한, 일이 없는 : passer une journée ~ 무료한 하루를 보내다 / moments ~s 일 없는〔한가한〕 때. ③ 가치 없는 ; 무의미한 ; 무능한 ; 무정한 ; 공허한 : discussion 〔propos〕 ~ 무의미한 토론〔말〕 / existence ~ 공허한 삶. ④《~ de》…이 없는 : mots ~*s de* sens 의미 없는 말 / rues ~*s de* voitures 차가 다니지 않는 길. ***avoir des cases ~s dans la tête*** 약간 정신이 이상하다, 좀 미쳤다. ***avoir la tête ~*** (피로·충격 따위로) 머리가 멍하다. ***avoir le cerveau ~*** 머리가 비어 있다 ; 시장해서 어찔하다. ***chambre ~*** 사람이 살지 않는 방 ; 《구어》 가구 없는 셋방.

— *m.* ① 빈틈, 공간 ; 공백 ; 빈자리 ; 허공 : combler un ~ 빈큼〔간격〕을 메우다 / ~ entre deux objets 두 물체 사이의 공간 / ~s d'un tableau 그림의 여백 / regarder dans le ~ 허공을 바라보다. ② (흔히 *pl.*) 짬이 난 시간, 한가 : avoir un ~ dans un emploi du temps 시간표〔일과표〕에 빈 데가 있다〔한가한 시간이 있다〕. ③ (사상·감정의) 결여 ; (마음의) 공허함, 쓸쓸함 : ~ d'une existence 삶의 허무함 / avoir un sentiment de ~ 공허감을 느끼다 / Sa mort a fait en elle un grand ~. 그가 죽으면서 그녀의 마음속에 커다란 공허감이 자리잡았다. ④ (머리가) 텅 빔 ; 무능 ; 무정. ⑤〖물리〗 진공 : nettoyage par le ~ 진공 소제법 / tube 〔lampe〕 à ~ 진공관. ***à ~*** 빈 채로 ; 헛되이 : partir *à* ~ (차가) 빈 차로 떠나다 / frapper *à* ~ (주먹·망치가) 허공을 치다 ; (목표물을) 맞히지 못하다 / tourner *à* ~ 공(회)전하다. ***dans le ~*** 공허하게, 헛되이 : promettre *dans le* ~ 가망없는〔헛된〕 약속을 하다. ***faire le ~*** (***dans son esprit***) 아무 생각도 하지 않다. ***faire le ~ autour de*** qn …을 고립시키다, 외톨이로 만들다. ***parler dans le ~*** 상대 없이 혼잣말하다. ***pompe à ~*** 진공 펌프. ***promettre dans le ~*** 가망 없는 약속을 하다. ***sous ~*** 진공 상태의 : distillation *sous* ~ 진공 증류.

vidé, e [vide] *adj.* ① 빈, 다 써 버린. ②《구어》 정력을 탕진한, 녹초가 된.

vidéaste [videast] *n.* 비디오 영상 예술가.

vidéo [video] *m.* 텔레비전. — *adj.* 《불변》 텔레비전의 ; 비디오〔영상〕의《audio 에 대하여》: bande ~ 비디오 테이프.

vidéo- *pref.* 「텔레비전의·텔레비전에 의한」의 뜻.

vidéo-cassette [videɔkasɛt] *f.* (*pl.* ~-~) 비디오카세트.

vidéoclub [videɔklœb] *m.* 비디오 테이프 판매〔대여〕점.

vidéocommunication [videɔkɔmynikɑsjɔ̃] *f.* 비디오 통신.

vidéoconférence [videɔkɔ̃ferɑ̃s] *f.* 비디오〔텔레비전·화상〕 회의.

vidéo(-)disque [videɔdisk] *m.* 비디오디스크《영상이 녹화된 디스크》.

vidéofréquence [videɔfʀekɑ̃s] *f.* 영상〔텔레비전〕 주파수.

vidéogramme [videɔgʀam] *m.* 비디오그램《비디오 테이프나 디스크에 녹화되어 있는 영상 내용 또는 영상 제품》.

vidéographie [videɔgʀafi] *f.* 화상(畫像) 정보를 이용자의 단말기로 전송하는 것.

vidéophone [videɔfɔn], **vidéotéléphone** [videɔtelefɔn] *m.* 텔레비전 전화, 영상 전화《상대방의 얼굴을 볼 수 있는 장치가 붙은 전화》.

vidéophonie [videɔfɔni] *f.* 비디오〔텔레비전〕 기술.

vide-ordures [vidɔʀdyːʀ] *m.* 《복수불변》 (건물의) 쓰레기를 밑으로 떨어지게 하는 통로 ; 쓰레기 투입구(= vidoir).

vidéosurveillance [videɔsyʀvɛjɑ̃ːs] *f.* 비디오 카메라에 의한 감시.

vidéotex [videɔtɛks] *m.* 비디오텍스《전화·유선 텔레비전 회선으로 컴퓨터 데이터베이스에 접속, 정보를 단말기의 화면에 비추는 시스템》. — *adj.* 비디오텍스의 : terminaux ~ 비디오텍스 단말기.

vidéothèque [videɔtɛk] *f.* ① 수집된 영상 자료. ② 영상 도서관, 영상 자료 수집실.

vidéotransmission [videɔtʀɑ̃smisjɔ̃] *f.* 영상 자료의 전송〔중계〕; 전송된 프로그램을 대형 화면에 영사하기.

vide-poche(s) [vidpɔʃ] *m.* 《복수불변》 주머니 휴대품을 잠시 보관하는 그릇.

vider** [vide] *v.t.* ① (용기·상자 따위를) 비우다 ; (그릇·속 따위를) 비우다, 치우다 : ~ une maison de ses meubles 집의 가구를 치우다 / ~ une boîte 〔ses poches〕 상자〔주머니〕에 든 것을 비우다 / ~ une bouteille 한 병을 다 마시다 / ~ les ordures 쓰레기를 치우다. ② (문제·분쟁을) 해결하다, 종결짓다(= terminer) : ~ une querelle 〔un procès〕 분쟁〔소송〕을 해결〔종결〕짓다 / ~ ses comptes 셈을 청산하다. ③ (장소에서) 나가다, 퇴거하다 ; 내쫓다, 퇴거시키다 : ~ une maison 집을 비우다〔떠나다〕 / ~ un appartement de ses occupants 아파트의 거주자를 나가게 하다 / ~ qn d'une réunion 《구어》 …을 회합에서 내쫓다. ④ (금고의) 돈을 다 써 버리다 : ~ sa bourse 지갑의 돈을 다 써 버리다. ⑤ (물 따위를) 퍼내다 ; (흙을) 파 올리다 : ~ l'eau de la baignoire 욕조의 물을 비우다. ⑥ (새·물고기의) 창자를 뽑다 ; (과일의) 속을 빼다 : ~ un poulet 닭의 내장을 제거하다. ⑦《~ qn》《시어》 …을 파산시키다 ; …의 정력을 탕진시키다 ; 기진맥진하게 하다(= épuiser) ; 쫓아 버리다 : Cet examen l'*a vidé.* 이 시험은 그를 녹초로 만들었다. ***~ les ventes 벌채한 나무를 반출하다. — ***se ~*** *v.pr.* ① 비게 되다, 비다 ; 《~ de》 …이 없어지다, 빠져나가다 : Paris *se vide de* touristes. 관광객들이 파리에서 빠져나간다. ② (물 따위가) 빠지다, 배수되다 : Les eaux sales *se vident* dans l'égout. 오수가 하수도로 배수된다. ③ (사건 따위가) 해결〔종결〕되다.

videur, euse [vidœːʀ, -øːz] *n.* 비우는 사람 ; (생선·새의) 내장 뽑는 사람 ; (카바레의) 주정꾼을 내쫓는 사람.

vidimer [vidime] *v.t.* (등본을) 원본과 대조하다.

***vie** [vi] *f.* ① 생명, 목숨 : ~ humaine 인명 / assurance sur la ~ ; assurance-~ 생명보험 / être en ~ 살아 있다 / risquer sa ~

V

pour son idéal 이상을 위해 목숨을 내걸다 / lutte pour la ~ 생존을 위한 투쟁 / C'est une question de ~ ou de mort. 죽느냐 사느냐의 문제다. ② 《비유》 (연설 · 음악 따위의) 활기, 생기 ; 생명력(= vitalité) : fille pleine de ~ 생기 넘치는 소녀 / taleau où il y a de la 〔manque de〕 ~ 생동감이 있는 〔결여된〕 그림 / Ce quartier est plein de ~. 이 거리는 활기에 넘쳐 있다. ③ 생활 ; 생활 방식 : ~ quotidienne 일상 생활 / train 〔style〕 de ~ 생활 상태〔방식〕 / double ~ 이중 생활 / ~ privée 〔publique〕 사〔공적〕 생활 / ~ conjugale 부부 생활 / ~ sociale 〔en société〕 사회 생활 / mener une ~ de débauche 방탕한 생활을 하다. ④ 생애, 일생 ; 생, 인생, 세상살이 : la ~ terrestre 〔présente〕 〖종교〗 이승의 삶, 현세(≠ l'autre ~) / élixir de longue ~ 불로 장수약 / amis pour la ~ 생애의 반려자 / la ~ de Beethoven 베토벤의 생애 / expérience de la ~ 인생의 경험 / achever sa ~ 생애를 마치다 / C'est la ~ ! 인생이란 그런 거다 ! ⑤ 살림 ; 생계(生計) ; 생활비 : ~ large 넉넉한 생활비 / niveau de ~ 생활수준 / la ~ est chère 물가가 비싸다. ⑥ 《비유》 (사물 · 제도 따위의) 존속 기간, 일생, 수명 : ~ d'un pays 나라의 운명 / ~ d'une automobile 자동차의 수명 / ~ d'une idée 어떤 사상의 생명력. ***à la ~ (et) à la mort ; pour la ~*** 일생 동안, 영원히 : Ils sont amis *à la ~ à la mort ;* entre eux c'est *à la ~ à la mort.* 그들은 평생의 벗이다. ***à ~*** 종신(의) : pension *à ~* 종신 연금. ***Ce n'est pas une ~.*** 이건 도무지 견디어 낼 재주가 있어야지, 못해 먹겠군. (Que voulez-vous) ***c'est la ~.*** (별 수 없지) 인생이란 이런 거니까. ***chercher sa ~*** 생활 방도를 찾다 ; 직업을 구하다. ***couler 〔rouler〕 doucement sa ~*** 조용하게 지내다. ***coûter la ~ à*** qn 자기 대신에 …을 죽게 하다. ***de la 〔ma, sa〕 ~*** ⓐ 《부정문에서》 결코 (…않다) : *De ma ~* je n'ai vu chose pareille. 내 생전 이런 일은 보지 못했다. ⓑ 일생일대의 : chance 〔rencontre〕 *de ma ~* 일생일대의 행운〔만남〕. ***devoir la ~. à*** qn …의 자식이다 ; …에게 목숨을 구조받다. ***donner la ~ à*** qn …을 낳다 ; …의 목숨을 살려 주다 ; …에 활기를 주다. ***être entre la ~ et la mort*** 생사 관두에 있다. ***faire la bonne ~ ; mener joyeuse ~*** 즐겁게 세상을 보내다, 즐겁게 생활하다. ***faire la (grande) ~*** 쾌락에 빠지다 ; 난잡〔방탕 · 방종〕한 생활을 하다 ; (어린이가) 형편없이 굴다(= être insupportable). ***faire la ~ à*** qn 《구어》 항상 …에게 싸움을 걸다 ; …을 못살게 굴다 : Il nous *fait la ~.* 그는 우리를 못살게 군다. ***faire ~ qui dure*** 알뜰히 살아가다. ***gagner sa ~*** 밥벌이하다. ***laisser la ~ sauver à*** qn …의 목숨을 살려 주다, 용서해 주다. ***mauvaise ~*** 방종한 생활 : femme de *mauvaise ~* 행실이 나쁜 여자 ; 창녀. ***mendier sa ~*** 구걸해서 살아가다. ***rappeler à la ~*** 소생시키다. ***refaire sa ~*** 재혼하다. ***sans ~*** 의식을 잃고. ***sur ma ~*** 목숨을 걸고. ***~ moyenne*** 〖보험〗 평균 여명(餘命). ***vivre sa ~*** 생활을 즐기다.

***vieil** [vjɛj] *adj. m.* ⇒ vieux.

vieillard** [vjɛjaːʀ] *m.* (*f.* 는 ***vieille [viɛj], 때로 《구어》 ***vieillarde*** [vjɛjaʀd]) 노인, 늙은이 : asile 〔hospice〕 de *~s* 양로원.

***vieille** [viɛj] *adj. f.* ⇒ vieux.

vieillerie [vjɛjʀi] *f.* (흔히 *pl.*) 헌옷, 고물 ; 낡아빠진 생각 ; 진부한 설(說)〔이야기, 작품〕 : théâtre qui ne joue que des *~s* 진부한 작품만 공연하는 극장 / Cette théorie est une ~. 이 학설은 낡아빠졌다.

vieillesse** [vjɛjɛs] *f.* ① 노년(老年)(≠ jeunesse) ; 노폐, 노후(老朽) : allocations de ~ 양로〔노년〕 수당 / mourir de ~ 늙어서 죽다. ② 《집합적》 노인, 노년층(層) : politique de la ~ 노인 대책. ***pension de ~ 양로 연금. ***Si jeunesse savait, si ~ pouvait.*** 《격언》 젊은이는 늙은이의 경험이 없고 늙은이는 젊은이의 힘이 없다.

vieilli, e [vjɛ(e)ji] *adj.* 낡은 ; 늙은 : mots 〔termes〕 *~s* 폐어 / préjugé ~ 낡은 편견.

***vieillir** [vjɛ(e)jiːʀ] *v.i.* ① 늙다, 나이 먹다, 노쇠하다 : ~ dans sa famille 〔dans son pays〕 제 집〔고향〕에서 만년을 보내다 / Elle *a* beaucoup *vieilli* depuis sa maladie. 그녀는 앓고 나더니 부쩍 노쇠했다. ② 낡다, 노후〔쇠퇴〕하다 ; (말 · 사상 · 유행 따위가) 시대에 뒤지다, 진부해지다 : immeuble qui *a* bien *vieilli* 매우 낡은 건물 / locution qui *a vieilli* 이제 쓰이지 않게 된 관용구 / Cette mode *a* vite *vieilli.* 이 유행은 금방 낡아 버렸다. ③ (직장에서) 다년간 종사〔근무〕하다 : ~ dans un métier 어떤 직업으로 인생의 태반을 보내다. ④ (술 따위가) 익다 : faire ~ un fromage 〔du vin〕 치즈〔포도주〕를 익도로 오래 두다. ── *v.t.* (…의) 나이를 실제보다 늘이다. ── **se ~** *v.pr.* 자기의 나이를 늘려서 말하다 ; 노티 내다 : Il *se vieillit* de deux ans. 그는 나이를 두 살 더 늘려 말한다.

vieillissant, e [vjɛ(e)jisɑ̃, -ɑ̃ːt] *adj.* 늙어 가는, 쇠퇴하는, 나이를 먹는 ; 스러져 가는 : art ~ 쇠퇴해 가는 예술 / acteur ~ 늙어 가는 배우.

vieillissement [vjɛ(e)jismɑ̃] *m.* ① 늙음, 노쇠 ; 노화 ; 낡음, 노후 ; 쇠퇴 : ~ d'une population 〖사회〗 인구의 노화 / ~ de l'esprit 정신의 노쇠화 / ~ de l'outillage 설비의 노후화 / ~ d'une mode 유행의 쇠퇴. ② (술 따위의) 숙성 : ~ forcé (포도주의) 인공숙성.

vieillot, otte [vjɛjo, -ɔt] *adj.* 늙수그레한 ; 노티 나는 ; 낡은, 진부한 : préjugés *~s* 구시대적인 편견 / visage ~ 늙수그레한 얼굴 / idée *~otte* 진부한 아이디어.

vieller [vjɛ(e)le] *v.i.* 교현금을 타다.

vien ⇒ venir.

Vienne [vjɛn] *n.pr.f.* 〖지리〗 ① 빈《오스트리아의 수도》. ② 비엔《프랑스의 도시 · 강의 이름》.

vierge** [vjɛʀʒ] *f.* ① (숫)처녀 ; 〖종교〗 동정녀. ② (*V~*) 〖천문〗 처녀 자리. ***être amoureux des onze mille ~s 미녀라면 누구나 다 좋아하다. ***fêtes de la V~*** 성모의 축일. ***fil de la ~*** (공중 · 풀 따위에 걸려 있는) 작은 거미줄. (***Sainte***) ***V~*** 성모마리아, 성모

V

상(聖母像)(= la Mère *V*~ ; la *V*~ Marie). ── *adj.* ① 처녀의, 순결한 : garçon ~ 총각 / fille ~ 처녀 / ovule ~ 수태하지 않은 난자(卵子). ② 순수한 ; 손대지 않은 : sol [terre] ~ 처녀지. ③ 더럽혀지지 않은, 흠(티) 없는, (페이지가) 아무것도 씌어지지 않은 ; 가공되지 않은 : cahier ~ 하나도 쓰지 않은 공책 / pellicule [film] ~ 쓰지 않은 필름. ***forêt ~*** 처녀림. ***huile ~*** (압축하지 않고 얻은) 순수한 올리브 기름. ***~ de*** …에 더럽혀지지 않은.

Vie[ê]t(-)nam [vjɛtnam] *n.pr.m.* 〖지리〗 베트남.

vietnamien, enne [vjɛtnamjɛ̃, -ɛn] *adj.* 베트남의. ── **V~** *n.* 베트남 사람.

⁑**vieux [vieil], vieille** [vjø, vjɛ:j] 《모음 또는 무성 h 로 시작하는 남성 단수 앞에 서는 vieil 를 사용하지만, 때로는 vieux 도 쓰임》 *adj.* ① 늙은, 나이가 많은(≠ jeune) : *vieil* homme 노인 / *vieille* femme 노파, 안노인 / ma *vieille* mère 나의 노모(老母) / *vieille* fille 노처녀 / devenir ~ 늙다 / vivre ~ 오래 살다. ② 연상의, 연장의 : ~ mari (아내보다 나이가 훨씬 위인) 연상의 남편 / Il est plus ~ d'un an que moi. 그는 나보다 한 살 위다. ③ 늙어 보이는, 나이 들어 보이는 : être ~ de caractère 성격이 늙은이 같다 / s'habiller ~ 늙은이 같은 옷차림을 하다 / Il fait plus ~ que son âge. 그는 나이보다 늙어 보인다. ④ 오래된, 묵은 ; 고참의 ; 노련한 : *vieil* ami 옛 친구 / ~ document 고문서 / vin ~ 오래된 포도주 / *vieille* ville 오래된 도시 / Il est ~ dans le métier. 그는 그 작업에 노련하다. ⑤ 낡은, 구식의 : ~ vêtements 낡은 옷 / *vieille* bagnole 고물 자동차. ⑥ 옛날의, 지난날의 ; 이전의 : *vieille* histoire 옛날 이야기 / ~ continent [monde] 구대륙, 유럽. ***faire ~ [vieille]*** 늙어 보이다. ***Il n'est chasse que de ~ chiens.*** 《격언》 일을 원만히 처리하는 데는 노인의 경험보다 더 좋은 건 없다. ***la vieille question ; le ~ problème*** 항상 다시 제기되는 문제. ***vivre ~ [vieille]*** (남자[여자]가) 천수(天壽)를 다하다.

── *n.* ① 노인, 늙은이 ; 연장자 ; 고참 : un ~ 할아버지 / une *vieille* 할머니 / C'est un ~ pour un nageur de compétition. 그는 수영 선수로는 고참이다. ② 《흔히 형용사와 함께》 《구어》 (친한 사람에 대한 호칭으로) 여보게, 자네 : Comment ça va, mon ~? 자네, 어떻게 지내나? ***mon ~ ; ma vieille*** 《구어》 여보게 《친구끼리 쓰는 말 ; 여성형은 남자에 대해서도 쓰임》. ***un ~ de la vieille*** 《옛》 나폴레옹 근위대의 노병(老兵) ; 노련한 군인 ; 노련한 직원. ── *m.* ① 낡은 것, 고물. ② 《구어》 아버지 ; (*pl.*) 양친. ***coup de ~*** 갑작스런 노쇠. ── *f.* 〖어류〗 놀래기.

⁑**vif, vive** [vif, -i:v] *adj.* ① 살아 있는, 산 : chair *vive* 생살 / haie *vive* 생울타리 / lêtre brûlé [en terré] ~ 산 채로 태워지다[생매장되다]. ② 활발한, 힘찬, 발랄한 : pas ~ 경쾌한 걸음/ écrire dans un style ~ 힘찬 문체로 쓰다. ③ 성 잘내는, 흥분하기 쉬운 : tempérament un peu ~ 성마른 기질. ④ (머리 · 감각 따위가) 날카로운, 예민한 : odorat très ~ 몹시 예민한 후각 / esprit ~ 발랄한 재기 ; 재기 발랄한 사람 / intelligence [imagination] *vive* 예민한 머리[상상력]. ⑤ (추위 · 공기가) 쌀쌀한, 살을 에는 듯한 ; 강렬한, 맹렬한 : L'air est ~. 공기가 맑고 쌀쌀하다 / couleur *vive* 강한 빛깔 / froid ~ 살을 에는 듯한 추위 / échanger des propos ~*s* 격한 말을 주고받다 / allègre et ~ 〖음악〗 알레그로 비바체. ***arrête vive*** 예각(銳角). ***chaux vive*** 생석회. ***de vive force*** 힘으로, 완력으로. ***de vive voix*** 구두로. ***eau vive*** (샘에서 솟아나와) 흐르는 생생한 맑은 물, 샘물. ***être enterré ~*** 생매장되다. ***foi vive*** 독실한 신앙. ***~ à*** + *inf.* 기민하게[날쌔게] …하다.

── *m.* ① 〖법률〗 생존자 : acte entre ~*s* 생전(生前) 행위. ② 요점 ; 급소(急所) ; 폐부(肺腑). ③ 활육(活肉), 살아 있는 육체. ***atteindre*** qn ***au ~*** …의 급소를 찌르다. ***à ~*** 생살의 : plaie *à* ~ 생살이 드러난 상처/ avoir les nerfs [la sensibilité] *à* ~ 신경이 날카롭다. ***blessé [piqué] au ~*** 폐부(肺腑)[아픈 데]를 찔린. ***entrer dans le ~ du sujet [de la question]*** 문제의 핵심에 들어가다. ***prendre [surprendre] sur le ~*** 현장을 포착하다, 현행범으로 잡다 ; 〖사진〗 포즈 없이 자연스럽게 찍다. ***pris sur le ~*** 박진한 ; 현행범으로 잡힌. ***trancher [tailler, couper] dans le ~*** 단호한 수단을 취하다.

── *adj.* Il gèle ~. 꽁꽁 얼다.

vif-argent [vifaʀʒɑ̃] *m.* 수은(水銀). ***avoir du ~ dans les veines*** 《구어》 잠시도 가만히 있지 못하다. ***C'est du ~.*** 몹시 활발한 사람이다.

vigie [viʒi] *f.* 〖해양〗 ① 망보기 ; (배 · 해안의) 망보는 사람 ; 망루(望樓), 경계[감시]소 ; 경계[감시]실 : être en [de] ~ 망을 보다. ② 경계 부표(浮漂).

vigilance [viʒilɑ̃:s] *f.* 주의, 경계. ***avec ~*** 주의해서, 경계해서. ***endormir [tromper] la ~ de*** qn …의 경계심을 풀게 하다[완화시키다]. ***surprendre la ~ de*** qn …의 방심을 틈타다.

***vigilant, e** [viʒilɑ̃, -ɑ̃:t] *adj.* 조심하고 있는, 주의를 게을리 하지 않는(= attentif), 경계하고 있는 : sentinelle ~*e* 경계를 게을리 하지 않는 보초 / surveillant ~ 주의 깊은 감시인 / soins ~*s* 세심한 보살핌[간호].

vigile[1] [viʒil] *f.* 〖가톨릭〗 축제일 전날 ; 전야제, 철야과(徹夜課) : la ~ de Pâques 부활절 전날.

vigile[2] *f.* ① (관청 · 은행 따위의) 야간 당직자[경비원]. ② 〖고대로마〗 야경꾼.

vigne** [viɲ] *f.* 〖식물〗 포도나무 ; 포도밭[원] (= vignoble) : cep de ~ 포도나무 그루. ***être dans les ~s (du Seigneur) 《구어》 술이 취해 있다. ***raisins de ~*** 포도주용의 포도. ***traviller à la ~ du Seigneur*** 영혼의 구원을 위해 일하다.

vigneron, onne [viɲʀɔ̃, -ɔn] *n.* 포도 경작자, 포도원 농부. ── *adj.* 포도를 재배하는.

vignette [viɲɛt] *f.* ① (책의 표지 또는 각 장(章) 머리 따위의) 장식 커트 ; 당초무늬 장식. ② 그림 장식, 삽화. ③ 장식 문자. ④ 소용돌이 장식을 두른 판화. ⑤ 납세필증 : ~

automobile 자동차 납세필증. ⑥〖약학〗(사회보장과에 제출하는) 보험 의료비 청구용 증지 : ~ portant le prix d'un médicament 약값이 적힌 쪽지.

vignettiste [viɲɛ(e)tist] *m.* vignette 화가.

vignoble [viɲɔbl] *m.* ① 포도 재배지, 포도밭. ②《집합적》(한 지방의) 포도. — *adj.*《드물게》포도를 재배하는.

vigogne [vigɔɲ] *f.* 〖동물〗라마의 일종《페루산(産)》; 〖직물〗라마 직물 ; 그 털로 만든 펠트 모자.

vigoureusement [viguʀøzmɑ̃] *adv.* 기운〔힘〕차게, 강건하게 : protester ~ 강경하게 항의하다.

***vigoureux, euse** [viguʀø, -øːz] *adj.* ① 억센, 기운찬. ② (공격이) 맹렬한, (저항이) 불굴의. ③ (필력 따위가) 힘찬.

vigueur [vigœːʀ] *f.* ① 기력, 기운 ; 생기 : ~ d'une plante 식물의 죽죽 뻗어 자라기. ② (공격의) 맹렬함. ③〖법률〗유효성. ④ ⓐ (필력의) 힘찬 맛 : ~ du style 문체의 힘찬 기운. ⓑ (*pl.*) 힘찬 필력. ***avec ~*** 힘 있게. ***dans la ~ de l'âge*** 한창 젊은 때에. ***donner de la ~ à*** qn …의 기운을 돋우다. ***en ~*** 적용 중인 ; 사용되고 있는 : droit *en* ~ 현행법 / entrer *en* ~ (법률이) 시행되다, 효력을 발생하다 / être *en* ~ (법률 따위를) 실시하다. ***être dans*** (***toute***) ***la ~ de l'âge*** 〔***de la jeunesse***〕 한참 원기가 왕성하다. ***reprendre*** (***de la***) ***~*** 원기를 되찾다. ***sans ~*** 축 늘어진.

V.I.H. 《약자》 Virus de l'Immuno-déficience Humaine 에이즈 유발 인체 면역 결핍 바이러스(〔영〕H.I.V.).

Vikings [vikiŋ] 〔스칸디나비아〕 *m.pl.* 〖사학〗(9-12 세기에 유럽을 휩쓴) 스칸디나비아 해적.

vil, e [vil] *adj.* 별로 가치 없는 ; 값이 싼 ; 천한 ; 비열한, 야비한, 치사스러운(= bas ; ≠ noble) : ~ flatteur 비열한 아첨꾼. ***à ~ prix*** 염가로.

vilain, e** [vilɛ̃, -ɛn] *n.* ①〖역사〗천노(賤奴) ; 농노(農奴) ; 농민, 평민. ② 야비〔비열〕한 사람 ; 고약한 놈〔년〕. ***À ~, ~ et demi. 《격언》 이독제독(以毒制毒). ***hommes nobles et ~s*** 귀족과 평민. ***Oh, le ~ !*** 《구어》 이 염치없는 놈아! — *adj.* ① 평민의. ② (사람·생각이) 천한 ; 비열한, 야비한 ; (날씨·병이) 고약한 : Il fait ~. 날씨가 고약하군 / *~es* maladies 《구어》 화류병. ③ 불유쾌한 ; (얼굴 따위가) 못생긴 : une *~e* bouche 보기 흉한 입 / Elle n'est pas *~e.* 저 여자는 제법 예쁘다. ④ 인색한. ***être dans de ~s draps*** 궁지에 빠지다 / ***~ tour*** 못된 장난 : jouer à qn un ~ *tour* …에게 짓궂은 장난을 하다, …을 곯리다. — *m.* 《구어》 말썽, 시비, 싸움 : La discussion tournait au ~. 토론이 싸움이 되었다. ***Il va y avoir du ~.*** 일〔싸움〕이 터질 것 같다.

vilainement [vilɛnmɑ̃] *adv.* 치사스럽게, 비열〔비루·야비〕하게 ; 무례하게 ; 초라하게.

vilebrequin [vilbʀəkɛ̃] *m* 〖기계〗(회전식의) 나사송곳 ; 핸드드릴 ; 크랭크축(軸).

vilement [vilmɑ̃] *adv.* 비열하게, 비루하게, 야비하게.

vilenie [vilni] *f.* 《문어》 비열한 짓 ; 인색 : commettre une ~ 비열한 짓을 하다.

vilipender [vilipɑ̃de] *v.t.* 깎아내리다, 중상하다. — **se ~** *v.pr.* 서로 경멸〔중상〕하다.

***villa** [villa] *f.* 별장(= maison de campagne).

⁑**village** [vilaːʒ] *m.* ① 마을, 촌락 : gros ~ 큰 마을(= bourg) / petit ~ 작은 마을, 부락(= hameau) / ~ agricole 농촌 / ~ de toile 천막촌《탐험대 따위의》. ②《집합적》마을 사람들. ***être bien de son ~*** 《구어》 태도가 촌스럽다 ; 세상일〔물정〕에 어둡다.

villageois, e [vilaʒwa, -aːz] *n.* 마을 사람, 촌사람(= paysan). — *adj.* 마을의, 촌의(= campagnard, rural) ; 촌스러운, 상스러운.

villanelle [vilanɛl] *f.* 《옛》 목가(牧歌), 전원시(田園詩) ; 전원 무도.

⁑**ville** [vil] *f.* ① 도시, 도회 (생활) : chercher du travail à la ~ 도시에서 일자리를 찾다 / aimer la ~ 도시 생활을 좋아하다. ②《집합적》도시 사람들〔시민들〕; 시 당국 ; 시청 직원 : Toute la ~ en parle. 온 도시 사람들이 그 이야기를 한다 / travaux entrepris par la ~ 시 당국에 의해 계획된 공사. ***costume de ~*** 평복. ***demeurer à la ~*** 도회지에 살다《시골에 대해서》. ***demeurer dans la ~*** 도심지에 살다《교외에 대해》. ≪***En ~***≫「시내」《우편물 겉봉에》. ***être en ~*** 외출 중이다. ***hôtel de ~*** 시청. ***la V~ éternelle*** 영원의 도시《로마》. ***la V~ lumière*** 파리. ***la V~ sainte*** 성도(聖都)《종교에 따라 예루살렘, 메디나, 메카, 라사, 로마를 말함》. ***sergent de ~*** 순경. ***toilette de ~*** (여성의) 외출복.

ville-dortoir [vildɔʀtwaːʀ] *f.* (*pl.* **~s-~s**) 베드타운(= cité-dortoir)《대도시의 교외에 생긴 주택 지구》.

villégiature [vi(l)leʒjatyːʀ] *f.* 별장 생활 ; 전원 생활 ; 교외에서 휴가를 보내기〔피서하기〕. ***être en ~*** 별장 생활을 하다 ; 휴가를 교외에서 지내다 ; 《속어》 감옥에 들어가 있다 : partir *en* ~ 휴양〔피서〕하러 가다.

villégiaturer [vi(l)leʒjatyʀe] *v.i.* 별장 생활하다 ; (교외에서) 휴가를 보내다.

⁑**vin** [vɛ̃] *m.* ① 포도주 : marchand de ~ 포도주 상인 / élevage du ~ 포도주 양조술 / ~ nouveau 갓거른 포도주 / ~ blanc 〔rouge〕 백〔적〕포도주 / ~ mousseux (샴페인 같은) 발포성 포도주 / grand ~ 유명 산지의 명포도주, 명주(銘酒) / négociant en *~s* 포도주 도매상. ② 과실주 : ~ de pommes 사과주 / ~ de prunelles 자두술 ; 시큼한 포도주 / ~ de riz 청주. ***avoir le ~ mauvais*** 〔***gai, triste***〕 성내는〔웃는·우는〕 술버릇이 있다. ***baptiser*** 〔***couper***〕 ***le ~*** 술에 물을 타다. ***Chaque ~ a sa lie.*** 《격언》 무엇에나 결점이 있다. ***cuver son ~*** 《구어》 술이 깨게 하다. ***être entre deux ~s*** 거나하다. ***être pris de ~*** 술에 취해 있다. ***Le bon ~ réjouit le cœur de l'homme.*** 《속담》 좋은 술은 사람의 마음을 즐겁게 한다. ***Le ~ entre, la raison sort.*** 술이 들어가면 이치는 나가버린다. ***mettre de l'eau dans son ~*** 포도주에 물을 타다 ; 주장을 완화하다. ***offrir un ~ d'honneur à*** qn …을 위해 공식 연회를 열고 축배를 들다. ***porter bien le ~*** 술이

V

세다. ***porter mal son*** ~ 술버릇이 나쁘다. (***Quand***) ***le*** ~ ***est tiré, il faut le boire.*** 《속담》 내친 걸음이다, 뒤로 물러설 수 없다. ***sac à*** ~ 《구어》 술고래, 술부대. ~ ***de table ;*** ~ ***ordinaire*** (식사용의) 보통 포도주.

vinaigre** [vinɛgʀ] *m.* 식초 : sel de ~ (초산을 가한) 냄새 맡아 정신차리게 하는 약, 각성제(= ~ pharmaceutique). ***Cela tourne au ~. 《구어》 말투가 점점 험악해진다. ***faire*** ~ 《구어》 서두르다(= se dépêcher). ***On prend plus de mouches avec du miel qu'avec du*** ~ ***; On ne prend pas*** 〔***n'attrape pas***〕 ***les mouches avec du*** ~. 《격언》 엄하기보다 부드럽게 하는 게 남의 마음을 잡을 수 있다.

vinaigrer [vinɛ〔e〕gʀe] *v.t.* …에 초를 치다.

vinaigrette [vinɛgʀɛt] *f.* ① 〖요리〗 소스의 일종《초 · 기름 · 소금 따위를 섞어서 만든 것》; 그 소스로 요리한 쇠고기. ② 《구어》 가마 모양의 인력거. ***à la*** 〔***en***〕 ~ 초와 기름에 무친.

vinaigrier [vinɛgʀije] *m.* 식초 제조인〔상인〕; 식초병.

vinasse [vinas] *f.* 싸구려 포도주〔술〕; 증류 찌끼.

vindicatif, ive [vɛ̃dikatif, -iːv] *adj.* et *n.* 복수심이 강한 (사람), 앙심을 깊이 품은 (사람). ***justice*** ~***ive*** 인과응보.

vindicte [vɛ̃dikt] *f.* 〖법률〗 공소(公訴); 형벌. ~ ***légale*** 공소(公訴). ~ ***publique*** 공소; 《구어》 사회의 제재.

vineux, euse [vinø, -øːz] *adj.* ① (포도주가) 알코올분이 강한. ② 포도주빛의; 포도주 맛이〔냄새가〕 나는 : visage ~ 검붉은 얼굴 / odeur ~*euse* 포도주향. ③ 포도주를 많이 산출하는 : coteaux ~ de la Bourgogne 포도주를 많이 생산하는 부르고뉴 지방의 포도원.

⁑**vingt** [vɛ̃] 《형용사로서 모음 · 무성 h 앞에 올 경우와 22-29에서는 [vɛ̃t]》 *adj. num.* ① 20의 : ~ francs, 20 프랑 / ~-quatre heures 하루. ② (수)많은, 다수의 : Je vous l'ai répété ~ fois. 나는 여러 번 당신에게 그것을 말해 왔소. ③ 스무 번째의 : page ~, 20 페이지 / le ~ janvier, 1월 20일. ***faire*** ~ ***pas*** (dans le jardin) (뜰을) 한 바퀴 돌다. ~***-deux*** [vɛ̃tdø], 22 의. ***V***~ ***Dieux !*** 《속어》 빌어먹을. ~ ***et un*** [vɛ̃teœ̃], 21 의; 《옛》 카드놀이의 일종. ~ ***fois*** 여러 번.
— *m.* 20; 20 일; 20 번지 : ~ pour cent, 20 퍼센트 / habiter au ~, 20 번지에서 살다. ***V***~***-deux !*** 《속어》 조심해!《경관이 올 때》: *V*~*-deux* (voilà) les flics. 조심해라, 순경이 온다.

vingtaine [vɛ̃tɛn] *f.* (약) 20; 20 세 : une ~ de 스물가량의 / une ~ de mille francs 약 2만 프랑 / fille d'une ~ d'années 스무 살가량의 아가씨.

***vingtième** [vɛ̃tjɛm] *adj. num.* ① 제 20 의, 스무 번째의 : le ~ siècle, 20 세기 / se classer ~ sur cinquante, 50 명 중 20 위를 하다. ② 20 분의 1의 : la ~ partie 〔le ~〕 d'une somme 총액의 20 분의 1. — *n.* 스무 번째; 20 번째 : être le ~ sur la liste 명단에 20 번째로 올라 있다. — *m.* ① 20 분의 1. ② 《구어》 파리의 제 20 구(區).

vingtièmement [vɛ̃tjɛmmɑ̃] *adv.* 스무 번째로.

vingtupler [vɛ̃typle] *v.t.* 20 배로 하다. — *v.i.* 20 배가 되다.

vinicole [vinikɔl] *adj.* 포도 재배의; 포도주 양조의.

vinification [vinifikɑsjɔ̃] *f.* 포도액의 알코올 발효; 포도주 양조법.

vin-s, -t, vinss-e(s) ⇒ venir.

vintage [vɛ̃taːʒ] 〔영〕 *m.* 빈티지 와인, (포도가 잘 된 해에 양조한) 고급 포도주.

vinyle [vinil] *m.* 〖화학〗 비닐.

viol [vjɔl] *m.* ① 〖법률〗 강간(죄), 폭행(= outrage) : tentative de ~ 강간 미수 / ~ collectif 윤간. ② (규칙 따위의) 위반; 불법 침입; 모독 : ~ d'un sanctuaire 성역(聖域) 모독.

violacé, e [vjɔlase] *adj.* 보랏빛이 도는. — *f. pl.* 〖식물〗 제비꽃과(科).

violacer [vjɔlase] [2] *v.t.* 보랏빛을 띠게 하다. — ***se*** ~ *v.pr.* 보랏빛을 띠다.

violateur, trice [vjɔlatœːʀ, -tʀis] *n.* 위반자; 침입자; 강간자.

violation [vjɔlɑsjɔ̃] *f.* ① (법률이나 계약의) 위반, 위약, 불이행; 불법 침입; 모독 : ~ de frontière 국경의 불법 침입 / ~ de la loi 법률 위반 / ~ des droits de l'homme 인권 침해 / ~ de domicile 가택 침입 / ~ d'un lieu sacré 성지 모독. ② 강간. ***en*** ~ ***de*** (계약 · 법칙)에 위반하여.

viole [vjɔl] *f.* 〖음악〗 비올라 : basse de ~ 저음 비올라. ~ ***d'amour*** 대형(大型) 비올라.

violemment [vjɔlamɑ̃] *adv.* 맹렬하게, 난폭하게; 심하게; 열렬하게; 정열적으로 : Le vent soufflait ~. 바람이 세차게 불고 있었다 / réagir ~ contre qn 〔qc〕 …에 맹렬하게 저항하다 / aimer ~ 열렬히 사랑하다.

violence** [vjɔlɑ̃ːs] *f.* ① 맹렬, 세참(= intensité); 폭력, 난폭(= brutalité); 무리; 왜곡, 곡해 : user de ~ 폭력을 행사하다. ② (*pl.*) 폭행, 폭언; 강간. ***faire ~ ***à*** 폭력을 쓰다; 폭행하다; (주의에) 어긋나다; (법을) 어기다, (원문에) 멋대로 해석을 하다. ***recourir à la*** ~ 폭력에 호소하다. ***se faire*** ~ 자제하다; 애쓰다. ***se*** (***laisser***) ***faire une douce*** ~ (승낙하고 싶은 것을) 거절하는 척하다가 승낙하다.

violent, e** [vjɔlɑ̃, -ɑ̃ːt] *adj.* 맹렬한, 격심한; 강렬한; 과격한; 난폭한; (해석을) 억지로 갖다 붙인; 왜곡한, 곡해한 : remèdes ~*s* 극약 / contraste ~ 너무나 큰 대조 / caractère ~ 난폭한 성격 / paroles ~*es* 폭언 / ~*s* chagrins 깊은 슬픔 / faire de ~*s* efforts 엄청난 노력을 하다. ***C'est par trop ~ ***!*** 《구어》 이건 너무 심하다. ***mort*** ~***e*** 변사.

violenter [vjɔlɑ̃te] *v.t.* ① 강요〔강제〕하다 : ~ qn pour qu'il fasse 〔pour lui faire〕 qc 《옛》 …에게 억지로 …을 하게 하다. ② 강간하다. — ***se*** ~ *v.pr.* 비상한 노력을 하다.

violer [vjɔle] *v.t.* ① (법 · 약속을) 어기다; 침범하다; 침해하다; 유린하다; (성지(聖地) 따위를) 모독하다(= profaner) : ~ le domicile 〔la porte〕 de qn …의 가택을 침입하다 / ~ une sépulture 묘소를 모독하다. ② (비밀

따위를) 폭로하다. ③ 강간하다 : se faire ~ 강간당하다. ~ ***les consciences*** 비밀을 간파하다 ; 어떤 생각을 강제로 주입시키다.

***violet, ette**[1] [vjɔlɛ, ɛt] *adj.* 보랏빛의 : devenir ~ de colère 화가 나서 얼굴이 붉으락푸르락하다. — *m.* 보랏빛. — *f.* 《구어》 문화 훈장.

violeter [vjɔlte] [5] *v.t.* 보라빛으로 물들이다.

violette**[2] [vjɔlɛt] *f.* 〖식물〗 제비꽃. ***de ~ 보랏빛의. ***faire sa ~*** 매우 신중히 굴다.

violeur, euse [vjɔlœːʀ, -øːz] *n.* 위반자, 침해자. — *m.* 강간자.

violine [vjɔlin] *f.* 〖화학〗 제비꽃에서 뽑는 알칼리. — *adj.* 붉은 보랏빛의.

violon** [vjɔlɔ̃] *m.* ① 바이올린 ; 바이올린 연주자 : jouer du ~ 바이올린을 켜다 / gratter 〔racler〕 du ~ 바이올린을 서투르게 켜다. ② 《구어》 유치장 : passer la nuit au ~ 유치장에서 하룻밤을 지내다. ***accorder ses ~s 《구어》 (회의 전에 미리) 합의하다. ***aller plus vite que les ~s*** 《구어》 일을 너무 서둘다. ***boîte à ~*** 관(棺). ***mettre*** qn ***au ~*** …을 유치장에 넣다. ***payer les ~s*** 《구어》 (남의 유흥비 따위의) 비용을 부담하다. ***~ d'Ingres*** 《속어》 전문 외의 장기(長技), 자랑거리, 여기(餘技).

violoncelle** [vjɔlɔ̃sɛl] *m.* 〖음악〗 첼로 ; 첼로 연주가. ***voix de ~ 굵직한 목소리.

violoncelliste [vjɔlɔ̃sɛ〔e〕list] *m.* 첼로 연주가, 첼리스트.

violoneur [vjɔlɔnœːʀ], **violoneux** [vjɔlɔnø] *m.* 서투른 바이올리니스트.

violoniste [vjɔlɔnist] *n.* 바이올린 연주가, 제금가(提琴家).

vioque [vjɔk] *adj.f.* et *f.* vioc 의 여성형.

V.I.P. [veipe, viapi] 〔영〕 《약자》 Very Important Person 요인, 주요 인사.

vipère** [vipɛːʀ] *f.* ① 〖동물〗 살무사 : nœud de ~*s* 독사의 사리. ② 음험한〔간악한〕 사람. ***langue de ~ 독설가.

***virage** [viʀaːʒ] *m.* ① 회전, 선회(旋回) ; (자동차 따위의) 방향 바꾸기 ; 〖해양〗 진로 전환 : faire un ~ à droite 〔à gauche〕 (자동차가) 우회전〔좌회전〕하다. ② (정책 · 태도의) 급변 ; 변혁 : amorcer le 〔un〕 ~ 정책〔방향〕 전환을 기도하다 / prendre le 〔un, son〕 ~ 개혁〔수정〕을 가하다. ③ 변색(變色) ; 〖사진〗 조색(調色) ; 조색제(劑) : ~ à l'or 금조색. ④ 도금(鍍金). ⑤ 커브, 모퉁이 : ~ en épingle (à cheveux) 도로의 U자형 급커브. ⑥ 〖의학〗 양전(陽轉) : ~ de la cutiréaction 투베르쿨린 반응의 양전.

virago [viʀago] *f.* 남자 같은 여자, 여장부.

viral, e, aux [viʀal, -o] *adj.* 〖의학〗 바이러스(성)의, 바이러스에 의한 : infection ~*e* 바이러스에 의한 감염.

vire [viːʀ] *f.* (알프스의) 구불구불한 산길.

virée [viʀe] *f.* 방향 전환, 선회 ; 산보 ; 유람비행 ; 산림의 견적. ***faire une ~*** 한 바퀴 돌다. ***tournées et ~s*** 왔다갔다하기, 왕래.

virelai [viʀlɛ] *m.* 중세 프랑스의 단시(短詩).

virement [viʀmɑ̃] *m.* 어음 교환 · 대체(對替) ; 〖재정〗 비목(費目) 변경 : ~ sur un compte 계좌 이체 / ~ bancaire 은행 대체 / ~ automatique 자동 이체. ***banque de ~*** 어음 교환 조합 은행. ***comptoir général de ~*** 어음 교환소. ***mandat de ~*** 대체 증서.

virer [viʀe] *v.i.* ① 회전〔선회〕하다 ; 〖해양〗 진로를 바꾸다(= tourner), (차 따위가) 모퉁이를 돌다 : ~ à droite 〔à gauche〕 오른쪽〔왼쪽〕으로 방향을 틀다 / braquer pour ~ (자동차가) 회전하려고 방향을 꺾다. ② (색 · 맛이) 변하다 ; 〖사진〗 조색되다. ③ 〖의학〗 양전(陽轉)하다. ***faire tourner et ~*** qn …을 멋대로 하게 내버려두다. ***~ à tout vent*** 변덕이 많다, 잘 변하다. ***~ de bord*** 뱃머리를 돌리다 ; 《구어》 정책〔의견〕을 바꾸다. — *v.t. ind.* 《~ à》 …으로 변하다 ; 변질〔변색〕하다 : ~ *au* rouge 빨갛게 변하다 / Ce vin *a viré à* l'aigre. 이 포도주는 시어졌다. — *v.t.* ① 돌리다 ; 뒤집다 ; (배의) 진로를 바꾸다 : ~ un navire 배의 진로를 변경하다 / ~ le cabestan 권양기를 돌리다. ② (돈을) 유용(流用)하다, …의 비목(費目)을 변경하다. ③ 《구어》 내쫓다, 쫓아내다 : Il s'est fait *viré* (de son travail). 그는 (직장에서) 해고당했다. ④ 〖은행〗 대체(對替)하다 ; (어음을) 교환하다 : *Virez* à mon compte. 내 계좌에 넣어 주시오. ⑤ 〖사진〗 조색하다. ***tourner et ~*** qn 《구어》 …에게 입을 열게 하려고 교묘히 물어보다. ~ ***l'ancre*** 닻을 뽑으려고 닻줄을 당기다.

virevoltant, e [viʀvɔltɑ̃, -ɑ̃ːt] *adj.* 급회전하는, 빙글빙글 도는.

virevolte [viʀvɔlt] *f.* (말의) 급회전 ; (의견 · 태도 따위의) 급변, 표변 ; (운명의) 급전(急轉) : ~ de la mode 유행의 급변.

virevolter [viʀvɔlte] *v.i.* (말이) 급회전하다.

virginal, e, aux [viʀʒinal, -o] *adj.* ① 처녀의 ; 처녀다운. ② 〖종교〗 동정의 ; 순백한 ; 순결한.

virginité [viʀʒinite] *f.* ① 처녀성. ② 순결, 무구(無垢). ***rendre*** 〔***refaire***〕 ***une ~*** 《구어》 갱생시키다, 오명을 씻어 주다. ***se refaire une ~*** 《구어》 갱생하다.

virgule** [viʀgyl] *f.* 〖문법〗 콤마, 쉼표, 구두점(,) ; 〖수학〗 소수점 : trois ~ cinq, 3 콤마 5 《3,5》 / Mettez une ~. 콤마를 찍으시오. ***observer les points et les ~s 《구어》 세심하게 신경을 쓰다. ***point et ~ ; point ~*** 세미콜론(;). ***sans y changer une ~*** (원문을) 한 자도 바꾸지 않고, 원문 그대로.

virguler [viʀgyle] *v.t.* …에 콤마를 찍다.

viril, e [viʀil] *adj.* ① 남자의 ; 성년 남자의 : robe 〔toge〕 ~*e* 〖고대로마〗 성년복. ② 사나이다운, 씩씩한. ***âge ~*** 성년. ***membre*** 〔***sexe***〕 ***~*** 음경〔남성〕. ***portion ~e*** 〖법률〗 (유산 따위의) 균등 분배 : être partagé par *portions ~es* 등분되다.

virilement [viʀilmɑ̃] *adv.* 남자답게, 씩씩하게.

viriliser [viʀilize] *v.t.* 사나이답게 만들다, 씩씩하게 하다(≠ efféminer).

virilité [viʀilite] *f.* ① 남성임. ② 사나이다움, 씩씩함. ③ 성년, 장년 ; 남자《총칭》. ④ (남자의) 생식력 ; (*pl.*) (남자의) 음부.

virole [viʀɔl] *f.* ① 칼코등이, (지팡이 끝의) 물미. ② (화폐의) 거푸집.

viroler [viʀɔle] *v.t.* ① …에 칼코등이를 붙이다 ; …에 물미를 박다. ② (화폐를) 철형(鐵型)에 넣다.

virologie [viʀɔlɔʒi] *f.* 〖의학〗 세균학, 바이러스 연구.

virologiste [viʀɔlɔʒist], **virologue** [viʀɔlɔg] *n.* 세균학자, 바이러스 전문가.

virtualité [viʀtɥalite] *f.* 잠재적 성질 ; 실력.

virtuel, elle [viʀtɥɛl] *adj.* ① (능력 · 의도가) 잠재적인. ② 〖광학〗 가(假)의, 허의. ***force ~elle*** 가력(假力). ***foyer ~elle*** 허초점(虛焦點). ***image ~elle*** 〖광학〗 허상(虛像)(≠ image réelle). ***intention ~*** 잠재 의향. ***travail* 〔*déplacement*〕 *~*** 〖기계〗 가상(假像)변위. ── *m.* 잠재성.

virtuellement [viʀtɥɛlmɑ̃] *adv.* 잠재적으로, 은연(隱然)히 ; 실질상으로는.

virtuose [viʀtɥo:z] *n.* (예술, 특히 음악의) 명수, 거장 ; 달인(達人), 명인(= maître). ── *adj.* 명수의, 기교가 뛰어난, 숙달한.

virtuosité [viʀtɥozite] *f.* 〖음악〗 뛰어난 기교, 묘기 : C'est de la ~ pure. 《경멸》 (솜씨는 좋지만) 깊이가 없다.

virulence [viʀylɑ̃:s] *f.* 독성, 유독성, 독기 ; 악랄함, 신랄함.

virulent, e [viʀylɑ̃, -ɑ̃:t] *adj.* ① 유독(有毒)한 ; (질병이) 병균에 의한 : microbe très ~ 악성 병원균. ② (풍자 따위가) 신랄한 : critique 〔satrire〕 ~*e* 신랄한 비평〔풍자〕.

virus [viʀys] 〔라틴〕 *m.* ① 〖의학〗 병균, 병원체 : ~ filtrant 여과성 병원체, 바이러스. ② 《~ de》 《비유》 …에 대한 강력한 애착〔집착〕 ; 불안, 위기 : Il a attrapé le ~ *de* la télévision. 그는 텔레비전에 중독되었다.

vis**¹ [vis] *f.* ① 나사(못), 볼트 ; 나삿니, 나사홈 : serrer 〔desserrer〕 une ~ 나사를 죄다〔풀다〕. ② 《속어》 목(구멍). ③ 나선 층계(= escalier à ~). ***chaise à ~ 회전의자. ***fermer*** (une boîte) ***à ~*** (상자 뚜껑)을 나사로 죄다. ***serrer la ~ à*** qn …의 목을 조르다 ; …을 가혹하게 다루다.

vis² ⇒ vivre, voir.

visa [viza] *m.* ① (여권의) 사증(査證), 비자 ; (승인의) 서명, 증인(證印) : demander un ~ 비자를 신청하다 / donner un ~ 비자를 발급하다. ② 〖철도〗 도중 하차의 검인. ***apposer un ~*** 증서에 증인을 찍다, 사증하다.

*⁑***visage** [viza:ʒ] *m.* ① 얼굴, 낯, 모습(= figure) ; 안색 ; 혈색 ; 얼굴 표정 : ~ rond 〔ovale〕 둥근〔타원형〕 얼굴 / plis du ~ 얼굴의 주름살 / frapper qn au ~ …의 얼굴을 때리다. ② (얼굴로 구별되는) 사람 : nouveau ~ 신인, 낯선 사람 / ~ inconnu 모르는 사람 / ~ ami 호의적인 사람. ③ (사물의) 면(面), 양상, 모습(= aspect, image) : le vrai ~ des États-Unis 미국의 참모습 / deux ~*s* de la justice 정의의 양면성. (un homme) ***à deux ~s*** 두 마음을 품은 (사람). ***au ~*** 맞대 놓고. ***à ~ découvert*** 드러내 놓고, 숨김없이 ; 맨 얼굴로. ***avoir bon* 〔*mauvais*〕 *~*** 혈색이 좋다〔나쁘다〕. ***changer de ~*** 얼굴빛이 달라지다. ***épouser un ~*** 얼굴이 고운 여자와 결혼하다. ***faire bon ~*** (불만스러운 경우에) 만족스러운 표정을 하다. ***faire bon* 〔*mauvais*〕 *~ à*** qn …에게 좋은〔싫은〕 낯을 보이다. ***faire son ~*** 얼굴을 꾸미다, 화장하다. ***sans ~*** 얼굴을 나타내지 않는 ; 정체를 알 수 없는. ***soins du ~*** 미용술 (= soins de beauté). ***trouver ~ de bois*** (사람을 방문했을 때) 문에 자물쇠가 잠겨 있다 ; 상대방이 부재중(不在中)이다. ***V~s pâles*** (인디언들의 입장에서) 백인.

vis-à-vis** [vizavi] *loc. prép.* 《~ de》 …와 마주 대하고 ; …에 대하여 : ~ (*de*) l'église 교회의 맞은쪽에. ── *loc. adv.* 마주 대하여. ── *m.* ① 대좌(對坐) : s'asseoir en ~ 마주 앉다. ② 마주 대한 사람 ; (댄스 · 카드의) 상대자. ③ 둘이 마주 앉는 긴의자〔마차〕. ***faire ~ à qn …와 마주보다. ***places en ~*** 마주 본 좌석.

viscéral, e, aux [viseʀal, -o] *adj.* ① 〖해부〗 내장의 : cavité ~*e* 복강(腹腔) / muscle ~ 평활근(平滑筋). ② 〖법률〗 (감정 · 생각 따위가) 뿌리 깊은, 마음속 깊이 간직된, 잠재적인 : jalousie ~*e* 뿌리 깊은 질투심.

viscéralement [viseʀalmɑ̃] *adv.* 마음속 깊이 ; 본능적으로(= instinctivement).

viscère [visɛ:ʀ] *m.* 〖해부〗 내장 ; (복부의) 장기.

viscose [visko:z] *f.* 〖화학〗 비스코스.

viscosité [viskozite] *f.* 끈적끈적함, 점착성(粘着性) ; 〖물리〗 점도(粘度).

visé [vize] *m.* 저격 : tirer au ~ 저격하다, 겨냥해서 쏘다(≠ tirer au juger).

visée [vize] *f.* ① 겨냥, 조준 ; 표적, 과녁 : angle de ~ 사각(射角) / ligne 〔point〕 de ~ 조준선〔조준점〕 / prendre sa ~ 겨냥하다. ② (흔히 *pl.*) 목적, 목표 ; 기도 : homme à grandes ~*s* 포부가 큰 사람 / changer de ~ 목표를 바꾸다. ***hautes ~s*** 큰 야심.

viser**¹ [vize] *v.t.* ① 겨누다, 겨냥하다, 노리다 : Le chasseur *a visé* le loup à la tête avec un fusil. 사냥꾼은 총으로 늑대의 머리를 겨누었다 / ~ qn au cœur …의 심장을 겨누다 / atteindre l'objectif *visé* 목표물을 명중시키다. ② (부 · 명예를) 얻으려 하다, 목표로 삼다 : ~ la magistrature 법관직을 목표로 삼다 / ~ l'effet 효과를 노리다. ③ 《주어 : qc》 …을 대상으로 하다, …에 관계되다, 적용되다 : mesure qui *vise* tous les contribuables 모든 납세자에게 적용되는 조치 / *être visé* 비난의 대상이 되다. ④ 《속어》 보다 ; 망보다, 감시하다(= regarder) : *Vise* sa gueule ! 그의 얼굴을 보아라 ! ***Je ne vise personne. 나는 누구를 특히 지적해서 말하는 것은 아니다. ~ qn ***à la tête*** …의 머리를 겨누다. ── *v.t. ind.* 《~ à》 …을 겨누다 ; 목표로 삼다, 노리다 : ~ *au* cœur 심장을 겨누다 / Le comique véritable *vise à* provoquer le rire. 진정한 코미디는 웃음 유발을 목표로 한다 / *À* quoi *vise* cette nouvelle mesure ? 이 새 조치는 무엇을 노리는 것인가 ? ***~ à*** + *inf.* …하려고 노리다 : En disant cela, il *vise à* nous étonner. 그는 이 말을 해서 우리를 깜짝 놀라게 해 주려고 한다. ── *v.i.* 겨누다. ***~ haut*** 높이 겨냥하다 ; 대망을 품다 : ~ trop *haut* 너무 높이 겨냥하다. ***Visez moins* 〔*plus*〕 *haut.*** 야망을 작게〔크게〕 가지시오.

viser² *v.t.* ① (여권에) 사증(査證)하다 ; (승인의 표시로) …에 서명〔배서(背書)〕하다 : faire ~ son passeport 여권에 사증을 받다. ② 〖철도〗 (표에) 도중 하차의 검인을 찍다.

V

viseur, euse [vizœːʀ, -øːz] *n.* 겨누는 사람. ── *m.* 〖사진〗 파인더 ; 〖항공〗 조준기.

visibilité [vizibilite] *f.* ① 눈에 보임 ; (기상이) 시계(視界), 시거(視距) ; 가시도(可視度) ; 〖기상〗 시정(視程). ② 명백함. ***pilotage*** 〔***atterrissage***〕 ***sans ~*** 〖항공〗 맹목 비행〔착륙〕(《약자》 P.S.V).

*__visible__ [vizibl] *adj.* ① 보이는, 볼 수 있는 ; 명백한 : ~ à l'œil nu 육안으로 볼 수 있는 / La ligne d'horizon n'est plus ~. 수평선은 더 이상 보이지 않는다 / Elle prenait un embonpoint assez ~. 그녀는 눈에 띄게 살이 쪄 갔다. ② 면회할 수 있는 : Madame est-elle ~? 부인을 뵐 수 있을까요? ***Il est ~ que***+*ind.* 《비인칭》 …은 명백하다. ***Il n'y avait personne de ~.*** 만날 수 있는 사람이라고는 없었다. ***machine à écriture ~*** 인자(印字) 노출식 타이프라이터. ***monde ~*** 가시(可視) 세계. ── *m.* 눈으로 볼 수 있는 것.

visiblement [viziblәmɑ̃] *adv.* ① 눈에 보이게, 가시적으로 ; 두드러지게 : Il grandit ~. 그는 눈에 띄게 성장한다. ② 분명히, 뚜렷이, 명백하게 : *V~*, il ne comprenait pas. 분명하게 그는 이해하지 못하고 있었다.

visière [vizjɛːʀ] *f.* ① (모자의) 챙 ; 〖고고학〗 (투구의) 면갑(面甲). ② (총의) 가늠자. ***rompre en ~ à*** 〔***avec***〕 qn 《구어》 …을 정면 공격하다 ; …에게 맞대고 반대하다.

visioconférence [vizjɔkɔ̃feʀɑ̃ːs] *f.* 화상 회의.

*__vision__ [vizjɔ̃] *f.* ① 시각, 시력 ; (정신적으로) 보기, 이해(하기) ; 비전 : champ de la ~ 시야 / ~ normale 정상 시력 / troubles de la ~ 시력 장애 / ~ de l'avenir 미래에 대한 비전 / ~ poétique de la réalité 현실에 대한 시적 이해. ② 환영(幻影) ; 환상 ; 공상(= hallucination ; ≠ réalité) : ~*s* des prophètes 예언가가 본 환영 / sommeil hanté de ~*s* insupportables 견딜 수 없는 환각에 시달리는 잠 / avoir des ~*s* 《구어》 허튼〔당치도 않은〕 소리를 하다(= déraisonner). ③ 〖영화〗 영사. ④ 눈에 비치는 모양〔모습〕 : avoir une ~ très nette de... …의 모습을 똑똑히 보다. ⑤ 〖신학〗 신(神)의 모습을 보기, 견신(見神). ***en première ~*** 〖영화〗 시사회에서. ***~ du monde*** 세계관.

visionique [vizjɔnik] *f.* 〖컴퓨터〗 (컴퓨터) 화상 처리《장치〔시스템〕》.

visionnaire [vizjɔnɛːʀ] *adj.* 환영을 보는 ; 환상을 품는, 공상적인 ; 투시력이 있는, 예언〔예견〕력 있는 : fou ~ 환각 증상이 있는 정신병자 / œil ~ 통찰력. ── *n.* 환영을 보는〔환각에 사로잡힌〕 사람 ; 망상가, 몽상가 ; 투시력을 가진 사람 ; 예언자.

visionner [vizjɔne] *v.t.* (영화를) 보다 ; (영화 필름 따위를) 뷰어로 보다.

visionneuse [vizjɔnøːz] *f.* (영화 편집용) 소형 영사기, 편집기, 뷰어(〔영〕 viewer).

visiophone [vizjɔfɔn] *m.* 화상〔텔레비전〕 전화(= vidéophone).

visiophonie [vizjɔfɔni] *f.* 화상〔텔레비전〕 전화 기술.

visitation [vizitɑsjɔ̃] *f.* ① 방문 ; 왕진 ; 시찰 : les ~*s* du Jour de l'An 새해 세배 방문 / l'heure des ~*s* 면회 시간《하숙집 · 병원 · 교도소 따위》/ être en ~ 방문 중이다. ② (*V~*) 〖교회〗 성모 방문 ; 성모 방문 축일《7월 2일》. ***l'Ordre de la V~*** 성모 방문회《1610 년에 창립된 여자 수도회》.

‡**visite** [vizit] *f.* ① 방문, 내방 ; 내객 ; 방문객 ; 문병, 면회 : ~*s* du Jour de l'An 새해의 세배 방문 / ~ de condoléances 조문(弔問), 문상(問喪) / avoir 〔recevoir〕 la ~ de qn …의 방문을 받다 / Quelques ~*s* arrivèrent. 몇 명의 방문객이 도착했다 / J'ai rendu ~ à mon ancien professeur. 나는 옛 스승을 방문했다 / heure des ~*s* 면회 시간 / *V~s* interdites 면회 사절. ② (의사의) 왕진(= ~ à domicile) ; (병원에서의) 회진 ; 순시, 시찰 ; 점검 ; (창녀 · 환자의) 검진(檢診) ; (배의) 임검(臨檢) ; (세관의) 검사 ; 참관, 견학 ; 구경 : ~ au musée 박물관 구경 / ~ de l'évêque 주교의 관구 순시 / ~ de douane 세관 검사 / ~ des navires 선박 임검 / ~ d'un musée 미술관 견학 / ~ de l'inspecteur à une école 장학사의 학교 시찰. ***aller en ~*** 방문하러 가다. ***attendre des ~s*** 손님이 오기를 기다리다. ***carte de ~*** 명함. ***être en ~ chez*** qn …을 방문 중이다. ***faire la ~ de*** qc (소지품 등을) 점검하다. ***faire les ~s après les consultations*** 진찰 후 왕진하다. ***faire une petite ~ en passant*** 지나가다가 잠깐 들르다. ***heures de ~*** 회진 시간. ***passer la ~*** 검진을 받다. ***rendre une ~ ; rendre sa ~ à*** qn (답례로서) …을 방문하다. ***rendre*** 〔***faire*** (***une***)〕 ***~ à*** qn …을 방문하다. ***trou de ~*** (하수도의) 맨홀. ***~ de cadavre*** 검시(檢屍). ***~ domiciliaire*** 〖법률〗 가택 수색.

*__visiter__ [vizite] *v.t.* ① 방문하다 ; 문병하다 ; 왕진〔회진〕하다 : ~ un pays inconnu 낯선 나라를 방문하다 / J'*ai visité* un ami malade. 나는 병든 친구를 문병하러 갔다 / médecin qui *visite* un malade 환자를 왕진하는 의사 / ~ les pauvres 빈민을 순방하다. ② 시찰〔참관〕하다, 견학〔구경〕하다 : ~ un musée 박물관을 견학하다 / ~ le château de Versailles 베르사유 궁전을 구경하다. ③ 순시하다, 임검하다, 점검하다, 검사〔검진〕하다 ; 수색하다 : ~ des papiers 서류를 점검하다 / ~ les tiroirs de la commode. 장 서랍을 찾다〔뒤지다〕. ***ne pas ~ ses voisins*** 이웃과 왕래〔교제〕가 없다.

visiteur, euse [vizitœːʀ, -øːz] *n.* ① 방문객, 내객, 손님 ; 방문하기 좋아하는 사람 ; 문병객 : reconduir un ~ 손님을 배웅하다 / ~*s* inattendus et déplaisants 성가신 불청객 / ~ de prison 교도소 면회자. ② 관람자, 참관자, 관광객 : Les ~*s* sont priés de s'addresser au guide. 관람객께서는 안내원에게 문의해 주시기 바랍니다 / ~*s* d'une exposition 전시회의 관람객. ③ 순시자, 시찰원 ; 임검자 : ~ des douanes 세관의 (수하물) 조사관 / ~ de gare 〔machine〕 (철도의) 차량〔기관차〕 점검원. ④ (*pl.*) 〖스포츠〗 원정군. [illegible] *adj.* [illegible] 비밀 [illegible] 회의의 방청이 허용된 지부 회원. ***infirmière ~euse*** 가정으로 왕진하는 간호사. ***père ~*** 수도원의 시찰을 맡은 신부.

V

vison [vizɔ̃] *m.* ① 〖동물〗 담비, 밍크(의 모피). ② 《구어》 밍크 외투.

visqueux, euse [viskø, -ø:z] *adj.* 점착성(粘着性)의, 끈적끈적한.

vissage [visa:ʒ] *m.* 나사로 죄기.

visser** [vise] *v.t.* ① 나사로 죄다, 고정시키다 : ~ deux pièces de bois 두 나뭇조각을 나사로 쪽맞추다. ② 《구어》 꼼소리 못하게 만들다. ③ 감옥〔영창〕에 처넣다. ***être mal vissé 기분이 좋지 않다. ***être vissé sur*** 〔***à***〕 ***sa chaise*** 의자에 앉은 채 일어서려고 하지 않다.

visserie [visʀi] *f.* ① 《집합적》 나사류(類). ② 나사 공장 ; 나사 판매점.

visu [vizy] *f.* 《복수불변》 〖컴퓨터〗 디스플레이 제어 목록(《데이터를 화면으로 출력하기 위한 키보드와 정보를 나타내는 화상 표시가 배치되어 있음》).

visualisation [vizɥalizɑsjɔ̃] *f.* ① 시각화, 영상화. ② 〖컴퓨터〗 디스플레이(《데이터를 화면으로 시각화하는 것》).

visualiser [vizɥalize] *v.t.* ① (보이지 않는 현상을) 보이게 하다 ; 가시화(可視化)하다, 시각화하다 : ~ par un graphique des chiffres de production 생산고를 그래프로 나타내어 시각화하다. ② 〖컴퓨터〗 디스플레이(장치)를 보여 주다. ③ 영상화하다 : ~ un roman 소설을 영화화하다.

visuel, elle [vizɥɛl] *adj.* 시각(視覺)의〔에 관한〕. ***angle*** ~ 시각(視角). ***champ*** ~ 시야. ***méthodes ~elles*** (교육에 있어) 시각 방법(《영화 · 환등 따위》). ***point*** ~ 시점. ***rayon*** ~ 시축(視軸). — *m.* 과녁 복판의 흑점 ; 표적. — *n.* 시각형의 사람.

visuellement [vizɥɛlmɑ̃] *adv.* 눈으로, 시각으로.

vit ⇒ vivre, voir.

***vital, e, aux** [vital, -o] *adj.* ① 생명의, 생사에 관계되는, 치명적인 : activité ~*e* 생명 활동 / fonctions ~*es* 생체 기능 / force ~*e* 생명력 / phénomènes 〔réactions〕 ~*aux* 〔~*es*〕 생명 현상〔반응〕. ② 생명 유지에 필수 불가결한 : espace ~ 생명 공간 ; 생활권(圈) / minimum ~ 최저 생활비 ; 1일 최저 기초대사량. ③ (문제가) 중대한, 근본적인(= fondamental, essential), 사활의 : question ~*e* 극히 중대한 문제.

vitaliser [vitalize] *v.t.* 생기〔활기〕를 주다.

vitalisme [vitalism] *m.* 〖생물〗 생기설(生氣說) ; 〖철학〗 활력론(活力論).

vitaliste [vitalist] *adj.* 활력론의. — *n.* 활력론자.

vitalité [vitalite] *f.* ① 생명력, 생기, 활력, 활기 : êtres qui possèdent une grande ~ 왕성한 생명력을 지닌 생물 / enfant plein de ~ 활력이 넘치는 아이. ② (기업 따위의) 생산〔성장〕력 ; 지속성 : ~ d'une entreprise 기업의 성장력.

vitamine [vitamin] *f.* 활력소, 비타민 : ~*s* hydrosolubles 〔liposolubles〕 수용성〔지용성〕 비타민 / aliment riche en ~*s* 각종 비타민이 풍부한 식품.

vitaminé, e [vitamine] *adj.* 비타민을 강화한 ; 비타민을 함유하는〔첨가한〕.

⁑vite [vit] *adj.* 《옛》 빠른(= rapide) : ~ comme le vent 질풍같이 빠른. — *adv.* 빨리, 속히, 급히(≠ lentement) ; 곧, 오래지 않아 ; 서둘러서 ; 신속하게 : Il faut ~ se préparer. 속히 준비해야지 / Il sera ~ arrivé. 그는 곧 도착할 것이다 / Pierre ~, réveille-toi ! 피에르 빨리 일어나 ! ***aller*** ~ 빨리 가다 ; 경솔하게 행동하다. ***aller ~ en besogne*** 일을 재빨리 해치우다 ; 허둥지둥 일을 날림으로 해치우다. ***au plus*** ~ 될 수 있는 대로 빨리. ***avoir ~ fait de***＋*inf.* 곧 …해 버리다 : On *a* ~ *fait de* dire... …라고 말하기는 쉽다. ***Il y va un peu ~.*** 《구어》 그는 좀 경솔해, 너무 속단한다. ***~ fait*** 눈 깜짝할 사이에.

vitellus [vite〔ɛl〕lys] *m.* 노른자위, 난황(卵黃) ; 〖식물〗 배낭(胚囊).

⁑vitesse [vitɛs] *f.* ① 빠름, 신속, 민속(敏速)(= rapidité, promptitude) : course de ~ 단거리 경주. ② 속력, 속도 : boîte de ~*s* (자동차의) 기어박스, 변속기 / excès de ~ 과속 / changement de ~ 변속기 / machine (à) grande 〔petite〕 ~ 고〔저〕속도 기관 / première 〔deuxième, troisième〕 ~ 〖자동차〗 1〔2, 3〕 단 속도. ***à grande*** 〔***pleine, toute***〕 ~ 전속력으로. ***à la*** 〔***avec une***〕 ***~ de*** …의 속력으로. ***contravention pour excès de*** ~ 속도 위반. ***en quatrième*** ~ ⓐ 〖자동차〗 4단 속도로. ⓑ 《구어》 전속력으로. ***en*** ~ 《구어》 빨리, 부랴부랴 ; 전속력으로. ***faire de la ~; gagner en ~; prendre*** 〔***donner***〕 ***de la*** ~ 속력을 내다. ***gagner*** 〔***prendre***〕 qn ***de*** ~ …을 앞지르다 ; …에게 선수를 쓰다. ***indicateur de*** ~ 속도계. ***lutter de ~ avec*** qn …와 뜀박질을 하다. ***train de grande*** ~ 〖철도〗 급행열차. ~ ***critique*** 위험 속도. ~ ***instantanée*** 〖수학〗 순간 속도.

viticole [vitikɔl] *adj.* 포도 재배의.

viticulteur [vitikyltœ:ʀ] *m.* 포도 재배자.

viticulture [vitikylty:ʀ] *f.* 포도 재배.

vitrage [vitʀa:ʒ] *m.* ① 유리를 끼우기 ; (건물 전체의) 유리 ; 유리문, 유리창, 유리 칸막이. ② (창의) 커튼(= rideau de~).

vitrail [vitʀaj] *m.* (*pl.* ***-aux*** [-o]) 채색 유리 ; (교회의) 그림 유리창, 스테인드글라스.

vitre** [vitʀ] *f.* ① 판(板)유리, 창유리(= carreau). ② (자동차 · 기차의) 창(= glace) : ~ avant (자동차의) 프론트글라스. ***casser les ~s 《구어》 야단법석하다 ; 추문을 일으키다. ***faire trembler les ~s*** (창이 흔들릴 정도로) 큰 소리로 말〔노래〕하다.

vitrer [vitʀe] *v.t.* (창문 따위에) 유리를 넣다〔끼우다〕 : ~ une porte 〔une fenêtre〕 문〔창〕 유리를 끼우다.

vitrerie [vitʀəʀi] *f.* 판유리 제조〔판매〕 ; 유리 제품 ; 《집합적》 판유리 : acheter de la ~ 판유리를 사다.

vitreux, euse [vitʀø, -ø:z] *adj.* ① 유리 모양의 ; 유리를 넣은〔끼운〕 듯한 : état ~ de la matière 〖물리〗 물질의 유리 상태. ② 반투명한, 흐릿한 : œil 〔regard〕 ~ 흐릿한 눈.

vitrier [vitʀije] *m.* 유리 상인〔제조인〕 ; 유리 끼우는 일꾼 ; 《구어》 엽보병(獵步兵).

vitrifiable [vitʀifjabl] *adj.* 유리로 만들 수 있는.

vitrification [vitʀifikɑsjɔ̃] *f.* 유리화(化).

V

vitrifier [vitʀifje] *v.t.* 유리화(化)하다 ; 유리처럼 만들다, 투화(透化)하다 : brique *vitrifiée* 화장 벽돌.

*vitrine [vitʀin] *f.* ① 진열창 ; 진열대(= devanture (vitrée)) ; 유리 상자〔케이스〕; 진열장 ; 진열(물), 전시(품) : article en ~ 진열창 안의 물건 / exposer des articles dans la ~ 상품을 진열대에 진열하다 / lécher les ~*s* 진열물을 구경하다 ; 윈도쇼핑을 하다. ② (수집품 · 미술품 따위를 넣는) 장식장. **faire des ~s** 진열하다.

vitriol [vitʀijɔl] *m.* ① 〖화학〗 황산염 ; 진한 황산. ② 신랄한 표현〔독설〕.

vitrioler [vitʀijɔle] *v.t.* ① (액체에) 황산을 가하다. ② 〖직물〗 묽은 황산으로 처리하다. ③ (사람에게) 황산을 끼얹다.

vitupération [vitypeʀɑsjɔ̃] *f.* 비난, 욕설.

vitupérer [vitypeʀe] 6 *v.t.* 《옛》 비난하다, 욕설하다. ── *v.i.* 《~ contre》 욕설을 퍼붓다, 큰 소리로 외치다. ── *v.t. ind.* 《~ contre》 …에 대해 격렬하게 비난하다, 항의하다 : Il *a vitupéré contre* la hausse des prix. 그는 물가 앙등에 대해 강력하게 항의했다.

vivable [vivabl] *adj.* ① 살기 좋은 ; (사람이) 함께 지내기 좋은 : logement 〔monde〕 ~ 살기에 좋은 주거〔세상〕. ② 참을〔견딜〕 수 있는 : milieu qui n'est pas ~ 살기 힘든 환경.

vivace[1] [vivas] *adj.* ① 생명력이 강한 ; 강인한. ② (편견 따위가) 뿌리 깊은 ; (기억 따위가) 생생한 : haine ~ 뿌리 깊은 증오심. ③ 〖식물〗 다년생의(≠ annuel).

vivace[2] [vivatʃe] 〔이탈리아〕 〖음악〗 *adj.* 《불변》 경쾌한, 쾌활한. ── *adv.* 쾌활하게.

vivacité [vivasite] *f.* ① 활발 ; 민첩, 활기, 생기, 발랄 : avoir de la ~ dans les yeux 눈에 생기가 있다 / perdre de la ~ 생기를 잃다, 시들어 가다 / physionomie pleine de ~ 발랄한 표정 / ~ d'esprit 두뇌의 예민함 ; 재기발랄 / ~ à agir 행동의 민첩성. ② 과격〔격렬 · 신랄〕(함) : ~ d'une critique 비평의 신랄함 / ~ des propos 말의 신랄함. ③ (빛깔의) 선명함 ; (빛의) 강렬함 : ~ du coloris 색조의 선명함. ④ 성마름 ; (*pl.*) 노여움, 성. **avec ~** 쾌활하게 ; 성마르게.

vivant, e [vivɑ̃, -ɑ̃:t] *adj.* ① 살아 있는 : expériences sur des animaux ~*s* 생체 해부 / Le blessé est encore ~. 부상자는 아직 살아 있다 / être entreé ~ 생매장되다. ② 살아 있는 것 같은, 실물과 같은, 실감나는, 박진감이 느껴지는 : portrait ~ 살아 있는 것 같은 초상 / film ~ 실감나는 영화. ③ 생생한, 생기 있는(= vif), 발랄한 : œil 〔regard〕 ~ 생기 있는 눈〔시선〕 / enfant très ~ 매우 발랄한 아이 / œuvre ~*e* 생동감이 넘치는 작품. ④ (거리가) 활기 있는, 번화한 : rue ~*e* 번화한 거리. ⑤ 똑같이 생긴(= ressemblant) : C'est un portrait ~ de son père. 그는 아버지를 꼭 닮았다. ⑥ 현재 쓰이는 ; 지금도 계속되는 : souvenirs toujours ~*s* 아직도 생생한 추억. **âme ~e ; homme ~ 《부정어와 함께 쓰여》 아무도. **bien 〔mal〕 ~** 행실이 훌륭한〔나쁜〕. **être le portrait ~ de** qn …와 똑같다. **langue ~e** 현용어(現用語), 활어(活語).
── *n.* ① 살아 있는 사람, 생존자. ② 생존. ③ 실물 : portrait fait sur le ~ 실물에 의거한 초상화. **bon ~** 쾌활한 사람 ; 태평스러운 사람. **de 〔en〕 son ~** 그가 살아 있는〔있던〕 시절에. **du ~ de** qn …의 생존 중 : *du ~ de* mon père 아버지 생전에. **les ~s et les morts** 산 자와 죽은 자.

vivarium [vivaʀjɔm] 〔라틴〕 *m.* (자연의 서식 상태에 가까운) 동물 사육장.

vivat [viva] 〔라틴〕 *interj.* 만세. ── *m.* 만세, 환호(성). **crier ~ ; pousser des ~s** 만세를 부르다.

*vive[1] [vi:v] *f.* 〖어류〗 날개횟대 무리.

vive[2] *adj. f.* ⇒ vif.

*vive[3] *interj.* 만세《복수형이 올 때는 때로 vivent를 씀》 : *Vive(nt)* les Français ! 프랑스 만세 ! / *Vive(nt)* les vacances ! 바캉스 만세 !

*vivement [vivmɑ̃] *adv.* ① 활발히 ; 힘차게, 격렬〔맹렬〕하게 : mener ~ une affaire 일을 척척 잘 해내다 / poursuivre ~ 맹렬하게 추격하다. ② 격한 어조로 : répliquer ~ 격한 어조로 대꾸하다. ③ 열렬히 ; 깊이 ; 통렬〔통절〕하게 : désirer ~ 열망하다 / ~ touché 깊이 감동한 / remercier ~ 깊이 감사하다. ── *interj.* 빨리 : Au fait ! et ~ ! 가거라, 빨리 ! / Va-t-en, et ~ ! 가거라, 빨리 ! / 《~ que + *sub.*》 *V~* que ça finisse. 어서 이 일이 끝나면 좋겠다.

vivier [vivje] *m.* 양어지(養魚池) ; (어선의) 활어 수조(水槽) ; 수조 딸린 어선 ; 양성소.

vivifiable [vivifjabl] *adj.* 생기〔활기〕를 줄 수 있는, 생명을 줄 수 있는.

vivifiant, e [vivifjɑ̃, -ɑ̃:t], vivificateur, trice [vivifikatœ:ʀ, -tʀis] *adj.* 생기를 주는, 활기를 띠게 하는(= fortifiant) : climat ~ 몸〔건강〕에 좋은 기후.

vivifier [vivifje] *v.t.* ① …에(게) 생기를 주다, 활기 띠게 하다 : Ce climat me *vivifie.* 이런 기후는 나에게 활력을 준다. ② 소생시키다, 되살아나게 하다 : ~ les souvenirs 추억을 되살아나게 하다. ③ 〖종교〗 영생을 주다 : force qui *vivifie* 생명의 기원이 되는 힘. ── **se ~** *v.pr.* 활기를 띠다.

vivipare [vivipa:ʀ] 〖동물〗 *adj.* 태생(胎生)의. ── *m.* 태생 동물(≠ ovipare).

vivisecteur [vivisɛktœ:ʀ] *m.* 생체 해부학자. ── *adj. m.* 생체 해부의.

vivisection [vivisɛksjɔ̃] *f.* 생체 해부.

vivoter [vivɔte] *v.i.* ① 《구어》 초라하게 살다, 근근히 살아가다, 보잘것없는 생활을 하다. ② 《주어 : qc》 겨우 명맥을 유지하다.

**vivre [vi:vʀ] 37 *v.i.* ① 살다 ; 살아 있다 : joie de ~ 사는 기쁨 / Le blessé *vit* encore, son cœur bat. 부상자는 아직 살아 있다, 그의 심정이 뛰고 있다 / les années qu'il *a vécu* 그가 살아온 세월《les années는 상황보어, 과거분사 vécu는 불변》. ② 오래 살다 ; (후세에) 길이 남다, 존속하다 : ~ longtemps 오래 살다, 장수하다 / Son souvenir *vit* en nous. 그에 대한 추억은 우리 속에 살아 있다. ③ 생활하다 ; 거주하다 : ~ à Paris 〔la campagne〕 파리에〔시골에서〕 살다 / ~ avec qn …와 동거하다. ④ 생계를 꾸리다 : travailler pour ~ 살아가기 위해 일하다 / faire ~ ses parents 양친을 부양하다 / ~ tant bien que mal 그럭저럭 생활하다 / ~

V

au jour le jour 그날 벌어서 그날 먹고 살다 / ~ de sa plume 문필로 생계를 세우다. ⑤ 《~ de 〔sur〕》 …을 먹고 살다, …으로 삶을 영위하다 : ~ *de* légumes 채식하다 / ~ *d*'espérance 희망에 살다 / ~ *de* ses rentes 연금으로 살아가다 ; (일정한 직업 없이) 놀며 살다 / *De* quoi *vivez*-vous ? 직업이 무엇입니까 ? / ~ *sur* la fortune de qn …의 돈으로 살아가다. ***apprendre à ~ à*** qn …의 무례〔실례〕를 나무라다. (chercher) ***à ~*** 먹고 살 것을 (찾다). ***avoir beaucoup vécu*** 세상 일에 능하다. ***avoir de quoi ~*** 먹고 살 만한 돈이 있다. ***avoir vécu*** 죽어 있다 ; 유행이 지나다 ; 인생을 향락했다 : Le colonialisme *a vécu.* 식민지주의는 이미 사라졌다. ***être aisé*** 〔***facile, commode***〕 ***à ~*** 붙임성 있다, 교제하기 쉽다. ***Il faut bien ~.*** 먹고살기 위해서는 할 수 없다 ; 목구멍이 포도청이다. ***ne*** (***pas***) ***rencontrer âme qui vive*** 아무도 만나지 못하다, 사람이라고는 그림자도 없다. ***Qui vive ?*** 누구냐 ? 《보초의 수하》. ***Qui vivra verra.*** 때가 되면 알 것이다. ***savoir ~*** 처세술. ***se laisser ~*** 되는대로 살다. ***~ bien*** 〔***mal***〕 ***avec*** qn …와 사이가 좋다〔나쁘다〕. ***~ de*** …으로 살아가다. ***~ heureux*** 행복하게 살다.

— *v.t.* ① (삶을) 살다 ; (날 · 시간을) 보내다 (= passer) : ~ une vie heureuse 행복한 삶을 살다 / ~ des jours heureux 행복한 나날을 보내다 / Il *a vécu* une vie tranquille. 그는 평온한 생애를 보냈다. ② 체험하다, 맛보다 ; 실감하다 : bataille que tout citoyen *a vécue* 모든 시민이 체험한 전투 / Mes amours, je les *ai vécus.* 나는 내 사랑을 몸소 체험했다. ~ ***sa vie*** 자기의 생각대로 살아가다.

— *m.* ① 생계 ; 식사. ② (*pl.*) 식량(= aliments) : rationner les ~ 식량을 배급하다 / ~ de réserve 비상 식량. ③ 《옛》 삶. ***couper les ~s à*** qn …에게 식량 보급의 길을 끊다 ; …에게 물질적 원조를 중단하다. ***faire des ~s*** 식량을 마련하다〔사들이다〕. ***le ~ et le couvert*** 식사와 숙박.

vivrier, ère [vivʀije, -ɛːʀ] *adj.* 식량을 산출하는 ; 식량을 공급하는 : cultures *~ères* 식량 생산. — *m.* 식량 공급〔관리〕자.

vizir [viziːʀ] *m.* (터키의) 대신. ***grand ~*** 총리대신.

vlan, v'lan [vlɑ̃] *interj.* 철썩, 덜컹, 쿵, 휙 《빠른 동작, 구타, 문이 열리고 닫히는 소리》 : Et ~ ! il referma la porte. 쾅 하고 그는 문을 도로 닫았다.

V.O. 《약자》 version original 〖영화〗 원어판(版).

vocable [vɔkabl] *m.* ① 말(= terme, mot). ② 이름 ; 명목 ; 〖가톨릭〗 수호 성인의 이름, 주보 성인명. ***église sous le ~ de Saint Jean*** 성(聖) 요한을 주보로 모시는 교회. ***sous le ~ de*** …란 명목으로.

vocabulaire** [vɔkabylɛːʀ] *m.* ① 용어, 술어 ; 어휘(語彙) : ~ des sports 스포츠 용어 / ~ juridique 법률 용어. ② 용어집 ; 단어집, 소사전 ; 술어집 : ~ français-grec 프랑스어-그리스어 소사전. ***enrichir son ~ 자기의 어휘를 늘리다.

vocal, e, aux [vɔkal, -o] *adj.* 음성의 ; 구두의. ***musique ~e*** 성악. ***oraison ~e*** (묵도에 대한) 성도(聲禱). ***organe ~*** 발성 기관. — *n. pl.* 《옛》 〖종교〗 회의에서 발언할 수 있는 사람 ; 선거권자.

vocalique [vɔkalik] *adj.* 〖언어〗 모음의, 모음자(母音字)의.

vocalise [vɔkaliːz] *f.* 〖음악〗 모음 발성법〔연습〕.

vocaliser [vɔkalize] *v.t.* 〖언어〗 (자음을) 모음화하다. — *v.i.* 〖음악〗 모음으로 발성(연습)하다. — **se ~** *v.pr.* (자음이) 모음화되다.

vocalisme [vɔkalism] *m.* 〖언어〗 모음 체계 ; 모음 사용법 ; (한 말에 포함된) 모음 ; 모음론.

vocatif [vɔkatif] *m.* 〖문법〗 호격(呼格).
— *adj. m.* 호칭의.

vocation [vɔkɑsjɔ̃] *f.* ① 성업(聖業) ; (종교생활 · 직업 따위의) 신의 뜻, 천직, 사명 : Sa ~ était de soulager les pauvres. 가난한 사람들을 돕는 것이 그의 천직이었다. ② 성향, 취미, 기호, 적성 : suivre sa ~ 자기의 적성에 맞는 직업을 갖다 / région à ~ agricole 농업에 적합한 지역. ***avoir*** (***de la***) ***~ pour*** 〔***à***〕 qc …에 적임이다, 소질이 있다. ***manquer sa ~*** 직업 선택을 잘못하다.

vocifération [vɔsifeʀɑsjɔ̃] *f.* 울부짖음, 노호(怒號), 고함.

vociférer [vɔsifeʀe] 6 *v.i.* 큰 소리로 외치다, 울부짖다, 고래고래 고함지르다, 노호하다. — *v.t.* (욕설 따위를) 퍼붓다.

vodka [vɔdka] 〔러시아〕 *f.* 보드카《러시아의 화주(火酒)》.

vœu** [vø] *m.* (*pl.* **~x**) ① (신에 대한) 맹세, 서원(誓願)(= serment) : *~x* perpétuels 종신 허원(許願) / trois *~x; ~x* de religion 수도(修道)의 허원, 청빈 · 정결 · 순종의 허원《수도원에 들어갈 때》. ② 굳은 결심(= résolution) : faire le ~ de ne plus revoir qn …을 다시 만나지 않기로 굳은 결심을 하다. ③ 소망, 소원, 원, 기원, 희망(= souhait, désir) ; (신년 따위의) 인사 : *V~x* de bonne année 〔Meilleurs *~x* pour la nouvelle année〕. 근하신년 / *~x* de bonheur 축복 / Mes *~x* sont comblés. 내 소원은 이루어졌다. ④ (자문 기관 따위의) 권고(= conseil) ; 희망, 요망(= demande) : ~ de l'immense majorité 대다수의 희망 사항. ***appeler qc ***de tous ses ~x*** …의 성취를 빌다. ***combler*** 〔***exaucer***〕 ***les ~x de*** qn …의 소원을 풀어 주다. ***exprimer le ~ que*** + *sub.* …하는 희망을 표명하다. ***faire*** 〔***former***〕 ***des ~x pour*** qn 〔qc ***que*** + *sub.*〕 …의 성공을 빌다〔…하도록 빌다〕. ***faire ~ de*** qc 〔+ *inf.*〕 (신에 대하여) …의〔할〕 맹세를〔허원을〕 하다, …할 것을 결심하다. ***présenter ses meilleurs ~s à*** qn …에게 축하 인사를 하다. ***prononcer ses ~x*** 수도의 맹세를 하다. ***Tous mes ~x !*** 성공〔행복〕을 빕니다 !

vogue [vɔg] *f.* ① 《옛》 유행, 인기(= faveur, popularité) : faire la ~ 유행을 만들다. ② 프랑스 남부 지방의 서낭제. ***avoir de la*** 〔***la, une***〕 ***~ ; être en ~*** 유행하고 있다. ***entrer en ~*** 유행하기 시작하다. ***mettre*** qc ***en ~*** …을 유행시키다.

voguer [vɔge] *v.i.* ① 《옛》 배를 젓다. ② (배가) 가다, 항해하다. ③ 유영(遊泳)하다 ; (구름이 하늘을) 흘러가다, 떠돌다. ④ 진출하다 ; 출세하다. ***~ à pleines voiles*** 돛을 모두 올리고 가다 ; 순조롭게 성공〔출세〕하다.

‡voici [vwasi] *prep.* ① 《~+(대)명사》 여기 …이 있다, …가까이 있다 ; 이것은 …이다, 다음과 같다 : *V~* un garçon 〔des fruits〕. 여기 한 소년〔과일〕이 있다 / Du pain? — En ~. 빵은? — 예, 여기 있습니다. ② …이 오다〔왔다〕 : Me 〔Les〕 ~. 나는〔그들은〕 여기에 왔다 / Nous ~ arrivés. 우리들은 드디어 도착했다, 우리들은 여기에 도착했습니다 / La ~ qui vient. 아〔어머〕 그녀가 오는군 / Nous ~ au printemps. 이젠 봄이다. ③ 《시간적으로 가까운 일》 *V~* le printemps. 봄이 왔다 ; 벌써 봄이다 / *V~* la pluie. 비가 온다 / *V~* venir la Noël 〔*V~* la Noël qui arrive〕. 크리스마스가 왔다 / *V~* que les jours grandissent. 해가 길어지기 시작했다. ④ 《대명사+~+속사》 《특징적인 새로운 상태의 표현》 Nous ~ tranquille. 우리는 안심했다. ⑤ …은 다음과 같다 : *V~* pourquoi. 그 이유는 다음과 같다 / *V~* ce qu'il m'a dit. 그는 나에게 이렇게〔다음과 같이〕 말했다. ⑥ 《(대)명사+que ~》 여기에 있는 (이)… ; 다음과 같은 … : Mon ami *que* ~ vous le dira. 여기에 있는 저의 친구가 당신에게 그것을 말할 겁니다 / petite histoire *que* ~ 다음과 같은 짧은 이야기. ⑦ 《문어》 …전에, …전부터(= il y a, voilà, depuis) : Je l'ai vu ~ trois ans. 나는 3년 전에 그를 만났다 / *V~* deux ans que je demeure ici. 나는 2년 전부터 여기서 살고 있다. ***Nous ~ bien.*** 《구어》 잘 돼 가는군, 난처하게 됐군. ***Nous y ~.*** 《어떤 장소에》 자 닿았다 ; 《예상했던 사태가》 이제 왔구나 ; 이제부터가 문제다.

voie** [vwa] *f.* ① 길, 도로 ; 차선 : ~ de communication 교통로 ; 〖전화〗 통신〔통화〕로 / ~ publique 〔privée〕 〖행정〗 공(公)〔사(私)〕도 / ~ classée 주요 간선 도로 / ~ sur berge 강변 도로 / ~ à sens unique 일방 통행로 / ~*s* romaines 로마 도로들 / route à quatre ~*s*, 4차선 도로. ② 〖철도〗 철도, 선로(= ~ ferrée) : ligne à une ~ 〔deux ~*s*〕 단〔복〕선 / ~ montante 〔descendante〕 상행〔하행〕선 / ~ principale 간선(幹線) / ~ étroite[1] 협궤 / changement de ~ 전철기 / Ne traversez pas les ~*x*. 선로를 횡단하지 마시오. ③ (바다·하늘의) 교통로 ; 교통수단 : ~*s* navigables 항행로 / ~ maritime(s) 〔aérienne(s)〕 해〔항공〕로 ; 해운〔공수〕 / par ~ de terre 〔aérienne〕 육로〔공로〕로. ④ 《비유》 (목적을 달성하기 위한) 길, 목표 ; 방법, 수단 : ~*s* d'accommodement 조정(調停) / trouver sa ~ 자신의 진로를 찾아내다 / ~ légale 법적 수단 / par une ~ détournée 우회적인 방법으로 / par (la) ~ diplomatique 외교적으로. ⑤ 〖해부〗 도(道), 관(管) ; 〖전기〗 회로(回路). ⑥ (수레바퀴의) 간격 ; 궤간(軌間) ; (톱니 좌우의) 간격, 폭 : donner de la ~ à une scie 톱니의 폭을 넓히다. ⑦ 수레 사국 ; 〖사냥〗 (짐승의) 발자취 : perdre la ~ 발자취를 잃다. ⑧ 〖천문〗 *V~* lactée 은하(銀河). ***envoi par ~ ferrée 철도편. ***être à bout de ~*** 어찌할 방도가 없어지다, 막다른 지경에 이르다. ***être dans la* 〔*en*〕 *bonne ~*** 성공의 길을 걷고 있다 ; 바른 길을 걷다 ; 행실이 올바르다. ***être en ~ de*** qc 〔+*inf.*〕 …의〔하는〕 도중이다 : *être en ~ de* formation 〔développement〕 형성〔발전〕 도상에 있다 / *être en ~ de* guérison 차도가 있다. ***être sur la ~*** (개가) 짐승 뒤를 쫓고 있다 ; 《문어》 (사람이) 성공의 길을 걷고 있다. ***mettre sur la ~*** 〖사냥〗 (개에게) 사냥감〔짐승〕의 뒤를 쫓게 하다 ; 《구어》 암시를 주다, 알아차리게 하다. ***ouvrir la ~ à*** qc …의 전례(前例)를 만들다. ***par* (*la*) *~ de*** …을 경유하여 ; …에 의하여 : *par ~ de* londres 〖우편〗 런던 경유로(= ~ londres) / *par la ~ de* poste 우편으로. ***par la ~ terrestre* 〔*aérienne, maritime*〕** 육로〔공로·해로〕로. ***par ~ de conséquence*** 《문어》 그러므로, 따라서 ; 거기에 따라서. ***par ~ diplomatique*** 외교 수단으로. ***préparer les ~s*** 준비 공작을 하다. ***tenter la ~*** 시도하다. ***~ de garage*** 〖철도〗 측선(側線), 대피선 ; 몰락〔쇠퇴〕 일로(一路) ; (정계·관계에서의) 퇴역, 퇴진. ***~ de passage*** (교)통로. ***~s de droit*** 소송(訴訟). ***~s de fait*** 폭력 행위 : se porter à des ~*s de fait* 폭력을 휘두르다.

‡voilà [vwala] *prép.* ① ⓐ 《~+(대)명사》 거기〔저기〕에 있다 ; 그것은 …이다 ; 여기에 있다 ; 이것은 …이다《현대 불어, 특히 구어체에서는 voilà가 voici 대신에 많이 쓰임》 : Voici mon bureau et ~ le vôtre. 이것이 나의 책상이고 저것이 당신의 것입니다 / *V~* Frédéric, un ami. 이쪽은 친구 프레데릭입니다 / *V~* ce que vous voulez. 자, 이것이 당신이 바라는 것입니다. ⓑ 《인칭대명사+~》 Où êtes-vous? — Me ~. 당신 어디에 있습니까? — 나 여기 있어요. ⓒ 《en ~》 Veux-tu de l'argent? *En* ~. 돈 가지고 싶니? 여기 있다 / Des pêches? *En* ~ trois bien mûres. 복숭아라면 여기에 잘 익은 것 세 개가 있습니다. ⓓ 《(대)명사 생략》 Je voudrais la carte touristique de la ville. — *V~*, monsieur. 도시의 관광 지도를 찾습니다 — 예, 여기 있습니다 / *V~* qui est bien. 그것 참 잘 되었군. ② 오다, 도착하다 ; 시작하다, …이 되다 : *V~* votre frère qui arrive. 당신의 형이 옵니다 / Enfin, ~ les invités! 드디어 손님들이 왔다 / *V~* la fin d'hiver. 이제 겨울이 끝나는구나. ③ (갑자기) …하(고 있)다, …이 일어나(고 있)다《갑작스런 사건이나 새로운 상황의 제시》. ⓐ 《~ que+*ind.*》 Tiens, ~ *qu*'il commense à pleuvoir. 저런 비가 오기 시작하는군. ⓑ 《~+명사+qui… ; 인칭대명사+~ qui…》 *V~* le réveil *qui* sonne. 어, 자명종이 울리는군 / Le ~ *qui* arrive. 어, 그 사람이 오네 / Le ~ *qui* se fâche. 이봐, 그 사람이 화가 났어. ⓒ 《인칭대명사+~+속사, 장소》 Nous ~ à la gare. 자, 역에 도착했다 / La ~ partie! 드디어 그녀는 가 버렸구나! ④ …은 이상과〔이하와〕 같다, 그것이 [illegible]이다. *V~* ses raisons. 이것이 그가 말한 이유이다 / *V~* ce qu'il m'a raconté et voici ce que j'en pense. 이상이 그가 한 이야기이고 그것에 대해 나는 다음

과 같이 생각한다 / *V~* comment il faut dire. 이렇게 말하면 좋습니다 / 《~+간접의문문》 *V~* pourquoi je n'ai rien pu dire. 그런 이유에서 나는 아무 말도 할 수 없었다. ⑤ 《~+기간》 ⓐ …한 지 …이 되다 ; …전부터 (…하고 있다) (=depuis) : *V~* dix ans que je le connais. 10년 전부터〔이래〕 나는 그와 (잘) 아는 사이다. ⓑ 《전치사적》 …전에 (…했다)(=il y a) : Elle est partie ~ une heure. 그녀는 1시간 전에 떠났습니다. ⑥ 《간투사적》 ⓐ 《행위의 완료》 자 : *V~*, j'ai gagné. 자, 내가 이겼어. ⓑ 《대답》 예 : Garçon, un demi ! — *V~*, ~ j'arrive ! 여보세요, 생맥주 한 잔 주세요 — 예, 예, 갑니다. ⓒ 《이야기의 마무리》 이상과 같다 ; 《구어》 그뿐이다 ; 됐다 : Je me suis sauvé par la fenêtre, (et) ~. 창문으로 도망쳐 나왔어, 그렇게 한 것뿐이야. ⓓ 《이야기의 전개·이유》 그런데, 결국, 사실은 : Il a voulu aller la voir, oui, mais ~, il était trop tard. 그는 그녀를 만나러 가고 싶었는데, 그런데 말이지요, 시간이 너무 늦어 버렸어요. ***en ~*** 《강조》 어처구니없는 …이다 : *En* ~ un imbécile ! 무슨 이런 바보가 있담 ! / *En* ~ une idée ! 당찮은 생각이다 ! ***en ~ assez !*** 그만하면 충분하다 ; 이제는 지긋지긋하다. ***En ~ pour un an.*** 이것으로 1년분은 된다. ***En ~ une idée !*** 당찮은 생각이다. ***l'homme que ~*** 거기에 있는 사람. ***Me ~ bien.*** 난 큰일났어. ***(ne) ~-t-il pas que*** …하질 않겠습니까, …한단 말입니까 : *Ne ~-t-il pas qu'*il se fâche ? 그는 화를 내고 있는 건 아닌가 ? / Nous allions sortir, et *ne ~-t-il pas qu'*il se mit à pleuvoir ! 우리는 외출하려고 했거든, 그런데 비가 내리지 않겠어. ***Nous y ~.*** 문제는 그거야. ***que ~*** ⓐ 저기에 있는 ; 다음과 같은 : l'homme *que* ~ 저기에 있는 남자. ⓑ 얼마나 …한가, 이것이야말로 …이다 : *Que* ~ donc du sens commun ! 이것이 바로 상식이라는 것이다. ***V~ ce que c'est (que) de****+inf.* 《구어》 …하니까 그렇게 되는 것이다 : *V~ ce que c'est que de* désobéir. 《구어》 말을 듣지 않으니까 그 모양이다. ***V~, monsieur !*** 예, 곧 갑니다《식당에서》. ***V~ que*** 갑자기 〔돌연〕 … ; 하아 … : *V~ qu'*il pleut. 하아, 비가 오네. ***V~ qui va bien.*** 이것은 굉장하다. ***V~ tout.*** 그뿐이오.

voilage [vwala:ʒ] *m.* 옷·가구 등에 씌우는 투명한 천.

voile¹** [vwal] *m.* ① 너울, 베일, 면사포 ; 덮개, 장막(=rideau) : ~ blanc de mariée 신부의 흰 면사포, 베일 / ~ noir de deuil (장례식 때 여자가 쓰는) 검은 베일 / ~ des musulmanes 이슬람교 여자들의 베일. ② 가면, 복면 ; 어둠. ③ 외관, 구실 ; 〖해부〗 막(膜) : ~ du palais 〖해부〗 연구개(=vélaire). ④ 〖사진〗 (음화의) 흐린 부분 ; 〖의학〗 (뢴트겐 사진의) 흐린 부분 : avoir un ~ au poumon droit 오른쪽 폐에 흐린 부분이 있다. ***avoir un ~ devant 〔***sur***〕 ***les yeux*** (편견 따위에 의해) 눈이 흐려져 있다. ***étendre*** 〔***jeter***〕 ***un ~ sur*** qc …위에 베일을 씌우다, …을 가리다 ; 묵살하다. ***lever le ~ de*** qc …을 폭로하다. ***prendre le ~*** 수녀가 되다. ***soulever un coin du ~*** …을 흘낏 보이다. ***sous le ~ de*** …의 미명 아래, …의 가면을 쓰고. ***~s de la nuit*** 밤의 장막, 어둠.

voile²** *f.* ① 돛 : bateau 〔navire〕 à ~s 돛단배, 범선 / hisser les ~s 돛을 올리다. ② 배, 척(隻) : une flotte de 30 ~s, 30척으로 된 함대. ③ 범선(=voilier) ; 〖스포츠〗 범선 조종 : apercevoir une ~ à l'horizon 수평선에 범선 1척이 보이다 / faire de la ~ 범선 조종을 하다. ***aller à la ~ 돛을 달고 가다, 범주(帆走)하다. ***amener les ~s*** 돛을 내리다. ***à pleines ~s ; à toutes ~s*** 돛을 모두 달고 ; 마음속으로 기꺼이. ***avoir du vent dans les ~s*** 일이 순조롭게 잘 되어 가다 ; 《구어》 취해 있다. ***faire force de ~s ; mettre toutes les ~s au vent*** 《속어》 전력을 다하다. ***faire ~ (vers) ; mettre à la ~ (pour)*** (…으로 향하여) 출범(出帆)하다. ***mettre les ~s*** 《속어》 달아나다, 가 버리다. ***naviguer à la ~*** 범주(帆走)하다. ***sous ~(s)*** 돛을 올리고.

voilé, e¹ [vwale] *adj.* 가리어진, 흐린 ; 불명료한 ; 복면(覆面)〔베일〕을 쓴 : ciel ~ 흐린 하늘 / contours ~*s* 희미한 윤곽 / yeux ~ de larmes 눈물로 (가리어) 흐려진 눈 / ~ de nuages 구름에 덮인 / femme ~*e* 베일을 쓴 여자 / sens ~ 모호한 의미. ***en termes ~s*** 에둘러, 넌지시, 빗대어.

voilé, e² *adj.* ① 돛을 단. ② (차바퀴·판자 따위가) 휘어진, 뒤틀어진.

voiler¹ [vwale] *v.t.* ① …에 너울을〔면사포를〕 씌우다 ; 막으로 덮다 ; 덮어 가리다 : ~ son visage 얼굴에 베일을 씌우다 / ~ une statue 조상(彫像)을 포장으로 덮어씌우다 / ~ une fenêtre 커튼으로 창을 가리다. ② 숨기다, 감추다 ; 흐리게 하다 : ~ la vérité 진실을 은폐하다 / montagnes que *voilait* le brouillard du matin 아침 안개가 희미하게 가리고 있던 산들.

— **se ~** *v.pr.* ① 베일을〔면사포를〕 쓰다 ; 손으로 얼굴을 가리다 : Beaucoup de musulmanes ne *se voilent* plus. 많은 회교도 여성이 이제는 베일을 쓰지 않는다. ② 덮이다 ; 흐려지다 : Le ciel *se voile.* 하늘이 구름으로 덮인다. ③ (목소리가) 힘을 잃다, 작아지다. ***se ~ de nuages*** (하늘이) 구름에 덮이다. ***se ~ la face*** 자기 얼굴을 베일로 가리다 ; 손으로 얼굴을 가리다.

voiler² *v.t.* ① 휘게〔뒤틀리게〕 하다. ② 〖해양〗 배에 돛을 달다. — *v.i.* 휘다, 뒤틀어지다. — **se ~** *v.pr.* ① (판자 따위가) 휘다, 뒤틀어지다 : Cette étagère *se voile* sous le poids des livres. 이 선반은 책 무게 때문에 휘어졌다. ② (자동차 바퀴가) 일그러지다.

voilerie [vwalʀi] *f.* ① 〖해양〗 제범소(製帆所). ② 돛 수리장〔보관소〕.

voilette [vwalɛt] *f.* ① 부인모에 붙이는 베일. ② (의자 따위의) 커버.

voilier, ère [vwalje, -ɛ:ʀ] *m.* ① 돛을 만드는〔고치는〕 일꾼. ② 돛배, 범선 ; 요트. — *adj.* ① 돛으로 가는 : navire bon 〔mauvais〕 ~ 우량〔불량〕 범선. ② (새가) 미끄러지듯 나는. ***oiseau ~*** 날개를 펴고 멀리 나는 새.

voilure [vwaly:ʀ] *f.* 《집합적》 돛 ; 의장(艤裝) ; 〖항공〗 (비행기의) 날개. ***~ tournante*** (헬

V

리콥터의) 회전 날개.

:voir [vwa:ʀ] 59 *v.t.* ① (눈으로) 보다 : ~ qc de ses (propres) yeux …을 자신의 눈으로 보다 / Je le *vis* tomber 〔qui tombait〕. 나는 그가 넘어지는 것을 보았다 / Je n'aime pas ~ souffrir. 나는 (남이) 괴로워하는 것을 보기 싫다 / On lui *voit* beaucoup d'amis. 그에게는 많은 친구가 있는 모양이다 / 《~ qn 〔qc〕 + *inf.*》 J'*ai vu* mourir des centaines et des centaines de blessés. 나는 수백 명이나 되는 부상자들이 죽어 가는 것을 보았다.
② 목격〔경험〕하다 : génération qui *a vu* la guerre de 14, 제 1 차 세계 대전을 경험한 세대 / pays qui *a vu* plusieurs révolutions 여러 번 혁명을 겪은 나라.
③ 만나다 ; 방문하다 ; 문병하다 ; 면회하다 : aller 〔venir〕 ~ qn …을 만나러〔찾아〕 가다 〔오다〕 / Il ne veut ~ personne. 그는 아무도 만나려〔접견하려〕 하지 않는다 / Je l'*ai* déjà *vu*. 그를 이미 만난 일이 있다.
④ …와 교제하다 : ~ de bons amis 좋은 벗과 교제하다 / Je ne le *vois* plus. 나는 이미 그와는 교제하지 않는다.
⑤ (의사가 환자를) 진찰하다 ; (의사에게) 진찰을 받다 : ~ un malade 병자를 진찰하다 / ~ un médecin 의사에게 진찰 받다.
⑥ 관찰하다, 조사해 보다, 살펴보다 ; 검토하다, 생각해 보다 : *Voyons* un peu cette affaire. 이 문제를 좀 검토해 봅시다 / *Voyez* 〔*V*~〕 la page quarante-trois, 43 페이지를 참조하시오〔할 것〕.
⑦ 구경하다, 유람〔참관〕하다 : Cela vaut la peine d'*être vu*. 그것은 구경해 볼 만하다 / ~ un film 〔un match, une pièce de théâtre〕 영화를〔경기 · 연극을〕 구경하다.
⑧ 상상〔회상〕하다 : Vous *voyez* ça d'ici. 당신은 여기서도 (쉽게) 그것을 상상할 겁니다.
⑨ 해보다, 시험해 보다 : 《명령법 + ~》 Écoute ~. 들어 봐요 / *Voyons* ~. 자, 봅시다 / Dites ~. 말해보세요.
⑩ 알다, 깨닫다, 판단하다 ; 인정하다 : ne pas ~ le sens d'un mot 단어〔말〕의 뜻을 모르다 / Je ne *vois* pas de solution. 나는 해결 방도를 모른다 / Je ne *vois* pas de mal à cela. 나는 그것을 나쁘게 생각하지 않는다 / Il la *voyait* moins attentive. 그는 그녀가 이전보다는 주의깊지 못하다고 인정했다 / Elle ne *voit* pas les choses comme moi. 그녀는 사물을 보는 눈이 나와 다르다 / manière de ~ de qn au sujet de qc …에 대한 …의 사고방식.
⑪ 《~ si + *ind.*》 …인지 알아보다, 확인하다 : *Voyez si* elle accepte. 그녀가 수락할지 어떨지 알아보세요.
⑫ 《~ qn en qn》 …을 …으로 여기다, 생각하다 : ~ en elle une bienfaitrice 그녀를 자선가로 여기다.
⑬ 《삽입구로》 그렇지요, 아시겠죠, 정말 : *Voyez*-vous, il faut le croire. 아시겠죠, 그것을 믿어야 해요.
⑭ 《감탄사로서》 Calmez-vous, *voyons!* 자아, 진정들 하시오! / *Voyons*, taisez-vous! 이제, 좀 조용히들 하시오!
à ce que je vois 내가 보는 바로는, 내가 생각하기에는. ***À le ~ on dirait...*** 그의 모습으로 판단하면〔그를 보면〕 마치 …인 것 같다. ***aller ~*** qn …을 찾아다니다. ***Allez-y ~.*** 믿지 못하거든 직접 가 보아라. ***Ce n'est pas un homme à ~.*** 그는 상종할 만한 사람이 아니다. ***en faire ~ à*** qn 《구어》 …에게 큰 고통을 주다 ; …을 크게 골탕먹이다. ***faire ~*** 보이다 ; 증명하다 : *Faites* ~. 보여주시오. ***Il ne faut pas ~ de si loin.*** 먼 앞일을 걱정했자 소용이 없다. ***Il ne voit pas plus loin que le bout de son nez.*** 《구어》 그는 한치 앞도 내다보지 못한다. ***Je ne peux pas le ~.*** 《구어》 나는 그가 보기 싫다. ***Je verrai.*** 생각해 보겠습니다. ***laisser ~*** (감정 따위를) 나타내다 ; (무식 따위를) 드러내다. ***n'avoir rien à ~ à*** 〔***avec***〕 …와는 아무 상관도 없다 : Cela *n'a rien à ~ à* l'affaire. 그것은 이 문제와 아무 상관도 없다 / Cet art *n'a rien à ~ avec* la vérité. 이 예술은 진실과는 무관하다 / Il *n'a rien à y ~* 〔*à ~* là-dedans〕. 그것은 그의 알 바가 아니다. ***ne pas pouvoir ~*** qn 《구어》 …의 낯짝도 보기 싫다. ***ne pas ~ plus loin que*** (***le bout de***) ***son nez*** 《구어》 상상력이 없다 ; 앞을 내다볼 줄 모르다 : Il *ne voit pas plus loin que le bout de son nez.* 그는 앞을 내다보지 못한다. ***ne ~ que par les yeux de*** qn 전적으로 …의 판단 · 의견만 따르다 ; …을 맹종하다. ***Ni vu ni connu.*** 《구어》 (뭐가 먼지) 도무지 모르겠다. ***Nous en avons vu bien d'autres.*** 그 정도는 약과다. ***Nous verrons.*** 두고 봅시다. ***On verra.*** 두고 보면 알게 될 것이오. ***pour ~*** 시험 삼아 : Faites cela *pour* ~. 어디 어떻게 되나 해 보시오. ***Que vois-je ?*** 이것은 또 어떻게 된 셈이야? ***regarder sans ~*** 물끄러미 바라보다. ***se faire bien*** 〔***mal***〕 ***~ de*** qn …에게 잘 보이다〔잘 보이지 못하다〕. ***se faire ~*** 보이다 ; 나타나다, 드러나다. ***Va-t'en ~ si j'y suis!*** 귀찮다, 돌아가 다오, 어서 가! ***Va-t'en ~ s'ils viennent!*** 《구어》 그걸 믿을 수가 있겠는가 ; 《구어》 바보 같은 소리 마라! ***V~, c'est croire.*** 백문(百聞)이 불여일견(不如一見). ***~ de loin ; ~*** (***bien***) ***loin*** 앞일을 잘 내다보다, 선견지명이 있다. ***~ noir*** 비관하다. ***~ rouge*** 눈앞이 아찔하여지다. ***~ si...*** …인지 알아보다〔시험해 보다〕 : Il téléphonait pour ~ *si* elle était chez elle. 그녀가 집에 있는지 알아보려고 그는 전화를 해 보았다 / *Voyez si* cet habit vous va. 이 옷이 맞는지 입어 보시오. ***~ sur*** …으로 면하다. ***Voyez un peu.*** 《비꼼》 저 꼴 좀 보시오. ***Voyez-vous!*** 〔***Vois-tu!***〕 아시겠어요〔알겠어〕! ***Voyons!*** 자아 어서 ; 그만 하세요 : *Voyons*, allez-vous bientôt vous taire! 자, 작작 지껄이고 입 좀 다물어라. ***y aller ~*** 보러 가다. ***y ~*** 눈이 보이다 : Je n'*y vois* plus. 이젠 보이지 않는다 / On n'*y voit* pas ici. 여기서는 (어두워서) 아무것도 보이지 않는다.
— *v.t. ind.* 《~ à》 …을 감독하다, 감시하다 ; …에 주의하다, 배려하다 ; 《~ à 〔《옛》 de〕 + *inf.* ; ~ (à ce) que + *sub.*》 …하도록 유의〔주선〕하다 : *Voyez à la dépense.* 지출에 유의하시오 / *Voyez à* nous loger. 우리들이 숙박할 수 있도록 배려해 주시오 / *Voyez* (*à* ce) *que* rien en lui fasse défaut. 그에게 아

무 부족이 없도록 주선해 주시오.
— *v.i.* ① 보다, 보이다 : ~ bien 〔mal〕 눈이 잘 보이다〔잘 보이지 않다〕/ ne ~ que d'un œil 한 눈밖에 보이지 않다 / ~ clair 뚜렷이 보이다 ; 간파하다. ② 그리다, 상상하다 : ~ loin 예측하다, 앞을 내다보다. ③ 조사〔검토〕하다 ; 판단하다 : Un instant, nous allons ~. 잠깐 기다리세요, 조사해 봅시다.
— **se ~** *v.pr.* ①《재귀적》 자기를 보다 ; 자기를 …라고 알다〔상상하다〕: *se* ~ dans un miroir 거울에 자기의 모습을 비추다 / Il *se voyait* déjà perdu. 그는 벌써 틀렸다고 〔가망이 없다고〕 생각했다 /《~+속사》 Elle est fière de *se* ~ admirée de tout le monde. 그녀는 모든 사람에게 칭찬을 받게 된 것을 자랑스럽게 생각한다. ② (어떤 상태에) 있다, 빠져 있다 : Je *me vois* dans l'obligation de sévir. 나는 엄격히 할 수밖에 없는 처지이다 / Elle *s'est vue* contrainte à renoncer. 그녀는 단념해야만 했다. ③ (주위를) 분간하다, 구별하다 : Le brouillard est si épais qu'on ne *se voit* plus à deux pas. 안개가 너무 짙어서 한치 앞도 분간할 수가 없다. ④《상호적》 서로 보다 ; 서로 교제하다 : Elle et lui *se voient* souvent. 그녀와 그는 서로 자주 만난다 / Ils ne *se voient* point. 그들은 사이가 나쁘다. ⑤ 눈에 띄다, 보이다 ; 일어나다 : monument qui *se voit* de loin 멀리서 보이는 기념비 / Cela *se voit* tous les jours. 그런 것은 매일 눈에 띈다〔일어난다〕/ Cela ne *s'est* jamais *vu*. 그런 일은 일어난 예가 없다.

voire [vwa:ʀ] *adv.* ①《옛》 실로. ② 그 위에, 게다가 또(=et même) : un stage de quelques mois, ~ de quelques années 몇 달 커녕 몇 년의 실습〔견습〕. **~ même** 뿐만 아니라, 그 위에 : Ce remède est inutile, ~ *même* pernicieux. 이 약은 무익할 뿐더러 해롭다.

voirie [vwaʀi] *f.* ① 도로 행정 ;《집합적》 도로 : service de ~ 도로과(課). ② 쓰레기 버리는 곳 ; 쓰레기, 오물(汚物). **grande ~** 도로의 관리.

⁑voisin, e [vwazɛ̃, -in] *adj.* ① ⓐ 이웃의, 가까운, 인접한 : États ~*s* 인접국 / maisons ~*es* 인접한 집 / pièce ~*e* 옆방. ⓑ《~ de》 …에 인접한 : les régions ~*es de* l'équateur 적도 부근 지역. ② ⓐ 비슷〔유사〕한(=ressemblant) : idées ~*es* 비슷한 생각들. ⓑ《~ de》 …와 비슷한 : véhicule ~ *de* la bicyclette 자전거와 비슷한 차량. — *n.* 이웃 사람 ; 이웃 나라 (사람) ; 동료 ; 동포 : jalouser le sort du ~ 이웃 사람〔동료〕의 살림 형편을 시기하다 / ~ de palier 같은 층에 사는 사람. **agir en bon ~** 친절하게 굴다. **être ~s** 이웃하다, 이웃에 살고 있다. **Qui a bon ~ a bon matin.**《격언》 가까운 이웃이 먼 일가보다 낫다, 이웃사촌.

***voisinage** [vwazina:ʒ] *m.* ① 가까움, 근접, 접근(=approche) : ~ de l'hiver 겨울이 다가옴. ② 근처, 부근(=proximité) ; 이웃 : maisons du ~ 이웃집들 / usines du ~ 부근의 공장 / demeurer dans le ~ de la gare 역 근처에 살다. ③《집합적》 이웃 사람들. ④ 이웃지간, 이웃 관계, 이웃과의 교제 : relations de bon ~ 이웃끼리의 따뜻한 교제 / être 〔vivre〕 en bon ~ 이웃과 사이가 좋다. **dans le ~ de** …부근에. **se trouver au ~ de** qc …에 가깝게 위치하다.

voisiner [vwazine] *v.i.* ① 이웃과 사귀다, 이웃과 내왕하다 : Elle ne *voisine* pas. 그녀는 이웃과 내왕이 없다. ②《~ avec》 …와 이웃하고〔인접하고〕 있다 ; 가까이 놓여 있다 : Je *voisinais* à table *avec* une jolie femme. 나는 식탁에서 한 예쁜 여자 옆에 앉아 있었다 / L'usine *voisinait avec* le village. 공장은 마을에서 가까운 곳에 있었다.

⁑voiture [vwaty:ʀ] *f.* ① 수레, 차량 ; 거마 ; 객차 ; 자동차 : ~ à quatre 〔à deux, à trois〕 roues 4륜〔2륜 · 3륜〕차 / ~ automobile 〔à cheval, à bras〕 자동차〔마차 · 손수레〕/ ~ de poste 우편 마차 / ~ d'infirme (불구자 · 환자용의 바퀴 달린) 의자 / partir en ~ (자동)차를 타고 떠나다 / se déplacer en ~ 자동차를 타고 여행하다. ②《옛》 운반, 운송. ③ 운임. ④ 적재품(積載品), 하물, 짐. **aller en ~** 자동차〔마차〕로 가다. **avoir sa ~** (**à soi**) 자가용차가 있다. **emporter en ~** 수레로 나르다. **En ~!** 타십쇼! **lettre de ~** 〖상업〗 송장(送狀). **petites ~s** 파리의 행상인의 수레. **prendre la ~ des cordeliers** 〔**des capucins**〕《구어》 걷다. **~-atelier** 〖군사〗 이동 수리차. **~-canon** 포차. **~ de bébé** 〔**d'enfant**〕 유모차. **~ de place** 전세 택시. **~ (de) sport** 스포츠카. **~ publique** 공공 수송 기관.

voiture-bar [vwatyʀba:ʀ] *f.* (*pl.* **~s-~s**) 스낵바 차, (간이) 식당차.

voiturer [vwatyʀe] *v.t.* 차〔마차 · 자동차〕로 나르다 ; 운반하다 ;《구어》 자동차에 태워 가다 ; (사람을 짐짝처럼) 실어 나르다 : Voulez-vous me ~ jusqu'à la gare? 나를 역까지 차로 태워 주시렵니까?

voiturette [vwatyʀɛt] *f.* 작은 수레 ;《특히》 소형 자동차.

voiturier, ère [vwatyʀje, -ɛ:ʀ] *adj.* ① 운송의, 운반에 관한 : industrie ~*ère* 운송업. ② 마차가 다닐 수 있는 : avenue ~*ère* 마찻길. — *m.* 짐마차꾼, 차부 ; 운송업자. **~ par eau** 뱃사공.

⁑voix [vwa(ɑ)] *f.* ① 목소리 ; 〖음악〗 성음부(聲音部) ; 음향, 소리 : altération 〔modification〕 de la ~ 변성(變聲)〔성대 묘사〕/ baisser 〔élever〕 la ~ 목소리를 낮추다〔높이다〕/ faire la grosse ~ 엄격하게 말하다 / couvrir la ~ de qn …보다 더 큰 목소리로 말하다 / ~ de ténor 〔de basse〕 테너〔베이스〕의 소리 / forcer sa ~ 안 나오는 소리를 억제로 내다. ② 말 ; 의견 ; 충고, 권고 ; 여론 : obéir à la ~ d'un chef 상사의 말에 복종하다 / la ~ de la raison 〔la conscience〕 이성〔양심〕의 소리 / ~ du peuple 민중의 여론. ③ (양심 따위의) 소리, 충동, 자극, 속삭임 : ~ de la raison 〔de la conscience〕 이성〔양심〕의 소리 / ~ du sang 혈육의 정, 동족의식. ④ (동물의) 울음소리 ; (악기 따위의) 소리 : ~ des chiens 〔des oiseaux〕 개〔새〕의 울음소리 / ~ des orgues 오르간 소리. ⑤ 투표(권) ; 발언권 ; 〖법률〗 채결권 : avoir ~ au chapitre 발언권〔채결권〕이 있

V

다 / perdre 〔gagner〕 des ~ 그전보다 득표가 줄다〔늘다〕. ⑥ 〖문법〗 태(態). ***à demi-~ ; à mi-~ ; à ~ basse*** 낮은 목소리로, 목소리를 낮추어서. ***à deux ~*** 이부 합창으로. ***à haute ~ ; à ~ haute*** 높은 목소리로, 목소리를 높여. ***aller aux ~*** 투표하다 ; 채결하다. (chanter) ***à pleine ~*** 목청을 다해 (노래부르다). ***à portée de*** (***la***) ~ 목소리가 들리는 곳에. ***avoir de la ~*** 노래부르기에 알맞은 목소리를 갖고 있다. ***avoir la ~ publique*** 여론의 지지를 얻다. ***donner de la ~*** (개가) 짖다 ; 외치다. ***donner sa ~ à*** … 에게 투표하다 ; …에 찬성 투표하다, 동의하다. ***d'une commune ~*** 이구동성으로. ***d'une ~ unanime*** 만장일치로. ***être en ~*** (성악가가) 목소리가 잘 나오다. ***mettre aux ~*** 표결에 부치다. ***placer sa ~*** 타고난 목소리로 노래부르는 것을 배우다. ***rester sans ~*** (놀라서) 말문이 막히다, 어안이 벙벙하다. ***~ active*** 〖문법〗 능동태 ; 선거권. ***~ du sang*** 핏줄에 끌리는 충동, 혈육의 정의〔본능적 사랑〕. ***~ passive*** 〖문법〗 수동태 ; 피선거권.

‡**vol**[1] [vɔl] *m.* ① 날기, 비상 ; 비행 : vitesse de ~ 비행 속도 / ~ orbital des cosmonautes 우주인의 궤도 비행 / ~ acrobatique 곡예비행 / ~ à haute altitude 고도 비행 / heures de ~ 비행 시간 / ~ de nuit 야간 비행. ② (시간의) 경과. ③ (새 · 매 · 메뚜기의) 떼. ④ (사상 · 상상의) 비약 ; 약동, 고양(高揚). ⑤ (새의) 날개폭 ; 비상 거리. ***au ~*** 날고 있는 중에 ; 공중에서 ; 재빨리 : tirer un oiseau *au* ~ 나는 새를 쏘다 / attraper un objet *au* ~ 물건을 (땅에 떨어지기 전에) 공중에서 잡다 / saisir un nom *au* ~ 이야기 하는 도중에 재빨리 이름을 파악하다. ***à ~ d'oiseau*** 일직선으로 ; 공중에서 내려다 보아. ***chasse au ~*** 매사냥. ***de haut ~*** (새가) 하늘 높이 나는 ; (마음이) 고결한. ***de plein ~*** 깡충 뛰어. ***prendre son ~*** ⓐ (새 · 비행기가) 날아오르다 ; 비약하다 ; 자유로이 날개를 펴다. ⓑ 가버리다 ; 급히 도망가다. ***~ à*** 〔***en***〕 ***rase-mottes*** 저공 비행. ***~ à voile*** (특히 큰 새의 기류를 이용한) 활상(滑翔) ; 〖항공〗 (글라이더에 의한) 활공 비행. ***vue à ~ d'oiseau*** 조감도(鳥瞰圖).

‡**vol**[2] *m.* ① 도둑질, 절도(죄) : dispositif de sécurité contre le ~ 도난 방지 장치. ② 훔친 물건 ; 절도품. ***commettre un ~*** 도둑질을 하다. ***~ à l'américaine*** 신용(을 미끼로 하는) 사기. ***~ à la tire*** 소매치기. ***~ à l'étalage*** 상점 들치기. ***~ à main armée*** 강도. ***~ de grand chemin*** 노상강도. ***~ insignifiant*** 〔***minime***〕 경(輕)절도죄. ***~ public*** 공금 횡령.

vol. 《약자》 volume 권(卷), 책.

volage [vɔla:ʒ] *adj.* ① 마음이 잘 변하는, 변덕스러운 ; 바람기가 있는 : femme ~ 바람기가 있는 여자. ② 〖해양〗 (배가) 기울기 쉬운 ; (나침반이) 바늘이 불안정한. ── *n.* 변덕쟁이, 바람둥이.

*__volaille__ [vɔlɑ:j] *f.* ① 《집합적》 가금(家禽), 《특히》 닭 : élevage de la ~ 가금 사육 / marché à la ~ 가금 시장 / manger de la ~ 새의 고기를 먹다. ② 한 마리의 가금(= une ~) : cage à ~*s* 가금 우리. ③ 닭고기.

*__volant__[1] [vɔlɑ̃] *m.* ① 제기, 깃털공. ② 제기차기, 배드민턴놀이. ③ 풍차의 날개. ④ 〖기계〗 제동기, 절동기(節動機). ⑤ (치마 따위의) 주름 장식. ⑥ (자동차의) 핸들. ***as du ~*** 일류 운전사. ***brusque coup de ~*** 핸들을 급히 꺾음. ***jouer au ~*** 제기차기〔배드민턴놀이〕 하다. ***manœuvrer le ~*** 핸들을 조작하다. ***prendre*** 〔***tenir***〕 ***le ~ ; se mettre*** 〔***être***〕 ***au ~*** 핸들을 잡다, 운전하다. ***~ au filet*** 배드민턴. ***~ de rideou*** 커튼의 장식 자락. ***~ de sécurité*** 안전 장치 ; 여유 자금〔인원〕.

volant[2], **e** [vɔlɑ̃, -ɑ̃:t] *adj.* ① 나는, 비행하는 ; 날 수 있는 ; (리본 따위가) 나붓거리는. ② 고정되지 않은, 이동되는 ; 〖군사〗 유격(遊擊)의 : table ~*e* (쉽게 이동할수 있는) 가벼운 테이블. ***camp ~*** 캠핑 여행. ***feuille ~e*** 루스리프. ***fusée ~e*** 쏘아 올리는 꽃불. ***objet ~ non identifié*** 미확인 비행 물체, UFO (《약자》 OVNI). ***personnel ~*** (비행기의) 탑승원 ; (필요에 따라 부서가 바뀌는) 대리 전문 요원. ***petite vérole ~e*** 〖의학〗 수두(水痘). ***poisson ~*** 〖어류〗 날치 ; 죽지성대. ***pont ~*** 가교(假橋) ; 가갑판(假甲板). ***soucoupe ~e*** 비행접시.

volatil, e[1] [vɔlatil] *adj.* 기화하는, 휘발성의 : alcali ~ 《옛》 암모니아.

volatile[2] [vɔlatil] *m.* 〔*f.*〕 새, 곤충 ; 《특히》 가금(家禽). ── *adj.* 날개가 있는, 나는.

volatilisation [vɔlatilizɑsjɔ̃] *f.* 기화(氣化), 증발 ; 발산.

volatiliser [vɔlatilize] *v.t.* 증발〔기화 · 발산〕시키다. ── **se ~** *v.pr.* 증발〔기화 · 발산〕하다 ; 사라져 버리다.

vol-au-vent [vɔlovɑ̃] *m.* 《복수불변》 〖요리〗 고기〔생선〕 파이.

*__volcan__ [vɔlkɑ̃] *m.* ① 화산 : ~ actif 〔en activité〕 활화산 / ~ éteint 〔dormant〕 사〔휴〕 화산 / ~ sous-marin 해저 화산 / cratère d'un ~ 분화구. ② 화산처럼 격렬한 사람〔것〕 ; 절박한 위험 : Cet homme est un vrai ~. 이 사람은 불 같은 사람이다.

volcanique [vɔlkanik] *adj.* ① 화산의 ; 화산 작용에 의한 : activité 〔éruption〕 ~ 화산 활동〔폭발〕 / cendres ~*s* 화산재 / roche ~ 화산암. ② (정열 · 상상력이) 격렬한, 불 같은 : tempérament ~ 격한 기질.

volcaniser [vɔlkanize] *v.t.* 화산암질로 만들다. ── **se ~** *v.pr.* 화산암질로 되다 ; 격렬해지다, 격분하다.

volcanisme [vɔlkanism] *m.* 〖지질〗 화산 현상, 화산 작용.

volcaniste [vɔlkanist] *m.* 화산학자.

volcanologie [vɔlkanɔlɔʒi] *f.* 화산학.

volcanologue [vɔlkanɔlɔg] *n.* 화산학자.

volé, e[1] [vɔle] *adj.* ① 도둑맞은, 도난당한. ② 《구어》 보기 좋게〔톡톡히〕 당한. ── *n.* 도둑맞은 사람.

volée[2] [vɔle] *f.* ① (새 · 벌레 · 탄알 따위의) 날기 : donner la ~ à un oiseau 새를 날려 보내다〔놓아 주다〕. ② (새가) 한 번에 나는 거리. ③ 함께 나는 새의 떼 ; (함께 움직이는 사람의) 떼, 무리 : une ~ d'enfants 한 무리의 아이들 / épaisses ~*s* de moineaux 참새의 밀집된 무리. ④ (신분 · 계급 따위가 같은 사람들의) 집단 ; 계급, 등급 : gens de la haute 〔première〕 ~ 《옛》 상류 계층 사람들 / être de la première ~ 고귀한 신분이다. ⑤ 연타(連打), 난타 ; 일제 사격 : ~ de flèches 빗발치는 화살 / ~ de reproches 쏟아지는 비난. ⑥ (칠 때 흔들리는 종의) 급격한 움직임〔울림〕. ⑦ 두 층계참 사이의 계단. ⑧ (포신의) 앞 몸체 ; 수레의 양쪽 채 ; (기중기의) 지브팔(= flèche)(〖영〗 jib). ⑨ 〖스포츠〗 공이 땅에 닿기 전에 받아치기〔차기 · 받기〕: demi-~ 공이 땅에 닿자마자 바로 차기. ***à la ~*** 공중에 날고 있을 때 ; 재빨리 : saisir *à la* ~ (기회를) 재빨리 포착하다 / tirer un oiseau *à la* ~ 나는 새를 쏘다. ***de la haute ~*** 신분이 높은, 상류의 ; 일류의. ***donner 〔flanquer〕 à*** qn ***une ~ de coup de bois 〔une ~ de bois vert, une bonne ~〕*** …을 마구 때리다, …을 호되게 야단치다. ***d'une (seule) ~*** 단번에, 한 번 날아서. ***entre bond et ~*** 《구어》 알맞은 때를 타서. ***faire de bond et de ~*** 이럭저럭 해내다. ***personne de haute ~*** 상류 사회의 인사. ***prendre la 〔sa〕 ~*** (새가) 날아가다 ; 떠나다 ; (감독자의 곁을 떠나) 자유의 몸이 되다. ***reprendre une balle de ~ ; relancer une balle à la ~*** 〖테니스〗 발리로 넘기다, 공이 땅에 떨어지기 전에 치다. ***sonner à toute ~*** 종을 크게 울리다 ; 종소리가 울려 퍼지다. ***tourner à toute ~*** (풍차의 날개가) 빙빙 돌다.

‡voler¹ [vɔle] *v.i.* ① 날다, 비행하다 ; 급히 달려가다 : ~ à haute altitude 고공비행하다 / ~ en rasant le sol 〔en rase-mottes〕 지면을 스칠 만큼 저공으로 날다 / ~ dans les bras de qn …의 품안으로 달려들다. ② (소문 따위가) 빨리 퍼지다 ; (시간 따위가) 빨리 흘러가다 : faire ~ une nouvelle 뉴스를 퍼뜨리다 / Le temps *vole.* 세월은 유수처럼 흘러간다. ***On entendrait ~ une mouche.*** 쥐죽은 듯하다. ***~ au secours de la victoire*** (남이 이룬 성공을 보고서야) 확신을 갖고 비로소 행동하다. ***vouloir ~ avant d'avoir des ailes*** 수단 방법도 갖추기 전에 하려고 덤비다. ── *v.t.* 〖사냥〗 (매가) 뒤쫓다 ; (매를 놓아 딴 새를) 잡다.

‡voler² *v.t.* ① 훔치다, 도둑질하다, 강탈하다 : ~ qc à qn 〔dans la caisse〕 …의〔금고에서〕 …을 털다, 훔치다 / ~ sur les grands chemins (à main armée) 노상강도질을 하다 / ~ un enfant 아이를 유괴하다 / ~ un baiser 도둑 키스를 하다. ② 사취하다 ; (사상 · 문장 따위를) 표절하다 ; (이름 · 직함 따위를) 부당하게 사용하다, 도용하다 : ~ un titre 직함을 도용하다 / ~ une idée 아이디어를 베끼다 / Il m'*a volé* ma phrase. 그는 내 문장을 표절했다. ③ 《구어》 (손님에게) 바가지 씌우다 : marchand qui *vole* ses clients (손님에게) 바가지 씌우는 장사꾼. ***ne l'avoir pas volé*** 《구어》 당연한 일이다, 자업자득이다. ***Qui vole un œuf vole un bœuf.*** 《격언》 바늘 도둑이 소도둑 된다.

volet** [vɔlɛ] *m.* ① 덧문, 겉창(= contrevent) ; 셔터. ② (병풍 따위의) 짝 ; (증명서 따위의) 접힌 면 ; 측면, (사물의) 한 면(面), 부분 : plan 〔projet〕 en plusieurs ~*s* 여러 측면을 지닌 계획. ***ouvrir 〔fermer〕 les ~s 덧문을 열다〔닫다〕. ***trier sur le ~*** 《구어》 (사람 · 물건을) 정선〔엄선〕하다, 골라내다 : personnes *triées sur le* ~ (모임 따위의) 엄선된〔상류 사회의〕 인사들.

voleter [vɔlte] [5] *v.i.* ① (어린 새가) 파닥파닥 날다 ; (짧은 거리를) 이리저리 날다 : Des papillons de nuit *voletaient* autour des lampions. 나방들이 파닥이며 램프 주위를 맴돌고 있었다. ② 바람에 펄럭이다.

voleur, euse** [vɔlœːʀ, -øːz] *n.* ① 도둑 ; 강도 : ~ à la tire 소매치기 / ~ de grand chemin 노상강도 / ~ d'enfant 유아 유괴범 / arrêter un ~ 도둑을 잡다. ② 폭리를 취하는 사람, 모리배, 폭리꾼. ***Au ~ ! 도둑이야 : crier *au* ~ 도둑이야 하고 소리지르다. ***être fait comme un ~*** 《구어》 단정치 못한 옷차림을 하고 있다. ── *adj.* ① 도둑질하는, 손버릇이 나쁜 : Il est ~ comme une pie. 그는 손버릇이 나쁘다. ② 폭리를 보는.

volière [vɔljɛːʀ] *f.* 큰 새장 ; (오락 · 과학용) 새장 ; 비둘기〔꿩〕 사육장.

volige [vɔliːʒ] *f.* 〖건축〗 얇은 널 ; (지붕에 까는) 널빤지.

volitif, ive [vɔlitif, -iːv] *adj.* 의지〔의욕〕의 ; 의지〔의욕〕에 따른.

volition [vɔlisjɔ̃] *f.* 결의(決意) ; 의욕, 의지력 ; 의지 행위〔작용〕.

***volley-ball** [vɔlɛboːl] 〔영〕 *m.* 배구.

volleyer [vɔlɛ〔e〕je] *v.i.* 〖운동〗 (테니스에서) 발리를 하다.

volleyeur, euse [vɔlɛjœːʀ, -øːz] *n.* ① 배구 경기자〔선수〕. ② 〖테니스〗 발리(volée)를 잘 치는 선수.

volontaire** [vɔlɔ̃tɛːʀ] *adj.* ① 자유 의지에 의한, 임의의, 자발적인, 자원의 : activité ~ 자발적인 활약 / mort ~ 자살. ② 의식〔고의〕적인(= voulu, délibéré) : homicide ~ 모살(謀殺). ③ 강한 의지를 나타내는. ④ 고집센 ; 제멋대로의. ***engagé ~ 〖군사〗 지원병. ***muscle ~*** 〖해부〗 수의근(隨意筋). ── *m.* 〖군사〗 지원병 ; (*pl.*) 의용군. ── *n.* 의지가 강한 사람, 제멋대로 행동하는 사람.

volontairement [vɔlɔ̃tɛʀmɑ̃] *adv.* 임의로, 자발적으로 ; 고의로 ; 제멋대로 : obéir ~ 자발적으로 복종하다 / Il a ~ fait tomber son petit frère. 그는 동생을 고의로 넘어뜨렸다. ***se dénoncer ~*** 자수하다.

‡volonté [vɔlɔ̃te] *f.* ① 의지, 의욕 ; 의사, 의지력 : déclaration de ~ 〖법률〗 의사 표시 / ~ faible 약한 의지 / ~ de fer 〔inflexible〕 철석 같은〔꿋꿋한〕 의지 / ~ de puissance 〔domination〕 권력〔지배〕욕. ② 의향, 의도, 소망 : suivre la ~ de qn …의 의향을 따르다 / manifestation de la ~ 의사 표시 / avoir la ~ de + *inf.* …할 의향이 있다 / respecter les ~s de qn …의 의사를 존중하다. ③ 명령. ④ (*pl.*) 수의(隨意), 임의(任意), 제멋대로의 생각 : en faire à 〔suivre〕 sa ~ 제멋대로 행동하다. ***avec la meilleure ~ du monde*** 더없이 열성적으로. ***avoir beaucoup de ~ 〔de la ~〕*** 의지가 굳다〔강하다〕. ***à ~*** 마음대로, 마음껏 ; 바라는 때에, 수시로 : billet payable *à* ~ 요구불 약속어음 / voiture *à* ~ 전세 마차. ***bonne 〔mauvaise〕 ~*** 선의〔악의〕 : les *bonnes* ~s 선의의 사람들. ***contre sa ~*** 본의 아니

게. ***de bonne ~*** 자발적으로, 성의 있게, 열심히. ***dernière ~*** 유언 : acte de *dernière* ~ 유서. ***de sa propre ~*** 자발적으로. ***faire ses quatre ~s*** 《구어》 제멋대로 놀다. ***homme de bonne ~*** 명령을 충실히 수행하는 사람. ***montrer de la bonne* 〔*mauvaise*〕 *~*** 자진하여〔마지못해〕 일을 하다. ***n'en faire (jamais) qu'à sa ~*** 남의 충고에 귀를 기울이지 않다.

volontiers** [vɔlɔ̃tje] 《다음 말과 연음하지 않음》 *adv.* ① 기꺼이 ; 쾌히 : Vous viendrez bien nous voir? — *V~*. 우리들을 만나러 오시겠어요? — 기꺼이(가지요). ② 쉽게. ***On croit ~ que + *ind.* 곧잘 …라고 생각하기 쉽다.

***volt** [vɔlt] *m.* 〖전기〗 볼트《전압의 단위 ; 《약자》 V.》 : courant de 100 ~*s*, 100 볼트의 전류.

voltage [vɔltaːʒ] *m.* 〖전기〗 전압, 전압량, 볼트 수(數).

voltaire [vɔltɛːʀ] *m.* 등이 높은 대형 안락의자(= fauteuil ~).

volte [vɔlt] *f.* ① (말의) 회전 운동, 윤승(輪乘). ② 〖펜싱〗 칼끝을 재빨리 피하는 동작. ③ 《구어》 급격한 변화.

volte-face [vɔltəfas] *f.* 《복수불변》 ① 반대 방향으로 돌아서기, 반전(反轉) ; 〖군사〗 방향 전환. ② (의견 · 정책 따위의) 급변, 표변(豹變). ***faire ~*** 전향하다, 표변하다.

volter [vɔlte] *v.i.* 〖펜싱〗 칼끝을 피하다 ; 〖승마〗 (말을 타고) 원을 그리며 돌다, 윤승(輪乘)하다(= faire ~ un cheval) ; 〖해양〗 방향을 전환하다. ***faire ~*** qn …을 동분서주하게 하다.

voltige [vɔltiːʒ] *f.* ① 줄타기(하는 줄) ; 곡마(曲馬), 곡예(曲藝). ② 공중 곡예《줄타기 공중 그네 따위》 ; 곡예 비행(= ~ aérienne) : haute ~ 고공 곡예.

voltiger [vɔltiʒe] 3 *v.i.* ① (곤충 · 새 따위가) 날아다니다, 팔락팔락 날다 : Les papillons *voltigent* de fleur en fleur. 나비들이 이 꽃 저 꽃으로 날아다닌다. ② (바람에) 나부끼다, 펄럭거리다 : Le vent fait ~ ses cheveux. 그녀의 머리카락이 바람에 휘날린다. ③ 줄타기하다 ; 곡예를 하다.

voltigeur, euse [vɔltiʒœːʀ, -øːz] *n.* 곡마광대 ; (줄타기 · 그네 따위의) 곡예사.

voltmètre [vɔltmɛtʀ] *m.* 〖전기〗 전압계.

volubile [vɔlybil] *adj.* ① 〖식물〗 (줄기가) 나사 모양으로 감기는 : tige ~ 덩굴. ② 《구어》 입담이 좋은, 수다스러운(= bavard).

volubilis [vɔlybilis] *m.* 〖식물〗 메꽃과 식물 ; 《특히》 둥근잎 나팔꽃(= ~ des jardins).

volubilité [vɔlybilite] *f.* 능변, 다변, 수다 : avoir une grande ~ 다변이다, 매우 수다스럽다. ***avec ~*** 수다스럽게.

volume** [vɔlym] *m.* ① 권(卷), 책 ; 두루마리 : ~ relié en cuir 가죽 장정을 한 책 / un dictionnaire en dix ~*s* 전 10 권으로 된 사전. ② 크기, 용적, 용량, 부피 : le ~ de la production 생산량 / ~ d'un solide 어떤 고체의 부피 / ~ d'un récipient 그릇의 용량 / augmenter 〔diminuer〕 de ~ 부피를 늘리다〔줄이다〕 / ~ atomique 〖물리 · 화학〗 원자량. ③ 〖음악〗 음량, 성량 ; 볼륨 : ~ de la radio 라디오의 볼륨 / Sa voix a beaucoup de ~. 그의 목소리는 성량이 풍부하다 / Sa voix manque de ~. 그의 목소리는 성량이 부족하다. ***Cela fera beaucoup de ~. 그건 거추장스러울 게다. ***faire du ~*** ⓐ 부피가 크다, 자리를 많이 차지하다. ⓑ 《구어》 허세를 부리다.

volumétrique [vɔlymetʀik] *adj.* 용적〔용량〕 측정의 : analyse ~ 용량 분석.

***volumineux, euse** [vɔlyminø, -øːz] *adj.* 부피가〔용적이〕 큰 ; (작품이) 여러 권으로 된, 부수가 많은 ; 방대한 : bagage 〔paquet〕 ~ 부피가 큰 짐〔보따리〕 / ~ dossier 방대한 자료 / recevoir un courrier ~ 엄청나게 많은 우편물을 받다.

volupté [vɔlypte] *f.* ① 육체의 향락, 관능적〔성적〕 쾌락 : s'adonner à la ~ 쾌락에 빠지다 / déguster des vins fins avec ~ 고급 포도주를 기분 좋게 음미하다. ② (도덕적 · 심미적) 기쁨, 즐거움 : ~ du devoir accompli 의무를 완수한 기쁨.

voluptuaire [vɔlyptɥɛːʀ] *adj.* 〖법률〗 (비용이) 사치로 인한 : dépenses ~*s* 유흥비.

voluptueusement [vɔlyptɥøzmɑ̃] *adv.* 기분 좋게 ; 육감적으로, 관능적으로 : s'étirer ~ 기분 좋게 기지개를 켜다.

voluptueux, euse [vɔlyptɥø, -øːz] *adj.* 관능적〔성적〕 쾌락을 즐기는 ; 육감적인, 선정적인 ; 음란〔음탕〕한(= sensuel) ; 쾌감이 따르는 : mélodie ~*euse* 달콤한 선율 / tempérament ~ 음탕한〔향락적인〕 성향 / sensation ~*euse* 쾌감 / bouche ~*euse* 육감적인 입술 / attitude ~*euse* 선정적인 태도 / désirs ~ 색정(色情). — *n.* 주색에 빠진〔호색적인〕 사람 ; 향락주의자.

volute [vɔlyt] *f.* 〖건축〗 와형(渦形) 장식 ; 소용돌이 모양 : en ~ 소용돌이 모양의.

vomi [vɔmi] *m.* 《복수없음》 《구어》 토한 것, 토사물(= vomissure).

vomir** [vɔ(o)miːʀ] *v.t.* ① 토하다, 게우다(= rendre) : ~ son repas 먹은 것을 토하다 / envie de ~ 구토기(嘔吐氣) / ~ du sang 각혈하다. ② (연기 · 불길 따위를) 내뿜다, 분출하다 : laves *vomies* par un volcan 화산이 분출한 용암. ③ (말을) 내뱉다, 퍼붓다 : ~ des injures 욕지거리를 마구 퍼붓다. ④ 《~ qc 〔qn〕》 증오하다, 타기하다 : Je *vomis* mes contemporains. 나는 내 동시대인들을 혐오한다. ***Cela donne envie de ~ ; C'est à ~. 《구어》 가슴이 메스꺼울 정도이다, 역겹다. ***~ feu et flamme*** (***contre*** qn) 《구어》 (…에 대하여) 과격한 말을 하다.

vomissement [vɔmismɑ̃] *m.* ① 구토. ② 토한 것 : ~ de sang 각혈. ***retourner* 〔*revenir*〕 *à son ~*** 다시 죄를 범하다.

vomissure [vɔmisyːʀ] *f.* 토한 것, 토사물.

vomitif, ive [vɔmitif, -iːv] *adj.* 토하게 하는. — *m.* 토제(吐劑).

vont [vɔ̃] aller 의 직설 · 현재 · 3 · 복수.

vorace [vɔʀas] *adj.* ① 아귀아귀 먹는, 폭식하는(= glouton) ; (책을) 탐독하는 : enfant ~ 게걸스럽게 먹는 아이, 먹보 / appétit ~ 왕성한 식욕. ② 《비유》 탐욕스러운(= avide) : homme d'affaires ~ 욕심 많은 사업가. ***plantes ~s*** 〖농업〗 땅을 메마르게 하는 식물.

voracement [vɔʀasmɑ̃] *adv.* 폭식하여, 게

걸스럽게, 아귀아귀 ; 욕심 부려 : manger ~ 게걸스럽게 먹다.

voracité [vɔʀasite] *f.* 맹렬한 식욕, 폭식 ; 욕심, 탐욕 : manger avec ~ 게걸스럽게 먹다.

-vore *suff.* 「먹는」의 뜻.

***vos** [vo] *adj. poss.* votre 의 복수.

vosgien, enne [voʒjɛ̃, -ɛn] *adj.* 보주 산맥〔지방〕(*les Vosges*)의. ── **V~** *n.* 보주 산맥〔지방〕 사람.

votant, e [vɔtɑ̃, -ɑ̃:t] *adj.* 투표하는, 선거권 있는 : pourcentage des ~*s* et des abstentionnistes 투표자와 기권자의 퍼센티지. ── *n.* 투표자, 선거권자, 유권자. ***liste des ~s*** 선거인 명부.

votation [vɔtɑsjɔ̃] *f.* 투표 ; 선거.

vote** [vɔt] *m.* ① 찬부 표시 ; 투표(권) ; 표 ; 표결, 의결(권) : droit de ~ 선거권 ; (주주의) 의결권 / ~ de confiance 신임 투표 / ~ à main levée 거수 투표 / ~ secret 비밀 투표. ② 투표의 결과 ; 채택, 가결 : ~ d'une loi 법안의 가결 / ~ de la motion de censure 불신임안 결의 / Le ~ est pour 〔contre〕. 투표의 결과 가결〔부결〕이다. ***bulletin de ~ 투표 용지. ***doner son ~ à*** qn …에게 투표하다. ***procéder au ~*** 표결〔투표〕에 부치다. ***~ de blâme*** 불신임 결의. ***~ des femmes*** 여성 참정권. ***~ direct*** 〔***indirect***〕 직접〔간접〕 선거.

voter** [vɔte] *v.i.* 투표하다 : avoir le droit de ~ 투표권을 가지다 / ~ à droite 〔gauche〕 우파〔좌파〕 후보자에게 투표하다. ***~ blanc 백지 투표하다. ***~ par assis et levé*** 〔***à main levée***〕 기립〔거수〕 투표를 하다. ***~ pour*** 〔***contre***〕 찬성〔반대〕 투표하다.
── *v.t.* (투표로) 의결하다, 표결〔가결〕하다 : ~ une loi 법률(안)을 가결하다 / ~ les crédits additionnels 추가 예산의 승인을 의결하다 / ~ que+*ind.* …할 것을 의결하다.

votif, ive [vɔtif, -i:v] *adj.* 〖종교〗 ① 기원(祈願)의 : messe ~*ive* 헌원(獻願) 미사. ② 봉헌의, 봉납(奉納)의, 공납의 : tableau ~ 봉헌도(圖), 공납 액자(供納額子).

‡votre [vɔtʀ, vo] *adj. poss.* (*pl.* ***vos***) ① 당신(들)의, 너희들의. ⓐ《소유 · 소속 관계》 ~ famille 당신(들)의 가족 / *vos* parents 당신(들)의 양친들 / *vos* nom et adresse 당신의 주소 성명 / Mes enfants, écoutez bien ~ maîtresse. 애들아, 선생님 말씀 잘 들어. ⓑ《동작 · 행위의 대상》 ~ photographie 당신(들)의 사진 / à ~ vue 당신을 보자마자. ⓒ《vous 대신에 사용된 on 을 받는다》 Quand on arrive dans ce bureau, un secrétaire demande *vos* papiers. 그 사무실에 가면 비서가 서류〔증명서〕를 보여 달라고 한다. ②《습관적 관계 · 관심 · 애정 · 경멸》 (당신의) 그, 예(例)의 : Voilà ~ petite Marie. 저기 당신의 사랑스러운 마리양이 왔군요 / Vous souffrez toujours de ~ rhumatisme? 당신은 여전히 그〔예의〕 신경통으로 고생하십니까? ③《경칭》 *V~* Majesté 폐하 / *V~* excellence 각하. ④《편지의 결구》 ~ affectionné ; ~ tout dévoué 당신의 친구로부터.

vôtre** [vo:tʀ] *pron. poss.* 《*m.* ***le ~, *f.* ***la ~***, *pl.* ***les ~s*** 의 꼴로 쓰임》 ① 당신들〔너희들 · 자네들 · 그대들〕의 것. ② 당신의 것 : J'ai mes ennus et vous avez les ~*s*. 나는 나의 고민〔골칫〕거리가 있고 당신은 당신의 고민이 있다 / 《선행하는 명사 없이》 J'ai bien reçu la ~ du 2 février, 2 월 2 일자 귀하의 편지를 받았습니다. ***À la ~ !*** 《구어》 (축배를 들 때) 당신(들)의 건강을 위해서(= À votre santé.). ── *m.* 당신들(의) 재산〔노력 · 의견〕 ; (*pl.*) 댁의 여러분 ; 너희들〔당신(들)〕의 부모〔가족 · 친지 · 편 사람들 · 패들〕 : Comment vont les ~*s*? 가족들은 안녕하십니까? / Je ne pourrai être des ~*s*. 유감스럽지만 여러분과 자리를 함께 할 수 없겠습니다. ***faire des ~s*** 바보 같은 짓을 하다 : Vous avez encore *fait des* ~*s*. 또 장난을 했구나. ***Faites mes amitiés aux ~s.*** 여러분께 안부 전해 주십시오. ***Je serai des ~s dimanche.*** 《초대에 응하여》 일요일에는 찾아뵙겠습니다. ***Vous en serez du ~ !*** 그냥 배길 수는 없어, 몫을 주지 않으면 안돼. ***y mettre du ~*** 양보하다 ; 노력하다 ; 자기의 생각을 피력하다. ── *f.* 당신의 편지 : J'ai reçu la ~. 편지 받아 보았습니다. ── *adj. poss.* 《속사로서》 《옛》 당신(들)의. ***Je suis tout ~.*** 뭐든지 분부대로 하겠습니다.

voudr-ai, -as, etc. ⇒ vouloir.

vouer [vwe] *v.t.* ① 신에게 바치다 ; (연구 따위에) 바치다 ; 헌신하다(= dévouer) : ~ sa vie à la science 일생을 학문 연구에 바치다 / ~ un temple à Dieu 신에게 신전을 봉헌하다. ② 약속하다, 맹세하다, 선서하다(= jurer, promettre). ③ 《~ qc à》 …을 …에 예정하다〔운명 짓다〕《특히 être voué à 의 형태로》 : entreprise *vouée à* l'échec 실패할 운명에 있는 사업 / vieux quartier *voué à* la démolition 허물기로 되어 있는 옛 시가지. ***~ obéissance au roi*** 왕에게 복종을 맹세하다. ***~ une amitié éternelle à*** qn …에게 우정을 맹세하다. ── **se ~** *v.pr.* 《se ~ à》 몸을 바치다, 헌신하다 : *se* ~ *à* l'étude des questions sociales 사회 문제 연구에 헌신하다. ***ne*** (***pas***) ***savoir à quel saint se ~*** 《구어》 누구에게 매달려야 좋을지 모르다, 어찌할 바를 모르다.

‡vouloir [vulwa:ʀ] 58 *v.t.* ① ⓐ 바라다, 원하다 ; 갖고〔하고〕 싶어하다 : Je *veut* une voiture. 나는 자동차를 한 대 갖고 싶다 / Vous *voulez* du vin? 포도주 좀 드시겠습니까? / Je *voudrais* trois kilos de fraises. 딸기 3 킬로를 사고 싶은데요 / *Voulez*-vous encore du thé? — Oui, j'en *veux* bien encore. 홍차를 더 마시겠어요? — 네, 더 마시겠습니다 / 《~ qc de qn 〔qc〕》 ~ plus d'attention *des* élèves 학생들에게 더 주의를 기울여 줄 것을 요구하다 / Que *voulez*-vous *de* moi? 나보고 무엇을 해 달라는 거요? / 《~ qc à qn》 ~ du bien 〔du mal〕 *à* qn …의 행복〔불행〕을 바라다, …에게 호의〔악의〕를 품다 / Que me *voulez*-vous? 내게 무슨 볼일이시죠? / 《~+가격+de 〔pour〕 qc》 Il *veux* cinquante mille francs *de* 〔*pour*〕 sa voiture. 그는 그의 자동차에 대해 5 만 프랑을 요구한다 / Combien en *voulez*-vous? 당신은 그것을 얼마에 팔겠다는 거요? / 《~ qc+속사》 Je te *voudrais* plus heureux. 나는 네가 더 행복해졌으면 한

다 / Comment *voulez*-vous votre viande? — Je la *veux* saignante. 고기를 어떻게 드시겠어요? — 설 익혀서 주세요. ⓑ《~+*inf.*》…하기를 바라다, 하고 싶다, 하려고 한다 : Je *veut* savoir ce qui s'est passé. 무슨 일이 일어났는지 알고 싶다 / Il *veut* se faire remarquer. 그는 남의 이목을 끌고 싶어한다 / Je *voudrais* vous demander quelque chose. 뭐 좀 여쭤보고 싶은데요《조건법현재는 정중한 표현》/ J'*aurais voulu* y rester toujours. 나는 거기에 영원히 남아 있고 싶었는데《조건법 과거는 이루어지지 않은 소원을 나타냄》. ⓒ《~ que+*sub.*》…이기를 바라다 : Je *veux que* tu viennes tout de suite. 네가 당장에 오기를 바란다 / Que *voulez*-vous *que* j'y fasse? 나보고 어떻게 하란 말이오? ⓓ《목적보어 없이》 Faites comme vous *voudrez*. 좋으실 대로 하십시오 / Prenez-en tant que vous *voudrez*. 원하시는 만큼 드십시오.

② 《2 인칭에 대한 의문형 · 명령형+*inf.*》…해 주시겠습니까?, …하십시오 : *Voulez*-vous fermer la fenêtre? 창문 좀 닫아 주시겠어요? / V*eux*-tu te taire? 잠자코 있지 못하겠니? / 《조건법은 정중한 표현》 V*euillez* vous asseoir. 어서 앉으시지요 / *Veuillez* agréer, monsieur, l'expression de mes sentiments distingués. 제 경의를 받아 주시기 바랍니다《편지의 결구》.

③ 동의하다(= accepter), 승낙하다(consentir) : Demandez-lui s'il *veut* venir dîner avec nous. 그에게 우리와 함께 저녁 식사를 하겠는지 물어보시오.

④ (사람을) 필요로 하다, 원하다 : Nous *voulons* deux enfants. 우리는 아이 둘을 갖고 싶다 / Je le *veux* comme époux. 나는 그를 남편으로 맞이하고 싶다.

⑤ 주장〔단언〕하다(= affirmer) : 《~+*inf.*》 Il *veut* avoir déjà rencontré cet homme quelque part. 그는 이미 그 사람을 어디에선가 보았다고 주장한다 / Il *veut que* tous les libéraux soient traîtres. 그는 모든 자유주의자가 배반자라고 주장한다.

⑥ 《주어 : qc》《비유》 요구하다, 필요하다 ; …하려고 하다 : Ce verbe *veut* le subjonctif. 이 동사는 접속법을 요구한다 / plante qui *veut* beaucoup d'eau 물을 많이 먹는 식물 / 《~+*inf.* 〔que+*sub.*〕》 Le moteur ne *veut* pas partir. 엔진이 시동이 잘 걸리지 않는다 / Le hasard *a voulu qu*'elle soit là. 그녀는 우연히 거기에 있었다.

Dieu le veuille! 부디 그렇게 되어 주기를 (바랍니다). ***en ~ à*** qc …에 눈독을 들이다, …을 목적으로 하다 : Il vous flatte, parce qu'il *en veut à* votre argent. 그는 당신에게 아첨하고 있는데 그것은 당신의 돈에 눈독을 들이고 있기 때문이오. ***en ~ à*** qn …에게 악의를〔원한을〕 품다 ; …을 원망하다, 탓하다 ; …에게 화풀이를 하다 : Ne m'*en veuillez* 〔《구어》 *voulez*〕 pas! 나를 원망 마시오! ***je veux!*** 《비어》 그렇고 말고, 암, 그렇죠. ***Je veux être pendu si....*** …하나면 내 목을 내놓겠소《그럴 리가 없다는 강한 부정》. ***Je vous prie de ~ bien***+*inf.* 부디 …하여 주시기를 바랍니다. ***ne pas savoir ~*** 우유부단하다. ***Oui, je le veux bien.*** 네, 그러겠습니다. ***Qu'est-ce que vous voulez que j'y fasse?; Que voulez-vous que je vous dise?*** 《구어》 저에게 뭘 해 달라는 거요, 어쩌란 말이요? ***que tu le veuilles ou non*** 좋든 싫든 간에, 억지로라도. ***sans le ~*** 본의 아니게. ***si tu veux; si (l')on veut; si vous voulez*** ⓐ 괜찮으시다면, 지장이 없으시다면. ⓑ《양보》 그럴지도 모르지만, 글쎄 : C'est une folie. — Si on *veut*, mais, c'est quand même bien intéressant. 그것은 미친 짓이다. — 그럴지도 모르지, 하지만 매우 흥미롭다. ***veuillez*** 〔***voulez-vous***〕+*inf.* …하여 주십시오. ***~ bien*** ⓐ《강조》 *Veux*-tu *bien* te taire! 잠자코 있지 못해! ⓑ 동의하다, 승낙하다 : Nous jouerons à trois, si vous *voulez bien*. 좋으시다면 우리 셋이서 놉시다. ⓒ 시인〔인정〕하다 : Je *veux bien* m'être trompé. 내가 잘못 생각했음을 인정한다. ***V~, c'est pouvoir.*** 《격언》 정신일도 하사불성(精神一到何事不成). ***~ dire*** 의미하다 : Cela *veut dire* que... 그것은 …라는 뜻이다. ***~ du bien*** 〔***du mal***〕 ***à*** qn …이 잘되기를 바라다〔…에게 악의를 품다〕. ***~*** qc ***de*** qn …에게 무엇을 요구하다 : Que *voulez*-vous *de* moi? 내게 무엇을 원하시오? ***Vous l'avez*** (bien) ***voulu!*** 자업자득이다.

— *v.t. ind.* 《~ de》 받아들이다, 받아주다 : Il ne *veut* pas *de* tes excuses. 그는 네 변명을 들으려 하지 않는다 / Je ne *veux* pas *de* son aide. 그의 도움은 필요 없다 / Ne l'impose pas à ceux qui ne *veulent* pas *de* ton amitié. 그대의 우정을 받아들이지 않는 자들에게 그대의 우정을 강요하지 마라.

— **se ~** *v.pr.* 자기가 …이면 하고 바라다 : *se* ~ compétent 자기가 유능하기를 바라다 / Le juge *se veut* équitable. 판사는 스스로 공평하기를 바란다. ***s'en ~ de***+qc 〔+*inf.*〕 …을 후회하다 : Je *m'en veux d'*avoir accepé. 승낙해 버린 것을 나는 후회하고 있다 / Comme je *m'en voulais du* temps perdu à courir les nids! 새 둥우리를 찾아다니느라고 헛되이 시간을 보낸 것을 나는 얼마나 후회했는지 몰라. ***se ~ du bien*** 자기를 위하다. — *m.* ① 의사, 의지. ② 의도 ; 의견. ***bon*** 〔***mauvais***〕 ***~*** 호의〔악의〕. ***de son bon ~*** 자발적으로.

voulu, e [vuly] *adj.* ① 요구된, 필요한(= exigé) : au lieu ~ 정해진 장소에 / conditions ~*es* 요구된〔필요한〕 조건 / en temps ~ 필요〔적절〕한 시기에. ② 고의의 ; 계획적인 : effet ~ 의도된 효과. ***C'est voulu.*** 《구어》 우연한 일이 아니다.

‡vous [vu] *pron. pers.* 《2 인칭 복수》 ① 《약세형》《주어 · 직접목적보어 · 간접목적보어》 당신들〔여러분들〕은〔을, 에게〕 : Toi et lui, ~ êtes mes meilleurs amis. 너와 그가 나의 가장 친한 친구들이야 / Je ~ ai cherché partout. 당신을 여기저기 찾아다녔다. ② 당신들〔자네들, 너희들〕이〔을, 에게, 을 위하여, 로부터, 의〕 : Soldats, je suis content de ~. 병사 여러분, 나는 여러분들에게 만족하고 있소. ③ 《대명동사의 보어》 Vous ~ êtes encore battus. 여러분들은 아직도 서로들 싸우고 있소《상호적》/ À quelle heure

~ êtes-vous levé? 당신은 몇 시에 일어나셨습니까?《재귀적》/ Vous ~ en repentez. 당신은 그것을 후회하는군요. ④《강세형》당신, 여러분. ⓐ《주어, 직접목적보어의 강조》Vous le savez bien, ~. 당신은 그 사실을 잘 알고 있다 / Il vous accuse, ~? 그가 당신을 문책해요, 당신을? ⓑ《속사》C'est ~. 당신이군요. ⓒ《전치사의 보어》J'irai avec ~. 당신과 함께 가겠소 / C'est à ~. 이것은 당신의 것입니다. ⓓ《비교구문에서》Il est plus grand que ~. 그는 당신보다 크다 / Je ne suis pas riche comme ~. 나는 당신 같은 부자가 아니다. ⑤ ⓐ《on과 같은 뜻으로 쓰이는 동사의 보어》Peut-on faire bonne mine à ces gens qui ~ insultent? 남을 모욕하는 저런 사람들에게 좋은 얼굴을 할 수가 있는가? / On croit toujours que sa fille ~ ressemble. 사람은 항상 자기 딸이 자기를 닮은 것으로 생각하고 있다. ⓑ《상대방의 주의를 끌기 위한 허사》Elle sait ~ tenir un homme, celle-là. 그 여자는 말이야 남자를 다룰 줄 알아. ⑥《명사적 용법》employer le ~ en parlant à ses parents 부모님에게 말할 때 (vous)란 말을 쓰다. ***allez-vous-en, ~!*** 당신은 나가 주셔요《뒤의 vous는 호칭》. ***de ~ à moi*** 당신과 나 사이에. ***~ autres*** 당신들.

voussure [vusy:ʀ] *f.* 〖건물〗(아치의) 곡선; (문·창 상부의) 아치형.

voûte** [vut] *f.* 〖건축〗① 둥근 천장, 궁륭(穹窿): ~ en plein cintre 반원형 궁륭 / ~ d'arête 교차 궁륭 / ~ en berceau 통형(筒形) 궁륭 / ~ en ogive 첨두형(尖頭形) 궁륭. ② 반원형의 덮개. ***branches en ~ 닫집처럼 덮인 가지. ***la ~ du ciel; ~ céleste*** 〔***azurée, étoilée***〕 하늘. ***~ crânienne*** 〖해부〗 두개(頭蓋). ***~ d'arcasse*** 〔***arrière***〕 〖선박〗 배 뒤의 돌출부. ***~ palatine*** 구개(口蓋), 입천장.

voûté, e [vute] *adj.* ① 궁륭형의, 아치형의(=arqué). ② (등이) 새우등의, (노인이) 허리가 구부러진.

voûter [vute] *v.t.* ① 〖건축〗(…에) 궁륭〔둥근 천장〕을 만들다: ~ une galerie 회랑에 둥근 천장을 만들다. ②《~ qn》(…의 허리를) 구부리다: L'âge *voûte* les vieillards. 나이가 많아짐에 따라 노인들은 허리가 굽어진다. ── **se ~** *v.pr.* 궁륭형으로 되다; 허리가 구부러지다: Il *s'est voûté* avec l'âge. 그는 나이가 들면서 허리가 굽었다.

vouvoiement [vuvwamɑ̃] *m.* vous를 사용하기(≠ tutoiement): Le ~ est rare entre époux. 부부 사이에서 vous를 사용하는 일은 드물다.

vouvoyer [vuvwaje] 7 *v.t.* (상대에게) vous를 사용하여 이야기하다(≠ tutoyer): On *vouvoie* normalement les personnes qu'on ne connaît pas. 보통 잘 모르는 사람들에게는 vous를 사용한다.

:voyage [vwaja:ʒ] *m.* ① 여행; 항해; 여행기(記): faire un ~ 여행하다 / ~ à pied 〔en voiture〕 도보〔자동차〕 여행 / ~ d'études 수학〔답사〕 여행 /rentrer de ~ 여행에서 돌아오다 / sacs de ~ 여행용 가방. ② (사람·탈것 따위의) 왕복; 심부름, (인부의) 운반; 운임: train qui fait le ~ Paris-Le Havre. 파리와 르아브르 사이를 왕복하는 열차 / transporter toutes les valises en un seul ~ 모든 짐을 한 번에 운반하다. ***aller*** 〔***partir***〕 ***en ~*** 여행가다〔떠나다〕. ***Bon ~!*** 잘 다녀 오십시오! ***compagnon de ~*** 여행의 동반자; 같이 탄 승객. ***emmener en ~*** 거짓 이야기를 꾸며 (사람을) 속이다. ***être*** 〔***partir***〕 ***en ~*** 여행 중이다. ***faire le grand ~*** 〔***le ~ de l'autre monde***〕 저승으로 떠나다. ***faire le ~ de*** (Rome) (로마) 여행을 하다. ***frais de ~*** 여비. ***les gens du ~*** 서커스 단원. ***le grand ~*** 죽음. ***valoir le ~*** 가 볼 만하다. ***~ d'agrément*** 〔***touristique***〕 유람 여행. ***~ de noces*** 신혼 여행. ***~ en avion*** 〔***par mer, en chemin de fer***〕 비행기〔해상, 철도〕 여행.

:voyager [vwajaʒe] 3 *v.i.* ① 여행하다; (상품을) 팔러 다니다: ~ en voiture 자동차 여행을 하다 / ~ à l'étranger 해외 여행을 하다. ② (새가) 이주〔이동〕하다. ③ 가다, 운행하다. ④ (상품 따위가) 수송되다: marchandise qui s'abîme en *voyageant* 수송 중에 파손된 상품. ***~ à pied*** 도보 여행하다. ***~ par mer*** 항해하다, 배로 여행하다. ***~ pour une maison d'édition*** 출판사의 판매업을 위해 순회하다.

voyageur, euse** [vwajaʒœːʀ, -øːz] *n.* ① 여행자, 나그네, 여객, 승객. ② 탐험가. ③ 〖상업〗 외교원(= ~ de commerce). ── *adj.* 여행하는; (철새 따위가) 이동하는; 팔러 돌아다니는. ***commis ~ 외교원. ***oiseau ~*** 철새. ***pigeon ~*** 전서구(傳書鳩).

voyagiste [vwajaʒist] *n.* 관광 여행업자, 여행 알선업자(= tour-opétateur).

voyance [vwajɑ̃:s] *f.* 〖심령술〗 투시력, 천리안(= double vue).

voyant, e [vwajɑ̃, -ɑ̃:t] *adj.* ① 눈에 보이는; 투시력 있는, 천리안(千里眼)의. ② (빛깔이) 야한, 화려한; 눈에 띄는: toilette ~*e* 야한 화장 / couleur ~*e* 요란한 색깔. ── *n.* 천리안, 선지자; 예언자. ── *m.* 〖측량〗 표지(標識); 〖해양〗(등선(燈船)의) 등표(燈標).

***voyelle** [vwajɛl] *f.* 〖문법〗 모음; 모음자《a, e, i, o, u, y》(= lettre-~): ~ orale 구강(口腔) 모음 / ~ nasale 비(鼻)모음 / ~ ouverte 〔fermée〕 개〔폐〕모음 / ~s vélaires 연구개 모음.

voyer [vwaje] *m.* 도로 담당원〔관리인〕. ── *adj.* 도로계의. ***agent ~*** 도로 관리인〔감시인〕. ***architecte ~*** 도로 기사.

voyeur, euse [vwajœːʀ, -øːz] *n.* (남의 성교를 엿보고 만족을 얻는) 성적 도착자(倒錯者). ── *m.* 엿보는 구멍. ── *f.* 걸상.

voyeurisme [vwajœʀism] *m.* 엿보기 취미; 남의 정사를 훔쳐보는 변태 성욕.

voy-ez, -ons ⇒ voir.

voyou, oute [vwaju, -ut] *n.* 《구어》 부랑자; 불량 소년〔소녀〕, 깡패. ── *adj.* 부랑자의, 깡패의: langage ~ 깡패들이 사용하는 말.

V.P.C. 《약자》 vente par correspondance 통신 판매.

vrac (en) [ɑ̃vʀak] *loc.adv.* ① 뒤섞여서, 뒤죽박죽; 포장하지 않은 채로: charger les fruits *en* ~ dans un camion 트럭에 과일

을 포장하지 않고 마구 싣다. ② 《비유》 난잡하게(=en désordre) 정돈이 안된 채 : jeter ses idées *en* ~ sur le papier 자신의 생각을 되는 대로 종이에 갈겨 쓰다.

vrai, e** [vʀɛ] *adj.* ① 참된, 진실한(=véritable ; ≠ faux) ; 성실한 : bonté *~e* 참된 친절 / chairs *~es* 〖미술〗 살아 있는 것 같은 살(의 느낌) / assertion *~e* 틀림없는 주장 / un style ~ 정확한 문체. ② 《보통명사 앞에서》 진짜의, 진정한, 사실의, 실제의, 순수한(=réel ; ≠ fictif) : le ~ Dieu 유일한 신 / ~ Anglais d'Angleterre 순수한 영국인 / ~ coquin 진짜 깡패 / histoire *~e* 실화 / *~e* comédienne 진짜〔뛰어난〕 여배우 / Voilà le ~ moyen de sortir d'embarras. 이것이야말로 어려움에서 벗어나는 틀림없는 방법이다. ***ami ~ 성실한 벗. ***C'est*** (***bien, ma foi***) ***~ !*** 정말 그대로다, 정말이다. ***C'est la vérité ~e.*** 《구어》 그것은 틀림없는 진실이다. (***C'est***) ***Pas ~ ?*** 《구어》 그럴 리가 ! 농담이겠지(=Sans blague !). ***C'est ~ comme l'Évangile.*** 성서만큼이나 확실하다. ***Il est ~*** (***de dire***) ***que....*** …은 정말이다, 사실 …이다. ***~ ami*** 진짜 친구.
— *m.* 진실(=vérité) ; 사실 : Le ~ de l'affaire c'est que... 사건의 진상은 …이다. ***au*** 〔***pour, dans le***〕 ***~*** 사실인즉, 사실로 : Voici *au* ~ ce qui s'est passé. 그 사건은 실은 이렇다. ***à ~ dire ; à dire ~*** 사실을 말하자면. ***dire ~*** 진실을 말하다. ***être dans le ~*** 지당하다 : Vous *êtes dans le* ~. 지당한 말씀입니다. (***pour***) ***de ~*** 참말로. ***V~ de ~ !*** 《구어》 틀림없는 사실입니다.
— *adv.* ① 《구어》 정말, 참말로 : Je n'ai plus faim, ~. 이제 배고프지 않아, 정말로. ② 사실대로, 있는 그대로 : acteur qui joue ~ 사실적 연기를 하는 배우 / parler ~ 사실대로 말하다. ***Eh bien ~ !*** 과연, 옳거니 ; 참말로. ***Pas ~ ?*** 《구어》 그렇지요 ?(=N'est-ce pas ?). ***Tu m'aimes, ~ ?*** 《구어》 참말로 저를 좋아하셔요 ?

***vraiment** [vʀɛmɑ̃] *adv.* ① 참말로, 확실히, 실제로(=réellement) : Croit-il ~ ce qu'il dit ? 그는 자기가 한 말을 정말로 믿을까 ? / Tout cela est ~ arrivé. 그 모든 것은 실제로 일어난 일이다. ② 《단언을 강조》 정말, 대단히, 완전히, 매우(=très) : Il travaille ~ bien. 그는 정말 일을〔공부를〕 잘한다. ③ 《의문문에서 놀라움 · 의문 · 의구심 등을 표시》 정말입니까 ?(=Est-ce vrai ?) : Il est mort. — *V~ ?* 그는 죽었어요 — 정말입니까?

vraisemblable** [vʀɛsɑ̃blabl] *adj.* 사실〔진실〕임 직한, 있음 직한, 정말인 듯한(=probable) : hypothèse ~ 사실임 직한 가정〔가설〕 / Il est ~ que+*ind.* …인 모양이다 / Sa réussite est ~. 그의 성공은 가능한 것이다 / Il n'est pas ~ que+*sub.* …인 것 같지 않다, …라고는 생각되지 않는다. ***Le vrai peut quelquefois n'être pas ~. 진실은 이따금 진실 같지 않을 수도 있다(*Boileau* 의 말). — *m.* 사실〔진실〕임 직한 것〔일〕, 있음 직한 것〔일〕.

***vraisemblablement** [vʀɛsɑ̃blabləmɑ̃] *adv.* 아마(도), 십중팔구(=probablement) : Il arrivera ~ demain. 그는 아마 내일 도착할 것이다.

vraisemblance [vʀɛsɑ̃blɑ̃:s] *f.* 사실〔진실〕임 직함, 있을 법함, 정말인 듯함 : Il n'y a pas de ~ à ce que vous dites. 당신이 한 말은 사실 같지가 않다. ***Il y a peu de ~ que*** + *sub.* …은 있을 것 같지 않다. ***selon toute ~*** 십중팔구는.

vraquier [vʀakje] *m.* 〖선박〗 포장되지 않은 상품을 실어나르는 배.

vrille [vʀij] *f.* ① 〖식물〗 덩굴손. ② 나사송곳 : percer qc avec une ~ 나사 소곳으로 …에 구멍을 뚫다. ***descente en ~*** 〖항공〗 선회 강하. ***faire la ~ ; se mettre*** 〔***tomber***〕 ***en ~*** 〖항공〗 선회 강하하다. ***yeux percés en ~ ; yeux en trou de ~*** 《구어》 오목하게 들어간 작은 눈.

vriller [vʀije] *v.t.* 나사송곳으로 뚫다.
— *v.i.* (불꽃 따위가) 회전하며 오르다.

vrombir [vʀɔ̃bi:ʀ] *v.i.* 윙윙거리다, 붕붕거리다, 부르릉거리다.

vrombissant, e [vʀɔ̃bisɑ̃, -ɑ̃:t] *adj.* 붕붕〔윙윙〕거리는 : motos *~es* 부르릉거리는 오토바이.

vrombissment [vʀɔ̃bismɑ̃] *m.* 윙윙〔붕붕 · 부르릉〕거리는 소리.

vs 〔라틴〕 《약자》 versus … 대(對), … 에 대「한.

vu¹, e¹ [vy] *adj.* ① 보인 ; 생각되는. ② 이해된, 알아들은(=compris). ***C'est bien ~ ?*** ; 《구어》 ***V~ ?*** 알아듣겠소 ? ***C'est tout ~.*** 《구어》 빤한 일이다, 이제 그 얘기는 듣기도 싫다. ***être bien*** 〔***mal***〕 ***~*** 인망이 있다〔없다〕 ; 호평을 받다〔못받다〕 : Il *est* très *bien* ~ dans le quartier. 그는 이 거리에서 인망이 두텁다. ***ni ~ ni connu*** 아무에게도 알리지 않은. — *m.* 보기. ***au ~*** (***et au su***) ***de tout le monde*** 공공연하게. ***C'est du déjà ~.*** 새로울 것이 없다. ***sur le ~ des pièces*** 서류를 심사한 뒤에. — *n.* ***être le bien ~*** 〔***la bien ~e***〕 ***de*** qn …의 마음에 들어 있다.

vu² [vy] *prép.* …에 비추어, …을 고려하여(=en considérant, en égard à) ; …이므로, …인 까닭에 : *vu* les pièces du dossier 〖법률〗 소송 기록 서류에 비추어 / 《~ que+*ind.*》 Il ne viendra pas *vu qu'*il est malade. 그는 병이 났기 때문에 오지 않을 것이다.

***vue²** [vy] *f.* ① 시력 ; 시각 ; 눈, 시선 : organes de la ~ 시각 기관 / troubles de la ~ 시각 장애 / avoir une bonne 〔mauvaise〕 ~ 시력이 좋다〔나쁘다〕 / avoir la ~ basse 〔courte〕 근시이다 / Sa ~ baisse. 그는 시력이 나빠지고 있다 / fixer 〔attacher〕 sa ~ sur qn 〔qc〕 …에 시선을 고정하다 / s'offrir à la ~ de qn …의 눈앞에 나타나다. ② 보기 ; 〖상업〗 일람(一覽) / La ~ du sang a terrifié cet enfant. 그 아이는 피를 보자 공포에 질렸다. ③ 전망, 조망 ; 외관 ; (풍경 · 건물 따위의) 그림 : échappée de ~ (숲 · 물건 사이에 펼쳐진) 전망 / ~ de côté (건물의) 측면에서 본 외관 / preneur de *~s* 〖영화〗 촬영 기사, 카메라맨 / prise de *~s* 〖영화〗 촬영. ④ (사물을 보는) 방식 ; 견해, 소견, 의견 : d'ensemble de la question 문제의 개념〔개관〕 / échange de *~s* 의견 교환 / point de ~ 관점 / exposer ses ~ 자기의 견해를 밝히다. ⑤ 안목, 통찰력 : double

〔seconde〕 ~ 투시력, 천리안 / politique à courte ~ 근시안적인 정치. ⑥ 창(窓) : condamner les ~*s* 창을 가리다〔막다〕. ⑦ 고려 ; 목적 ; 의도 ; 계획(= projet) : borner ses ~*s* à qc 목적을 …에 한정하다 / Ce n'est pas dans mes ~*s* 그것은 내 계획에 들어 있지 않다. ⑧ 투구의 면갑. ***à* (*la*) *première* ~** 언뜻 보기에는. ***à la* ~ *de*** …을 보고〔보자〕; …의 눈 앞에서. ***avoir des* ~*s différentes*** 견해를 달리하다. ***avoir des* ~*s pour*** qn …의 장래를 생각하여 몇 가지 계획을 세우다. ***avoir la* ~ 〔*des* ~*s*〕 *sur*** qc …을 이용하려고 맘먹다 ; …을 가지려고 노리다. ***avoir*** qc ***en* ~** …을 계획 중〔고려 중〕이다. ***à* ~** 보고 곧 ; 〚상업〛 일람불의〔로〕: tirer *à* ~ 목표물을 보고 쏘다 / dessin *à* ~ 자재화(自在畫) / jouer *à* ~ 〚음악〛 (악보를) 읽어 내려가면서 연주하다. ***à* ~ *de nez*** 대충, 대강. ***à* ~ *d'œil*** 눈에 띄게. ***connaître*** qn ***de* ~** …을 본 일은 있다, 안면이 있다. ***en mettre plein la* ~** 《속어》 허세를 부려 을러대다. ***en* ~** 보이는〔눈에 띄는〕 곳에 ; 주목의 대상인 ; 계획중의 : un homme le plus *en* ~ 가장 눈에 띄는 지위에 있는 사람, 대중의 이목을 끌고 있는 사람/ mettre *en* ~ …을 눈에 띄는 데에 놓다, 대중에게 알리다. ***en* ~ *de*** qc 〔***de*** + *inf.*〕 ⓐ …을 목적으로, …을 위하여 : travailler *en* ~ *d'*un examen 시험을 위해서 공부하다. ***être en* ~** 눈에 띄다, 드러나다 / observer *en* ~ *de* savoir ce qui se passe. 무슨 일이 일어나는지 알기 위해 관찰하다. ⓑ …이 보이는 곳에 : arriver *en* ~ *de* la place 광장이 보이는 곳에 도착하다. ***perdre de* ~** 못 보게 되다 ; 잊어버리다 ; (친구와) 교제를 끊다. ***porter sa* ~ *bien loin*** 앞을 내다보다. ***prendre des* ~*s*** 〚영화〛 촬영하다. ***un plan à* ~ *d'oiseau*** 부감도(俯瞰圖).

Vulcain [vylkɛ̃] *n.pr.m.* 〚신화〛 불카누스《불과 대장간의 신》. ── **V~** *m.* 〚곤충〛 큰먼재이나비의 일종.

vulcanisation [vylkanizɑsjɔ̃] *f.* 〚공업〛 고무 가황, 황화(黃化).

vulcaniser [vylkanize] *v.t.* 〚화학〛 (고무를) 가황(加黃)하다, 황화(黃化)하다. ── **se ~** *v.pr.* (고무가) 가황되다.

vulcanologie [vylkanɔlɔʒi] *f.* 화산학(= volcanologie).

vulcanologiste [vylkanɔlɔʒist], **vulcanologue** [vylkanɔlɔg] *m.* 화산 학자.

***vulgaire** [vylgɛːʀ] *adj.* ① 일반 대중의, 통속적인, 일상의(= caurant, populaire) : l'opinion ~ 일반적인 견해, 속설(俗說). ② 속된, 저속한, 야비한, 상스러운(= bas, grossier) : réalités ~*s* 속된 현실 / goûts ~*s* 저속한 취미. ③ 《문어》 평범한, 흔한, 보통의(= ordinaire, commun) : un ~ lecteur 평범한 일반 독자 / esprit ~ 범용(凡庸)한 정신. ④ 범속한, 현실적인 ***langue* ~** 속어《문어에 상대되는 말》. ***latin* ~** 통속 라틴말《서민이 사용한 라틴 속어》. ***nom* ~** (식물 따위의) 속칭. ***substitution* ~** 〚법률〛 대습(代襲) 상속인 지정. ── *m.* ① 서민 ; 일반 대중. ② 야비, 저속 : donner 〔tomber〕 dans le ~ 야비한 상태로 떨어지다, 천해지다.

vulgairement [vylgɛʀmɑ̃] *adv.* ① 보통, 일반적으로, 통속적으로 ; 속칭으로 : hypothèse ~ admise 일반적으로 받아들여지는 가정 / l'astérie, ~ appelé 〔dit〕 《l'étoile de mer》 속칭 「바다의 별」이라고 말하는 「불가사리」. ② 저속하게, 야비하게, 상스럽게 : se tenir ~ 상스럽게 행동하다.

vulgarisateur, trice [vylgaʀizatœːʀ, -tʀis] *n.* (지식 · 문학 · 유행 따위를) 통속화〔대중화〕시키는 사람, 보급자. ── *adj.* 통속화시키는, 보급시키는.

vulgarisation [vylgaʀizɑsjɔ̃] *f.* 통속화, 대중화, 보급(= diffusion) : ~ de la culture 문화의 보급 / ouvrage de ~ (일반인을 위해 평이하게 풀이한) 입문서.

vulgariser [vylgaʀize] *v.t.* ① (지식 · 문학 · 유행 따위를) 통속화〔대중화〕시키다 ; 보급하다 : ~ une idée 사상을 보급하다. ② 속되게 하다, 저속하게 만들다.

vulgarité [vylgaʀite] *f.* ① 속됨, 저속성, 야비함 : ~ de la vie quotidienne 일상생활의 범속함. ② (*pl.*) 야비한〔저속한〕 말〔생각〕: dire des ~*s* 상스러운 말을 하다.

vulnérabilité [vylneʀabilite] *f.* 손상될 수 있음〔되기 쉬움〕; 격파되기 쉬움 ; 약점〔결점〕이 있음 ; 허약함.

vulnérable [vylneʀabl] *adj.* ① 상처를 받기 쉬운 ; 허약한, 취약한(= fragile) : Ils ne sont pas immunisés, ils sont ~*s*. 그들은 면역이 되지 않아서 병에 걸리기 쉽다. ② 《비유》 약점이 있는, 약한 : argument ~ 박약한 논거 / toucher qn en un point ~ …의 약점을 찌르다.

vulnéraire [vylneʀɛːʀ] *adj.* (식물 · 약이) 상처를 고치는. ── *m.* 외상약(外傷藥).

vulve [vylv] *f.* 〚생물〛 여자의 외음부(外陰部), 음문(陰門).

vumètre [vymɛtʀ] *m.* (라디오 · 텔레비전의 조정실 따위에 놓는) 감시 장치.

W

W, w [dubləve] *m.* 프랑스 자모의 제 23 자 《외래어에만 쓰이며 독일어계의 것은 [v] 로, 영어계의 것은 [w] 로 발음됨》.

W. 《약자》 ① Watt 〖전기〗 와트. ② Ouest 서쪽(= O.). ③ wolfram 〖화학〗 텅스텐.

wagon** [vagɔ̃] 〔영〕 *m.* ① 〖철도〗 (기차의) 차(량) ; 객차 ; 화차(貨車) : ~ de voyageurs 〔de marchandises〕 객차〔화물차〕 / ~ à bagages 수화물 화차 / ~ de première 〔de seconde〕 classe 1 등〔2 등〕차. ② 화차 한 대의 적재량〔용량〕 : un plein ~ de marchandises 열차 한 대분의 상품. ***descendre de ~ 차에서 내리다. ***monter en ~*** 차를 타다.

wagon-citerne [vagɔ̃sitɛʀn] *m.* (*pl.* **~s-~s**) 〖철도〗 액체 수송차, 탱크차.

wagon-lit [vagɔ̃li] *m.* (*pl.* **~s-~s**) 〖철도〗 침대차(= voiture-lit).

wagonnet [vagɔnɛ] *m.* 화차, 광차(鑛車).

wagon-restaurant [vagɔ̃ʀɛstɔ〔o〕ʀɑ̃] *m.* (*pl.* **~s-~s**) 〖철도〗 식당칸, 식당차(= voiture-restaurant).

walkie-talkie [wokitoki] 〔영〕 *m.* = talkie-walkie.

walkman [wɔ(l)kman] 〔영〕 *m.* 워크맨.

wallon, onne [v〔w〕alɔ̃, -ɔn] *adj.* 발론 (사람)의 ; 발론어(語)의 : Pays ~ 발론 지방《벨기에 동남부》. ── *m.* 발론어(語). ── **W~** *n.* 발론 사람《벨기에 동남부의 주민》.

Wallon(n)ie [v〔w〕alɔni] *n.pr.f.* 〖지리〗 발론《벨기에 동남부의 지방》.

warrant [v〔w〕aʀɑ̃(:t)] 〔영〕 *m.* ① 〖법률〗 영장(令狀) 《체포 · 구속 영장 따위》. ② 〖상업〗 창고 증권. ③ 담보 물건, 보증.

warranter [v〔w〕aʀɑ̃te] *v.t.* 〖상업〗 (상품에 대해) 창고 증권을 발행하다.

water-ballast [watɛʀbalast] 〔영〕 *m.* (*pl.* **~-~s**) 〖해양〗 ① 물 밸러스트 탱크 ; 물〔연료〕 탱크. ② (잠수함의) 침강조(= ballast).

water-closet(s) [wa〔va〕tɛʀklozɛt] 〔영〕 *m. pl.* 수세식 변소, 화장실(《약자》 W.C.).

watergang [watɛ〔ə〕ʀgɑ̃:g] *m.* (해면 이하 평지의) 배수구(排水溝), 운하.

wateringue [wat(ə)ʀɛ̃:g] *m.*〔*f.*〕 ① (해면 이하 평지의) 배수 공사.

water-polo [watɛʀpɔlo] 〔영〕 *m.* 〖스포츠〗 워터폴로, 수구(水球).

waters [watɛ:ʀ] 〔영〕 *m. pl.* 변소, 화장실 《water-closet(s)의 약자》 : aller aux ~ 화장실에 가다.

watt [wat] *m.* 〖전기〗 와트《전력 단위》.

watt-heure [watœ:ʀ] *m.* (*pl.* **~s-~s**) 〖전기〗 와트시(時).

wattman [watman] 〔영〕 *m.* (*pl.* ***-men*** [-mɛn]) (전차 · 전기 기관차의) 운전수.

wattmètre [watmɛtʀ] *m.* 〖전기〗 전력계.

***W.C., w.c.** [vese] *m.* (흔히 *pl.*) 《구어》 변소, 화장실《water-closet 의 약자》.

web [wɛb] *m.* 웹 : surfer sur le *W*~〔~〕 웹 서핑하다.

***week-end** [wikɛnd] 〔영〕 *m.* (*pl.* **~-~s**) 주말 ; 주말 휴가 : partir en ~ 주말여행을 떠나다 / Bon ~ ! 즐거운 주말을 보내세요 !

western [wɛstɛʀn] 〔영〕 *m.* 〖영화〗 서부극.

wharf [waʀf] 〔영〕 *m.* 부두, 선창 : droit de ~ 부두 사용료.

whisky [wiski] 〔영〕 *m.* ① 위스키 : ~ écossais 스카치 위스키. ② 위스키 한 잔 : boire un ~ nature 〔soda〕 스트레이트로 위스키〔위스키 소다〕를 한 잔 마시다.

whist [wist] 〔영〕 *m.* 〖카드놀이〗 휘스트.

white-spirit [wajtspiʀit] 〔영〕 *m.* 〖화학〗 화이트 스피릿《페인트 · 와니스 등의 용제》.

wolfram [vɔlfʀam] *m.* 〖광물〗 볼프람, 텅스텐 : mines de ~ 텅스텐 광산.

won [wɔn, wɔ̃] *m.* (*pl.* ~(**s**)) 원《대한민국의 화폐 단위》.

WWW [dubləvedubləvedubləve] *m.* 《약자》 World Wide Web.

X

X, x [iks] *m.* ① 프랑스 자모의 제 24 자. ② 로마 숫자의 10. ③ X 형의 것 : axe des *X*, x 축. ***en X***, x 모양에. ***Les x*** 《옛》 수학. ***L'X*** 《구어》 이공과 대학(= École polytechnique)(의 학생). ***Monsieur X*** 모씨(某氏). ***Rayons X***, X 광선. ***un x*** 이공과 대학생.

xéno- *préf.* 「다른 · 외국(인)의」의 뜻.

xénon [ks〔gz〕enɔ̃] *m.* 〖화학〗 크세논.

xénophobe [ks〔gz〕enɔfɔb] *adj.* et *n.* 외국인을 싫어하는 (사람).

xénophobie [ks〔gz〕enɔfɔbi] *f.* 외국인을 싫어하는〔적대시하는〕 기질.

Xérès [gz(ks, k)eʀɛs] *n.pr.m.* 〖지리〗 세레스《에스파냐 남부의 도시》. — **X~** *m.* 셰리주(酒)(= vin de *X~*).
xérocopie [kseʀɔkɔpi] *f.* 제록스(= xérox) 복사(술).
xérodermie [ks(gz)eʀɔdɛʀmi] *f.* 〖의학〗 피부 건조증(乾燥症).
xérophagie [kseʀɔfaʒi] *f.* ① 건조식(食)의 섭취. ② 〖종교사〗 (원시 기독교의) 대재(大齋) 《빵·물·소금·생야채만을 먹는 단식일》.
xérophtalmie [ks(gz)eʀɔftalmi] *f.* 〖의학〗 안구(眼球) 건조증.
xi [ksi] *m.* 그리스 자모의 제 14 자《Ξ, ξ 프랑스 자모의 X 에 해당》.
xylène [ks(gz)ilɛn] *m.* 〖화학〗 크실렌.
xylographe [ks(gz)ilɔgʀaf] *m.* 목판(木版) 조각사.
xylographie [ks(gz)ilɔgʀafi] *f.* ① 목판 조각, 목판술. ② 목판 인쇄.
xylographique [ks(gz)ilɔgʀafik] *adj.* 목판 조각술의; 목판 인쇄술의.
xylophage [ks(gz)ilɔfa:ʒ] 〖곤충〗 *m.* 나무좀. — *adj.* 나무를 먹는.
xylophone [ks(gz)ilɔfɔn] *m.* 〖음악〗 목금(木琴), 실로폰.
xyste [ks(gz)ist] *m.* 〖고대그리스〗 실내 경기장.

Y

Y, y[1] [igʀɛk] *m.* ① 프랑스 자모의 제 25 자. ② 〖수학〗 제 2 의 미지수. ***axe des y,*** y 축(軸). ***en Y,*** Y자 모양의.
⁑y[2] [i] *adv.* ① 《장소: à, en, dans, sur...+명사·대명사를 대신》 거기에(서), 여기에(서): Connaissez-vous la Provence? — J'*y* suis allé. 프로방스를 아십니까? — 거기에 다녀온 일이 있습니다 / Il *y* a vécu plusieurs années. 그는 여러 해 동안 그곳에 살았다. ② 《동사구에서 관용적으로》 *y* regarder à deux fois 곰곰이 생각하다 / ne pouvoir *y* tenir 더 이상 참을 수가 없다. ③ 《허사》 On n'*y* voit pas à 10 mètres. 10 미터 앞이 보이지 않는다. ***Ah, J'y suis.*** 아아, 알았다. ***il y a*** ⇒ avoir. ***Je n'y suis pour personne.*** 누가 오든지 내가 없다고 하시오, 나는 아무도 만나고 싶지 않소. ***Madame y est-elle?*** 부인은 댁에 계신가요? ***Y êtes-vous?*** 아셨습니까?; 준비됐습니까?
— *pron.* 《불변》 ① 《à+명사·대명사를 대신》 J'ai reçu une lettre. Je vais *y* repondre. 나는 편지 한 통을 받았는데 답장을 쓸 작정이다 / Réveillez-moi à cinq heures; surtout pensez-*y*. 5 시에 나를 깨워 주시오, (그것을) 제발 잊지 마시오. ② 《à+*inf.*을 대신》 pouvez-vous lui remettre ce dossier? — Je n'*y* manquerai pas. 그에게 이 서류를 전해 주시겠습니까? — 틀림없이 그렇게 하겠습니다. ③ 《앞의 문장을 대신》 Le temps s'envole: pensez-*y*. 시간은 빨리 지나가니 그것을 잊지 마십시오. ④ 《전치사가 à 이외인 경우》 Son aide, il y comptez pas. 그의 도움을 기대하지 마시오(= ne comptez pas sur son aide). ⑤ 《속어》 그(녀)에게(= lui): J'*y* ai dit(= Je lui ai dit) 나는 그에게 말했다 / Dis-*y* partir. 그에게 떠나라고 말해. ***Ça y est!*** 됐다; 옳소! ***J'y pense.*** 나는 그것을 생각하고 있다. ***Le compte y est.*** 계산이 맞는다. ***Rien n'y faisait.*** 별 수가 없었다. ***sans y penser*** 무심코. ***Vous pouvez y compter.*** 그것은 믿어도 좋다. ***Vous y êtes.*** 맞았습니다. ***y être pour*** qc …에 관계가(책임이) 있다: Je n'*y* suis *pour* rien. 나는 그 문제에 대해서 전혀 책임이(관계가) 없다.
yacht [jɔt, jak(t)] *m.* 요트, 범주선(帆走船): ~ à glace (특히 캐나다의) 빙상(氷上) 범선.
yachting [jɔtiŋ, jaktiŋ] 〔영〕 *m.* 요트 놀이, 요트 조종.
ya(c)k [jak] *m.* 〖동물〗 야크, 이우(犛牛).
yaghourt [jaguʀt], **ya(h)ourt(h)** [jauʀt] *m.* 요구르트, 응유(凝乳).
Yang-tsé-kiang (**le**) [ləjɑ̃ŋtsekjɑ̃:ŋ] *n.pr.m.* 〖지리〗 양쯔강.
yankee [jɑ̃ki] 〔영〕 *n.* 양키. — *adj.* 양키의, 미국의.
***yaourt** [jauʀt, jau:ʀ] *m.* (중앙 아시아 유랑민들의) 가죽 천막; (키르기스·사모예드 사람들의) 오막살이.
yaourtière [jauʀtjɛ:ʀ] *f.* 요구르트 제조기.
yard [jaʀd] 〔영〕 *m.* 야드《약 91 cm》.
yatagan [jatagɑ̃] *m.* (터키·아라비아의) 끝쪽 날이 굽은 장검(長劍).
Yémen (**le**) [ləjemɛn] *n.pr.m.* 〖지리〗 예멘《아라비아 남서부의 공화국》: ~ du sud 남예멘.
yéménite [jemenit] *adj.* 예멘(*le Yémen*) (사람)의. — **Y~** *n.* 예멘 사람.
yen [jɛn] 〔일본〕 *m.* 《복수불변》 엔(円)《일본 화폐 단위》.
yéti [jeti] 〔티베트〕 *m.* 예티《히말라야 산맥에 산다고 추정되는 전설적인 눈사람》.
yeuse [jø:z] *f.* 〖식물〗 호랑가시나무(= chêne vert).
⁑yeux [jø] *m. pl.* œil 의 복수형.
yiddish [jidiʃ] *m.* 이디시어(語)《동부 유럽 유대인의 방언》.
yod [jɔd] *m.* ① 페니키아 및 히브리 자모의 제 10 자《프랑스 자모의 y 에 해당함》. ② 〖언어〗 반모음의 i《[j]의 음》.
yoga [jɔga] 〔산스크리트〕 *m.* 〖힌두교〗 유가(瑜伽); 유가파; 요가.
yogi [jɔgi] *m.* 요가 수행자.
yole [jɔl] *f.* (흔히 여러 사람이 젓는) 단정(短艇), 보트.

***yougo(-)slave** [jugɔslaːv] *adj.* 유고슬라비아의. — **Y~(-)S~** *n.* 유고슬라비아 사람.

Yougoslavie (la) [lajuqɔslavi] *n.pr.f.* 〖지리〗 유고슬라비아.

youpi [jupi] *interj.* 야!《기뻐서 외치는 소리》: On a gagné, ~! 야! 우리가 이겼다!

youyou [juju] *m.* 함재정(艦載艇), 보트.

yo-yo [jojo] *m.* 《복수불변》 요요《자이로스코프 원리를 이용한 장난감》.

ypérite [ipeʀit] *f.* 〖화학〗 이페리트 가스《독가스의 일종으로 피부를 썩게 함》.

ysopet [izɔpɛ] *m.* (중세기 이솝 이야기풍의) 우화집.

yucca [juka] *m.* 〖식물〗 유카, 실난초.

yuppie [jupi] 〔영〕 *n.* 활동적이고 야심에 찬 젊은 고급 관리직 종사자.

Z

Z, z [zɛd] *m.* ① 프랑스 자모의 제 26 자. ② 〖수학〗 (*x*, *y* 에 이어서) 제 3 의 미지수《*z*》. ***barre* 〔*fer*〕 *en Z,*** Z 형 철봉. ***de A à Z*** 처음부터 끝까지, 전적으로. ***être fait comme un Z*** 《구어》 곱추이다.

zaïrois, e [zaiʀwa, -aːz] *adj.* 자이르(*le Zaïre*)의. — **Z~** *n.* 자이르 사람.

zakouski [zakuski] 〔러시아〕 *m. pl.* 〖요리〗 자쿠스카《러시아 요리의 전채(前菜)》.

Zambie [zɑ̃bi] *n.pr.f* 〖지리〗 잠비아《아프리카 남부의 공화국》.

zambien, enne [zɑ̃bjɛ̃, -ɛn] *adj.* 잠비아(*la Zambie*) 공화국의. — **Z~** *n.* 잠비아 사람.

zapper [zape] 〔영〕 *v.i.* 리모콘을 이용하여 TV 채널을 이리저리 돌리다.

zazou [zazu] *m.* 《구어》 멋쟁이. — *adj.* (때로 *f.* **~e**) 멋쟁이의.

zèbre** [zɛbʀ] *m.* ① 〖동물〗 얼룩말; 〖군사〗 《구어》 말. ② 〖항공〗 모형 비행기. ③ 《구어》 놈. ***courir* 〔*filer*〕 *comme un ~ 《구어》 매우 빨리 달리다. ***Ne fais pas le ~!*** 그런 바보 같은 짓은 그만두어라. ***un drôle de ~*** 괴짜.

zébré, e [zebʀe] *adj.* (얼룩말같이) 줄무늬가 있는.

zébrer [zebʀe] [6] *v.t.* …에 줄무늬를 넣다.

zébrure [zebʀyːʀ] *f.* (얼룩말 같은) 줄무늬.

zébu [zeby] *m.* 〖동물〗 봉우(犎牛)《인도 · 마다가스카르산(産), 등에 큰 혹이 있음》.

zélateur, trice [zelatœːʀ, -tʀis] *n.* 《문어》 열중〔열광〕자; 열렬한 지지자〔옹호자〕.

zèle [zɛl] *m.* 열광, 열성, 열중. ***avec ~*** 열심히. ***brûler de ~ pour*** qc …에 열중하다; 지나치게 열성을 부리다. ***faire du ~*** 《구어》 열심인 체하다. ***faux ~*** 엉뚱하게 빗나간 열성. ***grève du ~*** 절차를 어김없이 지킴으로써 일을 마비시키는 파업의 일종. ***jugement de ~*** (히브리의) 돌로 쳐 죽이는 형벌. ***mettre son ~ à*** qc …에 정력을 기울이다. ***Pas de ~!*** 도를 지나치지 마라!

zélé, e [zele] *adj.* 열성적인, 열렬한. — *n.* 열광자.

zen [zɛn] 〔일본〕 *m.* 선(禪). — *adj.* 《불변》 선의, 선종의: sectes ~ 선종(禪宗).

zénith [zenit] *m.* ① 〖천문〗 천정점(天頂點). ② 정점, 절정. ***être à son ~*** (영광 · 세력 따위가) 절정에 이르다.

zero** [zeʀo] *m.* ① 영(零). ② 영위(零位), 영도; (시험 점수의) 영점: dix degrés au-dessous 〔au-dessous〕 de ~ 영상〔영하〕 10 도. ③ 무능한〔하찮은〕 사람: C'est un ~ en politique. 정치에는 무능한 사람이다. ④ (가치 · 수량 따위의) 없음, 무: C'est ~. 《구어》 아무 가치도 없다 / gagner par trois buts à ~, 3 대 0 으로 이기다. ***avoir le moral à ~; être à ~ 최악의 정신 상태이다, 의기소침하다. ***les avoir à ~*** 《구어》 몹시 무서워하다. ***réduir à ~*** 무산시키다, 완전히 없애 버리다. ***être réduit à ~*** 전무(全無)가 되다, 송두리째 없어지다. ***~ absolu*** 〖물리〗 절대 영도(영하 273.15° C). ***~ pointé*** 〖스포츠〗 예선; (다른 과목의 득점과는 관계없는) 과목 낙제 영점. — *adj.* 《불변》 영의, 제로의: J'ai eu ~ faute. 틀린 것은 하나도 없었다 / Il a fait ~ faute (à sa dictée). 그는 (받아쓰기에서) 하나도 틀리지 않았다 / à ~ heure 영시에 / le degré ~ 영도. ***Ça m'a coûté ~ franc* 〔*centime*〕.** 《구어》 한푼도 들지 않았다.

zest(e¹) [zɛst] *m.* 《다음 표현에만 쓰임》 ***être entre le zist et le ~*** 이럴까 저럴까 망설이다; 좋지도 나쁘지도 않다. — *interj.* ① 《경멸》 흥! 체! ② 《동작의 민첩함》 씽.

zeste² [zɛst] *m.* ① 보늬, 속껍질; (귤 따위의) 껍질. ② 하찮은 것; 극소량, 아주 조금. ***Cela ne vaut pas un ~.*** 《구어》 그것은 아무 가치도 없다.

zester [zɛste] *v.t.* 《드물게》 (오렌지 따위의) 껍질을 벗기다.

zêta [dzɛta] *m.* 그리스 자모의 제 6 자《Z, ζ. 프랑스 자모의 Z, z 에 해당함》.

Zeus [dzøːs] *n.pr.m.* 〖그리스신화〗 제우스《그리스 신화의 최고의 신; 로마의 *Jupiter* 에 해당》.

zézaiement [zezɛmɑ̃], **zézayement** [zezɛjmɑ̃] *m.* [ʒ, ʃ]를 [z, s]로 발음하기.

zézayer [zezɛ(e)je] [8] *v.i.* [ʒ, ʃ]를 [z, s]로 발음하다.

zibeline [ziblin] *f.* 〖동물〗 검은담비(의 모피).

zieuter [zjøte] *v.t.* 《구어》 (사람이나 물건을) 흘끔 쳐다보다.

zig [zig] *m.* 《구어》 놈, 녀석.

ziggourat [ziguʀat] *f.* (별을 관찰하기 위한

피라미드형의) 고대 바빌로니아 신전.

zigoteau (*pl.* ~*x*), **zigoto** [zigɔto] *m.* 《구어》 놈, 녀석. ***faire le*** ~ 바보짓을 하다. ***un drôle de*** ~ 묘한 놈.

zigouiller [ziguje] *v.t.* 《구어》 찔러 죽이다.

zigzag [zigzag] *m.* ① 전광형(電光形), Z자꼴. ② 〖곤충〗 매미나방. ***en*** ~, Z자형으로〔의〕: route *en* ~ 구불구불한 길 / marcher *en* ~ 갈지자로 걷다. ***être*** ~ 《속어》 갈지자걸음이다. ***faire des*** ~***s*** 비틀거리다; 갈지자로 나아가다; (길 따위가) 꾸불꾸불하다; 의견을 자주 바꾸다.

zigzaguer [zigzage] *v.i.* Z자형으로 되다; 갈지자걸음으로 걷다〔가다〕: ivrogne qui *zigzague* sur le trottoir 보도 위에서 비틀거리며 걸어가는 술꾼.

zinc [zɛ̃:g[k]] *m.* ① 아연(亞鉛); 《구어》 아연판. ② 《구어》 바, 술집(의 카운터). ③ 《구어》 비행기. ***fleurs de*** ~ 아연화(亞鉛華).

zingage [zɛ̃ga:ʒ] *m.* 아연 도금법.

zingaro [zɛ̃gaʀo] *m.* (*pl.* **-i** [-i]) 보헤미아 사람, 집시(= tzigane).

zingueur [zɛ̃gœ:ʀ] *m.* 아연공(工); 아연 도금공; 함석 지붕 직공.

zinnia [zinja] *m.* 〖식물〗 백일초(百日草).

zinzinuler [zɛ̃zinyle] *v.i.* (곤줄매기 · 홍방울새가) 지저귀다.

zip [zip] *f.* 〖의복〗 지퍼: blouson à ~ 지퍼가 달린 점퍼.

zircon [ziʀkɔ̃] *m.* 〖광물〗 지르콘.

zircone [ziʀkɔn] *f.* 〖화학〗 산화지르코늄.

zizanie [zizani] *f.* 〖식물〗 줄; 불화의 근원. ***semer la~ entre*** 불화의 씨를 뿌리다.

zizi *m.* 《구어》 (특히 어린아이의) 자지(= pénis); (여자 아이의) 성기.

zodiacal, e, aux [zɔdjakal, -o] *adj.* 〖천문〗 황도대(黃道帶)〔수대(獸帶)〕의: lumière ~*e* 황도광(光).

zodiaque [zɔdjak] *m.* 〖천문〗 황도대(黃道帶), 수대(獸帶). ***signes du*** ~ 황도 12궁(宮), 수대 기호《춘분점을 기점으로 황도를 30°씩 12분하여 성좌명을 붙인 것: Bélier, Taureau, Gémeaux (printemps); Cancer, Lion, Vierge (été); Balance, Scorpion, Sagittaire (automne); Capricorne, Verseau, Poissons (hiver)》.

zombi [zɔ̃bi] *m.* (서인도 제도의 주민들의 민간 신앙에 등장하는) 귀신, 유령.

zon [zɔ̃] *m.* 현악기의 음.

zona [zɔna] *m.* 〖의학〗 대상 포진(帶狀疱疹).

zonage [zona:ʒ] *m.* (도시 계획상의) 지대 구분《공장 지대 · 주택 지대 따위의》.

zonard, e [zonaʀ, -aʀd] *n.* ① 《구어》 (파리) 변두리 지역 주민. ② 《경멸》 (흔히 대도시 변두리에 사는) 건달, 불량배(= loubard). — *adj.* 변두리에 사는; 빈민가 특유의.

zone** [zo:n] *f.* ① 《문어》 〖고대복식〗 띠. ② 지대, 지역, 구역, 지구; 계(界), 권(圈): ~*s* de tir 발포 지역 / ~ militaire 군사〔군용〕 지대 / ~ démilitarisée 비무장 지대 / ~ franche 비관세 지역 / ~ monétaire 동일 통화권 / ~ franc 프랑화(貨)권 / ~ à aménagement différé (도시 계획상의) 구획 정리 지구(《약자》 Z.A.D. [zad]) / ~ à urbaniser en priorité 도시화 우선 지구(《약자》 Z.U.P. [zyp]) / ~*s* climatiques 기후대 / ~*s* de végétation 식물대 / ~ torride 〔tempérée, glaciale〕 열〔온 · 한〕대 / ~ du zodiaque 〖천문〗 황도대(黃道帶), 수대(獸帶) / ~ d'un séisme 지진대 / ~ littorale 연안, 해안. ③ 부위, 부분: ~ radiculaire 〖해부〗 근상부(根狀部). ④ 정대(晶帶); 〖기하〗 구면대(球面帶). (poète) ***de seconde ~ 2류 시인. ~ ***bleue*** (대도시의) 주차 시간 제한 구역. ~ ***libre*** 〔***occupée***〕 자유〔피점령〕 지역 《제2차 세계 대전시 프랑스에서》. ~ ***verte*** (도시 주변의) 녹(綠)지대.

zoner [zone] *v.t.* 〖컴퓨터〗 정보 구분 작업을 하다. — *v.i.* ① 잠을 자다. ② 《구어》 (변두리 빈민 지역에서) 열악한 생활을 하다; 빈둥거리다, 어슬렁거리다.

***zoo** [zoo] *m.* 《속어》 동물원(= jardin zoologique).

zoo- *préf.* 「동물」의 뜻.

zoogénie [zɔɔʒeni] *f.* 동물 발생론.

zoographie [zɔɔgʀafi] *f.* 동물지(誌).

zoolâtrie [zɔɔlɑtʀi] *f.* 동물 숭배.

zoolit(h)e [zɔɔlit] *m.* 화석 동물.

zoologie [zɔɔlɔʒi] *f.* 동물학.

zoologique [zɔɔlɔʒik] *adj.* 동물학(상)의; 동물에 관한: musée ~ 동물 표본 진열관. ***jardin*** 〔***parc***〕 ~ 동물원.

zoologiste [zɔɔlɔʒist] *m.* 동물학자.

zoologue [zɔɔlɔg] *m.* = zoologiste.

zoom [zum] 〔영〕 *m.* 줌 렌즈; 줌 가변 렌즈로 영상의 크기를 마음대로 조절하기; 줌 렌즈를 사용하는 카메라.

zoomorphe [zɔɔmɔʀf] *adj.* 동물 형태의: décoration ~ 동물 형태의 장식 / hiéroglyphes ~*s* 동물 형태를 딴 상형 문자.

zootechnie [zɔɔtɛkni] *f.* 축산학.

zoothérapie [zɔɔteʀapi] *f.* 수의학.

zoroastrisme [zɔʀɔastʀism] *m.* 〖종교〗 조로아스터교, 배화교(拜火敎).

zou [zu] *interj.* 〔남프랑스〕 자, 빨리(= allons).

zouave [zwa:v] *m.* 〖군사〗 알제리 보병 (1830년에 창설되었던 알제리 원주민 보병대의 병사). ***C'est un drôle de*** ~. 《구어》 그는 괴짜이다. ***faire le*** ~ 《구어》 어리석은 짓을 하다. ***première de*** ~ 《구어》 삼등차.

zozo [zozo] *m.* 《구어》 순진한 사람, 바보.

zozotement [zɔzɔtmɑ̃] *m.* 《구어》 = zézaiement.

zozoter [zɔzɔte] *v.i.* 《구어》 = zézayer.

Z.U.P. [zyp] *f.* 《약자》 zone à urbaniser en priorité 도시 계획 우선 지구.

zurichois, e [zyʀikwa, -a:z] *adj.* 취리히(*Zürich*)의. — **Z~** *n.* 취리히 사람.

zut [zyt] *interj.* 제기, 빌어먹을; 쯧; 이런《실망 · 분노 · 불만을 나타냄》: Ah ~! le moteur ne démarre pas. 이런 제기! 시동이 안 걸리네.

zygoma [zigɔma] *m.* 〖생물〗 광대뼈, 관골(顴骨).

Z

부 록

동사의 활용

동사의 활용

Ⅰ. 조동사를 사용하는 활용

복합시제와 수동태 — 조동사 avoir와 être — 복합형과 중(重)복합형 — 과거분사의 일치

Ⅱ. 단순형

어간(語幹)과 어미(語尾)

1. 어미 : 부정법—직설법 현재 · 명령법 현재 · 접속법 현재 · 직설법 반과거 · 현재분사—r형(직설법 단순미래 · 조건법 현재)—직설법 단순과거 · 접속법 반과거 · 과거분사.
2. 어간 : 강어간(强語幹)과 약(弱)어간(모음교체)—어간끝자음—특수어간(접속법 현재 · 명령법)—어간의 축소(직설법 단순과거 · 접속법 반과거—부정법—r형)—다른 어근(語根).

표의 기호

동사 변화표

Ⅰ. avoir
Ⅱ. être
Ⅲ. 복합형(능동) : 1) 조동사 avoir의 경우 2) 조동사 être의 경우
Ⅳ. 중복합형(능동) : 1) 조동사가 avoir의 경우 2) 조동사 être의 경우
Ⅴ. 수동활용형
Ⅵ. 대명(代名)활용형
Ⅶ. 도치형(倒置形), 부정형(不定形), 부정 도치형

동사 변화표 찾아보기(a b c 순)

Ⅰ. 조동사를 사용하는 활용 복합시제(temps composés)와 수동태(voix passive) <조동사 avoir〔être〕의 활용형+과거분사>의 형태로 표시된다.

과거분사 / 조동사	타 동 사	자 동 사		대 명 동 사
		대 부 분	일 부	
avoir	복 합 시 제			
être	수 동 태		복 합 시 제	

avoir 및 être의 활용은 각각 Ⅰ 및 Ⅱ를 참조.

복합시제를 형성하는 데 **être를 조동사로 취하는 자동사**는 일일이 표제어에 표시했으나 일반적으로 장소나 상태의 옮아감을 나타내는 것: aller, arriver, décéder, demeurer, descendre, devenir, éclore, entrer, mourir, naître, partir, passer, rester, retourner, sortir, tomber, venir (및 이들의 합성동사) 따위가 있다. 《<avoir〔être〕의 단순형+과거분사>의 형태를 **복합형**(formes composées)(Ⅲ), <avoir 〔être〕의 복합형+과거분사>의 형태를 **중복합형**(formes surcomposées)(Ⅳ) 이라고 부른다》.

수동태를 만들 수 있는 것은 원칙적으로 직접 타동사에 한하며, 그 법 · 시제는 조동사 être의 그것과 같다(이를테면 *je suis* aimé는 직설법 현재이고 *j'ai été* aimé는 직설법 복합과거(Ⅴ). être를 조동사로 취하는 자동사의 복합형(je suis allé, etc.) 및 중복합형(j'ai été allé, etc.)은 타동사의 수동태 단순시제 및 복합시제와 각각 형태가 비슷하므로 주의할 것. 수동태의 중복합형(* j'ai eu été aimé, etc.)은 쓰이지 않는다.

수동태 및 복합시제에서는 다음 경우에 **과거분사는 성 · 수의 변화**를 한다. (1) 주동사가 être일 때, 대명동사의 복합시제로서 재귀대명사가 간접목적보어인 경우를 제외하고, 주어와 일치한다. (2) 조동사가 avoir일 때, 직접목적보어가 동사 앞에 놓일 경우에 한해서 그것과 일치한다.

Ⅱ. 단순형의 분석 단순시제의 활용형은 다른 활용형과의 비교에 따라 어간 radical과 어미 terminaison(또는 désinence)의 두 부분으로 나누어진다. **어간**은 각 동사 고유의 뜻이 깃들여 있다고 생각되는 부분(이를테면 동사 parl*er*의 활용형 je parl*e*, tu parl*es* ... je parl*a is* ... je parl*erai*, etc. 에 공통으로 표함되어 있는 parl-[paʀl]), **어미**는 어휘적 의의를 넘어서서 많은 동사의 활용형에 두루 나타나며 일정한 문법적 범주(법 · 시제 · 인칭 · 수)를 나타내는 표시가 되는 부분(이를테면 nous parl*ons*의 *-ons*는 nous chant*ons*, nous finiss*ons*, nous sent*ons*, nous rend*ons*, nous voul*ons*, etc. 를 통해서 볼 수 있는 직설법 현재 1인칭 복수의 어미)이다.

1. 단순 활용의 어미 부정법은 별도로 하고, 10개의 활용형을 형태상의 유사점에 따라 3종류로 정리하여 각 어미를 보인다.

부 정 법 Infinitif

-er [e]	*-ir* [iːʀ]	*-re* [ʀ]	*-oir* [waːʀ]

제 1 류

직설법 현재 Présent de l'indicatif

	-e 형	*-s* 형
je	*-e* [무음]	*-s* [무음]
tu	*-es* [무음]	*-s* [무음]
il	*-e* [무음]	*-t* [무음]
nous	*-ons* [ɔ̃]	
vous	*-ez* [e]	
ils	*-ent* [무음]	

명령법 현재 Présent de l'impératif

-e 형	*-s* 형
-e [무음]	*-s* [무음]
-ons [ɔ̃]	
-ez [e]	

(1) *-er* 동사는 *-e* 형([9] 제외), *-ir, -re, -oir* 동사는 *-s* 형(단 [12]—[14]는 *-e* 형).

(2) *-s* 형 1 · 2인칭 단수의 *-s*는 *-x*로 쓰이는 것이 있다(어간이 -u 자로 끝날 때 : [23], [55], [58], [64]: 단 [56]은 j'émeu-*s*, tu émue-*s*).

(3) 명령법 2인칭 단수의 *-e*는 다음에 y, en이 올때 *-es*-y[zi], *-es*-*en*[zɑ̃]이 된다.

(4) 어간 끝에 -d, -t, -c 자가 있을 때는 3인칭 단수의 *-t*를 덧붙이지 않는다 ([25], [26], [34], [50], [63]; [22], [45], [46]; [49]).

(5) 복수에 있어서의 예외적 어미 : 직설법에서 1인칭 *-mes*[m], ([Ⅱ] nous som*mes*), 2인칭 *-tes*[t] ([Ⅱ] vous ê*tes*, [28] vous fai*tes*, [29] vous di*tes*), 3인칭 *-ont*[ɔ̃] ([Ⅰ] ils *ont*, [Ⅱ] ils s*ont*, [9] ils v*ont*, [28] ils f*ont*). 명령법에서 2인칭 *-tes* ([28] fai*tes*), [29] di*tes*).

(6) 명령법은 주격 인칭대명사가 없는 점이 다른 법과 다르며, 1인칭 단수 및 3인칭이 없다.

접속법 현재 **Présent du subjonctif**

je	*-e*	[무음]
tu	*-es*	[무음]
il	*-e*	[무음]
nous	*-ions*	[jɔ̃]
vous	*-iez*	[je]
ils	*-ent*	[무음]

Ⅰ, Ⅱ의 다음 부분은 변칙임: il ai***t***, nous ay*ons*, vous ay*ez*; je soi***s***, tu soi***s***, il soi***t***, nous soy*ons*, vous soy*ez*.

직설법 반과거 **Im parfait de l'indicatif**

je	*-ais*	[ɛ]
tu	*-ais*	[ɛ]
il	*-ait*	[ɛ]
nous	*-ions*	[jɔ̃]
vous	*-iez*	[je]
ils	*-aient*	[ɛ]

현재분사 **Participe présent**

-ant [ɑ̃]

제 2 류(직설법 단순 미래형과 조건법 현재형을 한데 묶어 **r형**이라고 부른다).

직설법 단순미래 **Futur simple de l'indicatif**

접속모음	-***e***- [(ə)]	-***i***- [i]	없음	각형에 공통된 부분
je	-***e****rai*	-***i****rai*	*-rai*	*-rai* [ʀe]
tu	-***e****ras*	-***i****ras*	*-ras*	*-ras* [ʀɑ]
il	-***e****ra*	-***i****ra*	*-ra*	*-ra* [ʀa]
nous	-***e****rons*	-***i****rons*	*-rons*	*-rons* [ʀɔ̃]
vous	-***e****rez*	-***i****rez*	*-rez*	*-rez* [ʀe]
lis	-***e****ront*	-***i****ront*	*-ront*	*-ront* [ʀɔ̃]

조건법 현재 **Présent du conditionnel**

접속모음	-***e***- [(ə)]	-***i***- [i]	없음	각형에 공통된 부분
je	-***e****rais*	-***i****rais*	*-rais*	*-rais* [ʀɛ]
tu	-***e****rais*	-***i****rais*	*-rais*	*-rais* [ʀɛ]
il	-***e****rait*	-***i****rait*	*-rait*	*-rait* [ʀɛ]
nous	-***e****rions*	-***i****rions*	*-rions*	*-rions* [ʀjɔ̃]
vous	-***e****riez*	-***i****riez*	*-riez*	*-riez* [ʀje]
ils	-***e****raient*	-***i****raient*	*-raient*	*-raient* [ʀɛ]

(1) r형은 어간과 모든 동사에 공통된 어미와의 사이에 끼여 있는 모음(이것을 접속모음이라 부름)의 유무와 종류에 따라 세 가지 형으로 나뉜다.

(2) 직설법 단순 미래형과 조건법 현재형에 있어서 접속모음은 완전히 대응한다(어간도 항상 같다). 부정법과 비교해 보면 그 차이를 알 수 있다: *-er* 동사(7², 9 제외)와 14는 *-e*-형, *-ir* 동사(14 — 17, 20 제외)는 *-i*-형, *-re* 동사 *-oir* 동사 전부와 7², 9, 15 — 17, 20, 24는 접속모음이 없는 형이다.

(3) 역사적으로는 직설법 단순 미래형 · 조건법 현재형은 각 동사의 부정법+habere(>avoir)의 직설법 현재형 · 직설법 반과거형에서 생겼다. 그러므로 어미의 r이하의 부분은 직설법 단순미래에서는 avoir의 직설법 현재형과 같고, 조건법 현재에서는 반과거 어미와 같다(단 악센트 관계로 av-는 사라졌다).

제 3 류(이 부류의 활용형은 어간의 축소를 나타내는 것이 많다).

직설법 단순과거 Passé simple de l'indicatif

테마모음	-***a***(∞***ai***∞***è***) -		-***i*** -		-***u*** -		각형에 공통된 부분	
je	-***ai***	[e]	-***i****s*	[i]	-***u****s*	[y]	없음/-*s*	[무음]
tu	-***a****s*	[ɑ]	-***i****s*	[i]	-***u****s*	[y]	-*s*	[무음]
il	-***a***	[a]	-***i****t*	[i]	-***u****t*	[y]	없음/-*t*	[무음]
nous	-***â****mes*	[am]	-***î****mes*	[im]	-***û****mes*	[ym]	-^*mes*	[m]
vous	-***â****tes*	[at]	-***î****tes*	[it]	-***û****tes*	[yt]	-^*tes*	[t]
ils	-***è****rent*	[ɛ:ʀ]	-***i****rent*	[i:ʀ]	-***u****rent*	[y:ʀ]	-*rent*	[ʀ]

접속법 반과거 Imparfait du subjonctif

테마모음	-***a*** -		-***i*** -		-***u*** -		각형에 공통된 부분	
je	-***a****sse*	[as]	-***i****sse*	[is]	-***u****sse*	[ys]	-*sse*	[s]
tu	-***a****sses*	[as]	-***i****sses*	[is]	-***u****sses*	[ys]	-*sses*	[s]
il	-***â****t*	[a]	-***î****t*	[i]	-***û****t*	[y]	-^*t*	[무음]
nous	-***a****ssions*	[asjɔ̃]	-***i****ssions*	[isjɔ̃]	-***u****ssions*	[ysjɔ̃]	-*ssions*	[sjɔ̃]
vous	-***a****ssiez*	[asje]	-***i****ssiez*	[isje]	-***u****ssiez*	[ysje]	-*ssiez*	[sje]
ils	-***a****ssent*	[as]	-***i****ssent*	[is]	-***u****ssent*	[ys]	-*ssent*	[s]

테마모음 -*i*-의 변종으로서 -***in***-[ɛ̃]이 되는 것([16] tenir) : je t***in****s*, etc.; je t***in****sse*, etc. 부정법에서 보면 -*er* 동사는 모두 -*a*-형, -*ir* 동사는 -*i*-형 (예외 [16], [17], [20]), -*oir* 동사는 -*u*-형 (예외 [59], [62]), -*re* 동사는 -*i*-형과 -*u*-형이 반씩 있으나 변칙적인 것도 많다.

과거분사 Participe passé

끝자음 모음	-***é***	-***i***	-***u***	없음
없음	-***é*** [e]	-***i*** [i]	-***u*** [y]	
-s		-***i****s* [i]	-***u****s* [y]	-*s* [무음]
-t		-***i****t* [i]		-*t* [무음]

경우에 따라 다음의 성 · 수 어미가 덧붙여진다.

수 \ 성	남 성	여 성
단 수	없 음	-*e* [무음]
복 수	-*s* [무음]	-*es* [무음]

직설법 단순 과거와 접속법 반과거의 테마모음의 형은 완전히 대응한다(어간도 항상 같다). 그러나 과거분사의 모음과의 대응하는, 단순과거 -*a*- 형이 전부 -*é* 형이 되는 외에는 상당히 차이가 인정된다(단순과거 -*i* -형으로서 과거분사 -*u* 형인 것 및 과거분사의 모음이 없는 형 따위). 한편, 테마모음이 없는 것을 강(強)변화라고 한다 : [12], [17], [27], [35], [40].

2. 어간의 변형 어간이 달라지는 동사형의 주요한 예에 대해서 설명한다. -*re* 동사는 부정법에서 특수한 어간을 나타내는 것이 적지 않으므로 이를 동사의 기본적 어간이라 생각하면 안 된다. 오히려 직설법 현재 1인칭 · 3인칭 복수형의 어간을 기본형이라 생각하는것이 좋다.

강어간과 약어간 제1류에 든 활용형에서는 악센트가 어간에 있을 때와 어미에 있을 때에 어간(모음)이 달라지는 일이 있다. 악센트가 있을 때의 어간을 "강어간", 없을 때의 어간을 "약어간"이라고 하며, 이 현상을 **모음교체** alternance vocalique라 한다. 이를테면 [4] achete*r*는 강어간 achèt-[aʃɛt], 약어간 achet-[aʃt]가 되어 [ɛ ∞ 무음]의 모음교체를 나타낸다.

직설법 현재			명령법 현재		접속법 현재		
j'	achèt-*e*	[aʃɛt]			j'	achèt-*e*	[aʃɛt]
tu	achèt-*es*	[aʃɛt]	achèt-*e*	[aʃɛt]	tu	achèt-*es*	[aʃɛt]
il	achèt-*e*	[aʃɛt]			il	achèt-*e*	[aʃɛt]
nous	achet-*ons*	[aʃtɔ̃]	achet-*ons*	[aʃtɔ̃]	nous	achet-*ions*	[aʃtjɔ̃]
vous	achet-*ez*	[aʃte]	achet-*ez*	[aʃte]	vous	achet-*iez*	[aʃtje]
ils	achèt-*ent*	[aʃɛt]			ils	achèt-*ent*	[aʃɛt]

이와 같이 세 가지 법을 통하여 현재시제에서는 1 · 2 · 3인칭 단수형과 3인칭 복수형에 강어간(achèt-[aʃɛt]), 1 · 2인칭 복수에 약어간(achet-[aʃt])이 나타나는 것이 원칙이다.

직설법 반과거형과 현재분사에는 약어간(achet-[aʃt])이 나타난다 : j'achet-*ais*, tu achet-*ais*, il achet-*ait*, nous achet-*ions*, vous achet-*iez*, ils achet-*aient* ; achet-*ant*.

부정법은 *-er*, *-ir*, *-oir* 형에서는 약어간(achet-*er*, acquér-*ir*, pouv-*oir*), *-re* 형에서는 강어간(boi-*re*)이 나타난다.

직설법 미래형과 조건법 현재형에서는 어미에 악센트가 오므로 약어간이 될 법하다. 그러나 *-re* 동사는 [28]을 제외하고는 모두 부정법의 강어간과 같은 형이며, *-er*, *-ir*, *-oir* 동사 가운데는 직설법 현재형에서 유추되어 강어간형을 나타내는 것이 있다(특히 [4] [5] [7²] [8] [14] [16] [24] [60] [61] [62] [63]에 주의). 그리고 [24] [61] [62]는 강약 양계통의 형을 갖는다. **어간끝 자음** 어미가 자음으로 시작할 때 어간끝 자음은 소실 · 변형되는 것이 보통이다.

(1) **직설법〔명령법〕 현재의 -*s* 형 단수형** -*s*〔*x*〕, -*s*〔*x*〕, -*t* 의 어미를 갖는 직설법 〔명령법〕 현재 단수형([15] 이하의 동사)에서는 어간끝 자음은 -*r* ([15] [17] [20])을 제외하고는 원칙적으로 없어진다. 복수형에서는 없어지지 않으므로 여기에 <단수형~복수형>의 대립이 생긴다.

직 설 법 현 재		명 령 법 현 재	접 속 법 현 재	
je	dor -*s*		je	dor**m**-*e*
tu	dor -*s*	dor-*s*	tu	dor**m**-*es*
il	dor -*t*		il	dor**m**-*e*
nous	dor**m**-*ons*	dor**m**-*ons*	nous	dor**m**-*ions*
vous	dor**m**-*ez*	dor**m**-*ez*	vous	dor**m**-*iez*
ils	dor**m**-*ent*		ils	dor**m**-*ent*

<강어간∞약어간>의 모음교체를 하는 동사의 어간끝 자음이 소실되면 다음 형을 나타낸다.

직 설 법 현 재		명 령 법 현 재	접 속 법 현 재	
je	re**çoi** -*s*		je	re**çoiv**-*e*
tu	re**çoi** -*s*	re**çoi**-*s*	tu	re**çoiv**-*es*
il	re**çoi** -*t*		il	re**çoiv**-*e*
nous	rece**v**-*ons*	rece**v**-*ons*	nous	rece**v**-*ions*
vous	rece**v**-*ez*	rece**v**-*ez*	vous	rece**v**-*iez*
ils	re**çoiv**-*ent*		ils	re**çoiv**-*ent*

소실된 어간끝 자음이 앞모음에 영향을 끼쳐 <단수형∝복수형> 모음교체를 하는 경우도 있고([27]), 이것과 강약 어간의 모음교체가 결합되어 <단수형∝복수형 3인칭 (및 접속법 현재의 단수형 · 3인칭 복수형)∞복수형 1 · 2인칭>의 세 가지 모음교체를 하는 경우도 있다([16]).

위 모든 경우를 통해 r이외의 어간끝 자음은 발음상 모두 소실되지만, 철자에는 흔적이 남아 있는 경우가 있다([25] je rend-s, tu rend-s, il rend[ʀɑ̃]~nous rend-ons[ʀɑ̃dɔ̃], etc.).

(2) **-*re*형 부정법과 접속모음이 없는 형의 r형**에서는 어간끝 자음이 보존되는 경우와 소실되는 경우와, 소실되어 다른 자음이 추가되는 경우, 앞 모음에 영향을 끼치는 경우가 있다.

어 간 끝자음	직설법 현재에서 어간끝 자음이 나타나는 형	부 정 법	직설법 단순 미래 (1인칭 단수형)	
보존됨	nous cou**r**-*ons* nous sui**v**-*ons*	(cour-*ir*) (suiv-*re*)	(je cour-*rai*) (je suiv-*rai*)	[15] [17] [20] [25] [36] [37] [45] [46] [49] [53] [54] [56] [66]
없어짐	nous di**s**-*ons*	di-*re*	je di-*rai*	[28] [29] [30] [31] [32] [33] [35] [38] [39]
>d	nous é*tei***gn**-*ons* nous vou**l**-*ons*	é*tein*-**d**-*re* (voul-*oir*)	j'è*tein*-**d**-*rai* je vou-**d**-*rai*	[16] [26] [27] [34] [40] [50] [58] [64] [65]
>t	nous connai**ss**-*ons*	connaî-**t**-*re*	je connaî-**t**-*rai*	[41] [42] [II]
>r	nous pou**v**-*ons*	(pouv-*oir*)	je pou**r**-*rai*	[7²] [55] [59] [61]
>u	nous sa**v**-*ons*	(sav-*oir*)	je s*au*-*rai*	[I] [57]

이탤릭체는 어간모음의 음색 변화를 나타낸다. 모음으로 끝나는 어간은 원칙적으로 변하지 않으나 [7²], [59], [61]에서는 r가 붙는 동사에 앞의 모음이 변한다.

(3) 테마모음이 없는 형의 과거분사에서도 r이외의 어간끝 자음은 없어진다 ([27][28][35][40]).

접속법〔명령법〕 현재의 어간은 원칙적으로 직설법 현재의 어간과 같지만 특수한 것들이 약간 있다([I][II][9][28][55][57][58][64][65]; 이 가운데 [I][II][57]은 명령법에서, [I][57]은 현재분사에서도 같은 어간이 나타난다).

어간의 축소 활용의 일부에서 어간끝 자음뿐만 아니라 그 앞의 모음도 포함해서 어간의 후반부가 나타나지 않을 경우가 있다.

(1) **직설법 단순과거형〔접속법 반과거형〕** 및 **과거분사**에서 *-oir* 동사와 *-re* 동사의 대부분(그밖에 [15])은 축소된 어간을 나타낸다 : [41] nous conn**aiss**-*ons* / je conn-*us*, etc. ; je conn-*usse*, etc. ; comm-*u*; [30] nous **lis**-*ons* / je l-*is*, etc. ; je l-*isse*, etc ; l-*u* 따위.

(2) [59]—[63]의 동사는 이 밖에 부정법에서도 축소된 어간을 나타낸다(단 [62][63]은 어간모음이 -e-로서 철자에 남는다) : [59] nous v**oy**-*ons* / je v-*is*, etc. ; je v-*isse*, etc. ; v-*u* ; v-*oir*.

(3) [10] finir형 동사의 **-iss-**는 또한 직설법 단순 미래형 · 조건법 현재형에도 나타나지 않는다 : nous finiss-*ons* / 직설법 단순 과거형 : je fin-*is*, etc. (직설법 현재단수형도 같지만, 그것은 어간 fin**iss**-의 끝 자음 **-ss-**가 어미 앞에서 사라진 것) ; 접속법 반과거형 : je fin-*isse*, etc. (접속법 현재형도 3인칭 단수와 1 · 2인칭 복수를 제외하고는 같지만, 그것은 finiss-*e*, *-es*, *-ent*로 분석된다) ; fin-*i* ; fin-*ir* ; je fin-*irai*, etc. ; je fin-*irais*, etc. (역사적으로 -iss-는 기동상(起動相)을 나타내는 삽입부(挿入部)였다). [11]은 *ind. prés.* 〔impér〕 s.에서도 **-iss-**가 나타나지 않는다.

어근을 달리하는 것 [I] être와 [9] aller의 활용은 모두 역사적으로 세 가지의 다른 동사의 활용의 혼합으로 이루어져 있다.

표의 기호

명 조 체 : **어간** } j'ai*mais*
이탤릭체 : **어미** }

고딕체
- 어 간
  - 모음교체 강모음 : j'acqui**er**s∞nous acquér*ons*
  - 소실 · 변형하는 끝 자음 : j'écris~nous écri**v***ons* : nous vou**l***ons*~ je vou**d***rai*
  - 특수어간 : je **vais**
- 어 미
  - 테마모음 : je cour***u***s
  - 접속모음 : j'accueill***e****rai*
  - 변칙어미 : vous fai***tes***

ind. = *indicatif* (직설법)
impér. = *impératif* (명령법)
sub. = *subjonctif* (접속법)
r 형 = *futur de l'indicatif* (직설법미래) + *présent du conditionnel* (조건법현재)
prés. = *présent* (현재)
imparf. = *imparfait* (반과거)
pass. simple = *passé simple* (단순과거)
part. prés. = *participe présent* (현재분사)
part. pass. = *partreipe passé* (과거분사)
s. = *singulier* (단수)
pl. = *pluriel* (복수)
1, 2, 3 = 1인칭, 2인칭, 3인칭.
∞ 모음교체 : doi - [dwa] ∞ dev - [dəv]
~ 어간끝 자음 소실 · 변형 : moul - [mul] ~ mou**d** - [mud]
∝ 어간끝 자음의 소실에 어간 모음의 변음(變音)을 수반하는 것 :
nous val*ons* [valɔ̃] ∝ il **vau***t* [vo]
/ 어간축소 : mett-[mɛt] / m-[m] (+*i*-, +*is*). 어간 다음의 (　) 안에 테마모음과 *part. pass.* 의 어미를 나타낸다 : 그러므로 위의 보기에서 m+*i*->m*i*-에서 *ind. pass. simple* 〔*sub. impar.*〕를 만들 수가 있으며, m+*is*에 의하여 과거분사가 얻어진다.

I. AVOIR		I N D I -					
INFINITIF		*Présent*			*Imparfait*		
단순형	av*oir* [avwaːʀ]	j'	**ai***	[ʒe]	j'	av*ais*	[ʒavɛ]
		tu	**a**s	[tyɑ]	tu	av*ais*	[tyavɛ]
		il	**a***	[ila]	il	av*ait*	[ilavɛ]
		n.	**av**ons	[nuzavɔ̃]	n.	av*ions*	[nuzaviɔ̃]
		v.	**av**ez	[vuzave]	v.	av*iez*	[vuzavje]
		ils	***ont****	[ilzɔ̃]	ils	av*aient*	[ilzavɛ]
		Passé composé			*Plus-que-parfait*		
복합형	avoir eu [avwaʀy]	j'	ai eu	[ʒey]	j'	avais eu	[ʒavɛ(e)zy]
		tu	as eu	[tyɑy]	tu	avais eu	[tyavɛ(e)zy]
		il	a eu	[ilay]	il	avait eu	[ilavɛ(e)ty]
		n.	avons eu	[nuzavɔ̃zy]	n.	avions eu	[nuzavjɔ̃zy]
		v.	avez eu	[vuzavezy]	v.	aviez eu	[vuzavjezy]
		ils	ont eu	[ilzɔ̃ty]	ils	avaient eu	[ilzavɛ(e)ty]
PARTICIPE		**CONDITIONNEL**			**IMPÉRATIF**		
		Présent			*Présent**		
단순형	*Présent*	j'	au*rais*	[ʒɔ(o)ʀɛ]			
	ay*ant* [ɛjɑ̃]	tu	au*rais*	[tyɔ(o)ʀɛ]		**ai***e*	[ɛ]
	Passé	il	au*rait*	[ilɔ(o)ʀɛ]			
	eu [y]	n.	au*rions*	[nuzɔ(o)ʀjɔ̃]		**ay***ons*	[ɛjɔ̃]
		v.	au*riez*	[vuzɔ(o)ʀje]		**ay***ez*	[ɛ(e)je]
		ils	au*raient*	[ilzɔ(o)ʀɛ]			
		Passé			*Passé*		
복합형	*Présent*	j'	aurais eu	[ʒɔ(o)ʀɛ(e)zy]			
	ayant eu [ɛjɑ̃ty]	tu	aurais eu	[tyɔ(o)ʀɛ(e)zy]		aie eu	[ɛ(e)y]
		il	aurait eu	[ilɔ(o)ʀɛ(e)ty]			
		n.	aurions eu	[nuzɔ(o)ʀjɔ̃zy]		ayons eu	[ɛjɔ̃zy]
		v.	auriez eu	[vuzɔ(o)ʀjezy]		ayez ey	[ɛjezy]
		ils	auraient eu	[ilzɔ(o)ʀɛ(e)ty]			

II. ÊTRE		I N D I -					
INFINITIF		*Présent*			*Imparfait*		
단순형	**êt***re* [ɛtʀ]	je	**sui**s	[ʒəsɥi]	j'	**ét***ais*	[ʒɛ(e)tɛ]
		tu	**es**	[tyɛ]	tu	**ét***ais*	[tyɛ(e)tɛ]
		il	**es***t*	[ilɛ]	il	**ét***ait*	[ilɛ(e)tɛ]
		n.	**som*mes****	[nusɔm]	n.	**ét***ions*	[nuzetjɔ̃]
		v.	**ê*tes****	[vuzɛt]	v.	**ét***iez*	[vuzetje]
		ils	***sont****	[ilsɔ̃]	ils	**ét***aient*	[ilzɛ(e)tɛ]
		Passé composé			*Plus-que-parfait*		
복합형	avoir été [avwaʀete]	j'	ai êtê	[ʒeete]	j'	avais été	[ʒavɛzete]
		tu	as êtê	[tyɑete]	tu	avais été	[tyavɛzete]
		il	a êtê	[ilaete]	il	avait été	[ilavɛtete]
		n.	avons êtê	[nuzavɔ̃zete]	n.	avions été	[nuzavjɔ̃zete]
		v.	avez êtê	[vuzavezete]	v.	aviez été	[vuzavjezete]
		ils	ont êtê	[ilzɔ̃tete]	ils	avaient été	[ilzavɛtete]
PARTICIPE		**CONDITIONNEL**			**IMPÉRATIF**		
		Présent			*Présent**		
단순형	*Présent*	je	se*rais*	[ʒəsʀɛ]			
	ét*ant* [etɑ̃]	tu	se*rais*	[tysʀɛ]		**soi**s	[swa]
	Passé	il	se*rait*	[ilsəʀɛ]			
	ét*é* [ete]	n.	se*rions*	[nusəʀjɔ̃]		**soy***ons*	[swajɔ̃]
		v.	se*riez*	[vusəʀje]		**soy***ez*	[swaje]
		ils	se*raient*	[ilsəʀɛ]			
		Passé			*Passé*		
복합형	*Présent*	j'	aurais êtê	[ʒɔʀɛzete]			
	ayant été [ɛjɑ̃tete]	tu	aurais êtê	[tyɔʀɛzete]		aie été	[ɛete]
		il	aurait êtê	[ilɔʀɛtete]			
		n.	aurions êtê	[nuzɔʀjɔ̃zete]		ayons été	[ɛjɔ̃zete]
		v.	auriez êtê	[vuzɔʀjezete]		ayez été	[ɛjezete]
		ils	auraient êtê	[ilzɔʀɛtete]			

C A T I F					
Passé simple			*Futur simple*		
j'	**eu**s	[ʒy]	j'	**au**rai	[ʒɔ(o)ʀe]
tu	**eu**s	[tyy]	tu	**au**ras	[tyɔ(o)ʀɑ]
il	**eu**t	[ily]	il	**au**ra	[ilɔ(o)ʀa]
n.	**eû**mes	[nuzym]	n.	**au**rons	[nuzɔ(o)ʀɔ̃]
v.	**eû**tes	[vuzyt]	v.	**au**rez	[vuzɔ(o)ʀe]
ils	**eu**rent	[ilzy:ʀ]	ils	**au**ront	[ilzɔ(o)ʀɔ̃]
Passé antérieur			*Futur antérieur*		
j'	eus eu	[ʒyzy]	j'	aurai eu	[ʒɔ(o)ʀey]
tu	eus eu	[tyyzy]	tu	auras eu	[tyɔ(o)ʀɑy]
il	eut eu	[ilyty]	il	aura eu	[ilɔ(o)ʀay]
n.	eûmes eu	[nuzymzy]	n.	aurons eu	[nuzɔ(o)ʀeɔ̃zy]
v.	eûtes eu	[vuzytzy]	v.	aurez eu	[vuzɔ(o)ʀezy]
ils	eurent eu	[ilzyʀty]	ils	auront eu	[ilzɔ(o)ʀɔ̃ty]

SUBJONCTIF

Présent			*Imparfait*		
j'	**ai**e	[ʒɛ]	j'	eusse	[ʒys]
tu	**ai**es	[tyɛ]	tu	eusses	[tyys]
il	**ai**t*	[ilɛ]	il	eût	[ily]
n.	**ay**ons	[nuzɛjɔ̃]	n.	eussions	[nuzysjɔ̃]
v.	**ay**ez	[vuzɛ(e)je]	v.	eussiez	[vuzysje]
ils	**ai**ent	[ilzɛ]	ils	eussent	[ilzys]
Passé			*Plus-que-parfait*		
j'	aie eu	[ʒɛ(e)y]	j'	eusse eu	[ʒysy]
tu	aies eu	[tyɛ(e)zy]	tu	eusses eu	[tyysy]
il	ait eu	[ilɛ(e)ty]	il	eût eu	[ilyty]
n.	ayons eu	[nuzɛjɔ̃zy]	n.	eussions eu	[nuzysjɔ̃zy]
v.	ayez eu	[vuzɛjezy]	v.	eussiez eu	[vuzysjezy]
ils	aient eu	[ilzɛ(e)ty]	ils	eussent eu	[ilzysty]

Remarques

어간 **av-** [av]는 그 모습이 심하게 바뀌어 **ai-** [ɛ(e)] (*ind. prés. 1 s.; impér.; sub. prés.; part. prés.;* 단 ai + *-ons, -ez, -ant* > ayons, ayez, ayant), a- [a] (*ind. prés. s. 2, 3*), **e-** [무음] (*ind. pass. simple; sub. imparf.;part. pass.*), **au-** [ɔ(o)] (r 형)로 바뀌고 *ind. prés. 3 pl.* 에서는 강어미에 흡수된다.

* 표의 곳은 불규칙을 말한다.

주: 이하 avoir가 조동사로 쓰이는 경우 au-[ɔ(o)]를 다만 [ɔ]로 표시한다.

C A T I F					
passé simple			*Futur simple*		
je	**fu**s	[ʒ(ə)fy]	je	**se**rai	[ʒəsʀe]
tu	**fu**s	[tyfy]	tu	**se**ras	[tysʀɑ]
il	**fu**t	[ilfy]	il	**se**ra	[ilsəʀa]
n.	**fû**mes	[nufym]	n.	**se**rons	[nusʀɔ̃]
v.	**fû**tes	[vufyt]	v.	**se**rez	[vusʀe]
ils	**fu**rent	[ilfy:ʀ]	ils	**se**ront	[ilsəʀɔ̃]
Passé antérieur			*Futur antérieur*		
j'	eus été	[ʒyzete]	j'	aurai été	[ʒɔʀeete]
tu	eus été	[tyyzete]	tu	auras été	[tyɔʀɑete]
il	eut été	[ilytete]	il	aura été	[ilɔʀaete]
n.	eûmes été	[nuzymzete]	n.	aurons été	[nuzɔʀɔ̃zete]
v.	eûtes été	[vuzytzete]	v.	aurez été	[vuzɔʀezete]
ils	eurent été	[ilzyʀtete]	ils	auront été	[ilzɔʀɔ̃tete]

SUBJONCTIF

Présent			*Imparfait*		
je	**soi**s*	[ʒəswa]	je'	*fusse*	[ʒ(ə)fys]
tu	**soi**s*	[tyswa]	tu	*fusses*	[tyfys]
il	**soi**t*	[ilswa]	il	*fût*	[ilfy]
n.	**soy**ons	[nuswajɔ̃]	n.	*fussions*	[nufysjɔ̃]
v.	**soy**ez	[vuswaje]	v.	*fussiez*	[vufysje]
ils	**soi**ent	[ilswa]	ils	*fussent*	[ilfys]
Passé			*Plus-que-parfait*		
j'	aie été	[ʒɛete]	j'	eusse été	[ʒysete]
tu	aies été	[tyɛzete]	tu	eusses été	[tyysete]
il	ait été	[ilɛtete]	il	eût été	[ilytete]
n.	ayons été	[nuzɛjɔ̃zete]	n.	eussions été	[nuzysjɔ̃zete]
v.	ayez été	[vuzɛjezete]	v.	eussiez été	[vuzysjezete]
ils	aient été	[ilzɛtete]	ils	eussent été	[ilzystete]

Remarques

세 가지의 다른 어근을 갖는다:

1) ES-/S-계열—이것은 그 모습이 심하게 바뀐다: **es-** [ɛ] (*ind.prés. s. 2, 3*), **ê-** [ɛ] (*ind. prés. 2 pl.; inf.*) ; **sui-** [sɥi] (*ind. prés. 1 s.*) **so-** [sɔ] (*ind. prés. 1 pl.*), **s-** [s] (*ind. prés. 3 pl.*), **se-** [s(ə)](r 형), **soi-** [swa] (*sub. prés.;* 단 soi + *-ions, -iez* > soyons, soyez; *impér. prés.*).

2) ÉT-계열—**ét-** [e(ɛ) t (*int. imparf; part.*).

3) F-계열—f- [f] (*ind. pass. simple; sub. imparf.*).

*표는 불규칙. 특히 nous som*mes*, vous ê-*tes*의 약어미, ils s*ont*의 강어미, 그리고 *inf.* ê-t-*re*의 연결 자음에 주의

III. 능동복합형	I N D I -	
1) 조동사 **avoir**의 경우	*Passé composé*	*Plus-que-parfait*
INFINITIF avoir aimé [avwaʀɛme]	j'ai aimé [ʒeɛme] tu as aimé [tyɑɛme] il a aimé [ilaɛme] n. avons aimé [nuzavɔ̃zɛme] v. avez aimé [vuazvezɛme] ils ont aimé [ilzɔ̃tɛme]	j'avais aimé [ʒavɛzɛme] tu avais aimé [tyavɛzɛme] il avait aimé [ilavɛtɛme] n. avions aimé [nuzaviɔ̃zɛme] v. aviez aimé [vuzavjezɛme] ils avaient aimé [ilzavɛtɛme]
PARTICIPE	**CONDITIONNEL**	**IMPÉRATIF**
	Passé	*Passé*
ayant aimé [ɛjɑ̃tɛme]	j'aurais aimé [ʒɔʀɛzɛme] tu aurais aimé [tyɔʀɛzɛme] il aurait aimé [ilɔʀɛtɛme] n. aurions aimé [nuzɔʀjɔ̃zɛme] v. auriez aimé [vuzɔʀjezɛme] ils auraient aimé [ilzɔʀɛtɛme]	aie aimé [ɛɛme] ayons aimé [ɛjɔ̃zɛme] ayez aimé [ɛ̃jezɛme]

	I N D I -	
2) 조동사 **être** 의 경우	*Passé composé*	*Plus-que-parfait*
INFINITIF être allé(*e*)(*s*) [ɛtʀale]	je suis allé(*e*) [ʒəsɥizale] tu es allé(*e*) [tyɛzale] il est allé [ilɛtale] n. sommes allé(*e*)*s* [nusɔmzale] v. êtes allé(*e*)(*s*) [vuzɛtzale] ils sont allés [ilsɔ̃tale]	j'étais allé(*e*) [ʒetɛzale] tu étais allé(*e*) [tyetɛzale] il était allé [iletɛtale] n. étions allé(*e*)s [nuzatjɔ̃zale] v. étiez allé(*e*)(*s*) [vuzetjezale] ils étaient allés [ilzetɛtale]
PARTICIPE	**CONDITIONNEL**	**IMPÉRATIF**
	Passé	*Passé*
étant allé(*e*)(*s*) [etɑ̃tale]	je serais allé(*e*) [ʒəsʀɛzale] tu serais allé(*e*) [tysʀɛzale] il serait allé [ilsəʀɛtale] n. serions allé(*e*)*s* [nusəʀjɔ̃zale] v. seriez allé(*e*)(*s*) [vusəʀjezale] ils seraient allés [ilsəʀɛtale]	sois allé(*e*) [swazale] soyons allé(*e*)*s* [swajɔ̃zale] soyez allé(*e*)(*s*) [swajezale]

IV. 능동중복합형	I N D I -	
1) 조동사 **avoir**의 경우	*Passé surcomposé*	*Plus-que-parfait surcomposé*
INFINITIF avoir eu fini	j'ai eu fini tu as eu fini il a eu fini n. avons eu fini v. avez eu fini ils ont eu fini	j'avais eu fini tu avais eu fini il avait eu fini n. avions eu fini v. aviez eu fini ils avaient eu fini
PARTICIPE	**CONDITIONNEL**	**IMPÉRATIF**
	Passé surcomposé	*Passé surcomposé*
ayant eu fini	j'aurais eu fini tu aurais eu fini il aurait eu fini n. aurions eu fini v. auriez eu fini ils auraient eu fini	aie eu fini ayons eu fini ayez eu fini

	I N D I -	
2) 조동사 **être** 의 경우	*Passé surcomposé*	*Plus-que-parfait surcomposé*
INFINITIF avoir été arrivé(*e*)(*s*)	j'ai été arrivé(*e*) tu as été arrivé(*e*) il a été arrivé n. avons été arrivé(*e*)*s* v. avez été arrivé(*e*)(*s*) ils ont été arrivés	j'avais été arrivé(*e*) tu avais été arrivé(*e*) il avait été arrivé n. avions été arrivé(*e*)*s* v. aviez été arrivé(*e*)(*s*) ils avaient été arrivés
PARTICIPE	**CONDITIONNEL**	**IMPÉRATIF**
	Passé surcomposé	*Passé surcomposé*
ayant été arrivé(*e*)(*s*)	j'aurais été arrivé(*e*) tu aurais été arrivé(*e*) il aurait été arrivé n. aurions été arrivé(*e*)*s* v. auriez été arrivé(*e*)(*s*) ils auraient été arrivés	aie été arrivé(*e*) ayons été arrivé(*e*)*s* ayez été arrivé(*e*)(*s*)

C A T I F				Remarques
Passé antérieur		*Futur antérieur*		조동사로 avoir를 취하는 동사의 보기로서 aimer의 변화를 든다. 1) *part. pass. aimé*는 모음 조화에 의해 [eme]로 발음되기도 함. 2) aimer와 같이 타동사로서 직접목적보어가 앞에 나오면 *part. pass.*는 그것과 성·수를 일치시킴. Cette fille, je l'ai aimé*e*.
j'eus aimé	[ʒyzɛme]	j'aurai aimé	[ʒɔʀeɛme]	
tu eus aimé	[tyyzɛme]	tu auras aimé	[tyɔʀɑɛme]	
il eut aimé	[ilytɛme]	il aura aimé	[ilɔʀaɛme]	
n. eûmes aimé	[nuzymzɛme]	n. aurons aimé	[nuzɔʀɔ̃zɛme]	
v. eûtes aimé	[vuzytzɛme]	v. aurez aimé	[vuzɔʀezɛme]	
ils eurent aimé	[ilzyʀtɛme]	ils auront aimé	[ilzɔʀɔ̃tɛme]	
SUBJONCTIF				
Passé		*Plus-que-parfait*		
j'aie aimé	[ʒɛɛme]	j'eusse aimé	[ʒysɛme]	
tu aies aimé	[tyɛzɛme]	tu eusses aimé	[tyysɛme]	
il ait aimé	[ilɛtɛme]	il eût aimé	[ilytɛme]	
n. ayons aimé	[nuzɛjɔ̃zɛme]	n. eussions aimé	[nuzysjɔ̃zɛme]	
v. ayez aimé	[vuzɛjezɛme]	v. eussiez aimé	[vuzysjezɛme]	
ils aient aimé	[ilzɛtɛme]	ils eussent aimé	[ilzystɛme]	

C A T I F				Remarques
Passé antérieur		*Futur antérieur*		조동사로 être를 취하는 자동사의 보기로서 aller의 변화를 든다. 수동 활용·대명활용의 복합형은 다음 면의 V, VI을 볼 것. 1) *part. pass.* 는 주어와 성·수를 일치시킨다. 2) 수동활용형과 혼동하기 쉬우니 특히 주의할 것.
je fus allé(*e*)	[ʒ(ə)fyzale]	je serai allé(*e*)	[ʒəsʀeale]	
tu fus allé(*e*)	[tyfyzale]	tu seras allé(*e*)	[tysʀɑale]	
il fut allé	[ilfytale]	il sera allé	[ilsəʀaale]	
n. fûmes allé(*e*)*s*	[nufymzale]	n. serons allé(*e*)*s*	[nusʀɔ̃zale]	
v. fûtes allé(*e*)(*s*)	[vufytzale]	v. serez allé(*e*)(*s*)	[vusʀezale]	
ils furent allés	[ilfyʀtale]	ils seront allés	[ilsəʀɔ̃tale]	
SUBJONCTIF				
Passé		*Plus-que-parfait*		
je sois allé(*e*)	[ʒəswazale]	je fusse allé(*e*)	[ʒ(ə)fysale]	
tu sois allé(*e*)	[tyswazale]	tu fusses allé(*e*)	[tyfysale]	
il soit allé	[ilswatale]	il fût allé	[ilfytale]	
n. soyons allé(*e*)*s*	[nuswajɔ̃zale]	n. fussions allé(*e*)*s*	[nufysjɔ̃zale]	
v. soyez allé(*e*)(*s*)	[vuswajezale]	v. fussiez allé(*e*)(*s*)	[vufysjezale]	
ils soient allés	[ilswatale]	ils fussent allés	[ilfystale]	

C A T I F		Remarques
Passé antérieur surcomposé	*Futur antérieur surcomposé*	복합형으로 쓰인 조동사에 각 동사의 *part. pass.*를 덧붙여 중복합형이 만들어짐. 조동사 avoir를 취하는 동사의 보기로 finir의 변화를 든다. 이것은 어디까지나 이론적으로 가능한 변화표이다. 수동 활용·대명활용에서는 안쓰임.
j'eus eu fini	j'aurai eu fini	
tu eus eu fini	tu auras eu fini	
il eut eu fini	il aura eu fini	
n. eûmes eu fini	n. aurons eu fini	
v. eûtes eu fini	v. aurez eu fini	
ils eurent eu fini	ils auront eu fini	
SUBJONCTIF		
Passé surcomposé	*Plus-que-parfait surcomposé*	
j'aie eu fini	j'eusse eu fini	
tu aies eu fini	tu eusses eu fini	
il ait eu fini	il eût eu fini	
n. ayons eu fini	n. eussions eu fini	
v. ayez eu fini	v. eussiez eu fini	
ils aient eu fini	ils eussent eu fini	

C A T I F		Remarques
Passé antérieur surcomposé	*Futur antérieur surcomposé*	조동사로 être를 취하는 자동사의 보기로서 arriver의 변화형을 든다. 1) *part. pass.*는 주어와 성·수를 일치시킨다.
j'eus été arrivé(*e*)	j'aurai été arrivé(*e*)	
tu eus été arrivé(*e*)	tu auras été arrivé(*e*)	
il eut été arrivé	il aura été arrivé	
n. eûmes été arrivé(*e*)*s*	n. aurons été arrivé(*e*)*s*	
v. eûtes été arrivé(*e*)(*s*)	v. aurez été arrivé(*e*)(*s*)	
ils eurent été arrivés	ils auront été arrivés	
SUBJONCTIF		
Passé surcomposé	*Plus-que-parfait surcomposé*	
j'aie été arrivé(*e*)	j'eusse été arrivé(*e*)	
tu aies été arrivé(*e*)	tu eusses été arrivé(*e*)	
il ait été arrivé	il eût été arrivé	
n. ayons été arrivé(*e*)*s*	n. eussions été arrivé(*e*)*s*	
v. ayez été arrivé(*e*)(*s*)	v. eussiez été arrivé(*e*)(*s*)	
ils aient été arrivés	ils eussent été arrivés	

V. 수동활용형		I N D I -	
INFINITIF		*Présent*	*Imparfait*
단순형	être aimé(*e*)(s) [ɛtʀɛme]	je suis aimé(*e*) [ʒəsɥizɛme] tu es aimé(*e*) [tyɛzɛme] il est aimé [ilɛtɛme] n. sommes aimé(*e*)*s* [nusɔmzɛme] v. êtes aimé(*e*)(*s*) [vuzɛtzɛme] ils sont aimés [ilsɔ̃tɛme]	j'étais aimé(*e*) [ʒetɛzɛme] tu étais aimé(*e*) [tyetɛzɛme] il était aimé [iletɛtɛme] n. étions aimé(*e*)*s* v. étiez aimé(*e*)(*s*) ils étaient aimés [ilzetɛtɛme]
		Passé composé	*Plus-que-parfait*
복합형	avoir été aimé(*e*)(*s*) [avwaʀeteɛme]	j'ai été aimé(*e*) [ʒeeteɛme] tu as été aimé(*e*) [tyɑeteɛme] il a été aimé [ilaeteɛme] n. avons été aimé(*e*)*s* v. avez été aime(*e*)(*s*) ils ont été aimés [ilzɔ̃teteɛme]	j'avais été aimé(*e*) tu avais été aimé(*e*) il avait été aimé n. avions été aimé(*e*)*s* v. aviez été aime(*e*)(*s*) ils avaient été aimés
PARTICIPE		**CONDITIONNEL**	**IMPÉRATIF**
		Présent	*Présent*
단순형	étant aimé(*e*)(s) [etɑ̃tɛme]	je serais aimé(*e*) [ʒəsʀɛzɛme] tu serais aimé(*e*) [tysʀɛzɛme] il serait aimé [ilsəʀɛtɛme] n. serions aimé(*e*)*s* [nusəʀjɔ̃zɛme] v. seriez aime(*e*)(*s*) [vusəʀjezɛme] ils seraient aimés [ilsəʀɛtɛme]	sois aimé(*e*) [swazɛme] soyons aimé(*e*)*s* [swajɔ̃zɛme] soyez aime(*e*)(*s*) [swajezɛme]
		Passé	*Passé*
복합형	ayant été aimé(*e*)(*s*) [ɛjɑ̃teteɛme]	j'aurais été aimé(*e*) tu aurais été aimé(*e*) il aurait été aimé n. aurions été aimé(*e*)*s* v. auriez été aimé(*e*)(*s*) ils auraient été aimés	aie été aimé(*e*) [ɛteteɛme] ayons été aimé(*e*)*s* [ɛjɔ̃zeteɛme] ayez été aimé(*e*)(*s*) [ɛjezeteɛme]

VI. 대명활용형		I N D I -	
INFINITIF		*Présent*	*Imparfait*
단순형	**se** trouver [sətʀuve]	je **me** trouve [ʒəmtʀu:v] tu **te** trouves [tyttʀu:v] il **se** trouve [ilsətʀu:v] nous **nous** trouvons vous **vous** trouvez ils **se** trouvent [ilsətʀu:v]	je **me** trouvais [ʒəmtʀuvɛ] tu **te** trouvais [tyttʀuvɛ] il **se** trouvait [ilsətʀuvɛ] nous **nous** trouvions vous **vous** trouviez ils **se** trouvaient [ilsətʀuve]
		Passé composé	*Plus-que-parfait*
복합형	**s'**être trouvé(*e*)(*s*) [sɛtʀətʀuve]	je **me** suis trouvé(*e*) tu **t'**es trouvé(*e*) [tytɛtʀuve] il **s'**est trouvé [ilsɛtʀuve] nous **nous** sommes trouvé(*e*)*s* vous **vous** êtes trouvé(*e*)(*s*) ils **se** sont trouvés	je **m'**étais trouvé(*e*) tu **t'**étais trouvé(*e*) il **s'**était trouvé nous **nous** étions trouvé(*e*)*s* vous **vous** étiez trouvé(*e*)(*s*) ils **s'**étaient trouvés
PARTICIPE		**CONDITIONNEL**	**IMPÉRATIF**
		Présent	*Présent*
단순형	**se** trouvant [sətʀuvɑ̃]	je **me** trouverais [ʒəmtʀuvʀɛ] tu **te** trouverais [tyttʀuvʀɛ] il **se** trouverait [ilsətʀuvʀɛ] nous **nous** trouverions vous **vous** trouveriez ils **se** trouveraient	trouve-**toi** [tʀuvtwa] trouvons-**nous** [tʀuvɔ̃nu] trouvez-**vous** [tʀuvevu]
		Passé	*Passé*
복합형	**s'**étant trouvé(*e*)(*s*) [setɑ̃tʀuve]	je **me** serais trouvé(*e*) tu **te** serais trouvé(*e*) il **se** serait trouvé nous **nous** serions trouvé(*e*)*s* vous **vous** seriez trouvé(*e*)(*s*) ils **se** seraient trouvés	

C A T I F		Remarques
Passé simple	*Futur simple*	
je fus aimé(*e*) [ʒ(ə)fyzɛme]	je serai aimé(*e*) [ʒəsʀeɛme]	
tu fus aimé(*e*) [tyfyzɛme]	tu seras aimé(*e*) [tysʀɑɛme]	
il fut aimé [ilfytɛme]	il sera aimé [ilsəʀaɛme]	
n. fûmes aimé(*e*)*s* [nufymzɛme]	n. serons aimé(*e*)*s* [nusʀɔ̃zɛme]	
v. fûtes aimé(*e*)(*s*) [vufutzɛme]	v. serez aimé(*e*)(*s*) [vusʀezɛme]	
ils furent aimés [ilfyʀtɛme]	ils seront aimés [ilsəʀɔ̃tɛme]	
Passé antérieur	*Futur antérieur*	
j'eus été aimé(*e*) [ʒyzeteɛme]	j'aurai été aimé(*e*)	
tu eus été aimé(*e*) [tyyzeteɛme]	tu auras été aimé(*e*)	
il eut été aimé [ilyteteɛme]	il aura été aimé	
n. eûmes été aimé(*e*)*s*	n. aurons été aimé(*e*)*s*	
v. eûtes été aimé(*e*)(*s*)	v. aurez été aimé(*e*)(*s*)	
ils eurent été aimés	ils auront été aimés	
S U B J O N C T I F		
Présent	*Imparfait*	
je sois aimé(*e*) [ʒəswazɛme]	je fusse aimé(*e*) [ʒ(ə)fysɛme]	
tu sois aimé(*e*) [tyswazɛme]	tu fusses aimé(*e*) [tyfysɛme]	
il soit aimé [ilswatɛme]	il fût aimé [ilfytɛme]	
n. soyons aimé(*e*)*s*	n. fussions aimé(*e*)*s*	
v. soyez aimé(*e*)(*s*)	v. fussiez aimé(*e*)(*s*)	
ils soient aimés [ilswatɛme]	ils fussent aimés [ilfystɛme]	
Passé	*Plus-que-parfait*	
j'aie été aimé(*e*) [ʒɛeteɛme]	j'eusse été aimé(*e*) [ʒyseteɛme]	
tu aies été aimé(*e*) [tyɛzeteɛme]	tu eusses été aimé(*e*)	
il ait été aimé [ilɛteteɛme]	il eût été aimé [ilyteteɛme]	
n. ayons été aimé(*e*)*s*	n. eussions été aimé(*e*)*s*	
v. ayez été aimé(*e*)(*s*)	v. eussiez été aimé(*e*)(*s*)	
ils aient été aimés	ils eussent été aimés	

Remarques

수동태의 보기로 동사 aimer의 활용형을 든다.

1) 수동활용의 법·시제는 조동사 être의 법·시제와 같다.

2) *part. pass.* 는 주어와 성·수를 일치시킨다.

3) *part. pass.* aimé [ɛme]는 모음조화에 의해서 [eme]로 발음될 때도 있다.

C A T I F		Remarques
passé simple	*Futur simple*	
je **me** trouvai [ʒəmtʀuve]	je **me** trouverai [ʒəmtʀuvʀe]	
tu **te** trouvas [tyttʀuvɑ]	tu **te** **trouveras** [tyttʀuvʀɑ]	
il **se** trouva [ilsətʀuva]	il **se** trouvera [ilsətʀuvʀa]	
nous **nous** trouvâmes	nous **nous** trouverons	
vous **vous** trouvâtes	vous **vous** trouverez	
ils **se** trouvèrent	ils **se** trouveront	
Passé antérieur	*Futur antérieur*	
je **me** fus trouvé(*e*)	je **me** serai trouvé(*e*)	
tu **te** fus trouvé(*e*)	tu **te** seras trouvé(*e*)	
il **se** fut trouvé	il **se** sera trouvé	
nous **nous** fûmes trouvé(*e*)*s*	nous **nous** serons trouvé(*e*)*s*	
vous **vous** fûtes trouvé(*e*)(*s*)	vous **vous** serez trouvé(*e*)(*s*)	
ils **se** furent trouvés	ils **se** seront trouvés	
S U B J O N C T I F		
Présent	*Imparfait*	
je **me** trouve [ʒəmtʀuːv]	je **me** trouvasse [ʒəmtʀuvas]	
tu **te** trouves [tyttʀuːv]	tu **te** trouvasses [tyttʀuvas]	
il **se** trouve [ilsətʀuːv]	il **se** trouvât [ilsətʀuva]	
nous **nous** trouvions	nous **nous** trouvassions	
vous **vous** trouviez	vous **vous** trouvassiez	
ils **se** trouvent [ilsətʀuːv]	ils **se** trouvassent	
Passé	*Plus-que-parfait*	
je **me** sois trouvé(*e*)	je **me** fusse trouvé(*e*)	
tu **te** sois trouvé(*e*)	tu **te** fusses trouvé(*e*)	
il **se** soit trouvé	il **se** fût trouvé	
nous **nous** soyons trouvé(*e*)*s*	nous **nous** fussions trouvé(*e*)*s*	
vous **vous** soyez trouvé(*e*)(*s*)	vous **vous** fussiez trouvé(*e*)(*s*)	
ils **se** soient trouvés	ils **se** fussent trouvés	

Remarques

대명활용의 보기로 동사 se trouver를 든다.

1) 재귀대명사 평음(平音)형을 (조)동사 앞에 놓는다. 단, 긍정명령형만은 강세(強勢)형 재귀대명사를 동사 뒤에 놓는다(하이픈으로 연결).

2) 조동사는 être.

3) 재귀대명사가 직접 보어인 경우에는 *part. pass.* 의 성·수를 그것과 일치시킨다.

4) *inf.*, *part.* 에서도 물론 재귀대명사를 me, te, se, nous, vous, se로 변화시킨다.

VII.		avoir	être	aimer
도치형	단순형	ai-je [ɛ:ʒ]	suis-je [sɥi:ʒ]	aimé-je [ɛmɛ:ʒ]
		as-tu [ɑty]	es-tu [ɛ(e)ty]	aimes-tu [ɛmty]
		a-**t**-il [atil]	est-il [ɛ(e)til]	aime-**t**-il [ɛmtil]
		avons-nous [avɔ̃nu]	sommes-nous [sɔmnu]	aimons-nous [ɛmɔ̃nu]
		avez-vous [avevu]	êtes-vous [ɛtvu]	aimez-vous [ɛmevu]
		ont-ils [ɔ̃til]	sont-ils [sɔ̃til]	aiment-ils [ɛmtil]
	복합형	ai-je eu [ɛʒy]	ai-je été [ɛʒete]	ai-je aimé [ɛʒɛ(e)me]
		as-tu eu [ɑtyy]	as-tu été [ɑtyete]	as-tu aimé [ɑtyɛ(e)me]
		a-t-il eu [atily]	a-t-il été [atilete]	a-t-il aimé [atilɛ(e)me]
		avons-nous eu [avɔ̃nuy]	avons-nous été [avɔ̃nuete]	avons-nous aimé [avɔ̃nuɛ(e)me]
		avez-vous eu [avevuy]	avez-vous été [avevuete]	avez-vous aimé [avevuɛ(e)me]
		ont-ils eu [ɔ̃tily]	ont-ils été [ɔ̃tilete]	ont-ils aimé [ɔ̃tilɛ(e)me]
부정형	단순형	je n'ai pas [ʒ(ə)nepɑ]	je ne suis pas [ʒənsɥipɑ]	je n'aime pas [ʒ(ə)nɛmpɑ]
		tu n'as pas [tynɑpɑ]	tu n'es pas [tynɛpɑ]	tu n'aimes pas [tynɛmpɑ]
		il n'a pas [ilnapɑ]	il n'est pas [ilnɛpɑ]	il n'aime pas [ilnɛmpɑ]
		nous n'avons pas [nunavɔ̃pɑ]	nous ne sommes pas [nunsɔmpɑ]	nous n'aimons pas [nunɛmɔ̃pɑ]
		vous n'avez pas [vunavepɑ]	vous n'êtes pas [vunɛtpɑ]	vous n'aimez pas [vunɛmepɑ]
		ils n'ont pas [ilnɔ̃pɑ]	ils ne sont pas [ilnəsɔ̃pɑ]	ils n'aiment pas [ilnɛmpɑ]
	복합형	je n'ai pas eu [ʒ(ə)nepɑzy]	je n'ai pas été [ʒ(ə)nepɑzete]	je n'ai pas aimé [ʒ(ə)nepɑzɛ(e)me]
		tu n'as pas eu [tynɑpɑzy]	tu n'as pas été [tynɑpɑzete]	tu n'as pas aimé [tynɑpɑzɛ(e)me]
		il n'a pas eu [ilnapɑzy]	il n'a pas été [ilnapɑzete]	il n'a pas aimé [ilnapɑzɛ(e)me]
		nous n'avons pas eu [nunavɔ̃pɑzy]	nous n'avons pas été [nunavɔ̃pɑzete]	n. n'avons pas aimé [nunavɔ̃pɑzɛ(e)me]
		vous n'avez pas eu [vunavepɑzy]	vous n'avez pas été [vunavepɑzete]	v. n'avez pas aimé [vunavepɑzɛ(e)me]
		ils n'ont pas eu [ilnɔ̃pɑzy]	ils n'ont pas été [ilnɔ̃pɑzete]	ils n'ont pas aimé [ilnɔ̃pɑzɛ(e)me]
부정도치형	단순형	n'ai-je pas [nɛʒpɑ]	ne suis-je pas [nəsɥiʒpɑ]	n'aimé-je pas [nɛmɛʒpɑ]
		n'as-tu pas [nɑtypɑ]	n'es-tu pas [nɛtypɑ]	n'aimes-tu pas [nɛmtypɑ]
		n'a-t-il pas [natilpɑ]	n'est-il pas [nɛtilpɑ]	n'aime-t-il pas [nɛmtilpɑ]
		n'avons-nous pas [navɔ̃nupɑ]	ne sommes-nous pas [nəsɔmnupɑ]	n'aimons-nous pas [nɛmɔ̃nupɑ]
		n'avez-vous pas [navevupɑ]	n'êtes-vous pas [nɛtvupɑ]	n'aimez-vous pas [nɛmevupɑ]
		n'ont-ils pas [nɔ̃tilpɑ]	ne sont-ils pas [nəsɔ̃tilpɑ]	n'aiment-ils pas [nɛmtilpɑ]
	복합형	n'ai-je pas eu [nɛʒpɑzy]	n'ai-je pas été [nɛʒpɑzete]	n'ai-je pas aimé [nɛʒpɑzɛ(e)me]
		n'as-tu pas eu [nɑtypɑzy]	n'as-tu pas été [nɑtypɑzete]	n'as-tu pas aimé [nɑtypɑzɛ(e)me]
		n'a-t-il pas eu [natilpɑzy]	n'a-t-il pas été [natilpɑzete]	n'a-t-il pas aimé [natilpɑzɛ(e)me]
		n'avons-nous pas eu [navɔ̃nupɑzy]	n'avons-nous pas été [navɔ̃nupɑzete]	n'avons-nous pas aimé [navɔ̃nupɑzɛ(e)me]
		n'avez-vous pas eu [navevupɑzy]	n'avez-vous pas été [navevupɑzete]	n'avez-vous pas aimé [navevupɑzɛ(e)me]
		n'ont-ils pas eu [nɔ̃tilpɑzy]	n'ont-ils pas été [nɔ̃tilpɑzete]	n'ont-ils pas aimé [nɔ̃tilpɑzɛ(e)me]

aller	**s'arrêter**	**Remarques**
vais-je [vɛːʒ] vas-tu [vɑty] va-**t**-il [vatil] allons-nous [alɔ̃nu] allez-vous [alevu] vont-ils [vɔ̃til]	m'arrêté-je [maʀɛtɛːʒ] t'arrêtes-tu [taʀɛtty] s'arrête-**t**-il [saʀɛttil] nous arrêtons-nous [nuzaʀɛtɔ̃nu] vous aʀʀêtez-vous [vuzaʀɛtevu] s'arrêtent-ils [saʀɛttil]	단순형·복합형을 나타내기 위해서 각각 *ind. prés.*과 *passé composé*의 형을 든다. 1) -je는 악센트를 받을 수 없으므로 그 앞에 악센트가 놓이면 그 모음은 길게 발음된다 : finis-je [finiːʒ], puis-je [pɥiːʒ] 따위(단 je pars [ʒ(ə)paːʀ] 같은 것은 pars-je[paʀʒ]로 짧게 발음 된다). 그리고 폐(閉) 음절이 되기 때문에 [e]는 열린 소리로 [ɛːʒ]라고 발음된다(철자에 주의) : aimé-je [ɛmɛːʒ]; aimai-je [ɛmɛːʒ], aimerai-je [ɛmʀɛːʒ]; dussé-je [dysɛːʒ]; puissé-je [pɥisɛːʒ] 따위. 2) 명령법의 부정형에서는 어순이 바뀌지 않는다. ne va pas, ne vous arrêtez pas. 3) s'arrêter의 변화표 가운데서 *part. pass.* arrêté가 리듬단락(段落)의 끝에 와서 악센트를 받으면 모음조화에 의하여 [aʀete]로 될 수 있으나 그것을 일일이 적지 않는다.
suis-je allé(*e*) [sɥiʒale] es-tu allé(*e*) [ɛtyale] est-il allé [ɛtilale] sommes-nous allé(*e*)*s* [sɔmnuale] êtes-vous allé(*e*)(*s*) [ɛtvuale] sont-ils allés [sɔ̃tilale]	me suis-je arrêté(*e*) [məsɥiʒaʀɛte] t'es-tu arrêté(*e*) [tɛtyaʀɛte] s'est-il arrêté [sɛtilaʀɛte] nous sommes-nous arrêté(*e*)*s* [nusɔmnuaʀɛte] vous êtes-vous arrêté(*e*)(*s*) [vuzɛtvuaʀɛte] se sont-ils arrêtés [səsɔ̃tilaʀɛte]	
je ne vais pas [ʒənvɛpɑ] tu ne vas pas [tynvɑpɑ] il ne va pas [ilnəvapɑ] n. n'allons pas [nunalɔ̃pɑ] v. n'allez pas [vunalepɑ] ils ne vont pas [ilnəvɔ̃pɑ]	je ne m'arrête pas [ʒənmaʀɛtpɑ] tu ne t'arrêtes pas [tyntaʀɛtpɑ] il ne s'arrête pas [ilnəsaʀɛtpɑ] n. ne nous arrêtons pas [nunnuzaʀɛtɔ̃pɑ] v. ne vous arrêtez pas [vunvuzaʀɛtepɑ] ils ne s'arrêtent pas [ilnəsaʀɛtpɑ]	
je ne suis pas allé(*e*) [ʒənsɥipɑzale] tu n'es pas allé(*e*) [tynɛpɑzale] il n'est pas allé [ilnɛpɑzale] n. ne sommes pas allé(*e*)*s* [nunsɔmpɑzale] v. n'êtes pas allé(*e*)(*s*) [vunɛtpɑzale] ils ne sont pas allés [ilnəsɔ̃pɑzale]	je ne me suis pas arrêté(*e*) [ʒənməsɥipɑzaʀɛte] tu ne t'es pas arrêté(*e*) [tyntɛpɑzaʀɛte] il ne s'est pas arrêté [ilnəsɛpɑzaʀɛte] n. ne nous sommes pas arrêté(*e*)*s* [nunnusɔmpɑzaʀɛte] v. ne vous êtes pas arrêté(*e*)(*s*) [vunvuzɛtpɑzaʀɛte] ils ne se sont pas-arrêtés [ilnəssɔ̃pɑzaʀɛte]	
ne vais-je pas [nəvɛʒpɑ] ne vas-tu pas [nəvɑtypɑ] ne va-t-il pas [nəvatilpɑ] n'allons-nous pas [nalɔ̃nupɑ] n'allez-vous pas [nalevupɑ] ne vont-ils pas [nəvɔ̃tilpɑ]	ne m'arrêté-je pas [nəmaʀɛtɛʒpɑ] ne t'arrêtes-tu pas [nətaʀɛttypɑ] ne s'arrête-t-il pas [nəsaʀɛttilpɑ] ne nous arrêtons-nous pas [nənuzaʀɛtɔ̃nupɑ] ne vous arrêtez-vous pas [nəvuzaʀɛtevupɑ] ne s'arrêtent-ils pas [nəsaʀɛttilpɑ]	
ne suis-je pas allé(*e*) [nəsɥiʒpɑzale] n'es-tu pas allé(*e*) [nɛtypɑzale] n'est-il pas allé [nɛtilpɑzale] ne sommes-nous pas allé(*e*)*s* [nəsɔmnupɑzale] n'êtes-vous pas allé(*e*)(*s*) [nɛtvupɑzale] ne sont-ils pas allés [nəsɔ̃tilpɑzale]	ne me suis-je pas arrêté(*e*) [nəmsɥiʒpɑzaʀɛte] ne t'es-tu pas arrêté(*e*) [nətɛtypɑzaʀɛte] ne s'est-il pas arrêté [nəsɛtilpɑzaʀɛte] ne nous sommes-nous pas arrêté(*e*)*s* [nənusɔmnupɑz-] ne vous êtes-vous pas arrêté(*e*)(*s*) [nəvuzɛtvupɑz-] ne se sont-ils pas arrêtés [nəssɔ̃tilpɑz-]	

INFINITIF	INDICATIF			
PARTICIPE *Présent* *Passé*	*Présent*	*Imparfait*	*Passé simple*	*Futur*
1 PARLER Parlant Parlé	je parle tu parles il parle n. parlons v. parlez ils parlent	je parlais tu parlais il parlait n. parlions v. parliez ils parlaient	je parlai tu parlas il parla n. parlâmes v. parlâtes ils parlèrent	je parlerai tu parleras il parlera n. parlerons v. parlerez ils parleront
2 PLACER Plaçant placé	je place tu places il place n. plaçons v. placez ils placent	je plaçais tu plaçais il plaçait n. placions v. placiez ils plaçaient	je plaçai tu plaças il plaça n. plaçâmes v. plaçâtes ils placèrent	je placerai tu placeras il placera n. placerons v. placerez ils placeront
3 MANGER mangeant mangé	je mange tu manges il mange n. mangeons v. mangez ils mangent	je mangeais tu mangeais il mangeait n. mangions v. mangiez ils mangeaient	je mangeai tu mangeas il mangea n. mangeâmes v. mangeâtes ils mangèrent	je mangerai tu mangeras il mangera n. mangerons v. mangerez ils mangeront
4 ACHETER achetant acheté	j' achète tu achètes il achète n. achetons v. achetez ils achètent	j' achetais tu achetais il achetait n. achetions v. achetiez ils achetaient	j' achetai tu achetas il acheta n. achetâmes v. achetâtes ils achetèrent	j' achèterai tu achèteras il achètera n. achèterons v. achèterez ils achèteront
5 APPELER appelant appelé	j' appelle tu appelles il appelle n. appelons v. appelez ils appellent	j' appelais tu appelais il appelait n. appelions v. appeliez ils appelaient	j' appelai tu appelas il appela n. appelâmes v. appelâtes ils appelèrent	j' appellerai tu appelleras il appellera n. appellerons v. appellerez ils appelleront
6 ESPÉRER espérant espéré	j' espère tu espères il espère n. espérons v. espérez ils espèrent	j' espérais tu espérais il espérait n. espérions v. espériez ils espéraient	j' espérai tu espéras il espéra n. espérâmes v. espérâtes ils espérèrent	j' espérerai tu espéreras il espérera n. espéreons v. espérerez ils espéreront
7 EMPLOYER empolyant employé	j' emploie tu emploies il emploie n. employons v. employez ils emploient	j' employais tu employais il employait n. employions v. employiez ils employaient	j' employai tu employas il employa n. employâmes v. employâtes ils employèrent	j' emploierai tu emploieras il emploiera n. emploierons v. emploierez ils emploieront
8 PAYER payant payé	je pai(y)e tu pai(y)es il pai(y)e n. payons v. payez ils pai(y)ent	je payais tu payais il payait n. payions v. payiez ils payaient	je payai tu payas il paya n. payâmes v. payâtes ils payèrent	je pai(y)erai tu pai(y)eras il pai(y)era n. pai(y)erons v. pai(y)erez ils pai(y)eront

IMPÉRATIF	**SUBJONCTIF**		**Remarques**
Présent	*Présent*	*Imparfait*	
parl*e* parl*ons* parl*ez*	je parl*e* tu parl*es* il parl*e* n. parl*ions* v. parl*iez* ils parl*ent*	je parl***asse*** tu parl***asses*** il parl***ât*** n. parl***assions*** v. parl***assiez*** ils parl***assent***	어간 : **parl-** [paʀl].
plac*e* pla**ç***ons* plac*ez*	je plac*e* tu plac*es* il plac*e* n. plac*ions* v. plac*iez* ils plac*ent*	je pla**ç*****asse*** tu pla**ç*****asses*** il pla**ç*****ât*** n. pla**ç*****assions*** v. pla**ç*****assiez*** ils pla**ç*****assent***	어간 : **plac(c)**- [plas]. -a, -o 앞에서 [s]음을 보존하기 위해 ç를 쓴다.
mang*e* mang**e***ons* mang*ez*	je mang*e* tu mang*es* il mang*e* n. mang*ions* v. mang*iez* ils mang*ent*	je mang***easse*** tu mang***easses*** il mang***eât*** n. mang***eassions*** v. mang***eassiez*** ils mang***eassent***	어간 : **mang(e)-** [mɑ̃(:)ʒ]. -a, -o 앞에서 [ʒ]음을 보존하기 위해 ge를 쓴다.
ach**è**t*e* achet*ons* achet*ez*	j' ach**è**t*e* tu ach**è**t*es* il ach**è**t*e* n. achet*ions* v. achet*iez* ils ach**è**t*ent*	j' achet***asse*** tu achet***asses*** il achet***ât*** n. achet***assions*** v. achet***assiez*** ils achet***assent***	어간 : **achè-** [aʃɛt] ∞ **achet-** [aʃt] 모음교체 : [ɛ] ∞ [무음]. 강어간 (및 r형)에서 [ɛ]음을 나타내기 위해 è로 철자한다.
app**ell***e* appel*ons* appel*ez*	j' app**ell***e* tu app**ell***es* il app**ell***e* n. appel*ions* v. appel*iez* ils app**ell***ent*	j' appel***asse*** tu appel***asses*** il appel***ât*** n. appel***assions*** v. appel***assiez*** ils appel***assent***	어간 : **appell-** [apɛl] ∞ **appel-** [apl]. 모음교체 : [ɛ] ∞ [무음]. 강어간(및 r형)에서 [ɛ]를 나타내기 위해서 다음 자음자를 겹친다 ((-eler, -eter 동사의 대부분)).
esp**è**r*e* espér*ons* espér*ez*	j' esp**è**r*e* tu esp**è**r*es* il esp**è**r*e* n. espér*ions* v. espér*iez* ils esp**è**r*ent*	j' espér***asse*** tu espér***asses*** il espér***ât*** n. espér***assions*** v. espér***assiez*** ils espér***assent***	어간 : **espèr-** [ɛspɛ(:)ʀ] ∞ **espér-** [ɛspeʀ]. 모음교체 : [ɛ] ∞ [e]. r형에서 폐음절이 되면 -é-로 쓴 채로 [ɛ]라고 발음하는 수가 많다.
empl**oi***e* employ*ons* employ*ez*	j' empl**oi***e* tu empl**oi***es* il empl**oi***e* n. employ*ions* v. employ*iez* ils empl**oi***ent*	j' employ***asse*** tu employ***asses*** il employ***ât*** n. employ***assions*** v. employ***assiez*** ils employ***assent***	7² ENVOYER의 *Futur* j' env**er***rai* tu env**er***ras* il env**er***ra* n. env**er***rons* v. env**er***rez* ils env**er***ront*
p**ai**(y)*e* payons pay*ez*	je p**ai**(y)*e* tu p**ai**(y)*es* il p**ai**(y)*e* n. pay*ions* v. pay*iez* ils p**ai**(y)*ent*	je pay***asse*** tu pay***asses*** il pay***ât*** n. pay***assions*** v. pay***assiez*** ils pay***assent***	어간 : 1) **pai-** [pɛ] ∼ **pay-** [pɛj]. ((7 **emploi-** [ɑ̃plwa]∼ **employ-** [ɑ̃plwaj]와 같은 형)). 2) **pay-** [pɛj] ([illegible] 1과 같음)). 이상 두 개 활용을 가진다.

INFINITIF	INDICATIF			
PARTICIPE Présent Passé	Présent	Imparfait	Passé simple	Futur
9 ALLER allant allé	je vais tu vas il va n. allons v. allez ils vont	j' allais tu allais il allait n. allions v. alliez ils allaient	j' allai tu allas il alla n. allâmes v. allâtes ils allèrent	j' irai tu iras il ira n. irons v. irez ils iront
10 FINIR finissant fini	je finis tu finis il finit n. finissons v. finissez ils finissent	je finissais tu finissais il finissait n. finissions v. finissiez ils finissaient	je finis tu finis il finit n. finîmes v. finîtes ils finirent	je finirai tu finiras il finira n. finirons v. finirez ils finiront
11 HAïR haïssant haï	je hais tu hais il hait n. haïssons v. haïssez ils haïssent	je haïssais tu haïssais il haïssait n. haïssions v. haïssiez ils haïssaient	je haïs tu haïs il haït n. haïmes v. haïtes ils haïrent	je haïrai tu haïras il haïra n. haïrons v. haïrez ils haïront
12 OUVRIR ouvrant ouvert	j' ouvre tu ouvres il ouvre n. ouvrons v. ouvrez ils ouvrent	j' ouvrais tu ouvrais il ouvrait n. ouvrions v. ouvriez ils ouvraient	j' ouvris tu ouvris il ouvrit n. ouvrîmes v. ouvrîtes ils ouvrirent	j' ouvrirai tu ouvriras il ouvrira n. ouvrirons v. ouvrirez ils ouvriront
13 ASSAILLIR assaillant assailli	j' assaille tu assailles il assaille n. assaillons v. assaillez ils assaillent	j' assaillais tu assaillais il assaillait n. assaillions v. assailliez ils assaillaient	j' assaillis tu assaillis il assaillit n. assaillîmes v. assaillîtes ils assaillirent	j' assaillirai tu assailliras il assaillira n. assaillirons v. assaillirez ils assailliront
14 ACCUEILLIR accueillant accueilli	j' accueille tu accueilles il accueille n. accueillons v. accueillez ils accueillent	j' accueillais tu accueillais il accueillait n. accueillions v. accueilliez ils accueillaient	j' accueillis tu accueillis il accueillit n. accueillîmes v. accueillîtes ils accueillirent	j' accueillerai tu accueilleras il accueillera n. accueillerons v. accueillerez ils accueilleront
15 ACQUÉRIR acquérant acquis	j' acquiers tu acquiers il acquiert n. acquérons v. acquérez ils acquièrent	j' acquérais tu acquérais il acquérait n. acquérions v. acquériez ils acquéraient	j' acquis tu acquis il acquit n. acquîmes v. acquîtes ils acquirent	j' acquerrai tu acquerras il acquerra n. acquerrons v. acquerrez ils acquerront
16 TENIR tenant tenu	je tiens tu tiens il tient n. tenons v. tenez ils tiennent	je tenais tu tenais il tenait n. tenions v. teniez ils tenaient	je tins tu tins il tint n. tînmes v. tîntes ils tinrent	je tiendrai tu tiendras il tiendra n. tiendrons v. tiendrez ils tiendront

IMPÉRATIF	SUBJONCTIF		Remarques
Présent	*Présent*	*Imparfait*	
va allons allez	j' aille tu ailles il aille n. allions v. alliez ils aillent	j' allasse tu allasses il allât n. allassions v. allassiez ils allassent	어간 : 세 가지 어근을 가진다 : 1) **all-** [al]. 2) **vai-** [vɛ] ∞ **va** [va] ∞ **v-** [v] 《*ind. prés. s. 1, 2, 3* 및 *pl. 3, impér. s. 2*》. 3) **i-** [i] 《r형》.
finis finissons finissez	je finisse tu finisses il finisse n. finissions v. finissiez ils finissent	je finisse tu finisses il finît n. finissions v. finissiez ils finissent	어간 : **fini(ss)-** [fini(s)] / fin- [fin] (+ *i*-, +*i*). -i(ss)-가 나타나는 것은 *ind. prés., imparf., part. prés., impér., sub. prés.*
hais haïssons haïssez	je haïsse tu haïsses il haïsse n. haïssions v. haïssiez ils haïssent	je haïsse tu haïsses il haït n. haïssions v. haïssiez ils haïssent	어간 : **hai-** [ɛ] ∞ **ha-** [a] (+ *ï*-, +*ï*). / **haï(ss)-** [ai(s)]. 단순활용계통의 어간이 *ind. prés.* [*impér.*] s. 에 나타나는 것이 [10] 과 다르다.
ouvre ouvrons ouvrez	j' ouvre tu ouvres il ouvre n. ouvrions v. ouvriez ils ouvrent	j' ouvrisse tu ouvrisses il ouvrît n. ouvrissions v. ouvrissiez ils ouvrissent	어간 : **ouvr-** [u(:)vʀ] (+*i*-) ∞ **ouver-** [uvɛ(:)ʀ](+*t*). *ind. prés. s.* 은 -*e*, -*es*, -*e*형. *part. pass.* 가 강변화형을 나타내는 점만이 [13] 과 다르다.
assaille assaillons assaillez	j' assaille tu assailles il assaille n. assaillions v. assailliez ils assaillent	j' assaillisse tu assaillisses il assaillît n. assaillissions v. assaillissiez ils assaillissent	어간 : **assaill-** [asaj] (+*i*-, +*i*). *ind. prés. s.* 은 -*e*, -*es*, -*e*형. (따라서 *sub. prés.*와 같은 형).
accueille accueillons accueillez	j' accueille tu accueilles il accueille n. accueillions v. accueilliez ils accueillent	j' accueillisse tu accueillisses il accueillît n. accueillissions v. accueillissiez ils accueillissent	어간 : **accueill-** [akœj] (+*i*-, +*i*). *ind. prés. s.* 은 -*e*, -*es*, -*e*형. *futur*도 -*e*-형인 점만이 [13] 과 다르다.
acquiers acquérons acquérez	j' acquière tu acquières il acquière n. acquérions v. acquériez ils acquièrent	j' acquisse tu acquisses il acquît n. acquissions v. acquissiez ils acquissent	어간 : **acquièr-** [akjɛ:ʀ] ∞ **acquér-** [akeʀ], **acquer-** [akɛʀ] / **acqu-** [ak] (+*i*-, +*is*). 모음교체 : [jɛ] ∞ [e ∞ ɛ]
tiens tenons tenez	je tienne tu tiennes il tienne n. tenions v. teniez ils tiennent	je tinsse tu tinsses il tînt n. tinssions v. tinssiez ils tinssent	어간 : **tienn-** [tiɛn] ∝ **tien(d)-** [tjɛ̃(d)] ∞ **ten-** [t(ə)n] (+*u*) ∞ **tin-** [tɛ̃]. 모음교체 : [jɛ][jɛ̃] ∞ [(ə)] ∞ [ɛ̃]. *ind. pass. simple, sub. imparf.* 의 특수 어간과 *r*형의 -d-에 주의.

INFINITIF	INDICATIF			
PARTICIPE Présent Passé	Présent	Imparfait	Passé simple	Futur
17 MOURIR mourant mort	je meurs tu meurs il meurt n. mourons v. mourez ils meurent	je mourais tu mourais il mourait n. mourions v. mouriez ils mouraient	je mourus tu mourus il mourut n. mourûmes v. mourûtes ils moururent	je mourrai tu mourras il mourra n. mourrons v. mourrez ils mourront
18 SENTIR sentant senti	je sens tu sens il sent n. sentons v. sentez ils sentent	je sentais tu sentais il sentait n. sentions v. sentiez ils sentaient	je sentis tu sentis il sentit n. sentîmes v. sentîtes ils sentirent	je sentirai tu sentiras il sentira n. sentirons v. sentirez ils sentiront
19 BOUILLIR bouillant bouilli	je bous tu bous il bout n. bouillons v. bouillez ils bouillent	je bouillais tu bouillais il bouillait n. bouillions v. bouilliez ils bouillaient	je bouillis tu bouillis il bouillit n. bouillîmes v. bouillîtes ils bouillirent	je bouillirai tu bouilliras il bouillira n. bouillirons v. bouillirez ils bouilliront
20 COURIR courant couru	je cours tu cours il court n. courons v. courez ils courent	je courais tu courais il courait n. courions v. couriez ils couraient	je courus tu courus il courut n. courûmes v. courûtes ils coururent	je courrai tu courras il courra n. courrons v. courrez ils courront
21 FUIR fuyant fui	je fuis tu fuis il fuit n. fuyons v. fuyez ils fuient	je fuyais tu fuyais il fuyait n. fuyions v. fuyiez ils fuyaient	je fuis tu fuis il fuit n. fuîmes v. fuîtes ils fuirent	je fuirai tu fuiras il fuira n. fuirons v. fuirez ils fuiront
22 VÊTIR vêtant vêtu	je vêts tu vêts il vêt n. vêtons v. vêtez ils vêtent	je vêtais tu vêtais il vêtait n. vêtions v. vêtiez ils vêtaient	je vêtis tu vêtis il vêtit n. vêtîmes v. vêtîtes ils vêtirent	je vêtirai tu vêtiras il vêtira n. vêtirons v. vêtirez ils vêtiront
23 FAILLIR faillant failli	je faux tu faux il faut n. faillons v. faillez ils faillent	je faillais tu faillais il faillait n. faillions v. failliez ils faillaient	je faillis tu faillis il faillit n. faillîmes v. faillîtes ils faillirent	je faillirai tu failliras il faillira n. faillirons v. faillirez ils failliront
24 OUïR oyant ouï	j' ois tu ois il oit n. oyons v. oyez ils oient	j' oyais tu oyais il oyait n. oyions v. oyiez ils oyaient	j' ouïs tu ouïs il ouït n. ouïmes v. ouïtes ils ouïrent	j' ouï(oi)rai tu ouï(oi)ras il ouï(oi)ra n. ouï(oi)rons v. ouï(oi)rez ils ouï(oi)ront

IMPÉRATIF	SUBJONCTIF		Remarques
Présent	*Présent*	*Imparfait*	
m**eu**rs mour*ons* mour*ez*	je m**eu**r*e* tu m**eu**r*es* il m**eu**r*e* n. mour*ions* v. mour*iez* ils m**eu**r*ent*	je mour*usse* tu mour*usses* il mour*ût* n. mour*ussions* v. mour*ussiez* ils mour*ussent*	어간 : **meur-** [mœːʀ] ∞ **mour-** [muʀ] (+*u*-) ∞ **mor-** [mɔ(ː)ʀ] (+*t*). 모음교체 : [œ] ∞ [u] ∞ [ɔ]. r형에서 접속모음 없음. *part. pass.*는 강변화형을 나타낸다.
sens sent*ons* sent*ez*	je sent*e* tu sent*es* il sent*e* n. sent*ions* v. sent*iez* ils sent*ent*	je sent*isse* tu sent*isses* il sent*ît* n. sent*issions* v. sent*issiez* ils sent*issent*	어간 : **sen**(**t**)- [sɑ̃~sɑ̃(ː)t] (+*i*-, +*i*).
bous bouill*ons* bouill*ez*	je bouill*e* tu bouill*es* il bouill*e* n. bouill*ions* v. bouill*iez* ils bouill*ent*	je bouill*isse* tu bouill*isses* il bouill*ît* n. bouill*issions* v. bouill*issiez* ils bouill*issent*	어간 : **bou**(**ill**)- [bu~buj] (+*i*-, +*i*). 어간 끝 반자음 ill- [j]가 자음 앞에서 떨어져 나가는 것은 18과 똑같다.
cours cour*ons* cour*ez*	je cour*e* tu cour*es* il cour*e* n. cour*ions* v. cour*iez* ils cour*ent*	je cour*usse* tu cour*usses* il cour*ût* n. cour*ussions* v. cour*ussiez* ils cour*ussent*	어간 : **cour-** [ku(ː)ʀ] (+*u*-, +*u*). r형에서 접속모음 없음.
fuis fuy*ons* fuy*ez*	je fui*e* tu fui*es* il fui*e* n. fuy*ions* v. fuy*iez* ils fui*ent*	je fu*isse* tu fu*isses* il fu*ît* n. fu*issions* v. fu*issiez* ils fu*issent*	어간 : **fui-** [fɥi] ~ **fuy-** [fɥij] / **fu-** [fɥ] (+*i*-, +*i*).
vêts vêt*ons* vêt*ez*	je vêt*e* tu vêt*es* il vêt*e* n. vêt*ions* v. vêt*iez* ils vêt*ent*	je vêt*isse* tu vêt*isses* il vêt*ît* n. vêt*issions* v. vêt*issiez* ils vêt*issent*	어간 : **vêt-** [vɛ~vɛt] (+*i*-, +*u*). 어간끝 자음자 -t는 빠지는 일이 없다 《*ind. prés. 3 s.*에서는 인칭 어미 -t와 하나가 된다》.
	je faill*e* tu faill*es* il faill*e* n. faill*ions* v. faill*iez* ils faill*ent*	je faill*isse* tu faill*isses* il faill*ît* n. faill*issions* v. faill*issiez* ils faill*issent*	어간 : **faill-** [faj] (+*i*-, +*i*) ∞ **fau-** [fo]. 《역사적으로 자음 앞에서 어간 끝 자음 ill-[ʎ]가 모음화한 것》. 65를 보라.
ois oy*ons* oy*ez*	j' oi(y)*e* tu oi(y)*es* il oi(y)*e* n. oy*ions* v. oy*iez* ils oi(y)*ent*	j' ou*ïsse* tu ou*ïsses* il ou*ït* n. ou*ïssions* v. ou*ïssiez* ils ou*ïssent*	어간 : **oi-** [wa] ~ **oy-** [waj] ∞ **ou-** [w] (+*ï*-, +*ï*). 이 동사는 예스러운 문체에서 *inf., pass. simple* 및 복합형을 주로 쓴다 《보통은 entend re, écouter를 쓴다》.

INFINITIF	INDICATIF			
PARTICIPE Présent Passé	Présent	Imparfait	Passé simple	Futur
25 ENTENDRE entendant entendu	j' entends tu entends il entend n. entendons v. entendez ils entendent	j' entendais tu entendais il entendait n. entendions v. entendiez ils entendaient	j' entendis tu entendis il entendit n. entendîmes v. entendîtes ils entendirent	j' entendrai tu entendras il entendra n. entendrons v. entendrez ils entendront
26 PRENDRE prenant pris	je prends tu prends il prend n. prenons v. prenez ils prennent	je prenais tu prenais il prenait n. prenions v. preniez ils prenaient	je pris tu pris il prit n. prîmes v. prîtes ils prirent	je prendrai tu prendras il prendra n. prendrons v. prendrez ils prendront
27 PLAINDRE plaignant plaint	je plains tu plains il plaint n. plaignons v. plaignez ils plaignent	je plaignais tu plaignais il plaignait n. plaignions v. plaigniez ils plaignaient	je plaignis tu plaignis il plaignit n. plaignîmes v. plaignîtes ils plaignirent	je plaindrai tu plaindras il plaindra n. plaindrons v. plaindrez ils plaindront
28 FAIRE faisant fait	je fais tu fais il fait n. faisons[fəzɔ̃] v. faites* ils font*	je faisais[fəzɛ] tu faisais[~] il faisait[~] n. faisions v. faisiez ils faisaient	je fis tu fis il fit n. fîmes v. fîtes ils firent	je ferai tu feras il fera n. ferons v. ferez ils feront
29 DIRE disant dit	je dis tu dis il dit n. disons v. dites* ils disent	je disais tu disais il disait n. disions v. disiez ils disaient	je dis tu dis il dit n. dîmes v. dîtes ils dirent	je dirai tu diras il dira n. dirons v. direz ils diront
30 LIRE ilsant lu	je lis tu lis il lit n. lisons v. lisez ils lisent	je lisais tu lisais il lisait n. lisions v. lisiez ils lisaient	je lus tu lus il lut n. lûmes v. lûtes ils lurent	je lirai tu liras il lira n. lirons v. lirez ils liront
31 SUFFIRE suffisant suffi	je suffis tu suffis il suffit n. suffisons v. suffisez ils suffisent	je suffisais tu suffisais il suffisait n. suffisions v. suffisiez ils suffisaient	je suffis tu suffis il suffit n. suffîmes v. suffîtes ils suffirent	je suffirai tu suffiras il suffira n. suffirons v. suffirez ils suffiront
32 CONDUIRE conduisant conduit	je conduis tu conduis il conduit n. conduisons v. conduisez ils conduisent	je conduisais tu conduisais il conduisait n. conduisions v. conduisiez ils conduisaient	je conduisis tu conduisis il conduisit n. conduisîmes v. conduisîtes ils conduisirent	je conduirai tu conduiras il conduira n. conduirons v. conduirez ils conduiront

IMPÉRATIF	SUBJONCTIF		Remarques
Présent	*Présent*	*Imparfait*	
entends entendons entendez	j' entende tu entendes il entende n. entendions v. entendiez ils entendent	j' entendisse tu entendisses il entendît n. entendissions v. entendissiez ils entendissent	어간 : **entend-** [ɑ̃tɑ̃~ɑ̃tɑ̃(:)d] (+*i*-, +*u*). 어간끝 자음자 -d는 빠지는 일이 없다 《*ind. prés. 3 s.* 에서는 인칭 어미 -t는 쓰이지 않음》. 단 rompre와 그 합성어는 *ind. prés. 3 s.* 에서 rompt.
prends prenons prenez	je prenne tu prennes il prenne n. prenions v. preniez ils prennent	je prisse tu prisses il prît n. prissions v. prissiez ils prissent	어간 : **prenn-** [pʀɛn] ∞ **pren-** [pʀən] ∝ **prend-** [pʀɑ̃(d)] / **pr-** [pʀ] (+*i*-, +*is*). 모음교체 : [ɛ] ∞ [ə] ∝ [ɑ̃]. *inf.* 와 r 형에서 -d-가 들어간다《역사적으론 거꾸로 다른데서 -d-가 빠진 것》.
plains plaignons plaignez	je plaigne tu plaignes il plaigne n. plaignions v. plaigniez ils plaignent	je plaignisse tu plaignisses il plaignît n. plaignissions v. plaignissiez ils plaignissent	어간 : **plaign-** [plɛɲ] (+*i*-) ∝ **plain**(**d**)- [plɛ̃(d)]. *part. pass.* 는 강변화《plain+*t*》. -eindre형《어간 : -eign- [ɛɲ](+*i*-) ∝ -ein(d)- [ɛ̃(d)]》, -oindre형《어간 : -oign- [waɲ] (+*i*-) ∝-oin(d) -[wɛ̃(d)]》도 같은 변화.
fais faisons faites*	je fasse tu fasses il fasse n. fassions v. fassiez ils fassent	je fisse tu fisses il fît n. fissions v. fissiez ils fissent	어간 : **fai-** [fɛ] ∞ **fe-** [f(ə)] ~ **fais-** [f(ə)z] ∞ **fass-** [fas] / **f-** [f] (+*i*). *part. pass.* 는 강변화형 fai-*t*; *ind. prés.* 〔*impér.*〕 *2 pl.*은 강어간(+약어미), fai*tes* ; *ind. prés. 3 pl.* 은 약어간(+강어미)f-*ont*.
dis disons dites*	je dise tu dises il dise n. disions v. disiez ils disent	je disse tu disses il dît n. dissions v. dissiez ils dissent	어간 : **di**(**s**)- [di~di(:)z] / **d-** [d] (+*i*-, +*it*). 단 접두사가 붙은 contredire, dédire, interdire, médire, prédire는 *ind. prés.* 〔*impér*〕 *2 pl.* (vous) -disez. 《redire 만이 (vous) redi*tes*》.
lis lisons lisez	je lise tu lises il lise n. lisions v. lisiez ils lisent	je lusse tu lusses il lût n. lussions v. lussiez ils lussent	어간 : **li**(**s**)- [li~li(:)z] / **l-** [l] (+*u*-, +*u*).
suffis suffisons suffisez	je suffise tu suffises il suffise n. suffisions v. suffisiez ils suffisent	je suffisse tu suffisses il suffît n. suffissions v. suffissiez ils suffissent	어간 : **suffi**(**s**)- [syfi~syfi(:)z] / **suff-** [syf] (+*i*-, +*i*). 30 과 테마 모음만 다르다.
conduis conduisons sonduisez	je conduise tu conduises il conduise n. conduisions v. conduisiez ils conduisent	je conduisisse tu conduisisses il conduisît n. conduisissions v. conduisissiez ils conduisissent	어간 : **condui**(**s**)- [kɔ̃dɥi~kɔ̃dɥi(:)z] (+*i*). *part. pass.*는 단축어간 condu-*it* (<condui+*it*).

INFINITIF	INDICATIF			
PARTICIPE Présent Passé	Présent	Imparfait	Passé simple	Futur
33 PLAIRE plaisant plu	je plais tu plais il plaît n. plaisons v. plaisez ils plaisent	je plaisais tu plaisais il plaisait n. plaisions v. plaisiez ils plaisaient	je plus tu plus il plut n. plûmes v. plûtes ils plurent	je plairai tu plairas il plaira n. plairons v. plairez ils plairont
34 COUDRE cousant cousu	je couds tu couds il coud n. cousons v. cousez ils cousent	je cousais tu cousais il cousait n. cousions v. cousiez ils cousaient	je cousis tu cousis il cousit n. cousîmes v. cousîtes ils cousirent	je coudrai tu coudras il coudra n. coudrons v. coudrez ils coudront
35 CLORE closant cols	je clos tu clos il clôt n. closons v. closez ils closent			je clorai tu cloras il clora n. clorons v. clorez ils cloront
36 SUIVRE suivant suivi	je suis tu suis il suit n. suivons v. suivez ils suivent	je suivais tu suivais il suivait n. suivions v. suiviez ils suivaient	je suivis tu suivis il suivit n. suivîmes v. suivîtes ils suivirent	je suivrai tu suivras il suivra n. suivrons v. suivrez ils suivront
37 VIVRE vivant vécu	je vis tu vis il vit n. vivons v. vivez ils vivent	je vivais tu vivais il vivait n. vivions v. viviez ils vivaient	je vécus tu vécus il vécut n. vécûmes v. vécûtes ils vécurent	je vivrai tu vivras il vivra n. vivrons v. vivrez ils vivront
38 ÉCRIRE écrivant écrit	j' écris tu écris il écrit n. écrivons v. écrivez ils écrivent	j' écrivais tu écrivais il écrivait n. écrivions v. écriviez ils écrivaient	j' écrivis tu écrivis il écrivit n. écrivîmes v. écrivîtes ils écrivirent	j' écrirai tu écriras il écrira n. écrirons v. écrirez ils écriront
39 BOIRE buvant bu	je bois tu bois il boit n. buvons v. buvez ils boivent	je buvais tu buvais il buvait n. buvions v. buviez ils buvaient	je bus tu bus il but n. bûmes v. bûtes ils burent	je boirai tu boiras il boira n. boirons v. boirez ils boiront
40 RÉSOUDRE résolvant résolu	je résous tu résous il résout n. résolvons v. résolvez ils résolvent	je résolvais tu résolvais il résolvait n. résolvions v. résolviez ils résolvaient	je résolus tu résolus il résolut n. résolûmes v. résolûtes ils résolurent	je résoudrai tu résoudras il résoudra n. résoudrons v. résoudrez ils résoudront

IMPÉRATIF	SUBJONCTIF		Remarques
Présent	*Présent*	*Imparfait*	
plais plais*ons* plais*ez*	je plais*e* tu plais*es* il plais*e* n. plais*ions* v. plais*iez* ils plais*ent*	je pl***usse*** tu pl***usses*** il pl***ût*** n. pl***ussions*** v. pl***ussiez*** ils pl***ussent***	어간 : **plai**(**s**)- [plɛ~plɛ(:)z] / **pl-** [pl](+*u*-, +*u*). *ind. prés. 3 s.*에서 어간끝 자음자 -*s*-가 ^로서 그 흔적을 남기고 있다.
coud*s* cous*ons* cous*ez*	je cous*e* tu cous*es* il cous*e* n. cous*ions* v. cous*iez* ils cous*ent*	je cous***isse*** tu cous***isses*** il cous***ît*** n. cous***issions*** v. cous***issiez*** ils cous***issent***	어간 : **cous-** [ku(:)z] (+*i*-, +*u*) **~coud-** [ku~kud]. *ind. prés.* 〔*impér.*〕 *s.*에서 -d가 철자에 나타남에 주의.
clos —— ——	je clos*e* tu clos*es* il clos*e* n. clos*ions* v. clos*iez* ils clos*ent*		어간 : **clo**(**s**)- [klo~klo(:)z]. *part. pass.*는 강변화형 clo-s. *ind. prés. 3 s.*에서 어간 끝 자음자 -*s*-가 ^로서 그 흔적을 남기고 있다.
suis suiv*ons* suiv*ez*	je suiv*e* tu suiv*es* il suiv*e* n. suiv*ions* v. suiv*iez* ils suiv*ent*	je suiv***isse*** tu suiv***isses*** il suiv***ît*** n. suiv***issions*** v. suiv***issiez*** ils suiv***issent***	어간 : **sui**(**v**)- [sɥi~sɥi(:)v] (+*i*-, +*i*) *ind. prés. 1 s.* 이 être의 je suis와 같은 꼴이 됨에 주의.
vis viv*ons* viv*ez*	je viv*e* tu viv*es* il viv*e* n. viv*ions* v. viv*iez* ils viv*ent*	je véc***usse*** tu véc***usses*** il véc***ût*** n. véc***ussions*** v. véc***ussiez*** ils véc***ussent***	어간 : **vi**(**v**)- [vi~vi(:)v] ∝ **véc-** [vek] (+*u*-, +*u*). *ind. pass. simple, sub. imparf., part. pass.*의 특수 어간에 주의.
écris écriv*ons* écriv*ez*	j' écriv*e* tu écriv*es* il écriv*e* n. écriv*ions* v. écriv*iez* ils écriv*ent*	j' écriv***isse*** tu écriv***isses*** il écriv***ît*** n. écriv***issions*** v. écriv***issiez*** ils écriv***issent***	어간 : **écri**(**v**)- [ekʀi~ekʀi(:)v] (+*i*). *part. pass.*는 단축 어간 *écr-it.*
b**oi**s b**u**v*ons* b**u**v*ez*	je boiv*e* tu boiv*es* il boiv*e* n. buv*ions* v. buv*iez* ils boiv*ent*	je b***usse*** tu b***usses*** il b***ût*** n. b***ussions*** v. b***ussiez*** ils b***ussent***	어간 : **boi**(**v**)- [bwa~bwa:v] ∞ **buv-** [byv] / **b-** [b] (+*u*-, +*u*). 특수한 모음교체 [wa] ∞ [y]에 주의.
rés**ou**s résolv*ons* résolv*ez*	je résolv*e* tu résolv*es* il résolv*e* n. résolv*ions* v. résolv*iez* ils résolv*ent*	je résol***usse*** tu résol***usses*** il résol***ût*** n. résol***ussions*** v. résol***ussiez*** ils résol***ussent***	어간 : **résolv-** [ʀezɔlv] ~ **résol-** [ʀezɔl] (+*u*-, +*u*) ∝ **résou**(**d**)- [ʀezu~ʀezud]. "…으로 화하다"의 뜻일때 *part. pass.*는 résous(*f.* résou*te*).

INFINITIF	INDICATIF			
PARTICIPE *Présent* *Passé*	*Présent*	*Imparfait*	*Passé simple*	*Futur*
41 CONNAîTRE connaissant connu	je connais tu connais il connaît n. connaissons v. connaissez ils connaissent	je connaissais tu connaissais il connaissait n. connaissions v. connaissiez ils connaissaient	je connus tu connus il connut n. connûmes v. connûtes ils connurent	je connaîtrai tu connaîtras il connaîtra n. connaîtrons v. connaîtrez ils connaîtront
42 NAîTRE naissant né	je nais tu nais il naît n. naissons v. naissez ils naissent	je naissais tu naissais il naissait n. naissions v. naissiez ils naissaient	je naquis tu naquis il naquit n. naquîmes v. naquîtes ils naquirent	je naîtrai tu naîtras il naîtra n. naîtrons v. naîtrez ils naîtront
43 CROIRE croyant cru	je crois tu crois il croit n. croyons v. croyez ils croient	je croyais tu croyais il croyait n. croyions v. croyiez ils croyaient	je crus tu crus il crut n. crûmes v. crûtes ils crurent	je croirai tu croiras il croira n. croirons v. croirez ils croiront
44 TRAIRE trayant trait	je trais tu trais il trait n. trayons v. trayez ils traient	je trayais tu trayais il trayait n. trayions v. trayiez ils trayaient		je trairai tu trairas il traira n. trairons v. trairez ils trairont
45 BATTRE battant battu	je bats tu bats il bat n. battons v. battez ils battent	je battais tu battais il battait n. battions v. battiez ils battaient	je battis tu battis il battit n. battîmes v. battîtes ils battirent	je battrai tu battras il battra n. battrons v. battrez ils battront
46 METTRE mettant mis	je mets tu mets il met n. mettons v. mettez ils mettent	je mettais tu mettais il mettait n. mettions v. mettiez ils mettaient	je mis tu mis il mit n. mîmes v. mîtes ils mirent	je mettrai tu mettras il mettra n. mettrons v. mettrez ils mettront
47 RIRE riant ri	je ris tu ris il rit n. rions v. riez ils rient	je riais tu riais il riait n. riions v. riiez ils riaient	je ris tu ris il rit n. rîmes v. rîtes ils rirent	je rirai tu riras il rira n. rirons v. rirez ils riront
48 CONCLURE concluant conclu	je conclus tu conclus il conclut n. concluons v. concluez ils concluent	je concluais tu concluais il concluait n. concluions v. concluiez ils concluaient	je conclus tu conclus il conclut n. conclûmes v. conclûtes ils conclurent	je conclurai tu concluras il conclura n. conclurons v. conclurez ils concluront

IMPÉRATIF	SUBJONCTIF		Remarques
Présent	*Présent*	*Imparfait*	
connais connaissons connaissez	je connaisse tu connaisses il connaisse n. connaissions v. connaissiez ils connaissent	je connusse tu connusses il connût n. connussions v. connussiez ils connussent	어간 : **connai(ss)-** [kɔnɛ(s)] ~ **connaît-** [conɛt] / **conn-** [kɔn] (+*u*-, +*u*). *inf.* 와 r형에서 -t-[t] 삽입. —이 경우와 *ind. prés. 3 s.*에서 어간 끝자음 -ss->^ (^*t*).
nais naissons naissez	je naisse tu naisses il naisse n. naissions v. naissiez ils naissent	je naquisse tu naquisses il naquît n. naquissions v. naquissiez ils naquissent	어간 : **nai(ss)-** [nɛ(s)] ~ **naît-** [nɛt] ∝ **naqu-** [nak] (+*i*-) / **n-** [n](+*é*). *inf.* 와 r형에서 -t-[t] 삽입. —이 경우와 *ind. prés. 3 s.*에서 어간 끝자음 -ss->^ (^*t*).
crois croyons croyez	je croie tu croies il croie n. croyions v. croyiez ils croient	je crusse tu crusses il crût n. crussions v. crussiez ils crussent	어간 : **croi-** [kʀwa] ~ **croy-** [kʀwaj] / **cr-** [kʀ] (+*u*-, +*u*). croy-는 모음(e 제외) 앞에 나타난다.
trais trayons trayez	je traie tu traies il traie n. trayions v. trayiez ils traient		어간 : **trai-** [tʀɛ] ~ **tray-** [tʀɛj]. tray-는 모음(e 제외) 앞에 나타난다. *part. pass.*는 강변화형 trai-*t*.
bats battons battez	je batte tu battes il batte n. battions v. battiez ils battent	je battisse tu battisses il battît n. battissions v. battissiez ils battissent	어간 : **bat-** [ba] ~ **batt-** [bat] (+*i*-, +*u*). *ind. prés.* 〔*impér.*〕 *s.*에서 어간 끝의 이중자음자 -tt-는 다만 -t-로 쓰이며, *3 s.*에서는 인칭 어미 -*t*가 철자에 나타나지 않는다.
mets mettons mettez	je mette tu mettes il mette n. mettions v. mettiez ils mettent	je misse tu misses il mît n. missions v. missiez ils missent	어간 : **met-** [mɛ] ~ **mett-** [mɛt] / **m-** [m] (+*i*-, +*is*). *ind. prés.* 〔*impér.*〕 *s.*에서 어간 끝의 이중자음자 -tt-는 다만 -t-로 쓰이며, *3 s.*에서는 인칭 어미 -*t*가 철자에 나타나지 않는다.
ris rions riez	je rie tu ries il rie n. riions v. riiez ils rient	je risse tu risses il rît n. rissions v. rissiez ils rissent	어간 : **ri-** [ʀi∞ʀj] / **r-** [ʀ] (+*i*-, +*i*). 어간이 모음 -i-로 끝나므로 다음에 모음(e 제외)이오면 그것이 반자음화하여 [j]가 된다. 보기 : rions [ʀjɔ̃], riez [ʀje].
conclus concluons concluez	je conclue tu conclues il conclue n. concluions v. concluiez ils concluent	je conclusse tu conclusses il conclût n. conclussions v. conclussiez ils conclussent	어간 : **conclu-** [kɔ̃kly] / **concl-** [kɔ̃kl] (+*u*-, +*u*). 주 : inclure, reclure, occlure의 *part. pass.*는 inclus, reclus, occlus.

INFINITIF	INDICATIF			
PARTICIPE Présent Passé	Présent	Imparfait	Passé simple	Futur
49 VAINCRE vainquant vaincu	je vaincs tu vaincs il vainc n. vainquons v. vainquez ils vainquent	je vainquais tu vainquais il vainquait n. vainquions v. vainquiez ils vainquaient	je vainquis tu vainquis il vainquit n. vainquîmes v. vainquîtes ils vainquirent	je vaincrai tu vaincras il vaincra n. vaincrons v. vaincrez ils vaincront
50 MOUDRE moulant moulu	je mouds tu mouds il moud n. moulons v. moulez ils moulent	je moulais tu moulais il moulait n. moulions v. mouliez ils moulaient	je moulus tu moulus il moulut n. moulûmes v. moulûtes ils moulurent	je moudrai tu moudras il moudra n. moudrons v. moudrez ils moudront
51 BRUIRE bruissant bruit	je bruis tu bruis il bruit —— —— ils bruissent	je bruissais —— il bruissait —— —— ils bruissaient	je bruis —— il bruit —— —— ils bruirent	je bruirai —— il bruira —— —— ——
52 FRIRE (faisant frire) frit	je fris tu fris il frit (n. faisons frire) (v. faites 〃) (ils font 〃)	(je faisais frire) (tu faisais 〃) (il faisait 〃) (n. faisions 〃) (v. faisiez 〃) (ils faisaient 〃)	(je fis frire) (tu fis 〃) (il fit 〃) (n. fîmes 〃) (v. fîtes 〃) (ils firent 〃)	je frirai tu friras il frira n. frirons v. frirez ils friront
53 RECEVOIR recevant reçu	je reçois tu reçois il reçoit n. recevons v. recevez ils reçoivent	je recevais tu recevais il recevait n. recevions v. receviez ils recevaient	je reçus tu reçus il reçut n. reçûmes v. reçûtes ils reçurent	je recevrai tu recevras il recevra n. recevrons v. recevrez ils recevront
54 DEVOIR devant dû	je dois tu dois il doit n. devons v. devez ils doivent	je devais tu devais il devait n. devions v. deviez ils devaient	je dus tu dus il dut n. dûmes v. dûtes ils durent	je devrai tu devras il devra n. devrons v. devrez ils devront
55 POUVOIR pouvant pu	je peux(puis) tu peux il peut n. pouvons v. pouvez ils peuvent	je pouvais tu pouvais il pouvait n. pouvions v. pouviez ils pouvaient	je pus tu pus il put n. pûmes v. pûtes ils purent	je pourrai tu pourras il pourra n. pourrons v. pourrez ils pourront
56 ÉMOUVOIR émouvant ému	j' émeus tu émeus il émeut n. émouvons v. émouvez ils émeuvent	j' émouvais tu émouvais il émouvait n. émouvions v. émouviez ils émouvaient	j' émus tu émus il émut n. émûmes v. émûtes ils émurent	j' émouvrai tu émouvras il émouvra n. émouvrons v. émouvrez ils émouvront

IMPÉRATIF	SUBJONCTIF		Remarques
Présent	*Présent*	*Imparfait*	
vaincs vainqu*ons* vainqu*ez*	je vainqu*e* tu vainqu*es* il vainqu*e* n. vainqu*ions* v. vainqu*iez* ils vainqu*ent*	je vainqu***isse*** tu vainqu***isses*** il vainqu***ît*** n. vainqu***issions*** v. vainqu***issiez*** ils vainqu***issent***	어간 : **vainq-** [vɛ̃(:)k] (+*i*-), **vainc-** [vɛ̃(k)] (+*u*). r형과 *part. pass.* (및 철자 상에서만 *ind.* 〔*impér.*〕 *prés. s.*)에서 [k]는 c로 쓰이며 다른 곳에서는 qu로 철자된다.
mouds moul*ons* moul*ez*	je moul*e* tu moul*es* il moul*e* n. moul*ions* v. moul*iez* ils moul*ent*	je moul***usse*** tu moul***usses*** il moul***ût*** n. moul***ussions*** v. moul***ussiez*** ils moul***ussent***	어간 : **moul-** [mul] (+*u*-, +*u*) ~ **moud-** [mu(d)]. *inf.* 와 r형 (및 철자 상에서만 *ind.* 〔*impér.*〕 *prés. s.*)에서 어간 끝 자음 -l- > -d-. *ind. prés. 3 s.*에서는 인칭 어미 -*t*가 철자에 나타나지 않음.
	—— —— il bruiss*e* —— —— ——		어간 : **brui(ss)-** [bʀɥi(s)] / **bru-** [bʀɥ] (+*i*-, +*it*). 어간 bru- [bʀɥ]로 보아 finir형으로 간주할 수도 있다. (예외 : *inf.* bruire, *part. pass.* bruit).
fris (faisons frire) (faites frire)	(je fasse frire) (tu fasses 〃) (il fasse 〃) (n. fassions 〃) (v. fassiez 〃) (ils fassent 〃)	(je fisse frire) (tu fisses 〃) (il fît 〃) (n. fissions 〃) (v. fissiez 〃) (ils fissent 〃)	어간 : **fri-** [fʀi] / **fr-** [fʀ] (+*it*). 활용형이 없는 데를 faire+frire의 활용으로 보충한다.
reç**ois** recev*ons* recev*ez*	je reç**oi***ve* tu reç**oi***ves* il reç**oi***ve* n. recev*ions* v. recev*iez* ils reç**oi***vent*	je reç***usse*** tu reç***usses*** il reç***ût*** n. reç***ussions*** v. reç***ussiez*** ils reç***ussent***	어간 : **reçoi(v)-** [ʀəswa(:v)] ∞ **recev-** [ʀəsv] / **reç-** [ʀəs] (+*u*-, +*u*). 모음교체 : [wa] ∞ [무음]. [s]를 o, u 앞에서 ç로 쓴다.
d**ois** dev*ons* dev*ez*	je d**oi***ve* tu d**oi***ves* il d**oi***ve* n. dev*ions* v. dev*iez* ils d**oi***vent*	je d***usse*** tu d***usses*** il d***ût*** n. d***ussions*** v. d***ussiez*** ils d***ussent***	어간 : **doi(v)-** [dwa(:v)] ∞ **dev-** [d(ə)v] / **d-** [d] (+*u*-, +*u*). 모음교체 : [wa] ∞ [(ə)]. *part. pass. m.*은 d*û*로 철자한다. 《du<de+le와 구별하기 위하여》 (*f.* due).
	je p**uiss***e* tu p**uiss***es* il p**uiss***e* n. p**uiss***ions* v. p**uiss***iez* ils p**uiss***ent*	je p***usse*** tu p***usses*** il p***ût*** n. p***ussions*** v. p***ussiez*** ils p***ussent***	어간 : **peu(v)-** [pœ(:v)∞pø] ∞ **pouv-** [puv] ~ **pour-** [puʀ] ∞ **pui(ss)-** [pɥi(s)] / **p-** [p] (+*u*-, +*u*). 모음교체 : [œ ∞ ø] ∞ [u] ∞ [ɥi] (*sub. prés.*과 *ind. prés. 1 s.*의 옛형 puis).
ém**eus** émouv*ons* émouv*ez*	j' ém**euv***e* tu ém**euv***es* il ém**euv***e* n. émouv*ions* v. émouv*iez* ils ém**euv***ent*	j' ém***usse*** tu ém***usses*** il ém***ût*** n. ém***ussions*** v. ém***ussiez*** ils ém***ussent***	어간 : **émeu(v)-** [emœ(:v)~emø] ∞ **émouv-** [emuv] / **ém-** [em] (+*u*-, +*u*). 모음교체 : [œ ∞ ø] ∞ [u]. mouvoir의 *part. pass. m.*은 m*û* (*f.* mue).

INFINITIF PARTICIPE Présent / Passé	INDICATIF Présent	 Imparfait	 Passé simple	 Futur
57 SAVOIR sachant su	je sais tu sais il sait n. savons v. savez ils savent	je savais tu savais il savait n. savions v. saviez ils savaient	je sus tu sus il sut n. sûmes v. sûtes ils surent	je saurai tu sauras il saura n. saurons v. saurez ils sauront
58 VOULOIR voulant voulu	je veux tu veux il veut n. voulons v. voulez ils veulent	je voulais tu voulais il voulait n. voulions v. vouliez ils voulaient	je voulus tu voulus il voulut n. voulûmes v. voulûtes ils voulurent	je voudrai tu voudras il voudra n. voudrons v. voudrez ils voudront
59 VOIR voyant vu	je vois tu vois il voit n. voyons v. voyez ils voient	je voyais tu voyais il voyait n. voyions v. voyiez ils voyaient	je vis tu vis il vit n. vîmes v. vîtes ils virent	je verrai tu verras il verra n. verrons v. verrez ils verront
60 POURVOIR pourvoyant pourvu	je pourvois tu pourvois il pourvoit n. pourvoyons v. pourvoyez ils pourvoient	je pourvoyais tu pourvoyais il pourvoyait n. pourvoyions v. pourvoyiez ils pourvoyaient	je pourvus tu pourvus il pourvut n. pourvûmes v. pourvûtes ils pourvurent	je pourvoirai tu pourvoiras il pourvoira n. pourvoirons v. pourvoirez ils pourvoiront
61 DÉCHOIR —— déchu	je déchois tu déchois il déchoit n. déchoyons v. déchoyez ils déchoient	je déchoyais tu déchoyais il déchoyait n. déchoyions v. déchoyiez ils déchoyaient	je déchus tu déchus il déchut n. déchûmes v. déchûtes ils déchurent	je déchoirai tu déchoiras il déchoira n. déchoirons v. déchoirez ils déchoiront
62[1] ASSEOIR ass(e)oyant assis	j' ass(e)ois tu ass(e)ois il ass(e)oit n. ass(e)oyons v. ass(e)oyez ils ass(e)oient	j' ass(e)oyais tu ass(e)oyais il ass(e)oyait n. ass(e)oyions v. ass(e)oyiez ils ass(e)oyaient	j' assis tu assis il assit n. assîmes v. assîtes ils assirent	j' ass(e)oirai tu ass(e)oiras il ass(e)oira n. ass(e)oirons v. ass(e)oirez ils ass(e)oiront
62[2] ASSEOIR asseyant assis	j' assieds tu assieds il assied n. asseyons v. asseyez ils asseyent	j' asseyais tu asseyais il asseyait n. asseyions v. asseyiez ils asseyaient	j' assis tu assis il assit n. assîmes v. assîtes ils assirent	j' assiérai tu assiéras il assiéra n. assiérons v. assiérez ils assiéront
63 SEOIR seyant ——	—— —— il sied —— —— ils siéent	—— —— il seyait —— —— ils seyaient		—— —— il siéra —— —— ils siéront

IMPÉRATIF	SUBJONCTIF		Remarques
Présent	Présent	Imparfait	
sache sachons sachez	je sache tu saches il sache n. sachions v. sachiez ils sachent	je susse tu susses il sût n. sussions v. sussiez ils sussent	어간 : **sai-** [sɛ] ∝ **sav-** [sav] ~ **sach-** [saʃ] ∝ **sau-** [sɔ(o)] / **s-** [s] (+*u*-, +*u*). 모음교체 : [ɛ ∞ a] ∞ [ɔ(o)]. *sub. prés., impér.* 및 *part. prés.*의 특수어간에 주의
veuille, veux veuillons, voulons veuillez, voulez	je veuille tu veuilles il veuille n. voulions v. vouliez ils veuillent	je voulusse tu voulusses il voulût n. voulussions v. voulussiez ils voulussent	어간 : **veuill-** [vœj] ∝ **veu(l)-** [vœ(l) ∝ vø] ∞ **voul-** [vul] (+*u*-, +*u*) ~ **voud-** [vud]. 모음교체 : [œ ∝ ø] ∞ [u]. 강어간의 끝자음 -l- [l] > ill- [j] (*sub. prés., impér.* 제 1 형).
vois voyons voyez	je voie tu voies il voie n. voyions v. voyiez ils voient	je visse tu visses il vît n. vissions v. vissiez ils vissent	어간 : **voi-** [vwa] ~ **voy-** [vwaj] ∝ **ver-** [vɛʀ] / **v-** [v] (+*i*-, +*u*). *r*형의 특수 어간 ver-와 *inf.*의 어간 v-에 주의.
pourvois pourvoyons pourvoyez	je pourvoie tu pourvoies il pourvoie n. pourvoyions v. pourvoyiez ils pourvoient	je pourvusse tu pourvusses il pourvût n. pourvussions v. pourvussiez ils pourvussent	어간 : **pourvoi-** [puʀvwa] ~ **pourvoy-** [puʀvwaj] / **pourv-** [puʀv] (+*u*-, +*u*). *inf.* 에서도 어간이 단축되어 pourv-로 됨에 주의.
déchois déchoyons déchoyez	je déchoie tu déchoies il déchoie n. déchoyions v. déchoyiez ils déchoient	je déchusse tu déchusses il déchût n. déchussions v. déchussiez ils déchussent	어간 : **déchoi-** [deʃwa] ~ **déchoy-** [deʃwaj] / **déch-** [deʃ] (+*u*-, +*u*). *inf.* 에서도 어간이 단축 : déch-. 옛 r형 **décher-** *rai, -as,* etc. [deʃɛʀe, -ɑ].
ass(e)ois ass(e)oyons ass(e)oyez	j' ass(e)oie tu ass(e)oies il ass(e)oie n. ass(e)oyions v. ass(e)oyiez ils ass(e)oient	j' assisse tu assisse il assît n. assissions v. assissiez ils assissent	어간 : **ass(e)oi-** [aswa] ~ **ass(e)oy-** [aswaj] / **ass-** [as] (+*i*-, +*is*). *inf.* 에서 어간 모음이 -e-로 남는다. 이 형은 《俗》. **surseoir**는 je sursois, etc., je surseoirai, etc.
assieds asseyons asseyez	j' asseye tu asseyes il asseye n. asseyions v. asseyiez ils asseyent	j' assisse tu assisses il assît n. assissions v. assissiez ils assissent	어간 : **assied-** (**assié-**) [asje] ∝ **assey-** [asɛj] / **ass-** [as] (+*i*-, +*is*). 모음교체 : [je] ∞ [ɛ]. *ind. prés.* (*impér.*) *s.*에서 어간 끝에 어원적인 -d가 다시 살아남. 《文語》.
	——— ——— il siée ——— ils siéent		어간 : **sied-** (**sié-**) [sje] ∝ **sey-** [sɛj]. **messeoir**는 62²와 같아서 *ind. prés. 3 pl.*는 ils messeyent, *sub. prés. 3*은 il messeye, ils messeyent.

INFINITIF	INDICATIF			
PARTICIPE *Présent* / *Passé*	*Présent*	*Imparfait*	*Passé simple*	*Futur*
64 VALO*IR* val*ant* / val***u***	je v**aux** tu v**aux** il v**au***t* n. val*ons* v. val*ez* ils val*ent*	je val*ais* tu val*ais* il val*ait* n. val*ions* v. val*iez* ils val*aient*	je val***us*** tu val***us*** il val***ut*** n. val***û****mes* v. val***û****tes* ils val***u****rent*	je v**aud***rai* tu v**aud***ras* il v**aud***ra* n. v**aud***rons* v. v**aud***rez* ils v**aud***ront*
65 FALLO*IR* fall***u***	il f**au***t*	il fall*ait*	il fall***ut***	il f**aud***ra*
66 PLEUVO*IR* pleuv*ant* / pl***u***	il pleu*t*	il pleuv*ait*	il pl***ut***	il pleuv*ra*

IMPÉRATIF	SUBJONCTIF		Remarques
Présent	*Présent*	*Imparfait*	
vau*x* val*ons* val*ez*	je va**ill***e* tu va**ill***es* il va**ill***e* n. val*ions* v. val*iez* ils va**ill***ent*	je val***usse*** tu val***usses*** il val***ût*** n. val***ussions*** v. val***ussiez*** ils val***ussent***	어간 : **val-** [val] (+*u*-, +*u*) ~ **vaill-** [vaj]∝**vau-** [vo] ~ **vaud-** [vɔ(o)d]. *sub. prés.*에서 어간 끝 자음 -l- [l] > -ill-[j] 《역사적으로는 vau-도 그 자음의 모음화에 의한다》
	il fa**ill***e*	il fall***ût***	어간 : **fall-** [fal] (+*u*-, +*u*) ~ **faill-** [faj]∝**fau-** [fo] ~ **faud-** [fɔ(o)d]. *sub. prés.*에서 어간 끝 자음 -ll- [l]> -ill-[j] 《역사적으로는 fau-도 그 자음의 모음화에 의한다》
	il pleuv*e*	il pl***ût***	어간 : **pleu-** [plø] ∝ **pleuv-** [plœ(:)v] / **pl-** [pl] (+*u*-, +*u*).

MONUMENTS

44 Arc de Triomphe
11 Archives Nationales
8 Bibliothèque Nationale
9 Bourse
12 Colonne de Juillet
1 Colonne Vendôme
34 Grand Palais
13 Hôtel de Ville
22 Institut (de France)
28 Invalides (Hôtel des)
45 Maison de la Radio
35 Obélisque
43 Observatoire
29 Palais Bourbon (Assemblée Nationale)
46 Palais de Chaillot
2 Palais de Justice
36 Palais de l'Élysée
3 Palais du Louvre
23 Palais du Luxembourg (Sénat)
4 Palais Royal
15 Panthéon
30 Tour Eiffel
31 U.N.E.S.C.O.

THÉATRES NATIONAUX

46 Chaillot (T.N.P.)
5 Comédie-Française
24 Odéon (Théâtre de France)
41 Opéra
10 Opéra-Comique

MUSÉES

47 Art Moderne
16 Cluny
34 Grand Palais
6 Jeu de Paume
3 Louvre
32 Musée Rodin
17 Muséum National d'Histoire Naturelle
46 Palais de Chaillot (Musée de l'Homme, Musée de la Marine, Musée des Monuments Français)
37 Petit Palais

ÉGLISES

38 Madeleine
14 Notre-Dame
48 Sacré-Cœur
39 St-Augustin
7 St-Eustache
25 St-Germain-des-Prés
26 St-Sulpice
42 Trinité

FACULTÉS-GRANDES ÉCOLES-INSTITUTS

18 Collège de France
40 Conservatoire
19 École Normale Supérieure
27 École N.Sup. des Beaux Arts
20 École Polytechnique
33 École Sup. de la Guerre (Ec. Militaire)
22 Institut
21 Sorbonne (Faculté des Lettres et Sciences Humaines, Faculté des Sciences)

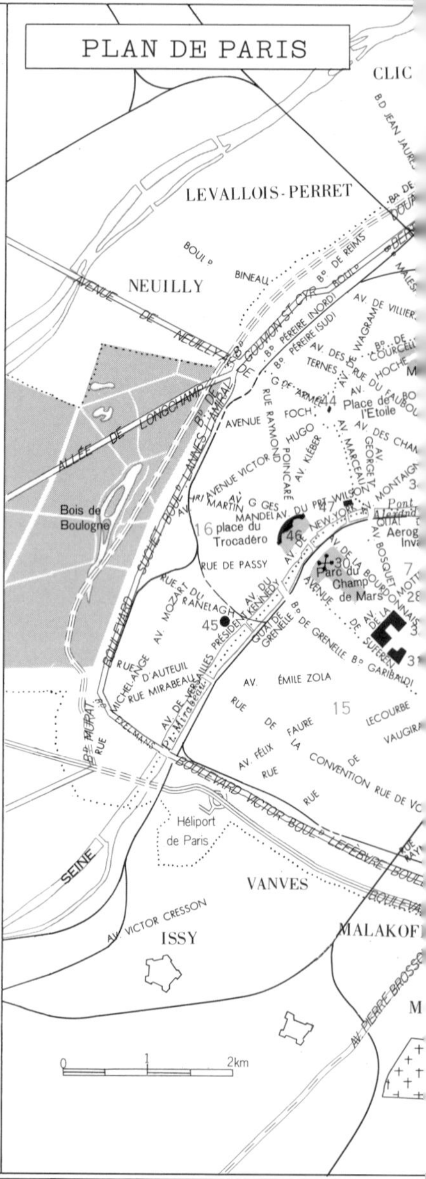